Översikt
SVENSK–ENGELSK

Uppställning av NE:s stora svensk–engelska ordbok

alibi *s* (~*t*, ~*n*) alibi; *ha* ~ have an alibi
❶ ❷ ❸

alternativ I *s* (~*et*, =) alternative **II** *adj* (~*t*) alternative; ~ *energi* alternative ❹ energy

anpassning *s* (~*en*, ~*ar*) adaption, adjustment [*efter, till* to] ❺

aluminium *s* (~*et* el. *aluminiet* el. =) aluminium; amer. aluminum ❻

banjo *s* (~*n*, ~*r*) banjo (pl. -s el. -es) ❻

byta ... II med. beton. part. **byta av** relieve ❼

1 bråk *s* (~*et*, =) matem. fraction ❽

chokladask *s* (~*en*, ~*ar*) med praliner box of chocolates; tom chocolate box ❾

klädnypa *s* (~*n*, -*nypor*) clothes peg; amer. clothespin ❿

koffeinfri *adj* (-*fritt*) caffeine-free; ~*tt kaffe* decaffeinated coffee; vard. decaf ⓫

allihop o. **allihopa** *pron* se *allesammans* ⓬

alternativ I *s* (~*et*, =) alternative **II** *adj* (~*t*) alternative; ~ *energi* alternative ⓭ ⓭ energy

al *s* 1 (~*en*, ~*ar*) träd alder[-tree] 2 (~*en*) ⓮ virke alder[wood] ⓮

1 förband *s* (~*et*, =) 1 med. bandage ... ⓯ 2 mil. unit; flyg. formation

2 förband *s* (~*et*, =) mus. opening ⓯ (supporting) act

GRAMMATIK O.D.

1. uppslagsord
2. översättning
3. fras, språkexempel
4. ordklass
5. konstruktionsuppgift
6. böjningsuppgift
7. verbfras (partikelverb)

ETIKETTER O.D.

8. ämnesområde
9. svensk förklaring, precisering
10. amerikansk engelska
11. stilnivå
12. hänvisning

SIFFROR

13. romerska siffror (indelning i ordklasser)
14. arabiska siffror (indelning i delbetydelser)
15. homografsiffror

NE:s
stora engelska ordbok

NE:s
stora engelska ordbok

ENGELSK-SVENSK

SVENSK-ENGELSK

NE:s stora engelska ordbok ersätter
Norstedts stora engelska ordbok (978-91-1-303227-6)

Tidigare utgåvor
Norstedts engelsk-svenska ordbok
Andra upplagan (Norstedts Förlag AB, 1994)

Norstedts svensk-engelska ordbok
Andra upplagan (Norstedts Förlag AB, 1994)

Norstedts engelska ordbok
Tredje upplagan (Norstedts Ordbok AB, 1997)

Norstedts engelska ordbok
Fjärde upplagan (Norstedts Akademiska Förlag, 2005)

Norstedts stora engelska ordbok
Första upplagan (Norstedts, 2011)

Redaktion för Norstedts engelsk-svenska ordbok, Norstedts svensk-engelska ordbok
och Norstedts engelska ordbok
Vincent Petti och Yvonne Blank, Mark Boseley, Gray Gatehouse, Inger Hesslin Rider,
Andrew MacDonald, John McClintock, Håkan Nygren, Anders Odeldahl, Agneta Orrevall,
Maria Sjödin, Lillemor Swedenborg, Mathias Thiel, Mona Wiman

Första upplagan, första tryckningen
ISBN 978-91-88423-29-0

© 2018 NE Nationalencyklopedin AB
www.ne.se

Tryckt hos CPI Books, EU 2018

Förord

NE:s stora engelska ordbok gavs tidigare ut under namnet Norstedts stora engelska ordbok. Det är en omfattande och aktuell ordbok till och från engelska och ett tillförlitligt hjälpmedel för alla som på olika sätt kommer i kontakt med engelska. De båda delarna innehåller tillsammans ca 154 000 ord och fraser.

NE:s stora engelska ordbok speglar det moderna engelska och svenska allmänspråket, men innehåller även en mängd vardagliga ord och uttryck samt ett brett urval av termer från olika fackområden.

Syftet med den engelsk-svenska delen är i första hand att hjälpa svenska användare att förstå och tolka skriven och talad engelska. För att underlätta läsning av äldre litteratur redovisar denna del därför även en hel del äldre ord och uttryck. Syftet med den svensk-engelska delen är att hjälpa användaren att uttrycka sig muntligt och skriftligt på idiomatisk engelska.

Det är viktigt att användaren snabbt kan hitta rätt information. Ordboken ger vägledning när det gäller val av ord och uttryck genom en tydlig uppdelning i delbetydelser, i regel försedda med en förklaring eller en synonym. Olika översättningsmöjligheter åtföljs av språkexempel, vilket underlättar förståelsen och visar hur ordet används i ett konkret sammanhang. Båda ordboksdelarna ger fyllig grammatisk information om engelskan, särskilt vad gäller prepositionsbruk. Fullständigt uttal ges för samtliga uppslagsord i den engelsk-svenska delen.

Vid urval och behandling av uppslagsord och språkexempel har ett stort antal engelska, amerikanska och svenska ordböcker och korpusar samt uppslagsverk använts, liksom autentiska exempel från böcker, tidningar, film, tv och internet.

En nyhet i den svensk-engelska delen är att alla uppslagsord som är substantiv, adjektiv eller verb har försetts med böjningsuppgift. Längst bak i boken finns ett appendix som bl.a. innehåller en översikt över oregelbundna engelska verb.

Vi vill tacka alla som på olika sätt hjälpt till med denna ordbok. Det är vår förhoppning att den ska motsvara användarens krav på en aktuell och innehållsrik men ändå lätthanterlig ordbok. Ingen ordbok är helt utan brister. Vi tar tacksamt emot påpekanden och förbättringsförslag inför kommande upplagor.

Ordboksredaktionen

Innehållsförteckning

Förkortningar VII
Ordbokstecken XVI
Användaranvisningar XVII
Uttal XX

ENGELSK-SVENSK
Översikt över artiklarnas uppbyggnad
Ordbok 1–926

SVENSK-ENGELSK
Översikt över artiklarnas uppbyggnad
Ordbok 1–775

APPENDIX
Engelska oregelbundna verb 2
Mått och vikt 8
Temperatur 8
Tecken och symboler 9
Kläd- och skostorlekar 10

Förkortningar

Här följer en förteckning över förkortningar som används i ordboken, t.ex. beteckningar för ämnesområde eller stilnivå. Beteckningar för grammatiska kategorier kan förekomma både i *kursiv stil* utan punkt och i liten stil med punkt.

Som en service åt engelskspråkiga användare har förklaringarna till förkortningarna översatts till engelska. I listan har dessutom vissa vanliga ord som inte är förkortningar tagits med och översatts.

I konstruktioner o.d.

ngn	någon	*sb*	*somebody*
ngns	någons	*sb's*	*somebody's*
ngt	något	*sth*	*something*
ngts	någots	*sth's*	*something's*

Övrigt

abstr.	abstrakt	*abstract*
absol.	absolut	*absolute*
abstr.	abstrakt	*abstract*
adj	adjektiv	*adjective*
adj.	adjektiv; adjektivisk	*adjective; adjectival*
adv	adverb	*adverb*
adv.	adverb; adverbial; adverbiell	*adverb; adverbial modifier; adverbial*
allm.	allmänt, i allmän (ej speciell) betydelse	*general; generally*
amer.	amerikansk engelska; i Amerika (USA)	*American English; in US*
anat.	anatomi; anatomisk	*anatomy; anatomical*
antik.	i antiken	*antiquity*
anv.	användning; används	*use; is used*
arkeol.	arkeologi; arkeologisk	*archaeology; archaeological*
arkit.	arkitektur	*architecture*
art.	artikel	*article*
astrol.	astrologi	*astrology*
astron.	astronomi	*astronomy*
attr.	attribut; attributiv[t]	*attribute; attributive[ly]*
attr adj	attributivt adjektiv	*attributive adjective*
austral.	australisk engelska; i Australien	*Australian English; in Australia*

bakteriol.	bakteriologi	*bacteriology*
bank.	bankterm	*banking*
barnspr.	barnspråk	*children's language*
bem.	bemärkelse	*sense*
bergbest.	bergbestigning	*mountaineering*
best.	bestämd; bestämning	*definite; adjunct, qualifier*
best art	bestämd artikel	*definite article*
bet.	betydelse	*sense*
beton.	betonad; betoning	*stressed; stress*
betr.	beträffande	*regarding*
bibl.	biblisk stil; i Bibeln	*biblical style; in the Bible*
bibliot.	biblioteksväsen	*librarianship*
bil.	biltrafik, bilteknik	*motoring, automobile engineering*
bildl.	bildlig[t]	*figurative[ly]*
bilj.	biljard	*billiards*
biol.	biologi	*biology*
bl.a.	bland annat, bland andra	*among other things, among others*
bokb.	bokbinderi	*bookbinding*
bokf.	bokföring	*bookkeeping*
boktr.	boktryckeri	*printing*
bordtennis.	bordtennis	*table tennis*
bot.	botanik	*botany*
boxn.	boxning	*boxing*
brand.	brandförsvar	*firefighting*
britt.	brittisk engelska; i Storbritannien	*British English; in Great Britain*
brottn.	brottning	*wrestling*
byggn.	byggnadsterm	*building*
börs.	börsväsen	*stock exchange*
dans.	dans	*dancing*
data.	databehandling; datorer	*computing; computers*
demonstr.	demonstrativ	*demonstrative*
demonstr pron	demonstrativt pronomen	*demonstrative pronoun*
determ.	determinativ	*determinative*
determ pron	determinativt pronomen	*determinative pronoun*
dial.	dialektal; dialekt	*dialectal; dialect*
dipl.	diplomati	*diplomacy*
div.	diverse	*various*
d.o.	detta ord, dessa ord	*that word, these words*
dvs.	det vill säga	*i.e., that is [to say]*

e.d.	eller dylikt	*or suchlike*
efterled		*last element*
eg.	egentlig[en]; i egentlig betydelse	*actual[ly]; literal[ly]*
egennamn		*proper name*
ekon.	ekonomi	*economics*
el.	eller	*or*
elektr.	elektronik; elteknik	*electronics; electricity*
end.	endast	*only*
eng.	engelsk[a]	*English*
etc.	etcetera	*etc.*
EU.	EU-term	*European Union*
eufem.	eufemism; eufemistisk[t]	*euphemism; euphemistic[ally]*
ex.	exempel	*example*
fackspr.	fackspråklig[t]	*technical[ly], professional jargon*
farmakol.	farmakologi	*pharmacology*
f.d.	före detta	*formerly, former*
fem.	femininum	*feminine*
film.	filmkonst	*film, cinematography*
filos.	filosofi	*philosophy*
fiske.	fiske	*fishing*
flyg.	flygväsen, flygteknik	*aviation, aeronautics*
fonet.	fonetik	*phonetics*
formellt		*formal*
fotb.	fotboll	*football*
foto.	fotografering	*photography*
fr.	fransk[a]	*French*
fråg.	frågande	*interrogative*
fys.	fysik	*physics*
fysiol.	fysiologi	*physiology*
fäktn.	fäktningsterm	*fencing*
f.ö.	för övrigt	*besides*
förb.	förbindelse	*connection, combination*
föreg.	föregående	*preceding*
fören.	förenad	*used attributively (as a determiner)*
förk.	förkortning	*abbreviation*
förled		*first element*
förr		*formerly*
förstärk.	som förstärkningsord	*as an intensifier*
försäkr.	försäkringsväsen	*insurance*

gen.	genitiv	*genitive*
geogr.	geografi; geografisk	*geography; geographical*
geol.	geologi; geologisk	*geology; geological*
geom.	geometri	*geometry*
golf.	golfterm	*golf*
graf.	grafisk teknik (konst)	*graphic arts*
gram.	grammatik; grammatisk	*grammar; grammatical*
grek.	grekisk[a]	*Greek*
gruv.	gruvterm	*mining*
gymn.	gymnastik	*gymnastics*
hand.	handel	*commerce, trade*
herald.	heraldik	*heraldry*
hist.	historisk, ej längre existerande företeelse; historia	*historical; history*
hjälpvb	hjälpverb	*auxiliary verb*
huvudvb	huvudverb	*main verb*
högtidl.	högtidlig stil	*formal*
i högre stil		*formal*
imper.	imperativ	*imperative*
imperf.	imperfekt	*past tense*
ind.	indisk; i Indien	*Indian; in India*
indef.	indefinit	*indefinite*
indef pron	indefinit pronomen	*indefinite pronoun*
inf.	infinitiv	*infinitive*
infinitivmärke		*infinitive marker*
interj	interjektion	*interjection*
interr.	interrogativ	*interrogative*
interr adv	interrogativt adverb	*interrogative adverb*
interr pron	interrogativt pronomen	*interrogative pronoun*
iron.	ironisk[t]	*ironical[ly]*
irl.	irländsk; i Irland	*Irish; in Ireland*
it.	italiensk[a]	*Italian*
itr.	intransitivt	*intransitive*
jak.	jakande	*affirmative*
jakt.	jaktterm	*hunting*
jap.	japansk[a]	*Japanese*
jfr	jämför	*cf., compare*
jud.	judisk; judendom	*Jewish; Judaism*
jur.	juridik	*law*
järnv.	järnvägsterm	*railways*

kapplöpn.	kapplöpning	*horse-racing*
katol.	katolsk	*Catholic*
kem.	kemi	*chemistry*
kir.	kirurgi	*surgery*
kok.	kokkonst	*cookery*
koll.	kollektiv[t]	*collective[ly]*
komp.	komparativ	*comparative*
konj	konjunktion	*conjunction*
konjv.	konjunktiv	*subjunctive*
konkr.	konkret	*concrete*
konst.	konst; konstvetenskap	*art*
konstr.	konstruktion; konstrueras	*construction*
kortform		*short form*
kortsp.	kortspel	*cards*
kricket.	kricket	*cricket*
kvinnl.	kvinnlig	*female*
kvinnonamn		*female name*
kyrkl.	kyrklig	*ecclesiastical*
lantbr.	lantbruk	*agriculture*
lantmät.	lantmäteri	*surveying*
lat.	latin[sk]	*Latin*
likn.	liknande	*similar*
litt.	litterär stil; litteratur	*literary style; literature*
litt. vet.	litteraturvetenskap	*literary history*
logik.	logik	*logic*
mansnamn		*male name*
mask.	maskulinum	*masculine*
matem.	matematik	*mathematics*
med.	medicin	*medicine*
mek.	mekanik	*mechanics*
meteor.	meteorologi	*meteorology*
metrik.	metrik, verslära	*metrics, prosody*
m.fl.	med flera	*etc., and other[s]*
mil.	militärterm	*military term*
mil. hist.	militärhistoria	*military history*
miljö.	miljöterm	*environment*
miner.	mineralogi	*mineralogy*
m.m.	med mera	*etc.*
motor.	motorteknik	*automobile engineering*
mots.	motsats	*opposite*
motsv.	motsvarande; motsvaras [av]; motsvarighet	*equivalent [to]*
mur.	mureriteknik	*bricklaying*

XI

mus.	musikterm	*music*
mytol.	mytologi	*mythology*
mål.	måleri (konst el. hantverk)	*painting*
naturv.	naturvetenskap	*science*
neds.	nedsättande	*derogatory*
nek.	nekande	*negative*
neutr.	neutrum; neutral	*neuter; neutral*
ngn	någon	*somebody*
ngns	någons	*somebody's*
ngt	något	*something*
ngts	någots	*something's*
nordeng.	nordengelsk; i norra England	*Northern English; in Northern England*
o.	och	*and*
obest art	obestämd artikel	*indefinite article*
obeton.	obetonad	*unstressed*
obj.	objekt; objektiv	*object; objective*
oböjl.	oböjligt	*indeclinable*
o.d.	och dylikt	*and suchlike*
omskrivn.	omskrivning	*periphrasis*
opers.	opersonlig	*impersonal*
optik.	optik	*optics*
ordspr.	ordspråk	*proverb*
ordst.	ordstäv	*common saying*
osv.	och så vidare	*and so on, etc.*
parl.	parlamentariskt språk	*parliamentary language*
part.	partikel	*particle*
pass.	passiv form	*passive [form]*
ped.	pedagogik	*pedagogy*
perf p	perfekt particip	*past participle*
perf. part.	perfekt particip	*past participle*
pers pron	personligt pronomen	*personal pronoun*
pl.	plural (till form eller konstruktion)	*plural (form or construction)*
poet.	poetisk stil	*poetical style*
polis.	polisväsen	*police*
polit.	politik; politisk	*politics; political*
poss.	possessiv	*possessive*
poss pron	possessivt pronomen	*possessive pronoun*
post.	postväsen	*postal services*
pred.	predikativ[t]	*predicative[ly]*

pred adj	predikativt adjektiv	*predicative adjective*
predf.	predikatsfyllnad	*complement*
prefix		*prefix*
prep	preposition	*preposition*
prep.	preposition	*preposition*
pres.	presens	*present*
pres p	presens particip	*present participle*
pron	pronomen	*pronoun*
prot.	protestantisk	*protestant*
psykol.	psykologi	*psychology*
pyrotekn.	pyroteknik, fyrverkeri	*pyrotechnics*
®	registrerat varumärke	*registered trademark*
radar.	radarteknik	*radar*
radio.	radio; radioteknik	*radio*
rel.	relativ	*relative*
rel adv	relativt adverb	*relative adverb*
rel pron	relativt pronomen	*relative pronoun*
relig.	religion; religiös	*religion; religious*
resp.	respektive	*respective[ly]*
retor.	retorik; retorisk stil	*rhetoric; rhetorical style*
rfl.	reflexiv[t]	*reflexive[ly]*
rfl pron	reflexivt pronomen	*reflexive pronoun*
ridn.	ridning	*riding; horsemanship*
rodd.	roddsport	*rowing*
rom.	romersk	*Roman*
rpr.	reciprok	*reciprocal*
rugby.	rugby	*rugby*
rymd.	rymdteknik	*space technology*
räkn	räkneord	*numeral*
s	substantiv	*noun*
samtl.	samtliga	*all*
schack.	schack	*chess*
sg.	singular (till form eller konstruktion)	*singular (form or construction)*
sid.	sida	*page*
simn.	simning	*swimming*
självst.	självständig	*independent*
sjö.	sjöterm	*nautical term*
skeppsbygg.	skeppsbyggnad	*shipbuilding*
skidsport.	skidsport	*skiing*
skog.	skogsbruk, skogsvetenskap	*forestry*
skol.	skolväsen; skolspråk	*education; school jargon*

skom.	skomakeri	*shoemaking*
skotsk.	skotsk engelska; i Skottland	*Scottish English;*
		in Scotland
Skottl.	i Skottland	*in Scotland*
skämts.	skämtsam[t]	*jocular[ly]*
sl.	slang	*slang*
slags		*a kind of*
slakt.	slakteriterm	*butcher's term*
smeks.	smeksamt, som smeknamn	*as a pet name,*
		as a term of endearment
sammansättn.	sammansättning[ar]	*compound[s]*
snick.	snickeri	*carpentry*
sociol.	sociologi	*sociology*
sp.	spansk[a]	*Spanish*
spec.	speciell[t]	*special[ly]*
spel.	spel, sällskapsspel	*party games*
spirit.	spiritism	*spiritualism*
s pl	substantiv i plural	*noun in plural*
sport.	sport, idrott	*sport, athletics*
språkv.	språkvetenskap	*linguistics, philology*
statistik.	statistik	*statistics*
Storbr.	i Storbritannien	*in Great Britain*
subj.	subjekt	*subject*
subst.	substantiv[erad]	*noun; used as a noun*
subst. adj.	substantiverat adjektiv	*adjective used as a noun*
superl.	superlativ	*superlative*
sv.	svensk[a]	*Swedish*
särsk.	särskild, särskilt	*special[ly]*
sydafr.	sydafrikansk; i Sydafrika	*South African;*
		in South Africa
sömnad.	sömnad	*needlework*
tandläk.	tandläkarterm	*dentistry*
teat.	teater	*theatre*
tekn.	teknik	*technology*
tele.	teleteknik	*telecommunications*
tennis.	tennis	*tennis*
teol.	teologi	*theology*
t.ex.	till exempel	*e.g., for example*
textil.	textilteknik, textilkonst	*textiles*
tidn.	tidningsspråk;	*journalism; journalese*
	tidningsjargong	
tr.	transitivt	*transitive*
trafik.	trafikväsen	*traffic*

trädg.	trädgårdsskötsel	*gardening*
TV.	television; tv-teknik	*television*
ty.	tysk[a]	*German*
typogr.	typografi	*typography*
ung.	ungefär	*approximately*
univ.	universitet; studentjargong	*university; student jargon*
urspr.	ursprunglig[en]	*original[ly]*
USA	i Amerika (USA)	*in US*
utt.	uttal; uttalas	*pronunciation;* *pronounced*
uttr.	uttryck; uttrycker	*expression; expresses*
vanl.	vanlig[en]	*usual[ly]*
vard.	vardaglig stil	*informal style*
vb	verb	*verb*
vb itr	intransitivt verb	*intransitive verb*
vb itr dep	intransitivt deponens	*intransitive deponent*
vb rfl	reflexivt verb	*reflexive verb*
vb tr	transitivt verb	*transitive verb*
vb tr dep	transitivt deponens	*transitive deponent*
vetensk.	[allmänt] vetenskaplig	*scientific*
vet.med.	veterinärmedicin	*veterinary science*
vulg.	vulgär stil; tabuord	*vulgar style; taboo*
vävn.	vävnadsteknik, vävnadskonst	*weawing*
zool.	zoologi	*zoology*
åld.	ålderdomlig stil	*archaic style*
äv.	även	*also*
örlog.	örlogsterm, sjömilitär term	*naval*
övers.	översättning; översätts	*translation; is translated*
övr.	övriga	*other*

Ordbokstecken

Krok ~

Krok ersätter hela uppslagsordet i oförändrad form:

ask: *don't ~ me!* = *don't ask me!*
abonnera: *~d buss* = *abonnerad buss*

Bindestreck -

Bindestreck ersätter den orddel som står före ett föregående lodstreck:

komm|a: *jag -er!* = *jag kommer!*
lay|person: pl. *-people* = pl. *laypeople*

Lodstreck |

Angående användning av lodstreck se under avsnittet "Bindestreck" ovan.

Rund parentes ( )

Rund parentes används vid ord eller ordgrupper som kan ersätta det närmast föregående:

absorbed: *be ~ by (into)* = *be absorbed by, be absorbed into*

Hakparentes [ ]

Hakparentes används

- runt uttalsbeteckning:
  yacht [jɒt]

- vid ord eller orddelar som kan utelämnas:
  all: *it's [quite] ~ right* = *it's quite all right, it's all right*
  applåd: *~[er]* = *applåd, applåder*

Piggparentes [ ]

Piggparentes används

- runt konstruktionsuppgifter:
  hänvisa: refer [*till* to] = "hänvisa till" motsvaras av "refer to"

- vid oöversatta språkexempel efter en översättning:
  abide: *~ by* stå fast vid [*~ by a promise*]

- i språkexempel runt engelska ord som inte översätts till svenska och som motsvaras av tre punkter i översättningen:
  rock: [*whisky*] *on the ~s* ...med is

Punkter ...

Punkter används

- vid avbrutna exempel:
  about: *what about...?* hur blir det med...?

- som motsvarighet till engelska ord som inte översätts till svenska (jämför avsnittet "Piggparentes" ovan).

Likhetstecken =

Likhetstecken används i böjningsangivelser för svenska substantiv (se avsnittet "Böjning av svenska substantiv" nedan).

Användaranvisningar

Alfabetisk ordning

Uppslagsorden – även namn och förkort-
ningar – står i strikt alfabetisk ordning.
I både engelskan och svenskan behandlas
v och w som skilda bokstäver (v placeras
före w). När uppslagsformen består av
mer än ett ord eller innehåller skilje-
tecken sorteras den som om den vore
sammanskriven:

apple-pie order

apple sauce

appliance

elöverkänslighet

e.m.

e-mail

emalj

Ordboksartiklarnas indelning
Siffror

Arabiska siffror står

- i artiklar för att markera de olika be-
  tydelserna av ett uppslagsord:
  accelerator: 1 gaspedal **2** fys. el. kem.
  accelerator
- före uppslagsord som stavas lika men
  har olika ursprung och betydelse:
  1 bas grundval base

  2 bas mus. bass

  3 bas förman foreman

Romerska siffror

Romerska siffror används för uppdelning
i ordklasser:

annorlunda: I *adv* otherwise **II** *adj*
different

Små bokstäver

Små bokstäver används för en finare
betydelseindelning:

crab: 1 a) krabba **b)** kräftdjur

arv: *gå i ~* **a)** om egendom be handed down,
be passed on **b)** vara ärftlig be hereditary

Stora bokstäver

I vissa omfångsrika artiklar används **A, B**
osv. för en indelning som är överordnad
de romerska siffrorna:

sluta: A *vb tr o. vb itr* *(~de, ~t)* avsluta[s] ...
B *vb tr* *(slöt, slutit)* tillsluta

Svenska böjningar vid substantiv, adjektiv och verb i den svensk-engelska delen
Substantiv

För substantiviska uppslagsord i den
svensk-engelska delen anges böjning.
I de flesta fallen är den första angivelsen
bestämd form singular och den andra
obestämd form plural:

maskin: *(~en, ~er)*

Då obestämd form plural är samma som
obestämd form singular anges detta med
tecknet =:

material: *(~et =)*

Därutöver finns fall som avviker från det
regelbundna mönstret.

Substantiv som normalt inte har någon
pluralform:

mjöl: *(~et)*

Substantiverade adjektiv med den första
angivelsen i obestämd form singular:

anhörig: (en ~, pl. ~*a*)

Substantiv där obestämd form singular
är samma som bestämd form singular:

ansökan: (=, en, *ansökningar*)

Substantiv som saknar plural och där obestämd form singular är samma som bestämd form singular:

barnuppfostran: (=, en)

Substantiv som saknar bestämd form singular men som har obestämd form singular och plural:

becquerel: (en, pl. =)

Substantiv som saknar bestämd form singular och plural men som har obestämd form singular:

januari: (oböjl., en)

Substantiv som är helt oböjliga:

babord: (oböjl.)

Adjektiv

Såsom adjektiv betecknas även vissa particip med adjektivisk funktion (t.ex. *omtyckt* och *lysande*). De står då som egna uppslagsord.

För alla uppslagsord som är adjektiv anges neutrumformen:

rar (~t)

Om pluralformen är regelbunden, dvs. med ändelsen -a, sätts den inte ut. I annat fall anges även pluralformen:

allierad (*allierat*, ~e)

Verb

För uppslagsord som är verb anges imperfekt och supinum:

hämta (~de, ~t)

Mönsterartiklar

Det finns grupper av ord som kräver en likartad behandling i ordboken. Ett ord i en sådan grupp, ofta det som kommer först i den alfabetiska ordningen, får en särskilt utförlig behandling när det gäller sammansättningar och exempel. Upp-slagsordet blir på det viset ett mönster för de andra i samma grupp. I gruppen grundtal och ordningstal är **five, fifth, fifty, fem, femte, femtio** osv. mönster-artiklar, och därför ska uppgifter som saknas vid övriga grundtal och ordnings-tal sökas här. Det finns alltid en hänvis-ning till dessa mönsterartiklar:

three: (jfr *five* med ex. o. sammansättn.)

tre: jfr *fem* med sammansättn.

Ytterligare exempel på mönsterartiklar är:

summer respektive **höst** för årstider, **east** respektive **norr** för väderstreck, **Sunday** respektive **fredag** för veckodagar.

Stavning och uttal

Likheterna mellan den brittiska och amerikanska engelskan är många fler än olikheterna. I den här ordboken är den brittiska engelskans stavning och uttal utgångspunkten. När stavning eller uttal för den amerikanska engelskan inte är förutsägbar anges även den amerikanska varianten. Beträffande stavning gäller detta ord som *airplane, aluminum, cozy, gray, mold, mustache, plow, tire* (bil-däck) etc. På samma sätt anges även det amerikanska uttalet för ord som *clerk, Derby, lieutenant, schedule.* Amerikansk engelska markeras i ordboken med amer.

I övrigt gäller följande:

Amerikansk stavning

I fråga om stavning skiljer sig ameri-kansk engelska i vissa fall från brittisk engelska. Här följer en lista över de vanligaste amerikanska stavnings-varianterna:

Den brittiska ändelsen -*our* motsvaras i amerikansk engelska av

-*or*, t.ex. *color, harbor, honor.*

Den brittiska ändelsen *-re* motsvaras i amerikansk engelska av

-er, t.ex. *center, liter, theater*.

Den brittiska ändelsen *-ce* stavas *-se* i vissa ord i amerikansk engelska, t.ex.

defense, license, offense.

Den brittiska engelskans *-ll-* skrivs i vissa ord i amerikansk engelska med enkelt *l*, t.ex. *marvelous, traveler, quarreled*.

Amerikanskt uttal

Uttalet av amerikansk engelska uppvisar stora variationer. De flesta amerikaners uttal har dock flera gemensamma drag som skiljer deras uttal från det brittiska:

I brittisk engelska är *r* stumt före konsonant och i ordslut om det inte följs av vokal (som i t.ex. *far away*). I amerikansk engelska uttalas *r* i dessa positioner, dvs. i t.ex. *hard, more, it's far*.

I amerikansk engelska uttalas *t* eller *tt* mellan tonande ljud med en stark dragning åt *d*, så att t.ex. *better* för svenska öron kan låta som "*bedder*", *little* som "*liddle*" etc.

I många ord uttalas den brittiska standardengelskans [ɑ:] som [æ:] i amerikansk engelska, t.ex. *half, after, example, demand, dance, aunt, pass, ask, gasp, past, path*.

Den brittiska engelskans [ju:] uttalas ofta [u:], t.ex. *duty, new, stupid*.

Uttal

Vokaler

Långa

[iː]	steel	
[ɑː]	father	
[ɔː]	call	
[uː]	too	
[ɜː]	girl	

Korta

[ɪ]	ring
[e]	pen
[æ]	back
[ʌ]	run
[ɒ]	top
[ʊ]	put
[ə]	about

Diftonger

[eɪ]	name
[aɪ]	line
[ɔɪ]	boy
[əʊ]	phone
[aʊ]	now
[ɪə]	here
[eə]	there
[ʊə]	tour

Konsonanter

Tonande

[b]	back
[d]	drink
[g]	go
[v]	very
[ð]	there
[z]	freeze
[ʒ]	usual
[dʒ]	job
[j]	you

Tonlösa

[p]	people
[t]	too
[k]	call
[f]	fish
[θ]	think
[s]	strike
[ʃ]	shop
[tʃ]	check

[h]	here
[x]¹	loch

[m]	my
[n]	next
[ŋ]	ring
[l]	long
[r]	red
[w]	win

¹*ach*-ljud i skotska ord (som i tyska *machen*)

Betoning

Accenttecken står före den betonade stavelsen.

Tecken i överkant anger *huvudtryck*: **about** [əˈbaʊt]

Tecken i nederkant anger *bitryck*: **academic** [ˌækəˈdemɪk]

Variantuttal som endast innebär *ändrade accentförhållanden* anges med accenttecken och bindestreck. Varje bindestreck representerar en stavelse: **benzene** [ˈbenziːn, -ˈ-]

Ljud som kan utelämnas i uttalet står inom rund parentes: **change** [tʃeɪn(d)ʒ]

NE:s
stora engelska ordbok

ENGELSK-SVENSK

Översikt
ENGELSK–SVENSK

Uppställning av NE:s stora engelsk–svenska ordbok

airport ['eəpɔːt] *s* flygplats
①　②　③

addict ['ædɪkt] *s* **1** missbrukare; *drug ~*
narkoman, knarkare　④　⑤

horrible ['hɒrəbl] *adj* fasansfull,
fruktansvärd, förskräcklig, hemsk
[*~ noise; ~ weather*]
⑥

bring ... med adv., ofta med spec. översättningar:
bring about få till stånd, åstadkomma
⑦
bring along ha med sig, ta med [sig]

allergic [əˈlɜːdʒɪk] *adj* allergisk äv. bildl.
[*to mot*]
⑧

aerobics [eəˈrəʊbɪks] (med verb i sg.) *s*
aerobics　⑧

aquari|um [əˈkweərɪ|əm] (pl. *-ums* el. *-a* [-ə])
s akvarium　⑨

bring [brɪŋ] (*brought brought*)
⑩

bracken ['bræk(ə)n] *s* bot. bräken;
ormbunke　⑪

atoll ['ætɒl, əˈtɒl] *s* atoll; ringformig
korallö　⑫

kegger ['kegə] *s* amer. vard. ölfest utomhus
⑬　⑭

anorectic [ˌænəˈrektɪk] *s* o. *adj* se *anorexic*
⑮

carol ['kær(ə)l] *s* lovsång, jubelsång; *~*
el. *Christmas ~* julsång ⑯ **II** *vb itr* **1** jubla,
sjunga; drilla **2** gå från hus till hus och
sjunga julsånger ⑰

1 cricket ['krɪkɪt] *s* zool. syrsa
2 cricket ['krɪkɪt] *s* **1** sport. kricket ...
⑱

GRAMMATIK O.D.

1. uppslagsord
2. uttal
3. översättning
4. ordklass
5. fras, språkexempel med
   översättning
6. oöversatt språkexempel
7. verbfras (partikelverb)
8. konstruktionsuppgift
9. böjningsuppgift
10. verbböjning

ETIKETTER O.D.

11. ämnesområde
12. svensk förklaring, precisering
13. amerikansk engelska
14. stilnivå
15. hänvisning

SIFFROR

16. romerska siffror
    (indelning i ordklasser)
17. arabiska siffror
    (indelning i betydelser)
18. homografsiffror

A a

1 A, a [eɪ] (pl. *A's* el. *a's* [eɪz]) *s* **1** A, a **2** *she knows the subject from A to Z* hon kan ämnet utan och innan **3** mus., *A flat* ass; *A major* A-dur; *A minor* a-moll; *A sharp* aiss

2 A [eɪ] *adj o. s* [med] högsta betyg (toppbetyg) i en betygsskala från A till F, där A är högst [*an ~ student* amer.; *she got an ~*]

1 a [ə; beton. eɪ] el. **an** [ən, n; beton. æn] *obest art* **1** en, ett; vid negation någon, något [*this is not a hotel*] **2** per; *twice a day* äv. två gånger om dagen

@ [æt] **1** data. snabel-a **2** hand. (vid prisangivelse) à

A1 [ˌeɪˈwʌn] *adj* vard. åld. förstklassig, prima

AA [ˌeɪˈeɪ] **1** förk. för *Alcoholics Anonymous* **2** (förk. för *Automobile Association*); **the ~** brittisk serviceorganisation för bilförare genom vilken medlemmarna får hjälp med väginformation och akuta bilreparationer **3** (förk. för *Associate of Arts*) examen efter två års studier på College i USA, högskolediplom

AB [ˌeɪˈbiː] amer. förk. för *Bachelor of Arts*

aback [əˈbæk] *adv*, *be taken ~* bli häpen (förbluffad, paff)

abacus [ˈæbəkəs] *s* kulram, räkneram

abandon [əˈbændən] **I** *vb tr* **1** överge, gå ifrån, lämna [*he has ~ed his wife*; *the sailors ~ed ship*] **2** ge upp [*~ an attempt*; *~ all hope*] **3** avbryta **II** *s* otvungenhet; frigjordhet

abandoned [əˈbændənd] *adj* **1** övergiven [*an ~ house*] **2** lössläppt, otyglad; utsvävande

abase [əˈbeɪs] *vb tr* förnedra, förödmjuka

abashed [əˈbæʃt] *adj* generad, förlägen

abate [əˈbeɪt] *vb itr* avta; lägga sig, mojna

abattoir [ˈæbətwɑː] *s* slakthus

abbess [ˈæbes] *s* abbedissa

abbey [ˈæbɪ] *s* kloster; klosterkyrka

abbot [ˈæbət] *s* abbot

abbreviate [əˈbriːvɪeɪt] *vb tr* förkorta

abbreviation [əˌbriːvɪˈeɪʃ(ə)n] *s* förkortning; kortform

ABC [ˌeɪbiːˈsiː] *s* abc, alfabet; *the ~ of gardening* trädgårdsskötselns abc (grunder)

abdicate [ˈæbdɪkeɪt] **I** *vb itr* abdikera **II** *vb tr* avsäga sig [*the throne*]; *~ responsibility* frånsäga sig ansvaret

abdication [ˌæbdɪˈkeɪʃ(ə)n] *s* abdikation, avsägelse

abdomen [ˈæbdəmən, æbˈdəʊmen] *s* **1** anat. abdomen, buk, mage; *lower ~* underliv **2** bakkropp hos insekt

abdominal [æbˈdɒmɪnl] *adj* anat. abdominal, buk- [*~ reduction*]; mag-, underlivs-; *~ region* magtrakt

abduct [æbˈdʌkt] *vb tr* röva (föra) bort, enlevera

abduction [æbˈdʌkʃ(ə)n] *s* bortrövande, bortförande, enlevering

Aberdeen [ˌæbəˈdiːn] geogr.

aberration [ˌæbəˈreɪʃ(ə)n] *s* **1** avvikelse; villfarelse **2** sinnesförvirring [*a temporary ~*]

abet [əˈbet] *vb tr*, *aid and ~ sb* vara ngns medhjälpare vid brott

abeyance [əˈbeɪəns] *s*, *be in ~* vila, ligga nere, få anstå; *fall into ~* komma ur bruk [*an old custom that has fallen into ~*]

abhor [əbˈhɔː, əˈbɔː] *vb tr* avsky

abhorrence [əbˈhɒr(ə)ns, əˈbɒr-] *s* avsky [*of* för]

abhorrent [əbˈhɒr(ə)nt, əˈbɒr-] *adj* motbjudande, avskyvärd [*to* för]

abide [əˈbaɪd] (*abode abode* el. *~d ~d*) **I** *vb tr* i nekande el. frågande satser tåla, stå ut med [*I can't ~ him*]

II *vb itr* med adv., end. regelbundet:

abide by a) stå fast vid [*~ by a promise*] b) hålla sig till [*~ by the law*] c) stå för [*~ by the consequences*] d) foga sig efter [*~ by sb's decision*]

abiding [əˈbaɪdɪŋ] *adj* bestående, varaktig, orubblig; [*music is*] *her ~ passion* ...hennes stora passion

ability [əˈbɪlətɪ] *s* **1** förmåga; skicklighet, duglighet; *to the best of my ~* efter bästa förmåga **2** begåvning; talang; mest pl. *abilities* själsgåvor, anlag, talanger; *a musician of great ~* en mycket begåvad musiker; *pool of ~* begåvningsreserv

abject [ˈæbdʒekt] *adj* **1** yttersta, högsta; *~ poverty* yttersta misär **2** ynklig, usel, neslig [*~ surrender*]

ablaze [əˈbleɪz] *adv o. adj* **1** i brand, i lågor; *be ~* stå i brand (i lågor); *set sth ~* sätta eld på ngt, sticka ngt i brand **2** starkt (klart) upplyst, glittrande

able [ˈeɪbl] *adj* skicklig, duktig, kunnig, duglig; *be ~ to do sth* kunna (vara i stånd att, lyckas) göra ngt

able-bodied [ˌeɪblˈbɒdɪd, attr. ˈ--ˌ--] *adj* stark, arbetsför

able sea|man [ˌeɪblˈsiːˌmən] (pl. *-men* [-mən]) *s* matros

ablutions [əˈbluːʃ(ə)nz] *s pl* tvagning, tvättning; *perform one's ~* skämts. tvätta (tvaga) sig

ably [ˈeɪblɪ] *adv* skickligt etc., jfr *able*

abnormal [æbˈnɔːm(ə)l] *adj* abnorm, onormal

abnormality [ˌæbnɔːˈmælətɪ] *s* abnormitet äv. konkr.; missbildning

aboard [əˈbɔːd] *adv o. prep* ombord [på] båt, flygplan, tåg; *be ~* äv. ha kommit ombord; *all ~!* alla passagerare [ombeds gå] ombord!

abode [əˈbəʊd] **I** *s* **1** litt. boning, bostad, hem **2** vistelse; hemvist; *place of ~* jur. hemvist; *of no fixed ~* jur. utan fast adress

II imperf. o. perf. p. av *abide*

abolish [əˈbɒlɪʃ] *vb tr* avskaffa, upphäva, slopa

abolition [ˌæbə(ʊ)ˈlɪʃ(ə)n] *s* avskaffande, upphävande, slopande

abolitionist [ˌæbə(ʊ)ˈlɪʃənɪst] *s* förkämpe för dödsstraffets (slaveriets) avskaffande

abominable [əˈbɒmɪnəbl] *adj* förhatlig [*to* för], avskyvärd, vedervärdig

Abominable Snowman [əˌbɒmɪnəblˈsnəʊmæn] *s*, *the ~* snömannen i Himalaya

abominate [əˈbɒmɪneɪt] *vb tr* avsky

abomination [əˌbɒmɪˈneɪʃ(ə)n] *s* **1** vedervärdighet, styggelse **2** avsky

Aboriginal [ˌæbəˈrɪdʒənl] **I** *adj* aboriginer-, som hör till aboriginerna **II** *s* aboriginer

aboriginal [ˌæbəˈrɪdʒənl] *adj* ursprunglig; *~ tribes* urfolk

Aborigin|e [ˌæbəˈrɪdʒɪn|ɪ] (pl. *-es* [-iːz]) *s* aboriginer

abort [əˈbɔːt] **I** *vb tr* **1** avbryta äv. data., hejda

2 a) framkalla missfall hos; göra abort på
b) avlägsna genom abort [~ *a baby*]
II *vb itr* **1** få missfall, abortera **2** misslyckas, gå om intet, stranda

abortion [ə'bɔːʃ(ə)n] *s* **1** abort; *have an ~* göra abort **2** *spontaneous ~* med. missfall, spontan abort

abortionist [ə'bɔːʃ(ə)nɪst] *s* abortör

abortion pill [ə'bɔːʃ(ə)npɪl] *s* med. abortpiller

abortive [ə'bɔːtɪv] *adj* **1** misslyckad [*an ~ attempt*]; felslagen, dödfödd [*plans that proved ~*]; fruktlös **2** förkrympt, ofullgången, hämmad i sin utveckling; steril **3** med. abortiv

abound [ə'baʊnd] *vb itr* finnas i överflöd; *~ in* ha i överflöd, överflöda av; *~ with* vimla (myllra) av

about [ə'baʊt] **I** *prep* **1** i rumsbetydelse omkring (runt) i [*walk ~ the town*]; [runt]omkring [*the fields ~ Oxford*]; om [*tie a rope ~ him*]; *somewhere ~ here* här någonstans **2** på sig [*I have no money ~ me*]; hos [*there is something ~ him I don't like*]; med, över **3** om [*tell me all ~ it*]; angående; i, när det gäller, med [*careless ~ his personal appearance* (sitt yttre)]; över; *he was very nice ~ it* han tog det mycket fint, han var mycket förstående; *well, what ~ it?* nå, än sen?; *what ~...?* el. *how ~...?* hur är (blir, går) det med...?; hur skulle det vara med...? [*what (how) ~ a cup of tea?*]; ska vi...? [*what (how) ~ going to the cinema?*] **4** *while you are ~ it* medan du [ändå] håller på **5** i måtts- och tidsuttryck omkring [*for ~ five miles; ~ 6 o'clock*], jfr äv. *about II*; *he is ~ your size* han är ungefär lika lång som du
II *adv* **1** omkring [*rush ~*]; runt [*go ~ in circles*]; runtomkring; hit och dit [*order sb ~*]; se äv. under resp. verb; *all ~* på alla sidor, runtomkring **2** om åt motsatt (annat) håll; *right ~!* höger om!; *it's the wrong way ~* det är åt fel håll; *it's the other way ~* det är precis tvärtom **3** ute, i rörelse, i farten, i omlopp; liggande framme; *be up and ~* vara uppe (i gång [igen]) efter sjukdom, vara på benen **4** ungefär, nästan [*~ as high as that tree*]; [*are you ready to go?*] *just ~* ...så gott som, ...nästan; *that's ~ it!* vard. a) det var allt!, det var det! b) ungefär så, ja! **5** *be ~ to* + inf. ska just (precis), stå i begrepp att [*she was ~ to leave*]

about-face [ə,baʊt'feɪs] *s* vanl. amer. o. **about-turn** [ə,baʊt'tɜːn] *s* helomvändning, bildl. äv. kovändning

above [ə'bʌv] **I** *prep* över högre än; ovanför; mer än; *~ all* framför allt; *over and ~* utöver, förutom; *it is ~ me* det går över mitt förstånd (min förmåga); *get ~ oneself* tro sig vara förmer än andra; *he is ~ suspicion* han är höjd över alla misstankar; *he is ~ telling a lie* han håller sig för god att ljuga
II *adv* **1** ovan [*the statement ~*]; där ovan; här ovan; ovanför; upptill; *as was mentioned ~* såsom [här] ovan nämndes; *from ~* uppifrån, ovanifrån; bildl. från högre ort **2** över, däröver; [*books of 100 pages*] *and ~* ...och mer; *over and ~* därtill, på köpet, dessutom
III *adj* o. *s* ovanstående; *the ~* ovannämnda [person]; [det] ovanstående

above-board [ə,bʌv'bɔːd] **I** *adv* öppet, ärligt **II** *adj* öppen, ärlig

above-mentioned [ə,bʌv'menʃ(ə)nd] *adj* ovannämnd, anförd

abracadabra [,æbrəkə'dæbrə] *s* abrakadabra, som trolleriformel äv. hokuspokus

Abraham ['eɪbrəhæm, -həm] mansnamn el. bibl.

abrasion [ə'breɪʒ(ə)n] *s* **1** skrubbsår **2** avskavning, slitning

abrasive [ə'breɪsɪv, -zɪv] **I** *s* slipmedel, slippasta **II** *adj* **1** avskrapande, avslipande, slip- [*~ paper*] **2** bildl. **a)** påstridig, oresonlig, aggressiv [*an ~ personality*] **b)** skrovlig, sträv [*an ~ voice*]

abreast [ə'brest] *adv* i bredd, sida vid sida, bredvid varandra; *~ of* el. *~ with* i jämnhöjd (nivå) med, jämsides med i utveckling etc.; *keep ~ with sb* hålla jämna steg med ngn; *~ of the times* med sin tid

abridged [ə'brɪdʒd] *adj* förkortad, avkortad

abridgement [ə'brɪdʒmənt] *s* **1** förkortning **2** sammandrag

abroad [ə'brɔːd] *adv* **1** utomlands, utrikes, i (till) utlandet [*live (go) ~*]; *from ~* från utlandet, utifrån **2** om t.ex. rykte i svang (omlopp); *get ~* komma ut, sprida sig [*a rumour has got ~*]; *there is a rumour ~* det går ett rykte

abrogate ['æbrə(ʊ)geɪt] *vb tr* avskaffa, upphäva lag

abrupt [ə'brʌpt] *adj* **1** abrupt, tvär; *come to an ~ halt* a) stanna tvärt b) sluta tvärt (abrupt) **2** ryckig spec. om stil o.d.; tvär, korthuggen, brysk **3** brant, tvär

ABS [,eɪbiː'es] (förk. för *antilock brake system* el. *antilock braking system*) ABS-bromsar

abscess ['æbses, -sɪs] *s* böld, varbildning, abscess

abscond [əb'skɒnd] *vb itr* avvika, rymma

abseil ['æbseɪl] **I** *vb itr* fira sig ner med rep vid bergsbestigning **II** *s* nerfirning

absence ['æbs(ə)ns] *s* **1** frånvaro, bortovaro **2** brist [*of på*]; avsaknad, frånvaro [*of av*]

absent [adj. 'æbs(ə)nt, verb æb'sent] **I** *adj* frånvarande; *be ~ from* äv. utebli från; *be conspicuously ~* lysa med sin frånvaro **II** *vb rfl*, *~ oneself* hålla sig borta

absentee [,æbs(ə)n'tiː] *s* frånvarande; skolkare

absenteeism [,æbs(ə)n'tiːɪz(ə)m] *s* [ogiltig] frånvaro från arbetet; skolk; frånvarofrekvens

absentee landlord [,æbs(ə)nti:'læn(d)lɔːd] *s* hyresvärd som bor på annat håll än där han uppbär inkomst av sin fastighet (förmögenhet)

absentee vote [,æbs(ə)nti:'vəʊt] *s* amer. poströst

absent-minded [,æbs(ə)nt'maɪndɪd] *adj* tankspridd, förströdd, distré, [själs]frånvarande

absent-mindedness [,æbs(ə)nt'maɪndɪdnəs] *s* tankspriddhet, förströddhet, distraktion

absolute ['æbs(ə)luːt, -ljuːt] *adj* **1** absolut [*~ majority*]; fullständig, fullkomlig [*~ freedom*]; full [*~ certainty*]; total, ren, komplett [*an ~ fool*]; riktig [*an ~ genius*]; *it's the ~ truth* det är absolut sant **2** enväldig, oinskränkt [*~ power*]; absolut [*~ monarchy*] **3** fackspr. absolut [*~ alcohol; ~ temperature*] **4** gram. absolut [*~ comparative*]

absolutely ['æbs(ə)luːtlɪ, -ljuː-, i betydelse 2 ,--'--] *adv* **1** absolut, fullständigt etc., jfr *absolute*; helt [och hållet], alldeles **2** vard. *~!* [ja] absolut!, så klart!

absolution [,æbsə'luːʃ(ə)n, -'ljuː-] *s* **1** frikännande **2** teol. absolution, [syndernas] förlåtelse, avlösning

absolve [əb'zɒlv] *vb tr* **1** frikänna, frita [*from från*] **2** teol. ge absolution åt, ge [syndernas] förlåtelse åt, avlösa

absorb [əb'sɔ:b, əb'z-] *vb tr* **1** absorbera, suga upp, fånga upp, tillgodogöra sig **2** uppsluka, helt uppta

absorbed [əb'sɔ:bd, əb'z-] *adj* **1** absorberad etc., jfr *absorb 1; be ~ by* (*into*) införlivas med, uppgå i **2** försjunken, fördjupad, [helt] engagerad [*in i*], uppslukad, fängslad, absorberad [*in av*]; *be ~ in sth* äv. gå upp i ngt

absorbent [əb'sɔ:bənt, əb'z-] **I** *adj* absorberande, uppsugande, insugande; *~ cotton* vanl. amer. bomull, vadd **II** *s* absorberande medel

absorbing [əb'sɔ:bɪŋ, əb'z-] *adj* absorberande; bildl. allt uppslukande, fängslande

absorption [əb'sɔ:pʃ(ə)n, əb'z-] *s* **1** absorbering, absorption, uppsugning, upptagande; införlivande **2** försjunkenhet; *~ in* äv. uppgående i, ständigt sysslande med

abstain [əb'steɪn, æb-] *vb itr* **1** avstå [*from* från]; avhålla sig [*from* från]; vara avhållsam **2** lägga ned sin röst [äv. *~ from voting*]

abstainer [əb'steɪnə, æb-] *s* **1** nykterist, person som avhåller sig från ngt; *total ~* absolutist, helnykterist **2** röstskolkare, soffliggare

abstemious [əb'sti:mɪəs, æb-] *adj* återhållsam, avhållsam, måttlig spec. i mat o. dryck

abstention [əb'stenʃ(ə)n, æb-] *s* **1** röstnedläggelse; röstskolk; *two ~s* två nedlagda röster **2** avhållsamhet, abstinens

abstinence ['æbstɪnəns] *s* avhållelse [*from* från]; avhållsamhet; spec. med. abstinens

abstinent ['æbstɪnənt] *adj* avhållsam

abstract [adj. o. subst. 'æbstrækt, verb i betydelse *III 1* -'-, *III 2* '--] **I** *adj* abstrakt i olika betydelse; teoretisk; svårfattlig; *~ mathematics* ren matematik **II** *s* **1** sammandrag, sammanfattning, referat, abstract **2** abstrakt konstverk **3** abstrakt begrepp; gram. abstrakt ord; *the ~* det abstrakta; *in the ~* teoretiskt, i princip (teorin) **III** *vb tr* **1** abstrahera; ta bort **2** sammanfatta, göra sammandrag av

abstracted [æb'stræktɪd] *adj* tankspridd, förströdd

abstraction [æb'strækʃ(ə)n] *s* **1** abstraktion; abstrakt begrepp **2** abstraherande; borttagande **3** tankspriddhet, förströddhet

abstruse [æb'stru:s] *adj* svårfattlig, dunkel

absurd [əb'sɜ:d] *adj* orimlig, absurd, befängd; dum

absurdity [əb'sɜ:dətɪ] *s* orimlighet, absurditet etc., jfr *absurd*

absurdly [əb'sɜ:dlɪ] *adv* absurt, löjligt [*~ cheap*]

abundance [ə'bʌndəns] *s* överflöd; [stor] mängd; rikedom [*an ~ of information*]

abundant [ə'bʌndənt] *adj* riklig, överflödande; rik [*in på*]

abuse [subst. ə'bju:s, verb ə'bju:z] **I** *s* **1** missbruk; missförhållande; *it is open to ~* det kan lätt missbrukas; *sexual ~* sexuellt övergrepp (utnyttjande) spec. mot minderårig **2** (utan pl.) glåpord [*a stream of ~*]; otidigheter; skäll **II** *vb tr* **1** missbruka; utnyttja sexuellt, spec. om minderårig; *be sexually ~d* bli sexuellt utnyttjad **2** skälla ut, skrika skällsord mot, kalla ngn för fula saker **3** misshandla

abusive [ə'bju:sɪv] *adj* ovettig; kränkande [*~ language*]

abut [ə'bʌt] *vb itr* o. *vb tr*, *~* [*on*] gränsa till

abysmal [ə'bɪzm(ə)l] *adj* avgrundsdjup, bottenlös vanl. bildl. [*~ ignorance*]; urusel [*the food was ~*]

abyss [ə'bɪs, 'æbɪs] *s* avgrund äv. bildl.

Abyssinian [ˌæbɪ'sɪnɪən] **I** *s* abessinier äv. kattras, abessinska kvinna **II** *adj* abessinsk

AC [ˌeɪ'si:] förk. för *alternating current, air conditioning*

a/c [ˌeɪ'si:] hand. förk. för *account, account current, air conditioning*

acacia [ə'keɪʃə] *s* akacia; *false ~* falsk akacia

academic [ˌækə'demɪk] **I** *adj* akademisk; teoretisk; orealistisk; *~ ability* studiebegåvning **II** *s* akademiker; teoretiker

academician [əˌkædə'mɪʃ(ə)n] *s* akademimedlem

academic year [ˌækədemɪk'jɪə] *s* univ. läsår

academy [ə'kædəmɪ] *s* **1** akademi [*The Royal Academy* [*of Arts*]]; [hög]skola; *~ of music* musikhögskola; *riding ~* ridskola **2** Skottl. skola för elever mellan 11 och 16 år **3** amer. privat *high school*

Academy award [əˌkædəmɪə'wɔ:d] *s* Oscar amerikanska filmakademins utmärkelse

accede [ək'si:d] *vb itr*, *~ to* a) instämma i; gå med på b) tillträda [*~ to the throne*]

acceding country [æk'si:dɪŋˌkʌntrɪ] *s* EU. anslutningsland

accelerate [ək'seləreɪt] **I** *vb itr* accelerera, öka hastigheten (takten) **II** *vb tr* påskynda, accelerera

acceleration [əkˌseləˈreɪʃ(ə)n] *s* acceleration äv. astron.; påskyndande; tilltagande hastighet

accelerator [ək'seləreɪtə] *s* **1** gaspedal **2** fys. el. kem. accelerator

accent [subst. 'æks(ə)nt, verb æk'sent] **I** *s* **1** accent, brytning, uttal; tonfall **2** bildl. tonvikt; *with the ~ on* med tonvikt på **3** accent, tryck, betoning, tonvikt **4** accent[tecken] **II** *vb tr* betona, accentuera

accented [æk'sentɪd] *adj* **1** *she spoke heavily ~ English* hon talade engelska med kraftig brytning **2** betonad, accentuerad

accentuate [æk'sentjʊeɪt] *vb tr* betona, framhäva [*the dress ~s her figure*]; accentuera

accept [ək'sept, æk-] *vb tr* **1** acceptera, anta; motta, ta emot; *~ an invitation* äv. tacka ja till en inbjudan **2** godta [*~ an excuse*]; erkänna [*~ defeat*]; godkänna, gå med på [*~ sb's terms*]; finna sig i [*I won't ~ such conditions*]; acceptera **3** hand., *~ goods* el. *~ delivery of goods* erkänna mottagandet av varor, godkänna varor

acceptable [ək'septəbl, æk-] *adj* godtagbar, acceptabel; välkommen [*to för*]

acceptance [ək'sept(ə)ns, æk-] *s* **1** accepterande etc., jfr *accept 1* **2** godtagande; erkännande; bifall, acceptans, accepterande; *gain wide ~* accepteras i vida kretsar **3** hand. accept, växelaccept

access ['ækses] **I** *s* **1** tillträde; tillgång; tillgänglighet; umgängesrätt [*~ to* (med) *one's children*]; *right of common ~* allemansrätt; *easy of ~* lätt att nå, lättillgänglig, lättåtkomlig **2** data. åtkomst, access **II** *vb tr* **1** data. komma åt; ta fram [*~ statistics*] **2** nå, få tillgång till [*~ our services*]

access card ['ækseskɑ:d] *s* inpasseringskort

access course ['ækseskɔ:s] *s* skol. intensivkurs som

förbereder för högre studier för grupper som saknar behörighet

accessibility [əkˌsesəˈbɪlətɪ, æk-] s tillgänglighet, åtkomlighet

accessible [əkˈsesəbl, æk-] adj tillgänglig, åtkomlig [to för]

accession [ækˈseʃ(ə)n, ək-] s 1 tillträde; tillträdande av ämbete; ~ *to the throne* tronbestigning 2 tillskott, tillökning, tillägg

accessory [ækˈsesərɪ, æk-] I s 1 mest pl. *accessories* tillbehör, bihang, bisaker, accessoarer 2 jur. medhjälpare, medbrottsling; ~ *after the fact* se under *fact 2 b*
II adj 1 åtföljande, som kommer till, bidragande 2 end. pred., jur. medbrottslig, delaktig [to i]

access road [ˈæksesrəʊd] s tillfartsväg till motorväg

access time [ˈæksestaɪm] s data. accesstid, åtkomsttid

accident [ˈæksɪd(ə)nt] s 1 olycka [to med, som drabbat], olycksfall, olyckshändelse 2 tillfällighet, slump; *by* ~ av en händelse (slump), tillfälligtvis

accidental [ˌæksɪˈdentl] I adj 1 tillfällig, oavsiktlig, olycks-, olycksfalls-; [*a verdict of*] ~ *death* ...dödsfall genom olyckshändelse 2 oväsentlig
II s 1 bisak 2 mus. [tillfälligt] förtecken

accidentally [ˌæksɪˈdent(ə)lɪ] adv av en händelse; oavsiktligt

accident insurance [ˌæksɪd(ə)ntɪnˈʃʊər(ə)ns] s olycksfallsförsäkring

accident-prone [ˈæksɪd(ə)ntprəʊn] adj, *he is* ~ han råkar lätt ut för olyckor, han är en olycksfågel

acclaim [əˈkleɪm] I vb tr hylla, hälsa med jubel [~ *the winner*] II s bifall; bifallsrop

acclaimed [əˈkleɪmd] adj hyllad, prisad

acclamation [ˌækləˈmeɪʃ(ə)n] s 1 vanl. pl. *~s* bifallsrop, hälsningsjubel 2 acklamation; *by* ~ med acklamation

acclimate [əˈklaɪmət] vb tr o. vb itr vanl. amer., se *acclimatize*

acclimation [ˌæklaɪˈmeɪʃ(ə)n] s vanl. amer., se *acclimatization*

acclimatization [əˌklaɪmətaɪˈzeɪʃ(ə)n] s acklimatisering; anpassning [till omgivningen]

acclimatize [əˈklaɪmətaɪz] I vb tr acklimatisera; anpassa; *become ~d* el. *get ~d* acklimatisera (anpassa) sig II vb itr acklimatisera (vänja) sig [to vid]

accolade [ˈækə(ʊ)leɪd, -lɑːd] s hyllning, lovord [the ~s of the literary critics]

accommodate [əˈkɒmədeɪt] vb tr 1 a) inhysa, logera, ge husrum, inkvartera b) rymma, ha plats för, ta emot 2 tillmötesgå 3 anpassa, passa in, foga, jämka, rätta [to efter]; ställa in 4 sammanjämka, förena [~ *the interests of different groups*] 5 tillgodose; hjälpa med (låna ngn) pengar [he asked the bank to ~ him]; ~ *sb with a loan* förstäcka ngn ett lån

accommodating [əˈkɒmədeɪtɪŋ] adj tillmötesgående, tjänstvillig; foglig, eftergiven

accommodation [əˌkɒməˈdeɪʃ(ə)n] s 1 a) (amer. vanl. pl. *~s*), *~s* bostad, [hus]rum, boende; logi, inkvartering b) utrymme, plats [~ *for 30 people*] 2 a) anpassning, avpassande [to efter] b) ögats

ackommodation[sförmåga] 3 visat tillmötesgående 4 uppgörelse, sammanjämkning 5 lån

accommodation train [əˌkɒməˈdeɪʃ(ə)ntreɪn] s amer. persontåg som stannar vid alla stationer

accompaniment [əˈkʌmpənɪmənt] s 1 mus. el. friare ackompanjemang [to the ~ of a march] 2 tillbehör, bihang

accompany [əˈkʌmp(ə)nɪ] vb tr 1 beledsaga, låta åtföljas [with av; he accompanied his words with a bang on the table] 2 åtfölja [accompanied by his son]; följa med, göra sällskap med; *accompanied with* bildl. åtföljd av, förbunden (förenad) med 3 mus. ackompanjera [~ sb at the piano]

accomplice [əˈkʌmplɪs, -ˈkɒm-] s medbrottsling

accomplish [əˈkʌmplɪʃ, ibl. -ˈkɒm-] vb tr 1 utföra [~ a task]; uträtta, åstadkomma, genomföra 2 fullborda, fullfölja; tillryggalägga

accomplished [əˈkʌmplɪʃt, -ˈkɒm-] adj 1 fullbordad; *an ~ fact* ett fullbordat faktum 2 skicklig, driven

accomplishment [əˈkʌmplɪʃmənt, -ˈkɒm-] s 1 resultat, prestation 2 fulländning, utbildning; vanl. pl. *~s* talanger; färdigheter 3 utförande, fullbordande; jfr för övrigt *accomplish*

accord [əˈkɔːd] I s 1 samstämmighet, överensstämmelse, endräkt, harmoni, samklang; *in* ~ *with* i överensstämmelse (enlighet) med; *with one* ~ på samma gång; enhälligt 2 a) överenskommelse, fördrag b) förlikning 3 *of one's own* ~ självmant, av sig själv
II vb tr bevilja, medge; ge
III vb itr med prep.:
accord with mest om saker vara i överensstämmelse med, stämma överens med

accordance [əˈkɔːd(ə)ns] s överensstämmelse; *in* ~ *with* i överensstämmelse (enlighet) med, enligt

according [əˈkɔːdɪŋ] 1 ~ *to* enligt, efter; alltefter [~ *to circumstances*]; beroende på, med [the heat varies ~ *to the latitude*]; *it went* ~ *to plan* det gick planenligt 2 ~ *as* i den mån som, alltefter som 3 *it's all* ~ vard. det beror på

accordingly [əˈkɔːdɪŋlɪ] adv 1 i enlighet med det, därefter 2 således, följaktligen, därför

accordion [əˈkɔːdɪən] s dragspel, handklaver

accost [əˈkɒst] vb tr 1 [gå fram till och] tilltala 2 antasta

account [əˈkaʊnt] I s 1 konto; pl. *~s* räkenskaper; bokföringsavdelningen, bokföringen; ~ *book* räkenskapsbok, kontorsbok; ~ *current* (förk. *a/c*) kontokurant; *keep ~s* föra räkenskaper (böcker); *open an* ~ *with* öppna konto hos; *pay an* ~ el. *settle an* ~ betala (göra upp) en räkning; *put down to sb's* ~ sätta upp på ngns konto; *on* ~ a conto, i avräkning (avbetalning, förskott) [of på]; *payment on* ~ avbetalning; *on one's own* ~ för egen räkning 2 bildl., *settle ~s with sb* el. *square ~s with sb* göra upp [räkningen] med ngn, ge ngn betalt för gammal ost; *on sb's* ~ för ngns skull; *on that* ~ för den [sakens] skull; *on no* ~ el. *not on any* ~ på inga villkor, på intet vis; *on* ~ *of* på grund av, med anledning av 3 räknande, beräkning (jfr äv. *account I 6 ex.*); pl. *~s* handelsräkning 4 fördel, nytta; *turn to* ~ el. *put to* ~ använda till sin fördel 5 redovisning, redogörelse, uppgörelse; *call sb to* ~ el. *bring sb to* ~

ställa ngn till svars; *give a good ~ of* lyckas med, klara av; *give a good ~ of oneself* sköta (klara) sig bra, göra bra ifrån sig **6** vikt, anseende; *leave out of ~* lämna ur räkningen, bortse ifrån; *take into ~* ta med i beräkningen; ta hänsyn till; *of no ~* utan betydelse; *of small* (*some*) *~* av föga (en viss) betydelse, av föga (ett visst) värde **7** berättelse, redogörelse, rapport, beskrivning; *give an ~ of* redogöra för; *by all ~s* el. *from all ~s* efter vad man har hört, efter vad som sägs
II *vb tr* o. *vb itr* med prep.:

account for a) redovisa [för]; svara för; *everyone was ~ed for* ingen saknades b) tjäna som förklaring på; *that ~s for it* det förklarar saken; *there's no ~ing for tastes* om tycke och smak ska man inte diskutera

accountable [ə'kaʊntəbl] *adj* **1** ansvarig [*for sth* för ngt *to*, inför] **2** förklarlig

accountancy [ə'kaʊntənsɪ] *s* bokföring

accountant [ə'kaʊntənt] *s* revisor, bokförare; *chartered ~* el. amer. *certified public ~* auktoriserad revisor

accounting [ə'kaʊntɪŋ] *s* **1** bokföring **2** redovisning, avläggande av räkenskap

accoutrement [ə'ku:trəmənts] *s pl* utrustning, utstyrsel; mil. munderingspersedlar

accredited [ə'kredɪtɪd] *adj* ackrediterad [*to* hos, i]; auktoriserad, allmänt erkänd, officiellt godkänd

accretion [ə'kri:ʃ(ə)n, æ'k-] *s* **1** tillväxt, tillökning; tillskott, tillsats **2** anhopning, avlagring [*~s of dirt*] **3** hopväxning

accrual [ə'kru:əl] *s* ekon. tillväxt av kapital o.d.

accrue [ə'kru:] *vb itr* **1** tillkomma; tillfalla [*to sb* ngn] **2** växa till, öka spec. om kapital [*from* från]

accrued interest [ə,kru:d'ɪntrəst] *s* upplupen ränta

accumulate [ə'kju:mjʊleɪt] **I** *vb tr* samla [ihop (på hög)], ackumulera, hopa; lagra [upp] **II** *vb itr* hopa sig, ackumuleras, samlas, ökas

accumulation [ə,kju:mjʊ'leɪʃ(ə)n] *s* anhopning, ansamling, ackumulation; samlande; hop, samling

accumulative [ə'kju:mjʊlətɪv] *adj* ackumulativ, hopad, samlad; ackumulerande, ständigt växande

accumulator [ə'kju:mjʊleɪtə] *s* fys. el. data. ackumulator

accuracy ['ækjʊrəsɪ] *s* exakthet, precision, riktighet; noggrannhet

accurate ['ækjʊrət] *adj* exakt, precis, riktig; noggrann

accursed [ə'kɜ:sɪd] *adj* **1** avskyvärd, förbannad **2** litt. förbannad

accusation [,ækju:'zeɪʃ(ə)n] *s* anklagelse, beskyllning; *bring an ~ against* framföra (rikta) en anklagelse mot

accusative [ə'kju:zətɪv] *s* o. *adj* gram. ackusativ, ackusativ-; *the ~* el. *the ~ case* ackusativ, ackusativen

accusatory [ə'kju:zət(ə)rɪ] *adj* anklagande

accuse [ə'kju:z] *vb tr* **1** anklaga [*of* för; *before*, *to* inför, hos], beskylla [*of* för]; *be* (*stand*) *~d of* vara (stå) anklagad för **2** klandra, angripa [*he ~s the system*]

accused [ə'kju:zd] *s*, *the ~* den anklagade

accustom [ə'kʌstəm] *vb tr* vänja [sig] [*to* vid]

accustomed [ə'kʌstəmd] *adj* **1** van [*to sth* vid ngt; *to doing sth* vid att göra ngt] **2** [sed]vanlig

AC/DC [,eɪsi:'di:si:] *adj* vard. bisexuell

ace [eɪs] **I** *s* **1** ess, äss; etta på tärning etc.; *~ of hearts* hjärteress; *have an ~ up one's sleeve* bildl. ha trumf på hand **2** *within an ~ of* ytterst nära, en hårsmån från [*within an ~ of victory*] **3** tennis. serveess **4** person ess, stjärna
II *adj* **1** *~ reporter* stjärnreporter **2** vard. jättebra, helschyst
III *vb tr* sport. få in ett ess mot

acerbic [ə'sɜ:bɪk] *adj* bildl. syrlig, bitter

acetate ['æsəteɪt, -tət] *s* acetat [*~ fibre*]

acetic acid [ə,si:tɪk'æsɪd] *s* kem. ättiksyra

acetone ['æsətəʊn] *s* aceton

acetylene [ə'setɪli:n] *s* acetylen[gas]

acetylsalicylic acid ['æsɪtaɪlsælə,sɪlɪk'æsɪd] *s* kem. acetylsalicylsyra, aspirin

ache [eɪk] **I** *vb itr* värka, göra ont; *I'm aching all over* det värker (jag har ont) i hela kroppen; *~ for* längta [intensivt] efter; *~ to get* längta efter att få **II** *s* värk; *have ~s and pains all over* ha ont i hela kroppen

achievable [ə'tʃi:vəbl] *adj* genomförbar, görlig, uppnåelig

achieve [ə'tʃi:v] *vb tr* **1** uträtta; åstadkomma [*he will never ~ anything*]; prestera **2** [upp]nå [*~ one's aims*]

achievement [ə'tʃi:vmənt] *s* **1** uträttande, åstadkommande; uppnående **2** insats; prestation, bragd, bedrift; gärning, verk **3** ped. färdighet, prestation

Achilles' heel [ə,kɪli:z'hi:l] *s* akilleshäl

Achilles' tendon [ə,kɪli:z'tendən] *s* anat. hälsena, akillessena

achy ['eɪkɪ] *adj* vard. öm, värkande

acid ['æsɪd] **I** *adj* sur; syrlig äv. bildl.
II *s* **1** syra **2** sl. LSD, syra narkotika

acid house ['æsɪd,haʊs] *s* mus. acid house

acidic [ə'sɪdɪk] *adj* sur, syre-

acidification [ə,sɪdɪfɪ'keɪʃ(ə)n] *s* försurning; förvandling till syra

acidify [ə'sɪdɪfaɪ] **I** *vb tr* göra syrlig; försura **II** *vb itr* bli sur (syrlig), försuras

acidity [ə'sɪdətɪ] *s* **1** aciditet, surhet[sgrad]; syra i t.ex. vin, försurning; syrlighet **2** magsyra

acid-proof ['æsɪdpru:f] *adj* syrafast

acid rain [,æsɪd'reɪn] *s* surt regn

acid test [,æsɪd'test] *s* bildl. eldprov, prövosten

acidulous [ə'sɪdjʊləs] *adj* syrlig; bildl. vresig

acknowledge [ək'nɒlɪdʒ, æk-] *vb tr* **1** erkänna [*~ oneself beaten*; *~ one's mistake*]; tillstå, kännas vid **2** uttrycka sin erkänsla för [*~ sb's services*] **3** *~ sb* kännas vid ngn; genom hälsning, nick el. blick visa att man känner [igen] ngn (att man har sett ngn) **4** inse, förstå [*the parish council ~ the need to replace the present structure*]

acknowledgment o. **acknowledgement** [ək'nɒlɪdʒmənt, æk-] *s* **1** erkännande **2** erkänsla; *in ~ of* [*your help*] som tack för... **3** *~s* tack till personer [och institutioner] som bidragit

acme ['ækmɪ] *s* höjd[punkt], kulmen; högsta grad

acne ['æknɪ] *s* med. akne

acolyte ['ækə(ʊ)laɪt] *s* medhjälpare; anhängare, efterföljare

aconite ['ækənaɪt] *s* bot. stormhatt

acorn ['eɪkɔ:n] *s* ekollon

acoustic [ə'ku:stɪk] *adj* akustisk, ljud-

acoustic nerve [ə,ku:stɪk'nɜ:v] *s* anat., **the ~** hörsel- och balansnerven, 8:e kranialnerven

acoustics [ə'ku:stɪks] *s* **1** (med verb i pl.) akustik, ljudförhållanden i en lokal o.d. **2** (med verb i sg.) akustik läran om ljudet

acquaint [ə'kweɪnt] *vb tr* **1** ~ **oneself with** bekanta sig (göra sig bekant) med; sätta sig in i, lära känna; **be ~ed with** vara bekant med; vara insatt i, känna [till] **2** ~ **sb with sth** underrätta ngn om ngt

acquaintance [ə'kweɪnt(ə)ns] *s* **1** bekantskap [*with* med]; kännedom [*with* om]; **make sb's** el. **make the ~ of sb** göra bekantskap med ngn (ngns bekantskap); **a nodding ~** en flyktig bekantskap **2** bekant; **circle of ~s** bekantskapskrets

acquiesce [,ækwɪ'es] *vb itr* samtycka [*in* till]; foga sig, finna sig [*in* i]

acquiescent [,ækwɪ'esnt] *adj* eftergiven, medgörlig, foglig, passiv

acquire [ə'kwaɪə] *vb tr* förvärva, tillägna sig, skaffa [sig], få, komma över; vinna, uppnå; perf. p. **~d** förvärvad, inlärd; som man har lagt sig till med [*an ~d habit*]; **~d characteristics** (**characters**) förvärvade egenskaper; **it's an ~d taste** det är något man måste vänja sig vid

acquisition [,ækwɪ'zɪʃ(ə)n] *s* **1** förvärvande, tillägnande **2** förvärv, ackvisition

acquisitive [ə'kwɪzɪtɪv] *adj* hagalen; förvärvslysten; **the ~ society** ung. prylsamhället, konsumtionssamhället

acquit [ə'kwɪt] *vb tr* **1** fria, frikänna [*of* från] **2** ~ **oneself well** sköta sig bra, göra bra ifrån sig

acquittal [ə'kwɪtl] *s* **1** frikännande; **sentence of ~** friande dom **2** fullgörande av plikt

acre ['eɪkə] *s* ytmått 'acre' (4 047 m²); ung. tunnland; **~s of space** (**room**) massvis med utrymme

acreage ['eɪkərɪdʒ] *s* antal 'acres'; areal

acrid ['ækrɪd] *adj* bitter, skarp; kärv, frän äv. bildl.

acridity [æ'krɪdətɪ] *s* bitterhet; fränhet

acrimonious [,ækrɪ'məʊnɪəs] *adj* bitter, skarp, kärv, frän [~ *dispute*]

acrimony ['ækrɪmənɪ] *s* bitterhet, skärpa, kärvhet, fränhet

acrobat ['ækrəbæt] *s* akrobat äv. bildl.

acrobatics [,ækrə(ʊ)'bætɪks] *s* (med verb i pl.) akrobatik, akrobatkonster

acronym ['ækrə(ʊ)nɪm] *s* akronym initialord som uttalas som ett 'vanligt' ord (t.ex. NATO)

across [ə'krɒs] (se äv. under resp. verb, t.ex. *get* o. *put*) **I** *adv* **1** över, tvärsöver; på tvären; i korsord vågrätt; ~ **from** mittemot **2** över [*come ~ to my office tomorrow*]; på (till) andra sidan [*swim ~*] **3** i kors **II** *prep* **1** över, tvärsöver, på, genom; **come** (**run**) ~ komma över ngt, stöta (råka) på ngt (ngn) **2** över, på (till) andra sidan [av] [~ *the river*] **3** **you can't put that ~ me** det kan du inte lura i mig

across-the-board [ə,krɒsðə'bɔ:d] *adj* allmän, generell, [som gäller] över hela linjen [*an ~ wage increase*]

acrylic [ə'krɪlɪk] **I** *adj* akryl- **II** *s* akryl; akrylfiber; pl. **~s** akrylfärg

acrylic fibre [ə,krɪlɪk'faɪbə] *s* akrylfiber

act [ækt] **I** *s* **1** handling, gärning, verk, åtgärd; **the Acts** el. **the Acts of the Apostles** bibl. Apostlagärningarna; ~ **of hostility** fientlig handling; ~ **of faith** troshandling, hjärtesak; **I was in the ~ of doing it, when...** jag var i full färd med att göra det när...; **caught in the ~** tagen på bar gärning; **clean up one's ~** el. **get one's ~ together** vard. få ordning på tillvaron; skärpa sig; **get in on the ~** bildl. hoppa på tåget **2** parl. beslut [*Act of Parliament*; *Act of Congress*]; lag, laga stadga; rättsakt **3** teat. akt; nummer [*a circus ~*]; **put on an ~** göra sig till, spela teater **II** *vb itr* **1** handla [*towards sb* mot ngn]; agera, uppträda [*he's ~ing strangely*]; ingripa, göra något [*they ~ed to prevent it*]; bete sig [~ *like an idiot*] **2** fungera, tjänstgöra [*as* som]; verka; göra tjänst; ~ **for sb** representera (företräda) ngn [äv. ~ *on behalf of sb*] **3** [in]verka, göra verkan, ha effekt [*on, upon* på] **4** teat. spela, agera; bildl. spela [teater], låtsas [*she's not really crying, she's only ~ing*] **III** *vb tr* uppföra pjäs; uppträda som; spela [~ [*the part of*] *Hamlet*]; agera; ~ **the hero** spela hjälte **IV** *vb itr* med adv.:

act up vard. **a)** ställa till besvär (trassel) **b)** [*my bad leg*] **is ~ing up again** ...gör sig påmint (krånglar) igen

acting ['æktɪŋ] **I** *adj* [för tillfället] tjänstgörande, tillförordnad [~ *consul*; ~ *headmaster*] **II** *s* **1** teat. spel, spelsätt; **choose ~ as a career** välja teaterbanan, bli skådespelare **2** handlande, handling, agerande etc., jfr *act II*

action ['ækʃ(ə)n] *s* **1** handling, aktion; handlande, uppträdande; agerande; **~!** film. tystnad, tagning!; **take ~** ingripa, handla, vidta åtgärder; **a man of ~** en handlingens man, en handlingsmänniska **2** inverkan [*by the ~ of the air*]; verkan, effekt [*the ~ of the drug*] **3** funktion [*the ~ of the heart*]; sätt att fungera; gång hos maskin o.d.; **call into ~** sätta i funktion; **put into ~** sätta i gång (i funktion); friare sätta i verket; **be out of ~** vara trasig; om person vara skadad; **put out of ~** sätta ur funktion; mil. försätta ur stridbart skick; friare [för]sätta ur spel **4** konkr. mekanism; [piano]mekanik **5 a)** handling i pjäs, roman etc., action i film **b)** vard., **that's where the ~ is** det är där som det händer; **get a piece of the ~** vara med på ett hörn, få en släng av sleven **6** jur. rättsliga åtgärder; rättegång, process; åtal; **bring** (**enter**) **an ~ against** väcka åtal mot, åtala, stämma **7** mil. strid [*killed in ~*]; aktion [*go into ~*; *come out of ~*]

action film ['ækʃ(ə)nfɪlm] *s* actionfilm

action-packed ['ækʃ(ə)npækt] *adj* vard. actionfylld, full av action; spännande

action replay [,ækʃ(ə)n'ri:pleɪ] *s* TV. repris [ofta i slow-motion]

action stations ['ækʃ(ə)n,steɪʃ(ə)ns] *interj* mil. klart för strid!

activate ['æktɪveɪt] *vb tr* **1** aktivera, utlösa [~ *the alarm*] **2** fys. göra radioaktiv

activation [,æktɪ'veɪʃ(ə)n] *s* aktivering

active ['æktɪv] **I** *adj* **1** aktiv äv. mil.; verksam, verkande; flitig, livlig; rörlig; ~ *capital* rörligt kapital **2** gram., *the ~ voice* aktiv form, aktiv **II** *s* gram., *the ~* aktiv

active duty [ˌæktɪv'djuːtɪ] *s* amer. mil., se *active service*

active-service [ˌæktɪv'sɜːvɪs] *adj* mil. fältmässig

active service [ˌæktɪv'sɜːvɪs] *s* mil., *on ~* i aktiv tjänst; *be on ~* äv. delta i strid, tillhöra ett stridande förband; *see ~* kämpa [*he saw ~ on several fronts*]; vara med i kriget; *have seen ~* äv. (friare) ha varit med om en hel del, ha fått pröva på mycket

activist ['æktɪvɪst] *s* aktivist, aktions- [*~ group*]

activity [æk'tɪvətɪ] *s* **1** aktivitet, verksamhet; kraftutveckling; livlighet **2** pl. *activities* verksamhet, verksamhetsfält; verkande krafter; strävanden, aktiviteter [*leisure-time activities*]

act of God [ˌæktəv'gɒd] *s* jur. force majeure, laga hinder

actor ['æktə] *s* skådespelare, aktör

actress ['æktrəs] *s* [kvinnlig] skådespelare, skådespelerska

actual ['æktʃʊəl, -tjʊəl] *adj* **1** faktisk, verklig; själv[a]; effektiv [*~ working hours*]; *during the ~ ceremony* under själva ceremonin; *it is an ~ fact* det är ett faktum, det är faktiskt så; *in ~ fact* i själva verket; *what were his ~ words?* vad sade han exakt (egentligen)? **2** nuvarande [*the ~ position of the moon*]; nu rådande, aktuell [*the ~ situation*]

actuality [ˌæktʃʊ'æləti, -tjʊ-] *s* verklighet, faktum

actually ['æktʃʊəlɪ, -tjʊəlɪ] *adv* **1** egentligen, i själva verket **2** faktiskt [*I don't know ~*]; verkligen, rentav; *we ~ did it!* tänk att vi klarade det!

actuary ['æktjʊərɪ] *s* aktuarie, försäkringsstatistiker

actuate ['æktjʊeɪt] *vb tr* **1** sätta i rörelse **2** *be ~d by sth* drivas av ngt

acuity [ə'kjuːətɪ] *s* skärpa; skarpsinne; *visual ~* synskärpa

acumen ['ækjʊmən, -men, amer. vanl. ə'kjuːmen] *s* skarpsinnighet, skarpsinne; *business ~* utpräglat sinne för affärer; *~ about* insikt[er] i

acupuncture ['ækjʊpʌŋktʃə] med. **I** *s* akupunktur **II** *vb tr* behandla med akupunktur

acupuncturist [ˌækjʊ'pʌŋktʃərɪst] *s* akupunktör

acute [ə'kjuːt] *adj* **1** akut [*~ disease; ~ accent*] **2** skarp, häftig, intensiv **3 a)** skarpsinnig **b)** [*dogs have*] *an ~ sense of smell* ...ett väl utvecklat luktsinne **4** spetsig, skarp, fin; *~ angle* spetsig vinkel **5** hög, gäll

AD [ˌeɪ'diː, ˌænə(ʊ)'dɒmɪnaɪ] (förk. för *Anno Domini*) e.Kr.

ad [æd] *s* (vard. kortform av *advertisement*); *small ~* småannons under rubriken 'Köpes', 'Säljes' etc.

Ada ['eɪdə] kvinnonamn

adage ['ædɪdʒ] *s* ordspråk, tänkespråk

adagio [ə'dɑːdʒɪəʊ] mus. (it.) **I** (pl. *~s*) *s* adagio **II** *adj* o. *adv* adagio[-]

Adam ['ædəm] **1** mansnamn **2** *I don't know him from ~* vard. a) jag har inte en aning om vem han är b) jag känner absolut inte igen honom

adamant ['ædəmənt] *adj* orubblig, benhård, obeveklig

Adam's apple [ˌædəmz'æpl] *s* anat. adamsäpple

adapt [ə'dæpt] *vb tr* (se äv. *adapted*) **1** anpassa,

avpassa [*to, for* efter, till]; adaptera; använda [*to* till]; *~ oneself to* anpassa (foga, ställa om) sig efter **2** bearbeta, omarbeta; [*the play*] *has been skilfully ~ed from the novel* ...är en skicklig omarbetning av romanen

adaptation [ˌædæp'teɪʃ(ə)n] *s* **1** anpassning, omställning; fysiol. el. biol. adaptation **2** bearbetning, omarbetning

adapted [ə'dæptɪd] *adj* **1** avpassad, lämpad; anpassad [*to* för, till]; *become ~ to* anpassa sig till, vänja sig vid **2** bearbetad [*~ for broadcasting*]; omarbetad

adapter o. **adaptor** [ə'dæptə] *s* **1** bearbetare **2** tekn. adapter; förgreningspropp, tjuvkontakt

ADD [ˌeɪdiː'diː] psykol. (förk. för *attention deficit disorder*) damp, hyperaktivitetssyndrom

add [æd] **I** *vb tr* **1** tillägga, lägga till; tillsätta, blanda (hälla) i [*to* i] **2** addera, summera [*up, together* ihop]; *~ 2 and* (*to*) *2* äv. lägga ihop 2 och 2 **II** *vb itr* addera **III** *vb itr* med prep. el. adv.:

add to öka, bidra till; bygga till (på); *to ~ to it all* till råga på allt

add up om siffror stämma; *it doesn't ~ up* vard. det stämmer inte, det går inte ihop; *it doesn't ~ up to much* vard. det är inget vidare; *~ up to* uppgå till; vard. gå ut på; *it all ~s up to this that...* summan av kardemumman är att...

added ['ædɪd] *adj* ökad, ytterligare, extra

adder ['ædə] *s* zool. huggorm; giftorm

addict ['ædɪkt] *s* **1** missbrukare; *drug ~* narkoman, knarkare; *morphine ~* morfinist **2** bildl. slav under ngt; *be a theatre ~* vara teaterbiten; *work ~* arbetsnarkoman

addicted [ə'dɪktɪd] *adj* **1** beroende av narkotika o.d. [*to* av]; *be ~ to* äv. missbruka **2** bildl., *~ to* beroende av, tokig i; *be ~ to* äv. vara slav under

addiction [ə'dɪkʃ(ə)n] *s* **1** missbruk, beroende [*~ to* (av) *drugs* (*alcohol*)] **2** bildl. begivenhet [*to* på], hängivenhet, böjelse, passion [*to* för]

addictive [ə'dɪktɪv] *adj* om narkotika o.d. beroendeframkallande, vanebildande äv. bildl.

Addis Ababa [ˌædɪs'æbəbə] geogr. Addis Abeba

addition [ə'dɪʃ(ə)n] *s* **1** tillägg, tillsats, tillskott; tilläggande, [till]ökning; tillsättning; *an ~ to the family* tillökning i familjen; *in ~* dessutom, därtill; *in ~ there will be...* härtill (därtill) kommer..., dessutom tillkommer...; *in ~ to* förutom **2** matem. addition

additional [ə'dɪʃənl] *adj* ytterligare; ny; ökad; extra, tilläggs-, mer-; återstående

additionally [ə'dɪʃnəlɪ] *adv* dessutom, därtill

addition sign [ə'dɪʃ(ə)nsaɪn] *s* matem. plustecken

additive ['ædɪtɪv] **I** *adj* additiv, tillsats- **II** *s* tillsats [*new chemical ~s*]; *food ~* livsmedelstillsats

addled ['ædld] *adj* **1** förvirrad, konfys **2** *~ egg* skämt ägg

add-on ['ædɒn] data. **I** *s* **1** utbyggnadskort, expansionskort **2** tilläggsprogram **II** *adj* tilläggs-

address [ə'dres, subst. amer. äv. 'ædres] **I** *s* **1** på brev o.d. adress; *notify change of ~* meddela adressändring **2** data. adress **3** offentligt tal riktat till ngn, anförande, föredrag **4** gott omdöme, takt; skicklighet

II *vb tr* **1** adressera; skriva adress på; [*the letter is* **wrongly addressed** ...feladresserat **2** rikta [~ *words to* (till)]; framföra **3** vända sig till, tilltala; tala (hålla tal) till **4** titulera, ~ *sb as* [*'Colonel'*] titulera ngn... **5** golf., ~ *the ball* adressera bollen
III *vb rfl*, ~ *oneself to* a) vända (rikta) sig till genom att säga ngt b) inrikta sig på, ta itu med uppgift

addressee [,ædre'si:] *s* adressat, mottagare

adduce [ə'dju:s] *vb tr* anföra, andra, åberopa [~ *reasons*]

Adelaide ['ædəleɪd] geogr. egennamn el. kvinnonamn

Adeline ['ædəlaɪn, -li:n] kvinnonamn

adenoids ['ædənɔɪdz] *s pl* med. polyper i näsa och svalg

adept ['ædept, som adj. äv. ə'dept] **I** *adj* skicklig [*at, in* i], erfaren; invigd [*in* i] **II** *s* mästare, expert [*in, at* i, på], kännare

adequate ['ædɪkwət] *adj* **1** tillräcklig, tillfredsställande; tillräckligt (nog) med [~ *food*]; lagom; lämplig; ~ *to* avpassad efter, passande för; *be* ~ *to* äv. [visa sig] motsvara; vara vuxen ngt [*be* ~ *to a task*] **2** fullgod, giltig [*an* ~ *reason*]; täckande, adekvat [*an* ~ *definition*]

ADHD [,eɪ'di:,eɪtʃ'di:] psykol. (förk. för *attention deficit hyperactivity disorder*) adhd, hyperaktivitetssyndrom

adhere [əd'hɪə] *vb itr*, ~ *to* a) sitta (klibba) fast vid, fastna på b) hålla (stå) hålla sig till, följa

adhesion [əd'hi:ʒ(ə)n] *s* **1** vidhäftning[sförmåga]; fasthållande [*to* vid, av] **2** anslutning [*to* till]

adhesive [əd'hi:sɪv] **I** *adj* som fastnar (fäster); självhäftande, häft- [~ *plaster*]; gummerad [~ *envelope*]; klibbig **II** *s* bindemedel; klister; lim

adhesive power [əd,hi:sɪv'paʊə] *s* fys. adhesionskraft

adhesive tape [əd,hi:sɪv'teɪp] *s* tejp, klisterremsa

ad hoc [,æd'hɒk] *adj* lat. ad hoc, [bildad (gjord)] för ändamålet (fallet) i fråga, special-, från fall till fall; ~ *committee* ad hoc-utskott, utskott för visst uppdrag

adieu [ə'dju:] poet. **I** *s* farväl, avsked, adjö **II** *interj* farväl!, adjö!

ad infinitum [,ædɪnfɪ'naɪtəm] *adv* lat. i det oändliga

adipose tissue [,ædɪpəʊs'tɪʃu:] *s* fettvävnad

adiposity [ædɪ'pɒsətɪ] *s* [sjuklig] fetma

Adirondack [,ædɪ'rɒndæk] geogr., *the* ~ *Mountains* pl. el. *the* ~s pl. Adirondackbergen

adj. förk. för *adjacent, adjective*

adjacent [ə'dʒeɪs(ə)nt] *adj* angränsande, närliggande; grann- [~ *farm* (*country*)]; ~ *angle* matem. närliggande vinkel; ~ *to* [belägen] intill (bredvid)

adjective ['ædʒɪktɪv] *s* adjektiv; *possessive* ~ förenat possessivt pronomen

adjoin [ə'dʒɔɪn] **I** *vb tr* gränsa (stöta) till **II** *vb itr* gränsa (stöta) till varandra

adjoining [ə'dʒɔɪnɪŋ] *adj* angränsande; vidstående

adjourn [ə'dʒɜ:n] **I** *vb tr* ajournera, flytta fram, skjuta upp [~ *a meeting*]
II *vb itr* **1** ajournera sig, ajourneras [*the court* ~*ed*]; om parlament ta ferier **2** flytta till annan [mötes]lokal; ngt skämts. förflytta sig [*shall we* ~ *to the sitting room?*]

adjournment [ə'dʒɜ:nmənt] *s* ajournering, framflyttning, uppskjutande

adjudge [ə'dʒʌdʒ] *vb tr* **1** bedöma; tillerkänna [*sth to sb* ngn ngt]; *he was* ~*d the winner* han förklarades som segrare **2** döma [~ *sb guilty*]

adjudicate [ə'dʒu:dɪkeɪt] **I** *vb tr* **1** döma, döma i [~ *a competition*] **2** tilldöma [~ *a prize to sb*]
II *vb itr* sitta som domare, döma; ~ *up on a matter* avkunna dom i en sak äv. jur.

adjudicator [ə'dʒu:dɪkeɪtə] *s* domare, jurymedlem i musiktävling o.d.

adjunct ['ædʒʌŋ(k)t] *s* **1** tillsats, bihang, tillbehör; komplement **2** gram. bestämning

adjust [ə'dʒʌst] **I** *vb tr* **1** rätta till, ordna [~ *one's tie*]; sätta (lägga) till rätta; reglera; justera [~ *the brakes*]; ställa in [~ *the TV*; ~ *the telescope*]
2 avpassa, anpassa [*to* efter]; bringa i samklang (överensstämmelse); ~ *oneself* anpassa (inrätta) sig **3** försäkr. reglera skada
II *vb itr* **1** anpassa sig äv. psykol. [*a child who cannot* ~] **2** vara reglerbar (justerbar)

adjustable [ə'dʒʌstəbl] *adj* inställbar, reglerbar, justerbar, flyttbar

adjustable spanner [ə,dʒʌstəbl'spænə] *s* skiftnyckel

adjustment [ə'dʒʌs(t)mənt] *s* **1** ordnande; reglering; justering; inställning; jfr *adjust* I 1
2 avpassning, anpassning **3** försäkr. [skade]reglering
4 spec. psykol. anpassning[sförmåga]

ADL [,eɪdi:'el] (förk. för *activities of daily living*) ADL (förk. för aktiviteter i det dagliga livet)

ad-lib [,æd'lɪb] (förk. för *ad libitum*) lat. **I** *vb itr* o. *vb tr* improvisera
II *adj* improviserad [*an* ~ *speech*]
III *adv* **1** efter behag **2** improviserat, fritt, utan manuskript

ad|man ['ædmæn] (pl. -men ['ædmen]) *s* vard. reklamman; författare av annonstext[er], copywriter

admin ['ædmɪn, əd'mɪn] *s* (vard. kortform av *administration*), *a lot of* ~ en massa pappersarbete

administer [əd'mɪnɪstə] *vb tr* **1** sköta, administrera, förvalta, handha **2** skipa rättvisa **3** med. ge [~ *medicine to sb*] **4** ge, räcka, erbjuda, tilldela [~ *a severe blow to the enemy*] **5** kyrkl. förrätta; utdela [~ *the sacrament*]

administrate [əd'mɪnɪstreɪt] **I** *vb tr* administrera, förvalta, handha, sköta **II** *vb itr* administrera

administration [əd,mɪnɪ'streɪʃ(ə)n] *s* **1** skötsel, administrering, förvaltning, handhavande; administrativa göromål **2** förvaltning; styrelse **3** regering [i USA *the Administration*]; ministär, administration **4** skipande; ~ *of justice* rättskipning **5** givande, användning av läkemedel

administrative [əd'mɪnɪstrətɪv, -treɪt-] *adj* förvaltnings-, administrations-; administrativ, ledande [*an* ~ *post*]

administrator [əd'mɪnɪstreɪtə] *s* **1** förvaltare, föreståndare **2** administratör, organisatör **3** kyrkl. förrättare; utdelare **4** jur., officiellt förordnad boutredningsman

admirable ['ædm(ə)rəbl] *adj* beundransvärd

admiral ['ædm(ə)r(ə)l] *s* amiral

Admiralty ['ædm(ə)r(ə)ltɪ] *s* hist., *the* ~ amiralitetet marindepartementet

Admiralty Board ['ædm(ə)r(ə)ltɪ,bɔ:d] *s*, *the* ~ amiraliteten sektion inom det brittiska försvarsdepartementet

admiration [ˌædməˈreɪʃ(ə)n] s beundran

admire [ədˈmaɪə] vb tr beundra

admiring [ədˈmaɪərɪŋ] adj beundrande [~ glances]; full av beundran

admissible [ədˈmɪsəbl] adj tillåtlig, tillåten

admission [ədˈmɪʃ(ə)n] s **1** tillträde [have ~ to]; inträde [apply for (söka) ~ into]; intagning [into, to i, på]; ~ free fritt inträde **2** erkännande, medgivande [of av]; it would be an ~ of defeat det vore att erkänna sig besegrad; by his own ~ el. on his own ~ som han själv medger

admit [ədˈmɪt] **I** vb tr **1** erkänna, medge, gå med på **2** släppa in, låta komma in [he ~ted me into (i) the house]; ta in, anta [only one hundred boys are ~ted to (vid) the school every year]; be ~ted to hospital bli intagen på sjukhus; children not ~ted barn äger ej tillträde; this ticket ~s two persons biljetten gäller [för inträde] för två personer
II vb itr, ~ to a) om biljett gälla (berättiga) till b) erkänna [he ~ted to murder]
III vb itr med prep.:
admit of tillåta, medge, lämna rum för

admittance [ədˈmɪt(ə)ns] s inträde, tillträde; no ~ tillträde förbjudet, obehöriga äger ej tillträde

admittedly [ədˈmɪtɪdlɪ] adv onekligen; visserligen; erkänt, det måste erkännas

admixture [ədˈmɪkstʃə] s blandning; tillsats

admonish [ədˈmɒnɪʃ] vb tr förmana; tillrättavisa

admonition [ˌædmə(ʊ)ˈnɪʃ(ə)n] s förmaning; tillrättavisning

ad nauseam [ædˈnɔːsɪəm, -zɪəm] adv lat. till leda

ado [əˈduː] s ståhej, väsen, bråk, liv [about om, kring, för]; much ~ about nothing mycket väsen för ingenting; without more ~ el. without further ~ rätt och slätt, utan vidare

adolescence [ˌædə(ʊ)ˈlesns] s pubertet; ungdom ungefär mellan puberteten o. vuxen ålder, tonår

adolescent [ˌædə(ʊ)ˈlesnt] **I** s ung människa ungefär mellan puberteten o. vuxen ålder, ungdom, tonåring
II adj uppväxande, tonårs-

adopt [əˈdɒpt] vb tr **1** adoptera; anta, uppta [as såsom]; have a baby ~ed adoptera bort ett barn **2** anta, lägga sig till med åsikt, vana, införa metod; uppta, låna in [~ a new word into the language] **3** ta i bruk [~ new machinery] **4** anta, godkänna [Congress ~ed the new measure]

adopted [əˈdɒptɪd] adj adopterad, adoptiv- [~ child]

adoption [əˈdɒpʃ(ə)n] s (jfr adopt) **1** adoption, adoptering; the country of his ~ hans nya hemland **2** antagande, omfattande; val; införande; upptagande **3** antagande, godkännande

adoptive [əˈdɒptɪv] adj adoptiv- [~ father; ~ child]

adorable [əˈdɔːrəbl] adj förtjusande, gudomlig, bedårande

adoration [ˌædəˈreɪʃ(ə)n] s tillbedjan, dyrkan

adore [əˈdɔː] vb tr dyrka; vard. avguda, älska [the baby ~s being tickled]; I simply ~ your CD jag gillar verkligen din cd

adorn [əˈdɔːn] vb tr pryda, smycka, utsmycka

adornment [əˈdɔːnmənt] s **1** prydande, smyckande, utsmyckande **2** prydnad, dekoration

ADP [ˌeɪdiːˈpiː] data. (förk. för automatic data processing) ADB (förk. för automatisk databehandling)

adrenal [əˈdriːnl] adj adrenal, binjure-

adrenal gland [əˈdriːnlglænd] s binjure

adrenalin [əˈdrenəlɪn] s adrenalin

Adrian [ˈeɪdrɪən] mansnamn

Adriatic [ˌeɪdrɪˈætɪk, ˌæd-] geogr., the ~ Sea el. the ~ Adriatiska havet

adrift [əˈdrɪft] adv o. adj **1** på drift; bildl. på glid (drift) [morally ~]; be ~ driva vind för våg **2** vard. (spec. sport.) efter, bakom

adroit [əˈdrɔɪt] adj skicklig [in i; at doing sth i att göra ngt]

adulation [ˌædjʊˈleɪʃ(ə)n] s [grovt] smicker

adult [ˈædʌlt, amer. vanl. əˈdʌlt] **I** adj vuxen; [avsedd] för vuxna
II s **1** vuxen, vuxen människa **2** ~s only endast för vuxna, barnförbjuden

adult education [ˌædʌltedjʊˈkeɪʃ(ə)n] s vuxenundervisning

adulterate [əˈdʌltəreɪt] vb tr [försämra genom att] tillsätta tillsatser till livsmedel o.d.; späda ut [~ milk with water]

adulterer [əˈdʌltərə] s ngt åld. äktenskapsbrytare

adulteress [əˈdʌltərəs] s ngt åld. äktenskapsbryterska

adulterous [əˈdʌlt(ə)rəs] adj **1** utomäktenskaplig [she lived in an ~ relationship]; som innebär äktenskapsbrott **2** som begått äktenskapsbrott

adultery [əˈdʌltərɪ] s äktenskapsbrott

adulthood [ˈædʌlthʊd, əˈdʌlthʊd] s vuxen ålder

adult-onset diabetes [ˈædʌltɒnsetˌdaɪəˈbiːtiːz] s typ 2-diabetes

adv. förk. för adverb, adverbial

advance [ədˈvɑːns] **I** vb tr **1** flytta (föra) fram[åt]; sträcka (skjuta, sätta) fram **2** befordra, [be]främja; upphöja **3** ställa upp [~ a theory]; framställa, framkasta **4** förskottera, försträcka lån **5** tekn., ~ the ignition höja tändningen **6** tidigarelägga
II vb itr **1** gå framåt (vidare), tränga (rycka) fram, avancera; närma sig; ~ on the last bidder bjuda över det sista budet **2** göra framsteg **3** stiga, gå upp i pris **4** avancera, bli befordrad
III s **1** framryckande; framryckning, frammarsch; framflyttning **2** framsteg, befordran; ökning [on i jämförelse med] **3** närmande; make ~s göra närmanden [to mot] **4** förskott; försträckning, lån **5** höjning, stegring i pris **6** attr.: ~ booking förhandsbeställning, förköp; ~ copy förhandsexemplar av bok till recensent etc. före utgivande; ~ guard förtrupp; ~ publicity förhandsreklam **7** in ~ före, på förhand, i förväg; i förskott [pay in ~]; in ~ of före, framför

advanced [ədˈvɑːnst] adj **1** avancerad [~ ideas]; försigkommen; långtgående; ~ instruction kvalificerad (högre) undervisning; ~ studies högre studier **2** [långt] framskriden [at an ~ age]; långt kommen; ~ in years ålderstigen, till åren kommen **3** framskjuten spec. mil. [~ positions] **4** tekn., ~ ignition förtändning

advancement [ədˈvɑːnsmənt] s **1** befordran, avancemang **2** [be]främjande

advantage [ədˈvɑːntɪdʒ] s fördel äv. tennis.; företräde; övertag, försprång; nytta; have the ~ of ha övertaget över, ha en fördel framför; **he has the ~ of youth** el. **he has the ~ of being young** han har fördelen att vara ung; **take ~ of** utnyttja [*take ~ of sb*]; dra fördel av; **take ~ of the opportunity** ta tillfället i akt; **to ~** fördelaktigt; **appear to ~** visa sig från sin bästa sida; **turn to ~** utnyttja; **to the best ~** på fördelaktigaste sätt; **be to sb's ~** vara till fördel för ngn

advantageous [ˌædvənˈteɪdʒəs, -vɑːn-] *adj* fördelaktig, förmånlig, nyttig, gynnsam [*to* för]

Advent [ˈædvent, -vənt] *s* advent

advent [ˈædvent, -vənt] *s* ankomst; tillkomst; **since the ~ of computers** sedan datorerna kom till

Advent Sunday [ˌædventˈsʌndeɪ] *s* första [söndagen i] advent

adventure [ədˈventʃə] *s* äventyr, vågstycke; **love of ~** äventyrslust[a]

adventure game [ədˈventʃəgeɪm] *s* data. äventyrsspel

adventure playground [ədˌventʃəˈpleɪɡraʊnd] *s* äventyrslekplats, bygglekplats

adventurer [ədˈventʃ(ə)rə] *s* äventyrare, lycksökare

adventurous [ədˈventʃ(ə)rəs] *adj* **1** äventyrslysten, djärv, dristig **2** äventyrlig [*an ~ voyage*]; rik på äventyr; riskabel

adverb [ˈædvɜːb] *s* adverb

adverbial [ədˈvɜːbɪəl] **I** *adj* adverbiell **II** *s* adverbial

adverbial modifier [ədˌvɜːbɪəlˈmɒdɪfaɪə] *s* adverbial

adversary [ˈædvəs(ə)rɪ] *s* motståndare; fiende; motspelare

adverse [ˈædvɜːs] *adj* **1** fientlig [*~ forces*]; fientligt inställd [*to* mot]; motståndar- [*~ party*]; kritisk [*~ comments*]; kritiskt inställd [*to* mot, till] **2** mot- [*~ wind*]; ogynnsam [*~ weather conditions*]; skadlig, olycklig [*to* för], motig; **~ circumstances** olyckliga omständigheter; **~ effects** negativa effekter

adversity [ədˈvɜːsətɪ] *s* motgång, motighet, olycka, elände

advert [ˈædvɜːt] *s* vard. kortform av *advertisement*

advertise [ˈædvətaɪz] **I** *vb tr* annonsera; göra reklam för; tillkännage; **~ a vacancy** utannonsera en ledig tjänst; **~ one's presence** dra uppmärksamheten till sig **II** *vb itr* annonsera, göra reklam; **~ for** annonsera efter

advertisement [ədˈvɜːtɪsmənt, -tɪzm-, amer. äv. ˌædvəˈtaɪzmənt] *s* **1** annons i en tidning o.d. **2** reklam [*~ helps to sell goods*]; annonsering; attr. annons- [*~ department (page)*]

advertiser [ˈædvətaɪzə] *s* annonsör

advertising [ˈædvətaɪzɪŋ] *s* annonsering, reklam; reklambranschen [*a career in ~*]; **~ agency** reklambyrå; **~ sign** reklamskylt; **~ space** annonsplats

advice [ədˈvaɪs] *s* **1** (utan pl.) råd; **a piece of ~** el. **a word of ~** ett [litet] råd; **some ~** ett råd; **that was good ~** det var ett gott råd; **take sb's ~** följa ngns råd; **take legal ~** rådfråga en advokat **2** hand. meddelande, avi

advice column [ədˈvaɪsˌkɒləm, amer. -ˌkɑːləm] *s* vanl. amer., **the ~** hjärtespalten i tidning

advice note [ədˈvaɪsnəʊt] *s* hand. avi

advisable [ədˈvaɪzəbl] *adj* tillrådlig; välbetänkt

advise [ədˈvaɪz] *vb tr* **1** råda, tillråda [*on* angående, i], förorda [*the doctor ~d a complete rest*]; **~**

against varna för, avråda från **2** underrätta [*of* om]; hand. meddela; avisera [*as ~d*]

advisedly [ədˈvaɪzɪdlɪ] *adv* avsiktligt, överlagt, med full vetskap

adviser [ədˈvaɪzə] *s* rådgivare

advisory [ədˈvaɪz(ə)rɪ] *adj* rådgivande

advocacy [ˈædvəkəsɪ] *s*, **~ of** arbete (kamp) för [*~ of reforms*]; **in ~ of** till stöd (försvar) för, för [*she spoke in ~ of the scheme*]

advocate [subst. ˈædvəkət, -keɪt, verb ˈædvəkeɪt] **I** *s* förespråkare, förkämpe [*of* för] **II** *vb tr* förorda, förespråka, tala för

Aegean [ɪˈdʒiːən] geogr., **the ~ Sea** el. **the ~** Egeiska havet

aegis [ˈiːdʒɪs] *s* [be]skydd [*under the ~ of*]; egid

aeon [ˈiːən, ˈiːɒn] *s* eon, tidsålder; evighet

aerate [ˈeəreɪt] *vb tr* **1** [genom]lufta **2** förena (försätta) med kolsyra

aerated [ˈeəreɪtɪd] *adj* **1 ~ water** kolsyrat vatten **2** vard., **don't get so ~!** hetsa inte upp dig så!

aerial [ˈeərɪəl] **I** *adj* **1** luft-, av luft; gasformig **2** luft-, i luften; flyg-; **~ camera** flygkamera; **~ combat** luftstrid; **~ photograph** flygfoto, flygbild; **~ railway** el. **~ ropeway** linbana; **~ view** flygbild **II** *s* tekn. antenn

aerie [ˈeərɪ, ˈɪərɪ] *s* **1** rovfågelsnäste, högt beläget bo; bildl. 'örnnäste' **2** rovfågels kull

aero [ˈeərəʊ] *adj* luft-, flyg-, aero-

aerobatics [ˌeərə(ʊ)ˈbætɪks] (med verb i sg.) *s* konstflygning; avancerad flygning

aerobics [eəˈrəʊbɪks] (med verb i sg.) *s* aerobics

aerodynamic [ˌeərə(ʊ)daɪˈnæmɪk] *adj* aerodynamisk

aerodynamics [ˌeərə(ʊ)daɪˈnæmɪks] (med verb i sg.) *s* fys. aerodynamik

aeroembolism [ˌeərəʊˈembəlɪzm] *s* dykarsjuka

aero engine [ˈeərəʊˌen(d)ʒɪn] *s* flygmotor

aeromechanic [ˌeərə(ʊ)mɪˈkænɪk] *s* flygmekaniker

aeromechanics [ˌeərə(ʊ)mɪˈkænɪks] (med verb i sg.) *s* fys. aeromekanik

aeronautical [ˌeərəˈnɔːtɪk(ə)l] *adj* flyg- [*~ term; ~ journal*]; **~ technics** flygteknik

aeronautics [ˌeərəˈnɔːtɪks] (med verb i sg.) *s* flygkonst, flygteknik, aeronautik; attr. luftfarts-

aeroplane [ˈeərəpleɪn] *s* flygplan

aerosol [ˈeərə(ʊ)sɒl] *s* aerosol; **~ container** aerosolförpackning, sprejförpackning

aerospace [ˈeərə(ʊ)speɪs] **I** *s* rymd inom rymdtekniken **II** *adj* rymd- [*~ medicine*]

aesthete [ˈiːsθiːt, ˈes-] *s* estet, estetiker

aesthetic [iːsˈθetɪk] *adj* estetisk

aesthetics [iːsˈθetɪks] (med verb i sg.) *s* estetik

AET [ˌeɪiːˈtiː] sport. (förk. för *after extra time*) efter förlängning

afar [əˈfɑː] *adv* litt. fjärran; **from ~** ur fjärran, fjärran ifrån; på långt håll

AFC [ˌeɪefˈsiː] förk. för *Association Football Club*

affability [ˌæfəˈbɪlətɪ] *s* vänlighet, trevlighet, älskvärdhet

affable [ˈæfəbl] *adj* vänlig, trevlig, älskvärd [*to, towards, with* mot]

affair [əˈfeə] *s* **1** angelägenhet, sak, affär; pl. **~s** affärer, angelägenheter; **that's my ~** det är (blir) min sak; **as ~s stand** som sakerna nu står, som det nu är; **current ~s** aktuella frågor (problem);

economic ~s finansärenden[a]; *foreign ~s*
utrikesärenden[a]; *mind your own ~s* sköt du ditt;
public ~s offentliga angelägenheter; *~s of state*
statsangelägenheter; *it's an awful state of ~s* det är
verkligen illa ställt **2** händelse, sak, affär, historia;
tillställning; *have an ~ with sb* ha ett förhållande (en
kärleksaffär) med ngn **3** vard. sak, grej, historia
[*her dress was a décolleté ~*]

1 affect [əˈfekt] *vb tr* **1** beröra, påverka, inverka
på; drabba, angripa; ta på [*it ~s my health*] **2** göra
intryck på, röra **3** med. angripa [*his left lung is ~ed*]

2 affect [əˈfekt] *vb tr* **1** låtsas vara (ha, känna),
spela **2** låtsa[s]; lägga sig till med

affectation [ˌæfekˈteɪʃ(ə)n] *s* **1** tillgjordhet,
affekterat sätt **2** *~ of ignorance* låtsad okunnighet

1 affected [əˈfektɪd] *adj* **1** angripen, besvärad [*with
av*], behäftad [*with* med] **2** upprörd, rörd, gripen
[*by* av]; *be ~ by the sight* bli rörd vid (gripen av)
åsynen **3** påverkad, skadad, försämrad; *some
plants are ~ by the cold* en del växter är känsliga för
kyla

2 affected [əˈfektɪd] *adj* tillgjord, konstlad,
affekterad [*~ manners*]; låtsad; *be ~* göra sig till

affecting [əˈfektɪŋ] *adj* rörande, gripande

affection [əˈfekʃ(ə)n] *s* **1** ömhet, kärlek, tillgivenhet
[*have ~ for one's children*; ofta pl. *~s: gain sb's ~[s]*,
the object of her ~s] **2** affekt, sinnesrörelse, känsla,
stämning **3** sjukdom, åkomma [*of i*]

affectionate [əˈfekʃ(ə)nət] *adj* tillgiven, kärleksfull,
öm

affectionately [əˈfekʃ(ə)nətlɪ] *adv* tillgivet; *Yours ~* i
brev Din (Er) tillgivne

affidavit [ˌæfɪˈdeɪvɪt] *s* jur. edlig skriftlig försäkran,
edligt intyg, affidavit

affiliate [əˈfɪlɪeɪt] **I** *vb tr* uppta [i en förening] [*~ a
member*]; ansluta [*to, with* till], förena [*with*
med]; *~ oneself* förena (ansluta) sig [*with* med]; *be
~d with* vara knuten till
II *vb itr* se *affiliate oneself* under *affiliate I*
III *s* dotterbolag

affiliated [əˈfɪlɪeɪtɪd] *adj*, *~ company* dotterbolag; *~
society* filial[förening]; *~ union* ansluten
fackförening

affiliation [əˌfɪlɪˈeɪʃ(ə)n] *s* upptagande [som
medlem], anslutning, anknytning äv. bildl.

affinity [əˈfɪnɪtɪ] *s* **1** släktskap; frändskap mellan djur,
språk etc.; släktdrag **2** samhörighet[skänsla]

affirm [əˈfɜːm] *vb tr* o. *vb itr* **1** försäkra, bestämt
påstå; intyga **2** bejaka, jaka

affirmative [əˈfɜːmətɪv] *adj* o. *s* bekräftande,
[be]jakande; *answer in the ~* el. *reply in the ~* svara
jakande, svara ja

affirmative action [əˌfɜːmətɪvˈækʃ(ə)n] *s* vanl. amer.
positiv särbehandling (diskriminering)

affix [verb əˈfɪks, subst. ˈæfɪks] **I** *vb tr* **1** fästa [*~ a
stamp to an envelope*] **2** tillägga
II *s* språkv. affix; förstavelse; ändelse

afflict [əˈflɪkt] *vb tr* drabba

afflicted [əˈflɪktɪd] *adj* drabbad [*with, by* av]

affliction [əˈflɪkʃ(ə)n] *s* **1** lidande, sjukdom; krämpa
[*the ~s of old age*] **2** olycka, plåga

affluence [ˈæflʊəns] *s* rikedom, välstånd

affluent [ˈæflʊənt] *adj* rik, förmögen

afford [əˈfɔːd] *vb tr* **1** *I can ~ it* a) det har jag råd

med b) det kan jag tillåta (kosta på) mig; *I can't ~
the time* min tid räcker inte till, jag har inte tid; *a
chance you can't ~ to miss* ett tillfälle du (man) inte
får missa **2** ge, skänka [*~ shade*]; bereda [*~ great
pleasure*]

affordable [əˈfɔːdəbl] *adj* som man har råd med; *an
~ price* ett överkomligt (rimligt) pris

afforestation [æˌfɒrɪˈsteɪʃ(ə)n] *s* skogsodling,
skogsplantering [*~ projects*]

affray [əˈfreɪ] *s* jur. slagsmål på allmän plats, tumult

affront [əˈfrʌnt] **I** *vb tr* förolämpa, förnärma, såra;
feel ~ed by the remark känna sig (bli) förolämpad
etc. av anmärkningen **II** *s* förolämpning

Afghan [ˈæfgæn] **I** *s* **1** afghan, afghanska invånare
2 afghanhund
II *adj* afghansk

Afghanistan [æfˈgænɪstæn, æfˌgænɪˈstæn,
æfˌgænɪˈstɑːn] geogr.

aficionado [əˌfɪʃɪəˈnɑːdəʊ] (pl. *~s*) *s* fantast [*a film
~*]; entusiast

afield [əˈfiːld] *adv*, *far ~* långt bort[a] [*go far ~*]; bildl.
långt från ämnet; *farther ~* el. *further ~* längre bort;
bildl. vidare, längre från ämnet

aflame [əˈfleɪm] *adv* o. *adj* i brand, i ljusan låga; *the
autumn woods were ~ with colour* skogarna
flammade (lyste) i höstens färger

AFL-CIO [ˌeɪefˈelˌsiːaɪˈəʊ] (förk. för *American
Federation of Labor and Congress of Industrial
Organizations*) landsorganisationen i USA

afloat [əˈfləʊt] *adv* o. *adj* **1** flytande; flott [*get a boat
~*] **2** fri från ekonomiska bekymmer, flytande [*to
keep oneself ~*] **3** till sjöss; på sjön

afoot [əˈfʊt] *adv* o. *adj* i rörelse; i (på) gång [*plans
are ~*]; i görningen

aforementioned [əˈfɔːˌmenʃ(ə)nd] *adj* o. **aforesaid**
[əˈfɔːsed] *adj* ovannämnd, förutnämnd

aforethought [əˈfɔːθɔːt] *adj* överlagd, uppsåtlig; jfr
malice 2

afraid [əˈfreɪd] *adj* rädd [*of* för; *to* att; *that, lest
att*]; *~ for* orolig för; *I'm ~ I can't* äv. jag kan [nog]
tyvärr inte; *I'm ~ not* tyvärr inte; *I'm ~ so!* jag är
rädd för det!; *don't be ~ to* [*ask for my help*] tveka
inte att...

afresh [əˈfreʃ] *adv* på nytt, ånyo

Africa [ˈæfrɪkə] geogr. Afrika

African [ˈæfrɪkən] **I** *s* afrikan; afrikanska **II** *adj*
afrikansk

African-American [ˌæfrɪkənəˈmerɪkən] **I** *s*
afroamerikan **II** *adj* afroamerikansk

African marigold [ˌæfrɪkənˈmærɪɡəʊld] *s* bot. tagetes,
sammetsblomster

African violet [ˌæfrɪkənˈvaɪələt] *s* bot. saintpaulia

Afrikaans [ˌæfrɪˈkɑːns] *s* afrikaans

Afrikaner [ˌæfrɪˈkɑːnə] *s* afrikand infödd vit sydafrikan

Afro [ˈæfrəʊ] (pl. *~s*) *s* afrofrisyr [äv. *~ hairdo*]

Afro-American [ˌæfrəʊəˈmerɪkən] **I** *s* afroamerikan
II *adj* afroamerikansk

Afro-Asian [ˌæfrəʊˈeɪʃ(ə)n] *adj* afroasiatisk

aft [ɑːft] sjö. **I** *adv* akter ut (över); *fore and ~* från för
till akter, långskepps **II** *adj* aktre, akter-

after [ˈɑːftə] **I** *adv* **1** rum efter, bakom **2** tid efter[åt],
senare [*long ~*; *soon ~*; *a day ~*]; *the day ~* dagen
efter (därpå)
II *prep* **1** rum, tid efter; bakom, näst; amer. över [*a*

quarter ~ two]; trots [*~ all the trouble I took, it was spoilt*]; **~ all** när allt kommer omkring, ändå; egentligen; **~ that** efter detta, därefter; sedan; **~ you!** [var så god] du först!; **~ you with the scissors** kan jag få saxen efter dig (när du är klar)? **2** uttr. ngt man vill ha efter; **be ~ sth** sträva efter (söka) ngt; vara ute efter ngt; **what is he ~?** vard. äv. vad vill han?, vad menar han?; **be ~ sb** vara efter ngn [*the police are ~ him*] **3** efter, i jämförelse med; enligt; i likhet med; **~ a fashion** på sätt och vis; [*a painting*] **~ Rubens** ...i Rubens stil, ...à la Rubens

III *konj* sedan, efter det att; **~ he went** el. **~ he had gone** sedan han hade gått

IV *adj* äv. i sammansättn. senare, efter-, [efteråt] följande; **in ~ years** senare [i livet], längre fram

afterbirth ['ɑ:ftəbɜ:θ] *s* efterbörd
aftercabin ['ɑ:ftə,kæbɪn] *s* sjö. akterhytt
aftercare ['ɑ:ftəkeə] *s* med. eftervård
afterdeck ['ɑ:ftədek] *s* sjö. akterdäck
after-dinner ['ɑ:ftə,dɪnə] *adj* middags- [*~ speech*]
after-effects ['ɑ:ftərɪ,fekts] *s pl* efterverkningar, sviter [*suffer from the ~ of*]
afterglow ['ɑ:ftəgləʊ] *s* aftonrodnad; kvardröjande sken; bildl. efterglans, efterklang
after-hours [,ɑ:ftər'aʊəz] *adj* o. *adv* efter arbetstid (arbetstidens slut); efter stängningsdags
afterlife ['ɑ:ftəlaɪf] *s* liv efter detta [*believe in an ~*]
aftermath ['ɑ:ftəmæθ, -mɑ:θ] *s* efterdyningar, [efter]verkningar [*the ~ of war*]; följder; **in the ~ of war** äv. i krigets spår, efter kriget
afternoon [,ɑ:ftə'nu:n, attr. '---] *s* **1** eftermiddag; **~!** vard. för *good afternoon!* se good I 10; se äv. *morning* för ex. **2** attr. eftermiddags- [*~ tea*]
afterpains ['ɑ:ftəpeɪnz] *s pl* eftervärkar
afters ['ɑ:ftəz] *s pl* vard. efterrätt
aftershock ['ɑ:ftəʃɒk] *s* efterskalv
aftertaste ['ɑ:ftəteɪst] *s* eftersmak
after-tax ['ɑ:ftətæks] *adj* efter skatt [*~ profit*]
afterthought ['ɑ:ftəθɔ:t] *s* tanke (förklaring) som man kommer på efteråt, efterklokhet; **as an ~** efteråt (i efterhand)
afterwards ['ɑ:ftəwədz] *adv* efteråt, sedan, sedermera
again [ə'gen, ə'geɪn] *adv* **1** igen, åter, ånyo, en gång till, omigen; **don't do that ~!** äv. gör inte om det!; **~ and ~** el. **time and ~** gång på gång, gång efter annan; **as much ~** en gång till (dubbelt) så mycket; lika mycket till; **never ~** aldrig mer[a]; **over ~** omigen, en gång till **2** vidare; åter[igen]; å andra sidan; **then ~, I am...** men å andra sidan (däremot) är jag...
against [ə'genst, ə'geɪnst] *prep* **1** mot, emot i olika betydelser; uttr. läge äv. vid, intill, mitt för [*put a cross ~ sb's name*]; **run ~ sb** el. **run up ~ sb** stöta (råka) på ngn; **a race ~ time** en kapplöpning med tiden, se vidare under *time I 7* **2** för, med tanke på; **warn ~** varna för; **as ~** mot, i jämförelse med
agape [ə'geɪp] *adv* o. *adj* med vidöppen mun, gapande av förvåning etc.
agaric ['ægərɪk, ə'gærɪk] *s* skivling, skivsvamp
agate ['ægət] *s* miner. agat
Agatha ['ægəθə] kvinnonamn
agave [ə'geɪvɪ, 'ægeɪv] *s* bot. agave
age [eɪdʒ] **I** *s* **1** ålder; **old ~** ålderdom[en]; **what is your ~?** hur gammal är du?; **he is my ~** han är lika

gammal som jag, han är i min ålder; **we are about the same ~** vi är ungefär jämnåriga (lika gamla); **act your ~!** var inte barnslig!, visa att du är vuxen!; **be of ~** vara myndig; **come of ~** bli myndig; **he is ten years of ~** han är tio år gammal; **over ~** överårig, för gammal; **under ~** omyndig, minderårig **2** tid [*the Ice Age*]; tidevarv, tidsålder, period; **the atomic ~** atomåldern; **the Middle Ages** medeltiden **3** vard., **an ~** lång tid, en evighet; **~s** (pl.) en [hel] evighet, evigheter; **it's an ~ since I saw him** jag har inte sett honom på evigheter; **for ~s** i (på) evigheter, i (på) många herrans år

II *vb itr* åldras

III *vb tr* **1** göra gammal, få att åldras [*such work ~s people*] **2** lagra t.ex. ost

aged [i betydelse *1* eɪdʒd, i betydelse *2* 'eɪdʒɪd] *adj* **1** i en ålder av; **a man ~ forty** en fyrtioårig man **2** åldrig, ålderstigen; **the ~** de gamla
age-fixated ['eɪdʒfɪk,seɪtɪd] *adj* åldersfixerad
age-group ['eɪdʒgru:p] *s* åldersgrupp
ageing ['eɪdʒɪŋ] *adj* o. *s* åldrande
ageism ['eɪdʒɪz(ə)m] *s* åldersdiskriminering
ageist ['eɪdʒɪst] *adj* åldersdiskriminerande
ageless ['eɪdʒləs] *adj* som aldrig åldras, evigt ung; tidlös
age-long ['eɪdʒlɒŋ] *adj* mycket långvarig; evig
agency ['eɪdʒ(ə)nsɪ] *s* **1** agentur; byrå, kontor **2** medverkan, förmedling, försorg [*through (by) the ~ of friends*] **3** organ inom FN o.d.; instans **4** makt [*an invisible ~*] **5** verksamhet; förrättning; verkan
agenda [ə'dʒendə] *s* dagordning, agenda, föredragningslista; **be on the ~** stå på dagordningen (agendan)
agent ['eɪdʒ(ə)nt] *s* **1** agent, ombud, representant **2** medel [*chemical ~*]; [verkande] kraft; orsak, verktyg; kem. agens **3** handlande (verksam) person; **he is a free ~** han har fria händer **4** [hemlig] agent [äv. *secret ~*]
Agent Orange [,eɪdʒ(ə)nt'ɒrɪn(d)ʒ] *s* ® vard. hormoslyr
agent provocateur [,æʒɒŋprɒ,vɒkə'tɜ:] (pl. *agents provocateurs* utt. som sg.) *s* fr. provokatör
age of consent [,eɪdʒəvkən'sent] *s* jur. ålder då en kvinnas samtycke till sexuellt umgänge äger giltighet
age-old ['eɪdʒəʊld] *adj* urgammal, uråldrig
agglomeration [ə,glɒmə'reɪʃ(ə)n] *s* hopgyttring, gytter; agglomeration
agglutination [ə,glu:tɪ'neɪʃ(ə)n] *s* **1** hoplimning **2** hopklumpning; spec. fysiol. el. språkv. agglutination
aggrandize [ə'grændaɪz, 'ægr(ə)ndaɪz] *vb tr* förstora, öka, utvidga persons el. stats makt, rang, rikedom; upphöja ngn
aggrandizement [ə'grændɪzmənt] *s* förstoring etc., jfr *aggrandize*; **policy of ~** utvidgningspolitik
aggravate ['ægrəveɪt] *vb tr* **1** förvärra, försvåra **2** vard. reta, förarga
aggravated ['ægrəveɪtɪd] *adj* **1** förvärrad, försvårad **2** jur., **~ assault** ung. grov misshandel
aggravating ['ægrəveɪtɪŋ] *adj* **1** försvårande, förvärrande [*~ circumstances*] **2** vard. irriterande, förarglig

aggravation [ˌægrəˈveɪʃ(ə)n] *s* **1** förvärrande, försvårande **2** vard. irritation, förargelse; strul

aggrefy [ˈægrɪfaɪ] *vb tr* övergredera

aggregate [adj. o. subst. ˈægrɪgət, -eɪt, verb -eɪt] **I** *adj* förenad[e] till ett helt, sammanlagd, total [~ *amount*]; samfälld

II *s* **1** summa; *in the ~* el. *in ~* totalt [sett], taget som ett helt; *on ~* sammanlagt, taget tillsammans **2** massa, samling, hop

III *vb tr* **1** hopa, samla, sammangyttra **2** vard. sammanlagt uppgå till

IV *vb itr* hopas, hopa sig

aggression [əˈgreʃ(ə)n] *s* aggression, aggressivitet; anfall, angrepp; *war of ~* anfallskrig

aggressive [əˈgresɪv] *adj* **1** aggressiv **2** angripande; anfalls-, offensiv- [~ *weapons*] **3** energisk, framåt

aggressiveness [əˈgresɪvnəs] *s* aggressivitet

aggressor [əˈgresə] *s* angripare, angripande part

aggrieved [əˈgriːvd] *adj* **1** sårad, kränkt; betryckt; bedrövad [*at* över] **2** jur. förfördelad, kränkt [*the ~ party*]

aggro [ˈægrəʊ] *s* vard. kortform av *aggression*, *aggressiveness* o. *aggravation*

aghast [əˈgɑːst] *adj* förskräckt, häpen, bestört [*at* över]

agile [ˈædʒaɪl, amer. ˈædʒəl] *adj* snabb, rörlig; vig

agility [əˈdʒɪlətɪ] *s* **1** snabbhet, rörlighet; vighet **2** sport., se *dog agility*

aging [ˈeɪdʒɪŋ] *adj* se *ageing*

agism [ˈeɪdʒɪz(ə)m] *s* se *ageism*

agist [ˈeɪdʒɪst] *adj* se *ageist*

agitate [ˈædʒɪteɪt] **I** *vb tr* **1** uppröra, oroa; uppvigla **2** röra, skaka

II *vb itr* agitera [*for* för]

agitated [ˈædʒɪteɪtɪd] *adj* upprörd, upphetsad; orolig

agitation [ˌædʒɪˈteɪʃ(ə)n] *s* **1** upprördhet, upphetsning; oro **2** rörelse, skakning **3** agitation

agitator [ˈædʒɪteɪtə] *s* agitator; uppviglare

aglow [əˈgləʊ] *adv* o. *adj* **1** glödande; *be ~* äv. glöda **2** om person strålande [*a face ~ with* (av) *health*]; skinande

AGM [ˌeɪdʒiːˈem] förk. för *annual general meeting*

agnostic [ægˈnɒstɪk] filos. **I** *s* agnostiker **II** *adj* agnostisk

ago [əˈgəʊ] *adv* för...sedan [*long ~*; *two years ~*]; [*he did it*] *years ~* ...för flera (många) år sedan; *as long ~ as 1998* redan 1998; *how long ~ is it* [*that you last met her*]*?* hur länge sedan är (var) det...?

agog [əˈgɒg] *adv* o. *adj* ivrig; i spänd förväntan; *be ~ for news* ivrigt (otåligt) vänta på nyheter; *the whole village was ~* det var stor uppståndelse i byn

agonize [ˈægənaɪz] *vb itr* **1** plågas; våndas [*~ over a decision*] **2** kämpa förtvivlat

agonized [ˈægənaɪzd] *adj* förtvivlad [~ *cries*]

agonizing [ˈægənaɪzɪŋ] *adj* plågsam; hjärtslitande

agony [ˈægənɪ] *s* vånda; svåra plågor; *suffer ~ with toothache* el. *be in ~ with toothache* ha en fruktansvärd tandvärk; *suffer agonies of doubt* plågas av tvivel; *pile on the ~* bre på, göra det värre än det är

agony aunt [ˈægənɑːnt] *s* hjärtespaltsredaktör kvinna

agony column [ˈægənɪˌkɒləm] *s*, *the ~* hjärtespalten i tidning

agony uncle [ˈægənɪʌŋkl] *s* [manlig] hjärtespaltsredaktör

agoraphobia [ˌægərəˈfəʊbɪə] *s* psykol. torgskräck, agorafobi

agrarian [əˈgreərɪən] *adj* jord-, agrar; bonde-

agree [əˈgriː] **I** *vb itr* o. *vb tr* **1** samtycka [*to* till]; säga 'ja'; *~ to* äv. gå med på **2** komma överens, enas, bli ense [*on*, *about* om; *that* om att]; *~ on* äv. avtala; *~ on a verdict* enas om en dom; *they ~d to differ* de enades om att de var oense och inte kunde komma vidare **3** hålla med, vara överens (ense) [*with* sb med ngn; *on*, *about* om]; instämma; *you must ~ that...* håll med om att... **4** passa, stämma

II *vb tr* med prep.:

agree with a) stämma [överens] med **b**) gram. böjas efter [*the verb ~s with the subject*] **c**) *fish doesn't ~ with me* jag tål inte (mår inte bra av) fisk

agreeable [əˈgriːəbl] *adj* **1** angenäm, trevlig [*to* för]; älskvärd [*to* mot]; *if it's ~ to you* om det passar dig **2** *be ~ to* gå med på

agreed [əˈgriːd] *adj* avgjord, beslutad; *be ~* vara överens (ense); *~?* är vi överens?, ska vi säga det?; *~!* avgjort!, kör för det!

agreement [əˈgriːmənt] *s* **1** överenskommelse, avtal; förlikning; *make an ~ with sb* el. *come to an ~ with sb* el. *reach an ~ with sb* komma överens (enas, träffa avtal) med ngn **2** överensstämmelse; enighet i åsikter; *be in ~ with* äv. vara ense (överens) med; *there is general (wide) ~ that...* det är en allmän (utbredd) uppfattning att... **3** gram. kongruens

agricultural [ˌægrɪˈkʌltʃ(ə)r(ə)l] *adj* jordbruks-, agrikulturell

agriculture [ˈægrɪkʌltʃə] *s* jordbruk, agrikultur

agronomist [əˈgrɒnəmɪst] *s* agronom

agronomy [əˈgrɒnəmɪ] *s* agronomi

aground [əˈgraʊnd] *adv* o. *adj* på grund

ah [ɑː] *interj* ah!, o!, ack!

aha [ɑːˈhɑː, əˈhɑː] *interj* aha!, åhå!

aha experience [ɑːˈhɑːɪkˌspɪərɪəns] *s* o. **aha reaction** [ɑːˈhɑːrɪˌækʃ(ə)n] *s* psykol. aha-upplevelse

ahead [əˈhed] *adv* o. *adj* före; i förväg; framåt; bildl. framför mig (oss etc.) [*trouble ~*]; förestående, kommande; *full speed ~* sjö. full fart framåt; *straight ~* rakt fram; *~ of* framför; före; framom; sjö. för om; *be ~ of* bildl. vara (ligga) före [*be materially ~ of other countries*]; *go ~!* sätt i gång!; fortsätt!; *look ~* se framåt, vara förutseende; *plan ~* planera för framtiden (i förväg)

ahem [hm] *interj* ähum!, hm!

ahoy [əˈhɔɪ] *interj* ohoj!

AI [ˌeɪˈaɪ] förk. för *Amnesty International*, *artificial insemination*, *artificial intelligence*

aid [eɪd] **I** *s* **1** hjälp, bistånd; hjälpmedel [*visual ~*]; *by the ~ of* med hjälp av, medelst; *in ~ of* till förmån för; *what's that in ~ of?* vard. vad ska det där vara bra för (tjäna till)?; *slimming ~* bantningsredskap **2** biträde, medhjälpare, rådgivare

II *vb tr* hjälpa, bistå; underlätta, befordra [*~ the digestion*]

aide [eɪd] *s* medhjälpare, rådgivare

aide-de-camp [ˌeɪddəˈkɒŋ] (pl. *aides-de-camp* [ˌeɪdzdəˈkɒŋ]) *s* mil. adjutant, ordonnans[officer]

Aids o. **AIDS** [eɪdz] *s* med. (förk. för *acquired immune deficiency syndrome*) förvärvat immunbristsyndrom, aids

aid worker ['eɪd,wɜ:kə] *s* biståndsarbetare

aileron ['eɪlərɒn] *s* flyg. skevroder

ailing ['eɪlɪŋ] *adj* krasslig, sjuk; *the country's ~ economy* landets trassliga ekonomi

ailment ['eɪlmənt] *s* krämpa, sjukdom

aim [eɪm] **I** *vb tr* sikta med [*at* på], rikta, måtta [*at* mot]; *~ a pistol at* rikta en pistol mot
II *vb itr* sikta [*at* på]; syfta [*at* till]; sträva [*at* efter]; *~ high* sikta högt; *~ at doing sth* (ofta pass.) ämna (tänka) göra ngt, ha för avsikt att göra ngt
III *s* **1** mål [*his ~ in life*], målsättning; syfte; avsikt, ändamål **2** sikte; *miss one's ~* inte träffa, missa målet; *take ~* ta sikte, sikta, måtta [*at* på]; *accuracy of ~* träffsäkerhet

aimless ['eɪmləs] *adj* utan mål, planlös

ain't [eɪnt] ovårdat el. dial. för *am* (*are, is*) *not; have not* o. *has not*

aioli [aɪ'əʊlɪ] *s* kok. aioli

air- för sammansättn. jfr äv. *1 air I 4*

1 air [eə] **I** *s* **1** luft; atmosfär; *the open ~* fria luften; *have some fresh ~* hämta frisk luft; *clear the ~* rensa luften; *by ~* per (med) flyg; *go by ~* flyga; *castles in the ~* luftslott; *in the ~* el. *in the ~* om t.ex. plan oviss; *it was in the ~* det låg i luften; *be* (*go*) *up in the ~* vard. bli rasande, gå upp i limningen; *appear out of thin ~* dyka upp ur tomma intet; *vanish into thin ~* gå upp i rök **2** fläkt, drag, kåre **3** radio. el. TV., *on the ~* i radio (tv), i etern, i sändning; *go on the ~* börja sända; *go off the ~* sluta sända **4** attr., ofta flyg-, luft- (jfr äv. sammansättn. med *air-* nedan)
II *vb tr* **1** vädra, lufta, ventilera **2** radio. el. TV. sända

2 air [eə] *s* **1** utseende; prägel; [*the room*] *had an ~ of luxury* ...gjorde ett luxuöst intryck **2** min, åtbörd; *put on an ~ of innocence* ta på sig en oskyldig min, spela oskyldig **3** mest pl. *~s* förnäm (viktig) min; *give oneself ~s* el. *put on ~s* göra sig märkvärdig, spela förnäm

3 air [eə] *s* melodi, air

airbag ['eəbæg] *s* krockkudde säkerhetsanordning i bil

air base ['eəbeɪs] *s* flygbas

air bed ['eəbed] *s* luftmadrass

airborne ['eəbɔ:n] *adj* flygburen, luftburen; *be ~* äv. vara [uppe] i luften, ha lämnat marken

air brake ['eəbreɪk] *s* **1** tryckluftbroms t.ex. på tåg **2** luftbroms spec. på flygplan

airbrush ['eəbrʌʃ] **I** *s* sprutpistol; retuschspruta, airbrush **II** *vb tr* måla med sprutpistol etc., jfr *airbrush I*

Airbus® ['eəbʌs] *s* airbus passagerarflygplan

air chamber ['eə,tʃeɪmbə] *s* tryckluftkammare

air chief marshal [,eətʃi:f'mɑ:ʃ(ə)l] *s* grad i RAF motsv. general

air cleaner [,eə'kli:nə] *s* luftrenare

air commodore [,eə'kɒmədɔ:] *s* grad i RAF motsv. överste av första graden

air-conditioned ['eəkən,dɪʃ(ə)nd] *adj* luftkonditionerad

air-conditioning ['eəkən,dɪʃ(ə)nɪŋ] (förk. *AC* el. *a/c*) *s* luftkonditionering

air-cooled ['eəku:ld] *adj* luftkyld

aircraft ['eəkrɑ:ft] (pl. *aircraft*) *s* flygplan

aircraft carrier ['eəkrɑ:ft,kæriə] *s* hangarfartyg

aircraft|man ['eəkrɑ:ft|mən] *s* (pl. *-men* [-mən]) menig i brittiska flygvapnet (RAF)

aircraft|woman ['eəkrɑ:ft|wʊmən] (pl. *-women* [-,wɪmɪn]) *s* menig i brittiska flygvapnet (RAF) kvinna

aircrew ['eəkru:] *s* flygplansbesättning

air-cushion ['eə,kʊʃ(ə)n] *s* **1** uppblåsbar kudde **2** tekn. luftkudde; *~ vehicle* svävare, svävfarkost, luftkuddefarkost

air defence ['eədɪ,fens] *s* luftförsvar; *~ control station* luftförsvarscentral; *~ missile* luftvärnsrobot; *~ warning system* luftbevakningssystem

airdrop ['eədrɒp] *s* proviant (materiel o.d.) som släpps ned med fallskärm

air-dry ['eədraɪ] *vb tr* lufttorka

Airedale ['eədeɪl] *s*, *~ terrier* airedaleterrier

airfield ['eəfi:ld] *s* flygfält

air filter ['eə,fɪltə] *s* luftfilter

airflow ['eəfləʊ] *s* luftström[ning]

air force ['eəfɔ:s] *s* flygvapen, flygstridskrafter

air-freshener ['eə,freʃ(ə)nə] *s* luftfräschare

air guitar ['eəgɪ,tɑ:] *s* mus. luftgitarr

airgun ['eəgʌn] *s* luftgevär; *soft ~* soft airgun

air hostess ['eə,həʊstes, -ɪs, -əs] *s* ngt åld. flygvärdinna

air humidifier ['eəhju,mɪdɪfaɪə] *s* luftfuktare

airily ['eərəlɪ] *adv* lättvindigt, ytligt, nonchalant

airing ['eərɪŋ] *s* **1** vädring **2** TV. sändning **3** *give sth an ~* diskutera ngt

airing cupboard ['eərɪŋ,kʌbəd] *s* garderob, liten kammare där varmvattenberedare är placerad o. där man kan torka sängkläder

airless ['eələs] *adj* **1** vindstilla **2** kvav **3** lufttom

air letter ['eə,letə] *s* flygpostbrev

airlift ['eəlɪft] *s* luftbro

airline ['eəlaɪn] *s* **1** flyglinje **2** flygbolag [i flygbolags namn vanl. *~s*]

airliner ['eə,laɪnə] *s* trafik[flyg]plan

airlock ['eəlɒk] *s* tekn. **1** luftblåsa i en ledning o.d., luftlås **2** luftsluss

airmail ['eəmeɪl] *s* flygpost

air|man ['eə|mən] (pl. *-men* [-mən]) *s* flygare; menig (anställd) i flygvapnet

air marshal [,eə'mɑ:ʃ(ə)l] *s* grad i RAF motsv. generallöjtnant

air mattress ['eə,mætrəs] *s* luftmadrass

air mechanic ['eəmə,kænɪk] *s* flygmekaniker

air mile ['eəmaɪl] *s* flyg. nautisk mil, distansminut

Air Miles® ['eəmaɪlz] *s pl* bonuspoäng[system] för flygpassagerare

air passage ['eə,pæsɪdʒ] *s* anat. luftväg

air passenger ['eə,pæsendʒə] *s* flygpassagerare

airplane ['eəpleɪn] *s* vanl. amer. flygplan

air pocket ['eə,pɒkɪt] *s* **1** luftgrop **2** luftficka

air pollution ['eəpə,lu:ʃ(ə)n] *s* luftförorening[ar]

airport ['eəpɔ:t] *s* flygplats

air pressure ['eə,preʃə] *s* lufttryck

airproof ['eəpru:f] *adj* lufttät

air-raid ['eəreɪd] *s* flygräd, flyganfall

air-raid shelter ['eəreɪd,ʃeltə] *s* skyddsrum

air-raid warning ['eəreɪd,wɔ:nɪŋ] *s* flyglarm

air rifle ['eə,raɪfl] *s* luftgevär

air route ['eəru:t] *s* flygväg, flygrutt

airscrew ['eəskru:] *s* [flygplans]propeller
air-sea rescue [ˌeəsi:'reskju:] *s* [militär] sjöräddningstjänst
airshaft ['eəʃɑ:ft] *s* lufttrumma
airship ['eəʃɪp] *s* luftskepp
airsick ['eəsɪk] *adj* flygsjuk
airspace ['eəspeɪs] *s* luftrum
airstrip ['eəstrɪp] *s* start- och landningsbana spec. tillfällig för t.ex. militära ändamål
air terminal ['eəˌtɜ:mɪnl] *s* flygterminal
airtight ['eətaɪt] *adj* lufttät; *an ~ alibi* ett vattentätt alibi
airtime ['eətaɪm] *s* radio. el. TV. sändningstid
air-to-air [ˌeətʊ'eə] *adj* mil., *~ missile* ung. jaktrobot
air-to-ground [ˌeətə'graʊnd] *adj* mil., *~ missile* ung. attackrobot
air-to-surface [ˌeətə'sɜ:fɪs] *adj* mil., *~ missile* ung. attackrobot
air-traffic ['eəˌtræfɪk] *s* flygtrafik
air-traffic control [ˌeətræfɪkkən'trəʊl] (förk. *ATC*) *s* flygtrafikledning
air-traffic controller [ˌeətræfɪkkən'trəʊlə] *s* flygledare
air vice-marshal [ˌeəvaɪs'mɑ:ʃ(ə)l] *s* grad i RAF motsv. generalmajor
airwaves ['eəweɪvz] *s pl* vard. radiovågor; *on the ~* i radio och tv
airway ['eəweɪ] *s* **1** luftväg **2** flyg. luftled **3** flygbolag [i flygbolags namn vanl. ~*s*]
air|woman ['eəˌwʊmən] (pl. *-women* [-ˌwɪmɪn]) *s* flygare kvinna; menig (anställd) i flygvapnet kvinna
airworthy ['eəˌwɜ:ðɪ] *adj* luftvärdig, flygduglig
airy ['eərɪ] *adj* **1** luftig [*an ~ room*] **2** tunn, luftig [*~ gossamer*] **3** nonchalant [*~ manner*]; lättvindig [*~ promises*]; ytlig
airy-fairy [ˌeərɪ'feərɪ] *adj* **1** som svävar i det blå, verklighetsfrämmande [*~ views*] **2** luftig, lätt
aisle [aɪl] *s* **1** kyrkl. a) sidoskepp b) mittgång; *walk down the ~* vard. gifta sig **2** mittgång i flygplan, buss etc.; gång mellan bänkrader på teater (mellan diskar, hyllor i affär) **3** vanl. amer. korridor på tåg
aitch [eɪtʃ] *s* bokstaven h; *drop one's ~es* tappa h-na i uttalet (anses i brittisk engelska typiskt för obildat språk)
ajar [ə'dʒɑ:] *adv* på glänt
AK förk. för *Alaska*
aka [ˌeɪkeɪ'eɪ, 'ækə] (förk. för *also known as*) alias
akimbo [ə'kɪmbəʊ] *adv*, *with arms ~* med händerna i sidan
akin [ə'kɪn] *adj* släkt, besläktad [*to* med]
AL o. **Ala.** förk. för *Alabama*
à la [ˌɑ:'lɑ:] *prep* fr. à la; *a film ~ Hollywood* äv. en film i Hollywoodstil (efter Hollywoodrecept)
Alabama [ˌælə'bæmə, -'bɑ:mə] geogr.
alabaster ['æləbɑ:stə, -bæs-] **I** *s* alabaster **II** *adj* alabaster-, alabastervit [*her ~ complexion*]
à la carte [ˌɑ:lɑ:'kɑ:t] *adv* fr. à la carte
alacrity [ə'lækrətɪ] *s* glad iver, beredvillighet
Aladdin [ə'lædɪn] egennamn; *~'s lamp* Aladdins lampa
alarm [ə'lɑ:m] **I** *s* **1** oro, bestörtning [*at* över] **2** larm[signal] [äv. ~ *signal*]; alarm; *state of ~* larmberedskap; *raise the ~* el. *give the ~* slå larm **3** väckarklocka; larmapparat **II** *vb tr* **1** oroa, skrämma [upp] **2** alarmera, larma

alarm call [ə'lɑ:mkɔ:l] *s* tele., *book an ~* beställa väckning
alarm clock [ə'lɑ:mklɒk] *s* väckarklocka
alarmed [ə'lɑ:md] *adj* förskräckt, uppskrämd, orolig [*at, by* över, av]
alarming [ə'lɑ:mɪŋ] *adj* oroande, oroväckande, alarmerande [*~ news*]; betänklig
alarmist [ə'lɑ:mɪst] **I** *adj* som sprider panik (oro) **II** *s* panikmakare, panikspridare
Alas. förk. för *Alaska*
alas [ə'læs, ə'lɑ:s] **I** *interj* ack! **II** *adv* tyvärr; *~ for us if...* stackars (så mycket värre för) oss om...
Alaska [ə'læskə] **1** geogr. egennamn **2** *baked ~* kok. glace au four
Albania [æl'beɪnɪə] geogr. Albanien
Albanian [æl'beɪnɪən] **I** *s* **1** alban; albanska kvinna **2** albanska [språket] **II** *adj* albansk
Albany ['ɔ:lbənɪ] geogr.
albatross ['ælbətrɒs] *s* albatross
albeit [ɔ:l'bi:ɪt] *konj* om än; låt vara
Alberta [æl'bɜ:tə] geogr.
albino [æl'bi:nəʊ] (pl. *~s*) *s* albino
album ['ælbəm] *s* **1** album cd, kassett, skiva; *debut ~* debutalbum, debutplatta **2** album [*photograph ~*]
albumen ['ælbjʊmɪn, amer. vanl. æl'bju:mən] *s* **1** äggvita i ägg **2** enkelt äggviteämne
albuminuria [ælˌbju:mɪ'njʊərɪə] *s* med. äggvita
Albuquerque ['ælbəkɜ:kɪ] geogr.
alchemist ['ælkəmɪst] *s* alkemist, guldmakare
alchemy ['ælkəmɪ] *s* alkemi, guldmakeri
alcohol ['ælkəhɒl] *s* alkohol, sprit
alcoholic [ˌælkə'hɒlɪk] **I** *adj* alkoholhaltig; alkohol- **II** *s* alkoholist
Alcoholics Anonymous [ˌælkə'hɒlɪksə'nɒnɪməs] (förk. *AA*) *s* anonyma alkoholister
alcoholism ['ælkəhɒlɪz(ə)m] *s* alkoholism
alcopop ['ælkəʊpɒp] *s* vard. alkoläsk
alcove ['ælkəʊv] *s* alkov, nisch; *dining ~* matvrå
al dente [ˌæl'dente] *adj* kok. (it.) al dente, med tuggmotstånd
alder ['ɔ:ldə, 'ɒldə] *s* bot. al
alder|man ['ɔ:ldəmən, 'ɒl-] (pl. *-men* [-mən]) *s* 'ålderman' inom kommunfullmäktige ibl., särskilt i USA, med dömande funktion
Alderney ['ɔ:ldənɪ] geogr.
ale [eɪl] *s* öl; *brown ~* mörkt öl; *pale ~* ljust öl
alec o. amer. äv. **aleck** ['ælɪk] *s*, *smart ~* vard. viktigpetter, stropp, besserwisser
alert [ə'lɜ:t] **I** *adj* **1** vaken, beredd, uppmärksam, på alerten; *be ~ to* vara uppmärksam på **2** pigg, livlig; snabb i vändningarna **II** *s* **1** larm[beredskap]; spec. flyglarm **2** *be placed (put) on full ~* inta högsta larmberedskap; *on the ~* på utkik [*for* efter]; på vakt, på spänn, skärpt **III** *vb tr* försätta i beredskap, larma [*~ the police*]; varna, väcka till insikt om [*~ the people to the dangers of smoking*]
alertness [ə'lɜ:tnəs] *s* vakenhet; pigghet, livlighet
Aleutian [ə'lu:ʃ(ə)n, -lju:-, -ʃɪən] geogr. egennamn, *the ~ Islands* el. *the ~s* pl. Aleuterna
A-level ['eɪˌlevl] *s* se *General Certificate of Education* under *certificate* I 2
Alexander [ˌælɪg'zɑ:ndə, -'zæn-]

Alexandra [ˌælɪgˈzɑːndrə, -ˈzæn-]
Alexandria [ˌælɪgˈzɑːndrɪə, -ˈzæn-] geogr.
alfalfa [ælˈfælfə] s bot. [blå]lusern, alfalfa
alfalfa sprout [ælˈfælfəspraʊt] s alfalfagrodd
alfresco [ælˈfreskəʊ] adv o. adj utomhus, i det fria [~ *lunch*]; frilufts-
algae [ˈældʒiː] s pl alger; tång
algal [ˈælgəl] adj alg-, tång-; ~ *bloom* algblomning
algebra [ˈældʒɪbrə] s algebra
algebraic [ˌældʒɪˈbreɪɪk] adj algebraisk
Algeria [ælˈdʒɪərɪə] geogr. Algeriet
Algerian [ælˈdʒɪərɪən] I s algerier; algeriska kvinna II adj algerisk
Algiers [ælˈdʒɪəz] geogr. Alger
Algonquian [ælˈgɒŋkɪən, -kwɪən] s algonkinspråk
Algonquin [ælˈgɒŋkwɪn, -kɪn] s algonkin indian
algorithm [ˈælgərɪðm] s matem. el. data. algoritm
algorithmic [ˌælgəˈrɪðmɪk] adj matem. el. data. algoritmisk
alias [ˈeɪlɪæs] I adv alias, även kallad II s alias, antaget namn; *under an* ~ under falskt namn
aliasing [ˈeɪlɪəsɪŋ] s **1** data. tagghhet uppstår t.ex. när datorgrafik visas med låg upplösning **2** radio. distorsion uppstår p.g.a. systembegränsningar
alibi [ˈælɪbaɪ] s alibi; vard. ursäkt, bortförklaring; *prove an* ~ bevisa sitt alibi
alien [ˈeɪlɪən] I adj **1** utländsk **2** främmande, annan; olik, som skiljer sig [*to* från]; oförenlig [*to* med]; motbjudande [*to* för]; II s **1** främling; [inte naturaliserad] utlänning; *enemy* ~ främling som tillhör fientlig nation; *illegal* ~ illegal invandrare; ~'*s passport* främlingspass **2** rymdvarelse, utomjording i science fiction [~ *from another planet*]
alienate [ˈeɪlɪəneɪt] vb tr göra främmande, avlägsna, fjärma [*from* för, från; ~ *sb from his friends*]; stöta bort; sociol. el. psykol. alienera
alienated [ˈeɪlɪəneɪtɪd] adj psykol. el. allm. alienerad, [som känner sig] främmande (utanför)
alienation [ˌeɪlɪəˈneɪʃ(ə)n] s främlingskap, utanförskap, likgiltighet [*from* mot, för]; sociol. el. psykol. alienation
a-life [ˈeɪlaɪf] s data. (förk. för *artificial life*) artificiellt liv
1 alight [əˈlaɪt] adj, *be* ~ brinna; *catch* ~ ta eld; *set sth* ~ tända eld på ngt
2 alight [əˈlaɪt] vb itr **1** stiga av (ned, ur); gå ner, landa, sätta sig [*the bird* ~*ed on a branch*]; ~ *from* [*a bus*] stiga av (ur, ned från)... **2** falla ner ur luften, slå ner, hamna **3** bildl., ~ *on* komma 'på, finna
align [əˈlaɪn] vb tr göra rak, ställa upp i rät linje, rikta [in]; mil. rätta; *they* ~*ed themselves with us* bildl. de ställde sig på vår sida, de stödde oss; ~ *the wheels* bil. justera hjulinställningen
alignment [əˈlaɪnmənt] s **1** placering i [rak] linje; utstakning; rätning; inriktning; trimning; *be in* (*out of*) ~ stå (inte stå) i rät linje; *wheel* ~ bil. [justering av] hjulinställning **2** bildl. allians, gruppering [*a new* ~ *of European powers*]
alike [əˈlaɪk] I adj lik[a]; *be very much* ~ vara mycket lika varandra, likna varandra mycket II adv lika, på samma sätt, i lika grad (mån); [*she helps*] *enemies and friends* ~ ...lika väl (såväl) fiender som vänner

alimentary canal [ˌælɪmentərɪkəˈnæl] s anat. matsmältningskanal, matspjälkningskanal
alimony [ˈælɪmənɪ] s vanl. amer. underhåll, understöd
Alison [ˈælɪsn] kvinnonamn
Alistair [ˈælɪstə] mansnamn
alive [əˈlaɪv] adj **1** i livet, vid liv; levande [*be buried* ~]; som finns; *come* ~ bildl. vakna till liv, få liv [*only then did the play come* ~]; *the best actor* ~ den bäste nu levande skådespelaren; *no man* ~ ingen i hela världen; *it's good to be* ~ det är skönt att leva; *keep a tradition* ~ hålla en tradition levande **2** livlig, livad [*with* av], rask; ~ *and kicking* vid full vigör; pigg och rask; *be* ~ *with* myllra (vimla) av; *look* ~! vard. raska på! **3** *be* ~ *to* vara medveten om [*be* ~ *to the risks*], vara på det klara med; *become* ~ *to* vakna till insikt om
alkali [ˈælkəlaɪ] s kem. alkali
alkaline [ˈælkəlaɪn] adj kem. alkalisk
all [ɔːl] I adj o. pron **1** all, allt, alla; ~ *at once* alla (allt) på en gång; se äv. *all III*; ~ *but* alla utom, allt utom; nästan, så gott som; *it's not* ~ *that good* vard. 'så bra är det då verkligen inte; ~ *of us* vi (oss) alla; *that's* ~ *there is to it* vard. så enkelt är det; så är (var) det med den saken; *be* ~ *things to* ~ *men* vara alla till lags; *three* ~ sport. tre lika; *at* ~ alls, ens, på något sätt, över huvud; *not at* ~ inte alls; *not at* ~! som svar på tack el. ursäkt för all del!, ingen orsak!; *for* ~ *I care* vad mig beträffar, se vidare under *for I 9*; *he may be dead for* ~ *I know* han är kanske död, vad vet jag?; *for* ~ *that* trots det, det oaktat; *once and for* ~ en gång för alla; ~ *in* ~ allt som allt; på det hela taget; *best of* ~ allra bäst; *he of* ~ *people* han av alla människor, just (t.o.m.) han **2** hela [~ *the*; ~ *my* etc.] **3** hel- [~ *wool*]
II s allt[ihop], allting; alla
III adv alldeles, helt och hållet, bara, idel; *she has gone* ~ *artistic* hon har blivit sådär konstnärlig av sig; ~ *about* på alla sidor, runtomkring; ~ *along* prep. utefter (utmed) hela; adv. hela tiden [*I knew that* ~ *along*]; ~ *at once* plötsligen; *be* ~ *for sth* vara helt för ngt; *I'm* ~ *for it* vard. jag är helt för (med på) det; det tycker jag absolut vi ska göra; ~ *out* fullt; för fullt, energisk[t]; med full fart; *go* ~ *out* göra sitt yttersta, ta ut sig helt; ~ *over* överallt, över hela; över (i) hela kroppen; *that is Tom* ~ *over* det är typiskt Tom; *it's* ~ *over* det är slut (förbi); *it's* ~ *up with him* det är kört för honom; ~ *right!* klart!, kör för det!, gärna för mig!, OK!; *he'll come* ~ *right* det är klart att han kommer; *he is* ~ *right* han mår bra; det är ingen fara med honom; han är OK; *he is doing* ~ *right* han klarar sig bra; *it's* [*quite*] ~ *right* det är (går) bra, det är helt i sin ordning; för all del, det gör ingenting, ingen orsak; *it's* ~ *right with me* jag har ingenting emot det, gärna för mig; *it will be* ~ *right* det ordnar sig nog; ~ *the more* så mycket (desto) mera; ~ *the same* ändå, i alla fall; *it's* ~ *the same to me* det gör mig detsamma, det är mig likgiltigt, det kommer på ett ut; jfr *same 1*; ~ *the worse* så mycket (desto) värre (sämre); ~ *there* vard. vaken, skärpt; *he's not* ~ *there* han är inte riktigt klok
all-absorbing [ˌɔːləbˈzɔːbɪŋ] adj allt uppslukande [~ *interest*]
Allah [ˈælə, ˈælɑː]

all-American [ˌɔːləˈmerɪkən] *adj* **1** typiskt amerikansk [*Betsy – an ~ girl*] **2** allamerikansk [*an ~ relay team*]

allay [əˈleɪ] *vb tr* **1** undertrycka, stilla, lugna **2** mildra, dämpa, lindra, minska

all clear [ˌɔːlˈklɪə] *s* faran över; **get the ~** få klartecken

all-day [ˈɔːldeɪ] *adj* heldags-, [*~ parking*]; som varar (varade) hela dagen [*~ excursion*]

allegation [ˌælɪˈgeɪʃ(ə)n, -leˈg-] *s* **1** anklagelse; påstående spec. utan bevis; **false ~s** falska beskyllningar **2** spec. jur. utsaga (utsago) att bevisa; bestämt påstående; bestämd försäkran (förklaring) **3** jur. anklagelse[punkt], åtalspunkt

allege [əˈledʒ] *vb tr* **1** anföra, uppge som ursäkt m.m. **2** påstå, [vilja] göra gällande

alleged [əˈledʒd] *adj* påstådd, förment, utpekad; **on the day of the ~ murder** den dag mordet skulle (påstods) ha begåtts

allegedly [əˈledʒɪdlɪ] *adv* efter vad som påstås (uppgivits)

Allegheny [ˈælɪgeɪnɪ, -genɪ] geogr., **the ~ Mountains** el. **the Alleghenies** Alleghenybergen

allegiance [əˈliːdʒ(ə)ns] *s* lojalitet, trohet; undersåtlig tro och lydnad

allegory [ˈælɪgərɪ] *s* litt. allegori

alleluia [ˌælɪˈluːjə] *interj* o. *s* halleluja

Allen key [ˈælənkiː] *s* tekn. sexkantsnyckel, insexnyckel

allergenic [ˌæləˈdʒənɪk] *adj* med. allergiframkallande, allergen

allergic [əˈlɜːdʒɪk] *adj* allergisk äv. bildl. [*to* mot]; **~ person** äv. allergiker

allergy [ˈælədʒɪ] *s* allergi

alleviate [əˈliːvɪeɪt] *vb tr* lätta, lindra, mildra

alleviation [əˌliːvɪˈeɪʃ(ə)n] *s* lättnad, lindring, minskning

alley [ˈælɪ] *s* **1** gränd, prång; vanl. amer. bakgata; **blind ~** se *blind alley* **2** allé, gång spec. i park el. trädgård **3** *bowling ~* bowlingbana **4** vard., **that's right up my ~** det passar mig precis, jag är som klippt och skuren för det

alley cat [ˈælɪkæt] *s* strykarkatt

alleyway [ˈælɪweɪ] *s* gränd; vanl. amer. bakgata

all-fired [ˈɔːlˌfaɪəd] *adj* vanl. amer. vard. förbaskad

All Fools' Day [ˌɔːlˈfuːlzdeɪ] *s* första april

All Hallows' [ˌɔːlˈhæləʊz] *s* o. **All Hallows' Day** [ˌɔːlˈhæləʊzdeɪ] *s* se *All Saints' Day*

alliance [əˈlaɪəns] *s* **1** förbund, allians [*enter into an ~; the Holy Alliance*] **2** äkta förbund; förbindelse; släktskap, frändskap

allied [əˈlaɪd, attr. ˈælaɪd] *adj* **1** förbunden, allierad [*the ~ armies*] **2** släkt, befryndad [*to, with* med]

Allies [ˈælaɪz] *s pl*, **the ~** a) de allierade under andra världskriget b) de allierade, ententemakterna under första världskriget

alligator [ˈælɪgeɪtə] *s* **1** zool. alligator **2** alligatorskinn

all-important [ˌɔːlɪmˈpɔːtnt] *adj* ytterst viktig, allt överskuggande

all-in [ˌɔːlˈɪn, attr. ˈ--] *adj* **1** allomfattande, fullständig, hel-; **~ insurance** heltäckande försäkring; **~ price** allt-i-ett-pris **2** vard. slutkörd, dödstrött

all-inclusive [ˌɔːlɪnˈkluːsɪv] *adj* allomfattande, heltäckande [*~ insurance*]; **~ price** totalpris, pris med allt inberäknat

all-in-one [ˌɔːlɪnˈwʌn] *adj* allt-i-ett [*~ garment*], komplett

all-in wrestling [ˌɔːlɪnˈreslɪŋ] *s* fribrottning

alliteration [əˌlɪtəˈreɪʃ(ə)n] *s* allitteration

all-mains [ˌɔːlˈmeɪnz] *adj* [som drivs] med allström, allströms- [*~ motor*]

all-metal [ˌɔːlˈmetl] *adj* helt i metall [*~ frame*]

all-night [ˌɔːlˈnaɪt] *adj* **1** nattöppen, natt- [*~ café*] **2** nattlång [*~ discussions*], som varar (varade) hela natten [*~ party*]

all-nighter [ˌɔːlˈnaɪtə] *s* vard. **1** helnattsföreställning, helnattskonsert **2** amer., ung. nattvak för studier

allocate [ˈæləʊkeɪt] *vb tr* tilldela [*~ duties to sb*]; fördela [*~ a sum of money among several persons*]; anslå [*~ a sum of money to education*]

allocation [ˌæləʊˈkeɪʃ(ə)n] *s* tilldelning, fördelning; anslag

allot [əˈlɒt] *vb tr* **1** fördela [genom lottning], dela ut **2** tilldela; anvisa, anslå, bestämma

allotment [əˈlɒtmənt] *s* **1** fördelning **2** [jord]lott, koloniträdgård **3** tilldelning; andel

all-out [ˌɔːlˈaʊt] *adj* ytterlig, fullständig, total, allomfattande; **make an ~ effort** anstränga sig till det yttersta, ta ut sig helt; **~ offensive** angrepp på bred front

allow [əˈlaʊ] **I** *vb tr* **1** tillåta, låta; **be ~ed in** bli insläppt; **be ~ed in the room** få vara (få komma in) i rummet; **be ~ed to do sth** äv. få göra ngt; **no dogs ~ed** hundar får ej medtagas; **she is not ~ed out after dark** hon får inte [lov att] vara ute efter mörkrets inbrott; **~ me!** låt mig göra det (hjälpa er)! **2** bevilja, anslå; **be ~ed** få, få ha [*be ~ed £80 a week*] **3** godkänna [*~ a claim*]; erkänna, medge [*~ that he is a genius*] **4** anslå, sätta av [*~ an hour for (till) lunch*]; beräkna [*~ 150 grammes per person*], räkna in (från); **we ~ 5 per cent for cash** vi lämnar 5 % kassarabatt
II *vb rfl*, **~ oneself** a) låta sig [*I ~ed myself to be persuaded*] b) tillåta sig, hänge sig åt [*~ oneself luxuries*]
III *vb itr* med prep.:
allow for a) ta hänsyn till, räkna med [*~ for unexpected expenses*]; **~ for shrinkage** beräkna (ta till [för]) krympmån; **it will take five hours, ~ing for train delays** det tar fem timmar med marginal för eventuella tågförseningar b) tillåta, möjliggöra [*this ~s for greater flexibility*] c) hand. göra avdrag för
allow of medge, tillåta [*the situation ~s of no delay*]

allowable [əˈlaʊəbl] *adj* **1** tillåten, tillåtlig **2** avdragsgill [*expenses ~ against tax*]

allowance [əˈlaʊəns] *s* **1** underhåll; lön, traktamente [*daily ~*]; anslag, bidrag, tillägg [*entertainment ~*]; understöd [*unemployment ~*]; **dress ~** klädpengar; **weekly ~** veckopeng **2** ranson, tilldelning **3** hand. m.m. avdrag, rabatt; [skatte]avdrag **4** **make ~ for** el. **make ~s for** ta hänsyn till som förmildrande omständighet [*make ~[s] for his youth*] **5** ung. spelrum, mån

alloy [ˈælɔɪ, əˈlɔɪ] *s* **1** legering, [metall]blandning

2 tillsats av sämre metall el. ngt dåligt; *without ~* oblandad **3** gulds o.d. halt

alloy rims ['ælɔɪrɪmz] *s pl* o. **alloy wheels** ['ælɔɪwiːlz] *s pl* bil. lättmetallfälgar, aluminiumfälgar

all-party [,ɔːl'pɑːtɪ] *adj* tvärpolitisk

all-points bulletin [,ɔːlpɔɪnts'bʊlətɪn] (förk. *APB*) *s* polis. efterlysning

all-powerful [,ɔːl'paʊəf(ʊ)l] *adj* allsmäktig

all-purpose [,ɔːl'pɜːpəs] *adj* för alla ändamål, universal- [~ *adhesive* (lim)]

all-risk [,ɔːl'rɪsk] *adj* allrisk- [~ *insurance*]

all-round [,ɔːl'raʊnd], attr. adj. '--] **I** *adv* runt omkring **II** *adj* mångsidig, allsidig, mångkunnig; allround; över hela linjen; *have an ~ education* äv. vara allmänbildad

all-rounder [,ɔːl'raʊndə] *s* allround idrottsman, mångsidig begåvning

All Saints' Day [,ɔːl'seɪntsdeɪ] *s* allhelgonadag[en] 1 november

all-seater stadium [,ɔːlsiːtə'steɪdɪəm] *s* sportarena med sittplatser för alla besökare

all-singing, all-dancing [,ɔːl'sɪŋɪŋ,ɔːl'dɑːnsɪŋ] *adj* vard. jättehäftig [an ~ *computer*]

allsorts ['ɔːlsɔːts] *s* blandning; *liquorice ~* se *liquorice allsorts*

allspice ['ɔːlspaɪs] *s* kryddpeppar

all-star ['ɔːlstɑː] *adj* stjärnspäckad; *~ cast* teat. stjärnensemble

all-terrain bike [,ɔːlterɪn'baɪk] (förk. *ATB*) *s* terrängcykel, mountainbike

all-terrain vehicle [,ɔːlterɪn'vɪəkl] (förk. *ATV*) *s* fyrhjuling fyrhjulig terränggående motorcykel

all-time ['ɔːltaɪm] *adj* vard. rekord-; *reach an ~ high* nå högre än någonsin [förr]; *an ~ low* botten, ett bottenrekord; *an ~ record* alla tiders rekord

allude [ə'luːd, ə'ljuːd] *vb itr*, *~ to* syfta (anspela, alludera) på; mena; nämna

allure [ə'lʊə, ə'ljʊə] **I** *s* **1** lockelse [the ~s *of a big city*]; dragningskraft; tjusning, behag **2** bildl. lockbete **II** *vb tr* **1** locka [*from* från; *to* till], fresta **2** tjusa, fängsla; snärja

alluring [ə'lʊərɪŋ, ə'ljʊə-] *adj* lockande, frestande; förförisk; förtjusande

allusion [ə'luːʒ(ə)n, ə'ljuː-] *s* syftning, anspelning, allusion; *in ~ to* med syftning på

alluvial [ə'luːvɪəl, ə'ljuː-] *adj* geol. alluvial [~ *deposits*; *~ soil*]; uppsvämmad, uppslammad

alluvi|um [ə'luːvɪəm, ə'ljuː-] (pl. *-ums* el. *-a* [ə]) *s* alluvialbildning, uppslamning, avlagring

all-wool [,ɔːl'wʊl] *adj* helylle[-]

ally [subst. 'ælaɪ, verb ə'laɪ, 'ælaɪ] [med] **I** *s* bundsförvant, allierad **II** *vb tr* förena, alliera [*to*, *with* med]

almanac ['ɔːlmənæk] *s* almanacka, kalender, årsbok [*nautical ~*]

almighty [ɔːl'maɪtɪ] **I** *adj* **1** allsmäktig [*Almighty God*; *the Almighty*]; *God Almighty!* herregud!, du min skapare! **2** vard. allhärskande, mäktig, dominerande [*the ~ dollar*] **3** vard. väldig, enorm, jätte- [*an ~ crash*; *an ~ fool*] **II** *adv* vard. väldigt, oerhört

almond ['ɑːmənd] *s* mandel

almond paste ['ɑːməndpeɪst] *s* mandelmassa

almost ['ɔːlməʊst, 'ɒl-] *adv* nästan, nära nog; *he ~ fell* han var nära (höll på) att falla

alms [ɑːmz] *s pl* allmosa, allmosor, gåva

almshouse ['ɑːmzhaʊs] *s* fattighus

aloe ['æləʊ] *s* bot. aloe; pl. *~s* med. aloe[saft]

aloe vera [,æləʊ'vɪərə] *s* **1** bot. Aloe vera **2** med. el. i kosmetika saft från Aloe vera

aloft [ə'lɒft] *adv* o. *adj* högt upp, i höjden

Aloha State [ə'ləʊəsteɪt, ɑː'ləʊhɑː-], *the ~* beteckn. för staten *Hawaii*

alone [ə'ləʊn] **I** *adj* ensam, för sig själv; på egen hand; *not be ~ in thinking that...* inte vara ensam om att tycka att...; *let ~* o. *leave ~* se under *1 let III 1* resp. *1 leave I 1* **II** *adv* endast, enbart [he ~ *knows*]; *that ~ was enough* bara det (det i sig själv) var nog; *the journey ~ costs* [*£300*] bara resan kostar...; *go it ~* försök på egen hand

along [ə'lɒŋ] **I** *prep* längs, utmed, utefter, utåt, framåt, nedåt; *~ the street* äv. gatan fram **II** *adv* **1** framåt, åstad, i väg; *far ~* amer. långt borta **2** med [sig (mig etc.)] [he had his guitar ~]; *come ~!* kom nu!, kom så går vi!, raska på!; *are you coming ~?* följer du med? **3** *~ with* tillsammans med, jämte **4** *all ~* hela tiden [she knew all ~]; *right ~* amer. oavbrutet **5** *I'll be ~ later* jag kommer [dit] senare

alongshore [ə,lɒŋ'ʃɔː] *adv* längs kusten (land)

alongside [adv. ə,lɒŋ'saɪd, prep. ə'lɒŋsaɪd] **I** *adv* vid sidan; sjö. långsides; *~ of* längs, långsides med, bredvid, utefter; jämsides med, utmed **II** *prep* vid sidan av; sjö. långsides med; längs etc., jfr *alongside of* under *alongside I*

aloof [ə'luːf] *adj* reserverad; *keep oneself ~* el. *keep ~* hålla sig på sin kant; *buyers are holding ~* köparna förhåller sig avvaktande; *stay ~* hålla sig undan (utanför)

aloofness [ə'luːfnəs] *s* reserverad hållning

alopecia [,ælə(ʊ)'piːʃɪə] *s* med. alopeci, håravfall

aloud [ə'laʊd] *adv* högt, med hög röst

alp [ælp] *s* alp, högfjäll

alpaca [æl'pækə] *s* zool. el. tyg alpacka

alpha ['ælfə] *s* **1** grekiska bokstaven alfa **2** *the ~ and omega* A och O, det viktigaste

alphabet ['ælfəbet] *s* alfabet; *~ book* abc-bok

alphabetical [,ælfə'betɪk(ə)l] *adj* alfabetisk; *~ order* bokstavsordning, alfabetisk ordning

alpha particle ['ælfə,pɑːtɪkl] *s* fys. alfapartikel

alpine ['ælpaɪn] *adj* alpin; alpinsk, alp-, fjäll-, berg-

alpinism ['ælpɪnɪzm] *s* alpinism, bergsbestigning

alpinist ['ælpɪnɪst] *s* alpinist, bergsbestigare

Alps ['ælps] geogr., *the ~* pl. Alperna

already [ɔːl'redɪ] *adv* redan

Alsace ['ælsæs] geogr. Alsace, Elsass

Alsatian [æl'seɪʃ(ə)n] **I** *s* **1** schäfer[hund] **2** elsassare **II** *adj* alsasisk, elsassisk

also ['ɔːlsəʊ] *adv* också, även, likaså; dessutom [~, *she had never seen it before*]

also-ran ['ɔːlsəʊræn] *s* **1** oplacerad häst i kapplöpning **2** vard., om person medelmåtta; nolla

Alta. förk. för *Alberta*

altar ['ɔːltə] *s* altare

altar boy ['ɔːltəbɔɪ] *s* katol. korgosse

altarpiece ['ɔːltəpiːs] *s* altartavla

altar screen ['ɔːltəskriːn] *s* altarskåp

alter ['ɔːltə] **I** *vb tr* **1** ändra, förändra [*to, into* till]; *~ed circumstances* ändrade förhållanden **2** vanl. amer. kastrera
II *vb itr* förändras, ändra sig; *~ for the worse* spec. om personer förändras till det sämre; försämras
alteration [ˌɔːltəˈreɪʃ(ə)n] *s* ändring, förändring
altercation [ˌɔːltəˈkeɪʃ(ə)n] *s* gräl, ordväxling
alter ego [ˌæltərˈiːgəʊ, -ˈegəʊ] *s* lat. andra jag
alternate [adj. ˌɔːlˈtɜːnət, verb ˈɔːltəneɪt] **I** *adj* **1** omväxlande, alternerande **2** vanl. amer. alternativ, annan
II *vb tr* växelvis ordna (utföra); låta växla, växla om med; *~ crops* lantbr. tillämpa växelbruk
III *vb itr* alternera; omväxla [*wet days ~d with fine days*]; växla [*~ between study and writing*]; svänga; tura[s] om
alternately [ɔːlˈtɜːnətlɪ] *adv* omväxlande, växelvis, ömsom
alternating current [ˌɔːltəneɪtɪŋˈkʌr(ə)nt] (förk. *AC*) *s* växelström
alternation [ˌɔːltəˈneɪʃ(ə)n] *s* växling; *~ of crops* lantbr. växelbruk
alternative [ɔːlˈtɜːnətɪv] **I** *adj* alternativ [*~ energy*]; annan **II** *s* alternativ, [annan] möjlighet; *I had no ~* äv. jag hade inget val
alternative medicine [ɔːlˌtɜːnətɪvˈmeds(ə)n] *s* alternativmedicin
although [ɔːlˈðəʊ] *konj* fastän, även om, ehuru
altimeter [ˈæltɪmiːtə, ælˈtɪmɪtə] *s* flyg. höjdmätare
altitude [ˈæltɪtjuːd] *s* **1** höjd över havet el. horisonten [*we're now flying at an ~ of 10,000 feet*]; altitud; *the plane lost ~ rapidly* planet förlorade snabbt höjd **2** pl. *~s* vanl. höjd[er] [*mountain ~s*] **3** höghet, hög ställning
alto [ˈæltəʊ] mus. **I** (pl. *~s*) *s* alt; altstämma **II** *adj* alt- [*~ saxophone*]
altogether [ˌɔːltəˈgeðə] **I** *adv* **1** helt [och hållet], alldeles, fullt **2** sammanlagt, allt som allt; på det hela taget
II *s* vard., *in the ~* i paradisdräkt, spritt naken, näck
altruist [ˈæltruɪst] *s* altruist
altruistic [ˌæltruˈɪstɪk] *adj* altruistisk äv. zool., oegennyttig
alum [ˈæləm] *s* kem. alun [äv. *potash ~*]
aluminium [ˌæləˈmɪnɪəm] *s* aluminium
aluminium foil [æləˌmɪnɪəmˈfɔɪl] *s* aluminiumfolie
aluminum [əˈluːmɪnəm] amer., se *aluminium*
alumn|a [əˈlʌmn|ə] (pl. *-ae* [-iː]) *s* vanl. amer. f.d. student (elev) kvinna
alumn|us [əˈlʌmn|əs] (pl. *-i* [-aɪ]) *s* vanl. amer. [manlig] f.d. student (elev)
alveolar [ˌælvɪˈəʊlə, ælˈvɪələ, ˈælvɪələ] *adj* anat. el. fonet. alveolar, alveolär, tandhåle-; *~ ridge* tandvall
always [ˈɔːlweɪz, -wəz, -wɪz] *adv* alltid, jämt, ständigt; *it's ~ a change* vard. det är alltid lite omväxling
Alzheimer's disease [ˈæltshaɪməzdɪˌziːz] *s* med. Alzheimers sjukdom
AM [ˌeɪˈem] **1** (förk. för *amplitude modulation*) AM **2** amer. förk. för *Master of Arts*
am [æm, obeton. əm, m] 1 person sg. pres. av *be*
a.m. [ˌeɪˈem] **1** (förk. för *ante meridiem* lat.) [på] förmiddagen, f.m. **2** (förk. för *anno mundi* lat.) år

amalgam [əˈmælgəm] *s* **1** blandning **2** kem. amalgam
amalgamate [əˈmælgəmeɪt] **I** *vb tr* blanda; förena, slå samman (ihop) t.ex. två företag **II** *vb itr* slås (gå) samman; blanda sig, blandas, smälta samman
amanuens|is [əˌmænjʊˈens|ɪs] (pl. *-es* [-iːz]) *s* [personlig] sekreterare, handsekreterare
amaryllis [ˌæməˈrɪlɪs] *s* bot. amaryllis
amass [əˈmæs] *vb tr* hopa, lägga på hög, samla [ihop] [*~ a fortune*]
amateur [ˈæmətə, -tjʊə, ˌæməˈtɜː] *s* amatör; *~ athletics* amatöridrott
amateurish [ˈæmət(ə)rɪʃ, ˌæməˈtɜːrɪʃ, ˌæməˈtjʊərɪʃ] *adj* amatörmässig
amateurishness [ˌæməˈtɜːrɪʃnəs, -ˈtjʊər-] *s* amatörmässighet
amateurism [ˈæmətəriz(ə)m, -tjʊər-] *s* amatörism, amatörskap äv. sport.
amatory [ˈæmət(ə)rɪ] *adj* kärleks-, älskogs-, erotisk [*~ poem*; *~ affairs*]; öm, förälskad
amaze [əˈmeɪz] *vb tr* förbluffa, göra häpen
amazed [əˈmeɪzd] *adj*, *~ at* el. *~ by* förbluffad (häpen) över
amazement [əˈmeɪzmənt] *s* häpnad, förbluffelse [*at* över]; *he looked at her in ~* han såg förvånad (förvånat) på henne; *much to my ~* till min stora förvåning
amazing [əˈmeɪzɪŋ] *adj* förbluffande, häpnadsväckande
Amazon [ˈæməz(ə)n] geogr. egennamn, *the ~* Amazonfloden
amazon [ˈæməz(ə)n] *s* **1** mytol. amason **2** bildl. amason, manhaftig kvinna
ambassador [æmˈbæsədə] *s* ambassadör [*the British Ambassador to* (i) *Sweden*]; sändebud
ambassadorial [æmˌbæsəˈdɔːrɪəl] *adj* ambassadörs- [*a conference on ~ level*]
ambassadress [æmˈbæsədrəs] *s* **1** ambassadör kvinna **2** ambassadris, ambassadörsfru
amber [ˈæmbə] **I** *s* **1** bärnsten, bärnstensfärg **2** trafik. gult [ljus]; *at the ~* trafik. vid gult [ljus]
II *adj* **1** av bärnsten, bärnstens-; bärnstensfärgad, gulaktig **2** gul om trafikljus
ambidextrous [ˌæmbɪˈdekstrəs] *adj* **1** ambidexter, lika skicklig med båda händerna; *~ person* äv. ambidexter **2** mycket skicklig
ambience [ˈæmbɪəns] *s* miljö [*the country provides a colourful ~ for this novel*]; atmosfär, stämning
ambient [ˈæmbɪənt] **I** *adj* omgivande, kringliggande; *~ temperature* omgivningstemperatur **II** *s* se *ambient music*
ambient music [ˌæmbɪəntˈmjuːzɪk] *s* ambient [musik] slags elektronisk, ofta stämningsskapande musik
ambiguity [ˌæmbɪˈgjuːətɪ] *s* tvetydighet, dubbeltydighet; oklarhet
ambiguous [æmˈbɪgjʊəs] *adj* tvetydig, dubbeltydig; oklar
ambit [ˈæmbɪt] *s* **1** område **2** gränser, råmärken, omkrets **3** bildl. omfång, utsträckning
ambition [æmˈbɪʃ(ə)n] *s* **1** ärelystnad, äregirighet **2** ambition[er]; framåtanda; strävan [*of* efter]; *achieve one's ~* nå målet för sin strävan, nå sitt mål
ambitious [æmˈbɪʃəs] *adj* **1** ärelysten, äregirig; *be ~*

for one's children ha ambitioner för sina barn
2 ambitiös, framåt; **~ plans** äv. högtflygande planer
ambitiousness [æm'bɪʃəsnəs] *s* ärelystnad,
äregirighet
ambivalence [ˌæmbɪ'veɪləns, æm'bɪvələns] *s*
kluvenhet, ambivalens; motstridighet
ambivalent [ˌæmbɪ'veɪlənt, æm'bɪvələnt] *adj*
kluven, ambivalent; motstridig
amble ['æmbl] **I** *vb itr* **1** gå i passgång **2** gå (rida) i
sakta mak, lunka, släntra
II *s* **1** passgång **2** maklig gång, lunk, släntrande; *at
an ~* i sakta mak
ambrosia [æm'brəʊzɪə] *s* ambrosia, gudaspis
ambulance ['æmbjʊləns] *s* ambulans
ambush ['æmbʊʃ] **I** *s* bakhåll, försåt; *lie in ~* ligga i
bakhåll (på lur) **II** *vb tr* ligga i bakhåll för; *he was
~ed* han råkade i bakhåll
ameb|a [ə'mi:b|ə] (pl. äv. -ae [-i:]) *s* amer. amöba
ameliorate [ə'mi:lɪəreɪt] *vb tr* förbättra
amelioration [əˌmi:lɪə'reɪʃ(ə)n] *s* förbättring
amen [ˌɑ:'men, ˌeɪ'men] **I** *interj* amen! **II** *s*, *say ~ to*
säga ja och amen till
amenable [ə'mi:nəbl] *adj* mottaglig, tillgänglig [*to
för*]; foglig, medgörlig; *he is ~ to* [*new ideas*] han är
öppen för…, han lyssnar gärna till…; *~ to reason*
mottaglig för förnuftsskäl
amend [ə'mend] *vb tr* **1** rätta **2** göra en ändring (ett
tillägg) i lagförslag m.m., ändra **3** förbättra
amendment [ə'men(d)mənt] *s* **1** rättelse **2** ändring,
tillägg i lagförslag m.m., ändringsförslag; motförslag,
motmotion; *the first ~* i USA första tillägget i den
amerikanska konstitutionen som stadgar yttrande-,
religions- o. mötesfrihet **3** [för]bättring
amends [ə'mendz] (med verb i sg. el. pl.) *s* vederlag,
gottgörelse, upprättelse; *make ~ for sth* gottgöra
ngt, ersätta ngt
amenity [ə'mi:nətɪ, -'men-] *s* **1** bekvämlighet; *every
~* alla moderna bekvämligheter (faciliteter);
labour-saving amenities arbetsbesparande
anordningar **2** behag, behaglighet [*the ~ of the
climate*]; *a town with many amenities* en stad med
stort nöjesutbud; *cultural amenities* kulturutbud
3 tjänst, facilitet; *the amenities* [*offered by a bank*] äv.
den service…
Amerasian [ˌæmər'eɪʃɪən] **I** *adj* av blandat
amerikanskt och asiatiskt ursprung **II** *s* avkomling
av amerikan och asiat
America [ə'merɪkə] geogr. Amerika
American [ə'merɪkən] **I** *adj* amerikansk; *the ~ dream*
den amerikanska drömmen om likställdhet och
materiellt välstånd **II** *s* amerikan[are], amerikanska
kvinna
American English [əˌmerɪkən'ɪŋglɪʃ] *s* amerikansk
engelska, amerikanska [språket]
American Indian [əˌmerɪkən'ɪndɪən] *s* indian,
indianska
Americanism [ə'merɪkənɪz(ə)m] *s* amerikanism
Americanization [əˌmerɪkənaɪ'zeɪʃ(ə)n, -nɪ'z-] *s*
amerikanisering
Americanize [ə'merɪkənaɪz] *vb tr* amerikanisera
American Legion [əˌmerɪkən'li:dʒ(ə)n] *s*, *the ~*
krigsveteranorganisation i USA
Amerindian [ˌæmər'ɪndɪən] *s* indian, indianska
person med ursprung i Amerikas urbefolkning

amethyst ['æməθɪst] *s* miner. ametist
amiability [ˌeɪmɪə'bɪlətɪ] *s* vänlighet, älskvärdhet
amiable ['eɪmɪəbl] *adj* vänlig, älskvärd, rar, trevlig
amicability [ˌæmɪkə'bɪlətɪ] *s* vänskaplighet;
vänskap, vänskapsförhållande
amicable ['æmɪkəbl] *adj* vänskaplig, vänlig; *~
settlement* uppgörelse i godo
amicably ['æmɪkəblɪ] *adv* vänskapligt, i godo
amid [ə'mɪd] *prep* **1** mitt i, mitt bland **2** under [*~
general applause*]
amidships [ə'mɪdʃɪps] *adv* midskepps, mittskepps
amino-acid [əˌmi:nəʊ'æsɪd] *s* kem. aminosyra
amiss [ə'mɪs] *adv* o. *adj* på tok, fel, galen, galet; illa,
dåligt; förfelad, orätt; *not come ~* el. *not go ~* vard.
inte vara helt fel, inte sitta fel; *take it ~* ta illa upp
amity ['æmətɪ] *s* vänskap[lighet], vänskapligt
förhållande, samförstånd; samhörighet
Amman ['əmɑ:n] geogr.
ammeter ['æmətə] *s* fys. amperemeter,
amperemätare
ammo ['æməʊ] (pl. ~s) *s* (vard. kortform av
ammunition) ammunition
ammonia [ə'məʊnɪə] *s* ammoniak; *liquid ~* flytande
ammoniak
ammonium [ə'məʊnɪəm] *s* kem. ammonium
ammunition [ˌæmjʊ'nɪʃ(ə)n] *s* **1** ammunition äv. bildl.
2 förr [allmänna] krigsförnödenheter
ammunition belt [ˌæmjʊ'nɪʃ(ə)nbelt] *s* patronbälte
amnesia [æm'ni:zɪə] *s* psykol. amnesi minnesförlust
amnesty ['æmnəstɪ] *s* amnesti
amnio ['æmnɪəʊ] (pl. ~s) *s* med. (vard. kortform av
amniocentesis), *have an ~* [låta] ta ett
fostervattenprov
amniocentesis [ˌæmnɪəʊsen'ti:sɪs] *s* med.
fostervattensprov
amniotic fluid ['æmnɪˌɒtɪk'flu:ɪd] *s* fostervatten
amoeb|a [ə'mi:b|ə] (pl. äv. -ae [-i:]) *s* amöba
amok [ə'mɒk] *adv*, *run ~* löpa amok
among [ə'mʌŋ] *prep* o. **amongst** [ə'mʌŋst] *prep*
bland; mellan flera; *~ other things* bland annat; *~
themselves (yourselves* etc.) sinsemellan, inbördes;
they had £100 ~ them de hade tillsammans hundra
pund; [*he divided his property*] *~ his sons* …mellan
(på) sina söner; [*I saw her*] *~ the crowd* …i
folkvimlet; [*choose one*] *from ~ these* …bland
dessa; [*peep out*] *from ~ the trees* …mellan träden
amoral [ə'mɒrəl] *adj* amoralisk
amorous ['æmərəs] *adj* amorös, kärleksfull [*~
looks*]; älskande
amorphous [ə'mɔ:fəs] *adj* amorf äv. kem.; formlös
amortization [əˌmɔ:taɪ'zeɪʃ(ə)n] *s* amortering
amortize [ə'mɔ:taɪz, -tɪz] *vb tr* amortera, inlösa
amount [ə'maʊnt] **I** *s* **1** belopp, summa **2** mängd,
massa; kvantitet; *any ~ of* en hel massa [med],
massvis med, i massor [*he has any ~ of money*]; [*I
can sleep*] *any ~* …hur mycket (länge) som helst; *no
~ of persuasion* [*could make me change my mind*] inga
övertalningsförsök i världen…; [*decide on*] *the ~ of
milk to be used* …hur mycket mjölk som ska
användas; *the ~ of trouble involved* det besvär detta
medför (medförde osv.) **3** värde [*the information is
of little ~*]
II *vb itr* med adv.:
amount to a) uppgå till, belöpa sig till **b)** vara

detsamma som, vara liktydig med [*it ~s to a refusal*]; innebära, betyda [*it ~s to this that…*] **c)** [*his arguments*] *do not ~ to much* …är inte mycket värda; *you will never ~ to anything* det blir aldrig något av dig; *it ~s to the same thing* det går (kommer) på ett ut; *a probability ~ing almost to a certainty* en till visshet gränsande sannolikhet

amp [æmp] vard. kortform av *ampere, amperes* o. *amplifier*

ampere ['æmpeə] *s* ampere

ampersand ['æmpəsænd] *s* tecknet &, et-tecken

amphetamine [ˌæm'fetəmi:n] *s* med. amfetamin

amphibian [æm'fɪbɪən] *s* **1** zool. amfibie **2** amfibiefordon

amphibious [æm'fɪbɪəs] *adj* amfibisk; *~ operation* mil. amfibieoperation, landstigningsoperation; *~ vehicle* amfibiefordon

amphitheatre ['æmfɪˌθɪətə] *s* **1** amfiteater **2** teat., *the ~* andra raden **3** bildl. arena, skådeplats

ample ['æmpl] *adj* **1** stor, rymlig; vid, vidsträckt, omfattande **2** fyllig, yppig [*~ bosom; ~ figure*] **3** riklig, ymnig; fyllig, utförlig [*~ description*]; väl tilltagen; *we have ~ time* vi har gott om tid; *have ~ resources* ha mycket goda resurser (tillgångar) **4** [fullt] tillräcklig, lagom [*£500 will be ~*]

amplifier ['æmplɪfaɪə] *s* elektr. förstärkare; *power ~* effektförstärkare

amplify ['æmplɪfaɪ] *vb tr* **1** elektr. förstärka **2** utveckla, brodera ut [*~ a story*]; ge en utförligare framställning av; precisera **3** utvidga, öka

amplitude ['æmplɪtjuːd] *s* fys. amplitud

amplitude modulation ['æmplɪtjuːdˌmɒdjʊ'leɪʃ(ə)n] (förk. *AM*) *s* fys. amplitudmodulering

amply ['æmplɪ] *adv* rikligt, mer än nog; jfr äv. *ample*

ampoule ['æmpuːl] *s* ampull

amputate ['æmpjʊteɪt] *vb tr* amputera

amputation [ˌæmpjʊ'teɪʃ(ə)n] *s* amputering

Amsterdam [ˌæmstə'dæm, '--ˌ-] geogr.

Amtrak® o. **Amtrack** ['æmtræk] *s* (kortform av *American Travel Track*) Amtrak statligt järnvägsbolag i USA [*take ~*]

amulet ['æmjʊlət] *s* amulett

amuse [ə'mjuːz] *vb tr* roa, underhålla; *~ oneself* roa sig [*doing sth* med att göra ngt]

amused [ə'mjuːzt] *adj* road; *be ~ by* (*at*) ha roligt åt; *we were ~ to learn that* vi tyckte det var roligt att få veta att; *keep sb ~* sysselsätta ngn; *she was not ~* äv. hon var inte särskilt glad

amusement [ə'mjuːzmənt] *s* nöje; munterhet; *places of ~* nöjeslokaler, nöjen biografer, teatrar etc.

amusement arcade [ə'mjuːzməntɑːˌkeɪd] *s* spelhall med spelautomater o.d.

amusement park [ə'mjuːzməntpɑːk] *s* nöjesfält, tivoli

amusing [ə'mjuːzɪŋ] *adj* rolig, underhållande

Amy ['eɪmɪ] kvinnonamn

an [ən, n, beton. æn] *obest art* se *1 a*

anabolic steroids [ˌænəbɒlɪk'stɪərɔɪdz] *s pl* fysiol. anabola steroider

anachronism [ə'nækrənɪz(ə)m] *s* anakronism

anachronistic [əˌnækrə'nɪstɪk] *adj* anakronistisk, otidsenlig

anaconda [ˌænə'kɒndə] *s* zool. anakonda

anaemia [ə'niːmɪə] *s* blodbrist, anemi

anaemic [ə'niːmɪk] *adj* blodfattig, anemisk äv. bildl.

anaesthesia [ˌænəs'θiːzɪə] *s* **1** med. bedövning, anestesi **2** bildl. känsellöshet, anestesi

anaesthetic [ˌænəs'θetɪk] **I** *s* bedövningsmedel; bedövning; pl. *~s* bedövningsmedel, anestetika; *general ~* narkos, allmän bedövning, sövning; *local ~* lokalbedövning; *be under an ~* vara bedövad (sövd) **II** *adj* anestetisk, bedövande; bedövnings-

anaesthetist [æ'niːsθɪtɪst] *s* narkosläkare, anestesiolog

anaesthetize [æ'niːsθɪtaɪz] *vb tr* bedöva, söva [ned]

anagram ['ænəgræm] *s* anagram

anal ['eɪn(ə)l] *adj* **1** anal, anal- [*~ fin; ~ sex*]; *~ orifice* el. *~ opening* analöppning **2** bildl. petig

analgesic [ˌænæl'dʒiːsɪk, -'dʒe-] **I** *s* smärtstillande medel; *~s* äv. analgetika **II** *adj* smärtstillande

analog ['ænəlɒg] *s* o. *adj* amer., se *analogue*

analogous [ə'næləgəs] *adj* analog [*to* med]; jämförbar [*to, with* med]; *be ~ to* äv. motsvara

analogue ['ænəlɒg] **I** *s* motsvarighet [*of* till]; parallell[fall] **II** *adj* analog [*~ data*]

analogue computer [ˌænəlɒgkəm'pjuːtə] *s* analogdator

analogy [ə'nælədʒɪ] *s* analogi äv. matem., jämförelse, parallell [*draw an ~ between*]; *by ~ with* i analogi med

anal-retentive [ˌeɪn(ə)lrɪ'tentɪv] *adj* petig

analyse ['ænəlaɪz] *vb tr* **1** analysera **2** psykoanalysera **3** ta ut satsdelarna i

analys|is [ə'næləs|ɪs] (pl. *-es* [-iːz]) *s* **1** analys; undersökning; *in the last ~* el. *in the final ~* när allt kommer omkring, när det kommer till kritan **2** psykoanalys **3** satslösning

analyst ['ænəlɪst] *s* **1** analytiker **2** psykoanalytiker

analytic [ˌænə'lɪtɪk] *adj* o. **analytical** [ˌænə'lɪtɪk(ə)l] *adj* analytisk

analyze ['ænəlaɪz] *vb tr* amer., se *analyse*

anapaest ['ænəpest, -piːst] *s* metrik. anapest

anaphylactic shock [ˌænəfɪlæktɪk'ʃɒk] *s* med. anafylaktisk chock; vard. allergichock

anarchic [æ'nɑːkɪk] *adj* anarkisk, anarkistisk

anarchism ['ænəkɪz(ə)m] *s* anarkism

anarchist ['ænəkɪst] *s* anarkist

anarchy ['ænəkɪ] *s* anarki

anathema [ə'næθəmə] *s* **1** *his opinions are ~ to me* jag avskyr hans åsikter **2** bannlysning, anatema

anatomical [ˌænə'tɒmɪk(ə)l] *adj* anatomisk

anatomist [ə'nætəmɪst] *s* anatom

anatomy [ə'nætəmɪ] *s* **1** anatomi; vard. kropp [*his ~*] **2** uppbyggnad, struktur **3** dissekering, bildl. äv. undersökning, analys

ANC [ˌeɪen'siː] (förk. för *African National Congress*) ANC sydafr. motståndsorganisation, nu polit. parti

ancestor ['ænsəstə] *s* **1** stamfader; pl. *~s* förfäder **2** föregångare

ancestral [æn'sestr(ə)l] *adj* som tillhört (har ärvts från) förfäderna; fäderneärvd; fäderne- [*~ home*]; familje-, släkt- [*~ portraits*]

ancestry ['ænsəstrɪ] *s* **1** börd, anor **2** förfäder

anchor ['æŋkə] **I** *s* **1** ankare; *drop ~* el. *cast ~* kasta ankar; *weigh ~* lätta ankar; *ride at ~* el. *lie at ~* ligga för ankar **2** bildl. ankare, stöd **3** se *anchorman 2* o. *anchorwoman 2*

II *vb tr* **1** förankra; stadigt fästa, hålla fast [*to* vid]

2 vara nyhetsuppläsare (nyhetsankare) i
III *vb itr* ankra, kasta ankar
anchorage ['æŋkərɪdʒ] *s* **1** ankarplats, ankargrund
2 bildl. fäste, förankring
anchor|man ['æŋkə|mæn] (pl. -*men* [-mən]) *s* **1** radio.
el. TV. nyhetsuppläsare, nyhetsankare **2** sport.
a) ankare i dragkampslag **b)** slutman, avslutare i
stafettlag
anchor|woman ['æŋkə|ˌwʊmən] (pl. -*women*
[-wɪmɪn]) *s* **1** radio. el. TV. nyhetsuppläsare kvinna,
nyhetsankare kvinna **2** sport. avslutare i stafettlag,
kvinna
anchovy ['æntʃəvɪ, æn'tʃəʊvɪ] *s* sardell; zool. [äkta]
ansjovis
ancient ['eɪnʃ(ə)nt] *adj* **1** forntida, gammal, forn
2 skämts. urgammal, lastgammal
ancient history [ˌeɪnʃ(ə)nt'hɪst(ə)rɪ] *s* **1** forntidens
historia **2** vard., *that's ~ now* det är överspelat
ancients ['eɪnʃ(ə)nts] *s pl, the ~* antikens folk,
grekerna och romarna
ancillary [æn'sɪlərɪ] *adj* underordnad [*to sth* ngt];
bi-, sido- [*~ roads*]; extra- [*~ tent*]; hjälp- [*~
science*]; stöd- [*~ course*; *~ troops*]
and [ənd, ən, beton. ænd] *konj* och; *~ so on* [ən'səʊɒn]
och så vidare (osv.); *~ so forth* [ən'səʊfɔːθ] och så
vidare (osv.); *~ others* med flera (m.fl.); *for hours ~
hours* i timmar, i timtal; *for miles ~ miles* mil efter
mil, milslångt, milsvitt; *there are books ~ books* det
är skillnad på böcker och böcker; *come, ~ I'll show
you!* kom så ska jag visa dig!; *~ with reason* och det
med all rätt; *~ yet* men (och) ändå
Andalusia [ˌændə'luːsɪə, -ʒə] geogr. Andalusien
Andes ['ændiːz] geogr., *the ~* pl. Anderna
Andorra [æn'dɒrə] geogr.
Andrew ['ændruː] bibl. Andreas; *St ~* Skottlands
skyddshelgon
androgynous [æn'drɒdʒɪnəs] *adj* androgyn,
tvåkönad
android ['ændrɔɪd] *s* android, människoliknande
robot
Andy Capp [ˌændɪ'kæp] Tuffe Viktor seriefigur
anecdotal [ˌænek'dəʊtl] *adj* anekdotartad,
anekdotisk; full av anekdoter
anecdote ['ænɪkdəʊt] *s* anekdot
anemia [ə'niːmɪə] *s* o. **anemic** [ə'niːmɪk] *adj* amer., se
anaemia resp. *anaemic*
anemone [ə'nemənɪ] *s* **1** bot. anemon; *blue ~*
blåsippa; *~* el. *wild ~* sippa; *wood ~* vitsippa **2** zool.,
sea ~ havsanemon
anesthesia [ˌænəs'θiːzɪə] o. **anesthesic**
[ˌænəs'θetɪk] amer., se *anaesthesia, anaesthetic* m.fl.
ord
aneurism o. **aneurysm** ['ænjʊ(ə)rɪz(ə)m] *s* med.
aneurysm, artärbråck
anew [ə'njuː] *adv* ånyo, på nytt; om igen
angel ['eɪn(d)ʒ(ə)l] *s* ängel
Angela ['æn(d)ʒələ] kvinnonamn
angel dust ['eɪndʒ(ə)ldʌst] *s* sl. 'ängladamm'
narkotika
Angeleno [ˌændʒə'liːnəʊ] (pl. ~s) *s* losangelesbo,
person från Los Angeles
angelic [æn'dʒelɪk] *adj* änglalik; ängla-
angelica [æn'dʒelɪkə] *s* kok. angelika[rot], bot. äv.
kvanne

anger ['æŋgə] **I** *s* vrede, ilska; *in ~* i vredesmod, i
ilska **II** *vb tr* reta upp, förarga; hetsa upp
angina [æn'dʒaɪnə] *s* o. **angina pectoris**
[ænˌdʒaɪnə'pektərɪs] *s* med. angina pectoris,
kärlkramp
angioplasty ['ændʒɪəʊˌplæstɪ] *s* med. angioplastik;
vard. ballongvidgning av hjärtats kranskärl
angiosperm ['ændʒɪəspɜːm] *s* bot. gömfröig växt,
angiosperm
1 angle ['æŋgl] **I** *s* vinkel; hörn; synvinkel,
synpunkt; vinkling [*give the story a special ~*]; *at
right ~s to* i rät vinkel mot, vinkelrät mot; *at an ~* på
sned (svaj, trekvart), snett; *~ of incidence* **a)** fys.
infallsvinkel **b)** flyg. anfallsvinkel **II** *vb tr* vinkla
2 angle ['æŋgl] *vb itr* meta, fiska med krok; *~ for* bildl.
fiska (vara ute) efter
angle bracket ['æŋglˌbrækɪt] *s* vinkelparentes
angled ['æŋgld] *adj* bildl. vinklad
angle-iron ['æŋglˌaɪən] *s* vinkeljärn
angle-parking ['æŋglˌpɑːkɪŋ] *s* snedparkering
angle-poise lamp ['æŋglpɔɪzlæmp] *s* ledad
arbetslampa
angler ['æŋglə] *s* **1** metare, sportfiskare,
fritidsfiskare **2** zool., *~* el. *~ fish* marulk
Anglican ['æŋglɪkən] **I** *adj* anglikansk, som tillhör
anglikanska kyrkan **II** *s* medlem (anhängare) av
anglikanska kyrkan
Anglicism ['æŋglɪsɪz(ə)m] *s* anglicism
anglicize ['æŋglɪsaɪz] *vb tr* anglisera, förengelska,
göra engelsk
angling ['æŋglɪŋ] *s* metning, mete, fritidsfiske
Anglo ['æŋgləʊ] (pl. ~s) *s* vanl. amer. angloamerikan
Anglo- ['æŋgləʊ] i sammansättn. engelsk-, anglo-
Anglo-American [ˌæŋgləʊə'merɪkən] **I** *s*
angloamerikan
II *adj* **1** angloamerikansk **2** engelsk-amerikansk [*~
relations*]
Anglophile ['æŋglə(ʊ)faɪl] *s* anglofil, englandsvän
Anglophobe ['æŋglə(ʊ)fəʊb] *s* engelskhatare
Anglo-Saxon [ˌæŋgləʊ'sæksən] **I** *adj* **1** anglosaxisk
2 fornengelsk
II *s* **1** anglosaxare; anglosaxiska kvinna
2 anglosaxiska [språket]
Anglo-Swedish [ˌæŋgləʊ'swiːdɪʃ] *adj*
engelsk-svensk, svensk-engelsk
Angola [æŋ'gəʊlə] geogr.
Angolan [æŋ'gəʊlən] **I** *s* angolan; angolanska kvinna
II *adj* angolansk
angora [æŋ'gɔːrə] *s* angora; angoraull; angoragarn
angostura bitters [ˌæŋgɒstjʊərə'bɪtəz] *s pl*
angostura bitter smakessens
angrily ['æŋgrəlɪ] *adv* argt, ilsket
angry ['æŋgrɪ] *adj* **1** arg, ilsken [*at sth, about sth* på
(över) ngt; *with sb, at sb* på ngn] **2** om sår o.d. ond,
elak, inflammerad [*an ~ wound*]
anguish ['æŋgwɪʃ] *s* pina, vånda, kval, ångest; *be in
~* plågas, våndas
anguished ['æŋgwɪʃt] *adj* plågad, ångestfylld [*~
looks*]
angular ['æŋgjʊlə] *adj* vinkel-; vinkelformad;
kantig; bildl. stel, tafatt
Angus ['æŋgəs] mansnamn
animal ['ænəm(ə)l, -nɪm-] **I** *s* djur äv. bildl.; levande
varelse

II *adj* **1** animal[isk], djur-; fysisk; ~ *heat* kroppsvärme **2** animalisk, djurisk, köttslig, sinnlig [~ *desires*]

animal husbandry [ˌænɪm(ə)lˈhʌzbəndrɪ] *s* boskapsskötsel; kreatursuppfödning

animal kingdom [ˌænəm(ə)lˈkɪŋdəm] *s*, **the** ~ djurriket

animal rights [ˌænəm(ə)lˈraɪts] *s pl* djurens rättigheter; ~ *activist* djurrättsaktivist

animal trainer [ˈænəm(ə)lˌtreɪnə] *s* domptör, djurtämjare

animate [adj. ˈænɪmət, -meɪt, verb ˈænɪmeɪt] **I** *adj* **1** levande **2** livlig

II *vb tr* **1** ge liv åt, besjäla **2** liva upp, animera; *a smile ~d* [*her face*] ett leende lyste upp… **3** påverka, driva [fram], sporra

animated [ˈænɪmeɪtɪd] *adj* **1** ~ *discussion* livlig (animerad) diskussion **2** ~ *cartoon* tecknad (animerad) film

animation [ˌænɪˈmeɪʃ(ə)n] *s* **1** upplivande [verkan] **2** livlighet, liv **3** animation framställning av tecknad film

animosity [ˌænɪˈmɒsətɪ] *s* fientlighet, animositet, agg, hätskhet [*against, towards* mot]; hat [*between* mellan]

animus [ˈænɪməs] *s* hätsk stämning, fientlig inställning [*against* mot]

anise [ˈænɪs] *s* anis

aniseed [ˈænɪsiːd] *s* anis, anisfrö

Ankara [ˈæŋk(ə)rə] geogr.

ankle [ˈæŋkl] *s* vrist, ankel, fotled, fotknöl

ankle-deep [adj. ˈæŋkldiːp, adv. --ˈ-] *adj o. adv* ankeldjup, [nedsjunken] till fotknölarna (anklarna), upp till (över) fotknölarna (anklarna)

ankle-length [ˌæŋklˈleŋθ, attr. ˈ---] *adj* ankellång, [hel]lång

ankle sock [ˈæŋklsɒk] *s* [ankel]socka

anklet [ˈæŋklət] *s* **1** vristkedja, vristlänk **2** amer. [ankel]socka

annals [ˈænlz] *s pl* **1** annaler, årsbok **2** krönika, hävder

Anne [æn] **1** kvinnonamn **2** som drottningnamn Anna

anneal [əˈniːl] *vb tr* härda

annex [verb əˈneks, subst. ˈæneks] **I** *vb tr* annektera, införliva [*to* med]

II *s* vanl. amer. annex; tillbyggnad

annexation [ˌænekˈseɪʃ(ə)n] *s* annektering, införlivande [*to* med]

annexe [ˈæneks] *s* **1** annex; tillbyggnad **2** tillägg [~ *to a document*]; bilaga

Annie [ˈænɪ] kvinnonamn

Annie Oakley [ˌænɪˈəʊklɪ] *s* amer. vard. fribiljett

annihilate [əˈnaɪəleɪt] *vb tr* tillintetgöra, förinta

annihilation [əˌnaɪəˈleɪʃ(ə)n, əˌnaɪɪˈl-] *s* tillintetgörelse, förintelse

anniversary [ˌænɪˈvɜːs(ə)rɪ] **I** *s* årsdag; årsfest; jubileum; ~ el. *wedding* ~ bröllopsdag årsdag **II** *adj* års-, årlig

Anno Domini [ˌænəʊˈdɒmɪnaɪ] *adv* (lat. i Herrens år), [år]…efter Kristi födelse, efter Kristus; år [~ *2011*]

annotation [ˌænəʊˈteɪʃ(ə)n] *s* anteckning; [förklarande] not; kommentar

announce [əˈnaʊns] *vb tr* **1** tillkännage, meddela,

kungöra **2** anmäla; annonsera, avisera [~ *one's arrival*]; bebåda **3** radio. el. TV. påannonsera

announcement [əˈnaʊnsmənt] *s* tillkännagivande, meddelande, kungörelse; anmälan; annons om födelse etc.; ~*s* i tidning, ung. familjesidan

announcer [əˈnaʊnsə] *s* radio. el. TV. [program]presentatör, hallåman (hallåa)

annoy [əˈnɔɪ] *vb tr* reta, irritera, förarga; besvära

annoyance [əˈnɔɪəns] *s* **1** irritation, förargelse, besvär; *a look of* ~ en förargad (irriterad) blick; *he stamped his foot in* ~ han stampade irriterat med foten **2** förarglighet, plåga, olägenhet

annoyed [əˈnɔɪd] *adj* irriterad, förargad; ~ *at sth* förargad över ngt; ~ *with sb* irriterad på ngn; *I am* ~ *that…* det retar mig att…

annoying [əˈnɔɪɪŋ] *adj* irriterande, förarglig, retsam; besvärlig

annual [ˈænjʊəl] **I** *adj* **1** årlig, årligen återkommande; ~ *general meeting* (förk. *AGM*) ordinarie [bolags]stämma **2** som varar ett år; ettårig

II *s* **1** årsbok, kalender; *boys'* (*girls'*) ~ ung. pojkarnas (flickornas) julbok **2** ettårig växt

annually [ˈænjʊəlɪ] *adv* årligen; årsvis

annual report [ˌænjʊəlrɪˈpɔːt] *s* årsberättelse, årsrapport, verksamhetsberättelse

annuity [əˈnjuːətɪ] *s* **1** årligt underhåll (anslag) **2** livränta; tidsränta

annul [əˈnʌl] *vb tr* annullera, [upp]häva [~ *a contract*]; upplösa [~ *a marriage*]; återkalla

annulment [əˈnʌlmənt] *s* annullering etc., jfr *annul*

Annunciation [əˌnʌnsɪˈeɪʃ(ə)n] *s*, **the** ~ [Jungfru] Marie bebådelse; ~ *Day* Marie Bebådelsedag 25 mars

anode [ˈænəʊd] *s* elektr. anod

anodyne [ˈænə(ʊ)daɪn] **I** *adj* smärtstillande; bildl. ofarlig, menlös **II** *s* smärtstillande medel

anoint [əˈnɔɪnt] *vb tr* smörja, helga (inviga) genom smörjning; *the ~ing of the sick* rom. katol. sista smörjelsen

anomalous [əˈnɒmələs] *adj* avvikande, abnorm, udda

anomaly [əˈnɒməlɪ] *s* avvikelse från regeln, anomali, abnormitet; missförhållande

anon [əˈnɒn] *adv* åld. snart, senare

anon. [əˈnɒn] förk. för *anonymous*

anonymity [ˌænəˈnɪmətɪ] *s* anonymitet

anonymous [əˈnɒnɪməs] *adj* anonym

anorak [ˈænəræk] *s* **1** anorak **2** vard. fackidiot, insnöad person, nörd; attr. idiot-, nörd-

anoraky [ˈænərækɪ] *adj* vard. nördig, insnöad på en enda sak

anorectic [ˌænəˈrektɪk] *s o. adj* se *anorexic*

anorexia [ˌænəˈreksɪə] *s* psykol., ~ el. ~ *nervosa* anorexi, anorexia nervosa

anorexic [ˌænəˈreksɪk] **I** *s* anorektiker **II** *adj* anorektisk

A.N. Other [ˌeɪenˈʌðə] *s* ännu inte utsedd spelare i ett lag

another [əˈnʌðə] *indef pron o. adj* **1** en annan; [*one says one thing*] *and* ~ *says* ~ …den andre ett annat; *one day after* ~ den ena dagen efter den andra; [*we talked of*] *one thing and* ~ …ett och annat **2** en till, ännu en, en ny; ~ *Hitler* en ny Hitler; ~ *two days* två dagar till, ytterligare två dagar; *you're* ~ vard. du är inte bättre själv, det kan du vara själv **3** *one ~* varandra

answer ['ɑ:nsə] **I** *s* **1** svar [*to* på]; *a plain ~* klart besked; *for an ~* till (som) svar; *in ~ to* till (som) svar på; *he knows all the ~s* vard. han har svar på allt **2** lösning, svar, resultat; pl. *~s* äv. facit **II** *vb tr* **1** svara; besvara, svara på [*~ a question*]; bemöta; gengälda; *~ the bell* el. *~ the door* gå och öppna [dörren]; *~ the telephone* svara i telefonen **2** motsvara, svara mot, uppfylla förväntningar el. syfte, stämma med; *he ~s the description* beskrivningen passar in på (stämmer på) honom **3** lyda, följa; *~ the helm* lyda roder **III** *vb itr* **1** svara [*to* på] **2** lystra **IV** med adv. el. prep.:

answer back käfta (käbbla) emot

answer for [an]svara för [*to* inför]; stå till svars för

answer to a) lystra; *~ to the name of...* lystra till (ha) namnet... **b)** lyda; *~ to the helm* lyda roder **c)** motsvara, svara mot, stämma med (jfr *answer II* 2)

answerable ['ɑ:ns(ə)rəbl] *adj* ansvarig [*to* inför; *for* för en handling]

answering machine ['ɑ:nsəriŋmə,ʃi:n] *s* telefonsvarare

answering service ['ɑ:nsəriŋ,sɜ:vis] *s* telefonvakt

answerphone ['ɑ:nsəfəʊn] *s* telefonsvarare

ant [ænt] *s* myra; *have ~s in one's pants* vard. ha myror i byxorna, vara rastlös

antacid [,ænt'æsid] *s* medel som neutraliserar (motverkar) syrlighet (syror, spec. magsyra), syrabindande medel

antagonism [æn'tægəniz(ə)m] *s* fiendskap, motsättning; antagonism

antagonistic [æn,tægə'nistik] *adj* fientlig, antagonistisk [*to* mot]

antagonize [æn'tægənaiz] *vb tr* reta [upp], stöta sig med; stöta bort [*~ one's friends*]

Antarctic [,ænt'ɑ:ktik] geogr., *the ~* Antarktis

antarctic [ænt'ɑ:ktik] *adj* antarktisk, sydpols-; sydlig

Antarctic Circle [ænt,ɑ:ktik'sɜ:kl] *s*, *the ~* södra polcirkeln

Antarctic Ocean [ænt,ɑ:ktik'əʊʃ(ə)n] geogr., *the ~* Södra ishavet

ante ['ænti] *s* [första] insats spec. i poker; *raise the ~* el. *up the ~* a)* höja insatsen spec. i poker *b)* bildl. skaffa fram pengar (kapital), öka (höja) insatsen

ant-eater ['ænt,i:tə] *s* zool. myrslok

antecedent [,ænti'si:d(ə)nt] **I** *s* **1** föregångare [*of* till] **2** pl. *~s* förfäder [*a person of unknown ~s*] **3** gram. korrelat **II** *adj* föregående; tidigare [*to* än]

antechamber ['ænti,tʃeimbə] *s* förrum

antedate [,ænti'deit] *vb tr* **1** antedatera, fördatera **2** föregå

antediluvian [,æntidi'lu:viən] *adj* skämts. stenålders[-], urmodig, antediluviansk

antelope ['æntiləʊp] *s* antilop

antenatal [,ænti'neitl] **I** *adj* före födelsen (födseln); *~ care* mödravård före förlossningen; *~ classes* föräldrautbildning; *~ clinic* mödravårdscentral; *~ exercises* mödragymnastik före förlossningen **II** *s* vard. kontroll på mödravårdscentral

antenn|a [æn'ten|ə] *s* **1** (pl. *-ae* [-i:]) zool. antenn, [känsel]spröt **2** (pl. *-as*) tekn. el. TV. vanl. amer. antenn

anterior [æn'tiəriə] *adj* **1** föregående, tidigare; *~ to* äldre än; före **2** främre

anthem ['ænθəm, -θem] *s* hymn; *national ~* nationalsång

ant-hill ['ænthil] *s* myrstack

anthology [æn'θɒlədʒi] *s* antologi

Anthony ['æntəni] **1** mansnamn **2** som helgonnamn Antonius

anthracite ['ænθrəsait] *s* antracit; *~ coal* antracitkol

anthrax ['ænθræks] *s* vet.med. mjältbrand

anthropoid ['ænθrə(ʊ)pɔid] **I** *adj* människoliknande, människo- **II** *s* människoliknande varelse (apa)

anthropologist [,ænθrə'pɒlədʒist] *s* antropolog, spec. kulturantropolog

anthropology [,ænθrə'pɒlədʒi] *s* antropologi, spec. kulturantropologi

anti ['ænti] **I** *s* motståndare **II** *adj* oppositionell [*an ~ group*]; *be ~* vara motståndare (fientligt stämd)

anti-abortionist [,æntiə'bɔ:ʃənist] *s* abortmotståndare

anti-aircraft [,ænti'eəkrɑ:ft] *adj* luftvärns-; *~ gun* luftvärnskanon

anti-American [,ænti ə'merikən] *adj* antiamerikansk

antibiotics [,æntibai'ɒtiks] *s pl* med. antibiotika

antibody ['ænti,bɒdi] *s* fysiol. antikropp

anticipate [æn'tisipeit] *vb tr* förutse, ana; vänta sig, räkna med; se fram emot [*~ great pleasure*]; i förväg förverkliga (uppfylla, tillmötesgå) [*~ sb's needs*]; förekomma [*be ~d by sb*]; gå ngt i förväg [*~ events*]; föregripa

anticipation [æn,tisi'peiʃ(ə)n] *s* förväntan; aning, förkänsla, förkänning; föregripande; *in ~* i förväg, på förhand [*thanking you in ~*]; *in ~ of* i väntan på

anticipatory [æn'tisipeit(ə)ri] *adj* föregripande; förväntansfull

anticlimax [,ænti'klaimæks] *s* antiklimax

anticlockwise [,ænti'klɒkwaiz] *adv* moturs

anticoagulant [,æntikəʊ'ægjʊlənt] *s* med. medel som motverkar blodkoagulation, blodförtunnande medel

antics ['æntiks] *s pl* upptåg; krumsprång

anticyclone [,ænti'saikləʊn] *s* meteor. anticyklon

antidepressant [,æntidi'presənt] *s* med. antidepressivt medel

antidote ['æntidəʊt] *s* motgift, antidot, bildl. äv. medel [*to* mot]

antifreeze ['æntifri:z] *s* kylarvätska, kylarskyddsvätska, antifrysmedel

antigen ['æntidʒən] *s* med. antigen antikroppalstrande ämne

Antigua [æn'ti:gə] geogr.

antihero [,ænti'hiərəʊ] (pl. *~es*) *s* litt. antihjälte

anti-heroine [,ænti'hiərə(ʊ)in] *s* litt. [kvinnlig] antihjälte

antihistamine [,ænti'histəmin, -mi:n] *s* med. antihistamin

anti-inflammatory [,æntiin'flæmət(ə)ri] med. **I** *s* antiinflammatoriskt medel **II** *adj* antiinflammatorisk

Antilles [æn'tili:z] geogr., *the ~* pl. Antillerna; *the*

Greater ~ pl. Stora Antillerna; ***the Lesser*** ~ pl. Små Antillerna

antilock [ˌæntɪ'lɒk] *adj*, ~ ***braking system*** (förk. *ABS*) ABS-bromsar

antimissile [ˌæntɪ'mɪsaɪl, amer. -'mɪsl] **I** *adj*, ~ ***missile*** antirobotrobot **II** *s* antirobotrobot

antimony ['æntɪmənɪ] *s* kem. antimon

antinuclear [ˌæntɪ'njuːklɪə] *adj*, ~ ***activist*** kärnvapenmotståndare; ~ ***campaign*** kampanj mot kärnvapen

antioxidant [ˌæntɪ'ɒksɪdənt] *s* antioxidationsmedel; pl. ~**s** äv. antioxidanter

antipasto [ˌæntɪ'pæstəʊ, -'pɑːstəʊ] (pl. ~*s*) *s* kok. (it.) antipasto ett urval av små förrätter

antipathetic [ˌæntɪpə'θetɪk] *adj* fientligt inställd [*to* mot]

antipathy [æn'tɪpəθɪ] *s* motvilja, antipati [*to, towards, against* mot]; ~ *between two persons*]

antipersonnel [ˌæntɪpɜːsə'nel] *adj*, ~ ***bomb*** sprängbomb (splitterbomb) för bekämpning av levande mål; ~ ***mine*** truppmina

antiperspirant [ˌæntɪ'pɜːspɪrənt] *adj* o. *s* antiperspirant transpirationshämmande [medel]

Antipodes [æn'tɪpədiːz] *s pl*, **the** ~ spec. Storbritanniens antipoder Australien, Nya Zeeland etc.

anti-pollution [ˌæntɪpə'luːʃ(ə)n] *adj*, ~ ***campaign*** miljövårdskampanj, kampanj mot föroreningar

antiquarian [ˌæntɪ'kweərɪən] **I** *adj* antikvarisk, som rör forntiden, forn- **II** *s* antikvarie, fornforskare; samlare av antikviteter

antiquated ['æntɪkweɪtɪd] *adj* föråldrad, antikverad

antique [æn'tiːk] **I** *adj* **1** antik; gammal, forntida **2** gammaldags, föråldrad **II** *s* antikvitet; ~ ***dealer*** antikvitetshandlare

antiquity [æn'tɪkwətɪ] *s* **1** antiken; forntiden **2** *be of great* ~ vara uråldrig, vara mycket gammal **3** vanl. pl. ***antiquities*** fornlämningar, fornminnen; antikviteter [*Roman antiquities*]

antiracism [ˌæntɪ'reɪsɪzm] *s* antirasism

antirrhinum [ˌæntɪ'raɪnəm] *s* bot. lejongap

antirust [ˌæntɪ'rʌst] *adj* rosthindrande, rostskyddande, rostskydds-

anti-Semite [ˌæntɪ'siːmaɪt] *s* antisemit

anti-Semitism [ˌæntɪ'semɪtɪz(ə)m] *s* antisemitism

antiseptic [ˌæntɪ'septɪk] med. **I** *s* antiseptiskt medel **II** *adj* antiseptisk

antisocial [ˌæntɪ'səʊʃ(ə)l] *adj* **1** asocial, antisocial, samhällsfientlig **2** osällskaplig

antistatic [ˌæntɪ'stætɪk] *adj* antistatisk; ~ ***agent*** antistatiskt medel

anti-tank missile [ˌæntɪ'tæŋkˌmɪsaɪl] *s* pansarvärnsrobot

antiterrorist [ˌæntɪ'terərɪzt] *adj* antiterrorist- [~ *laws*]

antitetanus [ˌæntɪ'tetənəs] *adj* med. mot stelkramp, stelkramps- [~ *shot*]

antithes|is [æn'tɪθəs|ɪs] (pl. -*es* [-iːz]) *s* antites; motsats [*of, to* till]

anti-virus software [ˌæntɪ'vaɪərəsˌsɒftweə] *s* o.
anti-virus program [ˌæntɪ'vaɪərəsˌprəʊgræm] *s* data. antivirusprogram

antler ['æntlə] *s* horn på hjortdjur; tagg (gren) på sådant horn

Antwerp ['æntwɜːp] geogr. Antwerpen

anus ['eɪnəs] *s* anus, analöppning

anvil ['ænvɪl] *s* städ

anxiety [æŋ'zaɪətɪ, -ŋg'z-] *s* **1** oro, ängslan, farhågor [*the budget statement removed all anxieties about higher taxes*] **2** [ivrig] önskan [*for* efter; *to do sth*]; iver [~ *to please*] **3** psykol. ångest [~ *neurosis*]

anxiety-ridden [æŋ'zaɪətɪˌrɪdn] *adj* ångestfylld, ångestladdad

anxious ['æŋ(k)ʃəs] *adj* **1** ängslig, bekymrad [*an ~ glance*]; orolig [~ *about* (för) *sb's health*; ~ *for* (för) *sb's safety*] **2** angelägen [*for* om], ivrig; ~ *to* angelägen (mån) om att, ivrig (otålig) att få [*I'm ~ to go there*] **3** bekymmersam

any ['enɪ] **I** *fören* o. *självst indef pron* **1** någon, något, några [*have you ~ money?*; *have you got ~ brothers?*]; *not* ~ äv. ingen, inget, inga [*I haven't ~ money*]; *our losses, if* ~ våra eventuella förluster; *I'm not having* ~ vard. jag vill inte veta av det **2** vilken (vilket, vilka) som helst [*you can have ~ of these books*]; varje, varenda, vartenda [~ *child knows that*]; all [*he needs ~ help he can get*]; alla [~ *who wish may go*]; ~ ***costs that may arise*** alla kostnader som kan uppstå, eventuella kostnader **3** ~ el. ~ ***considerable*** någon nämnvärd; ***for*** ~ [***considerable***] ***length of time*** för någon längre tid; *a person with* ~ *sense* en människa med minsta lilla förstånd **4** ~ ***one*** vilken som helst men endast en [*you can have ~ one of these books*]; en enda
II *adv* **1** något el. vanl. utan svensk motsvarighet: *do you want ~ more tea?* vill du ha mera te?; *I can't stay ~ longer* jag kan inte stanna längre **2** *not ~ the* + komp. el. *not ~ too* = none the o. none too se none **II 3** vanl. amer. vard. alls, ett dugg [*she can't help me ~*]

anybody ['enɪˌbɒdɪ, 'enɪbədɪ] *självst indef pron* **1** någon; *he will never be* ~ det blir aldrig något av honom **2** vem som helst [~ *can understand that*]; ~ *who* den (var och en) som

anyhow ['enɪhaʊ] *adv* **1** i alla (varje) fall, i vilket fall som helst, i alla händelser [*it's too late now, ~*]; ändå [*I have got a lot to do ~*]; egentligen **2** lite hur som helst, lite si och så [*the books were placed ~*]; *I have felt a bit ~* det har varit lite si och så med hälsan **3** på något [som helst] sätt [*I couldn't get in ~*]; på vilket sätt som helst, hur som helst

anyone ['enɪwʌn] *självst indef pron* se *anybody*

anyplace ['enɪpleɪs] *adv* amer. vard., se *anywhere*

anything ['enɪθɪŋ] *självst indef pron* **1** något, någonting [*I can't see ~*]; [*was it good?*] – ~ *but!* …verkligen inte!, …nej minsann!, …usch nej! **2** vad som helst; allt; ~ *but pleasant* allt annat än trevlig; *not for* ~ inte för allt i världen; *it's as easy as* ~ det är hur lätt som helst **3** ~ *like* el. *like* ~ se under *1 like* **II 3**

anytime ['enɪtaɪm] *adv* amer. när som helst, närhelst

anyway ['enɪweɪ] *adv* se *anyhow*

anywhere ['enɪweə] *adv* **1** någonstans; ~ *else* någon annanstans; *I wouldn't go* ~ *near the place* jag vill (skulle) inte gå i närheten av den platsen; *miles from* ~ bortom all ära och redlighet **2** var som helst, överallt; ~ *you like* var[t] du vill

AOB [ˌeɪəʊ'biː] (förk. för *any other business*) övriga ärenden på dagordning

aorta [eɪˈɔːtə] *s* anat. aorta; *the* ~ äv. stora kroppspulsådern

AP [ˌeɪˈpiː] förk. för *Associated Press*

apace [əˈpeɪs] *adv* litt. fort, snabbt, hastigt

Apache [əˈpætʃɪ] *s* apache[indian]

Apache State [əˌpætʃɪˈsteɪt], *the* ~ beteckn. för staten *Arizona*

apart [əˈpɑːt] *adv* **1** isär, ifrån varandra, med...mellanrum [*two metres* ~; *far* ~]; *they are poles* ~ el. *they are worlds* ~ det är en enorm skillnad mellan dem, de är diametralt motsatta; *take sth* ~ ta isär (sönder) ngt; *take sb* ~ vard. ge ngn en riktig utskällning **2** för sig [själv]; oberoende; fristående [från varandra], var för sig; ~ *from* bortsett från, frånsett, oavsett, utom; *that* ~ bortsett från detta; *I can't tell them* ~ jag kan inte skilja på dem (hålla dem isär) **3** åt sidan, avsides; *joking* ~ skämt åsido, allvarligt talat; *set* ~ el. *put* ~ anvisa, reservera, sätta (lägga) undan (av), anslå [*for* till]; *set* ~ *from* el. *put* ~ *from* skilja från, göra olik [*his skill set him* ~ *from the others*]

apartheid [əˈpɑːheɪt, -haɪt] *s* hist. apartheid rasåtskillnad el. friare

apartment [əˈpɑːtmənt] *s* **1** vanl. amer. lägenhet, våning **2** enstaka rum, gemak; pl. ~*s* möblerad våning

apartment block [əˈpɑːtməntblɒk] *s* amer. bostadshus, flerfamiljshus

apartment building [əˈpɑːtməntˌbɪldɪŋ] *s* amer. bostadshus, flerfamiljshus

apartment hotel [əˌpɑːtmənthə(ʊ)ˈtel] *s* vanl. amer. lägenhetshotell, kollektivhus

apartment house [əˈpɑːtmənthaʊs] *s* amer. bostadshus, hyreshus

apathetic [ˌæpəˈθetɪk] *adj* apatisk; likgiltig; känslolös

apathy [ˈæpəθɪ] *s* apati; likgiltighet [*towards* inför, gentemot]; slöhet

APB [ˌeɪpiːˈbiː] förk. för *all-points bulletin*

ape [eɪp] **I** *s* stor svanslös apa t.ex. gorilla el. schimpans; *go* ~ amer. vard. bli galen; *play the* ~ spela apa; apa efter **II** *vb tr* apa efter

ape|man [ˈeɪp|mæn] (pl. -*men* [-mən]) *s* apmänniska

Apennines [ˈæpənaɪnz] geogr., *the* ~ Apenninerna

aperient [əˈpɪərɪənt] med. **I** *adj* [svagt] avförande **II** *s* [svagt] avföringsmedel

aperitif [əˈperɪtɪf] *s* aperitif

aperture [ˈæpətjʊə, -tʃʊə] *s* **1** öppning; glugg, lucka; hål; slits **2** foto. bländare, bländaröppning

apeshit [ˈeɪpʃɪt] *s*, *go* ~ sl. bli galen

APEX [ˈeɪpeks] flyg. (förk. för *Advance Purchase Excursion*) APEX[-biljett]

apex [ˈeɪpeks] (pl. ~*es* el. *apices* [ˈeɪpɪsiːz]) *s* spets, topp

aphasia [əˈfeɪzɪə, -ʒə] *s* med. afasi

aphid [ˈeɪfɪd, ˈæfɪd] *s* bladlus

aphorism [ˈæfərɪz(ə)m] *s* aforism

aphrodisiac [ˌæfrə(ʊ)ˈdɪzɪæk] **I** *s* afrodisiakum, medel som verkar sexuellt stimulerande **II** *adj* [som verkar] sexuellt stimulerande

apiary [ˈeɪpɪərɪ] *s* bikupa, bihus

apices [ˈeɪpɪsiːz] *s* pl. av *apex*

apiece [əˈpiːs] *adv* per styck, stycket [*a pound* ~]; per man; var för sig, vardera; i sänder

aplomb [əˈplɒm] *s* säkerhet, pondus

Apocalypse [əˈpɒkəlɪps] *s* bibl., *the* ~ Uppenbarelseboken, Apokalypsen

apocalypse [əˈpɒkəlɪps] *s* [profetisk] uppenbarelse, apokalyps; undergång

apocalyptic [əˌpɒkəˈlɪptɪk] *adj* apokalyptisk; undergångs- [~ *atmosphere*; ~ *vision*]

Apocrypha [əˈpɒkrɪfə] *s pl* apokryfiska böcker, apokryfer i Bibeln

apolitical [ˌeɪpəˈlɪtɪk(ə)l] *adj* opolitisk

apologetic [əˌpɒləˈdʒetɪk] *adj* ursäktande [*an* ~ *letter*]; urskuldande; *be* ~ vara full av ursäkter; *he was very* ~ *about it* han bad så mycket om ursäkt

apologize [əˈpɒlədʒaɪz] *vb itr* be om ursäkt, ursäkta sig [*for* för; *for doing sth* för att ha gjort]; be om överseende [*for* med]; ~ *to sb* be ngn om ursäkt

apology [əˈpɒlədʒɪ] *s* **1** ursäkt, avbön; *make an* ~ [*to sb*] el. *make one's apologies* [*to sb*] be [ngn] om ursäkt [*for* för]; *an* ~ *for* vard. något som ska föreställa, en dålig ersättning för **2** apologi, försvar[stal]

apoplectic [ˌæpə(ʊ)ˈplektɪk] *adj* **1** hetlevrad; högröd i ansiktet **2** med. åld. apoplektisk; ~ *fit* slaganfall, stroke

apoplexy [ˈæpə(ʊ)pleksɪ] *s* med. åld. apoplexi, slag; *fit of* ~ slaganfall, stroke

apostate [əˈpɒstət] *s* avfälling, apostat

apostle [əˈpɒsl] *s* **1** apostel äv. bildl. **2** förkämpe, förespråkare

apostolic [ˌæpəˈstɒlɪk] *adj* **1** apostolisk; apostla- **2** påvlig

Apostolic See [ˌæpəstɒlɪkˈsiː] *s*, *the* ~ påvestolen

apostrophe [əˈpɒstrəfɪ] *s* apostrof[tecken]

apotheos|is [əˌpɒθɪˈəʊs|ɪs] (pl. -*es* [-iːz]) *s* **1** *the* ~ *of* höjdpunkten i (hos), det (den) mest fulländade av **2** apoteos, förgudning; förhärligande

app [æp] *s* vard. data. app

appal [əˈpɔːl] *vb tr* förfära, förskräcka

Appalachian [ˌæpəˈleɪtʃɪən] geogr., *the* ~ *Mountains* (pl.) el. *the* ~*s* (pl.) Appalacherna

appalled [əˈpɔːld] *adj* förskräckt, förfärad, bestört [*at*, *by* över]

appalling [əˈpɔːlɪŋ] *adj* skrämmande, förfärlig, hemsk

apparatus [ˌæpəˈreɪtəs, amer. äv. -ˈrætəs] (pl. ~*es* el. *pieces of* ~) *s* apparat; apparatur; redskap; maskineri [*the political* ~]; anordning; *heating* ~ värmeanläggning

apparel [əˈpær(ə)l] *s* poet. el. amer. dräkt, amer. äv. kläder

apparent [əˈpær(ə)nt, əˈpeər(ə)nt] *adj* **1** synbar, märkbar; uppenbar [*to* för]; *for no* ~ *reason* till synes utan anledning **2** skenbar [*more* ~ *than real*]

apparently [əˈpær(ə)ntlɪ, əˈpeər-] *adv* till synes, uppenbarligen; av allt att döma

apparition [ˌæpəˈrɪʃ(ə)n] *s* spökgestalt, uppenbarelse; spöke

appeal [əˈpiːl] **I** *vb itr* **1** vädja [~ *to sb for* (om) *sth*; ~ *to sb to do sth*]; ~ *to* äv. appellera till, vända sig till **2** jur. vädja, appellera [*to* till]; ~ *against* överklaga **3** parl., ~ *to the country* utlysa [ny]val **4** ~ *to* tilltala [*the idea* ~*s to the imagination*]; falla i smaken [*the book doesn't* ~ *to me*]; locka **II** *s* **1** vädjan; upprop, uppmaning, appell [*to* till]

2 jur. överklagande [*against* (*from*) *a decision* av ett utslag], besvär, appell, vad; *lodge an* ~ överklaga; *court of* ~ appellationsdomstol; *right of* ~ rätt att överklaga, besvärsrätt **3** lockelse, attraktion; dragningskraft; *sex* ~ sex appeal; *the book has a wide* ~ boken vänder sig till en bred läsekrets (publik)

appealing [ə'pi:lɪŋ] *adj* **1** lockande [*an* ~ *smile*], tilltalande [*an* ~ *dress*], sympatisk, attraktiv **2** vädjande, bönfallande [*an* ~ *look*]

appear [ə'pɪə] *vb itr* **1** förefalla, te sig, verka; framstå som, ge intryck av att vara [*I don't want to* ~ *a fool*]; *it ~s to me...* det tycks etc. mig..., jag tycker...; *it would* ~ *that...* det tycks (förefaller) som om... **2** bli (vara) synlig, visa sig, dyka upp, komma fram; anlända; ~ *out of thin air* se under *1 air I 1* **3** framgå [*from* av]; *it ~s that he was ill* han var uppenbarligen sjuk; *it ~s from what he says that...* det framgår av vad han säger att... **4** framträda offentligt, uppträda, figurera [*she didn't want her name to* ~ *in the newspapers*] **5** inställa sig [~ *before the court*; ~ *in court*] **6** om bok komma ut; om artikel publiceras, stå [*att läsa*] **7** film. el. TV. medverka, vara med [*in* i; *on* på, i]; teat. spela [*at* på, *in* i]

appearance [ə'pɪər(ə)ns] *s* **1** utseende, persons yttre, sätt att te sig; pl. *~s* vanl. [yttre] sken; *~s are against him* han har skenet emot sig; *~s are deceptive* skenet bedrar; *give the* ~ *of being...* se ut att (verka) vara...; *keep up ~s* hålla skenet uppe; *in* ~ till (efter) utseendet, till det yttre; *for the sake of ~s* för syns skull; *to all ~s* el. *by all ~s* efter utseendet (av allt) att döma, till synes **2** framträdande, uppträdande, ankomst [*the unannounced* ~ *of guests*]; anblick; *make one's* ~ uppträda, visa sig; *put in an* ~ el. *make an* ~ visa sig [ett slag]; infinna sig **3** offentligt uppträdande, framträdande **4** tecken [*of* till] **5** utgivning, utkommande [*the* ~ *of the book*]

appease [ə'pi:z] *vb tr* stilla, dämpa [~ *sb's curiosity*; ~ *one's hunger*]; lugna; spec. polit. vara undfallande mot, blidka

appeasement [ə'pi:zmənt] *s* stillande, dämpande etc., jfr *appease*; *policy of* ~ eftergiftspolitik

appellant [ə'pelənt] *s* jur. person som vädjar (överklagar), klagande

appellate court [ə,pelət'kɔ:t] *s* appellationsdomstol

appellation [,æpə'leɪʃ(ə)n] *s* benämning, tillnamn

append [ə'pend] *vb tr* vidhänga, fästa [*to* vid]; bifoga, tillägga [*to* till]

appendage [ə'pendɪdʒ] *s* bihang, tillbehör

appendectomy [,æpen'dektəmɪ] *s* med. blindtarmsoperation

appendicitis [ə,pendə'saɪtɪs] *s* med. blindtarmsinflammation, appendicit [*acute* ~]

append|ix [ə'pend|ɪks] (pl.: anat. el. mindre formellt *-ixes*, tekn. el. mera formellt *-ices* [-ɪsi:z]) *s* **1** anat., *the* ~ blindtarmen; *she had her* ~ *out* hon tog bort blindtarmen **2** bihang, bilaga, tillägg, appendix

appertain [,æpə'teɪn] *vb itr*, ~ *to* höra till, tillhöra

appetite ['æpətaɪt] *s* **1** aptit, matlust [*that gave him a good* ~] **2** lust, böjelse; begär, hunger [*for* efter]

appetizer ['æpətaɪzə] *s* aptitretare

appetizing ['æpətaɪzɪŋ] *adj* aptitretande; aptitlig

applaud [ə'plɔ:d] **I** *vb tr* applådera äv. friare [~ *a decision*] **II** *vb itr* applådera, klappa [i] händerna

applause [ə'plɔ:z] *s* applåd[er], handklappningar; *loud* ~ en kraftig applåd; *a round of* ~ en applåd

apple ['æpl] *s* **1** äpple; *he is the* ~ *of my eye* han är min ögonsten **2** äppelträd

apple cart ['æplkɑ:t] *s* vard., *upset the* ~ ställa till trassel; *upset sb's* ~ trassla till det för ngn

applejack ['æpldʒæk] *s* amerikanskt äppelbrännvin framställt av cider [äv. ~ *brandy*]

apple-pie [,æpl'paɪ] *s* äppelpaj

apple-pie bed [,æplpaɪ'bed] *s* 'påsbädd' resultatet av att man 'bäddar säck'

apple-pie order [,æplpaɪ'ɔ:də] *s*, *in* ~ vard. i perfekt ordning

apple sauce [,æpl'sɔ:s] *s* **1** äppelmos **2** amer. vard. smicker **3** amer. vard. strunt[prat]

appliance [ə'plaɪəns] *s* anordning; apparat, redskap, hjälpmedel; *fire-fighting ~s* brandredskap; *hearing* ~ hörapparat; *domestic ~s* el. *household ~s* hushållsapparater

applicability [,æplɪkə'bɪlətɪ] *s* tillämplighet, lämplighet, användbarhet [*to* på, för]

applicable [ə'plɪkəbl, 'æplɪk-] *adj* tillämplig, passande [*to* på, för], användbar

applicant ['æplɪkənt] *s* sökande [*for* till]

applicant country ['æplɪkənt,kʌntrɪ] *s* EU. kandidatland

application [,æplɪ'keɪʃ(ə)n] *s* **1** ansökan [*for* om], anmälan; *make an* ~ *for* söka; *on* ~ på begäran **2** användning; *the ~s of plastics* plastens användningsområden **3** tillämpning, applicering [*to* på]; tillämplighet **4** data. applikation; programvara **5** anbringande, påläggning, applicering, applikation; *for external* ~ *only* endast för utvärtes bruk **6** träget arbete [*to* med]; flit **7** omslag [*hot and cold ~s*]; förband

application form [,æplɪ'keɪʃ(ə)nfɔ:m] *s* anmälningsblankett

applicator ['æplɪkeɪtə] *s* applikator; påstrykare

applied [ə'plaɪd] *adj* praktisk[t använd], tillämpad [~ *linguistics*; ~ *mathematics*]

apply [ə'plaɪ] **I** *vb tr* **1** anbringa, applicera, lägga (sätta, stryka) [på] [~ *a bandage to* (på) *a wound*; ~ *paint to a wall*] **2 a)** använda [*to* till, på, om] **b)** tillgripa [~ *sanctions against*] **c)** [praktiskt] tillämpa, applicera [~ *a rule to* (på)] **d)** ägna [*to* åt]; ~ *one's mind to* se *apply oneself to* under *apply II 2* **II** *vb rfl* **1** ~ *oneself* göra sitt bästa, lägga manken till **2** ~ *oneself to* [ivrigt] ägna sig åt, inrikta (koncentrera) sig på [*sth* ngt; *doing sth* att göra ngt]

III *vb itr* **1** ansöka [*to sb* hos ngn; *for sth* om ngt]; ~ *for a post* söka en plats **2** [kunna] tillämpas, vara tillämplig [*to* på]

appoint [ə'pɔɪnt] *vb tr* **1** utnämna [*sb* [*to be*] *governor* ngn till guvernör]; tillsätta [~ *a committee*] **2** bestämma, fastställa, avtala [~ *a day for the meeting*; *at the ~ed time*] **3** *~ed* utrustad [*well ~ed*]; möblerad, inredd [*beautifully ~ed*]

appointee [əpɔɪn'ti:] *s* utnämnd (tillsatt, förordnad) [person]

appointment [ə'pɔɪntmənt] *s* **1** [avtalat] möte, träff; *medical* (*dental*) ~ inbokad läkartid (tandläkartid);

have an ~ with the doctor el. **have an ~ to see the doctor** ha [beställt] tid hos doktorn; **she kept the ~** hon kom [på utsatt tid] till mötet; **make an ~ with** el. **fix an ~ with** stämma möte med, beställa tid hos t.ex. läkare; **by ~ only** bara efter överenskommelse **2** utnämning; **by ~ to HM the King** (**Queen**) om firma kunglig hovleverantör **3** tjänst, anställning, befattning; pl. **~s** äv. lediga tjänster

appointment book [ə'pɔɪntməntbʊk] *s* noteringskalender; planeringskalender

apportion [ə'pɔːʃ(ə)n] *vb tr* fördela [proportionellt], skifta; tilldela; utmäta

apposite ['æpə(ʊ)zɪt] *adj* träffande [*an ~ remark*]; välfunnen, välvald; passande [*to* för]

apposition [ˌæpə(ʊ)'zɪʃ(ə)n] *s* gram. apposition; **be in ~ to** stå som apposition till

appraisal [ə'preɪz(ə)l] *s* **1** spec. officiell värdering, taxering, uppskattning; bedömning, utvärdering **2** el. **staff ~** el. **performance ~** personalsamtal, utvecklingssamtal

appraise [ə'preɪz] *vb tr* värdera, taxera, uppskatta [*at* till]; bedöma [värdet av]

appreciable [ə'priːʃəbl, -ʃɪəbl] *adj* märkbar; avsevärd, väsentlig

appreciate [ə'priːʃɪeɪt] **I** *vb tr* **1** uppskatta, värdera, sätta värde på; **I would ~ it if you...** jag skulle vara tacksam om du... **2** [fullt] inse, [riktigt] förstå, vara [fullt] medveten om **II** *vb itr* stiga (gå upp) [i värde]

appreciation [əˌpriːʃɪ'eɪʃ(ə)n] *s* **1** uppskattning; **as a token of my ~** som ett bevis på min uppskattning; **in ~ of** som tack för **2** förståelse [*of* för; *she showed no ~ of my difficulties*]; insikt [*of* i] **3** värdering; omdöme **4** värdestegring, ökning i värde

appreciative [ə'priːʃɪətɪv] *adj* uppskattande

apprehend [ˌæprɪ'hend] *vb tr* **1** gripa [*~ a thief*] **2** åld. uppfatta, begripa

apprehension [ˌæprɪ'henʃ(ə)n] *s* **1** farhåga; oro; **be under some ~s about** hysa vissa farhågor beträffande **2** gripande av brottsling **3** förståelse; fattningsförmåga **4** uppfattning, mening

apprehensive [ˌæprɪ'hensɪv] *adj* rädd, ängslig, orolig [*of* för; *about, for* för...skull] misstänksam; **be ~ that** misstänka (frukta) att

apprentice [ə'prentɪs] **I** *s* **1** lärling, elev; **bind as ~** sätta i lära [*to* hos] **2** nybörjare **II** *vb tr* sätta i lära [*to* hos]; **be ~d to** gå (komma) i lära (utbildas) hos

apprise [ə'praɪz] *vb tr* högtidl. underrätta [*of* om]

approach [ə'prəʊtʃ] **I** *vb itr* närma sig, nalkas, rycka närmare, stunda, förestå; **~ing** äv. annalkande **II** *vb tr* **1** närma sig, nalkas [*they ~ed the shore*] **2** gå upp mot, mäta sig med [*few writers can ~ Tolstoy*] **3** ta kontakt med, söka upp; få träffa, göra en trevare hos [*sb on a subject* ngn om en sak]; **he is rather difficult to ~** han är rätt svår att komma i kontakt med **4** ta itu med, ge sig i kast med [*~ a problem*] **III** *s* **1** [tillvägagångs]sätt; taktik; **~ to** [*a problem*] sätt att ta itu med att behandla..., sätt att behandla..., grepp på...; **~** el. **angle of ~** bildl. infallsvinkel **2** närmande, annalkande, förestående ankomst; flyg. inflygning, anflygning **3** tillträde [*to* till]; infart[sväg],

infartsled, tillfart[sväg] **4 make an ~ to sb for sth** ta kontakt med ngn om ngt, tala med ngn om ngt; **make an ~ to sb to** + inf lägga ett bud hos ngn på att... **5** inställning [*to* till], syn [*to* på]; **~ to** äv. sätt att se på; **his whole ~ to life** hela hans livsinställning **6** första steg (försök) [*to, towards* mot, till]; ansats, tillstymmelse [*to* till]; **this is the nearest ~ to the truth** det kommer sanningen närmast **7** pl. **~es** närmanden [*make ~es to sb*]

approachable [ə'prəʊtʃəbl] *adj* tillgänglig, lättillgänglig

approach road [ə'prəʊtʃrəʊd] *s* tillfartsväg, tillfart

approbation [ˌæprə(ʊ)'beɪʃ(ə)n] *s* gillande, godkännande; samtycke, bifall

appropriate [adj. ə'prəʊprɪət, verb ə'prəʊprɪeɪt] **I** *adj* lämplig, passande, träffande [*an ~ remark*]; välvald [*an ~ name*]; riktig, tillbörlig [*to, for* för, till]; **the ~ authority** vederbörande myndighet; **be ~ to** äv. passa för **II** *vb tr* **1** tillägna sig; lägga beslag på **2** anslå, bevilja [*~ money for* (*to*) *sth*]; anvisa; perf. p. **~d** bestämd för visst ändamål

appropriation [əˌprəʊprɪ'eɪʃ(ə)n] *s* **1** beslag **2** anslående etc., jfr *appropriate II 2*; bevillning; anslag

approval [ə'pruːv(ə)l] *s* gillande, samtycke, sympati; godkännande; **on ~** till påseende, på prov

approve [ə'pruːv] **I** *vb itr*, **~ of** gilla, samtycka (ge sitt samtycke) till, uttrycka sympati för **II** *vb tr* **1** godkänna [*~ a decision*]; tillstyrka; **~ the minutes** justera protokollet **2** gilla etc., jfr *approve I*

approved [ə'pruːvd] *adj* **1** godkänd, godtagen; på handling o.d. godkännes, tillstyrkes **2** beprövad [*~ methods*]

approved school [ə'pruːvdskuːl] *s* hist. ungdomsvårdsskola

approving [ə'pruːvɪŋ] *adj* gillande

approx. (förk. för *approximately*) ca, cirka

approximate [adj. ə'prɒksɪmət, verb ə'prɒksɪmeɪt] **I** *adj* **1** approximativ, ungefärlig [*~ value*]; **what's the ~ time?** vad är klockan på ett ungefär? **2 ~ to** närmande sig **3** i stort sett riktig; likartad **II** *vb tr* på ett ungefär beräkna, approximera **III** *vb itr*, **~ to** närma sig, komma nära

approximately [ə'prɒksɪmətlɪ] (förk. *approx.*) *adv* approximativt, ungefärligen, [på ett] ungefär, cirka

approximation [əˌprɒksɪ'meɪʃ(ə)n] *s* approximation, approximering

appurtenance [ə'pɜːtənəns] *s* **1** tillbehör; bihang **2** tillhörighet

APR [ˌeɪpiː'ɑː] *s* (förk. för *Annual Percentage Rate*) årlig ränta, årsränta

Apr. förk. för *April*

après-ski [ˌæpreɪ'skiː] *adj* fr. after-ski- [*~ clothes*]

apricot ['eɪprɪkɒt] **I** *s* aprikos **II** *adj* aprikosfärgad

April ['eɪpr(ə)l, -rɪl] *s* april; **~ fool!** april, april!

April Fools' Day [ˌeɪpr(ə)l'fuːlzdeɪ] *s* 1 april då man luras april

a priori [ˌeɪpraɪ'ɔːraɪ, ˌɑːprɪ'ɔːrɪ] *adv* lat. a priori, på förhand

apron ['eɪpr(ə)n] *s* **1** förklä[de] **2** platta på flygplats **3** teat. plattform framför ridån, avantscen

apron strings ['eɪpr(ə)nstrɪŋz] *s pl*, *be tied to sb's* ~ gå i ngns ledband, hänga ngn i kjolarna

apropos [,æprə'pəʊ, '---] **I** *adv*, ~ *of* apropå, på tal om; ~ *of nothing* helt apropå, apropå ingenting **II** *adj* passande, träffande [*an* ~ *remark*]

apt [æpt] *adj* **1** lämplig; träffande, lyckad, passande [*an* ~ *quotation*; *an* ~ *remark*] **2** *be* ~ *to do sth* ha en benägenhet att göra ngt, lätt (ofta) göra ngt; ~ *to break* skör; ~ *to forget* glömsk; *he is* ~ *to be late* han kan komma (kommer troligen) för sent **3** duktig [*an* ~ *pupil*]; skicklig [*at i*], begåvad

aptitude ['æptɪtjuːd] *s* skicklighet; fallenhet, begåvning, anlag [~ *for languages*]; *a singular* ~ *for finding...* en ovanlig förmåga att finna...

aptitude test ['æptɪtjuːdtest] *s* ped. anlagstest

aquacise ['ækwəsaɪz] *s* sport. vattengympa

aqualung ['ækwəlʌŋ] *s* dykapparat, tryckluftsapparat för sportdykare

aquamarine [,ækwəmə'riːn] **I** *s* akvamarin ädelsten och färg **II** *adj* blågrön

aquaplane ['ækwəpleɪn] **I** *s* [bred] surfingbräda använd vid surfing efter motorbåt **II** *vb itr* **1** surfa efter motorbåt **2** bil. vattenplana

aquari|um [ə'kweərɪ|əm] (pl. *-ums* el. *-a* [-ə]) *s* akvarium

Aquarius [ə'kweərɪəs] *s o. adj* astrol. Vattumannen; *she is an* ~ el. *she is* ~ hon är vattuman; *the Age of* ~ Vattumannens tidsålder som anses kännetecknas av fred o. harmoni

aquarobics [,ækwə'rəʊbɪks] (med verb i sg.) *s* vattengympa

aquatic [ə'kwætɪk] **I** *adj* som växer (lever) i (nära) vatten, vatten- **II** *s*, pl. ~ *s* vattensport

aquavit ['ækwəvɪt] *s* akvavit, [kummin]brännvin

aqueduct ['ækwɪdʌkt] *s* akvedukt; vattenledning

aqueous ['eɪkwɪəs] *adj* vattenaktig, vattnig, vatten-; ~ *rocks* sedimentära berg[arter] som bildats genom vatten

aquiline ['ækwɪlaɪn] *adj* örnlik; örn- [~ *nose*]

AR 1 förk. för *Arkansas* **2** data. förk. för *augmented reality*

Arab ['ærəb] **I** *s* arab äv. om häst, arabiska kvinna **II** *adj* arabisk, arab- [*the* ~ *world*]

arabesque [,ærə'besk] *s* konst. el. mus. arabesk

Arabia [ə'reɪbɪə] geogr. Arabien

Arabian [ə'reɪbɪən] *adj* arabisk [~ *architecture*; ~ *philosophy*]; *the* ~ *Nights* Tusen och en natt

Arabian Desert [ə,reɪbɪən'dezət] geogr., *the* ~ Arabiska öknen

Arabic ['ærəbɪk] **I** *s* arabiska [språket] **II** *adj* arabisk [*an* ~ *word*]

Arabic numerals [,ærəbɪk'njuːm(ə)r(ə)lz] *s pl* arabiska siffror

arable ['ærəbl] **I** *adj* odlingsbar, brukbar [~ *land*]; uppodlad **II** *s* odlingsbar mark, åkerjord

Aramaic [,ærə'meɪɪk] **I** *s* arameiska [språket] **II** *adj* arameisk

arbiter ['ɑːbɪtə] *s* **1** domare; ~ *of taste* smakdomare **2** skiljedomare, skiljeman

arbitrage [,ɑːbɪ'trɑːʒ, 'ɑːbɪtrɪdʒ] *s* ekon. arbitrage, valutahandel; ~ *operations* el. ~ *business* arbitrageaffärer

arbitrageur [,ɑːbɪtræ'ʒɜː] *s* ekon. arbitragör, valutahandlare

arbitrariness ['ɑːbɪtrərɪnəs] *s* **1** godtycke; nyckfullhet **2** egenmäktighet

arbitrary ['ɑːbɪtrərɪ] *adj* **1** godtycklig; nyckfull **2** egenmäktig; despotisk

arbitrate ['ɑːbɪtreɪt] **I** *vb tr* avdöma (avgöra) genom skiljedom **II** *vb itr* tjänstgöra som skiljedomare, medla

arbitration [,ɑːbɪ'treɪʃ(ə)n] *s* **1** skiljedom, medling **2** ekon., ~ *of exchange* [valuta]arbitrage

arbitrator ['ɑːbɪtreɪtə] *s* jur. skiljedomare, medlare, förlikningsman

arbor ['ɑːbə] *s* amer. berså, lövsal, lövvalv

arbour ['ɑːbə] *s* berså, lövsal, lövvalv

arc [ɑːk] *s* **1** cirkelbåge **2** tekn. båge

arcade [ɑː'keɪd] *s* **1** valvgång; arkad **2** galleria, passage täckt butiksgata

arcane [ɑː'keɪn] *adj* hemlig, mystisk [~ *rites*]; svårbegriplig

arch- [ɑːtʃ, ibl. ɑːk] *prefix* ärke-; framstående [*arch-builder*]; förste, ursprunglig [*arch-founder*]

1 arch [ɑːtʃ] **I** *s* **1** [valv]båge, böjning, valv **2** hålfot **II** *vb tr* **1** betäcka med valv **2** välva; kröka; ~ *one's back* om katt skjuta rygg **III** *vb itr* välva sig; bilda ett valv [*over* över]

2 arch [ɑːtʃ] *adj* skälmaktig, illmarig [*an* ~ *smile*]

archaeologist [,ɑːkɪ'ɒlədʒɪst] *s* arkeolog

archaeology [,ɑːkɪ'ɒlədʒɪ] *s* arkeologi

archaic [ɑː'keɪɪk] *adj* ålderdomlig; arkaisk; arkaiserande

archangel ['ɑːk,eɪn(d)ʒ(ə)l] *s* ärkeängel

archbishop [,ɑːtʃ'bɪʃəp] *s* ärkebiskop

archbishopric [,ɑːtʃ'bɪʃəprɪk] *s* **1** ärkebiskopsvärdighet **2** ärkebiskopsdöme, ärkestift

archdeacon [,ɑːtʃ'diːk(ə)n] *s* ärkediakon näst biskop i rang

archdiocese [,ɑːtʃ'daɪəsɪs, -siːs] *s* ärkestift

archduchess [,ɑːtʃ'dʌtʃəs] *s* hist. ärkehertiginna

archduke [,ɑːtʃ'djuːk, titel '--] *s* hist. ärkehertig

arched [ɑːtʃt] *adj* välvd, valv-; bågformig

arch-enemy [,ɑːtʃ'enɪmɪ] *s* ärkefiende

archeologist [,ɑːkɪ'ɒlədʒɪst] *s o.* **archeology** [,ɑːkɪ'ɒlədʒɪ] *s* amer., se *archaeologist* o. *archaeology*

archer ['ɑːtʃə] *s* bågskytt

archery ['ɑːtʃərɪ] *s* bågskytte

archetype ['ɑːkɪtaɪp] *s* arketyp, urtyp

Archibald ['ɑːtʃɪbɔːld, -b(ə)ld] mansnamn

Archie [ɪ'ɑːtʃɪ] *s* kortform av *Archibald*

Archimedes [,ɑːkɪ'miːdiːz] Arkimedes; ~' *principle* Arkimedes princip

archipelago [,ɑːkɪ'peləgəʊ] (pl. ~*s* el. ~*es*) *s* skärgård, arkipelag; ögrupp; örikt hav

architect ['ɑːkɪtekt] *s* **1** arkitekt **2** skapare, upphovsman

architectural [,ɑːkɪ'tektʃ(ə)r(ə)l] *adj* arkitektonisk; byggnads-

architecture ['ɑːkɪtektʃə] *s* **1** arkitektur; byggnadskonst, byggnadssätt, byggnadsstil **2** [upp]byggnad, konstruktion

archive ['ɑːkaɪv] **I** *s* arkiv förvaringsplatsen el. byggnaden **II** *adj* arkiv-

archives ['ɑːkaɪvz] *s pl* arkiv; arkivalier

archly ['ɑːtʃlɪ] *adv* skälmaktigt, illmarigt

arch-rival [,ɑːtʃ'raɪvl] *s* ärkerival

arch support [,ɑːtʃsə'pɔːt] s hålfotsinlägg
archway ['ɑːtʃweɪ] s valvport, valvgång
arc lamp ['ɑːklæmp] s båglampa
Arctic ['ɑːktɪk] geogr., **the ~** Arktis, Nordpolsområdet
arctic ['ɑːktɪk] adj arktisk; nordpols-; nordlig
Arctic Circle [,ɑːktɪk'sɜːkl] s, **the ~** norra polcirkeln
Arctic fox [,ɑːktɪk'fɒks] s fjällräv, polarräv
Arctic Ocean [,ɑːktɪk'əʊʃ(ə)n] geogr., **the ~** Norra ishavet
arc welding ['ɑːk,weldɪŋ] s bågsvetsning
Ardennes [ɑː'den, -'denz] geogr., **the ~** pl. Ardennerna
ardent ['ɑːd(ə)nt] adj **1** ivrig, eldig [an ~ lover]; varm [an ~ admirer]; brinnande [an ~ desire; an ~ patriot]; glödande **2** brännande, glödhet
ardour ['ɑːdə] s **1** glöd, iver, nit **2** passion
arduous ['ɑːdjʊəs] adj mödosam, svår, ansträngande, krävande [an ~ task]
1 are [beton. ɑː, obeton. ə] pl. o. 2 person sg. pres. av be
2 are [ɑː] s ar ytmått
area ['eərɪə] s **1 a)** område, trakt; kvarter [shopping ~]; distrikt [postal ~]; zon **b)** plats [dining ~]; utrymme [play ~]; **~ manager** distriktschef **2** bildl. område; **~s of agreement** avtalsområden **3** yta, areal; ytinnehåll; area; **be 15 square metres in ~** ha en yta av 15 kvadratmeter **4** gård utanför källarvåningen mellan hus och trottoar; **~ steps** trappa [från trottoaren] ned till gården
area code ['eərɪəkəʊd] s amer. el. austral. riktnummer
arena [ə'riːnə] s arena, stridsplats, skådeplats; **~ stage** arenascen; **~ theatre** arenateater
aren't [ɑːnt] = are not; **~ I?** vard. = am I not?
Argentina [,ɑːdʒ(ə)n'tiːnə] geogr.
Argentine ['ɑːdʒ(ə)ntaɪn, -tiːn] **I** adj argentinsk **II** s argentinare; argentinska **III** geogr. egennamn, **the ~** Argentina
Argentinian [,ɑːdʒ(ə)n'tɪnɪən] **I** adj argentinsk **II** s argentinare; argentinska
argon ['ɑːgɒn] s kem. argon
argot ['ɑːgəʊ] s slang, argot; jargong
arguable ['ɑːgjʊəbl] adj **1** som kan hävdas; **it is ~ that...** man skulle kunna påstå (hävda) att... **2** diskutabel
arguably ['ɑːgjʊəblɪ] adv ung. enligt min (mångas) åsikt; **it is ~** [the best in its field] jag vågar påstå (man kan nog hävda) att det är...
argue ['ɑːgjuː] **I** vb itr **1** gräla, bråka, tvista [with sb about (over) sth] **2** anföra skäl, tala, argumentera [for för; against mot]; resonera; **~ for** äv. plädera för, förorda **3** döma, sluta [from av, efter]
II vb tr **1** påstå, hävda, göra gällande **2** dryfta, diskutera; framlägga [skälen för]; [several things] **~ against the proposal** ...talar emot förslaget; **~ sb into** (out of) **doing sth** övertala ngn att göra ngt (att inte göra ngt); [it has been a successful year] **you can't ~ with that** ...det är odiskutabelt **3** bevisa; visa, vittna om
argument ['ɑːgjʊmənt] s **1** gräl, dispyt, meningsutbyte; diskussion; **let's assume for the sake of ~ that we can't** [start till October] låt oss anta [rent teoretiskt] att vi inte kan... **2** argument, anfört skäl [for för; against mot]; **~ against** äv. invändning mot **3** bevis[föring]; resonemang **4** huvudinnehåll, handling i bok o.d.

argumentative [,ɑːgjʊ'mentətɪv] adj **1** diskussionslysten; trätgirig **2** argumenterande, bevisande
argy-bargy [,ɑːdʒɪ'bɑːdʒɪ] s vard. gräl, hetsig diskussion
Argyll [ɑː'gaɪl] geogr.
aria ['ɑːrɪə] s mus. aria
arid ['ærɪd] adj **1** torr, förbränd; ofruktbar, kal **2** bildl. andefattig, torftig, torr [~ textbook] **3** geogr. arid [~ climate]
aridity [æ'rɪdətɪ] s **1** torrhet, torka; ofruktbarhet, kalhet **2** andefattigdom, torftighet
Aries ['eəriːz] s o. adj astrol. Väduren; **he is an ~** el. **he is ~** han är vädur
arise [ə'raɪz] (arose arisen) vb itr **1** uppstå [problems have arisen]; uppkomma, framträda; **a storm of protest arose** det blev en proteststorm; **if the need should ~** vid behov; **arising out of...** i samband med..., med anledning av... **2** härröra [from] **3** litt. el. amer. stiga (stå) upp
arisen [ə'rɪzn] perf. p. av arise
aristocracy [,ærɪ'stɒkrəsɪ] s aristokrati
aristocrat ['ærɪstəkræt, æ'rɪs-] s aristokrat
aristocratic [,ærɪstə'krætɪk] adj aristokratisk
arithmetic [ə'rɪθmətɪk] s räkning; aritmetik; **my ~ is poor** jag är dålig i räkning
arithmetical [,ærɪθ'metɪk(ə)l] adj räkne- [~ problem]; aritmetisk
Ariz. förk. för Arizona
Arizona [,ærɪ'zəʊnə] geogr.
Ark. förk. för Arkansas
ark [ɑːk] s ark [Noah's ~]; **it is out of the ~** el. **it went out with the ~** vard. det är rena stenåldern
Arkansas ['ɑːkənsɔː] geogr.
1 arm [ɑːm] s **1** arm; **at ~'s length** på armlängds avstånd, så långt från sig som möjligt; **keep sb at ~'s length** hålla ngn på avstånd; **within ~'s reach** inom räckhåll; **chance one's ~** göra ett försök; **give one's right ~** ge vad som helst; **put one's ~ round sb** lägga armen om ngn; **~ in ~** arm i arm **2** ärm **3** karm, armstöd **4** bildl. arm, gren [the political ~ of a terrorist organization] **5** bildl. arm [the ~ of the law]; makt, myndighet
2 arm [ɑːm] **I** vb tr beväpna, väpna äv. bildl. [~ed with patience]; utrusta; förse
II vb itr väpna sig, rusta; gripa till vapen
III s försvarsgren; truppslag; **the air ~** flygvapnet
armada [ɑː'mɑːdə] s stor flotta, armada
armadillo [,ɑːmə'dɪləʊ] (pl. ~s) s zool. bältdjur, bälta
Armageddon [,ɑːmə'gedn] s bildl. världskrig; ragnarök
Armagh [ɑː'mɑː] geogr.
armament ['ɑːməmənt] s **1** vapen; pl. ~s äv. krigsmateriel; **~s industry** rustningsindustri, vapenindustri **2** upprustning; beväpning; **~s race** el. **~ race** kapprustning; **reduction of ~s** nedrustning
armature ['ɑːmətjʊə, -tʃʊə] s tekn. el. elektr. ankare; rotor
armband ['ɑːmbænd] s **1** armbindel; **black ~** sorgband **2** vanl. pl. ~s uppblåsbara armringar för barn som inte kan simma
armchair ['ɑːmtʃeə, ,-'-] **I** s fåtölj, länstol **II** adj, ~

critic skrivbordskritiker utan erfarenhet av det han kritiserar; ~ *strategist* skrivbordsstrateg

1 armed [ɑ:md] *adj* försedd med arm[ar]; i sammansättn. -armad

2 armed [ɑ:md] *adj* [be]väpnad äv. bildl. [~ *forces*]; [ut]rustad; försedd [~ *with equipment*]; ~ *robbery* väpnat rån

armed forces [ˌɑ:md'fɔ:sɪz] *s pl*, *the ~* försvarsmakten

Armenia [ɑ:'mi:nɪə] geogr. Armenien

Armenian [ɑ:'mi:nɪən] **I** *adj* armenisk

II *s* **1** armenier; armeniska kvinna **2** armeniska [språket]

armful ['ɑ:mfʊl] (pl. ~s el. *armsful*) *s* famn, fång

armhole ['ɑ:mhəʊl] *s* ärmhål

armistice ['ɑ:mɪstɪs] *s* vapenstillestånd

armory ['ɑ:mərɪ] *s* amer. **1** se *armoury* **2** vapenfabrik

armour ['ɑ:mə] *s* [vapen]rustning[ar]; pansar; armering äv. sjö.

armoured ['ɑ:məd] *adj* [be]pansrad; armerad; ~ *car* pansarbil; ~ *column* pansarkolonn; ~ *cruiser* pansarkryssare; ~ *forces* pansartrupper; ~ *glass* pansarglas; ~ *vehicle* pansarfordon

armourer ['ɑ:mərə] *s* **1** vapensmed **2** rustmästare vid vapenförråd

armour-plated [ˌɑ:mə'pleɪtɪd] *adj* pansrad, pansarklädd

armoury ['ɑ:mərɪ] *s* vapenförråd, rustkammare; arsenal äv. bildl.

armpit ['ɑ:mpɪt] *s* armhåla

armrest ['ɑ:mrest] *s* armstöd

1 arms [ɑ:mz] *s pl* av *1 arm*

2 arms [ɑ:mz] *s pl* **1** vapen; i kommando gevär; *small ~* handeldvapen; *in ~* el. *up in ~* el. *under ~* i (under) vapen, väpnad, färdig till strid; *be up in ~ about* (*over*) bildl. vara på krigsstigen mot; vara upprörd över; *rise up in ~* bildl. rusta sig till strid; *present ~!* skyldra gevär!; *take up ~* gripa till vapen **2** herald. vapen [*the ~ of a town*] **3** pl. av *2 arm III*

arms control ['ɑ:mzkən,trəʊl] *s* rustningskontroll

arms deal ['ɑ:mzdi:l] *s* vapenaffär transaktion

arms race ['ɑ:mzreɪs] *s* kapprustning

arms reduction ['ɑ:mzrɪ,dʌkʃ(ə)n] *s* nedrustning

arm-twisting ['ɑ:m,twɪstɪŋ] *s* starka påtryckningar

arm-wrestling ['ɑ:m,reslɪŋ] *s* armbrytning

army ['ɑ:mɪ] *s* **1** armé, här; ~ *boots* marschkängor; ~ *chaplain* fältpräst; ~ *corps* armékår **2** stor hop, härskara [~ *of officials*]

A-road ['eɪrəʊd] *s* ung. riksväg

aroma [ə'rəʊmə] *s* arom, doft, vällukt

aromatherapy [ə,rəʊmə'θerəpɪ] *s* aromterapi

aromatic [ˌærə(ʊ)'mætɪk] *adj* aromatisk, väldoftande

arose [ə'rəʊz] imperf. av *arise*

around [ə'raʊnd] **I** *adv*, ~ el. *all ~* runt [omkring], omkring; överallt; åt alla håll; *be ~* a) finnas, vara här (där) [*there weren't any girls ~*]; finnas i närheten [*he's somewhere ~*] b) vara med [i svängen] [*I know, I've been ~*]; vara i ropet [*some pop stars are ~ for only a few years*] c) komma, infinna sig [*I'll be ~ by nine o'clock*]; *he has been ~ a lot* han har sett sig omkring [i världen] en hel del; *be up and ~ again* vanl. amer. vara uppe och i farten igen; *stand ~* stå och hänga; *he turned ~* han vände

sig om

II *prep* runt[om], [runt] omkring; ~ *the clock* dygnet runt

arousal [ə'raʊz(ə)l] *s* uppväckande; bildl. uppryckning; upphetsning [*sexual ~*]

arouse [ə'raʊz] *vb tr* [upp]väcka mest bildl. [~ *suspicion*]; väcka till liv; liva upp, egga, rycka upp; *be ~d* äv. bli upphetsad

arr. förk. för *arranged by*, *arrival*

arrack ['ærək] *s* arrak

arraign [ə'reɪn] *vb tr* ställa inför rätta; stämma

arraignment [ə'reɪnmənt] *s* ställande inför rätta; stämning; anklagelse

arrange [ə'reɪn(d)ʒ] **I** *vb tr* **1** ordna, göra (ställa) i ordning; arrangera, anordna; disponera [*the book is well ~d*] **2** mus. arrangera, bearbeta **3** ordna med, arrangera; avtala, komma överens om [*what did you ~ with him?*]

II *vb itr* göra upp [~ *with sb*]; ~ *for* [an]ordna, planera, ombesörja; ~ *for a car to meet sb* ordna så att en bil möter ngn

arrangement [ə'reɪn(d)ʒmənt] *s* **1** åtgärd; förberedelse [~*s for a party*; ~*s for a journey*]; *make ~s for somebody to meet you* ordna så att någon möter dig **2** uppgörelse [*come to an ~*] **3** ordnande **4** ordning; anordning; uppställning; disposition; arrangemang **5** mus. arrangemang, bearbetning

arrant ['ær(ə)nt] *adj* durkdriven, inpiskad [*an ~ liar*]; ~ *nonsense* absolut nonsens

array [ə'reɪ] **I** *s* **1** samling; skara; *a fine ~ of* äv. en imponerande samling (uppsättning)... **2** uppbåd **3** stridsordning [äv. *battle ~*] **4** litt. dräkt, skrud, stass [*holiday ~*]

II *vb tr* **1** ställa upp, ordna; *they ~ed themselves against...* bildl. de gjorde front (reste sig) mot... **2** kläda, pryda, styra ut

arrears [ə'rɪəz] *s pl* resterande skulder; rest; ~ *of work* arbete som släpar efter; *be in ~* vara efter spec. med betalning; *pay in ~* betala i efterskott

arrest [ə'rest] **I** *vb tr* **1** anhålla, arrestera **2** hejda, stoppa, hämma [~ *the growth*]; hindra **3** bildl. fängsla, fånga [~ *sb's attention*]

II *s* **1** anhållande, arrestering; arrest; *be under ~* vara arresterad **2** hejdande; avbrott; hinder; *cardiac ~* med. hjärtstillestånd

arresting [ə'restɪŋ] *adj* fängslande [*an ~ painting*; *an ~ personality*]; spännande

arrival [ə'raɪv(ə)l] *s* **1** ankomst, framkomst [*at, in* till]; *on ~* vid ankomsten, vid framkomsten; *to await* ~ på brev i väntan på att adressaten ska anlända **2** nyanländ (nykommen) person (sak); *a new ~* en nykomling; en ny familjemedlem **3** trafik., pl. ~*s* ankommande passagerare (flyg, tåg etc.) **4** *the ~ of Internet* [*has resulted in an explosion of information*] när Internet kom...

arrival hall [ə'raɪv(ə)lhɔ:] *s* o. **arrival lounge** [ə'raɪv(ə)llaʊn(d)ʒ] *s* på t.ex. flygplats ankomsthall

arrive [ə'raɪv] *vb itr* **1** komma [fram], anlända [*at, in* till; *at Bath, in a country, in Paris; at a conclusion*], inträffa [*at, in* i] **2** slå igenom, lyckas

arrogance ['ærəgəns] *s* arrogans, övermod

arrogant ['ærəgənt] *adj* arrogant, övermodig

arrogate ['ærə(ʊ)geɪt] *vb tr*, ~ *sth to oneself* orättmätigt förskaffa sig ngt

arrow ['ærəʊ] *s* pil projektil el. symbol
arrowroot ['ærəʊru:t] *s* **1** bot. maranta **2** kok.
arrowrot
arse [ɑ:s] vulg. **I** *s* arsle, arsel, röv, häck; *up your ~!* se
under *up II*
II *vb itr*, [*he was supposed to do the washing-up*] *but
he couldn't be arsed* ...men han ville inte bekväma
sig
III *vb itr* med prep. el. adv.:
arse about el. **arse around** inte göra något vettigt
arsehole ['ɑ:shəʊl] *s* vulg. rövhål; som skällsord arsel
arse-licker ['ɑ:s,lɪkə] *s* vulg. rövslickare
arsenal ['ɑ:sənl] *s* arsenal
arsenic ['ɑ:snɪk] *s* kem. arsenik
arson ['ɑ:sn] *s* mordbrand
arsonist ['ɑ:s(ə)nɪst] *s* mordbrännare
Art [ɑ:t] kortform av *Arthur*
1 art [ɑ:t] *s* **1** konst, konst- [*~ critic*; *~ gallery*]; *~
student* konststuderande; *the fine ~s* de sköna
konsterna; *work of ~* konstverk **2** *the ~s* vissa ämnen
inom humanistiska fakulteten, humaniora [*history
and literature are among the ~s*]; *~s student*
studerande vid humanistisk fakultet, 'humanist';
the Faculty of Arts humanistiska fakulteten;
Bachelor of Arts ung. filosofie kandidat[examen] efter
cirka tre års studier; *Master of Arts* ung. filosofie
magister[examen] efter cirka fyra års studier **3** *the ~s* om
konst, musik, litteratur osv. kultur; *the ~s section*
(*supplement*) kulturbilagan i en tidning
2 art [ɑ:t] åld., 2 person sg. pres. av *be* [*thou ~*]
art-dealer ['ɑ:t,di:lə] *s* konsthandlare
art director ['ɑ:tdɪ,rektə] *s* **1** teat. el. film.
chefsscenograf **2** art director inom reklam
artefact ['ɑ:tɪfækt] *s* konstprodukt; arkeol. artefakt
arterial [ɑ:'tɪərɪəl] *adj* som hör till pulsådrorna,
pulsåders-; arteriell, syresatt [*~ blood*]; *~ road*
trafikled
arteriosclerosis [ɑ:,tɪərɪəʊsklə'rəʊsɪs] *s* med.
arterioskleros, åderförkalkning
artery ['ɑ:tərɪ] *s* pulsåder
artful ['ɑ:tf(ʊ)l] *adj* slug, listig
art house ['ɑ:thaʊs] *s* biograf där det visas filmer
som inte vänder sig till den breda publiken
arthritic [ɑ:'θrɪtɪk] *adj* med. artritisk, led-, ledgångs-
arthritis [ɑ:'θraɪtɪs] *s* med. ledinflammation, artrit;
rheumatoid ~ reumatoid artrit, [kronisk]
ledgångsreumatism
Arthur ['ɑ:θə] **1** mansnamn **2** *King ~* kung Artur brittisk
sagokonung
artichoke ['ɑ:tɪtʃəʊk] *s*, *~* el. *globe ~* kronärtskocka;
Jerusalem ~ jordärtskocka; *~ hearts*
kronärtskockshjärtan
article ['ɑ:tɪkl] *s* **1** sak; hand. artikel, vara; persedel;
~ of clothing klädesplagg, klädespersedel **2** artikel;
leading ~ ledare i tidning **3** pl. *~s* kontrakt, villkor,
bestämmelser, stadgar; *serve one's ~s* gå i lära; *~s
of apprenticeship* lärlingskontrakt; *~s of association*
bolagsordning **4** gram. artikel [*the definite ~*]
articled ['ɑ:tɪkld] *adj*, *~ clerk* åld., se *trainee 1*
articulate [adj. ɑ:'tɪkjʊlət, verb -leɪt] **I** *adj* **1** tydlig [*~
speech*]; klar, artikulerad **2** talför; vältalig
II *vb tr* o. *vb itr* artikulera, uttala, tala [tydligt]
articulated bus [ɑ:'tɪkjʊ,leɪtɪd'bʌs] *s* ledbuss

articulated lorry [ɑ:'tɪkjʊ,leɪtɪd'lɒrɪ] *s* långtradare
med släp
articulation [ɑ:,tɪkjʊ'leɪʃ(ə)n] *s* artikulation,
artikulering; tal
artifice ['ɑ:tɪfɪs] *s* **1** påhitt, konstgrepp, knep
2 konst[färdighet]
artificial [,ɑ:tɪ'fɪʃ(ə)l] *adj* konstgjord [*~ flowers*; *~
respiration*]; konst- [*~ silk*]; artificiell [*~ light*];
konstlad
artificial insemination ['ɑ:tɪfɪʃ(ə)lɪn,semɪ'neɪʃ(ə)n]
(förk. *AI*) *s* [artificiell] insemination, konstgjord
befruktning
artificial intelligence [,ɑ:tɪfɪʃ(ə)lɪn'telɪdʒ(ə)ns] (förk.
AI) *s* data. artificiell (konstgjord) intelligens
artificiality [,ɑ:tɪfɪʃɪ'ælətɪ] *s* konstgjordhet;
förkonstling
artillery [ɑ:'tɪlərɪ] *s* artilleri; *heavy ~* grovt artilleri
bildl.; *light ~* fältartilleri
artillery|man [ɑ:'tɪlərɪ|mən] (pl. *-men* [-mən]) *s*
artillerist
artisan [,ɑ:tɪ'zæn, 'ɑ:tɪz-] *s* hantverkare
artist ['ɑ:tɪst] *s* artist, konstnär; spec. målare
artiste [ɑ:'ti:st] *s* **1** artist scenkonstnär, sångare, dansare
o.d. **2** skicklig yrkesutövare kock, frisör m.m.
artistic [ɑ:'tɪstɪk] *adj* konstnärlig, artistisk,
konstnärligt lagd; konstnärs- [*~ talent*]
artistry ['ɑ:tɪstrɪ] *s* konstnärskap, artisteri
artless ['ɑ:tləs] *adj* **1** konstlös, okonstlad
2 troskyldig, naiv
arts and crafts [,ɑ:tsən'krɑ:fts] *s pl* konsthantverk
artwork ['ɑ:twɜ:k] *s* **1** bildmaterial **2** konstverk
arty-crafty [,ɑ:tɪ'krɑ:ftɪ] *adj* vard. 'konstnärlig',
artistisk på ett amatörmässigt el. hemvävt sätt
arty-farty [,ɑ:tɪ'fɑ:tɪ] *adj* vard. 'konstnärlig', artistisk
på ett ytligt el. modebetonat sätt
arugula [ə'ru:g(ə)lə, -jʊlə] *s* amer. rucolasallad
as [æz, obeton. əz] **I** *adv* så [*this bag is twice ~
heavy*]; lika [*I'm ~ tall as you*]
II *rel adv* o. *konj* **1** jämförande som [*do ~ you like!*];
liksom; *~ old ~* lika gammal som; *he is a hard
worker, ~ you are* han arbetar hårt, [precis] som du;
[*Mary is pretty,*] *~ is her sister* ...och det är hennes
syster också **2** jämförande som, på samma sätt som;
[*hold the tennis racket*] *~ I do* ...som jag **3** jämförande
som, i egenskap av [*she worked ~ a journalist*]
4 såsom, till exempel, t.ex. **5** medgivande hur...än
[*absurd ~ it sounds, it is true*]; hur mycket...än; *try
~ he might* (*would*) hur [mycket] han än försökte
6 tid just då, [just] när (som); medan; allteftersom;
~ need arises i mån av behov **7** orsak då, som,
eftersom **8** dial. att [*he said ~ he would come*]
III *rel pron* som [*such (the same) ~*]; såsom
IV särskilda uttryck: *according ~* allteftersom; *~ against*
mot, i jämförelse med; *~ from* el. *~ of* från [och
med]; *~ good ~* så gott som, nästan; *~ if* som om; *~ if
to* liksom för att; *~ it is* redan nu, ändå, som det
[nu] är; *~ it were* så att säga, liksom; *I thought ~
much* jag kunde väl tro det; *~ regards* vad beträffar,
i fråga om; *it is ~ simple ~ that* så enkelt är det; *~ to*
vad beträffar, med avseende på, angående, om; *~
yet* ännu [så länge], hittills åtminstone
asap [,eɪeseɪ'pi:, 'eɪsæp, 'æsæp] förk. för *as soon as
possible*
asbestos [æz'bestɒs] *s* asbest

ascend [ə'send] **I** *vb tr* bestiga [~ *the throne*]; fara (gå, klättra, stiga) uppför (upp i el. på) **II** *vb itr* stiga [uppåt]; höja sig; gå uppför; *in ~ing order* i stigande ordning

ascendancy [ə'sendənsɪ] *s* överlägsenhet [*military* ~]; herravälde [~ *in the air*]; övertag [*gain ~ over one's rivals*]; inflytande, makt [*over över*]

ascendant [ə'sendənt] **I** *s* **1** överlägsenhet, inflytande, makt; övervälde; *be in the ~* vara på väg uppåt (i stigande, i uppåtgående); ha (få) övertaget **2** astrol. ascendent
II *adj* **1** uppstigande **2** härskande, överlägsen

ascending [ə'sendɪŋ] *adj* stigande [*in ~ order*]; uppstigande, uppåtgående äv. astron.

Ascension [ə'senʃ(ə)n] *s*, *the* ~ Kristi himmelsfärd; ~ *Day* Kristi Himmelsfärdsdag

ascension [ə'senʃ(ə)n] *s* uppstigande, uppstigning äv. flyg.

ascent [ə'sent] *s* **1** bestigning; uppstigning [~ *in a balloon*]; uppfärd **2** sluttning; stigning, [uppförs]backe, höjd **3** stigande; upphöjelse **4** *in direct line of* ~ i rakt uppstigande led

ascertain [ˌæsə'teɪn] *vb tr* förvissa sig om [~ *that the news is true*]; utröna, ta (få) reda på [~ *the facts*; ~ *whether it is true*]; fastställa, konstatera

ascertainable [ˌæsə'teɪnəbl] *adj* möjlig att utröna, fastställbar, konstaterbar

ascetic [ə'setɪk] **I** *adj* asketisk **II** *s* asket

asceticism [ə'setɪsɪz(ə)m] *s* askes

ASCII ['æskɪ] data. (förk. för *American Standard Code for Information Interchange*) ASCII-kod

ascorbic acid [əˌskɔ:bɪk'æsɪd] *s* askorbinsyra

Ascot ['æskət] känd engelsk kapplöpningsbana

ascribable [ə'skraɪbəbl] *adj*, *it is* ~ *to* det kan tillskrivas

ascribe [ə'skraɪb] *vb tr* tillskriva, tillerkänna [*sth to sb* ngn ngt]

ASEAN ['æzɪən] (förk. för *Association of Southeast Asian Nations*) ASEAN sydostasiatisk samarbetsorganisation

aseptic [ə'septɪk, eɪ's-] *adj* med. aseptisk, bakteriefri

asexual [ə'seksjuəl, eɪ's-] *adj* könlös, asexuell

1 ash [æʃ] *s* **1** vanl. pl. ~*es* aska **2** pl. ~*es* stoft; ~*es to* ~*es and dust to dust* av jord är du kommen, jord skall du åter varda

2 ash [æʃ] *s* ask[träd]; *mountain* ~ rönn

ashamed [ə'ʃeɪmd] *adj* skamsen, generad; *be* ~ el. *feel* ~ äv. skämmas [*of* för, över]; *you ought to be* ~ *of yourself* du borde skämmas; *make* ~ skämma ut; få att skämmas

ash-blond [ˌæʃ'blɒnd] *adj* ljusblond, askblond

ash-blonde [ˌæʃ'blɒnd] *adj* om kvinna ljusblond, askblond

ashcan ['æʃkæn] *s* amer. åld. soptunna

ashen ['æʃn] *adj* askgrå, askblek; ask-, asklik

ashore [ə'ʃɔ:] *adv* i land; på land; *cast* ~ kasta upp på land, spola i land; *run* ~ el. *be driven* ~ stranda

ashtray ['æʃtreɪ] *s* askkopp, askfat

Ash Wednesday [ˌæʃ'wenzdɪ] *s* askonsdag

Asia ['eɪʃə, 'eɪʒə] geogr. Asien

Asia Minor [ˌeɪʃə'maɪnə, ˌeɪʒə-] geogr. Mindre Asien

Asian ['eɪʃ(ə)n, 'eɪʒən] **I** *adj* asiatisk **II** *s* asiat

Asiatic [ˌeɪʃɪ'ætɪk, ˌeɪzɪ-, ˌeɪʒɪ-] *adj* o. *s* se *Asian*

aside [ə'saɪd] **I** *adv* åt sidan, undan, avsides; *joking* ~ skämt åsido; ~ *from* vanl. amer. bortsett från; [för]utom **II** *s* sidoreplik; teat. avsidesreplik

asinine ['æsɪnaɪn] *adj* åsnelik; enfaldig

ask [ɑ:sk] **I** *vb tr* **1** fråga [*sth* ngt; *sb about sth*, *sb sth*, *sth of sb* ngn om (efter) ngt]; höra efter, fråga efter; ~ *one's way* fråga efter vägen, fråga sig fram; ~ *me another* den som det visste!; *don't* ~ *me!* vard. äv. inte vet jag!; *I* ~ *you!* har du sett (hört) på maken!; [*he is a bit nuts,*] *if you* ~ *me* …om jag får säga min mening; *be* ~*ed* bli tillfrågad **2** begära; be [*for* om; *to do* att [få] göra]; ~ *sb's advice* be ngn om råd; *that's* ~*ing a lot* det är mycket begärt; ~*ed price* börs. säljkurs **3** [in]bjuda; ~ *sb in* bjuda ngn att (be ngn) stiga in; ~ *sb to dance* bjuda upp ngn; *I* ~*ed him to dinner* el. *I* ~*ed him to dine with me* jag bjöd honom på middag
II *vb itr* **1** fråga; göra (framställa) frågor **2** be [*for* om]
III *vb itr* med adv. el. prep.:
ask after sb fråga hur det står till med ngn
ask for a) be om **b)** fråga efter för att få se etc. **c)** vard., *you* ~*ed for it* du får skylla dig själv; *you're* ~*ing for it* vänta du bara!; du tigger stryk, va!

askance [ə'skæns, -'skɑ:ns] *adv*, *look* ~ *at sb* snegla misstänksamt på ngn

askew [ə'skju:] **I** *adj* sned, skev **II** *adv* snett, skevt; *have one's hat* ~ ha hatten på sned

asking ['ɑ:skɪŋ] *s* frågande; begäran; *I could have it for the* ~ jag kunde få det för ingenting (bara jag bad om det)

asking price ['ɑ:skɪŋpraɪs] *s* hand. begärt pris

aslant [ə'slɑ:nt] *adv* på sned, på tvären

asleep [ə'sli:p] *adv* o. *adj* i sömn, sovande; [av]domnad; *be* ~ sova; vara domnad; *fall* ~ somna [in], falla i sömn

A/S level [eɪ'es,levl] *s* skol., se *certificate* I 2

asocial [eɪ'səʊʃ(ə)l, ə's-] *adj* asocial

asparagus [ə'spærəgəs] *s* sparris

asparagus shoot [ə'spærəgəsʃu:t] *s* sparrisskott, späd sparris

asparagus tip [ə'spærəgəstɪp] *s* sparrisknopp

aspect ['æspekt] *s* **1** aspekt äv. språkv.; sida [*there are different* ~*s of the problem*]; synpunkt **2** läge; utsikt **3** utseende, min, uppsyn [*a man of* (med) *fierce* ~]

aspen ['æspən] *s* asp[träd]; *tremble* (*shake*) *like an* ~ *leaf* darra som ett asplöv

Asperger's syndrome ['æspɜ:gəzˌsɪndrəʊm] *s* med. Aspergers syndrom

aspersions [ə'spɜ:ʃ(ə)nz] *s pl*, *cast* ~ *on* förtala, baktala

asphalt ['æsfælt] **I** *s* asfalt **II** *vb tr* asfaltera, belägga med asfalt

asphalt jungle [ˌæsfælt'dʒʌŋgl] *s* storstadsdjungel, stenöken

asphyxia [æs'fɪksɪə] *s* kvävning; med. asfyxi

asphyxiate [æs'fɪksɪeɪt] *vb tr* kväva

aspic ['æspɪk] *s* aladåb; *chicken in* ~ hönsaladåb

aspirant ['æspərənt, ə'spaɪərənt] *s* aspirant [*to, for* på], kandidat [*to, for* till]

aspiration [ˌæspə'reɪʃ(ə)n] *s* **1** strävan [*for, to, towards* efter], aspiration, ambition [*social* ~*s*] **2** fonet. aspiration

aspire [əˈspaɪə] *vb itr* sträva [*to sth, after sth* efter ngt; *to do sth* efter att göra ngt], aspirera

aspirin [ˈæsp(ə)rɪn] *s* farmakol. aspirin, huvudvärkstablett

aspiring [əˈspaɪərɪŋ] *adj* uppåtsträvande, ärelysten

1 ass [æs] *s* åsna; *make an ~ of oneself* skämma ut sig, göra sig löjlig

2 ass [æs] *s* amer. vulg. **1** arsle, arsel, röv, häck; *my ~!* i helvete heller!; *get your ~ over here!* kom hit [för fan]!; *move your ~!* skynda på [för fan]!; *my boss is on my ~ all the time* chefen är på mig hela tiden **2** *piece of ~* a) knull samlag b) sexig brud

assail [əˈseɪl] *vb tr* **1** angripa, anfalla, överfalla **2** ansätta [*be ~ed by* (av) *doubts*]

assailable [əˈseɪləbl] *adj* angriplig, angripbar

assailant [əˈseɪlənt] *s* angripare; våldsman

assassin [əˈsæsɪn] *s* mördare spec. av offentlig person

assassinate [əˈsæsɪneɪt] *vb tr* **1** mörda **2** bildl. svärta ned, förtala

assassination [əˌsæsɪˈneɪʃ(ə)n] *s* **1** mord **2** bildl. nedsvärtning, förtal

assault [əˈsɔːlt, əˈsɒlt] **I** *s* **1** anfall, angrepp [*on, upon* mot] **2** stormning; *~ craft* stormbåt; *~ troops* stormtrupp[er] **3** överfall; jur. misshandel inbegripet hotelser, olaga hot; *~ and battery* olaga hot och misshandel; *indecent ~* jur., se *indecent assault*; *sexual ~* sexuellt övergrepp **II** *vb tr* **1** anfalla, angripa **2** storma [*~ a stronghold*] **3** överfalla; [försöka] våldta; [*he was arrested*] *for ~ing a policeman* ...för våld mot polisman

assault course [əˈsɔːltkɔːs] *s* mil. hinderbana

assay [əˈseɪ] **I** *s* prövning; probering, justering spec. av mynt el. metall; prov; analys **II** *vb tr* **1** pröva ngts renhet; analysera; probera, justera **2** försöka, fresta 'på ngt svårt

assemblage [əˈsemblɪdʒ] *s* **1** samling [*an odd ~ of people (things)*] **2** sammanförande, hopförande **3** montering, hopsättning

assemble [əˈsembl] **I** *vb tr* **1** sammankalla; samla, dra samman [*~ troops*] **2** montera, sätta ihop **II** *vb itr* komma tillsammans, samlas

assembly [əˈsemblɪ] *s* **1** sammanträde; sammankomst, möte; skol. morgonsamling; *freedom of ~* el. *right of ~* mötesfrihet; *place of ~* samlingsplats **2** [för]samling; sällskap **3** representantförsamling lagstiftande särskilt i vissa stater i USA [äv. *General Assembly*]; *consultative ~* rådgivande församling **4** montering, hopsättning

assembly hall [əˈsemblɪhɔːl] *s* **1** skol. samlingssal, aula **2** monteringshall i fabrik o.d.

assembly line [əˈsemblɪlaɪn] *s* monteringsband, löpande band

assembly room [əˈsemblɪruːm] *s* **1** festsal, gillesal; pl. *~s* äv. festvåning **2** monteringsrum i fabrik o.d.

assent [əˈsent] **I** *s* **1** samtycke, bifall [*to*]; *give a nod of ~* nicka bifall; *by common ~* med allas samtycke, enhälligt **2** gillande [*to* av], instämmande [*to* i] **II** *vb itr* samtycka, instämma [*to* till resp. i]

assert [əˈsɜːt] *vb tr* **1** hävda, påstå, försäkra; bedyra [*~ one's innocence*] **2** hävda, förfäkta; göra anspråk på, kräva; *~ oneself* göra sig gällande; hävda sig; hålla sig framme; stå på sig

assertion [əˈsɜːʃ(ə)n] *s* **1** [bestämt] påstående, försäkran, bedyrande **2** hävdande, förfäktande

assertive [əˈsɜːtɪv] *adj* bestämd [*an ~ tone; an ~ voice*]; som hävdar sig (står på sig)

assess [əˈses] *vb tr* **1** uppskatta, värdera [*at* till], bedöma, utvärdera; analysera **2** fastställa, bestämma belopp **3** beskatta, taxera

assessment [əˈsesmənt] *s* **1** bedömning; värdering, utvärdering; analys **2** beskattning, taxering **3** uttaxerad summa

assessor [əˈsesə] *s* taxeringsman

asset [ˈæset] *s* **1** vanl. pl. *~s* jur. el. hand. tillgångar spec. i dödsbo och konkursbo, kvarlåtenskap; *fixed ~s* fast egendom; *~s and liabilities* firmas tillgångar och skulder, aktiva och passiva **2** tillgång, fördel

asset-stripping [ˈæsetˌstrɪpɪŋ] *s* försäljning av lätt realiserbara tillgångar i uppköpt företag

asseverate [əˈsevəreɪt] *vb tr* bedyra, betyga

asseveration [əˌsevəˈreɪʃ(ə)n] *s* bedyrande

asshole [ˈæʃəʊl] *s* amer. vulg., se *arsehole*

assiduity [ˌæsɪˈdjuːətɪ] *s* trägenhet, ihärdighet, flit, nit

assiduous [əˈsɪdjʊəs] *adj* trägen, oförtruten, ihärdig, flitig, nitisk; outtröttlig

assign [əˈsaɪn] *vb tr* **1** tilldela, anvisa, anslå [*to, for*]; *~ sb to do sth* ge ngn i uppdrag (sätta ngn [till]) att göra ngt; *~ a room to sb* tilldela (anvisa) ngn ett rum; *~ work to sb* äv. förelägga ngn ett arbete **2** avträda, överlåta egendom **3** jur. utse, förordna **4** bestämma tid, gräns **5** utpeka, ange; anföra skäl **6** *~ to* hänföra till, tillskriva

assignation [ˌæsɪgˈneɪʃ(ə)n] *s* uppgjort möte, rendezvous

assignment [əˈsaɪnmənt] *s* **1** uppgift, uppdrag; vanl. amer. skol. äv. beting, [lång]läxa **2** tilldelning, anvisning

assimilate [əˈsɪmɪleɪt] *vb tr* o. *vb itr* **1** assimilera[s] äv. fonet., införliva[s]; uppta[s] **2** *~ to sth* el. *~ with sth* göra (bli) lik ngt

assist [əˈsɪst] **I** *vb tr* **1** hjälpa [*sb with sth* ngn med ngt; *sb to do sth* ngn med att göra ngt], assistera, bistå; *~ed area* stödområde **2** ishockey. passa till **II** *vb itr* hjälpa till, assistera, medverka [*in* i, vid] **III** *s* sport. assist, [målgivande] passning, målpass

assistance [əˈsɪstəns] *s* hjälp, assistans, bistånd; *give (render) ~ to sb* äv. hjälpa (assistera etc.) ngn; *can I be of any ~?* kan jag hjälpa till?

assistant [əˈsɪstənt] **I** *adj* assisterande, biträdande [*~ librarian*]; extra[-], under-; *~ referee* fotb. biträdande domare **II** *s* medhjälpare, assistent; [affärs]biträde, expedit [äv. *shop ~*]

assistant master [əˌsɪstəntˈmɑːstə] *s* skol., ung. adjunkt

assistant professor [əˌsɪstəntprəˈfesə] *s* amer., ung. universitetsadjunkt

assisted suicide [əˌsɪstɪdˈsuːɪsaɪd, -ˈsjuːɪ-] *s* aktiv dödshjälp

Assoc. förk. för *associate, associated, association*

associate [adj. o. subst. əˈsəʊsɪət, -ˈsəʊʃ-, verb əˈsəʊsɪeɪt, -ˈsəʊʃ-] **I** *vb tr* **1** förena, förbinda [*with* med] **2** associera **3** uppta i sällskap, bolag etc. **4** *~ oneself with* associera sig med, ansluta sig till **5** *be ~d with* a) förenad (förbunden) med b) stå i samband med; *be ~d with* [*a company*] vara knuten till...

II *vb itr* umgås [*with* med]

III *adj* förbunden; associerad; åtföljande; ~ *member* associerad medlem

IV *s* **1** delägare, kompanjon; kollega; kamrat; ~ el. *business* ~ affärsbekant, affärsförbindelse **2** bundsförvant

Associated Press [ə͵səʊsɪeɪtɪdˈpres] nyhetsbyrå i USA

associate professor [ə͵səʊʃɪətprəˈfesə] *s* amer., ung. docent, universitetslektor

association [ə͵səʊsɪˈeɪʃ(ə)n, -əʊʃɪ-] *s* **1** förening, förbund, sällskap, samfund **2** förenande; förening, sammanslutning; associering **3** förbindelse; umgänge, samröre **4** association, tankeförbindelse; samband, anknytning

association agreement [ə͵səʊsɪˈeɪʃ(ə)nə͵griːmənt] *s* associeringsavtal

Association football [ə͵səʊsɪeɪʃ(ə)nˈfʊtbɔːl] *s* vanlig fotboll i motsats till rugby el. amerikansk fotboll

assorted [əˈsɔːtɪd] *adj,* **ill** ~ omaka om par; ~ *sweets* blandade karameller

assortment [əˈsɔːtmənt] *s* **1** sortering **2** hand. sortiment; blandning t.ex. av karameller; urval **3** samling [*an odd* ~ *of guests*]

asst. förk. för *assistant*

assuage [əˈsweɪdʒ] *vb tr* lindra, mildra; stilla

assume [əˈsjuːm, -ˈsuːm] *vb tr* **1** anta, förmoda; ~ *the worst* äv. tro det värsta; *assuming this to be true* förutsatt att detta är sant **2** anta [~ *a new name*; ~ *alarming proportions*]; inta [~ *a pose*]; anlägga, ta på sig [~ *an air of innocence*] **3** tillträda [~ *an office* (tjänst)]; överta, åta sig [~ *the direction of a business*]; ta på sig [~ *a responsibility*]; ~ *command* [över]ta befälet **4** tillskansa sig [~ *power*]

assumed [əˈsjuːmd] *adj* låtsad, spelad [~ *cheerfulness*]; *under an* ~ *name* under antaget (fingerat) namn, under täcknamn

Assumption [əˈsʌm(p)ʃ(ə)n] *s,* *the* ~ Marie himmelsfärd

assumption [əˈsʌm(p)ʃ(ə)n] *s* **1** antagande; *on the* ~ *that* under förutsättning att **2** tillträdande av befattning o.d.; övertagande av ansvar o.d.

assurance [əˈʃʊər(ə)ns] *s* **1** försäkran, försäkring; garanti **2** säkerhet, visshet, tillförsikt; [fast] övertygelse; *to make* ~ *doubly sure* för att vara på den säkra sidan **3** [själv]säkerhet **4** livförsäkring

assure [əˈʃʊə] *vb tr* **1** försäkra; förvissa [*of* om] **2** säkerställa, trygga **3** livförsäkra

assured [əˈʃʊəd] **I** *adj* **1** säker, viss; tryggad, säkrad, säkerställd **2** säker, förvissad, övertygad [*of* om] **3** trygg, förtröstansfull; självsäker **II** *s* livförsäkrad [person], livförsäkringstagare

assuredly [əˈʃʊərɪdlɪ] *adv* säkert, förvisso, absolut; tryggt

assurer [əˈʃʊərə] *s* försäkringsgivare

Assyria [əˈsɪrɪə] Assyrien

Assyrian [əˈsɪrɪən] **I** *adj* assyrisk

II *s* **1** assyrier; assyriska kvinna **2** assyriska [språket]

aster [ˈæstə] *s* bot. aster

asterisk [ˈæst(ə)rɪsk] **I** *s* asterisk, stjärna (*) **II** *vb tr* utmärka med en asterisk

astern [əˈstɜːn] *adv* akter ut (över); bakåt, tillbaka; ~ *of* akter om; *go* ~ backa

asteroid [ˈæstərɔɪd] *s* astron. asteroid, småplanet

asthma [ˈæsmə, ˈæsθ-] *s* astma

asthmatic [æsˈmætɪk, æsθ-] **I** *adj* astmatisk; *be* ~ äv. lida av astma **II** *s* astmatiker

astigmatic [͵æstɪɡˈmætɪk] **I** *adj* astigmatisk **II** *s* astigmatiker

astigmatism [æˈstɪɡmətɪz(ə)m] *s* astigmatism

astonish [əˈstɒnɪʃ] *vb tr* förvåna, överraska, göra häpen

astonished [əˈstɒnɪʃt] *adj* förvånad, överraskad, häpen; *be* ~ *at* äv. förvåna sig över

astonishing [əˈstɒnɪʃɪŋ] *adj* förvånande, förvånansvärd; *it is* ~ *to me* det förvånar mig

astonishment [əˈstɒnɪʃmənt] *s* förvåning, överraskning, häpnad; *he looked at her in* ~ han såg förvånad (förvånat) på henne

astound [əˈstaʊnd] *vb tr* slå med häpnad, förbluffa

astounding [əˈstaʊndɪŋ] *adj* häpnadsväckande, förbluffande

astrakhan [͵æstrəˈkæn] *s* astrakan lammskinn

astral [ˈæstr(ə)l] *adj* stjärn-, astral; ~ *body* astralkropp

astray [əˈstreɪ] *adv* vilse [*go* ~]; på avvägar; *be led* ~ äv. bli vilseledd

astride [əˈstraɪd] **I** *adv* med utspärrade ben, bredbent; grensle **II** *prep* grensle över

astringent [əˈstrɪn(d)ʒ(ə)nt] **I** *adj* **1** a) adstringerande; blodstillande b) kärv, sträv [~ *taste*] **2** bildl. kärv, sträng **II** *s* adstringerande medel

astrologer [əˈstrɒlədʒə] *s* astrolog; stjärntydare

astrology [əˈstrɒlədʒɪ] *s* astrologi

astronaut [ˈæstrənɔːt] *s* astronaut

astronomer [əˈstrɒnəmə] *s* astronom

astronomical [͵æstrəˈnɒmɪk(ə)l] *adj* astronomisk äv. bildl. [~ *figures*]

astronomy [əˈstrɒnəmɪ] *s* astronomi

astrophysics [͵æstrə(ʊ)ˈfɪzɪks] (med verb i sg.) *s* astrofysik

Astro Turf® [͵æstrə(ʊ)ˈtɜːf] *s* konstgräs

astute [əˈstjuːt] *adj* skarpsinnig; knipslug, listig

asunder [əˈsʌndə] *adv* **1** isär, sönder **2** ifrån varandra

asylum [əˈsaɪləm] *s* **1** asyl, fristad; *grant sb* ~ ge ngn asyl; *seek* ~ söka asyl **2** *lunatic* ~ a) hist. hospital b) vard. dårhus

asylum seeker [əˈsaɪləm͵siːkə] *s* asylsökande

asymmetric [͵æsɪˈmetrɪk] *adj* o. **assymetrical** [͵æsɪˈmetrɪkəl] *adj* asymmetrisk; osymmetrisk

asymptomatic [æ͵sɪmptəˈmætɪk] *adj* asymtomatisk, symtomfri

at [æt, obeton. ət] *prep* **1** uttr. befintlighet, plats på [~ *the hotel*]; vid [~ *my side*]; i [~ *Yale* (=*Yale University*)]; genom [*enter* ~ *the door*]; till [*arrive* ~ *Bath*]; ~ *my aunt's* hos min faster (moster); ~ *the Browns'* [hemma] hos familjen Brown; ~ *a distance* på avstånd; ~ *home* hemma; ~ *my place* el. ~ *my house* [hemma] hos mig; *stand* ~ *the window* stå vid (i) fönstret; *live* ~ *No. 5 John Street* bo på John Street 5 **2** uttr. riktning, mål på [*look* ~]; åt [*shout* ~]; mot [*smile* ~]; *get* (*go* etc.) ~ se under resp. verb **3** uttr. tid, tillfälle vid [~ *midnight*]; på [~ *the same time*]; i [~ *the last moment*]; ~ [*the age of*] *sixty* vid sextio [års ålder]; ~ *Christmas* under julen; i jul; vid jul[en], till jul; ~ *five* [*o'clock*] [klockan] fem **4** uttr. sysselsättning,

sätt, tillstånd i [~ *rest*; ~ *war*]; på [~ *one's own risk*];
med [~ *a speed of*]; ~ *full speed* med (i, för) full fart;
[*when it is*] ~ *its highest* ...som högst; *be* ~ *sb* vara
'på ngn, ligga efter ngn; *what is he* ~? vad håller
han på med (har han för sig)?; *he has been* ~ *it* [*all
day*] han har hållit på (varit i farten)...; *while you
are* ~ *it* medan du [ändå] håller på **5** för, till [ett
pris av]; à; *sell* ~ *a loss* sälja med förlust **6** uttr.
anledning över [*astonished* ~ *her doing such a thing*];
åt [*laugh* ~ *sb*]; vid [*bitter* ~ *the thought*] **7** ~ *that*
dessutom, till på köpet **8** *where it's* ~ vard. a) dit
man ska gå populärt ställe b) det man ska göra populär
aktivitet

ATB [ˌeɪtiː'biː] förk. för *all-terrain bike*
ATC [ˌeɪtiː'siː] förk. för *Air Traffic Control*
ate [et, eɪt, amer. eɪt] imperf. av *eat*
A-team ['eɪtiːm] *s* sport. el. bildl. A-lag, topplag [*an* ~
of the most prominent scientists]
atheism ['eɪθɪɪz(ə)m] *s* ateism
atheist ['eɪθɪɪst] *s* ateist
atheistic [ˌeɪθɪ'ɪstɪk] *adj* ateistisk
Athens ['æθɪnz] geogr. Aten
athlete ['æθliːt] *s* [fri]idrottsman
athlete's foot [ˌæθliːts'fʊt] *s* med. fotsvamp
athletic [æθ'letɪk] *adj* **1** stark och välväxt;
vältränad; spänstig; atletisk **2** idrotts- [~
association]; idrottslig
athletics [æθ'letɪks] *s* **1** (med verb i pl.) friidrott **2** (med
verb i sg.) amer. idrott[ande]
athletic support [æθˌletɪksə'pɔːt] *s* o. amer. vanl.
athletic supporter [æθˌletɪksə'pɔːtə] *s* suspensoar
at-home [ət'həʊm, ə'təʊm] *s* mottagning [hemma],
öppet hus
atishoo [ə'tɪʃuː, æ'tɪ-] *interj* atschi! vid nysning
Atlanta [ət'læntə] geogr.
Atlantic [ət'læntɪk] geogr., *the* ~ Atlanten
Atlantic Ocean [ətˌlæntɪk'əʊʃ(ə)n] geogr., *the* ~
Atlanten, Atlantiska oceanen
atlas ['ætləs] *s* atlas, kartbok
ATM [ˌeɪtiː'em] **1** (förk. för *automated teller machine*)
bankomat®, uttagsautomat **2** i e-post el.
textmeddelanden förk. för *at the moment*
atmosphere ['ætməˌsfɪə] *s* atmosfär, bildl. äv.
stämning
atmospheric [ˌætmə'sferɪk] *adj* atmosfärisk
atmospheric pressure [ˌætməsferɪk'preʃə] *s*
atmosfärtryck
atmospherics [ˌætmə'sferɪks] *s pl* [atmosfäriska]
störningar
atoll ['ætɒl, ə'tɒl] *s* atoll; ringformig korallö
atom ['ætəm] *s* **1** atom **2** dugg, uns [*not an* ~ *of
truth in the allegations*]
atom bomb ['ætəmbɒm] *s* atombomb
atomic [ə'tɒmɪk] *adj* atom- [~ *bomb*; ~ *energy*];
atomisk; atomär; *Atomic Energy Authority* i
Storbritannien el. *Atomic Energy Commission* i USA
Atomenergikommissionen; *European Atomic Energy
Community* (förk. *Euratom*) EU. Europeiska
atomenergigemenskapen (förk. Euratom)
atomic-powered [əˌtɒmɪk'paʊəd] *adj* atomdriven
atomic radiation [əˌtɒmɪkˌreɪdɪ'eɪʃ(ə)n] *s* radioaktiv
strålning
atomize ['ætə(ʊ)maɪz] *vb tr* **1** förvandla till atomer
2 finfördela, mala (smula) sönder

atomizer ['ætə(ʊ)maɪzə] *s* sprej[flaska];
rafräschissör
atonal [eɪ'təʊnl, æ't-] *adj* mus. atonal
atone [ə'təʊn] *vb itr*, ~ *for* sona, lida för; gottgöra
atonement [ə'təʊnmənt] *s* gottgörelse [*for* för]; relig.
försoning
atrial fibrillation ['eɪtrɪəlˌfaɪbrɪ'leɪʃ(ə)n] *s* med.
förmaksflimmer
at-risk [ˌæt'rɪsk, ˌət-] *adj* risk- [~ *group*; ~ *patients*;
~ *children*]
atri|um ['eɪtrɪ|əm, 'æt-] (pl. *-a* [-ə] el. *-ums*) *s* **1** arkit.
atrium **2** anat. [hjärt]förmak, atrium
atrocious [ə'trəʊʃəs] *adj* **1** ohygglig, avskyvärd
2 gräslig, förfärlig
atrocity [ə'trɒsətɪ] *s* **1** ohygglighet, [fruktansvärd]
grymhet, gräslighet; illdåd **2** [*that painting*] *is an* ~
...är gräslig
atrophy ['ætrəfɪ] **I** *s* förtvining, atrofi **II** *vb tr*
komma att förtvina; bildl. trubba av **III** *vb itr*
förtvina; bildl. gå tillbaka; trubbas av
at sign ['ætsaɪn] *s* data. snabel-a @-tecknet
attaboy ['ætəbɔɪ] *interj* vard. bravo!, heja!; duktig
pojke! kan uppfattas som neds. till svart man el. pojke
attach [ə'tætʃ] **I** *vb tr* **1** fästa, sätta fast (på) [*to* på,
vid]; bifoga [*to* till] **2** fästa [~ *conditions to* (vid)];
foga; ~ *credit to* sätta tro till; *be* ~*ed to* äv. vara
förenad (förknippad) med **3** ~ *oneself to* ansluta sig
till; åtfölja **4** bildl. binda [*to oneself* vid sig]; knyta
[*to* till]
II *vb itr*, ~ *to* a) vara förknippad med b) häfta vid;
the blame ~*es to him* skulden vilar (faller) på honom
attaché [ə'tæʃeɪ] *s* attaché; *military* ~ militärattaché
attaché case [ə'tæʃɪkeɪs] *s* attachéväska
attached [ə'tætʃt] *adj* **1** fastsittande, vidhängande,
tillhörande; byggn. hopbyggd; ~ *you will find*... el. ~
please find... i brev bifogat finner Ni..., ...bifogas
2 bifogad, fästad; *be* ~ *to* a) vara fäst vid, tycka om
b) vara knuten (ansluten) till
attachment [ə'tætʃmənt] *s* **1** tillgivenhet, tycke [*for*
för] **2** fästanordning, fäste **3** bilaga; data. äv.
bifogad fil **4** tillsats, bihang [*to* till] **5** fastsättning,
fästande **6** *on* ~ med tillfällig placering
attack [ə'tæk] **I** *s* **1** anfall [*on* mot]; angrepp
[*against, on* mot, på]; attack [*a heart* ~]; ~ *is the
best method of defence* anfall är bästa försvar; *a
personal* ~ ett personangrepp, ett påhopp; *an* ~ *of
fever* en febertopp **2** mus. ansats
II *vb tr* anfalla, attackera, angripa, gå till angrepp
mot; ge sig i kast med, ta itu med [~ *a problem*]
attack dog [ə'tækdɒg] *s* amer. vakthund
attacker [ə'tækə] *s* angripare; sport. anfallsspelare
attagirl ['ætəgɜːl] *interj* vard. bravo!, heja!; duktig
flicka! kan uppfattas som neds. till vuxen kvinna
attain [ə'teɪn] *vb tr* o. *vb itr* [upp]nå [~ *one's object*];
vinna, förvärva; ~ *to* komma upp till (i)
attainment [ə'teɪnmənt] *s* **1** uppnående; *easy of* ~
lätt att [upp]nå **2** vanl. pl. ~*s* kunskaper,
färdigheter, insikter; *level of educational* ~
kunskapsnivå
attempt [ə'tem(p)t] **I** *s* **1** försök; bemödande
2 angrepp; attentat; *an* ~ *on sb's life* ett attentat mot
(mordförsök på) ngn
II *vb tr* försöka [*to att*]; försöka att göra; försöka
sig på [~ *a difficult task*]

attempted [ə'temptɪd] *adj*, ~ *escape* flyktförsök; ~ *murder* mordförsök

attend [ə'tend] **I** *vb tr* **1** delta i, gå på (i) [~ *school*]; bevista; *well* ~*ed* välbesökt, talrikt besökt; *the lectures were well* ~*ed* äv. det var [rätt] mycket folk på föreläsningarna **2** vårda, sköta; om läkare behandla **3** betjäna kunder o.d. **4** ledsaga, åtfölja; *be* ~*ed by* [*risks*] medföra...; ~*ed with* [*difficulties*] förenad (förknippad) med... **5** uppvakta [~*ed by bridesmaids*]
II *vb itr* **1** vara med, närvara, delta **2** vara uppmärksam, lyssna, följa med [*Bill, you're not* ~*ing!*]; ~ *to* ge akt på, uppmärksamma, lyssna till; ägna sig åt, sköta; se till, passa [på]; sköta om, ombesörja **3** expediera [~ *to a customer*]; *are you being* ~*ed to?* i affär har du fått hjälp? **4** ~ *on* passa upp på; uppvakta; stå i beredskap för

attendance [ə'tendəns] *s* **1** närvaro [*at, on* vid, på], deltagande [*at, on* i]; ~ *at school* närvaro i skolan **2** antal närvarande (deltagare); publik; *there was a good* ~ *at the concert* det var mycket folk på konserten **3** betjäning, uppassning; uppvaktning; skötsel; vård, tillsyn; *medical* ~ läkarvård; *be in* ~ a) delta, vara närvarande b) tjänstgöra [*on sb* hos ngn]

attendance allowance [ə'tendənsə,lauəns] *s* ung. vårdbidrag för personlig assistent m.m.

attendance centre [ə'tendəns,sentə] *s* dagcenter för ungdomsbrottslingar, med närvaroplikt i stället för fängelse

attendance register [ə'tendəns,redʒɪstə] *s* närvarolista

attendant [ə'tendənt] **I** *s* **1** vaktmästare [~ *in* (på) *a theatre*]; uppsyningsman, vakt [*park* ~]; serviceman; skötare **2** följeslagare, tjänare [*on* hos, åt]; assistent
II *adj* åtföljande; närvarande

attention [ə'tenʃ(ə)n] **I** *s* **1** uppmärksamhet äv. psykol., beaktande; kännedom [*bring sth to sb's* ~]; omtanke, omsorg, vård, tillsyn, passning; *attract* ~ tilldra sig uppmärksamhet, väcka uppseende; *call* (*draw*) *sb's* ~ *to* fästa (rikta) ngns uppmärksamhet på, göra ngn uppmärksam på; *pay* ~ *to* a) ägna uppmärksamhet åt, vara uppmärksam på b) lägga märke till, uppmärksamma c) ta hänsyn till; *I am all* ~ jag är idel uppmärksamhet; ~ *A. Smith* på handling el. kuvert att. (attention) A. Smith A. Smith tillhanda **2** mil. givakt; *stand at* ~ stå i givakt
II *interj* **1** ~, *please!* i högtalare o.d. hallå, hallå! **2** mil. givakt!

attentive [ə'tentɪv] *adj* uppmärksam [*to* mot, på]; omsorgsfull [*to* i, beträffande]; påpasslig

attenuate [ə'tenjueɪt] *vb tr* [för]minska i kraft el. värde, försvaga; dämpa

attest [ə'test] **I** *vb tr* **1** vittna om, visa; intyga; bevittna [~ *a signature*]; attestera, vidimera; ~*ed copy* vidimerad kopia; *this is* ~*ed by facts* detta bygger på fakta **2** gå ed (svära) på
II *vb itr*, ~ *to* vittna om; bekräfta

attestation [,æte'steɪʃ(ə)n] *s* bevittnande, attestering, vidimering; intyg, attest

attic ['ætɪk] *s* vind, vindsvåning, vindsrum

attire [ə'taɪə] *s* klädsel, kläder, dräkt, skrud

attired [ə'taɪəd] *adj* klädd, skrudad

attitude ['ætɪtjuːd] *s* **1** bildl. [in]ställning, hållning, attityd [*towards* till, mot, gentemot]; *if that's your* ~ om du tar det på det viset, om det är så du vill ha det **2** vard. egen (personlig, rätt) stil i klädsel etc. **3** ställning, hållning; *strike an* ~ inta en pose, posera

attorney [ə'tɜːnɪ] *s* **1** amer. advokat; *district* ~ el. *prosecuting* ~ allmän åklagare; *district* ~*'s office* åklagarämbete[t] **2** [befullmäktigat] ombud **3** *power of* ~ fullmakt befogenhet

Attorney-General [ə,tɜːnɪ'dʒen(ə)r(ə)l] (pl. *Attorneys-General* el. *Attorney-Generals*) *s* **1** kronjurist engelska kronans förnämste rådgivare, motsv. ung. justitiekansler **2** amer. justitieminister; i delstat ung. statsåklagare

attract [ə'trækt] *vb tr* dra till sig, attrahera, bildl. äv. locka; väcka [~ *attention*]; *light* ~*s moths* nattfjärilar dras till ljus; *feel* ~*ed to* känna sig dragen till

attraction [ə'trækʃ(ə)n] *s* **1** dragningskraft, dragning, attraktion, bildl. äv. lockelse, charm **2** attraktion, nummer, dragplåster; pl. ~*s* äv. nöjen, sevärdheter; *the chief* ~ huvudattraktionen

attractive [ə'træktɪv] *adj* attraktiv, tilldragande; lockande, tilltalande [*an* ~ *proposal*]; attraktions-, dragnings- [~ *force*]

attributable [ə'trɪbjutəbl] *adj*, *it is* ~ *to* det kan tillskrivas (anses bero på)

attribute [subst. 'ætrɪbjuːt, verb ə'trɪbjuːt] **I** *vb tr* tillskriva, tillräkna [*sth to sb* ngn ngt] **II** *s* attribut, gram. äv. bestämning; utmärkande drag [*of* hos]; kännetecken; tillhörighet

attributive [ə'trɪbjutɪv] *adj* gram. attributiv

attrition [ə'trɪʃ(ə)n] *s* **1** nötning, förslitning; skavning; *war of* ~ utnötningskrig **2** naturlig avgång av arbetskraft

attuned [ə'tjuːnd] *adj*, ~ *to* inställd efter, anpassad efter (till), avpassad efter (till)

ATV [,eɪtiː'viː] förk. för *All-Terrain Vehicle*

atypical [ə'tɪpɪkəl] *adj* atypisk, avvikande

aubergine ['əubəʒiːn] *s* aubergine, äggplanta

auburn ['ɔːbən] *adj* kastanjebrun, rödbrun [~ *hair*]

Auckland ['ɔːklənd] geogr.

auction ['ɔːkʃ(ə)n] **I** *s* auktion; *sell by* ~ el. *put up for* ~ sälja på auktion **II** *vb tr*, ~ *off* auktionera bort

auctioneer [,ɔːkʃə'nɪə] *s* auktionsförrättare

audacious [ɔː'deɪʃəs] *adj* **1** djärv, oförvägen **2** fräck, oförskämd

audacity [ɔː'dæsətɪ] *s* **1** djärvhet, oförvägenhet **2** fräckhet, oförskämdhet

audible ['ɔːdəbl, 'ɔːdɪbl] *adj* hörbar

audience ['ɔːdɪəns] *s* **1** publik; auditorium, åhörare, åhörarskara [*address large* ~*s*], radio. äv. lyssnare; TV. äv. tittare; författares äv. läsare, läsekrets; ~ *measurement* radio. el. TV. publikmätning; ~ *research* radio. el. TV. publikundersökning; *target* ~ målgrupp för tv-program, reklam, film etc.; *there was a large* ~ *at the theatre* det var mycket folk på teatern **2** audiens; *obtain an* ~ *with* [*the King*] få audiens hos...

audio ['ɔːdɪəu] *adj* ljud- [~ *effects*]

audiobook ['ɔːdɪəubuk] *s* ljudbok, hörbok cd el. kassett

audio cassette [,ɔːdɪəukə'set] *s* ljudkassett

audio frequency [,ɔːdɪəu'friːkwənsɪ] *s* tonfrekvens

audiotape ['ɔːdɪəʊteɪp] *s* ljudband
audiovisual [ˌɔːdɪəʊ'vɪzjʊəl, -ʒʊəl] (förk. *AV*) *adj*
audivisuell; ~ *aids* audivisuella hjälpmedel
audit ['ɔːdɪt] **I** *s* revision, granskning av
räkenskaper
II *vb tr* **1** revidera, granska **2** amer. univ. följa
undervisning som åhörare
Audit Commission ['ɔːdɪtkəˌmɪʃ(ə)n] *s*, *the* ~ ung.
kommunrevisorer oberoende statligt organ för kommunal
revision i Storbritannien
audition [ɔː'dɪʃ(ə)n] **I** *s* provsjungning,
provspelning, prov för engagemang o.d. **II** *vb tr* låta
provsjunga (provspela) **III** *vb itr* provsjunga,
provspela
auditor ['ɔːdɪtə] *s* **1** revisor; ~*'s report*
revisionsberättelse **2** amer. univ. åhörare
auditorium [ˌɔːdɪ'tɔːrɪəm] *s* **1** hörsal,
föreläsningssal; [bio]salong; åskådarplatser,
åhörarplatser **2** teaterbyggnad, konserthus
auditory ['ɔːdɪt(ə)rɪ] *adj* hörsel- [~ *nerve*]; ~
sensation hörselförnimmelse
auditory nerve ['ɔːdɪt(ə)rɪnɜːv] *s* anat., *the* ~ hörsel-
och balansnerven
Aug. förk. för *August*
aught [ɔːt] *pron* åld., *for* ~ *I care* jag bryr mig inte; *for*
~ *I know* såvitt jag vet, inte annat än jag vet
augment [ɔːg'ment] **I** *vb tr* öka, höja, förstärka,
utvidga **II** *vb itr* öka[s], tillta
augmentation [ˌɔːgmen'teɪʃ(ə)n] *s* ökning, höjning,
förstärkning; tillskott
augmented reality [ɔːg'mentɪdrɪˌælətɪ] (förk. *AR*) *s*
data. förstärkt verklighet
augur ['ɔːgə] *vb tr*, ~ *well* båda (lova) gott
augury ['ɔːgjʊrɪ] *s* [jär]tecken, omen
August ['ɔːgəst] *s* augusti
august [ɔː'gʌst] *adj* upphöjd, hög, majestätisk;
vördnadsvärd [~ *personage*]
auk [ɔːk] *s* zool. alka; *little* ~ alkekung; *razor-billed* ~
tordmule
aunt [ɑːnt, amer. ænt, ibl. ɑːnt] *s* faster, moster; barns
tilltal till kvinnlig vän till familjen tant
auntie o. **aunty** ['ɑːntɪ] *s* smeksamt för *aunt*; ~ *May*
[lilla] tant May
au pair [ˌəʊ'peə] *s* au pair
aura ['ɔːrə] *s* aura, utstrålning
aural ['ɔːr(ə)l] *adj* öron- [~ *disease*]; hörsel-, hör- [~
apparatus]
aurally ['ɔːrəlɪ] *adv* via hörseln [*learn sth* ~]
au revoir [ˌəʊrə'vwɑː] *interj* o. *s* fr. adjö, farväl
auricle ['ɔːrɪkl] *s* anat. ytteröra
aurora borealis [ɔːˌrɔːrəbɔː rɪ'eɪlɪs] *s* norrsken
auspices ['ɔːspɪs, 'ɒs-] *s pl*, *under the* ~ *of* under
ledning (beskydd) av
auspicious [ɔː'spɪʃəs, ɒs-] *adj* **1** gynnsam, lovande
[*an* ~ *beginning*] **2** lycklig, glädjande [*on this* ~
occasion]; lyckosam
Aussie ['ɒzɪ, 'ɒsɪ] vard. **I** *s* australier; australiensiska
kvinna **II** *adj* australisk
austere [ɔː'stɪə, ɒ's-] *adj* **1** sober, stram **2** sträng,
allvarlig, bister **3** spartansk
austerity [ɔː'sterətɪ, ɒ's-] *s* **1** stränghet, allvar;
bisterhet **2** kärvt [ekonomiskt] läge **3** attr. spar-,
åtstramnings- [~ *policy*]
Australasia [ˌɒstrə'leɪʒə, ˌɔːs-] geogr. Australasien

Australasian [ˌɒstrə'leɪʒ(ə)n, ˌɔːs-] **I** *adj*
australasiatisk **II** *s* australasier, person från
Australasien
Australia [ɒ'streɪlɪə, ɔː'st-] geogr. Australien
Australian [ɒ'streɪlɪən, ɔː'st-] **I** *adj* australisk **II** *s*
australier, australiensare; australiensiska kvinna
Australian Rules [ɒ'streɪlɪənruːlz] (med verb i sg.) *s*
sport. australisk fotboll slags rugby som spelas med
18-mannalag på en oval spelplan med en större typ av rugbyboll
Austria ['ɒstrɪə, 'ɔːs-] geogr. Österrike
Austrian ['ɒstrɪən, 'ɔːs-] **I** *adj* österrikisk **II** *s*
österrikare; österrikiska
authentic [ɔː'θentɪk] *adj* **1** autentisk, äkta
2 tillförlitlig
authenticate [ɔː'θentɪkeɪt] *vb tr* bevisa äktheten av;
bestyrka, verifiera
authentication [ɔːˌθentɪ'keɪʃ(ə)n] *s*
äkthetsbevisning; bestyrkande, verifiering
authenticity [ˌɔːθen'tɪsətɪ] *s* tillförlitlighet; äkthet,
autenticitet
author ['ɔːθə] *s* **1** författare [*of* till] **2** upphov;
upphovsman
authoress ['ɔːθərəs] *s* ngt åld. författarinna,
[kvinnlig] författare
authoritarian [ˌɔːθɒrɪ'teərɪən] *adj* auktoritär
authoritative [ɔː'θɒrɪtətɪv] *adj* **1** auktoritativ
2 officiell **3** befallande, myndig, diktatorisk
authority [ɔː'θɒrɪtɪ] *s* **1** myndighet, [laga] makt,
[bestämmande]rätt, maktbefogenhet [*over* över];
be in ~ ha befälet (ledningen); *those in* ~ de
makthavande; *on one's own* ~ på eget bevåg
2 bemyndigande, befogenhet [*have* ~ *to do sth*];
fullmakt **3** myndighet, instans; *the authorities* vanl.
myndigheterna, de styrande **4** auktoritet; pondus;
carry ~ väga tungt, vara av stor betydelse **5** stöd,
belägg [*what is your* ~ *for that statement?*]; källa
[*you should quote your authorities*]; sagesman; [*I
have it*] *on good* ~ ...från säker källa; *on the* ~ *of* äv.
med stöd av **6** auktoritet, fackman [*on* i], expert
[*on* på]; *she's an* ~ *on...* hon är expert på (en
auktoritet i fråga om)...
authorization [ˌɔːθ(ə)raɪ'zeɪʃ(ə)n, -rɪ'z-] *s*
1 bemyndigande; berättigande; tillåtelse **2** attest
authorize ['ɔːθəraɪz] *vb tr* **1** auktorisera, ge
fullmakt åt, bemyndiga; *be* ~*d to* + inf. ha tillstånd
att **2** godkänna, tillåta, sanktionera; ~ *a sum for
payment* attestera ett belopp **3** rättfärdiga;
berättiga [till]
Authorized Version [ˌɔːθəraɪzd'vɜːʃ(ə)n] (förk. *AV*) *s*,
the ~ den auktoriserade bibelöversättningen av 1611
authorship ['ɔːθəʃɪp] *s* författarskap
autistic [ɔː'tɪstɪk] *adj* psykol. autistisk [~ *children*]
auto ['ɔːtəʊ] *adj* bil-; ~ *parts* bildelar
autobiographical ['ɔːtə(ʊ)ˌbaɪə(ʊ)'græfɪk(ə)l] *adj*
självbiografisk
autobiography [ˌɔːtə(ʊ)baɪ'ɒgrəfɪ] *s* självbiografi
autocracy [ɔː'tɒkrəsɪ] *s* envälde, autokrati
autocratic [ˌɔːtə(ʊ)'krætɪk] *adj* enväldig,
autokratisk
autocross ['ɔːtə(ʊ)krɒs] *s* sport. rallycross
Autocue® ['ɔːtəʊkjuː] *s* TV. prompter
autodidact ['ɔːtə(ʊ)ˌdɪdækt, -daɪˌdækt] *s* självlärd
[person], autodidakt

autograph ['ɔ:təgrɑ:f, -græf] **I** *s* autograf **II** *vb tr* skriva sin autograf i (på), signera
autograph hunter ['ɔ:təgrɑ:f,hʌntə] *s* autografjägare
automaker ['ɔ:təʊ,meɪkə] *s* amer. biltillverkare
automat ['ɔ:təmæt] *s* **1** automatrestaurang kafé o.d. där förtäring köps i automater **2** [varu]automat
automata [ɔ:'tɒmətə] *s* pl. av *automaton*
automate ['ɔ:təmeɪt] *vb tr* automatisera
automated teller machine [,ɔ:təmeɪtɪd'teləmə,ʃi:n] (förk. *ATM*) *s* bankomat®, uttagsautomat
automatic [,ɔ:tə'mætɪk] **I** *adj* **1** automatisk [~ *data processing*; ~ *reflex*]; automat- [~ *weapon*]; självgående, självreglerande; själv- [~ *steering*] **2** automatisk, mekanisk
 II *s* automat; bil med automatlåda; automatvapen
automatically [,ɔ:tə'mætɪk(ə)lɪ] *adv* automatiskt; av sig själv
automatic machine [ɔ:tə,mætɪkmə'ʃi:n] *s* [varu]automat
automatic pilot [ɔ:tə,mætɪk'paɪlət] *s* tekn. autopilot, styrautomat; **on** ~ mekaniskt som en robot [*get up and dress on ~*]
automatic teller machine [,ɔ:təmætɪk'teləmə,ʃi:n] (förk. *ATM*) *s* uttagsautomat, bankomat®
automatic transmission [ɔ:tə,mætɪktrænz'mɪʃ(ə)n] *s* bil. automatisk växellåda, automatlåda
automation [,ɔ:tə'meɪʃ(ə)n] *s* automation; automatisering; automatik
automatization [ɔ:,tɒmətaɪ'zeɪʃ(ə)n] *s* automatisering; automation
automatize [ɔ:'tɒmətaɪz] *vb tr* automatisera
automa|ton [ɔ:'tɒmə|t(ə)n] (pl. *-tons* el. *-ta* [-tə]) *s* robot äv. om person; automat
automobile ['ɔ:təmə(ʊ)bi:l, ,---'-] *s* vanl. amer. bil
autonomous [ɔ:'tɒnəməs] *adj* autonom, självstyrande
autonomy [ɔ:'tɒnəmɪ] *s* **1** autonomi, självstyre; självbestämmanderätt **2** självstyrande samhälle
autopilot ['ɔ:tə(ʊ),paɪlət] *s* tekn., se *automatic pilot*
autopsy ['ɔ:təpsɪ, ɔ:'tɒp-] *s* obduktion, autopsi
auto racing ['ɔ:təʊ,reɪsɪŋ] *s* amer. motorsport
autosuggestion [,ɔ:tə(ʊ)sə'dʒestʃ(ə)n] *s* självsuggestion
autumn ['ɔ:təm] *s* höst äv. bildl.; attr. höst-, för ex. jfr *summer*
autumnal [ɔ:'tʌmnəl] *adj* höst-, höstlig; höstlik
autumnal equinox [ɔ:,tʌmnəl'i:kwɪnɒks] *s* höstdagjämning
auxiliary [ɔ:g'zɪlɪərɪ, ɔ:k'sɪl-] **I** *adj* hjälp- [~ *verb*; ~ *troops*]; ~ *branch* filial
 II *s* **1** hjälpare **2** pl. *auxiliaries* hjälptrupper
 3 hjälpverb
AV [,eɪ'vi:] förk. för *audiovisual, Authorized Version*
avail [ə'veɪl] **I** *s* nytta; *of no* el. *of little* ~ till ingen nytta; [*working*] *to no* ~ ...förgäves **II** *vb tr*, ~ *oneself of* begagna sig av, använda, utnyttja
availability [ə,veɪlə'bɪlətɪ] *s* tillgång [*of* på, till], tillgänglighet; anträffbarhet
available [ə'veɪləbl] *adj* tillgänglig, ledig, disponibel; anträffbar; *be* ~ äv. stå till förfogande, finnas till hands; finnas [*att få*]
avalanche ['ævəlɑ:nʃ] *s* lavin, bildl. äv. störtskur
avant-garde [ə,vɒ:ŋ'gɑ:d] *s* avantgarde

avarice ['ævərɪs] *s* girighet; snikenhet
avaricious [,ævə'rɪʃəs] *adj* girig; sniken [*of* efter]
Ave. o. **Ave** förk. för *avenue*
avenge [ə'ven(d)ʒ] *vb tr* hämnas, ta rättvis hämnd för; ~ *oneself on* hämnas (ta hämnd) på
avenger [ə'ven(d)ʒə] *s* hämnare
avenue ['ævənju:] *s* **1** (förk. *Ave.*) el. *Ave*) bred gata, aveny [*fifth Avenue*] **2** allé; trädkantad uppfartsväg **3** bildl. väg [~ *to success*]
aver [ə'vɜ:] *vb tr* försäkra, bedyra
average ['æv(ə)rɪdʒ] **I** *adj* **1** genomsnittlig, genomsnitts-, medel- **2** ordinär, vanlig
 II *s* genomsnitt, snitt, medeltal, medelvärde; *above* ~ över genomsnittet (det normala); *at an* ~ *of* [*2 per cent a year*] med i medeltal...; *on* ~ i [genom]snitt, i medeltal
 III *vb tr* **1** i genomsnitt (medeltal) uppgå till (göra, väga, kosta, hålla o.d.) **2** fördela
 IV *vb itr* o. *vb tr* med adv.:
average out a) jämna ut sig, fördela sig jämnt **b)** beräkna genomsnittet för
averse [ə'vɜ:s] *adj* **1** he is not ~ to [*a drink now and then*] han har ingenting emot..., han tar gärna... **2** *be* ~ *to* ogilla, tycka illa om [*be* ~ *to hard work*], vara avogt inställd till; *be* ~ *to doing sth* äv. vara ovillig att göra ngt, ogärna (inte gärna) göra ngt
aversion [ə'vɜ:ʃ(ə)n] *s* motvilja, olust, avsmak, aversion; *take an* ~ *to* få motvilja (aversion) mot, få avsmak för
avert [ə'vɜ:t] *vb tr* **1** avvärja, avstyra, förhindra [~ *a revolt*] **2** vända bort; avleda [~ *suspicion*]
avian flu ['eɪvjən,flu:] *s* fågelinfluensa
aviary ['eɪvɪərɪ] *s* voljär, aviarium
aviation [,eɪvɪ'eɪʃ(ə)n] *s* **1** flygning, flyg, flygteknik; flygsport; flygväsen **2** attr. flyg-
aviator ['eɪvɪeɪtə] *s* åld. flygare; pilot
avid ['ævɪd] *adj* **1** ivrig, entusiastisk [*an* ~ *reader*]; begeistrad **2** glupsk; ~ *for* sugen på
avionics [,eɪvɪ'ɒnɪks] (med verb i sg.) *s* flygelektronik
avocado [,ævə(ʊ)'kɑ:dəʊ] (pl. ~s) *s* o. **avocado pear** [,ævə(ʊ)kɑ:dəʊ'peə] *s* avokado
avoid [ə'vɔɪd] *vb tr* undvika, hålla sig ifrån; undgå [*doing sth* att göra ngt]; ~ *sb* (*sth*) *like the plague* sky ngn (ngt) som pesten
avoidable [ə'vɔɪdəbl] *adj* som kan undvikas, möjlig att undvika; *it was* ~ det hade kunnat undvikas
avoidance [ə'vɔɪd(ə)ns] *s* undvikande; *tax* ~ skattesmitning, skatteplanering
avoirdupois [,ævədə'pɔɪz] *s* 'avoirdupois' handelsviktsystem i engelskspråkiga länder [*one* ~ *pound* = *16 ounces*]
Avon ['eɪv(ə)n] flod i Stratford-on-Avon, Shakespeares födelsestad
avow [ə'vaʊ] *vb tr* öppet tillstå, erkänna
avowal [ə'vaʊəl] *s* öppen bekännelse; erkännande
avowed [ə'vaʊd] *adj* erkänd; uttalad, förklarad, avgjord
avuncular [ə'vʌŋkjʊlə] *adj* farbroderlig [~ *affection*]
aw [ɔ:] *interj* vard., ~! åh!, oh!
await [ə'weɪt] *vb tr* **1** vänta [på], invänta, avvakta, emotse; ~*ing your reply* i avvaktan på Ert svar **2** vara i beredskap för, vänta [*death* ~*s us all*]

awake [ə'weɪk] **I** *adj* vaken; *be ~ to* vara medveten om
II (*awoke awoken*) *vb itr* **1** vakna vanl. bildl. **2** *~ to* bli medveten om; *~ to the fact that* äv. få klart för sig att
III (för tema se *awake II*) *vb tr* väcka äv. bildl.
awaken [ə'weɪk(ə)n] **I** *vb tr* väcka vanl. bildl.; *~ to* väcka till medvetande (insikt) om **II** *vb itr* vakna
awakening [ə'weɪknɪŋ] vaknande **I** *s* [upp]vaknande äv. bildl.; *a rude ~* se under *rude 2*
II *adj* väckande äv. bildl.
award [ə'wɔ:d] **I** *s* **1** [tillerkänt] pris; belöning; stipendium **2** [skilje]dom, utslag **3** [tilldömt] skadestånd
II *vb tr* tilldela; belöna med [*the film was ~ed an Oscar*]; ge; bevilja; tillerkänna, tilldöma
award-winning [ə'wɔ:d,wɪnɪŋ] *adj* prisbelönt [*an ~ TV drama*]
aware [ə'weə] *adj* medveten [*of* om; *that* om att]; uppmärksam [*of* på]; *be ~* [*that*] äv. känna till…, inse (märka)…; *make sb ~ of sth* uppmärksamma ngn på ngt; *as far as I am ~* så vitt jag vet
awareness [ə'weənəs] *s* medvetenhet; uppmärksamhet
away [ə'weɪ] **I** *adv* **1** bort, i väg, sin väg [*run ~*]; undan, ifrån sig, åt sidan [*put sth ~*]; ur vägen; *~ with…!* bort med…! **2** bort[a] [*far ~*]; *the sea is* [*two miles*] *~* det är…till havet, havet ligger…bort (härifrån) **3** borta, sport. äv. på bortaplan; ute, frånvarande, inte här (där) **4** vidare, 'på [*work ~*; *scrub ~*]; se vidare under verb som *fire, peg* o. *work* m.fl.
5 långt [*~ back*; *~ down*; *~ up*] **6** *straight ~* el. *right ~* med detsamma, genast; *far and ~* långt, vida
II *adj* sport. borta- [*~ match*; *~ ground*]
III *s* sport. bortamatch
awe [ɔ:] *s* vördnad, djup respekt; fruktan; *stand in ~ of* hysa vördnad (djup respekt) för
awe-inspiring ['ɔ:ɪn,spaɪərɪŋ] *adj* respektinjagande, vördnadsbjudande
awesome ['ɔ:səm] *adj* **1** skräckinjagande, hemsk **2** formidabel, väldig [*an ~ problem*] **3** vard. toppen, häftig, läcker; *~!* äv. kanon!, grymt!
awe-struck ['ɔ:strʌk] *adj* vördnadsfull; fylld av vördnad (djup respekt); överväldigad
awful ['ɔ:fʊl, 'ɔ:fl] *adj* **1** ohygglig, fruktansvärd **2** vard. hemsk, förfärlig, förskräcklig, gräslig, förstärk. äv. väldig [*an ~ lot*]
awfully ['ɔ:fʊlɪ, förstärk. 'ɔ:flɪ] *adv* ohyggligt etc., jfr *awful*; *thanks ~* vard. tack så hemskt mycket
awhile [ə'waɪl] *adv* en stund; en tid [bortåt]
awkward ['ɔ:kwəd] *adj* **1** besvärlig, känslig [*an ~ problem*]; kinkig; obehaglig [*an ~ situation*]; pinsam [*an ~ pause*]; *he is an ~ customer* han är inte lätt att tas med; *he decided to be ~* [*and refused to cooperate*] han satte sig på tvären…
2 svårhanterlig, krånglig; obekväm, opraktisk [*an ~ size*] **3** generad; osäker, bortkommen [*feel ~*]
4 tafatt, klumpig, valhänt [*an ~ fellow*; *~ efforts*]; fumlig, avig, bakvänd; *the ~ age* slyngelåldern, slynåldern
awl [ɔ:l] *s* syl, pryl, ål verktyg
awning ['ɔ:nɪŋ] *s* solsegel, soltält; markis
awoke [ə'wəʊk] imperf. o. perf. p. av *awake*
awoken [ə'wəʊk(ə)n] perf. p. av *awake*

AWOL ['eɪwɒl] (förk. för *absent without official leave*), *go ~* ta permis utan tillstånd
awry [ə'raɪ] **I** *adv* **1** galet, på tok; *our plans have gone ~* våra planer har slagit fel (slint) **2** snett, på sned, vridet
II *adj* sned, på sned, vriden
ax [æks] vanl. amer. o. **axe** [æks] **I** *s* **1** yxa, bila; *broad ~* bila; *he has an ~ to grind* han har egna intressen att bevaka, han talar i egen sak **2** vard., *apply the ~* [*to*] låta yxan gå [över], göra kraftiga nedskärningar [i]; *get the ~* få sparken
II *vb tr* vard. skära ned [på] [*~ expenditure*]; dra in [*200 posts were ~d*]; avskeda; [*200 employees*] *were ~d* äv. …fick sparken, …fick gå
1 axes ['æksɪz] *s* pl. av *ax* o. *axe*
2 axes ['æksi:z] *s* pl. av *axis*
axial ['æksɪəl] *adj* tekn. axel-, axial, axiell
axiom ['æksɪəm] *s* axiom
axiomatic [,æksɪə(ʊ)'mætɪk] *adj* axiomatisk
Axis ['æksɪs] *s*, *the ~* el. *the ~ Powers* polit. hist. axelmakterna
ax|is ['æks|ɪs] (pl. *-es* [-i:z]) *s* matem., fys. el. polit. axel
axle ['æksl] *s* [hjul]axel
Axminster ['æksmɪnstə] *s* axminstermatta
ayatollah [,aɪə'tɒlə] *s* relig. ayatolla
1 aye [aɪ] **I** *adv* o. *interj* dial. ja; *~ ~, Sir* sjö. ska ske, kapten (styrman o.d.) **II** *s* jaröst; jaröstare; *the ~es have it* jarösterna är i majoritet
2 aye [eɪ] *adv* skotsk. el. nordeng., i övrigt end. poet. alltid, ständigt; *for ~* för alltid
Ayr [eə] geogr.
AZ förk. för *Arizona*
azalea [ə'zeɪlɪə] *s* bot. azalea
Azerbaijan [,æzəbaɪ'dʒɑ:n] **I** geogr. egennamn Azerbajdzjan **II** *adj* azerbajdzjansk, azerisk **III** *s* azerbajdzjan invånare
Azerbaijani [,æzəbaɪ'dʒɑːnɪ] *s* azerbajdzjan invånare
azimuth ['æzɪməθ] *s* astron. azimut
Azores [ə'zɔ:z] geogr., *the ~* pl. Azorerna
Azov ['eɪzɒv, 'ɑ:z-] geogr., *the Sea of ~* Azovska sjön
AZT® [,eɪzed'ti:] med. (förk. för *azidothymidine*) AZT bromsmedicin mot hiv
Aztec ['æztek] **I** *s* aztek **II** *adj* aztekisk, aztek-
azure ['æʒə, 'eɪʒə, 'eɪʒjʊə] **I** *s* azur, azurblått **II** *adj* azurblå [äv. *azure-blue*]
Åland Islands ['ɔ:lənd,aɪləndz] *s pl* geogr., *the ~* Åland

B b

1 B, b [bi:] (pl. *B's* el. *b's* [bi:z]) *s* **1** B, b **2** mus., **B** h; **B flat** b; **B major** H-dur; **B minor** h-moll; **B sharp** hiss
2 B [bi:] *s* **1** betyg något bättre än medel i en betygsskala från A till F, där A är högst [*she got a ~*] **2** i e-post el. textmeddelanden **a)** förk. för *be*, *been* **b)** används för att ersätta *be* i andra ord [*B4 (before)*]
BA [ˌbiːˈeɪ] förk. för *Bachelor of Arts*
baa [bɑː] **I** *s* bräkande **II** *vb itr* bräka **III** *interj* bää!
babble [ˈbæbl] **I** *vb itr* **1** babbla, pladdra **2** om spädbarn jollra **3** sorla, porla [*the stream ~d*] **II** *s* **1** babbel, pladder **2** spädbarns joller **3** sorlande, porlande
babe [beɪb] *s* **1** litt. spenabarn, [späd]barn, barnunge äv. bildl.; *~ in arms* **a)** spädbarn som fortfarande måste bäras **b)** bildl. gröngöling; *~ in the woods* bildl. aningslöst offer **2** sl. tjej, brud; i tilltal sötnos
Babel [ˈbeɪb(ə)l] Babel; *the Tower of ~* Babels torn
babel [ˈbeɪb(ə)l] *s* villervalla, virrvarr [*a ~ of voices*]; *a ~ of tongues* språkförbistring
babies' slippers [ˌbeɪbɪzˈslɪpəz] (med verb i sg.; pl. *babies' slippers*) *s* bot. käringtand
baboon [bəˈbuːn] *s* zool. babian
baby [ˈbeɪbɪ] **I** *s* **1** [litet] barn, barnunge, spädbarn, baby; familjens yngsta [barn]; *~ rabbit* kaninunge; *~ sister* lillasyster; *leave sb holding the ~* vard. lämna ngn i sticket; *throw the ~ out with the bath water* bildl. kasta ut barnet med badvattnet **2** liten sak; attr. liten; *~ car* minibil, småbil **3** sl. tjej, brud; i tilltal sötnos **4** vard. favoritgrej, baby, älskling [*this car is my ~*] **II** *vb tr* behandla som en barnunge; skämma bort, pjoska med
baby-battering [ˈbeɪbɪˌbætərɪŋ] *s* barnmisshandel
baby bond [ˈbeɪbɪbɒnd] *s* amer. lågvärdig obligation
baby boom [ˈbeɪbɪbuːm] *s* babyboom ökning av antalet födslar; *the ~ of the late sixties* det sena sexiotalets stora barnkullar
baby bouncer [ˈbeɪbɪˌbaʊnsə] *s* gungsele till barn
baby boy [ˌbeɪbɪˈbɔɪ] *s* gossebarn
baby buggy® [ˈbeɪbɪˌbʌgɪ] *s* **1** baby buggy®, paraplyvagn **2** amer. barnvagn
baby carriage [ˈbeɪbɪˌkærɪdʒ] *s* amer. barnvagn
Babycham® [ˈbeɪbɪʃæm] *s* slags mousserande cider
baby-faced [ˈbeɪbɪfeɪst] *adj* med babyansikte
baby girl [ˌbeɪbɪˈgɜːl] *s* flickebarn
babyhood [ˈbeɪbɪhʊd] *s* [späd] barndom, spädbarnsålder
babyish [ˈbeɪbɪɪʃ] *adj* barnslig
baby jumper [ˈbeɪbɪˌdʒʌmpə] *s* hoppgunga för småbarn
Babylon [ˈbæbɪlən] Babel, Babylon äv. bildl.
baby-minder [ˈbeɪbɪˌmaɪndə] *s* dagmamma
baby pantie [ˈbeɪbɪˌpæntɪ] *s* blöjbyxa
babysat [ˈbeɪbɪsæt] imperf. o. perf. p. av *babysit*
baby shower [ˈbeɪbɪˌʃaʊə] *s* amer. uppvaktning med presenter för blivande mor (mödrar)

babysit [ˈbeɪbɪsɪt] (*babysat babysat*) *vb itr* sitta barnvakt
babysitter [ˈbeɪbɪˌsɪtə] *s* barnvakt
baby-walker [ˈbeɪbɪˌwɔːkə] *s* gåstol
babywear [ˈbeɪbɪweə] *s* babykläder, barnkläder
baccy [ˈbækɪ] *s* vard. tobak
bach [bætʃ] *vb tr* sl., *~ it* leva ungkarlsliv
bachelor [ˈbætʃ(ə)lə] *s* **1** ungkarl **2** univ., ung. kandidat [*Bachelor of Arts*; *Bachelor of Science*], se vidare *1 art 2* resp. *science 1 c*
bachelor flat [ˈbætʃ(ə)ləflæt] *s* ungkarlslägenhet
bachelor girl [ˈbætʃ(ə)ləgɜːl] *s* ungkarlsflicka
bachelor pad [ˈbætʃ(ə)ləpæd] *s* vard. ungkarlslya
bachelor party [ˈbætʃ(ə)ləˌpɑːtɪ] *s* amer. svensexa
bacill|us [bəˈsɪl|əs] (pl. *-i* [-aɪ]) *s* bacill
back [bæk] **I** *s* **1** rygg; *break sb's ~* bildl. ta knäcken på ngn; *break the ~ of* se under *break I 7*; *put one's ~ into it* lägga manken till; *put sb's ~ up* el. *get sb's ~ up* vard. reta upp ngn; *be glad to see the ~ of sb* (*sth*) vara glad att bli kvitt (av med) ngn (ngt); *turn one's ~ on* se under *turn I 1*; *go behind sb's ~* el. *do things behind sb's ~* gå bakom ryggen på ngn; *get off my ~!* vard. lägg av!; *with one's ~ to the wall* bildl. ställd mot väggen, hårt ansatt **2** baksida; bakre del (ända); ryggstöd; *~ of the head* nacke, bakhuvud; *at the ~ of* el. *the ~ of* bakom äv. bildl.; *know sth like the ~ of one's hand* el. *know sth ~ to front* kunna ngt på sina fem fingrar; [*put sth*] *~ to front* …bakfram (bak och fram) **3** sport. back
II *adj* **1** på baksidan, bak- [*~ street*] **2** omvänd, gående bakåt, bak- [*~ current*]; tillbaka **3** resterande; *~ rent* obetald förfallen hyra
III *adv* **1** bakåt; tillbaka; *~ and forth* fram och tillbaka **2** tillbaka; åter, igen; i gengäld; om tid tillbaka, för…sedan; *go ~ on one's word* bryta sitt ord, jfr vidare *go II 3* avsides, bort **4** efter, i efterhand **5** *~ of* amer. bakom
IV *vb tr* **1** dra (skjuta o.d.) tillbaka **2** backa bil, båt etc.
V *vb itr* **1** röra sig bakåt **2** gå (träda) tillbaka (undan)
VI *vb itr* o. *vb tr* med adv. el. prep.:
back away se *back V*
back down a) stiga ned baklänges **b)** bildl. retirera, backa ur
back off a) rygga för, dra sig undan **b)** amer., se *back down* under *back VI* ovan **c)** amer. lägga av, sluta
back out a) gå baklänges ut [*of ur*] **b)** dra sig tillbaka (ur spelet), backa ur, hoppa av
back up a) underbygga, styrka [*~ up a statement*] **b)** backa upp, stödja **c)** backa fram [*~ up a car in front of the garage*] **d)** data. säkerhetskopiera, göra en säkerhetskopia av
backache [ˈbækeɪk] *s* ryggsmärtor, ont i ryggen, ryggont
backbench [ˌbækˈbentʃ] *s* bakre bänk i brittiska parlamentet för ledamöter som inte är ministrar el. oppositionsledare; jfr *front bench*
backbencher [ˌbækˈbentʃə] *s* parlamentsledamot som inte är minister el. oppositionsledare; jfr *front bencher*
backbiting [ˈbækˌbaɪtɪŋ] *s* förtal
backbone [ˈbækbəʊn] *s* **1** ryggrad; *to the ~* helt igenom, ut i fingerspetsarna [*British to the ~*] **2** bildl. grundstomme, ryggrad [*the ~ of the nation*]

3 bildl. styrka, [karaktärs]fasthet, ryggrad [*he has no ~*]

backbreaking ['bæk,breɪkɪŋ] *adj* hård, slitsam [*a ~ job*]

back burner ['bæk,bɜːnə] *s*, **put sth on the ~** sätta ngt på sparlåga

backchat ['bæk-tʃæt] *s* vard. näsvishet, uppkäftighet

backcloth ['bækklɒθ] *s* **1** teat. kuliss **2** bildl. bakgrund

backcomb ['bækkəʊm] *vb tr* tupera

back copy ['bæk,kɒpɪ] *s* gammalt nummer av tidning el. tidskrift

back country ['bæk,kʌntrɪ] *s* amer., ung. glesbygdsområde; utmark

backdate [,bæk'deɪt] *vb tr* **1** ge retroaktiv verkan; perf. p. **~d** retroaktiv **2** antedatera

back-door ['bækdɔː] *adj* lönnlig, smyg- [*~ influence*]; indirekt

back door [,bæk'dɔː] *s* **1** bakdörr, köksdörr, köksingång **2** bildl. smygväg; **by the ~** bakvägen

backdrop ['bækdrɒp] *s* **1** teat. kuliss **2** bildl. bakgrund [*the hills form a ~ to the town*]

backer ['bækə] *s* **1** hjälpare, stöd, stödjare; gynnare, uppbackare [*financial ~*] **2** vadhållare spec. på häst

backfire [,bæk'faɪə, '--] **I** *s* bil. baktändning **II** *vb itr* **1** bil. baktända **2** bildl. slå slint, misslyckas

backgammon ['bæk,gæmən, ,bæk'g-] *s* backgammon, bräde, brädspel

background ['bækgraʊnd] *s* **1** bakgrund, fond; miljö i film o.d.; [*white spots*] *on a blue ~* ...på [en] blå botten **2** bildl. bakgrund, miljö; erfarenhet[er] [*she has a ~ in computers*]

background effects ['bækgraʊndɪ,fekts] *s pl* ljudeffekter

background music ['bækgraʊnd,mjuːzɪk] *s* bakgrundsmusik

background noise ['bækgraʊndnɔɪz] *s* **1** bakgrundsljud **2** störningar [i bakgrunden]

backhand ['bækhænd] **I** *s* backhand i tennis o.d. **II** *adj* se *backhanded*

backhanded [,bæk'hændɪd] *adj* **1** med handryggen; backhand- **2** bildl. oväntad; tvetydig, spydig [*~ compliment*]

backhander ['bæk,hændə] *s* **1** slag med handryggen; sport. backhand[slag] **2** bildl. sidohugg; tillrättavisning **3** sl. muta

backheel ['bækhiːl] fotb. **I** *s* klackspark **II** *vb tr* klacksparka

backhoe ['bækhəʊ] *s* amer. [stor] grävmaskin

backing ['bækɪŋ] *s* **1** bil. backning; **~ light** backljus **2** [under]stödjande; stöd, hjälp, uppbackning [*financial ~*] **3** mus. ackompanjemang, komp **4** rygg, baksida, bakstycke; foder **5** hand. täckning, reserv

backlash ['bæklæʃ] *s* **1** bakslag; [häftig] motreaktion [*the white ~*] **2** tekn. spelrum, dödgång

back-lit ['bæklɪt] *adj* bakgrundsbelyst

backlog ['bæklɒg] *s* **1** hand., inte effektuerade inneliggande order, orderstock, orderanhopning **2** eftersläpande arbete (betalning); eftersläpning

back number [,bæk'nʌmbə] *s* **1** gammalt nummer av tidning el. tidskrift **2** vard. [hopplöst] gammalmodig person (metod); **he is a ~** äv. han har spelat ut sin roll

backpack ['bækpæk] **I** *s* ryggsäck **II** *vb itr* resa (vandra) med ryggsäck, resa som backpacker

backpacker ['bæk,pækə] *s* ryggsäcksresenär, backpacker

back page [,bæk'peɪdʒ] *s* sista sida av tidning

back passage [,bæk'pæsɪdʒ] *s* **1** anat. ändtarm **2** korridor (gång) till baksidan av ett hus

back pay ['bækpeɪ] *s* retroaktiv lön

back payments [,bæk'peɪmənts] *s pl* försenade inbetalningar

back-pedal [,bæk'pedl] *vb itr* **1** trampa bakåt, bromsa på cykel **2** bildl. bromsa, dra sig ur, backa ur **3** boxn. retirera, backa

backrest ['bækrest] *s* ryggstöd

back road [,bæk'rəʊd] *s* småväg, grusväg

back-room ['bækruːm] *adj* **1** [som ligger] åt gården (baksidan) [*a ~ flat*] **2** vard. [som sker] bakom kulisserna [*~ work*]

back-room boy ['bækruːmbɔɪ] *s* forskare (expert) som arbetar bakom kulisserna

back-scratching ['bæk,skrætʃɪŋ] *s* vard. **1** kryperi, inställsamt svansande **2** utbyte av tjänster och favörer

back seat [,bæk'siːt] *s* baksäte; plats baktill; **take a ~** vard. hålla sig i bakgrunden

back-seat driver [,bæksiːt'draɪvə] *s* **1** 'baksätesförare' person som från baksätet i en bil ger föraren råd hur han skall köra **2** person som lägger sig i saker han inte har med att göra

backside [,bæk'saɪd] *s* **1** baksida **2** vard. ända, rumpa

backslapping ['bæk,slæpɪŋ] *s* ryggdunkande, överdriven hjärtlighet

backslash ['bækslæʃ] *s* bakåtlutande snedstreck, backslash

backslid ['bækslɪd] imperf. o. perf. p. av *backslide*

backslide ['bækslaɪd] (*backslid backslid*) *vb itr* [gradvis] återfalla till (i) [*~ into dishonesty; ~ into sin*]

backspace ['bækspeɪs] **I** *s* backstegstangent **II** *vb itr* backa med backstegstangent på tangentbord

backstage [,bæk'steɪdʒ, adj '--] **I** *adv* bakom scenen; i kulisserna **II** *adj* [som sker] bakom kulisserna

backstairs [,bæk'steəz] **I** *s pl* baktrappa; köksuppgång **II** *adj* förtäckt, smyg-, bakvägs- [*~ gossip*]

backstairs influence [,bæksteəz'ɪnfluəns] *s* inflytande bakom kulisserna

backstairs revolution ['bæk,steəzrevə'luːʃ(ə)n] *s* palatsrevolution

backstreet ['bækstriːt] *s* bakgata

backstroke ['bækstrəʊk] *s* simn. ryggsim

back talk ['bæktɔːk] *s* amer. vard. näsvishet, uppkäftighet

back tax ['bæktæks] *s* o. **back taxes** ['bæktæksɪz] *s pl* kvarskatt

backtrack ['bæktræk] *vb itr* gå tillbaka [*to* till], bildl. äv. backa ur [*~ out of a deal*]

backup ['bækʌp] *s* **1** backning **2** stöd; förstärkning **3** reserv, ersättare; ersättning; attr. reserv- [*~*

supplies] **4** data. backup; **~ copy** el. **~ file** säkerhetskopia; reservkopia

backup light ['bækʌplaɪt] *s* amer. backljus

backward ['bækwəd] **I** *adj* **1** bakåtriktad, bak[åt]vänd, baklänges-; *a ~ glance* en blick tillbaka **2** underutvecklad, som är på efterkälken, sent utvecklad
II *adv* se *backwards*

backwards ['bækwədz] *adv* bakåt, bakut, baklänges, tillbaka; *~ and forwards* fram och tillbaka, hit och dit; *know sth ~* kunna ngt utan och innan (fram- och baklänges); *fall over ~* bildl. stå på näsan av iver; *lean over ~* el. *bend over ~* bildl. gå till överdrift [åt andra hållet]

backwash ['bækwɒʃ] *s* **1** svallvåg[or] **2** bildl. följder, efterverkningar, efterdyningar [*the ~ of the crisis; the ~ of the war*]

backwater ['bæk,wɔːtə] *s* **1** bakvatten **2** uppdämt flodvatten; stillastående vatten spec. av bakström från flod; av vattenhjul tillbakakastat vatten **3** bildl. avkrok, håla; dödvatten; intellektuell torka

backwoods ['bækwʊdz] *s pl* obygd[er]; avkrok, håla

backyard [,bæk'jɑːd] *s* bakgård; amer. trädgård på baksidan av huset

bacon ['beɪk(ə)n] *s* bacon; *bring home the ~* vard. tjäna till brödfödan; klara skivan; *save one's ~* vard. rädda sitt skinn

bacteria [bæk'tɪərɪə] *s* pl. av *bacterium*; *colony of ~* el. *nucleus of ~* bakteriehärd

bacterial [bæk'tɪərɪəl] *adj* bakterie- [*~ flora; ~ content*]

bacteriological [bæk,tɪərɪə'lɒdʒɪk(ə)l] *adj* bakteriologisk [*~ warfare*]

bacteriologist [bæk,tɪərɪ'ɒlədʒɪst] *s* bakteriolog

bacteri|um [bæk'tɪərɪəm] (pl. *-a* [-ə]) *s* bakterie

bad [bæd] **I** (*worse worst*) *adj* **1** dålig, usel; *not half ~* el. *not [so] ~* vard. inte så illa, inte så tokig, riktigt skaplig **2** a) onyttig, osund [*smoking is ~ for you*]; skadlig [*it's ~ for one's eyes*] b) rutten, skämd [*these eggs are ~*] **3** a) svag, obegåvad [*at i; he's ~ at mathematics*]; dålig [*a ~ painter*] b) sjuk, krasslig [*feel ~*]; svag; skadad [*my ~ hand*]; svår [*a ~ cold; a ~ headache*] **4** tråkig, sorglig [*~ news*]; oangenäm; *that's too ~!* vard. vad tråkigt!, så synd!; *it's too ~ [that this goes on year after year]* äv. det är verkligen illa (tråkigt)... **5** ångerfull, illa till mods [*feel ~ about sth*] **6** a) omoralisk, fördärvad, lastbar b) elak, stygg; busig [*a ~ boy*] c) *~ language* grovt språk, svordomar **7** felaktig [*a ~ pronunciation*] **8** a) oäkta, falsk [*a ~ coin*] b) dålig [*a ~ excuse*]; ogiltig [*a ~ cheque*] c) oindrivbar [*a ~ debt* (fordran)] **9** vanl. amer. sl. jättebra, grym, häftig **10** i vissa fraser: *~ luck* otur; *~ news* sl. olycka, pest om person; *he's ~ news around here* det blir bara trubbel när han dyker upp; *have a ~ time of it* ha det jobbigt (marigt); *~ trip* sl. snedtändning negativ effekt vid narkotikarus; *go ~* ruttna, bli skämd; *go from ~ to worse* bli allt sämre (värre och värre); *be taken ~* vard. bli sjuk (dålig)
II *s* **1** take the *~ with the good* ta det onda med det goda; *go to the ~* gå ner sig, spåra ur om person **2** *I'm £90 to the ~* jag har förlorat 90 pund, jag är 90 pund back

baddie o. **baddy** ['bædɪ] *s* vard. bov i motsats till hjälte i film o.d.

bade [bæd, beɪd] imperf. o. perf. p. av *bid*

badge [bædʒ] *s* **1** märke, emblem; namnskylt, utmärkelsetecken, ordenstecken; *policeman's ~* polisbricka **2** bildl. [känne]tecken, kännemärke

badger ['bædʒə] **I** *s* **1** grävling **2** pensel av grävlingshår
II *vb tr* plåga; tjata på; trakassera; *~ sb* tjata på ngn; *~ sb for sth* tjata på ngn om att få ngt

Badger State [,bædʒəsteɪt], **the ~** beteckn. för staten *Wisconsin*

bad hair day [,bæd'heədeɪ] *s* otursdag, Tycho Brahedag

badlands ['bædlændz] *s pl* ofruktbart land, [sten]öken

badly ['bædlɪ] (*worse worst*) *adv* **1** dåligt, illa [*behave ~; treat ~*]; svårt; *be ~ beaten at [football]* bli grundligt slagen i...; *be ~ off* ha det dåligt ställt, ha det knalt; *be ~ off for* ha [mycket] ont om **2** *want ~* el. *need ~* verkligen behöva, behöva i högsta grad

bad-mannered [,bæd'mænəd] *adj* ouppfostrad, ohyfsad

badminton ['bædmɪntən] *s* sport. badminton

badmouth ['bædmaʊθ, -maʊð] *vb tr* vard. racka ner på, svärta ner

bad-tempered [,bæd'tempəd] *adj* [som är] på dåligt humör, vresig, sur

baffle ['bæfl] **I** *vb tr* **1** förbrylla **2** trotsa [*it ~s description*]
II *s* radio. baffel

baffling ['bæflɪŋ] *adj* förbryllande, oförklarlig [*a ~ noise*]; svårlöst [*a ~ problem*]

bag [bæg] **I** *s* **1** påse; säck; bag; väska; *~ of bones* vard. benget, magert skrälle; *she's got ~s under her eyes* vard. hon har påsar under ögonen; *in the ~* vard. klar, säker [*his promotion is in the ~*]; som i en liten ask [*we've got it in the ~*]; *pack one's ~* packa sin väska och sticka från hemmet **2** a) jaktväska b) jaktbyte, fångst; *make a good ~* få bra jaktbyte, ha jaktlycka **3** pl. *~s* sl. massor [*~s of money (room)*] **4** vard., *a mixed ~* se *mixed bag*; *the whole ~ of tricks* se under *trick* I 1 **5** sl. käring, slampa [*that old ~*]
II *vb tr* **1** fånga; fälla, skjuta **2** vard. knycka, lägga beslag på; *~s [I] [that chair]!* pax (pass, tjing) för...!

bagatelle [,bægə'tel] *s* **1** bagatell **2** fortuna[spel]

bagel ['beɪgl] *s* slags bröd i kransform

baggage ['bægɪdʒ] *s* **1** bagage, resgods vid flyg- el. sjöresa **2** skämts. stycke, snärta [*saucy ~*]

baggage car ['bægɪdʒkɑː] *s* amer. resgodsvagn

baggage check ['bægɪdʒtʃek] *s* amer. polletteringskvitto, polletteringsmärke

baggage claim ['bægɪdʒkleɪm] *s* amer. o. **baggage reclaim** ['bægɪdʒriːkleɪm] *s* flyg. o.d. bagageutlämning

baggage room ['bægɪdʒruːm] *s* amer. bagageinlämning, resgodsförvaring på järnvägsstation

baggy ['bægɪ] **I** *adj* **1** påsig, säckig, bylsig **2** mus. sl. som hör samman med Manchesterpopen
II *s* mus. sl. Manchesterpop

Baghdad [,bæg'dæd] geogr. Bagdad

bag lady ['bæg,leɪdɪ] *s* uteliggare, hemlös kvinna

bag people ['bæg,piːpl] *s pl* uteliggare, hemlösa

bagpipes ['bægpaɪps] *s pl* säckpipa
bagsnatcher ['bæg‚snætʃə] *s* vard. väskryckare
Bahama [bə'hɑ:mə] geogr., *the ~ Islands* pl. el. *the ~s* (pl.) Bahamas
Bahrain [bɑ:'reɪn] geogr.
1 bail [beɪl] **I** *vb tr* **1** ösa [ut] [*~ water*] **2** ösa, länsa [*~ a boat*]
II *vb tr* o. *vb itr* med adv.:
  bail out a) ösa [ut] [*~ water out*] **b)** ösa, länsa [*~ out a boat*] **c)** flyg., se *2 bale*
2 bail [beɪl] jur. **I** *s* borgen som säkerhet för anhållens inställelse inför rätta; *admit to ~* el. *let out on ~* försätta på fri fot mot borgen; *go ~* el. *stand ~* gå i (ställa) borgen; *refuse ~* vägra frisläppande mot borgen
II *vb tr, ~ out* utverka frihet åt anhållen genom att ställa borgen för honom
bail bandit ['beɪl‚bændɪt] *s* vard. person som begår brott medan han (hon) är frigiven mot borgen
bailey ['beɪlɪ] *s* yttre slottsmur
bailiff ['beɪlɪf] *s* exekutionsbiträde, utmätningsman
bailout ['beɪlaʊt] *s* **1** [räddning genom] fallskärmshopp **2** bildl. räddningsaktion
bait [beɪt] **I** *s* agn, bete, lockmat; *rise to the ~* el. *swallow the ~* nappa på kroken äv. bildl.
II *vb tr* **1** agna krok, sätta [ut] bete (lockmat) på (i); locka **2** reta, plåga; mobba **3** hetsa djur
baize [beɪz] *s* **1** boj, filt tyg **2** attr. klädd med boj, filtklädd [*~ door*]
bake [beɪk] **I** *vb tr* ugnssteka, ugnsbaka; baka, grädda; bränna tegel; *~d potatoes* [ugns]bakad potatis
II *vb itr* **1** stekas, bakas, gräddas; torka, hårdna, baka ihop sig **2** vard. vara stekhet, vara som i en bakugn
baked beans [‚beɪkt'bi:nz] *s pl* vita bönor i tomatsås
baked egg [‚beɪkt'eg] *s* äggstanning
Bakelite® ['beɪkəlaɪt] *s* bakelit
baker ['beɪkə] *s* bagare
baker's dozen [‚beɪkəz'dʌzn] *räkn* ngt åld. tretton [stycken]
Baker Street ['beɪkəstri:t] gata i London, där Sherlock Holmes bodde
bakery ['beɪkərɪ] *s* bageri
baking ['beɪkɪŋ] *s* ugnsstekning, ugnsbakning; bakning, gräddning; attr. bak-
baking board ['beɪkɪŋbɔ:d] *s* bakbord
baking-hot [‚beɪkɪŋ'hɒt] *adj* stekhet, gassig [*a ~ day*]
baking plate ['beɪkɪŋpleɪt] *s* bakplåt
baking powder ['beɪkɪŋ‚paʊdə] *s* bakpulver
baking sheet ['beɪkɪŋʃi:t] *s* bakplåt
baking soda ['beɪkɪŋ‚səʊdə] *s* natriumbikarbonat
baking tin ['beɪkɪŋtɪn] *s* bakform, kakform
baking tray ['beɪkɪŋtreɪ] *s* bakplåt
baksheesh [‚bæk'ʃi:ʃ, '--] *s* i Orienten drickspengar; allmosa; muta
balaclava [‚bælə'klɑ:və] *s* **1** mil. yllekapuschong, vindskyddshuva **2** rånarluva
balance ['bæləns] **I** *s* **1** våg, balansvåg; vågskål; *hang in the ~* el. *be in the ~* hänga på en tråd, stå och väga **2** motvikt **3** balans äv. bildl. [*lose one's ~*]; jämvikt; jämviktsläge; avvägning [*a delicate ~ between the two perspectives*]; *throw sb off his ~* få

ngn att tappa balansen, få ngn ur balans **4** *the ~* det mesta, den övervägande delen; *hold the ~* ha avgörandet i sin hand; vara tungan på vågen **5** hand. balans, bokslut; saldo, behållning, överskott; tillgodohavande [*bank ~*]; återstod, rest; *~ brought forward* ingående saldo; *~ carried forward* el. *~ to be carried forward* utgående saldo; *~ in hand* kassabehållning; *on ~* på det hela taget; *strike a ~* bildl. göra en avvägning, gå (finna) en medelväg **6** vard., *the ~* resten
II *vb tr* **1** [av]väga [mot varandra]; jämföra; överväga **2** balansera; få (hålla) i jämvikt; *~ oneself* balansera; gå balansgång; *they ~ each other out* de tar ut varandra **3** motväga, uppväga; utjämna **4** hand. avsluta böcker; balansera; *~ the books* göra bokslut
III *vb itr* balansera; vara i jämvikt; jämna ut sig
balanced ['bælənst] *adj* balanserad, i jämvikt, stadig, stabil, [väl] avvägd; sansad; *~ diet* allsidig kost
balance of payments [‚bælənsəv'peɪmənts] *s* ekon. betalningsbalans
balance of power [‚bælənsəv'paʊə] *s* maktbalans; *hold the ~* parl. ha vågmästarrollen
balance of trade [‚bælənsəv'treɪd] *s* ekon. handelsbalans
balance sheet ['bælənsʃi:t] *s* **1** balans[räkning] **2** budgetsammandrag **3** bokslut
balcony ['bælkənɪ] *s* **1** balkong; altan **2** *the ~* a) teat., vanl. andra raden; amer. första raden b) på biograf balkongen
bald [bɔ:ld] *adj* **1** [flint]skallig [*go ~*]; kal, bar; *~ as a coot* kal (slät) som en biljardboll **2** bildl. torr [*a ~ statement of the facts*]; torftig, slät
baldachin ['bɔ:ldəkɪn] *s* baldakin
bald eagle [‚bɔ:ld'i:gl] *s* vithövdad havsörn USA:s nationalfågel
balderdash ['bɔ:ldədæʃ] *s* ngt åld. vard. gallimatias
baldhead ['bɔ:ldhed] *s* flintskalle, skallig person
baldheaded [‚bɔ:ld'hedɪd] *adj* [flint]skallig; *go at it ~* el. *go for it ~* vard. rusa på blint, kasta sig huvudstupa in i det
balding ['bɔ:ldɪŋ] *adj* som håller på att bli flintskallig, tunnhårig
baldly ['bɔ:ldlɪ] *adv* rakt på sak, utan omsvep
1 bale [beɪl] **I** *s* bal, packe **II** *vb tr* packa i balar, bala
2 bale [beɪl] *vb itr, ~ out* hoppa med (rädda sig i) fallskärm
Balearic Islands [‚bælɪ'ærɪk‚aɪləndz] geogr., *the ~* pl. Balearerna
baleful ['beɪlf(ʊ)l] *adj* ondskefull [*a ~ stare*]
Bali ['bɑ:lɪ] geogr.
balk [bɔ:k, bɔ:lk] **I** *vb tr* **1** dra sig för, undvika [*~ a topic*]; försumma [*~ an opportunity*] **2** hejda, hindra, korsa ngns planer; gäcka, svika [*his hopes were ~ed*]
II *vb itr* om häst bli istadig, tvärstanna, vägra att hoppa; bildl. stegra sig [*at inför*], dra sig [*at för*]
III *s* **1** balk, bjälke **2** hinder
Balkan ['bɔ:lkən] *adj* Balkan- [*the ~ Peninsula*]; balkan- [*the ~ countries*]
Balkans ['bɔ:lkənz] *s pl* geogr., *the ~* Balkan
balky ['bɔ:kɪ, 'bɔ:lkɪ] *adj* istadig, motspänstig; envis

1 ball [bɔ:l] **I** *s* **1** boll; klot; ~ *control* el. ~ *sense* bollkontroll, bollsinne; ~ *of fire* energiknippe; ~ *of the foot* tåvalk vid stortåns bas, trampdyna; *three golden ~s* el. *three ~s* a) pantlånarskylt b) pantbank; *the ~ is with him* el. *the ~ is in his court* bildl. han har bollen, bollen är (ligger) hos honom; *have the ~ at one's feet* bildl. ha chansen; *keep the ~ rolling* bildl. hålla i gång det hela; *set* (*start*) *the ~ rolling* bildl. få (sätta) i gång det hela; *play ~* vard. samarbeta, vara 'med, ställa upp; *be on the ~* vard. vara på alerten (med på noterna); *have one's eye on the ~* vard. vara påpasslig (på alerten) **2** kula; ~ *joint* tekn. el. anat. kulled **3** nystan [~ *of wool*] **4** amer. vulg., ~ *up* se *balls-up*
II *vb tr* **1** vulg. knulla **2** amer. vulg., ~ *up* se *balls III*
2 ball [bɔ:l] *s* **1** bal, dans[tillställning] **2** sl., *have a ~* ha kul (skoj)
ballad ['bæləd] *s* ballad, [folk]visa
ball-and-socket joint [ˌbɔ:lən(d)'sɒkɪtdʒɔɪnt] *s* tekn. el. anat. kulled
ballast ['bæləst] *s* barlast, ballast
ball bearing [ˌbɔ:l'beərɪŋ] *s* kullager
ball boy ['bɔ:lbɔɪ] *s* bollpojke i t.ex. tennis, bollkalle
ball cock ['bɔ:lkɒk] *s* flottörventil
ballerina [ˌbælə'ri:nə] *s* ballerina
ballet ['bæleɪ, -'-] *s* balett
ballet-dancer ['bæleɪˌdɑ:nsə, -lɪˌd-] *s* balettdansör, balettdansös
ball game ['bɔ:lgeɪm] *s* **1** amer. match; spec. basebollmatch **2** vard. situation, tillstånd; *a whole new ~* något helt nytt (annat), en alldeles ny situation
ball girl ['bɔ:lgɜ:l] *s* bollflicka i t.ex. tennis
ballistic [bə'lɪstɪk] *adj* **1** ballistisk **2** vard., *go ~* bli vansinnig, explodera av ilska
ballistic missile [bəˌlɪstɪk'mɪsaɪl] *s* ballistisk robot
ballistics [bə'lɪstɪks] (med verb i sg.) *s* ballistik
balloon [bə'lu:n] **I** *s* **1** ballong; *go down like a lead ~* vard. falla platt till marken; *now the ~ goes up!* vard. nu brakar det löst! **2** pratbubbla
II *vb itr* **1** stiga upp i ballong **2** svälla, pösa; stiga i höjden [*costs ~ed*]
III *vb tr* **1** få att svälla (pösa); blåsa upp [~ *one's cheeks*]; trissa upp [~ *prices*] **2** ~ *a ball into the air* sparka en boll högt upp i luften, skjuta en höjdare
balloon glass [bə'lu:nglɑ:s] *s* konjakskupa, aromglas
ballooning [bə'lu:nɪŋ] *s* sport. ballongflygning
balloon payment [bə'lu:nˌpeɪmənt] *s* amer. sista stora avbetalning på ett lån
ballot ['bælət] **I** *s* **1** röstsedel, valsedel **2** sluten omröstning; omröstningsresultat; *take a ~* ha en sluten omröstning
II *vb itr* **1** ha en sluten omröstning **2** dra lott [*for om*]
ballot box ['bælətbɒks] *s* valurna
ballot paper ['bælətˌpeɪpə] *s* röstsedel, valsedel
ballpark ['bɔ:lpɑ:k] *s* **1** amer. idrottsplats; baseballarena, baseballstadion **2** vard., ~ *figure* ungefärlig summa, runda tal; *in the ~ of* ungefär, omkring; *in the right ~* rätt på ett ungefär, någotsånär korrekt
ball pen ['bɔ:lpen] *s* kulpenna
ballpoint ['bɔ:lpɔɪnt] *s* kul[spets]penna [äv. ~*pen*]

ballroom ['bɔ:lru:m] *s* balsal; danssalong
ballroom dancing [ˌbɔ:lru:m'dɑ:nsɪŋ] *s* sällskapsdans
balls [bɔ:lz] vulg. **I** *s pl* **1** ballar, kulor; *have sb by the ~* ha ngn i sin hand, ha satt ngn på det hala **2** skit[snack], smörja; *that's a load of ~* det är bara skitsnack **3** mod, fräckhet [*it took a lot of ~ to do that*]
II *interj* skitsnack!, ta dig i brasan!
III *vb tr*, ~ *up* strula till, göra en jävla soppa av
balls-up ['bɔ:lzʌp] *s* sl. jävla soppa (röra), strul
ballsy ['bɔ:lzɪ] *adj* sl. tuff, hårdkokt, frän
ballyhoo [ˌbælɪ'hu:] *s* vard. **1** jippon; skryt, bluff, humbug **2** ståhej, uppståndelse
balm [bɑ:m] *s* **1** balsam **2** bildl. tröst, lindring, balsam
Balmoral [bæl'mɒr(ə)l] kungligt slott i Skottland [äv. ~ *Castle*]
balmy ['bɑ:mɪ] *adj* **1** balsamisk; doftande **2** lindrande, vederkvickande; mild om väder
baloney [bə'ləʊnɪ] *s* vard., se *boloney*
balsa ['bɔ:lsə, 'bælsə] *s* **1** balsaträd; balsaträ **2** balsa flotte
balsam ['bɔ:lsəm] *s* **1** balsam **2** bot. balsamin; *garden ~* vanlig balsamin
balsamic vinegar [bɔ:lˌsæmɪk'vɪnɪgə] *s* balsamvinäger
Balt [bɔ:lt] *s* balt
Baltic ['bɔ:ltɪk] **I** *adj* baltisk; östersjö- **II** geogr. egennamn, *the ~* Östersjön
Baltic herring [ˌbɔ:ltɪk'herɪŋ] *s* strömming
Baltic Sea [ˌbɔ:ltɪk'si:] geogr., *the ~* Östersjön
Baltic States [ˌbɔ:ltɪk'steɪts] geogr., *the ~* pl. Baltikum
Baltimore ['bɔ:ltɪmɔ:] geogr.
balustrade [ˌbælə'streɪd] *s* balustrad
bamboo [ˌbæm'bu:] (pl. ~s) *s* bambu; bamburör; attr. bambu-
bamboo shoots ['bæmbuʃu:ts] *s pl* bot. el. kok. bambuskott
bamboozle [bæm'bu:zl] *vb tr* vard. lura [*into* till]; finta bort; ~ *sb out of sth* lura av ngn ngt
ban [bæn] **I** *s* officiellt förbud [*travel ~*]; kyrkl. bann; *driving ~* körförbud; *nuclear-test ~* kärnvapenprovstopp; *lift the ~* [upp]häva förbudet; *put under a ~* el. *put a ~ on* förbjuda; bannlysa **II** *vb tr* förbjuda; bannlysa; ~ *sb from sth* utestänga ngn från ngt, utesluta ngn från ngt; ~ *sb from doing sth* förbjuda ngn att göra ngt
banal [bə'nɑ:l] *adj* banal
banality [bə'nælətɪ] *s* banalitet
banana [bə'nɑ:nə] *s* banan; bananplanta
banana plug [bə'nɑ:nəplʌg] *s* tekn. banankontakt
banana republic [bəˌnɑ:nərɪ'pʌblɪk] *s* neds. bananrepublik
bananas [bə'nɑ:nəz] **I** *s* pl. av *banana* **II** *adj* sl., *go ~* bli galen (tokig)
banana seat [bə'nɑ:nəsi:t] *s* vard. limpa cykelsadel
banana skin [bə'nɑ:nəskɪn] *s* **1** bananskal **2** vard. pinsamt misstag; *slip on a ~* göra ett pinsamt misstag, göra bort sig
1 band [bænd] **I** *s* band; mindre orkester, musikkår; *brass ~* mässingsorkester; *jazz ~* jazzband **2** skara; band [~ *of robbers*]; gäng, följe

II *vb tr* o. *vb itr*, ~ *together* förena sig, sluta sig samman, gadda ihop sig

2 band [bænd] **I** *s* **1** band, snöre, snodd; bindel; bildl.: förenande band **2** skärp, bälte; på cigarr maggördel **3** remsa; bård; linning **4** radio. band [*19-metre* ~] **5** mek. [drag]rem [äv. *endless* ~]; ~ *conveyor* el. *feeder* ~ transportband **6** platt ring, hjulring **7** pl. ~*s* prästkrage; advokats ämbetskrage **II** *vb tr* sätta band (etc.), jfr *band I 1–3*) på

bandage ['bændɪdʒ] **I** *s* bandage, förband[sartikel], binda, bindel; *triangular* ~ mitella **II** *vb tr* förbinda, lägga om; binda för; ~*d* för'bunden, i bandage; ~*d eyes* 'förbundna ögon

Band-Aid® ['bændeɪd] *s* amer. plåster, snabbförband

bandanna [bæn'dænə] *s* slags stor kulört näsduk, snusnäsduk

B&B o. **B and B** [ˌbi:ən'bi:] förk. för *Bed and Breakfast*

banderole ['bændərəʊl] *s* banderoll

bandit ['bændɪt] *s* bandit, bov

bandmaster ['bæn(d)ˌmɑːstə] *s* kapellmästare

bandsaw ['bændsɔː] *s* bandsåg

bands|man ['bæn(d)zˌmən] (pl. *-men* [-mən]) *s* medlem av musikkapell, [militär]musikant

bandstand ['bæn(d)stænd] *s* musikestrad

bandwagon ['bændˌwægən] *s*, *climb on the* ~ el. *jump on to the* ~ hoppa på tåget, ansluta sig till vinnarsidan

bandwidth ['bændwɪdθ] *s* data., radio. el. TV. bandbredd

bandy ['bændɪ] **I** *vb tr* **1** [ut]byta, växla ord, hugg; ~ *words* äv. gräla, munhuggas; *his name was bandied about* det pratades om honom, hans namn nämndes flera gånger **2** kasta (slå, skicka) fram och tillbaka, bolla med [ofta ~ *about*] **II** *adj* om ben krokig; hjulbent; *have* ~ *legs* vara hjulbent **III** *s* sport. **1** bandy **2** bandyklubba

bandy-legged ['bændɪlegd, -ˌlegɪd, ˌ--'-] *adj* hjulbent

bane [beɪn] *s* förbannelse; *he is the* ~ *of my life* han är mitt plågoris, han är en riktig pest

baneful ['beɪnf(ʊ)l] *adj* fördärvlig, skadlig [*to* för]

bang [bæŋ] **I** *vb tr* o. *vb itr* **1** banka, smälla, slå; knalla; dunka; dänga **2** ~ *sth* el. ~ *sth to* el. ~ *sth down* smälla (slå) igen ngt **3** slå i [~ *one's knee*] **4** vulg. knulla **II** *vb tr* o. *vb itr* med prep.: **bang on about sth** vard. mala på om ngt **III** *s* **1** slag, smäll, knall, skräll, duns; brak; *sonic* ~ bang, överljudsknall; *go off with a* ~ el. *go over with a* ~ vard. bli en pangsuccé **2** *with a* ~ bums, pang på **3** amer. sl. spänning; *I get a* ~ *out of it* jag tycker det är jäkla spännande (kul) **4** vulg. knull, ligg **IV** *interj* o. *adv* bom, pang; tvärt, bums, vips; ~ *in the middle* precis i mitten (mitt i); mitt i prick; ~ *off* vard. på fläcken; ~ *on time* vard. precis, punktlig[t]; *bang-up-to-date* vard. toppmodern; trendriktig, inne; *be* ~ *on course* vara precis på rätt väg; *it's* ~ *on* vard. det är precis som det ska vara, det är perfekt; *come* ~ *up against a problem* stöta på ett problem; *go* ~ smälla till, säga pang

banged-up [ˌbæŋd'ʌp] *adj* sl. **1** amer. helt mosad (paj); sabbad **2** i fängelse

banger ['bæŋə] *s* **1** vard. korv; ~*s and mash* korv och mos **2** vard. bilskrälle, rishög **3** pyrotekn. rysk smällare

Bangkok [bæŋ'kɒk, amer. vanl. '--] geogr.

Bangladesh [ˌbæŋglə'deʃ] geogr.

bangle ['bæŋgl] *s* armring; ankelring

bang-on [ˌbæŋ'ɒn] *adj* vard. jättebra, prima

bangs [bæŋz] *s pl* amer. lugg, pannlugg

bang-up [ˌbæŋ'ʌp] *adj* amer. vard. jättebra, pang-, prima [*a* ~ *job*]

banish ['bænɪʃ] *vb tr* **1** förvisa, landsförvisa **2** slå ur tankarna, slå bort [~ *cares*]; avlägsna

banishment ['bænɪʃmənt] *s* förvisning, landsförvisning; *go into* ~ gå i landsflykt

banisters ['bænɪstəz] *s pl* trappräcke

banjo ['bændʒəʊ] (pl. ~*s* el. ~*es*) *s* banjo

1 bank [bæŋk] **I** *s* **1** bank **2** spel. [spel]bank; *break the* ~ spränga banken **3** förråd, bank [*blood* ~; *sperm* ~] **II** *vb itr* **1** ~ *with* ha bankkonto hos **2** ~ *on* vard. lita på, räkna med **III** *vb tr* sätta in pengar [på banken]

2 bank [bæŋk] **I** *s* **1** [flod]bank, strand[sluttning] vid flod el. kanal **2** [sand]bank, rev, grund **3** bank [~ *of clouds*]; vall; driva; [dikes]ren; sluttning **4** dosering av kurva **II** *vb tr* **1** dosera en kurva **2** lägga upp i en vall [~ *earth*]; ~ el. ~ *up* packa ihop, torna upp i drivor (vallar) [~ *snow*; ~ *up snow*]; ~ el. ~ *up the fire* lägga på brasan **3** ~ [*up*] dämma för [~ *up a river*]; dämma upp **III** *vb itr* **1** flyg. banka, skeva; om bil luta i doserad kurva **2** ~ *up* hopa sig, packa ihop sig [*the snow has* ~*ed up*]

3 bank [bæŋk] *s* rad av t.ex. tangenter på tangentbord; ~ *of cylinders* cylinderrad i motor

bank account ['bæŋkəˌkaʊnt] *s* bankkonto

bank card ['bæŋkkɑːd] *s* **1** amer., se *credit card* **2** se *cheque card*

bank draft ['bæŋkdrɑːft] *s* bankväxel

banker ['bæŋkə] *s* **1** bankir; bankdirektör **2** spel. bankör **3** på tipskupong säker match, helgardering

bank giro ['bæŋkˌdʒaɪrəʊ] (pl. ~*s*) *s* bankgiro

bank holiday [ˌbæŋk'hɒlədeɪ, -dɪ] *s* allmän helgdag, bankfridag

banking ['bæŋkɪŋ] *s* **1** bankrörelse, bankväsen; attr. bank- **2** bankärenden

bank manager ['bæŋkˌmænɪdʒə] *s* bankkamrer vid filial; ibl. bankdirektör

banknote ['bæŋknəʊt] *s* sedel

Bank of England [ˌbæŋkəv'ɪŋglənd] *s*, *the* ~ Storbritanniens centralbank

bank rate ['bæŋkreɪt] *s* förr diskonto, ränta centralbanks räntefot

bankroll ['bæŋkrəʊl] **I** *s* **1** sedelbunt; kontanter, kapitaltillgångar **2** bank vid hasardspel **II** *vb tr* vard. hjälpa ekonomiskt (med pengar); finansiera

bankrupt ['bæŋkrʌpt] **I** *s* person som har gjort konkurs **II** *adj* **1** bankrutt, konkursmässig; *go* ~ göra konkurs **2** bildl., ~ *of* [*ideas*] i total avsaknad av... **III** *vb tr* försätta i konkurs

bankruptcy ['bæŋkrəp(t)sɪ] *s* konkurs; bankrutt; ruin; *be on the verge of* ~ vara konkursmässig

bank statement ['bæŋk,steɪtmənt] s [bank]kontoutdrag

banner ['bænə] **I** s **1** banderoll; baner, fana spec. bildl. [the ~ of freedom] **2** data. banner **II** adj amer. lysande

banner headline [,bænə'hedlaɪn] s flerspaltig rubrik, jätterubrik

banns [bænz] s pl lysning; **publish the** ~ el. **read the** ~ lysa till äktenskap

banquet ['bæŋkwɪt] **I** s bankett; festmåltid **II** vb itr delta i (ge) en bankett; festa

banquetting hall ['bæŋkwɪtɪŋhɔ:l] s amer. bankettsal

bantam ['bæntəm] s **1** zool. bantamhöns, dvärghöns **2** sport., se *bantamweight*

bantamweight ['bæntəmweɪt] s sport. **1** bantam[vikt] **2** bantamviktare

banter ['bæntə] **I** s skämt; godmodig drift **II** vb tr o. vb itr skämta, raljera

bantering ['bæntərɪŋ] adj raljant, [små]retsam

baptism ['bæptɪz(ə)m] s dop, döpelse

baptismal [bæp'tɪzm(ə)l] adj dop- [~ certificate; ~ name]; döpelse-

baptism of fire [,bæptɪz(ə)məv'faɪə] s elddop

Baptist ['bæptɪst] s **1** baptist **2** John the ~ Johannes Döparen

baptize [bæp'taɪz, amer. vanl. '--] vb tr döpa

Bar [ba:] s, the ~ se *bar I 5 b*

bar [ba:] **I** s **1 a)** bar [I had a drink at the ~]; [bar]disk **b)** avdelning på en pub [the saloon ~] **2 a)** stång, spak; ribba; tacka [gold ~]; bjälke, stolpe; ~ of chocolate chokladkaka; a ~ of soap en avlång tvål; **parallel ~s** gymn. barr **b)** bom, tvärslå; regel, pl. **~s** äv. galler; **behind ~s** bakom lås och bom, i fängsligt förvar **3** mus. taktstreck; takt [the opening (inledande) ~s of the sonata] **4** hinder [to för; a ~ to happiness]; spärr **5** i juridiska sammanhang **a)** skrank i rättssal; domstol; **be tried at the ~** [för]höras inför domstol; **appear at the ~** inställa sig i domstol; **the prisoner at the ~** den anklagade **b)** the ~ el. **the Bar** advokaterna, 'advokatsamfundet'; advokatyrket (jfr *barrister 1*); **be called to the ~** (**Bar**) el. **be admitted to the ~** (**Bar**) bli utnämnd till advokat, bli upptagen som medlem av advokatsamfundet **6** sandbank, sandrev **II** vb tr **1 a)** bomma till (för, igen), regla **b)** stänga in[ne] (ute), spärra in **c)** spärra [av], stänga [av], blockera [~ the way]; **~red to the public** avstängd (inte tillgänglig) för allmänheten **2** bildl. **a)** [för]hindra [this ~red his chances of success]; utesluta **b)** avstänga [~ sb from a race] **c)** förbjuda [she ~s smoking in her house] **III** prep vard. utom [~ one]; ~ **one** äv. en undantagen; ~ **none** ingen undantagen

barb [ba:b] s **1** hulling **2** bildl. gliring, pik

Barbados [ba:'beɪdɒs, -əʊz] geogr.

barbarian [ba:'beərɪən] **I** s barbar **II** adj barbarisk, barbar- [~ peoples]

barbaric [ba:'bærɪk] adj barbarisk [~ customs; ~ habits]

barbarism ['ba:bərɪz(ə)m] s **1** barbari **2** barbarisk handling [äv. act of ~]

barbarity [ba:'bærətɪ] s [vild] grymhet; omänsklighet; barbarisk (rå, grym) handling

barbarous ['ba:b(ə)rəs] adj barbarisk, vild [~ customs]

barbecue ['ba:bɪkju:] **I** s **1** utegrill; stekspett **2** grillfest, barbecue **3** helstekt djur (spec. oxe, gris) **II** vb tr grilla [på en utegrill]; helsteka

barbed [ba:bd] adj **1** hullingförsedd **2** bildl. syrlig [a ~ comment]

barbed wire [,ba:bd'waɪə] s taggtråd

barbell ['ba:bel] s hantel, skivstång

barber ['ba:bə] s frisör, barberare

barbershop ['ba:bəʃɒp] **I** s vanl. amer. frisersalong **II** adj mus. barbershop- [~ quartet]

barber's pole [,ba:bəz'pəʊl] s barberarskylt röd o. vit stång

barber's shop ['ba:bəzʃɒp] s frisersalong

barbie ['ba:bɪ] s vard., se *barbecue I*

Barbie doll® ['ba:bɪdɒl] s Barbiedocka®

barbiturate [ba:'bɪtjʊrət] s farmakol. barbiturat

barbwire [,ba:b'waɪə] s amer. taggtråd

Barcelona [,ba:sɪ'ləʊnə] geogr.

bar chart ['ba:tʃa:t] s stapeldiagram

bar code ['ba:kəʊd] s streckkod

bar-code scanner ['ba:kəʊd,skænə] s streckkodsläsare

bare [beə] **I** adj **1** bar [fight with ~ hands]; naken; kal; **the ~ bones of sth** se under *bone I 1* **2** fattig, utblottad, tom [of på]; ~ **of** äv. utan **3** blott och bar, blott[a] [not enough for ~ subsistence; the ~ idea]; knapp [a ~ majority]; **the ~st chance** den minsta lilla chans; **the ~ necessities of life** livets absoluta nödtorft **4** luggsliten **II** vb tr göra bar (kal); blotta; ~ **one's heart** öppna sitt hjärta; ~ **one's teeth** visa tänderna

bareassed ['beəræst] adj sl. näck, naken

bareback ['beəbæk] **I** adv barbacka **II** adj, a ~ **rider** en barbackaryttare

barefaced ['beəfeɪst] adj skamlös, fräck [a ~ lie]

barefoot ['beəfʊt] adj o. adv barfota

barehanded [,beə'hændɪd] adj o. adv **1** barhänt; med bara händer **2** bildl. med två tomma händer

bareheaded [,beə'hedɪd] adj barhuvad

barelegged [,beə'legd] adj barbent

barely ['beəlɪ] adv **1** nätt och jämnt, knappt, med nöd och näppe [I had ~ time to have breakfast] **2** sparsamt, torftigt [a ~ furnished room]

barf [ba:f] vb itr vanl. amer. sl. spy, kräkas

barfbag ['ba:fbæg] s vanl. amer. sl. spypåse på t.ex. flyg

barfly ['ba:flaɪ] s vard. barlejon, ständig kroggäst

bargain ['ba:gɪn] **I** s **1** bra köp; kap, fynd; vrakpris; ~ **price** reapris, fyndpris, vrakpris **2** köp, [förmånlig] affär; uppgörelse; a ~'s a ~ sagt är sagt; **that's a ~!** [då är det] avgjort!; **drive a good** ~ göra en god affär; **drive a hard** ~ inte låta pruta med sig, vara hård i affärer; **make the best of a bad** ~ göra det bästa möjliga av situationen; **strike a ~ with sb** träffa avtal med ngn; **into** (**in**) **the** ~ [till] på köpet **II** vb itr **1** köpslå, pruta **2** förhandla, göra upp [for om; with med] **3** vard., ~ **for** räkna med (på), vänta [sig]; **he got more than he ~ed for** äv. han fick så han teg **III** vb tr förhandla sig till; ~ **away** schackra bort, göra sig av med

bargain basement ['ba:gɪn,beɪsmənt] s fyndhörna

bargain counter ['bɑ:gɪn,kaʊntə] s realisationsdisk, fynddisk

bargain hunter ['bɑ:gɪn,hʌntə] s fyndjägare

bargaining ['bɑ:gənɪŋ] s förhandling[ar]; ~ *counter* el. ~ *chip* förhandlingsobjekt ngt man kan ta till i förhandling; ~ *position* förhandlingsposition

bargain sale ['bɑ:gɪnseɪl] s utförsäljning [till vrakpriser]

barge [bɑ:dʒ] **I** s [kanal]pråm; skuta
II vb itr vard. **1** stöta, törna [into mot], rusa [into in i, på, mot] **2** ~ in el. ~ in on tränga sig på, avbryta

bargepole ['bɑ:dʒpəʊl] s sjö. stake; *I wouldn't touch it with a* ~ jag skulle inte vilja ta i den med tång

bar graph ['bɑ:grɑ:f, -græf] s stapeldiagram

bar hop ['bɑ:hɒp] vb itr amer. vard. göra en krogrunda

baritone ['bærɪtəʊn] mus. **I** s baryton **II** adj baryton-

barium ['beərɪəm] s kem. barium

1 bark [bɑ:k] **I** s bark
II vb tr **1** barka [av] **2** skrapa [skinnet av]

2 bark [bɑ:k] **I** vb itr **1** om djur skälla [at på], ge skall; *you're ~ing up the wrong tree* vard. du är inne på fel spår **2** om person ryta, skrika [at åt], skälla [at på] **3** hosta [skrällande]; knalla [the big guns ~ed]
II vb tr, ~ el. ~ out ryta [~ [out] one's orders]
III s **1** skall, skällande **2** rytande, kommandoton, kommandoröst; *his ~ is worse than his bite* han är inte så farlig som han låter **3** knall[ande] [the ~ of a gun]

barkeeper ['bɑ:ki:pə] s vanl. amer. bartender

barker ['bɑ:kə] s vard. kundfångare utanför cirkus, på tivoli etc.

barley ['bɑ:lɪ] s korn sädesslag; *pearl* ~ pärlgryn; *pot* ~ korngryn

barley sugar ['bɑ:lɪ,ʃʊgə] s bröstsocker

barmaid ['bɑ:meɪd] s barflicka, bartender kvinna

bar|man ['bɑ:|mən] (pl. -men [-mən]) s bartender

bar mitzvah [,bɑ:'mɪtsvə] s jud. relig. bar mitzvah motsv. konfirmation för pojkar

barmy ['bɑ:mɪ] adj sl. knasig, knäpp, vrickad

barn [bɑ:n] s **1** lada, loge **2** amer. a) ladugård, stall b) spårvagnsstall; sl. lokstall

barnacle ['bɑ:nəkl] s zool. långhals fastsittande kräftdjur

barn dance ['bɑ:ndɑ:ns] s logdans

barney ['bɑ:nɪ] s sl. gräl [they were having a bit of ~], slagsmål

barn owl ['bɑ:naʊl] s zool. tornuggla

barnstorm ['bɑ:nstɔ:m] vb itr vard. vanl. amer. **1** vara ute på turné på landsbygden **2** valtala på landsbygden

barn swallow ['bɑ:n,swɒləʊ] s amer. ladusvala

barnyard ['bɑ:njɑ:d] s plats kring en lada (loge), stallplan

barometer [bə'rɒmɪtə] s barometer, bildl. äv. mätare [~ of opinion]; *the* ~ *is falling* barometern faller; *the* ~ *is rising* barometern stiger

baron ['bær(ə)n] s **1** baron; friherre **2** vard. baron, magnat [press ~; film ~]

baroness ['bærənəs] s baronessa; friherrinna

baronet ['bærənət] s baronet adelsman av lägsta ärftliga rang

baroque [bə'rɒk, -'rəʊk] **I** s barock **II** adj barock-, [som är] i barockstil; bildl. barock, bisarr

barrack ['bærək] vb itr o. vb tr sport. bua (vissla) ut

barrack room ['bærəkru:m] s logement

barracks ['bærəks] s pl (med verb vanl. i sg.; pl. ~s) kasern; barack; hyreskasern

barrack square [,bærək'skweə] s kaserngård

barracuda [,bærə'kju:də] s zool. barracuda

barrage ['bærɑ:ʒ, bæ'rɑ:ʒ] s **1** mil. spärreld, [intensiv] beskjutning **2** bildl., *a* ~ *of questions* en störtflod av frågor **3** fördämning

barred [bɑ:d] adj tillbommad etc., jfr bar II 1; randig, [tvär]strimmig; gallerförsedd, galler-

barrel ['bær(ə)l] **I** s **1** fat, tunna; *scrape the* ~ el. *scrape the bottom of the* ~ vanl. bildl. göra en bottenskrapning **2** tekn. a) trumma, cylinder b) [bläck]behållare i reservoarpenna c) [gevärs]pipa **3** vard., *a* ~ *of* en massa [a ~ of fun] **4** vard., *have sb over a* ~ el. *get sb over a* ~ försätta ngn i knipa
II vb tr fylla på fat, packa i tunnor

barrel-chested ['bærəl,tʃestɪd] adj bredbröstad

barrel organ ['bær(ə)l,ɔ:gən] s mus. positiv

barren ['bær(ə)n] adj **1** ofruktbar [~ soil; ~ speculations]; karg; ofruktsam; steril **2** torftig, fattig, blottad [of på]; tom, naken **3** andefattig, torftig **4** resultatlös [a ~ effort]

barrette [bə'ret] s amer. hårspänne

barricade [,bærɪ'keɪd] **I** s barrikad **II** vb tr barrikadera; ~ *oneself in* barrikadera sig

barrier ['bærɪə] s **1** barriär; skrank, bom; avspärrning; spärr; tullbom **2** bildl. gräns; barriär, spärr; hinder [a ~ to progress]

barrier cream ['bærɪəkri:m] s skyddande hudkräm

barrier method ['bærɪə,meθəd] s med. preventivmetod med hjälp av kondom, pessar o.d.

barrier reef ['bærɪəri:f] s barriärrev

barring ['bɑ:rɪŋ] prep utom, med uteslutande av; bortsett från; ~ *accidents* [we should arrive at 9 a.m.] om inga olyckor inträffar...

barrio ['bærɪəʊ] (pl. ~s) s amer. barrio stadsdel med spansktalande befolkning

barrister ['bærɪstə] s **1** [överrätts]advokat medlem av engelska advokatsamfundet med rätt att föra parters talan vid överrätt **2** amer. vard. advokat

1 barrow ['bærəʊ] s **1** skottkärra **2** handkärra, dragkärra

2 barrow ['bærəʊ] s [grav]kummel, gravhög, ättehög

barrow boy ['bærəʊbɔɪ] s gatuförsäljare [med kärra]

bartender ['bɑ:,tendə] s bartender

barter ['bɑ:tə] **I** vb itr **1** bedriva byteshandel **2** [försöka] pruta, köpslå
II vb tr byta, byta ut (bort) [for mot]
III s byteshandel; byte

basal metabolic rate ['beɪsl,metəbɒlɪk'reɪt] (förk. BMR) s med. basalmetabolism, basalomsättning (förk. BMB)

basalt ['bæsɔ:lt, bə'sɔ:lt] s **1** miner. basalt **2** basaltgods svart stengods

bascule ['bæskju:l] s **1** broklaff **2** ~ *bridge* klaffbro

1 base [beɪs] **I** s **1** bas i olika betydelser, äv. kem., matem. el. mil. [naval ~]; sockel, fot [lamp ~]; fundament; *off* ~ amer. vard. helt fel[aktig] **2** sport. startlinje, mållinje; mål i vissa spel; i baseball bas, mål, bo
II vb tr basera, grunda, stödja; bygga [~ one's hopes on sth] **2** basera, stationera

2 base [beɪs] adj **1** moraliskt låg, simpel, tarvlig,

lumpen **2** dålig, usel [~ *imitation*]; ~ *metals* oädla metaller **3** med låg halt av ädla metaller [~ *coin*]

baseball ['beɪsbɔ:l] s baseball, baseboll

baseboard ['beɪsbɔ:d] s amer. byggn. golvlist

Basel ['bɑ:zl] geogr.

baseless ['beɪsləs] adj grundlös, ogrundad

baseline ['beɪslaɪn] s **1** sport. el. lantmät. baslinje **2** utgångspunkt, bas

basement ['beɪsmənt] s källarvåning, källare, suterrängvåning bottenplan, nedre plan i t.ex. varuhus

base rate ['beɪsreɪt] s bank. basränta

1 bases ['beɪsɪz] s pl. av *1 base I*

2 bases ['beɪsi:z] s pl. av *basis*

bash [bæʃ] vard. **I** vb tr slå, drämma [till]; klå upp; ~ el. ~ *in* slå in (sönder)
II vb tr med adv.:
bash away at fortsätta slita med
bash on with jobba på med, slita med
III s **1** våldsamt slag **2** försök; *have a* ~ försöka; *have a* ~ *at sth* försöka sig på ngt **3** fest, party

bashful ['bæʃf(ʊ)l] adj blyg, skygg; försagd

bashfulness ['bæʃf(ʊ)lnəs] s blyghet, skygghet; försagdhet

bashing ['bæʃɪŋ] s vard. **1** kok stryk, omgång **2** mobbning; *gay* ~ mobbning (trakasserier) av homosexuella **3** påhopp, hård kritik; *union* ~ hårt kritiserande av facket

basic ['beɪsɪk] adj **1** grund- [~ *research*]; bas-, grundläggande, fundamental **2** kem. el. miner. basisk

basically ['beɪsɪk(ə)lɪ] adv **1** i grund och botten, i verkligheten; vard. egentligen, faktiskt **2** i stort sett, på det hela taget

basic capital [ˌbeɪsɪk'kæpɪtl] s startkapital

basic industries [ˌbeɪsɪk'ɪndəstrɪz] s pl basindustrier, basnäringar

basic needs [ˌbeɪsɪk'ni:dz] s pl elementära behov

basics ['beɪsɪks] s pl grunder; *the* ~ *of Swedish grammar* grunderna i svensk grammatik; *get back to* ~ ta ngt från grunden, börja om från början

basic unit [ˌbeɪsɪk'ju:nɪt] s grundenhet

Basil ['bæzl, amer. 'beɪsl, 'bæzl] mansnamn

basil ['bæzl, amer. 'beɪsl, 'bæzl] s bot. el. kok. basilika[ört]

basilica [bə'zɪlɪkə, -'sɪl-] s basilika kyrka

basin ['beɪsn] s **1** fat, handfat; skål **2** hamnbassäng, docka **3** flodområde

bas|is ['beɪs|ɪs] (pl. -*es* [-i:z]) s bas; basis, grundval, grund; hållpunkt; utgångspunkt; förutsättning

bask [bɑ:sk] vb itr värma (gona) sig; ~ *in the sun* (*sunshine*) sola [sig], ligga och njuta i solen, lapa sol

basket ['bɑ:skɪt] s **1** korg, på ballong äv. gondol; i sammansättn. korg-, flät-, flätverks- **2** ~ *of currencies* valutakorg

basketball ['bɑ:skɪtbɔ:l] s sport. basket[boll]

basket case ['bɑ:skɪtkeɪs] s sl. nervvrak

basketful ['bɑ:skɪtfʊl] (pl. ~s el. *basketsful*) s korg som mått; *a* ~ *of* [*apples*] en korg [med]...

Basle [bɑ:l] geogr. Basel

basmati [bæz'mɑ:tɪ] s o. **basmati rice** [bæzˌmɑ:tɪ'raɪs] s basmatiris

Basque [bæsk, bɑ:sk] **I** adj baskisk; *the* ~ *Provinces* Baskien
II s **1** bask; baskiska kvinna **2** baskiska [språket]

basque [bæsk, bɑ:sk] s **1** skörtblus **2** skört på blus

1 bass [beɪs] mus. **I** s bas [*play* ~]; basröst, basstämma, bassångare **II** adj bas-; låg, djup

2 bass [bæs] s zool. bass; havsabborre

bass clef [ˌbeɪs'klef] s mus. basklav

bass drum [ˌbeɪs'drʌm] s bastrumma, stor trumma

basset ['bæsɪt] s, ~ el. ~ *hound* basset hundras

bass guitar [ˌbeɪsgɪ'tɑ:] s basgitarr

bassinet [ˌbæsɪ'net] s babykorg [med fast sufflett], korgflätad barnvagn [med sufflett]

bassist ['beɪsɪst] s mus. [kontra]basist spec. i jazzband

bassoon [bə'su:n] s mus. fagott

bass player ['beɪsˌpleɪə] s mus. basist

bass singer ['beɪsˌsɪŋə] s bassångare, basist

bast [bæst] s **1** bast **2** bastföremål

bastard ['bɑ:stəd, 'bæs-] s **1** sl. knöl, skitstövel; jäkel äv. skämts. [*you lucky* ~] **2** sl. fanskap om sak, handling o.d.; [*this job's*] *a real* ~ ...ett jäkla slitgöra **3** utomäktenskapligt (oäkta) barn; som skällsord bastard

bastardized ['bɑ:stədaɪzd, 'bæs-] adj **1** oäkta, falsk **2** förvanskad; försämrad

1 baste [beɪst] vb tr kok. ösa stek

2 baste [beɪst] vb tr tråckla [ihop], tråckla [fast]

bastion ['bæstɪən] s bastion

1 bat [bæt] s **1** fladdermus; läderlapp; [*as*] *blind as a* ~ totalt blind; *have* ~*s in the belfry* vard. ha tomtar på loftet **2** sl. käring [*old* ~]

2 bat [bæt] **I** s **1** kricket. m.m. slagträ, bollträ; bordtennis. racket; *off one's own* ~ a) på eget bevåg b) på egen hand; *right off the* ~ el. *off the* ~ amer. på stående fot, omedelbart **2** sl. fart; *at a fair* ~ med en himla fart
II vb itr kricket. o.d. slå, vara inne [som slagman]

3 bat [bæt] vb tr vard., ~ *the eyes* blinka [med ögonen]; *without* ~*ting an eyelid* utan att blinka (förändra en min)

batata [bə'tɑ:tə] s sötpotatis, batat

batch [bætʃ] s **1** hop, omgång, hög [*a* ~ *of letters*]; avdelning [*a* ~ *of recruits*]; portion, parti; *the whole* ~ hela bunten (högen); *in* ~*es* högvis, buntvis **2** bak. av samma deg, sats [*baked in* ~*es of twenty*]

batch processing [ˌbætʃ'prəʊsesɪŋ] s data. satsvis bearbetning, batchbearbetning

bated [beɪtɪd] adj, *with* ~ *breath* med återhållen andedräkt; med dämpad röst

bath [bɑ:θ; i pl. (som subst.) bɑ:ðz, bɑ:θs, amer. bæðz, bæθs] **I** s **1** bad; *have a* ~ el. *take a* ~ ta ett bad, bada i badkar; *run sb a* ~ tappa upp ett bad åt ngn; *oil* ~ tekn. oljebad **2** badkar, badbalja **3** badrum **4** ~*s* a) badhus, badinrättning [*there is a* ~*s over there*; *those* ~*s are*...]; bad [*Turkish* ~*s*] b) kuranstalt, kurort; *swimming* ~*s* simhall
II vb tr bada
III vb itr ngt åld. bada, ta ett bad

bath chair ['bɑ:θtʃeə, ˌ-'-] s åld. [trehjulig] rullstol

bath cube ['bɑ:θkju:b] s badkub som löses upp och doftar gott i badvattnet

bathe [beɪð] **I** vb tr o. vb itr **1** bada; placera (blöta) i vatten **2** badda [på] [~ *one's eyes*]
II s ngt åld. bad i det fria; *go for a* ~ gå och bada; *have a* ~ ta ett bad i det fria

bathing ['beɪðɪŋ] s badning, bad; ~ *accident* drunkningsolycka; ~ *season* badsäsong

bathing cap ['beɪðɪŋkæp] *s* åld. el. amer. badmössa
bathing hut ['beɪðɪŋhʌt] *s* badhytt,
omklädningshytt; badhus vid strand
bathing pool ['beɪðɪŋpuːl] *s* badbassäng
bathing suit ['beɪðɪŋsuːt, -sjuːt] *s* åld. el. amer.
baddräkt
bathing wrap ['beɪðɪŋræp] *s* badkappa, badrock
bathmat ['bɑːθmæt] *s* **1** badrumsmatta **2** halkmatta
i badkar
bathrobe ['bɑːθrəʊb] *s* badkappa, badrock, amer. äv.
morgonrock
bathroom ['bɑːθruːm, -rʊm] *s* badrum, amer. äv.
toalett
bathroom cabinet ['bɑːθruːm,kæbɪnət] *s*
badrumsskåp
bathroom scales [,bɑːθruːm'skeɪlz] *s pl*
badrumsvåg
bath salts ['bɑːθsɔːlts] *s pl* badsalt
bath towel ['bɑːθ,taʊəl] *s* större badhandduk,
badlakan
bathtub ['bɑːθtʌb] *s* badkar; badbalja
batik [bə'tiːk] *s* batik metod el. tyg
batiste [bæ'tiːst] *s* batist tyg
Batman ['bætmæn] Läderlappen seriefigur
bat|man ['bætmən] (pl. *-men* [-mən]) *s* mil.
uppassare, kalfaktor
baton ['bætən] *s* **1** [polis]batong **2** taktpinne
3 kommandostav, stav [*marshal's ~*]
4 stafett[pinne]
bats|man ['bætsmən] (pl. *-men* [-mən]) *s* slagman i
kricket el. baseball
battalion [bə'tæljən] *s* bataljon; [artilleri]division
batten ['bætn] **I** *s* **1** smalare planka, ribba, list **2** sjö.
latta
II *vb tr*, **~ down the hatched** a) sjö. skalka luckorna
b) bildl. ta betäckning, förbereda sig på svårigheter
1 batter ['bætə] **I** *vb tr* **1** slå [kraftigt]; slå, slå in,
slå ned, krossa [äv. *~ down; ~ in*]; gå lös (bulta,
hamra) på; bildl. krossa, slå ned på **2** misshandla,
illa tilltyga, ramponera; knöla till, stuka, buckla;
nöta ut
II *vb itr* hamra, bulta [*~ at the door*]
2 batter ['bætə] *s* kok., vispad smet, frityrsmet
3 batter ['bætə] *s* slagman i kricket o. baseball
battered ['bætəd] *adj* sönderslagen, illa medfaren,
bucklig [*a ~ old hat*]; skamfilad; som har utsatts
för misshandel [*a ~ baby; a ~ wife*]
battering ['bætərɪŋ] *s* som efterled i sammansättn.
misshandel [*baby-battering*]; **take a ~** få rejält med
stryk, få ordentligt på huden; ta stryk
battering ram ['bæt(ə)rɪŋræm] *s* murbräcka
battery ['bætərɪ] *s* **1** fys. el. mil. batteri **2** uppsättning
av kärl o.d., servis; samling, batteri [*a ~ of press
cameras*] **3** serie nätburar i hönseri; **~ hens** burhöns
4 jur., **assault and ~** se under *assault I 3*
battery-charger ['bætərɪ,tʃɑːdʒə] *s* batteriladdare
battery-operated ['bætərɪ,ɒpəreɪtɪd] *adj*
batteridriven
battle ['bætl] **I** *s* strid, drabbning, batalj, [fält]slag
[*the ~ of Waterloo*]; **custody ~** vårdnadstvist; **do ~
with sb over sth** ta strid med ngn för ngt; **fight a
losing ~** kämpa förgäves; **a good beginning is half the
~** en god början är halva segern **II** *vb itr* kämpa
III *vb tr*, **~ one's way** kämpa sig fram

battleaxe ['bætl-æks] *s* **1** vard. ragata **2** hist.
stridsyxa
battle cruiser ['bætl,kruːzə] *s* slagkryssare
battle cry ['bætlkraɪ] *s* stridsrop, bildl. äv.
[kamp]paroll
battledress ['bætldres] *s* fältuniform
battlefield ['bætlfiːld] *s* slagfält
battlements ['bætlmənts] *s pl* mur (bröstvärn) med
tinnar; tinnar; krenelerat tak
battleship ['bætlʃɪp] *s* slagskepp
batty ['bætɪ] *adj* vard. knasig, knäpp, tokig
bauble ['bɔːbl] *s* **1** grannlåt; struntsak; leksak
2 julgranskula
bauxite ['bɔːksaɪt] *s* miner. bauxit
Bavaria [bə'veərɪə] geogr. Bayern
bawdy ['bɔːdɪ] *adj* oanständig, snuskig [*~ song; ~
story*]
bawl [bɔːl] **I** *vb itr* **1** vråla, hojta **2** storgråta, tjuta
II *vb tr* **1** ryta, vråla [*~ commands*] **2 ~ sb out** vard.
skälla ut ngn
bawling-out [,bɔːlɪŋ'aʊt] *s* vard. utskällning
1 bay [beɪ] *s* [havs]vik, bukt [*the Bay of Biscay*]
2 bay [beɪ] *s* lagerträd; pl. **~s** lager[krans]
3 bay [beɪ] *s* **1** avdelning, utrymme; avbalkning,
bås **2** parkeringsruta vid sida av väg o.d. **3** lastplats;
hållplatsläge [*the bus will depart from ~ 5*] **4** arkit.
skepp, alkov, nisch; burspråk **5** flyg. stagfält;
bombrum
4 bay [beɪ] **I** *s* **1** jakt. skall; ståndskall **2 hold (keep)
at ~** hålla på avstånd (borta), hålla i schack
II *vb itr* skälla, yla
III *vb tr* skälla på
5 bay [beɪ] **I** *adj* brun om häst **II** *s* brun häst
bay lea|f ['beɪliːf] (pl. *-ves* [-vz]) *s* lagerbärsblad,
lagerblad
bayonet ['beɪənət, 'beən-, -nɪt] **I** *s* bajonett; **~ socket**
bajonettsockel **II** *vb tr* sticka med bajonett
Bay State ['beɪsteɪt], **the ~** beteckn. för staten
Massachusetts
bay window [,beɪ'wɪndəʊ] *s* burspråksfönster
bazaar [bə'zɑː] *s* basar
bazooka [bə'zuːkə] *s* mil. bazooka, raketgevär
BBC [,biːbiː'siː] (förk. för *British Broadcasting
Corporation*), **the ~** BBC
BB gun ['biːbiː,ɡʌn] *s* amer. luftgevär, luftbössa
BBQ [,biːbiː'kjuː] vard. förk. för *barbecue*
BBS [,biːbiː'es] data. (förk. för *bulletin board system*)
BBS, elektronisk anslagstavla forum för utbyte av
meddelanden, program etc.
BC [,biː'siː] **1** (förk. för *before Christ*) f.Kr. **2** förk. för
British Columbia
bcc [,biːsiː'siː] (förk. för *blind carbon copy*) hemlig
kopia i e-post
BCE [,biːsiː'iː] (förk. för *Before the Common Era*)
används i stället för BC (*before Christ*)
BCG [,biːsiː'dʒiː] (förk. för *bacille Calmette-Guérin*);
~ vaccination calmettevaccination
be [biː, obeton. bɪ] (imperf. indikativ *was*, 2 person sg. samt
pl. *were*; imperf. konjunktiv *were*; perf. p. *been*; pres.
indikativ *am, are, is*, pl. *are*)
I *huvudvb* (*vb itr*) **1 a)** vara; bli [*the answer
was…*]; **my wife to ~** min blivande hustru; jfr äv.
kombinationer som *to-be* m.fl. **b)** **there is, there are** som
formellt subjekt det är, det finns; **there was a pause** det

blev en paus **2** vara: **a)** vara (finnas) till, existera **b)** äga rum, ske, stå [*when is the wedding to ~?*] **c)** kosta [*the fare is £2*] **d)** må, känna sig, befinna sig [*how is the patient today?*] **e)** ligga [*the book is on the table*]; sitta [*he is in prison*] **f)** vara lika med, göra [*three threes are nine*]; **he is dead, isn't he?** han är död, eller hur ?; **he is wrong** han har fel; **here you are!** vard. här har du!, var så god!; [jaså] här är du!; **how are you?** hur mår du?, hur står det till?; **well, if it isn't** [*my old pal Bill*]**!** men ser man på, är det inte...!; **that is** äv. det vill säga; **as it were** så att säga **3** gå [*we were at school together*]; stå [*the verb is in the singular*]

II *hjälpvb* (*vb itr*) **1** tillsammans med perf. p. **a)** passivbildande: bli, bliva **b)** vara; **he was saved** han räddades, han blev räddad; han var räddad; **when were you born?** när är du född? **2** tillsammans med pres. p., bildande progressiv form: **they are building a house** de håller på att bygga ett hus; **the house is being built** huset håller på att byggas; **he is leaving tomorrow** han reser i morgon **3** tillsammans med inf. **a)** am (**are, is**) **to** ska, skall [*when am I to come back?*] **b)** was (**were**) **to** skulle [*he was never to come back again; if I were to tell you...*]; kunde [*the book was not to ~ found*]

III *huvudvb* (*vb itr*) med prep. el. adv., ofta med spec. översättningar (se äv. under resp. huvudord):

be about a) handla om **b)** hålla på med; **there are a lot of rumours about** det går en massa rykten; **he was about to...** han stod i begrepp att..., han skulle just...; se äv. *about I* o. *about II*

be at a) ha för sig **b)** sätta åt ngn, vara på ngn [*I am all for that method*];

be for förorda, vara för [*I am all for that method*]; **now you are in for it!** el. **now you are for it!** det kommer du att få för!, nu åker du fast!; se vidare *in II 3*

be in on sth se *in II 3*

be into sth vard. vara intresserad av ngt, syssla (hålla på) med ngt; gilla ngt

be off ge sig i väg (av); se vidare *off I 3* o. *off III 3*

be on at sb ligga efter ngn, tjata på ngn

beach [biːtʃ] **I** *s* strand; sandstrand; badstrand, beach **II** *vb tr* sätta (jaga) på land; dra upp [*~ a boat*]; **a ~ed whale** en strandad val

beach ball [ˈbiːtʃbɔːl] *s* badboll

beach buggy [ˈbiːtʃˌbʌɡɪ] *s* strandjeep

beach chair [ˈbiːtʃtʃeə] *s* amer. däcksstol; fällstol, vilstol

beachcomber [ˈbiːtʃˌkəʊmə] *s* strandgodssökare, vrakplundrare

beachhead [ˈbiːtʃhed] *s* mil. brohuvud

beachwear [ˈbiːtʃweə] *s* bad- och strandkläder

beacon [ˈbiːk(ə)n] *s* **1** mindre fyr; sjömärke, båk; prick; flygfyr **2** [globformigt] trafikmärke, trafikljus som markerar övergångsställe [*flashing ~*] **3** signaleld, vårdkas

bead [biːd] *s* **1** pärla av glas, trä etc.; pl. ~s **a)** äv. pärlhalsband **b)** radband **2** droppe; ~s of sweat svettpärlor **3** draw a ~ on sikta (ta sikte) på

beaded [ˈbiːdɪd] *adj* **1** pärlbroderad, pärlbesatt, pärlprydd **2** ~ with sweat täckt av svettpärlor

beading [ˈbiːdɪŋ] *s* pärlliknande kant (bård); pärlstavslist

beadle [ˈbiːdl] *s* univ. vaktmästare

beady [ˈbiːdɪ] *adj* pärlformig; om ögon små [och]

lysande; **keep a ~ eye on sb** (**sth**) hålla ett vakande öga på (över) ngn (ngt)

beagle [ˈbiːɡl] *s* beagle hundras

beak [biːk] *s* **1** näbb **2** sl. kran näsa **3** sl. domare

beaker [ˈbiːkə] *s* **1** mugg **2** glasbägare för laboratorieändamål

be-all [ˈbiːɔːl] *s*, **the ~ and end-all** A och O, allt, det som det först och främst gäller

beam [biːm] **I** *s* **1** stråle, ljusstråle, strålknippe; riktad radiosignal; radiokurs; **be off the ~** vard. vara [inne] på fel spår; **drive on full** (**main,** amer. **high**) **~** köra med helljus **2** bjälke, balk, bom **3** ljust leende; **a ~ of delight** ett förtjust leende **4** sjö. däcksbalk; **on the starboard ~** tvärs om styrbord; **on the port ~** tvärs om babord; **broad in the ~** vard. bred över baken **II** *vb tr* utstråla, sända [ut] strålar, radiovågor o.d. **III** *vb itr* stråla, skina [*~ with happiness*]

bean [biːn] *s* **1** böna; **in the ~** omalet om kaffe; **full of ~s** vard. **a)** jättepigg, i högform, uppåt **b)** amer. dum, korkad; **he doesn't know ~s about it** amer. vard. han vet (bryr sig) inte ett förbaskat dugg om det **2** vard. rött öre [*I haven't a ~; not worth a ~*] **3** vard. skalle

beanbag [ˈbiːnbæɡ] *s* sittsäck fylld med bönor

bean curd [ˈbiːnkɜːd] *s* kok. tofu, sojabönsost

beanfeast [ˈbiːnfiːst] *s* kalas, hippa

beano [ˈbiːnəʊ] (pl. ~s) *s* sl. kalas, hippa

beanpole [ˈbiːnpəʊl] *s* vard. lång räkel (drasut)

bean sprout [ˈbiːnspraʊt] *s* bot. el. kok. böngrodd

beanstalk [ˈbiːnstɔːk] *s* bönstjälk

1 bear [beə] (*bore borne* resp. *born*; se *born* o. *borne*) **I** *vb tr* (se äv. under *1 bear III*) **1 a)** bära, föra mest högtidl. el. poet. **b)** bildl. i en del uttr.: **~ testimony to** el. **~ witness to** vittna om; **~ in mind** komma ihåg **2** bildl. bära [*~ arms; ~ a name*]; äga, ha [*~ some resemblance to; ~ some relation to*]; inneha [*~ a title*] **3 ~ oneself** föra sig, uppträda [*~ oneself with dignity*] **4** bära på, hysa [*~ a grudge against sb; the love she bore him*] **5** bära [upp] [*~ the weight of the roof; ~ the responsibility*] **6** uthärda; tåla, tolerera, stå ut med **7** bära [*~ fruit*]; frambringa; föda [*~ a child*]; **~ 5 per cent interest** ge 5 % ränta **II** *vb itr* (se äv. under *1 bear III*) **1** bära, hålla [*this chair is not strong enough to ~ your weight*] **2** tynga, trycka, stödja, vila [*on, upon, against mot, på*] **3 bring to ~** göra gällande [*bring one's influence to ~*]; ta till; rikta; **bring pressure to ~ on sb** sätta press på ngn **4** bana sig fram; föra, gå, ta av [*~ to the right*]; spec. sjö. bära, segla, ligga, styra, stäva [*~ west*] **5** bära [frukt] **6 ~ with sb** fördra (tåla, ha tålamod med) ngn

III *vb tr* o. *vb itr* med adv. el. prep., ofta med spec. översättningar:

bear down tynga (trycka) ned; slå ner, tillintetgöra, besegra [*~ down all resistance*]; överväldiga; **~ down on a)** styra [ned] mot, närma sig [med full fart] **b)** störta (kasta) sig över

bear out stödja; bekräfta; **you will ~ me out that...** du kan intyga att...; **be borne out by events a)** vara (bli) sannspådd **b)** besannas genom händelsernas utveckling

bear up hålla uppe, upprätthålla; hålla modet uppe; **~ up!** tappa inte modet!

2 bear [beə] **I** *s* **1** björn **2** bildl. brumbjörn [*a good-natured ~ of a man*]; **be like a ~ with a sore**

head bildl. vara vresig (butter) **3** börs. baissespekulant
II *vb itr* börs. spekulera i kursfall (baisse)

bearable ['beərəbl] *adj* uthärdlig, dräglig

beard [bɪəd] **I** *s* skägg **II** *vb tr* djärvt möta, trotsa; ~ *the lion in his den* bildl. uppsöka lejonet i dess kula

bearded ['bɪədɪd] *adj* skäggig, med skägg

bearer ['beərə] *s* **1** bärare **2** bud, överbringare **3** innehavare; ~ *shares* innehavaraktier; *made out to* ~ utställd på innehavaren

bear hug ['beəhʌg] *s* björnkram

bearing ['beərɪŋ] *s* **1** hållning, uppträdande **2** betydelse [*on* för]; förhållande, sammanhang; syftning; *have a* ~ *on* äv. stå i samband med; *it has not much* ~ *on the subject* el. *it has no* ~ *on the subject* det har inte mycket (inte, ingenting) med saken att göra **3** bärande; hysande; uthärdande etc., jfr *1 bear* **4** riktning i vilken plats ligger, läge; orientering; sjö. pejling, bäring; *take a* ~ el. *take one's* ~*s* a) ta reda på var man befinner sig b) bildl. orientera sig; se hur landet ligger; *have lost one's* ~*s* inte veta var man är, ha tappat orienteringen; *find one's* ~*s* el. *get one's* ~*s* orientera sig **5** tekn. lager

bear market ['beə‚mɑ:kɪt] *s* börs. baisse

Béarnaise [‚beɪə'neɪz] *adj*, ~ *sauce* kok. bearnaisesås

bearskin ['beəskɪn] *s* björnskinn; björnskinnsmössa

Bear State ['beəsteɪt], *the* ~ beteckn. för staten *Arkansas*

beast [bi:st] *s* **1** djur; spec. fyrfota djur; best **2** bildl. a) odjur, kräk, svin b) skämts. usling, rackare [*you* ~*!*] **3** [nöt]kreatur, göddjur

beastly ['bi:s(t)lɪ] **I** *adj* djurisk, rå; snuskig; vard. avskyvärd, gräslig; *what* ~ *weather!* vilket busväder! **II** *adv* vard. förfärligt, gräsligt

beat [bi:t] **I** (*beat beaten*) *vb tr* **1** slå; piska; bulta, hamra, smida; driva; *the attack was* ~*en off* anfallet slogs tillbaka; ~ *a retreat* slå till reträtt; ~ *time* slå takten **2** vispa [~ *eggs*]; vispa ihop, vispa upp **3** slå [~ *a record*]; besegra, övervinna, överträffa; amer. sl. lura; ~ *sb out of sth* amer. sl. lura ngn på ngt; *that* ~*s the band* sl. det slår alla rekord; *can you* ~ *it?* el. *can you* ~ *that?* vard. har du hört på maken?; *he always* ~*s me to it* han kommer alltid före [mig]; *there is nothing to* ~ *it* ingenting går upp mot det; *it* ~*s me how* vard. jag fattar inte hur **4** trampa, gå upp väg; ~ *a way* el. ~ *a path* bana [sig] väg **5** sl., ~ *it* kila, sticka; ~ *it!* stick!
II (*beat beaten*) *vb itr* **1** slå, piska, om regn äv. trumma [*on, against* mot] **2** slå, klappa [*his heart was still* ~*ing*]
III (*beat beaten*) *vb tr* med adv., ofta med spec. översättningar:
beat down a) itr. gassa [*the sun was* ~*ing down*] **b)** ~ *down the price* pruta ned priset; ~ *sb down* pruta med ngn
beat out a) smida, hamra ut **b)** trampa upp [~ *out a path*]
beat up vispa [~ *up cream*]; vispa upp, röra till; driva upp villebråd; ~ *sb up* vard. klå upp (misshandla) ngn
IV *s* **1** [taktfast (regelbundet)] slag (ljud); takt, taktslag; trumning, bultande etc., jfr *beat I* o. *beat II* **2** rond; pass; polismans patrulleringsområde; *that's off my* ~ el. *that's out of my* ~ bildl. det ligger utanför

mitt område **3** fys. svävning; radio. svängning [~ *frequency*]
V *adj* vard. utmattad, slagen

beaten ['bi:tn] *adj* o. *perf p* (av *beat*) **1** slagen; piskad; hamrad; vispad **2** besegrad; vard. utmattad, uttröttad **3** tilltrampad, utnött; *off the* ~ *track* bortom (vid sidan av) allfarvägarna

beater ['bi:tə] *s* **1** slagverktyg som klubba, stöt; [matt]piskare **2** visp **3** drevkarl

beatific [‚bi:ə'tɪfɪk] *adj* glädjestrålande

beatify [bɪ'ætɪfaɪ] *vb tr* relig. beatificera, saligförklara

beating ['bi:tɪŋ] *s* **1** a) stryk, smörj, bildl. äv. nederlag b) misshandel; *get a* ~ få stryk; *give sb a* ~ ge ngn stryk; *take a* ~ få smörj (stryk); *take some* ~ vara svåröverträffad **2** slående, piskande, klappande etc., jfr *beat I* o. *beat II*; slag

Beatles ['bi:tlz], *the* ~ popgrupp på 1960-talet

beat-up ['bi:tʌp] *adj* vard. risig, sliten

beau [bəʊ] (pl. ~*x* [-z]) *s* **1** sprätt **2** beundrare, friare; älskare

Beaujolais ['bəʊʒəleɪ] *s* beaujolais[vin]

beaut [bju:t] **I** *s* amer. el. austral. pärla, praktexemplar **II** *adj* austral. toppen, kanon [*it's a* ~]

beautician [bju:'tɪʃ(ə)n] *s* kosmetolog, skönhetsexpert

beautiful ['bju:təf(ə)l, -tɪf-] *adj* vacker, skön

beautify ['bju:tɪfaɪ] *vb tr* försköna, pryda

beauty ['bju:tɪ] *s* **1** skönhet; förträfflighet **2** skönhet [*she is a* ~]; *Beauty and the Beast* ung. skönheten och odjuret, prinsessan och trollet **3** pärla, praktexemplar äv. iron. [*isn't it a* ~*!*]; *that's the* ~ *of it* det är just det som är bra (det fina) **4** pl. *beauties* attraktioner, sevärdheter [*the beauties of Rome*]

beauty contest ['bju:tɪ‚kɒntest] *s* skönhetstävling

beauty mark ['bju:tɪmɑ:k] *s* amer. musch

beauty pageant ['bju:tɪ‚pædʒ(ə)nt] *s* amer., slags skönhetstävling

beauty parlour ['bju:tɪ‚pɑ:lə] *s* skönhetssalong, skönhetsinstitut

beauty queen ['bju:tɪkwi:n] *s* skönhetsdrottning

beauty salon ['bju:tɪ‚sælɒn] *s* skönhetssalong, skönhetsinstitut

beauty spot ['bju:tɪspɒt] *s* **1** naturskön plats **2** musch

beaver ['bi:və] **I** *s* **1** bäver; bäverskinn; *as busy as a* ~ flitig som en myra; *work like a* ~ arbeta flitigt **2** vanl. amer. vulg. muff, fitta **II** *vb itr*, ~ *away* arbeta (jobba) flitigt [*at* med]

Beaver State ['bi:vəsteɪt], *the* ~ beteckn. för staten *Oregon*

bebop ['bi:bɒp] *s* bebop jazzstil

became [bɪ'keɪm] imperf. av *become*

because [bɪ'kɒz, bə'kɒz, vard. äv. kɒz, kəz] **I** *konj* därför att, eftersom, emedan, för att **II** *adv*, ~ *of* för...skull, på grund av

béchamel ['beʃəmel] *s* kok. béchamelsås, vit grundsås [äv. ~ *sauce*]

beck [bek] *s*, *be at sb's* ~ *and call* [vara redo att] lyda ngns minsta vink

beckon ['bek(ə)n] **I** *vb itr* göra tecken, vinka [*to* åt] **II** *vb tr* göra tecken åt; vinka till sig

become [bɪ'kʌm] (*became become*) **I** *vb itr* **1** bli; ~ *a*

habit bli [till] en vana **2** *what has ~ of it?* vart har det tagit vägen?; *what has ~ of him?* vad har det blivit av honom?

II *vb tr* passa, anstå, klä

becoming [bɪˈkʌmɪŋ] *adj* passande, tillbörlig; klädsam [*to* för]; *a ~ dress* en klädsam klänning

becquerel [ˌbekəˈrel] *s* fys. becquerel enhet

BED [ˌbiːˈiːˈdiː] *s* (förk. för *binge eating disorder*) hetsätningsstörning

bed [bed] **I** *s* **1** bädd; säng; bolster [*feather ~*]; strö; *~ of nails* a) eg. spikmatta b) bildl. ingen dans på rosor, hårda bud; *~ of roses* se under *1 rose I 1*; *twin ~s* två [likadana] enkelsängar; *make the ~[s]* bädda; *you've made your ~ so you must lie on it* som man bäddar får man ligga; *be in ~ with [the] flu* ligga [sjuk] i influensa; *stay in ~* ligga (stanna) kvar i sängen; *get out of ~ on the wrong side* vard. vakna på fel sida; *get to ~* komma i säng; *go to ~* [gå och] lägga sig, gå till sängs; *go to ~ with* vard. hoppa (gå) i säng med, ligga med; *keep to one's ~* hålla sig i säng[en]; *put to ~* lägga, stoppa i säng **2** rabatt, [trädgårds]säng, land [*strawberry ~*]; *reed ~* vassrugge **3** [flod]bädd

II *vb tr* **1** plantera **2** bädda in (ned) fixera

III *vb itr* o. *vb tr* med adv.:

bed down gå till sängs

bed out plantera ut

bed and board [ˌbedənˈbɔːd] *s* kost och logi

bed and breakfast [ˌbedənˈbrekfəst] (förk. *B&B* el. *B and B*) *s* rum inklusive frukost

bedbug [ˈbedbʌg] *s* vägglus

bedclothes [ˈbedkləʊðz] *s pl* sängkläder

bedding [ˈbedɪŋ] *s* **1** sängkläder **2** strö

bedding plant [ˈbedɪŋplɑːnt] *s* rabattväxt, prydnadsväxt

bedeck [bɪˈdek] *vb tr* pryda, smycka

bedevil [bɪˈdevl] *vb tr* **1** komplicera, trassla till, förvärra [*problems that ~ racial relations*]; försvåra **2** pina, plåga

bedfellow [ˈbedˌfeləʊ] *s* **1** sängkamrat **2** *strange ~s* bildl. udda ting, en udda kombination

Bedfordshire [ˈbedfədʃɪə, -ʃə] geogr.

bedlam [ˈbedləm] *s* tumult, kaos, kalabalik

bed linen [ˈbedˌlɪnɪn] *s* sänglinne

bedmaking [ˈbedˌmeɪkɪŋ] *s* bäddning [av sängar]

Bedouin [ˈbeduɪn] (pl. *~s* el. *Bedouin*) *s* beduin

bedpan [ˈbedpæn] *s* [stick]bäcken

bedpost [ˈbedpəʊst] *s* sängstolpe; *between you, me and the ~* vard. i förtroende [sagt], oss emellan [sagt]

bedraggled [bɪˈdrægld] *adj* smutsig, smutsig och blöt

bedridden [ˈbedˌrɪdn] *adj* sängliggande, fjättrad vid sängen

bedrock [ˈbedrɒk] *s* **1** berggrund **2** bildl. grundval, hörnsten; *get down to ~* bildl. (ung.) gå till botten (grunden)

bedroom [ˈbedruːm, -rʊm] *s* sängkammare, sovrum

bedroom community [ˌbedruːmkəˈmjuːnətɪ] *s* amer. sovstad

Beds [bedz] förk. för *Bedfordshire*

bed settee [ˌbedseˈtiː] *s* bäddsoffa

bedside [ˈbedsaɪd] *s, at the ~* vid sängkanten; *at sb's ~* el. *by sb's ~* vid ngns sjukbädd; *~ book* sänglektyr; *~ lamp* sänglampa

bedside manner [ˌbedsaɪdˈmænə] *s* läkares [lugnande] sätt mot patienter

bedside table [ˌbedsaɪdˈteɪbl] *s* nattduksbord

bedsit [ˈbedsɪt] *s* o. **bedsitter** [ˌbedˈsɪtə] *s* [möblerad] enrummare, hyresrum

bed-sitting room [ˌbedˈsɪtɪŋruːm] *s* se *bedsit*

bedsore [ˈbedsɔː] *s* liggsår

bedspread [ˈbedspred] *s* sängöverkast

bedstead [ˈbedsted] *s* sängstomme, säng själva möbeln

bedtime [ˈbedtaɪm] *s* sängdags, läggdags [*it's ~ now!*]; *~ story* godnattsaga

bed-wetter [ˈbedˌwetə] *s* sängvätare

1 bee [biː] *s* bi; *have a ~ in one's bonnet* ha en fix idé; *put a ~ in sb's bonnet* sätta myror i huvudet på ngn; *put the ~ on sb* amer. vard. försöka klämma ngn på pengar; *it's the ~'s knees* vard. ngt åld. det är toppen (kalas, alla tiders)

2 bee [biː] *s* **1** vanl. amer. träff [för gemensamt arbete (nöje)]; syförening; soaré; *sewing ~* syjunta, syförening **2** *spelling ~* stavningstävling

Beeb [biːb] *s, the ~* vard. för *BBC*

beech [biːtʃ] *s* bot. bok

beech nut [ˈbiːtʃnʌt] *s* bokollon

beef [biːf] **I** *s* **1** oxkött, nötkött **2** sl. styrka, kraft; muskler **3** (pl. *~s*) sl. klagomål, protest **4** (pl. *beeves*) oxe spec. gödd, biffdjur, slaktdjur

II *vb itr* sl. gnälla, knota [*about* över]

III *vb tr, ~ up* sl. förstärka

beefburger [ˈbiːfˌbɜːgə] *s* se *hamburger*

beefcake [ˈbiːfkeɪk] *s* sl. [bilder av] muskelknuttar

beef cube [ˈbiːfkjuːb] *s* buljongtärning

beefeater [ˈbiːfˌiːtə] *s* populär benämning på vaktare i Towern

beefsteak [ˈbiːfsteɪk] *s* biff[stek]

beefsteak tomato [ˈbiːfsteɪktəˌmɑːtəʊ, amer. -ˌmeɪ-] (pl. *~es*) *s* bifftomat

beef stew [ˈbiːfstjuː] *s* kalops

beef tea [ˌbiːfˈtiː] *s* [klar] buljong

beef tomato [ˈbiːftəˌmɑːtəʊ, amer. -ˌmeɪ-] (pl. *~es*) *s* bifftomat

beefy [ˈbiːfɪ] *adj* **1** fast, muskulös, kraftig, stark **2** trög; fet **3** [som är] lik oxkött

beehive [ˈbiːhaɪv] *s* bikupa

bee-keeper [ˈbiːˌkiːpə] *s* biodlare

bee-keeping [ˈbiːˌkiːpɪŋ] *s* biodling

beeline [ˈbiːlaɪn] *s, make a ~ for* ta närmaste (raka) vägen till, gå raka spåret fram till

been [biːn, bɪn] perf. p. av *be*; *~ there, done that, seen that* det där har jag varit med om förr, kom med något nytt

beep [biːp] **I** *s* tut, pip äv. signal **II** *vb itr* tuta, pipa

beeper [ˈbiːpə] *s* personsökare

beer [bɪə] *s* öl; *small ~* vard., se *small beer*

beer belly [ˈbɪəˌbelɪ] *s* vard. ölmage

beer garden [ˈbɪəˌgɑːdn] *s* uteservering för öl m.m.

beer mat [ˈbɪəmæt] *s* underlägg för ölglas o.d.

beery [ˈbɪərɪ] *adj* öldoftande; påstruken

beeswax [ˈbiːzwæks] *s* bivax; bonvax

beet [biːt] *s* bot. beta, amer. äv. rödbeta; *red ~* rödbeta; *red as a ~* amer. röd som en tomat

beetle [ˈbiːtl] **I** *s* skalbagge; vard. kackerlacka **II** *vb itr* vard. rusa, kila [*~ out*]

beetroot ['biːtruːt] *s* rödbeta; *red as a* ~ röd som en tomat

beeves [biːvz] *s* pl. av *beef I 4*

befall [bɪˈfɔːl] (*befell befallen*) litt. **I** *vb tr* hända, ske, drabba; *what has ~en him?* vad har hänt med (har det blivit av) honom? **II** *vb itr* hända, ske

befallen [bɪˈfɔːlən] perf. p. av *befall*

befell [bɪˈfel] imperf. av *befall*

before [bɪˈfɔː] **I** *prep* framför, [in]för; före; ~ *long* inom kort; *be ~ the mast* el. *sail ~ the mast* sjö. vara vanlig sjöman av manskapsgrad, segla för om masten; ~ *the wind* sjö. för vinden; [*he said he would die*] ~ *surrendering* ...hellre än ge sig **II** *adv* framför, före; förut; förr **III** *konj* innan, förrän

beforehand [bɪˈfɔːhænd] *adv* på förhand; i förväg

befriend [bɪˈfrend] *vb tr* bli vän med; vara vänlig mot; hjälpa

befuddled [bɪˈfʌdld] *adj* **1** förvirrad **2** omtöcknad, berusad

beg [beg] **I** *vb tr* **1** tigga **2** be (tigga) om [~ *a cigarette*]; [tigga och] be [~ *sb to do*]; ~ *a favour of sb* be ngn om en tjänst; ~ *to* be att få [~ *to do sth*]; få be att; *I ~ to differ* jag tillåter mig att ha en annan uppfattning; *I ~ to inform you* jag får [härmed] meddela **3** ~ *the question* svara undvikande, kringgå [sak]frågan **II** *vb itr* **1** tigga [~ *of sb*; ~ *for* (om) *alms*]; om hund sitta vackert; *go ~ging* vara ledig [*there is a job going ~ging*] **2** [tigga och] be **III** *vb itr* med adv. el. prep.:
beg off be att få slippa; backa ur

began [bɪˈgæn] imperf. av *begin*

beget [bɪˈget] (imperf.: *begot*; perf. p.: *begotten*) *vb tr* litt. **1** avla, föda; *only begotten* enfödd **2** ge upphov till; förorsaka

beggar ['begə] **I** *s* **1** tiggare; fattig stackare; ~*s can't be choosers* man får ta vad man kan få **2** vard. kanalje, rackare; gynnare; *the little* ~ el. *the young* ~ skämts. den lille rackaren; *poor little* ~! stackare!, stackars liten!; *you lucky* ~! [din] lyckans ost! **II** *vb tr* **1** göra till tiggare **2** ~ *description* trotsa all beskrivning

begging ['begɪŋ] *adj* bedjande, tiggande, tiggar- [~ *letter*]

begin [bɪˈgɪn] (*began begun*) **I** *vb itr* börja [*by doing* med att göra; *with sth* med ngt]; *to ~ with* a) för det första b) till att börja med, till en början, först **II** *vb tr* börja; börja med [*when did you ~ English?*]; börja på [*he has begun a new book*]; ~ *to do sth* el. ~ *doing sth* börja [att] göra ngt

beginner [bɪˈgɪnə] *s* nybörjare; person som börjar; ~*'s luck* nybörjartur

beginning [bɪˈgɪnɪŋ] *s* **1** början; ursprung; *the ~ of the end* början till slutet; *at the ~* el. ibl. *in the ~* i början **2** pl. ~*s* första början, begynnelsestadium; upprinnelse

begonia [bɪˈgəʊnɪə] *s* bot. begonia

begot [bɪˈgɒt] imperf. av *beget*

begotten [bɪˈgɒtn] perf. p. av *beget*

begrudge [bɪˈgrʌdʒ] *vb tr* se *grudge I*

beguile [bɪˈgaɪl] *vb tr* **1** lura, narra [~ *sb into* (till) *doing sth*]; bedra **2** roa, tjusa **3** fördriva, få tid o.d. att gå

begun [bɪˈgʌn] perf. p. av *begin*

behalf [bɪˈhɑːf] *s*, *on sb's* ~ el. amer. äv. *in sb's* ~ i ngns ställe, för ngns skull (räkning), å (på) ngns vägnar; *act on* ~ *of* el. amer. äv. *act in* ~ *of* vara ombud för, representera

behave [bɪˈheɪv] **I** *vb itr* **1** uppföra sig, bete sig [~ *well*; ~ *badly*]; bära sig åt; fungera; ~ *towards* el. ~ *to* handla [gent]emot, behandla **2** uppföra sig ordentligt (väl), sköta sig **II** *vb rfl*, ~ *oneself* a) uppföra sig ordentligt (väl), vara snäll spec. om barn el. till barn [~ *yourself!*] b) uppföra (bete) sig

behaviour [bɪˈheɪvjə] *s* **1** uppförande, beteende äv. psykol.; uppträdande; sätt att reagera; ~ *to* el. ~ *towards* beteende [gent]emot; *be on one's best* ~ uppföra (sköta) sig så väl som möjligt; om barn vara riktigt snäll **2** sätt att arbeta (fungera)

behavioural pattern [bɪˌheɪvjər(ə)lˈpæt(ə)n] *s* beteendemönster

behead [bɪˈhed] *vb tr* halshugga

beheld [bɪˈheld] imperf. o. perf. p. av *behold*

behind [bɪˈhaɪnd] **I** *prep* bakom, efter; *his hands* ~ *his back* [med] händerna på ryggen; *be* ~ *the times* vara efter sin tid (gammalmodig); *I'm* ~ *you* bildl. jag står bakom dig; *try to put it* ~ *you!* försök att glömma det! **II** *adv* bakom; bakpå, baktill; bakåt, tillbaka; efter sig; efter; kvar [*stay* ~; *remain* ~]; *be* ~ *with* (*in*) *one's payments* ligga efter med betalningarna; *be* ~ *with* (*in*) *work* ligga efter med arbetet **III** *s* vard. bak, stuss

behindhand [bɪˈhaɪndhænd] *adv* o. *adj* efter, på efterkälken [~ *with* (*in*) *one's work*]; efter sin tid; sen; för sen[t]

behold [bɪˈhəʊld] (*beheld beheld*) *vb tr* litt. skåda, se

beholden [bɪˈhəʊld(ə)n] *adj* högtidl., *be* ~ *to sb* stå i tacksamhetsskuld till ngn

beige [beɪʒ] *s* o. *adj* beige [färg]

Beijing [ˌbeɪˈdʒɪŋ] geogr. Peking, Beijing

being ['biːɪŋ] **I** *adj*, *for the time* ~ för närvarande (tillfället); tillsvidare **II** *s* **1** tillvaro, existens; liv; *bring sth into* ~ framkalla (skapa) ngt; *be brought into* ~ el. *come into* ~ bli till, skapas **2** [innersta] väsen **3** varelse [*man is a rational* ~]; väsen[de], ande **4** människa [äv. *human* ~]

Beirut [ˌbeɪˈruːt] geogr.

bejewelled [bɪˈdʒuːəld] *adj* juvelprydd

belabour [bɪˈleɪbə] *vb tr* överbetona [*we don't want to* ~ *the point*]

Belarus [ˌbeləˈruːs] geogr. Vitryssland

Belarusian [ˌbeləˈrʌʃ(ə)n] **I** *s* **1** vitryss; vitryska kvinna **2** vitryska [språket] **II** *adj* vitrysk

belated [bɪˈleɪtɪd] *adj* försenad; uppehållen; senkommen

belch [beltʃ] **I** *vb itr* rapa **II** *vb tr* spy ut eld o.d. **III** *s* rap[ning], uppstötning

beleaguered [bɪˈliːgəd] *adj* belägrad äv. bildl.

Belfast [ˌbelˈfɑːst, ˈbelfɑːst] geogr.

belfry ['belfrɪ] *s* klocktorn, klockstapel

Belgian ['beldʒ(ə)n] **I** *adj* belgisk **II** *s* belgare, belgier; belgiska kvinna

Belgium ['beldʒəm] geogr. Belgien

Belgrade [ˌbelˈgreɪd] geogr. Belgrad

Belgravia [bel'greɪvɪə] förnämt kvarter i London
belie [bɪ'laɪ] *vb tr* motsäga, strida mot; handla i strid mot
belief [bɪ'li:f] *s* tro [*in* på]; övertygelse; tilltro [*in* till]; *beyond* ~ otrolig[t], obegriplig[t]; *a man of strong* ~s en man med bestämda åsikter (fast övertygelse)
believable [bɪ'li:vəbl] *adj* trolig, trovärdig
believe [bɪ'li:v] **I** *vb tr* tro; tro på; *would you* ~ *it!* kan man tänka sig!; *he is* ~*d to be...* han tros (anses, förmodas) vara...; *make sb* ~ *that* inbilla ngn att; *make* ~ låtsas
II *vb itr* tro
III *vb itr* med prep.:
believe in a) tro på [~ *in God*; ~ *in a doctrine*]; ha förtroende för, ha tilltro till b) tro på [nyttan av]
believer [bɪ'li:və] *s* **1** troende [person] **2** *a* ~ *in* en som tror på, en anhängare av; *I'm a great* ~ *in* [*discipline*] jag tror starkt på...
Belisha beacon [bɪ,li:ʃə'bi:k(ə)n] *s* trafikfyr med blinkande gult sken vid övergångsställe som markerar att bilister måste släppa över fotgängare
belittle [bɪ'lɪtl] *vb tr* förringa, nedvärdera
bell [bel] *s* **1** [ring]klocka; bjällra, skälla; sjö. glas halvtimme; boxn. gonggong; *clear as a* ~ om ljud glasklar, klockren; *as sound as a* ~ frisk som en nötkärna; *give sb a* ~ vard. slå en signal till ngn; *ring* (*press*) *the* ~ ringa på dörren; *does that ring a* ~? vard. säger det dig något?; *with* ~s *on* jättegärna **2** [blom]klocka **3** klockstycke på blåsinstrument
bell-bottoms ['bel,bɒtəmz] *s pl* utsvängda byxor
bellboy ['belbɔɪ] *s* piccolo
belle [bel] *s*, *the* ~ *of the ball* balens drottning
bellhop ['belhɒp] *s* amer. vard. piccolo
bellicose ['belɪkəʊs] *adj* krigisk; stridslysten
belligerent [bə'lɪdʒər(ə)nt] **I** *adj* **1** krigförande **2** stridslysten
II *s* krigförande makt; *the* ~s äv. de stridande
bell|man ['bel|mən] (pl. -*men* [-mən]) *s* amer. hotellvaktmästare, piccolo
bellow ['beləʊ] **I** *vb itr* **1** böla, råma; skrika, vråla **2** ryta; dåna, dundra
II *vb tr*, ~ el. ~ *out* ryta
III *s* bölande, råmande; skrik, vrål
bellows ['beləʊz] (med verb i pl. el. sg.; pl. *bellows*) *s* [blås]bälg; *a pair of* ~ en [blås]bälg
bell pepper ['bel,pepə] *s* amer. paprika
bell pull ['belpʊl] *s* klocksträng
belly ['belɪ] **I** *s* buk; mage [*with an empty* ~]; underliv **II** *vb itr*, ~ *out* bukta sig, svälla [ut] om t.ex. segel
bellyache ['belɪeɪk] vard. **I** *s* magknip; *have a* ~ äv. ha ont i magen **II** *vb itr* gnälla, knota
belly button ['belɪbʌtn] *s* vard. navel
belly dance ['belɪ,dɑ:ns] *s* magdans
bellyflop ['belɪflɒp] *s* magplask
bellyful ['belɪfʊl] *s*, *we have had our* ~ *of complaints* vi har fått mer än nog av klagomål
belly-landing ['belɪ,lændɪŋ] *s* buklandning
belly laugh ['belɪlɑ:f] *s* bullrande skratt
belong [bɪ'lɒŋ] **I** *vb itr* **1** ha sin plats, höra hemma; ~ *among* räknas bland (till); ~ *under* höra (sortera) under, höra till; ~ *here* höra hit, höra hemma här **2** passa in [i miljön]; *he felt he didn't* ~ han kände sig utanför
II *vb itr* med prep.:
belong to a) tillhöra b) höra till c) passa till d) höra hemma i e) vara medlem av (i)
belongings [bɪ'lɒŋɪŋz] *s* tillhörigheter; grejer, saker
Belorussia [,beləʊ'rʌʃə] geogr. hist., se *Belarus*
Belorussian [,beləʊ'rʌʃ(ə)n] **I** *s* **1** vitryss; vitryska kvinna **2** vitryska [språket]
II *adj* vitrysk
beloved [bɪ'lʌvd, attr. o. subst. äv. -vɪd] **I** *adj* älskad [*by, of* av] **II** *s* älskling; *my* ~ äv. min älskade
below [bɪ'ləʊ] *prep* o. *adv* nedanför, under; nedan; inunder [*in the rooms* ~]; sjö. under däck; *it is* ~ *me* bildl. det är under min värdighet; *from* ~ nerifrån
belt [belt] **I** *s* **1** bälte i olika betydelser, skärp, livrem, svångrem; *green* ~ grönbälte; *hit below the* ~ ge ett slag under bältet äv. bildl.; *he has* [*a couple of world records*] *under his* ~ han har...i bagaget (bakom sig) **2** mil. ammunitionsgördel; gehäng **3** tekn. [driv]rem; *conveyor* ~ transportband; på flygplats bagageband
II *vb tr* **1** förse (fästa) med bälte etc. **2** prygla med rem **3** ~ *out* vard. sjunga med hög hes röst, vråla
III *vb itr* sl. **1** kuta; ~ *along* flänga (susa) i väg **2** ~ *up!* håll klaffen!
beltway ['beltweɪ] *s* amer. kringfartsled, ring[led]
bemoan [bɪ'məʊn] *vb tr* begråta, klaga över
bemused [bɪ'mju:zd] *adj* förvirrad, förbryllad; försjunken i tankar
bench [ben(t)ʃ] **I** *s* **1** bänk äv. sport.; säte **2** *the* ~ domarkåren, domarna; *the King's Bench* el. *the Queen's Bench* överrätten en avdelning av *High Court of Justice* **3** arbetsbord, arbetsbänk, hyvelbänk
II *vb tr* sport. amer. bänka; utvisa
benchmark ['ben(t)ʃmɑ:k] **I** *s* **1** lantmät. fixpunkt **2** bildl. måttstock, norm; riktlinje, referenspunkt; ~ *test* data. benchmarktest, prestandatest
II *vb tr* mäta, jämföra prestation el. prestanda i förhållande till en norm
bend [bend] **I** (*bent bent*, dock ~*ed* i *on* ~*ed knees*) *vb tr* **1** böja, kröka, tekn. äv. bocka; vika; *on* ~*ed knees* på sina bara knän, bönfallande **2** luta [ner]
II (*bent bent*) *vb itr* **1** böja (kröka) sig, böjas; svikta, bågna **2** luta (böja) sig [*down; forward*]; stå (sitta) nedlutad; ~ *over backwards* bildl., se *backwards*; *catch sb* ~*ing* vard. överraska (överrumpla) ngn, ta ngn på sängen **3** böja av, kröka sig, göra en krök **4** böja sig, [ge] vika [*to, before* för]
III *s* **1** böjning; böjd del, böj; krök, krok, bukt; kurva; ~s [*for one mile*] trafik. kurvig väg...; *he drives me round the* ~ vard. han gör mig galen **2** *the* ~s (med verb i sg. el. pl.) dykarsjuka **3** sl., *go on the* ~ el. *be on the* ~ vara ute och festa (slå runt)
bender ['bendə] *s* sl. **1** våt fest, sjöslag; *be on a* ~ el. *go out on a* ~ vara ute och festa, supa till; *be on a* ~ äv. gå på fyllan **2** neds. fikus, bög
beneath [bɪ'ni:θ] *adv* o. *prep* nedanför, under; *he is* ~ *contempt* han är under all kritik; *it is* ~ *him* det är under hans värdighet; *marry* ~ *one* gifta sig under sitt stånd, gifta ned sig
Benedictine [,benɪ'dɪktɪn, i betydelse *I 2* -ti:n el. -dɪk'ti:n] **I** *s* **1** benediktiner[munk] **2** benediktinerlikör, munk[likör]
II *adj* benediktiner-

benediction [ˌbenɪˈdɪkʃ(ə)n] s välsignelse; tacksägelse[bön]

benefactor [ˈbenɪfæktə, ˌbenɪˈf-] s välgörare, gynnare, donator

beneficence [bɪˈnefɪs(ə)ns] s välgörenhet

beneficent [bɪˈnefɪs(ə)nt] adj välgörande; välgörenhets-

beneficial [ˌbenɪˈfɪʃ(ə)l] adj välgörande, fördelaktig, nyttig, hälsosam [to för]

beneficiary [ˌbenɪˈfɪʃərɪ] s förmånstagare; testamentstagare; betalningsmottagare

benefit [ˈbenɪfɪt] **I** s **1** förmån, fördel, nytta, behållning, utbyte; **for the ~ of sb** till förmån (gagn) för ngn; för ngns skull; **give sb the ~ of** låta ngn dra nytta av; **give sb the ~ of the doubt** hellre fria än fälla ngn **2** bidrag, understöd **II** vb tr göra ngn gott (nytta), vara till nytta för, gagna **III** vb itr, **~ by** el. **~ from** ha (dra) nytta av, ha behållning (utbyte) av, fara väl av, vinna på

benefit match [ˈbenɪfɪtmætʃ] s sport. välgörenhetsmatch

benefit performance [ˈbenɪfɪtpəˌfɔːməns] s välgörenhetsföreställning

benefit society [ˈbenɪfɪtsəˌsaɪətɪ] s amer. [privat] sjukkassa (pensionskassa)

Benelux [ˈbenɪlʌks] geogr. Benelux [the ~ countries]

benevolence [bɪˈnevələns] s välvilja, godhet

benevolent [bɪˈnevələnt] adj **1** välvillig, generös **2** välgörenhets- [~ society]; **~ fund** understödsfond

Bengal [beŋˈɡɔːl, attr. '--] **I** geogr. egennamn Bengalen **II** adj bengalisk [~ tiger]; **~ light** bengalisk eld

Bengalese [ˌbeŋɡəˈliːz] (pl. Bengalese) s bengal[ier], bengaliska

Bengali [beŋˈɡɔːlɪ] **I** adj bengalisk **II** s **1** bengal[ier], bengaliska **2** bengali språk

benighted [bɪˈnaɪtɪd] adj litt. oupplyst

benign [bɪˈnaɪn] adj **1** med. godartad, benign [~ tumour]; lindrig **2** välvillig, godhjärtad **3** gynnsam [~ climate]; välgörande

bent [bent] **I** s böjelse, håg, lust [follow one's ~]; anlag, fallenhet [have a ~ for painting]; inriktning **II** imperf. av bend **III** perf p o. adj **1** böjd, krokig, krökt etc., jfr bend I; **~ double** dubbelvikt t.ex. av smärta **2** be **~ on** ha föresatt sig [doing sth att göra ngt]; **be ~ on mischief** ha ont i sinnet **3** vard. korrumperad

benzene [ˈbenziːn, -ˈ-] s kem. bensen

benzine [ˈbenziːn, -ˈ-] s tvättbensin

bequeath [bɪˈkwiːð, -kwiːθ] vb tr testamentera lösegendom; efterlämna, lämna i arv

bequest [bɪˈkwest] s **1** testamente **2** testamentarisk gåva, legat

berate [bɪˈreɪt] vb tr läxa upp

bereave [bɪˈriːv] vb tr beröva, frånta [sb of sth ngn ngt]; **she has recently been ~d** hon har nyligen förlorat en anhörig (en vän)

bereaved [bɪˈriːvd] **I** adj lämnad ensam, attr. äv. efterlämnad, sörjande [the ~ husband] **II** s, **the ~** den (de) sörjande

bereavement [bɪˈriːvmənt] s smärtsam förlust [genom dödsfall], sorg; dödsfall [a ~ in the family]

bereft [bɪˈreft] adj **1** be **~ of** [hope] ha förlorat (mist)... **2** översiggiven

beret [ˈbereɪ, ˈberɪ] s basker

beriberi [ˌberɪˈberɪ] s med. beriberi

Bering Strait [ˌbeərɪŋˈstreɪt] geogr. Berings sund

berk [bɜːk] s sl. idiot, fårskalle, pappskalle

Berkeley [ˈbɑːklɪ, amer. ˈbɜːklɪ] geogr.

Berks [bɑːks] förk. för Berkshire

Berkshire [ˈbɑːkʃɪə, -ʃə] geogr.

Berlin [bɜːˈlɪn, attr. äv. '--] **I** egennamn Berlin **II** adj berlinsk, berliner-

Berliner [bɜːˈlɪnə] s berlinare

Bermuda [bəˈmjuːdə] geogr. Bermuda; **the ~s** pl. Bermudaöarna

Bern [bɜːn] geogr.

Bernard [ˈbɜːnəd, amer. äv. bəˈnɑːd] mansnamn

berry [ˈberɪ] s **1** bär **2** el. **coffee ~** kaffeböna; **brown as a ~** chokladbrun, brunbränd

berserk [bəˈsɜːk] adj, **go ~** gå bärsärkagång, bli helt galen

berth [bɜːθ] s **1** koj[plats], sovplats; **lower ~** underkoj, underbädd; **upper ~** överkoj, överbädd **2** kajplats; ankarplats **3** sjörum, svängrum för båt; **give [sb** el. **sth] a wide ~** hålla sig på avstånd från..., undvika...

Beryl [ˈberəl] kvinnonamn

beryl [ˈberəl] s miner. beryll

beseech [bɪˈsiːtʃ] (besought besought) vb tr litt. bönfalla, besvärja, be enträget [sb for ngn om; sb to ngn att]

beset [bɪˈset] (beset beset) vb tr **1** belägra **2** bildl. ansätta, drabba; **be ~ with** vara förenad med (full av) [be ~ with difficulties]

beside [bɪˈsaɪd] prep **1** bredvid, vid sidan av (om); nära, intill **2** **~ oneself** utom (ifrån) sig [with av]

besides [bɪˈsaɪdz] **I** adv dessutom; för resten, för övrigt **II** prep [för]utom; **no one ~ you** ingen utom (mer än, annan än) du

besiege [bɪˈsiːdʒ] vb tr **1** belägra **2** bildl. bombardera

besmirch [bɪˈsmɜːtʃ] vb tr smutsa ner; besudla

besotted [bɪˈsɒtɪd] adj bedårad; betagen [about, with i]

besought [bɪˈsɔːt] imperf. o. perf. p. av beseech

bespectacled [bɪˈspektəkld] adj med glasögon, glasögonprydd

bespoke [bɪˈspəʊk] adj [mått]beställd [a ~ suit]; beställnings- [~ tailoring]

Bess [bes] kortform av Elizabeth; **Good Queen ~** smeknamn för Elizabeth I av England

best [best] **I** adj o. adv (superl. av good el. 1 well) bäst, som adv. äv. mest; helst; **the ~ part of** äv. största delen (det mesta) av; **the ~ part of an hour** nära nog en timme; **put one's ~ foot forward** sätta (ta) det långa benet före; läga manken till; **as ~ she could** så gott hon kunde; **I love him ~** jag älskar honom högst (mest); **had ~** se had better under 1 better I **II** s **1** det, den, de bästa; **all the ~** ha det så bra!, lycka till!; **look one's ~** vara [som mest] till sin fördel; **the ~ of it** [was that...] det bästa (roligaste) [med det hela]...; **we are the ~ of friends** vi är de bästa vänner; **get the ~ of it** el. **have the ~ of it** avgå med segern, få (ha) övertaget; **make the ~ of** göra det bästa möjliga av; få ut det mesta möjliga av, utnyttja på bästa sätt; **make the ~ of it** el. **make the ~ of things** göra så gott man kan; ta det som det är;

make the ~ of a bad job göra det bästa möjliga av situationen; **at ~** i bästa fall, på sin höjd; **at one's ~** som bäst, som mest till sin fördel; i [hög]form; **even at the ~ of times he is...** även när han är som bäst är han...; [**I did it**] **all for the ~** ...i bästa välmening; **it is all for the ~** det är bäst så (som sker); **be in the ~ of health** vara vid bästa hälsa; **to the ~ of my** (**his** etc.) **knowledge** såvitt jag (han etc.) vet; **to the ~ of one's power** el. **to the ~ of one's ability** efter bästa förmåga, så gott man kan **2** bästa kläder, finkläder; **dressed in one's Sunday ~** finklädd **3** vard., **get six of the ~** få sex rapp, få stryk **4** vard., **he is one of the ~** han är en hygglig karl (en reko kille)

III *vb tr* vard. få övertaget över, slå

best-before date [ˌbestbɪˈfɔːdeɪt] *s* bästföredatum

bestial [ˈbestɪəl] *adj* bestialisk, rå

bestiality [ˌbestɪˈælətɪ] *s* **1** djuriskhet, bestialitet, råhet **2** tidelag

best man [ˌbestˈmæn] *s* best man brudgummens marskalk

bestow [bɪˈstəʊ] *vb tr* **1** skänka, ge, tilldela, ägna [*sth on sb* ngn ngt] **2** använda, lägga ned [*on* på]

bestridden [bɪˈstrɪdn] perf. p. av *bestride*

bestride [bɪˈstraɪd] (imperf.: *bestrode*; perf. p.: *bestridden*) *vb tr* sitta (stå, sätta sig, ställa sig) grensle över; grensla; rida på

bestrode [bɪˈstrəʊd] imperf. av *bestride*

best-seller [ˌbes(t)ˈselə] *s* bestseller, bästsäljare

best-selling [ˈbes(t)ˌselɪŋ] *adj* bestseller-, succé- [*~ author; ~ novel*]

bet [bet] **I** *s*; **a heavy ~** ett högt vad; **make a ~** el. **place a ~** spela genom vadhållning; **the best ~ would be to...** bildl. det säkraste (klokaste) vore att...; **my ~ is that...** jag tror säkert att..., jag slår vad [om] att...; **he is a good ~** [*for the post*] han har alla chanser [att få platsen]; **he** (**it**) **is a safe ~** han (det) är ett säkert kort

II (**bet bet**, ibl. **~ted ~ted**) *vb tr* o. *vb itr* **1** slå vad [om]; **I ~ you a fiver that...** jag slår vad om fem pund [med dig] att..., jag kan våga fem pund på att...; **~ on** [*a horse*] hålla (satsa, sätta) på... **2** vard., **you ~!** var så säker!, det kan du skriva upp!, bergis!; **you ~** [**we had**] du kan vara säker (ge dig) på att..., om...!; **you can ~ your life that...** el. **you can ~ your bottom dollar that...** du kan slå dig i backen på att...

beta [ˈbiːtə, amer. vanl. ˈbeɪ-] *s* grekiska bokstaven beta

beta-blocker [ˈbiːtəˌblɒkə, amer. vanl. ˈbeɪ-] *s* med. betablockerare

betel [ˈbiːt(ə)l] *s* betel; betel- [*~ nut*]

betide [bɪˈtaɪd] (end. 3 person sg. pres. konj.) *vb tr* o. *vb itr*, **woe ~ you** [*if you wake the baby*]! ve dig...!

betray [bɪˈtreɪ] *vb tr* **1** förråda [*~ one's country*]; svika [*~ one's ideals; ~ sb's confidence*]; bedra **2** avslöja, röja [*~ a secret*]; yppa

betrayal [bɪˈtreɪəl] *s* **1** förrådande; förräderi, svek [*of* mot] **2** avslöjande, röjande

betrothed [bɪˈtrəʊðd] *adj* o. *s* högtidl. trolovad

1 better [ˈbetə] **I** *adj* o. *adv* (komp. av *good* el. **1** *well*) bättre, som adv. äv. mera; hellre; **his ~ half** hans äkta (bättre) hälft; **the ~ part of** äv. större delen (det mesta) av; **the ~ part of an hour** nära nog en timme; **his ~ self** el. **his ~ feelings** hans bättre jag; **be ~ off** ha det bättre ställt; ha det (klara sig) bättre [*we'd be ~*

off without this computer system]; **go one ~ than** övertrumfa; **think ~ of it** komma på bättre (andra) tankar, ändra (ångra) sig; **you had ~ try** det är bäst att du försöker, du borde försöka

II *s*, **one's ~s** folk som är förmer [än man själv]; **he is all the ~ for** [*his holiday*] ...har gjort honom [mycket] gott; **so much the ~** el. **all the ~** så mycket (desto) bättre; **for the ~** till det bättre; **for ~, for worse** i med- och motgång; i vigselformulär i nöd och lust; **for ~ or worse** el. **for ~ or for worse** vad som än händer; **get the ~ of** få övertaget över, få (ta) överhand över, bli ngn övermäktig; [lyckas] få sista ordet i [*she always gets the ~ of these quarrels*]

III *vb tr* **1** förbättra; bättra på, putsa [*~ a record*]; överträffa **2** **~ oneself** få det bättre ställt, komma fram (sig upp)

2 better [ˈbetə] *s* vadhållare

betterment [ˈbetəmənt] *s* förbättring, reform[er]

betting [ˈbetɪŋ] *s* vadhållning

betting shop [ˈbetɪŋʃɒp] *s* vadhållningsbyrå

betting slip [ˈbetɪŋslɪp] *s* vadhållningskvitto, totokvitto

between [bɪˈtwiːn] **I** *prep* **1** [e]mellan; **something ~** [*a sofa and a bed*] någonting mitt emellan..., ett mellanting mellan...; **~ now and then** under tiden, tills dess; **~ you and me** el. **~ ourselves** oss emellan [sagt] **2** **~ us** (**you, them**) tillsammans, gemensamt; med förenade krafter; **~ writing and lecturing** [*my time is fully taken up*] eftersom jag både skriver och föreläser...

II *adv* emellan, däremellan; **in ~** dessemellan, däremellan

bevel [ˈbev(ə)l] *s* **1** smygvinkel; kon **2** fas, snedslipad kant

bevelled [ˈbev(ə)ld] *adj* fasad

beverage [ˈbevərɪdʒ] *s* formellt dryck

Beverly Hills [ˌbevəlɪˈhɪlz] villaområde nära Los Angeles där många Hollywoodskådespelare bor

bevy [ˈbevɪ] *s* flock; hop; **a ~ of beauties** en samling skönheter

bewail [bɪˈweɪl] *vb tr* klaga (sörja) över [*~ one's lot*]

beware [bɪˈweə] *vb itr*, **~ of** akta sig för; **~ of pickpockets!** varning för ficktjuvar!

bewilder [bɪˈwɪldə] *vb tr* förvirra, förvilla, förbrylla

bewildered [bɪˈwɪldəd] *adj* förvirrad, förbryllad

bewildering [bɪˈwɪldərɪŋ] *adj* förvirrande, förvillande

bewilderment [bɪˈwɪldəmənt] *s* förvirring, häpenhet

bewitch [bɪˈwɪtʃ] *vb tr* **1** förhäxa **2** förtrolla, tjusa

beyond [bɪˈjɒnd, bɪˈɒnd] **I** *prep* (se äv. under resp. huvudord, t.ex. *hope*, *joke* o. *measure*) **1** bortom, på andra sidan [*~ the bridge*]; längre än till **2** senare än, efter [*~ the usual hour*] **3** utom, utöver, mer än [*she has nothing ~ her pension*]; med undantag av; över [*live ~ one's means*]; **it's ~ belief** det är otroligt (obegripligt); **it is ~ my comprehension** el. **it is ~ my understanding** det går över min horisont; **~ criticism** höjd över all kritik; **~ danger** utom all fara; **it is ~ description** det trotsar all beskrivning; [**it had changed**] **~ recognition** vard. ...till oigenkännlighet; **it is ~ me** a) jag fattar [det] inte b) det är mer än jag kan (orkar) c) det är mer än jag vet; **~ that** därutöver; för övrigt; **I would not put it ~ him** vard. det skulle jag gott kunna tro om

honom
II *adv* **1** bortom, på andra sidan [*what is ~?*]; längre [*not a step ~*] **2** därutöver, mera [*nothing ~*] **3** [*prepare for the changes of the next five years*] *and ~* ...och framöver
III *s* **1** *the ~* det okända, livet efter detta **2** *in the back of ~* el. *the back of ~* bortom all ära och redlighet
Bhutan [buː'tɑːn] geogr.
Bhutanese [ˌbuːtə'niːz] **I** (pl. *Bhutanese*) *s* bhutanes **II** *adj* bhutanesisk
bi [baɪ] *s* o. *adj* vard. bisexuell [person]
bi- [baɪ] *prefix* bi-, två- [*bisexual*]
biannual [baɪ'ænjʊəl] *adj* **1** halvårs-; inträffande två gånger om året [*a ~ journal; a ~ review*] **2** se *biennial I*
bias ['baɪəs] **I** *s* **1** förutfattad mening; fördom[ar] [*he has a ~ against foreigners*]; partiskhet; *he is without ~* han är fördomsfri (objektiv) **2** benägenhet [*towards* för], inriktning [*towards* mot] **3** på tyg diagonal; *cut on the ~* klippt på snedden, snedskuren
II (*biased biased* el. *biassed biassed*) *vb tr* göra partisk (fördomsfull); inge fördomar [*against* mot]; inge förkärlek [*to, towards* för]
biased o. **biassed** ['baɪəst] *adj* partisk, fördomsfull; *be ~* äv. ha fördomar, ha en förutfattad mening
biathlon [baɪ'æθlən] *s* sport. skidskytte
bib [bɪb] *s* haklapp, dregellapp; bröstlapp på förkläde; *best ~ and tucker* finkläder, stass
bib-and-brace [ˌbɪbən(d)'breɪs] *s*, *~ overalls* snickarbyxor
Bible ['baɪbl] *s*, *the ~* el. *the Holy ~* Bibeln
bible ['baɪbl] *s* bibel
biblical ['bɪblɪk(ə)l] *adj* biblisk; bibel- [*~ quotation*]; *~ style* bibliskt språkbruk
bibliography [ˌbɪblɪ'ɒɡrəfɪ] *s* bibliografi, litteraturförteckning
bibliophile ['bɪblɪə(ʊ)faɪl] *s* bibliofil, bokälskare
bicarb [ˌbaɪ'kɑːb] *s* kortform av *bicarbonate*
bicarbonate [baɪ'kɑːbənət] *s* o. **bicarbonate of soda** [baɪˌkɑːbənətəv'səʊdə] *s* bikarbonat
bicentenary [ˌbaɪsen'tiːnərɪ, baɪ'sentɪn-] *s* tvåhundraårsdag, tvåhundraårsjubileum
biceps ['baɪseps] (pl. *biceps* el. ibl. *~es*) *s* anat. biceps
bicker ['bɪkə] *vb itr* gnabbas, kivas, munhuggas, käbbla, [små]träta [*over, about* om]
bicky ['bɪkɪ] *s* barnspr., se *biscuit*
bicycle ['baɪsɪkl] **I** *s* cykel **II** *vb itr* cykla
bicycle clip ['baɪsɪklklɪp] *s* cykelklämma
bid [bɪd] **I** (*bid bid*; i betydelserna *bid I 2–4*: imperf. *bade, bid*; perf. p. *bidden, bid*) *vb tr* **1** bjuda på auktion el. i kortspel; [*two hundred*] *~!* ...bjudet! **2** i högre stil befalla, bjuda; *do as you are ~* gör som du är tillsagd **3** säga [*~ farewell to sb*]; hälsa [*~ sb good morning*]; *~ sb welcome* hälsa ngn (be ngn vara) välkommen **4** *~ defiance to* litt. utmana, trotsa
II (*bid bid*) *vb itr* **1** bjuda på auktion [*for sth* på ngt]; *~ against sb* bjuda över ngn; tävla med ngn [*for* om]; *~ for* [*popularity*] vara ute efter... **2** *~ fair to* ha goda utsikter att, se ut (arta sig till) att
III *s* **1** bud på auktion el. i kortspel, försök, satsning; *no ~* kortsp. pass; *make a ~ for* vara ute efter; *a ~ for*

votes röstfiske, valfiske **2** anbud, offert **3** amer. vard. inbjudan
bidder ['bɪdə] *s* person som bjuder på auktion el. i kortspel; anbudsgivare; *the highest ~* el. *the best ~* den högstbjudande
bidding ['bɪdɪŋ] *s* **1** bud på auktion, anbud; budgivning i kortspel; *~ was slow* buden var tröga **2** befallning, påbud, kommando [*at his ~*]; *do sb's ~* lyda ngn
bide [baɪd] *vb tr*, *~ one's time* bida sin tid
bidet ['biːdeɪ, amer. bɪ'deɪ] *s* bidé
bid price ['bɪdpraɪs] *s* börs. köpkurs
biennial [baɪ'enɪəl] **I** *adj* **1** tvåårig, tvåårs-; bot. bienn **2** inträffande [en gång] vartannat år **II** *s* tvåårig (bienn) växt
bier [bɪə] *s* likbår, likvagn
biff [bɪf] sl. **I** *vb tr*, *~ sb* smocka till ngn, ge ngn en snyting **II** *s* smocka, snyting
bifocals [ˌbaɪ'fəʊk(ə)lz] *s pl* bifokalglasögon, dubbelslipade glasögon
bifurcate ['baɪfəkeɪt] *vb tr* o. *vb itr* dela [sig] i två grenar, klyva [sig]
big [bɪɡ] **I** *adj* **1** stor [*a ~ horse; the ~ issue* (frågan); *when I am ~*]; storväxt, kraftig; stor- [*~ toe*]; vard. stöddig, mallig; *great ~* vard. jättestor [*a great ~ bear*]; stor stark [*a great ~ man*]; *great ~ headlines* stora feta rubriker; *what's the ~ idea?* vad är meningen med det här egentligen?; *~ money* stora (grova) pengar; *do things in a ~ way* slå på stort; *go over in a ~ way* bli en enorm succé; *too ~ for one's boots* vard. stöddig, mallig; *that's ~ of you!* det var storsint av dig! **2** litt., *~ with child* havande, i grossess
II *adv* vard. malligt, stöddigt [*act ~*]; *talk ~* vara stor i orden (mun); *think ~* tänka stort
bigamist ['bɪɡəmɪst] *s* bigamist
bigamous ['bɪɡəməs] *adj*, *~ marriage* bigami, tvegifte
bigamy ['bɪɡəmɪ] *s* bigami, tvegifte
Big Apple [ˌbɪɡ'æpl], *the ~* vard. beteckn. för *New York*
big bang theory [ˌbɪɡ'bæŋˌθɪərɪ] *s* fys. el. astron., *the ~* big-bang-teorin enligt vilken universum uppstått genom en gigantisk explosion
Big Ben [ˌbɪɡ'ben] *s* vard. klockan, uret o. klocktornet på parlamentshuset i London
big brother [ˌbɪɡ'brʌðə] *s* **1** storebror **2** *Big Brother* storebror efter diktatorn i Orwells roman '1984'
big business [ˌbɪɡ'bɪznəs] *s*, *be ~* vara en het bransch, vara en mycket intressant affärsverksamhet; *football has become ~* fotboll handlar numera om stora pengar
big cheese [ˌbɪɡ'tʃiːz] *s* sl. **1** storpamp, höjdare **2** bas, boss
big deal [ˌbɪɡ'diːl] *interj* vard. än sen då?; iron. fantastiskt! [*so you earn $900 a month? ~!*]; *no ~!* inga problem!, det var inte så märkvärdigt!
Big Dipper [ˌbɪɡ'dɪpə] *s* astron., *the ~* amer. vard. Karlavagnen
big dipper [ˌbɪɡ'dɪpə] *s* berg- och dalbana
big game [ˌbɪɡ'ɡeɪm] *s* storvilt
biggie ['bɪɡɪ] *s* vard. **1** pamp, höjdare **2** succé, hit
big gun [ˌbɪɡ'ɡʌn] *s* sl., se *gun I 5*
bigheaded [ˌbɪɡ'hedɪd] *adj* vard. uppblåst, inbilsk
bighearted [ˌbɪɡ'hɑːtɪd] *adj* generös, storsint

bight [baɪt] *s* **1** bukt rundad vik **2** bukt på tågända
bigmouth ['bɪgmaʊθ] *s* vard. gaphals; storskrävlare
big name [ˌbɪg'neɪm] *s* kändis
big noise [ˌbɪg'nɔɪz] *s* sl. **1** storpamp, höjdare **2** bas, boss
bigot ['bɪgət] *s* bigott person; *he's a ~* han är bigott (trångsynt)
bigoted ['bɪgətɪd] *adj* bigott; trångsynt
bigotry ['bɪgətrɪ] *s* bigotteri; trångsynthet
big screen [ˌbɪg'skriːn] *s*, *the ~* den vita duken bio i motsats till tv el. teater
big shot ['bɪgʃɒt] *s* sl. **1** storpamp, höjdare **2** bas, boss
big-ticket ['bɪgtɪkɪt] *adj* amer. vard. dyr, kapitalkrävande
big-time ['bɪgtaɪm] *adj* vard. topp-, förstklassig
big time ['bɪgtaɪm] vard. **I** *s*, *get into the ~* komma upp bland topparna (höjdarna), komma upp sig **II** *adv* verkligen [*he messed up ~*]
big toe [ˌbɪg'təʊ] *s* stortå
big top [ˌbɪg'tɒp] *s*, *the ~* huvudtältet, det stora cirkustältet
big wheel [ˌbɪg'wiːl] *s* pariserhjul
bigwig ['bɪgwɪg] *s* sl. högdjur, höjdare, pamp
bike [baɪk] (vard. kortform av *bicycle*) **I** *s* **1** cykel, hoj; *on your ~!* stick! **2** motorcykel, hoj **II** *vb itr* cykla
biker ['baɪkə] *s* cyklist
bikini [bɪ'kiːnɪ] *s* bikini
bikini line [bɪ'kiːnɪlaɪn] *s* bikinilinje
bilateral [baɪ'læt(ə)r(ə)l] *adj* bilateral, ömsesidig [*a ~ agreement*]
bilberry ['bɪlb(ə)rɪ] *s* blåbär
bile [baɪl] *s* fysiol. galla, bildl. äv. ilska
bile acid ['baɪlæsɪd] *s* kem. gallsyra
bile duct ['baɪldʌkt] *s* anat. gallgång
bilge [bɪldʒ] *s* **1** sjö. **a)** slag fartygsskrovs rundning **b)** slagvatten **2** vard. smörja, nonsens
bilingual [baɪ'lɪŋgw(ə)l] *adj* tvåspråkig [*~ dictionary*]
bilious ['bɪlɪəs] *adj* **1** fysiol. gall-, som lider av gallsten; illamående; *~ headache* huvudvärk och illamående **2** argsint, vresig **3** äcklig
bilk [bɪlk] *vb tr* smita från [utan att betala]; *~ sb out of sth* lura (bedra) ngn på ngt
1 bill [bɪl] **I** *s* **1** räkning, nota [*for* på (för); *put it down on the ~*; *the ~, please!*]; *foot the ~* vard. betala kalaset (räkningen) **2** lagförslag; bill; proposition [eg. *Government Bill*]; motion; *bring in a ~* el. *introduce a ~* lägga fram en proposition, väcka motion **3** anslag, affisch; program; *post a ~* sätta upp en affisch (ett anslag); *no ~s!* affischering förbjuden! **4** bank. växel [*for £100 på…*]; *~ at sight* avistaväxel **5** amer. sedel [*a ten-dollar ~*] **6** i vissa uttryck: förteckning, lista, intyg, se vidare *bill of exchange* etc. nedan **II** *vb tr* **1** affischera, sätta upp på affisch[er] (anslag) **2** *~ sth as sth* framställa ngt som ngt **3** *~ sb for sth* debitera ngn för ngt
2 bill [bɪl] **I** *s* näbb **II** *vb itr* ngt åld., *~ and coo* kyssas och kuttra
billboard ['bɪlbɔːd] *s* affischtavla
billet ['bɪlɪt] vanl. mil. **I** *s* [civil] inkvartering; *be in ~s* vara civilt inkvarterad **II** *vb tr* inkvartera [i ett hem] [*on, with* hos, i]
billet-doux [ˌbɪleɪ'duː, -lɪ-] (pl. *billets-doux* [ˌbɪleɪ'duːz, -lɪ-]) *s* skämts. kärleksbrev
billfold ['bɪlfəʊld] *s* amer. plånbok
billiard ball ['bɪljədbɔːl, -lɪə-] *s* biljardboll
billiards ['bɪljədz, -lɪədz] (med verb i sg.) *s* biljard [*play ~*]; biljardspel
billion ['bɪljən, -ɪən] *s* miljard
billionaire [ˌbɪljə'neə] *s* miljardär
bill of exchange [ˌbɪləvɪks'tʃeɪn(d)ʒ] *s* bank. växel
bill of health [ˌbɪləv'helθ] *s*, *get a clean ~* bli friskförklarad
bill of lading [ˌbɪləv'leɪdɪŋ] (förk. *B/L*) *s* konossement
Bill of Rights [ˌbɪləv'raɪts] *s* **1** *the ~* engelsk grundlag från 1689 **2** i USA, författningsmässiga bestämmelser från 1791 om individens rättigheter gentemot statsmakten
bill of sale [ˌbɪləv'seɪl] (förk. *B/S*) *s* köpebrev; pantförskrivning
billow ['bɪləʊ] **I** *vb itr* bölja, svalla; bolma; *~ out* välla ut **II** *s* litt. stor våg, bölja
billy ['bɪlɪ] *s* vard. kokkärl, kastrull för campare
billy goat ['bɪlɪgəʊt] *s* getabock
bimbo ['bɪmbəʊ] (pl. *~s*) *s* vard. bimbo, brutta attraktiv men ytlig kvinna
bimonthly [ˌbaɪ'mʌnθlɪ] *adj o. adv* **1** [inträffande (utkommande)] varannan månad **2** [inträffande (utkommande)] två gånger i månaden
bin [bɪn] *s* **1** lår, binge; låda, kista; [bröd]skrin, [bröd]burk; fack **2** [vin]fack; vin från visst fack **3** soptunna
binary ['baɪnərɪ] *adj* binär [*~ system*]; dubbel- [*~ star*]
binary digit [ˌbaɪnərɪ'dɪdʒɪt] *s* binär siffra
binary system [ˌbaɪnərɪ'sɪstəm] *s* binärt system
bind [baɪnd] **I** (*bound bound*; se äv. *1 bound*) *vb tr* **1** binda; binda fast, fästa [*to* vid]; binda ihop; fjättra; kok. reda; *~ together* el. *~ to each other* binda ihop (bildl. förena) [med varandra]; *~ up* förena [*with* med] **2** binda om [*with* med]; *~* el. *~ up* förbinda, binda (linda) om sår **3** binda [in] [*~ books*] **4** förbinda, förplikta, ålägga; *~ oneself to* förbinda (förplikta) sig att; *~ sb to secrecy* ålägga ngn tystnad, kräva tysthetslöfte av ngn; *~ sb over to appear* jur. ålägga ngn att inställa sig vid laga påföljd; *be bound over* jur. få villkorlig dom **II** (*bound bound*) *vb itr* **1** hålla (sitta) ihop **2** fastna, hänga upp sig **3** vara bindande [*a contract ~s*] **4** sl. gnälla, grumsa **III** *s* vard., *it's a ~* det är jobbigt
binder ['baɪndə] *s* **1** [lösblads]pärm **2** bokbindare **3** tekn. förbindning; bindemedel
binding ['baɪndɪŋ] **I** *s* **1** bindning, bindande etc., jfr *bind I* o. *bind II* **2** boktr. [bok]band **3** förband; binda **II** *adj* bindande [*on, upon* för]
binge [bɪndʒ] vard. **I** *s* **1** svirande, fest[ande] **2** [tillfälle av] hetsätning; *~ eating disorder* (förk. *BED*) hetsätningsstörning **3** [anfall av] shoppingfeber **4** *be on a ~* el. *go on a ~* **a)** vara ute och svira (festa) **b)** shoppa loss **c)** hetsäta **II** *vb tr*, *~ on* kasta (vräka) i sig **III** *vb itr* **1** svira, festa **2** hetsäta

bingo ['bɪŋgəʊ] **I** (pl. ~s) s bingo **II** *interj* bingo!
bin-liner ['bɪn,laɪnə] s soppåse
bin man ['bɪn|mæn] (pl. *bin men* [-men]) s vard.
sophämtare, sopgubbe
binoculars [bɪ'nɒkjʊləz] s pl [teater]kikare,
fältkikare; *a pair of* ~ en kikare
binomial [baɪ'nəʊmɪəl] s matem. binom
biochar [,baɪə(ʊ)'tʃɑ:] s biogödsel
biochemistry [,baɪə(ʊ)'keməstrɪ] s biokemi
biodegradable [,baɪə(ʊ)dɪ'greɪdəbl] *adj* biol.
biologiskt nedbrytbar
biodynamic [,baɪəʊdaɪ'næmɪk] *adj* biodynamisk
bioengineering ['baɪə(ʊ),en(d)ʒɪ'nɪərɪŋ] s **1** tekniska
lösningar på medicinska problem t.ex. framställning av
proteser **2** bioteknik
biofuel ['baɪəʊ,fjʊəl] s biobränsle
biofuelled ['baɪəʊ,fjʊəld] *adj* biobränsledriven
biographer [baɪ'ɒɡrəfə] s levnadstecknare, biograf
biography [baɪ'ɒɡrəfɪ] s biografi, levnadsteckning
biological [,baɪə(ʊ)'lɒdʒɪk(ə)l] *adj* biologisk
biological clock [,baɪə(ʊ)lɒdʒɪk(ə)l'klɒk] s biologisk
klocka
biological control ['baɪə(ʊ),lɒdʒɪk(ə)lkən'trəʊl] s
biologisk bekämpning
biological warfare ['baɪə(ʊ),lɒdʒɪk(ə)l'wɔ:feə] s
biologisk krigföring
biologist [baɪ'ɒlədʒɪst] s biolog
biology [baɪ'ɒlədʒɪ] s biologi
biomass ['baɪə(ʊ)mæs] s biomassa
biomedicine [,baɪə(ʊ)'medsɪn] s biomedicin
bionic [baɪ'ɒnɪk] *adj* **1** bionisk, bionik- **2** vard.
övermänsklig, robot-
biophysics [,baɪə(ʊ)'fɪzɪks] (med verb i sg.) s biofysik
biopsy ['baɪɒpsɪ, -'--] s med. biopsi
biorhythm ['baɪə(ʊ),rɪðm] s biorytm
BIOS [,bi:aɪəʊ'es] data. BIOS
biotechnology [,baɪə(ʊ)tek'nɒlədʒɪ] s bioteknik
bipartisan [,baɪpɑ:tɪ'zæn] *adj* polit. stödd
(bestående) av två partier, tvåparti-
bipartite [baɪ'pɑ:taɪt, 'baɪpɑ:taɪt] *adj* **1** tvådelad
2 om kontrakt o.d. bestående av (avfattad i) två
likalydande exemplar **3** ömsesidig [~ *pact*]
biped ['baɪped] s tvåfotat djur
biplane ['baɪpleɪn] s flyg. biplan, dubbeldäckare
birch [bɜ:tʃ] s **1** björk **2** [björk]ris
bird [bɜ:d] s **1** fågel; *early* ~ se under *early II*; *a little* ~
told me en [liten] fågel viskade i mitt öra; *a* ~ *in the
hand* ett faktum, en realitet; *a* ~ *in the hand is worth
two in the bush* ordspr. en fågel i handen är bättre än
tio i skogen; *~s of a feather flock together* ordspr. lika
barn leka bäst, kaka söker maka; *they are ~s of a
feather* de är av samma skrot och korn; *the* ~ *has
flown* vard. fågeln har flugit sin kos; *get the* ~ sl. bli
utvisslad; få fingret; *give sb the* ~ sl. vissla ut ngn; ge
ngn fingret; *kill two ~s with one stone* slå två flugor i
en smäll; [*know all about*] *the ~s and the bees* vard.
…blommor och bin, …hur barn kommer (blir)
till; *that is for the ~s* el. *that is strictly for the ~s* sl. det
är värdelöst **2** vard. brud, tjej **3** åld. vard. typ,
snubbe, prick [*a queer* ~]; *an old* ~ en gammal räv
birdbrain ['bɜ:dbreɪn] s vanl. hönshjärna
birdcage ['bɜ:dkeɪdʒ] s fågelbur
bird cherry ['bɜ:d,tʃerɪ] s bot. hägg
birdie ['bɜ:dɪ] s **1** golf. birdie ett slag under par **2** barnspr.

pippi[fågel]; *watch the ~!* vid fotografering titta mot
kameran!, se hit!
bird of paradise [,bɜ:dəv'pærədaɪs] (pl. *birds of
paradise*) s zool. paradisfågel
bird of passage [,bɜ:dəv'pæsɪdʒ] (pl. *birds of
passage*) s flyttfågel
bird of prey [,bɜ:dəv'preɪ] (pl. *birds of prey*) s
rovfågel
birdseed ['bɜ:dsi:d] s koll. fågelfrö
bird's-eye view [,bɜ:dzaɪ'vju:] s **1** utsikt,
fågelperspektiv **2** överblick, översikt
bird's-nest ['bɜ:dznest] *vb itr* leta [efter] (plundra)
fågelbon
bird-watcher ['bɜ:d,wɒtʃə] s fågelskådare
Birmingham ['bɜ:mɪŋəm] geogr.
Biro® ['baɪərəʊ] (pl. ~s) s kul[spets]penna
birth [bɜ:θ] s **1** födelse, bildl. äv. uppkomst, tillkomst,
tillblivelse; födsel; *it was a difficult* ~ det var en svår
förlossning; *give ~ to* föda, nedkomma med; bildl.
ge upphov till; *at* ~ vid födelsen **2** ursprung; börd,
härkomst; *by* ~ till börden; född [*Swedish by* ~]
birth certificate ['bɜ:θsə,tɪfɪkət] s födelseattest
birth control ['bɜ:θkən,trəʊl] s födelsekontroll,
barnbegränsning; [*method of*] ~ preventivmedel
birthday ['bɜ:θdeɪ] s födelsedag; *in one's* ~ *suit* i
paradisdräkt; *happy ~!* har den äran!
birthing ['bɜ:θɪŋ] *adj* födelse-, förlossnings- [~
room]
birthmark ['bɜ:θmɑ:k] s födelsemärke
birth parent ['bɜ:θ,peər(ə)nt] s biologisk förälder
birth pill ['bɜ:θpɪl] s p-piller
birthplace ['bɜ:θpleɪs] s födelseort
birth rate ['bɜ:θreɪt] s nativitet, födelsetal
birthright ['bɜ:θraɪt] s förstfödslorätt; bördsrätt,
medfödd rätt
birthstone ['bɜ:θstəʊn] s månadssten
Biscay ['bɪskeɪ, -kɪ] geogr. Biscaya; *the Bay of* ~
Biscayabukten
biscuit ['bɪskɪt] s kex; skorpa; amer. slät bulle; *fancy
~* [små]kaka; *take the ~* vard. ta priset, vara höjden
av fräckhet
bisect [baɪ'sekt] *vb tr* dela i två [lika] delar, tudela,
halvera
bisexual [,baɪ'seksjʊəl] **I** *adj* **1** bisexuell **2** tvåkönad
II s bisexuell [person]
bishop ['bɪʃəp] s **1** biskop **2** schack. löpare
bishopric ['bɪʃəprɪk] s biskopsämbete, biskopsstol,
biskopsstift
bismuth ['bɪzməθ] s kem. vismut
bison ['baɪsn] (pl. *bison*) s **1** bison[oxe] **2** visent
bisque [bɪsk] s **1** kraftig redd soppa på skaldjur el. fågel
2 amer., slags glass med nötter el. mandelbiskvier
bistro ['bi:strəʊ] (pl. ~s) s kafé, krog, bistro
1 bit [bɪt] s **1** bit i allm.; stycke; *a* ~ vard. lite, något,
en smula (aning) [*a* ~ *tired*; *a* ~ *too small*]; ett tag
(slag) [*wait a* ~]; *not a* ~ vard. inte ett dugg [*not care
a* ~ *for*; *not a* ~ *afraid*]; *it's a* ~ *much!* det var väl
magstarkt!; *a* ~ *of an artist* något av en konstnär; *a
~ of skirt* el. *a little ~ of fluff* vard. en riktig [liten]
goding; *be a* ~ *of all right* vard. vara läcker (snygg);
not a ~ *of it* vard. inte ett dugg; visst inte; *~s of girls*
flicksnärtor, barnrumpor; *every* ~ vartenda dugg;
every ~ as [*good*] fullt ut (precis) lika…; *a little ~*
[*jealous*] lite [grand]…; *not the least little ~* inte ett

dugg; *quite a ~* en hel del; *for a ~* ett [litet] tag; *~ by ~* bit för bit; undan för undan; *do one's ~* vard. göra sitt (sin plikt), dra sitt strå till stacken; *pull sth to ~s* vard. plocka sönder ngt [i småbitar]; *go to ~s* el. *come to ~s* gå i [små]bitar; *~s and pieces* (*bobs*) småsaker, [små]prylar; lite av varje, olika grejor **2** ngt åld., litet mynt, slant; *two ~s* amer. vard. 25 cent; *four ~s* amer. vard. 50 cent

2 bit [bɪt] *s* **1** borrande el. skärande del av verktyg egg, skär; borr[järn], borrskär; hyveljärn e.d. **2** bett på betsel; *take the ~ between one's teeth* a) ta i, bita ihop tänderna b) sätta sig på bakhasorna

3 bit [bɪt] imperf. av *bite*

4 bit [bɪt] *s* data. bit

bitch [bɪtʃ] **I** *s* **1** tik, hynda; rävhona [äv. *~ fox*], varghona **2** vard. bitch, satkäring; slyna **3** sl. helvete [*life is a ~*]
II *vb itr* sl. **1** gnälla, tjata, klanka **2** vara spydig

bitchy ['bɪtʃɪ] *adj* vard. bitchig, [små]elak, spydig

bite [baɪt] **I** (*bit bitten;* se äv. *bitten*) *vb tr* **1** bita; bita i (på); bita sig i [*~ one's lip*]; *~ the bullet* vard. kämpa; bita ihop [tänderna]; *~ the dust* vard. bita i gräset, [få] stryka på foten; *he bit the hand that fed him* ung. han var otacksam mot sin välgörare; *~ off* bita av; *~ off more than one can chew* ta sig vatten över huvudet; *~ sb's head off* bita (snäsa) av ngn; *what is biting you?* vad är det med dig? **2** svida (sticka, bränna, bita) i (på) **3** fräta på (in i) **4** om hjul o.d. få grepp i
II (*bit bitten*) *vb itr* **1** bita [*at* efter]; bitas; sticka[s]; *get something to ~ on* få någonting att bita i **2** sticka, svida **3** nappa, hugga [*at* på]; nappa på kroken **4** fräta; bita sig in
III *s* **1** bett; stick, sting **2** napp, hugg **3** munsbit, tugga; smakbit; bit [mat], matbit **4** bett, tandställning **5** sting, snärt

biting ['baɪtɪŋ] *adj* bitande, stickande, om vind äv. snål; om svar o.d. äv. svidande, skarp, sarkastisk

bitmap ['bɪtmæp] *s* data. bitmap

bit part ['bɪtpɑːt] *s* teat. mycket liten roll, biroll, småroll

bitsy ['bɪtsɪ] *adj* vard. pytteliten

bitten ['bɪtn] *adj* o. perf p (av *bite*) **1** biten; *~ with* biten (besatt) av **2** *be ~* bli lurad; *once ~ twice shy* av skadan blir man vis, bränt barn skyr elden

bitter ['bɪtə] **I** *adj* **1** bitter, besk äv. bildl.; *to the ~ end* till det bittra slutet, in i det sista **2** bitter, förbittrad, hätsk [*against*, *to*; *~ words*] **3** skarp, bitande, hård [*a ~ wind*; *~ criticism*]; bitande kall
II *s* **1** slags beskt öl [äv. *~ beer*] **2** pl. *~s* bitter alkoholhaltig dryck [*gin and ~s*]; besk; bitter medicin, bittermedel

bitter almond [ˌbɪtə'ɑːmənd] *s* bittermandel

bitterly ['bɪtəlɪ] *adv* **1** bittert etc., jfr *bitter I* **2** bitande [*it was ~ cold*]

bittern ['bɪtən] *s* zool. rördrom

bitterness ['bɪtənəs] *s* bitterhet; förbittring

bitter orange [ˌbɪtə'ɒrɪn(d)ʒ] *s* pomerans

bitter-sweet ['bɪtəswiːt] *adj* bitterljuv, bittersöt

bitty ['bɪtɪ] *adj* plockig, plottrig; osammanhängande, virrig

bitumen ['bɪtjʊmɪn, bɪ'tjuː-] *s* kem. bitumen

bituminous [bɪ'tjuːmɪnəs] *adj* miner. bituminös [*~ coal*]

bivouac ['bɪvʊæk] **I** *s* bivack **II** *vb itr* o. *vb tr* bivackera, gå (ligga) i bivack

biweekly [ˌbaɪ'wiːklɪ] *adj* o. *adv* **1** [inträffande (utkommande)] varannan vecka (var fjortonde dag) **2** [inträffande (utkommande)] två gånger i veckan

bizarre [bɪ'zɑː] *adj* bisarr

B/L sjö. (förk. för *bill of lading*) konossement

blab [blæb] **I** *vb itr* **1** sladdra, skvallra [*to sb about sth* för ngn om ngt] **2** babbla, pladdra
II *vb tr*, *~* el. *~ out* sladdra om, babbla om

blabber ['blæbə] *vb itr* vard., *~ on* babbla, sladdra

blabbermouth ['blæbəmaʊθ] *s* vard. sladdertacka, skvallerbytta; pratmakare

black [blæk] **I** *adj* svart; mörk båda äv. bildl.; *a ~ look* en mörk blick; *beat sb ~ and blue* slå ngn gul och blå; *have sth down in ~ and white* ha svart på vitt (ha skriftligt) på ngt; *see everything in ~ and white* bildl. se allting i svart och vitt; *he is not as ~ as he is painted* han är bättre än sitt rykte; *things look ~* bildl. det ser mörkt ut; *everything went ~* det svartnade för ögonen på mig (honom etc.)
II *s* **1** svart, svart färg **2** svart; *the Blacks* ibl. neds. de svarta den svarta befolkningen **3** schack. o.d. svart **4** vard., *in the ~* med överskott (vinst); *be in the ~* vara skuldfri, stå på plus
III *vb tr* o. *vb itr* **1** svärta; blanka **2** *~ sb's eye* ge ngn ett blått öga
IV *vb tr* o. *vb itr* med adv.:
black out a) stryka [ut], utplåna b) mörklägga, genomföra mörkläggning i

black art [ˌblæk'ɑːt] *s*, *the ~* svartkonst, svart magi

blackball ['blækbɔːl] *vb tr* **1** rösta mot, rösta ut; utesluta **2** vard. svartlista, bojkotta, frysa ut

black belt [ˌblæk'belt] *s* **1** svart bälte i t.ex. judo el. karate **2** *the ~* område i södra USA med övervägande svart befolkning och med fruktbar svart jord

blackberry ['blækb(ə)rɪ] *s* björnbär

Blackberry® ['blækb(ə)rɪ] *s* spec. amer., slags handdator

blackbird ['blækbɜːd] *s* koltrast

blackboard ['blækbɔːd] *s* svart tavla

blackboard jungle [ˌblækbɔːd'dʒʌŋgl] *s* skola med stora ordningsproblem

black box [ˌblæk'bɒks] *s* tekn. svart låda förseglad registreringsapparat, spec. flyg. äv. färdskrivare

black coffee [ˌblæk'kɒfɪ] *s* kaffe utan grädde (mjölk), svart kaffe

black comedy [ˌblæk'kɒmədɪ] *s* svart komedi

blackcurrant [ˌblæk'kʌr(ə)nt] *s* svart vinbär

Black Death [ˌblæk'deθ] *s*, *the ~* svarta döden, digerdöden på 1300-talet

black economy [ˌblækɪ'kɒnəmɪ] *s* [ekonomisk] gråzon, svart ekonomi

blacken ['blæk(ə)n] **I** *vb tr* **1** svärta **2** svärta ned [*sb's character* ngn]
II *vb itr* svartna

black English [ˌblæk'ɪŋglɪʃ] *s* svart engelska en variant som talas av många svarta spec. i USA

black eye [ˌblæk'aɪ] *s* blått öga, blåtira

Black Forest [ˌblæk'fɒrɪst] *s*, *the ~* Schwarzwald

black frost [ˌblæk'frɒst] *s* barfrost

black gold [ˌblæk'gəʊld] *s* svart guld olja

black grape [ˌblæk'greɪp] *s* blå druva

black-haired ['blækheəd] *adj* svarthårig

blackhead ['blækhed] *s* pormask

black hole [,blæk'həʊl] *s* svart hål

black humour [,blæk'hju:mə] *s* svart humor

black ice [,blæk'aɪs] *s* [tunn] isbeläggning [~ *made the roads dangerous*]

blacking ['blækɪŋ] *s* [sko]svärta

blackish ['blækɪʃ] *adj* svartaktig

blackleg ['blækleg] *s* svartfot, strejkbrytare

blacklist ['blæklɪst] **I** *s* svart lista **II** *vb tr* svartlista

black lung [,blæk'lʌŋ] *s* med. dammlunga

black magic [,blæk'mædʒɪk] *s* svart magi, svartkonst

blackmail ['blækmeɪl] **I** *s* utpressning **II** *vb tr* utöva utpressning mot

blackmailer ['blæk,meɪlə] *s* utpressare

Black Maria [,blækmə'raɪə] *s*, ~ el. **the** ~ vard. (hist.) Svarta Maja polisens piketbil

black mark [,blæk'mɑ:k] *s* [skam]fläck; kritik, anmärkning

black market [,blæk'mɑ:kɪt] *s*, **the** ~ svarta börsen

black-marketeer ['blæk,mɑ:kɪ'tɪə] *s* svartabörshaj

Black Muslim [,blæk'mʊzləm] *s* medlem av svart muslimsk nationaliströrelse spec. i USA

blackness ['blæknəs] *s* svarthet; svärta; mörker

blackout ['blækaʊt] *s* **1** strömavbrott **2** mörkläggning äv. bildl. [*news* ~] **3** med. blackout, tillfällig medvetslöshet

black pepper [,blæk'pepə] *s* svartpeppar

Blackpool ['blækpu:l] geogr.

black pudding [,blæk'pʊdɪŋ] *s* blodkorv, blodpudding

Black Sea [,blæk'si:] geogr., **the** ~ Svarta havet

black sheep [,blæk'ʃi:p] *s* bildl. svart får

blacksmith ['blæksmɪθ] *s* [grov]smed; hovslagare

black spot [,blæk'spɒt] *s* **1** olycksdrabbad (farlig) vägsträcka **2** farligt (problemfyllt, krisdrabbat) område

blackthorn ['blækθɔ:n] *s* bot. slån

black-tie [,blæk'taɪ, attr. '--] *adj* smoking- [~ *dinner*]

black tie [,blæk'taɪ] *s* svart rosett (fluga)

blacktop ['blæktɒp] *s* vanl. amer. svart asfaltbeläggning

bladder ['blædə] *s* blåsa; anat. [urin]blåsa

blade [bleɪd] *s* **1** blad på kniv, åra, propeller, såg, till rakhyvel m.m. **2** klinga; [skridsko]skena **3** bot., smalt blad, [gräs]strå

blag [blæg] *vb tr* sl. mygla (tigga, snacka) till sig [~ *free tickets*]

blah [blɑ:] *s* o. **blah-blah** [,blɑ:'blɑ:] *s* vard. blaha [blaha]; [strunt]prat, snack, skryt

Blake [bleɪk]

blame [bleɪm] **I** *vb tr* klandra; förebrå [~ *oneself* [*for*]]; lägga skulden på; ~ *sb for sth* el. ~ *sth on sb* lägga skulden på ngn för ngt; *I can't* ~ *you* det är inte ditt fel; *I have myself to* ~ jag får skylla mig själv, det är mitt eget fel; *I am not to* ~ det är inte mitt fel, jag rår inte för det **II** *s* skuld [*of* för, till]; *lay the* ~ *on sb* el. *put the* ~ *on sb* lägga skulden på ngn, ge ngn skulden; *bear the* ~ bära skulden; *take the* ~ ta på sig skulden; *no* ~ *attaches to him* han är utan skuld

blameless ['bleɪmləs] *adj* oskyldig, skuldfri

blameworthy ['bleɪm,wɜ:ðɪ] *adj* klandervärd

blanch [blɑ:n(t)ʃ] **I** *vb tr* göra vit (blek); bleka; kok. blanchera; ~ *almonds* skålla mandel **II** *vb itr* vitna, blekna [*with* av]

blancmange [blə'mɒn(d)ʒ, -'mɑ:n(d)ʒ] *s* [majsena]pudding; blancmangé gjord på mjölk; ~ *powder* puddingpulver

bland [blænd] *adj* **1** lam, tam; intetsägande **2** mild [~ *air*]; skonsam [*a* ~ *medicine*]; len, ljuv, smekande

blandishment ['blændɪʃmənt] *s*, mest pl. ~*s* a) smicker, inställsamhet b) lockelse[r]; locktoner

blank [blæŋk] **I** *adj* **1** tom, blank, oskriven, ren; ~ *signature* underskrift in blanko **2** tom, uttryckslös; *look* ~ se oförstående (frågande) ut; *my mind went* ~ det stod [plötsligt] alldeles stilla i huvudet på mig **3** pur, ren [~ *despair*] **II** *s* **1** tomrum äv. bildl., tom yta, lucka; oskrivet ställe på papper; händelselös tid [*a* ~ *in our history*]; *his mind was a complete* ~ det stod alldeles stilla i huvudet på honom **2** rent (oskrivet) blad; amer. blankett, formulär **3** nit i lotteri; *draw a* ~ dra en nit, bildl. äv. kamma noll **4** lös patron; *fire* ~*s* skjuta med lös ammunition **III** *vb itr* vard. få hjärnsläpp **IV** *vb tr* vard. behandla som luft **V** *vb tr* o. *vb itr* med adv.: **blank out** vard. a) överskyla, undanhålla, hemlighålla b) förtränga c) få hjärnsläpp

blank cartridge [,blæŋk'kɑ:trɪdʒ] *s* lös patron

blank check [,blæŋk'tʃek] *s* amer. blankocheck; bildl. carte blanche

blank cheque [,blæŋk'tʃek] *s* blankocheck; bildl. carte blanche

blanket ['blæŋkɪt] **I** *s* **1** filt; hästtäcke; *toss sb in a* ~ ung. hissa ngn **2** ~ *of clouds* molntäcke, molnbank; ~ *of snow* snötäcke **II** *adj* fullständig, allmän, omfattande, generell; ~ *stitch* langettsyng **III** *vb tr* täcka

blankly ['blæŋklɪ] *adv* **1** tomt, meningslöst, uttryckslöst **2** blankt [*deny* ~]; rent, totalt

blare [bleə] **I** *vb itr* smattra [som en trumpet], larma, tuta, skrälla, skräna [äv. ~ *forth*]; *the band was blaring away* orkestern brassade (skrällde) på för fullt **II** *vb tr* **1** tuta våldsamt med [~ *the car horn*] **2** ~ *out* a) skrälla fram, brassa på med [*the band* ~*d out a march*] b) ropa, skrika [*he* ~*d out a warning*] **III** *s* [trumpet]stöt; smatter, smattrande

blarney ['blɑ:nɪ] *s* vard. fagert tal, smicker

blasé ['blɑ:zeɪ] *adj* blasé, blaserad, uttråkad

blaspheme [blæs'fi:m] *vb itr* o. *vb tr* häda

blasphemous ['blæsfəməs] *adj* hädisk, blasfemisk

blasphemy ['blæsfəmɪ] *s* hädelse, blasfemi

blast [blɑ:st] **I** *s* **1** [stark] vindstöt; [starkt] luftdrag; *a* ~ *of hot air* en het luftström **2** a) explosion b) tryckvåg[or], lufttryck vid explosion c) sprängladdning **3** vard., *full* ~ el. *at full* ~ för fullt, i full gång (fart) **4** [trumpet]stöt, signal från t.ex. fartygssiren, bilhorn; tjut, oljud; *the ref gave a* ~ *on his whistle* domaren blåste i pipan **5** amer. vard., *it was a* ~ det var jättekul **II** *vb tr* **1** spränga **2** skövla, förinta; krossa [*my hopes were* ~*ed*] **3** vard. skälla ut [*be* ~*ed by one's*

boss]; **~ it!** el. **~ him!** etc., se *damn* V 1
III *vb itr* med prep.:
blast off om raket skjutas upp, starta
blasted ['blɑ:stɪd] *adj* vard. förbaskad, sabla, jäkla
blast furnace [,blɑ:st'fɜ:nəs] *s* masugn
blast-off ['blɑ:stɒf] *s* uppskjutning, start av raket
blatant ['bleɪt(ə)nt] *adj* **1** skriande [~ *poverty*]; flagrant [*a ~ mistake*]; uppenbar, grov [*a ~ lie*] **2** skränig, skrikig
blather ['blæðə] **I** *s* munväder **II** *vb itr* prata dumheter, pladdra
1 blaze [bleɪz] **I** *s* **1** [stark] låga; flammande eld; *in a ~* i ljusan låga; *burst into a ~* slå ut i full låga, flamma (blossa) upp **2** brand, eldsvåda **3** starkt sken (ljus), skarp (full) belysning; *a ~ of light* ett ljushav; *a ~ of colour* ett hav av glödande färger **4** åld. vard., *go to ~s!* dra åt helskota (skogen)!; *it went to ~s* det gick åt skogen (pipan); [*he ran*] *like ~s* …som bara den; *what the ~s!* vad tusan! **II** *vb itr* **1** flamma, blossa, låga, brinna, stå i ljusan låga **2** vara klart upplyst; skina klart (starkt), stråla; lysa, glänsa äv. bildl.; *~ with colour* spraka av färg, vara färgsprakande **III** *vb itr* med adv. el. prep.:
blaze away vard. brassa på [*at mot*]; gå på [*at med*]
blaze up slå ut i full låga, flamma upp, blossa upp äv. bildl. [*the old conflict ~d up again*]
2 blaze [bleɪz] *vb tr*, *~ a (the) trail* bildl. bana väg
blazer ['bleɪzə] *s* [klubb]jacka; blazer
blazing ['bleɪzɪŋ] *adj* **1** flammande etc., jfr *blaze* II **2** glödande [*~ sun*]; bildl. hetsig, våldsam [*~ rows*] **3** vard. förbaskad, jäkla
bleach [bli:tʃ] **I** *vb tr* bleka, blondera **II** *vb itr* blekas, vitna, blekna **III** *s* blekmedel
bleachers ['bli:tʃəz] *s pl* amer. sittplatser (åskådarläktare) utan tak på idrottsplats
bleaching agent ['bli:tʃɪŋ,eɪdʒ(ə)nt] *s* blekmedel
1 bleak [bli:k] *adj* **1** kal [*a ~ landscape*] **2** kylig, kulen; råkall **3** trist, dyster [*~ prospects*]
2 bleak [bli:k] *s* zool. löja
bleary ['blɪərɪ] *adj* om ögon rinnande, röd; om blick skum, beslöjad [av tårar]
bleary-eyed ['blɪərɪaɪd] *adj* surögd, skumögd, med rinnande ögon
bleat [bli:t] **I** *vb itr* **1** bräka, böla **2** bildl. gnälla **II** *s* bräkning, bräkande
bled [bled] imperf. o. perf. p. av *bleed*
bleed [bli:d] **I** (*bled bled*) *vb itr* blöda; *~ at the nose* blöda (ha) näsblod; *~ to death* förblöda; *my heart ~s to see it* mitt hjärta blöder när jag ser det **II** (*bled bled*) *vb tr* **1** åderlåta **2** vard. plocka, skinna, klå [*for money* på pengar]; *~ sb white* el. *~ sb dry* skinna ngn inpå bara benen, suga ut ngn **3** tekn. lufta [*~ brakes*] **III** *s* blödning; *nose ~* näsblod
bleeder ['bli:də] *s* **1** sl. jäkel; *that silly ~!* den tokfan! **2** vard. blödare som lider av blödarsjuka
bleeding ['bli:dɪŋ] **I** *adj* vard. jäkla, jävla, sabla **II** *adv* vard. jäkligt, jävligt; *I don't ~ care!* det ger jag fan i! **III** *s* blödning
bleeding heart [,bli:dɪŋ'hɑ:t] *s* bot. löjtnantshjärta[n]
bleep [bli:p] **I** *s* pip signal **II** *vb itr* pipa

III *vb tr* **1** söka på personsökare **2** radio. el. TV., *~ out* göra ohörbart med pålagd ljudsignal
bleeper ['bli:pə] *s* personsökare mottagardel
blemish ['blemɪʃ] **I** *s* fläck, fel, skönhetsfel, skönhetsfläck, skavank, brist; *without ~* el. *without a ~* äv. felfri, fläckfri **II** *vb tr* vanställa, fläcka
blench [blen(t)ʃ] *vb itr* rygga tillbaka
blend [blend] **I** *vb tr* blanda [*~ tea*]; förena; blanda samman **II** *vb itr* blanda sig [med varandra], blandas, smälta samman; *these two colours ~ perfectly* dessa två färger går (passar) utmärkt ihop **III** *s* **1** blandning [*~ of tea (tobacco, whisky)*] **2** språkv. teleskopord sammandraget ord [t.ex. *motel* av *motorists' hotel*; *smog* av *smoke* o. *fog*]
blender ['blendə] *s* mixer hushållsapparat
bless [bles] (*blessed blessed*, jfr *blessed*) *vb tr* **1** välsigna; *God ~ you!* Gud bevare (välsigne) dig!; *~ you!* a) prosit! b) det var snällt av dig!; *~ed with* begåvad (utrustad) med; *~ me!* el. *~ my soul!* el. *well, I'm ~ed !* ngt åld. o, du store tid!, kors i alla mina dar!; [*I'm*] *~ed if I will* så ta mig tusan (förbaske mig) jag gör det; *I'm ~ed if I know* det vete katten (gudarna)! **2** prisa [och lova] **3** *~ oneself* korsa sig, göra korstecknet; *he hasn't a penny to ~ himself with* han har inte ett korvöre
blessed [adj. 'blesɪd, perf. p. blest] **I** *adj* **1** välsignad **2** lycklig; säll, salig [*~ are the poor; the Blessed*] **3** helig [*the Blessed Virgin (Sacrament)*] **4** vard. förbaskad; *every ~ day* vareviga dag; *the whole ~ lot* hela jäkla rasket **II** *perf p* se *bless*
blessing ['blesɪŋ] *s* välsignelse äv. bildl. [*it was a ~ he didn't come*]; *a mixed ~* ett blandat nöje; *it's a mixed ~* äv. det är på både gott och ont; *a ~ in disguise* ung. tur i oturen; *it turned out to be a ~ in disguise* äv. det visade sig så småningom vara något bra; *count one's ~s* vara tacksam över det man har
blew [blu:] imperf. av *1 blow*
blight [blaɪt] **I** *s* **1** bot. mjöldagg, rost, brand, sot **2** bildl. fördärv; *be a ~ on sth* fördärva (ointetgöra) ngt; *be a ~ on sb's hopes* gäcka ngns förhoppningar **II** *vb tr* skada, fördärva, spoliera, härja
blimey ['blaɪmɪ] *interj* sl. jösses!
blind [blaɪnd] **I** *adj* **1** blind [*~ in* (ibl. *of*) *one eye* (på ena ögat)]; *~ as a bat* se under *1 bat 1* **2** bildl. blind [*~ to* (för) *sb's faults*; *~ faith*; *~ forces*]; besinningslös [*~ rage*]; *turn a ~ eye to sth* blunda för ngt, inte låtsas se ngt **3** dold, hemlig; osynlig [*a ~ ditch*]; undangömd **4** utan öppning[ar] (fönster, utgång), slät vägg **5** *he did not take a ~ bit of notice of it* han brydde sig inte ett dugg om det; *not say a ~ word* inte säga flaska **6** vard., *~* el. *~ to the world* dödfull, stupfull, plakat **II** *adv*, *~ drunk* vard. dödfull **III** *s* **1** rullgardin; markis; *Venetian ~* persienn, spjäljalusi **2** svepskäl, förevändning; täckmantel **IV** *vb tr* **1** göra blind; *be ~ed* äv. bli blind, förlora synen **2** bildl. förblinda, blända; bedra; *~ sb to* göra ngn blind för; *~ oneself to* blunda för
blind alley [,blaɪnd'ælɪ] *s* återvändsgränd äv. bildl.; *it's a ~* äv. det är ingen framtidsplats; *~ job* el. *~ occupation* arbete utan befordringsmöjligheter

blind corner [ˌblaɪnd'kɔːnə] s o. **blind curve** [ˌblaɪnd'kɜːv] s kurva med skymd sikt

blind date [ˌblaɪnd'deɪt] s blindträff träff med obekant person, ordnad av en tredje person

blinder ['blaɪndə] s, **play a ~** vard. sport. spela bländande (suveränt)

blinders ['blaɪndəz] s pl amer. skygglappar

blindfold ['blaɪn(d)fəʊld] **I** vb tr sätta en [ögon]bindel för ögonen på
II adj o. adv **1** med förbundna ögon; **~ chess** blindschack; **~ test** blindtest **2** besinningslös[t], i blindo
III s ögonbindel

blinding ['blaɪndɪŋ] adj **1** bländande **2** förlamande [a ~ headache] **3** **they struggled through the ~ rain** de kämpade sig fram i ett regnväder där man knappt kunde se handen framför sig

blindman's buff [ˌblaɪn(d)mænz'bʌf] s blindbock [play ~]

blindness ['blaɪndnəs] s blindhet; förblindelse

blindside ['blaɪn(d)saɪd] vb tr amer. **1** köra in i sidan på, köra på från sidan **2** ta på sängen **3** trampa…på en öm tå

blind spot [ˌblaɪnd'spɒt] s **1** död vinkel **2** bildl., **he has a ~ there** han är som blind på den punkten

blink [blɪŋk] **I** vb itr **1** blinka; plira [at mot]; blinka förvånat **2** blänka till, glimta, skimra **3** **~ at** bildl. sluta ögonen (blunda) för
II vb tr **1** blinka med [~ the eyes] **2** blunda för, inte låtsas om [~ the fact]
III s **1** glimt **2** blink **3** vard., **be on the ~** vara trasig, ha pajat [the fridge is on the ~]

blinker ['blɪŋkə] s blinkljus, blinksignal

blinkers ['blɪŋkəz] s pl **1** skygglappar äv. bildl. **2** amer. bil. blinkers, körriktningsvisare

blinking ['blɪŋkɪŋ] adj vard. förbaskad

blip [blɪp] s **1** prick [ljus]fläck på dataskärm **2** vard. bildl. hickning

bliss [blɪs] s lycksalighet, sällhet [heavenly ~]; lycka [married ~; matrimonial ~]; [the holiday] **was sheer ~** …var helt underbar

blissful ['blɪsf(ə)l] adj lycksalig, säll; lycklig; **be in ~ ignorance of** sväva i lycklig okunnighet om

blister ['blɪstə] **I** s blåsa; blemma **II** vb tr åstadkomma (bilda, få) blåsor på (i, under) [~ one's feet] **III** vb itr få (bli täckt av) blåsor; **my hands ~ easily** jag får lätt blåsor i händerna

blistering ['blɪst(ə)rɪŋ] adj **1** våldsam, rasande [~ pace]; **~ criticism** svidande kritik **2** glödhet, brännande

blister pack ['blɪstəpæk] s blisterförpackning

blithe [blaɪð] adj **1** mest poet. glad, munter, glättig **2** bekymmerslös, tanklös [~ disregard]

blithering ['blɪð(ə)rɪŋ] adj vard. jäkla, jädrans [that ~ idiot]

Blitz [blɪts] s, **the ~** blitzen Tysklands flygoffensiv mot Storbritannien 1940–1941

blitz [blɪts] **I** s **1** blixtanfall, blixtkrig; bombräd[er] **2** bildl., **advertising ~** reklamkampanj; **have a ~ on** vard. göra en [snabb] insats mot, ta itu med **II** vb tr **1** rikta blixtanfall mot; bomba **2** bildl. vard. ta itu med

blitzed [blɪtst] adj vanl. amer. vard. utslagen berusad el. uttröttad

blizzard ['blɪzəd] s [häftig] snöstorm

bloated ['bləʊtɪd] adj uppsvälld, pussig, plufsig; uppblåst äv. bildl. [~ with (av) pride]; däst

bloater ['bləʊtə] s lätt saltad rökt sill

blob [blɒb] s droppe; klick [a ~ of paint] liten klump; plump

bloc [blɒk] s polit. block, sammanslutning

block [blɒk] **I** s **1** kloss, kubb[e], stock, block av sten, trä; [slakt]bänk **2** [byggnads]komplex, [hus]block; kvarter; **tower ~** punkthus, höghus; **~ of flats** hyreshus, flerfamiljshus; **it's just around the ~** det är bara runt hörnet (kvarteret); **walk round the ~** gå (ta en promenad) runt kvarteret **3** [lyft]block **4** stock för träsnitt; kliché **5** bunt; post av aktier; [skriv]block **6** sektion i teatersalong o.d. **7** [motor]block **8** vard. skalle; **knock sb's ~ off** klippa till ngn **9** hinder; stopp; blockering; [väg]spärr; **traffic ~** trafikstockning; **put a ~ on sth** el. **put the ~s on sth** sätta stopp för ngt
II vb tr **1** blockera äv. sport., spärra [av], täppa till, stänga av; hindra; stoppa; skymma; **~ the way for** spärra vägen för, hindra, mota **2** stötta [under] **3** ekon. blockera, spärra; **~ed account** spärrat konto
III vb tr med prep. el. adv.:
block in a) stänga inne b) göra utkast till, skissera
block off stänga (spärra) av
block out a) hindra; stoppa; skymma; **~ out the light** stänga ute ljuset b) göra utkast till, skissera
block up a) blockera äv. sport., spärra [av], täppa till, stänga av; **that pipe is ~ed up** det är stopp i det där röret b) stänga inne c) palla upp

blockade [blɒ'keɪd] **I** s blockad; **impose a ~** införa blockad; **raise a ~** el. **run a ~** häva (bryta) en blockad
II vb tr **1** blockera **2** stänga för; stänga in[ne]; stoppa, hindra

blockage ['blɒkɪdʒ] s stopp; blockering

blockbuster ['blɒkˌbʌstə] s vard. **1** dundersuccé, stor hit **2** kraftig bomb, kvartersbomb

block capitals [ˌblɒk'kæpɪtlz] s pl se block letters

blockhead ['blɒkhed] s åld. vard. dumhuvud, pundhuvud, träskalle

blockhouse ['blɒkhaʊs] s blockhus; bunker

block letters [ˌblɒk'letəz] s pl stora bokstäver, versala bokstäver; **write in ~** skriva med stora bokstäver (texta)

block party ['blɒkˌpɑːtɪ] s amer. gatufest

blog [blɒg] data. **I** s blogg **II** vb itr blogga

blogosphere ['blɒgəsfɪə] s data., **the ~** bloggosfären, bloggvärlden

blog post ['blɒgpəʊst] s data. blogginlägg

bloke [bləʊk] s vard. karl, kille, snubbe

blokish ['bləʊkɪʃ] adj vard. grabbig

blond [blɒnd] **I** adj blond, ljuslagd **II** s blond (ljuslagd) person

blonde [blɒnd] **I** adj blond, ljuslagd [a ~ girl] **II** s blondin

blood [blʌd] **I** s **1** blod: mera eg., **give ~** lämna blod; **let ~** åderlåta, avtappa blod **2** blod: symboliserande blodig död o.d., **~ sport** blodig (våldsam) sport som jakt, tuppfäktning o.d.; **they are out for his ~** de törstar efter hans blod **3** blod: symboliserande livet, olika sinnestillstånd o.d., **flesh and ~** se under flesh I; **stir up bad ~** väcka ont blod; **make bad ~ between** skapa bitterhet (illvilja) mellan; **new ~** el. **young ~** nytt (fräscht) blod, nya (unga) förmågor; **his ~ is up** han kokar av vrede (upphetsning); **his ~ ran cold** [**when he heard it**] blodet isades i hans ådror...; **you can't get ~ out of a stone** det är helt omöjligt (hopplöst); **it makes my ~ boil** [**when I think of it**] det får mig att koka...; **in cold ~** [helt] kallblodigt, med berått mod, överlagt **4** blod: symboliserande börd, släktförhållanden o.d. [**blue ~**; **~ is thicker than water**]; **run in the ~** ligga i blodet (släkten); **related by ~** [**to**] släkt genom blodsband [med]

II *vb tr* ge hundar smak på blod; **he has been ~ed** ung. han har gjort sina första lärospån

blood-and-guts [ˌblʌdən(d)'gʌts] *adj* amer. vard. våldsam, blodig [**a ~ struggle**]

blood-and-thunder [ˌblʌdən(d)'θʌndə] *adj* bloddrypande [**a ~ novel**]

blood bank ['blʌdbæŋk] *s* blodbank

blood bath ['blʌdbɑːθ] *s* blodbad

blood brother ['blʌdˌbrʌðə] *s*, **he is my ~** vi är blodsbröder

blood cells ['blʌdselz] *s pl* fysiol. blodceller, blodkroppar

blood clot ['blʌdklɒt] *s* blodpropp

blood count ['blʌdkaʊnt] *s* **1** blodvärde **2** blodkroppsräkning

blood-curdling ['blʌdˌkɜːdlɪŋ] *adj* bloddrypande; hårresande [**a ~ sight**]

blood donor ['blʌdˌdəʊnə] *s* blodgivare

blood-doping ['blʌdˌdəʊpɪŋ] *s* bloddoping

blood group ['blʌdgruːp] *s* blodgrupp

blood heat ['blʌdhiːt] *s* normal kroppstemperatur

bloodhound ['blʌdhaʊnd] *s* blodhund, bildl. äv. spårhund

bloodless ['blʌdləs] *adj* **1** blodlös; blodfattig, [mycket] blek **2** oblodig [**a ~ victory**] **3** bildl. **a)** blodlös, livlös, matt **b)** känslolös, hjärtlös

blood-letting ['blʌdˌletɪŋ] *s* **1** blodavtappning; åderlåtning äv. bildl. **2** blodsutgjutelse

blood-lust ['blʌdlʌst] *s* blodtörst

blood money ['blʌdˌmʌnɪ] *s* blodspengar

blood orange ['blʌdˌɒrɪn(d)ʒ] *s* blodapelsin

blood-poisoning ['blʌdˌpɔɪznɪŋ] *s* blodförgiftning

blood pressure ['blʌdˌpreʃə] *s* blodtryck [**have high ~**; **have low ~**]; **~ gauge** blodtrycksmätare

blood relation ['blʌdrɪˌleɪʃ(ə)n] *s* blodsförvant

bloodshed ['blʌdʃed] *s* blodsutgjutelse

bloodshot ['blʌdʃɒt] *adj* blodsprängd

bloodstain ['blʌdsteɪn] *s* blodfläck

bloodstained ['blʌdsteɪnd] *adj* **1** blodbefläckad, blodig **2** bildl. blodbesudlad [**~ hands**]

bloodstream ['blʌdstriːm] *s* blodomlopp; **he has got it in his ~** bildl. han har det i blodet

bloodsucker ['blʌdˌsʌkə] *s* blodsugande djur, spec. blodigel; blodsugare äv. bildl.

blood sugar [ˌblʌd'ʃʊgə] *s* blodsocker

blood test ['blʌdtest] *s* blodprov

bloodthirsty ['blʌdˌθɜːstɪ] *adj* blodtörstig

blood transfusion ['blʌdtrænsˌfjuːʒ(ə)n] *s* blodtransfusion, blodöverföring

blood type ['blʌdtaɪp] *s* vanl. amer. blodgrupp

blood vessel ['blʌdˌvesl] *s* blodkärl

bloody ['blʌdɪ] **I** *adj* **1** blodig [**a ~ handkerchief**; **~ battles**]; **get oneself all ~** bloda ner sig **2** om person mordisk, blodtörstig **3** vard. förbannad, satans,

helvetes, jävla [**~ fool**]; **it's a ~ miracle** [**we weren't killed**] det var ett jävla under...

II *adv* vard. förbannat, satans, helvetes, jävligt [**he does it ~ fast**]; **~ good** jävla bra; **no ~ good** jävla dålig; **not ~ likely!** i helvete heller!, så fan heller!; **it's ~ terrible** det är för jävligt; **what do you ~ well think you're doing?** vad fan tror du att du håller på med?; **he'd ~ well better be there** det är bäst att han är där annars får han se på fan; **you're ~ well right** du har ta mig fan rätt

III *vb tr* blodbefläcka, bloda ner

bloody-minded [ˌblʌdɪ'maɪndɪd] *adj* vard. trilsk, motsträvig, tvär; **he did it just to be ~** han gjorde det bara för att jäklas

bloody-mindedness [ˌblʌdɪ'maɪndɪdnəs] *s* vard., **he did it out of sheer ~** han gjorde det på rent djävulskap (bara för att jäklas)

bloom [bluːm] **I** *s* **1 a)** blomma; blomning; koll. blom[mor]; **be in ~** stå i blom **b)** bildl. blomstringstid, flor; **in the ~ of youth** i blomman av sin ungdom **2 a)** [fint] stoft, tunn beläggning på plommon, druvor o.d., dagg, fjun **b)** bildl. friskhet, fägring; blomstrande färg, glöd **3** om vin bouquet, doft

II *vb itr* **1** blomma, stå (slå ut) i full blom **2** bildl. blomstra; se strålande ut

bloomer ['bluːmə] *s* åld. vard. dundertabbe, blunder

bloomers ['bluːməz] *s pl* slags påsiga underbyxor (mamelucker)

blooming ['bluːmɪŋ] **I** *adj* **1** blommande **2** åld. vard. sabla, jäkla

II *adv* åld. vard. sabla, jäkla; **not ~ likely!** i helsicke heller!

Bloomingdale's ['bluːmɪŋdeɪlz] stort varuhus i New York

blooper ['bluːpə] *s* amer. vard. dundertabbe, tavla

blossom ['blɒsəm] **I** *s* blomma spec. på fruktträd; koll. blom[mor]; blomning; **be in ~** stå i blom

II *vb itr* **1** slå ut i blom, blomma **2** bildl., **~ forth** el. **~ out** blomma upp, blomstra; **~ into** el. **~ out as** utveckla sig till [**she has ~ed into a fine singer**]

blot [blɒt] **I** *vb tr* **1** torka; läska, torka med läskpapper **2** vard., **~ one's copybook** få en prick på sig, fördärva sitt goda rykte, göra bort sig

II *vb tr* med adv.:

blot out a) stryka ut (över), sudda över **b)** dölja, fördunkla, skymma **c)** utplåna, utrota fiender etc.; **~ out the memory of sth** utplåna ngt ur minnet

III *s* **1** plump, bläckfläck **2** fläck, skamfläck; skönhetsfläck; **be a ~ on** äv. vanpryda, skämma; **it's a ~ on the landscape** det förstör (skämmer) omgivningen **3** fel, brist, skavank

blotch [blɒtʃ] *s* större, oregelbunden fläck, plump

blotter ['blɒtə] *s* **1** läskblock, läskpress, läskpapper **2** amer. förteckning över polismål; lista

blotting paper ['blɒtɪŋˌpeɪpə] *s* läskpapper

blotto ['blɒtəʊ] *adj* vard. plakat, packad berusad

blouse [blaʊz, amer. vanl. blaʊs] *s* **1** blus; jacka **2** uniformsjacka, vapenrock

1 blow [bləʊ] **I** (blew blown, i betydelse 1 blow I 6 a: blowed) *vb itr* o. *vb tr* **1** blåsa, blåsa i [**~ one's whistle**]; **~ kisses** kasta slängkyssar; **~ one's nose** snyta sig; **~ one's own trumpet** bildl. slå på [stora] trumman för sig själv; **he ~s hot and cold** han velar hit och dit **2** spränga [i luften]; **~ one's top** el.

~ *a fuse* vard. gå i taket, explodera av ilska **3** elektr., *a fuse has ~n* det har gått en propp (säkring) **4 a)** flåsa, flämta; om valar blåsa, spruta; *puff and ~* pusta **b)** göra andfådd; spränga [~ *a horse*] **5** ljuda [*the whistle ~s at noon*] **6** vard. **a)** ~ *it* (*him*)*!* etc., se *damn* V 1 **b)** slänga ut, sätta sprätt på [~ *£100 on a dinner*] **c)** sumpa, missa **d)** sticka, kila, dunsta **II** (för tema se *1 blow I*) *vb itr* o. *vb tr* med adv., ofta med spec. översättningar:

blow away a) vard. skjuta ned, döda med vapen **b)** blåsa bort; om t.ex. moln äv. dra bort

blow in vard. komma in[susande], dyka upp [*look who's ~n in!*]; titta in

blow off a) ~ *off steam* släppa ut ånga; bildl. ge luft åt sina känslor, avreagera sig **b)** *he had two fingers ~n off* han fick två fingrar avskjutna (bortsprängda) **c)** amer. vard. göra ned **d)** amer. vard. spola, dumpa

blow out a) rfl. slockna [*the fire blew itself out*]; bedarra om vind **b)** släcka, blåsa ut [~ *out a candle*] **c)** itr. explodera om däck **d)** ~ *one's brains out* skjuta sig [en kula] för pannan **e)** amer. skåpa ut, besegra **f)** lämna i sticket

blow over a) blåsa omkull **b)** om t.ex. oväder dra förbi, gå över, lägga sig

blow up a) blåsa upp, pumpa upp [~ *up a tyre*] **b)** explodera äv. bildl., flyga i luften **c)** spränga i luften **d)** vard. brusa upp, tappa tålamodet **e)** vard. foto. förstora [upp] [~ *up a photograph*] **f)** vard. blåsa upp, göra ett stort nummer av **g)** *a storm is ~ing up* det drar ihop sig till oväder **III** *s* blåsande, blåsning

2 blow [bləʊ] *s* **1** slag, stöt; *at a ~* i ett slag; *come to ~s* råka i slagsmål; *get a ~ in* få in ett slag; *without striking a ~* el. *without a ~* utan strid **2** bildl. [hårt] slag, motgång, olycka [*to* för]; *strike a ~ for* slå ett slag för

blow-by-blow [ˌbləʊbaɪˈbləʊ] *s* [som berättas] steg för steg (i minsta detalj), mycket detaljerad [*a ~ account*]

blow-drier [ˈbləʊˌdraɪə] *s* se *blow-dryer*

blow-dry [ˈbləʊdraɪ] *vb tr* föna håret

blow-dryer [ˈbləʊˌdraɪə] *s* [hår]fön

blower [ˈbləʊə] *s* **1** blåsare **2** bläster fläkt, bälg o.d.; ventilator **3** åld. vard., *on the ~* på tråden telefonen

blowfly [ˈbləʊflaɪ] *s* spyfluga

blowhole [ˈbləʊhəʊl] *s* **1** lufthål; ventil **2** blåshål, spruthål på valar

blowjob [ˈbləʊdʒɒb] *s* vulg., *give sb a ~* suga av ngn

blowlamp [ˈbləʊlæmp] *s* blåslampa

blown [bləʊn] perf. p. av *1 blow*

blowout [ˈbləʊaʊt] *s* **1** punktering **2** elektr., säkrings smältning; *there's been a ~* det har gått en propp **3** vard. partaj; brakfest; skrovmål **4** läcka från gas- el. oljekälla **5** amer. vard. utskåpning

blowpipe [ˈbləʊpaɪp] *s* **1** blåsrör **2** glasblåsarpipa

blowtorch [ˈbləʊtɔːtʃ] *s* blåslampa

blow-up [ˈbləʊʌp] *s* **1** foto. vard. förstoring **2** bråk, gräl

blowy [ˈbləʊɪ] *adj* blåsig

blowzy [ˈblaʊzɪ] *adj* vanl. om kvinna **1** sjaskig, slafsig **2** rödmosig, rödbrusig

blub [blʌb] *vb itr* vard. lipa

blubber [ˈblʌbə] **I** *s* späck hos valdjur o.d. **II** *vb itr* vard. lipa, gråta

bludgeon [ˈblʌdʒ(ə)n] **I** *vb tr* **1** slå, slå ned, klubba till **2** bildl. [med våld] tvinga [*into doing sth* att göra ngt]
II *s* [knöl]påk

blue [bluː] **I** *adj* **1** blå; *once in a ~ moon* vard. sällan eller aldrig, en gång på hundra år; *talk a ~ streak* vard. prata i ett kör (som en kvarn); [*you can talk to him*] *till you're ~ in the face* ...tills du blir blå i ansiktet, ...tills du blir alldeles matt **2** vard. deppig; dyster, nedslående; *look ~* se deppig ut **3** amer. sträng, puritansk [~ *laws*] **4** blå, konservativ **5** vard. snuskig, porr- [*a ~ movie*]; ~ *joke* äv. fräckis
II *s* **1** blått, blå färg **2** blåa kläder, blått [*dressed in ~*] **3** *the ~* poet. a) [den blå] himlen b) [det blå] havet; *a gift from the ~* en gåva från ovan; *appear* (*come*) *out of the ~* komma helt oväntat, komma nerdimpande som från himlen **4** sport., spec. i Oxford o. Cambridge **a)** rätt att bära blått som tecken på att man har representerat sitt universitet i idrott **b)** representant för sitt universitet i idrott; *dark ~s* mörkblå representanter för Oxford; *light ~s* ljusblå representanter för Cambridge **5** konservativ [*a true ~*]; blå **6** *~s* el. *the ~s* mus. el. vard., se *blues*
III *vb tr* sl. slösa, bränna [~ *one's money*]

bluebell [ˈbluːbel] *s* bot. **1** engelsk klockhyacint **2** skotsk., liten blåklocka

blueberry [ˈbluːb(ə)rɪ, amer. vanl. -ˌberɪ] *s* blåbär amerikansk art

bluebird [ˈbluːbɜːd] *s* zool. blåsångare

blue-blooded [ˌbluːˈblʌdɪd, attr. ˈ-ˌ--] *adj* bildl. blåblodig

blue book [ˌbluːˈbʊk] *s* **1** hist. blå bok utredning e.d. utgiven av brittiska regeringen **2** amer. blått skrivhäfte som används vid examen **3** amer. prislista med genomsnittspriser för t.ex. begagnade bilar

bluebottle [ˈbluːˌbɒtl] *s* spyfluga

blue cheese [ˌbluːˈtʃiːz] *s* grönmögelost, ädelost

blue-chip [ˈbluːtʃɪp] *adj* ledande [~ *organizations*]; säker [~ *shares*]

blue chip [ˌbluːˈtʃɪp] *s* säkert [värde]papper

blue-collar [ˈbluːˌkɒlə] *adj*, ~ *worker* [industri]arbetare

blue-eyed [ˈbluːaɪd, pred. ˌ-ˈ-] *adj* blåögd äv. bildl.

blue-eyed boy [ˌbluːaɪdˈbɔɪ] *s* vard. gullgosse, kelgris

bluegrass [ˈbluːɡrɑːs] *s* amer. **1** mus. bluegrass countrymusik **2** bot. ängsröe

Bluegrass State [ˈbluːɡrɑːsteɪt], *the ~* beteckn. för staten *Kentucky*

blue jeans [ˌbluːˈdʒiːnz] *s pl* vanl. amer. blåjeans

blue pencil [ˌbluːˈpensl] *s* blåpenna, för redigering o.d. äv. rödpenna [*he went over it with his ~*]

blueprint [ˈbluːprɪnt] *s* **1** blåkopia **2** plan, utkast; planritning; *at the ~ stage* på skrivbordsstadiet

blue-ribbon [ˌbluːˈrɪbən, attr. ˈ--] *adj* förstklassig, prima

blue ribbon [ˌbluːˈrɪbən] *s*, *the ~* första priset, högsta utmärkelsen

blue-rinse [ˌbluːˈrɪns] *s* hårfärgningsmedel som ger blå ton

blues [bluːz] (med verb i sg. el. pl.) *s pl* **1** mus. blues; attr. blues- [*a ~ singer*] **2** vard., *get the ~* bli deppig; *have the ~* vara deppig (nere)

bluestocking [ˈbluːˌstɒkɪŋ] *s* bildl. blåstrumpa

blue tit [ˈbluːtɪt] *s* zool. blåmes

1 bluff [blʌf] **I** *vb tr* o. *vb itr* bluffa; **~ sb into doing sth** lura ngn att göra ngt; **~ one's way through** bluffa sig igenom; **make one's way by ~ing** bluffa sig fram **II** *s* **1** bluff; **call sb's ~** få ngn att visa sina kort, testa (avslöja) om ngn bluffar **2** bluff[makare]
2 bluff [blʌf] **I** *adj* **1** burdus, rättfram **2** tvärbrant **II** *s* [bred och] brant udde (klippa)
bluffer ['blʌfə] *s* bluff[makare]
bluish ['bluːɪʃ] *adj* blåaktig
blunder ['blʌndə] **I** *s* blunder, tabbe
II *vb itr* **1** drumla, drulla, törna [*against, into* mot, in i]; traska, stappla [*on, along* fram]; **~ on** råka stöta på **2** dabba sig, göra en tabbe
III *vb tr* vansköta, missköta
blunderbuss ['blʌndəbʌs] *s* muskedunder
blunderer ['blʌndərə] *s* klåpare, klant; drummel
blundering ['blʌnd(ə)rɪŋ] *adj*, **~ fool** el. **~ idiot** drummel
blunt [blʌnt] **I** *adj* **1** slö, trubbig **2** trög, slö; okänslig; avtrubbad **3** rättfram, rakt på sak, burdus
II *vb tr* göra slö, trubba av äv. bildl.
bluntly ['blʌntlɪ] *adv* **1** trubbigt **2** rent ut, rakt på sak
blur [blɜː] **I** *s* sudd[ighet]; suddiga konturer; **a ~** äv. något suddigt; **~ of voices** surr av röster; **my mind was a ~** jag hade bara suddiga minnen **II** *vb tr* göra suddig (otydlig, oskarp, dimmig) [**~** *one's sight*]; sudda ut [**~** *distinctions*] **III** *vb itr* bli suddig (otydlig); gå i varandra, flyta ihop [*the colours ~*]
blurb [blɜːb] *s*, **~** el. **publisher's ~** reklamtext (säljande beskrivning) på bokomslag, baksidestext
blurred [blɜːd] *adj* o. **blurry** ['blɜːrɪ] *adj* suddig, otydlig, oskarp, dimmig; **become blurred** äv. flyta ihop
blurt [blɜːt] *vb tr*, **~ out** slänga (vräka) ur sig; **I ~ed it out** äv. det for ur mig
blush [blʌʃ] **I** *vb itr* rodna; blygas [*with, for* av; *at the thought of*]; vara (bli) röd
II *s* **1** rodnad, rodnande; **without a ~** utan att rodna, ogenerat **2** rosenskimmer; skär (rosig) färg **3** *at first* **~** vid första påseendet
blusher ['blʌʃə] *s* rouge
bluster ['blʌstə] **I** *vb itr* **1** domdera **2** gorma och svära; skräna; skrävla **3** om vind o.d. brusa, storma, rasa
II *s* **1** gormande, skrän; skrävel **2** om vind o.d. raseri, larm
blustering ['blʌst(ə)rɪŋ] *adj* o. **blustery** ['blʌstərɪ] *adj* stormig
blvd förk. för *boulevard*
BM (förk. för *Bachelor of Medicine*) ung. med.kand.
BMI [ˌbiːemˈaɪ] (förk. för *body mass index*) BMI, kroppsmasseindex
B-movie ['biːˌmuːvɪ] *s* B-film dålig lågbudgetfilm
BO [ˌbiːˈəʊ] *s* vard. (förk. för *body odour*) svettlukt
boa ['bəʊə] *s* **1** boa[orm] **2** boa krage
boa constrictor ['bəʊəkənˌstrɪktə] *s* boa[orm], kungsboa
boar [bɔː] *s* galt, fargalt; **wild ~** vildsvin
board [bɔːd] **I** *s* **1** bräde, bräda; **the ~** ishockey. sargen **2** anslagstavla, [svart] tavla **3** kost [*free ~*]; **~ and lodging** kost och logi, mat och husrum; **full ~** helpension **4** råd, styrelse, direktion; nämnd;

departement; **~ of appeal** ung. besvärsnämnd; **~ of directors** styrelse, direktion för t.ex. bolag; **~ of governors** styrelse, direktion för t.ex. institution; **~ of trade** amer. handelskammare; **be on the ~** sitta [med] i styrelsen **5** sjö. o.d. bord[läggning]; **go by the ~** gå över bord; bildl. gå över styr, gå om intet, överges; **on ~** ombord [på fartyg, flygplan , amer. äv. tåg] **6** pl.: **the ~s** tiljan, teatern; **on the ~s** vid teatern; **go on the ~s** om pjäs uppföras **7** [pärm]papp, kartong; **in ~s** i styva pärmar, kartonnerad, i pappband **8** bildl., **across the ~** över hela linjen; **sweep the ~** kamma hem potten, göra rent bord
II *vb tr* **1** sjö. o.d. borda; gå ombord på; stiga på; lägga till långsides med; äntra fartyg **2 ~ sb** ha ngn [hel]inackorderad **3** brädfodra, boasera, [be]klä med bräder
III *vb itr*, **~ with sb** el. **~ at sb's place** ha kost [och logi] hos ngn, vara inneboende hos ngn
IV *vb tr* o. *vb itr* med prep. el. adv.:
board out a) **~ sb out** ackordera ut (bort) ngn
b) regelbundet äta ute
board over täcka med bräder
board up sätta bräder för (kring)
boarder ['bɔːdə] *s* **1** inneboende; pensionatsgäst; matgäst **2** skol. o.d. intern, elev som bor på internat
boarding ['bɔːdɪŋ] *s* **1** bordning; påstigning; äntring av fartyg **2** brädfodring, brädvägg; bräder
boarding card ['bɔːdɪŋkɑːd] *s* boardingcard ombordstigningskort
boarding house ['bɔːdɪŋhaʊs] *s* pensionat
boarding school ['bɔːdɪŋskuːl] *s* internat, internatskola
boardroom ['bɔːdrʊm] *s* styrelserum
boast [bəʊst] **I** *vb itr* skryta, yvas [*of, about* med, över]; **~ of** äv. berömma sig av **II** *vb tr* kunna skryta med [att ha], [kunna] ståta med **III** *s* skryt; stolthet [*the ~ of the town*]; **it was her ~ that** hon skröt med att
boaster ['bəʊstə] *s* [stor]skrytare, skrytmåns
boastful ['bəʊstf(ʊ)l] *adj* skrytsam
boat [bəʊt] *s* **1** båt; **be all in the same ~** bildl. sitta (vara) i samma båt; **take to the ~s** gå i båtarna **2** skål, snipa för sås
boat drill ['bəʊtdrɪl] *s* livbåtsövning
boatel [bəʊˈtel] *s* **1** båtell hotell för båtägare i småbåtshamn **2** flotell fartyg som tjänstgör som hotell
boater ['bəʊtə] *s* styv platt halmhatt
boathook ['bəʊthʊk] *s* båtshake
boating ['bəʊtɪŋ] *s* rodd, segling; **go ~** fara ut och ro (segla), ta (göra) en båttur (spec. roddtur)
boat|man ['bəʊtmən] (pl. *-men* [-mən]) *s* båtkarl; båtuthyrare; roddare, seglare
boat people ['bəʊtˌpiːpl] (med verb i pl.) *s* båtflyktingar
boat race ['bəʊtreɪs] *s* båttävling; kapprodd
boatswain ['bəʊsn] *s* båtsman; på örlogsfartyg däcksunderofficer
boat train ['bəʊttreɪn] *s* båttåg tåg med anslutning till fartyg[slinje]
boatyard ['bəʊtjɑːd] *s* båtvarv
Bob [bɒb] **1** kortform av *Robert* **2 and ~'s your uncle** vard. så är allting fixat (kirrat), så är den saken klar
1 bob [bɒb] **I** *vb itr* **1** guppa, hoppa, studsa, dingla **2** bocka; knixa [*to sb* för ngn]; **~ and curtsy** niga

och knixa **3** ~ *up* dyka upp äv. bildl. [*that question often ~s up*]; sticka upp
II *vb tr* **1** smälla (stöta) [till] **2** knycka på [~ *the head*]; hastigt stoppa, sticka [*she ~bed her head into the room*]; ~ *one's head* bocka; nicka **3** ~ *a curtsy* knixa
III *s* **1** knyck, ryck, knuff **2** knix, bockning
2 bob [bɒb] **I** *s* **1** bobbat hår; ~ *pin* hårklämma
2 spec. sport. bob, amer. äv. [timmer]kälke
II *vb tr* bobba hår; *~bed hair* bobbat hår
3 bob [bɒb] *s*, *a few* ~ vard. lite stålar, en hacka pengar
bobbin ['bɒbɪn] *s* **1** spole, spolstomme, bobin; [tråd]rulle **2** [knyppel]pinne
bobble ['bɒbl] *s* **1** tofs **2** ~*s* vard. noppor på kläder
bobby ['bɒbɪ] åld. vard. 'bobby', polis[man]
bobby pin ['bɒbɪpɪn] *s* amer. hårklämma
bobcat ['bɒbkæt] *s* amer. zool. rödlo
bobsled ['bɒbsled] *s* o. **bobsleigh** ['bɒbsleɪ] *s* **1** sport. bob, bobsleigh **2** amer. timmerkälke
bobsleighing ['bɒb,sleɪɪŋ] *s* bobsleigh, bob sportgren
bobtail ['bɒbteɪl] *s* **1** stubbsvans; hund (häst) med stubbsvans **2** *the ragtag and* ~ [hela] patrasket (byket)
bod [bɒd] *s* vard. **1** snubbe, kille, typ; *an odd* ~ en konstig prick **2** kropp
bodacious [bəʊ'deɪʃəs, amer. boʊ-] *adj* amer. sl.
1 häftig, läcker [~ *babes*] **2** kaxig [*a* ~ *promise*]
bode [bəʊd] *vb itr* båda, varsla; ~ *ill for* äv. inte båda gott för, vara illavarslande för
bodge [bɒdʒ] *vb tr* vard., se *botch I*
bodice ['bɒdɪs] *s* **1** [klännings]liv, blusliv; livstycke till folkdräkt **2** slags midjekorsett
bodily ['bɒdəlɪ] **I** *adj* kroppslig, fysisk; attr. äv. kropps-; ~ *needs* fysiska behov
II *adv* **1** kroppsligen **2** helt och hållet, i sin helhet; *the audience rose* ~ åhörarna reste sig som en man
bodkin ['bɒdkɪn] *s* **1** trädnål **2** lång hårnål
body ['bɒdɪ] *s* **1** kropp; lekamen; [*he earns scarcely*] *enough to keep* ~ *and soul together* ...tillräckligt för att klara livhanken; *belong to sb* ~ *and soul* vara starkt bunden till ngn; *throw oneself* ~ *and soul into sth* kasta sig in i ngt med liv och lust **2** lik, [död] kropp; *over my dead* ~ vard. över min döda kropp
3 kroppens bål **4** [klännings]liv, body plagg
5 huvuddel, viktigaste del; inlaga av bok; *the* ~ *of a concert hall* salongen i ett konserthus **6** koll. massa, majoritet [*the* ~ *of the people*]; *the* ~ *of public opinion* den övervägande folkmeningen **7** organ, organisation; församling [*a legislative* ~]; *governing* ~ styrande organ, direktion, styrelse; *the student* ~ studenterna koll. **8** huvudstyrka [*the main* ~ *of the troops*]; avdelning; skara, grupp; *in a* ~ i sluten (samlad) trupp, mangrant **9** [befintlig] samling; *a large* ~ *of evidence* ett stort bevismaterial; *a* ~ *of facts* en mängd fakta **10** ~ *of water* vattensamling, vattenmassa **11** kropp; ämne [*a compound* ~]; *foreign* ~ med. främmande föremål; *heavenly* ~ el. *celestial* ~ himlakropp **12** [bil]kaross; flygplanskropp **13** styrka, fasthet; must, fyllighet [*wine of good* ~; *want of* ~]; kärna
body bag ['bɒdɪbæg] *s* liksäck
body blow ['bɒdɪbləʊ] *s* **1** bildl. avgörande (hårt) slag **2** boxn. kroppsslag

body-builder ['bɒdɪ,bɪldə] *s* bodybuilder, kroppsbyggare
body-building ['bɒdɪ,bɪldɪŋ] *s* bodybuilding, kroppsbyggande
bodycheck ['bɒdɪtʃek] *s* o. **bodychecking** ['bɒdɪ,tʃekɪŋ] *s* ishockey. kroppstackling, bodychecking
body clock ['bɒdɪklɒk] *s* biologisk klocka
bodyguard ['bɒdɪgɑ:d] *s* livvakt
body-hugging ['bɒdɪ,hʌgɪŋ] *adj* kroppsnära, åtsmitande [~ *dress*]
body language ['bɒdɪ,læŋgwɪdʒ] *s* kroppsspråk
body mike ['bɒdɪmaɪk] *s* halsmikrofon, 'mygga'
body odour ['bɒdɪ,əʊdə] (förk. *BO*) *s* svettlukt
body-piercing ['bɒdɪ,pɪəsɪŋ] *s* piercing håltagning
body search ['bɒdɪsɜ:tʃ] *s* kroppsvisitering, kroppsvisitation
body shop ['bɒdɪʃɒp] *s* bilplåtslageri; karosserifabrik
body stocking ['bɒdɪ,stɒkɪŋ] *s* body, kroppsstrumpa
bodysuit ['bɒdɪsu:t] *s* amer. body plagg
bodywork ['bɒdɪwɜ:k] *s* kaross, karosseri
Boer ['bəʊə] *s* boer; *the* ~ *War* boerkriget
boffin ['bɒfɪn] *s* vard. [teknisk] expert, [topp]forskare
bog [bɒg] **I** *s* **1** mosse, moras, myr, kärr, träsk
2 vard. dass, mugg [*go to the* ~]; ~ *roll* dasspapper
II *vb tr* sänka ned i ett kärr (i dy)
III *vb itr* o. *vb tr* med adv. el. prep.:
bog down vard. köra fast, stranda; *be ~ged down* el. *get ~ged down* ha kört (köra) fast
bog off vard. dra åt helvete
bogey ['bəʊgɪ] *s* **1** spöke, ond ande; bildl. hjärnspöke **2** golf. bogey ett över par, där par är idealslaget
3 vard. snorkråka i näsan
bogeyman ['bəʊgɪ|mæn] (pl. *-men* [-mən]) *s*
1 skräckinjagande (ful) gubbe som man skrämmer barn med; [*be good*] *or the* ~ *will get you!* ...annars kommer monstret och tar dig! **2** se *bogey 1*
boggle ['bɒgl] *vb itr* **1** häpna, haja till [*at, over* inför]; *the mind ~s at it* tanken svindlar **2** tveka; *he ~s at it* han drar sig för det
boggy ['bɒgɪ] *adj* sumpig, sank, träskartad
1 bogie ['bəʊgɪ] *s* se *bogey*
2 bogie ['bəʊgɪ] *s* järnv. **1** boggi **2** tralla
bog moss ['bɒgmɒs] *s* vitmossa, torvmossa
bog myrtle ['bɒg,mɜ:tl] *s* bot. pors
BOGOF [bɒg'ɒf] (förk. för *buy one get one free*) köp en och få en gratis
Bogotá [,bɒgə'tɑ:] geogr.
bog peat ['bɒgpi:t] *s* torv från mosse
bog-standard ['bɒg,stændəd] *adj* vard. vanlig, genomsnittlig
bogus ['bəʊgəs] *adj* falsk, oäkta, sken- [~ *marriage*]; bluff-
bohemian [,bə(ʊ)'hi:mɪən] **I** *s* bohem **II** *adj* bohemisk, bohem-
1 boil [bɔɪl] **I** *vb itr* koka, sjuda båda äv. bildl.
II *vb tr* koka i vätska, hetta upp till kokpunkten; *put sth on to* ~ koka [upp] ngt
III *vb tr* o. *vb itr* med adv.:
boil away a) koka bort (torrt) **b)** hålla på att koka, koka för fullt

boil down a) koka ihop **b**) koka av **c**) bildl. korta ned, [kunna] strykas ned; *it all ~s down to…* det hela går i korthet ut på…, när allt kommer omkring handlar det om…
boil over koka över äv. bildl.
boil up koka upp
IV *s* kokning; kokpunkt; *be off the ~* ha slutat koka; *be on the ~* stå och koka; *bring sth to the ~* låta ngt koka upp; *go off the ~* vard. bildl. vara ur form, göra dåligt ifrån sig
2 boil [bɔɪl] *s* böld, varböld
boiled sweets [ˌbɔɪld'swiːts] *s pl* slags hårda karameller
boiler ['bɔɪlə] *s* **1** varmvattenberedare **2** [ång]panna
boiler coveralls ['bɔɪləkʌvərɔ:lz] *s pl* amer. overall
boiler|man ['bɔɪlə|mæn] (pl. *-men* [-mən]) *s* maskinist, pannskötare
boiler room ['bɔɪləruːm] *s* pannrum
boiler suit ['bɔɪləsuːt] *s* overall
boiling ['bɔɪlɪŋ] **I** *s* kok[ning], sjudning **II** *adv*, *~ hot* kokhet, brännhet; *a ~ hot day* en stekhet dag
boiling point ['bɔɪlɪŋpɔɪnt] *s* kokpunkt äv. bildl.
boisterous ['bɔɪst(ə)rəs] *adj* **1** bullrande [*~ laughter*]; bullersam **2** stormig, hård [*~ winds*]
bold [bəʊld] *adj* **1** djärv, dristig, modig; vågad; *make so ~ as to* tillåta sig att, drista sig [till] att **2** framfusig, fräck, oförskämd; *as ~ as brass* fräck som bara den **3** bildl. djärv, kraftigt markerad **4** typogr. fet
boldface ['bəʊldfeɪs] *s* typogr. fet [stil]
bolero [i betydelse *1* bə'leərəʊ, i betydelse *2* vanl. 'bɒlərəʊ] (pl. *~s*) *s* **1** bolero spansk dans **2** bolero kort damjacka
Boleyn [drottningen bə'lɪn, 'bʊlɪn]
Bolivia [bə'lɪvɪə] geogr.
Bolivian [bə'lɪvɪən] **I** *s* bolivian; bolivianska kvinna **II** *adj* boliviansk
bollard ['bɒlɑːd] *s* **1** trafik. låg stolpe **2** sjö. pollare
bollock ['bɒlək] *vb tr* vard. skälla ut
bollocks ['bɒləks] vulg. **I** *s pl* ballar testiklar **II** *interj* skitprat!, dynga!
boloney [bə'ləʊnɪ] *s* vard. [skit]snack, dynga, [strunt]prat
Bolshevik ['bɒlʃəvɪk] **I** *s* bolsjevik **II** *adj* bolsjevikisk, bolsjevistisk
Bolshevism ['bɒlʃəvɪz(ə)m] *s* bolsjevism
bolshie o. **bolshy** ['bɒlʃɪ] *adj* vard. jobbig; *he was just being ~* äv. han ville bara jäklas
bolster ['bəʊlstə] **I** *s* lång underkudde, pöl; dyna **II** *vb tr*, *~* el. *~ up* stödja, understödja [*~ [up] a theory*]; öka, hjälpa upp, stärka [*~ morale; ~ confidence*]
1 bolt [bəʊlt] **I** *s* **1** bult; stor skruv; nagel; stor spik **2** låskolv, regel; slutstycke i skjutvapen **3** *have shot one's ~* vard. ha uttömt sina [sista] krafter, ha förbrukat allt sitt krut **4** *~ of lightning* blixt, åskvigg; *a ~ from the blue* en blixt från klar himmel **5** rulle tyg, tygpacke, tygbunt **6** *make a ~ for* rusa mot, störta i väg till; *make a ~ for it* sticka, dra illa kvickt
II *vb itr* **1** rusa [i väg]; skena; vard. smita, sticka, sjappa **2** reglas [*the door ~s on the inside*]
III *vb tr* **1** vard. svälja utan att tugga, kasta i sig, sluka

2 fästa med bult[ar] **3** regla; *~ in* stänga (låsa) in; *~ out* stänga (låsa) ute
IV *adv*, *~ upright* kapprak, käpprak
2 bolt [bəʊlt] *vb tr* sikta mjöl
bomb [bɒm] **I** *s* **1** bomb; [*my car*] *goes like a ~* vard. …går fort som sjutton; [*the party*] *went like a ~* vard. …blev en jättesuccé (fullträff) **2** *it cost a ~* vard. det kostade skjortan
II *vb tr* bomba, fälla bomber mot; *~ out* bomba ut [*they were ~ed out during the war*]
III *vb itr* **1** bomba, fälla bomber **2** vard. floppa, göra fiasko; amer. köra i prov **3** vard., *~ along* el. *~ down* komma kutande; köra i hög fart
bombard [bɒm'bɑːd] *vb tr* bombardera äv. med t.ex. frågor
bombardier [ˌbɒmbə'dɪə] *s* **1** furir vid artilleriet **2** bombfällare
bombardment [bɒm'bɑːdmənt] *s* bombardemang
bombast ['bɒmbæst] *s* bombasm[er], svulstigheter
bombastic [bɒm'bæstɪk] *adj* bombastisk, svulstig
Bombay [ˌbɒm'beɪ, attr. '--] geogr.
bomb disposal ['bɒmdɪsˌpəʊz(ə)l] *s* bombröjning, desarmering av blindgångare
bomb-disposal squad ['bɒmdɪsˌpəʊz(ə)lskwɒd] *s* desarmeringsgrupp
bombe [bɒm, bɒmb] *s* kok. bomb
bombed [bɒmd] *adj* sl. påtänd; packad berusad
bomber ['bɒmə] *s* **1** bombare, bombplan **2** bombattentatsman, bombman
bomber jacket ['bɒməˌdʒækɪt] *s* bomberjacka slags midjejacka
bombing ['bɒmɪŋ] *s* **1** bombning, bombräd **2** bombattentat; *pub ~s* bombattentat mot pubar
bombing plane ['bɒmɪŋpleɪn] *s* bomb[flyg]plan
bombproof ['bɒmpruːf] *adj* bombsäker [*~ shelter*]; bombskyddad
bombshell ['bɒmʃel] *s* **1** hist. granat **2** vard. bombnedslag; *it came like a ~* det slog ner som en bomb **3** *a blonde ~* ett blont bombnedslag, en blond sexbomb
bomb site ['bɒmsaɪt] *s* [sönder]bombat område (kvarter)
bona fide [ˌbəʊnə'faɪdɪ] *adj* o. *adv* (lat.) bona fide, [som handlar] i god tro, ärlig[t]; verklig, äkta
bonanza [bə'nænzə] *s* **1** guldgruva, fynd; lyckträff **2** attr. rikt givande, lukrativ; *a ~ year* ett mycket framgångsrikt (lyckosamt) år
bond [bɒnd] **I** *s* **1** band [*~ of friendship*]; pl. *~s* äv. bojor, förpliktelser; *burst one's ~s* spränga sina bojor; [*common tastes*] *form a ~ between the two* …förenar de två **2** förbindelse; [bindande] överenskommelse; borgen; bankgaranti; *his word is as good as his ~* ung. han står vid sitt ord **3** obligation [*~ loan*]; skuldsedel, revers [*for* på] **4** litt., pl. *~s* bojor [*in ~s*]
II *vb tr* fästa (limma) ihop; binda; länka (foga) samman
III *vb itr*, *~ together* sitta (hålla) ihop [*these two substances won't ~ together*]
bondage ['bɒndɪdʒ] *s* **1** träldom, slaveri **2** bondage sexlek med bunden partner **3** bundenhet, tvång, bojor
bonded warehouse [ˌbɒndɪd'weəhaʊs] *s* tullnederlag
bonding ['bɒndɪŋ] *s* **1** processen att knyta an till

föräldrar och andra människor; *male* ~ manligt kompisskap, grabbsnack **2** kem. bindning

bone [bəʊn] **I** *s* **1** ben; [ben]knota; ~ *of contention* tvistefrö, stridsäpple; *the bare ~s of sth* ngts byggstenar (grundval); *have a ~ to pick with sb* vard. ha en gås oplockad med ngn; *make no ~s about sth* vard. inte sticka under stol med ngt; *feel sth in one's ~s* känna på sig (ana) ngt, känna ngt i märgen; *be chilled to the ~* el. *be frozen to the ~* frysa ända in i märgen; *work sb to the ~* låta ngn arbeta som en slav; *work one's fingers* (*oneself*) *to the ~* arbeta som en slav, slita ihjäl sig **2** pl. ~s vard. tärningar **II** *vb tr* bena fisk, bena ur **III** *vb itr* med adv.:
bone up on sl. plugga, läsa på
bone china [ˌbəʊnˈtʃaɪnə] *s* benporslin
boned [bəʊnd] *adj* benad om fisk, urbenad, benfri
bone-dry [ˌbəʊnˈdraɪ] *adj* vard. snustorr, uttorkad
bonehead [ˈbəʊnhed] *s* sl. träskalle
bone-idle [ˌbəʊnˈaɪdl] *adj* o. **bone-lazy** [ˌbəʊnˈleɪzɪ] *adj* genomlat, urlat
bone marrow [ˈbəʊnˌmærəʊ] *s* benmärg
bone marrow transplant [ˌbəʊnmærəʊˈtrænsplɑːnt] *s* med., *a ~* en benmärgstransplantation
bone marrow transplantation [ˌbəʊnmærəʊˈtrænsplɑːn,teɪʃ(ə)n] *s* med. benmärgstransplantation
bone meal [ˈbəʊnmiːl] *s* benmjöl
boner [ˈbəʊnə] *s* **1** vulg. ståfräs **2** blunder, jättetabbe
boneshaker [ˈbəʊnˌʃeɪkə] *s* vard. skrälle, rishög t.ex. om gammal bil
bone-tired [ˌbəʊnˈtaɪəd] *adj* o. **bone-weary** [ˌbəʊnˈwɪərɪ] *adj* dödstrött
bonfire [ˈbɒnˌfaɪə] *s* bål, brasa; ~ *night* firas den 5 november till minne av Guy Fawkes, jfr *1 guy 2*
bongos [ˈbɒŋgəʊz] *s pl* o. **bongo drums** [ˈbɒŋgəʊˌdrʌmz] *s pl* mus. bongotrummor
bonhomie [ˈbɒnəmiː] *s* gemyt[lighet]
bonk [bɒŋk] vard. **I** *vb tr* **1** göka med, ha sex med **2** dunka, slå
II *s* **1** ligg samlag **2** dunk, duns, slag
bonkers [ˈbɒŋkəz] *adj* sl. [hel]galen, snurrig
bon mot [ˌbɒnˈməʊ] (pl. *bons mots* [ˌbɒnˈməʊz]) *s* fr. bonmot, kvickhet
bonnet [ˈbɒnɪt] *s* **1** motorhuv **2** hätta för barn, huva; förr bahytt; skotsk mössa
bonny [ˈbɒnɪ] *adj* **1** söt, fager [*a ~ lass*] **2** spec. om barn blomstrande, duktig; knubbig **3** god, bra, fin [*a ~ fighter*]
bonsai [ˈbɒnsaɪ] *s* bot. bonsai, bonsaiträd
bonus [ˈbəʊnəs] *s* **1** bonus, gratifikation **2** till aktieägare bonus, extra utdelning **3** till försäkringstagare [premie]återbäring
bonus issue [ˌbəʊnəsˈɪʃuː] *s* fondemission
bonus share [ˌbəʊnəsˈʃeə] *s* fondaktie, gratisaktie
bonus stock [ˌbəʊnəsˈstɒk] *s* amer. fondaktie, gratisaktie
bony [ˈbəʊnɪ] *adj* **1** benig, full av ben; ben- **2** benig, knotig
boo [buː] **I** *vb itr* o. *vb tr* bua [*sb* åt ngn; *sth* åt ngt], bua ut
II *interj* bu!, uh!, fy!; *he wouldn't say ~ to a goose* han gör inte en fluga för när
III (pl. ~s) *s* bu[rop], fy[rop]

1 boob [buːb] sl. **I** *s* tabbe, blunder **II** *vb itr* klanta (dabba, dumma) sig
2 boob [buːb] *s* sl., pl. ~s tuttar, pattar bröst
boo-boo [ˈbuːbuː] (pl. ~s) *s* vard. tabbe, blunder
boob tube [ˈbuːbtjuːb, amer. -tuːb] *s* **1** vard., åtsmitande top för kvinnor **2** amer. vard., *the ~* dumburken tv
booby [ˈbuːbɪ] *s* åsna, idiot; drummel, tölp
booby prize [ˈbuːbɪpraɪz] *s* jumbopris
booby trap [ˈbuːbɪtræp] *s* **1** mil. minförsåt, minfälla, dold bomb **2** fälla, försåt
boogie [ˈbuːgɪ] *vb itr* vard. rocka, dansa till rockmusik
boohoo [ˌbuːˈhuː] **I** *vb itr* böla, tjuta, storgråta **II** *s* (pl. ~s) böl[ande], tjut[ande]
book [bʊk] **I** *s* **1** bok; häfte; ~ *of stamps* frimärkshäfte; *throw the ~ at sb* ge ngn en riktig utskällning; anklaga ngn för alla upptänkliga brott; sätta dit ngn; *nothing worked according to the ~* inget gick efter ritningarna; *by the ~* efter reglerna, reglementsenligt; *in my ~* bildl. enligt min mening; *be in sb's good ~s* ligga bra till hos ngn; *be in sb's bad ~s* ligga dåligt till hos ngn; *I can read you like a ~* jag känner dig utan och innan; *take sb's name off the ~s* avföra ngn ur [medlems]matrikeln, utesluta ngn [ur föreningen o.d.]; *on the ~s* inskriven som medlem; *swear on the Book* svära vid bibeln; *take a leaf out of sb's ~* följa ngns exempel; *bring sb to ~* ställa ngn till ansvar, avfordra ngn en förklaring; *work to the ~* maska, bedriva maskning **2** telefonkatalog [*he is* (står) *in the ~*] **3** libretto, text **4** [lista över] ingångna vad; *make a ~* vara (fungera som) bookmaker; *that won't suit my ~* el. *that doesn't suit my ~* vard. det passar mig inte
II *vb tr* **1 a)** notera, bokföra, boka, anteckna **b)** föra in i register o.d., skriva upp [*be ~ed for an offence*] **c)** sport., *be ~ed* få en varning **2** (äv. itr.) boka, [förhands]beställa, reservera biljett, plats, rum; *the hotel is fully ~ed* [*up*] hotellet är fullbokat **3** vard. engagera, lägga beslag på; bjuda in; *he is ~ed* el. *he is ~ed up* vard. han är upptagen
bookable [ˈbʊkəbl] *adj*, *seats ~* plats[erna] kan reserveras; *tables ~* bordsbeställning mottages
bookbinder [ˈbʊkˌbaɪndə] *s* bokbindare
bookcase [ˈbʊkkeɪs] *s* bokhylla, bokskåp
book end [ˈbʊkend] *s* bokstöd
bookie [ˈbʊkɪ] *s* vard., se *bookmaker*
booking [ˈbʊkɪŋ] *s* **1** bokning [*hotel ~*]; [förhands]beställning; förköp; reservering **2** sport. varning [*get a ~*]
booking clerk [ˈbʊkɪŋklɑːk] *s* biljettförsäljare
booking office [ˈbʊkɪŋˌɒfɪs] *s* biljettkontor, biljettlucka
bookish [ˈbʊkɪʃ] *adj* boklärd, boklig
bookkeeper [ˈbʊkˌkiːpə] *s* bokförare
bookkeeping [ˈbʊkˌkiːpɪŋ] *s* bokföring
booklet [ˈbʊklət] *s* liten bok, häfte, broschyr
bookmaker [ˈbʊkˌmeɪkə] *s* bookmaker vadförmedlare vid kapplöpningar
bookmark [ˈbʊkmɑːk] *s* bokmärke
bookmobile [ˈbʊkˌməʊbiːl] *s* amer. bokbuss, mobilbibliotek
bookpost [ˈbʊkpəʊst] *s*, *by ~* som trycksak[er] beträffande böcker
bookrest [ˈbʊkrest] *s* bokställ, läspulpet

book review ['bʊkrɪˌvjuː] s bokrecension,
bokanmälan

bookseller ['bʊkˌselə] s bokhandlare; ~'s shop el. ~'s
bokhandel, boklåda

book|shelf ['bʊk|ʃelf] (pl. -shelves [-ʃelvz]) s
bokhylla hyllplan

bookshop ['bʊkʃɒp] s bokhandel, boklåda

bookstall ['bʊkstɔːl] s bokstånd; tidningskiosk

bookstore ['bʊkstɔː] s bokhandel

book token [bʊktəʊk(ə)n] s presentkort på böcker

book value ['bʊkˌvæljuː] s hand. bokfört värde

bookworm ['bʊkwɜːm] s bokmal, person äv.
bokälskare

1 boom [buːm] **I** s boom; högkonjunktur; uppsving;
[kraftig] hausse
II vb itr häftigt stiga; blomstra [business is ~ing]; få
ett uppsving, uppleva en högkonjunktur

2 boom [buːm] **I** vb itr dåna, dundra, brusa **II** vb tr,
~ el. ~ out dundra, säga med dånande röst **III** s dån,
dunder, brus; [djup] klang av klocka o.d.; **sonic ~**
[ljud]bang överljudsknall

3 boom [buːm] s **1** sjö. bom **2** derrick ~ kranarm
3 bom för t.ex. mikrofon

boom box ['buːmbɒks] s vard., se ghetto blaster

boomerang ['buːməræŋ] **I** s bumerang äv. bildl. **II** vb
itr bildl. slå tillbaka, få motsatt effekt

boom town ['buːmtaʊn] s stad i snabb utveckling,
snabbt expanderande stad

boon [buːn] s välsignelse [this dictionary is a great
~]; förmån, fördel

boon companion [ˌbuːnkəmˈpænjən] s glad broder,
stallbroder

boondocks ['buːndɒks] s pl, **the ~** bondvischan,
bushen, bonnlandet [out in the ~]

boonies ['buːnɪz] s pl amer. vard., se boondocks

boor [bʊə] s tölp, [bond]lurk, buffel

boorish ['bʊərɪʃ] adj tölpaktig, bondsk, bufflig

boost [buːst] **I** vb tr **1** höja, öka [äv. ~ up]; ~ **morale**
stärka moralen **2** slå ett slag för, haussa upp,
propagera för, puffa för **3** hjälpa upp (fram),
skjuta fram, knuffa (lyfta) upp [äv. ~ up]
II s **1** höjning, ökning; uppsving, lyft **2** reklam,
lovord **3** puff (knuff) uppåt

booster ['buːstə] s **1** boosterdos för att stärka
immunitetsskyddet **2** lyft; **a confidence ~** något som
stärker självförtroendet **3** gynnare, främjare,
förespråkare; reklamman **4** tekn. a) hjälpmotor,
servomotor b) startraket [äv. ~ rocket] **5** radio.
booster, förstärkare

booster cushion ['buːstəˌkʊʃ(ə)n] s se booster seat

booster seat ['buːstəsiːt] s **1** bilkudde, bälteskudde
för barn **2** extra sittdyna för att ett barn ska kunna komma
upp till t.ex. bordet

1 boot [buːt] **I** s **1** känga, [läder]stövel; pl. ~s äv.
boots; **football ~** fotbollssko; **high ~** hög stövel;
skiing ~ [skid]pjäxa; **the ~ is on the other foot** vard.
det är alldeles tvärtom, rollerna är ombytta; **get
the ~** vard. få sparken; **give sb the ~** vard. ge ngn
sparken, sparka ngn; **too big for one's ~s** vard.
stöddig, mallig, styv i korken **2** bagagelucka,
bagageutrymme i bil **3** amer. hjullås som används vid
parkeringsförseelse
II vb tr **1** sparka **2** data. ladda, starta
III vb tr med adv.:

boot out a) eg. sparka ut **b)** vard. ge sparken, sparka;
kasta ut

boot up data. ladda, starta

2 boot [buːt] s, **to ~** dessutom, [till] på köpet

boot camp ['buːtkæmp] s amer. träningsläger för
nyrekryterade marinsoldater (rekryter i flottan)

boot drive ['buːtdraɪv] s data. startenhet den enhet
varifrån startprogrammet läser in datorns operativsystem

bootee ['buːtiː] s **1** barnsocka **2** stövlett; halvkänga

booth [buːð, buːθ] s **1** [salu]stånd, [marknads]tält,
bod; skjul **2** bås avskärmad plats; på t.ex. restaurang
alkov; hytt [telephone ~]

bootjack ['buːtdʒæk] s stövelknekt

bootlace ['buːtleɪs] s kängsnöre, skosnöre

bootleg ['buːtleg] **I** vb tr o. vb itr **1** smuggla spec. sprit;
langa; bränna [hemma] **2** tillverka illegalt (svart);
piratkopiera, sälja piratkopior [av]
II adj **1** spec. om sprit smuggel-; langar-; hembränd [~
whisky] **2** illegal, svart; piratkopierad, pirat-

bootlegger ['buːtˌlegə] s **1** [sprit]smugglare;
langare; hembrännare **2** illegal tillverkare;
piratkopierare

bootlicking ['buːtlɪk] s fjäsk

bootstraps ['buːtstræps] s pl, **pull oneself up by one's
own ~** bildl. rycka upp sig, ta sig själv i kragen

booty ['buːtɪ] s byte, rov

booze [buːz] vard. **I** vb itr supa, kröka
II s **1** sprit, kröken **2** fylla; fylleskiva, supkalas;
have a ~ få (ta) sig en fylla; **be on the ~** supa, kröka

boozer ['buːzə] s vard. **1** fyllbult, fylltratt, suput
2 pub, krog

booze-up ['buːzʌp] s vard. fylleskiva, supkalas

boozy ['buːzɪ] adj vard. **1** full, berusad, på snusen
2 supig; sup-, fylle- [a ~ party]

1 bop [bɒp] vard. **I** vb tr **1** slå, daska till **2** dansa
II s [lätt] slag

2 bop [bɒp] s bop jazzstil

boracic acid [bəˌræsɪkˈæsɪd] s kem. borsyra

Bordeaux [bɔːˈdəʊ] **I** geogr. egennamn **II** s (pl.
Bordeaux [-z]) bordeaux[vin]

border ['bɔːdə] **I** s **1** gräns, gränsområde, gränsland
2 kant; av t.ex. fält utkant; rand, brädd **3** bård,
bräm; list, ram, infattning; kantrabatt
II vb tr **1** gränsa till [an airport ~s the town]
2 kanta, begränsa, infatta
III vb itr, ~ **on** gränsa till äv. bildl., vara på gränsen
till, närma sig [it ~s on the ridiculous]

borderer ['bɔːdərə] s gränsbo

borderland ['bɔːdəlænd] s gränsland, gränsområde
äv. bildl.

borderline ['bɔːdəlaɪn] **I** s gränslinje **II** adj gräns-

borderline case ['bɔːdəlaɪnkeɪs] s gränsfall äv. psykol.

1 bore [bɔː] **I** vb tr tråka ut; **be ~d** vara uttråkad
[with av], ha [lång]tråkigt; **be ~d stiff** el. **be ~d to
death** el. **be ~d to tears** ha dödstråkigt, tycka att det
är urtrist
II s **1** **the film is a ~** filmen är urtråkig (urtrist); **what
a ~!** vad tråkigt (trist)!; **it's an awful ~ to have to go
there** det är jättetråkigt att behöva gå dit
2 tråkmåns, trist typ

2 bore [bɔː] **I** vb tr borra, borra igenom; holka ur;
tränga igenom
II vb itr **1** borra [~ for (efter) oil] **2** tränga (knuffa,
armbåga) sig fram [we ~d through the crowds]

III s **1** borrhål **2** rör; kaliber, [gevärs]lopp; cylinderdiameter

3 bore [bɔ:] imperf. av 1 bear

borecole ['bɔ:kəʊl] s bot. el. kok. grönkål, kruskål

bored [bɔ:d] adj uttråkad; jfr 1 bore

boredom ['bɔ:dəm] s [lång]tråkighet; leda

boring ['bɔ:rɪŋ] adj [ur]tråkig, långtråkig, trist

born [bɔ:n] adj o. perf p (av 1 bear) **1** född; boren [a ~ poet]; som efterled i sammansättn. -född [American-born; new-born]; **be a ~ loser** vara född till förlorare; **he is a ~** [teacher] han är som skapt till…; **an Englishman ~ and bred** en äkta (riktig) engelsman; **he was ~ with it** det är medfött hos honom; **~ of** a) född av [~ of good parents] b) som är resultatet av, som har sitt ursprung i [misfortunes ~ of the war] **2** åld., **never in** [all] **my ~ days** aldrig i livet

born-again [,bɔ:nə'gen] adj pånyttfödd äv. teol., återuppstånden

borne [bɔ:n] perf p (av 1 bear) **1** buren etc., burit etc. **2** åld. född [endast före agent: ~ by Eve]; fött [she has ~ him two sons]

Borneo ['bɔ:nɪəʊ] geogr.

boron ['bɔ:rɒn] s kem. bor

borough ['bʌrə] s **1** stad (ibl. stadsdel) som administrativt begrepp; **~ council** kommunfullmäktige, stadsfullmäktige **2** parliamentary **~** stadsvalkrets

borrelia [bə'ri:lɪə] s med. borrelia

borrow ['bɒrəʊ] vb tr o. vb itr låna [from, of, vard. off av]

borrower ['bɒrəʊə] s låntagare

borrowing powers ['bɒrəʊɪŋ,pauəz] s pl upplåningskapacitet

borstal ['bɔ:stl] s hist., ung. ungdomsvårdsskola, ungdomsfängelse

bosh [bɒʃ] interj åld. vard. [strunt]prat!, nonsens!

Bosnia ['bɒznɪə] geogr. Bosnien

Bosnia and Herzegovina [,bɒznɪəən(d)hɜ:tsəgə(ʊ)'vi:nə] geogr.

Bosnian ['bɒznɪən] **I** adj bosnisk; bosniska kvinna **II** s bosnier

bosom ['buzəm] s **1** barm, bröst; famn; bildl. äv. sköte [in the ~ of one's family]; hjärta; **~ friend** el. **~ pal** hjärtevän, intim[aste] vän; **clasp sb to one's ~** trycka ngn till sitt bröst (hjärta) **2** amer. skjortbröst

bosomy ['buzəmɪ] adj bystig, högbarmad; **be ~** äv. ha stor barm

Bosphorus ['bɒsp(ə)rəs, 'bɒsf(ə)r-] o. **Bosporus** ['bɒsp(ə)rəs] geogr., **the ~** Bosporen

1 boss [bɒs] vard. **I** s boss, bas, chef, förman; pamp **II** vb tr leda [~ a job]; dirigera; kommendera, basa (chefa) över [~ sb] **III** vb itr o. vb tr med prep. el. adv.: **boss about** a) domdera, köra med folk b) **~ sb about** köra med ngn

2 boss [bɒs] s **1** buckla utbuktning, äv. på sköld; knöl; knopp, knapp för prydnad **2** nav på propeller

boss-eyed ['bɒsaɪd] adj vard. skelögd, vindögd

bossiness ['bɒsɪnəs] s vard. bossighet, dominant stil

bossy ['bɒsɪ] adj vard. bossig, dominant; **be ~** äv. domdera, köra med folk

bossy-boots ['bɒsɪbu:ts] (med verb i sg.) s vard. bossig (dominant) person [she is a ~]

Boston ['bɒst(ə)n] geogr.

Boston terrier [,bɒst(ə)n'terɪə] s bostonterrier

bosun's chair [,bəʊsnz'tʃeə] s båtsmansstol

botanic [bə'tænɪk] adj o. **botanical** [bə'tænɪk(ə)l] adj botanisk

botanist ['bɒtənɪst] s botaniker, botanist

botany ['bɒtənɪ] s botanik

botch [bɒtʃ] vard. **I** vb tr **1** sabba, schabbla bort, klanta till; **a ~ed piece of work** ett fuskverk **2** laga (reparera) dåligt; lappa ihop **II** s fuskverk, hafsverk, schabbel; **make a ~ of sth** sabba, strula (klanta) till ngt

botched [bɒtʃt] adj vard. klantig, hafsig

both [bəʊθ] **I** pron båda [två], bägge [två]; **~ books** el. **~ the books** båda (bägge) böckerna; **~ of us** både du och jag (dig och mig), oss båda, [oss] bägge två **II** adv, **~…and** både…och, såväl…som

bother ['bɒðə] **I** vb tr **1** besvära, oroa, störa; **don't ~ me!** låt mig [få] vara i fred!; **~ oneself about** el. **~ one's head about** bry sin hjärna (sitt huvud) med; **I can't be ~ed** [to do it] a) jag orkar inte [göra det] b) jag har ingen lust [att göra det] **2** ngt åld., **~!** el. **~ it!** jäklar!, tusan också!; **~ the flies!** förbaskade flugor! **II** vb itr **1** göra sig besvär, besvära sig [about med]; oroa sig [about för]; **not ~ about** strunta i; **don't ~ to** [lock the door] bry dig inte om att… **2** vara besvärlig, ställa till bråk, bråka **III** s **1** besvär, omak; tjafs; bråk [they were looking for ~]; **a spot of ~** lite trassel (bråk) **2** plåga, irritationsmoment; **isn't it a ~?** är det inte jobbigt?

bothersome ['bɒðəsəm] adj besvärlig

Bothnia ['bɒθnɪə] geogr., **the Gulf of ~** Bottniska viken

botox ['bɒtɒks] s botox nervgift, antirynkmedel

Botswana [bɒt'swɑ:nə] geogr.

bottle ['bɒtl] **I** s **1** butelj, flaska; **empty ~** tombutelj, tomflaska, tomglas; **bringe a ~** på t.ex. inbjudan ta med eget dricka; **be on the ~** dricka, supa; **go on the ~** el. **hit the ~** vard. ta till flaskan; **a slave to the ~** slav under flaskan (sitt spritbegär) **2** vard. kurage, mod; fräckhet, käckhet; **lose one's ~** tappa självkontrollen **II** vb tr **1** buteljera, tappa på flaska **2** lägga (koka) in på glas, konservera **III** vb tr med adv.: **bottle out** vard. banga [ur] **bottle up** a) hålla tillbaka, svälja, undertrycka [~ up one's anger] b) spärra av, stänga av; stänga inne

bottle baby ['bɒtl,beɪbɪ] s flaskbarn

bottle bank ['bɒtlbæŋk] s [glas]igloo för glasavfall

bottle brush ['bɒtlbrʌʃ] s flaskborste

bottled ['bɒtld] adj, **~ beer** flasköl, öl på flaska; **~ gas** gasol

bottle-fed ['bɒtlfed] adj uppfödd med flaska, flask- [~ baby]

bottle-green ['bɒtlgri:n] adj buteljgrön

bottleneck ['bɒtlnek] s flaskhals vanl. bildl.

bottle-opener ['bɒtl,əʊp(ə)nə] s flasköppnare, kapsylöppnare

bottle party ['bɒtl,pɑ:tɪ] s ung. knytkalas till vilket varje gäst tar med en flaska vin el. sprit

bottom ['bɒtəm] **I** s **1** botten, fot, undre (nedre) del [~ of a glass; ~ of a hill]; underdel; [stol]sits; **at the ~ of** nederst (nedtill) på [at the ~ of the page; at the ~ of the drawer]; **the tenth line from the ~** tionde raden

nerifrån; **~s up!** botten upp! **2** botten av hav m.m.;
djup; **touch ~** se under *touch I 3* **3** flodbassäng, sänka
4 bortända, innerända, nederända, slut; **the ~ of
the table** nedre ändan av bordet; **at the ~ of the
garden** i bortre ändan av trädgården **5** vard. ända,
stjärt **6** sjö. skrov, botten, köl **7** grundval; **at ~** i
grund och botten, i själ och hjärta; **be at the ~ of**
ligga bakom; stå bakom; **from the ~ of my heart** av
hela mitt hjärta, innerligt; **get to the ~ of** gå till
botten med, komma till klarhet i (om)
II *adj* **1** lägsta, sista, nedersta, understa; **the ~ boy
of the class** den sämste pojken i klassen; **bet one's ~
dollar** satsa sitt sista öre; **~ gear** lägsta växeln
2 grund-
III *vb tr* med adv.:
bottom out hand. nå botten
bottom drawer [ˌbɒtəm'drɔːə] *s* ung. brudkista;
utstyrsel
bottomland ['bɒtəm‚lænd] *s* gammal sjöbotten
bottomless ['bɒtəmləs] *adj* **1** bottenlös
2 outgrundlig [*a ~ mystery*] **3** outtömlig, outsinlig
[*his wealth seemed ~*]; **there isn't a ~ pit of money** det
finns inte obegränsat med pengar
bottom line [ˌbɒtəm'laɪn] *s*, **the ~** a) ekon. sista
raden, slutsumman, slutresultatet b) bildl.
kärnpunkten; slutsatsen; summan av
kardemumman [*the ~ is that she wants to introduce
advertising in broadcasting*]
botulism ['bɒtjʊlɪz(ə)m] *s* med. botulism slags svår
matförgiftning
boudoir ['buːdwɑː] *s* budoar
bougainvillea [ˌbuːgən'vɪlɪə] *s* bot. bougainvillea
bough [baʊ] *s* spec. större trädgren; lövruska
bought [bɔːt] imperf. o. perf. p. av *buy*
bouillon ['buːjɒn, 'bwiː-] *s* buljong
bouillon cube ['buːjɒnˌkjuːb] *s* amer. buljongtärning
boulder ['bəʊldə] *s* [sten]block, rullstensblock;
erratic ~ flyttblock
boulevard ['buːl(ə)vɑːd] (förk. *blvd*) *s* fr. boulevard,
esplanad
bounce [baʊns] **I** *vb itr* **1** studsa; hoppa; **~ about**
a) hoppa upp och ned b) hoppa (fara) omkring
spec. om barn **2** störta, komma inrusande (utrusande)
[*into* i; *out of* ut (upp) ur] **3** inte godkännas,
avvisas om check utan täckning
II *vb tr* **1** knuffa, stöta, kasta; studsa [*~ a ball*]
2 inte godkänna check utan täckning **3 ~ ideas off sb**
bolla idéer med ngn
III *vb itr* med adv.:
bounce back vard. komma igen, repa sig
bounce sb into [doing] sth pressa ngn att göra ngt
IV *s* **1** duns, stöt, [tungt] slag **2** studs[ning], hopp
3 gåpåaranda; fart, kläm
bouncer ['baʊnsə] *s* **1** utkastare **2** ej godkänd check
utan täckning **3** kricket. boll som studsar högt
bouncing ['baʊnsɪŋ] *adj* **1** stor och kraftig, frisk och
frodig [*a ~ girl*]; bamsig, stöddig **2** studsande;
fjädrande
bouncing cradle [ˌbaʊnsɪŋ'kreɪdl] *s* babysitter stol
bouncy ['baʊnsɪ] *adj* **1** som studsar, med studs;
guppig; **~ ball** studsboll **2** hurtfrisk; sprudlande
bouncy castle® [ˌbaʊnsɪ'kɑːsl] *s* bouncy castle,
hoppborg för barn på tivoli etc.
1 bound [baʊnd] **I** imperf. av *bind* **II** *perf p* o. *adj*

bunden etc., jfr *bind I*; [in]bunden [*~ books*]; **~ up in**
upptagen av; **~ up with** nära lierad (förbunden,
förenad) med; **be ~ up with** äv. hänga (höra) ihop
med; **be ~ to** vara skyldig (tvungen) att; **he is ~ to**
han måste [nödvändigt]; **he is ~ to win** han kommer
säkert att vinna; **be in duty ~ to** vara förpliktad att;
as in duty ~ el. **in duty ~** pliktskyldigast; **I'll be ~**
åld. vard. jag slår mig i backen på det; **you are ~ to
notice it** du kan inte undgå att märka det
2 bound [baʊnd] *adj* destinerad, på väg [*for* till];
homeward ~ på hemgående, på väg hem; **where are
you ~ for?** vart är du på väg?
3 bound [baʊnd] **I** *vb itr* studsa; skutta; hoppa [med
långa skutt]; spritta; **his heart ~ed with joy** hjärtat
hoppade (spratt) av glädje
II *s* skutt, hopp, språng; **at one ~** el. **at a ~** a) i ett
språng (skutt) b) med ens
4 bound [baʊnd] **I** *s*, vanl. pl. **~s** gräns[er]; skrankor;
out of ~s spec. skol. el. mil. [på] förbjudet område,
förbjudet; **out of all ~s** el. **beyond all ~s** bortom alla
gränser, gränslöst, utan gräns[er]; **beyond the ~s of
human knowledge** bortom gränsen för det
mänskliga vetandet; **keep within ~s** hålla måttan,
begränsa sig; **keep sth within ~s** begränsa ngt, hålla
ngt inom vissa gränser
II *vb tr* **1** begränsa; **be ~ed by** äv. gränsa till
2 utgöra gräns för
boundary ['baʊnd(ə)rɪ] *s* **1** gräns[linje] **2** kricket.
'gränsboll' boll som når el. passerar över gränslinjen o. ger 4
resp. 6 poäng [*hit a ~*]
boundless ['baʊndləs] *adj* gränslös
bounty ['baʊntɪ] *s* **1** belöning för gripande av brottsling
2 välgörenhet, frikostighet **3** gåva; pl. **bounties** rika
håvor
bouquet [bʊ'keɪ, 'buːkeɪ, bəʊ'keɪ] *s* **1** bukett **2** om vin
bouquet, doft
bourbon ['bɜːbən, 'bʊə-] *s* bourbon amerikansk whisky
bourgeois ['bʊəʒwɑː] **I** (pl. *bourgeois*) *s*
medelklassare, borgare; **~** el. **petty ~** småborgare,
kälkborgare **II** *adj* medelklass-, medelklassig,
borgerlig; **~** el. **petty ~** småborgerlig, kälkborgerlig
bourgeoisie [ˌbʊəʒwɑː'ziː] *s* bourgeoisie,
borgarklass, medelklass; **the petty ~**
småborgerligheten
Bournemouth ['bɔːnməθ] geogr.
bout [baʊt] *s* **1** ryck, anfall [*~ of activity*]; släng [*~
of influenza*]; **~ of coughing** hostattack **2** se *drinking
bout* **3** dust, kamp [*wrestling ~*]
boutique [buː'tiːk] *s* boutique
bovine ['bəʊvaɪn] *adj* **1** nötkreaturs-, ox-; oxlik
2 bildl. dum [som en ko], trög [som en oxe]; **~
stupidity** ung. enfald
1 bow [bəʊ] **I** *vb tr* **1** böja [*~ one's head*]; kröka; **be
~ed down with** a) vara nertyngd av, vara tyngd av
b) digna av **2** nicka [*she ~ed her assent*]
II *vb itr* **1** buga [sig] [*to* för]; hälsa med en böjning
på huvudet; **~ and scrape** se under *scrape II 4* **2** dra
sig tillbaka; säga ifrån
III *vb itr* med adv. el. prep.:
bow down to böja knä för
bow out: ~ out of politics lämna politiken
bow to a) böja sig för [*~ to sb's opinion*] b) **~ to sth**
underkasta sig ngt

IV *s* bugning, nickning; *take a* ~ ta emot (tacka för) applåderna; buga och tacka

2 bow [baʊ] *s* **1** sjö., ofta pl. **~s** bog; för, stäv **2** rodd. **a)** etta, bogman, bowman roddare närmast fören **b)** bogmansåra

3 bow [bəʊ] *s* **1** rundning, krökning; båge **2** [pil]båge **3** stråke; stråkdrag **4** knut, rosett; *pussycat ~ blouse* el. *pussy ~ blouse* knytblus

bowdlerize ['baʊdləraɪz] *vb tr* neds. censurera bok m.m., efter T. Bowdler som gav ut en censurerad Shakespeareutgåva

bowel ['baʊəl] *s* **1** med. tarm **2** mest pl. **~s a)** inälvor, innanmäte; mage **b)** innandöme, inre [*the ~s of the earth*]; *keep one's ~s open* hålla magen i gång

bower ['baʊə] *s* **1** berså, lövsal; lusthus **2** poet. boning; gemak

Bowery ['baʊərɪ], *the ~* gata och område i New York, uppehållsort för hemlösa och missbrukare

1 bowl [bəʊl] *s* **1** skål, bunke **2** bål dryck och skål **3** [sked]blad **4** [pip]huvud **5** amer., skålformat stadion, utomhusarena

2 bowl [bəʊl] **I** *s* **1** klot; boll **2** sport. kast **II** *vb itr* o. *vb tr* **1** spela *bowls*; spela bowling, bowla **2** kasta (rulla) längs marken; rulla **3** kricket. kasta; slå ut slagmannen genom att bollen träffar grinden [*Smith b. Jones = Smith was ~ed by Jones*] **III** *vb itr* o. *vb tr* med adv.:
bowl along rulla (snurra) fram; gå undan
bowl over a) slå [ned], slå omkull **b)** göra häpen, överväldiga
bowl out a) kricket. slå ut slagmannen genom att bollen träffar grinden [*Smith b. Jones = Smith was ~ed out by Jones*] **b)** vard. slå ut

bow-legged ['bəʊlegd, -ˌlegɪd] *adj* hjulbent
bow legs ['bəʊlegz] *s pl*, *have ~* vara hjulbent
1 bowler ['bəʊlə] *s* sport. bowlare; spec. kricket. kastare
2 bowler ['bəʊlə] *s*, ~ el. ~ *hat* kubb, plommonstop
bowline ['bəʊlɪn] *s* sjö. **1** bolin **2** pålstek [äv. ~ *knot*]
bowling ['bəʊlɪŋ] *s* **1** bowling **2** bowls; attr. bowls-[*the English Bowling Association*]; jfr *bowls* **3** kricket. sätt att kasta [bollen], kastande
bowling alley ['bəʊlɪŋˌælɪ] *s* bowlingbana; bowlinghall
bowling green ['bəʊlɪŋgriːn] *s* gräsplan för bowls, bowlsplan
bowls [bəʊlz] (med verb i sg.) *s* bowls spel
bow-saw ['bəʊsɔː] *s* bågsåg
bowser ['baʊzə] *s* tankbil på flygplats
bowsprit ['bəʊsprɪt] *s* bogspröt
bow tie [ˌbəʊ'taɪ] *s* fluga i stället för slips
bow window [ˌbəʊ'wɪndəʊ] *s* utbyggt rundat fönster; rundat burspråksfönster
bow-wow [interj. o. verb ˌbaʊ'waʊ, subst. '--] barnspr.
I *interj* vov [vov]! **II** *s* vovve **III** *vb itr* skälla
1 box [brɛk] **I** *s* **1** låda, kista, skrin, schatull; ask, dosa, box; bössa för pengar, kartong; gymn. plint [äv. ~ *horse*]; *~ of bricks* bygglåda; *~ of tricks* trollerilåda; *be in the wrong ~* el. *find oneself in the wrong ~* hamna i galen tunna **2** avbalkning, bås; box, fack; spilta **3** post. box **4** jur. vittnesbås; *put sb in the ~* höra ngn som vittne **5** loge på teater **6** tekn. hylsa, låda, box, bössa, fodral **7** ruta i formulär, bok, tidning o.d.; äv. data. **8** vard., *the ~* burken tv:n **9** sport. vard., *the ~* straffområdet

II *vb tr* **1 a)** lägga (stoppa, gömma) i (förse med) en låda etc. **b)** packa in **c)** klämma ihop (in) **2** ~ *the compass* **a)** sjö. repa (läsa) upp kompassens streck **b)** bildl. röra sig i en cirkel i diskussion etc.
III *vb tr* med adv. el. prep.:
box in a) klämma (stänga) in bil; *I feel ~ed in* jag känner mig instängd; ~ *oneself in* måla in sig i ett hörn **b)** klä in t.ex. badkar
box up a) packa in **b)** klämma ihop (in)
2 box [bɒks] **I** *s* slag med handen; ~ *on the ears* örfil **II** *vb tr* o. *vb itr* boxa[s]; ~ *sb's ears* ge ngn en örfil
3 box [bɒks] *s* buxbom träslag och träd
box calf [ˌbɒks'kɑːf] *s* boxkalv
box camera ['bɒksˌkæmərə] *s* lådkamera
boxcar ['bɒkskɑː] *s* amer. täckt (sluten) godsvagn
1 boxer ['bɒksə] *s* **1** boxare **2** pl. **~s** boxershorts
2 boxer ['bɒksə] *s* boxer hundras
boxer shorts ['bɒksəʃɔːts] *s pl* boxershorts underkläder
boxful ['bɒksfʊl] (pl. **~s** el. *boxesful*) *s* som mått låda, kista etc., jfr *1 box I 1*; *a ~ of* en låda etc. [med]
boxing ['bɒksɪŋ] *s* boxning
Boxing Day ['bɒksɪŋdeɪ] *s* annandag jul; om annandag jul infaller på en söndag följande dag, d.v.s. tredjedag jul
boxing glove ['bɒksɪŋglʌv] *s* boxhandske
boxing match ['bɒksɪŋmætʃ] *s* boxningsmatch
box junction ['bɒksˌdʒʌŋkʃ(ə)n] *s* trafikmarkering rutat område [i korsning]
box lunch ['bɒkslʌn(t)ʃ] *s* amer. matlåda med lunchmat hemifrån, matsäck
box office ['bɒksˌɒfɪs] *s* biljettkontor, biljettlucka för teater o.d.; *be a ~ success* el. *be a ~ draw* om pjäs el. film vara en succé, dra fulla hus
boxroom ['bɒksruːm, -rʊm] *s* skrubb, vindskontor
box spanner ['bɒksˌspænə] *s* hylsnyckel
box tree ['bɒkstriː] *s* bot. buxbom träd
boxwood ['bɒkswʊd] *s* buxbom träslag
boy [bɔɪ] *s* **1** pojke, grabb, kille; pojkvän; ~! jösses!, å (för) sjutton!; ~, *isn't it hot!* himmel (jösses) vad det är varmt!; *old ~* se old boy; ~*s will be ~s* pojkar är [alltid] pojkar; *from a ~* alltifrån pojkåren (barndomen), redan som pojke **2** vard., *the ~s* grabbarna; *one of the ~s* en i gänget; *jobs for the ~s* ung. rena svågerpolitiken (myglet)
boycott ['bɔɪkɒt, -kət] **I** *vb tr* bojkotta **II** *s* bojkott
boyfriend ['bɔɪfrend] *s* pojkvän, kille
boyhood ['bɔɪhʊd] *s* **1** pojkår, barndom; *in his ~* [redan] som pojke **2** pojkar [*the nation's ~*]
boyish ['bɔɪɪʃ] *adj* **1** pojkaktig; pojk- **2** barnslig
boy-meets-girl [ˌbɔɪmiːts'ɡɜːl] *adj* pojke möter flicka-, vanlig (banal) kärleks- [*a ~ story*]
boy scout [ˌbɔɪ'skaʊt] *s* [pojk]scout
bozo ['bəʊzəʊ] (pl. **~s**) *s* amer. sl. kille; tönt
BP [ˌbiː'piː] förk. för *blood pressure*; *British Petroleum*; *British Pharmacopoeia*
BPhil [ˌbiː'fɪl] (förk. för *Bachelor of Philosophy*) ung. fil.kand.
BR [ˌbiː'ɑː] (hist.) förk. för *British Rail*
Br. förk. för *British, Brother*
bra [brɑː] *s* (kortform av *brassiere*) bh, behå
brace [breɪs] **I** *vb tr* **1** binda om (ihop); dra till (åt); spänna [fast]; [för]stärka; stötta; ~ *one's feet against* ta spjärn [med fötterna] mot **2** bildl., ~ *oneself* samla krafter, ta sig samman, stärka

(bereda) sig **3** sjö. brassa

II *vb itr* sjö. brassa; ~ *up* brassa bidevind

III *s* **1 a)** stöd; stag; snedstötta **b)** spänne; krampa; band **c)** hängrem, fjäderrem **2** tandläk., ~ el. amer. **~s** tandställning **3** borrsväng **4** (pl. *brace*) par spec. av djur som jagas [*a ~ of ducks*]; *a ~ of dogs* ett koppel (två) hundar; *a ~ of pistols* ett par pistoler **5** pl. **~s** hängslen [*a pair of ~s*] **6** klammer, sammanfattningstecken

brace and bit [ˌbreɪsənˈbɪt] *s* borrsväng med tillhörande borr

bracelet [ˈbreɪslət] *s* **1** armband, armring; klockarmband **2** sl. handboja

bracer [ˈbreɪsə] *s* vard. styrketår

bracing [ˈbreɪsɪŋ] *adj* stärkande, uppiggande [~ *air*; *breeze*]

bracken [ˈbræk(ə)n] *s* bot. bräken; ormbunke

bracket [ˈbrækɪt] **I** *s* **1** parentes[tecken] [äv. *round* ~s]; *square* ~ hakparentes; *in* ~s inom parentes **2** klammer, sammanfattningstecken **3** grupp, klass [*income* ~]; *the 20 to 30 age* ~ [ålders]gruppen mellan 20 och 30 år **4** konsol, vinkeljärn; konsolhylla

II *vb tr* **1** sätta inom parentes; **~ed** [som står (är satt)] inom parentes **2** förena med klammer **3** jämställa

bracket lamp [ˈbrækɪtlæmp] *s* lampett

brackish [ˈbrækɪʃ] *adj* bräckt om vatten

brae [breɪ] *s* skotsk. stup, sluttning

brag [bræg] **I** *vb itr* skryta, skrävla [*about, of* över, med] **II** *s* skryt, skrävel

braggart [ˈbrægət, -gɑːt] *s* skrävlare

bragonist [ˈbræg(ə)nɪst] *adj* filos. bragonistisk

braid [breɪd] **I** *s* **1** garneringsband, kantband **2** vanl. amer. [hår]fläta

II *vb tr* vanl. amer. fläta spec. hår; sno

braiding [ˈbreɪdɪŋ] *s* garneringsband, gans

braille [breɪl] *s* blindskrift, punktskrift

brain [breɪn] **I** *s* **1** anat. hjärna; pl. **~s** hjärnmassa, hjärnsubstans; *beat sb's* ~*s out* slå in skallen på ngn; *blow one's* ~*s out* skjuta sig i huvudet **2** mest pl. **~s** hjärna, förstånd, vett, huvud, begåvning; *cudgel one's* ~*s* el. *beat one's* ~*s* el. *rack one's* ~*s* bry (bråka) sin hjärna; *have a good* ~ ha gott huvud; *he has got* ~*s* han är intelligent (skärpt); *pick sb's* ~*s* utnyttja ngns vetande; stjäla (hugga) ngns idéer; *have sth on the* ~ ha fått ngt på hjärnan; *the* ~*s of the family* familjens ljus[huvud]; *the* ~*s of the organization* hjärnan bakom organisationen

II *vb tr* slå in skallen på

brain|child [ˈbreɪn|tʃaɪld] (pl. -*children* [-ˌtʃɪldrən]) *s* idé; *that's his* ~ det är han som har kläckt idén [till det]

brain damage [ˈbreɪnˌdæmɪdʒ] *s* hjärnskador

brain-dead [ˈbreɪnded] *adj* hjärndöd

brain drain [ˈbreɪndreɪn] *s* forskarflykt, begåvningsflykt till utlandet

brainless [ˈbreɪnləs] *adj* obegåvad, enfaldig

brainpan [ˈbreɪnpæn] *s* anat. hjärnskål

brainstorm [ˈbreɪnstɔːm] *s* **1** *have a* ~ a) vard. få hjärnsläpp b) vanl. amer. få en snilleblixt, få en strålande idé **2** idékläckning

brainstorming [ˈbreɪnˌstɔːmɪŋ] *s* idékläckning, brainstorming

brains trust [ˈbreɪnztrʌst] *s* hjärntrust, expertkommitté

brainteaser [ˈbreɪnˌtiːzə] *s* hård nöt [att knäcka]

brain trust [ˈbreɪntrʌst] *s* amer. hjärntrust, expertkommitté

brainwash [ˈbreɪnwɒʃ] *vb tr* hjärntvätta

brainwashing [ˈbreɪnˌwɒʃɪŋ] *s* hjärntvätt

brainwave [ˈbreɪnweɪv] *s* snilleblixt; *have a* ~ få en snilleblixt, få en strålande idé

brainy [ˈbreɪnɪ] *adj* vard. begåvad, klyftig, smart

braise [breɪz] *vb tr* kok. bräsera

brake [breɪk] **I** *s* broms, broms- [~ *pedal*]; *apply the* ~ el. *put on the* ~ bromsa; *slam on the* ~*s* el. *hit the* ~*s* tvärbromsa; *put a* ~ *on* [*inflation*] bromsa (hejda)…

II *vb tr* o. *vb itr* bromsa [in]

brake block [ˈbreɪkblɒk] *s* bromskloss

brake disc [ˈbreɪkdɪsk] *s* bromsskiva

brake fluid [ˈbreɪkfluːɪd] *s* bromsvätska, bromsolja

brake light [ˈbreɪklaɪt] *s* bromsljus

brake lining [ˈbreɪkˌlaɪnɪŋ] *s* bromsbelägg, bromsband

brake shoe [ˈbreɪkʃuː] *s* bromsback

brake system [ˈbreɪkˌsɪstəm] *s* bromssystem

braking distance [ˈbreɪkɪŋˌdɪstəns] *s* bromssträcka

bramble [ˈbræmbl] *s* **1** taggig buske; spec. björnbärsbuske **2** björnbär

brambling [ˈbræmblɪŋ] *s* zool. bergfink

bran [bræn] *s* kli

branch [brɑː(n)tʃ] **I** *s* **1** gren, kvist **2 a)** förgrening, utgrening; gren [~ *of industry*]; arm [~ *of a river*] **b)** bildl. avdelning, del; område, fack **3** filial; avdelningskontor; ~ *bank* bankfilial; ~ *library* biblioteksfilial; ~ *post office* postexpedition, [mindre] postkontor

II *vb itr* skjuta (sända ut) grenar; [för]grena (grena ut, dela) sig

III *vb itr* med adv. el. prep.:

branch off a) [för]grena (grena ut, dela) sig **b)** ta (vika) av

branch out a) utvidga sin verksamhet, expandera **b)** ~ *out on* utbreda sig över **c)** skjuta (sända ut) grenar **d)** [för]grena (grena ut, dela) sig

branch line [ˈbrɑː(n)tʃlaɪn] *s* järnv. bibana, sidolinje

brand [brænd] **I** *s* **1** sort, slag[s] [~ *of coffee*; *a new* ~ *of politics*]; märke [~ *of cigarettes*] **2** brännmärke; bildl. stämpel; skamfläck; *the* ~ *of Cain* kainsmärket **3** brännjärn

II *vb tr* **1** bränna in [ett märke på], märka med brännjärn [~ *cattle*] **2** bildl. **a)** brännmärka, stämpla [~ *as an aggressor*] **b)** **~ed on sb's memory** outplånligt inristad i ngns minne

brand-awareness [ˌbrændəˈweənəs] *s* märkesmedvetenhet

branded [ˈbrændɪd] *adj*, ~ *goods* märkesvaror

brand image [ˌbrændˈɪmɪdʒ] *s* visst märkes image; bildl. egen profil

branding iron [ˈbrændɪŋˌaɪən] *s* brännjärn, märkjärn

brandish [ˈbrændɪʃ] *vb tr* svänga, svinga vapen o.d.

brand-name [ˈbrændneɪm] *adj* märkes-

brand name [ˈbrændneɪm] *s* märkesnamn

brand-new [ˌbræn(d)ˈnjuː] *adj* splitter ny

brandy [ˈbrændɪ] *s* konjak

brandy snap [ˈbrændɪsnæp] *s* ung. ingefärsflarn

brash [bræʃ] *adj* **1** framfusig, påflugen, fräck
2 prålig, skrikig [*a ~ suit*] **3** förhastad
Brasilia [brə'zɪljə] geogr.
brass [brɑːs] *s* **1** mässing, mässingsföremål; litt.
brons; *the top ~* el. amer. *the ~* spec. mil. vard. höjdarna;
not a ~ farthing inte ett rött öre, se vidare *farthing 2*;
get down to ~ tacks komma till saken (kalla fakta)
2 minnesplåt, minnestavla av mässing i kyrka **3** mus.,
the ~ a) mässingsinstrumenten,
bleckblåsinstrumenten i en orkester b) om
orkestermedlemmarna blecket, bleckblåsarna **4** åld. vard.
kosing, stålar **5** vard. fräckhet
brass band [ˌbrɑː'bænd] *s* blåsorkester,
mässingsorkester
brassed-off [ˌbrɑː'stɒf] *adj* vard. skittrött [*with* på]
brasserie ['bræsərɪ] *s* brasserie restaurang
brassiere o. **brassière** ['bræsɪə, -sɪəs, 'bræzɪə, amer.
brə'zɪə] *s* bysthållare, bh, behå
brass knuckles ['brɑːsˌnʌkls] *s pl* amer. knogjärn
brass-rubbing ['brɑːsˌrʌbɪŋ] *s* konst. frottage [gjord]
på mässingsföremål
brassy [brɑːsɪ] *adj* **1** mässings- **2** vard. fräck,
påflugen **3** skrällig, gäll [*a ~ noise*] **4** skrikig, prålig
[*a ~ dress*]; skrytsam
brat [bræt] *s* [bortskämd] barnunge, snorvalp,
skitunge
Bratislava [ˌbrætɪ'slɑːvə, '----] geogr.
bravado [brə'vɑːdəʊ] (pl. *~es* el. *~s*) *s* skryt, trots,
övermod, karskhet
brave [breɪv] **I** *adj* **1** modig, djärv, tapper, duktig
2 litt. fin, grann; *it made a ~ show* det var en grann
syn
II *s* **1** *the ~* de tappra **2** krigare i nordamerikanska
indianstammar
III *vb tr* trotsa, tappert möta; *~ it out* inte låta sig
bekomma
bravery ['breɪv(ə)rɪ] *s* mod, tapperhet
bravo [ˌbrɑː'vəʊ, i betydelse II 2 '--] **I** *interj* bravo!
II (pl. *~s*, i betydelse 2 äv. *~es*) *s* **1** bravo[rop] **2** lejd
mördare; bandit
bravura [brə'vjʊərə, -'vʊər-] *s* bravur, bravur- [*~
aria*]
brawl [brɔːl] **I** *s* bråk, gruff, gormande, högljutt gräl
II *vb itr* bråka, gruffa, gorma, gräla högljutt
brawn [brɔːn] *s* **1** [välutvecklade] muskler;
muskelstyrka **2** kok. sylta
brawny ['brɔːnɪ] *adj* muskulös, stark
bray [breɪ] **I** *vb itr* om åsna skria
II *vb tr* skalla, skrika ut
III *s* **1** åsnas skri[ande] **2** skri, skall
brazen ['breɪzn] **I** *adj* **1** av mässing (brons, malm)
2 fräck, skamlös [*a ~ lie*] **3** skränig [*a ~ voice*]
II *vb tr*, *~ it out* skamlöst (fräckt) sätta sig över,
klara sig med fräckhet
brazen-faced ['breɪznfeɪst] *adj* fräck, skamlös
brazier ['breɪzɪə, -ʒə] *s* **1** fyrfat, glödpanna **2** amer.
[liten] utomhusgrill
Brazil [brə'zɪl] geogr. egennamn Brasilien
Brazilian [brə'zɪlɪən] **I** *adj* brasiliansk **II** *s*
brasilian[are]; brasilianska kvinna
Brazil nut o. **brazil nut** [brə'zɪlnʌt] *s* paranöt
breach [briːtʃ] **I** *s* **1** brytning; brytande; brott;
överträdelse; *~ of contract* kontraktsbrott; *~ of
discipline* disciplinbrott, brott mot ordningen; *~ of*

duty tjänstefel; *~ of faith* löftesbrott; trolöshet; *~ of
the peace* jur. brott mot (störande av) den allmänna
ordningen **2** bräsch; hål, lucka; rämna, bräcka;
bildl. klyfta; *step into the ~* bildl. rycka in [och hjälpa
till]; *throw oneself into the ~* el. *fling oneself into the ~*
bildl. a) rycka till undsättning b) kasta sig in i
striden **3** brottsjö
II *vb tr* göra (slå) en bräsch i; bryta [sig] igenom
bread [bred] **I** *s* **1** bröd; matbröd; *~ and butter*
a) smör och bröd b) smörgås[ar] c) brödföda, se
vidare *bread-and-butter*; [*live on*] *~ and water*
…vatten och bröd; *her ~ is buttered on both sides*
hon har det väl förspänt; *he knows which side his ~
is buttered on* ung. han vet var hans intressen ligger
(sitt eget bästa), han vet att hålla sig framme
2 bröd [*one's daily ~*]; levebröd, föda, uppehälle;
make one's ~ el. *earn one's ~* förtjäna sitt [leve]bröd
(uppehälle); *take the ~ out of sb's mouth* ta brödet ur
mun på ngn, ta ifrån ngn hans levebröd **3** åld. vard.
stålar, kosing
II *vb tr* bröa, panera
bread-and-butter [ˌbredən(d)'bʌtə] *adj* **1** som täcker
(rör) basbehoven [*a ~ job*; *a ~ issue*]; som ger
brödföda för dagen **2** *~ letter* tackbrev brev med tack
för visad gästfrihet **3** vard. saklig, praktisk
breadbasket ['bredˌbɑːskɪt] *s* **1** brödkorg **2** bildl.
kornbod **3** sl. kista mage
breadbin ['bredbɪn] *s* brödburk, brödskrin
breadboard ['bredbɔːd] *s* skärbräda för bröd;
bakbord
breadcrumb ['bredkrʌm] *vb tr* bröa, panera
breadcrumbs ['bredkrʌmz] *s pl* brödsmulor,
ströbröd, rivebröd
breadfruit ['bredfruːt] *s* bot. brödfrukt
breadline ['bredlaɪn] *s* **1** existensminimum,
svältgräns [*live below the ~*; *live on the ~*] **2** hist.
utspisningskö
breadth [bredθ] *s* **1** bredd, vidd äv. bildl., utrymme
2 *~ of mind* vidsynthet, tolerans
breadthways ['bredθweɪz] *adv* o. **breadthwise**
['bredθwaɪz] *adv* på bredden
breadwinner ['bredˌwɪnə] *s* familjeförsörjare
break [breɪk] **I** (*broke broken*) *vb tr* (se äv. *break III*)
1 bryta [av], bryta sönder, bräcka, knäcka; ha
(slå) sönder [*~ a vase*]; spränga [*~ a blood vessel*]; *~
open* bryta upp, spränga [*~ open a door*] **2** krossa
[*~ sb's heart*]; bryta [*~ sb's will*]; knäcka, ruinera;
bryta ner **3** bryta mot, överträda [*~ the law*]
4 avbryta; bryta [*~ the silence*]; göra slut på;
dämpa [*~ the force of a blow*]; *~ a journey* göra
uppehåll i en resa **5** dressera, tämja; *~ a horse* rida
in en häst **6** *~ sb of* vänja ngn av med, få ngn att
lägga bort; *~ oneself of* vänja sig av med, lägga
bort, sluta [med] **7** i spec. förbindelser: *~ the back of the
work* göra undan det värsta av arbetet; *~ the bank*
spel. spränga banken; *~ bounds* lämna det tillåtna
området; *~ a code* knäcka en kod; *~ new ground* se
under *2 ground I 1*; *~ the ice* bildl. bryta isen; *the boat
broke its moorings* fartyget slet sina förtöjningar; *~
the news to sb* meddela ngn nyheten [skonsamt]; *~
prison* el. *~ jail* bryta sig ut ur fängelset; *~ and enter
[a house]* bryta sig in i...
II (*broke broken*) *vb itr* (se äv. *break III*) **1** gå
sönder, spricka [*the glass broke*]; falla (brytas,

slås) sönder; brista; gå av [*the rope broke*]; bräckas, knäckas; sprängas [*a blood vessel broke*]; **her waters have broken** vattnet har gått vid förlossning **2** om röst brytas; **her voice broke** hennes röst bröts; **his voice is beginning to** ~ han börjar komma i målbrottet **3** bryta sig lös (fri); ~**!** boxn. bryt!; **the ship broke from its moorings** fartyget slet sina förtöjningar; ~ **loose** om t.ex. djur slita sig **4 the storm broke** ovädret bröt lös[t]; **the weather broke** vädret slog om **5** gry; **dawn is** ~**ing** det gryr **6** om knoppar o.d. spricka ut **7** om våg o.d. bryta [sig], gå hög **8** ljuda [*a cry broke from her lips*]; bryta fram, plötsligt framträda [*upon* för] **9** ~ **even** vard. få det att gå ihop **10** ~ **for sth** rusa mot ngt, [snabbt] ta sig till ngt för att fly
III (*broke broken*) *vb tr* o. *vb itr* med adv., ofta med spec. översättningar:
break away slita sig lös (loss); göra sig fri [*from* från]; ~ **away from** äv. bryta med
break back tennis. o.d. bryta tillbaka
break down a) bryta ner; knäcka **b)** bryta ihop (samman), kollapsa; få ett sammanbrott **c)** dela (lösa) upp **d)** störta samman, falla ihop **e)** om t.ex. bil gå sönder [och stanna], strejka **f)** komma av sig; stranda, spricka, bryta samman [*the negotiations broke down*] **g)** svikta, svika, brytas ned [*his health broke down*]; bli nedbruten (förkrossad)
break in a) bryta sig in **b)** träna upp, lära upp; tämja, rida in [~ *in a horse*] **c)** gå in nya skor **d)** röka in [~ *in a pipe*] **e)** avbryta, falla in; ~ **in on** plötsligt störa (avbryta)
break into a) bryta ut i, brista [ut] i [*he broke into laughter*] **b)** börja använda, [börja] tära på [~ *into one's capital*] **c)** gå över till, falla [in] i [~ *into a gallop*] **d)** ~ **into a house** bryta sig in i ett hus
break off a) [plötsligt] avbryta; ~ **off an engagement** slå upp (bryta) en förlovning **b)** brytas av; lösgöra sig **c)** avbryta sig
break out a) utbryta, bryta ut (fram) [*war has broken out*] **b)** rymma [~ *out of jail*]; frigöra sig från **c)** brista ut; ~ **out laughing** brista ut i skratt **d)** ~ **out in spots** få utslag på huden; ~ **out into a sweat** börja svettas
break through a) bryta sig igenom **b)** om solen bryta fram
break up a) bryta upp [~ *up a lock*]; bryta (hugga, slå) sönder **b)** upplösa, skingra [*the police broke up the crowd*] **c)** dela upp [~ *up a word into syllables*]; lösa upp; stycka **d)** sluta [*school ~s up today*] **e)** gå skilda vägar [*she and her boyfriend broke up after a year*]
break with bryta med [*sb* ngn]
IV *s* **1** brytande, brytning; brott **2** spricka; avbrott; paus, rast, omslag i t.ex. vädret; **it makes a** ~ det är ett [välkommet] avbrott; **without a** ~ utan avbrott, i ett kör **3 at** ~ **of day** vid dagens inbrott, i gryningen **4** sport., **on the** ~ fotb. o.d. på en kontring **5** vard., **a bad** ~ otur; **a lucky** ~ tur **6** vard. chans [*a fair* ~]; **give me a** ~**!** a) lägg av!, nu får du ge dig! b) ge mig en chans! **7** utbrytning ur t.ex. fängelse, rymning; **make a** ~ **for it** vard. försöka fly (rymma)
breakable ['breɪkəbl] *adj* bräcklig
breakables ['breɪkəblz] *s pl* sköra saker

breakage ['breɪkɪdʒ] *s* **1** sönderbrytning, krossande **2** pl. ~**s** [ersättning för] sönderslaget gods
breakaway ['breɪkəweɪ] *s* brytande, brytning, brott [*from* med]; utbrytning äv. sport. [*from* ur], sport. äv. kontring
breakaway group ['breɪkəweɪgru:p] *s* utbrytargrupp
break-dancer ['breɪkdɑ:nsə] *s* breakdansare, breakare
breakdown ['breɪkdaʊn] *s* **1** sammanbrott, kollaps [*the* ~ *of the negotiations*]; sammanstörtande; fall, misslyckande; nedbrytning av hälsa; **nervous** ~ se *nervous breakdown* **2** stopp [på grund av maskinskada], maskinhaveri; motorstopp **3** sönderdelning, analys [*a* ~ *of the figures*]; klassificering; uppdelning i mindre enheter
breakdown lorry ['breɪkdaʊn,lɒrɪ] *s* bärgningsbil
breakdown truck ['breɪkdaʊntrʌk] *s* bärgningsbil
breakdown van ['breɪkdaʊnvæn] *s* bärgningsbil
breaker ['breɪkə] *s* **1** bränning, brottsjö, störtsjö **2** elektr. strömbrytare; ~ **point** i strömfördelare [av]brytarspets **3** ~**'s yard** bilskrotningsfirma
breakeven [ˌbreɪk'i:v(ə)n] *s* ekon. break-even, kritisk punkt
breakfast ['brekfəst] **I** *s* frukost, morgonkaffe; ~ **food** el. ~ **cereals** flingor o.d.; ~ **things** frukostservis; **I could eat him for** ~ han är ingen match för mig **II** *vb itr* äta frukost
breakfast bar ['brekfəstbɑ:] *s* **1** barkök **2** barköksbord, barköksdisk **3** frukostservering
breakfast television [ˌbrekfəst'telɪˌvɪʒ(ə)n] *s* frukost-tv
break-in ['breɪkɪn] *s* inbrott
breaking and entering [ˌbreɪkɪŋənd'entərɪŋ] *s* jur. inbrott
breaking point ['breɪkɪŋpɔɪnt] *s* bristningsgräns
breaking-up ['breɪkɪŋʌp] *s* [års]avslutning, skolavslutning
breakneck ['breɪknek] *adj* halsbrytande [~ *speed*]
break-out ['breɪkaʊt] *s* **1** utbrytning, flykt, rymning [*a* ~ *from prison*] **2** mil. genombrott
breakpoint ['breɪkpɔɪnt] *s* **1** data. brytpunkt **2** tennis. breakboll
breakthrough ['breɪkθru:] *s* genombrott äv. bildl.
breakthrough bleeding [ˌbreɪkθru:'bli:dɪŋ] *s* vard. mellanblödning[ar]
break-up ['breɪkʌp] *s* **1** upplösning [*the* ~ *of a marriage*]; brytning [*a* ~ *between Charles and Kate*]; splittring [*the* ~ *of a political party*]; förfall [*the* ~ *of an empire*]; slut; sammanbrott **2** avslutning t.ex. i skolan; uppbrott **3** uppdelning [*the* ~ *of large estates*]
breakwater ['breɪkˌwɔ:tə] *s* vågbrytare, pir
bream [bri:m] *s* zool. braxen; **sea** ~ havsbraxen
breast [brest] **I** *s* bröst äv. bildl., barm; bringa; **make a clean** ~ **of it** lätta sitt samvete, bekänna (tala om) alltsammans **II** *vb tr*, ~ **the tape** sport. spränga målsnöret
breast augmentation ['brest,ɔ:gmen'teɪʃ(ə)n] *s* bröstförstoring plastikkirurgi
breastbone ['brestbəʊn] *s* anat. bröstben
breast-deep [ˌbrest'di:p, attr. '--] *adj* o. *adv* [nedsjunken] till bröstet, upp (ända) till bröstet [*he*

stood ~ in the water]; [***the water**] is* ~ …når upp till bröstet

breast-fed ['brestfed] *adj* uppfödd på bröstmjölk

breast-feed ['brestfi:d] (*breast-fed breast-fed*) *vb tr* amma

breast-feeding ['brest,fi:dɪŋ] *s* amning

breast-high [,brest'haɪ, attr. '--] *adj* o. *adv* [som når upp] till bröstet [*~ waves*]; i brösthöjd; jfr *breast-deep*

breaststroke ['bres(t)strəʊk] *s* bröstsim

breath [breθ] *s* **1** andedräkt; anda; andning; ***catch one's ~*** kippa efter andan; hämta andan; ***hold one's ~*** hålla andan; ***save one's ~ to cool one's porridge*** hålla inne med vad man har att säga; ***get one's ~ again*** el. ***get one's ~ back*** hämta andan, pusta (andas) ut; ***take sb's ~ away*** få ngn att tappa andan; ***waste one's ~*** tala förgäves, tala för döva öron; ***save your ~*** el. ***don't waste your ~*** det lönar sig inte att säga något du kommer ingen vart; ***out of ~*** andfådd; ***be short of ~*** vara andfådd (andtäppt); ***speak under one's ~*** el. ***say sth under one's ~*** tala (säga ngt) i viskande ton (lågmält) **2** andetag, andedrag; pust, fläkt; ***a ~ of fresh air*** a) en nypa frisk luft b) en frisk fläkt; ***take a deep ~*** ta ett djupt andetag, andas djupt

breathalyser o. **breathalyzer** ['breθəlaɪzə] *s* alkometer; ***~ test*** alkotest

breathe [bri:ð] **I** *vb itr* **1** andas; leva; ***~ down sb's neck*** bildl. flåsa någon i nacken, vara på (ligga efter) ngn; ***~ over sb's shoulder*** hålla efter ngn **2** andas ut, hämta andan, vila litet; ***~ again*** el. ***~ freely*** andas (pusta) ut, andas lättare
II *vb tr* **1** andas, andas ut (in); ***~ fire*** om drake spruta eld; ***~ one's last*** dra sin sista suck, ta sitt sista andetag; ***~ new life into*** blåsa nytt liv i **2** bildl. andas [*~ joy*; *~ simplicity*]; ***don't ~ a word!*** inte ett knyst! **3** låta andas (pusta) ut, låta häst rasta
III *vb tr* o. *vb itr* med adv.:
   breathe in andas in, inandas
   breathe out andas ut, utandas, utdunsta

breather ['bri:ðə] *s* paus, andhämtningspaus; avkoppling; ***take a ~*** äv. pusta ut ett slag

breathing ['bri:ðɪŋ] *s* andning, andhämtning

breathing space ['bri:ðɪŋspeɪs] *s* andningspaus, andrum båda äv. bildl.

breathless ['breθləs] *adj* andfådd; andlös äv. bildl.

breathtaking ['breθ,teɪkɪŋ] *adj* nervkittlande, nervpirrande; hisnande

breath-test ['breθtest] *s* utandningsprov vid t.ex. alkotest

bred [bred] imperf. o. perf. p. av *breed*

breech [bri:tʃ] *s* på vapen bakstycke

breech birth ['bri:tʃbɜ:θ] *s* o. **breech delivery** ['bri:tʃdɪ,lɪv(ə)rɪ] *s* med. sätesbjudning

breeches ['brɪtʃɪz] *s pl* knäbyxor; ibl. byxor; ***she wears the ~*** det är hon som bestämmer var skåpet ska stå

breed [bri:d] **I** (*bred bred*) *vb tr* **1** föda upp djur; [odla och] förädla; odla; avla **2** bildl. frambringa, alstra; väcka [*~ bad blood*]; leda till, orsaka, föda [*war ~s misery*] **3** [upp]fostra, utbilda, öva [*to i, för*]
II (*bred bred*) *vb itr* **1** få (föda) ungar; föröka sig; fortplanta sig; häcka **2** uppstå, uppkomma,

sprida sig
III *s* **1** ras, avel; ***~ of cattle*** kreatursstam **2** sort, slag [*men of the same ~*]; släkte; [***artists**] are an odd ~* …är ett släkte för sig

breeder ['bri:də] *s* **1** uppfödare [*horse ~*]; förädlare [*plant ~*] **2** djur (växt) som förökar sig; ***rabbits are rapid ~s*** kaniner förökar sig snabbt **3** avelsdjur **4** tekn., ~ el. **~ reactor** bridreaktor

breeding ['bri:dɪŋ] *s* **1** uppfödande, uppfödning, avel; förädling av djur el. växter **2** fortplantning; häckning **3** god uppfostran, hyfs, levnadsvett; ***he is a man of ~*** han har ett belevat sätt

breeding ground ['bri:dɪŋgraʊnd] *s* **1** häckningsplats, boplats för fåglar o.d. **2** bildl. grogrund, härd

breeze [bri:z] **I** *s* **1** a) bris, fläkt, [lätt] vind b) sjö. bris 2–6 grader Beaufort; ***light ~*** el. ***slight ~*** lätt bris; ***gentle ~*** god bris; ***moderate ~*** frisk bris; ***fresh ~*** styv bris; ***strong ~*** hård bris **2** vard. lätt match [*the test was a ~*] **3** vard., ***shoot the ~*** snacka
II *vb itr* vard., ***~ along*** susa (rusa) i väg; ***~ in*** komma insusande; ***~ out*** komma utrusande

breeze block ['bri:zblɒk] *s* byggn. slaggbetongblock

breezy ['bri:zɪ] *adj* **1** blåsig, luftig; sval, frisk **2** glad[lynt], gemytlig, munter, livad

brekky ['brekɪ] *s* vard. för *breakfast*

Bren gun ['brenɡʌn] *s* typ av kulsprutegevär

brethren ['breðrən] *s pl* se *brother*

Breton ['bret(ə)n] **I** *adj* bretagnisk **II** *s* bretagnare; bretagniska kvinna

brevity ['brevətɪ] *s* korthet; koncishet; ***~ is the soul of wit*** ung. det korta är det mest träffande; i begränsningen visar sig mästaren

brew [bru:] **I** *vb tr* **1** brygga [*~ beer*]; ***~ coffee*** el. ***~ up coffee*** brygga kaffe; ***~ tea*** el. ***~ up tea*** koka (laga) te **2** bildl. koka ihop [*the boys are ~ing mischief*]
II *vb itr* **1** bryggas; stå och dra [*let the tea ~*] **2** vard., ***~ up*** koka te **3** bildl. vara i görningen (faggorna) [*there is something ~ing*]; ***a storm is ~ing*** det drar ihop sig till oväder; ***there is mischief ~ing*** jag anar ugglor i mossen
III *s* brygd [*a strong ~*] el. ***a strong ~ of tea*** starkt te

brewer ['bru:ə] *s* bryggare

brewery ['bru:ərɪ] *s* bryggeri

brew-up ['bru:ʌp] *s* vard. tekokning

1 briar ['braɪə] *s* **1** bot. briar, ljungträ vars rot används till pipor **2** briarpipa

2 briar ['braɪə] *s* se *2 brier*

bribe [braɪb] **I** *s*, *a ~* el. pl. *~s* mutor **II** *vb tr* muta, besticka **III** *vb itr* ge mutor

bribery ['braɪbərɪ] *s* bestickning, mutande; tagande av mutor (muta); ***be open to ~*** vara mutbar, ta mutor

bric-a-brac ['brɪkəbræk] *s* gamla saker, kuriosa, kitsch, prydnadssaker

brick [brɪk] **I** *s* **1** tegel[sten]; ***~ and mortar*** a) tegel[sten] och murbruk b) bildl. hus, fast egendom; ***as hard as a ~*** stenhård; ***drop a ~*** vard. trampa i klaveret, göra bort sig; ***make ~s without straw*** koka soppa på en spik, göra underverk; ***like a ton of ~s*** vard. med förkrossande tyngd **2** tegelstensformat bit [*~ of soap*]; block [*~ of frozen fish*] **3** byggkloss; ***box of ~s*** bygglåda
II *vb tr* mura (bekläda) med tegel

III *vb tr* med prep. el. adv.:
brick in a) mura igen (till) **b)** mura in
brick up mura igen (till)
brickbat ['brɪkbæt] *s*, pl. ~s skarp kritik; ***throw ~s at*** kasta sten på, sabla ned
bricklayer ['brɪkˌleɪə] *s* murare
brickwork ['brɪkwɜ:k] *s* murverk av tegel
brickyard ['brɪkjɑ:d] *s* tegelbruk
bridal ['braɪdl] *adj* brud- [~ *gown*]; bröllops- [~ *preparations*]
bridal train ['braɪdltreɪn] *s* brudfölje
bride [braɪd] *s* brud
bridegroom ['braɪdgru:m, -grʊm] *s* brudgum
bridesmaid ['braɪdzmeɪd] *s* brudtärna
bride-to-be [ˌbraɪdtə'bi:] *s* blivande fru [*Brian's* ~]
1 bridge [brɪdʒ] **I** *s* **1** bro; brygga äv. tandläk., brottn. el. data.; övergång över järnväg etc., vägöverfart; [kommando]brygga; ***burn one's ~s*** bränna sina skepp; ***we'll cross that ~ when we come to it*** ung. den dagen (tiden) den sorgen; ***never cross your ~s till you come to them*** man ska inte oroa sig i förväg **2** ~ *of the nose* näsrygg **3** stall på stråkinstrument
II *vb tr* **1** bildl. överbrygga [~ *the gap*]; ***~ over difficulties*** övervinna (bemästra) svårigheter **2** slå en bro över
2 bridge [brɪdʒ] *s* kortsp. bridge [*auction* ~; *contract* ~]
bridgehead ['brɪdʒhed] *s* mil. brohuvud
Bridget ['brɪdʒɪt] kvinnonamn
bridging loan ['brɪdʒɪŋləʊn] *s* övergångslån
bridle ['braɪdl] **I** *s* **1** betsel, remtyg; ***give a horse the ~*** ge en häst fria tyglar **2** bildl. tygel, tvång, band, hämsko
II *vb tr* **1** betsla **2** bildl. tygla; lägga band på [~ *one's temper*]
III *vb itr* knycka på nacken
bridle path ['braɪdlpɑ:θ] *s* ridväg, ridstig
Brie [bri:] *s* brie[ost]
brief [bri:f] **I** *adj* kort, kortfattad, kortvarig; ***be ~*** fatta sig kort; ***in ~*** kort sagt; i korthet; ***the news in ~*** nyheterna i sammandrag
II *s* **1** sammandrag, [kort] referat; ***I hold no ~ for him*** jag har ingenting till övers för honom, jag försvarar honom inte; ***hold a watching ~*** ha i uppdrag att följa en process (händelsernas gång) **2** jur. resumé, föredragning av fakta etc. i ett mål, görs av en *solicitor* till ledning för den *barrister* som skall sköta målet inför rätta
III *vb tr* **1** sammanfatta, ge en resumé (sammanfattning) av **2** jur. informera, ge en resumé av, föredra fakta i målet; friare anlita [~ *a barrister*] **3** orientera, instruera, gå igenom; informera; ***~ sb about the work*** sätta ngn in i arbetet
briefcase ['bri:fkeɪs] *s* portfölj
briefing ['bri:fɪŋ] *s* orientering, genomgång, instruktion[er], briefing
briefs [bri:fs] *s pl* [dam]trosor; [herr]kalsonger
1 brier ['braɪə] *s* se *1 briar*
2 brier ['braɪə] *s* törnbuske; spec. nyponbuske
brig [brɪg] *s* brigg
brigade [brɪ'geɪd] *s* **1** mil. brigad **2** kår
brigadier [ˌbrɪgə'dɪə] *s* **1** brigadgeneral; motsv. överste av första graden inom armén **2** brigadör inom frälsningarmén

brigadier-general [ˌbrɪgədɪə'dʒen(ə)r(ə)l] *s* hist. el. amer. brigadgeneral; motsv. överste av första graden
brigand ['brɪgənd] *s* stråtrövare, bandit
bright [braɪt] **I** *adj* **1** klar, ljus, lysande; blank, glänsande, skinande; ~ *intervals* meteor. tidvis uppklarnande [väder]; ~ *red* högröd (klarröd) färg **2** glad, glädjestrålande [*a ~ face*]; lycklig [*feel ~*]; ljus [~ *prospects*]; ***look on the ~ side*** se det från den ljusa sidan; ***things are looking ~er*** det börjar se ljusare (hoppfullare) ut **3** vaken, skärpt, begåvad [*a ~ child*]; [*as*] ***~ as a button*** kvicktänkt; ***a ~ idea*** en ljus idé, ett kvickt infall; iron. [just] ett fint påhitt; ***he is not on the ~ side*** han är inget ljushuvud precis; ***a ~ spark*** ett ljushuvud äv. iron.; ***you're a ~ specimen!*** iron. du är verkligen begåvad!
II *adv* **1** klart [*shine ~*] **2** ~ *and early* vard. [tidigt] på morgonkvisten
brighten ['braɪtn] **I** *vb tr* **1** göra ljus[are], göra klar[are]; lysa upp, förgylla, förljuva [~ *sb's life*] **2** muntra upp, liva [upp], pigga upp [äv. ~ *up*]
II *vb itr*, ~ el. ~ *up* bli ljus[are] etc., jfr *brighten I 1*; klarna [upp], skina upp, ljusna; lysa upp [*his face ~ed up*]; livas upp
bright-eyed ['braɪtaɪd] *adj* klarögd; ***all ~ and bushytailed*** laddad, skärpt
1 brill [brɪl] *s* zool. slätvar
2 brill [brɪl] *adj* vard. förk. för *brilliant I 3*
brilliance ['brɪljəns, -ɪəns] *s* **1** briljans, talang[fullhet], begåvning **2** glans, prakt; lysande sken
brilliant ['brɪljənt, -ɪənt] **I** *adj* **1** briljant, strålande [*a ~ idea*]; lysande [*a ~ career*]; genialisk, högt begåvad; mästerlig **2** strålande [~ *sunshine*]; glänsande, gnistrande [~ *jewels*] **3** vard. toppen, jättebra
II *s* briljant
brilliantine [ˌbrɪljən'ti:n] *s* briljantin, pomada
Brillo pad® ['brɪləʊpæd] *s* slags stålullskudde
brim [brɪm] **I** *s* **1** brädd, kant, rand [*the ~ of a cup*] **2** brätte
II *vb tr* fylla till brädden, brädda, råga
III *vb itr* vara bräddad (bräddfull, fylld till brädden); ~ *over* rinna över, flöda över äv. bildl. [*with* av]; ~*ming eyes* tårfyllda ögon
brimful o. **brimfull** [ˌbrɪm'fʊl, 'brɪmfʊl] *adj* bräddfull, rågad; bildl. sprängfylld [~ *of ideas*]
brine [braɪn] *s* saltvatten; saltlake; saltlösning; attr. salt-
bring [brɪŋ] (*brought brought*) **I** *vb tr* (se äv. fraser med *bring* under bl.a. *2 bear, home* o. *sense*) **1** komma med, ha (föra) med sig; hämta; [för]sätta [*into* i]; inbringa [*his writings ~ him £30,000 a year*]; [för]skaffa; ~ *me...* ta hit (hämta)...; ~ *on oneself* el. ~ *down on oneself* ådra sig **2 a)** frambringa, framkalla; medföra; orsaka **b)** förmå, få [*to* till att] **3** lägga fram, dra fram; ~ *an action against sb* väcka åtal mot ngn
II *vb tr* med adv., ofta med spec. översättningar:
bring about få till stånd, åstadkomma, förorsaka [~ *about a crisis*]
bring along ha med sig, ta med [sig]
bring back a) ta (ha) med sig tillbaka **b)** väcka [~ *back many memories*] **c)** återinföra **d)** ~ *sb back to health* få ngn att krya på sig **e)** ~ *sb back to life*

återuppliva ngn

bring down a) få ner, sänka [~ *down prices*]
b) skjuta ner [~ *down a plane*] **c)** störta [~ *down a tyrant*] **d)** föra fram, fortsätta [~ *down a history to modern times*] **e)** ~ *one's fist down on the table* slå näven i bordet **f)** ~ *down the house* riva ner stormande applåder **g)** ~ *down upon* dra [ner] över, jfr *bring on oneself* under *bring I 1* ovan

bring forth a) frambringa, framföda **b)** lägga fram [~ *forth a proposal*] **c)** framkalla

bring forward a) föra fram; flytta fram, tidigarelägga [~ *forward a meeting*] **b)** anföra, lägga fram [~ *forward proof*] **c)** bokf. transportera; *amount brought forward* transport från ngt; *balance brought forward* ingående saldo

bring in a) ta in, föra in, bära in **b)** inbringa [~ *in money*] **c)** väcka [~ *in a bill*] **d)** införa; kalla in, tillkalla [~ *in experts*] **e)** *the jury brought in a verdict of guilty* juryns utslag löd på 'skyldig'

bring off klara av, ro i hamn, fixa [*it was difficult, but they brought it off*]

bring on förorsaka [*an illness brought on by…*]; medföra, framkalla

bring out a) framhäva [~ *out a contrast*]; bringa i dagen; ~ *out the best in sb* få (ta, locka) fram det bästa hos ngn **b)** uppföra [~ *out a play*] **c)** ge ut [~ *out a new book*]

bring round a) få att kvickna till, återställa **b)** ta med [sig] **c)** ~ *sb round to one's point of view* omvända ngn till sin åsikt

bring up a) uppfostra, utbilda, föda upp **b)** kräkas upp [~ *up one's dinner*] **c)** ta (dra) upp en fråga etc. [på nytt], föra (bringa) på tal; föra (lyfta, hämta) upp; föra fram till en viss tidpunkt

bring-and-buy sale [ˌbrɪŋænˈbaɪseɪl] *s* slags välgörenhetsbasar, loppmarknad

brink [brɪŋk] *s* rand, kant, brant, brädd; *be on the ~ of* [*a war*] stå inför…; *be on the ~ of doing sth* vara nära (på vippen) att göra ngt; *he's on the ~ of the grave* han står på gravens rand; *on the ~ of ruin* på undergångens (ruinens) brant

briny [ˈbraɪnɪ] **I** *adj* salt **II** *s* vard., *the ~* [det salta] havet

briquette [brɪˈket] *s* **1** brikett **2** litet block (stycke)

Brisbane [ˈbrɪzbən, -beɪn] geogr.

brisk [brɪsk] *adj* **1** livlig [*a ~ demand for cotton goods*]; *at a ~ pace* i raskt tempo **2** uppiggande, frisk [~ *air*; *a ~ wind*] **3** avmätt [*her tone was ~*]

brisket [ˈbrɪskɪt] *s* spec. kok. bringa

bristle [ˈbrɪsl] **I** *s* borst[hår]; skäggstrå [*his face was covered with ~s*]; styvt hår[strå]; vanl. pl. **~s** koll. borst [*a toothbrush with stiff ~s*]; *hog's ~* svinborst **II** *vb itr* **1** bli tvärarg [äv. ~ *with anger*] **2** resa borst (ragg, kam) **3** ~ *with* bildl. vimla av [~ *with difficulties*]

bristly [ˈbrɪslɪ] *adj* borstig [*a ~ moustache*]; borstlik, full av borst; sträv [*a ~ chin*]; stickig

Bristol [ˈbrɪstl] geogr.

Brit [brɪt] *s* vard. britt, engelsman; brittiska, engelska kvinna

Brit. förk. för *Britain, Britannia, British*

Britain [ˈbrɪtn] **1** ~ el. *Great ~* Storbritannien; ibl. England; *Greater ~* det brittiska världsväldet; *North ~* (*N.B.* i adresser o.d.) Skottland **2** hist. Britannien

Britannia [brɪˈtænjə] Britannien spec. personifierat

britches [ˈbrɪtʃɪz] *s pl* amer. vard. byxor; se äv. *breeches*

British [ˈbrɪtɪʃ] **I** *adj* brittisk; engelsk **II** *s*, *the ~* britterna, engelsmännen

British Columbia [ˌbrɪtɪʃkəˈlʌmbɪə] geogr.

British Council [ˌbrɪtɪʃ ˈkaʊnsl] *s*, *the ~* institution för främjande av de kulturella förbindelserna mellan Storbritannien och andra länder

British Empire [ˌbrɪtɪʃˈempaɪə] *s*, *the ~* hist. Brittiska imperiet

Britisher [ˈbrɪtɪʃə] *s* mest amer. vard. britt, engelsman; brittiska, engelska kvinna

British Legion [ˌbrɪtɪʃˈliːdʒ(ə)n] *s*, *the ~* krigsveteranorganisation i Storbritannien

British Rail [ˌbrɪtɪʃˈreɪl] *s* hist. brittiska statens järnvägar

British Summer Time [ˌbrɪtɪʃˈsʌmətaɪm] (förk. *BST*) *s* sommartid i Storbritannien från sista söndagen i mars till söndagen efter fjärde lördagen i oktober

British Telecom [ˌbrɪtɪʃˈtelɪkɒm] (förk. *BT*) *s* brittiska televerket

Briton [ˈbrɪtn] *s* britt äv. hist.

Brittany [ˈbrɪtənɪ] geogr. Bretagne

brittle [ˈbrɪtl] *adj* spröd, skör, bräcklig

bro [brəʊ] vard. **I** (pl. *~s*) *s* brorsa **II** *interj* vanl. amer. tjäna!, morsning!

broach [brəʊtʃ] *vb tr* **1** komma fram med, framkasta, föra på tal [~ *a subject*] **2** slå upp vinfat, ölfat

B-road [ˈbiːrəʊd] *s* ung. länsväg

broad [brɔːd] **I** *adj* **1** bred; vid[sträckt]; *it's as ~ as it's long* det är hugget som stucket **2** full, klar; *in ~ daylight* mitt på ljusa dagen **3** öppen, tydlig, klar [*a ~ hint*] **4** grov, huvudsaklig, stor [*the ~ features of sth*; ~ *outlines*]; allmän, generell [*a ~ rule*; ~ *principles*]; *in a ~ sense* i stort sett, i stora (grova) drag

II *s* vanl. amer. sl. brutta, brud; fnask

broadband [ˈbrɔːdbænd] tekn. el. data. **I** *s* bredband **II** *adj* bredbands-

broad-based [ˈbrɔːdbeɪst] *adj* på bred basis

broad beans [ˌbrɔːdˈbiːnz] *s pl* bondbönor

broadbrush [ˈbrɔːdbrʌʃ] *adj* övergripande [~ *strategy*]; i stora drag, grov

broadcast [ˈbrɔːdkɑːst] **I** (*broadcast broadcast*) *vb tr* **1** sända [i radio (tv)] [~ *a concert*] **2** basunera ut **II** (för tema se *broadcast I*) *vb itr* uppträda (tala) i radio, uppträda i tv **III** *s* [radio]sändning, [tv-]sändning **IV** *adj* radio-, tv-; radio- och tv- [~ *news*]

broadcasting [ˈbrɔːdˌkɑːstɪŋ] *s* radio[sändning], tv[-sändning]; *the British Broadcasting Corporation* (förk. *the BBC*) brittiska icke-kommersiella radio- och televisionsbolaget, BBC

broadcasting station [ˈbrɔːdˌkɑːstɪŋˈsteɪʃ(ə)n] *s* radiostation

broadcloth [ˈbrɔːdklɒθ] *s* **1** svart kläde av dubbelbredd **2** amer. [merceriserad] poplin

broaden [ˈbrɔːdn] **I** *vb tr* göra bred[are], göra vid[are]; vidga [ut] [äv. ~ *out*]; ~ *one's mind* vidga sin horisont (synkrets) **II** *vb itr* bli bred[are], vidga [ut] sig

broad gauge [ˌbrɔːdˈgeɪdʒ] *s* järnv. bred spårvidd

broad jump ['brɔ:ddʒʌmp] s amer. åld., *long jump*
broadly ['brɔ:dlɪ] adv brett etc., jfr *broad I*; i största allmänhet, i stora drag, i stort sett; [i] friare [betydelse]; ~ *speaking* i stort sett
broad-minded [ˌbrɔ:d'maɪndɪd] adj vidsynt, tolerant, fördomsfri
Broads [brɔ:dz], *the* ~ pl. sjödistrikt i Norfolk förenat genom ett nätverk av åar
broadsheet ['brɔ:dʃi:t] s morgontidning i fullformat
broad-shouldered [ˌbrɔ:d'ʃəʊldəd] adj bredaxlad
broadside ['brɔ:dsaɪd] I s sjö., mil. el. bildl. bredsida II vb itr sport. ställa upp motorcykeln i kurva, lägga upp en sladd
broadsword ['brɔ:dsɔ:d] s bredsvärd; huggsabel
Broadway ['brɔ:dweɪ] gata, teater- och nöjescentrum i New York
brocade [brə(ʊ)'keɪd] s brokad
broccoli ['brɒkəlɪ] s broccoli
brochure ['brəʊʃə, -ʃʊə] s broschyr; prospekt över resor o.d.
1 brogue [brəʊg] s broguesko; sportsko, golfsko
2 brogue [brəʊg] s dialekt[uttal]; spec. irländskt uttal (mål)
broil [brɔɪl] amer. I vb tr steka, halstra, grilla II vb itr stekas, halstras, grillas; steka sig [sit ~ing in the sun]
broiler ['brɔɪlə] s 1 amer. halster, rost, grill 2 broiler gödkyckling 3 vard. stekhet dag
broiling ['brɔɪlɪŋ] adj amer. brännhet, glödhet, stekhet, gassande; *it's ~ [hot]* äv. det gassar (steker)
broke [brəʊk] I imperf. o. perf. p. av *break* II adj vard. pank, barskrapad; *go for ~* satsa allt man har
broken ['brəʊk(ə)n] perf p o. adj 1 bruten, bräckt etc., jfr *break I–III*; sönder, sönderslagen, trasig [a ~ marriage]; splittrad [a ~ home]; förfallen 2 [ned]bruten [a ~ man]; förkrossad; ruinerad 3 tämjd, inriden, dresserad [ofta ~ in]; amer. inkörd; disciplinerad 4 [ofta] avbruten, störd [~ sleep] 5 i vissa uttr.: ~ *chord* mus. brutet ackord; ~ *English* bruten engelska; *in ~ tones* med osäker stämma, stammande
broken-down [ˌbrəʊkən'daʊn] adj 1 utnött, förfallen 2 trasig, som har gått sönder 3 nedbruten; i [fysiskt] förfall
broken-hearted [ˌbrəʊk(ə)n'hɑ:tɪd] adj [ned]bruten av sorg, förkrossad
broker ['brəʊkə] s 1 mäklare; agent, mellanhand 2 utmätningsman; *put in the ~s* göra utmätning
brokerage ['brəʊkərɪdʒ] s 1 mäkleri, mäklarsyssla 2 mäklararvode, courtage
brolly ['brɒlɪ] s vard. paraply
bromide ['brəʊmaɪd] s 1 kem. bromid; bromförening; *potassium ~* bromkalium 2 vard. banalitet
bromine ['brəʊmi:n, -mɪn] s kem. brom
bronchi ['brɒŋkaɪ] s pl anat. bronker
bronchial ['brɒŋkɪəl] adj anat. bronkial, luftrörs-; ~ *tubes* bronker
bronchitis [brɒŋ'kaɪtɪs] s med. bronkit, luftrörskatarr
bronco ['brɒŋkəʊ] (pl. ~s) s otämjd (halvtämjd) häst i västra USA
Brontë ['brɒntɪ] 1 egennamn 2 *the ~s* litt. hist. systrarna Brontë

brontosaurus [ˌbrɒntə'sɔ:rəs] s brontosaurus
Bronx [brɒŋks], *the* ~ Bronx stadsdel i New York
Bronx cheer [ˌbrɒŋks'tʃɪə] s amer. sl., *the* ~ pruttljud, buande (utvissling) med vulgära ljud
bronze [brɒnz] I s 1 brons 2 bronsfärg 3 brons[föremål] II vb tr 1 bronsera 2 göra brun (solbränd); ~*d* solbränd III adj brons-, bronsfärgad
Bronze Age ['brɒnzeɪdʒ] s, *the* ~ bronsåldern
bronze medal [ˌbrɒnz'medl] s bronsmedalj
bronze medallist [ˌbrɒnz'med(ə)lɪst] s bronsmedaljör
brooch [brəʊtʃ] s brosch; bröstnål
brood [bru:d] I s 1 kull 2 yngel, avkomma II vb itr 1 grubbla, ruva [on, over på] 2 ligga på ägg, ruva
brood-hen ['bru:dhen] s ligghöna
brood-mare ['bru:dmeə] s avelssto
broody ['bru:dɪ] adj 1 om höna liggsjuk; om person sugen på att få barn 2 grubblande, fundersam; missmodig
1 brook [brʊk] s bäck
2 brook [brʊk] vb tr tåla, fördraga; medge; *they will ~ no interference* de finner sig inte i (tål inte) någon inblandning
Brooklyn ['brʊklɪn] stadsdel i New York
broom [bru:m, brʊm] s 1 kvast; [långskaftad] sopborste; *a new ~ sweeps clean* nya kvastar sopar bäst 2 bot. ginst
broomstick ['bru:mstɪk] s kvastskaft
Bros. o. **Bros** [ibl. skämts. brɒs, brɒz] (förk. för *Brothers*), *Smith ~* Bröderna Smith firmanamn
broth [brɒθ] s [kött]spad, buljong; köttsoppa; *too many cooks spoil the ~* ju flera kockar, dess sämre soppa
brothel ['brɒθl] s bordell
brother ['brʌðə] (pl. ~s, i betydelse 3 ofta *brethren*) s 1 bror, broder; *Smith Brothers* Bröderna Smith firmanamn; *they are ~[s] and sister[s]* de är syskon 2 medbroder; ämbetsbroder, yrkesbroder; ~ *officer* officerskamrat 3 relig. [tros]broder 4 vanl. amer. sl. kompis, polare; ~, *can you spare a dime?* ung. hörru, har du en krona [till en kopp kaffe]?; ~, *was I tired!* Gud vad jag var trött!
brotherhood ['brʌðəhʊd] s broderskap; brödraskap, samfund; *the ~ of man* den mänskliga gemenskapen
brother-in-law ['brʌð(ə)rɪnlɔ:] (pl. *brothers-in-law* ['brʌðəzɪnlɔ:]) s svåger
brotherly ['brʌðəlɪ] adj broderlig
brought [brɔ:t] imperf. o. perf. p. av *bring*
brow [braʊ] s 1 panna; bildl. min 2 ögonbryn; *knit one's ~s* rynka pannan (ögonbrynen) 3 utsprång, rand, kant av bråddjup; krön; ~ *of a hill* backkrön
browbeat ['braʊbi:t] (*browbeat browbeaten*) vb tr spela översittare mot, domdera, hunsa [med]
browbeaten ['braʊbi:tn] perf. p. av *browbeat*
brown [braʊn] I adj 1 brun; *in a ~ study* försjunken i grubbel (funderingar, drömmerier); *have a ~ thumb* sakna gröna fingrar 2 mörkhyad; brun, solbränd II s 1 brunt; brun färg 2 flygande svärm (flock) av fågelvilt III vb tr 1 brunsteka, bryna 2 *be ~ed off* vard. vara

urless på allting

IV *vb itr* bli brun

brown ale [ˌbraʊnˈeɪl] *s* mörkt öl

brown-bag [ˈbraʊnbæg] *vb itr* amer. vard. **1** ta med sig lunch till arbete o.d. i brun papperspåse **2** ta med sig egen sprit till restaurang

brown bread [ˌbraʊnˈbred] *s* ung. mörkt bröd, fullkornsbröd

brown goods [ˈbraʊnɡʊdz] *s pl* hand. konsumentelektronik datorer, tv- och radioapparater

Brownie [ˈbraʊnɪ] *s* o. **Brownie Guide** [ˈbraʊnɪɡaɪd] *s* miniorscout

brownie [ˈbraʊnɪ] *s* **1** brownie slags [små]kaka med choklad och nötter **2** *she was trying to get* (*earn*) ~ *points* vard. hon försökte få pluspoäng beröm

brownish [ˈbraʊnɪʃ] *adj* brunaktig

brownnose [ˈbraʊnnəʊz] *vb tr* o. *vb itr* fjäska [för], vara inställsam [mot]

brown paper [ˌbraʊnˈpeɪpə] *s* omslagspapper

brown rice [ˌbraʊnˈraɪs] *s* råris

brownstone [ˈbraʊnstəʊn] *s* amer. **1** byggn. rödbrun sandsten **2** ~ el. ~ *house* hus med sandstensfasad vilket indikerar ett välbärgat hem

brown sugar [ˌbraʊnˈʃʊɡə] *s* råsocker; farinsocker

browse [braʊz] **I** *vb tr* **1** data., ~ *the Web* söka på nätet **2** beta av

II *vb itr* **1** bläddra [~ *through a newspaper*] **2** gå runt och titta [*I don't want anything. I'm just browsing*]; ~ *among* (*through*) [*sb's books*] botanisera bland… **3** beta; ~ *on* [*leaves*] leva på (av)…

III *s* **1** genombläddring; *have a* ~ *among* (*through*) [*sb's books*] botanisera bland… **2** data. genombläddring, genomsökning av information på nätet **3** betande

browser [ˈbraʊzə] *s* data. webbläsare

Bruges [bruːʒ] geogr. Brügge

bruin [ˈbruːɪn] *s* nalle, björn

bruise [bruːz] **I** *s* blåmärke, blånad; stöt, fläck på frukt o.d.

II *vb tr* **1** ge blåmärken (krossår), slå gul och blå; stöta frukt; *he fell and ~d his leg* han ramlade och fick blåmärken på benet; *I'm ~d all over* jag har blåmärken överallt **2** mala (stöta) sönder, krossa

III *vb itr*, ~ *easily* lätt få blåmärken

bruiser [ˈbruːzə] *s* vard. bjässe; slagskämpe

brunch [brʌn(t)ʃ] *s* (bildat av *breakfast* o. *lunch*) brunch, frukost-lunch

Brunei [ˈbruːnaɪ] geogr.

brunette [bruːˈnet] *s* brunett

brunt [brʌnt] *s* [våldsamt] angrepp; *bear the* ~ bildl. hamna i skottgluggen, klä skott, få ta emot stöten; *bear the* ~ *of the blame* bära (ha) största skulden

bruschetta [ˌbrʊsˈketə] *s* kok. (it.) bruschetta

brush [brʌʃ] **I** *s* **1** borste; kvast; pensel **2** [av]borstning; *give sb* (*sth*) *a* ~ borsta av ngn (ngt) **3** [räv]svans **4** elektr. [kol]borste; strålknippe **5** sammandrabbning; nappatag **6** småskog, snårskog, snår; ris

II *vb tr* **1** borsta [~ *one's hair*; ~ *one's teeth*]; borsta av [~ *one's coat*]; sopa; skrubba; stryka [~ *back one's hair*] **2** snudda vid; stryka förbi

III *vb itr*, ~ *against* el. ~ *by* snudda vid; stryka förbi; ~ *past* a) snudda vid; stryka förbi b) svepa (slinka)

förbi

IV *vb tr* o. *vb itr* med adv. el. prep.:

brush aside bildl. vifta bort, slå bort

brush away a) bildl. vifta bort, slå bort b) stryka bort [~ *away a tear*]

brush down borsta av

brush off a) borsta av (bort) b) vard. vifta bort, avspisa c) gå att borsta bort [*the mud will* ~ *off when it dries*] d) ~ *off on* bildl. smitta av sig på

brush up fräscha upp [sina kunskaper i] [~ *up one's English*]; ~ *up on* fräscha upp [sina kunskaper] i

brush cut [ˈbrʌʃkʌt] *s* stubbad frisyr

brush-off [ˈbrʌʃɒf] *s* vard. avspisning; *give sb the* ~ vifta bort (avspisa) ngn

brush-up [ˈbrʌʃʌp] *s* uppsnyggning; uppfriskning; *give one's English a* ~ fräscha upp sin engelska; *have a wash and* ~ fräscha upp sig, snygga till sig

brushwood [ˈbrʌʃwʊd] *s* **1** småskog, snårskog, snår **2** ris, kvistar som bränsle

brushwork [ˈbrʌʃwɜːk] *s* penselföring, måleri

brusque [brʊsk, bruːsk, brʌsk] *adj* tvär, burdus, brysk, snäsig

Brussels [ˈbrʌslz] geogr. Bryssel

Brussels sprouts [ˌbrʌslzˈspraʊts] *s pl* bot. el. kok. brysselkål

brutal [ˈbruːtl] *adj* brutal, rå; djurisk; grov, ohyfsad

brutality [bruːˈtæləti] *s* brutalitet, råhet

brutalize [ˈbruːtəlaɪz] *vb tr* förråa; brutalisera, behandla brutalt (rått)

brute [bruːt] **I** *s* **1** odjur, oskäligt djur **2** brutal (rå) människa; vard. odjur, kräk

II *adj* **1** djurisk; rå; brutal **2** om saker själlös, rå; ~ *force* rå styrka

brutish [ˈbruːtɪʃ] *adj* djurisk, rå, brutal

B/S förk. för *bill of sale*

BSA [ˌbiesˈeɪ] (förk. för *Bachelor of Science in Agriculture*) ung. agronom

BSc [ˌbiːesˈsiː] förk. för *Bachelor of Science*

BSE [ˌbiːesˈiː] *s* vet.med. (förk. för *bovine spongiform encephalopathy*) BSE, galna ko-sjukan, se vidare *mad cow disease*

BSE-free [ˌbiːesˈiːfriː] *adj* vet.med. ej smittad med BSE (galna ko-sjukan)

BSE-infected [ˌbiːesˈiːɪnˌfektɪd] *adj* vet.med. smittad med BSE (galna ko-sjukan)

BST [ˌbiːesˈtiː] förk. för *British Summer Time*

BT [ˌbiːˈtiː] förk. för *British Telecom*

BTDT i e-post el. textmeddelanden förk. för *been there done that*

BTW [ˌbatðəˈweɪ] i e-post el. textmeddelanden förk. för *by the way*

bubble [ˈbʌbl] **I** *s* **1** bubbla; bubblande; *blow ~s* blåsa såpbubblor **2** bildl. bubbla [*the* ~ *burst at last*]; *burst sb's* ~ förstöra ngns illusioner **3** pratbubbla

II *vb itr* bubbla, porla; sprudla; ~ *over* bildl. sprudla [*with* av]

bubble-and-squeak [ˌbʌblənˈskwiːk] *s* kok. uppstekt potatismos med kål och ibland kött

bubble bath [ˈbʌblbɑːθ] *s* skumbad

bubble gum [ˈbʌblɡʌm] *s* bubbelgum

bubbly [ˈbʌbli] **I** *s* vard. champis, skumpa **II** *adj* livlig, glad, pigg

bubonic plague [bjuːˌbɒnɪkˈpleɪɡ] *s* med. böldpest

buccaneer [ˌbʌkəˈnɪə] s sjörövare; äventyrare äv. bildl.

Bucharest [ˌbuːkəˈrest, ˌbjuː-, ˈ---] geogr. Bukarest

1 buck [bʌk] s amer. vard. dollar; *a fast ~* el. *a quick ~* snabba pengar (stålar); *make a ~* tjäna en slant

2 buck [bʌk] **I** s **1** bock, hanne av dovhjort, ren, stenbock, antilop, hare, kanin m.fl. **2** gymn. bock **3** åld. ung sprätt
II vb itr o. vb tr **1** om häst hoppa med krökt rygg [och slå (sparka) bakut] för att kasta av ryttare; stånga **2** *~ up* vard. pigga (gaska) upp [sig]; raska på

3 buck [bʌk] s, *the ~ stops with sb* ansvaret ligger (vilar) på ngn, det är ngns ansvar; *pass the ~* [*to*] vältra över ansvaret [på]

bucket [ˈbʌkɪt] **I** s **1** hink, pyts, spann; *cry* (*weep*) *~s* vard. gråta floder; *a drop in the ~* en droppe i havet; *kick the ~* sl. kola av; *in ~s* hinkvis; *the rain was coming down in ~s* el. *it was raining ~s* regnet öste ner **2** mudderskopa, hisskopa
II vb itr, *~* el. *~ down* a) ösregna, hällregna [*it is ~ing* [*down*]] b) ösa ner [*the rain is ~ing down*]

bucketful [ˈbʌkɪtfʊl] (pl. *~s* el. *bucketsful*) s som mått spann, hink [*of* med]; *~s of* vard. hinkvis med, massor av

bucket seat [ˈbʌkɪtsiːt] s bil. urskålat säte

bucket shop [ˈbʌkɪtʃɒp] s resebyrå specialiserad på lågprisflyg

Buckeye State [ˌbʌkaɪˈsteɪt], *the ~* beteckn. för staten *Ohio*

Buck House [ˌbʌkˈhaʊs] skämts. för *Buckingham Palace*

Buckingham Palace [ˌbʌkɪŋəmˈpælɪs] den brittiske monarkens officiella residens i London

Buckinghamshire [ˈbʌkɪŋəmʃɪə, -ʃə] geogr.

buckle [ˈbʌkl] **I** vb tr **1** fästa med spänne, spänna, knäppa [*on* på; *up* ihop]; *~ on* äv. spänna på (om) sig **2** buckla [till], böja
II vb itr **1** *~ down to* gå in för, sätta i gång med; *~ down to work* ta itu med arbetet **2** böja (kröka, vika) sig, bågna, ge vika
III s spänne; buckla

buckram [ˈbʌkrəm] s styv kanvas

Bucks [bʌks] förk. för *Buckinghamshire*

buckshot [ˈbʌkʃɒt] s rådjurshagel, grova hagel

buckskin [ˈbʌkskɪn] s **1** läder av hjort (får); pl. *~s* hjortskinnsbyxor **2** tyg buckskin

buck teeth [ˌbʌkˈtiːθ] s utstående framtänder i överkäken, 'hästtänder'

buckwheat [ˈbʌkwiːt] s bovete

bucolic [bjuːˈkɒlɪk] adj idyllisk, pastoral [*a ~ scene*]; bukolisk, herde- [*~ poetry*]

1 bud [bʌd] **I** s knopp; öga på växt; *nip* [*a plot*] *in the ~* kväva...i sin linda **II** vb itr knoppas, slå ut, börja växa

2 bud [bʌd] s vanl. amer. sl., se *buddy*

Budapest [ˌbjuːdəˈpest, ˌbuː-] geogr.

budded [ˈbʌdɪd] adj knoppbärande; i knopp

Buddha [ˈbʊdə, amer. ˈbuː-]

Buddhism [ˈbʊdɪz(ə)m, amer. ˈbuː-] s buddism

budding [ˈbʌdɪŋ] adj knoppande, bildl. äv. spirande, blivande

buddy [ˈbʌdɪ] s vanl. amer. sl. **1** kompis, polare, kamrat; i tilltal hörru [kompis (polarn)] [*listen, ~!*] **2** buddy, stödperson för aidssjuk

buddy-buddy [ˌbʌdɪˈbʌdɪ] adj amer. vard. **1** *be ~ with* vara bundis (kompis) med **2** överdrivet (inställsamt) vänlig

budge [bʌdʒ] vanl. med negation **I** vb itr röra sig ur fläcken, flytta sig, vika äv. bildl. [*he wouldn't ~ an inch*]; *he won't ~ on that point* han är orubblig på den punkten; *~ up a bit!* maka ihop er (dig) lite!
II vb tr röra ur fläcken, flytta på

budgerigar [ˈbʌdʒərɪgɑː] s undulat

budget [ˈbʌdʒɪt] **I** s budget; statsbudget; *be on a tight ~* ha stram ekonomi, ha en begränsad budget
II vb itr göra upp en budget [*~ for the coming year*]
III vb tr budgetera [*~ed cost*]; planera [*~ one's time*] **IV** adj lågpris- [*~ travel; ~ meal*]

budgetary [ˈbʌdʒɪt(ə)rɪ] adj budget[s]-, statsfinansiell

budget deficit [ˈbʌdʒɪtˌdefɪsɪt] s budgetunderskott

budget plan [ˈbʌdʒɪtplæn] s avbetalningssystem, avbetalningsplan

budget price [ˈbʌdʒɪtpraɪs] s lågpris

budget surplus [ˌbʌdʒɪtˈsɜːpləs] s budgetöverskott

budgie [ˈbʌdʒɪ] s vard., se *budgerigar*

Buenos Aires [ˌbwenəsˈaɪ(ə)rɪz, ˌbweɪn-] geogr.

buff [bʌf] **I** s **1** vard. entusiast, fantast [*film ~; theatre ~*] **2** mattgul (brungul) färg **3** buffelläder; sämskskinn **4** ngt åld. vard., *in the ~* spritt naken, i bara mässingen
II adj mattgul, brungul
III vb tr polera med sämskskinn

buffalo [ˈbʌfələʊ] (pl. *~es* el. koll. *buffalo*) s buffel; buffel- [*~ calf; ~ hide*]

1 buffer [ˈbʌfə] s buffert äv. data.

2 buffer [ˈbʌfə] s sl. neds. karl; *old ~* gammal gubbstrutt

3 buffer [ˈbʌfə] s polerverktyg; nagelpolerare

buffer state [ˈbʌfəsteɪt] s buffertstat

1 buffet [ˈbʊfeɪ, amer. bəˈfeɪ, ˌbʊˈfeɪ] s **1** mål buffé [*cold ~*]; *~ supper* gående bord supé **2** [serverings]disk; buffé restaurang **3** möbel buffé, skänk **4** restaurangvagn i tåg

2 buffet [ˈbʌfɪt] **I** vb tr **1** slå [till] spec. med handen, knuffa [omkring] **2** brottas med, kämpa mot vågorna
II s knuff, stöt, knytnävsslag; bildl. slag, törn

buffoon [bəˈfuːn] s pajas, gycklare; *play the ~* spela pajas

bug [bʌg] **I** s **1** vanl. amer. [liten] insekt, skalbagge **2** vard. bacill, bacillusk **3** vard. fluga, dille; *be bitten by the sailing ~* ha blivit seglingsbiten **4** data. bugg programfel **5** vard. dold mikrofon
II vb tr vard. **1** reta, tråka, irritera **2** bugga, placera dolda mikrofoner i; avlyssna

bugbear [ˈbʌgbeə] s **1** orosmoment; [hjärn]spöke, fasa **2** buse

bugger [ˈbʌgə] sl. **I** s **1** jävel, jäkel, fan äv. smeks. [*that sweet little ~*] **2** *it's a ~* det är för jävligt; *I don't give a ~ if...* jag ger fan i om...
II vb tr **1** ha analsex med **2** *~ it!* fan [också]!; ge fan i det!; *~ that!* det skiter jag i!
III vb tr o. vb itr med adv. el. prep.:
bugger about a) tr., se *muck about* under *muck II*
b) itr., se *muck about* under *muck III*
bugger off dra [åt helvete]

bugger up: *now you've ~ed it up!* nu jävlar har du fördärvat (klantat till) det!

bugger-all [ˌbʌgərˈɔːl] *s* sl., ~ el. *sweet* ~ inte ett jävla dugg

buggered [ˈbʌgəd] *adj* sl. **1** skittrött **2** paj trasig **3** *I'm ~ if I know* ta mig fan om jag vet!, det vete fan!

buggery [ˈbʌgərɪ] *s* jur. tidelag; sodomi; analt samlag

bugging [ˈbʌgɪŋ] *s* vard. buggning, utplacering av dolda mikrofoner; *~ device* avlyssningsapparat

buggy [ˈbʌgɪ] *s* **1** bil, jeep [*beach ~; golf ~*] **2** lätt enspännare **3 a)** paraplyvagn [äv. *baby ~*] **b)** amer. barnvagn

bugle [ˈbjuːgl] *s* [jakt]horn; mil. signalhorn

bugler [ˈbjuːglə] *s* hornblåsare

build [bɪld] **I** (*built built*) *vb tr* bygga; uppföra; anlägga väg; friare forma, skapa; bildl. bygga, grunda; *~ a fire* göra upp en brasa; *~ one's hopes on sth* bygga sitt hopp på (sätta sitt hopp till) ngt; *be built that way* vard. vara skapt så, vara konstruerad (funtad) så; *he is heavily built* han är kraftigt byggd **II** (*built built*) *vb itr* **1** bygga **2** bildl. lita, förlita sig [*don't ~ upon his promises*] **III** (*built built*) *vb tr* o. *vb itr* med adv. el. prep.: **build up a)** tr. bygga upp, uppföra, uppresa, upprätta; itr. byggas upp **b)** tr. gradvis samla, öka; itr. ökas, hopa sig; stegras; *he needs something to ~ him up* han behöver någonting stärkande; *~ up one's muscles* stärka sina muskler; *~ up a reputation* gradvis skapa (bygga upp) ett [gott] namn **c)** bebygga **d)** lansera [*~ up an actress*]; *~ up a business* bygga (arbeta) upp ett företag **e)** *~ up one's hopes* bygga stora förhoppningar (förväntningar); *don't ~ up your hopes too much* skruva inte upp förväntningarna för högt **IV** *s* [kropps]byggnad; konstruktion; struktur; snitt på kläder

builder [ˈbɪldə] *s* byggare; byggmästare; *~'s estimate* byggnadskalkyl

building [ˈbɪldɪŋ] *s* **1** byggnad, hus **2** byggande, byggnation, byggnadsverksamhet **3** *~ and loan association* amer., slags kreditinstitut för bosparande

building block [ˈbɪldɪŋblɒk] *s* **1** byggsten **2** komponent [*the ~ of a computer*] **3** byggkloss

building bricks [ˈbɪldɪŋbrɪks] *s pl* byggklossar leksats

building contractor [ˈbɪldɪŋkənˌtræktə] *s* byggnadsentreprenör

building site [ˈbɪldɪŋsaɪt] *s* byggarbetsplats

building society [ˈbɪldɪŋsəˌsaɪətɪ] *s* slags kreditinstitut för bosparande

build-up [ˈbɪldʌp] *s* **1** utbyggnad, utveckling [*the ~ of the nation's heavy industry*] **2** uppbyggande, förarbete, förspel; omsorgsfull bearbetning; gradvis intensifiering, stegring [*the ~ of suspense in the film*] **3** uppmuntran, [psykologiskt] stöd **4** förhandsreklam; *give sb a ~* ung. lansera ngn **5** mil. gradvis koncentration, uppladdning [*a ~ of forces*]

built [bɪlt] imperf. o. perf. p. av **build**

built-in [ˌbɪltˈɪn] *adj* inbyggd äv. friare [*~ aerial; ~ difficulties*]; *~ wardrobe* [inbyggd] garderob

built-up [ˌbɪltˈʌp] *adj*, *~ area* tättbebyggt område

bulb [bʌlb] *s* **1** [blom]lök; knopplök; *~ plants* lökväxter **2** elektrisk [glöd]lampa; kula på termometer o.d.

bulbous [ˈbʌlbəs] *adj* lök-; lökformig[t uppsvälld]; tjock, uppsvälld

Bulgaria [bʌlˈgeərɪə, bʊl-] geogr. Bulgarien

Bulgarian [bʌlˈgeərɪən, bʊl-] **I** *s* **1** bulgar; bulgariska kvinna **2** bulgariska [språket] **II** *adj* bulgarisk

bulge [bʌldʒ] **I** *s* **1** bula, buckla; utbuktning; rundning; ansvällning; *make a ~* bukta (puta) ut **2** [temporär] ökning, uppgång i priser o.d., puckel i t.ex. åldersfördelning; *the ~* el. *the birthrate ~* vard., ung. de stora årskullarna **II** *vb itr* bukta (puta) ut, vara bukig, stå (puta) ut; digna; *bulging* äv. bukig, kupig; *bulging eyes* utstående ögon; *bulging pockets* putande fickor

bulgur [ˈbʌlgə] *s* bulgurvete

bulimia [bjuːˈlɪmɪə, bʊ-] *s* med. bulimi, hetsätning

bulimic [bjuːˈlɪmɪk] med. **I** *adj* som lider av bulimi, som hetsäter **II** *s* bulimiker, hetsätare

bulk [bʌlk] **I** *s* **1** volym; omfång, storlek, [stor] massa; fyllnad **2** *in ~* i stora partier [*sell in ~*]; i lös last (vikt), lös[t], oförpackad **3** *the ~* det mesta, huvuddelen; de flesta, huvudstyrkan [*of av*] **II** *adj*, *~ buying* uppköp av stora (hela) partier; *~ orders* order på stora (hela) partier

bulk food [ˈbʌlkfuːd] *s* fiberrik kost

bulkhead [ˈbʌlkhed] *s* **1** sjö. skott [*watertight ~*]; *~ deck* skottdäck **2** skiljevägg

bulky [ˈbʌlkɪ] *adj* skrymmande, klumpig

1 bull [bʊl] *s* **1** tjur [*take the ~ by the horns*]; *like a ~ at a gate* burdust, hetsigt; buffligt; *like a ~ in a china shop* som en elefant i en porslinsbutik, klumpig[t] **2** han[n]e av elefant, val m.fl. större djur; attr. han-; *~ elephant* elefanthan[n]e **3** börs. haussespekulant **4** vard. skitsnack, nonsens, båg; *shoot the ~* a) prata skit b) skrävla, överdriva **5** se *bull's-eye 1*

2 bull [bʊl] *s* [påve]bulla

bullace [ˈbʊləs] *s* bot. krikon

bull bar [ˈbʊlbɑː] *s* bil., kraftigt frontskydd

bull calf [ˌbʊlˈkɑːf, '--] (pl. *bull calves*) *s* tjurkalv

bulldog [ˈbʊldɒg] *s* bulldogg; *with ~ tenacity* med en bulldoggs envishet

bulldog clip [ˈbʊldɒgklɪp] *s* slags stark pappersklämma

bulldoze [ˈbʊldəʊz] *vb tr* **1** schakta **2** vard. tyrannisera, skrämma, tvinga [*~ sb into doing* (att göra) *sth*]

bulldozer [ˈbʊlˌdəʊzə] *s* **1** bulldozer, bandschaktare **2** vard. översittare

bullet [ˈbʊlɪt] *s* **1** kula från gevär o.d. **2** sl., *give the ~* ge sparken, sparka

bulletin [ˈbʊlətɪn] *s* bulletin; rapport [*weather ~*]

bulletin board [ˈbʊlətɪnbɔːd] *s* **1** data. elektronisk anslagstavla forum för utbyte av meddelanden, program etc. **2** amer. anslagstavla

bullet point [ˈbʊlɪtpɔɪnt] *s* typogr. punkt i lista

bulletproof [ˈbʊlɪtpruːf] *adj* skottsäker

bullfight [ˈbʊlfaɪt] *s* tjurfäktning

bullfighting [ˈbʊlˌfaɪtɪŋ] *s* tjurfäktning

bullfinch [ˈbʊlfɪn(t)ʃ] *s* zool. domherre

bullfrog [ˈbʊlfrɒg] *s* zool. oxgroda

bullheaded [ˈbʊlˌhedɪd] *adj* vard. dum; trilsk, envis

bullhorn [ˈbʊlhɔːn] *s* amer. megafon med förstärkare

bullion [ˈbʊlɪən] *s* omyntat (oförarbetat) guld (silver); guldtackor, silvertackor

Bullion State [ˌbʊljən'steɪt], **the ~** beteckn. för staten *Missouri*

bullish ['bʊlɪʃ] *adj* **1** vard. förhoppningsfull **2** börs. upphaussad, stigande

bull market ['bʊlˌmɑːkɪt] *s* börs. hausse

bullock ['bʊlək] *s* stut, oxe

bullring ['bʊlrɪŋ] *s* tjurfäktningsarena

bull session ['bʊlˌseʃ(ə)n] *s* amer. vard. avslappnad pratstund män emellan

bull's-eye ['bʊlzaɪ] *s* **1** skottavlas prick; centrum; fullträff äv. bildl.; **~!** mitt i prick! **2** slags hård rund [pepparmynts]karamell

bullshit ['bʊlʃɪt] vard. **I** *s* skitsnack, nonsens, båg **II** *vb tr* o. *vb itr* prata skit (svamla) [om]

bull terrier [ˌbʊl'terɪə] *s* bullterrier

bully ['bʊlɪ] **I** *s* översittare, mobbare
II *vb tr* spela översittare mot, mobba; med hot tvinga, skrämma [*into* till]
III *interj*, **~ for you!** bravo!, det var fint!; din lyckans ost!

bullying ['bʊlɪŋ] *s* mobbning i skolan, översitteri

bulrush ['bʊlrʌʃ] *s* bot. **1** säv **2** kaveldun

bulwark ['bʊlwək, -wɜːk] *s* **1** bålverk äv. bildl., [skyddande] vall (mur) **2** vågbrytare **3** sjö., **~s** brädgång, reling

bum [bʌm] **I** *s* **1** vulg. rumpa, häck, bak **2** amer. vard. luffare, A-lagare, lodis; odåga, nolla [*he called the umpire a ~*]; **be on the ~** a) vard. gå på luffen b) sl. vara på dekis; snylta sig fram c) sl., om sak vara paj, ha gått åt fanders
II *vb itr* vard., **~ around** el. **~ about** a) stryka (luffa) omkring b) flyta omkring i tillvaron
III *vb tr* vard. bomma, tigga [*~ a cigarette*]
IV *adj* vard. [ur]dålig, [ur]usel; trasig [*a ~ fuse*; *a ~ screw*]; falsk [*a ~ note*]

bum bag ['bʌmbæg] *s* vard. midjeväska, magväska

bumble ['bʌmbl] *vb itr* **1** mumla; yra **2** krångla (stappla) sig fram

bumble-bee ['bʌmblbiː] *s* humla

bumf [bʌmf] *s* vard. **1** tråkiga officiella papper, 'skit', 'smörja' **2** toa[lett]papper, dasspapper

bummer ['bʌmə] *s* flopp, skitgrej, värdelös sak

bump [bʌmp] **I** *vb itr* **1** stöta, dunsa, törna, köra [*against, into, on* mot]; **I ~ed into him** äv. jag stötte ihop med honom **2** sl. jucka, knycka med höfterna; **~ and grind** jucka och rotera med höfterna
II *vb tr* **1** stöta, dunka, törna, köra [*~ one's head on the ceiling*]; **~ sb off** sl. fixa mörda ngn **2** amer., **~ up** höja (driva upp) pris o.d.
III *s* **1** bula, kula; svulst, knöl **2** ojämnhet på väg, [litet] gupp, vägbula **3** flyg. luftgrop; vindstöt; studs, stöt **4** törn, stöt, duns, dunk **5** sl. juckande, knyckande med höfterna, se äv. *bump I 2* ovan

bumper ['bʌmpə] **I** *s* stötfångare, kofångare på bil; amer. buffert **II** *adj* riklig, jätte-, rekord- [*~ crop*; *~ year*]; **a ~ week of films** en bra (fin) filmvecka

bumper car ['bʌmpəkɑː] *s* radiobil på nöjesfält

bumper sticker [ˌbʌmpə'stɪkə] *s* bildekal

bumper-to-bumper [ˌbʌmpətə'bʌmpə] *adv* stötfångare mot stötfångare, tätt i led om bilar

bumpkin ['bʌm(p)kɪn] *s* tölp, bondlurk

bumptious ['bʌm(p)ʃəs] *adj* viktig, dryg

bumpy ['bʌmpɪ] *adj* om väg o.d. ojämn, guppig, skakig; om luft gropig

bumsucker ['bʌmˌsʌkə] *s* sl. rövslickare

bun [bʌn] *s* **1** bulle; **have a ~ in the oven** sl. vara på smällen **2** [hår]knut **3** pl. **~s** vard. anat. skinkor

bunch [bʌn(t)ʃ] **I** *s* **1** klase [*~ of grapes*]; bukett [*~ of flowers*]; knippa [*~ of keys*]; bunt [*~ of papers*]; tofs, tott [*~ of hair*] **2** vard. samling, grupp, klunga; massa; **the best of the ~** den bästa av hela bunten
II *vb tr*, **~** el. **~ up** göra en knippa av; samla (bunta) ihop; vecka, drapera
III *vb itr*, **~** el. **~ up** fastna (sitta) ihop; dra ihop sig; skocka sig

bundle ['bʌndl] **I** *s* **1** bunt, knyte, bylte, packe, knippe; **a ~ of energy** ett energiknippe **2** vard. massor av pengar; **go a ~ on** vara (bli) tokig i **3** data. paketerbjudande av program- och maskinvara
II *vb tr* **1** stuva, vräka, proppa [*into* in (ner) i]
2 data. sampacka, bipacka program- och maskinvara
III *vb itr*, **~ into** [*a car*] stuva in sig i…
IV *vb tr* o. *vb itr* med adv.:
bundle off a) fösa, köra [*~ sb off*] b) packa sig i väg
bundle up a) bunta ihop b) bylta på

bun fight ['bʌnfaɪt] *s* vard. tebjudning; barnkalas

bung [bʌŋ] **I** *s* propp; tapp
II *vb tr* **1** sätta tappen i, täppa igen [ofta ~ *up*]; **my nose is ~ed up** jag är täppt i näsan **2** sl. slänga, kasta [*~ stones*]; slå, dänga

bungalow ['bʌŋgələʊ] *s* bungalow; enplansvilla, enplanshus; småstuga för uthyrning

bungee jumping ['bʌndʒɪˌdʒʌmpɪŋ] *s* bungyjumping

bungle ['bʌŋgl] **I** *vb tr* fuska bort, schabbla bort, klanta till **II** *vb itr* fumla, klåpa **III** *s* fuskverk; schabbel; röra

bungling ['bʌŋglɪŋ] *adj* fumlig, klantig i sitt arbete; klumpig, tafatt försök o.d.

bunion ['bʌnjən] *s* öm inflammerad knöl på stortån

1 bunk [bʌŋk] *s* koj, brits; sovhytt **II** *vb itr*, **~** el. **~ down** gå till kojs; sova

2 bunk [bʌŋk] sl. **I** *vb itr*, **~** el. **~ off** smita, sjappa; skolka **II** *s*, **do a ~** smita, sjappa

3 bunk [bʌŋk] *s* kortform av *bunkum*

bunk bed ['bʌŋkbed] *s* våningssäng

bunker ['bʌŋkə] **I** *s* **1** fartygs kolbox, oljetank **2** mil. bunker **3** golf. bunker; bildl. hinder
II *vb itr* bunkra

bunkhouse ['bʌŋkhaʊs] *s* [sov]barack

bunkum ['bʌŋkəm] *s* åld. vard. prat, floskler; humbug

bunny ['bʌnɪ] *s* barnspr. kanin

bunsen burner ['bʌnsnˌbɜːnə] *s* bunsenbrännare

1 bunting ['bʌntɪŋ] *s* koll. flaggor, flaggdekorationer

2 bunting ['bʌntɪŋ] *s* zool. sparv; **corn ~** kornsparv; **reed ~** sävsparv

buoy [bɔɪ] **I** *s* sjö. **1** boj; prick **2** se *lifebuoy*
II *vb tr*, **~** el. **~ up** a) hålla flott (uppe) b) bildl. hålla uppe, bära upp; inge mod

buoyancy ['bɔɪənsɪ] *s* **1** flytförmåga, flytkraft; bärkraft, bärighet; attr. flyt- [*~ garments*]
2 viktförlust genom nedsänkning i vätska **3** om person livlighet, glatt humör, optimism **4** om pris o.d. tendens att stiga [igen]

buoyant ['bɔɪənt] *adj* **1** som lätt flyter (stiger, håller sig uppe), med flytförmåga, flyt-, flytande **2** om vätska bärande, i stånd att hålla saker flytande

3 elastisk, spänstig [*with a ~ step*]; om person livlig, glad[lynt], optimistisk **4** börs. stigande

bur [bɜ:] *s* taggfrukt i allm.; taggigt blomhuvud; spec. kardborre äv. bildl. om person

burble ['bɜ:bl] *vb itr* **1** klucka, porla, gurgla **2** vard. babbla, pladdra; bubbla

burbot ['bɜ:bət] *s* zool. lake

burbs [bɜ:bz] *s* amer. vard., **the ~** förort[sområden]

1 burden ['bɜ:dn] **I** *s* börda [*to, on* för], last; ansvar [*the main ~*]; **be a ~ to** [*the State*] ligga...till last; **the ~ of proof** jur. bevisbördan; **~ of taxation** skattebörda, skattetryck; **beast of ~** lastdjur, ök
II *vb tr* belasta, belamra; tynga [ner], betunga

2 burden ['bɜ:dn] *s* huvudtema, röd tråd i dikt, tal, bok o.d.

burdensome ['bɜ:dnsəm] *adj* betungande, tryckande, besvärlig [*to* för]

burdock ['bɜ:dɒk] *s* bot. kardborre

bureau ['bjʊərəʊ, bjʊə'rəʊ] (pl. *~x* [-z] el. *~s* [-z]) *s*
1 byrå [*information ~*; *tourist ~*]; kontor; **~ de change** växelkontor **2** vanl. amer. myndighet
3 sekretär; skrivbord; amer. byrå möbel

bureaucracy [bjʊ(ə)'rɒkrəsɪ] *s* byråkrati

bureaucrat ['bjʊərə(ʊ)kræt] *s* byråkrat

bureaucratic [ˌbjʊərə(ʊ)'krætɪk] *adj* byråkratisk

burg [bɜ:g] *s* amer. vard. [små]stad

burgeon ['bɜ:dʒ(ə)n] *vb itr* knoppas, spira

burger ['bɜ:gə] *s* kok. vard. hamburgare; som efterled i sammansättn. -burgare

burglar ['bɜ:glə] *s* inbrottstjuv

burglar alarm ['bɜ:glərə,lɑ:m] *s* tjuvlarm

burglarize ['bɜ:gləraɪz] *vb tr* amer., se *burgle*

burglar-proof ['bɜ:gləpru:f] *adj* stöldsäker, dyrkfri

burglary ['bɜ:glərɪ] *s* inbrott, inbrottsstöld

burgle ['bɜ:gl] *vb tr* göra inbrott hos (i); **~ sb's house** äv. bryta sig in hos ngn; **she was ~d while she was away** hon hade inbrott medan hon var borta

Burgundy ['bɜ:g(ə)ndɪ] geogr. Bourgogne

burgundy ['bɜ:g(ə)ndɪ] *s* **1** bourgogne[vin]
2 vinrött, vinröd färg (nyans)

burial ['berɪəl] *s* begravning

burial ground ['berɪəlgraʊnd] *s* begravningsplats, kyrkogård

burka ['bɜ:kə] *s* burka

burl [bɜ:l] *s* knut, noppa på tyg

burlesque [bɜ:'lesk] **I** *s* burlesk, fars, spex
II *adj* burlesk, farsartad
III *vb tr* parodiera, travestera

burly ['bɜ:lɪ] *adj* stor och kraftig, kraftigt byggd [*a ~ man*]

Burma ['bɜ:mə] geogr. hist., se *Myanmar*

Burmese [ˌbɜ:'mi:z] **I** (pl. *Burmese*) *s* **1** burman, burmes; burmanska kvinna **2** burmanska [språket]
3 burma[katt]
II *adj* burmansk, burmesisk

burn [bɜ:n] **I** (*burnt burnt*, äv. *burned burned* ofta bildl.) *vb tr* bränna, förbränna; sveda, bränna vid; bränna (elda) upp; elda med [*~ oil*]; **~ one's boats** el. **~ one's bridges** bildl. bränna sina skepp; **~ the candle at both ends** bildl. bränna sitt ljus i båda ändarna; **~ one's fingers** bränna fingrarna äv. bildl.; **money ~s a hole in his pocket** pengarna bränner i fickan på honom; **have money to ~** vard. ha pengar som gräs
II (för tema se *burn I*) *vb itr* **1** brinna, brinna upp; lysa, glöda äv. bildl., hetta, svida; bli bränd; **her skin ~s easily** hon blir lätt bränd av solen; **~ into** bränna sig in i; **~ low** brinna ner, slockna **2** bildl., **~ for** längta efter; **~ to** längta [efter] att **3** brännas vid [äv. ~ *to*] **4** brännas
III (för tema se *burn I*) *vb tr* o. *vb itr* med adv. el. prep.:
burn away brinna [*the fire was ~ing away cheerfully*]; brinna ner (upp) [*half the candle had ~t away*]
burn down a) tr. bränna upp (ner) **b)** itr. brinna ner [till grunden]
burn off a) svedja **b)** bränna (elda) upp
burn out a) brinna ut (slut); **the candle had ~t itself out** ljuset hade brunnit ner (ut); **the bulb has ~t out** lampan är utbränd (trasig) **b)** bildl. ta slut, ebba ut **c)** bränna upp allt i **d)** bränna ner huset för **e)** smälta ner med elektrisk ström **f) be ~t out a)** bli utbränd **b)** bli hemlös genom brand; **~ oneself out** bli fullständigt utbränd
burn up a) tr. bränna (elda) upp; itr. brinna upp **b)** amer. vard., tr. reta upp (gallfeber på); itr. brusa upp, bli förbannad **c)** flamma upp, ta sig
IV *s* **1** brännskada [*first-degree (second-degree, third-degree) ~*]; brännsår **2** brännmärke

burner ['bɜ:nə] *s* brännare; låga på gasspis

burning ['bɜ:nɪŋ] **I** *adj* brännande; brinnande, glödande; **a ~ question** en brännande (aktuell) fråga; **a ~ shame** en evig (stor) skam **II** *s* [för]bränning; **there is a smell of ~** det luktar bränt

burning glass ['bɜ:nɪŋglɑ:s] *s* brännglas, solglas

burnish ['bɜ:nɪʃ] *vb tr* göra blank (lysande), blankskura, polera

burnout ['bɜ:naʊt] *s* **1** utbrändhet **2** raketstegs brinnslut **3** elektr. utbränning, kortslutning

burnsides ['bɜ:nsaɪdz] *s pl* amer. vard. polisonger

burnt [bɜ:nt] **I** imperf. o. perf. p. av *burn* **II** *adj* bränd [*~ almonds*]; **~ offering a)** brännoffer **b)** skämts. välbränd mat maträtt som misslyckats vid tillagningen

burnt-out [ˌbɜ:nt'aʊt, attr. '--] *adj* **1** utbränd äv. bildl.
2 botad om leprasjuk

burp [bɜ:p] vard. **I** *vb itr* o. *vb tr* [få att] rapa **II** *s* rapning, rap

burp gun ['bɜ:pgʌn] *s* amer. vard. kulsprutepistol

1 burr [bɜ:] *s* se *bur*

2 burr [bɜ:] *s* fonet. rullande 'r' tydligt tungspets-r

burrow ['bʌrəʊ] **I** *vb itr* **1** gräva sig fram (ner); gräva ner sig **2** göra (bo i) en håla (hålor)
II *vb tr* gräva; **~ one's way** gräva sig fram (ner)
III *s* kanins m.fl. djurs håla, lya, gryt

bursar ['bɜ:sə] *s* skattmästare spec. univ.

bursary ['bɜ:s(ə)rɪ] *s* stipendium

burst [bɜ:st] (*burst burst*) *vb itr* o. *vb tr* **1** brista, rämna, spricka; springa sönder; explodera, krevera; om knopp slå ut; om moln upplösa sig i regn; **he was ~ing [to tell us the news]** han höll på att spricka av iver...; **sacks ~ing with grain** säckar proppfulla med säd; **be ~ing with health** stråla av hälsa; **~ with laughing** skratta sig fördärvad **2 ~ open a)** flyga upp [*the door ~ open*] **b)** tr. spränga, bryta upp
3 störta, komma störtande [*he ~ into the room*]; bryta fram [*the sun ~ through the clouds*]; välla [*the oil ~ out of* (fram ur) *the ground*]; **~ in** störta [sig] in; avbryta **4** spränga [*~ a balloon*]; spräcka,

slita sönder; ~ *a tyre* få en ringexplosion
II (*burst burst*) *vb itr* o. *vb tr* med prep. el. adv.:
burst in on [plötsligt] komma (falla, ramla) över,
överraska [*he'll be ~ing in on us at any moment*]; ~
in on a conversation avbryta (blanda sig i) ett samtal
burst into: ~ *into bloom* (*blossom*) spricka (slå) ut [i
blom]; ~ *into flames* flamma upp, ta eld; *the horse* ~
into a gallop hästen föll [in] i galopp; ~ *into laughter*
brista i skratt; ~ *into tears* brista i gråt; ~ *into view*
plötsligt uppenbara sig
burst out a) störta [sig] ut, bryta sig ut **b)** bryta ut
(fram) **c)** brista [ut]; ~ *out laughing* brista i skratt
III *s* **1** bristning **2** explosion; krevad; salva; ~ *of*
gunfire skottsalva, eldskur **3** plötsligt utbrott, anfall
[*a ~ of energy*]; storm [*a ~ of applause*]; ström [*a ~*
of tears]; *a ~ of laughter* en skrattsalva; *a ~ of speed*
[en] spurt; ~ *of thunder* åskslag, åskknall; *work in*
sudden ~s arbeta ryckvis
burton ['bɜːtn] *s*, **go for a ~** åld. vard. **a)** kola av dö
b) paja **c)** dunsta, försvinna
Burundi [bʊˈrʊndɪ] geogr.
bury ['berɪ] *vb tr* **1** begrava [~ *alive*]; *she has buried*
three husbands hon har blivit änka tre gånger
2 begrava, gräva ner [~ *oneself in one's books*];
gömma, dölja; perf. p. *buried* äv. försjunken,
försänkt [~ *in thought*]
burying ground ['berɪŋɡraʊnd] *s* kyrkogård,
begravningsplats
bus [bʌs] **I** (pl. ~*es* el. ~*ses*) *s* **1** buss britt. end. stadsbuss;
amer. äv. långfärdsbuss; *miss the ~* se under *1 miss I 1*
2 data. buss
II *vb tr* vard. **1** transportera i buss; amer. den
skol. bussa
2 ~ *it* åka buss **3** amer. plocka undan disk från
busbar ['bʌsbɑː] *s* data. buss
bus boy ['bʌsbɔɪ] *s* amer. diskplockare
busby ['bʌzbɪ] *s* mil. **1** husars paradmössa av skinn
2 björnskinnsmössa
bus driver ['bʌsˌdraɪvə] *s* busschaufför, bussförare
bus girl ['bʌsɡɜːl] *s* amer. diskplockare kvinna
1 bush [bʊʃ] *s* **1** buske; busksnår; *beat about the ~*
gå som katten kring het gröt **2** ~ *of hair* [hår]buske,
kalufs **3** skogsland, bush; urskog, djungel;
vildmark; *the ~* äv. bushen, vischan
2 bush [bʊʃ] *s* tekn. bussning
bushbaby ['bʊʃˌbeɪbɪ] *s* zool. öronmaki
bushel ['bʊʃl] *s* bushel rymdmått för spannmål o.d. = 8
gallons **a)** britt. = 36,368 l. **b)** amer. = 35,238 l., ung.
skäppa; *hide one's light under a ~* sätta sitt ljus
under en skäppa
bush fire ['bʊʃˌfaɪə] *s* **1** skogsbrand **2** mindre
sammandrabbning, skärmytsling båda äv. bildl.
bush jacket ['bʊʃˌdʒækɪt] *s* safarijacka
bush|man ['bʊʃ|mən] (pl. *-men* [-mən]) *s* **1** i Afrika
bushman **2** i Australien obygdsbo, nybyggare; lantbo
bush telegraph ['bʊʃˌtelɪɡrɑːf] *s*, *the ~*
djungeltelegrafen
bushwhack ['bʊʃwæk] **I** *vb tr* överfalla ngn från
bakhåll **II** *vb itr* amer. el. austral. slå sig fram (bana
sig väg) genom tät skog (bushen)
bushy ['bʊʃɪ] *adj* buskrik; buskig [~ *eyebrows*]; yvig
[~ *tail*]
business ['bɪznəs] *s* **1** (utan pl.) affär[er],
affärsliv[et], affärsverksamhet; *a piece of ~* en affär;
~ *reply card* postkort med betalt svar; ~ *as usual*

verksamheten pågår som vanligt, öppet som
vanligt; *do* ~ göra affärer; *he is in ~ for himself* han är
egen företagare; *go into* ~ bli affärsman; *on* ~ i
affärer; *put on* ~ öka affärsverksamheten
2 (med pl. ~*es*) affär, [affärs]företag, firma,
affärshus; butik; *open a ~ of one's own* öppna egen
affär
3 (med pl. ~*es*) bransch [*he is in the oil* ~; *he is in*
show ~]
4 (utan pl.) uppgift, sak; syssla; ärende [*I asked him*
his ~]; [verkligt] arbete [~ *before pleasure*]; *any*
other ~ (förk. *AOB*) övriga ärenden på dagordningen;
the ~ of the day dagordningen; *combine ~ with*
pleasure förena nytta med nöje; *I made it my ~ to* jag
gjorde det till min uppgift (åtog mig) att; *he means*
~ vard. han menar allvar [*about* med]; *come on* ~ ha
ett verkligt ärende; *no admittance except on* ~ ung.
obehöriga äger ej tillträde; *get down to* ~ ta itu med
uppgiften o.d., komma till saken
5 (utan pl.) angelägenhet[er], sak; vard. svår sak [*he*
did not know what a ~ it was]; *a bad* ~ en sorglig
historia; *it's no ~ of yours* el. *it's none of your* ~ det
angår dig inte; *have no ~ to* inte ha någon rätt
(anledning) att; *you have no ~ here* el. *you have no ~ to*
come here du har ingenting här att göra; *make a*
great ~ out of el. *make a big ~ out of* göra stor affär
(stort väsen) av; *mind your own ~!* vard. sköt du ditt!,
lägg dig inte i det här!; *send sb about his* ~ köra
bort (avfärda) ngn; *sick of the whole* ~ trött (less) på
alltsammans (hela historien); *attend to one's* ~ el. *go*
about one's ~ sköta sina [egna] angelägenheter; *like*
nobody's ~ vard. som bara den
business administration ['bɪznɪsədˌmɪnɪˈstreɪʃ(ə)n]
s **1** [företags]administration, management
2 företagsledning
business card ['bɪznɪskɑːd] *s* visitkort
business class ['bɪznɪsklɑːs] *s* flyg. business class
business day ['bɪznɪsdeɪ] *s* vanl. amer. arbetsdag,
vardag
business economics ['bɪznɪsˌiːkəˈnɒmɪks] (med verb i
sg.) *s* företagsekonomi
business end ['bɪznɪsend] *s* vard. udd, spets av
verktyg, vapen o.d.
business hours ['bɪznɪsˌaʊəz] *s pl* affärstid,
kontorstid
businesslike ['bɪznɪslaɪk] *adj* affärsmässig;
systematisk, metodisk; rutinerad
business|man ['bɪznɪs|mæn] (pl. *-men* [-mən]) *s*
affärsman; näringsidkare, affärsidkare
business management [ˌbɪznɪsˈmænɪdʒmənt] *s*
1 [företags]administration, management
2 företagsledning
business park ['bɪznɪspɑːk] *s* företagspark
business partner ['bɪznɪsˌpɑːtnə] *s* kompanjon
business suit ['bɪznɪssuːt] *s* vanl. amer. kostym
business tourism ['bɪznɪsˌtʊərɪz(ə)m] *s* slags turism
som lever på fattiga länder (områden)
business|woman ['bɪznɪsˌwʊmən] (pl. *-women*
[ˌwɪmɪn]) *s* affärskvinna
busker ['bʌskə] *s* gatumusikant
bus lane ['bʌsleɪn] *s* bussfil, kollektivfält
bus|man ['bʌs|mən] (pl. *-men* [-mən]) *s*
busschaufför; ~*'s holiday* 'arbetssemester' ingen
verklig ledighet

bus-ride ['bʌsraɪd] *s* busstur; *it's only a five-minute ~* det tar bara fem minuter med buss

busser ['bʌsə] *s* amer. vard. diskplockare

bus shelter ['bʌsˌʃeltə] *s* busskur

bussing ['bʌsɪŋ] *s* busstransport; amer. skol. bussning

bus stop ['bʌsstɒp] *s* busshållplats

1 bust [bʌst] *s* **1** byst skulptur **2** byst, barm **3** bystmått

2 bust [bʌst] vard. **I** (*bust bust* el. *~ed ~ed*) *vb tr* **1** spränga [*~ a safe*; *~ a gang*]; spräcka, få att brista, bryta [*~ an arm*]; bryta upp [*~ [open] a door*; *~ [open] a lock*]; slå sönder [*~ one's watch*]; *I nearly ~ myself laughing* jag gick nästan åt av skratt **2** *~ up* slå sönder, spränga; upplösa [*~ up a meeting*] **3** klippa till, slå; *~ sb on the nose* äv. ge ngn en smocka **4** göra en razzia i [*the police ~ed the place*]; haffa [*he was ~ed for possession of drugs*] **5** göra bankrutt **II** (*bust bust* el. *~ed ~ed*) *vb itr* **1** sprängas, spräckas, krevera; gå sönder [*my watch ~*]; *I laughed fit to ~* jag höll på att gå åt av skratt **2** *~ up* falla ihop, spricka **III** *s* **1** slag, smocka [*a ~ on the nose*] **2** razzia **3** bankrutt, krasch **4** röjarskiva; *go on the ~* el. *have a ~* festa, dricka (supa) till **IV** *adj* bankrutt; *go ~* a) gå sönder, spricka b) göra bankrutt (fiasko)

buster ['bʌstə] *s* **1** vanl. amer. vard., i tilltal din rackare, din jäkel; *look, ~* [*, you are sitting on my hat*] hörru du,... **2** vard., i sammansättn. -bekämpare [*crime-buster*]

bustle ['bʌsl] **I** *vb itr* flänga, gno, jäkta [*~ about*]; skynda sig, få (ha) bråttom **II** *s* brådska, fläng, jäkt, liv; *be in a ~* ha bråttom, flänga omkring

bustling ['bʌslɪŋ] *adj* livlig, ivrig; jäktig, bråd; *be ~ of* krylla av, vara full av

bust-up ['bʌstʌp] *s* vard. **1** stormgräl **2** sammanbrott; separation; krasch

busty ['bʌstɪ] *adj* vard. storbystad, bystig

busway ['bʌsweɪ] *s* bussfil, busskörfält

busy ['bɪzɪ] **I** *adj* **1** sysselsatt, upptagen [*with, over, at, about* med]; *be ~* äv. ha fullt upp; *be ~ packing* hålla på att packa; *get ~* sätta i gång; *the line is ~* tele. det är upptaget **2** flitig, verksam; *~ as a bee* el. *~ as a beaver* flitig som en myra **3** ivrig, beskäftig, ständigt i farten, som är med överallt (i allt) **4** bråd [*~ season*]; livlig, rörlig; *~ street* livligt trafikerad gata **II** *vb tr* sysselsätta, hålla sysselsatt; *~ oneself with* el. *~ oneself in* el. *~ oneself about* sysselsätta sig med **III** *s* sl. snok[are], deckare

busybody ['bɪzɪˌbɒdɪ] *s* beskäftig människa; *he is such a ~* han lägger sig i allting

busy Lizzie [ˌbɪzɪˈlɪzɪ] *s* bot. flitiga Lisa

but [bʌt, obeton. bət] **I** *konj* **1** men, utan; dock, men i alla fall; *~ of course!* ja men självklart!; *not only...~* [*also*] inte bara...utan också; *~ then* men så...också, jfr vidare *then I 2* **2** (äv. prep.) a) utom [*all ~ he*; *no one ~ he*]; mer än, annat än [att] [*I cannot ~ regret*]; om inte [*whom should he meet ~ me?*]; *all ~* [*unknown*] nästan...; *he is anything ~ a fool* han är allt annat än (allt utom) dum; *he is nothing ~ a fool* han är en riktig dumbom; *nothing ~ disaster would come from this*

detta skulle bara leda till katastrof b) *~ for* [*that*] bortsett från...; *~ for you* om det inte hade varit för dig c) *~* el. *~ that* el. vard. *~ what* utan att [*never a week passes ~ [that (what)] she comes to see me*]; som inte [*not a man ~ what likes her*]; *not ~ that he...* el. vard. *not ~ what he...* inte för att han inte..., nog för att han...; *no man is so old ~ that he may learn* ingen är för gammal för att lära; *I don't doubt ~ that* jag tvivlar inte på att d) *first ~ one* (*two*) [som] tvåa (resp. trea), [som] den andra (resp. tredje) i ordningen; *the last ~ one* (*two*) den näst sista (resp. den näst näst sista, den tredje från slutet); *the next ~ one* (*two*) den andra (resp. tredje) härifrån (i ordningen, uppifrån osv.) **3** än [*who else ~ he could have done it?*; *nothing else ~ laziness*] **4** litt., fungerande som rel. pron. (efter satser med nekande el. frågande innebörd) som inte [*there is none of them ~ would lay down his life for her*] **II** *adv* bara [*he is ~ a child*; *if I had ~ known*]; blott, endast; först; *~ now* alldeles nyss **III** *s* men; aber

butane ['bjuːteɪn, -'-] *s* kem. butan[gas]

butch [bʊtʃ] *s* sl. **1** maskulin kvinna ofta om lesbisk **2** karlakarl; snaggad tuffing

butcher ['bʊtʃə] **I** *s* **1** slaktare, bildl. äv. bödel; *~'s meat* färskt slaktkött utom vilt, fågel o.d.; *the ~'s* el. *the ~'s shop* köttaffären, slakteriaffären **2** amer. försäljare av godis, tidningar m.m. bland publik, på tåg o.d. [*candy ~*] **II** *vb tr* **1** slakta; mörda urskillningslöst **2** bildl. förstöra, misshandla, massakrera [*the pianist ~ed the piece*]

butchery ['bʊtʃərɪ] *s* **1** slakteri; slaktaryrke **2** attr. slakt-, slaktar-, slakteri- [*~ business*] **3** slakt, blodbad, massaker

butler ['bʌtlə] *s* butler, hovmästare

1 butt [bʌt] *s* **1** tjockända; rotända på trädstam, handtag; bas; [gevärs]kolv **2** rest, stump; cigarrstump; fimp **3** amer. sl. häck, ända, bak

2 butt [bʌt] *s* bildl. skottavla, föremål för skämt

3 butt [bʌt] *s* tunna för regnvatten o.d.

4 butt [bʌt] **I** *vb tr* o. *vb itr* **1** stöta [till] med huvud el. horn, knuffa, stånga[s] [*at, against* på, mot], boxn. skalla[s]; *~ one's head into a stone wall* bildl. köra huvudet i väggen **2** skjuta ut (fram) **3** *~ in* vard. tränga sig på; *~ into a conversation* blanda sig i (avbryta) ett samtal **II** *s* puff, stångning

butter ['bʌtə] **I** *s* smör; *melted ~* el. *drawn ~* skirat smör; *melted ~ sauce* smörsås; *look as if ~ would not melt in one's mouth* se beskedlig (oskyldig) ut **II** *vb tr* **1** bre[da] smör på; steka i (laga med) smör; smöra **2** *~ up* vard. fjäska för, smöra för

butter bean ['bʌtəbiːn] *s* limaböna

buttercup ['bʌtəkʌp] *s* bot. smörblomma; ranunkel

butterfingers ['bʌtəˌfɪŋgəz] (med verb i sg.; pl. *butterfingers*) *s* fumlig (klumpig) person, person som lätt tappar saker (bollar etc.); *~!* din klumpeduns!

butterfly ['bʌtəflaɪ] *s* **1** fjäril; *~ stroke* fjärilsim; *I have butterflies* el. *I have butterflies in my stomach* vard. det pirrar i magen på mig, jag har fjärilar i magen **2** nöjeslysten person; rastlös person

butterfly nut ['bʌtəflaɪnʌt] *s* tekn. vingmutter
buttermilk ['bʌtəmɪlk] *s* kärnmjölk
butterscotch ['bʌtəskɒtʃ] *s* slags knäck, kola
1 buttery ['bʌtərɪ] *adj* smör-; smörig, smörliknande
2 buttery ['bʌtərɪ] *s* **1** förrådsrum i vissa college där mat och dryck kan köpas **2** restaurang, terum i varuhus o.d. **3** amer. vinkällare; proviantrum
buttock ['bʌtək] *s* anat. skinka; pl. **~s** äv. bak[del], ända
button ['bʌtn] **I** *s* knapp
　II *vb tr* **1** förse med knappar **2** knäppa; **~ up** knäppa ihop (igen, till om sig)
　III *vb itr* knäppas [med knappar]; *it ~s at the side* den knäpps i sidan; *it ~s down the back* den knäpps i ryggen; *my collar won't ~* jag kan inte knäppa kragen
button-down collar [ˌbʌtndaʊn'kɒlə] *s* button-downkrage
buttonhole ['bʌtnhəʊl] **I** *s* **1** knapphål **2** vard. knapphålsblomma, knapphålsbukett
　II *vb tr* [hejda och] uppehålla med prat
buttress ['bʌtrəs] **I** *s* arkit. strävpelare, stöd äv. bildl.
　II *vb tr* förse med strävpelare
buxom ['bʌksəm] *adj* mest om kvinna mullig, yppig, fyllig
buy [baɪ] **I** (*bought bought*) *vb tr* o. *vb itr* köpa äv. bildl.; **~ sb a drink** bjuda ngn på en drink; **~ time** vinna tid; *he bought it* vard. han gick 'på det; *he won't ~ it* vard. han tror inte på det; han köper det inte, han går inte med på det; *I'll ~ it* vard. a) kläm fram med det! b) jag köper det, det går jag med på; *victory was dearly bought* segern var dyrköpt
　II (*bought bought*) *vb tr* o. *vb itr* med prep. el. adv.:
buy off friköpa; mot betalning bli kvitt, köpa sig fri från
buy out lösa (köpa) ut
buy over muta
buy up köpa upp
　III *s* vard. köp; *it's a good ~* äv. det är billigt
buyer ['baɪə] *s* köpare, spekulant; firmas inköpare, uppköpare
buyer's market ['baɪəzˌmɑːkɪt] *s* ekon. el. hand., se *market I 2*
buyers' resistance [ˌbaɪəzrɪ'zɪst(ə)ns] *s* köpmotstånd
buying power ['baɪɪŋˌpaʊə] *s* köpkraft
buy-out ['baɪaʊt] *s* uppköp av företag
buzz [bʌz] **I** *s* **1** surr[ande] av insekt el. maskin **2** sorl, ivrigt pratande, mummel; tissel och tassel, prat, rykte **3** vard. [telefon]påringning; *give sb a ~* slå en signal till ngn **4** vard. kick berusning, euforisk känsla
　II *vb itr* surra; *my ears are ~ing* det susar i öronen på mig
　III *vb tr* vard. ringa (kalla) på; slå en signal till
　IV *vb itr* med adv. el. prep.:
buzz about el. **buzz around** flyga (snurra) omkring
buzz off sl. kila [i väg], sticka, dunsta, ge sig i väg; **~ off!** stick!
buzzard ['bʌzəd] *s* **1** zool. a) vråk; spec. ormvråk b) amer., se *turkey buzzard* **2** vard., *old ~* gubbstrutt
buzzer ['bʌzə] *s* **1 a)** elektr. o.d. summer **b)** vard. ringklocka; telefon **2** ångvissla **3** signal **4** vard. signalist
buzz saw ['bʌzsɔː] *s* cirkelsåg

buzz word ['bʌzwɜːd] *s* vard. slagord, modeord
by [baɪ] **I** *prep* (se äv. resp. huvudord) **1** i uttr. som innebär befintlighet: vid, bredvid, vid sidan av, hos [*come and sit ~ me*]; i adress per; *~ land and sea* till lands och sjöss; *North ~ East* nord till ost, mellan N och NNO; *~ itself* ensamt, jfr *by I 3* nedan; *~ oneself* ensam, för sig själv, jfr *by I 3* nedan; *it's nice to have it ~ you* det är skönt att ha den till hands…
2 i uttr. som innebär riktning el. rörelse **a)** till [*come here ~ me*]; intill **b)** längs, utmed, utefter; förbi [*he went ~ me*]; genom [*enter ~ a side door*]; över, via [*~ Paris*]; *travel ~ land* resa till lands; *~ the way* el. *~ the by* i förbigående [sagt], apropå, förresten
3 uttryckande medel el. orsak: med [*send ~ post; he had two sons ~ her*]; genom; vid, i [*lead ~ the hand*]; på [*live ~ one's pen*]; *~ itself* av sig själv; *~ oneself* själv, på egen hand, utan hjälp; *multiply ~ six* multiplicera med sex
4 i tidsuttryck **a)** till, senast klockan, senast [om], strax före [*I must be home ~ six*]; vid, mot, i [*~ the end of the day*]; *~ this time tomorrow* i morgon så här dags **b)** om, under; *~ night* om natten, nattetid **c)** per; *~ the hour* per timme, i timmen **d)** *day ~ day* dag för dag **e)** *miss the train ~ two minutes* komma två minuter för sent till tåget
5 i uttr. för agent av [*a portrait ~ Zorn*]
6 i måttsuttryck **a)** *longer ~ two metres* två meter längre; *the price rose ~ ten per cent* priset steg [med] 10 % **b)** i, per, efter; *sell ~ retail* sälja i minut; *~ weight* efter vikt **c)** *three metres long ~ four metres broad* tre meter lång och fyra meter bred **d)** efter, för, om; *bit ~ bit* bit för bit; *little ~ little* så småningom; *one ~ one* en och (efter) en
7 i uttr. som innebär överensstämmelse: enligt, efter, [att döma] av [*~ his accent; ~ my watch*]; *it's OK ~ me* gärna för mig; *~ request* på begäran; *~ rights* med rätta, rätteligen
8 i uttr. som innebär förhållande **a)** mot, gentemot [*he did his duty ~ his parents*] **b)** [*a lawyer ~ profession*]; genom; *Brown ~ name* vid namn Brown; *go ~ the name of* gå under namnet; *know ~ sight* känna till utseendet
　II *adv* (se äv. resp. huvudord) **1** i närheten, bredvid, intill [*close ~; hard ~; near ~*] **2** förbi [*pass ~*]; *the years went ~* åren gick **3** undan, av, i reserv [*put money ~*]; åt sidan, ifrån sig [*he put his tools ~*] **4** *~ and ~* så småningom, längre fram, [litet] senare **5** *~ and large* i stort sett, på det hela taget
by- [baɪ] *prefix* **1** bi-, sido- [*by-road*]; underordnad **2** nära [intill] **3** hemlig, smyg- [*by-way*]; se för övrigt sammansättn. nedan
bye [baɪ] *interj* vard. hej då!
bye- [baɪ] *prefix* se *by-*
bye-bye [ˌbaɪ'baɪ] *interj* vard. hej då!
bye-byes ['baɪbaɪz] *s* barnkammarord, *now you are going to ~* nu ska du sussa (nanna)
by-election ['baɪɪˌlekʃ(ə)n] *s* fyllnadsval
bygone ['baɪgɒn] *adj* [för]gången, förfluten, svunnen
bygones ['baɪgɒnz] *s pl* det förflutna; spec. gamla oförrätter; *let ~ be ~* låta det skedda vara glömt; glömma och förlåta
by-law ['baɪlɔː] *s* lokal myndighets, bolags o.d. reglemente, förordning, stadga

byline ['baɪlaɪn] *s* **1** signatur författarnamn under titeln på tidningsartikel **2** sport. sidlinje i fotboll

BYOB [ˌbiːwaɪəʊˈbiː] (förk. för *bring your own bottle* el. *beer* el. *booze*) ta med egen dryck t.ex. på inbjudan till fest

bypass ['baɪpɑːs] **I** *s* **1** förbifartsled, ringled [äv. ~ *road*] **2** kir. by-pass; *heart ~ surgery* el. *heart ~ operation* by-passoperation i hjärtat **3** elektr. o.d. shuntledning, förbikoppling
II *vb tr* gå (leda) förbi; avleda; undvika, kringgå

bypath ['baɪpɑːθ] *s* biväg, avsides liggande väg

by-play ['baɪpleɪ] *s* teat. stumt spel av birollsinnehavare; bildl. sidoaktion; bihandling

by-product ['baɪˌprɒdʌkt] *s* biprodukt; sidoeffekt

by-road ['baɪrəʊd] *s* biväg, sidoväg

bystander ['baɪˌstændə] *s* person i närheten; åskådare; *four innocent ~s were killed* fyra oskyldiga dödades

byte [baɪt] *s* data. byte

by-way ['baɪweɪ] *s* **1** biväg, bakväg; stig; genväg; smygväg **2** bildl. outforskat område [~*s of history*]

byword ['baɪwɜːd] *s* **1** typexempel [*for* på]; *the system was a ~ for inefficiency* systemet var ökänt för sin ineffektivitet **2** ordstäv; favorituttryck

C c

1 C, c [siː] (pl. *C's* el. *c's* [siːz]) *s* **1** C, c **2** *big C* eufem. cancer **3** mus., *C flat* cess; *C major* C-dur; *C minor* c-moll; *C sharp* ciss

2 C [siː] förk. för *Celsius, Centigrade*

3 C [siː] *s* medelbetyg i en betygsskala från A till F, där A är högst [*she got a ~*]

4 C [siː] i e-post el. textmeddelanden förk. för *see* [~ *U* (*see you*)]

c förk. för *cent, cents, century, circa, cubic*

CA förk. för *California, Central America*

ca förk. för *circa*

cab [kæb] *s* **1** taxi[bil]; förr [häst]droska **2** förarhytt i lok, buss o.d.

cabaret ['kæbəreɪ] *s* **1** kabaré [äv. ~ *show*] **2** restaurang med kabaréunderhållning

cabbage ['kæbɪdʒ] *s* **1** kål, spec. vitkål; kålhuvud **2** vard. **a)** hösäck slö o. hållningslös person **b)** kolli, paket genom sjukdom o.d. helt hjälplös person

cabbage butterfly ['kæbɪdʒˌbʌtəflaɪ] *s* kålfjäril

cabby ['kæbɪ] *s* vard. [taxi]chauffis

cab-driver ['kæbˌdraɪvə] *s* [taxi]chaufför

cabin ['kæbɪn] *s* **1** stuga, koja; hytt **2** sjö. hytt; kajuta; [akter]salong **3** flyg. kabin, kabin- [~ *crew*]; ~ *luggage* el. ~ *baggage* handbagage

cabin boy ['kæbɪnbɔɪ] *s* sjö. hyttpassare

cabin class ['kæbɪnklɑːs] *s* sjö. andra klass

cabin crew ['kæbɪnkruː] *s* flyg. kabinpersonal

cabin cruiser ['kæbɪnˌkruːzə] *s* större ruffad motorbåt, motorkryssare

cabinet ['kæbɪnət] *s* **1** skåp med lådor el. hyllor; skrin med fack för värdesaker; låda, hölje på tv el. radio; *filing ~* dokumentskåp **2** polit. kabinett; *shadow ~* skuggkabinett

cabinet crisis ['kæbɪnətˌkraɪsɪs] *s* regeringskris

cabinet-maker ['kæbɪnətˌmeɪkə] *s* möbelsnickare, finsnickare

cabinet meeting ['kæbɪnətˌmiːtɪŋ] *s* kabinettssammanträde

cabinet minister ['kæbɪnətˌmɪnɪstə] *s* kabinettsminister, statsråd

cabin fever ['kæbɪnˌfiːvə] *s* vard. lappsjuka

cable ['keɪbl] **I** *s* **1** [undervattens-, jord]kabel, ledning, ledningstråd; ~ *breakdown* el. ~ *fault* kabelbrott, kabelfel **2** kabel; vajer; ~ *suspension bridge* kabelbro **3** ankarkätting; *slip one's ~* sl. kola [av] dö **4** vard. kabel-tv **5** åld. [kabel]telegram [~ *address*]
II *vb tr* åld. telegrafera [till], kabla
III *vb itr* åld. telegrafera [*to* till]

cable car ['keɪblkɑː] *s* **1** linbanevagn **2** linbana

cablecast ['keɪblkɑːst] amer. **I** *s* sändning i (via) kabel-tv **II** (*cablecast cablecast*) *vb tr* sända i (via) kabel-tv

cable railway ['keɪblˌreɪlweɪ] *s* linbana; bergbana

cable-ready ['keɪb(ə)lˌredɪ] *adj* förberedd för kabel-tv [*a ~ apartment*]

cable stitch ['keɪblstɪtʃ] *s* sömnad. flätstickning

cable television [ˌkeɪblˈtelɪˌvɪʒ(ə)n] *s* o. **cable TV** [ˌkeɪblˈtiːviː] *s* kabel-tv

cableway [ˈkeɪblweɪ] *s* linbana, kabinbana

caboodle [kəˈbuːdl] *s* sl., **the whole ~** hela faderullan (klabbet, rasket)

caboose [kəˈbuːs] *s* amer. järnv. tågbetjäningsvagn i godståg; bromsvagn

cab stand [ˈkæbstænd] *s* amer. taxihållplats; rad väntande taxi[bilar]

cacao [kəˈkaʊ, kəˈkɑːəʊ] *s* kakao[träd], kakaoböna

cachalot [ˈkæʃəlɒt] *s* zool. kaskelot[t] slags val

cache [kæʃ] *s* **1** gömställe för proviant, vapen m.m.; *arms ~* vapengömma **2** gömd proviant, hemligt lager (förråd) av vapen m.m. **3** data. buffertminne, cacheminne

cachet [ˈkæʃeɪ] *s*, [*being a member of that club*] *gives you a certain ~* ...ger en viss status (prestige)

cack-handed [ˌkækˈhændɪd, attr. '---] *adj* sl. **1** vänsterhänt **2** tafatt, fumlig, drullig

cackle [ˈkækl] **I** *vb itr* **1** kackla **2** skrocka, skratta högt och skrockande
II *s* **1** kackel, kacklande **2** flatskratt, gapskratt

cacophony [kəˈkɒfənɪ] *s* kakofoni, missljud

cact|us [ˈkækt|əs] (pl. *-uses* el. *-i* [-aɪ]) *s* kaktus

CAD [ˌsiːeɪˈdiː] förk. för *computer-aided design*

cad [kæd] *s* ngt åld. vard. bracka; knöl

cadaver [kəˈdævə, -ˈdeɪv-] *s* lik, kadaver

cadaverous [kəˈdæv(ə)rəs] *adj* lik-; likblek

caddie [ˈkædɪ] golf. **I** *s* caddie **II** *vb itr*, *~ for sb* vara caddie åt ngn

caddie car [ˈkædɪkɑː] *s* o. **caddie cart** [ˈkædɪkɑːt] *s* golfvagn

1 caddy [ˈkædɪ] golf., se *caddie*

2 caddy [ˈkædɪ] *s* teburk

cadence [ˈkeɪd(ə)ns] *s* **1** röstsänkning vid slut av sats; tonfall i allm. **2** rytm; takt [*mark the ~*] **3** mus. kadens, slutvändning

cadenza [kəˈdenzə] *s* mus. kadens improvisation

cadet [kəˈdet] *s* kadett; officersaspirant

cadet corps [kəˈdet|kɔː] (pl. *cadet corps* [-kɔːz]) *s* kadettkår av skolpojkar under militärutbildning

cadge [kædʒ] **I** *vb itr* **1** snylta; *~ on* snylta på, vara snyltgäst hos **2** [gå och] tigga
II *vb tr* snylta till sig, tigga sig till [*from, off* från]

cadger [ˈkædʒə] *s* snyltare, snyltgäst; tiggare

Cadillac [bil ˈkædɪlæk]

cadmium [ˈkædmɪəm] *s* kem. kadmium; attr. kadmium- [*~ red; ~ yellow*]

cadre [ˈkɑːdə, ˈkeɪdə; amer. vanl. ˈkædrɪ] *s* mil. el. polit. kader

caesarean [sɪˈzeərɪən] *s* med. kejsarsnitt; [*a baby*] *born by ~* ...förlöst med kejsarsnitt

caesarean section [sɪˌzeərɪənˈsekʃ(ə)n] *s* med. kejsarsnitt; [*a baby*] *born by ~* ...förlöst med kejsarsnitt

caesium [ˈsiːzɪəm] *s* kem. cesium

CAF förk. för *cost and freight*

café [ˈkæfeɪ, ˈkæfɪ] *s* kafé; [liten] restaurang; *~ proprietor* kaféidkare, kaféinnehavare

café-au-lait [ˌkæfeɪəʊˈleɪ, ˌkæfɪ-] *s* fr. café au lait, kaffe med mjölk

cafeteria [ˌkæfəˈtɪərɪə] *s* cafeteria

cafetière [ˌkæftɪˈeə] *s* slags kaffebryggare i glas

caff [kæf] *s* sl. fik, kafé

caffeinated [ˈkæfiːneɪtɪd] *adj* med tillsatt koffein, koffeinberikad

caffeine [ˈkæfiːn, amer. äv. -'-] *s* koffein

caffeine-free [ˈkæfiːnfriː] *adj* koffeinfri

caffè latte [ˌkæfeɪˈlɑːteɪ] *s* it. caffelatte

caftan [ˈkæftən, -tæn] *s* se *kaftan*

cage [keɪdʒ] *s* **1** bur **2** hisskorg; gruv. uppfordringskorg, hiss **3** sport. korg, nät; [mål]bur

caged [keɪdʒd] *adj*, *a ~ bird* en fågel i bur; *feel ~ in* känna sig instängd

cagey [ˈkeɪdʒɪ] *adj* vard. **1** förtegen, förbehållsam **2** på sin vakt, misstänksam; slug

cahoots [kəˈhuːts] *s pl* sl., *be in ~ with* vara i maskopi med, spela under täcke med; *go in ~* slå sig ihop, slå ihop sina påsar

cairn [keən] *s* **1** arkeol. stenkummel, röse **2** *~ terrier* cairnterrier hund

Cairo [ort i Egypten ˈkaɪərəʊ, ort i USA ˈkeərəʊ] geogr.

caisson [ˈkeɪs(ə)n, kəˈsuːn] *s* **1** kassun, sänkkista för murningsarbete under vatten; brokista, stenkista **2** mil. ammunitionsvagn; ammunitionskista

caisson disease [ˈkeɪs(ə)ndɪˌziːz] *s* slags dykarsjuka, kassunsjuka

cajole [kəˈdʒəʊl] *vb tr* lirka med, försöka övertala; *~ sb into doing sth* lirka med ngn för att få honom att göra ngt; *~ sb out of doing sth* lirka med ngn för att få honom att inte göra ngt

Cajun [ˈkeɪdʒən] **I** *s* cajun invånare i Louisiana med franskt ursprung, äv. benämning på deras språk o. musik **II** *adj* cajun- [*~ food; ~ music*]

cake [keɪk] *s* **1** tårta; mjuk kaka t.ex. sockerkaka; finare, ofta mjuk småkaka, bakelse; *sell like hot ~s* gå åt som smör [i solsken]; *a piece of ~* vard. en enkel match; *demand one's slice* (*share*) *of the ~* bildl. kräva sin del av kakan; *take the ~* vard. ta priset; vara nummer ett; *you cannot have your ~ and eat it* el. amer. *you cannot have your ~ and eat it too* ordspr. man kan inte både äta kakan och ha den kvar **2** kok. plätt; krokett [*fish ~; potato ~*] **3** kaka kakformig sak; *a ~ of soap* en tvål[bit]

caked [keɪkd] *adj* täckt [av ett lager]; *~ breast* med. mjölkstockning [i bröstet]

cake pan [ˈkeɪkpæn] *s* amer. kakform

cake slice [ˈkeɪkslaɪs] *s* tårtspade

cake tin [ˈkeɪktɪn] *s* **1** kakform **2** kakburk

cakewalk [ˈkeɪkwɔːk] *s* vard. lätt match, smal sak

Cal. förk. för *California*

calabash [ˈkæləbæʃ] *s* kalebass

calamine lotion [ˈkæləmaɪnˌləʊʃ(ə)n] *s* kylbalsam

calamitous [kəˈlæmətəs] *adj* olycklig, olycksbringande; olycks- [*~ prophecy*]

calamity [kəˈlæmətɪ] *s* katastrof, stor olycka, elände

calcification [ˌkælsɪfɪˈkeɪʃ(ə)n] *s* förkalkning

calcify [ˈkælsɪfaɪ] kem. **I** *vb tr* förkalka **II** *vb itr* förkalkas

calcium [ˈkælsɪəm] *s* kem. kalcium

calculable [ˈkælkjʊləbl] *adj* beräkningsbar, som kan beräknas

calculate [ˈkælkjʊleɪt] **I** *vb tr* beräkna, kalkylera, räkna ut
II *vb itr* **1** räkna, göra beräkningar **2** *~ on* räkna med, lita på **3** amer. dial. tro, förmoda; tänka, ämna

calculated [ˈkælkjʊleɪtɪd] *perf p* o. *adj* beräknad,

avsedd [*for* för]; ägnad [*a circumstance* ~ *to* (att) *arouse suspicion*]; *a* ~ *insult* en avsiktlig förolämpning; *a* ~ *risk* en risk som man räknat med, en kalkylerad risk

calculating ['kælkjʊleɪtɪŋ] *adj* kalkylerande; om person beräknande

calculation [ˌkælkjʊ'leɪʃ(ə)n] *s* beräkning, uträkning, kalkylering, kalkyl; *I'm out in my* ~*s* jag har räknat fel

calculator ['kælkjʊleɪtə] *s* räknare, kalkylator; *desktop* ~ bordsräknare; *pocket* ~ miniräknare, fickräknare

calcul|us ['kælkjʊl|əs] (pl. -*uses* el. -*i* [-aɪ]) *s* **1** matem. kalkyl [*differential* ~; *integral* ~] **2** med. sten, grus; *biliary* ~ gallsten; *renal* ~ njursten

Calcutta [kæl'kʌtə] geogr.

calendar ['kæləndə] *s* kalender [~ *month*; ~ *year*]; [vägg]almanacka

1 calf [kɑːf] (pl. *calves*) *s* **1** kalv **2** unge av elefant, säl, val m.fl. **3** kalvskinn, kalvläder

2 calf [kɑːf] (pl. *calves*) *s* vad kroppsdel

calf-length ['kɑːfleŋθ] *adj* vadlång, till vaderna

calfskin ['kɑːfskɪn] *s* kalvskinn, kalvläder

caliber ['kælɪbə] *s* vanl. amer., se *calibre*

calibrate ['kælɪbreɪt] *vb tr* kalibrera

calibration [ˌkælɪ'breɪʃ(ə)n] *s* **1** kalibrering; justering **2** koll., uppsättning av gradstreck på skala

calibre ['kælɪbə] *s* **1** kaliber **2** bildl. värde; förmåga; format; kvalitet

calico ['kælɪkəʊ] (pl. ~*es* el. ~*s*) *s* kalikå; kattun

Calif. förk. för *California*

California [ˌkælɪ'fɔːnɪə] geogr. Kalifornien

Californian [ˌkælɪ'fɔːnɪən] **I** *adj* kalifornisk **II** *s* kalifornier

calipers ['kælɪpəz] *s pl* vanl. amer., se *callipers*

caliph ['kælɪf, 'keɪl-] *s* kalif

calisthenics [ˌkælɪs'θenɪks] (med verb i sg. el. pl.) *s* vanl. amer., slags plastisk gymnastik, plastik

calk [kɔːk] *vb tr* amer., se *caulk*

call [kɔːl] **I** *vb tr* (med adv. se *call III*) **1** kalla [för], benämna; uppkalla [*after*]; ~ *sb names* skälla på ngn, kasta glåpord efter ngn; *be* ~*ed* heta, kallas [för]; *we'll* ~ *it five pounds* vard. låt gå för (vi säger väl) fem pund **2** ringa [till], ringa upp [~ *me at the office*]; ringa efter [~ *the police*; ~ *a taxi*] **3** kalla [på], ropa på; ropa in, kalla in, tillkalla; larma [~ *the police*]; anropa; *don't* ~ *us, we'll* ~ *you* vi hör av oss vanl. iron. (vid provfilmning o.d.); ~ *attention to* fästa uppmärksamheten på **4** utropa, ropa upp; ~ *a general election* utlysa nyval; ~ *a strike* utlysa strejk **5** väcka **6** om Gud, plikt o.d. bjuda, kalla **7** kortsp. **a)** bjuda **b)** syna

II *vb itr* (med adv. se *call III*) **1** ropa [*to* åt]; ~ *for* **a)** ropa på (efter); teat. ropa in **b)** be om; efterlysa **c)** mana till; påkalla, kräva, [er]fordra; *this* ~*s for a celebration* det här måste firas; ~ *on* påkalla, ta i anspråk; vända sig till, uppfordra, uppmana, anmoda [~ *upon sb to do sth*]; *feel* ~*ed on* (*upon*) *to* känna sig manad (uppfordrad) att **2** göra visit, komma på besök, hälsa 'på; ~ *at* besöka [~ *at a place*]; titta in på; om tåg o.d. stanna (hålla) vid; ~ *for* [komma och] hämta, fråga efter; ~ *on* hälsa 'på, besöka **3** ringa, telefonera [*for* efter] **4** kortsp. **a)** bjuda **b)** syna

III *vb tr* o. *vb itr* med adv.:

call back a) tele. ringa upp igen (senare) **b)** återkalla **c)** komma tillbaka på besök, titta in igen **d)** ropa tillbaka

call forth a) framkalla, locka (mana) fram **b)** uppbjuda, samla [~ *forth all your energy*]

call in a) kalla (ropa) in **b)** inkalla, tillkalla, anlita **c)** dra in [~ *in banknotes*] **d)** titta in till ngn **e)** tele. ringa in t.ex. tv-program; ~ *in sick* ringa och sjukanmäla sig på jobbet

call off a) dra bort, avleda [~ *off sb's attention*] **b)** inställa, avlysa [~ *off a meeting*]; avblåsa, avbryta [~ *off a strike*] **c)** bryta [*the engagement has been* ~*ed off*] **d)** ropa tillbaka [~ *your dog off!*]

call out a) kalla in, uppbåda, kommendera ut [~ *out a large force of police*]; larma **c)** framkalla, ta fram [~ *out the best in* (hos) *sb*] **d)** ropa ut, ropa upp [~ *out the winners*] **e)** beordra att strejka, ta ut i strejk [~ *out the metalworkers*] **f)** [ut]ropa, skrika 'till

call over ropa upp

call up a) kalla fram (upp) **b)** frammana, framkalla; återkalla [i minnet], väcka [till liv] [~ *up scenes of childhood*] **c)** tele. ringa upp [*my brother* ~*ed me up*] **d)** mil. inkalla

IV *s* **1** anrop äv. radio., signal; påringning; telefonsamtal; [*can you*] *give me a* ~ *at 6?* på hotell o.d. …väcka mig klockan 6? **2** rop; ~ *for help* rop på hjälp **3** krav, fordran, anspråk [*for* på], rätt; *have the first* ~ *on* ha företrädesrätt till **4** hand. efterfrågan [*for* på] **5** flyg. utrop [*the final* ~ *for flight BA 126 to Miami*] **6** beslut **7** kallelse äv. inre; maning, uppfordran, bud; inkallelse; teat. inropning; bildl. röst; *he feels the* ~ *of the sea* han känner sig dragen till sjön; *on* ~ i beredskap; *be on* ~ ha bakjour om läkare o.d.; *within* ~ inom hörhåll (räckhåll), till hands **8** besök, visit; *port of* ~ el. *place of* ~ anlöpningshamn **9** skäl, anledning [*there is no* ~ *for you to worry*] **10** läte, lockton, lockrop **11** kortsp. **a)** bud **b)** syn

calla ['kælə] *s* bot., ~ el. ~ *lily* odlad kalla

call alarm ['kɔːləˌlɑːm] *s* trygghetslarm för t.ex. funktionshindrade

callback ['kɔːlbæk] *s* **1** tele. 'callback' omdirigering av samtal via billigare operatör **2** data. 'callback', återuppringning funktion för kontroll av användarbehörighet

call box ['kɔːlbɒks] *s* **1** telefonhytt, telefonkiosk **2** amer. [polis]larmskåp; brandskåp

call centre ['kɔːlˌsentə] *s* teletjänstcentral

caller display [ˌkɔːlədɪ'spleɪ] *s* o. amer. **caller ID** [ˌkɔːləraɪ'diː] *s* tele. nummerpresentation

call girl ['kɔːlgɜːl] *s* callgirl prostituerad som kontaktas per telefon

calligraphy [kə'lɪɡrəfɪ] *s* **1** kalligrafi, skönskrift, skönskrivningskonst **2** vacker [hand]stil

call-in ['kɔːlɪn] *s* amer. radio. el. TV. telefonväktarprogram

calling ['kɔːlɪŋ] *s* **1** rop, kall, yrke **2** skrå, klass

calling card ['kɔːlɪŋkɑːd] *s* vanl. amer. visitkort

calling-up notice [ˌkɔːlɪŋ'ʌpˌnəʊtɪs] *s* mil. inkallelseorder

callipers ['kælɪpəz] *s pl* **1** krumcirkel, krumpassare; *a pair of* ~*s* en krumpassare **2** kir. skenor

callisthenics [ˌkælɪsˈθenɪks] (med verb i sg. el. pl.) *s* slags plastisk gymnastik, plastik

call letters [ˈkɔːlˌletəz] *s pl* amer. anropssignatur i en kommunikationsradio

call money [ˈkɔːlˌmʌnɪ] *s* dagslån, lån att betalas vid anfordran

callosity [kəˈlɒsətɪ] *s* förhårdnad, valk

callous [ˈkæləs] *adj* känslolös, okänslig [*to* för]; [känslo]kall

calloused [ˈkæləst] *adj*, ~ *hands* valkiga händer

call-out [ˈkɔːlaʊt] *s* utryckning

call-over [ˈkɔːlˌəʊvə] *s* **1** [namn]upprop **2** kapplöpn. upprop [av startnummer och odds] vid vadhållning

callow [ˈkæləʊ] *adj* bildl. omogen, oerfaren, grön [*a ~ youth*]

call queue [ˈkɔːlkjuː] *s* telefonkö

call sign [ˈkɔːlsaɪn] *s* anropssignatur i en kommunikationsradio

call-up [ˈkɔːlʌp] *s* mil. inkallelse; ~ *papers* inkallelseorder

callus [ˈkæləs] *s* med. kallus, valk, [ben]förhårdnad

call waiting [ˌkɔːlˈweɪtɪŋ] *s* [teletjänsten] samtal väntar

calm [kɑːm] **I** *adj* **1** lugn, stilla, ostörd **2** vard. ogenerad, fräck
II *s* lugn, stillhet; vindstilla, stiltje
III *vb tr* lugna, stilla, mildra
IV *vb itr* o. *vb tr* med adv.:
calm down a) lugna sig, bli lugn; bedarra, stilla [av] **b)** ~ *sb down* lugna [ner] ngn

calmness [ˈkɑːmnəs] *s* stillhet; ro, lugn

Calor gas® [ˈkæləgæs] *s* gasol

calorie [ˈkælərɪ] *s* kalori; *large* ~ kilokalori; *small* ~ kalori

calorific [ˌkæləˈrɪfɪk] *adj* **1** kaloririk **2** tekn. värmealstrande, uppvärmande; värme-

caltrop [ˈkæltrəp] *s* fotangel

calumny [ˈkæləmnɪ] *s* förtal, smädelse, falsk anklagelse

Calvados [ˈkælvədɒs] calvados äppelbrännvin

Calvary [ˈkælvərɪ] Golgata, huvudskalleplatsen

calve [kɑːv] *vb itr* o. *vb tr* kalva äv. om isberg

1 calves [kɑːvz] *s* pl. av *1 calf*

2 calves [kɑːvz] *s* pl. av *2 calf*

Calvin [ˈkælvɪn]

Calvinism [ˈkælvɪnɪz(ə)m] *s* relig. kalvinism

Calvinist [ˈkælvɪnɪst] relig. **I** *s* kalvinist **II** *adj* kalvinist-, kalvinistisk

calypso [kəˈlɪpsəʊ] (pl. ~s) *s* mus. calypso

cam [kæm] *s* mek. [excenter]kam

camaraderie [ˌkæməˈrɑːdərɪ] *s* kamratskap, kamratanda

Camb. förk. för *Cambridge*

camber [ˈkæmbə] *s* lätt välvning, rundning, dosering av väg o.d., krökning, buktning, böjning

Cambodia [kæmˈbəʊdɪə] geogr. Kambodja

Cambodian [kæmˈbəʊdɪən] **I** *adj* kambodjansk **II** *s* kambodjan; kambodjanska kvinna

cambric [ˈkeɪmbrɪk] *s* textil. kambrik, batist

Cambridge [ˈkeɪmbrɪdʒ] **1** geogr. egennamn **2** det ena av Englands två äldsta universitet [äv. ~ *University*]

Cambridgeshire [ˈkeɪmbrɪdʒʃɪə, -ʃə] geogr.

Cambs [kæm(b)z] förk. för *Cambridgeshire*

camcorder [ˈkæmˌkɔːdə] *s* videokamera med inbyggd bandspelare

came [keɪm] imperf. av *come*

camel [ˈkæm(ə)l] *s* kamel

camel hair [ˈkæm(ə)lheə] *s* kamelhår [*a ~ coat*]

camellia [kəˈmiːlɪə, -ˈmel-] *s* bot. kamelia

Camellia State [kəˌmiːlɪəˈsteɪt], *the* ~ beteckn. för staten *Alabama*

Camembert [ˈkæməmbeə] *s* camembert[ost]

cameo [ˈkæmɪəʊ] (pl. ~s) *s* **1** litterär el. dramatisk karaktärsstudie, porträtt **2** kamé

camera [ˈkæm(ə)rə] *s* kamera

camera|man [ˈkæm(ə)rə|mæn] (pl. *-men* [-men]) *s* kameraman, fotograf

camera-ready [ˈkæmərəˌredɪ] *adj* data. el. boktr. tryckfärdig

Cameroon [ˌkæməˈruːn, ˈkæməruːn] geogr. Kamerun republiken

Cameroonian [ˌkæməˈruːnɪən] **I** *adj* kamerunsk **II** *s* kamerunare, kamerunska kvinna

Cameroons [ˌkæməˈruːnz] geogr., *the* ~ pl. Kamerun området

camiknickers [ˈkæmɪˌnɪkəz] *s pl* combination underplagg

camisole [ˈkæmɪsəʊl] *s* blusskyddare; vanl. broderat linne; urringat, ärmlöst klänningsliv

camomile [ˈkæmə(ʊ)maɪl] *s* bot. kamomill [*~ tea*]

camouflage [ˈkæməflɑːʒ] **I** *s* kamouflage, maskering **II** *vb tr* kamouflera, maskera

1 camp [kæmp] **I** *s* läger äv. bildl., förläggning; koloni [*summer ~*]; *pitch* ~ el. *set up* ~ slå läger; *strike* ~ el. *break* ~ bryta upp från ett läger; bildl. rycka upp sina bopålar
II *vb itr* **1** slå läger; ligga i läger; tälta, campa; ~ *out* bo i tält (i det fria), campa; *go ~ing* tälta, åka ut och campa **2** vard. kampera; slå sig ned **3** vard., ~ *it up* spela över

2 camp [kæmp] *adj* camp

campaign [kæmˈpeɪn] **I** *s* kampanj [*an advertising ~*; *the ~ against smoking*]; kamp; fälttåg [*plan of ~*]
II *vb itr* delta i (organisera) en kampanj

campaigner [kæmˈpeɪnə] *s* **1** förkämpe **2** *old ~* veteran

camp bed [ˌkæmpˈbed] *s* fältsäng, tältsäng

camp chair [ˌkæmpˈtʃeə] *s* lätt fällstol

camper [ˈkæmpə] *s* **1** campare, tältare **2** campingbuss, husbil av enklare typ [äv. ~ *van*]

camper van [ˈkæmpəvæn] *s* campingbuss, husbil av enklare typ

campfire [ˈkæmpˌfaɪə] *s* lägereld

camp follower [ˌkæmpˈfɒləʊə] *s* **1** medlöpare, anhängare, sympatisör **2** person som följer med en här, ofta prostituerad

campground [ˈkæmpgraʊnd] *s* amer. campingplats, tältplats

camphor [ˈkæmfə] *s* kamfer

camphor ball [ˈkæmfəbɔːl] *s* malkula

camping [ˈkæmpɪŋ] *s* camping, lägerliv; *go* ~ åka ut och campa (tälta)

camp meeting [ˈkæmpˌmiːtɪŋ] *s* vanl. amer., religiöst friluftsmöte vanl. ett som pågår i flera dagar

campsite [ˈkæmpsaɪt] *s* campingplats, tältplats

camp stool [ˈkæmpstuːl] *s* liten fällstol

campus [ˈkæmpəs] *s* **1** univ. universitetsområde,

collegeområde, campus **2** college, universitet; *live on* ~ bo på studenthem på universitetsområdet **3** universitetsvärld

camshaft ['kæmʃɑ:ft] *s* mek. kamaxel

Can. förk. för *Canada, Canadian*

1 can [kæn, kən] (nekande *cannot* o. *can't*; imperf. *could* jfr dessa ord) *hjälpvb* pres. **1** kan; orkar; ~ *do* vard. det går [att göra], det fixar sig; *no* ~ *do* vard. det går inte, det är omöjligt **2** kan [få], får [*you* ~ *take my key*]

2 can [kæn] **I** *s* **1** kanna; burk [*a* ~ *of beer; a* ~ *of peaches*]; dunk [*petrol (gasoline)* ~]; ~ *of worms* bildl., se *worm I 1*; *carry the* ~ vard. bära hundhuvudet, få (ta på sig) skulden, rädda situationen åt ngn; *be in the* ~ om film o.d. vara inspelad och klar **2** amer. [sop]tunna **3** vanl. amer. sl., *the* ~ buren, finkan fängelse **4** amer. sl., *the* ~ muggen, toa

II *vb tr* (se äv. *canned*) **1** lägga in, konservera **2** amer. sl. sparka avskeda **3** amer. sl. lägga av med; ~ *it!* lägg av!, håll käften!

Canada ['kænədə] geogr. Kanada

Canada Day ['kænədədeɪ] *s* Kanadensiska Nationaldagen 1 juli

Canada goose [ˌkænədə'gu:s] *s* zool. kanadagås

Canadian [kə'neɪdɪən] **I** *adj* kanadensisk **II** *s* kanadensare, kanadensiska kvinna

canal [kə'næl] *s* anlagd kanal [*the Suez Canal*]; *the alimentary* ~ matsmältningskanalen

canalize ['kænəlaɪz] *vb tr* kanalisera

canapé ['kænəpeɪ] *s* stekt el. rostat bröd med pålägg kanapé, sandwich

canard ['kæna:d, kæ'na:d] *s* [tidnings]anka

Canaries [kə'neərɪz] *s pl* geogr., *Canary Islands*

canary [kə'neərɪ] **I** *s* kanariefågel **II** *adj* kanarie-; kanariegul, ljusgul [äv. ~ *yellow*]

Canary Islands [kə'neərɪˌaɪləndz] *s pl* geogr., *the* ~ Kanarieöarna

canasta [kə'næstə] *s* kortsp. canasta

can bank ['kænbæŋk] *s* behållare där man slänger burkar för återvinning

Canberra ['kænb(ə)rə] geogr.

cancan ['kænkæn] *s* cancan dans

cancel ['kæns(ə)l] *vb tr* **1** annullera; upphäva, göra slut på; inställa [*the meeting was* ~*led*]; avbeställa [~ *an order*; ~ *a reservation*]; säga upp ett abonnemang; lämna återbud till [~ *an engagement*]; makulera tryck **2** stryka ut (över), korsa över; stämpla [över] [~ *stamps*] **3** neutralisera, motverka, uppväga; *they* ~ *each other out* de tar ut varandra **4** matem. eliminera **5** ~ *out* upphäva (ta ut) varandra

cancellation [ˌkænsə'leɪʃ(ə)n] *s* **1** annullering etc., jfr *cancel 1* **2** överstrykning etc., jfr *cancel 2*

Cancer ['kænsə] *s* **1** astrol. Kräftan; *she is a* ~ hon är kräfta **2** *the Tropic of* ~ Kräftans vändkrets

cancer ['kænsə] *s* **1** med. cancer; ~ *of the liver* levercancer **2** bildl. kräftsvulst

cancerous ['kæns(ə)rəs] *adj* cancer- [~ *ulcer*]; cancerartad; bildl. kräft- [*a* ~ *growth* (svulst)]

candelabra [ˌkændɪ'lɑ:brə, -'læb-] *s* kandelaber

candid ['kændɪd] *adj* öppen, uppriktig [*to, with* mot]; frispråkig; *to be quite* ~ om jag ska vara riktigt ärlig, sanningen att säga

candidacy ['kændɪdəsɪ] *s* kandidatur

candidate ['kændɪdət] *s* kandidat, sökande [*for* till]; ~ *for confirmation* konfirmand; ~ *for examination* examinand

candidate country ['kændɪdətˌkʌntrɪ] *s* EU. kandidatland

candidature ['kændɪdətʃə] *s* kandidatur

Candid Camera [ˌkændɪd'kæmərə] dolda kameran namn på tv-program

candied ['kændɪd] *adj* kanderad [~ *fruit*]

candied peel [ˌkændɪd'pi:l] *s* kok. suckat

candle ['kændl] *s* ljus av stearin, talg, vax o.d.; levande ljus; *burn the* ~ *at both ends* bränna sitt ljus i båda ändar; *he can't hold a* ~ *to* han kan inte på långt när mäta sig med; *the game is not worth the* ~ åld. det är inte värt krutet (mödan)

candlegrease ['kændlgri:s] *s* stearin

candlelight ['kændllaɪt] *s* levande ljus; eldsljus [*by* (vid) ~]; ~ *dinner* middag med levande ljus

candle-snuffer ['kændlˌsnʌfə] *s* ljussläckare

candlestick ['kændlstɪk] *s* ljusstake vanl. för ett ljus

candlewick ['kændlwɪk] **I** *s* **1** textil. sniljefrotté **2** ljusvekegarn; löst, tvinnat bomullsgarn **3** veke **II** *adj* av sniljefrotté

can-do [ˌkæn'du:] *adj* villig, positiv [*a* ~ *attitude to the job*]

candour ['kændə] *s* uppriktighet, öppenhet, öppenhjärtighet, frispråkighet

candy ['kændɪ] *s* kandisocker; kanderad frukt, amer. äv. karamell[er], sötsak[er], konfekt, godis

candy apple ['kændɪˌæpl] *s* amer. äppelklubba äpple överdraget med knäck

candy cane ['kændɪkeɪn] *s* amer., slags polkagrisstång i form av en käpp med krok

candy floss ['kændɪflɒs] *s* sockervadd

candy-striped ['kændɪstraɪpt] *adj* polkagrisrandig, karamellrandig

cane [keɪn] **I** *s* **1** rör; sockerrör **2** [spatser]käpp, spanskrör **3** rotting [~ *furniture*]

II *vb tr* prygla, klå upp, ge stryk, aga

cane chair [ˌkeɪn'tʃeə] *s* rottingstol

cane sugar ['keɪnˌʃʊgə] *s* rörsocker

canful ['kænfʊl] (pl. ~*s* el. *cansful*) *s* burk [*a* ~ *of beer; a* ~ *of peaches*]

canine ['keɪnaɪn, 'kænaɪn] **I** *adj* hund-, hundaktig **II** *s* **1** hörntand **2** hunddjur; skämts. hund

canine teeth [ˌkeɪnaɪn'ti:θ] *s pl* hörntänder

caning ['keɪnɪŋ] *s* prygel, stryk; *get a sound* ~ få smaka rottingen, få ett ordentligt kok stryk

canister ['kænɪstə] *s* kanister; bleckdosa

canker ['kæŋkə] *s* **1** bot. [lövträds]kräfta; rost, brand **2** hos hund el. katt inflammation i ytterörat **3** bildl. kräftsvulst

cannabis ['kænəbɪs] *s* bot. el. narkotika cannabis

canned [kænd] *adj* **1** konserverad [~ *beef*; ~ *fruit*]; på burk [~ *peas*]; ~ *food* burkmat; ~ *goods* konserver; ~ *meat* konserverat kött, köttkonserv[er]; ~ *laughter* TV., i förväg pålagt skratt; ~ *music* vard. burkad inspelad musik **2** sl. packad berusad

cannelloni [ˌkænə'ləʊnɪ] *s pl* kok. (it.) cannelloni

cannery ['kænərɪ] *s* konservfabrik

cannibal ['kænɪb(ə)l] *s* kannibal, människoätare

cannibalize ['kænɪbəlaɪz] *vb tr* bildl. slakta, plocka sönder [~ *a car*]

canning ['kænɪŋ] *s* konservering

cannon ['kænən] **I** *s* **1** (pl. ~s el. *cannon*) kanon; koll. artilleri[pjäser] **2** (pl. vanl. *cannon*) automatkanon i flygplan

II *vb itr*, ~ *into* törna (köra) emot (rakt på, in i)

cannonade [ˌkænə'neɪd] *s* kanonad

cannonball ['kænənbɔ:l] *s* **1** kanonkula **2** tennis. o.d., ~ *service* kanonserve

cannon fodder ['kænənˌfɒdə] *s* vard. kanonmat

cannot ['kænɒt] kan etc. inte, jfr *1 can*

canny ['kænɪ] *adj* försiktig [i affärer], förståndig, som vet vad han gör; slug

canoe [kə'nu:] **I** *s* kanot **II** *vb itr* paddla [kanot]

canoeing [kə'nu:ɪŋ] *s* [kanot]paddling, kanotsport

1 canon ['kænən] *s* **1** 'kanon, regel, rättesnöre, norm **2** mus. kanon **3** kyrkligt påbud

2 canon ['kænən] *s* kanik, kanonikus; domkyrkopräst och ledamot av domkapitlet

canonize ['kænənaɪz] *vb tr* kanonisera, helgonförklara

canon law ['kænənlɔ:] *s* kanonisk lag

can-opener ['kænˌəʊp(ə)nə] *s* konservöppnare, burköppnare

canopy ['kænəpɪ] *s* baldakin, tronhimmel, sänghimmel

canopy bed ['kænəpɪbed] *s* himmelssäng

can't [kɑ:nt] se *cannot*

1 cant [kænt] *s* **1** floskler; hyckleri **2** [fack-, grupp]jargong; *a ~ phrase* en kliché

2 cant [kænt] **I** *s* **1** yttre vinkel **2** sluttning

II *vb tr* ställa på kant (sned), lägga på sidan [~ *a boat for repairs*]; ~ *over* vända upp och ned på, stjälpa omkull

III *vb itr* stjälpa, välta, kantra [äv. ~ *over*]; luta [*a ~ing deck*]

Cantab ['kæntæb] *adj* (förk. för *Cantabrigiensis* lat.) från universitetet i Cambridge [*MA ~*]

cantaloup o. **cantaloupe** ['kæntəlu:p] *s* cantaloupmelon

cantankerous [kæn'tæŋk(ə)rəs] *adj* grälsjuk, sur

cantata [kæn'tɑ:tə] *s* mus. kantat

canteen [kæn'ti:n] *s* **1** lunchrum, matsal, servering; marketenteri; kantin **2** fältflaska **3** schatull [med bordssilver]

canter ['kæntə] **I** *s* samlad (kort) galopp; [*he was running*] *at a ~* ...i galopp; *win at a ~* vinna lätt [och ledigt] **II** *vb itr* rida i kort galopp, galoppera lätt

Canterbury ['kæntəb(ə)rɪ] geogr.

cantilever ['kæntɪli:və] *s* byggn. kantilever, utskjutande stöd, konsol

cantilever bridge [ˌkæntɪli:və'brɪdʒ] *s* konsolbro

canting ['kæntɪŋ] *adj* hycklande, skenhelig

canto ['kæntəʊ] (pl. ~s) *s* sång del av diktverk

canton ['kæntɒn] *s* kanton, distrikt

cantor ['kæntə] *s* kyrkl. kantor

Canuck [kə'nʌk] sl. **I** *s* kanadick kanadensare (spec. franskkanadensare) **II** *adj* kanadick- franskkanadensisk

canvas ['kænvəs] *s* **1** a) [segel-, tält-, pack]duk b) kanvas; [grovt] linne; brandsegel **2** målning, tavla; [målar]duk **3** tält; *under ~* i tält

canvass ['kænvəs] **I** *vb tr* [gå runt och] bearbeta [~ *a district for* (för att få) *votes*]; värva röster i (av);

~ *support* [*for*] värva (skaffa, samla) röster [för] **II** *vb itr* **1** agitera; värva (skaffa, samla) röster **2** ~ *for* [*a newspaper*] vara ackvisitör för...; ~ *for* [*a firm*] vara försäljare för...

III *s* röstvärvning; personlig agitation

canvasser ['kænvəsə] *s* röstvärvare, valarbetare

canyon ['kænjən] *s* kanjon djup trång floddal

1 cap [kæp] **I** *s* **1** mössa; keps; barett; ~ *and gown* akademisk [ämbets]dräkt; ~ *in hand* med mössan i hand[en], bildl. äv. underdånigt, ödmjukt; *if the ~ fits wear it!* el. *if the ~ fits!* vard. om du känner dig träffad så ta åt dig!; *set one's ~ at* (*for* amer.) vard. åld., om kvinna lägga sina krokar för, lägga an på **2** kapsyl, lock, kapsel; hylsa, hätta, huv, hatt äv. på svamp; *put a ~ on* bildl. sätta stopp för, begränsa **3** sport. lagmössa som utmärkelse; *obtain a ~* el. *win a ~* bli uttagen till landslaget **4** med. pessar [äv. *Dutch ~*] **5** *percussion ~* tändhatt; knallhatt; pl. ~*s* knallpulver[remsa]

II *vb tr* **1** slå, bräcka, överglänsa, överträffa [~ *a story*]; ~ *it all* gå utanpå allt, slå alla rekord; *to ~ it all* till råga på allt **2 a)** sätta mössa (kapsyl, lock etc.) på **b)** sport. ge ngn lagets mössa som utmärkelse; *be ~ped* [*for England*] bli uttagen till [engelska] landslaget **3** tandläk., ~ *a tooth* sätta en jacketkrona på en tand **4** sätta tak för utgifter etc. **5** [be]täcka, skydda **6** kröna, ligga ovanpå

2 cap [kæp] *s* (vard. kortform av *capital* se *1 capital I 3*) stor bokstav, versal [*this should be written in ~s*]; *small ~s* typogr. kapitäler

cap. förk. för *capacity*, *capital*

capability [ˌkeɪpə'bɪlətɪ] *s* **1** förmåga; duglighet, skicklighet; möjlighet **2** pl. *capabilities* vanl. [utvecklings]möjligheter, anlag

capable ['keɪpəbl] *adj* **1** duglig, skicklig; duktig, begåvad **2** ~ *of* i stånd (kapabel) till; mäktig t.ex. en känsla; *be ~ of* äv. kunna, duga till [*show what you are ~ of*]; förmå, orka; [*the situation*] *is ~ of improvement* ...går att förbättra

capacious [kə'peɪʃəs] *adj* rymlig [*a ~ bag*]; omfattande

capacity [kə'pæsətɪ] *s* **1** [möjlighet att bereda] plats (utrymme) [*of* för], kapacitet; *the hotel has a large ~* hotellet kan ta emot mycket folk; *the hotel has a ~ of 200 people* hotellet har plats för 200 personer; [*the hall*] *has a seating ~ of 500* ...har (rymmer) 500 sittplatser; *filled to ~* fylld till sista plats, fullsatt; fylld till brädden **2** egenskap, ställning; *in the ~ of* i egenskap av, såsom varande; *in my ~ as* i min egenskap av (ställning som) **3** kapacitet: **a)** fys. rymd, volym; *measure of ~* rymdmått **b)** förmåga, möjlighet [*to do, of doing* att göra]; kraft, prestationsförmåga; effekt; effektivitet; *carrying ~* last[nings]förmåga, bärkraft; ~ *for work* arbetskapacitet, arbetsförmåga; *work to ~* arbeta med fullt pådrag (för fullt) **c)** förmåga, duglighet [ofta pl. *capacities*]; *he is a man of great ~* han är en stor kapacitet **4** jur. bemyndigande, kompetens, befogenhet **5** attr., ~ *house* el. ~ *audience* fullsatt (fullt) hus; ~ *production* toppproduktion, högsta produktion; *there was a ~ crowd* det var fullt till sista plats

Cape [keɪp] geogr., *the ~* a) Godahoppsudden b) hist. Kapprovinsen

1 cape [keɪp] *s* cape, krage
2 cape [keɪp] *s* udde, kap
Cape Canaveral [ˌkeɪpkəˈnævər(ə)l] geogr.
Cape of Good Hope [ˌkeɪpəvɡʊdˈhəʊp] geogr., **the ~** Godahoppsudden
Cape Province [ˌkeɪpˈprɒvɪns] geogr. el. hist., **the ~** Kapprovinsen
1 caper [ˈkeɪpə] *s* kaprisbuske; pl. **~s** kapris krydda
2 caper [ˈkeɪpə] **I** *vb itr* göra glädjesprång, hoppa och skutta
II *s* påhitt, tilltag, glädjesprång, krumsprång
capercaillie [ˌkæpəˈkeɪlɪ, -ljɪ] *s* o. **capercailzie** [ˌkæpəˈkeɪlzɪ] *s* tjäder
Cape Town [ˈkeɪptaʊn] geogr. Kapstaden
Cape Verde [ˌkeɪpˈvɜːd] geogr. Kap Verde
capillary [kəˈpɪlərɪ] **I** *s* hårrörskärl, kapillär; hårrör
II *adj* **1** hår-; hårfin **2** fys. el. anat. hårrörs-, kapillär
capillary action [kəˌpɪlərɪˈækʃ(ə)n] *s* fys. kapillärkraft
capillary tube [kəˈpɪlərɪtjuːb] *s* anat. hårrör, kapillärrör
1 capital [ˈkæpɪtl] **I** *s* **1** huvudstad **2** kapital; förmögenhet; attr. kapital- [**~** *investments*]; *Capital and Labour* storfinansen och arbetarna; *fixed* **~** fast kapital; *circulating* **~** el. *floating* **~** rörligt (flytande) kapital; *make* **~** *out of* bildl. slå mynt av, utnyttja **3** stor bokstav, versal; *small* **~** kapitäl
II *adj* **1** stor [**~** *letter*; **~** *S*] **2** jur. belagd med dödsstraff [**~** *crime*; **~** *offence*]; döds- [**~** *sentence*]; *on a* **~** *charge* anklagad för brott som medför dödsstraff **3** åld. utmärkt, ypperlig, förträfflig, överdådig
2 capital [ˈkæpɪtl] *s* byggn. kapitäl
capital assets [ˌkæpɪtlˈæsets] *s pl* fast egendom
capital city [ˌkæpɪtlˈsɪtɪ] *s* huvudstad
capital gains [ˌkæpɪtlˈɡeɪnz] *s pl* realisationsvinst
capital gains tax [ˌkæpɪtlˈɡeɪnztæks] (förk. *CGT*) *s* skatt på realisationsvinst
capital goods [ˌkæpɪtlˈɡʊdz] *s pl* kapitalvaror; produktionsmedel
capital-intensive [ˌkæpɪtlɪnˈtensɪv] *adj* kapitalintensiv, kapitalkrävande
capitalism [ˈkæpɪtəlɪz(ə)m] *s* kapitalism
capitalist [ˈkæpɪtəlɪst] *s* kapitalist
capitalistic [ˌkæpɪtəˈlɪstɪk] *adj* kapitalistisk
capitalize [ˈkæpɪtəlaɪz] **I** *vb tr* **1** skriva med stor bokstav **2** använda [som kapital], omsätta; förvandla till kapital **3** finansiera, förse med kapital
II *vb itr*, **~** *on* utnyttja, dra fördel av
capital levy [ˌkæpɪtlˈlevɪ] *s* [engångs]skatt på kapital
capital punishment [ˌkæpɪtlˈpʌnɪʃmənt] *s* dödsstraff
capitation [ˌkæpɪˈteɪʃ(ə)n] *s* **1** standardskatt per person, kapitationsskatt **2** lika betalning per person [*on a* **~** *basis*]
Capitol [ˈkæpɪtl, -ɪtɒl] *s* **1** *the* **~** Capitolium kongressbyggnaden i Washington **2** *the* **~** Kapitolium, Capitolium fästning i Rom
Capitol Hill [ˌkæpɪtlˈhɪl] *s*, *the* **~** a) amerikanska kongressen b) kullen på vilken *the Capitol* är belägen i Washington
capitulate [kəˈpɪtjʊleɪt] *vb itr* kapitulera

capitulation [kəˌpɪtjʊˈleɪʃ(ə)n] *s* kapitulation
capo [ˈkɑːpəʊ] (pl. **~s**) *s* it. maffialedare
capon [ˈkeɪpən] *s* kapun
cappuccino [ˌkæpʊˈtʃiːnəʊ] (pl. **~s**) *s* it. cappuccino kaffe
Capri [kəˈpriː, ˈkæprɪ, ˈkɑːp-] geogr.
caprice [kəˈpriːs] *s* nyck, infall; nyckfullhet
capricious [kəˈprɪʃəs] *adj* nyckfull, lynnig
Capricorn [ˈkæprɪkɔːn] **I** *s* **1** astrol. Stenbocken; *he is a* **~** han är stenbock **2** *the Tropic of* **~** Stenbockens vändkrets
II *adj* astrol., *he is* **~** han är stenbock
capri pants [kəˈpriːˌpænts] *s pl* piratbyxor, capribyxor damplagg
capsicum [ˈkæpsɪkəm] *s* bot. paprika, spansk peppar
capsize [kæpˈsaɪz, amer. vanl. ˈ--] **I** *vb itr* kapsejsa, kantra **II** *vb tr* komma att kantra
caps lock [ˈkæpslɒk] *s* skiftlåstangent
capstan [ˈkæpstən] *s* sjö. ankarspel, gångspel
capsule [ˈkæpsjuːl] *s* **1** kapsel i olika betydelser: t.ex., rymd., med. el. bot., hölje **2** kapsyl, hylsa
Capt. förk. för *Captain*
captain [ˈkæptɪn] **I** *s* **1** a) kapten inom armén (amer. äv. inom flyget) b) inom flottan kommendör; *Captain of the Fleet* flaggadjutant, flaggkapten **2** a) [sjö]kapten, befälhavare b) [flyg]kapten **3** anförare, ledare, chef; sport. [lag]kapten; **~** *of industry* industriledare **4** amer. a) poliskommissarie b) [brand]kapten
II *vb tr* leda, anföra
captaincy [ˈkæpt(ə)nsɪ] *s* kaptensbefattning, kaptensgrad etc., jfr *captain I*
caption [ˈkæpʃ(ə)n] **I** *s* rubrik, överskrift; [film]titel; bildtext, filmtext **II** *vb tr* förse med text, rubricera
captious [ˈkæpʃəs] *adj* klandersjuk, småaktig
captivate [ˈkæptɪveɪt] *vb tr* fängsla, tjusa
captivating [ˈkæptɪveɪtɪŋ] *adj* charmig; intagande; underbar
captive [ˈkæptɪv] **I** *adj* fången, fängslad [*hold sb* **~**]; fjättrad; *be taken* **~** bli tagen till fånga; [*people watching TV*] *are often a* **~** *audience for advertisers* …utsätts ofta ofrivilligt för reklam; **~** *balloon* fast (förtöjd) ballong
II *s* **1** fånge **2** slav [*to under*]
captivity [kæpˈtɪvətɪ] *s* fångenskap
captor [ˈkæptə] *s* tillfångatagare, erövrare
capture [ˈkæptʃə] **I** *vb tr* **1** ta till fånga; gripa; ta, erövra, inta, ta i pjäs i schack; ta som byte; uppbringa, kapa i pjäs *[it* **~** *d my imagination]* fånga **II** *s* **1** tillfångatagande; gripande; erövring, intagande [*the* **~** *of the town*]; uppbringande, kapande av fartyg **2** fångst, byte, pris **3** data., *data* **~** datafångst
car [kɑː] *s* **1** bil; poet. vagn **2** spårvagn [äv. *tramcar*]; *front* **~** motorvagn **3** vanl. amer. järnvägsvagn; godsfinka **4** [last]kärra **5** flyg. gondol, [ballong]korg **6** amer. hisskorg
Caracas [kəˈrækəs] geogr.
carafe [kəˈræf, -ˈrɑːf] *s* karaff[in]
car alarm [ˈkɑːrəˌlɑːm] *s* billarm
carambola [ˌkærəmˈbəʊlə] *s* bot. carambola, stjärnfrukt
caramel [ˈkærəmel] **I** *s* **1** kola **2** bränt socker,

karamell
II *adj* ljusbrun
carat ['kærət] *s* karat [*18 ~ gold*]
caravan ['kærəvæn] *s* **1** husvagn **2** karavan
caravanning ['kærəvænɪŋ, ˌkærə'v-] *s*
husvagnscamping, husvagnssemester
caravan park ['kærəvænpɑːk] *s* o. **caravan site**
['kærəvænsaɪt] *s* campingplats [för husvagnar]
caraway ['kærəweɪ] *s* kummin[ört]
caraway seeds ['kærəweɪsiːdz] *s pl* kummin[frön]
1 carb [kɑːb] *s* vard. förk. för *carburettor*
2 carb [kɑːb] *s* vard. vanl. amer. kolhydrat[rik mat]
carbide ['kɑːbaɪd] *s* kem. karbid
carbine ['kɑːbaɪn] *s* mil. karbin
carbohydrate [ˌkɑːbə(ʊ)'haɪdreɪt] *s* kolhydrat
carbolic acid [kɑːˌbɒlɪk'æsɪd] *s* karbol[syra]
car bomb ['kɑːbɒm] *s* bilbomb
car bombing ['kɑːˌbɒmɪŋ] *s* bilbombsattentat
carbon ['kɑːbən] *s* **1** kem. kol **2** se *carbon paper* **3** se
carbon copy 1
carbonated ['kɑːbəneɪtɪd] *adj* kolsyrad,
kolsyrebehandlad, kolsyrehaltig
carbon black ['kɑːbənblæk] *s* kimrök
carbon copy [ˌkɑːbən'kɒpɪ] *s* **1** kopia i e-post el. äldre
karbonkopia; *blind ~* (förk. *bcc*) hemlig kopia i e-post
2 bildl. [exakt] kopia
carbon dating [ˌkɑːbən'deɪtɪŋ] *s* koldatering,
kol-14-metoden
carbon dioxide [ˌkɑːbəndaɪ'ɒksaɪd] *s* kem. koldioxid,
kolsyra
carbon emissions ['kɑːbənɪˌmɪʃ(ə)nz] *s pl*
koldioxidutsläpp
carbon fibre ['kɑːbənˌfaɪbə] *s* kolfiber
carbon footprint [ˌkɑːbən'fʊtprɪnt] *s*
koldioxidavtryck
carboniferous [ˌkɑːbə'nɪf(ə)rəs] *adj* geol. kolförande,
kolhaltig
carbonized ['kɑːbənaɪzd] *adj* tekn. förkolnad
carbon monoxide [ˌkɑːbənmə'nɒksaɪd] *s* kem.
koloxid
carbon offset ['kɑːbənˌɒfset] *s* koldioxidavtryck
carbon paper ['kɑːbənˌpeɪpə] *s* karbonpapper,
kopiepapper
carbon tax ['kɑːbənˌtæks] *s* koldioxidskatt
car boot ['kɑːbuːt] *s* bagageutrymme på bil
car boot sale [ˌkɑː'buːtˌseɪl] *s* ung. bakluckeloppis,
försäljning av begagnade saker [från
bagageluckan]
carboy ['kɑːbɔɪ] *s* damejeanne, stor korgflaska
carbuncle ['kɑːbʌŋkl] *s* med. karbunkel böld
carburettor [ˌkɑːbə'retə, '----] *s* o. amer. **carburetor**
['kɑːrbəˌreɪtə] *s* förgasare, karburator
carcass ['kɑːkəs] *s* **1** kadaver, as **2** djurkropp,
[slakt]kropp utan huvud, ben o. inälvor **3** vard., *shift your
~!* el. *move your ~!* flytta på dig! **4** bildl. [tomt] skal
carcass meat ['kɑːkəsmiːt] *s* färskt (inte
konserverat) kött
carcinogen [kɑː'sɪnədʒən, -dʒen] *s* med.
cancerframkallande ämne
carcinogenic [ˌkɑːsɪnə'dʒenɪk] *adj* med.
cancerframkallande
carcinoma [ˌkɑːsɪ'nəʊmə] (pl. ~*ta* [-tə] el. ~*s*) *s* med.
cancer[svulst]
1 card [kɑːd] *s* **1** kort av olika slag, som spel-, visit-,

bjudnings-, inträdes-, julkort; bricka [*bingo ~*]; ~*s* äv.
kortspel [*win at* (i) ~*s*]; *get one's* ~*s* åld. få sparken;
have a ~ up one's sleeve ha något i bakfickan (i
reserv); *hold all the* ~*s* vard. ha alla kort på hand;
hold strong ~*s* bildl. ha (sitta med) starka kort på
hand; *make a ~* ta ett stick; *play one's best ~* bildl.
spela ut sitt bästa kort; *play one's* ~*s right* bildl.
sköta (spela) sina kort väl; *put* (*lay*) *one's* ~*s on the
table* lägga korten (papperen) på bordet; *show
one's* ~*s* bekänna färg (kort); *lucky at* ~*s, unlucky in
love* tur i spel, otur i kärlek; *it's on* (amer. *in*) *the* ~*s*
det är mycket möjligt **2** program; lista **3** amer.
skylt, affisch **4** karta med knappar, spännen o.d.
5 vard. åld. original, lustig typ; *queer ~* konstig prick
2 card [kɑːd] **I** *s* karda, ullkam **II** *vb tr* karda
cardamom ['kɑːdəməm] *s* bot. el. kok. kardemumma
cardan joint ['kɑːdndʒɔɪnt] *s* tekn. kardanknut
cardan shaft ['kɑːdnʃɑːft] *s* tekn. kardanaxel
cardboard ['kɑːdbɔːd] *s* papp, kartong
cardboard box [ˌkɑːdbɔːd'bɒks] *s* [papp]kartong
cardboard city [ˌkɑːdbɔːd'sɪtɪ] *s* vard. slumområde
där hemlösa bor i pappkartonger o.d.
card-carrying ['kɑːdˌkærɪɪŋ] *adj*, ~ *member*
[in]registrerad medlem av politiskt parti o.d.
card catalog ['kɑːdˌkætəlɒg] *s* amer. kortregister,
kartotek
car-dealer ['kɑːˌdiːlə] *s* bilhandlare
card game ['kɑːdgeɪm] *s* kortspel
cardholder ['kɑːdˌhəʊldə] *s* kortinnehavare av
kreditkort, smartcard för tv, förmånskort etc.
cardiac ['kɑːdiæk] *adj* med. hjärt- [~ *patient*]; ~
depressant drug hjärtlugnande medel
cardiac arrest [ˌkɑːdiækə'rest] *s* med.
hjärtstillestånd
cardiac insufficiency [ˌkɑːdiækɪnsə'fɪʃ(ə)nsɪ] *s* med.
hjärtinsufficiens, hjärtsvikt
Cardiff ['kɑːdɪf] geogr.
cardigan ['kɑːdɪgən] *s* cardigan, kofta
cardinal ['kɑːdɪnl] **I** *s* kardinal
II *adj* huvud-, huvudsaklig, främst, kardinal-;
avgörande, väsentlig [*of ~ importance*]
cardinal number [ˌkɑːdɪnl'nʌmbə] *s* grundtal,
kardinaltal
cardinal points [ˌkɑːdɪnl'pɔɪnts] *s pl*, *the ~* de fyra
väderstrecken
cardinal red [ˌkɑːdɪnl'red] *s* högröd (purpurröd)
färg, högrött, purpurrött
cardinal sin [ˌkɑːdɪnl'sɪn] *s* dödssynd
cardinal virtues [ˌkɑːdɪnl'vɜːtjuːz] *s pl*
kardinaldygder
card index [ˌkɑːd'ɪndeks] *s* kortregister, kartotek
card-index file [ˌkɑːd'ɪndeksfaɪl] *s* kortlåda
cardiogram ['kɑːdɪə(ʊ)græm] *s* med. kardiogram
cardiograph ['kɑːdɪə(ʊ)græf, -grɑːf] *s* med.
kardiograf
cardiologist [ˌkɑːdɪ'ɒlədʒɪst] *s* kardiolog,
hjärtspecialist
cardiology [ˌkɑːdɪ'ɒlədʒɪ] *s* kardiologi
cardiovascular [ˌkɑːdɪəʊ'væskjʊlə] *adj* med.
kardiovaskulär, hjärtkärl- [~ *diseases*]
card phone ['kɑːdfəʊn] *s* korttelefon
card-playing ['kɑːdˌpleɪɪŋ] *s* kortspel, att spela kort
car-driver ['kɑːˌdraɪvə] *s* bilförare

card sharp ['kɑːdʃɑːp] s o. amer. **card shark**
['kɑːdˌʃɑːk] s falskspelare; bondfångare
card table ['kɑːdˌteɪbl] s spelbord
card trick ['kɑːdtrɪk] s kortkonst
card vote ['kɑːdvəʊt] s fullmaktsröstning i
fackförening
care [keə] **I** s **1** vård, omvårdnad [*have the ~ of; be
under (in) the ~ of*]; *it is under his ~* han har hand
om (uppsikt över) det; *take ~ of* ta hand om; ta
vara på; akta, vara rädd om; *I'll take ~ of that* det
ska jag ordna (klara av, ta hand om); *that takes ~
of that* så var den saken avklarad (ur världen); *take
~! el. take ~ of yourself!* sköt om dig!, ha det så bra!;
~ of (förk. *c/o*) på brev adress, c/o [*c/o Smith*]
2 omsorg, omtänksamhet, omtanke [*for om*];
noggrannhet; *take ~!* a) sköt om dig! b) akta dig!,
se upp!; *take ~ to* vara noga med (angelägen) att;
take ~ not to akta sig för att; *handle with ~* el. *with ~*
på paket o.d. aktas [*för stötar*], varsamt **3** bekymmer
II vb itr **1** bry sig om [det] [*he doesn't seem to ~*]; *~
about* bry sig om, intressera sig för, bekymra sig
om; *for all I ~* vad mig beträffar; *I don't ~* det gör
mig detsamma; det struntar jag i; jag bryr mig inte
om det; *what do I ~?* vad bryr jag mig om det?; *I
couldn't ~ less* vard. det struntar jag i; *who ~s?* vad
spelar det för roll?, vem bryr sig om det? **2** *~ to* ha
lust att, [gärna] vilja [*would you ~ to go for a
walk?*]
III vb itr med prep.:
care for a) bry sig om, vara intresserad (road) av,
ha lust med [*I shouldn't ~ for that*] b) sörja för,
sköta om c) tycka om, hålla av; gilla; *would you ~
for an ice cream?* vill du ha en glass?
care assistant ['keərəˌsɪstənt] s undersköterska
careen [kəˈriːn] vb itr kränga, vingla
career [kəˈrɪə] **I** s **1** [levnads]bana, yrke [*choose a
~*]; karriär; utveckling; *take up a ~ in journalism*
påbörja en bana som journalist **2** [full] fart,
karriär
II adj yrkes- [*~ politician; ~ soldier*]
III vb itr rusa; susa [*about, along, past*]
career break [kəˈrɪəbreɪk] s paus (uppehåll) i
yrkeslivet
career counseling [kəˈrɪəˌkaʊnsəlɪŋ] s amer.
yrkesrådgivning, yrkesvägledning
career counselor [kəˈrɪəˌkaʊnsələ] s amer.
yrkesvägledare
careerist [kəˈrɪərɪst] s karriärmänniska, karriärist,
streber
careers adviser [kəˈrɪəzədˌvaɪzə] s yrkesvägledare
careers guidance [kəˈrɪəzˌɡaɪd(ə)ns] s
yrkesrådgivning, yrkesvägledning
careers master [kəˈrɪəzˌmɑːstə] s yrkesvalslärare
careers mistress [kəˈrɪəzˌmɪstrəs] s yrkesvalslärare
kvinna
careers officer [kəˈrɪəzˌɒfɪsə] s yrkesvägledare
career woman [kəˈrɪəˌwʊmən] (pl. *career women*
[-ˌwɪmɪn]) s karriärkvinna; yrkeskvinna
carefree ['keəfriː] adj **1** bekymmerslös, sorgfri
2 lättsinnig, sorglös
careful ['keəf(ʊ)l] adj **1** försiktig [*with* med];
aktsam [*of* om, med]; omtänksam; sparsam; *be ~*
äv. akta sig [*not to do sth* för att göra ngt]; *be ~ with*
äv. akta, vara aktsam (rädd) om; *be ~ what you do*

var försiktig med (tänk på) vad du gör
2 omsorgsfull, noggrann; om arbete o.d. äv. noggrant
utförd, grundlig; noga [*about, with* med; *to, that*
[med] att]; *she was ~ to explain* hon var noga med
att förklara
caregiver ['keəˌɡɪvə] s amer., ung. anhörigvårdare
care label ['keəˌleɪbl] s skötselråd etikett
careless ['keələs] adj **1** slarvig, vårdslös, oaktsam
[*about, as to* med, i fråga om]; obetänksam,
oförsiktig [*with* med] **2** obekymrad [*of* om],
likgiltig [*of* för] **3** sorglös
carer ['keərə] s ung. anhörigvårdare
caress [kəˈres] **I** vb tr smeka **II** s smekning
caressing [kəˈresɪŋ] adj smeksam, öm
caretaker ['keəˌteɪkə] s **1** vaktmästare,
uppsyningsman; fastighetsskötare, portvakt
2 tillsynsman, förvaltare
caretaker government ['keəˌteɪkəˈɡʌvnmənt] s
expeditionsministär, övergångsregering
care worker ['keəˌwɜːkə] s vårdpersonal
careworn ['keəwɔːn] adj tärd (trött) av bekymmer;
förgrämd
car ferry ['kɑːˌferɪ] s bilfärja; biltransportplan
cargo ['kɑːɡəʊ] (pl. *~es* el. *~s*) s [skepps]last
cargo pants ['kɑːɡəʊˌpænts] s pl cargobyxor, byxor
med benfickor
cargo steamer ['kɑːɡəʊˌstiːmə] s lastångare
car-hire company ['kɑːˌhaɪəˈkʌmp(ə)nɪ] s
biluthyrningsfirma
carhop ['kɑːhɒp] s amer. vard. servitör (servitris) vid
drive-in-servering
Caribbean [ˌkærɪˈbiːən] **I** adj karibisk [*the ~ Sea*]
II s **1** *the ~* geogr. Karibiska havet **2** västindier
3 geogr., *the ~* Västindien [*the arts of the ~*]
caribou ['kærɪbuː] s zool. karibu, amerikansk ren
caricature ['kærɪkəˌtʃʊə] **I** s karikatyr; parodi **II** vb
tr karikera, förlöjliga
caricaturist ['kærɪkəˌtʃʊərɪst] s karikatyrtecknare;
parodiförfattare
caries ['keərɪz, -iːz] s **1** tandläk. karies, tandröta [äv.
dental ~] **2** med. karies, benröta
carillon [kəˈrɪljən] s klockspel
caring ['keərɪŋ] adj som visar omtanke, som bryr
sig om [*a ~ society*]; vård- [*a ~ profession*]
carjacker ['kɑːˌdʒækə] s bilkapare
carjacking ['kɑːˌdʒækɪŋ] s bilkapning
Carlisle [kɑːˈlaɪl] geogr.
carload ['kɑːləʊd] s billast
Carmelite ['kɑːməlaɪt] **I** s karmelit[er],
karmelit[er]munk **II** adj karmelit[er]- [*the ~
Order*]
carmine ['kɑːmaɪn] **I** s karmin **II** adj karminröd
carnage ['kɑːnɪdʒ] s blodbad, massmord, slakt
carnal ['kɑːnl] adj sinnlig, köttslig [*~ desires*]; *have
~ knowledge of* åld. el. jur. ha sexuellt umgänge med
Carnarvon [kəˈnɑːv(ə)n] geogr.
carnation [kɑːˈneɪʃ(ə)n] **I** s [trädgårds]nejlika **II** adj
ljusröd, skär
Carnegie Hall [ˌkɑːnəɡɪˈhɔːl]
carnet ['kɑːneɪ, -'-] s biljetthäfte
carnival ['kɑːnɪv(ə)l] s **1** karneval[stid] **2** amer.
[kringresande] tivoli, nöjesfält
carnivore ['kɑːnɪvɔː] s zool. karnivor, köttätare

carnivorous [kɑːˈnɪv(ə)rəs] *adj* köttätande; ~ *animal* äv. karnivor, köttätare

carob [ˈkærəb] *s* bot. johannesbröd[träd], karobe

carol [ˈkær(ə)l] **I** *s* lovsång, jubelsång; ~ el. *Christmas* ~julsång
II *vb itr* **1** jubla, sjunga; drilla **2** gå från hus till hus och sjunga julsånger

Caroline [ˈkærəlaɪn] **1** kvinnonamn **2** som drottningnamn Karolina

carotene [ˈkærətiːn] *s* kem. karotin

carotid artery [kəˈrɒtɪd,ˈɑːtərɪ] *s* anat. halspulsåder

carotin [ˈkærətɪn] *s* kem. karotin

carouse [kəˈraʊz] *vb itr* litt. rumla, festa, pokulera

carousel [ˌkærəˈsel, -zel] *s* **1** bagageband på flygplats **2** foto. karusellmagasin **3** vanl. amer. karusell

1 carp [kɑːp] (pl. *carp*) *s* zool. karp

2 carp [kɑːp] *vb itr* gnata; ~ *at* hacka (klanka) på; ~*ing criticism* småaktig kritik

carpal tunnel syndrome [ˌkɑːpəlˈtʌnəlˌsɪndrəʊm] (förk. *CTS*) *s* data. karpaltunnelsyndrom

car park [ˈkɑːpɑːk] *s* bilparkering, parkeringsplats

Carpathian Mountains [kɑːˌpeɪθɪənˈmaʊntɪnz] *s pl* o. **Carpathians** [kɑːˈpeɪθɪənz] *s pl* geogr., *the* ~ Karpaterna

carpenter [ˈkɑːpəntə] *s* [byggnads-, grov]snickare, timmerman

carpenter's bench [ˈkɑːpəntəzben(t)ʃ] *s* hyvelbänk

carpentry [ˈkɑːpəntrɪ] *s* **1** snickaryrke, timmermansyrke; träslöjd **2** snickeri[arbete]

carpet [ˈkɑːpɪt] **I** *s* större mjuk matta äv. bildl.; *be called on the* ~ el. *get called on the* ~ vard. vanl. amer. bli åthutad; *pull the* ~ *from under sb* bildl. rycka undan marken under ngns fötter; *sweep sth under the* ~ bildl. sopa ngt under mattan; *the red* ~ bildl., se *red carpet*
II *vb tr* **1** mattbelägga, täcka [liksom] med en matta **2** vard. [kalla in och] ge en skrapa

carpetbag [ˈkɑːpɪtbæg] *s* stor kappsäck

carpetbagger [ˈkɑːpɪtˌbægə] *s* politisk lycksökare, opportunist

carpet-beater [ˈkɑːpɪtˌbiːtə] *s* mattpiskare redskap

carpet beetle [ˈkɑːpɪtˌbiːtl] *s* zool. pälsänger

carpet-bomb [ˈkɑːpɪtbɒm] *vb tr* mil. lägga ut en bombmatta över

carpeted [ˈkɑːpɪtɪd] *adj* mattbelagd, täckt med en matta

carpeting [ˈkɑːpɪtɪŋ] *s* **1** mattläggning **2** mattor; mattväv **3** vard. skrapa, uppläxning

carpet slipper [ˈkɑːpɪtˌslɪpə] *s* filttoffel

carpet-sweeper [ˈkɑːpɪtˌswiːpə] *s* mattsopare redskap

car-pool [ˈkɑːpuːl] *vb itr* samåka

car pool [ˈkɑːpuːl] *s* **1** samåkningsgrupp, samåkningsorganisation **2** bilpool

car-racing [ˈkɑːˌreɪsɪŋ] *s* bilsport, biltävling

carrel [ˈkær(ə)l] *s* univ. forskarcell

car-rental agency [ˈkɑːˌrentlˈeɪdʒənsɪ] *s* o.
  car-rental service [ˈkɑːˌrentlˈsɜːvɪs] *s* amer. biluthyrning

carriage [ˈkærɪdʒ] *s* **1** ekipage, vagn **2** järnv. [person]vagn **3** transport, forsling, frakt, fraktande, fraktning; fraktfart; *water* ~ sjötransport **4** frakt[kostnad] vanl. på järnväg; ~ *forward* frakten ej betald (betalas vid framkomsten); ~ *free* fraktfritt; ~ *paid* fraktfritt **5** på

skrivmaskin m.m. vagn; ~ *release* vagnfrigörare **6** hållning, sätt att föra sig

carriage clock [ˈkærɪdʒklɒk] *s* franskt reseur

carriageway [ˈkærɪdʒweɪ] *s* körbana, körväg; *dual* ~ tvåfilig väg med skilda körbanor

carrier [ˈkærɪə] *s* **1** transportföretag; *road* ~*s* åkeri **2** bärare; [stads]bud; åkare **3** transportfordon, transportmedel **4** *aircraft* ~ hangarfartyg **5** smittbärare, bacillbärare **6** se *carrier bag* **7** pakethållare, bagagehållare

carrier bag [ˈkærɪəbæg] *s* [bär]kasse

carrier-based [ˈkærɪəbeɪst] *adj*, ~ *aircraft* [hangar]fartygsbaserat flyg

carrier pigeon [ˈkærɪəˌpɪdʒɪn] *s* brevduva

carrier plane [ˈkærɪəpleɪn] *s* transport[flyg]plan

carrion [ˈkærɪən] *s* kadaver, as

carrion crow [ˌkærɪənˈkrəʊ] *s* zool. svartkråka

carrot [ˈkærət] *s* morot

carry [ˈkærɪ] **I** *vb tr* (se äv. *carry III*; för *carry* i förbindelser som *carry conviction* o. *carry into execution* se resp. subst.) **1** allm. bära; bära på; ha med (på) sig, medföra; gå [omkring] med, ha; ~ *the sense of* ha betydelsen [av] **2** forsla, frakta, transportera **3** ha plats för, rymma, [kunna] ta **4** frambära, framföra, komma med brev, nyhet o.d.; om tidning innehålla, publicera, ha **5** föra äv. bildl. [*that would* ~ *us too far*]; driva [~ *the joke too far*] om vind driva [fram]; leda t.ex. vatten, ljud **6** erövra, [in]ta; hemföra, vinna pris o.d.; driva (få) igenom åtgärd, kandidat o.d.; segra i, vinna val; ~ *the day* vinna, avgå med segern; ~ *everything* (*all*) *before one* genomdriva allt; ha en oerhörd framgång; *be carried* om motion o.d. gå igenom, bli antagen **7** hålla, föra kropp, huvud; *she carries her clothes well* hon bär upp sina kläder väl **8** medföra, innebära [*responsibility*] **9** föra (flytta) över; bokf. överföra, transportera
II *vb itr* (se äv. *carry III*) **1** utföra transporter **2** nå, om ljud äv. [kunna] höras
III *vb tr* o. *vb itr* i spec. förbindelser med adv.:
carry along [lyckas] övertyga; *she carried* [*the audience*] *along with her* hon fick...med sig (på sin sida)
carry away a) bära (föra) bort b) bildl. hänföra, rycka med sig; *be carried away by* el. *get carried away by* ryckas med av; bli upptänd av c) sjö.: om vind, vågor bryta, rycka bort
carry back föra tillbaka [i tiden] [*the music carried her back to her childhood*]
carry forward bokf. transportera; [*amount*] *carried forward* transport till ngt; *balance carried forward* utgående saldo
carry off a) bära (föra) bort b) klara av, behärska [~ *off a situation*]; ~ *it off* sköta (klara) sig bra, klara det c) hemföra, vinna
carry on a) föra [~ *on a conversation*]; [be]driva, sköta, utöva b) fortsätta, gå på, gå vidare; ~ *on* [*with*] fortsätta [med], fullfölja; [*here's £50*] *to* ~ *on with* ...som du kan hålla dig flytande på [så länge] c) vard. bära sig [illa] åt, bråka
carry out utföra; genomföra, fullfölja, verkställa; tillämpa; uppfylla [~ *out a promise*]
carry over a) bära (föra, ta) över b) hand. överföra; bokf. transportera; [*amount*] *carried over* transport

c) föra vidare; *that will ~ you over* på det kan du klara dig

carry through a) genomföra; driva igenom **b)** klara (föra) igenom

carryall ['kærɪɔ:l] *s* amer. rymlig bag (väska)

carrycot ['kærɪkɒt] *s* babylift bärkasse för spädbarn

carrying charge ['kærɪŋtʃɑ:dʒ] *s*
1 lagerhållningskostnad **2** amer. uppläggningskostnad

carryings-on [,kærɪŋz'ɒn] *s pl* vard. dumma tilltag (påhitt), galenskaper, historier; uppträden

carry-on ['kærɪɒn] *s* vard. ståhej, dumma tilltag; bråk

carry-on bag ['kærɪɒnbæg] *s* flyg. kabinväska

carry-on baggage ['kærɪɒn,bægɪdʒ] *s* flyg. handbagage

carryout ['kærɪaʊt] *s* skotsk. el. amer., se *takeaway*

carry-over ['kærɪ,əʊvə] *s* **1** återstod, rest; kvarleva **2** bokf. transport

car seat ['kɑ:si:t] *s* **1** bilbarnstol **2** bilsäte

car-sharing ['kɑ:,ʃeərɪŋ] *s* samåkning

carsick ['kɑ:sɪk] *adj* bilsjuk

cart [kɑ:t] **I** *s* **1** tvåhjulig kärra; [arbets]vagn; skrinda; *put the ~ before the horse* bära sig bakvänt åt, börja i galen ända **2** lätt tvåhjulig enspännare **3** amer., se *trolley 3* o. *trolley 4* **4** se *golf cart* **II** *vb tr* **1** släpa [på], kånka på **2** köra, forsla

car tax ['kɑ:tæks] *s* fordonsskatt

carte blanche [,kɑ:t'blɑ:nʃ] *s* fr. **1** blankofullmakt **2** carte blanche, oinskränkt fullmakt

cartel [kɑ:'tel] *s* ekon. el. polit. kartell

carthorse ['kɑ:θɔ:s] *s* arbetshäst, draghäst

cartilage ['kɑ:tɪlɪdʒ] *s* anat. brosk

cartload ['kɑ:tləʊd] *s* vagnslass, kärrlass [*of* med]; bildl. helt lass

cartographer [kɑ:'tɒɡrəfə] *s* kartograf, kartritare

cartography [kɑ:'tɒɡrəfɪ] *s* kartografi

carton ['kɑ:t(ə)n] *s* kartong, pappask; *a ~ of* [*cornflakes*] ett paket...; *a ~ of* [*cigarettes*] en limpa...

cartoon [kɑ:'tu:n] *s* **1** [skämt]teckning; [politisk] karikatyr **2** [tecknad] serie **3** tecknad film **4** konst. kartong utkast på styvt papper till målning o.d.

cartoonist [kɑ:'tu:nɪst] *s* skämttecknare; karikatyrtecknare

cartridge ['kɑ:trɪdʒ] *s* **1** patron i olika betydelser [*film ~*; *ink ~*]; patronhylsa [äv. *~ case*] **2** pickup, nålmikrofon **3** kassett

cartridge paper ['kɑ:trɪdʒ,peɪpə] *s* slags grovt rit- och kuvertpapper

cartwheel ['kɑ:twi:l] **I** *s* **1** varv i hjulning; *turn ~s* hjula; *he turned four ~s* han hjulade fyra varv **2** vagnshjul, kärrhjul **3** amer. sl. stort mynt, vanl. silverdollar **II** *vb itr* hjula

carve [kɑ:v] **I** *vb tr* **1** skära, snida; skära (rista) in [*on* i]; skära ut [*out of, in* i]; hugga; hugga in (ut); skulptera; sticka, gravera **2** skära för (upp), tranchera kött **II** *vb itr* **1** skära i trä, snida; skulptera; hugga i marmor **2** skära för [steken] **III** *vb tr* med adv. el. prep.:
carve out a) hugga (skära) ut **b)** tillkämpa sig; vinna, förvärva, skapa sig [*~ out a fortune*]; *~ out a*

career for oneself skapa sig en karriär

carve up a) vard. dela [upp] [*~ up the booty*] **b)** sl. knivskära

carved [kɑ:vd] *adj* utskuren, snidad; uthuggen, skulpterad; graverad

carver ['kɑ:və] *s* **1** [trä]snidare; bildhuggare, skulptör; gravör **2** förskärare, tranchör **3** förskärarkniv, trancherkniv; *pair of ~s* el. *~s* förskärarbestick, trancherbestick

carvery ['kɑ:vərɪ] *s* stekavdelning, stekrestaurang [avdelning av] restaurang som specialiserar sig på stekar

carve-up ['kɑ:vʌp] *s* sl. **1** uppdelning av byte (arv etc.) **2** ngt fixat på förhand

carving ['kɑ:vɪŋ] *s* **1** [trä]snideri, utskärning, träskulptur **2** [ut]skärande, snidande etc., jfr *carve I 1 3* tranchering, förskärande

carving fork ['kɑ:vɪŋfɔ:k] *s* stekgaffel, tranchergaffel

carving knife ['kɑ:vɪŋnaɪf] *s* förskärare, förskärarkniv, trancherkniv

car wash ['kɑ:wɒʃ] *s* biltvätt

Casanova [,kæzə'nəʊvə] *s* Casanova, kvinnotjusare

cascade [kæ'skeɪd] **I** *s* **1** kaskad; *~ of applause* applådåska, storm av applåder **2** lös drapering, svall [*a ~ of lace*] **II** *vb itr* falla som en kaskad

cascading [,kæ'skeɪdɪŋ, attr. '-,--] *adj* forsande [*~ waterfalls*]; svallande [*~ hair*]

1 case [keɪs] *s* **1** fall; förhållande, händelse; sak, fråga; läge; *a ~ in point* ett tydligt exempel; *a classical ~ of* ett typexempel (skolexempel) på; *this being the ~* eftersom det förhåller sig så; *as the ~ may be* alltefter omständigheterna; [*just*] *in ~ I forget* ifall (om) jag skulle [råka] glömma; [*take it*] *just in ~* ...för säkerhets skull, ...för alla eventualiteter; *in ~ of* i händelse av, vid [*in ~ of fire*]; *in the ~ of* i fråga om, när det gäller, för; *in any ~* i varje fall, i vilket fall som helst, i alla händelser; *in that ~* i så fall; *in this ~* i det här fallet **2 a)** jur. [rätts]fall; mål; process [*lose a ~*]; ärende, sak; affär **b)** jur. el. friare bevis[material]; argument, skäl; *the ~ for the defendant* försvarets sakframställning; *the ~ for the prosecution* åklagarsidans sakframställning; *he has a good ~* el. *he has a strong ~* han har starka bevis att stödja sig på, hans sak ligger väl till; *prove one's ~* bevisa [riktigheten av] sitt påstående, bevisa att man har rätt; *a good ~ can be made out for...* det finns starka argument för..., det är mycket som talar för...; *put sb's ~* föra ngns talan; *state one's ~* framlägga fakta [i målet], framlägga sin sak **3** [sjukdoms]fall **4** vard., *get off my ~!* sluta racka ned på mig!; *be on sb's ~ about* (+ ing-form) vara 'på ngn om att... **5** gram. kasus

2 case [keɪs] **I** *s* **1** låda; ask; skrin; fodral, etui; [pack]lår **2** väska, portfölj **3** hölje, hylsa; form; [kudd]var, överdrag; boett **4** [glas]monter **5** fack **6** boktr. [stil]kast; *lower ~* o. *upper ~* se *lower-case* resp. *upper-case* **II** *vb tr* **1** klä; infatta **2** sl. reka på ett ställe för inbrott

case book ['keɪsbʊk] *s* journal

case history [,keɪs'hɪst(ə)rɪ] *s* med. sjukdomshistoria, anamnes

case law ['keɪslɔ:] *s* jur. prejudikatlag, rättspraxis

casement ['keɪsmənt] *s* o. **casement window** [ˌkeɪsmənt'wɪndəʊ] *s* [sidohängt] fönster

case study ['keɪsˌstʌdɪ] *s* psykol. el. med. fallstudie, case study

cash [kæʃ] **I** *s* kontanter, reda pengar [äv. *hard ~*; *ready ~*]; pengar [*be rolling in ~*]; kassa; attr. äv. kontant [*~ payment*]; **~ purchase** kontantköp; **~ down** mot kontant betalning; **~ in hand** kassabehållning; **~ on delivery** se under *delivery 1*; **pay ~** el. **in ~** betala kontant; **be in ~** vara [stadd] vid kassa; **out of ~** utan kontanter (pengar); **on a ~ basis** enligt kontantprincipen **II** *vb tr* lösa in [*~ a cheque*]; lösa (kvittera, ta) ut [*~ a money order*] **III** *vb itr* o. *vb tr* med adv. el. prep.:

cash in a) ~ *in on* dra växlar på, slå mynt av **b)** amer. kassera in

cash out amer. räkna [dags]kassan

cash up räkna [dags]kassan

cash account [ˌkæʃə'kaʊnt, '--ˌ-] *s* kassakonto

cash-and-carry [ˌkæʃən(d)'kærɪ] *s*, ~ el. **~ store** hämtköp; [storköps]cash

cashback ['kæʃbæk] *s* **1** kontantutbetalning vid kontokortsköp **2** avdrag på pris

cash card ['kæʃkɑːd] *s* kort till bankomat®, kontantkort

cash cow ['kæʃkaʊ] *s* ekon. vard. kassako[ssa]

cash crop ['kæʃkrɒp] *s* lantbr. avsalugröda

cash desk ['kæʃdesk] *s* kassa där man betalar

cash discount [ˌkæʃ'dɪskaʊnt] *s* kassarabatt

cash dispenser ['kæʃdɪsˌpensə] *s* se *cashpoint*

cashew ['kæʃuː] *s* cashewnöt, acajounöt

cash flow ['kæʃfləʊ] *s* ekon., ung. kassaflöde, betalningsflöde, cashflow företagets vinst efter avskrivningar eller investeringar

1 cashier [kæ'ʃɪə] *s* kassör, kassörska

2 cashier [kə'ʃɪə] *vb tr* mil. avskeda

cash-in-hand [ˌkæʃɪn'hænd] *adj* direkt i handen (fickan), kontant

cash machine ['kæʃməˌʃiːn] *s* se *cashpoint*

cashmere [kæʃ'mɪə] *s* kaschmir

cashpoint ['kæʃpɔɪnt] *s* uttagsautomat, bankomat®

cash price [ˌkæʃ'praɪs] *s* kontantpris

cash register ['kæʃˌredʒɪstə] *s* kassaapparat

cash-strapped ['kæʃstræpt] *adj* vard., **be ~** ha ont om pengar

casing ['keɪsɪŋ] *s* beklädnad, hölje; hylsa

casino [kə'siːnəʊ, -'ziː-] (pl. *~s*) *s* **1** kasino, spelhall **2** kortsp. kasino

cask [kɑːsk] *s* fat, tunna, laggkärl

casket ['kɑːskɪt] *s* **1** skrin, schatull **2** amer. [lik]kista

Caspian Sea [ˌkæspɪən'siː] geogr., **the ~** Kaspiska havet

cassata [kə'sɑːtə] *s* cassata[glass]

cassava [kə'sɑːvə] *s* bot. kassava[buske]

casserole ['kæsərəʊl] *s* **1** gryta maträtt [*chicken ~*] **2** eldfast form (gryta) som maten tillagas och serveras i

cassette [kə'set] *s* kassett för band, video, film

cassette deck [kə'setdek] *s* kassettdäck

cassette player [kə'setˌpleɪə] *s* o. **cassette recorder** [kə'setrɪˌkɔːdə] *s* kassettbandspelare

cassock ['kæsək] *s* lång prästrock, kaftan

cast [kɑːst] **I** (*cast cast*) *vb tr* **1** kasta vanl. bildl. [*~ a glance*; ~ *a shadow*; ~ *new light on* (över) *a problem*]; ~ *lots* dra lott; ~ *a net* kasta (lägga) ut nät; ~ *one's mind back to sth* försöka minnas ngt; ~ *one's net wide* vidga fältet; ~ *one's vote* avge sin röst; ~ *into prison* kasta i fängelse; ~ *into the shade* bildl. ställa i skuggan **2** teat. tilldela [*a part to sb* ngn en roll]; utse [*sb for* ngn till]; fördela, besätta [~ *the parts*]; besätta (fördela) rollerna i [~ *a play*] **3** bildl. framställa, beskriva **4** gjuta, stöpa, forma äv. bildl. **5** kasta av; fälla fjädrar, löv o.d.; ömsa skinn om orm **6** kasta omkull (ner); brottn. kasta **7** astrol. beräkna, ställa [~ *sb's horoscope*] **II** (*cast cast*) *vb itr* kasta, fiska med kastspö **III** (*cast cast*) *vb tr* o. *vb itr* med adv.:

cast about söka, leta, se sig om [*for* efter]; fundera på [*how* hur]; **~ about for** äv. försöka hitta (komma) på [~ *about for an answer* (*an excuse*)]

cast aside kasta bort, kassera; lägga av (bort)

cast away kasta (slänga) bort, slösa bort, förspilla; **be ~ away** sjö. lida skeppsbrott

cast in: ~ *in one's lot with* göra gemensam sak med

cast off a) kasta bort (av), kassera; lägga av kläder o.d.; lämna **b)** sjö. göra (kasta) loss **c)** vid stickning maska av

cast on vid stickning lägga upp

cast out fördriva, driva ut; köra bort

IV *s* **1** kast[ande]; *a ~ of the dice* ett tärningskast **2** teat. **a)** rollfördelning, rollbesättning **b)** ensemble; *the ~* äv. personerna, de medverkande; *an all-star ~* en stjärnensemble **3** med., ~ el. *plaster ~* gipsförband **4 a)** gjutform **b)** avgjutning, avtryck **5** anstrykning, skiftning, inslag **6** utseende; läggning; typ; ~ *of mind* läggning; *have a ~ in one's eye* skela [*på ena ögat*] **7** jordhög som t.ex. mask lämnar efter sig när den kryper ner i jorden

castanets [ˌkæstə'nets] *s pl* mus. kastanjetter

castaway ['kɑːstəweɪ] *s* skeppsbruten [person]

caste [kɑːst] *s* **1** kast, bildl. äv. ståndsklass; *lose ~* el. *renounce ~* sjunka socialt; förlora sin position **2** kastväsen

caster ['kɑːstə] *s* **1** [svängbart] hjul, trissa på rullbord o.d. **2** ströare [*sugar ~*]

caster sugar ['kɑːstəˌʃuːgə] *s* [fint] strösocker

castigate ['kæstɪgeɪt] *vb tr* skarpt kritisera, gissla, hudflänga

Castile [kæ'stiːl] geogr. Kastilien

Castilian [kæ'stɪlɪən] **I** *s* **1** kastilian, kastilianska kvinna **2** kastilianska [språket] **II** *adj* kastiliansk

casting ['kɑːstɪŋ] *s* **1 a)** gjutning **b)** gjutstycke; gjutet arbete **2** teat. rollfördelning, rollbesättning

casting couch ['kɑːstɪŋˌkaʊtʃ] *s* skämts., *the ~* sättet att gå sängvägen för att få en roll

casting rod ['kɑːstɪŋrɒd] *s* kastspö

casting vote [ˌkɑːstɪŋ'vəʊt] *s* utslagsröst

cast-iron [ˌkɑːst'aɪən, attr. '-ˌ--] *adj* gjutjärns-; bildl. järn- [~ *will*]; järnhård, benhård; säker, vattentät [~ *alibi*]

cast iron [ˌkɑːst'aɪən] *s* gjutjärn

castle ['kɑːsl] *s* **1** slott, borg, kastell; *~s in the air* luftslott **2** schack. torn

cast-off ['kɑːstɒf] *adj* kasserad, avlagd, bortkastad

cast-offs ['kɑːstɒfs] *s pl* avlagda kläder (skor etc.)

castor ['kɑːstə] *s* se *caster*

castor oil [ˌkɑːstərˈɔil] s ricinolja
castor sugar [ˈkɑːstəˌʃʊgə] s se *caster sugar*
castrate [kæˈstreit, ˈ--] vb tr kastrera
castration [kæˈstreiʃ(ə)n] s kastrering
casual [ˈkæʒʊəl, -ʒjʊəl, -zjʊəl] adj **1** nonchalant, ogenerad; otvungen, obesvärad, ledig; ~ *dress* ledig klädsel; fritidskläder **2** tillfällig; flyktig; ~ *customer* strökund; ~ *labourer* tillfällighetsarbetare; *a* ~ *remark* en anmärkning i förbigående, en ströanmärkning; ~ *sex* tillfälliga sexuella förbindelser **3** planlös, lättvindig
casualize [ˈkæʒʊəˌlaiz] vb tr visstidsanställa
casually [ˈkæʒʊəli, -ʒjʊəli, -zjʊəli] adv **1** nonchalant, ogenerat osv., jfr *casual I* **2** tillfälligtvis, av en slump, händelsevis, i förbigående, [helt] apropå
casuals [ˈkæʒʊəlz, -ʒjʊəlz, -zjʊəlz] s pl fritidskläder
casualty [ˈkæʒʊəlti, -ʒjʊəl-, -zjʊəl-] s **1** olycksfall **2** offer i krig, olyckshändelse o.d.; pl. *casualties* äv. [förluster i] döda och sårade, förolyckade; ~ *list* förlustlista **3** olycksfallsavdelning, akutmottagning på sjukhus
casualty department [ˈkæʒʊəltidiˌpɑːtmənt] s olycksfallsavdelning, akutmottagning på sjukhus
casualty insurance [ˈkæʒʊəltiinˌʃʊər(ə)ns] s olycksfalls- och skadeförsäkring
casualty ward [ˈkæʒʊəltiwɔːd] s olycksfallsavdelning, akutmottagning på sjukhus
1 cat [kæt] s **1** katt; katta; *it's raining ~s and dogs* vard. regnet står som spön i backen, det regnar småspik; ~ *and mouse* katt och råtta (se äv. *cat-and-mouse*); *when the ~'s away the mice will play* när katten är borta dansar råttorna på bordet; *the* ~ *is out of the bag* det (hemligheten) har sipprat (kommit) ut; *let the ~ out of the bag* prata bredvid mun[nen], försäga sig; *look like something the ~ brought in* vard. se urvissen ut; *has the ~ got your tongue?* har du inte mål i mun?; *it's enough to make a ~ laugh* vard. det är så man kan skratta ihjäl sig; *no room to swing a ~* vard., se *room I 2*; *put the ~ among the pigeons* ställa till bråk (oro i lägret); *not a ~ in hell's chance* vard. inte skuggan av en chans; *be like a ~ on a hot tin roof* (ngt åld. *on hot bricks*) vard. inte ha någon ro i kroppen, sitta som på nålar; *she thinks she's the ~'s whiskers* vard. hon tror att hon är någon **2** kattdjur **3** neds., om kvinna sladdertacka, skvallerkärring
2 cat [kæt] s (vard. kortform av *catalytic converter*) kat [~ *car*]
cataclysm [ˈkætəkliz(ə)m] s naturkatastrof; syndaflod
catacombs [ˈkætəkuːmz, -kəʊmz] s pl katakomber
Catalan [ˈkætələn, -læn] **I** s **1** katalan, katalanska kvinna **2** katalanska [språket]
II adj katalansk
catalog [ˈkætəlɒg] s o. vb tr amer., se *catalogue*
catalogue [ˈkætəlɒg] **I** s katalog, förteckning, register; lista, uppräkning; *a ~ of disasters* en serie (rad) olyckor
II vb tr katalogisera; göra upp en förteckning över
Catalonia [ˌkætəˈləʊniə] geogr. Katalonien
Catalonian [ˌkætəˈləʊniən] **I** s katalan, katalanska kvinna **II** adj katalansk
catalysis [kəˈtælisis] s kem. katalys

catalyst [ˈkætəlist] s kem. katalysator äv. bildl.
catalytic [ˌkætəˈlitik] adj kem. katalytisk
catalytic converter [ˈkætəˌlitikkənˈvɜːtə] s katalytisk avgasrenare, katalysator
catamaran [ˌkætəməˈræn] s sjö. katamaran
cat-and-dog [ˌkæt(ə)nˈdɒg] adj vild, våldsam [~ *fight*]; *lead a ~ life* leva som hund och katt
cat-and-mouse [ˌkæt(ə)nˈmaʊs] adj, *play a ~ game with sb* el. *play ~ with sb* leka med ngn som katten med råttan
catapult [ˈkætəpʌlt] **I** s **1** katapult; ~ *take-off* katapultstart **2** slangbella
II vb tr **1** flyg. starta (skjuta ut) med katapult **2** skjuta (slunga) i väg som med en katapult **3** skjuta [i väg] med slangbella **4** bildl., ~ *sb to stardom* göra ngn till stjärna över en natt
cataract [ˈkætərækt] s **1** med. grå starr **2** katarakt, vattenfall; fors äv. bildl.
catarrh [kəˈtɑː] s katarr
catastrophe [kəˈtæstrəfi] s katastrof
catastrophic [ˌkætəˈstrɒfik] adj katastrofal
cat burglar [ˈkætˌbɜːglə] s fasadklättrare, inbrottstjuv
catcall [ˈkætkɔːl] **I** s protestvissling **II** vb itr vissla [till protest]
catch [kætʃ] **I** (*caught caught*) vb tr **1** fånga; fånga in (upp), få tag i; ta (få) fast, gripa, ta fatt, ta; om eld antända, fatta [tag] i; ~ *hold of* ta (fatta, gripa) tag i, ta fast i **2** hinna [i tid] till, komma med [~ *the train*]; ~ *the post* hinna lägga posten på lådan; *bye for now! I'll ~ you later* vard. hejdå! vi hörs! **3** ertappa, komma på [*sb stealing* ngn med att stjäla]; *you wouldn't ~ me doing that!* det skulle inte falla mig in att göra det! **4** träffa [*I caught him on the nose*]; slå **5** få, ådra sig; smittas av; ~ *cold* el. ~ *a cold* bli förkyld, förkyla sig; *you'll ~ it from me* a) du kommer att bli smittad av mig b) vard. du ska få med mig att göra **6** uppfånga, uppfatta; fatta, begripa; träffa, fånga [~ *the right atmosphere*]; ~ *sight of* få syn på, få se **7** fånga [~ *sb's attention*]; fängsla; hejda; ~ *one's breath* flämta till, kippa efter andan; *it caught my eye* det fångade min blick **8** fastna med [*she caught her dress in the door*]; haka i [*the nail caught her dress*]; *get caught* fastna, komma i kläm **9** lura; snärja **10** *caught up in* a) inblandad i b) fångad (gripen, medryckt) av
II (*caught caught*) vb itr **1** fastna, haka (häkta, hänga) upp sig **2** fatta (ta) eld, tända; ta sig [*the fire took a long time to ~*] **3** smitta, vara smittsam
III (*caught caught*) vb itr o. vb tr med adv. el. prep.:
catch at gripa [efter]
catch on vard. a) slå [an (igenom)], göra lycka [*the play never caught on*] b) fatta galoppen, vara med på
catch out: ~ *sb out* avslöja (ertappa) ngn
catch up a) hinna i fatt, hinna upp [*he caught me up*] b) ta igen vad man försummat
catch up on a) ta igen [~ *up on arrears in work*] b) klämma åt, sätta fast
catch up with hinna i fatt, komma i kapp med
IV s **1** [fångad] lyra; *that was a good ~* det var snyggt taget (fångat) **2** fångst; notvarp **3** fälla; ~ *question* kuggfråga; *there is a ~ in it somewhere* det är något skumt med det, det finns en hake

någonstans **4 there was a ~ in her voice** hennes röst stockade sig **5** spärr[anordning], [spärr]hake; klinka; knäppe, lås **6** kap, byte, fynd

catch-all ['kætʃ-ɔ:l] **I** s [upp]samlingsplats bildl. **II** adj allomfattande, övergripande [~ term (begrepp)]

catcher ['kætʃə] s i baseball stoppare

catchfly ['kætʃflaɪ] s bot. tjärblomster

catching ['kætʃɪŋ] adj **1** smittande, smittsam äv. bildl. **2** anslående; tilldragande, lockande

catchment area ['kætʃmənt‚eərɪə] s **1** bildl. upptagningsområde **2** flodområde, nederbördsområde

catchphrase ['kætʃfreɪz] s slagord, klyscha; inneuttryck

catch-22 ['kætʃ‚twentɪ'tu:] s Moment 22; **it's a ~ situation** det är en omöjlig situation (en situation man inte kan komma ur)

catchword ['kætʃwɜ:d] s **1** slagord **2** rubrikord

catchy ['kætʃɪ] adj klatschig, effektfull, slående, som slår (gör sig) [a ~ title]

catechism ['kætəkɪz(ə)m] s **1** relig. katekes äv. bildl. **2** [katekes]förhör

categorical [‚kætə'gɒrɪk(ə)l] adj kategorisk; bestämd

categorize ['kætəgəraɪz] vb tr kategorisera, indela i kategorier (klasser)

category ['kætəg(ə)rɪ] s kategori; klass

cater ['keɪtə] **I** vb itr leverera mat (måltider) [for parties till bjudningar] **II** vb tr amer. leverera mat (måltider) till, arrangera [~ parties] **III** vb itr med adv. el. prep.: **cater for** sörja för, underhålla; sköta om, ordna för; leverera till; **~ for sb** äv. tillgodose ngns behov **cater to** tillfredsställa

catering ['keɪt(ə)rɪŋ] s servering (tillhandahållande) av måltider (mat), catering; förplägnad

catering business ['keɪt(ə)rɪŋ‚bɪznəs] s restaurangrörelse

catering company ['keɪt(ə)rɪŋ‚kʌmp(ə)nɪ] s **1** firma som arrangerar måltider, cateringföretag **2** uthyrningsfirma för möbler, dukar, glas och porslin m.m.

caterpillar ['kætəpɪlə] s **1** zool. [fjärils]larv; kålmask, lövmask **2** tekn., **caterpillar®** el. **~ track** [driv]band, larvband; **~ tank** stridsvagn, tank; **~ tractor** bandtraktor, caterpillar

caterpillar treads ['kætəpɪlətredz] s pl larvfötter

caterwaul ['kætəwɔ:l] vb itr jama; föra oväsen, väsnas

catfish ['kætfɪʃ] (pl. catfishes el. koll. vanl. catfish) s **1 a)** zool., **Atlantic ~** havskatt; **marine ~** havskattfiskar **b)** kok. kotlettfisk **2** zool., **armoured ~** pansarmal akvariefisk; **freshwater ~** dvärgmalar

catgut ['kætgʌt, -gət] s catgut, tarmsträng

cathedral [kə'θi:dr(ə)l] s katedral, domkyrka

Catherine ['kæθ(ə)rɪn] **1** kvinnonamn **2** som kejsarinne- el. helgonnamn Katarina

Catherine wheel ['kæθ(ə)rɪnwi:l] s pyrotekn. sol, [eld]hjul

catheter ['kæθɪtə] s med. kateter

cathode ['kæθəʊd] s fys. katod

cathode ray tube [‚kæθəʊd'reɪtju:b] (förk. CRT) s fys. katodstråle

Catholic ['kæθəlɪk] kyrkl. **I** adj katolsk [the Roman ~ Church] **II** s katolik [a Roman ~]

catholic ['kæθəlɪk] adj **1** universell, allmän **2** [all]omfattande; vidsynt

Catholicism [kə'θɒlɪsɪz(ə)m] s katolicism[en]

catkin ['kætkɪn] s bot. hänge

cat litter ['kæt‚lɪtə] s kattsand

catmint ['kætmɪnt] s bot. kattmynta

catnap ['kætnæp] s vard. tupplur

catnip ['kætnɪp] s bot. kattmynta

CAT scan ['kætskæn] s med. datortomografi, skiktröntgen

CAT scanner ['kæt‚skænə] s med. datortomograf

cat's cradle ['kæts‚kreɪdl] s 'vagga' fingerlek med snöre

cat's eye ['kætsaɪ] s kattöga halvädelsten

Catseye® ['kætsaɪ] s kattöga reflexanordning

catsup ['kætsəp, 'kætʃəp] s vanl. amer., se ketchup

Cattegat ['kætɪgæt] geogr., **the ~** Kattegatt

cattery ['kætərɪ] s **1** kattpensionat **2** ställe där katter föds upp

cattle ['kætl] s pl nötkreatur [twenty head of ~]; boskap

cattle cake ['kætlkeɪk] s foderkaka

cattle grid ['kætlgrɪd] s o. amer. **cattle guard** ['kætlgɑ:d] s färist galler i vägbana som hindrar klövdjur att passera

cattle|man ['kætl|mən] (pl. -men [-mən]) s boskapsuppfödare

cattle truck ['kætltrʌk] s järnv. boskapsvagn

catty ['kætɪ] adj vard. spydig, [små]elak

CATV [‚si:eɪtɪ'vi:] (förk. för Community Antenna Television) kabel-tv

catwalk ['kætwɔ:k] s **1** catwalk podium vid modevisning o.d. **2** gångbro, [gång]brygga kring byggnad, maskinanläggning o.d.

Caucasian [kɔ:'keɪzɪən, -keɪʒ-] **I** adj kaukasisk; **the ~ race** den europida (kaukasiska, vita) rasen **II** s kaukasier, vit

Caucasus ['kɔ:kəsəs] geogr., **the ~** Kaukasus

caucus ['kɔ:kəs] s **1** i USA förberedande valmöte; nomineringsmöte **2** i Storbritannien inflytelserik lokal politisk valorganisation, valkommitté; **the ~** ofta neds. [den politiska] organisationen som makt, partiapparaten

caught [kɔ:t] imperf. o. perf. p. av catch

caul [kɔ:l] s anat. fosterhinna; **born with a ~** född med segerhuva

cauldron ['kɔ:ldr(ə)n] s stor kittel

cauliflower ['kɒlɪflaʊə] s blomkål; **~ cheese** kok. [kokt] blomkål med ostsås

cauliflower ear [‚kɒlɪflaʊər'ɪə] s blomkålsöra, boxaröra

caulk [kɔ:k] vb tr dikta, driva [och becka] fartyg; **~ the seams** dikta (driva) fogarna

causal ['kɔ:z(ə)l] adj orsaksmässig; orsaks- [~ relation]; gram. kausal [~ clause]

cause [kɔ:z] **I** s **1** orsak, grund [of till], anledning [of, for till; the ~ of fire; there is no ~ for complaint]; **~ and effect** orsak och verkan; **efficient ~** verkande orsak, grund **2** jur. el. friare sak [make common ~ with sb], jur. äv. rättsfråga; ideal, sak att kämpa för [pacifism as a political ~; the ~ of freedom;

work for (*in*) a good ~]
II *vb tr* [för]orsaka, åstadkomma, föranleda, framkalla, vålla [~ *trouble to sb*; *this has ~d us a lot of trouble*]; få, komma [~ *sb's resolution to waver*]; förmå, göra så att, låta
'cause [kɒz, obeton. kəz] vard., se *because*
causeway ['kɔ:zweɪ] *s* [väg på] vägbank, broväg
över sankmark
caustic ['kɔ:stɪk, 'kɒs-] **I** *adj* **1** brännande, frätande; kaustik [~ *soda*] **2** skarp; bitande, sarkastisk [~ *remarks*]
II *s* frätmedel; med. kaustikum
cauterize ['kɔ:təraɪz] *vb tr* med. kauterisera, bränna
caution ['kɔ:ʃ(ə)n] **I** *s* **1** försiktighet, varsamhet; *exercise* ~ iaktta försiktighet; *throw* ~ *to the winds* kasta all försiktighet överbord **2** varning; tillrättavisning [*dismissed with a ~*]
II *vb tr* varna [*against* för; *not to* för att + inf.], råda, förmana [*to att*]; *he was ~ed* äv. han fick en varning
cautionary ['kɔ:ʃ(ə)nərɪ] *adj* varnande, varnings-; *a ~ tale* en sedelärande berättelse
cautious ['kɔ:ʃəs] *adj* försiktig, varsam
cavalcade [,kæv(ə)l'keɪd] *s* **1** procession **2** kavalkad äv. bildl.
cavalier [,kævə'lɪə] *adj* stolt, övermodig, överlägsen [*arrogant and ~ attitude*]; självrådig, nonchalant [~ *treatment*]
cavalry ['kæv(ə)lrɪ] (med verb vanl. i pl.) *s* kavalleri, rytteri; *the* ~ skämts. hjälptrupperna
cavalry|man ['kævəlrɪ|mən] (pl. *-men* [-mən]) *s* kavallerist
cave [keɪv] **I** *s* håla, grotta; källare
II *vb itr*, ~ *in* a) störta in, rasa, falla ihop [*on sb* över ngn; *on sth* över ngt] b) ge efter, ge vika; ge sig [*to sth* för ngt]
caveat ['kæviæt, 'keɪv-] *s* varning
caveat emptor [,kæviæt'emtɔ:] *s* jur. caveat emptor
köparens undersökningsplikt av en vara o.d. för eventuella brister
cave-dweller ['keɪv,dwelə] *s* grottmänniska
cave|man ['keɪv|mən] (pl. *-men* [-mən]) *s*
1 grottmänniska **2** grobian
cavern ['kævən] *s* stor grotta
cavernous ['kævənəs] *adj* full av hålor, hålig; ihålig; ~ *eyes* djupt liggande ögon
caviar o. **caviare** ['kæviɑ:, ,kævɪ'ɑ:] *s* kaviar; ~ *to the general* pärlor för svin, kaviar för bönder
cavil ['kævl] *vb itr* anmärka kitsligt (småaktigt), klanka [*at, about* på, över], kritisera
caving ['keɪvɪŋ] *s* utforskning av grottor, grottforskning
cavity ['kævətɪ] *s* hålighet, håla; tandläk. kavitet, hål
cavity wall ['kævətɪwɔ:l] *s* hålmur
cavort [kə'vɔ:t] *vb itr* vard. hoppa (flyga) omkring, göra krumsprång, rasa
caw [kɔ:] **I** *vb itr* kraxa; ~ *out* kraxa fram
II *s* kraxande, krax
III *interj* kra kra!
cayenne pepper [,keɪen'pepə] *s* kajennpeppar
cayman ['keɪmən] *s* zool. kajman
CB [,si:'bi:] *s* (förk. för *Citizens' Band*) privatradio
CBD [,si:bi:'di:] ekon. (förk. för *cash before delivery*) betalning i förskott

CBE [,si:bi:'i:] förk. för *Commander of [the Order of] the British Empire*
CBer [,si:'bi:ə] *s* privatradioanvändare
CBI [,si:bi:'aɪ] **1** (förk. för *Confederation of British Industry*), *the* ~ brittiska arbetsgivarföreningen
2 (förk. för *computer-based instruction*) datorbaserad undervisning
CBS [,si:bi:'es] (förk. för *Columbia Broadcasting System*) ett av de största tv-bolagen i USA
CBT [,si:bi:'ti:] (förk. för *cognitive behavorial (behavior) therapy*) KBT (förk. för kognitiv beteendeterapi)
CBW [,si:bi:'dʌblju:] förk. för *chemical and biological warfare*
cc [,si:'si:] **1** (förk. för *carbon copy*) kopia [*till*] i brev o. e-post **2** förk. för *cubic centimetre, cubic centimetres, cubic contents*
CCTV [,si:'si:,ti:'vi:] *s* (förk. för *closed-circuit television*) övervakningssystem, övervakningskamera
CD [,si:'di:] *s* (förk. för *compact disc*) cd[-skiva]; *do you have it on ~?* har ni den på cd?, finns den på cd?
CD burner [,si:'di:,bɜ:nə] *s* data., se *CD writer*
CD player [,si:'di:,pleɪə] *s* cd-spelare
CD-R [,si:di:'ɑ:] *s* data. (förk. för *compact disc-recordable*) cd-r slags skrivbar cd
Cdr förk. för *Commander*
CD-ROM [,si:di:'rɒm] *s* data. (förk. för *compact disc read-only memory*) cd-rom
CD-ROM disc [,si:di:'rɒmdɪsk] *s* data. cd-romskiva
CD-ROM drive [,si:di:'rɒmdraɪv] *s* data. cd-romläsare
CD-RW [,si:'di:,ɑ:'dʌblju:] *s* data. (förk. för *compact disc-rewritable*) cd-rw skrivbar cd som kan raderas och återanvändas
CDT [,si:di:'ti:] (förk. för *Central Daylight Time*) sommartid inom centraltidszonen
CD-video [,si:'di:,vɪdɪəʊ] (pl. ~s) *s* cd-video
CD writer [,si:'di:,raɪtə] *s* data. cd-brännare, cd-skrivare
CE förk. för *Church of England*
cease [si:s] **I** *vb itr* upphöra, sluta upp [*from* med]
II *vb tr* sluta, upphöra med; ~ *fire!* mil. eld upphör!; ~ *work* lägga ned arbetet
III *s*, *without* ~ oupphörligt, oavbrutet
cease-fire [,si:s'faɪə] *s* eldupphör[order]; kort vapenvila
ceaseless ['si:sləs] *adj* oupphörlig, ändlös
Cecil ['sesl, amer. 'si:sl] mansnamn
Cecilia [sə'si:lɪə, -'sɪl-] kvinnonamn
cedar ['si:də] *s* ceder; cederträ
cede [si:d] *vb tr* avträda, avstå [~ *territory*]; överlåta[s] [*to* åt, till]
cedilla [sə'dɪlə] *s* språkv. cedilj
Ceefax® ['si:fæks] *s* BBC:s text-tv
ceiling ['si:lɪŋ] *s* **1** innertak, tak i rum **2** bildl. högsta gräns (nivå), tak [*price ~*]; topp; *the glass* ~ glastaket den osynliga övre gränsen för en kvinnas karriärmöjligheter **3** flyg. maximihöjd
celandine ['selədaɪn, -di:n] *s* bot. **1** *greater* ~ skelört **2** *lesser* ~ svalört
celeb ['seleb] *s* vard. kändis
celebrant ['selɪbr(ə)nt] *s* officiant spec. vid nattvard
celebrate ['selɪbreɪt] **I** *vb itr* **1** fira, festa, roa sig

2 fira en [minnes]högtid
II *vb tr* **1** fira, högtidlighålla **2** lovsjunga
celebrated ['seləbreɪtɪd] *adj* berömd; ryktbar,
celeber
celebration [ˌseləˈbreɪʃ(ə)n] *s* firande,
högtidlighållande
celebrity [səˈlebrətɪ] *s* **1** kändis **2** berömmelse;
kändisskap; berömdhet; ryktbarhet, celebritet äv.
konkr.
celebrity chef [səˌlebrətɪˈʃef] *s* kändiskock
celeriac [səˈleriæk, ˈseləriæk] *s* rotselleri
celery ['selərɪ] *s* bot. selleri, blekselleri
celestial [səˈlestɪəl] *adj* himmelsk, himla-
Celia ['si:lɪə] kvinnonamn
celibacy ['selɪbəsɪ] *s* celibat, ogift stånd
celibate ['selɪbət] **I** *adj* ogift; *he leads a ~ life* se under
celibate II **II** *s, he is a ~* han lever i celibat
cell [sel] *s* **1** biol. o.d. cell **2** cell i t.ex. kloster, fängelse
3 elektr. element, cell **4** polit. [propaganda]cell
5 amer. vard. tele. mobil
cellar ['selə] *s* källare; vinkällare
cell division ['seldɪˌvɪʒ(ə)n] *s* celldelning
cellist ['tʃelɪst] *s* [violon]cellist
cello ['tʃeləʊ] (pl. ~s) *s* cello
Cellophane® ['selə(ʊ)feɪn] *s* cellofan®
cellphone ['selfəʊn] *s* vanl. amer. tele. mobiltelefon
cellular ['seljʊlə] *adj* **1** cell- [~ *tissue*]; cellformig;
cellulär, bestående av (indelad i) celler **2** tele.
mobil- **3** porös [~ *material*], [som är] gles i
strukturen, glesvävd [~ *shirt*]
cellular phone [ˌseljʊləˈfəʊn] *s* tele. mobiltelefon
cellular radio [ˌseljʊləˈreɪdɪəʊ] (pl. ~s) *s* tele.
mobilradio
cellulite ['seljʊlaɪt] *s* fysiol. cellulit substans
celluloid ['seljʊlɔɪd] *s* **1** celluloid **2** film; *on ~* på
film, filmad
cellulose ['seljʊləʊs] *s* cellulosa
Celsius ['selsɪəs] egennamn
Celsius thermometer ['selsɪəsθəˌmɒmɪtə] *s*
celsiustermometer
Celt [kelt] *s* kelt, keltiska kvinna
Celtic ['keltɪk, fotbollslag 'seltɪk] **I** *adj* keltisk
II *s* **1** keltiska [språket] **2** namn på skotskt fotbollslag
Celtic cross [ˌkeltɪkˈkrɒs] *s* latinskt kors med bred ring
kring skärningspunkten
CE-marking [ˌsi:i:ˈmɑ:kɪŋ] *s* EU. CE-märkning
cement [sɪˈment] **I** *s* **1** cement; kitt, bindemedel
2 bildl. föreningsband
II *vb tr* **1** cementera [äv. ~ *over*]; kitta, sammanfoga
2 bildl. fast förena, stärka, befästa [~ *a friendship*]
cement mixer [sɪˈmentˌmɪksə] *s* cementblandare
cemetery ['semətrɪ] *s* kyrkogård som ej ligger vid kyrka,
begravningsplats
censor ['sensə] **I** *vb tr* censurera, stryka; förbjuda
pjäs o.d.
II *s* censor [*film ~*]; granskare
censorious [senˈsɔ:rɪəs] *adj* [hyper]kritisk, sträng,
fördömande
censorship ['sensəʃɪp] *s* censur
censure ['senʃə] **I** *s* **1** omild kritik, ogillande,
klander, tadel; *pass ~ on* rikta kritik mot, kritisera;
vote of ~ se *vote of censure* **2** censur
II *vb tr* kritisera, rikta kritik mot, fördöma

census ['sensəs] *s* folkräkning, ung.
mantalsskrivning; *traffic ~* trafikräkning
cent [sent] *s* **1** *per ~* procent; *~ per ~*
hundraprocentig **2** cent myntenhet; *red ~* amer. vard., se
red cent
cent. förk. för *century*
centaur ['sentɔ:] *s* mytol. centaur, kentaur
centenarian [ˌsentɪˈneərɪən] *s* hundraåring
centenary [senˈti:nərɪ, -ˈten-] o. amer. vanl.
centennial [senˈtenɪəl] **I** *s* hundraårsdag,
hundraårsfest, hundraårsjubileum **II** *adj*
hundraårs-, hundraårig
Centennial State [senˌtenɪəlˈsteɪt], *the ~* beteckn. för
staten *Colorado*
center ['sentə] amer., se *centre*
center part ['sentəpɑ:t] *s* mittbena
centigrade ['sentɪgreɪd] *adj* åld. hundragradig;
celsius- [~ *thermometer*]; *20 degrees ~* 20 grader
Celsius
centigram o. **centigramme** ['sentɪgræm] (förk. *cg*) *s*
centigram
centilitre ['sentɪˌli:tə] (förk. *cl*) *s* centiliter
centimetre ['sentɪˌmi:tə] (förk. *cm*) *s* centimeter
centipede ['sentɪpi:d] *s* mångfoting, tusenfoting
insekt
central ['sentr(ə)l] *adj* central i olika betydelser;
central- [~ *station; the ~ government*]; huvud- [*the
~ figures in a novel*]; center-, mitt-; mellerst; [*my
house*] *is very ~* ...ligger mycket centralt
Central Africa [ˌsentr(ə)lˈæfrɪkə] geogr.
Centralafrika
Central America [ˌsentr(ə)ləˈmerɪkə] geogr.
Centralamerika, Mellanamerika
central bank [ˌsentr(ə)lˈbæŋk] *s* centralbank,
riksbank
central heating [ˌsentr(ə)lˈhi:tɪŋ] *s* centralvärme,
centraluppvärmning, värmeledning
Central Intelligence Agency
[ˌsentr(ə)lɪnˈtelɪdʒ(ə)nsˌeɪdʒ(ə)nsɪ] (förk. *CIA*) *s*
federala underrättelsetjänsten i USA, CIA
centralization [ˌsentrəlaɪˈzeɪʃ(ə)n, -trəlɪˈz-] *s*
centralisering
central locking [ˌsentr(ə)lˈlɒkɪŋ] *s* bil. centrallås
central nervous system [ˌsentr(ə)lˈnɜ:vəsˌsɪstəm] *s*
fysiol. centrala nervsystemet
central processing unit [ˌsentr(ə)lˈprəʊsesɪŋˌju:nɪt]
(förk. *CPU*) *s* data. centralenhet, CPU
central reservation [ˌsentr(ə)lrezəˈveɪʃ(ə)n] *s*
mittremsa på väg
Central Standard Time [ˌsentr(ə)lˈstændədtaɪm]
(förk. *CST*) *s* normaltid (tidszon) i centralzonen i USA
centre ['sentə] **I** *s* **1** centrum, center äv. mil. el. sport.;
mitt[punkt], medelpunkt; central för verksamhet,
sport. äv. inlägg; *arts ~* konstmuseum; *~ el. business
and shopping ~* [affärs]centrum, city; *~ of attraction*
bildl. centrum för intresset; *the ~ of the stage*
a) scenens centrum b) bildl. centrum för
uppmärksamheten; *the ~ of things* bildl.
händelsernas centrum **2** i choklad o.d. fyllning;
chocolates with hard (*soft*) *~s* choklad med hård
(mjuk) fyllning, fylld choklad **3** polit., *the ~* mitten
II *vb tr* **1** ställa (samla) i mittpunkten **2** centrera
3 koncentrera; *our thoughts are ~d on* (*upon*) *one idea*
våra tankar kretsar kring en [enda] idé **4** fotb. spela

(lägga) in mot mitten
III *vb itr* **1** ha sin medelpunkt (tyngdpunkt, styrka) [*on, upon* i]; koncentreras [*on, upon, around, round* till, kring] **2** fotb. göra inlägg mot mitten
centre back ['sentəbæk] *s* sport., se *centre half*
centre court ['sentəkɔ:t] *s* tennis. centercourt
centrefold ['sentəfəʊld] *s* **1** mittuppslag **2** utvikningsbild **3** utvikningsflicka, utvikningspojke
centre forward [ˌsentə'fɔ:wəd] *s* sport. center[forward]
centre half [ˌsentə'hɑ:f] *s* sport. mittback
centre of gravity [ˌsentərəv'grævətɪ] (förk. *CG*) *s* fys. tyngdpunkt
centre parting ['sentəˌpɑ:tɪŋ] *s* mittbena
centrepiece ['sentəpi:s] *s* **1** mittpunkt; huvudattraktion, höjdpunkt **2** bordsuppsats
centre seat ['sentəsi:t] *s* teat. o.d. mittplats på parkett o.d.
centrespread ['sentəspred] *s* mittuppslag
centre stage [ˌsentə'steɪdʒ] *s* bildl., *take* ~ dra till sig uppmärksamheten
centrifugal force [sentrɪˌfju:g(ə)l'fɔ:s] *s* tekn. centrifugalkraft[en]
centrifuge ['sentrɪfju:dʒ] *s* tekn. centrifug
centripetal force [senˌtrɪpitl'fɔ:s] *s* tekn. centripetalkraft[en]
centrism ['sentrɪzm] *s* polit. centrism, mittenpolitik
century ['sen(t)ʃ(ə)rɪ] *s* **1** århundrade, sekel; *in the 20th* ~ på 1900-talet, i tjugonde århundradet (seklet); *in the 21st* ~ på 2000-talet, i tjugoförsta århundradet (seklet) **2** hundra[tal]; kricket. hundra 'runs' poäng [*score a* ~]
CEO [ˌsi:i:'əʊ] *s* (förk. för *chief executive officer*) vd, verkställande direktör; *president and* ~ koncernchef
cep [sep] *s* bot. stensopp, karljohanssvamp
ceramic [sə'ræmɪk, kə'r-] *adj* keramisk, keramik-
ceramic hob [səˌræmɪk'hɒb] *s* glaskeramikhäll på spis
ceramics [sə'ræmɪks, kə'r-] *s* **1** (med verb i sg.) keramik hantverk **2** (med verb i pl.) keramik, lergods
ceramist [sɪ'ræmɪst] *s* keramiker
cereal ['sɪərɪəl] **I** *s* sädesslag; pl. ~*s* äv. flingor, rostat ris o.d. spec. som morgonmål [*breakfast* ~*s*], amer. äv. gröt **II** *adj* säd[es]-, hörande till sädesslagen
cerebell|um [ˌserə'beləm] (pl. -*a* [-ə] el. -*ums*) *s* anat. lilla hjärnan, lillhjärnan; vetensk. cerebellum
cerebral ['serəbr(ə)l] *adj* anat. hjärn-, hjärnans, cerebral
cerebral haemorrhage [ˌserəbr(ə)l'hemərɪdʒ] *s* med. hjärnblödning
cerebral palsy [ˌserəbr(ə)l'pɔ:lsɪ] (förk. *CP*) *s* cerebral pares, CP
cerebr|um [sə'ri:brəm, 'serɪbrəm] (pl. -*a* [-ə] el. -*ums*) *s* anat. stora hjärnan; vetensk. cerebrum
ceremonial [ˌserə'məʊnɪəl] **I** *adj* ceremoniell, högtidlig, högtids- [~ *dress*] **II** *s* ceremoniel
ceremonious [ˌserə'məʊnɪəs] *adj* **1** se *ceremonial I* **2** ceremoniös; avmätt; omständlig
ceremony ['serəmənɪ] *s* **1** ceremoni; högtidlighet; akt [~ *of baptism*] **2** (utan pl.) ceremonier, ceremoniväsen, ceremoniel; formalitet[er]; krusande; *stand on* ~ hålla på etiketten (formerna); *without* ~ utan krus (vidare)

cerise [sə'ri:z, -'ri:s] **I** *adj* körsbärsröd, cerise[röd], ljusröd **II** *s* körsbärsrött, cerise[rött], ljusrött
cert [sɜ:t] *s* vard. **1** *a dead* ~ [något] absolut säkert; *his victory is a* ~ hans seger är given; *she's a* ~ *to win* hon kommer absolut (bergis) att vinna; *we knew it for a* ~ vi var bergsäkra på det **2** kapplöpn. säker vinnare [*bet on a* ~]
cert. förk. för *certificate, certified*
certain ['sɜ:t(ə)n] *adj* **1** säker [*this much* (så mycket) *is* ~ *that...*]; *face a* ~ *death* gå en säker död till mötes; *be* ~ *of* (*about*) vara säker på, vara viss (övertygad) om; *be* ~ *that* vara säker på att; *he is* ~ *to do it* han kommer säkert att göra det; *make* ~ *of* förvissa (försäkra) sig om; *for* ~ [alldeles] säkert (bestämt), med säkerhet [*I don't know for* ~]; *find out for* ~ [*whether...*] förvissa sig om... **2** viss ej närmare bestämd [*feel a* ~ *reluctance; on* ~ *conditions*]; *a* ~ *Mr Jones* en viss herr (en herre vid namn) Jones
certainly ['sɜ:t(ə)nlɪ] *adv* **1** säkert, med visshet (säkerhet), bestämt **2** säkerligen, förvisso; nog **3** visserligen, nog [för att] **4** som svar ja visst, ja då, [jo] gärna [det]; ~ *not!* absolut inte!, nej visst inte!, nej för all del!
certainty ['sɜ:t(ə)ntɪ] *s* säkerhet, visshet; *a* ~ någonting säkert, en given sak; [*prices have gone up* ~] *that's a* ~ ...det är säkert; *we can have no* ~ *of success* vi kan inte vara säkra på framgång (att lyckas); *bet on a* ~ slå vad utan risk; *for a* ~ med säkerhet, säkert; *I can't say with any* ~ [*where...*] jag kan inte med säkerhet säga...
certifiable [ˌsɜ:tɪ'faɪəbl] *adj* **1** vard., *he is* ~ han är färdig för dårhuset **2** vanl. amer. godkänd
certificate [subst. sə'tɪfɪkət, verb -keɪt] **I** *s* **1** skriftligt intyg, bevis, attest [*of, to* om, på, över]; kvitto; certifikat; *health* ~ friskintyg; *savings* ~*s* slags sparobligationer; *share* ~ aktiebrev; andelsbevis; ~ *of origin* ursprungscertifikat **2** betyg; diplom; *General Certificate of Education* (*GCE*) *Advanced Supplementary Level* (*A/S level*) avgångsexamen från *Secondary School* med ung. gymnasieutbildning vid ca 18 års ålder, införd 1989 i syfte att bredda elevernas ämnesval; *General Certificate of Secondary Education* (*GCSE*) avgångsexamen (med sjugradig skala A-G) från *Secondary School* med ung. gymnasieutbildning vid ca 16 års ålder efter fem års utbildning
II *vb tr* förse med (tilldela) intyg etc., jfr *certificate I*, utfärda intyg etc. åt
certificated [sə'tɪfɪkeɪtɪd] *adj* examinerad; formellt behörig [~ *nurse*; ~ *teacher*]
certification [ˌsɜ:tɪfɪ'keɪʃ(ə)n] *s* intygande, vitsordande, attestering, intyg
certified cheque [ˌsɜ:tɪfaɪd'tʃek] *s* bekräftad check
certified mail [ˌsɜ:tɪfaɪd'meɪl] *s* post. amer., [*send a letter*] *by* ~ ung. ...med begäran om mottagningsbevis
certify ['sɜ:tɪfaɪ] *vb tr* **1** attestera handling; intyga, betyga, bestyrka; auktorisera [*certified translator*]; garantera; bekräfta, konstatera dödsfall o.d.; *this is to* ~ *that* härmed intygas att; *Mary was certified as a teacher in 2004* Mary fick sin lärarbehörighet 2004 **2** sinnessjukförklara; *he ought to be certified* vard. han är ju färdig för dårhuset
certitude ['sɜ:tɪtju:d] *s* [känsla av] visshet, övertygelse; subjektiv säkerhet

cervical ['sɜ:vɪk(ə)l, sə'vaɪk(ə)l] *adj* anat. cervikal, hals-; livmoderhals-

cervical smear [,sɜ:vɪk(ə)l'smɪə] *s* med. cytologprov (cellprov) från livmoderhalsen

cervices ['sɜ:vɪsi:z] *s* pl. av *cervix*

cervi|x ['sɜ:vɪ|ks] (pl. *-ces* [-si:z] el. *-xes*) *s* anat. cervix, hals; livmoderhals

cesarean [sɪ'zeərɪən] *s* med. vanl. amer. kejsarsnitt; [*a baby*] *born by* ~ ...förlöst med kejsarsnitt

cesarean section [sɪ,zeərɪən'sekʃ(ə)n] *s* med. vanl. amer. kejsarsnitt; [*a baby*] *born by* ~ ...förlöst med kejsarsnitt

cesium ['si:zɪəm] *s* kem. amer. cesium

cessation [se'seɪʃ(ə)n] *s* upphörande, avbrott

cession ['seʃ(ə)n] *s* överlåtande, avträdande

cesspit ['sespɪt] *s* o. **cesspool** ['sespu:l] *s* **1** latringrop, kloakbrunn **2** bildl. dypöl, kloak

CET [,si:i:'ti:] (förk. för *Central European Time*) centraleuropeisk tid

cetacean [sɪ'teɪʃ(ə)n] zool. **I** *adj* val- **II** *s* val[djur]

Ceylon [sɪ'lɒn] geogr. el. hist.

CF [,si:'ef] förk. för *cystic fibrosis*

cf. [kəm'peə, kən'fɜ:, ,si:'ef] (förk. för *confer* lat. imper. = *compare*) jfr, jämför

c/f bokf. (förk. för *carried forward*) transport

CFC [,si:ef'si:] kem. (förk. för *chlorofluorocarbon*) klorfluorkolförening, freon

cfi förk. för *cost, freight and insurance*

CFO [,si:ef'əʊ] *s* (förk. för *chief financial officer*) finansdirektör, finanschef

cg förk. för *centigram[s]*, *centigramme[s]*

C-gas ['si:gæs] *s* tårgas innehållande klorbensylidenmalodinitril

CGT [,si:dʒi:'ti:] förk. för *capital gains tax*

Chad [tʃæd] geogr. Tchad

Chadian ['tʃædɪən] **I** *adj* tchadisk **II** *s* tchadier, tchadiska kvinna

chafe [tʃeɪf] **I** *vb itr* **1** bildl. bli irriterad, reta upp sig, rasa [*at, under* över]; ~ *at the delay*; ~ *under insults*] **2** gnida sig, skrapa [*on, against* mot] **II** *vb tr* **1** gnida sönder (på); skrapa, skava, skrubba **2** gnida (gnugga) [varm] **3** bildl. reta **III** *s* **1** skavsår **2** irritation

1 chaff [tʃɑ:f] *s* **1** agnar **2** hackelse djurföda **3** skräp, bosch

2 chaff [tʃɑ:f] *vb tr* vard. skoja (retas) med

chaffinch ['tʃæfɪn(t)ʃ] *s* zool. bofink

chafing dish ['tʃeɪfɪŋdɪʃ] *s* réchaud för att hålla mat varm (laga mat) på bordet

chagrin ['ʃægrɪn] *s* förtret, harm

chagrined ['ʃægrɪnd, ʃə'grɪnd] *adj*, *be* ~ vara förargad (irriterad); *she was* ~ *to find...* hon fann till sin stora förtret (förargelse)-

chain [tʃeɪn] **I** *s* **1** kedja; kätting **2** pl. ~*s* bojor **3** bildl. kedja; följd, rad [~ *of events*]; ~ *of mountains* bergskedja; ~ *of thoughts* tankekedja **II** *vb tr* kedja fast [*to* vid]; fjättra; lägga bojor (kedjor) på; ~ *up* kedja fast, binda

chain gang ['tʃeɪngæŋ] *s* arbetslag av hopkedjade straffångar

chain gear ['tʃeɪngɪə] *s* o. **chain-gearing** ['tʃeɪn,gɪərɪŋ] *s* tekn. kedjeväxling

chain guard ['tʃeɪngɑ:d] *s* kedjeskydd

chain letter ['tʃeɪn,letə] *s* kedjebrev

chain-link fence [,tʃeɪnlɪŋk'fens] *s* vanl. amer. ståltrådsstängsel

chain mail ['tʃeɪnmeɪl] *s* ringbrynja

chain reaction [,tʃeɪnrɪ'ækʃ(ə)n] *s* kedjereaktion

chain saw o. **chainsaw** ['tʃeɪnsɔ:] *s* kedjesåg, motorsåg

chain-smoker ['tʃeɪn,sməʊkə] *s* kedjerökare

chain stitch ['tʃeɪnstɪtʃ] *s* kedjestygn; virkad luftmaska

chain store ['tʃeɪnstɔ:] *s* filial[affär], kedjebutik; pl. ~*s* butikskedja

chair [tʃeə] **I** *s* **1** stol; *take a ~!* var så god och sitt ner!, tag plats! **2** ordförandestol, talmansstol; ordförandeskap, ordförande; presidium vid festmiddag o.d.; ~*! ~!* till ordningen! protest mot oordning under debatt o.d.; *be in the* ~ sitta [som] (vara) ordförande, föra ordet; *hand the* ~ *over to* överlämna ordet till; *take the* ~ inta ordförandeplatsen **3** lärostol, kateder; professur; *Chair of Philosophy* professur i filosofi **4** vanl. amer. vard., *the* ~ elektriska stolen **II** *vb tr* **1** vara ordförande i [~ *a committee*]; vara (sitta som) ordförande (presidera) vid, leda [~ *a meeting*] **2** bära i [gull]stol (triumf)

chair lift ['tʃeəlɪft] *s* sittlift, stollift

chair|man ['tʃeə|mən] (pl. *-men* [-mən]) *s* ordförande; styrelseordförande

chairmanship ['tʃeəmənʃɪp] *s* ordförandeskap, ordförandepost

chairman's report [,tʃeəmənzrɪ'pɔ:t] *s* verksamhetsberättelse

chairperson ['tʃeə,pɜ:sn] (pl. ~*s*) *s* ordförande; styrelseordförande

chair|woman ['tʃeə|,wʊmən] (pl. *-women* [-,wɪmɪn]) *s* [kvinnlig] ordförande

chaise longue [,ʃeɪz'lɒŋ] (pl. *chaises longues* utt. som sg.) *s* **1** amer. solstol med ryggstöd som kan fällas **2** schäslong

chalet ['ʃæleɪ, -lɪ] *s* **1** chalet, schweizerhydda äv. om chaletliknande villa **2** stuga, hydda i stugby o.d.

chalice ['tʃælɪs] *s* **1** bägare **2** [nattvards]kalk

chalk [tʃɔ:k] **I** *s* **1** krita; *a piece of* ~ en krita (kritbit, bit krita); *white as* ~ kritvit; *as like as* ~ *and cheese* el. *as different as* ~ *and cheese* olika som natt och dag **2** kritstreck, spel. äv. poäng; *not by a long* ~ vard. inte på långa vägar **II** *vb tr* **1** krita, bestryka med krita, krita ner **2** skriva (rita, märka) med krita **III** *vb tr* med adv. el. prep.:

chalk out staka ut, göra (skissera) upp

chalk up a) skriva upp [*against sb* på ngns räkning] **b)** ~ *up a record* sätta rekord **c)** ~ *up to* bildl. tillskriva

chalk-and-talk [,tʃɔ:kən(d)'tɔ:k] *s* vard. [vanlig] klassrumsundervisning, katederundervisning

chalkboard ['tʃɔ:kbɔ:d] *s* amer. svart tavla

chalk stripe ['tʃɔ:kstraɪp] *s* kritstrecksrand mönster på tyg

chalk talk ['tʃɔ:ktɔ:k] *s* amer. vard. [ledigt] föredrag (anförande) med diagram, stordior m.m.

chalky ['tʃɔ:kɪ] *adj* kritig, kritvit, krit-, krithaltig

challenge ['tʃælən(d)ʒ] **I** *s* **1** utmaning; sporrande (stimulerande) uppgift, stimulans **2** protest, bestrida **II** *vb tr* **1** utmana [~ *sb to a duel*]; trotsa [~ *sb's* *power*]; **I ~ you to do it** försök att göra (med) det om du kan **2** uppfordra, uppmana [~ *sb to fight*; ~ *sb to try*] **3** bestrida [~ *sb's right to sth*] **4** jur. jäva, anföra jäv mot [~ *a witness*] **5** om vaktpost o.d. anropa

challenge cup ['tʃælən(d)ʒkʌp] *s* sport. vandringspokal, vandringspris

challenged ['tʃælən(d)ʒd] *adj* vanl. amer., **physically ~** funktionshindrad; **visually ~** synskadad

challenging ['tʃælən(d)ʒɪŋ] *adj* utmanande etc., jfr *challenge II*; manande; tankeväckande, sporrande, stimulerande, fängslande

chamber ['tʃeɪmbə] *s* **1** sammanträdesrum, konferensrum **2** pl. **~s** juristkontor, juristbyrå i *Inn of Court* **3** parl. kammare; **the lower ~** andra kammaren; i USA representanthuset; **the upper ~** första kammaren; i USA senaten **4** tekn., zool. o.d. kammare, hålighet, behållare; mil. patronläge, hylsläge **5** åld. kammare, rum, sovrum, sovgemak

chamberlain ['tʃeɪmbəlɪn] *s* hist. kammarherre

chambermaid ['tʃeɪmbəmeɪd] *s* [kvinnlig] städare, städerska på hotell; husa

chamber music ['tʃeɪmbəˌmjuːzɪk] *s* kammarmusik

chamber of commerce [ˌtʃeɪmbərəvˈkɒmɜːs] *s* handelskammare

chamber of horrors [ˌtʃeɪmbərəvˈhɒrəz] *s* skräckkammare, skräckkabinett

chamber orchestra ['tʃeɪmbəˌɔːkɪstrə] *s* kammarorkester

chamber pot ['tʃeɪmbəpɒt] *s* nattkärl

chameleon [kəˈmiːlɪən] *s* zool. kameleont äv. bildl.

chamfer ['tʃæmfə] **I** *s* avfasning, sned avskärning av kant; fas
II *vb tr* fasa av, snedda

chamois ['ʃæmwɑː] (pl. *chamois* ['ʃæmwɑːz el. 'ʃæmwɑː]) *s* **1** stenget, gems **2** ['ʃæmɪ, pl. -z] sämskskinn [äv. ~ *leather*]

chamomile ['kæməmaɪl] *s* bot., se *camomile*

1 champ [tʃæmp] *vb tr* o. *vb itr* tugga [på] foder, betsel, bita [i]; **be ~ing at the bit** bildl. brinna av iver (otålighet)

2 champ [tʃæmp] *s* vard., se *champion I 1*

champagne [ˌʃæmˈpeɪn] *s* champagne

champers ['ʃæmpəz] *s* vard. åld. skumpa, champis champagne

champignon [tʃæmˈpɪnjən, ʃæm-] *s* bot. champinjon

champion ['tʃæmpjən] **I** *s* **1** mästare [*tennis ~*; *world ~*] **2** förkämpe [*of* för]; försvarare
II *adj* **1** rekord-, förnämst; premierad; **the ~ team** mästarlaget, segrarlaget **2** vard. el. skämts. första klassens, jubel- [~ *idiot*]; ~ **liar** storljugare
III *vb tr* kämpa för, förfäkta

championship ['tʃæmpjənʃɪp] *s* **1** mästerskap, titel i idrott o.d., championat; mästerskapstävling; **win a world swimming ~** vinna ett världsmästerskap (VM) i simning **2** försvar [*of* för], strid som förkämpe [*of* för]

chance [tʃɑːns] **I** *s* **1** tillfällighet; slump, lyckträff [äv. *lucky ~*]; **as ~ would have it** av en ren slump; **by ~** händelsevis, av en slump; **do you know her by any ~?** du känner henne händelsevis inte?; **game of ~** hasardspel **2** chans; gynnsamt tillfälle; möjlighet, utsikt[er] [*of* till]; **main ~** se under *main I 1*; **no ~!** el. **fat ~!** vard. glöm det!, inte en chans!; **be in with a ~**

ha en hygglig möjlighet (chans); **run the ~ of getting lost** löpa risk att komma bort; **stand a [good] ~** ha [goda] utsikter; **he doesn't stand a ~** han har inte en chans, han är chanslös; **take a ~ [on]** chansa [på]; **take ~s** ta chanser (risker); **take one's ~** ta chansen, våga försöket; **any ~ of a cup of tea here?** vard. kan man få sig en kopp te här?; **on the ~ that** i hopp om att; **on the off ~** se under *off-chance* **3** pl. vanl., **the ~s are that** allting talar för att; **the ~s are a hundred to one** chanserna är hundra mot ett; **the ~s are against it** allting talar mot det
II *adj* tillfällig [~ *likeness*]; oförutsedd, opåräknad; förlupen [~ *bullet*]; ~ **customer** strökund, tillfällig kund; **a ~ remark** en anmärkning i förbigående
III *vb tr* vard. riskera; ~ **it** chansa, ta chansen (risken); ~ **one's arm** göra (våga) ett försök, ta risken
IV *vb itr* hända (slumpa) sig; råka [*I ~d to be out when…*]; ~ **on** el. ~ **upon** råka (träffa) på, ramla över, råka finna [~ *upon a solution*]

chancel ['tʃɑːns(ə)l] *s* kyrkl. [hög]kor

chancellery ['tʃɑːns(ə)ləri] *s* **1** kanslersämbete; kansli **2** ambassadkansli, konsulatkansli

chancellor ['tʃɑːns(ə)lə] *s* kansler äv. vid universitet; i Tyskland förbundskansler; **Lord Chancellor** (förk. *LC*) el. **Chancellor of England** lordkansler justitieminister, högste ämbetsman inom rättsväsendet el. talman i överhuset; **Chancellor of the Exchequer** i Storbritannien finansminister; **Chancellor of the Duchy of Lancaster** i Storbritannien kansler för hertigdömet Lancaster; ung. motsv. minister utan portfölj

chancellorship ['tʃɑːns(ə)ləʃɪp] *s* kanslersämbete, kanslerspost

Chancery ['tʃɑːns(ə)rɪ] *s*, **the ~** lordkanslerns domstol, kanslersrätten en avdelning av *High Court of Justice*

chancre ['ʃæŋkə] *s* med. veneriskt sår, schanker [*soft ~*; *hard ~*]

chancy ['tʃɑːnsɪ] *adj* vard. chansartad, riskabel

chandelier [ˌʃændəˈlɪə] *s* ljuskrona

change [tʃeɪn(d)ʒ] **I** *vb tr* **1** ändra, förändra [*into* till]; ändra på [~ *the rules*]; lägga om [~ *the system*]; förvandla, omvända; ~ **one's mind** ändra sig **2** byta; byta ut [*for* mot]; skifta [~ *colour*]; ~ **the beds** byta [lakan] i sängarna; ~ **one's clothes** byta [kläder], byta om; ~ **hands** byta ägare; ~ **places** byta plats; ~ **sides** a) byta sida (parti) b) ändra ståndpunkt; ~ **trains** byta tåg; ~ **one's ways** lägga om livsstil (vanor) **3** växla pengar
II *vb itr* **1** byta [kläder], byta om, klä om [sig] **2** byta [tåg (båt, plan)] **3** ändras, förändras, förvandlas, ändra sig, växla, skifta, kasta (slå) om [*the wind has ~d*] **4** ~ **over** a) byta, växla b) sport. växla i stafett **5** bil. växla [~ *down*; ~ *up*]
III *s* **1** [för]ändring [~ *for* (till) *the better*]; omkastning; svängning [*a sudden ~*]; växling; skifte, omvälvning; ~ **of life** klimakterium **2** ombyte, utbyte, byte; omväxling; ~ **of address** adress[förändring]; ~ **of air** luftombyte; **for a ~** för omväxlings skull; iron. för en gångs skull **3** ombyte kläder [*a ~ of clothes*] **4** växel, småpengar [äv. *small ~*]; pengar tillbaka [*I didn't get any ~*]; **exact ~** jämna pengar; **can you give me ~ for a pound?** kan du

växla ett pund [åt mig]?; *keep the ~!* det är jämna pengar!

changeable ['tʃeɪn(d)ʒəbl] *adj* **1** föränderlig, ombytlig, ostadig **2** som kan ändras (bytas)

change-over ['tʃeɪn(d)ʒ͵əʊvə, ͵tʃeɪn(d)ʒ'əʊvə] *s* **1** övergång; omställning; omslag **2** elektr. omkoppling; *~ switch* omkopplare **3** sport. [stafett]tävling; sidbyte vid halvtid

change purse ['tʃeɪn(d)ʒpɜ:s] *s* amer. portmonnä, börs

changing ['tʃeɪndʒɪŋ] *adj* växlande, föränderlig [*a ~ world*]; se vidare *change*

changing room ['tʃeɪn(d)ʒɪŋruːm, -rʊm] *s* omklädningsrum

Channel ['tʃænl] geogr., *the English ~* el. *the ~* Engelska kanalen

channel ['tʃænl] **I** *s* **1** radio. el. TV. kanal; *Channel four* namn på engelsk tv-kanal med seriöst innehåll **2** bildl. medium, kanal; väg; instans; fåra, riktning; *secret ~s of information* hemliga informationskanaler; *through* [*the*] *official ~s* tjänstevägen; *through the usual ~s* genom de vanliga kanalerna **3** kanal, brett sund, gatt **4** flodbädd **5** strömfåra; segelränna [*navigable ~*] **6** ränna, kanal för vätskor, gaser o.d.; rännsten
II *vb tr* **1** leda genom kanal o.d.; kanalisera, bildl. äv. styra **2** göra kanaler i, gräva ut

channel-hop ['tʃænlhɒp] *vb itr* zappa planlöst byta mellan olika tv-kanaler

Channel Islands ['tʃænl͵aɪləndz] *s pl* geogr., *the ~* Kanalöarna

channel selector ['tʃænlsə͵lektə] *s* radio. el. TV. kanalväljare

channel-surf ['tʃænlsɜ:f] *vb itr* vanl. amer. zappa planlöst byta mellan olika tv-kanaler

Channel Tunnel [͵tʃænl'tʌnl], *the ~* kanaltunneln under Engelska kanalen

chant [tʃɑ:nt] **I** *vb tr* o. *vb itr* **1** skandera, ropa taktfast [*they kept ~ing 'We want Bobby'*]; rabbla [upp]; mässa **2** kyrkl. sjunga liturgiskt; mässa
II *s* **1** bildl. taktfast ropande, rabblande, mässande; rop [*the ~ for lower prices*] **2** kyrkl. [liturgiskt] recitativ; psalm ur Psaltaren

chanterelle [͵ʃɑ:ntə'rel, ͵ʃænt-, ͵tʃænt-] *s* bot. kantarell

chaos ['keɪɒs] *s* kaos, virrvarr

chaotic [keɪ'ɒtɪk] *adj* kaotisk, förvirrad

1 chap [tʃæp] *s* vard. ngt åld. karl; grabb, kille [*a nice little ~*]; kurre; *old ~!* gamle gosse (vän)!

2 chap [tʃæp] **I** *vb tr* göra narig **II** *vb itr* bli narig

chap. förk. för *chapter*

chaparral [͵ʃæpə'ræl, ͵tʃæp-] *s* amer. snår av stenek; [taggigt] snår

chapati o. **chapatti** [tʃə'pɑːtɪ, -'pætɪ] *s* kok. chapati slags indiskt bröd

chapel ['tʃæp(ə)l] **I** *s* **1** kapell; kyrka; gudstjänstlokal, bönhus, bönsal **2** gudstjänst [i kapellet etc.] [*attend ~*]
II *adj*, *are you church or ~?* tillhör ni statskyrkan eller någon frikyrka?

chapelgoer ['tʃæp(ə)l͵gəʊə] *s* frikyrklig [person]

chaperone o. **chaperon** ['ʃæpərəʊn] **I** *s* **1** bildl. förkläde **2** amer. övervakande vuxen vid t.ex.

skoldanser, resor
II *vb tr* vara förkläde åt

chaplain ['tʃæplɪn] *s* [hus]kaplan; präst, pastor ofta regements-, sjömans- o.d.

chaplaincy ['tʃæplənsɪ] *s* kaplansbefattning etc., jfr *chaplain*

chaplet ['tʃæplət] *s* krans att bära på huvudet

Chaplin ['tʃæplɪn]

chapped [tʃæpt] *adj* sprucken, narig [*~ hands*]

chappie ['tʃæpɪ] *s* vard. el. ngt åld., se *1 chap*

chaps [tʃæps] *s pl* vard. amer. läderbyxor cowboys överdragsbyxor

chapter ['tʃæptə] *s* **1** kapitel; *a ~ of accidents* en rad olyckor (olyckliga omständigheter); *~ and verse* kapitel och vers i Bibeln; *be able to quote ~ and verse* bildl. kunna ge exakt källa (stöd) [*for* för], kunna ge detaljerade upplysningar [*for* om] **2** domkapitel; ordenskapitel **3** filialavdelning, lokalavdelning av studentförening o.d.

1 char [tʃɑ:] **I** *vb tr* bränna till kol, kola; komma att förkolna **II** *vb itr* förkolna, förkolas

2 char [tʃɑ:] ngt åld. **I** *vb itr* städa, arbeta som städhjälp **II** *s* se *charwoman*

3 char [tʃɑ:] *s* vard. åld. te [*a cup of ~*]

4 char [tʃɑ:] *s* röding; bäckröding

character ['kærəktə] *s* **1** karaktär; natur; egenart; beskaffenhet, egenskap; *distinctive ~* särprägel, egenart; *judge of ~* människokännare **2** [god (fast)] karaktär [*a man of* (med) *~*]; karaktärsfasthet; *strength of ~* karaktärsstyrka **3** person[lighet] [*public ~*]; natur; vard. individ, original, typ [för sig]; underlig (lustig) kurre; *quite a ~* något av ett original **4 a)** roll, figur i roman, pjäs **b)** karaktärsskildring; *in ~* rollenligt, i stil; karaktäristiskt; *be out of ~* inte passa ihop med rollen; falla ur ramen; vara okarakteristisk (oväntad); *act out of ~* falla ur rollen **5** [skrift]tecken [*Chinese ~s*]; bokstav [*Greek ~s*], data. tecken

character actor ['kærəktə͵æktə] *s* karaktärsskådespelare

character assassination ['kærəktərə͵sæsɪ'neɪʃ(ə)n] *s* angrepp på någons goda namn och rykte, nedsvärtning, förtal

character building ['kærəktə͵bɪldɪŋ] **I** *s* karaktärsdaning **II** *adj* karaktärsdanande

characterful ['kærəktəfl] *adj* med karaktär, ovanlig

characteristic [͵kærəktə'rɪstɪk] **I** *s* kännemärke, kännetecken, karaktärsdrag, särdrag, utmärkande egenskap (drag) [*of* för, på, hos]; pl. *~s* äv. karakteristika
II *adj* karakteristisk, kännetecknande, betecknande, egendomlig [*of* för]

characterize ['kærəktəraɪz] *vb tr* karakterisera, beteckna [*as* såsom]; känneteckna, utmärka

characterless ['kærəktələs] *adj* utan [särskild] karaktär, helt vanlig

character reader ['kærəktə͵riːdə] *s* data. teckenläsare

character recognition ['kærəktə͵rekəg'nɪʃ(ə)n] *s* data. teckenläsning, teckenigenkänning

character reference ['kærəktə͵ref(ə)r(ə)ns] *s* rekommendation

character set ['kærəktəset] s data.
teckenuppsättning

character sketch ['kærəktəsketʃ] s
karaktärsskildring, karakteristik

character test ['kærəktətest] s lämplighetsprov

charade [ʃə'rɑːd] s **1** ~s (med verb i sg.) [levande]
charad lek **2** bildl. parodi, fars

charbroiled ['tʃɑːbrɔɪld] adj kok., vanl. amer.
träkolsgrillad

charcoal ['tʃɑːkəʊl] **I** s **1** träkol; benkol **2** grillkol
II adj koksgrå, mörkgrå

charcoal drawing ['tʃɑːkəʊl,drɔːɪŋ] s kolteckning

chard [tʃɑːd] s bot. mangold [äv. Swiss ~]

charge [tʃɑːdʒ] **I** s **1** pris, avgift, taxa; skatt;
debitering; konto; *what is your ~ for…?* vad tar ni
för…?; *no ~ is made for [this service]* …kostar
ingenting, …är gratis, avgiftsfri
free of ~ gratis, avgiftsfri
2 fast utgift, kostnad; bekostnad [at his own ~];
ersättning; pl. ~s ofta omkostnader **3** anklagelse,
beskyllning; *on a ~ of* [såsom] anklagad för; *bring ~s
against* rikta anklagelser mot; väcka åtal mot; *face
a ~ [of sth]* stå åtalad [för ngt]; *he faces serious ~s*
han står åtalad för grova brott; *lay to sb's ~* lägga
ngn till last; anklaga ngn för; *prefer (press) ~s
against sb* rikta anklagelser mot ngn; väcka åtal
mot ngn **4** vård; uppsikt [put (ställa) under sb's ~];
[man] *in ~* vakthavande, jourhavande, t.f. [chef]; *be
in ~* ha hand om (stå för) det hela, ha ansvaret
(vakten); *be in ~ of* leda, ha hand om, stå för, ha
ansvaret för, ha vården om [Mary was in ~ of the
child]; *the child was in ~ of [her aunt]* barnet stod
under uppsikt av…, barnet vårdades av…; *give in
~ to sb* ge åt ngn i förvar, anförtro åt ngn; *take ~* ta
hand om det hela, ta (överta) ansvaret; *take ~ of
sth* el. *take sth in ~* ta hand om ngt, ta i sin vård,
ta sig an ngt **5** anförtrodd sak; skyddsling; prästs
hjord, församling **6** mil. o.d. anfall [The Charge of
the Light Brigade]; chock; anfallssignal [a trumpet
~], fotb. tackling **7** elektr. laddning **8** uppdrag;
befattning, ämbete **9** [fängsligt] förvar; *give sb in ~*
låta arrestera ngn; *take in ~* arrestera **10** amer. sl.,
get a big ~ out of sth få en kick av ngt
II vb tr **1** ta [betalt] [how much do you ~ for it?];
notera; *they ~ high prices [at that hotel]* de tar bra
betalt (håller höga priser)…; *he ~d me two pounds
for it* han tog två pund för den **2** hand. debitera,
belasta ett konto [with för, med]; *~ sth to sb's
account* debitera (belasta) ngns konto med ngt
3 anklaga; framföra anklagelsen [that att]; *~ sb
with sth* beskylla (anklaga) ngn för ngt **4** mil. o.d.
anfalla, storma fram (göra chock) mot; rusa (gå)
'på; fotb. tackla **5** *~ sb with doing sth* ge ngn i
uppdrag att göra ngt **6** ladda [~ a battery]; fylla,
fylla i (på); mätta, genomdränka; gruv. uppsätta;
the atmosphere was ~d atmosfären var laddad
III vb itr **1** ta betalt [~ extra for a seat], vard. ta bra
betalt **2** storma (rusa) fram [at mot], rusa [in] [äv.
~ in]; *he ~d in* han kom inrusande (instörtande)

chargeable ['tʃɑːdʒəbl] adj **1** *~ to sb* (sth) som kan
(ska) debiteras ngn (ngt) **2** skattepliktig
3 ansvarig, åtalbar [with för]

charge account ['tʃɑːdʒə,kaʊnt] s kundkonto i t.ex.
varuhus

charge card ['tʃɑːdʒkɑːd] s betalkort

chargé d'affaires [,ʃɑːʒeɪdæ'feə] (pl. chargés
d'affaires utt. som sg.) s chargé d'affaires

charge hand ['tʃɑːdʒhænd] s sektionsledare under
förman

charge nurse ['tʃɑːdʒnɜːs] s [spec. manlig]
avdelningsföreståndare på sjukhus

charger ['tʃɑːdʒə] s **1** laddare, laddningsapparat
2 patronram på gevär; löst magasin till maskingevär
3 stridshäst; spec. officershäst

charge sheet ['tʃɑːdʒʃiːt] s lista över [dagens]
polismål (arresteringar)

chargrilled ['tʃɑːgrɪld] adj kok. grillad

Charing Cross [,tʃærɪŋ'krɒs] plats el. järnvägsstation nära
Trafalgar Square i London

chariot ['tʃærɪət] s poet. el. hist. stridsvagn,
triumfvagn, galavagn

charioteer [,tʃærɪə'tɪə] s poet. el. hist. körsven

charisma [kə'rɪzmə] s karisma, utstrålning

charismatic [,kærɪz'mætɪk] adj karismatisk

charitable ['tʃærɪtəbl] adj **1** medmänsklig,
barmhärtig; välgörande, välgörenhets- [~
institution] **2** mild, välvillig [a ~ interpretation
of…]

charity ['tʃærətɪ] s **1** välgörenhetsorganisation,
stiftelse; *give sth to ~* skänka ngt till välgörande
ändamål; *~ concert* välgörenhetskonsert
2 barmhärtighet; välgörenhet, välgörenhets- [~
bazaar; ~ concert]; allmosor; *out of ~* av
barmhärtighet (nåd); *live on ~* el. *live off ~* leva av
allmosor; *live on sb's ~* leva på nåder hos ngn
3 mildhet [i omdömet], överseende
4 människokärlek, [kristlig] kärlek [faith, hope
and ~]; kärlek till nästan, medmänsklighet;
tillgivenhet, godhet, vänlighet; pl. *charities* bevis på
kärlek o.d.; *~ begins at home* vard., ung. man bör först
hjälpa sina närmaste

charlatan ['ʃɑːlət(ə)n] s charlatan, kvacksalvare,
bluff[are]

Charles [tʃɑːlz] **1** mansnamn **2** som kunganamn el.
kejsarnamn Karl

Charles's Wain [,tʃɑːlzɪz'weɪn] s astron.
Karlavagnen

Charleston ['tʃɑːlstən] **I** s charleston dans **II** geogr.
egennamn

charley horse ['tʃɑːlɪhɔːs] s amer. vard. kramp; *suffer
a ~* få en muskelsträckning, få sendrag

Charlie ['tʃɑːlɪ] **I** vard. för Charles
II s sl. **1** amer. mil. [medlem av] Vietcong **2** kokain

charlie ['tʃɑːlɪ] s åld. vard. idiot, dumbom [a proper
~]

charlock ['tʃɑːlɒk] s bot. åkersenap

Charlotte ['ʃɑːlət] kvinnonamn

charlotte ['ʃɑːlət] s kok. äppelcharlotte [äv. apple ~]

charlotte russe [,ʃɑːlət'ruːs] s kok. charlotte russe

charm [tʃɑːm] **I** s **1** charm, tjuskraft,
dragningskraft, behag; förtrollning; tjusning; pl. ~s
behag, skönhet [her ~s]; *her ~ of manner* hennes
charmerande sätt (väsen); *bundle of ~* charmtroll
2 amulett **3** berlock **4** trollformel; trollmedel;
trolldom, förtrollning; *it worked like a ~* det hade en
mirakulös verkan; det gick som smort
II vb tr **1** charmera, charma, tjusa, förtrolla;
fängsla, hänföra, hänrycka **2** *~ sth out of sb* locka
av ngn ngt **3** trolla [~ away]; förtrolla; *~ed circle*

trollkrets; **lead** (**have**) **a ~ed life** som genom trolldom vara osårbar

charm bracelet ['tʃɑːm,breɪslət] s armband med berlocker

charming ['tʃɑːmɪŋ] adj förtjusande, bedårande; charmfull, charmig, intagande

charm offensive ['tʃɑːmə,fensɪv] s charmoffensiv

charred [tʃɑːd] adj förkolnad

chart [tʃɑːt] **I** s **1** tabell; grafisk framställning; diagram, kurva; karta [weather ~] **2** sjökort **3** popmusik o.d., **the ~s** topplistorna; **top of the ~** etta på topplistan; **~ placing** listplacering **4** väggplansch, undervisningsplansch [äv. wall ~] **II** vb tr **1** kartlägga, bildl. äv. dra upp linjerna för **2** visa med en tabell o.d. **3** lägga (sätta) ut en kurs o.d. på ett [sjö]kort **III** vb itr vara (ligga) på topplistorna

chartbuster ['tʃɑːt,bʌstə] s vard. bästsäljare, hit

charter ['tʃɑːtə] **I** s **1 the Atlantic Charter** Atlantdeklarationen; **the Charter of the United Nations** Förenta Nationernas stadga **2 a)** privilegium, privilegier, rättighet[er] **b)** stiftelseurkund, oktroj, koncession **c)** kungligt brev, frihetsbrev, privilegiebrev; urkund, kontrakt; **the Great Charter** Magna Charta **3 a)** charter; **a ~ flight** en charterresa, en chartrad flygning; **~ flights** el. **air ~** charterflyg **b)** certeparti; befraktning, chartring [~s of oil tankers] **II** vb tr **1** chartra, befrakta **2** bevilja (ge) ngn rättigheter (privilegier, oktroj, koncession)

chartered ['tʃɑːtəd] adj **1** auktoriserad [~ accountant]; med särskilda privilegier **2** chartrad [~ aircraft]

charterer ['tʃɑːtərə] s befraktare

charter member [,tʃɑːtə'membə] s ursprungsmedlem

chart room ['tʃɑːtruːm, -rʊm] s navigationshytt

chart-topping ['tʃɑːt,tɒpɪŋ] adj som toppar hitlistan, som ligger etta (överst) på topplistan

char|woman ['tʃɑː|,wʊmən] (pl. -women [-,wɪmɪn]) s [kvinnlig] städare, städerska, städhjälp

chary ['tʃeərɪ] adj, **be ~ of a)** vara rädd (akta sig) för [be ~ of catching cold] **b)** vara rädd (mån) om [be ~ of one's reputation]

1 chase [tʃeɪs] **I** vb tr jaga; förfölja; springa efter [~ girls] **II** vb itr vard. springa [a girl who ~s after boys]; rusa [~ about]; **~ off** rusa i väg **III** vb tr med adv.: **chase up a)** påminna, jaga 'på **b)** jaga rätt på **IV** s **1** jakt; förföljande; **the ~** jakt[en] som sport el. yrke; **in ~ of** på jakt efter **2** jagat djur; villebråd **3** vard., **cut to the ~** gå rakt på sak

2 chase [tʃeɪs] vb tr ciselera, driva

1 chaser ['tʃeɪsə] s **1** vard. eftersläckare, fösare öl o.d. att skölja ner sprit med **2** hinderhoppare häst

2 chaser ['tʃeɪsə] s ciselerare, ciselör

chasm ['kæz(ə)m] s **1** [gapande] klyfta, svalg, avgrund **2** bildl. [bred] klyfta, svalg; lucka

chassis ['ʃæsɪ] (pl. chassis ['ʃæsɪz]) s bil., flyg., radio. m.m. chassi; underrede

chaste [tʃeɪst] adj **1** kysk, ren **2** bildl. sträng; tuktad; enkel, osmyckad

chasten ['tʃeɪsn] vb tr tukta, straffa

chastise [tʃæˈstaɪz] vb tr **1** skälla ut **2** litt. straffa, tukta, aga

chastity ['tʃæstətɪ] s kyskhet, renhet äv. bildl.

chastity belt ['tʃæstətɪbelt] s kyskhetsbälte

chat [tʃæt] **I** vb itr **1** prata **2** data. chatta **II** vb tr sl., **~ up** snacka med, lirka med, snacka in sig hos; flirta med **III** s prat, pratande, småprat, kallprat; pratstund [have a nice ~]

château ['ʃætəʊ] (pl. ~x [-z]) s fr. slott; herrgård utanför England

château-bottled ['ʃætəʊ,bɒtld] adj slottstappad [~ wine]

château wine ['ʃætəʊwaɪn] s slottsvin

chat group ['tʃætgruːp] s data. chattgrupp

Chatham ['tʃætəm] geogr.

chat show ['tʃæt-ʃəʊ] s radio. el. TV. pratshow, intervjuprogram med kändisar, soffprogram

chattel ['tʃætl] s sak, ägodel; vanl. pl. **~s** lösöre, lösegendom, tillhörigheter [äv. goods and ~s]

chatter ['tʃætə] **I** vb itr **1** pladdra, prata **2** skallra, skramla, klappra, smattra [the keys on the keyboard ~]; **his teeth ~ed with cold** hans tänder skallrade (han hackade tänder) av köld **3** om apor el. fåglar snattra, tjattra; om skator skratta **II** s pladder, prat, snatter, snattrande etc.

chatterbox ['tʃætəbɒks] s pratkvarn, pratmakare

chattering ['tʃætərɪŋ] adj, **the ~ classes** vard. de intellektuella som gärna diskuterar

chatty ['tʃætɪ] adj **1** pratsam, pratig **2** kåserande

chauffeur ['ʃəʊfə, ʃə(ʊ)'fɜː] s [privat]chaufför

chauvinism ['ʃəʊvɪnɪz(ə)m] s chauvinism

chauvinist ['ʃəʊvɪnɪst] s **1** se male chauvinist **2** chauvinist

chauvinistic [,ʃəʊvɪ'nɪstɪk] adj chauvinistisk

ChB [,siːeɪtʃ'biː] (förk. för Chirurgiae Baccalaureus lat. = Bachelor of Surgery) ung. med.kand. med kirurgi

CHD [,siːeɪtʃ'diː] med. förk. för Coronary Heart Disease

cheap [tʃiːp] **I** adj **1** billig; billighets- [~ edition]; gottköps- [~ articles]; **it's ~ at the price** det är billigt för vad man får **2** lättköpt; värdelös; tarvlig, vulgär; billig [~ jokes]; amer. äv. snål; **feel ~** vard. känna sig billig; **make oneself ~** skämma ut sig, bära sig tarvligt åt **II** adv billigt [get ~; sell ~]; **houses like this don't come ~** de här husen är inte billiga [precis]; **have they got any cars going ~?** har de några billiga bilar? **III** s, **on the ~** vard. [för] billigt [pris]

cheapen ['tʃiːp(ə)n] **I** vb tr **1** göra billig[are], förbilliga **2** bildl. klassa ner; göra tarvlig; **you mustn't ~ yourself** du får inte skämma ut dig (bära dig tarvligt åt) **II** vb itr bli billig[are]

cheapjack ['tʃiːpdʒæk] adj billig, undermålig

cheapo ['tʃiːpəʊ] adj vard. billig ofta neds. [~ home furniture; the style is ~]

cheapskate ['tʃiːpskeɪt] s vard. snåljåp

cheat [tʃiːt] **I** vb tr lura äv. friare [~ death]; narra, bedra; **~ sb out of sth** lura av ngn ngt, bedra ngn på ngt **II** vb itr **1** fuska [~ in an examination]; fiffla; **~ at cards** fuska i kortspel **2 ~ on sb** vard. vara otrogen mot, bedra [he was ~ing on his wife]

III *s* **1** svindlare, skojare, bedragare; fuskare **2** fusk

Chechen ['tʃetʃen] o. **Chechnya** [tʃe'tʃenɪə] geogr. Tjetjenien

check [tʃek] **I** *vb tr* **1** kontrollera, kolla, checka; undersöka, gå igenom, bocka för (av) **2** tygla, hålla i styr, lägga band på, hålla tillbaka, hejda [*she ~ed herself*] **3** hejda, hämma, stävja, bromsa; sport. hindra, blockera **4** amer. **a)** pollettera, checka in **b)** lämna i garderoben t.ex. på teatern [*have you ~ed your coat?*]
II *vb itr* **1** kontrollera, kolla; *~ into the matter* amer. kontrollera (undersöka) saken **2** om hund, häst hejda sig, stanna
III *vb itr* o. *vb tr* med adv. el. prep.:
check in a) vanl. boka in sig [*~ in at a hotel*]; checka in **b)** anmäla (infinna) sig, stämpla [in] på arbetsplats
check into: *~ into a hotel* ta in på ett hotell
check out a) betala sin hotellräkning, lämna hotellet, checka ut **b)** stämpla [ut] på arbetsplats **c)** kontrollera **d)** amer. sl. lämna in, kola av dö **e)** amer. låna på bibliotek
check up kontrollera, kolla upp
check up on sb (sth) kontrollera (göra en undersökning om) ngn (ngt)
IV *interj* schack!
V *s* **1** kontroll, koll [*make a ~*]; prov; *keep a ~ on* kontrollera, ha koll på **2** bildl. tygel; *keep (hold) in ~* hålla i schack (styr), tygla; *keep (hold) the enemy in ~* hålla fienden stången; *keep (put) a ~ on* lägga band på; hålla i schack (styr) **3** rutigt mönster; rutigt tyg; attr. rutig; *~ pattern* rutmönster, rutigt mönster **4** amer. check, jfr *cheque* **5** amer. [restaurang]nota, räkning **6 a)** kontramärke, bricka, pollett **b)** amer. polletteringsmärke **7** stopp, avbrott; spärr, hinder; broms; bakslag [*meet with a ~*]; motgång; *act as a ~ on* verka som broms på; *give a ~ to* sätta [tillfälligt] stopp för **8** spelmark **9** schack. schack **10** vanl. amer. bock märke
checkbook ['tʃekbʊk] *s* amer. checkhäfte
check card ['tʃekkɑ:d] *s* amer. bankkort
check digit ['tʃek,dɪdʒɪt] *s* data. kontrollsiffra
checked [tʃekt] *adj* rutig [*~ material*]
checker ['tʃekə] *s* **1** vanl. amer. kassör, kassörska **2** amer. bricka i damspel; *~s* (med verb i sg.) dam[spel] **3** data. kontroll [*spelling ~*] **4** kontrollör, kontrollant
checkerboard ['tʃekəbɔ:d] *s* amer. schackbräde, dambräde
checkered ['tʃekəd] *adj* vanl. amer., se *chequered*
check-in ['tʃekɪn] *s* incheckning; *~ counter* amer. el. *~ desk* incheckningsdisk
checking account ['tʃekɪŋə,kaʊnt] *s* amer. löpande räkning; med checkhäfte checkkonto
checklist ['tʃeklɪst] *s* checklista, avprickningslista, kontrollista; minneslista
checkmate ['tʃekmeɪt, tʃek'm-] **I** *s* **1** schack och matt, schackmatt **2** avgörande nederlag
II *interj* schack och matt!, schackmatt!
III *vb tr* **1** göra [schack och] matt (schackmatt) **2** bildl. schacka, omintetgöra, gäcka, besegra
checkout ['tʃekaʊt] *s* **1** [utgångs]kassa, snabbköpskassa [äv. *~ counter*; *~ point*]; *express ~* snabbkassa **2** utcheckning från hotell; *~ is at 12 noon*

motsv. gästen ombeds lämna rummet senast kl. 12 avresedagen
checkpoint ['tʃekpɔɪnt] *s* kontroll[ställe], kontrollstation; vägspärr
checkroom ['tʃekru:m, -rʊm] *s* amer. **1** kapprum, garderob **2** effektförvaring, bagageinlämning
checksum ['tʃeksʌm] *s* data. kontrollsumma
check-up ['tʃekʌp] *s* kontroll, undersökning
Cheddar ['tʃedə] *s* cheddar[ost]
cheek [tʃi:k] **I** *s* **1** kind; *~ by jowl* tätt ihop (tillsammans); *dance ~ to ~* dansa kind mot kind **2** bildl. vard. fräckhet; *what ~!* vad fräckt!, vilken fräckhet!; *he had the ~ to...* han hade mage att...; *I like your ~* iron. du är inte lite fräck du!; *none of your ~!* var inte fräck nu!
II *vb tr* vard. vara fräck mot
cheekbone ['tʃi:kbəʊn] *s* kindben, kindknota, kindkota
cheeky ['tʃi:kɪ] *adj* vard. fräck, uppkäftig, uppnosig
cheep [tʃi:p] **I** *vb itr* o. *vb tr* pipa om små fåglar **II** *s* pip
cheer [tʃɪə] **I** *s* **1** bifallsrop, bravorop, hurra[rop]; hejaramsa; *give sb a ~* hurra för ngn, utbringa ett leve för ngn; *three ~s for* ett [trefaldigt (sv. motsv. fyrfaldigt)] leve för **2** litt., *words of ~* uppmuntrande ord; *be of good ~* vara vid gott mod (hoppfull)
II *vb tr* **1** muntra upp, trösta [*I felt a bit ~ed*]; glädja **2** hurra för, jubla bifall åt, ropa bravo åt
III *vb itr* hurra, heja
IV *vb tr* o. *vb itr* med prep.:
cheer on heja på, uppmuntra med tillrop
cheer up a) pigga (liva) upp **b)** bli gladare (lättare) till sinnes, lysa upp, gaska upp sig
cheerful ['tʃɪəf(ʊ)l] *adj* **1** glad [av sig], gladlynt, glättig, munter [*a ~ smile*]; villig [*~ workers*]; *a ~ giver* en glad givare **2** glädjande; ljus och glad [*a ~ room*]
cheerfully ['tʃɪəf(ʊ)lɪ] *adv* **1** glatt etc., jfr *cheerful* **2** villigt, gärna, gladeligen
cheering ['tʃɪərɪŋ] **I** *s* hurrarop, bifall; hejarop **II** *adj* uppmuntrande, glädjande [*that's ~ news*]
cheering section ['tʃɪərɪŋ,sekʃ(ə)n] *s* sport. hejaklack
cheerio [,tʃɪərɪ'əʊ] *interj* vard. hej [då]!, ajö!
cheerleader ['tʃɪə,li:də] *s* vanl. amer. sport. o.d. klackanförare, hejaklacksledare
cheerless ['tʃɪələs] *adj* glädjelös, dyster, bedrövlig
cheers [tʃɪəz] *interj* vard. **1** skål! **2** tack! **3** hej då!
cheery ['tʃɪərɪ] *adj* **1** glad, munter [*a ~ smile*]; glättig, livlig, gemytlig **2** upplivande
cheese [tʃi:z] *s* **1** ost; ostlik massa; *say ~!* säg omelett! vid fotografering **2** sl., *big ~* se *big cheese*; *hard ~* ngt åld. otur
cheeseboard ['tʃi:zbɔ:d] *s* ostbricka
cheeseburger ['tʃi:z,bɜ:gə] *s* ostburgare
cheesecake ['tʃi:zkeɪk] *s* **1** cheesecake, färskostkaka **2** ngt åld. sl. [sexiga bilder av] pinuppor
cheesecutter ['tʃi:z,kʌtə] *s* ostskärare med metalltråd; bred ostkniv
cheesed off [,tʃi:zd'ɒf] *adj*, *be ~* sl. vara utled (trött) på [*about, with* på]
cheesemite ['tʃi:zmaɪt] *s* zool. ostor
cheesemonger ['tʃi:z,mʌŋgə] *s* osthandlare

cheeseparing ['tʃiːz‚peərɪŋ] **I** s småsnålhet **II** adj småsnål, gnidig; ~ *economy* småsnålt sparande

cheese straws ['tʃiːzstrɔːz] s pl kok. oststänger

cheesy ['tʃiːzɪ] adj **1** ostlik, ostaktig **2** sl. halvtaskig, smaklös, sliskig **3** a ~ *grin* ett falskt leende

cheetah ['tʃiːtə] s zool. gepard, jaktleopard

chef [ʃef] s köksmästare på restaurang

chef-d'oeuvre [ʃeɪˈdɜːvr(ə)] (pl. *chefs-d'oeuvre* utt. som sg.) s fr. mästerverk

Chelsea ['tʃelsɪ] stadsdel i London

Chelsea bun [‚tʃelsɪˈbʌn] s slags vetesnurra, kanelbulle

chemical ['kemɪk(ə)l] **I** adj kemisk **II** s kemikalie

chemical engineering ['kemɪk(ə)l‚en(d)ʒɪˈnɪərɪŋ] s kemiteknik

chemical warfare [‚kemɪk(ə)lˈwɔːfeə] s kemisk krigföring

chemise [ʃəˈmiːz] s damlinne

chemist ['kemɪst] s **1** apotekare; ~'s. ~'s shop ung. apotek som äv. säljer kosmetika, film m.m. **2** kemist

chemistry ['keməstrɪ] s **1** kemi **2** personkemi [äv. *personal* ~]

chemotherapy [‚kemə(ʊ)ˈθerəpɪ] s kemoterapi, cellgiftsbehandling

chenille [ʃəˈniːl] s textil. chenilj, snilj[eflossa] tyg

cheque [tʃek] s check [a ~ *for* (på) £90]; *crossed* ~ korsad check; *pay by* ~ betala med [en] check

cheque account ['tʃekə‚kaʊnt] s checkkonto

cheque book ['tʃekbʊk] s checkhäfte; *get one's* ~ *out* vard. öppna (lätta på) plånboken

cheque card ['tʃekkaːd] s checklegitimation utfärdat av bank för täckning av checkar till visst belopp

cheque forgery ['tʃek‚fɔːdʒ(ə)rɪ] s checkbedrägeri

chequered ['tʃekəd] adj **1** rutig **2** brokig, skiftande, växlande, skiftesrik [a ~ *career*]

Chequers ['tʃekəz] brittiske premiärministerns lantresidens

chequerwork ['tʃekəwɜːk] s rutmönster, rutverk

cherimoya [‚tʃerɪˈmɔɪə] s bot. cherimoya frukt

cherish ['tʃerɪʃ] vb tr **1** hysa [~ a hope; ~ illusions]; nära en känsla; omhulda, troget hålla fast vid **2** vårda

Cherokee [‚tʃerəˈkiː, ˈ---] s (pl. *Cherokee* el. ~s) cherokes indian[stam]

cheroot [ʃəˈruːt] s cigarill

cherry ['tʃerɪ] **I** s **1** a) körsbär; bigarrå b) körsbärsträd; bigarråträd c) körsbärsträ; *the* ~ *on the cake* den (det) bästa, godbiten; godbitarna; a *bite at the* ~ en chans; *another* (a *second*) *bite at the* ~ en ny chans, en chans till **2** körsbärsrött **II** adj [körsbärs]röd

cherry brandy [‚tʃerɪˈbrændɪ] s cherry brandy körsbärslikör

cherry-pick ['tʃerɪ‚pɪk] **I** vb itr välja ut det (de) bästa, plocka ut godbitarna **II** vb tr välja ut, plocka ut

cherry-picker ['tʃerɪ‚pɪkə] s tekn. skylift

cherry tomato [‚tʃerɪtəˈmaːtəʊ, amer. vanl. -ˈmeɪ-] (pl. ~s) s bot. körsbärstomat, cocktailtomat

cherub ['tʃerəb] s **1** (pl. ~im [-ɪm]) relig. kerub **2** konst. el. bildl. kerub

cherubic [tʃəˈruːbɪk] adj kerubisk; änglalik

cherubim ['tʃerəbɪm, 'ker-] s pl. av *cherub 1*

chervil ['tʃɜːvɪl] s bot. körvel; *wild* ~ hundkäx, hundloka

Cheryl ['tʃer(ə)l, 'ʃer-] kvinnonamn

Ches förk. för *Cheshire*

Chesapeake ['tʃesəpiːk] geogr.

Cheshire ['tʃeʃə] **1** geogr. egennamn **2** *grin like a ~ cat* grina som en solvarg

Cheshire cheese [‚tʃeʃəˈtʃiːz] s cheshireost, chesterost

chess [tʃes] s schack[spel]

chessboard ['tʃesbɔːd] s schackbräde

chess|man ['tʃes|mæn] (pl. -*men* [-men]) s o. **chesspiece** ['tʃespiːs] s [schack]pjäs ej bonde

chessplayer ['tʃes‚pleɪə] s schackspelare

chest [tʃest] **I** s **1** bröst[korg]; bringa; a *weak* ~ klent bröst, känsliga luftrör (lungor); *get sth off one's* ~ vard. lätta sitt hjärta genom att tala om ngt, prata av sig om ngt; *keep* (*play*) *one's cards close to one's* ~ vard. hålla tand för tunga, hålla inne med vad man vet **2** kista, låda
II vb tr, ~ *a ball* [*down*] sport. brösta [ned] en boll

Chester ['tʃestə] geogr.

Chesterfield ['tʃestəfiːld] geogr.

chesterfield ['tʃestəfiːld] s **1** chesterfieldsoffa **2** chesterfield slags överrock

chestnut ['tʃesnʌt] **I** s **1** a) kastanj b) kastanj[eträd] **2** kastanjebrunt **3** fux häst; *liver* ~ svettfux **4** vard., *old* ~ [gammal] anekdot (historia)
II adj kastanjebrun; om häst fuxfärgad

chest of drawers [‚tʃestəvˈdrɔːz] (pl. *chests of drawers* [‚tʃests-]) s byrå

chesty ['tʃestɪ] adj vard. **1** a) som kommer från bröstet [a ~ *cough*] b) bröstklen **2** bredbröstad; om kvinna storbystad, högbarmad

cheval glass [ʃəˈvælglaːs] s stor svängbar toalettspegel

chevalier [‚ʃevəˈlɪə] s riddare av en orden

Cheviot ['tʃevɪət] s cheviotfår

cheviot ['tʃevɪət] s cheviot tyg

Cheviot Hills ['tʃevɪəthɪlz] s pl geogr., *the* ~ Cheviotbergen

Chevrolet [bil 'ʃevrə(ʊ)leɪ, ‚--ˈ-]

chevron ['ʃevr(ə)n] s **1** ärmvinkel på uniform **2** herald. sparre

Chevy ['ʃevɪ] s vard. Cheva Chevrolet (bil)

chew [tʃuː] **I** vb tr **1** tugga; ~ *the fat* vard. ha ett långt snack; skvallra, snacka skit **2** bita (tugga) på [~ one's nails] **3** bildl., ~ *sth over* grubbla (fundera) på ngt
II vb itr **1** tugga **2** tugga tuggummi (tobak)
III s **1** tuggning **2** slags karamell **3** buss; tugga

chewing gum ['tʃuːɪŋgʌm] s tuggummi

chewy ['tʃuːɪ] adj som behöver tuggas

Cheyenne [ʃaɪˈæn, -ˈen äv. amer. stad] **I** (pl. *Cheyenne* el. ~s) s cheyenne[indian] **II** geogr. egennamn

chic [ʃiːk, ʃɪk] **I** adj chic, stilfull, smakfull, elegant, fin; korrekt **II** s stil, elegans; schvung

Chicago [ʃɪˈkɑːgəʊ, ibl. tʃɪ-] geogr.

chicane [ʃɪˈkeɪn, tʃɪ-] s motor. el. kortsp. chikan

chicanery [ʃɪˈkeɪnərɪ] s lagvrängning, [advokat]knep, spetsfundigheter, konster

Chicano [tʃɪˈkɑːnəʊ, ʃɪ-] (pl. ~s) s chikano, mexiko-amerikan

Chichester ['tʃɪtʃɪstə] geogr.

chichi [ˈʃiːʃiː, ˈtʃiːtʃiː] *adj* vard. **1** pretentiös, tillgjord **2** överlastad [med pynt o.d.]

chick [tʃɪk] *s* **1** [nykläckt] kyckling **2** fågelunge **3** sl. tjej, brud

chickadee [ˈtʃɪkədiː, ˌ--ˈ-] *s* amer. zool. mes

chickaree [ˈtʃɪkəriː] *s* amer. röd ekorre

chicken [ˈtʃɪkɪn] **I** *s* **1** kyckling, vanl. amer. äv. höna; höns; *his ~s have come home to roost* bildl., se *roost II*; *count one's ~s before they are hatched* ung. sälja skinnet innan björnen är skjuten; *she's no spring ~* hon är ingen ungdom längre **2** vard. feg stackare, fegis
II *adj* **1** kyckling-, höns- **2** vard. feg, skraj
III *vb itr* vard. bli skraj; *~ out* backa (dra sig) ur

chicken feed [ˈtʃɪkɪnfiːd] *s* vard. struntsummor, småpotatis [*it's just ~*]

chickenpox [ˈtʃɪkɪnpɒks] *s* med. vatt[en]koppor

chicken run [ˈtʃɪkɪnrʌn] *s* hönsgård

chickenshit [ˈtʃɪkɪnʃɪt] amer. sl. **I** *s* **1** fegis **2** larv, dumheter, strunt
II *adj* feg, harig

chicken wire [ˈtʃɪkɪnˌwaɪə] *s* hönsnät

chick lit [ˈtʃɪklɪt] *s* vard. chick lit tjejlitteratur

chickpea [ˈtʃɪkpiː] *s* kikärt

chickweed [ˈtʃɪkwiːd] *s* bot. våtarv, nate

chicory [ˈtʃɪkəri] *s* **1** endiv; amer. chicorée frisée, frisésallat **2** cikoria; cikoriarot

chide [tʃaɪd] *vb tr* mest litt. banna, gräla på, tillrättavisa; klandra

chief [tʃiːf] **I** *adj* **1** huvud-, förnämst, viktigast; [mest] framstående, ledande; *~ friends* närmaste vänner **2** i titlar chef[s]-, huvud- [*~ editor*]; över-, förste
II *s* **1** chef, ledare; huvudman [*the ~ of a clan*]; hövding; styresman **2** *in ~* som efterled i sammansättn. [*-in-chief*; t.ex. *commander-in-chief*]; över-, chef[s]-, huvud-, förste, överste

chief constable [ˌtʃiːfˈkʌnstəbl] *s* polismästare för stad el. grevskap

Chief Executive [ˌtʃiːfɪgˈzekjʊtɪv] *s* amer., *the ~* USA:s president

chief executive [ˌtʃiːfɪgˈzekjʊtɪv] *s*, *~* el. *~ officer* (förk. *CEO*) verkställande direktör, vd

chief inspector [ˌtʃiːfɪnˈspektə] *s* se *inspector 2*

chief justice [ˌtʃiːfˈdʒʌstɪs] *s* överdomare, president i rätt; *Chief Justice of the United States* president (ordförande) i USA:s högsta domstol; *Lord Chief Justice* president i Högsta domstolen

chiefly [ˈtʃiːflɪ] *adv* framför allt, först och främst; huvudsakligen, företrädesvis, i synnerhet

chief of staff [ˌtʃiːfəvˈstɑːf] (pl. *chiefs of staff* [ˌtʃiːfs-]) *s* stabschef, i USA äv. försvarsgrenschef

chief of state [ˌtʃiːfəvˈsteɪt] (pl. *chiefs of state* [ˌtʃiːfs-]) *s* statsöverhuvud

chief petty officer [ˈtʃiːfˌpetɪˈɒfɪsə] *s* sjö. fanjunkare; amer. sergeant

chieftain [ˈtʃiːftən] *s* **1** ledare **2** hövding, huvudman

Chief Whip [ˌtʃiːfˈwɪp] *s* parl., *the ~* viktig medlem av ett politiskt parti i Storbritannien som har till uppgift att se till att de i parlamentet invalda medlemmarna följer partilinjen

chiffon [ˈʃɪfɒn] *s* chiffong

chignon [ˈʃiːnjɒn] *s* chinjong, hårpung

Chihuahua [tʃɪˈwɑːwɑː] *s* chihuahua hundras

chilblain [ˈtʃɪlbleɪn] *s* med. frostknöl, kylskada

child [tʃaɪld] (pl. *children* [ˈtʃɪldr(ə)n]) *s* **1** barn äv. bildl.; *it's ~'s play* det är en barnlek (en enkel match); *children's party* barnkalas; *children's [swimming] pool* barnbassäng; *from a ~* från barndomen (barnsben), redan som barn; *he is a ~ at heart* han har barnasinnet kvar; *when a ~* [redan] som barn, i barndomen; *with ~* gravid, havande **2** idé; skapelse, produkt [*the ~ of his imagination*]

child abuse [ˈtʃaɪldəˌbjuːs] *s* övergrepp mot barn

child-battering [ˈtʃaɪldˌbætərɪŋ] *s* [svår] barnmisshandel

childbearing [ˈtʃaɪldˌbeərɪŋ] *s* **1** barnafödande **2** havandeskap

childbed [ˈtʃaɪldbed] *s* barnsäng; *woman in ~* barnaföderska

child benefit [ˈtʃaɪldˌbenɪfɪt] *s* barnbidrag

childbirth [ˈtʃaɪldbɜːθ] *s* förlossning, barnfödsel, barnsbörd; barnsäng [*die in ~*]

childcare [ˈtʃaɪldkeə] *s* barnavård; *~ worker* barnvårdare

child-friendly [ˈtʃaɪldˌfrendlɪ] *adj* barnvänlig

child-guidance [ˈtʃaɪldˌgaɪd(ə)ns] *s*, *~ clinic* barnpsykologisk rådgivningsbyrå

child-health [ˈtʃaɪldhelθ] *s*, *~ clinic* el. *~ centre* barnavårdscentral

childhood [ˈtʃaɪldhʊd] *s* barndom; *be in one's second ~* vara barn på nytt, gå i barndom

childish [ˈtʃaɪldɪʃ] *adj* barnslig, enfaldig

childless [ˈtʃaɪldləs] *adj* barnlös, utan barn

childlike [ˈtʃaɪldlaɪk] *adj* barnslig [*~ innocence*]; lik ett barn, barnasinnad; *~ mind* barnasinne

childminder [ˈtʃaɪldˌmaɪndə] *s* dagmamma, [dag]barnvårdare

childminding [ˈtʃaɪldˌmaɪndɪŋ] *s* barntillsyn; barnpassning

childproof [ˈtʃaɪldpruːf] *adj* barnsäker [*~ locks*]; petsäker

children [ˈtʃɪldr(ə)n] pl. av *child*

child restraint [ˈtʃaɪldrɪˌstreɪnt] *s* babyskydd, bilbarnstol, bältesstolskudde

child support [ˈtʃaɪldsəˌpɔːt] *s* underhållsbidrag

child-welfare [ˈtʃaɪldˌwelfeə] *s* barnavård; *~ centre* barnavårdscentral; *~ officer* ung. socialsekreterare, barnavårdsman

Chile [ˈtʃɪlɪ] geogr.

Chilean [ˈtʃɪlɪən] **I** *s* chilen, chilenare, chilenska **II** *adj* chilensk

chili [ˈtʃɪlɪ] amer., se *chilli*

chill [tʃɪl] **I** *s* kyla äv. bildl., köld; köldrysning, frossbrytning; *there is a ~ in the air* det är kyligt i luften; *catch a ~* förkyla sig; *send a ~ down sb's spine* få det att gå kalla kårar längs ngns rygg; *take the ~ off* ljumma upp; *take the ~ off the wine* temperera vinet
II *vb tr* kyla [av]; bildl. kyla av, dämpa; *~ed beef* nedkylt kött ej fryst; *be ~ed to the bone* frysa ända in i märgen, vara genomfrusen
III *vb itr* med adv.:
chill out vard. slappna av, ta det lugnt; *~ out man!* lugna ner dig!

chiller [ˈtʃɪlə] *s* vard. rysare

chilli [ˈtʃɪlɪ] *s* chili spansk peppar

chilli con carne ['tʃɪlɪkɒn,kɑːnɪ] *s* kok. chile con carne

chilling ['tʃɪlɪŋ] *adj* bildl. isande; bister; dämpande

chill-out room ['tʃɪlaʊtruːm] *s* vard. chill-outrum

chillum ['tʃɪləm] *s* vard., kort haschpipa (marijuanapipa) av lera

chilly ['tʃɪlɪ] *adj* kylig äv. bildl., kall, kulen

chime [tʃaɪm] **I** *vb itr* **1** ringa [*the bells are chiming*]; klinga harmoniskt **2** ringa [klockspel] **II** *vb tr* ringa i [~ *the bells*]; kalla med ringning; *the clock ~d midnight* klockan slog tolv på natten **III** *vb itr* med prep.:
chime in a) infalla ['*of course,' he ~d in*]; inflicka; *he's always chiming in* han blandar sig alltid i samtalet b) instämma, samtycka; ~ *in with* harmoniera med, stå i samklang med; stämma [överens] med
chime with harmoniera med, stå i samklang med; stämma [överens] med **IV** *s* **1** [klockspels]ringning [ofta pl. ~s] **2** pl. ~s klockspel, klockor slaginstrument

chimera [kaɪ'mɪərə, kɪ'm-] *s* hjärnspöke; fantasifoster; chimär

chimney ['tʃɪmnɪ] *s* skorsten; rökfång, rökgång

chimney breast ['tʃɪmnɪbrest] *s* **1** [utskjutande del av vägg med] öppen spis **2** spiselkrans

chimneypiece ['tʃɪmnɪpiːs] *s* **1** spiselkrans, spiselram som dekoration omkring och över eldstad **2** spiselhylla

chimney pot ['tʃɪmnɪpɒt] *s* skorsten, skorstenspipa ovanpå taket

chimney stack ['tʃɪmnɪstæk] *s* skorstensgrupp av sammanbyggda pipor, skorsten

chimney-sweep ['tʃɪmnɪswiːp] *s* skorstensfejare, sotare

chimp [tʃɪmp] *s* vard. schimpans

chimpanzee [,tʃɪmpæn'ziː, -pən-] *s* schimpans

chin [tʃɪn] *s* haka; *double ~* dubbelhaka; *keep one's ~ up* vard. hålla humöret uppe; *take it on the ~* vard. ta det med jämnmod

China ['tʃaɪnə] geogr. Kina

china ['tʃaɪnə] *s* porslin; *like a bull in a ~ shop* se under *1 bull 1*

china clay [,tʃaɪnə'kleɪ] *s* porslinslera, kaolin

China|man ['tʃaɪnə|mən] (pl. *-men* [-mən]) *s* neds. kinaman, kines

China tea [,tʃaɪnə'tiː] *s* kinesiskt te

Chinatown ['tʃaɪnətaʊn] *s* kineskvarter[et], kineskvarteren

chinaware ['tʃaɪnəweə] *s* porslin

chinchilla [tʃɪn'tʃɪlə] *s* zool. chinchilla äv. skinn, päls

Chinese [,tʃaɪ'niːz] **I** *s* **1** (pl. *Chinese*) kines, kinesiska kvinna **2** kinesiska [språket] **II** *adj* kinesisk

Chinese cabbage [,tʃaɪniːz'kæbɪdʒ] *s* kinakål, salladskål

Chinese chequers o. amer. **Chinese checkers** [,tʃaɪniːz'tʃekəz] (med verb i sg.) *s* kinaschack

Chinese fire drill [,tʃaɪniːz'faɪədrɪl] *s* amer. vard. neds. kalabalik, tumult

Chinese lantern [,tʃaɪniːz'læntən] *s* **1** kulört lykta, papperslykta **2** bot. physalis

Chinese leaves [,tʃaɪniːz'liːvz] *s pl* kinakål, salladskål

Chinese whispers [,tʃaɪniːz'wɪspəz] (med verb i sg.) *s* **1** viskleken barnlek **2** attr. à la viskleken [*the usual ~ type rumours*]

Chink [tʃɪŋk] *s* sl. (neds.) kines, guling

1 chink [tʃɪŋk] *s* **1** spricka, rämna; *a ~ in one's armour* bildl. en svag (sårbar) punkt **2** springa; titthål; *a ~ of light* ljusstrimma

2 chink [tʃɪŋk] **I** *s* klirrande, klang, klingande av mynt o.d. **II** *vb itr* om mynt o.d. klirra, klinga, skramla **III** *vb tr* klirra (klinga) med, skramla med

chinless ['tʃɪnləs] *adj* vard. svag om person; ~ *wonder* vard. mes, [överklass]fjant

Chinook [tʃɪ'nʊk, -nuːk] *s* chinook indian

chinos ['tʃiːnəʊz] *s pl* chinos byxor gjorda av ett slags kakifärgat bomullstyg

chin rest ['tʃɪnrest] *s* hakstöd på fiol

chintz [tʃɪnts] *s* chintz, kretong

chintzy ['tʃɪntsɪ] *adj* **1** klädd med chintz **2** vard. gammalmodig; billig enkel **3** amer. snål

chin-up ['tʃɪnʌp] *s* vanl. amer. gymn. armhävning från t.ex. trapets

chinwag ['tʃɪnwæg] *s* vard. pratstund

1 chip [tʃɪp] **I** *s* **1** tunn skiva frukt, potatis o.d.; pl. ~s a) pommes frites [*fish and ~s*] b) amer. [potatis]chips **2** data. chips, halvledarbricka **3** flisa, spån; skärva; bit, stycke; pl. ~s äv. avfall, spånor, träflis; *he is a ~ off the old block* vard. han är sin far upp i dagen, han brås på släkten; *dry as a ~* torr som fnöske, snustorr; *she has a ~ on her shoulder* vard. hon har komplex [*about sth* för ngt] **4** hack i t.ex. porslinsyta **5** vard. spelmark; *cash in one's ~s* lämna in, kola av dö; *he's had his ~s* det är slut (ute) med honom; han har missat chansen; *when the ~s are down* när det kommer till kritan; *the ~s are down for him* nu är det klippt för honom; *blue ~* se *blue chip*
II *vb tr* **1** spänta, tälja, flisa, spåna, strimla, hugga [sönder] **2** slå sönder (en flisa ur, ett hack i); slå (hugga, bryta) av (ur) en bit (flisa, skärva) [*from, off* på, ur]; skava av (sönder) **3** vard. reta, retas (driva) med
III *vb itr* **1** gå [sönder] i flisor (små stycken); om porslin o.d. [lätt] bli kantstött; ~ *away at sth* nagga ngt i kanten **2** ~ *in* vard. a) sticka emellan med en anmärkning o.d., göra ett inpass (inlägg) b) satsa i spel c) ge ett bidrag till en fond o.d.

2 chip [tʃɪp] *vb tr* id-märka med mikrochips

chip basket ['tʃɪp,bɑːskɪt] *s* **1** korg för fritering av pommes frites **2** spånkorg

chipboard ['tʃɪpbɔːd] *s* slags träflismaterial, fibermaterial; *a sheet of ~* en spånskiva

chipmunk ['tʃɪpmʌŋk] *s* [nordamerikansk] jordekorre

chipolata [,tʃɪpə'lɑːtə] *s* chipolata prinskorvsliknande starkt kryddad korv

1 chipped ['tʃɪpt] *adj* **1** sönderhuggen; strimlad, skuren i bitar **2** sönderslagen, med en flisa (bit) ur, med hack i; kantstött

2 chipped ['tʃɪpt] *adj* id-märkt med mikrochips, chip-märkt

chipped potatoes [,tʃɪptpə'teɪtəʊz] *s pl* pommes frites

Chippendale ['tʃɪp(ə)ndeɪl] **I** *s* chippendale[stil] **II** *adj* chippendale[-] [~ *chairs*]

chipper ['tʃɪpə] *adj* vard. glad, pigg; käck; spänstig
chippings ['tʃɪpɪŋz] *s pl* makadam; *loose* ~ trafik. lös vägbeläggning; stenskott som skylt
chippy ['tʃɪpɪ] vard. **I** *s* **1** *fish-and-chip shop*
2 snickare
II *adj* retlig, snarstucken
chip shop ['tʃɪpʃɒp] *s* se *fish-and-chip shop*
chiromancy ['kaɪərə(ʊ)mænsɪ] *s* kiromanti, konsten att spå i handen
chiropodist [kɪ'rɒpədɪst] *s* fotvårdsspecialist
chiropody [kɪ'rɒpədɪ] *s* fotvård
chiropractor [ˌkaɪərə(ʊ)'præktə] *s* med. kiropraktor; vard. kotknackare
chirp [tʃɜ:p] **I** *vb itr* o. *vb tr* kvittra, pipa; knarra **II** *s* kvitter, kvittrande, pip; knarr
chirpy ['tʃɜ:pɪ] *adj* glad, livad; livlig
chirrup ['tʃɪrʌp] **I** *vb itr* kvittra **II** *s* kvitter
chirrupy ['tʃɪrəpɪ] *adj* vard. **1** glad, livad **2** pratsam
chisel ['tʃɪzl] **I** *s* mejsel; stämjärn, huggjärn
II *vb tr* **1** mejsla, hugga ut **2** vanl. amer. sl. skörta upp; *he ~led me out of* [*£50*] han lurade mig på…
chiselled ['tʃɪzld] *adj* utmejslad [*finely ~ features*]
chiseller ['tʃɪzlə] *s* sl. lurendrejare, skojare
Chiswick ['tʃɪzɪk] geogr.
1 chit [tʃɪt] *s* **1** skuldsedel; påskriven [restaurang]nota (räkning) **2** kvitto; intyg **3** lapp, biljett, kort meddelande
2 chit [tʃɪt] *s* åld. barnunge; jänta; *~ of a girl* flicksnärta, jäntunge
chit-chat ['tʃɪttʃæt] *s* [små]prat; snack, småskvaller
chitterlings ['tʃɪtəlɪŋz] *s pl* inälvor [*~ of pig*]; krås; kok.: hackmat, stekt el. i sås, ung. pölsa
chivalrous ['ʃɪv(ə)lrəs] *adj* hövisk, chevaleresk
chivalry ['ʃɪv(ə)lrɪ] *s* **1** höviskhet, chevalereskhet **2** ridderskap; riddarväsen[de]; *the age of ~* riddartiden
chive [tʃaɪv] *adj* gräslök[s]-
chives [tʃaɪvz] *s pl* gräslök
chivvy o. **chivy** ['tʃɪvɪ] *vb tr* **1** jaga **2** plåga, köra med, gnata på, [små]retas med
chlamydia [klə'mɪdɪə] *s* med. klamydia
chlorhexidine [ˌklɔ:'heksədaɪn] *s* farmakol. klorhexidin
chloric ['klɔ:rɪk, 'klɒr-] *adj* kem. innehållande klor, klor- [*~ acid*]
chloride ['klɔ:raɪd] *s* kem. klorid; *~ of lime* klorkalk
chlorinated ['klɔ:rɪneɪtɪd] *adj* klorerad
chlorination [ˌklɔ:rɪ'neɪʃ(ə)n] *s* klorering
chlorine ['klɔ:ri:n] *s* kem. klor, klorgas
chlorofluorocarbon ['klɔ:rəʊˌflɔ:rə(ʊ)'kɑ:b(ə)n] (förk. *CFC*) *s* kem. klorfluorkarbon, freon
chloroform ['klɒrəfɔ:m] *s* kem. kloroform
chlorophyll ['klɒrəfɪl, 'klɔ:r-] *s* kem. klorofyll
choc [tʃɒk] *s* vard. choklad; fylld chokladbit
chocaholic [ˌtʃɒkə'hɒlɪk] *s* person som är galen i choklad, chokladälskare
choccy ['tʃɒkɪ] *s* vard. choklad
choc-ice ['tʃɒkaɪs] *s* chokladglass spec. chokladdoppad
chock [tʃɒk] *s* kil, kloss att stötta med; sjö. [båt]klamp
chock-a-block [ˌtʃɒkə'blɒk] *adj* fullpackad, proppfull
chock-full [ˌtʃɒk'fʊl] *adj* fullpackad, proppfull [*with* med, av]

chocoholic [ˌtʃɒkə'hɒlɪk] *s* person som är galen i choklad, chokladälskare
chocolate ['tʃɒk(ə)lət] *s* **1** choklad; *plain* ~ el. *dark* ~ mörk choklad; *~ roll* amer. rulltårta; *a* ~ en fylld chokladbit, en chokladpralin; *a bar of* ~ en chokladkaka; *a box of* ~*s* en chokladask, en ask chokladpraliner; *a cup of hot* ~ en kopp varm choklad **2** chokladbrunt
chocolate-box ['tʃɒk(ə)lətbɒks] *adj* vard. sockersöt
chocolate cream [ˌtʃɒk(ə)lət'kri:m] *s* chokladpralin, [kräm]fylld choklad
chocolatey ['tʃɒk(ə)lətɪ] *adj* choklad- [*~ taste*]; chokladliknande
choice [tʃɔɪs] **I** *s* **1** val; *make one's* ~ el. *take one's* ~ göra (träffa) sitt val, välja; *take your* ~ äv. välj själv, valet är fritt; *by* ~ helst; *of* ~ som man först (helst) väljer, som är att föredra **2** [fritt] val, alternativ; *he is a possible* ~ han är ett möjligt alternativ, han kan komma i fråga; *she gave me little* ~ hon gav mig knappast något val; *I haven't much* ~ jag har knappast något val (inte mycket att välja på); *I have no* ~ jag har inget annat val; *I have no* ~ *but to* äv. jag har ingenting annat att göra än att; *at* ~ efter behag **3** urval, sortiment **4** *the* ~ eliten, den (det, de) bästa
II *adj* utsökt, utvald; prima [*~ apples*]; väl vald [*~ words*]
choiceness ['tʃɔɪsnəs] *s* utsökthet, förträfflighet
choir ['kwaɪə] *s* **1** kör **2** kor i kyrka
choirboy ['kwaɪəbɔɪ] *s* korgosse
choirmaster ['kwaɪəˌmɑ:stə] *s* kördirigent, körledare
choir screen ['kwaɪəskri:n] *s* kyrkl. korskrank
choke [tʃəʊk] **I** *vb tr* **1** kväva; hålla på att kväva; strypa; *~ the life out of sb* strypa (kväva) ngn; *the garden is ~d with weeds* trädgården är igenvuxen med ogräs **2** bildl. kväva, förkväva, undertrycka, hålla tillbaka [äv. *~ back*; *~ down*; *~ back one's tears*] **3** täppa (stoppa) till; spärra [av]; korka igen [äv. *~ up*]; bil. choka **4** stoppa (proppa) full [äv. *~ up*] **5** *~ off* vard. få att avstå, avskräcka; avbryta; sluta
II *vb itr* **1** [hålla på att] kvävas [*~ with* (av) *rage*]; storkna; *~ on sth* sätta ngt i halsen, få ngt i vrångstrupen; *choking voice* kvävd röst **2** *~ up* tiga, bli mållös; bildl. gå i baklås; *be ~d up about sth* vara upprörd över ngt
III *s* **1** kvävning, kvävningsanfall **2** bil. choke; tekn. [luft]spjäll
choke chain ['tʃəʊktʃeɪn] *s* o. amer. **choke collar** ['tʃəʊkˌkɒlə] *s* strypkoppel till hund
choker ['tʃəʊkə] *s* **1** [tättsittande] halsband (pärlkrage) **2** scarf; plastrong
cholera ['kɒlərə] *s* med. kolera
choleric ['kɒlərɪk, kɒ'lerɪk] *adj* kolerisk, hetlevrad
cholesterol [kə'lestərɒl] *s* fysiol. kolesterol; *~ count* kolesterolvärde; *~ level* kolesterolvärde, kolesterolnivå, kolesterolhalt; *elevated* ~ *level* el. *raised* ~ *level* förhöjt kolesterolvärde; *be high* (*low*) *in* ~ innehålla mycket (lite) kolesterol
choose [tʃu:z] (*chose chosen*) **I** *vb tr* **1** välja [*for* för, åt, till; *from*, *from among* bland], välja ut, utkora; *they chose her as* (*to be*) *their leader* de valde henne till [sin] ledare **2** föredra **3** vilja, behaga,

finna för gott; gitta [*I don't ~ to work*]
II *vb itr* **1** välja; *we cannot ~ but* vi kan inte [göra]
annat än; *there is nothing* (*little*) *to ~ between them*
det är inte stor skillnad på dem **2** ha lust, vilja [*do
just as you ~*]
chooser ['tʃuːzə] *s* se ex. under *beggar I 1*
choosy ['tʃuːzɪ] *adj* vard. kinkig, kräsen, fordrande
1 chop [tʃɒp] **I** *vb tr* hugga [*~ off*; *~ away*; *~ down*];
hugga (hacka) [sönder] [äv. *~ small*]; *~ a ball* sport.
skära en boll; *~ wood* hugga ved; *~ up* hugga i
småbitar, hacka sönder
   II *s* **1** kotlett med ben **2** vard., *get the ~* få sparken; bli
spolad; *give sb the ~* ge ngn sparken; spola ngn; *he
is for the ~* han kommer att sparkas (åka dit)
3 hugg; sport. skärande slag **4** avhugget stycke
2 chop [tʃɒp] *vb tr* o. *vb itr*, *~ and change* a) tr.
idleligen ändra (byta) b) itr. vara fram och tillbaka
(hit och dit), ideligen ändra sig
chop-chop [ˌtʃɒp'tʃɒp] *adv* pidginengelska fort, kvickt
chop-house ['tʃɒphaʊs] *s* matställe, restaurang som
serverar spec. grillade el. stekta köttretter
chopper ['tʃɒpə] *s* **1** vard. helikopter **2** chopper
motorcykel med högt styre o. lång framgaffel **3** köttyxa,
hackkniv; *get the ~* sl. bli inställd, läggas ned **4** sl.
kuk penis
choppers ['tʃɒpəz] *s pl* **1** sl. gaddar, betar tänder **2** pl.
av *chopper*
chopping board ['tʃɒpɪŋbɔːd] *s* skärbräde
choppy ['tʃɒpɪ] *adj* sjö. krabb [*a ~ sea*]
1 chops [tʃɒps] *s pl* vard. käft; käkar; *lick one's ~*
slicka sig om mun; *a smack on the ~* ett slag på
käften
2 chops [tʃɒps] *s pl* av *1 chop II*
chop shop [ˌtʃɒp'ʃɒp] *s* amer. vard. skum bilverkstad
för demontering och ombyggnad av stulna bilar
chopsocky [ˌtʃɒp'sɒkɪ] *s* film. karatefilm,
kampsportsfilm
chopstick ['tʃɒpstɪk] *s*, vanl. pl. *~s* kinesiska
matpinnar, ätpinnar
chop suey [ˌtʃɒp'suːɪ] *s* chop suey kinesisk rätt
choral ['kɔːr(ə)l] *adj* sjungen i kör, kör-; sång-,
sångar-; med körsång; kor-; *~ speaking*
deklamation i kör, talkör
chorale [kɒ'rɑːl] *s* koral, psalm
1 chord [kɔːd] *s* mus. ackord; *common ~* treklang;
strike a ~ slå [an] ett ackord
2 chord [kɔːd] *s* **1** geom. korda **2** poet. sträng; *strike a
~ with sb* väcka ett minne hos ngn, göra att ngn
känner igen sig; *touch the right ~* slå an den rätta
strängen
chore [tʃɔː] *s* **1** tillfälligt arbete, syssla; pl. *~s* [husliga]
småsysslor, hushållsbestyr, daglig rutin **2** svårt
(obehagligt) jobb; grovgöra
choreograph ['kɒrɪəɡræf] *vb tr* koreografera, göra
koreografin till
choreographer [ˌkɒrɪ'ɒɡrəfə] *s* koreograf
choreographic [ˌkɒrɪə'ɡræfɪk] *adj* koreografisk
choreography [ˌkɒrɪ'ɒɡrəfɪ] *s* koreografi
chorister ['kɒrɪstə] *s* körsångare, korgosse
chortle ['tʃɔːtl] **I** *s* [kluckande] skratt, skrockande
   II *vb itr* skratta kluckande, skrocka
chorus ['kɔːrəs] **I** *s* **1** refräng; litt. omkväde **2** korus,
kor, kör; körsång; *a ~ of protest* en kör av
protester; *in ~* i kör (korus), unisont **3** teat. o.d. kör,

[revy]balett
   II *vb tr* o. *vb itr* sjunga (ropa, säga) i kör
chorus girl ['kɔːrəsɡɜːl] *s* balettflicka; flicka i kören
i revy o.d.
chose [tʃəʊz] imperf. av *choose*
chosen ['tʃəʊzn] perf. p. av *choose*
choux pastry [ˌʃuː'peɪstrɪ] *s* kok. petit-choudeg
1 chow [tʃaʊ] sl. **I** *s* käk, tugg **II** *vb itr*, *~ down* käka
2 chow [tʃaʊ] *s* vard., se *chow-chow*
chow-chow ['tʃaʊtʃaʊ] *s* chow-chow hundras
chowder ['tʃaʊdə] *s* chowder tjock soppa av musslor, fisk,
skinka, grönsaker
chow mein [ˌtʃaʊ'meɪn] *s* kok. chow mein kinesisk rätt
CHP plant [ˌsiːeɪtʃ'piːˌplɑːnt] *s* kraftvärmeverk
Chris [krɪs] kortform av *Christina, Christine* o.
Christopher
Chrissake ['kraɪseɪk] *s* sl., *for ~!* för helvete!
Chrissie o. **Chrissy** ['krɪsɪ] kortform av *Christina,
Christine* o. *Christopher*
Christ [kraɪst] *s* Kristus; *~!* Herre Gud!, jösses!; *for
~'s sake!* för helvete!; *before ~* före Kristi födelse;
after ~ efter Kristi födelse
Christchurch ['kraɪs(t)tʃɜːtʃ] geogr.
christen ['krɪsn] *vb tr* o. *vb itr* **1** döpa **2** döpa
(kristna) till [*they ~ed her Mary*]; kalla
Christendom ['krɪsndəm] *s* kristenhet[en]
christening ['krɪsnɪŋ] *s* dop; *~ robe* dopklänning
Christian ['krɪstʃ(ə)n, -tɪən] **I** *adj* kristen, kristlig
   II *s* kristen
Christian burial [ˌkrɪstʃ(ə)n'berɪəl] *s* kyrklig
begravning
Christianity [ˌkrɪstɪ'ænətɪ] *s* **1** kristendom[en], den
kristna läran **2** kristenhet[en] **3** kristlighet
christianize ['krɪstʃənaɪz, -tɪən-] *vb tr* omvända till
den kristna läran, kristna
Christian name ['krɪstʃ(ə)nneɪm] *s* förnamn,
dopnamn
Christie ['krɪstɪ] **1** egennamn **2** *~'s* brittisk auktionsfirma
med representation i många länder
Christina [krɪ'stiːnə] **1** kvinnonamn **2** som svenskt
drottningnamn Kristina
Christine ['krɪstiːn, krɪ'stiːn]
Christlike ['kraɪs(t)laɪk] *adj* lik Kristus; kristlig
Christmas ['krɪs(t)məs] *s* jul[en]; juldagen
Christmas box ['krɪs(t)məsbɒks] *s* julpengar,
julklapp till brevbärare m.fl.
Christmas cactus [ˌkrɪs(t)məs'kæktəs] *s* julkaktus
Christmas cake ['krɪs(t)məskeɪk] *s* slags fruktkaka
som äts vid jul
Christmas card ['krɪs(t)məskɑːd] *s* julkort
Christmas carol ['krɪs(t)məsˌkær(ə)l] *s* julsång
Christmas cracker ['krɪs(t)məsˌkrækə] *s*
smällkaramell
Christmas Day [ˌkrɪs(t)məs'deɪ] *s* juldag[en]
Christmas decoration [ˌkrɪs(t)məsdekə'reɪʃ(ə)n] *s*
julpynt
Christmas Eve [ˌkrɪs(t)məs'iːv] *s* julafton[en]
Christmas present ['krɪs(t)məsˌpreznt] *s* julklapp
Christmas pudding [ˌkrɪs(t)məs'pʊdɪŋ] *s*
plumpudding
Christmas rose [ˌkrɪs(t)məs'rəʊz] *s* julros
Christmas stocking [ˌkrɪs(t)məs'stɒkɪŋ] *s*
julklappsstrumpa strumpa i vilken man stoppar små
julklappar

Christmassy [ˈkrɪsməsɪ] *adj* vard. jullik, jul-
Christmas time [ˈkrɪs(t)məstaɪm] *s* jultid[en], jul[en]
Christmas tree [ˈkrɪs(t)məstri:] *s* julgran
Christopher [ˈkrɪstəfə] mansnamn
chromatic [krə(ʊ)ˈmætɪk] *adj* fys. el. mus. kromatisk [~ *scale*]
chrome [krəʊm] *s* krom
chrome steel [ˌkrəʊmˈsti:l] *s* kromstål
chrome yellow [ˌkrəʊmˈjeləʊ] *s* kromgult
chromium [ˈkrəʊmɪəm] *s* kem. krom metall
chromium-plated [ˌkrəʊmɪəmˈpleɪtɪd] *adj* förkromad
chromosome [ˈkrəʊməsəʊm] *s* kromosom
chronic [ˈkrɒnɪk] *adj* **1** kronisk; inrotad; ständig; ~ *fatigue syndrome* kroniskt trötthetssyndrom, yuppiesjuka **2** vard. hemsk, hopplös; *he swore something* ~ han svor [något] alldeles förskräckligt
chronicle [ˈkrɒnɪkl] **I** *s* krönika; *Chronicles* el. *the Chronicles* bibl. Krönikeböckerna **II** *vb tr* uppteckna, skildra, skriva en krönika över
chronicler [ˈkrɒnɪklə] *s* krönikör, krönikeskrivare
chronological [ˌkrɒnəˈlɒdʒɪk(ə)l, ˌkrəʊnə-] *adj* kronologisk [*in* ~ *order*]
chronology [krəˈnɒlədʒɪ] *s* kronologi, tideräkning; kronologisk översikt
chronometer [krəˈnɒmɪtə] *s* kronometer
chrysalis [ˈkrɪsəlɪs] (pl. ~*es* el. *chrysalides* [krɪˈsælɪdi:z]) *s* puppa
chrysant [krɪˈsænt] *s* vard. krysantem, kryss
chrysanthemum [krɪˈsænθ(ə)məm, -ˈzæn-] *s* krysantemum
Chrysler [bil ˈkraɪzlə, -s-]
chub [tʃʌb] *s* zool. färna
Chubb® [tʃʌb] *s*, ~ *lock* chubblås, tillhållarlås
chubby [ˈtʃʌbɪ] *adj* knubbig [*a* ~ *child*]; trind, rund [~ *cheeks*]
1 chuck [tʃʌk] **I** *vb tr* vard. slänga, hiva, kasta; kassera [~ *an old suit*]; strunta i, skippa, spola; ~ *one's money about* strö pengar omkring sig; ~ *away* kasta bort [~ *away rubbish*]; ~ *in* ge på båten; spola, fimpa; ~ *in one's job* säga upp sig, sluta; ~ *out* kasta ut, avvisa; ta bort, stryka [~ *out a sentence*]; ~ *up* spy upp **II** *vb itr*, ~ *up* spy
2 chuck [tʃʌk] *s* tekn. chuck
chuckle [ˈtʃʌkl] **I** *vb itr* skrocka; [små]skratta, sitta och ha roligt [*over sth* åt ngt] **II** *s* skrockande [skratt]; kluckande skratt
chuck steak [ˌtʃʌkˈsteɪk] *s* kok. halsrev; grytkött
chuffed [tʃʌft] *adj* vard. jätteglad, helförtjust, helnöjd
chug [tʃʌg] *vb itr* **1** puttra, dunka; tuffa **2** amer. vard., se *chug-a-lug*
chug-a-lug [ˈtʃʌgəlʌg] *vb tr* amer. vard. stjälpa i sig [~ *the whole bottle*]
chugger [ˈtʃʌgə] *s* vard. (av *charity* o. *mugger*) person som viggar pengar till välgörenhet av folk på gatan
chukka o. **chukker** [ˈtʃʌkə] *s* spelperiod i polo
chum [tʃʌm] vard. åld. **I** *s* kamrat, kompis, [god] vän [*they are great* ~*s*] **II** *vb itr* hålla ihop; ~ *up with* bli god vän med
chummy [ˈtʃʌmɪ] *adj* vard. intim, gemytlig, kompis-;

get ~ *with* bli kompis (bundis) med, stå på vänskaplig fot med
chump [tʃʌmp] *s* vard. **1** knäppskalle, dumbom **2** *off one's* ~ alldeles knäpp (vrickad)
chunder [ˈtʃʌndə] *vb itr* sl. spy
chunk [tʃʌŋk] *s* [tjockt (stort)] stycke, stor bit [~ *of cheese*; *a* ~ *of the profit*]
chunky [ˈtʃʌŋkɪ] *adj* **1** bastant, kraftig; bylsig [*a* ~ *sweater*] **2** i (med) stora bitar [~ *dog food*] **3** om person satt och kraftig
Chunnel [ˈtʃʌnl] *s* vard., *the* ~ kanaltunneln mellan England o. Frankrike under Engelska kanalen
church [tʃɜ:tʃ] *s* kyrka; attr. kyrk[o]-; *as poor as a* ~ *mouse* fattig som en kyrkråtta; *are you* ~ *or chapel?* se under *chapel II*; *go into the* ~ bli präst; *go to* ~ gå i kyrkan
churchgoer [ˈtʃɜ:tʃˌgəʊə] *s* kyrkobesökare; kyrksam person; pl. ~*s* äv. kyrkfolk
churchgoing [ˈtʃɜ:tʃˌgəʊɪŋ] *adj* kyrksam, kyrkobesökande
Churchill [ˈtʃɜ:tʃɪl]
churchman [ˈtʃɜ:tʃ|mən] (pl. -*men* [-mən]) *s* [statskyrko]präst
Church of England [ˌtʃɜ:tʃəvˈɪŋglənd] *s*, *the* ~ engelska statskyrkan, anglikanska kyrkan
church service [ˌtʃɜ:tʃˈsɜ:vɪs] *s* **1** gudstjänst **2** bönbok
churchwarden [ˌtʃɜ:tʃˈwɔ:dn] *s* **1** kyrkvärd **2** kyrkofullmäktig
churchwoman [ˈtʃɜ:tʃˌwʊmən] (pl. -*women* [-ˌwɪmɪn]) *s* [kvinnlig statskyrko]präst
churchyard [ˈtʃɜ:tʃjɑ:d, ˌ-ˈ-] *s* kyrkogård kring kyrka
churlish [ˈtʃɜ:lɪʃ] *adj* ohyfsad, drumlig, rå
churn [tʃɜ:n] **I** *vb tr* **1** ~ el. ~ *up* piska (röra, skvalpa) upp **2** ~ *out* spotta fram (ur sig) [*he* ~*s out a dozen articles a week*] **3** kärna
II *vb itr* **1** snurra [*the propeller* ~*ed round*]; *his stomach was* ~*ing* hans mage var i uppror **2** kärna [smör] **3** kärna sig **4** skumma, fräsa
III *s* **1** [smör]kärna **2** mjölkkanna, mjölkflaska för transport av mjölk
chute [ʃu:t] *s* **1** tekn. rutschbana; störtränna, glidbana **2** rutschkana på lekplats o.d. **3** amer., ~ el. *garbage* ~ sopnedkast **4** rutschduk, rutschsegel, rutschtrumma för snabb utrymning **5** (vard. kortform av *parachute*) fallskärm
chutney [ˈtʃʌtnɪ] *s* chutney slags indisk pickles
chutzpah [ˈhʊtspə, -pɑ:] *s* vard. fräckhet, framfusighet
CI förk. för *Chief Inspector*
CIA [ˌsi:aɪˈeɪ] (förk. för *Central Intelligence Agency*), *the* ~ CIA USA:s underrättelsetjänst
ciabatta [tʃəˈbætə] *s* it. ciabatta bröd
cibetic [sɪˈbetɪk] *adj* dial. kibetisk
cicada [sɪˈkɑ:də] *s* zool. cikada, sångstrit
cicatrice [ˈsɪkətrɪs] *s* ärr
ciceron|e [ˌtʃɪtʃəˈrəʊn|ɪ, ˌsɪsə'r-] (pl. -*i* [-i:] el. -*es*) *s* ciceron, vägvisare
CID [ˌsi:aɪˈdi:] (förk. för *Criminal Investigation Department*), *the* ~ [brittiska] kriminalpolisen
cider [ˈsaɪdə] *s* **1** ~ el. amer. *hard* ~ cider, äppelvin **2** amer., ojäst äppeljuice, äppelmust [äv. *sweet* ~]
cif o. **CIF** [ˌsi:aɪˈef] hand. (förk. för *cost, insurance, [and] freight*) cif

cig [sɪg] *s* vard. cig[g] cigarett, cigarr
cigar [sɪ'gɑ:] *s* cigarr
cigar-cutter [sɪ'gɑ:ˌkʌtə] *s* cigarrsnoppare
cigarette [ˌsɪgə'ret, '---] *s* cigarett
cigarette end [ˌsɪgə'retend] *s* cigarettstump, fimp
cigarette holder [ˌsɪgə'retˌhəʊldə] *s* cigarettmunstycke
cigarette lighter [ˌsɪgə'retˌlaɪtə] *s* cigarettändare
cigarette machine [ˌsɪgə'retməˌʃiːn] *s* **1** cigarettrullare apparat **2** cigarettautomat
cigarette paper [ˌsɪgə'retˌpeɪpə] *s* cigarettpapper
cigarillo [sɪgə'rɪləʊ] (pl. ~s) *s* cigarill
cigar-shaped [sɪ'gɑ:ʃeɪpt] *adj* cigarrformig
ciggy ['sɪgɪ] *s* vard. cig[g] cigarett
C in C [ˌsiːɪn'siː] förk. för *Commander-in-Chief*
cinch [sɪntʃ] **I** *s* sl., *it's a* ~ a) det är en enkel match b) det är bergsäkert; *he is a ~ to win* han vinner bergsäkert (bergis) **II** *vb tr* **1** vanl. amer. dra åt, snöra [åt] **2** amer. fästa [med sadelgjord], sadla **3** sl. få fast grepp om; säkra [~ *the victory*]
cinchona [sɪŋ'kəʊnə] *s* **1** bot. kinaträd [äv. ~ *tree*] **2** farmakol. kinabark [äv. ~ *bark*]
Cincinnati [ˌsɪnsɪ'nætɪ, -sə'n-] geogr.
cinder ['sɪndə] *s* **1** pl. ~s vanl. aska; *be burnt to a* ~ förbrännas till aska; bli alldeles uppbränd **2** slagg; sinder; *the ~s* sport. kolstybben
cinder block ['sɪndəblɒk] *s* amer. byggn. slaggbetongblock
Cinderella [ˌsɪndə'relə] Askungen
cinder track ['sɪndətræk] *s* sport. kolstybbsbana
cineaste ['sɪnɪæst] *s* cineast, filmkännare, filmfantast
cine-camera ['sɪnɪˌkæm(ə)rə] *s* smalfilmskamera
cine-film ['sɪnɪfɪlm] *s* film för smalfilmskamera
cinema ['sɪnəmə, -mɑ:] *s* bio, biograf[lokal]; *go to the* ~ gå på bio; *the* ~ äv. a) filmkonsten b) filmindustrin c) filmen
cinemagoing ['sɪnəməˌgəʊɪŋ] **I** *s* biobesök; [*I love*] ~ ...att gå på bio **II** *adj*, *the* ~ *public* biopubliken
Cinemascope® ['sɪnəməskəʊp] *s* cinemascope®
cinematic [ˌsɪnɪ'mætɪk] *adj* film-; filmisk
cinematographer [ˌsɪnəmə'tɒgrəfə] *s* filmfotograf
cinematography [ˌsɪnəmə'tɒgrəfɪ] *s* filmkonsten
cinephile ['sɪnəfaɪl] *s* filmentusiast, filmfantast
Cinerama® [ˌsɪnə'rɑ:mə] *s* cinerama®
cinerary urn [ˌsɪnərərɪ'ɜːn] *s* askurna, gravurna
cinnamon ['sɪnəmən] **I** *s* **1** kanel **2** kanelträd **II** *adj* kanelbrun, kanel-
cinquefoil ['sɪŋkfɔɪl] *s* bot. fingerört; *shrubby* ~ ölandstok
cipher ['saɪfə] *s* **1** chiffer[skrift] [*in* ~]; ~ *key* chiffernyckel; *break a* ~ forcera ett chiffer **2** monogram, namnchiffer; firmamärke **3** nolla äv. neds. om person
circa ['sɜːkə] *prep* o. *adv* lat. cirka, omkring
circadian [sɜː'keɪdɪən] *adj*, ~ *rhythm* dygnsrytm
circle ['sɜːkl] **I** *s* **1** cirkel i olika betydelser; ring; krets, omkrets; *traffic* ~ amer. cirkulationsplats, rondell; *we're going round in* ~s vi rör oss i cirkel, vi kommer ingen vart **2** [full] serie (omgång); period; *come full* ~ gå varvet runt, sluta där man börjat, se äv. *wheel I* 1; *reason in a* ~ göra ett cirkelbevis felslut **3** krets [*family* ~]; *in business* ~s i affärskretsar; ~ *of friends*

vänkrets; ~ *of readers* läsekrets **4** teat. rad, galleri; *the dress* ~ se *dress circle*; *the upper* ~ andra raden **II** *vb tr* **1** gå (fara, svänga) omkring (runt); kretsa (cirkla) runt (över) [*the aircraft ~d the landing field*] **2** ringa [in], göra en ring runt **III** *vb itr* kretsa [*the aircraft ~d over the landing field*]; cirkla; cirkulera
circlet ['sɜːklət] *s* diadem; armring, halsring
circotherm oven [ˌsɜːkə(ʊ)θɜːm'ʌvn] *s* varmluftsugn
circuit ['sɜːkɪt] *s* **1** kretsgång, omlopp, varv, rond; rutt; *make a ~ of* gå runt, göra en rond kring **2** a) kedja av teatrar, biografer o.d. under samma regim b) turnéväg, turnérutt **3** sport. a) racerbana b) mästerskap, turnering [*golf* ~] **4** elektr. [ström]krets, strömbana; *short* ~ kortslutning; *printed* ~ *board* kretskort; ~ *diagram* kretsschema **5** jur., ung. a) domsaga, domstolsdistrikt b) tingsresa domares resa i domsaga
circuit board ['sɜːkɪtbɔːd] *s* elektr. (kortform av *printed circuit board*, se *circuit 4*) kretskort
circuit breaker ['sɜːkɪtˌbreɪkə] *s* elektr. överströmsskydd, relä; strömbrytare
circuit judge ['sɜːkɪtdʒʌdʒ] *s* tingsdomare
circuitous [sə'kjuːɪtəs] *adj* **1** kringgående, indirekt, på omvägar; slingrande; ~ *route* omväg, krokväg **2** omständlig
circuitry ['sɜːkɪtrɪ] *s* elektr. [ström]kretssystem
circuit training ['sɜːkɪtˌtreɪnɪŋ] *s* sport. cirkelträning
circular ['sɜːkjʊlə] **I** *adj* cirkelrund; cirkel-, rund-; kretsformig, cirkulär; roterande; kringgående **II** *s* cirkulär
circular file [ˌsɜːkjʊlə'faɪl] *s* skämts., *the* ~ runda arkivet papperskorgen
circularize ['sɜːkjʊləraɪz] *vb tr* skicka cirkulär till
circular letter [ˌsɜːkjʊlə'letə] *s* cirkulär
circular road [ˌsɜːkjʊlə'rəʊd] *s* kringfartsled, ringväg
circular saw [ˌsɜːkjʊlə'sɔː] *s* cirkelsåg
circular tour [ˌsɜːkjʊlə'tʊə] *s* rundresa
circulate ['sɜːkjʊleɪt] **I** *vb tr* låta cirkulera, sätta i omlopp, sprida [omkring]; skicka omkring; låta gå runt; dela ut **II** *vb itr* cirkulera, gå runt, vara i omlopp; vara utbredd (gångbar, gängse)
circulating ['sɜːkjʊleɪtɪŋ] *adj* cirkulerande
circulation [ˌsɜːkjʊ'leɪʃ(ə)n] *s* **1** cirkulation; omlopp; *the ~ of the blood* blodomloppet; *have a poor* ~ ha dålig [blod]cirkulation; *withdraw from* ~ dra in, ta ur cirkulation[en]; *be back in* ~ vara i farten igen; *be in* ~ vara i omlopp (cirkulation); *be out of* ~ tillfälligt vara borta [från alla sina normala aktiviteter] **2** avsättning; omsättning, spridning [~ *of books*]; upplaga av tidning [*a big* ~]
circulatory [ˌsɜːkjʊ'leɪt(ə)rɪ, 'sɜːkjʊlət(ə)rɪ] *adj* cirkulations- [~ *problems*]; cirkulerande; ~ *disorder* med. cirkulationsrubbning
circulatory system [ˌsɜːkjʊ'leɪt(ə)rɪˌsɪstəm] *s*, *the* ~ blodomloppet
circumcise ['sɜːkəmsaɪz] *vb tr* omskära
circumcision [ˌsɜːkəm'sɪʒ(ə)n] *s* omskärelse
circumference [sə'kʌmf(ə)r(ə)ns] *s* omkrets äv. geom., periferi
circumflex ['sɜːk(ə)mfleks] *s* språkv. cirkumflex [accent]

circumlocution [ˌsɜːkəmləˈkjuːʃ(ə)n] s omskrivning; omsvep

circumnavigate [ˌsɜːkəmˈnævɪgeɪt] vb tr segla (flyga, gå, åka) omkring (runt), bildl. äv. kringgå

circumnavigation [ˈsɜːkəmˌnævɪˈgeɪʃ(ə)n] s världsomsegling

circumscribe [ˈsɜːkəmskraɪb, ˌsɜːkəmˈskraɪb] vb tr **1** begränsa; kringskära, kringgärda **2** rita en ring (cirkel) kring; geom. omskriva

circumspect [ˈsɜːkəmspekt] adj försiktig; förtänksam; varsam

circumspection [ˌsɜːkəmˈspekʃ(ə)n] s försiktighet; förtänksamhet; varsamhet

circumstance [ˈsɜːkəmstəns, -stæns] s **1** omständighet; [faktiskt] förhållande, faktum, detalj; *the force of ~s* omständigheternas makt, nödläge; *in the ~s* el. *under the ~s* el. *given the ~s* under sådana (dessa) omständigheter (förhållanden) **2** pl. *~s* [ekonomiska] förhållanden, omständigheter, villkor; *in reduced ~s* i knappa omständigheter **3** ståt [*pomp and ~*]

circumstantial [ˌsɜːkəmˈstænʃ(ə)l] adj **1** beroende på omständigheterna; *~ evidence* jur. indicier **2** utförlig, detaljerad [*a ~ account*]; omständlig

circumvent [ˌsɜːkəmˈvent, '---] vb tr kringgå [*~ the rules*; *~ the law*]; undvika [*~ a difficulty*]

circumvention [ˌsɜːkəmˈvenʃ(ə)n] s bedrägeri, svek, överlistande

circus [ˈsɜːkəs] s **1** cirkus; *~ performer* cirkusartist; *bread and ~es* bröd och skådespel **2** bråkig tillställning, cirkus [*a proper ~*] **3** [runt] torg, [rund] plan, rund öppen plats [*vanl. i namn: Piccadilly Circus*]; rundel

cirrhosis [sɪˈrəʊsɪs] s med. cirros; *~ of the liver* levercirros, skrumplever

cirr|us [ˈsɪrəs] (pl. *-i* [-aɪ]) s meteor. cirrus, fjädermoln

CIS [ˌsiːaɪˈes] (förk. för *Commonwealth of Independent States*), *the ~* OSS, oberoende staters samvälde

cissy [ˈsɪsɪ] s o. adj vard., se *sissy*

Cistercian [sɪˈstɜːʃjən, -ʃ(ə)n] relig. **I** adj cisterciensisk **II** s cisterciens[er]munk [äv. *~ monk* (*friar*)]

cistern [ˈsɪstən] s cistern; behållare, tank; reservoar

cit. förk. för *citation, cited, citizen*

citable [ˈsaɪtəbl] adj som kan åberopas (citeras)

citadel [ˈsɪtədl, -del] s citadell; bildl. tillflyktsort

citation [saɪˈteɪʃ(ə)n, sɪˈt-] s **1** citat; citering, åberopande **2** hedersomnämnande **3** jur. stämning, kallelse

cite [saɪt] vb tr **1** åberopa; anföra, citera; *in the place ~d* på anfört ställe **2** jur. [in]stämma; kalla; *be ~d to appear in court* instämmas till domstol **3** ge hedersomnämnande; *~d in dispatches* mil. omnämnd i dagordern

citified [ˈsɪtɪfaɪd] adj vard. stadspräglad, stadsmässig, stads- [*~ manners*]; urbaniserad

citizen [ˈsɪtɪzn] s **1** medborgare; invånare; *~ of the world* världsmedborgare **2** borgare i stad; stadsbo **3** civilperson

Citizens' Advice Bureau [ˌsɪtɪznzədˈvaɪsˌbjʊərəʊ] s, *the ~* ung. [social]rådgivningsbyrån

Citizens' Band [ˌsɪtɪznzˈbænd] (förk. *CB*) s privatradio

citizenship [ˈsɪtɪznʃɪp] s [med]borgarrätt, [med]borgarskap; medborgaranda [*good ~*]

citric acid [ˌsɪtrɪkˈæsɪd] s kem. citronsyra

Citroën [bil ˈsɪtrəʊən]

citrus [ˈsɪtrəs] **I** s citrus[träd] **II** adj citrus- [*~ fruits*]

city [ˈsɪtɪ] s **1** stor stad; eg. stad med vissa privilegier, spec. stiftsstad; *freedom of the ~* borgarrätt **2** *the City* City Londons finans- och bankcentrum; *City man* affärsman, finansman i City, Citybankman; *in the City* a) i Londons City b) i affärsvärlden

city centre [ˌsɪtɪˈsentə] s [stads] centrum, stadskärna, city

city council [ˌsɪtɪˈkaʊnsl] s ung. kommunfullmäktige

city desk [ˈsɪtɪdesk] s **1** ekonomiredaktion på en tidning **2** amer. redaktion ansvarig för lokala nyheter

city editor [ˈsɪtɪˌedɪtə] s **1** redaktör för ekonomisidorna i tidning **2** amer. ung. ansvarig för lokala nyheter i tidning

city hall [ˌsɪtɪˈhɔːl] s amer. **1** kommunfullmäktige **2** stadshus, rådhus, kommunalhus

city page [ˈsɪtɪpeɪdʒ] s ekonomisida (finanssida) i tidning

city planning [ˌsɪtɪˈplænɪŋ] s amer. stadsplanering

cityscape [ˈsɪtɪskeɪp] s stadsbild

city slicker [ˌsɪtɪˈslɪkə] s vard. **1** storstadssnobb **2** skojare, smart figur

city state [ˌsɪtɪˈsteɪt] s hist. fri riksstad, stadsstat

city wide [ˈsɪtɪwaɪd] adj omfattande alla områden i staden, som finns över hela staden

civ. förk. för *civil, civilian*

civet [ˈsɪvɪt] s **1** zool. civett, sibetkatt **2** sibet[olja] i parfym

civic [ˈsɪvɪk] adj medborgerlig, medborgar-; kommunal

civic center [ˌsɪvɪkˈsentə] s amer. kulturhus, konserthus

civic centre [ˌsɪvɪkˈsentə] s stadshus, kommunalhus, kommunalt centrum; rådhus

civic-minded [ˈsɪvɪkˌmaɪndɪd] adj samhällstillvänd

civics [ˈsɪvɪks] (med verb i sg.) s samhällslära, medborgarkunskap, samhällsorienterande ämnen

civil [ˈsɪvl] adj **1** hövlig, artig **2** medborgerlig, medborgar- [*~ spirit*]; *~ unrest* inre (inrikespolitiska) oroligheter **3** civil, världslig; borgerlig [*~ ceremony*; *~ marriage*]; *~ aviation* civilflyg; *~ disturbances* oroligheter, upplopp, kravaller; *~ pilot* civilflygare **4** jur. a) civil[rättslig]; *~ case* civilmål; *~ status* civilstånd; *~ suit* civilprocess b) juridisk mots. naturlig

civil disobedience [ˌsɪvldɪsəˈbiːdɪəns] s civil olydnad

civil engineer [ˌsɪvlen(d)ʒɪˈnɪə] s väg- och vattenbyggare, väg- och vattenbyggnadsingenjör

civil engineering [ˌsɪvlen(d)ʒɪˈnɪərɪŋ] s väg- och vattenbyggnad

civilian [sɪˈvɪlɪən] **I** s civil[ist], civilperson **II** adj civil [*~ life*]; *in ~ life* i det civila

civility [sɪˈvɪlətɪ] s hövlighet, artighet [*to mot*]

civilization [ˌsɪvəlaɪˈzeɪʃ(ə)n, -vəlɪˈz-] s **1** civilisation, kultur [*the Egyptian ~*] **2** civiliserande, civilisering **3** den civiliserade världen

civilize ['sɪvəlaɪz] *vb tr* civilisera; bilda, hyfsa, förfina, göra [mera] kultiverad

civilized ['sɪvəlaɪzd] *adj* **1** civiliserad; bildad **2** vettig **3** trevlig, härlig

civil law [ˌsɪvl'lɔ:] *s* civilrätt, privaträtt

civil list [ˌsɪvl'lɪst] *s*, *the* ~ civillistan, hovstaten

civil marriage [ˌsɪvl'mærɪdʒ] *s* **1** borgerlig vigsel **2** borgerligt äktenskap, civiläktenskap

civil rights [ˌsɪvl'raɪts] *s pl* medborgerliga rättigheter, medborgarrätt

civil servant [ˌsɪvl'sɜ:v(ə)nt] *s* statstjänsteman, tjänsteman inom civilförvaltningen

Civil Service [ˌsɪvl'sɜ:vɪs] *s*, *the* ~ civilförvaltningen statsförvaltningen utom den militära o. kyrkliga

civil union [ˌsɪvl'ju:nɪən] *s* amer., *enter into a* ~ el. *enter a* ~ ingå registrerat partnerskap; ~ *law* el. ~ *bill* partnerskapslag

civil war [ˌsɪvl'wɔ:] *s* inbördeskrig

civvies ['sɪvɪz] *s pl* vard. civila kläder, civildräkt, civilklädsel; *in* ~ civilklädd, civil

civvy ['sɪvɪ] *s* vard. civilist; ~ *street* det civila [livet]

CJD [ˌsi:dʒeɪ'di:] vet.med. (förk. för *Creutzfeldt-Jakob disease*) CJS, Creutzfeldt-Jakobs sjukdom, mänsklig variant av galna ko-sjukan

cl förk. för *centilitre[s]*

clack [klæk] *vb itr* **1** smattra, knattra **2** pladdra

clad [klæd] **I** poet. imperf. o. perf. p. av *clothe* **II** *adj* klädd; *poorly* ~ fattigt klädd; *well* ~ välklädd

cladding ['klædɪŋ] *s* **1** plätering **2** byggn. [fasad]beklädnad

claim [kleɪm] **I** *vb tr* **1** [vilja] göra gällande; hävda, påstå; försäkra **2** göra anspråk på [att få (ha)]; ~ *to* göra anspråk på att, påstå sig [~ *to be the owner*] **3** fordra, kräva [*the accident* ~*ed many victims*]; påkalla [*this matter* ~*s our attention*]; kräva **4** avhämta, begära att få utlämnad **II** *s* **1** fordran, krav; begäran; yrkande; [rätts]anspråk [*to, on, for* på]; påstående; *pay* ~ el. *wage* ~ löneanspråk; *substantial* ~ grundat anspråk; *lay* ~ *to* göra anspråk på; *make good a* ~ bevisa giltigheten av ett anspråk; bevisa ett påstående; *put in a* ~ *for* resa krav på **2** försäkr. skadeståndskrav **3** rätt [*to sth* till ngt]; *there are many* ~*s on my time* jag är mycket upptagen **4** flyg. o.d., *baggage* ~ bagageutlämning **5** jur. tillgodohavande, fordran **6** jordlott, inmutning, gruvlott

claimant ['kleɪmənt] *s* person som gör anspråk [*to, for* på], pretendent; fordringsägare; ~ *to the throne* tronpretendent

claim form ['kleɪmfɔ:m] *s* jur. stämning, stämningsorder

claims adjuster ['kleɪmzə,dʒʌstə] *s* försäkr. skadereglerare

claims department ['kleɪmzdɪ,pɑ:tmənt] *s* försäkr. avdelning för skaderegleringar

clairvoyance [kleə'vɔɪəns] *s* **1** klärvoajans, synskhet **2** intuition, klarsynthet

clairvoyant [kleə'vɔɪənt] **I** *adj* klärvoajant, synsk **II** *s* klärvoajant (synsk) person

clam [klæm] **I** *s* ätlig mussla; vard. mussla tillknäppt person **II** *vb itr*, ~ *up* sl. tiga som muren, knipa käft

clambake ['klæmbeɪk] *s* amer. grillfest (strandparty) vanl. med skaldjur

clamber ['klæmbə] *vb itr* klättra, kravla, klänga

clammy ['klæmɪ] *adj* fuktig (kall) och klibbig

clamour ['klæmə] **I** *s* rop, skrik; larm, buller; ~ *for* rop på [~ *for revenge*]; högljudda krav på **II** *vb itr* larma, ropa; protestera [*against* mot]; högljutt klaga [*against* över]; ~ *for* ropa på [~ *for revenge*]; kräva [högljutt]

clamp [klæmp] **I** *vb tr* **1** spänna (klämma) fast, klämma (trycka) ihop, foga samman; förstärka **2** bildl., ~ *controls on* införa kontroll över (på); ~ *sth on sb* påtvinga ngn ngt **II** *vb itr* vard., ~ *down on* slå ner på, klämma åt **III** *s* **1** krampa; klämma; kloss till förstärkning **2** skruvtving **3** bil. hjullås som används vid parkeringsförseelse

clampdown ['klæmpdaʊn] *s* vard. skärpt kontroll [*on* över], hårdare tag [*on* mot]

clamper ['klæmpə] *s* **1** brodd på sko **2** vard. vakt som sätter hjullås på bil

clan [klæn] *s* **1** skotsk. klan; stam **2** bildl. klan, enig släkt (familj) **3** kotteri, klick

clandestine [klæn'destɪn, -taɪn] *adj* hemlig[hållen] [~ *marriage*]; som sker i smyg

clang [klæŋ] **I** *vb itr* o. *vb tr* klinga, skalla; *the door* ~*ed shut* dörren slog igen med en skräll **II** *s* skarp metallisk klang, klämtande, skrällande [*the* ~ *of an alarm-bell*]; skrammel; skri av trana m.fl.

clanger ['klæŋə] *s* sl. jättemiss; klavertramp; *drop a* ~ trampa i klaveret; göra en dundertabbe

clank [klæŋk] **I** *vb itr* o. *vb tr* rassla (skramla) [med] **II** *s* rassel, skrammel med kedjor, pytsar o.d.

clannish ['klænɪʃ] *adj* klanartad, klan-; med stark släktkänsla

clannishness ['klænɪʃnəs] *s* klananda, släktkänsla; sammanhållning

clans|man ['klænzmən] (pl. *-men* [-mən]) *s* [manlig] klanmedlem

clans|woman ['klænz,wʊmən] (pl. *-women* [-wɪmɪn]) *s* klanmedlem kvinna

1 clap [klæp] **I** *vb tr* **1** slå ihop, klappa [i] [~ *one's hands*]; slå med [~ *one's wings*]; smälla [med]; ~ *one's hands* äv. klappa händer, applådera **2** applådera **3** klappa [~ *sb on the shoulder*]; dunka [~ *sb on* (i) *the back*] **4** hastigt el. kraftigt sätta, lägga, slå, sticka, köra, stoppa [~ *a piece of chocolate in[to] one's mouth*]; ~ *sb in prison* sätta ngn i fängelse, bura in ngn; ~ *a duty on* lägga tull på; ~ *eyes on* vard. få syn på, se **II** *vb itr* klappa [i händerna], applådera **III** *s* **1** handklappning, applåd [*give her a* ~] **2** skräll, knall [~ *of thunder*]; smäll **3** klapp [*a* ~ *on the shoulder*]; dunk [*a* ~ *on* (i) *the back*]

2 clap [klæp] *s* sl. åld., *the* ~ dröppel, gonorré

clapboard ['klæpbɔ:d, 'klæbəd] *s* vanl. amer. byggn. fjällpanel; fjällpanelbräda

clapped-out ['klæptaʊt] *adj* vard. **1** risig, skrotfärdig [*a* ~ *old car*] **2** utsliten, utkörd, utsjasad

clapper ['klæpə] *s* **1** [klock]kläpp **2** *like the* ~*s* sl. [fort] som bara sjutton

clapperboard ['klæpəbɔ:d] *s*, ~ el. pl. ~*s* film. [synkron]klappa

clapping ['klæpɪŋ] *s* handklappning[ar], applåd[er]

claptrap ['klæptræp] *s* [publikfriande] klyschor, tomma fraser

claret [ˈklærət] **I** s rödvin av bordeauxtyp **II** adj
vinröd, bordeauxröd
claret cup [ˈklærətkʌp] s rödvinsbål
Claridges [ˈklærɪdʒɪz] s berömt lyxhotell i London
clarification [ˌklærɪfɪˈkeɪʃ(ə)n] s **1** klargörande,
klarläggande **2** klarning, renande; skirning
clarified butter [ˌklærɪfaɪdˈbʌtə] s ung. skirat smör
clarify [ˈklærɪfaɪ] vb tr **1** klargöra, klarlägga **2** göra
klar, klara; rena, skira
clarinet [ˌklærɪˈnet] s mus. klarinett
clarinettist o. amer. vanl. **clarinetist** [ˌklærɪˈnetɪst] s
mus. klarinettist
clarion call [ˈklærɪənkɔːl] s stridssignal
clarity [ˈklærətɪ] s klarhet; skärpa [the ~ of the
picture]
clash [klæʃ] **I** vb itr **1** drabba (braka) samman [äv. ~
together]; komma ihop sig [with med] **2** kollidera,
vara oförenlig [with med]; strida [with mot]; the
colours ~ färgerna skär sig [mot varandra]; [the two
concerts] ~ …krockar, …kolliderar; our times ~
våra tider passar inte ihop **3** slå ihop med en
skräll; skrälla, skramla
II vb tr skramla med; ställa (sätta, slå) med en
skräll
III s **1** sammanstötning; sammandrabbning, strid,
konflikt; cultural ~ kulturkrock; ~ of interests
intressekonflikt **2** skräll, smäll, brak
clasp [klɑːsp] **I** s **1** knäppe, spänne; lås [~ of a
handbag] **2** omfamning; handslag, handtryckning;
grepp
II vb tr **1** knäppa [fast], häkta (haka) ihop, låsa
2 omfamna, omsluta; trycka, sluta, krama; hålla [i
ett fast (hårt) grepp]
clasp knife [ˈklɑːspnaɪf] s fickkniv, fällkniv
class [klɑːs] **I** s **1** klass i samhället; klassväsende;
kastväsende **2** skol. klass; lektion, [läs]timme;
[läro]kurs; evening ~es kvällskurs[er]; take a ~ om
lärare ha (undervisa i) en klass; in ~ på lektionen
(lektionerna) **3** amer. årgång, årsklass; the ~ of 1993
skol. årgång (avgångsklassen) 1993; he is a Harvard
man, ~ of 93 han tog examen vid (gick ut från)
Harvard 1993 **4** klass äv. biol., grupp, kategori
5 klass, kvalitet; it has no ~ vard. den har ingen stil,
den är usel; this hotel certainly has ~ vard. det är
verkligen klass på det här hotellet; they are not in
the same ~ de håller inte samma klass, de går inte
att jämföra [på samma dag] **6** univ., she got a first
(second, third) ~ se under first class etc.
II vb tr klassa; inordna; klassificera; ~ among räkna
bland (till), hänföra till; ~ with sätta i samma klass
som, jämställa med
III adj första rangens (klassens), av [hög] klass,
utmärkt [he is a ~ tennis player]; kvalitets-
class act [ˌklɑːsˈækt] s vard., she's a ~ hon är
kanonbra (suverän)
class action [ˌklɑːsˈækʃən] s amer. jur. kollektiv talan
class-conscious [ˌklɑːsˈkɒnʃəs] adj klassmedveten
class distinction [ˌklɑːsdɪˈstɪŋ(k)ʃ(ə)n] s
klasskillnad
class feeling [ˈklɑːsˌfiːlɪŋ, ˌ-ˈ--] s klassavund,
klasskänsla
classic [ˈklæsɪk] **I** adj klassisk [~ style; ~ taste]; ren,
mönstergill, tidlös

II s **1** klassiker i olika betydelser **2** klassiskt
evenemang, vanl. klassisk hästkapplöpning
classical [ˈklæsɪk(ə)l] adj klassisk [~ art; ~
literature; ~ style]; traditionell [~ scientific ideas]; ~
education klassisk bildning
classical music [ˌklæsɪk(ə)lˈmjuːzɪk] s klassisk
musik
classicism [ˈklæsɪsɪz(ə)m] s klassicism
classicist [ˈklæsɪsɪst] s klassicist
classics [ˈklæsɪks] s pl klassiska språk (studier,
författare); the Classics a) den klassiska
litteraturen, klassikerna b) klassisk musik
classifiable [ˌklæsɪˈfaɪəbl, ˈ-----] adj klassificerbar
classification [ˌklæsɪfɪˈkeɪʃ(ə)n] s klassifikation,
klassificering
classified [ˈklæsɪfaɪd] adj **1** klassificerad;
systematisk **2** hemligstämplad [~ information]
classified ad [ˌklæsɪfaɪdˈæd] s vard. rubrikannons
classified directory [ˌklæsɪfaɪddɪˈrekt(ə)rɪ] s
yrkesregister [i telefonkatalogen]
classified results [ˌklæsɪfaɪdrɪˈzʌlts] s pl sport.
fullständiga [match]resultat
classifieds [ˈklæsɪfaɪdz] s pl, the ~
rubrikannonserna
classify [ˈklæsɪfaɪ] vb tr **1** klassificera, indela [i
klasser]; rubricera; systematisera **2** hemligstämpla
classless [ˈklɑːsləs] adj klasslös [~ society]
classmate [ˈklɑːsmeɪt] s klasskamrat
classroom [ˈklɑːsruːm, -rʊm] s klassrum, lektionssal
class struggle [ˌklɑːsˈstrʌgl] s o. **class war**
[ˌklɑːsˈwɔː] s klasskamp
classy [ˈklɑːsɪ] adj vard. flott, stilig; högklassig
clatter [ˈklætə] **I** vb itr slamra, skramla
II vb tr slamra (skramla) med
III s **1** slammer [~ of cutlery]; klapprande, klapper
[~ of hoofs]; smattrande **2** oväsen; larm
Claudius [ˈklɔːdɪəs]
clause [klɔːz] s **1** gram. sats; subordinate ~ bisats;
main ~ huvudsats **2** klausul, bestämmelse; moment
i paragraf; artikel, paragraf
claustrophobia [ˌklɔːstrəˈfəʊbɪə, ˌklɒs-] s psykol.
klaustrofobi, cellskräck
clavichord [ˈklævɪkɔːd] s mus. klavikord
clavicle [ˈklævɪkl] s anat. nyckelben
claw [klɔː] **I** s klo i olika betydelser; tass, ram; get one's
~s into sb slå klorna i ngn; show one's ~s bildl. visa
klorna
II vb tr o. vb itr **1** klösa, riva **2** tr. riva (rycka) till
sig, gripa [tag i]
III vb tr med adv.:
claw back a) kämpa med näbbar och klor för att få
tillbaka b) finansiera (kompensera) utgifter för t.ex.
sociala förmåner genom motsvarande skattehöjningar
clay [kleɪ] s lera, lerjord [äv. ~ soil]; on ~ tennis. på
grus
clay court [ˈkleɪkɔːt] s tennis. grusbana
clay pigeon [ˈkleɪˌpɪdʒɪn] s sport. lerduva
clay pigeon shooting [ˈkleɪˌpɪdʒ(ə)nˈʃuːtɪŋ] s sport.
lerduveskytte
clay pipe [ˈkleɪpaɪp] s kritpipa, lerpipa
clean [kliːn] **I** adj **1** ren [~ hands; ~ air; ej radioaktiv ~
bomb]; renlig [~ animal] **2** a) ren, fläckfri;
anständig; keep the party ~ vard. hålla det hela på ett
anständigt plan; a ~ record el. a ~ sheet ett fläckfritt

förflutet; **keep a ~ sheet** sport. hålla nollan; **start with a ~ slate** o. **wipe the slate ~** se under *slate I 4* **b**) grön, godkänd, rentvådd **3** ren, tom; klar; **show a ~ pair of heels** lägga benen på ryggen; **come ~!** vard. bekänn [nu]! **4** slät, glatt; jämn [*a ~ edge*] **5** ren [*a ship with ~ lines*]; nätt **6** skicklig; ren; **a ~ stroke** i tennis o.d. ett rent slag **7** fullständig [*a ~ break with the past*]; **make a ~ breast of it** lätta sitt samvete, bekänna (tala om) alltsammans; **make a ~ sweep** göra rent hus [*of med*] **8** amer. sl. pank
II *adv* alldeles, totalt [*I ~ forgot*]; rent, rakt, tvärt; **the thieves got ~ away** tjuvarna kom undan helt och hållet
III *vb tr* **1** rengöra, göra ren (snygg); snygga upp; putsa; borsta [*~ shoes*]; [kem]tvätta; städa [i]; rensa; rensa upp **2** tömma, länsa [*~ one's plate*]
IV *vb itr* rengöras; bli ren
V *vb tr* med adv.:
clean away rensa (putsa) bort
clean down borsta (torka, tvätta) av [grundligt]
clean off rensa (putsa) bort
clean out a) rensa [upp], tömma; städa [i] **b**) vard. skinna, renraka **c**) länsa [*the tourists ~ed out the shops*]
clean up a) rensa upp [i], städa undan [i]; göra rent [i]; **~ up one's act** vard. rycka upp sig, skärpa sig **b**) itr. städa, göra rent [efter sig] **c**) länsa, äta upp på [*~ up one's plate*] **d**) itr. snygga till sig
VI *s* vard. rengöring, städning etc., jfr *clean III*
clean-cut [ˌkliːnˈkʌt, attr. '--] *adj* skarpt skuren (tecknad); bildl. klar, väl avgränsad; **~ features** rena drag
cleaner ['kliːnə] *s* **1** lokalvårdare, städare, städerska **2** rengöringsmedel, tvättmedel, fläckborttagningsmedel **3** rensare [*pipe-cleaner*]; renare; **vacuum ~** dammsugare **4 send one's clothes to the** [*dry*] **~s** skicka kläderna på kemtvätt **5 take sb to the ~s** sl. a) blåsa ngn b) sabla ner ngn fullständigt c) slå (besegra) ngn
cleaning ['kliːnɪŋ] *s* rengöring, renhållning, städning; tvätt; **dry ~** kemtvätt; **do the ~** städa; sköta städningen
cleaning firm ['kliːnɪŋfɜːm] *s* städfirma
cleaning lady ['kliːnɪŋˌleɪdɪ] *s* o. **cleaning woman** ['kliːnɪŋˌwʊmən] *s* [kvinnlig] lokalvårdare, [kvinnlig] städare
cleanliness ['klenlɪnəs] *s* renlighet, snygghet; renhet; **~ is next to godliness** ung. renlighet är en dygd
clean-living [ˌkliːnˈlɪvɪŋ] *s* renlevnad
cleanly [adv. 'kliːnlɪ, adj. 'klenlɪ] **I** *adv* rent etc., jfr *clean I* **II** *adj* ren [av sig], renlig, snygg
cleanse [klenz] *vb tr* **1** rengöra; befria; rensa **2** mest bildl. rena, rentvå
cleanser ['klenzə] *s* **1** rengöringsmedel, putsmedel; rengörare **2 skin ~** ansiktsvatten, ansiktstvätt
clean-shaven [ˌkliːnˈʃeɪvn, attr. '-,--] *adj* slätrakad
cleansing ['klenzɪŋ] *s* rengöring; upprensning, utrensning; [själslig] rening
cleansing lotion ['klenzɪŋˌləʊʃ(ə)n] *s* ansiktsvatten
cleansing tissue ['klenzɪŋˌtɪʃuː] *s* ansiktsservett
clean-up ['kliːnʌp] *s* **1** [grundlig] rengöring, uppröjning; sanering; **give sth a good ~** göra ren ngt ordentligt **2** bildl. [upp]rensning, utrensning

clear [klɪə] **I** *adj* **1** klar, ljus; ren, frisk [*~ complexion*] **2** klar, tydlig; **make ~** klargöra; **as ~ as daylight** solklar **3** redig, klar [*a ~ head*] **4** säker; **I want to be quite ~ on this point** äv. jag vill inte att det ska bli något missförstånd på den punkten; [*I don't want any problems,*] **is that ~?** ..., uppfattat? **5** fläckfri; oskyldig; **with a ~ conscience** med rent samvete **6** fri [*of från*; *~ of snow*]; klar, öppen [*~ for traffic*]; tom; frigjord, lös; **all ~!** faran över! **7** hand. ren, netto- [*~ loss*; *~ profit*] **8** hel, full [*six ~ days*]
II *s*, **in the ~** a) frikänd, rentvådd b) utom fara c) skuldfri
III *adv* **1** klart [*shine ~*]; ljust; tydligt **2** alldeles, fullständigt **3 get ~ of** komma lös från, bli fri från; **keep ~ of** el. **stay ~ of** hålla sig ifrån; **stand ~ of** gå ur vägen för
IV *vb tr* **1** göra klar; klara; **~ the air** rensa luften; **~ one's throat** klara strupen, harkla sig **2** frita [från skuld], förklara oskyldig [*of till*]; **~ oneself of suspicion** rentvå sig från misstankar **3** befria [*of från*]; göra (ta) loss; reda ut; röja, rensa, tömma [*~ your pockets*]; röja av [*~ a desk*]; utrymma, lämna; **~ the decks** sjö. göra klart till drabbning (klart skepp); bildl. göra sig klar (redo); **~ the table** duka av [bordet]; **~ the way** bana väg **4** klara komma förbi (över) [*can your horse ~ that hedge?*] **5** sjö. klarera fartyg, varor i tullen; **~ through the customs** förtulla, [låta] tullbehandla **6** hand. o.d. a) betala, göra sig kvitt [*~ one's debts*]; klara, täcka [*~ expenses*] **b**) förtjäna netto **c**) utförsälja **d**) cleara [*~ a cheque*] **7** förelägga för godkännande [*with hos*]; godkänna [*the article was ~ed for publication*]; **~ sb** säkerhetskontrollera ngn; **~ a plane for landing** ge ett flygplan tillstånd att landa **8** klargöra, förklara, klara ut
V *vb itr* **1** klarna, bli klar, ljusna **2** skingra sig [*the clouds ~ed; the crowd ~ed*]; lätta, försvinna, ge med sig
VI *vb tr* o. *vb itr* med adv.:
clear away a) tr. röja undan, få undan, ta (röja, rensa) bort **b**) tr. o. itr. duka av [*~ away the tea things*] **c**) itr. dra bort, skingra sig [*the clouds have ~ed away*]; lätta [*the fog has ~ed away*]; försvinna
clear off a) göra sig kvitt (av med); klara av, betala [*~ off a debt*] **b**) vard. sticka, dunsta; **~ off!** stick!
clear out a) rensa ut (bort), få undan; tömma, rensa [*the police ~ed out the streets*]; länsa; röja ur; slutförsälja; köra (jaga) ut [*~ them out of the country*] **b**) vard. sticka, dunsta; **~ out!** stick!
clear up a) ordna, få ordning i [*~ up the mess*]; städa, göra rent i (på) **b**) klargöra, klara upp [*~ up a mystery*]; reda upp (ut) **c**) klarna [*it's beginning to ~ up*]

clearance ['klɪər(ə)ns] *s* **1 a**) tillstånd, godkännande, grönt ljus **b**) **~** el. **security ~** intyg om verkställd säkerhetskontroll **2** starttillstånd, landningstillstånd **3** [tull]klarering; tullklareringssedel **4** undanröjande; sanering, rensning; tömning av t.ex. brevlåda; röjning; hygge [*a ~ in the wood*]; **~ area** saneringsområde; **slum ~** slumsanering **5** spelrum, frigående; säkerhetsmarginal, fri höjd [*a ~ of two feet*]

clearance sale ['klɪər(ə)nsseɪl] s utförsäljning, lagerrensning; utskottsförsäljning

clear-cut [ˌklɪə'kʌt, attr. '--] I adj klar, entydig [~ decision]; skarpt skuren (markerad), ren [~ features] II vb itr o. vb tr amer. skog. kalhugga

clear-fell ['klɪəfel] vb tr skog. kalhugga

clear-headed [ˌklɪə'hedɪd, attr. '-,--] adj klar[tänkt], som är klar i huvudet, med klart huvud

clearing ['klɪərɪŋ] s 1 röjt land, hygge, uthuggning; glänta 2 undanröjande; röjning 3 clearing, klarerande

clearing bank ['klɪərɪŋbæŋk] s clearingbank

clearing house ['klɪərɪŋhaʊs] s 1 clearingcentral för banker 2 bildl., ung. central för information m.m.

clearly ['klɪəlɪ] adv 1 klart, tydligt 2 tydligen, påtagligen; säkert

clearness ['klɪənəs] s 1 klarhet, genomskinlighet 2 klarhet, tydlighet, skärpa

clear-out ['klɪəraʊt] s, have a good ~ städa ordentligt, göra en riktig storstädning

clear-sighted [ˌklɪə'saɪtɪd, attr. '-,--] adj klarsynt, skarpsynt

clear-up ['klɪərʌp] s 1 the ~ rate antalet (andelen) uppklarade fall 2 vard. [ut]röjning

clearway ['klɪəweɪ] s trafik. väg med stoppförbud

cleat [kli:t] s 1 sjö. krysshult, knap 2 dubb under skor, pl. ~s amer. spikskor, fotbollsskor

cleavage ['kli:vɪdʒ] s 1 springa mellan brösten, djup urringning 2 klyvning; spaltning; splittring; klyfta [a growing ~ between the two groups]

1 cleave [kli:v] (imperf. cleft, cleaved el. clove; perf. p. cleft, cleaved el. cloven) vb tr klyva [sönder] [ofta ~ asunder; ~ in two]; bildl. splittra [sönder]

2 cleave [kli:v] vb itr, ~ to a) klibba fast (låda) vid b) hålla (hänga) fast vid

cleaver ['kli:və] s hackkniv, köttyxa

clef [klef] s mus. klav; C ~ c-klav

cleft [kleft] I s klyfta, spricka II imperf. o. perf. p. av 1 cleave

cleft palate [ˌkleft'pælət] s med. gomspalt, kluven gom, gomklyvning

clematis ['klemətɪs, klɪ'meɪtɪs] s bot. klematis

clemency ['klemənsɪ] s mildhet; förbarmande, nåd

clementine ['kleməntaɪn, -ti:n] s clementin frukt

clench [klen(t)ʃ] vb tr bita ihop (om), pressa hårt samman; gripa hårt om, hålla hårt fast; spänna [~ the body]; ~ one's fist knyta näven; ~ed fist knytnäve; with ~ed teeth med hopbitna tänder

Cleopatra [klɪə'pætrə, -'pɑ:t-] som drottningnamn Kleopatra

clergy ['klɜ:dʒɪ] (med verb i pl.) s prästerskap, präster

clergy|man ['klɜ:dʒɪ|mən] (pl. -men [-mən]) s präst vanl. inom engelska statskyrkan

clergy|woman ['klɜ:dʒɪ|ˌwʊmən] (pl. -women [-ˌwɪmɪn]) s [kvinnlig] präst vanl. inom engelska statskyrkan

cleric ['klerɪk] s präst[man]

clerical ['klerɪk(ə)l] adj 1 kontors-; skriv- 2 klerikal; prästerlig [~ duties]

clerical collar [ˌklerɪk(ə)l'kɒlə] s prästs rundkrage

clerical error [ˌklerɪk(ə)l'erə] s skrivfel, avskrivningsfel

clerical staff [ˌklerɪk(ə)l'stɑ:f] s kontorspersonal, byråpersonal

clerk [klɑ:k, amer. klɜ:k] s 1 kontorist; tjänsteman; bokförare [äv. commercial ~]; sekreterare, kanslist; bank ~ banktjänsteman 2 jur. o.d. sekreterare, notarie [äv. recording ~]; town ~ ung. stadsjurist; Clerk of the Court rättens sekreterare 3 amer. a) expedit, [affärs]biträde b) hotellreceptionist

Cleveland ['kli:vlənd] geogr.

clever ['klevə] adj 1 begåvad, intelligent, klyftig 2 slipad, smart 3 skicklig, duktig [at, in i], driven 4 behändig, fiffig [a ~ device]

clever-clever [ˌklevə'klevə] adj vard. smart, för smart, översmart

clever-dick ['klevədɪk] s vard. besserwisser

cleverness ['klevənəs] s begåvning, intelligens, skicklighet m.fl., jfr clever

cliché ['kli:ʃeɪ] s klyscha, kliché

clichéd ['kli:ʃeɪd] adj klichéartad, klichémässig

click [klɪk] I vb itr 1 knäppa [till], klicka [till] 2 data. klicka 3 vard. a) lyckas b) gå hem [that film really ~s with (hos) young people]; bli (vara) en succé 4 vard. klaffa, funka [som det ska]; ~ with klaffa (stämma) med 5 vard. a) passa (funka) ihop b) tända [på varandra], få ihop det [they ~ed at their first meeting] 6 vard. säga klick, förefalla bekant [something ~s] II vb tr 1 knäppa med, klappra med; ~ one's heels slå ihop klackarna; ~ one's tongue ung. smacka med tungan 2 data. klicka på III s 1 knäppning etc., jfr click I 2 data. klickning 3 smackande; fonet. smackljud, klickljud

clickable ['klɪkəbl] adj data. klickbar, som det går att klicka på

client ['klaɪənt] s klient; kund

clientele [ˌkli:ɒn'tel, -ɑ:n-, -ən-] s klientel; kundkrets

client-server ['klaɪəntˌsɜ:və] adj data., ~ system klient server-system

cliff [klɪf] s [brant] klippa; stup, bergvägg vanl. vid havsstrand

cliffhanger ['klɪfˌhæŋə] s vard. rysare, spännande serie (följetong); nervpirrande historia

cliffhanging ['klɪfˌhæŋɪŋ] adj vard. nervpirrande, som håller en på sträckbänken (i spänning)

climactic [klaɪ'mæktɪk] adj avgörande, kritisk

climate ['klaɪmət] s 1 klimat, luftstreck; change of ~ klimatombyte 2 bildl. klimat [intellectual ~; political ~]; atmosfär; the ~ of opinion opinionsklimatet

climate change ['klaɪmətˌtʃeɪn(d)ʒ] s klimatförändring

climatic [klaɪ'mætɪk] adj klimatisk, klimat-

climatology [ˌklaɪmə'tɒlədʒɪ] s klimatologi

climax ['klaɪmæks] I s 1 klimax, höjdpunkt, kulmen 2 orgasm II vb tr 1 stegra 2 bringa till en höjdpunkt III vb itr 1 stegras 2 nå en (sin) höjdpunkt, kulminera 3 få orgasm

climb [klaɪm] I vb itr 1 klättra, bildl. äv. arbeta sig upp; klänga; kliva; ~ down klättra (kliva) nedför (ned från) [~ down a ladder; ~ down a tree]; ~ up klättra (etc.) upp 2 höja sig, stiga [the aircraft ~ed suddenly; prices have ~ed a little] 3 slutta uppåt, stiga II vb tr klättra (klänga, kliva, komma, gå) uppför

(upp på, upp i) [~ *a ladder*; ~ *a hill*; ~ *a tree*]; bestiga
III *vb itr* med adv.:
climb down a) bildl. stämma ner tonen, slå till reträtt **b)** se *climb down* under *climb I 1* ovan
IV *s* klättring; stigning; *rate of ~* flyg. stighastighet
climb-down ['klaɪmdaʊn] *s* bildl. reträtt
climber ['klaɪmə] *s* **1** klättrare, bestigare [*mountain ~*] **2** bot. klängväxt, klätterväxt **3** vard. streber [äv. *social ~*]
climbing frame ['klaɪmɪŋfreɪm] *s* klätterställning för barn
climbing wall [ˌklaɪmɪŋ'wɔːl] *s* bergbest. klättervägg
clime [klaɪm] *s* poet. nejd, luftstreck, trakt
clinch [klɪn(t)ʃ] **I** *vb tr* **1** avgöra [slutgiltigt] [*~ an argument*]; göra definitiv, fastslå; klara upp, lösa tvist o.d.; bekräfta, styrka [*that ~ed her suspicions*]; göra upp [*~ a sale*]; vinna slutgiltigt [*~ a basketball title*]; *that ~ed it* det avgjorde saken **2** nita, klinka; stuka [*~ a nail*]
II *vb itr* **1** boxn. gå i clinch **2** vard. kramas och kyssas våldsamt, 'gå i clinch'
III *s* boxn. clinch; vard. våldsam omfamning; *go into a ~* boxn. el. vard. gå i clinch, se äv. *clinch II*
clincher ['klɪn(t)ʃə] *s* vard. avgörande faktor, ovedersägligt argument
cling [klɪŋ] (*clung clung*) *vb itr* klänga sig [fast], klamra sig fast [*to, on* vid, intill; *~* [*on*] *to one's possessions*]; hålla sig [tätt] [*to* intill]; fastna, sitta [fast], klibba [*to* i, vid]; om kläder o.d. smita åt [*round* kring; *to* efter]; *~ to a doctrine* hålla fast vid en lära; *the children ~ to their mother's skirts* barnen hänger mamma i kjolarna, barnen är mammiga; *~ together* hålla ihop, inte gå isär
clingfilm ['klɪŋfɪlm] *s* plastfolie
clinging ['klɪŋɪŋ] *adj* **1** klängande etc., jfr *cling*; om kläder tätt åtsittande, åtsmitande **2** efterhängsen
clinging vine [ˌklɪŋɪŋ'vaɪn] *s* **1** bot. klängväxt **2** person klängranka
clinic ['klɪnɪk] *s* **1** klinik **2** amer. läkarpraktik, läkarmottagning
clinical ['klɪnɪk(ə)l] *adj* **1** klinisk **2** [strängt] objektiv [*~ analysis (examination) of a problem*]
clinical thermometer [ˌklɪnɪk(ə)lθə'mɒmɪtə] *s* febertermometer
1 clink [klɪŋk] **I** *vb itr* o. *vb tr* klirra (klinga, skramla, pingla) [med]; *~ glasses* skåla, klinga med glasen **II** *s* klirr, klingande, klang, skrammel
2 clink [klɪŋk] *s* sl., *the ~* finkan, kurran fängelse
1 clinker ['klɪŋkə] *s* **1** klinker[tegel] **2** tegelklump, slaggklump, lavaklump; pl. *~s* slagg
2 clinker ['klɪŋkə] *s* **1** amer. sl. fiasko; dundermiss; misslyckad grej **2** mus. falsk ton
clinker-built ['klɪŋkəbɪlt] *adj* om båt klinkbyggd, byggd på klink
1 clip [klɪp] **I** *s* **1** gem, hållare, klämma; clip[s], spänne; *trouser ~* cykelklämma för byxben **2** mil. patronknippe
II *vb tr*, *~* el. *~ together* fästa (klämma, hålla) ihop [med gem etc., jfr *clip I 1*]; *~ on* fästa, sätta fast (på sig) [*~ on a microphone*; *~ on one's earrings*]
2 clip [klɪp] **I** *s* **1** klippning, klipp **2** klatsch, rapp, slag; *give sb a ~ round the ear* ge ngn en örfil **3** amer. fart, takt [*going at quite a ~*]

II *vb tr* **1** klippa [*~ tickets*]; *~ a bird's wings* vingklippa en fågel; *~ sb's wings* vingklippa ngn **2** stympa, klippa av **3** sl. slå till, klippa till
clipboard ['klɪpbɔːd] *s* skrivskiva
clipjoint ['klɪpdʒɔɪnt] *s* sl. åld. skojarhåla där man tar överpriser; skum nattklubb
clip-on ['klɪpɒn] **I** *adj*, *~ earrings* öronclips; *~ sunglasses* förhängare **II** *s*, *~s* förhängare
clipped form ['klɪptfɔːm] *s* språkv. ellips, elliptisk ordform
clipper ['klɪpə] *s* sjö. klipper[skepp]
clippers ['klɪpəz] *s pl* sax; hårklippningsmaskin
clipping ['klɪpɪŋ] *s* **1** avklippt stycke o.d. **2** pl. *~s* vanl. tidningsurklipp
clique [kliːk] *s* klick, kotteri
cliquey ['kliːkɪ] *adj* o. **cliquish** ['kliːkɪʃ] *adj* klick-, kotteri-
clit [klɪt] *s* sl. klitta klitoris
clitoris ['klɪtərɪs] *s* anat. klitoris, kittlare
Clive [klaɪv] mansnamn
Cllr förk. för *Councillor*
cloak [kləʊk] **I** *s* **1** [släng]kappa, mantel **2** bildl. täckmantel, mask; täcke, hölje, slöja; *under the ~ of darkness* i skydd av mörkret
II *vb tr* dölja, överskyla, hölja
cloak-and-dagger [ˌkləʊk(ə)n'dægə] *adj* vard. romantisk bov- (spion-, agent-) [*~ novel*]
cloakroom ['kləʊkruːm, -rʊm] *s* **1 a)** kapprum, garderob **b)** effektförvaring, bagageinlämning **2** toalett
1 clobber ['klɒbə] *vb tr* sl. **1** slå sönder och samman, mosa **2** bildl. pungslå, skinna [*~ the taxpayer*] **3** utklassa, ge på nöten
2 clobber ['klɒbə] *s* vard. kläder
clock [klɒk] **I** *s* **1** klocka, [vägg-, torn-]ur; *beat the ~* bildl. bli färdig före [utsatt tid]; *kill the ~* el. *run out the ~* sport. få tiden att gå; *turn (put) back the ~* el. *turn (put) the ~ back* bildl. vrida tillbaka klockan (tiden, utvecklingen); *work against the ~* arbeta i kapp med klockan (tiden); *by the ~* efter klockan; *round (around) the ~* dygnet runt; utan uppehåll; 12 (24) timmar i sträck; jfr äv. *o'clock* **2** vard. mätare, hastighetsmätare, vägmätare; taxameter **3** sl. nylle, fejs ansikte
II *vb tr* **1** sport. ta tid på, klocka **2 a)** klockas för, få noterat en tid på **b)** uppnå, komma upp i [*we ~ed 100 m.p.h.*]; registrera **3** sl. klippa till, slå till **4** sl., *~ a car* fiffla med mätarinställningen i en bil
III *vb itr* o. *vb tr* med adv. el. prep.:
clock in el. **clock on** stämpla in på stämpelur
clock off el. **clock out** stämpla ut
clock up a) tillryggalägga [*~ up over 1800 miles*] **b)** få ihop [*~ up more than 25 years on the committee*]
clock radio [ˌklɒk'reɪdɪəʊ] (pl. *~s*) *s* klockradio
clock tower ['klɒkˌtaʊə] *s* klocktorn
clock-watching ['klɒkˌwɒtʃɪŋ] *s* oupphörligt sneglande åt klockan under arbete i väntan på arbetstidens slut
clockwise ['klɒkwaɪz] *adv* medurs
clockwork ['klɒkwɜːk] **I** *s* urverk; *like ~* bildl. som ett urverk, som smort; *~ toys* mekaniska (uppvridbara) leksaker drivna med fjäder **II** *adj* som ett urverk, mekanisk, regelbunden

clod [klɒd] *s* **1** jordklump, klump **2** vard. bondlurk, tölp; tjockskalle

clodhopper ['klɒd,hɒpə] *s* vard. **1** pl. ~s stora skor (kängor) **2** åld. bondlurk, tölp; buffel, klumpeduns

clog [klɒg] **I** *vb tr* **1** ~ el. ~ *up* täppa till, stoppa [till]; spärra, belamra; *my nose is ~ged* jag är täppt i näsan **2** fjättra; hindra, hämma, besvära; klibba fast vid, fastna på [*snow ~ged my ski boots*] **II** *vb itr*, ~ el. ~ *up* klibba fast, stocka sig, stanna, gå trögt; täppas till; klumpas ihop; *my pen has ~ged up* min penna har torkat ihop **III** *s* **1** trätoffel, träsko **2** bildl. hämsko, hinder

cloister ['klɔɪstə] *s* **1** arkit., vanl. pl. ~s klostergång, pelargång, korsgång **2** litt. kloster

cloistered ['klɔɪstəd] *adj* **1** kloster- [~ *life*]; klosterlik; instängd **2** omgiven av (försedd med) pelargångar

clone [kləʊn] **I** *s* **1** biol. klon **2** vard. dubbelgångare, exakt kopia **3** vard. robot om person **4** data. kopia **II** *vb tr* **1** biol. klona **2** vard. göra en exakt kopia av

cloning ['kləʊnɪŋ] *s* biol. kloning, könlös fortplantning

clonk [klɒŋk] vard. **I** *s* klampande; dunk[ande] **II** *vb tr* drämma till, slå till **III** *vb itr* klampa; dunka

clop [klɒp] **I** *s* klapprande av hästhovar o.d. **II** *vb itr* klappra

1 close [kləʊz] **I** *vb tr* **1** stänga äv. data. [~ *the door*; ~ *a program*]; slå igen (ihop) [~ *a book*]; fälla ihop [~ *un umbrella*]; sluta [till (ihop)]; dra för [~ *the curtains*]; lägga ner [~ *a factory*]; ~ *one's eyes to* bildl. blunda för; ~ *ranks* sluta leden; ~ *down* a) stänga, lägga ner b) data. stänga; ~ *up* a) sluta till b) fylla c) bomma igen **2** sluta, avsluta, slutföra [~ *a deal* (en affär)] **3** sjö. komma nära (inpå) **4** minska [~ *the distance to the leader*] **II** *vb itr* **1** stängas, slutas [till] [*on* om, efter]; sluta sig [*certain flowers ~ at night*]; gå att stänga [*this box doesn't ~ properly*]; minskas [*the distance between us rapidly ~d*]; ~ *on* el. ~ *upon* gripa om, sluta sig om, omsluta **2** sluta [*he ~d with this remark*]; avslutas, ta slut; läggas ned [*the play ~d after two weeks*]; stänga **3** börs., ~ *at* sluta [vid stängningsdags] på; ~ *down* sluta ner [vid stängningsdags] **4** förenas; närma sig; ~ *about* el. ~ *round* omringa; sluta sig kring **5** drabba samman **III** *vb itr* med adv.: **close down** a) om affär o.d. stänga[s], upphöra, slå igen, läggas ner b) radio. o.d. sluta sända (sändningen) c) tr., jfr *1 close I 1 d*) börs., jfr *1 close II 3* **close in** komma närmare, falla [på]; om dagarna bli kortare; ~ *in on* el. ~ *in upon* sluta sig omkring; omringa; kasta sig över **close up** jfr *1 close I 1* **IV** *s* (jfr *2 close III*) **1** slut [*the ~ of day*]; avslutning; *bring sth to a* ~ avsluta ngt; *come to a* ~ el. *draw to a* ~ närma sig sitt slut **2** mus. kadens

2 close [kləʊs] **I** *adj* **1** nära, närstående [*a ~ relative*]; intim, förtrolig; omedelbar; ~ *combat* närstrid, handgemäng; *at ~ quarters* el. *at ~ range* på nära håll; i närstrid; *run sb a ~ second* ligga hack i häl på ngn; *it was a ~ shave* el. *it was a ~ thing* el. *it was a ~ call* vard. det var nära ögat **2** kort [*a ~ haircut*]; slät, ordentlig [*a ~ shave*] **3** tät [~

thicket]; fast [~ *texture*]; hopträngd [~ *handwriting*] **4** ingående, grundlig [~ *investigation*]; noggrann [~ *analysis*]; nära [*a ~ resemblance*]; trogen [*a ~ translation*]; följdriktig [~ *reasoning*]; uppmärksam [*a ~ observer*]; ~ *attention* stor (spänd) uppmärksamhet; *keep a ~ eye on* el. *keep a ~ watch on* hålla noggrann uppsikt över; *on ~r examination* vid närmare granskning **5** strängt bevakad [*a ~ prisoner*]; strängt bevarad [*a ~ secret*]; ~ *arrest* rumsarrest; mil. vaktarrest **6** inte öppen för alla [~ *scholarship*] **7** hemlig; hemlighetsfull, förtegen **8** kvav, kvalmig [~ *air*] **9** snål, knusslig **10** mycket jämn [~ *contest*; ~ *finish*] **11** fonet. sluten [*a ~ vowel*] **II** *adv* tätt, nära, strax [*by, to* intill, bredvid; *upon* efter, inpå]; tätt ihop, nära tillsammans [ofta ~ *together*]; ~ *at hand* strax i närheten (intill, bredvid), till hands, inom räckhåll; nära förestående; ~ *on sb's heels* tätt i hälarna på ngn; ~ *on* prep. inemot, uppemot [~ *on 100*] **III** *s* (jfr *1 close IV*) **1** [återvänds]gränd **2** domkyrkoplats, område kring domkyrka

close-cropped [,kləʊs'krɒpt, attr. '--] *adj* kortklippt, snaggad

closed [kləʊzd] *adj* (jfr äv. *1 close I*) stängd; spärrad; avstängd [~ *to* (för) *traffic*]; sluten [*a ~ circle; a ~ society*]; *a ~ car* en täckt bil

closed book [,kləʊzd'bʊk] *s*, *he is a* ~ han är svår att lära känna (att förstå)

closed-captioned [,kləʊzd'kæpʃ(ə)nd] *adj* TV. etc. med dold text

closed circuit [,kləʊzd's3ːkɪt] *s* elektr. sluten [ström]krets

closed-circuit television ['kləʊzd,s3ːkɪt'telɪvɪʒ(ə)n] *s* o. **closed-circuit TV** ['kləʊzd,s3ːkɪtti:'vi:] (förk. *CCTV*) *s* övervakningssystem, övervakningskamera

close-down ['kləʊzdaʊn] *s* **1** stängning, nedläggning [~ *of a factory*]; upphörande **2** radio. o.d. slut på sändningen

closed season ['kləʊzd,si:zn] *s* amer., *the* ~ förbjuden (olaga) tid för jakt o. fiske, fridlysningstiden

closed shop [,kləʊzd'ʃɒp] *s* **1** företag (yrke) öppet endast för fackligt organiserad arbetskraft **2** fackföreningstvång [*the principle of the ~*]

close-fisted [,kləʊs'fɪstɪd, attr. '-,--] *adj* vard. snål, knusslig

close-fitting [,kləʊs'fɪtɪŋ, attr. '-,--] *adj* tätt åtsittande, snäv [~ *skirt*]

close-knit [,kləʊs'nɪt, attr. '--] *adj* bildl. fast sammanhållen (sammansvetsad) [~ *family*]

close-lipped [,kləʊs'lɪpt, attr. '--] *adj* o. **close-mouthed** [,kləʊs'maʊðd] *adj* tyst[låten]; sluten, förbehållsam

closely ['kləʊslɪ] *adv* **1** nära [~ *related*]; intimt **2** tätt [~ *packed*] **3** ingående [*question sb ~*]; grundligt etc., jfr *2 close I 4*

closeness ['kləʊsnəs] *s* **1** närhet; förtrolighet **2** täthet, fasthet [*the ~ of the texture*] **3** grundlighet, noggrannhet m.fl., jfr *2 close I 4* **4** kvalmighet, instängdhet **5** snålhet **6** obetydlig skillnad [*the ~ of the vote* (i röstetal)]; nära likhet

closeout ['kləʊzaʊt] *s* o. **closeout sale**

['kləʊzaʊtseɪl] s amer. utförsäljning, lagerrensning; utskottsförsäljning

close-range ['kləʊsreɪndʒ] adj, ~ weapons närstridsvapen

close season ['kləʊs,si:zn, ,-'--] s, the ~ förbjuden (olaga) tid för jakt o. fiske, fridlysningstiden

close-set [,kləʊs'set, attr. '--] adj, ~ eyes tättsittande ögon

close-shaven [,kləʊs'ʃeɪvn, attr. '-,--] adj slätrakad

closet ['klɒzɪt] I s 1 vanl. amer. garderob 2 vard., come out of the ~ komma ut, börja uppträda öppet som homosexuell 3 åld. [litet] enskilt rum, [hemlig] kammare, krypin 4 klosett, toalett
II adj hemlig, smyg- [~ homosexual; ~ racist]; ~ queen smygbög
III vb tr 1 be ~ed together [with] vara (tala) i enrum [med] 2 stänga in

close-up ['kləʊsʌp] s film. el. bildl. närbild

closing ['kləʊzɪŋ] I pres p o. adj stängande, stängning etc., se 1 close I 1; avslutnings-, slut-; the ~ years of the century slutet av århundradet
II s 1 stängning [Sunday ~] 2 slut, avslutning

closing argument [,kləʊzɪŋ'ɑ:gjʊmənt] s amer. jur. slutplädering, slutanförande

closing date ['kləʊzɪŋdeɪt] s, the ~ for applications is April 1 sista ansökningsdag är 1 april, 1 april är sista ansökningsdagen

closing prices [,kləʊzɪŋ'praɪsɪz] s pl börs. slutkurser

closing speech ['kləʊzɪŋspi:tʃ] s jur. slutplädering, slutanförande

closing time ['kləʊzɪŋtaɪm] s vanl. stängningsdags för pubar

closure ['kləʊʒə] s 1 tillslutning, stängning; nedläggning [the ~ of a factory] 2 avstängning [the ~ of a road] 3 avslutning, slut

clot [klɒt] I s 1 klimp, klump, kluns; klunga av personer 2 klump levrat blod, blodkoagel, [blod]propp [äv. ~ of blood] 3 sl. åld. idiot, tjockskalle
II vb itr bilda klimpar etc., jfr clot I 1 o. clot I 2; klumpa [ihop], (klimpa) sig; tova ihop sig; löpna; skära sig, levra sig; om sås m.m. stelna
III vb tr (se äv. clotted) [låta] koagulera; komma (få) att klumpa sig (tova sig); klibba ned (ihop); sitta i klumpar på

cloth [klɒθ] s 1 tyg; kläde 2 trasa för putsning, skurning o.d. 3 duk

cloth-cap ['klɒθkæp] adj arbetar-, arbetarklass-
cloth cap [,klɒθ'kæp] s keps

clothe [kləʊð] (clothed clothed, poet. clad clad) vb tr klä, bekläda; täcka, hölja

clothed [kləʊðd] adj [på]klädd; täckt, höljd

clothes [kləʊðz, kləʊz] s pl 1 kläder; long ~ bärklänning för småbarn 2 tvätt[kläder], linne

clothes basket ['kləʊðz,bɑ:skɪt] s tvättkorg

clothes brush ['kləʊðzbrʌʃ] s klädborste

clothes-conscious ['kləʊðz,kɒnʃəs] adj klädmedveten

clothes hanger ['kləʊðz,hæŋə] s klädgalge

clothes hoist ['kləʊðzhɔɪst] s torkställning (torkvinda) för kläder utomhus

clothes horse ['kləʊðzhɔ:s] s 1 torkställning för kläder inomhus 2 vard. klädsnobb

clothes line ['kləʊðzlaɪn] s klädstreck, klädlina

clothes peg ['kləʊðzpeg] s o. amer. **clothespin** ['kləʊðzpɪn] s klädnypa

clothing ['kləʊðɪŋ] s beklädnad; kläder; article of ~ klädesplagg; men's ~ herrkonfektion

clothing store ['kləʊðɪŋstɔ:] s amer. herrekipering

clotted ['klɒtɪd] adj full av klumpar; levrad etc., jfr clot II o. clot III

clotted cream [,klɒtɪd'kri:m] s mycket tjock grädde

cloud [klaʊd] I s 1 moln, sky båda äv. bildl.; have one's head in the ~s vara helt i det blå, sväva bland molnen; on ~ nine vard. i sjunde himlen 2 bildl. svärm [a ~ of insects; a ~ of arrows]; moln [a ~ of dust]; skugga, fläck [a ~ on sb's reputation]; under a ~ i onåd; be under a ~ el. be under a ~ of suspicion ha [alla] misstankar riktade mot sig
II vb tr 1 hölja i (täcka med) moln 2 bildl. fördunkla; skymma; ställa i skuggan; grumla; göra oklar
III vb itr höljas i moln, mulna [ofta ~ up; ~ over]; fördunklas; bli oklar (ogenomskinlig); the sky ~ed over det mulnade [på]

cloudberry ['klaʊdb(ə)rɪ, -,berɪ] s hjortron

cloudburst ['klaʊdbɜ:st] s skyfall

cloud-cuckoo-land [,klaʊd'kʊku:lænd] s sagolandet; drömvärlden

cloudless ['klaʊdləs] adj molnfri

cloudy ['klaʊdɪ] adj 1 molnig, molntäckt; mulen 2 grumlig [~ liquid] 3 bildl. oklar, dunkel [~ ideas]

clout [klaʊt] vard. I s 1 inflytande [carry (ha) a lot of ~]; slagkraft 2 [kraftigt] slag
II vb tr slå till, klippa till

1 clove [kləʊv] s kryddnejlika; ~ pink nejlika; oil of ~s nejlikolja

2 clove [kləʊv] s klyfta av vitlök o.d.

clove hitch ['kləʊvhɪtʃ] s sjö. dubbelt halvslag

cloven ['kləʊvn] adj kluven

cloven hoof [,kləʊvn'hu:f] s klöv

clover ['kləʊvə] s klöver; be in ~ el. live in ~ leva i överflöd, vara på grön kvist, ha goda dagar

clown [klaʊn] I s clown, pajas, pellejöns; make a ~ of oneself spela pajas; Mary was always the class ~ Mary var alltid den som var klassens clown (pajas) II vb itr, ~ about el. ~ around spela pajas, spexa

clownish ['klaʊnɪʃ] adj 1 clownaktig, pajas- 2 tölpaktig, ohyfsad, klumpig

cloy [klɔɪ] vb itr vara (bli) sliskig (äckligt söt)

cloying ['klɔɪɪŋ] adj [söt]sliskig, äckligt söt [~ taste]

cloze test ['kləʊztest] s ped. clozetest slags lucktext med utelämnade ord

club [klʌb] I s 1 a) klubb; klubbhus b) be in the ~ vard. vara på smällen gravid c) join the ~ vard. det är du inte ensam om!; kom med i gänget! 2 klubba; grov påk 3 kortsp. klöverkort; pl. ~s klöver; a ~ äv. en klöver; the ten of ~s klövertian
II vb tr klubba [till (ned)]
III vb itr, ~ together slå sig ihop; dela kostnaderna lika; lägga ihop, samla [for till]

clubbed [klʌbd] adj 1 klubbformig, klubblik 2 klump- [~ feet] 3 nedklubbad; hopgyttrad

clubber ['klʌbə] s klubbmänniska, person som går ut och dansar på klubbar

clubbing ['klʌbɪŋ] s vard., go ~ gå ut och dansa [på klubbar]

clubby ['klʌbɪ] *adj* **1** mycket social, sällskaps-
2 trevlig
club foot [ˌklʌb'fʊt, '--] *s* klumpfot
clubhouse ['klʌbhaʊs] klubblokal[er], klubbhus,
societetshus
club sandwich [ˌklʌb'sændwɪdʒ] *s* clubsandwich tre
brödskivor med kyckling, sallad etc. mellan
club steak ['klʌbsteɪk] *s* clubstek, enkelbiff
cluck [klʌk] **I** *vb itr* skrocka, klucka
II *s* **1** skrockande, kluckande **2** vanl. amer. vard.
dumskalle [äv. *dumb ~*]
clue [kluː] **I** *s* **1** ledtråd, spår, uppslagsända, nyckel;
[röd] tråd i berättelse; *I haven't a ~* vard. det har jag
ingen aning om; *he (she* etc.) *hasn't a ~* äv. han (hon
etc.) är korkad (dum) i korsord: *~s across* vågräta
[nyckel]ord; *~s down* lodräta [nyckel]ord
II *vb tr* sl., *~ sb in* el. *~ sb up* ge ngn en ledtråd;
informera ngn
clued-up [ˌkluː'dʌp] *adj* o. **clued-in** [ˌkluː'dɪn] *adj* sl.
välinformerad, välunderrättad
clueless ['kluːləs] *adj* vard. **1** korkad, dum [*he is
quite ~*] **2** *I'm ~* det har jag ingen aning om
clump [klʌmp] **I** *s* **1** klunga; tät [träd]grupp,
buskage **2** klump, tjock bit **3** klamp, tramp
II *vb itr* **1** klampa; *~ about* klampa omkring
2 klumpa ihop sig
III *vb tr* klumpa ihop
clumsiness ['klʌmzɪnəs] *s* klumpighet etc., jfr
clumsy
clumsy ['klʌmzɪ] *adj* klumpig, otymplig; tafatt,
drumlig, drullig
clung [klʌŋ] imperf. o. perf. p. av *cling*
clunk [klʌŋk] **I** *vb itr* klinga [dovt] **II** *s* [dov] klang
cluster ['klʌstə] **I** *s* klunga: **a)** klase, knippa
b) skock, hop, anhopning; svärm; *a ~ of curls* ung.
tjocka hårslingor **II** *vb itr* växa i (samlas i, bilda)
en klunga (klungor etc.)
cluster bomb ['klʌstəbɒm] *s* klusterbomb
1 clutch [klʌtʃ] **I** *vb tr* gripa tag i (om), gripa [om];
hålla fast [omsluten]; sluta, trycka [*she ~ed her
doll to her breast*]
II *vb itr* gripa [*at* efter]
III *s* **1** tekn. koppling [*the ~ is in; the ~ is out*];
kopplingspedal; *let in the ~* el. *slip in the ~* el. *engage
the ~* på t.ex. bil släppa upp kopplingen; *let out the ~*
el. *disengage the ~* trampa ur [kopplingen] **2** pl. *~es*
bildl. klor [*get into sb's ~es*] **3** [hårt] grepp, tag;
make a ~ at [ivrigt] gripa efter
2 clutch [klʌtʃ] *s* **1** äggrede **2** [kyckling]kull
clutch bag ['klʌtʃbæg] *s* kuvertväska;
handledsväska
clutch plate ['klʌtʃpleɪt] *s* tekn. kopplingslamell
clutter ['klʌtə] **I** *vb tr*, *~ el. ~ up* belamra, skräpa ned
i (på) **II** *s* virrvarr, röra
Clyde [klaɪd] geogr.
cm förk. för *centimetre[s]*
Cmdr förk. för *Commander*
CND [ˌsiː'en'diː] förk. för *Campaign for Nuclear
Disarmament*
CNN [ˌsiː'en'en] (förk. för *Cable News Network*)
CNN amerikansk nyhetsorganisation
C-note ['siːnəʊt] *s* amer. vard. hundradollarsedel
Co. 1 [kəʊ, 'kʌmp(ə)nɪ] förk. för *Company* [*Smith &
Co.*] **2** förk. för *County*

co- [kəʊ] *prefix* med- [*co-belligerent*]; sam-
[*coeducation*]; ko- [*coaxial*]; andre- [*co-driver*];
tillsammans, ömsesidig
c/o 1 [ˌsiː'əʊ] (förk. för *care of*) på brev c/o, adress [*c/o
Smith*] **2** förk. för *carried over*
1 CO [ˌsiː'əʊ] förk. för *Commanding Officer*
2 CO förk. för *Colorado*
coach [kəʊtʃ] **I** *s* **1 a)** sport. tränare, instruktör,
coach; ibl. lagledare **b)** [privat]lärare, handledare
2 a) turistbuss, [långfärds]buss **b)** järnv.
personvagn; amer., ung. andraklassvagn,
andraklasskupé; *travel ~* amer., ung. åka andraklass;
flyg. åka turistklass **c)** [gala]vagn, kaross [*the Lord
Mayor's ~*]; *~ and four* vagn [förspänd] med fyra
hästar, fyrspann
II *vb tr* **1** träna, vara tränare (instruktör, coach)
för **2** plugga i ngn en examenskurs, ge
[privat]lektioner, preparera [*for* till examen; *in* i
ämne]
III *vb itr* **1** arbeta som tränare (instruktör, coach)
2 arbeta som privatlärare etc.; ge [privat]lektioner
coaching ['kəʊtʃɪŋ] *s* handledning, instruktion;
träning
coachload ['kəʊtʃləʊd] *s* busslast [*a ~ of
passengers*]
coach|man ['kəʊtʃ|mən] (pl. *-men* [-mən]) *s*
[liv]kusk, körsven
coachwork ['kəʊtʃwɜːk] *s* karosseri[utformning]
coagulate [kəʊ'ægjʊleɪt] **I** *vb tr* få att koagulera
II *vb itr* koagulera, levra sig
coagulation [kəʊˌægjʊ'leɪʃ(ə)n] *s* koagulering
coal [kəʊl] *s* kol; vanl. stenkol; *a live ~* ett glödande
kol[stycke], ett glöd; *carry ~s to Newcastle* bjuda
bagarbarn på bröd, bära ugglor till Aten; *haul
(drag, rake) sb over the ~s* ge ngn en överhalning
(skarp läxa, skrapa), läxa upp ngn
coalbox ['kəʊlbɒks] *s* kolbox
coalbunker ['kəʊlˌbʌŋkə] *s* kolbunker
coaldust ['kəʊldʌst] *s* koldamm
coalesce [ˌkəʊə'les] *vb itr* **1** växa samman, smälta
samman (ihop) **2** sluta sig samman, förena sig
coalescence [ˌkəʊə'lesns] *s* **1** sammanväxande,
sammansmältning **2** förening
coalface ['kəʊlfeɪs] *s* kolfront; *the ~* friare
kolgruvorna; *at the ~* direkt på plats
coalfield ['kəʊlfiːld] *s* kolfält
coalfish ['kəʊlfɪʃ] *s* zool. gråsej
coal gas ['kəʊlgæs] *s* kolgas; lysgas, stadsgas
coalhole ['kəʊlhəʊl] *s* liten kolkällare; litet kolrum
coalition [ˌkəʊə'lɪʃ(ə)n] *s* koalition, samling; *~
government* koalitionsregering, samlingsregering
coalmine ['kəʊlmaɪn] *s* kolgruva
coalminer ['kəʊlˌmaɪnə] *s* kolgruvearbetare
coalmining ['kəʊlˌmaɪnɪŋ] *s* kolbrytning
coalpit ['kəʊlpɪt] *s* **1** kolgruva **2** amer. kolmila
coalscuttle ['kəʊlˌskʌtl] *s* kolhink, kolhämtare
coal tar ['kəʊltɑː] *s* stenkolstjära
coal tit ['kəʊltɪt] *s* zool. svartmes
coarse [kɔːs] *adj* **1** grov [*~ cloth; ~ sand*]
2 grovkornig [*~ jokes*]; grov [*~ language*]; rå,
ohyfsad, opolerad; plump
coarse fish [ˌkɔː'sfɪʃ] (pl. *coarse fish*) *s* vitfisk
coarse-grained ['kɔːsgreɪnd, -'-] *adj* grov [*~ salt*],
foto. grovkornig [*~ film*] bildl. äv. ohyfsad

coarse-grind ['kɔ:graɪnd] *adj*, ~ *coffee* kokmalet kaffe

coarsen ['kɔ:sn] **I** *vb tr* förgrova, förråa **II** *vb itr* förgrovas, förråas

coast [kəʊst] **I** *s* kust; *the ~ is clear* bildl. kusten är klar

II *vb tr* segla längs (utmed)

III *vb itr* **1** på cykel: åka (rulla) nedför utan att trampa, åka (rulla) på frihjul; i bil rulla (åka) [nedför] med kopplingen ur **2** bildl., ~ *el.* ~ *along* driva (låta allt gå) vind för våg; ~ *through* segla igenom utan ansträngning; ~ *to* glida (segla) fram till **3** sport. leda överlägset **4** segla längs (utmed) kusten

coastal ['kəʊstl] *adj* kust-; ~ *waters* kustfarvatten

coaster ['kəʊstə] *s* **1** underlägg för vinglas o.d. **2** kustfarare; vanl. kustfartyg **3** amer., se *roller coaster*

coastguard ['kəʊs(t)gɑːd] *s* **1** medlem av sjöräddningen (kustbevakningen) **2** *the ~* sjöräddningen, kustbevakningen

coastline ['kəʊs(t)laɪn] *s* kustlinje

coastward ['kəʊstwəd] *adv* o. **coastwards** ['kəʊstwədz] *adv* [i riktning] mot kusten

coastwise ['kəʊstwaɪz] *adj* o. *adv* kust-, utefter (längs) kusten; kustvägen; kustledes

coat [kəʊt] **I** *s* **1 a)** rock; kappa **b)** åld. [dräkt]jacka; [kostym]kavaj; *cut one's ~ according to one's cloth* rätta mun[nen] efter matsäcken **2** på djur päls, hårbeklädnad, fjäderbeklädnad **3** [yttre] lager, skikt; beläggning t.ex. på tungan; *apply a ~ of paint to* ge en strykning [med färg]

II *vb tr* **1** täcka med [skyddande] lager, belägga, bestryka, dra över; dragera [~ *pills with sugar*]; bekläda, klä; ~ *the pill* bildl. sockra det beska pillret **2** täcka som [skyddande] lager

coat check ['kəʊtˌtʃek] *s* amer. kapprum, garderob

coated ['kəʊtɪd] *adj* täckt, belagd etc., jfr *coat II* [~ *tongue*]; antireflexbehandlad, reflexfri [~ *lens*]

coat hanger ['kəʊtˌhæŋə] *s* galge

coati [kəʊ'ɑːtɪ] *s* zool. näsbjörn

coating ['kəʊtɪŋ] *s* beläggning, beslag; hinna; bestrykning; lager; överdrag

coat of arms [ˌkəʊtəv'ɑːmz] (pl. *coats of arms*) *s* vapensköld, vapen

coat rack ['kəʊtræk] *s* klädhängare list eller hylla med krokar

coat stand ['kəʊtstænd] *s* klädhängare ställning

coat-tails ['kəʊtteɪlz] *s pl* rockskört, frackskört; *on sb's ~* a) i ngns kölvatten b) uteslutande med hjälp av ngn

co-author [ˌkəʊ'ɔ:θə] *s* medförfattare

coax [kəʊks] **I** *vb tr* lirka med; narra, lura, locka; truga; ~ *sb into sth* använda [list och] lämpor för att få (locka) ngn till ngt; ~ *sth out of sb* lirka (lura) till sig ngt av ngn; ~ *a smile from sb* locka fram ett leende hos ngn

II *vb itr* använda lämpor, lirka

coaxial cable [ˌkəʊæksɪəl'keɪbl] *s* koaxialkabel

coaxing ['kəʊksɪŋ] *s* lock och pock; trugande; lirkande

cob [kɒb] *s* **1** majskolv **2** brödkaka [äv. *cobloaf*] **3** [lågbent kraftig] häst, klippare **4** se *cobnut*

cobalt ['kəʊbɔːlt] **I** *s* kem. el. miner. kobolt **II** *adj* koboltblå [äv. *cobalt-blue*]

cobber ['kɒbə] *s* austral. vard. kompis, kamrat

1 cobble ['kɒbl] *s* kullersten; otuktad gatsten

2 cobble ['kɒbl] *vb tr*, ~ *together* rafsa ihop

cobbled ['kɒbld] *adj*, ~ *street* kullerstensgata

cobbler ['kɒblə] *s* **1** vanl. amer. fruktpaj **2** kobbel, cobbler drink **3** åld. skomakare, skoflickare

cobblers ['kɒbləz] *s pl* sl., *a load of* [*old*] ~ skit[prat], smörja

cobblestone ['kɒblstəʊn] *s* kullersten; otuktad gatsten

co-belligerent [ˌkəʊbə'lɪdʒər(ə)nt] *s* medkrigförande makt

cobnut ['kɒbnʌt] *s* [spansk] hasselnöt

cobra ['kəʊbrə, 'kɒ-] *s* kobra; *Indian* ~ glasögonorm; *king* ~ kungskobra

cobweb ['kɒbweb] *s* spindelnät, spindelväv, spindelvävstråd; *blow away the ~s* få lite (sig en nypa) frisk luft

Coca-Cola® [ˌkəʊkə'kəʊlə] *s* Coca-cola®

cocaine [kəʊ'keɪn] *s* kokain

coccyx ['kɒksɪks] (pl. *coccyges* [kɒk'saɪdʒiːz] el. ~*es*) *s* anat. svansben

co-chair [ˌkəʊ'tʃeə] *vb tr*, ~ *a meeting* dela ordförandeskapet vid ett möte

cochineal ['kɒtʃiniːl] *s* koschenill färgämne

cock [kɒk] **I** *s* **1** tupp; *fighting* ~ se *fighting cock* **2** ofta i sammansättn. han[n]e av fåglar **3** vulg. kuk **4** kran, pip, tapp; *turn the ~* öppna (vrida på) kranen **5** överkucku; *the ~ of the school* skolans stjärna i idrott o.d.; *the ~ of the walk* högsta hönset [i korgen], herre på täppan; *hallo, old ~!* åld. vard. tjänare, grabben! **6** hane på gevär; *at full ~* [med hanen] på helspänn; *go off at half ~* bildl. starta[s] i förtid

II *vb tr* **1** sätta (ställa, sticka) rätt upp, resa; sätta (sticka) t.ex. näsan i vädret; ~ *one's ears* spetsa öronen; ~ *one's eyebrow* höja på ögonbrynet; ~ *one's hat* a) sätta hatten på sned b) vika upp brättet på hatten, se äv. *cocked hat*; ~ *one's head* lägga huvudet på sned; ~ *one's leg* lyfta på benet; ~ *a snook at* vard. räcka lång näsa åt; ge blanka den i **2** spänna hanen på, osäkra [~ *the gun*] **3** sl., ~ *up* soppa (trassla) till

cockade [kɒ'keɪd] *s* kokard

cock-a-doodle-doo ['kɒkəˌduːdl'duː] (pl. ~*s*) *s* o. *interj* kuckeliku

cock-a-hoop [ˌkɒkə'huːp] *adj* mallig, stöddig, kaxig; överlycklig [*about, at, over* över]

cockamamie story [ˌkɒkə'meɪmɪˌstɔːrɪ] amer. vard., *cock and bull story*

cock and bull story [ˌkɒkən(d)'bʊlˌstɔːrɪ] *s* rövarhistoria, lögnhistoria, amsaga

cockatoo [ˌkɒkə'tuː] (pl. ~*s*) *s* zool. kakadu[a]

cockchafer ['kɒkˌtʃeɪfə] *s* zool. ollonborre

cockcrow ['kɒkkrəʊ] *s* hanegäll, gryning [*at* ~]

cocked hat [ˌkɒkt'hæt] *s* **1** *knock sb into a* ~ slå vinna över ngn **2** trekantig hatt

cockerel ['kɒk(ə)r(ə)l] *s* tuppkyckling, ungtupp

cocker spaniel [ˌkɒkə'spænjəl] *s* cockerspaniel

cock-eyed ['kɒkaɪd] *adj* sl. **1** knäpp, knasig; *it's all* ~ det är uppåt väggarna [galet] **2** sned, vind; på sniskan [*the picture is* (hänger) ~]

cockfight ['kɒkfaɪt] *s* tuppfäktning

cockle ['kɒkl] *s* **1 a)** hjärtmussla; spec. ätlig vanlig hjärtmussla **b)** musselskal **2** *it warmed the ~s of my heart* det gjorde mig varm ända in i själen

cockleshell ['kɒklʃel] *s* **1** musselskal **2** nötskal liten bräcklig båt

cockney ['kɒknɪ] **I** *s* **1** cockney infödd londonbo som talar den speciella londondialekten **2** cockney londondialekten
II *adj* cockney-; *~ accent* cockneyuttal

cockpit ['kɒkpɪt] *s* cockpit, förarkabin; sittrum, sittbrunn

cockroach ['kɒkrəʊtʃ] *s* zool. kackerlacka

cockscomb ['kɒkskəʊm] *s* tuppkam

cocksucker ['kɒkˌsʌkə] *s* vulg. rövslickare

cocksure [ˌkɒkˈʃʊə] *adj* kaxig, stöddig, tvärsäker [*of* över]

cocktail ['kɒkteɪl] *s* cocktail; *prawn ~* räkcocktail

cocktail cabinet ['kɒkteɪlˌkæbɪnət] *s* barskåp

cocktail lounge ['kɒkteɪlˌlaʊn(d)ʒ] *s* cocktailbar

cocktail stick ['kɒkteɪlstɪk] *s* cocktailpinne

cockteaser ['kɒkˌtiːzə] *s* vulg. brud (tjej) som [bara] kåtar upp killar[na]

cock-up ['kɒkʌp] *s* **1** grov miss (tabbe) [*make a ~*] **2** jävla soppa (röra)

cocky ['kɒkɪ] *adj* vard. mallig, stöddig, kaxig

cocoa ['kəʊkəʊ] *s* kakao; choklad som dryck

cocoa bean ['kəʊkəʊbiːn] *s* kakaoböna

cocoa butter ['kəʊkəʊˌbʌtə] *s* kakaofett

coconut ['kəʊkənʌt] *s* **1** kokosnöt **2** kokospalm

coconut butter ['kəʊkənʌtˌbʌtə] *s* kokosfett

coconut matting ['kəʊkənʌtˌmætɪŋ] *s* kokosmatta

coconut milk ['kəʊkənʌtmɪlk] *s* kokosmjölk

coconut palm ['kəʊkənʌtpɑːm] *s* kokospalm

coconut shy ['kəʊkənʌtʃaɪ] *s* stånd på tivoli där man vinner kokosnötter genom att pricka dem

cocoon [kəˈkuːn] **I** *s* zool. el. bildl. kokong **II** *vb tr* bädda in, svepa in, innesluta [*in* i]; skydda [*against, from* för, mot]

cocooned [kəˈkuːnd] *adj* inbäddad etc., se *cocoon II*; ombonad

coco palm ['kəʊkəʊpɑːm] *s* kokospalm

COD [ˌsiːəʊˈdiː] (förk. för *cash* (amer. *collect*) *on delivery*) [mot] efterkrav, [mot] postförskott

cod [kɒd] *s* torsk; *dried ~* kabeljo

coda ['kəʊdə] *s* mus. coda

coddle ['kɒdl] *vb tr* skämma bort; klema med

code [kəʊd] **I** *s* **1** kod [*~ message; ~ name; ~ word*]; chiffer, chifferskrift, chifferspråk; data. programmeringskod; *the Morse ~* morsekoden; *break a ~* knäcka en kod **2** kodex; lagsamling, lag[bok], balk; allmänna regler, oskrivna lagar; *~ of honour* hederskodex; *~ of practice* policy inom ett företag (en bransch) **3** *dialling ~* el. amer. austral. *area ~* riktnummer; *international ~* landsnummer
II *vb tr* **1** koda, kryptera, chiffrera **2** kodifiera

codeine ['kəʊdiːn] *s* kem. el. med. kodein

code-named ['kəʊdneɪmd] *adj* med kodnamnet

codfish ['kɒdfɪʃ] *s* se *cod*

codger ['kɒdʒə] *s* vard., *old ~* gammal gubbstrutt

codicil ['kəʊdɪsɪl, 'kɒd-] *s* jur. kodicill tillägg till testamente m.m.

codification [ˌkəʊdɪfɪˈkeɪʃ(ə)n, ˌkɒd-] *s* kodifikation, kodifiering

codify ['kəʊdɪfaɪ, 'kɒd-] *vb tr* kodifiera, koda

cod-liver oil [ˌkɒdlɪvərˈɔɪl] *s* fiskleverolja

co-driver ['kəʊˌdraɪvə] *s* andreförare, co-driver

codswallop ['kɒdzˌwɒləp] *s* sl. smörja, skit [*a lot of old* (en massa) ~]

coed ['kəʊed, -'-] **I** *adj* **1** samskole-, samundervisnings-; *~ school* samskola **2** vanl. amer. för (med) båda könen
II *s* vanl. amer. åld. studentska [vid universitet]

coeducation ['kəʊˌedjʊˈkeɪʃ(ə)n] *s* samundervisning

coeducational ['kəʊˌedjʊˈkeɪʃənl] *adj* samskole-, samundervisnings-, avsedd för båda könen; *~ school* samskola

coefficient [ˌkəʊɪˈfɪʃ(ə)nt] *s* matem. el. fys. koefficient; *~ of expansion* utvidgningskoefficient

coeliac disease ['siːlɪækdɪˌziːz] *s* med. celiaki, gluteninducerad enteropati, glutenintolerans

coequal [kəʊˈiːkw(ə)l] *adj* [inbördes] jämställd, fullt jämlik

coerce [kəʊˈɜːs] *vb tr* tvinga [*into* till; *into doing* [till] att göra]; tvinga fram

coercion [kəʊˈɜːʃ(ə)n] *s* tvång

coercive [kəʊˈɜːsɪv] *adj* tvångs-, vålds-, tvingande

coexist [ˌkəʊɪɡˈzɪst] *vb itr* finnas till samtidigt [*with* som]; leva sida vid sida, leva tillsammans

coexistence [ˌkəʊɪɡˈzɪst(ə)ns] *s* samtidig förekomst; samlevnad [*peaceful ~*]

C of E [ˌsiːəvˈiː] förk. för *Church of England*

coffee ['kɒfɪ, amer. 'kɔːfɪ, ibl. 'kɒfɪ] *s* kaffe; *black ~* kaffe utan grädde (mjölk); *white ~* kaffe med grädde (mjölk); *two ~s please!* två kaffe, tack!; *make ~* koka kaffe

coffee bar ['kɒfɪbɑː] *s* cafeteria

coffee bean ['kɒfɪbiːn] *s* kaffeböna

coffee break ['kɒfɪbreɪk] *s* kafferast, kaffepaus; vard. fikapaus

coffee grinder ['kɒfɪˌɡraɪndə] *s* kaffekvarn

coffee grounds ['kɒfɪɡraʊndz] *s pl* [kaffe]sump

coffee house ['kɒfɪhaʊs] *s* enklare restaurang, kafé spec. i 1700-talets London

coffee klatch ['kɒfɪklætʃ] *s* amer. kafferep

coffee machine ['kɒfɪməˌʃiːn] *s* o. **coffee maker** ['kɒfɪˌmeɪkə] *s* kaffebryggare

coffee morning ['kɒfɪˌmɔːnɪŋ] *s* slags frukostmöte för att samla in pengar till kyrkan el. andra välgörande ändamål

coffee pot ['kɒfɪpɒt] *s* kaffekanna; kaffepanna

coffee room ['kɒfɪruːm, -rʊm] *s* frukostrum, kafé, matsal på hotell

coffee shop ['kɒfɪʃɒp] *s* **1** kafé, matställe på ett hotell el. varuhus, som serverar alkoholfria drycker och smårätter **2** amer. enklare restaurang, kafé

coffee spoon ['kɒfɪspuːn] *s* kaffesked

coffee table ['kɒfɪˌteɪbl] *s* soffbord

coffee-table book ['kɒfɪˌteɪblbʊk] *s* presentbok, praktverk

coffer ['kɒfə] *s* **1** pl. *~s* skattkammare, fonder **2** kista; spec. penningkista, kassaskrin; kassafack

coffin ['kɒfɪn] *s* likkista; *a nail in sb's ~* bildl. en spik i ngns likkista

cog [kɒɡ] *s* kugge; *a ~ in a big wheel* bildl. en [liten] kugge i det hela

cogency ['kəʊdʒ(ə)nsɪ] *s* bindande kraft, övertygande styrka, slagkraft

cogent ['kəʊdʒ(ə)nt] *adj* bindande, tvingande, övertygande, kraftig, stark [*a ~ reason*]

cogitate [ˈkɒdʒɪteɪt] *vb itr* tänka, fundera [*about, on* på]

cogitation [ˌkɒdʒɪˈteɪʃ(ə)n] *s* **1** begrundan[de], funderande, tänkande **2** tanke, reflexion; pl. ~*s* äv. funderingar, tankegångar

cognac [ˈkɒnjæk, ˈkəʊn-] *s* cognac, konjak

cognate [ˈkɒɡneɪt] *adj* besläktad [~ *languages*]; härstammande från samma förfäder; ~ *matters* därmed sammanhängande frågor, dylikt

cognition [kɒɡˈnɪʃ(ə)n] *s* kognition, uppfattning[sförmåga], förstånd; förnimmelse

cognizance [ˈkɒɡnɪz(ə)ns, ˈkɒn-] *s* kännedom, vetskap; *take ~ of* lägga märke till; ta ad notam

cogwheel [ˈkɒɡwiːl] *s* kugghjul

cohabit [kəʊˈhæbɪt] *vb itr* sammanbo, bo ihop

cohabitant [kəʊˈhæbɪt(ə)nt] *s se cohabitee*

cohabitation [ˌkəʊhæbɪˈteɪʃ(ə)n] *s* samboende (sammanboende) spec. utan vigsel, sammanlevnad; samliv

cohabitee [kəʊˌhæbɪˈtiː] *s* spec. jur. sambo

cohere [kə(ʊ)ˈhɪə] *vb itr* **1** hänga (hålla, sitta) ihop, hänga samman; vara förenad **2** ha sammanhang, gå ihop; stämma överens

coherence [kə(ʊ)ˈhɪər(ə)ns] *s* samstämmighet i stil och tanke

coherent [kə(ʊ)ˈhɪər(ə)nt] *adj* sammanhängande; med sammanhang i; följdriktig

cohesion [kə(ʊ)ˈhiːʒ(ə)n] *s* kohesion[skraft]; sammanhang

cohesive [kə(ʊ)ˈhiːsɪv] *adj* kohesions-; sammanhängande

cohort [ˈkəʊhɔːt] *s* **1** kumpan; ~*s* äv. anhang **2** sociol. kohort; grupp

coiffure [kwɑːˈfjʊə] *s* frisyr, koaffyr, håruppsättning

coil [kɔɪl] **I** *vb tr* lägga i ringlar; rulla (ringla) ihop [ofta ~ *up*] **II** *vb itr* ringla (slingra) sig; ~ *up* rulla (ringla) ihop sig **III** *s* **1** rulle; ~ *of rope* tågrulle **2** slinga **3** rörspiral; elektr. induktionsrulle, trådspiral, spole **4** spiral livmoderinlägg

coil spring [ˈkɔɪlsprɪŋ] *s* spiralfjäder

coin [kɔɪn] **I** *s* slant, mynt, peng; koll. pengar; *flip a ~* el. *toss a ~* singla slant; *pay sb back in his own ~* betala ngn med samma mynt; *the other side of the ~* medaljens baksida, saken sedd från andra sidan **II** *vb tr* **1** mynta, prägla; ~ *money* el. ~ *it* vard. tjäna pengar som gräs **2** prägla, hitta på, mynta, [ny]bilda, skapa [~ *a word*]; [*it takes all sorts to make a world*,] *to ~ a phrase* …för att använda en klyscha (uttrycka sig banalt)

coinage [ˈkɔɪnɪdʒ] *s* **1** koll. mynt **2** myntsystem, myntsort; *decimal ~* decimalmyntsystem **3** prägling, bildning spec. av ord; nybildat ord, nybildning **4** myntning, [mynt]prägling

coincide [ˌkəʊɪnˈsaɪd] *vb itr* **1** sammanfalla, sammanträffa [*with* med]; bildl. äv. kollidera [*programmes which* ~] **2** stämma överens [*with* med]

coincidence [kəʊˈɪnsɪd(ə)ns] *s* **1** sammanträffande, slump, tillfällighet [*what a* ~*!*] **2** sammanfall[ande], sammanträffande **3** överensstämmelse

coincident [kəʊˈɪnsɪd(ə)nt] *adj* **1** sammanfallande, sammanträffande **2** överensstämmande

coincidental [kəʊˌɪnsɪˈdentl] *adj* **1** tillfällig **2** samtidig

coincidentally [kəʊˌɪnsɪˈdent(ə)lɪ] *adv* av en tillfällighet, tillfälligtvis

coin-op [ˈkɔɪnɒp] *s* tvättomat

coin-operated [ˈkɔɪnˌɒpəreɪtɪd] *adj* mynt- [~ *TV*]; ~ *laundrette* tvättomat; ~ *telephone* telefonautomat

coir [ˈkɔɪə] *s* coir, kokosbast; kokosfiber

coir mat [ˈkɔɪəmæt] *s* kokosmatta

coitus [ˈkəʊɪtəs] *s* med. lat. coitus, samlag

coitus interruptus [ˌkəʊɪtəsɪntəˈrʌptəs] *s* med. lat. avbrutet samlag preventivmetod

Coke® [kəʊk] *s* vard. kortform av *Coca-Cola®*

1 coke [kəʊk] *s* sl. kokain

2 coke [kəʊk] *s* koks; *go and eat ~!* vard. dra åt skogen!

Col. förk. för *Colonel*

col förk. för *column*

cola [ˈkəʊlə] *s* cola kolsyrad dryck

colander [ˈkʌləndə, ˈkɒl-] *s* durkslag grov sil

cola nut [ˈkəʊlənʌt] *s* kolanöt

cold [kəʊld] **I** *adj* kall, frusen; bildl. kallsinnig, kylig, likgiltig, oberörd, opersonlig, okänslig, känslolös; ~ *comfort* [en] klen tröst; *have* (*get*) ~ *feet* a) vard. ha (få) kalla fötter, dra öronen åt sig b) vara (bli) kall om fötterna, frysa om fötterna, ha kalla fötter; *throw* (*pour*) ~ *water on* [*a proposal*] behandla…kallsinnigt, ställa sig avvisande till…; *feel* (*be*) ~ frysa; *I knocked him* ~ jag slog honom medvetslös; *it leaves me* ~ det lämnar mig kall (helt oberörd); *in* ~ *blood* [helt] kallblodigt, med berått mod, överlagt; *in the* ~ *light of day* vid närmare eftertanke **II** *s* **1** köld, kyla äv. bildl.; *come in from the* ~ bildl. komma in från kylan, bryta sin isolering; komma till heders igen; *leave out in the* ~ bildl. överge, lämna (ställa) utanför **2** förkylning; ~ *in the head* snuva; *catch a* ~ el. *get a* ~ förkyla sig, bli förkyld **III** *adv* **1** amer. vard. tvärt **2** *out* ~ medvetslös

cold-blooded [ˌkəʊldˈblʌdɪd, attr. ˈ-ˌ--] *adj* kallblodig, bildl. äv. grym

cold call [ˌkəʊldˈkɔːl] *s* oanmält affärsbesök (affärssamtal)

cold cream [ˈkəʊldkriːm] *s* rengöringskräm för ansiktet

cold cuts [ˈkəʊldkʌts] *s pl* kallskuret, kallskuret kött

cold frame [ˈkəʊldfreɪm] *s* drivbänkslåda med glasfönster

cold front [ˌkəʊldˈfrʌnt] *s* meteor. kallfront

cold-hearted [ˌkəʊldˈhɑːtɪd, attr. ˈ-ˌ--] *adj* kallhjärtad, kallsinnig, likgiltig, känslolös

coldish [ˈkəʊldɪʃ] *adj* kylig, sval

coldness [ˈkəʊldnəs] *s* kyla, köld; bildl. kallsinnighet

cold-shoulder [ˌkəʊldˈʃəʊldə] *vb tr* behandla som luft, ignorera

cold shoulder [ˌkəʊldˈʃəʊldə] *s*, *get the* ~ el. *be given the* ~ bli behandlad som luft, bli ignorerad

cold snap [ˌkəʊldˈsnæp] *s* köldknäpp

cold sore [ˈkəʊldsɔː] *s* munsår

cold start [ˌkəʊldˈstɑːt] *s* bil. kallstart äv. data.

cold storage [ˌkəʊldˈstɔːrɪdʒ] *s* **1** [förvaring i]

kylrum (kylskåp, kylhus); attr. kyl- **2** bildl., **_put sth into_** ~ lägga ngt på is

cold store [ˌkəʊldˈstɔ:] s kylrum, kylhus

cold sweat [ˌkəʊldˈswet] s kallsvett, ångestsvett

cold turkey [ˌkəʊldˈtɜ:kɪ] s vard. snabbavtändning [*a ~ cure*]; tvärstopp [med knark]; **_go_** ~ tända av

cold war [ˌkəʊldˈwɔ:] s, **the** ~ hist. det kalla kriget

coleslaw [ˈkəʊlslɔ:] s vitkålssallad med majonnäsdressing

colewort [ˈkəʊlwɜ:t] s bladkål

Colgate [ˈkɒlgeɪt, ˈkəʊl-, -gət]

coli bacillus [ˌkəʊlaɪbəˈsɪləs] (pl. *-i* [-aɪ]) s kolibakterie, kolonbakterie

colibri [ˈkɒlɪbrɪ] s kolibri

colic [ˈkɒlɪk] s kolik

colicky [ˈkɒlɪkɪ] adj kolikartad, kolik- [*a ~ baby*]

Colin [ˈkɒlɪn, amer. äv. ˈkəʊ-] mansnamn

coliseum [ˌkɒlɪˈsɪəm] s **1** amfiteater **2** sportpalats

colitis [kɒˈlaɪtɪs, kə(ʊ)ˈl-] s med. kolit, inflammation i grovtarmen

coll. förk. för *college*

collaborate [kəˈlæbəreɪt] vb itr **1** samarbeta, medarbeta; ~ **on a book with sb** arbeta på en bok tillsammans med ngn **2** spec. polit. neds. samarbeta, kollaborera; ~ **with** äv. ha samröre med

collaborative [kəˈlæb(ə)rətɪv] adj samarbets- [*~ projekt*]; gemensam [*~ research*; *~ effort*]

collaborator [kəˈlæbəreɪtə] s **1** medarbetare **2** polit. (neds.) samarbetsman, kollaboratör

collage [kɒˈlɑ:ʒ, '--] s konst. collage

collapse [kəˈlæps] **I** vb itr **1** falla (ramla) ihop [*the table ~d*]; braka samman, störta in; rasa [*the price of steel ~d*]; vard. slänga sig [*~ on the sofa*] **2** kollapsa, klappa ihop, bryta samman; ~ **with laughter** förgås av skratt **3** 'spricka', gå om intet [*our plans ~d*] **4** vara hopfällbar **II** s **1** sammanbrott, krasch, fall; ruin; fiasko; **the ~ of the plans** det totala misslyckandet med planerna **2** hopfallande, sammanstörtande, instörtning, ras **3** med. kollaps

collapsible [kəˈlæpsəbl] adj hopfällbar [*~ boat*]; ~ **chair** äv. fällstol

collar [ˈkɒlə] **I** s **1** krage; **hot under the ~** se under *hot I 1 2* halsband t.ex. på hund, halsring **3** tekn. stoppring, ring; förenande hylsa; fläns, krans, krage **II** vb tr **1** ta (fatta) i kragen; gripa, hugga [*~ a thief*] **2** vard. hugga, få tag i

collar bone [ˈkɒləbəʊn] s nyckelben

collar button [ˈkɒləˌbʌtn] s amer. kragknapp

collard greens [ˌkɒlədˈgri:nz] s pl amer. bot. el. kok. grönkål

collar stud [ˈkɒləstʌd] s kragknapp

collateral [kəˈlæt(ə)r(ə)l, kɒˈl-] **I** s realsäkerhet, kompletterande säkerhet, säkerhet för belåning **II** adj **1** indirekt, bidragande, bi- [*~ circumstance*]; sido-, underordnad [*to sth* ngt]; ~ **security** se under *collateral I 2* belägen (löpande) sida vid sida, parallell; kollateral **3** på sidolinjen, i sidled; ~ **branch** sidolinje

collateral damage [kəˌlætər(ə)lˈdæmɪdʒ] s mil. oavsiktlig skada på civilpersoner eller civila mål, oavsiktliga förluster bland civilbefolkningen

colleague [ˈkɒli:g] s kollega, arbetskamrat

1 collect [kəˈlekt] **I** vb tr **1** samla, samla ihop, plocka ihop, samla in, samla upp; samla på; ~ **up** samla (plocka) ihop **2** kassera in, uppbära, indriva; ta upp, få in, få ihop **3** ~ **oneself** hämta sig från t.ex. överraskning, samla sig, ta sig samman; ~ **one's wits** samla sig, ta sig samman **4** avhämta, hämta [*~ a child from school*] **II** vb itr **1** samlas, samla sig; hopas, hopa sig **2** samla [böcker, frimärken, mynt m.m.] **III** adv vanl. amer. tele., **call sb** ~ el. **phone sb** ~ låta mottagaren betala samtalet

2 collect [ˈkɒlekt] s kyrkl. kollekta, kollektbön

collect call [kəˈlektˌkɔ:l] s amer. tele. telefonsamtal som betalas av mottagaren

collected [kəˈlektɪd] adj **1** samlad, fattad, lugn, sansad, behärskad **2** samlad [*the ~ works of Milton*]

collection [kəˈlekʃ(ə)n] s **1** samling [*~ of books*; *~ of coins*]; kollektion; anhopning; hop **2 a)** insamling, insamlings- [*~ box*]; avhämtning [*ready for ~*] **b)** post. [brevlåds]tömning, tur [*2nd ~*] **3** samlande, hopsamlande, uppsamling **4** kyrkl. kollekt; **make a ~** ta upp kollekt **5** inkassering, uppbörd, indrivning; ~ **order** inkassouppdrag

collection box [kəˈlekʃ(ə)nbɒks] s kollektbössa

collective [kəˈlektɪv] **I** adj **1** kollektiv äv. gram. [*~ noun*]; sammanfattande; gemensam, samfälld **2** samlad, sammanlagd **II** s **1** kollektiv, grupp **2** kollektiv[jordbruk]

collective agreement [kəˌlektɪvəˈgri:mənt] s kollektivavtal

collective bargaining [kəˌlektɪvˈbɑ:gɪnɪŋ] s kollektivförhandlingar

collective farm [kəˌlektɪvˈfɑ:m] s kollektiv[jordbruk]

collective noun [kəˌlektɪvˈnaʊn] s kollektiv, kollektivt substantiv

collectivization [kəˌlektɪvaɪˈzeɪʃ(ə)n] s kollektivisering

collectivize [kəˈlektɪvaɪz] vb tr kollektivisera

collector [kəˈlektə] s samlare

collector's item [kəˈlektəzˌaɪtəm] s samlarobjekt, föremål som väcker samlares intresse

college [ˈkɒlɪdʒ] s **1** college: **a)** läroanstalt som är knuten till ett universitet **b)** internatskola [*Eton College*; *Winchester College*] **c)** amer. slags [internat]högskola **d)** collegebyggnad **2** [fack]högskola; ~ **of education** lärarhögskola; ~ **of advanced technology** ung. teknisk högskola **3** skola, institut; ~ **of further education** (förk. *CFE*) skola för vidareutbildning, yrkesskola, fackskola på alla nivåer; **the Royal Naval College** sjökrigsskolan

collegiate [kəˈli:dʒɪət] adj college-, hörande till (inrättad som) ett college; ~ **school** högre skola; ~ **university** universitet med colleges

collide [kəˈlaɪd] vb itr kollidera, stöta (köra) ihop, krocka [*with* med]; vara oförenlig [*with* med]; ~ **with** äv. a) stöta emot b) stå i strid med, strida mot

collie [ˈkɒlɪ] s collie hundras

collier [ˈkɒlɪə] s åld. kolgruv[e]arbetare

colliery [ˈkɒljərɪ] s kolgruva

collision [kəˈlɪʒ(ə)n] s kollision äv. bildl.; sammanstötning, krock; **come into ~ with** kollidera (krocka) med; **be on a ~ course with** ha råkat på kollisionskurs med

collocation [ˌkɒlə(ʊ)'keɪʃ(ə)n] s sammanställning; [ord]förbindelse

colloquial [kə'ləʊkwɪəl] adj vardags-, talspråks- [~ expression]; talspråklig, vardaglig

colloquialism [kə'ləʊkwɪəlɪz(ə)m] s talspråksuttryck, vardagsuttryck

colloquially [kə'ləʊkwɪəlɪ] adv vardagligt, i vardagsspråket, i dagligt tal, i samtalsspråket

colloquy ['kɒləkwɪ] s samtal; dialog; diskussion

collude [kə'luːd, -'ljuːd] vb itr stå i maskopi med varandra; ~ **with** stå i maskopi med, spela under täcke[t] med

collusion [kə'luːʒ(ə)n, -'ljuː-] s jur. maskopi; bedrägligt hemligt samförstånd [act in ~ with]; hemlig överenskommelse

collywobbles ['kɒlɪˌwɒblz] s pl vard., **the ~** a) kurrande i magen b) magknip c) stora darren nervositet

Colman ['kəʊlmən]

Colo. förk. för Colorado

Cologne [kə'ləʊn] geogr. egennamn Köln

cologne [kə'ləʊn] s [eau-de-]cologne

Colombia [kə'lɒmbɪə] geogr.

Colombian [kə'lɒmbɪən] I s colombian, colombianska II adj colombiansk

Colombo [kə'lʌmbəʊ, -'lɒm-] geogr.

1 colon ['kəʊlən] s kolon skiljetecken

2 colon ['kəʊlən] s anat. grovtarm, kolon

colonel ['kɜːnl] (förk. Col.) s överste

Colonel Blimp [ˌkɜːnl'blɪmp] s självgod stockkonservativ (reaktionär) [officers]typ

colonial [kə'ləʊnɪəl] I adj 1 kolonial, koloni[al]-, från kolonierna; kolonialvaru-; ~ **empire** kolonialvälde 2 amer. från [den brittiska] kolonialtiden, i [brittisk] kolonialstil [a ~ house] II s koloniinvånare

colonialism [kə'ləʊnɪəlɪz(ə)m] s kolonialism

colonic irrigation [kəˌlɒnɪkɪrɪ'geɪʃ(ə)n] s kolonsköljning, kolonspolning

colonist ['kɒlənɪst] s kolonist, nybyggare

colonization [ˌkɒlənaɪ'zeɪʃ(ə)n] s kolonisation, kolonisering

colonize ['kɒlənaɪz] vb tr 1 kolonisera 2 placera i kolonierna (i en koloni)

colonizer ['kɒlənaɪzə] s kolonisatör

colonnade [ˌkɒlə'neɪd] s arkit. kolonnad

colony ['kɒlənɪ] s 1 koloni; nybygge 2 zool. samhälle

color ['kʌlə] amer., se colour

Colorado [ˌkɒlə'rɑːdəʊ] geogr.

Colorado beetle [ˌkɒlərɑːdəʊ'biːtl] s koloradoskalbagge

colorant ['kʌlərənt] s färgämne

coloration [ˌkʌlə'reɪʃ(ə)n] s färgteckning, färgsättning, färg[giv]ning; färg[er]

coloratura [ˌkɒlərə'tʊərə] s mus. (it.) koloratur

color line ['kʌləlaɪn] s amer., se colour bar

colossal [kə'lɒsl] adj kolossal, jättelik

Colossians [kə'lɒʃ(ə)nz, -'lɒs-] s pl bibl. kolosser; **~s** el. **the Epistle to the ~** (med verb i sg.) Kolosserbrevet

coloss|us [kə'lɒsəs] (pl. -i [-aɪ] el. -uses) s 1 koloss[alstaty] 2 koloss

colostomy [kə'lɒstəmɪ] s med. kolostomi

colostomy bag [kə'lɒstəmɪˌbæg] s med. stomipåse

colour ['kʌlə] I s 1 a) färg, kulör båda äv. bildl. b) attr.

färg- [~ film; ~ filter; ~ copier]; **the ~ magazines** ung. den kolorerade [vecko]pressen; ~ **saturation control** TV. färgmättnadskontroll

2 [ansikts]färg, hy; frisk färg, rodnad; **change ~** skifta (ändra) färg, bli blek (röd); **get a ~** el. **gain a ~** få färg bli solbränd; **have a high ~** ha hög [ansikts]färg; **lose ~** bli blek; **off ~** se off-colour

3 pl. **colours** i spec. betydelser a) band, dräkt o.d. i t.ex. ett lags färger; klubbdräkt; **get one's ~s** el. **win one's ~s** komma med i [idrotts]laget b) flagg[a], fana; **desert one's ~s** hist. rymma från sitt regemente, desertera; **join the ~s** hist. ta värvning, bli soldat; **lower one's ~s** stryka flagg bildl.; **nail one's ~s to the mast** stå upp för sina åsikter; **serve the ~s** tjäna sitt land; **under false ~s** under falsk flagg; **come off with flying ~s** klara sig med glans; **serve with the ~s** hist. stå (ställa sig) under fanorna c) **show one's ~s** visa (bekänna) färg; **show one's true ~s** visa sitt rätta ansikte, visa sitt verkliga jag; **paint sth in bright (dark) ~s** skildra (framställa, utmåla) ngt i ljusa (mörka) färger; **see sth in its true ~s** se ngt i dess rätta ljus

4 utseende; viss dager; sken av rätt o.d.; svepskäl, förevändning; **give ~ to sth** el. **lend ~ to sth** ge ngt ett visst sken av sannolikhet; **give a false ~ to** framställa i falsk dager; **the story has some ~ of truth** historien bär en viss prägel av att vara sann; **let's see the ~ of your money!** vard. lägg pengarna på bordet!; **not see the ~ of sb's money** vard. inte se röken av ngns pengar

5 mus. klangfärg

6 färg[ning], ton, betydelsenyans

7 ton, karaktär, prägel

II vb tr 1 färga, färglägga, måla; ge färg åt 2 bildl. färga, färglägga; prägla

III vb itr få färg; skifta färg; rodna [äv. ~ up]

colour bar ['kʌləbɑː] s rasdiskriminering på grund av hudfärg; rasbarriär, rasskrankor

colour-blind ['kʌləblaɪnd] adj färgblind

colour-coded ['kʌləˌkəʊdɪd] adj färgkodad

coloured ['kʌləd] I adj 1 färgad, kulört 2 neds. färgad av inte vit härkomst 3 bildl. färgad, färglagd [~ account; ~ description] 4 som efterled i sammansättn. -färgad [cream-coloured]; med…färg (hy) [fresh-coloured] II s, pl. **~s** neds. färgade [människor]

colour-fast ['kʌləfɑːst] adj färgäkta, färgbeständig

colourful ['kʌləf(ʊ)l] adj färgrik, färgstark [~ style]; brokig [~ life]

colouring ['kʌlərɪŋ] s 1 färgmedel; ~ **matter** färgämne 2 om ansikte o.d. färg[er] 3 färg[lägg]ning 4 färgbehandling; kolorit 5 ton, karaktär, prägel

colouring book ['kʌlərɪŋbʊk] s målarbok

colourist ['kʌlərɪst] s konst. kolorist

colourize ['kʌləraɪz] vb tr digitalt färglägga svartvit film

colourless ['kʌlələs] adj färglös äv. bildl.

colour scheme ['kʌləskiːm] s färg[samman]sättning, färgschema

colour supplement ['kʌləˌsʌplɪmənt] s söndagsbilaga i veckotidningsformat

colour transparency ['kʌlətrænsˌpær(ə)nsɪ] s färgdia, färgbild

Colt [kəʊlt] s Colt[-revolver]

colt [kəʊlt] *s* **1** föl, fåle, unghäst **2** vanl. pl **~s**
nybörjare spec. sport., reservlagsspelare
coltish ['kəʊltɪʃ] *adj* valpig; yster, vild, yr
coltsfoot ['kəʊltsfʊt] (pl. ~s) *s* bot. hästhov,
hästhovsört
Columbia [kə'lʌmbɪə] geogr.
columbine ['kɒləmbaɪn] **I** *adj* duvlik **II** *s* bot. akleja
Columbus [kə'lʌmbəs] egennamn
Columbus Day [kə'lʌmbəsdeɪ] *s* Columbusdagen 12
okt., helgdag i flera amerikanska stater
column ['kɒləm] *s* **1** kolonn byggn. el. mil.; pelare äv.
bildl.; stod; ~ *of smoke* rökpelare; *spinal* ~ anat.
ryggrad **2** kolumn; spalt; ~ *of figures* lodrät sifferrad
3 a) rattstång; ~ *shift* rattväxel b) *control* ~
[flyg]spak
columnist ['kɒləmnɪst] *s* [ofta politisk] kåsör,
kolumnist, kommentator, krönikör
Com. förk. för *Commander, Commodore,*
Communist
com [kɒm, amer. kɑːm] förk. för *commercial*
organization på Internet
com. förk. för *comedy, commerce, committee*
coma ['kəʊmə] *s* med. koma medvetslöshet
Comanche [kə'mæn(t)ʃɪ] *s* **1** (pl. *Comanche* el. ~s)
comanche indian[stam] **2** comanchiska språket
comatose ['kəʊmətəʊs] *adj* **1** med. komatös,
medvetslös **2** vard. sömnig, dåsig, omtöcknad
comb [kəʊm] **I** *s* **1** kam **2** karda **3** *she gave her hair a*
quick ~ hon drog kammen genom håret lite snabbt
II *vb tr* **1** kamma; rykta; ~ el. ~ *through* bildl.
finkamma [*for* för att få tag i]; ~ *out* kamma ut
2 karda, häckla
combat ['kɒmbæt, 'kʌm-] **I** *s* kamp, strid,
drabbning; *single* ~ tvekamp, envig **II** *vb tr*
bekämpa, kämpa mot, strida mot
combatant ['kɒmbət(ə)nt, 'kʌm-] *s* stridande,
[front]soldat, kämpe, kombattant
combat fatigue ['kɒmbætfətiːg] *s* mil. psykol.
stridströtthet; krigsneuros
combative ['kɒmbətɪv, 'kʌm-] *adj* stridslysten
combination [ˌkɒmbɪ'neɪʃ(ə)n] *s* **1** kombination,
sammanställning, sammansättning; serie, rad
2 sammanslutning; förening äv. kem. **3** förbindelse,
association; kombinationsförmåga **4** *motorcycle* ~
motorcykel med sidvagn **5** kombination i ett
kombinationslås
combination lock [ˌkɒmbɪ'neɪʃ(ə)nlɒk] *s*
kombinationslås
combinatory [ˌkɒmbɪ'neɪtəri] *adj* kombinatorisk
combine [verb kəm'baɪn, subst. 'kɒmbaɪn] **I** *vb tr*
ställa samman; förena [~ *business with pleasure*];
slå ihop; kombinera, sätta ihop; sammanfatta; *~d*
operations mil. kombinerade operationer
II *vb itr* **1** förena sig; sluta sig samman; samverka;
everything ~d against him allting sammangaddade
sig mot honom **2** ingå kemisk förening
III *s* **1** skördetröska **2** sammanslutning i polit. ekon.
syfte, syndikat
combine harvester [ˌkɒmbaɪn'hɑːvɪstə] *s*
skördetröska
combo ['kɒmbəʊ] (pl. ~s) *s* **1** combo liten jazzorkester
2 amer. vard. kombi[-]
combustible [kəm'bʌstəbl] *adj* **1** brännbar **2** bildl.
lättantändlig, eldfängd, hetsig

combustion [kəm'bʌstʃ(ə)n] *s* förbränning;
spontaneous ~ självantändning, självförbränning
combustion chamber [kəm'bʌstʃ(ə)n,tʃeɪmbə] *s*
brännkammare
combustion engine [kəm'bʌstʃ(ə)n,en(d)ʒɪn] *s*
förbränningsmotor
come [kʌm] **I** (*came come*) *vb itr* **1** komma; komma
hit (dit); resa; ~ *apart* el. ~ *to pieces* gå sönder; ~ *and*
get it! käket är klart! **2** sträcka sig, räcka, gå **3** ske;
~ *what may* hända vad som hända vill, vad som än
händer; *I could see it coming* det gick som jag
trodde, jag visste hur det skulle gå **4** kunna fås,
finnas att få [*it ~s in packets*] **5** sl., *he* (*she*) *came* det
gick för honom (henne), han (hon) kom fick orgasm
6 spec. användningar av vissa former av 'come' a) imper.: ~
again? vard. va [sa]?, vadå?; ~*!* el. ~ ~*!* el. ~ *now!* så ja
[,så ja]!; försök inte!; raska på! b) inf.: *to* ~
kommande, blivande, framtida; *in days to* ~ under
kommande dagar c) pres. konj.: ~ vard.
nästkommande; om; ~ *Xmas* till julen **7** ~ *to* + inf.
a) komma för att [*he has* ~ *here to work*]
b) [småningom (slutligen)] komma att [*I've* ~ *to*
hate this]; ha hunnit; ~ *to think of it* el. *when one ~s*
to think of it när man tänker efter (på saken) **8** *how*
~*?* hur kommer det sig? **9** a) med adj. bli, visa sig; ~
easy to sb gå (falla sig) lätt för ngn; ~ *expensive* bli
dyr; ~ *loose* lossna b) med perf. p. el. adj. med förstavelsen
'un-': ~ *undone* (*untied* etc.) gå upp, lossna
II (*came come*) *vb itr* o. *vb tr* med adv. el. prep., ofta med
spec. översättningar:
come about inträffa, ske, hända [sig], gå till
come across a) komma över äv. bildl.; hitta, få tag i [*I*
came across it in Rome]; råka på b) ~ *across as* ge
intryck av [att vara] [*it ~s across as a good film, but*
mustn't be taken too seriously]
come after sb vara efter (på) ngn
come along a) komma (följa, gå) med; ~ *along!* kom
nu!, skynda på!; försök igen! b) visa sig, komma
hit (dit, fram) c) klara sig [*you are coming along*
fine]; ta sig [*the garden is coming along nicely*];
arta sig
come at a) komma åt, få tag i b) gå lös på
come back a) komma (vända) tillbaka; *it all ~s back*
to me now nu minns jag [allihop] b) ~ *back at sb* ge
ngn svar på tal
come before a) gå före b) komma upp i (på), läggas
fram för
come by a) komma förbi b) få tag i, komma över
[*he did not* ~ *by it honestly*]
come down a) komma (gå) ner b) sträcka sig (gå)
[ner] c) störta samman (ner) d) *they have* ~ *down in*
the world det har gått utför med dem e) lämnas i
arv f) ~ *down on* slå ner på, fara ut mot g) ~ *down to*
kunna reduceras till [*it all ~s down to this*]; se äv. ex.
under *come to* g) o. *come to* h) under *come II* nedan
h) ~ *down with* lägga sig sjuk i [~ *down with a bad*
cold] i) ~ *down in favour of* gå in för, ta ställning för
come for vard. gå lös på, ryka (rusa) på, ge sig på,
kasta sig över
come forward träda fram, stiga fram; anmäla sig,
erbjuda sig; ~ *forward with a proposal* lägga fram ett
förslag
come from a) komma (vara) från; *coming from you*
[*that's a compliment*] för att komma från dig...

b) komma [sig] av [*that ~s from your being so impatient*]

come in a) komma in, inträda; komma i mål **b**) komma till makten **c**) bli modernt **d**) infalla, börja **e**) *~ in handy* el. *~ in useful* komma väl (bra) till pass **f**) *where do I ~ in?* var kommer jag in [i bilden]? **g**) *~ in for* få del av, få [sig], få ta emot

come into a) få ärva [*~ into a large fortune*]; tillträda **b**) *~ into blossom* gå i blom; *~ into fashion* bli modern; *~ into play* träda i funktion; spela in; *~ into power* komma till makten; *~ into the world* komma till världen

come of a) komma sig av [*this ~s of carelessness*]; *no good will ~ of it* det kommer inte att leda till något gott; *that's what ~s of your lying!* där har du för att du ljuger! **b**) härstamma från; *she ~s of a good family* hon är av god familj

come off a) gå ur, lossna [från]; vara löstagbar; gå bort (ur) om fläck; [*this lipstick*] *doesn't ~ off* ...smetar (kladdar) inte **b**) ramla av [från], ramla ner [från] **c**) sluta med [*~ off the pill*] **d**) *~ off it!* försök inte!; lägg av! **e**) äga rum, bli av [*the party won't ~ off*] **f**) lyckas [*if my plan ~s off*]; avlöpa, gå [*did everything ~ off all right?*] **g**) klara sig [*he came off best*] **h**) sl. få orgasm

come on a) börja [*she could feel a cold coming on*; *what time does the movie ~ on*] **b**) om belysning tändas **c**) träda fram [på scenen] **d**) bryta in, falla på [*night came on*]; *autumn is coming on* det börjar bli höst **e**) ta sig, utveckla sig; repa sig; *how are you coming on?* hur går det för dig ? **f**) *~ on!* kom nu!, skynda på!; kom om du törs! **g**) om spelare rycka in **h**) *~ on to sth* komma till ngt

come out a) komma ut äv. om bok o.d. **b**) *~ out* el. *~ out on strike* gå i strejk **c**) gå ur [*these ink stains won't ~ out*] **d**) *he came out third* han kom (blev) trea; *~ out badly* klara sig dåligt; *~ out the winner* sluta som segrare **e**) komma fram; bli synlig, visa sig; komma ut öppet visa att man är homosexuell; om blomma slå ut; *she always ~s out well* [*in photographs*] hon blir (gör) sig alltid bra [på kort] **f**) komma i dagen, komma fram, komma ut [*when the news came out*] **g**) visa sig [vara] [*~ out all right*] **h**) debutera, komma ut i sällskapslivet **i**) rycka ut; *~ out strongly in defence of sb* rycka ut till ngns försvar **j**) *~ out at* bli, uppgå till [*the total ~s out at 200*] **k**) *~ out in spots* få utslag **l**) *~ out with* vard. vräka ur sig

come over a) komma över **b**) vard. känna sig [*she came over queer*] **c**) *what had ~ over her?* vad gick (kom) det åt henne?

come round a) komma över, titta in [på besök]; *~ round and see sb* komma och hälsa på ngn **b**) *Christmas will soon ~ round* snart är det jul igen **c**) kvickna till; hämta sig **d**) komma på andra tankar, omvända sig; gå (komma) över [*he will never ~ round to our way of thinking*]

come through a) klara sig, undkomma; klara sig igenom **b**) komma [in] [*a report has just ~ through*]

come to a) komma till, nå; *what*[*ever*] *are we coming to?* vad ska det bli av oss?, var ska det sluta?; *you'll have to take what's coming to you* du får ta konsekvenserna; *I hope he gets what's coming to him* jag hoppas han får vad han förtjänar; *she had it coming to her* vard. det var bara vad man kunde

vänta sig; *you've got it coming to you* det här har du bett om **b**) kvickna till **c**) drabba; *no harm will ~ to you* det ska inte hända dig något ont **d**) få ärva; tillfalla genom arv o.d.; *~ to the throne* komma på tronen **e**) belöpa sig till, komma (gå) på; *how much does it ~ to?* äv. hur mycket blir det? **f**) leda till; *~ to nothing* gå om intet; *it ~s to the same thing* det kommer på ett ut **g**) gälla, bli tal om; *when it ~s* [*down*] *to it* när det kommer till kritan, när allt kommer omkring **h**) betyda, innebära; *it ~s* [*down*] *to this – if we are to...* saken är helt enkelt den – om vi ska... **i**) *~ to that* för den delen, för resten

come under a) höra under; komma under **b**) utsättas för

come up a) komma upp; komma fram; dyka upp; [*two meat pies*] *coming up!* t.ex. på restaurang ...klara! **b**) komma på tapeten, komma på tal, bli aktuell **c**) *my lottery ticket came up* jag vann (har vunnit) på lotteri **d**) *the shirt ~s up white with...* skjortan blir vit [när den tvättas] med... **e**) *~ up against* kollidera med; råka ut för [*~ up against a difficulty*] **f**) *~ up to* nå (räcka) upp till; uppgå till; motsvara, uppfylla **g**) *~ up with* komma med [*~ up with a suggestion*]

III (*came come*) *vb tr* **1** vard. spela, agera; *~ the great lady* spela fin dam; *~ it over* spela herre över, topprida; *don't try to ~ it with* (*over*) *me!* försök inte med mig! **2** *~ a cropper* vard., se *cropper*

IV *s* sl. sats sädesvätska

comeback ['kʌmbæk] *s* **1** [lyckad] comeback; återkomst, återinträde; *make a ~* el. *stage a ~* göra comeback **2** svar [på tal] **3** anledning (rätt) att klaga (till klagomål)

comedian [kə'miːdɪən] *s* komiker; komediskådespelare

comedienne [kə,miːdɪ'en] *s* komedienn, [kvinnlig] komiker

comedown ['kʌmdaʊn] *s* vard. steg nedåt särskilt socialt

comedy ['kɒmədɪ] *s* **1** komedi, lustspel; *low ~* fars, slapstick; *~ of manners* sedekomedi **2** komik

come-hither [,kʌm'hɪðə] *adj* vard. [sexuellt] inviterande [*a ~ look*]; lockande

comely ['kʌmlɪ] *adj* med behagligt utseende, täck, fin, [rätt] vacker

come-on ['kʌmɒn] *s* vard. **1** lockmedel, lockbete **2** inbjudande blick (gest); invit

comer ['kʌmə] *s* **1** *all ~s* alla som ställer upp, alla som kommer, vem som helst; *the first ~* den som kommer (kom) först, den först anlände **2** vanl. amer. kommande (lovande) man (politiker m.m.), uppåtgående stjärna

comestibles [kə'mestɪblz] *s pl* matvaror

comet ['kɒmɪt] *s* komet

comeuppance [,kʌm'ʌpəns] *s* vard., *get one's ~* få vad man förtjänar, få sitt straff

comfort ['kʌmfət] **I** *s* **1 a**) *~* el. pl. *~s* komfort, bekvämligheter **b**) komfort, välbefinnande; trevnad, hemtrevnad; välstånd; *live in* ~ äv. leva ett bekymmerslöst liv **c**) *too close for ~* alltför nära för att kännas bra **2** tröst [*a few words of ~*; *he was a great ~ to me*]; lättnad; *it's a ~ to know that...* det känns skönt att veta att...; *if it's any ~...* om det är (kan vara) till någon tröst; *take ~* **a**) låta trösta sig

b) fatta mod

II *vb tr* trösta; *be ~ed* låta trösta sig

comfortable [ˈkʌmf(ə)təbl] *adj* **1** bekväm, komfortabel, behaglig, angenäm; *be ~* ha det [lugnt och] skönt, sitta etc. bekvämt (bra), trivas; *be ~* äv. befinna sig väl [*be ~ after an operation*]; *make oneself ~* göra det bekvämt för sig, slå sig till ro **2** som har det bra; *be in ~ circumstances* ha det bra ställt **3** tillräcklig, trygg [*a ~ income*]; *a ~ lead* en betryggande ledning; *with a ~ margin* med god marginal **4** väl till mods, nöjd och belåten; *feel ~* äv. trivas

comfortably [ˈkʌmf(ə)təblɪ] *adv* **1** bekvämt etc., jfr *comfortable* **2** lätt, med lätthet **3** *be ~ off* ha det bra ställt

comfort-eater [ˈkʌmfətˌiːtə] *s* tröstätare

comforter [ˈkʌmfətə] *s* **1** tröstare **2** napp, tröst[napp] **3** amer. vadderat (tjockt) täcke **4** åld. yllehalsduk

comforting [ˈkʌmfətɪŋ] *adj* tröstande, lugnande, lindrande; *it's ~ to know that...* det är skönt att veta...

comfort station [ˈkʌmfətˌsteɪʃ(ə)n] *s* amer. offentlig toalett

comfy [ˈkʌmfɪ] *adj* vard., se *comfortable 1*

comic [ˈkɒmɪk] **I** *adj* komisk, rolig, lustig; komedi-; *~ book* amer. skämttidning, serietidning, seriemagasin

II *s* **1** skämttidning, serietidning, seriemagasin; *the ~s* serierna, seriesidan, seriesidorna i tidning **2** komiker på varieté

comical [ˈkɒmɪk(ə)l] *adj* komisk, festlig

comic-opera [ˌkɒmɪkˈɒp(ə)rə] *adj* operettartad, operett-

comic opera [ˌkɒmɪkˈɒp(ə)rə] *s* komisk opera, operett

comic relief [ˌkɒmɪkrɪˈliːf] *s* teat. ett komiskt inslag; *it provided ~* det kom som ett befriande inslag [i det hela]

comic song [ˈkɒmɪksɒŋ] *s* kuplett

comic strip [ˈkɒmɪkstrɪp] *s* skämtserie, tecknad serie

coming [ˈkʌmɪŋ] **I** *s* **1** ankomst; annalkande; bibl. tillkommelse; *at the ~ of night* vid nattens inbrott **2** pl. *~s and goings* a) spring ut och in, folk som kommer och går b) saker som händer

II *adj* **1** kommande, stundande, förestående; annalkande **2** kommande, lovande, framtids-; *~ man* framtidsman, påläggskalv

coming of age [ˌkʌmɪŋəvˈeɪdʒ] *s* myndighetsålder; uppnående av myndig ålder

comma [ˈkɒmə] *s* komma[tecken]; *inverted ~s* anföringstecken, citationstecken

command [kəˈmɑːnd] **I** *s* **1** befallning; bud; mil. order, kommando [*at his ~*]; *word of ~* kommando[ord]; *at the word of ~* på kommando, på given signal; *do sth at sb's ~* göra ngt på order av ngn **2** a) mil. befäl [*under the ~ of*]; kommendering; *take ~ of* ta befälet över; *in ~* kommenderande, befälhavande; *be in ~* föra befäl[et] [*of* över, på, i]; *he is first in ~* han är högste chef; *he is second in ~* han är närmast under chefen b) herravälde, kontroll; *she has complete ~ of the situation* hon behärskar fullständigt situationen

c) behärskande av språk etc.; *have a good ~ of a language* behärska ett språk bra **3** data. kommando, kommando- **4** förfogande, disposition; *all the money at his ~* alla pengar som står till hans förfogande (disposition) **5** mil. kommando, truppavdelning; befälsområde; *Bomber Command* bombflyget; *Coastal Command* kustflyget; *Fighter Command* jaktflyget

II *vb tr* **1** befalla [*sb to do, that...*]; bjuda, kräva, anbefalla, påbjuda [*~ silence*] **2** föra befälet (ha befäl) över (på, i), kommendera; *~ a vessel* äv. föra ett fartyg **3** vara herre över, behärska **4** förfoga över, disponera [över] [*~ vast sums of money*]; uppbringa **5** inge, förtjäna [*he ~s our respect; she ~s our sympathy*]; *~ respect* ha respekt med sig **6** spec. mil. behärska [*the castle ~s the town*]; erbjuda (ha) utsikt över **7** inbringa; betinga ett pris

III *vb itr* befalla; härska; föra befäl[et], kommendera

commandant [ˈkɒməndænt, -dɑːnt, ˌ--ˈ-] *s* kommendant; befälhavare

command economy [ˌkɒməndɪˈkɒnəmɪ] *s* planekonomi

commandeer [ˌkɒmənˈdɪə] *vb tr* rekvirera, beslagta, lägga beslag på för militärt bruk eller för statliga ändamål, äv. friare

commander [kəˈmɑːndə] *s* **1** befälhavare, anförare, ledare, chef; härförare **2** inom flottan kommendörkapten **3** polis., ung. polisintendent **4** i orden ung. kommendör av andra klassen; *knight ~* (förk. *KC*) ung. kommendör av första klassen

commander-in-chief [kəˌmɑːnd(ə)rɪnˈtʃiːf] (pl. *commanders-in-chief* [-dəzɪn-]) *s* högsta befälhavare

commanding [kəˈmɑːndɪŋ] *adj* **1** befälhavande, kommenderande; *~ officer* (förk. *CO*) el. *officer ~* (förk. *OC*) mil. chef, befälhavare lägre än generalsperson **2** vördnadsbjudande, imponerande [*~ appearance*]; befallande; överlägsen; *a ~ lead* el. *a ~ position* en överlägsen ledning; *~ presence* ung. pondus **3** med dominerande läge, dominerande; omfattande; *a ~ position* el. *a ~ view* [en] fri och öppen utsikt

commandment [kəˈmɑːn(d)mənt] *s* bud[ord]; *the ten ~s* tio Guds bud; *the second ~* motsv. slutorden i tio Guds bud; *the third (fourth* etc.*) ~* motsv. andra (tredje etc.) budet; *the tenth ~* motsv. nionde och tionde budet; *the eleventh ~* skämts. elfte budet vanl. = 'thou shalt not be found out'

command module [kəˈmɑːndˌmɒdjuːl] *s* rymd. kommandomodul, kommandokapsel

commando [kəˈmɑːndəʊ] (pl. *~s*) *s* kommandosoldat

command performance [kəˈmɑːndpəˌfɔːməns] *s* teat. o.d. föreställning som ges på kunglig befallning

commemorate [kəˈmeməreɪt] *vb tr* **1** fira (hedra) minnet av, fira **2** bevara minnet av, firas till minnet av [*Christmas ~s the birth of Christ*]

commemoration [kəˌmeməˈreɪʃ(ə)n] *s* åminnelse, firande [*in (till) ~ of*]; minnesfest, minnesgudstjänst; årshögtid

commemorative [kəˈmemərətɪv] *adj* minnes- [*~ exhibition*]; jubileums- [*~ stamp*]; *~ of* till minnet av

commence [kə'mens] **I** *vb itr* börja, ta sin början, inledas **II** *vb tr* [på]börja, inleda

commencement [kə'mensmənt] *s* **1** början, begynnelse, inledning **2 a)** univ. (spec. Cambridge, Dublin o. i USA) ung. promotion **b)** skol. amer. avslutning

commend [kə'mend] *vb tr* **1** lovorda, prisa, berömma [*sb on sth, sb for sth* ngn för ngt; *sth to sb* ngt för ngn], rosa **2** anbefalla, rekommendera; *it ~ed itself to him* det tilltalade honom; *the play doesn't have much to ~ it* pjäsen är inte särskilt tilltalande **3** anförtro, anbefalla; *~ one's soul to God* relig. anbefalla sin själ åt Gud

commendable [kə'mendəbl] *adj* lovvärd, berömvärd

commendation [ˌkɒmen'deɪʃ(ə)n] *s* **1** rekommendation, lovord[ande] **2** pris, belöning

commensurate [kə'menʃ(ə)rət] *adj* sammanfallande [*with* med]; proportionell, proportionerlig [*to* mot]; *be ~ with* a) stå i [rimlig] proportion till, motsvara b) vara samma som

comment ['kɒment] **I** *s* kommentar[er] [*on* till, om; *about* om], [förklarande (kritiserande)] anmärkning, yttrande, förklarande not [*on* till]; kritik [*on* av]; utläggning [*on* över]; förklaring, belysning [*on* av]; *no ~!* inga kommentarer!; *make ~s on* (*about*) äv. kommentera; *be a sad ~ on sth* säga något (en hel del) om ngt **II** *vb itr, ~ on* el. *~ about* kommentera; uttala sig om, yttra sig i en fråga; kritisera

commentary ['kɒmənt(ə)rɪ] *s* **1** kommentar [*on* till]; redogörelse; uttalande; anmärkningar [*on* till, över] **2** referat, reportage [*on* från]; *running ~* se *running commentary*

commentary box ['kɒmənt(ə)rɪˌbɒks] *s* sport. kommentatorsbås

commentate ['kɒmenteɪt] *vb itr, ~ on* kommentera; referera

commentator ['kɒmenteɪtə] *s* kommentator

commerce ['kɒmɜːs] *s* handel[n], varuutbyte; *Secretary of Commerce* i USA handelsminister

commercial [kə'mɜːʃ(ə)l] **I** *adj* **1** kommersiell, handels-, affärs- [*~ bank*]; merkantil; affärsmässig; lönande; *~ hotel* enklare hotell **2** reklam- **II** *s* radio. el. TV. reklaminslag, reklamfilm

commercial artist [kəˌmɜːʃ(ə)l'ɑːtɪst] *s* reklamtecknare

commercial at [kəˌmɜːʃ(ə)l'æt] *s* data. snabel-a @-tecknet

commercial break [kəˌmɜːʃ(ə)l'breɪk] *s* radio. el. TV. avbrott för reklam, reklampaus

commercialism [kə'mɜːʃəlɪzəm] *s* kommersialism

commercialization [kəˌmɜːʃəlaɪ'zeɪʃ(ə)n] *s* kommersialisering

commercialize [kə'mɜːʃəlaɪz] *vb tr* kommersialisera; *everything has become ~d* äv. det har gått business i allting

commercial law [kəˌmɜːʃ(ə)l'lɔː] *s* handelsrätt

commercially [kəˌmɜːʃ(ə)lɪ] *adv* **1** kommersiellt, merkantilt; affärsmässigt **2** ~ *available* el. ~ *obtainable* som finns att köpa i handeln

commercial pilot [kəˌmɜːʃ(ə)l'paɪlət] *s* trafikflygare

commercial television [kəˌmɜːʃ(ə)l'telɪvɪʒ(ə)n] *s* reklam-tv, kommersiell (reklamfinansierad) tv

commercial traffic [kəˌmɜːʃ(ə)l'træfɪk] *s* nyttotrafik, yrkestrafik

commercial traveller [kəˌmɜːʃ(ə)l'træv(ə)lə] *s* åld. handelsresande

commercial vehicles [kəˌmɜːʃ(ə)lˌviːɪklz] *s pl* fordon som går i yrkestrafik

Commie ['kɒmɪ] *s* vard. (neds.), se *communist*

commiserate [kə'mɪzəreɪt] *vb itr, ~ with sb* kondolera ngn, visa ngn sitt deltagande; ha medlidande med ngn [*on* med anledning av]

commiseration [kəˌmɪzə'reɪʃ(ə)n] *s* medömkan, medlidande

commissariat [ˌkɒmɪ'seərɪət, -'sær-, -'sɑːr-, -rɪæt] *s* spec. mil. intendentur

commission [kə'mɪʃ(ə)n] **I** *s* **1** kommission; [offentlig] kommitté, utredning; nämnd; *~ of inquiry* undersökningskommission, haverikommission **2 a)** uppdrag, order; ärende; beställning [*written on ~*] **b)** bemyndigande, förordnande; anförtroende; överlämnande av befogenhet etc.; befogenhet; *in ~* i tjänst, i gång [*be in ~*]; *out of ~* ur tjänst, ur funktion; vard. ur slag; justerad **3** hand. **a)** kommission **b)** provision, kommissionsarvode; *~ on profit* tantiem; *on ~* i kommission **4** fullmakt; spec. mil. officersfullmakt; befälsbefattning; *get one's ~* få officersfullmakt, bli officer **II** *vb tr* **1 a)** uppdra åt [*~ an artist to paint a portrait*]; *be ~ed to* få i uppdrag att **b)** ge beställning på, beställa [*~ a portrait*]; *~ed work* beställningsarbete **2** förordna; ge fullmakt (spec. officersfullmakt) **3** sjö. **a)** tilldela fartygsbefäl **b)** överta befälet på; försätta fartyg i beredskap, utrusta, bemanna

commission agent [kə'mɪʃ(ə)nˌeɪdʒ(ə)nt] *s* hand. kommissionär

commissionaire [kəˌmɪʃə'neə] *s* vaktmästare, dörrvakt på t.ex. biograf, varuhus

commissioned officer [kəˌmɪʃ(ə)ndˌɒfɪsə] *s* officer

commissioner [kə'mɪʃ(ə)nə] *s* **1** kommitterad, delegerad, ombud [med speciellt offentligt uppdrag], ombudsman **2** kommissionsmedlem; medlem av en statlig o.d. styrelse (nämnd); inom t.ex. EU kommissionsledamot, kommissionär; pl. *~s* äv. styrelse **3** chef för viss förvaltningsgren; [general]kommissarie; *~ of police* el. *police ~* polismästare, polischef

commit [kə'mɪt] *vb tr* (se äv. *committed*) **1** begå [*~ a crime*; *~ suicide*]; göra [*~ an error*]; *~ arson* anstifta mordbrand; *~ murder* mörda, begå mord **2** binda, förplikt[ig]a [*~ sb to do sth*]; *be ~ted to* vara uppbunden av **3** *~ oneself* ta ställning, fatta ståndpunkt; binda sig [*to* för, vid], engagera sig [*to* i, för]; förbinda sig [*to do sth*]; *he never ~s himself* äv. han vill inte binda sig **4** jur., *~ sb to* [*a mental hospital*] skicka ngn till…, [tvångs]inta ngn på…; *~ to prison* skicka i fängelse; *~ sb for trial* [efter prövning] hänskjuta målet mot ngn till högre rätt **5** anförtro [*to* åt], överlämna [*to* åt, till]; *~ to memory* lägga på minnet, lära sig utantill; *~ to paper* el. *~ to writing* skriva ned, fästa på papperet

commitment [kə'mɪtmənt] *s* **1** åtagande, förpliktelse, plikt, förbindelse, utfästelse, engagemang **2** polit. o.d. engagemang [*to* i]

3 överlämnande, anförtroende **4** förövande [*the ~ of a crime*]

committed [kə'mɪtɪd] *perf p* o. *adj* **1** engagerad [*~ writers; ~ literature*]; övertygad [*a ~ Marxist*] **2** som har tagit ställning (fattat ståndpunkt)

committee [kə'mɪtɪ] *s* **1** utskott; kommitté, utredning; *joint ~* sammansatt utskott; *parliamentary ~* parlamentsutskott; *select ~* särskilt (tillfälligt) utskott; *standing ~* ständigt utskott; *tempory ~* EU. etc. tillfälligt utskott; *be on a ~* sitta i ett utskott (en kommitté) **2** styrelse i en förening o.d.

commodious [kə'məʊdɪəs] *adj* rymlig [och bekväm]

commodity [kə'mɒdətɪ] *s* [handels]vara, artikel; *household commodities* hushållsartiklar, husgeråd

commodore ['kɒmədɔː] *s* kommendör

common ['kɒmən] **I** *adj* **1 a)** vanlig, allmän, gängse **b)** vanlig [enkel], ordinär; *the ~ man* den enkle medborgaren; *the ~ people* gemene (menige) man, den stora massan; *he has the ~ touch* han har förmågan att (vet hur man) umgås med vanligt enkelt folk; *~ or garden* vard. vanlig enkel, helt vanlig [*a ~ or garden business man*]; banal; *~ or garden snake* vanlig snok **2** gemensam, samfälld; *make ~ cause* göra gemensam sak; *highest ~ factor* (förk. *HCF*) största gemensamma faktor; *find a ~ ground* [*for further negotiations*] finna en gemensam plattform...; *we are on ~ ground* bildl. vi är [inne] på samma linje **3** allmän, offentlig; *it is ~ knowledge that* det är en [allmänt] känd sak att, det är allmänt känt att; *the Book of Common Prayer* se under *prayer 1; ~ school* amer., ung. grundskola **4** sämre, enklare [*a ~ make of goods*]; vulgär, tarvlig [*~ manners; the girl looks ~*]; billig

II *s* **1** allmänning **2** *in ~* gemensamt, tillsammans; *have sth in ~* ha (äga) ngt gemensamt (tillsammans), dela ngt; *have interests in ~* ha gemensamma intressen; *point in ~* beröringspunkt; *they have nothing in ~* de har ingenting gemensamt; *in ~ with* [*most educated people*] i likhet med..., liksom...

common cold [ˌkɒmən'kəʊld] *s, the ~* vanlig förkylning

common currency [ˌkɒmən'kʌr(ə)nsɪ] *s* **1** gemensam valuta **2** *be* (*become*) *~* få allmän spridning; *words in ~* allmänt gängse (brukade) ord

common denominator [ˌkɒməndɪ'nɒmɪneɪtə] *s* gemensam nämnare; *the lowest ~* a) minsta gemensamma nämnaren b) de lägsta folklagren, de lägsta instinkterna

commoner ['kɒmənə] *s* icke adlig (ofrälse) person

common fraction [ˌkɒmən'frækʃ(ə)n] *s* matem. bråk

common gender [ˌkɒmən'dʒendə] *s* gram. maskulinum eller femininum; realgenus

common land ['kɒmənlænd] *s* allmänning

common-law ['kɒmənlɔː] *adj, ~ husband* el. *~ wife* sambo; *~ marriage* samvetsäktenskap

common law [ˌkɒmən'lɔː] *s* jur.: den del av anglosaxisk rätt som skapas och utvecklas genom rättspraxis

commonly ['kɒmənlɪ] *adv* vanligen, vanligtvis, allmänt, i allmänhet; *very ~* mycket ofta

Common Market [ˌkɒmən'mɑːkɪt], *the ~* hist. gemensamma marknaden, EG

common noun [ˌkɒmən'naʊn] *s* gram. artnamn, appellativ

commonplace ['kɒmənpleɪs] **I** *adj* vanligt förekommande; alldaglig [*a ~ man*]; vardaglig, banal, trivial

II *s* **1** vardaglig företeelse; [*air travel is now*] *a ~* ...vardagsmat **2** banalitet, banal (allmän) fras, plattityd; pl. *~s* äv. trivialiteter; *we exchanged ~s* vi utbytte några allmänna fraser

common room ['kɒmənrʊm] *s* samlingsrum, sällskapsrum t.ex. för lärare resp. studenter vid college

Commons ['kɒmənz] *s, the ~* med verb i pl. el. *the House of ~* underhuset

common-sense [ˌkɒmən'sens, '---] *adj* förnuftig, nykter

common sense [ˌkɒmən'sens] *s* sunt förnuft, [det] sunda förnuftet, bondförstånd

common stock [ˌkɒmən'stɒk] *s* amer. stamaktier

Commonwealth ['kɒmənwelθ] *s, the ~* el. *the ~ of Nations* Samväldet

Commonwealth Day ['kɒmənwelθˌdeɪ] *s* samväldesdagen högtidsdag 14 mars

Commonwealth of Independent States ['kɒmənwelθəvɪndɪˌpendənt'steɪts] (förk. *CIS*) oberoende staters samvälde (förk. *OSS*)

commotion [kə'məʊʃ(ə)n] *s* tumult, rabalder, oväsen, väsen [*a great ~ about nothing*]; uppståndelse, ståhej; oordning

communal ['kɒmjʊnl, kə'mju:nl] *adj* **1** gemensam, gemensamhets-, kollektiv, grupp-; *~ aerial* el. *~ antenna* centralantenn; *~ family* storfamilj; *~ kitchen* soppkök, kollektiv utspisning; *~ land* samfälld mark; *~ life* samlevnad, samliv inom en grupp, grupptillvaro **2** som rör en folkgrupp (folkgrupper); *~ disturbances* inre oroligheter mellan olika folkgrupper **3** kommunal, kommun-, jfr *commune I 2*

commune [subst. 'kɒmju:n, verb kə'mju:n, 'kɒmju:n] **I** *s* **1** kollektiv, storfamilj **2** kommun i vissa länder utanför den engelsktalande världen

II *vb itr* litt. umgås förtroligt [*with* med]

communicable [kə'mju:nɪkəbl] *adj* **1** smittsam [*~ disease*] **2** som lätt kan meddelas (vidarebefordras)

communicant [kə'mju:nɪkənt] *s* nattvardsgäst

communicate [kə'mju:nɪkeɪt] **I** *vb tr* **1** meddela, delge, vidarebefordra [*~ the news to sb*]; tillställa [*~ a document to sb*] **2** överföra [*~ a disease to sb*] **II** *vb itr* **1** meddela sig [med varandra]; *~ with* sätta sig i förbindelse med, kommunicera med **2** stå i förbindelse med varandra, hänga samman (ihop); *~ with* stå i förbindelse med; *communicating rooms* [angränsande] rum med dörr emellan

communication [kəˌmju:nɪ'keɪʃ(ə)n] *s* **1** kommunikation[er] i olika betydelser, förbindelse[r] [*satellite ~s; be in ~ with*]; förbindelseled; umgänge [*~ with neighbours*]; pl. *~s* äv. samfärdsel; *means of ~* a) transportmedel b) kommunikationsmedel **2** meddelande [*this ~ is confidential*]

communication cord [kəˌmju:nɪ'keɪʃ(ə)nkɔːd] *s* nödbromslina på eng. tåg

communications satellite [kəˌmju:nɪ'keɪʃ(ə)nzˌsætəlaɪt] *s* kommunikationssatellit, telesatellit

communicative [kə'mju:nɪkətɪv] *adj* **1** meddelsam, öppenhjärtig **2** kommunikativ

Communion [kə'mju:nɪən] *s* nattvard,

nattvardsgång [äv. *Holy ~*]; **go to** ~ gå till (begå) nattvarden

communion [kə'mju:nɪən] *s* **1** [kyrko]samfund **2** gemenskap; inbördes samband

communiqué [kə'mju:nɪkeɪ] *s* kommuniké

communism ['kɒmjʊnɪz(ə)m] *s* kommunism[en]

communist ['kɒmjʊnɪst] **I** *s* kommunist **II** *adj* kommunistisk, kommunist- [*the Communist Party*]

community [kə'mju:nətɪ] *s* **1** *the* ~ det allmänna, staten, samhället [*the interests of the ~*] **2** samhälle [*a civilized ~*]; samfund [*a religious ~*]; koloni [*the Jewish ~ in London*]; gemenskap; brödraskap [*a ~ of monks*]; [folk]grupp; **the international ~** världssamfundet **3** gemenskap [*~ of property*]; gemensam besittning [*~ of goods*]; ~ **of interests** intressegemenskap; **sense of ~** gemensamhetskänsla

community care [kə'mju:nətɪkeə] *s* vård i hemmet (närområdet) för sjuka (äldre)

community centre [kə'mju:nətɪˌsentə] *s* ung. allaktivitetshus; kulturcentrum

community chest [kə'mju:nətɪtʃest] *s* **1** amer. åld. [privat] välgörenhetskassa, välfärdsfond **2** spel. allmänning i Monopol

community college [kə'mju:nətɪˌkɒlɪdʒ] *s* **1** vanl. amer., slags högskola [med två års utbildning] ej internat i Storbritannien, *secondary school* för vuxna från samma närområde

community home [kə'mju:nətɪhəʊm] *s* ungdomsvårdsskola

community radio [kə'mju:nətɪˌreɪdɪəʊ] *s* närradio

community service [kə'mju:nətɪˌsɜ:vɪs] *s* **1** slags frivillig volontärverksamhet **2** samhällstjänst

community singing [kə'mju:nətɪˌsɪŋɪŋ] *s* ung. allsång

community spirit [kə'mju:nətɪˌspɪrɪt] *s* samhällsanda

community worker [kə'mju:nətɪˌwɜ:kə] *s* socialarbetare

commutation [ˌkɒmjʊ'teɪʃ(ə)n] *s* jur. straffnedsättning

commutation ticket [ˌkɒmjʊ'teɪʃ(ə)n'tɪkɪt] *s* amer. [period]kort, rabattkort

commute [kə'mju:t] **I** *vb itr* trafik. pendla **II** *vb tr* byta ut; omvandla [*~ the death sentence to imprisonment for life*] **III** *s* trafik. pendling; pendelavstånd

commuter [kə'mju:tə] *s* trafik. **1** pendlare **2** attr. pendel- [*~ train*]

commuter belt [kə'mju:təbelt] *s* bälte av förorter [som betjänas av pendeltrafik]

Commy ['kɒmɪ] *s* vard. (neds.), *communist*

1 comp [kɒmp] vard. förk. för *competition*

2 comp [kɒmp] amer. vard. **I** *s* gratisbiljett **II** *vb tr* ge bort, skänka gratisbiljett

3 comp [kɒmp] mus. vard. **I** *s* (förk. för *accompaniment*) komp **II** *vb itr* (förk. för *accompany*) kompa

comp. förk. för *comparative*, *compare*

1 compact [adj. o. verb kəm'pækt, subst. 'kɒmpækt] **I** *adj* kompakt, tätt packad; fast, tät, solid **II** *vb tr* fast foga (pressa) samman, kompaktera;

bildl. konsolidera **III** *s* **1** [liten] puderdosa **2** kompaktbil

2 compact ['kɒmpækt] *s* pakt, fördrag, överenskommelse

compact disc [ˌkɒmpækt'dɪsk] *s* cd[-skiva]

companion [kəm'pænjən] *s* **1** följeslagare, ledsagare; kamrat; sällskap [*he is a pleasant ~*]; **~s in arms** vapenbröder **2** motstycke, make, pendang **3** [personlig] assistent; åld. sällskapsdam [*to hos*] **4** handbok [*The Gardener's Companion*]

companionable [kəm'pænjənəbl] *adj* sällskaplig, trevlig

companion piece [kəm'pænjənpi:s] *s* motstycke, make, pendang

companionship [kəm'pænjənʃɪp] *s* kamratskap; sällskap

companion way [kəm'pænjənweɪ] *s* sjö. [kajut]trappa, nedgång [till kajuta]

company ['kʌmp(ə)nɪ] *s* **1** hand. bolag; företag, firma, kompani **2** sällskap, teat. o.d. äv. trupp; umgänge; lag; **he is such good ~** han är sådant trevligt sällskap; **keep sb ~** hålla (göra) ngn sällskap; **the ~ sb keeps** de kretsar ngn umgås i, det umgänge ngn har; **keep ~ with** a) vara tillsammans med b) sällskapa med, ha [fast] sällskap med; **part ~** skiljas [*with* från]; **two's ~, three's a crowd** tre är en för mycket; **for** ~ för sällskaps skull; **in** ~ sällskap, tillsammans [*with* med]; **get into bad ~** el. **keep bad ~** komma (hamna) i dåligt sällskap **3** främmande, gäster, besök [*expect ~*]; **see a great deal of** ~ ha mycket främmande **4** mil. kompani; **A ~** 1. kompaniet; **~ sergeant major** fanjunkare **5 the ship's ~** sjö. [fartygets] befäl och besättning

company car ['kʌmp(ə)nɪkɑ:] *s* tjänstebil

company law ['kʌmp(ə)nɪlɔ:] *s* jur. bolagsrätt

company secretary [ˌkʌmp(ə)nɪ'sekrət(ə)rɪ] *s* ung. bolagsjurist, chefskamrer

company store [ˌkʌmp(ə)nɪ'stɔ:] *s* amer., ung. personalbutik

comparable ['kɒmp(ə)rəbl] *adj* jämförlig, jämförbar [*with* med]; **be ~ with** äv. kunna jämföras med; **~ to** jämförlig (jämförbar) med

comparative [kəm'pærətɪv] **I** *adj* **1** komparativ äv. gram.; jämförande [*~ philology*]; **the ~ degree** gram. komparativ **2** relativ [*they are living in ~ comfort*]; **he is a ~ stranger** han är på sätt och vis en främling **II** *s* gram. komparativ

comparatively [kəm'pærətɪvlɪ] *adv* jämförelsevis, förhållandevis, relativt

compare [kəm'peə] **I** *vb tr* **1** jämföra; **~…with** jämföra…med; **~ to** jämföra med, likna vid [*the heart may be ~d to a pump*]; likställa med, jämställa med [*~ notes* jämföra sina intryck, utbyta erfarenheter [*on* om]; **as ~d to** el. **as ~d with** i jämförelse med, jämförd med **2** gram. komparera **II** *vb itr* [kunna] jämföras, [kunna] jämställas; [*our old car was a beauty*] **this one just doesn't compare** …den här går bara inte att jämföra med den; **it ~s favourably with** det tål en jämförelse med, det kan mäta sig med **III** *s*, **beyond** ~ el. **without** ~ a) utan jämförelse, makalös [*her beauty is beyond ~*] b) makalöst [*she is lovely beyond ~*]

comparison [kəm'pærɪsn] *s* **1** jämförelse; **bear ~ with**

el. **stand ~ with** tåla [en] jämförelse med, tävla med; **draw a ~** dra en parallell; **there is no ~ between them** de går inte att jämföra; **by ~** i jämförelse; **without ~** el. **beyond all ~** utan [all] jämförelse, makalös; ojämförligt **2** gram. komparation

compartment [kəm'pɑːtmənt] s **1** avdelning, bås, fack, rum äv. sjö. [watertight ~] **2** järnv. kupé; **driver's ~** förarhytt

compartmentalize [ˌkɒmpɑː'tʹmentəlaɪz] vb tr placera (dela upp) i olika fack (kategorier), kategorisera

compass ['kʌmpəs] s **1** kompass; **mariner's ~** skeppskompass, sjökompass; **point of the ~** kompasstreck, väderstreck; **take a ~ bearing** el. **take a ~ reading** ta bäring[en] **2** pl. **~es** passare; **pair of ~es** en passare **3** omkrets; område, yta, utrymme; gräns; omfång äv. mus.

compass card ['kʌmpəskɑːd] s kompasskiva

compassion [kəm'pæʃ(ə)n] s medlidande, medkänsla, förbarmande, deltagande; **have ~ for** ha medlidande med; **take ~ on** gripas av medlidande med

compassionate [kəm'pæʃ(ə)nət] adj medlidsam, barmhärtig

compassionate leave [kəm'pæʃ(ə)nətliːv] s tjänstledighet av trängande familjeskäl; mil. permission av särskilda skäl (i trängande fall)

compassion fatigue [kəm'pæʃ(ə)nfəˌtiːg] s empatisk leda oförmåga att reagera på en kris, katastrof etc. pga tidigare upplevda kriser, katastrofer

compass rose ['kʌmpəsrəʊz] s kompassros

compatibility [kəmˌpætə'bɪlətɪ] s **1** förenlighet **2** tekn. el. data. kompatibilitet

compatible [kəm'pætəbl] adj **1** förenlig, överensstämmande; **they aren't ~** de passar inte ihop **2** tekn. el. data. kompatibel

compatriot [kəm'pætrɪət] s landsman

compel [kəm'pel] vb tr **1** tvinga, driva, förmå [into till; to do att göra] **2** framtvinga; tvinga till sig

compelling [kəm'pelɪŋ] adj **1** tvingande [~ reason] **2** övertygande [~ evidence] **3** fängslande [a ~ novel] **4** auktoritativ, med pondus [~ personality]

compendious [kəm'pendɪəs] adj [kort och] koncis, summarisk

compendi|um [kəm'pendɪ|əm] (pl. -ums el. -a [-ə]) s kompendium, sammandrag; handbok

compensate ['kɒmpenseɪt] **I** vb itr, **~ for** kompensera, uppväga, ersätta [nothing can ~ for the loss of one's health]
II vb tr **1 ~ sb [for]** kompensera (ersätta, gottgöra) ngn [för] **2** kompensera äv. fys. el. psykol.; uppväga

compensating ['kɒmpenseɪtɪŋ] adj, **it has many ~ advantages over...** det har i gengäld många fördelar framför...

compensation [ˌkɒmpen'seɪʃ(ə)n] s **1** kompensation, ersättning, gottgörelse; skadestånd, skadeersättning **2** kompensation äv. fys. el. psykol., utjämning

compensatory [ˌkɒmp(ə)n'seɪt(ə)rɪ, kəm'pensət(ə)rɪ] adj kompensations-, ersättnings-, som kompenserar (ersätter); **~ damages** skadeersättning

compere ['kɒmpeə] **I** s konferencier; programledare

II vb tr vara konferencier för (vid); vara programledare för

compete [kəm'piːt] vb itr **1** tävla, kämpa, konkurrera [~ against (with) other countries in trade]; rivalisera [for om] **2** delta, ställa upp [~ in a race]

competence ['kɒmpət(ə)ns] s **1** kompetens, skicklighet [his ~ in handling money]; duglighet, förmåga **2** jur. kompetens, behörighet **3** kompetensområde

competent ['kɒmpət(ə)nt] adj **1** kompetent, skicklig [she is very ~ in her work] **2** tillräcklig [a ~ knowledge of French]; nöjaktig **3** kompetent, behörig

competition [ˌkɒmpə'tɪʃ(ə)n] s **1** konkurrens, tävlan; **the ~** (med verb i sg. el pl.) konkurrenten, konkurrenterna; **~ rules** tävlingsbestämmelser; hand., t.ex. inom EU konkurrensregler; **open ~** tävling öppen för alla; t.ex. inom EU allmänt uttagningsprov; **be in ~ with** konkurrera (tävla) med **2** tävling, match

competitive [kəm'petətɪv] adj **1** konkurrenskraftig [~ prices] **2** konkurrens-, konkurrensbetonad, tävlingsbetonad; tävlingslysten; **she is very ~** äv. hon är en tävlingsmänniska

competitiveness [kəm'petətɪvnəs] s **1** konkurrenskraft **2** konkurrens, tävling, konkurrenssituation **3** tävlingslust

competitor [kəm'petɪtə] s [tävlings]deltagare, tävlande; medtävlare [for om], medsökande [for till], rival; konkurrent [for om]

compilation [ˌkɒmpɪ'leɪʃ(ə)n] s **1** samling; samlingsskiva; samlings- [~ album; ~ CD] **2** sammanställande, utarbetande; data. kompilering

compile [kəm'paɪl] vb tr **1** ställa samman [~ an anthology]; utarbeta [~ a dictionary] **2** data. kompilera

compiler [kəm'paɪlə] s kompilator äv. data.

complacent [kəm'pleɪsnt] adj självbelåten [a ~ smile]; egenkär; nöjd (tillfreds) [med sig själv]

complain [kəm'pleɪn] vb itr beklaga sig, klaga [of, about över, på; to för, hos]

complainant [kəm'pleɪnənt] s jur. kärande i civilmål, målsägare, målsägande

complaint [kəm'pleɪnt] s **1** klagan, klagomål, anmärkning; hand. reklamation; **file a ~ against** el. **lodge a ~ against** klaga på; jur. inge klagomål mot **2** åkomma, sjukdom, besvär, ont; pl. **~s** äv. krämpor

complaisance [kəm'pleɪz(ə)ns] s tillmötesgående, älskvärdhet; undfallenhet

complaisant [kəm'pleɪz(ə)nt] s tillmötesgående, älskvärd; undfallande

complected [kəm'plektɪd] adj amer. vard., **dark ~** mörkhyad; **fair ~** ljushyad

complement [subst. 'kɒmplɪmənt, verb 'kɒmplɪment, ˌkɒmplɪ'ment] **I** s **1** komplement **2** fullt antal, full styrka [äv. full ~]; **the ship's ~** [fartygets] befäl och besättning **3** gram. bestämning [till verbet]; vanl. predikatsfyllnad **4** matem. komplementvinkel
II vb tr komplettera [~ each other]; göra fulltalig, fullständiga

complementary [ˌkɒmplɪ'ment(ə)rɪ] adj

komplement- [~ *colour*; ~ *angles*]; fyllnads-, kompletterande; fullständigande

complementary medicine [ˌkɒmplɪment(ə)rɪˈmeds(ə)n] *s* alternativmedicin

complete [kəmˈpliːt] **I** *adj* komplett, fullständig [~ *control*]; absolut, fullkomlig [*a* ~ *stranger*]; full [*to my* ~ *satisfaction*]; hel; avslutad, färdig [*when will the work be* ~?]; ~ *and utter* rena rama, absolut, riktig; *as a* ~ *surprise* som en fullständig (total) överraskning; *a house* ~ *with movables* ett hus med tillhörande inventarier

II *vb tr* **1** avsluta, slutföra, fullfölja, fullborda, göra (få) färdig; fullgöra **2** komplettera, göra fullständig [*this* ~*s my happiness*]; göra fulltalig **3** fylla i [~ *a form*]

completed [kəmˈpliːtɪd] *adj* färdig; fullständig; ifylld

completion [kəmˈpliːʃ(ə)n] *s* **1** avslutning, slutförande etc., jfr *complete II 1* **2** komplettering, fullständigande **3** ifyllande [~ *of a form*]

complex [ˈkɒmpleks, amer. vanl. kəmˈpleks] **I** *adj* **1** komplicerad, invecklad [*a* ~ *situation*] **2** sammansatt; ~ *sentence* sammansatt sats (mening)

II *s* **1** anläggning, komplex [*a sports* ~] **2** komplex äv. psykol.; *have a* ~ *about* ha komplex för

complex fraction [ˌkɒmpleksˈfrækʃ(ə)n] *s* matem. dubbelbråk

complexion [kəmˈplekʃ(ə)n] *s* **1** hy, ansiktsfärg, hudfärg **2** bildl. utseende; prägel, karaktär [*it changed the* ~ *of the war*]; *political* ~ politisk färg; *put a false* ~ *on* ställa i [en] falsk dager; *put a different* ~ *on* el. *put a new* ~ *on* komma att framstå i en ny dager

complexioned [kəmˈplekʃnd] *adj*, *dark-complexioned* mörkhyad; *fair-complexioned* ljushyad

complexity [kəmˈpleksətɪ] *s* komplexitet, invecklad (komplicerad) beskaffenhet

compliance [kəmˈplaɪəns] *s* **1** tillmötesgående [*with* av]; *in* ~ *with* i enlighet (överensstämmelse) med **2** eftergivenhet, medgörlighet, undfallenhet

compliant [kəmˈplaɪənt] *adj* eftergiven [*with* för, mot], medgörlig, foglig; *be* ~ *with* anpassa sig till, vara beredd att tillmötesgå

complicate [ˈkɒmplɪkeɪt] *vb tr* komplicera, trassla till

complicated [ˈkɒmplɪkeɪtɪd] *adj* komplicerad, invecklad, krånglig

complication [ˌkɒmplɪˈkeɪʃ(ə)n] *s* komplikation äv. med.; förveckling; pl. ~*s* äv. krångel

complicit [kəmˈplɪsɪt] *adj* delaktig i brott o.d.

complicity [kəmˈplɪsətɪ] *s* delaktighet; ~ *in crime* medbrottslighet; jur. medverkan till brott

compliment [ˈkɒmplɪmənt] **I** *s* **1** komplimang, artighet; *pay sb a* ~ [*on*] ge ngn en komplimang [för]; *fish for* ~*s* vard. gå med håven **2** pl. ~*s* hälsning[ar]; *send one's* ~*s to sb* hälsa till ngn; *with the* ~*s of the season* åld. med önskan om en god jul och ett gott nytt år; *tell him with my* ~*s that* hälsa honom [och säg] att; [*please accept this book*] *with the* ~*s of the author* ...[med hälsning] från författaren

II *vb tr* komplimentera [*on* för]; gratulera, lyckönska [*on* till]

complimentary [ˌkɒmplɪˈment(ə)rɪ] *adj* **1** fri-, gratis- [~ *ticket*]; ~ *copy* friexemplar, gratisexemplar **2** berömmande [*a* ~ *review*]; smickrande [~ *remarks*]; hyllnings- [*a* ~ *poem*]; artighets-; artig; ~ *close* avslutningsfras i brev

compliments slip [ˈkɒmplɪmentsˌslɪp] *s* företags följekort med tryckta hälsningar

comply [kəmˈplaɪ] *vb itr* ge efter, foga sig, lyda; ~ *with* lyda, rätta sig efter, iaktta [~ *with* [*the*] *regulations*]; gå med på, samtycka till

component [kəmˈpəʊnənt] **I** *s* komponent, [bestånds]del; ingrediens, inslag **II** *adj* del- [*two* ~ *republics of the union*]; ~ *part* [bestånds]del

comport [kəmˈpɔːt] *vb rfl*, ~ *oneself* uppföra (bete) sig; ~ *oneself with dignity* uppträda värdigt

comportment [kəmˈpɔːtmənt] *s* uppförande, beteende

compose [kəmˈpəʊz] **I** *vb tr* **1** [tillsammans] bilda, utgöra; *be* ~*d of* bestå (utgöras) av **2** utarbeta, sätta ihop [~ *a speech*]; författa; komponera, tonsätta; [artistiskt] ordna (arrangera), komponera in [~ *the figures in a picture*]; ställa samman **3** lugna [~ *a patient*]; ~ *one's thoughts* samla tankarna; ~ *oneself* lugna (samla) sig, ta sig samman

II *vb itr* komponera; skriva, författa, dikta

composed [kəmˈpəʊzd] *adj* lugn, fattad, samlad

composer [kəmˈpəʊzə] *s* komponist, kompositör, tonsättare

composite [ˈkɒmpəzɪt, -zaɪt] **I** *adj* sammansatt **II** *s* **1** sammansättning, blandning **2** amer. fantombild konstruerad identifieringsbild [äv. ~ *sketch*]

composition [ˌkɒmpəˈzɪʃ(ə)n] *s* **1** komposition; komponerande; utarbetande, författande; [*she played a piano piece*] *of her own* ~ ...som hon själv komponerat **2** skol. uppsatsskrivning; uppsats **3** bildning; blandning, förening **4** hand. a) ackord[suppgörelse] b) ackordsumma; kompensation

compost [ˈkɒmpɒst] **I** *s* kompost; ~ *heap* komposthög; *potting* ~ krukjord **II** *vb tr* **1** kompostera **2** gödsla med kompost

composure [kəmˈpəʊʒə] *s* fattning, [sinnes]lugn; *lose one's* ~ tappa fattningen

1 compound [subst. o. adj. ˈkɒmpaʊnd, verb kəmˈpaʊnd] **I** *s* **1** sammansättning, blandning, förening; sammansatt ämne; *chemical* ~ kemisk förening **2** gram. sammansatt ord, sammansättning

II *adj* sammansatt

III *vb tr* **1** förvärra [*that simply* ~*s the error*]; [ytterligare] försvåra [~ *the problem*] **2** blanda [tillsammans], blanda ihop, blanda till [~ *a medicine*]; sätt ihop (samman) [*with* med] **3** ~ *interest* räkna ränta på ränta

2 compound [ˈkɒmpaʊnd] *s* inhägnat (avspärrat) område

compound fracture [ˌkɒmpaʊndˈfræktʃə] *s* med. öppen (komplicerad) fraktur

compound interest [ˌkɒmpaʊndˈɪntərest] *s* ränta på ränta

comprehend [ˌkɒmprɪˈhend] *vb tr* **1** fatta, begripa, förstå **2** inbegripa, omfatta, innefatta

comprehensible [ˌkɒmprɪˈhensəbl] *adj* begriplig, förståelig, fattbar

comprehension [ˌkɒmprɪˈhenʃ(ə)n] *s*

1 fattningsförmåga; förstånd; *it's beyond her* ~ det övergår hennes förstånd; *be slow of* ~ ha svårt [för] att fatta **2** [riktig] uppfattning [*of* av, om]; *reading* ~ läsförståelse

comprehensive [ˌkɒmprɪˈhensɪv] **I** *adj* [vitt]omfattande; uttömmande [*a* ~ *description*]; rikhaltig; allsidig, mångsidig; ~ *insurance* el. ~ *policy* ung. allriskförsäkring **II** *s* se *comprehensive school*

comprehensiveness [ˌkɒmprɪˈhensɪvnəs] *s* **1** [stor] omfattning, [räck]vidd, spännvidd **2** mångsidighet

comprehensive school [ˌkɒmprɪˈhensɪvskuːl] *s* ung. grund- och gymnasieskola för elever över 11 år

compress [verb kəmˈpres, subst. ˈkɒmpres] **I** *vb tr* **1** pressa ihop (samman), trycka ihop; komprimera äv. data. **2** bildl. tränga ihop, pressa ihop [*he* ~*ed it into one sentence*] **II** *s* kompress; [vått] omslag [*cold* ~; *hot* ~]

compressed air [kəmˌprestˈeə] *s* tryckluft, komprimerad luft

compression [kəmˈpreʃ(ə)n] *s* **1** sammantryckning, sammanträngning; press, tryck; hoptryckthet; tekn. kompression; data. komprimering **2** koncentration i uttryck m.m.

compressor [kəmˈpresə] *s* tekn. kompressor

comprise [kəmˈpraɪz] *vb tr* omfatta, innefatta, bestå av; inbegripa, inkludera

compromise [ˈkɒmprəmaɪz] **I** *s* kompromiss **II** *vb itr* kompromissa, dagtinga [~ *with one's conscience*] **III** *vb tr* **1** dagtinga med, pruta av på **2** äventyra [~ *national security*] **3** kompromettera, vara komprometterande för

compromising [ˈkɒmprəmaɪzɪŋ] *adj* komprometterande

comptroller [kənˈtrəʊlə] *s* kontrollör spec. i vissa titlar, se för övrigt *controller*

compulsion [kəmˈpʌlʃ(ə)n] *s* tvång [*on* för]; obetvinglig impuls; *under* ~ under (av) tvång

compulsive [kəmˈpʌlsɪv] *adj* **1** tvångsmässig, tvångs- [~ *action*]; tvingande; *be a* ~ *eater* ung. hetsäta; tröstäta; *he is a* ~ *gambler* ung. han är spelberoende; *a* ~ *liar* en obotlig lögnare; ~ *personality* a) tvångsneurotisk läggning b) tvångsneurotiker **2** fängslande [*a* ~ *book*]

compulsory [kəmˈpʌls(ə)rɪ] *adj* obligatorisk; tvångs-, tvångsmässig; tvingande; ~ *military service* allmän värnplikt; ~ *school attendance* skolplikt; ~ *subject* obligatoriskt [skol]ämne

compulsory purchase [kəmˌpʌls(ə)rɪˈpɜːtʃəs] *s* expropriation

compulsory sale [kəmˈpʌls(ə)rɪseɪl] *s* tvångsförsäljning

compunction [kəmˈpʌŋ(k)ʃ(ə)n] *s* samvetsbetänkligheter, samvetskval; ånger

computation [ˌkɒmpjʊˈteɪʃ(ə)n] *s* beräkning, överslag, kalkyl; uträkning; [slut]summa

computational [ˌkɒmpjʊˈteɪʃ(ə)nl] *adj* data-, kalkyl[erings]-; ~ *linguistics* datalingvistik

compute [kəmˈpjuːt] **I** *vb tr* beräkna, bestämma, kalkylera, uppskatta [~ *one's losses at* (till) £5000] **II** *vb itr* räkna

computer [kəmˈpjuːtə] *s* dator; *digital* ~ digitaldator; *be on* ~ ligga på data

computer-aided [kəmˈpjuːtərˌeɪdɪd] *adj* datorstödd; ~ *design* (förk. *CAD*) datorstödd konstruktion

computer-based [kəmˈpjuːtəbeɪst] *adj* datorbaserad

computer crime [kəmˈpjuːtəkraɪm] *s* databrott

computer freak [kəmˈpjuːtəfriːk] *s* vard. datornörd

computer game [kəmˈpjuːtəgeɪm] *s* dataspel

computerization [kəmˌpjuːtəraɪˈzeɪʃ(ə)n] *s* **1** datorisering; databehandling **2** utrustande med datorer

computerize [kəmˈpjuːtəraɪz] *vb tr* **1** datorisera; databehandla **2** utrusta med datorer, datautrusta

computerized [kəmˈpjuːtəraɪzd] *adj* datoriserad; datorlagrad; datorstyrd; dator-, data-

computerized tomography [kəmˌpjuːtəraɪzdtəˈmɒgrəfɪ] (förk. *CT*) *s* datortomografi, skiktröntgen

computer-literate [kəmˌpjuːtəˈlɪtərət] *adj* datorvan, datakunnig

computer program [kəmˌpjuːtəˈprəʊgræm] *s* dataprogram, datorprogram

computer programmer [kəmˌpjuːtəˈprəʊgræmə] *s* programmerare

computer run [kəmˈpjuːtərʌn] *s* datakörning

computer science [kəmˌpjuːtəˈsaɪəns] *s* datalära, datavetenskap, datalogi

computer scientist [kəmˌpjuːtəˈsaɪəntɪst] *s* datavetare, datalog

computer virus [kəmˌpjuːtəˈvaɪərəs] *s* datavirus

computing [kəmˈpjuːtɪŋ] *s* **1** databehandling; attr. dator-, data- **2** beräkning, kalkylering; attr. beräknings-

comrade [ˈkɒmreɪd, -rɪd, ˈkʌm-] *s* kamrat äv. polit. o.d.

comrade-in-arms [ˌkɒmreɪdɪnˈɑːmz] (pl. *comrades-in-arms*) *s* vapenbroder

comradely [ˈkɒmreɪdlɪ, -rɪdlɪ, ˈkʌm-] *adj* kamratlig

comradeship [ˈkɒmreɪdʃɪp] *s* kamratskap

comsat [ˈkɒmsæt] vard. kortform av *communications satellite*

Con. förk. för *Conservative*

1 con [kɒn] sl. **I** *s* kortform av *confidence* i *confidence game* o. *confidence trick* **II** *vb tr* lura [*sb into doing sth* ngn att göra ngt], dupera; ~ *sb out of sth* lura av ngn ngt

2 con [kɒn] (förk. för *contra*), *pro and* ~ se under *2 pro*

3 con [kɒn] (vard. kortform av *convict II*) straffånge; förbrytare, brottsling

4 con [kɒn] *s* (kortform av *convenience*) bekvämlighet [*all mod* ~*s*]

Conan [ˈkəʊnən, ˈkɒnən]

con artist [ˈkɒnɑːtɪst] *s* vard. bondfångare; solochvårare

concatenation [kənˌkætəˈneɪʃ(ə)n] *s* sammanlänkning; serie [*a* ~ *of circumstances*]; kedja

concave [ˌkɒnˈkeɪv, ˈkɒnkeɪv] *adj* konkav, inbuktad; ~ *lens* konkav lins, spridningslins

concavity [kɒnˈkævətɪ] *s* konkavitet, konkav yta

conceal [kənˈsiːl] *vb tr* dölja, hemlighålla, gömma, förtiga [*from* för]; skymma; ~*ed lighting* indirekt belysning; ~*ed turning* avtagsväg med skymd sikt

concealment [kənˈsiːlmənt] *s* döljande, hemlighållande, förtigande

concede [kən'si:d] *vb tr* **1** medge, gå med på, bevilja [~ *an increase in wages*]; erkänna [riktigheten av]; ~ *defeat* erkänna sig besegrad; ~ *a point* [*in an argument*] göra ett medgivande (ge vika) på en punkt... **2** erkänna förlusten av; avträda [~ *part of one's territory*]; ~ *the election* erkänna sig besegrad i valet; ~ *a game* förlora (släppa) ett game i t.ex. tennis; *Arsenal ~d a goal* [*in the first minute*] Arsenal släppte in ett mål...

conceit [kən'si:t] *s* inbilskhet, [personlig] fåfänga, egenkärlek

conceited [kən'si:tɪd] *adj* inbilsk, fåfäng, egenkär

conceivable [kən'si:vəbl] *adj* **1** fattbar, begriplig, förståelig **2** tänkbar, upptänklig, möjlig

conceive [kən'si:v] **I** *vb tr* **1** tänka ut, göra upp, hitta på [~ *a plan*]; komma på [~ *an idea*]; bilda sig en föreställning o.d. **2** tänka (föreställa) sig **3** bli gravid (dräktig) med; avla
II *vb itr* **1** bli gravid, bli med barn; bli dräktig **2** ~ *of* föreställa (tänka) sig, fatta

concentrate ['kɒns(ə)ntreɪt] **I** *vb tr* **1** koncentrera; samla; mil. dra samman; inrikta [~ *all one's attention* (*power*) *on*] **2** tekn. anrika
II *vb itr* koncentreras; koncentrera sig, samla sig
III *s* koncentrat [*orange juice* ~]

concentrated ['kɒns(ə)ntreɪtɪd] *adj* koncentrerad; samlad; intensiv [~ *gunfire*]; ~ *feed* lantbr. kraftfoder

concentration [,kɒns(ə)n'treɪʃ(ə)n] *s* **1** koncentration, koncentrering **2** tekn. anrikning; ~ *plant* anrikningsverk

concentration camp [,kɒns(ə)n'treɪʃ(ə)nkæmp] *s* koncentrationsläger; uppsamlingsläger

concentric [kɒn'sentrɪk] *adj* koncentrisk

concept ['kɒnsept] *s* begrepp [*a new* ~ *in technology*]; koncept; idé, föreställning; princip [*the* ~ *of the balance of power*]

conception [kən'sepʃ(ə)n] *s* **1** föreställning, uppfattning; begrepp [*he had little* ~ *of the problems involved*] **2** tanke, idé [*a bold* ~]; vard. aning [*I had no* ~ *that...*] **3** konception, befruktning, avelse; bildl. skapelse

conceptual [kən'septjʊəl] *adj* begreppsmässig

conceptualize [kən'septjʊəlaɪz] *vb tr* göra sig en föreställning om

concern [kən'sɜ:n] **I** *s* **1** bekymmer, oro [*at*, *for* för, över]; omsorg; *with growing* ~ med växande oro **2** angelägenhet, affär [*mind your own* ~*s*]; sak; intresse; *it is no* ~ *of mine* det angår (rör) inte mig, det är inte min sak; *what* ~ *is it of yours?* vad har du med det att göra?; *of* ~ av vikt (betydelse) **3** hand. företag, rörelse, affär, firma; koncern; pl. ~*s* äv. affärsförbindelser **4** delaktighet, del, andel [*have a* ~ *in the business*]
II *vb tr* (se äv. *concerned*) **1** angå, röra, beröra, gälla; *to whom it may* ~ till den (dem) det vederbör, till vederbörande **2** bekymra, oroa; ~ *oneself with* el. ~ *oneself about* bekymra (bry) sig om, befatta sig med

concerned [kən'sɜ:nd] *perf p* o. *adj* **1** bekymrad, ledsen, orolig [*about*, *at*, *for* över, för] **2** intresserad [*in* för]; engagerad; inblandad, inbegripen, delaktig [*in* i]; berörd; *be* ~ *with* a) ha att göra med b) handla om [*the story is* ~ *with conditions in the slum ghettos*]; *be* ~ *in it* äv. ha del i

det, ha [något] med det att göra; *as far as I am* ~ vad mig beträffar (anbelangar), för min del; gärna för mig

concernedly [kən'sɜ:nɪdlɪ] *adv* bekymrat etc., jfr *concerned*

concerning [kən'sɜ:nɪŋ] *prep* angående, beträffande, i fråga om, med avseende på

concert ['kɒnsət, i betydelse 2 äv. 'kɒnsɜ:t] *s* **1** konsert; *play in* ~ spela inför publik, uppträda 'live' **2** *in* ~ i samförstånd [*with* med]

concerted [kən'sɜ:tɪd] *adj* gemensam [~ *action*]; samlad

concertgoer ['kɒnsət,gəʊə] *s* konsertbesökare

concert hall ['kɒnsəthɔ:l] *s* konsertsal

concertina [,kɒnsə'ti:nə] **I** *s* concertina litet dragspel
II *vb itr* pressas (knycklas) ihop som ett dragspel

concert master ['kɒnsət,mɑ:stə] *s* amer. konsertmästare

concert|o [kən'tʃeət|əʊ] (pl. äv. *-i* [-ɪ]) *s* konsert musikstycke för soloinstrument och orkester [*piano* ~]

concert tour ['kɒnsəttʊə] *s* konsertturné

concession [kən'seʃ(ə)n] *s* **1** medgivande, eftergift; beviljande **2** förmån; rabatt **3** koncession [*oil* ~*s*] **4** vanl. amer. stånd, försäljningsställe, försäljnings-

concessionaire [kən,seʃə'neə] *s* koncessionsinnehavare; generalagent

concessionary [kən'seʃ(ə)n(ə)rɪ] *adj* rabatterad; förmånlig

conch [kɒntʃ, kɒŋk] *s* zool. trumpetsnäcka

conciliate [kən'sɪlɪeɪt] *vb tr* **1** blidka **2** medla mellan; förena, förlika, få att stämma [överens] [~ *discrepant theories*]

conciliation [kən,sɪlɪ'eɪʃ(ə)n] *s* **1** förlikning [*court of* ~]; medling; förenande **2** försonlighet

conciliator [kən'sɪlɪeɪtə] *s* förlikningsman; medlare

conciliatory [kən'sɪlɪət(ə)rɪ] *adj* försonande, försonlig, konciliant; ~ *spirit* försonlig anda, försonlighet

concise [kən'saɪs] *adj* koncis, kortfattad

conclave ['kɒŋkleɪv, 'kɒŋk-] *s* **1** kyrkl. konklav; kardinalsförsamling **2** bildl. [enskild] överläggning, konklav; *sit in* ~ hålla rådplägning

conclude [kən'klu:d, kəŋ'k-] **I** *vb tr* **1** avsluta, sluta, slutföra [~ *a speech*; ~ *a meeting*] **2** komma fram till, dra slutsatsen [*that* att]; konkludera **3** sluta [~ *a pact*; ~ *a treaty*]; göra upp, avgöra
II *vb itr* **1** sluta; avsluta; *he* ~*d by saying...* han slutade med att säga...; *to* ~ till sist, kort sagt **2** dra en slutsats (slutsatser)

concluding [kən'klu:dɪŋ, kəŋ'k-] *adj* avslutnings-, slut-

conclusion [kən'klu:ʒ(ə)n, kəŋ'k-] *s* **1** slut, avslutning; *in* ~ slutligen, till sist; *bring to a* ~ slutföra **2** slutledning; slutresultat; *a foregone* ~ en given sak; *come to the* ~ *that...* komma till den slutsatsen (det resultatet) att...; *jump to* ~*s* dra förhastade slutsatser **3** slutande [*the* ~ *of a peace treaty*]

conclusive [kən'klu:sɪv, kəŋ'k-] *adj* **1** slutlig, slutgiltig **2** avgörande, fullt bindande [~ *evidence*]

concoct [kən'kɒkt, kəŋ'k-] *vb tr* **1** koka ihop; blanda till [~ *a cocktail*] **2** hitta på [~ *an excuse*]; koka (dikta, sätta) ihop [~ *a story*]

concoction [kən'kɒkʃ(ə)n, kəŋ'k-] *s* **1** tillblandning; hopkok, brygd **2** påhitt, hopkok

concomitant [kən'kɒmɪt(ə)nt, kəŋ'k-] **I** *adj* beledsagande [~ *circumstances*]; åtföljande **II** *s* beledsagande omständighet; [*the infirmities*] *that are the ~s of old age* ...som följer med ålderdomen

concord ['kɒŋkɔːd, 'kɒnk-] *s* **1** harmoni; överenskommelse **2** gram. kongruens, överensstämmelse [i böjning]

concordance [kən'kɔːd(ə)ns, kəŋ'k-] *s* **1** överensstämmelse, samstämmighet; enighet **2** konkordans lista el. bok

Concorde ['kɒŋkɔːd] *s* hist., brittisk-franskt överljudsplan

concourse ['kɒŋkɔːs, 'kɒnk-] *s* **1** spec. [mötes]plats där gator el. människor strålar samman **2** hall [*station ~*] **3** folkmassa

concrete ['kɒnkriːt, 'kɒŋk-] **I** *adj* **1** av betong, betong- **2** konkret; verklig; påtaglig; saklig **II** *s* betong **III** *vb tr*, ~ el. ~ *over* belägga med (gjuta i el. in i) betong

concrete jungle [ˌkɒŋkriːt'dʒʌŋgl] *s* storstadsdjungel, stenöken

concrete mixer [ˌkɒŋkriːt'mɪksə] *s* betongblandare

concretize ['kɒŋkrətaɪz] *vb tr* konkretisera

concubine ['kɒŋkjʊbaɪn, 'kɒnk-] *s* konkubin, bihustru; frilla

concur [kən'kɜː, kəŋ'k-] *vb itr* **1** instämma [*I ~ with the speaker*]; vara ense **2** sammanfalla [*with* med], inträffa samtidigt [*with* som] **3** samverka, medverka, bidra [*everything ~red to* (till att) *produce good results*]

concurrence [kən'kʌr(ə)ns, kəŋ'k-] *s* **1** instämmande [*in* i], bifall **2** samverkan, medverkan

concurrent [kən'kʌr(ə)nt, kəŋ'k-] *adj* **1** samtidig, jämlöpande **2** samverkande **3** samstämmig, samfälld

concussed [kən'kʌst] *adj*, *be ~* vara omtöcknad; få hjärnskakning

concussion [kən'kʌʃ(ə)n, kəŋ'k-] *s* hjärnskakning

condemn [kən'dem] *vb tr* **1** döma [*~ed to death*]; fördöma [*we all ~ cruelty to* (mot) *children*]; brännmärka; fälla **2** kassera, utdöma [*the meat was ~ed as unfit for human consumption*]; *~ed houses* utdömda hus, rivningshus

condemnation [ˌkɒndem'neɪʃ(ə)n] *s* fördömande; förkastelsedom

condemnatory [kən'demnət(ə)rɪ] *adj* fällande; [för]dömande

condemned cell [kənˌdemd'sel] *s*, *the ~* dödscellen, de dödsdömdas cell

condensation [ˌkɒnden'seɪʃ(ə)n] *s* kondensering, kondensation; förtätning äv. psykol.; imma

condensation trail [ˌkɒnden'seɪʃ(ə)ntreɪl] *s* kondensationsstrimma, kondensationsslinga efter flygplan

condense [kən'dens] **I** *vb tr* **1** kondensera spec. gas till flytande form, förtäta **2** koncentrera; skära ned, förkorta **II** *vb itr* kondenseras; förtätas

condensed milk [ˌkəndenst'mɪlk] *s* kondenserad mjölk

condenser [kən'densə] *s* tekn. kondensator; kondensor

condescend [ˌkɒndɪ'send] *vb itr* nedlåta sig, värdigas; *she did not ~ to give him a look* hon bevärdigade honom inte med en blick; *she ~s to* [*all her neighbours*] hon uppträder nedlåtande mot...

condescending [ˌkɒndɪ'sendɪŋ] *adj* nedlåtande, [överlägset] beskyddande

condescension [ˌkɒndɪ'senʃ(ə)n] *s* nedlåtenhet

condiment ['kɒndɪmənt] *s* krydda; smaktillsats

condition [kən'dɪʃ(ə)n] **I** *s* **1** tillstånd, skick, stånd [*in good ~*], spec. sport. kondition, form; *have a heart ~* lida av hjärtbesvär; *in ~* i gott skick; i form; *she is in a critical ~* hennes tillstånd är kritiskt; *out of ~* i dåligt skick; ur form; *he is in no ~ to travel* han är inte frisk nog att resa **2** villkor, förutsättning, betingelse; pl. *~s* äv. förhållanden, omständigheter [*under (in) present ~s*]; *on ~ that* på (med) villkor att, under förutsättning att; *on no ~* på inga villkor, inte under några omständigheter **II** *vb tr* (se äv. *conditioned*) **1** göra beroende (avhängig) [*on* av]; *be ~ed by* bero på, bestämmas av **2** betinga äv. psykol. **3** [upp]ställa som villkor (krav) **4** vårda [*the shampoo cleans and ~s your hair*]

conditional [kən'dɪʃ(ə)nl] **I** *adj* **1** villkorlig; beroende [*on* av, på], gällande under vissa förutsättningar **2** gram. konditional, villkors- [*~ clause*] **II** *s* gram. **1** konditionalis **2** villkorsbisats **3** konditional konjunktion

conditional discharge [kənˌdɪʃ(ə)nl'dɪstʃɑːdʒ] *s* jur. villkorlig frigivning

conditioned [kən'dɪʃ(ə)nd] *adj* betingad, beroende; *~ reflex* psykol. betingad reflex

conditioner [kən'dɪʃ(ə)nər] *s* **1** [hår]balsam **2** sköljmedel

condo ['kɒndəʊ] (pl. *~s*) *s* amer. vard. kortform av *condominium*

condole [kən'dəʊl] *vb itr* uttrycka sitt deltagande (beklagande); *~ with sb* uttrycka sitt deltagande med ngn, kondolera ngn [*on* med anledning av]

condolence [kən'dəʊləns] *s* beklagande, deltagande, sorgebetygelse, kondoleans; *offer one's ~s to* uttrycka sitt deltagande med

condom ['kɒndɒm, -dəm] *s* kondom

condominium [ˌkɒndə'mɪnɪəm] *s* amer. **1** andelsfastighet **2** andelslägenhet

condone [kən'dəʊn] *vb tr* överse med, tolerera

condor ['kɒndɔː] *s* zool. kondor

conducive [kən'djuːsɪv] *adj*, *~ to* som bidrar till, som [be]främjar (befordrar); *be ~ to* bidra till, [be]främja, befordra

conduct [verb kən'dʌkt, subst. 'kɒndʌkt] **I** *vb tr* **1** föra, leda äv. fys. [*~ heat; ~ electricity*]; ledsaga **2** anföra, leda [*~ a business enterprise*]; handha, sköta, förvalta **3** mus. dirigera **4** förrätta, uträtta **5** *~ oneself* uppföra (sköta) sig **II** *vb itr* mus. dirigera **III** *s* **1** uppförande, uppträdande [*towards, to* mot, gentemot]; hållning; vandel **2** skötsel, förvaltning

conducted tour [kənˌdʌktɪd'tʊə] *s* sällskapsresa; rundtur med guide, guidad tur

conductive [kən'dʌktɪv] *adj* fys. ledande

conductivity [ˌkɒndʌk'tɪvətɪ] s fys. ledningsförmåga, elektr. äv. specifik ledningsförmåga, konduktivitet

conductor [kən'dʌktə] s **1** mus. dirigent **2** konduktör på buss el. spårvagn, amer. äv. konduktör på tåg, tågmästare **3** fys. **a)** ledare; konduktor **b)** åskledare [äv. *lightning ~*]

conduit ['kɒndɪt, 'kɒndjʊɪt, amer. -d(j)ʊət] s **1** [vatten-, rör]ledning, ränna; kanal; elektr. [lednings]rör, skyddsrör **2** bildl. kanal för information

condyloma [ˌkɒndɪ'ləʊmə] s med. kondylom

cone [kəʊn] **I** s **1** kon [*traffic ~*]; kägla; *~ of rays* ljuskägla **2** kotte **3** strut [*ice-cream ~*] **II** *vb tr*, *~ off* spärra av [med koner]

Coney Island [ˌkəʊnɪ'aɪlənd] bad- o. nöjesplats i New York

confab ['kɒnfæb, kən'fæb] s vard. samråd

confection [kən'fekʃ(ə)n] s **1** tillagning, tillblandning **2** sötsak, godsak; konfekt, konfityr[er]

confectioner [kən'fekʃ(ə)nə] s, *~'s shop* el. *~'s* godisaffär, konfektaffär

confectioner's sugar [kən'fekʃ(ə)nəzˌʃʊgə] s amer. florsocker, pudersocker

confectionery [kən'fekʃnərɪ] s sötsaker, godis, konfekt, konditorivaror

confederacy [kən'fed(ə)rəsɪ] s **1** allians, förbund, liga **2** sammansvärjning, maskopi **3** konfederation

confederate [subst. o. adj. kən'fed(ə)rət, verb kən'fedəreɪt] **I** s **1** medbrottsling **2** förbundsmedlem, konfedererad **II** *adj* förbunden, förenad, förbunds-, konfedererad **III** *vb tr* förena, uppta i ett förbund **IV** *vb itr* sluta sig samman, ingå förbund

confederation [kənˌfedə'reɪʃ(ə)n] s statsförbund, konfederation; förbund

confer [kən'fɜ:] **I** *vb itr* konferera, överlägga, rådslå **II** *vb tr* **1** förläna, tilldela [*sth* [*up*]*on* ngn ngt; *~ a degree* (*a title*) *on sb*]; skänka [*~ power on sb*]; dela ut; *~ a doctorate on sb* promovera ngn [till doktor] **2** lat. imper. jämför, se *cf*.

conference ['kɒnf(ə)r(ə)ns] s konferens, överläggning, möte; *be in ~* sitta i sammanträde

conference call ['kɒnf(ə)r(ə)nskɔ:l] s tele. konferenssamtal

conferment [kən'fɜ:mənt] s förlänande, tilldelande, utdelande; *~ of a doctorate* [doktors]promotion

confess [kən'fes] **I** *vb itr* **1** erkänna; *~ to* medge, erkänna [*~ to a crime*] **2** bikta sig **II** *vb tr* **1** bekänna, tillstå, erkänna [*she ~ed herself* [*to be*] *guilty*] **2** bikta [*~ one's sins*]; skrifta [*~ oneself*]

confession [kən'feʃ(ə)n] s **1** bekännelse, erkännande **2** bikt, syndabekännelse

confessional [kən'feʃ(ə)nl] **I** s biktstol; bikt **II** *adj* **1** bekännelse-; *~ box* biktstol **2** konfessionell

confessor [kən'fesə] s biktfader

confetti [kən'fetɪ] (med verb i sg.) s konfetti

confidant [ˌkɒnfɪ'dænt, 'kɒnfɪdænt] o. om kvinna äv. **confidante** [ˌkɒnfɪ'dænt, 'kɒnfɪdænt] s förtrogen vän[inna], rådgivare

confide [kən'faɪd] **I** *vb tr* anförtro [*to* åt] **II** *vb itr* (se

äv. *confiding*), *~ in* lita (förlita sig, tro) på; *~ in sb* äv. anförtro sig åt ngn

confidence ['kɒnfɪd(ə)ns] s **1** förtroende; tillit; *in ~* i förtroende; *have ~ in* ha (hysa) förtroende för, tro på, lita på; *be in sb's ~* ha ngns förtroende; *take sb into one's ~* göra ngn till sin förtrogne; *he took me into his ~ and told me that…* han berättade i förtroende [för mig] att…; *vote of ~* o. *vote of no ~* se *vote of confidence* resp. *vote of no confidence*; *in strict ~* med diskretion; konfidentiellt **2** tillförsikt, självförtroende, självtillit

confidence-building ['kɒnfɪd(ə)nsˌbɪldɪŋ] *adj* som stärker självförtroendet

confidence trick ['kɒnfɪd(ə)nstrɪk] s o. amer. **confidence game** ['kɒnfɪd(ə)nsgeɪm] s bondfångarknep, bondfångeri

confident ['kɒnfɪd(ə)nt] *adj* **1** tillitsfull; säker [*of* på], viss [*of om*]; *be ~ that* vara säker på att, lita [helt] på att **2** säker, trygg; säker av sig, självsäker

confidential [ˌkɒnfɪ'denʃ(ə)l] *adj* förtrolig; i förtroende given (sagd, berättad), konfidentiell

confidentiality [ˌkɒnfɪdənʃɪ'ælətɪ] s förtroende, diskretion; *breach of ~* brott mot tystnadsplikten

confidentiality agreement [ˌkɒnfɪdənʃɪ'ælətɪəˌgri:mənt] s sekretessavtal

confiding [kən'faɪdɪŋ] *adj* förtroendefull, tillitsfull

configuration [kənˌfɪgjʊ'reɪʃ(ə)n] s **1** gestalt äv. psykol., gestaltning, form, kontur[er] **2** astron., data. el. fys. konfiguration

configure [kən'fɪgə] *vb tr* tekn. el. data. bygga upp, konfigurera

confine [kən'faɪn] *vb tr* **1** begränsa, inskränka [*I must ~ myself to a few remarks*]; *be ~d for space* vara trångbodd **2** hålla fängslad, spärra in, stänga in, sätta in; *be ~d to barracks* mil. ha (få) kasernförbud (permissionsförbud); *be ~d to bed* vara sängliggande, ligga till sängs; *be ~d to a wheelchair* vara (bli) rullstolsbunden, vara (bli) bunden till rullstol

confined [kən'faɪnd] *adj* begränsad, inskränkt, se äv. *confine*

confinement [kən'faɪnmənt] s **1** fångenskap, fängsligt förvar, fängelse; inspärrning, isolering; *~ to barracks* (förk. *CB*) mil. kasernförbud, permissionsförbud **2** åld. barnsäng, nedkomst, förlossning **3** inskränkning, begränsning

confines ['kɒnfaɪnz] s pl gräns[er], gränsområde; begränsningar

confirm [kən'fɜ:m] *vb tr* (jfr *confirmed*) **1** bekräfta [*~ a rumour*; *~ sb's suspicions*]; ge stöd åt; stadfästa [*~ a treaty*]; ratificera; konfirmera; godkänna; *~ the minutes of the last meeting* justera protokollet från föregående möte **2** befästa, stärka, styrka, bestyrka **3** kyrkl. konfirmera

confirmation [ˌkɒnfə'meɪʃ(ə)n] s **1** bekräftelse; stadfästelse **2** befästande, stärkande, styrkande **3** kyrkl. konfirmation

confirmed [kən'fɜ:md] *perf p* o. *adj* **1** bekräftad etc., jfr *confirm*; konstaterad [*25 ~ cases of polio*] **2** inbiten [*~ bachelor*]; inrotad; obotlig [*~ invalid*]; ohjälplig, oförbätterlig [*~ drunkard*]

confiscate ['kɒnfɪskeɪt] *vb tr* konfiskera, beslagta

confiscation [ˌkɒnfɪ'skeɪʃ(ə)n] s konfiskering, konfiskation, beslag; indragning [av egendom]

conflagration [ˌkɒnfləˈgreɪʃ(ə)n] *s* storbrand, brandkatastrof; *world* ~ världsbrand

conflate [kənˈfleɪt] *vb tr* sammanfläta

conflation [kənˈfleɪʃ(ə)n] *s* sammanflätning

conflict [subst. ˈkɒnflɪkt, verb kənˈflɪkt] **I** *s* konflikt; sammanstötning, strid, kamp; motsats; motsättning; motsägelse, motstridighet; pl. **~s** äv. stridigheter; ~ *of opinion* meningsskiljaktighet, motsättning; *there is a* ~ *of evidence* ung. uppgift står mot uppgift; ~ *of interest* el. ~ *of interests* intressekonflikt; *come into* ~ råka i konflikt (gräl) [*with* med] **II** *vb itr* **1** bildl. gå isär, vara oförenlig [*the two versions of the story* ~]; råka i strid (konflikt) [*with* med]; ~ *with* äv. strida mot **2** drabba samman, strida, kämpa

conflicting [kənˈflɪktɪŋ] *adj* motstridande, motstridig, motsägande [~ *evidence*]; motsatt [~ *views*]; stridande

confluence [ˈkɒnfluəns] *s* **1** sammanflöde [*the* ~ *of the two rivers*] **2** sammanfallande; samverkande **3** tillopp, samling

conform [kənˈfɔːm] *vb itr* **1** rätta sig [*to* efter], anpassa sig [*to* till, efter] **2** vara förenlig, överensstämma [*to, with* med]

conformation [ˌkɒnfɔːˈmeɪʃ(ə)n] *s* **1** form, gestaltning, struktur **2** anpassning [*to* till, efter]

conformism [ˌkɒnˈfɔːmɪzm] *s* konformism äv. relig.

conformity [kənˈfɔːmətɪ] *s* **1** överensstämmelse, likhet, likformighet; konformitet; likriktning; *in* ~ *with* i överensstämmelse (enlighet) med **2** anpassning [*to* till, efter]

confound [kənˈfaʊnd] *vb tr* **1** förvirra; förbrylla **2** röra ihop, ställa till oreda i **3** vard. åld., ~ *it!* jäklar!, tusan också!

confounded [kənˈfaʊndɪd] *perf p* o. *adj* **1** förvirrad etc., jfr *confound* **2** vard. åld. förbaskad [~ *nuisance*]

confront [kənˈfrʌnt] *vb tr* **1** konfrontera [*with* med]; ~ *with* äv. ställa inför [*they ~ed him with evidence of his crime*] **2** möta [*the difficulties that ~ us seem insuperable*]; *be ~ed with a new problem* ställas (bli ställd, stå) inför ett nytt problem **3** [modigt] möta [~ *danger*]; stå ansikte mot ansikte med [*the two men ~ed each other angrily*]

confrontation [ˌkɒnfrʌnˈteɪʃ(ə)n] *s* konfrontation

confuse [kənˈfjuːz] *vb tr* **1** förvirra, förvilla **2** röra ihop (till); förväxla, blanda ihop; ~ *the issue* se under *issue I 1*

confused [kənˈfjuːzd] (adv. *confusedly* [kənˈfjuːzɪdlɪ]) *adj* **1** förvirrad, förbryllad [*at* över]; konfunderad, konfys; *the* ~ *elderly* förvirrade åldringar i behov av vård **2** oordnad, rörig, virrig, oredig

confusing [kənˈfjuːzɪŋ] *adj* **1** rörig, virrig [~ *instructions*] **2** förvirrad [*a* ~ *situation*]

confusion [kənˈfjuːʒ(ə)n] *s* **1** förvirring, oreda; *it made* ~ *worse confounded* det trasslade till (förvirrade) begreppen ännu mer; ~ *of tongues* språkförbistring **2** förväxling **3** förvirring; förlägenhet

confute [kənˈfjuːt] *vb tr* vederlägga

conga [ˈkɒŋgə] *s* conga dans

congeal [kənˈdʒiːl] *vb itr* stelna, koagulera; isas, frysa [till is]

congenial [kənˈdʒiːnɪəl] *adj* **1** sympatisk, tilltalande, trevlig [~ *surroundings*]; behaglig [*to* för]; ~ *task* arbete som passar en **2** [natur]besläktad, [själs]befryndad [*with* med]; kongenial; samstämd **3** lämplig, passande [*to* för]

congenital [kənˈdʒenɪtl] *adj* medfödd, kongenital [~ *defect*]; *be a* ~ *liar* vara en obotlig (inbiten) lögnare

conger [ˈkɒŋgə] *s* o. **conger eel** [ˌkɒŋgərˈiːl] *s* zool. havsål

congested [kənˈdʒestɪd] *adj* o. *perf p* **1** fylld till trängsel, tätt packad; överbefolkad; ~ *areas* överbefolkade (alltför tätt bebyggda) områden **2** med. blodöverfylld; täppt

congestion [kənˈdʒestʃ(ə)n] *s* **1** stockning i trafik o.d.; överbelastning; överbefolkning **2** med. blodstockning, kongestion; *nasal* ~ nästäppa

congestion charges [kənˈdʒestʃ(ə)n,tʃɑːdʒɪz] *s pl* trafik. trängselavgifter

conglomerate [kənˈglɒmərət] *s* **1** hopgyttring, gytter, massa; konglomerat **2** ekon. el. geol. konglomerat

conglomeration [kənˌglɒməˈreɪʃ(ə)n] *s* gytter, hopgyttring, samling, anhopning, konglomerat

Congo [ˈkɒŋgəʊ] geogr., *the* ~ Kongofloden; *the Democratic Republic of the* ~ Folkrepubliken Kongo (Kongo-Kinshasa); *the Republic of the* ~ Republiken Kongo (Kongo-Brazzaville)

Congolese [ˌkɒŋgə(ʊ)ˈliːz] **I** (pl. *Congolese*) *s* kongoles, kongolesiska kvinna **II** *adj* kongolesisk

congrats [kənˈgræts] *interj* grattis!

congratulate [kənˈgrætʃʊleɪt, -ˈtjʊl-, amer. kənˈgrædʒəleɪt, -ˈgrætʃ-] *vb tr* gratulera, lyckönska [~ *sb on* (till) *his success*]; ~ *oneself on* lyckönska sig till, skatta sig lycklig över

congratulation [kənˌgrætʃʊˈleɪʃ(ə)n, -tjʊ-, amer. kənˈgrædʒəleɪʃ(ə)n, -ˈgrætʃ-] *s* gratulation, lyckönskning, lyckönskan; *Congratulations!* [jag (vi)] gratulerar!, har den äran [att gratulera]!

congratulatory [kənˌgrætjʊˈleɪt(ə)rɪ, kənˈgrætʃ(ə)lət(ə)rɪ] *adj* lyckönsknings-, gratulations-

congregate [ˈkɒŋgrɪgeɪt] *vb itr* samlas, [för]samla sig, skockas

congregation [ˌkɒŋgrɪˈgeɪʃ(ə)n] *s* **1** samling **2** församling äv. kyrkl., menighet

Congress [ˈkɒŋgres] *s*, ~ el. ibl. *the* ~ kongressen lagstiftande församlingen i USA

congress [ˈkɒŋgres] *s* kongress

congressional [kɒŋˈgreʃənl] *adj* kongress-

Congressional district [kɒŋˌgreʃənlˈdɪstrɪkt] *s* amer. valkrets för val till representanthuset

congress|man [ˈkɒŋgresmən] (pl. *-men* [-mən]) *s* amer. medlem av kongressens representanthus

congress|person [ˈkɒŋgresˌpɜːsn] (pl. *-people* [-ˌpiːpl]) *s* amer. medlem av kongressens representanthus

congress|woman [ˈkɒŋgresˌwʊmən] (pl. *-women* [-ˌwɪmɪn]) *s* amer. [kvinnlig] medlem av kongressens representanthus

congruence [ˈkɒŋgrʊəns] *s* **1** [inbördes] överensstämmelse **2** geom. el. språkv. kongruens

congruent [ˈkɒŋgrʊənt] *adj* **1** kongruent äv. geom. el.

språkv. **2** överensstämmande [*with* med], passande [*with* till]

congruous ['kɒŋgruəs] *adj* **1** kongruent, överensstämmande, förenlig [*with*, *to* med] **2** passande, lämplig; *be ~ with* passa till, harmoniera med

conical ['kɒnɪk(ə)l] *adj* konisk, konformig, kägelformig

conifer ['kɒnɪfə, 'kəʊn-] *s* barrträd

coniferous [kə(ʊ)'nɪfərəs, kɒ-] *adj* kottbärande, barrträds-, barr- [*~ tree*]

conj. förk. för *conjunction*

conjectural [kən'dʒektʃ(ə)r(ə)l] *adj* grundad på gissningar; föreslagen lösning; hypotetisk

conjecture [kən'dʒektʃə] **I** *s* gissning[ar], förmodan; hypotes **II** *vb itr* gissa **III** *vb tr* gissa sig till, förmoda

conjoin [kən'dʒɔɪn] **I** *vb tr* [nära] förena, förbinda **II** *vb itr* förena sig, ingå förbindelse

conjoint [kən'dʒɔɪnt] *adj* förenad; förbunden; gemensam

conjointly [kən'dʒɔɪntlɪ] *adv* i förening, tillsammans, förenat

conjugal ['kɒn(d)ʒʊg(ə)l] *adj* äktenskaplig [*~ happiness*]

conjugate ['kɒn(d)ʒʊgeɪt] gram. **I** *vb tr* konjugera, böja **II** *vb itr* konjugeras, böjas

conjugation [ˌkɒn(d)ʒʊ'geɪʃ(ə)n] *s* gram. konjugation, böjning, böjningsklass

conjunction [kən'dʒʌŋ(k)ʃ(ə)n] *s* **1** förening, förbindelse; kombination; sammanträffande [*~ of events*]; *in ~ with* i samverkan (tillsammans) med **2** astron. el. gram. konjunktion

conjunctivitis [kənˌdʒʌŋ(k)tɪ'vaɪtɪs] *s* med. konjunktivit, bindhinneinflammation

conjuncture [kən'dʒʌŋ(k)tʃə] *s* sammanträffande av händelser el. omständigheter; [kritiskt] ögonblick

conjure ['kʌn(d)ʒə] **I** *vb tr* trolla fram [*~ a rabbit out of* (ur) *a hat*] **II** *vb itr* trolla; *a name to ~ with* ett namn med fin klang **III** *vb tr* med adv.: **conjure up a)** trolla fram [*~ up a meal*] **b)** frambesvärja [*~ up the spirits of the dead*]; frammana [*~ up visions of the past*]

conjurer ['kʌn(d)ʒ(ə)rə] *s* trollkarl, taskspelare

conjuring ['kʌn(d)ʒ(ə)rɪŋ] *s* trolldom, trolleri, taskspeleri; *~ tricks* trollkonster

1 conk [kɒŋk] sl. **I** *s* kran, snok näsa **II** *vb tr* slå på nöten (i skallen)

2 conk [kɒŋk] *vb itr* vard., *~ out* a) om maskin, gevär m.m. lägga av, klicka, strejka, paja b) svimma, tuppa av somna av utmattning

conker ['kɒŋkə] *s* vard. **1** [häst]kastanj frukten **2** *~s* (med verb i sg.) slags lek med kastanjer

con man o. **conman** ['kɒnmən] (pl. *-men* [-mən]) *s* vard. bondfångare; solochvårare

Conn. förk. för *Connecticut*

Connacht ['kɒnɔ:t, -nət] geogr.

Connaught ['kɒnɔ:t] geogr. = *Connacht*

connect [kə'nekt] **I** *vb tr* förbinda, förena, anknyta, ansluta [*with*, *to* med, till]; foga (länka, koppla, ställa) samman; förknippa, associera [*with* med], tekn. koppla [ihop (in, om, till)]; *~ up* spec. tekn.

ansluta, sammanbinda, förena; *be ~ed with* äv. stå i samband med; vara lierad med; *you are ~ed with Rome!* tele. klart Rom! **II** *vb itr* **1** hänga ihop; stå i samband (förbindelse); ha anknytning, ha anslutning [*with* till; *the train ~s with another at B.*] **2** ha (få) kontakt **3** träffa med ett slag

connected [kə'nektɪd] *adj* o. perf p **1** sammanhängande [*~ rooms*; *~ thoughts*] **2** besläktad; lierad, förbunden; *be well ~* ha fina släktingar; ha försänkningar **3** data. el. elektr. uppkopplad [*to* mot, på], ansluten

Connecticut [kə'netɪkət] geogr.

connecting [kə'nektɪŋ] *adj*, *~ flight* anslutningsflyg; *~ link* förbindelselänk, föreningslänk

connection [kə'nekʃ(ə)n] *s* **1** förbindelse, förening; sammanhang; koppling, anknytning, samband; *make a ~* göra en koppling; *have a ~ with* stå i förbindelse med; *in this ~* i detta sammanhang **2** trafik. förbindelse; anslutning; *miss one's ~* inte hinna med (missa) anslutande båt (flyg m.m.) **3** personlig förbindelse; umgänge med ngn; befattning med ngt; *have good ~s* ha försänkningar **4** [släkt]förbindelse; släktskap; släkt; släkting **5** vanl. pl. *~s* kontakter [*business ~s*] **6** tekn. koppling; kontakt; ledning; skarv; *a loose ~* glappkontakt

connective tissue [kəˌnektɪv'tɪʃu:] *s* med. bindväv

connectivity [ˌkɒnek'tɪvɪtɪ] *s* data. uppkopplingsmöjlighet

connect time [kə'nekttaɪm] *s* data. uppkopplingstid

conning tower ['kɒnɪŋˌtaʊə] *s* sjö. stridstorn, manövertorn på ubåt

connivance [kə'naɪv(ə)ns] *s* tyst medgivande [*it was done with her ~*]

connive [kə'naɪv] *vb itr*, *~ at* se genom fingrarna med, blunda för, överse med; *~ with* spela under täcket med, vara i maskopi med

conniving [kə'naɪvɪŋ] *adj* manipulerande, myglande, fifflande

connoisseur [ˌkɒnə'sɜ:, -'sjʊə] *s* kännare [*of*, *in* av], konnässör [*of*, *in* av, på]

connotation [ˌkɒnə(ʊ)'teɪʃ(ə)n] *s* språkv. bibetydelse; konnotation

connote [kə'nəʊt] *vb tr* språkv. ha bibetydelsen [av], beteckna; konnotera

connubial [kə'nju:bɪəl] *adj* äktenskaplig

conquer ['kɒŋkə] **I** *vb tr* erövra; vinna; besegra **II** *vb itr* segra

conquering ['kɒŋkərɪŋ] *adj* vinnande, segrande, segerrik

Conqueror ['kɒŋk(ə)rə] *s*, *the ~* el. *William the ~* Vilhelm Erövraren

conqueror ['kɒŋk(ə)rə] *s* erövrare; segrare, besegrare

conquest ['kɒŋkwest] *s* erövring; seger; *make a ~ of* bildl. erövra; vinna

Conrad [författare el. mansnamn 'kɒnræd]

Cons. förk. för *Conservative, Consul*

consanguinity [ˌkɒnsæŋ'gwɪnətɪ] *s* blodsband, blodsfrändskap; *ties of ~* släktskapsband, blodsband

conscience ['kɒnʃ(ə)ns] *s* samvete; *have a clear ~* ha rent samvete; *have a guilty ~* ha dåligt samvete; *in all*

~ med gott samvete, på heder och samvete; **what in all ~?** vard. vad i all världen?; **freedom of ~** el. **liberty of ~** samvetsfrihet, religionsfrihet; **for ~' sake** se under 1 *sake*

conscience clause ['kɒnʃ(ə)nsklɔːz] *s* samvetsklausul

conscience-stricken ['kɒnʃ(ə)ns,strɪk(ə)n] *adj* drabbad av samvetskval; djupt ångerfull; **be ~** el. **feel ~** äv. ha samvetskval

conscientious [,kɒnʃɪ'enʃəs] *adj* samvetsgrann; plikttrogen; hederlig

conscientiously [,kɒnʃɪ'enʃəslɪ] *adv* samvetsgrant, skrupulöst; plikttroget

conscientiousness [,kɒnʃɪ'enʃənəs] *s* samvetsgrannhet; plikttro[gen]het, pliktkänsla

conscientious objector [,kɒnʃɪenʃəsəb'dʒektə] (förk. *CO*) *s* vapenvägrare

conscious ['kɒnʃəs] *adj* **1** medveten [*of* om]; **be ~ of** äv. veta [med sig], märka, känna **2** vid medvetande (sans) [*he was ~ to the last*]

consciousness ['kɒnʃəsnəs] *s* medvetande; medvetenhet

consciousness-raising ['kɒnʃəsnəs,reɪzɪŋ] *s* o. *adj* medvetandegörande

conscript [adj. o. subst. 'kɒnskrɪpt, verb kən'skrɪpt] **I** *adj* värnpliktig **II** *s* värnpliktig (inskriven) [soldat], rekryt **III** *vb tr* ta ut till militärtjänst (värnplikt), kalla in, rekrytera

conscription [kən'skrɪpʃ(ə)n] *s* värnplikt, uttagning (rekrytering) till militärtjänst

consecrate ['kɒnsɪkreɪt] *vb tr* inviga; helga; ägna, viga [*to* åt]; **~d ground** vigd jord

consecration [,kɒnsɪ'kreɪʃ(ə)n] *s* invigning; helgande; ägnande [*to* åt]

consecutive [kən'sekjʊtɪv] *adj* på varandra följande, efter varandra, i rad, i följd, i sträck [*several ~ days*]; fortlöpande

consecutively [kən'sekjʊtɪvlɪ] *adv* efter varandra, i rad, i följd, i sträck

consensual [kən'sensjʊəl] *adj* jur. **1** överenskommen, i samförstånd, konsensual- **2** om sexuellt umgänge som man samtyckt till

consensus [kən'sensəs] *s* samstämmighet, överensstämmelse, samförstånd; **reach a ~** nå samförstånd; **by ~** i samförstånd

consent [kən'sent] **I** *s* samtycke, bifall, medgivande; **by common ~** enhälligt, enstämmigt; **by common ~ he is...** alla är eniga om att han är...; **without sb's ~** utan [ngns] lov **II** *vb itr* samtycka, ge sitt samtycke [*to* till]; gå med på det; **~ to** [*the proposal*] gå med på...

consenting adult [kən,sentɪŋ'ædʌlt] *s* jur. person som är i stånd att ta ansvar för egna handlingar spec. sexuella; vard. homosexuell

consequence ['kɒnsɪkwəns] *s* **1** följd, konsekvens; slutsats; **in ~** som en följd av detta, följaktligen; **play ~s** lek skriva långkatekes; **face the ~s** el. **take the ~s** [vara beredd att] ta konsekvenserna, stå sitt kast **2** vikt, betydelse [*sth of ~*]; **it is of no ~** det har ingen betydelse, det spelar ingen roll

consequent ['kɒnsɪkwənt] *adj* följande, som följer [*on, upon* på]; **be ~ on** el. **be ~ upon** vara en följd av

consequential [,kɒnsɪ'kwenʃ(ə)l] *adj* **1** därav

följande; **~ on** el. **~ upon** som följer på (av) **2** betydande, betydelsefull

consequently ['kɒnsɪkwəntlɪ] *adv* följaktligen

conservancy [kən'sɜːv(ə)nsɪ] *s* **1** hamnstyrelse, flodstyrelse med domsrätt i fiskeri- o. sjöfartsfrågor inom visst område [*the Thames Conservancy*] **2** vård av naturtillgångar; naturvård; miljövård

conservation [,kɒnsə'veɪʃ(ə)n] *s* **1** bibehållande; bevarande; konservering **2** skydd, beskydd; vård av naturtillgångar; naturvård; miljövård

conservation area [,kɒnsə'veɪʃ(ə)n,eərɪə] *s* naturvårdsområde

conservationist [,kɒnsə'veɪʃənɪst] *s* naturvårdare, miljövårdare

conservatism [kən'sɜːvətɪz(ə)m] *s* konservatism

Conservative [kən'sɜːvətɪv] *s* polit. konservativ, högerman; **the ~s** det konservativa partiet

conservative [kən'sɜːvətɪv] **I** *adj* **1** konservativ [*~ tendencies*] **2** vard. försiktig; **at a ~ estimate** enligt (vid) en försiktig beräkning, lågt räknat **3** bevarande, bibehållande, skyddande **II** *s* konservativ person

Conservative Party [kən'sɜːvətɪv,pɑːtɪ] *s* polit., **the ~** det konservativa partiet

conservatoire [kən'sɜːvətwɑː] *s* [musik]konservatorium

conservatory [kən'sɜːvətrɪ] *s* **1** drivhus; orangeri; vinterträdgård **2** amer. [musik]konservatorium

conserve [kən'sɜːv] **I** *vb tr* bevara; vidmakthålla; förvara; spara på **II** *s* inlagd frukt, sylt; fruktkonserv[er]

consider [kən'sɪdə] **I** *vb tr* (jfr *considered* o. *considering*) **1** tänka (fundera, reflektera) på, överväga, betrakta; betänka; **all things ~ed** när allt kommer omkring, till slut **2** anse, tycka [*I ~ it best* el. *I ~ it to be best*]; anse som (för), betrakta som [*~ sb one's friend*]; hålla [för]; tro **3** ta hänsyn till, beakta, tänka på [*~ the feelings of other people*] **4** [hög]akta; uppskatta [*not highly ~ed*] **II** *vb itr* tänka, tänka efter; betänka sig

considerable [kən'sɪd(ə)rəbl] *adj* betydande; betydlig, ansenlig, avsevärd, större [*a ~ sum of money*]; **~ trouble** åtskilligt besvär

considerably [kən'sɪd(ə)rəblɪ] *adv* betydligt [*~ worse*]; väsentligt, åtskilligt, avsevärt

considerate [kən'sɪd(ə)rət] *adj* hänsynsfull [*towards* mot], omtänksam

consideration [kən,sɪdə'reɪʃ(ə)n] *s* **1** övervägande, betraktande; hänsynstagande, beaktande, avseende; **give sth ~** ta ngt under övervägande (behandling); **take sth into ~** ta ngt i betraktande; ta hänsyn till ngt; **on ~** el. **on further ~** vid närmare eftertanke; **under ~** under behandling **2** hänsyn, skäl; faktor [*time is an important ~ in this case*]; **a ~** äv. något som man får ta hänsyn till; **the expense is no ~** vid kostnaden fästes inget avseende **3** ersättning, betalning; **for a ~** mot ersättning, mot kontant vederlag; **in ~ of** som ersättning (betalning) för **4** hänsyn, omtanke, omtänksamhet; **out of ~ for** av hänsyn till

considered [kən'sɪdəd] *adj* **1** väl övervägd; **in our opinion** enligt vår grundade mening **2** ansedd [*highly ~ firms*]

considering [kən'sɪd(ə)rɪŋ] **I** *prep* med tanke på,

med hänsyn till [~ *the circumstances*]
II *konj* med tanke på (med hänsyn till) [att]; ~ *that he is...* med tanke på (med hänsyn till) att han är...
III *adv* vard. efter omständigheterna, när allt kommer omkring [*that's not so bad,* ~]
consign [kən'saɪn] *vb tr* **1** överlämna [~ *to the flames*]; skicka **2** hand. avsända, översända varor med båt, tåg o.d.; konsignera
consignee [ˌkɒnsaɪ'niː, -sɪ'niː] *s* [varu]mottagare
consignment [kən'saɪnmənt] *s* **1** varusändning, varuparti, försändelse **2** utlämnande, överlämnande
consignment note [kən'saɪnməntnəʊt] *s* fraktsedel
consignor [kən'saɪnə] *s* [varu]avsändare, leverantör
consist [kən'sɪst] *vb itr* bestå [*of* av; *in* i]
consistency [kən'sɪst(ə)nsɪ] *s* **1** konsekvens; följdriktighet; fasthet; överensstämmelse **2** konsistens
consistent [kən'sɪst(ə)nt] *adj* **1** konsekvent; följdriktig **2** ständig, fast; jämn [*the team has been very* ~] **3** överensstämmande, förenlig [*with* med]; *be* ~ *with* äv. stämma [överens] med
consistently [kən'sɪst(ə)ntlɪ] *adv* **1** konsekvent, genomgående **2** ~ *with* i enlighet med **3** ständigt
consolation [ˌkɒnsə'leɪʃ(ə)n] *s* tröst; *a poor* ~ en klen tröst, tröst för ett tigerhjärta
consolation prize [ˌkɒnsə'leɪʃ(ə)npraɪz] *s* tröstpris
1 console [kən'səʊl] *vb tr* trösta
2 console [ˈkɒnsəʊl] *s* **1** konsol **2** manöverbord, kontrollbord äv. data. **3** spelbord till orgel **4** underrede, skåp, möbel för radio, tv o.d.
consolidate [kən'sɒlɪdeɪt] **I** *vb tr* **1** konsolidera, befästa, stärka **2** slå samman, sammanföra bolag, områden etc. **3** konsolidera en skuld, fondera; ~*d annuities* consols slags statsobligationer
II *vb itr* **1** konsolideras; om betong sätta sig **2** gå samman [*the two companies have* ~*d*]
consolidation [kənˌsɒlɪ'deɪʃ(ə)n] *s* konsolidering; befästande etc., jfr *consolidate*; fondering
consommé [kən'sɒmeɪ, ˈkɒnsəmeɪ] *s* kok. (fr.), klar [kött]buljong, consommé
consonance [ˈkɒnsənəns] *s* konsonans, samklang äv. fys. el. mus., harmoni
consonant [ˈkɒnsənənt] **I** *s* konsonant **II** *adj* harmonisk, överensstämmande [*with* med]
consort [subst. ˈkɒnsɔːt, verb kən'sɔːt] **I** *s* make, maka, gemål; *prince* ~ prinsgemål; *queen* ~ drottning regerande kungs gemål
II *vb itr* förena sig, sällskapa, umgås [*with* med]; ~ *with* äv. hålla till hos (bland)
consortium [kən'sɔːtɪəm] *s* konsortium av företag
conspicuous [kən'spɪkjʊəs] *adj* **1** iögonfallande, slående, tydlig; lätt att se, synlig [vida omkring] **2** framstående, framträdande; *make oneself* ~ ådra sig uppmärksamhet, göra sig bemärkt; *be* ~ *by one's absence* lysa med sin frånvaro
conspicuous consumption [kənˌspɪkjʊəskən'sʌm(p)ʃ(ə)n] *s* skrytkonsumtion
conspicuously [kən'spɪkjʊəslɪ] *adv* på ett iögonfallande sätt, demonstrativt
conspicuousness [kən'spɪkjʊəsnəs] *s* **1** synlighet; tydlighet **2** bemärkthet

conspiracy [kən'spɪrəsɪ] *s* konspiration, sammansvärjning, komplott
conspirator [kən'spɪrətə] *s* konspiratör, sammansvuren
conspiratorial [kənˌspɪrə'tɔːrɪəl] *adj* konspiratorisk
conspire [kən'spaɪə] *vb itr* **1** konspirera, sammansvärja sig **2** om händelse samverka; bidra [*to* till, *till* att]
constable [ˈkʌnstəbl, ˈkɒn-] *s* polis, polisman; *special* ~ (förk. *SC*) extrapolis som kallas in vid speciella tillfällen
constabulary [kən'stæbjʊlərɪ] **I** *s* poliskår, polisstyrka; gendarmeri **II** *adj* polis- [~ *force*]
Constance [ˈkɒnst(ə)ns] **1** kvinnonamn **2** geogr. egennamn Konstanz; *the Lake of* ~ el. *Lake* ~ Bodensjön
constancy [ˈkɒnst(ə)nsɪ] *s* **1** beständighet, varaktighet **2** ståndaktighet, fasthet; ~ *of purpose* målmedvetenhet
constant [ˈkɒnst(ə)nt] **I** *adj* **1** ständig, oavbruten; beständig, konstant, oföränderlig **2** stadig; fast, ståndaktig; trofast, trogen [*to* mot]
II *s* matem. el. fys. konstant
constantly [ˈkɒnst(ə)ntlɪ] *adv* [jämt och] ständigt, stadigt, konstant
constellation [ˌkɒnstə'leɪʃ(ə)n] *s* **1** stjärnbild **2** konstellation äv. bildl.
consternation [ˌkɒnstə'neɪʃ(ə)n] *s* bestörtning, häpnad; *flee in* ~ fly i panik (förfäran)
constipated [ˈkɒnstɪpeɪtɪd] *adj, be* ~ ha förstoppning, vara hård i magen
constipation [ˌkɒnstɪ'peɪʃ(ə)n] *s* förstoppning, trög mage; med. konstipation, obstipation
constituency [kən'stɪtjʊənsɪ] *s* valkrets; valmanskår
constituent [kən'stɪtjʊənt] **I** *s* **1** beståndsdel **2** valman, väljare
II *adj* **1** bestånds-, integrerande [~ *part*] **2** konstituerande [~ *assembly*] **3** väljande, val-, valmans-; ~ *body* valkorporation
constitute [ˈkɒnstɪtjuːt] *vb tr* **1** utgöra [*it* ~*s the only method that...*]; bilda; *what* ~*s the difference?* vad består skillnaden i? **2** konstituera, inrätta, grunda, instifta; upprätta, bilda [~ *a provisional government*]; tillsätta [~ *a committee*] **3** utse ngn till [*the meeting* ~*d him chairman*]
constitution [ˌkɒnstɪ'tjuːʃ(ə)n] *s* **1** [stats]författning, konstitution; grundlag; *written* ~ skriven författning; *Great Britain has an unwritten* ~ Storbritannien saknar en skriven författning **2 a)** [kropps]konstitution, fysik **b)** sinnesförfattning; temperament **3** sammansättning [*the* ~ *of the council*]; struktur [*the* ~ *of the solar spectrum*]; beskaffenhet
constitutional [ˌkɒnstɪ'tjuːʃənl] **I** *adj* konstitutionell; medfödd; grundlagsenlig, författningsenlig **II** *s* åld., stärkande promenad
constitutionally [ˌkɒnstɪ'tjuːʃnəlɪ] *adv* **1** författningsenligt, grundlagsenligt, konstitutionellt **2** till sin sammansättning; av naturen
constrain [kən'streɪn] *vb tr* **1** tvinga; *be* ~*ed to* vara (bli) tvungen att, nödgas **2** fängsla, lägga band på **3** begränsa; inskränka, hindra rörelse

constrained [kən'streɪnd] *adj* **1** tvungen, konstlad; ofri, inte ledig **2** avtvingad, framtvingad

constraint [kən'streɪnt] *s* **1** tvång; tvångsmedel; bundenhet, ofrihet; *under* ~ under tvång **2** känsla av tvång, tvungenhet; tvunget sätt **3** restriktion

constrict [kən'strɪkt] *vb tr* **1** dra samman, pressa samman, dra ihop; få att dra ihop sig **2** begränsa

constriction [kən'strɪkʃ(ə)n] *s* sammandragning, hopsnörning; insnörning; förträngning; begränsning

construct [verb kən'strʌkt, subst. 'kɒnstrʌkt] **I** *vb tr* konstruera [fram (upp)]; uppföra, bygga, anlägga; bygga upp **II** *s* **1** tankeskapelse, [hypotetisk] konstruktion, begrepp spec. som del av teori **2** språkv. konstruktion

construction [kən'strʌkʃ(ə)n] *s* **1** konstruktion; uppförande, [upp]byggande, anläggande, byggnad [*the new railway is under* ~]; tillverkning; *in course of* ~ under uppförande (byggnad) **2** byggnad, konstruktion; uppbyggnad **3** gram. el. matem. konstruktion **4** tolkning, tydning, utläggning; [*the sentence*] *does not bear such a* ~ ...kan inte tolkas så; *put a good* ~ *on* tolka (tyda) välvilligt

construction kit [kən'strʌkʃ(ə)nkɪt] *s* byggsats

construction site [kən'strʌkʃ(ə)n,saɪt] *s* byggarbetsplats

construction worker [kən'strʌkʃ(ə)n,wɜːkə] *s* byggnadsarbetare

constructive [kən'strʌktɪv] *adj* konstruktiv

constructor [kən'strʌktə] *s* konstruktör

construe [kən'struː, 'kɒnst-] *vb tr* **1** tolka [*his remarks were wrongly* ~d]; tyda, förklara, lägga ut **2** gram. konstruera [*with* med]

consul ['kɒns(ə)l] *s* konsul

consular ['kɒnsjʊlə] *adj* konsulär; konsuls-, konsulat-

consulate ['kɒnsjʊlət] *s* konsulat

consul-general [,kɒns(ə)l'dʒen(ə)r(ə)l] (pl. *consuls-general*) *s* generalkonsul

consulship ['kɒns(ə)lʃɪp] *s* konsulsbefattning; konsulat

consult [kən'sʌlt] **I** *vb tr* rådfråga, konsultera; se efter i (på) [~ *a map*]; slå upp i [~ *a dictionary*]; ~ *sb* äv. rådgöra med ngn; ~ *a doctor* konsultera en (söka) läkare; ~ *one's watch* se på klockan **II** *vb itr* överlägga, rådslå, rådgöra, konferera [*with* med]

consultancy [kən'sʌltənsɪ] *s* konsultbyrå; konsult-

consultant [kən'sʌltənt] *s* **1** konsulent, konsult; *special* ~ ämnesspecialist **2** specialistläkare; överläkare

consultation [,kɒns(ə)l'teɪʃ(ə)n] *s* **1** överläggning, rådplägning; samråd [*in* ~ *with*]; *be in* ~ *over* konferera om **2** konsultation

consultative [kən'sʌltətɪv] *adj* rådgivande, konsultativ

consulting [kən'sʌltɪŋ] *adj* **1** rådgivande [~ *architect*; ~ *lawyer*]; konsulterande [~ *physician*] **2** konsult- [~ *firm*]

consulting room [kən'sʌltɪŋruːm, -rʊm] *s* mottagningsrum

consume [kən'sjuːm, -'suːm] *vb tr* **1 a)** förbruka; spec. hand. konsumera **b)** förtära, dricka [upp] **c)** *the time* ~*d in reading the proofs* den tid som gått åt för

att läsa korrektur **2 a)** om eld m.m. förtära **b)** bildl., ~*d with* förtärd av, uppfylld av; plågad av [~*d with guilt*]; *be* ~*d with curiosity* vara nära att förgås av nyfikenhet

consumer [kən'sjuːmə] *s* konsument, förbrukare; ~ *guidance* konsumentupplysning; ~*s' resistance* köpmotstånd

consumer confidence [kən,sjuːmə'kɒnfɪd(ə)ns] *s* konsumentförtroende

consumer durables [kən,sjuːmə'djʊərəblz] *s pl* varaktiga konsumtionsvaror såsom bilar, vitvaror etc.

consumer goods [kən'sjuːməgʊdz] *s pl* konsumtionsvaror

consumerism [kən'sjuːmərɪz(ə)m, -'suː-] *s* **1** konsumentpolitik, tillvaratagande av konsumenternas intressen **2** hög konsumtion i samhället som grund för en sund ekonomi **3** köpgalenskap [*mindless* ~]

consumer price index [kən,sjuːməpraɪs'ɪndeks] (förk. *CPI*) *s* amer. konsumentprisindex

consumer society [kən,sjuːməsə'saɪətɪ] *s*, *the* ~ konsumtionssamhället, slit-och-slängsamhället

consuming [kən'sjuːmɪŋ] *adj* uppslukande [~ *passion*]

consummate [adj. kən'sʌmət, verb 'kɒnsəmeɪt] **I** *adj* fulländad, utsökt, fullständig, raffinerad **II** *vb tr* **1** fullborda [*the marriage was never* ~*d*] **2** fullkomna, fullända

consummation [,kɒnsə'meɪʃ(ə)n] *s* **1** fullbordande; avslutning, fullbordan **2** fulländning; fullbordad sak; slutmål; *a* ~ *devoutly to be wished* citat ur Hamlet 'en nåd att stilla bedja om'

consumption [kən'sʌm(p)ʃ(ə)n] *s* **1** konsumtion, förbrukning, åtgång; *petrol* ~ el. amer. *gasoline* ~ bensinförbrukning **2** förtäring; *unfit for human* ~ otjänlig som människoföda **3** bruk [*for internal* ~]

cont. förk. för *containing, contents, continued, continental, continent*

contact ['kɒntækt, verb äv. kən'tækt] **I** *s* **1** kontakt, beröring, förbindelse [*come in (into)* ~ *with*]; känning; bekantskap; ~ *man* kontakt[man]; *here's my* ~ *number* [*while I'm away*] på det här numret kan ni (du) nå mig...; *break* ~ elektr. bryta strömmen; *make* ~ elektr. sluta strömmen; *make* ~ *with* få kontakt med; *make a lot of useful* ~*s* knyta många värdefulla kontakter; *put sb in* ~ *with* se till att ngn kommer i kontakt med; *on* ~ vid kontakt (beröring) **2** med. eventuell smittbärare **3** ~*s* kontaktlinser **II** *vb tr* komma (stå) i kontakt med, kontakta

contact dermatitis ['kɒntækt,dɜːmə'taɪtɪs] *s* med. kontakteksem

contact lenses ['kɒntækt,lenzɪz] *s pl* kontaktlinser

contagion [kən'teɪdʒ(ə)n] *s* **1** smitta [genom beröring] **2** smittsam sjukdom **3** bildl. farsot

contagious [kən'teɪdʒəs] *adj* smittsam; smittoförande, kontagiös; [*her laughter*] *is* ~ äv. ...smittar av sig

contain [kən'teɪn] *vb tr* **1** innehålla, innefatta, rymma **2** behärska, tygla, hålla [tillbaka]; ~ *oneself* behärska sig, tiga **3** ofta mil. hålla, hindra, binda en fientlig styrka

container [kən'teɪnə] *s* **1** behållare, kärl **2** container

containment [kən'teɪnmənt] *s* **1** kontroll;

undertryckande [*the ~ of the rebellion*] **2 ~ policy** 'uppdämningspolitik' ett lands defensiva åtgärder för att hejda främmande ideologisk el. territoriell expansion

contaminant [kən'tæmɪnənt] *s* med. smittämne; radioaktiv kontamination

contaminate [kən'tæmɪneɪt] *vb tr* [för]orena, smutsa ner; smitta ner; kontaminera belägga med radioaktivt stoft; bildl. förleda, fördärva

contaminated [kən'tæmɪneɪtɪd] *adj* förorenad etc., se *contaminate*

contamination [kənˌtæmɪ'neɪʃ(ə)n] *s* förorening äv. konkr., nedsmutsning; nedsmittning; radioaktiv kontamination

contemplate ['kɒntəmpleɪt] **I** *vb tr* **1** ha för avsikt, fundera på [*~ buying a new car*]; överväga, planera; perf. p. **~d** äv. tilltänkt, eventuell **2** fundera över (på) [*~ a problem*]; begrunda **3** räkna med [såsom möjlig] [*I do not ~ any opposition from him*] **4** betrakta, beskåda
II *vb itr* fundera, meditera

contemplation [ˌkɒntəm'pleɪʃ(ə)n] *s* **1** begrundande; kontemplation; betraktande, beskådande **2** avsikt; avvaktan [*in ~ of*]; **be in ~** vara under övervägande; **have in ~** avse, planera

contemplative [kən'templətɪv] *adj* **1** tankfull, begrundande, eftersinnande **2** relig. o.d. kontemplativ

contemporaneity [kənˌtemp(ə)rə'niːətɪ] *s* samtidighet

contemporaneous [kənˌtempə'reɪnɪəs] *adj* samtidig [*with* med]; samtida; av samma ålder

contemporary [kən'temp(ə)rərɪ] **I** *adj* samtidig [*with* med]; jämnårig; samtida; nutida; modern [*~ art*]; aktuell [*~ events*]
II *s* samtida [*of* till]; **we were contemporaries at college** vi gick på college ungefär samtidigt

contempt [kən'tem(p)t] *s* **1** förakt, ringaktning [*for* för]; **hold in ~** hysa förakt för, förakta; **he is beneath ~** han är under all kritik **2** jur., **~ of court** ohörsamhet inför rätta; lagtrots **3** **~ of** brist på, rädsla (oro) för

contemptible [kən'tem(p)təbl] *adj* föraktlig; usel [*~ coward*]

contemptuous [kən'tem(p)tjʊəs] *adj* föraktfull

contend [kən'tend] **I** *vb itr* **1** strida, kämpa, brottas [*against, with* mot, med; *about* om; *for* för, om; *~ with difficulties*]; **the ~ing parties** de stridande parterna **2** sträva; tävla [*~ for* (om) *a prize*] **3** tvista, disputera, strida
II *vb tr* [vilja] hävda, påstå

contender [kən'tendə] *s* **1** sport. tävlande; utmanare [*~ for the heavyweight title*] **2** kandidat [*~ for the party leadership*]; sökande

1 content ['kɒntent] *s* **1** innehåll ofta i motsats mot form [*the ~ of the essay*]; innebörd; halt; jfr *contents* **2** rymlighet, volym; **cubic ~** kubikinnehåll **3** **a high fat ~** en hög fetthalt

2 content [kən'tent] **I** *adj* nöjd, belåten
II *s* belåtenhet; **to one's heart's ~** av hjärtans lust; så mycket man vill
III *vb tr* tillfredsställa; **~ oneself** nöja sig [*with* med]

contented [kən'tentɪd] *adj* nöjd, belåten; förnöjsam

contention [kən'tenʃ(ə)n] *s* **1** strid, stridighet; tvist, ordstrid; tävlan; **bone of ~** tvistefrö, stridsäpple **2** påstående; åsikt, argument [*his ~ was that…*]

contentious [kən'tenʃəs] *adj* **1** tvistig; omtvistad [*a ~ clause in a treaty*]; tviste-; **~ issue** stridsfråga, tvistefråga **2** stridslysten; grälsjuk

contentment [kən'tentmənt] *s* belåtenhet

content provider ['kɒntentprəˌvaɪdə] *s* data. innehållsleverantör t.ex. till webbplatser

contents ['kɒntents] *s pl* innehåll [*the ~ of a glass; the ~ of a book*]; **table of ~** innehållsförteckning

contest [subst. 'kɒntest, verb kən'test] **I** *s* **1** tävling [*a speed ~*]; tävlan, match **2** strid, kamp
II *vb tr* **1** bekämpa; bestrida [*~ a point; ~ a will*] **2** kämpa om, försvara [*~ every inch of ground*]; tävla om [*~ a prize*]; **~ the election** parl. ställa upp som motkandidat, jfr *contested*; **~ a seat** kandidera (ställa upp) i en valkrets

contestant [kən'testənt] *s* stridande [part]; tävlande; konkurrent

contested [kən'testɪd] *adj* omtvistad; **~ election** val med motkandidater

context ['kɒntekst] *s* **1** sammanhang; kontext; **quotations out of ~** lösryckta citat **2** omgivning[ar], miljö; ram

contextual [kɒn'tekstjʊəl, kən-] *adj* som beror på (hör till, framgår av) sammanhanget (kontexten)

contiguity [ˌkɒntɪ'gjuːətɪ] *s* beröring, omedelbar närhet; nära grannskap; kontiguitet

contiguous [kən'tɪgjʊəs] *adj* **1** angränsande, intilliggande; **~ to** som gränsar till; **be ~** gränsa till varandra, ha gemensam gräns [*Sweden and Norway are ~*]; **be ~ to** gränsa till **2** omedelbart föregående (efterföljande)

continence ['kɒntɪnəns] *s* **1** med. kontinens **2** åld. återhållsamhet; måttlighet; avhållsamhet

Continent ['kɒntɪnənt] *s*, **the ~** vard. kontinenten Europas fastland

continent ['kɒntɪnənt] **I** *s* **1** kontinent, fastland **2** världsdel
II *adj* med. kontinent

continental [ˌkɒntɪ'nentl] **I** *adj* **1** kontinental, kontinental-; fastlands- **2** amer. på (tillhörande) det nordamerikanska fastlandet [*the ~ United States does not include Hawaii*]
II *s* åld. fastlandseuropé i motsats mot britt

continental breakfast [ˌkɒntɪnentl'brekfəst] *s* kontinental frukost (kaffefrukost) med bröd, smör och marmelad

continental drift [ˌkɒntɪnentl'drɪft] *s* geol. kontinentalförskjutning, kontinentaldrift

continental quilt [ˌkɒntɪnentl'kwɪlt] *s* duntäcke

continental shelf [ˌkɒntɪnentl'ʃelf] *s* geol. kontinentalsockel

contingency [kən'tɪndʒ(ə)nsɪ] *s* **1 a)** eventualitet [*be prepared for all contingencies*] **b)** oförutsedd händelse [*the explorer carried supplies for every ~*]; **should a ~ arise** om något oförutsett inträffar **2** tillfällighet [*a result that depends upon contingencies*] **3 a)** pl. **contingencies** oförutsedda utgifter; extra omkostnader **b)** **~ fund** fond för oförutsedda utgifter **4 ~ plan** beredskapsplan

contingent [kən'tɪn(d)ʒ(ə)nt] **I** *adj* **1** eventuell **2** villkorlig inte nödvändig i och för sig; betingad [*on,*

upon av]; oväsentlig **3** tillfällig **4** ~ *to* medföljande, som hör till (är en följd av)
II *s* kontingent spec. av trupper, grupp

continual [kən'tɪnjʊəl] *adj* ständig, ständigt återkommande; ihållande [~ *rain*]; idelig

continuance [kən'tɪnjʊəns] *s* varaktighet [*of some* (*short, long*) ~]; fortsättning; *during the ~ of the war* så länge kriget varar (varade)

continuation [kən,tɪnjʊ'eɪʃ(ə)n] *s* fortsättning, fortsättande, återupptagande; förlängning

continue [kən'tɪnjʊ] **I** *vb tr* **1** fortsätta [~ *doing sth*; ~ *to do sth*]; *to be ~d* fortsättning följer **2** förlänga; låta bestå **3** [bi]behålla, låta kvarstå [*in* vid, i ämbete o.d.]
II *vb itr* **1** fortsätta, fortfara **2** förbli, stanna [kvar], kvarstå [~ *in office*]; fortfarande vara [~ *ill*] **3** fortleva, leva vidare

continued [kən'tɪnjʊd] *perf p* o. *adj* **1** fortsatt etc., jfr *continue* **2** oavbruten, ständig

continuing [kən'tɪnjʊɪŋ] *adj* fortsatt

continuing education [kən,tɪnjʊɪŋedjʊ'keɪʃ(ə)n] *s* vidareutbildning

continuity [,kɒntɪ'nju:ətɪ] *s* **1** kontinuitet **2** film. **a)** ung. scenario; scenföljd, kontinuitet **b)** i för- el. eftertexter scripta, skripta **3** radio. el. TV. programmanuskript; sammanbindande kommentar, text

continuity clerk [,kɒntɪ'nju:ətɪklɑ:k] *s* film. scripta, skripta

continuous [kən'tɪnjʊəs] *adj* kontinuerlig, oavbruten, fortlöpande, fortskridande; ständig; ~ *assessment* kontinuerlig bedömning; ~ *performance* nonstopföreställning[ar]; *the* ~ *tense* progressiv (pågående) form

continuously [kən'tɪnjʊəslɪ] *adv* kontinuerligt, oavbrutet, ihållande; fortlöpande; ständigt

contort [kən'tɔ:t] *vb tr* **1** förvrida [*with* av] **2** förvränga

contortion [kən'tɔ:ʃ(ə)n] *s* **1** förvridning av ansikte el. kropp; grimas **2** förvrängning

contortionist [kən'tɔ:ʃənɪst] *s* ormmänniska

contour ['kɒntʊə] *s* kontur; ytterlinje, gränslinje spec. mellan olikfärgade delar av bild o.d., omkrets; grunddrag

contoured ['kɒntʊəd] *adj* formad; rundad; ~ *seat* bil. skålad sits

contour line ['kɒntʊəlaɪn] *s* nivåkurva på karta

contour map ['kɒntʊəmæp] *s* höjdkarta

contra ['kɒntrə] **I** *prep* mot **II** *s* motskäl; motsida

contraband ['kɒntrəbænd] **I** *s* kontraband [~ *of war*]; smuggelgods; kontrabandstrafik, smuggling **II** *adj* kontrabands-, smuggel-

contrabass [,kɒntrə'beɪs, '---] *s* mus. kontrabas, basfiol

contraception [,kɒntrə'sepʃ(ə)n] *s* [användning av] preventivmedel, födelsekontroll

contraceptive [,kɒntrə'septɪv] **I** *adj* preventiv[-] **II** *s* preventivmedel

contract [subst. 'kɒntrækt, verb kən'trækt] **I** *s* **1** avtal, överenskommelse, fördrag; kontrakt äv. kortsp.; *be in a breach of* ~ begå kontraktsbrott; *be on a* ~ ha anställning; *be under* ~ *to* el. *be under* ~ *to* ha [ett] avtal med; *under her* ~ *she was not allowed* [*to work for competitors*] under anställningstiden fick hon

inte... **2** hand. kontrakt [*that is not in the* ~]; entreprenad [äv. ~ *by tender*]; ackord, beting [*by* (på) ~]; *place a* ~ *for* lämna på entreprenad **3** vard., *put a* ~ *on sb* lägga ut ett kontrakt på ngn beställa ett mord på ngn
II *vb tr* **1** avtala, avsluta genom kontrakt, teckna avtal (kontrakt) om, förbinda sig [*to do*] **2** ingå [~ *a marriage*]; sluta [~ *an alliance with another country*]; knyta [~ *a friendship* (vänskapsband) *with*] **3** ådra sig [~ *a disease*]; åsamka sig [~ *debts*] **4** dra samman (ihop) äv. gram.; kontrahera
III *vb itr* dra ihop sig, dras samman, minskas, krympa
IV *vb itr* med adv. el. prep.:

contract in a) anmäla sig, anmäla sitt deltagande [*to* i, till]; hoppa på **b)** hand. lägga ut

contract out dra sig ur spelet; hoppa av [*of sth* från ngt]; anmäla sitt utträde [*of sth* ur ngt]; ~ *out of sth* äv. dra sig ur ngt

contract bridge ['kɒntræktbrɪdʒ] *s* kortsp. kontraktsbridge

contraction [kən'trækʃ(ə)n] *s* sammandragning; hopdragning; kontraktion; förkortning; minskning; krympning

contract killer ['kɒntrækt,kɪlə] *s* lejd mördare

contractor [kən'træktə] *s* leverantör; entreprenör; *builder and* ~ byggnadsentreprenör

contractual [kən'træktʃʊəl, -tj-] *adj* kontrakts-, kontraktsenlig, av kontraktsnatur

contradict [,kɒntrə'dɪkt] *vb tr* säga emot, motsäga; bestrida

contradiction [,kɒntrə'dɪkʃ(ə)n] *s* motsägelse; bestridande; ~ *in terms* självmotsägelse; *be in direct* ~ *to* stå i direkt motsats till; *be in* ~ *with* stå i strid med; *without fear of* ~ utan risk att bli motsagd

contradictory [,kɒntrə'dɪkt(ə)rɪ] *adj* motsägande, [mot]stridig; oförenlig [*to* med]; rakt motsatt [*to* mot]; motsägelsefull, kontradiktorisk

contradistinction [,kɒntrədɪ'stɪŋ(k)ʃ(ə)n] *s*, *in* ~ *to* i motsats till, till skillnad från

contraflow ['kɒntrəfləʊ] *s* trafik. dubbelriktad trafik vid vägarbete o.d.

contralto [kən'træltəʊ] (pl. ~s) *s* mus. **1** alt; altstämma **2** kontraalt; kontraaltstämma

contraption [kən'træpʃ(ə)n] *s* vard. apparat, anordning, grej, manick

contrariwise ['kɒntrərɪwaɪz] *adv* **1** tvärtom; däremot **2** omvänt; på motsatt sätt

contrary ['kɒntrərɪ, i betydelse *I* 2 kən'treərɪ] **I** *adj* **1** motsatt; stridande [*to* mot]; ~ *to* äv. [tvärt]emot, i strid mot (med) **2** motvalls, obstinat, trotsig **3** mot- [~ *winds*]
II *adv*, ~ *to* [tvärt]emot, i strid mot (med) [*act* ~ *to the rules*]
III *s* motsats [*the direct* ~ *of* (till) *sth*]; *quite the* ~ snarare tvärtom; *on the* ~ tvärtom; däremot; [*unless I hear*] *anything to the* ~ ...någonting som motsäger detta, ...något annat; *proof to the* ~ bevis på motsatsen; motbevis; *all reports to the* ~ trots alla rykten

contrast [subst. 'kɒntrɑ:st, verb kən'trɑ:st] **I** *s* kontrast, motsättning, motsats; *in* ~ däremot, å andra sidan; *in* ~ *to* el. *in* ~ *with* el. *by* ~ *with* i motsats till (mot), i olikhet med; *be in glaring* ~ *to* sticka

bjärt av mot
II *vb tr* ställa [upp] som motsats [*with* mot, till],
jämföra [*with* med]; *as ~ed with* i motsats mot, i
jämförelse med
III *vb itr* kontrastera, sticka av, bilda en motsats
(kontrast) [*with* mot, till]
contrasting [kən'trɑ:stɪŋ] *adj* avvikande; *~ attitudes*
äv. olika attityder
contrast wallpaper [ˌkɒntrɑ:st'wɔ:lˌpeɪpə] *s*
fondtapet
contravene [ˌkɒntrə'vi:n] *vb tr* **1** kränka, överträda;
handla mot **2** strida mot, stå i strid mot
contravention [ˌkɒntrə'venʃ(ə)n] *s* överträdelse,
kränkning; *in ~ of* i strid (motsats) mot
contretemps ['kɒntrətɑ:ŋ, -tɒŋ] (pl. *contretemps* utt.
som sg.) *s* fr. ofta skämts. **1** dispyt **2** pinsam situation
(händelse)
contribute [kən'trɪbju:t, ibl. 'kɒntrɪbju:t] **I** *vb tr*
1 bidra med, skjuta till, ge (lämna) [som bidrag] [*~
money*] **2** *~ articles to* [*a paper*] medarbeta
(medverka) i…, bidra med artiklar i…
II *vb itr* **1** ge (lämna) bidrag **2** *~ to a paper*
medverka (vara medarbetare) i en tidning **3** bidra,
medverka [*to, towards* till; *to do, to doing* till att
göra]
contribution [ˌkɒntrɪ'bju:ʃ(ə)n] *s* bidrag [*to* till; *the
smallest ~s will be thankfully received*]; inlägg i
diskussion o.d.; insats; tillskott; *make a ~* bidra, lämna
(ge) bidrag [*to* till]
contributor [kən'trɪbjʊtə] *s* bidragsgivare;
medarbetare i tidskrift o.d. [*to* i]
contributory [kən'trɪbjʊt(ə)rɪ] *adj* bidragande,
medverkande [*~ factors*]; som finansieras genom
ömsesidiga bidrag [*a ~ pension scheme*]
contributory negligence
[kənˌtrɪbjʊt(ə)rɪ'neglɪdʒ(ə)ns] *s* jur. medvållande
contrite ['kɒntraɪt] *adj* ångerfull, botfärdig
contrition [kən'trɪʃ(ə)n] *s* ånger, botfärdighet
contrivance [kən'traɪv(ə)ns] *s* **1** knep, påhitt,
konstgrepp **2** anordning; apparat, mekanism
contrive [kən'traɪv] *vb tr* **1** tänka ut, hitta på,
uppfinna; planera **2** finna medel (utvägar) till [äv. *~
a means of*]; finna på ett sätt [*to att*], ordna till
med, [lyckas] åstadkomma
contrived [kən'traɪvd] *perf p* o. *adj* **1** planerad m.fl.,
jfr *contrive* 2 konstlad, utstuderad [*the dress had a
look of ~ simplicity; the plot was rather ~*]
control [kən'trəʊl] **I** *s* **1** kontroll, herravälde [*he lost
~ of* (över) *his car*]; makt, myndighet [*of* över];
övervakning; uppsikt, tillsyn [*parental ~*];
reglering [*import ~*]; behärskning; *arms ~*
vapenkontroll; *passport ~* passkontroll;
circumstances beyond one's ~ omständigheter som
man inte råder över; *be in ~* [*of*] ha makten
(ledningen, tillsynen) [över]; *be in the ~ of*
kontrolleras (övervakas) av; *be out of ~* vara
omöjlig att bemästra; vara manöveroduglig; *the
situation was getting out of ~* man började tappa
kontrollen över situationen; *get* (*bring*) *under ~* få
under kontroll, få bukt med; *keep within one's ~*
behålla herraväldet (kontrollen) över
2 kontrollanordning, styranordning,
manöverorgan, kontroll; styrning; pl. *~s*
kontrollinstrument, reglage; flyg. roder, styrorgan;

at the ~s flyg. vid spakarna **3** kontrolltangent på
tangentbord
II *vb tr* kontrollera, behärska, bestämma över;
övervaka, revidera [*~ the accounts*]; dirigera;
sköta; reglera; bemästra; hålla ordning (styr) på [*~
a class*]; styra, tygla [*~ one's temper; ~ a horse*]; *~
oneself* behärska sig, hålla sig i styr
control column [kən'trəʊlˌkɒləm] *s* flyg. styrspak
control group [kən'trəʊlgru:p] *s* kontroll[grupp]
control key [kən'trəʊlki:] *s* kontrolltangent på
tangentbord
controlled [kən'trəʊld] *perf p* o. *adj* kontrollerad
etc., se *control II*
controller [kən'trəʊlə] *s* **1** kontrollant, kontrollör,
övervakare; offentlig revisor; chef; ibl. ekonomichef,
controller; direktör; *air-traffic ~* flygledare **2** elektr.
kontroller
controlling interest [kənˌtrəʊlɪŋ'ɪntrəst] *s*
aktiemajoritet
control panel [kən'trəʊlˌpænl] *s* kontrollbord
control stick [kən'trəʊlstɪk] *s* flyg. vard. styrspak
control tower [kən'trəʊlˌtaʊə] *s* flyg. flygledartorn,
kontrolltorn
control unit [kən'trəʊlˌju:nɪt] *s* data. styrenhet,
kontrollenhet
controversial [ˌkɒntrə'vɜ:ʃ(ə)l] *adj* **1** omtvistad,
omstridd, kontroversiell, tviste- [*a ~ issue* (fråga)]
2 polemisk, strids- [*~ pamphlet*]
controversy [kən'trɒvəsɪ, 'kɒntrəvɜ:sɪ] *s*
1 kontrovers, strid, tvist, polemik;
[tidnings]debatt; *without ~* obestridlig[t] **2** amer. jur.
tvistemål
controvert ['kɒntrəvɜ:t, ˌ--'-] *vb tr* bestrida
contusion [kən'tju:ʒ(ə)n] *s* kontusion, blåmärke,
krossår
conundrum [kə'nʌndrəm] *s* gåta särsk. som bygger på
ordlek
conurbation [ˌkɒnɜ:'beɪʃ(ə)n] *s* konurbation;
storstadsregion
convalesce [ˌkɒnvə'les] *vb itr* tillfriskna, vara på
bättringsvägen
convalescence [ˌkɒnvə'lesns] *s* tillfrisknande,
konvalescens
convalescent [ˌkɒnvə'lesnt] **I** *adj* **1** som håller på
att tillfriskna **2** konvalescent-
II *s* konvalescent
convalescent home [ˌkɒnvə'lesnthəʊm] *s*
konvalescenthem
convection [kən'vekʃ(ə)n] *s* fys. el. meteor. konvektion
värmeströmning
convection oven [kən'vekʃ(ə)nˌʌvn] *s* varmluftsugn
convene [kən'vi:n] **I** *vb itr* komma samman,
sammanträda, samlas
II *vb tr* **1** sammankalla **2** instämma, inkalla [*~ sb
before a tribunal*]
convener [kən'vi:nə] *s* **1** sammankallande
[ledamot] **2** högre fackföreningsfunktionär
convenience [kən'vi:nɪəns] *s* **1** lämplighet;
bekvämlighet; *flag of ~* bekvämlighetsflagg;
marriage of ~ konvenansparti; *I await your ~* jag
väntar tills det passar dig; [*I can come*] *when it suits
your ~* …när det passar dig; *do it at your ~* gör det
när det passar dig; *at your earliest ~* hand. (i brev)
snarast möjligt, så snart det är möjligt för Er; *for ~*

el. **for the sake of** ~ för bekvämlighets skull
2 förmån, fördel; **a great** ~ en stor fördel, mycket
förmånligt (bekvämt) **3** bekväm sak (anordning),
bekvämlighet; **public** ~ åld. offentlig toalett; **all
modern ~s** el. **every modern** ~ alla moderna
bekvämligheter
convenience food [kən'vi:nɪənsfu:d] s snabbmat,
snabblagad mat
convenience store [kən'vi:nɪənsstɔ:] s närbutik
convenient [kən'vi:nɪənt] adj lämplig, läglig;
bekväm; praktisk, behändig [a ~ tool]; välbelägen,
lättillgänglig, central; **if it is** ~ **to (for) you** om det
passar (lämpar sig för) dig; **be** ~ **to** [the bus-stop]
ligga nära till (på bekvämt avstånd från)…
conveniently [kən'vi:nɪəntlɪ] adv bekvämt;
lämpligen, utan olägenhet; **be** ~ **near** [the bus-stop]
ligga nära till (på bekvämt avstånd från)…
convent ['kɒnv(ə)nt] s [nunne]kloster
convention [kən'venʃ(ə)n] s **1** konvention[en] [a
slave to (under) ~] **2 a)** konvent [national ~];
sammankomst **b)** amer. polit. [parti]konvent
3 överenskommelse, konvention [the Geneva
Convention]; uppgörelse, avtal; fördrag
4 konventionalism; konvenans[en]
conventional [kən'venʃ(ə)nl] adj konventionell [~
clothing; ~ weapons]; sedvanlig
conventionality [kən,venʃə'nælətɪ] s
traditionsbundenhet; det konventionella
convent school ['kɒnv(ə)ntsku:l] s klosterskola
converge [kən'vɜ:dʒ] vb itr löpa (stråla) samman,
konvergera; sträva mot (mötas i) samma punkt
convergence [kən'vɜ:dʒ(ə)ns] s **1** sammanfallande,
sammanlöpande, sammanstrålande **2** matem. el. fys.
m.m. konvergens **3** EU., ~ **criteria**
konvergenskriterier
convergent [kən'vɜ:dʒ(ə)nt] adj **1** konvergerande,
sammanlöpande **2** matem. el. fys. etc. konvergent
conversant [kən'vɜ:s(ə)nt] adj, ~ **with** insatt
(hemmastadd) i, förtrogen med
conversation [,kɒnvə'seɪʃ(ə)n] s konversation,
samtal; **make** ~ kallprata, konversera; **get into** ~
börja samtala (prata) [with med]
conversational [,kɒnvə'seɪʃ(ə)nl] adj samtals- [in a
~ tone]; kåserande [~ style]
conversationalist [,kɒnvə'seɪʃ(ə)nəlɪst] s [riktig]
konversatör; **he is a good** ~ han är bra på att
konversera
conversation piece [,kɒnvə'seɪʃ(ə)npi:s] s
samtalsämne
conversation stopper [,kɒnvə'seɪʃ(ə)n,stɒpə] s vard.
abrupt svar [som sätter punkt för samtalet]
1 converse [kən'vɜ:s] vb itr konversera, samtala
[on om, över; about om, kring]
2 converse ['kɒnvɜ:s] **I** adj omvänd, motsatt **II** s
omvänt förhållande; motsats
conversely [,kɒn'vɜ:slɪ] adv omvänt
conversion [kən'vɜ:ʃ(ə)n] s **1** omvandling,
förvandling, ombyggnad [into, to till];
omställning, omläggning [~ to war production]; ~
of flats into offices kontorisering av lägenheter
2 relig., psykol. m.m. omvändelse, konversion;
övergång [to till] **3** ekon., data. m.m. konvertering,
omräkning; omsättning till andra värden **4** jur.

förskingring [äv. fraudulent ~] **5** rugby. el. amer. fotb.
mål efter 'försök'
conversion rate [kən'vɜ:ʃ(ə)n,reɪt] s EU.
omräkningskurs
conversion table [kən'vɜ:ʃ(ə)n,teɪbl] s
förvandlingstabell, omräkningstabell
convert [verb kən'vɜ:t, subst. 'kɒnvɜ:t]
I vb tr **1** omvandla, förvandla, göra (bygga) om
[into till]; ställa (lägga) om; omsätta [~ ideas into
(i) deeds]; **the building was** ~**ed into a hotel** huset
gjordes (byggdes) om till hotell **2** relig. m.m.
omvända [to till] **3** ekon., data. m.m. konvertera;
omsätta [~ into cash]; räkna om **4** jur., ~ **to one's
own use** använda (tillägna sig) för eget bruk **5** rugby.
el. amer. fotb., ~ **a try** göra mål efter ett 'försök'
II vb itr **1** [kunna] förvandlas [a sofa that ~s into a
bed] **2** ställa (lägga) om [the factory is ~ing to car
production] **3** relig. m.m. omvändas, konvertera
4 rugby. el. amer. fotb. göra mål [efter ett 'försök']
III s omvänd; proselyt; konvertit; **be a** ~ **to**
[Catholicism] ha gått över (konverterat) till…
converter [kən'vɜ:tə] s **1** omvandlare **2** tekn.
konverter, omformare **3** elektr.
frekvensomvandlare, omformare **4** se catalytic
converter
convertibility [kən,vɜ:tə'bɪlətɪ] s spec. ekon.
konvertibilitet
convertible [kən'vɜ:təbl] **I** adj **1** som kan
omvandlas (förvandlas, göras om, omvändas,
omsättas etc., jfr convert I) [into till, i]; omsättlig
2 utbytbar; spec. ekon. konvertibel [to mot]
II s cabriolet bil
convex [kɒn'veks, attr. vanl. 'kɒnv-] adj konvex,
välvd utåt; ~ **lens** konvex lins, samlingslins
convexity [kən'veksətɪ] s konvexitet, utbuktning
convey [kən'veɪ] vb tr **1** meddela, ge; uttrycka [I
can't ~ my feelings in words]; låta förstå; innebära;
it ~**s nothing to me** det säger mig ingenting **2** leda
vatten o.d.; förmedla sinnesintryck **3** föra, befordra,
transportera, forsla; medföra [this train ~s both
passengers and goods]; överbringa [~ a message to
sb]; framföra hälsning o.d. **4** jur. överlåta [to på]
conveyance [kən'veɪəns] s **1** befordran, transport;
överförande, ledning **2** fortskaffningsmedel,
åkdon **3** jur. överlåtelse[handling]
conveyancer [kən'veɪənsə] s jurist som sätter upp
överlåtelsehandlingar
conveyer o. **conveyor** [kən'veɪə] s **1** tekn.
transportband, löpande band; bagageband på
flygplats; **on the** ~ **principle** enligt
löpandebandsprincipen **2** överbringare
conveyor belt [kən'veɪəbelt] s tekn. transportband,
löpande band; bagageband på flygplats
convict [verb kən'vɪkt, subst. 'kɒnvɪkt] **I** vb tr fälla
[of för], förklara (döma) skyldig [of till];
överbevisa [of om]; **the evidence** ~**ed him**
bevismaterialet fällde honom; **formerly** ~**ed** tidigare
straffad **II** s straffånge; förbrytare
convict colony ['kɒnvɪkt,kɒlənɪ] s straffkoloni
conviction [kən'vɪkʃ(ə)n] s **1** brottslings fällande;
[fällande] dom [of mot]; överbevisande; **he had
three previous** ~**s** han var straffad tre gånger
tidigare; **she had no previous** ~**s** hon var inte straffad
tidigare; ~ **for drunkenness** [dom för] fylleriförseelse

2 övertygande; övertygelse; **carry** ~ verka
övertygande; övertyga [*to sb* ngn]; **act up to one's**
~s handla efter sin övertygelse; **a man of strong ~s**
en man med mycket bestämda åsikter
convince [kənˈvɪns] *vb tr* övertyga, överbevisa [*of*
om], övertala
convinced [kənˈvɪnst] *adj* övertygad [*of* om, om
att; *that* om att; *a* ~ *Christian*]
convincing [kənˈvɪnsɪŋ] *adj* övertygande [~
argument; ~ *victory*]; tydlig [*a* ~ *case*]
convivial [kənˈvɪvɪəl] *adj* **1** festlig, fest-, glad [~
evening] **2** sällskaplig, jovialisk, gemytlig
convocation [ˌkɒnvə(ʊ)ˈkeɪʃ(ə)n] *s*
1 sammankallande, kallelse **2** möte, församling
3 *Convocation* vid vissa brittiska universitet
universitetssenat[en] rådsförsamling vanl. sammansatt av
graduerade
convoke [kənˈvəʊk] *vb tr* inkalla, sammankalla
convoluted [ˈkɒnvəluːtɪd, -ljuː-] *adj* **1** bildl.
invecklad [~ *reasoning*]; snirklad **2** full av
vindlingar, veckad; spiralformig
convolution [ˌkɒnvəˈluːʃ(ə)n, -ˈljuː-] *s* **1** vanl. pl. **~s**
förvecklingar **2** veck, virvel, varv av ngt rullat; härva;
buktighet; anat. vindling, hjärnvindling
convoy [ˈkɒnvɔɪ] *s* konvoj [*in* ~]; eskort [*the ships*
sailed under ~]; eskortfartyg; kolonn av fordon
convulse [kənˈvʌls] *vb tr* **1** [våldsamt] skaka
(uppröra), sätta i skakning **2** *be* ~*d with anger* skaka
av ilska; *be* ~*d with laughter* kikna av skratt; *be* ~*d*
with pain vrida sig av (i) smärta
convulsion [kənˈvʌlʃ(ə)n] *s* **1** mest pl. **~s**
konvulsion[er], kramp, krampanfall,
krampryckning[ar]; paroxysm[er] [~*s of laughter*];
[*the story was so funny that we*] *were all in* **~s** ...vred
oss av skratt allihop **2** spec. polit. el. sociol.
omvälvning [*social* ~*s*; *political* ~*s*]
convulsive [kənˈvʌlsɪv] *adj* krampartad,
krampaktig; ~ *fit* krampanfall
1 coo [kuː] **I** *vb itr* o. *vb tr* kuttra äv. bildl., se äv. *2 bill*
II **II** *s* kuttrande
2 coo [kuː] *interj* vard. el. dial. oh!, åh!, oj! [~, *isn't it*
lovely!; ~, *what an evening!*]
cook [kʊk] **I** *vb itr* **1** laga till, laga mat; koka, steka;
~ *sb's goose* vard., se *goose I 1* **2** vard. förfalska [~*ed*
accounts; ~*ed figures*]; fiffla med, stuva om; ~ *the*
books fiffla med (förfalska) böckerna
(bokföringen)
II *vb itr* **1** laga mat **2** koka[s] [*the potatoes must* ~
longer]; steka[s]; tillagas; [*these apples*] ~ *well* ...är
lämpliga som matfrukt **3** vard. stå på, vara i
görningen; *what's* ~*ing?* vad står på?
III *vb tr* med adv.:
cook up vard. koka ihop, hitta på [~ *up a story*]
IV *s* kock; kokerska; *he is a good* ~ han lagar god
mat, han är duktig i matlagning
cookbook [ˈkʊkbʊk] *s* kokbok
cook-chill [ˈkʊktʃɪl] *adj* färdiglagad och snabbkyld
om mat
cooked breakfast [ˌkʊktˈbrekfəst] *s* engelsk frukost
med bacon, ägg m.m.
cooker [ˈkʊkə] *s* **1** [kok]spis; kokkärl; kokare
2 matäpple; pl. **~s** äv. matfrukt
cooker hood [ˈkʊkəˌhʊd] *s* köksfläkt, spisfläkt
cookery [ˈkʊkərɪ] *s* kokkonst, matlagning

cookery book [ˈkʊkərɪbʊk] *s* kokbok
cookhouse [ˈkʊkhaʊs] *s* mil. åld. fältkök
cookie [ˈkʊkɪ] *s* **1** amer. [små]kaka; kex; pl. **~s** äv.
småbröd; *that's the way the* ~ *crumbles* vard. så är
det, så kan det gå **2** data. cookie **3** sl. kille, grabb;
tjej [*a smart (tough)* ~] **4** amer. sl., *toss one's* **~s** lägga
en pizza, spy
cookie sheet [ˈkʊkɪʃiːt] *s* amer. bakplåt
cooking [ˈkʊkɪŋ] *s* **1** tillagning, matlagning;
kokning, stekning; *do the* ~ laga maten, sköta
matlagningen **2** mat [*Indian* ~; *home* ~] **3** vard. fiffel
[*the* ~ *of* (med) *the books*]
cooking apple [ˈkʊkɪŋˌæpl] *s* matäpple
cooking chocolate [ˈkʊkɪŋˌtʃɒk(ə)lət] *s*
blockchoklad
cooking oil [ˈkʊkɪŋɔɪl] *s* matolja
cookware [ˈkʊkweə] *s* köksredskap, köksattiraljer
cool [kuːl] **I** *adj* **1** sval, kylig, svalkande; ~ *cupboard*
el. ~ *larder* sval i t.ex. kök **2** kylig; kallsinnig
3 kallblodig, lugn, fattad, kall; *keep* ~*!* ta det
lugnt!; *keep a* ~ *head* el. *keep* ~ hålla huvudet kallt,
ta saken kallt; ~, *calm and collected* lugn och
sansad **4** oberörd, ogenerad, fräck; *a* ~ *customer* en
fräck en (typ) **5** sl. cool, jättebra, skön, toppen[fin],
häftig; jättesnygg; *it's not* ~ det är inget vidare; *it's*
~ *with me* det är helt okej [för mig] **6** vard., *a* ~
thousand hela (sina modiga) tusen pund e.d. **7** vanl.
amer. sl., ~ *jazz* cool jazz avspänd o. intellektualiserad, ej
utpräglat rytmisk jazz
II *adv* vard., *play it* ~ ta det lugnt, ha is i magen
III *vb tr* **1** göra sval[are] [*the rain has* ~*ed the air*];
svala av, kyla äv. bildl., lugna ner [äv. ~ *down*; *I tried*
to ~ *her down*]; svalka **2** sl., ~ *it!* ta det lugnt!; ~
one's heels se under *1 heel I 1*
IV *vb itr* svalna, kylas av äv. bildl.
V *vb itr* med adv. el. prep.:
cool down el. **cool off a)** svalna [*her friendship for me*
has ~*ed down (off)*]; kylas av **b)** vard. lugna ner sig
VI *s* **1** svalka [*in the* ~ *of the evening*]; sval luft
2 sval plats **3** vard., *lose one's* ~ tappa huvudet; *keep*
one's ~ hålla huvudet kallt, behålla fattningen
coolant [ˈkuːlənt] *s* tekn. kylmedel; kylvätska
cool bag [ˈkuːlbæg] *s* o. **cool box** [ˈkuːlbɒks] *s*
kylväska
cooler [ˈkuːlə] *s* **1** kylare [*wine* ~; *butter* ~], vanl.
amer. kylväska; kylrum **2** stor kall drink (dryck)
3 sl., *the* ~ kåken, finkan fängelse[cell] **4** vard., *put a* ~
on [*his optimism*] dämpa ner (kyla av) ...
cool-headed [ˌkuːlˈhedɪd, attr. ˈ-ˌ--] *adj* kallblodig,
lugn
cooling-off period [ˌkuːlɪŋˈɒfˌpɪərɪəd] *s*
1 avkylningsperiod, betänketid; medlingsperiod
2 ångervecka
cooling system [ˈkuːlɪŋˌsɪstəm] *s* kylsystem
cooling tower [ˈkuːlɪŋˌtaʊə] *s* kyltorn
coolness [ˈkuːlnəs] *s* **1** svalka, kylighet **2** lugn
3 kallsinnighet, kyla
coon [kuːn] *s* **1** zool. vard. kortform av *raccoon* **2** sl.
(neds.) neger; *in a* ~*'s age* amer. på evigheter, på
många herrans år
coop [kuːp] **I** *s* bur för ligghöns, gödhöns o.d. el. för
transport av smådjur **II** *vb tr* sätta i bur; stänga in, bura
in [äv. ~ *up*]
co-op [ˈkəʊɒp] *s* vard. **1** (kortform av *cooperative*

society, cooperative shop o. *cooperative store*)
konsum **2** amer., ung. bostadsrätt, insatslägenhet
cooper ['ku:pə] *s* tunnbindare
cooperate [kəʊ'ɒpəreɪt] *vb itr* samarbeta;
samverka, bidra
cooperation [kəʊˌɒpə'reɪʃ(ə)n] *s* **1** samarbete;
samverkan **2** kooperation
cooperative [kəʊ'ɒp(ə)rətɪv] **I** *adj*
1 samarbetsvillig; samverkande **2** kooperativ,
konsumtions-, andels- [~ *society*]; ~ *apartment*
amer., ung. bostadsrätt[slägenhet], insatslägenhet; ~
bank amer., slags kreditinstitut för bosparande; ~
shop el. ~ *store* äv. konsumbutik; *the Cooperative
Wholesale Society* (förk. *CWS*) ung. Kooperativa
förbundet
II *s* kooperativ förening, kooperativt företag
cooperator [kəʊ'ɒpəreɪtə] *s* **1** medarbetare
2 kooperatör
co-opt [kəʊ'ɒpt] *vb tr* **1** välja in [*on to* i] **2** utse
3 amer. ta över verksamhet o.d.
coordinate [verb kəʊ'ɔ:dɪneɪt, adj. o. subst.
kəʊ'ɔ:dənət] **I** *vb tr* koordinera, samordna
II *adj* likställd; samordnad äv. gram. [~ *clause*];
koordinerad; matem. koordinat-
III *s* **1** likställd person (myndighet e.d.) **2** matem.
m.m. koordinat[a]
coordination [kəʊˌɔ:dɪ'neɪʃ(ə)n] *s* **1** samordning,
koordination **2** fysiol. samverkan, koordination
coot [ku:t] *s* **1** zool. sothöna [äv. *bald* ~]; *bald as a* ~
vard. kal (slät) som en biljardboll **2** vard. tokstolle,
gubbstrutt
cop [kɒp] **I** *s* **1** vard. snut, polis; *~s and robbers* lek
tjuv och polis **2** sl., *it's a fair* ~ a) jag ger mig! b) han
etc. har tagits på bar gärning; *not much* ~ inte
mycket att skryta med (att hurra för)
II *vb tr* sl. haffa, gripa brottsling; *be ~ped* äv. åka dit,
åka fast; ~ *hold of sth* hålla i ngt; ~ *it* få på pälsen; ~
a load of this! kolla det här!; ~ *a plea* amer. erkänna
sig skyldig till en mindre förseelse för att undgå åtal för
en större
III *vb itr* med adv. el. prep.:
cop off sl.: ~ *off with sb* få ihop det med ngn sexuellt
cop out hoppa av; smita
1 cope [kəʊp] *vb itr* klara det, orka; vard. stå pall,
palla; ~ *with* klara [~ *with difficulties*]; gå i land
med, orka med; vard. palla för
2 cope [kəʊp] *s* kyrkl. korkåpa
Copenhagen [ˌkəʊpn'heɪg(ə)n] geogr. Köpenhamn
copier ['kɒpɪə] *s* kopieringsapparat, kopiator
co-pilot [ˌkəʊ'paɪlət] *s* flyg. andrepilot
coping ['kəʊpɪŋ] *s* byggn. krönlist, tröskellist;
murkappa vanl. sluttande
copious ['kəʊpɪəs] *adj* riklig, kopiös [~ *amounts*]
cop-out ['kɒpaʊt] *s* sl. **1** [fegt] avhopp, smitning;
undanflykt; *it's a* ~ äv. det är ett sätt att försöka
komma undan **2** [feg] avhoppare; smitare
1 copper ['kɒpə] *s* **1** koppar **2** ~*s* pl. kopparmynt,
koppar[slantar] **3** koppar[rött]
2 copper ['kɒpə] *s* sl. snut polis
copper beech ['kɒpəbi:tʃ] *s* bot. blodbok
copper-bottomed [ˌkɒpə'bɒtəmd, attr. 'kɒpəˌb-] *adj*
bildl. pålitlig, säker [*a* ~ *investment*]
copperhead ['kɒpəhed] *s* zool. kopparhuvud,
landmockasin

copperplate ['kɒpəpleɪt] *s* **1** kopparplåt spec. för
gravering **2** kopparstick [äv. ~ *engraving*]
3 välvårdad och liksom präntad stil [äv. ~ *writing*]
copperplate printing [ˌkɒpəpleɪt'prɪntɪŋ] *s*
djuptryck
coppice ['kɒpɪs] *s* småskog som periodiskt hugges till
bränsle m.m., slyskog; skogsdunge
copra ['kɒprə] *s* kopra torkad frövita av kokosnöt
co-president [ˌkəʊ'prezɪd(ə)nt] *s* amer. vice
verkställande direktör, vice vd
coproduction [ˌkəʊprə'dʌkʃ(ə)n] *s* teat.
samproduktion
copse [kɒps] *s* se *coppice*
cop-shop ['kɒpʃɒp] *s* sl. snuthäck, polisstation
copter ['kɒptə] *s* vard. helikopter
copul|a ['kɒpjʊlə] (pl. *-ae* [-i:] el. *-as*) *s* språkv. kopula
copulate ['kɒpjʊleɪt] *vb itr* kopulera, para sig; ha
samlag
copulation [ˌkɒpjʊ'leɪʃ(ə)n] *s* kopulation, parning;
samlag
copy ['kɒpɪ] **I** *s* **1** kopia, avbild **2** kopia,
reproduktion, avskrift; *fair* ~ el. *clean* ~ renskrift,
renskrivet exemplar; *make a fair* ~ *of sth* skriva rent
ngt; *rough* ~ koncept, kladd; *true* ~ el. *true* ~ *certified*
kopians överensstämmelse med originalet intygas,
rätt avskrivet intygas **3** exemplar, nummer av bok,
tidning o.d.; *single* ~ lösnummer **4 a**) manuskript till
sättning [*supply the press with* ~] **b**) copy,
annonstext, [reklam]text **c**) stoff, material för
journalister o.d.; *make good* ~ vara bra nyhetsmaterial
(tidningsstoff)
II *vb tr* **1** kopiera, efterbilda; ta [en] kopia av **2** se
copy down o. *copy out* under *copy IV* nedan
3 efterlikna, ta efter, imitera; apa efter, härma
III *vb itr* skol. skriva av [*from sb* efter ngn], fuska
IV *vb tr* med adv. el. prep.:
copy down skriva av, skriva ut (ren)
copy in skicka en kopia till som e-post
copy out skriva av
copybook ['kɒpɪbʊk] **I** *s* förskriftsbok,
välskrivningsbok; jfr *blot I* 2 ex. **II** *adj* mönstergill,
exemplarisk, perfekt [*a* ~ *answer*]
copycat ['kɒpɪkæt] **I** *s* vard. härmapa, efterapare
II *adj* liknande, efter samma mönster som tidigare
[~ *revolts*; ~ *strikes*; ~ *murders*]
copy desk ['kɒpɪdesk] *s* redaktionsbord
copy-edit [ˌkɒpɪ'edɪt] *vb tr* redigera manus
copy editor ['kɒpɪˌedɪtə] *s* redaktör
copyist ['kɒpɪɪst] *s* kopist, avskrivare
copy protection ['kɒpɪprəˌtekʃ(ə)n] *s* data.
kopieringsskydd
copyreader ['kɒpɪˌri:də] *s* amer. textredigerare,
redaktör
copyright ['kɒpɪraɪt] **I** *s* copyright,
upphovs[manna]rätt; ~ *reserved* eftertryck
förbjudes; *the law of* ~ lagen om upphovsrätt;
breach of ~ el. *infringement of* ~ intrång i
upphovsrätten
II *vb tr* förvärva (få) copyright på
copywriter ['kɒpɪˌraɪtə] *s* copywriter,
[reklam]textförfattare
coquetry ['kɒkətrɪ, 'kəʊk-] *s* koketteri
coquette [kɒ'ket, kə(ʊ)'k-] *s* kokett [kvinna]
coquettish [kɒ'ketɪʃ, kə(ʊ)'k-] *adj* kokett

cor [kɔː] *interj* sl. dial. jösses!; **~!** el. **~ blimey!** kors i jösse namn!

coracle [ˈkɒrəkl] *s* fiskarbåt rund läderklädd videbåt på Irland o. i Wales

coral [ˈkɒr(ə)l] **I** *s* korall **II** *adj* korallröd, korallfärgad

coral island [ˈkɒr(ə)l,aɪlənd] *s* korallö

coral reef [ˈkɒr(ə)lriːf] *s* korallrev

cor anglais [ˌkɔːˈrɒŋgleɪ, -ɑːŋ-] (pl. *cors anglais* utt. som sg.) *s* mus. engelskt horn

cord [kɔːd] *s* **1** rep, snöre, lina, streck, snodd, stropp, vanl. amer. elektr. sladd **2** anat. sträng; **spinal ~** ryggmärg; **umbilical ~** navelsträng; **vocal ~s** stämband, stämläppar; **cut the ~** klippa av navelsträngen äv. bildl. **3** tyg med upphöjda ränder; spec. cord, manchester; pl. **~s** manchesterbyxor **4** cord i bl.a. bildäck

cordial [ˈkɔːdɪəl] **I** *adj* hjärtlig, varm [*a ~ smile*] **II** *s* fruktvin; [frukt]saft

cordiality [ˌkɔːdɪˈælətɪ] *s* hjärtlighet, värme, älskvärdhet, hjärtligt ord

cordite [ˈkɔːdaɪt] *s* kordit röksvagt krut

cordless [ˈkɔːdləs] *adj* elektr. sladdlös [*~ shaver*; *~ phone*]

cordon [ˈkɔːdn] **I** *s* kordong, [avspärrnings]kedja; **police ~** poliskedja, polisspärr; **form a ~** äv. bilda häck **II** *vb tr*, **~ off** spärra av med poliskedja

cordon bleu [ˌkɔːdɒnˈblɜː] *adj* kok. (fr.) cordon bleu; av högsta klass [*~ cooking*]

corduroy [ˈkɔːdərɔɪ, -djʊr-] *s* manchester[sammet]; attr. manchester- [*~ jacket*]; pl. **~s** manchesterbyxor

CORE [kɔː] (förk. för [*the*] *Congress of Racial Equality*) kongressen för rasjämlikhet i USA

core [kɔː] **I** *s* **1** kärnhus **2** bildl. kärna [*a ~ of resistance*]; kärnpunkt; **the ~ of** äv. det innersta (centrala) i; **to the ~** helt och hållet, alltigenom [*English to the ~*]; hundraprocentigt, genom-; [ända] in i själen [*touched to the ~*]; **rotten to the ~** bildl. genomrutten, korrumperad **3** tekn. kärna, innersta del; **the ~** äv. det inre, stommen **4** fys. härd, reaktorhärd
II *vb tr* ta ut kärnhuset ur, kärna ur

core hours [ˈkɔːraʊəz] *s pl* fixtid

corer [ˈkɔːrə] *s* äppelpipa köksredskap

co-respondent [ˌkəʊrɪˈspɒndənt] *s* medsvarande i ett skilsmässomål

core subject [ˌkɔːˈsʌbdʒekt] *s* skol. kärnämne

core time [ˈkɔːtaɪm] *s* fixtid

corgi [ˈkɔːgɪ] *s*, **~** el. **Welsh ~** Welsh Corgi hund

coriander [ˌkɒrɪˈændə] *s* bot. koriander

Corinthian [kəˈrɪnθɪən] **I** *adj* korintisk **II** *s* korintier; **the First Epistle to the ~s** Första Korintierbrevet

cork [kɔːk] **I** *s* **1** kork ämne **2** kork propp **3** korkflöte **II** *vb tr* sätta en kork (korken) i, korka igen

corkage [ˈkɔːkɪdʒ] *s* korkpengar avgift för förtäring av medhavt vin på restaurang

corked [kɔːkt] *adj* om vin med korksmak

corker [ˈkɔːkə] *s* vard. praktexemplar; pangsak

cork jacket [ˌkɔːkˈdʒækɪt] *s* **1** korkbälte **2** flytväst [av kork]

corkscrew [ˈkɔːkskruː] **I** *s* korkskruv **II** *adj* korkskruvs- [*~ curls*] **III** *vb itr* vard. slingra (skruva) sig

corkscrew staircase [ˌkɔːkskruːˈsteəkeɪs] *s* spiraltrappa

corky [ˈkɔːkɪ] *adj* korkartad; **~ taste** korksmak

cormorant [ˈkɔːm(ə)r(ə)nt] *s* zool. **1** skarv, kormoran **2** storskarv, ålkråka

Corn förk. för *Cornwall*

1 corn [kɔːn] *s* **1** säd äv. växande, spannmål **2 a)** i större delen av Storbritannien vanl. vete **b)** skotsk. el. irl. havre **c)** amer. el. austral., **~** el. **Indian ~** majs; **~ on the cob** [kokta] majskolvar som maträtt **3** [sädes]korn; pepparkorn **4** sl. banal (sentimental) smörja, trams

2 corn [kɔːn] *s* liktorn; jfr *tread I* ex.

cornball [ˈkɔːnbɔːl] *adj* vanl. amer. vard. töntig, larvig, fånig

cornbread [ˈkɔːnbred] *s* amer. majsbröd, majskaka

corncob [ˈkɔːnkɒb] *s* majskolv; **~** el. **~ pipe** majskolvspipa

corncrake [ˈkɔːnkreɪk] *s* zool. kornknarr, ängsknarr

cornea [ˈkɔːnɪə, kɔːˈniːə] *s* anat. hornhinna

corned beef [ˌkɔːndˈbiːf] *s* hackat konserverat kött; amer. kokt saltat och kryddat kött

cornelian [kɔːˈniːlɪən] *s* miner. karneol

Cornell amer. universitet kɔːˈnel]

corner [ˈkɔːnə] **I** *s* **1** hörn [*in a ~ of the room*]; hörna; **~ seat** hörnplats a) [gat]hörn [*there is a shop on (at) the ~*] b) flik, snibb; **cut a ~** ta en genväg; inte ta ut svängen kring ett hörn (i en kurva); **cut ~s** bildl. ta genvägar; rationalisera; **turn the ~** vika (vända) om hörnet; bildl. komma över (klara) det värsta; **he has turned the ~** bildl. äv. han har det värsta bakom sig; **[just] round the ~** [alldeles] om hörnet (knuten), strax intill; bildl. omedelbart förestående, inom räckhåll; **be round the ~** bildl. äv. ha klarat sig, vara utom fara; **be in a tight ~** se under *tight I 1*; **back (force) sb into a ~** klämma åt ngn; ställa ngn mot väggen **2** vinkel; **the ~s of her mouth** hennes mungipor; **look at sb out of the ~ of one's eye** snegla på ngn **3** friare **a)** hörn [*the four ~s of the earth*] **b)** vrå, krypin, skrymsle **c)** skamvrå [*put a boy in the ~*]; kantighet [*knock (rub) off sb's ~s*] **4** sport. **a)** fotb. hörna; **take a ~** lägga en hörna **b)** boxn. hörna; **be in sb's ~** vara ngns sekond **5** börs. corner; **make a ~ in** köpa upp i spekulationssyfte
II *vb tr* **1** perf. p. **~ed** i sammansättn. -vinklig, -kantig [*three-cornered*] **2** tränga in i ett hörn; bildl. sätta i knipa, sätta fast; göra ställd (förlägen) [*the question ~ed me*] **3** börs. [genom en corner] behärska (slå under sig) [*~ the market*]
III *vb itr* **1** ta kurvor[na] [*the car can ~ very fast*] **2** börs. bilda en corner

corner flag [ˈkɔːnəflæg] *s* sport. hörnflagga

corner kick [ˈkɔːnəkɪk] *s* fotb. hörnspark, hörna

corner shop [ˈkɔːnəʃɒp] *s* närbutik

cornerstone [ˈkɔːnəstəʊn] *s* hörnsten, bildl. äv. grundval

cornet [ˈkɔːnɪt] *s* **1** mus. kornett **2** glasstrut

cornfield [ˈkɔːnfiːld] *s* sädesfält; amer. majsfält

cornflakes [ˈkɔːnfleɪks] *s pl* cornflakes, majsflingor

cornflour [ˈkɔːnflaʊə] *s* **1** majsmjöl, majsena **2** finsiktat mjöl

cornflower [ˈkɔːnflaʊə] *s* bot. blåklint

Cornhusker State [ˈkɔːn,hʌskəˈsteɪt], **the ~** beteckn. för staten *Nebraska*

cornice ['kɔ:nɪs] s kornisch; taklist
Cornish ['kɔ:nɪʃ] **I** adj från (i) Cornwall; cornisk
II s corniska [språket] nu utdött
Cornish cream [ˌkɔ:nɪʃ'kri:m] s mycket tjock grädde från Cornwall
Cornish pasty [ˌkɔ:nɪʃ'pæstɪ] s slags pirog med kött, potatis o. lök
corn oil ['kɔ:nɔɪl] s majsolja
corn pone ['kɔ:npəʊn] s amer., slags majsbröd
corn row ['kɔ:nrəʊ] s slags karibisk frisyr med små hårda flätor i parallella rader
cornstarch ['kɔ:nstɑ:tʃ] s amer. majsena, majsmjöl
cornucopia [ˌkɔ:njʊ'kəʊpɪə] s litt. överflöd
Cornwall ['kɔ:nw(ə)l] geogr.
corny ['kɔ:nɪ] adj vard. **1** banal och sentimental, tårdrypande [~ music] **2** fånig, larvig, töntig [~ jokes]
corolla [kə'rɒlə] s bot. [blom]krona
corollary [kə'rɒlərɪ, amer. 'kɒrəˌlerɪ] s naturlig följd, resultat
coron|a [kə'rəʊn|ə] (pl. -ae [-i:] el. -as) s korona, krans; [sol]korona
coronary ['kɒrən(ə)rɪ] med. **I** adj krans-, koronar-, koronarkärls-; ~ **heart disease** (förk. CHD) koronorkärlssjukdom, kranskärlssjukdom **II** s vard. hjärtinfarkt
coronary artery [ˌkɒrən(ə)rɪ'ɑ:tərɪ] s anat. kransartär, kranskärl
coronary thrombosis ['kɒrən(ə)rɪˌθrɒm'bəʊsɪs] s med. koronartrombos; vard. hjärtinfarkt
coronation [ˌkɒrə'neɪʃ(ə)n] s kröning
coroner ['kɒrənə] s jur. coroner ämbetsman som utreder orsaken till dödsfall vid misstanke om mord o.d.; ~**'s inquest** [av coroner och jury anställt] förhör om dödsorsaken; ~**'s jury** jury som biträder coroner
coronet ['kɒrənət] s [furstlig el. adlig] krona
corp. förk. för 1 corporal, corporation
corpora ['kɔ:pərə] s pl. av corpus
1 corporal ['kɔ:p(ə)r(ə)l] s mil. **1** britt. furir gruppbefäl inom armén el. flyget; yngre: korpral gruppbefäl inom flyget **2** amer. korpral gruppbefäl inom armén
2 corporal ['kɔ:p(ə)r(ə)l] adj kroppslig, kropps-; lekamlig; personlig [~ possession]
corporal punishment [ˌkɔ:p(ə)r(ə)l'pʌnɪʃmənt] s kroppsaga, kroppsstraff
corporate ['kɔ:p(ə)rət] adj **1** bolags-, företags-; ~ **identity** el. ~ **image** företagsprofil **2** korporativ [~ state]; tillhörande en korporation; ~ **body** korporation, jur. äv. juridisk person; ~ **town** stadskommun **3** gemensam, kollektiv, samfälld [~ responsibility]; kår- [~ spirit]
corporate raider [ˌkɔ:p(ə)rət'reɪdə] s finanspirat
corporation [ˌkɔ:pə'reɪʃ(ə)n] s **1 a)** [statligt] bolag [British Broadcasting Corporation] **b)** amer. [aktie]bolag **c)** bolags- [~ taxes] **2** korporation, kår; samfund **3 a)** kommunstyrelse **b)** attr. kommunal [~ tramways]; ~ **houses** kommunala bostadshus
corporation tax [ˌkɔ:pə'reɪʃ(ə)ntæks] s bolagsskatt
corporatism ['kɔ:pərətɪzm] s polit. korporatism
corporeal [kɔ:'pɔ:rɪəl] adj kroppslig, lekamlig [~ needs]; fysisk; materiell [~ property]
corps [kɔ:] (pl. corps [kɔ:z]) s kår; **army** ~ armékår; **diplomatic** ~ diplomatisk kår

corps de ballet [ˌkɔ:də'bæleɪ] s fr. balett[kår]
corpse [kɔ:ps] s lik
corpulence ['kɔ:pjʊləns] s korpulens, fetma
corpulent ['kɔ:pjʊlənt] adj korpulent, fet
corp|us ['kɔ:p|əs] (pl. -ora [-ərə]) s **1** [skrift]samling; samlad produktion [the Dickens ~] **2** språkv. korpus ordmassa, textmassa
corpuscle ['kɔ:pʌsl, kɔ:'pʌsl] s anat. blodkropp [äv. blood ~]
corral [kə'rɑ:l] vanl. amer. **I** s fålla, inhägnad för djur **II** vb tr **1** stänga (driva) in i en fålla **2** vard. få tag i, lägga beslag på, hugga
correct [kə'rekt] **I** adj **1** rätt, riktig, felfri, korrekt; exakt; sann; **be** ~ **a)** vara rätt (riktig), stämma **b)** ha rätt; **that's ~!** äv. det stämmer!; **the** ~ **amount** [of money] rätt summa, jämna pengar **2** korrekt [till sättet]; regelrätt; passande, riktig; **be** ~ **for** passa (lämpa sig) för; **the** ~ **thing** det riktiga (passande)
II vb tr **1** rätta; rätta till, korrigera, justera; ändra; ~ **proofs** läsa korrektur; ~ **one's watch by** [the time signal] ställa klockan rätt efter...; **I stand ~ed** jag erkänner mitt misstag **2** tillrättavisa; tukta; bestraffa **3** avhjälpa, råda bot på; hjälpa upp
correction [kə'rekʃ(ə)n] s **1** rättning, rättelse; korrigering, justering; ändring; förbättring; ~**!** Fel [av mig]! **2** åld. tillrättavisning; bestraffning
correctional [kə'rekʃ(ə)nl] adj vanl. amer. jur. kriminalvårds-; ~ **facility** fängelse; ~ **treatment** kriminalvård
correction fluid [kə'rekʃ(ə)nˌflu:ɪd] s korrekturlack
corrective [kə'rektɪv] **I** adj korrigerande, förbättrande, rättande, förbättrings-, korrigerings- [~ lenses]; ~ **training** jur., ung. skyddsuppfostran, förbättringsarbete
II s **1** korrektiv, botemedel [of, to mot], medel till rättelse **2** neutraliserande medel
correlate ['kɒrəleɪt] **I** vb tr o. vb itr sätta (stå) i relation [with, to till], korrelera [with, to med] **II** s korrelat, motsvarighet [height and depth are ~s]
correlation [ˌkɒrə'leɪʃ(ə)n] s korrelation
correlative [kɒ'relətɪv] **I** adj korrelativ, motsvarande **II** s korrelat ord (begrepp)
correspond [ˌkɒrɪ'spɒnd] vb itr **1** motsvara varandra; stämma överens; ~ **to** el. ~ **with** motsvara, utgöra motsvarighet till [the American Congress ~s to the British Parliament]; vara likvärdig med; sammanfalla med **2** brevväxla [with med]
correspondence [ˌkɒrɪ'spɒndəns] s **1** brevväxling, korrespondens; **be in** ~ **with** brevväxla med; **keep up a** ~ brevväxla **2** motsvarighet [to]; överensstämmelse [with]
correspondence column [ˌkɒrɪ'spɒndənsˌkɒləm] s insändarspalt
correspondence school [ˌkɒrɪ'spɒndənssku:l] s korrespondensinstitut, brevskola
correspondent [ˌkɒrɪ'spɒndənt] **I** s **1** tidn. korrespondent; **our special** ~ vår utsände medarbetare **2** brevskrivare
II adj motsvarande, liknande, analog; **be** ~ **with** motsvara
corresponding [ˌkɒrɪ'spɒndɪŋ] adj motsvarande
correspondingly [ˌkɒrɪ'spɒndɪŋlɪ] adv på motsvarande sätt, i motsvarande grad

corridor ['kɒrɪdɔ:] *s* korridor
corroborate [kə'rɒbəreɪt] *vb tr* bestyrka, bekräfta
corroboration [kə,rɒbə'reɪʃ(ə)n] *s* bekräftande; *in ~ of* till bestyrkande av, som bekräftelse på
corroborative [kə'rɒb(ə)rətɪv] *adj* bestyrkande, bekräftande
corrode [kə'rəʊd] **I** *vb tr* fräta [på]; fräta bort (sönder)
II *vb itr* **1** fräta [sig] [*into, through*] **2** frätas sönder (bort)
corrosion [kə'rəʊʒ(ə)n] *s* korrosion; frätning; sönderfrätande, bortfrätande
corrosion-resistant [kə,rəʊʒ(ə)nrɪ'zɪst(ə)nt] *adj* rostbeständig, rosthärdig, motståndskraftig mot rost
corrosive [kə'rəʊsɪv] *adj* korrosions-; frätande; etsnings-
corrugated ['kɒrəgeɪtɪd] *adj*, *~ iron* korrugerad järnplåt; *~ cardboard* wellpapp; *~ road* guppig väg
corrugation [,kɒrə'geɪʃ(ə)n] *s* korrugering, vågbildning; vågformig ojämnhet
corrupt [kə'rʌpt] **I** *adj* **1** korrumperad; korrupt [*~ system*]; *~ practices* bedrägligt förfarande; mutor vid val, valfusk **2** [moraliskt] fördärvad, depraverad **3** förvrängd, förvanskad; språkv. korrumperad, korrupt **4** data. skadad [*~ files*]
II *vb tr* **1** [moraliskt] fördärva, göra depraverad **2** korrumpera, muta **3** förvränga; förvanska text; språkv. korrumpera **4** data. skada
corruptible [kə'rʌptəbl] *adj* mutbar, besticklig, fal
corruption [kə'rʌpʃ(ə)n] *s* **1** korruption, mutning; mutsystem **2** fördärvande; sedefördärv **3** förvrängning, förvanskning **4** data., *data ~* datadistortion
corruptness [kə'rʌptnəs] *s* korruption, fördärv, ruttenhet
corsage [kɔ:'sɑ:ʒ] *s* bröstbukett
corset ['kɔ:sɪt] *s* **1** korsett äv. med., snörliv **2** vard. bildl. tvångströja [*a bureaucratic ~*]
Corsica ['kɔ:sɪkə] geogr. Korsika
Corsican ['kɔ:sɪkən] **I** *adj* korsikansk **II** *s* korsikan, korsikanska kvinna
cortège [kɔ:'teɪʒ, -'teʒ] *s* fr. **1** kortege, tåg; *funeral ~* begravningståg **2** följe
cort|ex ['kɔ:t|eks] (pl. *-ices* [-ɪsi:z]) *s* anat. bark; *cerebral ~* hjärnbark
cortices ['kɔ:tɪsi:z] *s* pl. av *cortex*
cortisone ['kɔ:tɪzəʊn] *s* farmakol. cortison
coruscating ['kɒrəskeɪtɪŋ] *adj* gnistrande, blixtrande [*~ jewels*; *~ wit*]
corvette [kɔ:'vet] *s* sjö. korvett
COS [,si:əʊ'es] förk. för *Chief of Staff*
'cos [kɒz] *konj* o. *adv* vard., se *because*
1 cos [kɒs] *s* bot. el. kok., se *cos lettuce*
2 cos [kɒz, kɒs] förk. för *cosine*
Cosa Nostra [,kəʊzə'nɒstrə] *s*, *the ~* Cosa Nostra maffiaorganisation i USA
cosh [kɒʃ] sl. **I** *s* [gummi]batong med inlagd blyklump
II *vb tr* slå [till] med en batong
cosignatory [,kəʊ'sɪgnət(ə)rɪ] **I** *adj* medundertecknande **II** *s* medundertecknare
cosigner ['kəʊ,saɪnə] *s* amer. borgensman
cosine ['kəʊsaɪn] (förk. *cos*) *s* matem. kosinus
cosiness ['kəʊzɪnəs] *s* [hem]trevlighet etc., jfr *cosy*

cos lettuce [,kɒs'letɪs] *s* bot. el. kok. bindsallat
cosmetic [kɒz'metɪk] *adj* **1** kosmetisk, kosmetik- **2** bildl. **a)** ovidkommande, utan praktisk betydelse, påklistrad, ytlig **b)** förskönande
cosmetician [,kɒzmə'tɪʃ(ə)n] *s* kosmetolog
cosmetics [kɒz'metɪks] *s pl* skönhetsmedel, kosmetika
cosmetic surgery [kɒz,metɪk'sɜ:dʒ(ə)rɪ] *s* kosmetisk kirurgi skönhetsoperation
cosmetologist [,kɒzmə'tɒlədʒɪst] *s* kosmetolog
cosmic ['kɒzmɪk] *adj* **1** kosmisk **2** skämts. gigantisk, kolossal
cosmic rays [,kɒzmɪk'reɪz] *s pl* kosmisk strålning
cosmologist [kɒz'mɒlədʒɪst] *s* kosmolog
cosmology [kɒz'mɒlədʒɪ] *s* kosmologi vetenskapen om universum
cosmonaut ['kɒzmənɔ:t] *s* kosmonaut
cosmopolitan [,kɒzmə'pɒlɪt(ə)n] **I** *adj* kosmopolitisk **II** *s* kosmopolit, världsmedborgare
cosmos ['kɒzmɒs] *s*, *the ~* kosmos, världsalltet
Cossack ['kɒsæk] *s* kosack
cosset ['kɒsɪt] *vb tr* klema med
cost [kɒst] **I** *s* **1** kostnad[er], pris [*of* för]; bekostnad; pl. *~s* omkostnad[er], kostnad[er]; *~ and freight* (förk. *CAF*) som transportklausul fraktfritt, c & f; *the ~ of living* levnadskostnaderna; *prime ~* inköpspris, tillverkningspris, självkostnadspris; *first ~* tillverkningspris; anskaffningskostnad[er]; *count the ~* beräkna kostnaderna; bildl. tänka på följderna; *at ~* till inköpspris (självkostnadspris); *at the ~ of* bildl. på bekostnad av; till priset av; *at all ~s* el. *at any ~* till varje pris; *as I know to my ~* som jag vet av bitter erfarenhet, som jag minsann (tyvärr) har fått känna på **2** jur., pl. *~s* rättegångskostnader [*he had to pay £150 fine* (i böter) *and £50 ~s*]
II (*cost cost*, i betydelse *2 ~ed ~ed*) *vb itr* o. *vb tr* **1** kosta; *~ sb dear* stå ngn dyrt; [*tickets are still available*] *but they'll cost you!* ...men det kommer att kosta! **2** hand. göra kostnadsberäkningar [för], kostnadsberäkna [*the job was ~ed at £850*]; bestämma pris [på]
cost accounting ['kɒstə,kaʊntɪŋ] *s* kostnadsberäkning
co-star ['kəʊstɑ:] **I** *s* person som spelar ena huvudrollen (en av huvudrollerna); motspelare [*of* till] **II** *vb tr* o. *vb itr*, *he ~red* (*was ~red*) *with her* han spelade mot henne
Costa Rica [,kɒstə'ri:kə] geogr.
Costa Rican [,kɒstə'ri:kən] **I** *s* costarican, costaricanska kvinna **II** *adj* costaricansk
cost-benefit analysis [,kɒst'benɪfɪtə,næləsɪs] *s* kostnads- och intäktsanalys
cost-cutting ['kɒstkʌtɪŋ] *s* kostnadsbesparing
cost-effective [,kɒstɪ'fektɪv] *adj* lönande, kostnadseffektiv, lönsam
costing ['kɒstɪŋ] *s* [produktions]kostnadsberäkning, kalkylering, finansiering
costly ['kɒstlɪ] *adj* dyrbar; dyr, kostsam
cost-of-living [,kɒstəv'lɪvɪŋ] *adj*, *~ allowance* (*bonus*) dyrtidstillägg; *~ index* levnadskostnadsindex
cost price [,kɒst'praɪs] *s* inköpspris,

självkostnadspris; *at* ~ till inköpspris
(självkostnadspris)
cost-prohibitive [ˌkɒstprəˈhɪbɪtɪv] *adj* för
kostnadskrävande, inte ekonomiskt försvarbar
costume [ˈkɒstjuːm] **I** *s* **1** dräkt, folkdräkt,
nationaldräkt; klädedräkt **2** teat. kostym **3** se
swimming costume
II *vb tr* kostymera; leverera kostymer till
costume drama [ˈkɒstjuːmˌdrɑːmə] *s* **1** kostympjäs
2 kostymfilm
costume jewellery [ˈkɒstjuːmˌdʒuːəlrɪ] *s*
bijouterier, enklare smycken
costume party [ˈkɒstjuːmˌpɑːtɪ] *s* amer. maskerad
cosy [ˈkəʊzɪ] **I** *adj* [hem]trevlig, trivsam, skön,
mysig; bekväm, behaglig; gemytlig
II *s* **1** huv; se *tea cosy* **2** se *egg cosy*
III *vb tr*, ~ *up to* försöka ställa sig in hos
1 cot [kɒt] *s* barnsäng, babysäng, spjälsäng; säng på
barnsjukhus
2 cot [kɒt] matem. förk. för *cotangent*
cotangent [ˌkəʊˈtæn(d)ʒ(ə)nt] (förk. *cot*) *s* matem.
cotangens, kotangent
cot death [ˈkɒtdeθ] *s* med. plötslig spädbarnsdöd
Côte d'Ivoire [ˌkəʊtdɪˈvwɑː] *s* geogr. Elfenbenskusten
coterie [ˈkəʊtərɪ] *s* kotteri
coterminous [ˌkəʊˈtɜːmɪnəs] *adj* **1** som har
gemensam gräns; *be* ~ gränsa till varandra; *be* ~
with gränsa till **2** som sammanfaller i rum, tid el.
betydelse
Cotswolds [ˈkɒtswəʊldz, -wəldz] *s pl* geogr., *the* ~
Cotswolds bergstrakt i sydvästra England
cottage [ˈkɒtɪdʒ] *s* [litet] hus; stuga, torp[stuga];
country ~ [litet] landställe
cottage cheese [ˌkɒtɪdʒˈtʃiːz] *s* keso®, kvark,
kvarg
cottage hospital [ˌkɒtɪdʒˈhɒspɪtl] *s* sjukstuga, litet
sjukhus
cottage industry [ˌkɒtɪdʒˈɪndəstrɪ] *s* hemindustri
cottage loaf [ˌkɒtɪdʒˈləʊf] (pl. *cottage loaves*) *s* runt
matbröd med rund bulle ovanpå
cottager [ˈkɒtɪdʒə] *s* åld. **1** person som bebor en
stuga, stugägare **2** lantarbetare
cotton [ˈkɒtn] **I** *s* **1** bot. bomull **2 a)** bomull tyg
b) [bomulls]tråd **3** attr. bomulls-; av bomull
II *vb itr* med prep. el. adv.:
cotton on vard.: ~ *on* [*to it*] haja, fatta [galoppen]; ~
on to sth fatta (begripa) ngt, snappa upp ngt
cotton to el. **cotton up to** amer. vard. **a)** bli god vän
med, fatta tycke för **b)** vara (gå) med på, gilla,
fastna för
cotton bud [ˈkɒtnbʌd] *s* bomullspinne
cotton candy [ˌkɒtnˈkændɪ] *s* amer. sockervadd
cotton mill [ˈkɒtnmɪl] *s* bomullsväveri,
bomullsspinneri
cotton-picking [ˈkɒtnˌpɪkɪŋ] *adj* amer. sl. jävla,
förbannad
cottonseed [ˈkɒtənsiːd] *s* bot. bomullsfrö
Cotton State [ˈkɒtnsteɪt], *the* ~ beteckn. för staten
Alabama
cottontail [ˈkɒtnteɪl] *s* zool. bomullssvanskanin
nordamerikansk art
cotton waste [ˌkɒtnˈweɪst] *s* [bomulls]trassel
cottonwood [ˌkɒtnˈwʊd] *s* bot. kanadapoppel
cotton wool [ˌkɒtnˈwʊl] *s* råbomull; bomull, vadd

cotton wool ball [ˌkɒtnwʊlˈbɔːl] *s* bomullstuss
cotyledon [ˌkɒtɪˈliːd(ə)n] *s* bot. hjärtblad
couch [kaʊtʃ] **I** *s* dyscha, schäslong, [bädd]soffa;
bänk för massage o.d.
II *vb tr* uttrycka, avfatta [~*ed in insolent terms*];
dölja, innefatta mening, tanke o.d.
couchette [kuːˈʃet] *s* fr. **1** järnv. liggvagnsplats **2** sjö.,
nedfällbar brits; liggfåtölj
couch grass [ˈkaʊtʃgrɑːs] *s* bot. kvickrot
couch potato [ˌkaʊtʃpə(ə)ˈteɪtəʊ] (pl. ~*s*) *s* vard.
tv-freak, soffpotatis
cougar [ˈkuːgə] *s* zool. puma
cough [kɒf] **I** *vb itr* o. *vb tr* hosta; ~ *up* a) hosta [~ *up*
blood] b) hosta upp äv. bildl. **II** *s* hosta; hostning
cough drop [ˈkɒfdrɒp] *s* o. **cough lozenge**
[ˈkɒfˌlɒzɪn(d)ʒ] *s* halstablett, hosttablett
cough mixture [ˈkɒfˌmɪkstʃə] *s* hostmedicin
could [kʊd, obeton. kəd] *hjälpvb* (imperf. av *1 can*)
1 kunde; skulle kunna; orkade [*how* ~ *he carry*
that heavy case?]; ~ *be!* kanske det!, det är mycket
möjligt; *he is as nice as* ~ *be* han är det snällaste
som finns (man kan tänka sig) **2** kunde (skulle
kunna) få [~ *I speak to Mr Smith?*] **3 I** ~ *do with a*
drink! jag skulle behöva (vilja ha) en drink!; *my hair*
~ *have done with a wash* mitt hår skulle behöva
tvättas
couldn't [ˈkʊdnt] = *could not*; *you* ~ *help me, could*
you? skulle du kunna (vilja vara snäll och) hjälpa
mig?; [*Have another slice of cake.*] – *I really* ~
…Tack, jag orkar inte mer (jag är mätt)
council [ˈkaʊnsl, -sɪl] *s* **1** råd; rådsförsamling; *town*
~ el. *city* ~ ung. kommunfullmäktige; *the Council* EU.,
se *European Council* **2** styrelse
council estate [ˈkaʊnslɪˌsteɪt] *s* kommunalt
bostadsområde
council flat [ˈkaʊnslflæt] *s* kommunalägd lägenhet
council house [ˈkaʊnslhaʊs] *s* kommunalägt
bostadshus (småhus, parhus)
councillor [ˈkaʊnsələ] *s* rådsmedlem; ~ el. *town* el.
city ~ ung. kommunfullmäktig
councilman [ˈkaʊnslmæn] *s* i USA ung.
kommunfullmäktig
Council of Europe [ˌkaʊnsləvˈjʊərəp], *the* ~
Europarådet
Council of Ministers [ˌkaʊnsləvˈmɪnɪstəz] EU., *the* ~
Ministerrådet
council of war [ˌkaʊnsləvˈwɔː] *s* krigsråd
counsel [ˈkaʊns(ə)l] **I** *s* **1 a)** råd, maning, anvisning
b) rådslut **c)** plan, avsikt; *keep one's own* ~ behålla
sina tankar (planer) för sig själv **2** (pl. *counsel*)
advokat som biträder part vid rättegång,
rättegångsbiträde; ~ *for the defence* el. *defence* ~
försvarsadvokat[en], svarandesidans advokat; ~ *for*
the plaintiff kärandesidans advokat; ~ el. ~ *for the*
prosecution åklagare **3** överläggning; *take* ~
rådgöra [*with* med; *together* med varandra]
II *vb tr* **1** råda ngn **2** tillråda, förorda; mana till [~
patience]
counselling [ˈkaʊnsəlɪŋ] *s* rådgivning; *student* ~
service studierådgivning, studievägledning
counsellor [ˈkaʊnsələ] *s* **1** rådgivare; ~ el. *student* ~
studierådgivare, studievägledare **2** irl. el. amer.
advokat (ofta i tilltal) **3** amer. lägerledare
1 count [kaʊnt] **I** *vb tr* **1 a)** räkna **b)** räkna till [~

three] **c**) räkna in (ihop, samman) **d**) räkna upp
e) beräkna, räkna ut [~ *one's profits*]; ~ *one's*
blessings se under *blessing*; ***stand up and be ~ed*** bildl.
göra sin röst hörd, ta ställning; *who is ~ing?* vard.
vem orkar hålla räkning? **2** inberäkna, räkna med;
six, ~ing the driver sex, föraren medräknad (med
föraren); ~ *sb among* [*one's friends*] räkna ngn
bland (till)... **3** anse (räkna) som (för) [äv. ~ *as*]; ~
oneself fortunate (***lucky***) skatta sig lycklig **4** gälla
[för] [*the ace ~s 10*]
 II *vb itr* **1** räkna [~ *up to* ([ända] till) *ten*]
2 a) räknas, betyda något, ha betydelse, spela en
roll **b**) räknas med, tas med i beräkningen; ~ *among*
räknas bland, höra till
 III *vb tr* o. *vb itr* med adv.:
 count against sb vara en nackdel (ett minus) för
ngn, ligga ngn i fatet
 count down räkna ner t.ex. inför start
 count in inberäkna, räkna med; ~ *me in* el. *you can ~*
me in räkna med mig också; äv. jag vill också vara
med
 count on el. **count upon** räkna (lita) på, räkna med; ~
[*up*]*on sb to do sth* räkna med att ngn ska göra ngt
 count out a) räkna upp t.ex. pengar **b**) boxn. räkna ut
c) lämna ur räkningen, inte räkna med [~ *me out*];
~ *me out* el. *you can ~ me out* äv. jag vill inte vara
med, jag är inte med på det
 count up räkna (summera) ihop
 IV *s* **1** [samman]räkning; slutsumma; ~ [*of votes*]
rösträkning; ***keep ~ of*** hålla räkning på, räkna; ***lose***
~ tappa [bort] räkningen **2** boxn. räkning; ***take the ~***
gå ner för räkning äv. bildl.; ***be out for the ~*** boxn. vara
uträknad; bildl. vara väck (borta) **3 a**) jur.
anklagelsepunkt, åtalspunkt **b**) fall, hänseende [*on*
(i) *two ~s*]; punkt **4** med. värde [*blood ~*]; halt
[*pollen ~*] **5** ~ *noun* se *countable*
2 count [kaʊnt] *s* icke-brittisk greve
countable ['kaʊntəbl] *adj* som kan räknas,
räknebar, gram. äv. pluralbildande [~ *noun*]
countdown ['kaʊntdaʊn] *s* nedräkning vid t.ex. start
countenance ['kaʊntənəns] **I** *s* litt. **1** ansikte, anlete
2 ansiktsuttryck, uppsyn; min [*change ~*]
 II *vb tr* uppmuntra, understödja; tillåta, gilla, tåla,
tolerera
1 counter ['kaʊntə] *s* **1** i butik o.d. disk [*sell under the*
~]; bardisk; kassa; ***lunch ~*** lunchbar **2** amer.
arbetsbänk, köksbänk **3** räknare; räkneverk
4 [spel]mark; pjäs, bricka, jetong **5** pollett
2 counter ['kaʊntə] **I** *adj* mot-; kontra-; motsatt;
stridig, fientlig; ***be ~ to*** strida mot, vara oförenlig
med
 II *adv* i motsatt riktning; ~ *to* tvärt emot, stick i
stäv mot [*act ~ to sb's wishes*]; ***run ~ to*** bildl. gå rakt
(tvärt) emot, strida mot
 III *vb tr* **1** motsätta sig, motarbeta **2** bemöta,
besvara, svara på [*they ~ed our proposal with one*
of their own] **3 a**) schack. besvara [med motdrag],
möta **b**) boxn., ~ *sb* ge ngn ett kontraslag
 IV *vb itr* boxn. kontra, kontraslå
 V *s* **1** motsats **2** svar [*to* på] **3** boxn. kontraslag,
kontring
counteract [ˌkaʊntər'ækt] *vb tr* motverka,
motarbeta, hindra, bekämpa; neutralisera; ~ *sth* el.
~ *the effects of sth* förta verkningarna av ngt

counteraction [ˌkaʊntər'ækʃ(ə)n, i betydelse 2
'kaʊntərˌækʃ(ə)n] *s* **1** motarbetande, motverkan,
motstånd **2** motaktion
counterargument [ˌkaʊntə'rɑːgjʊmənt] *s*
motargument
counterattack ['kaʊnt(ə)rəˌtæk] **I** *s* motanfall **II** *vb*
tr göra motanfall mot **III** *vb itr* göra motanfall
counterattraction ['kaʊnt(ə)rəˌtrækʃ(ə)n] *s*
konkurrerande dragplåster (attraktion)
counterbalance [subst. 'kaʊntəˌbæləns, verb ˌ--'--] **I** *s*
motvikt **II** *vb tr* motväga, uppväga
counterbid ['kaʊntəbɪd] *s* hand. motbud
counterblast ['kaʊntəblɑːst] *s* våldsamt
motangrepp, häftig protest
countercharge ['kaʊntətʃɑːdʒ] **I** *s* motanklagelse,
motbeskyllning **II** *vb tr* framföra motanklagelser
mot
counterclockwise [ˌkaʊntə'klɒkwaɪz] *adv* amer.
moturs
counterculture ['kaʊntəˌkʌltʃə] *s* motkultur,
alternativ kultur
counterespionage [ˌkaʊntər'espɪənɑːʒ] *s*
kontraspionage
counter-evidence [ˌkaʊntər'evɪd(ə)ns] *s* motbevis
counterfeit ['kaʊntəfɪt, -fiːt] **I** *adj* **1** förfalskad;
falsk, oäkta **2** hycklad, spelad
 II *vb tr* förfalska
 III *s* efterapning, förfalskning
counterfeiter ['kaʊntəˌfɪtə, -ˌfiːtə] *s* förfalskare;
spec. falskmyntare
counterfoil ['kaʊntəfɔɪl] *s* talong, stam på biljetthäfte
o.d., kupong, mottagardel
counter-insurgency [ˌkaʊntərɪn'sɜːdʒ(ə)nsɪ] *s*
militär motaktion mot gerillaverksamhet o.d.
counterintelligence [ˌkaʊntərɪn'telɪdʒ(ə)ns] *s*
1 kontraspionage **2** ung. säkerhetstjänst
countermand [ˌkaʊntə'mɑːnd, '---] *vb tr*
1 annullera, upphäva **2** ge kontraorder om
countermeasure ['kaʊntəˌmeʒə] *s* motåtgärd
counteroffensive [ˌkaʊntərə'fensɪv] *s* motoffensiv
counterpane ['kaʊntəpeɪn] *s* ngt åld. sängöverkast
counterpart ['kaʊntəpɑːt] *s* **1** motstycke, motbild,
pendang **2** motsvarighet, motpart, om person äv.
kollega [*of, to* till] **3** dubblett[exemplar], kopia [*of*
av; *to* till] **4** motspelare
counterpoint ['kaʊntəpɔɪnt] *s* **1** mus. kontrapunkt
2 kontrast
counterproductive [ˌkaʊntəprə'dʌktɪv] *adj*
kontraproduktiv; ***be ~*** äv. motverka sitt eget syfte
counter-revolution ['kaʊntərevəˌluːʃ(ə)n, -vəˌljuː-] *s*
kontrarevolution, motrevolution
counter-revolutionary [ˌkaʊntərevə'luːʃənərɪ,
-və'ljuː-] *adj* o. *s* kontrarevolutionär
countersign ['kaʊntəsaɪn] *vb tr* kontrasignera; ~ *for*
payment attestera
countersignature [ˌkaʊntə'sɪgnətʃə] *s*
kontrasignering
countertenor [ˌkaʊntə'tenə, '--,--] *s* mus.
kontratenor; manlig alt[stämma]
countess ['kaʊntəs, -tes] *s* **1** icke-brittisk grevinna
2 countess earls maka el. änka
countless ['kaʊntləs] *adj* otalig, oräknelig
count noun ['kaʊntnaʊn] *s* gram. räknebart
(pluralbildande) substantiv

countrified [ˈkʌntrɪfaɪd] *adj* bonnig; bondsk

country [ˈkʌntrɪ] *s* **1** land, rike; fosterland; *all the ~* hela landet (folket); *~ of destination* bestämmelseland; *~ of origin* ursprungsland; *~ of residence* bosättningsland; *in this ~* här i landet, i vårt land; *go to the ~* utlysa [ny]val, vädja till folket i val **2** landsbygd; landsort; *in the ~* a) på landet b) i landsorten; *go into the ~* fara ut på landet **3** område äv. bildl. [*this is new ~ to me*]; land, trakt, nejd; terräng; *flat ~* slättland, slättbygd; *unknown ~* ett helt okänt område **4** attr. lantlig [*~ food*]; lant- [*~ shop*]; *~ life* lantliv[et], livet på landet; *~ place* sommarställe, hus på landet; *~ road* mindre landsväg; *~ town* landsortsstad, småstad

country-and-western [ˌkʌntrɪən(d)ˈwestən] (förk. *C-and-W*) *s* country and western[musik]

country bumpkin [ˌkʌntrɪˈbʌm(p)kɪn] *s* bondlurk, bondtölp

country club [ˈkʌntrɪklʌb] *s* klubbhus med idrottsanläggning

country code [ˈkʌntrɪkəʊd] *s* tele. landsnummer

country cousin [ˌkʌntrɪˈkʌzn] *s* kusin (oskuld) från landet

country dance [ˌkʌntrɪˈdɑːns] *s* folkdans

country gentle|man [ˌkʌntrɪˈdʒentl|mən] (pl. *-men* [-mən]) *s* lantjunkare, godsägare

country house [ˌkʌntrɪˈhaʊs] *s* **1** herrgård, [lant]gods **2** landställe, hus (villa) på landet

country kitchen [ˌkʌntrɪˈkɪtʃɪn] *s* lantkök, bondkök

country|man [ˈkʌntrɪ|mən] (pl. *-men* [-mən]) *s* **1** landsman **2** man från landet, lantman

country music [ˌkʌntrɪˈmjuːzɪk] *s* se *country-and-western*

country seat [ˌkʌntrɪˈsiːt] *s* herresäte, herrgård, [lant]gods

countryside [ˈkʌntrɪsaɪd] *s* landsbygd; trakt, landskap; natur; *the ~* äv. landet; *in this ~* här i (på) trakten, här i bygden

country-wide [ˈkʌntrɪwaɪd] *adj* landsomfattande, riksomfattande, [som går] över hela landet

country|woman [ˈkʌntrɪ|wʊmən] (pl. *-women* [-ˌwɪmɪn]) *s* **1** landsman[inna] **2** kvinna från landet, bondkvinna

county [ˈkaʊntɪ] **I** *s* **1** grevskap; attr. grevskaps-; motsv. läns-; *administrative ~* grevskap som förvaltningsområde; motsv. län; *~ college* planerad fortsättningsskola med deltidsundervisning för ungdom i åldern 15–18 **2** amer., ung. [stor]kommun i vissa delstater **II** *adj* ofta neds., ung. av godsägarfamilj (herrgårdsfamilj) [*they are ~*]; [herrgårds]förnäm, ståndsmässig [*it was all very ~*]

county council [ˌkaʊntɪˈkaʊnsl] *s* grevskapsråd; motsv. landsting

county councillor [ˌkaʊntɪˈkaʊnsələ] *s* medlem av grevskapsråd; motsv. landstingsman

county court [ˌkaʊntɪˈkɔːt] *s* 'grevskapsrätt' lägre civilmålsdomstol; ung. tingsrätt

county seat [ˌkaʊntɪˈsiːt] *s* amer. centralort i storkommun

county town [ˌkaʊntɪˈtaʊn] *s* grevskapshuvudstad; motsv. residensstad

coup [kuː] *s* kupp [*~ attempt*]; *bring off a ~* el. *pull off a ~* göra en [lyckad] kupp

coup de grâce [ˌkuːdəˈgrɑːs] (pl. *coups de grâce* utt. som sg.) *s* fr. nådastöt

coup d'état [ˌkuːdeɪˈtɑː] (pl. *coups d'état* utt. som sg.) *s* fr. statskupp

coupe [kuːp] *s* [glass]coupe

coupé [ˈkuːpeɪ] *s* kupé bil och vagn

couple [ˈkʌpl] **I** *s* **1** par; *a ~ of* ett par (några, två) [stycken]; *in ~s* i par, parvis **2** par man och kvinna; *a married ~* ett gift (äkta) par, två äkta makar **3** jakt. koppel två hundar **II** *vb tr* **1** koppla; koppla ihop; bildl. äv. förena, förbinda, länka samman; *~d with* äv. i förening med, tillsammans med **2** para **3** gifta ihop

couplet [ˈkʌplət] *s* rimmat verspar

coupling [ˈkʌplɪŋ] *s* **1** [hop]koppling **2** kopplingsanordning

coupon [ˈkuːpɒn, amer. äv. ˈkjuːp-] *s* kupong; på t.ex. postanvisning äv. mottagardel; börs. [ränte]kupong; rabattkupong; *football pools ~* el. *pools ~* tipskupong

courage [ˈkʌrɪdʒ] *s* mod [*take ~; pluck up ~; muster up ~; summon up ~; lose ~*]; tapperhet; *have the ~ of one's convictions* [våga] stå för sin övertygelse; *take one's ~ in both hands* ta mod till sig

courageous [kəˈreɪdʒəs] *adj* modig, tapper

courgette [kʊəˈʒet] *s* bot. el. kok. courgette, zucchini slags mindre pumpa

courier [ˈkʊrɪə] *s* **1** kurir äv. i tidningsnamn, ilbud **2** reseledare, researrangör

course [kɔːs] *s* **1** lopp; bana [*the planets in their ~s*]; *the ~ of the river* a) flodens lopp b) flodfåran **2** riktning; sjö. el. flyg. kurs [*hold (keep, change) one's ~*] **3** [läro]kurs, studiegång [*complete a certain ~ in order to graduate*] **4** *of ~* naturligtvis, givetvis, ju [förstås], självklart!; *it is a matter of ~* det är en självklar (naturlig) sak **5** [för]lopp, gång [*the ~ of events*]; vederbörlig ordning; *take a normal ~* få (ta) ett normalt förlopp, förlöpa normalt; *let things take (run) their ~* låta sakerna ha sin [gilla] gång; *in the ~ of* under (inom) [loppet av]; *in the ~ of one's duties* under tjänsteutövning, under utövande av sin tjänst; *in the ordinary ~ of things* el. *in the natural ~ of events* under normala förhållanden, i normala fall; *in the ~ of time* i sinom tid, med tiden; *in due* el. *in due ~ of time* i vederbörlig ordning, i sinom tid **6** bildl. väg, [förfarings]sätt [*what are the ~s open to us?*]; *~ of action* handlingssätt, tillvägagångssätt; förehavande[n]; *your best ~ is to...* det bästa [du kan göra] är att..., du bör helst...; *take a dangerous ~* slå in på en farlig väg; *take one's own ~* gå sin egen väg, följa sitt eget huvud **7** serie; räcka, följd [*for a ~ of years*]; *~ of lectures* föreläsningsserie; *~ of study* studieplan **8** rätt vid en måltid [*three ~es*]; *first ~* äv. förrätt, entrérätt; *main ~* huvudrätt **9** med. kur; *~ of treatment* [behandlings]kur **10** [golf]bana, [kapplöpnings]bana; *stay the ~* om häst löpa loppet till slut; bildl. vara uthållig, hålla ut

court [kɔːt] **I** *s* **1** jur. a) *~* el. *~ of law* el. *~ of justice* domstol, rätt; *the Court of Justice of the European Union* EU. Europeiska unionens domstol, EU-domstolen b) rättegångsförhandlingar, session [*hold a ~; open the ~*] c) rättssal, domsal; *the ~* äv. domstolens (rättens) ledamöter; *high ~* högre domstol; *inferior ~* underrätt; *superior ~* överrätt;

people's ~ folkdomstol; **~ of appeal**
appellationsdomstol; **~ of inquiry** se under *inquiry 1*;
the Royal Courts of Justice justitiepalatset i London;
before the ~ inför rätten (rätta); **in** ~ inför rätta
(rätten); i rätten [*sit in* ~]; **in the** ~ i rättssalen; **in
open** ~ inför sittande rätt; **bring sth to** ~ dra ngt
inför rätta (domstol); **take sb to** ~ stämma ngn, dra
ngn inför rätta (domstol); **out of** ~ utanför
domstolen, genom förlikning [*settle a matter out of
~*] bildl., om argument o.d. ovidkommande, ohållbar;
go to ~ dra saken inför rätta, gå till domstol **2** sport.
plan, bana [*tennis* ~]; **service** ~ serveruta tennis.
3 kringbyggd gård, gårdsplan [*in* (på) *the* ~];
borggård; bildl. förgård; **across the** ~ över gården
4 ljusgård, hög sal [med överljus] på museum o.d.
5 liten tvärgata, återvändsgränd **6** *hold* ~ hålla hov
[*with sb* för ngn] **7** hov; hovstat; mottagning vid
hovet, cour [*hold a* ~]; **at** ~ vid (på) hovet [*be
presented at* ~]; **the Court of St. James's** dipl.
brittiska hovet **8** uppvaktning, hyllning, kur
II *vb tr* **1** försöka ställa sig in hos, fjäska för
2 försöka vinna [~ *sb's approval*]; fria till [~ *the
voters*]; tigga [~ *applause*] **3** ~ *disaster* utmana
ödet; dra olycka över sig **4** åld. uppvakta, fria till
III *vb itr* åld. ha (gå i) sällskap, hålla ihop
court card ['kɔ:tkɑ:d] *s* kortsp. klätt kort, målare
courteous ['kɜ:tɪəs, 'kɔ:t-] *adj* artig, hövlig,
förekommande, tillmötesgående; hövisk
courtesan [ˌkɔ:tɪ'zæn] *s* kurtisan
courtesy ['kɜ:təsɪ] *s* artighet, hövlighet;
tillmötesgående; höviskhet; **by** ~ av artighet, som
en artighet, för artighets skull; **please do me the** ~ **of
listening to what I'm saying** ni (du) kan väl
åtminstone höra vad jag har att säga; **you think
she'd at least have the** ~ **to call to say she'd be late**
man tycker att hon borde åtminstone ha ringt och
berättat att hon skulle bli sen; **there was an
exchange of courtesies between them** de utbytte
artigheter; **~ of** el. **by ~ of** a) med benäget tillstånd
av, genom [vänligt] tillmötesgående från b) på
grund av, tack vare
courtesy bus ['kɜ:təsɪbʌs] *s* gratisbuss buss som
kostnadsfritt kör gäster från flygplats o.d. till hotell
courtesy call ['kɜ:təsɪkɔ:l] *s* artighetsvisit,
hövlighetsvisit
courtesy car ['kɜ:təsɪkɑ:] *s* bil som kostnadsfritt
kör gäster från flygplats o.d. till hotell
courtesy light ['kɜ:təsɪlaɪt] *s* bil. innerbelysning
court house ['kɔ:thaʊs] *s* domstolsbyggnad,
tingshus
courtier ['kɔ:tɪə] *s* hovman; pl. **~s** äv. hovfolk
courting ['kɔ:tɪŋ] **I** *s* uppvaktning, kurtis **II** *adj*
uppvaktande; ~ *couple* älskande par
court-martial [ˌkɔ:t'mɑ:ʃ(ə)l] **I** (pl. *courts-martial* el.
court-martials) *s* krigsrätt **II** *vb tr* ställa inför
krigsrätt
court order [ˌkɔ:t'ɔ:də] *s* jur. domstolsbeslut
courtroom ['kɔ:tru:m, -rʊm] *s* rättssal, domsal
courtship ['kɔ:t-ʃɪp] *s* **1** uppvaktning, kurtis; *a brief*
~ en kort tids uppvaktning **2** parningslek **3** bildl.
frieri [*of* till]
court shoe ['kɔ:t-ʃu:] *s*, pl. **~s** pumps
courtyard ['kɔ:tjɑ:d] *s* gård, gårdsplan
couscous ['ku:sku:s] *s* kok. couscous nordafrikansk rätt

cousin ['kʌzn] *s* kusin äv. *first* ~]; **second** ~ syssling;
third ~ brylling
couturier [ku:'tjʊərɪeɪ] *s* fr. modeskapare
cove [kəʊv] *s* liten vik
covenant ['kʌvənənt] *s* avtal, kontrakt,
överenskommelse; fördrag, pakt; jur. klausul
Covent Garden [ˌkɒvənt'gɑ:dn] **1** elegant
köpcentrum i London; förr: frukt- och grönsakstorg (numera
New ~ söder om Temsen) **2** opera[hus] i London
Coventry ['kɒv(ə)ntrɪ] **1** geogr. egennamn **2** bildl., *send
sb to* ~ frysa ut (bojkotta) ngn, säga upp
bekantskapen med ngn
cover ['kʌvə] **I** *vb tr* **1** täcka, täcka över; översålla;
klä [över]; belägga; ~ *a book* sätta papper (omslag)
om en bok; **~ed court** sport. [över]täckt bana,
inomhusbana; **~ed in** el. **~ed with** täckt av, full med
2 dölja, skyla, skydda; skyla över **3** sport.
täcka; mil., om fästning o.d. behärska; ~ *oneself with...*
vid tippning gardera med... **4** utgöra betäckning
(skydd, reserv) för **5** sträcka sig (spänna) över,
omfatta, omspänna äv. bildl. [~ *a wide field*]; täcka
[*that ~s the meaning*]; innefatta; avse; spec. hand. (om
brev) innehålla; ~ *thoroughly* utförligt behandla
6 tillryggalägga, avverka [~ *a distance*]; klara av,
hinna med [*that's all I could* ~ *today*] **7** tidn., radio.
o.d. bevaka, täcka; referera **8** hand. täcka behov,
kostnad, förlust o.d.; ersätta, hålla skadeslös, betala;
försäkra; *be* **~ed** a) ha täckning för belopp o.d.
b) försäkr. ha försäkringsskydd c) om lån vara
fulltecknad **9** ~ *in* täcka (fylla) igen; täcka till;
bygga tak på (till) **10** ~ [*with a rifle*] ha under
kontroll (hålla i schack) [med ett gevär] **11** mus.
göra en cover på
II *vb tr* o. *vb itr* med prep. el. adv.:
cover for a) vikariera för, hoppa in i stället för
b) täcka upp för
cover up a) tr. hölja (täcka, bre) över; dölja, skyla
över; tysta ner, mörklägga; ~ *up one's tracks* sopa
igen spåren efter sig; ~ *oneself up well* klä på sig
ordentligt (varmt) b) itr. [försöka] släta (skyla)
över, sopa igen spåren; ~ *up for sb* [försöka] skyla
över vad ngn gjort
III *s* **1** täcke, överdrag, överdragsklädsel; tele. skal
till mobiltelefon; *the ~s* överlakan och filt[ar] (täcke)
2 lock **3** pärm[ar], omslag; *from* ~ *to* ~ från pärm
till pärm **4** skydd; betäckning äv. mil.; gömställe;
bildl. täckmantel, förevändning; *take* ~ ta skydd
(betäckning); *under the* ~ *of* el. *under* ~ *of* a) i skydd
av b) under täckmantel av **5** a) hand. täckning;
likvid b) försäkring **6** [bords]kuvert; **~s** *were laid for
six* det var dukat för sex **7** mus. cover **8** se *coverage
3* **9** kuvert; *under plain* ~ [med] diskret (privat)
avsändare; *under registered* ~ i rekommenderat
kuvert; [*send sth*] *under separate* ~ ...separat
coverage ['kʌvərɪdʒ] *s* **1** tidn., radio. o.d. bevakning;
täckning; reportage **2** utförlig (uttömmande)
behandling **3** hand. täckning **4** spridning [*an
advertisement with wide* ~]
coveralls ['kʌvərɔ:lz] *s pl* overall, överdragskläder
cover charge ['kʌvətʃɑ:dʒ] *s* kuvertavgift på
restaurang
cover girl ['kʌvəgɜ:l] *s* omslagsflicka
covering ['kʌv(ə)rɪŋ] *s* **1** klädsel; täcke etc., se *cover
III 1* **2** täckning, täckande etc., jfr *cover I*

covering letter [ˌkʌv(ə)rɪŋ'letə] *s* följebrev

coverlet ['kʌvələt] *s* [säng]överkast, [säng]täcke

cover note ['kʌvənəʊt] *s* hand. försäkringsintyg

cover story ['kʌvəˌstɔːrɪ] *s* cover story, förstasidesartikel i tidskrift

covert ['kʌvət, som adj. äv. kəʊ'vɜːt] **I** *adj* förstulen, hemlig; förtäckt, maskerad [~ *threat*] **II** *s* snår som skydd för vilt

cover-up ['kʌvərʌp] *s* mörkläggning, nedtystande

cover version ['kʌvəˌvɜːʃən] *s* mus. cover, coverversion

covet ['kʌvɪt, -vət] *vb tr* trakta efter, åtrå, åstunda

covetous ['kʌvɪtəs, -vət-] *adj* lysten, girig [*of* efter, på]; begärlig

covey ['kʌvɪ] *s* **1** kull spec. av rapphöns; flock **2** hop, grupp, skock

1 cow [kaʊ] *s* **1 a)** ko **b)** hona av vissa större djur; **mad ~ disease** galna ko-sjukan; **~ elephant** elefanthona; **~ elk** älgko; **till the ~s come home** vard. i det oändliga **2** vard. (neds.), om kvinna kossa; apa, markatta

2 cow [kaʊ] *vb tr* skrämma, kuscha; kuva

coward ['kaʊəd] *s* feg stackare, ynkrygg, fegis; **he is a ~** han är feg, han är en fegis

cowardice ['kaʊədɪs] *s* feghet, rädsla

cowardly ['kaʊədlɪ] **I** *adj* **1** feg **2** gemen [*a ~ lie*]; lumpen **II** *adv* **1** fegt **2** gement

cowbell ['kaʊbel] *s* koskälla

cowboy ['kaʊbɔɪ] *s* **1** cowboy; **play ~s and Indians** leka indianer och vita **2** vard. cowboy[-] oseriös yrkesman [~ *plumbers*]

cowboy boots ['kaʊbɔɪˌbuːts] *s pl* cowboystövlar

cowcatcher ['kaʊˌkætʃə] *s* amer. järnv. kofångare, gardjärn

cowchip ['kaʊtʃɪp] *s* amer. vard. torkad komocka

cower ['kaʊə] *vb itr* krypa ihop, huka sig [ner]; kuscha [*before* för]

cowgirl ['kaʊɡɜːl] *s* cowboyflicka, boskapsskötare kvinna

cowhand ['kaʊhænd] *s* cowboy; boskapsskötare

cowherd ['kaʊhɜːd] *s* boskapsskötare

cowhide ['kaʊhaɪd] *s* kohud; koläder

cowhouse ['kaʊhaʊs] *s* ladugård

cowl [kaʊl] *s* **1** munkkåpa **2** huva, kapuschong på kåpa **3** rökhuv, ventilatorhuv

cowlick ['kaʊlɪk] *s* hårvirvel; tjusarlock

cowling ['kaʊlɪŋ] *s* flyg. motorhuv

cowl neck ['kaʊlnek] *s* vid polokrage

cow|man ['kaʊ|mən] (pl. -men [-mən]) *s* **1** ladugårdskarl, ladugårdsskötare **2** amer. ranchägare

co-worker [ˌkəʊ'wɜːkə] *s* medarbetare

cow parsley [ˌkaʊ'pɑːslɪ] *s* bot. hundloka

cow parsnip [ˌkaʊ'pɑːsnɪp] *s* bot. björnloka

cowpat ['kaʊpæt] *s* komocka, kospillning

cowshed ['kaʊʃed] *s* ladugård

cowskin ['kaʊskɪn] *s* kohud

cowslip ['kaʊslɪp] *s* bot. gullviva

cox [kɒks] vard. (förk. för *coxswain*) **I** *s* styrman i kapproddbåt, cox **II** *vb tr* o. *vb itr* styra, vara cox [i] vid kapprodd

coxswain ['kɒkswein, sjömansuttal 'kɒksn] *s* **1** styrman i kapproddbåt, cox **2** rorsman; kapten, skeppare på mindre båt

coy [kɔɪ] *adj* **1** vanl. om kvinna tillgjort blyg, pryd, sipp; chosig **2 be ~ about** svara undvikande angående

coyote [kɔɪ'əʊtɪ, 'kɔɪəʊt, amer. vanl. kaɪ'əʊtɪ, 'kaɪəʊt] *s* zool. koyot, prärievarg

cozy ['kəʊzɪ] *adj* o. *s* amer., se *cosy*

cp. förk. för *compare*

CPI [ˌsiːpiː'aɪ] förk. för *consumer price index*

Cpl förk. för **1** *Corporal*

CPU [ˌsiːpiː'juː] data. (förk. för *central processing unit*) centralenhet, CPU

cr. förk. för *credit, creditor*

1 crab [kræb] *s* **1 a)** krabba **b)** kräftdjur **2** vard., se *crab lice*

2 crab [kræb] vard. **I** *vb itr* kvirra, gnälla **II** *s* surkart

crab apple ['kræbˌæpl] *s* vildapel; vildäpple

crabbed ['kræbɪd, kræbd] *adj* **1** oläslig, krafsig [~ *handwriting*] **2** åld., se *crabby*

crabby ['kræbɪ] *adj* knarrig, vresig, sur; retlig; butter

crab lice ['kræblaɪs] *s pl* o. **crabs** [kræbz] *s pl* flatlöss

crack [kræk] (se äv. *cracked* o. *cracking*) **I** *vb itr* (jfr *crack III*) **1** knaka; braka; knalla, smälla **2** spricka, brista **3** kollapsa, knäckas [~ *under the strain*] **4** om röst brytas **II** *vb tr* (jfr *crack III*) **1** klatscha (knäppa, smälla) med; få att knaka [~ *the joints of one's fingers*] **2** spräcka, slå (ha) sönder; knäcka [~ *nuts*] **3** knäcka [~ *a problem*]; forcera [~ *a code*] **4** slå (klappa) till [~ *sb over* (i) *the head*] **5** spränga äv. bildl. [~ *a safe*; ~ *a drug ring*] **6** spräcka röst **7 ~ a bottle of wine** knäcka en flaska vin; **~ jokes** vitsa, dra vitsar, skämta **III** *vb tr* o. *vb itr* med adv. el. adj.: **crack down on** vard. slå ner på, klämma åt **crack open: ~ open** [*a safe*] bryta upp (spränga)... **crack up** vard. **a)** kollapsa, klappa ihop, ta knäcken på sig **b)** krascha [med], kvadda [~ *up a car*] **c) he's not all he's ~ed up to be** så bra [som folk säger] är han inte **IV** *s* **1** knakande, brak, knall, smäll, skräll; **till the ~ of doom** till domedag **2** spricka; springa **3** skavank; spricka [*a ~ in the façade*] **4** vard. smäll, klatsch; hårt slag [*give sb a ~ on* (i) *the head*] **5 at the ~ of dawn** vard. i gryningen **6** vard. spydighet, elakhet; **make a ~ at sb** ge ngn en känga **7** vard., **have a ~ at sth** försöka [sig på] ngt **8** vard. toppman, trumfess **9** sl. crack narkotika **V** *adj* vard. förstklassig, finfin; mäster- [*a ~ shot*]; elit- [*a ~ player*]; topp- [*a ~ team*]

crackbrained ['krækbreɪnd] *adj* vard. vrickad, tokig, förryckt, galen [*a ~ idea*]

crackdown ['krækdaʊn] *s* vard. kraftåtgärder, hårdare kontroll [*on* mot]; **launch a ~ on** [*drug pushers*] slå till mot..., slå ned på...

cracked [krækt] *perf p* o. *adj* **1** knäckt, spräckt, sprucken; sprickig **2** om röst sprucken, bruten; **his voice is ~** äv. han har kommit (är) i målbrottet **3** vard. vrickad, rubbad

cracker ['krækə] *s* **1** tunt [smörgås]kex, cracker; amer. kex i allm. **2** smällkaramell [äv. *Christmas ~*] **3** pyrotekn. smällare, svärmare **4** sl. höjdare, baddare, panggrej; pangtjej, pangbrud **5** pl. **~s** knäckare, knäppare [*nutcrackers*]

cracker-barrel ['kræka,bær(a)l] *adj* amer. enkel [och okomplicerad], hemmagjord [~ *philosophy*]

crackerjack ['krækədʒæk] amer. sl. **I** *s*
1 överdängare, baddare **2** finfin (prima) sak
II *adj* prima, [ur]styv, toppen[-]

crackers ['krækəz] *adj* vard. knäpp, galen

cracking ['krækɪŋ] **I** *adv* vard. fantastiskt, jätte- [*a ~ good show*]
II *pres p* **1** knakande etc., jfr *crack I* o. *crack II*; *at a ~ pace* i våldsam fart **2** *get ~* sl. sätta i gång, sätta fart [*on* med]

crackle ['krækl] **I** *vb itr* knastra, spraka, krasa, frasa, fräsa, knattra **II** *s* knaster, knastrande etc., jfr *crackle I*

crackled ['krækld] *adj* krackelerad

crackling ['kræklɪŋ] *s* **1** knastrande etc., jfr *crackle I* **2** knaprig svål på ugnstekt skinka

crackly ['kræklɪ] *adj* knastrande, sprakande, frasande, fräsande

crackpot ['krækpɒt] vard. **I** *adj* tokig, knäpp, vansinnig [~ *ideas*] **II** *s* knäppskalle, knasboll

cracks|man ['kræksmən] (pl. *-men* [-mən]) *s* sl. inbrottstjuv; kassaskåpstjuv

crack-up ['krækʌp] *s* **1** haveri; krock **2** vard. kollaps, sammanbrott

cradle ['kreɪdl] **I** *s* **1** vagga äv. bildl.; *rob the ~* begå barnarov gifta sig med någon som är mycket yngre än man själv **2** tele. klyka **3** ställning; rörlig plattform vid byggnadsarbete; sjö. stapelsläde, slipvagn
II *vb tr* **1** vagga **2** hålla försiktigt (ömt); hålla ngt skyddat i handen

cradle cap ['kreɪdlkæp] *s* med. mjölkskorv

cradle song ['kreɪdlsɒŋ] *s* vaggvisa

craft [krɑːft] **I** *s* **1** skicklighet **2** hantverk, yrke, konst; slöjd [*metal ~*]; *arts and ~s* pl. konsthantverk **3** (pl. *craft*) **a)** fartyg, skuta, båt, farkost; *small ~* mindre fartyg, småskutor för handel el. fiske **b)** se *aircraft* o. *spacecraft* **4** list, listighet, slughet
II *vb tr* tillverka för hand; snickra ihop

craft guild ['krɑːftgɪld] *s* hantverksskrå

crafts|man ['krɑːftsmən] (pl. *-men* [-mən]) *s* hantverkare; [skicklig] yrkesman; konstnär

craftsmanship ['krɑːftsmənʃɪp] *s* hantverk; hantverksskicklighet, yrkesskicklighet, konstskicklighet; *a piece of fine ~* ett exempel på utsökt konsthantverk (hantverksskicklighet)

crafts|person ['krɑːfts,pɜːsn] (pl. *-people* [-,piːpl]) *s* hantverkare; [skicklig] yrkesman (yrkeskvinna); konstnär

crafts|woman ['krɑːfts,wʊmən] (pl. *-women* [-,wɪmɪn]) *s* [kvinnlig] hantverkare; [skicklig] yrkeskvinna; [kvinnlig] konstnär

crafty ['krɑːftɪ] *adj* listig, slug, bakslug, slipad [*a ~ politician*]

crag [kræg] *s* brant (skrovlig) klippa; klippspets

craggy ['krægɪ] *adj* klippig; brant och skrovlig

cram [kræm] **I** *vb tr* **1** proppa (packa) [full], stoppa full [*with* med]; pressa ned, stuva (stoppa) in [*into* i]; *~ one's hat over one's eyes* trycka ned hatten över ögonen **2** proppa mat i; *~ oneself with food* proppa sig full med mat **3 a)** plugga med [~ *pupils*]; drilla [~ *sb in a subject*]; *~ sb with* [*facts*] plugga (slå) i ngn... **b)** plugga (slå) i sig, plugga in

II *vb itr* **1** proppa i sig mat **2** plugga [*for* på, till en examen]

cram-full [,kræm'fʊl] *adj* proppfull [*of* med]

crammed [kræmd] *adj*, *~ with* el. *~ full of* proppfull med, fullproppad med

crammer ['kræmə] *s* pluggskola, korvstoppningsskola

cramming ['kræmɪŋ] *s* [tentamens]pluggande; korvstoppning

cramp [kræmp] **I** *s* **1** med. kramp; *writer's ~* skrivkramp; *have* (*get*) ~ el. amer. vanl. *have* (*get*) *a ~* ha (få) kramp (sendrag) **2** pl. *~s* vanl. amer. menssmärtor
II *vb tr* (se äv. *cramped*, bildl. inskränka, förlama; kringskära; *~ sb's style* vard. hämma ngn, platta till ngn

cramped [kræmpt] *perf p* o. *adj* **1** alltför trång; instängd; bildl. begränsad, småskuren; *be ~ for space* ha trångt [om plats], vara trångbodd **2** hopträngd, gnetig stil

crampon ['kræmpən] *s* bergbest. stegjärn

cranberry ['krænb(ə)rɪ] *s* bot. tranbär

crane [kreɪn] **I** *s* **1** trana **2** [lyft]kran; *overhead ~* travers
II *vb tr* sträcka på [~ *one's neck*]
III *vb itr* sträcka på halsen, sträcka fram huvudet, sträcka sig [*forward* fram]

crane fly ['kreɪnflaɪ] *s* zool. harkrank

crania ['kreɪnɪə] *s* pl. av *cranium*

cranial ['kreɪnɪəl] *adj* kranie-, skall- [~ *fracture*]

crani|um ['kreɪnjəm] (pl. *-a* [-ə] el. *-ums*) *s* kranium, skalle

crank [kræŋk] **I** *s* **1** vard. excentrisk individ, original; fantast [*a food ~*] **2** amer. vard. bitvarg, surkart **3** vev; startvev; *turn the ~* dra veven, veva
II *vb tr* **1** el. *~ up* **a)** veva i gång bil; starta **b)** vard. dra upp [~ *up the volume*] **2** *~ sth out* spotta fram ngt

crankiness ['kræŋkɪnəs] *s* excentricitet; vresighet; gnällighet

crankshaft ['kræŋkʃɑːft] *s* vevaxel

cranky ['kræŋkɪ] *adj* **1** excentrisk, vriden, knäpp **2** amer. vresig, gnällig

cranny ['krænɪ] *s* springa, spricka, skreva; trångt hål; vrå; *every nook and ~* alla vinklar och vrår

crap [kræp] sl. **I** *s* **1** skit; *have* (amer. äv. *take*) *a ~* vulg. skita **2** smörja; skitsnack; *cut the ~* skippa skitsnacket och kom till sak
II *adj* skitdålig
III *vb itr* vulg. skita

crape [kreɪp] *s* kräpp, krusflor; sorgflor, sorgband

crapper ['kræpə] *s* sl., *the ~* dasset, skithuset

crappy ['kræpɪ] *adj* sl. skitdålig, kass, urusel

craps [kræps] (med verb vanl. i sg.) *s* slags tärningsspel i USA; *shoot ~* spela *craps*, kasta tärning

crapshooter ['kræp,ʃuːtə] *s* amer. tärningsspelare

crash [kræʃ] **I** *vb itr* **1** braka, skrälla; gå i kras, braka sönder (ihop) **2** braka i väg (fram); *~ into* [*a car*] smälla ihop (krocka) med... **3** flyg. störta **4** bildl. falla, ramla, krascha, gå omkull **5** sl. slagga (slafa) över; *~ out* tuppa av, slockna **6** data. krascha
II *vb tr* **1** slå i kras; kvadda, krascha [med]; flyg. äv. störta med **2** vard. tränga sig på, våldgästa [~ *a party* (jfr *gatecrash*)]

III _s_ **1** brak, krasch, skräll [_a ~ of thunder_]; dunder, buller **2** olycka [_killed in a car ~_], flyg. äv. störtning; kollision, smäll, krock; finansiell krasch **3** data. krasch
IV _adj_ forcerad, intensiv [_~ job_]; snabb- [_~ course_]
V _interj_ o. _adv_ krasch!; **go** ~ fara med [ett] brak; **fall** ~ falla med [ett] brak

crash barrier ['kræʃˌbærɪə] _s_ motor. vägräcke

crash course ['kræʃkɔ:s] _s_ snabbkurs, intensivkurs

crash diet ['kræʃˌdaɪət] _s_ snabbantning, hårdbantning

crash-dive ['kræʃdaɪv] om flyg el. ubåt **I** _vb itr_ snabbdyka; störtdyka **II** _s_ snabbdykning; störtdykning

crash helmet ['kræʃˌhelmɪt] _s_ störthjälm

crashing ['kræʃɪŋ] _adj_ vard. fantastisk; **he is a ~ bore** han är en riktig tråkmåns

crash-land ['kræʃlænd] _vb itr_ o. _vb tr_ kraschlanda [med]

crash-landing ['kræʃˌlændɪŋ] _s_ kraschlandning

crash programme ['kræʃˌprəʊɡræm] _s_ katastrofprogram

crass [kræs] _adj_ grov [_~ ignorance_]; enorm, kolossal [_~ stupidity_]; dum

crate [kreɪt] _s_ spjällåda, spjällår, bur; stor packkorg; [tom]back; **~ of beer** back [med] öl

crater ['kreɪtə] _s_ krater i olika betydelser

cravat [krə'væt] _s_ kravatt

crave [kreɪv] _vb tr_ o. _vb itr_ **1** kräva, erfordra; **craving appetite** glupande aptit **2** längta efter; ha behov av **3** be om, utbe sig [_of, from av_]

craven ['kreɪv(ə)n] _adj_ feg, mesig

craving ['kreɪvɪŋ] _s_ begär, åtrå, längtan, sug [_for efter_]

craw [krɔ:] _s_ **1** kräva hos fåglar **2** vard., **it sticks in my ~** det står mig upp i halsen

crawfish ['krɔ:fɪʃ] _s_ vanl. amer. zool. el. kok. **1** kräfta **2** langust

crawl [krɔ:l] **I** _vb itr_ **1 a)** krypa, kravla äv. om barn, kräla, åla [sig]; smyga **b)** släpa (hasa) sig [fram] **c)** krypköra, köra sakta **d)** bildl. fjäska [_to för_] **2** myllra, krylla, vimla [_with av_]; **the ground is ~ing with ants** det kryllar av myror på marken **3** simn. crawla
II _s_ **1** krypande etc.; **go at a ~** bildl. krypa [fram] **2** crawl[sim] [äv. ~ _stroke_]; **do the ~** crawla

crawler ['krɔ:lə] _s_ **1** barn i krypåldern **2** fjäskare **3** crawlare, crawlsimmare **4** pl. ~s krypbyxor

crawler lane ['krɔ:ləleɪn] _s_ trafik. krypfil

crayfish ['kreɪfɪʃ] _s_ zool. el. kok. **1** kräfta **2** langust

crayon ['kreɪən, 'kreɪɒn] **I** _s_ [färg]krita **II** _vb tr_ rita med färgkrita; bildl. skissera

craze [kreɪz] _s_ mani, dille, fluga [_for på_]; modefluga; **the latest ~** sista skriket (modet), det allra senaste

crazed [kreɪzd] _adj_, **~ about** tokig i; **~ with** tokig (galen) av [_~ with anger_]; **a ~ look** en förvirrad blick

crazy ['kreɪzɪ] _adj_ tokig, galen äv. bildl. [_about_ i, på]; vansinnig [_~ ideas_]; **it drives me ~** det gör mig galen

crazy golf [ˌkreɪzɪ'ɡɒlf] _s_ minigolf

crazy paving [ˌkreɪzɪ'peɪvɪŋ] _s_ [beläggning med] oregelbundet lagda plattor

creak [kri:k] **I** _vb itr_ **1** knarra, knaka, gnissla **2** bildl. knaka i fogarna
II _s_ knarr[ande], knakande, gnissel

creaky ['kri:kɪ] _adj_ **1** knarrande etc., jfr creak I **2** amer. förfallen, fallfärdig [_a ~ old house_]

cream [kri:m] **I** _s_ **1** grädde; **double ~** tjock grädde, vispgrädde; **single ~** tunn grädde, kaffegrädde **2 a)** **butter ~** smörkräm **b)** crème redd soppa; **~ of tomato soup** redd tomatsoppa **c)** chokladpralin fylld med kräm **3** kräm för hud, skor m.m.; **furniture ~** möbelpolityr i krämform **4** bildl. grädda [_the ~ of society_]; elit; **the ~ of** äv. det bästa av (i) **5** kräm[färg] **6** cream kvalitetsbeteckning för whisky el. sherry [_Cream Sherry; Bristol Cream_]
II _adj_ krämfärgad, gräddfärgad, gulvit
III _vb tr_ **1** skumma [grädden av]; **~ off** bildl. ta ut det bästa av **2** kok. tillaga med grädde, [grädd]stuva [_~ed spinach_]; **~ed potatoes** potatispuré, finare potatismos **3** röra, vispa t.ex. smör o. socker; **~ed butter** rört smör **4** smörja in med [hud]kräm **5** amer. vard. slå ut, besegra, utklassa

cream bun [ˌkri:m'bʌn] _s_ petit-chou med gräddfyllning

cream cheese [ˌkri:m'tʃi:z] _s_ mjuk gräddost

cream cracker [ˌkri:m'krækə] _s_ cream cracker slags osötat kex

creamer ['kri:mə] _s_ **1** gräddersättning **2** vanl. amer. gräddkanna

creamery ['kri:m(ə)rɪ] _s_ mejeri; mejeributik

cream ice ['kri:maɪs] _s_ gräddglass

cream jug ['kri:mdʒʌɡ] _s_ gräddkanna, gräddsnipa

cream soda [ˌkri:m'səʊdə] _s_ läsk smaksatt med vanilj

cream tea ['kri:mti:] _s_ eftermiddagste med scones med grädde och sylt m.m.

creamy ['kri:mɪ] _adj_ **1 a)** gräddaktig, gräddliknande, grädd-; krämig **b)** gräddrik **c)** gräddfärgad, krämfärgad **2** rik [_with på_]

crease [kri:s] **I** _s_ **1** veck, pressveck; skrynkla, rynka **2 a)** kricket. gränslinje; gränsområde **b)** ishockey. målområde
II _vb tr_ o. _vb itr_ **1** pressa [veck på] **2** skrynkla [ned] **3** bli skrynklig
III _vb itr_ o. _vb tr_ med adv.: **crease up** vard. garva; **~ sb up** få ngn att garva

creased [kri:st] _adj_ **1** skrynklig, rynkig **2** med pressveck, pressad

crease-resistant ['kri:srɪˌzɪst(ə)nt] _adj_ o. **creaseproof** ['kri:spru:f] _adj_ skrynkelfri

create [krɪ'eɪt] _vb tr_ **1** skapa äv. data.; frambringa, åstadkomma, framkalla; inrätta, upprätta [_~ a new post_]; göra, väcka [_~ a sensation_]; ställa till [med] [_~ a scene_]; kreera, gestalta en roll **2** utnämna [_sb a peer_ ngn till pär]

creation [krɪ'eɪʃ(ə)n] _s_ **1** skapande, frambringande etc., jfr create 1; skapelse; **the story of the Creation** skapelseberättelsen **2** skapelse; verk, produkt; skapad varelse; värld **3** utnämning spec. adlig **4** kreation, modell, modeskapelse

creative [krɪ'eɪtɪv] _adj_ skapande [_a ~ artist_]; kreativ; skapar- [_~ power_]; meningsfylld, konstruktiv

creative accounting ['krɪˌeɪtɪvə'kaʊntɪŋ] _s_ kreativ bokföring, bokföringsknep

creative writing [krɪˌeɪtɪv'raɪtɪŋ] _s_ univ., som ämne litteraturgestaltning

creativity [ˌkriːeɪˈtɪvətɪ, ˌkriːə-] s kreativitet, skapande förmåga (kraft)

creator [krɪˈeɪtə] s skapare; upphov, upphovsman; **the Creator** Skaparen

creature [ˈkriːtʃə] s **1** [levande] varelse; människa [*a good* ~], neds. individ, stycke, typ [*that horrid* ~]; kräk; **a ~ of habit** en vanemänniska, ett vanedjur; **poor** ~ stackars krake, feg stackare; **that** ~ neds. den där typen **2** om person kreatur, hantlangare, redskap [*the ~ of his boss*] **3** djur [*dumb ~s*]; amer. vanl. [nöt]kreatur **4** skapelse, produkt

creature comforts [ˌkriːtʃəˈkʌmfəts] s pl detta livets goda

crèche [kreʃ, kreɪʃ] s **1** förskola **2** amer. [jul]krubba

cred [kred] s vard. kortform av *credibility*, se spec. *street credibility*

credence [ˈkriːd(ə)ns] s [till]tro, trovärdighet; **gain** ~ bli accepterad (trovärdig); **give** ~ **to** sätta [till]tro till; **lend** ~ **to** göra trovärdig; **letter of** ~ dipl. kreditiv[brev]

credentials [krɪˈdenʃ(ə)lz] s pl **1** a) betyg, vitsord, referenser, meriter b) identitetspapper **2** spec. dipl. kreditiv[brev]

credibility [ˌkredəˈbɪlətɪ] s trovärdighet

credibility gap [ˌkredəˈbɪlətɪgæp] s trovärdighetsklyfta, förtroendeklyfta

credible [ˈkredəbl] adj trovärdig; trolig

credibly [ˈkredəblɪ] adv trovärdigt; **be ~ informed** få höra (veta) från tillförlitligt håll

credit [ˈkredɪt] **I** s **1** hand. a) kreˈdit [*for a sum* på ett belopp; *with* hos]; **on** ~ på kredit (räkning) b) tillgodohavande [äv. ~ *balance*]; ˈkredit; **letter of** ~ kreditiv, remburs; **to our** ~ till vårt kredit, oss tillgodo; **on the** ~ **side** på plussidan **2** ära [*get the* ~ *for sth; give sb the* ~ *for sth*]; förtjänst, erkännande; heder, beröm [*I may say to her* ~]; ~ **where** ~ **is due** äras den som äras bör; **be a** ~ **to** vara en heder för; **be to the** ~ **of sb** el. **do sb** ~ hedra ngn, göra ngn heder; **get** ~ **for** få beröm (erkänsla, tack) för; **give sb** ~ **for** a) tro ngn om, tilltro ngn b) hålla ngn räkning för; **take the** ~ ta åt sig äran **3** film. el. TV., **the ~s** el. **the ~ titles** eftertexten, [listan över de] tekniska och konstnärliga medverkande **4** amer. skol. el. univ. poäng, kurspoäng **5** tilltro; **give** ~ **to** tro [på], sätta tro till; **lend** ~ **to** bestyrka, stöda riktigheten av; **place** ~ **in** tro (lita) på
II vb tr **1** hand. kreditera [~ *an account with*]; ~ **sb with an amount** el. ~ **an amount to sb** kreditera (gottskriva) ngn [för] ett belopp **2** tro [på]; ~ **sb with sth** el. ~ **sth to sb** a) tilltro ngn ngt, tro ngn om [att ha] ngt b) tillskriva (tillräkna) ngn ngt, ge (tillskriva) ngn äran av ngt

creditable [ˈkredɪtəbl] adj hedrande, aktningsvärd [*a ~ attempt*]; förtjänstfull

credit account [ˈkredɪtəˌkaʊnt] s kundkonto i varuhus

credit card [ˈkredɪtkɑːd] s kreditkort, kontokort

credit crunch [ˈkredɪtkrʌn(t)ʃ] s kreditåtstramning

credit note [ˈkredɪtnəʊt] s tillgodokvitto, kreditnota

creditor [ˈkredɪtə] s **1** kreditor, borgenär, fordringsägare **2** *Creditor* bokföringsrubrik kredit

credit rating [ˈkredɪtˌreɪtɪŋ] s kreditprövning, kreditbedömning

credit squeeze [ˈkredɪtskwiːz] s kreditåtstramning

creditworthy [ˈkredɪtˌwɜːðɪ] adj kreditvärdig, solvent, solid [~ *customers*]

credo [ˈkriːdəʊ] (pl. ~s) s **1** trosbekännelse; credo **2** lärosats, trosats

credulity [krəˈdjuːlətɪ] s lättrogenhet, godtrogenhet

credulous [ˈkredjʊləs] adj lättrogen, godtrogen

Cree [kriː] (pl. *Cree* el. ~s) s **1** cree[indian] **2** creespråk

creed [kriːd] s trosbekännelse, konfession; troslära, tro äv. icke-religiös [*political* ~]

creek [kriːk] s **1** liten vik (bukt); flodarm **2** amer. å, bäck; [bi]flod **3** sl., **up the** ~ i knipa

creel [kriːl] s **1** flätkorg; fiskkorg **2** mjärde; hummertina

creep [kriːp] **I** (*crept crept*) vb itr **1** krypa amer. äv. om barn, kräla; ~ **to sb** krypa för ngn; **it crept out** det kröp (kom) fram; **it makes my flesh** ~ det får det att krypa i mig, det får mig att rysa **2** smyga [sig]; ~ **up on sb** smyga sig på ngn **3** krypköra, köra långsamt **4** om växter klänga
II s **1** krypande; **move at a** ~ bildl. krypa [fram] **2** sl. kryp, äckel[potta] **3** fjäsk person **4** vard., **it gives me the ~s** det får det att krypa i mig, det får mig att rysa

creeper [ˈkriːpə] s krypväxt, klätterväxt

creeper lane [ˈkriːpəleɪn] s amer. trafik. krypfil

creepy [ˈkriːpɪ] adj **1** krypande, krälande **2** vard. läskig, hemsk; skräck- [*a ~ film*]

creepy-crawly [ˌkriːpɪˈkrɔːlɪ] s vard. småkryp

cremate [krəˈmeɪt] vb tr kremera, bränna

cremation [krɪˈmeɪʃ(ə)n] s kremering, [lik]bränning, eldbegängelse

crematori|um [ˌkreməˈtɔːrɪ|əm] (pl. -a [-ə]) s o.
crematory [ˈkremət(ə)rɪ] s krematorium

crème caramel [ˌkremˈkærəməl] s brylépudding

crème de la crème [ˌkremdəlɑːˈkrem] s fr., **the** ~ crème de la crème, gräddan, högsta societeten

crème de menthe [ˌkremdəˈmɒnθ, ˌkreɪmdəˈmɑːnt] s crème de menthe, pepparmyntslikör

crenellated [ˈkrenəleɪtɪd] adj krenelerad, försedd med tinnar

creole [ˈkriːəʊl] **I** s **1** kreol i olika betydelser, spec. ättling till vita invandrare i Västindien o. Spanskamerika; ibl. äv. avkomling till vit o. färgad **2** a) kreolspråk språk som blivit modersmål för pidgintalande b) kreolfranska
II adj kreolsk

creosote [ˈkrɪəsəʊt] **I** s kem. kreosot **II** vb tr stryka (behandla) med kreosot

crepe o. **crêpe** [kreɪp] s **1** kräpp[tyg], crêpe **2** rågummi **3** kok. crêpe

crepe paper [ˌkreɪpˈpeɪpə] s kräppapper; hushållspapper

crepe rubber [ˌkreɪpˈrʌbə] s rågummi till skor

crepe shoes [ˌkreɪpˈʃuːz] s pl rågummiskor

crepe sole [ˌkreɪpˈsəʊl] s rågummisula

crept [krept] imperf. o. perf. p. av *creep*

crescend|o [krɪˈʃend|əʊ] (pl. -os) s mus. (it.) crescendo äv. bildl.

crescent [ˈkreznt, ˈkresnt] **I** s **1** månskära, halvmåne **2** månens tilltagande **3** svängd husrad (gata)
II adj **1** halvmånformig **2** astron., ~ **moon** månskära

cress [kres] *s* bot. krasse; **garden** ~ krasse, kryddkrasse; *Indian* ~ indiankrasse, blomsterkrasse

crest [krest] **I** *s* **1** krön, topp; bergskam; vågkam; övre kant; bildl. höjdpunkt; *be riding on the* ~ *of the wave* stå på sitt livs höjdpunkt, ha fått vind i seglen **2** kam på tupp; tofs på djurs huvud; mankam på häst **3** ätts vapen [*family* ~] **II** *vb tr* nå toppen (krönet) av (på) **III** *vb itr* nå sin högsta punkt

crested tit [ˈkrestɪdˌtɪt] *s* zool. tofsmes

crestfallen [ˈkrestˌfɔːl(ə)n] *adj* nedslagen, modfälld, slokörad, snopen, stukad

Cretan [ˈkriːt(ə)n] **I** *s* kretensare, kretensiska kvinna **II** *adj* kretensisk, kretisk

Crete [kriːt] geogr. Kreta

cretin [ˈkretɪn, amer. vanl. ˈkriːt-] *s* som skällsord idiot

cretonne [kreˈtɒn, ˈkretɒn] *s* kretong

Creutzfeldt-Jakob disease [ˌkrɔɪtsfeltˈjækɒbdɪˌziːz] (förk. *CJD*) *s* med. Creutzfeldt-Jakobs sjukdom (förk. CJS)

crevasse [krəˈvæs] *s* spricka, rämna spec. i glaciär

crevice [ˈkrevɪs] *s* skreva, spricka, springa

crew [kruː] *s* **1** sjö. el. flyg. besättning, sjö. äv. manskap; *ground* ~ flyg. markpersonal **2** [arbets]lag; roddarlag; *the stage* ~ scenarbetarna **3** vard. (vanl. neds.) gäng, band; *a motley* ~ en brokig skara

crew cut [ˈkruːkʌt] *s* snagg[ning]; *have a* ~ vara snaggad

crewneck [ˌkruːˈnek, ˈ--] *s* rund hals[ringning]; ~ *sweater* tröja med rund hals

crib [krɪb] **I** *s* **1** vanl. amer. babysäng, spjälsäng **2 a)** krubba; bås; kätte **b)** julkrubba **3** amer. vard. lya, krypin **4** vard. skol. fusklapp **II** *vb tr* vard. planka [*from* från], skriva av [*from* efter] **III** *vb itr* vard. fuska, skriva av

cribbage [ˈkrɪbɪdʒ] *s* cribbage slags kortspel

crib-biter [ˈkrɪbˌbaɪtə] *s* krubbitare häst

crib death [ˈkrɪbdeθ] *s* amer. med. plötslig spädbarnsdöd

crick [krɪk] **I** *s* sendrag [*a* ~ *in the neck*]; sträckning **II** *vb tr*, ~ *one's back* få en sträckning i ryggen; ~ *one's neck* få sendrag i nacken, ibl. få nackspärr

1 cricket [ˈkrɪkɪt] *s* zool. syrsa

2 cricket [ˈkrɪkɪt] *s* **1** sport. kricket **2** *not* ~ ngt åld. vard. inte juste, inte rent spel

cricketer [ˈkrɪkɪtə] *s* sport. kricketspelare

crier [ˈkraɪə] *s* utropare; *town* ~ offentlig utropare

crikey [ˈkraɪkɪ] *interj* vard. jösses!, milda makter!

crime [kraɪm] *s* brott äv. friare; brottslighet, kriminalitet [*prevent* ~]; ~ *prevention* brottsförebyggande verksamhet; ~ *rate* antal brott; *violent* ~ våldsbrott; *it's a* ~ äv. det är brottsligt (oförsvarligt), det är synd och skam; *a great deal of* ~ stor brottslighet, många brott

Crimea [kraɪˈmɪə] geogr., *the* ~ Krim

Crimean [kraɪˈmɪən] *adj* på (från) Krim, krim-; *the* ~ *War* Krimkriget

crime-buster [ˈkraɪmˌbʌstə] *s* vard. brottsbekämpare

crime fiction [ˌkraɪmˈfɪkʃ(ə)n] *s* detektivromaner, kriminalromaner

crime passionel [ˌkriːmpæsjəˈnel, -ʃəˈnel] *s* fr. svartsjukedrama

crime sheet [ˈkraɪmʃiːt] *s* mil. straffregister

crime wave [ˈkraɪmweɪv] *s* brottsvåg

crime writer [ˈkraɪmˌraɪtə] *s* deckarförfattare

criminal [ˈkrɪmɪnl] **I** *adj* **1** brottslig, kriminell; straffbar; förbrytar- [~ *quarter*] **2** kriminal-; brottmåls-; brott-; *take* ~ *action against* vidtaga rättsliga åtgärder mot; *face* ~ *charges* bli åtalad; *the Criminal Investigation Department* (förk. *the CID*) brittiska kriminalpolisen **II** *s* brottsling, förbrytare, gärningsman

criminal case [ˌkrɪmɪnlˈkeɪs] *s* brottmål

criminal court [ˌkrɪmɪnlˈkɔːt] *s* brottmålsdomstol

criminality [ˌkrɪmɪˈnælətɪ] *s* brottslighet, kriminalitet

criminalize [ˈkrɪmɪnəlaɪz] *vb tr* kriminalisera, förklara [som] brottslig, brottsförklara

criminal law [ˌkrɪmɪnlˈlɔː] *s* straffrätt

criminal offender [ˌkrɪmɪnləˈfendə] *s* brottsling, lagbrytare

criminal record [ˌkrɪmɪnlˈrekɔːd] *s* straffregister; *he has a* ~ han finns i straffregistret

criminologist [ˌkrɪmɪˈnɒlədʒɪst] *s* kriminolog

criminology [ˌkrɪmɪˈnɒlədʒɪ] *s* kriminologi

crimp [krɪmp] *vb tr* krusa, våga; vecka

crimson [ˈkrɪmzn] **I** *s* karmosin[rött] **II** *adj* karmosinröd, blodröd, knallröd [*she went* ~]; karmosin- [~ *red*] **III** *vb tr* o. *vb itr* färga (bli) högröd

cringe [krɪn(d)ʒ] *vb itr* **1** krypa ihop liksom av rädsla, huka sig [ned] **2** bli generad, rysa av obehag

crinkle [ˈkrɪŋkl] **I** *vb itr* vecka (rynka, krusa, skrynkla) sig **II** *vb tr* rynka, krusa; kräppa; ~*d paper* kräpppapper **III** *s* veck, skrynkla; bukt; våg i hår

crinkly [ˈkrɪŋklɪ] *adj* skrynklig, veckig; krusig

crinoline [ˈkrɪnəlɪn, ˌkrɪnəˈliːn] *s* krinolin

cripple [ˈkrɪpl] **I** *s* neds. krympling; invalid **II** *vb tr* **1** göra till krympling, lemlästa **2** bildl. lamslå; förlama; omintetgöra

crippled [ˈkrɪpld] *adj* [svårt] funktionshindrad; invalidiserad [*with* av]; bildl. lamslagen [*by* av, på grund av]; obrukbar

crippling [ˈkrɪplɪŋ] *adj* förlamande [*a* ~ *blow*]; förödande [*a* ~ *attack*]

cris|is [ˈkraɪs|ɪs] (pl. *-es* [-iːz]) *s* kris, krisläge; vändpunkt; ~ *management* krishantering; ~ *of confidence* förtroendekris; *bring things to a* ~ bringa saken till [ett] avgörande

crisp [krɪsp] **I** *adj* **1** knaprig, frasig, mör [~ *biscuits*]; spröd [~ *lettuce*] **2** frisk och kylig om luft o.d.; fräsch **3** bildl. fast; kort och koncis, bestämd [*a* ~ *manner of speaking*]; skarp, markerad [~ *features*] **4** vard., om sedel prasslande; ny, ovikt **5** krusig, krullig **II** *s* **1** ~*s* el. *potato* ~*s* [potatis]chips **2** amer. smulpaj **III** *vb tr* o. *vb itr* **1** göra (bli) knaprig etc., jfr *crisp I 1* **2** krusa (krulla) [sig]

crispbread [ˈkrɪspbred] *s* knäckebröd, spisbröd

crispy [ˈkrɪspɪ] *adj* **1** krusig [~ *lettuce*] **2** frasig, knaprig, mör [~ *biscuits*; ~ *wafers*]; spröd

criss-cross [ˈkrɪskrɒs] **I** *adj* [löpande] i kors; korsmönstrad [~ *design*]; ~ *pattern* korsmönster **II** *adv* i kors, kors och tvärs; korsvis **III** *s* kors[mönster], nätverk **IV** *vb tr* korsa, ruta med linjer; genomkorsa,

genomfara
V *vb itr* korsa varandra
crit [krɪt] *s* (vard. kortform av *criticism* o. *critique*)
kritik; kritisk avhandling
criteri|on [kraɪ'tɪərɪ|ən] (pl. vanl. *-a* [-ə]) *s* kriterium,
kännetecken; måttstock, rättesnöre, norm
critic ['krɪtɪk] *s* kritiker; *music* ~ äv. musikrecensent;
the ~*s* äv. kritiken
critical ['krɪtɪk(ə)l] *adj* **1** kritisk [*of* mot];
kritiklysten **2** kritisk, avgörande; krisartad;
riskfylld, farlig; *two of the patients were still in a ~*
condition för två av patienterna var tillståndet
fortfarande kritiskt; *she was taken off the ~ list* hon
ansågs vara utom fara; ~ *state* äv. krisläge
3 livsviktig **4** ~ *acclaim* kritikerberöm; ~ *success*
kritikersuccé
critical path analysis ['krɪtɪk(ə)l,pɑːθə'næləsɪs] *s*
kritisk linjeanalys planeringmetod för kritiska moment
d.v.s. de mest tids- och kostnadskrävande delarna i en process
criticism ['krɪtɪsɪz(ə)m] *s* **1** kritik, bedömning,
granskning [*of* av] **2** kritik, klander, [kritisk]
anmärkning [*of* för, över, om]; *pass* ~ *on sb* (*sth*)
kritisera (anmärka på) ngn (ngt)
criticize ['krɪtɪsaɪz] *vb tr* o. *vb itr* **1** bedöma,
granska, ge kritik [av] **2** kritisera, klandra,
anmärka [på], påtala
critique [krɪ'tiːk] **I** *s* kritik [*Critique of Pure*
Reason]; kritisk avhandling **II** *vb tr* kritiskt
granska
critter ['krɪtə] *s* amer. dial., se *creature*
croak [krəʊk] **I** *vb itr* **1** kraxa i olika betydelser, bildl. äv.
spå olycka; knorra; om groda kväka **2** sl. kola [av] dö
II *vb tr* kraxa fram
III *s* kraxande; kväkande
Croat ['krəʊæt] *s* kroat, kroatiska kvinna
Croatia [krəʊ'eɪʃə] geogr. Kroatien
Croatian [krəʊ'eɪʃ(ə)n] **I** *adj* kroatisk **II** *s* kroatiska
[språket]
croc [krɒk] *s* vard. krokodil
crochet ['krəʊʃeɪ, -ʃɪ] **I** *s* virkning; virkgarn **II** *vb tr*
o. *vb itr* virka
crochet hook ['krəʊʃɪhʊk, -ʃeɪ-] *s* virknål
1 crock [krɒk] *s* **1** lerkärl, lerkruka; *a* ~ *of gold* bildl.,
se *gold* 2 **2** lerskärva
2 crock [krɒk] *s* **1** vard. skrälle, person äv. [orkeslös]
stackare; vrak; *old* ~ bil. gammal kärra (skrothög),
bilskrälle **2** amer. vard., *a* ~ *of shit* skitsnack
crockery ['krɒkərɪ] *s* **1** porslin **2** lerkärl, lergods [äv.
~ *ware*]
crocodile ['krɒkədaɪl] *s* **1** krokodil **2** krokodilskinn
crocodile-effect ['krɒkədaɪlɪˌfekt] *adj*
krokodilpressad, krokopressad [~ *leather*
handbag]
crocodile tears ['krɒkədaɪltɪəz] *s pl* bildl.
krokodiltårar
crocus ['krəʊkəs] *s* bot. krokus
croft [krɒft] *s* vanl. skotsk. torp[ställe]
crofter ['krɒftə] *s* vanl. skotsk. torpare
croissant ['krwɑːsɑ̃ː(ŋ), 'krwæs-] *s* kok. (fr.) giffel
Cromwell ['krɒmw(ə)l]
crone [krəʊn] *s* gammal käring (häxa)
crony ['krəʊnɪ] *s* [gammal] god vän, polare, kompis
cronyism ['krəʊnɪɪsm] *s* vänskapstjänster vid
tjänstetillsättningar och utnämningar

crook [krʊk] **I** *s* **1** vard. bov, skojare, svindlare, tjuv
2 böjning, krök[ning], slingring, krok; *the* ~ *of the*
(*one's*) *arm* armvecket **3** krok, hake; krycka på käpp
4 herdestav, krumstav; kräkla
II *vb tr* kröka, böja
crook-backed ['krʊkbækt] *adj* krokryggig
crooked ['krʊkɪd, i betydelse 5 krʊkt] *adj* **1** krokig,
böjd, krökt; slingrande **2** sned, skev [*a* ~ *smile*]; *the*
picture is ~ tavlan hänger snett (på sned)
3 vanskapt **4** ohederlig, oärlig, skum [~ *ways*];
fördärvad; förvänd, skev; ~ *dealings* äv. fiffel, mygel
5 a) med krycka (krok) [på] [*a* ~ *stick*] **b)** böjd i en
krok
croon [kruːn] *vb tr* o. *vb itr* **1** nynna, gnola **2** sjunga
nynnande
crooner ['kruːnə] *s* åld. crooner refrängsångare
crop [krɒp] **I** *s* **1 a)** skörd [*the potato* ~] friare äv.
årsproduktion i allm. **b)** gröda [*the main* ~*s of the*
country]; *standing* ~*s* växande gröda, gröda på rot
2 samling, massa [*a* ~ *of questions*; *a* ~ *of lies*]; *a*
new ~ *of students* en ny studentkull **3** zool. kräva;
neck and ~ bildl. snabbt och resolut, huvudstupa
4 a) piskskaft **b)** kort [rid]piska med ögla
5 a) stubbning av hår, snagg[ning]; *wear one's hair in*
a ~ ha håret kortklippt (stubbat, snaggat) **b)** *a*
luxuriant ~ *of hair* yppig hårväxt, ett ymnigt hårsvall
II *vb tr* skära (hugga) av [topparna (kanterna) på];
beskära; snagga, stubba, klippa kort
III *vb itr* bära (ge) skörd
IV *vb itr* med prep.:
crop up a) dyka upp [*all kinds of difficulties* ~*ped*
up]; yppa (visa) sig; komma på tal **b)** gruv. gå [upp]
i dagen
crop circle ['krɒpsɜːkl] *s* sädesfältscirkel
crop-duster ['krɒpdʌstə] *s* besprutningsplan
crop-dusting ['krɒpˌdʌstɪŋ] *s* växtbesprutning oftast
från flygplan
cropped [krɒpt] *adj* **1** kortklippt, snaggad, stubbad
2 om kläder kort[skuren] [~ *jacket*] **3** [upp]odlad,
besådd
cropped pants [ˌkrɒpt'pænts] *s pl* o. **crop pants**
[ˌkrɒp'pænts] *s pl* capribyxor
cropper ['krɒpə] *s* vard., *come a* ~ **a)** stå på näsan,
trilla [av hästen] **b)** köra, spricka i examen;
misslyckas, göra fiasko
crop rotation ['krɒprəʊˌteɪʃ(ə)n] *s* lantbr. växelbruk
crop-spraying ['krɒpˌspreɪɪŋ] *s* växtbesprutning
crop top ['krɒptɒp] *s* sporttop utan ärmar och med kort
liv
croquet ['krəʊkeɪ, -kɪ, amer. krəʊ'keɪ] *s*
krocket[spel]; ~ *set* krocketspel konkr.
croquette [krɒ'ket, krə(ʊ)-] *s* kok. krokett
crosier ['krəʊʒə] *s* kräkla, biskopsstav
cross [krɒs] **I** *s* **1** kors, bildl. äv. plåga; kryss **2** ~ el.
sign of the ~ korstecken **3** bomärke i form av ett kors;
make one's ~ sätta sitt bomärke **4** korsning,
korsningsprodukt äv. biol., mellanting, blandning
[*the taste is a* ~ *between strawberry and raspberry*]
5 on the ~ diagonalt, snett, på snedden **6** fotb. inlägg
II *adj* **1** (ofta i sammansättn.; se äv. sammansättn. med
cross-) kors-, tvär-, kors-; kryss- äv. sjö. **2** vard. ond,
arg, sur [*with* på]; vresig, tvär
III *vb tr* **1** fara (gå) [tvärs] över (genom) [~ *the sea*;
~ *the desert*]; gå [tvärs] över, korsa [~ *the street*];

170

passera, ta sig över, överskrida [~ *the frontier*]; skära, korsa [*the streets ~ each other*]; komma över, överbrygga [*social barriers*]; **~ sb's path** komma i (korsa) ngns väg; komma (gå) i vägen för ngn; *it ~ed my mind* det slog mig, det föll mig in; *it has ~ed my mind* tanken har föresvävat mig; *the country is ~ed by railways* landet är genomkorsat av järnvägar **2** lägga i kors, korsa [~ *one's arms*; ~ *one's legs*]; korsa över; **keep one's fingers ~ed** hålla tummen (tummarna); *with one's legs ~ed* med benen i kors, med korslagda ben **3** biol. korsa **4** bildl. korsa, förhindra, gäcka, gå i vägen för; göra (gå) emot [*he ~es me in everything*] **5** sätta tvärstreck på [~ *one's t's*]; **~ a cheque** korsa en check; **~ the t's and dot the i's** vara ytterst noggrann **6** stryka [*off the list* från listan] **7** gå om, korsa [*your letter ~ed mine*] **8** göra korstecknet över (på); **~ oneself** korsa sig, göra korstecknet; **~ sb's palm with silver** ge ngn pengar; muta ngn; **~ my heart [and hope to die]!** på hedersord!, jag svär!
IV *vb tr* **1** fara (gå) över; *do not ~!* övergång förbjuden!; vänta! **2** gå om (korsa) varandra [*the letters ~ed*] **3** fotb. göra ett inlägg **4** biol. korsa sig **5** ligga i kors; korsa (skära) varandra
V *vb tr* o. *vb itr* med prep. el. adv.:
cross out korsa över, stryka över (ut)
cross over fara (gå) över
crossbar ['krɒsbɑ:] *s* tvärbom, tvärslå, tvärstycke; rigel; stång på herrcykel; sport. [mål]ribba
cross-beam ['krɒsbi:m] *s* tvärbjälke, tvärbalk
crossbones ['krɒsbəʊnz] *s pl*, *skull and ~* dödskalle med korslagda benknotor dödssymbol
crossbow ['krɒsbəʊ] *s* armborst; pilbössa
crossbred ['krɒsbred] **I** imperf. o. perf. p. av *crossbreed* **II** *adj* hybrid[-], bastard-; av blandras [~ *sheep*]
crossbreed ['krɒsbri:d] **I** *s* korsning, korsningsprodukt; blandras; hybrid, bastard **II** (*crossbred crossbred*) *vb tr* korsa **III** (*crossbred crossbred*) *vb itr* korsas
cross-Channel [ˌkrɒs'tʃænl] *adj* som går över (under) [Engelska] kanalen [~ *ferry*]
cross-check [ˌkrɒs'tʃek] **I** *vb tr* **1** dubbelkontrollera, göra en extrakontroll på **2** ishockey. crosschecka **II** *s* dubbelkontroll
cross-country [ˌkrɒs'kʌntri] **I** *adj* **1** [som går] genom terrängen; terräng- [~ *race*; ~ *runner*]; ~ *skiing* längdåkning (längdlöpning) [på skidor] **2** [som går] över hela landet [*a ~ tour*] **II** *adv* genom terrängen **III** *s* terränglöpning
cross-cultural [ˌkrɒs'kʌltʃ(ə)r(ə)l] *adj* tvärkulturell, interkulturell
crosscurrent [ˌkrɒs'kʌr(ə)nt] *s* motström[ning] av åsikter o.d. [*political ~s*]
cross-dresser ['krɒsˌdresə] *s* transvestit
crossed cheque [ˌkrɒst'tʃek] *s* korsad check
cross-examination ['krɒsɪgˌzæmɪ'neɪʃ(ə)n] *s* korsförhör
cross-examine [ˌkrɒsɪg'zæmɪn] *vb tr* [kors]förhöra
cross-eyed ['krɒsaɪd] *adj* vindögd, skelögd
cross-fertilization [ˌkrɒsfɜːtɪlaɪ'zeɪʃ(ə)n] *s* bot. korsbefruktning

cross-fertilize [ˌkrɒs'fɜːtɪlaɪz] *vb tr* bot. korsbefrukta
crossfire ['krɒsfaɪə] *s* korseld äv. bildl.
cross-grained ['krɒsgreɪnd] *adj* **1** snedfibrig **2** bildl. vresig, tvär; egensinnig
cross-hatch ['krɒshætʃ] *vb tr* skugga med korsstreck, strecka
crossing ['krɒsɪŋ] *s* **1 a)** korsning, korsningspunkt; gatukorsning, spårkorsning, vägkorsning **b)** övergång vid järnväg o.d.; *pedestrian ~* övergångsställe [för fotgängare]; *level ~* el. amer. *grade ~* järnvägskorsning [i plan], plankorsning **2** överresa, överfart **3** korsning äv. biol. o.d., korsande etc., jfr *cross III* o. *cross IV*; *~ out* [över]strykning, överkorsning
cross-legged ['krɒslegd, -'-] *adj* med benen i kors; med ena benet över det andra
crossover ['krɒsˌəʊvə] *s* **1** crossover **2** järnv. spårkorsning **3** vägbro
crosspatch ['krɒspætʃ] *s* ngt åld. vard. tvärvigg, surkart
crosspiece ['krɒspi:s] *s* tvärstycke, [tvär]slå
crossply ['krɒsplaɪ] *adj*, *~ tyre* diagonaldäck
cross purposes [ˌkrɒs'pɜːpəsɪz] *s pl*, *be at ~* missförstå varandra; syfta åt olika håll; *talk at ~* tala förbi varandra, tala om helt olika saker; *work at ~* oavsiktligt motarbeta varandra
cross-question [ˌkrɒs'kwestʃ(ə)n] *vb tr* korsförhöra
cross reference [ˌkrɒs'refr(ə)ns] *s* [kors]hänvisning i bok o.d.
crossroads ['krɒsrəʊdz] (med verb i sg.; pl. *~s*) *s* vägkorsning, korsväg [*we came to a ~*]; *be at the ~* bildl. stå vid skiljevägen
cross section [ˌkrɒs'sekʃ(ə)n] *s* i genomskärning, tvärsnitt äv. bildl.
cross stitch ['krɒsstɪtʃ] *s* sömnad. korsstygn
cross street ['krɒsstri:t] *s* amer. tvärgata
crosstown ['krɒstaʊn] *adj* amer. som går tvärs igenom staden, genomfarts- [~ *road*]
cross-training [ˌkrɒs'treɪnɪŋ] *s* sport. kombinationsträning
crosswalk ['krɒswɔ:k] *s* amer. övergångsställe
crosswind ['krɒswɪnd] *s* sidvind
crosswise ['krɒswaɪz] *adv* **1** i kors, korsvis **2** på tvären, tvärs [över]
crossword ['krɒswɜːd] o. **crossword puzzle** ['krɒswɜːdˌpʌzl] *s* korsord
crotch [krɒtʃ] *s* **1** klyka [~ *of a tree*]; klykformig stötta **2** skrev, gren
crotchet ['krɒtʃɪt] *s* mus. fjärdedelsnot
crotchety ['krɒtʃətɪ] *adj* vard. knarrig, vresig
crouch [kraʊtʃ] **I** *vb itr* **1** el. *~ down* huka sig [ned], krypa ihop, ligga (sitta, stå) hopkrupen **2** bildl. krypa [*to* för] **II** *s* hopkrupen ställning
croup [kru:p] *s* med. krupp; *true ~* äkta krupp
croupier ['kru:pɪə] *s* croupier vid spelbank
crouton ['kru:tɒn, -'-] *s* kok. krutong, brödtärning i soppa
1 crow [krəʊ] *s* kråka; *carrion ~* svart kråka; *hooded ~* grå kråka; *as the ~ flies* fågelvägen; *he had to eat ~* amer. vard. det fick han äta upp; han fick bita i det sura äpplet; *that old ~!* sl. den gamla häxan!
2 crow [krəʊ] **I** *vb itr* **1** (imperf. äv. *crew*) gala [*the*

cock crew] **2** om småbarn jollra **3 a)** jubla högt, triumfera [*over*] **b)** stoltsera [*over, about* över]; **don't ~ too soon** man ska inte ropa hej förrän man är över bäcken
II *s* tupps galande
crowbar ['krəʊbɑ:] *s* kofot, bräckjärn
crowd [kraʊd] **I** *s* **1** folkmassa, folkhop, folksamling; [folk]trängsel, vimmel [*push one's way through the ~*]; *a large ~ collected* en massa människor (folk) samlades, det blev stor folksamling; *draw a good ~* dra mycket folk (stor publik, många åskådare); [*they came*] *in ~s …* i skaror **2** *the ~* [den stora] massan; *follow the ~* el. *move with the ~* följa med strömmen; *play to the ~* se *play to the gallery* under *gallery 3* **3** vard. gäng; *the usual ~* de gamla vanliga, samma personer som vanligt
II *vb itr* trängas, skocka (hopa, klunga) sig [*round, about* omkring]; tränga sig [*forward, up* fram]; strömma i skaror [*to* till]; [*memories*] *~ed in upon me …* trängde sig på (strömmade emot) mig; *people ~ed round* folk strömmade till
III *vb tr* (se äv. *crowded*) **1** packa (proppa) [full] [*~ a bus with children*]; fylla till trängsel; överlasta, överhopa [*~ the memory*] **2** packa (pressa, köra) ihop [*~ children into a bus*] **3** trängas i [*they ~ed the hall*]; trängas på [*they ~ed the floor*]; trängas kring [*they ~ the players*]; trängas med [*they ~ed each other*]; *~ out* tränga ut (undan) **4** ansätta, pressa
crowded ['kraʊdɪd] *perf p* o. *adj* **1** [full]packad etc., jfr *crowd III 1*; full [av folk], fullsatt [*a ~ bus*]; myllrande [*~ streets*]; *the streets were ~* äv. folk trängdes (det myllrade av folk) på gatorna **2** överbefolkad [*a ~ valley*] **3** späckad [*a ~ programme*]; [innehålls]rik [*a ~ life*]
crowd-puller ['kraʊd,pʊlə] *s* vard. publikmagnet
crowfoot ['krəʊfʊt] (pl. *crowfoots*) *s* bot. ranunkel
Crown [kraʊn] *s*, *the ~* kronan, staten
crown [kraʊn] **I** *s* **1** krona vanl. kunglig, äv. som emblem **2** krans [*laurel ~*]; *martyr's ~* martyrgloria **3** krona [*a Swedish ~*] **4 a)** topp, krön; hjässa äv. av berg el. valv; *drive on the ~ of the road* köra mitt i körbanan **b)** [träd]krona **c)** [tand]krona **5** [hatt]kulle **6** bildl. höjdpunkt, värdig avslutning [*the ~ of the day*]
II *vb tr* **1 a)** kröna **b)** bekransa, bekröna; *~ sb king* kröna ngn till konung **2** bildl. kröna [*be ~ed with success*]; prisbelöna verk; *~ed with victory* segerkrönt **3 a)** bilda krönet på, kröna **b)** värdigt avsluta; *to ~ it all* som kronan på verket **4** tandläk. sätta en krona på [*~ a tooth*] **5** i damspel förvandla en bricka till dam **6** sl. slå ngn i skallen
crown colony [,kraʊn'kɒlənɪ] *s* kronkoloni
crown court [,kraʊn'kɔ:t] *s* ung. motsv. tingsrätt [för mål rörande allvarligare brott]
crowning ['kraʊnɪŋ] *adj* som bildar höjdpunkten, topp- [*a ~ achievement*]; *the ~ glory* a) kronan på verket, glanspunkten b) skämts., om håret prydnad, stolthet
crown prince [,kraʊn'prɪns] *s* kronprins
crown princess [,kraʊnprɪn'ses] *s* kronprinsessa
crown witness [,kraʊn'wɪtnəs] *s* jur. kronvittne
crow's-feet ['krəʊzfi:t] *s pl* vard. rynkor kring ögonen

crow's-nest ['krəʊznest] *s* sjö. mastkorg; utkik
CRT [,si:ɑ:'ti:] förk. för *cathode ray tube*
crucial ['kru:ʃ(ə)l] *adj* avgörande [*a ~ case; a ~ test*]; central; kritisk; mycket svår; prövande
crucially ['kru:ʃ(ə)lɪ] *adv* förstärk. synnerligen [*~ necessary*]
cruciate ligament [,kru:ʃɪət'lɪgəmənt] *s* anat. korsband
crucible ['kru:səbl] *s* **1** smältdegel **2** bildl. svårt prov, skärseld
crucifix ['kru:sɪfɪks] *s* krucifix
crucifixion [,kru:sɪ'fɪkʃ(ə)n] *s* korsfästelse; bildl. lidande, hemsökelse
cruciform ['kru:sɪfɔ:m] *adj* korsformig
crucify ['kru:sɪfaɪ] *vb tr* **1** korsfästa; bildl. trakassera, förfölja, plåga; *~ oneself* plåga sig **2** allvarligt skada
crud [krʌd] *s* sl. [klibbig] smörja (smuts); förorening; avfallsprodukt
crude [kru:d] **I** *adj* **1** rå, i naturligt tillstånd; obearbetad, rå-; *~ material* råämne, råmaterial; *~ oil* råolja **2** grovt tillyxad [*a ~ log cabin*]; primitiv [*~ methods; ~ ideas*]; grov, enkel [*a ~ mechanism*]; outvecklad, omogen **3** grov, plump [*~ jokes*] **4** gräll, rå [*~ colours*]; *the ~ facts* kalla fakta, den nakna (osminkade) sanningen
II *s* råolja [äv. *~ oil*]
crudités o. **crudites** ['kru:dɪteɪz] *s pl* kok. (fr.) cruditéer, grönsakstallrik med råa grönsaker
crudity ['kru:dətɪ] *s* **1** råhet; pl. *crudities* råprodukter **2** grovhet etc., jfr *crude I 2* o. *crude I 3*; förenkling
cruel [krʊəl, kru:l] *adj* grym; blodtörstig; blodig; elak [*to* mot]; vard. gräslig
cruelty ['krʊəltɪ, kru:ltɪ] *s* grymhet; äktenskaplig misshandel; *a ~* el. *an act of ~* en grymhet, en grym handling; *~ to animals* djurplågeri; *~ to children* ung. barnmisshandel
cruet ['kru:ɪt] *s* **1** flaska till bordställ **2** se *cruet stand*
cruet stand ['kru:ɪtstænd] *s* bordställ med olja, vinäger etc.
cruise [kru:z] **I** *vb itr* **1** kryssa [omkring]; ligga till sjöss; vara på (delta i) kryssning **2** köra i lagom fart, [långsamt] glida fram; om taxi köra långsamt (runt) [på jakt efter körning]; *~ at* [*70 miles an hour*] ha (köra med) en marschfart av (på)… **3** sl. vara ute och ragga
II *s* kryssning, sjöfärd, tur
cruise control ['kru:zkən,trəʊl] *s* bil. farthållare
cruise missile [,kru:z'mɪsaɪl] *s* mil. kryssningsrobot
cruiser ['kru:zə] *s* **1** kryssare **2** amer. polisbil, radiobil; *~ light* blinkande varningsljus på utryckningsfordon
cruiserweight ['kru:zəweɪt] *s* boxn. **1** lätt tungvikt **2** lätt tungviktare
cruise ship ['kru:zʃɪp] *s* kryssningsfartyg
cruising altitude ['kru:zɪŋ,æltɪtju:d] *s* flyg. marschhöjd
cruising speed ['kru:zɪŋspi:d] *s*, *have a ~ of* [*70 miles an hour*] ha en marschfart (marschhastighet) av (på)…
cruller ['krʌlə] *s* kok. amer., slags klenät
crumb [krʌm] *s* **1** smula av bröd m.m. **2** bildl. [små]smula, gnutta; *a few ~s of comfort* en liten smula tröst

crumble ['krʌmbl] **I** *vb tr* smula sönder **II** *vb itr* falla sönder, smula sig; förfalla, vittra [*a crumbling edifice*] **III** *s* smulpaj [äv. *fruit ~*]

crumbly ['krʌmblɪ] *adj* som lätt faller sönder (smular sig), smulig

crumbs [krʌmz] *interj* vard. kors!, himmel!

crummy ['krʌmɪ] *adj* sl. **1** [ur]kass värdelös **2** sjabbig, sjaskig

crumpet ['krʌmpɪt] *s* **1** slags mjuk tekaka som rostas och ätes varm **2** sl., *a bit of ~* en pangbrud (snygging)

crumple ['krʌmpl] **I** *vb tr*, *~* el. *~ up* krama (knöla) ihop, skrynkla, knyckla [till (ihop)]; tufsa till **II** *vb itr* **1** *~* el. *~ up* skrynkla sig, bli skrynklig (rynkig); krossas [*the wings of the aircraft ~d up*] **2** bildl. falla, duka under, svikta

crumpled ['krʌmpld] *adj* **1** skrynklig, tillknycklad etc., jfr *crumple I* **2** böjd, krökt i spiral

crumple zone ['krʌmplzəʊn] *s* bil. deformationszon

crunch [krʌn(t)ʃ] **I** *vb tr* **1** knapra i sig, knapra på, tugga (krasa) sönder **2** trampa på; knastra mot **II** *vb itr* **1** knapra **2** knastra; om snö knarra **III** *s* **1** knaprande; knastrande **2** vard., *that's the ~!* det är det som är kruxet!; *when it comes to the ~* när det kommer till kritan, när det verkligen gäller

crunchy ['krʌn(t)ʃɪ] *adj* knaprig, spröd; knastrande, krasande

crusade [kruːˈseɪd] **I** *s* korståg, bildl. äv. kampanj **II** *vb itr* börja (delta i) ett korståg (en kampanj)

crusader [kruːˈseɪdə] *s* **1** bildl. [för]kämpe **2** korsfarare, korsriddare

crush [krʌʃ] **I** *vb tr* **1** krossa; mala (stampa, klämma) sönder, klämma illa **2** pressa, trycka [*into* in i; *out of* ur] **3** skrynkla till **4** bildl. krossa, kuva; *our hopes have been ~ed* våra förhoppningar har grusats (krossats); *~ out* utplåna **II** *vb itr* **1** krossas, klämmas [sönder] **2** skrynkla sig **III** *s* **1** trängsel; massa folk, folkmassa **2** vard., *have a ~ on* svärma för **3** fruktdryck, fruktdrink

crush bar ['krʌʃbɑː] *s* bar på teater

crush barrier ['krʌʃ,bærɪə] *s* [järn]barriär avspärrning vid folksamling o.d., kravallstaket

crushing ['krʌʃɪŋ] *adj* förkrossande [*a ~ defeat*]; överväldigande, dräpande [*a ~ reply*]

Crusoe ['kruːsəʊ]

crust [krʌst] *s* **1** skorpa, kant, skalk på bröd o.d.; *the upper ~* se *upper crust* **2** skorpa på sår

crustacean [krʌˈsteɪʃ(ə)n] **I** *s* kräftdjur, skaldjur **II** *adj* kräftdjurs-, skaldjurs-

crusted ['krʌstɪd] *adj* **1** överdragen med en skorpa; *~ snow* skarsnö **2** om vin med bottensats; lagrad, gammal **3** bildl. inrotad [*~ prejudices*; *~ habits*]

crusty ['krʌstɪ] *adj* **1 a)** knaprig, frasig **b)** skorpartad, hård **2** vard. sur; vresig

crutch [krʌtʃ] *s* **1** krycka; bildl. stöd **2** skrev, gren

crux [krʌks] *s* krux, svårighet, stötesten; *the ~ of the matter* den springande punkten; sakens kärna

cry [kraɪ] **I** *vb itr* o. *vb tr* **1** gråta [*~ oneself to sleep*]; *~ one's eyes out* gråta förtvivlat **2** ropa, skrika; utropa **3** *~ for* ropa på (efter), kräva; gråta efter (för att få); skrika (gråta) av [*~ for joy*]; *for ~ing out loud!* vard. för Guds skull! sluta, tig o.d. **II** *vb itr* o. *vb tr* med adv. el. prep.:

cry off ge återbud [*from* till], utebli, dra sig ur

spelet

cry out a) ropa högt, skrika till; *~ out against* högljutt (kraftigt) protestera mot; *~ out for* ropa på, fordra; högljutt begära; *~ with pain* skrika (gråta) av smärta **b)** utropa; *~ out sth to sb* skrika (ropa) ngt till ngn **III** *s* **1** rop, skrik; ropande; *a far ~* lång väg, långt äv. bildl. [*from* ifrån]; *within ~ of* inom hörhåll (rophåll) för **2** ramaskri; [opinions]storm [*raise a ~ against*]; allmän opinion **3** stridsrop; lösen[ord]; slagord **4** djurs skri; skall; *in full ~* för full hals; i full fart (karriär) **5** gråtstund; klagan; *have a good ~* vard. gråta ut

crybaby ['kraɪ,beɪbɪ] *s* lipsill; gnällmåns

crying ['kraɪɪŋ] *adj* uppenbar; trängande [*~ need*]; *it's a ~ shame* det är en evig skam (synd och skam)

crypt [krɪpt] *s* krypta; gravvalv

cryptic ['krɪptɪk] *adj* kryptisk; dunkel, svårtolkad

crypto-fascist [,krɪptə(ʊ)ˈfæʃɪst] *s* kryptofascist

cryptogram ['krɪptə(ʊ)græm] *s* kryptogram; chiffer[skrift]

crystal ['krɪstl] **I** *s* **1** kristall [*salt ~s*] **2** *~* el. *~ glass* kristall, kristallglas **3** vanl. amer. klockglas, urglas **II** *adj* kristall-, kristallklar

crystal ball [,krɪstlˈbɔːl] *s* kristallkula

crystal clear [,krɪst(ə)lˈklɪə] *adj* kristallklar äv. bildl.

crystalline ['krɪstəlaɪn] *adj* **1** kristall-, kristallklar **2** kristallisk; kristallinisk

crystallization [,krɪstəlaɪˈzeɪʃ(ə)n] *s* **1** kristallisering, kristallbildning **2** bildl. utkristallisering

crystallize ['krɪstəlaɪz] **I** *vb tr* **1** kristallisera **2** bildl. utkristallisera, ge form åt **3** kok. kandera [*~ fruit*] **II** *vb itr* kristallisera[s]; bildl. utkristallisera sig, ta fast form

crystal set ['krɪstlset] *s* radio. (hist.) kristallmottagare

C-section ['siː,sekʃ(ə)n] *s* amer. vard., *caesarean*

CS gas [,siːesˈgæs] *s* tårgas innehållande klorbensylidenmalodinitril

CSR [,siːesˈɑː] (fork. för *Corporate Social Responsibility*) företags, organisations samhällsansvar

CST [,siːesˈtiː] fork. för *Central Standard Time*

CSU [,siːesˈjuː] (fork. för *Civil Service Union*) statstjänstemannaförbund

CT [,siːˈtiː] fork. för *Connecticut*

ct fork. för *cent, carat*

cts fork. för *cents*

CT scan [,siːˈtiːskæn] *s* med. datortomografi, skiktröntgen

CT scanner [,siːˈtiː,skænə] *s* med. datortomograf

CU fork. för *Cambridge University*

cu. fork. för *cubic*

Cub [kʌb] *s* miniorscout [äv. *~ Scout*]

cub [kʌb] *s* **1** zool. unge vanl. av räv, varg, björn, lejon, tiger, val **2** vard. [pojk]valp, spoling

Cuba ['kjuːbə] geogr. Kuba

Cuban ['kjuːbən] **I** *s* kuban; kubanska **II** *adj* kubansk

cubbyhole ['kʌbɪhəʊl] *s* **1** liten trevlig plats (vrå), krypin, 'kula' **2** fack; skåp

cube [kjuːb] **I** *s* **1** kub; tärning; *~ sugar* kubformat bitsocker **2** matem. kub; *the ~ of 5* 5 i kub; kuben på 5; 5 upphöjt till tre

II *vb tr* **1** upphöja till tre (till tredje potensen, i kub); dra kubikroten ur **2** skära i tärningar, tärna

cube root [ˌkjuːˈbruːt] *s* matem. kubikrot

cubic [ˈkjuːbɪk] *adj* kubisk; kubik-; tredimensionell

cubical [ˈkjuːbɪk(ə)l] *adj* kubisk, kubformig

cubic capacity [ˌkjuːbɪkkəˈpæsətɪ] *s* volym; bil. o.d. cylindervolym, slagvolym

cubicle [ˈkjuːbɪkl] *s* **1** hytt; skrubb, bås, avbalkning **2** sovcell i skola o.d.

cubic measure [ˌkjuːbɪkˈmeʒə] *s* rymdmått, kubikmått

cubic metre [ˌkjuːbɪkˈmiːtə] *s* kubikmeter, m^3

cubism [ˈkjuːbɪz(ə)m] *s* konst. kubism

cubist [ˈkjuːbɪst] konst. **I** *s* kubist **II** *adj* kubistisk

cuboid [ˈkjuːbɔɪd] **I** *adj* kubformig, tärningsformad **II** *s* kub, tärning

Cub Scout [ˈkʌbskaʊt] *s* miniorscout

cuckold [ˈkʌkəʊld, -k(ə)ld] åld. el. skämts. **I** *s* hanrej bedragen äkta man **II** *vb tr* göra till hanrej

cuckoo [ˈkʊkuː, interj. vanl. ˌkʊˈkuː] **I** (pl. ~s) *s* **1** zool. gök **2** galande; kuku
II *interj* barnspr. kuku!; tittut!
III *adj* sl. tokig, snurrig, tossig

cuckoo clock [ˈkʊkuːklɒk] *s* gökur

cucumber [ˈkjuːkʌmbə] *s* gurka; *cool as a* ~ vard. lugn som en filbunke

cud [kʌd] *s* boll av idisslad föda; *chew the* ~ idissla; bildl. fundera länge, [gå (sitta) och] grunna

cuddle [ˈkʌdl] **I** *vb tr* krama, omfamna, kela med
II *vb itr* kramas, omfamnas
III *vb itr* med adv.:
cuddle up krypa tätt tillsammans (ihop); ligga hopkrupen, kura ihop sig; ~ *up to* smyga sig (krypa) intill
IV *s* omfamning, kram

cuddly [ˈkʌdlɪ] *adj* kelig, smeksam; kramgo[d], mjuk; ~ *doll* kramdocka; ~ *bear* [mjuk] nalle, teddybjörn

cudgel [ˈkʌdʒ(ə)l] **I** *s* [knöl]påk; *take up the* ~*s* kraftigt ingripa [*for* till försvar för], ta parti [*for* för] **II** *vb tr* klå, prygla; ~ *one's brains* åld., se *brain I 2*

1 cue [kjuː] **I** *s* **1** teat. stickreplik, slutord i replik; signal; infallstecken äv. mus.; vink, fingervisning, antydning; *miss a* ~ a) missa en stickreplik (entré) b) vard. missa (inte förstå) poängen; *take one's* ~ *from sb* rätta sig efter ngn, följa ngns exempel **2** [*right*] *on* ~ [precis] som på beställning, roll, uppgift, sak, angelägenhet **3** attr., ~ *button* på bandspelare o.d. framspolningsknapp
II *vb tr* **1** ~ *sb in* ge ngn tecken (klartecken) [att börja], vinka in ngn **2** tekn., ~ *in* sätta (lägga) in [~ *in a sound effect*]

2 cue [kjuː] *s* [biljard]kö

1 cuff [kʌf] *s* **1** ärmuppslag, amer. äv. byxuppslag **2** manschett **3** pl. ~*s* vard., se *handcuffs* **4** vard., *off the* ~ på stående fot, på rak arm, improviserat; *on the* ~ på krita (kredit); gratis

2 cuff [kʌf] **I** *vb tr* slå till med knytnäven el. flata handen, örfila upp **II** *s* örfil

cuff link [ˈkʌflɪŋk] *s* manschettknapp

cuirass [kwɪˈræs] *s* harnesk, kyrass; pansar

cuisine [kwɪˈziːn] *s* kök, kokkonst

cul-de-sac [ˌkʊldəˈsæk, ˈkʌldəsæk] (pl. *culs-de-sac*

utt. som sg. el. *cul-de-sacs* [-s]) *s* återvändsgränd, återvändsgata

culinary [ˈkʌlɪnərɪ, ˈkjuːl-] *adj* kulinarisk; köks-, matlagnings-, mat-

culminate [ˈkʌlmɪneɪt] *vb itr* kulminera [*in* i, med], nå (stå på) höjdpunkten

culmination [ˌkʌlmɪˈneɪʃ(ə)n] *s* kulmen, höjdpunkt; kulmination äv. astron.

culottes [kjʊˈlɒts] *s pl* byxkjol

culpability [ˌkʌlpəˈbɪlətɪ] *s* skuld

culpable [ˈkʌlpəbl] *adj* straffvärd; skyldig [*of* till]; klandervärd

culprit [ˈkʌlprɪt] *s* missdådare, syndare; *the* ~ äv. den skyldige, boven i dramat

cult [kʌlt] *s* **1** kult; dyrkan **2** sekt **3** modefluga; ~ *word* modeord

cultbuster [ˈkʌltˌbʌstə] *s* avprogrammerare person som hjälper ngn att bli fri från sekt

cultivable [ˈkʌltɪvəbl] *adj* odlingsbar

cultivate [ˈkʌltɪveɪt] *vb tr* **1** bruka, bearbeta jord; odla **2** odla, bilda [~ *one's mind* (själ)]; förfina; öva **3** odla, ägna sig åt, lägga an på; ~ *sb* el. ~ *sb's acquaintance* odla ngns bekantskap

cultivated [ˈkʌltɪveɪtɪd] *adj* **1** kultiverad, bildad **2** [upp]odlad; ~ *mushroom* odlad champinjon

cultivation [ˌkʌltɪˈveɪʃ(ə)n] *s* **1** brukning, bearbetning av jord; kultur; odling; *bring land into* ~ odla upp mark **2** bildl. odling, utveckling **3** bildning, själskultur

cultivator [ˈkʌltɪveɪtə] *s* **1** odlare **2** lantbr. kultivator slags harv; *rotary* ~ jordfräs

cultural [ˈkʌltʃ(ə)r(ə)l] *adj* kulturell, bildnings-; ~ *clash* kulturkrock, kulturkollision; ~ *heritage* kulturarv; ~ *lag* kulturell eftersläpning; ~ *revolution* kulturrevolution

culture [ˈkʌltʃə] **I** *s* **1** kultur [*Greek* ~]; bildning; *a man of* ~ en kultiverad (bildad) människa **2** biol. o.d. odling [*strawberry* ~]; kultur [~ *of bacteria*] **II** *vb tr* odla [~ *bacteria*; ~*d pearls*]

cultured [ˈkʌltʃəd] *adj* **1** bildad, kultiverad [~ *people*]; förfinad [~ *taste*] **2** odlad [~ *cells*; ~ *pearls*]

culture gap [ˈkʌltʃəgæp] *s* kulturklyfta

culture shock [ˈkʌltʃəʃɒk] *s* kulturchock

culture vulture [ˌkʌltʃəˈvʌltʃə] *s* vard. kultursnobb, kulturknutte

culvert [ˈkʌlvət] *s* kulvert; [väg]trumma

Cumberland [ˈkʌmbələnd] geogr. (hist.)

cumbersome [ˈkʌmbəsəm] *adj* hindersam, besvärlig; ohanterlig; tung; klumpig

Cumbria [ˈkʌmbrɪə] geogr.

Cumbrian [ˈkʌmbrɪən] *adj* cumbrisk; från Cumberland i nordvästra England

cum laude [ˌkʌmˈlɔːdɪ, ˌkʊmˈlaʊdeɪ] *adj* o. *adv* vanl. amer. (lat.) [med] näst näst högsta betyg av tre betygsgrader över godkänd

cumulative [ˈkjuːmjʊlətɪv, -leɪt-] *adj* som hopar sig, [ac]kumulativ, växande; hopad, ackumulerad [*the* ~ *wealth of generations*]; ökad, ytterligare, allt starkare; bekräftande [~ *evidence*]; upprepad [~ *offences*]

cumul|us [ˈkjuːmjʊl|əs] (pl. *-i* [-aɪ]) *s* cumulus, stackmoln

cuneiform [ˈkjuːnɪɪfɔːm] **I** *adj* kilformig; kilskrift-; ~ *writing* kilskrift **II** *s* kilskrift
cunnilingus [ˌkʌnɪˈlɪŋgəs] *s* cunnilingus oral stimulering av kvinnliga genitalia
cunning [ˈkʌnɪŋ] **I** *adj* **1** slug, listig **2** amer. åld. söt, näpen, lustig
II *s* slughet, list; *low* ~ slughet (list) på en låg nivå
cunt [kʌnt] *s* vulg. fitta äv. kvinna som sexobjekt o. som skällsord
cup [kʌp] **I** *s* **1** kopp äv. som mått; ung. ¼ liter [*two ~s of sugar*]; bägare äv. bildl.; kalk äv. bildl. [*the ~ of a flower; the ~ of humiliation*]; [liten] skål äv. bot.; *the ~ was full* måttet var rågat; *my ~ of tea* vard., se under *tea*; *in one's ~s* åld. [på väg att bli] berusad (glad); *drain the ~ of bitterness* tömma den bittra kalken **2** [pris]pokal, cup; *challenge* ~ vandringspokal, vandringspris **3** anat. ledskål **4** kupa på behå **5** bål dryck [*claret-cup*]
II *vb tr* kupa [*~ one's hand*]; *he ~ped his ear with his hand* han höll (kupade) handen bakom örat
cupboard [ˈkʌbəd] *s* skåp; skänk; *have a skeleton in the* ~ se under *skeleton 1*
cupboard love [ˈkʌbədlʌv] *s* åld. matfrieri; egennyttig kärlek
cup cake [ˈkʌpkeɪk] *s* slags muffin i pappersform
cup final [ˌkʌpˈfaɪnl] *s* cupfinal
cupful [ˈkʌpfʊl] (pl. ~s el. *cupsful*) *s* kopp som mått
cupholder [ˈkʌpˌhəʊldə] *s* innehavare av vandringspris, cupförsvarare
Cupid [ˈkjuːpɪd] **I** egennamn Cupido, Kupido; *~'s bow* amorbåge **II** *s* amorin
cupidity [kjʊˈpɪdətɪ] *s* snikenhet, vinningslystnad
cupola [ˈkjuːpələ] *s* kupol; lanternin
cuppa [ˈkʌpə] *s* (eg. *cup of* [*tea*]) sl. kopp (slurk) [te] [*what about a ~?*]
cup tie [ˈkʌptaɪ] *s* fotb. cupmatch
cur [kɜː] *s* **1** bondhund, hundracka, byracka **2** ynkrygg, kruka; usling, knöl
curable [ˈkjʊərəbl] *adj* botlig, botbar
curacy [ˈkjʊərəsɪ] *s* [kyrko]adjunktstjänst, tjänst som pastoratsadjunkt
curaçao [ˈkjʊərəsəʊ] *s* o. **curaçoa** [ˌkjʊərəˈsəʊə] *s* curaçao likör
curate [ˈkjʊərət] *s* **1** pastoratsadjunkt **2** *it's like the ~'s egg* det är både bra och dåligt
curative [ˈkjʊərətɪv] **I** *adj* botande, läkande, helande; med. kurativ **II** *s* botemedel
curator [ˌkjʊəˈreɪtə] *s* intendent vid museum o.d.; antikvarie
curb [kɜːb] **I** *s* **1** bildl. band, tvång; bromsande effekt; kontroll [*~ on* (över) *rising prices*]; *put a ~ on* el. *keep a ~ on* lägga band på, hålla i schack **2** amer., se *kerb*
II *vb tr* hindra, sätta stopp för, hålla i styr, lägga band på [*~ one's impatience*]; tygla, kuva, hämma
curb bridle [ˈkɜːbˌbraɪdl] *s* stångbetsel, stångbett
curb-crawl [ˈkɜːbˌkrɔːl] *vb itr* amer. ragga jaga tjejer per bil
curb crawler [ˈkɜːbˌkrɔːlə] *s* amer. sexköpare som raggar i bil
curbstone [ˈkɜːbstəʊn] *s* amer. kantsten i trottoarkant
curd [kɜːd] *s* **1** vanl. pl. *~s* ostmassa; ~ el. *~ cheese* kvark, surmjölksost **2** slags smörkräm med smaktillsats, jfr *lemon curd*

curdle [ˈkɜːdl] **I** *vb tr* ysta, komma (få) att koagulera (stelna); *~d milk* filbunke, filmjölk **II** *vb itr* löpna, ysta sig, koagulera; stelna; *it made my blood ~* det kom blodet att isas i ådrorna på mig
cure [kjʊə] **I** *vb tr* **1** bota [*of* från, för], läka, kurera [*of* för] **2** konservera genom saltning, rökning, torkning o.d., lägga in, salta, röka, torka kött, fisk, frukt o.d.; göra hållbar, preparera [*~ tobacco*]
II *s* **1** botemedel äv. bildl. [*for* mot] **2** kur [*of* mot, för]; bot [*of* för, mot]; botande, kurering [*of* av]; tillfrisknande **3** själavård [äv. ~ *of souls*]
cure-all [ˈkjʊərɔːl] *s* universalmedel
curettage [kjʊəˈretɪdʒ, kjʊərəˈtɑːʒ] *s* med. kyrettage, skrapning
curfew [ˈkɜːfjuː] *s* **1** [signal för] utegångsförbud; *lift a* ~ häva ett utegångsförbud; *impose a* ~ införa utegångsförbud **2** hist. aftonringning
curie [ˈkjʊərɪ] *s* curie måttenhet för radioaktivitet
curio [ˈkjʊərɪəʊ] (pl. ~s) *s* kuriositet konstsak
curiosity [ˌkjʊərɪˈɒsɪtɪ] *s* **1** vetgirighet; nyfikenhet; *~ killed the cat* ordst. nyfiken i en strut **2** märkvärdighet; kuriositet, raritet, antikvitet
curiosity shop [ˌkjʊərɪˈɒsɪtɪʃɒp] *s* antikvitetsaffär
curious [ˈkjʊərɪəs] *adj* **1** vetgirig; nyfiken [*about* på; ~ *to* ([på] att) *know*] **2** egendomlig, underlig, märkvärdig, besynnerlig
curl [kɜːl] **I** *vb tr* krulla, ringla, lägga i lockar, locka; krusa äv. vattenyta, läppar; kröka [*she ~ed her lips in a sneer*]; sno [~ *one's moustache*; ~ *one leg around the other*]; slå knorr på svansen; ~ *up one's legs* dra upp benen under sig; *~ed up* äv. hopkrupen
II *vb itr* **1** locka (krusa, kröka, ringla, slingra) sig; *her hair ~s naturally* hon har självlockigt hår **2** *it made my hair* ~ det fick håret att resa sig [på huvudet] på mig
III *vb itr* med adv.:
curl up a) rulla (ringla) ihop sig, vika sig [~ *up at the edges*]; sluta sig; kura ihop sig; *she ~ed up with laughter* hon vred sig (vek sig dubbel) av skratt **b)** vard. falla ihop (till föga), ge tappt **c)** jfr äv. *curl I* ovan
IV *s* **1** [hår]lock; *in* ~ lockig, krusig; *keep the hair in* ~ få håret att behålla sin lockighet **2** ring, våglinje, spiral[linje], bukt; pl. *~s* äv. ringlar **3** krusning, krökning; lockighet
curler [ˈkɜːlə] *s* **1** [hår]spole, [hår]rulle **2** curlingspelare
curlew [ˈkɜːljuː] *s* zool. spov; spec. storspov
curling [ˈkɜːlɪŋ] *s* **1** sport. curling **2** krullande etc., jfr *curl II*
curling rink [ˈkɜːlɪŋrɪŋk] *s* sport. curlingbana
curling tongs [ˈkɜːlɪŋtɒŋz] *s pl* locktång
curly [ˈkɜːlɪ] *adj* lockig, krullig, krusig, knollrig
curly-headed [ˈkɜːlɪˌhedɪd] *adj* krullhårig, med lockigt (krulligt) hår
curmudgeon [kɜːˈmʌdʒ(ə)n] *s* **1** gnidare, snålvarg **2** bitvarg, surkart
curmudgeonly [kɜːˈmʌdʒ(ə)nlɪ] *adj* sur, vresig
currant [ˈkʌr(ə)nt] *s* **1** korint **2** vinbär [*black ~s; red ~s*]
currency [ˈkʌr(ə)nsɪ] *s* **1** valuta; pengar i omlopp; sedlar [*coin and ~*]; betalningsmedel; *paper* ~ papperspengar; sedelstock **2 a)** utbredning, spridning [*give ~ to* (åt) *a report*]; allmänt gehör

b) livstid [*many slang words have short ~*]; gångbarhet; giltighetstid, tid [*during the entire ~ of the lease*]

current [ˈkʌr(ə)nt] **I** *adj* **1** gångbar, som är i omlopp; bildl. gängse, allmän, allmänt utbredd (spridd) [*~ opinions*]; aktuell [*~ fashions*]; rådande, nuvarande [*the ~ crisis*]; **words that are no longer ~** ord som inte används längre; **be ~** a) gälla b) vara allmänt godtagen (erkänd) **2** innevarande, löpande; dagens, denna veckas (månads osv.), senaste [*the ~ issue of the magazine*]; aktuell; [nu] gällande; **at the ~ rate of exchange** till gällande kurs, till dagskurs; **account ~** el. **~ price** gällande (gängse) pris, dagspris **II** *s* **1** ström; strömdrag **2** [elektrisk] ström; strömstyrka **3** strömning, tendens, riktning

current account [ˈkʌr(ə)ntəˌkaʊnt] *s* konto som används för in- och utbetalning, lönekonto; med checkhäfte checkkonto

current affairs [ˌkʌr(ə)ntəˈfeəz] *s pl* aktuella frågor (problem)

current assets [ˌkʌr(ə)ntˈæsets] *s pl* hand. omsättningstillgångar

currently [ˈkʌr(ə)ntlɪ] *adv* **1** just nu, för närvarande **2** obehindrat, flytande

curricul|um [kəˈrɪkjʊləm] (pl. *-a* [-ə] el. *-ums*) *s* läroplan, studieplan, undervisningsplan

curriculum vitae [kəˌrɪkjʊləmˈviːtaɪ, -ˈvaɪtiː] (pl. *curricula vitae* [-lə'v-] (förk. *CV*) *s* lat. CV, ung. kort levnadsbeskrivning, meritförteckning vid platsansökan o.d.

curried [ˈkʌrɪd] *adj* kok. curry- [*~ chicken*]; [kryddad] med curry

1 curry [ˈkʌrɪ] **I** *s* **1** curry[pulver] **2** curryrätt; **chicken ~** höns i curry[sås], currystuvat höns **II** *vb tr* tillaga (krydda) med curry[pulver]

2 curry [ˈkʌrɪ] *vb tr* **1** **~ favour** ställa sig in [*with* hos], fjäska [*with* för] **2** rykta

curse [kɜːs] **I** *s* **1** förbannelse; svordom; **not worth a ~** vard. inte värd ett jäkla dugg; **put sb under a ~** uttala en förbannelse över ngn **2** gissel, förbannelse, syndastraff, plåga **3** kyrkans bann **4** vard. åld., **the ~** mens menstruation **II** *vb itr* svära [*at* över]; **~ and swear** svära och domdera (gorma) **III** *vb tr* **1** förbanna, fördöma; **~ you!** sl. tusan också!; **she ~ed herself for her stupidity** hon förbannade sin egen dumhet; **the whole village had been ~d by the witch** häxan hade uttalat en förbannelse över hela byn **2** hemsöka, plåga; **be ~d with** ha fått för sina synders skull, ha blivit drabbad av, vara förföljd av

cursed [ˈkɜːsɪd] *adj* förbannad, fördömd

cursive [ˈkɜːsɪv] *adj* flytande; kursiv

cursor [ˈkɜːsə] *s* data. markör

cursory [ˈkɜːs(ə)rɪ] *adj* hastig, flyktig [*~ glance*]; ytlig

curt [kɜːt] *adj* **1** kort [till sättet], brysk, snäv [*~ answer*]; tvär, barsk [*with* mot] **2** kort[fattad]; sammanträngd stil

curtail [kɜːˈteɪl] *vb tr* korta av, förkorta, knappa av (in) på; inskränka; minska

curtailment [kɜːˈteɪlmənt] *s* avkortning, förkortning, avknappning, inknappning; inskränkning; minskning

curtain [ˈkɜːtn] **I** *s* **1** gardin; draperi, förhänge; [säng]omhänge; skynke; bildl. slöja; **draw the ~s** a) dra för (ner) gardinerna b) dra undan (upp) gardinerna; **draw back the ~s** dra undan (upp) gardinerna **2** ridå [*the ~ rises; the ~ falls*]; **~ of fire** mil. eldridå; spärreld; **safety ~** teat. o.d. järnridå; **~!** tablå! **3** vard., **bring down the ~ on** el. **bring the ~ down on** avsluta **4** vard., pl. **~s** slutet; **it will be ~s for us** [*if the police catch us*] äv. det är ute med oss... **II** *vb tr* sätta upp gardiner i [*~ a window*]; förse (skyla) med ett draperi (förhänge); **~ off** dela (skärma) av med ett draperi (förhänge)

curtain call [ˈkɜːtnkɔːl] *s* teat. inropning

curtain fire [ˈkɜːtnˌfaɪə] *s* mil. spärreld

curtain pole [ˈkɜːtnpəʊl] *s* gardinstång vanl. av trä

curtain-raiser [ˈkɜːtnˌreɪzə] *s* kort förpjäs

curtain rod [ˈkɜːtnrɒd] *s* gardinstång

curtain speech [ˈkɜːtnspiːtʃ] *s* teat. tal till publiken från scenen

curtsy o. **curtsey** [ˈkɜːtsɪ] **I** *s* nigning, knix; **make a ~** el. **drop a ~** göra en nigning, niga **II** *vb itr* niga, knixa

curvaceous [kɜːˈveɪʃəs] *adj* vard., om kvinna kurvig

curvature [ˈkɜːvətʃə] *s* krökning, krokighet, buktning, kurva; bågform

curve [kɜːv] **I** *s* **1** kurva äv. matem., krok[linje], böjd linje, båglinje, båge, krök[ning], böjning; pl. **~s** äv. kvinnas runda former, kurvor **2** sport., **~ ball** skruvboll i baseboll **3** amer., **throw sb a ~** kasta ur sig en oväntad fråga **II** *vb tr* böja, kröka **III** *vb itr* böja (kröka) sig, gå i en båge, svänga

curved [kɜːvd] *adj* böjd, krökt, svängd

curvy [ˈkɜːvɪ] *adj* kurvig

cush [kʊʃ] *s* bilj. (vard.), **the ~** vallen

cushion [ˈkʊʃ(ə)n] **I** *s* **1** kudde, dyna; underlägg under matta o.d.; **~ sole** mjuk inläggssula **2** valk under hår el. kjol **3** bilj. vall **4** a) tekn. luftkudde [äv. **~ of air**]; stötdämpande [ång]tryck, kompression b) bildl. buffert **II** *vb tr* **1** dämpa, mildra [*~ the effects of the crisis*]; utjämna; underlätta; **be ~ed against...** skyddas mot... **2** i tysthet undertrycka, tysta ner **3** förse (skydda) med kuddar (dynor etc., jfr *cushion I*); madrassera, stoppa [*~ed seats*] **4** bilj. dubblera

cushy [ˈkʊʃɪ] *adj* vard. lätt och välbetald, bekväm, behaglig, latmans- [*~ job*]; **a ~ number** en liten nätt sysselsättning

cuspid [ˈkʌspɪd] *s* tandläk. hörntand

cuspidor [ˈkʌspɪdɔː] *s* amer. spottlåda, spottkopp

cuss [kʌs] vard. **I** *s* åld. **1** individ, typ [*a mean ~*] **2** förbannelse; **I don't give a ~** det skiter jag i, det bryr jag mig inte ett dugg om; **not worth a tinker's ~** inte värd ett jäkla dugg **II** *vb tr* o. *vb itr* svära; **~ out** amer. svära över

cussed [ˈkʌsɪd] *adj* vard. **1** fördömd **2** envis, omöjlig, trilsk, tvär; **be in a ~ mood** vara på trotshumör

cussedness [ˈkʌsɪdnəs] *s* vard. vrånghet; **pure ~** ren elakhet (ondska); **out of pure ~** på pin kiv

custard [ˈkʌstəd] *s* slags [ägg]kräm; vaniljsås [äv. *egg ~ sauce*]; **baked ~** slags äggkaka

custard-pie [ˌkʌstəd'paɪ, attr. '---] *s, ~ comedy* pajkastningskomedi; *~ humour* pajkastningshumor, bondkomik

custard powder ['kʌstəd,paʊdə] *s* ung. vaniljsåspulver

custodial [kʌ'stəʊdɪəl] *adj* skydds-, förmyndar-

custodial parent [kʌˌstəʊdɪəl'peər(ə)nt] *s* jur. vårdnadshavare, målsman

custodial sentence [kʌˌstəʊdɪəl'sentəns] *s* jur. fängelsestraff

custodian [kʌ'stəʊdɪən] *s* **1** förmyndare; vårdare **2** väktare; tillsyningsman; intendent

custody ['kʌstədɪ] *s* **1** förmynderskap; vård, vårdnad, uppsikt **2** [fängsligt] förvar; *take into ~* arrestera, anhålla; *in ~* i häkte, arresterad; *in safe ~* i säkert förvar

custody battle ['kʌstədɪˌbætl] *s* vårdnadstvist

custom ['kʌstəm] **I** *s* **1** sed[vänja], bruk, vana [*do not be a slave to* (under) *~*]; skick och bruk; kutym, praxis; *it has become the ~ for people to...* det har blivit vanligt [bland folk] att... **2** jur. gammal hävd, sedvana, handelsbruk **3** hand. **a)** *give one's ~ to* bli kund hos; *we should very much like to have your ~* vi skulle välkomna er som kund; *withdraw one's ~ from* sluta upp att handla hos (i) **b)** kundkrets, kunder

II *adj* vanl. amer. gjord på beställning; beställnings- [*~ tailors*]; *~ clothes* skräddarsydda (måttbeställda) kläder

customary ['kʌstəm(ə)rɪ] *adj* vanlig, sedvanlig, bruklig; jur. hävdvunnen

custom-built ['kʌstəmbɪlt] *adj* specialbyggd, byggd på beställning [*~ limousine*]

customer ['kʌstəmə] *s* **1** kund; gäst på restaurang; *Customer services* kundtjänst, kundservice **2** vard. individ, typ, gynnare, figur; *he is an awkward ~* han är inte god att tas med

customer-friendly ['kʌstəməˌfrendlɪ] *adj* kundvänlig

custom house ['kʌstəmhaʊs] *s customs house*

customize ['kʌstəmaɪz] *vb tr* skräddarsy, göra på beställning (efter mått), specialbeställa, specialtillverka

custom-made ['kʌstəmmeɪd] *adj* gjord på beställning (efter mått), specialbeställd, specialtillverkad; måttbeställd, skräddarsydd [*~ clothes*]

customs ['kʌstəmz] *s pl* **1** tull[ar], tullavgift[er]; *the Customs* el. *the Customs and Excise* tullväsendet; tullverket, tullkammaren, tullen; *~ duties* tull[avgifter]; *~ examination* el. *~ inspection* tullbehandling, tullvisitation, se äv. *clear IV 5; ~ union* tullunion **2** pl. av *custom I*

customs house ['kʌstəmzhaʊs] *s* tullhus, tullkammare; *~ clerk* kammarskrivare i tullen

customs house officer ['kʌstəmzhaʊsˌɒfɪsə] *s* o.

customs officer ['kʌstəmzˌɒfɪsə] *s* tulltjänsteman

cut [kʌt] (*cut* används i många uttryck som står under andra uppslagsord, t.ex. *cut a dash* under *dash* o. *crew cut* som eget uppslagsord) **I** (*cut cut*) *vb tr* (se äv. *cut III* o. *cut IV*) **1** skära [i] äv. bildl. [*it ~ me to* (i) *the heart*] **2** skära (hugga, klippa) [av (sönder)]; klippa; fälla [*~ timber*]; *have one's hair ~* [låta] klippa håret; *~ to pieces* skära (klippa) sönder (i stycken); bildl. slå i

spillror; nedgöra **3** skära [för] kött o.d.; *~ it fine* vard. komma i sista sekunden, nätt och jämnt klara det **4** skära (bryta) igenom; gå genom, skära **5** *~ one's teeth* få tänder; *~ one's second teeth* byta tänder, få sina permanenta tänder **6** skära ner, knappa in på, minska, sänka; korta av, förkorta **7** data. klippa ut **8** bryta, klippa av filmning, del av radioprogram o.d.; stryka [*~ a scene*]; stoppa, stänga av [ofta ~ *off*]; sluta med [*~* [*out*] *that noise!*]; *~ sb short* avbryta ngn [tvärt]; *~ sth short* stoppa ngt **9** tillverka genom skärning o.d., göra [*~ a key*]; skära (hugga) [till (ut, in)]; snida; gravera; slipa sten, glas; gräva (hugga) [ut] **10** göra, utföra rörelse, se under *dash III 6* o. *figure I 2* **11** kortsp. **a)** kupera [*~ the cards*] **b)** dra [*~ a card*] **12** vard., *~ sb* el. *~ sb dead* behandla ngn som luft **13** vard. ge upp, ge på båten, skolka från [*~ a lecture*]; skippa; *~ one's losses* avveckla en förlustbringande affär, dra sig ur spelet

II (*cut cut*) *vb itr* (se äv. *cut III* o. *cut IV*) **1** skära, hugga, klippa, slå; bita, ta [*the knife ~s well*]; bryta, klippa av; *it ~s both ways* bildl. det är på både gott och ont; det verkar i bägge riktningarna **2** data. klippa [ut]; kortsp. kupera **3** vard. kila, sticka; smita; *~ and run* sticka **4** *~ loose* **a)** göra sig fri, slita sig loss **b)** slå sig lös **c)** sjö. kapa förtöjningarna

III (*cut cut*) *vb tr* o. *vb itr* med prep. el. adv., ofta med spec. översättningar:

cut across a) skära igenom **b)** skära [tvärs]över, [tvärs]igenom [*~ across all party lines*] **c)** ta en genväg

cut at a) slå (hugga) på, rikta ett hugg mot **b)** bildl. drabba hårt

cut away skära (hugga) bort (av)

cut back skära ner; bildl. skära ner [på], göra inskränkningar [i]

cut down a) hugga ner, fälla, meja ner **b)** knappa in på, inskränka, begränsa, skära ner, minska [*~ down expenses*]

cut in a) skära (hugga) in; gravera **b)** blanda sig i (avbryta) samtalet **c)** *~ in* el. *~ in on sb* i dans ta ngns partner **d)** trafik. tränga sig in i [bil]kön, göra en snäv omkörning **e)** *~ sb in on the profit* låta ngn få vara med och dela vinsten

cut into a) göra ett ingrepp i **b)** skära in i **c)** inkräkta på

cut off a) hugga (skära, kapa) av (bort) **b)** skära av äv. bildl., isolera, avstänga **c)** göra slut på, stoppa, dra in [*~ off an allowance*] **d)** [av]bryta, stänga (slå) av [*~ off an engine; ~ off the gas supply*] **e)** avspisa, avfärda; *~ sb off without a penny* göra ngn arvlös

cut out a) skära (hugga) ut, klippa ut; *~ out a path* hugga sig en stig, hugga (bana) sig väg **b)** klippa (skära) till; *be ~ out for* vara som klippt och skuren för (till); *he is not ~ out for* han lämpar sig (passar) inte för (till, som) **c)** vard. skära bort, stryka, hoppa över [*~ out unimportant details*]; sluta upp med, låta bli [*~ out tobacco*]; slopa [*~ out afternoon tea*]; *~ it out!* lägg av! **d)** tränga ut [*~ out all rivals*]; peta **e)** elektr. koppla (slå) ifrån, bryta **f)** om motor koppla ur, stanna [*one of the plane's engines ~ out*] **g)** skymma [*~ out the view*] **h)** *~ out of* beröva [*~ sb out of his share*]

cut through ta en genväg [över (genom)]

cut up a) skära [sönder (upp)], stycka; hugga sönder, dela, såga sönder [*~ up timber*] **b**) klippa (skära) till [*~ up cloth*] **c**) vard. såra djupt, stöta [*she was ~ up by his remark*] **d**) bedröva, uppröra [*she was very ~ up after the funeral*] **e**) *~ up rough* el. *~ up nasty* börja bråka, ilskna till
IV *adj,* *~ flowers* lösa blommor, snittblommor; *at ~ price* till underpris (starkt nedsatt pris); *~ tobacco* skuren tobak
V *s* **1** skärning; genomskärning; klippning; styckning **2** hugg, stick; rapp [*a ~ with a whip*]; slag; snitt [*a ~ of the knife*]; klipp [*a ~ of the scissors*]; *~ and thrust* a) hugg och stöt, närkamp b) bildl. ordväxling, hugg och mothugg **3** skåra, skråma, snitt, rispa; *a ~ above me* vard. a) ett pinnhål högre än jag b) lite för svårt (för fint) för mig **4** nedsättning, reduktion [*~ in prices*]; nedskärning [*~ in salaries*]; minskning; *power ~* se *power cut* **5** gliring [*that remark was a ~ at me*] **6** stycke; skiva, bit [*a ~ off the joint*] **7** strykning, klipp [*~s in the play*] **8** snitt [*the ~ of a suit*] **9** kupering av kort **10** sl. andel i vinsten
cut and dried [ˌkʌtən'draɪd] *adj* fix och färdig, klappad och klar
cut and paste [ˌkʌtənd'peɪst] data. **I** *vb tr* o. *vb itr* klippa och klistra **II** *s* klipp- och klistrafunktion
cutaway ['kʌtəweɪ] *adj* **1** avskuren, [ur]ringad; *with ~ shoulders* ringad över axlarna, med bara axlar **2** genomskuren så att man kan se det inre, i genomskärning [*~ model*]
cutback ['kʌtbæk] *s* minskning, nedskärning, inskränkning
cutdown ['kʌtdaʊn] *s* amer. nedgång, minskning
cute [kju:t] *adj* vard. **1** söt, rar, näpen, gullig; trevlig, mysig **2** vanl. amer. fräck; fiffig, smart [*a ~ businessman*]; *don't get ~ with me!* försök inte sätta dig på mig!
cutesy [kju:tsɪ] *adj* äckligt gullig (söt), docksöt
cut-glass [ˌkʌt'glɑ:s, attr. '--] *adj* kristall-, av slipat glas; *~ chandelier* kristallkrona; *~ vase* vas av slipat glas, kristallvas
cut glass [ˌkʌt'glɑ:s] *s* kristall slipat glas
cuticle ['kju:tɪkl] *s* **1** nagelband **2** ytterhud; hinna
cutie ['kju:tɪ] *s* amer. vard. sötnos, söt tjej
cut-in ['kʌtɪn] *s* **1** något insatt el. inskjutet t.ex. stillbild i film, inklippt bild, text[remsa] o.d. **2 a**) andel av intäkterna **b**) person som får sin andel av intäkterna
cutlery ['kʌtlərɪ] *s* **1** koll. matbestick; knivar, eggverktyg **2** knivsmide
cutlet ['kʌtlət] *s* **1** kotlett; [kött]skiva **2** [pann]biff
cut-off ['kʌtɒf] **I** *s* **1** avskärning, avbrytande; stopp; gräns **2** tekn. cylinderfyllning[sgrad]; avstängningsventil [äv. *~ valve*] **3** pl. *~s* avklippta byxor vanl. jeans
II *adj,* *~ day* sista dag för anmälningar o.d.; *~ jeans* avklippta jeans; *~ point* brytpunkt
cutout ['kʌtaʊt] *s* **1** pappersdocka, klippdocka; utstansad (utsågad) figur o.d. för skyltning **2** elektr. säkerhetspropp, säkring; [ström]brytare
cut-price ['kʌtpraɪs, ˌ-'-] *adj,* *~ shop* ung. lågprisaffär
cut-rate ['kʌtreɪt] *adj* vanl. amer. lågpris- [*~ store*]; till [starkt] nedsatt pris [*~ commodities*]
cutter ['kʌtə] *s* **1** skärare [*glass-cutter*]; huggare,

snidare etc., jfr *cut I 9*; tillskärare; biträdande [film]klippare, klippassistent **2** skärmaskin; skärande verktyg[sdel], kniv, stål, fräs, skär; kapsåg; slipare; avbitartång **3** sjö. kutter; skeppsbåt på örlogsfartyg
cutthroat ['kʌtθrəʊt] **I** *s* mördare, bandit
II *adj* hänsynslös; *~ competition* mördande konkurrens
cutthroat razor [ˌkʌtθrəʊt'reɪzə] *s* vard. rakkniv
cutting ['kʌtɪŋ] **I** *s* **1** avskuret stycke, bit; urklipp [*press ~*] **2** träd. stickling, skott **3** skärande, skärning, huggning, klippning etc., jfr *cut I* o. *cut II*
II *adj* **1** skärande, vass **2** bitande, sårande [*~ remark*]; skarp **3** bitande, snål [*~ wind*]
cutting board ['kʌtɪŋbɔ:d] *s* skärbräde, tillskärarbord
cutting-edge ['kʌtɪŋedʒ] *adj* bildl. spjutspets- [*~ technology*]
cutting edge [ˌkʌtɪŋ'edʒ] *s* **1** bildl. spjutspets; *be at (on) the ~ of* vara ledande (det sista) inom, ligga i framkant av (på) **2** [vass] egg; skär[egg]; huvudskär på borr
cutting flowers ['kʌtɪŋˌflaʊəz] *s pl* snittblommor
cutting pliers ['kʌtɪŋˌplaɪəz] *s pl* avbitartång
cutting room ['kʌtɪŋruːm, -rʊm] *s* film. o.d. klipprum
cuttlefish ['kʌtlfɪʃ] *s* bläckfisk
CV [ˌsiː'viː] förk. för *curriculum vitae*
C & W [ˌsiː·ən(d)'dʌbljuː] förk. för *country-and-western*
CWO o. **c.w.o.** [ˌsiːdʌbljuː'əʊ] ekon. (förk. för *cash with order*) betalning i förskott vid beställning
CWS [ˌsiːdʌbljuː'es] förk. för *Cooperative Wholesale Society*
cwt ['hʌndrədweɪt] o. **cwt.** = *hundredweight*
cyanide ['saɪənaɪd] *s* kem. cyanid; *potassium ~* cyankalium
cyber- ['saɪbə] *prefix* data. cyber-, internet-, nät-
cyber-bullying ['saɪbəˌbʊlɪŋ] *s* data. nätmobbning
cybercafé ['saɪbəˌkæfeɪ] *s* internetkafé
cyberchondriac [ˌsaɪbə'kɒndriæk] *s* psykol. cyberkondriker, inbillningssjuk människa som söker hälsoinformation på Internet
cyberlaw ['saɪbəlɔ:] *s* internetlag
cybernetic [ˌsaɪbə'netɪk] *adj* cybernetisk
cybernetics [ˌsaɪbə'netɪks] (med verb i sg.) *s* cybernetik
cyberpunk ['saɪbəpʌŋk] *s* cyberpunk science-fiction betonad livs- o. litteraturstil, äv. musikriktning
cyberspace ['saɪbəspeɪs] *s* data. cyberspace, cyberrymden 'informationsrymden', det globala elektroniska nät där informationsutbyte pågår
cyborg ['saɪbɔ:g] *s* cyborg varelse som är hälften människa, hälften maskin
cyclamate ['saɪkləmeɪt, -mət] *s* kem. cyklamat
cyclamen ['sɪkləmən, saɪk-] *s* bot. cyklamen; alpviol
cycle ['saɪkl] **I** *s* **1** cykel; krets[lopp], omloppstid; period; takt i förbränningsmotor; *~s per second* svängningar per sekund **2** cykel; ibl. motorcykel **3** serie, [sago]cykel; *the Arthurian ~* Artursagan
II *vb itr* **1** cykla **2** kretsa
cycle helmet ['saɪklˌhelmɪt] *s* cykelhjälm
cycle lane ['saɪkleɪn] *s* cykelbana
cycle path ['saɪklpɑ:θ] *s* cykelväg
cycler ['saɪklə] *s* amer. cyklist

cycle track ['saɪkltræk] *s* cykelväg
cycle way ['saɪklweɪ] *s* cykelbana
cyclic ['saɪklɪk, 'sɪk-] *adj* cyklisk; kretsande
cycling ['saɪklɪŋ] *s* cykling, cyklande, cykelåkning; cykel- [~ *holiday*]
cycling shorts ['saɪklɪŋˌʃɔ:ts] *s pl* cykelbyxor
cyclist ['saɪklɪst] *s* cyklist
cyclo-cross ['saɪkləʊkrɒs] *s* sport. cykelcross
cyclone ['saɪkləʊn] *s* cyklon, virvelvind
Cyclops ['saɪklɒps] (pl. *Cyclops* el. *Cyclopes* [saɪˈkləʊpi:z]) *s* kyklop, cyklop
cyclorama [ˌsaɪkləˈrɑ:mə] *s* teat. el. TV. rundhorisont; film., konkav vidfilmsduk
cygnet ['sɪgnət] *s* ung svan, svanunge
cylinder ['sɪlɪndə] *s* **1** cylinder, vals, rulle; *on all ~s* vard. på alla cylindrar, för full maskin **2** lopp, rör i eldvapen
cylinder block ['sɪlɪndəblɒk] *s* bil. cylinderblock, motorblock
cylinder head ['sɪlɪndəhed] *s* bil. topplock, cylinderlock
cylinder head gasket [ˌsɪlɪndəhedˈgæskɪt] *s* bil. topplockspackning
cylindrical [sɪˈlɪndrɪk(ə)l] *adj* cylindrisk
cymbal ['sɪmb(ə)l] *s* mus. bäcken, cymbal; *a tinkling ~* bibl. en klingande cymbal
Cymric ['kʌmrɪk, 'kɪm-] *adj* kymrisk, walesisk
cynic ['sɪnɪk] *s* cyniker
cynical ['sɪnɪk(ə)l] *adj* cynisk
cynicism ['sɪnɪsɪz(ə)m] *s* cynism; människoförakt
cynosure ['saɪnəzjʊə, 'sɪn-, -əʒjʊə] *s* bildl. ledstjärna; medelpunkt för beundran, hopp o.d., centrum för intresset; *the ~ of all eyes* målet för allas blickar
Cynthia ['sɪnθɪə] kvinnonamn
cypher ['saɪfə] *s se cipher*
cypress ['saɪprəs] *s* bot. cypress
Cypriot ['sɪprɪət] **I** *adj* cypriotisk **II** *s* cypriot; cypriotiska kvinna, invånare på Cypern
Cyprus ['saɪprəs] geogr. Cypern
Cyril ['sɪr(ə)l, -rɪl] mansnamn
Cyrillic [sɪˈrɪlɪk] *adj*, *the ~ alphabet* kyrilliska alfabetet
Cyrus ['saɪərəs] mansnamn
cyst [sɪst] *s* med. **1** cysta **2** [urin]blåsa
cystic fibrosis [ˌsɪstɪkfaɪˈbrəʊsɪs] (förk. *CF*) *s* med. cystisk fibros
cystitis [sɪˈstaɪtɪs] *s* med. blåskatarr, cystit
cytology [saɪˈtɒlədʒɪ] *s* biol. cytologi, cellära
cytotoxic [ˌsaɪtəʊˈtɒksɪk] *adj* med., *~ drug* cellgift
cytotoxin [ˌsaɪtəʊˈtɒksɪn] *s* med. cellgift
czar [zɑ:, tsɑ:-] *s* **1** hist. tsar **2** amer. magnat; se äv. *drug czar*
czarina [zɑ:ˈri:nə, tsɑ:-] *s* hist. tsarinna
Czech [tʃek] **I** *s* **1** tjeck, tjeckiska kvinna **2** tjeckiska [språket] **II** *adj* tjeckisk
Czechoslovakia [ˌtʃekə(ʊ)slə(ʊ)ˈvækɪə, -ˈvɑ:kɪə] geogr. (hist.) Tjeckoslovakien
Czech Republic ['tʃekrɪˌpʌblɪk] geogr., *the ~* Tjeckiska republiken, Tjeckien

1 D, d [di:] (pl. *D's* el. *d's* [di:z]) *s* **1** D, d **2** mus., *D flat* dess; *D major* D-dur; *D minor* d-moll; *D sharp* diss
2 D [di:] *s* betyg något under medel i en betygsskala från A till F, där A är högst [*she got a ~*]
d. förk. för *died, dollar, dollars*
d' [d] vard. = *do* [*d'you know if…*]
'd [d] = *had; would, should* [*he'd = he had* el. *he would; I'd* äv. *= I should; did; where'd he go?*]
DA [ˌdi:ˈeɪ] *s* amer. förk. för *District Attorney*
dab [dæb] **I** *vb tr* o. *vb itr* slå (klappa) till lätt, klappa lätt; torka; stryka på, lägga på, badda [*~ a sore with disinfectant*] **II** *s* **1** klick, lite [grann] **2** lätt slag, klapp; lätt tryckning (beröring)
dabble ['dæbl] *vb tr* o. *vb itr* **1** amatörmässigt syssla litet [*at, in* med], fuska [*at, in* i, med]; *~ with the idea of doing sth* leka med tanken på att göra ngt **2** plaska med
dabbler ['dæblə] *s* klåpare, fuskare; amatör
dab hand [ˌdæbˈhænd] *s* vard. baddare, överdängare, mästare [*at* i, på]
da capo [dɑ:ˈkɑ:pəʊ] (förk. *DC*) *adv* o. *adj* mus. (it.) dakapo
dachshund ['dæksənd] *s* zool. tax
dad [dæd] *s* vard. pappa, farsa
daddy ['dædɪ] *s* vard. pappa
daddy-longlegs [ˌdædɪˈlɒŋlegz] (med verb i sg. el. pl.; pl. *daddy-longlegs*) *s* zool. harkrank; amer. spindel med långa ben
daffodil ['dæfədɪl] *s* påsklilja
daft [dɑ:ft] *adj* vard. tokig, fånig, dum
dagger ['dægə] *s* dolk; *look ~s at sb* titta ilsket på ngn; *they are at ~s drawn* de tål inte varandra
dago ['deɪgəʊ] (pl. *~s* el. *~es*) *s* sl. neds. dego
dahlia ['deɪljə, amer. vanl. 'dæljə] *s* bot. dahlia
daily ['deɪlɪ] **I** *adj* daglig, om dagen; *~ dozen* ung. morgongymnastik **II** *adv* dagligen, om dagen **III** *s* daglig tidning, dagstidning
Daimler [engelsk bil 'deɪmlə]
dainty ['deɪntɪ] *adj* **1** läcker **2** utsökt, nätt, späd; skör, bräcklig, fin [*~ china*]
daiquiri ['daɪkərɪ, 'dæk-] *s* daiquiri slags romcocktail
dairy ['deərɪ] *s* **1** mejeri **2** mjölkprodukter
dairy cattle ['deərɪˌkætl] *s pl* mjölkboskap
dairy farm ['deərɪfɑ:m] *s* gård med mjölkdjur (mejeri[rörelse])
dairy|man ['deərɪ|mən] (pl. *-men* [-mən]) *s* mejerist
dais ['deɪɪs, deɪs] *s* podium spec. för större bord, tron o.d., estrad
daisy ['deɪzɪ] *s* bot. tusensköna, bellis; *pushing up the daisies* sl. död och begraven; *oxeye ~* prästkrage
Daisy Duck ['deɪzɪdʌk] seriefigur Kajsa Anka
dale [deɪl] *s* vanl. nordeng. [liten] dal äv. poet.
Dales ['deɪlz] *s pl* geogr., *the ~* se *Yorkshire Dales*
Dallas ['dæləs] geogr.
dally ['dælɪ] *vb itr* **1** *~ with* leka med, inte ta på

allvar [~ *with sb's feelings*] **2** förspilla tiden; söla [*over* med]

Dalmatian [dæl'meɪʃɪən] *s* dalmatier hund

dam [dæm] **I** *s* damm, fördämning **II** *vb tr*, ~ el. ~ *up* fördämma, dämma av (för, till, upp) [~ *a river*; ~ *up a river*]; bildl. hålla inne med, hålla tillbaka [~ *up one's feelings*]

damage ['dæmɪdʒ] **I** *s* **1** (utan pl.) skada, skador, skadegörelse; förlust; *do ~ to* el. *cause ~ to* göra (orsaka) skada på **2** pl. ~*s* jur. skadeersättning, skadestånd; *he claimed £1,000 ~s* han begärde 1 000 pund i (som) skadestånd **3** vard. kostnad; *what's the ~?* vad kostar kalaset?

II *vb tr* o. *vb itr* skada [~ *sb's reputation*]; tillfoga skada; vara skadlig [för]; [*smoking ~s your health*]

damaging ['dæmɪdʒɪŋ] *adj* skadlig [*to* för]

Damascus [də'mæskəs, -'mɑ:s-] geogr. Damaskus

damask ['dæməsk] **I** *s* damast [~ *silk*]
II *adj* damast- [~ *tablecloth*]

Dame [deɪm] *s* Dame titel på [kvinnlig] riddare av vissa ordnar (motsv. *Knight* med titeln *Sir*) [~ *Julie Andrews*]

dammit ['dæmɪt] *interj* vard. tusan (jäklar, sablar) också!

damn [dæm] **I** *interj* vard. tusan (jäklar) också!, fan också!
II *adj* vard. förbaskad, jäkla, jävla [~ *fool!*]
III *adv* vard. förbaskat [~ *good*]; jäkligt; *he knows ~ well...* han vet jävligt väl...
IV *s* vard., *I don't care (give) a ~ if...* jag ger sjutton i om...; *I don't care (give) a ~* det ger jag sjutton (tusan) i
V *vb tr* **1** vard. förbanna, fördöma; ~ *it!* tusan (jäklar, sablar) också!; ~ *you (him), you've (he's) lost it again!* fan ta dig, nu har du (han) tappat den igen!; *well I'll be ~ed!* det var som tusan!; *I'll be (I'm) ~ed if I'll do it!* jag gör så tusan heller! **2** förkasta, döma ut [~ *a play*]; ~ *sb with faint praise* klandra ngn genom halvhjärtat beröm

damn all [ˌdæm'ɔ:l] *s* vard. inte ett förbaskat (jäkla) dugg [*he knows ~ about it*]

damnation [dæm'neɪʃ(ə)n] *s* fördömelse [*eternal ~*]

damned [dæmd] **I** *adj* **1** vard. förbaskad, jäkla, fördömd [~ *fool*]; *I'll be ~ if...* el. *I'm ~ if...* banne mig om... **2** fördömd
II *adv* vard. förbaskat, jäkla [~ *hot*]; *I should ~ well think so!* tacka fan för det!

damnedest ['dæmdɪst] vard. **I** *s*, *do one's ~* göra sitt yttersta (bästa) **II** *adj*, *it's the ~ thing I've ever heard!* det var det djävligaste jag hört!; det var det roligaste (häftigaste) jag hört!

DAMP [ˌdi:eɪem'pi:] *s* psykol. (förk. för *Deficits in Motor control and Perceptions*) DAMP, hyperaktivitetssyndrom

damp [dæmp] **I** *adj* fuktig **II** *s* fukt **III** *vb tr* se *dampen*

damp course ['dæmpkɔ:s] *s* byggn. fuktisolerande lager i vägg

dampen ['dæmp(ə)n] *vb tr* **1** fukta **2** bildl., ~ el. ~ *down* dämpa, lägga sordin på, kyla av [~ *sb's enthusiasm*]

damper ['dæmpə] *s* **1** spjäll **2** mus. dämmare; sordin [~ *pedal*]; *put a ~ on* el. *put the ~ on* bildl. dämpa, lägga sordin på

damp-proof ['dæmppru:f] *adj* fukttät; vattentät

damsel ['dæmz(ə)l] *s* **1** poet. ungmö, tärna **2** *a ~ in distress* skämts. en kvinna i nöd

damson ['dæmz(ə)n] *s* krikon plommonsort

Dan [dæn] kortform av *Daniel*

dance [dɑ:ns] **I** *vb itr* o. *vb tr* dansa [~ *to music*]; ~ *a waltz* dansa vals; *he ~d her round the floor* han dansade runt med henne på dansgolvet; ~ *attendance on* passa [upp] på, stå på pass för; fjäska för; ~ *to sb's tune* dansa efter ngns pipa
II *s* **1** dans; *Dance of Death* dödsdans; *do a ~* utföra en dans; *let's have one more ~...* ska vi dansa en dans till...; *let's have a ~* kom så dansar vi; *lead sb a pretty* (*merry*) ~ ställa till besvär för (köra med) ngn **2** dans[stycke], dansmelodi **3** dans[tillställning]

dance floor ['dɑ:nsflɔ:] *s* dansgolv; dansbana

dance hall ['dɑ:nshɔ:l] *s* dansställe, danslokal

dancer ['dɑ:nsə] *s* **1** dansare; dansör; dansös; *be a good ~* dansa bra **2** dansande [*the ~s*]

D and C [ˌdi:ənd'si:] *s* med. (förk. för *dilatation and curettage*) skrapning

dandelion ['dændɪlaɪən] *s* maskros

dandruff ['dændrʌf] *s* mjäll

dandy ['dændɪ] *s* åld. dandy, [kläd]snobb, sprätt, modelejon

Dane [deɪn] *s* dansk; danska kvinna

danger ['deɪn(d)ʒə] *s* fara, risk [*of* för, med; *to* för]; ~ *area* el. ~ *zone* farligt område; ~ *spot* farligt ställe, trafikfälla; *he's in ~ of losing his job* han riskerar att förlora arbetet; *be in ~ of losing one's life* sväva i livsfara; *she's on the ~ list* hennes tillstånd är mycket kritiskt; *out of ~* utom fara

danger money ['deɪn(d)ʒəˌmʌnɪ] *s* (utan pl.) risktillägg

dangerous ['deɪn(d)ʒ(ə)rəs] *adj* farlig [*for, to* för], riskfull, vådlig; *play a ~ game* spela ett högt spel; *be on ~ ground* el. *be on ~ territory* vara ute på farliga vägar

dangerous driving [ˌdeɪn(d)ʒ(ə)rəs'draɪvɪŋ] *s* vårdslös (ovarsam) körning

danger pay ['deɪn(d)ʒəpeɪ] *s* amer. risktillägg

danger signal ['deɪn(d)ʒəˌsɪgn(ə)l] *s* varningssignal

dangle ['dæŋgl] *vb itr* o. *vb tr* dingla [med]; ~ *sth before sb* fresta ngn med ngt; *keep sb dangling* hålla ngn på sträckbänken

Daniel ['dænjəl] mansnamn

Danish ['deɪnɪʃ] **I** *adj* dansk
II *s* **1** danska [språket] **2** (pl. *Danish*) se *Danish pastry*

Danish blue [ˌdeɪnɪʃ'blu:] *s* danablu ostsort

Danish pastry [ˌdeɪnɪʃ'peɪstrɪ] *s* wienerbröd

dank [dæŋk] *adj* fuktig, rå, råkall

Danube ['dænju:b] geogr. egennamn, *the ~* Donau; *The Blue ~* mus. An der schönen blauen Donau namn på wienervals

dapper ['dæpə] *adj* [liten och] prydlig, välvårdad

dappled ['dæpld] *adj* fläckig, med fläckar; *a sky ~ with clouds* himmel med strömoln

dapple-grey [ˌdæpl'greɪ, attr. '--] *adj* apelgrå, gråspräcklig

Darby and Joan [ˌdɑ:bɪən'dʒəʊn] *s* strävsamt gammalt par; ~ *club* gemenskapsklubb för äldre personer

Dardanelles [ˌdɑ:də'nelz] geogr., *the ~* pl. Dardanellerna

dare [deə] **I** (imperf. *dared*, ibl. *dare*; perf. p. *dared*, jfr ex.) *vb itr* o. *hjälpvb* **1** våga, tordas, töras [*he ~ not come* el. *he does not ~* [*to*] *come*; *he did not ~* [*to*] *come* el. *he ~*[*d*] *not come*; *he has not ~d* [*to*] *come*]; understå sig; *don't you ~!* du skulle bara våga! **2** *I ~ say you know* du vet nog (troligtvis, förmodligen); *I ~ say she is right, but...* det kan väl hända hon har rätt, men...; *I ~ say* ofta iron. kanske det; *~ I say it* om jag så får säga **II** (*~d ~d*) *vb tr* utmana; *I ~ you to strike me!* slå mig om du törs! **III** *s* utmaning; *I did it for a ~* jag ville visa att jag vågade

daredevil ['deə,devl] **I** *s* våghals, friskus, dumdristig person **II** *adj* våghalsig, dumdristig

daren't [deənt] = *dare not*

daresay [,deə'seɪ] *vb itr* se *dare say* under *dare I 2*

daring ['deərɪŋ] **I** *adj* **1** djärv, dristig, oförskräckt; riskfylld [*~ rescue attempt*]; *activities for the less ~* aktiviteter för de som inte vill (vågar) ta risker **2** vågad [*a ~ book*] **II** *s* djärvhet, dristighet

Darjeeling [dɑ:'dʒi:lɪŋ] **I** geogr. egennamn **II** *s* tesort från området kring staden

dark [dɑ:k] **I** *adj* **1** mörk; *the room went ~* det blev mörkt i rummet; *~ blue* a) mörkblått b) (attr. *dark-blue*) mörkblå **2** bildl. dunkel, svårbegriplig [*a ~ passage in the text*]; förtäckt [*~ threats*]; skum; *~ designs* skumma planer **3** hemlig [*keep sth ~*]; tyst[låten]; *a ~ secret* en väl bevarad hemlighet **II** *s* **1** mörker; *at ~* i skymningen; *before* (*after*) *~* före (efter) mörkrets inbrott **2** bildl. dunkel; okunnighet; *be in the ~ about sth* vara fullständigt okunnig om ngt, inte ha en aning om ngt

Dark Ages ['dɑ:k,eɪdʒɪz, ,-'-] *s pl, the ~* medeltidens mörkaste århundraden

dark-complexioned [,dɑ:kəm'plekʃ(ə)nd] *adj* mörkhyad

darken ['dɑ:k(ə)n] **I** *vb itr* bli mörk[are], mörkna; bildl. förmörkas **II** *vb tr* **1** förmörka; göra mörk[are] t.ex trä; mörklägga; skymma, göra skum; *~ sb's door* åld. el. skämts. sätta foten innanför ngns dörr [*don't ever ~ my door again!*] **2** bildl. fördystra; fördunkla

dark glasses [,dɑ:k'glɑ:sɪz] *s pl* mörka glasögon, solglasögon

dark-haired ['dɑ:kheəd] *adj* mörkhårig

dark horse [,dɑ:k'hɔ:s] *s* vard., om person **1** dark horse, oskrivet blad, okänd förmåga **2** otippad segrare

darkie ['dɑ:kɪ] *s* vard. (neds.) svarting, nigger

dark meat ['dɑ:kmi:t] *s* mörkt kött från t.ex. fågelben

darkness ['dɑ:knəs] *s* mörker äv. bildl.

darkroom ['dɑ:kru:m] *s* foto. mörkrum

dark-skinned [,dɑ:k'skɪnd, attr. '--] *adj* mörkhyad

darling ['dɑ:lɪŋ] **I** *s* **1** älskling [*my ~!*]; raring; *do be a ~ and...* vill du vara så rar och...; *you're a ~!* vad du är rar! **2** gunstling **II** *adj* älsklings-; gullig, söt, bedårande [*a ~ hat*]

1 darn [dɑ:n] *vb tr* vard. (eufem. för *damn*); *~ it!* förbaskat (katten) också!

2 darn [dɑ:n] **I** *vb tr* stoppa [*~ socks*] **II** *s* stopp[ning]

darned [dɑ:nd] vard. eufem. för *damned* **I** *adj*

förbaskad; *I'll be ~!* vanl. amer. det var som tusan! **II** *adv* förbaskat

darning ['dɑ:nɪŋ] *s* stoppning lagning

darning needle ['dɑ:nɪŋ,ni:dl] *s* stoppnål

darning wool ['dɑ:nɪŋwʊl] *s* stoppgarn av ull

dart [dɑ:t] **I** *vb itr* pila, rusa, störta, kila, kasta (störta) sig [*at på*]; *~ up* fara upp **II** *vb tr* kasta [*~ a spear*; *~ a glance*]; slunga; skjuta [*~ flashes*] **III** *s* **1** pil; ibl. kastspjut **2** *~s* (med verb i sg.) dart, pilkastning; *play ~s* spela dart, kasta pil **3** plötslig snabb rörelse, språng; *make a sudden ~* ta ett språng, plötsligt rusa iväg [*for mot*]

dartboard ['dɑ:tbɔ:d] *s* darttavla, pilkastningstavla

Dartmoor ['dɑ:tmɔ:, -mʊə] hed el. fängelse i Devonshire

Darwin ['dɑ:wɪn]

Darwinian [dɑ:'wɪnɪən] **I** *adj* darwinistisk **II** *s* darwinist

dash [dæʃ] **I** *vb itr* störta, störta sig [*at mot, på*; *up* fram]; *I've got to ~!* jag måste kila! **II** *vb tr* **1** kraftigt slå, kasta, slänga [*away, down, out*]; *~ sth against sth* kasta, stöta, köra etc. ngt mot ngt; *~ sth to pieces* slå sönder ngt, krossa ngt; *~ sb's hopes* grusa ngns förhoppningar **2** *~ it!* vard. åld. förbaskat (katten) också! **III** *vb itr* o. *vb tr* med adv.: *dash off* a) kila [i väg] b) rafsa ihop, kasta ned [*~ off a few letters*] **IV** *s* **1** rusning, anlopp, framstöt [*at, on mot, på*; *for* för att nå]; *there was a mad ~ for...* det blev vild rusning mot (efter)...; *make a ~* rusa, springa; *make a ~ for it* rusa [i väg] **2** *a ~ of* en aning, en tillsats av, en skvätt, några droppar [*a ~ of lemon juice*; *a ~ of brandy*]; *it adds a ~ of colour to the room* den ger rummet lite färg **3** tankstreck [*within ~es*] **4** vard., *dashboard* **5** sport. vanl. amer. sprinterlopp **6** åld. hurtighet, kläm, fart, bravur; *cut a ~* briljera, slå på stort, uppträda vräkigt (flott)

dashboard ['dæʃbɔ:d] *s* instrumentbräda, instrumentpanel på bil, flygplan

dashing ['dæʃɪŋ] *adj* stilig och säker, elegant; *at a ~ rate* i flygande fart (fläng)

DAT [,di:eɪ'ti:] (förk. för *digital audio tape*) DAT-band

data ['deɪtə, ibl. 'dɑ:tə, amer. äv. 'dætə] *s* (med verb vanl. i sg.) data, information

data bank ['deɪtəbæŋk] *s* databank

database ['deɪtəbeɪs] *s* databas

data pen ['deɪtəpen] *s* läspenna

data processing [,deɪtə'prəʊsesɪŋ] *s, ~ centre* datacentral; *~ equipment* dataanläggning

data processor ['deɪtə,prəʊsesə] *s* processor

data protection ['deɪtəprə,tekʃ(ə)n] *s* o. **data security** ['deɪtəsɪ,kjʊərətɪ] *s* datasäkerhet, dataskydd

1 date [deɪt] **I** *s* **1** datum; årtal; tid; *at a later ~* vid senare tidpunkt; *out of ~* omodern, gammalmodig, föråldrad; *to ~* hittills, [fram] till i dag; till dags dato; *up to ~* à jour äv. bokf., med sin tid, aktuell, för vidare ex. se *up to date*; *set a ~ for* bestämma datum för **2** vard. träff; avtalat möte; om person sällskap, flickvän, pojkvän, partner; *blind ~* se *blind date*; *I have a ~ with* jag ska träffa; *make a ~* stämma möte, bestämma tid

II *vb tr* **1** datera; *the letter is ~d from London, 24th May* brevet är daterat [i] London den 24 maj **2** datera, tidsbestämma [~ *old coins*]; [*I remember the first journeys into space–*] *that ~ me, doesn't it?* …det visar hur gammal jag är **3** vard. ha sällskap med [~ *a girl*]
III *vb itr* **1** ~ *from* el. ~ *back to* datera sig från (till) **2** bli (vara) gammalmodig [*his books ~*] **3** vara daterad (skriven) [*the letter ~s from* (i) *London*]
2 date [deɪt] *s* **1** dadel **2** dadelpalm
datebook ['deɪtbʊk] *s* amer., se *diary*
dated ['deɪtɪd] *adj* gammalmodig, föråldrad
date of birth [ˌdeɪtəv'bɜ:θ] (förk. *d.o.b.*) *s* födelsedatum
date palm ['deɪtpɑ:m] *s* dadelpalm
date rape ['deɪtreɪp] *s* våldtäkt som begås av den man kvinnan har träff med
date-stamp ['deɪtstæmp] **I** *s* datumstämpel **II** *vb tr* datumstämpla, datummärka
dative ['deɪtɪv] *s* o. *adj* gram. dativ[-]; *the ~* [*case*] dativ[en]
daub [dɔ:b] **I** *vb tr* **1** bestryka, smörja; stryka, smeta [*on* på] **2** smörja (smeta, kludda) ner **3** mål. kludda ihop
II *s* **1** smet, smörja; [färg]klick **2** mål. kludd[eri]
daughter ['dɔ:tə] *s* dotter
daughter-in-law ['dɔ:t(ə)rɪnlɔ:] (pl. *daughters-in-law* ['dɔ:təzɪnlɔ:]) *s* svärdotter, sonhustru
daunt [dɔ:nt] *vb tr* skrämma, göra modlös; *nothing ~ed* lika oförfärad, utan att låta sig bekomma
daunting ['dɔ:ntɪŋ] *adj* skrämmande, som kan få en att tappa modet
dauntless ['dɔ:ntləs] *adj* oförfärad
Dave [deɪv] kortform av *David*
David ['deɪvɪd] mansnamn; *St ~* Wales' skyddshelgon
Davis ['deɪvɪs] egennamn
Davis Cup ['deɪvɪsˌkʌp] *s, the ~* Davis Cup vandringspris i tennis
dawdle ['dɔ:dl] *vb itr* söla, såsa, [gå och] masa
dawn [dɔ:n] **I** *vb itr* dagas, gry äv. bildl., bryta fram; *it ~ed on me* det gick upp för mig
II *s* gryning, dagning, början [*the ~ of a new era*]; *when ~ broke* när det började bli gryning (ljust); *at ~* i gryningen; *from ~ to dusk* från morgon till kväll
day [deɪ] *s* **1** dag; *the ~ after tomorrow* i övermorgon; *the ~ before yesterday* i förrgår; *he is better than you any ~* [*of the week*] vard. han är alla gånger bättre än du; *the other ~* häromdagen; *some ~* en dag; en vacker dag; *some ~ or other* någon dag (gång) [förr eller senare]; *one of these ~s* endera dagen, en vacker dag; *it's just one of those ~s!* det är en riktig otursdag [i dag]!, det är en sådan där dag när allt går snett!; *that'll be the ~!* det skulle jag vilja se!, det vill jag se först!; *this ~ week* i dag [om] åtta dagar; *this ~ fortnight* i dag [om] fjorton dagar; *he's fifty if he's a ~* han är femtio år så säkert som aldrig det; *let's call it a ~* vard. nu räcker det för i dag, nu lägger vi av; *it made my ~* dagen var räddad, jag blev jätteglad; *name the ~* bestämma dag [vanl. för bröllopet]; *~ off* ledig dag, fridag; *at the end of the ~* bildl. när allt kommer omkring; till slut; *by ~* om (på) dagen; *for ~s on end* flera dagar i rad; *live from ~ to ~* leva för dagen; *it's all in a* (*the*) *~'s work* vard. det är man så van vid

2 dygn; *~ and night* dygn
3 ofta pl. *~s* tid; tidsålder; [glans]period; *it has had its ~* den har spelat ut sin roll, den har gjort sitt; *those were the ~s!* det var tider det!; *in the old ~s* förr i världen (tiden); *in those ~s* på den tiden; *to this ~* än i dag
daybreak ['deɪbreɪk] *s* gryning, dagning [*at ~*]
daycare ['deɪkeə] *s* dagsjukvård; daglig barntillsyn
daycare centre ['deɪkeəˌsentə] *s* **1** förskola **2** dagcenter
daydream ['deɪdri:m] **I** *s* dagdröm **II** *vb itr* dagdrömma
Day-Glo® ['deɪgləʊ] *adj* knall- [~ *orange*]
daylight ['deɪlaɪt] *s* **1** dagsljus; gryning; *in broad ~* mitt på ljusa dagen; *see ~* bildl. a) se en ljusning (resultat) b) komma ut, se dagens ljus; *he began to see ~* äv. det började klarna för honom **2** vard., *scare* (*frighten*) *the living ~s out of sb* skrämma livet ur ngn
daylight robbery [ˌdeɪlaɪt'rɒbərɪ] *s* vard., *it's ~* det är rena [rama] rövarpriset
daylight saving time [ˌdeɪlaɪt'seɪvɪŋˌtaɪm] *s* amer. sommartid
day nursery ['deɪˌnɜ:s(ə)rɪ] *s* förskola
day release [ˌdeɪrɪ'li:s] *s* utbildning (fortbildning) på betald arbetstid
day return [ˌdeɪrɪ'tɜ:n] *s* tur och returbiljett för återresa samma dag till billigare pris
day room ['deɪru:m] *s* på sjukhus etc. dagrum, uppehållsrum
days [deɪz] *adv* på dagtid [*he works ~*]
day school ['deɪsku:l] *s* dagskola; externatskola
daytime ['deɪtaɪm] *s* dag i mots. till natt; *~ phone number* telefonnummer på dagtid; *in the ~* el. *during the ~* på dagtid, om (på) dagen, om (på) dagarna
day-to-day [ˌdeɪtə'deɪ] *adj* daglig [*the ~ running of the factory*]; *~ loan* hand. dagslån
day trader [ˌdeɪˌtreɪdə] *s* dagshandlare
day trip ['deɪtrɪp] *s* endagstur, dagsutflykt
day tripper ['deɪˌtrɪpə] *s* person som gör endagsutflykt
daze [deɪz] *s, in a ~* omtumlad
dazed [deɪzd] *adj* förvirrad, omtumlad
dazzle ['dæzl] **I** *vb tr* **1** blända [*the driver was ~d by the approaching headlights*] **2** förblinda; förvirra
II *s* bländande ljus, skimmer, glitter
dazzling ['dæzlɪŋ] *adj, a ~ display* en bländande uppvisning
dB o. **db** [ˌdi:'bi:] förk. för *decibel, decibels*
DBE [ˌdi:bi:'i:] (förk. för *Dame Commander of* [*the Order of*] *the British Empire*) jfr *Dame*
DBS [ˌdi:bi:'es] förk. för *direct broadcasting* [*by*] *satellite*
DC [ˌdi:'si:] förk. för *detective constable, da capo, direct current, District of Columbia* [*Washington ~*]
D-day ['di:deɪ] *s* dagen D dag för igångsättande av militär operation, spec. 6 juni 1944, dagen för invasionen i Normandie
DDT [ˌdi:di:'ti:] *s* DDT insektsbekämpningsmedel
DE förk. för *Delaware*
de- [dɪ] *prefix* av-, från-, de-
deacon ['di:k(ə)n] *s* diakon
deaconess ['di:kənes] *s* diakonissa

deactivate [dɪˈæktɪveɪt] *vb tr* oskadliggöra explosivt ämne, göra...verkningslös

dead [ded] **I** *adj* **1** död äv. bildl., livlös; torr [~ *leaves*]; ~ *and gone* vard. död och begraven **2** dödsliknande; *in a ~ faint* helt avsvimmad; ~ *to the world* vard. helt utslagen (borta) **3** stel, utan känsel, domnad; okänslig, oemottaglig [*to* för] **4** jämn, slät; *on a ~ level* precis på samma plan (nivå); precis jämsides **5** vard. tvär, plötslig och fullständig; absolut, fullständig [~ *certainty*]; ren [~ *loss*]; *he's a ~ loss* vard. han är värdelös, han är inget att ha; *he was in ~ earnest* han menade fullt allvar; ~ *silence* dödstystnad
II *s* **1** *the ~* de döda **2** *in the ~ of night* el. *at ~ of night* mitt i natten; *in the ~ of winter* mitt i [den] kallaste vintern
III *adv* **1** vard. död- [~ *certain*]; döds- [~ *tired*]; ~ *drunk* vard. döfull; ~ *good* vard. döbra, skitbra; ~ *hungry* jättehungrig; ~ *lousy* skitdålig; ~ *slow* mycket sakta; *go* ~ tystna, slockna, dö, ta slut; *my right leg has gone* ~ mitt högra ben har domnat **2** rakt, rätt; ~ *against* rakt emot; *be ~ set on* vard., se *set IV 4*; *stop* ~ tvärstanna

dead beat [ˌdedˈbiːt] *adj* vard. dödstrött, utsjasad [*look ~*]

dead bolt [ˈdedbəʊlt] *s* vanl. amer. instickslås

dead cert [ˌdedˈsɜːt] *s* vard., *it's a ~* det är absolut säkert (bergsäkert)

deaden [ˈdedn] *vb tr* **1** bedöva; döva, lindra t.ex. smärta; dämpa, försvaga; minska t.ex. fart **2** göra okänslig [*to* för]

dead end [ˌdedˈend] *s* återvändsgränd; slutpunkt

dead-end job [ˌdedendˈdʒɒb] *s* arbete utan befordringsmöjligheter

dead heat [ˌdedˈhiːt] *s* sport. dött lopp

dead letter [ˌdedˈletə, adj. '-,--] *s* **1** post. obeställbart brev **2** död bokstav om lag som ej längre efterlevs

deadline [ˈdedlaɪn] *s* tidsgräns, frist, deadline; *when is the ~?* när löper fristen ut?, när är sista dagen (tidpunkten)?; *the ~ for delivery is tomorrow* sista leveransdagen är i morgon

deadlock [ˈdedlɒk] *s* dödläge, baklås, återvändsgränd, stopp; *reach a ~* köra fast

deadlocked [ˈdedlɒkt] *adj* bildl. fastlåst, [som gått] i baklås, [som] kört fast

deadly [ˈdedlɪ] **I** *adj* **1** dödlig, döds-, livsfarlig; giftig **2** dödligt förbittrad, oförsonlig, döds- [~ *enemies*] **3** dödslik **4** vard. dödtråkig, dödtrist; urdålig
II *adv* dödligt, döds- [~ *pale*; ~ *tired*]

deadly nightshade [ˌdedlɪˈnaɪt-ʃeɪd] *s* bot. belladonna

dead march [ˈdedmɑːtʃ] *s* sorgmarsch

dead-on [ˌdedˈɒn] *adj* exakt [riktig]; på pricken

deadpan [ˈdedpæn] *adj* sl. **1** gravallvarlig **2** uttryckslös, tom, stel; ~ *face* pokeransikte

dead ringer [ˌdedˈrɪŋə] *s* vard. dubbelgångare; *he's a ~ for Tony Blair* han är Tony Blairs dubbelgångare

Dead Sea [ˌdedˈsiː] geogr., *the ~* Döda havet

deadweight [ˌdedˈweɪt] *s* orörlig kropps tyngd, livlös massa; tung börda; sjö. dödvikt

deadwood [ˌdedˈwʊd] *s* bildl. barlast, överflödigt material; *cut out* [*the*] ~ rensa bort onödigt gods

dead zone [ˈdedˌzəʊn] *s* tele. område utan täckning (mottagning) för mobiltelefoner o. Internet

deaf [def] *adj* döv äv. bildl.; ~ *and dumb* neds. dövstum; ~ *in one ear* döv på ena örat; *my words fell on ~ ears* jag talade för döva öron; *turn a ~ ear to* slå dövörat till för

deaf aid [ˈdefeɪd] *s* hörapparat

deaf-and-dumb [ˌdefən(d)ˈdʌm] *adj* neds. dövstums-

deafen [ˈdefn] *vb tr* göra döv; överrösta

deafening [ˈdefənɪŋ] *adj* öronbedövande

deaf-mute [ˌdefˈmjuːt] *s* dövstum [person]

1 deal [diːl] **I** *s* **1** *a great ~* el. *a good ~* [ganska] mycket, en hel del (massa, mängd, hop); *a great ~ of money* el. *a good ~ of money* [ganska] mycket etc. pengar **2** affär, affärstransaktion; uppgörelse, överenskommelse, avtal; köpslående; politisk kohandel; *it's no big ~* vard. det är inget problem; *big ~!* vard. än sen då?; *get a good ~* göra en bra affär; *make* (*cut, do, strike*) *a ~* göra [upp] en affär; göra upp, komma fram till en uppgörelse; *that's a ~!* då säger vi det!, kör till!, saken är klar! **3** vard., *get a raw ~* bli orättvist (hårt) behandlad; *give sb a fair ~* el. *give sb a square ~* behandla ngn rättvist **4** kortsp. giv, givning; *whose ~ is it?* vem ska ge?
II (*dealt dealt*) *vb tr* utdela, fördela [äv. ~ *out*]; tilldela, ge [~ *sb a blow*]; kortsp. dela ut, ge [äv. ~ *out*]
III (*dealt dealt*) *vb itr* **1** handla, göra affärer [~ *with* (hos, med) *sb*; ~ *in* (med) *an article*] **2** kortsp. ge [äv. ~ *out*] **3** sl. langa narkotika (knark), deala
IV (*dealt dealt*) *vb itr* med prep.:
deal with a) ha att göra med [*he is easy to ~ with*]
b) behandla; handla mot, uppträda mot **c**) ta itu med, gripa sig an [~ *with a problem*]; handlägga, bereda ärende; *he's already been dealt with* jag (vi) har redan tagit hand om (klarat av) honom; *she's good at ~ing with pressure* hon klarar påfrestningar bra **d**) handla om, behandla [*the book ~s with new problems*]

2 deal [diːl] *s* **1** bredare granplanka, furuplanka; pl. ~*s* koll. plank **2** virke gran, furu; grantrã, furuträ

dealer [ˈdiːlə] *s* **1** handlande [*in* med]; ofta som efterled i sammansättn. -handlare [*car-dealer*] **2** langare **3** kortsp. givare, giv

dealings [ˈdiːlɪŋs] *s pl* **1** affärer; förbindelse[r], samröre, langning; *underhand ~* fiffel, mygel **2** uppförande, uppträdande; handlande

dealt [delt] imperf. o. perf. p. av *1 deal*

dean [diːn] *s* **1** domprost; *rural ~* kontraktsprost **2** univ. dekan[us]; [*college*] ~ funktionär som handhar disciplinen

deanery [ˈdiːnərɪ] *s* [dom]prostämbete; [dom]prostgård; kontrakt, prosteri

dear [dɪə] **I** *adj* **1** kär [*to* för]; rar, gullig; *Dear Mr Brown* bäste Mr Brown hälsningsfras i brev; *Dear Sir* el. *Dear Madam* i formella brev: utan motsvarighet i sv.; *Dear John letter* vard. avskedsbrev från kvinna till man när hon gör slut; *he ran for ~ life* han sprang för brinnande livet **2** dyr, kostsam i förhållande till värdet; ~ *money* dyra pengar med hög ränta
II *s* vanl. i tilltal: ~ el. ~*est* kära du, käraste; ~*s* kära ni; *my* ~ kära du; *my ~ fellow* iron. min gode man, snälla ni; *carry this for me, there's* (*that's*) *a* ~ vard. bär den här åt mig, så är du snäll; *old* ~ neds. gammal tant
III *adv* dyrt; *it cost him* ~ det stod honom dyrt

IV *interj*, **~ me!** el. **~, ~!** uttr. förvåning o.d. kors!, nej men!; *oh ~ me!* å bevare mig väl!, Gud bevare mig!

dearie ['dɪərɪ] *s* vard., i tilltal raring [*hello ~!*]

dearly ['dɪəlɪ] *adv* **1** innerligt, högt [*love ~*]; ivrigt, livligt; högeligen; *I would ~ like to know* jag skulle hemskt gärna vilja veta **2** mest bildl. dyrt [*sell one's life ~*]; *she will pay ~ for this* detta kommer att stå henne dyrt

dearth [dɜːθ] *s* **1** brist, knapphet, knapp tillgång [*of på*] **2** hungersnöd

deary ['dɪərɪ] *s* se *dearie*

death [deθ] *s* död; frånfälle; dödsfall; slut; pl. **~s** äv. döda [*births and ~s*]; *Death* döden, liemannen; *it will be the ~ of me* det blir min död, det kommer att ta livet av mig; *it was the ~ of her plans* det var slutet för hennes planer; *hold on like grim ~* hålla ut (streta emot) in i det sista; *catch one's ~* el. *catch one's ~ of cold* vard. bli sjuk; *be at ~'s door* ligga för döden; vara nära döden; *be in at the ~* a) jakt. vara med vid villebrådets dödande b) bildl. vara med i slutskedet; *be frightened to ~ of sth (sb)* el. *be scared to ~ of sth (sb)* vara dödsrädd för ngt (ngn); *be sick (bored, tired) to ~ of sth (sb)* vara utled på ngt (ngn); *the song has been done to ~* vard. sången är uttjatad till förbannelse; *freeze to ~* frysa ihjäl; *feel like ~ warmed up* el. amer. *feel like ~ warmed over* vard. känna sig helrisig; *look like ~ warmed up* el. amer. *look like ~ warmed over* vard. se ut som sju svåra år; *put to ~* ta livet av, avliva, avrätta; *till ~ do us part* till döden skiljer oss åt; *to the ~* till det yttersta, på liv och död

deathbed ['deθbed] *s* dödsbädd; *be on one's ~* äv. ligga för döden

deathblow ['deθbləʊ] *s* dödsstöt

death camp ['deθkæmp] *s* utrotningsläger

death certificate ['deθsə,tɪfɪkət] *s* dödsattest, dödsbevis

death duties ['deθ,djuːtɪz] *s pl* förr olika slags arvsskatt

deathless ['deθləs] *adj* **1** odödlig **2** dödsdålig, dödstråkig

deathlike ['deθlaɪk] *adj* dödslik, dödsliknande

deathly ['deθlɪ] **I** *adj* dödlig; dödslik, döds- **II** *adv* dödligt, döds-

death mask ['deθmɑːsk] *s* dödsmask

death penalty ['deθ,penltɪ] *s*, *the ~* dödsstraff

death rate ['deθreɪt] *s* dödstal, dödlighet, mortalitet; dödlighetsprocent

death rattle ['deθ,rætl] *s* dödsrossling[ar]

death row [,deθ'rəʊ] *s* rad av dödsceller i fängelse; *sit on ~* sitta i dödscell

death sentence ['deθ,sentəns] *s* dödsdom

death squad ['deθskwɒd] *s* dödspatrull

death throes ['deθθrəʊz] *s pl* dödsryckningar äv. bildl.

death toll ['deθtəʊl] *s* dödssiffra; *[the] ~* antalet dödsoffer

death trap ['deθtræp] *s* dödsfälla

death warrant ['deθ,wɒr(ə)nt] *s* underskriven dödsdom; *sign one's own ~* skriva under sin egen dödsdom

death wish ['deθwɪʃ] *s* dödslängtan

debacle [deɪ'bɑːkl, də'b-, dɪ'b-] *s* vild flykt; katastrof, sammanbrott; stort nederlag

debar [dɪ'bɑː] *vb tr* utesluta, stänga ute, avstänga [*from*]

debase [dɪ'beɪs] *vb tr* **1** försämra **2** degradera; förnedra **3** sänka silverhalten i [*~ the coinage*]

debatable [dɪ'beɪtəbl] *adj* diskutabel, omtvistlig; *it is ~ weather...* man kan diskutera om..., det är tveksamt om...

debate [dɪ'beɪt] **I** *s* debatt, diskussion **II** *vb itr* o. *vb tr* **1** diskutera, debattera, dryfta, avhandla [*~ a question* el. *~ on a question*]; *...is (are) hotly ~d* ...diskuteras livligt (vilt); *debating point* debattinlägg; diskussionsämne; *debating team* diskussionsgrupp **2** fundera [på], överlägga [med sig själv] [äv. *~ with oneself*]

debater [dɪ'beɪtə] *s* debattör

debauched [dɪ'bɔːtʃt] *adj* sedeslös, utsvävande; fördärvad, korrumperad

debauchery [dɪ'bɔːtʃ(ə)rɪ] *s* omåttlighet, utsvävningar, liderlighet, sedeslöshet

debenture [dɪ'ben(t)ʃə] *s* debenture, förlagsbevis; *~ stock* obligationsfond

debilitate [dɪ'bɪlɪteɪt] *vb tr* försvaga

debilitating [dɪ'bɪlɪteɪtɪŋ] *adj* tärande [*a ~ disease; a ~ heat*]; nedsatt [*a ~ condition*]

debility [dɪ'bɪlətɪ] *s* svaghet, kraftlöshet äv. bildl.

debit ['debɪt] *s* debet **II** *vb tr* debitera; *~ sb's account* debitera ngns konto

debit card ['debɪtkɑːd] *s* kontokort, betalkort

debit note ['debɪtnəʊt] *s* debetnota

debonair [,debə'neə] *adj* vanl. om man självsäker, elegant

debrief [,diː'briːf] *vb tr* utfråga; *the soldiers were ~ed on their mission* soldaterna rapporterade (avlade rapport) om sitt uppdrag

debriefing [,diː'briːfɪŋ] *s* **1** rapport, avrapportering; utfrågning **2** krisbearbetning, krissamtal

debris ['deɪbriː, 'deb-, amer. də'briː] *s* **1** spillror; skräp, bråte **2** geol. sönderfallna klippstycken

debt [det] *s* skuld; *bad ~s* osäkra fordringar; *I owe you a ~ of gratitude* jag står i tacksamhetsskuld till er; *be in sb's ~* stå i skuld hos ngn; bildl. stå i tacksamhetsskuld till ngn; *be deeply in ~* vara djupt skuldsatt, ha stora skulder; *run (get) into ~* sätta sig i skuld; *out of ~* skuldfri

debt collector ['detkə,lektə] *s* inkasserare

debtor ['detə] *s* gäldenär, debitor

debug [diː'bʌg] *vb tr* sl. **1** data. m.m. korrigera, avlusa **2** avlägsna [dolda] mikrofoner i [*~ a room*]

debunk [diː'bʌŋk] *vb tr* vard. avslöja, blotta

debut ['deɪbjuː, -buː, 'debjuː, amer. deɪ'bjuː] *s* debut; *make one's ~* göra sin debut, debutera

Dec. förk. för *December*

deca- [vanl. 'dekə] *prefix* deka-, tio-

decade ['dekeɪd, -kəd, dɪ'keɪd] *s* decennium

decadence ['dekəd(ə)ns] *s* dekadans, förfall

decadent ['dekəd(ə)nt] *adj* dekadent, förfallen, förfall

decaf ['diːkæf] (vard. kortform av *decaffeinated*) **I** *s* koffeinfritt kaffe **II** *adj* koffeinfri [*a ~ cappuccino*]

decaffeinated [dɪ'kæfɪneɪtɪd] *adj* koffeinfri [*~ coffee*]

decal [dɪ'kæl, 'diːkæl] *s* amer. dekal; överföringsbild

decamp [dɪ'kæmp] *vb itr* **1** bryta upp [från lägret], avtåga **2** plötsligt (i hemlighet) ge sig i väg

decant [dɪˈkænt] *vb tr* dekantera, hälla av

decanter [dɪˈkæntə] *s* karaff vanl. med propp

decapitate [dɪˈkæpɪteɪt] *vb tr* halshugga

decapitation [dɪˌkæpɪˈteɪʃ(ə)n] *s* halshuggning

decathlete [dɪˈkæθliːt] *s* sport. tiokampare

decathlon [dɪˈkæθlən] *s* sport. tiokamp

decay [dɪˈkeɪ] **I** *vb itr* **1** multna, murkna, ruttna; vissna **2** förfalla; förstöras, fördärvas; försvagas, tyna av **3** vara angripen av karies (röta) **II** *vb tr* **1** fördärva, tära på **2** orsaka karies (röta) i tänder **III** *s* **1** förmultning, förruttnelse **2** förfall, sönderfall, upplösning; avtynande, avtyning; *fall into ~* råka i förfall **3** karies[angrepp]; *~ in a tooth* karies, tandröta

decayed [dɪˈkeɪd] *adj* **1** förfallen; förstörd; fallfärdig **2** skämd, murken; *~ meat* ruttet kött **3** kariesangripen [*~ tooth*]

decease [dɪˈsiːs] *s* frånfälle, dödsfall, död

deceased [dɪˈsiːst] **I** *adj* avliden **II** *s*, *the ~* den avlidne (avlidna); de avlidna

deceit [dɪˈsiːt] *s* **1** bedrägeri; svek **2** bedräglighet

deceitful [dɪˈsiːtf(ʊ)l] *adj* bedräglig, vilseledande; svekfull

deceive [dɪˈsiːv] *vb tr* o. *vb itr* bedra, vilseleda, föra bakom ljuset; *~ sb into doing sth* lura ngn att göra ngt; *~ oneself* lura sig själv

deceiver [dɪˈsiːvə] *s* bedragare

decelerate [diːˈseləreɪt] *vb itr* minska hastigheten, sakta farten, bromsa, bromsa upp

deceleration [diːˌseləˈreɪʃ(ə)n] *s* fartminskning, hastighetsminskning; *~ lane* avfartsväg

December [dɪˈsembə] *s* december

decency [ˈdiːsnsɪ] *s* **1** anständighet; det passande; *have a sense of ~* veta vad som passar sig; *have the ~ to do sth* ha vett (förstånd) att göra ngt; *it's common ~ to…* det tillhör vanligt folkvett att…; *in ~* el. *in all ~* anständigtvis, för anständighetens skull **2** vard. hygglighet

decent [ˈdiːsnt] *adj* **1** passande, anständig; städad; ordentlig; *do the ~ thing* göra det enda rätta **2** hygglig, snäll [*a ~ fellow; she was very ~ to me*] **3** hygglig, juste; skaplig, ganska bra, hyfsad [*write ~ English*]

decently [ˈdiːsntlɪ] *adv* passande etc., jfr *decent*; anständigtvis, gärna

decentralization [diːˌsentrəlaɪˈzeɪʃ(ə)n] *s* decentralisering

decentralize [diːˈsentrəlaɪz] *vb tr* decentralisera

deception [dɪˈsepʃ(ə)n] *s* bedrägeri; list, knep

deceptive [dɪˈseptɪv] *adj* bedräglig, vilseledande; *appearances are ~* skenet bedrar

deceptively [dɪˈseptɪvlɪ] *adv* skenbart, bedrägligt, vilseledande

decibel [ˈdesɪbel] *s* fys. decibel

decide [dɪˈsaɪd] **I** *vb tr* **1** avgöra; bestämma [sig för], besluta [sig för]; *that ~d me* det fick mig att bestämma mig **2** inse, finna, komma till den slutsatsen [*that* att] **II** *vb itr* **1** bestämma sig, besluta sig; *she ~d on the yellow dress* hon bestämde sig (fastnade) för den gula klänningen; *we ~d against the trip* vi beslutade oss för att inte resa; *you must ~ for yourself*

whether… du måste själv bestämma om… **2** välja [*between* mellan] **3** avgöra, döma

decided [dɪˈsaɪdɪd] *adj* **1** bestämd, avgjord, utpräglad; *a ~ opinion* en bestämd uppfattning **2** bestämd, resolut [*in a ~ voice*]

decidedly [dɪˈsaɪdɪdlɪ] *adv* bestämt, avgjort etc., jfr *decided*; *most ~!* absolut!; *he was looking ~ worried* han såg avgjort (klart) bekymrad ut

decider [dɪˈsaɪdə] *s* sport. vard. omlöpning vid dött lopp; omspel; avgörande lopp (match, parti); *the next game will be the ~* nästa game är avgörande, nästa game avgör matchen

deciduous [dɪˈsɪdjʊəs] *adj* **1** årligen lövfällande [*~ trees*]; *~ forest* lövskog **2** periodvis avfallande om blad, horn o.d.

decigram o. **decigramme** [ˈdesɪgræm] (förk. *dg*) *s* decigram

decilitre [ˈdesɪˌliːtə] (förk. *dl*) *s* deciliter

decimal [ˈdesɪm(ə)l] **I** *adj* decimal- [*~ system*] **II** *s* decimal; decimalbråk; pl. *~s* a) decimaler b) decimalräkning

decimal fraction [ˌdesɪm(ə)lˈfrækʃ(ə)n] *s* tal i decimalform

decimalize [ˈdesɪməlaɪz] *vb tr* tillämpa decimalsystemet på

decimal place [ˌdesɪm(ə)lˈpleɪs] *s* decimal

decimal point [ˌdesɪm(ə)lˈpɔɪnt] *s* sv. motsv. decimalkomma

decimate [ˈdesɪmeɪt] *vb tr* decimera [*~ a population*]

decimetre [ˈdesɪˌmiːtə] (förk. *dm*) *s* decimeter

decipher [dɪˈsaɪfə] *vb tr* dechiffrera; tyda [ut], tolka

decision [dɪˈsɪʒ(ə)n] *s* **1** avgörande; beslut; utslag, dom[slut] äv. sport; *make* (*take*) *a ~* el. *come to a ~* el. *reach a ~* fatta ett beslut **2** beslutsamhet

decision-maker [dɪˈsɪʒ(ə)nˌmeɪkə] *s* beslutsfattare; *Joan is the ~ here* det är Joan som bestämmer här

decision-making [dɪˈsɪʒ(ə)nˌmeɪkɪŋ] *s* beslutsfattande

decisive [dɪˈsaɪsɪv] *adj* **1** avgörande [*of* för]; avgjord **2** fast, bestämd; beslutsam

decisiveness [dɪˈsaɪsɪvnəs] *s* beslutsamhet

deck [dek] **I** *s* **1** sjö. däck [*on ~*]; *officer of the ~* vakthavande officer; *clear the ~s* vard. göra sig klar (beredd), röja undan; *hit the ~* vard. falla till marken, ramla **2** våning, plan i buss o.d. **3** vanl. amer. kortlek; talong **4** kassettdäck [äv. *cassette ~*] **II** *vb tr* **1** vard. däcka, golva **2** mest poet., *~* el. *~ out* smycka, pryda, pynta; *~ oneself out* klä upp sig; styra ut sig

deckchair [ˈdektʃeə] *s* solstol; fällstol, vilstol

decker [ˈdekə] *s* som efterled i sammansättn. -däckare [*double-decker; three-decker*]

deckhand [ˈdekhænd] *s* sjö. jungman; däckskarl

declaim [dɪˈkleɪm] *vb itr* deklamera; orera, predika

declamatory [dɪˈklæmət(ə)rɪ] *adj* deklamatorisk; högtravande, pompös

declaration [ˌdekləˈreɪʃ(ə)n] *s* **1** förklaring [*~ of love; ~ of war*]; tillkännagivande [*~ of the poll* (valresultatet)]; *the Declaration of Independence* amer. hist. oavhängighetsförklaringen av 1776 **2** deklaration, anmälan, uppgift; *customs ~* tulldeklaration; *~ of income* inkomstdeklaration

declare [dɪˈkleə] **I** *vb tr* **1** förklara, tillkännage, deklarera, förkunna, betyga [*sth to sb* ngt för ngn]; ~ *a dividend* fastställa en utdelning; ~ *the innings closed* kricket., se *declare III 2*; ~ *sb...* el. ~ *sb to be...* förklara ngn vara...; *they ~d her the winner* de förklarade henne för (som) vinnare; ~ *war on* el. ~ *war against* förklara krig mot **2** deklarera, anmäla, uppge; *have you got anything to ~?* i tullen har ni något att förtulla? **3** kortsp. bjuda

II *vb rfl*, ~ *oneself* förklara (uttala) sig [~ *oneself for sth*; ~ *oneself against sth*]

III *vb itr* **1** förklara (uttala) sig [~ *for sth*; ~ *against sth*] **2** kricket. förklara inneomgången avslutad innan 10 slagmän är utslagna

declared [dɪ'kleəd] *adj* förklarad, uttalad [*a ~ goal*; *a ~ objective* (mål)]; öppen; svuren [~ *enemy*]

declassified [ˌdi:'klæsɪfaɪd] *adj* tidigare hemligstämplad [~ *information*]

declension [dɪ'klenʃ(ə)n] *s* gram. deklination; böjning, kasusböjning

declinable [dɪ'klaɪnəbl] *adj* gram. böjlig

decline [dɪ'klaɪn] **I** *vb itr* **1** bildl. avta, minska, gå tillbaka (utför); *he spent his declining years* [*in the country*] han tillbringade sina sista [levnads]år... **2** avböja, tacka nej **3** slutta nedåt, luta; om sol o.d. dala, sjunka

II *vb tr* **1** avböja, tacka nej till **2** böja ned, luta **3** gram. böja, deklinera

III *s* **1** avtagande, tillbakagång, nedgång, dalande; förfall; fallande, sjunkande **2** nedgång, minskning, [pris]fall; *a ~ in prices* [ett] prisfall; *fall into ~* el. *go into ~* börja avta (förfalla), tappa i betydelse

declutch [ˌdi:'klʌtʃ] *vb itr* bil. koppla (trampa) ur

decoct [dɪ'kɒkt] *vb tr* göra en dekokt av

decoction [dɪ'kɒkʃ(ə)n] *s* dekokt, elixir; avkok[ning]

decode [ˌdi:'kəʊd] *vb tr* dechiffrera; tolka; data. etc. avkoda

decoder [ˌdi:'kəʊdə] *s* data. avkodare; radio. el. TV. dekoder

décolletage [ˌdeɪkɒl'tɑːʒ] *s* fr. dekolletage, urringning

décolleté [deɪ'kɒlteɪ] *adj* fr. dekolleterad, urringad

decolonize [di:'kɒlənaɪz] *vb tr* avkolonisera

decommission [ˌdi:kə'mɪʃ(ə)n] *vb tr* **1** stänga [~ *a nuclear power station*]; nedmontera **2** lämna in, lämna ifrån sig [~ *arms*]

decomposable [ˌdi:kəm'pəʊzəbl] *adj* nedbrytbar

decompose [ˌdi:kəm'pəʊz] **I** *vb tr* lösa upp, sönderdela, bryta ned **II** *vb itr* lösas upp, falla sönder; vittra; ruttna

decomposition [ˌdi:kɒmpə'zɪʃ(ə)n] *s* upplösning, sönderfall; förruttnelse

decompress [ˌdi:kəm'pres] **I** *vb tr* tekn. dekomprimera äv. data., minska trycket på **II** *vb itr* amer. varva ner, koppla av

decompression [ˌdi:kəm'preʃ(ə)n] *s* tekn. dekompression, trycksänkning; data. dekomprimering

decompression chamber [ˌdi:kəm'preʃ(ə)n ˌtʃeɪmbə] *s* dekompressionskammare

decompression sickness [ˌdi:kəm'preʃ(ə)n ˌsɪknəs] *s* dykarsjuka

decongestant [ˌdi:kən'dʒestənt] *s* med. avsvällande medel vid förkylning

decontaminate [ˌdi:kən'tæmɪneɪt] *vb tr* sanera, avgasa

decontamination ['di:kənˌtæmɪ'neɪʃ(ə)n] *s* sanering, avgasning

décor o. **decor** ['deɪkɔː, 'dekɔː] *s* teat. o.d. dekor; inredning; utsmyckning

decorate ['dekəreɪt] *vb tr* **1** dekorera; pryda, smycka, klä [~ *the Christmas tree*] **2** måla och tapetsera; inreda **3** dekorera tilldela en orden o.d.

decoration [ˌdekə'reɪʃ(ə)n] *s* **1** dekorering, prydande, [ut]smyckning; *interior ~* heminredning **2** dekoration, prydnad [*Christmas ~s*]; pl. **~s** dekorationer, prydnader, pynt **3** dekoration, orden

decorative ['dek(ə)rətɪv] *adj* dekorativ

decorator ['dekəreɪtə] *s* **1** målare hantverkare [äv. *painter and ~*]; *interior ~* inredningsarkitekt **2** dekoratör; dekorationsmålare

decorous ['dekərəs] *adj* anständig, värdig och passande

decorum [dɪ'kɔːrəm] *s* anständighet, värdighet, det passande (korrekta)

decoy [subst. 'di:kɔɪ, verb dɪ'kɔɪ] **I** *s* **1** lockfågel person el. fågel, lockbete, lockmedel **2** jakt. **a)** vette **b)** andkoja

II *vb tr* **1** fånga med lockfågel **2** bildl. locka [i fällan]; lura, narra

decrease [verb vanl. dɪ'kri:s, subst. 'di:kri:s, dɪ'kri:s] **I** *vb itr* o. *vb tr* minska[s], förminska[s], avta **II** *s* [för]minskning, avtagande, nedgång; *on the ~* i avtagande

decreasingly [dɪ'kri:sɪŋlɪ] *adv* mindre och mindre, allt mindre

decree [dɪ'kri:] **I** *s* dekret, påbud; förordning, [kunglig] kungörelse **II** *vb tr* påbjuda, bestämma

decree absolute [dɪˌkri:'æbs(ə)lu:t] *s* jur. slutgiltig äktenskapsskillnad

decree nisi [dɪˌkri:'naɪsaɪ, -'ni:sɪ] *s* jur. provisorisk skilsmässa, hemskillnad på ett bestämt antal veckor

decrepit [dɪ'krepɪt] *adj* **1** skröplig, bruten, utlevad **2** fallfärdig [*a ~ house*]; utsliten

decrepitude [dɪ'krepɪtjuːd] *s* **1** skröplighet **2** förfall

decriminalization [di:ˌkrɪmɪnælɪ'zeɪʃ(ə)n] *s* avkriminalisering

decriminalize [di:'krɪmɪnəlaɪz] *vb tr* avkriminalisera

decry [dɪ'kraɪ] *vb tr* nedvärdera, fördöma

dedicate ['dedɪkeɪt] *vb tr* **1** tillägna [*sth to sb* ngn ngt], dedicera **2** ägna [~ *one's time to sth*]; ~ *oneself to* ägna (hänge) sig åt, djupt engagera sig i **3** inviga, öppna

dedicated ['dedɪkeɪtɪd] *adj* o. *perf p* **1** hängiven, [starkt] engagerad, entusiastisk [*a ~ lexicographer*]; målmedveten; *be ~ to sth* vara hängiven ngt **2** tekn., *a ~ channel* en reserverad kanal (linje); *a ~ computer* en dedicerad dator

dedication [ˌdedɪ'keɪʃ(ə)n] *s* **1** hängivenhet [*to* för]; engagemang, entusiasm **2** tillägnan, dedikation **3** invigning; helgande

deduce [dɪ'djuːs] *vb tr* sluta sig till, härleda [*sth from sth* ngt av ngt]; ~ *that* dra [den] slutsatsen att

deduct [dɪ'dʌkt] *vb tr* dra av, dra (räkna, ta) ifrån; *be ~ed from* avgå från summa

deductible [dɪ'dʌktəbl] **I** *adj* som kan dras av (ifrån); avdragsgill spec. vid självdeklaration **II** *s* amer. självrisk på försäkring

deduction [dɪ'dʌkʃ(ə)n] *s* **1** härledning; slutledning, slutsats **2** avdrag, avräkning

deed [di:d] *s* **1** handling; gärning; *by word and ~* el. *in word and ~* i ord och gärning; *your good ~ for the day* skämts. dagens goda gärning **2** bragd, bedrift, stordåd **3** jur. dokument, kontrakt, urkund, handling

deed of covenant [ˌdi:dəv'kʌvənənt] *s* jur. gåvobrev, handling som reglerar villkoren för donation eller gåva

deed poll ['di:dpəʊl] *s* ensidigt dokument upprättat blott av ena parten; *change one's name by ~* ung. [officiellt] byta namn

deejay [di:'dʒeɪ] *s* vard. DJ, diskjockey

deem [di:m] *vb tr* litt. anse, bedöma, mena; tro

deep [di:p] **I** *adj* **1** djup; bred; *be thrown in at the ~ end* kastas in i ngt hals över huvud; *go off the ~ end* vard. bli rasande, brusa upp; *go off the ~ end* el. *jump off the ~ end* amer. förhasta sig; *~ fat* flottyr; *be in ~ water* bildl. vara ute på djupt vatten, befinna sig i svårigheter; *get into ~ water* komma ut på djupt vatten, råka i svårigheter **2** *~ in* djupt invecklad i [*~ in trouble*]; djupt inne (försjunken) i [*~ in a book*] **3** djupsinnig; *a ~ one* en djuping **II** *adv* djupt äv. bildl.; *go ~* el. *run ~* sitta djupt, vara djupt rotad; *~ into the night* långt in på natten; *~ down* el. *~ down in one's heart* innerst inne, i grund och botten; *drink ~* dricka i djupa klunkar **III** *s* djup [plats] i hav, havsdjup; *the ~* poet. havet, djupet

deepen ['di:p(ə)n] *vb tr* o. *vb itr* **1** fördjupa; göra (bli) djupare etc., jfr *deep 2* skärpa[s]; förvärra[s]; *the crisis ~ed* krisen förvärrades; *~ing interest* stigande intresse, allt större intresse **3** bli mörkare [*his voice ~ed*]

deep-fat fryer [ˌdi:pfæt'fraɪə] *s* kok. fritös

deep freeze [ˌdi:p'fri:z] *s* frys

deep-frozen [ˌdi:p'frəʊzn] *adj* djupfryst

deep-fry [ˌdi:p'fraɪ] *vb tr* fritera

deep-laid [ˌdi:p'leɪd, attr. '--] *adj* noggrant (listigt) uttänkt, listigt planerad, utstuderad, slug [*a ~ scheme* el. *a ~ plot*]

deep-rooted [ˌdi:p'ru:tɪd, attr. '-,--] *adj* djupt [in]rotad, djuprotad [*~ hatred*]

deep-sea ['di:psi:] *adj* djuphavs- [*~ fishing*]; djup- [*~ diving*]

deep-seated [ˌdi:p'si:tɪd, attr. '-,--] *adj* djupt liggande [*~ causes*]; djupt [in]rotad [*~ traditions*]

deep-set [ˌdi:p'set, attr. '--] *adj* djupt liggande [*~ eyes*]

deep-six [ˌdi:p'sɪks] *vb tr* amer. vard. spola, kasta bort [*~ a project*]

Deep South [ˌdi:p'saʊθ] *s*, *the ~* den djupa Södern i USA

deep-vein thrombosis ['di:pveɪnˌθrɒm'bəʊsɪs] (förk. *DVT*) *s* med. djup ventrombos

deer [dɪə] (pl. *deer*) *s* hjort; rådjur; *fallow ~* dovhjort; *red ~* kronhjort; *white-tailed ~* vitsvanshjort

deer-stalker ['dɪəˌstɔ:kə] *s* jägarmössa typ Sherlock Holmes

deface [dɪ'feɪs] *vb tr* **1** vanställa, vanpryda, fördärva, skämma **2** göra oläslig, utplåna

de facto [ˌdi:'fæktəʊ] lat. **I** *adj* faktisk **II** *adv* de facto, i själva verket, faktiskt

defamation [ˌdefə'meɪʃ(ə)n] *s* ärekränkning

defamatory [dɪ'fæmət(ə)rɪ] *adj* ärekränkande

defame [dɪ'feɪm] *vb tr* ärekränka, svärta ned

default [dɪ'fɔ:lt, -'fɒlt] **I** *s* **1** försummelse; uraktlåtenhet att betala; *~ of payment* utebliven betalning **2** sport., *win a game by ~* vinna en match på walkover **3** data. grundvärde, standardinställning; *~ drive* förvald enhet, startenhet **II** *vb itr* inte fullgöra sin[a] skyldighet[er], underlåta att betala; bryta kontrakt

defaulter [dɪ'fɔ:ltə] *s* försumlig person spec.: a) inför rätta utebliven (tredskande) part b) försumlig betalare

defeat [dɪ'fi:t] **I** *s* **1** nederlag [*suffer ~*; *suffer a ~*], sport. äv. förlust; besegrande; *admit ~* erkänna sig besegrad **2** omintetgörande [*the ~ of the plan*]; *the ~ of the bill* förkastandet av lagförslaget **II** *vb tr* **1** besegra, slå; göra ned; slå tillbaka [*~ an attack*]; *be ~ed* besegras, lida nederlag, förlora; *it ~s me* jag klarar det inte **2** kullkasta, omintetgöra, tillintetgöra; *~ a bill* förkasta ett lagförslag

defeatist [dɪ'fi:tɪst] *s* defaitist

defecate ['defəkeɪt] *vb itr* med. ha avföring; vetensk. defekera

defect [subst. 'di:fekt, dɪ'fekt, verb dɪ'fekt] **I** *s* brist [*~s in the system*]; defekt; fel, felaktighet, lyte; *speech ~* talfel **II** *vb itr* polit. avfalla, hoppa av från parti o.d., hoppa av från ett land

defection [dɪ'fekʃ(ə)n] *s* polit. avfall, avhopp från parti, religion o.d., avhopp från ett land

defective [dɪ'fektɪv] *adj* bristfällig; defekt; felaktig; *the brakes are ~* det är fel på bromsarna

defector [dɪ'fektə] *s* polit. avfälling; avhoppare

defence [dɪ'fens] *s* **1** försvar; skydd [*~ against the cold*]; *in ~ of* till försvar för; *in sb's ~* till ngns försvar; *the Ministry of Defence* (förk. *MOD*) i Storbritannien försvarsdepartementet **2** jur., *the ~* svarandesidan; *witnesses for the ~* försvarets vittnen **3** pl. *~s* äv. mil. försvarsverk b) kroppens försvarsmekanism

defenceless [dɪ'fensləs] *adj* försvarslös, värnlös

defence mechanism [dɪ'fensˌmekənɪz(ə)m] *s* psykol. försvarsmekanism

defend [dɪ'fend] **I** *vb tr* **1** försvara; värja, värna [*against*, *from* mot, för] **2** jur. a) *~ the suit* bestrida käromålet b) *~ oneself* föra sin egen talan c) *~ sb* föra ngns talan **II** *vb itr* **1** jur. försvara sig **2** *the team ~ed well* laget försvarade sig bra

defendant [dɪ'fendənt] *s* jur. svarande

defender [dɪ'fendə] *s* försvarare; sport. försvarsspelare

defending champion [dɪˌfendɪŋ'tʃæmpjən] *s* sport. titelförsvarare

defense [dɪ'fens] o. **defenseless** [dɪ'fensləs] amer., se *defence* o. *defenceless* m.fl. ord

defensible [dɪ'fensəbl] *adj* som går att försvara [*a ~ city*]; försvarbar, hållbar äv. bildl. [*a ~ theory*]

defensive [dɪ'fensɪv] **I** *adj* defensiv, försvars- [*a ~*

war; ~ *warfare*]; skyddande; **get** ~ gå i
försvarsställning **II** *s*, **be on the** ~ hålla sig på
defensiven; **put sb on the** ~ få ngn att gå i
försvarsställning
1 defer [dɪ'fɜ:] *vb tr* o. *vb itr* skjuta upp, dröja; ~
doing sth dröja med att göra ngt, skjuta upp ngt;
~red payment uppskjuten betalning
2 defer [dɪ'fɜ:] *vb itr*, ~ **to** böja sig för, falla undan
för, foga sig efter
deference ['def(ə)r(ə)ns] *s* **1** hänsyn,
hänsynstagande **2** aktning, respekt; **out of** ~ **to** el. **in**
~ **to** av hänsyn till
deferential [ˌdefə'ren∫(ə)l] *adj* **1** hänsynsfull,
aktningsfull, vördnadsfull **2** undfallande
deferment [dɪ'fɜ:mənt] *s* o. **deferral** [dɪ'fɜ:r(ə)l] *s*
uppskjutande
defiance [dɪ'faɪəns] *s* utmaning; trots; **an act of** ~ en
utmanande handling; **in** ~ **of** trots; stick i stäv mot
defiant [dɪ'faɪənt] *adj* utmanande, trotsig
deficiency [dɪ'fɪ∫(ə)nsɪ] *s* **1** brist [*in* på; *vitamin* ~]
2 bristfällighet, ofullkomlighet, ofullständighet
deficiency disease [dɪ'fɪ∫(ə)nsɪdɪˌzi:z] *s*
bristsjukdom
deficient [dɪ'fɪ∫(ə)nt] *adj* bristande, otillräcklig;
bristfällig, ofullständig; ~ **in vitamins** vitaminfattig;
be ~ **in** sakna, lida brist på
deficit ['defɪsɪt] *s* hand. underskott, deficit, brist [*of*
på]; **a 3–0** ~ sport. ett 3–0-underläge
defile [dɪ'faɪl] *vb tr* **1** förorena, smutsa ned
2 vanhelga **3** förfula **4** besudla
definable [dɪ'faɪnəbl] *adj* definierbar
define [dɪ'faɪn] *vb tr* **1** bestämma [gränserna för],
begränsa, avgränsa **2** [klart] ange, fixera, precisera
[~ *sb's duties*]; fastställa **3** definiera, bestämma
defined [dɪ'faɪnd] *perf p* o. *adj* **1** [klart] avgränsad
2 bestämd, [klart] angiven; fastställd [~ *by law*]
3 markerad, utpräglad; **the mountain was clearly** ~
against the sky berget avtecknade sig skarpt mot
himlen
definite ['defɪnət] *adj* **1** [klart] avgränsad
2 fastställd; avgjord; uttrycklig [*a* ~ *answer*];
exakt, bestämd, definitiv; **be** ~ **about sth** göra ngt
helt klart
definite article [ˌdefɪnət'ɑ:tɪkl] *s* gram. bestämd
artikel
definitely ['defɪnətlɪ] *adv* absolut, avgjort,
definitivt, slutgiltligt
definition [ˌdefɪ'nɪ∫(ə)n] *s* **1** definition [~ *of a word*]
2 skärpa på tv-bild, foto m.m. **3** bestämmande etc., jfr
define; bestämning
definitive [dɪ'fɪnətɪv] *adj* **1** definitiv, avgörande,
slutgiltig [*a* ~ *answer*] **2** föredömlig [och
auktoritativ] [*a* ~ *edition*]
deflate [dɪ'fleɪt] **I** *vb tr* **1** ekon. sänka [~ *prices*];
åstadkomma en deflation av **2** släppa luften ur [~ *a
tyre*]; tömma på luft **3** bildl. stuka [till]; gäcka
II *vb itr* **1** ekon. åstadkomma (undergå) en deflation
2 tömmas på luft
deflation [dɪ'fleɪ∫(ə)n] *s* ekon. deflation
deflationary [dɪ'fleɪ∫n(ə)rɪ] *adj* ekon. deflationistisk,
deflations- [~ *gap*]
deflect [dɪ'flekt] **I** *vb tr* **1** få att böja (vika) av
2 avleda, avstyra [~ *criticism*]; **nothing could** ~ **her
from her goal** inget kunde få henne att ge upp sitt

mål
II *vb itr* **1** böja sig [åt sidan], böja av, vika av **2 the
ball ~ed off his leg into the goal** bollen gick
(studsade) i mål via hans ben
deflection [dɪ'flek∫(ə)n] *s* **1** böjning, krökning
2 avvikelse **3** sport., **the ball took a** ~ **off his leg** bollen
träffade hans ben och ändrade riktning
defog [ˌdi:'fɒg] *vb tr* amer. ta bort imman från [~ *the
windshield*]
defoliant [dɪ'fəʊliənt] *s* avlövningsmedel, defoliant
defoliate [di:'fəʊlieɪt] *vb tr* avlöva
defoliation [di:ˌfəʊli'eɪ∫(ə)n] *s* avlövning
deforest [di:'fɒrɪst] *vb tr* skövla skog, hugga ut,
kalhugga
deforestation [di:ˌfɒrɪ'steɪ∫(ə)n] *s* skogsskövling,
uthuggning; kalhuggning
deform [dɪ'fɔ:m] *vb tr* **1** deformera, vanställa,
förvränga **2** vanpryda
deformation [ˌdi:fɔ:'meɪ∫(ə)n] *s* deformering,
deformation; förvrängning; missbildning
deformed [dɪ'fɔ:md] *adj* vanställd, missbildad
deformity [dɪ'fɔ:mətɪ] *s* missbildning, deformitet
DEFRA förk. för *Department for Environment, Food
and Rural Affairs* se *environment* 1
defragmentation [ˌdi:frægmen'teɪ∫(ə)n] *s* data.
defragmentering, optimering av hårddisk
defraud [dɪ'frɔ:d] *vb tr* bedra [*of* på], [svekligt]
beröva, undanhålla [*sb of sth* ngn ngt]
defray [dɪ'freɪ] *vb tr* bestrida, betala, bära [~ *the
costs*]
defrock [ˌdi:'frɒk] *vb tr* avsätta (från ämbetet) [~ *a
priest*]
defrost [ˌdi:'frɒst] **I** *vb tr* tina upp fruset kött o.d.;
frosta av t.ex. kylskåp, vindruta **II** *vb itr* tina om fruset
kött o.d.
defroster [ˌdi:'frɒstə] *s* defroster
defrosting [ˌdi:'frɒstɪŋ] *s* avfrostning; upptining av
fruset kött o.d.
deft [deft] *adj* flink, händig, skicklig, kvick
defunct [dɪ'fʌŋ(k)t] *adj* **1** inte längre existerande
(gällande) **2** avliden, död
defuse [ˌdi:'fju:z] *vb tr* **1** lösa upp [~ *the tense
situation*] **2** desarmera, oskadliggöra
defy [dɪ'faɪ] *vb tr* **1** trotsa [~ *the law*]; gäcka; **it
defies description** det trotsar all beskrivning; **he
defied the odds and survived** mot alla odds överlevde
han; **the problem defied solution** problemet gick inte
att lösa **2** utmana; **I** ~ **you to do it** gör det om du törs
degeneracy [dɪ'dʒen(ə)rəsɪ] *s* degeneration,
urartning, vansläktande; förfall
degenerate [adj. o. subst. dɪ'dʒen(ə)rət, verb
dɪ'dʒenəreɪt] **I** *adj* degenererad, urartad **II** *s*
degenererad individ **III** *vb itr* urarta [*into* i];
degenerera[s]
degeneration [dɪˌdʒenə'reɪ∫(ə)n] *s* degenerering,
degeneration
degradable [dɪ'greɪdəbl] *adj* kem. nedbrytbar [~
detergents]; komposterbar [~ *waste*]
degradation [ˌdegrə'deɪ∫(ə)n] *s* **1** degradering;
avsättande **2** förnedring **3** försämring, förfall
degrade [dɪ'greɪd] *vb tr* **1** degradera; avsätta
2 förnedra, förödmjuka **3** försämra; fördärva
degrading [dɪ'greɪdɪŋ] *adj* förnedrande,
förödmjukande

degree [dɪ'griː] *s* **1** grad; *by* ~*s* gradvis, stegvis, efter hand, så småningom; *to a* ~ el. *to a certain* ~ el. *to some* ~ i viss (någon) mån; *to a high* ~ i hög grad **2** matem., gram., univ. m.fl. grad, univ. äv. examen [*study for a* ~; *take the* ~ *of BA*]; ~ *of comparison* komparationsgrad; *honours* ~ se under *honour I 5*; *a London* ~ en examen från Londons universitet **3** jur., *the third* ~ tredje graden hänsynslös förhörsmetod; *murder in the first* ~ vanl. amer. mord av första graden

dehumanize [diː'hjuːmənaɪz] *vb tr* avhumanisera, brutalisera

dehydrate [diː'haɪdreɪt, ˌ--'-] *vb tr* **1** torka **2** kem. dehydratisera; med. dehydrera, torka ut

dehydrated [diː'haɪdreɪtɪd, -əd] *adj* **1** med. dehydrerad, uttorkad **2** ~ *eggs* äggpulver; ~ *foods* vakuumtorkade livsmedel; ~ *soup* pulversoppa

dehydration [ˌdiːhaɪ'dreɪʃ(ə)n] *s* uttorkning; med. dehydrering; kem. dehydratisering, avvattning

de-ice [ˌdiː'aɪs] *vb tr* isa av

deification [ˌdeɪɪfɪ'keɪʃ(ə)n, ˌdiː-] *s* förgudning

deify ['deɪɪfaɪ, 'diː-] *vb tr* upphöja till gud; avguda, dyrka

deign [deɪn] *vb itr*, ~ *to* nedlåta sig [till] att, värdigas, behaga

deism ['diːɪz(ə)m] *s* deism

deity ['deɪɪtɪ, 'diː-] *s* gud, gudinna; gudomlighet

déjà-vu [ˌdeɪʒɑː'vuː, -'vjuː] *s* psykol. (fr.) déjà vu känsla av att tidigare ha upplevt det man just upplever

dejected [di:'dʒektɪd] *adj* nedslagen, nedstämd, modfälld, modstulen, missmodig

dejection [dɪ'dʒekʃ(ə)n] *s* nedslagenhet, förstämning, modstulenhet

de jure [ˌdeɪ'dʒʊərɪ, ˌdɪ-] lat. **I** *adj* lagenlig **II** *adv* enligt lagen, de jure

Del. förk. för *Delaware*

Delaware ['deləweə] geogr.

delay [dɪ'leɪ] **I** *s* fördröjning; dröjsmål, uppskov; försening; *without* ~ omedelbart **II** *vb tr* **1** skjuta upp, dröja med; ~ *doing sth* skjuta upp att göra ngt, dröja med att göra ngt **2** fördröja, försena, uppehålla, hindra **III** *vb itr* dröja [*on* vid]

delayed-action [dɪˌleɪd'ækʃ(ə)n] *adj* tidsinställd- [~ *bomb*; ~ *fuse*]

delaying tactics [dɪ'leɪɪŋˌtæktɪks] *s pl* förhalningstaktik

delectable [dɪ'lektəbl] *adj* härlig, delikat; *a* ~ *body* en ljuvlig (läcker) kropp

delegate [subst. 'delɪgət, -geɪt, verb 'delɪgeɪt] **I** *s* delegat, fullmäktig, deputerad, delegerad, ombud, representant **II** *vb tr* delegera; ~ *sb to do sth* utse ngn att göra ngt

delegation [ˌdelɪ'geɪʃ(ə)n] *s* **1** delegering; befullmäktigande **2** delegation, deputation

delete [dɪ'liːt] *vb tr* stryka [ut], ta bort, radera äv. data.

deleterious [ˌdelɪ'tɪərɪəs] *adj* fördärvlig, skadlig

deletion [dɪ'liːʃ(ə)n] *s* strykning; raderande

Delhi ['delɪ] geogr.

deli ['delɪ] *s* vard. kortform av *delicatessen*

deliberate [adj. dɪ'lɪb(ə)rət, verb dɪ'lɪbəreɪt] **I** *adj* **1** överlagd, avsiktlig, genomtänkt **2** försiktig, betänksam

II *vb itr* o. *vb tr* **1** överväga, fundera [på saken] **2** rådslå, överlägga [*on* om]

deliberately [dɪ'lɪb(ə)rətlɪ] *adv* **1** avsiktligt, med berått mod, med flit, uppsåtligt, medvetet **2** betänksamt, försiktigt; sävligt

deliberateness [dɪ'lɪb(ə)rətnəs] *s* betänksamhet, försiktighet, besinning; sävlighet

deliberation [dɪˌlɪbə'reɪʃ(ə)n] *s* **1** moget övervägande, betänkande **2** överläggning; debatt **3** se *deliberateness*

delicacy ['delɪkəsɪ] *s* **1** delikatess, läckerhet **2** spädhet, klenhet, ömtålighet **3** finhet; känslighet **4** finkänslighet; takt, finess **5** finhet, skirhet i t.ex. vävnad, utförande, utseende

delicate ['delɪkət] *adj* **1** späd, klen, ömtålig [*a* ~ *child*; ~ *health*]; skör, spröd, vek **2** delikat, ömtålig [*a* ~ *situation*]; vansklig [*a* ~ *operation*] **3** fin, utsökt [~ *features*; ~ *lace*]; mild, skir [*a* ~ *colour*] **4** känslig, fin [~ *instruments*] **5** finkänslig; taktfull **6** läcker [~ *food*]

delicatessen [ˌdelɪkə'tesn] *s* **1** delikatessaffär **2** (med verb i pl.) färdiglagad mat, charkuterivaror; delikatesser

delicious [dɪ'lɪʃəs] *adj* **1** läcker, delikat, utsökt [~ *fruit*] **2** härlig, ljuvlig

delight [dɪ'laɪt] **I** *s* nöje, glädje, fröjd [*the* ~*s of country life*]; välbehag; njutning; pl. ~*s* härligheter, nöjen, njutningar; *take* ~ *in* el. *take a* ~ *in* finna nöje i, vara road av; njuta av; *to my* ~ till min glädje (förtjusning) **II** *vb tr* glädja **III** *vb itr* med prep.: **delight in** finna nöje (behag) i, njuta av [*he* ~*s in teasing me*]

delighted [dɪ'laɪtɪd] *adj* glad, förtjust [*at sth* el. *with sth* över ngt]; *I'd be* ~ *to come!* det ska bli jättekul (underbart) att komma!, jag kommer jättegärna!

delightful [dɪ'laɪtf(ʊ)l] *adj* förtjusande, väldigt trevlig, ljuvlig, härlig, charmant [*a* ~ *holiday; a* ~ *place*]

Delilah [dɪ'laɪlə] bibl. Delila

delimit [dɪ'lɪmɪt] *vb tr* avgränsa, begränsa

delineate [dɪ'lɪnɪeɪt] *vb tr* **1** beskriva i detalj, skildra i detalj **2** teckna [konturerna av]; göra utkast till, skissera

delinquency [dɪ'lɪŋkwənsɪ] *s*, *juvenile* ~ ungdomsbrottslighet

delinquent [dɪ'lɪŋkwənt] **I** *adj* **1** brottslig **2** försumlig **3** amer. förfallen [*a* ~ *debt*]; resterande [~ *taxes*] **II** *s*, *juvenile* ~ ungdomsbrottsling

delirious [dɪ'lɪrɪəs, -'lɪər-] *adj* **1** yrande; [tillfälligt] sinnesförvirrad **2** rasande, vild; ifrån sig [~ *with joy*]

delirium [dɪ'lɪrɪəm, -'lɪər-] *s* **1** feberyrsel; delirium **2** yra

delirium tremens [dɪˌlɪrɪəm'triːmenz] (förk. *DT*) *s* med. delirium [tremens]

deliver [dɪ'lɪvə] **I** *vb tr* **1** överlämna, lämna fram, lämna ut; hand. leverera; dela ut, bära ut [~ *letters*]; framföra [~ *a message to sb*]; ~ *the goods* göra vad som ska göras; hålla sitt ord; *have sth* ~*ed to one's home* få ngt hemkört (hemburet) **2** framföra, hålla [~ *a speech*; ~ *a lecture*]; ~ *judgement* avkunna dom

3 befria [*from*]; frälsa [*~ us from evil*] **4** förlösa; *be ~ed of a child* nedkomma med (föda) ett barn **5** överlämna, ge upp; utlämna; *stand and ~!* pengarna eller livet! **6** rikta, dela ut [*~ a blow*]; avlossa [*~ a shot*]; kasta [*~ a ball*] **7** data., *they'll soon ~ this software* [*on multiple platforms*] den här programvaran kommer snart att finnas…, vi kommer snart att ha den här programvaran…
II *vb itr*, *I'm sure he'll ~* jag är säker på att han gör det han ska, jag är säker på att han kommer att göra det [i tid]

deliverance [dɪ'lɪv(ə)r(ə)ns] *s* befrielse, räddning
deliverer [dɪ'lɪv(ə)rə] *s* **1** befriare, räddare **2** leverantör; [varu]bud
delivery [dɪ'lɪv(ə)rɪ] *s* **1** avlämnande, överlämnande, utlämnande, framlämnande, leverans [*~ of goods*]; utdelning, utbärning [*~ of letters*]; utsändning [*parcels' ~*]; tur, posttur [*by the first ~*]; *special ~* expressbefordran; *on ~* vid leverans; *cash on ~* el. amer. *collect on ~* mot efterkrav, mot postförskott **2** framförande [*~ of a speech*]; framställningssätt [*he has an excellent ~*] **3** med. förlossning, nedkomst **4** sport., spec. i kricket el. baseboll kast
delivery date [dɪ'lɪv(ə)rɪdeɪt] *s* leveransdatum
delivery man [dɪ'lɪv(ə)rɪ|mæn] (pl. *delivery men* [-mən]) *s* varubud
delivery note [dɪ'lɪv(ə)rɪnəʊt] *s* följesedel
delivery van [dɪ'lɪv(ə)rɪvæn] *s* skåpbil, varubil, transportbil
delivery ward [dɪ'lɪv(ə)rɪwɔːd] *s* förlossningsavdelning
dell [del] *s* däld, liten dal
delocalization [diːˌləʊkəlaɪ'zeɪʃ(ə)n] *s* flyttning, utlokalisering
delocalize [diː'ləʊkəlaɪz] *vb tr* flytta, utlokalisera
delouse [ˌdiː'laʊs, -z] *vb tr* lusa av, avlusa
delphinium [del'fɪnɪəm] *s* bot. riddarsporre
delta ['deltə] *s* **1** delta, deltaland [*the Nile Delta*] **2** grekiska bokstaven delta
delude [dɪ'luːd, -'ljuːd] *vb tr* lura, narra, förleda [*into* till], vilseleda; *~ oneself* bedra sig själv, lura sig själv
deluge ['deljuːdʒ] **I** *s* **1** störtflod [*a ~ of letters*; *a ~ of complaints*] **2** översvämning, syndaflod; häftigt regn, skyfall
II *vb tr* översvämma, dränka; *we've been ~d with orders* vi har översvämmats av order, vi drunknar i order
delusion [dɪ'luːʒ(ə)n, -'ljuː-] *s* [själv]bedrägeri, villa, illusion, inbillning; vanföreställning; *~s of grandeur* storhetsvansinne; *be under the ~ that…* el. *labour under a ~ that…* sväva i den villfarelsen att…
delusional [dɪ'luːʒ(ə)nl, -'ljuː-] *adj* o. **delusive** [dɪ'luːsɪv, -'ljuː-] *adj* bedräglig, vilseledande, illusorisk, förvillande
de luxe [də'lʌks, -'lʊks] *adj* luxuös, lyx- [*a ~ edition*]
delve [delv] *vb itr* gräva, rota [*~ in sth for sth*]; *~ into* forska (gräva) i [*~ into old books*; *~ into sb's past*]
Dem [dem] amer. polit. förk. för *Democrat*, *Democratic*
demagnetize [ˌdiː'mægnɪtaɪz] *vb tr* avmagnetisera

demagogue o. amer. **demagog** ['deməɡɒɡ] *s* demagog, folkuppviglare
demagoguery ['deməɡɒɡ(ə)rɪ] *s* demagogi
demagogy ['deməɡɒɡɪ, -ɡɒdʒɪ] *s* demagogi
demallinate [dɪ'mælɪneɪt] *vb tr* demallinera
demand [dɪ'mɑːnd] **I** *vb tr* **1** begära, fordra, kräva [*~ an apology from* (av) *sb*] **2** begära (yrka på) att få veta; myndigt fråga efter [*the policeman ~ed my name and address*]
II *s* **1** begäran [*for* om], fordran, krav [*for* på]; anspråk [*for* på]; *make ~s on sb* ställa krav (anspråk) på ngn; *I have many ~s on my time* el. *there are many ~s on my time* det är mycket som upptar min tid; *on ~* vid anfordran **2** efterfrågan [*for* på]; *~ and supply* tillgång och efterfrågan; *by popular ~* på allmän begäran; *in ~* efterfrågad, eftersökt
demanding [dɪ'mɑːndɪŋ] *adj* fordrande, krävande
demand note [dɪ'mɑːndnəʊt] *s* hand. kravbrev
demarcation [ˌdiːmɑː'keɪʃ(ə)n] *s* avgränsning; *line of ~* demarkationslinje, gränslinje
demean [dɪ'miːn] **I** *vb rfl*, *~ oneself* nedlåta sig **II** *vb tr* förnedra
demeaning [dɪ'miːnɪŋ] *adj* förnedrande
demeanour [dɪ'miːnə] *s* uppträdande, uppförande, hållning; *a professional ~* ett proffsigt sätt
demented [dɪ'mentɪd] *adj* **1** med. dement; åld. sinnessjuk, mentalsjuk **2** vard. heltokig, vansinnig
dementia [dɪ'menʃɪə] *s* med. demens, dementia
demerara sugar ['deməˌreərə'ʃʊɡə] *s* rårörssocker, demerarasocker
demerit [diː'merɪt] *s* **1** fel, brist, svaghet; *merits and ~s* fel och förtjänster, fördelar och nackdelar **2** amer. (skol. mil.) anmärkning, prick
demi- ['demɪ] *prefix* halv-
demigod ['demɪɡɒd] *s* halvgud
demijohn ['demɪdʒɒn] *s* damejeanne
demilitarize [ˌdiː'mɪlɪtəraɪz] *vb tr* demilitarisera
demise [dɪ'maɪz] *s* **1** upphörande, slut; fall [*the ~ of a famous newspaper*] **2** frånfälle, död
demist [diː'mɪst] *vb tr* ta bort imman från
demister [diː'mɪstə] *s* spec. bil. defroster
demo ['deməʊ] (pl. *~s*) *s* vard. **1** demonstration **2** demo, demoskiva, demotape
demob [ˌdiː'mɒb] mil. vard. **I** *vb tr*, *be ~bed* el. *get ~bed* mucka **II** *s* muck; *get one's ~* mucka
demobilization [diːˌməʊbɪlaɪ'zeɪʃ(ə)n] *s* demobilisering; hemförlovning
demobilize [diː'məʊbɪlaɪz] *vb tr* demobilisera; hemförlova
democracy [dɪ'mɒkrəsɪ] *s* demokrati, folkvälde
Democrat ['deməkræt] *s* polit. (i USA) demokrat
democrat ['deməkræt] *s* demokrat
democratic [ˌdemə'krætɪk] *adj* demokratisk
Democratic Party [demə'krætɪk,pɑːtɪ] *s*, *the ~* polit. (i USA) demokratiska partiet
democratization [dɪˌmɒkrətaɪ'zeɪʃ(ə)n] *s* demokratisering
democratize [dɪ'mɒkrətaɪz] *vb tr* demokratisera
demographic [ˌdiːmə'ɡræfɪk, ˌdemə-] *adj* demografisk
demolish [dɪ'mɒlɪʃ] *vb tr* **1** demolera, rasera, riva [ned] **2** bildl. förstöra; kullkasta, krossa [*~ arguments*] **3** sport. krossa **4** vard. sluka [*~ a whole pie*]

demolition [ˌdemə'lɪʃ(ə)n] *s* **1** demolering, rasering, [ned]rivning **2** bildl. förstörelse; kullkastning

demolition job [ˌdemə'lɪʃ(ə)ndʒɒb] *s*, *do a ~ on sth* fullständigt krossa (göra ned) ngt

demolition squad [ˌdemə'lɪʃ(ə)nskwɒd] *s* mil. sprängpatrull

demon ['di:mən] *s* **1** demon; ond ande; djävul; *the Demon* djävulen **2** vard. överdängare, baddare; *a ~ for work* en arbetsmyra

demonic [dɪ'mɒnɪk] *adj* demonisk, djävulsk, satanisk [*~ laughter*]

demonize ['di:ˌmənaɪz] *vb tr* svärta ned [*each side began to ~ the other*]; betrakta som ond

demonstrable [dɪ'mɒnstrəbl, 'demən-] *adj* beslig, bevisbar, påvisbar; uppenbar

demonstrably [dɪ'mɒnstrəblɪ, 'demən-] *adv* bevisligen

demonstrate ['demənstreɪt] **I** *vb tr* **1** bevisa; visa, uppvisa, påvisa **2** demonstrera, [öppet] visa [*~ one's gratitude*] **3** demonstrera, förevisa
II *vb itr* demonstrera [*against* mot]; *~ in favour of sth* el. *~ in support of sth* demonstrera för ngt

demonstration [ˌdemən'streɪʃ(ə)n] *s* **1** demonstration; *break up a ~* skingra en demonstration; *hold a ~* el. *stage a ~* hålla en demonstration **2** demonstration, bevisande, bevisning, bevisföring **3** uppvisande, bevis; *a ~ of affection* en ömhetsbetygelse

demonstrative [dɪ'mɒnstrətɪv] **I** *adj* **1** demonstrativ, öppen[hjärtig]; *be ~* visa sina känslor **2** gram. demonstrativ, utpekande
II *s* gram. demonstrativt pronomen

demonstrator ['demənstreɪtə] *s* **1** demonstrant **2** demonstratör, demonstratris

demoralization [dɪˌmɒrəlaɪ'zeɪʃ(ə)n] *s* demoralisering

demoralize [dɪ'mɒrəlaɪz] *vb tr* demoralisera

demoralizing [di:'mɒrəlaɪzɪŋ] *adj* demoraliserande

demote [dɪ'məʊt] *vb tr* degradera; flytta ned

demotic [dɪ'mɒtɪk] *adj* folklig, vanlig

demotion [dɪ'məʊʃ(ə)n] *s* degradering; nedflyttning

demotivating [di:'məʊtɪveɪtɪŋ] *adj* negativ för motivationen

demur [dɪ'mɜ:] **I** *vb itr* göra invändningar, hysa betänkligheter [*to*, *at* mot] **II** *s*, *without ~* utan invändning[ar]

demure [dɪ'mjʊə] *adj* vanl. om kvinna **1** blyg, blygsam **2** tillgjort allvarlig, sedesam, pryd

demurely [dɪ'mjʊəlɪ] *adv* blygt etc., jfr *demure*

demystify [di:'mɪstɪfaɪ] *vb tr* avmystifiera, göra begriplig

den [den] *s* **1** djurs håla, lya, kula **2** tillhåll, näste [*thieves' ~*]; håla [*an opium ~*]; kyffe; vard. lya, krypin; *~ of iniquity* syndens näste **3** amer. vardagsrum, tv-rum

denationalize [di:'næʃ(ə)nəlaɪz] *vb tr* privatisera, återföra i privat ägo

denial [dɪ'naɪ(ə)l] *s* **1** [för]nekande **2** dementi **3** avslag [*~ of* (på) *a request*]; vägran; tillbakavisande **4** självförnekelse, självförsakelse

denigrate ['denɪgreɪt] *vb tr* tala nedsättande om, racka ned på, svärta ned

denim ['denɪm] *s* **1** denim jeanstyg **2** åld. vard., pl. *~s* jeans; snickarbyxor

denizen ['denɪzn] *s* mest poet. el. skämts. invånare

Denmark ['denmɑ:k] geogr. Danmark

denomination [dɪˌnɒmɪ'neɪʃ(ə)n] *s* **1** denomination, kyrkosamfund **2** valör; myntenhet

denominational [dɪˌnɒmɪ'neɪʃənl, -ʃnəl] *adj* konfessionell, hörande till kyrkosamfund

denominator [dɪ'nɒmɪneɪtə] *s* matem. nämnare; *lowest common ~* (förk. *LCD*) minsta gemensamma nämnare

denote [dɪ'nəʊt] *vb tr* beteckna; ange

denouement [deɪ'nu:mɑ:ŋ] *s* fr. upplösning i drama o.d., utgång

denounce [dɪ'naʊns] *vb tr* **1** peka ut, stämpla [*~ sb as a spy*]; brännmärka, fördöma, [skarpt] kritisera [*he ~d the Government*] **2** ange, anmäla brottsling

dense [dens] *adj* **1** tät [*a ~ crowd*; *a ~ forest*]; tjock, oigenomtränglig; kompakt **2** bildl. dum [*he's quite ~*]

densely ['denslɪ] *adv* tätt, tät- [*~ populated*]

density ['densətɪ] *s* **1** täthet etc., jfr *dense 1* **2** fys. densitet

dent [dent] **I** *s* **1** buckla, märke **2** bildl. hål [*a ~ in the budget*]
II *vb tr* göra märken i, buckla [till]

dental ['dentl] *adj* **1** tand- [*~ health*] **2** fonet. dental [*~ sound*]

dental care [ˌdentl'keə] *s* tandvård

dental floss [ˌdentl'flɒs] *s* tandtråd för rengöring av tänder

dental hygiene [ˌdentl'haɪdʒi:n] *s* tandhygien

dental hygienist [ˌdentlhaɪ'dʒi:nɪst] *s* tandhygienist

dental nurse ['dentlnɜ:s] *s* tandsköterska

dental ridge [ˌdentl'rɪdʒ] *s* tandvall

dental surgeon [ˌdentl'sɜ:dʒ(ə)n] *s* tandläkare

dented ['dentɪd] *adj* tillbucklad, bucklig

dentist ['dentɪst] *s* tandläkare

dentistry ['dentɪstrɪ] *s* **1** *preventive ~* förebyggande tandvård **2** tandläkekonst[en]; tandläkararbete; tandläkaryrket

dentures ['den(t)ʃəz] *s pl* löständer, tandprotes

denuclearize [di:'nju:klɪəraɪz] *s* avveckla (skrota) kärnvapen i ett land (ett område)

denude [dɪ'nju:d] *vb tr* blotta [*of* på], avkläda; beröva [*sb of sth* ngn ngt]

denunciation [dɪˌnʌnsɪ'eɪʃ(ə)n] *s* **1** fördömande, brännmärkning [*of* av] **2** angivelse av brottsling

Denver boot [ˌdenvə'bu:t] *s* amer. bil. hjullås som används vid parkeringsförseelse

deny [dɪ'naɪ] *vb tr* **1** neka till, bestrida; förneka; dementera; *there is no ~ing that...* el. *there is no ~ing the fact that...* det kan inte förnekas att...; *~ doing sth* neka till att ha gjort ngt **2** neka, vägra, förvägra [*sb sth* el. *sth to sb* ngn ngt] **3** avvisa, tillbakavisa; avslå; *she is not to be denied* hon låter inte avvisa sig **4** *~ oneself* neka sig, försaka

deodorant [dɪ'əʊdər(ə)nt] *s* deodorant

deoxyribonucleic [di:'ɒksɪˌraɪbə(ʊ)'nju:kliːk] *adj* kem., *~ acid* (förk. *DNA*) deoxiribonukleinsyra, DNA

depart [dɪ'pɑ:t] **I** *vb itr* **1** avresa; avlägsna sig; om tåg o.d. avgå [*from* från; *for*, *to* till] **2** *~ from* avvika från, skilja sig från; *~ from routine* frångå rutinerna **3** amer. avgå [*the ~ing president*]

II *vb tr* **1** amer. sluta **2** högtidl., ~ *this life* gå hädan, gå ur tiden

departed [dɪˈpɑːtɪd] *s* högtidl., *the* ~ den avlidne, den avlidna, de avlidna

department [dɪˈpɑːtmənt] *s* **1** avdelning; bildl. område; fack, gren; *the Department of English* el. *the English Department* vid univ. o.d. engelska institutionen **2** [regerings]departement, ministerium vanl. amer., britt. äv. avdelning inom departement; *the Department of State* el. *the State Department* i USA utrikesdepartementet

departmental [ˌdiːpɑːˈtmentl] *adj* avdelnings-; departements-

department store [dɪˈpɑːtməntstɔː] *s* varuhus

departure [dɪˈpɑːtʃə] *s* **1** avresa, avfärd, avgång [*from* från; *for*, *to* till]; *point of* ~ utgångspunkt **2** avgång, avgående tåg (båt, flyg) [*arrivals and* ~*s*; *next* ~] **3** bildl. avvikelse; avsteg; vändning i samtal; *a new* ~ en ny idé, ett nytt initiativ, något nytt **4** litt. bortgång, död

departure date [dɪˈpɑːtʃədeɪt] *s* avresedatum

departure lounge [dɪˈpɑːtʃəlaʊn(d)ʒ] *s* t.ex. på flygplats avgångshall

departure platform [dɪˈpɑːtʃəˌplætfɔːm] *s* avgångsplattform

depend [dɪˈpend] *vb itr* **1** bero, komma an [*on*, *upon* på]; vara beroende, vara hänvisad [*on*, *upon* av, till]; *that* ~*s* el. *it* ~*s* el. *it all* ~*s* vard. det beror 'på; *it* ~*s what…* det beror på vad…; *it* ~*s whether…* det beror (hänger) på om… **2** lita [*on*, *upon* på]; ~ *on it* vard. det kan du lita på, var lugn för det

dependability [dɪˌpendəˈbɪlɪtɪ] *s* pålitlighet; driftsäkerhet

dependable [dɪˈpendəbl] *adj* pålitlig; driftsäker

dependant [dɪˈpendənt] *s* **1** beroende person, anhörig; *he has many* ~*s* det är många som är beroende av honom, han har många att försörja **2** EU. underhållsberättigad

dependence [dɪˈpendəns] *s* **1** beroende, avhängighet [*upon*, *on* av]; *drug* ~ narkotikaberoende **2** tillit, förtröstan [*upon*, *on* till]

dependency [dɪˈpendənsɪ] *s* **1** beroende, avhängighet [*on*, *upon* av] **2** besittning

dependent [dɪˈpendənt] **I** *adj* beroende [*on*, *upon* av]; hänvisad [*on*, *upon* till] **II** *s* amer., se *dependant*

dependent clause [dɪˌpendəntˈklɔːz] *s* gram. bisats

depict [dɪˈpɪkt] *vb tr* **1** avbilda; teckna av **2** skildra, teckna, framställa

depilation [ˌdepɪˈleɪʃ(ə)n] *s* hårborttagning

depilatory [dɪˈpɪlət(ə)rɪ] **I** *adj* hårborttagande, hårborttagnings- **II** *s* hårborttagningsmedel

deplete [dɪˈpliːt] *vb tr* tömma, uttömma [*of* på]; åderlåta, förbruka, göra slut på

depleted uranium [dɪˌpliːtɪdjʊˈreɪnɪəm] (förk. *DU*) *s* utarmat uran

depletion [dɪˈpliːʃ(ə)n] *s* tömmande, [ut]tömning, förbrukning, åderlåtning

deplorable [dɪˈplɔːrəbl] *adj* bedrövlig, eländig; sorglig, beklaglig, beklagansvärd

deplore [dɪˈplɔː] *vb tr* djupt beklaga

deploy [dɪˈplɔɪ] **I** *vb tr* **1** mil. sprida [på bred front]; gruppera; utplacera [~ *missiles*] **2** utveckla,

utnyttja **3** placera

II *vb itr* mil. sprida sig; gruppera sig

deployment [dɪˈplɔɪmənt] *s* **1** mil. spridning; gruppering; uppmarsch; utplacering [*the* ~ *of missiles*] **2** utveckling, utnyttjande [*the* ~ *of resources*] **3** placering [*the* ~ *of capital*]

depoliticize [ˌdiːpəˈlɪtɪsaɪz] *vb tr* avpolitisera

deponent [dɪˈpəʊnənt] *s* o. *adj* gram., ~ el. ~ *verb* deponens

depopulate [diːˈpɒpjʊleɪt] *vb tr* avfolka

depopulation [diːˌpɒpjʊˈleɪʃ(ə)n] *s* avfolkning

deport [dɪˈpɔːt] **I** *vb tr* utvisa, deportera, förvisa

II *vb rfl*, ~ *oneself* uppföra sig, skicka sig

deportation [ˌdiːpɔːˈteɪʃ(ə)n] *s* utvisning, deportation, förvisning

deportee [diːˌpɔːˈtiː] *s* utvisad (förvisad) person, deporterad [person]; person som dömts till deportering

deportment [dɪˈpɔːtmənt] *s* **1** hållning **2** uppförande, uppträdande

depose [dɪˈpəʊz] **I** *vb tr* **1** avsätta t.ex. kung **2** jur., spec. skriftligt vittna [under ed] om, intyga ngt på ed

II *vb itr* jur., spec. skriftligt vittna, vittna under ed [*to om*]

deposit [dɪˈpɒzɪt] **I** *vb tr* **1** lägga (sätta) ned **2** deponera, lämna i förvar, förvara [*with* (hos) *sb*; ~ *in the hotel safe*]; sätta in [~ *money in a bank*] **3** lämna som säkerhet, deponera; lämna (betala) i handpenning **4** avsätta, avlagra; utfälla bottensats **II** *s* **1** handpenning, förskott, insats; *put down a* ~ el. *pay a* ~ betala handpenning **2** depositionsavgift; pant; *no* ~ på engångsflaska ingen retur **3** deposition; insättning [*savings-bank's* ~*s*]; tillgodohavande; förvar **4** fällning, bottensats; avlagring; lager; fyndighet [*ore* ~]

deposit account [dɪˈpɒzɪtəˌkaʊnt] *s* bank. sparkonto

deposition [ˌdepəˈzɪʃ(ə)n, ˌdiːp-] *s* **1** [ut]fällning, avlagring **2** avsättning av t.ex. kung **3** jur., spec. skriftligt vittnesmål, edlig [skriftlig] försäkran **4** deponerande, insättning

depositor [dɪˈpɒzɪtə] *s* deponent, insättare av pengar på bank o.d.

depository [dɪˈpɒzɪt(ə)rɪ] *s* förvaringsställe; *night* ~ amer. servicebox, nattfack

depot [ˈdepəʊ, amer. äv. ˈdiːpəʊ] *s* **1** depå, förråd **2** spårvagnshall, vagnhall; bussgarage **3** bangård **4** amer. busstation; järnvägsstation

depraved [dɪˈpreɪvd] *adj* fördärvad moraliskt, depraverad

depravity [dɪˈprævətɪ] *s* depravation; moraliskt förfall, demoralisering

deprecate [ˈdeprəkeɪt] *vb tr* ogilla, beklaga

deprecating [ˈdeprəkeɪtɪŋ] *adj* **1** ogillande, kritisk, skarp **2** i förväg urskuldrande; *a* ~ *gesture* en avvärjande gest

deprecatingly [ˈdeprəkeɪtɪŋlɪ] *adv* avvärjande

depreciate [dɪˈpriːʃɪeɪt] **I** *vb itr* falla (sjunka, minska) i värde

II *vb tr* **1** skriva ned valuta **2** bildl. nedvärdera, förringa **3** hand. skriva av

depreciation [dɪˌpriːʃɪˈeɪʃ(ə)n] *s* **1** värdeminskning, [värde]försämring, nedvärdering; depreciering, nedskrivning av valuta **2** bildl. nedvärdering, förringande **3** hand. avskrivning för slitage o.d.

depreciatory [dɪ'priːʃjət(ə)rɪ, -ʃɪeɪt(ə)rɪ] *adj*
nedsättande, förringande, förklenande
depredation [ˌdeprə'deɪʃ(ə)n] *s* plundring, skövling,
härjning
depress [dɪ'pres] *vb tr* **1** deprimera, göra nedslagen
2 hämma; lamslå **3** sänka, pressa ner [~ *wages*]
4 trycka ned; slå an tangent
depressant [dɪ'pres(ə)nt] *adj* o. *s* farmakol. lugnande
[medel]; *cardiac ~* el. *cardiac ~ drug* hjärtlugnande
medel
depressed [dɪ'prest] *adj* **1** nedstämd, nere,
deprimerad [*at, about* över] **2** ~ *area* krisdrabbat
område där arbetslöshet råder **3** sänkt, pressad [~
prices]
depressing [dɪ'presɪŋ] *adj* deprimerande,
nedslående; dyster
depression [dɪ'preʃ(ə)n] *s* **1** depression;
nedstämdhet **2** nedtryckning, sänkning **3** sänka,
fördjupning **4** depression, lågkonjunktur **5** meteor.
lågtryck; lågtryckscentrum [äv. *centre of ~*]
depressurize [diː'preʃəraɪz] *vb tr* minska trycket i
deprivation [ˌdeprɪ'veɪʃ(ə)n] *s* berövande; förlust;
försakelse; *sleep ~* sömnbrist
deprive [dɪ'praɪv] *vb tr* beröva, ta ifrån [*sb of sth*
ngn ngt]; undandra, förvägra [*sb of sth* ngn ngt]
deprived [dɪ'praɪvd] *adj* eftersatt, [socialt] sämre
lottad, underprivilegierad, behövande, utslagen
deprogramme o. amer. **deprogram** ['diː'prəʊɡræm] *vb
tr* avprogrammera sektmedlemmar
dept förk. för *department*
depth [depθ] *s* djup äv. bildl.; djuphet; bredd;
djupsinnighet, djupsinne [äv. ~ *of thought*]; *the ~s*
spec. poet. djupet [*be lost in the ~s; from the ~s of my
heart*]; ~ *of field* foto. skärpedjup, djupskärpa; *it is 5
feet in* ~ den är 5 fot djup; *in* ~ ingående, grundlig,
som går på djupet [*a study in ~*]; *in the ~s of despair*
i djupaste förtvivlan; *in the ~s of the forest* djupt
inne i skogen, i skogens djup; *in the ~ of winter* mitt
i [den kallaste] vintern; *be out of one's ~* vara på
djupt vatten; bildl. vara ute på hal is; *get out of one's
~* komma för långt ut på djupt vatten; bildl. hamna
på hal is
depth charge ['depθtʃɑːdʒ] *s* sjunkbomb
deputation [ˌdepjʊ'teɪʃ(ə)n] *s* deputation
depute [dɪ'pjuːt] *vb tr,* ~ *sb to do sth* delegera till
(befullmäktiga, överlåta åt) ngn att göra ngt
deputize ['depjʊtaɪz] *vb itr* vikariera, vara
suppleant [*for* för]
deputy ['depjʊtɪ] *s* **1** ställföreträdare, vikarie,
suppleant, ombud; *by ~* genom ombud **2** attr., i titlar
vice-, ställföreträdande, under-, andre; ~ *landlord*
vicevärd **3** amer. vicesheriff **4** deputerad;
fullmäktig, ombud; *the Chamber of Deputies*
deputeradekammaren i vissa länder
derail [dɪ'reɪl] *vb tr* o. *vb itr* om tåg o.d. spåra ur, få att
spåra ur; *the train was ~ed* tåget spårade ur
derailment [diː'reɪlmənt] *s* urspårning om tåg o.d.
derange [dɪ'reɪn(d)ʒ] *vb tr* bringa i oordning,
derangera
deranged [dɪ'reɪndʒd] *adj* psykiskt störd [äv.
mentally ~]
derangement [dɪ'reɪn(d)ʒmənt] *s* **1** psykisk störning
2 [bringande i] oordning
Derbs förk. för *Derbyshire*

Derby ['dɑːbɪ, amer. 'dɜːbɪ] *s* Derby årlig hästkapplöpning
i Epsom och om liknande tävlingar i andra länder, t.ex.
Kentucky Derby
derby ['dɑːbɪ, amer. 'dɜːbɪ] *s* **1** sport. [lokal]derby [äv.
local ~] **2** amer. plommonstop, kubb
Derbyshire ['dɑːbɪʃɪə, -ʃə] geogr.
deregulate [diː'reɡjʊleɪt] *vb tr* avreglera
deregulation [diːˌreɡjʊ'leɪʃ(ə)n] *s* avreglering
derelict ['derɪlɪkt] **I** *adj* [övergiven och] förfallen,
herrelös; öde- [*a ~ house*]
II *s* hemlös, uteliggare
dereliction [ˌderɪ'lɪkʃ(ə)n] *s* **1** övergivande **2** förfall,
ödeläggelse **3** ~ *of duty* försumlighet
derestrict [ˌdiːrɪ'strɪkt] *vb tr* slopa restriktionerna
(trafik. hastighetsbegränsningen) på
deride [dɪ'raɪd] *vb tr* skratta åt, håna, förlöjliga
de rigueur [dərɪ'ɡɜː] *adj* fr. obligatorisk [*evening
dress is ~*]
derision [dɪ'rɪʒ(ə)n] *s* hån, förlöjligande
derisive [dɪ'raɪsɪv, -'raɪzɪv, -'rɪzɪv] *adj* o. **derisory**
[dɪ'raɪsərɪ, -'raɪzərɪ] *adj* **1** hånfull **2** löjlig,
skrattretande
derivative [dɪ'rɪvətɪv] **I** *adj* **1** härledd, avledd
2 föga originell, osjälvständig
II *s* **1** kem. derivat **2** gram. avledning
derive [dɪ'raɪv] **I** *vb tr* **1** dra, få, erhålla, ha [*from*
från, av]; *be ~d from* få (komma) från, härleda sig
från **2** derivera, avleda, härleda
II *vb itr* ha sitt ursprung [*from* i], härstamma
[*from* från]
dermatitis [ˌdɜːmə'taɪtɪs] *s* med. dermatit,
hudinflammation
dermatologist [ˌdɜːmə'tɒlədʒɪst] *s* dermatolog,
hudläkare
derogatory [dɪ'rɒɡət(ə)rɪ] *adj* **1** nedsättande,
negativ, förringande [~ *remarks*] **2** skadlig [*to* för];
inkräktande, inskränkande [*from* på, i]
derrick ['derɪk] *s* **1** slags lyftkran; sjö. hissbock,
hissbom, lastbom **2** borrtorn över oljebrunn
derrière [derɪ'eə, '---] *s* fr. vard. stuss, stjärt, bak
derring-do [ˌderɪŋ'duː] *s* skämts., *deed of ~* bragd,
bedrift, stordåd
derv [dɜːv] *s* diesel, dieselolja
dervish ['dɜːvɪʃ] *s* dervisch
desalinate [diː'sælɪneɪt] *vb tr* avsalta
desalination [ˌdiːsælɪ'neɪʃ(ə)n] *s* avsaltning
desalt [diː'sɔːlt] *vb tr* avsalta
descale [ˌdiː'skeɪl] *vb tr* kalka av [~ *a kettle*]
descant ['deskænt] *s* mus. diskant
descend [dɪ'send] **I** *vb itr* **1** gå (komma, fara o.d.)
ned; stiga ned; sjunka, falla, sänka sig [*upon, on*
över] **2** slutta [nedåt] **3** gå i arv [~ *from father to
son*]
II *vb tr* stiga (gå) nedför [~ *a hill*; ~ *the stairs*]; fara
utför [~ *a river*]
III *vb itr* med prep.:
descend from härstamma från; *be ~ed from*
härstamma från
descend on överrumpla; slå ned på; [oväntat] titta
in hos; hemsöka
descend to a) gå in på, inlåta sig på; ~ *to particulars*
gå in på detaljer **b)** sänka sig till, förnedra sig till,
nedlåta sig till **c)** genom arv tillfalla; nedärvas till,

övergå på
descend upon se *descend on* under *descend III* ovan
descendant [dɪ'sendənt] *s* ättling, avkomling [*of*
till]; *be a direct ~ of* härstamma i rakt nedstigande
led från
descending [dɪ'sendɪŋ] *adj* fallande, sjunkande
descent [dɪ'sent] *s* **1** nedstigande, nedstigning;
nedgående; nedgång äv. konkr.; nedfärd, färd utför
2 sluttning, nedförsbacke **3** bildl. sjunkande, fall,
nedgång **4** härstamning [*from* från], härkomst; *by*
~ till börden; *in the direct line of* i rakt nedstigande
led **5** plötsligt överfall
descramble [diː'skræmbl] *vb tr* TV. el. radio. dekoda
descrambler [diː'skræmblə] *s* TV. el. radio. dekoder
describe [dɪ'skraɪb] *vb tr* **1** beskriva; framställa,
skildra, teckna [*to* för] **2** beteckna [*she ~s himself
as a scientist*]; benämna
description [dɪ'skrɪpʃ(ə)n] *s* **1** beskrivning;
skildring, teckning; signalement; beteckning; *it is
beyond* ~ det trotsar all beskrivning; *boring beyond* ~
obeskrivligt tråkig[t] **2** slag, sort; *of all ~s* el. *of every*
~ av alla slag, alla slags
descriptive [dɪ'skrɪptɪv] *adj* beskrivande [*a ~
catalogue*]; deskriptiv; skildrings-, berättar- [*~
power*]
descry [dɪ'skraɪ] *vb tr* litt. skönja; upptäcka
desecrate ['desɪkreɪt] *vb tr* vanhelga, skända
desegregate [ˌdiː'segrɪgeɪt] *vb tr* o. *vb itr*
desegregera
desegregation [ˌdiː'segrɪ'geɪʃ(ə)n] *s* desegregation
deselect [ˌdiː'sə'lekt] *vb tr* **1** data. avmarkera **2** polit.
ej nominera sittande ledamot för omval
desensitize [ˌdiː'sensɪtaɪz] *vb tr* göra okänslig, göra
mindre känslig
desert [subst. o. adj. 'dezət, verb dɪ'zɜːt] **I** *s* öken äv.
bildl.; ödemark
II *adj* öde, obebodd, ödslig; öken-; kal
III *vb tr* överge; svika; avfalla från; desertera
(rymma) från
IV *vb itr* desertera, rymma
deserted [dɪ'zɜːtɪd] *adj* övergiven; folktom, öde
deserter [dɪ'zɜːtə] *s* desertör; överlöpare
desertion [dɪ'zɜːʃ(ə)n] *s* **1** desertering, rymning
2 övergivande
desert island ['dezət͵aɪlənd] *s* öde ö
deserts [dɪ'zɜːts] *s pl*, *get one's* ~ el. *get one's just* ~
få vad man förtjänar
deserve [dɪ'zɜːv] *vb tr* förtjäna, vara (ha gjort sig)
förtjänt av, vara värd; *she ~s a medal* hon borde få
medalj
deservedly [dɪ'zɜːvɪdlɪ] *adv* välförtjänt; med rätta
deserving [dɪ'zɜːvɪŋ] *adj* förtjänstfull, förtjänt,
värd; *a ~ case* om person ett ömmande fall; *a ~ cause*
ett behjärtansvärt ändamål
desiccated ['desɪkeɪtɪd] *adj* **1** *~ coconut*
kokosflingor; *~ fruit* torkad frukt **2** uttorkad
desiccation [ˌdesɪ'keɪʃ(ə)n] *s* uttorkning
design [dɪ'zaɪn] **I** *vb tr* **1** formge, designa; skissera;
skapa, konstruera; *~ a building* göra en ritning till
en byggnad, rita en byggnad **2** planera, planlägga
3 avse [*the room was ~ed for* (för) *the children*];
bestämma
II *vb itr* formge; teckna; rita [mönster]
III *s* **1** form, formgivning, design; konstruktion,

utförande; typ, modell **2** skiss; ritning [*a ~ for* (till)
a building] **3** mönster, motiv **4** plan; avsikt, syfte;
have ~s against sth vilja lägga beslag på ngt; *she has
~s on him* åld. hon lägger an på honom
designate [verb 'dezɪgneɪt, adj. 'dezɪgnət, -neɪt] **I** *vb
tr* **1** beteckna, benämna, ange **2** bestämma, utse
[*for, to* till], designera; avse
II *adj* designerad, utnämnd [*minister ~*]
designated driver [ˌdezɪgneɪtɪd'draɪvə] *s*
fyllechaffis; *who is the ~?* vem kör?
designated hitter [ˌdezɪgneɪtɪd'hɪtə] *s* amer.
1 baseboll person som slår i pitcherns (kastarens)
ställe **2** vard. inhoppare på jobb
designation [ˌdezɪg'neɪʃ(ə)n] *s* **1** betecknande etc.,
jfr *designate I* **2** beteckning, benämning
3 utnämning
designedly [dɪ'zaɪnɪdlɪ] *adv* avsiktligt, med flit
designer [dɪ'zaɪnə] *s* **1** formgivare, designer; *fashion
~* modetecknare, gravör; *stage ~* scenograf,
dekoratör; *furniture ~* möbelarkitekt **2** attr. märkes-
[*~ jeans*]; moderiktig **3** planerare, planläggare
designer drug [dɪ'zaɪnədrʌg] *s* syntetiskt
narkotikapreparat
designer stubble [dɪˌzaɪnə'stʌbl] *s* tredagarsstubb
designing [dɪ'zaɪnɪŋ] **I** *adj* **1** slug, beräknande
2 planerande
II *s* formgivning, design; planläggning
desirable [dɪ'zaɪərəbl] *adj* **1** önskvärd **2** åtråvärd
3 *~ residence* i bostadsannons attraktivt objekt
desire [dɪ'zaɪə] **I** *vb tr* **1** önska [sig], åtrå; *leave
much to be ~d* el. *leave a great deal to be ~d* lämna
mycket övrigt att önska; *the room was all that could
be ~d* man kunde inte önska sig ett bättre rum
2 begära, be
II *s* **1** önskan; längtan [*for, of* efter, till] **2** begär,
lust, åtrå [*for, of* efter, till] **3** anmodan, begäran;
at your ~ el. *by your ~* på er begäran **4** önskning,
önskemål
desirous [dɪ'zaɪərəs] *adj*, *be ~ of sth* önska ngt, vilja
ha ngt; *be ~ to do sth* vilja göra ngt, önska att [få]
göra ngt
desist [dɪ'zɪst, dɪ'sɪst] *vb itr* avstå [*from* från];
upphöra [*from* med]; *~ from doing sth* låta bli att
göra ngt
desk [desk] *s* **1** skrivbord; skolbänk; *teacher's ~*
kateder **2** kassa i butik [*pay at the ~*]; reception på
hotell **3** redaktion [*sports ~*; *news ~*]; *the city ~*
a) ekonomiredaktionen på tidning b) amer. redaktion
ansvarig för lokala nyheter
desk calendar ['desk͵kæləndə] *s*
skrivbordsalmanacka
desk clerk ['deskklɜːk] *s* amer. receptionist, portier
deskjob ['deskdʒɒb] *s* kontorsarbete,
pappersarbete
desk tidy ['desk͵taɪdɪ] *s* pennställ
desktop ['desktɒp] *s* o. **desktop computer**
['desktɒpkəm͵pjuːtə] *s* desktop, bordsdator
desktop publishing ['desktɒp͵pʌblɪʃɪŋ] (förk. *DTP*)
s data. desktop publishing
desolate ['desələt] *adj* **1** ödslig; öde, övergiven,
enslig **2** tröstlös; bedrövad
desolated ['desəleɪtɪd] *adj*, *be ~* vara (bli) förtvivlad
(bedrövad)
desolation [ˌdesə'leɪʃ(ə)n] *s* **1** ödeläggelse,

förödelse **2** enslighet; ödslighet **3** övergivenhet; förtvivlan; tröstlöshet

despair [dɪ'speə] **I** s **1** förtvivlan [*at* över], misströstan [*of* om]; hopplöshet; **be in** ~ vara förtvivlad; misströsta [*of* om] **2** åld., **be the** ~ **of sb** vara ngns fasa
II *vb itr* förtvivla, misströsta [*of* om]

despairing [dɪ'speərɪŋ] *adj* förtvivlad, desperat

despairingly [dɪ'speərɪŋlɪ] *adv* med förtvivlan, förtvivlat

despatch [dɪ'spætʃ] *vb tr* o. *s* se *dispatch*

desperado [ˌdespə'rɑːdəʊ] (pl. ~*es* el. ~*s*) *s* desperado, vettvilling, bandit

desperate ['desp(ə)rət] *adj* **1** desperat, förtvivlad; hopplös; ~ **remedies** drastiska botemedel **2** vard. desperat, fruktansvärd, vansinnig [*a* ~ *hurry*]; **be in** ~ **need of sth** ha ett vansinnigt behov av ngt; **I'm** ~ **for a cigarette** jag längtar vansinnigt efter en cigarett

desperation [ˌdespə'reɪʃ(ə)n] *s* förtvivlan; desperation; **it drives me to** ~ vard. det gör mig vansinnig

despicable [dɪ'spɪkəbl] *adj* avskyvärd, föraktlig, usel

despise [dɪ'spaɪz] *vb tr* förakta, ringakta

despite [dɪ'spaɪt] *prep* trots, oaktat; ~ **himself, he cried** mot sin vilja grät han

despondency [dɪ'spɒndənsɪ] *s* förtvivlan, misströstan, missmod, modfälldhet, nedslagenhet

despondent [dɪ'spɒndənt] *adj* missmodig, modfälld

despot ['despɒt, -pət] *s* despot, tyrann

despotic [de'spɒtɪk, dɪs-] *adj* despotisk

despotism ['despətɪz(ə)m] *s* **1** despoti **2** styrelseform despotism

des res [ˌdez'rez] *s* vard. kortform av *desirable residence* se *desirable* 3

dessert [dɪ'zɜːt] *s* dessert, efterrätt

dessert apple [dɪ'zɜːt,æpl] *s* ätäpple

dessertspoon [dɪ'zɜːtspuːn] *s* dessertsked äv. som mått

dessertspoonful [dɪ'zɜːtspuːn,fʊl] (pl. ~*s* el. *dessertspoonsful*) *s* dessertsked som mått; **two** ~**s of sugar** två dessertskedar socker

destabilize [diː'steɪbɪlaɪz] *vb tr* destabilisera

destination [ˌdestɪ'neɪʃ(ə)n] *s* destination; bestämmelseort, resmål

destine ['destɪn] *vb tr* bestämma, ämna [*for* för, till]; destinera [*the ship was* ~*d for* (till) *Hull*]; **he was never** ~ **to see her again** han skulle aldrig träffa henne igen som vi nu vet

destined ['destɪnd] *adj* se *destine*

destiny ['destɪnɪ] *s* öde, livsöde, bestämmelse

destitute ['destɪtjuːt] *adj* utblottad [*of* på]; utfattig, nödlidande; **be** ~ **of** sakna, vara helt utan, vara tom på

destitution [ˌdestɪ'tjuːʃ(ə)n] *s* fattigdom, armod, nöd

destroy [dɪ'strɔɪ] *vb tr* **1** förstöra; tillintetgöra; förinta, förgöra; ödelägga [*the town was completely* ~*ed*] **2** avliva [*have a cat* ~*ed*]

destroyer [dɪ'strɔɪə] *s* **1** förstörare **2** sjö. jagare

destruction [dɪ'strʌkʃ(ə)n] *s* förstörelse; tillintetgörelse, förintelse; ödeläggelse; destruktion

destructive [dɪ'strʌktɪv] *adj* destruktiv; förstörande; ~ **criticism** nedgörande kritik

desultory ['desəlt(ə)rɪ] *adj* ostadig, ryckig; osammanhängande, virrig; planlös, ometodisk [~ *reading*]; flyktig [~ *remarks*]

Det förk. för *Detective*

detach [dɪ'tætʃ] *vb tr* **1** lösgöra, ta loss, [av]skilja, avsöndra [*from* från] **2** mil. detachera, avdela

detachable [dɪ'tætʃəbl] *adj* löstagbar, avtagbar

detached [dɪ'tætʃt] *adj* **1** avskild, enstaka, fristående; ~ **clouds** spridda moln, enstaka moln; ~ **house** villa **2** opartisk, objektiv [*a* ~ *view*; *a* ~ *outlook*] **3** oengagerad

detachment [dɪ'tætʃmənt] *s* **1** lösgörande, avskiljande, lossnande, avsöndring **2** opartiskhet; objektivitet **3** distans, oengagemang **4** mil. detachering; detachement

detail ['diːteɪl, amer. vanl. dɪ'teɪl] **I** *vb tr* **1** i detalj redogöra för **2** mil. ta ut, kommendera, avdela, detachera [*for* till]
II *s* detalj[er]; enskildhet; uppgift; oväsentlighet, oväsentlig sak; **please supply the following** ~**s** var vänlig ge följande uppgifter; **further** ~**s** ytterligare information; **give the** ~**s** förklara närmare; **in** ~ i detalj, utförligt; **go into** ~ el. **go into** ~**s** gå in på detaljer[na]

detailed ['diːteɪld, amer. vanl. dɪ'teɪld] *adj* detaljerad, utförlig

detain [dɪ'teɪn] *vb tr* **1** hålla [kvar] i häkte; internera **2** hålla kvar på sjukhus **3** uppehålla, hindra, försena

detainee [ˌdiːteɪ'niː] *s* häktad [person], internerad person vanl. politiskt

detect [dɪ'tekt] *vb tr* upptäcka; uppdaga; spåra

detection [dɪ'tekʃ(ə)n] *s* upptäckt; uppdagande, uppklarande [*the* ~ *of crime*]; uppspårning

detective [dɪ'tektɪv] **I** *adj* detektiv-, kriminal- [*a* ~ *story*]; ~ **constable** (förk. *DC*) kriminalare; ~ **inspector** kriminalinspektör
II *s* detektiv, kriminalare

detector [dɪ'tektə] *s* tekn., radio. m.m. detektor; **smoke** ~ brandvarnare, rökdetektor; **lie** ~ lögndetektor

détente [deɪ'tɑːnt, deɪ'tɒnt] *s* polit. (fr.) avspänning; **policy of** ~ avspänningspolitik

detention [dɪ'tenʃ(ə)n] *s* **1** uppehållande **2** kvarhållande [i häkte]; internering; arrest **3** kvarsittning efter skolans slut; **be kept in** ~ få sitta kvar

detention camp [dɪ'tenʃ(ə)nkæmp] *s* mil. fångläger, interneringsläger

detention centre [dɪ'tenʃ(ə)n,sentə] *s* ung. tillsynshem slags ungdomsvårdsskola

deter [dɪ'tɜː] *vb tr* avskräcka, avhålla, hindra [*from*]

detergent [dɪ'tɜːdʒ(ə)nt] *s* tvättmedel, diskmedel, rengöringsmedel

deteriorate [dɪ'tɪərɪəreɪt] *vb itr* försämras; urarta; förfalla

deterioration [dɪˌtɪərɪə'reɪʃ(ə)n] *s* försämring; urartning; förfall

determinate [dɪ'tɜːmɪnət] *adj* bestämd

determination [dɪˌtɜːmɪ'neɪʃ(ə)n] *s* **1** beslutsamhet, bestämdhet **2** bestämmande, bestämning; fastställande **3** beslut, fast föresats

determine [dɪ'tɜ:mɪn] **I** *vb tr* **1** bestämma; fastställa; beräkna; avgöra **2** besluta [sig för]; bestämma [sig för]; föresätta sig **II** *vb itr* besluta [sig], bestämma sig; *~ on sth* bestämma (besluta) sig för ngt

determined [dɪ'tɜ:mɪnd] *adj* **1** bestämd etc., jfr *determine* **2** bestämd, [fast] besluten; beslutsam; *be ~ to do sth* vara [fast] besluten att göra ngt

deterrent [dɪ'ter(ə)nt, amer. vanl. -'tɜ:r-] **I** *s* avskräckningsmedel, avskräckningsvapen; *act as a ~* verka avskräckande **II** *adj* avskräckande

detest [dɪ'test] *vb tr* avsky

detestable [dɪ'testəbl] *adj* avskyvärd

dethrone [dɪ'θrəʊn] *vb tr* störta från tronen, avsätta; detronisera

detonate ['detə(ʊ)neɪt] **I** *vb tr* få att detonera (explodera); spränga **II** *vb itr* detonera, explodera

detonating cap ['detə(ʊ),neɪtɪŋ'kæp] *s* knallhat

detonation [,detə(ʊ)'neɪʃ(ə)n] *s* detonation, explosion; knall

detonator ['detə(ʊ)neɪtəɪŋ] *s* detonator; sprängkapsel; tändhatt, knallhatt; tändrör

detour ['di:tʊə, 'deɪ-] *s* **1** omväg; avvikelse, avstickare; *make a ~* el. *take a ~* ta en omväg, göra en avstickare **2** trafik. förbifart[sled]; amer. [tillfällig] trafikomläggning

detox ['di:tɒks] **I** *s* vard. **1** avgiftning **2** *the ~* torken alkoholistanstalt, avgiftningen för narkomaner **II** *vb tr* vard. avgifta, lägga in ngn (sig) på torken

detoxification [di:,tɒksɪfɪ'keɪʃ(ə)n] *s* avgiftning, detoxifiering

detoxify [di:'tɒksɪfaɪ] *vb tr* avgifta, detoxifiera

detract [dɪ'trækt] *vb itr*, *~ from* [vilja] förringa; minska [värdet på]

detraction [dɪ'trækʃ(ə)n] *s* förringande

detractor [dɪ'træktə] *s* förtalare, belackare

detriment ['detrɪmənt] *s* skada, förfång, men, förlust; nackdel [*I know nothing to her ~*]; *to the ~ of* till men för; *without ~ to* utan men för, utan skada för

detrimental [,detrɪ'mentl] *adj* skadlig, menlig, till förfång, förlustbringande [*to* för]

1 deuce [dju:s] *s* **1** spel. tvåa, dus **2** tennis. fyrtio lika, deuce **3** amer. sl. tvådollarsedel

2 deuce [dju:s] *s* vard. åld. tusan, helsike; *what the ~…?* vad tusan…?; *who the ~…?* vem tusan…?; *the ~ to pay* ett sabla liv

Deuteronomy [,dju:tə'rɒnəmɪ] *s* bibl. Femte moseboken

devaluation [,di:væljʊ'eɪʃ(ə)n] *s* devalvering, nedskrivning av valuta

devalue [,di:'vælju:] *vb tr* **1** devalvera, skriva ned valuta **2** nedvärdera

devastating ['devəsteɪtɪŋ] *adj* **1** ödeläggande **2** förödande, förkrossande, överväldigande

devastation [,devə'steɪʃ(ə)n] *s* förödelse, ödeläggelse, skövling

develop [dɪ'veləp] **I** *vb tr* **1** utveckla; utbilda, öva upp; utarbeta [*a theory*]; arbeta upp **2** bygga ut; utnyttja, exploatera [*~ an area*] **3** få [*~ a fever*; *~ engine trouble* (motorkrångel)] **4** foto. framkalla **II** *vb itr* utveckla sig, utvecklas [*into* till]; framträda, bli synlig, uppstå; göra framsteg

developed country [dɪ'veləpt,kʌntrɪ] *s* industriland, i-land

developer [dɪ'veləpə] *s* **1** *property ~* byggpamp ofta neds., byggnadsspekulant, markspekulant; *software ~* programutvecklare **2** foto. framkallare; framkallningsvätska **3** *be a late ~* vara sen i utvecklingen

developing country [dɪ'veləpɪŋ,kʌntrɪ] *s* utvecklingsland, u-land

development [dɪ'veləpmənt] *s* **1** utveckling, utvecklings- [*~ work*]; uppövning; [till]växt; *await further ~s* avvakta den vidare (fortsatta) utvecklingen **2** utbyggnad; utnyttjande, exploatering; *~ area* lokaliseringsområde, stödområde **3** nybyggt område; *housing ~* bostadsområde, bebyggelse **4** foto. framkallning

deviance ['di:vɪəns] *s* avvikande beteende

deviant ['di:vɪənt] **I** *adj* avvikande [*~ behaviour*] **II** *s* avvikande [person]; *a sexual ~* en sexuellt avvikande person

deviate ['di:vɪeɪt] *vb itr* avvika, göra en avvikelse; *~ from* avvika från; frångå

deviation [,di:vɪ'eɪʃ(ə)n] *s* **1** avvikelse; avsteg; projektils avdrift; *standard ~* statistik. standardavvikelse **2** sjö. deviation; missvisning

deviationist [,di:vɪ'eɪʃ(ə)nɪst] *s* utbrytare, deviationist person som delvis avviker från partilinjen

device [dɪ'vaɪs] *s* **1** anordning, apparat, uppfinning, pryl, påhitt [*an ingenious ~*] **2** bomb **3** påhitt; knep [*a man full of ~s*]; *a stylistic ~* ett stilistiskt konstgrepp **4** mönster, figur; *a literary ~* ett litterärt grepp **5** pl., *leave sb to his own ~s* låta ngn sköta (klara) sig själv

devil ['devl] *s* **1** ond ande djävul; *the ~* el. *the Devil* djävulen **2** vard., om person djävul, jäkel, fan, sate [*poor ~*]; *Mary is a naughty little ~* Mary är en riktig liten satunge **3** olika uttryck: *a ~ of a…* el. *the ~ of a…* en tusan till…, en (ett) jäkla…, en (ett) satans…; *the ~ of a time* åld. a) ett helsike b) en jäkla tid [*it took the ~ of a time*] c) förbaskat (fantastiskt) roligt [*we had the ~ of a time*]; *what the ~…?* vad tusan…?, vad i helsike…?; *who the ~…?* vem tusan…?, vem i helsike…?; *why the ~…?* varför i helsike…?; *better the ~ you know, than the ~ you don't know* man vet vad man har men inte vad man får; *run like the ~* springa som (av bara) tusan; *the ~ take the hindmost* var och en får rädda sig själv; *it's the ~* det är förbaskat svårt, det är jäkligt otrevligt; *there will be the ~ to pay* det kommer att bli ett jäkla liv; *go to the ~!* dra åt helsike!; *play the ~ with* ta kål på, gå illa (hårt) åt; *talk of the ~ [and he will appear]* när man talar om trollen[, så står de i farstun]; *between the ~ and the deep blue sea* mellan två eldar; mellan pest och kolera

devilish ['dev(ə)lɪʃ] **I** *adj* **1** djävulsk, satanisk **2** vard. förbaskad, jäkla **II** *adv* vard. åld. djävulskt, förbaskat

devilled ['devɪld] *adj* starkt kryddad och stekt [*~ eggs*; *~ food*]

devil-may-care [,devlmeɪ'keə] *adj* oförvägen, sorglös

devilment ['devlmənt] *s* o. **devilry** ['devlrɪ] *s* jäkelskap, djävulskap; sattyg

devious ['di:vɪəs] *adj* **1** bedräglig, oärlig, försåtlig;

a ~ politician en ohederlig politiker, en politiker som slingrar sig **2** slingrande; irrande; villsam; ~ **ways** el. ~ **paths** omvägar, avvägar, smygvägar

devise [dɪ'vaɪz] *vb tr* hitta på, tänka ut, uppfinna; planera

devoid [dɪ'vɔɪd] *adj*, ~ *of* tom på, helt utan

devolution [ˌdiːvə'luːʃ(ə)n, -və'ljuː-] *s* **1** överlåtande [*the ~ of property*]; delegering **2** decentralisering; begränsat mått av självstyre särskilt för Skottland

devolve [dɪ'vɒlv] **I** *vb tr* överlåta, överflytta [*on, upon, to* på, till] **II** *vb itr* överlåtas; ~ *on* el. ~ *upon* tillfalla, åligga, falla på ngn (ngns lott)

Devon ['devn] geogr.

Devonshire ['devnʃɪə, -ʃə] geogr.

Devonshire cream [ˌdevnʃɪə'kriːm] *s* slags tjock grädde

devote [dɪ'vəʊt] *vb tr* ägna; ~ *oneself to* ägna (hänge) sig åt

devoted [dɪ'vəʊtɪd] *adj* o. perf p **1** hängiven; tillgiven, trogen [*a ~ friend*; ~ *subjects* (undersåtar)]; *be ~ to sb* vara [varmt] fäst vid ngn, vara ngn hängiven (tillgiven) **2** ägnad, bestämd, helgad [*to* åt]

devotee [ˌdevə(ʊ)'tiː] *s* **1** dyrkare, entusiastisk (hängiven) anhängare [*of* av]; ~ *of sport* sportfantast, sportentusiast **2** varmt (fanatiskt) troende

devotion [dɪ'vəʊʃ(ə)n] *s* **1** tillgivenhet [*to, for* för]; kärlek [*to, for* till]; hängivenhet, iver [*to* för] **2** pl. ~*s* andaktsövning, [förrättande av] bön

devour [dɪ'vaʊə] *vb tr* sluka; uppsluka

devout [dɪ'vaʊt] *adj* from, gudfruktig; innerlig

dew [djuː] *s* dagg

dewdrop ['djuːdrɒp] *s* daggdroppe

dewlap ['djuːlæp] *s* **1** zool. a) dröglapp b) slör **2** löst hängande halsskinn på t.ex. äldre personer

dewy ['djuːɪ] *adj* daggig, daggstänkt

dewy-eyed [ˌdjuːɪ'aɪd, attr. '---] *adj* **1** tårögd, sentimental **2** blåögd, naiv

dexterity [dek'sterətɪ] *s* fingerfärdighet, händighet; skicklighet

dexterous ['dekst(ə)rəs] *adj* fingerfärdig, händig, skicklig

dextrose ['dekstrəʊz] *s* druvsocker, dextros

DFID [ˌdiːef'aɪ'diː] förk. för *Department for International Development* se *international* I 2

DfT [ˌdiːef'tiː] förk. för *Department for Transport* se *transport* II 2

DG förk. för *Director-General*

dg förk. för *decigram[s], decigramme[s]*

DH [ˌdiː'eɪtʃ] förk. för *Department of Health* se *health* 2

Dhaka ['dækə] geogr.

DI [ˌdiː'aɪ] **1** (förk. för *Defence Intelligence*) underrättelsetjänsten i Storbritannien **2** (förk. för *Detective Inspector*) kriminalinspektör

diabetes [ˌdaɪə'biːtiːz] *s* med. diabetes, sockersjuka

diabetic [ˌdaɪə'betɪk, -'biːt-] **I** *s* diabetiker **II** *adj* diabetisk, sockersjuk; diabetiker-, för diabetiker [~ *food*]

diabolical [ˌdaɪə'bɒlɪk(ə)l] *adj* **1** vard. förfärlig [~ *weather*]; avskyvärd [*his ~ treatment of his wife*] starkare jäkla, jävla [*what a ~ nerve he's got!*] **2** djävulsk [*a ~ plan*]

diabolism [ˌdaɪə'bɒlɪz(ə)m] *s* **1** djävulsdyrkan, satanism **2** djävulskhet

diacritic [ˌdaɪə'krɪtɪk] **I** *s* diakritiskt tecken **II** *adj* diakritisk [~ *marks*]

diadem ['daɪədem, -dəm] *s* diadem; krona

diaeresis [daɪ'ɪərəsɪs, daɪ'er-] (pl. -*es* [-iːz]) *s* språkv. trema

diagnose ['daɪəgnəʊz] *vb tr* med. diagnostisera, ställa diagnosen på

diagnosis [ˌdaɪəg'nəʊsɪs] (pl. -*es* [-iːz]) *s* diagnos

diagnostic [ˌdaɪəg'nɒstɪk] *adj* **1** diagnostisk **2** ~ *of* symptomatisk för

diagonal [daɪ'ægənl] *adj* o. *s* diagonal

diagram ['daɪəgræm] *s* diagram; geom. figur

dial ['daɪ(ə)l] **I** *s* **1** urtavla **2** visartavla **3** radio. [inställnings]skala, stationsskala **4** tele. fingerskiva, nummerskiva på gamla telefoner; radio. el. tekn. [manöver]knapp, [manöver]ratt **5** solur, solvisare **II** *vb tr* **1** ringa [upp]; slå telefonnummer **2** radio. ta in station

dialect ['daɪəlekt] *s* dialekt

dialectal [ˌdaɪə'lektl] *adj* dialektal, dialekt-

dialectic [ˌdaɪə'lektɪk] *s* o. **dialectics** [ˌdaɪə'lektɪks] (med verb i sg.) *s* filos. dialektik, friare äv. disputeringskonst

dialling code ['daɪəlɪŋkəʊd] *s* riktnummer; landsnummer

dialling tone ['daɪəlɪŋtəʊn] *s* kopplingston, svarston

dialogue ['daɪəlɒg] *s* dialog, samtal; dialogform

dialogue box ['daɪəlɒgbɒks] *s* data. dialogruta

dial tone ['daɪəltəʊn] *s* amer. kopplingston, svarston

dial-up connection ['daɪlʌpkəˌnekʃ(ə)n] *s* data. uppringd förbindelse för telekommunikation med modem

dialyser ['daɪəlaɪzə] *s* med. dialysapparat

dialysis [daɪ'æləsɪs] (pl. -*es* [-iːz]) *s* kem. el. med. dialys

diameter [daɪ'æmɪtə] *s* diameter, genomskärning[slinje]; tvärsnitt

diamond ['daɪəmənd] *s* **1** diamant; ibl. briljant; *cut* ~ slipad diamant; *uncut* ~ oslipad diamant; *rough* ~ a) oslipad (rå) diamant b) bildl. ohyfsad (barsk) men godhjärtad människa [amer. vanl. ~ *in the rough*]; ~ *cut* ~ ordspr., ung. list mot list, 'hårt mot hårt' **2** attr. diamant- [~ *ring*] **3** kortsp. ruterkort; pl. ~*s* ruter; *a* ~ äv. en ruter; *the ten of* ~*s* ruter tio **4** i baseball diamond, innerplan

diamond anniversary [ˌdaɪəməndænɪ'vɜːsərɪ] *s* 60-årig bröllopsdag

diamond-cutter ['daɪəməndˌkʌtə] *s* diamantslipare

diamond jubilee [ˌdaɪəmənd'dʒuːbɪliː] *s* 60-årsjubileum

Diamond State [ˌdaɪəmənd'steɪt], *the* ~ beteckn. för staten *Delaware*

diamond wedding [ˌdaɪəmənd'wedɪŋ] *s* diamantbröllop, 60-årig bröllopsdag

Diana [daɪ'ænə] kvinnonamn

diaper ['daɪəpə] *s* vanl. amer. blöja

diaper rash ['daɪəpəræʃ] *s* vanl. amer. blöjeksem

diaphanous [daɪ'æfənəs] *adj* genomskinlig, diafan

diaphragm ['daɪəfræm] *s* **1** anat. mellangärde, diafragma äv. bot. el. fys. **2** membran; skiljevägg av olika slag **3** foto. bländare **4** pessar

diarrhoea o. vanl. amer. **diarrhea** [ˌdaɪə'rɪə] *s* diarré

diary ['daɪərɪ] *s* **1** dagbok, diarium; *keep a* ~ föra dagbok **2** almanacka, kalender

Diaspora [daɪ'æspərə] *s* relig. diaspora, förskingring [*the* ~ el. *the Jewish* ~]

diatonic [ˌdaɪə'tɒnɪk] *adj* mus. diatonisk

diatribe ['daɪətraɪb] *s* diatrib; häftig och bitter kritik, stridsskrift, häftigt utfall [*against* mot]

dibs [dɪbz] *s pl* amer. sl., ~ *on that!* pass (pax) för det (den)!

dice [daɪs] **I** *s pl* (av **2** *die* **1**) tärningar; tärningsspel; *play* ~ spela tärning; *no* ~ vanl. amer. vard. inte en chans, det gick inte, den gubben gick inte **II** *vb itr* spela tärning [*for* om]; ~ *with death* spela med livet som insats **III** *vb tr* kok. skära i tärningar, tärna [äv. ~ *up*]

dicey ['daɪsɪ] *adj* vard. knepig [*a* ~ *question*]; riskabel

dichotomy [daɪ'kɒtəmɪ] *s* delning, klyfta; filos. dikotomi

Dick [dɪk] kortform av *Richard*

dick [dɪk] *s* **1** vulg. kuk äv. som skällsord, pitt **2** *clever* ~ besserwisser

Dickens ['dɪkɪnz]

dickens ['dɪkɪnz] *s* vard. **1** *what* (*who, where*) *the* ~...? vad (vem, var) tusan...? **2** amer., *as cute as the* ~ jädrigt söt, jättesöt

dickey ['dɪkɪ] *adj* se *dicky*

dickey-bird ['dɪkɪbɜːd] *s* vard., se *dicky-bird*

dicky ['dɪkɪ] *adj* vard. dålig; krasslig; ostadig

dicky-bird ['dɪkɪbɜːd] *s* vard. **1** pippi[fågel] **2** *not hear a* ~ inte höra ett ljud (ett knyst); *not say a* ~ inte säga ett knyst (pip)

dictaphone® ['dɪktəfəʊn] *s* diktafon®

dictate [subst. 'dɪkteɪt, verb dɪk'teɪt] **I** *s* diktat, påbud, befallning, föreskrift [*follow the* ~*s of fashion*]; maktspråk; rättesnöre; ofta [inre] röst **II** *vb tr* o. *vb itr* diktera; föreskriva; förestava; *I won't be* ~*d to* jag låter mig inte kommenderas

dictation [dɪk'teɪʃ(ə)n] *s* **1** diktamen; *write at sb's* ~ el. *write from sb's* ~ skriva efter ngns diktamen **2** föreskrift, order [*at his* ~]

dictator [dɪk'teɪtə] *s* diktator

dictatorial [ˌdɪktə'tɔːrɪəl] *adj* diktatorisk; befallande, härskar- [~ *nature*]

dictatorship [dɪk'teɪtəʃɪp] *s* diktatur

diction ['dɪkʃ(ə)n] *s* sätt att uttrycka sig; diktion

dictionary ['dɪkʃ(ə)nrɪ] *s* ordbok, lexikon; *a walking* ~ el. *a living* ~ ett levande lexikon

dict|um ['dɪkt|əm] (pl. -*ums* el. -*a* [-ə]) *s* **1** auktoritativt uttalande, utlåtande; utsago **2** gängse yttrande, talesätt

did [dɪd] imperf. av **2** *do*

didactic [daɪ'dæktɪk, dɪ'd-] *adj* **1** didaktisk, läro- [~ *poem*] **2** docerande, undervisande

diddle ['dɪdl] *vb tr* vard. snuva, blåsa [*sb out of sth* ngn på ngt]

diddly ['dɪdlɪ] *s* o. **diddly-squat** [ˌdɪdlɪ'skwɒt] *s* amer. vard., *she doesn't know* ~ *about it* hon kan inte ett dugg (skvatt) om det

didn't ['dɪdnt] = *did not*

1 die [daɪ] **I** *vb itr* **1** dö, avlida, omkomma, falla, stupa; *I'm dying to go there* jag längtar ihjäl mig efter att få åka dit; *I could have* ~*d laughing* jag kunde ha skrattat ihjäl mig; ~ *hard* bildl., se *hard II*

2; *never say* ~! ge aldrig upp (tappt)!, man ska aldrig säga aldrig; *I'm dying for a cup of coffee* jag är hemskt kaffesugen; *a car to* ~ *for* en riktig önskebil; ~ *from overwork* dö av för mycket arbete, arbeta ihjäl sig; ~ *of cancer* el. ~ *in cancer* dö av (i) cancer; ~ *of anxiety* el. ~ *with anxiety* dö av oro, oroa ihjäl sig; *the car* ~*d on us* bilen dog för oss **2** dö ut, slockna **II** *vb itr* med adv. el. prep.:

die away el. **die down** dö bort, slockna

die off dö en efter en, dö bort

die out dö ut

2 die [daɪ] *s* **1** (pl. *dice*, se detta ord) tärning; *as straight as a* ~ a) rak som en pinne (spik) b) bildl. genomhederlig **2** (pl. ~*s*) matris, form, stans, press; präglingsstämpel, myntstämpel

diehard ['daɪhɑːd] **I** *s* mörkman, reaktionär **II** *adj* seglivad [~ *optimism*]; orubblig, stockkonservativ

diesel ['diːz(ə)l] diesel bränsle o. fordon

diesel engine ['diːz(ə)lˌen(d)ʒɪn] *s* **1** dieselmotor **2** diesellok

diesel-powered ['diːz(ə)lˌpaʊəd] *adj* dieseldriven

1 diet ['daɪət] **I** *s* diet [*put sb on a* ~]; föda, kost[håll]; *be on a* ~ hålla diet; banta; *go on a* ~ [börja] banta **II** *vb itr* hålla diet; banta

2 diet ['daɪət] *s* församling; icke-engelsk riksdag

dietary ['daɪət(ə)rɪ] **I** *adj* diet- [~ *foods*; ~ *habits*]; dietetisk **II** *s* **1** diet[föreskrift] **2** mathållning, matordning, kosthåll spec. på sjukhus o.d.

diet-conscious ['daɪətˌkɒnʃəs] *adj* kostmedveten

diet drink ['daɪətdrɪŋk] *s* lågkaloridryck, lightdryck

dietetics [ˌdaɪə'tetɪks] (med verb i sg.) *s* dietetik, dietik, dietlära

dietician o. **dietitian** [ˌdaɪə'tɪʃ(ə)n] *s* dietist

diet sheet ['daɪət-ʃiːt] *s* dietlista

dif o. **diff** [dɪf] vard. **I** *s* kortform av *difference* **II** *adj* kortform av *different*

differ ['dɪfə] *vb itr* **1** vara olik[a], skilja sig åt; skilja sig, avvika [*from* från] **2** vara av olika mening, ha en annan uppfattning, tänka olika [*about sth* el. *on sth*]; ~ *from sb* el. ~ *with sb* inte dela ngns uppfattning, vara oense med ngn

difference ['dɪfr(ə)ns] *s* **1** olikhet; skillnad; åtskillnad; mellanskillnad; avvikelse; differens; *all the* ~ *in the world* en oerhörd (himmelsvid) skillnad; *it makes no* ~ *to me* det gör mig detsamma; *it makes a great* ~ el. *it makes a great deal of* ~ det är (blir) stor skillnad; det gör (betyder) mycket; *tell the* ~ *between* se skillnad på; *with a* ~ på annat sätt [*they do it with a* ~]; *a car with a* ~ en bil med det där lilla extra **2** ~ *of opinion* meningsskiljaktighet; tvist; tvistepunkt; *they have had their* ~*s* de har haft sina gräl

different ['dɪfr(ə)nt] *adj* olik[a], skild, annorlunda [*everything would have been quite* ~]; annorlunda beskaffad, [helt] annan, ny, speciell; vard. ovanlig; *I feel a* ~ *man* jag känner mig som en ny människa; ~ *from...* el. ~ *to...* el. amer. äv. ~ *than...* olik..., skild från..., annorlunda (annan) än...

differential [ˌdɪfə'renʃ(ə)l] **I** *s* **1** matem. el. tekn. differential **2** skillnad, differens [*wage* ~] **II** *adj* **1** differentiell, differential- [~ *calculus*; ~ *tariffs*] **2** åtskiljande, särskiljande, utmärkande

differential gear [ˌdɪfəˈrenʃ(ə)lgɪə] *s* tekn.
differentialväxel

differentiate [ˌdɪfəˈrenʃɪeɪt] *vb tr* o. *vb itr* **1** skilja
[sig]; differentiera[s] **2** [sär]skilja; hålla i sär; skilja
mellan (på)

differentiation [ˌdɪfərenʃɪˈeɪʃ(ə)n] *s* differentiering

differently [ˈdɪfr(ə)ntlɪ] *adv* annorlunda, på ett
annat sätt, olika [*from, to* mot, än]

difficult [ˈdɪfɪk(ə)lt, -fək-] *adj* **1** svår; ~ *of access*
svårtillgänglig **2** besvärlig, kinkig

difficulty [ˈdɪfɪk(ə)ltɪ, -fək-] *s* **1** svårighet[er] [*the ~
of finding the place*]; *have* [*some*] ~ *in understanding*
ha svårt att förstå; ~ *in breathing* andnöd **2** trassel,
missförstånd **3** vanl. pl. *difficulties* [penning]knipa
4 betänklighet, invändning

diffidence [ˈdɪfɪd(ə)ns] *s* **1** brist på självförtroende,
osäkerhet **2** [överdriven] blygsamhet, blyghet,
försagdhet

diffident [ˈdɪfɪd(ə)nt] *adj* **1** utan självförtroende,
osäker **2** försagd, blygsam, blyg; *be ~ about doing
sth* tveka (dra sig för) att göra ngt

diffraction [dɪˈfrækʃ(ə)n] *s* fys. diffraktion, böjning

diffuse [verb dɪˈfjuːz, adj. dɪˈfjuːs] **I** *vb tr* o. *vb itr*
sprida[s] ut, sprida[s] omkring; sprida sig; ~*d
lighting* indirekt belysning
II *adj* **1** utspridd, kringspridd **2** diffus äv. bildl.

diffuseness [dɪˈfjuːsnəs] *s* **1** [onödig] vidlyftighet
2 diffushet äv. bildl.; spridning utspriddhet

diffusion [dɪˈfjuːʒ(ə)n] *s* **1** utspridning,
kringspridning; utbredning, utbredande [~ *of
knowledge* o.d.] **2** fys. el. kem. diffusion

dig [dɪg] **I** (*dug dug*) *vb tr* **1** gräva; gräva i; böka i;
gräva upp (ut, fram); leta (få) fram [~ *facts from
books*]; ~ *potatoes* ta upp potatis **2** stöta, sticka,
köra [~ *one's fork into the pie*]; hugga, sätta [~
one's spurs into one's horse]; borra [~ *one's nails
into*]; ~ *sb in the ribs* se under *rib I 1* **3** sl. åld. a) digga,
spisa lyssna på [~ *modern jazz*] b) digga, gilla
II (*dug dug*) *vb itr* **1** gräva [*for* efter]; böka; gräva
sig [*into* in i] **2** ~ *away at* jobba på med, slita med
[~ *away at one's work*]
III (*dug dug*) *vb itr* o. *vb itr* med adv. el. prep.:
dig in a) gräva ned; ~ *one's feet in* el. ~ *one's heels in*
vard. spjärna emot, göra motstånd **b)** vard. hugga in;
förbereda sig [*for* för] **c)** mil. gräva ned sig
dig into hugga in på, kasta sig över [~ *into one's
work*; ~ *into a meal*]; ~ *into one's savings* börja ta
av sina besparingar
dig out el. **dig up** gräva upp, gräva fram
IV *s* **1** vard. stöt, stick, puff; bildl. pik, känga, gliring
[*that remark was a ~ at* (åt) *me*] **2** utgrävning,
utgrävningsplats

digest [verb daɪˈdʒest, dɪˈdʒ-, subst. ˈdaɪdʒest] **I** *vb tr*
1 smälta mat o.d., befordra smältningen av, tillägna
sig **2** smälta kunskaper o.d. **3** tänka över (igenom)
plan **4** ordna, systematisera; sammanfatta **5** tåla,
finna sig i; smälta **6** tekn. koka
II *vb itr* smälta; smälta maten; *it ~s well* den är
lättsmält
III *s* sammandrag

digestible [daɪˈdʒestəbl, dɪˈdʒ-] *adj* smältbar

digestion [daɪˈdʒestʃ(ə)n, dɪˈdʒ-] *s* [mat]smältning;
matspjälkning; digestion

digestive [daɪˈdʒestɪv, dɪˈdʒ-] **I** *adj*

1 matsmältningsbefordrande, digestiv
2 matsmältnings- [~ *complaint*; ~ *organs*]
II *s* digestivkex

digestive biscuit [daɪˈdʒestɪvˌbɪskɪt] *s* digestivkex

digestive system [daɪˈdʒestɪvˌsɪstəm] *s*
matsmältningsapparat, matspjälkningsapparat

digger [ˈdɪgə] *s* **1** grävare **2** grävmaskin

digit [ˈdɪdʒɪt] *s* **1** ensiffrigt tal, siffra; *a number of
three ~s* ett tresiffrigt tal **2** anat. finger; tå

digital [ˈdɪdʒɪtl] *adj* **1** digital [~ *recording*; ~
signature]; digital- [~ *camera*]; siffer-; *go ~*
datorisera[s] **2** finger-

digital audio tape [ˌdɪdʒɪtlɔːdɪəʊˈteɪp] *s* DAT-band

digital camera [ˌdɪdʒɪtlˈkæm(ə)rə] *s* digitalkamera

digital compact cassette [ˈdɪdʒɪtlˌkɒmpæktkəˈset]
s DCC-band digitalt bandformat

digitalis [ˌdɪdʒɪˈteɪlɪs] *s* bot. el. med. digitalis

digital television [ˌdɪdʒɪtlˈtelɪvɪʒ(ə)n] *s* digital-tv

digitize [ˈdɪdʒɪtaɪz] *vb tr* elektr. el. data. digitalisera,
göra digital, ge digitalt format

dignified [ˈdɪgnɪfaɪd] *adj* värdig; förnäm; högtidlig

dignify [ˈdɪgnɪfaɪ] *vb tr* **1** göra värdig **2** förära, göra
finare [än vad det är] **3** hedra med ett finare namn

dignitary [ˈdɪgnɪt(ə)rɪ] *s* dignitär; hög spec. kyrklig
ämbetsman

dignity [ˈdɪgnətɪ] *s* värdighet; höghet; ädelhet; *stand
on one's ~* hålla på sin värdighet

digress [daɪˈgres, dɪˈg-] *vb itr* avvika [~ *from the
subject*]; göra en utvikning [*from* från; *into* in på
ämne]; komma från ämnet

digression [daɪˈgreʃ(ə)n, dɪˈg-] *s* avvikelse [från
ämnet], utvikning

digs [dɪgz] *s pl* vard. åld. [hyres]rum, lya

1 dike [daɪk] *s* se *1 dyke*

2 dike [daɪk] *s* sl., se *2 dyke*

diktat [ˈdɪktæt, -tɑːt, dɪkˈtɑːt] *s* polit. diktat

dilapidated [dɪˈlæpɪdeɪtɪd] *adj* förfallen, fallfärdig

dilapidation [dɪˌlæpɪˈdeɪʃ(ə)n] *s* förfall; vanvård

dilatation [ˌdaɪleɪˈteɪʃ(ə)n, -lə't-, ˌdɪl-] *s* uttänjning,
utvidgning; fys., bot. el. med. dilatation

dilate [daɪˈleɪt, dɪˈl-] **I** *vb tr* vidga, utvidga [~ *the
nostrils*; ~ *the pupils*]; tänja ut; ~*d eyes*
uppspärrade ögon
II *vb itr* **1** vidga sig, vidgas, utvidgas **2** bildl. breda
ut sig [*on, upon* över ämne]

dilation [daɪˈleɪʃ(ə)n, dɪˈl-] *s* utvidgning

dilatory [ˈdɪlət(ə)rɪ] *adj* **1** långsam, senfärdig, sölig
2 förhalnings- [~ *policy*]; avsedd att förhala tiden

dildo [ˈdɪldəʊ] (pl. ~*s* el. ~*es*) *s* dildo, penisattrapp

dilemma [dɪˈlemə, daɪˈl-] *s* dilemma; *on the horns of a
~* i ett dilemma, i valet och kvalet

dilettant|e [ˌdɪlɪˈtæntɪ] **I** (pl. -*i* [-iː] el. -*es*) *s* dilettant
II *adj* dilettantmässig, dilettant-

dilettantism [ˌdɪlɪˈtæntɪz(ə)m] *s* dilettanteri

diligence [ˈdɪlɪdʒ(ə)ns] *s* flit, arbetsamhet,
uthållighet

diligent [ˈdɪlɪdʒ(ə)nt] *adj* flitig, ihärdig; *a ~ search* en
mycket noggrann undersökning

dill [dɪl] *s* bot. dill

dill pickle [ˌdɪlˈpɪkl] *s* gurka i dillag

dilly-dally [ˈdɪlɪˌdælɪ] *vb itr* vard. vackla, vela [hit och
dit]; söla, gå och söla

dilute [daɪˈluːt, -ˈljuːt] *vb tr* **1** spä [ut], blanda [ut],
förtunna **2** bildl. försvaga

diluted [daɪ'lu:tɪd, -'lju:t-] *adj* **1** utspädd, utblandad, urvattnad **2** bildl. försvagad

dilution [daɪ'lu:ʃ(ə)n, -'lju:-] *s* utspädning, förtunning; urvattning äv. bildl.

dim [dɪm] **I** *adj* **1** dunkel [~ *memories*]; matt; skum [*eyes ~ with* (av) *tears*]; svag [*his eyesight is getting ~*]; oklar, vag, otydlig; omtöcknad; *a ~ future* en mörk framtid; *her eyes grew ~* det svartnade för hennes ögon; *take a very ~ view of* vard., se *view I 1*; *the ~ and distant past* den grå forntiden **2** vard., *he's a bit ~* han är inte så smart
II *vb tr* **1** fördunkla äv. bildl.; skymma; dämpa [~ *the light*] **2** amer. bil., ~ *the lights* el. ~ *the headlights* blända av; *drive with ~med lights* el. *drive with ~med headlights* köra på halvljus
III *vb itr* fördunklas; blekna; dämpas

dim. förk. för *dimension, diminutive*

dime [daɪm] *s* amer. tiocentare; *not worth a ~* vard. inte värd ett nickel (ett ruttet lingon); *they are a ~ a dozen* ung. det går tretton på dussinet av dem; *turn on a ~* vard. vända på en femöring

dimension [daɪ'menʃ(ə)n, dɪ'm-] *s* **1** dimension; pl. *~s* a) dimensioner b) storlek, omfång, vidd, mått **2** aspekt [*the ecological ~s of this policy*]

dimensional [daɪ'menʃənl, dɪ'm-] *adj* dimensionell

dime store ['daɪmstɔ:] *s* amer. billighetsaffär där varorna förr kostade tio cent

diminish [dɪ'mɪnɪʃ] **I** *vb tr* minska, förminska; försvaga
II *vb itr* minska, minskas, förminskas; försvagas; avta

diminished [dɪ'mɪnɪʃt] *adj, ~ responsibility* jur. förminskad tillräknelighet

diminuendo [dɪ,mɪnjʊ'endəʊ] (pl. *~s*) *s* mus. (it.) diminuendo äv. bildl.

diminution [,dɪmɪ'nju:ʃ(ə)n] *s* minskning, förminskning; avtagande

diminutive [dɪ'mɪnjʊtɪv] **I** *adj* mycket liten, diminutiv äv. gram. [~ *ending*] **II** *s* gram. diminutiv, diminutiv form

dimmer ['dɪmə] *s* **1** dimmer; spec. teat. avbländningsanordning **2** vanl. amer. bil. avbländare; pl. *~s* parkeringsljus

dimmer switch ['dɪməswɪtʃ] *s* se *dimmer 1*

dimple ['dɪmpl] *s* smilgrop, skrattgrop

dimpled ['dɪmpld] *adj* med smilgropar, med skrattgropar [*his ~ cheeks*]

dimwit ['dɪmwɪt] *s* vard. dumskalle

dim-witted [,dɪm'wɪtɪd] *adj* korkad, dum

DIN [dɪn] *s* foto. el. radio. DIN

din [dɪn] **I** *s* dån, brus, buller; oväsen
II *vb tr, ~ sth into sb's head* hamra (banka) in ngt i huvudet på ngn

Dinah ['daɪnə] kvinnonamn

dine [daɪn] *vb itr* äta middag, dinera; ~ *on salmon* el. ~ *off salmon* få (ha) lax till middag; ~ *out* äta middag ute (borta); vara utbjuden (bortbjuden) på middag

diner ['daɪnə] *s* **1** middagsgäst; uteätare **2** vanl. amer. barservering, matställe

dinette [daɪ'net] *s* amer. matvrå

ding-a-ling [,dɪŋə'lɪŋ] *s* o. **dingbat** ['dɪŋbæt] *s* vanl. amer. vard. dumskalle, knasboll

ding-dong [,dɪŋ'dɒŋ, *I 2* o. som adj. '--] **I** *s* **1** dingdång

2 storgräl [*have a ~ with*]
II *adj* kraftig, ettrig [*a ~ fight; a ~ battle*]

dinghy ['dɪŋgɪ] *s* jolle, segeljolle; [uppblåsbar] räddningsbåt; gummibåt

dinginess ['dɪn(d)ʒɪnəs] *s* smutsighet; grådaskighet; sjaskighet, sjabbighet

dingo ['dɪŋgəʊ] (pl. *~es*) *s* zool. dingo australisk vildhund

dingy ['dɪn(d)ʒɪ] *adj* **1** smutsig; grådaskig; sjaskig, sjabbig **2** mörk

dining car ['daɪnɪŋkɑ:] *s* järnv. restaurangvagn

dining hall ['daɪnɪŋhɔ:l] *s* matsal

dining room ['daɪnɪŋru:m, -rʊm] *s* matsal, matrum

dining table ['daɪnɪŋ,teɪbl] *s* matbord

dinky ['dɪŋkɪ] *adj* **1** [liten och] nätt; vard. fin, prydlig, näpen, söt [*a ~ hat*] **2** amer. vard. liten, obetydlig; *a ~ little town* en liten håla

dinner ['dɪnə] *s* **1** middag[småltid]; *be at ~* äta middag, hålla på att äta; *have salmon for ~* ha (få) lax till middag; *go out for ~* el. *go out to ~* gå ut och äta [middag]; *sit down to ~* sätta sig till bords **2** officiell middag; bankett

dinner dance ['dɪnədɑ:ns] *s* middag med dans

dinner jacket ['dɪnə,dʒækɪt] *s* smoking

dinner knife ['dɪnənaɪf] *s* bordskniv

dinner lady ['dɪnə,leɪdɪ] *s* skolmåltidspersonal, 'mattant'

dinner party ['dɪnə,pɑ:tɪ] *s* **1** middag[sbjudning] **2** middagssällskap

dinner plate ['dɪnəpleɪt] *s* stor flat tallrik

dinner service ['dɪnə,sɜ:vɪs] *s* bordsservis, matservis

dinner table ['dɪnə,teɪbl] *s* middagsbord

dinnertime ['dɪnətaɪm] *s* middagsdags, middagstid

dinosaur ['daɪnə(ʊ)sɔ:] *s* dinosaurie, skräcködla

dint [dɪnt] *s, by ~ of* i kraft av; med hjälp av, genom

diocese ['daɪəsɪs, -si:s] *s* stift, biskopsdöme

dioptre o. amer. **diopter** [daɪ'ɒptə] *s* optik. dioptri

Dior [di:'ɔ:, '--]

dioxide [daɪ'ɒksaɪd] *s* kem. dioxid

dioxin [daɪ'ɒksɪn] *s* kem. dioxin

dip [dɪp] **I** *vb tr* **1** doppa, sänka ned, sticka ned [*in, into* i] **2** bil., ~ *the lights* el. ~ *the headlights* blända av; *drive with ~ped lights* el. *drive with ~ped headlights* köra på halvljus
II *vb itr* **1** dyka [ned], doppa sig; ~ *in!* ta för dig (er)! **2** om solen m.m. sänka sig, sjunka, dala **3** om t.ex. terräng luta (sträcka sig) nedåt, slutta nedåt **4** om magnetnål o.d. peka nedåt
III *vb itr* med prep.:
dip into a) bläddra (titta) i, 'lukta på' [~ *into a book*; ~ *into a subject*] b) sticka ned handen i; ~ *into one's pocket* ta ett djupt tag i plånboken; ~ *into one's savings* ta av sina besparingar
IV *s* **1** vard. dopp, bad; *have you had a ~?* el. *have you taken a ~?* har du tagit ett dopp? **2** doppning, [ned]sänkning **3** kok. dip, dipmix **4** svacka, nedgång [*a ~ in the polls*]; dalning [*the ~ of the horizon*] **5** lutning; grop [*a ~ in the road*]; sänka **6** titt i bok o.d. **7** amer. vard. pucko, sänke

diphtheria [dɪf'θɪərɪə, dɪp'θ-] *s* difteri

diphthong ['dɪfθɒŋ, 'dɪpθ-] fonet. diftong

diploma [dɪ'pləʊmə] *s* **1** diplom **2** avgångsbetyg [*a High School ~*]

diplomacy [dɪ'pləʊməsɪ] *s* diplomati

diplomat ['dɪpləmæt] s diplomat
diplomatic [ˌdɪplə'mætɪk] adj diplomatisk [~ immunity; a ~ answer]; **break off ~ relations** avbryta de diplomatiska förbindelserna
diplomatic bag [ˌdɪpləmætɪk'bæg] s dipl. kurirsäck
diplomatic corps [ˌdɪplə'mætɪkkɔː] s, vanl. **the ~** diplomatkåren
diplomatic service [dɪplə'mætɪkˌsɜːvɪs] s, **the ~** utrikesrepresentationen
diplomatist [dɪ'pləʊmətɪst] s diplomat
dipper ['dɪpə] s **1** zool. strömstare **2** skopa, össlev, öskar
dippy ['dɪpɪ] adj sl. knasig, knäpp
dipso ['dɪpsə] (pl. ~s) s vard. periodare
dipsomaniac [ˌdɪpsə(ʊ)'meɪnɪæk] s periodsupare
dipstick ['dɪpstɪk] s **1** bil. oljemätsticka **2** vard. dumskalle
DIP switch ['dɪpswɪtʃ] s data. DIP-switch liten spak för inställning av skrivare etc.
dip switch ['dɪpswɪtʃ] s bil. avbländare, ljusomkopplare
dire ['daɪə] adj **1** förfärlig, hemsk, ödesdiger [~ consequences] **2** ~ **necessity** tvingande nödvändighet; **be in ~ need of** vara i trängande behov av; **be in ~ straits** sitta i en riktig knipa
direct [dɪ'rekt, də'r-, daɪ'r-, attr. adj. äv. 'daɪr-] **I** vb tr **1** rikta [to, towards mot, på; spec. slag, vapen at mot]; vända blick, ställa, styra [~ one's steps towards home] **2** styra; dirigera [~ an orchestra; ~ the traffic]; leda, vägleda [the foreman ~s the workmen]; instruera; regissera [~ a film] **3** [an]visa, visa vägen [can you ~ me to the station?] **4** befalla, beordra, bestämma, säga till [~ sth to be done (att ngt skall göras)]; föreskriva, ge anvisning [om]; anordna; **as ~ed** enligt föreskrift (order)
II vb itr **1** dirigera; regissera **2** bestämma
III adj **1** direkt i olika betydelser [~ contact; ~ train]; rak [the ~ opposite]; rät; omedelbar **2** rakt på sak, rättfram; tydlig, klar **3** i rakt nedstigande led [a ~ descendant]
IV adv direkt; rakt, rätt
direct access [dɪˌrekt'ækses, dəˌr-, daɪˌr-] s data. direktåtkomst; **~ storage device** direktminne
direct action [dɪˌrekt'ækʃ(ə)n, dəˌr-, daɪˌr-] s polit. direkt aktion t.ex. strejk el. uppror
direct current [dɪˌrekt'kʌr(ə)nt, dəˌr-, daɪˌr-] (förk. DC) s elektr. likström
direct debit [dɪˌrekt'debɪt, dəˌr-, daɪˌr-] s bank. autogiro [pay one's mortgage by ~]
direct deposit [dɪˌrektdɪ'pɒzɪt, dəˌr-, daɪˌr-] s amer. direktinsättning på lönekonto
direct discourse [dɪˌrekt'dɪskɔːs, dəˌr-, daɪˌr-] s amer. gram. direkt tal, direkt anföring
direct distance dialing [dɪˌrekt'dɪst(ə)nsˌdaɪ(ə)lɪŋ, dəˌr-, daɪˌr-] s amer. tele. automatkoppling
direct hit [dɪˌrekt'hɪt, dəˌr-, daɪˌr-] s fullträff
direction [dɪ'rekʃ(ə)n, də'r-, daɪ'r-] s **1** riktning; håll [in (åt) which ~ did she go?]; led, kant; bildl. område; inriktning; **~ indicator** el. **flashing ~ indicator** körriktningsvisare, blinker; **in every ~** el. **in all ~s** åt alla håll; på alla områden; **in that ~** åt det hållet äv. bildl.; **in the ~ of** [i riktning] mot, åt...till; **sense of ~** a) lokalsinne b) målinriktning

2 ledning, vägledning; överinseende
3 ofta pl. **directions** a) anvisning[ar]; föreskrift[er], direktiv; regi; **by ~** enligt uppdrag; **~s** el. **~s for use** bruksanvisning b) vägbeskrivning; **give sb ~s to** äv. visa ngn vägen till
directional [dɪ'rekʃənl, də'r-, daɪ'r-] adj **1** ledande, lednings-, riktnings- **2** pejlings-
directional aerial [dɪˌrekʃənl'eərɪəl, dəˌr-, daɪˌr-] s o. amer. **directional antenna** [dɪˌrekʃənlæn'tenə, dəˌr-, daɪˌr-] s riktantenn, pejlantenn
direction finder [dɪ'rekʃ(ə)nˌfaɪndə, də'r-, daɪ'r-] s radiopejlanläggning, radiopejlare
directive [dɪ'rektɪv, də'r-, daɪ'r-] s direktiv, föreskrift
directly [dɪ'rektlɪ, də'r-, daɪ'r-] **I** adv **1** direkt; rakt; omedelbart; precis **2** rakt på sak **3** genast, strax
II konj så snart som, så fort
direct mail [dɪˌrekt'meɪl, dəˌr-, daɪˌr-] s direktreklam
direct marketing [dɪˌrekt'mɑːkɪtɪŋ, dəˌr-, daɪˌr-] s direktförsäljning vanl. via postorder el. telefon
direct memory access [dɪˌrekt'memərɪˌækses, dəˌr-, daɪˌr-] s data. direkt[minnes]åtkomst
direct method [dɪˌrekt'meθəd, dəˌr-, daɪˌr-] s ped., **the ~** direktmetoden
directness [dɪ'rektnəs, də'r-, daɪ'r-] s riktning rakt fram; omedelbarhet; rättframhet
direct object [dɪˌrekt'ɒbdʒɪkt, dəˌr-, daɪˌr-] s gram. direkt objekt, ackusativobjekt
directoire [ˌdɪrek'twɑː] adj, **~ knickers** mamelucker underbyxor
director [dɪ'rektə, də'r-, daɪ'r-] s **1** direktör; chef; ledare; styresman; **project ~** projektledare **2** film. el. teat. regissör **3** mus. dirigent **4** handledare; [andlig] rådgivare; **~ of public prosecutions** jur., se prosecution 1 a **5** rektor för vissa fackskolor el. institut **6** styrelsemedlem; **board of ~s** [bolags]styrelse
directorate [dɪ'rekt(ə)rət, də'r-, daɪ'r-] s **1** direktörsbefattning; direktorat **2** direktion, styrelse
Directorate-General [dɪˌrekt(ə)rət'dʒen(ə)r(ə)l, dəˌr-, daɪˌr-] (förk. DG) EU. Generaldirektorat (förk. GD)
director-general [dɪˌrektə'dʒen(ə)r(ə)l, dəˌr-, daɪˌr-] (pl. directors-general el. director-generals) s generaldirektör
director of studies [dɪˌrektərəv'stʌdɪz, dəˌr-, daɪˌr-] s univ. o.d. studierektor
directorship [dɪ'rektəʃɪp, də'r-, daɪ'r-] s **1** direktörsbefattning, direktörspost **2** chefskap; ledning, ledarskap
directory [dɪ'rekt(ə)rɪ, də'r-, daɪ'r-] **I** s **1** adressförteckning, kundregister; **telephone ~** telefonkatalog **2** data. katalog, bibliotek
II adj [väg]ledande, anvisande
directory assistance [dɪˌrekt(ə)rɪə'sɪstəns, dəˌr-, daɪˌr-] s amer. tele. nummerupplysningen, nummerbyrå[n]
directory enquiries [dɪˌrekt(ə)rɪɪn'kwaɪrɪz, dəˌr-, daɪˌr-] s pl tele. nummerupplysningen, nummerbyrå[n]
direct question [dɪˌrekt'kwestʃ(ə)n, dəˌr-, daɪˌr-] s gram. direkt fråga

direct speech [dɪˌrekt'spiːtʃ, dəˌr-, daɪˌr-] s gram.
direkt tal, direkt anföring
direct tax [dɪˌrekt'tæks, dəˌr-, daɪˌr-] s direkt skatt
dirge [dɜːdʒ] s sorgesång, sorgedikt
dirigible ['dɪrɪdʒəbl, -'---] s styrbar ballong, styrbart
luftskepp
dirt [dɜːt] s **1** smuts, smörja; snusk; vard. skit; **they
are as common as** ~ de är hur vulgära ('billiga') som
helst; **treat sb like** ~ behandla ngn som lort
2 vard. lös jord **3** oanständigt tal (språk) **4** sl.
skitsnack skvaller
dirt bike ['dɜːtbaɪk] s liten motorcykel
dirt-cheap [ˌdɜːt'tʃiːp, attr. adj. '--] adj o. adv
jättebillig[t], kanonbillig[t], till vrakpris
dirt farmer ['dɜːtfɑːmə] s amer. vard. bonde som sköter
arbetet själv, fattigbonde
dirt road [ˌdɜːt'rəʊd] s grusväg
dirt track ['dɜːttræk] s **1** amer. grusväg **2** sport.
dirttrackbana, jordbana
dirty ['dɜːtɪ] **I** adj **1** smutsig; **your hands are** ~ du är
smutsig (inte ren) om händerna; ~ **clothes** smutsiga
kläder; smutskläder, tvätt **2** bildl. snuskig [~ jokes];
lumpen, gemen; ful, ojuste [a ~ foul]; ruskig; **give
sb a ~ look** ge ngn en ilsken (mördande) blick; **a ~
mind** snuskig fantasi; ~ **money** a) svarta (olagligt
förtjänade) pengar b) arbetares smutstillägg; ~ **play**
sport. ojuste spel; **I have to do all the ~ work** jag måste
göra slavgörat (grovjobbet); **do the ~ on sb** vard.
vara taskig mot ngn
II adv **1** ojuste, fult; falskt [play ~] **2** vard., **talk ~**
prata snusk; ~ **big** snuskigt (läskigt) stor, skitstor
III vb tr smutsa ner, orena; vard. skita ner; fläcka
dirty bomb [ˌdɜːtɪ'bɒm] s smutsig bomb
dirty dog [ˌdɜːtɪ'dɒg] s vard. fähund
dirty old man [ˌdɜːtɪəʊld'mæn] s vard. snuskhummer,
ful gubbe
dirty trick [ˌdɜːtɪ'trɪk] s fult spratt, fult trick
dis [dɪs] vb tr o. s vard., se diss
disability [ˌdɪsə'bɪlətɪ, ˌdɪzə-] s **1** funktionshinder,
handikapp, invaliditet; ~ **benefit**
handikappersättning; ~ **pension** sjukpension;
förtidspension **2** oförmåga; svaghet
disable [dɪs'eɪbl, dɪ'zeɪ-] vb tr **1** handikappa,
invalidisera, göra till invalid **2** göra
funktionsoduglig, sätta ur funktion, göra
oförmögen [for till]; ~ **from acting** göra oförmögen
att handla
disabled [dɪs'eɪbld, dɪ'zeɪ-] **I** adj funktionshindrad,
rörelsehindrad, handikapp-; ~ **soldier** el. ~
ex-serviceman krigsinvalid; ~ **toilet**
handikapptoalett **II** s, **the** ~ de funktionshindrade
(rörelsehindrade)
disablement [dɪs'eɪblmənt, dɪ'zeɪ-] s
funktionshinder, handikapp; ~ **benefit**
handikappersättning; ~ **pension** invaliditetspension
disadvantage [ˌdɪsəd'vɑːntɪdʒ] s nackdel [I know
nothing to his ~; there are some ~s to (med) her
plan]; olägenhet; avigsida; **be at a** ~ el. **labour under a**
~ el. **lie under a** ~ vara i underläge, vara i ett
ofördelaktigt (ogynnsamt) läge; **show oneself to** ~
visa sig från sin ofördelaktigaste sida
disadvantaged [ˌdɪsəd'vɑːntɪdʒd] adj missgynnad,
eftersatt; ~ **children** socialt handikappade barn

disadvantageous [ˌdɪsædvən'teɪdʒəs, -vɑːn-] adj
ofördelaktig, ogynnsam [to för]
disaffected [ˌdɪsə'fektɪd] adj missnöjd [to med];
avogt inställd [to till], fientligt stämd [to mot]
disaffection [ˌdɪsə'fekʃ(ə)n] s missnöje [to, towards
med]; avoghet, ovilja [to, towards mot]
disaffiliate [ˌdɪsə'fɪlɪeɪt] **I** vb tr upphäva anslutning
till **II** vb itr lösgöra sig, ställa sig utanför
disagree [ˌdɪsə'griː] vb itr **1** inte samtycka, inte
instämma, inte hålla med, inte vara av samma
mening (åsikt); **I** ~ jag håller inte med, det håller
jag inte med om, det tycker inte jag **2** inte vara
(komma) överens, vara oense [with sb, about sth,
on sth], ha en annan mening (åsikt) [with sb än
ngn] **3** inte stämma överens, vara olika **4** ~ **to** inte
samtycka till, inte gå med på, ogilla **5** **garlic ~s with
me** jag tål inte vitlök
disagreeable [ˌdɪsə'griːəbl, -'grɪəbl] adj
1 obehaglig, oangenäm, otrevlig **2** vresig, otrevlig
disagreement [ˌdɪsə'griːmənt] s
1 meningsskiljaktighet, tvist **2** oenighet,
misshällighet; **be in** ~ vara oense **3** bristande
överensstämmelse
disallow [ˌdɪsə'laʊ] vb tr vägra att erkänna;
tillbakavisa [~ a claim]; ~ **a goal** döma bort ett mål
disappear [ˌdɪsə'pɪə] vb itr försvinna
disappearance [ˌdɪsə'pɪər(ə)ns] s försvinnande
disappoint [ˌdɪsə'pɔɪnt] vb tr **1** göra besviken
2 svika [~ sb's expectations]
disappointed [ˌdɪsə'pɔɪntɪd] adj, **be** ~ vara besviken
[with sb el. in sb på ngn; with sth el. at sth på (över)
ngt]
disappointing [ˌdɪsə'pɔɪntɪŋ] adj, **the film was** ~
filmen var en besvikelse
disappointment [ˌdɪsə'pɔɪntmənt] s besvikelse,
missräkning
disapprobation [ˌdɪsæprə(ʊ)'beɪʃ(ə)n] s ogillande
disapproval [ˌdɪsə'pruːv(ə)l] s ogillande; **in** ~
ogillande, med ogillande
disapprove [ˌdɪsə'pruːv] vb itr o. vb tr, ~ el. ~ **of**
ogilla, förkasta, avslå, inte gå med på, inte bifalla;
I thoroughly ~ jag ogillar det skarpt
disapproving [ˌdɪsə'pruːvɪŋ] adj ogillande
disarm [dɪs'ɑːm, dɪ'zɑːm] vb tr o. vb itr **1** nedrusta,
avrusta **2** oskadliggöra, desarmera [~ a mine] **3** mil.
avväpna äv. bildl. [~ the enemy; her charm ~s
everybody]
disarmament [dɪs'ɑːməmənt, dɪ'zɑːm-] s
nedrustning; ~ **policy** nedrustningspolitik
disarmer [dɪs'ɑːmə, dɪ'zɑːmə] s nedrustare; **nuclear**
~ anhängare av (förkämpe för)
kärnvapenavrustning
disarming [dɪs'ɑːmɪŋ] adj avväpnande [a ~ smile]
disarrange [ˌdɪsə'reɪn(d)ʒ] vb tr ställa till oreda
(förvirring) i; rubba [~ sb's plans]; ställa (rufsa) till
disarray [ˌdɪsə'reɪ] s oreda, oordning; **the enemy
retreated in** ~ fienden retirerade i fullständig
upplösning
disaster [dɪ'zɑːstə] s katastrof, [svår] olycka; **the
party was a** ~ festen var en katastrof
disaster area [dɪ'zɑːstəˌeərɪə] s katastrofområde
disaster film [dɪ'zɑːstəfɪlm] s o. **disaster movie**
[dɪ'zɑːstəˌmuːvɪ] s katastroffilm

disastrous [dɪ'zɑːstrəs] *adj* katastrofal, olycksbringande, ödesdiger

disavow [ˌdɪsə'vaʊ] *vb tr* inte vilja kännas vid, inte erkänna; frånsäga sig [ansvaret för]

disband [dɪs'bænd] **I** *vb tr* upplösa [*~ a theatrical company*]; mil. hemförlova **II** *vb itr* upplösa sig, skingras

disbar [dɪs'bɑː] *vb tr* frånta (beröva) auktorisationen som *barrister* (se detta ord); ung. utesluta ur advokatsamfundet

disbelief [ˌdɪsbɪ'liːf] *s* misstro [*in* till], tvivel [*in* på]; *he looked at me in ~* han tittade misstroget på mig

disbelieve [ˌdɪsbɪ'liːv] *vb tr* o. *vb itr*, *~* el. *~ in* inte tro [på], tvivla [på]

disburse [dɪs'bɜːs] *vb tr* betala ut; lägga ut

disbursement [dɪs'bɜːsmənt] *s* utbetalning, [kontant]utlägg; utgift

disc [dɪsk] *s* **1** [rund] skiva, platta; lamell; bricka; trissa **2 a)** cd-skiva; *on ~* på cd **b)** grammofonskiva **3** data. diskett **4** anat. broskskiva; *a slipped ~* diskbråck

discard [verb dɪs'kɑːd, subst. '--, -'-] **I** *vb tr* **1** kasta; förkasta; lägga av, kasta bort, lägga bort; kassera, utrangera; *~ a theory* överge (ge upp) en teori **2** kortsp. kasta, saka **II** *s* kortsp. kastkort

discarded [dɪs'kɑːdɪd] *adj* avlagd [*~ clothes*]

disc brake ['dɪskbreɪk] *s* bil. skivbroms

discern [dɪ'sɜːn] *vb tr* **1** urskilja; bli varse, märka **2** särskilja [*from* från]

discernible [dɪ'sɜːnəbl] *adj* urskiljbar, märkbar

discerning [dɪ'sɜːnɪŋ] *adj* omdömesgill, insiktsfull; *a ~ person* en omdömesgill person, en person med urskillningsförmåga

discernment [dɪ'sɜːnmənt] *s* **1** urskillning, urskillningsförmåga, omdöme, insikt **2** urskiljande

discharge [dɪs'tʃɑːdʒ, subst. äv. '--] **I** *vb tr* **1** släppa, släppa lös (ut), frige [*~ a prisoner*]; skriva ut [*~ a patient*]; avskeda; mil. avföra (stryka) ur rullorna **2** tömma [ut], släppa ut [*~ polluted matter into the sea*]; med. avsöndra, utsöndra; *the river ~s itself into the North Sea* floden mynnar (rinner ut) i Nordsjön **3** elektr. ladda ur **4** avlossa, skjuta [av], fyra av [*~ a gun*; *~ a shot*; *~ an arrow*]; *be ~d* om gevär gå av, brinna av **5** fullgöra, uppfylla; *~ a debt* slutbetala en skuld; *~ one's duty* [full]göra sin plikt; *~ a promise* uppfylla ett löfte **6** befria, lösa, frita [*from*, *of* från] **7** lasta av; lossa [*~ a ship*; *~ cargo*] **II** *vb itr* **1** lossa, lossas **2** elektr. ladda ur sig **3** om böld vara sig **4** mynna ut, rinna ut **III** *s* **1** frikännande; frigivning [*~ of a prisoner*]; utskrivning [*~ of a patient*]; avsked[ande]; spec. mil. hemförlovning; *conditional ~* villkorlig frigivning; *dishonourable ~* mil. avsked efter krigsrättsutslag; *honourable ~* mil. avsked med goda vitsord; *obtain one's ~* bli frigiven; bli utskriven; få avsked **2 a)** uttömning, utströmning, utflöde; utsläpp; avlopp **b)** med. flytning; avgång; avsöndring, utsöndring **3** avlossande; skott, salva **4** elektr. el. fys. urladdning **5** befrielse [*of* från]; ansvarsfrihet, ansvarsbefrielse **6** betalning, slutbetalning [*the ~ of a debt*] **7** fullgörande, uppfyllande [*the ~ of one's duties*] **8** avlastning; lossning [*port of ~*]

disci ['dɪskaɪ] *s* pl. av *discus*

disciple [dɪ'saɪpl] *s* **1** anhängare; elev **2** lärjunge

disciplinarian [ˌdɪsɪplɪ'neərɪən] *s* person som upprätthåller disciplin[en]

disciplinary ['dɪsɪplɪnərɪ, ˌ--'---] *adj* disciplinär; *~ action* el. *~ measures* disciplinära åtgärder

discipline ['dɪsɪplɪn] **I** *s* **1** disciplin, [god] ordning; *keep ~* el. *maintain ~* upprätthålla disciplin, ha god ordning; *breach of ~* disciplinbrott **2** skolning; övning; fostran **3** disciplin, vetenskapsgren **II** *vb tr* **1** disciplinera, hålla i styr **2** straffa, bestraffa

disc jockey ['dɪskˌdʒɒkɪ] *s* diskjockey, skivpratare

disclaim [dɪs'kleɪm] *vb tr* frånsäga sig [*~ responsibility for sth*]; förneka, inte erkänna, dementera; förkasta

disclaimer [dɪs'kleɪmə] *s* **1** dementi, förnekande **2** jur. avstående [från anspråk] [*of* från, på]; friskrivningsklausul

disclose [dɪs'kləʊz] *vb tr* **1** avslöja [*~ a secret to* (för) *sb*]; uppenbara **2** blotta, visa

disclosure [dɪs'kləʊʒə] *s* avslöjande, yppande

disco ['dɪskəʊ] (pl. *~s*) *s* **1** disco **2** discomusik

disco biscuit [ˌdɪskəʊ'bɪskɪt] *s* sl. ecstasytablett på raveparty

discolour [dɪs'kʌlə] **I** *vb itr* bli urblekt, bli missfärgad **II** *vb tr* bleka ur, avfärga; missfärga

discomfit [dɪs'kʌmfɪt] *vb tr* bringa (få) ur fattningen; göra snopen, göra modfälld (nedslagen); *he was ~ed* han tappade fattningen, han blev snopen

discomfiture [dɪs'kʌmfɪtʃə] *s* **1** obehag **2** snopenhet, förvirring

discomfort [dɪs'kʌmfət] *s* obehag, obekvämhet; olust

discompose [ˌdɪskəm'pəʊz] *vb tr* **1** bringa (få) ur jämvikt (fattningen), störa, rubba **2** bringa oreda i

discomposure [ˌdɪskəm'pəʊʒə] *s* **1** upprördhet, upprört tillstånd; oro **2** oordning, oreda

disconcert [ˌdɪskən'sɜːt] *vb tr* **1** bringa (få) ur fattningen, förvirra **2** bringa oordning i

disconcerted [ˌdɪskən'sɜːtɪd] *adj* förbryllad; förlägen; ställd, snopen

disconcerting [ˌdɪskən'sɜːtɪŋ] *adj* oroväckande, förbryllande, förvirrande

disconnect [ˌdɪskə'nekt] *vb tr* **1** koppla loss (ur), koppla bort [*~ a cable*]; koppla i från [*~ a railway carriage*] **2** stänga av [*~ the telephone*]; *I must have been ~ed* jag måste ha blivit bortkopplad på telefonen **3** skilja, ta loss [*from*, *with* från]; *be ~ed from* skiljas från, ryckas loss från

disconnected [ˌdɪskə'nektɪd] *adj* **1** osammanhängande, virrig [*~ speech*] **2** skild [*from*, *with* från], utan samband (sammanhang, förbindelse) [*from*, *with* med]; lösryckt [*~ thoughts*; *~ ideas*]; fristående

disconnection [ˌdɪskə'nekʃ(ə)n] *s* tekn. frånkoppling, urkoppling

disconsolate [dɪs'kɒns(ə)lət] *adj* otröstlig

discontent [ˌdɪskən'tent] *s* missnöje, missbelåtenhet

discontented [ˌdɪskən'tentɪd] *adj* missnöjd

discontinue [ˌdɪskən'tɪnjuː] *vb tr* avbryta; sluta med; inställa, lägga ned [*~ the work*]; *~ a bus line* dra in en bussförbindelse

discontinuous [ˌdɪskən'tɪnjʊəs] *adj* [tidvis] avbruten, osammanhängande, diskontinuerlig

discord ['dɪskɔːd] *s* **1** missämja, oenighet, split, tvedräkt **2** missljud, disharmoni; mus. dissonans; disharmoni

discordant [dɪs'kɔːd(ə)nt] *adj* **1** oenig, motsatt, helt olik [~ *results*; ~ *views*] **2** disharmonisk; skärande; *strike a ~ note* bildl. skorra illa, rimma illa

discotheque ['dɪskə(ʊ)tek] *s* diskotek

discount ['dɪskaʊnt, verb vanl. -'-] **I** *s* **1** rabatt, avdrag; *cash ~* el. *~ for cash* kassarabatt; *trade ~* handelsrabatt, varurabatt; *allow a ~* el. *give a ~* el. *offer a ~* lämna (ge) rabatt; *sell at a ~* sälja till nedsatt pris **2** ekon. diskontering; *~ rate* el. *rate of ~* diskonteringsränta **3** [vederbörlig] reservation [*make a ~*]; *you must take it at a ~* du ska inte tro [blint] på det **4** *stand at a ~* stå i lägre kurs än det nominella värdet; *be at a ~* bildl. stå lågt i kurs, ha litet värde **II** *vb tr* **1** dra av; [något] minska värde, fördel **2** bortse ifrån, avfärda **3** ekon. diskontera

discount price ['dɪskaʊntpraɪs] *s* nedsatt pris, rabatterat pris

discount store ['dɪskaʊntstɔː] *s* lågprisaffär, lågprisvaruhus

discourage [dɪs'kʌrɪdʒ] *vb tr* **1** inte uppmuntra [till]; avskräcka, försöka hindra [~ *sb from doing sth*]; motarbeta **2** göra modfälld

discouraged [dɪs'kʌrɪdʒd] *adj* modlös, modfälld; nedslagen; avskräckt

discouragement [dɪs'kʌrɪdʒmənt] *s* **1** modfälldhet **2** åtgärd för att hindra [*of sth* ngt]; motarbetande **3** svårighet

discouraging [dɪs'kʌrɪdʒɪŋ] *adj* **1** nedslående [*a ~ result*]; avskräckande **2** motverkande

discourse [subst. 'dɪskɔːs, -'-, verb -'-] **I** *s* **1** föredrag, tal **2** litt. samtal **II** *vb itr* **1** hålla tal; *~ on* el. *~ upon* a) hålla tal om, tala om b) utbreda sig över, predika om **2** samtala, språka

discourteous [dɪs'kɜːtɪəs] *adj* ohövlig

discourtesy [dɪs'kɜːtəsɪ] *s* ohövlighet

discover [dɪ'skʌvə] *vb tr* upptäcka; finna, komma underfund med

discovery [dɪ'skʌv(ə)rɪ] *s* upptäckt

discredit [dɪs'kredɪt] **I** *s* **1** vanrykte, dåligt anseende (rykte); *be a ~ to* vara en skam för; *bring ~ on* ge dåligt rykte, misskreditera **2** misstro, tvivel **II** *vb tr* **1** misskreditera, rubba förtroendet för **2** misstro, betvivla

discreditable [dɪs'kredɪtəbl] *adj* vanhedrande, misskrediterande [*to sb* för ngn]

discreet [dɪ'skriːt] *adj* diskret, taktfull

discrepancy [dɪs'krep(ə)nsɪ] *s* avvikelse; diskrepans; *if there is a ~* om något inte stämmer

discrepant [dɪs'krep(ə)nt] *adj* avvikande

discrete [dɪ'skriːt] *adj* [åt]skild

discretion [dɪ'skreʃ(ə)n] *s* **1** urskillning, urskillningsförmåga, omdöme, omdömesförmåga, klokhet; diskretion, takt; *~ is the better part of valour* ung. försiktighet är en dygd **2** handlingsfrihet; *at one's ~* el. *at one's own ~* efter [eget] godtycke, efter behag; *I leave it to your ~* det överlåter jag åt dig [att avgöra]

discretionary [dɪ'skreʃən(ə)rɪ] *adj* godtycklig; *~ powers* diskretionär myndighet

discriminate [dɪ'skrɪmɪneɪt] *vb tr* o. *vb itr* **1** skilja [*between* på, mellan; *from* från], åtskilja; urskilja **2** göra skillnad [*between* på, mellan], diskriminera; *~ against* diskriminera; *~ in favour of* särbehandla, favorisera

discriminating [dɪ'skrɪmɪneɪtɪŋ] *adj* **1** omdömesgill, klok, skarp[sinnig] [~ *judgement*; *~ critic*]; nogräknad, kräsen [*a ~ taste*] **2** särskiljande, typisk

discrimination [dɪˌskrɪmɪ'neɪʃ(ə)n] *s* **1** diskriminering [*racial ~*; *race ~*]; *~ in favour of* särbehandling av, favorisering av **2** urskillning, omdöme; skarpsinne **3** skiljande; åtskillnad [*without ~*]

discriminatory [dɪ'skrɪmɪnət(ə)rɪ] *adj* **1** diskriminerande **2** urskiljande; skarpsinnig

discursive [dɪs'kɜːsɪv] *adj* planlös, avvikande från ämnet; vidlyftig

disc|us ['dɪsk|əs] (pl. *-uses* el. *-i* [-aɪ]) *s* sport. diskus; *throwing the ~* el. *~ throw* diskuskastning som tävlingsgren

discuss [dɪ'skʌs] *vb tr* diskutera, dryfta, debattera

discussion [dɪ'skʌʃ(ə)n] *s* diskussion, debatt [*on*, *about* om], dryftande; *be under ~* diskuteras, vara uppe till diskussion; *bring sth up for ~* ta upp ngt till diskussion; *have a ~* ha (föra) en diskussion

disdain [dɪs'deɪn] **I** *s* förakt, ringaktning **II** *vb tr* förakta, ringakta; *~ to do sth* inte nedlåta sig att göra ngt

disease [dɪ'ziːz] *s* sjukdom, koll. sjukdomar; sjuka [*loneliness is a ~ of modern society*]

disease carrier [dɪ'ziːzˌkærɪə] *s* smittobärare

diseased [dɪ'ziːzd] *adj* **1** sjuk, sjuklig **2** fördärvad, osund

disembark [ˌdɪsɪm'bɑːk] **I** *vb itr* stiga i land, debarkera; *~ an aircraft* stiga ur ett plan **II** *vb tr* landsätta

disembarkation [ˌdɪsembɑː'keɪʃ(ə)n] *s* **1** landstigning, debarkering **2** urstigning, landsättning

disembodied [ˌdɪsɪm'bɒdɪd] *adj* skild från kroppen, okroppslig, utan kropp, avhuggen

disembowel [ˌdɪsɪm'baʊəl] *vb tr* ta inälvorna ur; slita i stycken

disenchanted [ˌdɪsɪn'tʃɑːntɪd] *adj* besviken, desillusionerad

disenchantment [ˌdɪsɪn'tʃɑːntmənt] *s* missräkning, besvikelse

disenfranchise [ˌdɪsen'fræn(t)ʃaɪz] *vb tr* **1** beröva rösträtt **2** beröva medborgerliga rättigheter

disengage [ˌdɪsɪn'geɪdʒ] **I** *vb tr* **1** lösgöra, frigöra, lossa, befria [*from* från] **2** tekn. koppla ifrån (ur); utlösa; *~ the clutch* koppla ur **3** mil. dra ur striden **II** *vb itr* frigöra sig

disengagement [ˌdɪsɪn'geɪdʒmənt] *s* lösgörande, frigörande, frigörelse

disentangle [ˌdɪsɪn'tæŋgl] *vb tr* **1** göra loss (fri), lösgöra, befria ur trassel, förvecklingar o.d. **2** reda ut härva o.d.

disentanglement [ˌdɪsɪn'tæŋglmənt] *s* **1** lösgörande, befriande, befrielse **2** utredande

disestablish [ˌdɪsɪˈstæblɪʃ] *vb tr* skilja kyrkan från staten

disestablishment [ˌdɪsɪˈstæblɪʃmənt] *s* kyrkans skiljande från staten

disfavour [ˌdɪsˈfeɪvə] *s* ogillande [*regard sth with ~*]; motvilja; *fall into* ~ falla i onåd

disfigure [dɪsˈfɪgə] *vb tr* vanställa, vanpryda

disfigurement [dɪsˈfɪgəmənt] *s* **1** vanställande, vanprydande **2** vanprydnad, missprydnad

disfranchise [dɪsˈfræn(t)ʃaɪz] *vb tr* se *disenfranchise*

disgorge [dɪsˈgɔːdʒ] *vb tr* **1** spy ut ofta bildl.; *the train ~d its passengers* det vällde ut passagerare från tåget **2** *the river ~s itself into the sea* floden mynnar (flyter) ut i havet

disgrace [dɪsˈgreɪs] **I** *s* **1** vanära; skam[fläck] [*the slums are a ~ to* (för) *the city*]; skandal [*to* för]; *bring ~ on one's family* dra vanära över familjen (släkten); *this is a ~!* detta är skandal (rena skandalen)! **2** onåd; *fall in* ~ råka (falla) i onåd **II** *vb tr* vanhedra; skämma ut, vara en skam för; *be ~d* vara i onåd, ha fallit (råkat) i onåd

disgraceful [dɪsˈgreɪsf(ʊ)l] *adj* vanhedrande [*to* för]; skamlig [*~ behaviour*]; skandalös; *you are ~!* du borde skämmas!

disgruntled [dɪsˈgrʌntld] *adj* missnöjd; sur [*with* på]

disguise [dɪsˈgaɪz] **I** *vb tr* **1** förkläda, klä ut, maskera; *~d as a beggar* förklädd till tiggare **2** dölja, maskera, kamouflera [*~ one's feelings*; *~ one's surprise*]; förställa, förvränga [*~ one's voice*] **II** *s* **1** förklädnad; mask; kamouflage; *in* ~ förklädd; *in the* ~ *of* förklädd till; *throw off one's* ~ kasta masken **2** förställning; maskering

disgust [dɪsˈgʌst] **I** *s* avsky, avsmak [*at, with* för], motvilja [*at, with* mot]; äckel, vämjelse [*for* inför, vid, över]; *in* ~ fylld av avsky (avsmak); *much to my* ~ till min stora harm (förtret) **II** *vb tr* väcka avsky (avsmak etc.) hos, äckla; uppröra

disgusted [dɪsˈgʌstɪd] *adj* upprörd, äcklad [*at* över]; *be* ~ vara (bli) upprörd, vara (bli) äcklad, äcklas [*at* (över) *sb's behaviour, by* (av, över) *a sight, with* (över) *sb*]

disgusting [dɪsˈgʌstɪŋ] *adj* äcklig, otäck, vidrig; motbjudande, osmaklig

dish [dɪʃ] **I** *s* **1** fat; karott; flat skål, bunke; assiett [*butter ~*]; *soap* ~ tvålkopp; *~es* el. *dirty ~es* odiskad disk; *do the ~es* el. *wash the ~es* diska **2** [mat]rätt; *hot* ~ varmrätt **3** ~ el. *satellite* ~ parabolantenn **4** vard. snygging **II** *vb tr* vard. lura överlista, knäcka besegra [*~ one's opponents*] **III** *vb tr* med prep. el. adv.:

dish out a) lägga upp [*~ out the food*]; sätta fram, servera [*~ out the dinner*] **b)** dela ut [*~ out rewards and punishments*]

dish up a) lägga upp [*~ up the food*]; sätta fram, servera [*~ up the dinner*] **b)** bildl. duka upp, servera [*~ up the usual arguments*]

disharmony [ˌdɪsˈhɑːm(ə)nɪ] *s* disharmoni

dishcloth [ˈdɪʃklɒθ] *s* disktrasa; kökshandduk

dishcover [ˈdɪʃˌkʌvə] *s* [karott]lock; kupa för att hålla mat på fat varm

dishearten [dɪsˈhɑːtn] *vb tr* göra modfälld (modlös, nedslagen)

disheartened [dɪsˈhɑːtnd] *adj* modfälld, modlös, nedslagen

disheartening [dɪsˈhɑːtnɪŋ] *adj* nedslående, beklämmande [*a ~ sight*]

dishevelled [dɪˈʃev(ə)ld] *adj* ovårdad [*~ hair*; *~ clothes*]; rufsig [i håret], okammad; slarvigt klädd

dishful [ˈdɪʃfʊl] *s*, *a ~ of* ett fat (en skål el. assiett) med

dishonest [dɪsˈɒnɪst, dɪˈzɒ-] *adj* ohederlig, oärlig

dishonesty [dɪsˈɒnɪstɪ, dɪˈzɒ-] *s* ohederlighet, oärlighet

dishonour [dɪsˈɒnə, dɪˈzɒ-] **I** *s* vanära, skam [*to* för]; *bring ~ on one's family* dra vanära över familjen (släkten) **II** *vb tr* **1** vanära, vanhedra **2** behandla skymfligt, skända **3** hand. inte honorera (godkänna)

dishonourable [dɪsˈɒn(ə)rəbl, dɪˈzɒ-] *adj* vanhedrande, vanärande, skamlig

dishonourable discharge [dɪsˌɒn(ə)rəblˈdɪstʃɑːdʒ] *s* mil. avsked efter krigsrättsutslag

dishpan [ˈdɪʃpæn] *s* amer. diskbalja; *~ hands* skurgumshänder, nariga händer

dishrag [ˈdɪʃræg] *s* amer. disktrasa

dishtowel [ˈdɪʃtaʊəl] *s* amer. torkhandduk

dishwasher [ˈdɪʃˌwɒʃə] *s* diskmaskin

dishwasher powder [ˈdɪʃwɒʃəˌpaʊdə] *s* maskindiskmedel i pulverform

dishwashing [ˈdɪʃˌwɒʃɪŋ] *s* amer. disk, diskning

dishwashing liquid [ˈdɪʃwɒʃɪŋˌlɪkwɪd] *s* amer. [flytande] diskmedel

dishwater [ˈdɪʃˌwɔːtə] *s* diskvatten; vard. blask; *it's like* ~ det är rena blasket; *as dull as* ~ vard. urtråkig, dödtråkig

dishy [ˈdɪʃɪ] *adj* vard. åld. läcker, snygg [*a ~ girl*]

disillusion [ˌdɪsɪˈluːʒ(ə)n, -ˈljuː-] **I** *vb tr* desillusionera **II** *s* desillusion[ering]

disillusioned [ˌdɪsɪˈluːʒənd] *adj* desillusionerad [*with* över, på]

disinclination [ˌdɪsɪnklɪˈneɪʃ(ə)n] *s* obenägenhet, olust [*for sth* för ngt; *to do sth*]

disinclined [ˌdɪsɪnˈklaɪnd] *adj* obenägen, ovillig; *be ~ to do sth* vara ovillig att göra ngt, inte ha lust att göra ngt

disinfect [ˌdɪsɪnˈfekt] *vb tr* desinficera; vard. sprita t.ex. händerna

disinfectant [ˌdɪsɪnˈfektənt] *s* desinfektionsmedel

disinflationary [ˌdɪsɪnˈfleɪʃ(ə)n(ə)rɪ] *adj* hand. inflationsbekämpande, inflationsbegränsande

disinformation [ˌdɪsɪnfəˈmeɪʃ(ə)n] *s* desinformation, vilseledande information

disingenuous [ˌdɪsɪnˈdʒenjʊəs] *adj* oärlig, ej uppriktig; lömsk

disinherit [ˌdɪsɪnˈherɪt] *vb tr* göra arvlös

disintegrate [dɪsˈɪntɪgreɪt] *vb tr* o. *vb itr* lösa[s] upp i beståndsdelar, sönderdela[s], desintegrera[s]

disinter [ˌdɪsɪnˈtɜː] *vb tr* **1** gräva upp [ur jorden] **2** bildl. gräva fram (upp), bringa i dagen

disinterest [dɪsˈɪntrəst] *s* ointresse, bristande intresse

disinterested [dɪsˈɪntrəstɪd] *adj* **1** oegennyttig, osjälvisk; opartisk [*a ~ decision*] **2** vard. ointresserad

disinvestment [ˌdɪsɪn'vestmənt] *s* ekon.
desinvestering, företagsnedläggning
disjointed [dɪs'dʒɔɪntɪd] *adj* osammanhängande,
virrig [~ *speech*]
disk [dɪsk] *s* **1** vanl. amer., se *disc 1* o. *disc 2* **2** data.
skiva, skivminne spec. om magnetiskt läsbar skiva; **hard ~**
hårddisk
disk drive ['dɪskdraɪv] *s* data. skivenhet; **floppy ~**
diskettenhet
diskette [dɪ'sket] *s* data. diskett
disk storage ['dɪskˌstɔːrɪdʒ] *s* data. skivminne
dislike [dɪs'laɪk, i betydelse *II 2* '--] **I** *vb tr* tycka illa
om, ogilla, inte tycka om; inte vilja [*I ~ showing it*]
II *s* **1** motvilja, antipati, olust [*of, for* mot, för];
take a ~ to få (fatta) motvilja mot **2** **likes and ~s**
sympatier och antipatier
dislocate ['dɪslə(ʊ)keɪt] *vb tr* **1** med. vrida ur led,
vricka, sträcka **2** bildl. förrycka, rubba [~ *sb's
plans*]; **the traffic was badly ~d** det var svåra
störningar i trafiken
dislocation [ˌdɪslə(ʊ)'keɪʃ(ə)n] *s* **1** med. vrickning,
sträckning, dislokation; luxation **2** bildl. förvirring,
oreda; rubbning[ar]; ~ *of traffic* trafikstörning
dislodge [dɪs'lɒdʒ] *vb tr* **1** driva bort (ut), få bort,
fördriva **2** [för]flytta, rubba; rycka (sparka) loss
disloyal [dɪs'lɔɪ(ə)l] *adj* illojal, trolös [*to* mot]
disloyalty [dɪs'lɔɪ(ə)ltɪ] *s* illojalitet, trolöshet [*to*
mot]
dismal ['dɪzm(ə)l] *adj* **1** dyster, trist, mörk; hemsk;
olycklig, sorglig **2** vard. usel [*a ~ effort*]; **a ~ failure**
ett hemskt (förskräckligt) misslyckande
dismantle [dɪs'mæntl] *vb tr* **1** demontera, montera
ned, ta isär [~ *an engine*] **2** bildl. nedrusta; sjö.
avrusta
dismay [dɪs'meɪ, dɪz'm-] **I** *s* bestörtning, förfäran;
fill with ~ göra alldeles bestört; **in ~** med
bestörtning, bestört; **much to my ~** till min
bestörtning **II** *vb tr* göra bestört (förfärad);
avskräcka; **be ~ed** bli bestört
dismayed [dɪs'meɪd, dɪz'm-] *adj* bestört, förfärad
dismember [dɪs'membə] *vb tr* **1** slita sönder lem för
lem, stycka; lemlästa **2** stycka, dela sönder (upp); ~
a country dela upp ett land, stycka ett land
dismiss [dɪs'mɪs] **I** *vb tr* **1** avskeda, ge avsked
2 skicka (sända) bort (i väg); upplösa församling etc.;
avtacka; **the teacher ~ed his class** läraren lät klassen
gå; ~ **troops** hemförlova trupper; ~ **a patient from
hospital** släppa ut en patient från sjukhuset
3 avfärda, slå bort [~ *thoughts of revenge*]; slå ur
tankarna (hågen); ~ **a petition** avslå en begäran; ~ **a
subject** lämna ett ämne; ~ **out of hand** avfärda
(avslå) utan vidare **4** jur. avslå, ogilla, förklara
ogiltig, tillbakavisa [~ *a complaint*]; ~ **the case**
avskriva målet **5** kricket. slå ut [~ *a batsman*; ~ *a
team*]
II *vb itr* mil., ~! höger och vänster om marsch!
dismissal [dɪs'mɪs(ə)l] *s* **1** avsked[ande]
2 bortskickande; upplösning; frigivande;
hemförlovning **3** bildl. avvisande; avslag,
avfärdande **4** jur. ogillande
dismissive [dɪs'mɪsɪv] *adj* **1** avfärdande, avvisande
[*a ~ remark*] **2** föraktfullt [*a ~ attitude*]; nedlåtande
dismount [ˌdɪs'maʊnt] **I** *vb itr* stiga av (ned, ur),
sitta av **II** *vb tr* demontera [~ *a gun*]

Disneyland® ['dɪznɪlænd] *s* **1** nöjespark grundad av Walt
Disney **2** bildl. fantasivärld
disobedience [ˌdɪsə'biːdɪəns] *s* olydnad,
ohörsamhet [*to* mot]
disobedient [ˌdɪsə'biːdɪənt] *adj* olydig, ohörsam [*to*
mot]
disobey [ˌdɪsə'beɪ] *vb tr* o. *vb itr* inte lyda, vara
olydig [mot]; överträda [~ *the law*]
disobliging [ˌdɪsə'blaɪdʒɪŋ] *adj* ogin, inte
tillmötesgående, otjänstvillig, ovänlig [*to* mot]
disorder [dɪs'ɔːdə] *s* **1** med. rubbning, störning;
stomach ~ magbesvär, magproblem **2** orolighet
[*political ~s*] **3** oordning, oreda; förvirring; **throw
into ~** ställa till oreda (förvirring) i
disordered [dɪs'ɔːdəd] *adj* **1** oordnad, ioordning;
störd, i olag **2** med. sjuk [~ *mind*]; rubbad, störd;
have a ~ stomach ha dålig mage
disorderly [dɪs'ɔːdəlɪ] *adj* **1** oordentlig; oordnad;
oredig, förvirrad **2** bråkig, oregerlig, orolig;
störande [~ *behaviour*]; **he was arrested for being
drunk and ~** han greps för fylleri och
förargelseväckande beteende
disorderly conduct [dɪsˌɔːdəlɪ'kɒndʌkt] *s* jur.
förargelseväckande beteende
disorganization [dɪsˌɔːgənaɪ'zeɪʃ(ə)n, dɪˌz-] *s*
upplösning [*everything was in a state of ~*];
desorganisation, oordning
disorganized [dɪs'ɔːgənaɪzd] *adj* oordnad,
oorganiserad; **be ~** vara illa organiserad; **she's so ~**
det är ingen ordning på henne, hon har inte
ordning på någonting
disorientate [dɪs'ɔːrɪenteɪt] *vb tr* o. amer. vanl.
disorient [dɪs'ɔːrɪent] *vb tr* desorientera, vilseleda;
förvirra
disorientated [dɪs'ɔːrɪenteɪtɪd] *adj* desorienterad,
förvirrad
disorientation [dɪsˌɔːrɪen'teɪʃ(ə)n] *s* desorientering;
förvirring
disoriented [dɪs'ɔːrɪentɪd] *adj* amer. desorienterad,
förvirrad
disown [dɪs'əʊn] *vb tr* inte vilja kännas vid; ta
avstånd från, förkasta; ~ **a statement** förneka (ta
avstånd från) ett uttalande
disparage [dɪ'spærɪdʒ] *vb tr* nedvärdera; förklena,
tala nedsättande om; ringakta
disparagement [dɪ'spærɪdʒmənt] *s* nedvärdering;
förklenande etc., jfr *disparage*; **in terms of ~** i
förklenande ordalag
disparaging [dɪ'spærədʒɪŋ] *adj* nedsättande,
förklenande; **in ~ terms** i förklenande ordalag
disparate ['dɪspərət] *adj* olikartad, olik; oförenlig
disparity [dɪs'pærətɪ] *s* olikhet, skillnad, divergens
dispassionate [dɪ'pæʃ(ə)nət] *adj* **1** saklig,
objektiv, opartisk **2** lugn, sansad, lidelsefri
dispatch [dɪ'spætʃ] **I** *vb tr* **1** [av]sända, skicka [i
väg] **2** klara av [~ *a task*]; expediera [~ *goods*];
avsluta
II *s* **1** rapport, depesch; **be mentioned in ~es** mil. få
hedersomnämnande i krigsrapporterna
2 skyndsamhet, hast; **do sth with ~** göra ngt snabbt
och bra **3** avsändning, avsändande; expediering
dispatch box [dɪ'spætʃbɒks] *s* dokumentskrin
dispatch rider [dɪ'spætʃˌraɪdə] *s* mil.
motorcykelordonnans

dispel [dɪ'spel] *vb tr* fördriva, skingra [*the wind ~led the fog*; *~ sb's doubts and fears*]
dispensable [dɪ'spensəbl] *adj* umbärlig, som kan undvaras
dispensary [dɪ'spens(ə)rɪ] *s* apotek på sjukhus, fartyg o.d.
dispensation [ˌdɪspen'seɪʃ(ə)n] *s* **1** spec. kyrkl. dispens [*obtain a ~ from fasting*] **2** skipande, skipning [*the ~ of justice*] **3** [gudomlig] ordning; *divine ~* el. *~ of providence* försynens skickelse **4** utdelning, fördelning [*the ~ of medicine*]; tilldelning **5** undvarande [*with* av]
dispense [dɪ'spens] **I** *vb tr* **1** dela ut, fördela; *~ alms* ge allmosor **2** tillreda och lämna ut, dispensera [*~ medicines*] **3** skipa [*~ justice*]
II *vb itr* med prep.:
dispense with a) avvara, undvara, [kunna] vara utan, klara sig utan [*~ with sb's services*] **b**) göra onödig (överflödig) [*the new machinery ~s with manual labour*] **c**) bortse från; underlåta att tillämpa
dispenser [dɪ'spensə] *s* **1** automat; hållare; dispenser hållare för rakblad o.d.; *pill ~* doseringsdosa **2** spec. receptarie, apotekare
dispensing chemist [dɪ'spensɪŋˌkemɪst] *s* apotekare; *~'s* apotek
dispersal [dɪ'spɜːs(ə)l] *s* spridande, [ut]spridning; skingrande
disperse [dɪ'spɜːs] **I** *vb tr* **1** skingra, upplösa [*the police ~d the meeting*; *the sun ~d the clouds*]; sprida **2** kem. el. tekn. dispergera
II *vb itr* skingra sig, skingras [*the crowd ~d*]; sprida sig, spridas
dispersion [dɪ'spɜːʃ(ə)n] *s* **1** [kring]spridning, skingring; kringspriddhet **2** fys. el. statistik. spridning, dispersion
dispirited [dɪ'spɪrɪtɪd] *adj* modfälld, nedslagen
displace [dɪs'pleɪs] *vb tr* **1** flytta [på], rubba sak ur dess läge **2** ersätta [*automation will ~ many workers*] **3** tränga undan (ut), [tvångs]förflytta
displaced person [ˌdɪspleɪst'pɜːsn] *s* tvångsförflyttad [person], flykting
displacement [dɪs'pleɪsmənt] *s* **1** omflyttning, rubbning **2** ersättande; undanträngande; tvångsförflyttning **3** sjö. deplacement **4** bil. cylindervolym, slagvolym
display [dɪ'spleɪ] **I** *vb tr* **1** förevisa, visa fram; skylta med [*~ goods in the window*] **2** visa, visa prov på [*~ courage*]; *~ one's ignorance* visa (röja) sin okunnighet; *~ one's affection* tydligt visa sin kärlek **3** veckla ut, bre ut **4** stoltsera (ståta) med [*~ one's knowledge*]
II *s* **1** förevisning, uppvisning [*a fashion ~*]; utställning; skyltning [*a ~ of goods*]; *window ~* [fönster]skyltning; *be on ~* vara utställd; *put on ~* ställa ut **2** uttryck [*of* för], prov [*a fine ~ of* (på) *courage*] **3** stoltserande, ståtande [*of* med]; *be fond of ~* vara svag för ståt [och prakt]; *make a ~ of* stoltsera (lysa, pråla) med; *make a ~ of one's affection* demonstrera sina känslor **4** tekn. **a**) radar. bildskärm **b**) data. display, bildskärm
display case [dɪ'spleɪˌkeɪs] *s* [glas]monter
display unit [dɪ'spleɪˌjuːnɪt] *s* data. visningsenhet, bildskärm

display window [dɪ'spleɪˌwɪndəʊ] *s* skyltfönster
displease [dɪs'pliːz] *vb tr* stöta, förarga; väcka missnöje hos
displeased [dɪs'pliːzd] *adj* missnöjd, missbelåten
displeasure [dɪs'pleʒə] *s* missnöje [*with, at* med, över], ogillande [*with, at* av]; onåd; *incur sb's ~* ådra sig (väcka) ngns missnöje
disport [dɪ'spɔːt] *vb tr* litt. el. skämts., *~ oneself* roa sig; leka
disposable [dɪ'spəʊzəbl] *adj* **1** slit-och-släng; engångs- [*~ paper plates*]; *~ napkins* el. *~ nappies* el. amer. *~ diapers* [engångs]blöjor **2** disponibel [*~ income*]; [som står] till förfogande
disposables [dɪ'spəʊz(ə)blz] *s pl* **1** engångsblöjor **2** engångsartiklar
disposal [dɪ'spəʊz(ə)l] *s* **1** bortskaffande; undangörande; *bomb ~ squad* bombröjningsgrupp, desarmeringsgrupp; *waste ~* avfallshantering **2** avyttrande, försäljning; överlämnande, överlåtelse; placering **3** [fritt] förfogande, disposition, användning; *be at sb's ~* el. *be left to sb's ~* stå till ngns förfogande (disposition), stå ngn till buds **4** amer. avfallskvarn
dispose [dɪ'spəʊz] **I** *vb itr* bestämma; *Man proposes, God ~s* människan spår, men Gud rår
II *vb tr* ordna, ställa upp [*~ troops in a long line*]; placera, arrangera
III *vb itr* med prep.:
dispose of a) skaffa undan, kasta (slänga) bort, bli (göra sig) av med [*~ of rubbish*]; klara av; *~ of old clothes* kassera gamla kläder; *~ of a problem* få ett problem ur världen; *~ of a meal* skämts. sätta i sig en måltid; *~ of an opponent* klara av (slå) en motståndare **b**) avyttra, göra sig av med, sälja, överlåta; finna avsättning för [*~ of one's goods*] **c**) [fritt] förfoga över, disponera [över], förordna om [*be free to ~ of one's property*]; *they didn't know how to ~ of them* de visste inte vad de skulle göra med dem **d**) besegra i t.ex. tävling
disposed [dɪ'spəʊzd] *adj* **1** böjd, benägen [*to, for* för; *to do*]; *be favourably ~ to* vara välvilligt inställd till **2** *~ of* såld; upptagen
disposition [ˌdɪspə'zɪʃ(ə)n] *s* **1** läggning [*have a domineering ~*]; lynne, temperament [*be of a cheerful ~*]; böjelse; *hereditary ~* ärftliga anlag **2** benägenhet, tendens **3** anordning, placering, arrangemang [*the ~ of furniture in a room*]; uppställning **4** förberedelse, disposition; ordnande **5** förfogande[rätt], disposition[srätt] [*the ~ of* (över) *the property*]; *at sb's ~* till ngns förfogande (disposition)
dispossess [ˌdɪspə'zes] *vb tr* **1** *~ sb of sth* frånta (beröva, avhända) ngn ngt **2** driva bort ägare, fördriva
disproportion [ˌdɪsprə'pɔːʃ(ə)n] *s* brist på proportion, disproportion
disproportionate [ˌdɪsprə'pɔːʃ(ə)nət] *adj* oproportionerlig, illa avvägd (avpassad)
disprove [ˌdɪs'pruːv] *vb tr* vederlägga; motbevisa
disputable [dɪ'spjuːtəbl, 'dɪspjʊtəbl] *adj* tvistig, diskutabel, tvivelaktig
disputation [ˌdɪspjʊ'teɪʃ(ə)n] *s* **1** dispyt, ordstrid **2** univ. disputation
dispute [dɪ'spjuːt, subst. äv. 'dɪspjuːt] **I** *s* **1** dispyt,

diskussion, ordväxling, meningsbyte [*about, over* om]; **beyond** ~ utom all diskussion, odiskutabel; **be in** ~ vara omtvistad, diskuteras **2** tvist, kontrovers; konflikt [*labour* ~]
II *vb tr* **1** diskutera, tvista om, debattera **2** bestrida [~ *a claim*]; ifrågasätta, dra (sätta) i tvivelsmål [~ *a statement*] **3** kämpa (strida) om, tävla om [~ *a territory*]
III *vb itr* diskutera, tvista [*about, on* om; *against, with* med]

disqualification [dɪsˌkwɒlɪfɪˈkeɪʃ(ə)n] *s*
1 diskvalificering, diskvalifikation, diskning **2** jur. jäv, obehörighet
disqualified [dɪsˈkwɒlɪfaɪd] *adj* diskvalificerad; jur. jävig, obehörig
disqualify [dɪsˈkwɒlɪfaɪ] *vb tr* diskvalificera, diska [*for* för, till; *from* från, för]
disquiet [dɪsˈkwaɪət] *s* oro
disquieting [dɪsˈkwaɪətɪŋ] *adj* oroande, oroväckande
disquisition [ˌdɪskwɪˈzɪʃ(ə)n] *s* föredrag, avhandling
disregard [ˌdɪsrɪˈgɑːd] **I** *vb tr* inte fästa avseende vid, ignorera, nonchalera [~ *a warning*]; förbise, åsidosätta [~ *sb's wishes*]; förbigå, lämna ur räkningen [~ *unimportant details*]; ringakta
II *s* ignorerande, nonchalerande [*for, of* av]; **in ~ of sth** utan att beakta ngt, utan att ta hänsyn till ngt; **with a ~ of truth** på sanningens bekostnad
disrepair [ˌdɪsrɪˈpeə] *s* dåligt skick, förfall; **the house was in bad ~** huset var i mycket dåligt skick; **fall into ~** förfalla
disreputable [dɪsˈrepjʊtəbl] *adj* **1** illa beryktad, ökänd **2** vanhedrande [*to* för]
disrepute [ˌdɪsrɪˈpjuːt] *s* vanrykte, vanheder, skam; **fall into ~** falla i vanrykte; **bring into ~** dra skam över
disrespect [ˌdɪsrɪˈspekt] **I** *s* respektlöshet, brist på aktning, bristande respekt [*for* för; *to* mot]; **no ~ to Sarah, but…** jag vill inte säga något elakt (illa) on Sarah, men… **II** *vb tr* inte respektera, visa brist på aktning för, visa bristande respekt för
disrespectful [ˌdɪsrɪˈspektf(ʊ)l] *adj* respektlös, vanvördig, ohövlig [*to* mot]
disrobe [ˌdɪsˈrəʊb] *vb itr* o. *vb rfl*, ~ el. ~ **oneself** klä av sig; ta av sig ämbetsdräkten
disrupt [dɪsˈrʌpt] *vb tr* splittra, söndra, upplösa [*the party was* ~*ed*]; avbryta, störa [~ *a meeting*]; **traffic was** ~**ed** det blev avbrott i trafiken
disruption [dɪsˈrʌpʃ(ə)n] *s* **1** splittring, söndring etc., jfr *disrupt*; avbrott; rubbning[ar] **2** upplösning [*the state was in* ~]; sönderfall [*the* ~ *of an empire*]
disruptive [dɪsˈrʌptɪv] *adj* splittrande, söndrande, upplösande; nedbrytande, omstörtande [~ *forces*]; störande; ~ **elements** oroselement
diss [dɪs] (vard. kortform av *disrespect*) **I** *vb tr* dissa **II** *s* dissning
dissatisfaction [ˌdɪ(s)sætɪsˈfækʃ(ə)n] *s* missnöje, missbelåtenhet, otillfredsställelse
dissatisfied [ˌdɪ(s)ˈsætɪsfaɪd] *adj* missnöjd, missbelåten, otillfredsställd
dissatisfy [ˌdɪ(s)ˈsætɪsfaɪ] *vb tr* inte tillfredsställa; göra missnöjd, göra missbelåten
dissect [dɪˈsekt] *vb tr* **1** anat. dissekera **2** bildl. dissekera, ingående analysera, noggrant granska

dissection [dɪˈsekʃ(ə)n] *s* **1** anat. dissektion, dissekering **2** bildl. dissekering, kritisk analys
dissemble [dɪˈsembl] **I** *vb tr* hyckla, låtsas **II** *vb itr* förställa sig, hyckla [*to, with* för, inför]
disseminate [dɪˈsemɪneɪt] *vb tr* sprida [~ *information*; ~ *knowledge*]; utbreda
dissemination [dɪˌsemɪˈneɪʃ(ə)n] *s* [kring]spridning, utspridning
dissension [dɪˈsenʃ(ə)n] *s* meningsskiljaktighet; missämja, oenighet, split
dissent [dɪˈsent] **I** *s* avvikelse i åsikter, meningsskiljaktighet
II *vb itr* ha en annan mening [*from* än]; avvika [*from* från]; reservera sig [*from* mot]
dissenter [dɪˈsentə] *s* **1** oliktänkande **2** dissenter, frikyrklig, frireligiös [äv. *Dissenter*]
dissertation [ˌdɪsəˈteɪʃ(ə)n] *s* [doktors]avhandling
disservice [ˌdɪ(s)ˈsɜːvɪs] *s* otjänst, björntjänst [*do sb a* ~]; skada; *of* ~ *to* till skada för
dissidence [ˈdɪsɪd(ə)ns] *s* olikhet [i åsikter], [menings]skiljaktighet
dissident [ˈdɪsɪd(ə)nt] **I** *s* dissident, oliktänkande [person] **II** *adj* oliktänkande; avvikande [~ *opinions*]
dissimilar [ˌdɪˈsɪmɪlə] *adj* olik[a]; ~ **to sth** el. ~ **from sth** olik ngt
dissimilarity [ˌdɪsɪmɪˈlærəti] *s* olikhet, skillnad; ~ **to sth** el. ~ **from sth** olikhet med ngt, skillnad mot ngt
dissimulation [dɪˌsɪmjʊˈleɪʃ(ə)n] *s* hyckleri, förställning
dissipate [ˈdɪsɪpeɪt] *vb tr* **1** skingra, jaga bort [~ *sb's fears*]; upplösa **2** slösa (plottra) bort [~ *one's fortune*]; splittra [~ *one's forces*]
dissipated [ˈdɪsɪpeɪtɪd] *adj* **1** utsvävande [~ *life*]; lättsinnig **2** härjad, utlevad [*look* ~]
dissipation [ˌdɪsɪˈpeɪʃ(ə)n] *s* **1** skingrande; upplösning **2** förslösande; ~ *of one's energy* slöseri med krafterna **3** utsvävningar
dissociate [dɪˈsəʊʃɪeɪt, -sɪeɪt] *vb tr* skilja, separera; hålla isär [~ *two ideas*]; kem. dissociera; ~ **oneself from** ta avstånd från, distansera sig från
dissolute [ˈdɪsəluːt, -ljuːt] *adj* utsvävande, tygellös, liderlig, lastbar
dissolution [ˌdɪsəˈluːʃ(ə)n, -ˈljuː-] *s* upplösning [*the* ~ *of Parliament*]; upphävande; avveckling
dissolve [dɪˈzɒlv] **I** *vb tr* **1** smälta, lösa upp [*water* ~*s sugar*]; sönderdela; ~**d in tears** upplöst i tårar **2** upplösa [~ *a partnership*; ~ *Parliament*]
II *vb itr* upplösa sig, upplösas; lösa sig, smälta; försvinna; ~ **into laughter** brista ut i skratt
dissonance [ˈdɪsənəns] *s* **1** mus. el. bildl. dissonans, missljud, disharmoni **2** oenighet, split, tvedräkt
dissonant [ˈdɪsənənt] *adj* missljudande, disharmonisk
dissuade [dɪˈsweɪd] *vb tr* avråda
dissuasion [dɪˈsweɪʒ(ə)n] *s* avrådan; avstyrkande
distaff [ˈdɪstɑːf] *s* **1** slända; spinnrockshuvud **2** åld., **on the ~ side** på kvinnolinjen (spinnsidan)
distance [ˈdɪst(ə)ns] **I** *s* **1** avstånd; distans; sträcka, väg; **go the ~** a) boxn. gå alla ronder b) hålla ut, hålla stånd; **at a ~** på avstånd, på håll; ett stycke bort; **keep one's ~** el. **keep at a ~** hålla sig på [vederbörligt] avstånd, inte köra (gå) för nära; bildl. hålla distans, vara reserverad; **the house can be**

seen from a great ~ man ser huset på långt håll
(avstånd); ***in the*** ~ i fjärran, på [långt] avstånd;
within easy ~ ***of*** på bekvämt (lagom) avstånd från,
inte långt från; ***it is within walking*** ~ det är på
gångavstånd; ***she lives a short*** ~ ***away*** hon bor ett
litet stycke härifrån, hon bor en liten bit bort
2 bildl. kyla, reservation [*there was a certain* ~ *in her
manner*]; ***keep sb at a*** ~ bildl. vara reserverad mot
ngn
II *vb tr* **1** hålla på [visst] avstånd, distansera [~
oneself from sth] **2** lämna [långt] bakom sig,
distansera

distance learning ['dɪst(ə)ns,lɜ:nɪŋ] *s* distansstudier
distant ['dɪst(ə)nt] *adj* **1** avlägsen, fjärran i rum o. tid
2 avlägsen i fråga om släktskap [*a* ~ *cousin*] **3** svag,
obetydlig [*a* ~ *resemblance*] **4** reserverad, kylig,
oåtkomlig; ***be*** ~ ***with sb*** el. ***be*** ~ ***to sb*** vara reserverad
mot ngn
distant early warning ['dɪstənt,ɜ:lɪ'wɔ:nɪŋ] *s*
robotvarningssystem [äv. ~ *system*]
distaste [,dɪs'teɪst] *s* avsmak [*for* för]; motvilja
[*for* mot, för], olust
distasteful [dɪs'teɪstf(ʊ)l] *adj* osmaklig,
motbjudande, oangenäm, obehaglig [*to* för]
1 distemper [dɪ'stempə] *s* valpsjuka
2 distemper [dɪs'tempə] *s* limfärg; tempera[färg]
distended [dɪ'stendɪd] *adj*, ***a*** ~ ***stomach*** en
uppsvälld mage
distension [dɪ'stenʃ(ə)n] *s* utvidgning, uttänjning,
utsträckande, svällande; utspändhet
distil [dɪ'stɪl] *vb tr* o. amer. äv. **distill** *vb tr*
1 destillera; bränna; rena äv. bildl. **2** bildl. renodla
distillate ['dɪstɪlət, -leɪt] *s* destillat
distillation [,dɪstɪ'leɪʃ(ə)n] *s* **1** destillering,
destillation **2** destillat
distiller [dɪ'stɪlə] *s* **1** destillatör; spritfabrikant
2 destillationsapparat
distillery [dɪ'stɪlərɪ] *s* bränneri, spritfabrik
distilling industry [dɪ'stɪlɪŋ,ɪndəstrɪ] *s*, ***the*** ~
spritindustrin, whiskyindustrin
distinct [dɪ'stɪŋ(k)t] *adj* **1** tydlig, klar, distinkt [*a* ~
voice] **2** olik[a]; skild [*two* ~ *groups*]; särskild; ***be*** ~
from... vara olik..., skilja sig från...; ***as*** ~ ***from*** till
skillnad från
distinction [dɪ'stɪŋ(k)ʃ(ə)n] *s* **1** [åt]skillnad [*of* i, på,
till]; distinktion; ***draw a*** ~ ***between*** göra skillnad
mellan (på); ***without*** ~ utan åtskillnad; ***without*** ~ ***of
persons*** utan hänsyn till person **2** utmärkelse,
hedersbevisning, distinktion; ***she passed with*** ~ univ.
hon fick VG i betyg; ***a man of*** ~ en framstående
(betydande) man
distinctive [dɪ'stɪŋ(k)tɪv] *adj* karakteristisk,
utmärkande, särskiljande
distinctiveness [dɪ'stɪŋ(k)tɪvnəs] *s* särprägel,
egenart
distinctly [dɪ'stɪŋ(k)tlɪ] *adv* tydligt, distinkt [*speak*
~]; klart och tydligt, uttryckligen [*he* ~ *told you
what to do*]
distinguish [dɪ'stɪŋgwɪʃ] **I** *vb tr* **1** tydligt skilja [åt],
särskilja; ***be*** ~***ed from*** skilja sig från; ***as*** ~***ed from*** till
skillnad från **2** urskilja [~ *objects at a distance*]
3 känneteckna, utmärka, karakterisera; ~ ***oneself***
utmärka sig, göra sig bemärkt; ***be*** ~***ed by*** utmärka
sig genom, kännas igen på; ***be*** ~***ed for*** utmärka sig

för (genom), vara berömd för
II *vb itr* göra skillnad, skilja [*between* mellan, på]
distinguished [dɪ'stɪŋgwɪʃt] *adj* **1** framstående;
berömd; förnämlig, lysande [*a* ~ *career*]
2 distingerad, stilfull, förnäm
distinguishing [dɪ'stɪŋgwɪʃɪŋ] *adj* särskiljande;
utmärkande, karakteristisk [~ *features*]; särskild,
speciell; igenkännings- [*a* ~ *badge*]; distinktions-; ~
flag kommandoflagga; ~ ***mark*** [speciellt]
kännetecken
distort [dɪ'stɔ:t] *vb tr* **1** förvrida [*a face* ~*ed by
pain*]; förvränga **2** snedvrida, förvränga,
förvanska [~ *facts*; ~ *the truth*]
distorting mirror [dɪ,stɔ:tɪŋ'mɪrə] *s* skrattspegel på
tivoli o.d.
distortion [dɪ'stɔ:ʃ(ə)n] *s* **1** förvridning;
förvrängning, förvanskning **2** tekn. el. med.
distorsion **3** vrångbild
distract [dɪ'strækt] *vb tr* dra bort, avleda [~ *sb's
attention from sth*]; distrahera
distracted [dɪ'stræktɪd] *adj* förvirrad, ifrån sig,
utom sig [*with, by* av]
distracting [dɪ'stræktɪŋ] *adj* distraherande,
störande
distraction [dɪ'strækʃ(ə)n] *s* **1** förvirring, oreda;
there are too many ~***s*** det är för många saker som
distraherar **2** avkoppling, distraktion, förströelse
3 vanvett, sinnesförvirring; ***to*** ~ till vanvett; ***drive
sb to*** ~ driva ngn till vansinne
distrain [dɪ'streɪn] *vb itr* jur., ~ ***on*** el. ~ ***upon*** utmäta,
göra utmätning av
distraint [dɪ'streɪnt] *s* utmätning
distraught [dɪ'strɔ:t] *adj* förvirrad; ifrån sig, utom
sig; ~ ***with grief*** utom sig av sorg
distress [dɪ'stres] **I** *s* **1** smärta, kval, sorg,
bedrövelse, vånda **2** trångmål; nödställdhet,
nödläge; nöd [*relieve* (lindra) *the* ~ *among the
poor*]; hemsökelse **3** sjö. sjönöd, nöd; ***a ship in*** ~ ett
fartyg i sjönöd; ***a signal of*** ~ en nödsignal **4** jur.
utmätning
II *vb tr* **1** plåga, pina, göra olycklig; oroa, bekymra
[*don't* ~ *yourself about* (för, över, om) *this*]
2 ansätta; utmatta, uttrötta
distress call [dɪ'streskɔ:l] *s* nödanrop; sjö.
nödsignal
distressed [dɪ'strest] *adj* **1** olycklig; bedrövad
2 nödställd, svårt betryckt (ansatt); ~ ***area***
krisdrabbat område, krisområde där arbetslöshet råder
3 sliten, med slitna effekter om t.ex. tyg
distressing [dɪ'stresɪŋ] *adj* plågsam, smärtsam;
beklämmande, bedrövlig; ***a*** ~ ***case*** ett sorgligt fall;
~ ***news*** oroande nyheter
distress rocket [dɪ'stres,rɒkɪt] *s* nödraket
distress signal [dɪ'stres,sɪgn(ə)l] *s* nödanrop; sjö.
nödsignal
distribute [dɪ'strɪbju:t, 'dɪstrɪbju:t] *vb tr* **1** dela ut,
fördela; distribuera **2** sprida [ut]; utbreda
distribution [,dɪstrɪ'bju:ʃ(ə)n] *s* **1** utdelning [*prize*
~]; fördelning äv. statistik.; distribution
2 utbredning; spridning
distributive [dɪ'strɪbjʊtɪv] *adj* **1** fördelande,
fördelnings-; distributions- [~ *enterprise*] **2** gram.
distributiv **3** utdelande, tilldelande
distributor [dɪ'strɪbjʊtə] *s* **1** distributör, utdelare;

spridare **2** [ström]fördelare i t.ex. bil; ~ el. ~ *housing*
fördelardosa **3** hand. distributör; återförsäljare
distributor cap [dɪ'strɪbjʊtəkæp] *s* fördelarlock
district ['dɪstrɪkt] *s* **1** område, distrikt i allm.; bygd,
trakt **2** distrikt, del av grevskap; stadsdel
district attorney [‚dɪstrɪktə'tɜ:nɪ] *s* amer., se *attorney*
district council [‚dɪstrɪkt'kaʊnsl] *s*
kommunfullmäktige; *urban ~* ung.
kommunfullmäktige i mindre stad
district court [‚dɪstrɪkt'kɔ:t] *s* amer. federal domstol
i lägsta instans
district heating [‚dɪstrɪkt'hi:tɪŋ] *s* fjärrvärme; ~
power plant fjärrvärmeverk
district nurse [‚dɪstrɪkt'nɜ:s] *s* distriktssköterska
District of Columbia [‚dɪstrɪktəvkə'lʌmbɪə] *s*, *the ~*
Columbia Förenta staternas förbundsdistrikt med
huvudstaden Washington
district visitor [‚dɪstrɪkt'vɪzɪtə] *s* socialarbetare
distrust [dɪs'trʌst] **I** *s* misstro, misstroende [*of* till];
tvivel [*of* på] **II** *vb tr* misstro, inte lita på
distrustful [dɪs'trʌstf(ʊ)l] *adj* misstrogen,
klentrogen, skeptisk, misstänksam
disturb [dɪ'stɜ:b] *vb tr* **1** störa [~ *sb in his work*];
don't let me ~ you låt inte mig störa [dig]; *I'm sorry to
~ you* ledsen att jag stör; ~ *the peace* jur. störa den
allmänna ordningen **2** oroa; uppröra; rubba,
förvirra **3** flytta på
disturbance [dɪ'stɜ:b(ə)ns] *s* **1** störande, oroande; *I
need a place where I can study without ~* jag behöver
en plats där jag kan studera utan något (någon)
som stör **2** upprört tillstånd, oro; störning,
rubbning **3** oordning, oreda, förvirring; tumult,
orolighet [*student ~s, political ~s*]; *create a ~*
uppträda störande; *make a ~* ställa till bråk, bråka
disturbed [dɪ'stɜ:bd] *adj* **1** upprörd, förvirrad,
orolig **2** [psykiskt] störd
disturbing [dɪ'stɜ:bɪŋ] *adj* **1** störande **2** oroande [~
news]
disunited [‚dɪsju:'naɪtɪd] *adj* splittrad [*a ~ party*]
disuse [‚dɪs'ju:s] *s*, *fall into ~* komma ur bruk, falla i
glömska; *become rusty from ~* bli rostig på grund av
för liten användning
disused [‚dɪs'ju:zd] *adj* avlagd, bortlagd, slopad;
outnyttjad, oanvänd; kasserad; *a ~ gravel pit* ett
nedlagt grustag
disyllabic [‚daɪsɪ'læbɪk, ‚dɪ-] *adj* tvåstavig
disyllable [‚daɪ'sɪləbl, dɪ's-] *s* tvåstavigt ord
ditch [dɪtʃ] **I** *s* dike; grav; vattendrag; *a last ~
attempt* ett sista desperat försök
II *vb tr* **1** vard. kasta av (ut), spola, ge på båten;
skaka av sig **2** sl. krascha (nödlanda) på havet med
[~ *a plane*] **3** vard. köra i diket med [~ *a car*]; vanl.
amer. få att spåra ur [~ *a train*]
ditchwater ['dɪtʃ‚wɔ:tə] *s*, *dull as ~* el. *as dull as ~*
vard. urtråkig, dödtråkig
dither ['dɪðə] **I** *vb itr* **1** vackla, tveka, vela **2** vanl.
amer. vara nervös **3** darra
II *s* vard. förvirring, upprördhet; *be in a ~* el. *be all of
a ~* ha stora skälvan, vara förvirrad
ditto ['dɪtəʊ] *adv* o. *s* hand. el. vard. dito, detsamma; *~!*
jag med!
ditty ['dɪtɪ] *s* visa, [liten] sång; enkel dikt
diuretic [‚daɪjʊ(ə)'retɪk] med. **I** *adj* diuretisk,
urindrivande **II** *s* diuretiskt (urindrivande) medel

div. förk. för *dividend, division*
diva ['di:və] *s* diva
divan [dɪ'væn, daɪ'v-] *s* divan soffa
dive [daɪv] **I** (imperf. *dived*, amer. äv. *dove*; perf. p.
dived) *vb itr* **1** dyka, kasta sig [*for* efter]; ~ *in*
hoppa 'i **2** flyg. dyka, göra brant glidflykt **3** sticka
ned (dyka ned med) handen [*into* i], gräva, rota
4 försvinna, dyka [*into* in i]
II (för tema se *dive I*) *vb tr* sticka (köra) ned, dyka
ned med [~ *a hand into* (i) *one's pocket*]
III *s* **1** dykning; huvudhopp; sport. [sim]hopp; *make
a ~ for* dyka ned efter, kasta sig över (efter); *take a
~* kasta sig, filma till sig straffspark el. frispark **2** flyg.
dykning; brant glidflykt **3** vard. spelhåla; sylta
dive-bomb ['daɪvbɒm] *vb tr* o. *vb itr* fälla
störtbomber [på (över)]
dive-bomber ['daɪv‚bɒmə] *s* störtbombplan,
störtbombare
diver ['daɪvə] *s* **1** dykare **2** simhoppare **3** zool.
dykarfågel i allm.; spec. lom; *black-throated ~*
storlom; *red-throated ~* smålom
diverge [daɪ'vɜ:dʒ, dɪ'v-] *vb itr* gå åt olika håll, gå
isär, skilja sig åt, vika av, divergera; avvika [*from*
från]; komma på avvägar
divergence [daɪ'vɜ:dʒ(ə)ns, dɪ'v-] *s* avvikelse,
skiljaktighet, skillnad, motsättning [~ *of opinion*];
divergens
divergent [daɪ'vɜ:dʒ(ə)nt, dɪ'v-] *adj* **1** avvikande,
skiljaktig, skild, delad, divergerande **2** fys. el. matem.
divergent
divers ['daɪvɜ:z] *adj* litt. varjehanda, diverse
diverse [daɪ'vɜ:s, '--] *adj* olik[a], olikartad; skild
[*from* från]; mångfaldig, skiftande
diversification [daɪ‚vɜ:sɪfɪ'keɪʃ(ə)n] *s*
1 differentiering **2** omväxling, diversifiering;
mångfald av former
diversify [daɪ'vɜ:sɪfaɪ] *vb tr* diversifiera, variera, ge
omväxling åt; göra olik
diversion [daɪ'vɜ:ʃ(ə)n, -'vɜ:ʒ-, dɪ'v-] *s* **1** avledande
[*the ~ of a river; the ~ of sb's attention*];
omläggning [*traffic ~*]; förbifart; avstickare [*a ~
from the main road*]; *create a ~* avleda
uppmärksamheten **2** tidsfördriv, nöje, förströelse,
avkoppling **3** mil. diversion, skenmanöver
diversionary [daɪ'vɜ:ʃ(ə)n(ə)rɪ, dɪ'v-] *adj* spec. mil.
avledande, sken- [*a ~ attack; a ~ raid*]
diversity [daɪ'vɜ:sətɪ, dɪ'v-] *s* mångfald; olikhet,
skiljaktighet; olika slag, skild form; ~ *of opinion*
meningsskiljaktighet
divert [daɪ'vɜ:t, dɪ'v-] *vb tr* **1** avleda [~ *the course of
a river*; ~ *sb's thoughts from sth*]; dra, leda [bort]
[~ *water from a river into the fields*]; dirigera
(lägga) om [~ *the traffic*] **2** roa, underhålla; *be
easily ~ed* vara lättroad
diverting [daɪ'vɜ:tɪŋ, dɪ'v-] *adj* underhållande
divest [daɪ'vest, dɪ'v-] *vb tr* avhända, beröva,
frånta, ta [i]från [*sb of sth* ngn ngt]; ~ *oneself of*
avstå från, avhända sig; frigöra sig från
divide [dɪ'vaɪd] **I** *vb tr* **1** dela [upp] [~ *into* (i)
different parts]; avstava [~ *words*] **2** matem.
dividera, dela [~ *8 by* (med) *4*] **3** dela in [*into* i]
4 [åt]skilja, dela av [*the river ~s my land from his*]
5 dela [i partier], splittra, göra oense [~ *friends*];
söndra **6** ~ el. ~ *up* fördela; skifta; utdela [~ *profits*]

II *vb itr* **1** dela upp sig, upplösa sig, sönderfalla [*into* i] **2** skilja sig [*from* från] **3** vara (bli) oense, vara av (komma till) olika åsikt [*on* el. *upon* om] **4** matem. gå att dividera (dela); gå jämnt upp [*3* ~*s into* (i) *9*]
III *s* **1** geol. vattendelare; *the Continental Divide* Klippiga bergens vattendelare **2** bildl. skiljelinje; klyfta

divided [dɪ'vaɪdɪd] *adj* **1** delad; indelad, uppdelad [*into* i] **2** bildl. delad, skild [~ *opinions*]; splittrad, söndrad [*a* ~ *people*]; oenig; *a country* ~ *against itself* ett splittrat land; *opinions are* ~ *on this question* det råder delade meningar om (i) den här frågan

divided highway [dɪ,vaɪdɪd'haɪweɪ] *s* amer. väg med skilda körbanor

dividend ['dɪvɪdend] *s* **1** matem. dividend **2** utdelning på aktier o.d., äv. bildl., dividend; återbäring

dividend yield ['dɪvɪdend,jiːld] *s* ekon. direkt avkastning

dividers [dɪ'vaɪdəz] *s pl* passare

dividing line [dɪ'vaɪdɪŋlaɪn] *s* skiljelinje

divination [,dɪvɪ'neɪʃ(ə)n] *s* spådom

divine [dɪ'vaɪn] **I** *adj* **1** gudomlig; guds-; teologisk **2** vard. åld. gudomlig, underbar, härlig [~ *weather*]; förtjusande, bedårande [*a* ~ *hat*]
II *vb tr* **1** förutsäga, sia om, spå **2** ana (gissa) sig till [~ *sb's intentions*]
III *vb itr* **1** sia, spå **2** gå (leta) med slagruta

divine right [dɪ,vaɪn'raɪt] *s* gudomlig rätt

divine service [dɪ,vaɪn'sɜːvɪs] *s* gudstjänst

diving ['daɪvɪŋ] *s* **1** dykning; sport. simhopp[ning]; *high* ~ höga hopp **2** flyg. dykning, brant glidflykt

diving bell ['daɪvɪŋbel] *s* dykarklocka

diving board ['daɪvɪŋbɔːd] *s* trampolin, svikt

diving mask ['daɪvɪŋmɑːsk] *s* cyklopöga för dykare

diving suit ['daɪvɪŋsuːt, -sjuːt] *s* dykardräkt

divining rod [dɪ'vaɪnɪŋrɒd] *s* slagruta

divinity [dɪ'vɪnəti] *s* **1** gudom[lighet] **2** gud, gudinna; *the Divinity* Gud, Den Högste **3** åld. teologi; *Doctor of Divinity* teologie doktor; *student of* ~ teologie studerande

divisible [dɪ'vɪzəbl] *adj* delbar [*by* med; *into* i]

division [dɪ'vɪʒ(ə)n] *s* **1** delning; uppdelning, indelning [*into* i]; fördelning; ~ *of labour* arbetsfördelning **2** matem. division, delning; *long* ~ division med skriftlig uträkning; *short* ~ division utan skriftlig uträkning **3 a)** avdelning **b)** krets, område; distrikt **4 a)** inom armén division, motsv. sv. fördelning **b)** amer.: (inom flottan) division; (inom flyget) eskader **c)** sport. division **d)** inom polisen rotel **5** skiljelinje, skiljevägg, skiljemur; gräns [*the* ~*s between various classes of society*] **6** bildl. skiljaktighet; vanl. pl. ~**s** splittring, oenighet; söndring [*bring* ~ *into* (i) *a family; stir up* ~*s in a nation*] **7** parl. [om]röstning, votering [*on* om; *demand a* ~]

divisional [dɪ'vɪʒənl] *adj* **1** delnings-, skilje- **2** avdelnings-; divisions-; distrikts-

division bell [dɪ'vɪʒ(ə)nbel] *s* parl. voteringsklocka

division sign [dɪ'vɪʒ(ə)nsaɪn] *s* matem. divisionstecken

divisive [dɪ'vaɪsɪv] *adj* skiljande, splittrande, söndrande [~ *policy*]

divisiveness [dɪ'vaɪsɪvnəs] *s* splittring, söndring

divisor [dɪ'vaɪzə] *s* matem. divisor

divorce [dɪ'vɔːs] **I** *s* **1** skilsmässa; jur. [dom på] äktenskapsskillnad; *a* ~ *suit* en skilsmässoprocess; *get a* ~ el. *obtain a* ~ få (erhålla) skilsmässa; *start* ~ *proceedings* el. *institute* ~ *proceedings* söka (begära) skilsmässa; *child of* ~ skilsmässobarn **2** bildl. skiljande, skilsmässa
II *vb tr* **1** [låta] skilja sig från [~ *one's wife*]; skilja makar **2** skilja [åt] [~ *church and state*]; skingra, avlägsna; söndra; *be* ~*ed from reality* sakna verklighetsanknytning
III *vb itr* skilja sig, skiljas

divorcee [dɪ,vɔː'siː] *s* frånskild [person]

divorcée [dɪ,vɔː'siː, dɪ,vɔː'seɪ] *s* fr. frånskild kvinna

divot ['dɪvət] *s* sport. (golf., kapplöpn. m.m.) grästorva som lossnat genom klubbslag el. hästskor etc.

divulge [daɪ'vʌldʒ, dɪ'v-] *vb tr* avslöja, röja, förråda, yppa, sprida [ut] [~ *a secret*]

divvy ['dɪvɪ] vard. **I** *vb tr*, ~ *up* dela [upp]; dela ut **II** *s* [an]del; utdelning; återbäring

Dixie ['dɪksɪ] **1** egennamn **2** geogr. (amer. vard.) sydstaterna

Dixieland ['dɪksɪlænd] **I** geogr. (amer.) sydstaterna **II** *s* dixieland jazzstil

DIY [,diːaɪ'waɪ] vard. förk. för *do-it-yourself* [*a* ~ *shop; a* ~ *store*]

dizziness ['dɪzɪnəs] *s* yrsel, svindel

dizzy ['dɪzɪ] *adj* **1** yr i huvudet; yr [*with* av]; ~ *spell* yrselanfall **2** svindlande [~ *heights; a* ~ *speed*] **3** förvirrad; virrig, snurrig

DJ ['diːdʒeɪ] förk. för *disc jockey, dinner jacket*

dl förk. för *decilitre*[s]

DM [,diː'em] förk. för *Doctor of Medicine*

dm förk. för *decimetre*[s]

DMZ [,diː'em'zed] mil. el. polit. förk. för *demilitarized zone*

d-n [dæm] se *damn*

DNA [,diː'en'eɪ] kem. (förk. för *deoxyribonucleic acid*) DNA [~ *technology*]

DNA fingerprinting [,diː'en'eɪ,fɪŋgəprɪntɪŋ] *s* o. **DNA profiling** [,diː'en'eɪ,prəʊfaɪlɪŋ] *s* DNA-analys

do. förk. för *ditto*

1 do [dəʊ] *s* mus. do

2 do [du] **I** (*did done*; 3 person sg. pres. *does*) (se äv. *done* o. *don't*) *vb tr* (se äv. *2 do III*) **1** göra [~ *one's duty*; ~ *one's best*]; utföra [~ *repairs*]; framställa [*we can* ~ *this lipstick in ten shades*]; *what can I* ~ *for you?* vad kan jag stå till tjänst med?; till kund i butik vad får det lov att vara?, kan jag hjälpa dig?; *that did it* bildl. det gjorde susen; då var det klippt; *it does him credit* det hedrar honom **2** sköta [om], ha hand om [~ *the correspondence*] **3** syssla med [~ *painting*]; arbeta på (med) [*we are* ~*ing a dictionary*]; *I did four years of teaching* jag undervisade (var lärare) i fyra år **4 a)** ordna, göra i ordning; ~ *a room* städa ett rum; ~ *the windows* tvätta fönstren **b)** utföra; ~ *sums* el. ~ *arithmetic* räkna; ~ *the rumba* dansa rumba **c)** ta [hand om] [*I'll* ~ *you next, sir*] **5** läsa, studera [~ *science at the university*]; ~ *one's homework* läsa (göra) sina läxor **6** avverka, göra: **a)** köra [*we did 80 miles today*] **b)** vard. se [*we did Spain in* (på) *a week*]; *I did a show* jag var och såg en föreställning [på teatern] **7** spela [*he did Hamlet*]; imitera, härma [*he does Prince*

Charles very well] **8** lösa *[~ a crossword]*; klara; **we can't ~ the size** vi har inte storleken **9** vard. avtjäna; **~ five years in prison** sitta inne fem år, sitta fem år i fängelse **10** anrätta, laga till **11** vard. lura, blåsa, klå *[out of* på*]* **12** vard., **they ~ you very well at the hotel** man bor och äter (man har det) mycket bra på hotellet **13** vard. vara lagom för, räcka för *[three pieces will ~ me]*; passa *[this room will ~ me]* **14** vard. ta kål på *[that game did me]*; sl. råna; överfalla; slå sönder och samman **15** vulg. dra över, sätta på *[~ a woman]*

II (för tema m.m., se *2 do I*) *vb itr* (se äv. *2 do III*) **1** göra *[~ as you are told]*; handla *[you did right]*; bära sig åt; *oh, ~!* gör det [du]!; *please, ~!* var så god!, ja gärna!; *be up and ~ing* vara uppe och i full gång **2 there is nothing ~ing** det händer ingenting; hand. det görs inga affärer; *nothing ~ing!* vard. aldrig i livet! **3** klara (sköta) sig *[how is he ~ing at school?]*; må *[she is ~ing better now]*; *~ or die* vinna eller försvinna, segra eller dö; *how do you ~?* hälsningsformel god dag **4** passa; gå an *[it doesn't ~ to offend him]*; räcka [till], vara nog (lagom); *that'll ~* det är bra; *we'll have to make it ~* äv. det får lov att duga (räcka)

III (för tema m.m., se *2 do I*) *vb tr* o. *vb itr* med adv. el. prep., ofta med spec. översättningar:
do away with a) avskaffa, slopa **b)** ta livet av
do for a) duga till (som) *[this room will ~ very well for a kitchen]* **b)** vard. hushålla för; *he does for himself* han klarar sig (hushållet) själv **c)** ordna med *[what have you done for transport?]*
do in sl. **a)** fixa mörda **b)** ta kål på; *be done in* äv. vara utmattad (slut) **c)** lura
do out a) städa [upp i]; måla [och tapetsera] **b)** *~ sb out of sth* lura ifrån (av) ngn ngt; *~ sb out of his job* ta jobbet ifrån ngn
do over a) rusta (snygga) upp, bättra på **b)** vard. klå upp, ge en omgång **c)** amer. göra om t.ex. en läxa
do up a) reparera, renovera, snygga upp **b)** slå (packa) in *[~ up a parcel]* **c)** knäppa *[~ up one's coat]*; knyta **d)** *be done up* vara slut (tröttkörd)
do with a) göra med, ta sig till med *[what am I to ~ with her?]* **b)** *have to ~ with* ha att göra med; *it has nothing to ~ with you* det har ingenting med dig att göra **c)** *I can make ~ with two* jag klarar mig med två; jag behöver två; *I could ~ with a drink* det skulle sitta bra med en drink **d)** *be done with* vara över (slut); *let's have done with it* låt oss få slut på (komma ifrån) det; *buy the car and have done with it* köp bilen först som sist, köp bilen så är det gjort; *when you have done with the knife* när du har använt kniven, när du är färdig med kniven
do without klara sig utan, reda sig utan
IV (för tema m.m., se *2 do I*) *hjälpvb* **1** som ersättningsverb göra; *[do you know him?]* **yes, I ~** ... ja, det gör jag; *you saw it, didn't you?* du såg det, eller hur? **2** förstärkande (alltid beton.) i jak. sats, t.ex.: *I ~ wish I could help you* jag önskar verkligen att jag kunde hjälpa dig; *~ come!* kom för all del! **3** omskrivande **a)** i frågesats t.ex.: *~ you like it?* tycker du om det?; *~ I get off here?* ska jag stiga av här?; *doesn't he know it?* vet han det inte? **b)** i nekande sats med *not* t.ex.: *I don't dance* jag dansar inte; *~ not touch!* får ej vidröras! **c)** i satser inledda med nekande adv. o.d., t.ex.:

only then did she come el. **not until then did she come** först (inte förrän) då kom hon

V (pl. *~s* el. *~'s* [du:z]) *s* vard. **1** fest, kalas **2** *dos and don'ts* regler och förbud
DOA [ˌdiːəʊˈeɪ] (förk. för *dead on arrival*) död vid ankomsten [till sjukhuset]
doable [ˈduːəbl] *adj* utförbar, som kan göras
d.o.b. [ˌdiːəʊˈbiː] förk. för *date of birth*
Dobermann [ˈdəʊbəmən] *s* o. **Dobermann pinscher** [ˌdəʊbəmənˈpɪnʃə] *s* dobermann[pinscher] hundras
1 doc [dɒk] *s* vard. doktor
2 doc [dɒk] *s* vard. kortform av *document*
docile [ˈdəʊsaɪl, amer. ˈdɒsl] *adj* foglig, lätthanterlig
docility [dəˈ(ʊ)sɪlətɪ, amer. dɒˈs-] *s* foglighet, lätthanterlighet
1 dock [dɒk] **I** *s* **1** [skepps]docka; hamnbassäng; *dry ~* torrdocka; *floating ~* flytdocka; *wet ~* våtdocka; *be in ~* vard. a) vara på reparation b) ligga på sjukhus **2** ofta pl. *~s* hamn, hamnanläggning; varv; kaj; *naval ~s* örlogsvarv **3** amer. lastkaj, lastningsplats **4** attr. dock- *[~ gate]*; hamn- *[~ area; ~ district]*
II *vb tr* o. *vb itr* **1** om fartyg etc. docka, ta[s] in i docka; lägga till **2** om rymdfarkost docka
2 dock [dɒk] *s* förhörsbås i rättssal; *be in the ~* sitta på de anklagades bänk
3 dock [dɒk] *vb tr* **1** kupera t.ex. en hunds svans **2** korta av; [för]minska; dra av på *[~ sb's wages]*; dra av *[off från]*; *get one's salary ~ed* få avdrag på lönen
docker [ˈdɒkə] *s* hamnarbetare, dockarbetare
docket [ˈdɒkɪt] *s* **1** adresslapp på paket o.d. **2** tullbevis på erlagd tull **3** jur. register över domstolsmål **4** amer. föredragningslista
docking [ˈdɒkɪŋ] *s* dockning äv. rymdskepp; *~ station* data. dockningsstation
dockland [ˈdɒklænd] *s* hamnkvarter, hamndistrikt
Docklands [ˈdɒklændz] statsdel i London
dockyard [ˈdɒkjɑːd] *s* varv, skeppsvarv; *naval ~* örlogsvarv
Doc Martens® [ˌdɒkˈmɑːtɪnz] *s pl* Doc Martens® slags kängor (skor) med tjock sula
doctor [ˈdɒktə] **I** *s* **1** läkare, doktor; *family ~* husläkare; *~'s certificate* läkarintyg; *call a ~* tillkalla en läkare; *just what the ~ ordered* vard., se *order II 3* **2** univ. doktor; *Doctor of Philosophy* (förk. *PhD*) filosofie doktor
II *vb tr* vard. **1** bättra på (upp), frisera, fiffla med, manipulera med **2** spetsa, blanda upp (i); blanda i gift (narkotika) i *[~ a drink]* **3** kastrera, sterilisera *[~ a cat]* **4** sköta om, plåstra om *[~ a child]*; kurera, bota *[~ a cold]*
doctoral [ˈdɒkt(ə)r(ə)l] *adj* doktors-; *~ thesis* el. *~ dissertation* doktorsavhandling
doctor-assisted [ˈdɒktərəˌsɪstəd] *adj*, *~ suicide* aktiv dödshjälp, självmord med hjälp av läkare
doctorate [ˈdɒkt(ə)rət] *s* doktorsgrad, doktorat
doctrinaire [ˌdɒktrɪˈneə] *adj* doktrinär, teoretiserande
doctrine [ˈdɒktrɪn] *s* doktrin, lära, tes, lärosats; trossats; dogm
docudrama [ˈdɒkjʊˌdrɑːmə] *s* TV. etc. dramadokumentär, dramatiserad dokumentärfilm
document [subst. ˈdɒkjʊmənt, verb ˈdɒkjʊment] **I** *s* dokument, handling

II *vb tr* **1** dokumentera **2** förse med dokument (bevis)

documentary [ˌdɒkjʊˈment(ə)rɪ] **I** *s* reportage i tv el. radio; dokumentärfilm, reportagefilm

II *adj* **1** urkunds-; dokumentär-, reportage- [*a ~ film*] **2** dokumentarisk, stödd på (ingående i) dokument (urkunder); *~ evidence* skriftligt bevis

documentation [ˌdɒkjʊmenˈteɪʃ(ə)n, -mən-] *s* dokumentering, dokumentation

docusoap [ˈdɒkjuːsəʊp] *s* TV. dokusåpa

DOD [ˌdiːəʊˈdiː] amer. förk. för *Department of Defense*

dodder [ˈdɒdə] *vb itr* stappla, vackla

doddering [ˈdɒdərɪŋ] *adj* o. **doddery** [ˈdɒdərɪ] *adj* svag, orkeslös; gaggig; *a ~ old fool* en [gaggig] gammal gubbstrutt

doddle [ˈdɒdl] *s* vard. enkel (lätt) match [*the test was a real ~*]

dodge [dɒdʒ] **I** *vb itr* **1** vika undan, hoppa åt sidan, ducka; smita, gömma sig [*~ behind a tree*]; kila (sno) fram och tillbaka [*~ about*] **2** komma med undanflykter, slingra sig

II *vb tr* vika (väja) undan för [*~ a blow*]; undvika, slingra (krångla) sig ifrån [*~ a question*]; kringgå; *~ the issue* slingra sig; *~ taxes* smita ifrån skatt; *~ the traffic*; undvika (slippa undan) trafiken

III *s* **1** vard. knep, fint **2** språng (hopp) åt sidan

dodgem® [ˈdɒdʒ(ə)m] *s* vard. (av *dodge them*) radiobil på nöjesfält; *go on the ~s* åka radiobil

dodger [ˈdɒdʒə] *s* person som slingrar sig, smitare; *tax ~* skatteskolkare, skattesmitare

dodgy [ˈdɒdʒɪ] *adj* vard. **1** skum; falsk **2** dålig, skraltig, skruttig **3** riskabel, osäker

dodo [ˈdəʊdəʊ] (pl. *-es* el. *~s*) *s* **1** zool. dront utdöd fågel; *as dead as a ~* fullkomligt utdöd, ur världen, helt borta **2** vard. träskalle, dönick

Doe [dəʊ] se *John Doe*

doe [dəʊ] *s* **1** hind spec. av dovhjort **2** harhona, kaninhona

does [dʌz, obeton. dəz, dz] 3 person sg. pres. av *do*

doesn't [ˈdʌznt] = *does not*

doff [dɒf] *vb tr* (av *do off*) litt. ta av [sig]

dog [dɒg] **I** *s* **1** hund; hanhund; i sammansättn. -hane [*dog-fox*]; *the ~s* vard. hundkapplöpning[en], hundkapplöpningar[na]; *be a ~* amer. vard. vara urdålig, vara helkass; *be top ~* vard. vara bäst, vara nummer ett; vara högsta hönset; *it's a case of ~ eat ~* det är ett allas krig mot alla; *every ~ has his day* var och en får någon gång sin chans, alla har någon gång tur; *give a ~ a bad name* ung. har man en gång fått en skamfläck på sig är man stämplad för gott; *let sleeping ~s lie* väck inte den björn som sover; *teach an old ~ new tricks* lära gamla hundar sitta; *it's a ~'s breakfast* el. *it's a ~'s dinner* sl. det är en riktig röra (soppa); *lead a ~'s life* vard. leva ett hundliv, ha ett helvete; *take a hair of the ~* el. *take a hair of the ~ that bit you* vard. ta [sig] en återställare; *the country is going to the ~s* vard. det går åt pipan med landet; *he is going to the ~s* vard. det går utför med honom; *a ~ in the manger* en missunnsam person som inte ens unnar andra vad han inte själv kan ha nytta av **2** vard. karl, prick, gynnare; *dirty ~* fähund; *gay ~* glad (livad) lax; *lazy ~* latmask, slöfock; *you lucky ~* din lyckans ost; *sly ~* filur, lurifax

II *vb tr* förfölja äv. bildl. [*~ged by misfortune*]; följa

efter, jaga; *~ sb* el. *~ sb's steps* följa ngn i hälarna, följa ngn hack i häl

dog agility [ˈdɒgəˌdʒɪlətɪ] *s* sport. agility, banhoppning för hundar

dog biscuit [ˈdɒgˌbɪskɪt] *s* hundkex hundgodis

dog-breeding [ˈdɒgˌbriːdɪŋ] *s* hunduppfödning

dog collar [ˈdɒgˌkɒlə] *s* **1** hundhalsband **2** sl. rundkrage prästkrage **3** vard. flerradigt tättsittande halsband

dog days [ˈdɒgdeɪz] *s pl* rötmånad [*we are in the ~*]

dog dirt [ˈdɒgdɜːt] *s* hundbajs

dog-eared [ˈdɒgˌɪəd] *adj*, *the book is ~* boken har hundöron; *a ~ book* en bok med hundöron, en sliten bok

dogfight [ˈdɒgfaɪt] *s* **1** organiserat hundslagsmål; bildl. vilt slagsmål **2** flyg. luftduell

dogfish [ˈdɒgfɪʃ] *s* zool. småhaj; spec. hundhaj, pigghaj

dogged [ˈdɒgɪd] *adj* envis, ihärdig, seg; *~ opposition* hårdnackat motstånd

doggerel [ˈdɒg(ə)r(ə)l] *s* enklare poesi; knittelvers

doggie [ˈdɒgɪ] *s* vard. vovve

doggone [ˌdɒgˈgɒn] *adj* amer. vard. (åld.) förbannad

doggy [ˈdɒgɪ] **I** *s* vard. vovve

II *adj* **1** hund- [*~ smell*] **2** hundälskande [*~ people*] **3** vard., *in the ~* el. *in the ~ position* bakifrån samlagsställning

doggy bag [ˈdɒgɪbæg] *s* påse för (med) överbliven mat som en restauranggäst tar med sig hem

doggy paddle [ˈdɒgɪˌpædl] *s* vard., *the ~* hundsim, kattsim

dog handler [ˈdɒgˌhændlə] *s* hundförare polis

doghouse [ˈdɒghaʊs] *s* **1** sl., *be in the ~* ligga illa till **2** amer. hundkoja

dog kennel [ˈdɒgˌkenl] *s* **1** hundkoja **2** hundpensionat

dog lead [ˈdɒgliːd] *s* hundkoppel, [led]band

dogma [ˈdɒgmə] (pl. *~s* el. *-ta* [-tə]) *s* **1** dogm; trossats, lärosats **2** dogmatik, dogmsystem

dogmatic [dɒgˈmætɪk] *adj* dogmatisk

dogmatize [ˈdɒgmətaɪz] *vb itr* dogmatisera

do-gooder [ˌduːˈgʊdə] *s* vard. välgörenhetsfantast, blåögd idealist (välgörare)

dog paddle [ˈdɒgˌpædl] *s* vard., *the ~* hundsim, kattsim

dogrose [ˈdɒgrəʊz] *s* bot. nyponros; nyponbuske

dogsbody [ˈdɒgzˌbɒdɪ] *s* vard. passopp

dog's-tooth [ˈdɒgstuːθ] *s*, *~ check* hundtandsmönster

dog tag [ˈdɒgtæg] *s* amer. **1** hundskattemärke **2** sl. soldats id-bricka

dog-tired [ˌdɒgˈtaɪəd] *adj* dödstrött

dog waste bag [ˌdɒgˈweɪstbæg] *s* hundbajspåse

dogwood [ˈdɒgwʊd] *s* bot. skogskornell

doh [dəʊ] *s* se *1 do*

doily [ˈdɔɪlɪ] *s* tallriksunderlägg, tablett av spets, tyg, papper o.d.

doing [ˈduːɪŋ] *s* **1** handling, gärning, verk; *it is all his ~* det är helt och hållet hans verk; det är hans fel alltsammans; *it will take some ~* det är inte gjort utan vidare **2** pl. *~s* förehavanden; tilltag, påhitt [*some of his ~s*]; *tell me about your ~s* berätta vad du har (hade) för dig

do-it-yourself [ˌduːɪtjəˈself] *adj* gör-det-själv-,

hobby-; ~ **book** praktisk handbok; ~ **kit** byggsats; ~
store byggmarknad

doldrums ['dɒldrəmz] *s pl* **1** stiltje; **in the** ~ om skepp
hindrad av vindstilla; bildl. nedstämd, dyster; utan
liv **2** geogr. stiltjeområden, kalmområden,
stiltjebälten; **the** ~ ofta stiltjebältet

dole [dəʊl] **I** *s* **1** utdelning av mat el. pengar **2** vard., **be
on the** ~ el. **go on the** ~ gå på a-kassa, gå och stämpla
II *vb tr*, ~ **out** dela ut [i småportioner]

doleful ['dəʊlf(ʊ)l] *adj* **1** sorglig, dyster **2** sorgsen

doll [dɒl] **I** *s* **1** docka leksak **2** sl. brud, snygging
II *vb tr* o. *vb itr* vard., **all ~ed up** uppsnofsad, snofsigt
klädd

dollar ['dɒlə] *s* dollar [*five ~s*]

dollhouse ['dɒlhaʊs] *s* amer. dockskåp

dollop ['dɒləp] *s* vard. [stor] klick [*a ~ of cream*]

doll's house ['dɒlzhaʊs] *s* dockskåp

Dolly ['dɒlɪ] smeknamn för *Dorothy*

dolly ['dɒlɪ] *s* **1** barnspr. docka **2** sl. brud **3** film. el. TV.
dolly, kameravagn med rörlig kamera

dolly shot ['dɒlɪʃɒt] *s* film. el. TV. kameraåkning,
tagning från en dolly

dolmen ['dɒlmen] *s* arkeol. dolmen, dös

Dolomites ['dɒləmaɪts] *s pl* geogr., **the** ~ Dolomiterna

dolorous ['dɒlərəs] *adj* poet. **1** sorglig **2** sorgsen
3 smärtsam

dolour ['dɒlə, 'dəʊlə] *s* poet. sorg, smärta

dolphin ['dɒlfɪn] *s* zool. delfin

dolphinarium [ˌdɒlfɪ'neərɪəm] *s* delfinarium

dolt [dəʊlt] *s* åld. dumhuvud, träskalle

doltish ['dəʊltɪʃ] *adj* dum, tjockskallig; drullig

domain [də(ʊ)'meɪn] *s* **1** domän, besittning[ar]
2 bildl. område, gebit, sfär **3** data., se *domain name*

domain name [də(ʊ)'meɪn,neɪm] *s* data. domännamn

dome [dəʊm] *s* **1** kupol [*onion* ~]; kupigt (välvt) tak
2 amer. stadion med kupolliknande överbyggnad **3** poet.
ståtlig byggnad **4** sl. skalle

domestic [də'mestɪk] **I** *adj* **1** hus-, hushålls-, hem-,
familje-; enskild; privat; ~ **appliances**
hushållsapparater; husgeråd; ~ **drama** borgerligt
familjedrama; ~ **chores** el. ~ **duties** el. ~ **tasks**
hushållsgöromål, hushållsbestyr; ~ **help** hemhjälp;
~ **industry** hemslöjd, hemindustri; ~ **life** hemliv; ~
quarrel familjegräl; ~ **violence** våld i hemmet
2 inrikes [~ *policy*; ~ *trade*]; inhemsk [~ *goods*];
hemgjord; ~ **flights** inrikesflyg[et] **3** huslig, hemkär
4 tam; ~ **animal** husdjur; tamdjur; ~ **fowl** [tam]höns;
fjäderfä
II *s* **1** hemhjälp, hembiträde; tjänare **2** pl. **~s** amer.
linne [och sängkläder]

domesticate [də'mestɪkeɪt] *vb tr* tämja [~ *animals*]

domesticated [də'mestɪkeɪtɪd] *adj* **1** ~ **animals**
tamdjur; husdjur **2** he is very ~ han är mycket
huslig av sig

domestication [dəˌmestɪ'keɪʃ(ə)n] *s* **1** tämjande
2 tamt tillstånd

domesticity [ˌdəʊme'stɪsətɪ, ˌdɒm-] *s* **1** familjeliv;
hematmosfär, hemliv **2** huslighet

domestic partner [dəˌmestɪk'pɑːtnə] *s* vanl. amer.
sambo

domestic science [dəˌmestɪk'saɪəns] *s* åld.
hushållslära

domicile ['dɒmɪsaɪl, 'dəʊm-, -əsɪl] *s* spec. jur. hemort,
vistelseort, hemvist [äv. *place of ~*]

domiciled ['dɒmɪsaɪld] *adj* bosatt, hemmahörande,
med fast bostad

domiciliary [ˌdɒmɪ'sɪlɪərɪ] *adj* bostads-; ~ **rights**
hemortsrätt

dominance ['dɒmɪnəns] *s* herravälde, dominans äv.
biol., [över]makt

dominant ['dɒmɪnənt] *adj* dominerande;
härskande; förhärskande; dominant, mest
framträdande; ~ **character** biol. dominerande
egenskap

dominate ['dɒmɪneɪt] **I** *vb tr* dominera; behärska;
härska (dominera) över **II** *vb itr* härska [*over*
över], dominera; vara förhärskande

domination [ˌdɒmɪ'neɪʃ(ə)n] *s* herravälde,
övervälde, styre

domineer [ˌdɒmɪ'nɪə] *vb itr* spela herre [*over* över]

domineering [ˌdɒmɪ'nɪərɪŋ] *adj* dominerande,
tyrannisk, despotisk, härsklysten; **a** ~ **tone** el. **a** ~
tone of voice en kommenderande ton

Dominican [də'mɪnɪkən] **I** *adj* **1** relig. dominikan[er]-
[*the* ~ *Order*] **2** dominikansk som avser Dominikanska
republiken
II *s* **1** relig. dominikan[ermunk] **2** dominikan,
dominikanska person från Dominikanska republiken

Dominican Republic [dəˌmɪnɪkənrɪ'pʌblɪk] geogr.,
the ~ Dominikanska republiken

dominion [də'mɪnjən, -ɪən] *s* **1** herravälde,
övervälde [*over* över]; makt, myndighet; **have** ~
over el. **hold** ~ **over** ha herraväldet över, ha makten
2 välde, rike, besittning, område

domino ['dɒmɪnəʊ] (pl. ~*es* el. ~*s*) *s*
1 a) dominobricka **b)** ~*es* (med verb i sg.)
domino[spel] [*play* ~*es*] **2** domino maskeraddräkt

domino effect ['dɒmɪnəʊɪˌfekt] *s* dominoeffekt

Don [dɒn] **I** geogr., **the** ~ Don **II** kortform av *Donald*

1 don [dɒn] *vb tr* litt. ta på [sig], ikläda sig; bildl.
anlägga, anta

2 don [dɒn] *s* univ. universitetslärare, lärare vid ett
college; äldre collegemedlem; akademiker

Donald ['dɒnld] mansnamn

Donald Duck [ˌdɒnld'dʌk] seriefigur Kalle Anka

donate [də(ʊ)'neɪt] *vb tr* ge, skänka; donera

donation [də(ʊ)'neɪʃ(ə)n] *s* **1** gåva, bidrag,
donation; **make a** ~ ge en gåva (ett bidrag), göra en
donation **2** [bidrags]givande

donator [də(ʊ)'neɪtə] *s* donator till välgörenhet, givare

done [dʌn] *perf p* o. *adj* **1** gjort, gjord etc., jfr *2 do*
I–IV; **be** ~ **a)** vara gjord, göras etc. **b)** vara avslutad
(färdig, fullbordad) [*the work is* ~] **c)** ske, gå till
[*how was it* ~?]; ~**!** kör till!, bra!; **well** ~**!** bravo!, det
gjorde du bra!; **it can't be** ~ det går inte, det låter
sig inte göra[s]; **that's** ~ **it!** nu är det klippt (färdigt,
förkylt)!; **I'm** ~ **for** jag är helt slut; det är kört för
mig; **Mary got** ~ **for speeding** Mary åkte dit för
fortkörning; **have you** ~ **talking?** har du pratat
färdigt?; **get sth** ~ få ngt gjort, klara av ngt, hinna
med ngt; **hard** ~ **by** illa behandlad; ~ **for** etc. se under *2
do III* **2** vard. lurad **3** kok. [färdig]kokt,
[färdig]stekt; **lightly** ~ lättstekt; **well** ~ genomstekt,
välstekt **4** **it isn't** ~ det är inte passande (god ton,
comme-il-faut); **it's the** ~ **thing** det är god ton, det
är comme-il-faut

done deal [ˌdʌn'diːl] *s*, **it was a** ~ det var uppgjort på
förhand

Donegal ['dɒnɪgɔːl, irl. utt. vanl. ˌdʌnɪ'gɔːl]
dongle ['dɒŋgl] *s* data. dongel, programvarunyckel
Don Juan [dɒn'dʒuːən] *s* donjuan, kvinnotjusare
donkey ['dɒŋkɪ] *s* åsna äv. bildl.; **for ~'s years** vard. i (på) många herrans år, i (på) evigheter; **it's ~'s years since we had a party** vi har inte haft fest på evigheter, det är evigheter sedan vi hade en fest
donkey engine ['dɒŋkɪˌen(d)ʒɪn] *s* donkey hjälpångmaskin
donkey jacket ['dɒŋkɪˌdʒækɪt] *s* slags kort jacka
donkey work ['dɒŋkɪwɜːk] *s* vard. slavgöra
donnish ['dɒnɪʃ] *adj* [värdigt] akademisk; skolmästaraktig, pedantisk
donor ['dəʊnə, -nɔː] *s* donator; givare [*blood* ~]
donor card ['dəʊnəkɑːd] *s* donationskort
do-nothing ['duːˌnʌθɪŋ] *adj* loj, passiv, slapp
Don Quixote [dɒn'kwɪksəʊt] Don Quijote
don't [dəʊnt, verb obeton. äv. dən, dn] **I** *vb* = do not; spec. fraser: **~!** låt bli!; **no, ~** nej, gör inte det; nej, låt bli det; **~ then!** slipp då!, låt bli då!; **~ you believe it!** tro inte på det, du!
II *s* skämts. förbud [*a long list of* ~s]
don't-know [ˌdəʊnt'nəʊ] *s* vet-ej-svarare vid opinionsundersökning o.d.; **the ~s** de tveksamma
donut ['dəʊnʌt] *s* vanl. amer. kok. munk
doodah ['duːdɑː] *s* o. amer. **doodad** ['duːdæd] *s* sl. pryl, grunka, grej
doodle ['duːdl] **I** *vb itr* förstrött klottra, rita krumelurer **II** *s* klotter, krumelurer
doo-doo ['duːduː] *s* vanl. amer. vard. bajs; **in the ~** bildl. i skiten
doofus ['duːfəs] *s* vanl. amer. vard. knäppskalle, dumhuvud
doohickey ['duːhɪkɪ] *s* vanl. amer. vard. mojäng, pryl, grej
doom [duːm] **I** *s* **1** ont öde, [olycklig] lott; undergång, död, dödsdom; högre makters dom; **everything is ~ and gloom** allting är hopplöst trist; **spell ~ for** bli dödsstöten för **2 the day of ~** domens dag
II *vb tr* om högre makter, ödet o.d. döma, [förut]bestämma
doomed [duːmd] *adj* dömd [~ *to die*; ~ *to inactivity*]; dödsdömd äv. bildl., dömd att misslyckas, dödsmärkt; **she's ~ to disappointment** hon kommer säkert att bli besviken; **~ to failure** dömd att misslyckas
doomsayer ['duːmˌseɪə] *s* domedagsprofet
doomsday ['duːmzdeɪ] *s* domedag [*till* ~]
doomster ['duːmstə] *s* domedagsprofet
doomwatcher ['duːmˌwɒtʃə] *s* vard., ung. miljöaktivist; domedagsprofet
door [dɔː] *s* dörr; port; ingång; lucka till ugn o.d.; dörröppning; **next ~** se under *next I 1*; **three ~s away** el. **three ~s off** tre hus härifrån (längre bort); **close the ~ on** bildl. stänga dörren (möjligheten) för; **open the ~ to** bildl. öppna dörren (en möjlighet) för; **show sb the ~** visa ngn på dörren, visa ngn hur man kommer ut; **the car is at the ~** bilen är framkörd; **be at death's** ligga för döden; vara nära döden; **lay sth at sb's ~** ge ngn skulden för ngt, anklaga ngn för ngt; **from ~ to ~** från dörr till dörr; från hus till hus; **sell sth from ~ to ~** om dörrförsäljare gå omkring och knacka dörr; **the taxi came to the ~** taxin körde

fram [till porten]; **out of ~s** ute, utomhus; **within ~s** inne, inomhus
doorbell ['dɔːbel] *s* ringklocka på dörr
doorchain ['dɔːtʃeɪn] *s* säkerhetskedja på dörr
doorchimes ['dɔːtʃaɪmz] *s pl* ringklocka på dörr
doorframe ['dɔːfreɪm] *s* dörrkarm
doorkeeper ['dɔːˌkiːpə] *s* dörrvakt, portvakt, vaktmästare; ordningsvakt
doorkey ['dɔːkiː] *s* dörrnyckel
doorknob ['dɔːnɒb] *s* runt dörrhandtag, dörrvred
doorknocker ['dɔːˌnɒkə] *s* portklapp
door|man ['dɔːˌmæn, -mæn] (pl. *-men* [-mən]) *s* dörrvakt, vaktmästare, portier på hotell, institutioner o.d.
doormat ['dɔːmæt] *s* **1** dörrmatta **2** vard. mähä, hackkyckling; **treat sb like a ~** hacka på ngn
doornail ['dɔːneɪl] *s*, **dead as a ~** vard. stendöd
doorplate ['dɔːpleɪt] *s* dörrskylt, namnplåt [på dörren]
doorpost ['dɔːpəʊst] *s* dörrpost; **deaf as a ~** stendöv
doorstep ['dɔːstep] *s* **1** [dörr]tröskel; **on our ~** runt knuten, inpå knutarna **2** ofta pl. **~s** yttertrappa, farstutrappa **3** vard. jättetjock [bröd]skiva
door-to-door [ˌdɔːtə'dɔː] *adj*, ~ *salesman* dörrknackare
doorway ['dɔːweɪ] *s* dörr[öppning]; port[gång]; *a ~ to success* en väg (möjlighet, nyckel) till framgång
doozy ['duːzɪ] *s* vanl. amer. vard., **that was a real ~!** det var verkligen någonting!, det var grejer det!
dope [dəʊp] vard. **I** *s* **1** knark, narkotika vanl. hasch el. marijuana, i USA ofta heroin; **take ~** vanl. röka hasch **2** dopingmedel, stimulantia **3** [förhands]tips, stalltips; **give the ~ on sb** berätta allt man vet om ngn; **have all the ~ on** sitta inne med alla uppgifter om **4** dummer, fåntratt
II *vb tr* **1** ge knark (narkotika); dopa; bedöva **2** [försämra genom att] tillsätta tillsatsämne i livsmedel, späda [ut]; spetsa, blanda i gift (narkotika) i [~ *d wine*]
dope addict ['dəʊpˌædɪkt] *s* o. **dope fiend** ['dəʊpfiːnd] *s* knarkare, narkoman
doped [dəʊpt] *adj*, **be ~** el. **be ~ up** vara påverkad av narkotika el. alkohol
dopehead ['dəʊphed] *s* vard. knarkare, pundare
dope pedlar ['dəʊpˌpedlə] *s* o. **dope pusher** ['dəʊpˌpʊʃə] *s* knarklangare, narkotikalangare
dopey ['dəʊpɪ] *adj* vard. **1** omtöcknad, lummig, påverkad **2** fånig, dum, knasig
doping ['dəʊpɪŋ] *s* doping, dopning
dopy ['dəʊpɪ] *adj* vard., se *dopey*
Doris ['dɒrɪs] kvinnonamn
dorm [dɔːm] *s* vard. kortform av *dormitory 1*
dormant ['dɔːmənt] *adj* **1** sovande, slumrande **2** bildl. slumrande, outnyttjad [~ *faculties*]; inaktiv, vilande, i overksamhet; *a ~ volcano* en passiv vulkan
dormer ['dɔːmə] *s* o. **dormer window** [ˌdɔːmə'wɪndəʊ] *s* vindskupefönster, mansardfönster
dormitory ['dɔːmɪtrɪ] *s* **1** sovsal **2** amer. studenthem
dormitory suburb [ˌdɔːmɪtrɪ'sʌbɜːb] *s* austral. sovstad
dormitory town [ˌdɔːmɪtrɪ'taʊn] *s* sovstad
dor|mouse ['dɔːˌmaʊs] (pl. *-mice* [-maɪs]) *s* zool. hasselmus; sjusovare

Dorothy ['dɒrəθɪ] kvinnonamn
dorsal ['dɔːs(ə)l] *adj* **1** anat. dorsal, rygg- **2** fonet.
dorsal, tungryggs-; ~ *fin* ryggfena
Dorset ['dɔːsɪt] geogr.
DOS [dɒs] data. (fork. för *Disk-Operating System*)
DOS skivoperativsystem
dosage ['dəʊsɪdʒ] *s* med. dosering; dos; stråldos
dose [dəʊs] **I** *s* dos, bildl. äv. dosis, portion, mått,
omgång, laddning; släng [*a ~ of flu*]; ~ *of radiation*
stråldos; *have one's* ~ få sin beskärda del; *give sb a*
~ *of his own medicine* bildl. betala ngn med samma
mynt
II *vb tr* **1** ge medicin; ~ *oneself* medicinera; ~
oneself with el. ~ *oneself up with* ta t.ex.
huvudvärkstabletter **2** dosera [~ *a medicine*]
doss [dɒs] vard. **I** *s*, *a real* ~ en enkel match **II** *vb itr*,
~ el. ~ *down* slafa på annan plats än den vanliga; ~ *about* el.
~ *around* slappa, slöa; ~ *out* slafa (slagga) utomhus
dosser ['dɒsə] *s* vard. a-lagare, uteliggare
dosshouse ['dɒshaʊs] *s* vard. ungkarlshotell, slafis
dossier ['dɒsɪeɪ] *s* dossier
DOT [ˌdiːəʊ'tiː] amer. fork. för *Department of
Transportation* se *transportation* 2
dot [dɒt] **I** *s* punkt äv. mus., prick [*the ~ over an i*]
bildl. äv. liten fläck, märke; *on the* ~ vard. punktligt,
prick, på slaget; *på stubben*; *in the year* ~ vard. år
nittonhundrakallt
II *vb tr* (se äv. *dotted*) **1** pricka [~ *a line*]; markera
(märka) med prick[ar]; sätta prick över [~ *one's
i's*]; ~ *one's i's and cross one's t's* vara ytterst
noggrann **2** ligga [ut]spridd på (över), ligga
utströdd på (över); strö omkring (ut), klicka ut
dotage ['dəʊtɪdʒ] *s* senilitet; *be in one's* ~ gå i
barndom, vara barn på nytt
dotcom ['dɒtkɒm] *adj* data., ~ *business* el. ~ *company*
IT-företag, IT-bolag
dote [dəʊt] *vb itr*, ~ *on* avguda, dyrka, vara mycket
svag för (kär i)
doting ['dəʊtɪŋ] *adj* kärleksfull [*a ~ father*]
dot-matrix printer ['dɒtmeɪtrɪksˌprɪntə] *s*
matrisskrivare, printer
dotted ['dɒtɪd] *adj* o. *perf p* (se äv. *dot II*) **1** prickad
[~ *line*]; prickig; *sign on the ~ line* a) signera, skriva
under b) bildl. tiga och samtycka; ~ *note* mus.
punkterad not **2** översållad [*with* med, av]; *a
landscape ~ with small houses* ett landskap med små
hus utspridda (utströdda) överallt; *be ~ about* ligga
(vara) kringströdda (utspridda)
dotty ['dɒtɪ] *adj* vard. fnoskig, vrickad; tokig [*about*
i]
double ['dʌbl] **I** *adj* dubbel, dubbel- [~ *room*];
tvåfaldig; vid stavning två [*stopped is spelt with ~ p*];
play a ~ game bildl. spela dubbelspel
II *adv* dubbelt [~ *as dear*; *see ~*]; två gånger
III *s* **1** *the* ~ det dubbla; dubbelt så mycket
(många); *win the* ~ fotb. vard. vinna både cupen och
ligan; ~ *or quits* kvitt eller dubbelt **2** exakt kopia;
avbild; dubbelgångare **3** tennis. o.d., ~*s* (med verb i sg.)
dubbel, dubbelmatch; *men's* ~*s* herrdubbel;
women's ~*s* damdubbel; *play* ~*s* spela dubbel; *win
the* ~*s* vinna dubbelturneringen **4** mil.
språngmarsch; *at the* ~ el. *on the* ~ åld. i
språngmarsch; fortare än kvickt
IV *vb tr* **1** fördubbla, dubblera **2** vika (lägga, böja)

dubbel **3** sjö. runda, dubblera [~ *a cape*] **4** teat., ~
parts in a play spela dubbla roller i en pjäs
V *vb itr* fördubblas, öka (stiga) till det dubbla, bli
dubbel
VI *vb tr* o. *vb itr* med adv. el. prep.:
double back vända och gå (springa) tillbaka
double up a) tr. böja (vika) ihop; ~ *oneself up* krypa
(kura) ihop **b**) itr. vika sig [dubbel], vrida sig; ~ *up
with pain* vika sig dubbel av smärta **c**) dela rum, bo
ihop
double agent [ˌdʌbl'eɪdʒ(ə)nt] *s* dubbelagent
double-barrelled [ˌdʌbl'bær(ə)ld, attr. '--ˌ--] *adj*
1 tvåpipig, dubbelpipig **2** bildl. dubbel- [*a ~ attack*];
~ *name* dubbelnamn
double bass [ˌdʌbl'beɪs] *s* mus. kontrabas
double bed [ˌdʌbl'bed] *s* dubbelsäng en säng för två
personer, tvåmanssäng
double bill [ˌdʌbl'bɪl] *s* dubbelföreställning med två
pjäser el. filmer
double bind [ˌdʌbl'baɪnd] *s* dilemma; *be caught in a* ~
stå inför ett dilemma
double-book [ˌdʌbl'bʊk] *vb itr* o. *vb tr* dubbelboka
double-breasted [ˌdʌbl'brestɪd, attr. '--ˌ--] *adj* om
plagg dubbelknäppt
double-check [ˌdʌbl'tʃek] *vb tr*
1 dubbelkontrollera, dubbelkolla, kontrollera två
gånger (en extra gång) **2** schack. dubbelschacka
double chin [ˌdʌbl'tʃɪn] *s* dubbelhaka
double-click [ˌdʌbl'klɪk] *vb tr* data. dubbelklicka
[på]
double cream [ˌdʌbl'kriːm] *s* tjock grädde,
vispgrädde
double-cross [ˌdʌbl'krɒs] vard. **I** *vb tr* spela
dubbelspel med, lura **II** *s* dubbelspel, bedrägeri
double-date [ˌdʌbl'deɪt] **I** *s* dubbelträff två par som
stämmer träff **II** *vb itr* ordna dubbelträff, jfr
double-date I
double-dealer [ˌdʌbl'diːlə] *s* person som spelar
dubbelspel, skojare, bedragare
double-dealing [ˌdʌbl'diːlɪŋ] **I** *s* dubbelspel, falskhet
II *adj* falsk, ohederlig
double-decker [ˌdʌbl'dekə] *s* **1** ~ el. ~ *bus*
dubbeldäckare **2** flyg. förr dubbeldäckare, biplan
3 dubbeldäckare, tredubbel smörgås
double-digit [ˌdʌbl'dɪdʒɪt, attr. '---] *adj* amer.
tvåsiffrig
double digits [ˌdʌbl'dɪdʒɪts] *s pl* amer. tvåsiffriga tal
double-dip ['dʌbldɪp] *vb itr* amer. vard. extraknäcka,
tjäna extra på bedrägligt (oetiskt) sätt
double Dutch [ˌdʌbl'dʌtʃ] *s* vard. rotvälska
double-duty [ˌdʌbl'djuːtɪ] *s* amer., *do* ~ ha en dubbel
funktion
double-edged [ˌdʌbl'edʒd, attr. '---] *adj* **1** tveeggad [*a
~ sword*] **2** bildl. tveeggad, tvetydig, dubbeltydig [*a
~ compliment*]
double entry [ˌdʌbl'entrɪ] *s* dubbel bokföring
double-exposure [ˌdʌblɪk'spəʊʒə] *s*
dubbelexponering
double fault [ˌdʌbl'fɔːlt] *s* tennis. dubbelfel
double feature [ˌdʌbl'fiːtʃə] *s* dubbelföreställning
med två filmer
double-figure [ˌdʌbl'fɪgə, attr. '---] *adj* tvåsiffrig
double figures [ˌdʌbl'fɪgəz] *s* tvåsiffriga tal

double first [ˌdʌbl'fɜːst] s univ. [student med] högsta betyg i två ämnesgrupper

double-glazed [ˌdʌbl'gleɪzd, attr. '---] adj, ~ *window* tvåglasfönster, dubbelfönster

double-glazing [ˌdʌbl'gleɪzɪŋ] s koll. tvåglasfönster, dubbla fönster

double-jointed [ˌdʌbl'dʒɔɪntɪd] adj mjuk i lederna som en akrobat, lealös

double-knitted [ˌdʌbl'nɪtɪd] adj patentstickad

double-park [ˌdʌbl'pɑːk] vb tr o. vb itr dubbelparkera

double-quick [ˌdʌbl'kwɪk] **I** adj snabb, hastig; ~ *time* el. ~ *pace* hastig marsch, snabb takt **II** adv hastigt, snabbt; vard. kvickt som tanken, fortare än kvickt, på direkten

double room [ˌdʌbl'ruːm] s dubbelrum, rum med dubbelsäng

double-spacing [ˌdʌbl'speɪsɪŋ] s dubbelt radavstånd

double standard [ˌdʌbl'stændəd] s **1** dubbelmoral **2** dubbel myntfot

doublet ['dʌblət] s hist., medeltida midjekort åtsittande [mans]jacka

double take [ˌdʌbl'teɪk] s försenad reaktion använd som komisk effekt; *she did a ~ when she saw it* hon hoppade (studsade) till när hon såg det

double talk ['dʌbltɔːk] s tvetydigt tal

doublethink ['dʌblθɪŋk] s dubbeltänkande i Orwells roman '1984'; dubbelspel

double time [ˌdʌbl'taɪm] s dubbel timpenning

double vision [ˌdʌbl'vɪʒ(ə)n] s dubbelseende

double whammy [ˌdʌbl'wæmɪ] s dubbel olycka (otur) [*higher prices and higher taxes impose a ~*]

doubly ['dʌblɪ] adv dubbelt, extra [*be ~ careful*]

doubt [daʊt] **I** s tvivel; ovisshet; tvekan; *no ~* utan tvivel (tvekan), otvivelaktigt, nog, väl [*you won, no ~*]; *there is no ~ about it* det råder ingen tvekan om det, det är inget tvivel om det; *I have no ~ that* jag tvivlar inte på att; *I have my ~s* jag har mina dubier (misstankar) [*about* el. *as to* om, beträffande]; *give sb the benefit of the ~* i tveksamt fall hellre fria än fälla ngn; *cast ~ on* el. *throw ~ on* dra i tvivelsmål, betvivla, ifrågasätta; *beyond ~* el. *beyond any ~* utom allt tvivel, höjd över allt tvivel; *be in ~* tveka, vara villrådig; vara osäker (oviss) [*the result is in ~*]; *if in ~* el. *when in ~* om man är tveksam (osäker), i tveksamma fall; *without ~* utan tvivel (tvekan), tveklöst; otvivelaktigt **II** vb tr betvivla, tvivla på [*~ the truth of sth*]; inte tro [*~ one's senses*]; misstro; *I ~ whether* el. *I ~ if* jag tvivlar på att

doubtful ['daʊtf(ʊ)l] adj **1** tvivelaktig [*a ~ case; a ~ pleasure*]; oviss [*a ~ fight*]; osäker [*a ~ claim*]; problematisk **2** om person tveksam, osäker, villrådig; *be ~ about* el. *be ~ of* tvivla på

doubting Thomas [ˌdaʊtɪŋ'tɒməs] s tvivlande Tomas, skeptiker

doubtless ['daʊtləs] adv utan tvivel (tvekan), [helt] säkert, med all sannolikhet

douche [duːʃ] med. **I** s sköljning **II** vb tr skölja **III** vb itr ta (få) en sköljning

dough [dəʊ] s **1** deg **2** sl. kulor, stålar pengar

doughnut ['dəʊnʌt] s kok. munk

doughy ['dəʊɪ] adj degig; kladdig, mjuk

Douglas ['dʌgləs] mansnamn

dour [dʊə] adj sträng [*~ looks*]; envis, ihärdig [*~ silence*]; trumpen, butter; trist

douse [daʊs] vb tr **1** doppa [i vatten], blöta, dränka **2** släcka [*~ a candle*]

1 dove [dʌv] s duva ofta bildl., äv. polit. [*~s and hawks*]; ~ *of peace* fredsduva

2 dove [dəʊv] amer., imperf. av *dive*

dovecot ['dʌvkɒt] s o. **dovecote** ['dʌvkəʊt, -kɒt] s duvslag; *flutter the dovecotes* röra om i idyllen, störa friden

Dover ['dəʊvə] geogr., *the Strait of* ~ el. *the Straits* pl. *of* ~ Strait of Dover, Pas de Calais

dovetail ['dʌvteɪl] **I** s snick., ~ el. ~ *joint* laxstjärt, sinka **II** vb tr **1** laxa (sinka) [ihop] **2** bildl. passa in [i varandra], svetsa samman, foga ihop **III** vb itr [noga] passa ihop, sammanfalla [*my plans ~ with his*]

dowager ['daʊədʒə] s **1** änkefru som ärvt titel el. egendom efter sin man, änkenåd; *queen ~* änkedrottning **2** vard. äldre nåd, äldre högreståndsdam

dowdy ['daʊdɪ] adj sjaskig, gammalmodig [*a ~ dress*]; sjaskigt (gammalmodigt) klädd

dowel ['daʊəl] s tekn. dymling; [lås]pinne; träbult

Dow Jones average [ˌdaʊ'dʒəʊnzˌæv(ə)rɪdʒ] s o. **Dow Jones index** [ˌdaʊ'dʒəʊnzˌɪndeks] s börs. Dow Jones index aktieindex i USA

1 down [daʊn] s höglänt kuperat hedland; se äv. *Downs*

2 down [daʊn] s dun, ludd äv. bot.; fjun; ~ *quilt* duntäcke

3 down [daʊn] **I** adv o. pred adj **1** ned, ner; nedåt, utför; i korsord lodrätt; ~*!* hundkommando sitt!; *go ~ south* resa söderut **2** nere i olika betydelser [*~ in the cellar; he looks rather ~ today*]; *live ~ south* bo söderut **3** kontant [*pay £50 ~*]; *cash ~* kontant **4** back, minus; *be one ~* sport. ligga under med ett mål **5** *note* el. *write ~* el. *take ~* anteckna, skriva upp **6** avklarad, färdig **7** i specialbetydelser med verb (se äv. under resp. verb som *break, bring* o. *come* m.fl.): *be ~* a) vara nere äv. bildl.; ha kommit ner från sovrummet; ha gått ner [*the moon is ~; prices are ~*] b) vara neddragen [*the blinds were ~*] c) vara urladdad [*the battery is ~*] d) *hit a man who is ~* slå en redan slagen **8** i specialbetydelser med prep. a) *be ~ for* ha tecknat sig för; *she is ~ for that job* [det är meningen att] hon ska göra det jobbet b) ~ *from the Middle Ages* ända från medeltiden c) ~ *in the mouth* vard. nedslagen, moloken d) *be ~ on sb* ogilla ngn, vilja åt ngn; hacka på ngn [*he is always ~ on me*] e) ~ *to our time* ända (fram) till vår tid; ~ *to the last detail* in i minsta detalj f) *it's ~ to* det är tack vare; *it's ~ to her* det är upp till henne g) ~ *with...!* ned (bort) med...!; *be ~ with the flu* ligga [sjuk] i influensa **II** attr adj **1** sjunkande, fallande [*a ~ tendency*] **2** nedåtgående, avgående, från stan [*the ~ traffic*]; ~ *platform* plattform för södergående (avgående) tåg **III** prep nedför, utför; [ner] i [*throw sth ~ the sink*]; nedåt; nedigenom [*~ the ages*]; [där] borta i [*~ the hall*]; nere i; längs med, utefter [*~ the street*]; *there's a pub ~ the street* det ligger en pub längre ner på gatan

IV *vb tr* **1** lägga ifrån sig; tömma [*~ a glass of beer*]; *~ tools* lägga ned arbetet, gå i strejk **2** däcka [*~ an opponent*] **3** stjälpa i sig [*~ three beers*]
V *s*, *ups and ~s* se under *up III*
down-and-out [ˌdaʊnənˈaʊt] *s* utslagen person
down-at-heel [ˌdaʊnətˈhiːl] *adj* nedgången, förfallen, sjabbig
downbeat [ˈdaʊnbiːt] **I** *adj* **1** vard. dämpad, deppig; *~ mood* deppighet **2** likgiltig
II *s* mus. nedslag
downcast [ˈdaʊnkɑːst] *adj* nedslagen; *~ eyes* nedslagna ögon
downer [ˈdaʊnə] *s* vard. **1** lugnande (dämpande) medel; nedåttjack **2** deprimerande upplevelse (situation); *what a ~!* vad deppigt!, vad trist! **3** dysterkvist; *be on a ~* vara nere, deppa
downfall [ˈdaʊnfɔːl] *s* fall, undergång [*the ~ of an empire*]; fördärv, olycka [*drink was his ~*]
downgrade [verb ˌdaʊnˈɡreɪd, subst. '--] **I** *vb tr* **1** degradera **2** förringa, nedvärdera
II *s* **1** vägs o.d. lutning **2** *be on the ~* vara på tillbakagång
downhearted [ˌdaʊnˈhɑːtɪd] *adj* modlös, missmodig, nedstämd; *are we ~?* ingen rädder här!
downhill [ˌdaʊnˈhɪl, attr. '--] **I** *s* **1** nedförsbacke, utförsbacke äv. bildl. **2** sport. störtlopp
II *adj* sluttande
III *adv* nedför [backen], utför; *go ~* bildl. gå utför, förfalla; *their marriage went ~* det gick utför med deras äktenskap; *it's all ~* el. *it's ~ all the way* det går av bara farten
downhill race [ˌdaʊnhɪlˈreɪs] *s* sport. störtlopp
downhill run [ˌdaʊnhɪlˈrʌn] *s* o. **downhill skiing** [ˌdaʊnhɪlˈskiːɪŋ] *s* utförsåkning
downhill slope [ˌdaʊnhɪlˈsləʊp] *s* [nedförs]backe
Downing Street [ˈdaʊnɪŋstriːt] **I** gata i London med bl.a. premiärministerns ämbetsbostad på 10 Downing Street **II** *s* brittiska regeringen
download [ˈdaʊnləʊd] *vb itr* o. *vb tr* data. ladda ner
downloadable [ˌdaʊnˈləʊdəb(ə)l] *adj* data., om t.ex. typsnitt nerladdningsbar
downmarket [ˈdaʊnˌmɑːkɪt] *adj* massproducerad, billig [*~ goods*]
down payment [ˌdaʊnˈpeɪmənt] *s* handpenning; *make a ~* betala handpenning
downpour [ˈdaʊnpɔː] *s* störtregn, störtskur
downright [ˈdaʊnraɪt] **I** *adj* ren, fullkomlig [*a ~ lie; ~ nonsense*]; fullständig **II** *adv* riktigt; fullkomligt, grundligt
Downs [daʊnz] geogr., *the ~* pl. Downs kuperade kritkalkplatåer i sydöstra England [*the North ~; the South ~*]
downscale [ˈdaʊnskeɪl] *adj* amer. **1** i den lägre prisklassen, billig [*~ products*] **2** från lägre samhällsklass, fattig [*~ customer*]
downshift [ˈdaʊnʃɪft] *vb itr* växla ner; varva ner, hoppa av karriären
downshifter [ˈdaʊnˌʃɪftə] *s* person som hoppar av karriärstegen för att leva mindre stressat
downside [ˈdaʊnsaɪd] *s* **1** ekon. nedåtgående trend **2** avigsida, avigsidor [*it has its ~*]
downsize [ˈdaʊnsaɪz] *vb tr* o. *vb itr* ekon. skära ned, minska; *~ an organization* slimma en organisation; *the company will have to ~* bolaget måste slimmas

downspout [ˈdaʊnspaʊt] *s* amer. avloppsrör; stuprör
Down's syndrome [ˈdaʊnzˌsɪndrəʊm] *s* med. Downs syndrom
downstage [ˈdaʊnsteɪdʒ] *adj* o. *adv* teat. i (mot) förgrunden; mot rampen
downstairs [ˌdaʊnˈsteəz] *adv* nedför trappan (trapporna), ner [*go ~*]; i nedre våningen, [där] nere [*wait ~*]; i våningen under [*our neighbours ~*]
downstate [ˈdaʊnsteɪt] amer. **I** *adj* från den södra delen av en delstat i USA
II *s* **1** den södra delen av en delstat **2** landsbygden i en delstat spec. söder om en storstad
III *adv* söderut i en delstat i USA
downstream [ˌdaʊnˈstriːm, attr. '--] *adv* o. *adj* [som går] med strömmen, nedströms; nedåt floden
downswing [ˈdaʊnswɪŋ] *s* ekon. nedgång, nedgående tendens (trend) [*a ~ in prices*]
downtempo [ˈdaʊnˌtempəʊ] *s* musik med långsamt tempo
downtime [ˈdaʊntaɪm] *s* **1** arbetsuppehåll, stopp [i arbetet]; driftstopp, stillastående **2** data. avbrottstid
down-to-earth [ˌdaʊntʊˈɜːθ] *adj* realistisk, verklighetsbetonad; jordnära
downtown [adv. ˌdaʊnˈtaʊn, adj. '--] *adv* o. *adj* vanl. amer. in till stan (centrum), ner mot stan (centrum); i centrum [*the ~ streets*]; *~ Los Angeles* Los Angeles centrum
downtrodden [ˈdaʊnˌtrɒdn] *adj* kuvad, förtryckt
down under [ˌdaʊnˈʌndə] *adv* vard. på (till) andra sidan jorden spec. Australien eller Nya Zeeland; *she is from ~* hon kommer från Australien (Nya Zeeland)
downward [ˈdaʊnwəd] **I** *adj* sluttande, som går utför; nedåtgående, fallande, sjunkande [*a ~ tendency*]; *~ slope* nedförsbacke **II** *adv* se *downwards*
downwards [ˈdaʊnwədz] *adv* nedåt, ned, utför; nedför strömmen; *from the waist ~* från midjan och nedåt
downy [ˈdaʊnɪ] *adj* dunig, dunbeklädd, luddig; bot. luden; dun- [*~ quilt*]; mjuk
dowry [ˈdaʊ(ə)rɪ] *s* hemgift
dowse [daʊz] *vb itr* gå (leta) med slagruta
doyen [ˈdɔɪən] *s* **1** dipl. doyen **2** ålderman, nestor; *the ~* äv. den äldste i kår o.d.
doyenne [dɔɪˈen] *s* doyenne, jfr *doyen 2*
doz. förk. för *dozen*
doze [dəʊz] **I** *vb itr* dåsa, halvsova, slumra; *~ off* slumra (dåsa, nicka) till **II** *s* lätt slummer; tupplur; *have a ~* ta en tupplur
dozen [ˈdʌzn] (pl. *dozen* efter adjektiviska ord som betecknar antal, se ex.) *s* dussin [*two ~ knives; some ~s of knives*]; dussintal [*in ~s*]; *~s of* el. *~s and ~s of* dussintals, dussinvis med; *baker's ~* tretton [stycken]; *by the ~* dussinvis; *talk nineteen to the ~* vard. prata som en kvarn, prata i ett kör; *I've ~s of things to do* jag har massor att göra; *I've been there ~s of times* jag har varit där hundratals gånger
dozenth [ˈdʌznθ] *adj* tolfte; *for the ~ time* för femtielfte gången
dozy [ˈdəʊzɪ] *adj* dåsig, sömnig, slö
DPP [ˌdiːpiːˈpiː] förk. för *Director of Public Prosecutions*
Dr 1 [ˈdɒktə] förk. för *Doctor* **2** förk. för *Drive* [*Park ~*]

dr ['detə] förk. för *Debtor*
drab [dræb] *adj* **1** trist, enformig **2** gråbrun, smutsgul
Dracula ['drækjʊlə]
draft [drɑːft] (äv. amer. stavn. för *draught*, se detta ord)
I *s* **1** plan, utkast, koncept **2** ekon. bankväxel [*for* (på) *a sum*]
3 vanl. amer. mil. **a**) inkallelse [till militärtjänst]
b) inkallad grupp
II *vb tr* **1** göra (skriva) utkast till, avfatta, sätta upp, formulera; rita [utkast till] **2** vanl. amer. mil. kalla in [till militärtjänst]
draft budget ['drɑːft‚bʌdʒɪt] (förk. *DB*) *s* EU. budgetförslag; *preliminary* ~ (förk. *PDB*) preliminärt budgetförslag
draft card ['drɑːftkɑːd] *s* amer. mil. inkallelseorder
draft dodger ['drɑːft‚dɒdʒə] *s* amer. mil. värnpliktsvägrare; desertör
draftee [‚drɑːf'tiː] *s* amer. mil. inkallad, värnpliktig
draft evader ['drɑːftɪ‚veɪdə] *s* amer. mil. värnpliktsvägrare; desertör
drafts|man ['drɑːfts|mən] (pl. *-men* [-mən]) *s*
1 ritare, person som gör upp ritningar **2** person som avfattar dokument (formulerar förslag, gör utkast), författare till dokument o.d.
drag [dræg] **I** *vb tr* **1** släpa, dra; ~ *sth through the mud* dra (släpa) ngt i smutsen, bildl. smutskasta ngt; ~ *one's feet* el. ~ *one's heels* **a**) dra fötterna efter sig **b**) vara för långsam i vändningarna; dra ut på tiden; ~ *anchor* el. ~ *its anchor* sjö. driva för ankare, dragga **2** ~ *out* el. ~ *on* dra ut på, förlänga [~ *out a parting*; ~ *out a speech*]; förhala **3** ~ *oneself away* slita sig [*from* från] **4** dragga på (i) [~ *the bottom*; ~ *the lake for* (efter) *the body*]; muddra [upp] **5** sl. tråka ut
II *vb itr* **1** ~ el. ~ *along* el. ~ *on* röra sig långsamt, gå långsamt, släpa sig fram, bli (sacka) efter; *the time seemed to* ~ tiden verkade släpa sig fram, tiden gick mycket långsamt; *the performance ~ged* el. *the performance ~ged on* föreställningen var långdragen **2** dragga, söka [*for* efter]
III *s* **1** hämsko, broms äv. bildl.; motstånd; hinder **2** sl. torrboll, tråkmåns; *it's a* ~ det är dötrist **3** sl. [manlig] transvestit [äv. ~ *queen*]; transvestitdans; transvestitkläder [*in* ~]; ~ *show* dragshow **4** vard. bloss på cigarett o.d., amer. äv. klunk **5** amer. sl., *main* ~ strög huvudgata **6** släpande, släpning; drag-; *she had a* ~ *in her walk* hon hade en släpande gång
drag-and-drop [‚drægən'drɒp] *vb tr* data. dra och släppa
dragnet ['drægnet] *s* **1** dragnät, släpnot **2** stort polispådrag
dragon ['dræg(ə)n] *s* **1** drake **2** vard. drake, ragata [äv. ~ *lady*]
dragonfly ['dræg(ə)nflaɪ] *s* zool. trollslända
dragoon [drə'guːn] **I** *s* mil. dragon **II** *vb tr*, ~ *into* genom övervåld tvinga till
drag race ['drægreɪs] *s* dragrace[tävling]
dragster ['drægstə] *s* sl. dragster ombyggd o. trimmad gammal bil som används i dragracing
drain [dreɪn] **I** *vb tr* **1** ~ el. ~ *off* el. ~ *away* låta rinna av, avleda [~ *liquid*]; tappa ut **2** dränera; *the river ~s a large territory* floden avvattnar ett stort område; ~ *land* dika ut land, torrlägga land

3 dricka ur, tömma; ~ *the cup of bitterness* tömma den bittra kalken **4** filtrera, sila **5** bildl. utblotta, tömma, åderlåta [*of* på]
II *vb itr* avvattnas; ha avlopp [*into* till]; torka; ~ *off* el. ~ *away* rinna av (bort)
III *s* **1** dräneringsrör, avloppsrör, avloppsränna, avlopp; kloak[ledning]; *it has gone down the* ~ vard. det har gått åt pipan; *throw money down the* ~ vard. kasta pengarna i sjön **2** avrinning, avlopp; sipprande; bildl. åderlåtning; *it is a great ~ on his strength* det tar (tär) på hans krafter **3** med. kanyl
drainage ['dreɪnɪdʒ] *s* **1** dränering, avvattning, avtappning, torrläggning **2** avrinnande, avrinning **3** en trakts vattenavlopp; avloppsledningar
drainboard ['dreɪnbɔːd] *s* amer., räfflad plats att stjälpa disk på på diskbänk
drained ['dreɪnd] *adj* dränerad; utmattad; *feel* ~ känna sig tom (utmattad)
draining board ['dreɪnɪŋbɔːd] *s* räfflad plats att stjälpa disk på på diskbänk
drainpipe ['dreɪnpaɪp] *s* avloppsrör; stuprör
drainpipe trousers [‚dreɪnpaɪp'traʊzəz] *s pl* o.
drainpipes ['dreɪnpaɪps] *s pl* stuprörsbyxor
drake [dreɪk] *s* ankbonde, andrake
dram [dræm] *s* **1** medicinalvikt: 60 grains (1/8 ounce, 3,888 g); handelsvikt: 27,344 grains (1/16 ounce, 1,772 g) **2** hutt, sup; *a wee* ~ ett litet glas, en liten hutt **3** smula, nypa, uns
drama ['drɑːmə] *s* drama, skådespel; ~ *critic* teaterkritiker; *school of* ~ teaterskola, scenskola
dramatic [drə'mætɪk] *adj* dramatisk; teatralisk; ~ *critic* teaterkritiker; ~ *criticism* teaterkritik
dramatics [drə'mætɪks] *s* **1** (med verb vanl. i sg.) dramatik; *amateur* ~ amatörteater **2** (med verb i pl.) bildl. teatraliskt sätt, dramatiskt sätt
dramatist ['dræmətɪst] *s* dramatiker
dramatization [‚dræmətaɪ'zeɪʃ(ə)n] *s* dramatisering
dramatize ['dræmətaɪz] *vb tr* dramatisera
drank [dræŋk] imperf. av *drink*
drape [dreɪp] *vb tr* **1** drapera; skruda, klä [~ *in black*]; smycka; ~ *sth around sth* svepa ngt om (runt) ngt **2** vard. slänga, vräka [*he* ~*d his legs over the arm of his chair*]; ~ *oneself round sth* klamra sig runt ngt
drapery ['dreɪpəri] *s* **1 a**) draperi; tjock gardin **b**) drapering **2** åld. klädesvaror, manufakturvaror [äv. ~ *goods*] **3** åld. klädeshandel, manufakturaffär
drapes [dreɪps] *s pl* amer. gardiner; draperi
drastic ['dræstɪk, 'drɑː-] *adj* drastisk, kraftig[t verkande] [~ *remedy*]; ~ *cure* hästkur; *a* ~ *rise in prices* en chockhöjning av priserna
drat [dræt] *vb tr* åld., ~ *it!* el. ~ *it all!* sablar!; ~ *the boy!* förbaskade pojke!
draught [drɑːft] *s* **1** drag, luftdrag; andedrag; *feel the* ~ känna draget; vard. få känning av det, få känna 'på; *there's a* ~ *in here* det drar [här inne] **2** klunk; dos **3** tappning av våtvaror ur kärl; *beer on* ~ öl från fat, fatöl **4** bricka i damspel **5** dragande, dragning; ~ *animal* dragdjur, dragare
draught beer [‚drɑːft'bɪə] *s* fatöl
draughtboard ['drɑːftbɔːd] *s* damspelsbräde
draught excluder ['drɑːftɪk‚skluːdə] *s* tätningslist
draught horse ['drɑːfthɔːs] *s* draghäst, arbetshäst

draughts [drɑːfts] *s pl* (med verb i sg.) dam spel
draughts|man ['drɑːfts|mən] (pl. *-men* [-mən]) *s*
ritare, tecknare [*he is a good ~*]
draughtsmanship ['drɑːftsmənʃɪp] *s* teckning,
teckningskonst
draughty ['drɑːftɪ] *adj* dragig [*a ~ room*]
draw [drɔː] **I** (*drew drawn*) *vb tr* (se äv. *draw III* o.
drawn) **1** dra i olika betydelser, dra åt (till), dra till
(åt, med) sig; föra, leda; *~ a bow* spänna en båge; *~
a breath* hämta andan, andas [in]; *~ a curtain* a) dra
för (ner) en gardin b) dra undan (upp) en gardin; *~
a tooth* dra ut en tand; *~ the winner* dra en vinstlott,
vinna på kapplöpning **2** rita, teckna **3** dra [till sig],
attrahera [*~ large crowds; feel ~n to sb*]; *she drew
my attention to...* hon fäste (riktade) min
uppmärksamhet på... **4** pumpa upp, dra upp [*~
water from a well*; *~ beer from a cask*]; hämta upp
5 spela oavgjord; *the game was ~n* matchen slutade
oavgjort **6** locka fram [*~ tears; ~ applause*];
framkalla; *he would not be ~n* vard. a) han ville inte
yttra sig b) han lät sig inte provoceras **7** förvrida
[*a face ~n with* (av) *pain*] **8** *~ a chicken* ta ur en
kyckling **9** hämta [*~ an example from an author*];
dra upp, ställa upp; *~ a distinction* göra en
distinktion **10** förtjäna, uppbära, ha [*~ £4500 a
month* el. *~ a salary of £4500 a month*]; lyfta [*~
one's salary*; *~ one's pay*] **11** hand. dra, trassera,
ställa ut, skriva ut [*~ a cheque on sb*]
II (*drew drawn*) *vb itr* (se äv. *draw III*) **1** dra; om te
o.d. [stå och] dra **2** rita, teckna **3** ha
dragningskraft, dra [*the play is still ~ing well*] **4** *~
near* närma sig, nalkas; *the train drew into the station*
tåget körde in på stationen **5** samlas, skocka sig [*~
round the fire*] **6** dra lott [*for* om] **7** sport. spela
oavgjort [*the teams drew*]
III (*drew drawn*) *vb tr* o. *vb itr* med prep. el. adv., ofta
med spec. översättningar:
draw sb aside ta ngn avsides
draw away dra [sig] tillbaka, dra [sig] undan; dra
ifrån i lopp
draw back dra [sig] tillbaka, dra [sig] undan
draw forth dra (släpa) fram; framkalla, locka fram,
väcka
draw in dra (ta) in, dra ihop; *the days are ~ing in*
dagarna blir kortare; *the nights are ~ing in* nätterna
blir längre, det börjar bli mörkt tidigare
draw on a) *~ on* el. *~ upon* dra växlar på, utnyttja [*~
on sb's credulity*] b) dra in inandas rök o.d. c) nalkas,
närma sig [*winter is ~ing on*] d) *~ on one's
imagination* låta fantasin spela; *~ on sb* dra blankt
mot ngn; *~ on one's savings* använda sina
sparpengar, ta av sina besparingar
draw out a) dra ut, ta ut b) dra ut [på] [*~ out a
meeting*]; förlänga c) locka fram [*~ out latent
talents*] d) om dagar bli längre
draw to a) dra för [*~ the curtain to*] b) *~ to a close* el.
~ to an end närma sig slutet
draw together a) dra ihop, dra samman b) förena
[sig], samla [sig]
draw up a) avfatta, utarbeta, sätta upp [*~ up a
document*] b) stanna [*the car drew up*] c) *~ oneself
up* räta på sig, sträcka på sig d) dra upp, dra
närmare
IV *s* **1** drag, dragning; *be quick on the ~* dra snabbt

t.ex. revolver **2** vard. attraktion, dragplåster, teat. äv.
kassapjäs **3** [resultat av] lottdragning, dragning
4 oavgjord match; schack. remi; *it ended in a ~* det
slutade (blev) oavgjort
drawback ['drɔːbæk] *s* nackdel, olägenhet [*to* med,
för; *of* med], avigsida
drawbridge ['drɔːbrɪdʒ] *s* klaffbro; vindbrygga
drawer [drɔː] *s* [byrå]låda, bordslåda; *chest of ~s*
byrå
drawers [drɔːz] *s pl* åld. [under]byxor, kalsonger
drawing ['drɔːɪŋ] *s* **1** teckning, ritning; utkast
2 teckning, ritkonst **3** vanl. amer. dragning i lotteri o.d.
drawing board ['drɔːɪŋbɔːd] *s* ritbräde, ritbord; *back
to the ~* bildl. tillbaka till där vi började
drawing card ['drɔːɪŋkɑːd] *s* bildl. dragplåster
drawing pin ['drɔːɪŋpɪn] *s* häftstift; arkitektstift
drawing room ['drɔːɪŋruːm, -rʊm] *s* salong, förmak,
sällskapsrum; *~ comedy* teat. salongskomedi
drawl [drɔːl] **I** *vb itr* o. *vb tr* tala släpigt; säga (yttra)
i en släpande ton
II *s* släpigt tal, släpigt uttal
drawn [drɔːn] *perf p* o. *adj* **1** dragen; uppdragen,
utdragen etc., jfr *draw*; *~ butter* smält smör; *~
chicken* urtagen kyckling; *~ face* härjat (fårat)
ansikte; spänt ansikte **2** oavgjord [*~ battle*], *~ game*
oavgjord match; schack. remiparti
dread [dred] **I** *vb tr* frukta, bäva för, vara rädd för
[*~ dying* el. *~ to die*]; gruva sig för; *I ~ to think what
may happen* jag fasar för vad som kommer att
hända
II *s* [stark] fruktan [*of* för]; skräck, bävan; fasa;
live in ~ of sth leva i skräck för ngt
III *adj* litt., se *dreaded*
dreaded ['dredɪd] *adj* fruktad; fruktansvärd,
förskräcklig
dreadful ['dredf(ʊ)l] *adj* förskräcklig, förfärlig,
fruktansvärd [*a ~ disaster*]; *penny ~* se *penny
dreadful*
dreadlocks ['dredlɒks] *s pl* dreadlocks rastafarifrisyr
dream [driːm] **I** *s* dröm; *bad ~* mardröm, otäck
dröm; *it gives me bad ~s* jag får mardrömmar av
det; *sweet ~s!* el. *pleasant ~s!* sov gott!; *waking ~*
vakendröm; *a ~ girl* en drömtjej (drömflicka); *the
girl of my ~s* min drömtjej (drömflicka); *have a ~* ha
en dröm, drömma; *she looked a ~* hon var vacker
som en dag; *we were successful beyond our wildest
~s* inte ens i våra vildaste drömmar hade vi trott
att vi skulle lyckas så bra; *in your ~s!* det kan du
drömma om!
II (*dreamt dreamt* [dremt] el. *dreamed dreamed*
[dremt] el. mera valt [driːmd]) *vb tr* o. *vb itr* drömma;
I never ~t of it jag hade inte en tanke på det, jag
hade aldrig drömt om det; *~ on!* fortsätt drömma!;
~ up hitta på, fantisera ihop
dreamer ['driːmə] *s* drömmare; svärmare
dream factory ['driːm,fækt(ə)rɪ] *s* drömfabrik
filmstudio, filmindustrin
dreamland ['driːmlænd] *s* **1** drömmens rike,
drömmarnas land **2** drömland
dreamless ['driːmləs] *adj* drömlös, drömfri
dreamlike ['driːmlaɪk] *adj* drömlik, drömaktig
dreamt [dremt] imperf. o. perf. p. av *dream*
dream team ['driːmtiːm] *s* sport. drömlag

dreamy ['dri:mi] *adj* **1** drömmande, svärmisk, sentimental **2** drömlik

dreary ['driəri] *adj* dyster; tråkig, trist; hemsk

1 dredge [dredʒ] *vb tr* o. *vb itr* **1** ~ el. ~ *out* el. ~ *up* fiska upp, skrapa upp; rota fram **2** bottenskrapa; muddra [upp], gräva; ~ *oysters* el. ~ *for oysters* skrapa [efter] ostron

2 dredge [dredʒ] *vb tr* beströ, pudra över [~ *meat with* (med) *flour*]; strö socker m.m.; ~ *over* strö över, strö på

1 dredger ['dredʒə] *s* släpnät, bottenskrapa, ostronskrapa; mudderverk; grävmaskin

2 dredger ['dredʒə] *s* ströburk, ströare för mjöl o.d.

dregs [dregz] *s pl* **1** grums, bottensats **2** bildl. drägg, avskum

drench [dren(t)ʃ] *vb tr* genomdränka, göra genomvåt

drenched [dren(t)ʃt] *adj* genomdränkt, genomvåt, dyblöt

dress [dres] **I** *vb tr* **1** klä; ~ *oneself* klä sig; ~ *oneself for dinner* klä om sig till middagen; *get* ~*ed* klä sig **2** förbinda, lägga om [~ *a wound*] **3** tillreda, krydda, anrätta, tillaga; ~ *a chicken* rensa en kyckling, göra i ordning en kyckling; ~ *a sallad* hälla dressing på en sallad **4** smycka, pryda [upp], förgylla; ~ *the shopwindow* skylta, ordna (arrangera) skyltfönstret **5** lägga [upp] [~ *one's hair*]; fixa, kamma, borsta **II** *vb itr* klä sig [~ *well*]; klä på sig; ~ *for dinner* klä om till middagen **III** *vb tr* o. *vb itr* med adv. el. prep.: **dress down** vard. **a)** skälla ut, ge på huden, ge en omgång **b)** klä sig ledigt **dress up a)** tr. klä upp, klä fin; styra ut **b)** itr. klä sig fin **c)** tr. klä ut [*he* ~*ed himself up as a pirate*] **d)** itr. klä ut sig, maskera sig [*he* ~*ed up as a pirate*] **IV** *s* **1** klänning **2** kläder, klädsel, kostym; toalett; dress; *full* ~ gala, stor toalett, paraduniform, högtidsdräkt; *evening* ~ m.fl., se resp. ord; ~ *designer* modedesigner, modetecknare

dressage ['dresɑːʒ, -'-] *s* hästsport dressyr

dress circle [ˌdres'sɜːkl] *s* teat., *the* ~ första raden; amer. första raden, balkongen, läktaren på bio

dress coat [ˌdres'kəʊt] *s* frack

dress code ['dreskəʊd] *s* klädkod; rekommenderad (lämplig) klädsel

dress-down Friday [ˌdresdaʊn'fraɪdeɪ] *s* fredag då ledigare klädstil är tillåten på kontor o.d.

dresser ['dresə] *s* **1** köksskåp av buffétyp med öppna överhyllor; åld. skänk[bord], serveringsbord; amer. byrå ofta med spegel; toalettbord **2** teat. påklädare **3** *he is a careful* ~ han klär sig med stor omsorg

dressing ['dresɪŋ] *s* **1** kok. salladssås, dressing [äv. *salad* ~] **2** amer. fyllning, garnering **3** omslag, förband, förbandsmaterial, salva **4** påklädning; omklädning [~ *for dinner*] **5** gödsel; *top* ~ övergödslingsmedel

dressing case ['dresɪŋkeɪs] *s* necessär, toalettväska

dressing-down [ˌdresɪŋ'daʊn] *s*, *give sb a* ~ ge ngn en utskällning, ge ngn en riktig avhyvling

dressing gown ['dresɪŋgaʊn] *s* morgonrock; nattrock

dressing room ['dresɪŋruːm] *s* omklädningsrum; påklädningsrum; teat. o.d. klädloge

dressing table ['dresɪŋˌteɪbl] *s* toalettbord

dressmaker ['dresˌmeɪkə] *s* sömmerska, damskräddare

dressmaking ['dresˌmeɪkɪŋ] *s* klädsömnad

dress rehearsal [ˌdresrɪ'hɜːs(ə)l, '--ˌ--] *s* teat. generalrepetition, genrep

dress shirt [ˌdres'ʃɜːt] *s* frackskjorta, smokingskjorta

dress tie [ˌdres'taɪ] *s* frackhalsduk

dressy ['dresɪ] *adj* uppklädd, elegant

drew [druː] imperf. av *draw*

drib [drɪb] *s*, *in* ~*s and drabs* i småportioner, i småposter, bitvis

dribble ['drɪbl] **I** *vb itr* o. *vb tr* **1** droppa, drypa; ~ *away* el. ~ *out* sippra bort, rinna bort **2** dregla **3** sport. dribbla **II** *s* **1** droppe **2** rännil **3** sport. dribbling

driblet ['drɪblət] *s* småsmula; skvätt; småsumma; *in* ~*s* i småposter, i småportioner

dried [draɪd] *adj* torkad, torr-

dried milk [ˌdraɪd'mɪlk] *s* torrmjölk, mjölkpulver

drier ['draɪə] *s* se *dryer*

drift [drɪft] **I** *vb itr* driva [fram] liksom med strömmen; glida; släntra, vandra, ströva; *let things* ~ a) låta det ha sin gång b) låta det gå på lösa boliner, låta det gå vind för våg; ~ *apart* komma längre och längre ifrån varandra, glida ifrån varandra **II** *s* **1** driva, hög [*a* ~ *of dead leaves*]; *snow* ~ snödriva **2** strömning, ström [*the* ~ *of population from country to city*]; *wage* ~ löneglidning **3** attr., ofta driv- [~ *net*]; drift, drivande; drivgods **4** tendens [*the general* ~]; mening, tankegång; *I caught the* ~ *of what she said* jag fattade i huvudsak vad hon menade; *if I get your* ~ om jag förstår dig rätt

drift anchor ['drɪftˌæŋkə] *s* sjö. drivankare

drifter ['drɪftə] *s* kringdrivande person; dagdrivare; hoppjerka

drift ice ['drɪftaɪs] *s* drivis

drift net ['drɪftnet] *s* drivgarn

driftwood ['drɪftwʊd] *s* drivved

1 drill [drɪl] **I** *vb tr* o. *vb itr* **1** borra, drilla; genomborra; borra sig [*into* in i]; ~ *a tooth* borra i (upp) en tand **2** exercera, drilla [~ *sb in grammar*]; öva [upp], träna, träna in; *it was* ~*ed into us* det hamrades in i oss **II** *s* **1** borr, drillborr; borrmaskin **2** exercis, drill; gymnastik; träning, övning; *know the* ~ vard. vara inne i (kunna) rutinen, behärska metoderna

2 drill [drɪl] *s* zool. drill babianart

3 drill [drɪl] *s* kyprat bomullstyg, twills

drilling platform ['drɪlɪŋˌplætfɔːm] *s* borrplattform

drilling rig ['drɪlɪŋrɪg] *s* **1** borrplattform **2** borrigg utrustning för oljeborrning

drily ['draɪlɪ] *adv* torrt etc., jfr *dry*

drink [drɪŋk] **I** (*drank drunk*) *vb tr* o. *vb itr* dricka; supa; tömma [~ *the cup of sorrow*]; ~ *oneself to death* supa ihjäl sig; ~ *deep* ta en djup klunk; ~ *heavily* supa omåttligt; ~ *from a bottle* el. ~ *out of a bottle* dricka ur en flaska, halsa; ~ *sb's health* dricka ngns skål, skåla med ngn; *what are you* ~*ing?* vad vill du ha att dricka? **II** (*drank drunk*) *vb tr* o. *vb itr* med prep. el. adv.: **drink in** bildl. insupa; sluka, njuta av i fulla drag [~

in the music]
drink to sb a) dricka ngn till, skåla för ngn **b)** skåla med ngn, dricka ngns skål; ~ *to sb's health* dricka ngns skål, skåla med ngn; ~ *to sb's success* dricka (skåla) för ngns framgång
drink up dricka ur, tömma
III *s* **1** dryck [*food and* ~; *refreshing* ~]
2 dryckesvaror; ~ el. *strong* ~ starka drycker, spritdryck[er]; *under the influence of* ~ alkoholpåverkad **3** drickande, dryckenskap; *be the worse for* ~ vara full; *fond of* ~ svag för sprit; *have a ~ problem* ha alkoholproblem; *take to* ~ börja dricka **4** klunk; glas, sup, drink [*have a* ~*!*]; *a* ~ *of water* ett glas vatten, en klunk vatten, lite vatten; *stand ~s all round* bjuda laget runt på ett glas **5** sl., *the* ~ drickat, spat havet, vattnet
drinkable ['drɪŋkəbl] *adj* drickbar; *the water is* ~ man kan dricka vattnet, det går att dricka vattnet
drink-driver [ˌdrɪŋk'draɪvə] *s* rattfyllerist
drink-driving [ˌdrɪŋk'draɪvɪŋ] *s* rattfylleri
drinker ['drɪŋkə] *s* person som dricker (super); *I'm not a coffee* ~ jag dricker inte kaffe; *heavy* ~ el. *hard* ~ storsupare
drinking ['drɪŋkɪŋ] **I** *adj* supig; *he is not a* ~ *man* han dricker inte
II *s* **1** drickande, supande, svirande, festande **2** attr. dricks- [~ *glass*]; dryckes- [~ *habits*]; *have a* ~ *problem* amer. ha alkoholproblem
drinking bout ['drɪŋkɪŋbaʊt] *s* [sup]period
drinking chocolate ['drɪŋkɪŋˌtʃɒk(ə)lət] *s* drickchoklad
drinking companion ['drɪŋkɪŋkəmˌpænjən] *s* suparkompis
drinking fountain ['drɪŋkɪŋˌfaʊntən] *s* dricksfontän
drinking song ['drɪŋkɪŋsɒŋ] *s* dryckesvisa
drinking water ['drɪŋkɪŋˌwɔːtə] *s* dricksvatten
drip [drɪp] **I** *vb itr* o. *vb tr* drypa [~ *with* (av) *perspiration*]; droppa
II *s* **1** drypande; dropp; takdropp **2** med. dropp; *be put on a* ~ få dropp **3** sl. tråkmåns, tönt
drip-dry [ˌdrɪp'draɪ] **I** *vb itr* o. *vb tr* dropptorka[s]
II *adj* som kan dropptorka[s]
drip-feed ['drɪpfiːd] **I** *s* **1** med. dropp, droppbehandling **2** tekn. droppmatning, droppsmörjning
II *vb tr* med. behandla med dropp
drip pan ['drɪppæn] *s* **1** se *dripping pan* **2** tekn. droppskål
dripping ['drɪpɪŋ] **I** *adj* drypande våt
II *adv*, ~ *wet* drypande våt
III *s* **1** dropp, droppande; pl. ~*s* dropp **2** fett som dryper från stek, steksky; flott, stekflott
dripping pan ['drɪpɪŋpæn] *s* **1** långpanna, ugnspanna; dryppanna **2** droppskål
drippy ['drɪpɪ] *adj* sl. knasig, fånig
drive [draɪv] **I** (*drove driven*) *vb tr* **1** köra; skjutsa; ~ *one's own car* ha bil **2** driva [*the machine is* ~*n by steam*]; ~ el. ~ *on* driva på, driva fram; ~ *logs* vanl. amer. flotta timmer **3** fösa, driva [~ *cattle*]; tränga, tvinga [~ *sb into a corner*]; söka igenom [~ *the woods for* (efter) *game*] **4** driva på, mana på; pressa [*be hard* ~*n*]; tröttköra **5** förmå, tvinga [*to* el. *into* till; *to do* att göra]; ~ *sb out of his senses* el. ~ *sb mad* el. ~ *sb crazy* göra ngn galen; driva ngn till

förtvivlan **6** sport. slå [~ *a ball*] **7** slå (driva, köra) in [~ *a nail into* (i) *the wall*]; driva ner [~ *a pile*]
8 [be]driva, föra; genomföra; ~ *a good bargain* göra en god affär
II (*drove driven*) *vb itr* **1** köra, åka, fara; ~ *up* el. ~ *up to the door* köra fram om bil, chaufför m.m.; ~ *on!* kör på (undan)! **2** driva[s] [fram]; trycka (pressa) 'på; ~ *ashore* driva i land **3** sport. slå [*he drove long*], golf. äv. slå en drive **4** ~ *at* sikta efter (på, till); syfta på, mena; *what are you driving at?* vad menar du?, vart vill du komma?; ~ *away at* vard. knoga på med, fortsätta [med]
III *s* **1** åktur, färd; bilresa; körning; *go for a* ~ el. *take a* ~ ta (ge sig ut på) en åktur **2** körväg; privat uppfartsväg, infart; ofta i gatunamn [*Crescent Drive*] **3** tekn. drift [*four-wheel* ~], bil. styrning; *left-hand* ~ vänsterstyrning **4** sport. drive slag **5** energi [*plenty of* ~]; kraft, initiativ, fart, kläm **6** kampanj, satsning, drive; kraftig attack, offensiv **7** kortsp., *whist* ~ whistturnering **8** psykol. drift **9** jakt. drev
drive bay ['draɪvbeɪ] *s* data. monteringsutrymme i dator för t.ex. cd-romläsare
drive-by ['draɪvbaɪ] **I** *adj* utförd från bil (motorcykel) [*a* ~ *murder*]; *a* ~ *shooting* se under *drive-by II* **II** *s*, *a* ~ skottlossning från bil (motorcykel)
drive-in ['draɪvɪn] **I** *s* drive-inbank, drive-inbio, drive-inrestaurang m.fl. **II** *adj* drive-in- [~ *bank*]
drivel ['drɪvl] **I** *vb itr* **1** dilla, dravla, prata smörja **2** dregla
II *s* **1** dravel **2** dregel
driveller ['drɪvlə] *s* pratmakare; idiot, tokstolle
driven ['drɪvn] *adj* o. *perf p* (av *drive*) driftig, starkt motiverad
driver ['draɪvə] *s* **1** förare, chaufför, kusk **2** tekn. a) drivhjul; drev b) drivare **3** driver slags golfklubba
driver's education ['draɪvəzedjuˌkeɪʃ(ə)n] *s* körkortsutbildning
driver's license ['draɪvəzˌlaɪs(ə)ns] *s* amer. körkort
driver's seat ['draɪvəziːt] *s*, *be in the* ~ bildl. vara den som bestämmer, vara den som har ansvaret
drive shaft ['draɪvʃɑːft] *s* drivaxel
drive-through ['draɪvθruː] *s* drive-inbank, drive-inbio, drive-inrestaurang m.fl.
driveway ['draɪvweɪ] *s* körväg; privat uppfartsväg, infart
driving ['draɪvɪŋ] **I** *perf p* o. *adj* körande; drivande etc., jfr *drive*; driv-; bildl. drivande; tvingande; medryckande; ~ *force* drivande kraft, drivkraft; ~ *rain* slagregn, piskande regn; ~ *storm* rasande storm
II *s* körning, åkning; borrning [*tunnel* ~]; drivande etc., jfr *drive*; ~ *offence* trafikförseelse med motorfordon, brott mot vägtrafikförordningen; ~ *under the influence* (förk. *DUI*) el. ~ *while intoxicated* (förk. *DWI*) amer. rattfylleri
driving belt ['draɪvɪŋbelt] *s* drivrem
driving examiner ['draɪvɪŋɪgˌzæmɪnə] *s* trafikinspektör
driving instructor ['draɪvɪŋɪnˌstrʌktə] *s* bilskollärare
driving licence ['draɪvɪŋˌlaɪs(ə)ns] *s* körkort
driving mirror ['draɪvɪŋˌmɪrə] *s* backspegel
driving range ['draɪvɪŋreɪn(d)ʒ] *s* golf. driving-range, träningsbana

driving school ['draɪvɪŋsku:l] *s* trafikskola, bilskola

driving seat ['draɪvɪŋsi:t] *s*, *be in the ~* bildl. vara den som bestämmer, vara den som har ansvaret

driving test ['draɪvɪŋtest] *s* körkortsprov; *take one's ~* köra upp

driving wheel ['draɪvɪŋwi:l] *s* drivhjul

drizzle ['drɪzl] **I** *vb itr* dugga, duggregna **II** *s* duggregn

drizzly ['drɪzlɪ] *adj* duggande; våt, fuktig

droll [drəʊl] *adj* lustig, rolig; underlig

dromedary ['drɒməd(ə)rɪ, 'drʌm-] *s* dromedar

drone [drəʊn] **I** *s* **1** surr, brummande; entonigt tal **2** zool. drönare, hanbi **3** bildl. drönare, lätting **II** *vb itr* surra, brumma; mumla; tala (sjunga) entonigt; *~ on* mala på [*about sth*]

drongo ['drɒŋgəʊ] *s* (pl. *~s*) **1** zool. drongo en tropisk fågel **2** austral. sl. trögtänkt (korkad) person, tjockskalle

drool [dru:l] *vb itr* **1** se *drivel I* **2** bildl. dregla av lystnad, sitta och dregla [*over* inför, vid tanken på]

droop [dru:p] *vb itr* **1** sloka [*the flowers ~ed*]; hänga [ned]; börja vissna; sänka sig [*her heavy eyelids ~ed*] **2** tyna av, falla ihop, bli kraftlös; bli modlös; sjunka [*his spirits ~ed*]

drop [drɒp] **I** *s* **1** droppe; *a ~ in the bucket* el. *a ~ in the ocean* en droppe i havet **2** vard. tår, glas [*take a ~*]; droppe, gnutta **3** slags syrlig karamell; *acid ~s* syrliga karameller **4** fall[ande], nedgång; sjunkande; *at the ~ of a hat* [som] på en given signal **5** amer. [brevlåds]öppning

II *vb itr* **1** falla, sjunka; sjunka ned [*~ into a chair*] **2** droppa [ned]; drypa [*with* av] **3** falla [ned]; stupa [*~ with fatigue*]; *~ dead!* sl. dra åt helsike! **4** lägga sig, mojna [*the wind ~ped*] **5** sluta, upphöra; *let the matter ~* låta saken falla

III *vb tr* **1** a) tappa [*~ the teapot*; *~ a stitch*]; släppa; spilla b) fälla [*~ anchor*; *~ bombs*]; släppa ner [*supplies were ~ped by parachute*] c) råka säga, fälla; *~ sb a hint* ge ngn en vink; *~ me a line* skriv ett par (några) rader; *~ one's voice* sänka rösten **2** droppa, drypa **3** låta falla bort, kasta bort, utelämna; tappa [bort] [*the printer has ~ped a line*] **4** överge, upphöra med [*~ a bad habit*]; avstå ifrån; avbryta, gå ifrån; sluta umgås med; spec. sport. peta [*~ a player*]; *~ it!* låt bli! **5** släppa (sätta, lämna) av [*shall I ~ you at the station?*]

IV *vb itr* o. *vb tr* med adv. el. prep. med mer el. mindre spec. översättningar.:

drop away falla ifrån, gå bort, minska; sänka sig

drop back falla tillbaka

drop behind sacka (komma) efter

drop by titta in, komma förbi [*I'll ~ by tomorrow*]

drop down on vard. slå ned på

drop in titta 'in [*~ in at a pub*]; troppa in; *~ in on sb* titta in till ngn, hälsa 'på ngn apropå, komma förbi

drop into a) titta 'in i (på) b) falla in i [*~ into a habit*]; övergå till [*~ into verse*]

drop off a) falla av b) släppa (sätta, lämna) av [*shall I ~ you off at the station?*] c) avta, minska [*business has ~ped off*]; falla bort d) *~ off* el. *~ off to sleep* somna in (till)

drop out a) falla ur (bort) b) dra sig ur, ge upp, gå

ur tävling, hoppa av

drop over titta 'över, hälsa 'på

drop round komma förbi, titta in

drop through falla igenom; rinna ut i sanden

drop curtain ['drɒp,kɜ:tn] *s* teat. [mellanakts]ridå

drop-down menu ['drɒpdaʊn,menju:] *s* data. rullgardinsmeny

drop-in ['drɒpɪn] *adj* drop-in

drop-in centre ['drɒpɪn,sentə] *s* dagcenter

dropkick ['drɒpkɪk] *s* rugby. droppspark

droplet ['drɒplət] *s* liten droppe

drop-off ['drɒpɒf] *s* **1** brant sluttning **2** minskning

dropout ['drɒpaʊt] *s* **1** avhoppare från studier o.d., studieavbrytare; *~ rate* bortfallsprocent, bortfall **2** socialt utslagen [person]; *the ~s* el. *the social ~s* A-laget **3** rugby. utspark

droppings ['drɒpɪŋz] *s pl* spillning av djur

drop scone [,drɒp'skɒn, '--] *s* kok., ung. plätt

drop seat ['drɒpsi:t] *s* klaffsits, fällbart säte

drop shot ['drɒpʃɒt] *s* tennis. o.d. stoppboll

dropsy ['drɒpsɪ] *s* med. vattusot

dross [drɒs] *s* **1** orenlighet; slagg, avfall; skräp äv. bildl. **2** [slagg]skum på smält metall

drought [draʊt] *s* torka, regnbrist

drove [drəʊv] **I** imperf. av *drive* **II** *s* **1** hjord på vandring; kreatursdrift, kreatursskock; stim, svärm **2** massa människor, mängd

drover ['drəʊvə] *s* **1** oxdrivare, kreatursfösare **2** kreaturshandlare

drown [draʊn] **I** *vb itr* drunkna [*save sb from ~ing*] **II** *vb tr* **1** dränka; *be ~ed* drunkna [*he fell overboard and was ~ed*]; *like a ~ed rat* våt som en dränkt katt **2** översvämma **3** bildl. överväldiga, överrösta, dränka [om ljud äv. *~ out*; *the noise ~ed his voice*]; *~ one's sorrows* dränka sina bekymmer i alkohol

drowning ['draʊnɪŋ] *s* drunkning; dränkning

drowse [draʊz] *vb itr* dåsa, halvsova

drowsiness ['draʊzɪnəs] *s* sömnighet

drowsy ['draʊzɪ] *adj* sömnig, yrvaken; dåsig

drub [drʌb] *vb tr* piska, banka [*~ sth out of sb*; *~ sth into sb*]

drubbing ['drʌbɪŋ] *s* vard. (spec. sport.) storstryk, smörj

drudge [drʌdʒ] **I** *s* arbetsträl, arbetsslav **II** *vb itr* slava, träla, slita [och släpa]

drudgery ['drʌdʒ(ə)rɪ] *s* slit, slit och släp; pressande (hårt) rutinarbete; *it's pure ~* det är rena slavgörat

drug [drʌg] **I** *s* **1** drog, läkemedel; sömnmedel, bedövningsmedel **2** narkotika; *be on ~s* knarka, vara knarkare; *do ~s* knarka, använda droger; *push ~s* langa; *take ~s* a) använda droger, knarka b) sport. dopa sig **3** *a ~ on the market* el. *a ~ in the market* en svårsåld (osäljbar) vara, en lagersuccé **II** *vb tr* **1** blanda sömnmedel (narkotika) i [*~ the wine*]; förgifta **2** droga; ge sömnmedel (narkotika); bedöva, söva

drug abuse ['drʌgə,bju:s] *s* drogmissbruk, narkotikamissbruk

drug addict ['drʌg,ædɪkt] *s* narkotikamissbrukare, narkoman

drug baron ['drʌg,bærən] *s* vard. knarkkung

drug czar ['drʌgtsɑ:] *s* narkotikabekämpare

drug dealer ['drʌg,di:lə] s narkotikalangare, knarklangare

drug dealing ['drʌg,di:lɪŋ] s knarklangning

drug fiend ['drʌgfi:nd] s se drug addict

druggist ['drʌgɪst] s vanl. amer. apotekare; apoteksbiträde; drugstoreinnehavare

drug peddler ['drʌg,pedlə] s o. **drug pusher** ['drʌg,puʃə] s vard., se drug dealer

drug runner ['drʌg,rʌnə] s internationell narkotikalangare (knarklangare)

drug squad ['drʌgskwɒd] s narkotikapolis, knarkpatrull

drugstore ['drʌgstɔ:] s amer. drugstore, apotek och kemikalieaffär ofta med enklare servering, tidningsförsäljning m.m.

Druid ['dru:ɪd] s **1** hist. druid keltisk präst **2** slags funktionär vid eisteddfod se detta ord

drum [drʌm] **I** s **1** trumma; big ~ el. bass ~ stortrumma, bastrumma; beat the ~ slå på trumman; beat the big ~ bildl. slå på stora trumman; with ~s beating and flags flying med flygande fanor och klingande spel **2** trumljud, trumvirvel, trummande **3** tekn. trumma; vals, cylinder **4** fat, dunk
II vb itr trumma; bildl. dunka, bulta, banka
III vb tr **1** trumma [~ a rhythm]; trumma med [~ one's fingers]; dunka på, banka på [~ the door] **2** värva, kalla
IV vb tr prep. el. adv.:
drum into: ~ sth into sb el. ~ sth into sb's head slå (trumfa) i ngn ngt
drum up trumma ihop, samla, värva

drum beat ['drʌmbi:t] s trumslag

drum brake ['drʌmbreɪk] s tekn. trumbroms

drum major [,drʌm'meɪdʒə] s regementstrumslagare; tamburmajor

drum majorette ['drʌm,meɪdʒə'ret] s [kvinnlig] tamburmajor

drummer ['drʌmə] s trumslagare

drumstick ['drʌmstɪk] s **1** trumpinne **2** kycklingklubba, stekt kycklingben (fågelben) nedanför låret

drunk [drʌŋk] **I** perf. p. av drink
II adj drucken, berusad, full; ~ with success berusad av framgången; he was arrested for being ~ and disorderly han greps för fylleri och förargelseväckande beteende; get ~ bli berusad, bli full, berusa sig
III s sl. fyllo, berusad [person], fyllerist

drunkard ['drʌŋkəd] s fyllo, fyllbult, alkoholist

drunk-driver [,drʌŋk'draɪvə] s vanl. amer. rattfyllerist

drunk-driving [,drʌŋk'draɪvɪŋ] s vanl. amer. rattfylleri

drunken ['drʌŋk(ə)n] adj **1** full, berusad; ~ driver rattfyllerist; ~ driving rattfylleri **2** fylleri-, fylle- [~ quarrel] **3** supig, försupen

drunkenness ['drʌŋk(ə)nnəs] s **1** rus, fylla; berusat tillstånd **2** dryckenskap, fylleri

drunkometer [drʌŋ'kɒmɪtə, 'drʌŋkə,mi:tə] s vanl. amer. alkotest[apparat]

drupe ['dru:p] s bot. stenfrukt

Drury Lane Theatre [,drʊərɪleɪn'θɪətə] s teater i London

dry [draɪ] **I** (adv. drily el. dryly) adj **1** torr; uttorkad; a ~ sense of humour torr humor; run ~ el. go ~ om källa, djur m.m. torka ut, sina, bli utsinad; mainly ~ i prognos huvudsakligen uppehållsväder **2** torr, torrlagd utan rusdrycksförsäljning [the country went ~] **3** ironisk; spetsig [a ~ smile]
II vb tr **1** torka; dried milk torrmjölk, mjölkpulver **2** torka ut, tömma
III vb itr torka; förtorka[s], bli torr; hang up to ~ hänga på tork
IV vb itr o. vb tr med adv. el. prep.:
dry off torka, torka till
dry out a) sina, torka, torka ut **b)** vard. sluta dricka, sitta på torken
dry up a) sina, torka, torka ut (in) **b)** vard. tystna, bli alldeles tyst [he dried up suddenly]; ~ up! håll mun!; lägg av! **c)** torka upp (bort); göra slut på; torka ut

dry battery ['draɪ,bætərɪ] s torrbatteri

dry cell ['draɪsel] s torrelement

dry-clean [,draɪ'kli:n] vb tr kemtvätta, tvätta kemiskt

dry-cleaners [,draɪ'kli:nəs] s pl (med verb i sg.) kemtvätt butik

dry-cleaning [,draɪ'kli:nɪŋ] s kemtvätt metod

dry dock [,draɪ'dɒk, '--] s torrdocka

dryer ['draɪə] s torkare; torkmaskin; torkställning; hårtork

dry goods [,draɪ'gʊdz] s pl **1** torra varor **2** vanl. amer. klädesvaror, textilvaror, manufakturvaror

dry ice [,draɪ'aɪs] s kolsyreis, kolsyresnö

drying ['draɪɪŋ] **I** s torkande, torkning etc., jfr dry II o. dry III **II** adj o. pres p torkande, förtorkande

drying cabinet ['draɪɪŋ,kæbɪnət] s o. **drying cupboard** ['draɪɪŋ,kʌbəd] s torkskåp

drying-out clinic ['draɪɪŋaʊt,klɪnɪk] s torken alkoholistanstalt

drying room ['draɪɪŋru:m] s torkrum

dryness ['draɪnəs] s **1** torka; torrhet **2** bildl. tråkighet; torrhet; torr humor; strävhet, stelhet

dry-roasted [,draɪ'rəʊstɪd] adj torrostad [~ peanuts]

dry rot [,draɪ'rɒt, '--] s **1** torröta **2** svamp som angriper trä m.m. [äv. ~ fungus]

dry run [,draɪ'rʌn] s övning, test[körning], repetition

dry shampoo [,draɪʃæm'pu:] (pl. ~s) s torrschampo

DSc [,di:es'si:] förk. för Doctor of Science

DST [,di:es'ti:] förk. för daylight saving time

DTP [,di:ti:'pi:] förk. för desktop publishing

DTs [,di:'ti:z] (med verb i sg. el. pl.) s vard., the ~ delirium [tremens]

DU förk. för depleted uranium

dual ['dju:əl] adj **1** som gäller två; gram. dual **2** bestående av två delar, tvåfaldig, dubbel; ~ nationality el. ~ citizenship dubbel nationalitet, dubbelt medborgarskap

dual carriageway [,dju:əl'kærɪdʒweɪ] s tvåfilig väg med skilda körbanor

duality [dju'ælɪtɪ] s tvåfald, dubbelhet, tvådelning

dual-purpose ['dju:əl,pɜ:pəs] adj som tjänar dubbla ändamål, som tjänar dubbla syften; ~ furniture kombinationsmöbler, förvandlingsmöbler

1 dub [dʌb] vb tr **1** ofta skämts. döpa till, kalla för; göra till **2** dubba; ~ sb a knight dubba ngn till riddare

2 dub [dʌb] film. o.d. **I** vb tr dubba; eftersynkronisera **II** s dubbning; dubbat tal

dubbed [dʌbd] *adj* dubbad
dubbin ['dʌbɪn] *s* läderfett, garvfett
dubbing ['dʌbɪŋ] *s* film. o.d. dubbning; eftersynkronisering
dubiety [djʊ'baɪətɪ] *s* tvivelaktighet; ovisshet, tvekan, tvivel, tvivelsmål
dubious ['dju:bɪəs] *adj* **1** tvivelaktig [~ *compliment*]; tvetydig, suspekt, dubiös **2** tveksam [*about* om], tvivlande [~ *reply*]; **feel ~ about** tveka om; tvivla på, ha sina dubier (tvivel) om
Dublin ['dʌblɪn] geogr.
Dublin Bay prawn [,dʌblɪnbeɪ'prɔ:n] *s* havskräfta, kejsarhummer
ducal ['dju:k(ə)l] *adj* hertiglig, hertig-
duchess ['dʌtʃəs] *s* hertiginna
duchy ['dʌtʃɪ] *s* hertigdöme
duck [dʌk] **I** *s* **1** anka; and [*wild ~*]; **like water off a ~'s back** ordst. som vatten på en gås; **he's got ~'s disease** skämts. han är kort i rocken (kortväxt); **she takes to it like a ~ to water** när det gäller det är hon som fisken i vattnet; **sitting ~** se *sitting target* **2** vard. raring; **she's a sweet old ~** hon är en rar gammal dam (tant); se äv. *ducks* **3** kricket. noll inget lopp för slagmannen under hans inneomgång; **make a ~** få noll; **break one's ~** göra sitt första lopp, spräcka nollan **4** lame ~ se *lame duck* **5** play ~s and drakes kasta smörgås; **play ~s and drakes with sth** vända upp och ner på ngt **6 a)** hastig dykning, dopp **b)** duckning; bock, bockning, nick
II *vb itr* **1** dyka ned; hastigt doppa sig **2** ducka, böja sig hastigt, väja undan; bildl. böja sig; **~ under to** böja sig för **3** vard. dra sig undan, smita; **~ out of** smita från
III *vb tr* **1** doppa **2** hastigt böja [ned] [~ *one's head*]; ducka för **3** vard. smita ifrån (undan) [~ *a responsibility*]
duckbill ['dʌkbɪl] *s* o. **duckbilled platypus** [,dʌkbɪld'plætɪpəs] *s* zool. näbbdjur
duckboards ['dʌkbɔ:d] *s pl* brädgång, trall, gångbräde över gyttja o.d.
duckling ['dʌklɪŋ] *s* ankunge
duck-pond ['dʌkpɒnd] *s* ankdamm
ducks [dʌks] *s* vard., **hallo, ~!** hej raring!
duck soup [,dʌk'su:p] *s* åld. amer. sl. en enkel match
duckweed ['dʌkwi:d] *s* bot. andmat
ducky ['dʌkɪ] vard. **I** *s*, **hallo, ~!** hej raring! **II** *adj* söt, näpen, rar
duct [dʌkt] *s* **1** rörledning, ledningsrör, kanal, tekn. trumma **2** anat. gång [*bile ~*]; kanal
ductile ['dʌktaɪl, amer. -tl] *adj* tänjbar, smidig; formbar
ductility [,dʌk'tɪlətɪ] *s* tänjbarhet, smidighet; formbarhet
ducting ['dʌktɪŋ] *s* **1** rörsystem, nät av gångar (kanaler) **2** rör pl., rörgods
dud [dʌd] vard. **I** *s* **1** blindgångare **2** fiasko **3** falskt mynt, falsk sedel
II *adj* skräp-; falsk; **a ~ cheque** en check utan täckning; en falsk check
dude [dju:d, du:d] *s* amer. vard. **1** person, snubbe, typ; **hey, ~!** i tilltal hörru!, du! **2** åld. stadsbo, turist spec. från östra staterna
dude ranch ['du:dræntʃ] *s* turistranch i USA med ridning och cowboyaktiviteter

dudgeon ['dʌdʒ(ə)n] *s*, **in high ~** mycket förgrymmad
due [dju:] **I** *adj* **1** som ska (skulle) vara, som ska (skulle) komma enl. avtal, tidtabell o.d., väntad; **the train is ~ at 6** tåget ska komma (kommer) kl. 6, tåget beräknas ankomma kl. 6; **my essay is ~ on Monday** vanl. amer. jag måste lämna in min uppsats på måndag; **be ~ to** + inf. ska enl. avtal, tidtabell o.d. [*she is ~ to speak here tonight*]; **the last train was ~ to leave at 10** det sista tåget skulle gå kl. 10 **2 ~ to** beroende på; vard. på grund av; **be ~ to** bero på [*the delay was ~ to an accident*]; ha sin grund (orsak) i; **it was ~ to her that I came** det var tack vare henne som jag kom **3** som ska betalas; förfallen [till betalning]; **debts ~ to us** våra fordringar; **wages ~** innestående lön, lön till godo; **be ~** förfalla [till betalning] **4** vederbörlig, tillbörlig [*in ~ form*; *with ~ care*; *with ~ respect*]; **after ~ consideration** efter moget övervägande; **in ~ course** el. **in ~ course of time** i vederbörlig ordning, i sinom tid **5 he is ~ for promotion** han står i tur för befordran
II *adv* rakt, precis; **~ north** rätt i norr, rakt norrut, rakt nordligt
III *s* **1 sb's ~** ngns rätt (del, andel), vad som tillkommer ngn [*give sb his ~*]; **to give him his ~ he is very clever** i rättvisans namn måste man medge att han är mycket duktig **2** vad man är skyldig, skuld [*pay one's ~s*] **3** pl. **~s** tull; avgift[er] [*harbour ~s*; *tonnage ~s*]; **membership ~s** medlemsavgift[er]
due date ['dju:deɪt] *s* hand. förfallodatum, förfallodag
duel ['dju:əl] **I** *s* duell **II** *vb itr* duellera
dueler ['dju:ələ] *s* o. **duelist** ['dju:əlɪst] *s* amer. duellant
dueller ['dju:ələ] *s* o. **duellist** ['dju:əlɪst] *s* duellant
duet [djʊ'et] *s* duett, duo; **play ~s** spela duetter; spela fyrhändigt
1 duff [dʌf] *vb tr* sl., **~ up** klå upp, ge stryk
2 duff [dʌf] *s* **1** slags ångkokt pudding med russin **2** sl., **up the ~** på smällen gravid
3 duff [dʌf] *s* vard. usel; vard. kass, värdelös
duffel bag ['dʌf(ə)lbæg] *s* persedelpåse, [kläd]säck, sjösäck
duffel coat ['dʌf(ə)lkəʊt] *s* duffel
duffer ['dʌfə] *s* vard. oduglig stackare; dumbom; **he is a ~ at maths** han är urdålig i matte
duffle bag ['dʌf(ə)lbæg] *s* o. **duffle coat** ['dʌf(ə)lkəʊt] *s* se *duffel bag* resp. *duffel coat*
1 dug [dʌg] *s* juver; spene
2 dug [dʌg] imperf. o. perf. p. av *dig*
dugout ['dʌgaʊt] *s* **1** underjordiskt skyddsrum, jordkula **2** avbytarbänk (reservbänk) med vindskydd **3** kanot urholkad trädstam
DUI [,di:ju:'aɪ] (förk. för *driving under the influence*) se *driving II*
duke [dju:k] *s* **1** hertig **2** vanl. pl. **~s** åld. sl. nävar, händer
dukedom ['dju:kdəm] *s* **1** hertigdöme **2** hertigvärdighet
dulcimer ['dʌlsɪmə] *s* mus. hackbräde, cymbal; amer. slags citra
dull [dʌl] **I** *adj* **1** tråkig, långtråkig, trist, enformig [~ *life*; ~ *book*]; tyst, död [~ *town*] **2** matt [~ *light*; ~ *gold*]; glanslös; matt belyst [~ *landscape*]; grå, mulen; **~ weather** gråväder **3** långsam i uppfattning,

trög [~ *brain* el. ~ *mind*; ~ *pupil*]; dum **4** skum, svag [~ *eyes*]; obestämd, dov [~ *ache*; ~ *crash*]; molande [~ *pain*]; **~ of hearing** lomhörd **5** slö [~ *razor*]

II *vb tr* trubba av [~ *one's senses*]; göra trög etc., jfr *dull I*; matta, dämpa, försvaga; fördunkla

dullard ['dʌləd] *s* åld. trögmåns; slöfock

dullness ['dʌlnəs] *s* tråkighet; matthet; tröghet, slöhet etc., jfr *dull I*

dull-witted [ˌdʌl'wɪtɪd] *adj* tjockskallig, obegåvad

dully ['dʌlɪ, 'dʌlɪ] *adv* trögt etc., jfr *dull I*

duly ['djuːlɪ] *adv* **1** vederbörligen, tillbörligt, behörigen; som sig bör **2** i rätt tid, punktligt

dumb [dʌm] **I** *adj* **1** stum; mållös [~ *with* (av) *astonishment*]; **~ animals** el. **~ beasts** oskäliga djur; **strike ~** göra mållös (stum), förstumma **2** vard. dum [*a ~ blonde*]; **~ cluck** dumskalle **3** vard. fånig, löjlig **II** *vb tr*, **~ down** fördumma

dumbbell ['dʌmbel] *s* **1** hantel **2** sl. idiot

dumbfound [dʌm'faʊnd] *vb tr* göra mållös [av häpnad], förstumma

dumbfounded [dʌm'faʊndɪd] *adj* **1** mållös, förstummad **2** häpen

dumb show ['dʌmʃəʊ] *s* pantomim

dumb waiter [ˌdʌm'weɪtə] *s* **1** mindre, flyttbart serveringsbord med vridbara hyllor **2** mathiss

dumdum ['dʌmdʌm] *s* o. **dumdum bullet** [ˌdʌmdʌm'bʊlɪt] *s* dumdumkula

dummy ['dʌmɪ] **I** *s* **1** attrapp; dummy; skyltfigur; skyltexemplar; modell; utkast; [mål]gubbe att skjuta på o.d.; buktalares docka; **tailor's ~** a) provdocka b) [kläd]snobb; **sell sb the ~** el. **sell sb a ~** fotb. finta [bort ngn] **2** bildl. bulvan, skylt utåt **3** statist utan repliker; nolla **4** [tröst]napp **5** kortsp. träkarl **6** sl. stum [person] **7** sl. dumhuvud, fårskalle, idiot **II** *adj* falsk, sken-, blind-; **~ cartridge** blindpatron; **a ~ rifle** en gevärsattrap

dummy run [ˌdʌmɪ'rʌn] *s* övning, test[körning]; repetition

dump [dʌmp] **I** *vb tr* **1** stjälpa av, tippa [~ *the coal outside the house*]; dumpa; tömma; slänga; göra sig av med **2** hand. dumpa äv.; data. **II** *s* **1** avfallshög; slagghög; soptipp **2** vard. håla, ställe, kyffe **3** mil. m.m.: tillfällig förrådsplats, depå, förråd, upplag [*ammunition ~*]

dumper truck ['dʌmpətrʌk] *s* tippvagn, dumper

dumping ['dʌmpɪŋ] *s* **1** tippning, dumpning; utsläpp; **no ~ allowed** tippning förbjuden **2** hand. dumping, dumpning

dumping ground ['dʌmpɪŋˌgraʊnd] *s* soptipp, sopstation

dumpling ['dʌmplɪŋ] *s* kok., slags klimp som vanl. kokas i soppa o.d.; **apple ~** äppelknyte; **pork ~** ung. kroppkaka med fläsk

dumps [dʌmps] *s pl*, **be down in the ~** vard. vara nere, vara deppig, vara ur humör

dumpster® ['dʌmstə] *s* amer. sopcontainer

dump truck [dʌmptrʌk] *s* amer. tippvagn, dumper

dumpy ['dʌmpɪ] *adj* kort och tjock, rultig, undersätsig

dun [dʌn] **I** *adj* mörkt gråbrun, gulbrun **II** *s* **1** gråbrunt, gulbrunt **2** gulbrun häst med svart man

dunce [dʌns] *s* dumhuvud, dummerjöns

dunce's cap ['dʌnsɪzkæp] *s* åld. 'dumstrut' pappersstrut som sattes på 'dumt' skolbarns huvud

Dundee [dʌn'diː] geogr.

Dundee cake [dʌn'diːkeɪk] *s* slags stor fruktkaka dekorerad med halva mandlar

dune [djuːn] *s* dyn, sanddyn

dune buggy ['djuːnˌbʌgɪ] *s* se *beach buggy*

dung [dʌŋ] **I** *s* dynga, gödsel, lort **II** *vb tr* gödsla

dungarees [ˌdʌŋgə'riːz] *s pl* **1** överdragskläder, blåställ, overall **2** snickarbyxor, snickarjeans; amer. jeans

dungeon ['dʌn(d)ʒ(ə)n] *s* underjordisk fängelsehåla

dunghill ['dʌŋhɪl] *s* gödselhög, gödselstack; bildl. sophög; smuts; attr. äv. feg, mesig

Dunhill ['dʌnhɪl]

dunk [dʌŋk] **I** *vb tr* **1** doppa [~ *doughnuts in coffee*] **2** sport., i basket dunka **II** *s* sport., basket dunk

Dunlop® [bildäck 'dʌnlɒp]

dunno [də'nəʊ] vard. förvrängning av [*I*] *don't know*

duo ['djuːəʊ] (pl. ~s) *s* **1** mus. duo, duett **2** duo, par

duodenal [ˌdjuːə(ʊ)'diːnl] *adj* med. duodenal-; **~ ulcer** sår på tolvfingertarmen, magsår

duoden|um [ˌdjuːə(ʊ)'diːn|əm] (pl. -*a* [-ə] el. -*ums*) *s* anat. duodenum, tolvfingertarm

duologue ['djuːəlɒg] *s* dialog

dupe [djuːp] **I** *s* lättlurad (godtrogen) person; [lättlurat] offer [*to* för] **II** *vb tr* lura, dupera

duple ['djuːpl] *adj* dubbel vanl. matem.

duplex ['djuːpleks] **I** *adj* tvåfaldig, bestående av två, [försedd] med två; tekn. duplex-; **~ apartment** o. **~ house** se under *duplex II* **II** *s* amer. etagevåning [äv. ~ *apartment*]; tvåfamiljshus, parvilla [äv. ~ *house*]

duplicate [adj. o. subst. 'djuːplɪkət, verb 'djuːplɪkeɪt] **I** *adj* dubbel, tvåfaldig; dubblett- [~ *copy*; ~ *key*] om avskrift i två [likalydande] exemplar; likadan **II** *s* dubblett, duplikat, likalydande exemplar, kopia; **in ~** i två [likalydande] exemplar **III** *vb tr* **1** fördubbla **2** duplicera; utfärda i två [likalydande] exemplar; mångfaldiga, ta kopia (kopior) av

duplication [ˌdjuːplɪ'keɪʃ(ə)n] *s* **1** fördubbling; duplicering; upprepande **2** dubblett, duplikat

duplicity [djuː'plɪsətɪ] *s* dubbelhet; dubbelspel, falskhet

Dur förk. för *Durham*

durability [ˌdjʊərə'bɪlətɪ] *s* varaktighet; hållbarhet

durable ['djʊərəbl] **I** *adj* varaktig, bestående; hållbar, slitstark **II** *s*, pl. ~**s** se *durable goods*

durable goods [ˌdjʊərəbl'gʊdz] *s pl* varaktiga konsumtionsvaror, kapitalvaror

duration [djʊ(ə)'reɪʃ(ə)n] *s* varaktighet [*be of long ~*]; fortvaro; hand. löptid; **the average ~ of life** medellivslängden; **for the ~** så länge det (den) varar (pågår); **for the ~ of the war** så länge det är (var) krig, så länge kriget varar (varade)

duress [djʊ(ə)'res, 'djʊəres] *s* [olaga] tvång, yttre våld (hot)

Durex® ['djʊəreks] *s* slags kondom

Durham ['dʌr(ə)m] geogr.

during ['djʊərɪŋ, 'djɔːr-, 'dʒ-] *prep* under [~ *the war*; ~ *my absence*]; under loppet av, medan ngt pågår (varar resp. pågick, varade) [~ *the negotiations*]; på, om; *he usually comes ~ the summer* han brukar komma på (om) sommaren

dusk [dʌsk] *s* skymning; dunkel; *at ~* i skymningen; *in the ~ of the evening* i kvällsmörkret

dusky ['dʌskɪ] *adj* **1** dunkel, skum **2** svartaktig, mörklagd, mörkhyad **3** bildl. mörk, dyster

dust [dʌst] **I** *s* **1** damm, stoft; *a ~* ett dammoln; *let the ~ settle* el. *wait for the ~ to settle* låta situationen lugna ner sig; *raise a ~* el. *kick up a ~* vard. ställa till bråk; *not see sb for ~* inte se röken (skymten) av ngn; *throw ~ in sb's eyes* slå blå dunster i ögonen på ngn **2** fint (finstött) pulver av olika slag, puder; spån; frömjöl; borrmjöl **3** bildl. **a)** stoft, aska, jord **b)** *bite the ~* vard. bita i gräset, stupa

II *vb tr* **1** damma, damma av, dammtorka [äv. *~ off*]; borsta dammet ur, piska kläder; *~ down* borsta av; *~ oneself down* skaka av sig det hela **2** beströ, strö [över], pudra

dustbag ['dʌstbæg] *s* dammsugarpåse, dammpåse

dustbin ['dʌs(t)bɪn] *s* soptunna

dustcart ['dʌstkɑ:t] *s* sopbil

dust chute ['dʌstʃu:t] *s* sopnedkast

dustcloth ['dʌstklɒθ] *s* **1** dammtrasa **2** skyddsöverdrag för möbler

dust cover ['dʌst‚kʌvə] *s* skyddsomslag på bok

duster ['dʌstə] *s* dammtrasa, dammvippa

dust jacket ['dʌst‚dʒækɪt] *s* skyddsomslag på bok

dust|man ['dʌs(t)|mən] (pl. *-men* [-mən]) *s* vard. sophämtare, sopgubbe

dust mite ['dʌs(t)maɪt] *s* dammkvalster

dustpan ['dʌs(t)pæn] *s* sopskyffel

dust storm ['dʌststɔ:m] *s* sandstorm, stormby som virvlar upp dammoln

dust trap ['dʌsttræp] *s* dammgömma, dammsamlare

dust-up ['dʌstʌp] *s* bråk, oväsen, uppträde; gräl

dusty ['dʌstɪ] *adj* dammig; lik damm (pulver); *it's ~* det dammar; *not so ~* sl. inte så illa

Dutch [dʌtʃ] **I** *adj* **1** nederländsk, holländsk; *go ~* vard. betala var och en för sig på restaurang **2** amer. sl. tysk

II *s* **1** nederländska (holländska) [språket]; *Cape ~* åld. kapholländska, afrikaans; *double ~* rotvälska **2** *the ~* nederländarna, holländarna, amer. sl. äv. tyskarna

Dutch auction [‚dʌtʃ'ɔ:kʃ(ə)n] *s* auktion där auktionsförrättaren sänker priset tills köpare anmält sig

Dutch barn [‚dʌtʃ'bɑ:n] *s* öppet skjul; enkelt skyddstak på stolpar över hö o.d.

Dutch cap [‚dʌtʃ'kæp] *s* **1** holländsk spetsmössa **2** pessar preventivmedel

Dutch courage [‚dʌtʃ'kʌrɪdʒ] *s* konstlat mod, brännvinskurage

Dutch elm disease [‚dʌtʃ'elmdɪ‚zi:z] *s* bot. almsjuka

Dutch hoe [‚dʌtʃ'həʊ] *s* trädgårdsskyffel, skyffel

Dutch|man ['dʌtʃ|mən] (pl. *-men* [-mən]) *s* nederländare, holländare, amer. sl. äv. tysk; *he's guilty or I'm a ~* om inte han är skyldig så vill jag vara skapt som en nors

Dutch tile [‚dʌtʃ'taɪl] *s* kulört kakel

Dutch treat [‚dʌtʃ'tri:t] *s* knytkalas; tillställning o.d. där var och en betalar för sig

Dutch|woman ['dʌtʃ‚wʊmən] (pl. *-women* [-‚wɪmɪn]) *s* nederländska, holländska kvinna

dutiable ['dju:tɪəbl] *adj* tullpliktig; avgiftsbelagd

dutiful ['dju:tɪf(ʊ)l] *adj* **1** plikttrogen, lydig, undergiven **2** pliktskyldig [*~ attention*]

dutifully ['dju:tɪf(ʊ)lɪ, -fəlɪ] *adv* plikttroget, lydigt, undergivet; pliktskyldigast

duty ['dju:tɪ] *s* **1** plikt, skyldighet **2** tjänst, tjänstgöring; åliggande, uppgift; uppdrag; göromål, mil. vakt; pl. *duties* ofta plikter; tjänst, tjänstgöring; *do ~ for* el. *do ~ as* tjäna som, göra tjänst som, användas som; *off ~* inte i tjänst, ledig; tjänstledig, permitterad; *on ~* a) i tjänst, tjänstgörande, i tjänsten b) vakthavande, jourhavande c) på post, patrullerande; *enter upon one's duties* el. *take up one's duties* tillträda sin plats, börja sin tjänstgöring; *the officer on ~* dagofficeren, jourhavande officeren **3** hand. pålaga, avgift [*customs ~*]; skatt på vara, accis, tull [*pay ~ on an article; export ~; import ~*]; tullsats

duty-bound [‚dju:tɪ'baʊnd] *adj* förpliktad

duty-free [‚dju:tɪ'fri:, attr. '---] *adj* tullfri

duty-free shop [‚dju:tɪfri:'ʃɒp] *s* affär med tullfria varor

duty officer ['dju:tɪ‚ɒfɪsə] *s* dagofficer

duvet ['dju:veɪ, -'-] *s* ejderdunstäcke, duntäcke

DVD [‚di:vi:'di:] TV. el. data. (förk. för *digital video disc* el. *digital versatile disc*) dvd, digital videoskiva; *~ player* dvd-spelare

DVT [‚di:vi:'ti:] förk. för *deep-vein thrombosis*

dwarf [dwɔ:f] **I** (pl. *~s* el. *dwarves*) *s* dvärg; dvärgträd, dvärgväxt

II *adj* dvärg- [*~ birch; ~ star*]; dvärglik

III *vb tr* **1** hämma i växten (utvecklingen), förkrympa **2** komma att verka mindre, få att verka liten; ställa i skuggan; *be ~ed by* verka liten (obetydlig) vid sidan av; *be ~ed into insignificance* nästan försvinna vid sidan av ngn (ngt)

dweeb [dwi:b] *s* vanl. amer. sl. tönt, nolla

dwell [dwel] (*dwelt dwelt*, ibl. *dwelled dwelled*) litt. **I** *vb itr* **1** vistas, bo; leva; dväljas **2** ligga [*the poem's main interest ~s in...*]

II *vb itr* med adv. el. prep.:

dwell on el. **dwell upon** uppehålla sig vid, bre[da] ut sig över, älta [*~ on a subject*]; *~ upon a tone* hålla ut på en ton

dweller ['dwelə] *s* invånare, inbyggare [*town-dweller*]

dwelling ['dwelɪŋ] *s* **1** litt. boning, bostad **2** bostadsenhet

dwelling house ['dwelɪŋhaʊs] *s* bostadshus, boningshus

dwelt [dwelt] imperf. o. perf. p. av *dwell*

DWI [‚di:dʌblju:'aɪ] förk. för *driving while intoxicated*

dwindle ['dwɪndl] *vb itr*, *~* el. *~ away* smälta ihop, krympa ihop, försvinna; reduceras [*into* till], förminskas, försämras, urarta

dwindling ['dwɪndlɪŋ] *adj* krympande, minskande

DWP [‚di:dʌblju:'pi:] förk. för *Department for Work and Pensions* se *work I 2*

DX [‚di:'eks] *s* radio. DX, distansmottagning, kortvågsmottagning

dye [daɪ] **I** *s* **1** färg; färgämne; färgmedel **2** slag, sort, beskaffenhet

II *vb tr* färga

d'ye [djɪ, djə] vard. kortform av *do you*

dyed-in-the-wool [ˌdaɪdɪnðəˈwʊl] *adj* **1** bildl.
tvättäkta; stock- [~ *conservative*]; durkdriven,
fullfjädrad, ut i fingerspetsarna **2** färgad före
spinningen (bearbetningen), ullfärgad

dying [ˈdaɪɪŋ] **I** *s* **1** döende [person], död [person]
2 döendet; attr. döds- [~ *bed*; ~ *day*]; ~ *wish* sista
önskan
II *adj* döende; *in the ~ seconds of the match* i de
skälvande slutsekunderna av matchen; *to my ~ day*
så länge jag lever, se vidare *1 die I 1*

1 dyke [daɪk] *s* **1 a**) damm, fördämning,
[strand]vall, bank **b**) väg anlagd på bank **2** dike

2 dyke [daɪk] *s* sl. flata lesbisk kvinna

Dylan [författaren Dylan Thomas ˈdɪlən]

dynamic [daɪˈnæmɪk, dɪˈn-] *adj* dynamisk

dynamics [daɪˈnæmɪks, dɪˈn-] *s pl* **1** (med verb i sg.) fys.
dynamik **2** (med verb vanl. i pl.) bildl. el. mus. dynamik

dynamism [ˈdaɪnəmɪz(ə)m] *s* **1** filos. dynamism
2 dynamisk kraft

dynamite [ˈdaɪnəmaɪt] **I** *s* dynamit äv. bildl. **II** *vb tr*
spränga med dynamit

dynamo [ˈdaɪnəməʊ] (pl. ~s) *s* dynamo

dynasty [ˈdɪnəstɪ, ˈdaɪn-] *s* dynasti

dysentery [ˈdɪsntrɪ] *s* med. dysenteri

dysfunction [dɪsˈfʌŋkʃ(ə)n] *s* med. dysfunktion

dyslectic [dɪsˈlektɪk] *adj* med. dyslektisk

dyslexia [dɪsˈleksɪə] *s* med. dyslexi

dyslexic [dɪsˈleksɪk] *adj* med., se *dyslectic*

dyspepsia [dɪsˈpepsɪə] *s* med. dyspepsi,
matsmältningsrubbning, dålig mage

dyspeptic [dɪsˈpeptɪk] med. **I** *s* person som lider av
dålig matsmältning (mage) **II** *adj* med dålig
matsmältning (mage)

E e

1 E, e [iː] (pl. *E's* el. *e's* [iːz]) *s* **1** E, e **2** mus., *E flat* ess;
E major E-dur; *E minor* e-moll; *E sharp* eiss

2 E [iː] **1** förk. för *east, eastern; Eastern* (postdistrikt i
London) **2** sl. förk. för *ecstacy*

3 E [iː] *s* godkänd i en betygsskala från A till F, där A är
högst [*she got an ~*]

e- [ɪ, e] *prefix* data. e- utmärker elektronisk version av viss
företeelse [*e-mail*]

ea. förk. för *each*

each [iːtʃ] *indef pron* **1** var [för sig], varje särskild;
självst. var och en [för sig] [äv. ~ *one*]; *we ~* [*took a
big risk*] var och en av oss...; ~ *and all* alla och
envar; ~ *and every* varenda; *on ~ side* på varje sida,
på vardera sidan, på ömse sidor **2** adverbiellt var; [*he
gave them*] *one pound ~* ...ett pund var (per man),
...var sitt pund; [*they cost*] *one pound ~* ...ett pund
[per] styck

each other [iːtʃˈʌðə] *pron* varandra

each way [ˌiːtʃˈweɪ] *adv*, [*put one pound*] *on a horse ~*
kapplöpn. ...både på vinnare och på plats

eager [ˈiːgə] *adj* ivrig, angelägen; otålig; häftig [~
passion]; ~ *expectation* spänd förväntan; ~ *to*
angelägen om att, mån om att, ivrig (otålig) att få
[~ *to go there*]

eager beaver [ˌiːgəˈbiːvə] *s* vard. arbetsmyra; streber

eagerness [ˈiːgənəs] *s* iver [*for* efter, att få; *about*
beträffande, när det gäller]; otålighet

eagle [ˈiːgl] *s* zool. örn äv. som fälttecken; *bald ~*
vithövdad havsörn; *golden ~* kungsörn

eagle-eyed [ˌiːglˈaɪd, attr. '---] *adj* med örnblick,
med falkblick, skarpögd, skarpsynt

eagle owl [ˌiːglˈaʊl] *s* zool. berguv, uv

1 ear [ɪə] *s* **1** öra, mus. äv. gehör; *my ~s are burning*
bildl. jag känner på mig att man (någon) talar om
mig; *his ~s were flapping* öronen fladdrade på
honom han tjuvlyssnade; *be all ~s* vara idel öra; *gain
sb's ~* få ngn att lyssna, få ngns förtroende; *lend an
~ to* [noggrant] lyssna till, låna sitt öra åt; *give sb a
thick ~* klappa till ngn, ge ngn en rejäl örfil; *have an
~ for music* ha musiköra; *keep one's* (*an*) *~ to the
ground* vara lyhörd för (ha öronen öppna för) vad
som rör sig i tiden; *turn a deaf ~ to* slå dövörat till
för; *wet behind the ~s* vard. inte torr bakom öronen;
play (*sing*) *by ~* spela (sjunga) på gehör; *play* [*it*] *by ~*
a) spela [ngt] på gehör b) vard. känna sig för,
handla på känn; *a word in your ~* ett ord i all
förtrolighet; *be out on one's ~* vard. få (ha fått)
sparken, bli (ha blivit) petad; *be up to the* (*one's*) *~s
in debt* vara skuldsatt upp över öronen **2** öra,
handtag, grepe; ögla

2 ear [ɪə] *s* [sädes]ax; *be in the ~* stå i ax

earache [ˈɪəreɪk] *s* öronvärk, örsprång; *have ~* el.
have an ~ äv. ha ont i öronen

earclip [ˈɪəklɪp] *s* öronclips

eardrop [ˈɪədrɒp] *s* **1** långt örhänge **2** pl. ~*s* med.
örondroppar

eardrum [ˈɪədrʌm] *s* trumhinna

earflap ['ɪəflæp] *s* [nedfällbar] öronlapp
earful ['ɪəfʊl] *s*, *get an ~ of this!* [ta och] lyssna på det här!
earl [ɜ:l] *s* brittisk greve
earldom ['ɜ:ldəm] *s* grevevärdighet
ear lobe ['ɪələʊb] *s* örsnibb
early ['ɜ:lɪ] **I** *adv* tidigt, bittida, i god tid; för tidigt [*the train arrived an hour ~*]; *~ on* vard. tidigt, i ett tidigt skede
II *adj* **1** tidig; för tidig [*you are an hour ~*]; snar [*reach an ~ agreement*]; första [*the ~ days of June*]; *at an ~ age* i (vid) unga år; *he's an ~ bird* han är morgonpigg (morgontidig) av sig, han är uppe med tuppen; *the ~ bird catches the worm* ordspr. morgonstund har guld i mun; *~ closing day* i butik dag med tidig stängning (eftermiddagsstängt); *at an ~ date* snart, inom kort; *it's ~ days yet* a) det är lite för tidigt [ännu] att uttala sig (säga) etc. b) det är fortfarande gott om tid; *in the ~ days of the cinema* i filmens barndom; *it is ~ in the day to...* det är lite för (väl) tidigt [på dagen för] att...; *in the ~ nineties* i början av (på) nittiotalet; *he is in his ~ forties* han är ett par år (lite) över fyrtio; [*she passed away*] *in the ~ hours of Monday morning* ...natten mellan söndag och måndag; *have an ~ night* gå och lägga sig tidigt; *at an ~ opportunity* vid första bästa tillfälle; *the ~ part* [*of the 20th century*] början (första delen)...; *~ retirement* förtidspensionering; *he is an ~ riser* han stiger upp tidigt på morgnarna; *~ summer* försommar[en]; *in ~ summer* el. *in the ~ summer* i början av sommaren, tidigt på sommaren; *~ tomorrow morning* i morgon bitti; *tomorrow at the earliest* tidigast i morgon; *at your earliest convenience* hand. (i brev) snarast möjligt, så snart det är möjligt för Er **2** forn, äldre, äldst [*the ~ Church*]
early warning [ˌɜ:lɪ'wɔ:nɪŋ] *s* förvarning
early warning system [ˌɜ:lɪ'wɔ:nɪŋˌsɪstəm] *s* mil. fjärrvarningssystem varningsradar mot robotanfall
earmark ['ɪəmɑ:k] **I** *vb tr* **1** anslå, reservera, sätta av, öronmärka [*~ a sum of money for research*]; *~ed for* äv. avsedd för **2** märka djur i örat; märka för identifiering
II *s* märke i örat på djur; ägarmärke; bildl. kännetecken
earmuffs ['ɪəmʌfs] *s pl*, *a pair of ~* ett öronskydd
earn [ɜ:n] *vb tr* tjäna, förtjäna [*~ £30,000 a year*]; göra sig förtjänt av; vinna, skörda; förvärva; förskaffa [*his achievements ~ed him respect*]; *~ a living* el. *~ one's keep* se under *living* II 2 resp. *keep* IV 1
earner ['ɜ:nə] *s* **1** inkomsttagare [*low ~; high ~; average ~*]; *wage ~* löntagare; familjeförsörjare **2** vard., *a nice little ~* en bra liten inkomstkälla
earnest ['ɜ:nɪst] **I** *adj* allvarlig [*an ~ attempt; an ~ man*]; ivrig; enträgen; [målmedveten och] flitig [*an ~ pupil*]; *an ~ word* **II** *s*, *in ~* på allvar; *in real (dead) ~* på fullt allvar; *are you in ~?* menar du allvar?
earnestness ['ɜ:nɪstnəs] *s* allvar; *in all ~* på fullt allvar
earnings ['ɜ:nɪŋz] *s pl* förtjänst, intäkt[er], inkomst[er]; *all her ~* allt hon förtjänar
earphones ['ɪəfəʊnz] *s pl* hörlurar; öronsnäckor

earpiece ['ɪəpi:s] *s* **1** tele. el. radio. hörlur **2** öronskydd, öronlapp **3** [glasögon]skalm
ear-piercing ['ɪəˌpɪəsɪŋ] *adj* öronbedövande, genomträngande
earplug ['ɪəplʌg] *s* öronpropp som skydd
earring ['ɪərɪŋ] *s* örhänge; örring
earset ['ɪəset] *s* tele. el. data., *handsfree ~* handsfree
earshot ['ɪəʃɒt] *s* hörhåll [*within ~; out of ~*]
ear-splitting ['ɪəˌsplɪtɪŋ] *adj* öronbedövande
earth [ɜ:θ] **I** *s* **1** jord [*the ~ is a planet; a lump of ~*]; jordklot, värld; mull, mylla; jordart [äv. *sort of ~*]; mark [*fall to* [*the*] *~*]; *~ to ~,* [*ashes to ashes,*] *dust to dust* relig. av jord är du kommen, jord skall du åter varda; *it cost the ~* el. *I had to pay the ~* det kostade en förmögenhet (skjortan); *promise the ~* lova guld och gröna skogar; [*the greatest scoundrel*] *on ~* ...i världen, ... som går i ett par skor; *how (what, why) on ~...?* hur (vad, varför) i all världen (i Herrans namn)...?; *I feel like nothing on ~* jag känner mig urvissen; *come back to ~* el. *come down to ~* komma ner på jorden igen **2** jakt. lya, kula, gryt; *run to ~* el. *go to ~* om räv o.d. gå under, gå i gryt; *go to ~* bildl. gå under jorden; *run...to ~* bildl. äntligen finna (få tag i, spåra upp)... **3** elektr. jord, jordkontakt, jordledning
II *vb tr* elektr. jorda
earthbound ['ɜ:θbaʊnd] *adj* **1** på väg mot jorden [*an ~ astronaut*] **2** jordbunden, alldaglig **3** jordnära
earth connection ['ɜ:θkəˌnekʃ(ə)n] *s* elektr. jordning, jordanslutning, jordkontakt
earthen ['ɜ:θ(ə)n, 'ɜ:ð-] *adj* **1** jord- [*~ floor*]; ler- [*an ~ jar*] **2** jordisk
earthenware ['ɜ:θ(ə)nweə, 'ɜ:ð-] *s* lergods; lerkärl
earthling ['ɜ:θlɪŋ] *s* jordinnevånare; science fiction jordevarelse
earthly ['ɜ:θlɪ] *adj* **1** jordisk [*~ existence*]; världslig; timlig [*~ possessions*] **2** vard., *not an ~ chance* inte skuggan av en chans; *no ~ reason* ingen anledning i världen; *it's no ~ use* det tjänar absolut ingenting till
earthquake ['ɜ:θkweɪk] *s* jordskalv, jordbävning
earth satellite ['ɜ:θˌsætəlaɪt] *s* rymd. jordsatellit
earth-shattering ['ɜ:θˌʃæt(ə)rɪŋ] *adj* världsomvälvande [*an ~ event*]; världsomskakande
earthward ['ɜ:θwəd] *adv* o. **earthwards** ['ɜ:θwədz] *adv* mot (ner på) jorden
earthwork ['ɜ:θwɜ:k] *s* jordvall; mil. grävt värn
earthworm ['ɜ:θwɜ:m] *s* daggmask
earthy ['ɜ:θɪ] *adj* **1** jordnära; jordbunden **2** [som består] av jord; jordaktig
ear trumpet ['ɪəˌtrʌmpɪt] *s* hörlur för lomhörd
earwax ['ɪəwæks] *s* ör[on]vax
earwig ['ɪəwɪg] *s* zool. **1** tvestjärt **2** amer., slags tusenfoting, jordkrypare
earworm ['ɪəwɜ:m] *s* vard. låt som fastnar i huvudet, landsplåga schlager
ease [i:z] **I** *s* **1** lätthet; *with ~* med lätthet, lätt [och ledigt]; ledigt, otvunget **2** välbefinnande, välbehag; lugn, ro, vila; ledighet, naturlighet; *at ~* el. *at one's ~* bekvämt, i lugn och ro; väl till mods, lugn; obesvärad, ogenerad; makligt, i sakta mak, sakta och lugnt; [*stand*] *at ~!* mil. manöver!; *ill at ~* illa (obehaglig) till mods, orolig, besvärad, generad; *put sb at ~* få ngn att slappna av, lugna ngn

II *vb tr* **1** lindra [~ *the pain*]; ~ *one's mind* lugna sig **2** lätta [på] [~ *the pressure*]; underlätta; minska, sätta ner, sakta [ner] [~ [*down*] *the speed*]; moderera; ~ *down* sakta ner maskinen **3** lossa litet på [~ *the lid*]; lätta på; få att inte kärva, få att gå lättare [~ *the drawer*]; ~ *the helm* lätta på rodret; ~ *nature* el. ~ *oneself* förrätta sina behov; ~ *shoes* lästa ut (vidga) skor **4** ~ *sb of* befria ngn från äv. skämts. [~ *sb of his money*]

III *vb itr* lätta, minska; *the situation has* ~*d* situationen har blivit mindre spänd

IV *vb itr* o. *vb tr* med adv. el. prep.:

ease off lätta, minska [*the tension is easing off*]; *the situation has* ~*d off* situationen har blivit mindre spänd

ease out: ~ *sb out* tvinga ngn att lämna sitt arbete (sin tjänst)

ease up a) ta det lugnare; ~ *up on* ta det lugnare med [~ *up on the work*]; inte ta i så hårt med [~ *up on the boy*] **b)** sakta farten

easel ['i:zl] *s* staffli

easily ['i:zəlɪ] *adv* lätt, med lätthet; ledigt; mycket väl [*it may* ~ *happen*]; gott och väl; *it comes* ~ *to him* han har lätt för det; ~ *understood* lättbegriplig; ~ *the best* den avgjort (absolut) bästa; ~ *the most difficult* den avgjort (absolut) svåraste; *he came* ~ *first* han kom som god (överlägsen) etta; *all too* ~ alltför ofta

easiness ['i:zɪnəs] *s* **1** lätthet **2** lugn; ledighet

easing-off [,i:zɪŋ'ɒf] *s* lättnad, avspänning

East [i:st], *the* ~ a) Östern, Österlandet, Orienten b) i USA Östern, öststaterna mellan Alleghenybergen och Atlanten

east [i:st] **I** *s* öster [*the sun rises in the* ~]; öst, ost; *the* ~ *of England* östra [delen av] England; *from* ~ *to west* från öst till väst; *from the* ~ från öster; *the wind is in the* ~ el. *the wind comes from the* ~ vinden är ostlig, det är (blåser) östlig vind; *on the* ~ *of* på östsidan (östra sidan) av, öster om; *to* (*towards*) *the* ~ mot (åt) öster, österut, i östlig riktning; sjö. ostvart; *to the* ~ *of* öster om, på östsidan av (om) **II** *adj* östlig, ostlig, östra, öst-, ost- [*on the* ~ *coast*]; öster-; *the* ~ *side* östra sidan, östsidan **III** *adv* mot (åt) öster, österut [*go* (*travel*) ~]; *north by* ~ nord till ost; *due* ~ rakt österut; ~ *of* öster om; sjö. ost [om]

East Anglia [,i:st'æŋglɪə] Östangeln ung. motsv. Norfolk o. Suffolk

eastbound ['i:stbaʊnd] *adj* östgående, destinerad österut

East End [,i:st'end, '--] *s*, *the* ~ East End östra London med dock- och fabriksområden samt arbetarbostäder

East Ender [,i:st'endə] *s* east-endbo, person från (i) East End i London

Easter ['i:stə] *s* påsk[en]; *last* ~ i påskas, förra påsken

Easter Bunny ['i:stə,bʌnɪ] *s* påskhare

Easter Day [,i:stə'deɪ] *s* påskdag[en]

Easter egg ['i:stəreg] *s* påskägg

Easter Eve [,i:stər'i:v] *s* påskafton[en]

Easter Island ['i:stər,aɪlənd] geogr. Påskön

easterly ['i:stəlɪ] **I** *adj* östlig, ostlig [*an* ~ *wind*]; från öster; mot (åt) öster **II** *adv* östligt, ostligt; mot (åt) öster, österut; från öster **III** *s* östlig vind

Easter Monday [,i:stə'mʌndeɪ] *s* annandag påsk

Eastern ['i:stən] *adj* österländsk, orientalisk

eastern ['i:stən] *adj* östlig, ostlig, östra, öst-, ost-; ~ *Europe* Östeuropa

Eastern Church [,i:stən'tʃɜ:tʃ] *s*, *the* ~ den grekisk-katolska kyrkan

easterner ['i:stənə] *s* person från östra delen av landet; i USA öststatsbo

easternmost ['i:stənməʊst] *adj* östligast

Eastern standard time [,i:stən'stændədtaɪm] (förk. *EST*) *s* o. **Eastern time** ['i:stəntaɪm] *s* normaltid (tidszon) i östligaste USA 5 timmar efter Greenwich Mean Time

Easter Saturday [,i:stə'sætədeɪ] påskafton[en]

Easter Sunday [,i:stə'sʌndeɪ] påskdag[en]

East Germany [,i:st'dʒɜ:m(ə)nɪ] hist. Östtyskland

East Indies [,i:st'ɪndɪz] *s pl*, *the* ~ hist. Ostindien

East Side ['i:stsaɪd], *the* ~ östra delen av Manhattan i New York [*Upper* ~]

eastward ['i:stwəd] **I** *adj* östlig, ostlig [*in an* ~ *direction*]; östra, [vettande] mot (åt) öster **II** *adv* mot (åt) öster, österut [*travel* ~]; sjö. ostvart [*sail* ~]; ~ *of* öster om

eastwards ['i:stwədz] *adv* se *eastward* II

east wind [,i:st'wɪnd] *s* östlig (ostlig) vind, östan[vind], ostan[vind]

easy ['i:zɪ] **I** *adj* **1** lätt, enkel; ~ *money* lättförtjänta pengar; *I'm* ~! det gör mig detsamma!, det gör inte mig något!; *it comes* ~ *to her* hon har lätt för det; *he is not an* ~ *customer to deal with* han är inte god (lätt) att tas med; *it's dead* ~! el. *it's as* ~ *as* ~! el. *it's as* ~ *as pie!* vard. det är jätteenkelt (lätt som en plätt)!; *take the* ~ *way out* göra det lätt (enkelt) för sig **2** bekymmerslös [*lead an* ~ *life*]; lugn [*feel* ~ *about* (inför) *the future*]; obekymrad, sorglös **3** bekväm, behaglig; *at an* ~ *pace* i sakta mak **4** ledig [*an* ~ *style*; ~ *manners*]; otvungen **5** mild, lätt; *on* ~ *terms* på förmånliga villkor, på avbetalning **6** *he is* ~ *game* el. *he is* ~ *meat* han är ett lätt byte (en lättlurad stackare); *she is a woman of* ~ *virtue* hon är lätt på foten **7** *come in* (*be*) *an* ~ *first* komma in som överlägsen etta; *that's an* ~ *two hours' work* det är minst två timmars arbete **8** *she is* ~ *on the eye* vard. hon är en fröjd för ögat, hon är något att vila ögonen på; *she is* ~ *on the ear* det är trevligt att lyssna på henne

II *adv* vard. **1** lätt [*easier said than done*]; ~ *come,* ~ *go* lätt fånget, lätt förgånget **2** bekvämt; *breathe* ~ el. *rest* ~ andas ut, ta det lugnt; ~ *does it!* sakta i backarna!, ta det lugnt!; [*go*] ~! sakta!, försiktigt!; *go* ~ *on* [*the milk*]! ta inte så mycket…!, ta det lugnt med…!; *stand* ~! ta det lugnt!; *take it* ~! ta det lugnt!

easy chair ['i:zɪtʃeə, ,i:zɪ'tʃeə] *s* länstol, fåtölj

easy-going ['i:zɪ,gəʊɪŋ] *adj* bekväm [av sig], maklig äv. om fart [*at an* ~ *pace*]; sorglös, lättsam; hygglig; *he is* ~ äv. han tar lätt på saker och ting

easy-peasy [,i:zɪ'pi:zɪ] *adj* vard. lätt som en plätt, jätteenkel

easy street ['i:zɪstri:t] *s*, *be on* ~ ngt åld. vard. komma på grön kvist

eat [i:t] (imperf. *ate* [et, amer. vanl. eɪt], perf. p. *eaten* ['i:tn]) **I** *vb tr* **1** äta; förtära; ~ *one's heart out* gräma sig, vara otröstlig, längta ihjäl sig; ~ *your heart out!* känn dig blåst!, där fick du så du teg!; *I'm so hungry, I could* ~ *a horse* jag är hungrig som en varg;

~ humble pie [få] svälja förödmjukelsen; krypa till korset; *~ one's words* [få] äta upp sina egna ord; [*don't worry*] *she won't ~ you!* ...hon bits inte! **2** fräta sönder (bort); *what's ~ing you?* vad är det med dig?, vad går du och deppar för? **II** *vb itr* **1** äta; *he ~s out of my hand* bildl. han äter ur handen på mig **2** bildl. fräta **III** *vb tr* o. *vb itr* med adv. el. prep.:
eat away småningom förstöra, fräta (nöta) bort
eat into bildl. fräta sig in i; *~ into one's fortune* [börja] tära på sin förmögenhet
eat up äta upp, förtära; sluka [*the car was ~ing up the miles*]; fullständigt göra slut på; *be ~en up with curiosity* vara nära (hålla på) att förgås av nyfikenhet
eatable ['i:təbl] **I** *adj* ätbar njutbar **II** *s*, pl. *~s* mat[varor], livsmedel
eaten ['i:tn] perf. p. av *eat*
eater ['i:tə] *s* **1** person som äter; som efterled i sammansättn. -ätare [*meat-eater*]; *a great* (*big*, *hearty*) *~* en storätare; *he is a poor* (*small*, *fussy*) *~* han är liten i maten, han äter litet **2** ätfrukt; ätäpple
eatery ['i:təri] *s* vanl. amer. matställe, restaurang
eating ['i:tiŋ] *adj* ät- [*~ apples*]
eating disorder ['i:tiŋdis,ɔ:də] (förk. *ED*) *s* ätstörning
eating house ['i:tiŋhaʊs] *s* matställe, [enkel] restaurang
eats [i:ts] *s pl* vard. käk, krubb mat
eau-de-Cologne [,əʊdəkə'ləʊn] *s* eau-de-cologne
eaves [i:vz] *s pl* takfot, takskägg
eavesdrop ['i:vzdrɒp] *vb itr* tjuvlyssna, smyglyssna
eavesdropper ['i:vz,drɒpə] *s* tjuvlyssnare
eavesdropping ['i:vz,drɒpiŋ] *s* tjuvlyssnande
ebb [eb] **I** *s* ebb; bildl. nedgång, förfall; *~ and flow* ebb och flod; bildl. uppgång och nedgång; *be at a low ~* vara i botten; om person vara nere **II** *vb itr* **1** om tidvatten o.d. dra sig tillbaka, sjunka (gå) tillbaka, avta, ebba **2** bildl., *~* el. *~ away* ebba ut, sina
ebb tide [,eb'taid, 'ebt-] *s* ebb, ebbtid
ebonics [e'bɒniks] (med verb i sg.) *s* vard., benämning på *black English*
ebony ['ebəni] **I** *s* ebenholts **II** *adj* ebenholts-; ebenholtssvart
e-book ['i:bʊk] *s* e-bok; *~ reader* läsplatta
ebullience [ɪ'bʌliəns, -'bʊl-] *s* hänförelse, sprudlande vitalitet
ebullient [ɪ'bʌliənt, -'bʊl-] *adj* översvallande, sprudlande
e-business ['i:,biznəs] *s* data. el. hand. e-handel, näthandel, handel via Internet
EC [,i:'si:] **1** förk. för *East Central* (postdistrikt i London) **2** hist. (förk. för *the European Community* el. *Communities* Europeiska gemenskaperna) *the ~* EG
e-cash ['i:kæʃ] *s* e-pengar, elektroniska pengar
ECB [,i:si:'bi:] EU. (förk. för *European Central Bank*) ECB (förk. för Europeiska centralbanken)
eccentric [ik'sentrik] **I** *adj* **1** excentrisk; originell, [sär]egen **2** excentrisk [*~ circles*]; om kretslopp inte cirkelrund **II** *s* excentrisk människa; original, kuf
eccentricity [,eksen'trisəti] *s* **1** excentricitet;

originalitet, egenhet etc., jfr *eccentric I 1*; underligt påfund **2** geom. o.d. excentricitet
Eccles cake ['eklzkeik] *s* slags smörbakelse fylld med torkad frukt, russin o.d.
Ecclesiastes [ɪ,kli:zɪ'æsti:z, -ɪ'ɑ:s-] *s* bibl. Predikaren, Salomos Predikare
ecclesiastic [ɪ,kli:zɪ'æstɪk, -ɪ'ɑ:s-] *s* präst
ecclesiastical [ɪ,kli:zɪ'æstɪk(ə)l, -ɪ'ɑ:s-] *adj* ecklesiastik, kyrko- [*~ year*]; andlig, kyrklig, ecklesiastisk, prästerlig
ECG [,i:si:'dʒi:] *s* med. (förk. för *electrocardiogram*) EKG
echelon ['eʃəlɒn] *s* **1** grad; nivå [*employees on every ~*] **2** mil. echelong
echo ['ekəʊ] **I** (pl. *~es*) *s* eko, genljud, genklang, återskall; *there is an ~ here* det ekar här; *make an ~* ge eko **II** *vb itr* eka, återskalla, återkastas, genljuda, ge eko **III** *vb tr* **1** återkasta [äv. *~ back*] **2** mekaniskt upprepa [*they ~ed every word of their leader*]; vara ett eko av, imitera
echo chamber ['ekəʊ,tʃeimbə] *s* ekokammare
echoic [e'kəʊik] *adj* ljudhärmande
echo sounder ['ekəʊ,saʊndə] *s* radar. ekolod
echo sounding ['ekəʊ,saʊndiŋ] *s* radar. ekolodning
ECJ [,i:si:'dʒei] EU. hist. (förk. för *European Court of Justice*) se *Court of Justice of the European Union* under *court I 1 a*
éclair [ɪ'kleə, ei'k-, 'eiklɪə] *s* kok. eclair avlång petit-chou [*chocolate ~*]; *~ bun* petit-chou
eclectic [ɪ'klektɪk, e'klek-] *adj* filos. el. konst. eklektisk; ibl. friare vidsynt
eclipse [ɪ'klɪps] **I** *s* **1** förmörkelse, eklips; *lunar ~* el. *~ of the moon* månförmörkelse; *solar ~* el. *~ of the sun* solförmörkelse; *be in ~* vara förmörkad **2** bildl. tillbakagång, nedgångsperiod, försvinnande; *suffer an ~* falla i glömska, vara bortglömd; [*her popularity*] *is in ~* ...är i dalande **II** *vb tr* **1** förmörka **2** bildl. fördunkla, ställa i skuggan, överglänsa, undanskymma
eco-audit ['i:kəʊ,ɔ:dɪt, 'ek-] *s* miljörevision
ecocide ['i:kəʊsaid, 'ek-] *s* ekocid, miljömord
ecofriendly ['i:kəʊ,frendlɪ, 'ek-] *adj* miljövänlig
eco-label ['i:kəʊ,leibl] *vb tr* miljömärka
ecological [,i:kəʊ'lɒdʒɪk(ə)l, ,ek-] *adj* ekologisk [*~ balance* (jämvikt)]; *the ~ movement* miljörörelsen
ecological footprint [,i:kəʊ'lɒdʒɪk(ə)l,fʊtprint] *s* ekologiskt fotavtryck [*in this way they kept their ~ as small as possible*]
ecologist [i:'kɒlədʒɪst, e'k-] *s* ekolog, miljövårdare
ecology [i:'kɒlədʒɪ, e'k-] *s* ekologi
e-comm ['i:kɒm] förk. för *e-commerce*
e-commerce ['i:,kɒməs] *s* data. el. hand. e-handel, näthandel, handel via Internet
econ. förk. för *economic*, *economics*
economic [,i:kə'nɒmɪk, ,ek-] *adj* ekonomisk [*~ policy*]; nationalekonomisk; *minister of ~ affairs* ekonomiminister
economical [,i:kə'nɒmɪk(ə)l, ,ek-] *adj* **1 a)** ekonomisk, sparsam [*an ~ woman; ~ habits*] **b)** ekonomisk, dryg [*this coffee is very ~*]; billig i drift [*our car is ~*]; *be ~ with* (*of*) vara sparsam med, hushålla med, vara rädd om **2** se *economic*

economic crime [ˌiːkənɒmɪk'kraɪm] *s* ekobrott, ekobrottslighet

economic geography [ˌiːkənɒmɪkdʒɪ'ɒɡrəfɪ] *s* ekonomisk geografi, näringsgeografi

economics [ˌiːkə'nɒmɪks, ˌek-] *s* **1** (med verb i sg.) nationalekonomi; ekonomi; *school of* ~ ung. handelshögskola **2** (med verb i pl.) ekonomiska aspekter [*what are the* ~ *of this project?*]

economist [ɪ'kɒnəmɪst] *s* ekonom; nationalekonom [äv. *political* ~]

economize [ɪ'kɒnəmaɪz] *vb itr* spara [*on* på], hushålla [*on* med], vara sparsam (ekonomisk) [*on* med], snåla [*on* på, med]; inskränka sig

economy [ɪ'kɒnəmɪ] *s* **1** sparsamhet, ekonomi; hushållning, hushållande [~ *of* (med) *time*]; klokt utnyttjande [*of* av]; besparing, besparingsåtgärd [*various economies*]; [*a*] *false* ~ dålig ekonomi; *make economies* spara, vara sparsam; *practise* [*strict*] ~ iaktta [den största] sparsamhet; *with a view to* ~ i besparingssyfte **2** ekonomi, hushållning; näringsliv [*the whole* ~ *will suffer if there are strikes*]; ekonomiskt system; *planned* ~ planhushållning, planekonomi; *the public* ~ el. *the national* ~ statshushållningen

economy class [ɪ'kɒnəmɪklɑːs] *s* spec. på flygplan ekonomiklass, turistklass

economy drive [ɪ'kɒnəmɪdraɪv] *s* sparkampanj

economy-size [ɪ'kɒnəmɪsaɪz] *adj* i ekonomiförpackning (storpack); i ekonomistorlek

economy size [ɪ'kɒnəmɪsaɪz] *s* ekonomiförpackning, storpack; ekonomistorlek

ecopolicy ['iːkəʊˌpɒlɪsɪ, 'ek-] *s* ung. miljövårdspolitik

ecosystem ['iːkəʊˌsɪstəm, 'ek-] *s* ekosystem

ecoterrorism ['iːkəʊˌterərɪz(ə)m] *s* ekosabotage

ecotourism ['iːkəʊˌtʊərɪz(ə)m] *s* ekoturism

eco-warrior ['iːkəʊˌwɒrɪə, 'ek-] *s* vard. miljöaktivist

ECS [ˌiːsiː'es] förk. för *European Communications Satellite*

ECSC [ˌiːsiːes'siː] (förk. för *European Coal and Steel Community*) EKSG (förk. för Europeiska kol- och stålgemenskapen)

ecstasy ['ekstəsɪ] *s* **1** extas, hänryckning; *be in ecstasies* vara i extas; *go into ecstasies over* råka i extas över **2** sl. ecstasy narkotika

ecstatic [ek'stætɪk, ɪk-] *adj* extatisk; hänryckt, hänförd; hänryckande; överlycklig [*she was* ~ *about her new job*]; *in an* ~ *fit* i extas

ECT [ˌiːsiː'tiː] (förk. för *electroconvulsive therapy*) elchockbehandling

ectopic pregnancy [ekˌtɒpɪk'preɡnənsɪ] *s* med. utomkvedshavandeskap, ektopisk graviditet

ectoplasm ['ektə(ʊ)ˌplæz(ə)m] *s* biol. el. spirit. ektoplasma

Ecuador ['ekwədɔː, ˌekwə'dɔː] geogr.

Ecuadorian [ˌekwə'dɔːrɪən] **I** *s* ecuadorian, ecuadorianska kvinna **II** *adj* ecuadoriansk

ecumenical [ˌiːkjʊ'menɪk(ə)l] *adj* kyrkl. ekumenisk [*the* ~ *movement*]

eczema ['eksəmə] *s* med. eksem

ED [ˌiː'diː] *s* (förk. för *eating disorder*) ätstörning

ed. förk. för *edited*, *edition*, *editor*, *education*

Edam ['iːdæm] *s* edamer[ost]

eddy ['edɪ] **I** *s* liten strömvirvel; virvel av luft, rök o.d. **II** *vb itr* virvla, kretsa

edelweiss ['eɪdlvaɪs] *s* bot. edelweiss

Eden ['iːdn] *s*, ~ el. *the Garden of* ~ Eden, paradiset, Edens (paradisets) lustgård

edge [edʒ] **I** *s* **1** kant [*the* ~ *of a table*]; rand [*the* ~ *of a precipice*]; bryn [*the water's* ~; *the* ~ *of a forest*]; *he needs his* ~*s rubbing off* bildl. han behöver slipas av; *be on the* ~ *of* bildl. just stå i begrepp att **2** egg [*the* ~ *of a knife*]; skarp kant; tekn. skär; bildl. skärpa, udd; *give an* ~ *to* slipa egg på, skärpa; *the knife has no* ~ kniven är slö; *take the* ~ *off* döva aptiten; ta udden av, förslöa, försvaga; *on* ~ på helspänn, otålig, nervös; *it set my nerves on* ~ det gick mig på nerverna; *that sound sets my teeth on* ~ jag ryser av det där ljudet **3** ås, kam, rygg, krön **4** fördel; *competitive* ~ konkurrensfördel[ar]; *have an* (*the*) ~ *on sb* ha övertag[et] över ngn **II** *vb itr* röra sig [*he* ~*d towards the door*]; maka (lirka) sig **III** *vb tr* **1** kanta [*houses* ~*d the road*]; infatta, besätta **2** vässa, slipa **3** maka, flytta [~ *one's chair nearer the fire*]; tränga, skjuta [~ *sb into the background*]; lirka; ~ *oneself* (~ *one's way*) *through the crowd* tränga sig fram genom folkmassan; ~ *out* utmanövrera

edgeways ['edʒweɪz] *adv* o. **edgewise** ['edʒwaɪz] *adv* med kanten (sidan) först (överst), på kant, på tvären; om två saker kant i kant; *I couldn't get a word in edgeways* jag fick inte en syl i vädret

edging ['edʒɪŋ] *s* kant, bård [*an* ~ *of lace*]

edgy ['edʒɪ] *adj* [lätt]retlig, otålig [~ *temper*]; stingslig, irriterad, nervös

edible ['edəbl] **I** *adj* ätlig, ätbar ej giftig; ~ *snail* vinbergssnäcka **II** *s*, vanl. pl. ~*s* mat[varor], livsmedel

edict ['iːdɪkt] *s* edikt, förordning, påbud

Edie ['iːdɪ] kortform av *Edith*

edification [ˌedɪfɪ'keɪʃ(ə)n] *s* uppbyggelse; upplysning [*for your* ~]

edifice ['edɪfɪs] *s* större el. ståtlig byggnad, byggnadsverk; bildl. uppbyggnad

edify ['edɪfaɪ] *vb tr* bygga upp, verka uppbyggande på ofta iron.

edifying ['edɪfaɪɪŋ] *adj* uppbygglig

Edinburgh ['edɪnb(ə)rə, -bʌrə] geogr.

Edison ['edɪsn]

edit ['edɪt] *vb tr* redigera, vara redaktör för, ge ut tidskrift, uppslagsverk o.d., klippa [ihop] film; ~ *out* stryka

Edith ['iːdɪθ] kvinnonamn

edition [ɪ'dɪʃ(ə)n] *s* upplaga, utgåva, edition

editor ['edɪtə] *s* **1** redaktör; utgivare; ~ el. *chief* ~ chefredaktör, huvudredaktör **2** film. klippbord **3** data. redigeringsprogram

editorial [ˌedɪ'tɔːrɪəl] **I** *adj* redaktörs-, redaktions-, redigerings-, redaktionell [~ *work*]; utgivar-; *he is on the* ~ *staff* han hör till redaktionen (redaktionspersonalen) **II** *s* [tidnings]ledare; ~ *writer* ledarskribent

editor-in-chief [ˌedɪt(ə)rɪn'tʃiːf] (pl. *editors-in-chief* [-təzɪn-]) *s* chefredaktör, huvudredaktör

editorship ['edɪtəʃɪp] *s* redaktörskap; redaktion [*under the* ~ *of Mr A.*]

EDP [ˌiːdiːˈpiː] (förk. för *electronic data processing*) EDB

educable [ˈedjʊkəbl] *adj* bildbar, uppfostringsbar, mottaglig för uppfostran, möjlig att [upp]fostra

educate [ˈedjʊkeɪt, -dʒʊ-] *vb tr* utbilda, bilda; undervisa; **~d guess** kvalificerad gissning

education [ˌedjʊˈkeɪʃ(ə)n, -dʒʊ-] *s* **1** undervisning, utbildning [*commercial* ~; *technical* ~]; uppfostran; bildning [*classical* ~]; fostran [*intellectual* ~]; utbildningsväsen[det], undervisningsväsen[det], skolväsen[det]; **~ act** skollag; **higher** ~ högre utbildning **2** pedagogik [*history of* ~]

educational [ˌedjʊˈkeɪʃənl, -dʒʊ-] *adj* undervisnings-, utbildnings-; bildande, fostrande; pedagogisk [*an* ~ *magazine*]; lärorik [~ *experience*]; **~ aids** hjälpmedel i undervisningen; **the** ~ **authorities** skolmyndigheterna; ~ **books** läroböcker; ~ **establishment** undervisningsinstitution, utbildningsinstitution

educationalist [ˌedjʊˈkeɪʃnəlɪst, -dʒʊ-] *s* pedagog, skolman; bildningsivrare

educationally [ˌedjʊˈkeɪʃnəlɪ, -dʒʊ-] *adv* pedagogiskt, i pedagogiskt avseende; utbildningsmässigt; i utbildningshänseende

educationist [ˌedjʊˈkeɪʃnɪst, -dʒʊ-] *s* se *educationalist*

educator [ˈedjʊkeɪtə, -dʒʊ-] *s* pedagog, lärare; uppfostrare

edutainment [ˌedjʊˈteɪnm(ə)nt] *s* underhållning med inslag av undervisning, undervisning med inslag av underhållning

Edward [ˈedwəd] **1** mansnamn **2** som kunganamn Edvard

Edwardian [edˈwɔːdiən] *adj* edvardiansk från (karakteristisk för) Edvard den sjundes tid 1901–1910

EEA [ˌiːiːˈeɪ] EU. (förk. för *European Economic Area*) EES (förk. för Europeiska ekonomiska samarbetsområdet)

EEC [ˌiːiːˈsiː] hist. (förk. för *European Economic Community* Europeiska ekonomiska gemenskapen), **the** ~ EEC

EEG [ˌiːiːˈdʒiː] **1** (förk. för *electroencephalogram*) EEG **2** förk. för *electroencephalograph*

eek [iːk] *interj* iii! ofta skämts. uttryck för rädsla o. överraskning [~! *a mouse!*]

eel [iːl] *s* ål [*as slippery as an* ~]

eelpot [ˈiːlpɒt] *s* ålkupa, åltina; [mindre] ålryssja

eena, meena, mina, mo [ˌiːnəˈmiːnəˌmaɪnəˈməʊ] ung. ole, dole, doff räkneramsa

eeny, meeny, miney, mo [ˌiːnɪˈmiːnɪˌmaɪnɪˈməʊ] se *eena, meena, mina, mo*

e'er [eə] *adv* poet., sammandragning av *ever*

eerie [ˈɪərɪ] *adj* kuslig, spöklik [*an* ~ *feeling*]; hemsk [*an* ~ *shriek*]; trolsk, sällsam

efface [ɪˈfeɪs] *vb tr* **1** utplåna, stryka [ut (bort)], sudda ut (bort) **2** ställa i skuggan; ~ **oneself** hålla sig i skymundan

effect [ɪˈfekt] **I** *s* **1** effekt äv. mek., verkan [*cause and* ~]; verkning [*the* ~*s of the hurricane*]; inverkan [*the* ~ *of heat upon metals*]; påverkan, inflytande [*have a bad* ~ *on*]; följd [*one* ~ *of the war was that*…]; **take** ~ träda i kraft; göra verkan; **weak from the** ~**s of the illness** svag efter sjukdomen; **in** ~ a) i själva verket b) praktiskt taget; **come into** ~

träda i kraft; **bring** (**put**) **sth into** ~ sätta ngt i verket; **to good** ~ med god effekt, med bra resultat; **to little** ~ med dålig effekt, med klent resultat; **to no** ~ förgäves, utan effekt (rsultat); **with** ~ **from today** med verkan (räknat, gällande) från [och med] i dag **2** effekt, intryck; **the general** ~ helhetsintrycket; **sound** ~**s** ljudeffekter, ljudkuliss **3** innebörd, innehåll; **a statement to the** ~ **that**… ett påstående som går ut på att…; **words to that** ~ [några] ord i den stilen, något i den riktningen **4** pl. ~**s** effekter, tillhörigheter, lösöre[n]

II *vb tr* åstadkomma [~ *changes*]; verkställa, utföra, genomföra [~ *a reform*]; ~ **an order** verkställa (expediera, effektuera) en order

effective [ɪˈfektɪv] *adj* **1** effektiv [~ *measures*]; verksam [~ *assistance*]; kraftig [*an* ~ *blow*] **2** effektfull [*an* ~ *photograph*]; verkningsfull **3** faktisk [*the* ~ *membership of a society*]; faktiskt förefintlig; verklig [*the* ~ *strength of an army*] **4** i kraft [*this rule has been* ~ *since*…]; **be** ~ äv. gälla

effectively [ɪˈfektɪvlɪ] *adv* **1** effektivt etc., jfr *effective*; eftertryckligt; i grund, fullständigt **2** i sak, i själva verket

effectual [ɪˈfektʃʊəl, -tjʊəl] *adj* **1** effektiv [~ *measures*]; verksam, ändamålsenlig **2** gällande, giltig

effectually [ɪˈfektʃʊəlɪ, -tjʊəlɪ] *adv* [mycket] effektivt etc., jfr *effectual*; kraftigt

effectuate [ɪˈfektʃʊeɪt, -tʃʊ-] *vb tr* åstadkomma [~ *a settlement*]; utföra, genomföra, verkställa, effektuera

effeminacy [ɪˈfemɪnəsɪ] *s* feminint sätt (uppträdande), veklighet; klemighet

effeminate [ɪˈfemɪnət] *adj* feminin, effeminerad, veklig; klemig

effervesce [ˌefəˈves] *vb itr* brusa, skumma, moussera; om gas strömma ut i bubblor

effervescent [ˌefəˈvesnt] *adj* brusande, skummande, mousserande; bildl. upprymd

effete [ɪˈfiːt] *adj* litt. **1** förveklad; dekadent [~ *aristocracy*]; kraftlös **2** feminin

efficacious [ˌefɪˈkeɪʃəs] *adj* effektiv, verksam spec. om läkemedel o.d. [*an* ~ *cure*]; **be** ~ äv. göra avsedd verkan

efficacy [ˈefɪkəsɪ] *s* effektivitet [*the* ~ *of the method*]; ändamålsenlighet; verkan, [verksam] kraft [*the* ~ *of prayer*]

efficiency [ɪˈfɪʃ(ə)nsɪ] *s* **1** effektivitet, duglighet, prestation[sförmåga] **2** effektivitet, verkningsgrad, verkan **3** pl. **efficiencies** effektivisering[ar] **4** amer., se *efficiency apartment*

efficiency apartment [ɪˈfɪʃ(ə)nsɪəˌpɑːtmənt] *s* amer. enrummare med kokvrå och badrum

efficient [ɪˈfɪʃ(ə)nt] *adj* **1** effektiv [~ *work*; *an* ~ *organization*]; verksam **2** effektiv, kompetent, skicklig, duktig [*an* ~ *secretary*]

effigy [ˈefɪdʒɪ] *s* staty föreställande en berömd person, avbildning; docka, figur; **burn** (**hang**) **sb in** ~ bränna (hänga) ngns bild (avbild)

effing [ˈefɪŋ] *adj* sl. (eufemism för *fucking*) jäkla, jävla

efflorescence [ˌeflɔːˈresns] *s* **1** blomning **2** kem. efflorescens

efflorescent [ˌeflɔːˈresnt] *adj* **1** blommande **2** kem. efflorescerande

effluent ['efluənt] s **1** utsläpp, avlopp **2** avloppsvatten, kloakvatten

effort ['efət] s **1** ansträngning, kraftansträngning, satsning, insats[er] [the military ~ of the country]; kraft[resurser] [the country had now spent (uttömt) her ~]; bemödande, strävan, [allvarligt] försök [his ~s at clearing up the mystery failed]; ansats; **an ~ of will** en viljeansträngning; **the war ~** krigsinsatsen; **make an ~ to** anstränga sig [för] att, göra en [kraft]ansträngning [för] att; **I will make every ~** jag ska göra allt jag kan; **put a great deal of ~ into** [organizing an expedition] lägga ner stor (mycken) möda på att...; **by one's own** [unaided] **~s** av egen kraft; **by our combined ~s** med förenade krafter, med gemensamma ansträngningar; **for all her ~s** trots alla [hennes] ansträngningar; **with ~** med möda (svårighet); **without** [apparent] **~** utan [synbar] ansträngning **2** spec. konstnärlig el. litterär prestation ibl. iron. [his oratorical ~s]

effortless ['efətləs] adj lätt [och ledig]; obesvärad; **an ~ smile** ett otvunget leende

effort syndrome ['efət‚sɪndrəʊm] s hjärtneuros

effrontery [ɪ'frʌntərɪ] s fräckhet, oförskämdhet

effulgent [ɪ'fʌldʒ(ə)nt] adj litt. strålande [her ~ beauty]; lysande, skimrande

effusion [ɪ'fju:ʒ(ə)n] s **1** utgjutande, utgjutning, utgjutelse; **~ of blood** blodsutgjutelse, blodförlust **2** utgjutelse i tal el. skrift [literary ~s; poetical ~s]

effusive [ɪ'fju:sɪv] adj översvallande [~ thanks]; flödande; demonstrativ i sina känsloyttringar

EFL [‚i:ef'el] förk. för English as a Foreign Language

EFTA ['eftə] (förk. för European Free Trade Association) EFTA

e.g. o. **eg** [‚i:'dʒi:] (förk. för exempli gratia lat. = for example) t.ex.

egalitarian [ɪ‚gælɪ'teərɪən] **I** adj jämlikhets- **II** s jämlikhetsförkämpe

1 egg [eg] s ägg [fresh ~s; boil the ~s soft or hard]; **bad ~** a) skämt (dåligt) ägg b) bildl. rötägg; **fried ~s** stekta ägg; **as sure as ~s is ~s** vard. så säkert som amen i kyrkan, så säkert som aldrig det; **have (get) ~ on one's face** vard. få stå där som ett fån; få bära hundhuvudet [over sth för ngt]; **lay an ~** vanl. amer. sl. göra fiasko; **don't teach your grandmother to suck ~s** ägget ska inte lära hönan värpa, du ska inte tala om för mig hur jag ska göra; **put all one's ~s in one basket** sätta allt på ett kort

2 egg [eg] vb tr, **~ sb on** egga [upp] ngn [to till; to ([till] att) do sth], driva (mana) på ngn

egg-beater ['eg‚bi:tə] s **1** äggvisp **2** amer. sl. helikopter

egg cosy ['eg‚kəʊzɪ] s äggvärmare

egg cup ['egkʌp] s äggkopp

egg flip ['egflɪp] s ung. äggtoddy

egghead ['eghed] s vard. intelligenssnobb, intellektuell snobb, ägghuvud

egg plant ['egplɑ:nt] s amer. äggplanta, aubergine

egg roll [‚eg'rəʊl] s kok., slags vårrulle

eggshell ['egʃel] s äggskal

eggshell china [‚egʃel'tʃaɪnə] s 'äggskalsporslin' mycket tunt och ömtåligt porslin

eggshell paint [‚egʃel'peɪnt] s halvblank färg

egg slice ['egslaɪs] s äggspade, stekspade

egg-slicer ['eg‚slaɪsə] s äggskärare

egg-timer ['eg‚taɪmə] s äggklocka; sandur för äggkokning

egg whisk ['egwɪsk] s äggvisp, ballongvisp

egg white ['egwaɪt] s äggvita

egg yolk ['egjəʊk] s äggula

ego ['i:gəʊ, 'eg-] (pl. ~s) s **1** filos. jag, ego; **the ~** jaget **2** fåfänga [it hurt my ~]; egoism

egocentric [‚i:gə(ʊ)'sentrɪk, ‚eg-] **I** adj egocentrisk **II** s egocentriker

egoism ['i:gəʊɪz(ə)m, 'eg-] s se egotism

egoist ['i:gəʊɪst, 'eg-] s se egotist

egoistic [‚i:gəʊ'ɪstɪk, ‚eg-] adj o. **egoistical** [‚i:gəʊ'ɪstɪk(ə)l, ‚eg-] adj se egotistic o. egotistical

egomaniac [‚i:gəʊ'meɪnɪæk] s sjukligt självupptagen person

egosurfing ['i:gəʊ‚sɜ:fɪŋ, ‚eg-] s data. egogoogling det att googla sig själv

egotism ['i:gə(ʊ)tɪz(ə)m, 'eg-] s **1** egenkärlek **2** egoism, själviskhet **3** självupptagenhet

egotist ['i:gə(ʊ)tɪst, 'eg-] s **1** självupptagen (inbilsk) person; egocentriker **2** egoist

egotistic [‚i:gə(ʊ)'tɪstɪk, ‚eg-] adj o. **egotistical** [‚i:gə(ʊ)'tɪstɪk(ə)l, ‚eg-] adj **1** självupptagen **2** inbilsk **3** egoistisk, självisk

ego trip ['i:gəʊtrɪp, 'eg-] s vard. egotripp; **be on an ~** vara egotrippad

egregious [ɪ'gri:dʒ(j)əs] adj oerhörd [~ folly]; gräslig, notorisk [an ~ liar]; flagrant [an ~ mistake]; **~ fool** jubelidiot

egress ['i:gres] s utgång [äv. way of ~]; utträde

egret ['i:gret] s zool., **~** el. **great white ~** ägretthäger, vit häger

Egypt ['i:dʒɪpt] geogr. Egypten

Egyptian [ɪ'dʒɪpʃ(ə)n] **I** adj egyptisk **II** s **1** egyptier, egyptiska kvinna **2** egyptiska [språket]

eh [eɪ] interj, **~?** a) va?, vadå? b) eller hur? [nice, ~?] c) uttryckande överraskning va nu då?

EIB [‚i:aɪ'bi:] EU. (förk. för European Investment Bank) EIB (förk. för Europeiska investeringsbanken)

eider ['aɪdə] s zool. ejder

eiderdown ['aɪdədaʊn] s **1** ejderdun **2** ejderdunstäcke, duntäcke

eider duck [‚aɪdə'dʌk] s ejder

eight [eɪt] (jfr five med ex. o. sammansättn.) **I** räkn åtta; **have had one over the ~** sl. ha tagit sig ett glas (järn) för mycket **II** s åtta **2** figure of ~ åtta skridskofigur

eighteen [‚eɪ'ti:n, attr. '--] räkn o. s (jfr fifteen med sammansättn.) **1** arton, aderton; **~ months** äv. ett och ett halvt år **2** med siffror: **18** film. åldersgräns arton år

eighteenth [‚eɪ'ti:nθ, attr. '--] räkn o. s artonde, adertonde; artondel; jfr fifth

eighth [eɪtθ] räkn o. s åttonde; åttondel; jfr fifth

eighth note ['eɪtθnəʊt] s amer. åttondelsnot

eightieth ['eɪtɪɪθ, -tɪəθ] räkn o. s åttionde; åttiondel

eighty ['eɪtɪ] (jfr fifty med sammansättn.) **I** räkn åtti[o] **II** s åtti[o]; åtti[o]tal

eighty-six [‚eɪtɪ'sɪks] **I** räkn åttiosex **II** vb tr amer. vard. göra sig av med

Eileen ['aɪli:n] kvinnonamn

Eire ['eərə] geogr.

eisteddfod [aɪˈstedfəd, -ˈsteðvɒd] *s* eisteddfod
walesisk festival med tävlingar i körsång, folkmusik, poesi m.m.

either [ˈaɪðə, amer. vanl. ˈiːðə] **I** *indef pron* (nästan
enbart i fråga om två) **1** endera, ettdera, vilken[dera]
(vilket[dera]) som helst; *~ of them will do* el. *~ one
will do* det går bra med vilken som helst
2 någon[dera], något[dera]; *I don't know ~ of them*
jag känner inte någon[dera] (känner ingen[dera])
av dem **3** vardera, vartdera; båda, bägge; *in ~ case*
i båda fallen, i vilket fall som helst; [*they stood*] *on
~ side of the road* ...på var sin sida av vägen
II *adv* heller [*if you do not come, he will not come
~*]
III *konj*, *~...or* a) antingen (endera) ...eller [*he
must be ~ mad or drunk*] b) både...och [*he is taller
than ~ you or me*] c) i nekande sats vare sig...eller,
varken...eller [*she did not come ~ yesterday or
today*]

either-or [ˌaɪðə(r)ˈɔː] *adj* antingen-eller om situation
där man måste välja [*an ~ situation*]

ejaculate [ɪˈdʒækjʊleɪt] **I** *vb tr* **1** ejakulera
sädesvätska **2** åld. utropa [ˈNo!ˈ, *he ~d*]; utstöta
II *vb itr* **1** fysiol. ejakulera **2** åld. ropa, skrika

ejaculation [ɪˌdʒækjʊˈleɪʃ(ə)n] *s* **1** ejakulation,
sädesuttömning; ejakulat **2** åld., ivrigt utrop

eject [ɪˈdʒekt] **I** *vb tr* **1** kasta ut, köra bort [*the
police ~ed the agitator from the meeting*]; driva ut,
fördriva, förvisa **2** vräka [*they were ~ed because
they had not paid their rent*] **3** mata ut band el. cd ur
video, dator etc.
II *vb itr* **1** skjuta ut sig med katapult ur flygplan **2** matas
ut om band, cd etc.

ejection [ɪˈdʒekʃ(ə)n] *s* utkastande, bortkörande
etc., jfr *eject 1*; vräkning; avsättning

ejection seat [ɪˈdʒekʃ(ə)nsiːt] *s* katapultstol

ejector [ɪˈdʒektə] *s* tekn. ejektor

ejector seat [ɪˈdʒektəsiːt] *s* katapultstol

eke [iːk] *vb tr*, *~ out* dryga ut [*~ out one's wages*]; få
att räcka till; öka ut; *~ out a living* el. *~ out an
existence* nödtorftigt (med nöd och näppe) dra sig
fram, förtjäna sitt [livs]uppehälle

EKG [ˌiːkeɪˈdʒiː] *s* amer. med. (förk. för
electrocardiogram) EKG

elaborate [adj. ɪˈlæb(ə)rət, verb ɪˈlæbəreɪt] **I** *adj* **1** i
detalj genomförd (utarbetad) [*an ~ design*]; [väl]
genomtänkt, fulländad; [ytterst] noggrann,
omsorgsfull **2** utsirad; utstuderad, raffinerad;
komplicerad
II *vb itr* uttala sig närmare [*on* om], gå in på
detaljer [*he refused to ~*]
III *vb tr* [noga och i detalj] utarbeta, genomarbeta
[*~ a plan*]; i detalj utforma [*~ a theory*]

elaboration [ɪˌlæbəˈreɪʃ(ə)n] *s* omsorgsfullt
utarbetande m.fl., jfr *elaborate II* o. *elaborate III*;
utveckling[sprodukt]

élan [eɪˈlɑːn] *s* fr. stil och fart (flykt, schvung, geist)

elapse [ɪˈlæps] *vb itr* förflyta, gå [*two years had ~d*]

elapsed time [ɪˌlæpstˈtaɪm] *s* data. använd tid

elastic [ɪˈlæstɪk] **I** *adj* **1** elastisk äv. bildl. [*~ rules*];
spänstig [*~ gait*]; fjädrande, sviktande; töjbar [*~
principles*]; töjbar; smidig; *an ~ conscience* ett
rymligt samvete **2** resår- [*~ bands*]; gummi- [*~
bands*; *~ stockings*]

II *s* resår[band], gummiband, gummisnodd; *a
piece of ~* ett resårband (gummiband)

elasticated [ɪˈlæstɪkeɪtɪd] *adj* o. amer. **elasticized**
[ɪˈlæstɪsaɪzd] *adj* elastisk, töjbar

elastic band [ɪˌlæstɪkˈbænd] *s* se *rubber band*

elasticity [ɪlæˈstɪsətɪ, ˌiːl-] *s* elasticitet;
spänst[ighet]; tänjbarhet

Elastoplast® [ɪˈlæstəplɑːst] *s* [elastiskt] plåster

elated [ɪˈleɪtɪd] *adj* upprymd, [jublande] glad [*~ at*
(över) *the news*]

elation [ɪˈleɪʃ(ə)n] *s* upprymdhet, glädje, glad
stämning, stolthet; segerglädje

Elbe [elb] geogr., *the ~* Elbe

elbow [ˈelbəʊ] **I** *s* **1** armbåge; *give sb the ~* göra slut
med ngn; ge ngn sparken; *at one's ~* alldeles vid
sidan, strax bredvid sig, tätt intill; till hands; *his
jacket is out at ~[s]* hans kavaj är luggsliten **2** knä
på t.ex. ett rör; skarp böjning, krök[ning] [*~ of a road*;
~ of a river]
II *vb tr* **1** *~ one's way into the room* armbåga
(tränga) sig in i rummet **2** knuffa (skuffa) [med
armbågen] [*~ sb out of the way*]

elbow grease [ˈelbəʊgriːs] *s* vard. slit, knog, svett
och möda, hårt jobb; energi; *use ~* ta i ordentligt

elbow room [ˈelbəʊruːm, -rʊm] *s* svängrum,
armbågsrum, utrymme

1 elder [ˈeldə] **I** *adj* (komp. av *old*) äldre spec. om
släktingar [*his ~ brother*]; *which is the ~?* vilken är
äldst?
II *s* **1** vanl. pl.: *my ~s* de som är äldre än jag **2** ung.
[församlings]äldste **3** *he is my ~ by several years* han
är flera år äldre än jag

2 elder [ˈeldə] *s* bot. fläder, hyll

elderberry [ˈeldəˌberɪ] *s* bot. fläderbär

elderly [ˈeldəlɪ] *adj* äldre [*an ~ gentleman*]; rätt
gammal, litet till åren [kommen]

elder states|man [ˌeldəˈsteɪts|mən] (pl. -*men*
[-mən]) *s* **1** äldre statsman erfaren (vanl. pensionerad)
politiker o.d. som fungerar som rådgivare åt yngre kolleger
2 gammal erfaren person; nestor

eldest [ˈeldɪst] *adj* (superl. av *old*) äldst spec. om
släktingar

Eleanor [ˈelənə] kvinnonamn

elect [ɪˈlekt] **I** *adj* efterställt [ny]vald, blivande men
ännu inte installerad [*the bishop ~*]; utsedd, utkorad;
the president ~ den tillträdande presidenten
II *vb tr* **1** välja genom röstning, utse [*~ sb to an office*];
they ~ed him to the club el. *they ~ed him* [*a*] *member of
the club* de valde in honom i klubben **2** välja,
bestämma sig för, föredra [*he ~ed to stay at home*;
~ sth]

election [ɪˈlekʃ(ə)n] *s* val spec. genom röstning, inval [*to
i*]; *a general ~* allmänna val; *she is standing* (amer.
running) *for ~* hon ställer upp i valet

election canvasser [ɪˈlekʃ(ə)nˌkænvəsə] *s*
valarbetare

electioneering [ɪˌlekʃəˈnɪərɪŋ] *s* valkampanj,
valagitation, valrörelse

election forecast [ɪˈlekʃ(ə)nˌfɔːkɑːst] *s* valprognos

election pledge [ɪˈlekʃ(ə)npledʒ] *s* vallöfte

election promise [ɪˈlekʃ(ə)nˌprɒmɪs] *s* vallöfte; pl. *~s*
äv. valfläsk

election results [ɪˈlekʃ(ə)nrɪˌzʌlts] *s pl* o. **election
returns** [ɪˈlekʃ(ə)nrɪˌtɜːnz] *s pl* valresultat

election worker [ɪ'lekʃ(ə)n,wɜ:kə] s valarbetare
elective [ɪ'lektɪv] **I** adj **1** som tillsätts genom val, vald [senators are ~ officials] **2** som besätts genom val [an ~ office (ämbete)] **3** med rätt att välja [an ~ assembly]; väljande, väljar- **4** amer. valfri, frivillig, tillvals- [~ subjects]
II s amer. tillvalsämne, valfritt (frivilligt) [läro]ämne
elector [ɪ'lektə] s väljare, valman; elektor i USA spec.
medlem av elektorskollegiet som förrättar presidentvalet
electoral [ɪ'lekt(ə)r(ə)l] adj val- [~ law; ~ success]; valmans-; ~ **committee** valnämnd; ~ **franchise** rösträtt, valrätt; ~ **rigging** valfusk
Electoral College [ɪ,lekt(ə)r(ə)l'kɒlɪdʒ] s, the ~ elektorskollegiet i USA (som förrättar presidentvalet)
electoral register [ɪ,lekt(ə)r(ə)l'redʒɪstə] s o.
electoral roll [ɪ,lekt(ə)r(ə)l'rəʊl] s röstlängd
electorate [ɪ'lekt(ə)rət] s väljarkår, valmanskår; the ~ äv. väljarna, de valberättigade
electric [ɪ'lektrɪk] **I** adj **1** elektrisk, el- [~ current; ~ light; ~ wire]; ~ **clock** elektrisk (batteridriven) klocka **2** bildl. laddad [the atmosphere was ~]
II s vard., the ~s pl. det elektriska
electrical [ɪ'lektrɪk(ə)l] adj elektrisk, el-, elektricitets-; ~ **energy** elenergi
electrical engineer [ɪ,lektrɪk(ə)len(d)ʒɪ'nɪə] s elektroingenjör
electrical engineering [ɪ,lektrɪk(ə)len(d)ʒɪ'nɪərɪŋ] s elektroteknik
electrically [ɪ'lektrɪk(ə)lɪ] adv elektriskt, på elektrisk väg; ~ **driven** el. ~ **operated** eldriven
electrical storm [ɪ,lektrɪk(ə)l'stɔ:m] s åskväder, åskby
electric blanket [ɪ,lektrɪk'blæŋkɪt] s [elektrisk] värmefilt
electric car [ɪ,lektrɪk'kɑ:] s elbil
electric chair [ɪ,lektrɪk'tʃeə] s, the ~ elektriska stolen
electric circuit [ɪ,lektrɪk'sɜ:kɪt] s [elektrisk] strömkrets
electric cooker [ɪ,lektrɪk'kʊkə] s elspis, elektrisk spis
electric eel [ɪ,lektrɪk'i:l] s zool. darrål
electric eye [ɪ,lektrɪk'aɪ] s fotocell, fotoelektrisk cell; radio. magiskt öga
electric fence [ɪ,lektrɪk'fens] s elstängsel
electric guitar [ɪ,lektrɪkgɪ'tɑ:] s elgitarr
electrician [ɪlek'trɪʃ(ə)n] s elektriker, elmontör; elektrotekniker; ~s el. **firm of ~s** elfirma
electricity [ɪ,lek'trɪsətɪ] s **1** elektricitet, el, ström **2** elektricitetslära
electricity bill [ɪ,lek'trɪsətɪbɪl] s elräkning
electric motor [ɪ,lektrɪk'məʊtə] s elektromotor, elmotor
electric organ [ɪ,lektrɪk'ɔ:gən] s elorgel
electric plant [ɪ,lektrɪk'plɑ:nt] s elanläggning, [mindre] elverk
electric razor [ɪ,lektrɪk'reɪzə] s o. **electric shaver** [ɪ,lektrɪk'ʃeɪvə] s rakapparat
electric shock [ɪ,lektrɪk'ʃɒk] s [elektrisk] stöt, elstöt
electric sign [ɪ,lektrɪk'saɪn] s ljusskylt
electric storm [ɪ,lektrɪk'stɔ:m] s åskväder, åskby

electric toothbrush [ɪ,lektrɪk'tu:θbrʌʃ] s eltandborste
electrification [ɪ,lektrɪfɪ'keɪʃ(ə)n] s **1** elektrifiering **2** elektrisering
electrify [ɪ'lektrɪfaɪ] vb tr **1** elektrifiera **2** elektrisera, göra elektrisk **3** bildl. entusiasmera, elda
electrifying [ɪ'lektrɪfaɪɪŋ] adj, an ~ **speech** ett medryckande (entusiastiskt) tal
electrocardiogram [ɪ,lektrə(ʊ)'kɑ:dɪəʊgræm] s med. elektrokardiogram
electrocardiograph [ɪ,lektrə(ʊ)'kɑ:dɪəʊgrɑ:f, -græf] s med. elektrokardiograf, EKG-apparat
electroconvulsive therapy [ɪ'lektrə(ʊ)kən,vʌlsɪv'θerəpɪ] (förk. ECT) s med. el[chock]behandling
electrocute [ɪ'lektrəkju:t] vb tr **1** avrätta i elektriska stolen **2** döda med elektrisk ström, ge en dödande elektrisk stöt
electrocution [ɪ,lektrə'kju:ʃ(ə)n] s **1** avrättning i elektriska stolen **2** dödande med elektrisk ström
electrode [ɪ'lektrəʊd] s elektrod
electroencephalogram [ɪ,lektrə(ʊ)ɪn'sefələ(ʊ)græm] (förk. EEG) s med. elektroencefalogram
electroencephalograph [ɪ,lektrə(ʊ)ɪn'sefələ(ʊ)grɑ:f, -græf] (förk. EEG) s med. elektroencefalograf, EEG-apparat
electrolysis [ɪ,lek'trɒləsɪs] s elektrolys
electrolyte [ɪ'lektrə(ʊ)laɪt] s elektrolyt
electrolytic [ɪ,lektrə(ʊ)'lɪtɪk] adj elektrolytisk
electromagnet [ɪ,lektrə(ʊ)'mægnət] s elektromagnet
electromagnetic [ɪ,lektrə(ʊ)mæg'netɪk] adj elektromagnetisk [~ waves]; ~ **hypersensitivity** elöverkänslighet, elallergi
electron [ɪ'lektrɒn] s elektron
electron beam [ɪ'lektrɒnbi:m] s fys. elektronstråle
electron gun [ɪ'lektrɒngʌn] s fys. elektronkanon
electronic [ɪlek'trɒnɪk] adj elektronisk [~ data processing; ~ keyboard; ~ music; ~ publishing]; elektron-; ~ **microscope** elektronmikroskop
electronic cottage [ɪlek'trɒnɪk'kɒtɪdʒ] s data. hem (personlig arbetsplats) som är länkat (länkad) till yttervärlden via telekommunikation
electronic mail [ɪlek,trɒnɪk'meɪl] (förk. e-mail) s data. elektronisk post, e-post
electronic organizer [ɪlek,trɒnɪk'ɔ:gənaɪzə] s data., slags fickdator med kalender och adressbok
electronics [ɪlek'trɒnɪks] (med verb i sg.) s elektronik
electronic tag [ɪlek,trɒnɪk'tæg] s elektronisk fotboja
electronic tagging [ɪlek,trɒnɪk'tægɪŋ] s jur. intensivövervakning [med elektronisk kontroll]
electronic tolling [ɪlek,trɒnɪk'təʊlɪŋ] s elektronisk debitering av vägavgifter t.ex. via smartcard i fordonet
electronic transfer [ɪlek,trɒnɪk'trænsfə, -'trɑ:nsfə] s elektronisk överföring, datorbaserad överföring av pengar mellan banker etc.
electron microscope [ɪ,lektrɒn'maɪkrəskəʊp] s elektronmikroskop
electroplate [ɪ'lektrə(ʊ)pleɪt] **I** vb tr galvanisera, försilvra [på galvanisk väg] **II** s [galvaniserat] nysilver

electroshock therapy [ɪ,lektrə(ʊ)ʃɒk'θerəpɪ] *s* med. amer., se *electroconvulsive therapy*

electrostatic [ɪ,lektrə(ʊ)'stætɪk] *adj* elektrostatisk [~ *loudspeaker; ~ microphone*]

electrotechnician [ɪ,lektrə(ʊ)tek'nɪʃ(ə)n] *s* elektrotekniker

electrotherapy [ɪ,lektrə(ʊ)'θerəpɪ] *s* elektroterapi

elegance ['elɪgəns] *s* elegans; smakfullhet, stilfullhet; förfining

elegant ['elɪgənt] *adj* **1** elegant [~ *clothes*]; smakfull **2** [fin och] förnäm, fin [~ *society*]

elegiac [,elɪ'dʒaɪək] *adj* **1** elegisk **2** klagande, vemodig

elegy ['elɪdʒɪ] *s* elegi [*on, upon* om, över]

element ['elɪmənt] *s* **1** kem. grundämne **2** element [*the four ~s*]; urämne; rätt element; *be in one's ~* vara i sitt rätta element, vara i sitt esse; *be out of one's ~* inte vara i sitt rätta element, vara lite vilsen (bortkommen) **3** [viktig] beståndsdel, ingrediens; element; moment [*an important ~ of military training*]; inslag [*an ~ of irony*]; faktor; [grund]drag [*an ~ in his style*]; *criminal ~*[*s*] kriminella element; *the human ~* den mänskliga faktorn; *an ~ of danger* ett faromoment (riskmoment) **4** grundvillkor; *the book has all the ~s of success* boken har alla förutsättningar att bli en succé **5** *the ~s* a) elementen, elementerna [*the fury of the ~s*]; väder och vind b) elementa, [de] första grunderna [*the ~s of economics*]

elemental [,elɪ'mentl] *adj* **1** elementens, elementernas [~ *fury*]; ~ *force* naturkraft **2** elementär, väsentlig [~ *ingredients*]

elementary [,elɪ'ment(ə)rɪ] *adj* **1** elementär [~ *arithmetic*]; enkel; grund- [~ *knowledge*]; elementar-, nybörjar- [~ *books*]; ~ *mathematics* lägre matematik **2** kem. enkel, grund- [~ *substance*]

elementary particle [elɪ,ment(ə)rɪ'pɑ:tɪkl] *s* fys. elementarpartikel

elementary school [elɪ'ment(ə)rɪsku:l] *s* amer., ung. grundskola omfattande årskurserna 1–6 eller 1–8

elephant ['elɪfənt] *s* elefant; *calf ~* elefantunge; *white ~* vard., se *white elephant*

elephant grass ['elɪfəntgrɑ:s] *s* bot. elefantgräs

elephantiasis [,elɪfən'taɪəsɪs] *s* med. elefantiasis, elefantsjuka båda äv. bildl.

elephantine [,elɪ'fæntaɪn] *adj* elefantlik, stor som en elefant, jättestor; ~ *memory* hästminne

elevate ['elɪveɪt] *vb tr* **1** upphöja [*an archbishop ~d to cardinal*]; befordra **2** höja, lyfta moraliskt, kulturellt o.d.; [*reading good books*] *~s your mind ...* är upplyftande **3** lyfta upp, höja upp

elevated ['elɪveɪtɪd] *adj* **1** upphöjd etc., jfr *elevate* **2** högstämd **3** upprymd, lite glad **4** förhöjd [~ *blood pressure; ~ temperature*]

elevated railway [,elɪveɪtɪd'reɪlweɪ] *s* o. amer. **elevated railroad** [,elɪveɪtɪd'reɪlrəʊd] *s* högbana

elevating ['elɪveɪtɪŋ] *adj* upplyftande [*an ~ book*]

elevation [,elɪ'veɪʃ(ə)n] *s* **1** [upp]höjande, lyftande; [för]höjning **2** konkr. upphöjning [*an ~ in the ground*]; kulle **3** upphöjelse [~ *to the throne*] **4** höjd över havsytan (marken), äv. astron.

elevator ['elɪveɪtə] *s* vanl. amer. hiss

eleven [ɪ'levn] (jfr *fifteen* med sammansättn.) **I** *räkn*

elva **II** *s* **1** elva **2** sport. elva[mannalag]

elevenses [ɪ'levnzɪz] *s pl* vard. elvarast; förmiddagskaffe, förmiddagste

eleventh [ɪ'levnθ] *räkn* o. *s* elfte; elftedel; jfr *fifth; at the ~ hour* i elfte timmen

elf [elf] (pl. *elves*) *s* mytol. alf, älva; troll

elfin ['elfɪn] *adj* älv-, älvlik, trolsk

elicit [ɪ'lɪsɪt, e'l-] *vb tr* locka fram [~ *a reply*]; få fram [~ *the truth*]; framkalla, väcka [~ *a protest*]

elide [ɪ'laɪd] *vb tr* fonet. elidera; *be ~d* äv. bortfalla

eligibility [,elɪdʒə'bɪlətɪ] *s* kvalifikation[er], lämplighet [*his ~ for* (för) *the post*]; berättigande; valbarhet [*for* till]

eligible ['elɪdʒəbl] *adj* **1** berättigad [~ *for* (till) *a pension*]; kvalificerad [~ *for membership in a society*]; lämplig; antagbar; tänkbar; valbar [*for, to* till; ~ *for* (to) *an office*] **2** passande [*an ~ spot*]; *an ~ young man* äv. en eftertraktad ungkarl

eliminate [ɪ'lɪmɪneɪt, e'l-] *vb tr* eliminera i div. betydelser: få (ta) bort, rensa bort [~ *slang words from an essay*]; avskilja; utelämna, gå förbi, utesluta, bortse från [~ *a possibility*]; avskaffa, göra slut på, likvidera [*he ~d his opponents with ruthless cruelty; ~ a debt*]

eliminated [ɪ'lɪmɪneɪtɪd] *adj* **1** eliminerad etc., se *eliminate* **2** sport. utslagen

elimination [ɪ,lɪmɪ'neɪʃ(ə)n, e,l-] *s* **1** eliminering, elimination, avlägsnande etc., jfr *eliminate* **2** sport. utslagning; ~ *competition* utslagningstävling

Eliot ['elɪət]

elision [ɪ'lɪʒ(ə)n] *s* fonet. elision, elidering

elite [ɪ'li:t, eɪ-] **I** *s* elit; *the ~ of society* gräddan av societeten **II** *adj* elit-

elitism [ɪ'li:tɪz(ə)m, eɪ-] *s* elittänkande i undervisning o.d.; elitism

elitist [ɪ'li:tɪst, eɪ-] **I** *adj* elitisk, elitistisk **II** *s* elitist, elitmänniska

elixir [ɪ'lɪksə] *s* elixir; universalmedel

Eliza [ɪ'laɪzə] kortform av *Elizabeth*

Elizabeth [ɪ'lɪzəbəθ] **1** kvinnonamn **2** som drottningnamn Elisabet

Elizabethan [ɪ,lɪzə'bi:θ(ə)n] **I** *adj* elisabetansk från (under) Elisabet I:s tid **II** *s* elisabetan

elk [elk] *s* **1** [europeisk] älg **2** amer., *American ~* vapiti, nordamerikansk kronhjort

ellipse [ɪ'lɪps] *s* geom. ellips

ellips|is [ɪ'lɪpsɪs] (pl. *-es* [-i:z]) *s* språkv. ellips

elliptical [ɪ'lɪptɪk(ə)l] *adj* **1** språkv. elliptisk, ellips- **2** geom. elliptisk, ellipsformig

elm [elm] *s* alm

elocution [,elə(ʊ)'kju:ʃ(ə)n] *s* diktion, talteknik

elocutionary [,elə(ʊ)'kju:ʃ(ə)nərɪ] *adj* tal-, talar-, framställnings-; föredragsteknisk

elongate ['i:lɒŋgeɪt] **I** *vb tr* förlänga, dra ut **II** *vb itr* förlängas; bli långsträckt

elongated ['i:lɒŋgeɪtɪd] *adj* förlängd, utdragen; långsträckt; långsmal [~ *fingers*]

elongation [,i:lɒŋ'geɪʃ(ə)n] *s* **1** förlängning, utsträckning **2** astron. elongation

elope [ɪ'ləʊp] *vb itr* rymma för att gifta sig

elopement [ɪ'ləʊpmənt] *s* rymning, jfr *elope*

eloquence ['elə(ʊ)kw(ə)ns] *s* vältalighet

eloquent ['elə(ʊ)kw(ə)nt] *adj* vältalig; bildl. äv. uttrycksfull, talande [*an ~ gesture*]

El Salvador [el'sælvədɔ:] geogr.

else [els] *adv* **1** (i genitivförbindelse *~'s* ['elsɪz]) efter vissa pron. annan, mer, fler [t.ex. *anybody ~*; *anybody ~'s*]; annat, mer [t.ex. *anything ~*; *much ~*; *a good deal ~*]; andra [*everybody* (alla) *~*; *who* (vilka) *~?*]; annars [*who* (vem) *~?*]; ***everywhere ~*** på alla andra ställen, överallt annars; ***little ~*** föga annat, inte mycket mer (annat); ***nowhere* (*somewhere, anywhere*)** *~* ingen (någon) annanstans; ***not anywhere ~*** inte någon annanstans, ingen annanstans; ***I got somebody ~'s gloves*** jag fick någon annans handskar; ***who ~ was there?*** vem mer var där?; ***who ~ could it be?*** vilken annan (vem annars) skulle det kunna vara? **2** annars [*where ~ can I find it*]; ***or ~*** annars [så], för annars [*run or ~ you'll be late*]; eller också [*he must be joking, or ~ he is mad*]; i annat (motsatt) fall; ***don't do that, or ~!*** låt bli det där, annars så!

elsewhere [,els'weə] *adv* någon annanstans, på annat (andra) håll, annorstädes

ELT [,i:el'ti:] *s* (förk. för *English Language Teaching*) undervisning i engelska som främmande språk

elucidate [ɪ'lu:sɪdeɪt, -'lju:-] *vb tr* klargöra, belysa, illustrera, förklara

elucidation [ɪ,lu:sɪ'deɪʃ(ə)n, -,lju:-] *s* klargörande, belysning, illustration, förklaring

elucidatory [ɪ'lu:sɪdeɪtərɪ, -'lju:-, -,--'---] *adj* belysande [*of för*], förklarande

elude [ɪ'lu:d, -'lju:d] *vb tr* undkomma, undslippa [*~ one's pursuers*]; undfly, undgå [*~ a danger*]; [lyckas] väja undan för [*a blow*]

elusive [ɪ'lu:sɪv, -'lju:-] *adj* svårfångad [*an ~ criminal*]; oåtkomlig, undanglidande, gäckande [*~ shadow*]; ogripbar, svårgripbar, obestämbar [*~ rhythm*]; flyktig [*an ~ pleasure*]

elves [elvz] *s* pl. av *elf*

Elysian [ɪ'lɪzɪən] *adj* elyseisk [*the ~ fields*]; himmelsk, paradisisk, säll

'em [əm, m] *pers pron* vard. = *them*

emaciated [ɪ'meɪʃɪeɪtɪd] *adj* utmärglad, avtärd, maläten; utsugen

emaciation [ɪ,meɪsɪ'eɪʃ(ə)n] *s* utmärgling, avmagring; avtärdhet; utsugning

email o. **e-mail** ['i:meɪl] **I** *s* (förk. för *electronic mail*) **1** koll. e-post, mejl, elektronisk post **2** mejl, e-brev **II** *vb tr* **1** mejla till, skicka e-post till **2** mejla, skicka med e-post

email address ['i:meɪl,ədres] *s* e-postadress

email box ['i:meɪl,bɒks] *s* e-brevlåda

emanate ['eməneɪt] *vb itr*, *~ from* komma från, utgå från [*letters emanating from headquarters*]; ha sitt ursprung i; stråla (strömma) ut från

emanation [,emə'neɪʃ(ə)n] *s* utflöde, utstrålning, utströmning

emancipate [ɪ'mænsɪpeɪt] *vb tr* frige [*~ the slaves*]; frigöra, emancipera

emancipated [ɪ'mænsɪpeɪtɪd] *adj* **1** fri, oavhängig **2** emanciperad, frigjord [*a ~ woman*]

emancipation [ɪ,mænsɪ'peɪʃ(ə)n] *s* frigivning, frigörelse, emancipation [*the ~ of women*]

emasculate [ɪ'mæskjʊleɪt] *vb tr* **1** förveckliga, försvaga; stympa; urvattna **2** kastrera

emasculation [ɪ,mæskjʊ'leɪʃ(ə)n] *s* **1** förveckligande etc., jfr *emasculate 1* **2** kastrering

embalm [ɪm'bɑ:m, em-] *vb tr* balsamera

embalmment [ɪm'bɑ:mmənt, em-] *s* balsamering

embankment [ɪm'bæŋkmənt, em-] *s* **1** invallning, indämning **2** fördämning; [järnvägs]bank, vägbank, jordvall; kaj[anläggning] **3** i namn på gator längs Temsen i London [*the Victoria Embankment*]

embargo [ɪm'bɑ:gəʊ, em-] **I** (pl. *~es*) *s* **1** embargo [*arms ~*; *trade ~*] på fartyg äv. kvarstad, handelsbojkott; handelsförbud; förbud, stopp, spärr; *~ on exports* exportförbud; ***impose* (*put, place*)** *an ~ on* lägga embargo på, kvarstadsbelägga; införa förbud mot (för), stoppa; ***lift an ~*** häva ett embargo etc.; ***be under an ~*** vara kvarstadsbelagd (beslagtagen) **2** blockad **II** *vb tr* **1** lägga embargo på, kvarstadsbelägga; införa förbud mot, stoppa **2** beslagta, konfiskera, rekvirera

embark [ɪm'bɑ:k, em-] **I** *vb tr* inskeppa, avskeppa [*for till*], ta ombord [*the ship* (*the airliner*) *~ed passengers and cargo*] **II** *vb itr* embarkera, inskeppa sig, gå ombord **III** *vb itr* med prep.:

embark on inlåta sig i (på) [*~ on speculations*]; inveckla sig i; ge sig in på [*~ on a difficult undertaking*]; ge sig ut på [*~ on new adventures*]; *~ on a new career* slå (ge sig) in på en ny bana; *~ on a project* sätta i gång med ett projekt

embarkation [,embɑ:'keɪʃ(ə)n] *s* inskeppning, ilastning, inlastning, embarkering

embarrass [ɪm'bærəs, em-] *vb tr* (se äv. *embarrassed* o. *embarrassing*) göra förlägen (generad) [*the question ~ed him*]; förvirra, förbrylla

embarrassed [ɪm'bærəst, em-] *perf p* o. *adj* **1** förlägen, generad [*at över*], brydd, besvärad [*feel ~*] **2** *financially ~* i penningknipa; *be in ~ circumstances* ha ekonomiska problem

embarrassing [ɪm'bærəsɪŋ, em-] *adj* pinsam, penibel [*an ~ situation*]; genant, förarglig

embarrassment [ɪm'bærəsmənt, em-] *s* **1** förlägenhet **2** *financial ~s* ekonomiska problem (svårigheter) **3** besvär, svårighet, hinder; *a political ~* en politisk belastning

embassy ['embəsɪ] *s* ambassad, beskickning

embattled [ɪm'bætld, em-] *adj* **1** mil. omringad **2** besvärad, hårt ansatt, plågad

embed [ɪm'bed, em-] *vb tr* **1** bädda in [*in i*]; mura in; bildl. lagra [*facts ~ded in one's memory*]; inprägla **2** omge, omsluta, innesluta

embellish [ɪm'belɪʃ] *vb tr* **1** försköna, [ut]smycka, utsira, pryda **2** bildl. brodera ut

embellishment [ɪm'belɪʃmənt] *s* **1** förskönande, utsmyckande, utsirande, prydande; bildl. utbroderande **2** utsmyckning, prydnad; pl. *~s* äv. snirklar

ember ['embə] *s* glödande kol[stycke]; pl. *~s* äv. glöd, glödande aska, askmörja

embezzle [ɪm'bezl, em-] *vb tr* försnilla, förskingra

embezzlement [ɪm'bezlmənt, em-] *s* försnillning, förskingring

embitter [ɪm'bɪtə, em-] *vb tr* göra bitter [*the loss of all his money ~ed the old man*]; göra förgrämd; *~ sb's life* förbittra livet för ngn

embittered [ɪm'bɪtəd, em-] *adj* bitter, förbittrad; förgrämd

embitterment [ɪm'bɪtəmənt] *s* bitterhet; förgrämdhet

emblazoned [ɪm'bleɪz(ə)nd, em-] *adj* praktfullt el. överdådigt [ut]smyckad, prydd; dekorerad [i granna färger]

emblem ['embləm] *s* emblem, sinnebild, symbol [*an ~ of peace*]; tecken

emblematic [ˌemblə'mætɪk] *adj* symbolisk [*of* för], sinnebildlig; *be ~ of* äv. vara en symbol för, symbolisera, vara ett uttryck för

embodiment [ɪm'bɒdɪmənt, em-] *s* **1** förkroppsligande; konkr. inkarnation, personifikation; *an ~ of evil* det onda personifierat **2** utformning, förkroppsligande, jfr *embody 1* **3** införlivande; inbegripande, jfr *embody 2*

embody [ɪm'bɒdɪ, em-] *vb tr* **1** ge konkret form (uttryck) åt, utforma, uttrycka [*~ one's views in a speech*]; vara ett uttryck för; förkroppsliga; *be embodied in* ta form i, få uttryck i, vara uttryckt (sammanfattad) i **2 a)** införliva, inordna **b)** inbegripa, innesluta, innefatta, innehålla, äga, ha [*~ many new features*]

embolden [ɪm'bəʊld(ə)n, em-] *vb tr* **1** göra djärv (djärvare); [in]ge mod; *~ed* äv. uppmuntrad **2** använda fet stil till

embolism ['embəlɪz(ə)m] *s* med. emboli, blodpropp

embossed [ɪm'bɒst] *adj* präglad, ciselerad; prydd med reliefer; *~ map* reliefkarta; *~ notepaper* brevpapper med präglat huvud

embrace [ɪm'breɪs] **I** *vb tr* **1** vanl. litt. omfamna, krama **2** ta emot, anta [*~ an offer*]; gripa, begagna [*~ an opportunity*]; gå över till [*~ Christianity*]; anamma; omfatta, hylla [*~ a principle*] **3** omfatta, innehålla; *it ~s every possibility* det täcker (innefattar) alla möjligheter **II** *vb itr* omfamna varandra, kramas **III** *s* **1** omfamning, kram, famntag; *locked in an ~* tätt omslingrade **2** anammade [*an eager ~ of foreign influences*]

embrocation [ˌembrə(ʊ)'keɪʃ(ə)n] *s* liniment

embroider [ɪm'brɔɪdə, em-] *vb tr* **1** brodera **2** bildl. brodera ut [*~ a story*]

embroidery [ɪm'brɔɪd(ə)rɪ, em-] *s* **1** broderi; brodering **2** bildl. utbrodering

embroidery hoop [ɪm'brɔɪd(ə)rɪˌhuːp] *s* broderbåge

embroil [ɪm'brɔɪl] *vb tr* dra in [*~ a nation in a war*]; *~ oneself in* el. *get* (*become*) *~ed in* bli invecklad (inblandad) i, blanda sig i; *get* (*become*) *~ed with* komma i konflikt med

embryo ['embrɪəʊ] (pl. *~s*) *s* **1** embryo, bot. äv. växtämne; ofullgånget foster **2** bildl. frö; *in ~* outvecklad, i vardande, i sin linda, blivande [*a poet in ~*]; *in spe* [*a diplomat in ~*]

embryology [ˌembrɪ'ɒlədʒɪ] *s* embryologi

embryonic ['embrɪənl, ˌembrɪ'ɒnɪk] *adj* embryonal, foster- [*the ~ stage*]

emcee [ˌem'siː] vanl. amer. vard. **I** *s* ceremonimästare, klubbmästare; konferencier, speaker **II** *vb itr* fungera som (vara) konferencier etc. **III** *vb tr* vara konferencier etc. vid (för)

emend [ɪ'mend] *vb tr* rätta, korrigera text

emendation [ˌiːmen'deɪʃ(ə)n, -mən'd-] *s* rättelse, korrigering av text

emerald ['emər(ə)ld] **I** *s* smaragd; attr. smaragd- [*an ~ ring*] **II** *adj* smaragdfärgad, [smaragd]grön

Emerald Isle ['emər(ə)ldaɪl] *s*, *the ~* den gröna ön Irland

emerge [ɪ'mɜːdʒ] *vb itr* **1** dyka upp, stiga upp, höja sig [*~ from* (ur) *the sea*]; komma fram (ut), träda fram, träda i dagen; utveckla sig **2** uppstå [*a new situation has ~d*]; komma upp, inställa sig, dyka upp [*a new problem has ~d*]; visa sig, komma fram, framgå [*it ~d that...*]

emergence [ɪ'mɜːdʒ(ə)ns] *s* uppdykande, framträdande, utveckling, uppkomst [*the ~ of new states*]

emergency [ɪ'mɜːdʒ(ə)nsɪ] *s* **1** nödläge, tvångsläge, kris, kritiskt (svårt) läge, kritisk (svår) situation; oförutsedd händelse, kritiskt tillfälle (ögonblick), nödfall; *for an ~* för alla eventualiteter; *in an ~* el. *in case of ~* i ett nödläge (krisläge), i en kritisk situation; *proclaim a state of ~* proklamera undantagstillstånd; *be equal to the ~* el. *rise to the ~* vara (visa sig vara) situationen vuxen **2** attr. reserv-; nöd- [*~ landing*]; tvångs- [*~ situation*]; provisorisk; *~ case* brådskande fall, om person äv. akutfall, katastroffall; *~ exit* el. *~ door* nödutgång, reservutgång; *~ fund* krisfond, kriskassa; *~ measures* kris[tids]åtgärder, tvångsåtgärder, nödfallsåtgärder, beredskapsåtgärder; *~ plan* beredskapsplan, krisplan; *~ powers* ung. extraordinära befogenheter

emergency brake [ɪ'mɜːdʒ(ə)nsɪˌbreɪk] *s* amer. handbroms på bil

emergency cord [ɪ'mɜːdʒ(ə)nsɪˌkɔːd] *s* amer. nödbromslina på tåg

emergency department [ɪ'mɜːdʒ(ə)nsɪdɪˌpɑːtmənt] *s* akutmottagning, olycksfallsavdelning på sjukhus

emergency room [ɪ'mɜːdʒ(ə)nsɪdɪˌruːm] (förk. *ER*) *s* amer. akutmottagning, olycksfallsavdelning på sjukhus

emergency services [ɪ'mɜːdʒ(ə)nsɪˌsɜːvɪsɪz] *s pl* räddningstjänster polis, brandkår, ambulans, sjöräddning

emergency ward [ɪ'mɜːdʒ(ə)nsɪˌwɔːd] *s* akutmottagning, olycksfallsavdelning på sjukhus

emergent [ɪ'mɜːdʒ(ə)nt] *adj* uppdykande; framträdande, frambrytande [*~ rays*]; framträngande; som är under utveckling, nybliven [*the ~ countries of Africa*]

emergicenter® [ɪ'mɜːdʒɪsentə] *s* amer., ung. cityakut, läkarhus akutmottagning i stadskärna

emerging [ɪ'mɜːdʒɪŋ] *adj* se *emergent*

emerging market [ɪˌmɜːdʒɪŋ'mɑːkɪt] *s* ekon. tillväxtmarknad

emeritus [ɪ'merɪtəs] *adj* emeritus [*~ professor; professor ~*]

Emerson ['eməsn]

emery ['emərɪ] *s* smärgel

emery board ['emərɪbɔːd] *s* sandpappersfil

emery cloth ['emərɪklɒθ] *s* smärgelduk

emery paper ['emərɪˌpeɪpə] *s* smärgelpapper

emetic [ɪ'metɪk] med. **I** *s* kräkmedel **II** *adj* som framkallar kräkning, kräk[nings]-

emigrant ['emɪgr(ə)nt] **I** *s* utvandrare, emigrant **II** *adj* utvandrar-, emigrant-; utvandrande

emigrate ['emɪgreɪt] *vb itr* utvandra, emigrera

emigration [,emɪ'greɪʃ(ə)n] *s* utvandring, emigration

émigré ['emɪgreɪ] *s* [politisk] emigrant (flykting)

Emily ['eməlɪ] kvinnonamn

eminence ['emɪnəns] *s* **1** högt anseende, berömmelse [*win ~ as a scientist*]; framstående skicklighet **2** *His* (*Your*) *Eminence* Hans (Ers) Eminens om (till) en kardinal

eminent ['emɪnənt] *adj* **1** framstående, ansedd [*an ~ lawyer*]; hög, högtstående; utomordentligt skicklig **2** om egenskaper, tjänster o.d. utomordentlig [*~ services*]; enastående [*~ success*]

eminent domain [,emɪnəntdə'meɪn] *s* expropriationsrätt

eminently ['emɪnəntlɪ] *adv* i högsta grad [*~ qualified*]; särdeles, synnerligen, ytterst

emir [e'mɪə, ɪ'm-] *s* emir

emirate ['em(ə)rət] *s* emirvärdighet; emirat

emissary ['emɪs(ə)rɪ] *s* emissarie, [hemligt] sändebud

emission [ɪ'mɪʃ(ə)n, i:'m-] *s* utsläpp; utstrålning [*~ of light*]; avgivande [*~ of heat*]

emissions trading [ɪ'mɪʃ(ə)nz,treɪdɪŋ, i:'m-] *s* handel med utsläppsrätter

emit [ɪ'mɪt] *vb tr* **1** släppa ut, stråla ut, avge [*~ heat*]; sprida [*~ light*]; ge ifrån sig [*~ an odour*]; spy ut [*a volcano ~s smoke and ashes*]; avsöndra **2** utstöta [*~ a cry*]

Emmental o. **Emmenthal** ['emənta:l] *s* emmentaler, schweizerost

emollient [ɪ'mɒlɪənt] **I** *adj* uppmjukande, lenande; bildl. lugnande, mildrande **II** *s* uppmjukande (lenande) medel (salva)

emolument [ɪ'mɒljʊmənt] *s* [extra] löneförmån [*salary £20,000 with no ~s*]; [bi]inkomst, extrainkomst

e-money ['i:mʌnɪ] (utan pl.) *s* e-pengar, elektroniska pengar

emoticon [ɪ'məʊtɪkən] *s* data. smiley teckengrupp som bildar en symbol, används bl.a. för att ange ton- el. känsloläge i elektroniska meddelanden

emotion [ɪ'məʊʃ(ə)n] *s* **1** [sinnes]rörelse, upprördhet, upprört tillstånd **2** [stark] känsla [*~ of joy* (*hatred, fear*)], psykol. emotion; [känslo]stämning

emotional [ɪ'məʊʃənl] *adj* **1** känslo- [*~ life; ~ thinking*]; känslomässig [*~ stress*]; känslobetonad, emotionell **2** lättrörd, känslig [*an ~ person*]; känslosam, känslofull **3** känslig, laddad [*~ issues*]

emotionalism [ɪ'məʊʃ(ə)nəlɪz(ə)m] *s* **1** känslobetoning; känslomässighet **2** [överdriven] känslosamhet **3** benägenhet att låta sig ledas av sina känslor

emotionless [ɪ'məʊʃ(ə)nləs] *adj* uttryckslös [*~ face; ~ voice*]

emotive [ɪ'məʊtɪv] *adj* känslobetonad, känslomässig, känsloladdad, emotiv, känslo-

empanel [ɪm'pænl, em-] *vb tr* föra upp på en [jury]lista; utse, sätta samman en jury

empathize ['empəθaɪz] *vb itr* känna empati

empathy ['empəθɪ] *s* psykol. empati, inlevelse

emperor ['emp(ə)rə] *s* kejsare

emphas|is ['emfəs|ɪs] (pl. *-es* [-i:z]) *s* eftertryck

[*with ~*]; tonvikt, betoning, inriktning [*on* på]; betonande [*on* av], insisterande [*on* på]; *put* (*lay*) *~ on* el. *give ~ to* lägga tonvikt[en] (huvudvikten) på

emphasize ['emfəsaɪz] *vb tr* med eftertryck (starkt, särskilt) betona, trycka på, framhålla, framhäva, poängtera, lägga tonvikt[en] på

emphatic [ɪm'fætɪk, em-] *adj* **1** eftertrycklig, kraftig, bestämd [*an ~ no; an ~ protest*]; uttrycklig [*an ~ guarantee*]; kraftfull [*an ~ speech*]; definitiv, klar [*an ~ success*] **2** starkt (kraftigt) betonad [*an ~ word*]; *be ~ about* trycka på, betona

emphatically [ɪm'fætɪk(ə)lɪ, em-] *adv* eftertryckligt etc., jfr *emphatic*; eftertryckligen, med eftertryck, med skärpa; alldeles särskilt [*in this case it was ~ so*]

emphysema [,emfɪ'si:mə] *s* med. emfysem

empire ['empaɪə] *s* **1** kejsardöme, kejsarrike, rike [*the Roman ~*] **2** imperium äv. friare [*an oil ~*]; världsvälde, världsrike, stort välde

empire-building ['empaɪə,bɪldɪŋ] *s* imperiebyggande

Empire State [,empaɪə'steɪt], *the ~* beteckn. för staden (resp. staten) *New York*

Empire State Building [,empaɪəsteɪt'bɪldɪŋ], *the ~* känd skyskrapa i New York

empirical [ɪm'pɪrɪk(ə)l, em-] *adj* empirisk

empiricism [ɪm'pɪrɪsɪz(ə)m, em-] *s* empiri[sm]

employ [ɪm'plɔɪ, em-] **I** *vb tr* **1** sysselsätta, ha anställd, ha i sin tjänst; anställa, anlita [*~ a lawyer*]; *be ~ed in doing sth* vara sysselsatt (upptagen) med att göra ngt; *be ~ed by* vara anställd (ha arbete) hos; *the ~ed* de anställda, löntagarna **2** använda [sig av], bruka, begagna [sig av], nyttja [*for* för, till]; *his time is fully ~ed in...* han ägnar all sin tid åt [att]...
II *s*, *in sb's ~* i ngns tjänst, i tjänst (anställd) hos ngn; *take sb into one's ~* anställa ngn, ta ngn i sin tjänst

employable [ɪm'plɔɪəbl] *adj* som kan anställas

employee [em'plɔɪ:, ,emplɔɪ'i:] *s* arbetstagare, anställd, löntagare, befattningshavare; *~s* äv. personal; [*salaried*] *~* tjänsteman; *~ relations* personalvård

employer [ɪm'plɔɪə] *s* arbetsgivare; chef; företagare

employment [ɪm'plɔɪmənt, em-] *s* **1** sysselsättning äv. ekon. [*full ~*]; arbete [*when I could get ~*]; anställning, tjänst [*full-time ~; part-time ~*]; plats [*seek ~; look out for ~*]; anställande; *contract of ~* el. *~ contract* anställningsavtal, anställningskontrakt; *be in ~* ha arbete (sysselsättning); *be thrown out of ~* bli arbetslös, bli ställd utan arbete **2** användning, användande

employment agency [ɪm'plɔɪmənt,eɪdʒ(ə)nsɪ, em-] *s* privat arbetsförmedling[sbyrå]

employment office [ɪm'plɔɪmənt,ɒfɪs, -em] *s* [statlig] arbetsförmedling

emporium [em'pɔ:rɪəm] *s* **1** [special]affär [*a video ~; an ice-cream ~*] **2** äld. stort varuhus

empower [ɪm'paʊə, em-] *vb tr* **1** bemyndiga, befullmäktiga, berättiga **2** göra det möjligt för, sätta i stånd

empress ['emprəs] *s* kejsarinna

emptiness ['em(p)tɪnəs] *s* **1** tomhet; brist [*~ of* (på) *content*] **2** bildl. innehållslöshet, tomhet; fåfänglighet, intighet [*the ~ of earthly things*]

empty ['em(p)tɪ] **I** *adj* **1** tom i div. betydelser; folktom, öde [~ *streets*]; **on an ~ stomach** på fastande mage; ~ *vessels make the greatest noise* (*sound*) ordst. tomma tunnor skramlar mest **2** bildl. **a**) tom [~ *words*]; ihålig, intetsägande [~ *phrases; ~ compliments*]; innehållslös, meningslös **b**) om person enfaldig **II** *s* tomglas, tomflaska; tomkärl, tomfat; tomlåda **III** *vb tr* **1 a**) tömma [~ *a bucket*]; länsa; lasta av [~ *a lorry*]; evakuera [~ *a city*]; ~ *one's glass* tömma (dricka ur) glaset **b**) hälla, slå [~ *the water into* (i) *the bucket*] **c**) tömma [ur] [~ *a drawer*]; hälla ur; tömma (hälla, slå) ut [~ [*out*] *the contents*] **d**) ~ *of* tömma på [~ *one's pockets of their contents*]; beröva [~ *a phrase of all meaning*] **2** ~ *oneself* om flod falla ut [*into* i] **IV** *vb itr* **1 a**) tömmas [*the cistern empties slowly; the room emptied quickly*]; bli tom **b**) rinna ut [*the water empties slowly*] **2** om flod falla ut [*into* i] **V** *vb tr* o. *vb itr* med adv. el. prep.:

empty out a) tömma [ur] [~ *out a drawer*]; hälla ur; tömma (hälla, slå) ut [~ *out the contents*] **b**) om flod falla ut [*into* i] **c**) strömma ut [*people emptied out onto the street after the concert*]

empty-handed [ˌem(p)tɪˈhændɪd] *adj* tomhänt

empty-headed [ˌem(p)tɪˈhedɪd] *adj* dum, korkad

EMS [ˌiːemˈes] EU. (förk. för *European Monetary System*) EMS (förk. för Europeiska monetära systemet)

EMU [ˌiːemˈjuː, ˈiːmjuː] EU. (förk. för *Economic and Monetary Union*) EMU (förk. för Ekonomiska och monetära unionen)

emu ['iːmjuː] *s* zool. emu, australisk struts

emulate ['emjʊleɪt] *vb tr* **1** söka [efter]likna, ta efter, söka överträffa **2** data. emulera, efterlikna

emulation [ˌemjʊˈleɪʃ(ə)n] *s* **1** [ädel] tävlan; efterliknande, efterbildande **2** data. emulering

emulator ['emjʊleɪtə] *s* **1** medtävlare, konkurrent **2** data. emulator

emulous ['emjʊləs] *adj* **1** ~ *of* angelägen om att överträffa (överglänsa) [~ *of all rivals*]; som strävar efter [~ *of fame*] **2** rivaliserande [~ *admirers*]; tävlings-

emulsifier [ɪˈmʌlsɪfaɪə] *s* emulgeringsmedel

emulsify [ɪˈmʌlsɪfaɪ] *vb tr* kem. emulgera

emulsion [ɪˈmʌlʃ(ə)n] *s* kem. emulsion

enable [ɪˈneɪbl, eˈn-] *vb tr* **1** ~ *sb to* göra det möjligt (möjliggöra) för ngn att, ge ngn möjlighet att, tillåta ngn att [*this legacy ~d her to retire*]; befullmäktiga (bemyndiga) ngn att; **so as to ~ us to...** så att vi kan (skall kunna)... **2** data. aktivera

enabling act [ɪˈneɪblɪŋækt] *s* fullmaktslag

enabling bill [ɪˈneɪblɪŋbɪl] *s* förslag till fullmaktslag

enact [ɪˈnækt, eˈn-] *vb tr* **1** anta [~ *a new tax law*]; anta [såsom lag] [~ *a bill*]; stadga [*as by law ~ed*]; föreskriva **2** teat. spela; uppföra ett stycke **3** utspela [*the murder was ~ed in...*]; utföra en ceremoni

enactment [ɪˈnæktmənt, eˈn-] *s* upphöjande till lag, antagande [*the ~ of a bill*]; genomförande av bestämmelser

enamel [ɪˈnæm(ə)l] **I** *s* **1** emalj; glasyr; ~ *ware* emaljvaror, emaljerade kärl **2** konst. emaljarbete, emaljmålning **3** lackfärg [äv. ~ *paint*]; [färgat] nagellack **4** [tand]emalj [äv. *dental* ~] **II** *vb tr* **1** emaljera; glasera lerkärl; ge ngt en glansig yta genom överdragning med emaljliknande ämne **2** måla med lackfärg; lackera

enamelled [ɪˈnæm(ə)ld] *adj* emaljerad; glaserad; lackad; lackerad

enamelware [ɪˈnæm(ə)lweə] *s* emaljvaror, emaljerade kärl

enamoured [ɪˈnæməd, eˈn-] *adj* förälskad, betagen [*of, with* i]

en bloc [ˌɑːnˈblɒk, ˌɒn-] *adv* fr. i klump; i sin helhet

enc. förk. för *enclosed, enclosure*

encamp [ɪnˈkæmp, en-] **I** *vb tr* [för]lägga i läger **II** *vb itr* ligga i läger; slå läger; kampera

encampment [ɪnˈkæmpmənt, en-] *s* **1** lägerplats; läger **2** förläggande i läger [*the ~ of the troops*]; kamperande

encapsulate [ɪnˈkæpsjʊleɪt, en-] *vb tr* sammanfatta

encase [ɪnˈkeɪs, en-] *vb tr* **1** innesluta, lägga in, packa in [*in* i] **2** omge, omsluta [*with* med]

encash [ɪnˈkæʃ, en-] *vb tr* se *cash II*

encephalitis [ˌensefəˈlaɪtɪs, ˌenkef-] *s* med. encefalit, hjärninflammation

encephalopathy [enˌkefəˈlɒpəθɪ, en,s-] *s* med. encefalopati hjärnsjukdom

enchant [ɪnˈtʃɑːnt, en-] *vb tr* **1** förhäxa; förtrolla **2** tjusa, hänföra

enchanted [ɪnˈtʃɑːntɪd, en-] *adj* **1** förhäxad; förtrollad [*the ~ palace*] **2** förtjust, hänförd; **be ~ with** el. **be ~ by** vara förtjust i (över), vara hänförd över **3** bedårande, förtjusande, hänförande, förtrollande

enchanter [ɪnˈtʃɑːntə] *s* **1** trollkarl **2** charmör

enchanting [ɪnˈtʃɑːntɪŋ, en-] *adj* bedårande, förtjusande, hänförande, förtrollande

enchantment [ɪnˈtʃɑːntmənt, en-] *s* **1** förtrollning, förhäxning **2** trollkraft, trollmakt **3** tjusning, charm **4** förtjusning

enchantress [ɪnˈtʃɑːntrəs, en-] *s* litt. **1** tjusig (charmerande) kvinna **2** trollkvinna

enchilada [ˌen(t)ʃɪˈlɑːdə] *s* kok. enchilada

encircle [ɪnˈsɜːkl] *vb tr* **1** omge [*a lake ~d by trees*]; innesluta, omsluta; omringa [*~d by enemy forces*] **2** kretsa kring

encirclement [ɪnˈsɜːklmənt, en-] *s* inringning; **policy of ~** inringningspolitik

encl. förk. för *enclosed, enclosure*

enclave ['enkleɪv] *s* polit. enklav

enclose [ɪnˈkləʊz, en-] *vb tr* **1** inhägna, omgärda; **~d with walls** kringbyggd med murar **2** i brev o.d. bifoga, närsluta, innesluta, skicka med, översända, sända [*I'll ~ your letter with* (i samma kuvert som) *mine*]; **we ~ a price list** el. **we are sending you ~d a price list** härmed översändes en prislista, vi sänder härmed (får härmed översända) en prislista; **~d please find** [*a price list*] härmed bifogas (närslutes etc.)...; **the ~d** [*letter*] bifogade (bilagda, medföljande) brev, inneliggande [brev]; [*a letter*] **enclosing a price list** ...med bifogad prislista **3** stänga in [~ *an army*] **4** omge [*the house was ~d on all sides by tall blocks of flats*]

enclosure [ɪnˈkləʊʒə, en-] *s* **1** bilaga till brev **2** inhägnad, inhägnat område; gård; på kapplöpningsbana ung. sadelplats

encode [ɪnˈkəʊd, en-] *vb tr* koda [in]

encompass [ɪnˈkʌmpəs, en-] *vb tr* **1** omfatta,

omspänna; **~ing** äv. övergripande **2** omge [*~ed by his faithful guard*]; omringa; omsluta

encore [ɒŋ'kɔ:] **I** *interj* dakapo!, om igen!, en gång till!, mera!
II *s* **1** extranummer [*give an ~*]; dakapo[nummer]; upprepning **2** inropning; *he got an ~* han blev inropad för att ge (han fick ge) ett extranummer

encounter [ɪn'kaʊntə, en-] *vb tr* **1** råka, träffa [på], stöta på, stöta ihop (samman) med [*I ~ed an old friend on the train*] **2** möta [*~ resistance*]; stöta på [*~ problems*]; råka på, råka ut för [*~ difficulties*] **3** träffa på [och angripa] [*enemy patrols were ~ed and driven back*]; drabba samman med
II *s* **1** [kort] möte, sammanträffande **2** sport. o.d. möte **3** sammanstötning, sammandrabbning, drabbning

encounter group [ɪn'kaʊntəgru:p] *s* psykol. encountergrupp, sensiträningsgrupp

encourage [ɪn'kʌrɪdʒ, en-] *vb tr* uppmuntra; egga, stimulera, sporra, animera; gynna [*~ commerce*]; [under]stödja, befrämja, främja

encouragement [ɪn'kʌrɪdʒmənt, en-] *s* uppmuntran [*to* till]; eggelse; främjande, understöd; *I gave her no ~* jag uppmuntrade henne inte; *act as an ~ to* a) verka uppmuntrande på b) uppmuntra till

encouraging [ɪn'kʌrɪdʒɪŋ, en-] *adj* uppmuntrande, hoppingivande, hoppfull

encroach [ɪn'krəʊtʃ, en-] *vb itr* inkräkta, göra intrång [*on, upon* på, i; *~ on sb's time*]; *the sea is ~ing [up]on the land* havet erövrar mer och mer land; [*television began gradually*] *to ~ on radio* …vinna terräng på bekostnad av radion

encroachment [ɪn'krəʊtʃmənt, en-] *s* intrång, inkräktande, ingrepp, övergrepp [*on, upon* på, i]

encrusted [ɪn'krʌstɪd, en-] *adj* täckt, klädd; *~ blood* intorkat blod; [*a gold vase*] *~ with precious stones* …inlagd med ädelstenar

encrypt [ɪn'krɪpt, en-] *vb tr* kryptera

encumber [ɪn'kʌmbə, en-] *vb tr* **1** tynga [ner], betunga, belasta; besvära, hindra [*be ~ed with (av) a long cloak*]; [*she was*] *~ed with parcels* …överlastad med paket **2** *~ed with debts* skuldtyngd, skuldsatt **3** belamra [*a room ~ed with furniture*]; överhopa, överfylla

encumbrance [ɪn'kʌmbr(ə)ns, en-] *s* **1** börda; påhäng, black om foten, hinder, besvär, belastning **2** jur. gravation; *an estate without ~s* en gravationsfri fastighet

encyclopedia o. **encyclopaedia** [ɪnˌsaɪklə(ʊ)'pi:dɪə, enˌsaɪk-] *s* encyklopedi, [allmän] uppslagsbok, konversationslexikon; *a walking ~* ett levande lexikon

encyclopedic o. **encyclopaedic** [ɪnˌsaɪklə(ʊ)'pi:dɪk, enˌsaɪk-] *adj* encyklopedisk

end [end] **I** *s* **1** slut, avslutning; ände, ända; *go off the deep ~* vard. bli rasande, brusa upp; *he's the ~!* vard. han är botten!; [*you won't get it*] *and that's the ~ of it!* …och därmed basta!; *that's the ~ of him* det är slut med honom; *it's not (wouldn't be) the ~ of the world* det är inte hela världen (ingen katastrof); *change ~s* byta sida i bollspel; *keep one's ~ up* vard. hålla stånd, stå på sig; *make [both] ~s meet* få det att gå ihop; *put an ~ to* sätta stopp för; *put an ~ to*

oneself ta livet av sig; *I liked the book no ~* vard. jag tyckte väldigt mycket om boken; *she has no ~ of* [*money*] vard. hon har massor med…; *he is no ~ of a* [*nice*] *fellow* vard. han är alla tiders kille; *no ~ of trouble* vard. en förfärlig massa besvär; *there is (are) no ~ of…* vard. det finns massor med…
at: *be at an ~* vara slut, vara förbi (ute) [*all hope is at an ~*]; *at the ~* vid (i, på) slutet; till sist, till slut; [*how's the weather*] *at your ~?* i telefon …hos er?; *I am at the ~ of* [*my patience*] det är slut med…, jfr äv. *finger 1, loose I 1, tether I* o. *wit 1*
in: *in the ~* till slut, till sist; i längden; när allt kom[mer] omkring
on: *on ~* a) på ända, på högkant b) i sträck [*two hours on ~*]; i ett kör; [*it rained*] *for days on ~* …dagar i ända; *his hair stood on ~* håret reste sig på hans huvud
to: *to the bitter ~* till det bittra slutet, in i det sista; *to the very ~* ända till slutet; *bring to an ~* avsluta, sluta, få (göra) slut på; *come to an ~* ta slut; *come to a sticky ~* se under *sticky I 5*; *to the ~s of the earth* till jordens (världens) ände
2 [sista] bit, stump; ända av garn o.d.
3 mål [*with this ~ in view*]; ändamål, syfte; *an ~ in itself* ett självändamål; *the ~ justifies the means* ändamålet helgar medlen
II *vb tr* sluta, avsluta; göra slut på [*~ the dispute*]
III *vb itr* sluta, upphöra, ta slut [*the road ~s here*]; avslutas, avlöpa [*the affair ~ed [up] happily*]; *all's well that ~s well* slutet gott, allting gott; *~ [up] (~ by) doing sth* till sist (sluta med att) göra ngt; *~ up in* sluta i [*he ~ed up in jail*]

end-all ['endɔ:l] *s* slutmål; se vidare *be-all*

endanger [ɪn'deɪn(d)ʒə, en-] *vb tr* utsätta för fara, sätta i fara, sätta på spel, äventyra [*~ one's chances of success*]; blottställa; *~ one's life* utsätta sig för livsfara, riskera livet

endangered species [ɪnˌdeɪn(d)ʒəd'spi:ʃi:z] *s* utrotningshotade djur (arter)

endear [ɪn'dɪə, en-] *vb tr* göra omtyckt [*to* av]; *he ~ed himself to them* han vann deras tillgivenhet

endearing [ɪn'dɪərɪŋ, en-] *adj* vinnande [*an ~ smile; ~ qualities; ~ ways* (väsen)]; älskvärd

endearment [ɪn'dɪəmənt, en-] *s* ömhetsbetygelse, smekning; *term of ~* smeksamt uttryck, smekord

endeavour [ɪn'devə, en-] **I** *vb itr* sträva [*to* efter att], bemöda sig [*to att, om att*], försöka [*to do* göra, att göra]
II *s* strävan, bemödande, [ivrigt] försök [*to do*]; *make every ~ to* anstränga sig på alla sätt för att

endemic [en'demɪk] *adj* med., bot. el. zool.
1 endemisk, inhemsk **2** bildl. allmänt utbredd

endgame ['endgeɪm] *s* slutspel spec. i schack; bildl. slutskede

ending ['endɪŋ] *s* **1** slut, avslutning, avslutande; avslutningsfras; *happy ~* lyckligt slut, happy end; [*the book*] *has a sad ~* äv. …slutar sorgligt **2** gram. ändelse

endive ['endɪv, amer. vanl. -daɪv] *s* **1** frisésallat, chicorée frisée **2** amer. endiv **3** cikoria[rot]

endless ['endləs] *adj* ändlös, oändlig, gränslös [*~ patience*]; utan slut, evig; oupphörlig

endocarditis [ˌendə(ʊ)kɑ:'daɪtɪs] *s* med. endokardit

endocrine ['endə(ʊ)kraɪn] fysiol. **I** *adj* endokrin [~ *gland*] **II** *s* endokrin körtel, endokrint organ

end-on collision [,endɒnkə'lɪʒ(ə)n] *s* kollision stäv mot stäv (med bil mot bilen bakom)

endorse [ɪn'dɔ:s] *vb tr* **1** bildl. skriva under på [*I ~ everything you said*]; stödja [~ *a plan*; ~ *a statement*]; bekräfta, intyga **2** uttala sig gillande om, rekommendera, godkänna, göra reklam för **3** skriva sitt namn på baksidan av, skriva på, endossera [~ *a cheque*]; göra en anteckning på baksidan av; teckna på [~ *a bill*]; skriva [*she ~d her name on the cheque*] **4** *his driving licence was ~d* han fick en anteckning om trafikförseelse i körkortet, han fick en prickning

endorsement [ɪn'dɔ:smənt] *s* **1** bildl. stöd, bekräftelse **2** godkännande; reklam[uttalande], garanti **3** hand. endossering; anteckning på baksidan av en handling o.d.; påskrift; endossement **4** anteckning i körkort om trafikförseelse, prickning

endoscope ['endəʊskəʊp] *s* med. endoskop

endoscopy [en'dɒskəpɪ] *s* med. endoskopi

endow [ɪn'daʊ, en-] *vb tr* **1** förse med inkomster genom donationer, donera driftskapital till [~ *a school*]; donera pengar till [~ *a bed in a hospital*] **2** bildl. begåva, utrusta [*be ~ed by nature with great talents*]; ~ *sb with sth* äv. a) tillskriva ngn ngt b) ge ngn ngt

endowment [ɪn'daʊmənt, en-] *s* **1** donerande **2** donation, donationsmedel, gåvofond **3** kapitalbelopp vid försäkring **4** begåvning; pl. *~s* anlag [*natural ~s*]; [natur]gåvor

endowment mortgage [ɪn'daʊmənt,mɔ:gɪdʒ] *s* inteckning i livförsäkring

endowment policy [ɪn'daʊmənt,pɒlɪsɪ] *s* kapitalförsäkring

endplay ['endpleɪ] *s* slutspel i bridge

end product ['end,prɒdʌkt] *s* slutprodukt, bildl. äv. resultat

end result ['endrɪ,zʌlt] *s* slutresultat

end rhyme ['endraɪm] *s* metrik. slutrim

endurable [ɪn'djʊərəbl] *adj* uthärdlig, dräglig

endurance [ɪn'djʊər(ə)ns, en-] *s* **1** uthållighet [äv. *powers of ~*]; ~ *test* uthållighetsprov; *show ~* äv. vara uthållig **2** uthärdande; *it is beyond ~* det är mer än man kan stå ut med, det är outhärdligt **3** hållbarhet; varaktighet

endure [ɪn'djʊə, en-] **I** *vb tr* uthärda [~ *pain*]; [få] utstå [~ *hardships*]; lida [~ *a loss*]; få tåla; stå emot slitningar o.d.; *I can't ~ him* jag tål honom inte; *I can't ~ seeing (~ to see)* animals cruelly treated jag står inte ut med att se när djur misshandlas **II** *vb itr* **1** räcka, vara; stå sig, leva [vidare], bestå [*his work will ~*] **2** hålla ut [*we must ~ to the end*]; *I can't ~ much longer* jag står inte ut länge till **3** vara hållbar, hålla

enduring [ɪn'djʊərɪŋ, en-] *adj* **1** varaktig [*an ~ peace*]; bestående [~ *value*] **2** tålmodig

enduro [ɪn'djʊərəʊ, en-] *s* enduro slags motorcykelsport

end user [,end'ju:zə] *s* slutanvändare för vilken den färdiga produkten är tänkt

endways ['endweɪz] *adv* o. **endwise** ['endwaɪz] *adv* **1** på ända, på högkant, upprest **2** med ändarna mot varandra, ända mot ända

end zone ['endzəʊn] *s* amer. fotb. målområde

ENE (förk. för *east-north-east*) ostnordost

enema ['enəmə] *s* med. lavemang

enemy ['enəmɪ] **I** *s* fiende; *make an ~ of* bli ovän med, få en ovän (fiende) i; *make enemies* skaffa sig fiender (ovänner) **II** *adj* fiendens, fientlig [~ *aircraft*]

enemy-occupied ['enəmɪ,ɒkjʊpaɪd] *adj*, ~ *territories* av fienden ockuperade områden

energetic [,enə'dʒetɪk] *adj* energisk, handlingskraftig, kraftfull [*an ~ leader*]; eftertrycklig; ~ *measures* kraftåtgärder

energize ['enədʒaɪz] *vb tr* ingjuta kraft i, sätta liv i, stärka, stimulera; ladda

energizing ['enədʒaɪzɪŋ] *adj* energigivande

energy ['enədʒɪ] *s* energi äv. fys., kraft; handlingskraft; ork; eftertryck; pl. *energies* energi, kraft[er] [*devote all one's energies to a task*]; *if I have the ~ for it* äv. om jag orkar med det

energy-absorbing ['enədʒɪəb,sɔ:bɪŋ] *adj* bil. o.d. energiupptagande [~ *steering column*; ~ *zone*]

energy audit ['enədʒɪ,ɔ:dɪt] *s* energirådgivning

energy conservation ['enədʒɪ,kɒnsə'veɪʃ(ə)n] *s* energisparande

energy-efficient ['enədʒɪɪ,fɪʃənt] *adj* energisnål

energy forest ['enədʒɪ,fɒrɪst] *s* energiskog

energy-intensive ['enədʒɪɪn,tensɪv] *adj* energikrävande

energy-saving ['enədʒɪ,seɪvɪŋ] *adj* energibesparande

energy tax ['enədʒɪtæks] *s* energiskatt

enervate ['enəveɪt] *vb tr* försvaga, förslappa, göra slö [*heat ~s people*]

enervated ['enəveɪtɪd] *adj* försvagad, förslappad, slapp, slö, kraftlös, förvekligad

enervating ['enəveɪtɪŋ] *adj* förslappande, förslöande

enfant terrible [,ɑ:nfɑ:nte'ri:bl(ə)] (pl. *enfants terribles* utt. som sg.) *s* fr. enfant terrible; *an ~* äv. gossen Ruda

enfeeble [ɪn'fi:bl, en-] *vb tr* försvaga, göra kraftlös

enfold [ɪn'fəʊld, en-] *vb tr* svepa om [*with* med], svepa in [~ *sb in a cloak*]; omsluta; omfamna

enforce [ɪn'fɔ:s, en-] *vb tr* **1** upprätthålla (vidmakthålla) respekten för [~ *law and order*]; [med maktmedel] upprätthålla [~ *discipline*]; göra gällande, [med kraft] hävda; driva igenom [~ *one's principles*]; ~ *the rules* se till (övervaka) att reglerna efterlevs **2** tvinga fram [*the situation has ~d restrictions*]; tilltvinga sig; ~ *sth on sb* påtvinga ngn ngt

enforced [ɪn'fɔ:st, en-] *adj* framtvingad, påtvingad [~ *idleness*]; påtvungen; ofrivillig; tilltvingad; ~ *composure* tillkämpat lugn; ~ *sale* tvångsförsäljning

enforcement [ɪn'fɔ:smənt, en-] *s* **1** upprätthållande [*the ~ of law and order*]; genomdrivande [*the ~ of one's principles*]; genomförande, tillämpning [~ *of a law*] **2** framtvingande [~ *of an action*]

enforcer [ɪn'fɔ:sə, en-] *s*, *law ~* amer., se *law enforcement agent* under *law enforcement*

enfranchise [ɪn'fræn(t)ʃaɪz, en-] *vb tr* ge rösträtt

enfranchisement [ɪn'fræn(t)ʃɪzmənt, en-] *s* förlänande av rösträtt; *the ~ of women* införandet av kvinnlig rösträtt

Eng. förk. för *England*, *English*

eng. förk. för *engineer, engineering*
engage [ɪn'geɪdʒ, en-] **I** *vb tr* (jfr *engaged*)
1 engagera, sysselsätta [*the repair job ~d him all day*] **2 a)** anställa [*~ a servant; ~ a clerk*]; engagera, anlita **b)** beställa [*~ a room at a hotel*]; reservera [*~ seats*] **3** uppta [*work ~s much of his time*]; ta i anspråk, lägga beslag på **4** mil. **a)** sätta in [i strid] **b)** ta upp kampen med, anfalla [*our army ~d the enemy*] **5** tekn. koppla ihop (in) kugghjul; **~ the clutch** släppa upp kopplingen; **~ first gear** el. **~ the first gear** lägga i ettan (ettans växel)
II *vb itr* **1** åta (förbinda, utfästa, förplikta) sig [*he ~d to provide the capital*] **2** tekn., om kugghjul o.d. gripa in i varandra; gripa (passa) in [*with* i; *the teeth* (kuggarna) *of one wheel ~ with those of the other*]
III *vb itr* med prep.:
engage in engagera sig i [*she ~s in politics*]; ägna sig åt [*he ~s in business*]; inlåta sig i (på), ge (kasta) sig in i; delta i; **~ in conversation with** inleda samtal med
engage with inlåta sig i (börja) strid med (mot)
engaged [ɪn'geɪdʒd, en-] *adj* **1 a)** upptagen [*he is ~ at the moment; the rooms are all ~*; tele.: *the number* (*line*) *is ~*]; ~ på t.ex. toalettdörr upptaget; **be ~** vara upptagen etc., vara inbokad; vara bortbjuden, ha lovat bort sig [*I am ~ for tomorrow*]; engagerad, ivrigt intresserad, djupt inbegripen [*in* i; *~ in conversation*]; sysselsatt [*in, with, on* med]; anställd **b)** *be ~ in* äv. delta i; *be ~ in* (*with, on*) äv. hålla på med [*be ~ in writing a novel*] **2** förlovad [*to* med; *two ~ couples*]; **be ~ a)** vara förlovad **b)** förlova sig, ingå förlovning [äv. *become ~*]
engaged signal [ɪn'geɪdʒd,sɪgn(ə)l] *s* o. **engaged tone** [ɪn'geɪdʒdtəʊn] *s* tele. upptagetton
engagement [ɪn'geɪdʒmənt, en-] *s* **1** förbindelse, förpliktelse, åtagande; engagemang; avtal, överenskommelse; [avtalat] möte; *I've got a previous ~* jag är redan upptagen **2** förlovning [*to* med] **3** anställning [*~ as secretary*]; engagemang [*a lucrative ~*]
engagement diary [ɪn'geɪdʒmənt,daɪərɪ] *s* noteringskalender; planeringskalender
engagement ring [ɪn'geɪdʒməntrɪŋ] *s* förlovningsring ofta med diamant
engaging [ɪn'geɪdʒɪŋ, en-] *adj* vinnande, intagande [*an ~ smile; ~ manners*]; sympatisk
engender [ɪn'dʒendə, en-] *vb tr* föda [*hatred ~s violence*]; framkalla [*~ fear*]; avla, alstra
engine ['en(d)ʒɪn] *s* **1** motor [*motor-car ~; petrol ~*]; maskin; **aircraft ~** flygmotor **2** lok **3** se *fire engine*
engine compartment ['en(d)ʒɪnkəm,pɑːtmənt] *s* motorrum i bil
engine driver ['en(d)ʒɪn,draɪvə] *s* lokförare
engineer [,en(d)ʒɪ'nɪə] **I** *s* **1** ingenjör; tekniker; mekaniker; maskiningenjör, maskinkonstruktör [äv. *mechanical ~*]; **hydraulic ~** vattenbyggnadsingenjör; **mining ~** bergsingenjör; **naval ~** mariningenjör **2 a)** sjö. maskinist; **chief ~** maskinchef **b)** amer. lokförare **3** anstiftare, upphovsman
II *vb tr* **1** bygga, anlägga, konstruera **2** vard. genomföra, göra upp [*~ a scheme*]; anstifta [*~ a plot*]; skickligt leda [*~ an election campaign*];

manövrera **3** modifiera; **genetically ~d** genändrad, genmodifierad
engineering [,en(d)ʒɪ'nɪərɪŋ] *s* **1** ingenjörsvetenskap [äv. *science of ~*]; ingenjörskonst [*a triumph of* (för) *~*]; teknik; ingenjörsväsen; maskinindustri, verkstadsindustri [äv. *~ industry*]; maskinteknik, maskinkonstruktion, maskinbygge [äv. *mechanical ~*]; **hydraulic ~** vattenbyggnadskonst; **Master of Engineering** ung. civilingenjör **2** vard. manövrerande, manövrer, manipulation[er]
engineering workshop [,en(d)ʒɪ'nɪərɪŋ,wɜːkʃɒp] *s* mekanisk verkstad
engine room ['en(d)ʒɪnruːm] *s* maskinrum; attr. maskin-
engine shed ['en(d)ʒɪnʃed] *s* lokstall
England ['ɪŋglənd, -ŋl-] geogr. England Skottland, Nordirland och Wales ingår inte
English ['ɪŋglɪʃ, -ŋl-] **I** *adj* engelsk
II *s* **1** engelska [språket]; **the King's ~** el. **the Queen's ~** ung. riktig (korrekt) engelska; **in plain ~** rent ut [sagt] **2** *the ~* engelsmännen
English breakfast [,ɪŋglɪʃ'brekfəst, -ŋl-] *s* engelsk frukost ofta med bacon och ägg m.m.
English Channel [,ɪŋglɪʃ'tʃænl], *the ~* Engelska kanalen
English horn [,ɪŋglɪʃ'hɔːn, -ŋl-] *s* mus., se *cor anglais*
English|man ['ɪŋglɪʃ|mən, -ŋl-] (pl. *-men* [-mən]) *s* engelsman
English muffin [,ɪŋglɪʃ'mʌfɪn, -ŋl-] *s* amer., slags tebröd som äts varma med smör
English-speaking ['ɪŋglɪʃ,spiːkɪŋ, -ŋl-] *adj* engelsktalande
English|woman ['ɪŋglɪʃ|wʊmən, -ŋl-] (pl. *-women* [-,wɪmɪn]) *s* engelska
engorged [ɪn'gɔːdʒd, en-] *adj* med. blodöverfylld
engrave [ɪn'greɪv, en-] *vb tr* **1** rista in, [in]gravera [*on* på, i] **2** bildl. inprägla; **his words are ~d on my mind** (**memory**) hans ord står outplånligt inristade i mitt minne
engraver [ɪn'greɪvə, en-] *s* gravör; **~ on copper** kopparstickare
engraving [ɪn'greɪvɪŋ, en-] *s* **1** gravyr, stick **2** [in]gravering äv. konkr.
engross [ɪn'grəʊs, en-] *vb tr* **1** uppta [*this work ~ed her completely*]; uppsluka, ta i anspråk, lägga beslag på **2** pränta, texta
engrossed [ɪn'grəʊst] *adj*, **be ~ in** (**with**) vara försjunken i, vara helt upptagen av, gå helt upp i
engrossing [ɪn'grəʊsɪŋ] *adj* fängslande, spännande [*an ~ novel*]
engulf [ɪn'gʌlf, en-] *vb tr* **1** [upp]sluka [*a boat ~ed in* (av) *the sea* (*waves*)] **2** **~ oneself in** begrava sig i [*she ~ed herself in her studies*]
enhance [ɪn'hɑːns, en-, -'hæns] *vb tr* höja, öka [*~ the value of sth*]; förhöja [*the light ~d her beauty*]; stärka; förbättra
enhanced [ɪn'hɑːnst, en-, -'hænst] *adj* förbättrad; ökad; stärkt; förhöjd
Enid ['iːnɪd] kvinnonamn
enigma [ɪ'nɪgmə] *s* gåta; mysterium
enigmatic [,enɪg'mætɪk] *adj* gåtfull, dunkel
enjoin [ɪn'dʒɔɪn] *vb tr* **1** litt. ålägga [*sb to do sth*], föreskriva [*the doctor ~ed a strict diet*]; anbefalla,

[på]bjuda [~ *silence*; ~ *that sth should be done*]
2 jur., ~ *sb from doing sth* förbjuda ngn att göra ngt
enjoy [ɪnˈdʒɔɪ] *vb tr* **1** njuta av [~ *a good dinner*; ~ *the fine weather*]; tycka om, vara förtjust i [*he ~s good food*]; ha roligt (trevligt) på [*did you ~ the party?*]; *I am ~ing it here* jag trivs här, jag tycker det är trevligt (roligt) här; *she ~ed it very much* hon tyckte det var mycket roligt (trevligt); *I ~ed my food* jag tyckte maten var god, jag tyckte om maten; *he did not ~ having to...* han var inte särskilt förtjust över att behöva... **2** kunna glädja sig åt [~ *good health*]; ha [~ *a good income*]; äga **3** ~ *oneself* ha trevligt (roligt) [*did you ~ yourself at the party?*]; roa sig; ha det skönt (härligt); ~ *yourself!* ha det så trevligt!, mycket nöje!; *now she is ~ing herself* nu njuter (mår, trivs) hon [allt]!
enjoyable [ɪnˈdʒɔɪəbl, en-] *adj* njutbar, trevlig, underhållande [*a very ~ film*]; behaglig, angenäm
enjoyment [ɪnˈdʒɔɪmənt, en-] *s* **1** njutning; nöje [*hunting is his greatest ~*]; glädje **2** åtnjutande, besittning
enlarge [ɪnˈlɑːdʒ] **I** *vb tr* förstora [upp] [~ *a photo*]; [ut]vidga [~ *a hole*]; utöka, tillöka; bygga ut, bygga till [~ *one's house*]; vidga [~ *one's mind* (sina vyer)]
II *vb itr* förstoras, utvidga sig, vidgas; växa sig större; *will this print ~ well?* blir det bra om man förstorar den här bilden?
III *vb itr* med prep.:
enlarge on el. **enlarge upon** uttala sig närmare om [~ *on (upon) a subject*]
enlarged [ɪnˈlɑːdʒd, en-] *adj* förstorad [~ *heart*]; utvidgad, tillökad, utökad [~ *edition*]; *greatly ~* starkt förstorad, i stark förstoring
enlargement [ɪnˈlɑːdʒmənt, en-] *s* förstorande, förstoring äv. konkr. [*make an ~ from a negative*]; utvidgning, ökning, tillväxt, utbyggnad
enlighten [ɪnˈlaɪtn, en-] *vb tr* upplysa, ge [närmare] upplysningar [~ *sb on a subject*]; ge information [*television should ~ people*]; göra upplyst
enlightened [ɪnˈlaɪtnd, en-] *adj* upplyst [*an ~ despot*; *in these ~ days*]
enlightening [ɪnˈlaɪtnɪŋ] *adj* informativ, upplysande
Enlightenment [ɪnˈlaɪtnmənt, en-] *s*, **the ~** upplysningstiden under 1700-talets senare hälft
enlightenment [ɪnˈlaɪtnmənt, en-] *s* upplysning, insikt
enlist [ɪnˈlɪst, en-] **I** *vb tr* **1** mil. värva [~ *recruits*]; enrollera, uppföra i rullorna **2** bildl. söka få [~ *sb's help*]; ta i anspråk, engagera, vinna
II *vb itr* mil. ta värvning, ta fast anställning, låta värva sig
enlisted man [ɪnˈlɪstədmæn, en-] *s* o. **enlisted woman** [ɪnˈlɪstəd‚wʊmən, en-] *s* amer. menig; *enlisted men and women* manskap
enlistment [ɪnˈlɪstmənt] *s* mil. värvning, enrollering; inskrivning
enliven [ɪnˈlaɪvn] *vb tr* liva [upp], verka upplivande på, göra livlig, ge liv åt
en masse [ɒnˈmæs, ɑː-] *adv* fr. en masse, i massor
enmeshed [ɪnˈmeʃt] *adj*, *become ~ in* el. *get ~ in* snärja in sig i, bli invecklad i

enmity [ˈenmətɪ] *s* fiendskap, ovänskap; fientlig inställning, fientlighet, illvilja
ennoble [ɪˈnəʊbl, eˈn-] *vb tr* adla, bildl. äv. förädla
ennoblement [ɪˈnəʊblmənt, eˈn-] *s* adlande
enormity [ɪˈnɔːmətɪ] *s* **1** *the ~ of* det oerhörda (avskyvärda, ohyggliga) i [*the ~ of the crime*] **2** vanl. pl. **enormities** fasor [*the enormities of war*]
enormous [ɪˈnɔːməs] *adj* enorm, oerhörd [~ *length*]; jättelik, jättestor, ofantlig, väldig [~ *profits*]
enough [ɪˈnʌf, əˈnʌf] *adj* o. *adv* (som adv. endast efter det ord det bestämmer) **1** nog, tillräckligt; ~ *money* el. **money ~** nog med (tillräckligt med, tillräckligt mycket) pengar, pengar nog, pengar så det räcker; *just ~* alldeles lagom [med]; ~ *is as good as a feast* lagom är bäst; *I have had ~* a) nu har jag fått nog b) jag orkar inte mer, jag är mätt; ~ *said* vard. man behöver inte säga mer; ~ *of* nog (tillräckligt) av [*have ~ of everything*]; nog (tillräckligt) med; ~ *of that!* el. **that's ~!** el. ~ *'s ~!* nu räcker det!, nu får det [verkligen] vara nog!; *it's ~ to drive one mad* det är så man kan bli galen; *I was fool ~ to...* jag var dum nog att...; *it isn't good ~* det duger inte, det går inte an; *would you be kind ~ to...* skulle du vilja vara vänlig och...
2 ganska, rätt, riktigt, tämligen, nog så [*a good ~ man in his way*]; *he is clever ~* han är inte dum, det är huvud på honom; *near ~* nära nog, nästan; *well ~* rätt så bra [*she sings well ~*]; mycket väl [*you know well ~ that...*]
3 *oddly ~* egendomligt nog; *sure ~* alldeles säkert; mycket riktigt [*it was Mr A., sure ~*]; minsann
en passant [‚ɒnˈpæsɑːŋ, ‚ɑː-] *adv* fr. en passant äv. schack., i förbigående
enquire [ɪnˈkwaɪə, en-] *vb itr* o. *vb tr* se *inquire*
enquiry [ɪnˈkwaɪərɪ, en-, amer. äv. ˈɪŋkwərɪ] *s* se *inquiry*
enrage [ɪnˈreɪdʒ, en-] *vb tr* göra rasande (ursinnig, uppbragt), försätta i raseri, reta [upp]
enraged [ɪnˈreɪdʒd, en-] *adj* rasande, ursinnig, uppbragt, uppretad, förbittrad [*at, by* över]
enraptured [ɪnˈræptʃəd, en-] *adj* hänförd, hänryckt
enrich [ɪnˈrɪtʃ, en-] *vb tr* **1** göra rik[are]; berika [*many foreign words have ~ed the English language*] **2** göra fruktbar[are] [*compost ~es the soil*]; göda, berika **3** berika livsmedel; ~*ed with vitamins* vitaminberikad; ~*ed with vitamin A* äv. med tillsats av A-vitaminer **4** anrika [~*ed uranium*]
enrichment [ɪnˈrɪtʃmənt, en-] *s* **1** berikande **2** anrikning
enrol o. amer. vanl. **enroll** [ɪnˈrəʊl] **I** *vb itr* skriva in sig, anmäla sig; ta värvning
II *vb tr* **1** spec. mil. enrollera; sjö. mönstra på; värva; föra in (upp), skriva upp [på en lista] [*the secretary ~ed our names*]; skriva in [*he was ~ed for military service*]; ta emot (in) [*the university has ~ed 20,000 students*] **2** ta in, uppta t.ex. i ett sällskap [~ *sb in a society*; ~ *sb as a member of a society*]; ~ *oneself* skriva in sig, gå in [*in* i]
enrolled nurse [ɪn‚rəʊldˈnɜːs] *s* ung. undersköterska
enrolment o. amer. vanl. **enrollment** [ɪnˈrəʊlmənt] *s* **1** enrollering; påmönstring; inskrivning; inregistrering **2** register; urkund
en route [ɒnˈruːt, ɑː-] *adv* o. *adj* fr. på väg [*to, for*

till]; på (under) vägen [*there was a great deal to visit ~*]; ~ **landing** mellanlandning

ensconce [ɪn'skɒns, en-] *vb tr*, ~ **oneself** a) förskansa sig, dölja sig, gömma sig b) slå sig ner [*the cat ~d itself in the armchair*]

ensemble [ɒn'sɑ:mbl] *s* **1** helhet; helhetsintryck **2** om kläder ensemble **3** mus. **a)** ensemble **b)** ensemblespel, samspel **4** teat. ensemble

enshrine [ɪn'ʃraɪn, en-] *vb tr* förvara; bevara; innesluta, omsluta

enshroud [ɪn'ʃraʊd, en-] *vb tr* svepa in

ensign ['ensaɪn; i betydelse *1* inom brittiska flottan o. i betydelse *2* 'ensn] *s* **1** [national]flagga; fana; baner, standar; vimpel **2** amer. (sjö.) fänrik

ensilage ['ensəlɪdʒ, ˌɪn'saɪl-] *s* lantbr. ensilage; ensilage[beredning], ensilering

enslave [ɪn'sleɪv, en-] *vb tr* förslava ofta bildl.; göra till [en] slav (till slavar); underkuva; **be ~d by one's passions** vara slav under sina passioner

enslavement [ɪn'sleɪvmənt, en-] *s* förslavning; slaveri, träldom

ensnare [ɪn'sneə, en-] *vb tr* **1** fånga [med snara], snara [~ *birds*]; lägga snaror för **2** snärja; förleda

ensue [ɪn'sju:, en-] *vb itr* **1** följa [därpå (därefter)]; inträda **2** bli följden, vara en följd [*from, on* av], följa; uppstå

ensuing [ɪn'sju:ɪŋ, en-] *adj* [på]följande [*the ~ week*]; **the ~ ages** eftervärlden

en suite [ɒn'swi:t, ɑ:n-] fr. **I** *adv* i svit [*all three bedrooms are ~*] **II** *adj* angränsande [*an ~ bathroom*] **III** *s* angränsande badrum

ensure [ɪn'ʃʊə, en-] *vb tr* **1** tillförsäkra, garantera [*sb sth* el. *sth to (for) sb* ngn ngt]; säkerställa, säkra, trygga [~ *victory*; ~ *peace*]; **~ that...** se till att... **2** garantera, [an]svara för **3** skydda [*against, from* mot]; ~ *oneself against loss*]

entail [ɪn'teɪl, en-] *vb tr* **1** medföra, föra (dra) med sig, vara förenad med, innebära [*your plans ~ great expense*]; nödvändiggöra [*this will ~ an early start*] **2** jur. förvandla till fideikommiss; **~ed estate** fideikommiss; ~ *sth on sb* friare efterlämna ngt i arv till ngn

entangle [ɪn'tæŋgl, en-] *vb tr* **1** trassla (snärja) in [*the cow ~d its horns in the branches*]; **be** (**get**) **~d** äv. trassla (snärja, sno) in sig **2** trassla ihop; **be** (**get**) **~d** äv. trassla [ihop] sig, sno sig [*threads are easily ~d*] **3** trassla till [*the kitten ~d the ball of wool*] **4** snärja; **get ~d in** bli invecklad (indragen) i [*he got ~d in a lawsuit* (process)]; ~ **oneself** trassla in sig i motsägelser o.d.

entanglement [ɪn'tæŋglmənt, en-] *s* **1** intrasslande; hoptrasslande; tilltrasslande **2** trassel, härva, oreda, virrvarr; komplikation, förveckling **3** hinder; snara; **barbed-wire ~s** taggtrådshinder, taggtrådsstängsel

entente [ɒn'tɒnt] *s* fr. entent[e], samförstånd

entente cordiale [ɒn,tɒntkɔ:dɪ'ɑ:l] *s* fr. entente cordiale hjärtligt samförstånd

enter ['entə] **I** *vb itr* **1** gå in, komma in, träda in, stiga in (på) **2** anmäla sig; ställa upp, delta [*two days before the race she decided not to ~*]
II *vb tr* **1** gå in i, komma in i, träda in i [~ *a house*]; stiga in i [~ *a room*]; mil. tåga (rycka) in i [~ *a town*]; fara (resa) in i; köra in i [*the train ~ed a*

tunnel]; tränga in i [*the bullet ~ed the flesh*]; stiga upp i (på), stiga på [~ *a bus*; ~ *a train*]; gå in vid [~ *the army*]; skriva in sig i, bli medlem av [~ *a club*]; **it never ~ed my head** (**mind**) det föll mig aldrig in; ~ **the legal profession** slå in på juristbanan **2** delta i, ställa upp i [~ *a competition*]; anmäla [~ *a horse for* (till) *a race*]; ~ **oneself for** el. ~ **one's name for** anmäla sig till **3** anteckna, notera, skriva upp, skriva in [~ *a name on a list*; ~ *data into a computer*]; bokföra **4** inge, lägga in, avge [~ *a protest*]
III *vb itr* med adv. el. prep.:
enter into a) ge sig in i (på), inlåta sig i (på) [~ *into a discussion*]; ta upp [~ *into business relations*]; påbörja [~ *into negotiations*]; öppna, inleda [~ *into a correspondence with sb*] **b)** gå in på (i) [~ *into details*] **c)** ingå i [*this did not ~ into our plans*] **d)** ~ **into the spirit of** se under *spirit I 6*
enter on el. **enter upon a)** slå in på [~ *on a new career* (bana)]; ~ **on** (**upon**) **one's duties** tillträda tjänsten **b)** inlåta sig i (på) [~ *on* (*upon*) *an undertaking*]; gå (komma) in på [~ *on* (*upon*) *a discussion*]; påbörja, börja [~ *on* (*upon*) *negotiations*] **c)** ingå, träffa [~ *on* (*upon*) *an agreement*]

enteral nutrition [ˌent(ə)r(ə)lnjʊ'trɪʃ(ə)n] *s* med. sondmatning

enteric fever [en,terɪk'fi:və] *s* tyfus

enteritis [ˌentə'raɪtɪs] *s* med. enterit, tarmkatarr

enter key ['entə,ki:] *s* returtangent

enterprise ['entəpraɪz] *s* **1** [affärs]företag; **small and medium-sized ~s** (förk. *SME*) små och medelstora företag (förk. SMF) **2** [svårt (djärvt)] företag, vågstycke **3** företagsamhet [*private ~*]; företagaranda, driftighet; **he is a man of great ~** han är mycket företagsam (initiativrik, driftig)

enterprise culture ['entəpraɪz,kʌltʃə] *s* företagsklimat

enterprise zone ['entəpraɪzzəʊn] *s* stödområde

enterprising ['entəpraɪzɪŋ] *adj* företagsam, tilltagsen, initiativrik, driftig, handlingskraftig

entertain [ˌentə'teɪn] **I** *vb tr* **1** ha ngn [hemma] som gäst; bjuda [*with* på], förpläga [*with* med]; ~ **some friends to** (amer. **at**) **dinner** ha några vänner [hemma] på middag **2** underhålla, roa [~ *the company with card tricks*] **3** ta under övervägande, överväga, reflektera på [~ *a proposal*]; ~ **favourably** uppta gynnsamt (positivt) **4** hysa [~ *hopes*; ~ *designs* (planer)]; umgås med, vara inne på [*he never ~ed such ideas* (tankar)]
II *vb itr* ha gäster [*she loved to talk, dance and ~*]; ha bjudningar, ta emot gäster; representera i affärssammanhang; **they ~ a good deal** de har ofta (mycket) gäster (bjudningar)

entertainer [ˌentə'teɪnə] *s* entertainer, underhållare, underhållningsartist; **he is a great ~ at parties** ung. han är en stor sällskapstalang

entertaining [ˌentə'teɪnɪŋ] *adj* underhållande, roande, rolig

entertainment [ˌentə'teɪnmənt] *s* **1** underhållning, nöje [*family ~*]; offentlig [nöjes]tillställning, föreställning; **musical ~** musikunderhållning **2** representation i affärssammanhang

entertainment allowance [ˌentə'teɪnməntə,laʊəns] *s* representationskonto

entertainment tax [ˌentəˈteɪnmənttæks] *s* nöjesskatt

enthral o. amer. **enthrall** [ɪnˈθrɔːl, en-] *vb tr* hålla trollbunden [~ *one's audience*]; trollbinda, fängsla [*enthralled by the story*]

enthralling [ɪnˈθrɔːlɪŋ, en-] *adj* fängslande, betagande

enthrone [ɪnˈθrəʊn, en-] *vb tr* sätta [upp] (upphöja) på tronen; installera biskop

enthuse [ɪnˈθjuːz, en-] **I** *vb itr* vara (bli) entusiastisk (begeistrad) [*about, over* över], vara (bli) eld och lågor [*about, over* för]; utropa entusiastiskt **II** *vb tr* väcka entusiasm hos, entusiasmera [*about, with* för]

enthusiasm [ɪnˈθjuːzɪæz(ə)m] *s* entusiasm, begeistring [*about, over* över, *for* för], hänförelse, iver; passion [*hunting is his latest* ~]

enthusiast [ɪnˈθjuːzɪæst] *s* entusiast, fantast [*a sports* ~]

enthusiastic [ɪnˌθjuːzɪˈæstɪk, en-] *adj* entusiastisk [*about, over* för; ~ *cheers*; ~ *homage*]; begeistrad, hänförd

entice [ɪnˈtaɪs, en-] *vb tr* locka, förleda, lura, narra [*into, to* till; *into doing* att göra]

enticement [ɪnˈtaɪsmənt, en-] *s* lockelse, frestelse; lockmedel, lockbete

enticing [ɪnˈtaɪsɪŋ, en-] *adj* lockande, frestande

entire [ɪnˈtaɪə, en-] *adj* **1** hel [*the* ~ *day; the* ~ *responsibility*]; fullständig, fullkomlig, komplett, absolut [*have the* ~ *control of sth*]; total, odelad [*he enjoys our* ~ *confidence*]; oavkortad; hel och hållen, i sin helhet [*reprint the article* ~]; **the** ~ **works of Shakespeare** Shakespeares samtliga verk **2** hel, intakt, oskadad

entirely [ɪnˈtaɪəlɪ, en-] *adv* helt [och hållet], fullständigt, fullkomligt, komplett; genomgående

entirety [ɪnˈtaɪrətɪ, ɪnˈtaɪətɪ, en-] *s* helhet [*in its* ~]; fullständighet

entitle [ɪnˈtaɪtl, en-] *vb tr* **1** berättiga [~ *sb to sth*; ~ *sb to do sth*]; ~ **sb to** äv. ge ngn rätt till (att); **be ~d to** vara berättigad till (att), ha rätt till (att); **be ~d to a vote** vara röstberättigad **2** *a book* ~*d...* en bok med titeln...

entitlement [ɪnˈtaɪtlmənt] *s* berättigande, rätt [~ *to compensation*]

entity [ˈentətɪ] *s* **1** enhet [*political* ~] **2** [enhetligt] begrepp

entomb [ɪnˈtuːm, en-] *vb tr* begrava, jorda

entomologist [ˌentə(ʊ)ˈmɒlədʒɪst] *s* entomolog; insektssamlare

entomology [ˌentə(ʊ)ˈmɒlədʒɪ] *s* entomologi

entourage [ˌɒntʊˈrɑːʒ] *s* fr. **1** följe, svit [*the rock-star with his* ~]; följeslagare **2** omgivning[ar] [*in the* ~ *of the clubhouse*]; miljö

entrails [ˈentreɪlz] *s pl* inälvor, innanmäte, tarmar

1 entrance [ˈentr(ə)ns] *s* **1** ingång [*the* ~ *to the house*]; entré [*the main* ~]; uppgång; infart[sväg]; sjö. inlopp [*the* ~ *to the harbour*]; [flod]mynning; början; **separate** ~ el. **private** ~ egen ingång **2** inträde [*her* ~ *into the room*]; inträdande; entré; intåg, inmarsch [*the* ~ *of the army into the city*]; sjö. inlöpande; *an impressive* ~ en imponerande entré; *force an* ~ *into the house* bryta sig in i huset; *make one's* ~ a) träda in, göra [sin] entré b) hålla sitt intåg; *pay one's* ~ *fee* betala entréavgift (inträdesavgift) **3** inträde, tillträde [~ *into a club*]; ~ *free* fritt inträde

2 entrance [ɪnˈtrɑːns, en-] *vb tr* hänföra, hänrycka, överväldiga [~*d with* (av) *joy*]

entrance examination [ˈentr(ə)nsɪgˌzæmɪˈneɪʃ(ə)n] *s* inträdesprov

entrance fee [ˈentr(ə)nsfiː] *s* **1** inträdesavgift, entréavgift **2** anmälningsavgift; inskrivningsavgift

entrance hall [ˈentr(ə)nshɔːl] *s* hall, entré

entrance money [ˈentr(ə)nsˌmʌnɪ] *s* inträdesavgift

entrancing [enˈtrɑːnsɪŋ] *adj* förtjusande, hänförande

entrant [ˈentr(ə)nt] *s* **1** inkommande (inkommen) person [*every* ~ *was handed a card*]; nytillträdande **2** [anmäld] deltagare, tävlande; aspirant

entrap [ɪnˈtræp, en-] *vb tr* **1** fånga [i en fälla] [~ *a lion*]; snärja äv. bildl. **2** förleda, lura [~ *sb into doing* (att göra) *sth*]

entreat [ɪnˈtriːt, en-] *vb tr* bönfalla, besvärja, enträget (ivrigt) be [~ *sb to do sth*; *I* ~ *you to help him*]

entreaty [ɪnˈtriːtɪ, en-] *s* enträgen bön (begäran, anhållan) [*at my* ~]

entrecôte [ˈɒntrəkəʊt, ɑː-] *s* kok. (fr.) entrecote

entrée [ˈɒntreɪ, ɑː-] *s* **1** kok. (fr.) **a)** entréerätt, förrätt **b)** huvudrätt **2** inträde, tillträde

entrenched [ɪnˈtren(t)ʃt] *adj* inrotad [*an* ~ *habit*]; låst

entrenchment [ɪnˈtren(t)ʃmənt, en-] *s* **1** låsning **2** värn, skyttegrav

entrepreneur [ˌɒntrəprəˈnɜː, ɑː-] *s* **1** företagare; entreprenör **2** mellanhand

entrepreneurial [ˌɒntrəprəˈnɜːrɪəl, ɑː-] *adj* entreprenörs- [~ *spirit*]

entrepreneurship [ˌɒntrəprəˈnɜːʃɪp, ɑː-] *s* entreprenörskap

entrust [ɪnˈtrʌst, en-] *vb tr*, ~ *sth to sb* el. ~ *sb with sth* anförtro ngn ngt (ngt åt ngn)

entry [ˈentrɪ] *s* **1** tillträde [*gain* (få) ~ *to the club*]; *No Entry* tillträde förbjudet!; trafik. förbud mot infart **2** inträde [*the* ~ *of China into* (i) *world politics*]; inträdande; intåg, inmarsch [*the* ~ *of the troops into* (i) *the town*]; inresa [~ *into* (till) *a country*]; inträngande **3** vanl. amer. **a)** ingång, dörr, port [*the* ~ *to* (of) *a house*]; infart[sväg] [*the entries to* (of) *the city*] **b)** farstu **4** anteckning, notering [*an* ~ *in one's diary*]; införande; [införd] post äv. data., notis; *double* ~ dubbel bokföring; *single* ~ enkel bokföring **5** [insänt] tävlingsbidrag [äv. *competition*] **6 a)** lista över [anmälda] deltagare (ekipage), deltagarlista, anmälningslista [*the* ~ *for the race*]; antal anmälda, deltagande [*there was a large* ~ *for the race*] **b)** anmäld deltagare, anmälning [*nearly fifty entries for* (till) *the race*]; *entries close* [*19th May*] anmälningstiden utgår... **7** tulldeklaration, tullangivning; *port of* ~ tullhamn **8** uppslagsord, stickord; artikel i ordbok el. uppslagsverk; *main* ~ huvudartikel

entry fee [ˈentrɪfiː] *s* anmälningsavgift

entry permit [ˈentrɪˌpɜːmɪt] *s* inresetillstånd

entryphone [ˈentrɪfəʊn] *s* porttelefon

entwine [ɪnˈtwaɪn, en-] *vb tr* **1** fläta (tvinna) ihop (samman) **2** fläta om, vira om [*with* med; ~ *sth round* (*about*) *another*]

E number ['i:nʌmbə] *s* E-nummer beteckning på livsmedelstillsats

enumerate [ɪ'nju:məreɪt] *vb tr* räkna upp [*he ~d all the counties of England*]; nämna

enumeration [ɪ,nju:mə'reɪʃ(ə)n] *s* **1** uppräkning, uppräknande **2** förteckning, lista

enunciate [ɪ'nʌnsɪeɪt, -nʃɪeɪt] **I** *vb tr* **1** uttala [*she ~s her words distinctly*] **2** formulera, utforma [~ *a new theory*]; uppställa [~ *principles*]; uttrycka **II** *vb itr* artikulera; ~ *clearly* ha ett tydligt uttal

enunciation [ɪ,nʌnsɪ'eɪʃ(ə)n] *s* **1** uttal, artikulation **2** formulering, utformning [*the ~ of a proposition*]; uppställande

envelop [ɪn'veləp, en-] *vb tr* svepa in, linda in [*a baby ~ed in a shawl*]; hölja [*hills ~ed in mist*]

envelope ['envələʊp, 'ɒn-] *s* kuvert

enviable ['envɪəbl] *adj* avundsvärd

envious ['envɪəs] *adj* avundsjuk [*of* på, över], avundsam, missunnsam [*of* mot]

enviro-friendly [ɪn,vaɪər(ə)'frendlɪ, en-] *adj* vard. miljövänlig

environment [ɪn'vaɪər(ə)nmənt, en-] *s* **1** miljö äv. data., levnadsförhållanden [*study the ~ of different classes of people*]; livsvillkor; förhållanden [*social, moral and religious ~*]; *the Department for Environment, Food and Rural Affairs* (förk. *DEFRA*) i Storbritannien, ung. miljö- och jordbruksdepartementet; *Secretary of State for Environment, Food and Rural Affairs* i Storbritannien, ung. miljö- och jordbruksminister **2** omgivning[ar]

environmental [ɪn,vaɪər(ə)n'mentl, en-] *adj* miljöbetingad; miljö- [~ *changes*; ~ *issues*]; ~ *control* miljövård; ~ *protection* miljöskydd; ~ *engineer* miljötekniker; ~ *impact* miljöpåverkan [*of* från, av]; ~ *health officer* hälsovårdsinspektör; ~ *party* miljöparti; ~ *pollution* miljöförstöring, nedsmutsning av miljön

environmentalism [ɪn,vaɪər(ə)n'mentəlɪzm, en-] *s* **1** miljövård **2** psykol. betonande av miljöns betydelse för individens utveckling

environmentalist [ɪn,vaɪər(ə)n'mentəlɪst, en-] *s* miljövårdare, miljövän, miljöaktivist

environmentally friendly [ɪn,vaɪər(ə)nmentəlɪ'frendlɪ, en-] *adj* miljövänlig

environment conference [ɪn'vaɪər(ə)nmənt,kɒnfər(ə)ns, en-] *s* miljövårdskonferens

environment-friendly [ɪn'vaɪər(ə)nmənt,frendlɪ, en-] *adj* miljövänlig

environs [ɪn'vaɪər(ə)nz, en-] *s pl* omgivningar, omnejd

envisage [ɪn'vɪzɪdʒ, en-] *vb tr* **1** betrakta, se på [*I had not ~d the matter in that light*]; tänka sig, föreställa sig **2** förutse, räkna med

envision [ɪn'vɪʒ(ə)n, en-] *vb tr* föreställa sig, se i fantasin

envoy ['envɔɪ] *s* sändebud; envoyé

envy ['envɪ] **I** *s* avund, avundsjuka [*of sb* mot ngn; *of sth, at sth* över ngt]; missunnsamhet; *his new car is the ~ of all his friends* alla hans vänner avundas honom hans nya bil **II** *vb tr* avundas, missunna

enzyme ['enzaɪm] *s* kem. enzym

eon ['i:ən, 'i:ɒn] *s* vanl. amer., se *aeon*

epaulette o. **epaulet** [,epə'let] *s* epålett

épée ['epeɪ, -'-] *s* fäktn. värja

ephemera [ɪ'femərə, -'fi:m-] *s pl* **1** efemära (dagsländelika, kortlivade) ting **2** små trycksaker med kort livslängd t.ex. vykort, biljetter (som samlarobjekt)

ephemeral [ɪ'femər(ə)l, -'fi:m-] *adj* efemär, dagsländelik, kortlivad, flyktig

Ephesian [ɪ'fi:ʒ(ə)n, -i:ʒɪən] **I** *adj* efesisk **II** *s* efes[i]er; ~*s* el. *the Epistle to the ~s* (med verb i sg.) Efes[i]erbrevet

epic ['epɪk] **I** *adj* **1** litt. episk **2** enorm; storslagen **II** *s* litt. epos, episk dikt; *national* ~ nationalepos

epicentre ['episentə] *s* geol. epicentrum

epicure ['epɪkjʊə] *s* finsmakare, gourmet

epicurean [,epɪkjʊ(ə)'ri:ən] **I** *adj* **1** epikureisk, bildl. äv. njutningslysten **2** utsökt [~ *delicacies*]; lukullisk [*an ~ feast*] **II** *s* epikuré, bildl. äv. njutningsmänniska

epidemic [,epɪ'demɪk] **I** *adj* epidemisk; *become* ~ bildl. sprida sig som en epidemi **II** *s* epidemi [*an influenza ~*]; farsot, epidemisk sjukdom

epidermis [,epɪ'dɜ:mɪs] *s* anat. överhud, epidermis

epidural [,epɪ'djʊərəl] *s* med. epiduralblockad

epiglottis [,epɪ'glɒtɪs] *s* anat. struplock, epiglottis

epigram ['epɪɡræm] *s* epigram

epigrammatic [,epɪɡrə'mætɪk] *adj* epigrammatisk, kort och uttrycksfull; uddig

epigraph ['epɪɡrɑ:f, -ɡræf] *s* **1** inskrift spec. på byggnad, staty o.d. **2** motto i början av bok el. kapitel

epilepsy ['epɪlepsɪ] *s* med. epilepsi

epileptic [,epɪ'leptɪk] **I** *adj* epileptisk **II** *s* epileptiker

epilogue ['epɪlɒɡ] *s* epilog

Epiphany [ɪ'pɪfənɪ, e'p-] *s* **1** trettondagen, trettondag jul **2** *epiphany* [gudomlig] uppenbarelse

episcopal [ɪ'pɪskəp(ə)l, e'p-] *adj* biskops-, biskoplig; episkopal

Episcopal Church [ɪ,pɪskəp(ə)l'tʃɜ:tʃ] *s, the* ~ episkopalkyrkan självständig gren av den anglikanska kyrkan

episcopate [ɪ'pɪskə(ʊ)pət, e'p-] *s* **1** episkopat, biskopsämbete, biskopsvärdighet **2** biskopsstift **3** *the* ~ episkopatet, biskoparna

episode ['epɪsəʊd] *s* **1** episod, händelse **2** episod, avsnitt, del av film, tv- el. radiopjäs [*a TV series of 10 ~s*]; bihandling i litterärt verk

epistle [ɪ'pɪsl] *s* epistel äv. skämts. om brev; brev [*the Epistle of Paul to the Romans*]

epistolary [ɪ'pɪst(ə)lərɪ, e'p-] *adj* brev-; i brevform; skriftlig; ~ *style* brevstil

epitaph ['epɪtɑ:f, -tæf] *s* gravskrift, inskrift (inskription) på gravsten, bildl. äv. minne

epithet ['epɪθet] *s* **1** epitet [*in 'Alfred the Great' the ~ is 'the Great'*] **2** skymford, skällsord

epitome [ɪ'pɪtəmɪ, e'p-] *s, be the ~ of* vara typisk (ett typiskt uttryck) för, personifiera

epitomize [ɪ'pɪtəmaɪz, e'p-] *vb tr* vara typisk (urtypen) för, personifiera, representera

EPNS [,i:pi:en'es] förk. för *electroplated nickel silver*

epoch ['i:pɒk] *s* epok, tid, [tids]skede; *mark an* ~ el. *mark a new* ~ bilda epok

epoch-making ['i:pɒk,meɪkɪŋ] *adj* epokgörande

eponymous [ɪ'pɒnɪməs, e'p-] *adj* **1** som gett sitt namn; *Romulus, the ~ founder of Rome* Romulus, Roms grundare, efter vilken staden är uppkallad **2** som uppkallats (fått namn) efter en person [*~ words*]

epoxy [ɪ'pɒksɪ] *adj* kem. epoxi- [*~ lacquer*]; *~* el. *~ resin* epoxiharts

Epsom ['epsəm] geogr., stad i Surrey, bekant genom de stora årliga kapplöpningarna *Derby* o. *Oaks*

Epsom salts [,epsəm'sɔ:lts] *s pl* epsomsalt, bittersalt

EQ [,i:'kju:] *s* EQ emotionell intelligens

equable ['ekwəbl] *adj* jämn [*an ~ climate*]; lugn, harmonisk [*an ~ temperament*]; enhetlig om stil; likformig, regelbunden

equal ['i:kw(ə)l] **I** *adj* **1** lika [*two and two are (is) ~ to* (med) *four*; *all men are ~ before the law*]; lika stor [*to* som; *in ~ parts*]; samma [*of ~ size*; *of ~ value*]; jämlik; jämställd, jäm[n]god [*to, with* med]; jämn [*an ~ match*]; likvärdig; lika fördelad; *be an ~ footing with* stå på jämlik fot med, vara jämställd (likställd) med; *they are of ~ length* de är lika långa (av samma längd); *the principle of ~ pay for ~ work* likalönsprincipen; *have ~ rights* [*with*] ha samma rättigheter [som], vara likaberättigad [med]; *other things being ~* under i övrigt lika förhållanden **2** *be ~ to* bildl. a) motsvara [*the supply is ~ to the demand*] b) klara av, [kunna] gå i land med, bemästra, vara duktig nog för [*he is ~ to the job*]; vara vuxen [*he is ~ to the task*]
II *s* like, make; jämlike; pl. *~s* äv. lika [stora] saker; *is he your ~ in strength?* är han lika stark som du?; *she is a player without ~* el. *as a player she has no ~* det finns ingen som kan mäta sig med henne som spelare; *my ~s* mina jämlikar (gelikar)
III *vb tr* **1** vara (bli) lik, vara jämlik med, kunna mäta sig (jämföras) med **2** vara i jämnhöjd med, komma upp till, tangera [*~ the world record*], matem. vara lika med [*two times two ~s four*]

equality [ɪ'kwɒlətɪ] *s* **1** jämställdhet, jämlikhet; likställighet, likställdhet; likformighet, jämnhet; *~ of rights* likaberättigande; *Minister for Women and Equalities* i Storbritannien, ung. jämställdhetsminister; *on an ~ with* på jämlik fot med, jämställd med **2** likhet; *sign of ~* likhetstecken

Equality State [ɪ'kwɒlətɪsteɪt], *the ~* beteckn. för staten *Wyoming*

equalize ['i:kwəlaɪz] **I** *vb tr* utjämna; göra likformig (enhetlig); göra (ställa) lika; likställa **II** *vb itr* sport. utjämna, kvittera

equalizer ['i:kwəlaɪzə] *s* **1** utjämnare; sport. utjämningsmål, kvitteringsmål **2** i musikanläggning frekvenskorrigering **3** amer. sl. puffra pistol

equally ['i:kwəlɪ] *adv* lika [*they did it ~ well*; *divide it ~ between them*]; jämnt [*spread ~ over the country*]; likaså [*~, we may see that there are real differences*]; *~ important* el. *~ as important* lika viktig

equal opportunities ['i:kw(ə)l,ɒpə'tju:nətɪz] *s pl* o.

equal opportunity ['i:kw(ə)l,ɒpə'tju:nətɪ] *s* jämställdhet; *the Equal Opportunities Act* jur. jämställdhetslagen; *the company has an equal opportunities policy* företaget följer principen om likabehandling

equals sign ['i:kwəlzsaɪn] *s* o. amer. äv. **equal sign** ['i:kwəlsaɪn] *s* likhetstecken

equanimity [,ekwə'nɪmətɪ, ,i:k-] *s* jämnmod, sinneslugn, själsro, jämvikt

equate [ɪ'kweɪt, i:'k-] *vb tr* **1** jämställa, likställa; *~ with* äv. sätta likhetstecken mellan…och, anse…vara liktydig med [*~ freedom with happiness*] **2** göra lika, få att överensstämma [*to* med]

equation [ɪ'kweɪʒ(ə)n, -eɪʃ(ə)n] *s* **1** vanl. matem. ekvation [*~ of the first degree*] **2** bildl. ekvation; *enter the ~* el. *enter into the ~* komma in i bilden **3** jämviktstillstånd; *the human ~* den mänskliga faktorn

equator [ɪ'kweɪtə] *s*, *the ~* ekvatorn

equatorial [,ekwə'tɔ:rɪəl, ,i:k-] *adj* ekvatorial [*~ belt*; *~ rainforests*]; ekvators- [*~ region*]

equerry ['ekwərɪ] *s* adjutant [vid hovet]

equestrian [ɪ'kwestrɪən, e'k-] **I** *adj* rid- [*~ skill*]; ryttar- [*an ~ statue*]; *~ sports* hästsport **II** *s* ryttare, ryttarinna; konstberidare

equidistant [,i:kwɪ'dɪst(ə)nt] *adj* lika avlägsen [*from*]; med samma avstånd

equilateral [,i:kwɪ'læt(ə)r(ə)l] *adj* liksidig

equilibri|um [,i:kwɪ'lɪbrɪ|əm] (pl. *-a* [-ə] el. *-ums*) *s* jämvikt, jämviktsläge äv. bildl.

equine ['ekwaɪn, 'i:k-] *adj* häst-, hästlik

equinoctial [,i:kwɪnɒkʃ(ə)l, ,ek-] *adj* **1** dagjämnings- **2** ekvatorial-, tropisk

equinox ['ekwɪnɒks, 'i:k-] *s* **1** dagjämning; *autumnal ~* el. *autumn ~* höstdagjämning; *vernal ~* el. *spring ~* vårdagjämning **2** dagjämningspunkt

equip [ɪ'kwɪp] *vb tr* **1** utrusta, rusta [*with*]; *~ with* äv. förse med; *be ~ped with* äv. ha, äga [*he is ~ped with common sense*] **2** styra ut, ekipera; *~ oneself in* äv. klä sig i **3** göra rustad [*~ sb (oneself) for a task*]

equipment [ɪ'kwɪpmənt] *s* **1** utrustande, utrustning **2** utrustning äv. bildl. [*intellectual ~*]; nödvändiga tillbehör, förnödenheter, rekvisita, ekipering; mil. mundering; materiel; artiklar [*sports ~*]; anläggning [*hi-fi ~*]; *a piece of ~* en utrustning, ett tillbehör osv.

equipoise ['ekwɪpɔɪz, 'i:k-] *s* jämvikt; motvikt

equitable ['ekwɪtəbl] *adj* om handling o.d. rättvis; skälig, billig

equity ['ekwətɪ] *s* **1** rättfärdighet, rättvisa; fördelning **2** hand. eget kapital **3** pl. *equities* hand. stamaktier; *the equities market* aktiemarknaden **4** jur. sedvanerätt som kompletterar *common law*; *court of ~* domstol som tillämpar sedvanerätt

equity capital ['ekwətɪ,kæpɪtl] *s* aktieägares eget kapital

equivalence [ɪ'kwɪvələns] *s* likvärdighet, motsvarighet; ekvivalens äv. kem., fys. el. elektr.

equivalent [ɪ'kwɪvələnt] **I** *adj* **1** likvärdig, jämförlig, överensstämmande [*to* med]; av samma värde; fys. el. kem. ekvivalent **2** likbetydande, synonym
II *s* **1** motsvarande värde **2** motsvarighet [*of, to* till], ekvivalent; *be the ~ of* äv. motsvara **3** kem., fys. el. elektr. ekvivalent

equivocal [ɪ'kwɪvək(ə)l] *adj* dubbeltydig, tvetydig

equivocate [ɪ'kwɪvəkeɪt] *vb itr* avsiktligt uttrycka sig tvetydigt; slingra sig; sväva på målet

equivocation [ɪˌkwɪvəˈkeɪʃ(ə)n] *s* **1** tvetydigt uttryckssätt för att vilseleda; undanflykt, undvikande svar **2** dubbeltydighet, tvetydighet

ER [ˌiːˈɑː] **1** (förk. för *Elizabeth Regina* lat.) drottning Elisabet II **2** amer. (förk. för *emergency room*), **he is in ~ right now** han är på akuten just nu

er [ɜː, ə, ʌː] *interj* hm

era [ˈɪərə, amer. äv. ˈerə] *s* **1** era, epok; tidevarv, tidsskede, tidsålder; tid [*the Victorian* ~] **2** tideräkning

eradicate [ɪˈrædɪkeɪt] *vb tr* utrota, lyckas få bukt med [~ *crime*]

eradication [ɪˌrædɪˈkeɪʃ(ə)n] *s* utrotning

erase [ɪˈreɪz] *vb tr* radera äv. data. o. ljudband; radera (sudda, stryka) ut (bort), skrapa bort; utplåna äv. bildl. [~ *sth from one's (the) memory*]

erase head [ɪˈreɪzhed] *s* data. raderhuvud äv. på bandspelare

eraser [ɪˈreɪzə] *s* radergummi, kautschuk

erasing [ɪˈreɪzɪŋ] *s* radering, bortskrapning

erasure [ɪˈreɪʒə] *s* **1** [ut]radering, utstrykning **2** raderat ställe, radering

ere [eə] åld. el. poet. **I** *prep* före i tiden; ~ *long* inom kort **II** *konj* **1** innan, förrän **2** hellre än att

erect [ɪˈrekt] **I** *adj* upprätt, rak [*walk* ~]; [upprätt]stående [~ *position*]; [upp]rest; upplyft om hand; högburen [*with one's head* ~]; fysiol. erigerad, styv **II** *vb tr* **1** resa [~ *a statue*]; uppföra [~ *a building*]; bygga [upp] **2** resa [upp], ställa upprätt **3** upprätta, inrätta, bilda, grunda

erectile [ɪˈrektaɪl] *adj* erektil med erektionsförmåga

erection [ɪˈrekʃ(ə)n] *s* **1** fysiol. erektion **2** uppförande, byggande; uppställande; montering **3** [upp]resande **4** upprättande, inrättande **5** konkr. byggnad, konstruktion [*a wooden* ~]

erectness [ɪˈrektnəs] *s* **1** upprätt ställning **2** bildl. rakryggad hållning

erg [ɜːg] *s* fys. erg

ergo [ˈɜːgəʊ] *adv* skämts. alltså, ergo

ergonomic [ˌɜːgəˈnɒmɪk] *adj* ergonomisk

ergonomics [ˌɜːgəˈʊnɒmɪks] (med verb vanl. i sg.) *s* ergonomi

Eric [ˈerɪk] **1** mansnamn **2** som kunganamn el. helgonnamn Erik

Erin [ˈerɪn, ˈɪərɪn] Erin poet. namn på Irland; **son of ~** irländare

Eritrea [ˌerɪˈtreɪə, -ˈtrɪə] geogr.

Eritrean [ˌerɪˈtreɪən] **I** *adj* eritreansk **II** *s* eritrean, eritreanska kvinna

ERM [ˌiːɑːˈrˈem] (förk. för *Exchange Rate Mechanism*), **the ~** ERM

ermine [ˈɜːmɪn] *s* **1** zool. hermelin, lekatt **2** hermelinsskinn

Ernest [ˈɜːnɪst, -əst] mansnamn

erode [ɪˈrəʊd, eˈr-] **I** *vb tr* **1** fräta (nöta) bort; nöta på, fräta sönder; geol. erodera [*water* ~*s the rocks*] **2** bildl. fräta (tära, nöta) på; undergräva **II** *vb itr* **1** frätas [bort (sönder)], eroderas **2** bildl. undergrävas, försämras

erogenous [ɪˈrɒdʒɪnəs] *adj* fysiol. erogen [~ *zone*]

Eros [ˈɪərɒs, ˈerɒs] mytol. el. astron.

erosion [ɪˈrəʊʒ(ə)n] *s* frätning äv. bildl., bortfrätande;

nötning, sönderfrätning; geol. erosion; urholkande äv. bildl.; **soil** ~ jorderosion

erosive [ɪˈrəʊsɪv] *adj* frätande, frätnings-; geol. eroderande, erosions-

erotic [ɪˈrɒtɪk] **I** *adj* erotisk **II** *s* erotiker

erotica [ɪˈrɒtɪkə] *s* erotisk litteratur (konst)

eroticism [ɪˈrɒtɪsɪz(ə)m] *s* **1** erotisk natur (läggning) **2** erotiskt inslag, erotik [*the* ~ *in his poetry*] **3** erotisk drift; **anal** ~ analerotik

erotogenic [ɪˌrɒtə(ʊ)ˈdʒenɪk] *adj* erogen [~ *zone*]

erotomania [ɪˌrɒtə(ʊ)ˈmeɪnɪə] *s* erotomani

err [ɜː] *vb itr* **1** missa sig, ta fel (miste) **2** fela [*to* ~ *is human*]; synda; ~ *on the side of caution* vara alltför (överdrivet) försiktig; vara försiktig i överkant

errand [ˈer(ə)nd] *s* ärende, uppdrag; **run ~s** el. **go on ~s** springa (gå) ärenden; se äv. *fool's errand*

errand boy [ˈer(ə)n(d)bɔɪ] *s* springpojke äv. bildl.

errand girl [ˈer(ə)n(d)gɜːl] *s* springflicka

errant [ˈer(ə)nt] *adj* vilsegången, vilsekommen; felande

erratic [ɪˈrætɪk, eˈr-] *adj* **1** oregelbunden; planlös; ojämn, ryckig [~ *driving*] **2** oberäknelig, nyckfull

errat|um [eˈrɑːt|əm, ɪˈr-, -ˈreɪt|əm] (pl. -*a* [-ə]) *s* **1** tryckfel, skrivfel **2** rättelse

erroneous [ɪˈrəʊnɪəs, eˈr-] *adj* felaktig, oriktig

erroneously [ɪˈrəʊnjəslɪ, eˈr-] *adv* felaktigt, oriktigt

error [ˈerə] *s* fel, oriktighet, felaktighet; misstag; villfarelse; jur. formfel; ~ *message* data. felmeddelande; *the accident was caused by human* ~ olyckan berodde på den mänskliga faktorn; [*do sth*] *in* ~ ...av misstag; *be in* ~ a) ta fel, missta sig b) vara fel, inte stämma [*the map is in* ~]; *margin of* ~ felmarginal; ~ *in calculation* räknefel, felräkning; ~ *of judgement* felbedömning; missgrepp, omdömesfel; *see the* ~ *of one's ways* förstå (inse) vad man gör för fel

error-prone [ˈerəprəʊn] *adj*, **he is** ~ han gör ofta fel (misstag)

ersatz [ˈeəzæts] *adj* ty. surrogat- [~ *coffee*]; ~ *leather* konstläder

erstwhile [ˈɜːstwaɪl] *adj* förutvarande

erudite [ˈerʊdaɪt, -rjʊ-] *adj* lärd, bildl. äv. akademisk; boklärd

erudition [ˌerʊˈdɪʃ(ə)n, -rjʊ-] *s* lärdom, högre bildning spec. humanistisk

erupt [ɪˈrʌpt, əˈr-] *vb itr* **1** ha (få) utbrott [*the volcano* ~*ed*; ~ *with* (av) *anger*]; bryta ut; ~ *into* utveckla sig till, övergå i **2** med. slå ut [*pimples* ~*ed all over her skin*]

eruption [ɪˈrʌpʃ(ə)n, əˈr'] *s* **1** utbrott, geol. äv. eruption; *the volcano is in* [*a state of*] ~ vulkanen har utbrott **2** med. [hud]utslag [äv. *skin* ~]

erysipelas [ˌerɪˈsɪpələs] *s* med. erysipelas, ros[feber]

escalate [ˈeskəleɪt] *vb tr* o. *vb itr* trappa[s] upp, eskalera; öka[s], växa

escalation [ˌeskəˈleɪʃ(ə)n] *s* upptrappning, eskalering

escalator [ˈeskəleɪtə] *s* rulltrappa

escalope [ˈeskəlɒp, eˈskæləp] *s* kok. tunn skiva kött; kalvschnitzel; wienerschnitzel

escapade [ˌeskəˈpeɪd, ˈ---] *s* snedsprång, eskapad; upptåg, [pojk]streck, tilltag

escape [ɪˈskeɪp, eˈ-] *vb itr* **1** [lyckas] fly, rymma [*from, out of* från, ur]; undkomma, komma (slippa, klara sig) undan [*~ with one's life*]; **an ~d convict** en förrymd straffånge **2** om vätskor, gas o.d. rinna (strömma, läcka) ut **3** komma i väg **II** *vb tr* **1** undgå, slippa [undan (ifrån)] [*~ punishment*]; undkomma, klara sig undan [*~ the police*]; ~ *observation* el. ~ *being seen* undgå att bli sedd; **he narrowly ~d drowning** han räddade (klarade) sig med knapp nöd från att drunkna; **there's no escaping that** det går inte att komma ifrån att **2** undgå [ngns uppmärksamhet]; **it ~d me** el. **it ~d my notice** det undgick mig, jag märkte (hörde, såg) det inte; **his name ~s me** jag kan inte komma på vad han heter **III** *s* **1** rymning, flykt; räddning [*~ from the shipwreck*]; tillflykt; **make one's ~** lyckas fly (rymma, komma undan, rädda sig, göra sig fri); **have a narrow ~** [*from sth*] slippa (komma) undan [ngt] med knapp nöd; **that was a narrow ~!** det var nära ögat! **2** utströmning av vatten, gas o.d.; läcka [*there is an ~ of gas*] **3** escape[tangent]

escape artist [ɪ'skeɪpˌɑ:tɪst] *s* utbrytarkung

escape clause [ɪ'skeɪpklɔ:z] *s* undantagsklausul, undantagsbestämmelse; kryphål i kontrakt o.d.

escapee [ˌeskeɪ'pi:] *s* rymling, rymmare

escape hatch [ɪ'skeɪphætʃ] *s* **1** nödutgång[slucka] på flygplan m.m.; uppstigningslucka på ubåt **2** bildl. flykt[möjlighet] [*from undan*]

escape key [ɪ'skeɪpki:] *s* data. ESC-tangent, escapetangent

escape mechanism [ɪ'skeɪpˌmekənɪzm] *s* psykol. flyktmekanism

escape route [ɪ'skeɪpru:t] *s* flyktväg

escape velocity [ɪ'skeɪpvəˌlɒsətɪ] *s* rymd. flykthastighet

escapism [ɪ'skeɪpɪz(ə)m] *s* eskapism, verklighetsflykt

escapist [ɪ'skeɪpɪst] *s* eskapist

escapologist [ˌeskə'pɒlədʒɪst] *s* utbrytarkung

escarpment [ɪ'skɑːpmənt] *s* brant sluttning

eschew [ɪs'tʃu:] *vb tr* undvika, avhålla sig från [*~ wine; ~ violence*]; undfly, sky

escort [subst. 'eskɔ:t, verb ɪ'skɔ:t] **I** *s* **1** eskort [*police ~; travel under ~; travel under the ~ of*]; [väpnat] följe, skydd; hedersvakt; vaktare [*he eluded his ~*]; skyddsvakt **2** kavaljer [*her ~ for* (på) *the dance tonight*] **3** eskort ofta kvinnlig; attr. eskort-; ~ *agency* eskortfirma; ~ *carrier* eskorthangarfartyg; ~ *fighter* eskortjaktplan **II** *vb tr* **1** eskortera, ledsaga, följa **2** vara kavaljer åt

escutcheon [ɪ'skʌtʃ(ə)n, e-] *s* vapensköld

ESE (fork. för *east-south-east*) ostsydost

e-signature ['i:ˌsɪgnətʃə] *s* data. digital signatur, elektronisk underskrift

Eskimo ['eskɪməʊ] (pl. ~s el. *Eskimo*) *s* **1** eskimå; ~ *dog* grönlandshund, eskimåhund **2** eskimåiska språk

ESL [ˌi:es'el] fork. för *English as a Second Language*

ESOL [i:sɒl] fork. för *English for Speakers of Other Languages*

esopha|gus [ɪ'sɒfə|gəs] (pl. *-gi* [-gaɪ el. -dʒaɪ]) *s* vanl. amer. anat. matstrupe

esoteric [ˌesə(ʊ)'terɪk, ˌi:s-] *adj* esoterisk om lära o.d.; om möte, motiv o.d. mystisk; svårbegriplig

ESP [ˌi:es'pi:] **1** fork. för *extrasensory perception* **2** fork. för *English för Specific (Special) Purposes*

esp. fork. för *especially*

espadrille [ˌespə'drɪl] *s* espadrill slags tygsko

espalier [ˌɪspælɪeɪ, ɪ'spælɪə] *s* **1** spaljé **2** spaljéträd

especial [ɪ'speʃ(ə)l, e-] *adj* särskild, speciell [*of ~ value*]; synnerlig; **in ~** i synnerhet, framför allt

especially [ɪ'speʃ(ə)lɪ, e-] (fork. *esp.*) *adv* särskilt, speciellt; i synnerhet, framför allt; synnerligen; ~ **as** äv. allra helst som; **more ~** i all synnerhet

Esperanto [ˌespə'ræntəʊ, -'rɑ:n-] *s* esperanto

espionage ['espɪɒnɑ:ʒ] *s* spioneri, spionage

esplanade [ˌesplə'neɪd, -'nɑ:d] *s* promenad[plats], strandpromenad

espousal [ɪ'spaʊz(ə)l, e-] *s* stödjande [*~ of a cause*]; hyllande [*~ of a principle*]

espouse [ɪ'spaʊz, e-] *vb tr* hylla [*~ a principle*]; ansluta sig till [*~ sb's opinion*]; ~ *sb's cause* ta sig an (stödja) ngns sak

espresso [e'spresəʊ] (pl. *-s*) *s* **1** espresso[kaffe]; *two ~s* två espresso **2** espressobryggare **3** ~ *bar* espressobar

esprit de corps [ˌespri:də'kɔ:] *s* fr. kamratanda, kåranda

espy [ɪ'spaɪ, e-] *vb tr* urskilja, skymta, [lyckas] få syn på; upptäcka, få ögonen på fel o.d.

Esq. [ɪ'skwaɪə, e-] (fork. för *Esquire*) **1** ngt åld. herr [i brevadress: *John Miller ~*]; *John Miller, ~, Ph.D.* Fil. dr John Miller **2** amer., använt som titel efter namnet på en manlig el. kvinnlig advokat

esquire [ɪ'skwaɪə, e-] *s* herr, se *Esq.*

essay ['eseɪ] *s* **1** essä, uppsats; kort avhandling, studie [*on* om, över] **2** försök [*~ a task*]

essayist ['eseɪɪst] *s* essäist, essäförfattare

essence ['esns] *s* **1** [innersta] väsen, väsende, innersta natur [*the ~ of Socialism*]; väsentlig egenskap, grunddrag, grundbeståndsdel; **the ~** äv. det väsentliga (centrala) [*of* i], kontentan, andemeningen [*the ~ of a lecture*]; **in ~** i huvudsak; i själva verket **2** essens; extrakt

essential [ɪ'senʃ(ə)l, e's-] **I** *adj* **1** väsentlig, nödvändig, oumbärlig [*to* för; *for* i och för] **2** verklig, egentlig; inre [*the ~ man*]; inneboende [*his ~ selfishness*]; ~ *difference* äv. väsensskillnad **II** *s* väsentlighet [*concentrate on ~s*]; grunddrag [*of* i]; **the ~s of** äv. det väsentliga i; **in all ~s** på alla väsentliga punkter, i allt väsentligt

essentially [ɪ'senʃ(ə)lɪ, e's-] *adv* **1** väsentligen, i allt väsentligt; i huvudsak; i själva verket **2** väsentligt, i hög grad [*contribute ~ to…*]

essential oil [ɪ,senʃ(ə)l'ɔɪl] *s* eterisk olja

Essex ['esɪks] geogr.

EST [ˌi:es'ti:] fork. för *Eastern Standard Time*

est. fork. för *established, estimated, estuary*

establish [ɪ'stæblɪʃ, e-] *vb tr* (se äv. *established*) **1** upprätta, grunda, grundlägga, bilda [*~ a new state*] **2** engagera; installera; etablera; ~ *oneself* a) skapa sig en ställning (ett namn) [*as* som] b) etablera sig [*as* som] **3** skapa [*~ a custom*]; införa [*~ a rule*]; upprätta, knyta [*~ relations*]; åstadkomma, få till stånd; stadfästa [*~ a law*]; ~ *law and order* upprätthålla lag och ordning **4** fastställa, bevisa

established [ɪ'stæblɪʃt, e-] *adj* **1 a)** fast, fastställd

[~ *rules*; ~ *laws*]; vedertagen, hävdvunnen [*an ~ custom*]; stadgad, grundmurad [*an ~ reputation*] **b**) etablerad, erkänd [*an ~ artist*]; inarbetad [*an ~ firm*]; konventionell, traditionell [~ *style*]; stadgad, rangerad [*the ~ citizens*]; **get** ~ el. **become** ~ rota sig äv. bildl.; *be an ~ friend of the family* vara gammal god vän i familjen, vara som barn i huset **2** fastslagen, bevisad, känd, konstaterad; säker **3** ordinarie, fast anställd [~ *civil servants*] **4** stats- [~ *religion*]; härskande; *the Established Church of England* engelska statskyrkan

establishment [ɪ'stæblɪʃmənt, e-] *s* **1** företag, butik [*the various ~s of a firm in London*]; fabrik, verk **2** [offentlig] institution, organisation [*an educational ~*] **3** *the Establishment* det etablerade (bestående) samhället, etablissemanget; *the Establishment* el. *the Church Establishment* statskyrkan **4** (jfr *establish*) **a**) upprättande, grundande etc.; tillkomst **b**) etablerande, etablering etc. **c**) skapande, införande etc. **d**) fastställande, fastslående etc. **e**) erkännande som statskyrka **5** mil. el. sjö. styrka, [manskaps]bestånd, besättning [*be on* (ha) *full ~*]; *naval ~* flotta; *peace ~* fredsstyrka; *on a peace ~* på fredsfot; *on a war ~* på krigsfot

estate [ɪ'steɪt, e-] *s* **1** gods, [lant]egendom **2** ~ el. *housing ~* bostadsområde, bebyggelse; *council ~* el. *council housing ~* kommunalt bostadsområde; *industrial ~* industriområde, industribebyggelse **3** jur. **a**) dödsbo, sterbhus, kvarlåtenskap; förmögenhet; *wind up an ~* göra boutredning; *~ duty* förr arvsskatt **b**) konkursbo, konkursmassa **4** jur. egendom, ägodelar; tillgångar; *personal ~* [personlig] lösegendom, lösöre; *real ~* fast egendom **5** herrgårdsvagn, kombi[bil] [äv. ~ *car*]

estate agent [ɪ'steɪt,eɪdʒ(ə)nt] *s* **1** fastighetsmäklare; pl. *~s* äv. fastighetsbyrå **2** godsförvaltare

estate-bottled [ɪ'steɪt,bɒtld, e-] *adj* slottstappad [~ *wines*]

estate car [ɪ'steɪtkɑ:] *s* herrgårdsvagn, kombi[bil]

estate tax [ɪ'steɪttæks] *s* amer., slags arvsskatt

esteem [ɪ'sti:m, es-] **I** *vb tr* **1** [hög]akta, [upp]skatta, värdera **2** anse (betrakta) som **II** *s* [hög]aktning; *hold sb in high ~* högakta (sätta stort värde på) ngn

ester ['estə] *s* kem. ester

Esther ['estə] **1** kvinnonamn **2** bibl. Ester

esthete ['i:sθi:t, 'es-] o. **esthetic** [i:s'θetɪk] se *aesthete* o. *aesthetic* m.fl. ord

estimable ['estɪməbl] *adj* aktningsvärd; förtjänstfull, lovvärd

estimate [subst. 'estɪmət, verb 'estɪmeɪt] **I** *s* **1** [upp]skattning, värdering, beräkning; kalkyl, överslag; beräknad summa; ~ el. *~ of cost* (*costs*) kostnadsberäkning, kostnadsförslag; *at a low ~* el. *at a conservative ~* lågt räknat, vid (enligt) en försiktig beräkning; *at a rough ~* vid (enligt) en ungefärlig beräkning (skattning), uppskattningsvis **2** bedömning; omdöme, uppfattning, mening [*of* om; *form* (bilda sig) *an ~ of sb's ability*] **II** *vb tr* **1** [upp]skatta, värdera, beräkna (bestämma) värdet av, göra en skattning av, taxera, beräkna, anslå [*at* till; *the amount was ~d at £1000*]; *~d time of arrival* (förk. *ETA*) beräknad

ankomsttid; *~d time of departure* (förk. *ETD*) beräknad avgångstid; *an ~d £2 million* uppskattningsvis 2 miljoner pund **2** bedöma

estimation [,estɪ'meɪʃ(ə)n] *s* **1** uppskattning, aktning **2** uppskattning, värdering, beräkning, kalkyl **3** omdöme, uppfattning; *in popular ~* enligt den allmänna meningen (gängse uppfattningen)

Estonia [e'stəʊnɪə] geogr. Estland

Estonian [e'stəʊnɪən] **I** *adj* estländsk, estnisk **II** *s* **1** est[ländare]; estländska, estniska **2** estniska språk

estranged [ɪ'streɪndʒd] *adj* **1** *he has been ~ from his wife for two years* det är två år sedan han separerade från sin hustru; *he was talking about his ~ wife* han pratade om sin hustru som han nu separerat från **2** *be ~ from one's friends* komma ifrån sina vänner **3** se *alienated*

estrangement [ɪ'streɪn(d)ʒmənt, e-] *s* avlägsnande, fjärmande; brytning [*from sb* med ngn]; separation; kyligt förhållande; främlingskap

estrogen ['i:strədʒən, amer. 'es-] *s* vanl. amer. fysiol. östrogen

estuary ['estjʊərɪ, -tʃʊərɪ] *s* bred [flod]mynning påverkad av tidvattnet [*the ~ of the Thames*]

Estuary English [,estjʊərɪ'ɪŋglɪʃ] *s* variant av Received Pronunciation som har inslag av cockney och som talas i sydöstra England

ET [,i:'ti:] förk. för *extraterrestrial*

ETA [,i:ti:'eɪ] *s* förk. för *estimated time of arrival* [*what's our ~?*]

e-tailer ['i:,teɪlə] *s* data. el. hand. e-handlare, näthandlare, elektroniskt detaljhandelsföretag

et al. [et'æl] lat. **1** (förk. för *et alibi*) och annorstädes **2** (förk. för *et alii*) o.a., och andra

etc. [et'setrə, ɪt-, ət-] ibl. skrivet *&c*, förk. för *et cetera*

etcetera [ɪt'setrə, et-, ət-] **I** *adv* se *et cetera* **II** *s*, pl. *~s* småsaker, andra (diverse) saker; extraposter, diverse

et cetera [et'setrə, ɪt-, ət-] *adv* etcetera (etc.), och så vidare (osv.), med mera (m.m.), och dylikt (o.d.)

etch [etʃ] *vb tr* o. *vb itr* etsa

etched [etʃt] *adj* inetsad; fastetsad

etcher ['etʃə] *s* etsare

etching ['etʃɪŋ] *s* **1** etsning **2** attr. ets- [~ *needle*]

ETD [,i:ti:'di:] förk. för *estimated time of departure*

eternal [ɪ'tɜ:nl] *adj* **1** evig [~ *life*]; evärdlig; oföränderlig; oändlig [*the ~ wastes of the desert*] **2** vard. evig, evinnerlig, idelig, ständig [*these ~ strikes*]

Eternal City [ɪ,tɜ:nl'sɪtɪ] *the ~* den eviga staden Rom

eternally [ɪ'tɜ:nəlɪ] *adv* **1** evigt, i all evighet **2** evinnerligt; ideligen, ständigt

eternal triangle [ɪ,tɜ:nl'traɪæŋgl] *s*, *the ~* [det klassiska] triangeldramat (triangelförhållandet)

eternity [ɪ'tɜ:nətɪ] *s* evighet

eternity ring [ɪ'tɜ:nətɪrɪŋ] *s* alliansring

ethanol ['eθənɒl] *s* kem. etanol, etylalkohol

Ethel ['eθ(ə)l] kvinnonamn

ether ['i:θə] *s* kem. el. radio. m.m. eter

ethereal [ɪ'θɪərɪəl] *adj* **1** eterisk; lätt, luftig; skir; översinnlig **2** kem. eter-; eterartad, eterhaltig

ethic ['eθɪk] *s* etik [*the Christian ~*]; moral[inställning] [*personal ~*]

ethical ['eθɪk(ə)l] *adj* **1** etisk, moralisk, sedlig
2 receptbelagd [~ *drugs*]
ethical investment [ˌeθɪk(ə)lɪn'ves(t)mənt] *s* bank.
etisk[t försvarbar] penningplacering som innebär att
pengar inte placeras i företag med anknytning till tobaksindustri,
kärnkraft, vapenindustri etc.
ethics ['eθɪks] *s* **1** (med verb i pl. el. sg.) etik, etiska
principer, moral **2** (med verb i sg.) etiklära, sedelära,
morallära [~ *is a branch of philosophy*]
Ethiopia [ˌiːθɪ'əupɪə] geogr. Etiopien
Ethiopian [ˌiːθɪ'əupɪən] **I** *s* etiopier, etiop; etiopiska
II *adj* etiopisk
ethnic ['eθnɪk] *adj* **1** etnisk; ras-, folk- [~
minorities; ~ *groups*]; ~ *Germans* personer
tillhörande den tyska (tysktalande) folkgruppen,
tyska invandrare **2** hednisk, hedninga-
ethnic cleansing [ˌeθnɪk'klenzɪŋ] *s* etnisk rensning
ethnic joke [ˌeθnɪk'dʒəuk] *s* ung. norgehistoria skämt
som bygger på fördomar om viss nationalitet etc.
ethnocentric [ˌeθnə(u)'sentrɪk] *adj* etnocentrisk
ethnographic [ˌeθnə(u)'græfɪk] *adj* etnografisk
ethnography [eθ'nɒgrəfɪ] *s* etnografi
ethnological [ˌeθnə(u)'lɒdʒɪk(ə)l] *adj* etnologisk
ethnologist [eθ'nɒlədʒɪst] *s* etnolog,
folklivsforskare
ethnology [eθ'nɒlədʒɪ] *s* etnologi, [jämförande]
folklivsforskning
ethos ['iːθɒs] *s* livssyn, livsuppfattning; etisk
grundsyn, etiska normer
etiology [ˌiːtɪ'ɒlədʒɪ] *s* etiologi
etiquette ['etɪket, ˌetɪ'ket] *s* etikett,
umgängesformer, god ton, konvenans
Eton ['iːtn] **1** geogr. el. egennamn **2** Eton en av Englands
mest ansedda *public schools*
Eton collar [ˌiːtn'kɒlə] *s* etonkrage bred stärkt krage
utanpå rockkragen
Etonian [ɪ'təunɪən] **I** *s* etonelev, etonpojke äv. f.d. elev
[*old* ~] **II** *adj* Eton-
Eton jacket [ˌiːtn'dʒækɪt] *s* etonjacka, etonkavaj
midjekort öppen jacka med breda slag, äv. damplagg
e-trade ['iːtreɪd] *s* data. el. hand. e-handel, näthandel,
handel via Internet
et seq. [et'sek] (förk. för *et sequens* lat.) och följande
[sida (ord o.d.)]
étude [eɪ'tjuːd] *s* mus. etyd
etymological [ˌetɪmə'lɒdʒɪk(ə)l] *adj* etymologisk
etymology [ˌetɪ'mɒlədʒɪ] *s* etymologi
EU [ˌiː'juː] (förk. för *the European Union*), *the* ~ EU;
the ~ *Treaty* EU-fördraget, Maastrichtfördraget
eucalyptus [ˌjuːkə'lɪptəs] *s* bot. eukalyptus; ~ *oil*
eukalyptusolja
Eucharist ['juːkərɪst] *s*, *the* ~ nattvarden;
nattvardens sakrament; spec. hostian
Eugene ['juːdʒiːn, -'-, ju'ʒeɪn] **1** mansnamn **2** prinsen
Eugen
eugenic [juː'dʒenɪk] *adj* hist. rashygienisk,
arvshygienisk, eugenisk
eugenics [juː'dʒenɪks] (med verb i sg.) *s* hist. rashygien,
arvshygien
eulogistic [ˌjuːlə'dʒɪstɪk] *adj* berömmande,
lovordande
eulogize ['juːlədʒaɪz] *vb tr* [lov]prisa, berömma,
hålla lovtal över
eulogy ['juːlədʒɪ] *s* **1** lovtal, minnestal **2** beröm

eunuch ['juːnək] *s* eunuck, kastrat
euphemism ['juːfəmɪz(ə)m] *s* eufemism,
förskönande (förmildrande) omskrivning
euphemistic [ˌjuːfə'mɪstɪk] *adj* eufemistisk
euphonious [juː'fəunɪəs] *adj* välljudande
euphony ['juːfənɪ] *s* välljud, eufoni äv. fonet.
euphoria [juː'fɔːrɪə] *s* eufori, exalterat lyckorus
euphoric [juː'fɔːrɪk] *adj* euforisk, i ett lyckorus
Euphrates [juː'freɪtiːz] geogr., *the* ~ Eufrat
Eurasia [juːə'reɪʒə, -'reɪʃə] geogr. Eurasien
Eurasian [juːə'reɪʒən, -reɪʃ(ə)n] **I** *adj* eurasisk **II** *s*
eurasier; eurasiska
Euratom [juːə'rætəm] EU. (förk. för *European Atomic
Energy Community*) Euratom (förk. för Europeiska
atomenergigemenskapen)
eureka [juː(ə)'riːkə] *interj* heureka!, 'jag har [funnit]
det!'
eurhythmics [juː(ə)'rɪðmɪks] (med verb vanl. i sg.) *s*
rörelserytmik, eurytmi
euro ['juərəu] (pl. ~*s*) *s* euro myntenhet
eurocheque® ['juərəutʃek] *s* eurocheck
Eurocrat ['juərəkræt] *s* eurokrat, EU-byråkrat
Eurocurrency ['juərə(u)ˌkʌrənsɪ] *s* eurovaluta
Euro directive [ˌjuərəudɪ'rektɪv] *s* EU-direktiv,
EU-bestämmelse
Eurodollar ['juərə(u)ˌdɒlə] *s* ekon. eurodollar
Euro-ISDN [ˌjuərəuˌaɪesdiː'en] *s* europeisk version av
ISDN
Euro-MP ['juərə(u)ˌempiː] *s* ledamot av
Europaparlamentet
Europe ['juərəp] Europa; ibl. kontinenten
European [ˌjuərə'piːən] **I** *adj* europeisk **II** *s* europé;
europeiska
European Community [ˌjuərəpiːənkə'mjuːnətɪ] *s* o.
European Communities [ˌjuərəpiːənkə'mjuːnətɪz]
(förk. *EC*) *s pl*, *the* ~ hist. Europeiska
gemenskaperna (förk. *EG*)
European Council [ˌjuərəpiːən'kaunsl] EU., *the* ~
Europeiska Rådet
European highway [ˌjuərəpiːən'haɪweɪ] *s*
Europaväg
Europeanize [ˌjuərə'piːənaɪz] *vb tr* europeisera
European Parliament ['juərəˌpiːən'pɑːləmənt] (förk.
EP) *s*, *the* ~ Europaparlamentet; *Member of the* ~
(förk. *MEP*) ledamot av Europaparlamentet
European Union [ˌjuərəpiːən'juːnɪən] *the* ~ (förk. *EU*)
Europeiska unionen; *the Council of the* ~
Europeiska unionens råd, EU-rådet, Ministerrådet
Europhile ['juərəufaɪl] *s* EU-förespråkare
Europhobe ['juərəufəub] *s* EU-motståndare
Eurosceptic [ˌjuərəuˌskeptɪk] **I** *s* EU-skeptiker
II *adj* EU-skeptisk
Eurostar ['juərəustɑː] *s* Eurostar snabbtågförbindelse
mellan Frankrike och England
Eurovision ['juərə(u)ˌvɪʒ(ə)n, ˌ--'--] *s* TV. Eurovision;
the ~ *Song Contest* Melodifestivalen,
Eurovisionsschlagerfestivalen, schlager-EM
Eustachian tube [juːˌsteɪʃɪən'tjuːb] *s*, *the* ~ anat.
eustachiska röret, örontrumpeten
Euston ['juːst(ə)n] **I** geogr. egennamn **II** *s* en av Londons
viktigaste järnvägsstationer
Eutelsat ['juːtəlsæt] Eutelsat europeisk organisation för
telekommunikation via satellit

euthanasia [ˌjuːθəˈneɪzɪə, -eɪʒɪə] *s* eutanasi,
dödshjälp; *active ~* el. *voluntary ~* aktiv dödshjälp
evacuate [ɪˈvækjʊeɪt] *vb tr* **1** evakuera [*~ children;
~ an area*]; utrymma [*~ a fort*] **2** tömma [*of* på
innehåll; *~ the bowels*]
evacuation [ɪˌvækjʊˈeɪʃ(ə)n, ə,v-] *s* **1** evakuering;
utrymning **2** tömning; uttömning; *~* el. *~ of the
bowels* avföring
evacuee [ɪˌvækjʊˈiː, ə,v-] *s* evakuerad person
evade [ɪˈveɪd] *vb tr* **1** undvika [*~ difficulties*];
undgå; försöka slippa (komma) undan (ifrån) [*~ a
duty*]; kringgå [*~ the law*]; slingra sig ifrån [*~ a
question*]; smita från [*~ taxes*] **2** gäcka, trotsa
evaluate [ɪˈvæljʊeɪt] *vb tr* utvärdera, evalvera,
evaluera, bedöma
evaluation [ɪˌvæljʊˈeɪʃ(ə)n] *s* utvärdering,
evalvering, evaluering
evanescence [ˌevəˈnesns, ˌiːv-] *s* **1** förbleknande,
försvinnande **2** flyktighet, kortvarighet
evanescent [ˌevəˈnesnt, ˌiːv-] *adj* **1** förbleknande,
försvinnande; flyktig, kortvarig **2** försvinnande
liten, nästan omärklig **3** skir, luftig, subtil
evangelical [ˌiːvænˈdʒelɪk(ə)l] *adj* evangelisk
evangelist [ɪˈvæn(d)ʒəlɪst] *s* evangelist,
väckelsepredikant
evangelistic [ɪˌvæn(d)ʒəˈlɪstɪk] *adj* **1** evangelisk
2 missions- [*~ service*]; väckelse [*~ movement*]
evaporate [ɪˈvæpəreɪt] **I** *vb itr* **1** dunsta [av (bort)],
avdunsta, evaporera **2** bildl. försvinna, dunsta [av]
II *vb tr* **1** komma att (få att, låta) dunsta bort [*heat
~s water*]; förvandla till ånga (gas) **2** torka genom
avdunstning [*~ fruit*]; avdunsta
evaporated milk [ɪˌvæpəreɪtɪdˈmɪlk] *s* kondenserad
osötad konserverad mjölk
evaporation [ɪˌvæpəˈreɪʃ(ə)n] *s* avdunstning,
evaporation; bortdunstning
evasion [ɪˈveɪʒ(ə)n] *s* **1** undvikande; försök att
slingra sig undan (slippa ifrån); kringgående; *tax ~*
se *tax evasion* **2** undanflykt[er]
evasive [ɪˈveɪsɪv] *adj* undvikande, svävande [*an ~
answer*]; *be ~* äv. komma med undanflykter; *take ~
action* ofta mil. göra en undanmanöver
evasiveness [ɪˈveɪsɪvnəs] *s* undvikande
(undanglidande) karaktär; *his ~* hans sätt att
slingra sig (försöka komma undan)
Eve [iːv] **1** kvinnonamn **2** bibl. Eva
eve [iːv] *s* **1** [helgdags]afton [*of* före]; *Christmas Eve*
julafton[en] **2** *on the ~ of* kvällen (dagen) före [*on
the ~ of the wedding*]; strax (kort, omedelbart)
före **3** mest poet. afton, kväll
Eveline [ˈiːvliːn] kvinnonamn
Evelyn [kvinnonamn ˈiːvlɪn, ˈevlɪn, mansnamn el. efternamn
ˈiːv-]
even [ˈiːv(ə)n] **I** *adj* **1** jämn i olika betydelser: **a)** slät,
plan [*an ~ surface*], tekn. grad; vågrät **b)** enhetlig,
likformig [*~ in colour; ~ in quality*] **c)** lugn [*an ~
mind; an ~ temper*] **d)** lika [*in ~ shares*] **e)** jämn [*~
and odd* (udda) *numbers*]; rund [*an ~ sum*]; *on an ~
keel* se under *keel I*; *~ money* jämna pengar; vid
vadhållning dubbla summan mot insatsen; *~ rhythm*
jämn rytm; *it's ~ Stephen* äv. det är hugget som
stucket; *be ~* bildl. stå (väga) lika [*the chances are
~*]; vara jämspelt [*they are ~*]; *~ with* i jämnhöjd
med, i samma plan som, i rät linje med; om bana

parallell med; *keep ~ with* hålla jämna steg med
2 *get ~ with sb* a) bli kvitt med ngn b) göra upp (ha
en uppgörelse) med ngn; *get ~ with sb for sth* ge ngn
igen för ngt, ta revansch på ngn för ngt **3** vard.,
break ~ få det att gå ihop
II *adv* **1** även, också, till och med, redan; i nekande
el. frågande sats ens; *not ~* inte ens (en gång); *~ as* i
samma stund som, just som; medan ännu; *~ as a
child* redan som barn; *~ if* även (till och med) om,
om också [*~ if I had seen it*]; *~ now* redan nu; ändå,
i alla fall, likafullt [*~ now she won't believe me*]; *~
so* ändå, i alla fall, trots det, likväl; *~ then* redan
då; ändå, i alla fall, likafullt [*~ then he wouldn't
believe me*]; *~ though* även om, fastän [*~ though I
saw it*] **2** förstärkande ja [till och med] [*all the
competitors, ~ our own, are very fit*]; rent av
[*perhaps you have ~ lost it*]; själva [*~ the king*] **3** vid
komp. ännu, ändå [*~ better*]; till och med [*~ more
stupid than usual*]
III *vb tr* med adv. el. prep.:
even out jämna ut (till) [*~ out the soil*]; utjämna [*~
out the differences*]; fördela jämnt [*~ out the
supply*]
even up utjämna
even-handed [ˈiːv(ə)nˌhændɪd] *adj* opartisk, rättvis
evening [ˈiːvnɪŋ] *s* **1** kväll, afton äv. bildl. [*the ~ of
life*]; *~!* vard. för *good evening!* se under *good I 10*;
musical ~ musikafton, musikalisk soaré; *this ~* i
kväll, i afton; *in the ~* på kvällen, på (om)
kvällarna; *of an ~* a) en kväll [då och då] b) på (om)
kvällarna; *make an ~ of it* göra sig en glad kväll (en
helkväll); jfr vidare *morning* för ex. **2** attr. kvälls-,
afton- [*the ~ star*]
evening class [ˈiːvnɪŋˌklɑːs] *s* kvällskurs
evening dress [ˈiːvnɪŋdres] *s* högtidsdräkt;
aftontoalett, aftonklänning; frack
evening gown [ˈiːvnɪŋgaʊn] *s* aftonklänning
evening primrose [ˌiːvnɪŋˈprɪmrəʊs] *s* bot. nattljus
evenings [ˈiːvnɪŋz] *adv* vard. på (om) kvällarna, på
kvällen
evenly [ˈiːv(ə)nlɪ] *adv* **1** jämnt; lika [*divide the
money ~*]; likformigt; *~ matched* jämspelt **2** lugnt
evens [ˈiːv(ə)nz] *adj* fifty-fifty; vid vadhållning dubbla
summan mot insatsen
evensong [ˈiːv(ə)nsɒŋ] *s* aftonsång, aftonbön,
kvällsandakt [*at ~; after ~*]
event [ɪˈvent] *s* **1** händelse, tilldragelse; evenemang,
begivenhet; företeelse; [*the*] *~s surrounding sth*
omständigheterna kring ngt; *a great ~* el. *quite an ~*
en stor händelse, ett [verkligt] evenemang; [*they
are expecting*] *a happy ~* ...en lycklig tilldragelse;
the course of ~s el. *the sequence of ~s*
händelseförloppet, skeendet, händelsernas gång; *in
the natural (normal) course of ~s* under normala
förhållanden, i normala fall **2** fall, händelse; *at all
~s* i alla händelser, i varje fall, åtminstone; *in the ~
of (that)* i händelse av (att); *in any ~* i alla händelser,
i varje fall; *in that ~* i så fall **3** sport. tävling,
[tävlings]gren; *three-day ~* ridn. fälttävlan **4** *wise
after the ~* efterklok; *in the ~* till slut, när allt
kommer (kom) omkring
even-tempered [ˈiːv(ə)nˌtempəd] *adj* jämn till
humöret, med jämnt humör, som har ett jämnt
humör [*an ~ person*]

eventful [ɪ'ventfʊl, -f(ə)l] *adj* **1** händelserik
2 betydelsefull

eventual [ɪ'ventʃʊəl, -tjʊəl] *adj* **1** slutlig, slutgiltig
[*he predicted the ~ decay of the system*]; som kom
(kommer) till slut [*his ~ success*] **2** därav följande
[*the drought and ~ famine*]

eventuality [ɪ,ventʃʊ'ælətɪ, -tjʊ-] *s* eventualitet, risk

eventually [ɪ'ventʃʊəlɪ, -tjʊəlɪ] *adv* slutligen, till
slut (sist); omsider, så småningom

ever ['evə] *adv* **1** någonsin [*better than ~*]; **did you
~?** vard. har du (man) [nånsin] sett (hört) på
maken?; **hardly ~** nästan aldrig, knappast någonsin;
nothing ~ happens det händer aldrig någonting;
seldom, if ~ sällan eller aldrig **2** spec. förbindelser: **as ~**
som alltid, som vanligt [*he came late – as ~*]; **for ~**
för alltid (evigt); jämt [och ständigt] [*he is for ~
grumbling*]; **England for ~!** leve England!; [*they lived
happily*] **~ after** ...i alla sina dagar; **~ since**
alltsedan, ända sedan [*~ since I left*]; så länge [*~
since I can remember*]; alltsedan dess [*he has lived
there ~ since*]; **~ and again** el. litt. **~ and anon** då och
då, tid efter annan **3** i brevslut: **Yours ~** Din (Er)
tillgivne **4** vard., **who** (**why, how, where**) **~** vem
(varför, hur, var) i all världen (i all sin dar) **5** vard.,
förstärkande **a**) **as quickly as ~ I can** så fort jag
någonsin kan; **before it was ~ thought of** innan det
alls (ens [en gång]) var påtänkt; **that was a disaster
if ~ there was one!** det kan man kalla en riktig
katastrof!; **~ so** hemskt, jätte- [*I like it ~ so much*]
b) efter superl. som någonsin funnits; **the greatest film
~** äv. alla tiders största film **6 a**) framför komp. allt; **an
~ greater amount** en allt större mängd; **an ~ greater
degree** en allt högre grad **b**) se sammansättn. med *ever-*

Everest ['evərɪst] egennamn [*Mount ~*]

everglade ['evəgleɪd] *s* subtropiskt träskområde

Everglades ['evəgleɪdz], **the ~** Everglades i Florida

Everglade State [,evəgleɪd'steɪt], **the ~** beteckn. för
staten *Florida*

evergreen ['evəgri:n] **I** *adj* **1** vintergrön, ständigt
grön (frisk) **2** bildl. evig, evigt ung
II *s* **1** vintergrön (ständigt grön, städsegrön) växt
(buske) **2** evergreen, schlager med varaktig popularitet,
örhänge

Evergreen State [,evəgri:n'steɪt], **the ~** beteckn. för
staten *Washington*

ever-growing [,evə'grəʊɪŋ] *adj* ständigt växande

ever-increasing [,evərɪn'kri:sɪŋ] *adj* ständigt
växande, allt större [och större] [*an ~ demand*]

everlasting [,evə'lɑ:stɪŋ, attr. '--,--] **I** *adj* evig [*~
fame; ~ snow*]; [be]ständig; varaktig; evinnerlig,
idelig [*~ complaints*]; **~ flower** eternell **II** *s* bot.
eternell

ever-loving [,evə'lʌvɪŋ] *adj* trogen, hängiven; **my ~**
el. **my ~ wife** vard. min fru, frugan

evermore [,evə'mɔ:] *adv* **1** evigt, beständigt, städse;
for ~ för evigt, i evighet **2** i nekande sats någonsin
igen, vidare, längre, [något] mera

Everton [fotbollslag 'evət(ə)n]

every ['evrɪ] *fören indef pron* varje, var, varenda;
all; i nekande sats äv. vilken som helst [*not ~ child can
do that*]; all [tänkbar] [*I wish you ~ success*]; **I have
~ reason to...** jag har all anledning (alla skäl) att...;
~ other day el. **~ second day** el. **~ two days** varannan
dag; **~ three days** el. **~ third day** var tredje dag; **one

child out of** (**in**) **~ five is ill** vart femte barn är sjukt,
ett barn av (på) fem är sjukt; **~ bit as** [**good**] precis
(fullt ut) lika...; **~ one of them** el. **~ one of us** varenda
en; **~ here and there** här och där, på sina ställen; **~
now and then** el. **~ now and again** då och då, allt
emellanåt, en och annan gång; **~ time** a) var (varje)
gång b) jämt c) vard. alla gånger, absolut; **in ~ way**
på allt sätt, på alla sätt [och vis], i alla avseenden;
~ which way amer. vard. åt alla [möjliga] håll; huller
om buller; **~ man for himself** rädde sig den som kan

everybody ['evrɪ,bɒdɪ, 'evrɪbədɪ] *självst indef pron*
var och en [*there is a chair for ~*]; en var, varje
människa [*~ has a right to...*]; alla [*has ~ seen it?*];
alla människor [*~ knows that*]; i nekande sats äv. vem
som helst; **~ else** alla andra; **good night, ~!** god natt
allesammans (allihop)!

everyday ['evrɪdeɪ] *adj* daglig [*in ~ speech*];
vardags- [*~ clothes*]; vardaglig, alldaglig

everyone ['evrɪwʌn] *självst indef pron* se *everybody*

everyplace ['evrɪpleɪs] *adv* amer. vard. överallt

everything ['evrɪθɪŋ] *självst indef pron* allt, allting;
var (varenda) sak; alltsammans; i nekande sats äv. vad
som helst; [*if they are hungry*] **and ~** ...och så
[vidare]; **~ but** allt möjligt utom

everywhere ['evrɪweə] *adv* överallt; allmänt [*it is
accepted ~*]; i nekande sats äv. var som helst

evict [ɪ'vɪkt] *vb tr* vräka, avhysa; fördriva [*from
från*]

eviction [ɪ'vɪkʃ(ə)n] *s* vräkning, avhysning;
fördrivande

evidence ['evɪd(ə)ns] **I** *s* **1** bevis, belägg [*of på; for
för*], stöd [*have you any ~ for this statement?*];
tecken [*of på*], vittnesbörd [*of om*]; spår, märke
[*of av, efter*]; **give ~ of** vittna om, bevisa (se äv.
evidence I 2); **on the ~ of...** att döma av... **2** jur.
bevis, bevisning, bevismaterial, vittnesmål,
vittnesbörd; inför rätta giltigt vittnesmål; **the ~** de
protokollförda vittnesmålen i ett mål; **circumstantial
~** indicier; **give ~** avlägga vittnesmål (vittnesbörd),
vittna inför rätta; **turn King's** (**Queen's**) **~** el. amer. **turn
State's ~** uppträda som kronvittne mot medbrottslingar
3 be in ~ synas, märkas, visa sig, vara synlig;
[före]finnas
II *vb tr* bevisa; bestyrka; visa

evident ['evɪd(ə)nt] *adj* tydlig, uppenbar,
synbar[lig], påtaglig, [själv]klar [*to för*]

evidently ['evɪd(ə)ntlɪ] *adv* tydligen, tydligtvis,
uppenbarligen etc., jfr *evident*

evil ['i:vl, 'i:vɪl] **I** *adj* **1** ond [*~ deeds; ~ dreams*];
elak, ondskefull [*an ~ countenance* (uppsyn)];
otäck, dålig [*an ~ smell*]; syndig [*live an ~ life*]; **the
~ eye** det onda ögat **2** skadlig, fördärvlig, dålig [*an
~ influence*]
II *s* ont [*a necessary ~*]; det onda [*the origin of ~*];
[svårt] missförhållande [*social ~s*]; **social ~**
samhällsont; **deliver us from ~** relig. fräls oss ifrån
ondo; **one must choose the lesser of two ~s** el. **of two
~s one must choose the least** av två onda ting väljer
man det minst onda

evildoer ['i:vl,du:ə] *s* missdådare, ogärningsman

evil-minded [,i:vl'maɪndɪd, attr. '--,--] *adj* illasinnad,
illvillig, ondskefull

evil-smelling ['i:vl,smelɪŋ] *adj* illaluktande

evince [ɪ'vɪns] *vb tr* **1** visa [~ *a tendency to*]; visa prov på, röja **2** utgöra bevis för, bevisa

eviscerate [ɪ'vɪsəreɪt, iː'v-] *vb tr* ta ur, rensa

evocation [ˌevə(ʊ)'keɪʃ(ə)n, ˌiːv-] *s* frammanande, framkallande, frambesvärjande

evocative [ɪ'vɒkətɪv] *adj* stämningsmättad, associationsrik [~ *words*]; minnesväckande; **be ~ of** kunna framkalla (frammana, väcka); påminna om

evoke [ɪ'vəʊk, iː'v-] *vb tr* väcka [~ *protest*]; framkalla [~ *a smile*]; frammana; ~ *memories* väcka minnen [till liv]

evolution [ˌiːvə'luːʃ(ə)n, ˌev-, -'ljuː-] *s* utveckling, gradvis [skeende] förändring, evolution; framväxande; **theory of ~** utvecklingslära, evolutionsteori

evolutionary [ˌiːvə'luːʃ(ə)nərɪ, ˌev-, -'ljuː-] *adj* utvecklings-, evolutions- [~ *biology*]

evolve [ɪ'vɒlv, iː'v-] **I** *vb tr* **1** utveckla, ta fram [~ *a theory*]; framlägga [~ *a plan*] **2** utveckla, frambringa [~ *a new and improved variety of a plant*]; framställa; ge upphov till; arbeta (tänka) ut [~ *a solution*]
II *vb itr* utveckla sig, utvecklas [*into* till]

ewe [juː] *s* zool. tacka

ewe lamb [ˌjuː'læm] *s* tacklamm

ewer ['juːə] *s* vattenkanna, handkanna till tvättställ

ex [eks] **I** *prep* **1** från, ur; hand. [såld] från [~ *store*]; [lossad] från [~ *ship*] **2** exklusive; ~ *dividend* börs. ex kupong, exklusive utdelning
II *s* vard., **my** (**her**) ~ min (hennes) ex, min (hennes) före detta man, fru

ex- [eks] *prefix* förutvarande, f.d., ex- [*ex-husband*; *ex-president*]

ex. förk. för *example*

exacerbate [ɪg'zæsəbeɪt, ɪk'-] *vb tr* **1** reta upp, irritera; förbittra **2** förvärra [~ *the pain*]

exacerbation [ɪg'zæsə'beɪʃ(ə)n, ɪk'-] *s* **1** irritation; förbittring **2** förvärrande, skärpning [~ *of the conflict*]

exact [ɪg'zækt, eg-] **I** *adj* exakt; noggrann; riktig, precis; **the ~ opposite** raka motsatsen
II *vb tr* **1** kräva, fordra [~ *obedience from* (av) *sb*] **2** indriva [~ *payment from*]

exacting [ɪg'zæktɪŋ, eg-] *adj* fordrande, krävande, kravfull; fordringsfull, pockande; sträng

exaction [ɪg'zækʃ(ə)n, eg-] *s* utkrävande, indrivning [~ *of taxes*]; avfordrande [*of* av]

exactitude [ɪg'zæktɪtjuːd, eg-] *s* noggrannhet; exakthet

exactly [ɪg'zæk(t)lɪ, eg-] *adv* **1** exakt, precis; noga räknat, riktigt; just [*you are ~ the man I want*]; alldeles; egentligen [*what is your plan ~?*]; ~**!** ja, just det!, just precis! **2** noggrant, noga

exactness [ɪg'zæk(t)nəs, eg-] *s* se *exactitude*

exaggerate [ɪg'zædʒəreɪt, eg-] *vb tr* överdriva; förstora [upp]

exaggerated [ɪg'zædʒəreɪtɪd] *adj* **1** överdriven **2** extremt uppförstorad

exaggeration [ɪg'zædʒə'reɪʃ(ə)n, eg-] *s* överdrift; förstoring

exalt [ɪg'zɔːlt, eg-, -'zɒlt] *vb tr* (jfr *exalted*) upphöja [*he was ~ed to the position of President*]; förädla; höja, lyfta, stärka [*~ed by that thought*]

exaltation [ˌegzɔː'leɪʃ(ə)n, ˌeks-, -ɒl-] *s*

1 upphöjelse, upphöjande; lyftning **2** hänförelse; exaltation, exalterat tillstånd

exalted [ɪg'zɔːltɪd, eg-, -'zɒlt-] *adj* o. *perf p* **1** högt uppsatt, hög [*an ~ personage*] **2** upphöjd, hög [*an ~ literary style*] **3** överdrivet hög [*an ~ opinion of his own worth*] **4** hänförd, begeistrad, exalterad

exam [ɪg'zæm, eg-] *s* (vard. kortform av *examination*) **1** examen, tenta; **fail an ~** bli underkänd (kuggad) i ett prov (en tenta); **pass an ~** el. **pass one's ~** klara en tenta (ett prov); **go in for an ~** el. **sit for an ~** el. **take an ~** göra (ha) en tenta (ett prov) **2** amer. med. undersökning

examination [ɪgˌzæmɪ'neɪʃ(ə)n, eg-] *s* **1** tentamen, prov, prövning; examen, examination; förhör **2** undersökning [*of, into* av], prövning; besiktning; **customs' ~** tullvisitering; **on closer ~** vid (efter) närmare undersökning

examine [ɪg'zæmɪn, eg-] *vb tr* **1** undersöka [~ *the question*; *the doctor ~d him*]; pröva, granska [~ *an object*]; besiktiga, visitera, inspektera; **you need to have your head ~d** vard. du är inte [riktigt] klok **2** examinera, pröva, förhöra äv. jur. [~ *a witness*; ~ *a criminal*; ~ *a candidate in* (on) *a subject*]

examinee [ɪgˌzæmɪ'niː-, eg-] *s* examinand, tentand

examiner [ɪg'zæmɪnə, eg-] *s* **1** undersökare, granskare; besiktningsman **2** examinator, tentator; **board of ~s** examenskommission; examensnämnd

exam paper [ɪg'zæmˌpeɪpə, eg-] *s* examensskrivning, skriftligt prov

example [ɪg'zɑːmpl, eg-] *s* **1** exempel [*of* på]; varning [*let this be an ~ to you*]; **make an ~ of sb** straffa ngn för att statuera ett exempel; **set sb a good ~** föregå ngn med gott exempel, vara ett [gott] föredöme för ngn; **for ~** till exempel **2** [övnings]exempel, uppgift **3** mönster, prov, provbit; exemplar [~ *of a rare book*]

exasperate [ɪg'zæsp(ə)reɪt, eg-, -'zɑː-] *vb tr* göra förbittrad (förtvivlad); reta [upp], förarga

exasperated [ɪg'zæsp(ə)reɪtɪd] *adj* förbittrad, förtvivlad; uppretad, förargad; ~ *by* el. ~ *with* förbittrad (uppretad, förtvivlad) över

exasperating [ɪg'zæsp(ə)reɪtɪŋ, eg-, -'zɑː-] *adj* enormt irriterande (förarglig); om person enormt jobbig, odräglig; **it's ~** det är så att man kan bli vansinnig

exasperation [ɪgˌzæspə'reɪʃ(ə)n, -ˌzɑː-] *s* förbittring, stark irritation; ursinne

excavate ['ekskəveɪt] *vb tr* gräva [~ *a trench*; ~ *a tunnel*]; gräva ut [~ *an ancient city*; ~ *a tomb*]; schakta [bort]

excavation [ˌekskə'veɪʃ(ə)n] *s* grävning; utgrävning; schaktning; uppgrävning

excavator ['ekskəveɪtə] *s* **1** tekn. grävmaskin, schaktningsmaskin **2** grävare, schaktare; utgrävare; urholkare

exceed [ɪk'siːd, ek-] *vb tr* **1** överskrida [~ *a certain age*; ~ *the speed limit*]; överstiga [*the cost must not ~ £500*]; **not ~ing** inte överstigande, under **2** överträffa [*it ~ed our expectations*]

exceedingly [ɪk'siːdɪŋlɪ, ek-] *adv* ytterst, oerhört

excel [ɪk'sel, ek-] **I** *vb itr* vara främst (bäst), excellera [*in, at* i, i fråga om] **II** *vb tr*, ~ **oneself** överträffa sig själv

excellence ['eks(ə)ləns] *s* **1** förträfflighet, utmärkthet, ypperlighet **2** framstående (utmärkt) egenskap; överlägsenhet

excellency ['eks(ə)lənsɪ] *s* titel excellens [*Your (His, Her) Excellency*]

excellent ['eks(ə)lənt] *adj* utmärkt, utomordentlig

excellently ['eks(ə)ləntlɪ] *adv* utmärkt, utomordentligt

except [ɪk'sept, ek-] **I** *prep* utom, undantagandes; ~ **for** bortsett från, så när som på; om inte…hade varit, utan [~ *for your presence I would …*]; frånsett; ~ *that* konj. utom att, bortsett från att [*it is right, ~ that the accents are omitted*] **II** *konj* **1** utom att [*I can do everything ~ cook*]; ~ *to* annat än för att [*he never opened his mouth ~ to shout*] **2** vard. (= *except that*) men [*I'd have come earlier, ~ I lost my way*] **III** *vb tr* undanta, göra undantag för, utesluta; *the present company ~ed* de närvarande givetvis undantagna

excepting [ɪk'septɪŋ, ek-] *prep* undantagen, undantagandes, med undantag för, utom

exception [ɪk'sepʃ(ə)n, ek-] *s* **1** undantag [*from, to* från; *an ~ to the rule*]; *with the ~ of* med undantag av (för); *without ~* utan undantag, undantagslös[t]; genomgående, över lag **2** *take ~ to* ta avstånd ifrån; ta illa upp

exceptionable [ɪk'sepʃnəbl, ek-] *adj* betänklig, tvivelaktig; anstötlig, klandervärd

exceptional [ɪk'sepʃənl, ek-] *adj* undantags-; [ytterst] ovanlig, exceptionell [*the warm weather was ~ for January*]

exceptionally [ɪk'sepʃnəlɪ, ek-] *adv* [ytterst] ovanligt [~ *good*]; exceptionellt, enastående

excerpt [subst. 'eksɜ:pt, ek'sɜ:pt, 'egzɜ:pt, verb ek'sɜ:pt, ɪk-] **I** *s* utdrag, excerpt [~ *from* (ur) *a book*] **II** *vb tr* plocka ut; excerpera

excess [ɪk'ses, ek-, adj. 'ekses] **I** *s* **1** överdrift; övermått; ytterlighet; *an ~ of enthusiasm* överdriven (alltför stor) entusiasm; *to ~* till övermått **2** omåttlighet [i mat och dryck]; *~es* utsvävningar, excesser **3** överskridande; ofta pl. *~es* övergrepp, våldsamheter **4** överskott; merbelopp, mermängd; självrisk på försäkring; *an ~ of imports* [*over exports*] importöverskott; *in ~ of* mera (större) än **II** *adj* över-, överskotts-; tilläggs-; ~ *capacity* överkapacitet; ~ *fare* pris på tilläggsbiljett, tilläggsavgift; ~ *fat* överflödigt fett; ~ *profits tax* el. ~ *profits duty* skatt på övervinst

excess baggage [ˌekses'bægɪdʒ] *s* övervikt bagage

excessive [ɪk'sesɪv, ek-] *adj* överdriven, orimlig [~ *demands*]; omåttlig [~ *drinker*]; häftig, våldsam [~ *rainfall*]; ~ *price* överpris

excessively [ɪk'sesɪvlɪ, ek-] *adv* överdrivet, till ytterlighet (överdrift), ytterligt, ytterst, omåttligt

excess luggage [ˌekses'lʌgɪdʒ] *s* övervikt bagage

excess postage [ˌekses'pəʊstɪdʒ] *s* tilläggsporto; lösen

excess weight [ˌekses'weɪt] *s* övervikt bagage

ex-champion [ˌeks'tʃæmpjən] *s* exmästare

exchange [ɪks'tʃeɪndʒ, eks-] **I** *s* **1** byte [*lose by* (på, vid) *the ~*]; utbyte; [ut]växling; varuutbyte [~ *of commodities*]; ombyte; bytesföremål; ~ *of letters* brevväxling, korrespondens; *in ~* i stället, i (som)

ersättning; *in ~ for* i utbyte mot **2** meningsutbyte; ordväxling; replikskifte [äv. ~ *of views*] **3** hand. **a)** växling av pengar; växelkontor, växlingskontor; [växel]kurs; *foreign ~* se *foreign exchange*; *rate of ~* [växel]kurs **b)** växel [äv. *bill of ~*] **c)** börs [*the Cotton Exchange*; *the Stock Exchange*]; *the Royal Exchange* fd londonbörsen [i London] **4** [telefon]växel [äv. *telephone ~*]; *private automatic branch ~* automatisk företagsväxel; *private automatic ~* intern telefonväxel; *private branch ~* företagstelefonväxel **II** *vb tr* byta [ut] [*for* mot; *he ~d his old car for a motorbike*]; växla [~ *words*]; utbyta [~ *glances*]; skifta; utväxla [~ *prisoners*; ~ *blows*]

exchangeable [ɪks'tʃeɪn(d)ʒəbl] *adj* som kan bytas, utbytbar [*for* mot]; som kan utväxlas

exchange area [ɪks'tʃeɪndʒ,eərɪə] *s* riktnummerområde

exchange control [ɪks'tʃeɪndʒkən,trəʊl] *s* valutakontroll

exchange rate [ɪks'tʃeɪndʒreɪt] *s* växel[kurs]

Exchange Rate Mechanism [ɪks'tʃeɪndʒ,reɪt'mekənɪz(ə)m] (förk. *ERM*) *s* växelkursmekanismen i det europeiska valutasamarbetet

exchange student [ɪks'tʃeɪndʒ,stju:d(ə)nt] *s* utbytesstudent

exchequer [ɪks'tʃekə, eks-] *s*, *Chancellor of the Exchequer* i Storbritannien finansminister

1 excise ['eksaɪz, ɪk'saɪz] *s* accis

2 excise [ek'saɪz, ɪk-] *vb tr* skära bort (ut); stryka [~ *a passage from* (i) *a book*]

excision [ek'sɪʒ(ə)n, ɪk-] *s* **1** bortskärning, utskärning; med. excision **2** strykning ur bok

excitable [ɪk'saɪtəbl, ek-] *adj* lättretlig, hetsig [~ *temperament*]; nervös; lättrörd, rörlig, livlig

excite [ɪk'saɪt, ek-] *vb tr* (jfr äv. *excited*) **1** egga [upp], elda; uppröra **2** väcka [~ *interest in* (hos) *sb*]; upptända; framkalla **3** fysiol. reta, stimulera

excited [ɪk'saɪtɪd, ek-] *adj* o. perf p uppeggad, upphetsad; uppjagad, upprörd

excitement [ɪk'saɪtmənt, ek-] *s* **1** sinnesrörelse, rörelse, spänning [*feverish ~*]; uppståndelse; upprördhet, upphetsning **2** *the ~s of the journey* allt [det] spännande under resan

exciting [ɪk'saɪtɪŋ, ek-] *adj* spännande, nervkittlande, intressant [~ *events*; ~ *news*; ~ *story*]; eggande, upphetsande

exclaim [ɪk'skleɪm, ek-] **I** *vb itr* skrika ['till], ropa **II** *vb tr* utropa

exclamation [ˌekskləˈmeɪʃ(ə)n] *s* **1** utrop; ~ *mark* el. amer. äv. ~ *point* utropstecken **2** skrik; högljudd protest [*against* mot]

exclamatory [ɪk'sklæmət(ə)rɪ, ek-] *adj* **1** utrops- **2** skrikande, skrikig

exclude [ɪk'sklu:d, ek-] *vb tr* utesluta [~ *all possibility of doubt*]; utestänga; undanta; *packing ~d* exklusive emballage

excluding [ɪk'sklu:dɪŋ, ek-] *prep* exklusive [~ *packing*]

exclusion [ɪk'sklu:ʒ(ə)n, ek-] *s* uteslutande, uteslutning, utestängande

exclusive [ɪk'sklu:sɪv, ek-] *adj* **1** exklusiv, sluten [~ *club*; ~ *social circles*]; förnäm, avvisande [~ *attitude*] **2** uteslutande; odelad [*giving the question* *her ~ attention*]; särskild, speciell [*~ privileges of the citizens of a country*]; ensam-; exklusiv, med ensamrätt [*an ~ interview*]; **mutually ~** som utesluter varandra; **have ~ rights (the ~ right) for the sale of** ha ensamrätt på (till) försäljningen av, ha ensamförsäljningsrätt till

exclusively [ɪkˈskluːsɪvlɪ, ek-] *adv* uteslutande, enbart, endast

exclusiveness [ɪkˈskluːsɪvnəs, ek-] *s* exklusivitet, [förnäm] avskildhet; exklusiv karaktär

excommunicate [ˌekskəˈmjuːnɪkeɪt] *vb tr* kyrkl. bannlysa, exkommunicera; utesluta

excommunication [ˈekskəˌmjuːnɪˈkeɪʃ(ə)n] *s* kyrkl. bannlysning

ex-con [ˌeksˈkɒn] *s* vard., se *ex-convict*

ex-convict [ˌeksˈkɒnvɪkt] *s* f.d. straffånge

excrement [ˈekskrəmənt] *s* exkrement

excrescence [ɪkˈskresns, eks-] *s* [överflödig] utväxt, missbildning; bildl. överflödighet

excreta [ɪkˈskriːtə, ek-] *s pl* fysiol. exkret

excrete [ɪkˈskriːt] *vb tr* fysiol. avsöndra, utsöndra, uttömma

excretion [ɪkˈskriːʃ(ə)n, ek-] *s* fysiol. exkretion, avsöndring, utsöndring

excruciating [ɪkˈskruːʃɪeɪtɪŋ, ek-] *adj* **1** ytterst plågsam (svår), olidlig, som är en verklig tortyr [*~ pain*] **2** pinsam; vard. hemsk

exculpate [ˈekskʌlpeɪt] *vb tr* frita, rentvå [*~ sb from a charge*]; urskulda, rättfärdiga

excursion [ekˈskɜːʃ(ə)n, ɪk-] *s* **1** utflykt, utfärd, [rund]tur, exkursion [*go on an ~*] **2** resegrupp, [deltagare i] sällskapsresa **3** bildl. avvikelse från ämnet, utvikning

excursion ticket [ekˈskɜːʃ(ə)nˌtɪkɪt] *s* billigare utflyktsbiljett, rundtursbiljett

excursion train [ekˈskɜːʃ(ə)ntreɪn] *s* utflyktståg, extratåg, billighetståg

excusable [ekˈskjuːzəbl, ɪk-] *adj* förlåtlig, ursäktlig; försvarlig

excuse [verb ɪkˈskjuːz, ek-, subst. ɪkˈskjuːs, ek-] **I** *vb tr* **1** förlåta, ursäkta; urskulda [*she ~d herself by saying…*]; rättfärdiga [*nothing can ~ such rudeness*]; **~ me** förlåt, ursäkta, jag ber om ursäkt; **please ~ my coming late** förlåt att jag kommer [för] sent **2** befria, frita [*from från*]; låta slippa; efterskänka [*~ a debt*]; **~ oneself** be att få slippa, skicka återbud, tacka nej; **please, may I be ~d?** skol. kan jag få gå på toaletten?; **I'd rather be ~d** jag vill helst slippa

II *s* **1** ursäkt; försvar; bortförklaring; svepskäl; förevändning [*on some ~ or other*]; föregivande; [giltig] anledning; **make ~s** komma med undanflykter (bortförklaringar) **2** befrielse, fritagande från förpliktelse; [anmälan om] förhinder; intyg [äv. *written ~*]; **absent without [good] ~** frånvarande utan giltigt förfall **3** vard. surrogat; **an ~ for a breakfast** något som ska (skulle etc.) föreställa en frukost

ex-directory [ˌeksdɪˈrekt(ə)rɪ] *adj*, **~ number** hemligt telefonnummer; **go ~** skaffa hemligt telefonnummer

exec [ɪgˈzek] *s* vard. (förk. för *executive*) företagsledare; chef; chefstjänsteman; **chief ~** verkställande direktör

execrable [ˈeksɪkrəbl] *adj* avskyvärd, vedervärdig [*~ manners; ~ weather*]

execrate [ˈeksɪkreɪt] *vb tr* förbanna; avsky

execration [ˌeksɪˈkreɪʃ(ə)n] *s* förbannelse; avsky; **hold in ~** förbanna, avsky

execute [ˈeksɪkjuːt] *vb tr* **1** avrätta **2** utföra [*~ a plan; ~ orders*]; verkställa [*~ sb's commands*]; effektuera, expediera [*~ an order*]; **~ a will** jur. a) verkställa ett testamente, övervaka att ett testamente efterlevs b) upprätta ett testamente **3** exekvera, spela [*~ a violin concerto*]; utföra [*~ a dance step; ~ a painting*] **4** data. [låta] köra, exekvera

execution [ˌeksɪˈkjuːʃ(ə)n] *s* **1** avrättning; **~ ground** el. **place of ~** avrättningsplats **2** utförande, verkställande; verkställighet; uppfyllande, fullgörande [*~ of one's duties*]; **carry into ~** verkställa, utföra, sätta i verket, bringa i verkställighet **3** utförande, framställningssätt, mus. äv. föredrag; skicklighet, teknik **4** data. körning, exekvering

executioner [ˌeksɪˈkjuːʃ(ə)nə] *s* **1** bödel, person som utför avrättning; skarprättare **2** lönnmördare, yrkesmördare

executive [ɪgˈzekjʊtɪv, eg-] **I** *s* **1** företagsledare; chef; chefstjänsteman; **chief sales ~** försäljningschef **2** a) styrelse; förvaltningsutskott; exekutivkommitté b) verkställande medlem[mar] av styrelse etc. **3** **the ~** den verkställande myndigheten

II *adj* **1** utövande, verkställande [*the ~ power*]; administrativ; **~ ability** el. **~ skills** pl. ung. praktisk organisationsförmåga; **~ committee** a) styrelse i fackförening o.d. b) förvaltningsutskott; exekutivkommitté; arbetsutskott **2** aktiv, handlingskraftig **3** chefs-, direktörs-, direktions-

executive director [ɪgˈzekjʊtɪvdɪˌrektə] *s* arbetande styrelsemedlem

executive session [ɪgˈzekjʊtɪvˌseʃ(ə)n] *s* amer. polit. sluten senatsförhandling

executor [ɪgˈzekjʊtə, eg-] testamentsexekutor, testamentsverkställare

exegesis [ˌeksɪˈdʒiːsɪs] (pl. *-es* [-iːz]) *s* spec. bibl. exeges; [bibel]tolkning

exemplary [ɪgˈzemplərɪ, eg-] *adj* exemplarisk, mönstergill, föredömlig, förebildlig [*~ behaviour*]

exemplify [ɪgˈzemplɪfaɪ, eg-] *vb tr* exemplifiera, belysa med exempel; vara [ett] exempel på

exempt [ɪgˈzem(p)t, eg-] **I** *adj* fritagen, undantagen [*goods ~ from execution* (utmätning)]; fri, befriad, frikallad [*~ from taxes; ~ from military service*]; **~ from** äv. förskonad från

II *vb tr* undanta, befria, frikalla [*~ from taxes; ~ from military service*]; ge dispens

exemption [ɪgˈzem(p)ʃ(ə)n, eg-] *s* befrielse, frikallelse [*~ from military service*]; förskoning; frihet; undantag; dispens; amer. [skatte]avdrag på grund av försörjningsplikt; **be granted an ~** få dispens

exercise [ˈeksəsaɪz] **I** *s* **1** övning, träning [*the ~ of mental faculties*]; motion [*physical ~; bodily ~*]; kroppsövning, kroppsrörelse; idrott; pl. **~s** äv. övning[ar], manöver [*military ~s*]; exercis; **take ~** el. **do ~** motionera, skaffa sig motion **2** övningsuppgift, skrivövning [äv. *written ~*]; stil;

mus. övning, övningsstycke; *five-finger* ~*s* mus. övningar för en hand (fem fingrar); *do an* ~ skriva en övningsuppgift **3** utövande [*the* ~ *of authority*]; bruk; utövning [*the* ~ *of one's duties*]; utvecklande, uppbjudande [*the* ~ *of all one's patience*]
II *vb itr* **1** motionera, skaffa sig motion **2** öva sig; exercera
III *vb tr* **1** öva, utöva [~ *a function*; ~ *an influence*; ~ *power*]; begagna, använda, bruka [~ *one's authority*; ~ *one's influence*; ~ *one's intelligence*]; förvalta; visa [~ *caution*; ~ *patience*] **2** öva, träna [~ *the muscles*]; öva in; exercera, drilla [~ *soldiers*]; öva soldater[na] i bruket av vapen **3** motionera [~ *a horse*]
exercise bike ['eksəsaızbaık] *s* motionscykel
exercise book ['eksəsaızbʊk] *s* skrivbok
exerciser ['eksəsaızə] *s* motionsredskap
exert [ɪg'zɜ:t, eg-] *vb tr* **1** utöva [~ *influence*; ~ *pressure on sb*]; göra gällande, använda, bruka [~ *all one's influence*]; uppbjuda, utveckla [~ *all one's strength*] **2** ~ *oneself* anstränga (bemöda) sig, sträva
exertion [ɪg'zɜ:ʃ(ə)n, eg-] *s* **1** ansträngning [*it requires your utmost* ~*s*] **2** utövande [~ *of authority*]; användning, uppbjudande [*with the* ~ *of all his strength*]; ~ *of power* maktutövning
Exeter ['eksɪtə, -sətə] geogr.
exeunt ['eksɪʌnt, -sɪənt] *vb itr* (lat. 3 person pl. pres.) teat. [de] går [ut], ut
ex gratia [eks'greɪʃə] *adj* lat., ~ *payment* ersättning som betalas utan juridisk förpliktelse
exhalation [,ekshə'leɪʃ(ə)n] *s* **1** utandning; utdunstande, utdunstning **2** dunst [*noxious* ~*s*]; utdunstning, ånga
exhale [eks'heɪl, eg'zeɪl] **I** *vb tr* andas ut [~ *air from the lungs*]
II *vb itr* **1** andas ut **2** avdunsta
exhaust [ɪg'zɔ:st, eg-] **I** *vb tr* (jfr *exhausted*) **1** uttömma [~ *one's patience*; ~ *one's strength*]; förbruka, göra slut på; suga ut [~ *the soil*]; utblotta [*of* på] **2** utmatta [*the war* ~*ed the country*]; ~ *oneself* bli utmattad; slita ut sig **3** uttömma [~ *a subject*]
II *s* **1** avgas[er]; avloppsånga **2** avgasrör, avloppsrör för ånga m.m.
exhausted [ɪg'zɔ:stɪd, eg-] *adj* o. *perf p* **1** utmattad, utpumpad, slut [*feel* ~] **2** uttömd; förbrukad; utsugen [~ *soil*]; slutsåld om bok; tom, lufttom
exhaust emission [ɪg,zɔ:stɪ'mɪʃ(ə)n, eg-] *s* bil., pl. ~*s* avgasutsläpp; ~ *control* avgasrening
exhaust gas [ɪg'zɔ:stgæs, eg-] *s* avgas[er]
exhausting [ɪg'zɔ:stɪŋ, eg-] *adj* ansträngande, utmattande, tröttsam [*an* ~ *child*]
exhaustion [ɪg'zɔ:stʃ(ə)n, eg-] *s* **1** utmattning **2** uttömmande, uttömning, förbrukning; utsugning [~ *of the soil*]
exhaustive [ɪg'zɔ:stɪv, eg-] *adj* uttömmande; grundlig, ingående [~ *inquiries*; ~ *studies*]
exhaustively [ɪg'zɔ:stɪvlɪ, eg-] *adv* fullständigt; grundligt
exhaust manifold [ɪg,zɔ:st'mænɪfəʊld, eg-] *s* avgas[gren]rör
exhaust pipe [ɪg'zɔ:stpaɪp, eg-] *s* avgasrör, avloppsrör för ånga m.m.

exhaust valve [ɪg'zɔ:stvælv, eg-] *s* utblåsningsventil, avgasventil, avloppsventil
exhibit [ɪg'zɪbɪt, eg-] **I** *vb tr* **1** förevisa [~ *a film*]; ställa ut [~ *paintings*]; skylta [med] [~ *goods in a shop*] **2** visa [~ *signs of memory loss*]
II *vb itr* ställa ut, ha utställning
III *s* **1** utställningsföremål [*do not touch the* ~*s*] **2** jur. [bevis]föremål; företett dokument, bilaga som åberopas i vittnesinlaga
exhibition [,eksɪ'bɪʃ(ə)n] *s* **1** utställning; förevisande; demonstration; uppvisning [*an* ~ *of* (i) *bad manners*]; *make an* ~ *of oneself* skämma ut sig, göra sig till ett åtlöje **2** [fram]visande; framläggande, framställning; uppvisande **3** stipendium vid universitet el. skola
exhibitioner [,eksɪ'bɪʃ(ə)nə] *s* stipendiat
exhibitionist [,eksɪ'bɪʃ(ə)nɪst] *s* exhibitionist
exhibitor [ɪg'zɪbɪtə, eg-] *s* utställare
exhilarate [ɪg'zɪləreɪt, eg-] *vb tr* liva (pigga, muntra) upp; göra upprymd (glad)
exhilarated [ɪg'zɪləreɪtɪd, eg-] *adj* uppiggad; upprymd, i glad stämning
exhilaration [ɪg,zɪlə'reɪʃ(ə)n, eg-] *s* **1** upplivande, uppiggande **2** munterhet, upprymdhet
exhilirating [ɪg'zɪləreɪtɪŋ, eg-] *adj* stimulerande, inspirerande
exhort [ɪg'zɔ:t, eg-] *vb tr* uppmana, [för]mana; uppmuntra, egga [~ *sb to sth*; ~ *sb to do sth*]
exhortation [,egzɔ:'teɪʃ(ə)n, ,eks-] *s* maning, uppmaning, uppmuntran; pådrivande tal
exhumation [,ekshju:'meɪʃ(ə)n] *s* uppgrävning, framgrävning; gravöppning
exhume [eks'hju:m, ɪg'zju:m] *vb tr* gräva upp; ta upp ur grav[en]
exigency ['eksɪdʒənsɪ, 'egz-] *s* **1** [tvingande] nödvändighet (behov), nöd; krav **2** nödläge; svårighet
exile ['eksaɪl, 'egz-] **I** *s* **1** landsförvisning; landsflykt, exil äv. bildl. [*go into* ~] **2** landsförvisad, [lands]flykting [*political* ~; *tax* ~]
II *vb tr* [lands]förvisa
exist [ɪg'zɪst] *vb itr* existera, vara till, bestå; förekomma, föreligga, förefinnas
existence [ɪg'zɪst(ə)ns, eg-] *s* tillvaro, existens; förekomst; liv; bestånd, fortvaro; *come into* ~ uppkomma, uppstå, bli till; *in* ~ existerande; som finns [*the most dangerous weapons in* ~]
existent [ɪg'zɪst(ə)nt, eg-] *adj* som finns till; existerande, befintlig; som finns (förekommer)
existential [,egzɪ'stenʃ(ə)l] *adj* filos. existensiell
existentialism [,egzɪ'stenʃəlɪz(ə)m] *s* filos. existentialism
existentialist [,egzɪ'stenʃ(ə)lɪst] filos. **I** *s* existentialist **II** *adj* existentialistisk
existing [ɪg'zɪstɪŋ, eg-] *adj* **1** existerande etc., jfr *existent*; nu levande **2** nuvarande, dåvarande, nu (då) gällande, rådande
exit ['eksɪt, 'egzɪt] **I** *s* **1** utgång, väg ut [*no* ~; *the main* ~]; avfart från motorväg **2** sorti äv. teat. [*make one's* ~] **3** utgående, utträdande, utträde; frihet (möjlighet) att gå [ut]; utresa
II *vb itr* **1** gå ut; göra [sin] sorti **2** teat. [han el. hon] går [ut], ut [*Exit Falstaff*] **3** data. gå ur
exit permit ['eksɪtpɜ:mɪt] *s* utresetillstånd

exit poll ['eksɪtpəʊl] s vallokalsundersökning
exit road ['eksɪtrəʊd] s avfart[sväg] från motorväg
exit visa ['eksɪtviːzə] s utresevisum
ex-king [,eks'kɪŋ] s exkung
ex-libris [eks'liːbrɪs, -'laɪb-] (pl. *ex-libris*) s exlibris
Exodus ['eksədəs] s bibl. Andra mosebok
exodus ['eksədəs] s [mass]utvandring [*general ~*]; folkvandring, flykt [*the summer ~ to the country and the sea*]; uttåg[ande]
ex officio [,eksə'fɪʃɪəʊ, -'fɪs-] lat. **I** adv ex officio, å (på) ämbetets vägnar **II** adj officiell; självskriven i kraft av sitt ämbete
exonerate [ɪg'zɒnəreɪt, eg-] vb tr frita, frikänna, rentvå [*~ from blame*; *~ from a charge*]
exoneration [ɪg,zɒnə'reɪʃ(ə)n, eg-] s frikännande, fritagande
exorbitance [ɪg'zɔːbɪt(ə)ns, eg-] s ytterlighet, övermått, överdrift; orimlighet i priser, krav o.d.
exorbitant [ɪg'zɔːbɪt(ə)nt, eg-] adj omåttlig, orimlig, oerhörd, skandalös [*~ prices*; *~ taxes*]
exorcism ['eksɔːsɪz(ə)m, 'egz-] s exorcism, andebesvärjelse
exorcist ['eksɔːsɪst, 'egz-] s exorcist, andebesvärjare
exorcize ['eksɔːsaɪz, 'egz-] vb tr besvärja; genom besvärjelse driva ut [*~ an evil spirit from sb*]
exotic [ɪg'zɒtɪk, eg'z-, ek's-] adj exotisk, främmande, utländsk
exotica [ɪg'zɒtɪkə] s pl exotiska föremål som samlarobjekt
expand [ɪk'spænd, ek-] **I** vb tr **1** vidga, utvidga [*heat ~s metals*; *~ one's business*] **2** utbreda, breda ut [*a bird ~s its wings*] **3** utveckla [*~ an idea*]; behandla mera utförligt; vidga, öka (bygga) ut **II** vb itr **1** [ut]vidga sig, [ut]vidgas, expandera, växa [*our foreign trade has ~ed*]; växa ut [*into till*] **2** breda ut (utveckla, öppna) sig, öppnas; bildl. öppna sitt hjärta, bli meddelsam (gemytlig); *~ on sth* utveckla ngt
expandable [ɪk'spændəbl, ek-] adj som går att vidga (öka etc., jfr *expand*); töjbar
expanse [ɪk'spæns, ek-] s vidd, vid yta
expansion [ɪk'spænʃ(ə)n, ek-] s **1** utbredande, öppnande **2** expansion äv. fys.; utbredning, utsträckning, utvidgning; *territorial ~* landvinning, territoriell expansion
expansion slot [ɪk'spænʃ(ə)nslɒt] s data. kortplats
expansive [ɪk'spænsɪv, ek-] adj **1** expansiv, uttänjbar, utvidgbar **2** expansions- [*~ force*]; utvidgnings- **3** utbredd, vid[sträckt], vid [*an ~ lake*] **4** bildl. öppen, öppenhjärtig
expat [,eks'pæt] s vard. kortform av *expatriate I*
expatiate [ek'speɪʃɪeɪt, ɪk-] vb itr vara vidlyftig, breda ut sig [*~ [up]on* (över) *a subject*]
expatriate [i betydelserna *I* o. *II* eks'pætrɪət, -'peɪtr-, i betydelse *III* eks'pætrɪeɪt, -'peɪtr-] **I** s **1** person som bor (är stationerad) utomlands **2** utvandrare; landsflykting **II** adj **1** som bor (är stationerad) utomlands, utlands- **2** utvandrad; landsflyktig [*~ Americans*] **III** vb tr landsförvisa, expatriera
expect [ɪk'spekt, ek-] **I** vb tr **1** vänta, vänta sig, förvänta, emotse, räkna med (på) [*England ~s every man to do his duty*]; *they ~ed him to...* el. *she*

was ~ed to... man väntade [sig] att hon skulle...; *~ support from* räkna med stöd av (från) **2** vard. anta, tro, förmoda [*I ~ so* (det)]; [*he'll come,*] *I ~* ...förmodligen, ...skulle jag tro **II** vb itr **1** vard., *be ~ing* vänta barn **2** vänta [och hoppas]
expectancy [ɪk'spekt(ə)nsɪ] s förväntan; förväntning; *life ~* se *life expectancy*; *a look of ~* en förväntansfull blick
expectant [ɪk'spekt(ə)nt, ek-] adj **1** väntande, bidande, förväntansfull **2** gravid; *~ mothers* blivande mödrar
expectation [,ekspek'teɪʃ(ə)n] s **1** väntan, förväntan, förväntning, förhoppning; pl. *~s* förväntningar [*great ~s*]; framtidsutsikter; utsikter att få ärva; *fall short of sb's ~s* el. *not come up to sb's ~* [*s*] inte motsvara ngns förväntningar; *raise ~s* el. *arouse ~s* väcka förväntningar **2** sannolikhet för ngt, väntevärde [äv. *mathematical ~*]; *~ of life* försäkr. sannolik livslängd; medellivslängd
expected [ɪk'spektɪd, ek-] adj förväntad, förmodad
expectorant [ɪk'spektər(ə)nt, ek-] med. **I** adj slemlösande **II** s slemlösande medel
expectorate [ɪk'spektəreɪt, ek-] vb tr o. vb itr hosta upp; spotta [ut]; med. expektorera
expediency [ɪks'piːdɪənsɪ, eks-] s **1** lämplighet, ändamålsenlighet **2** egoistiska hänsyn, egennytta; opportunitetsskäl, opportunism
expedient [ɪk'spiːdɪənt, ek-] **I** adj ändamålsenlig, lämplig, tillrådlig; fördelaktig, opportun, läglig **II** s medel, hjälpmedel, utväg, lösning
expedite ['ekspɪdaɪt] vb tr **1** expediera, uträtta [*~ a piece of business*]; avsända **2** påskynda
expedition [,ekspɪ'dɪʃ(ə)n] s **1** a) expedition, [forsknings]färd b) *shopping ~* shoppingrond, shoppingtur **2** mil. expedition, företag, fälttåg **3** litt. skyndsamhet, snabbhet [*with great ~*]
expeditionary force [,ekspɪ'dɪʃən(ə)rɪ,fɔːs] s expeditionsstyrka, expeditionskår
expeditious [,ekspɪ'dɪʃəs] adj litt. snabb och effektiv
expel [ɪk'spel, ek-] vb tr **1** driva (köra, kasta) ut, fördriva, jaga bort [*~ the enemy from a town*] **2** förvisa, utvisa; utestänga, utesluta; skol. el. sport. avstänga **3** fysiol. stöta ut
expend [ɪk'spend, ek-] vb tr lägga ner, lägga ut, ge ut, använda, offra [*~ money, time and care*]; *on* på, *in doing* på att göra]; förbruka; [*after the wind had*] *~ed itself* ...dött ut
expendable [ɪk'spendəbl, ek-] adj som kan förbrukas, förbruknings-; som kan offras
expenditure [ɪk'spendɪtʃə, ek-] s **1** utgift; *~*[*s*] utgifter **2** förbrukande, förbrukning, åtgång [*~ of ammunition*]
expense [ɪk'spens] s utgift [*household ~s*]; utlägg; [om]kostnad [*heavy ~s*]; bekostnad äv. bildl. [*be funny at sb's ~*]; *travelling ~s* resekostnader; *no ~ spared* kosta vad det kosta vill; *go to the ~ of* kosta på sig; *put sb to the ~ of sth* förorsaka ngn kostnader (kostnader för ngt)
expense account [ɪk'spensə,kaʊnt] s representationskonto, omkostnadskonto
expensive [ɪk'spensɪv] adj dyr [*an ~ restaurant*]; dyrbar, kostsam
experience [ɪk'spɪərɪəns, ek-] **I** s **1** erfarenhet; egen

erfarenhet, rön; praktik; vana; **office** ~
kontorspraktik; **profit by** ~ lära sig (dra nytta) av
erfarenheten; **in my** ~ [**very few people understand the
problem**] det är min erfarenhet att..., vad jag vet är
det...; **of no** ~ utan erfarenhet, oerfaren
2 upplevelse, händelse, äventyr, erfarenhet [*an
unpleasant* ~]
II *vb tr* [få] uppleva, möta, erfara, undergå; röna;
få pröva på [~ *great hardship*]; finna [~ *pleasure*]; ~
a loss lida en förlust
experienced [ɪk'spɪərɪənst, ek-] *adj* erfaren,
rutinerad; beprövad; **be ~ in** el. **be ~ at** äv. ha
erfarenhet av, ha vana i
experiment [ɪk'sperɪmənt, ek-, verb -ment] **I** *s*
försök, experiment; **do** (**perform, carry out, conduct**)
an ~ göra (utföra) ett experiment (försök); **by way of**
~ el. **as an** ~ försöksvis, på försök **II** *vb itr*
experimentera, göra försök [*on* på; *with* med]
experimental [ɪk,sperɪ'mentl, ek-] *adj* **1** försöks- [~
animals; ~ *station*]; experiment- [~ *theatre*];
experimentell [~ *method*]; experimental- [~
physics] **2** experimenterande, trevande [~ *attempt*]
experimentally [ɪk,sperɪ'mentəlɪ, ek,sper-] *adv*
genom experiment; försöksvis
experimentation [ɪk,sperɪmen'teɪʃ(ə)n, ek-] *s*
experimenterande, försök
expert ['ekspɜːt] **I** *adj* **1** sakkunnig [~ *advice*];
fackmanna-, specialist-, expert- [~ *work*]
2 kunnig, skicklig, förfaren, tränad, övad [*at, in*
på, i]
II *s* expert, specialist, sakkunnig, fackman [*at, in,
on* på, i]; ~**s** äv. expertis
expertise [,ekspɜː'tiːz] *s* **1** sakkunskap, expertis
2 expertutlåtande, expertuttalande, expertis
expert system [,ekspɜːt'sɪstəm] *s* data. expertsystem
expiate ['ekspɪeɪt] *vb tr* sona [~ *one's guilt*; ~ *one's
sins*]; få plikta för [~ *one's crimes*]
expiation [,ekspɪ'eɪʃ(ə)n] *s* sonande, soning
expiration [,ekspə'reɪʃ(ə)n, -pɪ'r-] *s* amer. utlöpande
[~ *of a contract*; ~ *of a lease*]; utgång [*at the* ~ *of his
term of office*]; upphörande
expiration date [ekspə'reɪʃ(ə)ndeɪt, -pɪ'r-] *s* amer.
utgångsdatum, förfallodatum; sista
förbrukningsdag
expire [ɪk'spaɪə, ek-] *vb itr* **1** gå ut [*his licence
(passport) has* ~d]; löpa ut [*the period has* ~d];
upphöra att gälla, förfalla [*his patents have* ~d]
2 andas ut **3** uppge andan, utandas sin sista suck,
dö; litt. slockna [*our hopes* ~d]
expiry [ɪk'spaɪərɪ, ek-] *s* utlöpande [~ *of a contract*;
~ *of a lease*]; upphörande
expiry date [ɪk'spaɪərɪdeɪt] *s* utgångsdatum,
förfallodatum; sista förbrukningsdag
explain [ɪk'spleɪn, ek-] **I** *vb tr* förklara, klargöra
[*sth to sb* ngt för ngn; *she* ~d *why she was late*];
reda ut [~ *a problem*]; ge en förklaring till; ~
oneself a) förklara sig, lämna en förklaring
b) förklara [*please* ~ *yourself a bit more clearly*];
that will take some ~**ing** det blir inte så lätt att
förklara
II *vb tr* med adv.:
explain away bortförklara
explanation [,eksplə'neɪʃ(ə)n] *s* förklaring; **by way of**
~ till (som) förklaring

explanatory [ɪk'splænət(ə)rɪ, ek-] *adj* förklarande
[~ *notes*; ~ *additions*]; upplysande
expletive [ɪk'spliːtɪv, ek-] *s* svordom, kraftuttryck
explicable [ɪk'splɪkəbl, ek-, 'eksplɪkəbl] *adj*
förklarlig
explicate ['eksplɪkeɪt] *vb tr* förklara, utveckla [~ *a
principle*; ~ *theory*]; redogöra för
explicit [ɪk'splɪsɪt, ek-] *adj* **1** tydlig, klar [~
statement; ~ *instruction*]; bestämd [~ *knowledge*; ~
belief]; i detalj uppfattad; uttrycklig [~ *promise*];
explicit **2** om person, tal m.m. öppen, oförbehållsam,
rättfram; **be** ~ uttrycka sig tydligt
explicitly [ɪk'splɪsɪtlɪ, ek-] *adv* tydligt etc., jfr
explicit; **he told me** ~ han sade uttryckligen till mig
explode [ɪk'spləʊd, ek-] **I** *vb itr* explodera, springa i
luften, krevera; brinna av; ~ **with laughter**
explodera av skratt
II *vb tr* **1** få att (låta) explodera, spränga [i luften]
2 misskreditera, kullkasta; ~**d theories** förlegade
teorier
exploded view [ɪk,spləʊdɪd'vjuː] *s* sprängbild,
sprängskiss som visar ngt isärtaget el. ngts beståndsdelar
1 exploit [ɪk'splɔɪt, ek-] *vb tr* **1** exploatera,
bearbeta [~ *a mine*]; utnyttja [~ *the natural
resources*; ~ *one's talents*] **2** exploatera, egennyttigt
utnyttja [~ *one's friends*]
2 exploit ['eksplɔɪt] *s* bedrift, bragd, bravad
exploitation [,eksplɔɪ'teɪʃ(ə)n] *s* exploatering
exploitative [ɪks'plɔɪtətɪv, ek-] *adj* som exploaterar
(utnyttjar)
exploration [,eksplə'reɪʃ(ə)n] *s* utforskning,
utforskande; med. exploration
exploratory [ɪk'splɔːrət(ə)rɪ, ek-] *adj* **1** utforskande,
undersökande; forsknings- [~ *travels*];
undersöknings- [~ *operation*]; prov- [~ *drilling*]
2 förberedande, orienterande, orienterings- [~
course in art]
explore [ɪk'splɔː, ek-] **I** *vb tr* utforska; genomforska
[~ *archives*]; undersöka [~ *the possibilities*]; pejla;
med. explorera; **exploring expedition** forskningsresa,
forskningsexpedition **II** *vb itr*, ~ **for** forska (leta)
efter
explorer [ɪk'splɔːrə, ek-] *s* forskningsresande,
upptäcktsresande; utforskare
explosion [ɪk'spləʊʒ(ə)n, ek-] *s* **1** explosion,
sprängning, explosionsolycka; knall; **the population**
~ befolkningsexplosionen **2** bildl. [våldsamt]
utbrott [~ *of laughter*; ~ *of anger*; ~ *of passion*]
explosive [ɪk'spləʊsɪv, ek-] **I** *adj* **1** explosiv, som [lätt]
förorsakar explosion; explosions-, spräng-; ~
charge sprängladdning; ~ **force** el. ~ **power**
sprängkraft **2** bildl. **a**) explosionsartad; häftig [~
temper] **b**) explosiv, brännbar [*an* ~ *issue*]
II *s* sprängämne
expo ['ekspəʊ] (pl. ~s) *s* (kortform av *exposition* se
exposition 3) expo
exponent [ɪk'spəʊnənt, ek-] *s* **1** exponent,
representant, talesman [*of* för], bärare av idé o.d.;
tolk, tolkare, framställare [*of* av] **2** matem.
exponent
exponential [,ekspə(ʊ)'nenʃ(ə)l] *adj* **1** matem.
exponential- [~ *equation*; ~ *function*]
2 galopperande [~ *growth*]
export [subst. o. adj. 'ekspɔːt, verb ɪk'spɔːt, ek-,

'ekspɔːt] **I** *s* **1** exportvara, exportartikel; pl. **~s** äv. export[en] [*the ~s exceed the imports*] **2** export äv. data., utförsel [*the ~ of goods*]
II *vb tr* exportera äv. data., föra ut [ur landet]; skeppa ut; **~ing country** äv. exportland
III *adj* export- [*~ control; ~ restrictions; ~ surplus*]; **~ permit** el. **~ licence** exportlicens, exporttillstånd, utförseltillstånd

exportation [ˌekspɔː'teɪʃ(ə)n] *s* export, utförsel [*products for ~*]

exporter [ek'spɔːtə, ɪk-] *s* exportör

expose [ɪk'spəʊz, ek-] *vb tr* **1** utsätta [*~ to* (för) *danger* (*criticism, the winds, the weather*)]; lämna oskyddad [*~ one's head to* (mot) *the rain*]; exponera; blottställa, prisge; utsätta för fara [*~ the troops*]; sätta i fara; **~ oneself to sth** utsätta sig för ngt [*~ oneself to ridicule*] **2** exponera, ställa ut [*~ goods in a shopwindow*]; visa; **~ oneself** blotta sig sedlighetssårande **3** avslöja, röja [*~ a secret; ~ one's intentions*] **4** avslöja [*~ a swindler*]; uppdaga [*~ a plot*]; demaskera, blotta **5** foto. exponera [*~ a film*]

exposé [ek'spəʊzeɪ] *s* fr. exposé, översikt

exposed [ɪk'spəʊzd, ek-] *adj* o. *perf p* **1** utsatt [*~ situation*]; blottställad; blottad, oskyddad, öppen, utsatt för väder och vind; **be ~ to the north** ligga mot norr **2** utställd, synlig; **~ card** kortsp. visat kort

exposition [ˌekspə(ʊ)'zɪʃ(ə)n] *s* **1** framställning i ord [*a clear ~*]; redogörelse [*an ~ of* (för) *his views*]; utredning, översikt **2** utläggning, förklaring, tolkning; kommentar [*on* till, av]; skildring **3** utställning, exposition

expostulate [ɪk'spɒstjʊleɪt, ek-] *vb itr* protestera [*on, about, against* mot]; **~ with sb about** (**over**) **sth** protestera mot ngt hos ngn, förebrå ngn ngt

expostulation [ɪkˌspɒstjʊ'leɪʃ(ə)n, ek-] *s* [vänlig men bestämd] protest, förebråelse

exposure [ɪk'spəʊʒə, ek-] *s* **1** utsatthet, utsatt ställning (läge); [*one must avoid*] **~ to infection** ...att utsätta sig för smitta, ...att bli (vara) utsatt för smitta; **die from ~** frysa ihjäl, dö av köld [och utmattning]; **on ~ to the air** då det (den osv.) utsätts för luftens inverkan, vid kontakt med luften **2** avslöjande [*the ~ of a fraud; the ~ of their plans*] **3 a)** publicitet **b)** exponering; **indecent ~** jur., sedlighetssårande blottande **c)** foto. exponering; tagning; exponeringstid [*different ~s*]; bild, kort [*I've 3 ~s left on this film*] **4** utsättande [*the ~ of his theories to* (för) *ridicule*]; blottställande etc., jfr *expose* **5** utställande, exponerande [*~ of goods in a shopwindow*] **6** läge, belägenhet med avseende på vindar, sol, väderstreck; **with a southern ~** med (i) söderläge, mot söder

expound [ɪk'spaʊnd, ek-] **I** *vb tr* **1** förklara, lägga ut, tyda [*~ a text*] **2** utveckla, framställa, framlägga [*~ a theory*]
II *vb itr* förklara [sig] närmare; **~ on** el. **~ upon** utbreda sig över

ex-president [ˌeks'prezɪd(ə)nt] *s* expresident

express [ɪk'spres, eks-] **I** *vb tr* **1** uttrycka [*~ one's surprise; he cannot ~ himself*]; ge uttryck åt, uttala, säga [ut] [*~ one's meaning*]; framställa; **~ oneself strongly on** yttra (uttala) sig skarpt om; **the figures are ~ed as percentages** siffrorna anges (uttrycks) i procent **2** skicka express (som expressbrev o.d.);

skicka med expressbud (ilbud)
II *adj* **1** uttrycklig, tydlig, bestämd, direkt [*~ command*] **2** särskild, speciell; **for the ~ purpose of...** enkom för [det syftet] att... **3** express-, il-; **~ company** amer. expressbyrå; transportfirma; **~ delivery** [*of letters*] expressbefordran [av brev]; **~ letter** expressbrev; **~ messenger** ilbud, expressbud; **~ train** expresståg, fjärrtåg
III *s* **1** expresståg, expressbuss **2** expressbefordran; **send sth by ~** skicka ngt express (som express) **3** vanl. amer. expressbyrå, budcentral; transportfirma **4** ilbud person el. budskap
IV *adv* express [*send sth ~*]

expressible [ɪk'spresəbl, -sɪb-] *adj* uttryckbar, som kan uttryckas

expression [ɪk'spreʃ(ə)n, ek-] *s* **1** yttrande, uttryckande, uttalande; **find ~** ta sig uttryck, yttra sig [*in* i]; **give ~ to** uttrycka, ge uttryck åt **2** språkligt, algebraiskt o.d. uttryck; uttryckssätt; framställning[sform] **3** uttryck [*an ~ of sadness on her face*]; ansiktsuttryck; känsla [*play with ~; sing with ~*]

expressionism [ɪk'spreʃənɪz(ə)m, ek-] *s* konst. expressionism

expressionless [ɪk'spreʃ(ə)nləs, ek-] *adj* uttryckslös

expressive [ɪk'spresɪv, ek-] *adj* **1 ~ of** som uttrycker (ger uttryck åt) **2** uttrycksfull [*an ~ face; an ~ gesture*]; talande [*an ~ look; an ~ silence*]

expressly [ɪk'spreslɪ] *adv* **1** uttryckligen; tydligt, bestämt **2** enkom, särskilt, speciellt

expressway [ɪk'spresweɪ, ek-] *s* amer. motorväg

expropriate [ek'sprəʊprɪeɪt] *vb tr* expropriera [*~ land*]; bildl. lägga beslag på

expropriation [ekˌsprəʊprɪ'eɪʃ(ə)n] *s* expropriation, expropriering

expulsion [ɪk'spʌlʃ(ə)n, ek-] *s* utdrivande, utdrivning [*~ of air*]; uteslutning [*~ from a political party*]; utvisning; univ. relegering

expunge [ɪk'spʌn(d)ʒ, ek-] *vb tr* stryka ut, utplåna

expurgate ['ekspəgeɪt, -pɜːg-] *vb tr* rensa [från anstötligheter], censurera [*~ a book*]; rensa bort [*~ obscene parts from a book*]

expurgation [ˌekspə'geɪʃ(ə)n, -pɜː'g-] *s* [ut]rensning

exquisite [ɪk'skwɪzɪt, ek-, 'ekskwɪzɪt] *adj* **1** utsökt, fin [*~ taste; ~ workmanship*] **2** utomordentlig [*~ pleasure*] **3** fin, skarp [*~ sensibility*]; känslig

ex-service|man [ˌeks'sɜːvɪs|mæn] (pl. -men [-mən]) *s* f.d. militär (värnpliktig), [krigs]veteran

ext. förk. för *extension* se *extension* 4

extant [ek'stænt, ɪk'st-, 'ekstənt] *adj* som finns (står) kvar, kvarvarande, bevarad

extemporaneous [ɪkˌstempə'reɪnɪəs, ˌekstem-] *adj* improviserad [*~ speech; ~ comments*]; oförberedd

extempore [ɪk'stempərɪ, ek-] *adv* extempore, oförberett [*speak ~*]

extemporize [ɪk'stempəraɪz, ek-] *vb itr* improvisera, extemporera

extend [ɪk'stend, ek-] (jfr *extended*) **I** *vb itr* **1** sträcka sig [*a road that ~s for miles and miles; the hills ~ to the sea*]; breda ut sig [*a vast plain ~ed before us*]; räcka, vara [*the occupation ~ed from 1940 to 1945*] **2** utsträckas; utvidgas, öka[s] [*his influence is ~ing*]
II *vb tr* **1** sträcka ut [*~ one's body; ~ one's arm*

horizontally]; sträcka (räcka) fram, räcka ut
2 utsträcka [~ *one's domains*]; förlänga [~ *one's visit*]; dra ut [~ *a line*; ~ *a railway*]; [ut]vidga [~ *the city boundaries*; ~ *one's knowledge*]; flytta fram; hand. förlänga, ge anstånd med betalningen av [~ *a loan*]; ~ *one's lead* [ut]öka sin ledning i sport el. tävling **3** bygga till (ut) [~ *a house*] **4** bildl. ge, erbjuda [~ *financial aid*]; visa [~ *mercy*; *he* ~*ed hospitality to them*]; bjuda [~ *a cordial welcome*] **5** sport., ~ *oneself* ta ut sig (alla sina krafter), anstränga sig till det yttersta; *the team was never* ~*ed* laget blev aldrig pressat (behövde aldrig ta ut sig helt)

extended [ɪk'stendɪd] *adj* o. *perf p* **1** utsträckt, framsträckt [~ *hand*] **2** förlängd, utdragen, långvarig; [ut]vidgad [*on an* ~ *scale*]; vidsträckt [~ *empire*]; *an* ~ *tour of Sweden* en längre tur genom Sverige

extended family [ɪkˌstendɪd'fæm(ə)lɪ] *s* storfamilj som innefattar mormor, faster, kusin etc.

extension [ɪk'stenʃ(ə)n, ek-] *s* **1** utsträckande, utsträckning, utvidgande, utvidgning [~ *of one's knowledge*]; sträckning, [ut]tänjning, töjning; förlängning [*an* ~ *of my holiday*]; prolongation [~ *of a bill*]; utsträckt tid [*an* ~ *till 11 o'clock*]; *by* ~ bildl. i förlängningen **2** utbredning [*the* ~ *of Islam*]; utsträckning **3 a**) tillbyggnad [*build an* ~ *to a house*]; utbyggnad, utbyggd del (sträcka) [~ *of a railway*]; förlängning; skarvstycke; utdragsskiva, klaff [*drop-leaf* ~] **b**) attr.: ~ el. ~ *lead* el. amer. ~ *cord* förlängningssladd, skarvsladd; ~ *ladder* utskjutningsstege; slags brandstege **4** tele. anknytning; ~ *number* anknytning[snummer] **5** data. filändelse, filnamnstillägg [äv. *filename* ~] **6** *university* ~ *courses* utanför universitetet anordnade universitetskurser [för icke-studenter], kurser på universitetsnivå; folkuniversitetskurser

extensive [ɪk'stensɪv, ek-] *adj* vidsträckt [~ *farm*; ~ *lands*; ~ *view*]; omfångsrik, väldig; omfattande [~ *preparations*]; rikhaltig, betydande; extensiv [~ *farming*]; utförlig, vittgående; ~ *reading* extensiv läsning; *make* ~ *use of sth* använda ngt i stor utsträckning

extensively [ɪk'stensɪvlɪ, ek-] *adv* i stor utsträckning (omfattning, skala); vitt och brett

extent [ɪk'stent, ek-] *s* **1** utsträckning, omfattning, omfång, vidd [*of considerable* ~; *the* ~ *of the danger*]; [*we were able to see*] *the full* ~ *of the park* ...parken i hela dess utsträckning; *to a great* ~ i stor utsträckning (skala), i hög grad, till stor del; *to some* ~ el. *to a certain* ~ till en viss grad, i viss mån, till en del; *to such an* ~ *that* i så hög (till den) grad att; *to what* ~...*?* i vilken utsträckning (omfattning, skala)...? **2** sträcka, yta, område [*a vast* ~ *of marsh*]

extenuate [ɪk'stenjʊeɪt, ek-] *vb tr* [för]minska, överskyla; ursäkta, söka urskulda

extenuating [ɪk'stenjʊeɪtɪŋ, ek-] *adj*, ~ *circumstances* förmildrande omständigheter

extenuation [ɪkˌstenjʊ'eɪʃ(ə)n, ek-] *s*, *in* ~ *of* [så]som ursäkt för

exterior [ɪk'stɪərɪə, ek-] **I** *s* **1** yttre [*a good man with a rough* ~]; utsida, yttersida, exteriör [*the* ~ *of a building*]; *the house has an old* ~ huset ser gammalt ut utvändigt **2** film. el. TV. utomhusscen

II *adj* yttre [~ *diameter*]; ytter- [~ *angle*; ~ *wall*; *the* ~ *world*]; utvändig [*the* ~ *surface of a ball*]; utvärtes; utomhus- [~ *aerial*; ~ *paint*]; utanför liggande [*the* ~ *territories of a country*]

exterminate [ɪk'stɜːmɪneɪt, ek-] *vb tr* utrota, tillintetgöra

extermination [ɪkˌstɜːmɪ'neɪʃ(ə)n, ek-] *s* utrotande, förintande; *war of* ~ utrotningskrig

extern [ek'stɜːn] *s* **1** extern, dagelev vid internatskola **2** läkare (läkarkandidat) som bor utanför sjukhuset

external [ɪk'stɜːnl] *adj* **1** yttre [~ *signs*; ~ *circumstances*; ~ *factors*]; ytter- [~ *angle*; ~ *ear*]; extern, utifrån; utvändig [*an* ~ *surface*]; ytlig [*her gaiety was of an* ~ *kind*]; ~ *degree* akademisk grad avlagd utanför universitetet vid av detta erkänd institution; ~ *influence* inflytande utifrån **2** utrikes- [~ *commerce*; ~ *policy*] **3** utvärtes [*for* ~ *use only!*]; för utvärtes bruk [*an* ~ *lotion*] **4** objektivt uppfattbar, synbar, gripbar [*the* ~ *qualities of his style*]

external ear [ɪkˌstɜːnl'ɪə] *s* anat. ytteröra

externalize [ɪk'stɜːnəlaɪz, ek-] *vb tr* ge yttre form (gestalt) åt

externals [ɪk'stɜːnlz] *s pl* yttre, yttre former (drag, förhållanden)

extinct [ɪk'stɪŋ(k)t, eks-] *adj* **1** slocknad [~ *volcano*; *all hope was* ~]; utdöd [~ *race*; ~ *species*]; död; utslocknad [~ *family*]

extinction [ɪk'stɪŋ(k)ʃ(ə)n, ek-] *s* **1** [ut]släckande [*the* ~ *of a fire*; *the* ~ *of sb's hopes*] **2** utdöende [*the* ~ *of a species*]; [ut]slocknande, upphörande **3** utplånande [*the* ~ *of all life*]; förintelse

extinguish [ɪk'stɪŋgwɪʃ, ek-] *vb tr* **1** släcka [ut] [~ *a fire*; ~ *a light*]; [för]kväva [~ *the flames*] **2** tillintetgöra, förinta, undertrycka; utrota, utplåna [~ *a species*; ~ *a debt*]

extinguisher [ɪk'stɪŋgwɪʃə, ek-] *s* eldsläckare, [hand]brandsläckare

extirpate ['ekstɜːpeɪt] *vb tr* rycka upp med rötterna, ta bort; bildl. utrota, utplåna [~ *social evils*]

extirpation [ˌekstɜː'peɪʃ(ə)n] *s* utrotande, utrotning, borttagande [med rötterna]

extol [ɪk'stəʊl, ek-, -'stɒl] *vb tr* höja till skyarna [äv. ~ *to the skies*]; lovprisa, prisa, berömma

extort [ɪk'stɔːt, ek-] *vb tr* pressa ut [~ *money from* (av) *sb*]; avtvinga, avpressa [*sth from sb* ngn ngt; *a confession from sb*]; framtvinga

extortion [ɪk'stɔːʃ(ə)n, ek-] *s* utpressning; framtvingande

extortionate [ɪk'stɔːʃ(ə)nət, ek-] *adj* **1** rövar-, ocker- [~ *prices*; ~ *interest*] **2** utpressar-, utsugar- [~ *demands*; ~ *methods*]

extra ['ekstrə] **I** *adj* extra, extra- [~ *pay*; ~ *work*]; ytterligare; ~ *postage* portotillägg, straffporto; *room service is* ~ rumsservice tillkommer; [*the Italian sports car was*] *something* ~ ...något alldeles extra

II *s* **1** extra ting (sak); *optional* ~ tillval; *the little* ~*s* [*that make life pleasant*] det lilla extra..., den lilla lyx... **2** extraavgift, extradebitering [*no* ~*s*]; extrakostnad; extrapost **3** extrahjälp, extrabiträde

o.d.; film. o.d. statist **4** extrablad, extranummer
III *adv* extra

extract [verb ɪk'strækt, ek-, subst. 'ekstrækt] **I** *vb tr*
1 dra (ta) ut [~ *teeth*; matem. ~ *the root of* (ur) *a
number*]; dra upp (ur) [~ *a cork from* (ur) *a bottle*]
2 extrahera [~ *an essence*]; skilja ut, koka (suga)
ut, pressa [ut] [~ *the juice of* (ur) *apples*; ~ *oil from*
(ur) *olives*]; kem. lösa ut; slunga [~ *honey*] **3** tvinga
fram, få (pressa) fram [*sth from sb* ngt av (ur, från)
ngn; ~ *information* (*the truth*) *from sb*]; avlocka
[*sth from sb* ngn ngt] **4** hämta, finna [~ *happiness
from* (ur, i) *sth*] **5** skriva av, citera, excerpera
II *s* **1** extrakt [*meat* ~] **2** utdrag [~ *from* (ur) *a
book*]
extraction [ɪk'strækʃ(ə)n, ek-] *s* **1** utdragning,
uttagning; extraherande, extraktion **2** börd,
härkomst, extraktion [*he is of Italian* ~]
extractor [ɪk'stræktə, ek-] *s* **1** ~ el. *juice* ~ saftpress;
electric juice ~ råsaftcentrifug **2** ~ el. ~ *fan*
utsugsfläkt, utsugningsfläkt; *kitchen* ~ el. *kitchen* ~
fan köksfläkt, spisfläkt
extracurricular [,ekstrəkə'rɪkjʊlə] *adj* utanför
(utom) schemat, icke schemalagd; ~ *activities*
fritidssysselsättningar, fritidsaktiviteter
extradite ['ekstrədaɪt] *vb tr* **1** utlämna brottsling till
annan stat **2** få utlämnad
extradition [,ekstrə'dɪʃ(ə)n] *s* utlämning
extradition treaty [,ekstrə'dɪʃ(ə)n,tri:tɪ] *s*
utlämningskonvention
extrajudicial [,ekstrədʒʊ'dɪʃ(ə)l] *adj* jur.
utomprocessuell, utomrättslig, utanför
rättsordningen
extramarital [,ekstrə'mærɪtl] *adj*, ~ *relations*
utomäktenskapliga förbindelser
extramural [,ekstrə'mjʊər(ə)l] *adj* extramural, som
sker (ligger) utanför stadens (universitetets m.m.)
område (murar); ~ *department* univ. avdelning för
kursverksamhet utanför universitetet
extraneous [ek'streɪnɪəs] *adj* **1** ovidkommande
2 yttre [~ *circumstances*]; [som kommer] utifrån [~
light; ~ *influence*]; [av] främmande [ursprung]
extraordinarily [ɪk'strɔ:d(ə)nərəlɪ, ek-] *adv*
utomordentligt, ovanligt, sällsynt
extraordinary [ɪk'strɔ:d(ə)nərɪ, ek-] *adj* **1** särskild,
tillfällig, extra, extra ordinarie; ~ *meeting* el. ~
meeting of shareholders extra [bolags]stämma
2 extraordinär, utomordentlig, märkvärdig,
förvånande; *how* ~! så (vad) konstigt!; *a most* ~
experience en högst märklig (egendomlig)
upplevelse
extrapolate [ɪk'stræpə(ʊ)leɪt, ek-] *vb tr* o. *vb itr*
matem. el. statistik. extrapolera
extrapolation [,ɪkstrəpə(ʊ)'leɪʃ(ə)n, ek-] *s* matem. el.
statistik. extrapolering, extrapolation
extrasensory perception
[,ekstrəsensərɪpə'sepʃ(ə)n] (förk. *ESP*) *s*
utomsinnlig varseblivning (förnimmelse),
extrasensorisk perception
extraterrestrial [,ekstrətə'restrɪəl] **I** *adj*
utomjordisk, utanför jordens atmosfär; ~ *being*
rymdvarelse, utomjording i science fiction
II *s* se *extraterrestrial being* under *extraterrestrial I*
extraterritorial [,ekstrə,terɪ'tɔ:rɪəl] *adj*
exterritorial, exterritorial- [~ *rights*]

extra time [,ekstrə'taɪm] *s* fotb. förlängning[en];
övertid
extravagance [ɪk'strævəgəns, ek-] *s* **1** extravagans,
överdåd, [överdrivet] slöseri, onödig lyx
2 [våldsam] överdrift; omåttlighet
extravagant [ɪk'strævəgənt, ek-] *adj* **1** extravagant,
slösaktig, överdådig, påkostad [*an* ~ *new musical*]
2 [våldsamt] överdriven [~ *opinion*; ~ *praise*];
omåttlig, orimlig [~ *demand*]
extravaganza [ɪk,strævə'gænzə, ek-] *s* **1** mus. el. litt.
fantasi, fantasistycke; burlesk **2** teat. o.d. [påkostat]
spektakel, underhållning (show) med många
effekter
extra-virgin [,ekstrə'vɜ:dʒɪn] *adj*, ~ *olive oil*
jungfruolja fin olivolja ur första pressningen
extreme [ɪk'stri:m] **I** *adj* **1** ytterst [*the* ~ *Left*];
längst bort (fram, ut), borterst [*the* ~ *edge of the
field*]; *at the* ~ *right* längst [ut] till höger **2** ytterst
(utomordentligt) stor, ytterst [~ *peril*]; ytterlig,
utomordentlig, intensiv [~ *joy*]; avsevärd; extrem;
ytterst sträng (drastisk) [~ *measures*]
3 ytterlighets-, extrem [*an* ~ *case*; *hold* ~ *opinions*;
an ~ *socialist*] **4** äventyrs-; ~ *sport* äventyrssport
som canyoning, mountainbike, extrem klättring etc.
II *s* **1** ytterlighet; *go from one* ~ *to the other* gå från
den ena ytterligheten till den andra; *go to the other*
~ gå till den motsatta ytterligheten; *go to* ~*s* gå till
ytterligheter (överdrift), tillgripa en sista utväg **2** *in
the* ~ ytterst, i högsta grad
extremely [ɪk'stri:mlɪ] *adv* ytterst, oerhört [~
irritating; ~ *dangerous*]; högst, utomordentligt [~
satisfactory]; i högsta grad; extremt
extremism [ɪk'stri:mɪzm, ek-] *s* extremism
extremist [ɪk'stri:mɪst, ek-] **I** *s* extremist,
ytterlighetsman **II** *adj* extremistisk, extrem [~
views]
extremity [ɪk'stremətɪ, ek-] *s* **1** anat., pl. *extremities*
extremiteter **2** yttersta del (punkt, ände, gräns)
3 högsta grad, höjdpunkt **4** ytterlighet; pl.
extremities äv. ytterlighetsåtgärder, förtvivlade
åtgärder; *go to extremities* gå till ytterligheter
5 nödläge, tvångsläge
extricate ['ekstrɪkeɪt] *vb tr* lösgöra, frigöra, lösa,
befria, hjälpa [ut], klara [~ *sb* (*oneself*) *from* (ur) *a
difficult situation*]; dra (plocka) fram
extrovert ['ekstrə(ʊ)vɜ:t] psykol. **I** *s* utåtvänd
(extrovert) person **II** *adj* utåtvänd, extrovert
extroverted ['ekstrə(ʊ)vɜ:tɪd] *adj* utåtvänd,
extrovert
extrude [ɪk'stru:d, ek-] *vb tr* stöta ut, tränga
(pressa) ut [*from* från, ur]
extrumental [ik,stru:'mentl, ek-] *adj* extrumentell
extrusion [ɪk'stru:ʒ(ə)n, ek-] *s* utdrivande,
utträngande
exuberance [ɪg'zju:b(ə)rəns, eg-, -'zu:-] *s*
1 översvallande; strålande (sprudlande) vitalitet
2 överflöd, rikedom, överdåd, ymnighet, yppighet,
frodighet
exuberant [ɪg'zju:b(ə)rənt, eg-, -'zu:-] *adj*
1 sprudlande [~ *joy*]; översvallande [~ *praise*; ~
zeal]; strålande [~ *health*]; levnadsglad
2 överflödande; ymnig, yppig, frodig
exude [ɪg'zju:d, eg'z-, ek'z-] **I** *vb tr* ge ifrån sig [~ *an
odour*]; avsöndra, utsöndra, svettas ut; bildl.

utstråla [~ *confidence*] **II** *vb itr* sippra (svettas) ut, avsöndras, utsöndras [*gum ~s in thick drops*]; utgå, utstrålas

exult [ɪgˈzʌlt, eg-] *vb itr* jubla, fröjdas, triumfera [~ *at* el. *in* (över) *a success*; ~ *over a defeated rival*]

exultant [ɪgˈzʌlt(ə)nt, eg-] *adj* jublande, triumferande; skadeglad

exultantly [ɪgˈzʌlt(ə)ntlɪ, eg-] *adv* jublande, i triumf

exultation [ˌegzʌlˈteɪʃ(ə)n, ˌeks-] *s* jubel, stor fröjd [*at* över], triumf [*over* över]; skadeglädje

ex-works [ˌeksˈwɜːks] *adj* o. *adv* hand. fritt fabrik

eye [aɪ] **I** *s* **1** öga; syn[förmåga]; blick [*he has an artist's ~*]; uppsikt [*be under the ~ of sb*]
a) i vissa uttryck: *the naked ~* blotta ögat; *an ~ for colours* färgsinne; *my ~!* åld. vard. i helsicke heller!, så tusan heller!, det är bara skitsnack!; *your ~s are bigger than your stomach!* ögat vill ha mer än magen tål! du tar för mycket mat etc.
b) som obj. till verb: *close one's ~s to* blunda för, se genom fingrarna med; *cry one's ~s out* gråta sig [halvt] fördärvad; *give sb the ~* vard. flörta med ngn; *have one's ~s about one* ha ögonen med sig; *have an ~ for* ha blick (sinne, öga) för; *have ~s in the back of one's head* ha ögon i nacken; *have one's ~ on sb* (*sth*) ha ett gott öga till ngn (ngt); *have one's ~ on sth* äv. ha ngt i kikarn; *have an ~ to* ha ett öga på; ha i kikarn; *have an ~ for* (*to*) *the main chance* vara om sig; *keep one's ~s open* (*peeled, skinned*) vard. ha ögonen med sig; *keep an ~ on* hålla ett [vaksamt] öga på; *keep an ~ out for* hålla utkik efter; *make ~s at* åld. flörta med; *open sb's ~s* bildl., se under *open III 1*; *run one's ~* [*s*] *over* titta över, ögna igenom; *set* (*clap, lay*) *~s on* få syn på; *set one's ~s on* kasta sina blickar på; *strike sb's ~* falla ngn i ögonen
c) med prep.: *before* (*under*) *the very ~s of sb* inför ngns ögon; mitt för näsan (ögonen) på ngn; *an ~ for an ~* öga för öga; *in one's mind's ~* se under *mind I 1*; *in the ~s of the law* i lagens mening, enligt lagen; *do sb in the ~* vard. dra ngn grundligt vid näsan; *that was one in the ~ for him* vard. där åkte han på en blåsning; *be in the public ~* vara föremål för offentlig uppmärksamhet; *see ~ to ~ with sb* komma överens med ngn, kunna samsas med ngn; se på saken på samma sätt som ngn; *be up to one's ~s in work* vard. ha arbete upp över öronen; *with an ~ to* i avsikt att; *~ to ~* vard. öga mot öga
2 [nåls]öga [*the ~ of a needle*]; ögla; bot. öga [*the ~s of a potato*]
II *vb tr* **1** betrakta [*they ~d her with suspicion*]; granska, syna; iaktta **2** vard., *~ sb up* el. amer. *~ sb* sluka med blicken

eyeball [ˈaɪbɔːl] **I** *s* ögonglob; *~ to ~* vard. öga mot öga; *be up to one's ~s in work* ha arbete upp över öronen **II** *vb tr* granska

eyebath [ˈaɪbɑːθ] *s* ögonsköljkopp, ögonbad skål

eyeblack [ˈaɪblæk] *s* mascara

eyebrow [ˈaɪbraʊ] *s* ögonbryn; *be up to the ~s in work* ha arbete upp över öronen

eyebrow pencil [ˈaɪbraʊˌpensl] *s* ögonbrynspenna, ögonbrynspensel

eye-catcher [ˈaɪˌkætʃə] *s* blickfång; *she's* (*it's*) *a real ~* hon (det) är verkligen en fröjd för ögat

eye-catching [ˈaɪˌkætʃɪŋ] *adj* som fångar ögat (verkar som blickfång), slående

eye contact [ˈaɪˌkɒntækt] *s* ögonkontakt; *make ~* el. *establish ~* få ögonkontakt

eyeful [ˈaɪfʊl] *s* vard. **1** *they got* (*had*) *a real ~* de fick verkligen se mycket (åtskilligt, en hel del); *get* (*have*) *an ~ of this!* spana (kolla) in det här! **2** *she is an ~* hon är något att vila ögonen på (en fröjd för ögat) **3** *get an ~ of dust* få damm (sand) i ögat (ögonen)

eyeglass [ˈaɪglɑːs] *s* **1** pl. *~es* amer. glasögon **2** monokel

eyelash [ˈaɪlæʃ] *s* ögonfrans, ögonhår

eyelet [ˈaɪlət] *s* litet hål; ögla; snörhål; tränsat hål; snörring, öljett; titthål

eyelevel [ˈaɪˌlevl] *s*, *at ~* i ögonhöjd

eyelid [ˈaɪlɪd] *s* ögonlock; *hang on by the ~s* hänga på en tråd, sitta löst

eyeliner [ˈaɪˌlaɪnə] *s* kosmetika eyeliner

eye lotion [ˈaɪˌləʊʃ(ə)n] *s* ögonbad vätska

eye mask [ˈaɪmɑːsk] *s* mask för ögonen

eye-opener [ˈaɪˌəʊpnə] *s* tankeställare [*it was a real ~*]; verklig överraskning; 'väckarklocka'

eyepatch [ˈaɪpætʃ] *s* ögonlapp, ögonskydd

eye pencil [ˈaɪˌpensl] *s* kosmetika ögonpenna, kajal[penna]

eyepiece [ˈaɪpiːs] *s* okular[lins] i kikare o.d.

eye-popping [ˈaɪˌpɒpɪŋ] *adj* vard. häpnadsväckande; imponerande

eye rhyme [ˈaɪraɪm] *s* rim för ögat ord som ser ut att rimma

eyeshadow [ˈaɪˌʃædəʊ] *s* ögonskugga

eyesight [ˈaɪsaɪt] *s* syn [*have good ~*]; synförmåga, synsinne, seende; *his ~ is failing* hans syn börjar bli dålig; *spoil one's ~* förstöra ögonen (synen)

eye socket [ˈaɪˌsɒkɪt] *s* ögonhåla

eyesore [ˈaɪsɔː] *s* anskrämlig sak, åbäke, skamfläck, skönhetsfläck; *it is an ~ in the landscape* det skämmer hela landskapet

eye strain [ˈaɪstreɪn] *s* överansträngning av ögonen

Eyetie [ˈaɪtaɪ] *s* sl. (neds.) spagetti, italiano

eye|tooth [ˈaɪtuːθ] (pl. *-teeth* [-tiːθ]) *s* **1** *he would give his eyeteeth for* han skulle ge vad som helst för **2** ögontand, hörntand

eyewash [ˈaɪwɒʃ] *s* **1** farmakol. ögonvatten, ögonbad **2** vard. åld. humbug; bluff

eyewitness [ˈaɪˌwɪtnəs] *s* ögonvittne, åsyna vittne

eyrie o. **eyry** [ˈɪərɪ, ˈeər-, ˈaɪ(ə)r-] *s* **1** högt beläget [rovfågels]näste; bildl. 'örnnäste' **2** rovfågels kull

e-zine [ˈiːziːn] *s* data. (förk. för *electronic magazine*) elektronisk tidskrift, webbtidskrift

1 F, f [ef] (pl. *F's* el. *f's* [efs]) *s* **1** F, f **2** mus., **F flat** fess; **F major** F-dur; **F minor** f-moll; **F sharp** fiss
2 F [ef] förk. för *Fahrenheit, Fellow*
3 F [ef] *s* icke godkänd i en betygsskala från A till F, där A är högst [*she got an* ~]
f förk. för *2 forte, female, following* [*page*]
FA [,ef'eɪ] **1** (förk. för *Football Association*), **the** ~ engelska fotbollsförbundet; **the** ~ **Cup** engelska cupen **2 sweet** ~ (förk. för *sweet Fanny Adams, sweet fuck-all*) se under *Fanny*
fa [fɑː] *s* mus. fa
fable ['feɪbl] *s* **1** fabel **2 a)** saga, myt **b)** sagovärld [*the heroes of Greek* ~]
fabled ['feɪbld] *adj* **1** sago-, sagans, mytisk, fabel- [~ *heroes* (*monsters*)] **2** [upp]diktad, fabulerad [~ *woes*]
fabric ['fæbrɪk] *s* **1** tyg [*silk* ~*s*]; väv, vävnad, textil [äv. *textile* ~]; fabrikat; stoff; ~ **samples** tygprov[er] **2** [upp]byggnad, system; stomme, konstruktion [*the* ~ *of the roof*]; **the social** ~ samhällsstrukturen **3** struktur, textur [*cloth of a beautiful* ~]
fabricate ['fæbrɪkeɪt] *vb tr* **1 a)** bildl. sätta (dikta, smida, ljuga) ihop, hitta på, fabricera [~ *a story*] **b)** förfalska [~ *a document*] **2 a)** sätta ihop, montera [ihop] [~ *a house*] **b)** tillverka, förfärdiga spec. delar el. halvfabrikat; perf. p. ~**d** i (av) halvfabrikat; i (av) färdiga element; [byggd] av färdiga sektioner [~*d ship*]
fabrication [,fæbrɪ'keɪʃ(ə)n] *s* **1** bildl. hopdiktande, fabricering; lögn, dikt, påhitt [*rumours founded on mere* ~] **2** förfalskning
fabric conditioner ['fæbrɪkkən,dɪʃənə] *s* sköljmedel
fabric softener ['fæbrɪk,sɒfnə] *s* vanl. amer. sköljmedel
fabulous ['fæbjʊləs] *adj* **1** fabulös, sagolik, fabelaktig, osannolik; vard. fantastisk, toppen, jättefin **2** fabelns, fabel- [~ *animal*]; sagans, sago-, mytisk; diktad
facade o. **façade** [fə'sɑːd] *s* fasad äv. bildl.
face [feɪs] **I** *s* **1** ansikte; uppsyn, min [*a sad* ~]; **full** ~ en face, rakt framifrån; **his** ~ **fell** han blev lång i ansiktet (synen); **have the** ~ **to** ha fräckheten (mage) att; **keep a straight** ~ hålla masken, hålla sig för skratt; **lose** ~ förlora ansiktet (anseendet); **make** (**pull**) **a long** ~ bli lång i ansiktet, se snopen ut; **make** (**pull**) ~**s** göra grimaser (miner), grimasera [*at* at]; **put a brave** ~ **on it** hålla god min i elakt spel; **save** ~ rädda ansiktet (skenet); **set one's** ~ **against** åld. bestämt sätta sig emot, sätta sig på tvären emot; **show one's** ~ visa sig, synas till, framträda; sticka in huvudet; **in** [**the**] ~ **of** a) [ställd] inför, gentemot, ansikte mot ansikte med [*in the* ~ *of an accomplished fact*] b) trots [*succeed in the* ~ *of great danger*]; **fly in the** ~ **of** rusa rakt på; bildl. öppet trotsa, sätta sig upp emot; strida (gå) emot, motsäga [*it flies in the* ~ *of all facts*]; **laugh in sb's** ~ skratta ngn [rakt] upp i ansiktet; **shut** (**slam**) **the**

door in sb's ~ slå igen dörren mitt framför näsan på ngn; **in your** ~ vard., se *in-your-face*; **fall on one's** ~ ramla framstupa, stå på näsan; **to sb's** ~ mitt (rakt) [upp] i ansiktet på ngn, rent ut, öppet [*I'll tell him so to his* ~]; så att ngn hör (ser) det; ~ **to** ~ ansikte mot ansikte, öga mot öga [*with* med]; [**be brought**] ~ **to** ~ **with a problem** [ställas] inför ett problem **2 a)** yta [*disappear* (*vanish*) *from* (*off*) *the* ~ *of the earth*]; **on the** ~ **of it** bildl. av första intrycket att döma, vid första påseendet, ytligt sett **b)** framsida, på byggnad äv. fasad; på mynt o.d. bildsida; rätsida, räta; utsida; [klipp]vägg **c)** [ur]tavla **d)** tekn. slagyta
II *vb tr* **1 a)** [modigt] möta [~ *dangers*; ~ *the enemy*]; trotsa, se i ögonen (vitögat) [~ *death*]; gå till mötes **b)** vara beredd på, räkna med [*we will have to* ~ *that*]; ha ögonen öppna för, se praktiskt på, acceptera, inte blunda för [~ *reality*; ~ *the facts*]; **let's** ~ **it** – **she is…** man (vi) måste erkänna att hon är…, man kan inte komma ifrån att hon är…; ~ **the music** bildl., se under *music 3* **2 a)** stå inför [~ *ruin*] **b)** möta, uppställa sig för [*the problem that* ~*s us*]; ~ **a charge** se under *charge I 3*; **a crisis** ~**d us** vi stod inför en kris, vi hade en kris att vänta (framför oss); **be** ~**d with** stå (ställas, vara ställd) inför, ha framför sig **3** vända ansiktet mot, stå (vara) vänd mot, se mot; stå ansikte mot ansikte med; befinna sig (ligga, sitta, stå) mitt emot; ha fasaden (framsidan) mot, ligga (vetta) mot (åt); **the picture** ~**s page 10** bilden står mot sidan 10 **4** lägga med framsidan upp spelkort, brev o.d. **5** förse med [upp]slag; garnera, kanta; sko; infodra **6** bekläda, klä [~ *a building with brick*]; dra över
III *vb itr* **1** vara (stå) vänd, vända sig [*towards* mot]; om byggnad o.d. ha framsidan vänd, vetta, ligga [*to, towards, on* mot, åt; *north* el. *to the north* mot (åt) norr] **2** mil. göra vändning; **about** ~! helt om!; **right** (**left**) ~! höger (vänster) om!
IV *vb itr* med adv. el. prep.:
face down: ~ **sb down** bemöta ngn, ta itu med ngn
face off ishockey. göra nedsläpp
face up to a) [modigt] möta etc., jfr *face II 1* **b)** ta ställning till, ta itu med [~ *up to the problem*] **c)** böja sig för, försona (förlika) sig med [~ *up to the fact that…*]
face card ['feɪskɑːd] *s* vanl. amer. kortsp. klätt kort knekt, dam el. kung, målare
facecloth ['feɪsklɒθ] *s* tvättlapp
face cream ['feɪskriːm] *s* ansiktskräm
faced [feɪst] *adj* vanl. i sammansättn. **1** med…ansikte, …i ansiktet [*red-faced*] **2** [be]klädd, belagd [*marble-faced*]
face flannel ['feɪs,flænl] *s* tvättlapp
face fungus ['feɪs,fʌŋgəs] *s* vard. skägg
faceguard ['feɪsgɑːd] *s* sport. el. tekn. ansiktsskydd, skyddsmask, ansiktsmask
faceless ['feɪsləs] *adj* ansiktslös, bildl. äv. anonym, känslolös [~ *bureaucrat*]
face-lift ['feɪslɪft] *s* ansiktslyftning äv. bildl.
face-lifting ['feɪs,lɪftɪŋ] **I** *s* ansiktslyftning äv. bildl. **II** *adj* bildl. förbättrande, ansiktslyftande
face mask ['feɪsmɑːsk] *s* **1** sport. ansiktsskydd, skyddsmask, ansiktsmask **2** se *face pack*
face-off ['feɪsɒf] *s* **1** sport. tekning, nedsläpp **2** vanl. amer. vard. konfrontation, dust, konflikt

face pack ['feɪspæk] s ansiktsmask, skönhetsmask

face paint ['feɪspeɪnt] s teatersmink

facepalm ['feɪspɑ:m] s vard. gesten att ta (slå) sig för pannan som ett uttryck för insikt, förlägenhet, upprördhet, avsky el. tvivel

face powder ['feɪsˌpaʊdə] s [ansikts]puder

facer ['feɪsə] s vard. **1** bildl. **a)** knepigt problem **b)** hårt slag, slag i ansiktet **2** felvänt kort [i leken]

face-saving ['feɪsˌseɪvɪŋ] adj som räddar ansiktet (skenet); för att rädda ansiktet (skenet) [a ~ gesture]

faceshield ['feɪsʃi:ld] s ansiktsskydd av plexiglas o.d.

facet ['fæsɪt] s **1** fasett **2** bildl. sida [a ~ of a problem]; aspekt; moment, fas

face time ['feɪstaɪm] s amer. **1** fysisk närvaro på arbetet **2** möte ansikte mot ansikte

facetious [fə'si:ʃəs] adj ansträngt skämtsam (lustig) [a ~ remark]; dumkvick; **he tried to be ~** han försökte göra sig lustig

face tissue ['feɪsˌtɪʃu:] s ansiktsservett

face towel ['feɪsˌtaʊ(ə)l] s toaletthandduk, ansiktshandduk

face value ['feɪsˌvælju:] s nominellt värde; **take sth at its ~** bildl. ta ngt för vad det är (är värt), ta ngt för kontant

facia ['feɪʃə] s se fascia

facial ['feɪʃ(ə)l] **I** adj ansikts- [~ expression; ~ treatment]; ~ **tissue** ansiktsservett **II** s ansiktsbehandling

facial nerve ['feɪʃ(ə)lnɜ:v] s anat., **the ~** ansiktsnerven

facile ['fæsaɪl, amer. 'fæsl] adj lättköpt [~ victory]; enkel, lättvindig [~ method]; svepande

facilitate [fə'sɪlɪteɪt] vb tr underlätta, förenkla; främja, befordra

facility [fə'sɪlətɪ] s **1** pl. **facilities** möjligheter, resurser; faciliteter, hjälpmedel; lättnader [facilities for (i) payment]; toalett [the facilities are on the left]; **modern facilities** moderna bekvämligheter (hjälpmedel) **2** lätthet, ledighet; färdighet; flinkhet, rapphet; [he can do both] **with equal ~** …lika lätt (ledigt)

facing ['feɪsɪŋ] **I** s **1** byggn. fasadbeklädnad; ~ **bricks** fasadtegel **2** kantgarnering, skoning; infodring **3** pl. **~s** mil. krage och uppslag av annan färg på uniformsjacka [a brown jacket with green ~s]; revärer **II** pres p [som vetter] mot (åt) [a window ~ north]; **the man ~ me** mannen mitt emot mig; **the ~ page** motstående sida[n]; **sit ~ the engine** åka (sitta) framlänges på tåg

facsimile [fæk'sɪməlɪ] s **1** faksimil **2** [tele]fax apparat; ~ **transmission** fax, telefax

fact [fækt] s **1 a)** faktum [it's a ~ that…]; realitet [poverty and crime are ~s]; [sak]förhållande, omständighet **b)** [sak]uppgift [he doubted the author's ~s] **c)** verklighet, sanning, fakta; ~ **and fiction** fantasi (dikt) och verklighet, saga och sanning; **~s and figures** fakta och siffror, statistik, exakt information; **it's a ~** el. **it's an actual ~** det är ett faktum, det är faktiskt sant; [and] **that's a ~!** så är det faktiskt!; **is that a ~?** säger du det!, det menar du inte!; **the ~s of life** vard., se life 1; **the ~ is that…** el. **the ~ of the matter is that…** saken är den att…, det är (förhåller sig) [nämligen] så att…,

faktum är att…; **they established the ~ that** de konstaterade att; **get one's ~s straight (right)** ta reda på fakta; **in spite of the ~ that** trots [det] att, trots det faktum att; **a matter of ~** ett faktum; **as a matter of ~** el. **in [actual] ~** el. **in point of ~** i själva verket, i verkligheten (realiteten); faktiskt, uppriktigt talat; egentligen; **I know for a ~** jag vet bestämt (säkert, med säkerhet); **in ~ she was very pretty** hon var faktiskt mycket söt; [**I think so,**] **in ~, I'm quite sure** …ja, jag är [till och med] alldeles säker **2** jur. **a)** sakförhållande, omständighet, fakta i målet; **a question of ~** en sakfråga **b)** **after the ~** efter brottet, efter brottets begående [accessory (medverkande) after the ~]; i efterhand

fact-finding ['fæktˌfaɪndɪŋ] adj i syfte att skaffa fram fakta (information); ~ **commission** undersökningskommission; ~ **tour** rekognosceringsresa

faction ['fækʃ(ə)n] s **1** spec. polit. fraktion, [oppositions]klick, [parti]grupp, falang **2** partikäbbel; splittring **3** (sammandraget ord av fact o. fiction) TV., film. el. litt. dramadokumentär skildring av verklig händelse i dramatiserad el. litterär form

factitious [fæk'tɪʃəs] adj konstlad; konstgjord

factor ['fæktə] **I** s **1** faktor, omständighet, förhållande; orsak; **the human ~** den mänskliga faktorn **2** matem. faktor; **by a ~ of four** fyrdubbelt **II** vb tr, ~ **sth in (into)** kalkylera in ngt

factorize ['fæktəraɪz] vb tr matem. dela upp i faktorer

factory ['fækt(ə)rɪ] s fabrik, fabriksanläggning, bruk, verk; **run a ~** driva en fabrik

factory farm ['fækt(ə)rɪfɑ:m] s industriellt jordbruk

factory floor [ˌfækt(ə)rɪ'flɔ:] s, **on the ~** på verkstadsgolvet, bland arbetarna

factory-gate price ['fækt(ə)rɪgeɪtˌpraɪs] s fabrikspris

factory hand ['fækt(ə)rɪhænd] s fabriksarbetare

factory inspector ['fækt(ə)rɪɪnˌspektə] s yrkesinspektör

factory-made ['fækt(ə)rɪmeɪd] adj fabrikstillverkad, fabriksgjord

factory ship ['fækt(ə)rɪʃɪp] s fiske. moderfartyg, flytande beredningsfartyg

factotum [fæk'təʊtəm] s faktotum, allt i allo

fact sheet ['fæktʃi:t] s faktablad

factual ['fæktʃʊəl] adj **1** saklig, objektiv [a ~ account; a ~ statement]; baserad på fakta; ~ **material** faktamaterial **2** verklig, faktisk; ~ **error** sakfel

facultative ['fæk(ə)ltətɪv] adj valfri, frivillig; fakultativ äv. biol.; som ger valmöjlighet

faculty ['fæk(ə)ltɪ] s **1** univ. **a)** fakultet; **the ~ of Law (Medicine)** juridiska (medicinska) fakulteten **b)** fakultetsmedlemmar, fakultet; ~ **meeting** fakultetssammanträde **2** amer. lärarkollegium, lärarstab, lärarkår **3** [medfödd] förmåga [administrative (critical) ~]; ~ **for** förmåga till, fallenhet (talang) för, sinne för; **he has a great ~ for learning languages** han har mycket lätt för språk, han är mycket språkbegåvad; ~ **of hearing** hörsel[förmåga]; **mental faculties** själsförmögenheter; **be in possession of all one's faculties** vara vid sina sinnens fulla bruk

fad [fæd] *s* **1** [mode]fluga, modenyck **2** nyck, dille, vurm

faddy ['fædɪ] *adj* kinkig, petig

fade [feɪd] **I** *vb itr* **1** vissna **2 a)** blekna, bildl. äv. förblekna; blekas, bli urblekt; mattas; avta [*the light was fading*]; bli suddig (otydlig) [*the outlines ~d*] **b)** så småningom försvinna, dö bort; tona bort, förtona; tyna av (bort), vissna bort; **~ from** försvinna (vika) från; **~ into** glida (tona) över i **3** bil., om bromsar sluta fungera **4** sport. krokna

II *vb tr* bleka, komma att blekas

III *vb itr* o. *vb tr* med adv. el. prep.:

fade away a) så småningom försvinna, dö bort; tona bort, förtona; tyna av (bort), vissna bort **b)** vard. dunsta, smita

fade in film., radio. el. TV. **a)** itr. bli tydligare (klarare, starkare) **b)** tr. tona in (upp)

fade out a) så småningom försvinna, dö bort; tona bort, förtona; tyna av (bort), vissna bort **b)** vard. dunsta, smita **c)** film., radio. el. TV. tona bort

faded ['feɪdɪd] *adj* **1** vissnad, utblommad **2** urblekt [*~ jeans*]; [för]bleknad; **~ beauty** passerad (bedagad) skönhet

fade-in ['feɪdɪn] *s* film., radio. el. TV. intoning

fade-out ['feɪdaʊt] *s* film., radio. el. TV. borttoning

faecal ['fi:kl] *adj* exkrement-, träck-; med. fekal

faeces ['fi:si:z] *s pl* **1** exkrementer, avföring, träck; med. feces, fekalier **2** bottensats, drägg

Faeroe ['feərəʊ] geogr., **the ~s** pl. el. **the ~ Islands** (pl.) Färöarna

Faeroese [,feərəʊ'i:z] **I** *adj* färöisk, färö-

II *s* **1** (pl. *Faeroese*) färöing, färöbo; färöiska kvinna **2** färöiska [språket]

faff [fæf] *vb itr* vard., **~ about** el. **~ around** fjanta omkring

1 fag [fæg] **I** *s* **1** vard. cigg, ciggis, tagg cigarett **2** slit[göra], knog, jobb; **it's too much** [*of a*] **~** det är för jobbigt (slitigt) **3** britt. skol. passopp [åt äldre elev]

II *vb itr* britt. skol. vara passopp åt äldre elev [*for* (åt) *a senior*]

2 fag [fæg] *s* vanl. amer. sl. bög homofil

fag-end ['fægend] *s* **1** vard. fimp **2** tamp, ända; sluttamp **3** [värdelös] rest, stump, restlapp, restbit

fagged [fægd] *adj* vard. **1** ~ el. **~ out** utsjasad, utmattad, utpumpad **2** *I can't be* ~ jag orkar inte, det är för jobbigt

1 faggot ['fægət] *s* vanl. amer. sl. bög homofil

2 faggot ['fægət] *s* **1** kok., slags leverbulle **2** risknippe, knippe bränsle; bunt [av] stickor **3** knippa, knippe, bunt

faggoty ['fægətɪ] *adj* vanl. amer. sl. bögaktig, fjollig

fah [fɑ:] *s* mus. fa

Fahrenheit ['fær(ə)nhaɪt] (förk. *F*) *s* Fahrenheit, Fahrenheits skala med fryspunkten vid 32° och kokpunkten vid 212°

faience [faɪ'ɑ:ns] *s* fajans

fail [feɪl] **I** *vb itr* **1 a)** misslyckas, inte lyckas **b)** stranda, inte leda till något resultat [*the conference ~ed*]; gå i stöpet, slå slint, bli ett fiasko **c)** om skörd o.d. slå fel **d)** skol. bli icke godkänd; univ. bli underkänd, få underkänt; vard. köra [*~ in mathematics*] **e)** i körkortsprov kuggas, bli kuggad **f)** falla igenom [*~ in an election*]; *if all else ~s* om

ingenting annat går (hjälper) **2** strejka, mankera, stanna [*the engine ~ed*; *his heart ~ed*]; inte räcka till **3** hand. gå omkull, göra bankrutt **4** tryta, sina, ta slut [*our supplies ~ed*] **5** avta, försämras [*his health (eyesight) is ~ing*]; om ljus el. ljud försvinna, dö bort; dö ut; *he has been ~ing in health lately* han har varit sjuklig sista tiden **6** ~ *in* a) sakna, brista i [*~ in respect*] b) svika, inte fullgöra [*~ in one's duty*]

II *vb tr* **1** svika, lämna i sticket [*I will not ~ you*]; *words ~ me* jag saknar ord **2** ~ *to* a) försumma (underlåta) att, inte bry sig om att, låta bli att [*he ~ed to inform us*] b) undgå att [*he could not ~ to notice it*] c) misslyckas med (i) att, inte lyckas att, inte kunna; ~ *to come* el. ~ *to appear* utebli, låta bli att komma, inte komma; *he did not ~ to keep his word* han svek inte sitt ord; *I ~ to see* jag kan inte begripa, jag har svårt att inse **3** vard. a) skol. bli icke godkänd i; univ. bli underkänd i; vard. köra i [*~ an exam*] b) kugga i körkortsprov [*the teacher ~ed me*]

III *s* **1** *without ~* a) absolut, säkert, bestämt b) ofelbart **2** skol. IG, icke godkänt; univ. underkänt

failing ['feɪlɪŋ] **I** *s* fel, brist, svaghet [*we all have our little ~s*]; pl. ~*s* äv. fel och brister, skavanker

II *adj* strejkande, mankerande; sinande, trytande; sviktande etc., jfr *fail*; avtagande [*~ eyesight*]; vacklande [*~ health*]

III *prep* i brist på; om det inte finns; ~ *an answer* då (om) inget svar inkommit; ~ *good weather* om det inte blir bra väder; ~ *payment* om betalning uteblir; ~ *this* el. ~ *that* i annat fall, om så inte är fallet

fail-safe ['feɪlseɪf] *adj* idiotsäker, helsäker

failure ['feɪljə] *s* **1 a)** misslyckande, fiasko, olycklig utgång; strandning [*the ~ of the peace conference*] **b)** misslyckad person; misslyckat försök (företag), misslyckande; *be a ~* vara misslyckad [*he is a ~ as a teacher*]; bli ett (göra) fiasko, slå fel; *he is an utter ~* han är fullkomligt misslyckad; *be doomed to ~* vara dömd att misslyckas; *his ~ to answer the questions [made her suspicious]* att han inte kunde (lyckades) svara på frågorna…; *end in ~* el. *result in ~* misslyckas, utfalla (avlöpa) olyckligt; *percentage of ~s* kuggningsprocent **2** uraktlåtenhet, underlåtenhet [*~ to obey orders*]; försummelse; brist, avsaknad [*of på*]; *his ~ to appear* hans uteblivande, att han inte infann sig **3** strejkande; sinande [*the ~ of supplies*]; brist [*~ of* (på) *rain*]; avtagande, försämring [*~ of eyesight*]; fel; *crop ~* felslagen skörd; *engine ~* motorstopp; *heart ~* med. hjärtsvikt, hjärtinsufficens; *power ~* strömavbrott **4** bankrutt, konkurs; krasch [*bank ~s*]

fainites ['feɪnaɪts] *interj* o. **fains** [feɪnz] *interj* pass [för mig]! jag är inte med

faint [feɪnt] **I** *adj* **1** svag, matt [*a ~ attempt*; *a ~ voice*] **2** svag [*a ~ hope*; *~ breathing*; *a ~ taste*]; otydlig [*~ traces*]; dunkel [*a ~ recollection*]; ~ *colours* svaga (bleka) färger; ~ *lines* svaga (otydliga) linjer på skrivpapper; *I haven't the ~est idea* el. vard. *I haven't the ~est* jag har inte den ringaste (blekaste) aning [om det] **3** svimfärdig, matt [*I feel ~ with* (av) *hunger*]

II *s* svimning; *in a dead ~* avsvimmad; *go off in a ~* svimma

III *vb itr* svimma [*from* (av) *hunger*]; bli (vara)

svimfärdig (matt) [*be ~ing with* (av) *hunger*]; ~
away svimma av
faint-hearted [ˌfeɪnt'hɑ:tɪd, attr. '-ˌ--] *adj* klenmodig,
försagd, feg, rädd, mesig
fainting-fit ['feɪntɪŋfɪt] *s* svimningsanfall
1 fair [feə] **I** *adj* **1 a)** rättvis, just [*to, on* mot], ärlig,
hederlig, renhårig **b)** sport. just, regelmässig
c) skälig, rimlig [*a ~ reward*]; **~'s** ~ rätt ska vara
rätt; **all's ~ in love and war** i krig och kärlek är allt
tillåtet; **it is only ~** det är inte mer än rätt ; **be ~!** [*I
didn't know you were coming*] vard. kom igen nu!…;
~ **enough** kör till, för all del, bra; ~ **competition** lojal
(sund) konkurrens; **it's a ~ cop!** sl., se *cop I 2*; **by ~
means or foul** med ärliga eller oärliga medel, med
rätt eller orätt; **give sb a ~ trial** ge ngn en chans [att
visa vad han kan]; låta ngn få en rättvis rättegång;
give sb a ~ warning varna (varsko) ngn i tid,
förbereda ngn [på vad som komma skall]
2 a) ganska (rätt) stor; ansenlig; **have one's ~ share
of sth** få sin beskärda del av ngt **b)** hygglig, rimlig
[~ *prices*; ~ *terms*] som betyg godkänd; ~ **to middling**
vard. någorlunda, någotsånär, ganska skaplig
3 meteor. klar [*a ~ day*; *a ~ sky*]; ~ el. ~ **weather**
uppehållsväder, ganska vackert **4** lovande [~
prospects]; god, gynnsam; **have a ~ chance** [*of
success*] ha goda utsikter (stora chanser) [att
lyckas] **5** ljus[lagd], blond [*a ~ girl*; ~ *hair*]; ljus [*a
~ complexion*] **6** [sken]fager, vacker, som låter bra
[~ *words*; ~ *promises*]; ~ **speeches** fagert tal
7 ren[skriven]; tydlig, läslig **8** oförvitlig, fläckfri
9 poet. el. litt. fager, skön [*a ~ landscape*]
II *adv* **1** rättvist, just, ärligt, hederligt, riktigt
2 tydligt, rent; **write sth out ~** el. **copy sth out ~** skriva
rent ngt **3 bid ~ to** ha goda utsikter att **4** ~ el. ~ **and
square** vard. a) [precis] rätt (rakt, mitt) [*the ball hit
him ~* [*and square*] *on the chin*] b) öppet [och
ärligt]
2 fair [feə] *s* **1** hand. mässa **2** attr. marknads- [~
booth (stånd)]; utställnings-, mäss- [~ *stand*
(monter)] **3** nöjesfält, tivoli [äv. *funfair*]
4 [välgörenhets]basar **5** marknad; **a** (**the**) **day after
the ~** för sent, post festum; **vanity ~** fåfängans
marknad
fair-complexioned [ˌfeəkəm'plekʃ(ə)nd] *adj*
ljushyad
fair copy [ˌfeə'kɒpɪ] *s* renskrift, renskrivet
exemplar; **make a ~ of sth** skriva rent ngt
fair game [ˌfeə'geɪm] *s* jakt. jaktbart (lovligt)
villebråd; **be ~** bildl. vara lovligt byte
fairground ['feəɡraʊnd] *s* nöjesplats,
marknadsplats; mässområde
fair-haired [ˌfeə'heəd, attr. '--] *adj* ljushårig, blond
fair-haired boy [ˌfeəheəd'bɔɪ] *s* vanl. amer. gullgosse,
kelgris
Fair Isle ['feəraɪl] *s* mönsterstickning i speciellt
mångfärgat mönster; ~ **sweater** tröja i mångfärgat
mönster
fairly ['feəlɪ] *adv* **1** tämligen, relativt, rätt, ganska
[~ *good*]; någorlunda **2 a)** rättvist [*treat sb ~*]
b) ärligt, öppet, hederligt; på ärligt sätt, med ärliga
medel [*win sth ~*]; **answer ~ and squarely** svara
öppet och ärligt **3** alldeles, fullständigt [*she was ~
beside herself*]; ordentligt, riktigt **4** klart, tydligt

fair-minded [ˌfeə'maɪndɪd, attr. '-ˌ--] *adj* rättvis;
rättsinnig, rättänkande, ärlig
fairness ['feənəs] *s* **1 a)** rättvisa **b)** ärlighet,
öppenhet **c)** rimlighet; **in ~** el. **in all** ~ i rättvisans
(ärlighetens) namn, för att vara rättvis (ärlig),
rättvisligen, rätteligen, rimligen; **treat sb with ~**
behandla ngn rättvist **2** ljuslagdhet; blondhet; **the
~ of her skin** hennes ljusa hy **3** fagert utseende,
skönhet
fair play [ˌfeə'pleɪ] *s* fair play, rent (ärligt) spel;
sense of ~ känsla för fair play
fair sex [ˌfeə'seks] *s*, **the ~** det täcka könet
fair-sized ['feəsaɪzd, pred. ˌ-'-] *adj* ganska stor,
medelstor
fair-skinned ['feəskɪnd] *adj* ljushyad, ljuslagd
fairway ['feəweɪ] *s* **1** golf. fairway klippt del av spelfält
2 sjö. farled, segelled
fair-weather friend ['feəˌweðəfrend] *s* vän i
medgång
fairy ['feərɪ] **I** *s* **1** fe; älva; vätte **2** sl. neds. bög homofil
II *adj* felik, älvlik, fe-, älv[a]- [~ *queen*]; sago- [~
prince]; trolsk
fairy cake ['feərɪkeɪk] *s* kok., slags muffins
fairy godmother [ˌfeərɪ'ɡɒdˌmʌðə] *s* god fé äv. bildl.
fairyland ['feərɪlænd] *s* **1** älvornas rike **2** sagoland,
drömlandskap, förtrollat land; attr. sagolik,
underbar, förtrollad
fairy story ['feərɪˌstɔːrɪ] *s* se *fairy tale I*
fairy tale ['feərɪteɪl] **I** *s* **1** [fe]saga **2** saga, amsaga,
myt
II *adj* sago-, sagolik; ~ **ending** äv. lyckligt slut
fait accompli [ˌfeɪtə'kɒmpli:] (pl. *faits accomplis*
[ˌfeɪtsə'kɒmpli:]) *s* fr., **be presented with a ~** ställas
inför fait accompli (fullbordat faktum)
faith [feɪθ] *s* **1 a)** tro äv. relig. [*in* på] **b)** förtroende
[*in* för], tillit [*in* till] **c)** förtröstan, tillförsikt; **have
~ in** tro (lita) på, ha förtroende för; **lose ~ in** förlora
tron på (förtroendet för); **put one's ~ in** tro
(förtrösta) på, lita (förlita sig) på **2** tro, troslära,
bekännelse, religion [*the Christian ~*] **3** hedersord,
löfte; **break ~** [*with*] bryta sitt löfte [till], vara trolös
(illojal) [mot]; **keep ~** [*with*] hålla sitt löfte (ord)
[till], vara trogen (lojal) [mot] **4** trohet, redlighet,
hederlighet; **in bad ~** trolöst, svekfullt; mot bättre
vetande; **in good ~** i god tro; på heder och ära
faithful ['feɪθf(ə)l] *adj* **1** trogen [*long and ~ service*];
~ *to one's wife* (*husband*)]; trofast [*to sb* mot ngn];
plikttrogen **2** trovärdig, tillförlitlig;
verklighetstrogen; **it is a ~ likeness** det är
porträttlikt **3** exakt, noggrann [*a ~ account*; *a ~
copy*] **4 the** ~ relig. de rättrogna äv. friare
faithfully ['feɪθf(ə)lɪ] *adv* **1** troget etc., jfr *faithful 1* o.
faithful 2; uppriktigt; **deal ~ with sb** (**sth**) vara fullt
uppriktig mot ngn (i fråga om ngt); **promise ~** vard.
lova säkert (på hedersord); **Yours ~** i brevslut
Högaktningsfullt, Med vänlig hälsning **2** exakt,
troget, korrekt, riktigt [*represent ~*]
faithfulness ['feɪθf(ə)lnəs] *s* **1** trohet, trofasthet,
plikttro[gen]het etc., jfr *faithful 2* exakthet,
överensstämmelse med originalet [*the ~ of the
translation*]
faith healer ['feɪθˌhiːlə] *s* helbrägdagörare
faith healing ['feɪθˌhiːlɪŋ] *s* helbrägdagörelse
[genom tron]

faithless [ˈfeɪθləs] *adj* **1** trolös, svekfull; pliktförgäten; opålitlig [*to* mot] **2** vantrogen, klentrogen, utan tro

fajitas [fəˈhiːtəs] *s pl* fajitas kryddstark mexikansk kött- el. kycklingrätt

fake [feɪk] **I** *adj* förfalskad [*a ~ picture*]; påhittad, uppdiktad; falsk, fejkad, fingerad, sken- [*a ~ marriage*]; fusk- [*~ fur*]
II *s* **1 a)** förfalskning [*the picture was a ~*] **b)** påhittad (uppdiktad) historia, hopkok **c)** bluff **d)** attrapp; *be a ~* äv. vara påhittad (uppdiktad, gjord) **2** bluff[makare]
III *vb tr* **1 a)** bättra på, försköna [*~ a report*]; fiffla (fuska) med, fejka [äv. *~ up*] **b)** förfalska [*~ an oil painting*]; *~d cards* märkta kort för falskspel **2** hitta på, dikta ihop (upp), fingera, ljuga ihop, fejka [*~ the news*; äv. *~ up*] **3** simulera, fejka [*~ illness*]
IV *vb itr* **1** fiffla; göra en förfalskning (förfalskningar) **2** hitta på, dikta **3** simulera, låtsas, bluffa

faker [ˈfeɪkə] *s* **1** förfalskare, bedragare **2** bluff[makare]

fakir [ˈfeɪkɪə, fəˈkɪə] *s* fakir

falafel [fəˈlɑːfəl] *s* kok. falafel

falcon [ˈfɔːlk(ə)n, ˈfælk-, ˈfɒlk-, amer. ˈfælkən, ˈfɔːk] *s* [jakt]falk

falconer [ˈfɔːlkənə, ˈfɒlk-, ˈfɔːk-] *s* falkenerare

falconry [ˈfɔːlk(ə)nrɪ, ˈfɒlk-, ˈfɔːk-] *s* falkenerarkonst[en]; falkjakt

Falkland [ˈfɔːlklənd] geogr., *the ~ Islands* pl. el. *the ~s* (pl.) Falklandsöarna

fall [fɔːl] **I** (*fell fallen*) *vb itr* **1** falla; falla omkull, ramla, trilla [*he fell and broke his leg*]; gå ned, sjunka [*the price has ~en*]; stupa [*he fell in the war*]; störtas [*the government fell*]; infalla, inträffa [*Easter Day ~s on the first Sunday in April this year*]; *her face fell* hon blev lång i ansiktet **2** slutta [nedåt], sänka sig **3** avta, mojna, lägga sig [*the wind fell*]; slockna **4 a)** bli [*~ lame*]; *~ ill* bli sjuk, insjukna **b)** *~ asleep* somna [in], falla i sömn **5** *~ flat* o. *~ foul of* o. *~ short of* se under resp. huvudord
II (*fell fallen*) *vb itr* med prep. el. adv., ofta med spec. översättningar:
fall about: *~ about laughing* ramla ihop av skratt
fall among råka in i (in bland)
fall apart a) falla sönder (isär), gå i bitar **b)** rasa samman (ihop)
fall away a) avfalla, falla ifrån, svika **b)** falla bort, bortfalla, försvinna; vika undan **c)** falla (tackla) av, tyna bort
fall back a) dra sig (vika) tillbaka, sjö. äv. retirera [*on, to* till] **b)** *~ back on* bildl. falla tillbaka på, ta sin tillflykt till, ta till [som reserv], tillgripa
fall behind bli efter; *have ~en behind with* vara (ligga, släpa) efter med, vara på efterkälken med
fall below understiga, inte uppgå till beräkning o.d.
fall down a) falla (ramla) ned **b)** falla [omkull] **c)** falla ihop, rasa, störta in **d)** *~ down on* vard. stupa på, misslyckas med
fall for a) falla för [*~ for sb's charm*]; gå (vara) med på **b)** gå 'på, låta lura sig av
fall from a) falla [ned] från [*he fell from a tree*] **b)** störtas från [*~ from power*]; *~ from favour* el. *~*

from grace falla (komma, råka) i onåd
fall in a) falla (ramla, störta) in, falla ihop, rasa **b)** mil. falla in i ledet, ställa upp [sig] på led; *~ in!* uppställning! **c)** *~ in with* råka träffa, bli bekant med; gå (vara) med på, gilla; foga (rätta) sig efter [*~ in with sb's wishes*]
fall into a) falla [ned] i; bildl. försjunka i [*~ into a reverie* (drömmar)]; falla (sjunka) i [*~ into a deep sleep*]; sjunka ned i **b)** komma (råka) i [*~ into conversation* (samspråk)]; halka in på **c)** komma in i, förfalla till [*~ into bad habits*]; hemfalla till **d)** sönderfalla i, kunna indelas i [*it ~s into three parts*]
fall off a) falla (ramla) av, falla (ramla) ned från **b)** avta, minska, sjunka, gå ned [*sales have ~en off*]; försämras, gå tillbaka, förlora, tappa, mattas [*the novel ~s off towards the end*]
fall on el. **fall upon a)** falla på, drabba, åligga, tillkomma [*this duty ~s [up]on me*] **b)** anfalla, angripa, överfalla, kasta sig över [*they fell [up]on the food*]
fall out a) bli osams (ovänner), komma ihop sig, råka i gräl **b)** falla (ramla) ut; om hår falla av **c)** mil. gå ur (lämna) ledet; bli efter
fall over a) falla (ramla) omkull, falla över ända; *~ over oneself* snubbla över sina egna fötter av iver; bildl. anstränga sig till det yttersta **b)** data. vard. sluta fungera
fall through gå om intet, misslyckas, spricka, falla igenom; om förslag falla
fall to a) falla på, drabba [*the cost ~s to me*]; åligga, tillkomma [*this duty ~s to me*] **b)** tillfalla, komma ngn till del; hemfalla (återgå) till **c)** sätta i gång; börja [på], ge sig till; *~ to blows* råka i slagsmål
fall under a) falla (komma, höra) under; höra (räknas) till, sortera under; inrangeras bland **b)** råka ut för, bli föremål för; *~ under suspicion* bli misstänkt
III *s* **1** fall; kullkörning, kullridning; fallande, sjunkande; instörtande av hus, nedgång, minskning i pris o.d., undergång; *~ in prices* prisfall; *the ~ of darkness* mörkrets inbrott; *~ of the hammer* klubbslag vid auktion **2** amer. höst, attr. höst-; för ex. jfr *summer* **3** pl. *~s* vanl. [vatten]fall [*the Niagara Falls*] **4** brottn. fall; *try a ~ with sb* försöka få fall på ngn; bildl. ta ett [nappa]tag med ngn, mäta sina krafter med ngn

fallacious [fəˈleɪʃəs] *adj* felaktig, falsk [*a ~ conclusion*]; vilseledande, ohållbar [*a ~ theory*]

fallacy [ˈfæləsɪ] *s* **1** vanföreställning; villfarelse, misstag **2** falsk slutledning, felslut

fallback [ˈfɔːlbæk] *s* reservutväg, nödfallsutväg; reserv [*an extra video player as a ~*]

fallen [ˈfɔːl(ə)n] *adj* o. *perf p* (av *fall*) fallen äv. bildl. [*a ~ woman*]; nedfallen, kullfallen [*~ trees*]; störtad [*~ kings*]; *the ~* pl. de fallna, de stupade; *have ~ arches* ha sänkta fotvalv, vara plattfot[ad]

fall guy [ˈfɔːlgaɪ] *s* vard. syndabock

fallibility [ˌfæləˈbɪlətɪ] *s* felbarhet

fallible [ˈfæləbl] *adj* **1** felbar, ofullkomlig [*human and ~*] **2** felaktig, oriktig, bedräglig, otillförlitlig

falling-off [ˌfɔːlɪŋˈɒf] *s* se *fall-off*

falling-out [ˌfɔːlɪŋˈaʊt] *s* gräl, tvist

fall-off ['fɔːlɒf] s avtagande, nedgång, minskning; försämring, tillbakagång

Fallopian tube [fə‚ləʊpɪənˈtjuːb] s anat. äggledare

fallout ['fɔːlaʊt] s **1** ~ el. *radio-active* ~ [radioaktivt] nedfall **2** bildl. biverkningar, sidoeffekt[er]

fallout shelter ['fɔːlaʊt‚ʃeltə] s underjordiskt skyddsrum

fallow ['fæləʊ] adj [som ligger] i träda [~ *land*]; obrukad, försummad; *lie* ~ ligga i träda äv. bildl.

fallow deer ['fælə(ʊ)‚dɪə] s dovhjort

false [fɔːls, fɒls] adj **1** falsk [a ~ *alarm*; a ~ *analogy*; ~ *hopes*; a ~ *note* (ton)]; osann; felaktig [a ~ *impression*]; oriktig [a ~ *conclusion*; a ~ *quantity*]; ogrundad **2** falsk [a ~ *friend*]; bedräglig [a ~ *medium*; a ~ *mirror*]; lögnaktig; otrogen **3** falsk, förfalskad [a ~ *coin*]; oäkta [~ *diamonds*]; lös- [~ *hair*; ~ *eyelashes*]; sken- [a ~ *attack*]; låtsad, hycklad; ~ *bottom* dubbelbotten, lösbotten

false accounting [‚fɔːlsəˈkaʊntɪŋ] s jur. bokföringsbrott

false colours [‚fɔːlsˈkʌləz, 'fɒls-] s pl, *be under* ~ segla under falsk flagg

false dawn [‚fɔːlsˈdɔːn, 'fɒls-] s villfarelse, falsk förhoppning

falsehood ['fɔːlshʊd, 'fɒls-] s **1** lögn, osanning [*tell a gross* ~] **2** ljugande, oärlighet, lögnaktighet

false imprisonment [‚fɔːlsɪmˈprɪznmənt, ‚fɒls-] s jur. olaga frihetsberövande

falsely ['fɔːlslɪ, 'fɒls-] adv falskt etc., jfr *false*; falskeligen, med orätt [~ *accused*]

false move [‚fɔːlsˈmuːv, ‚fɒls-] s felsteg, bildl. äv. fadäs, missgrepp

falseness ['fɔːlsnəs, 'fɒls-] s falskhet etc., jfr *false*; falskt sinnelag, dubbelhet

false pregnancy [‚fɔːlsˈpregnənsɪ, ‚fɒls-] s amer. med. skengraviditet

false scent [‚fɔːlsˈsent, ‚fɒls-] s villospår

false start [‚fɔːlsˈstɑːt, ‚fɒls-] s **1** sport. tjuvstart äv. bildl. **2** felaktig start (början, inledning)

false step [‚fɔːlsˈstep, ‚fɒls-] s felsteg, bildl. äv. fadäs, missgrepp

false teeth [‚fɔːlsˈtiːθ, ‚fɒls-] s pl löständer

falsetto [fɔːlˈsetəʊ, fɒl-] **I** (pl. ~s) s falsett **II** adv i falsett [*sing* ~]

falsies ['fɔːlsɪz] s pl sl. lösbröst, inlägg i bh

falsification [‚fɔːlsɪfɪˈkeɪʃ(ə)n, ‚fɒls-] s förfalskning; falsarium, falsifikat

falsify ['fɔːlsɪfaɪ, 'fɒls-] vb tr förfalska; förvränga, framställa oriktigt, framställa i falsk dager, ge en felaktig bild av

falsity ['fɔːlsətɪ, 'fɒls-] s **1** oriktighet; *the* ~ *of sth* det falska (oriktiga) i ngt **2** falskhet, lögnaktighet

falter ['fɔːltə, 'fɒl-] vb itr **1** stappla, vackla, gå ostadigt **2** sväva på målet; staka sig, stamma; *her voice* ~*ed* hennes röst stockade sig (blev osäker)

faltering ['fɔːlt(ə)rɪŋ, 'fɒl-] adj **1** stapplande, vacklande [*with* ~ *steps*; ~ *peace talks*] **2** osäker [*in* (med) a ~ *voice*]; svävande, tveksam

fame [feɪm] s ryktbarhet, berömmelse; rykte, anseende; *achieve* ~ el. *rise to* ~ el. *win* ~ vinna berömmelse (anseende), bli berömd; *of TV* ~ känd från tv

famed [feɪmd] adj ryktbar, berömd [~ *for their courage*]

familial [fəˈmɪlɪəl] adj familje- [~ *background*]; inom familjen

familiar [fəˈmɪlɪə] adj **1** [väl]bekant, [väl]känd [*the* ~ *voices of one's friends*]; vanlig [a ~ *sight*]; inte främmande [*to* för]; *that seems* ~ [*to me*] det förefaller [mig] bekant; *be* ~ *with* vara bekant (förtrogen) med, känna till, vara insatt i, vara bevandrad (orienterad, hemmastadd) i **2** förtrolig, kamratlig [*on a* ~ *footing*]; förtrogen, intim, nära [~ *friends*]; *be on* ~ *terms with sb* stå på förtrolig fot med ngn **3** ledig, familjär, otvungen [~ *style*]; *in* ~ *conversation* i dagligt tal **4** familjär, närgången [*with* mot], påflugen; *get too* ~ *with sb* ta sig friheter mot ngn

familiarity [fə‚mɪlɪˈærətɪ] s **1** nära (förtrogen) bekantskap, förtrogenhet [*with* med] **2** förtrolighet; *on terms of* ~ på förtrolig fot; *treat sb with* ~ behandla ngn förtroligt, vara förtrolig (familjär) mot ngn; ~ *breeds contempt* ung. man förlorar respekten för den man känner för väl **3** närgångenhet, påflugenhet, påträngande sätt

familiarize [fəˈmɪlɪəraɪz] vb tr **1** göra bekant (förtrogen) [*with* med]; ~ *oneself with sth* äv. sätta sig in i ngt, orientera sig i ngt **2** införa, ge allmän spridning åt [*the newspapers have* ~*d the word*]

family ['fæm(ə)lɪ] s **1 a)** familj äv. zool., bot. el. kem., hushåll, hus **b)** familjs barn, barnskara; *a wife and* ~ hustru och barn; *the cat* ~ familjen kattdjur; *it has been in her* ~ *for generations* den har tillhört hennes familj i generationer; *be in the* ~ *way* vard. vara med barn; *get sb in the* ~ *way* vard. göra ngn med barn; ~ *butcher* ung. kvartersslaktare; ~ *hotel* barnvänligt hotell, hotell lämpligt för (som tar emot) barnfamiljer **2 a)** släkt, ätt; släktlinje; *it runs in the* ~ det ligger i släkten, det är ett arv i släkten **b)** börd, extraktion; *a man of* [*good*] ~ en man av god (fin) familj

family circle [‚fæm(ə)lɪˈsɜːkl] s familjekrets

family counselling [‚fæm(ə)lɪˈkaʊnsəlɪŋ] s äktenskapsrådgivning, familjerådgivning

family counsellor [‚fæm(ə)lɪˈkaʊnsələ] s äktenskapsrådgivare, familjerådgivare

family credit [‚fæməlɪˈkredɪt] s ung. behovsprövat barnbidrag

family doctor [‚fæm(ə)lɪˈdɒktə] s husläkare

family estate [‚fæm(ə)lɪɪˈsteɪt] s familjegods, släktgods, fädernegods, stamgods

family guidance [‚fæm(ə)lɪˈgaɪd(ə)ns] s familjerådgivning

family hour ['fæm(ə)lɪ‚aʊə] s i USA sändningstid i med program som är lämpliga för hela familjen

family likeness [‚fæm(ə)lɪˈlaɪknəs] s släkttycke

family man ['fæm(ə)lɪ‚mæn] (pl. *family men* -mən) s **1** familjefar **2** hemmatyp, hemkär man

family name ['fæm(ə)lɪneɪm] s efternamn, tillnamn, familjenamn

family planning [‚fæm(ə)lɪˈplænɪŋ] s familjeplanering, barnbegränsning

family practitioner [‚fæm(ə)lɪpræk'tɪʃənə] s allmänpraktiker, allmänpraktiserande läkare

family room ['fæmɪlɪruːm] s amer. hobbyrum

family tree [‚fæm(ə)lɪˈtriː] s stamträd

famine ['fæmɪn] s **1** hungersnöd **2** [stor] brist [*of* på] **3** svält, hunger

famine-hit [ˈfæmɪnhɪt] *adj* svältdrabbad
famine-stricken [ˈfæmɪnˌstrɪk(ə)n] *adj* svältande,
hungrande
famished [ˈfæmɪʃt] *adj* utsvulten, uthungrad; *I'm*
[*simply*] ~ vard. jag håller på att dö av hunger
famous [ˈfeɪməs] *adj* **1** berömd, ryktbar, [mycket]
omtalad **2** åld. utmärkt, jättefin, strålande
famously [ˈfeɪməslɪ] *adv* **1** som bekant **2** utmärkt,
jättefint, strålande [*we get on* ~]
1 fan [fæn] *s* vard. fan, fantast, supporter [*baseball*
~]; entusiast, beundrare [*Bach* ~]
2 fan [fæn] **I** *s* **1** solfjäder äv. om solfjädersliknande sak
2 tekn. fläkt [*electric* ~]
II *vb tr* fläkta på [~ *the fire to make it burn*] bildl. få
att flamma upp, underblåsa [~ *the flames* (glöden);
~ *the passions*]; blåsa (egga) upp [*into* till]; ~
oneself fläkta sig [med en solfjäder]
fanatic [fəˈnætɪk] **I** *adj* fanatisk **II** *s* fanatiker
fanatical [fəˈnætɪk(ə)l] *adj* fanatisk
fanaticism [fəˈnætɪsɪz(ə)m] *s* fanatism
fan belt [ˈfænbelt] *s* fläktrem
fanciable [ˈfænsɪəbl] *adj* vard. åtråvärd, sexuellt
tilldragande
fancier [ˈfænsɪə] *s* expert, förståsigpåare; vanl. i
sammansättn. -kännare, -vän, -uppfödare; -odlare;
samlare
fanciful [ˈfænsɪf(ʊ)l] *adj* **1** fantasifull, fantasirik;
svärmisk **2** fantastisk [*a* ~ *scheme*]; underlig [~
drawings]; nyckfull **3** inbillad, fantasi-
fan club [ˈfænklʌb] *s* fanclub, beundrarklubb
fancy [ˈfænsɪ] **I** *vb tr* **1** vard. tycka om, vara förtjust
i, gilla [*I don't* ~ *this place*]; känna för, vara pigg
på [*I don't* ~ *doing* (att göra) *it*]; tända på; önska
sig, vilja ha [*what do you* ~ *for* (till) *dinner?*]; *I ~ a*
beer jag vill gärna ha en öl, jag känner för en öl
2 vard. vara stolt (mallig) över; ~ *oneself* ha höga
tankar om sig själv, tro att man är något [*he*
fancies himself as an actor] **3** föreställa sig, tänka
sig, göra sig en bild av [*can you* ~ *me as an actor?*];
tycka sig finna; *just* ~! el. ~ *that!* kan man tänka sig!,
tänk bara!, tänk dig!; ~ *his believing it!* tänk att han
trodde det! **4** inbilla sig, tycka [*I fancied I heard*
footsteps]; vara benägen att tro [*I rather* ~ [*that*] *he*
won't come]; förmoda
II *s* **1** fantasi, inbillningsförmåga;
uppfinningsrikedom **2** fantasi[bild], föreställning,
dröm; inbillning [*did I hear someone or was it only*
a ~?] **3** infall, [förflugen] idé; nyck [*a passing*
(övergående) ~] **4** lust; tycke, förkärlek; böjelse,
smak; svärmeri; *passing fancies* flyktiga svärmerier;
it caught (*took*) *my* ~ äv. det föll mig i smaken, jag
blev förtjust i det; jag fick lust till det
III *adj* **1** av högsta kvalitet, speciellt utvald [~
crabs]; lyx- **2** konstnärligt framställd (prydd),
prydligt utsirad, ornerad; om tyger mönstrad,
fasonerad; fin[are], mode-; nöjes-; stilig, snobbig;
mångfärgad; ~ *waistcoat* fantasiväst, fin uddaväst
3 fantastisk, nyckfull, godtycklig; ~ *price*
fantasipris **4** krånglig, svår **5** fantasi-, gjord efter
fantasin [*a* ~ *picture*; *a* ~ *sketch*] **6** favorit-
fancy dress [ˌfænsɪˈdres] *s* maskeraddräkt,
fantasikostym
fancy-dress party [ˌfænsɪˈdresˌpɑːtɪ] *s* maskerad

fancy-free [ˌfænsɪˈfriː] *adj* inte förälskad, fri, se äv.
footloose
fancy goods [ˌfænsɪˈɡʊdz] *s pl* **1** ung.
prydnadssaker, lyxartiklar; finare modeartiklar
2 fasonerade tyger (mönster)
fancy man [ˌfænsɪˈmæn] *s* åld. vard. **1** älskare
2 hallick
fancy woman [ˈfænsɪˌwʊmən] *s* åld. vard.
1 älskarinna **2** fnask, glädjeflicka
fancy work [ˈfænsɪwɜːk] *s* finare handarbeten,
broderi
fanfare [ˈfænfeə] *s* **1** fanfar **2** ståt; stora gester
fang [fæŋ] *s* **1** bete, huggtand **2** orms gifttand **3** pl. ~*s*
vard. gaddar tänder
fanlight [ˈfænlaɪt] *s* fönster över dörr el. större fönster
fan mail [ˈfænmeɪl] *s* beundrarpost, beundrarbrev
Fanny [ˈfænɪ] kortform av *Frances*; *sweet* ~ *Adams* sl.
inte ett smack, inte ett jäkla dugg
fanny [ˈfænɪ] *s* **1** vulg. fitta **2** vanl. amer. vard. rumpa,
bak
fanny pack [ˈfænɪpæk] *s* amer. vard. midjeväska
fan oven [ˈfænʌvn] *s* varmluftsugn
fantabulous [fænˈtæbjʊləs] *adj* vard. fantastisk,
toppen, jättefin
fantasia [fænˈteɪzɪə, ˌfæntəˈziːə] *s* mus.
1 fantasi[stycke] **2** potpurri [på kända melodier]
fantasize [ˈfæntəsaɪz] **I** *vb itr* fantisera [*about* om];
~ *about* äv. föreställa sig, tänka sig in i **II** *vb tr*
föreställa sig, utmåla för sig, se för sin inre syn
fantastic [fænˈtæstɪk] *adj* fantastisk, underlig,
sällsam, befängd [~ *ideas*]; orimlig [*a* ~ *scheme*];
otrolig, enorm [~ *proportions*]; vidunderlig,
grotesk; nyckfull [*a* ~ *creature*]
fantasy [ˈfæntəsɪ] *s* **1** fantasi, fantasteri;
fantasibild; illusion **2** fantastiskt påhitt (infall),
nyck **3** mus. fantasi **4** fantasy litterär genre
fanzine [ˈfænziːn] *s* fanzine, medlemsblad tidning för
pop-, sport-, science fiction-intresserade etc.
FAQ [ˌefeɪˈkjuː] data. (förk. för *Frequently Asked*
Questions) lista med vanliga frågor och svar på
dessa
far [fɑː] (*farther farthest* el. *further furthest*) **I** *adj*
1 fjärran, avlägsen; *a* ~ *cry* se under *cry* III 1; *in the* ~
north längst upp i norr **2** bortre [*the* ~ *end* (del) *of*
the room]; *at the* ~ *end of* vid bortersta (yttersta,
andra) ändan av
II *adv* **1** långt [*how* ~ *is it from here to…?*]; långt
bort[a], fjärran; ~ *gone* se far gone; ~ *into the night*
långt inpå natten; ~ *and wide* vida omkring, vitt
och brett; långt bort, i fjärran land; ~ *from it* långt
därifrån, tvärtom; *be* ~ *from* [*being*] vara långtifrån,
vara allt annat än; ~ *be it from me to…* det vare
(vore) mig fjärran att…, jag vill ingalunda (på
intet sätt)…; *as* ~ *as* el. *so* ~ *as* a) prep. [ända (så
långt som)] till [*as* ~ *as the station*] b) konj. så vitt
[*as* (*so*) ~ *as I know*]; *as* ~ *as that goes* vad det
beträffar; *how* ~ hur långt, bildl. äv. hur pass mycket,
i vad mån; *so* ~ så långt; så till vida; hittills; *so* ~ *so*
good så långt är (var) allt gott och väl; *in so* ~ *as* i
den mån [som]; såtillvida som **2** vida, långt,
mycket [~ *better*; ~ *more*]; ojämförligt, avgjort,
absolut; ~ *too much* alldeles för mycket; *by* ~
betydligt, i hög grad, mycket, ojämförligt, avgjort,

allra; **~ and away the best** den ojämförligt (absolut, klart) bästa

faraway ['fɑːrəweɪ] *adj* **1** avlägsen, fjärran [*~ countries*; *~ times*] **2** bildl. frånvarande, drömmande [*a ~ look*; *a ~ expression*]

farce [fɑːs] *s* fars

farcical ['fɑːsɪk(ə)l] *adj* farsartad, spexig; komisk

fare [feə] **I** *s* **1** [passagerar]avgift, biljett[pris] [*pay one's ~*]; taxa [*the ~ from London to Oxford*]; [biljett]pengar; *half ~* halv biljett; **~s, please!** får jag be om biljetterna (avgifterna)!; ~ *meter* taxameter; ~ *stage* taxezon, zongräns **2** en el. flera passagerare, resande [*he drove his ~ home*]; körning [*the taxi-driver got a ~*] **3** kost äv. bildl., kosthåll, mat [*the ~ at a hotel*]; *simple ~* enkel kost; *homely ~* husmanskost **4** teat. o.d. program; *theatre ~* teaterrepertoar, vad teatern (teatrarna) har att bjuda på

II *vb itr* ha det, klara sig [*~ well*]; gå, fara [*~ badly*]; *how did you ~?* hur hade du det?, hur blev du behandlad?; hur gick det för dig?; ~ *thee well!* åld. farväl!, lev väl!

Far East [,fɑːˈiːst] *s*, *the ~* Fjärran Östern

farewell [,feəˈwel, adj. '--] **I** *interj* åld. farväl! [*~ all hope!*]; adjö!

II *s* åld. **1** farväl, avsked; *bid ~* el. *make one's ~s* säga (ta) farväl (adjö), ta avsked **2** pl. *~s* avskedsföreställningar, avskedskonserter [*give ~s*] **III** *adj* avskeds- [*a ~ gift*; *a ~ performance*]

far-fetched [,fɑːˈfetʃt, attr. '--] *adj* [lång]sökt

far-flung [,fɑːˈflʌŋ, attr. '--] *adj* vittomfattande, vidsträckt; fjärran [*~ lands*]; *cities as ~ as* [*Sidney*] städer så långt borta (avlägsna) som…

far gone [,fɑːˈɡɒn] *adj*, *be ~* a) vara starkt utmattad; vara svårt sjuk (döende) [*he is ~* äv. det är långt gånget med honom)] b) vara långt framskriden [*the work is ~*]; vara [mycket] avancerad

farinaceous [,færɪˈneɪʃəs] *adj* **1** mjöl-, mjölrik [*a ~ diet*; *~ seeds*]; stärkelsehaltig [*~ foods*] **2** mjölig, mjölaktig

farm [fɑːm] **I** *s* **1** lantbruk, [lant]gård, bondgård; större farm spec. i USA; *work on the ~* arbeta [hemma] på gården (farmen) **2** farm för djuruppfödning, se äv. *fish farm* o. *poultry farm*; hist. arrendegård **II** *vb tr* **1** bruka [*~ land* (jorden)]; odla [*he ~s 200 acres*]; ~ *one's own land* bruka sin jord själv; sitta på egen gård **2** arrendera syssla, inkasseringsuppdrag o.d. **3** arrendera ut [äv. ~ *out*]; hyra ut arbetskraft

farm belt ['fɑːmbelt] *s* jordbruksbygd

farmer ['fɑːmə] *s* **1** lantbrukare, jordbrukare, bonde; spec. i USA farmare **2** djuruppfödare farmare [*fox-farmer*]; uppfödare [*pig-farmer*]; odlare [*fish-farmer*] **3** arrendator

farm-fresh ['fɑːmfreʃ] *adj* ung. direkt från odlingen (gården), gårdsfärsk; *~ eggs* färska lantägg

farmhand ['fɑːmhænd] *s* lantarbetare, jordbruksarbetare

farmhouse ['fɑːmhaʊs] *s* man[gårds]byggnad på gård, bondgård

farming ['fɑːmɪŋ] *s* **1** jordbruk, lantbruk **2** uppfödning [*pig-farming*]; odling [*fish-farming*]

farmland ['fɑːmlænd] *s* odlad jord (mark), åker[jord]

farm produce ['fɑːm,prɒdjuːs] *s* jordbruksprodukter

farmstead ['fɑːmsted] *s* bondgård

farm worker ['fɑːm,wɜːkə] *s* lantarbetare, jordbruksarbetare

farmyard ['fɑːmjɑːd] *s* [kringbyggd] gård vid bondgård; ~ *animals* djur på bondgård; ~ *manure* stallgödsel

far-off [,fɑːrˈɒf, attr. '--] *adj* **1** avlägsen, fjärran [*~ places*; *~ times*] **2** bildl. frånvarande, drömmande [*a ~ look*]; förströdd [*~ thoughts*]; reserverad

far-out [,fɑːrˈaʊt, attr. '--] *adj* **1** avlägsen [*a ~ planet*] **2** vard. excentrisk, extrem [*~ clothes*; *~ ideas*; *~ people*] **3** vard. jättebra, helskön, underbar [*his music is ~*]

farrago [fəˈrɑːɡəʊ] (pl. *~s* el. *~es*) *s* röra, blandning, virrvarr, sammelsurium; *a ~ of nonsense* en massa svammel

far-reaching [,fɑːˈriːtʃɪŋ, attr. '-,--] *adj* långtgående [*~ consequences*]; omfattande [*~ reforms*]

farrier ['færɪə] *s* hovslagare

farrow ['færəʊ] **I** *s* griskull **II** *vb itr* grisa, få grisar

far-sighted [,fɑːˈsaɪtɪd, attr. '-,--] *adj* **1** framsynt, förutseende **2** långsynt, som ser bra på långt håll

fart [fɑːt] vulg. **I** *s* **1** prutt, fjärt, fis **2** *old ~* gammal gubbstrutt (stöt) **II** *vb itr* prutta, fjärta, fisa; ~ *about* el. ~ *around* larva (fjanta) omkring

farther ['fɑːðə] (komp. av *far* för ex. se äv. *further*) **I** *adj* **1** bortre [*the ~ bank of the river*]; avlägsnare, längre bort [belägen]; fjärmare **2** sälls. ytterligare, vidare **II** *adv* längre [*we can't go any ~ without a rest*]; längre bort; mera avlägset; ~ *on* längre bort (fram)

farthest ['fɑːðɪst] (superl. av *far*) **I** *adj* borterst, avlägsnast, längst bort [belägen] **II** *adv* längst; längst bort

farthing ['fɑːðɪŋ] *s* **1** före 1961 1/4 penny då det gick 240 pence på ett pund **2** *it isn't worth a* [*brass*] ~ det är inte värt ett öre (vitten, ruttet lingon)

fartlek ['fɑːtlek] *s* sport. fartlek, intervallträning

FAS o. **f.a.s.** [,efeɪˈes] hand. (förk. för *free alongside ship*) fritt [vid] fartygs sida

fascia ['feɪʃɪə, amer. vanl. 'fæʃɪə] (pl. *-ae* [-iː] el. *-as*) *s* **1** motor. ngt åld. instrumentbräda **2** firmaskylt

fascinate ['fæsɪneɪt] *vb tr* **1** fascinera, hänföra, fängsla **2** hypnotisera

fascinated ['fæsɪneɪtɪd] *adj* fascinerad, fängslad, betagen [*by* av]; *I was ~ to learn…* det var intressant (spännande) att få veta

fascination [,fæsɪˈneɪʃ(ə)n] *s* tjusning, förtrollning; lockelse, tjuskraft; *in ~* el. *with ~* hänfört, fascinerat

fascism ['fæʃɪz(ə)m] *s* fascism[en]

fascist ['fæʃɪst] **I** *s* fascist **II** *adj* fascistisk, fascist-

fashion ['fæʃ(ə)n] **I** *s* **1 a)** [kläd]mode; *it is all the ~* det är toppmodernt (sista skriket); *be the ~* el. *be in ~* vara modern; *lead* (*set*) *the ~* bestämma (diktera) modet; vara tongivande; *come into ~* bli modern; *be* (*have gone*) *out of ~* vara (ha blivit) omodern, ha kommit ur modet; [*she's been spending money*] *like it's going out of ~* …som bara den; *the world of ~* den fina (förnäma) världen **b)** attr. mode- [*~ drawing*] **2** sätt, vis [*in* (på) *this ~*]; *after the ~ of sb* i ngns stil, på samma sätt som (à la) ngn; *after its ~* i sitt slag,

after a ~ el. **in** a ~ någorlunda, så där tämligen [bra]
[*he can speak English after* (*in*) *a ~*]; på sätt och vis,
i viss mån; **in a strange** ~ på ett egendomligt sätt,
egendomligt
II *vb tr* **1 a**) forma [*into* till]; formge, rita
[modellen till], skapa [*~ a dress*] **b**) göra,
förfärdiga [*from, out of* av], gestalta; **fully ~ed**
formstickad, fasonstickad **2** avpassa [*to* efter]
fashionable ['fæʃ(ə)nəbl] *adj* **1** modern [*~ clothes*];
mode- [*a ~ word*] **2** fashionabel, mondän; [som är]
inne [*a ~ designer*]; fin, förnäm; elegant, chic
fashion-conscious ['fæʃ(ə)n,kɒnʃəs] *adj*
modemedveten
fashion designer ['fæʃ(ə)ndɪ,zaɪnə] *s*
modetecknare, modedesigner
fashion house ['fæʃ(ə)nhaʊs] *s* modehus
fashionista [,fæʃ(ə)ni:stə] *s* modefreak, fashionista
fashion model ['fæʃ(ə)n,mɒdl] *s* mannekäng
fashion parade ['fæʃ(ə)npə,reɪd] *s fashion show*
fashion plate ['fæʃ(ə)npleɪt] *s* **1** modeplansch
2 modedocka person
fashion show ['fæʃ(ə)nʃəʊ] *s* modevisning,
mannekänguppvisning
fashion victim ['fæʃ(ə)n,vɪktɪm] *s* vard., **he is a** ~ han
är slav under modet
1 fast [fɑːst] **I** *adj* **1** snabb [*a ~ horse; a ~ runner; ~
game; ~ film*]; hastig [*a ~ trip*]; snabbgående,
snabbseglande; **she's a ~ worker** hon arbetar
snabbt; friare hon förspiller ingen tid, hon är snabb
i vändningarna; **my watch is** ~ min klocka går före
(för fort); **you are two minutes** ~ din [klocka] går två
minuter före **2** sport. snabb [*a ~ cricket pitch; a ~
tennis court*] **3** [fast]sittande [*stadigt*] fästad; hårt
knuten; stark; hållbar, [tvätt]äkta [*~ colours*];
färgäkta; **make** ~ göra (binda, surra) fast; regla,
säkra; **~ and loose policy** ryckig (ombytlig, nyckfull)
politik **4** åld., om kvinna lättfotad; utsvävande,
lättsinnig, vild
II *adv* **1** fast [*stand ~*]; stadigt, säkert, starkt, hårt,
tätt; **play ~ and loose with sth** handskas lättsinnigt
(godtyckligt, vårdslöst) med ngt; **shut** ~ ordentligt
stängd; **be ~ asleep** sova djupt (tungt) **2** fort [*run ~;
speak ~*]; snabbt, raskt, i snabb följd
2 fast [fɑːst] **I** *s* **1** fasta [*break one's ~*] **2** fastetid
II *vb itr* fasta, gå (vara) utan mat
fastball ['fɑːstbɔːl] *s* i baseboll fastball boll som kastas
snabbt och hårt mot pitchern
fast-breeder reactor [,fɑːst'briːdəri,æktə] *s* tekn.
snabb bridreaktor
fast buck [,fɑːst'bʌk] *s*, **make a** ~ vard. göra snabba
pengar
fast day ['fɑːstdeɪ] *s* fastedag
fasten ['fɑːsn] **I** *vb tr* **1** fästa, sätta fast [*to* vid, i,
på]; göra fast, binda [fast] [*to* vid, på]; regla, säkra
[*~ a door; ~a window*]; knyta [till]; knäppa;
spänna fast [*~ your seat belts!*]; sätta på; sjö. surra;
~ sth on to sätta fast (fästa) ngt på (vid); **~ together**
sätta (fästa) ihop; **~ up** fästa (knyta, binda) ihop
(igen, till); slå in [*~ up a parcel*]; sluta igen (till),
spika igen [*~ up a box*]; stänga in; **~ up one's coat**
knäppa igen sin rock **2** bildl. fästa [*on, upon* vid,
på]; **~ one's eyes on** hålla ögonen stadigt fästade
på; fastna med ögonen på
II *vb itr* **1** fastna; gå igen [*the door will not ~*]; gå

att stänga; fästas [*it ~s round the neck with...*]; **the
dress ~s down the back** klänningen knäpps i ryggen
(har knäppning[en] bak) **2 ~ on** ta fasta på [*he ~ed
on the idea*]; hänga upp sig på, fästa sig vid [*~ on a
small error*]
fastener ['fɑːsnə] *s* fäste, fästanordning; knäppe,
knäppanordning; hållare, hake, hasp [*door ~*;
window ~]; spänne, lås; **paper ~** [prov]påsklämma
fastening ['fɑːsnɪŋ] *s* **1** fästande, fastsättning,
[hop]fästning, knäppning **2** fästanordning, band,
rem; knäppe, lås, klinka, regel; [fönster]hake;
bindsle, för skidor äv. bindning
fast-food [,fɑːst'fuːd, '--] *adj* snabbmats- [*~
restaurants*]
fast food [,fɑːst'fuːd, '--] *s* snabbmat
fast-forward [,fɑːst'fɔːwəd] *vb tr* snabbspola framåt
[*~ a cassette*]
fastidious [fæ'stɪdɪəs] *adj* kräsen, kinkig,
nogräknad, petnoga [*about* med], granntyckt
fast lane ['fɑːstleɪn] *s* trafik. omkörningsfil
fastness ['fɑːstnəs] *s* **1** fasthet, stadighet;
hållbarhet, äkthet hos färg **2** snabbhet **3** fästning,
fäste [*mountain ~*]; fast värn
fast-rewind [,fɑːstrɪ'waɪnd] *vb tr* snabbspola bakåt,
spola tillbaka
fast-talk [,fɑːst'tɔːk] *vb tr* vard. snacka omkull
fast-talker [,fɑːst'tɔːkə] *s* vard., **she's a** ~ hon kan
verkligen snacka omkull folk
fast track ['fɑːsttræk] *s* bildl. snabbspår
fast train ['fɑːsttreɪn] *s* snabbtåg
fast-wind [,fɑːst'waɪnd] *vb tr* snabbspola [*~ a
cassette*]
fat [fæt] **I** *adj* **1** tjock [*a ~ child; a ~ book*]; fet,
korpulent; späckad [*a ~ wallet*]; [väl]gödd; slakt-,
göd-; **grow** ~ bli fet (tjock), fetma, lägga på hullet
2 fet, flottig, oljig [*~ food*] **3** bördig, fruktbar; fet
4 givande, inbringande [*a ~ job*]; fet; **~ cat** sl. rik
kändis, överbetald höjdare; **~ chance!** vard. glöm
det!, inte en chans!; **a ~ lot** se under *lot* 3; **a ~ part** teat.
en stor (tacksam) roll; **grow ~ on sth** tjäna grova
(stora) pengar på **5** plussig [*a ~ face*]
II *s* **1** fett; fettämne; **cooking** ~ matfett; **deep ~**
flottyr; **the** ~ **is in the fire** vard. det osar hett (bränt),
nu är det kokta fläsket stekt, nu är det klippt; **chew
the** ~ vard., se under *chew* I 1 **2 the** ~ det fetaste av ngt,
det bästa; **live on the** ~ **of the land** leva gott, ha
goddagar
fatal ['feɪtl] *adj* **1** dödlig, dödande [*a ~ blow; a ~
dose*]; med dödlig utgång; livsfarlig; livshotande;
be ~ el. **prove** ~ äv. få dödlig utgång
2 olycksbringande, ödesdiger [*to* för; *~
consequences*]; fördärvlig [*to* för]; olycklig, fatal
[*a ~ mistake*]; **be ~ to** el. **prove ~ to** äv. omintetgöra,
kullkasta [*his illness was ~ to our plans*]
fatal accident [,feɪtl'æksɪd(ə)nt] *s* dödsolycka
fatalism ['feɪtəlɪz(ə)m] *s* fatalism
fatalist ['feɪtəlɪst] *s* fatalist
fatalistic [,feɪtə'lɪstɪk] *adj* fatalistisk
fatality [fə'tæləti] *s* **1 a**) svår (förödande) olycka
[*floods, earthquakes and other fatalities*]
b) dödsolycka, olyckshändelse med dödlig utgång
c) [döds]offer; **many drowning fatalities** många
drunkningsolyckor, många döda genom

drunkning **2** dödlighet [*the ~ of* (i) *certain diseases*]; dödlig utgång **3** ödesbestämdhet

fatally ['feɪtəlɪ] *adv* dödligt [*~ wounded*]; livsfarligt [*~ injured*]; [högst] olyckligt; *end ~* få dödlig utgång, sluta med döden

fat camp [ˌfæt'kæmp] *s* bantningsläger för överviktiga barn

fate [feɪt] *s* **1** ödet [*Fate had decided otherwise*]; *as sure as ~* vard. så säkert som amen i kyrkan, så säkert som aldrig det **2** öde; bestämmelse, lott **3** fördärv, död, undergång

fated ['feɪtɪd] *adj* **1** ödesbestämd; förutbestämd [*he was ~ to die*]; *it was ~ to fail* det var dömt att misslyckas; *it was ~ that we should fail* det var förutbestämt [av ödet] att vi skulle misslyckas **2** dömd till undergång

fateful ['feɪtf(ʊ)l] *adj* **1** ödesdiger, skickelsediger, avgörande [*a ~ decision*] **2** ödesbestämd

fat farm ['fætfɑ:m] *s* amer. vard., *health farm*

fat-free [ˌfæt'fri:] *adj* fettfri, utan fett [*~ yoghurt*]

fatguts ['fætgʌts] *s* sl. tjockis, fetknopp

fathead ['fæthed] *s* vard. tjockskalle

fat hen [ˌfæt'hen] *s* bot. svinmålla

father ['fɑ:ðə] **I** *s* **1** fader äv. som personifikation [*Father Thames*]; far, pappa; *Our Father*[, *which art in heaven*] Fader vår...; *like ~, like son* äpplet faller inte långt från trädet **2** fader, upphov, upphovsman [*of*, *to* till]; *the ~ of Cubism* kubismens fader **3** katol., *Father* titel Fader, pater [*Father Doyle*] **4** doyen, nestor, ålderspresident, äldste medlem i kår o.d.; *the Father of the House* [*of Commons*] ålderspresidenten i underhuset **5** pl. *~s* a) [för]fäder b) fäder, ledande män; *the Fathers of the Church* kyrkofäderna

II *vb tr* **1** avla; vara far till [*he ~ed five sons*]; vara upphovsman till, ge upphov till **2** erkänna faderskapet till äv. bildl., erkänna sig vara far (upphovsman) till **3** *~ sth* [*up*]*on sb* bildl. ange (utpeka) ngn som pappa till ngt

Father Christmas [ˌfɑ:ðə'krɪs(t)məs] *s* jultomte[n]

father confessor [ˌfɑ:ðəkən'fesə] *s* biktfader

father figure ['fɑ:ðəˌfɪgə] *s* fadersgestalt

fatherhood ['fɑ:ðəhʊd] *s* faderskap

father image ['fɑ:ðəˌɪmɪdʒ] *s* fadersgestalt

father-in-law ['fɑ:ð(ə)rɪnlɔ:] (pl. *fathers-in-law* ['fɑ:ðəzɪnlɔ:]) *s* **1** svärfar **2** vard. styvfar

fatherland ['fɑ:ðəlænd] *s* fädernesland

fatherless ['fɑ:ðələs] *adj* faderlös

fatherliness ['fɑ:ðəlɪnəs] *s* faderlighet; faderskänsla

fatherly ['fɑ:ðəlɪ] *adj* faderlig [*~ love*]; öm

Father's Day ['fɑ:ðəzdeɪ] *s* farsdag den tredje söndagen i juni i Storbritannien o. USA

fathom ['fæðəm] **I** *s* famn mått (= 6 *feet* = ung. 1,83 m) **II** *vb tr*, *~* el. *~ out* utgrunda, utforska, tränga igenom [*~ a mystery*]; förstå, komma underfund med [*I cannot ~ what she means*]

fathomless ['fæðəmləs] *adj* bottenlös, omätlig, outgrundlig

fatigue [fə'ti:g] **I** *s* **1** trötthet, utmattning; *school ~* skolleda, skoltrötthet; *drop with ~* stupa av trötthet **2** tekn. utmattning av metaller **II** *vb tr* trötta ut, utmatta

fatigued [fə'ti:gd] *adj* uttröttad, utmattad

fatigue duty [fə'ti:gˌdju:tɪ] *s* mil. handräckningstjänst ofta som bestraffning

fatigues [fə'ti:gz] *s pl* mil. **1** ung. grötrock **2** handräckningstjänst ofta som bestraffning

fatiguing [fə'ti:gɪŋ] *adj* uttröttande, tröttsam, ansträngande

fatness ['fætnəs] *s* fetma

fatso ['fætsəʊ] (pl. *~s* el. *~es*) *s* sl. tjockis, fetknopp

fat-soluble ['fætˌsɒljʊbl] *adj* fettlöslig

fat stock [ˌfæt'stɒk] *s* gödboskap, slaktdjur

fatted ['fætɪd] *adj*, *kill the ~ calf* slakta den gödda kalven

fatten ['fætn] **I** *vb tr* göda [äv. *~ up*] **II** *vb itr* gödas [äv. *~ up*]

fattening ['fæt(ə)nɪŋ] *adj* **1** göd- [*~ calf*] **2** fettbildande; *~ food* fettbildande mat, mat som man blir tjock (fet) av

fatty ['fætɪ] **I** *adj* **1** fetthaltig, fet [*~ bacon*]; fett- [*~ content*] **2** oljig **3** [sjukligt] fet **II** *s* vard. tjockis, fetknopp

fatty acid [ˌfætɪ'æsɪd] *s* kem. fettsyra

fatty tissue [ˌfætɪ'tɪʃu:] *s* anat. fettvävnad

fatuity [fə'tju:ətɪ, fæ't-] *s* dumhet, enfaldighet, dåraktighet; förblindelse; inbilskhet, dumdryghet

fatuous ['fætjʊəs] *adj* dum, enfaldig, dåraktig; inbilsk, dumdryg

fatwa ['fætwə] *s* relig. fatwa utlåtande utfärdat av religiös ledare gällande islamisk rätt, om t.ex. 'dödsdom'

faucet ['fɔ:sɪt] *s* vanl. amer. [vatten]kran, tappkran

Faulkner ['fɔ:knə]

fault [fɔ:lt, fɒlt] **I** *s* **1 a**) fel, brist, skavank **b**) fel, felsteg, förseelse **c**) misstag; *find ~* anmärka, klaga, klandra, kritisera; *find ~ with* finna fel hos, anmärka (klaga) på, klandra, kritisera; *I have no ~ to find with it* jag har inte något att anmärka mot (på) det; *to a ~* överdrivet, alldeles för [*he is cautious to a ~*] **2** skuld, fel [*it is his ~ that we are late*]; *it is not his ~* äv. han rår inte för det; *whose ~ is it?* vems är felet?, vems fel är det?; *the ~ is with him* felet (skulden) ligger hos honom; *through no ~ of his* [*own*] utan egen förskyllan (eget förvållande); *be at ~* vara (ha gjort sig) skyldig [*for* till], bära skulden [*for* för, till]; *my memory is at ~* jag minns fel, mitt minne sviker mig **3** tennis. o.d. fel[serve]; *serve a double ~* göra ett dubbelfel **4** geol. förkastning

II *vb tr* anmärka på, kritisera, klandra

faultfinder ['fɔ:ltˌfaɪndə, 'fɒlt-] *s* felfinnare, petimäter

faultfinding ['fɔ:ltˌfaɪndɪŋ, 'fɒlt-] **I** *s* kritiserande, klandersjuka, felfinneri **II** *adj* klandersjuk, kritiserande

faultless ['fɔ:ltləs, 'fɒlt-] *adj* felfri; oklanderlig

faulty ['fɔ:ltɪ, 'fɒltɪ] *adj* felaktig; bristfällig, ofullkomlig; oriktig; dålig [*~ workmanship*]

faun [fɔ:n] *s* mytol. faun

fauna ['fɔ:nə] (pl. äv. *-ae* [-i:]) *s* fauna, djurvärld

faux pas [ˌfəʊ'pɑ:] (pl. *faux pas* [ˌfəʊ'pɑ:z]) *s* fr. fadäs, tabbe, blamage; felsteg; taktlöshet

fava beans ['fɑ:vəˌbi:nz] *s pl* amer. bondbönor

fave [feɪv] *s* o. *adj* vard. kortform av *favourite*

favour ['feɪvə] **I** *s* **1** gunst, ynnest, bevågenhet [*win sb's ~*]; gillande; *find ~* el. *gain ~* bli populär, vinna insteg (gehör) [*with* hos]; *lose ~* förlora i

popularitet [*with* hos]; *be* (*stand*) *high in sb's* ~ ligga bra till hos ngn, stå högt i gunst hos ngn; *come* (*be taken*) *into* ~ *again* bli tagen till nåder igen; bli populär (modern) igen, komma till heders igen; *be out of* ~ vara i onåd [*with sb* hos ngn]; inte vara populär (modern) längre; *fall out of* ~ falla i onåd; bli omodern (impopulär), komma ur modet **2 a**) [särskild] gunst, ynnest [*I regard it as a* ~]; ynnestbevis **b**) tjänst [*can you do me a* ~?] **c**) förmån, fördel, favör; glädjeämnen; *do me a* ~*!* vard. lägg av!; *all in* ~ *will raise their hands* alla som röstar 'för räcker upp händerna; *in our* ~ till vår förmån (favör), oss till godo **3** partiskhet, mannamån; *treat with* ~ el. *show* ~ *towards* favorisera, ge företräde [åt] **4** utmärkelsetecken, [medlems]emblem, [band]rosett, kokard; [kotiljongs]märke
II *vb tr* **1** gilla, vara välvilligt inställd till [~ *a scheme*]; hylla, [närmast] ansluta sig till **2** gynna, understödja, uppmuntra [~ *tourism*]; förorda [~ *strong measures*]; föredra; om sak vara gynnsam för, underlätta, befordra; tala för (till förmån för), bekräfta misstanke, peka (tyda) på; perf. p. ~*ed* gynnad, understödd; gärna sedd; eftersökt; *the* ~*ed few* de få lyckligt lottade **3** favorisera, gynna [~ *one's own pupils*]; ta parti för
III *vb tr* med prep.:
favour with vanl. litt. hedra med, förära; [godhetsfullt] bevilja
favourable ['feɪv(ə)rəbl] *adj* **1** välvillig, vänlig [*to* mot] **2** gynnsam, bra [~ *circumstances*; ~ *reports*; ~ *weather*]; fördelaktig [*to* för]; lovande, god, positiv
favourably ['feɪv(ə)rəblɪ] *adv* välvilligt etc., jfr *favourable*; med välvilja; *he impressed me* ~ jag fick ett gott (fördelaktigt) intryck av honom
favourite ['feɪv(ə)rɪt] **I** *s* favorit äv. sport., gunstling [*with sb, of sb's* hos ngn], neds. kelgris; *this book is a great* ~ *of mine* jag är mycket förtjust i den här boken
II *adj* favorit-, älsklings- [*a* ~ *child*; *a* ~ *dish*]
favourite son [ˌfeɪv(ə)rɪt'sʌn] *s* amer. polit. el. sport. hemmafavorit
favouritism ['feɪv(ə)rɪtɪz(ə)m] *s* favoritsystem, gunstlingssystem, favorisering
Fawkes [fɔːks] egennamn; se äv. *1 guy 2*
1 fawn [fɔːn] **I** *s* **1** hjortkalv, dovhjortskalv; [rådjurs]kid **2** ljust gulbrun färg
II *vb itr* o. *vb tr* om hjortdjur kalva, föda [ungar]
2 fawn [fɔːn] *vb itr* **1** svansa, krypa, fjäska [*on, over* för], söka ställa sig in [*on, upon* hos] **2** om hund visa tillgivenhet, visa sig vänlig [*on, upon* mot], vifta på svansen [*on, upon* för]
fax [fæks] **I** *s* [tele]fax [äv. ~ *machine*] **II** *vb tr* faxa
faze [feɪz] *vb tr* vard. bringa ur fattning, göra förlägen; besvära, genera, oroa
FBI [ˌefbiː'aɪ] (förk. för *Federal Bureau of Investigation*), *the* ~ se under *federal*
FC [ˌefˈsiː] förk. för *Football Club*
FCO [ˌefsiːˈəʊ] (förk. för *Foreign and Commonwealth Office*), *the* ~ se *foreign 1*
FDA [ˌefdiːˈeɪ] (förk. för *Food and Drugs Administration*), *the* ~ amerikanska livs- och läkemedelsverket

fear [fɪə] **I** *s* **1** fruktan, rädsla [*of* för; *that, lest* [för] att]; *the* ~ *of God* gudsfruktan; *put the* ~ *of God into sb* sätta skräck i ngn; *for* ~ *of offending her* av rädsla för att såra henne, för att inte såra henne; *for* ~ [*that*] a) av fruktan (rädsla) [för] att b) så (för) att inte; *be in* ~ *of* el. *stand in* ~ *of* hysa fruktan för, frukta, vara rädd för; *in* ~ *and trembling* darrande av rädsla (skräck) [*they stood there in* ~ *and trembling*] **2** farhåga [*my worst* ~*s were confirmed* (besannades)]; ängslan, fruktan, oro, bekymmer [*for* för]; *be in* ~ *of one's life* frukta för sitt liv **3** anledning till fruktan, orsak till rädsla [*cancer is a common* ~]; fara; *no* ~ det är ingen fara, det är inte troligt; *no* ~*!* vard. aldrig i livet!, ingen risk!; *there is no* ~ *of that* det är ingen fara (risk) för det
II *vb tr* frukta [~ *God*; ~ *the worst*]; vara rädd för; befara
III *vb itr* vara rädd, frukta; ~ *for sb* vara orolig för ngn[s skull]; [*he will come,*] *never* ~*!* …var lugn för det!
fearful ['fɪəf(ʊ)l] *adj* **1** rädd [*of* för; *that* [för] att]; rädd av sig, räddhågad, lättskrämd, ängslig **2** åld. fruktansvärd [*a* ~ *accident*], vard. förskräcklig, förfärlig [*have a* ~ *time*]
fearfulness ['fɪəf(ʊ)lnəs] *s* **1** fruktan, rädsla **2** hemskhet, ryslighet
fearless ['fɪələs] *adj* oförfärad, oförskräckt, orädd, utan fruktan [*of* för]
fearsome ['fɪəsəm] *adj* förskräcklig, ryslig, skräckinjagande; överväldigande [*a* ~ *task*]
feasibility [ˌfiːzəˈbɪlətɪ] *s* utförbarhet, genomförbarhet, möjlighet, görlighet
feasibility study [ˌfiːzəˈbɪlətɪˌstʌdɪ] *s* ekon. förstudie, genomförbarhetsstudie
feasible ['fiːzəbl] *adj* **1** utförbar, genomförbar, möjlig [*a* ~ *plan*]; görlig **2 a**) användbar, passande, lämplig, som duger [~ *for travel*] **b**) sannolik, trolig [*a* ~ *theory*; *a* ~ *story*]
feast [fiːst] **I** *s* **1** festmåltid, bankett **2 a**) kalas; undfägnad, traktering **b**) bildl. njutning, fest, fröjd [*a* ~ *for the eyes*] **3** spec. kyrklig fest, högtid, helg, helgdag [*movable and immovable* ~*s*]; [socken]fest
II *vb itr* festa, kalasa [*on, upon* på]
III *vb tr*, ~ *one's eyes on* låta ögat njuta av, njuta av anblicken av
feat [fiːt] *s* kraftprov, bragd [*mountaineering* ~*s*]; konststycke, mästerverk, prestation; *a* ~ *of strength* en kraftprestation; *athletic* ~ idrottsprestation
feather ['feðə] **I** *s* **1** fjäder; *fine* ~*s make fine birds* kläderna gör mannen; *they are birds of a* ~ de är av samma skrot och korn; *birds of a* ~ *flock together* lika barn leka bäst; kaka söker maka; *you could* (*might*) *have knocked me down with a* ~ jag blev alldeles paff **2** tekn., ~ *and groove* not och fjäder, spont och not list och ränna vid spontning
II *vb tr* **1** [be]fjädra, förse med fjäder (fjädrar) [~ *an arrow*]; klä (pryda med) fjädrar; sätta [en] fjäder i (på); ~ *one's* [*own*] *nest* sko sig, tillgodose sina egna intressen, skaffa sig fördelar **2** rodd. skeva [med] [~ *one's oar*]
featherbed [subst. ˌfeðə'bed, verb '---] **I** *s* bildl. ombonad (bekväm) tillvaro; ~ *industry* industri som hjälps (backas upp) av staten; ~ *job* ung. sinekur **II** *vb tr* bildl. bädda mjukt för, göra det lätt

för; ekon. hålla flytande [genom stödåtgärder] [~ *the farmers*]

featherbedding [ˌfeðə'bedɪŋ] *s* statliga stödåtgärder

feather boa [ˌfeðə'bəʊə] *s* fjäderboa

featherbrain ['feðəbreɪn] *s* dumbom, virrpanna

featherbrained ['feðəbreɪnd] *adj* tanklös, virrig; huvudlös

feather-cut ['feðəkʌt] *s* fjäderklippning frisyr

feather duster [ˌfeðə'dʌstə] *s* fjädervippa, dammvippa

featherweight ['feðəweɪt] *s* sport. **1** fjäder[vikt] **2 a)** boxn. el. brottn. fjäderviktare **b)** ridn. jockey i lägsta viktklassen

feathery ['feðərɪ] *adj* **1** fjäderbeklädd, befjädrad **2** fjäderlik; lätt; dunig

feature ['fi:tʃə] **I** *s* **1** drag, grunddrag, särdrag; kännetecken, kännemärke [*geographical ~s*]; inslag [*unusual ~s in the programme*]; del, led i ngt **2** *her eyes are her best ~* ögonen är det vackraste hos henne; pl. *~s* [anlets]drag [*a man of* (med) *handsome ~s*] **3 a)** specialartikel [äv. *~ article*; *~ story*]; feature, [tidnings]bilaga **b)** radio. el. TV. feature, reportage med autentiska inslag **c)** huvudnummer [*the ~ of tonight's programme*]; stort nummer; *the most noticeable ~ of the week* det märkligaste under veckan; *a regular ~* något som alltid är med (återkommer); ett stående inslag (nummer), en stående attraktion (rätt m.m.) **d)** åld. huvudfilm

II *vb tr* demonstrera, visa [upp], presentera som huvudsak, nyhet el. särskild attraktion, bjuda på; göra ett stort nummer av, framhäva; visa skådespelare [i en stjärnroll (huvudroll)]; slå upp stort

III *vb itr*, *~ in sth* spela en viktig roll i ngt, vara framträdande i

feature film ['fi:tʃəfɪlm] *s* långfilm, huvudfilm; spelfilm

featureless ['fi:tʃələs] *adj* **1** formlös; utan bestämda (markerade) drag **2** enformig, intresselös

Feb. förk. för *February*

febrile ['fi:braɪl] *adj* feber-; feberaktig, bildl. äv. febril

February ['februərɪ, 'febjʊərɪ] *s* februari

feces ['fi:si:z] *s* vanl. amer., se *faeces*

feckless ['fekləs] *adj* hjälplös, rådlös, svag, försagd; fåfäng, fruktlös [*~ attempts*]; gagnlös

fecund ['fi:kənd, 'fek-] *adj* fruktbar; fruktsam

fecundity [fi:'kʌndətɪ, fe'k-] *s* **1** fruktsamhet **2** fruktbarhet; växtkraft **3** bildl. alstringskraft, produktivitet

fed [fed] imperf. o. perf. p. av *feed*

1 Fed förk. för *Federal*

2 Fed [fed] *s* amer. vard. medlem av [den] federala polisen i USA, FBI-agent; *the ~s* [den] federala polisen, FBI

federal ['fed(ə)rəl] *adj* förbunds- [*~ republic*]; federal [*the Federal Government of the U.S.*]; förbundsstats-; förbundsvänlig; i USA (1861–1865) nordstats-; *~ agent* el. *~ law enforcement officer* medlem av [den] federala polisen i USA, FBI-agent; *make a ~ case out of sth* amer. vard. göra stor affär av ngt

Federal Bureau of Investigation

['fed(ə)rəlˌbjʊərəʊəvɪnvestɪ'geɪʃ(ə)n] *s*, *the ~* (förk. *FBI*) [den] federala polisen i USA, FBI

federate [verb 'fedəreɪt, adj. 'fedərət] **I** *vb tr* o. *vb itr* förena [sig] till (bilda) ett förbund (en förbundsstat)

II *adj* förbunden, förenad; federerad, förbunds- [*~ states*]

federated ['fedəreɪtɪd] *adj* förenad; federativ, federerad, förbunds- [*~ state*]

federation [ˌfedə'reɪʃ(ə)n] *s* **1** sammanslutning, förening, förbund, federation; *national ~* riksförbund **2** statsförbund, federation

fedora [fe'dɔ:rə] *s* [låg] filthatt

fed-up [ˌfed'ʌp] *adj* vard., *be ~ with* vara trött (utled) på, ha fått nog av; *I'm ~* äv. allting står mig upp i halsen

fee [fi:] *s* **1** honorar, arvode [*lawyer's ~*; *doctor's ~*] **2** avgift [*application ~*; *entrance ~*; *school ~s*]

feeble ['fi:bl] *adj* **1** svag, klen, kraftlös; matt, slapp, halvhjärtad [*a ~ attempt*] **2** om intryck, färger o.d. matt, svag, dunkel, otydlig

feeble-minded [ˌfi:bl'maɪndɪd] *adj* **1** sinnessvag, svagsint; psykol. debil **2** svag, vacklande, klenmodig

feed [fi:look] **I** (*fed fed*) *vb tr* **1 a)** [ut]fodra [*~ the pigs*]; ge mat (att äta) [*~ the dog*] **b)** bespisa **c)** föda, [liv]nära [*he has a big family to ~*] **d)** [kunna] föda [*~ 100 head of cattle*] **e)** mata [*~ the baby*] **f)** ge näring åt [*~ a plant*]; *~ one's face* sl. käka för fullt, sleva i sig; *there are many mouths to ~* det finns många munnar att mätta; *~ sb's vanity* smickra ngns fåfänga **2** förse, mata äv. sport. [*with* med; *~ the meter with coins*; *~ a forward with passes*]; *~ a fire* lägga [mer] bränsle på en eld, hålla en eld vid liv; *the lake is fed by two rivers* sjön får sitt vatten från två floder **3** tillföra, fylla på (i) [*~ coal to* (*into*) *a furnace*]; *~ information into a computer* mata in information i en dator

II (*fed fed*) *vb itr* **1** om djur äta; beta [*the cows were ~ing in the meadow*] **2** skämts., om person äta, käka

III (*fed fed*) *vb itr* o. *vb tr* med prep. el. adv.:

feed on el. **feed off** livnära sig (leva) på (av), äta [*cattle ~ chiefly on grass*]

feed up vard. göda, mätta

IV *s* **1** utfodring; matande, matning; *out at ~* ute på bete; *be off one's ~* vard. a) inte ha någon matlust; om kreatur äv. rata fodret b) vara nere, deppa **2** foder; [foder]ranson; [grön]bete **3** vard. mål [mat]; *have a good ~* få (ta sig) ett riktigt skrovmål **4** amer. vard. mat, käk [*I love good ~*] **5** tekn. **a)** matning, tillförsel **b)** laddning, sats, påfyllning[smaterial] **c)** attr. matar- [*~ pump*; *~ tank*]

feedback ['fi:dbæk] *s* **1** data. el. psykol. återkoppling, feedback; friare äv. gensvar, respons **2** tekn. akustisk återkoppling, rundgång

feed bag ['fi:dbæg] *s* amer. foderpåse, tornister; *put on the ~* vard. sätta i gång och käka

feeder ['fi:də] *s* **1** foderautomat för djur **2** tekn. **a)** [in]matare **b)** elektr. matare, matarmaskin, matarledning; *~ horn* matarhorn **3** ätare; *be a large ~* vara storätare, vara stor i maten **4** trafik. matarväg; *~ bus* matarbuss; *~ service* anslutningstrafik, matartrafik **5** boskapsuppfödare, uppfödare av gödboskap

feeding ['fi:dɪŋ] s **1** utfodring; bespisning; förplägning; matande, matning; **high** ~ vällevnad, god mat **2** tekn. matning, inmatning, frammatning

feeding bottle ['fi:dɪŋ,bɒtl] s nappflaska

feeding frenzy ['fi:dɪŋ,frenzɪ] s frossarorgie, intensivt, frossande i smakigt skvaller [*since her divorce there's been a ~ of gossip by the tabloid press*]; **media** ~ [media]drev hänsynslös journalistik

feeding time ['fi:dɪŋtaɪm] s **1** utfodringstid för djur i fångenskap **2** vard. matdags

feeding trough ['fi:dɪŋtrɒf] s fodertråg, foderho

feed mechanism [,fi:d'mekənɪz(ə)m] s foto. frammatningsmekanism, matarverk

feed pipe ['fi:dpaɪp] s matarrör, tillförselrör, tilloppsrör

feel [fi:l] **I** (*felt felt*) *vb tr* **1** känna [~ *pain*]; märka, förnimma; ha en känsla av; [få] känna på, erfara; känna av, lida (besväras) av [~ *the cold*]; ha känning av; ~ **one's feet** bildl., se *foot I 1*; ~ **in one's bones that** känna på sig att, ha på känn att, ha en förkänsla av att **2** treva; ~ **one's way** treva sig fram, bildl. äv. pröva sig fram; känna sig för **3** tycka, anse; **I ~ it my duty to go** jag känner det som min plikt att gå, jag tycker (anser) att det är min plikt att gå **4** inse, uppfatta, vara medveten om **II** (*felt felt*) *vb tr* **1** känna [efter] [~ *in one's purse*] **2** känna sig, vara; må [*how are you ~ing today?*]; befinna sig; känna sig som; **how do you ~ about that?** vad tycker (säger) du om det?, vad skulle du tycka (säga) om det?; ~ **ashamed** skämmas, känna sig skamsen; ~ **awful** vard. känna det mycket obehagligt; känna sig hemskt vissen; ~ **cold** känna sig frusen, frysa; ~ **like** känna sig som [*I felt like a liar*]; ha lust med (till), känna sig upplagd för [*do you ~ like a walk?*]; ~ **like a million dollars** vard. jättebra; ha [det] jätteroligt **3** kännas [*your hands ~ cold*]; **make oneself felt** göra sig kännbar (gällande); sätta sin prägel [*on* på] **III** (*felt felt*) *vb rfl* **1** ~ **oneself** känna sig, tycka att man är [*she felt herself slighted*]; känna (märka) att man är, känna sig som **2** ~ [*quite*] **oneself** känna sig i form (som en människa), vara sig själv [*she doesn't ~* [*quite*] *herself today*] **IV** (*felt felt*) *vb itr* o. *vb tr* med prep.: **feel for a)** treva (leta) efter **b)** ha medkänsla (medlidande) med, känna (ömma) för; känna sympati (intresse) för; ~ **sorry for** tycka synd om **V** s **1** känsel **2** kännande, tag[ande] på ngt; **let me have a** ~ låt mig känna [på det] **3** känselförnimmelse, känsla; **have a soft** ~ kännas mjuk, kännas (vara) mjuk att ta på (i)

feeler ['fi:lə] s **1** zool. känselspröt, antenn, tentakel **2** bildl. trevare, försöksballong; **put out** ~s göra (skicka ut) en trevare

feel-good ['fi:lgʊd] *adj*, ~ **factor** a) trivselfaktor b) framtidstro; ~ **film** mysfilm

feeling ['fi:lɪŋ] **I** s **1** känsel [*the arm has lost all* ~]; [känsel]förnimmelse **2** känsla [*a ~ of joy*]; medkänsla [*for* med]; **bad** ~ el. **ill** ~ missämja, osämja; misstämning; **hard** ~s agg, groll; **no hard** ~s, **I hope!** jag hoppas du inte tar illa upp!; **have strong** ~s **against** ha (känna) stark motvilja mot; **I have a** ~ **that** jag har en känsla av att, jag känner på mig (har på känn) att; **hurt sb's** ~s såra ngn (ngns

känslor); **I know the** ~ vard. jag vet precis [hur det känns], jag känner igen det **3** uppfattning, mening [*about* om, beträffande]; inställning [*about* till]; **the general** ~ **was against it** stämningen (den allmänna meningen) var emot det **4** ~ **for** känsla (sinne) för [*he has a ~ for music*] **5** uppståndelse, förtrytelse, förbittring, [känslor av] olust [*his speech aroused strong ~s*]; ~[**s**] **ran high** känslorna råkade i svallning, stridens vågor gick höga **6** atmosfär, stämning [*the ~ of the place*] **II** *adj* kännande; känslig, känslofull, lättrörd; sympatisk, deltagande, varm

feelingly ['fi:lɪŋlɪ] *adv* med känsla, varmt, med övertygelse

fee-paying school ['fi:,peɪɪŋsku:l] s skola med terminsavgifter

feet [fi:t] s pl. av *foot*

feign [feɪn] *vb tr* **1** hitta på [~ *an excuse*]; dikta upp **2** låtsa[s]; förege, simulera [~ *illness*]; hyckla

feigned [feɪnd] *adj* låtsad, simulerad [*a ~ illness*]; spelad, hycklad; förställd [*a ~ voice*]; förvrängd; fingerad [*under a ~ name*]; falsk; ~ **attack** mil. skenanfall

feint [feɪnt] **I** s **1** skenmanöver, skenanfall, krigslist; spec. sport. finta **2** list, knep, förställning **II** *vb itr* företa ett skenanfall, spec. sport. finta

feisty ['faɪstɪ] *adj* framåt, modig, käck

felafel [fə'læf(ə)l, -'lɑ:f-] s kok. falafel

feldspar ['feldspɑ:] s miner. fältspat

felicitate [fə'lɪsɪteɪt] *vb tr* lyckönska, gratulera [[*up*]*on* till]

felicitations [fə,lɪsɪ'teɪʃ(ə)nz] s pl lyckönskningar, gratulationer

felicitous [fə'lɪsɪtəs] *adj* välfunnen [~ *words and images*]; väl (lyckligt) vald, lyckad, träffande

felicity [fə'lɪsɪtɪ] s **1** stor lycka, sällhet, lycksalighet; välsignelse **2** lyckat uttryck (grepp, drag); pl. **felicities** vanl. lyckade vändningar (fraser, uttryck, konstgrepp)

feline ['fi:laɪn] **I** *adj* katt-; kattlik [*walk with ~ grace*]; kattmjuk, kattaktig **II** s kattdjur

1 fell [fel] *vb tr* fälla [*he ~ed the deer with a single shot*]; slå till marken, avverka, hugga ner [~ *a tree*]

2 fell [fel] s bar höglandsås, höglandshed, berg mest i ortnamn

3 fell [fel] imperf. av *fall*

4 fell [fel] s fäll, skinn spec. med håret på

5 fell [fel] *adj*, **in one** ~ **swoop** el. **at one** ~ **swoop** i ett slag (svep), på en gång

fella o. **feller** ['felə] s vard., se *fellow I 1*

fellatio [fə'leɪʃɪəʊ] s fellatio, oralsex

fellow ['feləʊ, i betydelse *I 1* (vard. utt.) äv. 'felə] **I** s **1** åld. karl, prick [*he's a pleasant* ~]; kille, grabb, pojke, människa; **the** ~ neds. karl'n, han [*the ~ must be mad*]; **my dear** ~! kära (snälla) du!; **little** ~ pojkvasker, liten krabat; **poor** ~! stackars karl (han)!, stackare!; **a queer** ~ en konstig prick, en egendomlig kurre; **unlucky** ~ olycksfågel; **what a** ~! en sån en!; **what sort of a** ~ **are you?** vad är du för en [gynnare (människa)]?; **this** ~ **Jones** el. **this Jones** ~ den här [killen] Jones **2** åld., vanl. pl. ~**s** kamrater [*his* ~s *at school*]; kolleger [*the doctor conferred with his* ~s]; ~**s in crime** medbrottslingar **3** medlem, ledamot av ett lärt sällskap

[*Fellow of the British Academy*] **4** univ. o.d.
a) ledamot av styrelsen för ett college (ett
universitet) **b)** innehavare av ett stipendium för
vetenskapliga studier; ung. docent[stipendiat],
forskardocent **5** motstycke, pendang [*this vase is
the exact ~ to the one on the shelf*]
II *adj* (ofta) med- [*~ prisoner*; *~ passenger*]; *~ actor*
medspelare; skådespelarkollega; *~ applicant* el. *~*
candidate medsökande; *~ author* författarkollega; *~*
being el. *~ creature* medmänniska; *~ Christian*
medkristen; *~ citizen* el. *~ countryman* landsman; *~*
officer officerskollega; *~ student* studiekamrat; *~*
sufferer olycksbroder, olyckskamrat; *~ traveller*
reskamrat, medresenär; polit. medlöpare,
anpassling
fellow feeling [ˌfeləʊˈfiːlɪŋ] *s* medkänsla, sympati
fellowship [ˈfelə(ʊ)ʃɪp] *s* **1** kamratskap; gemenskap;
likställdhet; samhörighet; *good ~* gott kamratskap,
kamratlighet; kamratanda, god sammanhållning
2 brödraskap, sammanslutning **3** univ. (jfr *fellow I*
4) ställning som *fellow*, ung. docentur;
universitetsstipendium, docentstipendium
felon [ˈfelən] *s* jur. (hist. el. amer.) brottsling som har
begått ett grövre (urbota) brott, [grov] förbrytare
felonious [fəˈləʊnɪəs] *adj* jur. (hist. el. amer.) brottslig;
kriminell [*a ~ act*]
felony [ˈfelənɪ] *s* jur. (hist. el. amer.), ung. grövre
(urbota) brott; svårare förbrytelse, kriminell
handling
1 felt [felt] *s* filt tyg; *~ hat* filthatt; *roofing ~* takpapp
2 felt [felt] imperf. o. perf. p. av *feel*
felt pen [ˌfeltˈpen] *s* filtpenna, tuschpenna
felt-tip [ˈfelttɪp, ˌ-ˈ-] *s* o. **felt-tip pen** [ˌfelttɪpˈpen] *s*
filtpenna, tuschpenna
fem. förk. för *feminine, female*
female [ˈfiːmeɪl] **I** *adj* kvinno-, kvinnlig [*a ~ pilot*];
biol. el. bot. honlig, hon- [*~ flower*]; av honkön [*~
animal*]; *~ elephant* elefanthona; *~ elk* älgko; *~
friend* väninna; *~ sex* kvinnokön; honkön
II *s* **1** neds. fruntimmer, kvinnsperson, kvinnfolk
2 statistik. o.d. kvinna [*males and ~s*] **3** zool. hona; bot.
honblomma
female circumcision [ˈfiːmeɪlˌsɜːkəmˈsɪʒ(ə)n] *s*
könsstympning
female impersonator [ˌfiːmeɪlɪmˈpɜːsəneɪtə] *s*
kvinnoimitatör man som imiterar en kvinna
female screw [ˌfiːmeɪlˈskruː] *s* [skruv]mutter
feminine [ˈfemɪnɪn] **I** *adj* **1** kvinnlig [*~ logic*];
kvinno-, feminin [*~ features*], om man äv.
feminiserad **2** gram. feminin [*a ~ noun*]; *the ~ gender*
femininum
II *s* gram. **1** *the ~* [genus] femininum **2** femininum,
feminint ord
femininity [ˌfemɪˈnɪnətɪ] *s* kvinnlighet
feminism [ˈfemɪnɪz(ə)m] *s* **1** kvinnosaken
2 feminism[en], kvinnorörelsen
feminist [ˈfemɪnɪst] *s* feminist; *the ~ movement*
kvinnorörelsen
femme fatale [ˌfæmfəˈtɑːl] (pl. *femmes fatales* [-z]) *s*
fr. femme fatale
femoral [ˈfemər(ə)l] *adj* anat. lår-, höft-
femur [ˈfiːmə] (pl. *~s* el. *femora* [ˈfemərə el. ˈfiːm-]) *s*
anat. lårben
fen [fen] *s* kärr, träsk, myr, sankmark

fence [fens] **I** *s* **1** stängsel, staket, gärdsgård, plank,
inhägnad, häck; hinder; *mend one's ~s* återställa ett
gott förhållande till ngn; *come down on one side or the
other of the ~* bildl. välja sida, ta ställning; *come
down on the right side of the ~* bildl. hålla på rätt häst;
sit on the ~ vard. inta en avvaktande hållning,
undvika att ta ställning **2** sl. hälare
II *vb tr* inhägna, omgärda [äv. *~ in*; *~ round*; *~ up*];
bildl. stänga inne; *~ off* avskilja med ett stängsel
(staket)
III *vb itr* **1** fäkta; parera; bildl. slingra sig, komma
med undanflykter, söka undvika att ge ett direkt
svar **2** sätta upp (laga) stängsel (staket)
fencer [ˈfensə] *s* fäktare
fencing [ˈfensɪŋ] *s* **1** fäktning, fäktkonst[en];
parerande **2** inhägnande [äv. *~ in*] **3** koll. **a)** stängsel,
gärdsgårdar **b)** stängselmaterial
fencing master [ˈfensɪŋˌmɑːstə] *s* fäktmästare
fend [fend] **I** *vb itr* vard., *~ for* sörja för **II** *vb tr*, *~ off*
avvärja, parera [*~ off a blow*]; hålla undan
(tillbaka) [*from* från]
fender [ˈfendə] *s* **1** eldgaller, sprakgaller framför
eldstad **2** amer. **a)** flygel, stänkskärm på bil
b) stänkskärm på cykel **3** sjö. fender, fendert, frihult,
friholt **4** på lok o.d. kofångare
fender-bender [ˈfendəˌbendə] *s* amer. vard. mindre
krock mellan bilar
fennec [ˈfenɪk] *s* zool. ökenräv, fennek
fennel [ˈfenl] *s* bot. fänkål
fennel seed [ˈfenliːd] *s* fänkål krydda
Fens [fenz] geogr., *the ~* pl. (med verb i sg.) det bördiga
slättlandet innanför the Wash i östra England
fenugreek [ˈfenjʊgriːk] *s* bot. bockhornsklöver
feral [ˈfɪər(ə)l] *adj* vild [*~ animals*; *~ plants*];
förvildad
ferment [verb fəˈment, subst. ˈfɜːment] **I** *vb itr* jäsa äv.
bildl.
II *vb tr* **1** bringa i jäsning, komma (få) att jäsa; *be
~ed* jäsa **2** komma det att jäsa i, hetsa [upp],
uppröra, egga [upp], elda [upp]; underblåsa
III *s* jäsning, bildl. äv. [jäsande] oro [*political ~*]; *in a
state of ~* el. *in ~* bildl. i jäsning, i uppror
fermentation [ˌfɜːmenˈteɪʃ(ə)n] *s* jäsning äv. bildl.
fern [fɜːn] *s* bot. ormbunke; koll. ormbunkar
ferocious [fəˈrəʊʃəs] *adj* vild, vildsint, grym,
rovlysten, blodtörstig, rasande [*a ~ attack*];
våldsam [*a ~ thirst*; *a ~ headache*]; glupande [*a ~
appetite*]
ferocity [fəˈrɒsətɪ] *s* **1** vild[sint]het, grymhet etc., jfr
ferocious **2** [utbrott av] grymhet
ferret [ˈferət] **I** *s* zool. jaktiller, frett tam form av illern; *~
eyes* vesseleögon, skarpa ögon
II *vb itr* **1** jaga med jaktiller (frett) [*go ~ing*]
2 snoka [äv. *~ about*]; *~ about for* snoka efter
III *vb tr* **1** jaga (driva ut) kaniner o.d. med jaktiller
(frett) **2** bildl. jaga, ansätta [äv. *~ about*]; *~ out* snoka
(spåra) upp, snoka (luska) reda (rätt) på, gräva
fram [*~ out the facts*]; luska ut
ferric oxide [ˌferɪkˈɒksaɪd] *s* kem. järnoxid,
järn(III)oxid
Ferris wheel [ˈferɪswiːl] *s* vanl. amer. pariserhjul
ferrite [ˈferaɪt] *s* kem. ferrit
ferrochromium [ˌferə(ʊ)ˈkrəʊmɪəm] *s* kem.
ferrokrom, kromjärn

ferroconcrete [ˌferə(ʊ)'kɒŋkriːt] s byggn. järnbetong, armerad betong

ferrous ['ferəs] adj kem. järn-

ferrule ['feruːl, 'fer(ə)l] s **1** doppsko, skoning **2** sammanhållande [metall]ring, tubring

ferry ['ferɪ] **I** s **1** färja båt el. flygplan; ~ **service** färjetrafik, färjeförbindelse **2** färjeställe, färjeplats, färjeläge **3** färjeförbindelse
II vb tr **1** färja [~ sb across (over) the river; ~ supplies out to the island]; transportera, köra [i skytteltrafik] **2** flyga [aircraft ~ing cars between England and France]; transportera [med flyg]

ferry|man ['ferɪ|mən] (pl. -men [-mən]) s färjkarl

fertile ['fɜːtaɪl, amer. 'fɜːtl] adj **1** bördig [~ fields]; fruktbar, rik, fet [~ soil] **2** fruktsam, fertil [women of ~ age]; fortplantningsduglig **3** bildl. givande, fruktbar [a ~ subject]; rik [in, of på]; uppfinningsrik, uppslagsrik; produktiv [a ~ author]; **a ~ imagination** en rik (livlig) fantasi

fertility [fɜː'tɪlətɪ] s bördighet, fruktbarhet; fruktsamhet, fertilitet; jfr fertile; attr. fruktbarhets- [~ cult; ~ rite]

fertility drug [fɜː'tɪlətɪdrʌg] s fruktsamhetsmedel, medel som ökar fertiliteten

fertilization [ˌfɜːtɪlaɪ'zeɪʃ(ə)n] s **1** gödsling, gödning **2** biol. befruktning

fertilize ['fɜːtɪlaɪz] vb tr **1** gödsla, göda; göra fruktbar (produktiv) **2** biol. befrukta

fertilizer ['fɜːtɪlaɪzə] s gödningsmedel, gödningsämne; spec. konstgödning, konstgödsel

fervent ['fɜːv(ə)nt] adj bildl. glödande [~ hatred; ~ love; ~ zeal]; eldig [a ~ lover]; het, brinnande [~ prayers]; varm [a ~ admirer]; innerlig, intensiv, ivrig, entusiastisk [a ~ advocate (förespråkare) of]

fervid ['fɜːvɪd] adj poet. glödhet, brännande, glödande

fervour ['fɜːvə] s glöd, innerlighet, brinnande nit (iver)

fescue ['feskjuː] s o. **fescue grass** ['feskjuːgrɑːs] s bot. svingel

fess [fes] vb itr amer. vard., ~ **up** erkänna, klämma fram [~ up, who broke the window?]

fest [fest] s **1** vanl. som efterled -festival [filmfest] **2** sammankomst, träff

fester ['festə] vb itr **1** vara [sig]; **a ~ing sore** a) ett varigt sår b) bildl. en kräftsvulst, en kräfthärd **2** bildl. gnaga, fräta, orsaka bitterhet, ligga och gro, sprida sitt gift, sprida sig, gripa omkring sig

festival ['festɪv(ə)l] s **1** festival, festspel [the Salzburg Festival] **2** årsfest; fest[lig tillställning], högtidlighet **3** fest [harvest ~]; helg; relig. högtid [Christmas and Easter are Church ~s] **4** attr. fest- [~ march]; högtids- [~ day]; festival-; festlig, festglad

Festival Hall ['festɪv(ə)lhɔːl] s, **the ~** el. **the Royal ~** konserthus i London

festive ['festɪv] adj festlig [on ~ occasions]; fest- [~ mood; ~ atmosphere (stämning)]; i feststämning, festande, glad; **the ~ season** julen

festivity [fe'stɪvətɪ] s **1** feststämning [äv. air of ~]; festglädje, festivitas; glädje **2** ofta pl. **festivities** festligheter [the festivities end with a fireworks display]; högtidligheter [wedding festivities]

festoon [fe'stuːn] **I** s girland, hängande

blomsterslinga **II** vb tr smycka med (hänga [upp] som) girlander

feta ['fetə] s feta grekisk fårost

fetal ['fiːtl] o. **fetus** ['fiːtəs] amer., se foetal o. foetus m.fl. ord

1 fetch [fetʃ] **I** vb tr **1** hämta, gå (springa) 'efter [äv. go (run) and ~]; skaffa [sb sth, sth for sb]; ha (ta) med sig [the souvenirs she ~ed back from Japan] om hund apportera; ~ **it!** till hund apport!; ~ **and carry** se under 1 fetch II 1 **2** framkalla, ~ **tears from the eyes** locka fram tårar i ögonen **3** inbringa, säljas (gå) för, ge [it ~ed £600]; betinga [the pictures ~ed a high price] **4** vard. göra intryck på [that dress will ~ him]; imponera på, ta, knipa, fånga, vinna; slå med häpnad, göra paff; reta **5** vard. ge [~ sb a blow]
II vb tr **1** ~ **and carry** a) om hund apportera b) vara passopp (springpojke), springa ärenden [for åt], stå på tå [for för], springa fram och tillbaka med saker **2** ~ **up** vard. hamna [~ up at an inn]

2 fetch [fetʃ] s gengångare, dubbelgångare; varsel

fetching ['fetʃɪŋ] adj åld. tilltalande, tilldragande, vinnande [a ~ smile]; förtjusande, näpen [a ~ girl]

fete o. **fête** [feɪt] **I** s välgörenhetsfest (basar) spec. i det fria
II vb tr ge en fest för, fira (hylla) med en fest, fira, hylla

fetid ['fetɪd, 'fiːtɪd] adj stinkande

fetish ['fetɪʃ, 'fiːtɪʃ] s fetisch äv. friare; **have a ~ about** ha en mani när det gäller

fetishism ['fetɪʃɪz(ə)m, 'fiːtɪʃɪz(ə)m] s fetischdyrkan; psykol. fetischism

fetlock ['fetlɒk] s zool. (på hästben) **1** hovskägg **2** kota **3** kotled [äv. ~ joint]

fetter ['fetə] vb tr **1** fjättra, tjudra **2** bildl. binda [~ed by convention]; lägga band på, hämma, klavbinda

fetters ['fetəz] s pl bojor, bildl. äv. fjättrar, band, tvång; fångenskap

fettle ['fetl] s kondition, vigör, form; **in fine ~** el. **in good ~** i fin (god) form; på gott humör

fettuccine [ˌfetu'tʃiːnɪ] s kok. (it.) fettuccine pasta

fetus ['fiːtəs] s vanl. amer. foster

feud [fjuːd] **I** s fejd, strid, tvist **II** vb itr, ~ **with sb** ligga i fejd med ngn, ligga i luven på ngn

feudal ['fjuːdl] adj feodal, feodal-, läns-

feudalism ['fjuːdəlɪz(ə)m] s feodalism, feodalväsen, länsväsen, feodalsystem

feudalistic [ˌfjuːdə'lɪstɪk] adj feodal[istisk]

feudal system ['fjuːdlˌsɪstəm] s feodalväsen

fever ['fiːvə] s feber; febersjukdom; bildl. feberaktigt tillstånd; **a high ~** hög feber; ~ **hospital** epidemisjukhus; **have a ~** ha feber

fever blister ['fiːvəˌblɪstə] s amer. med. munsår

fevered ['fiːvəd] adj **1** febersjuk, feberyr **2** bildl. feberaktig, febril; uppjagad [~ imagination]

feverish ['fiːv(ə)rɪʃ] adj **1** feber- [a ~ condition; a ~ dream]; febrig, feberhet; **he is ~** äv. han har feber **2** bildl. het, brinnande [~ desire]; feberaktig [~ excitement]; febril [~ activity]

fever pitch ['fiːvəpɪtʃfa] s, **at ~** bildl. vid kokpunkten

fever-ridden ['fiːvəˌrɪdn] adj feberhärjad [~ area]

fever-stricken ['fiːvəˌstrɪk(ə)n] adj feberhärjad

few [fjuː] adj o. pron [bara] få [~ people (människor) live to be 100]; inte [så] många [I *have ~ cigarettes left*]; lite[t] [*there are very ~ people* (folk) *here; we are one too ~*]; *a ~* några få, några [stycken], lite[t] [*would you like a ~ strawberries?*]; ett par [tre] [*in a ~ days*]; *a chosen ~* några få utvalda; *not a ~* el. *quite a ~* el. *a good ~* inte så få, ganska (rätt) många, inte så lite[t], en hel del, ganska (rätt) mycket [*not a ~* etc. *faults*]; *only a ~* el. *some ~* [helt] få, bara några få, bara ett fåtal [*only a* (*some*) *~ people* (människor)]; bara lite[t] [*only a* (*some*) *~ people* (folk)]; *the* (*what*) *~ people I have met* de få människor jag har träffat; *the first* (*next*, resp. *last*, *past*) *~ days* de [allra] första (närmaste, resp. senaste el. sista) dagarna; *~ and far between* tunnsådda, sällsynta; *the houses are ~ and far between* äv. det är långt mellan husen; *~ in number*[s] fåtaliga

fewer ['fju:ə] *adj* o. *s* (komp. av *few*) färre; mindre [*one month ~*]; *no ~ than* inte mindre än, ända [upp] till

fewest ['fju:ıst] *adj* o. *s* (superl. av *few*) fåtaligast, minst; *the ~* ytterst få; *at the ~* minst

fey [feɪ] *adj* vard. underlig; tokig, vriden

fez [fez] *s* fez, fets slags muslimsk huvudbonad

ff förk. för *and the following pages* [*see p. 100 ~*]

ffa hand. (förk. för *free from alongside* [*ship*]) fritt från fartygs sida

FGM [ˌefdʒi:'em] *s* (förk. för *Female Genital Mutilation*) könsstympning

fiancé [fɪ'ɒnseɪ, -'ɑ:ns-, amer. ˌfi:ɑ:n'seɪ, fi:'ɑ:nseɪ] *s* fästman

fiancée [fɪ'ɒnseɪ, -'ɑ:ns-, amer. ˌfi:ɑ:n'seɪ, fi:'ɑ:nseɪ] *s* fästmö

fiasco [fɪ'æskəʊ] (pl. ~s, amer. äv. ~es) *s* fiasko, misslyckande

Fiat ['fi:ət, 'fi:æt] bilmärke

fiat ['fi:æt, 'faɪæt, 'faɪət] *s* **1** dekret, påbud, befallning; kommando, order [*at his ~*]; utslag **2** [officiellt] godkännande, medgivande

fib [fɪb] vard. **I** *s* liten (oskyldig) lögn, smålögn, liten osanning (nödlögn); *that's a ~* det var lögn; *tell ~s* småljuga, narras **II** *vb itr* småljuga, narras

fibber ['fɪbə] *s* vard. liten lögnare

fiber ['faɪbə] amer., se *fibre*

fibre ['faɪbə] *s* **1** fiber äv. i kost, tråd i t.ex. kött, nerv, tåga av t.ex. lin **2** koll. fiber[massa] spec. som textilt råmaterial **3** bildl. halt, virke [*of solid* (gott) *~*; *a man of tough* (segt) *~*]; väsen, natur

fibreboard ['faɪbəbɔ:d] *s* [trä]fiberplatta; koll. [trä]fiberplattor

fibreglass ['faɪbəglɑ:s] *s* glasfiber

fibre optics [ˌfaɪbə'ɒptɪks] (med verb i sg.) *s* fiberoptik

fibrillation [ˌfaɪbrɪ'leɪʃɪ(ə)n, ˌfɪb-] *s* med. flimmer; *atrial ~* förmaksflimmer; *ventricular ~* ventrikelflimmer, kammarflimmer

fibromyalgia [ˌfaɪbrəʊmʌɪ'aldʒɪə] *s* med. fibromyalgi

fibrosis [ˌfaɪ'brəʊsɪs] *s* med. fibros

fibrous ['faɪbrəs] *adj* fibrös, fibrig, [fin]trådig

fibul|a ['fɪbjʊl|ə] (pl. *-ae* [-i:] el. *-as*) *s* anat. vadben, fibula

fickle ['fɪkl] *adj* ombytlig, flyktig och obeständig, nyckfull [*a ~ woman*]; oberäknelig; föränderlig, opålitlig, ostadig; vankelmodig

fiction ['fɪkʃ(ə)n] *s* **1** [ren] dikt, påhitt; saga; osann historia; fiktion ofta jur. [*a legal* (juridisk) *~*]; [ren]

konstruktion; *fact and ~* fantasi (dikt) och verklighet, saga och sanning **2** skönlitteratur på prosa, romaner och noveller [*prefer history to ~*]; [berättande] diktning, fiktion|slitteratur]; *school of ~* skönlitterär skola; *work of ~* skönlitterärt verk, spec. roman **3** uppdiktande

fictional ['fɪkʃ(ə)nl] *adj* uppdiktad, diktad, dikt-; skönlitterär

fictitious [fɪk'tɪʃəs] *adj* påhittad, uppdiktad [*the characters in the book are entirely ~*]; fritt uppfunnen; overklig; sken- [*a ~ agreement; a ~ firm*]; föregiven; falsk, fingerad, antagen [*the criminal used a ~ name*]; simulerad, låtsad, spelad, fiktiv ofta jur.

fictive ['fɪktɪv] *adj* uppdiktad, låtsad [*~ sympathy*]; fiktiv, falsk, fingerad, antagen [*a ~ name*]

fiddle ['fɪdl] **I** *s* **1** vard. fiol, fela; [*as*] *fit as a ~* frisk som en nötkärna, pigg som en mört; *have a face as long as a ~* vara lång i ansiktet (synen); *play first* (*second*) *~* bildl. spela första (andra) fiolen [*to* i förhållande till] **2** sl. fuffens, fiffel [*a little ~*]; *he's always on the ~* han har alltid något fuffens (fiffel) för sig **3** vard. pillgöra, pyssel

II *vb itr* vard. **1** spela fiol **2 a**) *~* [*about* (*around*)] *with* fingra (pilla) på, leka (plocka) med [*he was fiddling* [*about*] *with a piece of string*]; smussla (fiffla) med **b**) knåpa, pyssla [*~ with painting*]; mixtra [*don't ~ with the lock*] **c**) fjanta [*~ about* (*around*) *doing nothing*]

III *vb tr* **1** vard. spela på fiol [*~ a tune*] **2** vard., *~ away* plottra (slösa) bort, förspilla [*~ away one's time*] **3** sl. fiffla (fuska) med [*~ one's income-tax return* (självdeklaration)]; fiffla till sig, fixa, mygla

fiddler ['fɪdlə] *s* **1** fiolspelare, spelman **2** sl. fifflare, skojare

fiddlesticks ['fɪdlstɪks] *interj* ngt åld. struntprat!, dumheter!

fiddling ['fɪdlɪŋ] *adj* vard. obetydlig, strunt-, futtig [*a ~ sum of money*]; *~ little jobs* små struntjobb

fiddly ['fɪdlɪ] *adj* petig, pillrig; *~ work* knåpgöra, petgöra, pillgöra

fidelity [fɪ'delətɪ] *s* **1** trohet [*to* mot; *~ to one's country*; *~ to one's principles*]; trofasthet; plikttrohet **2** trohet, naturtrohet, ljudtrohet, originaltrohet, texttrohet, trohet mot originalet, överensstämmelse med originalet, exakt likhet, riktighet; naturtrogen återgivning av ljud m.m.; jfr *high-fidelity*

fidget ['fɪdʒɪt] **I** *vb itr* inte kunna sitta (vara) stilla, nervöst (oroligt, otåligt) skruva (flytta) på sig [äv. *~ about; ~ in one's chair*]; vara (bli) nervös (orolig, otålig), oroa sig [*~ about* (för) *one's health*]; *~ with* nervöst fingra på (leka med, pilla med)

II *s* nervös (rastlös, otålig) människa; *he's a ~* han kan aldrig sitta (vara) stilla, han har ingen ro i kroppen

fidgety ['fɪdʒətɪ] *adj* nervös, orolig, rastlös, otålig; som inte kan sitta stilla [*a ~ child*]

Fido ['faɪdəʊ] smeknamn på hund

FidoNet ['faɪdəʊnet] *s* data. FidoNet nätverk för e-post och diskussionsgrupper

field [fi:ld] **I** *s* **1** fält [*a ~ of wheat*]; åker[fält], gärde, äng; mark; hage; land [*potato ~*] **2** ofta som efterled i sammansättn. -fält [*coalfield, oilfield, airfield*]

3 område [*he is eminent in* (på) *his ~*]; gebit, fält [*a new ~ of research*]; fack; **leave the ~ clear for sb** el. **leave sb in possession of the ~** lämna fältet fritt för ngn; **in the ~ of politics** på det politiska området; **that is outside my ~** det ligger utanför mitt område, det är inte mitt fack **4** fys. o.d. fält; **magnetic ~** magnetfält; **~** el. **~ of vision** synfält, synkrets **5** mil. fält, slagfält, valplats, krigsskådeplats; [fält]slag **6** sport. **a)** plats, plan [*football ~*]; **sports ~** idrottsplats **b)** koll. fält deltagare i tävling, jakt o.d.; **a good ~** kapplöpn. ett fint fält **7** herald., konst. o.d. fält; botten [*a gold star on a ~ of blue*]; [bak]grund **II** *vb tr* **1** kricket. el. i baseboll stoppa och skicka tillbaka bollen **2** sport. ställa upp ett lag, spelare **3** hantera, besvara [*~ a question*] **III** *vb itr* kricket. el. i baseboll ta bollen; vara i utelaget (fältpartiet), vara uteman

field day ['fi:ldder] *s* **1** amer. idrottsdag, friluftsdag **2** bildl. stor dag, lycklig (glad) dag; [*the Press had*] *a ~* äv. ...en av sina stora dagar (rena julafton)

fielder ['fi:ldə] *s* kricket. el. i baseboll utespelare

field events ['fi:ldɪˌvents] *s pl* sport. tävlingar i hopp och kast o.d.

fieldfare ['fi:ldfeə] *s* zool. björktrast, snöskata

field glasses ['fi:ldˌglɑ:sɪs] *s pl* fältkikare; **a pair of ~** en fältkikare

field goal ['fi:ldgəʊl] *s* **1** i amerikansk fotboll sparkmål i mots. till 'touchdown', ger tre poäng **2** i basket trepoängare

field hockey ['fi:ldˌhɒkɪ] *s* amer. landhockey

field hospital [ˌfi:ld'hɒspɪtl] *s* fältsjukhus

field marshal [ˌfi:ld'mɑ:ʃ(ə)l] (förk. *FM*) *s* mil. fältmarskalk

field|mouse ['fi:ldˌmaʊs] (pl. -*mice* [-maɪs]) *s* zool. skogsmus

field mustard [ˌfi:ld'mʌstəd] *s* bot. åkersenap

field officer ['fi:ldˌɒfɪsə] *s* mil. regementsbefäl med grad från överste till major

fields|man ['fi:ldzˌmən] (pl. -*men* [-mən]) *s* åld., se *fielder*

field sports ['fi:ldspɔ:ts] *s pl* friluftsaktiviteter; spec. jakt och fiske

field-test ['fi:ldtest] *vb tr* utföra fältstudier i (på, av)

field tests ['fi:ldtests] *s pl* fältstudier

field trip ['fi:ldtrɪp] *s* studieresa, studiebesök

fieldwork ['fi:ldwɜ:k] *s* **1** fältarbete till skillnad från skrivbordsarbete **2** arbete ute på fälten (ägorna, åkern) **3** mil., mest pl. **~s** fältbefästningar

fiend [fi:nd] *s* **1** djävul; ond ande **2** odjur, djävul [*he is a ~ in human shape* (gestalt)]; plågoande [*these children are little ~s*] om barn äv. satunge **3** vard. slav under last, fanatiker, fantast, entusiast, dåre; **football ~** fotbollsdåre, fotbollsfantast; **fresh-air ~** friluftsfantast, friluftsfanatiker, frisksportare; **be a golf ~** vara golfbiten, vara golffantast; **she's a ~ at tennis** hon är fantastiskt bra på tennis

fiendish ['fi:ndɪʃ] *adj* djävulsk, ondskefull, omänskligt grym; förfärlig, hemsk

fierce [fɪəs] *adj* **1** vild, vildsint, [folk]ilsken, bitsk [*~ dogs*] **2** våldsam, häftig [*~ anger*; *~ storms*]; hård, skarp; obändig, rasande, vild; bister

fiery ['faɪərɪ] *adj* **1** brännande [*~ heat*]; glödande; eldröd; [bränn]het, glödhet [*~ desert sands*]; förtärande; flammande [*a ~ sky*; *~ eyes*] **2** eldig [*a ~*

horse]; livlig; hetsig [*a ~ temper*]; hetlevrad, uppbrusande

fiesta [fɪ'estə] *s* fest[lighet], fiesta; fridag

FIFA ['fi:fə] (förk. för *Fédération Internationale de Football Association*) Internationella fotbollsförbundet

fife [faɪf] *s* [pickola]flöjt använd tillsammans med trumma i militärmusik, pipa

FIFO ['faɪfəʊ] (förk. för *first in, first out*) FIFU metod för värdering av varulager enligt vilken det antas att de först inköpta varorna sålts först

fifteen [ˌfɪf'ti:n, attr. '--] (jfr *five* o. sammansättn.) **I** *räkn* femton **II** *s* **1** femton [*a total of ~*]; femtontal [*for each* (*every*) *~*] **2** rugby. femtonmannalag **3** med siffror: **15** film. åldersgräns femton år

fifteen-fifties [ˌfɪfti:n'fɪftɪz] *s pl*, [*in*] *the ~* [på] 1550-talet

fifteenth [ˌfɪf'ti:nθ, attr. '--] *räkn* o. *s* femtonde; femtondel; jfr *fifth*

fifth [fɪfθ] **I** *räkn* femte; **the ~ century** 400-talet, femte århundradet; **the ~ commandment** motsv. fjärde budet, jfr *commandment*; **the ~ floor** [våningen] fem (amer. fyra) trappor upp; **~ part** femtedel; **in the ~ place** i femte rummet, för det femte **II** *adv*, **the ~ largest town** den femte staden i storlek, den femte största staden **III** *s* **1** femtedel; **one ~ of a litre** en femtedels liter **2** **the ~ of April** el. **on the ~ of April** som adverbial den femte april **3** mus. kvint; **major ~** stor kvint; **minor ~** liten kvint **4** motor. femmans växel, femman; **put the car in ~** lägga in femman

Fifth Avenue [ˌfɪfθ'ævənju:] exklusiv affärsgata i New York

fifth column [ˌfɪfθ'kɒləm] *s* femtekolonn

fifth columnist [ˌfɪfθ'kɒləmnɪst] *s* femtekolonnare

fifthly ['fɪfθlɪ] *adv* för det femte

fifth wheel [ˌfɪfθ'wi:l] *s* **1** reservdäck **2** vändskiva på fordon **3** bildl., **the ~** femte hjulet [under vagnen]

fiftieth ['fɪftɪɪθ, -tɪəθ] *räkn* o. *s* femtionde; femtiondel

fifty ['fɪftɪ] **I** *räkn* femti[o] **II** *s* femti[o] [*a total of ~*]; femti[o]tal [*for each ~*; *for every ~*]; **in the fifties a)** på femtiotalet av ett århundrade **b)** om temperatur mellan femtio och sextio grader (någonting på femtio grader) Fahrenheit ung. 10–15 grader Celsius; **he is in his fifties** han är mellan femtio och sextio, han har fyllt (passerat) femtio

fifty-fifth [ˌfɪftɪ'fɪfθ] *räkn* femti[o]femte

fifty-fifty [ˌfɪftɪ'fɪftɪ] *adj* o. *adv* fifty-fifty, jämn[t], jämnt fördelad, lika [*the chances are ~*]; **~ allegiance** delad lojalitet; **on a ~ basis** på lika basis; **a ~ chance** femti[o] procents chans; **go ~** [*with sb*] dela lika (jämnt, fifty-fifty) [med ngn]

fifty-five [ˌfɪftɪ'faɪv] **I** *räkn* femti[o]fem **II** *s* femti[o]femma

fiftyfold ['fɪftɪfəʊld] **I** *adj* femtiodubbel, femtiofaldig **II** *adv* femtiodubbelt, femtiofaldigt, femtiofalt, femtio gånger så mycket

fiftyish ['fɪftɪɪʃ] *räkn* vard. omkring femti, i femtiårsåldern

fifty-odd [ˌfɪftɪˈɒd] *adj*, **he is** ~ han är några och femtio [år]

fifty-plus o. **50+** [ˌfɪftɪˈplʌs] *s* femtio plus, 50+ person som är mer än femtio år

fig [fɪg] *s* **1** fikon; **green** ~**s** färska fikon **2** fikonträd **3** dugg, dyft; **I don't care a** ~ **for** jag struntar blankt i, jag bryr mig inte ett dugg (ett dyft) om; **not worth a** ~ inte värd ett ruttet lingon

fig. förk. för *figure*, *figuratively*

fight [faɪt] **I** (*fought fought*) *vb itr* **1** slåss, kämpa, strida, gräla [~ **about** (om) *money*]; fäkta; duellera; boxas; **he who** ~**s and runs away lives to** ~ **another day** ordspr. bättre fly än illa fäkta **2** ~ **shy of** [söka] undvika etc., jfr *shy I*

II (*fought fought*) *vb tr* **1** bekämpa [~ *the enemy*; ~ *disease*]; kämpa mot, strida mot, slåss med **2** utkämpa [äv. ~ *out*; ~ *a battle*; ~ *a war*] **3** kämpa för vid rättegång o.d., kämpa (konkurrera) om [~ *a seat in Parliament against sb*]; ~ **a case** processa om en sak, dra en sak inför domstol; föra en process; ~ **one's way** kämpa sig fram, slå sig igenom; slå sig fram, bryta sig en bana

III (*fought fought*) *vb tr* med adv. el. prep.:
fight back a) **he fought back** han bet ifrån sig, han slog tillbaka **b**) ~ **back one's tears** kämpa mot (med) gråten
fight down undertrycka
fight off a) ~ **off the enemy** slå tillbaka fienden **b**) ~ **off a cold** söka bli kvitt en förkylning
fight out: ~ **it out between yourselves!** ni får slåss om det!

IV *s* **1** slagsmål, kamp [*the* ~ *against disease*]; strid, gräl; fäktning; duell; boxningsmatch; **make a** ~ **for it** slåss; **make no** ~ **of it** inte kämpa, inte ta i; **put up a good** ~ kämpa tappert (vackert), försvara sig tappert; klara sig bra; kämpa hårt **2** stridslust, stridshumör; mod

fighter [ˈfaɪtə] *s* **1** mil. jakt[flyg]plan, strids[flyg]plan **2** slagskämpe; krigare; boxare **3** kämpe, fighter

fighter-bomber [ˈfaɪtəˌbɒmə] *s* mil. attack[flyg]plan

fighting [ˈfaɪtɪŋ] **I** *adj* stridande; stridsberedd; strids- [~ *patrol*] **II** *s* strid, strider [*street* ~]; kamp; slagsmål; **we have a** ~ **chance** vi har en liten chans [om vi verkligen bjuder till]; **I didn't get a** ~ **chance** jag fick inte den minsta chans; **in** ~ **trim** i stridbart skick

fighting chair [ˈfaɪtɪŋˌtʃeə] *s* amer. fiske. fastskruvat säte i båt använt då man fångar stora fiskar

fighting cock [ˈfaɪtɪŋkɒk] *s* stridstupp äv. om person; **live like a** ~ må som en prins i en bagarbod

fighting fish [ˈfaɪtɪŋfɪʃ] *s* zool., ~ el. **Siamese** ~ kampfisk

fighting mad [ˌfaɪtɪŋˈmæd] *adj* rasande, ursinnig

fighting spirit [ˌfaɪtɪŋˈspɪrɪt] *s* fighting spirit, kampvilja

fighting talk [ˈfaɪtɪŋtɔːk] *s* o. **fighting words** [ˈfaɪtɪŋwɜːdz] *s pl* provocerande (eldande) ord

fig leaf [ˈfɪgliːf] (pl. *fig leaves*) *s* fikonlöv äv. friare

figment [ˈfɪgmənt] *s* påfund, påhitt, dikt; ~ **of the imagination** fantasifoster, inbillningsfoster, hjärnspöke

figurative [ˈfɪgjʊrətɪv, -gər-] *adj* **1** bildlig [*a* ~ *expression*]; figurlig, överförd [*in a* ~ *sense*]

2 bildrik stil o.d. **3** symbolisk [*baptism is a* ~ *ceremony*] **4** figurativ [~ *art*]

figuratively [ˈfɪgjʊrətɪvlɪ, -gər-] *adv* bildligt etc., jfr *figurative*; i bildlig betydelse (bemärkelse)

figure [ˈfɪgə, amer. vanl. ˈfɪgjə] **I** *s* **1** siffra; pl. ~**s** äv. uppgifter, statistik [*according to the latest* ~*s*]; räkning; **a double** ~ ett tvåsiffrigt tal; **he is good at** ~**s** el. **he has a head for** ~**s** han är bra i räkning, han räknar bra; [*his income*] **runs into six** ~**s** …uppgår till ett sexsiffrigt tal **2** vard. belopp, pris; **name your (the)** ~**!** säg vad du ska ha [för det (den, dem)]! **3** figur [*she has a good* (snygg) ~]; kropp; form, fason; skepnad [*a* ~ *moving slowly in the dusk*] bildl. gestalt [*one of the greatest* ~*s in history*]; person [*a public* (offentlig) ~]; personlighet; **she is a fine** ~ **of a woman** hon är en stilig (parant) kvinna; **a** ~ **of fun** en löjlig figur (person), en driftkucku; **cut a fine** ~ ta sig elegant (imponerande) ut, göra ett elegant (imponerande) intryck; **cut a poor (sorry)** ~ göra en slät (ömklig) figur **4** figur [*geometrical* ~*s*; *see* ~ (förk. *fig.*) *31*]; illustration, bild, avbildning; mönster på tyg; på tavla [bild av] människa till skillnad från landskap; staty, skulptur **5** figur [*rhetorical* (retoriska) ~*s*]; bild **6** i dans figur, tur

II *vb tr* **1** beräkna, kalkylera **2** vanl. amer. anta, förmoda

III *vb itr* **1** räkna; **it** ~**s out at £45** det blir £45 **2** framträda, uppträda, figurera, ingå, förekomma; ståta; spela en [viss] roll **3** amer. anta, förmoda, tro [*he's going to lose, I* ~] **4** amer. vard., **that** ~**s** el. **it** ~**s** det stämmer (verkar troligt)

IV *vb tr* med adv.:
figure on räkna med [*they* ~*d on your arriving early*]; lita på; räkna (spekulera) på, beräkna
figure out vard. räkna ut; fundera ut, förstå; **I can't** ~ **him out** vard. äv. jag blir inte klok på honom

figured [ˈfɪgəd] *adj* mönstrad

figurehead [ˈfɪgəhed] *s* **1** sjö. galjonsbild **2** bildl. galjonsfigur

figure-hugging [ˈfɪgəˌhʌgɪŋ] *adj* kroppsnära, åtsmitande [~ *dress*]

figure of speech [ˌfɪgərəvˈspiːtʃ] *s* bildligt uttryck, bild

figure-skating [ˈfɪgəˌskeɪtɪŋ] *s* konståkning på skridsko

figurine [ˈfɪgjʊriːn] *s* statyett

Fiji [ˈfiːdʒiː, ˌ-ˈ-] geogr.

filament [ˈfɪləmənt] *s* **1** fin tråd (tåga, fiber) **2** tråd i glödlampa, glödtråd

filbert [ˈfɪlbət] *s* odlad art av hasselnöt; filbertnöt

filch [fɪltʃ] *vb tr* knycka, snatta, sno

1 file [faɪl] **I** *s* **1** samlingspärm, pärm, mapp, arkiv; brevpärm; kartotek **2** data. fil, register **3** [dokument]samling, register, kortsystem; dossier, akt; [tidnings]lägg, årgång; **keep a** ~ **on** el. **hold a** ~ **on** ha ett register över; **on our** ~**s** i vårt register **4** pappersspjut slags hållare för räkningar, brev o.d.

II *vb tr* **1** sätta in [i pärm] [*please* ~ [*away*] *these letters*]; arkivera, ordna in i en samling, sätta upp [på hållare]; [in]registrera, lägga till handlingarna **2** jur. o.d. lämna in, inge skrivelse; ~ **for divorce (bankruptcy)** lämna in skilsmässoansökan (konkursansökan)

2 file [faɪl] **I** *s* fil verktyg **II** *vb tr* fila, glätta

3 file [faɪl] **I** *s* rad av personer el. saker efter varandra, led; mil. rote, [enledig] kolonn; *in* ~ a) i följd, i rad b) mil. i rotar, på två led; *in single* ~ el. *in Indian* ~ i gåsmarsch, på ett led **II** *vb itr* gå (komma, marschera) i en lång rad (en efter en)

file cabinet [ˈfaɪlˌkæbɪnət] *s* amer. dokumentskåp

file clerk [ˈfaɪlklɑːk] *s* amer. person som sysslar med arkivering [av handlingar o.d.]

file extension [ˈfaɪlɪkˌstenʃ(ə)n] *s* data. filtillägg, filändelse

file name [ˈfaɪlneɪm] *s* data. filnamn

file sharing [ˈfaɪlˌʃeərɪŋ] *s* data. fildelning

filet [ˈfɪlɪt] *s* o. *vb tr* vanl. amer., se *fillet I 1* o. *fillet II*

filial [ˈfɪlɪəl] *adj* sonlig, dotterlig [~ *affection* (tillgivenhet)]; en sons, en dotters, som son, som dotter, ett barns, från barnens sida, barnslig

filibuster [ˈfɪlɪbʌstə] amer. polit. **I** *s* filibuster, maratontalare som med obstruktionstaktik söker hindra votering **II** *vb itr* filibustra, maratontala för att förhindra votering, göra obstruktion

filigree [ˈfɪlɪɡriː] *s* filigran[sarbete]

1 filing [ˈfaɪlɪŋ] *s* insättande [i pärm] etc., jfr *1 file II*

2 filing [ˈfaɪlɪŋ] *s* filande

filing cabinet [ˈfaɪlɪŋˌkæbɪnət] *s* dokumentskåp

filing case [ˈfaɪlɪŋkeɪs] *s* på kontor kartong

filing clerk [ˈfaɪlɪŋklɑːk] *s* person som sysslar med arkivering [av handlingar o.d.]

filings [ˈfaɪlɪŋz] *s pl* filspån

filing system [ˈfaɪlɪŋˌsɪstəm] *s* system för registrering, registreringssystem

Filipino [ˌfɪlɪˈpiːnəʊ] (pl. ~s) **I** *s* filippinare, filippinska **II** *adj* filippinsk

fill [fɪl] **I** *vb tr* **1** fylla; fullteckna en lista, plombera, fylla en tand, komplettera; ~ *the bill* vard. a) hålla måttet, duga b) motsvara behovet; [**£500**] *will just* ~ *the bill for us now* …är precis vad vi behöver nu; ~ *a pipe* stoppa en pipa **2** tillfredsställa; mätta **3** sköta, inneha en tjänst, besätta, tillsätta en tjänst; ~ *sb's place* inta ngns plats, efterträda ngn **II** *vb itr* fyllas, bli full; svälla **III** *vb tr* o. *vb itr* med adv.:

fill in a) fylla i [~ *in a form* (blankett)]; fylla ut; fylla igen; stoppa (sätta, skriva) i (in, dit) **b)** vard., ~ *sb in on sth* sätta ngn in i (ge ngn informationer om) ngt [~ *me in on the latest news*] **c)** rycka in, vikariera

fill out a) fylla ut, göra rundare [*it will* ~ *out your cheeks*]; ~ *out the details* fylla på med detaljerna; ~ *out a form* fylla i en blankett **b)** itr. bli fylligare (rundare) [*her cheeks had* ~*ed out*]; lägga ut, lägga på hullet

fill up a) tr. fylla [upp], fylla helt, fylla ut ett tomrum, ett program, fylla till brädden, slå full, fylla i (på) [~ *up the glass*]; fylla i [~ *up a form* (blankett)]; fylla igen [~ *up a pond* (damm)]; komplettera; ~ *up the tank* [*with petrol*] fylla tanken, tanka; ~ *her up*[, *please*]*!* vid tankning full tank[, tack]! **b)** itr. fyllas [igen], bli full (rågad); fylla på bensin, tanka

IV *s* **1** lystmäte; *eat one's* ~ äta sig mätt, äta så mycket man orkar **2** fyllning, påfyllning; *a* ~ *of tobacco* en stopp, en pipa tobak

filler [ˈfɪlə] *s* **1** fyllnadsmedel, [plast]spackel **2** filler

fyllnadsmaterial använt i vägbeläggning **3** påfyllare; attr. påfyllnings-

filler cap [ˈfɪləkæp] *s* tanklock på bil

fillet [ˈfɪlɪt] **I** *s* **1** kok. filé; [tjock] skiva kött; bröstbit av fågel; ibl. rulad; ~ *of sole* sjötungsfilé **2** hårband, pannband; bindel **II** *vb tr* filea; ~*ed sole* sjötungsfilé

fillet steak [ˌfɪlɪtˈsteɪk] *s* kok. oxfilé

fill-in [ˈfɪlɪn] *s* **1** vikarie, reserv, avlösare **2** amer. vard. resumé, översikt, kortfattad redogörelse

filling [ˈfɪlɪŋ] **I** *adj* **1** mättande; fyllande **2** fyllnads- [~ *material*]; fyllnings- **II** *s* **1** fyllande etc., jfr *fill I*; ifyllning, ilastning; igensättning **2** konkr. fyllnad, fyllning [*a custard* ~ *for a pie*]; plomb [*a gold* ~]

filling station [ˈfɪlɪŋˌsteɪʃ(ə)n] *s* bensinstation, tankställe

fillip [ˈfɪlɪp] *s* bildl. stimulans, stimulus, uppryckning; knuff framåt

fill-up [ˈfɪlʌp] *s* fyllning; ~ [*of petrol*] påfyllning [av bensin], tankning; *have one's* ~ *of* vard. få nog av

filly [ˈfɪlɪ] *s* stoföl; ungsto

film [fɪlm] **I** *s* **1** film äv. foto., filmrulle [äv. *roll of* ~, amer. *spool of* ~]; pl. ~*s* äv. filmföreställning, bioföreställning **2** hinna, tunt skikt (lager) [*a* ~ *of dust*]; film [*a* ~ *oil*]; tunt överdrag; beläggning på tänder **II** *vb tr* **1** filma [~ *a play*]; filmatisera [~ *a novel*]; spela in, ta [~ *a scene*]; *a* ~*ed version* äv. en filmatisering **2** täcka med en hinna etc., jfr *film I*

film director [ˈfɪlmdɪˌrektə] *s* filmregissör

film editor [ˈfɪlmˌedɪtə] *s* filmklippare

filmgoer [ˈfɪlmˌɡəʊə] *s* biobesökare

film library [ˈfɪlmˌlaɪbr(ə)rɪ] *s* filmarkiv

filmmaker [ˈfɪlmˌmeɪkə] *s* filmare

filmmaking [ˈfɪlmˌmeɪkɪŋ] *s* filmkunskap

film producer [ˈfɪlmprəˌdjuːsə] *s* filmproducent

film star [ˈfɪlmstɑː] *s* filmstjärna

filmstrip [ˈfɪlmstrɪp] *s* bildband

film studio [ˈfɪlmˌstjuːdɪəʊ] (pl. ~s) *s* filmateljé, filmstudio

film test [ˈfɪlmtest] *s* provfilmning

filmy [ˈfɪlmɪ] *adj* hinnaktig, tunn; spindelvävslik; lätt, slöj- [~ *clouds*]

Filofax® [ˈfaɪləʊfæks] *s* filofax®, planeringskalender med lösbladssystem

filo pastry [ˌfiːləʊˈpeɪstrɪ] *s* filodeg typ av deg med många tunna skikt

filter [ˈfɪltə] **I** *s* **1** filter i div. betydelser, filtrum; sil; ~ *coffee* bryggkaffe **2** trafik. grön pil för svängande trafik [äv. ~ *signal*] **II** *vb tr* filtrera; sila; brygga kaffe [genom filter]; ~*ed coffee* bryggkaffe **III** *vb itr* **1** filtreras; silas **2** trafik. svänga [av] från stillastående fil **IV** *vb itr* med adv. el. prep.:

filter into söka sig [väg] (tränga, ta sig) in i, långsamt vinna insteg i [*new ideas* ~*ing into people's minds*]

filter out filtrera bort; sålla bort

filter through a) söka sig [väg] (tränga) ut (igenom) b) sila igenom c) sippra (läcka) ut

filter paper [ˈfɪltəˌpeɪpə] *s* filterpapper, filtrerpapper

filter tip ['fɪltətɪp] s filter[munstycke]; filtercigarett

filter-tipped ['fɪltətɪpt] adj försedd med filtermunstycke, filter- [~ *cigarette*]

filth [fɪlθ] s **1** smuts, lort, skit; snusk, svineri **2** snusk, oanständigheter; porr **3** vard. smörja, skit **4** sl., **the** ~ snuten koll. polisen

filthy ['fɪlθɪ] **I** adj **1** smutsig, lortig, skitig; oren[lig], snuskig, svinaktig; oanständig [~ *talk*]; ~ **lucre** snöd vinning; skämts. pengar **2** vard. urusel, jäkla dålig [*he is in a ~ temper this morning*] **3** vard., ~ **with money** nerlusad med pengar
II adv vard., ~ **rich** snuskigt rik

filtration [fɪl'treɪʃ(ə)n] s filtrering

fin [fɪn] s **1** fena äv. på flygplan m.m. **2** pl. ~**s** simfötter

finagle [fɪ'neɪgl] vard. **I** vb tr **1** mygla till sig, fiffla till sig **2** ~ **sb out of sth** lura av ngn ngt
II vb itr mygla, fiffla, smussla

final ['faɪnl] **I** adj **1** slutlig, slut- [*the ~ goal is world peace*]; sista [*the ~ date for payment*]; avgörande, slutgiltig [*the ~ result*]; definitiv; sport. final- [~ *match*]; ~ **settlement** slutuppgörelse, slutavräkning, slutlikvid; **and that's ~!** och därmed basta! **2** fonet. utljudande, final, slut- [*the ~ 't' in 'bit' and 'bite'*] **3** gram. avsikts-, final [~ *clause*]
II s **1** sport., ~**s** pl. el. ~ final [*the Cup Final; enter* (gå till) *the ~s*]; sluttävlan **2** ~**s** pl. el. ~ spec. univ. slutexamen [*take one's ~s*]

finale [fɪ'nɑːlɪ] s **1** mus. final **2** bildl. final, slut, slutnummer, avslutning

finalist ['faɪnəlɪst] s finalist

finality [faɪ'nælətɪ] s slutgiltighet; [*that is impossible, she said*] **with an air of ~** ...som om hon ansåg saken utagerad

finalization [ˌfaɪnəlaɪ'zeɪʃ(ə)n] s fullbordande, avslutande, slutförande; slutgiltigt godkännande

finalize ['faɪnəlaɪz] vb tr fatta det avgörande beslutet om; fullborda, avsluta, lägga sista handen vid [~ *one's plans*]; slutföra, slutligen fastställa; slutgiltigt godkänna [~ *a list*]; **before the decision is** ~**d** innan det avgörande beslutet fattas

finally ['faɪnəlɪ] adv slutligen, till slut, till sist, äntligen; slutgiltigt, definitiv [*settle a matter ~*]

finance [verb 'faɪnæns, subst. 'faɪnæns, faɪ'næns] **I** s **1** finans; finansvetenskap, finansväsen; attr., vanl. finans-; **Minister of Finance** finansminister **2** pengar, kapital; **raise** ~ el. **obtain** ~ skaffa pengar (kapital) **3** pl. ~**s** finanser [*are the country's ~s sound?*]; ekonomi; ekonomisk ställning, affärsställning; **my** ~**s are in a bad state** min ekonomi är dålig
II vb tr finansiera, skaffa kapital till

finance company ['faɪnænsˌkʌmp(ə)nɪ] s kreditinstitut, finansieringsbolag

financial [faɪ'nænʃ(ə)l, fɪ'n-] adj finansiell, finans- [*a ~ centre*]; ekonomisk [~ *aid*; ~ *loss*]; ~ **difficulties** ekonomiska svårigheter

financial year [faɪˌnænʃ(ə)l'jɪə] s räkenskapsår, verksamhetsår, budgetår äv. EU., förvaltningsår

financier [faɪ'nænsɪə, fɪ'n-] s finansman, finansiär

finch [fɪn(t)ʃ] s zool. fink vanl. som efterled i sammansättn., jfr *chaffinch* o. *greenfinch*

find [faɪnd] **I** (*found found*) vb tr **1** finna i div. betydelser som: **a)** utan sökande hitta, påträffa, anträffa, träffa på, få tag i; möta; erhålla, [komma att] få; se, upptäcka, konstatera [*no trace could be found*];

finna ngt vara [*I ~ it useless*]; ertappa, komma på [*in* med]; **be found** finnas, påträffas, förekomma; ~ **one's feet** bildl., se *foot I 1*; **you must take us as you ~ us** du måste ta oss som vi är; **I couldn't ~ it in my heart to** jag hade inte hjärta att **b)** söka (leta, ta) reda (rätt) på [*please help Mary to ~ her glove*]; hitta, påträffa, stöta på, söka upp; erhålla, få spec. tid, tillfälle o.d., söka ut [åt]; skaffa [~ *sb work*]; uppdriva; hitta på [*I can ~ nothing new to say on the subject*]; **I can't ~ time to read** jag hinner aldrig (inte) läsa, jag får aldrig tid att läsa; ~ **one's way** leta sig fram, hitta [vägen], söka sig, hamna; bildl. finna medel (en utväg) [~ *one's way to do sth*]; [*a more stupid person than him*] **would be difficult to ~** ...får man leta efter **c)** nå, träffa [*the bullet found its mark*] **d)** anse [*I ~ it absurd*]; tycka ngn (ngt) vara, tycka att ngn (ngt) är; inse, märka [*I found that I was mistaken*]; förstå; **be found** befinnas [*he was found guilty*] **2** jur. döma, besluta; förklara [för]; avkunna utslag; ~ **sb guilty** förklara ngn skyldig; ~ **sb not guilty** äv. frikänna ngn **3** skaffa, anskaffa, bekosta; hålla, bestå [*sth* ngt]; förse; underhålla; ~ **sb in** (**with**) **sth** skaffa ngn ngt, hålla ngn med ngt
II (*found found*) vb rfl, ~ **oneself** befinna sig, känna sig [*how do you ~ yourself?*]; sörja för sig själv; ~ **oneself in sth** själv hålla sig med ngt
III (*found found*) vb itr jur. avkunna utslag, döma [*for* till förmån för]
IV (*found found*) vb tr o. vb itr med adv.:
find out få (leta) reda (rätt) på, ta reda på; söka upp; lösa en gåta, komma underfund med, lista ut; upptäcka; konstatera, utröna; finna ut, tänka ut, hitta (komma) på; uppdaga; ~ **sb out** komma underfund med vad ngn går för (vem ngn är), genomskåda (avslöja) ngn; ~ **out** [*about it*] ta reda på det
V s fynd, upptäckt

finder ['faɪndə] s upphittare [*the ~ will be rewarded*]; upptäckare; ~**s keepers** vard., ung. den som hittar en sak får behålla den

finding ['faɪndɪŋ] s **1** finnande, upphittande; ~**s** [*are*] **keepings** vard., ung. den som hittar en sak får behålla den **2** jur. utslag, dom, beslut **3** slutsats; **the** ~**s of the committee** resultatet av kommitténs undersökningar, det som kommittén har kommit fram till **4** fynd, upptäckt; rön, forskningsresultat

1 fine [faɪn] **I** adj fin i div. betydelser som: **a)** utmärkt [*that was a ~ performance*]; präktig, härlig, bra, framstående, skicklig [*he is a ~ musician*]; ~**!** ofta bra!, utmärkt!; **I feel** ~ jag mår bra (utmärkt) **b)** vacker [*a ~ garden; a ~ poem*]; storartad; stilig [*a ~ woman*]; grann, ståtlig, välväxt, storväxt; prydlig; **it makes a ~ show** det ser prydligt (stiligt) ut **c)** om dag, väder vacker; **one ~ day** en vacker dag, en gång avseende förfluten tid eller framtid; **one of these ~ days** en vacker dag, endera dagen avseende framtid **d)** elegant [~ *clothes*] om person el. tal bildad; ~ **manners** fint (bildat) sätt, belevenhet **e)** utsökt [*a ~ taste*]; förfinad; finare, högre, ädlare **f)** iron. skön, snygg, härlig; **you're a ~ one to talk!** ska du säga! **g)** ej grov o.d. [~ *dust*; ~ *sand*]; finkornig, tunn [~ *thread*]; spetsig, vass, skarp; smal, späd, liten, nätt; fin och ömtålig (skör) **h)** om metaller o.d. ren [~

gold] **i)** om skillnad o.d. subtil, hårdragen [*a ~ distinction*; *~ nuances*]
II *adv* fint etc., jfr 1 *fine I*; **cut it** ~ o. **run it** ~ se under *cut I 3* resp. *run II 1*; *~ cut* finskuren [*~ cut tobacco*]; *I'm doing* ~ vard. jag klarar mig fint (bra); jag mår bra; *that will suit me* ~ vard. det passar mig utmärkt
2 fine [faɪn] **I** *s* böter [*sentence sb to a* ~]; bötesbelopp, bot, vite; *impose a ~ of £100 on sb* döma ngn till 100 punds böter, döma ngn att böta 100 pund; *under a ~ of* vid vite av; *he was let off with a* ~ han slapp undan med böter
II *vb tr* bötfälla, döma att böta; *they ~d him £100* el. *he was ~d £100* han fick böta 100 pund
fine art [ˌfaɪnˈɑːt] *s* **1** *the* ~s de sköna konsterna **2** bildl., *have (get) sth down to a* ~ utveckla ngt till en skön konst
fine-comb [ˌfaɪnˈkəʊm] *vb tr* finkamma
fine-grained [ˌfaɪnˈɡreɪnd, attr. '--] *adj* finkornig, finfibrig
finely [ˈfaɪnlɪ] *adv* fint; subtilt; skarpt, noga
fine print [ˌfaɪnˈprɪnt] *s* typogr. liten (fin) stil
finery [ˈfaɪnərɪ] *s* finkläder, [finaste] stass, elegans [*young ladies in their Sunday* ~]; skrud, prakt [*the garden in its summer* ~]; grannlåt, prål, bjäfs
fines herbes [ˌfiːnzˈɜːb] *s pl* fr. blandade örtkryddor, kryddgrönt
finesse [fɪˈnes] *s* fin urskillning, takt [*show ~ in dealing with people*]; finess, sinnrikhet; förfining, finhet
fine-tooth comb [ˌfaɪntuːθˈkəʊm] *s*, **go over (through) with a** ~ finkamma; fingranska, lusläsa
fine-toothed [ˈfaɪntuːθt] *adj*, **go over (through) with a ~ comb** finkamma; fingranska, lusläsa
fine-tune [ˌfaɪnˈtjuːn] *vb tr* radio. m.m. finjustera, fininställa
finger [ˈfɪŋɡə] **I** *s* **1** finger; *little* ~ lillfinger; *middle* ~ långfinger; *ring* ~ ringfinger; *he has it at his* ~ *ends* han har (kan) det på sina fem fingrar; *have light* ~s vard. vara långfingrad (långfingrig); *his* ~s *are all thumbs* el. *he is all* ~s *and thumbs* han har tummen mitt i handen; *have one's* ~s *in the till* vard. snatta på jobbet; *she has a* ~ *in it* hon har ett finger (sin hand) med i spelet; *get (pull, take) one's* ~ *out* vard. få ändan ur vagnen; lägga på ett kol; *lay a* ~ *on* röra [vid] [*if you lay a ~ on that boy I'll leave the house*]; ta befattning med; *put one's* ~ *on* bildl. sätta fingret på; *not lift (raise, stir) a* ~ *to...* inte röra (lyfta) ett finger för att..., inte röra så mycket som en fena för att...; *work one's* ~s *to the bone* arbeta som en slav, slita ihjäl sig; *twist (turn, wrap) sb round (around) one's [little]* ~ kunna linda ngn kring (runt) sitt [lill]finger, kunna få ngn vart man vill; *let a chance slip through one's* ~s låta en chans gå sig ur händerna; *look through one's* ~s *at* se genom fingrarna med, blunda för **2** visare på klocka **3** fingersbredd; liten skvätt [*a ~ of whisky*]
II *vb tr* **1** fingra (tumma, pilla) på, plocka med (på), leka med, [ideligen] ta i; känna på [*~ a piece of cloth*]; sysselsätta (befatta) sig med **2** förse noter med fingersättning
finger alphabet [ˈfɪŋɡərˌælfəbet] *s* handalfabet
fingerboard [ˈfɪŋɡəbɔːd] *s* greppbräde, gripbräde på fiol o.d.
fingerbowl [ˈfɪŋɡəbəʊl] *s* sköljkopp på matbordet

fingered [ˈfɪŋɡəd] *adj* **1** [försedd] med fingrar; som efterled i sammansättn. med...fingrar [*clean-fingered*]; -fingrad, jfr *light-fingered* **2** mus. med [utsatt] fingersättning
fingerfood [ˈfɪŋɡəfuːd] *s* plockmat
fingering [ˈfɪŋɡ(ə)rɪŋ] *s* **1** fingrande etc., jfr *finger II* **2** mus. fingersättning
fingermark [ˈfɪŋɡəmɑːk] *s* märke efter ett [smutsigt] finger
fingernail [ˈfɪŋɡəneɪl] *s* fingernagel; *to one's* ~s [ända] ut i fingerspetsarna
fingerpaint [ˈfɪŋɡəpeɪnt] *s* fingerfärg
fingerpost [ˈfɪŋɡəpəʊst] *s* vägvisare spec. i form av en hand med pekande finger
fingerprint [ˈfɪŋɡəprɪnt] **I** *s* fingeravtryck; *take sb's* ~s ta fingeravtryck på ngn, ta ngns fingeravtryck; *sb's ~s are on sth* el. *sb's ~s are all over sth* ngn har satt sina fingeravtryck på ngt **II** *vb tr* ta fingeravtryck på
fingerstall [ˈfɪŋɡəstɔːl] *s* fingertuta
fingertip [ˈfɪŋɡətɪp] *s* fingerspets, fingertopp; *have sth at one's* ~s a) ha (kunna) ngt på sina fem fingrar b) ha ngt lätt åtkomligt (till hands); *to one's* ~s [ända] ut i fingerspetsarna
finicky [ˈfɪnɪkɪ] *adj* petig, kinkig, petnoga, pedantisk; *a ~ job* ett petgöra, ett knåpgöra, ett pillgöra
finish [ˈfɪnɪʃ] **I** *vb tr* **1** sluta [*have you ~ed reading ([att] läsa) now?*]; avsluta [*when she had ~ed her speech*]; slutföra, fullfölja [*~ the race* (loppet)]; fullborda, lägga sista handen vid; göra färdig, få färdig, bli färdig med, skriva färdig [*~ the letter*]; läsa färdig, läsa slut [på], läsa ut [*~ the book*]; göra slut på, äta upp, dricka upp, dricka ur [äv. ~ *off*; ~ *up*]; *~ eating* äta färdigt; *have you ~ed your work?* är du färdig med ditt arbete?; *~ the letter* el. ~ *writing the letter* skriva brevet färdigt **2** i div. tekn. betydelser ytbehandla, putsa [av], polera, efterbehandla; satinera, glätta papper, appretera tyg o.d., ge en finish; finputsa äv. bildl., förädla; bearbeta **3** vard., ~ el. ~ *off* ta död på [*that long climb almost ~ed me*]; expediera [*I ~ed him with a single blow*]; ta kål på [*this fever nearly ~ed him off*]; göra slut på, knäcka, ge nådestöten, avliva; göra ngn svarslös (mållös)
II *vb itr* **1** sluta, upphöra, bli färdig [äv. ~ *off*; ~ *up*]; *they ~ed by singing [a few songs]* de slutade med att sjunga..., som avslutning (till sist) sjöng de...; *it ~ed in a quarrel* det slutade med gräl; *have you ~ed with that dictionary?* är du färdig med det där lexikonet?; *we ~ed up at a pub* till slut hamnade vi på en pub; *some fruit to ~ up with* lite frukt som avslutning (att runda av med) **2** sport. fullfölja tävlingen [*three boats did not ~*]; fullfölja loppet; komma i mål i viss kondition etc., sluta; *she ~ed third* hon kom [i mål som] trea, hon slutade som trea
III *s* **1** slut, avslutning; slutspurt, finish, upplopp, slutkamp; mål [*from start to* ~]; slutscen; *a close* ~ el. *a tight* ~ en tuff slutspurt; *be in at the* ~ vara med om slutet (slutkampen); vara med i slutskedet; sport. vara med på upploppet äv. bildl.; *bring to a* ~ avsluta, få (göra) färdig, utagera; *fight to the* ~ kämpa (slåss) till det yttersta (till sista andetaget, tills en av deltagarna ger upp); *a fight to the* ~ en

kamp på liv och död **2** sista (slutlig) behandling, ytbehandling, avputsning, finputs äv. bildl., polering; finish; appretyr av tyg o.d., utsmyckning, dekorering, inredning **3** fulländning [in i detalj], fulländat (utmärkt) utförande, fullkomlighet, elegans, formfulländning; glans; bildl. fernissa, yttre bildning

finished ['fɪnɪʃt] *adj* **1** färdig; fulländad [*a ~ performance*]; [*the car*] *is perfectly ~* ...har en perfekt finish, ...är fulländad in i minsta detalj; *~ product* färdigvara, helfabrikat **2** vard. slut [*I'm ~, I can't go on*]; färdig äv. berusad, förlorad, fast; *we're ~* äv. det är ute med oss

finishing ['fɪnɪʃɪŋ] **I** *adj* fulländande, slut-; *add (give, put) the ~ touch (touches) to sth* lägga sista handen vid ngt, ge ngt en sista avslipning (den slutgiltiga formen); *supply the ~ touch* sätta kronan på verket, sätta pricken över i
II *s* **1** avslutning, avslutningsarbete; fulländande, färdigställande; slutbehandling, efterbehandling; tekn. avputsning av murararbete, ornamentering av snickeriarbete, appretering, appretyr av tyg, förgyllning och tryck o.d. i bokbinderi o.d., förädling **2** fotb. etc. avslutning; *his ~ is deadly* han är giftig i avslutningarna, han är riktigt målfarlig
finishing line ['fɪnɪʃɪŋlaɪn] *s* sport. mållinje
finishing post ['fɪnɪʃɪŋpəʊst] *s* sport., ung mål
finishing school ['fɪnɪʃɪŋskuːl] *s* flickpension med huvudvikten lagd på uppfostran för societetslivet
finishing stroke ['fɪnɪʃɪŋstrəʊk] *s, the ~* nådestöten
finishing tape ['fɪnɪʃɪŋteɪp] *s* sport. målsnöre
finite ['faɪnaɪt] *adj* **1** begränsad; ändlig äv. matem. [*a ~ quantity* (storhet)]; inskränkt **2** gram. finit
fink [fɪŋk] vanl. amer. sl. **I** *s* **1** tjallare **2** knöl, skit person
II *vb itr, ~ on* tjalla på
Finland ['fɪnlənd] geogr. egennamn; *the Gulf of ~* Finska viken
Finlander ['fɪnləndə] *s* finländare
Finn [fɪn] *s* **1** finne, finländare; finska kvinna **2** båttyp finnjolle
finnan ['fɪnən] *s* kok., *~* el. *~ haddock* rökt kolja
Finnish ['fɪnɪʃ] **I** *adj* finsk, finländsk **II** *s* finska [språket]
Finno-Ugrian [ˌfɪnə(ʊ)'juːgrɪən] *adj* o. **Finno-Ugric** [ˌfɪnə(ʊ)'juːgrɪk] *adj* finsk-ugrisk
fiord [fjɔːd] *s* fjord
fir [fɜː] *s* **1** bot. gran; spec. ädelgran; oegentl. äv. tall; barrträd; *Scotch ~* tall **2** granvirke; oegentl. furuvirke
fir cone ['fɜːkəʊn] *s* grankotte
fire ['faɪə] **I** *s* **1** eld[en] i allm.; *catch ~* el. *catch on ~* fatta (ta) eld, råka i brand, börja brinna, antändas; flamma upp; *set ~ to* sätta (tända) eld på, tända på, antända, sätta (sticka) i brand, anlägga eld i, tutta [eld] på; *on ~* i brand, i ljusan låga; bildl. [i] eld och lågor; *like a house on ~* vard., se *house I 1*; *be on ~* brinna, stå i lågor; bränna som eld; *set on ~* sätta (sticka) i brand, tända på, antända, sätta (tända) eld på, tutta [eld] på; *play with ~* leka med elden vanl. bildl. **2** eld i eldstad [*put the kettle on the ~*]; brasa [*sit by the ~; attend to* (sköta) *a ~; put out* (släcka) *a ~; stir* el. *poke* (röra om i) *the ~*]; bål; låga; *light the ~* tända brasan; *light a ~* el. *make a ~*

tända (elda) en brasa, tända (göra upp) eld **3** eldsvåda, brand [*the Great Fire of London in 1666*]; *~!* elden är lös!; *~ appliance* brandbil; *where's the ~?* var brinner det?; *insure against ~* brandförsäkra **4** mil. eld, skottlossning; *~!* ge fyr!, eld!; *hold one's ~* vänta med att ge eld; bildl. spara på krutet; *line of ~* skottlinje, skjutriktning; *be under ~* el. *come under ~* bli beskjuten; bildl. bli utsatt för hård kritik **5** bildl. flamma, lidelse, hetta, glöd [*a speech that lacks ~*]; entusiasm [*hearts filled with ~*]; eld; inspiration; *eyes full of ~* flammande ögon
II *vb tr* **1** avskjuta, fyra av, avlossa, lossa, bränna av [ofta *~ off; ~* [*off*] *a shot at* (mot) *the enemy*]; spränga [*~ a charge of dynamite*] bildl. fyra av [*he ~d off questions*]; *~ questions at sb* bombardera ngn med frågor; *~ a salute* skjuta (ge) salut, salutera **2** antända, sätta (sticka) i brand, sätta (tända) eld på [*~ a haystack*] **3** vard. sparka avskeda **4** steka; bränna tegel, torka [*~ tea*] **5** elda, mata en ångpanna o.d. **6** bildl., *~* el. *~ up* elda [upp], egga, stimulera [*~ sb's imagination*]; sätta i brand, få att flamma upp [*that ~d his passions*]; fylla [*~ sb with enthusiasm*]; *be firing on all cylinders* köra för fullt, köra på hög växel
III *vb itr* ge eld, ge fyr, skjuta [*at, on* mot, på]; om skjutvapen brinna av; börja skjuta, brassa på äv. bildl.; *~ away* el. *~ ahead* bildl. sätta i gång, klämma i, börja
fire alarm ['faɪərəˌlɑːm] *s* brandalarm
fire alarm box ['faɪərəˌlɑːmbɒks] *s* brandskåp
fire alarm post ['faɪərəˌlɑːmpəʊst] *s* brandpost
firearm ['faɪərɑːm] *s*, mest pl. *~s* skjutvapen, eldvapen
fireball ['faɪəbɔːl] *s* eldkula, klotblixt; eldklot vid kärnvapenexplosion
fireboat ['faɪəbəʊt] *s* flodspruta
firebomb ['faɪəbɒm] *s* brandbomb
firebrand ['faɪəbrænd] *s* orostiftare, uppviglare, agitator; brandfackla
firebreak ['faɪəbreɪk] *s* **1** brandgata **2** brandsäker vägg, brandmur
firebrick ['faɪəbrɪk] *s* eldfast tegel, chamottetegel
fire brigade ['faɪəbrɪˌgeɪd] *s* brandkår
firebug ['faɪəbʌg] *s* vard. pyroman
firecracker ['faɪəˌkrækə] *s* pyrotekn. smällare
fire curtain ['faɪəˌkɜːtn] *s* teat. järnridå
firedamp ['faɪədæmp] *s* explosiv gruvgas
fire department ['faɪədɪˌpɑːtmənt] *s* amer. brandkår; brandväsen
firedog ['faɪədɒg] *s* eldhund i öppen spis
fire door ['faɪədɔː] *s* branddörr
fire drill ['faɪədrɪl] *s* brandövning
fire-eater ['faɪərˌiːtə] *s* eldslukare
fire engine ['faɪərˌen(d)ʒɪn] *s* brandbil
fire escape ['faɪərɪˌskeɪp] *s* **1** brandstege **2** reservutgång
fire extinguisher ['faɪərɪkˌstɪŋgwɪʃə] *s* [hand]brandsläckare
firefight ['faɪəfaɪt] *s* skottlossning
firefighter ['faɪəˌfaɪtə] *s* brandman spec. vid skogsbränder
firefighting ['faɪəˌfaɪtɪŋ] **I** *adj* brandsläcknings-, brandförsvars-
II *s* **1** brandsläckning, brandförsvar **2** bildl. brandkårsutryckning

firefly [ˈfaɪəflaɪ] s zool. eldfluga

fireguard [ˈfaɪəgɑːd] s brasskärm, gnistgaller

fire hazard [ˈfaɪəˌhæzəd] s brandrisk, brandfara

firehose [ˈfaɪəhəʊz] s brandslang, sprutslang

firehouse [ˈfaɪəhaʊs] s amer. brandstation

fire hydrant [ˈfaɪəˌhaɪdr(ə)nt] s brandpost[huvud]

fire insurance [ˈfaɪərɪnˌʃʊər(ə)ns] s brandförsäkring

fire irons [ˈfaɪərˌaɪənz] s pl brasredskap

firelight [ˈfaɪəlaɪt] s eldsken, brassken

firelighter [ˈfaɪəˌlaɪtə] s braständare

fire|man [ˈfaɪə|mən] (pl. *-men* [-mən]) s **1** brandman, brandsoldat **2** eldare

fireplace [ˈfaɪəpleɪs] s eldstad, [öppen] spis; eldrum, härd i eldstad

fire power [ˈfaɪəˌpaʊə] s **1** mil. eldkraft **2** bildl. resurser

fireproof [ˈfaɪəpruːf] adj brandfri, brandsäker; eldfast

fireproof curtain [ˌfaɪəpruːfˈkɜːtn] s teat. järnridå

fireproof wall [ˌfaɪəpruːfˈwɔːl] s brandmur

fire-raising [ˈfaɪəˌreɪzɪŋ] s mordbrand, anstiftande av brand

fire-retardant [ˈfaɪərɪˌtɑːdənt] adj brandhämmande

fire risk [ˈfaɪərɪsk] s brandrisk, brandfara

fire sale [ˈfaɪəseɪl] s utförsäljning av brandskadat gods

firescreen [ˈfaɪəskriːn] s vanl. amer. eldskärm

fire service [ˈfaɪəˌsɜːvɪs] s brandkår; brandväsen

fireside [ˈfaɪəsaɪd] s **1** the ~ platsen kring [den öppna] spisen, härden; spiselvrån; bildl. hemlivet, hemmet; *by the* ~ vid brasan, vid hemmets härd **2** attr. hem-, hemtrevlig, trivsel-, mys-; *a ~ chat* (*talk*) amer. ett informellt samtal i radio el. tv

fire station [ˈfaɪəˌsteɪʃ(ə)n] s brandstation

firetongs [ˈfaɪəˌtɒŋz] s pl eldtång; *a pair of* ~ en eldtång

firetrap [ˈfaɪətræp] s dödsfälla om byggnad som inte uppfyller krav på brandsäkerhet

fire truck [ˈfaɪətrʌk] s amer. brandbil

firewall [ˈfaɪəwɔːl] s **1** brandmur **2** data. brandvägg

fire-watcher [ˈfaɪəˌwɒtʃə] s [hus]brandvakt under krig

firewater [ˈfaɪəˌwɔːtə] s vard. eldvatten sprit

firewood [ˈfaɪəwʊd] s ved; hand. splitved

fireworks [ˈfaɪəwɜːks] s pl **1** eg. fyrverkeripjäser; fyrverkeri **2** bildl., med verb i pl. el. sg.) ett utbrott; [*don't irritate him*] *or there'll be* ~s ...annars så smäller det

firing [ˈfaɪərɪŋ] s **1** avskjutande etc., jfr *fire II*; mil. eldgivning, skottlossning, skjutning **2** antändning, eldning; ~ *mechanism* el. ~ *device* avfyrningsmekanism, avfyrningsanordning

firing line [ˈfaɪərɪŋlaɪn] s, *be in* (amer. *on*) *the* ~ vara mitt i skottlinjen äv. bildl.

firing range [ˈfaɪərɪŋreɪndʒ] s **1** skjutbana **2** skotthåll [*within* ~]

firing squad [ˈfaɪərɪŋskwɒd] s exekutionspluton

1 firm [fɜːm] s [handels]firma; *a ~ of solicitors* en advokatfirma

2 firm [fɜːm] **I** adj **1** fast [~ *flesh*; ~ *muscles*]; hård, stark, tät; *be on ~ ground* bildl. ha (känna) fast mark under fötterna **2** fast, säker, stadig; bildl. fast, ståndaktig, orubblig, bestämd [~ *decision*; ~ *man*; ~ *opinion*]; trofast [*to* mot]; *prices were* ~ kurserna var fasta **II** adv fast; *stand* ~ stå fast, inta en fast hållning

firmament [ˈfɜːməmənt] s, *the* ~ firmamentet, fästet, himlavalvet [*in* (på) *the* ~]

firmly [ˈfɜːmlɪ] adv fast etc., jfr *2 firm*; ~ *believe* tro fullt och fast

firmware [ˈfɜːmweə] s data. inbyggt program i t.ex. ROM

first [fɜːst] **I** adj o. räkn första, förste; främst, förnämsta, förnämste, högst; hand. bäst, prima; *the ~ two* de två första; ~ *appearance* debut; *you haven't got the ~ idea about it* du har inte den ringaste aning om det; *of the ~ importance* av största (yttersta) vikt; ~ *performance* urpremiär; premiär; mus. uruppförande; *in the ~ place* först och främst; för det första; i första (främsta) rummet; *at ~ sight* (*glance*) vid första anblicken (påseendet, ögonkastet [*love at ~ sight*]); [*the*] ~ *thing* vard. det första [*the ~ thing you should do*]; så fort som möjligt [*I'll do it ~ thing*]; [*the*] ~ *thing tomorrow morning* med detsamma (genast) i morgon bitti; *I don't know the ~ thing about him* vard. jag vet inte det minsta om honom; *you don't know the ~ thing about it* du har inget begrepp (vet inte ett dyft) om det **II** adv **1** först; ibl. hellre, förr; ~ *of all* allra först; först och främst; ~ *come ~ served* först till kvarn får först mala; *he would die* ~ förr (hellre) dör han; ~ *off* allra först, för det första **2** [i] första klass [*travel* ~] **3** *when* ~ *he saw me* genast då (så fort) han såg mig; *when we were* ~ *married I earned* [*£280 a week*] när vi var nygifta tjänade jag… **III** s **1** *at* ~ först, i början; *from the* ~ ända från början, från första början; *from* ~ *to last* hela tiden, från början till slut **2** första, förste; *the* ~ den första i en månad; ~ *but one* (*two*) se under *but I 2 d* **3** sport. **a)** förstaplats, vinnarplats **b)** etta, nummer ett; *come* ~ el. *come in* ~ el. *finish* ~ komma [in som] etta, komma på första plats **4** univ., *he got a* ~ ung. han fick högsta betyget i examen för *honours degree* (jfr *honour I 5*) **5** motor. ettans växel, ettan; *put the car in* ~ lägga in ettan

first aid [ˌfɜːstˈeɪd] s första hjälpen

first-aid classes [ˌfɜːsteɪdˈklɑːsɪz] s pl första-hjälpen-kurs

first-aid kit [ˌfɜːstˈeɪdkɪt] s förbandslåda

first-aid post [ˌfɜːstˈeɪdpəʊst] s o. **first-aid station** [ˌfɜːstˈeɪdˌsteɪʃ(ə)n] s hjälpstation

first base [ˌfɜːstˈbeɪs] s amer. första bas i baseball; *get to first* ~ a) nå (hinna till) första basen i baseball b) bildl. komma ett stycke på väg, komma någon vart

firstborn [ˈfɜːs(t)bɔːn] adj o. s förstfödd

first cause [ˌfɜːstˈkɔːz] s teol. Skaparen

first-class [ˌfɜːs(t)ˈklɑːs, attr. adj. ˈ--] **I** adj förstaklass- [~ *passengers*]; förstklassig, första klassens [*a ~ hotel*]; prima; *a ~ row* vard. ett ordentligt uppträde (gräl) **II** adv [i] första klass [*travel* ~]

first class [ˌfɜːs(t)ˈklɑːs] s första (högsta) klass; *he got a* ~ univ., ung. han fick högsta betyget i examen för *honours degree* (jfr *honour I 5*)

first-class mail [ˈfɜːs(t)ˌklɑːsˈmeɪl] s **1** förstaklasspost snabbefordrad post **2** amer. brevpost

first cousin [ˌfɜːstˈkʌzn] s [första] kusin; **be a ~ to** bildl. vara nära släkt med

first-degree burn [ˌfɜːstdɪgriːˈbɜːn] s första gradens brännskada

first-degree murder [ˌfɜːstdɪgriːˈmɜːdə] s vanl. amer. jur. överlagt mord

first family [ˌfɜːstˈfæm(ə)lɪ] s amer., **the ~** presidentens familj

first floor [ˈfɜːstfloː] s, **the ~** [våningen] en trappa upp; amer. bottenvåningen

first-hand [ˌfɜːstˈhænd, attr. '--] **I** adj förstahands-, i första hand, direkt- [~ information] **II** adv i första hand [learn (få veta) sth ~]; direkt

First Lady [ˌfɜːstˈleɪdɪ] s, **the ~** amer. presidentens el. delstatsguvernörens hustru

first light [ˌfɜːstˈlaɪt] s, **at ~** i gryningen

firstly [ˈfɜːstlɪ] adv för det första

first mortgage [ˌfɜːstˈmɔːgɪdʒ] s botteninteckning

first name [ˈfɜːstneɪm] s förnamn

first night [ˌfɜːstˈnaɪt] s premiär[kväll]

first-night nerves [ˌfɜːstnaɪtˈnɜːvz] s pl premiärnerver, rampfeber

first offender [ˌfɜːstəˈfendə] s förstagångsförbrytare

first-past-the-post [ˌfɜːstpɑːstðəˈpəʊst] adj med enkel majoritet

first person [ˌfɜːstˈpɜːsn] s gram., **the ~** första person

first principles [ˌfɜːstˈprɪnsəplz] s pl grundprinciper

first-rate [ˌfɜːstˈreɪt, attr. '--] adj o. adv första (högsta) klassens, förstklassig, ypperlig, finfin, prima, mycket bra, utmärkt [Oh, thank you I'm (jag mår) ~]; **it's ~!** vard. äv. det är toppen!

first-rater [ˌfɜːstˈreɪtə] s, **be a ~** vara av högsta (första) klass

first refusal [ˌfɜːstrɪˈfjuːz(ə)l] s, **give sb [the] ~ to** ge ngn förköpsrätt till

first-time voter [ˌfɜːsttaɪmˈvəʊtə] s förstagångsväljare

firth [fɜːθ] s vanl. skotsk. fjord, fjärd; smal havsarm; smal flodmynning

fiscal [ˈfɪsk(ə)l] adj fiskal, som rör statsinkomsterna, skatte- [~ system]; finans-

fiscal year [ˌfɪsk(ə)lˈjɪə] s amer. räkenskapsår, verksamhetsår, budgetår

fish [fɪʃ] **I** (pl. -es el. koll. vanl. fish) s **1** fisk; vard. vattendjur i allm.; **there are as good ~ in the sea as ever came out of it** el. **there are plenty more ~ in the sea** ordspr. mister du en, står dig tusende åter; **he is like a ~ out of water** han är som en fisk på torra land, han känner sig inte hemma (hemmastadd); **drink like a ~** dricka som en svamp; **a fine (pretty) kettle of ~** iron. en skön röra, en snygg historia; **a different kettle of ~** en helt annan sak, något helt annat; **neither ~, flesh, nor fowl** varken fågel eller fisk; **I have [got] other ~ to fry** jag har annat (viktigare saker) att göra (stå i, tänka på), jag har andra saker för mig **2** vard., **be a big ~ in a little pond** ung. vara en stor stjärna i en liten värld; **a cool ~** en fräck en (typ); **odd ~** el. **queer ~** underlig typ (prick), kuf
II vb itr fiska; **go ~ing** ge sig ut (åka ut, gå) och fiska; **~ in troubled waters** fiska i grumligt vatten
III vb tr fiska, fånga, dra upp [ur vattnet] [~ trout]; fiska i [~ a river]
IV vb itr o. vb tr med adv. el. prep.:
fish for a) eg. fiska [~ for trout] **b)** bildl. fiska (fika,

leta) efter; **~ for compliments** vard. gå med håven
fish out a) fiska upp, dra upp [ur vattnet] [äv. ~ up]
b) bildl. fiska upp [~ out a coin from (ur) one's pocket]; leta (vaska) fram [äv. ~ up]; locka fram

fish and chips [ˌfɪʃən(d)ˈtʃɪps] s friterad fisk och pommes frites ofta för omedelbar förtäring

fish-and-chip shop [ˌfɪʃən(d)ˈtʃɪpʃɒp] s affär där man säljer friterad fisk och pommes frites ofta för omedelbar förtäring

fishball [ˈfɪʃbɔːl] s kok. fiskbulle

fishbone [ˈfɪʃbəʊn] s fiskben

fishbowl [ˈfɪʃbəʊl] s **1** guldfiskskål **2** bildl. glasskål

fishcake [ˈfɪʃkeɪk] s kok., slags fiskkrokett

fisher|man [ˈfɪʃə|mən] (pl. -men [-mən]) s fiskare; yrkesfiskare

fishery [ˈfɪʃərɪ] s **1** fiskeri; fiske **2** fiskevatten

fish-eye lens [ˌfɪʃaɪˈlenz] s foto. fiskögeobjektiv

fish farm [ˈfɪʃfɑːm] s fiskodling

fish finger [ˌfɪʃˈfɪŋgə] s kok. fiskpinne

fish hook [ˈfɪʃhʊk] s metkrok

fishing [ˈfɪʃɪŋ] **I** adj använd vid fiske, fiskar-, fiske-; **be on a ~ expedition** vard. bildl. försöka fiska (snoka) lite; vara på rekognosering **II** s fiskande, fiske

fishing fly [ˈfɪʃɪŋflaɪ] s fiske. fluga

fishing gear [ˈfɪʃɪŋgɪə] s se fishing tackle

fishing grounds [ˈfɪʃɪŋgraʊndz] s pl fiskevatten

fishing limits [ˈfɪʃɪŋˌlɪmɪts] s pl fiskegräns

fishing line [ˈfɪʃɪŋlaɪn] s metrev

fishing net [ˈfɪʃɪŋnet] s fisknät

fishing permit [ˈfɪʃɪŋpɜːmɪt] s fiskekort

fishing rights [ˈfɪʃɪŋraɪts] s pl fiskerätt

fishing rod [ˈfɪʃɪŋrɒd] s metspö

fishing tackle [ˈfɪʃɪŋtækl] s fiskredskap, fiskedon

fishing village [ˈfɪʃɪŋvɪlɪdʒ] s fiskeläge, fiskeby

fishknife [ˈfɪʃnaɪf] s fiskkniv

fishmonger [ˈfɪʃˌmʌŋgə] s fiskhandlare; **~'s** fiskaffär

fishnet [ˈfɪʃnet] s fiskenät

fishnets [ˈfɪʃnets] s pl o. **fishnet stockings** [ˌfɪʃnetˈstɒkɪŋz] s pl nätstrumpor

fishpaste [ˈfɪʃpeɪst] s kok., bredbar fiskpasta

fishpond [ˈfɪʃpɒnd] s fiskdamm; skämts. hav

fishslice [ˈfɪʃslaɪs] s fiskspade

fish stick [ˈfɪʃstɪk] s kok., vanl. amer. fiskpinne

fishtail [ˈfɪʃteɪl] **I** s fiskstjärt **II** adj fiskstjärt- **III** vb itr flyg. tvära

fishtail wind [ˈfɪʃteɪlˌwɪnd] s kastvind

fishwife [ˈfɪʃwaɪf] (pl. fishwives) s neds. åld. gaphals kvinna med grovt språk

fishy [ˈfɪʃɪ] adj **1** vard. skum, misstänkt, tvivelaktig, otrolig; **there's something ~ about it** det är något (lurt) skumt med det **2** fisklik, fisk- [a ~ smell; a ~ taste]; **~ eyes** uttryckslösa (glanslösa) ögon, fiskögon

fissile [ˈfɪsaɪl, amer. ˈfɪsl] adj klyvbar, fys. äv. fissil [~ material]

fission [ˈfɪʃ(ə)n] s klyvning äv. fys.; biol. delning; **nuclear ~** fys. fission, kärnklyvning

fissionable [ˈfɪʃ(ə)nəbl] adj fys. klyvbar

fissure [ˈfɪʃə] s klyfta, rämna, spricka; med. fissur, sprickbildning

fist [fɪst] **I** s knytnäve, knuten näve; vard. näve, labb; **he shook his ~ at me** han hötte åt mig [med näven]

II *vb tr* slå med knytnävarna, boxa [*the goalkeeper ~ed the ball away (out)*]; hugga tag i

fisted ['fɪstɪd] *adj* som efterled i sammansättn. med...knytnävar [*big-fisted*]; se äv. *ham-fisted* o. *tight-fisted*

fist fight ['fɪstfaɪt] *s* knytnävsslagsmål, handgemäng

fisticuffs ['fɪstɪkʌfs] (med verb i sg. el. pl.) *s* knytnävskamp; knytnävsslagsmål

fistula ['fɪstjʊlə] *s* **1** med. fistel[gång] **2** rör

1 fit [fɪt] **I** (*~ted ~ted*, amer. äv. *fit fit*) *vb tr* **1 a)** om kläder passa; *how does it ~ me?* hur sitter den [på mig]? **b)** allm. passa i (till), passa in på [*the description ~s her*]; svara mot; *~ the bill* vara lämplig, passa för sin plats **2 a)** göra lämplig, göra passande (duglig, kompetent), förbereda, kvalificera **b)** anpassa, aptera, lämpa, avpassa [*to* efter; *~ a shoe to the foot*] **3 a)** passa in, sätta in, anbringa, montera [in], sätta på [*~ a new tyre on to* (på) *a car*]; sätta in, sätta upp **b)** prova; *Mary has had a brace ~ted* Mary har fått prova ut tandställning; *he was ~ted* [*for a new suit*] man tog mått på honom...; *she was ~ted with a hearing aid* hon fick prova ut en hörapparat **4** utrusta, förse [*~ sb with clothes*]; bereda, inreda, göra i ordning; *~ out* utrusta, ekipera; sjörusta och bemanna fartyg **II** (för tema se *1 fit I*) *vb itr* passa, om kläder äv. sitta; vara lagom stor, gå in; sluta till; *~ in with* passa ihop (stämma) med, bildl. äv. passa in i **III** *adj* **1** i bästa möjliga kondition (form), spänstig; kry, pigg; frisk (stark) nog; *keep ~* hålla sig i form **2** lämplig, duglig, som duger, skickad, rustad, lämpad; passande, värdig [*you are not ~ to...*]; värd, som förtjänar; *be ~ for* äv. lämpa sig för, duga till, passa för [*he is not ~ for the position*]; vara i stånd till, kunna vara med om; *~ for work* arbetsduglig, arbetsför; *think ~ to* el. *see ~ to* anse (finna) lämpligt att, finna för gott att **3** färdig, redo; vard. färdig, nära [*so angry that he was ~ to burst*] **IV** *s* passform; [*these shoes*] *are just your ~* ...passar dig precis; *be a tight ~* sitta åt, smita åt

2 fit [fɪt] *s* **1 a)** anfall, attack av sjukdom o.d. **b)** krampanfall, konvulsioner, paroxysmer, epileptiskt anfall **c)** förr svimningsanfall; *~ of coughing* hostanfall, hostattack; [*she often had*] *~s of depression* ...depressioner; *in a drunken ~* i fyllan och villan; *fainting ~* svimningsanfall; *it gave me a ~* jag höll på att få slag; *I nearly had a ~* el. *I had forty ~s* jag höll på att få slag, jag blev alldeles ifrån mig; *fall down in a ~* falla till marken i konvulsioner **2** ryck, anfall [*a ~ of activity* (verksamhetslusta)]; utbrott [*~ of anger*]; *~ of laughter* skrattanfall, skrattparoxysm; *in a ~ of generosity* i ett anfall av ädelmod (frikostighet); *by ~s* [*and starts*] ryckvis, stötvis, oregelbundet

fitful ['fɪtf(ʊ)l] *adj* ryckig, ryckvis [påkommande]; ojämn, ostadig; nyckfull [*a ~ breeze*]

fitment ['fɪtmənt] *s* möbel; mest pl. *~s* möbler, inredning [*kitchen ~s*]

fitness ['fɪtnəs] *s* **1** kondition [*the physical ~ of people*] **2** lämplighet, duglighet [*for, to* för, till]; riktighet

fitness test ['fɪtnəstest] *s* konditionstest, konditionsprov

fitted ['fɪtɪd] *adj* **1** lämpad, lämplig, skickad, rustad, passande, ägnad [*for, to* för, till; *to be*]; avpassad, anpassad [*to* efter]; *~ by nature for* enkom skapad för **2** inpassad etc., jfr *1 fit I 3*; *~ carpet* heltäckande matta, heltäckningsmatta; *~ kitchen* kök med fast inredning; *~ sheet* överdragslakan; *~ wardrobe* garderob, inbyggt klädskåp

fitter ['fɪtə] *s* **1** montör, mekaniker, installatör **2** [av]provare; tillskärare

fitting ['fɪtɪŋ] **I** *adj* **1** passande, lämplig **2** som efterled i sammansättn. -sittande [*badly-fitting*]; jfr *close-fitting* **II** *s* **1** pl. *~s* tillbehör, inredning [*~s for an office*]; innanrede; beslag på dörrar, fönster o.d., maskindelar; armatur [*electric* [*light*] *~s; boiler ~s*] **2 a)** avpassning, hoppassning; utrustning; tekn. [in]montering **b)** provning [*go to the tailor's for a ~*] **c)** om kläder storlek, vidd, passform; om skor läst [*you need a broader ~*]

fitting room ['fɪtɪŋruːm] *s* provrum, provhytt

five [faɪv] **I** *räkn* fem [*~ and ~ make[s] ten*]; *take ~* ha (ta) fem minuters paus; *an income of ~ figures* en femsiffrig inkomst; *a child of ~* ett barn på fem år, en femåring; *~ fives are twenty-five* fem gånger fem är tjugofem; *~ to one* fem mot ett om chanser **II** *s* femma; femtal [*for each* (*every*) *~*]; *the ~ of diamonds* ruter fem, femma i ruter, ruterfemman; *give sb ~* vard., sätt att hälsa på ngn el. fira med ngn genom att slå handflatorna mot varandra [*gimme ~!*]; *I take ~s in gloves* jag har [nummer] 5 i handskar

five-acter [ˌfaɪv'æktə] *s* femaktare

five-a-side [ˌfaɪvə'saɪd] *adj* sport. femmannalags-, med femmannalag

five-cornered [ˌfaɪv'kɔːnəd, attr. '-ˌ--] *adj* femhörnig, femkantig

five-cylinder ['faɪvˌsɪlɪndə] *adj* femcylindrig

five-digit ['faɪvdɪdʒɪt] *adj* femsiffrig

five-finger ['faɪvˌfɪŋgə] *s* **1** bot. fingerört **2** zool. sjöstjärna **3** attr., *~ exercises* mus. övningar för en hand (fem fingrar)

fivefold ['faɪvfəʊld] **I** *adj* femdubbel, femfaldig **II** *adv* femdubbelt, femfaldigt, femfalt, fem gånger så mycket

five-foot ['faɪvfʊt] *adj* femfots- [*a ~ plank*]

five-o'clock ['faɪvə,klɒk] *adj* fem- [*the ~ train*]; som äger rum (anländer) klockan fem

five-o'clock shadow ['faɪvə,klɒk'ʃædəʊ] *s* 'eftermiddagsstubb' skäggstubb som börjar synas på eftermiddagen

five-o'clock tea ['faɪvə,klɒk'tiː] *s* ngt åld. eftermiddagste

fiver ['faɪvə] *s* vard. fempundssedel; amer. femdollarssedel; *a ~* äv. fem pund (dollar)

five-room ['faɪvruːm] *adj* o. **five-roomed** ['faɪvruːmd] *adj*, *~ flat* femma, femrummare fem rum och kök; *~ apartment* amer. fyra, fyrarummare fyra rum och kök (i USA räknas köket som ett rum)

fives [faɪvz] *s pl* **1** (med verb i sg.) fives bollspel vid vilket en liten hård boll med den behandskade flata handen slås mot en mur **2** se *five II*

five-seater [ˌfaɪv'siːtə] *s* femsitsig bil; attr. femsitsig

five-sided [ˌfaɪv'saɪdɪd] *adj* femsidig, femkantig

five-speed ['faɪvspiːd] *adj* femväxlad [*a ~ car*]; med fem hastigheter

five-star ['faɪvstɑː] *adj* femstjärnig

five-thirty [ˌfaɪv'θɜːtɪ] *räkn*, **at ~** [klockan] halv sex

five-year ['faɪvjɪə, -jɜː] *adj* femårs- [*a ~ plan*]

five-year-old ['faɪvjərəʊld, -jɪər-] **I** *adj* femårig, fem års **II** *s* femåring

fivish ['faɪvɪʃ] *räkn* vard. **1** vid femsnåret [*it was* [*about*] *~*] **2** i femårsåldern, ungefär fem [år] [*she was ~*] **3** ungefär fem [stycken] om person el. saker

fix [fɪks] **I** *vb tr* **1** fästa, anbringa, montera, sätta fast [*in* i; *on* på; *to* vid, i, på]; sätta upp [*~ a shelf to* (på) *the wall*]; sätta 'på [*~ bayonets*] **2** fästa, rikta [*she ~ed her eyes* (blicken) *on me*]; *~ one's attention on sth* om sak fängsla, hålla fängslad **3** fastställa, fixera, bestämma [*~ a limit; ~ a price; ~ a time*]; fastslå; *~ed by law* i lag bestämd **4** ge fasthet (stadga) åt, göra fast (bestämd; varaktig, hållbar), stadga; befästa [*a custom is ~ed by tradition*]; förtäta; binda; foto. o.d. fixera **5** sätta [in], arrangera, placera, ställa [äv. *~ up*]; leda in; installera; etablera; *~ up* äv. skaffa rum åt, ta emot; *~ sb up with sth* skaffa (ordna, fixa) ngt åt ngn **6** vard. (i vissa betydelser äv. *~ up*) **a)** vanl. amer. fixa [till], greja, klara [*I'll ~ it for you*]; göra i ordning, göra klar, göra i ordning i, städa [upp i], möblera, upprusta, reparera, snygga upp, ordna, snygga (rätta, hyfsa) till [*~ one's clothes*]; snygga till sig i, se till, se om, sätta ihop, laga [*~ a broken lock*]; laga [till] [*~ lunch*]; arrangera, ordna; *how are you ~ed?* hur har du det?; *~ed up* äv. upptagen [*I'm already ~ed up for* (på) *Saturday*] **b)** vanl. amer. klara upp; ordna upp **c)** fixa, göra upp [på förhand] [*the match was ~ed*]; muta [*~ the jury*]; fiffla (göra något fuffens) med [*~ a race-horse*]; förstöra **d)** *I'll ~ him!* han ska få!, jag ska nog ge igen! **7** amer. kastrera; sterilisera

II *vb itr* **1** fastna, sätta sig fast **2** *~ on* bestämma sig (fastna) för; utse, välja [ut]

III *s* **1** *a quick ~* en snabb lösning, knipa [*be in an awful ~*]; klämma, besvärlig (penibel) situation, dilemma **2** sjö. el. flyg. positionsbestämning **3** sl. sil, fix narkotikainjektion **4** *get* (*have*) *a ~ on* vard. få (ha) grepp om

fixated [fɪk'seɪtɪd] *adj* fixerad [*on* vid], psykol. äv. modersbunden, fadersbunden

fixation [fɪk'seɪʃ(ə)n] *s* **1** psykol. fixering, komplex [*father ~; mother ~*] **2** fastställande, fixering **3** fästande etc., jfr *fix I 1*

fixative ['fɪksətɪv] *s* fixativ, fixeringsmedel

fixed [fɪkst] *adj* (jfr äv. *fix I*) **1** fast[ställd], bestämd [*~ day; ~ price; ~ charge*]; fast, som infaller på bestämt datum [*~ holiday*] **2** orörlig, stel; *~ look* el. *~ stare* stel (stirrande) blick **3** fix, fästad, fast, bildl. äv. rotfast; inrotad; stadig[varande]; *~ bayonets* påsatta bajonetter; *~ focus camera* fixfokuskamera **4** amer., *be well ~* vara välsituerad

fixed assets [ˌfɪksd'æsets] *s pl* fast egendom

fixed capital [ˌfɪkst'kæpɪtl] *s* realkapital, fast kapital, anläggningstillgångar maskiner m.m.

fixed costs [ˌfɪkst'kɒsts] *s pl* fasta kostnader

fixed idea [ˌfɪkstaɪ'dɪə] *s* fix idé

fixed income [ˌfɪksd'ɪnkʌm] *s* fast inkomst

fixedly ['fɪksɪdlɪ] *adv* fast, stadigt; bestämt; stelt,

stirrande, oavvänt [*look ~ at sb*]; envist; *look ~ at sb* äv. fixera ngn

fixed odds [ˌfɪksd'ɒdz] *s pl* fasta odds

fixed star [ˌfɪkst'stɑː] *s* fixstjärna

fixer ['fɪksə] *s* **1** fixare **2** myglare **3** foto. fixeringsmedel

fixing bath ['fɪksɪŋbɑːθ] *s* foto. fixerbad

fixings ['fɪksɪŋz] *s pl* amer. kok. garnering; tillbehör

fixity ['fɪksətɪ] *s* fasthet; beständighet; oföränderlighet; stabilitet

fixture ['fɪkstʃə] *s* **1** fast tillbehör (inventarium, föremål), föremål (sak) som hör till inredningen; bildl.: iron. el. vard. [gammalt] inventarium, stamgäst [*he is a ~*]; pl. *~s* väggfasta inventarier, [väggfast] inredning **2** sport. [fastställd dag för en] tävling (match, jakt); *the autumn ~s* tävlingarna (matcherna, evenemangen, programmen) bestämda (fastställda) för hösten, höstens evenemang; *~ list* lagens säsongprogram

fizz [fɪz] **I** *vb itr* väsa, fräsa; om kolsyrad dryck brusa, skumma, moussera, bubbla äv. bildl.

II *s* **1** väsning, fräsande; surr; brus, skummande, mousserande; *the ~ has gone out of the market* luften har gått ur marknaden **2** vard. bubbel champagne, läsk kolsyrad dryck, fizz drink [*gin ~*]

fizzle ['fɪzl] *vb itr* **1** väsa svagt, småfräsa, pysa **2** *~ out* **a)** spraka till och slockna **b)** vard. rinna ut i sanden, gå i stöpet, göra fiasko, sluta snöpligt

fizzy ['fɪzɪ] *adj* fräsande; brusande, mousserande; *~ water* kolsyrat vatten

fjord [fjɔːd] *s* fjord

FL förk. för *Florida*

Fla. förk. för *Florida*

flab [flæb] *s* vard. överflödigt fett, extra kilon

flabbergasted ['flæbəgɑːstɪd] *adj* alldeles paff, mållös, chockad

flabbiness ['flæbɪnəs] *s* slapphet, sladdrighet, löslighet, hållningslöshet; jfr *flabby*

flabby ['flæbɪ] *adj* **1** slapp [*~ muscles*]; fet och slapp [*~ cheeks*]; lös [i köttet], sladdrig, slak; blekfet, plussig **2** bildl. slapp, svag [*a ~ will; a ~ character*]; löslig, ryggradslös, hållningslös

flaccid ['flæksɪd] *adj* löst hängande, lös, sladdrig [*~ flesh*]; slapp [*~ muscles*]; slak; slokande [*~ leaves*]

flaccidity [flæk'sɪdətɪ] *s* slapphet, sladdrighet, löshet

flack [flæk] *s* vanl. amer. vard. presschef, pressombudsman, informationschef

1 flag [flæg] **I** *s* flagga; fana; *keep the ~ flying* hålla fanan högt; *strike the* (*one's*) *~* stryka flagg äv. bildl.; *with all* [*the*] *~s flying* bildl. med flaggan i topp **II** *vb tr* **1** hissa flagg på, pryda med flaggor, flaggpryda **2** signalera med flaggor [till] **3** *~ down* stoppa genom att vinka med en flagga (med handen), hejda [*~ a taxi*]

2 flag [flæg] *vb itr* **1** om segel, vingar o.d. hänga slappt ner, hänga och slå, sloka **2** om växter vissna, hänga **3** slappna, sjunka [*their morale ~ged*]; [börja] mattas [av] [*his enthusiasm ~ged*]; bli matt, [börja] sacka efter, börja gå trögt [*the conversation ~ged*]; *his strength was ~ging* hans krafter började sina (ta slut)

3 flag [flæg] *s* bot. [gul] svärdslilja

4 flag [flæg] *s* se *flagstone*

Flag Day ['flægdeɪ] s amerikanska flaggans dag 14 juni

flag day ['flægdeɪ] s flaggmärkesdag, insamlingsdag i England då insamlingar görs genom försäljning av miniatyrflaggor

flagellate ['flædʒəleɪt] vb tr piska

flagellation [‚flædʒə'leɪʃ(ə)n] s pisk

flagged [flægd] adj stenlagd [a ~ floor]

flag of convenience [‚flægəvkən'viːnɪəns] s sjö. bekvämlighetsflagg

flagon ['flægən] s **1** vinkanna, vinkrus **2** stor, något tillplattad bukig vinflaska

flagpole ['flægpəʊl] s flaggstång

flagrant ['fleɪgr(ə)nt] adj flagrant, uppenbar [~ violation of a treaty]; skriande, upprörande, skändlig [a ~ crime]; öppen

flagship ['flægʃɪp] s flaggskepp äv. bildl., amiralsfartyg, chefsfartyg

flagstaff ['flægstɑːf] s flaggstång

flagstone ['flægstəʊn] s stenplatta, stenhäll till golv o.d., trottoarsten

flag-waver ['flæg‚weɪvə] s vard. **1** flåspatriot **2** flaggviftare

flag-waving ['flæg‚weɪvɪŋ] s vard. **1** flåspatriotism **2** flaggviftande

flail [fleɪl] **I** vb tr **1** slå (fäkta) med [~ one's arms] **2** tröska [med slaga] **II** s slaga

flair [fleə] s sinne, fallenhet, läggning, känsla; stil [their window display has no ~ at all]

flak [flæk] s **1** vard. hård kritik [get (take) a lot of ~] **2** luftvärn; luftvärnseld; attr. luftvärns-

1 flake [fleɪk] **I** s **1** flaga [~s of old paint; ~s of soot]; flinga [~s of snow; soapflakes]; flisa, skiva; fjäll; lager **2** sl. knäppskalle, knasboll **II** vb tr flisa, flaga; ta (skära) av i flagor (flisor) [äv. ~ away, ~ off]; dela sönder i skivor [~ fish]; täcka med flagor (flisor) **III** vb itr flaga (skiva) sig; ~ el. ~ off flagna, lossna i flagor [the paint ~d off]

2 flake [fleɪk] vb itr vard., ~ out a) tuppa av b) amer. flippa ur

flak jacket ['flæk‚dʒækɪt] s skottsäker väst

flaky ['fleɪkɪ] adj **1** flagig, skivig, bladig, fjällig; flingliknande; som lätt flagar (skivar) sig **2** vard. vanl. amer. urflippad, utflippad

flaky pastry [‚fleɪkɪ'peɪstrɪ] s [bladig] smördeg

flambé ['flɑːmbeɪ] adj o. **flambéed** ['flɑːmbeɪd] adj kok. (fr.) flamberad

flamboyance [flæm'bɔɪəns] s praktfullhet etc., jfr flamboyant

flamboyant [flæm'bɔɪənt] adj **1** praktfull, grann, flammande [~ red hair; ~ colours] **2** överdriven, översvallande [~ manner]; uppseendeväckande, braskande, skrikig; bombastisk

flame [fleɪm] **I** s **1** flamma, låga; be in ~s stå i lågor; burst into ~s flamma upp, ta eld **2** bildl., a ~ of anger en glödande (våldsam) vrede **3** vard. flamma, käresta **4** data. sl. skarpt (elakt) formulerat mejl **II** vb itr flamma, låga; lysa, glimma; ~ up a) flamma upp, bildl. äv. brusa upp b) bli blossande röd **III** vb tr data. sl. flejma, skicka skarpt (elakt) formulerat mejl till till diskussionsgrupp el. datorforum

flamenco [flə'meŋkəʊ] (pl. ~s) s flamenco

flameproof ['fleɪmpruːf] adj flameldfast, flamsäker

flamer ['fleɪmə] s data. sl. person som skickar skarpt (elakt) formulerat mejl till diskussionsgrupp el. datorforum

flame-retardent ['fleɪmrɪ‚tɑːdənt] adj brandhämmande

flame-thrower ['fleɪm‚θrəʊə] s mil. eldspruta, eldkastare

flame war ['fleɪmwɔː] s data., ung. ordkrig häftig diskussion i diskussionsgrupp el. datorforum där personangreppen blivit viktigare än sakfrågan

flaming ['fleɪmɪŋ] adj **1** flammande [a ~ sword]; lågande; eldfärgad; ~ red hair eldrött (flammande rött) hår **2** glödande [~ enthusiasm]; lidelsefull; översvallande; braskande **3** vard. förbaskad; a ~ lie en fräck lögn

flamingo [flə'mɪŋgəʊ] (pl. ~s el. ~es) s zool. flamingo

flammable ['flæməbl] adj brännbar, lättantändlig

flan [flæn] s **1** mördegsbotten; pajdegsbotten; fruit ~ frukttårta **2** amer. brylépudding

Flanders ['flɑːndəz] geogr. Flandern

Flanders poppy [‚flɑːndəz'pɒpɪ] s **1** bot. kornvallmo **2** märke som säljs på Poppy Day, se detta ord

flange [flæn(d)ʒ] s tekn. fläns, [utstående] list (kant); vulst

flank [flæŋk] **I** s **1** flank; slakt. slaksida **2** flank; flygel; sida **II** vb tr flankera, begränsa (omge, skydda) på sidan (sidorna)

flannel ['flænl] **I** s **1** ylleflanell, flanell; attr. flanell-, av flanell **2** flanelltrasa, flanellapp; tvättlapp **3** pl. ~s flanellbyxor; flanellkläder **4** sl. a) båg, bluff b) flum, svammel **II** vb itr sl. dra en vals; svamla

flannelette [‚flænə'let] s flanelette, slags imiterad bomullsflanell

flannelly ['flænəlɪ] adj flanelliknande; flanell-

flan pastry [‚flæn'peɪstrɪ] s mördeg; pajdeg

flap [flæp] **I** s **1** flik [the ~ of an envelope]; lock [the ~ of a desk; the ~ of a pocket]; klaff [the ~ of a table; the ~ of a valve], flyg. äv. vingklaff; läm, lucka **2** vingslag, flaxande **3** dask, klatsch, smäll **4** sl., get into a ~ få stora skälvan **5** flugsmälla **II** vb tr **1** slå med [the bird ~ped its wings; the fish ~ped its tail]; flaxa (klippa) med; vifta med [~ a towel] **2** klappa, slå, daska, smälla [till]; vända [med ett kast]; the wind ~ped the sails vinden fick seglen att slå **III** vb itr **1** flaxa **2** fladdra; sjö., om segel slå, leva **3** don't ~! ingen panik!

flapjack ['flæpdʒæk] s kok. **1** slags [havre]snittkaka **2** amer., slags [liten] pannkaka

flapper ['flæpə] s åld. sl. ung, självständig kvinna på 1920-talet med moderiktiga kläder, kort hår och intresse för modern musik och nya idéer

flare [fleə] **I** vb itr **1** om låga fladdra; blossa; skimra; flamma upp, blänka till; ~ up flamma upp, blossa upp, bildl. äv. brusa upp **2** bukta ut, vidga sig; stå ut, vara utsvängd [the skirt ~s from the waist]; pösa; om fartygssida falla ut **II** s **1** fladdrande låga, ostadigt sken **2** sjö. bloss; signalljus, lysraket, mil. äv. lysgranat, flyg. äv. fallskärmsljus; distress ~s nödraketer **3** pl. ~s utsvängda byxor

flared [fleəd] *adj* utsvängd [*a ~ skirt*]; utställd [~ *jeans*]

flare-up ['fleərʌp] *s* [plötsligt] uppflammande, uppblossande [*a ~ of the fire; a ~ of malaria*]; uppbrusande; vard. bråk, slagsmål; *in a ~ of anger* i ett plötsligt vredesutbrott

flash [flæʃ] **I** *vb itr* **1** lysa till, glimta (blänka) [till] [*a ray of light ~ed through the room*]; blinka; blixtra, ljunga, gnistra, flamma [*lightning ~ed in the sky; her eyes ~ed*]; *~ing light* sjö. blinkfyr **2** fara som en blixt, susa (jaga) fram; forsa (strömma) fram **3** sl. blotta sig visa könsorganen
II *vb tr* **1** låta lysa (blixtra) [~ *a light*]; skjuta (kasta) [ut], spruta blixtar, eld o.d., lysa med [~ *a torch*]; blinka med [*the driver ~ed his headlights*]; *she ~ed him a glance* hon gav (sände) honom en hastig blick; *~ a smile at sb* ge ngn ett strålande leende; *~ a signal* sända en ljussignal, signalera [med ljus] **2** bildl. blixtsnabbt sprida (sända) [*the message was ~ed across the Atlantic*] **3** vard. lysa (briljera) med, vifta med [~ *a few banknotes*]
III *vb tr* med adv.:
flash sth around stila med ngt
flash back a) återkasta **b)** blicka tillbaka; göra en återblick på
flash by: *a car ~ed by* en bil susade förbi
IV *s* **1** plötsligt sken, glimt, stråle [~ *of light*]; blixt äv. foto.; blink från fyr, signallampa o.d.; bildl. [plötsligt] uppflammande, anfall, utbrott [*a ~ of anger; a ~ of hope*]; ryck; *~ in the pan* a) kortlivad succé, engångssuccé b) person som gör en kortlivad succé (som luften snabbt går ur); *~ of lightning* blixt; *~ of wit* kvickt infall; *by ~es* i glimtar, glimtvis; *in a ~* på ett ögonblick (kick); som en blixt **2** ytlig glans, prål, vräkighet **3** se *newsflash* **4** film. glimt, kort scen
V *adj* vard. [tras]grann, prålig [~ *jewellery; ~ people*]; vräkig, flott [*a ~ hotel; a ~ guy*]

flashback ['flæʃbæk] *s* tillbakablick, återblick i berättelse el. film

flashbulb ['flæʃbʌlb] *s* foto. fotoblixt

flashburn ['flæʃbɜ:n] *s* strålningsskada vid atomsprängning

flashcard ['flæʃkɑ:d] *s* **1** bildkort som hålls upp inför skolklass **2** sport. poängskylt som domare håller upp

flashcube ['flæʃkju:b] *s* foto. blixtkub

flasher ['flæʃə] *s* **1** sl. blottare **2** blinker på bil, blinkljus på trafikfyr o.d.; rotationsljus på utryckningsfordon; *headlamp ~* ljustuta

flash-flood ['flæʃflʌd] *s* skyfall

flashfreeze [ˌflæʃ'fri:z] (*flashfroze flashfrozen*) *vb tr* snabbfrysa, djupfrysa

flashfroze [ˌflæʃ'frəʊz] imperf. av *flashfreeze*

flashfrozen [ˌflæʃ'frəʊzn] perf. p. av *flashfreeze*

flashfry [ˌflæʃ'fraɪ] *vb tr* steka snabbt på bägge sidor, fräsa

flashgun ['flæʃgʌn] *s* foto. synkroniserad blixtljuslampa, synkronblixt

flashing ['flæʃɪŋ] *s* **1** blinkande, blixtrande etc., jfr *flash I* o. *flash II* **2** optisk signalering, blinksignalering **3** sl. blottning av könsorgan **4** byggn. intäckning

flashlight ['flæʃlaɪt] *s* **1** vanl. amer. ficklampa; signallampa **2** foto. blixtljus

flashpoint ['flæʃpɔɪnt] *s* **1** krutdurk [*one of the ~s of the Middle East*]; kokpunkt **2** fys. flampunkt, antändningstemperatur för eldfarliga oljor

flashy ['flæʃɪ] *adj* **1** prålig, brokig, skrikig; vräkig, flashy **2** lysande men tom, frasrik, ytlig [~ *rhetoric*]

flask [flɑ:sk] *s* **1** [långhalsad] flaska ofta bastomspunnen, fickflaska, plunta; fältflaska **2** [laboratorie]kolv

1 flat [flæt] *s* lägenhet, [bostads]våning; *block of ~s* hyreshus, flerfamiljshus; *he lives in ~s* han bor i hyreshus

2 flat [flæt] **I** *adj* **1** plan, platt [~ *roof*]; flat; horisontell **2** raklång, liggande raklång [~ *on the ground*]; *fall ~* a) falla raklång b) bildl. falla platt till marken, inte gå hem; *knock sb ~* fälla ngn till marken; *lay the city ~* jämna staden med marken **3** flack, platt [~ *as a pancake*]; jämn, slät; *~ plates* flata tallrikar **4** enhetlig, enhets- [~ *price*] bildl. jämnstruken, utan djupverkan, matt; kontrastlös; *~ rate* enhetlig taxa (lönesättning), enhetstaxa **5** tråkig, torr, ledsam; enformig; platt [*a ~ joke*] **6** slapp, livlös; ledsen, nedslagen; trög[tänkt], slö **7** hand. matt, trög, flau [~ *market*] **8** fadd, duven, avslagen [~ *beer*] **9** mus. sänkt en halv ton; med ♭-förtecken; *A* ~ m.fl., se under resp. bokstav; *the piano is ~* pianot är för lågt stämt (är ostämt) **10** uttrycklig, uppenbar, direkt; ren [~ *nonsense*]; absolut; *~ refusal* blankt (rent) avslag, bestämt (blankt) nej; *and that's ~!* och därmed punkt (basta)!
II *adv* **1** precis, exakt, blankt [*in* (på) *ten seconds ~*]; rent ut, rakt i ansiktet [*he told me ~ that...*]; utan vidare; tvärt; *~ out* a) rent ut, rakt i ansiktet b) för fullt, i full fart; *go ~ out* vard. sätta full fart; ligga 'i **2** plant, platt etc., jfr *2 flat I*; *lie ~ out* ligga utsträckt; *sing ~* sjunga falskt
III *s* **1** flackt land; låg slätt; låglänt sumpig mark; långgrund strand översvämmad vid högvatten; *salt ~s* saltängar, saltmarker **2** platta; flata, flatsida av hand, svärd etc., platt tak **3** teat. kuliss, dekoration **4** mus. a) ♭-förtecken, ♭ b) pl. *sharps and ~s* svarta tangenter på t.ex. piano **5** vanl. amer. vard. punka [*I had a ~*]

flatbed ['flætbed] *s* flakvagn

flatbed scanner [ˌflætbed'skænə] *s* data. planskanner

flat-bottomed ['flætˌbɒtəmd, ˌ-'--] *adj* flatbottnad

flatbreaking ['flætˌbreɪkɪŋ] *s* lägenhetsinbrott

flat cap [ˌflæt'kæp] *s* keps

flatcar ['flætkɑ:] *s* amer. öppen godsvagn

flat-chested [ˌflæt'tʃestɪd] *adj* plattbröstad

flatfish ['flætfɪʃ] *s* zool. plattfisk

flat|foot ['flætˌfʊt] (pl. *-feet* [-fi:t]) *s* **1** med. plattfot **2** sl. polis, snut

flatfooted [ˌflæt'fʊtɪd, attr. '---] *adj* **1** plattfotad **2** vard. bestämd, absolut [*a ~ refusal*] **3** klumpig, tafatt **4** vard., *catch sb ~* överraska ngn, ta ngn på sängen

flat-hunting ['flætˌhʌntɪŋ] *pres p*, *be ~* vara på jakt efter (söka) lägenhet

flat iron ['flætˌaɪən] *s* strykjärn av gammal typ

flatlet ['flætlət] *s* liten lägenhet (våning), lya

flatline ['flætlaɪn] *vb itr* vanl. amer. vard. **1** plana ut **2** med. släcka lyset dö enl. EEG

flatly ['flætlɪ] *adv* **1** uttryckligen, absolut, direkt; ~ **refuse** säga bestämt (blankt) nej, vägra blankt (uttryckligen); **contradict sb** ~ säga tvärt emot ngn **2** plant etc., jfr 2 *flat I*

flatmate ['flætmeɪt] *s* den (någon) man delar lägenhet med; **we're ~s** äv. vi delar lägenhet

flat-pack ['flætpæk] *s*, ~ **furniture** monterbara möbler [som levereras i platta paket]

flat race ['flætreɪs] *s* slätlopp

flat-screen television ['flætskriːn‚telɪvɪʒ(ə)n] *s* o. **flat-screen TV** ['flætskriːntiː‚viː] platt-tv

flat spin [‚flæt'spɪn] *s* vard., **be in** (**get into**) **a** ~ vara (bli) alldeles konfys (tokig, hispig), vara (bli) alldeles ifrån sig

flatten ['flætn] **I** *vb tr* **1** göra plan (platt, flack, jämn); platta till, jämna med marken; platta ut; hamra ut, valsa [äv. ~ *out*]; trycka platt [~ *one's nose against the window*]; slå ned [*a field of wheat ~ed by storms*], sl. golva **2** mus. sänka [ett halvt tonsteg]; sätta ♭ för

II *vb itr*, ~ el. ~ *out* bli plan (platt), plattas till, jämnas ut; stabiliseras; ~ *out* flyg. ta upp planet i horisontalläge t.ex. efter dykning, flyta ut

flatter ['flætə] *vb tr* **1** smickra; ~ **oneself that one is** (**on being**)... inbilla sig (våga påstå) att man är... **2** smickra [*the portrait ~s her*]; vara smickrande (fördelaktig) för [*the black dress ~ed her figure*]

flatterer ['flætərə] *s* smickrare

flattering ['flætərɪŋ] *adj* smickrande; flatterande

flattery ['flætərɪ] *s* smicker

flat tire [‚flæt'taɪə] *s* amer. punktering

flattish ['flætɪʃ] *adj* tämligen plan (platt) etc., jfr 2 *flat I*; något tillplattad

flat tyre [‚flæt'taɪə] *s* punktering

flatulence ['flætjʊləns] *s* med. väderspänning[ar], gasbildning, flatulens

flatulent ['flætjʊlənt] *adj* **1** väderspänd **2** bildl. uppblåst

flatware ['flætweə] *s* amer. **1** matsilver, matbestick **2** flata tallrikar, fat o.d.

flaunt [flɔːnt] *vb tr* briljera (stoltsera) med, visa upp [~ *one's riches*]; snobba (skylta) med, svänga sig med

flautist ['flɔːtɪst] *s* mus. flöjtist, flöjtspelare

flavour ['fleɪvə] **I** *s* smak [*ice creams with different ~s* (*a strawberry ~*)]; arom, doft [och smak], bouquet; krydda, bildl. äv. aning, anstrykning; **she is certainly ~ of the month with the boss** det är hon som gäller hos chefen; [*the soup*] **has a ~ of onion** ...smakar lök

II *vb tr* sätta smak (piff) på, smaksätta, krydda; ~**ed with** smaksatt (kryddad) med

flavouring ['fleɪvərɪŋ] *s* **1** smaksättning, kryddning **2** krydda, smaktillsats, smakämne; ~ **essence** essens [som ger smak], smaktillsats

flavourless ['fleɪvələs] *adj* smaklös, intetsägande, fadd [i smaken]; utan arom

flaw [flɔː] **I** *s* **1** spricka, bräcka **2** fel, skavank [*in* i, *hos*]; fläck [~*s in a jewel*]; blåsa [~*s in a metal*]; brist [~*s in sb's character*]; [form]fel [*a ~ in a will*]; svag punkt [*a ~ in her reasoning*]

II *vb tr* spräcka; skämma, fördärva, vanpryda

flawed [flɔːd] *adj* med sprickor, sprickig; imperfekt [*a ~ jewel*]; felaktig, bristfällig [~ *data*]; svag [*a ~*

argument]; skamfilad [*a ~ reputation*]; **we're all ~ in some way** vi har alla våra fel och brister

flawless ['flɔːləs] *adj* utan sprickor, sprickfri; felfri [*in ~ condition*]; fläckfri [*a ~ reputation*]; fulländad [*a ~ technique*]

flax [flæks] *s* lin; **dress** ~ bereda lin

flaxen ['flæks(ə)n] *adj* **1** lin- [*the ~ trade*] **2** linartad; lingul [~ *hair*]

flax-processing ['flæks‚prəʊsesɪŋ] *s* linberedning

flay [fleɪ] *vb tr* **1** flå; skala; barka av; avhåra och rena [~ *hides*]; dra av hud **2** bildl. skinna, klå **3** bildl. hudflänga, ge på huden, göra ned, kritisera ned

flea [fliː] *s* loppa; **send sb away with a ~ in his ear** snoppa av ngn, säga ngn ett sanningens ord

fleabag ['fliːbæg] *s* sl. **1** om person el. djur gammal lopphög **2** amer. sjabbigt hotell (pensionat o.d.) [äv. ~ *hotel*]

fleabite ['fliːbaɪt] *s* **1** loppbett **2** bildl. bagatell; **it's only a ~** äv. det är som en droppe i havet

flea-bug ['fliːbʌg] *s* amer. jordloppa

flea collar ['fliː‚kɒlə] *s* fästinghalsband för hund

flea market ['fliː‚mɑːkɪt] *s* loppmarknad

fleapit ['fliːpɪt] *s* vard. sjabbig bio (teater, lokal)

fleck [flek] **I** *s* **1** fläck, stänk [~*s of colour* (*light*)]; prick **2** korn [~*s of dust*]

II *vb tr* göra fläckig (prickig); ~**ed with clouds** lätt molnig

fled [fled] imperf. o. perf. p. av *flee*

fledged [fledʒd] *adj* flygfärdig; **fully ~** se *full-fledged*

fledgeling o. **fledgling** ['fledʒlɪŋ] *s* **1** just flygfärdig fågelunge **2** bildl. nybörjare, gröngöling, duvunge

flee [fliː] (*fled fled*) **I** *vb itr* **1** fly, ta till flykten [*from* från, ur, undan; ~ *from the war*] **2** fly sin kos, försvinna

II *vb tr* **1** fly från (ur) [~ *the country*; *he fled his antagonists*] **2** fly, undfly, undvika [~ *temptation*]

fleece [fliːs] **I** *s* **1** fårs ull[beklädnad], päls, fäll; [får]skinn; klippull **2** textil. fleece[tyg]

II *vb tr* vard. plundra, skinna, klå [*of* på]; skörta upp; ~ **sb** äv. plocka ngn på allt vad han äger, skinna ngn in på bara kroppen

fleecy ['fliːsɪ] *adj* ullig; ullrik; ulliknande; mjuk [och ullig] [*a ~ snowfall*]; ~ **clouds** ulliga moln, ulltappmoln

1 fleet [fliːt] *s* **1** flotta; flottstyrka; **Admiral of the Fleet** storamiral; **the Fleet Air Arm** brittiska marinflyget **2** ~ **of cars** a) bilpark, vagnpark b) lång rad av bilar

2 fleet [fliːt] *adj* litt. **1** hastig, snabb; ~ **of foot** snabbfotad **2** flyktig

fleet admiral [‚fliːt'ædm(ə)r(ə)l] *s* amer. storamiral

fleeting ['fliːtɪŋ] *adj* snabb, hastig [*a ~ visit*]; flyktande, flyktig, kort [~ *happiness*]

Fleet Street ['fliːtstriːt] **I** gata i London **II** *s* bildl. pressen, tidningsvärlden i London

Fleming ['flemɪŋ] *s* flamländare; flamländska kvinna

Flemish ['flemɪʃ] **I** *adj* flamländsk

II *s* **1** flamländska [språket] **2** **the** ~ flamländarna

flesh [fleʃ] **I** *s* kött äv. bildl. [*his own ~ and blood*; *the ~ is weak*]; hull; hud [*suntanned ~*]; [frukt]kött; **more than ~ and blood can stand** mera än en människa (vanlig dödlig) kan stå ut med; **go the way of all ~** gå bort dö; **proud ~** svallkött, dödkött; **lose ~** magra; **it makes my ~ creep** det gör att det

kryper i mig, det får mig att rysa; **press the** ~ vard. skaka hand med mycket folk om politiker etc.; **put on** ~ lägga på hullet, fetma; **in the** ~ [livs] levande; i egen hög person, personligen
II *vb tr* bildl., ~ **out** bygga (fylla) ut, sätta kött på benen på

flesh-coloured ['fleʃ,kʌləd] *adj* hudfärgad [~ *tights*]

flesh-eater ['fleʃ,i:tə] *s* djur köttätare

fleshings ['fleʃɪŋz] *s pl* hudfärgade trikåer

fleshly ['fleʃlɪ] *adj* **1** köttslig, sinnlig **2** kroppslig, fysisk **3** världslig, jordisk

fleshpots ['fleʃpɒts] *s pl* nöjeskvarter med sexklubbar o.d., sexdistrikt

fleshtights ['fleʃtaɪts] *s pl* se *fleshings*

flesh wound ['fleʃwu:nd] *s* köttsår

fleshy ['fleʃɪ] *adj* **1** köttig [~ *fruits*; *the* ~ *parts of the leg*]; fet; köttlik **2** köttslig

flew [flu:] *imperf.* av *1 fly*

flex [fleks] **I** *vb tr* böja, leda [på] [~ *one's arms*]; spänna muskel **II** *vb itr* böja sig **III** *s* elektr. sladd

flexibility [,fleksə'bɪlətɪ] *s* böjlighet etc., jfr *flexible*; elasticitet; flexibilitet

flexible ['fleksəbl] *adj* **1 a)** flexibel [*a* ~ *system*]; anpassbar, smidig [*a* ~ *language*]; följsam [*a* ~ *voice*]; ~ **working hours** flexibel arbetstid, flextid **b)** lättledd, foglig, medgörlig **2** böjlig, smidig, mjuk [*a* ~ *material*]; elastisk

flexitime ['fleksɪtaɪm] *s* o. **flextime** ['flekstaɪm] *s* flextid

flibbertigibbet [,flɪbətɪ'dʒɪbɪt] *s* pratmakare; flyktig (lättsinnig) människa; slarver

1 flick [flɪk] **I** *vb tr* **1** snärta till, smälla [till], ge ett lätt slag, slå [lätt], knäppa [till]; ~ **away** el. ~ **off** slå (knäppa) bort; ~ **on** knäppa på [~ *the TV on*]; ~ **off** äv. knäppa av **2** slänga (svänga) med [*the horse ~ed its tail*]; flaxa med; snärta (klatscha) med piska, knäppa med **3** ~ **through** snabbt bläddra igenom [~ *through the pages of a book*] **4** ~ *sb a smile* (*look*) ge ngn ett snabbt leende (en snabb blick)
II *s* **1** lätt slag; klatsch; knäpp, släng, snärt; snabb vridning; **at the** ~ **of a switch** med en enkel knapptryckning **2** snabb genombläddring

2 flick [flɪk] *s* åld. vard. film, filmföreställning; **go to the ~s** el. **do a** ~ gå på bio

flicker ['flɪkə] **I** *vb itr* flämta, fladdra [*the candle ~ed*]; flimra; skälva [*a faint hope ~ed in her breast*]; vippa, spela [*the ~ing tongue of a snake*]; dansa [*~ing shadows*]; ~ **out** blåsas ut, slockna
II *s* flämtande, fladdrande etc., jfr *flicker I*; flämtning; TV. flimmer; [flyktigt] uppblossande; glimt [*a* ~ *of hope*]; tillstymmelse

Flickertail State [,flɪkəteɪl'steɪt], **the** ~ beteckn. för staten *North Dakota*

flick knife ['flɪknaɪf] (pl. *flick knives* [-naɪvz]) *s* stilett, springkniv

flier ['flaɪə] *s* se *flyer*

flies [flaɪz] *s pl* se *1 fly IV 1*

1 flight [flaɪt] *s* **1 a)** flykt [~ *of a bird*] **b)** flygning [*a solo* ~]; flygtur, flyg [*which* ~ *did you come on?*]; attr., vanl. flyg- [~ *instruments*; ~ *safety*] **c)** bana väg [*the* ~ *of an arrow*] **d)** bildl. flykt, snabb gång [*the* ~ *of time*]; ~ **of fancy** (ren) fantasi, påhitt; **a** ~ **of the imagination** en fantasiutflykt, fantasier i det blå; **in** ~ under flygningen, i flykten **2** mil. [flyg]grupp

3 flock [*a* ~ *of swallows*]; svärm, insektssvärm; [fågel]sträck; skur, regn [*a* ~ *of arrows*]; **in the first** ~ i främsta ledet, i spetsen **4** rad av trappsteg, trappa äv. ~ *of stairs*; **two ~s up** två trappor upp

2 flight [flaɪt] *s* flykt, flyende; ~ **of capital** kapitalflykt; **take** ~ ta till flykten, fly; **put sb to** ~ driva ngn på flykten

flight attendant ['flaɪtə,tendənt] *s* flygvärdinna; flygsteward

flight deck ['flaɪtdek] *s* **1** flygdäck på hangarfartyg **2** förarkabin i större trafikflygplan

flight engineer [,flaɪten(d)ʒɪ'nɪə] *s* flyg. färdmekaniker

flightless ['flaɪtles] *adj* som saknar flygförmåga, utan flygförmåga

flight lieutenant [,flaɪtlef'tenənt] *s* mil. kapten inom flyget

flight path ['flaɪtpɑ:θ] *s* flygbana, flygväg

flight recorder ['flaɪtrɪ,kɔ:də] *s* färdskrivare i flygplan

flight sergeant ['flaɪt,sɑ:dʒ(ə)nt] *s* mil. fanjunkare plutonsbefäl inom flyget

flight simulator ['flaɪt,sɪmjʊleɪtə] *s* flygsimulator

flighty ['flaɪtɪ] *adj* **1** kokett, flörtig [*a* ~ *young woman*] **2** flaxig, flyktig, oberäknelig, lättsinnig

flimsiness ['flɪmzɪnəs] *s* tunnhet etc., jfr *flimsy*

flimsy ['flɪmzɪ] *adj* tunn [*a* ~ *wall*]; sladdrig [*soft* ~ *silk*]; svag, bräcklig [*a* ~ *cardboard box*]; skröplig; ohållbar, klen [*a* ~ *argument*]; lös, futtig

flinch [flɪn(t)ʃ] *vb itr* **1** rygga tillbaka [*from* från, [in]för]; svikta; ~ **from one's duty** undandra sig (svika) sin plikt **2** rycka till av smärta; **without ~ing** utan att blinka (knysta)

fling [flɪŋ] **I** (*flung flung*) *vb tr* kasta, slunga, slänga [~ *a stone at a bird*; *one's head back*]; slå [~ *one's arms about sb*]; slänga ut i förbifarten [*he flung a greeting in passing*]; utslunga; kasta (sätta) in [~ *all one's resources into…*], brottn. kasta; slå omkull; om häst kasta av; ~ **open** slå (slänga, rycka) upp [~ *a door open*]; **she flung him a scornful look** hon gav honom en föraktfull blick; **be flung into prison** kastas i fängelse
II (*flung flung*) *vb itr* rusa, störta [*away, off* bort, i väg; *out* ut]; ~ **off without saying goodbye**
III (*flung flung*) *vb tr* med adv.:
fling about a) slänga omkring [~ *things about*] **b)** ~ **one's arms about** slå ut (fäkta) med armarna
fling away slänga (kasta) bort (ifrån sig) [~ *sth away*]
fling off a) om kläder kasta (slänga) av **b)** om häst kasta av [~ *a rider off*] **c)** jakt. bildl. skaka av sig [~ *off one's pursuers*]; leda på villospår, göra sig kvitt, skaka fram **d)** kläcka ur sig
fling on slänga på sig [~ *one's clothes on*]
fling to slänga igen [~ *a door to*]
IV *s* **1** kort sexuellt förhållande **2** have a (*one's*) ~ slå runt, festa om

flint [flɪnt] *s* flinta, [flint]sten äv. bildl.; stift i tändare

flintlock ['flɪntlɒk] *s* flintlås; flintlåsgevär

flinty ['flɪntɪ] *adj* flint-; flinthård, stenhård äv. bildl.

flip [flɪp] **I** *vb tr* **1** knäppa i väg [~ *a ball of paper*]; slänga, kasta; ~ **a coin** singla slant; ~ **the ash off a cigar** slå av askan på en cigarr **2** snärta (knäppa) till [~ *sb on the ear*] **3** vifta (slå, smälla, snärta) med [~ *a whip*]; kasta [med] [~ *a fishing fly*]

4 vard., **~ one's lid** bli urförbannad, smälla av, flippa över, bli alldeles salig; flippa ut
II vb itr **1** slå runt [äv. ~ over]; hoppa till **2** ~ el. **~ up** singla slant **3** vard., ~ el. **~ out** se flip one's lid under flip I 4 ovan
III vb tr o. vb itr med adv. el. prep.:
flip on slå 'på
flip off slå av
flip out vard., se flip one's lid under flip I 4 ovan
flip over vända
flip through bläddra igenom
flip up se flip II 3
IV s **1** knäpp, smäll, snärt, klatsch; ryck **2** vard.: kort flygtur; kort flygning **3** volt, kullerbytta **4** snabb genombläddring
flipchart ['flɪptʃɑːt] s blädderblock
flip-flop ['flɪpflɒp] vb itr amer. vard. vackla hit och dit
flip-flops ['flɪpflɒps] s pl vard. flip-flops, slags sandaler med rem mellan tårna, ofta av gummi
flipover ['flɪpˌəʊvə] s stativ (konferenstavla) [med blädderblock], flip-over
flippancy ['flɪpənsɪ] s nonchalans, lättvindighet etc., jfr flippant
flippant ['flɪpənt] adj nonchalant, lättvindig [a ~ remark]; lättsinnig; näsvis, respektlös, vanvördig
flippers ['flɪpə] s **1** simfötter **2** simfenor hos t.ex. säl
flip phone ['flɪpfəʊn] s vikbar mobil[telefon]
flipping ['flɪpɪŋ] adj sl. förbaskad, förbenad [a ~ nuisance]
flipside ['flɪpsaɪd] s **1** mindre känd (framträdande) sida, mindre känt (framträdande) drag; baksida **2** åld. baksida på grammofonskiva
flirt [flɜːt] **I** vb itr flörta [with med]; bildl. äv. leka [~ with an idea]; kokettera [with för]; ~ **with** äv. kurtisera
II s flört äv. person, flörtis [she is a real ~]
flirtation [flɜː'teɪʃ(ə)n] s flört, kurtis
flirtatious [flɜː'teɪʃəs] adj o. **flirty** ['flɜːtɪ] adj flörtig, koketterande
flit [flɪt] **I** vb itr **1** fladdra, flyga; sväva; ila, jaga **2** flacka
II s, **do a moonlight** ~ vard. dunsta (sticka) under natten och smita från hyran
flitter ['flɪtə] vb itr fladdra omkring, flaxa
Flo [fləʊ] kortform av Florence 2
float [fləʊt] **I** vb itr (se äv. floating) **1** flyta [wood ~s on water]; simma; driva på vattnet, vara (bli, komma) flott **2** sväva [dust ~ing in the air; ~ on (bland) [the] clouds; she ~ed down the stairs]; vaja, svaja **3** flacka; driva; **a rumour is ~ing around the town** det är ett rykte i omlopp (går ett rykte) i stan
II vb tr (se äv. floating) **1** hålla flytande; vara segelbar (trafikabel) för båtar [the canal will ~ big ocean steamers]; göra (hålla) flott [the tide ~ed the ship]; låta flyta; miner. flotera **2** flotta [~ logs]; driva [the stream ~ed the logs on to a sandbar] **3** sätta i gång, grunda, starta [~ a scheme]; bjuda (släppa) ut, lägga upp [~ a loan]; sätta i omlopp, släppa ut [~ a rumour]; **~ a company** a) starta (grunda) ett företag b) börsintroducera ett företag **4** ekon. låta flyta [~ the dollar; ~ the pound]
III s **1** flotte **2** flöte; flottör; simdyna; flyg. ponton **3** slags låg kärra, flakvagn; öppen kortegevagn i festtåg **4** handkassa; växelkassa

floatation [flə(ʊ)'teɪʃ(ə)n] s se flotation
float chamber ['fləʊtˌtʃeɪmbə] s tekn. flottörhus
floatel [fləʊ'tel] s flytande hotell
floating ['fləʊtɪŋ] adj **1** flytande, simmande, flyt-, driv-; svävande; rörlig, lös **2** fluktuerande, varierande, obestämd; rörlig [~ population] **3** ekon. flytande, rörlig [~ capital]; svävande [~ debt]; utelöpande växel
floating anchor [ˌfləʊtɪŋ'æŋkə] s drivankare
floating assets [ˌfləʊtɪŋ'æsets] s pl likvida medel
floating bridge [ˌfləʊtɪŋ'brɪdʒ] s flottbro; pontonbro; linfärja, dragfärja
floating kidney [ˌfləʊtɪŋ'kɪdnɪ] s med. vandrande (rörlig) njure
floating voter [ˌfləʊtɪŋ'vəʊtə] s marginalväljare, osäker väljare (röst)
floatium [fləʊ'ætɪəm] s geol. floasit
1 flock [flɒk] **I** s **1** flock, skock [~ of geese]; hjord av mindre djur [~ of sheep (goats)] **2** om personer skara; hjord, församling, menighet; barnskara, lärjungeskara
II vb itr flockas, skocka sig, samlas [i skaror], strömma
2 flock [flɒk] s **1** tapp, tuss, tott av ull, bomull o.d. **2** flockull, avfallsull, flock som stoppningsmaterial
floe [fləʊ] s isflak
flog [flɒg] vb tr **1** prygla, piska, aga [~ with a cane] **2** driva på med piskrapp; pressa [~ an engine], kricket. slå hårt; ~ **a dead horse** se under horse I 1; **~ged to death** bildl. uttjatad, [ut]nött **3** sl. sälja, kursa under hand, ofta olovligt
flogging ['flɒgɪŋ] s prygel, aga, smörj; **a** ~ ett kok stryk
Flood [flʌd] s, **the** ~ bibl. syndafloden
flood [flʌd] **I** s **1** högvatten, flod **2** översvämning; flöde, [stört]flod, ström äv. bildl. [a ~ of tears; a ~ of visitors]
II vb tr översvämma äv. bildl. [~ the market]; sätta under vatten, dränka med vatten[massor], bevattna; fylla över bräddarna; få att (låta) svämma över; flöda [~ the carburettor]; **be ~ed** översvämmas, vara översvämmad äv. bildl., stå under vatten; om flod ha svämmat över; **we were ~ed with applications** äv. vi höll på att dränkas av (drunkna i) ansökningar; **~ed with light** badande i (dränkt av) ljus; **thousands of people were ~ed out** översvämningen gjorde tusentals människor hemlösa
III vb itr flöda över sina bräddar, svämma över; bli översvämmad; strömma
floodgate ['flʌdgeɪt] s dammlucka; nedre slussport; sluss äv. bildl. [open the ~s of one's passions]; [stört]flod [a whole ~ of facts]
floodlight ['flʌdlaɪt] **I** s **1** strålkastare, flodljus **2** pl. ~s strålkastarbelysning, strålkastarljus, flodljus; fasadbelysning
II (floodlit floodlit) vb tr **1** belysa med strålkastare; fasadbelysa, hålla fasadbelyst **2** bildl. sätta strålkastarljus på, avslöja
floodlit ['flʌdlɪt] **I** imperf. o. perf. p. av floodlight **II** adj strålkastarbelyst; fasadbelyst
flood tide ['flʌdtaɪd] s högvatten, flod
floor [flɔː] **I** s **1** golv; golvbeläggning; botten [the ~ of the ocean], sjö. bottenstock; **double** ~ trossbotten;

take the ~ börja dansen, dansa ut **2** slät mark (yta) **3** våning våningsplan; ***the first*** ~ [våningen] en trappa upp; amer. bottenvåningen; ***ground*** ~ se *ground floor* **4** ***the*** ~ ***of the House*** sessionssalen med undantag för åhörarläktarna; ***cross the*** ~ gå över till motståndarsidan i debatt; ***have the*** ~ ha ordet; ***take the*** ~ få ordet, ta till orda
II *vb tr* **1** kasta (slå) omkull, besegra, golva boxare; vard. göra ställd, sätta på det hala; ***be ~ed by a problem*** inte kunna klara (gå bet på) ett problem **2** lägga golv i, förse med golv; golvbelägga
floorboard ['flɔ:bɔ:d] *s* golvbräde, golvtilja, golvplanka
floorcloth ['flɔ:klɒθ] *s* golvtrasa, skurtrasa
flooring ['flɔ:rɪŋ] *s* **1** [golv]beläggning **2** golv[yta]; ***double*** ~ trossbotten
floor lamp ['flɔ:læmp] *s* golvlampa
floor-length ['flɔ:leŋθ] *adj* fotsid om klänning
floor manager ['flɔ:ˌmænɪdʒə] *s* **1** studioman i en tv-produktion **2** chef för våningsplan på varuhus
floor model ['flɔ:mɒdl] *s* amer. skyltexemplar vara som man kan få titta på och prova
floor plan ['flɔ:plæn] *s* byggn. planritning
floor polish ['flɔ:ˌpɒlɪʃ] *s* golvpolish, bonvax
floorshow ['flɔ:ʃəʊ] *s* kabaré, uppträdande på restaurang o.d., krogshow
floorwalker ['flɔ:ˌwɔ:kə] *s* vanl. amer. avdelningschef på varuhus
flop [flɒp] **I** *vb itr* **1** [hänga och] slänga, flaxa, daska, smälla, slå; ~ ***about*** a) om sko kippa, glappa b) om person gå (stå, sitta) och hänga, slappa **2** sprattla, klatscha [*the fish ~ped helplessly in the bottom of the boat*] **3** röra sig ovigt, lufsa; plumsa [*into* i]; slänga (vältra) sig [*she ~ped over on her other side*]; ~ el. ~ ***down*** dimpa (dunsa) ner [~ [*down*] *into a chair*] **4** vard. bli en flopp, floppa, spricka, falla platt till marken **5** amer. sl. lägga sig, gå och slagga (slafa)
II *s* **1** vard. misslyckande, fiasko, flopp [*the new plan was a* ~ *from the very beginning*]; fall; **he was a** ~ ***as a reporter*** han var helt misslyckad som reporter **2** flaxande; smäll[ande], duns; plums; klatsch **3** amer. sl. slaf på ungkarlshotell
III *adv* o. *interj* pladask, plums
flophouse ['flɒphaʊs] *s* amer. sl. ungkarlshotell
floppy ['flɒpɪ] *adj* som hänger och slänger, flaxande, flaxig, slak; svajig; hållningslös; ~ ***hat*** slokhatt
floppy disk [ˌflɒpɪ'dɪsk] *s* data. diskett
flora ['flɔ:rə] *s* flora
floral ['flɔ:r(ə)l] *adj* blom- [~ *design*]; blomster- [~ *decoration*]; ~ ***clock*** blomsterur
Florence ['flɒr(ə)ns] **1** geogr. egennamn Florens **2** kvinnonamn
Florentine ['flɒr(ə)ntaɪn] **I** *adj* florentinsk **II** *s* florentinare
floret ['flɔ:rət] *s* **1** bot. småblomma; ***cauliflower ~s*** blomkålsbuketter; ~ ***of the disc*** diskblomma; ~ ***of the ray*** strålblomma **2** liten blomma
floriculture ['flɔ:rɪkʌltʃə] *s* blomsterodling
florid ['flɒrɪd] *adj* **1** bildl. blomstrande, blomsterrik, en smula överlastad [~ *style*]; yppig, grann, prunkande; utsirad, snirklad [~ *carving*] **2** rödlätt, rödblommig [~ *complexion*]

Florida ['flɒrɪdə] geogr.
florin ['flɒrɪn] *s* **1** florin, gulden **2** britt. silvermynt = *2 shilling* officiellt avskaffat 1971
florist ['flɒrɪst] *s* blomsterhandlare; blomsterodlare; blomsterkännare; ~**'s** el. ~**'s shop** blomsteraffär
Florrie ['flɒrɪ] smeknamn för *Florence 2*
floss [flɒs] **I** *s* **1** ~ el. ***dental*** ~ tandtråd för rengöring av tänder **2** avfallssilke, frison
II *vb tr* göra rent med tandtråd
flotation [fləʊ'teɪʃ(ə)n] *s* **1** startande, finansiering av företag o.d., uppläggning, emission av lån, börsintroduktion av företag **2** flytande; ***centre of*** ~ vattenlinjeareans tyngdpunkt hos flytande kropp, flytcentrum
flotation device [fləʊ'teɪʃ(ə)ndɪˌvaɪs] *s* flytutrustning som räddningsvästar, flytvästar etc.
flotilla [fləʊ'tɪlə] *s* sjö. flottilj
flotsam ['flɒtsəm] *s* [flytande] vrakgods, sjöfynd; ~ ***and jetsam*** a) vrakspillror b) diverse småsaker (bråte), krafs c) lösdrivare, olycksbarn
1 flounce [flaʊns] *vb itr* **1** rusa, störta [~ *away* (*off, out*); *she ~d out of the room in a rage*] **2** sprattla
2 flounce [flaʊns] **I** *s* volang, kappa på kjol, garnering **II** *vb tr* garnera med volanger
flounced [flaʊnst] *adj* o. **flouncy** ['flaʊnsɪ] *adj*, *a* ~ ***skirt*** en volangkjol, en kjol med volanger
1 flounder ['flaʊndə] **I** *vb itr* **1** krångla (trassla) in sig; stå och hacka **2** kava sig (plumsa, vada) fram, pulsa, stövla fram; streta, knoga, bildl. äv. knoga 'på; sprattla, tumla, rulla omkring liksom i dy
II *vb itr* med adv.:
flounder about a) prata hit och dit, prata strunt b) fara hit och dit, irra (famla) omkring
2 flounder ['flaʊndə] *s* zool. flundra; skrubba, skrubbflundra, amer. äv. rödspätta
flour ['flaʊə] **I** *s* [sikt]mjöl; spec. vetemjöl **II** *vb tr* beströ (pudra) med mjöl, mjöla; bildl. pudra
flourish ['flʌrɪʃ] **I** *vb itr* blomstra, gå (reda sig) lysande; [trivas och] frodas; florera [*the system ~ed for centuries*]; leva och verka [*he ~ed about 400 BC*]
II *vb tr* **1** svänga, svinga [~ *a sword*; ~ *a banner*] **2** pryda med snirklar (slängar), utsira **3** demonstrera, lysa med [~ *one's wealth*]
III *s* **1** elegant sväng (svängning) [*he took off his hat with a* ~]; flott gest [*do sth with a* ~]; svingande av vapen o.d., salut med värja **2** snirkel, släng på bokstäver, krumelur **3** blomsterspråk, floskler, retorisk utsmyckning **4** mus. fanfar [*sound* (blåsa) *a* ~]; improviserat preludium; ~ ***of trumpets*** trumpetfanfar
floury ['flaʊərɪ] *adj* av mjöl, mjöl-; mjölig; mjöllik
flout [flaʊt] **I** *vb tr* visa förakt för, trotsa [~ *the law*]; nonchalera, strunta i [~ *sb's wishes*]; håna, förlöjliga **II** *vb itr* håna; ~ ***at*** håna, förlöjliga
flow [fləʊ] **I** *vb itr* (se äv. *flowing*) **1** flyta, rinna, strömma; flöda [*his speech ~ed*] om vers o.d. flyta [lätt]; ~ ***freely*** rinna i strömmar, flöda [fritt]; **the river ~s into...** floden rinner ut (mynnar) i... **2** bildl. härröra, komma [*wealth ~s from industry and economy*] **3** om hår o.d. bölja, fladdra, svalla, svaja; falla [*her dress ~ed in artistic lines*] **4** stiga [*the river ~ed over its banks*]; ***ebb and*** ~ om tidvattnet falla

och stiga **5** ~ **with** överflöda (flyta) av [~ *with milk and honey*]
II *s* **1** rinnande; flöde, flod, [jämn] ström; tillströmning [*the* ~ *of people into industry*]; genomströmning **2** överflöd; [rikt] tillflöde, tillgång **3** hårs svall; dräkts o.d. fall, sätt att falla; våglinjer **4** tidvattnets stigande, flod; *ebb and* ~ ebb och flod; *the tide is on the* ~ det är flod, tidvattnet håller på att stiga (är i stigande)

flowchart ['fləʊtʃɑːt] *s* flödesschema, flödesdiagram

flower ['flaʊə] **I** *s* **1** blomma växtdel el. växt [*pick* ~*s*]; *no* ~*s* el. *no* ~*s by request* vid begravning blommor undanbedes; ~ *garden* blomsterträdgård, prydnadsträdgård **2** blom, blomning; *be in* ~ stå i blom (sitt flor), blomma **3** bildl., *the* ~ *of the nation's manhood* blomman (kärnan) av nationens män; *in the* ~ *of youth* i sina bästa år **4** retorisk blomma; ~*s of speech* ofta iron. granna fraser, stilblommor; *language of* ~*s* blomsterspråk **5** kem., ~*s of sulphur* svavelblomma
II *vb itr* blomma, stå (slå ut) i blom; bildl. blomstra, utvecklas

flowerbed ['flaʊəbed] *s* [blom]rabatt, blomstersäng

flowered ['flaʊəd] *adj* prydd med blommor (blomsterornament); blommig [~ *chintz*; *a* ~ *gown*]

flowering ['flaʊərɪŋ] **I** *adj* blommande [~ *bushes*]
II *s* blomning, blomningstid

flowerpot ['flaʊəpɒt] *s* blomkruka; *hanging* ~ [blomster]ampel

flower show ['flaʊəʃəʊ] *s* blomsterutställning

flowery ['flaʊərɪ] *adj* **1** blomrik, blommande; blom-, blomster- **2** blomsterprydd; blommig [*a* ~ *carpet*] **3** bildl. blomsterrik [~ *language*]; blomstrande [~ *style*]

flowing ['fləʊɪŋ] *adj* **1** flytande, strömmande; flödande **2** böljande, fladdrande [~ *hair*; ~ *robes*]; svajande; vid [~ *trousers*]; yvig [*a* ~ *tie*]; *with* ~ *sheets* el. *with* ~ *sails* sjö. med lösa skot **3** om stil, form o.d. ledig, [lätt]flytande; graciös; ~ *lines* mjuka (eleganta) linjer **4** [över]flödande, rik, riklig [~ *imagination*]

flown [fləʊn] perf. p. av *1 fly*

fl.oz. förk. för *fluid ounce*[*s*]

flu [fluː] *s* vard., ~ el. *the* ~ influensa, flunsan

flub [flʌb] amer. sl. **I** *vb tr* fördärva, sumpa, klanta till; skolka (smita) från
II *s* tabbe, dundermiss

fluctuate ['flʌktjʊeɪt] *vb itr* **1** fluktuera, gå upp och ned, variera, växla, vara ostadig [*fluctuating prices*] **2** vackla, pendla [~ *between hope and despair*]; skifta; vara vankelmodig

fluctuation [ˌflʌktjʊ'eɪʃ(ə)n] *s* **1** växling, skiftning, stigande och sjunkande, ostadighet, variation; ~ *of the market* konjunkturväxling **2** tveksamhet, tvekan, vacklan, vankelmod

flue [fluː] *s* **1** rökfång, rökgång, rökkanal, skorstenspipa **2** varmluftsrör i vägg, ångpannetub

fluency ['fluːənsɪ] *s* ledighet i uttryckssätt, uttal m.m., ledigt uttryckssätt, flytande framställning; *his* ~ *in German* [*was astonishing*] hans förmåga att tala tyska flytande...

fluent ['fluːənt] *adj* **1** ledig [~ *verse*]; flytande [*speak* ~ *French*]; som har lätt att uttrycka sig; talför; *be* ~

in three languages tala tre språk flytande **2** ledig, graciös [~ *motion*; ~ *curves*]

fluently ['fluːəntlɪ] *adv* flytande [*speak English* ~]

fluff [flʌf] **I** *s* **1** löst ludd, ulldamm; dun; *ball of* ~ el. *piece of* ~ dammtuss **2** spec. djurunges päls, hår, dun **3** vard. miss **4** vanl. amer. vard. nonsens, strunt
II *vb tr* **1** ludda upp, förvandla till en dunig (luddig, luftig) massa **2** ~ *up* el. ~ *out* burra (fluffa, skaka) upp **3** vard. staka sig på; missa, fuska bort t.ex. slag i spel, göra bort sig i; ~ *one's lines* teat. staka sig på sina repliker; säga fel

fluffy ['flʌfɪ] *adj* **1** luddig; dunig, fjunig, dunbeklädd; lätt som dun, silkesfin; om hår lent och burrigt **2** luftig, fluffig

fluid ['fluːɪd] **I** *adj* **1** flytande; i flytande form **2** obestämd; flytande [*the limits are* ~]; ledig, lättflytande [~ *style*]; instabil [~ *market conditions*] **3** likvid; disponibel [~ *capital*]
II *s* **1** fys. icke fast kropp [*liquids and gases are* ~*s*] **2** vätska; *drink plenty of* ~*s* dricka mycket, tillföra kroppen mycket vätska

fluid balance ['fluːɪdˌbæləns] *s* vätskebalans

fluid drive ['fluːɪddraɪv] *s* vätskekoppling

fluidity [flʊ'ɪdətɪ] *s* **1** fluiditet; gas- och vätskeform, flytande tillstånd; *the* ~ *of* äv. bildl. flexibiliteten hos **2** om stil o.d. ledighet

fluid ounce [ˌfluːɪd'aʊns] (förk. *fl.oz.*) *s* mått för våta varor **a)** britt. = 1/20 *imperial pint* (28,4 cm^3) **b)** amer. = 1/16 *pint* (29,6 cm^3)

fluke [fluːk] *s* vard. lyckträff, tur, flax

fluky ['fluːkɪ] *adj* vard. som beror på en lyckträff, oväntat lycklig, tursam, tur-

flume [fluːm] *s* **1** konstgjord vattenränna, flottningsränna **2** trång, djup flodravin

flummox ['flʌməks] *vb tr* vard. bringa ur fattningen, göra [helt] ställd (perplex), förbrylla, kollra bort

flummoxed ['flʌməksd] *adj* vard. perplex, ställd, förbryllad, bortkollrad

flung [flʌŋ] imperf. o. perf. p. av *fling*

flunk [flʌŋk] vanl. amer. vard. **I** *vb itr* köra, bli kuggad
II *vb tr* **1** köra i (på) [~ *an examination*] **2** köra, kugga [~ *a student*]; ~ *out* [*of school* (*college*)] vara tvungen att sluta... p.g.a. otillräckliga betyg

flunkey o. **flunky** ['flʌŋkɪ] *adj* neds. **1** rövslickare **2** passopp

fluoresce [ˌflɔː'res] *vb itr* kem. fluorescera

fluorescence [flɔː'resns] *s* kem. fluorescens, fluorescering

fluorescent [flɔː'resnt] *adj* fluorescerande [~ *light*]

fluorescent lighting [flɔːˌresnt'laɪtɪŋ] *s* lysrörsbelysning

fluorescent tube [flɔːˌresnt'tjuːb] *s* lysrör

fluoridate ['flɔːrɪˌdeɪt, 'flʊər-] *vb tr* kem. fluoridera

fluoridation [ˌflɔːrɪ'deɪʃ(ə)n] *s* kem. fluoridering

fluoride ['flʊəraɪd] *s* kem. **1** fluorid; ~ *toothpaste* fluortandkräm **2** fluorförening

fluorine ['flʊəriːn, 'flɔːr-] *s* kem. fluor

fluorocarbon [ˌflʊərə'kɑːbən, 'flɔːr-] *s* kem. fluorkarbon

flurried ['flʌrɪd, amer. 'flɜːrɪd] *adj* febril

flurry ['flʌrɪ] *s* **1** nervös oro, nervositet, uppståndelse, förvirring; spring; hets, jäkt; *a* ~ *of activity* [en] febril aktivitet; *be in a* ~ vara nervös

(jäktad); **in a ~ of excitement** i nervös upphetsning
2 [kast]by; snöby, regnby
1 flush [flʌʃ] **I** *vb itr* **1** forsa [fram], flöda; rusa [*the blood ~ed into* (till) *her cheeks*] **2** blossa upp, rodna [häftigt], bli blossande röd [äv. *~ up*]
II *vb tr* **1** spola [ren] [*~ the* [*lavatory*] *pan*]; **~ the pan** äv. spola [på wc] **2** göra [blossande] röd, få att rodna, komma att glöda; **~ed with wine** het (blossande röd) av vin **3** egga (hetsa, liva) upp; **~ed with joy** rusig av glädje; **~ed with victory** segerdrucken
III *s* **1** [häftig] rodnad [*a ~ of shame*]; glöd; feberhetta; **hot ~** med. blodvallning **2** [känslo]svall; uppblossande, utbrott [*a ~ of passion*]; rus, yra [*in the first ~ of victory*] **3** [ren]spolning
2 flush [flʌʃ] *vb tr*, **~ out** skrämma upp fåglar el. äv. bildl., jaga bort
3 flush [flʌʃ] **I** *adj* **1** jämn, slät [*a ~ door*]; grad, plan; **~ against** tätt intill (mot) [*the table was ~ against the wall*]; **~ with** i jämnhöjd (linje) med, i samma plan som **2** vid kassa; rik [*he was feeling ~ on pay day*] om tillgång riklig **3** full, stigande [över sina bräddar] om flod **4** om slag rak, direkt [*a ~ blow on the chin*]
II *adv* **1** jämnt etc., jfr *3 flush I 3* **2** rakt, direkt
4 flush [flʌʃ] *s* kortsp. flush antal kort (vanl. 5) i samma färg; **straight ~** straight flush 5 kort i svit i samma färg; **~ sequence** svit i samma färg
flushed [flʌʃt] *adj* **1** blossande röd, rödflammig [*a ~ face*] **2** omtumlad, tagen, yr [*with av*]
fluster ['flʌstə] **I** *vb tr* hetsa **II** *s* upphetsning; **all in a ~** upphetsad, uppjagad
flustered ['flʌstəd] *adj* **1** förvirrad, nervös [och orolig] **2** upphetsad, ivrig
flute [fluːt] *s* **1** flöjt; flöjtstämma **2 champagne ~** spetsigt champagneglas
fluted ['fluːtɪd] *adj* **1** räfflad, kannelerad **2** goffrerad
fluting ['fluːtɪŋ] *s* **1** kannelering; räffla; räfflor **2** goffrering
flutter ['flʌtə] **I** *vb itr* **1** fladdra [*~ing butterflies*; *curtains ~ing in the breeze*]; flaxa; vaja [*the flag ~ed in the wind*] **2** flaxa (flänga) omkring, sväva (fara) hit och dit [äv. *~ about*] **3** om hjärta el. puls fladdra
II *vb tr* **1** fladdra (flaxa) med, röra; komma (få) att fladdra **2** bildl. jaga upp, oroa, göra nervös
III *s* **1** fladdrande etc., jfr *flutter I*; fladder; med. [hjärt]fladder **2** uppståndelse, förvirring, oro, nervositet, ängslig brådska; virrvarr; **be [all] in a ~** vara alldeles uppjagad (förvirrad), vara nervös (orolig), yr i mössan), ha [riktig] hjärtklappning **3** vard., **have a little ~** [*at the races*] spela lite…, satsa lite pengar…
fluttery ['flʌtərɪ] *adj* fladdrande, flaxande; fladdrig, darrig, nervös, orolig, jfr *flutter I* o. *flutter II*
flux [flʌks] *s* **1** [ständig] förändring; **in a state of ~** stadd i omvandling **2** omlopp [*~ of money*] **3** flod; flöde, ström äv. bildl. [*a ~ of words*] **4** med. flytning, flux **5** fys. strömhastighet
1 fly [flaɪ] **I** (*flew flown*, i betydelserna *1 fly I 4* o. *II 4* vanl. *fled fled* eg. av 'flee') *vb itr* (se äv. *flying*) **1** flyga; **~ high** bildl. sikta högt, ha högtflygande planer **2** ila, flyga, fara; rusa, störta; **~ open** om dörr flyga (springa) upp; **~ into a rage** bli rasande, råka i

raseri; **~ into raptures** falla i extas; **~ off the handle** vard. bli rasande, brusa upp; **let ~** skjuta av [*let ~ a torrent of abuse*]; slunga (vräka) ur sig [*let ~ an oath*]; **let ~ at sb** attackera ngn, gå på ngn; **send sb ~ing** slå omkull ngn; **send things ~ing across the room** slänga saker så att de flyger rakt igenom rummet **3** fladdra, vaja [*the flags were ~ing*] **4** fly [*they fled before* (för) *the enemy*]
II (för tema se *1 fly I*) *vb tr* **1** låta flyga, slunga ut, avskjuta; **~ a kite** se under *kite I 1* **2** flyga, föra, köra [*~ a plane*]; flyga [med], föra [*~ passengers*]; flyga över [*~ the Atlantic in a plane*] **3** föra, hissa flagg; **~ the colours** flagga; **~ the Swedish colours** äv. segla under svensk flagg **4** fly [från (ur)] [*~ the country*]; undvika; **~ the nest** om fågel bli flygfärdig, lämna boet äv. bildl.
III (för tema se *1 fly I*) *vb itr* med adv.:
fly about a) flyga omkring **b)** om vind kasta
fly at flyga (rusa) på; **let ~ at sb** se *1 fly I 2*
fly away flyga bort (sin kos, sin väg); **the cap flew away** mössan blåste bort
fly off a) flyga bort, rusa i väg **b)** om sak flyga av (ur), gå av
IV *s* **1 ~** el. pl. **flies** gylf **2 ~** el. **tent ~** a) tältdörr b) yttertält **3 on the ~** i farten; i största hast
2 fly [flaɪ] *s* fluga; [fiske]fluga [*artificial ~*]; **he wouldn't hurt a ~** han gör inte (skulle inte göra) en fluga förnär; **a ~ in the ointment** bildl. smolk i [glädje]bägaren, ett streck i räkningen, ett aber; **there are no flies on him** sl. han är väl inte dum (korkad), han är inte född i farstun
3 fly [flaɪ] *adj* **1** sl. snofsig, snitsig **2** åld. vard. vaken, klipsk, smart, slug, skarp, inte lätt att lura
fly agaric [ˌflaɪəˈgærɪk] *s* [röd] flugsvamp
fly-away ['flaɪəˌweɪ] *adj* om hår flygigt
flyblown ['flaɪbləʊn] *adj* **1** angripen av fluglarver **2** skämd, fläckad
flyby ['flaɪbaɪ] (pl. *~s*) *s* **1** flygfärd [förbi] för att undersöka ett speciellt föremål särskilt i rymden **2** amer. förbiflygning, flygparad
fly-by-night ['flaɪbaɪnaɪt] *adj* opålitlig; nyckfull; **~ salesman** oansvarig (skum) försäljare
flycatcher ['flaɪˌkætʃə] *s* zool. flugsnappare
flyer ['flaɪə] *s* **1** reklamblad **2** flygare; **get off to a ~** se under *flying start* **3** flygpassagerare
fly-fishing ['flaɪˌfɪʃɪŋ] *s* flugfiske
flying ['flaɪɪŋ] **I** *s* flygning
II *adj* **1** flygande; flyg-; flygar- [*~ suit*]; kringflygande [*~ glass*] **2** fladdrande, vajande, svajande **3** flygande, snabb; flyktig, hastig [*~ trip*]; provisorisk; **~ jump** el. **~ leap** sport. hopp med ansats (anlopp) **4** rörlig, lätt [*~ artillery*]
flying buttress [ˌflaɪɪŋˈbʌtrəs] *s* arkit. strävbåge
flying colours [ˌflaɪɪŋˈkʌləz] *s pl*, **come off with ~** klara sig med glans
flying doctor [ˌflaɪɪŋˈdɒktə] *s* läkare som använder flyg, 'flygande doktor' spec. i Australiens glesbygder
flying field ['flaɪɪŋfiːld] *s* flygfält
flying fish [ˌflaɪɪŋˈfɪʃ] (pl. *~es* el. koll. vanl. *flying fish*) *s* flygfisk
flying fox [ˌflaɪɪŋˈfɒks] *s* zool. flygande hund
flying officer ['flaɪɪŋˌɒfɪsə] (förk. *FO*) *s* löjtnant inom flyget
flying picket [ˌflaɪɪŋˈpɪkɪt] *s* rörlig strejkvakt som

förflyttar sig mellan olika arbetsplatser för att få fackmedlemmar att strejka

flying saucer [ˌflaɪɪŋˈsɔːsə] s flygande tefat

flying squad [ˈflaɪɪŋskwɒd] s rörlig polisstyrka som sätts in vid bankrån o.d.

flying start [ˌflaɪɪŋˈstɑːt] s flygande start, rivstart; **get off to a ~** få en rivstart (flygande start)

flying visit [ˌflaɪɪŋˈvɪzɪt] s snabbvisit, blixtvisit

flyleaf [ˈflaɪliːf] (pl. *flyleaves*) s bokb. försättsblad

flyover [ˈflaɪˌəʊvə] s **1 a)** planskild korsning **b)** vägbro, överfart **2** amer. förbiflygning, flygparad

flypaper [ˈflaɪˌpeɪpə] s flugpapper

flypast [ˈflaɪpɑːst] s förbiflygning, flygparad

flysheet [ˈflaɪʃiːt] s **1** yttertält, regnskydd på tält **2** reklambroschyr; flygblad; löpsedel

fly swatter [ˈflaɪˌswɒtə] s flugsmälla

flyweight [ˈflaɪweɪt] s sport. **1** flugvikt **2** flugviktare

flywheel [ˈflaɪwiːl] s mek. svänghjul

FM [ˌefˈem] **1** radio. (förk. för *frequency modulation*) FM **2** förk. för *Field Marshal*

FO förk. för *Flying Officer*

foal [fəʊl] **I** s föl; **in ~** dräktig **II** vb itr föla

foam [fəʊm] **I** s skum, fradga, lödder **II** vb itr skumma, fradga; **he ~ed at the mouth** han tuggade fradga, bildl. äv. han skummade av raseri

foam bath [ˈfəʊmbɑːθ] s skumbad

foam extinguisher [ˈfəʊmɪkˌstɪŋgwɪʃə] s skumsläckare

foam plastic [ˌfəʊmˈplæstɪk] s skumplast

foam rubber [ˌfəʊmˈrʌbə, attr. '-,--] s skumgummi

foamy [ˈfəʊmɪ] adj skummig, fradgande; löddrig

f.o.b. [fɒb] hand. (förk. för *free on board*) fob, fritt ombord

1 fob [fɒb] vb tr lura; **~ off sth on sb** pracka på ngn ngt; **~ sb off with** avfärda (avspisa) ngn med, låta ngn få hålla till godo med

2 fob [fɒb] s **1** klockkedja till fickur **2** urficka nedanför byxlinningen, liten ficka **3** nyckelring [med emblem], emblem

focal [ˈfəʊk(ə)l] adj foto. fokal-, brännpunkts-

focal length [ˌfəʊk(ə)lˈleŋθ] s brännvidd

focal point [ˌfəʊk(ə)lˈpɔɪnt] s brännpunkt, fokus äv. bildl.

foci [ˈfəʊˌsaɪ, -kiː] s pl. av *focus*

fo'c'sle [ˈfəʊksl] s (eg. *forecastle*) sjö. back; skans

fo|cus [ˈfəʊ|kəs] **I** (pl. *-ci* [-saɪ el. -kiː] el. *-cuses*) s **1** fokus, brännpunkt; **the object is in ~** skärpan är inställd på föremålet; **the object is out of ~** skärpan är inte inställd på föremålet; **bring into ~** a) ställa in skärpan på b) bildl. ställa i fokus; **the picture is out of ~** bilden är oskarp **2** bildl. medelpunkt, blickfång, centrum; spec. med. härd; inriktning; **the ~ of attention** centrum för uppmärksamheten **II** vb tr o. vb itr **1** fokusera[s], samla [sig] i en brännpunkt, samla[s]; bildl. koncentrera[s]; **~ on** rikta (sikta) in sig på; **~ one's attention on** koncentrera sin uppmärksamhet på **2** ställa in [*~ the eye; ~ the lens of a microscope*]; ställa in skärpan (avståndet)

focused [ˈfəʊkəst] adj **1** koncentrerad, samlad; målinriktad **2** klar, tydlig [*a ~ image*]

focus group [ˈfəʊkəsˌgruːp] s referensgrupp, testgrupp

focussed [ˈfəʊkəst] adj se *focused*

fodder [ˈfɒdə] s [torr]foder

foe [fəʊ] s poet. fiende, motståndare, ovän

foetal [ˈfiːtl] adj foster- [*~ stage; ~ position*]

foetal diagnostics [ˈfiːtlˌdaɪægˈnɒstɪks] (med verb i sg.) s fosterdiagnostik

foetus [ˈfiːtəs] s foster

fog [fɒg] **I** s dimma, tjocka, mist [*a London ~; dense ~*]; töcken; **in a ~** bildl. a) omtöcknad b) villrådig **II** vb tr hölja [in] i dimma; göra dimmig (immig); **~ the issue** bildl. virra till (skymma) problemet **III** vb itr, **~ up** imma igen

fog bank [ˈfɒgbæŋk] s sjö. dimbank, mistbank, dimvägg

fogbound [ˈfɒgbaʊnd] adj **1** lamslagen av dimma, uppehållen på grund av dimma **2** höljd i dimma

fogey [ˈfəʊgɪ] s, **old ~** vard. gammal stofil, träbock, kuf

foggy [ˈfɒgɪ] adj **1** dimmig; töcknig **2** bildl. dunkel [*~ idea*]; suddig, oklar, vag; virrig; **I haven't the foggiest** [*idea*] jag har inte den blekaste [aning]

foghorn [ˈfɒghɔːn] s sjö. mistlur

fog lamp [ˈfɒglæmp] s bil. dimstrålkastare

fogy [ˈfəʊgɪ] s se *fogey*

foible [ˈfɔɪbl] s [mänsklig] svaghet, svag sida [*his ~*]; pl. **~s** äv. småfel

1 foil [fɔɪl] s folie; foliepapper; bildl. bakgrund i allm.; **be a ~ to** [tjäna till att] framhäva, ge relief åt; bilda en fördelaktig bakgrund åt skådespelare o.d.

2 foil [fɔɪl] vb tr omintetgöra, gäcka, kullkasta

3 foil [fɔɪl] s fäktn. florett

foist [fɔɪst] vb tr, **~ sth on sb** lura (pracka) på ngn ngt

1 fold [fəʊld] **I** vb tr **1** vika [ihop]; vecka, lägga i veck **2** fälla ihop [*the bird ~ed its wings*]; **~ one's arms** lägga armarna i kors; **~ one's arm about** (round) slå (lägga) armen om; **with ~ed arms** med korslagda armar; **~ one's hands** knäppa ihop händerna **3** svepa [in], slå in [*~ in paper*]; hölja [in] **II** vb itr **1** vikas, vika [ihop] sig; vecka sig, bilda veck; kunna vikas, gå att vika [ihop] **2** vard. a) slå igen, sluta b) gå omkull (åt pipan) [*the business ~ed*] c) klappa ihop, falla ihop **III** vb tr o. vb itr med adv.:

fold back vika tillbaka (undan); **~ back a leaf** [*in a book*] vika [hörnet av] ett blad…

fold down: ~ down a leaf [*in a book*] vika [hörnet av] ett blad…

fold in kok. vända ner (blanda 'i) försiktigt [*~ in the egg-whites*]

fold up a) tr. lägga (vika, veckla) ihop [*~ up a map*]; fälla ihop [*~ up a chair*] **b)** itr. [kunna] fällas (vikas) ihop **c)** vard., itr. svepa [in], slå in [*~ up in paper*]; hölja [in]

IV s **1** veck; lager **2** vindning, slinga, bukt; krök av dal, sänka i berg **3** vikning; veckning äv. geol.

2 fold [fəʊld] s **1** [får]fålla, inhägnad **2** [fåra]hjord **3 the ~** bildl. fållan, fadershuset [*return to the ~*]; församlingen

foldable [ˈfəʊldəbl] adj [hop]fällbar, [hop]vikbar

foldaway [ˈfəʊldəweɪ] adj [hop]vikbar, [hop]fällbar [*a ~ bed*]

folder [ˈfəʊldə] s **1** samlingspärm; mapp **2** folder; broschyr; hopvikbar tidtabell (karta m.m.)

folding ['fəʊldɪŋ] *adj* [hop]vikbar, [hop]fällbar; ~ *bed* fällsäng, tältsäng; ~ *chair* fällstol; ~ *doors* vikdörrar; ~ *roof* soltak på bil; ~ *seat* fällbar sits, nedfällbart säte; ~ *table* fällbord, klaffbord

fold-out ['fəʊldaʊt] **I** *s* utvikningsblad i bok, tidning o.d. **II** *adj* utvikbar, utfällbar, uppfällbar [*a* ~ *table*]

foliage ['fəʊlɪɪdʒ] *s* löv, lövverk, bladverk

folio ['fəʊlɪəʊ] (pl. ~s) *s* **1** folio[format] [*in* ~] **2** bok i folio; foliant **3** folioark

folk [fəʊk] *s*, ~[s] (med verb i pl.) folk, människor; *hello* ~s! hej gott folk!; ~[s] *say* folk säger; *country* ~ lantfolk, lantbor; *fine* ~[s] fint folk; *my* ~[s] mina anhöriga, min familj; *old* ~[s] gamla människor, gamla

folk dance ['fəʊkdɑːns] *s* folkdans

folk hero ['fəʊkˌhɪərəʊ] (pl. ~es) *s* folkhjälte

folklore ['fəʊklɔː] *s* folklore: **a)** folksagor, folksägner, folktro **b)** folkloristik, folkminnesforskning

folk music ['fəʊkˌmjuːzɪk] *s* folkmusik

folk singer ['fəʊkˌsɪŋə] *s* folk[vise]sångare

folk song ['fəʊksɒŋ] *s* folkvisa

folksy ['fəʊksɪ] *adj* vanl. amer. vard. enkel, folklig, folk-; rustik; gemytlig

folk tale ['fəʊkteɪl] *s* folksaga

follicle ['fɒlɪkl] *s* anat. follikel; liten blåsa, säck [*hair* ~]

follow ['fɒləʊ] (se äv. *following I*) **I** *vb tr* **1** följa [bakom, på, efter i rum el. tid], komma efter; eftertäda; följa [~ *a road*]; ~ *my* (amer. *the*) *leader* ung. 'följa John' lek; ~ *one's nose* gå dit näsan pekar **2** följa 'efter, förfölja [*we are being* ~*ed*] **3** följa med, åtfölja [*disease often* ~*s malnutrition*] **4** följa, lyda, gå (handla) efter, rätta sig efter [~ *his advice*; ~ *the fashion*; ~ *a plan*]; ~ *suit* kortsp. bekänna (följa) färg; bildl. följa exemplet, göra likadant **5** ägna sig åt yrke; ~ *the sea* vara (bli) sjöman, vara (gå) till sjöss **6** följa [med ögonen (i tankarna)] [*they* ~*ed her movements*] **7** följa [med], hinna (hänga) med [*he spoke so fast that I couldn't* ~ *him*]; förstå, [upp]fatta; *do you* ~ *me?* är (hänger) du med?, förstår du vad jag menar? **II** *vb itr* **1** följa; komma efter [*go on ahead and I'll* ~]; *as* ~*s* följande sätt; som följer, följande; *to* ~ efter, ovanpå [detta]; *with dinner to* ~ med efterföljande middag; *letter to* ~ brev följer **2** följa, vara en följd [*from* av]; [*because he is good*] *it does not* ~ *that he is wise* ...behöver han för den skull inte vara klok **III** *vb itr* o. *vb tr* med adv. el. prep.:

follow on a) följa (fortsätta) efter **b)** kricket., om lag gå in på nytt omedelbart efter en 'innings', fortsätta utan avbrott, se äv. *follow-on*

follow out fullfölja, genomföra

follow through a) sport. ta ut (fullfölja) slaget helt **b)** fortsätta till slut **c)** slutföra, avsluta

follow up a) följa noga (ihärdigt) **b)** följa upp, fortsätta, slutföra, fullfölja [~ *up a victory*]; driva vidare, vidare utföra (utveckla) ämne o.d.

follower ['fɒləʊə] *s* **1** anhängare, efterföljare; supporter **2** följeslagare

following ['fɒləʊɪŋ] **I** *adj* följande [*the* ~ *story*]; *the* ~ *morning* följande morgon, morgonen därpå; ~ *wind* medvind

II *s* följe, anhang, anhängare; anhängarskara [*his* ~ *was very small*]

III *prep* **1** till följd av **2** [omedelbart] efter [~ *the lecture the meeting was open to discussion*]

follow-on ['fɒləʊɒn] *s* uppföljning

follow-through ['fɒləʊθruː] *s* **1** sport. fullföljande [av slaget]; golf. follow-through **2** uppföljning

follow-up ['fɒləʊʌp] *s* **1** uppföljning, fortsättning; uppföljande reklam (brev o.d.), uppföljningsbrev; efterbehandling; efterkontakt vid yrkesvägledning **2** med. [efter]kontroll, uppföljning

folly ['fɒlɪ] *s* **1** dårskap, galenskap, tokeri, dåraktighet **2** 'fåfänga' dyrbar o. onyttig byggnad

foment [fə(ʊ)'ment] *vb tr* uppamma, ge [ökad] näring åt, underblåsa [~ *rebellion*]

fomentation [ˌfəʊmen'teɪʃ(ə)n] *s* uppammande, underblåsande

fond [fɒnd] *adj* **1** *be* ~ *of* tycka om, vara förtjust i, vara fäst vid; *be* ~ *of dancing* tycka om att dansa, gärna dansa **2** innerlig, öm [~ *looks*]; kärleksfull; tillgiven; *I have very* ~ *memories* [*from my time in Ireland*] jag har många kära minnen... **3** fåfäng [~ *hope*; ~ *wish*]; *it exceeded our* ~*est hopes* det överträffade våra djärvaste förväntningar

fondant ['fɒndənt] *s* fondant; sockermassa, sockerglasyr

fondle ['fɒndl] *vb tr* kela med, smeka

fondly ['fɒndlɪ] *adv* **1** ömt, kärleksfullt, innerligt; smekande **2** med en viss förkärlek, [så] gärna; *I* ~ *believe* (*hope*) jag vill [så] gärna tro (hoppas); ~ *imagine that* leva i den glada tron att

fondness ['fɒndnəs] *s* tillgivenhet, ömhet; [överdriven] kärlek, svaghet; förkärlek

fondue ['fɒndjuː] *s* kok. fondue

1 font [fɒnt] *s* dopfunt; vigvattenskål

2 font [fɒnt] *s* boktr. el. data. font, teckensnitt

food [fuːd] *s* mat [~ *and drink*]; föda, kost, näring äv. bildl. [*mental* ~]; livsmedel, matvaror; födoämne [*animal* ~; *vegetable* ~]; ~ *items* matvaror; ~ *for thought* något att tänka på, tankeställare; *put sb off his* ~ beröva ngn aptiten (matlusten)

food additive ['fuːdˌædɪtɪv] *s* livsmedelstillsats

food chain ['fuːdtʃeɪn] *s* näringskedja

food hall ['fuːdhɔːl] *s* livsmedelsavdelning på ett varuhus

foodie o. **foody** ['fuːdɪ] *s* vard. matfantast

food miles ['fuːdmaɪlz] *s pl* matmil det antal mil maten färdats från producent till konsument

food poisoning ['fuːdˌpɔɪznɪŋ] *s* matförgiftning

food processor ['fuːdˌprəʊsesə] *s* matberedare

food rationing ['fuːdˌræʃ(ə)nɪŋ] *s* livsmedelsransonering

food stamp ['fuːdstæmp] *s* amer. matkupong utdelas av socialbyrån

foodstuff ['fuːdstʌf] *s* födoämne, matvara, livsmedel

1 fool [fuːl] **I** *s* **1** dåre, dumbom; narr, tok[a], fåne; *a* ~ *and his money are soon parted* ung. det är lätt att plocka en dumbom på pengar; *the more* ~ *you* så mycket dummare av dig, det var dumt av dig; *don't be a* ~! var inte dum [nu]!; *I was a* ~ *to believe it* jag var dum som trodde det; *it made me feel a* ~ det gjorde mig generad, då kände jag mig dum (bortgjord); *live in a* ~*'s paradise* leva i lycklig okunnighet, leva på illusioner; **she's nobody's** (**no**) ~ **when it comes to...** henne lurar man inte när det gäller... **2** narr, löjlig figur, fjant; förr hovnarr, gyckelmakare; **~'s cap** narrhuva, narrmössa av papper; **make a ~ of sb** göra ngn löjlig, driva, (skoja) med ngn, dra ngn vid näsan; **make a ~ of oneself** göra sig löjlig, bära sig dumt åt, göra bort sig; **play the ~** el. **act the ~** spela pajas, larva sig **II** *vb tr* skoja (driva) med; lura, narra [*~ sb out of* (lura av ngn) *his money*; *~ sb into doing* ([till] att göra) *sth*]; spela ngn ett spratt; **you can't ~ me** mig lurar du inte; [**we're doing our best to fix it –**] **you could have ~ed me** vard. ...det tror ni jag går på **III** *vb itr* bära sig åt som en stolle **IV** *vb itr* med adv. el. prep.:

fool about el. **fool around a**) gå och driva (dra), slå dank **b**) [vänster]prassla [*with sb* med ngn]; ~ **about with sth** el. ~ **around with sth** joxa (pillra) med ngt

fool with sth joxa (pillra) med ngt

2 fool [fu:l] *s* kräm (mos) av frukt, bär med grädde (mjölk, vaniljsås) [spec. *gooseberry ~*]

foolery ['fu:ləri] *s* **1** dårskap, narraktighet **2** tokeri, fåneri; skämt

foolhardy ['fu:l,hɑ:di] *adj* dumdristig

foolish ['fu:lɪʃ] *adj* dåraktig, dum; narraktig; löjlig [*cut* (göra) *a ~ figure*]

foolproof ['fu:lpru:f] *adj* idiotsäker

foolscap ['fu:lskæp] *s* folio pappersformat, ung. 4 x 3 dm, skrivpapper, dokumentpapper

fool's errand ['fu:lz,er(ə)nd] *s* lönlöst företag; **be sent on a ~** skickas förgäves (i onödan) i ett ärende

foot [fut] **I** (pl. *feet* [fi:t]) *s* **1** fot; **my ~!** vard. sällan!, struntprat!; **be on one's feet a**) stå; resa sig **b**) vara på benen, vara frisk **c**) vara på fötter ekonomiskt, klara sig; **carry sb off his feet** kasta omkull ngn; bildl. hänföra (entusiasmera, överväldiga) ngn, lägga ngn för sina fötter; **catch sb on the wrong ~** överraska (komma på) ngn; **fall** (**land**) **on one's feet** bildl. komma ned på fötterna; **feel one's feet** el. **find one's feet** bildl. känna sig hemma[stadd], finna sig till rätta, börja få fotfäste; **get** (**have**) **one's ~ in** el. **get** (**have**) **a ~ in the door** vard. få in en fot; **go on ~** gå till fots; **have one ~ in the grave** vard. stå med ena foten i graven; **have the ball at one's feet** ha chansen; **have one's** (**both**) **feet on the ground** stå med båda fötterna på jorden; **help sb to his feet** hjälpa ngn på benen (att resa sig); **jump to one's feet** springa (rusa, hoppa) upp; **knock sb off his feet** kasta omkull ngn, slå ngn till marken; bildl. fullständigt överrumpla ngn; **put one's ~ down** uppträda bestämt, säga bestämt ifrån, protestera, slå näven i bordet; **he never put a ~ wrong** han gjorde aldrig ett misstag; **put one's best ~ forward** se under *best* I; **put one's ~ in it** el. amer. äv. **put one's ~ in one's mouth** vard. trampa i klaveret, göra bort sig; **rise to one's feet** resa sig, stiga upp; **be run off one's feet** vard. ha fullt upp att göra, ha det jäktigt; **rush sb off his feet** bringa ngn ur fattningen; **set sb** (**sth**) **on his** (**its**) **feet** hjälpa ngn (sätta ngt) på fötter äv. bildl.; **shoot oneself in the ~** vard. bita sig i tummen, göra bort sig rejält; **stand on one's own** [**two**] **feet** stå på egna ben; **at sb's feet** vid (för) ngns fötter äv. bildl.; **by ~** el. **on ~** till fots **2** fot nederdel o.d. [*at the ~ of*

the mountain]; nedre ända (del), fotända [*~ of a bed*]; nederdel, underdel [*~ of a sail*]; bakre del **3** fot, stativ, sockel **4** fot mått (= 12 *inches* ung. = 30,48 cm); **five** ~ (ibl. **feet**) **six** 5 fot 6 [tum] **II** *vb tr* **1** ~ **it a**) gå till fots, traska **b**) dansa, svinga sig i dansen **2** sticka 'vid, förfota strumpa **3** vard., ~ **the bill** stå för kalaset (räkningen)

footage ['futɪdʒ] *s* **1** längd i fot räknat, antal fot **2** film. [ett] antal fot (meter) film, filmmetrar, stycke film

foot-and-mouth disease [,fut(ə)n'mauθdɪ,zi:z] *s* vet.med. mul- och klövsjuka

football ['futbɔ:l] *s* fotboll; ~ **boot** fotbollssko; ~ **jersey** el. ~ **shirt** fotbollströja; ~ **shorts** el. amer. ~ **knickers** fotbollsbyxor; ~ **strip** fotbollsdräkt; **American** ~ amerikansk fotboll i motsats till vanlig fotboll

footballer ['futbɔ:lə] *s* fotbollsspelare

Football League ['futbɔ:lli:g] *s*, **the** ~ engelska ligan

football pools ['futbɔ:lpu:lz] *s pl*, **the** ~ ung. tipstjänst, tipsbolaget; ~ **coupon** tipskupong; **win money on the** ~ vinna [pengar] på tips[et]

footbrake ['futbreɪk] *s* fotbroms

footbridge ['futbrɪdʒ] *s* gångbro, spång

footdragging ['fut,drægɪŋ] *s* förhalning[staktik], maskning

footer ['futə] *s* **1** vard. fotboll [*play ~*] **2** som efterled i sammansättn., se t.ex. *six-footer* **3** data. sidfot

footfall ['futfɔ:l] *s* steg, ljud av steg

foot fault ['futfɔ:lt] *s* tennis. fotfel; **call a ~** döma fotfel

foothill ['futhɪl] *s* [lägre] utlöpare av berg o.d., kulle vid foten av berg

foothold ['futhəuld] *s* fotfäste; **secure** (**gain, get**) **a ~** få fotfäste, bildl. äv. få in en fot, komma in

footing ['futɪŋ] *s* **1** fotfäste, bildl. äv. säker ställning; **gain** (**get**) **a ~** få fotfäste, bildl. äv. få fast fot, vinna (få) insteg; **lose one's** ~ tappa fotfästet **2** bildl. grund, basis; **put a business on a sound ~** konsolidera ett företag **3** bildl. fot, förhållande; läge; **be on an equal ~ with** stå på jämlik fot med, vara jämställd (likställd) med; **be on a friendly ~ with** stå på vänskaplig fot med; **place on the same ~ as** jämställa med, ställa på samma linje som; **on a war ~** på krigsfot

footle ['fu:tl] vard. **I** *vb itr* bära sig fånigt åt, larva sig; dilla, prata strunt; ~ **about** el. ~ **around** [gå omkring och] larva sig (bära sig fånigt åt) **II** *vb tr*, ~ **away one's time** slösa bort tiden med en massa larv

footlights ['futlaɪts] *s pl* teat. **1** [golv]ramp; rampljus **2 the** ~ scenen, skådespelaryrket

footling ['fu:tlɪŋ] *adj* åld. futtig, ynklig, strunt- [*a ~ sum*]; obetydlig [*~ little jobs*]; fånig [*a ~ remark*]

footloose ['futlu:s] *adj* obunden; fri som fågeln; lös och ledig, ~ **and fancy-free** pank och fågelfri

foot|man ['futmən] (pl. *-men* [-mən]) *s* [livréklädd] betjänt, lakej

footmark ['futmɑ:k] *s* fotspår

footnote ['futnəut] *s* [fot]not nederst på sida

footpath ['futpɑ:θ] *s* gångstig

footprint ['futprɪnt] *s* fotspår; fotavtryck

footrest ['futrest] *s* fotstöd, pall

foot rule ['futru:l] *s* fotmått, tumstock 1 fot lång

Footsie ['fʊtsɪ] *s, the ~* vard. för *FTSE Index*
footsie ['fʊtsɪ] *s* vard. tåflört; *play ~* tåflörta
footslogging ['fʊt,slɒgɪŋ] *s* vard. marscherande, marsch
foot soldier ['fʊt,səʊldʒə] *s* fotsoldat, infanterist
footsore ['fʊtsɔː] *adj* ömfotad, sårfotad; *be ~* äv. ha ömma fötter
footstep ['fʊtstep] *s* **1** steg, fotsteg **2** fotspår
footstool ['fʊtstuːl] *s* pall, fotpall
footway ['fʊtweɪ] *s* **1** gångstig **2** trottoar
footwear ['fʊtweə] *s* fotbeklädnad, skodon
footwork ['fʊtwɜːk] *s* **1** fotarbete i sport, benföring i dans **2** fältarbete **3** taktik [*political ~*]
foozle ['fuːzl] vanl. golf. **I** *vb tr* fördärva, fuska (slarva) bort t.ex. golfslag
II *s* dåligt (misslyckat) slag; klumpigt fel; bom
fop [fɒp] *s* åld. snobb, sprätt[hök]
foppish ['fɒpɪʃ] *adj* sprättig, snobbig
for [fɔː, obeton. fə, f] **I** *prep* (se äv. förbindelser med t.ex. *call, go, make* o. *in* **1 a**) för [*work ~ money*] **b**) [i utbyte] mot, i stället för [*new lamps ~ old*]; *E ~ elephant* E som i elefant; *sit ~ a constituency* representera en valkrets [i parlamentet]
2 a) till [*here's a letter (present) ~ you*] **b**) åt [*I can hold it ~ you*] **c**) för, för ngns räkning, å ngns vägnar [*she acted ~ me*]; *there's friendship ~ you!* vard. det kan man kalla vänskap!; iron. och det ska kallas vänskap!
3 a) för att få (skaffa, hämta, finna o.d.) [*go to sb ~ help*], efter [*ask* (fråga) *~ sb; long ~*]; om [*ask* (be) *~ help*]; på [*hope ~*] **b**) till [*dress ~ dinner*]; *now you're ~ it!* vard. det kommer du att få för!, nu åker du fast!; *oh ~* [*a cup of tea*]*!* oj, vad jag är sugen på...!; *be out ~ a walk* vara ute och gå, vara ute på en promenad; *there's a gentleman ~ you* det är en herre som söker er; *what's this ~?* vard. vad är (har man) det här till?; vad är det här (ska det här vara) bra för?
4 till [*passengers ~ London*]; [i riktning] mot
5 för [*bad ~ the health*]; *it's good ~ colds* det är bra mot förkylningar
6 lydande på; till ett belopp av; *a bill ~ £100* en räkning på 100 pund
7 med anledning av, på grund av, till följd av, för...skull; av [*cry ~ joy*]; i; *~ this reason* av den anledningen (det skälet); *if it had not been ~ her* om inte hon hade varit, utan henne
8 trots; *he is a good man ~ all that* han är en bra människa trots allt (i alla fall, det oaktat)
9 vad beträffar, med hänsyn till, med avseende på, i fråga om [*last year was the worst year ever ~ accidents*]; angående; *~ all I care* jag bryr mig inte, gärna för mig, mig angår det inte; *~ all I can see* inte annat än jag kan se; [*she is dead*] *~ all I know* ...vad (såvitt) jag vet; *so much ~ that!* det var det [det]!, nog om den saken!; *as ~* vad beträffar; *as ~ me* vad mig beträffar; för min del; *be hard up ~ money* ha ont om pengar
10 såsom [varande], för; som, till [*they chose him ~ their leader*]; *~ instance* el. *~ example* till exempel; *I ~ one* jag för min del (till exempel); *~ one thing* för det första; till exempel; *I know it ~ certain* el. *I know it ~ a fact* det vet jag säkert (bestämt, med säkerhet)
11 för [att vara] [*not bad ~ a beginner*]; såsom

[...betraktad]
12 a) i tidsuttr. på [*I haven't seen him ~ a long time*]; under, i; för; [*be away*] *~ a month* ...[i] en månad; *~ several months* [*past*] sedan flera månader tillbaka; *~ now* för tillfället, tillsvidare [*that is enough ~ now*] **b**) i rumsuttr. på en sträcka av; *~ kilometres* på (under) flera kilometer; *we walked ~ two kilometres* vi gick två kilometer
13 *it is ~ you to decide* det är du som ska bestämma; *it is not ~ me to judge* det är inte min sak att döma; *here is a book ~ him to read* här har han en bok att läsa; *it is common ~ a man to do so* det är vanligt att en man gör så
II *konj* för, ty; nämligen; [*I asked her to stay,*] *~ I had something to tell her* ...för jag hade något att säga henne, ...jag hade nämligen något att säga henne
forage ['fɒrɪdʒ] **I** *vb itr* leta, rota, böka [äv. *~ about* (*round*); *for* efter] **II** *s* foder åt hästar el. boskap
foray ['fɒreɪ] **I** *s* **1** plundringståg, räd; *make* (*go on*) *a ~* ge sig ut på plundringståg **2** bildl. strövtåg, utflykt [*unsuccessful ~s into the world of politics*]
II *vb itr* ge sig ut på plundringståg
forbade [fə'bæd, -'beɪd] imperf. av *forbid*
1 forbear [fɔː'beə] (*forbore forborne*) *vb tr* avhålla sig från, låta bli, underlåta; upphöra med
2 forbear ['fɔːbeə] *s*, vanl. pl. *~s* förfäder
forbearance [fɔː'beər(ə)ns] *s* fördrag[samhet], tålamod, överseende [*show* (ha) *~ with* (*towards*)]; självbehärskning
forbearing [fɔː'beərɪŋ] *adj* överseende, tålmodig, fördragsam, långmodig
forbid [fə'bɪd] (*forbade forbidden*) *vb tr* **1** förbjuda [*sb sth; sb to do sth*]; *God ~!* det (vilket) Gud förbjude!; *God ~ that...* Gud förbjude att...
2 förbjuda att komma (gå) in i (in till), portförbjuda i (på), utestänga från; förvisa från
3 utesluta, [för]hindra, omöjliggöra, utgöra hinder för
forbidden [fə'bɪdn] perf. p. av *forbid*
forbidding [fə'bɪdɪŋ, fɔː'b-] *adj* frånstötande [*a ~ appearance* (yttre)]; osympatisk [*a ~ person*]; avskräckande; anskrämlig; avvisande, ogästvänlig, otillgänglig [*a ~ coast*]
forbore [fɔː'bɔː] imperf. av *1 forbear*
forborne [fɔː'bɔːn] perf. p. av *1 forbear*
force [fɔːs] **I** *s* **1** styrka, kraft äv. bildl. [*the ~ of an argument; the ~ of a blow*]; makt; *social ~s* sociala krafter; *~ of habit* vanans makt; *from ~ of habit* av gammal vana; *by ~ of* i kraft av, medelst; *by ~ of arms* med vapenmakt, med vapen i hand; *by ~ of habit* av gammal vana; *in* [*great*] *~* mil. i stort antal; fulltalig; manstark [nog]; *in full ~* mangrant [*they came in full ~*] **2** styrka, trupp, kår [*a ~ of 8,000 men*]; *the ~* polisen; pl. *~s* äv. stridskrafter [*naval ~s*]; *air ~* flygvapen; *armed ~s* väpnade styrkor, krigsmakt, försvar; *join ~s* slå sig ihop, förena (alliera) sig [*with* med] **3** våld [*use ~*]; *brute ~* [fysiskt] våld; *by ~* med våld **4** [laga] kraft, giltighet; *be in ~* äga (vara i) kraft, gälla; *come into ~* träda i kraft; *put in ~* el. *put into ~* sätta i kraft, tillämpa lag **5** verklig innebörd, exakt mening [*the ~ of a word*] **6** fys. kraft; *electric ~* elektrisk fältstyrka; *magnetic ~* magnetisk fältstyrka

II *vb tr* **1** tvinga, nödga; betvinga **2** pressa [upp]; forcera, skynda på; anstränga (spänna) [till det yttersta]; ~ *the issue* driva frågan (ärendet); ~ *the pace* forcera (driva upp) farten (tempot); ~ *a smile* tvinga (pressa) fram ett leende, le ansträngt; [*I shouldn't have any more.* –] ~ *yourself!* vard. skämts. ...lite till av maten kan du väl pressa ner (i dig)! **3** bryta upp, spränga [~ *a lock*]; ~ *a passage* el. ~ *one's way* [med våld] bana sig väg, tränga sig [*in*[*to*] in i, till] **4** tvinga fram, tvinga till sig (sig till) [*from, out of* av], pressa fram [*from, out of* ur, från]

III *vb tr* i spec. förbindelser med adv.:

force back hålla tillbaka [*she ~ed back her tears*]

force down pressa (tvinga) ner, tvinga i sig; trycka ner

force sth on sb tvinga (truga) på ngn ngt

force out pressa (tvinga) fram

force through driva (trumfa) igenom

force up driva (haussa) upp [~ *up the price*]

force sth upon sb tvinga (truga) på ngn ngt

forced [fɔːst] *adj* o. *perf p* **1** tvingad etc., jfr *force II*; tvungen; påtvingad, tvångs- [~ *feeding*; ~ *labour*] **2** forcerad, påskyndad **3** tillkämpad, tvungen, sökt, hårdragen; konstlad, forcerad, onaturlig, ansträngd

forced labour [ˌfɔːstˈleɪbə] *s* tvångsarbete

forced landing [ˌfɔːstˈlændɪŋ] *s* nödlandning

forced march [ˌfɔːstˈmɑːtʃ] *s* mil. forcerad marsch, ilmarsch

force-feed [ˈfɔːsfiːd] *vb tr* tvångsmata äv. bildl.

force-feeding [ˈfɔːsˌfiːdɪŋ] *s* tvångsmatning

forceful [ˈfɔːsf(ʊ)l] *adj* **1** kraftfull, stark [*a ~ personality*; *a ~ style*] **2** se *forcible 2*

force-land [ˌfɔːsˈlænd] **I** *vb itr* nödlanda **II** *vb tr* göra en nödlandning med

force majeure [ˌfɔːsmæˈʒɜː] *s* fr. force majeure

forcemeat [ˈfɔːsmiːt] *s* kok. färs till fyllning av kyckling, fisk o.d., köttbullssmet

forceps [ˈfɔːseps] (med verb i sg. el. pl.; pl. *forceps*) *s* spec. kirurgisk tång, pincett; *a ~* el. *a pair of ~* en tång (pincett)

forcible [ˈfɔːsəbl] *adj* **1** [som sker] med våld (tvång), tvångs- [~ *feeding*]; våldsam **2** kraftig, eftertrycklig [*in the most ~ manner*]; verknings-, kraftfull, effektfull, uttrycksfull, övertygande

forcibly [ˈfɔːsəblɪ] *adv* **1** med våld; mot min (din etc.) vilja **2** med eftertryck (myndighet, kraft), starkt

ford [fɔːd] **I** *s* vad[ställe] **II** *vb tr* vada över (genom); korsa

fordable [ˈfɔːdəbl] *adj* som går att vada över

fore [fɔː] **I** *s* främre del; sjö. för; *to the ~* på platsen, till hands; tillgänglig, lätt åtkomlig; fullt synlig; aktuell [*the question is much to the ~*]; *bring to the ~* dra fram, framhäva; *come to the ~* framträda; komma upp, bli aktuell; träda i förgrunden, bli bemärkt (berömd)

II *adj* framtill belägen; framförvarande; främre, sjö. äv. för-

III *adv*, ~ *and aft* i för och akter; från för till akter

forearm [ˈfɔːrɑːm] *s* underarm

forebear [ˈfɔːbeə] *s* se *2 forbear*

foreboding [fɔːˈbəʊdɪŋ] *s* **1** [ond] aning, föraning **2** förebud, varsel; förutsägelse, [ond] spådom

forecast [ˈfɔːkɑːst] **I** *s* [förhands]beräkning [*a ~ of next year's trade*]; prognos; förkänning; *weather ~* väderrapport, väderutsikter, väderprognos

II (*forecast forecast* el. *~ed ~ed*) *vb tr* **1** på förhand beräkna, förutse **2** förutsäga; *what weather do they ~ for tomorrow?* vad ska det bli för väder i morgon [enligt väderrapporten]?, vad säger de om vädret i morgon [i väderrapporten]? **3** varsla

forecaster [ˈfɔːˌkɑːstə] *s* **1** *weather ~* meteorolog **2** prognosmakare

forecastle [ˈfəʊksl] *s* sjö. back; skans

forecheck [ˈfɔːtʃek] *vb itr* ishockey. forechecka

foreclose [fɔːˈkləʊz] **I** *vb tr* jur., ~ *a mortgage* utmäta intecknad egendom; ~ *a pledge* förklara en pant förfallen

II *vb itr* jur., se *foreclose a mortgage* resp. *foreclose a pledge* under *foreclose I* ovan; ~ *on* utmäta

forecourt [ˈfɔːkɔːt] *s* **1** [ytter]gård, gårdsplan, förgård **2** del av tennisbana mellan servelinje o. nät

forefather [ˈfɔːˌfɑːðə] *s* förfader, stamfader

forefinger [ˈfɔːˌfɪŋgə] *s* pekfinger

fore|foot [ˈfɔːˌfʊt] (pl. *-feet* [-fiːt]) *s* framfot

forefront [ˈfɔːfrʌnt] *s*, *the ~* främsta delen (ledet); förgrunden; *in the ~ of the battle* i främsta stridslinjen; *be in the ~* bildl. vara högaktuell, stå i förgrunden

foregather [fɔːˈgæðə] *vb itr* samlas, komma tillsammans

forego [fɔːˈgəʊ] *vb tr* se *forgo*

foregoing [fɔːˈgəʊɪŋ] *adj* föregående, ovannämnd, förut nämnd

foregone conclusion [ˌfɔːgɒnkənˈkluːʒ(ə)n] *s*, *a ~* en given sak

foreground [ˈfɔːgraʊnd] *s*, *the ~* förgrunden

forehand [ˈfɔːhænd] *s* tennis. o.d. forehand

forehead [ˈfɔːhed, ˈfɒrɪd, amer. vanl. ˈfɔːhed] *s* panna

foreign [ˈfɒrən] *adj* **1** utländsk; utrikes[-]; främmande; *minister for* (*of*) ~ *affairs* el. ~ *minister* utrikesminister; ~ *mail* post från (till) utlandet; ~ *power* främmande makt; ~ *trade* utrikeshandel, handel med utlandet **2** på annan ort [belägen]; utsocknes, från annan ort (annat grevskap o.d.) [kommande], utifrån [kommande], främmande [~ *labour*] **3** främmande [*to* för]; ~ *body* el. ~ *matter* el. ~ *object* främmande föremål; *lying is ~ to her nature* äv. att ljuga ligger inte för henne

foreign aid [ˌfɒrənˈeɪd] *s* bistånd, u-hjälp

foreigner [ˈfɒrənə] *s* utlänning, främling

foreign exchange [ˌfɒrənɪksˈtʃeɪn(d)ʒ] *s* **1** valutahandel, valutaarbitrage [äv. ~ *dealings*]; ~ *market* valutamarknad **2** utländsk valuta

Foreign Legion [ˌfɒrənˈliːdʒ(ə)n] *s*, *the ~* främlingslegionen

Foreign Office [ˈfɒrənˌɒfɪs] *s*, *the ~* utrikesdepartementet i London

Foreign Secretary [ˌfɒrənˈsekrət(ə)rɪ] *s*, *the ~* i Storbritannien utrikesministern

foreknowledge [ˌfɔːˈnɒlɪdʒ] *s* vetskap på förhand, förhandskännedom

foreleg [ˈfɔːleg] *s* zool. framben

forelock [ˈfɔːlɒk] *s* pannlugg, lock i pannan; pannhår på häst; *touch one's ~ to sb* el. *tug* [*at*] *one's ~*

to sb buga sig för ngn; ***take the occasion by the*** ~ gripa tillfället i flykten; ta tillfället i akt

fore|man ['fɔ:|mən] (pl. *-men* [-mən]) *s* **1** [arbets]förman, [arbets]bas; verkmästare; arbetsledare; boktr. faktor; ***working*** ~ arbetsledare som själv deltar i arbetet **2** ordförande i jury

foremast ['fɔ:mɑ:st, sjö. -mɑst] *s* sjö. fockmast

foremost ['fɔ:məʊst] *adj* främst, först; förnämst

forename ['fɔ:neɪm] *s* förnamn

forensic [fə'rensɪk] *adj* juridisk, rättslig, rätts-; kriminalteknisk

forensic laboratory [fə,rensɪklə'bɒrət(ə)rɪ] *s* kriminaltekniskt laboratorium

forensic medicine [fə,rensɪk'meds(ə)n] *s* rättsmedicin

forensics [fə'rensɪks] *s* **1** (med verb i pl.) ung. teknisk rotel hos polisen **2** (med verb i sg.) kriminalistik

foreplay ['fɔ:pleɪ] *s* förspel till sexuellt umgänge

forerunner ['fɔ:,rʌnə] *s* föregångare; föregångare

foresail ['fɔ:seɪl, sjö. -sl] *s* sjö. försegel, fock

foresaw [fɔ:'sɔ:] imperf. av *foresee*

foresee [fɔ:'si:] (*foresaw foreseen*) *vb tr* förutse; veta på förhand

foreseeable [fɔ:'si:əbl] *adj* förutsebar; ***in the*** ~ ***future*** inom överskådlig framtid

foreseen [fɔ:'si:n] perf. p. av *foresee*

foreshadow [fɔ:'ʃædəʊ] *vb tr* bebåda, förebåda, [på förhand] antyda, låta ana; ställa i utsikt

foreshore ['fɔ:ʃɔ:] *s* strandremsa, strand mellan hög- och lågvattenslinjen el. mellan vattnet och odlat (bebyggt) land

foreshortened [fɔ:'ʃɔ:tnd] *adj* konst. förkortad [perspektiviskt], förminskad

foresight ['fɔ:saɪt] *s* **1** förutseende, framsynthet **2** omtänksamhet, omtanke [för framtiden]

foreskin ['fɔ:skɪn] *s* anat. förhud

forest ['fɒrɪst] *s* [stor] skog äv. bildl. [*a* ~ *of masts in the harbour*]; skogstrakt; ~ *land* skogsmark

forestall [fɔ:'stɔ:l] *vb tr* förebygga, förekomma; föregripa [~ *criticism*]

forested ['fɒrɪstɪd] *adj* skogbeväxt, skogbevuxen, skogklädd

forester ['fɒrɪstə] *s* **1** jägmästare **2** skogvaktare; skogsarbetare, skogshuggare

forest ranger [,fɒrɪst'reɪndʒə] *s* amer. skogvaktare, parkvakt i nationalpark i USA

forestry ['fɒrɪstrɪ] *s* skogsvetenskap; skogsvård, skogsbruk, skogsväsen

foretaste ['fɔ:teɪst] *s* försmak

foretell [fɔ:'tel] (*foretold foretold*) *vb tr* förutsäga; förespå; förebåda

forethought ['fɔ:θɔ:t] *s* omtänksamhet

foretold [fɔ:'təʊld] imperf. o. perf. p. av *foretell*

forever [fə'revə] *adv* för alltid, för evigt; jämt [och ständigt]; ***it takes him*** ~ ***to get through the paper*** vard. det tar eviga tider för honom att komma igenom tidningen

forewarn [fɔ:'wɔ:n] *vb tr* varsko, förvarna, varna [på förhand]

fore|woman ['fɔ:|,wʊmən] (pl. *-women* [-,wɪmɪn]) *s* **1** [kvinnlig] förman (arbetsledare, bas), föreståndarinna **2** [kvinnlig] ordförande i jury

foreword ['fɔ:wɜ:d] *s* förord, företal

forfeit ['fɔ:fɪt] **I** *vb tr* **1** förverka, gå miste om, förspilla, få plikta med [~ *one's life*] **2** mista,

förlora [~ *the good opinion of one's friends*] **II** *s* **1** bötessumma, böter, vite; pris; pant i lek **2** förverkande, förlust **III** *adj* förverkad, förspilld [*his* ~ *life*]

forfeiture ['fɔ:fɪtʃə] *s* förverkande, förlust

forgather [fɔ:'gæðə] *vb itr* se *foregather*

forgave [fə'geɪv] imperf. av *forgive*

1 forge [fɔ:dʒ] **I** *vb tr* **1** smida **2** förfalska, efterapa [~ *a cheque*; ~ *a signature*] **3** utforma, skapa [~ *a new Constitution*] **II** *vb itr* förfalska **III** *s* **1** smedja, smidesverkstad **2** smidesugn, [smides]ässja **3** järnverk; metallförädlingsverk

2 forge [fɔ:dʒ] *vb itr*, ~ *ahead* kämpa (arbeta, pressa) sig fram (förbi); ~ *into the lead* t.ex. sport. pressa sig upp i ledningen

forger ['fɔ:dʒə] *s* förfalskare

forgery ['fɔ:dʒ(ə)rɪ] *s* **1** förfalskning, efterapning **2** konkr. förfalskning, efterapning, falsarium [*a literary* ~] **3** jur. **a)** urkundsförfalskning **b)** förfalskningsbrott

forget [fə'get] (*forgot forgotten*, poet. *forgot*) **I** *vb tr* glömma [bort], inte minnas (komma ihåg); *I* ~ *her name* jag har glömt hennes namn; *not* ~*ting* inte att förglömma, för att inte glömma; *I was* ~*ting that he'd been here before* jag hade glömt att han hade varit här förut; *never to be forgotten* oförglömlig **II** *vb itr*, ~ *about sth* glömma bort ngt

forgetful [fə'getf(ʊ)l] *adj* glömsk [*of* av]; försumlig; *be* ~ vara glömsk av sig; *be* ~ *of* äv. glömma

forgetfulness [fə'getf(ʊ)lnəs] *s* glömska; försumlighet

forget-me-not [fə'getmɪnɒt] *s* bot. förgätmigej

forgivable [fə'gɪvəbl] *adj* förlåtlig

forgive [fə'gɪv] (*forgave forgiven*) **I** *vb tr* förlåta [*sb* [*for*] *sth* ngn ngt], ursäkta [~ *my ignorance*]; *not to be* ~*n* oförlåtlig **II** *vb itr* förlåta

forgiven [fə'gɪvn] perf. p. av *forgive*

forgiveness [fə'gɪvnəs] *s* förlåtelse; överseende

forgiving [fə'gɪvɪŋ] *adj* förlåtande, överseende, försonlig

forgo [fɔ:'gəʊ] (*forwent forgone*) *vb tr* avstå från, ge upp [~ *one's advantage*]; försaka [~ *pleasures*]

forgone ['fɔ:gɒn] perf. p. av *forgo*

forgot [fə'gɒt] imperf. av *forget*

forgotten [fə'gɒtn] perf. p. av *forget*

fork [fɔ:k] **I** *s* **1** gaffel **2** grep, tjuga **3** [gaffelformig] förgrening, gren; ~ el. ~ *junction* vägskäl, skiljeväg; korsväg **4** anat. gren, skrev **5** *tuning* ~ stämgaffel **6** pl. ~*s* el. *front* ~*s* framgaffel på cykel **II** *vb tr* lyfta (ta, kasta, bära, gräva m.fl.) med grep (gaffel) **III** *vb itr* [för]grena (dela) sig; ~ *left* (*right*) ta (vika) av till vänster (höger) **IV** *vb tr* o. *vb itr* med adv.:

fork out el. vanl. amer. **fork over** vard. **a)** tr. punga ut [med], langa fram [~ *out* (*over*) *a lot of money*] **b)** itr. punga ut med stålarna [*he wouldn't* ~ *out* (*over*)]

forked [fɔ:kt] *adj* [för]grenad, delad, kluven; som delar (grenar) sig; gaffel-

forked lightning [,fɔ:kt'laɪtnɪŋ] *s* sicksackblixt[ar]

forklift truck [,fɔ:klɪft'trʌk] *s* gaffeltruck

forlorn [fə'lɔ:n] *adj* **1** [ensam och] övergiven; ödslig

2 förtvivlad, hopplös [*a ~ attempt; a ~ cause*]
3 bedrövlig, eländig, ömklig [*his ~ appearance*] **4 ~ hope** a) sista förtvivlat försök; förtvivlat företag b) svagt (fåfängt) hopp

form [fɔ:m] **I** *s* **1** form i olika betydelser; *the ~ of a poem* en dikts form; *a mere matter of ~* en ren formsak (formalitet); *the plural ~* gram. pluralform[en], pluralis; *be in ~* el. *be on ~* t.ex. sport. vara i [fin] form, ha god kondition, vara i slag, vara tränad; *be in great ~* vara i högform (i utmärkt form, upplagd); vara på strålande humör; *be off* (*out of*) *~* el. *not be on* (*in*) *~* t.ex. sport. vara ur form (slag), vara otränad **2** gestalt, skepnad; figur, [kropps]form; gestaltning; slag, form; *take ~* ta form (gestalt); *take the ~ of* forma sig till **3** formulär, blankett [*a ~ for a contract*]; *fill up* (*in, out*) *a ~*]; formel **4** åld. etikett[sak], form, formalitet; *it is bad ~* det passar sig inte, det är obelevat (inte fint); *it is good ~* det hör till god ton, det är korrekt (fint) **5** [lång] bänk utan rygg **6** [skol]klass; årskurs [*first ~*]
II *vb tr* **1** bilda [*~ a Government*]; forma, gestalta, dana; [an]ordna, inrätta; grunda; *~ a coalition* ingå (bilda) en koalition **2** utbilda, fostra, dana, forma [*~ a child's character*] **3** utveckla, förvärva, skaffa sig [*~ a habit*]; stifta [*~ an acquaintance*] **4** tänka ut, utforma, göra utkast till, göra upp [*~ a plan*]; fatta [*~ a resolution*]; bilda (göra) sig; *~ a judgement* (*an opinion*) bilda sig en uppfattning **5** utgöra [*~ part* (en del) *of*]
III *vb itr* formas, forma sig, ta form; bildas [*ice had ~ed*]; bilda sig

formal ['fɔ:m(ə)l] *adj* **1** formell; formenlig, yttre **2** formlig, uttrycklig **3** högtidlig [*a ~ occasion*]; ceremoniös; formell [*a ~ bow*]; konventionell, etikett[s]- **4** stel, precis; formalistisk
formaldehyde [fɔ:'mældɪhaɪd] *s* kem. formaldehyd
formal dress [ˌfɔ:m(ə)l'dres] *s* högtidsdräkt
formalin ['fɔ:məlɪn] *s* kem. formalin
formalism ['fɔ:məlɪz(ə)m] *s* formalism
formality [fɔ:'mælətɪ] *s* **1** formalitet [*customs formalities*]; formsak; yttre (föreskriven) form; etikettsfråga; *a mere ~* en ren formalitet (formsak) **2** formenlighet; formbundenhet; formalism, stelhet **3** konventionalism, formalism **4** stelhet; formellt uppträdande
formalization [ˌfɔ:məlaɪ'zeɪʃ(ə)n] *s* formalisering
formalize ['fɔ:məlaɪz] *vb tr* formalisera
formally ['fɔ:məlɪ] *adv* **1** formellt, vad formen beträffar; för formens skull; helt formellt [*they never met, except ~*] **2** direkt, uttryckligen **3** i vederbörlig form (ordning), vederbörligen, formligt, formenligt **4** högtidligt, ceremoniöst, stelt
format ['fɔ:mæt] **I** *s* **1** boks etc. format, utseende, utstyrsel **2** data. format
II data. formatera
formation [fɔ:'meɪʃ(ə)n] *s* **1** formande; utformning; bildande; bildning äv. konkr., daning; gestaltning **2** mil. el. sport. formering; gruppering; *~ flying* formationsflygning **3** [berg]formation
formative ['fɔ:mətɪv] *adj* formande, danande, bildande, utvecklings- [*~ stage*]; utbildnings-; formbar; *the ~ years of a child's life* äv. utvecklingsåren under ett barns liv

former ['fɔ:mə] *adj* **1** föregående, tidigare [*my ~ students*]; förgången, forn; *in ~ times* fordom, förr i världen; *her ~ self* hennes (sitt) forna (gamla) jag **2** förra, förre, f.d., ex- [*the ~ prime minister*] **3** *the ~* den förre (förra), det (de) förra [*the ~...the latter...*]
formerly ['fɔ:məlɪ] *adv* förut; fordom, förr [i världen]; *~ ambassador in* f.d. ambassadör i
Formica® [fɔ:'maɪkə] *s* Formica® slags plastlaminat
formic acid [ˌfɔ:mɪk'æsɪd] *s* kem. myrsyra
formidable ['fɔ:mɪdəbl, fə:'mɪd-] *adj* **1** formidabel, kolossal, oerhörd [*a ~ task*] **2** fruktansvärd; skräckinjagande; respektingivande, avskräckande
formless ['fɔ:mləs] *adj* formlös; oformlig
form letter ['fɔ:mˌletə] *s* standardbrev
form room ['fɔ:mru:m] *s* klassrum
form teacher ['fɔ:mˌti:tʃə] *s* klassföreståndare
formul|a ['fɔ:mjʊl|ə] (pl. äv. *-ae* [-i:]) *s* **1** formel; formulering; formulär; teol. bekännelseformel **2** matem. el. kem. formel **3** recept **4** vanl. amer. modersmjölksersättning **5** i bilsport formel [*Formula one (1)*]
formulaic [ˌfɔ:mjʊ'leɪɪk] *adj* oinspirerad, onyanserad, föga orginell
formulate ['fɔ:mjʊleɪt] *vb tr* formulera
formulation [ˌfɔ:mjʊ'leɪʃ(ə)n] *s* formulering, utformning
fornicate ['fɔ:nɪkeɪt] *vb itr* mest jur. bedriva otukt, hora
fornication [ˌfɔ:nɪ'keɪʃ(ə)n] *s* mest jur. otukt, hor, äktenskapsbrott
for-profit [ˌfɔ:'prɒfɪt] *adj* vinstdrivande
forsake [fə'seɪk, fɔ:'s-] (*forsook forsaken*) *vb tr* **1** överge, lämna [i sticket], svika [*~ one's friend*] **2** ge upp [*~ an idea*]; avstå från, låta fara (vara)
forsaken [fə'seɪk(ə)n, fɔ:'s-] perf. p. av *forsake*
forsook [fə'sʊk, fɔ:'s-] imperf. av *forsake*
forswear [fɔ:'sweə] (*forswore forsworn*) *vb tr* **1** avsvärja [sig]; förneka [*~ a debt*]; förskjuta [*~ one's son*] **2** *~ oneself* begå mened, svära falskt
forswore [fɔ:'swɔ:] imperf. av *forswear*
forsworn [fɔ:'swɔ:n] perf. p. av *forswear*
forsythia [fɔ:'saɪθɪə] *s* bot. forsythia
fort [fɔ:t] *s* **1** fort, fäste, [be]fästningsverk; skans; *hold the ~* bildl. hålla ställningarna; sköta det hela **2** amer. mil. förläggningsort
1 forte ['fɔ:teɪ, amer. vanl. fɔ:t] *s* stark sida, styrka [*singing is not my ~*]
2 forte ['fɔ:tɪ] mus. (it.) **I** *s* o. *adv* forte **II** *adj* forte-
forth [fɔ:θ] *adv* **1** framåt; vidare; *back and ~* fram och tillbaka; *from this time ~* hädanefter; *and so ~* osv., och så vidare **2** fram, ut [*bring ~; come ~*]
forthcoming [fɔ:θ'kʌmɪŋ] *adj* **1** kommande, förestående, väntad, [under närmaste tiden] utkommande; stundande, annalkande; *~ events* kommande program t.ex. på bio; *be ~* komma, komma fram (till synes), framträda; finnas tillgänglig (till hands), föreligga; kunna anskaffas **2** tillmötesgående, förekommande; meddelsam
forthright ['fɔ:θraɪt] *adj* rättfram, öppen, direkt [*~ approach*]
forthwith [ˌfɔ:θ'wɪθ, -'wɪð] *adv* genast; skyndsamt
fortieth ['fɔ:tɪɪθ, -tɪəθ] *räkn* o. *s* fyrtionde; fyrtiondel
fortification [ˌfɔ:tɪfɪ'keɪʃ(ə)n] *s* **1** mil. fortifikation;

befästningskonst[en] **2** befästning; pl. **~s** vanl. [be]fästningsverk

fortified wine [ˌfɔːtɪfaɪd'waɪn] *s* vanl. starkvin

fortify ['fɔːtɪfaɪ] *vb tr* **1** mil. befästa **2** [för]stärka; beväpna; befästa; styrka, uppmuntra; **~ oneself with a glass of rum** styrka sig med ett glas rom **3** förskära blanda vin med alkohol, berika

fortissimo [fɔː'tɪsɪməʊ] *adv* mus. (it.) fortissimo

fortitude ['fɔːtɪtjuːd] *s* mod, styrka spec. i lidande o. motgång, själsstyrka, sinnesstyrka, [tappert] tålamod, tapperhet

fortnight ['fɔːtnaɪt] *s* fjorton dagar (dar); **every ~** el. **once a ~** var fjortonde dag, varannan vecka; **today ~** el. **a ~ today** i dag om fjorton dar, fjorton dar i dag

fortnightly ['fɔːtˌnaɪtlɪ] *adj* o. *adv* [som äger rum (utkommer o.d.)] var fjortonde dag, [som äger rum (utkommer o.d.)][en gång] varannan vecka

fortress ['fɔːtrəs] *s* fästning; [starkt] befäst ort (stad); bildl. fäste, värn, borg

fortuitous [fɔː'tjuːɪtəs] *adj* lyckosam, lyckobringande [*a ~ meeting*]; lycklig, gynnsam [*~ circumstances*]

fortunate ['fɔːtʃ(ə)nət] *adj* **1** lycklig, gynnad av lyckan; lyckad; **be ~** ha tur **2** lyckosam, lyckobringande, lycklig, gynnsam

fortunately ['fɔːtʃ(ə)nətlɪ] *adv* lyckligtvis, som tur var (är), till all lycka; lyckligt

fortune ['fɔːtʃuːn, -tjuːn] *s* **1** lycka [*when ~ changed*]; öde, [levnads]lott; levnadsvillkor, omständigheter [*his ~s varied*]; tur, framgång; **have a piece of good ~** ha tur, ha lyckan med sig; **~ smiled on me** lyckan log mot mig; **I had the good ~ to** el. **it was my good ~ to** jag hade lyckan (turen) att; **seek one's ~** söka lyckan (sin lycka); **tell ~s by the cards** spå i kort; **tell sb his ~** spå ngn; **I had my ~ told** jag lät spå mig, jag blev spådd; **try one's ~** pröva lyckan, försöka sin lycka **2** förmögenhet; rikedom, välstånd; stor hemgift; **come into a ~** ärva en förmögenhet, få ett stort arv; **make a ~** göra sig en förmögenhet; **make one's ~** göra sin lycka; bli rik; skapa sig en ställning

fortune-hunter ['fɔːtʃuːnˌhʌntə] *s* lycksökare, lyckojägare

fortune-teller ['fɔːtʃuːnˌtelə] *s* spåman; spåkvinna

forty ['fɔːtɪ] (jfr *fifty* med sammansättn.) **I** *räkn* fyrti[o] **II** *s* fyrti[o]; fyrti[o]tal

forty winks [ˌfɔːtɪ'wɪŋkz] (med verb i sg. el. pl.) *s* vard. [en] liten tupplur [*have* el. *take* (ta sig) ~; *I want my ~*]

forum ['fɔːrəm] *s* forum, språkrör

forward ['fɔːwəd, sjö. 'fɒrəd] **I** *adv* (jfr *forwards*) **1** framåt, fram, framlänges; sjö. förut, föröver inombords, i förgrunden, i sikte; **bring** (**come, look** m.fl.) **~** se resp. verb; **~ march!** framåt marsch!; **backward and ~** fram och tillbaka, hit och dit **2** fram, vidare, på [*rush ~*]; långt (längre) fram **II** *adj* **1** främre [*~ ranks*]; framtill (framför) belägen; sjö. för-, i fören [befintlig] **2** framåtriktad, [som för] framåt, fram-; framryckande; **~ gear** växel [för gång framåt] **3** långt kommen (framskriden, utvecklad); försigkommen; tidig; tidigt utvecklad, brådmogen [*a ~ child*] **4** framfusig, påflugen, näsvis, fräck [*a ~ young*

man]; indiskret **III** *vb tr* **1** vidarebefordra, eftersända; **please ~** el. **to be ~ed** på brev eftersändes, för vidare befordran **2** skicka, [av]sända; befordra, expediera; spediera **3** [be]främja, befordra, hjälpa fram, gynna [*~ sb's interests*]; påskynda **IV** *s* sport. forward, anfallsspelare, kedjespelare

forwarding ['fɔːwədɪŋ] *s* **1** vidarebefordran, eftersändning **2** [av]sändning; befordran, expediering; spedition

forwarding address ['fɔːwədɪŋəˌdres] *s* eftersändningsadress

forwarding agent ['fɔːwədɪŋˌeɪdʒ(ə)nt] *s* speditör

forward-looking [ˌfɔːwəd'lʊkɪŋ, attr. '--ˌ--] *adj* [som planerar (planeras)] på lång (längre) sikt; långsiktig [*~ planning*]; framsynt, förutseende

forwardness ['fɔːwədnəs] *s* framfusighet, påflugenhet; näsvishet

forwards ['fɔːwədz] *adv* framåt, framlänges; **backwards and ~** fram och tillbaka, hit och dit

forward slash ['fɔːwədˌslæʃ] *s* framåtlutande snedstreck

fossil ['fɒsl] **I** *adj* fossil [*~ bones*; *~ ferns*]; förstenad **II** *s* fossil, förstening, petrifikat; **an old ~** bildl., om person en gammal stofil, ett gammalt fossil

fossil fuel ['fɒslˌfjʊəl] *s* fossilt bränsle

fossil gas ['fɒslgæs] *s* naturgas

fossilization [ˌfɒsɪlaɪ'zeɪʃ(ə)n] *s* **1** fossilisering **2** bildl. stelnande, förstening

fossilize ['fɒsɪlaɪz] *vb tr* o. *vb itr* **1** fossilisera[s], förstena[s] **2** bildl. göra (bli) otidsenlig; stelna

foster ['fɒstə] *vb tr* **1** ta sig an, vårda [*~ the sick*] **2** utveckla [*~ musical ability*]; [be]främja, gynna [uppkomsten el. växten av], stödja [*~ trade*]; vara gynnsam för; omhulda; bildl. fostra, uppamma; underhålla, hysa, nära

foster child ['fɒstətˌʃaɪld] *s* fosterbarn

foster father ['fɒstəˌfɑːðə] *s* fosterfar

foster mother ['fɒstəˌmʌðə] *s* **1** fostermor; amma **2** äggkläckningsapparat

fought [fɔːt] imperf. o. perf. p. av *fight*

foul [faʊl] **I** *adj* **1** illaluktande, dålig, stinkande, vidrig [*~ smell*]; skämd, rutten, osund **2** motbjudande, äcklig [*a ~ taste*], vard. usel, ryslig, gräslig **3** smutsig [*~ linen*]; oren, förorenad, gyttjig, grumlig [*~ water*]; **~ air** förpestad (dålig, skämd) luft **4** full av sot (smuts, olja m.m.), sotig, [till]täppt; belagd [*a ~ tongue*]; oklar, full av grund, farlig; bevuxen; full av fel (rättelser); **a ~ pipe** en sur pipa **5** sjö. m.m. oklar; tilltrasslad; **fall ~ of** el. **run ~ of** a) kollidera med; segla (törna) på, driva (ränna) emot b) komma (råka) i konflikt (klammeri) med [*fall ~ of the law*]; komma ihop sig med, råka i gräl med **6** gemen, skändlig, skamlig [*a ~ deed*]; rå, oanständig [*~ language*], vard. otäck, ruskig, avskyvärd **7** ojust, regelvidrig, ogiltig, ohederlig, oärlig, orättvis; **~ means** olagliga (oredliga, våldsamma) medel **II** *s* ojust (otillåtet) spel, ruff; i baseball felaktig boll; i basketball el. boxn. foul; **commit a ~** ruffa **III** *vb tr* **1** smutsa ned, förorena; bildl. fläcka, besudla; vanställa **2** täppa till [*~ a drain*]; blockera; hindra, sätta ur funktion **3** sjö. m.m. göra oklar, trassla till, fastna (trassla in sig) i, blockera;

kollidera (stöta ihop) med, segla på, köra emot
4 sport. spela (vara) ojust mot **5** vard. **foul up** strula
till
IV *vb itr* **1** sport. spela ojust, ruffa **2** sjö. m.m., ~ el.
foul up trassla till (in) sig **3** vard. göra bort sig
foul-mouthed ['faʊlmaʊðd, pred. ˌ-'-] *adj* rå, grov,
oanständig, ful (fräck) i mun; ovettig
foulness ['faʊlnəs] *s* **1** orenhet, förorening,
smutsighet **2** konkr. smuts, förorening; stank
3 skändlighet, gemenhet, vidrighet
foul play [ˌfaʊl'pleɪ] *s* **1** brott **2** ojust (falskt,
ohederligt, elakt) spel
foul-up ['faʊlʌp] *s* vard. strul, röra, virrvarr, oreda
1 found [faʊnd] imperf. o. perf. p. av *find*
2 found [faʊnd] *vb tr* gjuta, stöpa
3 found [faʊnd] *vb tr* **1** grunda, lägga grunden till,
grundlägga [~ *school*; ~ *a town*]; [in]stifta,
upprätta **2** bildl. grunda, basera, bygga [[*up*]*on* på;
~*ed on fact*]; *well ~ed* välgrundad, berättigad
foundation [faʊn'deɪʃ(ə)n] *s* **1** grund; grundval, bas,
underlag; fundament; *the ~*[*s*] *of a building* grunden
till en byggnad, husgrunden; *shaken to its* [*very*] *~s*
skakad i sina grundvalar; *the report has no ~* ryktet
saknar grund **2** stiftelse, organisation; donation;
[donations]fond; donationsegendom **3** grundande,
grundläggning, instiftande **4 a)** underlag, botten,
stomme **b)** uppläggning i virkning el. stickning
c) underlagskräm
foundation course [faʊn'deɪʃ(ə)nkɔːs] *s* univ.
grundkurs, propedeutisk kurs
foundation cream [ˌfaʊn'deɪʃ(ə)nkriːm] *s*
underlagskräm
foundation stone [faʊn'deɪʃ(ə)nstəʊn] *s* grundsten
1 founder ['faʊndə] *s* grundare, grundläggare,
[in]stiftare; donator
2 founder ['faʊndə] *vb itr* **1** stupa; gå under (i
kvav), slå fel; stranda **2** sjö. [vattenfyllas och]
sjunka, förlisa, gå under (i kvav)
founder member ['faʊndəˌmembə] *s* medstiftare,
ursprunglig medlem
founding father [ˌfaʊndɪŋ'fɑːðə] *s* grundare,
grundläggare, [in]stiftare
Founding Fathers [ˌfaʊndɪŋ'fɑːðəz] *s*, *the ~* amer.
'unionens fäder' beteckn. för statsmän från revolutionstiden
foundling ['faʊndlɪŋ] *s* hittebarn
foundry ['faʊndrɪ] *s* gjuteri; järnbruk
fount [faʊnt] *s* poet. källa, [spring]brunn
fountain ['faʊntən] *s* **1** fontän, springbrunn;
kaskad; *drinking ~* dricksfontän **2** bildl. källa;
ursprung
fountainhead ['faʊntənhed] *s* bildl. källa; ursprung,
upprinnelse, första upphov, urkälla
fountain pen ['faʊntənpen] *s* reservoarpenna
four [fɔː] (jfr *five* med ex. o. sammansättn.) **I** *räkn* fyra
II *s* fyra; fyrtal; *on all ~s* på alla fyra
four bits [ˌfɔː'bɪts] *s pl* amer. vard. 50 cent
four-cylinder ['fɔːˌsɪlɪndə] *adj* fyrcylindrig
four-dimensional [ˌfɔːdaɪ'menʃənl, -dɪ'm-] *adj*
fyrdimensionell
four-engined ['fɔːrˌendʒɪnd] *adj* fyrmotorig
four eyes ['fɔːraɪz] *s* vard., i tilltal [din] glasögonorm
person med glasögon
fourfold ['fɔːfəʊld] **I** *adj* fyrdubbel, fyrfaldig **II** *adv*

fyrdubbelt, fyrfaldigt, fyrfalt, fyra gånger så
mycket
four-leaf clover [ˌfɔːliːf'kləʊvə] *s* o. **four-leaved**
clover [ˌfɔːliːvd'kləʊvə] *s* fyrväppling, fyrklöver
four-letter word [ˌfɔːletə'wɜːd] *s* runt ord som i
engelskan oftast består av 4 bokstäver
four-poster [ˌfɔː'pəʊstə] *s* himmelssäng [äv. ~ *bed*]
foursome ['fɔːsəm] *s* **1** golf. foursome **2** två par,
sällskap på fyra personer
four-speed ['fɔːspiːd] *adj* fyrväxlad
four-square [ˌfɔː'skweə] *adj* **1** fyrkantig, kvadratisk
2 stadig, fast, orubblig [*a ~ position*]
3 öppenhjärtig, ärlig, rättfram
four-stroke ['fɔːstrəʊk] *adj* fyrtakts- [*a ~ engine*]
fourteen [ˌfɔː'tiːn, attr. '--] *räkn* o. *s* fjorton; jfr *fifteen*
med sammansättn.
fourteenth [ˌfɔː'tiːnθ, attr. '--] *räkn* o. *s* fjortonde;
fjortondel; jfr *fifth*
fourth [fɔːθ] (jfr *fifth*) **I** *räkn* fjärde; *~ class* amer. post.,
se *fourth-class*
II *adv*, *the ~ largest town* den fjärde staden [i
storlek]
III *s* **1** fjärdedel **2** mus. kvart; *major ~* stor kvart;
minor ~ liten kvart **3** fjärde man; *make a ~* vara (bli)
fjärde man **4** motor. fyrans växel, fyran; *put the car
in ~* lägga in fyran
fourth-class ['fɔːθklɑːs] *adj*, *~ mail* amer., ung.
ekonomipost
fourth dimension [ˌfɔːθdaɪ'menʃ(ə)n] *s*, *the ~* fjärde
dimension[en], tiden
fourth estate [ˌfɔːθɪ'steɪt] *s*, *the ~* fjärde
statsmakten pressen
fourthly ['fɔːθlɪ] *adv* för det fjärde
Fourth of July [ˌfɔːθəvdʒʊ'laɪ], *the ~* fjärde juli
Förenta staternas nationaldag
four-wheel drive [ˌfɔːwiːl'draɪv] (förk. *f.w.d.* el.
FWD) *s* fyrhjulsdrift
fowl [faʊl] *s* **1** höns[fågel]; fjäderfä **2** koll. fågel,
fåglar
fox [fɒks] **I** *s* **1** zool. räv **2** rävskinn **3** bildl. räv, filur
4 sl. vanl. amer. sexig tjej (brud), pangbrud
II *vb tr* vard. lura; förbrylla, sätta myror i huvudet
på
fox brush ['fɒksbrʌʃ] *s* rävsvans
fox earth ['fɒksɜːθ] *s* rävlya, rävgryt, rävbo
foxglove ['fɒksglʌv] *s* bot. fingerborgsblomma,
digitalis
foxhole ['fɒkshəʊl] *s* mil. skyttevärn
foxhound ['fɒkshaʊnd] *s* foxhound, engelsk
rävhund
foxhunt ['fɒkshʌnt] *s* rävjakt till häst med hundar
foxhunting ['fɒksˌhʌntɪŋ] **I** *s* rävjakt, jfr *foxhunt*
II *adj* intresserad av rävjakt
fox terrier [ˌfɒks'terɪə] *s* foxterrier hundras
foxtrot ['fɒkstrɒt] *s* foxtrot
foxy ['fɒksɪ] *adj* **1** rävlik, räv- **2** rävaktig, slug, listig
3 sl. vanl. amer. sexig, attraktiv
foyer ['fɔɪeɪ] *s* **1** foajé **2** amer. entré, [för]hall, farstu,
tambur, vestibul
Foyle [fɔɪl] egennamn; *~s* el. *~'s* känd bokhandel i London
Fr o. **Fr.** förk. för *Father*, *France*, *French*
fracas ['fræka:, amer. 'freɪkəs] (pl. *fracas* ['fræka:z],
amer. *fracases* [-kəsɪz]) *s* stormigt uppträde, oväsen,
bråk

fraction ['frækʃ(ə)n] s **1** [bråk]del [~s of an inch];
gnutta, dugg [not a ~ better]; [litet] stycke;
fragment **2** matem. bråk **3** polit. o.d. fraktion

fractional ['frækʃənl] adj **1** obetydlig **2** matem.
bruten, bråk- [~ numbers]

fractious ['frækʃəs] adj **1** bråkig, oregerlig, trilsk
2 grinig, besvärlig, kinkig [a ~ child; a ~ old man]

fracture ['fræktʃə] **I** s **1** brytning, spricka **2** kir.
[ben]brott, fraktur
II vb tr o. vb itr bryta[s], krossa[s]; bildl. splittra[s],
spricka

fractured ['fræktʃəd] adj bruten äv. bildl. [a ~ arm]; **a**
~ skull en spricka i skallbenet

fragile ['frædʒaɪl, amer. -dʒ(ə)l] adj bräcklig, ömtålig
[~ health; ~ china]; skör, spröd, fragil; om person
klen, skröplig

fragility [frə'dʒɪlətɪ] s bräcklighet etc., jfr fragile

fragment [subst. 'frægmənt, verb fræg'ment] **I** s
[avbrutet] stycke, bit, stump, spillra, skärva,
splitter [~ of glass; ~ of a shell]; fragment,
brottstycke [overhear ~s of a conversation]
II vb itr gå sönder, splittras; sönderdelas,
fragmenteras
III vb tr slå sönder, splittra; sönderdela,
fragmentera

fragmentary ['frægmənt(ə)rɪ] adj fragmentarisk,
ofullständig; lösryckt; bestående av brottstycken
(spillror)

fragmentation [ˌfrægmen'teɪʃ(ə)n] s uppsplittring,
sönderdelning, uppdelning, fragmentering;
sönderfall [i bitar]

fragrance ['freɪgr(ə)ns] s vällukt, doft

fragrant ['freɪgr(ə)nt] adj **1** välluktande, doftande
2 ljuvlig [~ memories]

frail [freɪl] adj **1** bräcklig [~ support]; skör, spröd,
vek, svag, klen [a ~ child; a ~ constitution];
skröplig; förgänglig [~ happiness] **2** lätt förledd,
svag, skröplig; om kvinna äv. lättsinnig, lätt på foten

frailty ['freɪltɪ] s **1** [moralisk] svaghet äv. konkr.,
skröplighet **2** bräcklighet, skörhet, skröplighet
[old age and ~]; förgänglighet

frame [freɪm] **I** s **1** ram [~ of a picture]; karm,
infattning [~ of a window]; [glasögon]bågar;
[sy]båge **2** stomme; bjälklag; skrov; underrede;
ram t.ex. på cykel el. bilchassi, stativ; [bärande]
konstruktion ([trä]ställning), skelett; mes till
ryggsäck; sjö. spant **3** kropp, gestalt; kroppsbyggnad
[his powerful ~] **4** drivbänk **5** ram, organisation,
system, struktur [the ~ of society]; **~ of government**
regim, författning **6** vard., **be in (out of) the ~ for sth**
vara (inte vara) aktuell för ngt **7** bild[ruta] på
filmremsa o.d., [tv-]bild
II vb tr **1** rama in, infatta [i ram] **2** tänka ut,
utforma, göra upp [~ a plan; ~ a plot]; utarbeta,
avfatta; bilda, forma, uttala [~ words] **3** vard.
a) sätta dit; sätta fast genom en falsk anklagelse,
snärja **b)** fixa [på förhand] t.ex. match, fiffla (fuska)
med [resultatet av] t.ex. val, match

frame aerial ['freɪmˌeərɪəl] s radio. ramantenn

frame counter ['freɪmˌkaʊntə] s foto.
[bild]räkneverk

frame frequency [ˌfreɪm'friːkwənsɪ] s foto. el. TV.
bildfrekvens; **~ control** bildhållning

frame hold ['freɪmhəʊld] s TV. bildhållning

frame of mind [ˌfreɪməv'maɪnd] s [sinnes]stämning

frame of reference [ˌfreɪməv'refər(ə)ns] s
referensram

frame-up ['freɪmʌp] s vard. komplott; falsk
anklagelse; provokation; bluff; fixad tävling

framework ['freɪmwɜːk] s **1** stomme; skelett;
konstruktion; resning; fackverk; infattning, ram;
förtimring i gruvor **2** bildl. stomme; ram,
organisation, system, struktur, byggnad;
disposition; **within the ~ of** inom ramen för

franc [fræŋk] s franc

France [frɑːns] geogr. Frankrike

Frances ['frɑːnsɪs] kvinnonamn

franchise ['fræn(t)ʃaɪz] **I** s **1** the ~ rösträtt[en],
valrätt[en] **2** medborgarrätt; fullt medborgarskap
(medlemskap) **3** privilegium, [särskild] rättighet;
ensamrätt; vanl. amer. koncession, tillstånd; ekon.
franchise
II vb tr ekon. bevilja franchise

franchisee [ˌfræntʃaɪziː] s franchisetagare

franchiser ['fræntʃaɪzə] s franchisegivare

Francis ['frɑːnsɪs] **1** mansnamn **2** som kunganamn etc.
Frans **3** som helgonnamn Franciscus

Franciscan [fræn'sɪskən] **I** adj franciskan[er]- [a ~
friar] **II** s franciskan[er], franciskan[er]munk

Franco-German [ˌfræŋkəʊ'dʒɜːmən] adj fransk-tysk

Francophile ['fræŋkə(ʊ)faɪl] **I** s franskvän **II** adj
franskvänlig

Francophobe ['fræŋkə(ʊ)fəʊb] **I** s franskhatare
II adj franskfientlig

Frank [fræŋk] kortform av Francis

frank [fræŋk] **I** adj öppen, öppenhjärtig, rättfram,
uppriktig, ärlig [be ~ with (mot) sb]; frimodig,
frank, käck; oförställd, uppenbar; ren; **to be quite ~**
för att säga det rent ut (säga som det är),
sanningen att säga
II vb tr frankera; frankostämpla

Frankenstein ['fræŋkənstaɪn] titelfiguren i Mary Shelleys
roman 'Frankenstein' [~'s monster]

frankfurter ['fræŋkfɜːtə] s frankfurterkorv,
wienerkorv, varmkorv

frankincense ['fræŋkɪnˌsens] s virak; rökelse

franking machine ['fræŋkɪŋməˌʃiːn] s
frankostämplingsmaskin, frankeringsmaskin

frankly ['fræŋklɪ] adv öppet etc., jfr frank I;
uppriktigt sagt, ärligt talat; **speak ~** tala rent ut

frantic ['fræntɪk] adj **1** desperat [~ attempts]; utom
(ifrån) sig [~ with (av) anxiety (joy, pain)]; vild;
hektisk [a ~ search] **2** vard. förfärlig, hemsk [be in a
~ hurry]

frappé ['fræpeɪ] s [is]kyld dryck

frat [fræt] s amer. vard. kortform av fraternity 3

fraternal [frə'tɜːnl] adj broderlig, broders-

fraternity [frə'tɜːnətɪ] s **1** broderskap [liberty,
equality, ~]; broderlighet **2** broderskap,
brödraskap; samfund, gille; **the medical ~**
läkarkåren **3** amer. manlig studentförening vid
college, ofta med hemlig ritual; **~ house** föreningshus

fraternization [ˌfrætənaɪ'zeɪʃ(ə)n] s fraternisering
ofta neds.; förbrödring

fraternize ['frætənaɪz] vb itr fraternisera ofta neds.;
förbrödra sig, umgås broderligt (vänskapligt)
[with med]

fratricide ['frætrɪsaɪd] *s* **1** brodermord; syskonmord **2** brodermördare; syskonmördare

fraud [frɔːd] *s* **1** bedrägeri [*get money by* ~]; svek, svikligt förfarande; svindel; bluff; falsarium [*a literary* ~] **2** vard. bedragare, bluff[makare]

Fraud Squad ['frɔːdskwɒd] *s* polis., *the* ~ bedrägeriroteln

fraudulence ['frɔːdjʊləns] *s* bedräglighet, svek[fullhet]

fraudulent ['frɔːdjʊlənt] *adj* bedräglig [~ *bankruptcy*; ~ *proceedings* (förfarande)]; svekfull, falsk; olaglig, orättmätig

fraught [frɔːt] *adj*, ~ *with* åtföljd (full, uppfylld) av, laddad med, som bär i sitt sköte, som har i släptåg; ~ *with danger* el. ~ *with peril* farofylld

1 fray [freɪ] **I** *vb tr* nöta (slita) [ut], nöta [ut] i kanten; göra trådsliten

II *vb itr* **1** bli nött ([tråd]sliten), fransa sig **2** bildl., *our tempers* (*nerves*) *began to* ~ vi började bli irriterade, irritationen började tillta; ~ *at* (*around*) *the edges* (*seams*) ge vika, svikta, vackla

2 fray [freɪ] *s* högljutt gräl, bråk, stormigt uppträde; *eager for the* ~ stridslysten äv. bildl.

frayed [freɪd] *adj* **1** nött, trådsliten, utsliten, fransig [~ *cuffs*] **2** ~ *nerves* trasiga nerver

frazzle ['fræzl] *s* vard., *beat sb to a* ~ slå ngn sönder och samman; *burnt to a* ~ alldeles uppbränd; *worn to a* ~ a) trådsliten b) bildl. utsliten, utkörd

frazzled ['fræzld] *adj* utkörd, utsliten

freak [friːk] **I** *s* **1** ~ el. ~ *of nature* naturens nyck, kuriositet; missfoster, monster, vidunder, grotesk varelse människa el. djur som visas offentligt **2** vard. original, excentriker, udda person **3** sl. knarkare; i sammansättn. -missbrukare [*acid* ~]; -ätare [*pill* ~]; *speed* ~ pundare **4** sl., vanl. i sammansättn. -älskare, -dåre, -freak, fantast [*football* ~]; *health* ~ ung. frisksportare, hurtbulle, hälsofreak

II *adj* **1** nyckfull, onormal [*a* ~ *storm*] **2** abnorm, monstruös; egenartad, säregen **3** vard. originell, lustig, udda

III *vb itr* vard., ~ el. ~ *out* smälla av, flippa ut

freaking ['friːkɪŋ] *adj* amer. vulg. jävla, helvetes, satans [*Cathy is always so* ~ *late*]

freakish ['friːkɪʃ] *adj* **1** underlig; abnorm **2** nyckfull

freaky ['friːkɪ] *adj* underlig; abnorm

freckle ['frekl] *s* fräkne; liten fläck, prick

freckled ['frekld] *adj* o. **freckly** ['freklɪ] *adj* fräknig; fläckig

Frederick ['fredrɪk] som kunganamn Fredrik; ~ *the Great* Fredrik den store

free [friː] **I** *adj* **1** fri, inte fängslad, obunden; på fri fot; obehindrad, oinskränkt; oförhindrad; frivillig; oförtjänt [*the* ~ *grace of God*]; *he is* ~ *to* det står honom fritt att; *I am* ~ *to say...* jag medger gärna..., jag kan mycket väl medge...; *please feel* ~ *to come* du får gärna komma; *go* ~ röra sig fritt, gå lös; *leave sb* ~ *to* ge ngn frihet (fria händer) att; *set* ~ frige, [för]sätta på fri fot; frigöra **2** fri, oupptagen, ledig [*have a day* ~]; tillgänglig; öppen för vem som helst, tillåten; ~ *fight* allmänt slagsmål **3** befriad, fri[tagen]; ~ *from* äv. utan; ~ *from debt* skuldfri; ~ *from care* sorgfri **4** [kostnads]fri, gratis [äv. ~ *of charge*; vard. *for* ~]; franko; ~ *library* offentligt bibliotek; ~ *alongside* [*ship*] (förk.

FASf.a.s.) hand. fritt [vid] fartygs sida; ~ *from alongside* (förk. *ffa*) hand. fritt från fartygs sida; ~ *on board* (förk. *f.o.b.*) hand. fritt ombord; ~ *warehouse* hand. fritt lager (magasin); *there's no such thing as a* ~ *lunch* man får ingenting gratis **5** a) ogenerad, ledig [~ *movements*; *a* ~ *gait*] b) frispråkig, öppen[hjärtig], rättfram c) alltför fri, oförskämd, fräck, oanständig [*with sb* mot ngn; *be* ~ *in one's conversation*]; *make* ~ *with sb* ta sig friheter med (gentemot) ngn; *make* ~ *with sth* handskas fritt med ngt som om det vore ens eget d) frigjord, fördomsfri [*have* ~ *opinions*]; ~ *and easy* otvungen, naturlig; vårdslös; ogenerad

II *adv* fritt i olika betydelser, ofta gratis [*the gallery is open* ~ *on Fridays*]

III *vb tr* befria, frige, frigöra, frita [*from, of* från]; ~ el. ~ *up* ngt avsätta

free agent [ˌfriːˈeɪdʒ(ə)nt] *s* människa med full handlingsfrihet, fritt handlande väsen

freebase ['friːbeɪs] *vb tr* vard. raffinera kokain för rökning

freebee o. **freebie** ['friːbɪ] *s* vard. fribiljett, fri måltid m.fl.; [*the show*] *was a* ~ ...var gratis

freebooter ['friːˌbuːtə] *s* fribytare

freedom ['friːdəm] *s* **1** frihet, [rörelse]frihet, [handlings]frihet, rätt; ~ *of movement* rörelsefrihet; ~ *of the press* tryckfrihet; ~ *of speech* yttrandefrihet; ~ *of the seas* havens frihet **2** frigjordhet; öppen[hjärtig]het, frispråkighet; otvungenhet, ledighet [~ *of movements*]; otillbörlig förtrolighet, fräckhet; djärvhet; *take* ~*s with* ta sig friheter med (gentemot) **3** privilegium; fri- och rättighet; nyttjanderätt; ~ *of the city* hedersborgarskap; *I have the* ~ *of* [*his library*] jag har fritt tillträde till..., jag får använda (begagna)...så mycket jag vill

free fall [ˌfriːˈfɔːl] *s* fritt ohindrat fall

free-floating [ˌfriːˈfləʊtɪŋ] *adj* **1** opartisk, neutral, som inte har tagit ställning **2** psykol. obunden, friflytande [~ *anxiety*]

Freefone® ['friːfəʊn] *s* tele. 020-nummer

free-for-all ['friːfərˌɔːl] **I** *adj* **1** öppen för alla **2** oreglerad, regellös

II *s* **1** allmänt (öppet) slagsmål (gräl o.d.) **2** huggsexa

free-hand ['friːhænd] *adj* frihands- [~ *drawing*]

freehold ['friːhəʊld] *s* [egendom med] full besittningsrätt; egen mark (tomt)

freeholder ['friːˌhəʊldə] *s* markägare, godsägare, tomtägare; självägande bonde

free house [ˌfriːˈhaʊs] *s* självständig (fristående) krog (pub) oberoende av visst bryggeri

free kick [ˌfriːˈkɪk] *s* fotb. frispark

freelance ['friːlɑːns] **I** *s* frilans inte fast anställd

II *adj* frilans-

III *adv* som frilans [*work* ~]

IV *vb itr* arbeta som frilans, frilansa

freeload ['friːləʊd] *vb itr* snylta, parasitera [*on* på]

freeloader ['friːˌləʊdə] *s* vard. matfriare, snyltgäst

freely ['friːlɪ] *adv* **1** fritt [*think* ~; *translate* ~]; obehindrat **2** frivilligt, [bered]villigt, gärna [~ *grant sth*] **3** öppet, oförbehållsamt; ogenerat, otvunget, ledigt **4** rikligt, ymnigt, i mängd, mycket; flott; frikostigt

free|man ['fri:|-mən] (pl. *-men* [-mən]) *s*
1 hedersmedborgare **2** hist. fri man inte slav
Freemason ['fri:ˌmeɪsn] *s* frimurare
free pardon [ˌfri:'pɑ:dn] *s* jur. benådning med
upphävande av dom
Freephone ['fri:fəʊn] *s* tele., se *Freefone*®
free port [ˌfri:'pɔ:t] *s* frihamn
Freepost® ['fri:pəʊst] *s* ung. fritt porto, frankeras ej
free radical [ˌfri:'rædɪk(ə)l] *s* kem. fri radikal
free-range ['fri:reɪn(d)ʒ] *adj*, ~ *hens* höns som går
fria, sprätthöns; ~ *eggs* ung. lantägg, sprättägg
free ride [ˌfri:'raɪd] *s* snålskjuts
free sample [ˌfri:'sɑ:mpl] *s* gratisprov
freesia ['fri:zɪə] *s* bot. fresia
free software [ˌfri:'sɒftweə] *s* data. fri programvara
programvara (inkl. källkod) som distribueras fritt; får bearbetas
och kompletteras men endast i enlighet med licensavtal; jfr
freeware, public-domain software o. *shareware*
free speech [ˌfri:'spi:tʃ] *s* [det] fria ordet
free-spoken [ˌfri:'spəʊk(ə)n] *adj* frispråkig,
öppen[hjärtig]
freestanding [ˌfri:'stændɪŋ] *adj* fristående
freestyle ['fri:staɪl] *s* sport. fristil; ~ el. ~ *swimming*
frisim, fritt simsätt; ~ el. ~ *wrestling* fribrottning
freethinker [ˌfri:'θɪŋkə] *s* fritänkare
free trade [ˌfri:'treɪd] *s* frihandel
freeware ['fri:weə] *s* data. gratisprogram, gratis
programvara upphovsrättsligt skyddat men gratis att
använda
freeway ['fri:weɪ] (förk. *fwy*) *s* amer. [vanl. tullfri]
motorväg
freewheel [ˌfri:'wi:l] *vb itr* åka (köra) på frihjul
freewheeling [ˌfri:'wi:lɪŋ] *adj* **1** som åker (kör) på
frihjul **2** frigjord [*a ~ relationship*]; sorgfri;
otyglad, ohämmad
free will [ˌfri:'wɪl] *s* fri vilja; frivillighet; *of one's own*
~ frivilligt
freeze [fri:z] **I** (*froze frozen*) *vb itr* **1** frysa,
förvandlas till is [*the water froze*]; frysa till; frysa
fast [*to* i, vid]; bildl. isas, isa sig, bli till is [*the blood
froze in her veins*]; *it is freezing* opers. det fryser [på];
it will ~ tonight det blir frost i natt; [*raspberries*] ~
well ...går bra att frysa **2** frysa, vara iskall [*I am
freezing*]; stelna av köld; rysa; ~ *to death* frysa ihjäl
3 data. hänga (låsa) sig
II (*froze frozen; se äv. frozen*) *vb tr* **1** [komma (få)
att] frysa, förvandla till is, isbelägga; frysa [ned
(in)], djupfrysa [*~ meat*]; lokalbedöva genom
frysning [*~ a tooth*] bildl. isa, förlama **2** hand.
förbjuda; spärra [*~ a bank account*]; maximera,
fixera, låsa fast, frysa [*~ prices; ~ wages*]; ~ *prices*
(*wages*) äv. införa prisstopp (lönestopp) **3** film. el.
TV. frysa en bild **4** data. låsa
III (*froze frozen; se äv. frozen*) *vb tr* o. *vb itr* med adv.
el. prep.:
freeze out frysa ut [*of* ur, från], bli (göra sig) kvitt,
bojkotta; konkurrera ut
freeze over frysa till
freeze up vard.: *be frozen up* om fartyg frysa fast; *the
water pipes have frozen up* vattenrören har frusit
IV *s* **1** frost; köldknäpp, köldperiod **2** bildl.
frysning; *wage ~* lönestopp
freeze-dry [ˌfri:z'draɪ] *vb tr* frystorka
freeze-frame ['fri:zfreɪm] *s* TV. el. film. stillbild

freezer ['fri:zə] *s* frys, frysbox, frysfack; kylvagn;
frysmaskin, glassmaskin
freezer bag ['fri:zəbæg] *s* fryspåse
freeze-up ['fri:zʌp] *s* vard. **1** köldperiod, köldknäpp
2 amer. tjäle
freezing ['fri:zɪŋ] **I** *adj* bitande kall, iskall äv. bildl. [*~
politeness*] **II** *s* djupfrysning, nedfrysning;
frysande; fryspunkt [*above ~*] **III** *adv*, ~ *cold* iskall
freezing compartment ['fri:zɪŋkəmˌpɑ:tmənt] *s*
frysfack
freezing point ['fri:zɪŋpɔɪnt] *s* fryspunkt [*above (at,
below) ~*]
freezing rain [ˌfri:zɪŋ'reɪn] *s* underkylt regn
freight [freɪt] **I** *s* **1** fraktgods i mots. till ilgods [*äv.
goods on (in) ~*] **2** frakt[avgift] till sjöss, amer. äv. med
järnväg; ~ *rates* el. ~ *charges* fraktsatser, fraktskalor
3 frakt, last; skeppslast
II *vb tr* **1** lasta [*~ a ship*] **2** befrakta, hyra [*~ a ship
for* (till, på)] **3** frakta
freight car ['freɪtkɑ:] *s* amer. godsvagn
freighter ['freɪtə] *s* **1** fraktbåt, lastbåt; fraktflygare,
lastflygare, transportflygplan **2** befraktare;
godsavsändare; speditör
freightliner® ['freɪtˌlaɪnə] *s* godsexpresståg med
containrar, containertåg
freight train ['freɪttreɪn] *s* godståg
French [fren(t)ʃ] **I** *adj* fransk
II *s* **1** franska [språket] **2** *the* ~ fransmännen
French bean [ˌfren(t)ʃ'bi:n] *s* skärböna; haricot vert
French braid [ˌfren(t)ʃ'breɪd] *s* amer. inbakad fläta
frisyr
French bread [ˌfren(t)ʃ'bred] *s* pain riche, baguette
French chalk [ˌfren(t)ʃ'tʃɔ:k] *s* ett slags talk;
skräddarkrita
French daffodil [ˌfren(t)ʃ'dæfədɪl] *s* bot. tazett
French door [ˌfren(t)ʃ'dɔ:] *s* amer. franskt fönster
French dressing [ˌfren(t)ʃ'dresɪŋ] *s* [fransk]
dressing gjord av olja, vinäger m.m.
French fries [ˌfren(t)ʃ'fraɪz] *s pl* vanl. amer. vard.
pommes frites
French horn [ˌfren(t)ʃ'hɔ:n] *s* mus. valthorn
French kiss [ˌfren(t)ʃ'kɪs] *s* djup kyss med tungan
French leave [ˌfren(t)ʃ'li:v] *s*, *take ~* vard. smita [utan
att säga adjö], avdunsta; handla (agera) utan lov
French letter [ˌfren(t)ʃ'letə] *s* åld. vard. gummi
kondom
French loaf [ˌfren(t)ʃ'ləʊf] (pl. *French loaves*) *s* pain
riche, baguette
French|man ['fren(t)ʃ|mən] (pl. *-men* [-mən]) *s*
fransman
French mustard [ˌfren(t)ʃ'mʌstəd] *s* fransk senap
French plait [ˌfren(t)ʃ'plæt] *s* inbakad fläta frisyr
French polish [ˌfren(t)ʃ'pɒlɪʃ] *s* shellack
French roll [ˌfren(t)ʃ'rəʊl] *s* franskbröd, småfranska
French stick [ˌfren(t)ʃ'stɪk] *s* pain riche, baguette
French toast [ˌfren(t)ʃ'təʊst] *s* kok., ung. fattiga
riddare
French window [ˌfren(t)ʃ'wɪndəʊ] *s* franskt fönster
French|woman ['fren(t)ʃˌwʊmən] (pl. *-women*
[-ˌwɪmɪn]) *s* fransyska
frenetic [frə'netɪk] *adj* frenetisk, hektisk, vild
frenzied ['frenzɪd] *adj* vanvettig, vild, ursinnig [*~
rage*]; rasande
frenzy ['frenzɪ] *s* [utbrott av] ursinne, raseri;

vanvett [*he was almost driven to* ~]; vansinne; **in a ~ of** [*enthusiasm*] vild av…; **roused to a ~** upphetsad till raseri

Freon® ['fri:ɒn] *s* freon®

frequency ['fri:kwənsɪ] *s* frekvens äv. fys., täthet, tät förekomst, ideligt upprepande, vanlighet, talrikhet; hastighet av puls o.d.; fys. äv. svängningstal, periodtal; **high ~** (förk. *HF*) radio. höga frekvenser; **low ~** (förk. *LF*) radio. låga frekvenser; **medium ~** (förk. *MF*) radio. medelhöga frekvenser; **ultra high ~** (förk. *UHF*) radio. ultrahöga frekvenser; **very high ~** (förk. *VHF*) radio. mycket höga frekvenser, ultrakortvåg; **very low ~** (förk. *VLF*) radio. mycket låga frekvenser

frequency band ['fri:kwənsɪˌbænd] *s* radio. frekvensband

frequency count ['fri:kwənsɪkaʊnt] *s* frekvensundersökning

frequency modulation ['fri:kwənsɪˌmɒdjʊ'leɪʃ(ə)n] (förk. *FM*) *s* radio. frekvensmodulering

frequency range ['fri:kwənsɪreɪn(d)ʒ] *s* radio. frekvensområde

frequent [adj. 'fri:kwənt, verb frɪ'kwent] **I** *adj* ofta förekommande, vanlig, allmän [*a ~ happening*; *a ~ practice*; *a ~ sight*]; tät [~ *service of trains*; ~ *visits*]; snabb; frekvent; **a ~ caller** en flitig besökare; **make ~ use of** göra flitigt bruk av
II *vb tr* ofta besöka, frekventera [~ *a café*]; ofta bevista; hålla till i (på)

frequently ['fri:kwəntlɪ] *adv* ofta, titt och tätt

fresco ['freskəʊ] (pl. ~*es* el. ~*s*) *s* freskomåleri, freskomålning, måleri (målning) al fresco; fresk; **paint in ~** måla al fresco

fresh [freʃ] **I** *adj* **1** ny [*break ~ ground*; ~ *information*; *a ~ paragraph*; ~ *supplies*]; **make a ~ start** börja om från början (på nytt) **2** färsk [~ *bread* (*butter, eggs, fish, fruit, meat, vegetables, water*); ~ *footprints*; ~ *memories*]; frisk [~ *water*]; fräsch [~ *colours*; ~ *flowers*] **3** frisk, uppfriskande, sval [~ *air*; ~ *breeze*; ~ *wind*]; **~ breeze** sjö. styv bris; **~ gale** sjö. hård kuling **4** nygjord; nyanländ; nyss erhållen; nyss utkommen (utsläppt); **~ arrivals** nyanlända [personer] **5** grön oerfaren, färsk **6** frisk [och kry], frisk och ungdomlig, fräsch; pigg, spänstig; [*as*] **~ as a daisy** fräsch som en nyponros **7** vard. fräck, framfusig; **don't get ~!** var inte så fräck!
II *adv*, **sorry, we're ~ out of soap** vard. jag är ledsen, men vårt lager av tvål har precis tagit slut

fresh-air ['freʃˌeə] *adj* frilufts-; **~ fiend** friluftsmänniska

freshen ['freʃn] **I** *vb tr* **1** friska upp, fräscha upp **2** fylla på drink
II *vb itr* bli frisk[are], bli fräsch[are]; ljusna
III *vb tr* o. *vb itr* med adv.:
freshen up a) friska upp [~ *up one's English*]; fräscha upp **b)** snygga upp (till) sig

fresh-laid ['freʃleɪd] *adj* nyvärpt, nylagd [~ *eggs*]

fresh-looking ['freʃˌlʊkɪŋ] *adj* fräsch; **be ~** se fräsch ut

freshly ['freʃlɪ] *adv* friskt etc., jfr *fresh*; ofta nyligen; **~ painted** nymålad; **~ ground** [*coffee*] nymalet…

fresh|man ['freʃ|mən] (pl. -*men* [-mən]) *s* univ. recentior; amer. skol. förstaårselev

freshness ['freʃnəs] *s* nyhet, friskhet etc., jfr *fresh*; fräschör

freshwater ['freʃˌwɔːtə] *adj* sötvattens- [~ *fish*]

1 fret [fret] **I** *vb itr* oroa sig, reta upp sig, gräma sig [*about, over* över]; **~ting** otålig, retlig, grinig
II *vb tr* oroa; reta [upp], plåga; gräma; **~ oneself** gräma (oroa) sig [*to death* till döds]

2 fret [fret] *s* greppband på stränginstruments greppbräde

fretboard ['fretbɔːd] *s* mus. greppbräde

fretful ['fretf(ʊ)l] *adj* sur, missnöjd, grinig, gnatig; som grämer (oroar) sig; retlig, otålig, lättirriterad

fretsaw ['fretsɔː] *s* lövsåg

fretted ['fretɪd] *adj* rikt snidad (skulpterad), i genombrutet arbete

fretwork ['fretwɜːk] *s* **1** genombrutet arbete, [arbete] à la grecque; flätverk, nätverk, gallerverk som ornament **2** lövsågsarbete; lövsågning

Freud [frɔɪd]

Freudian ['frɔɪdɪən] **I** *adj* freudiansk **II** *s* freudian

Freudian slip [ˌfrɔɪdɪən'slɪp] *s* freudiansk felsägning

Fri. förk. för *Friday*

friable ['fraɪəbl] *adj* spröd, skör; lätt söndersmulad, lös

friar ['fraɪə] *s* [tiggar]munk, broder

friary ['fraɪərɪ] *s* munkkloster

fricassee ['frɪkəseɪ] *s* kok. frikassé

fricative ['frɪkətɪv] fonet. **I** *adj* frikativ **II** *s* frikativa, gnidljud, spirant

friction ['frɪkʃ(ə)n] *s* **1** friktion; gnidning, rivning; frottering **2** bildl. friktion, slitningar, motsättningar, spänning

friction clutch ['frɪkʃ(ə)nklʌtʃ] *s* friktionskoppling, friktionsklo

friction tape ['frɪkʃ(ə)nteɪp] *s* amer. isoler[ings]band

Friday ['fraɪdeɪ, attr. ofta -dɪ] *s* fredag; för ex. jfr vidare *Sunday*; **Black ~** olycksdag, tykobrahedag; **Good ~** långfredag[en]; **man ~** Fredag i 'Robinson Crusoe'; **man ~** el. **girl ~** ngns allt i allo, högra hand

fridge [frɪdʒ] *s* vard. kyl[skåp]

fridge-chiller [ˌfrɪdʒ'tʃɪlə] *s* kyl och sval, kyl- och svalskåp

fridge-freezer [ˌfrɪdʒ'friːzə] *s* kyl och frys

friend [frend] *s* **1** vän, väninna; kamrat; bekant; **be ~s with** vara [god] vän med; **be bad ~s** vara ovänner; **make ~s** skaffa sig (få) vänner; bli [goda] vänner; **make ~s with** bli god vän med; **make a ~ of sb** få en god vän i ngn, vinna ngns vänskap; **my honourable ~** i parlamentsdebatter den ärade talaren; **my learned ~** ung. min ärade kollega jurister emellan vid domstolsförhandlingar; **lady ~** kvinnlig vän, väninna vanl. till man; **woman ~** väninna, kvinnlig vän vanl. till kvinna; **a ~ in need is a ~ indeed** i nöden prövas vännen **2** tilltalsord bland kväkare; **the Society of Friends** Vännernas samfund

friendless ['frendləs] *adj* utan vänner, ensam

friendliness ['frendlɪnəs] *s* vänlighet, vänskaplighet

friendly ['frendlɪ] **I** *adj* **1** vänlig, vänskaplig [*to, with* mot]; **in a ~ manner** (**way**) äv. vänligt, vänskapligt **2** som efterled i sammansättn. -vänlig [*user-friendly, customer-friendly*]
II *s* sport. vänskapsmatch

friendly fire [ˌfrendlɪ'faɪə] *s*, **three soldiers were killed by ~** [**when a bomb hit their truck**] tre soldater dödades av den egna sidan…

friendly match ['frendlımætʃ] *s* sport.
vänskapsmatch
Friendly Society ['frendlısə,saıətı] *s* [privat]
sjukkassa (pensionskassa)
friendship ['fren(d)ʃıp] *s* vänskap;
vänskapsförhållande
frieze [fri:z] *s* arkit. fris
frig [frıg] *vb itr* sl. **1** ~ *about* el. ~ *around* larva
omkring **2** ~ *you!* fan [ta dig]!
frigate ['frıgət] *s* **1** hist. fregatt[skepp] **2** fregatt
snabbt eskortfartyg
frigging ['frıgıŋ] *adj* vulg. jävla [~ *idiot*]
fright [fraıt] *s* **1** skräck, förskräckelse, skrämsel;
fruktan [*of* för]; *get a* ~ el. *have a* ~ el. *take* ~ bli
skrämd (förskräckt), få en chock; *give sb a* ~
skrämma ngn, göra ngn rädd **2** åld., *she looked a*
perfect ~ [*in that hat*] hon såg ut som en
fågelskrämma…, hon såg förskräcklig (ryslig,
hemsk) ut…
frighten ['fraıtn] **I** *vb tr* skrämma, förskräcka,
förfära; ~ *sb into doing sth* skrämma ngn [till] att
göra ngt; ~ *sb off* a) skrämma bort ngn
b) avskräcka ngn; ~ *sb to death* skrämma ihjäl ngn,
skrämma livet ur ngn
II *vb itr* bli skrämd (rädd)
frightened ['fraıt(ə)nd] *adj* rädd [*of* för; *to do sth*
att göra ngt; *that* att], skrämd; förskräckt,
förskrämd [*at* över]; orolig [*for* för]; *he was more* ~
than hurt han slapp undan med blotta
förskräckelsen
frighteners ['fraıtnəz] *s pl* vard., *put the* ~ *on sb* sätta
skräck i ngn
frightening ['fraıt(ə)nıŋ] *adj* skrämmande, hemsk,
fruktansvärd; skräckinjagande
frightful ['fraıtf(ʊ)l] *adj* förskräcklig, förfärlig,
hemsk, fruktansvärd, ryslig; otäck, avskyvärd
frigid ['frıdʒıd] *adj* **1** fysiol. frigid **2** [is]kall, isig
3 bildl. kall[sinnig], kylig [*a* ~ *welcome*]; stel om
bugning o.d., känslolös, utan värme, frigid
frigidity [frı'dʒıdətı] *s* **1** fysiol. frigiditet **2** köld, kyla
3 bildl. kallsinnighet, kylighet, kyla; stelhet;
känslolöshet, frigiditet
frill [frıl] *s* **1** krås, volang, veckad (plisserad) remsa;
krage; krusat papper **2** pl. ~*s* vard. grannlåter,
krusiduller; choser; *there are no* ~*s on him* det är
inga krumbukter med honom
frilled [frıld] *adj* se *frilly* 1
frillies ['frılız] *s pl* vard. [plisserade] underkläder;
rysch och pysch
frilly ['frılı] *adj* **1** krusad, veckad, plisserad; full
med rysch, ryschig; snirklad **2** luftig, lätt [~
clothes]; ytlig [*a* ~ *book*]
fringe [frın(d)ʒ] **I** *s* **1** a) lugg hårfrisyr b) frans; koll.
fransar, fransflätning; bård **2** [ut]kant; [skogs]bryn
3 marginal, periferi, ytterkant; ~ *group*
marginalgrupp, yttergrupp i politik o.d.; *lunatic* ~ se
lunatic fringe
II *vb tr* förse med frans[ar], fransa, kanta, kransa
fringe benefit ['frın(d)ʒ,benıfıt] *s* extraförmån utöver
lön, tjänsteförmån, fringis
fringe theatre ['frın(d)ʒ,θıətə] *s* fri (experimentell)
teater
frippery ['frıpərı] *s* bjäfs, prål, grannlåt[er]
Frisbee® ['frızbı] *s* sport. frisbee® rund kastskiva

Frisco ['frıskəu] amer. vard. San Francisco
Frisian ['frızıən] **I** *adj* frisisk
II *s* **1** fris; frisiska kvinna **2** frisiska [språket]
frisk [frısk] **I** *vb tr* sl. muddra leta igenom **II** *vb itr* ~ el.
~ *about* hoppa ystert, skutta, dansa [omkring], göra
krumsprång
frisky ['frıskı] *adj* **1** yster, uppsluppen, sprallig,
lustig, ostyrig, lekfull, livlig [~ *children*] **2** vulg. kåt
1 fritter ['frıtə] *s* kok. beignet; *bread* ~*s* ung. fattiga
riddare
2 fritter ['frıtə] *vb tr*, ~ *away* splittra, plottra bort,
förstöra, slösa (kasta) bort [~ *away one's time*
(energy)]
fritz [frıts] *s* amer. vard., *go on the* ~ paja; *our TV is on*
the ~ vår tv har pajat
frivolity [frı'vɒlətı] *s* **1** lättsinne, lättsinnighet,
frivolitet **2** trams, tramsighet **3** nöje, förströelse
frivolous ['frıvələs] *adj* **1** om saker obetydlig [*a* ~
book; ~ *work*]; liten; futtig, intetsägande; grundlös
[*a* ~ *complaint*]; bagatellartad, strunt-; okynnes- [*a*
~ *prosecution*] **2** om person lättsinnig, lättfärdig;
frivol; tanklös; ytlig; tramsig, fjantig; nöjeslysten,
fåfänglig
frizz [frız] **I** *vb tr* krusa, krulla [~ *hair*] **II** *s* krusat
(krullat) hår, krull
1 frizzle ['frızl] *vb tr* o. *vb itr* hårdsteka
2 frizzle ['frızl] **I** *vb tr* krusa, krulla, locka [~ *hair*]
II *s* krusad hårlock; krusat (krullat) hår
fro [frəu] *adv* biform till *from*; *to and* ~ fram och
tillbaka, av och an, hit och dit
frock [frɒk] *s* **1** åld. [lätt vardags]klänning;
flickklänning, babyklänning **2** munkkåpa
frock coat [,frɒk'kəut] *s* bonjour
Frog [frɒg] *s* neds. fransos, fransman
frog [frɒg] *s* groda; *have a* ~ *in one's throat* få en tupp
i halsen
Froggy ['frɒgı] *s* neds. fransos, fransman
frog|man ['frɒg|mən] (pl. -*men* [-mən]) *s* grodman,
röjdykare
frogmarch ['frɒgmɑ:tʃ] *vb tr* **1** släpa (föra) bort
med tvång genom att t.ex. bryta upp armarna bakom ryggen
2 bära i armar och ben med ansiktet nedåt [~ *a*
prisoner]
frogspawn ['frɒgspɔ:n] *s* zool., koll. grodägg,
grodyngel
frolic ['frɒlık] **I** *vb itr* leka, hoppa, skutta; ha
upptåg (konster) för sig; roa sig, ha skoj **II** *s*
lekfullhet, uppsluppenhet, munterhet, glättighet,
sprallighet, yra; skoj, muntert upptåg; glad
tillställning, fest
from [frɒm, obeton. frəm] *prep* **1** från; ur: a) om rum,
utgångspunkt [*start* ~ *London*] b) om härkomst, ursprung
o.d. [*people* ~ *London; derived* ~ *Latin; deduce* ~]
c) om tid, ~ *a child* ända från barndomen, från
barnsben, redan som barn; ~ *time to time* från tid
till annan, då och då, emellanåt; från gång till
gång d) om skillnad [*separate* ~; *refrain* ~; *differ* ~];
know an Englishman ~ *a Swede* [kunna] skilja en
engelsman från en svensk **2** om material av [*steel is*
made ~ *iron*]; ur, från **3** om orsak, motiv m.m. på
grund av [*absent* ~ *illness*]; av [*do sth* ~ *curiosity*
(politeness)]; att döma av [~ *his dress I should*
say…]; efter [~ *what I have heard he is a scoundrel*]
4 om mönster, förebild efter; *named* ~ uppkallad efter;

painted ~ nature målad efter naturen **5** tillsammans
med prep. el. adv.: **~ above** ovanifrån; **~ afar** ur fjärran,
fjärran ifrån; på långt håll; **~ among** [fram] ur,
från; ibland [*choose ~ among these books*]; ur
kretsen av; **~ behind** bakifrån; **~ below** el. **~ beneath**
nedifrån; från undersidan [av]; **~ under** fram under
(från) [*he came ~ under the table*]; från någonstans
under [*the noise is coming ~ under the table*]; bort
från platsen under [*knock (kick) the ball ~ under
the table*]; **~ within** inifrån; **~ without** utifrån
frond [frɒnd] *s* bot. ormbunksblad; palmblad
front [frʌnt] **I** *s* **1** framsida, främre del; fasad; **in ~**
framtill, i spetsen, före [*walk in ~*]; **be in ~** leda; **in ~
of** el. **~ of** amer. framför, utanför, inför; **come to the ~**
komma upp, komma på tapeten, bli aktuell;
framträda inför offentligheten, bli bekant, träda i
förgrunden **2** mil. front [*be at* (vid) *the ~*; *on the ~*];
stridslinje; krigsskådeplats **3** meteor. front [*cold ~*]
4 *the ~* [strand]promenaden på en badort
5 a) uppsyn, min, hållning, uppträdande; **show**
(**present, put on**) **a bold ~** hålla god min; [fräckt]
låtsas som ingenting **b)** fräckhet, panna [*have the ~
to do sth*] **6 a)** [yttre] sken, fasad **b)** täckmantel,
kamouflage; bulvan [äv. **~ man**] **7** bröst [*spill coffee
down one's ~*]
II *adj* framtill belägen, fram-, främre, främsta,
front-, första; **~ vowel** fonet. främre vokal
III *vb itr* vetta, ligga [*onto, towards* mot, åt]
IV *vb tr* **1** ligga (stå) [mitt] emot, vetta mot
[*windows ~ing the street*]; vara vänd (vända sig)
mot; mil. göra front mot **2** bekläda (förse)
framsidan av [*~ a house with stone*] **3** leda [*~ a
company*; *~ a weekly TV programme*] **4 ~ for sb**
agera bulvan för
frontage ['frʌntɪdʒ] *s* **1** främre del, framsida, fasad;
a river (**road**) **~** en fasad mot floden (vägen)
2 fasadlängd; frontlinje **3** område längs (utmed,
utefter) en gata (en väg, ett vattendrag) **4** läge,
ställning mot ngt
frontage road ['frʌntɪdʒ,rəʊd] *s* amer., ung.
tillfartsväg, uppfart
frontal ['frʌntl] *adj* frontal; front-; fasad-; [sedd]
framifrån; **~ attack** frontattack; **~ system** meteor.
frontsystem
front-and-center [,frʌntənd'sentə] *adj* amer. central,
väsentlig [*~ issue*]
front bench [,frʌnt'ben(t)ʃ] *s*, **the ~** ministerbänken
resp. oppositionsledarbänken på varsin sida om
talmansbordet; jfr *front bencher*
front bencher [,frʌnt'bent∫ə] *s* regeringsmedlem;
oppositionsledare
front burner [,frʌnt'bɜ:nə] *s*, **be on the ~** ha hög
prioritet
front desk [,frʌnt'desk] *s* i större byggnad
receptionsdisk, informationsdisk
front door [,frʌnt'dɔ:] *s* ytterdörr, port; framdörr på
bil
frontier ['frʌntɪə, amer. -'-] *s* **1** stats gräns;
gränsområde äv. bildl.; **the Frontier** amer. hist.
gränslandet västerut mot områden som inte koloniserats
2 attr. gräns- **3** forskningsfält
frontiers|man ['frʌntɪəz|mən] (pl. -*men* [-mən]) *s*
gränsbo; amer. nybyggare västerut, pionjär äv. bildl.
frontispiece ['frʌntɪspi:s] *s* titelplansch, frontespis

front line [,frʌnt'laɪn] *s*, **the ~** frontlinjen, främsta
linjen
front loader [,frʌnt'ləʊdə] *s* frontmatad tvättmaskin
front man ['frʌnt|mæn] (pl. *front men* [-mən]) *s*
1 frontfigur i musikgrupp **2** företrädare **3** bulvan
4 presentatör
front office [,frʌnt'ɒfɪs] *s*, **the ~** vanl. amer. ledningen
för ett företag el. en organisation, ansiktet utåt
front-of-house [,frʌntəv'haʊs] *s* publikutrymmen på
teater o.d.
front organization ['frʌnt,ɔ:gənaɪ'zeɪʃ(ə)n] *s*
täckorganisation
front-page ['frʌntpeɪdʒ] *adj*, **~ news** el. **~ stuff**
förstasidesnyheter, förstasidesstoff
front page [,frʌnt'peɪdʒ] *s* förstasida av tidning
front-rank [,frʌnt'ræŋk, attr. '--] *adj* första rangens,
förstklassig, förstaklass-; **of ~ importance** av största
(yttersta) vikt
front rank [,frʌnt'ræŋk] *s* mil. främre led; **in the ~**
bildl. i främsta (första) ledet
front room [,frʌnt'ru:m] *s* rum åt gatan,
vardagsrum
front row [,frʌnt'rəʊ] *s* teat. o.d. första bänk[rad]
front-runner ['frʌnt,rʌnə] *s* ledare i tävling o.d.,
främsta kandidat, favorit
front seat [,frʌnt'si:t] *s* framsäte; plats framtill,
plats längst fram (på första bänk[raden]); **have a ~**
bildl. vara med där det händer [saker och ting]
front tooth [,frʌnt'tu:θ] (pl. *front teeth* [-'ti:θ]) *s*
framtand
front-wheel drive [,frʌntwi:l'draɪv] (förk. *f.w.d.* el.
FWD) *s* framhjulsdrift
frontyard ['frʌntjɑ:d, ,-'-] *s* främre gård framför huset;
amer. trädgård framför huset
frost [frɒst] **I** *s* **1** frost; tjäle; köld, kyla under
fryspunkten, äv. bildl., köldperiod; **ten degrees of ~**
Celsius tio grader kallt **2** rimfrost [*the grass was
covered with ~*]
II *vb tr* **1** frostskada, göra frostbiten, sveda
2 bekläda (täcka) [liksom] med rimfrost **3** vanl.
amer. glasera med socker
III *vb itr*, **~ over** el. **~ up** täckas av rimfrost
frostbite ['frɒs(t)baɪt] *s* köldskada, kylskada;
förfrysning
frostbitten ['frɒs(t),bɪtn] *adj* frostbiten,
frostskadad, kylskadad; [för]frusen
frosted ['frɒstɪd] *adj* **1** frostskadad **2** täckt med
rimfrost **3** vanl. amer. glaserad [*~ cake*] **4** matterad,
mattslipad; **~ glass** äv. frostat glas
frosting ['frɒstɪŋ] *s* **1** vanl. amer. glasyr på bakverk
2 matt yta på glas, silver m.m., mattering
frosty ['frɒstɪ] *adj* frost- [*~ nights*]; frostig,
[frys]kall, iskall, kylig äv. bildl.
froth [frɒθ] **I** *s* **1** fradga, skum [*~ on the beer*] **2** bildl.
tomt ordprål (snack), svammel; skräp
II *vb itr* fradga [sig], skumma; **~ at the mouth** tugga
fradga
III *vb tr* göra (vispa) till skum; bringa (få) att
skumma [ofta ~ *up*]
frothy ['frɒθɪ] *adj* fradgande, fradgig, skummande,
skummig
frown [fraʊn] **I** *vb itr* **1** rynka pannan
(ögonbrynen); visa en hotfull (bister) uppsyn **2 ~ at**
el. **~ on** el. **~ upon** se ogillande (hotande, dystert) på;

~ on el. **~ upon** äv. rynka på näsan åt, ogilla, fördöma
II s rynkad panna; bister uppsyn; sura miner; [*he had*] *a deep ~ on his brow* ...djupa rynkor i pannan
frowsty ['fraʊstɪ] *adj* instängd, kvav, unken
frowzy o. **frowsy** ['fraʊzɪ] *adj* amer. **1** instängd, unken, kvalmig; illaluktande **2** snuskig [*a ~ hotel*]; oborstad, okammad [*~ hair*]; slampig, sjaskig
froze [frəʊz] *imperf.* av *freeze*
frozen ['frəʊzn] **I** *perf. p.* av *freeze* **II** *adj* djupfryst [*~ food*] ofta om tillgångar frusen, bunden [*~ credits*; *~ assets*]; maximerad, fixerad, fastlåst [*~ prices*; *~ wages*]
fructify ['frʌktɪfaɪ] **I** *vb itr* bära frukt **II** *vb tr* få att bära frukt; bildl. göra fruktbar; befrukta
fructose ['frʌktəʊs] *s* kem. fruktos, fruktsocker
frugal ['fru:g(ə)l] *adj* sparsam [*of* på]; måttlig; enkel, torftig, frugal [*a ~ meal*]; billig
frugality [fru'gælətɪ] *s* sparsamhet etc., jfr *frugal*
fruit [fru:t] **I** *s* **1** frukt, bär äv. koll. [*every kind of ~*; *bear ~*; *he feeds on ~*] ätbar växt[produkt] i allm. [*the ~s of the earth*]; **~s** bot., vanl. fruktsorter **2** frukt, produkt [*the ~s of industry*]; avkastning; resultat [*the ~ of long study*]; behållning, nytta; *bear ~* bära frukt ge resultat
II *vb itr* bära frukt
fruit bat ['fru:tbæt] *s* zool. flygande hund, fladdermus
fruitcake ['fru:tkeɪk] *s* **1** [engelsk] fruktkaka **2** sl. blådåre, knasboll
fruit drop ['fru:tdrɒp] *s*, pl. **~s** syrliga karameller med olika fruktsmak
fruiterer ['fru:tərə] *s* frukthandlare; **~'s** el. **~'s shop** fruktaffär
fruit fly ['fru:tflaɪ] *s* zool. borrfluga, fruktfluga
fruitful ['fru:tf(ʊ)l] *adj* **1** fruktbar, bördig; fruktbringande [*~ rain*] **2** bildl. givande, fruktbar [*a ~ subject*]; lönande [*a ~ career*]; fördelaktig
fruition [fru'ɪʃ(ə)n] *s*, *come to ~* förverkligas, realiseras
fruitless ['fru:tləs] *adj* fruktlös, gagnlös, fåfäng, resultatlös [*~ efforts*]
fruit machine ['fru:tməˌʃi:n] *s* spelautomat, enarmad bandit
fruity ['fru:tɪ] *adj* **1** frukt-, fruktliknande, med fruktsmak, fruktig [*~ wine*] **2** bildl. vard. saftig, pikant, kraftig; rafflande; klangfull [*a ~ voice*]
frump [frʌmp] *s* vard. tantaktigt fruntimmer, [gammal] tant, nucka
frumpish ['frʌmpɪʃ] *adj* o. **frumpy** ['frʌmpɪ] *adj* tantaktig, tantig, illa (gammalmodigt) klädd
frustrate [frʌ'streɪt] *vb tr* **1** frustrera äv. psykol., göra frustrerad (besviken) **2** omintetgöra, motverka, hindra, korsa [*~ sb's plans*]; gäcka, svika [*~ sb's hopes*]; göra betydelselös, neutralisera
frustrated [frʌ'streɪtɪd] *adj* frusterad äv. psykol., besviken [*with, at* över], otillfredsställd [*sexually ~*]; *I feel so ~ not being able to play tennis* det känns så frustrerande att inte kunna spela tennis
frustrating [frʌ'streɪtɪŋ] *adj* frustrerande, otillfredsställande
frustration [frʌ'streɪʃ(ə)n] *s* **1** frustration, frustrering äv. psykol., besvikelse; missräkning;

sense of ~ [känsla av] vanmakt (maktlöshet) **2** omintetgörande etc., jfr *frustrate*
1 fry [fraɪ] **I** *vb tr* **1** steka i panna, bryna, fräsa [upp]; *~ up* steka (värma) upp **2** vanl. amer. sl. avrätta i elektriska stolen
II *vb itr* **1** stekas; [*the sausages*] *are ~ing* ...håller på att stekas **2** vard. svettas; bränna sig i solen; *let sb ~* bildl. låta ngn svettas, hålla ngn på halster **3** vanl. amer. sl. avrättas i elektriska stolen
2 fry [fraɪ] (pl. *fry*) *s* **1** småfisk, gli; yngel av fisk, grodor m.m.; *salmon ~* unglax på 2:a året **2** vard., *small ~* smågIn, småungar; obetydligt folk
fryer ['fraɪə] *s* **1** [fisk]stekpanna **2** amer. stekkyckling
frying pan ['fraɪɪŋpæn] *s* stekpanna; *out of the ~ into the fire* ur askan i elden
fry-up ['fraɪʌp] *s* kok., *a ~* lite uppstekt mat typ pyttipanna
FT (förk. för *Financial Times*), *the ~* brittisk finanstidning
Ft [fɔ:t] amer. förk. för *Fort* i ortnamn [*~ William*]
ft o. **ft.** [fʊt, resp. fi:t] förk. för *foot* resp. *feet*
FTP [ˌeftiː'piː] data. (förk. för *file transfer protocol*) standardprotokoll för filöverföring
FTSE Index ['fʊtsɪˌɪndeks] (förk. för *Financial Times Stock Exchange 100 Index*), *the ~* britt. Financial Times' börsindex
fuchsia ['fjuːʃə] *s* bot. fuchsia, bloddroppe
fuck [fʌk] vulg. **I** *vb tr* o. *vb itr* **1** knulla [med], ligga med **2** *~!* el. *~ it!* fan [också]!; *don't ~ with me!* jävlas (bråka) inte med mig!; *~ that!* det ger jag fan i!, i helvete heller!; *~ you!* fan ta dig!, dra åt helvete!
II *vb tr* o. *vb itr* med adv. el. prep.:
fuck about el. **fuck around a)** drälla omkring, strula runt **b)** pillra (joxa) med **c)** tjafsa [och gå 'på] b); jävlas med [*you're always ~ing me about*]
fuck off! stick för helvete!, dra åt helvete!
fuck up a) tr. sabba, paja, strula (soppa) till, strula till det för ngn **b)** itr. klanta sig, strula (soppa) till det för sig, strula till
III *s* **1** knull, ligg samlag el. person **2** *I don't care (give) a ~* jag bryr mig inte ett jävla dugg om det, det ger jag fan i
fuck-all [ˌfʌk'ɔ:l] *s* vulg. inte ett jävla dugg
fucked-up [ˌfʌkt'ʌp] *adj* vulg., *she's pretty ~* hon har det för jävligt
fucker ['fʌkə] *s* o. **fuckhead** ['fʌkhed] *s* vulg. jävel, sate, skit
fucking ['fʌkɪŋ] *adj* vulg. jävla, helvetes, satans; *~ hell!* jävlar!, fy fan!
fucking A [ˌfʌkɪŋ'eɪ] *interj* amer. vulg. det var som fan!, jävlar i min lilla låda!
fuck-up ['fʌkʌp] *s* vulg. jävla strul (röra, soppa); jävla flopp
fuddled ['fʌdld] *adj* **1** dimmig, förvirrad, omtöcknad **2** full, berusad
fuddy-duddy ['fʌdɪˌdʌdɪ] vard. **I** *s* [gammal] stofil, kuf **II** *adj* gammalmodig, mossig; stockkonservativ
fudge [fʌdʒ] **I** *s* **1** fudge slags mjuk kola **2** fuskverk, hopkok
II *vb tr* fuska ihop; fiffla (fuska) med, förfalska
fuel [fjʊəl] **I** *s* bränsle, drivmedel; bildl. näring; *liquid ~* flytande bränsle; *solid ~* fast bränsle
II *vb tr* **1** *~* el. *~ up* förse med bränsle, tanka, fylla på; mata, underhålla, driva [*~led by uranium*]; lägga på eld **2** bildl. underblåsa; understödja

III *vb itr*, ~ el. **~ up** skaffa bränsle; fylla på [bensin (olja)], tanka, bunkra; *~ling station* bunkringsstation

fuel-efficient ['fjʊəlɪˌfɪʃ(ə)nt] *adj* bränslesnål, bensinsnål

fuel gauge ['fjʊəlgeɪdʒ] *s* bensinmätare, bränslemätare

fuel injection engine [ˌfjʊəlɪn'dʒekʃ(ə)nˌen(d)ʒɪn] *s* insprutningsmotor

fuel tank ['fjʊəltæŋk] *s* bensintank, bränsletank

fug [fʌg] *s* vard. instängdhet, kvalm[ighet]; instängd (unken) lukt

fuggy ['fʌgɪ] *adj* vard. instängd, kvalmig, kvav, unken

fugitive ['fjuːdʒətɪv] **I** *s* flykting, flyende; rymling; landsflykti[n]g

II *adj* **1** flyende; förrymd [*a* ~ *slave*] **2** flyktig, obeständig

fugue [fjuːg] *s* mus. fuga

fulcr|um ['fʌlkr|əm, 'fʊl-] (pl. *-a* [-ə] el. *-ums*) *s* stöd, stödjepunkt spec. för hävstång

fulfil o. amer. **fulfill** [fʊl'fɪl] **I** *vb tr* **1** uppfylla, infria [~ *sb's hopes*]; tillfredsställa; fullgöra, utföra [~ *one's duties*]; motsvara [~ *a purpose*]; fylla [~ *a need*] **2** fullborda [~ *a task*]

II *vb rfl*, **~ oneself** förverkliga sig själv; nå full utveckling

fulfilled [fʊl'fɪld] *adj* tillfredsställd, nöjd [*feel* ~]; meningsfull, tillfredsställande [*to live a* ~ *life*]

fulfilling [fʊl'fɪlɪŋ] *adj* meningsfull, tillfredsställande [*a* ~ *job*; *a* ~ *life*]

fulfilment o. amer. **fullfillment** [fʊl'fɪlmənt] *s* **1** uppfyllelse etc., jfr *fulfil* **2** fullbordan, förverkligande

full [fʊl] **I** *adj* **1** full, fylld, uppfylld [*of* av, med]; fullsatt, fullbelagd [vard. äv. ~ *up*]; *I'm* ~ el. *I'm* ~ *up* vard. jag är mätt; **~ to bursting** sprängfylld, sprängfull; **~ to capacity** fullsatt; **~ to overflowing** överfull, överfylld **2** *be* ~ *of* vara helt upptagen av, bara tänka på [och tala om], helt gå upp i [*he is* ~ *of himself*; *he is* ~ *of his subject*] **3** rik, riklig [*a* ~ *meal*]; ymnig; rikhaltig [*a* ~ *programme*]; utförlig **4** full[ständig]; hel [*a* ~ *dozen*]; fulltalig [*a* ~ *jury*]; fullstämmig; **at** ~ **length** a) raklång b) bildl. utförligt, fullständigt; ~ *pay* full lön; **at** ~ **speed** i (för) full fart; **in** ~ **view of** klart synlig för, mitt framför **5** fyllig, rund [*a* ~ *bust*; *a* ~ *face*; *a* ~ *figure*; ~ *lips*]; rik, rikligt tilltagen; om klädesplagg vid; veckrik [*a* ~ *personality*; ~ *enjoyment*] **2** fullblods- [*a* ~ *horse*]

II *adv* **1** fullt, fullkomligt, fullständigt; drygt [~ *six miles*]; alldeles; rakt, rätt [*the light fell* ~ *upon her*] **2** mycket; *I know it* ~ *well* det vet jag mycket väl

III *s*, *in* ~ fullständigt, i sin helhet, till fullo [*the newspaper printed the story in* ~]; *to the* ~ fullständigt, till fullo; i [allra] högsta grad

fullback ['fʊlbæk] *s* fotb. etc. back; rugby. el. amer. fotb. fullback

full beam [ˌfʊl'biːm] *s* bil. helljus

full beard [ˌfʊl'bɪəd] *s* helskägg

full-blooded [ˌfʊl'blʌdɪd, attr. '-ˌ--] *adj* **1** kraftig, stark; kraftfull; varmblodig, passionerad; verklig [*a* ~ *personality*; ~ *enjoyment*] **2** fullblods- [*a* ~ *horse*]

full-blown [ˌfʊl'bləʊn, attr. '--] *adj* fullt utslagen [*a* ~ *rose*]; mogen, blomstrande; fullt utvecklad [~ *Aids*; *a* ~ *crisis*]

full board [ˌfʊl'bɔːd] *s* helpension på pensionat o.d.

full-bodied [ˌfʊl'bɒdɪd, attr. '-ˌ--] *adj* fyllig [*a* ~ *wine*]; stark, tung; mustig äv. bildl. [*a* ~ *novel*]; fullödig

full-court press [ˌfʊlkɔːt'pres] *s* **1** i basket helplanspress **2** amer. vard. hård press

full-cream [ˌfʊl'kriːm] *adj* helfet [~ *cheese*]; **~ milk** helmjölk

full cream [ˌfʊl'kriːm] *s* tjock grädde

full-dress [ˌfʊl'dres, attr. '--] *adj* **1** gala-, parad- **2** fullständig [*a* ~ *inquiry*]; **~ debate** [spikad] viktig parlamentsdebatt, generaldebatt; **~ rehearsal** generalrepetition

full dress [ˌfʊl'dres] *s* gala, stor toalett, paraduniform, högtidsdräkt

fuller's earth ['fʊləzːθ] *s* valklera

full-face [ˌfʊl'feɪs, attr. '--] *adj* o. *adv* en face; *a* ~ *photo* ett foto som visar hela ansiktet, ett foto taget [rakt] framifrån (en face)

full-fat [ˌfʊl'fæt] *adj* helfet [~ *cheese*]; **~ milk** helmjölk

full-flavoured ['fʊlˌfleɪvəd] *adj* starkt aromatisk (kryddad), stark, pikant; med fyllig smak (arom)

full-fledged [ˌfʊl'fledʒd] *adj* se *fully-fledged*

full-grown [ˌfʊl'grəʊn, attr. '--] *adj* fullväxt; fullvuxen

full house [ˌfʊl'haʊs] *s* **1** teat. etc. utsålt [hus], fullt hus **2** kortsp. kåk i poker

full-length [ˌfʊl'leŋθ, attr. '--] **I** *adj* hellång [*a* ~ *skirt*]; hel; av normal längd, oavkortad [*a* ~ *novel*]; *a* ~ *film* en långfilm; *a* ~ *mirror* en helfigursspegel; *a* ~ *portrait* en helbild, ett porträtt i helfigur **II** *adv* raklång

full lock [ˌfʊl'lɒk] *s* bil. fullt utslag [på ratten]

full marks [ˌfʊl'mɑːks] *s pl* alla rätt; högsta betyg äv. bildl.

full moon [ˌfʊl'muːn] *s* fullmåne

fullness ['fʊlnəs] *s* **1** fullhet; mätthet, mättnad; *out of the* ~ *of his heart* av hela sitt hjärta **2** fullständighet; riklighet, rikedom; överflöd **3** fyllighet, djup i ton, färg o.d. **4** *in the* ~ *of time* i tidens fullbordan

full-page [ˌfʊl'peɪdʒ] *adj* helsides- [~ *advertisement*]

full professor [ˌfʊlprə'fesə] *s* ordinarie professor

full-scale ['fʊlskeɪl] *adj* **1** i naturlig skala (storlek), i skala 1:1 [*a* ~ *drawing*]; fullskale- [~ *model*] **2** omfattande, total [*a* ~ *war*]; **~ debate** generaldebatt

full-size ['fʊlsaɪz] *adj* i full (naturlig) storlek; i kroppsstorlek [*a* ~ *portrait*]; *a* ~ *orchestra* en orkester med full besättning

full stop [ˌfʊl'stɒp] *s* **1** punkt i skrift **2** ~*!* punkt slut!, och därmed basta!; *come to a* ~ tvärstanna

full-term [ˌfʊl'tɜːm] *adj* fullgången [*a* ~ *baby*]

full-throated ['fʊlˌθrəʊtɪd] *adj* skallande, dånande [*a* ~ *shout*]

full tide [ˌfʊl'taɪd] *s* högvatten

full-time ['fʊltaɪm] **I** *adj* heltids- [*a* ~ *employee*] **II** *adv* [på] heltid; *work* ~ arbeta [på] heltid

full-timer ['fʊlˌtaɪmə, ˌ-'--] *s* heltidsarbetande [person]

fully ['fʊlɪ] *adv* **1** fullt, fullständigt, till fullo, helt [*capital ~ paid up*]; utförligt; ~ **automatic** helautomatisk **2** drygt, hela [~ *two days*]

fully-fashioned [ˌfʊlɪˈfæʃ(ə)nd] *adj* formstickad, fasonstickad

fully-fledged [ˌfʊlɪˈfledʒd] *adj* **1** fullfjädrad, flygfärdig **2** bildl. färdig[utbildad], utbildad [*a ~ engineer*]; mogen, fullfjädrad [*a ~ artist*]

fully-grown [ˌfʊlɪˈgrəʊn] *adj* se *full-grown*

fulmar [ˈfʊlmə, -mɑ:] *s* zool. [vanlig] stormfågel

fulminate [ˈfʊlmɪneɪt, ˈfʌl-] *vb itr* bildl. dundra, rasa [*against* mot]

fulsome [ˈfʊlsəm] *adj* överdriven [~ *politeness*]; grov [~ *flattery*]

fumble [ˈfʌmbl] **I** *vb itr* fumla [~ *at* (med) *a lock*]; famla [*for* efter; ~ *about* (omkring) *in the dark*]; treva, rota, gräva [~ *in one's pockets for* (efter) *one's matches*]; *a fumbling attempt* ett fumligt (trevande, klumpigt) försök
II *vb tr* fumla med, [stå och] fingra tafatt på; missa [~ *a chance*; ~ *a ball*]; tappa [~ *a ball*]; ~ *one's way* treva sig fram
III *s* fumlande, tafatt försök; sport. miss

fume [fju:m] *vb itr* **1** ryka; ånga **2** vara rasande [*at* över]

fumes [fju:mz] *s pl* rök [~ *of a cigar*]; dunst[er], utdunstning[ar]; avgaser [*traffic ~*]; gaser, ånga, ångor [~ *of petrol*]; stank, lukt; doft[er]; dimma, dimmor äv. bildl.

fumigate [ˈfju:mɪgeɪt] *vb tr* **1** desinficera [genom rökning], röka **2** röka trä

fumigation [ˌfju:mɪˈgeɪʃ(ə)n] *s* desinfektion, rökning

fun [fʌn] *s* **1** nöje; skämt, upptåg, skoj; *for ~* el. *for the ~ of it* för skojs (ro) skull; *in ~* på skämt, på skoj; *like ~!* vard. tusan heller!; *what ~!* så (vad) roligt (skojigt, kul)!; *it is good* (*great*) *~* det är väldigt roligt (skojigt, kul); *it was such ~* det var så roligt (skojigt, kul, livat); *she's great ~* hon är hemskt (riktigt) kul; *get a lot of ~ out of sth* finna stort nöje i ngt, få (ha) mycket nöje av ngt, ha stor glädje av ngt, ha väldigt roligt (skojigt) åt ngt; *have ~* ha roligt (kul, trevligt); *make ~ of* el. *poke ~ at* göra narr av, driva med; *~ and games* vard. tjo och tjim; skoj, lek; upptåg; *have ~ and games* vard. ha skoj (skojigt); hångla; *all the ~ of the fair* bildl. allt nöje (roligt, kul) man kan ha (få); *figure of ~* löjlig figur (person); driftkucku **2** attr., vard. rolig [*a ~ party*]; skojig, kul, lustig

function [ˈfʌŋ(k)ʃ(ə)n] **I** *s* **1** funktion [*the ~*[*s*] *of the heart*]; uppgift [*the ~ of education*]; verksamhet; åliggande, förrättning [*the ~s of a magistrate*]; syssla, kall **2** [offentlig] ceremoni; fest[lighet], högtidlighet [*attend a great state ~*]; bjudning, tillställning [*social ~s*] **3** matem. m.m. funktion
II *vb itr* fungera; verka; tjänstgöra, uppträda

functional [ˈfʌŋ(k)ʃənl] *adj* **1** funktionell, funktions-, fungerande; ämbetsmässig, ämbets-; officiell **2** fysiol., matem. el. psykol. funktionell

functional food [ˌfʌŋ(k)ʃənlˈfu:d] *s* mervärdesmat, funktionell mat, funktionella livsmedel mat med hälsosamma tillsatser, t.ex. fibrer, enzymer

functionalism [ˈfʌŋ(k)ʃ(ə)nəlɪz(ə)m] *s* funktionalism[en]

functionary [ˈfʌŋ(k)ʃ(ə)nərɪ] *s* funktionär; lägre tjänsteman

function key [ˈfʌŋ(k)ʃ(ə)nki:] *s* data. funktionstangent

fund [fʌnd] **I** *s* **1** fond; [grund]kapital; kassa; insamling; *raise ~s* samla in pengar, göra en penninginsamling **2** vard., pl. *~s* tillgångar, [penning]medel, pengar; *be in ~s* vara stadd vid kassa; *be short of ~s* ha ebb i kassan; *no ~s* äv. utan täckning **3** bildl. fond, stor tillgång [*a ~ of experience*]; [stort] förråd [*a ~ of amusing stories*]
II *vb tr* **1** fondera; kapitalisera; avsätta till en fond, tillföra fonden **2** betala, finansiera

fundamental [ˌfʌndəˈmentl] *adj* fundamental; grund- [~ *colour*; ~ *principle*]; grundläggande, väsentlig [*to* för]; principiell; huvud-; ursprunglig, utgångs-

fundamentalism [ˌfʌndəˈmentəlɪz(ə)m] *s* polit. el. relig. fundamentalism[en]

fundamentalist [ˌfʌndəˈmentəlɪst] *s* polit. el. relig. fundamentalist

fundamentally [ˌfʌndəˈmentəlɪ] *adv* fundamentalt; i grunden, i grund och botten

fundamentals [ˌfʌndəˈmentlz] *s pl* grundprinciper, grunddrag, grundlagar; grundläggande fakta; *agree on ~* vara enig[a] (nå enighet) i huvudsak (princip), nå principiell enighet

funding [ˈfʌndɪŋ] *s* finansiering

fund-raiser [ˈfʌndˌreɪzə] *s* **1** insamlingsledare **2** välgörenhetsmiddag för att samla in pengar till ett visst ändamål

funeral [ˈfju:n(ə)r(ə)l] *s* **1** begravning [*officiate at a ~*]; *that's his ~* vard. det blir hans sak att fixa, det är hans huvudvärk **2** begravningståg, begravningsprocession **3** attr. begravnings-, jfr *funeral director* m.fl.

funeral director [ˈfju:n(ə)ldɪˌrektə] *s* begravningsentreprenör

funeral home [ˈfju:n(ə)lhəʊm] *s* begravningsbyrå

funeral parlour o. amer. **funeral parlor** [ˈfju:n(ə)lˌpɑ:lə] *s* begravningsbyrå

funeral pile [ˈfju:n(ə)lpaɪl] *s* o. **funeral pyre** [ˈfju:n(ə)lˌpaɪə] *s* [likbrännings]bål

funeral service [ˈfju:n(ə)lˌsɜ:vɪs] *s* jordfästning

funereal [fjʊˈnɪərɪəl] *adj* **1** begravnings- **2** dyster, sorglig

funfair [ˈfʌnfeə] *s* vard. nöjesfält, tivoli

fungal [ˈfʌŋgl] *adj* svamp-

fungi [ˈfʌŋgi:, -gaɪ, ˈfʌn(d)ʒaɪ] *s* pl. av *fungus*

fungicide [ˈfʌndʒɪsaɪd] *s* svampdödande medel, svampbekämpningsmedel, fungicid

fungoid [ˈfʌŋgɔɪd] *adj* svampartad, svampformig

fungus [ˈfʌŋgəs] (pl. *fungi* [ˈfʌŋgi:, -gaɪ, ˈfʌn(d)ʒaɪ] el. *~es*) *s* svamp, svampbildning; svampartad utväxt

fun house [ˈfʌnhaʊs] *s* vard., *the ~* lustiga huset på tivoli

funicular [fjʊˈnɪkjʊlə] *s* o. **funicular railway** [fjʊˌnɪkjʊləˈreɪlweɪ] *s* bergbana

funk [fʌŋk] vard. **I** *s* **1** mus. funk **2** amer., *be in a ~* vara nere (deppig) **3** åld., *be in a* [*blue*] *~* vara skraj (byxis), ha byxångest
II *vb tr* **1** vara skraj för **2** smita ifrån; *~ it* smita, dra sig undan

funky [ˈfʌŋkɪ] *adj* vard. **1** läcker [~ *clothes*] **2** funkig [~ *music*]

fun-loving [ˈfʌnˌlʌvɪŋ] *adj* levnadsglad

funnel [ˈfʌnl] **I** *s* **1** tratt **2** skorsten på båt el. lok, rökfång

II *vb tr* o. *vb itr* koncentrera[s], kanalisera[s]; slussa[s]; länka[s]

funnel-neck [ˈfʌnlnek] *s* ståkrage

funnies [ˈfʌnɪz] *s pl* amer. vard., *the* ~ serierna i tidning

funny [ˈfʌnɪ] *adj* **1** rolig, lustig, skojig, kul; komisk; skämtsam **2** konstig, märkvärdig, egendomlig, besynnerlig [*it's* ~ *she hasn't answered your letter*]; löjlig, lustig [*that* ~ *little shop*]; *I feel* ~ jag känner mig [lite] konstig **3** vard. skum, misstänkt

funny bone [ˈfʌnɪbəʊn] *s* tjuvsena armbågsnerv; *hit one's* ~ få en änkestöt

funny business [ˈfʌnɪˌbɪznəs] *s* fiffel, humbug; tricks, knep [*don't try any* ~*!*]; *there's a lot of* ~ *going on* det försiggår en massa skumt (massa skumma saker)

funny farm [ˈfʌnɪfɑːm] *s*, *the* ~ vard. hispan, dårhuset

funny-ha-ha [ˌfʌnɪhɑːˈhɑː] *adj*, ~ *or funny-peculiar?* 'funny' ('lustig') i betydelsen 'rolig' eller i betydelsen 'konstig'?

funny mirror [ˌfʌnɪˈmɪrə] *s* amer. skrattspegel

funny money [ˌfʌnɪˈmʌnɪ] *s* vard. falska pengar

funny paper [ˌfʌnɪˈpeɪpə] *s* amer. serier i tidning, serietidning

fun run [ˈfʌnrʌn] *s* välgörenhetslopp

fur [fɜː] **I** *s* **1** päls[hår] på vissa djur; *make the* ~ *fly* ställa till bråk (en scen) **2 a)** skinn av vissa djur **b)** ~ el. pl. ~*s* päls, pälsverk som klädesplagg [*wear a* ~; *wear* ~*s*]; pälsfoder, pälsgarnering; pälskrage; pl. ~*s* äv. pälsvaror, pälsverk koll.; ~ *coat* päls herr el. dam **3** pälsartad överdrag m.m. **a)** beläggning på tungan **b)** tekn. pannsten; grums, bottensats

II *vb tr* pälsfodra, pälskanta, klä (garnera) med päls

III *vb itr* med adv.:

fur up bli belagd med grums o.d.

furbish [ˈfɜːbɪʃ] *vb tr*, ~ *up* putsa upp, piffa upp, renovera; friska upp

Furies [ˈfjʊərɪz] *s pl*, *the* ~ mytol. furierna

furious [ˈfjʊərɪəs, ˈfjɔːr-] *adj* rasande, ursinnig [*be* ~ *with* (på) *sb*; *be* ~ *at* (över, för) *sth*]; våldsam, häftig [*a* ~ *gale*]; vild [~ *driving*]; *fast and* ~ uppsluppen, bullersam, vild

furl [fɜːl] *vb tr* rulla ihop; fälla ihop [~ *an umbrella*], sjö. beslå [~ *a sail*]

fur-lined [ˌfɜːˈlaɪnd, attr. '--] *adj* pälsfodrad

furlong [ˈfɜːlɒŋ] *s* 1/8 engelsk mil 201,17 m

furlough [ˈfɜːləʊ] mil. **I** *s* permission [*he is home on* ~] **II** *vb tr* ge permission; hemförlova

furnace [ˈfɜːnɪs] *s* **1** masugn, [smält]ugn äv. bildl. **2** värme[lednings]panna

furnish [ˈfɜːnɪʃ] *vb tr* **1** inreda, möblera; ~*ed apartments* el. ~*ed rooms* möblerade rum, möblerad våning **2** förse, utrusta [*sb with sth*]; leverera, anskaffa [*sb with sth* ngt till (åt) ngn]; ~*ed with* [försedd] med **3** bildl. lämna, ge, erbjuda bevis, exempel o.d.

furnishing [ˈfɜːnɪʃɪŋ] *adj* o. *pres p* **1** se *furnish* **2** inrednings-, möbel- [~ *fabrics*]

furnishings [ˈfɜːnɪʃɪŋz] *s pl* möbler och inventarier;

~ *for men* el. *men's* ~ amer. herrekipering; ~ *fabrics* inredningstextilier, möbeltextilier

furniture [ˈfɜːnɪtʃə] (utan pl.) *s* möbler; möblemang, bohag, inventarier; *a piece of* ~ el. *an article of* ~ en möbel t.ex. soffa; *a set of* ~ el. *a suite of* ~ en möbel t.ex. matsalsmöbel, ett möblemang; *much* ~ el. *a great deal of* ~ mycket (många) möbler; *this* ~ *is getting old* dessa möbler börjar bli gamla

furniture polish [ˈfɜːnɪtʃəˌpɒlɪʃ] *s* möbelpolish

furniture remover [ˈfɜːnɪtʃərɪˌmuːvə] *s* flyttkarl

furniture van [ˈfɜːnɪtʃəvæn] *s* flyttbil

furore [fjʊ(ə)ˈrɔːrɪ, ˈfjʊərɔː] *s* vild hänförelse, begeistring [*create* (göra) *a* ~]; sensation, furor; våldsam uppståndelse

furred [fɜːd] *adj* se *furry*

furrier [ˈfʌrɪə] *s* körsnär; päls[varu]handlare

furrow [ˈfʌrəʊ] **I** *s* **1** [plog]fåra **2** bildl. fåra äv. i ansiktet, ränna, räffla; spår

II *vb tr* **1** rynka, dra ihop (samman) **2** plöja; fåra; räffla

III *vb itr* rynka ihop sig, dra ihop sig

furrowed [ˈfʌrəʊd] *adj* rynkig, fårad

furry [ˈfɜːrɪ] *adj* **1** päls-; pälsbetäckt; pälsklädd, pälsfodrad **2** grumsig **3** belagd [*a* ~ *tongue*]

further [ˈfɜːðə] **I** *adv* (komp. av *far*) **1** längre [*we can see* ~ *from here*]; längre bort, mera avlägset; ~ *along* el. ~ *down the road* el. ~ *on* längre fram; *nothing is* ~ *from my thoughts* inget är mig mera fjärran; *I can go no* ~ bildl. jag kan inte sträcka mig (gå) längre, det är det mesta jag kan gå med på; *it will* (*shall*) *go no* ~ det stannar oss emellan **2** vidare, ytterligare; dessutom; närmare; *inquire* (*go*) ~ *into the matter* närmare undersöka (gå in på) saken; *take the matter* ~ driva saken vidare

II *adj* (komp. av *far*) **1** bortre [*the* ~ *end of the room*]; avlägsnare, längre bort [belägen] **2** vidare, ytterligare [tillkommande], fortsatt; mer[a]; närmare; *without* ~ *consideration* utan närmare övervägande; *until* ~ *notice* tills vidare; ~ *outlook* meteor. allmänna utsikter [för den närmaste tiden]; *for* ~ *particulars apply to...* närmare upplysningar [erhålles] hos...

III *vb tr* [be]främja, gynna; hjälpa [fram]; befordra

furtherance [ˈfɜːðər(ə)ns] *s* [be]främjande; [fram]hjälpande

further education [ˈfɜːðəˌedjuˈkeɪʃ(ə)n] *s* vidareutbildning, fortbildning

furthermore [ˌfɜːðəˈmɔː] *adv* vidare, dessutom

furthermost [ˈfɜːðəməʊst] *adj* avlägsnast, borterst, ytterst

furthest [ˈfɜːðɪst] (superl. av *far*) **I** *adj* borterst, avlägsnast, ytterst; *this is the* ~ *I can go* det (detta) är det mesta jag kan sträcka mig (gå), det (detta) är det mesta jag kan gå med på **II** *adv* längst [bort], ytterst, vidast

furtive [ˈfɜːtɪv] *adj* förstulen [*a* ~ *glance*]; [gjord] i smyg, hemlig, hemlighetsfull; lömsk, dolsk

fury [ˈfjʊərɪ] *s* raseri, ursinne [*in a* ~]; våldsamhet; raserianfall; *like* ~ vard. vanvettigt, fruktansvärt; av bara katten (den), i rasande fart; *fly into a* ~ bli rasande, få ett raserianfall

furze [fɜːz] *s* bot. ärttörne

1 fuse [fjuːz] **I** *s* säkring, [säkerhets]propp [äv. *safety* ~ el. ~ *plug*; *a* ~ *has blown* (gått)]; *blow a* ~

vard., se *1 blow I 2*
II *vb tr* o. *vb itr* **1** smälta; smälta samman äv. bildl.;
gjuta[s] samman [*into* till]; slå samman t.ex. bolag,
fusionera; bildl. förena[s] **2** slockna om elektriskt ljus på
grund av att en propp har gått; *the bulb* (*lamp*) *had ~d*
proppen hade gått
2 fuse [fju:z] *s* brandrör, tändrör, lunta;
stubintråd; *time* ~ mil. tidrör; *have a short* ~ el. *be on
a short* ~ vard. ha kort stubin, tända lätt
fuse box ['fju:zbɒks] *s* proppskåp
fuselage ['fju:zɪlɑːʒ, -lɪdʒ] *s* [flyg]kropp
fuse wire ['fju:z‚waɪə] *s* lödtråd, smälttråd,
smältsäkring; tänd[nings]kabel
fusilier [‚fju:zɪ'lɪə] *s* hist. fysiljär; musketör
fusillade [‚fju:zɪ'leɪd] *s* gevärseld, gevärssalva;
skottlossning; *a ~* [*of questions*] en korseld…
fusion ['fju:ʒ(ə)n] *s* **1** [samman]smältning; smält
massa **2** sammansmältning, sammanslagning av
företag o.d., fusion [*~ into one*] **3** kärnfys. fusion
[*nuclear ~*]
fusion bomb ['fju:ʒ(ə)nbɒm] *s* kärnfys. vätebomb
fuss [fʌs] **I** *s* bråk, väsen, uppståndelse, ståhej;
tjafs[ande]; fjäsk; *make a ~* el. *kick up a ~* tjafsa,
göra (föra) väsen, ställa till bråk, bråka; *make a ~
of* (*over*) *sb* göra väsen av ngn; pyssla om ngn;
pjoska (klema) med ngn; göra sig till för ngn;
without any ~ utan att göra [stor] affär av det, utan
omsvep (krångel, krumbukter)
II *vb itr* göra mycket väsen, bråka, tjafsa; fjanta
[omkring], fara [omkring] [*she ~ed about in the
kitchen*]; *~ over sth* göra väsen (stor affär) av ngt; *~
over the children* pyssla om barnen; pjoska (klema)
med barnen
III *vb tr* plåga, irritera, göra nervös
fussbudget ['fʌs‚bʌdʒɪt] *s* amer. petmåns, petimäter
fussed [fʌst] *adj* vard., *I'm not ~* det spelar ingen roll
för mig; *we are not that ~ about it* vi bryr oss inte så
mycket om det
fusspot ['fʌspɒt] *s* petmåns, petimäter
fussy ['fʌsɪ] *adj* **1** beskäftig, beställsam, bråkig;
tjafsig; fjäskig; petig, knusslig; ivrig; nervös,
kinkig, orolig [*a ~ man*; *~ manners*] **2** utstyrd [*~
clothes*]; sirlig, prudentlig [*~ handwriting*]
fusty ['fʌstɪ] *adj* **1** unken, mögelluktande [*~ bread*];
the room smells ~ rummet luktar instängt
2 förlegad, gammalmodig, mossig [*a ~ old
professor*]
fut. förk. för *future*
futile ['fju:taɪl, amer. 'fju:tl] *adj* **1** fåfäng, gagnlös,
fruktlös, meningslös [*~ anger*; *a ~ effort*; *a ~ idea*];
onyttig, gjord förgäves **2** innehållslös, ytlig, tom,
värdelös [*a ~ book*]
futility [fjʊ'tɪlətɪ] *s* fåfänglighet, gagnlöshet,
fruktlöshet, meningslöshet; värdelöshet, intighet,
futtighet; *the ~ of* äv. det fåfänga i
futon ['fu:tɒn] *s* futon [japanskt] vadderat täcke som
används att ligga på
future ['fju:tʃə] **I** *s* **1** framtid; *the immediate ~* [den]
närmaste framtiden; *near ~* nära (överskådlig)
framtid; *for the ~* för framtiden [*plan for the ~*]; *in ~*
hädanefter, i fortsättningen, för (i) framtiden,
framdeles, framgent [*in ~ you must…*]; *in the ~* i
framtiden [*ten years in the ~*] **2** gram., *the ~*
futurum[et] **3** pl. *~s* hand. terminsaffärer

II *adj* **1** framtida, [till]kommande, blivande;
senare [*a ~ chapter*]; *his ~ life* hans framtid; *~
prospects* framtidsutsikter **2** gram. futural; *the ~
tense* futurum[et]; *the ~ perfect* futurum exaktum
futurism ['fju:tʃərɪz(ə)m] *s* konst. el. relig. futurism[en]
futurist ['fju:tʃərɪst] *s* **1** futurist **2** se *futurologist*
futuristic ['fju:tʃʊərɪstɪk] *adj* futuristisk
futurologist [‚fju:tʃə'rɒlədʒɪst] *s* framtidsforskare,
futurolog
fuzz [fʌz] *s* **1** fjun, dun, ludd; stoft **2** åld. sl., mest koll.,
the ~ snuten
fuzz box ['fʌzbɒks] *s* mus. fuzzbox elektronisk anordning
som används med gitarr
fuzzy ['fʌzɪ] *adj* **1** fjunig, luddig, flockig, trådig
2 suddig, otydlig; luddig, flummig **3** krusig, burrig
[*~ hair*]
fuzzy logic [‚fʌzɪ'lɒdʒɪk] *s* data. diffus logik, oskarp
logik används bl.a. för expertsystem
f.w.d. o. **FWD** förk. för *front-wheel drive, four-wheel
drive*
FWIW i e-post el. textmeddelanden förk. för *for what it's
worth*
f-word ['efwɜːd] *s* vard., ung. fult (snuskigt) ord
fwy amer. förk. för *freeway*
FX 1 förk. för *Foreign Exchange* **2** förk. för *special
effects*
FYI [‚efwaɪ'aɪ] i e-post el. textmeddelanden förk. för *for
your information*

G g

1 G, g [dʒi:] (pl. *G's* el. *g's* [dʒi:z]) *s* **1** G, g **2** mus., *G flat* gess; *G major* G-dur; *G minor* g-moll; *G sharp* giss
2 G [dʒi:] *adj* o. *s* amer. (förk. för *general*) barntillåten [film] [*a ~ movie*]
3 G [dʒi:] (pl. *G's* el. *Gs* [dʒi:z]) *s* amer. sl. lakan, långsjal 1000 dollar
g [dʒi:] förk. för *gravity, gramme[s], gram[s]*
GA o. **Ga.** förk. för *Georgia*
gab [gæb] vard. **I** *vb itr* babbla, gaffla
II *s* prat, snattrande, gafflande; *have the gift of the ~* vara slängd i käften; *stop your ~!* håll käften!
gabardine [ˌgæbəˈdi:n, '---] *s* **1** textil. gabardin **2** typ av regnrock, regnkappa vanl. för barn
gabble [ˈgæbl] **I** *vb itr* **1** babbla, pladdra, snattra **2** om gäss o.d. snattra, kackla
II *vb tr* rabbla
III *s* **1** babbel, pladder, snatter **2** snatter, kackel
gaberdine [ˌgæbəˈdi:n, '---] *s* textil., se *gabardine 1*
gabfest [ˈgæbfest] *s* amer. vard. **1** långt snack **2** informell sammankomst för att prata [*political ~*]
gable [ˈgeɪbl] *s* triangulär gavel, gavelfält; [hus]gavel, gavelvägg
gabled [ˈgeɪbld] *adj* gavelförsedd [*a ~ house*]
gable roof [ˈgeɪblruːf] *s* sadeltak
Gabon [gəˈbɒn] geogr.
Gabriel [ˈgeɪbrɪəl] mansnamn
gad [gæd] *vb itr* åld., *~ about* stryka (driva) omkring
gadabout [ˈgædəbaʊt] *s* åld. dagdrivare, flanör
gadfly [ˈgædflaɪ] *s* **1** vard. retsticka, ettermyra; kverulant **2** zool. broms, styng
gadget [ˈgædʒɪt] *s* **1** apparat, [sinnrik] grej, pryl, manick **2** tillbehör, finess
gadgetry [ˈgædʒɪtrɪ] *s* **1** manicker, grejer, prylar **2** användning av (intresse för) manicker
Gaelic [ˈgeɪlɪk, ˈgæl-] **I** *adj* gaelisk **II** *s* gaeliska [språket]
Gaelic football [ˌgeɪlɪkˈfʊtbɔ:l] *s* gaelisk fotboll irländskt bollspel där bollen sparkas el. slås med händerna
1 gaff [gæf] *s* **1** huggkrok, gaff; ljuster **2** stolpsko **3** sjö. gaffel
2 gaff [gæf] *s* sl., *blow the ~* tjalla, skvallra
3 gaff [gæf] *s* sl. kåk; kyffe, kula
gaffe [gæf] *s* vard. tabbe, blunder, fadäs
gaffer [ˈgæfə] *s* **1** vard. [arbets]bas; chef **2** TV. el. film. chefselektriker **3** gubbe, gamling
gag [gæg] **I** *vb tr* lägga munkavle på, bildl. äv. sätta munkorg på, tysta ner; täppa till [munnen på]
II *vb itr* **1** teat. el. film. komma med gags (komiska inslag), skämta **2** få kväljningar, vilja kräkas
III *s* **1** munkavle, bildl. äv. munkorg **2** teat. el. film. komiskt inslag, gag **3** sl. skämt, [påhittad] historia
gaga [ˈgɑːgɑː] *adj* vard. **1** gaggig, senil; tokig **2** tokig [*about, over* i]
gage [geɪdʒ] *vb tr* o. *s* amer., se *gauge*
gagging order [ˈgægɪŋˌɔːdə] *s* se *gag order*
gaggle [ˈgægl] *s* **1** skämts. skock, svärm **2** [gås]flock
gag order [ˈgægɔːdə] *s* bildl. munkavle, tystnadsplikt

gaiety [ˈgeɪətɪ] *s* **1** glädje, munterhet **2** festligt intryck (utseende) [*flags that gave a ~ to the scene*]
Gail [geɪl] kvinnonamn
gaily [ˈgeɪlɪ] *adv* glatt etc., jfr *gay I 2* o. *gay I 3*
gain [geɪn] **I** *vb tr* **1** vinna [*~ experience; ~ time; ~ a prize*]; [lyckas] skaffa sig [*~ permission*]; få [*~ speed; ~ confidence; ~ sympathy*]; erhålla; förvärva; *~ 2 kilos* öka (gå upp) 2 kilo; *~ ground* se under *2 ground I 2*; *there is nothing to be ~ed from delaying the decision* vi (jag etc.) vinner ingenting på (genom) att skjuta upp beslutet **2** [för]tjäna [*~ one's living*] **3** vinna för sin sak (över till sin sida) [äv. *~ over*] **4** om klocka forta sig, dra sig före [*~ a minute a day*]
II *vb itr* **1** vinna, göra vinst [*by* på; *in* i, i avseende på]; öka, gå upp [*~ in weight*]; tillta **2** om klocka forta sig, dra sig före
III *vb itr* med prep.:
gain on a) vinna (ta in) på [*~ on the other runners in a race*] b) öka försprånget framför, dra ifrån [*~ on one's pursuers*]
IV *s* **1** a) vinst i allm.; förvärv; vunnen förmån, fördel b) [snöd] vinning **2** pl. *~s* vanl. affärsvinst, inkomst[er]; *ill-gotten ~s* orättfånget gods; skämts. lättförtjänta pengar **3** ökning [*a ~ in weight*]
gainful [ˈgeɪnf(ʊ)l] *adj* vinstgivande, inkomstbringande, lönande [*~ trade*]; *~ employment* förvärvsarbete
gainfully [ˈgeɪnfʊlɪ] *adv*, *~ employed* förvärvsarbetande
gainsaid [geɪnˈsed] imperf. o. perf. p. *gainsay*
gainsay [geɪnˈseɪ] (imperf. o. perf. p. *gainsaid* [geɪnˈsed]) *vb tr* litt. **1** bestrida, förneka **2** motsäga [*I dare not ~ him*]
gait [geɪt] *s* gång, sätt att gå [*limping ~*]
gaiters [ˈgeɪtəz] *s pl* damasker
gal [gæl] *s* vard. tjej
gal. förk. för *gallon, gallons*
gala [ˈgɑːlə, ˈgeɪlə] *s* **1** stor fest, högtidlighet; gala; *swimming ~* simuppvisning **2** attr. gala-, fest- [*~ performance*]; *in ~ dress* i galadräkt, i [full] gala
galactic [gəˈlæktɪk] *adj* astron. galaktisk [*~ equator*]; hörande till Vintergatan
Galatian [gəˈleɪʃən] *s* bibl. galater; *~s* el. *the Epistle to the ~s* (med verb i sg.) Galaterbrevet
Galaxy [ˈgæləksɪ] *s*, *the ~* Vintergatan
galaxy [ˈgæləksɪ] *s* **1** astron. galax **2** bildl. lysande samling [*a ~ of famous people*]
1 gale [geɪl] *s* **1** [hård] vind, stark blåst, storm; poet. mild vind; *it's blowing a ~* det blåser storm, det stormar **2** sjö. kuling, storm 7–10 grader Beaufort; *~ warning* stormvarning **3** *~s of laughter* skrattsalvor
2 gale [geɪl] *s* bot., *sweet ~* pors
gale-force [ˈgeɪlfɔːs] *adj*, *~ winds* vindar med stormstyrka
Galicia [gəˈlɪʃɪə] geogr. **1** Galicien i Spanien **2** Galizien i Polen
Galilean [ˌgælɪˈliːən] **I** *adj* galileisk **II** *s* galilé; *the ~* galilén Kristus
Galilee [ˈgælɪliː] geogr. Galileen; *the Sea of ~* Galileiska sjön
1 gall [gɔːl] *s* **1** fräckhet **2** bitterhet, hätskhet, hat; galla [*a pen dipped in ~*]

2 gall [gɔ:l] **I** *vb tr* plåga, pina, irritera
II *s* **1** skavsår, skrubbsår **2** bildl. oro, irritation
gallant ['gælənt] *adj* **1** tapper, modig, oförskräckt, käck; i parl. stående epitet för militära ledamöter [*the honourable and ~ member*] **2** ståtlig, präktig [*a ~ ship*; *a ~ horse*] **3** galant, ridderlig, chevaleresk, artig [mot damer]
gallantry ['gæləntrɪ] *s* **1** mod, hjältemod, tapperhet **2** artighet [mot damer], ridderlighet, galanteri
gall bladder ['gɔ:l,blædə] *s* anat. gallblåsa
galleon ['gælɪən] *s* sjö. (hist.) spansk gallion
galleria [,gælə'ri:ə] *s* galleria inbyggt köpcentrum
gallery ['gælərɪ] *s* **1** galleri, [konst]museum; *art ~* konstgalleri, konstsalong **2** läktare inomhus; teat. översta (tredje, ibl. fjärde) rad [*in* (på) *the ~*]; *the ~* äv. läktarna; *press ~* pressläktare **3** läktarpublik; publik i allm., åskådare, åhörare; *play to the ~* spela för galleriet, fria till publiken **4** arkit. galleri i olika betydelser; loftgång; balkong; upphöjd veranda; [smal] gång; pelargång **5** täckt bana [*shooting ~*] **6** *rogues' ~* förbrytaralbum, förbrytargalleri
galley ['gælɪ] *s* **1** sjö. (hist.) galär **2** stor roddbåt; spec. örlogsfartygs slup; lustbåt **3** sjö. kabyss, kök
galley proof ['gælɪpru:f] *s* boktr. spaltkorrektur
Gallic ['gælɪk] *adj* gallisk; fransk
Gallicism ['gælɪsɪz(ə)m] *s* gallicism
galling ['gɔ:lɪŋ] *adj* irriterande, retsam, förarglig
gallivant ['gælɪvænt] *vb itr* gå och driva (dra), flanera; *be ~ing about* äv. vara ute på vift
gallon ['gælən] *s* gallon rymdmått vanl. för våta varor: **a)** britt. = 4,546 liter **b)** amer. = 3,785 liter
gallop ['gæləp] **I** *vb itr* galoppera; rida i galopp; bildl. rasa, jaga [*~ through one's work*; *~ through a book*] **II** *vb tr* låta galoppera **III** *s* **1** galopp; *ride at a ~* el. *ride at full ~* rida i galopp (i full galopp) **2** ridtur i galopp [*let's go for a ~*]
Gallophile ['gælə(ʊ)faɪl] **I** *s* franskvän, franskbeundrare **II** *adj* franskvänlig
Gallophobe ['gælə(ʊ)fəʊb] **I** *s* franskhatare **II** *adj* franskfientlig
galloping ['gæləpɪŋ] *adj* galopperande [*~ inflation*]; galopp-
gallows ['gæləʊz] (vanl. med verb i sg.; pl. *gallows*) *s* galge [*a ~ was set up*]; *send sb to the ~* döma ngn till galgen
gallows humour ['gæləʊz,hju:mə] *s* galghumor
gallstone ['gɔ:lstəʊn] *s* med. gallsten
galore [gə'lɔ:] *adj* i massor; *whisky ~* äv. massor (mängder) av whisky
galoshes [gə'lɒʃɪz] *s pl* galoscher; amer. pampuscher, bottiner [*a pair of ~*]
galumph [gə'lʌmf] *vb itr* klampa [*~ing like an elephant*]; dunka [*my heart was ~ing*]
galvanic [gæl'vænɪk] *adj* **1** galvanisk; *~ pile* galvanisk stapel Voltas stapel **2** bildl. dynamisk [*a ~ personality*]; eldande [*a ~ speech*]
galvanization [,gælvənaɪ'zeɪʃ(ə)n] *s* galvanisering
galvanize ['gælvənaɪz] *vb tr* bildl. egga, sporra, entusiasmera [*~ sb into doing sth*]; väcka, uppliva; *~ sb into action* få ngn att sätta fart, sätta fart på ngn
galvanized ['gælvənaɪzd] *adj* galvaniserad
gam [gæm] *s* sl. spira ben

Gambia ['gæmbɪə] geogr., *the ~* Gambia
Gambian ['gæmbɪən] **I** *s* gambier; gambiska kvinna **II** *adj* gambisk
gambit ['gæmbɪt] *s* **1** utspel; inledning; knep; *opening ~* öppningsreplik **2** schack. spelöppning, gambit
gamble ['gæmbl] **I** *vb itr* spela [hasard], dobbla; spela [*~ on the Stock Exchange*]; spekulera, jobba [*~ in shares*]; *~ on* vard. slå vad om, tippa [*~ on the result of a race*] **II** *vb tr* sätta på spel, satsa; *~ away* spela bort [*~ away all one's fortune*] **III** *s* [hasard]spel; bildl. hasard; lotteri [*marriage is a ~*]; vågspel; chansning; *take a ~* ta en risk [*on* med]
gambler ['gæmblə] *s* [hasard]spelare, dobblare
gambling ['gæmblɪŋ] *s* hasardspel, dobbel
gambling den ['gæmblɪŋden] *s* spelhåla
gambling house ['gæmblɪŋhaʊs] *s* spelkasino
gambling machine ['gæmblɪŋmə,ʃi:n] *s* spelautomat
gambol ['gæmb(ə)l] *vb itr* göra glädjesprång
1 game [geɪm] **I** *s* **1** spel; lek [*children's ~s*]; pl. *~s* äv. sport, idrott; *athletic ~s* [fri]idrottstävlingar; *the ~ of billiards* biljardspelet; *the ~ of football* fotboll; *the ~ is up* spelet är förlorat; *give the ~ away* vard. avslöja alltihop, förråda det hela; *play the ~* spela juste, prata bredvid mun; *play the ~* spela juste, följa spelreglerna; bildl. uppföra sig juste; *play a good ~ [of tennis]* spela [tennis] bra; *two can play at that ~* bildl. den ene är inte sämre än den andre, det där kan jag också göra; *beat sb at his own ~* slå ngn med hans egna vapen (på hemmaplan) **2 a)** vanl. amer. match [*football ~*] **b)** [spel]parti; *a ~ of chess* ett parti schack **3** vunnet spel; tennis. game; bordtennis. el. i badminton set; *~, set and match* game, set och match seger i tennis; bildl. en avgörande seger [*to* för] **4 a)** förehavande, plan **b)** knep, tricks, påhitt **c)** lek, skämt; gyckel; *so that's your little ~?* jaså, det är det du har i kikaren (håller på med)?; *it was only a ~* det var bara skämt (på skoj); *what's the ~?* vad håller ni (du) på med egentligen?; *what ~ is she up to?* vad är det hon har i kikaren?, vad har hon [för rackartyg] för sig? **5** spel [*they sell toys and ~s*] **6** vard. bransch [*he is in the advertising ~*] **7 a)** vilt, villebråd **b)** byte; bildl. lovligt byte; mål; *big ~* storvilt; *be easy ~ for sb* vara ett lätt byte för ngn; *feathered ~* fjädervilt **II** *adj*, *be ~ for* äv. ha lust med, ställa upp på; *be ~ for anything* **a)** vara (gå) med på allting **b)** vara beredd (i stånd) till vad som helst; *I'm quite ~* äv. inte mig emot, gärna [för mig]
2 game [geɪm] *adj* åld. ofärdig, lam [*a ~ arm*; *a ~ leg*]
gamekeeper ['geɪm,ki:pə] *s* skogvaktare, jaktvårdare
game law ['geɪmlɔ:] *s* jaktlag, jaktstadga
game licence ['geɪm,laɪs(ə)ns] *s* jaktlicens
gamely ['geɪmlɪ] *adv* modigt, morskt, beslutsamt
game pad ['geɪmpæd] *s* data. spelkonsol, styrenhet för tv- och dataspel
game plan ['geɪmplæn] *s* [fälttågs]plan, strategi äv. bildl.
game point [,geɪm'pɔɪnt] *s* tennis. gameboll; bordtennis. setboll
game reserve [geɪmrɪ'zɜ:v] *s* viltreservat

game show ['geɪmʃəʊ] s tävlingsprogram på tv
gamesmanship ['geɪmzmənʃɪp] s vard. [konsten att vinna genom] psykning
gamete [gæ'miːt, gə'miːt] s biol. gamet, könscell
game warden ['geɪm,wɔːdn] s skogvaktare; viltvårdare
gamine ['gæmiːn] adj pojkaktig om flicka
gaming house ['geɪmɪŋhaʊs] s spelhus
gaming table ['geɪmɪŋ,teɪbl] s spelbord
gamma ['gæmə] s grekiska bokstaven gamma
gamma globulin [,gæmə'glɒbjʊlɪn] s fysiol. gammaglobulin
gamma rays ['gæməreɪz] s pl gammastrålar
gammon ['gæmən] s saltad o. rökt skinka
gammy ['gæmɪ] adj åld. ofärdig, lam [~ arm; ~ leg]
gamut ['gæmət] s bildl. skala, register; **the whole ~ of emotion (feeling)** hela känsloskalan (känsloregistret); **run the ~** spänna över hela registret (skalan)
gander ['gændə] s **1** gåskarl, gåshanne **2** sl. titt [take a ~ at]
G & T [,dʒiːən'tiː] vard. förk. för gin and tonic
gang [gæŋ] **I** s **1** liga, band; **a ~ of thieves** en tjuvliga **2** vard. gäng, sällskap [don't get mixed up with that ~] **3** [arbets]lag
II vb itr, **~ up** slå sig ihop, samarbeta [with med]; gadda ihop sig (sig samman) [on, against mot]; **~ up on** äv. mobba
gangbang ['gæŋbæŋ] s sl. **1** gruppvåldtäkt **2 have a ~** ha gruppsex
Ganges ['gæn(d)ʒiːz] geogr.
gangland ['gæŋlænd] s gangstervärlden
gang leader ['gæŋ,liːdə] s **1** ligaledare, gängledare **2** gangsterledare
gangling ['gæŋglɪŋ] adj gänglig, spinkig
ganglion ['gæŋglɪən] (pl. -a [-ə] el. -ons) s anat. ganglie; senknut; nervknut, nervcentrum
gangplank ['gæŋplæŋk] s landgång
gang rape ['gæŋreɪp] s sl., se gangbang 1
gangrene ['gæŋgriːn] s kallbrand; med. gangrän
gangster ['gæŋstə] s gangster
gangway ['gæŋweɪ] **I** s **1** gång, passage spec. mellan bänkrader **2** sjö. landgång; gångbord; fallrep; spång **II** interj ge plats!, ur vägen!
gangway ladder ['gæŋweɪ,lædə] s sjö. fallrepstrappa
ganja ['gæːn(d)ʒə, 'gɑːn(d)ʒə] s sl. marijuana
gannet ['gænɪt] s **1** zool. havssula **2** matvrak, storätare
gantry ['gæntrɪ] s **1** kranportal; traversbana; lastningsbrygga **2** järnv. signalbrygga; film. o.d. strålkastarbrygga
gaol [dʒeɪl] **I** s fängelse; häkte; för sammansättn. se äv. jail **II** vb tr sätta i fängelse
gaoler ['dʒeɪlə] s fångvaktare
gap [gæp] s **1** öppning, hål, gap; bräsch; blotta [there is no ~ in our defences]; klyfta, pass i bergskedja **2** bildl. **a)** lucka [a ~ in his knowledge; a ~ i her memory]; brist; mellanrum, tomrum, hål; nisch [a ~ in the market]; avbrott [a ~ in the conversation]; hopp **b)** klyfta [the generation ~]
gape [geɪp] vb itr **1** [stå och] gapa, glo, starrbliga [at på] **2** gapa; om spricka o.d. öppna sig vitt, stå (vara) vidöppen (på vid gavel)
gaping ['geɪpɪŋ] adj gapande [a ~ hole; a ~ wound]

gap-toothed ['gæptuːθt] adj som har glesa tänder
gap year ['gæpjɪə] s år efter skolan och före universitet o.d. som ägnas åt annat än formell utbildning t.ex. u-landsarbete
garage ['gærɑː(d)ʒ, -rɑːʒ, amer. -rɑːʒ, -,rɑːdʒ] **I** s garage; [bil]verkstad; **~ mechanic** bilmekaniker **II** vb tr ställa in (ha [stående]) i garage
garage sale ['gærɑːʒseɪl, amer. vanl. gə'rɑːʒ-] s vanl. amer. garageloppis försäljning hemma hos ägaren av begagnade föremål som möbler, husgeråd o.d.
garam masala [,gɑːrəmmə'sɑːlə] s kok. garam masala kryddblandning som ger het smak åt maten i indisk matlagning
garb [gɑːb] s dräkt, skrud, kostym [clerical ~]; **in the ~ of [a sailor]** äv. klädd som...
garbage ['gɑːbɪdʒ] s **1** avskräde, [köks]avfall, amer. äv. sopor; **~ separation** el. **~ sorting** amer. sopsortering **2** bildl. smörja, strunt **3** data. irrelevanta data, avfall, sopor
garbage can ['gɑːbɪdʒkæn] s amer. soptunna; sophink
garbage chute ['gɑːbɪdʒʃuːt] s amer. sopnedkast
garbage collector ['gɑːbɪdʒkə,lektə] s amer. sophämtare, renhållningsarbetare
garbage disposal ['gɑːbɪdʒdɪ,spəʊz(ə)l] s amer. avfallskvarn
garbage man ['gɑːbɪdʒmæn] (pl. garbage men [-mən]) s amer. sophämtare, renhållningsarbetare
garbage truck ['gɑːbɪdʒtrʌk] s amer. sopbil
garbanzo [gɑː'bænzəʊ] (pl. ~s) s amer. kikärt, garbanzoböna
garbed [gɑːbd] adj skrudad, klädd
garbled ['gɑːbld] adj förvrängd, förvanskad [a ~ version of a speech]; stympad; snedvriden, vilseledande [a ~ report]
Garda ['gɑːdə] s, **the ~** polisen i Irländska republiken
garden ['gɑːdn] **I** s **1** trädgård; [villa]tomt; **back ~** trädgård bakom huset; **front ~** trädgård framför huset; **everything in the ~ is rosy** vard. allt är frid och fröjd; **lead sb up the ~ path** vard. dra ngn vid näsan, lura (vilseleda) ngn **2** vanl. pl. **~s** offentlig park med trädgårdsanläggningar [Kensington Gardens]; **zoological ~** zoologisk trädgård, djurpark **II** adj trädgårds-, odlad [~ plants] **III** vb itr arbeta i trädgården; driva (ägna sig åt) trädgårdsskötsel
garden centre ['gɑːdn,sentə] s trädgårdscenter, handelsträdgård
garden city [,gɑːdn'sɪtɪ] s trädgårdsstad, villastad
gardener ['gɑːdnə] s trädgårdsmästare; **landscape ~** trädgårdsarkitekt; **I'm a keen ~** jag är mycket road av trädgårdsskötsel
garden flat [,gɑːdn'flæt] s våning i bottenplan med uteplats
gardenia [gɑː'diːnɪə] s bot. gardenia
gardening ['gɑːdnɪŋ] s **1** trädgårdsskötsel, trädgårdsodling; trädgårdsarbete [he is fond of ~] **2** attr. trädgårds- [~ tools]
garden party ['gɑːdn,pɑːtɪ] s garden party, trädgårdsfest
garden shed [,gɑːdn'ʃed] s trädgårdsskjul, trädgårdsbod
Garden State [,gɑːdn'steɪt], **the ~** beteckn. för staten New Jersey

garden suburb [ˌgɑːdnˈsʌbɜːb] *s* villaförort
garden swing [ˌgɑːdnˈswɪŋ] *s* hammock
garden-variety [ˈgɑːdnvəˌraɪətɪ] *adj* banal, slätstruken, intetsägande, enkel
gargantuan [gɑːˈgæntjʊən] *adj* gigantisk, enorm; glupande [~ *appetite*]
gargle [ˈgɑːgl] **I** *vb itr* gurgla sig
II *s* **1** gurgelvatten **2** gurgling
gargoyle [ˈgɑːgɔɪl] *s* **1** arkit. vattenkastare ofta i form av grotesk figur **2** vard. fågelskrämma
garish [ˈgeərɪʃ] *adj* **1** prålig [~ *dress*]; grann **2** bländande; gräll, skrikande [~ *colours*]
garland [ˈgɑːlənd] **I** *s* **1** krans av blommor, blad o.d. **2** segerkrans, pris; **carry the** ~ el. **carry away the** ~ ta hem priset, få bära segerkransen
II *vb tr* pryda med krans[ar], bekransa; bilda en krans omkring
garlic [ˈgɑːlɪk] *s* vitlök
garlicky [ˈgɑːlɪkɪ] *adj* vitlöks- [*a* ~ *taste*]; vitlöksdoftande
garlic salt [ˈgɑːlɪksɔːlt] *s* vitlökssalt
garment [ˈgɑːmənt] *s* **1** klädesplagg spec. ytterplagg **2** pl. ~*s* kläder
garner [ˈgɑːnə] *vb tr* litt. magasinera, lagra; förvara; samla [*up ihop*], bärga [*in*]
garnet [ˈgɑːnɪt] *s* **1** miner. granat **2** granatrött
garnish [ˈgɑːnɪʃ] **I** *vb tr* kok. garnera [*fish* ~*ed with parsley*] **II** *s* kok. garnering
garret [ˈgærət, -rɪt] *s* vindskupa, vindsrum
garrison [ˈgærɪsn] **I** *s* **1** garnison, besättning **2** garnisonsort
II *vb tr* **1** förse med garnison [~ *a province*]; förlägga garnison i [~ *a fort*] **2** förlägga i garnison; **be** ~*ed* äv. ligga i garnison
garrotte [gəˈrɒt] **I** *vb tr* avrätta genom garrottering, garrottera
II *s* **1 a)** strypjärn avrättningsredskap **b)** garrottering **2** snara att strypa med
garrulity [gæˈruːlətɪ, -ˈrjuː-] *s* pratsamhet, pratsjuka; pratighet
garrulous [ˈgærələs, -jʊl-] *adj* pratsam, pratsjuk
Garter [ˈgɑːtə] *s*, **the** ~ el. **the Order of the** ~ strumpebandsorden
garter [ˈgɑːtə] *s* **1** [knä]strumpeband runt benet **2** amer. strumpeband; ärmhållare [äv. *arm* ~; *sleeve* ~]
garter belt [ˈgɑːtəbelt] *s* amer. strumpebandshållare
Gary [ˈgærɪ] mansnamn
gas [gæs] **I** *s* **1** gas i allm. **2** gas[bränsle], stadsgas **3 a)** [gift]gas [*tear* ~; *nerve* ~; *poison* ~] **b)** lustgas [äv. *laughing* ~]; narkosmedel **4** vard. gaslåga **5 a)** amer. vard. (kortform av *gasoline*) bensin **b)** vanl. amer., **step on the** ~ trampa på gasen, gasa på; bildl. sätta fart, skynda på **6** sl., **it's a real** ~ det är dökul (jättehäftigt) **7** vard. snack, munväder; skrävel
II *vb itr* **1** vard. snacka, babbla; skrävla **2** ~ *up* amer. tanka, fylla på bensin
III *vb tr* **1** gasa, anfalla (bedöva, döda) med gas; gasförgifta; ~ *oneself* gasa ihjäl sig **2** förse (lysa upp) med gas **3** ~ *up* amer. tanka [~ *up the car*]
gasbag [ˈgæsbæg] *s* vard. pratmakare, pratkvarn
gas can [ˈgæskæn] *s* amer. bensindunk
gas cap [ˈgæskæp] *s* amer. tanklock på bil
gas chamber [ˈgæsˌtʃeɪmbə] *s* gaskammare

Gascony [ˈgæskənɪ] geogr. Gascogne
gas cooker [ˈgæsˌkʊkə] *s* gasspis
gas-cooled [ˈgæskuːld] *adj* gaskyld [~ *nuclear reactor*]
gaseous [ˈgæsɪəs, ˈgeɪs-, amer. ˈgæʃəs] *adj* gasformig, gas-; ~ *form* gasform
gas fire [ˈgæsfaɪə] *s* gaskamin
gas-fired [ˈgæsˌfaɪəd] *adj* gaseldad, uppvärmd med gas
gasfitter [ˈgæsˌfɪtə] *s* gasmontör, gas[lednings]installatör
gas gauge [ˈgæsgeɪdʒ] *s* amer. gasmätare
gas guzzler [ˈgæsˌgʌzlə] *s* vanl. amer. vard. bensinslukare om bil
gash [gæʃ] **I** *s* [lång och] djup skåra, jack, djupt (gapande) [skär]sår
II *vb tr* skära (hugga) djupt i, fläka upp; ~*ed* gapande
gas heater [ˈgæsˌhiːtə] *s* amer. gaskamin
gasholder [ˈgæsˌhəʊldə] *s* gasklocka
gasify [ˈgæsɪfaɪ] *vb tr* o. *vb itr* förvandla[s] till gas, förgasa[s]
gasket [ˈgæskɪt] *s* **1** tekn. packning; ~ el. **cylinder head** ~ topplockspackning **2** sl., **blow a** ~ bli alldeles rasande
gaslight [ˈgæslaɪt] *s* gasbelysning; gaslåga, gasljus
gaslighter [ˈgæsˌlaɪtə] *s* gaständare
gasman [ˈgæsmæn] *s* **1** gas[verks]arbetare **2** gasavläsare
gas mark [ˈgæsmɑːk] *s* inställning på vred till gasspis; **preheat the oven to** ~ **6** sätt ugnen på 200 °C
gas mask [ˈgæsmɑːsk] *s* gasmask
gas meter [ˈgæsˌmiːtə] *s* gasmätare apparat
gasohol [ˈgæsəhɒl] *s* amer. etanolbensin
gasoline [ˈgæsəliːn, -lɪn, --ˈ-] *s* **1** amer. [motor]bensin **2** kem. gasolin
gasoline truck [ˈgæsəliːntrʌk] *s* amer. **1** bensindriven lastbil **2** tankbil
gasometer [gæˈsɒmɪtə] *s* **1** gasklocka **2** kem. gasometer, gasbehållare
gas oven [ˈgæsˌʌvn] *s* **1** gasugn **2** gaskammare i förintelseläger
gasp [gɑːsp] **I** *vb itr* dra efter andan, flämta; **make sb** ~ bildl. göra ngn fullkomligt stum, ta andan ur ngn; ~ **for breath** kippa efter andan (luft); **be** ~**ing for** längta efter
II *vb tr* flåsa (flämta) fram, yttra flämtande
III *s* flämtning, häftigt (tungt) andetag; **at one's** (**the**) **last** ~ nära att ge upp andan, döende; utpumpad
gas-permeable [ˈgæsˌpɜːmɪəbl] *adj*, ~ **lens** kontaktlins med syregenomsläpplighet
gasproof [ˈgæspruːf] *adj* gassäker, gastät
gas range [ˈgæsreɪn(d)ʒ] *s* gasspis
gas ring [ˈgæsrɪŋ] *s* gasbrännare på gasspis; gaskök
gas station [ˈgæsˌsteɪʃ(ə)n] *s* amer. bensinstation, bensinmack
gassy [ˈgæsɪ] *adj* full av gas; gas-; ~ **beer** öl med mycket kolsyra
gas tank [ˈgæstæŋk] *s* amer. bensintank
gas tap [ˈgæstæp] *s* gaskran
gastric [ˈgæstrɪk] *adj* mag- [~ *disease*; ~ *pains*]
gastric flu [ˌgæstrɪkˈfluː] *s* maginfluensa
gastric juice [ˈgæstrɪkdʒuːs] *s* magsaft

gastric ulcer ['gæstrɪk‚ʌlsə] s magsår
gastritis [gæ'straɪtɪs] s magkatarr; med. gastrit [*acute ~; chronic ~*]
gastroenteritis [‚gæstrə(ʊ)ente'raɪtɪs] s med. gastroenterit, mag-tarminflammation
gastronomic [‚gæstrə'nɒmɪk] adj gastronomisk
gastronomist [gæ'strɒnəmɪst] s gastronom
gastronomy [gæ'strɒnəmɪ] s gastronomi
gas turbine [‚gæs't3:baɪn] s gasturbin
gas welding ['gæs‚weldɪŋ] s gassvetsning
gasworks ['gæswɜ:ks] (med verb vanl. i sg.; pl. *gasworks*) s gasverk
gat [gæt] s sl., vanl. amer. puffra
gate [geɪt] s **1** port äv. skidsport., grind, järnv. äv. bom; järnv. äv. el. vid flygplats spärr **2** bildl. inkörsport, port **3** [damm]lucka; [sluss]port **4** sport. **a)** publiksiffra [*TV has affected ~s*]; publiktillströmning [*a big ~*] **b)** biljettintäkter
gateau o. **gâteau** ['gætəʊ, gæ'təʊ] (pl. *~x* [-z]) s fr. kok. tårta
gatecrash ['geɪtkræʃ] vb itr o. vb tr vard., ~ el. ~ *into* objuden ta sig in [~ *[into] a party*]; planka (smita) in på [~ *into a football match*]; tränga sig in på [~ *into the American market*]; ~ *on sb* våldgästa ngn, tränga sig på hos ngn
gatecrasher ['geɪt‚kræʃə] s vard. objuden gäst, snyltgäst, inkräktare; plankare
gated community [‚geɪtdkə'mju:nətɪ] s amer. inhägnat och bevakat bostadsområde
gatehouse ['geɪthaʊs] s **1** grindstuga, portvaktshus **2** hist. vakthus över inkörsport, porthus
gatekeeper ['geɪt‚ki:pə] s grindvakt[are], portvakt
gate-leg table [‚geɪtleg'teɪbl] s slagbord
gate money ['geɪt‚mʌnɪ] s biljettintäkter
gatepost ['geɪtpəʊst] s grindstolpe; *between you and me and the* ~ vard. i förtroende (oss emellan) [sagt]
gateway ['geɪtweɪ] s **1** port[gång], portvalv; ingång, utgång, ingångsport, utgångsport **2** bildl. [inkörs]port; väg, nyckel [*a ~ to fame; a ~ to knowledge*]
gateway drug ['geɪtweɪ‚drʌg] s introduktionsdrog som leder till beroende av tyngre droger
gather ['gæðə] **I** vb tr **1** [för]samla [~ *a crowd*] **2 a)** samla [ihop] [~ *sticks for a fire*] **b)** plocka [~ *flowers; ~ mushrooms*] **c)** samla (hämta) in, bärga (hösta) in [äv. ~ *in*] **d)** ta upp [~ *the ball*]; ~ *a shawl about one's shoulders* svepa en sjal om axlarna; ~ *dust* samla damm; ~ *oneself together* samla ihop sig, samla alla sina krafter; hämta sig **3 a)** få, vinna [~ *experience*] **b)** skaffa sig, inhämta [~ *information*] **c)** förvärva; ~ *speed* få (sätta) fart **4** sluta sig till, dra den slutsatsen, [tro sig] förstå [*from av, that* att]; *I ~ she has left* hon har visst rest, det sägs att hon har rest **5 a)** dra ihop, rynka [~ *one's brows*] **b)** sömnad. rynka
II vb itr **1** [för]samlas **2** samla (dra ihop) sig [*the clouds are ~ing*]; [till]växa, förstoras; *a storm is ~ing* det drar ihop sig till oväder
III vb tr med adv.:
gather together samla (plocka) ihop [~ *one's papers and books together*]
gather up a) ta (lyfta) upp från marken o.d. **b)** samla ihop [~ *up one's books; ~ up one's skirts*]; samla upp **c)** dra ihop till mindre omfång

gathering ['gæð(ə)rɪŋ] **I** s **1** samling [*we were a great ~*] **2** sammankomst, möte **3** [för]samlande, hopsamling, plockning, skörd[ande] etc., jfr *gather I*
II adj annalkande [~ *storm*]
GATT [gæt] (förk. för *General Agreement on Tariffs and Trade*) GATT
gauche [gəʊʃ] adj klumpig, tafatt; ofin, taktlös
gaucho ['gaʊtʃəʊ] (pl. *~s*) s gaucho
gaudy ['gɔ:dɪ] adj [färg]grann, prålig, brokig [~ *decorations*]; skrikig, bjärt [~ *colours*]
gauge [geɪdʒ] **I** s **1** tekn. mätare [*oil ~; petrol ~; wind ~*]; mätinstrument; precisionsmått; tolk; *pressure* ~ manometer, tryckmätare **2** bildl. mätare [~ *of* (på) *intellect*]; måttstock **3** [standard]mått; dimension[er], vidd, kaliber; tråds o.d. grovlek, tjocklek; *take the ~ of* bedöma, ta mått på **4** spårvidd; *broad* ~ bred spårvidd; *narrow* ~ smal spårvidd; *standard* ~ normal spårvidd
II vb tr **1 a)** mäta rymd, kaliber, storlek **b)** justera mått o. vikter; kalibrera **c)** gradera **2** bildl. bedöma, värdera [~ *sb's character*]; mäta, sondera, pejla, uppskatta
Gaul [gɔ:l] **I** geogr. (hist.) egennamn Gallien **II** s galler
gaunt [gɔ:nt] adj **1** mager, avtärd, utmärglad, tanig **2** avskalad, dyster, tråkig
1 gauntlet ['gɔ:ntlət] s **1** kraghandske **2** järnhandske; *pick* (*take*) *up the* ~ ta upp stridshandsken (den kastade handsken); *throw down the* ~ kasta [strids]handsken
2 gauntlet ['gɔ:ntlət] s, *run the* ~ löpa gatlopp
gauze [gɔ:z] s **1** gas[väv], flor; ~ *bandage* el. ~ *roller* gasbinda; *wire* ~ asbestnät **2** lätt [dim]slöja
gauzy ['gɔ:zɪ] adj florliknande, tunn, fin (skir) som gas[väv]
gave [geɪv] imperf. av *give*
gavel ['gævl] s ordförandeklubba, auktionsklubba
gavotte [gə'vɒt] s mus. gavott
Gawd [gɔ:d] s sl. Gud [~ *help us!*]
gawk [gɔ:k] vb itr [stå och] gapa [*at* på]
gawky ['gɔ:kɪ] adj tafatt, klumpig, dum
gawp [gɔ:p] vb itr vard. [stå och] glo [*at* på]
gay [geɪ] (adv. *gaily*, amer. vanl. *gayly*) **I** adj **1** sl. gay, homosexuell; bög- **2** åld. sprittande [~ *music*]; grann, prålig **3** åld. glad [~ *voices*; ~ *laughter*]; lustig, munter; *with ~ abandon* helt glatt, helt utan eftertanke
II s sl. bög, fikus, homosexuell
gay liberation [geɪ‚lɪbə'reɪʃ(ə)n] s ung. homosexuell frigörelse
Gaza [stad 'gɑ:zə, bibl. äv. 'geɪzə] geogr.
Gaza Strip [‚gɑ:zə'strɪp] geogr., *the* ~ Gazaremsan, Gazaområdet
gaze [geɪz] **I** vb itr stirra, blicka (se, titta) intensivt (oavvänt), spana [*at, on* på; ~ *at the stars*]
II s intensivt (oavvänt) betraktande (tittande), stirrande; blick [*with a bewildered* ~]; spänd blick
gazebo [gə'zi:bəʊ] (pl. *~s* el. *~es*) s utsiktstorn, utsiktspaviljong; [inglasat] lusthus; [inglasad] balkong
gazelle [gə'zel] s zool. gasell
gazette [gə'zet] **I** s officiell tidning [*the London Gazette*]; *be in the* ~ stå i [den officiella] tidningen som befordrad, i konkurs o.d.
II vb tr kungöra i den officiella tidningen

gazetteer [ˌgæzɪ'tɪə] s geografiskt namnregister till kartbok; geografisk uppslagsbok

gazpacho [gæ'spɑːtʃəʊ] s kok. gazpacho slags kall grönsakssoppa

gazump [gə'zʌmp] sl. **I** vb itr trissa upp priset i efterhand vid husförsäljning **II** vb tr skörta upp ngn vid husförsäljning

GB [ˌdʒiː'biː] **1** förk. för Great Britain **2** data. förk. för gigabyte

GBH [ˌdʒiːbiː'eɪtʃ] förk. för grievous bodily harm

GCE [ˌdʒiːsiː'iː] förk. för General Certificate of Education, se under certificate I 2

GCH [ˌdʒiːsiː'eɪtʃ] förk. för gas central heating

GCSE [ˌdʒiː'siːˌes'iː] förk. för General Certificate of Secondary Education, se under certificate I 2

GDA [ˌdʒiːdiː'eɪ] (förk. för Guideline Daily Amount) vägledande dagligt intag produktmärkning på livsmedel

Gdns förk. för Gardens [Kensington ~]

GDP [ˌdʒiːdiː'piː] (förk. för gross domestic product) BNP, bruttonationalprodukt

GDR [ˌdʒiːdiː'ɑː] (hist.) (förk. för German Democratic Republic) DDR

gear [gɪə] **I** s **1** kopplingsmekanism, utväxling; motor. växel; **change** ~ el. amer. change (**shift**) ~**s** växla; **high** ~ stor utväxling; hög växel; **low** ~ liten utväxling; låg växel; **reverse** ~ back[växel]; **in top** ~ el. vanl. amer. **in high** ~ på högsta växeln, med högsta fart, bildl. äv. för full maskin, i full gång; **put a car in third** ~ lägga i trean (treans växel) [på en bil]; **move into low** ~ sakta av, varva ner; **throw out of** ~ koppla [i]från (av, ur); bildl. bringa i olag (ur gängorna); **step up a** ~ el. **move up a** ~ bildl. lägga in en högre växel **2** redskap, verktyg, attiralj, grejer, utrustning, don [fishing ~]; apparat **3** a) kugghjul, drev; sammankopplade drivhjul; **train of ~s** hjulverk; löpverk b) mekanism, anordning, inrättning [steering ~], flyg. ställ [landing ~] **4** persedlar, tillhörigheter, saker **5** sjö. löpande gods, tackel **6** seldon; **riding** ~ ridtyg **7** sl. droger spec. heroin **II** vb tr, ~ **down** växla ner [~ down the car]; ~ **up** a) växla upp b) bildl. vard., se gear up nedan **III** vb tr o. vb itr med adv.:
gear to rätta (lämpa, anpassa) efter [~ production to the demand]; **be ~ed to** vara anpassad efter, vara inriktad på
gear up bildl. vard. a) tr. sätta fart på, peppa b) itr. varva upp

gearbox ['gɪəbɒks] s motor. växellåda

gear change ['gɪətʃeɪn(d)ʒ] s motor. växling; **automatic** ~ automatväxel; ~ **lever** växelspak

gearing ['gɪərɪŋ] s **1** ekon. mått på främmande kapital till fast ränta i förhållande till eget kapital **2** motor. [ut]växling **3** redskap, attiralj

gear lever ['gɪəˌliːvə] s motor. växelspak

gear shift ['gɪəʃɪft] s amer. motor. växel; växelspak

gecko ['gekəʊ] (pl. ~s el. ~es) s zool. gecko[ödla]

gee [dʒiː] **I** interj vanl. amer. jösses!, nej men!, oj [då]! [~ what a surprise!] **II** vb tr bildl. vard., ~ **up** peppa

gee-gee ['dʒiːdʒiː] s **1** vard. barnspr. toto, pålle **2** sl. kuse kapplöpningshäst

geek [giːk] s vard. insnöad (tråkig) typ, tönt; nörd [computer ~]

geese [giːs] s pl. av goose

geezer ['giːzə] s sl. gubbe; stofil, kuf [an old ~]

gefilte fish [gə'fɪltəfɪʃ] s kok., judisk maträtt **1** färsfylld fisk **2** slags fiskbullar

gefuffle [gə'fʌfl] s sl. ståhej

Geiger counter ['gaɪgəˌkaʊntə] s geigermätare

geisha ['geɪʃə] s geisha

gel [dʒel] **I** s **1** kem. gel **2** hair ~ hårgelé; **shower** ~ duschgel
II vb itr **1** lyckas, ta [fast] form [that new idea ~led]; fungera tillsammans [~ as a group] **2** bilda gel, gelatisera; stelna
III vb tr ha hårgelé i

gelatin ['dʒelətɪn] s o. **gelatine** [ˌdʒelə'tiːn, 'dʒelətiːn] s gelatin

gelatinous [dʒə'lætɪnəs] adj gelatinös, gelatinartad, geléartad; innehållande gelatin

geld [geld] (~ed ~ed el. gelt gelt) vb tr kastrera, snöpa, gälla

gelding ['geldɪŋ] s **1** kastrering **2** kastrerat djur; spec. kastrerad häst, valack

gelignite ['dʒelɪgnaɪt] s spränggelatin

gem [dʒem] s **1** ädelsten ofta mindre el. spec. slipad o. polerad, juvel **2** bildl. a) klenod, pärla, skatt b) litet konstverk

Gemini ['dʒemɪnaɪ, -niː] s o. adj astrol. Tvillingarna; **she is a** ~ el. **she is** ~ hon är tvilling

Gem State [ˌdʒem'steɪt], **the** ~ beteckn. för staten Idaho

gemstone ['dʒemstəʊn] s [oslipad] ädelsten

gen [dʒen] åld. sl. **I** s, **the** ~ info[n], upplysningar[na] [they'll give you all the ~ about it]; nyheter[na]; **what's the ~?** vad nytt?, hur är läget? **II** vb tr, ~ **up** informera, upplysa [sb on sth ngn om ngt] **III** vb itr, ~ **up** läsa på [on om]

gen. förk. för general

gendarme ['ʒɒndɑːm] s gendarm

gender ['dʒendə] s **1** gram. genus **2** kön [the two ~s]; ~ **bias** könsdiskriminering; ~ **gap** könsklyfta, klyfta mellan könen; ~ **role** könsroll

gender-specific ['dʒendəspəˌsɪfɪk] adj könsspecifik

gender studies [ˌdʒendəɪ'stʌdɪz] (med verb i sg.) s genusvetenskap

gene [dʒiːn] s biol. gen [~ bank]; arvsanlag

genealogical [ˌdʒiːnɪə'lɒdʒɪk(ə)l] adj genealogisk, släktlednings-

genealogical table [ˌdʒiːnɪə'lɒdʒɪk(ə)lˌteɪbl] s stamtavla, släkttavla

genealogy [ˌdʒiːnɪ'æledʒɪ] s **1** genealogi, släktforskning **2** härstamning; släktledning; stamtavla, ättlängd

genera ['dʒenərə] s pl. av genus

general ['dʒen(ə)r(ə)l] **I** adj **1** allmän; generell; vanlig, genomgående [it's a ~ mistake]; ungefärlig [I can only give you a ~ idea of it]; helhets-, total- [the ~ impression of it is good]; **in** ~ el. **as a** ~ **rule** i allmänhet, på det hela taget, för det mesta, vanligen; General Certificate of Education el. General Certificate of Secondary Education se under certificate I 2; ~ **education** allmänutbildning; **in** ~ **terms** i allmänna (allmänt hållna) ordalag **2** general-, huvud- [~ programme] **3** i titlar efterställt huvudordet general- [consul-general, major-general]; över- [inspector-general] **4** mil. general[s]-, generals- [~ rank]
II s **1** mil. general **2** härförare, fältherre

general anaesthetic ['dʒen(ə)r(ə)l,ænəs'θetɪk] s
med. allmän bedövning (anestesi), narkos
General Assembly [,dʒen(ə)r(ə)lə'semblɪ] s
1 representantförsamling lagstiftande särskilt i vissa
stater i USA **2** *the UN* ~ FN:s generalförsamling
general counsel [,dʒen(ə)r(ə)l'kaʊns(ə)l] s amer.
bolagsjurist
general degree [,dʒen(ə)r(ə)ldɪ'griː] s lägre
akademisk examen utan specialisering (mots.
honours)
general delivery [,dʒen(ə)r(ə)ldɪ'lɪv(ə)rɪ] s amer.
poste restante
general election ['dʒen(ə)r(ə)lɪ,lekʃ(ə)n] s, *a ~*
allmänna val
general headquarters [,dʒen(ə)r(ə)lhed'kwɔːtəz]
(med verb i sg. el. pl.; pl. *general headquarters*) s
högkvarter
generalissimo [,dʒen(ə)rə'lɪsɪməʊ] (pl. ~s) s
överbefälhavare
generality [,dʒenə'rælətɪ] s **1** allmängiltighet [*a rule
of great ~*] **2** pl. *generalities* vanl. allmänna fraser
(påståenden) [*confine oneself to generalities*];
allmänna ordalag [*speak in generalities*] **3** största
del [*the ~ of mankind*]
generalization [,dʒen(ə)rəlaɪ'zeɪʃ(ə)n] s
generalisering; allmän slutsats; allmän sats
generalize ['dʒen(ə)rəlaɪz] vb itr generalisera
generalized ['dʒen(ə)rəlaɪzd] adj allmän, generell [*a
~ discussion*]; spridd
general knowledge [,dʒen(ə)r(ə)l'nɒlɪdʒ] s
allmänbildning; allsidiga kunskaper
generally ['dʒen(ə)rəlɪ] adv **1** i allmänhet, vanligen
2 allmänt [*the new plan was ~ welcomed*] **3** i
allmänhet, på det hela taget; ~ *speaking* i stort sett
general manager [,dʒen(ə)r(ə)l'mænɪdʒə] (förk. *GM*)
s administrativ chef
general meeting [,dʒen(ə)r(ə)l'miːtɪŋ] s allmänt
sammanträde; [bolags]stämma
general officer [,dʒen(ə)r(ə)l'ɒfɪsə] s mil., ~
commanding kommenderande general
general order [,dʒen(ə)r(ə)l'ɔːdə] s mil. generalorder
general practitioner ['dʒen(ə)r(ə)l,præk'tɪʃənə]
(förk. *GP*) s allmänpraktiker, allmänpraktiserande
läkare
general public [,dʒen(ə)r(ə)l'pʌblɪk] s, *the ~* den
stora allmänheten
general-purpose [,dʒen(ə)r(ə)l'pɜːpəs] adj som kan
användas till mycket [*a ~ vehicle*]; universal- [*a ~
tool*]; ~ *room* allrum
general staff [,dʒen(ə)r(ə)l'stɑːf] s generalstab
general store [,dʒen(ə)r(ə)l'stɔː] s lanthandel,
diverseaffär
general strike [,dʒen(ə)r(ə)l'straɪk] s storstrejk,
generalstrejk; allmän strejk
generate ['dʒenəreɪt] vb tr generera, alstra,
frambringa, framställa, utveckla [*~ electricity (gas,
heat, power)*]; framkalla; *generating station*
kraftstation
generation [,dʒenə'reɪʃ(ə)n] s **1** generation i olika
betydelser [*a second-generation computer*]; släktled;
mansålder [*a ~ ago*]; *the rising ~* äv. det uppväxande
släktet **2** alstring, frambringande, skapande,
bildande; åstadkommande; framställning [*~ of
electricity*; *~ of gas*]

generational [,dʒenə'reɪʃənl] adj generations-,
generationsbunden
generation gap [,dʒenə'reɪʃ(ə)ngæp] s
generationsklyfta, klyfta mellan generationerna
Generation Y [dʒenə,reɪʃ(ə)n'waɪ] s generation Y
födda mellan 1970-talets mitt och 2000-talets början
generative ['dʒenərətɪv, -reɪt-] adj
1 fortplantnings-, generativ [*~ faculty*; *~ power*; *~
organ*] **2** skapande, produktiv; fruktbar **3** språkv.
generativ [*~ grammar*; *~ linguistics*]
generator ['dʒenəreɪtə] s tekn. generator
generic [dʒə'nerɪk, dʒɪ'n-] adj generisk äv. med.,
släkt- [*~ characters*; *~ name*]; allmän, allmänt
omfattande; ~ *term for* sammanfattande benämning
på, samlingsnamn för
generosity [,dʒenə'rɒsətɪ] s **1** storsinthet, ädelmod
2 generositet, frikostighet, givmildhet
generous ['dʒen(ə)rəs] adj **1** generös, frikostig,
givmild; *be ~ with one's money* vara flott [av sig],
vara spendersam **2** riklig, stor [*a ~ helping
(portion)*]; rik [*a ~ harvest*]; [*it is*] *planned on a ~
scale* ...stort upplagd; *a ~ tip* rikligt med
drickspengar, mycket dricks **3** storsint,
ädel[modig] **4** fyllig [*a ~ wine*] **5** bördig [*~ soil*]
Genesis ['dʒenəsɪs] s bibl. Första mosebok
genesis ['dʒenəsɪs] s uppkomst [*the ~ of the
movement (idea)*]
gene therapy ['dʒiːn,θerəpɪ] s genterapi
genetic [dʒə'netɪk] adj genetisk [*~ code*; *~
damage*]; ärftlighets- [*~ research*]
genetically [dʒə'netɪk(ə)lɪ] adv från genetisk
synpunkt, genetiskt [sett]; ~ *modified* (förk. *GM*)
vegetables genändrade (genmodifierade)
grönsaker; ~ *modified organism* (förk. *GMO*)
genändrad (genmodifierad) organism
genetic engineering [dʒə,netɪken(d)ʒɪ'nɪərɪŋ] s
genteknik
genetic fingerprint [dʒə,netɪk'fɪŋgəprɪnt] s
genetiskt fingeravtryck
genetic fingerprinting [dʒə,netɪk'fɪŋgəprɪntɪŋ] s
DNA-analys
geneticist [dʒə'netɪsɪst] s genetiker,
ärftlighetsforskare
genetic manipulation [dʒə'netɪkmə,nɪpjʊ'leɪʃ(ə)n] s
genmanipulation
genetic parent [dʒə,netɪk'peər(ə)nt] s biologisk
förälder
genetics [dʒə'netɪks] (med verb i sg.) s genetik,
ärftlighetsforskning, ärftlighetslära
Geneva [dʒə'niːvə] geogr. Genève
genial ['dʒiːnɪəl] adj **1** [glad och] vänlig, gemytlig
2 mild, gynnsam [*a ~ climate*]; behaglig [*~ heat*];
skön [*~ sunshine*] **3** litt. genialisk [*~ vision*]
geniality [,dʒiːnɪ'ælətɪ] s **1** vänlighet, gemytlighet,
fryntlighet, jovialitet **2** mildhet, behaglighet
geni|e ['dʒiːnɪ] (pl. *-i* [-aɪ], ibl. *-es*) s ande, genie i
arabiska sagor
genital ['dʒenɪtl] adj genital-, köns- [*~ parts*]
genitals ['dʒenɪtlz] s pl genitalier, [yttre] könsorgan
genitive ['dʒenətɪv] s o. adj gram. genitiv[-]; *the ~* el.
the ~ case genitiv[en]
genius ['dʒiːnɪəs] (pl. i betydelse *1* ~*es*, i betydelse *3* o. *4*
genii ['dʒiːnɪaɪ]) s **1 a)** geni, snille [*she is a
mathematical ~*] **b)** [speciell] begåvning, [naturlig]

fallenhet [*find out in which way one's children's ~ lies*]; **have a ~ for languages** ha en utpräglad begåvning för språk, vara ett språkgeni; **a flash of ~** en snilleblixt; **a man of ~** ett geni (snille), en lysande begåvning; **a writer of ~** en genial[isk] författare, ett författargeni; **that was a stroke of ~** det var ett snilledrag **2** anda, mentalitet [*the ~ of* (som präglade) *that age*]; kynne, skaplynne [*the French ~*] **3** genius, [skydds]ande; **his good ~** hans goda ande (genius) **4** ande, genie, väsen

Genoa ['dʒenəʊə, dʒə'nəʊə] geogr. Genua

genocide ['dʒenə(ʊ)saɪd] *s* folkmord

Genoese [,dʒenəʊ'i:z, attr. '---] **I** *adj* genuesisk **II** (pl. *Genoese*) *s* genues[are]

genome ['dʒi:nəʊm] *s* biol. genom

genre ['ʒɒnrə, 'ʒɑ:nrə] *s* **1** genre [*works of* (i) *this ~*]; slag; stil **2** genrebild, genremålning [äv. *genre-painting*]

gent [dʒent] *s* (kortform av *gentleman*) **1** vard. herre; skämts. fin karl, gentleman **2** hand., **gents'** herr- [*gents' pyjamas*] **3** vard., **gents** (med verb i sg.) herrtoalett; på skylt äv. herrar

genteel [dʒen'ti:l] *adj* iron. fin, förnäm [av sig], struntförnäm [*~ manners*; *~ persons*]

gentian ['dʒenʃɪən] *s* bot. gentiana, stålört

gentile ['dʒentaɪl] **I** *adj* icke-judisk; bibl. hednisk, hedningarnas **II** *s* icke-jude; bibl. hedning

gentility [dʒen'tɪlətɪ, dʒən-] *s* **1** vanl. iron. finhet, [strunt]förnämitet **2** vanl. iron. fint folk, herrskapsfolk, överklass[personer] **3** fint sätt, belevenhet, förfining

gentle ['dʒentl] *adj* **1** mild, blid [*~ manner*; *~ words*]; mjuk, ljuv, vänlig [*her ~ nature* (väsen)]; vek, öm [*a ~ heart*]; stilla, låg [*~ music*; *~ tone*; *~ voice*]; diskret [*a ~ hint*]; lätt [*a ~ tap*; *a ~ touch*]; varsam, lindrig; behaglig, måttlig, lagom [*~ heat*; *~ speed*]; sakta [sluttande], svag [*a ~ slope*]; sakta framflytande, långsam [*a ~ stream*] **2** om person mild, blid, vänlig, snäll [*a ~ lady*]; **the ~ sex** det svaga könet

gentlefolk ['dʒentlfəʊk] (med verb i pl.) *s* herrskap, herrskapsfolk, fint folk [äv. *~s*]

gentleman ['dʒentlmən] (pl. *gentlemen* ['dʒentlmən]) *s* **1** herre [*there is a ~ waiting for you*]; **gentlemen!** mina herrar!; **gentlemen's lavatory** herrtoalett **2** gentleman [*a fine old ~*]; **a true ~** en sann gentleman, en verkligt fin man

gentleman's agreement [,dʒentlmənzə'gri:mənt] *s* muntlig överenskommelse som baserar sig på ömsesidigt förtroende

gentleness ['dʒentlnəs] *s* mildhet, blidhet; mjukhet, vänlighet etc., jfr *gentle*

gentle|woman ['dʒentl|,wʊm(ə)n] (pl. *-women* [-,wɪmɪn]) *s* åld. fin (förnäm) dam

gently ['dʒentlɪ] *adv* **1** sakta, stilla [*close the door ~*]; varsamt, försiktigt [*hold it ~*]; svagt [*the road slopes ~*]; **~ does it!** sakta i backarna! **2** milt, vänligt [*speak ~*; *reprimand sb ~*]; mjukt etc., jfr *gentle*

gentrify ['dʒentrɪfaɪ] *vb tr* höja statusen i ett arbetarklassområde genom att låta medelklassen flytta dit

gentry ['dʒentrɪ] *s*, **the ~** (med verb vanl. i pl.) a) lågadeln b) den högre medelklassen; **the landed ~** godsägararistokratin

genuflect ['dʒenjʊflekt] *vb itr* knäböja

genuine ['dʒenjʊɪn] *adj* äkta [*~ pearls*; *~ Persian carpets*]; autentisk [*a ~ manuscript*]; sann, verklig, riktig [*a ~ cause for satisfaction*]

genuineness ['dʒenjʊɪnnəs] *s* äkthet etc., jfr *genuine*

genus ['dʒi:nəs] (pl. *genera* ['dʒenərə]) *s* **1** naturv. el. logik. släkte, genus **2** slag, grupp, klass

geocentric [,dʒi:ə(ʊ)'sentrɪk] *adj* geocentrisk

geo-economic [,dʒi:ə(ʊ)'i:kənɒmɪk] *adj* politisk-ekonomisk

geog. förk. för *geographical*, *geography*

geographer [dʒɪ'ɒɡrəfə] *s* geograf

geographic [dʒɪə'ɡræfɪk] *adj* se *geographical*

geographical [dʒɪə'ɡræfɪk(ə)l] *adj* geografisk

geographical mile [dʒɪə,ɡræfɪk(ə)l'maɪl] *s* nautisk mil, distansminut

geography [dʒɪ'ɒɡrəfɪ] *s* geografi

geological [,dʒi:ə'lɒdʒɪk(ə)l] *adj* geologisk

geologist [dʒɪ'ɒlədʒɪst] *s* geolog

geology [dʒɪ'ɒlədʒɪ] *s* geologi

geomagnetism [,dʒi:ə(ʊ)'mæɡnətɪz(ə)m] *s* jordmagnetism

geometric [dʒɪə'metrɪk] *adj* o. **geometrical** [dʒɪə'metrɪk(ə)l] *adj* geometrisk

geometrician [,dʒɪəmə'trɪʃ(ə)n] *s* geometriker

geometric progression [,dʒɪə,metrɪkprə'ɡreʃ(ə)n] *s* geometrisk talföljd

geometry [dʒɪ'ɒmətrɪ] *s* geometri

geophysics [,dʒi:ə(ʊ)'fɪzɪks] (med verb i sg.) *s* geofysik

geopolitics [,dʒi:ə(ʊ)'pɒlɪtɪks] (med verb i sg.) *s* geopolitik

Geordie ['dʒɔ:dɪ] *s* vard. invånare i Tyneside stadsområde vid floden Tyne i Nordengland

George [dʒɔ:dʒ] mansnamn; som kunga- el. helgonnamn Georg; **St ~** Sankt Georg Englands skyddshelgon, Sankt Göran; **St ~'s Channel** [Sankt] Georgskanalen; **St ~'s Cross** Georgskorset på brittiska flaggor; **St ~'s Day** 23 april, Englands nationaldag

georgette [dʒɔ:'dʒet] *s* georgette tyg

Georgia ['dʒɔ:dʒɪə] geogr. **1** Georgia i USA **2** Georgien

Georgian ['dʒɔ:dʒ(ə)n] **I** *adj* **1** georgiansk, från Georgarnas (de eng. kungarnas) tid 1714–1830 [*~ architecture (furniture)*] **2** georgisk **II** *s* **1** georgier; georgiska kvinna **2** georgiska [språket]

geoscience [,dʒi:ə(ʊ)'saɪəns] *s* geovetenskap

geoscientist [,dʒi:ə(ʊ)'saɪəntɪst] *s* geovetare

geotechnic [,dʒi:ə(ʊ)'teknɪk] *adj* geoteknisk

geotechnics [,dʒi:ə(ʊ)'teknɪks] (med verb i sg.) *s* geoteknik

geothermal [,dʒi:ə(ʊ)'θɜ:m(ə)l] *adj* geotermisk [*~ energy*]; **~ energy** el. **~ power** äv. jordvärme

Gerald ['dʒerəld] mansnamn

Geraldine ['dʒer(ə)ldi:n] kvinnonamn

geranium [dʒə'reɪnɪəm] *s* bot. **1** pelargon[ia] **2** geranium, näva

gerbil ['dʒɜ:bɪl] *s* zool. gerbill, ökenråtta

gerfalcon ['dʒɜ:,fɔ:lkən, -,fɔ:kən] *s* jaktfalk

geriatric [,dʒerɪ'ætrɪk] **I** *adj* **1** geriatrisk [*~ hospitals*]; **~ care** äldreomsorg, åldringsvård **2** vard. skruttig **II** *s* **1** åldring **2** vard. gamling

geriatrician [,dʒerɪə'trɪʃ(ə)n] *s* geriatriker

geriatrics [ˌdʒerɪ'ætrɪks] (med verb i sg.) *s* med. geriatri, geriatrik

germ [dʒɜːm] *s* **1** bakterie; mikrob spec. sjukdomsalstrande **2** embryo, grodd **3** bildl. frö, upprinnelse

German ['dʒɜːmən] **I** *adj* tysk; *the ~ Democratic Republic* hist. DDR
II *s* **1** tysk; tyska **2** tyska [språket]

germane [dʒɜː'meɪn, '--] *adj* nära förbunden [*to* med]; relevant [*to* för, i]

Germanic [dʒɜː'mænɪk] *adj* **1** germansk **2** [ur]tysk

German measles [ˌdʒɜːmən'miːzlz] (med verb i sg.) *s* med. röda hund

German shepherd [ˌdʒɜːmən'ʃepəd] *s* amer. schäfer[hund]

Germany ['dʒɜːm(ə)nɪ] geogr. Tyskland

germ-carrier ['dʒɜːmˌkærɪə] *s* bacillbärare

germicidal [ˌdʒɜːmɪ'saɪdl] *adj* bakteriedödande

germicide ['dʒɜːmɪsaɪd] *s* bakteriedödande (mikrobdödande) medel (ämne)

germinal ['dʒɜːmɪnl] *adj* **1** grodd- [*~ bud*] **2** [förefintlig] i frö (embryo) **3** bildl. groende, framväxande [*~ ideas*]; nydanande

germinate ['dʒɜːmɪneɪt] **I** *vb itr* gro, spira [upp]; skjuta knopp; bildl. spira, utvecklas
II *vb tr* få att gro (spira [upp]); bildl. framkalla, ge upphov till

germination [ˌdʒɜːmɪ'neɪʃ(ə)n] *s* groning, uppspirande; knoppning, knoppningstid

germ warfare [ˌdʒɜːm'wɔːfeə] *s* bakteriologisk krigföring

gerontocracy [ˌdʒerɒn'tɒkrəsɪ] *s* gerontokrati, gubbvälde

gerontology [ˌdʒerɒn'tɒlədʒɪ] *s* med. gerontologi, åldersforskning

gerrymander ['dʒerɪmændə] *vb tr* **1** partiskt lägga om indelningen av valkrets **2** förvränga, fuska (mygla, manipulera) med till egen fördel

gerrymandering [ˌdʒerɪ'mændərɪŋ] *s* **1** partisk valkretsindelning för att gynna ett visst parti **2** förvrängning, fusk, mygel, manipulation

Gershwin ['gɜːʃwɪn]

Gertrude ['gɜːtruːd] kvinnonamn

gerund ['dʒer(ə)nd] *s* gram. gerundium; i eng. gram. verbalsubstantiv på '-ing'

gestalt psychology [gəˌʃtɑːltsaɪ'kɒlədʒɪ] *s* gestaltpsykologi

Gestapo [ge'stɑːpəʊ] (pl. ~s) *s* ty. hist. gestapo

gestation [dʒe'steɪʃ(ə)n] *s* havandeskap; dräktighet; fosterstadium; bildl. ung. mognadsprocess, utvecklingsarbete

gesticulate [dʒe'stɪkjʊleɪt] *vb itr* gestikulera, göra åtbörder

gesticulation [dʒeˌstɪkjʊ'leɪʃ(ə)n] *s* **1** gestikulerande, gestikulering **2** gest, åtbörd

gesture ['dʒestʃə] **I** *s* **1** gest, åtbörd, [hand]rörelse [*he uses lots of ~s*]; *a ~ of refusal* en avböjande gest **2** bildl. gest [*it is merely a ~*]
II *vb itr* o. *vb tr* göra ett tecken (en gest) [åt], visa med en gest

gesture politics ['dʒestʃəˌpɒlɪtɪks] (med verb i sg. el. pl.) *s* politiskt utspel utan täckning, spel för gallerierna

gesundheit [gə'zʊnthaɪt] *interj* prosit!

get [get] **I** (*got* got, perf. p. amer. ofta äv. *gotten*) *vb tr* (se äv. *get III* o. fraser med *get* under *1 better*, *best II*, *ready I 1*, *1 wind* o. *worst II* m.fl.) **1** få [*~ permission*]; *I've got it from him* a) jag har fått den (det) av honom b) jag har hört det av honom **2** [lyckas] få, skaffa sig [*~ a job*]; inhämta [*~ information*] **3** få, råka ut för [*~ the measles*; *~ a shock*]; *he'll ~ it!* vard. han ska få [så han tiger]!; *~ it in the neck* vard. få på huden (pälsen) **4** fånga, få, få in **5** fånga, få fram [*the painter has got her expression well*] **6** få tag i, nå [*I got her on the phone*] **7** radio. el. TV. få (ta) in [*can you ~ France?*] **8** vard. få [fast], sätta dit [*they got the murderer*]; knäppa skjuta **9** vard. uppfatta [*I didn't ~ your name*]; märka [*did you ~ that look on her face?*] **10** vard. sätta fast (dit); *you've got me there!* äv. nu är jag ställd; *got you!* nu har jag dig [allt]! b) ta [*narcotics will ~ him*] **11** vard. a) *it ~s me* [*how he can be so stupid*] jag fattar inte… b) reta, förarga [*his arrogance ~s me*]; *don't let it ~ you* ta det inte så hårt, var inte ledsen för det c) röra, göra rörd; *that got them* det tände dom på **12** a) *have got* ha b) *have got to* vara (bli) tvungen att, få lov att; *I've got to go* äv. jag måste gå; *you have only got to…* du behöver bara…; *you haven't got to…* du behöver inte… **13** skaffa [*~ sb a job*]; ordna [med] [*~ tickets for* (åt) *sb*]; hämta **14** komma med, hinna [med] [*did you ~ the bus?*] **15** *~ sb* (*sth*) *to* få (förmå) ngn (ngt) att

II (för tema se *get I*) *vb itr* (se äv. *get III*) **1** komma [*I got home early*]; *~ there* komma (ta sig) dit; *I got there in time* jag kom (hann) fram i tid; *he's not ~ting anywhere* el. *he's ~ting nowhere* han kommer ingen vart **2** a) *~ to* + inf. [småningom] komma att + inf., lära sig att + inf. [*I got to like him*]; *~ to be* [komma att] bli [*they got to be friends*]; *be ~ting to* + inf. börja [att] + inf. [*I'm ~ting to like him*]; *~ to know* få reda på, få veta [*how did you ~ to know it?*]; lära känna [*I got to know him in 2008*] b) *~* + pres. p. börja + inf. [*~ talking*]; *~ going* komma i gång **3** bli [*~ better*; *~ tired*]; *~ married* gifta sig; *how stupid can you ~?* hur dum får man vara egentligen?; *be ~ting* börja bli [*she's ~ting old*]

III (för tema se *get I*) *vb tr* o. *vb itr* med prep. el. adv., ofta med spec. översättningar:
get about a) resa omkring, komma ut [bland folk]; vara uppe och ute om sjukling b) komma ut, sprida sig om rykte c) ta itu med, sätta i gång med [*let's ~ about the job*]

get across vard. gå in, gå hem [*their ideas never got across to* (hos) *others*]; *~ sth across to sb* få ngn att förstå ngt

get along a) se *get on b*) b) klara (reda) sig [*we can't ~ along without money*] c) komma vidare (framåt, längre), se vidare *get on a*) d) *I must be ~ting along* jag måste ge mig i väg; *~ along with you!* vard. ge dig i väg!; snack!

get around vanl. amer.: a) se *get about a*) b) se *get round*

get at a) komma åt, nå [*I can't ~ at it*]; komma över; få tag i b) komma på [*~ at the truth*] c) syfta på, mena; *what are you ~ting at?* vart är det du vill komma? d) vard. hacka på, vilja 'åt, trakassera [*he was ~ting at me*]

get away a) komma undan; rymma; *~ away from* komma ifrån, slippa ifrån (undan); *there is no ~ting away from the fact that...* man kan inte komma ifrån att...; *~ away with it* klara sig, slippa undan; lyckas, ta hem spelet; *~ away with you!* vard. äh, prat! **b)** komma i väg, ge sig av; sport. starta

get back a) komma (gå) tillbaka, återvända **b)** få igen (tillbaka) [*~ one's money back*]; skaffa igen (tillbaka) [*I'll ~ it back*] **c)** *~ one's own back on sb* ta revansch på ngn

get behind komma (bli) efter

get by a) klara sig [*she can't ~ by without him*]; passera, duga **b)** komma (ta sig) förbi

get down a) göra nedstämd, ta (slita) på [*worries ~ you down*]; *don't let it ~ you down* ta inte vid dig så hårt för det **b)** anteckna, skriva (ta) ned **c)** få ned, få i sig [*he couldn't ~ the medicine down*] **d)** gå (komma, stiga) ned (av); *~ down on one's knees* falla på knä **e)** *~ down to* ta itu med

get in a) komma hem; komma [till jobbet]; komma, anlända **b)** få (ta) in i olika betydelser: få under tak [*~ in the harvest*]; sätta in [*~ in a blow*]; *~ a word in* [*edgeways*] få en syl i vädret **c)** komma in, bli invald [*he got in by a large majority*] **d)** vard. hinna med **e)** *~ sb in* [*to repair the TV*] få hem (skicka efter) ngn... **f)** ta sig in [*I got in through the window*] **g)** *~ in with* komma ihop med, bli vän med

get into a) stiga (komma) in i (upp på) [*~ into a bus*] **b)** komma (sätta sig) in i [*you'll soon ~ into the job*] **c)** komma i, få på sig [*~ into one's clothes*] **d)** råka (komma) i [*~ into danger*]; komma in i, få [*~ into bad habits*] **e)** *~ sb into* få (skaffa) in ngn i [*~ sb into a firm*] **f)** sätta sig i [*the pain ~s into the joints*]; *what has got into him?* vad har flugit i honom?

get off a) gå (stiga) av [*he got off* [*the train*]]; gå bort (ner) från [*~ off the chair*]; *~ off it!* vard. äh, lägg av!; försök inte!; *tell sb where to ~ off* vard. be ngn dra åt skogen **b)** *~ off* [*work*] bli ledig [från arbetet] **c)** få i väg [*~ the children off to school*] **d)** få frikänd; gå fri, bli frikänd; slippa (klara sig) undan [*he got off lightly* (lindrigt)] **e)** få (ta) av (upp, loss) [*I can't ~ the lid off*] **f)** lämna [*they got off the subject*] **g)** ge sig av, komma i väg; *~ off to bed* gå och lägga sig; *~ off to sleep* somna in **h)** *~ off with* vard. 'stöta på

get on a) gå vidare, fortsätta; lyckas, ha framgång; trivas; *how is he ~ting on?* hur har han det?, hur står det till med honom?; hur går det för honom?; *how is the work ~ting on?* hur går det med arbetet?; *~ on!* el. *~ on with it!* skynda (raska) på! **b)** dra jämnt, komma [bra] överens, trivas [*with sb* med ngn]; *he is easy to ~ on with* han är lätt att umgås med **c)** få (sätta) på [*I can't ~ the lid on*]; ta (få, sätta) på sig [*I got my coat on*] **d)** gå (stiga) på [*he got on* [*the train*]]; sätta sig [upp] på; *~ on one's feet* stiga (komma) upp; resa sig för att tala; bildl. komma på fötter; *she ~s on my nerves* hon går mig på nerverna **e)** *be ~ting on* el. *be ~ing on in years* [börja] bli gammal; *time is ~ting on* tiden går **f)** *be ~ting on for* närma sig, gå mot [*he is ~ting on for 70*] **g)** *~ on to* komma upp på (med) [*she couldn't ~ on to the bus*]; få tag i i telefon, [få] tala med

get out a) gå (komma, stiga, ta sig, slippa) ut [*of ur*], komma upp [*of ur*]; gå (stiga) av (ur); komma (sippra) ut [*the secret got out*]; *~ out of* äv. komma ifrån (ur) [*~ out of that habit*] **b)** få fram [*she got out a few words*]; ta (hämta) fram [*he got out a bottle of wine*]; få (ta) ut (ur); *~ sth out of sb* få (locka) ur (av) ngn ngt **c)** ge ut, komma ut med [*they got out an anthology*]

get over a) komma (ta sig) över; bildl. komma över i olika betydelser: övervinna [*~ over one's shyness*]; hämta sig från [*~ over an illness*]; glömma **b)** *~ sth over with* få ngt undanstökat (avklarat)

get round a) kringgå [*~ round a law*]; komma ifrån [*you can't ~ round the fact that...*] **b)** lyckas övertala; *she knows how to ~ round him* hon vet hur hon ska ta honom **c)** *~ round to* få tillfälle till, få tid med

get through a) komma (klara sig) igenom; bli färdig med **b)** komma fram äv. i telefon **c)** gå igenom; *he got through* [*his examination*] han klarade sig [i examen]; *the bill got through* lagförslaget gick igenom **d)** göra slut på [*he got through all his money*] **e)** få (driva) igenom [i] [*~ a bill through Parliament*]

get to a) *~ to sb* gå ngn på nerverna **b)** sätta (komma) i gång med [*~* [*down*] *to work*] **c)** *where has it got to?* vard. vart har det tagit vägen? **d)** komma [fram] till, nå; *~ to bed* komma i säng

get together a) få ihop, samla [*~ a team together*]; samla (plocka) ihop [*~ your things together*]; skaffa ihop **b)** samlas, träffas [*let's ~ together sometime*] **c)** *~ it together* få det [hela] att funka, lyckas med det hela; vard. få ihop det ha ett förhållande

get up a) gå (stiga) upp [*~ up early in the morning*]; resa sig, ställa sig upp **b)** få upp; få att stiga upp (resa sig); lyfta upp **c)** [an]ordna [*~ up a party*] **d)** styra ut [*the book was beautifully got up*]; klä ut **e)** få, skaffa sig [*~ up an appetite*]; få upp [*~ up steam*] **f)** lära (läsa, plugga) in **g)** *~ up to* komma till; komma (hinna) ifatt; hitta på, ställa till [med] [*~ up to mischief*]

get with it sl. hänga med, vara med i svängen

getaway ['getəweɪ] *s* vard. **1** rymning, flykt; *make a ~* rymma, fly, smita **2** semesterort, semesterställe **3** semestertrip

getaway car [ˌgetəweɪ'kɑː] *s* flyktbil

get-go ['getgəʊ] *s* amer. vard., *from the ~* från första början

get-out ['getaʊt] *s* vard. kryphål, undanflykt, möjlighet att slingra sig undan

get-together ['getəgeðə] *s* vard. träff, sammankomst

Gettysburg ['getɪzbɜːg] geogr.

get-up ['getʌp] *s* vard. klädsel; utstyrsel, rigg

get-up-and-go [ˌgetʌpən(d)'gəʊ] *s* vard. kläm, [friska] tag; *he has got ~ in him* det är fart (kläm) på honom

geyser ['giːzə, amer. 'gaɪ-] *s* **1** gejser, varm springkälla **2** varmvattenberedare

Ghana ['gɑːnə] geogr.

Ghanaian [gɑː'neɪən] **I** *adj* ghanansk, i (från) Ghana **II** *s* ghanan, ghanes; ghananska kvinna

ghastly ['gɑːstlɪ] **I** *adj* **1** hemsk, ohygglig **2** gräslig, förskräcklig [*a ~ dinner; a ~ failure*] **3** spöklik [*~*

paleness]; likblek [*a ~ face*]
II *adv* hemskt, spöklikt; ~ *pale* likblek
ghee [giː] *s* ind. smörolja av buffelmjölk
Ghent [gent] geogr. Gent
gherkin ['gɜːkɪn] *s* liten [inläggnings]gurka
ghetto ['getəʊ] (pl. *~s*) *s* getto
ghetto blaster ['getəʊˌblɑːstə] *s* vard. bergsprängare stor bärbar kassettbandspelare
ghost [gəʊst] **I** *s* **1** spöke; döds ande, vålnad; gengångare; *lay a ~* el. *exorcise a ~* besvärja (fördriva) en ande; *raise a ~* frambesvärja (mana fram) en ande **2** *give up the ~* a) ge upp andan b) ge upp, lägga av [för gott] **3** skugga [*she is the ~ of her former self* (jag)], vard. aning, spår, tillstymmelse [*not a ~ of chance*]; skymt [*the ~ of a smile*] **4** TV. spökbild [äv. *~ image*]; data. spöksignal
II *vb itr* o. *vb tr* vara framtagen med hjälp av spökskrivare, vara spökskrivare [åt, av]
ghostly ['gəʊstlɪ] *adj* spöklik, ande- [*a ~ figure*]; spök- [*~ hour*]
ghost town ['gəʊsttaʊn] *s* spökstad
ghostwriter ['gəʊstˌraɪtə] *s* spökskrivare
ghoul [guːl] *s* **1** mytol. ghul likätande ond ande **2** likplundrare, gravskändare
ghoulish ['guːlɪʃ] *adj* **1** demonisk, hemsk, djävulsk **2** makaber [*~ humour*]
GHQ [ˌdʒiːeɪtʃ'kjuː] förk. för *General Headquarters*
GI [ˌdʒiː'aɪ, attr. '--] *s* amer. mil. vard. (av *Government Issue*) menig [soldat], värnpliktig
giant ['dʒaɪənt] **I** *s* jätte; gigant **II** *adj* jätte- [*~ cactus; ~ panda*]; jättelik, jättestor, gigantisk; *a ~ step* (*leap*) bildl. ett stort (avgörande) steg
giantess ['dʒaɪəntes, ˌdʒaɪən'tes] *s* jättinna, jättekvinna
giant-killer ['dʒaɪəntˌkɪlə] *s* sport. jättedödare, David mot Goliat
giant-size ['dʒaɪəntsaɪz] *adj* i jätteformat, jättestor
Gib. [dʒɪb] vard. kortform av *Gibraltar*
gibber ['dʒɪbə] *vb itr* pladdra; sluddra
gibberish ['dʒɪbərɪʃ, 'gɪb-] *s* pladdrande; rotvälska, rappakalja
gibbet ['dʒɪbɪt] *s* enarmad galge i vilken avrättade brottslingar hängdes upp
gibbon ['gɪbən] *s* zool. gibbon långarmad apa
gibe [dʒaɪb] **I** *vb itr*, *~ at* håna, pika, ge gliringar [*~ at sb*]; göra sig lustig över [*~ at sb's mistakes*] **II** *s* gliring, stickord
giblets ['dʒɪbləts] *s pl* kok. [fågel]krås
Gibraltar [dʒɪ'brɔːltə] geogr. Gibraltar; *the Straits* pl. *of ~* el. *the Strait of ~* Gibraltar sund
giddiness ['gɪdɪnəs] *s* yrsel, svindel [*a fit of ~*]
giddy ['gɪdɪ] *adj* **1** yr [i huvudet], vimmelkantig [*be ~; turn ~*]; *I feel ~* [*when I look down*] jag blir yr i huvudet..., jag får svindel... **2** svindlande, som ger svindel [*~ height*]; virvlande [*~ motion*] **3** bildl. tanklös, lättsinnig
Gideon Bible [ˌgɪdɪən'baɪbl] *s* hotellbibel på hotellrum
gift [gɪft] **I** *s* **1** gåva, present; donation; givande; gåvorätt; *it's a ~* äv. det är som hittat **2** gåva, talang, [medfödd] förmåga, begåvning; *she has a ~ for languages* hon har lätt för språk, hon är språkbegåvad; *the ~ of speech* talets gåva
II *vb tr* begåva, förläna, utrusta

gift certificate [ˌgɪftsə'tɪfɪkət] *s* amer., ung. presentkort
gifted ['gɪftɪd] *adj* begåvad, talangfull
gift horse ['gɪfthɔːs] *s*, *never* (*don't*) *look a ~ in the mouth* man skall inte skåda given häst i munnen
gift shop ['gɪftʃɒp] *s* presentaffär, presentbutik
gift token ['gɪftˌtəʊk(ə)n] *s* o. **gift voucher** ['gɪftˌvaʊtʃə] *s* ung. presentkort
gift-wrap ['gɪftræp] *vb tr* slå in i presentpapper; *can you ~ it, please?* kan jag få det inslaget, tack!
gift-wrapped ['gɪftræpt] *adj* inslagen i presentpapper
1 gig [gɪg] *s* vard. **1** mus. gig, spelning, [kortvarigt] engagemang [*he had a few ~s playing at jazz clubs*] **2** amer. [kortvarigt] jobb
2 gig [gɪg] *s* **1** gigg lätt tvåhjulig enspänd hästkärra **2** sjö. gigg: a) skeppsbåt för befälhavaren b) roddbåt för tävlingar på Temsen
3 gig [gɪg] *s* data. vard. kortform för *gigabyte*
gigabyte ['gɪgəbaɪt, 'dʒɪg-] (förk. *GB*) *s* data. gigabyte
gigantic [dʒaɪ'gæntɪk] *adj* gigantisk, jättestor; väldig, oerhörd, ofantlig, enorm
gigaton ['gɪgətʌn] *s* gigaton
giggle ['gɪgl] **I** *vb itr* fnissa, fnittra
II *s* **1** fniss, fnitter; *have the ~s* el. *have a fit of the ~s* få ett fnitteranfall **2** vard., *for a ~* för skojs skull
giggly ['gɪglɪ] *adj* fnissig, fnittrig, flamsig
GIGO ['gaɪgəʊ] *s* data. förk. för *garbage in, garbage out*
gigolo ['dʒɪgələʊ, 'ʒɪg-] (pl. *~s*) *s* gigolo
Gilbert ['gɪlbət] mansnamn el. efternamn; *~ and Sullivan* författare resp. tonsättare av kvicka operetter på 1800-talet
gild [gɪld] *vb tr* förgylla; guldfärga; bildl. förgylla [upp] [äv. *~ over*]; ge glans åt, smycka; *~ the lily* se under *lily*
gilded ['gɪldɪd] *adj* **1** förgylld, guldfärgad; gyllene **2** guldglänsande
gilet [dʒɪ'leɪ] *s* **1** väst i täckjackstyg **2** västliknande [dam]jacka
1 gill [gɪl] *s* **1** gäl **2** *packed to the ~s* vard. proppfull **3** bot. skiva, lamell under svamps hatt
2 gill [dʒɪl] *s* mått för våta varor, vanl. 1/4 *pint* 1,42 dl (amer. 1,18 dl)
gillie ['gɪlɪ] *s* skotsk. jägares (fiskares) medhjälpare
gilt [gɪlt] **I** *adj* förgylld **II** *s* förgyllning själva metallen; *take the ~ off the gingerbread* bildl., se *gingerbread*
gilt-edged ['gɪltedʒd] *adj* **1** med guldsnitt **2** *~ securities* guldkantade papper (säkerheter)
gimcrack ['dʒɪmkræk] *adj* grannlåts-, strunt-, humbugsartad
gimlet ['gɪmlət] **I** *s* **1** tekn. handborr, vrickborr, svickborr, spetsborr, navare **2** drink gin (vodka) och limejuice
II *adj* genomborrande blick, stickande [*~ eyes*]
gimme ['gɪmɪ] vard., förvrängning av *give me*
gimmick ['gɪmɪk] *s* vard. **1** [lustig] grej; gimmick, smart påfund, reklamtrick, jippo [*a ~ to attract customers*]; oväntat inslag; [hemligt] knep, trick [*a magician's ~*] **2** manick, mojäng, grej, grunka
gimmickry ['gɪmɪkrɪ] *s* vard. **1** gimmickar, påhitt; jippo[n] **2** manicker, grejor
Gimson ['gɪmsn]
gin [dʒɪn] *s* **1** gin [*~ and tonic*]; genever;

enbärsbrännvin; **pink** ~ gin smaksatt med angostura **2** kortsp. gin rummy [äv. ~ *rummy*]

Ginger ['dʒɪn(d)ʒə] kortform av *Virginia*

ginger ['dʒɪn(d)ʒə] **I** s **1** ingefära **2** ljust rödgul färg **II** *vb tr*, ~ *up* vard. bildl. elda upp; pigga upp **III** *adj* vard. rödgul, ljusröd, rödblond [~ *hair*]

ginger ale [,dʒɪn(d)ʒər'eɪl] s se *ginger beer*

ginger beer [,dʒɪn(d)ʒə'bɪə] s kolsyrad ingefärsdricka, ginger ale

gingerbread ['dʒɪn(d)ʒəbred] s pepparkaka; **take the gilt off the** ~ bildl. ta bort det roliga (kryddan, glansen) från det hela

gingerbread man ['dʒɪn(d)ʒəbred|,mæn] (pl. *gingerbread men* [-mən]) s pepparkaksgubbe

ginger group ['dʒɪn(d)ʒəgruːp] s mest polit. aktivistgrupp

gingerly ['dʒɪn(d)ʒəlɪ] *adv* [ytterst] försiktigt, varsamt, med varsam hand, lätt; ängsligt

ginger nut ['dʒɪn(d)ʒənʌt] s o. **ginger snap** ['dʒɪn(d)ʒəsnæp] s tunn spröd pepparkaka

gingery ['dʒɪn(d)ʒərɪ] *adj* **1** rödgul, rödblond, rödaktig **2** kryddad med ingefära; med ingefärssmak

gingham ['gɪŋəm] s gingham bomullstyg

gingivitis [,dʒɪndʒɪ'vaɪtɪs] s med. gingivit inflammation i tandköttet

gink [gɪŋk] s sl. kille, karl; typ; original

ginormous [dʒaɪ'nɔːməs] *adj* vard. gigantisk, enorm

gin rummy [,dʒɪn'rʌmɪ] s kortsp. gin rummy

ginseng ['dʒɪnseŋ] s bot. el. med. ginseng[rot]

gin trap ['dʒɪntræp] s snara, dona, giller

gipsy ['dʒɪpsɪ] s se *gypsy*

giraffe [dʒə'rɑːf, -'ræf] s zool. giraff

gird [gɜːd] (~ed ~ed el. *girt girt*) *vb tr* litt. rusta [~ *oneself for one's life's work*]; utrusta; ~ [*up*] *one's loins* skämts. göra sig beredd

girder ['gɜːdə] s byggn. bärbjälke, balk ofta av järn; bindbjälke

girdle ['gɜːdl] **I** s **1** gördel, höfthållare **2** bälte, gördel äv. bildl. [*a* ~ *of green fields round the town*]; skärp **II** *vb tr* litt. omgjorda, omge

girl [gɜːl] s **1** flicka äv. flickvän, tjej [*Mary is his* ~]; **girls' school** skola för flickor; **old** ~ se *old girl*; **from a** ~ alltifrån flickåren (barndomen) **2** åld. tjänsteflicka; **shop** ~ affärsbiträde

girl-crazy ['gɜːl,kreɪzɪ] *adj* tjejtokig, galen i tjejer

girl Friday [,gɜːl'fraɪdeɪ] s ngns allt i allo, högra hand

girlfriend ['gɜːlfrend] s flickvän, väninna, tjejkompis

girl guide [,gɜːl'gaɪd] s åld., se *guide* I 5

girlhood ['gɜːlhʊd] s **1** flicktid, flickålder; **in her** ~ [redan] som flicka **2** flickor [*the nation's* ~]

girlie ['gɜːlɪ] **I** s vard. liten flicka, tös; i tilltal min lilla flicka **II** *adj* vard., ~ *magazine* pinupptidning

girlish ['gɜːlɪʃ] *adj* flick-; flickaktig

girl scout [,gɜːl'skaʊt] s amer. flickscout

giro ['dʒaɪrəʊ] (pl. ~s) s **1** [post]giro; [bank]giro; **by** ~ per giro **2** ~ el. ~ *cheque* utbetalning till arbetslös el. sjuk person el. bidragstagare

giro account ['dʒaɪrəʊəkaʊnt] s girokonto

giro form ['dʒaɪrəʊfɔːm] s giroblankett, girokort

giro transfer [,dʒaɪrəʊ'trænsfə] s girering

girt [gɜːt] imperf. o. perf. p. av *gird*

girth [gɜːθ] s **1** omfång; omkrets [*a tree 10 metres in* ~] **2** [sadel]gjord

gismo ['gɪzməʊ] (pl. ~s) s vard., se *gizmo*

gist [dʒɪst] s kärnpunkt, huvudpunkt, huvuddrag, kärna [*the* ~ *of the matter*]; **the** ~ **of** äv. kontentan av, det väsentliga i

git [gɪt] s sl. dumfan, pucko

give [gɪv] **I** (*gave given*; jfr *given*) *vb tr* (se äv. *give* III o. fraser med *give* under *birth*, 1 *ear*, *evidence*, 2 *ground* o. *rise* m.fl.) **1 a)** ge, skänka, donera; bevilja; avge [~ *one's vote* (röst)]; **be ~n** få **b)** ge frist [*I'll* ~ *you until tonight*]; **you'd better** ~ *yourself an hour to get there* det är bäst du räknar med en timme för att komma dit **c)** ~ *me...!* el. ~ *me any day* (*every time*)! tacka vet jag...! **d)** ~ *or take* vard. på ett ungefär

2 ge mot ersättning; ~ *as good as one gets* ge [lika gott] igen; *I'll* ~ *it* [*to*] *him!* jag ska ge honom!, han ska minsann få!

3 ge, lämna, räcka, överlämna, överlåta; erbjuda; framföra hälsning; ~ *my compliments to* el. ~ *my love to* hälsa så mycket till, [hjärtliga] hälsningar till; ~ *one's hand* räcka fram handen; jfr *hand*

4 ~ *way* **a)** retirera **b)** ge vika, ge efter, brista [*the ice gave way; the rope gave way*]; svikta; om priser vika **c)** ge (lämna) plats, vika [undan], väja [*to* för], lämna företräde [*to* åt]; ~ *way to traffic coming* [*in*] *from the right* **d)** hemfalla, hänge sig [*to* åt]; ge efter [*to* för]; ~ *way to grief*]; ge vika

5 offra tid, kraft o.d. [*to* på]; **she gave her life to the cause of peace** hon ägnade sitt liv åt fredens sak; ~ *one's mind to* el. ~ *oneself to* ägna (hänge) sig åt

6 frambringa, ge som produkt, resultat [*a lamp* ~*s light*]; framkalla, väcka [~ *offence* (anstöt)]; vålla, [för]orsaka [~ *sb pain*]

7 lägga fram, framställa, lämna; ange [*she gave no reason for...*]; **don't** ~ *me that!* vard. kom inte med det där!

8 a) framföra; hålla [~ *a talk* (ett föredrag); ~ *a lecture*], teat. ge [*they are giving Hamlet*] **b)** utbringa [~ *a toast* (skål) *for*; ~ *three cheers for*]

9 utfärda, ge [~ *a command*]; avge, lämna [~ *an answer*]; fälla, avkunna [~ *judgement*]

10 ~ *a cry* el. ~ *a scream* skrika till, ge till ett skrik; ~ *a jump* hoppa till; ~ *a sigh* utstöta en suck; *not* ~ *a sign of life* inte visa något livstecken (tecken till liv); ~ *a start* rycka till

II (för tema se *give* I) *vb itr* **1** ~ *and take* ge och ta, kompromissa **2** ge vika, vika sig, svikta [*the branch gave*]; svika; slappna **3** vetta [*on, upon; on, on to*]

III (för tema se *give* I) *vb tr* o. *vb itr* med adv.:

give away a) ge bort, skänka bort **b)** oavsiktligt förråda, avslöja [~ *away my secret*] **c)** dela ut, överlämna [~ *away the prizes*]

give back ge (lämna) tillbaka, återställa [~ *sth back to its owner*]

give forth ge ifrån sig, låta höra; sända ut

give in a) ge sig, ge vika, ge med sig, ge upp [*I* ~ *in*]; falla till föga, ge efter [*to* för] **b)** lämna in [~ *in your examination papers*] **c)** ~ *in one's name* anmäla sig

give off avge [*this coal* ~*s off a lot of smoke*]; sända ut, utstråla; utdunsta, avsöndra

give out a) dela ut [~ *out leaflets* (flygblad)] **b**) [låta] tillkännage, meddela **c**) avge [~ *out heat*]; sända ut gas o.d. **d**) tryta, ta slut; svika [*his strength gave out*] **e**) krångla, strejka
give over a) överlämna [*to* till], överlåta [*to* på] **b**) vard. sluta; ~ *over, will you?* nej men lägg av [nu]! **c**) ~ *oneself over to* hänge sig åt
give up a) upphöra [med]; *he gave up smoking* han slutade röka **b**) ge upp [~ *up the attempt*]; ge upp hoppet om [*the doctors have ~n him up*] **c**) lämna ifrån sig, avlämna [*this ticket must be ~n up at the entrance*]; överlämna, utlämna; avstå från [~ *up one's seat to a lady*]; överge [~ *up a theory*]; ~ *oneself up* överlämna sig, anmäla sig [för polisen] **d**) ~ *oneself up to* hänge sig åt
IV s **1** elasticitet **2** ~ *and take* ömsesidiga eftergifter; kompromisser, kompromissvilja
giveaway ['gɪvweɪ] **I** s **1** oavsiktligt förrådande, avslöjande **2** presentartikel som reklam **II** adj, ~ *price* vrakpris, struntsumma
given ['gɪvn] **I** adj o. perf p (av *give*) **1** given, skänkt etc., jfr *give I–III* **2** ~ *to* begiven på; fallen för [~ *to boasting* (skryt)]; lagd för; hemfallen åt **3** bestämd, bekant, överenskommen, given [*a ~ time; the ~ conditions*] **II** prep o. konj med hänsyn till, med tanke på
given name ['gɪvnneɪm] s vanl. amer. förnamn
gizmo ['gɪzməʊ] (pl. ~s) s vard. manick, moj[äng], grej, pryl
gizzard ['gɪzəd] s fåglars muskelmage; vard. hals
glacé ['glæseɪ] adj **1** glacé-, glans- [~ *leather*]; glansig [~ *cloth*] **2** glaserad [~ *fruit*]
glacé icing [ˌglæseɪ'aɪsɪŋ] s kok. glasyr
glacial ['gleɪʃəl, 'gleɪʃɪəl] adj **1** is-, istids-, glacial, glaciär- **2** isig, iskall äv. bildl. [*a ~ smile*]
glacial period [ˌgleɪʃəl'pɪərɪəd] s, *the* ~ istiden
glacial rift [ˌgleɪʃəl'rɪft] s glaciärspricka
glacier ['glæsɪə, 'gleɪs-] s glaciär, jökel
glad [glæd] adj **1** end. pred. glad [*about, at* över, åt], [för]nöjd, belåten [*about, at* med]; ~ *of* glad att få, tacksam för [~ *of a few tips as to how to do it*]; *I'm ~ to hear that...* det var roligt att höra att..., jag hör till min glädje att...; [*I'm*] ~ *to see you!* det var roligt att [få] träffa dig!; välkommen!; *I was ~ enough to do it* det gjorde jag gärna (med glädje) **2** glädjande, glädje-, glad [*a ~ occasion*]; ~ *tidings* åld. glädjebudskap; *give sb the ~ eye* åld. flörta [vilt] med ngn; ~ *rags* åld. vard. [fest]blåsa; stass, finkläder
gladden ['glædn] vb tr glädja, fröjda; liva upp
glade [gleɪd] s glänta
glad-hand ['glædhænd] vb tr o. vb itr på ett överdrivet hjärtligt sätt skaka hand [med] [*political candidates ~ing* [*people*]]
gladiator ['glædɪeɪtə] s gladiator
gladiol|us [ˌglædɪ'əʊl|əs] (pl. -i [-aɪ] el. -uses) s bot. gladiolus
gladly ['glædlɪ] adv med glädje, med nöje, gärna [*I would ~ help you*]; villigt
gladness ['glædnəs] s glädje, glättighet
Gladstone ['glædstən] egennamn; ~ *bag* resväska som öppnas i två lika hälfter, kappsäck
Gladys ['glædɪs] kvinnonamn
glam [glæm] adj förk. för *glamorous*

glamorize ['glæməraɪz] vb tr förhärliga, glorifiera, glamorisera, skönmåla
glamorous ['glæmərəs] adj glamorös, förtrollande, tjusig [~ *film stars*]
glamour ['glæmə] s glamour, glans; romantiskt skimmer, [förtrollande] charm
glance [glɑːns] **I** vb itr **1** titta [hastigt (flyktigt)], kasta en [hastig (flyktig)] blick [*at* på, i], ögna [*at* i; *over, through* igenom]; ~ *over (through) a letter*] **2** snudda [*on* vid; *the blow only ~d on the bone*]; studsa [äv. ~ *off; bullets ~d off* (mot, bort från) *his helmet*] **3** blänka [till], glänsa [till] [*their helmets ~d in the sunlight*]; glimta [till]
II s [hastig (flyktig)] blick, titt [*at* på; *a ~ at these figures will convince you*]; ögonkast [*at* (vid) *the first ~*]; påseende [*at a cursory* (flyktigt) ~]; *loving ~s* kärleksfulla blickar; *steal a ~ at* se under *steal I 1*; *take a ~ at* ta en titt på, kasta en blick på, [ta och] titta på; *at a ~* el. *at a single ~* med en enda blick; med detsamma; *at first ~* vid första anblicken
glancing ['glɑːnsɪŋ] adj **1** i förbigående [~ *references*] **2** obesvärad; otvungen
gland [glænd] s anat. körtel; bot. glandel
glandes ['glændiːz] s pl. av *glans*
glandular ['glændjʊlə] adj anat. körtel-, körtelartad
glandular fever [ˌglændjʊlə'fiːvə] s med. körtelfeber
glans [glænz] (pl. *glandes* ['glændiːz]) s anat. ollon
glare [gleə] **I** vb itr **1** glo [argt], stirra [vilt], blänga [ilsket] [*at*] **2** lysa med ett bländande sken, lysa skarpt, blänka, glänsa
II s **1** ilsken blick; vild glans **2** [bländande (starkt)], ljussken, [stickande (skarpt)] ljus **3** bildl. glans; prål; *in the full ~ of publicity* inför öppen ridå, i rampljuset
glare-free ['gleəfriː] adj bländfri, reflexfri
glaring ['gleərɪŋ] adj **1** skrikande, bjärt, gräll [~ *colours*]; [alltför] påfallande [*a ~ dress*]; påtaglig [~ *defects*]; iögon[en]fallande [~ *faults*]; flagrant, grov, uppenbar [*a ~ mistake; ~ indiscretion*] **2** bländande, skarp [~ *light; ~ sunshine*]; skarpt (grällt) lysande [~ *neon signs*]; glänsande **3** vild, [vilt] stirrande, blängande, ilsken [~ *eyes; ~ look*]
Glasgow ['glɑːzgəʊ, 'glæzg-] geogr.
glass [glɑːs] s **1** ämnet glas [*made of ~*]
2 a) [dricks]glas äv. om innehållet [*a ~ of wine; have a ~ too much*] **b**) pl. ~*es* glasögon, äv. pincené; *a pair of ~es* ett par glasögon, äv. en pincené **c**) fönster **d**) åld. spegel **e**) åld. barometer [*the ~ is rising*] **3** koll. glassaker, glas [~ *and china* (porslin)] **4** sjö. glas halvtimme
glass-blower ['glɑːsˌbləʊə] s glasblåsare
glass ceiling [ˌglɑːs'siːlɪŋ] s vanl. bildl. glastak
glass eye [ˌglɑːs'aɪ] s emaljöga, konstgjort öga
glass fibre [ˌglɑːs'faɪbə] s glasfiber
glassful ['glɑːsfʊl] s glas som mått [*a ~ of brandy*]
glasshouse ['glɑːshaʊs] s **1** växthus, drivhus **2** glashus; *people who live in ~s should not throw stones* man skall inte kasta sten när man [själv] sitter i glashus **3** mil. sl. bur, burk arrest
glass jaw [ˌglɑːs'dʒɔː] s boxn. glaskäke känslig haka
glassware ['glɑːsweə] s glasvaror, glassaker, glas
glassy ['glɑːsɪ] adj **1** glas-, glasaktig, glasartad **2** bildl. glasartad, stirrande, stirrig; ~ *stare* äv. stel blick

glassy-eyed [ˌglɑːsɪˈaɪd] *adj* se *glassy* 2
Glaswegian [glɑːˈzwiːdʒ(ə)n, glæz-] *s* invånare i Glasgow, glasgowbo
glaucoma [glɔːˈkəʊmə] *s* med. glaukom, grön starr
glaze [gleɪz] **I** *vb tr* **1** sätta glas i, glasa [*~ a window*]; *~ in* glasa in [*~ in a veranda*]; sätta glas (fönster) i **2** glasera [*~ cakes*] **3** mål. lasera **4** polera, lackera, glätta, göra glatt och blank
II *vb itr* om blick bli glasartad, stelna [äv. *~ over*]
III *s* **1** glasyr **2** mål. lasyr **3** glans; glansig yta
glazed [gleɪzd] *adj* (jfr äv. *glaze* I) **1** med glas (fönster), inglasad **2** glaserad **3** mål. laserad **4** om blick glasartad, stirrande, stirrig, stel **5** polerad, lackerad, glättad
glazed earthenware [ˌgleɪzdˈɜːθ(ə)nweə] *s* fajans
glazed tiles [ˌgleɪzdˈtaɪlz] *s pl* kakel[plattor]
glazer [ˈgleɪzə] *s* **1** glaserare, polerare **2** tekn. polerskiva
glazier [ˈgleɪzɪə, ˈgleɪʒə] *s* glasmästare
glazing [ˈgleɪzɪŋ] *s* **1** glasning, insättande av glas[rutor] **2** koll. fönster[rutor] **3** glasering **4** polering, lackering etc., jfr *glaze* I 4 **5** glasyr **6** mål. lasering
gleam [gliːm] **I** *vb itr* glimma [*a cat's eyes ~ing in the darkness*]; skimra svagt, glänsa
II *s* glimt äv. bildl. [*a ~ of humour*]; stråle äv. bildl.; svagt skimmer, glans; [svagt] ljussken (blinkande) [*the ~ of a distant lighthouse*]; *a ~ of hope* en strimma (stråle) av hopp, en ljusglimt
glean [gliːn] **I** *vb tr* **1** samla [ihop] [*~ materials*]; plocka (skrapa) ihop [*~ bits of information*]; snappa upp **2** plocka [*~ ears* (ax)]
II *vb itr* plocka ax
gleanings [ˈgliːnɪŋz] *s pl* insamlat material, [små]plock [*~ from* (ur) *the newspapers*]; samlat strögods; insamling
glee [gliː] *s* uppsluppen glädje [*shout with* (av) *~; rub one's hands in* (av) *~*]; munterhet
gleeful [ˈgliːf(ʊ)l] *adj* glad, munter, lustig
glen [glen] *s* trång dal spec. skotsk. el. irl.; klyfta
Glenfiddich [glenˈfɪdɪk] **I** geogr. egennamn **II** *s* [whisky från] Glenfiddich
glengarry [glenˈgærɪ] *s* glengarry skotsk båtmössa med hängande band baktill
Glenlivet [glenˈlɪvɪt] **I** geogr. egennamn **II** *s* [whisky från] Glenlivet
glib [glɪb] *adj* lätt och ledig [*~ manners*]; talför, munvig [*a ~ talker*]; lättvindig [*~ excuses*]; *have a ~ tongue* vara slängd i käften
glibness [ˈglɪbnəs] *s* talförhet, munvighet, ledighet, svada
glide [glaɪd] **I** *vb itr* **1** glida [*a boat ~d past* (förbi); *time ~d by* (i väg)]; glida fram **2** smyga sig [*into* in i, *out of* ut ur] **3** flyg. flyga i glidflykt; glida [*~ down to the landing field*]
II *s* **1** glidning **2** flyg. glidflykt
glide path [ˈglaɪdpɑːθ] *s* glidbana
glider [ˈglaɪdə] *s* glid[flyg]plan, segel[flyg]plan; segelflygare, glidflygare
gliding [ˈglaɪdɪŋ] *s* glidning; glidflykt; segelflygning
glimmer [ˈglɪmə] **I** *s* **1** svagt (ostadigt) sken, skimmer, glimrande; *a ~ of light* ett svagt ljussken, en ljusglimt **2** glimt, skymt; aning, spår [*not the least ~ of intelligence*]; *a ~ of hope* en strimma av

hopp
II *vb itr* **1** glimma, blänka, skimra **2** skymtas, anas
glimpse [glɪm(p)s] **I** *s* **1** skymt [*of* av]; *catch a ~ of* el. *get a ~ of* [få] se en skymt av **2** inblick [*of* i]
II *vb tr* [få] se (uppfånga) en skymt av, se glimtar (en glimt) av, skymta; ana
glint [glɪnt] **I** *vb itr* glittra, blänka, skimra **II** *s* glimt [*there is an ironical ~ in his eye*[*s*]]; glitter, blänk [*~s of gold in her hair*]
glisten [ˈglɪsn] *vb itr* glittra [*~ing dew-drops*]; tindra, stråla, glänsa [*eyes ~ing with* (av) *tears*]
glitch [glɪtʃ] *s* hake, tekniskt fel, avbrott, glapp
glitter [ˈglɪtə] **I** *vb itr* **1** glittra, blänka, gnistra, tindra; glimma; *all that ~s is not gold* det är inte guld allt som glimmar **2** bildl. glänsa, vara lysande
II *s* glitter äv. konkr., glittrande ljus, glittrande [*the ~ of the Christmas tree decorations*]
glitterati [ˌglɪtəˈrɑːtɪ] *s pl* vard., *the ~* kändisarna; det vackra folket
glittering [ˈglɪtə] *adj* **1** glittrande [*~ eyes*]; blänkande, blank [*a ~ sword*]; gnistrande [*~ diamonds; ~ with* (av) *jewels*]; tindrande [*stars ~ in the sky*]; glimmande **2** bildl. lysande [*~ society*]; glänsande; *~ prizes* lockande belöningar
glitz [glɪts] *s* vard. prål, glitter, grannlåt
glitzy [ˈglɪtsɪ] *adj* vard. prålig, skrikig, [tras]grann
gloaming [ˈgləʊmɪŋ] *s* poet. el. skotsk. skymning
gloat [gləʊt] *vb itr*, *~ over* el. *~ at* el. *~ about* glo (stirra) skadeglatt (triumferande, lystet, girigt) på, frossa i (njuta av) [*~ over every detail of the murder*]; ruva på (över) [*~ on one's money*]; vara skadeglad över [*~ over sb's misfortunes*]
global [ˈgləʊb(ə)l] *adj* **1** global [*~ strategy; ~ warfare*]; världsomspännande **2** total, hel [*the ~ output* (produktion) *of a factory*]
globalization [ˌgləʊb(ə)laɪˈzeɪʃ(ə)n] *s* globalisering
globalize [ˈgləʊb(ə)laɪz] *vb tr* globalisera
global warming [ˌgləʊb(ə)lˈwɔːmɪŋ] *s* global uppvärmning
globe [gləʊb] *s* **1** klot, kula **2** *the ~* jordklotet **3** *~* el. *terrestrial ~* jordglob **4** riksäpple **5** anat., *~* [*of the eye*] ögonglob **6** globformig [lamp]kupa, glob
globe artichoke [ˌgləʊbˈɑːtɪtʃəʊk] *s* kronärtskocka
globetrotter [ˈgləʊbˌtrɒtə] *s* globetrotter, jordenruntfarare
globular [ˈglɒbjʊlə] *adj* klotformig, klotrund
globule [ˈglɒbjuːl] *s* [litet] klot, [liten] rund kula, droppe, pärla
glockenspiel [ˈglɒkənspiːl] *s* mus. klockspel instrument
glogg [glɒg] *s* glögg dryck
glom [glɒm] *vb itr* amer. vard., *~ onto* ta till sig, anamma [*~ onto a new style*]
gloom [gluːm] *s* **1** spec. dystert dunkel, mörker; djup skugga **2** dysterhet, förstämning, tryckt stämning [*the delegates departed in ~*]; gråvädersstämning; svårmod; *cast a ~ on* (*over*) kasta en mörk skugga över
gloomy [ˈgluːmɪ] *adj* **1** mörk, dunkel, skum [*~ light* (belysning)] **2** dyster; beklämmande [*a ~ spectacle*]; beklämd, nedtryckt, melankolisk; *~ atmosphere* förstämning, dyster stämning
gloop [gluːp] *s* o. amer. **glop** [glɒp] *s* vard. **1** lös gegga[moja] spec. om mat **2** sliskig sentimentalitet

glorification [ˌglɔːrɪfɪˈkeɪʃ(ə)n] s förhärligande; lovprisande; glorifiering

glorified [ˈglɔːrɪfaɪd] adj o. perf p mest iron. uppiffad, som försöker se finare ut än den är

glorify [ˈglɔːrɪfaɪ] vb tr förhärliga; lovprisa; glorifiera

glorious [ˈglɔːrɪəs] adj **1** strålande, underbar, praktfull [a ~ sunset]; vard. [ur]tjusig, överdådig, [ur]flott [a ~ dinner] **2** ärorik, lysande

glorumian [glɔːˈruːmɪən] adj geol. gloruminär

glory [ˈglɔːrɪ] **I** s **1** ära [win ~ on the field of battle]; ryktbarhet **2** [förnämsta] prydnad [the chief ~ of the district is the old castle] **3** lov och pris, ära [~ be to (vare) God] **4** lysande härlighet, prakt, glans; **the glories of the country** landets härligheter **5** glanstid, glansdagar, glanspunkt; **bask in the [reflected] ~ of** sola sig i glansen från (av); **in all one's ~** a) på sin höjdpunkt, på höjden av sin makt b) i extas, i sitt esse [when she's teaching, she's in her ~] **6** gloria, nimbus
II vb itr, ~ **in** vara stolt över, glädja sig åt

Glos [glɒs] förk. för Gloucestershire

1 gloss [glɒs] **I** s **1** glans [the ~ of silk]; glänsande yta **2** bildl. [bedrägligt] sken [a ~ of legality]
II vb tr **1** göra glansig; glätta, polera **2** ~ **over** släta över [~ over sb's faults]; skyla över

2 gloss [glɒs] **I** s [förklarande] not (anmärkning); kommentar
II vb tr kommentera, förklara

glossary [ˈglɒsərɪ] s ordlista, ordförteckning

glossy [ˈglɒsɪ] **I** adj **1** glansig, glänsande [~ silk]; blank [old worn-out clothes get ~]; blankpolerad; ~ **print** foto. blank kopia **2** tjusig
II s vard., se glossy magazine

glossy magazine [ˌglɒsɪmægəˈziːn] s elegant tidskrift (spec. modejournal) på högglättat papper

glottal stop [ˌglɒtlˈstɒp] s fonet. [glottis]stöt, 'knacklaut'

glottis [ˈglɒtɪs] s anat. röstspringa, ljudspringa

Gloucester [ˈglɒstə] **I** geogr. egennamn **II** s gloucesterost

Gloucestershire [ˈglɒstəʃɪə, -ʃə] geogr.

glove [glʌv] s handske, fingervante; boxhandske; **fit like a** ~ passa som hand i handske, sitta som gjuten, passa precis; **with the ~s off** bildl. stridslystet; på fullt allvar; **handle sb with kid ~s** el. **treat sb with kid ~s** behandla ngn med silkesvantar

glove compartment [ˈglʌvkəmˌpɑːtmənt] s handskfack i bil

glove puppet [ˈglʌvˌpʌpɪt] s handdocka leksak

glow [gləʊ] **I** vb itr glöda äv. bildl. [~ with (av) enthusiasm]; blossa [~ with (av) anger]; brinna [with av] jfr glowing; **~ing with health** strålande av hälsa
II s glöd [the ~ of (från) his cigar; the ~ of sunset]; frisk rodnad [a ~ of health]; **in a ~ of enthusiasm** med glödande entusiasm

glower [ˈglaʊə] vb itr blänga (glo) ilsket [at på]

glowing [ˈgləʊɪŋ] pres p o. adj glödande äv. bildl. [~ metal; ~ colours; ~ enthusiasm]; blossande [~ cheeks]; entusiastisk [a ~ account (skildring)]

glow-worm [ˈgləʊwɜːm] s zool. lysmask

glucose [ˈgluːkəʊs] s kem. glukos

glue [gluː] **I** s lim [fish ~] **II** vb tr limma, limma fast

[vanl. ~ on]; limma ihop [vanl. ~ together]; bildl. fästa hårt, kitta fast, klistra [fast] [on, to vid], trycka [on, to till, mot; with his ear ~d to the keyhole]; **she stood ~d to spot** hon stod som fastvuxen i marken; **be ~d to the TV** vara (sitta) [som fast]klistrad vid tv:n

glue ear [ˌgluːˈɪə] s med. sekretorisk inflammation i mellanörat

glue-sniffing [ˈgluːˌsnɪfɪŋ] s vard. [lim]sniffning

gluey [ˈgluːɪ] adj limaktig, klibbig

glum [glʌm] adj trumpen, surmulen; dyster

glut [glʌt] **I** s överflöd, uppsjö [a ~ of pears in the market]; överfyllnad
II vb tr **1** översvämma [~ the market] **2** överlasta, proppa full, [över]mätta **3** bildl. mätta lystnad, tillfredsställa till det yttersta el. till leda

gluten [ˈgluːtən] s gluten

glutinous [ˈgluːtɪnəs] adj glutinös, limaktig

glutton [ˈglʌtn] s storätare, matvrak, frossare; **he is a ~ for punishment** han är en sådan person som ställer upp på allt

gluttonous [ˈglʌtənəs] adj frossande; omättlig

gluttony [ˈglʌtənɪ] s frosseri

glycaemic index [glaɪˌsiːmɪkˈɪndeks] (förk. GI) s glykemiskt index (förk. GI)

glycerine o. **glycerin** [ˈglɪsərɪn, ˌglɪsəˈriːn] s glycerin

glycol [ˈglaɪkɒl] s kem. glykol

Glyndebourne [ˈglaɪn(d)bɔːn] s gods söder om London, berömt för sina operafestspel

GM [ˌdʒiːˈem] förk. för general manager, genetically modified, grant-maintained

G-man [ˈdʒiːˌmæn] (pl. G-men [-men]) s vard. (sannolikt förk. för Government man) medlem av (detektiv från) FBI säkerhetspolisen i USA, FBI-man

GMO [ˌdʒiːemˈəʊ] (pl. ~s) (förk. för genetically modified organism) genändrad (genmodifierad) organism

GMT [ˌdʒiːemˈtiː] förk. för Greenwich Mean Time

gnarled [nɑːld] adj knotig, vresvuxen [a ~ old oak]; knölig, kvistig; krokig

gnash [næʃ] vb tr, ~ **one's teeth** gnissla med tänderna, skära tänder

gnat [næt] s mygga; knott; pl. ~s äv. koll. mygg

gnaw [nɔː] **I** vb tr **1** gnaga på [~ a bone]; tugga på [she was ~ing her fingernails]; gnaga [rats ~ed a hole in the floor]; plåga [~ed with (av) anxiety] **2** fräta på, fräta bort, tära på
II vb itr gnaga äv. bildl. [at på]; ~ **at** äv. bekymra

gnawing [ˈnɔːɪŋ] adj gnagande [~ hunger; ~ doubts]

gneiss [naɪs, gəˈnaɪs] s geol. gnejs

gnocchi [ˈnɒkɪ, ˈnjɒkɪ] s pl kok. (it.) gnocchi slags pasta

gnome [nəʊm] s **1** gnom; skattbevarande jordande, bergtroll; grotesk dvärg; trädgårdstomte **2** bildl. gnom, finansman [the ~s of Zurich]

gnomic [ˈnəʊmɪk] adj **1** [mycket] talande [a ~ smile]; vältalig [a ~ look] **2** gnomisk, aforistisk

GNP [ˌdʒiːenˈpiː] (förk. för gross national product) internationell BNP

gnu [nuː, njuː] s zool. gnu[antilop]

go [gəʊ] **I** (went gone; 3 person sg. pres. goes) vb itr (med adv. el. prep., se go III; se äv. going, gone o. fraser med go under bang, easy, here, 1 let o. native m.fl.) **1** fara, resa, åka, köra, färdas; ge sig av, ge sig i väg; gå; **I must be ~ing** jag måste [ge mig] i väg; **look**

where you are ~*ing!* se dig för!; *who goes there?* vem där?; *don't ~ there!* vard. glöm det!; *~ fishing* ge sig ut (åka ut, gå) och fiska
2 om tid gå; *to ~* kvar [*there is only five minutes to ~*]
3 utfalla, gå [*how did the voting ~?*]; *how goes it?* vard. hur går det?, hur står det till?; *how's your new job ~ing?* hur går det med ditt nya arbete?
4 a) vara i gång, gå [*the clock won't ~*] **b)** vara i farten, arbeta; *she can really ~ some* hon kan verkligen sätta fart **c)** sätta i gång, starta; [*ready, steady,*] ~! ...gå!
5 gå till väga; [*when you switch this on*] *you ~ like this* ...gör man så här
6 bli [*~ bad; ~ blind*]
7 a) försvinna, gå [*there went all my money*]; upphöra, gå över [*I wish this pain would ~*]; avskedas **b)** gå [sönder]; gå i stöpet [*there ~ all my plans*] **c)** säljas, gå [*the house went cheap*] **d)** gå [åt] [*his money went on books*]
8 a) ha sin plats, bruka vara (stå, hänga, ligga) [*where do the cups ~?; where does the picture ~?*]; ligga **b)** få plats (rum), rymmas [*they will ~ in the bag*]
9 ljuda, gå [*the siren went*]; låta; säga [*'bang!' went the gun*]; *how does the tune ~?* hur låter (går) melodin?
10 betr. ordalydelse o.d. lyda; om sång gå [*to* på; *it goes to the tune of* (melodin)...]; *as the phrase goes* som man brukar säga; *the story goes that...* det berättas (sägs) att...
11 gälla, vara sista ordet [*what he says goes*]
12 a) räcka, förslå, räcka till **b)** nå
13 [i allmänhet] vara; *as things ~* som förhållandena (läget) nu är, i stort sett
14 *~ far* el. *~ a long way* **a)** fara etc. långt **b)** gå (komma) långt [*he will no doubt ~ far*] **c)** räcka långt (länge) **d)** gå (sträcka sig) långt; *that's ~ing too far* det är att gå för långt
15 *go to* + inf. **a)** bidra till att, tjäna till att; *it goes to prove that...* det bevisar att... **b)** behövas för att; *the qualities that ~ to make a lawyer* de egenskaper som är nödvändiga för en advokat **c)** om pengar o.d. gå (användas) till att **d)** *~ to see* gå (fara etc.) och hälsa på, besöka, söka
II (för tema se *go* I) *vb tr* **go it** vard. **a)** leva om, festa **b)** gå 'på, köra 'på; *~ it!* sätt i gång bara! **c)** hålla i, inte ge sig **d)** *~ it alone* handla på egen hand
III (för tema se *go* I) *vb itr* med adv. el. prep., ofta med spec. översättningar (se äv. ex. under resp. huvudord):
go about a) ta itu med [*~ about one's work*] **b)** gå (fara etc.) omkring **c)** om rykte gå, vara i omlopp **d)** *~ a long way about* göra en lång omväg
go against a) strida (vara) emot [*it goes against my principles*]; bjuda ngn emot **b)** gå ngn emot, gå olyckligt för **c)** motsätta sig, handla mot [*~ against sb's wishes*]
go ahead a) sätta i gång, börja; fortsätta; *~ ahead!* äv. kör [i gång]! **b)** gå (rycka) fram[åt]; gå före [*you ~ ahead and say we're coming*] **c)** ta ledningen spec. sport., gå om, passera äv. bildl. **d)** gå [raskt] framåt
go along a) fara etc. [vidare], fortsätta **b)** [*he makes up stories*] *as he goes along* ...allteftersom **c)** *~ along with* fara etc. tillsammans med, följa med, instämma med, hålla med [*I can't ~ along with you*

on (i) *that*] **d)** *~ along with you!* vard. struntprat!; i väg med dig!
go at a) rusa på, ge sig på, gå lös på [*he went at him with his fists*] **b)** ta itu med, gripa sig an med [*if you ~ at it the right way*]
go away gå bort, försvinna
go back a) fara etc. tillbaka, återvända; träda tillbaka; gå tillbaka, datera sig från **b)** *~ back on* bryta [*~ back on one's word*]; svika [*~ back on one's promise*]
go before a) tas upp i, föreläggas [*this question will ~ before a committee*] **b)** träda (komma) inför **c)** fara etc. före; gå före [*pride* (högmod) *goes before a fall*]
go beyond gå utöver, överskrida
go by a) passera [förbi], gå (fara) förbi; förflyta, gå [*time went by slowly*] **b)** fara över (via) [*~ by Paris to Italy*]; fara etc. med [*~ by boat*]; *~ by air* flyga; *~ by car* åka bil **c)** gå (rätta sig) efter [*that's nothing to ~ by*]; döma (gå) efter [*you can't ~ by people's faces*] **d)** *~ by the name of...* gå (vara känd) under namnet...
go down a) gå ner äv. data., falla, sjunka; *he has gone down in the world* det har gått utför för honom; *~ down on sb* vulg. suga av ngn **b)** gå under äv. bildl. **c)** minska [*~ down in weight*]; försämras [*~ down in quality* om vind el. vågor lägga sig **d)** sträcka sig fram till en [tid]punkt, gå [ända] fram [*the first volume goes down to the end of the war*] **e)** *~ down in history* gå till historien (eftervärlden) **f)** slå an [*the speech went down with* (på) *the audience*]; göra lycka, göra sig [*~ down on the stage*]; gå in (hem) [*with* hos] **g)** insjukna [*~ down with* (i) *flue*]
go for a) vard. försöka få (ta), tävla (kämpa) om; *~ for it!* ge dig inte! **b)** vard. gilla; *I rather ~ for that* jag gillar det skarpt **c)** gå lös på, ge sig på, kasta sig över [*the dog went for him*] **d)** *~ for a walk* göra (ta) en promenad, gå ut och gå; *~ for a swim* gå och bada **e)** gå efter, [gå (åka) och] hämta **f)** *he's got a lot ~ing for him* det är mycket som talar för honom; vard. han har det väl förspänt
go in a) gå in; gå 'i [*the cork won't ~ in*]; gå in i [*the key won't ~ in the lock*]; om solen gå i moln **c)** delta, vara (gå) med i tävling o.d.] **d)** *~ in for* gå in för, satsa på, lägga an på, sträva efter, ägna sig åt [*~ in for farming*]; slå sig på [*~ in for golf*]; vara mycket för [*she goes in for dress* (kläder)]; vara 'för, verka för [*they ~ in for his policy*]; hänge sig åt; gå upp i [*~ in for an examination*]
go into a) gå in i (på); gå in vid [*~ into the army*]; gå med i, delta; slå sig på [*~ into politics*] **b)** gå in på [*~ into details*]; *I won't ~ into that now*]; ge sig in på; noggrant undersöka [*~ into the matter* (*problem*)] **c)** klä sig i, anlägga [*~ into mourning*] **d)** falla i, gripas av, råka i [*~ into raptures*]; *~ into hysterics* bli hysterisk; *~ into a coma* falla (hamna) i koma
go off a) ge sig i väg, sticka [i väg] **b)** explodera; om skott el. eldvapen gå av, brinna av, smälla; om väckarklocka [börja] ringa; om t.ex. siren [börja] ljuda **c)** bli dålig, bli skämd; falla av, avta; bli sämre **d)** *~ off to sleep* falla i sömn, somna, slockna **e)** gå [*how did the play ~ off?*] **f)** *~ off into* brista ut i
go on a) fara etc. vidare, fortsätta; *~ on about* tjata

om, köra med [*he went on about his theories*]
b) fortgå, pågå, vara, hålla på [*the talks went on all day*] **c**) ~ *on to* gå över till, fortsätta med **d**) göra, företa, bege sig ut på [~ *on a journey*; ~ *on an outing*; ~ *on a trip*] **e**) försiggå, pågå, stå 'på [*what's ~ing on here?*]; vara på (i) gång **f**) bära sig åt, uppföra sig; bråka; tjata [*he always goes on at* (på) *me about that*] **g**) om kläder gå på **h**) teat. komma in [på scenen] **i**) ~ *on with you* vard. äsch!, nä hör du!, larva dig inte! **j**) klara sig, reda sig; *I've got enough to ~ on with* jag har så det räcker **k**) tändas [*the lights went on*] **l**) ~ *on for* se *be going on for* under *going II 4* **m**) 'gå efter [*the only thing we have to ~ on*]; hålla sig till [*what evidence have we to ~ on?*]; bygga på **n**) *I don't ~ much on that* vard. det ger jag inte mycket för

go out a) resa (åka, fara) [ut]; *out you ~!* ut med dig! **b**) ~ *out with* vard. sällskapa med **c**) strejka, gå i strejk [äv. ~ *out on strike*] **d**) slockna [*my pipe has gone out*] **e**) försvinna, dö ut; komma ur modet [*those blouses have gone out*] **f**) ~ *out of* gå ur, komma ur [~ *out of use*] **g**) ~ *all out* sätta in alla sina krafter, göra sitt yttersta, ta ut sig helt, ge järnet

go over a) gå igenom, granska [~ *over the accounts* (räkenskaperna)]; se över [*the mechanic went over the engine*]; besiktiga [~ *over the house before buying it*]; läsa igenom, läsa på, repetera; retuschera **b**) gå över till ett annat parti o.d. **c**) stjälpa, välta **d**) ~ *over* [*big*] vard. slå an [kolossalt], göra [enorm] succé **e**) sl. klå upp, slå sönder och samman

go round a) fara etc. runt (omkring), se sig om **b**) gå runt [*wheels ~ round*]; *it makes my head ~ round* det gör mig yr i huvudet **c**) räcka [till] för alla [*the glasses will never ~ round*] **d**) ~ *round to* gå över till, [gå (ta) och] hälsa på; *let's ~ round to my place* kom så går vi hem till mig

go through a) gå igenom i div. betydelser: söka (rota) igenom [~ *through the whole room*]; muddra [*the mugger went through the old man's pockets*]; [detalj]granska; utföra, genomföra; genomgå [~ *through an operation*]; gå i lås [*the deal did not ~ through*] **b**) göra av med, göra slut på [*he went through all his money*] **c**) ~ *through with* genomföra, fullfölja

go to (se äv. ex. under *length, piece* o. *sea* m.fl.) **a**) gå i [~ *to school*; ~ *to church*]; gå på [~ *to the theatre*]; gå till [~ *to bed*] **b**) vända sig till, gå till **c**) om pengar o.d. anslås till, användas till, gå till [*all his money went to charity*] **d**) svara mot; *three feet ~ to one yard* det går tre fot på en yard **e**) ta på sig [*he went to a great deal of trouble*] **f**) ~ *to blazes!* el. ~ *to hell!* dra åt helsike! **g**) ~ *'to it* vard. sätta i gång, sätta fart

go together a) fara etc. tillsammans **b**) vard. vara tillsammans **c**) [bruka] följas åt, höra samman (ihop), gå väl ihop

go under a) gå under, sjunka, förlisa **b**) gå (duka) under, göra konkurs, gå omkull [*the firm has gone under*] **c**) ~ *under the name of...* gå (vara känd) under namnet...

go up a) gå upp, stiga [*everything went up except pensions*] **b**) fara etc. upp; resa [in] [~ *up to town*; ~ *up to London*] **c**) om rop höjas, höras **d**) tändas [*the*

lights went up] **e**) ~ *up for* gå upp i [~ *up for an examination*] **f**) gå (fara) uppför; gå (klättra) upp i

go with a) fara etc. med, följa [med] [*I'll ~ with you*] **b**) vard. vara tillsammans med [*he's ~ing with her*] **c**) följa 'med [~ *with the times* (tiden)] **d**) höra till [*it goes with the profession*]; höra ihop med; *and everything that goes with it* med allt vad därtill hör **e**) passa (gå) till

go without a) bli (vara) utan, få vara (reda sig) utan **b**) *it goes without saying* det säger sig självt

IV (pl. ~*es*) s **1** gående, gång; *it's no ~* vard. det går inte, det är ingen idé; *be on the ~* vard. vara i farten (i gång) [*she has been on the ~ all day*] **2** vard. försök; tag; *have a ~* [*at it*] försöka, göra ett försök; *have a ~ at sb* vard. vara på ngn, ge sig på ngn; *it's your ~* det är din tur; *at one ~* på en gång; *he did it first ~* han lyckades vid första försöket **3** vard. succé; *make a ~ of sth* lyckas med ngt, ha framgång med ngt **4** vard. fart, ruter, gåpååranda, go [*there's no ~ in him*]; liv, kläm, schvung [*music without ~*]; *full of ~* schvungfull; *she is full of ~* det är verkligen fart på henne **5** vard. **a**) *a rum ~* se under *2 rum* **b**) *it was a near ~* det var nära ögat **6** *from the word ~* från första stund (början)

goad [gǝʊd] **I** *vb tr* **1** driva på (sticka) med en pikstav **2** bildl. egga, sporra [*into, to* till]; ~ *sb into doing sth* sporra (reta) ngn att göra ngt; ~ *sb on* driva på ngn
II s **1** pikstav för att driva på dragdjur [äv. *goadstick*] **2** bildl. sporre; tagg

go-ahead ['gǝʊǝhed] **I** s vard. klarsignal, klartecken [*give the ~*] **II** *adj* framåt [av sig] [*he is very ~*]; rivig, företagsam, energisk; gåpåaktig, gåpåig; framåtsträvande [*a ~ nation*]; *give the ~ signal* ge klarsignal

goal [gǝʊl] s sport. el. i allm. mål [*win by* (med) *3 ~s to* (mot) *1*; *the ~ of her ambition*; *reach one's ~*]; *play in ~* el. *be in ~* el. *keep ~* stå i mål; *score a ~* göra [ett] mål

goal area ['gǝʊl,eǝrɪǝ] s sport. målområde
goal average ['gǝʊl,æv(ǝ)rɪdʒ] s sport. målkvot
goal difference ['gǝʊl,dɪfr(ǝ)ns] s sport. målskillnad
goalgetter ['gǝʊl,getǝ] s vard. målspottare
goalie ['gǝʊlɪ] s vard. målvakt
goalkeeper ['gǝʊl,ki:pǝ] s målvakt
goalkick ['gǝʊlkɪk] s fotb. inspark; *take a ~* göra inspark
goalless ['gǝʊlǝs] *adj* sport. mållös, utan mål; *the match was a ~ draw* matchen slutade oavgjort 0–0
goal line ['gǝʊllaɪn] s sport. mållinje, kortlinje
goalmouth ['gǝʊlmaʊθ] s fotb. m.m. målöppning; *in the ~* äv. på mållinjen, i målområdet
goalpost ['gǝʊlpǝʊst] s målstolpe på fotbollsplan o.d.
goalscorer ['gǝʊl,skɔ:rǝ] s målgörare, målskytt
goaltender ['gǝʊl,tendǝ] s amer. målvakt

goat [gǝʊt] s get; *get sb's ~* vard. gå ngn på nerverna, reta (förarga) ngn; *play the ~* el. *act the ~* vard. fjanta omkring

goatee [gǝʊ'ti:, attr. äv. 'gǝʊti:] s bockskägg, pipskägg [äv. ~ *beard*]
goatherd ['gǝʊthɜ:d] s getherde, getvaktare
goatsucker ['gǝʊt,sʌkǝ] s zool. amer. nattskärra
gob [gɒb] sl. **I** s gap, käft; *shut your ~!* håll käften!
II *vb itr* spotta

gobbet ['gɒbɪt] *s* [tjockt] stycke spec. av rått kött

1 gobble ['gɒbl] **I** *vb tr* **1** ~ el. ~ *up* el. ~ *down* glufsa i sig, sörpla (slafsa) i sig, sluka **2** vard., ~ *up* ta, hugga, lägga beslag på, uppsluka
II *vb itr* glufsa, sörpla

2 gobble ['gɒbl] *vb itr* om el. som kalkon klucka

gobbledygook ['gɒblɪdɪguːk] *s* vard. fikonspråk, högtravande kanslistil

go-between ['gəʊbɪˌtwiːn] *s* mellanhand, medlare

goblet ['gɒblət] *s* glas på fot; remmare

goblin ['gɒblɪn] *s* elakt troll, vätte

gobsmacked ['gɒbsmækt] *adj* vard. alldeles paff, mållös

gobstopper ['gɒbˌstɒpə] *s* slags stor hård karamell

go-by ['gəʊbaɪ] *s*, *give sb* (*sth*) *the* ~ strunta i ngn (ngt); *give sb the* ~ äv. snoppa av ngn

go-cart ['gəʊkɑːt] *s* **1** amer. gåstol för att lära barn gå **2** se *go-kart*

God [gɒd] **I** *s* Gud; ~ *the Father* Gud Fader; ~ *almighty* allsmäktige Gud; *he thinks he is* ~ *almighty* han tror att han är något (att han är Gud Fader själv); ~ *save the King* (*Queen*) den brittiska nationalsången **II** *interj*, ~! el. ~ *almighty!* el. *good* ~! herre gud!; *My* ~! Gode Gud!; *thank* ~! tack gode gud!, gudskelov; *goodbye and* ~ *bless!* hej då och ha det så bra!; ~ *knows!* vard. a) [det] vete gudarna! b) Gud ska veta! [~ *knows I've tried hard!*]; *for God's sake!* för guds skull!

god [gɒd] *s* **1** gud [*the* ~ *of love*]; avgud **2** pl., *in the* ~*s* ngt åld. på hyllan (översta raden)

god-awful ['gɒdˌɔːful] *adj* vard. jäkla; *it's* ~ den är för jäklig

god|child ['gɒdˌtʃaɪld] (pl. -*children* [-ˌtʃɪldrən]) *s* gudbarn, fadderbarn

goddamn o. **goddam** ['gɒdæm] vanl. amer. vard. **I** *interj* djävlar!, fan också! **II** *adj* djävla, satans, förbannad

goddaughter ['gɒdˌdɔːtə] *s* guddotter

goddess ['gɒdɪs] *s* gudinna

godfather ['gɒdˌfɑːðə] *s* **1** gudfar; manlig fadder **2** gudfader maffiaboss **3** fader, skapare [*the* ~ *of hip hop*]

God-fearing ['gɒdˌfɪərɪŋ] *adj* gudfruktig

godforsaken ['gɒdfəseɪkn] *adj* gudsförgäten [*that* ~ *place*]; eländig; gudlös; *at this* ~ *hour in the morning* vid denna okristliga tid på morgonen

God-given ['gɒdgɪvn] *adj* **1** gudabenådad, gudomlig **2** självklar

godless ['gɒdləs] *adj* gudlös

godlike ['gɒdlaɪk] *adj* gudalik, gudomlig

godliness ['gɒdlɪnəs] *s* gudsfruktan, fromhet, rättfärdighet

godly ['gɒdlɪ] *adj* gudfruktig, from, rättfärdig

godmother ['gɒdˌmʌðə] *s* gudmor; kvinnlig fadder

godparent ['gɒdˌpeər(ə)nt] *s* fadder, gudförälder, gudmor, gudfar, pl. ~*s* gudföräldrar

godsend ['gɒdsend] *s* gudagåva; evig lycka (tur) [*it was a* ~ *that she didn't recognize me*]

godson ['gɒdsʌn] *s* gudson

God squad ['gɒdskwɒd] *s* vard. neds., *the* ~ Guds utsända, Guds armé

goer ['gəʊə] *s* **1** åld. vard., om kvinna vandringspokal, madrass **2** som efterled -besökare [*churchgoer*]

gofer ['gəʊfə] *s* vard. passopp

go-getter ['gəʊˌgetə, ˌ-'--] *s* vard. handlingsmänniska; neds. gåpåare, streber

goggle ['gɒgl] *vb itr* **1** rulla med ögonen; glo, blänga [*at på*] **2** rulla [*with goggling eyes*]

goggle-box ['gɒglbɒks] *s* sl., *the* ~ dumburken teven

goggle-eyed ['gɒgl-aɪd] *adj* storögd, med ögon stora som tefat

goggles ['gɒglz] *s pl* skyddsglasögon, solglasögon, dykarglasögon

go-go ['gəʊgəʊ] *adj* hålligång; attr. inne-; ~ *dancer* gogo-dansare

going ['gəʊɪŋ] **I** *s* **1** gående, gång **2** före [*heavy* ~]; väg[lag] [*the* ~ *was bad*]; *it's heavy* ~ bildl. det går trögt; *you'd better go while the* ~ *is good* bildl. det är bäst du går medan tid är **3** [*50 miles an hour*] *is good* ~ ...är en bra [medel]fart; *pretty good* ~! inte illa alls!
II *adj* o. *pres p* i spec. betydelser **1 a)** väl inarbetad (upparbetad); *a* ~ *concern* ett väl inarbetat företag **b)** *get* ~ komma i gång; sätta i gång [*get* ~!]; *get sth* ~ få ngt i gång; *get a party* ~ få fart på (liv i) en fest; *get sb* ~ sätta fart på ngn; *set sth* ~ sätta i gång ngt **c)** *be still* ~ *strong* vard., se *strong II 2 a*) som finns [att få], som står att få [*the best coffee* ~]; [*the biggest fool*] ~ ...som går på två ben; *he ate anything* ~ han åt allt som fanns att få; *are there any cigarettes* ~? finns det några cigaretter att få? **b)** hand. [nu] gällande, dags-, marknads- [*the price*] **3** ~, ~, *gone!* vid auktion första, andra, tredje [gången]! **4** *be* ~ *on for* närma sig [*she is* ~ *on for forty*] **5** *be* ~ *to* + inf. ska, tänka [*what are you* ~ *to do?*]; ämna; just ska [till att] [*he was* ~ *to say something when...*]; stå i begrepp att; *I'm afraid it's* ~ *to rain* jag är rädd att det [snart] blir regn

going-over [ˌgəʊɪŋ'əʊvə] (pl. *goings-over*) *s* vard. **1** genomgång, [fin]granskning; undersökning **2** omgång stryk [*they gave him a good* (rejäl) ~]

goings-on [ˌgəʊɪŋz'ɒn] *s pl* vard. förehavanden, aktivitet[er] ofta neds. [*I've heard of your* ~]

goitre ['gɔɪtə] *s* med. struma

go-kart ['gəʊkɑːt] *s* go-kart liten tävlingsbil

gold [gəʊld] *s* **1** guld [*worth one's* (*its*) *weight in* ~; *it is real* (äkta) ~]; *as good as* ~ mest om barn förfärligt gullig (snäll), god som guld **2** bildl., *a heart of* ~ ett hjärta av guld; *a pot of* ~ el. *a crock of* ~ guldgruva; lyckträff **3** attr. guld- [*a* ~ *watch*]; gyllene

gold card ['gəʊldkɑːd] *s* guldkort kreditkort

gold digger ['gəʊldˌdɪgə] *s* **1** guldgrävare **2** vard. gold-digger kvinna som söker utnyttja förmögna män

gold disc ['gəʊlddɪsk] *s* guldskiva slags utmärkelse som delas ut av skivbolag

gold dust ['gəʊlddʌst] *s* guldstoft; *be like* ~ bildl. vara svår att få

golden ['gəʊld(ə)n] *adj* **1** guld- [~ *earrings*]; av guld **2** guldrik, guldförande **3** guldgul, guldglänsande, gyllene [~ *hair*] **4** bildl. guld-; gyllene, utomordentlig, ytterst värdefull

golden age ['gəʊld(ə)neɪdʒ] *s* guldålder

golden anniversary ['gəʊld(ə)nˌænɪ'vɜːs(ə)rɪ] *s* vanl. amer. guldbröllop

golden boy ['gəʊld(ə)nbɔɪ] *s* [lyckans] gullgosse, lyckans ost

golden eagle [ˌgəʊld(ə)n'iːgl] *s* zool. kungsörn

goldeneye ['gəʊld(ə)naɪ] *s* zool. knipa

golden girl ['gəʊld(ə)ngɜ:l] *s* lyckans ost
golden goal [ˌgəʊld(ə)n'gəʊl] *s* sport. 'golden goal' första och avgörande målet i förlängning av match
golden goose [ˌgəʊld(ə)n'gu:s] *s* bildl. guldgruva, guldägg
golden hamster [ˌgəʊld(ə)n'hæmstə] *s* zool. guldhamster
golden handcuffs [ˌgəʊld(ə)n'hæn(d)kʌfs] *s pl* slavkontrakt med bra lön o.d.
golden handshake [ˌgəʊld(ə)n'hæn(d)ʃeɪk] *s* 'gyllene handslag'; större avgångsvederlag
golden jubilee [ˌgəʊld(ə)n'dʒu:bɪli:] *s* 50-årsjubileum
golden mean [ˌgəʊld(ə)n'mi:n] *s*, **the** ~ den gyllene medelvägen [*strike* (gå) *the* ~ *mean*]; det rätta lagom
golden oldie [ˌgəʊld(ə)n'əʊldɪ] *s* gammal favorit (goding), mus. äv. evergreen
golden parachute [ˌgəʊld(ə)n'pærəʃu:t] *s* ekon. fallskärmsavtal
golden raisin [ˌgəʊld(ə)n'reɪzn] *s* amer. sultanrussin
golden rule [ˌgəʊld(ə)n'ru:l] *s* gyllene regel
Golden State [ˌgəʊld(ə)n'steɪt], **the** ~ beteckning för staten Kalifornien
golden syrup [ˌgəʊld(ə)n'sɪrəp] *s* [ljus] sirap
golden wedding [ˌgəʊld(ə)n'wedɪŋ] *s* guldbröllop
gold filling [ˌgəʊld'fɪlɪŋ] *s* tandläk. guldplomb
goldfinch ['gəʊldfɪn(t)ʃ] *s* zool. steglits[a]
goldfish ['gəʊldfɪʃ] *s* guldfisk
goldfish bowl ['gəʊldfɪʃbəʊl] *s* **1** guldfiskskål **2** [*there are so many windows in this office*] *it's like being in a* ~ ...det är som att vara utställd till allmän beskådan
Goldilocks ['gəʊldɪlɒks] *s* (med verb i sg.) **1** Guldlock i Sagan om de tre björnarna **2** flicka med guldlockigt hår; blondin
goldilocks ['gəʊldɪlɒks] *s* (med verb i sg. el. pl.) bot. maj-smörblomma
Golding ['gəʊldɪŋ]
gold leaf [ˌgəʊld'li:f] *s* bladguld, bokguld
gold medal [ˌgəʊld'medl] *s* guldmedalj
gold medallist [ˌgəʊld'med(ə)lɪst] *s* guldmedaljör
gold mine ['gəʊldmaɪn] *s* guldgruva äv. bildl.
gold-mounted ['gəʊldˌmaʊntɪd] *adj* guldinfattad; guldinramad
gold plate ['gəʊldpleɪt, ˌ-'-] *s* gulddoublé
gold-plated ['gəʊldˌpleɪtɪd] *adj* guldpläterad
gold reserve [ˌgəʊldrɪ'zɜ:v] *s* guldreserv
gold-rimmed ['gəʊldrɪmd] *adj* guldbågad
gold rush ['gəʊldrʌʃ] *s* guldrush, guldfeber
goldsmith ['gəʊldsmɪθ] *s* guldsmed
gold standard ['gəʊldˌstændəd] *s* guldmyntfot
golem ['gəʊləm] *s* amer. vard. robotliknande person
golf [gɒlf] **I** *s* golf[spel] **II** *vb itr* spela golf
golf ball ['gɒlfbɔ:l] *s* **1** golfboll **2** skrivkula
golf car ['gɒlfkɑ:] *s* o. **golf cart** ['gɒlfkɑ:t] *s* golfbil
golf club ['gɒlfklʌb] *s* **1** golfklubba **2** golfklubb
golf course ['gɒlfkɔ:s] *s* golfbana
golfer ['gɒlfə] *s* golfspelare
golfing ['gɒlfɪŋ] *s* golf[spel], golf-
golf links ['gɒlflɪŋks] (med verb ofta i sg.) *s* golfbana
golf trolley ['gɒlfˌtrɒlɪ] *s* golfvagn
Golgotha ['gɒlgəθə] bibl. Golgata

Goliath [gə(ʊ)'laɪəθ] **I** bibl. egennamn Goliat **II** *s* jätte [*business ~s*]
golliwog ['gɒlɪwɒg] *s* trasdocka med svart ansikte
golly ['gɒlɪ] *interj* vard. kors [i alla mina dar]!, o, du store [tid]! [äv. *by ~!*]
gonad ['gəʊnæd, 'gɒn-] *s* anat. gonad, könskörtel
gondola ['gɒndələ] *s* gondol äv. i butik; ~ *car* amer. öppen godsvagn
gondolier [ˌgɒndə'lɪə] *s* gondoljär
gone [gɒn] *adj* o. *perf p* (av go) **1** borta, försvunnen [*the book is ~*]; slut [*my money is ~*]; ute [*all hope is ~*]; [bort]gången **2** förlorad, uppgiven; död; *be far ~* se under *far gone* **3** förgången, gången [*~ ages* (tider)]; förbi; *it is past and ~* det tillhör det förflutna; *he is ~ twenty* han är över (drygt) tjugo [år]; *it's just ~ four* klockan är litet över (drygt) fyra; *she is six months ~* vard. hon är i [slutet av] sjätte månaden **4** *she is ~ on him* vard. hon är tokig i (helt tänd på) honom
goner ['gɒnə] *s* vard., *he is a ~* det är ute (slut) med honom
gong [gɒŋ] *s* **1** gonggong, mus. äv. gong **2** vard., spec. mil. utmärkelse, medalj
gonna ['gɒnə] vard., förvrängning av *going to*
gonorrhoea [ˌgɒnə'rɪə] *s* med. gonorré, dröppel
gonzo journalism [ˌgɒnzəʊ'dʒɜ:nəlɪz(ə)m] *s* amer. sl. sensationsjournalistik
goo [gu:] *s* vard. **1** gegga[moja]; kladd **2** [sliskig] sentimentalitet
good [gʊd] **I** (*better best*) *adj* **1** god, bra [*a ~ knife*]; ~ el. *very ~!* bra!, fint!, skönt!; *she has a ~ figure* hon har [en] snygg figur
2 a) nyttig, hälsosam; ~ *for you!* skönt!, fint!; grattis!; så bra då!; *it is ~ for colds* det är bra mot (vid) förkylning **b)** färsk inte skämd, frisk **c)** *is it ~ to eat?* duger det att äta?
3 duktig, skicklig, styv, bra [*at* i, på; *on* i, på; *he is ~ at mathematics*]; *he is ~ with children* han har bra hand med barn
4 angenäm, god [*~ news*]; [*it's*] ~ *to see you* [det var] roligt att se dig
5 a) vänlig, snäll, hygglig [*to* mot] **b)** snäll [*be a ~ boy!*]
6 a) ordentlig, riktig, rejäl [*a ~ beating* (kok stryk)]; bastant; *have a ~ wash* tvätta sig ordentligt **b)** rätt stor, rätt lång [*we've come a ~ way*]; *a ~ while* en bra stund **c)** dryg [*a ~ hour*]; *a ~ two hours* dryga (drygt) två timmar **d)** adverbiellt framför adj. rätt, ganska, riktigt [*a ~ long walk*; *a ~ long time*]
7 rolig, trevlig, god, bra [*a ~ joke*]
8 tillförlitlig, pålitlig, bra [*a car with ~ brakes*] ekonomiskt säker, solid; *I have it on ~ authority* jag har det från säker källa
9 moraliskt god [*a ~ and holy man*]; bra
10 i hälsnings- och avskedsfraser: ~ *afternoon* god middag; god dag; adjö; ~ *day* adjö; god dag; ~ *evening* god afton, god dag; adjö; ~ *morning* god morgon, god dag; adjö; ~ *night* god natt, god afton, adjö
11 med subst. i spec. betydelser: *a ~ fellow* en trevlig (hygglig) karl; ~ *gracious!* el. ~ *Heavens!* du milde!, kors [i alla mina dar]!, himmel!; ~ *humour* gott lynne, glatt humör; ~ *looks* fördelaktigt utseende; ~ *nature* godmodighet; ~ *offices* bona officia,

förmedling; **and a ~ thing, too** vard. och väl var det; **I know a ~ thing when I see it** jag förstår mig på vad som är bra; **too much of a ~ thing** för mycket av det goda; **all in ~ time** i lugn och ro; [**can I have it now?**] – **all in ~ time!** ... – en sak i sänder!, ... – ta det lugnt!

12 med verb i spec. betydelser: **hold ~** se under *1 hold II 4;* **make ~** a) gottgöra [*make ~ a loss*]; ersätta [*make ~ the damage*]; täcka [*make ~ a deficiency*]; betala; ta igen något försummat, hämta in t.ex. tid; reparera, återställa b) utföra, förverkliga, genomföra [*make ~ one's retreat*]; hålla [*make ~ a promise*] c) vard. lyckas, klara sig, göra sin lycka

II *adv* **1 as ~ as** så gott som [*as ~ as settled*]; praktiskt taget, i praktiken, nästan **2** vard. väl, bra; **they beat us ~ and proper** de klådde upp oss ordentligt

III *s* **1** gott [~ *and evil* (ont)]; det goda [*prefer ~ to evil* (det onda)]; nytta, gagn; **it is [all] for your own ~** det är för ditt eget bästa; **nothing but ~ can come of it** det kan bara vara till nytta; **be some ~** komma (vara) till nytta; **he is no ~** det är inte mycket [bevänt] med honom; han är inte någon bra människa; **it is no ~** det är inte lönt, det tjänar ingenting till, det är ingen idé; **what's the ~ of that?** vad ska det vara bra för?; **do ~** göra gott [*to* mot]; **it does some ~** det gör (är till) nytta; **much ~ may it do you!** väl bekomme! oftast ironiskt; **he is up to no ~** han har något rackartyg i sikte

2 for ~ för gott, för alltid

3 I am £100 to the ~ jag har vunnit (har ett överskott på) 100 pund

4 goda [människor] [~ *and bad alike respected the person*]

5 se *goods*

goodbye [subst. gʊd'baɪ, som interj. gʊ'baɪ] *s* o. *interj* adjö, farväl [*say ~ to; bid ~*]

good-for-nothing ['gʊdfə‚nʌθɪŋ] *s* odåga, odugling; **a ~ boy** en odåga till pojke

Good Friday [‚gʊd'fraɪdeɪ] *s* långfredag[en]

good-humoured [‚gʊd'hjuːməd] *adj* gladlynt

goodish ['gʊdɪʃ] *adj* **1** rätt bra, tämligen god **2** avsevärd, rätt lång, rätt stor; **it's a ~ step from here** det är rätt långt härifrån

good-looking [‚gʊd'lʊkɪŋ] *adj* snygg, vacker

goodly ['gʊdlɪ] *adj* [rätt] stor, betydande, betydlig, ansenlig [*a ~ number; a ~ sum*]; riklig, rikligt tilltagen

good-natured [‚gʊd'neɪtʃəd] *adj* godmodig, godsint, vänlig, välvillig, hygglig; beskedlig

goodness ['gʊdnəs] *s* **1** godhet, förträfflighet, dygd **2** godhet, vänlighet; **have the ~ to** ha godheten att **3 the ~** det goda (bästa) [*of i*], musten [*the ~ of the meat*] **4** vard., i stället för *God:* **~ knows** a) det vete gudarna b) Gud ska veta [~ *knows I've tried hard*]; **thank ~!** gudskelov!; **~ gracious** [*me*]! el. **my ~!** du milde!, du store [tid]!; **for ~' sake!** för Guds skull!; **I hope to ~ that...** jag hoppas vid Gud (verkligen) att...

goods [gʊdz] *s pl* **1 ~** el. **~ and chattels** lösöre[n], lösegendom, tillhörigheter [*half her ~ were stolen*]; **worldly ~** jordiska ägodelar **2** varor, artiklar, gods; frakt på järnväg, fraktgods; **~ train** godståg; **~ warehouse** godsmagasin; **leather ~** lädervaror,

läderartiklar **3** vard., **the ~** (med verb ibl. i sg.) vad som behövs, det nödvändiga, det riktiga; äkta vara; **deliver the ~** el. **come up with the ~** bildl. göra vad som ska göras, göra sitt, hålla sitt ord

good sense [‚gʊd'sens] *s* gott förstånd (omdöme)

goods-train ['gʊdztreɪn] *s* godståg

good-tempered [‚gʊd'tempəd] *adj* godlynt, godmodig

good-time ['gʊdtaɪm] *adj,* **a ~ girl** vard. åld. en flicka som tycker om att vara ute och roa sig

goodwill [‚gʊd'wɪl, -'-] *s* **1** hand. goodwill; kundkrets vid affärsöverlåtelse **2** god vilja, välvilja, sympati, vänlighet, bevågenhet, ynnest, goodwill **3** medgivande; [bered]villighet; iver, fart

goody ['gʊdɪ] **I** *s* vard. **1** pl. **goodies** vanl. godbitar **2** hjälte i film o.d. [*goodies and baddies*] **II** *interj* åld. smaskens!, härligt!, fint! [äv. ~, ~!]

Goodyear ['gʊd‚jɪə]

goody-goody [‚gʊdɪ'gʊdɪ] *s* skenhelig (hymlande) person

gooey ['guːɪ] *adj* vard. **1** geggig, kladdig **2** sentimental; sliskig [~ *sentimentality*]

goof [guːf] amer. vard. **I** *vb itr* **1** göra en tabbe, göra fel; soppa till det **2** slå dank; gå och drälla [ofta ~ *off; ~ around*] **II** *vb tr* fuska bort, slarva bort, sumpa [ofta ~ *up*] **III** *s* **1** fjant, klantskalle **2** tabbe, tavla

Goofy ['guːfɪ] Jan Långben seriefigur

goofy ['guːfɪ] *adj* amer. sl. dum, fånig

google ['guːgl] *vb tr* o. *vb itr* data. googla [*for* på]

googly ['guːglɪ] *s* **1** (i kricket) slags högt skruvat kast **2** bildl., **bowl sb a ~** ställa en svår fråga till ngn

gook [guːk] *s* amer. sl. **1** kladd, gegga[moja], smet, skit **2** om korean, japan m.fl.: neds. guling

goolie ['guːlɪ] *s* sl., pl. **~s** ballar testiklar

goon [guːn] *s* sl. **1** amer. torped, hejduk **2** idiot; tråkmåns; våp

goose [guːs] **I** *s* (pl. *geese* [giːs]) *s* **1** gås; **cook sb's** vard. a) ta kål på (fixa) ngn b) stoppa ngn, knäcka ngn; **his ~ was cooked** [*when they found the gems in his pockets*] han kunde hälsa hem..., ...så var det kokta fläsket stekt; **kill the ~ that lays the golden eggs** döda hönan som värper guldägg **2** bildl. åld. gås, dumbom, våp **II** *vb tr* **1** sl. sticka fingret i ändan på [*a playful lad ~d the maid as she bent over*] **2** amer. vard., **~ along** el. **~ up** sätta fart på

gooseberry ['gʊzb(ə)rɪ, guːz-] *s* **1** krusbär **2 play ~** el. **be a ~** vard. vara femte hjulet under vagnen, vara i vägen

goose bumps ['guːsbʌmps] *s pl* se *gooseflesh*

gooseflesh ['guːsfleʃ] *s* gåshud, hönsskinn på huden

goosegog ['gʊzgɒg] *s* vard. krusbär

goose pimples ['guːs‚pɪmplz] *s pl* se *gooseflesh*

goose step ['guːsstep] *s* mil. **1** [stram] paradmarsch med sträckta ben, noggrann marsch **2** på stället marsch

GOP [‚dʒiːəʊ'piː] (förk. för *Grand Old Party*) se *grand I 1*

gopher ['gəʊfə] *s* amer. **1** goffer, kindpåsråtta **2** sisel ett slags ekorrdjur

Gopher State [‚gəʊfə'steɪt], **the ~** beteckn. för staten *Minnesota*

Gordian knot [ˌgɔːdiən'nɒt] *s*, **cut the ~ knot** lösa (hugga av) den gordiska knuten

1 gore [gɔː] *s* mest litt. levrat blod; **a horror film full of ~** en bloddrypande skräckfilm

2 gore [gɔː] *vb tr* stånga [ihjäl]; genomborra

Gore-Tex® ['gɔːteks], **~ material** Gore-Tex® slags vattentätt tyg som andas

gorge [gɔːdʒ] **I** *s* **1** trång klyfta, trångt pass mellan branta klippor, hålväg **2** strupe; **his ~ rose at it** el. **it made his ~ rise** bildl. det äcklade (kväljde) honom **II** *vb tr* **1** proppa full; **~ oneself with** proppa i sig, frossa på **2** sluka, svälja glupskt **III** *vb itr* frossa [*on* på]; smörja kråset

gorgeous ['gɔːdʒəs] *adj* **1** praktfull [*a ~ sunset*]; kostbar [*a ~ gown*]; prunkande, lysande **2** vard. underbar, härlig, läcker; **Hello, ~!** Hej snygging!

Gorgonzola [ˌgɔːgˈ(ə)nˈzəʊlə] *s* gorgonzola[ost]

gorilla [gəˈrɪlə] *s* **1** zool. gorilla **2** sl. gorilla livvakt o.d. **3** sl. torped lejd mördare

gormless ['gɔːmləs] *adj* vard. dum, knasig, korkad

gorse [gɔːs] *s* bot. ärttörne

gory ['gɔːrɪ] *adj* blodig, blodbesudlad, bloddrypande

gosh [gɒʃ] *interj* kors [i alla mina dar]!, jösses!

gosling ['gɒzlɪŋ] *s* gässling, gåsunge

go-slow [ˌgəʊˈsləʊ] *s* maskning som kampmetod vid arbetskonflikt [*the ~ at the factory continues*]; **~ policy** maskningstaktik

gospel ['gɒsp(ə)l] *s* evangelium i olika betydelser, äv. bildl. [*the ~ of health*]; attr. evangelie-; **the Gospel according to St Luke** evangelium enligt Lukas, Lukasevangeliet; **preach the Gospel** predika (förkunna) evangelium; **it is** [**the**] **~ truth** det är säkert som amen i kyrkan, det är dagsens sanning

gossamer ['gɒsəmə] *s* **1** [tunn] spindelväv **2** ytterst tunn gasväv; flor [*as light as ~; a ~ veil*]

gossip ['gɒsɪp] **I** *s* **1 a)** skvaller, sladder **b)** prat om ditt och datt **c)** ung. kåserande, kåseri; **talk ~** prata om ditt och datt, småprata, kallprata; prata skvaller **2** skvallerbytta, sladdertacka, pratmakare; skvallerkärring **II** *vb itr* skvallra [*about* om], sladdra; prata om ditt och datt; kåsera

gossip column ['gɒsɪpˌkɒləm] *s* skvallerspalt

gossip writer ['gɒsɪpˌraɪtə] *s* skvallerkåsör

gossipy ['gɒsɪpɪ] *adj* skvalleraktig; småpratig

got [gɒt] **I** imperf. o. perf. p. av *get*; **have ~** se under *get I 12 a*; **have ~ to** se under *get I 12 b* **II** *adj*, **~ up** se *get up* under *get III*

gotcha [gɒtʃə] *interj* (vard. för *got you*) **1** jag fattar [vad du menar]! **2** jag vann [över dig]!, jag slog dig! **3** nu har jag dig [allt]!

Gothenburg ['gɒθ(ə)nbɜːg] geogr. Göteborg

Gothic ['gɒθɪk] *adj* gotisk äv. byggn.; **the ~ novel** skräckromanen som litterär genre på 1700-talet

gotta ['gɒtə] vard., förvrängning av *got a* o. *got to*

gotten ['gɒtn] perf. p. av *get*

gouache [guˈɑːʃ, gwɑːʃ] *s* konst. gouache

gouge [gaʊdʒ] **I** *vb tr* **1** urholka (gräva ut) [liksom] med håljärn **2 ~ out** trycka ut [*~ out sb's eye with one's thumb*] **II** *s* **1** urholkning, ränna gjord med håljärn **2** håljärn, hålmejsel, skölp, skåljärn

goulash ['guːlæʃ] *s* kok. gulasch

gourd [gʊəd] *s* bot. kurbits; kalebass

gourmand ['gʊəmənd] *s* gourmand

gourmet ['gʊəmeɪ] *s* gourmé, finsmakare

gout [gaʊt] *s* **1** gikt **2** droppe [*~s of blood*]

gouty ['gaʊtɪ] *adj* giktbruten, giktsjuk

Gov. förk. för *Governor*

govern ['gʌv(ə)n] **I** *vb tr* **1** styra, regera [över], härska över [*~ a people; ~ a country*] **2** leda, bestämma [*be ~ed by other factors*]; styra, reglera **3** gram. styra [*German prepositions that ~ the dative*] **4** jur. gälla [för], reglera [*the law ~ing the sale of spirits*]; vara tillämplig på; utgöra prejudikat för **II** *vb itr* styra, regera, härska

governess ['gʌvənəs] *s* guvernant, [privat]lärarinna

governing ['gʌvənɪŋ] *adj* regerande; styrande, härskande [*the ~ classes*]; ledande [*the great ~ principle*]

governing body [ˌgʌvənɪŋˈbɒdɪ] *s* direktion, styrelse

government ['gʌvnmənt, 'gʌvəmənt] *s* **1** regering [*His (Her) Majesty's Government; the British Government*]; ministär; **the Government** äv. staten; **form a Government** bilda regering **2** styrande, styrelse; ledning; [regerings]makt [*what the country needs is strong* (en stark) *~*] **3 ~** el. **form of ~** el. **mode of ~** styrelsesätt, styrelseform, regeringsform, statsskick **4** attr. regerings- [*in Government circles*]; stats- [*Government finances; Government loan*]; statlig; **Government man** amer., se *G-man*; **Government office** [ämbets]verk; departement; **Government official** regeringstjänsteman

governmental [ˌgʌv(ə)nˈmentl] *adj* regerings-, stats-

governor ['gʌvənə] *s* **1** styresman, ledare **2** ståthållare; guvernör t.ex. i delstat i USA [*the Governor of New York State*] **3** kommendant i fästning **4 a)** direktör [*~ of a prison*]; chef [*the Governor of the Bank of England*] **b)** styrelsemedlem; **~s** el. **board of ~s** styrelse, direktion

governor-general [ˌgʌvənəˈdʒen(ə)r(ə)l] (pl. *governors-general* el. *governor-generals*) *s* generalguvernör

Govt förk. för *Government*

gown [gaʊn] *s* **1** finare klänning [*dinner ~*] **2** talar, kappa ämbetsdräkt för akademiker, domare, präst m.fl.; **cap and ~** akademisk ämbetsdräkt

gowned [gaʊnd] *adj* klädd i klänning etc., jfr *gown*; **beautifully ~ women** kvinnor i vackra klänningar

GP [ˌdʒiːˈpiː] förk. för *general practitioner*

GPA [ˌdʒiːpiːˈeɪ] amer. förk. för *grade point average*, se under *grade I 4*

GPO [ˌdʒiːpiːˈəʊ] förk. för *General Post Office*

GPS receiver [ˌdʒiːpiːˈesrɪˌsiːvə] *s* gps-mottagare

gr. förk. för *grain[s]* (mått, se *grain I 4*), *gramme[s]*, *gram[s]*

grab [græb] **I** *vb tr* hugga, gripa; rycka till sig; roffa (sno) åt sig; **~** [**the**] **headlines** skapa rubriker; **~ hold of** hugga (grabba) tag i; **how does the idea of a trip to Greece ~ you?** vard. vad sägs om en tur till Grekland? **II** *vb itr* hugga, gripa [*at* efter]; **~ at** äv. nappa på [*~ at an opportunity*] **III** *s* hastigt grepp, hugg [*for, at* efter]; **make a ~ at**

försöka gripa [tag i]; *it's up for ~s* vard. det står öppet för vem som helst [bara man försöker]
grab bag ['græbbæg] *s* amer. **1** ung. fiskdamm på basar o.d. **2** bildl. **a)** guldgruva **b)** brokig samling
grace [greɪs] **I** *s* **1** behag, behagfullhet, grace, charm, elegans **2** älskvärdhet; takt; *with good ~* el. *with a good ~*; med bibehållen fattning (värdighet); gärna, [god]villigt **3** [tilltalande] drag; *a saving ~ of humour* ett försonande drag av humor **4** ynnest, gunst, bevågenhet [*enjoy sb's ~*]; välvilja, nåd; ynnestbevis, tjänst; hist. äv. privilegium; *be in sb's bad ~s* vara i onåd hos ngn; *be in sb's good ~s* stå i gunst hos ngn; *fall from ~* råka i onåd; *by ~ of* tack vare **5** nåd straffbefrielse, anstånd, frist, respit, nådatid **6** teol. nåd [*God's ~*]; *by the ~ of God*[*, King of Great Britain*] med Guds nåde...; *fall from ~* avfalla från nådens väg **7** bordsbön [*say ~*] **8** *His* (*Her, Your*) *Grace* Hans (Hennes, Ers) nåd om el. till hertig, hertiginna, ärkebiskop
II *vb tr* **1** pryda, smycka; *she ~s her profession* hon är en prydnad för sin kår **2** hedra [*~ sb with a visit*]
graceful ['greɪsf(ʊ)l] *adj* **1** behagfull, graciös, elegant [*~ movements*] **2** charmerande; älskvärd
graceless ['greɪsləs] *adj* **1** charmlös, klumpig **2** taktlös, oförskämd, ohyfsad [*~ behaviour*]
gracious ['greɪʃəs] *adj* **1** nådig, älskvärd, vänlig [*a ~ reply; a ~ smile*], iron. nedlåtande **2** åld., *good ~!* el. *goodness ~!* el. *my ~!* el. *~ me!* du milde!, herre gud! **3** behaglig, skön; *~ living* vällevnad, välstånd **4** artig, förekommande [*a ~ host*]
grad [græd] vanl. amer. vard. **I** *s* se *graduate I* **II** *adj*, *~ school* se *graduate school*
gradation [grə'deɪʃ(ə)n] *s* **1** gradering; skala **2** pl. *~s* övergångar, [mellan]stadier, grader; nyanser; *by ~s* gradvis
grade [greɪd] **I** *s* **1** kvalitet, [kvalitets]klass [*of high ~; of low ~*]; sort; *~ A* klass A, bästa sorten; attr. bästa sortens; bildl. förstklassig, prima **2** grad; steg, stadium; rang; nivå, dignitet; lönegrad, löneklass; *high ~ of intelligence* hög intelligensnivå **3** amer. [skol]klass, årskurs; *teach in the ~s* undervisa i grundskolan **4** skol. betyg, poäng; *~ point average* (förk. *GPA*) amer. medelbetyg, snitt **5 a)** vägs o.d. stigning, lutning, stigningsgrad, lutningsgrad; konkr. stigning, backe, sluttning **b)** *make the ~* vard. nå toppen, lyckas, bestå provet, klara sig; *be on the down* (*up*) *~* bildl., se *downgrade II* 2 resp. *upgrade II* 2 **6** amer. höjdläge, plan
II *vb tr* **1** gradera; sortera; dela in (upp) i kategorier; klassificera **2** skol. o.d. betygsätta, sätta betyg på, rätta
III *vb itr* **1** graderas **2** omärkligt övergå [*into* i, till] **3** skol. o.d. sätta betyg, rätta [skrivningar]
grade crossing ['greɪd,krɒsɪŋ] *s* amer. järnvägskorsning [i plan], plankorsning
grade school ['greɪdskuːl] *s* amer., ung. grundskola lägre stadier
gradient ['greɪdɪənt] *s* vägs o.d. stigning, lutning, stigningsgrad, lutningsgrad; konkr. stigning, backe, sluttning; *steep ~* stark stigning; *easy ~* svag stigning; *the road rises at a ~ of one in twenty* vägen har 5 % stigning (en stigning av 1 på 20)
gradual ['grædʒʊəl, -djʊəl] *adj* gradvis, successiv; jämn; långsam; *~ slope* svag lutning

gradually ['grædʒʊəlɪ, -djʊəlɪ] *adv* gradvis, successivt, undan för undan, alltmera, efter hand
graduate [subst. o. adj. 'grædʒʊət, -djʊɪt, -djʊeɪt, verb 'grædʒʊeɪt, -djʊeɪt] **I** *s* akademiker, person med akademisk examen; amer. äv. elev som fullgjort sin skolgång; *a high school ~* amer. en som gått ut (har avgångsbetyg från) *high school*; *he is a London ~* han har tagit sin [akademiska] examen vid universitetet i London
II *adj* **1** med akademisk examen **2** examinerad, utbildad [*~ nurse*]
III *vb itr* avlägga (ta) [akademisk] examen [*from* vid], utexamineras [*from* från]; amer. äv. avsluta sina studier, gå ut (sluta) skolan, kvalificera sig [*as* till, för]; *~ in law* ta juridisk kandidatexamen
IV *vb tr* nu mest amer. ge akademisk examen, utexaminera
graduated ['grædʒʊeɪtɪd] *adj*, *~ glass* mätglas; *~ taxation* beskattning efter graderad skala, progressiv beskattning
graduate school ['grædʒʊətskuːl] *s* amer. institution (avdelning) för forskarutbildning vid ett universitet
graduate student [,grædʒʊət'stjuːd(ə)nt] *s* forskarstuderande, doktorand
graduation [,grædʒʊ'eɪʃ(ə)n, -djʊ-] *s* **1** [avläggande av] akademisk examen, amer. äv. avgång från skola i allm., [avgångs]examen, [skol]avslutning **2** gradering [*the ~ of a thermometer*]; pl. *~s* gradindelning; skala
graffiti [grə'fiːtɪ] *s pl* [vägg]klotter, graffiti
1 graft [grɑːft] **I** *s* **1** med. transplanterad vävnad, transplantat **2** ymp, ympkvist **3 a)** ympning **b)** med. transplantation
II *vb tr* **1** med. transplantera, överföra **2** ympa; ympa in [*in, into, on, onto* i, på] **3** bildl. omplantera, överföra, tillföra [*on* i, till, på]
2 graft [grɑːft] **I** *s* **1** amer. vard. korruption, mutor, mygel **2** sl. [hårt] jobb, kneg
II *vb itr* sl. jobba hårt, knega
Graham ['greɪəm] mansnamn
grain [greɪn] **I** *s* **1** [sädes]korn [*a ~ of wheat; a ~ of maize*]; gryn [*a ~ of rice*]; frö **2** [bröd]säd, spannmål **3** korn [*~s of sand* (*salt, gold, powder*)]; gryn; bildl. grand, uns, korn, gnutta [*not a ~ of truth*] **4** gran minsta eng. vikt = 0,0648 g **5 a)** ytas kornighet, [grad av] skrovlighet, grain, gräng; narv på läder, lugg, luggsida **b)** ådrighet, ådring äv. konstgjord, fiber; fibrernas [längd]riktning i trä o.d., skiktning, klyvningsplan **c)** inre struktur, textur som den framträder i tvärsnitt o.d., gry i sten **d)** bildl. natur, kynne, läggning; *against the ~* mot luggen; mot fibrernas längdriktning; *it goes* (*is*) *against the ~ for me to* bildl. det strider mot min natur att, det bjuder (bär) mig emot att
II *vb tr* **1** göra kornig, gryna, korna, granulera; narva läder **2** mål. ådra, marmorera
grainy ['greɪnɪ] *adj* **1** kornig **2** kornfylld, kornrik **3** ådrig likt trä
gram [græm] (förk. *g* el. *gr.*) *s* gram
grammar ['græmə] *s* **1** grammatik [*study ~*] **2** språk[behandling], språkriktighet **3** bok grammatik, språklära [*a ~ of English*]
grammarian [grə'meərɪən] *s* grammatiker

grammar school ['græməsku:l] *s* **1** i Storbritannien, motsv. (hist.) läroverk för elever mellan 11 och 18 år **2** i USA, treårig skola för elever mellan 9 och 12 år

grammatical [grə'mætɪk(ə)l] *adj* grammatisk [~ *rule*; ~ *error*]; grammatikalisk, grammatiskt riktig [~ *sentence*]; ~ *subject* a) grammatiskt subjekt b) formellt subjekt

gramme [græm] (förk. *ggr.*) *s* gram

Grammy ['græmɪ] (pl. ~*s* el. *Grammies*) *s* Grammy musikpris som årligen utdelas till amerikanska skivartister

gramophone ['græməfəʊn] *s* grammofon

gramophone record ['græməfəʊn,rekɔ:d] *s* grammofonskiva, grammofonplatta

grampus ['græmpəs] *s* **1** zool. Rissos delfin **2** späckhuggare

gran [græn] *s* vard. farmor; mormor

granary ['grænərɪ] **I** *s* spannmålsmagasin; bildl. kornbod **II** *adj*, *Granary®* fullkorns- [*Granary bread*]

grand [grænd] **I** *adj* **1** stor, pampig; storartad, storslagen [*a ~ view*]; ståtlig, lysande; förnäm, fin [*a ~ lady*; ~ *people*]; distingerad; iron. hög, fin [*she is too ~ to speak to her old friends*]; upphöjd, ärevördig; *his dog lived to a ~ old age* hans hund blev mycket gammal; [*he finally learned to drive*] *at the ~ old age of 65* ...vid den höga åldern av 65 år; ~ *old man* grand old man, nestor; *the Grand Old Party* benämning på republikanska partiet i USA; *live in ~ style* leva på stor fot, leva flott **2** vard. utmärkt, härlig [~ *weather*]; förträfflig [~ *condition*]; ~*!* el. *that's ~!* fint!, utmärkt! **3** slutgiltig, slut- [~ *result*]; ~ *total* slutsumma **4** stor, störst, förnämst, huvud-; högste, överste, stor-; *the ~ entrance* huvudingången

II *s* **1** sl. tusen dollar (pund); *five ~* femtusen dollar (pund) **2** mus. flygel **3** *the Grand* Grand hotell, bio o.d.

grandad ['grændæd] *s* vard. farfar; morfar

Grand Canyon State ['grænd,kænjən'steɪt], *the ~* beteckn. för staten *Arizona*

grand|child ['græn|tʃaɪld] (pl. -*children* [-,tʃɪldr(ə)n]) *s* barnbarn

granddad ['grændæd] *s* vard. farfar; morfar

granddaughter ['græn(d),dɔ:tə] *s* sondotter; dotterdotter

Grand Duchess [,grænd'dʌtʃəs] *s* storhertiginna, storfurstinna

Grand Duke [,grænd'dju:k] *s* storhertig, storfurste

grandee [græn'di:] *s* pamp, storgubbe

grandeur ['græn(d)ʒə, -djʊə] *s* **1** storslagenhet, majestät [*the solemn ~ of this church*]; storvulenhet **2** prakt, ståt, pomp, elegans

grandfather ['græn(d),fɑ:ðə] *s* farfar; morfar

grandfather clock ['græn(d)fɑ:ðəklɒk] *s* golvur

grand finale [,grændfɪ'nɑ:lɪ] *s* stort slutnummer; stor avslutning

grandiloquent [græn'dɪləkwənt] *adj* högtravande, bombastisk, svulstig [~ *style*]

grandiose ['grændɪəʊs] *adj* **1** storslagen, grandios; högtflygande [~ *plans*] **2** bombastisk, svulstig [~ *speech*]

grand jury [,grænd'dʒʊərɪ] (jfr äv. *jury 1*) *s* jur. amer. åtalsjury

grandma ['grænmɑ:] *s* vard. farmor; mormor

grand master ['græn(d),mɑ:stə] *s* stormästare i ordenssällskap, schack o.d.

grandmother ['græn(d),mʌðə] *s* farmor; mormor

Grand National [,grænd'næʃnl] *s*, *the ~* årlig hinderritt i Liverpool England

grand opera [,grænd'ɒp(ə)rə] *s* [stor] opera seriös o. utan talpartier

grandpa ['grænpɑ:] *s* vard. farfar; morfar

grandparent ['græn(d),peər(ə)nt] *s* farfar, farmor; morfar, mormor; ~*s* farföräldrar; morföräldrar

grand piano [,grændpɪ'ænəʊ] (pl. ~*s*) *s* flygel

Grand Prix [grɑ:n'pri:] *s* Grand Prix

grand slam [,grænd'slæm] *s* sport. grand slam; storslam

grandson ['græn(d)sʌn] *s* sonson; dotterson

grandstand ['græn(d)stænd] **I** *s* **1** huvudläktare, åskådarläktare vid tävlingar o.d. **2** publik på huvudläktaren (åskådarläktaren) **II** *adj*, ~ *finish* spurt på upploppet (framför läktaren); rafflande slut; *have a ~ view of* ha utmärkt utsikt över, betrakta [liksom] från parkett

grandstanding ['græn(d),stændɪŋ] *s* vanl. amer. publikfrieri

grand tour [,grænd'tʊə] *s* **1** skämts. guidad tur; *we'll give you a ~ of the house* äv. vi ska gå husesyn **2** hist. långresa genom Europa som del av förnäm ung mans uppfostran

grange [greɪn(d)ʒ] *s* lantgård; utgård

granite ['grænɪt] *s* granit

Granite State [,grænɪt'steɪt], *the ~* beteckn. för staten *New Hampshire i USA*

granny ['grænɪ] *s* vard. **1** farmor; mormor **2** gumma; ~*'s chin* käringhaka

granny flat ['grænɪflæt] *s* anknuten lägenhet med egen ingång för gamla föräldrar

Granola® [grə'nəʊlə] *s* amer., ung. müsli

grant [grɑ:nt] **I** *vb tr* **1** tillmötesgå, bevilja, villfara [~ *a request*]; tillerkänna [*he was* ~*ed a pension*]; ~ *a child his wish* uppfylla ett barns önskan **2** bevilja, medge, ge [~ *permission*; ~ *a privilege*]; anslå pengar [*towards* till]; förläna, förunna, skänka; jur. överlåta [~ *property*]; *God ~ that* Gud give att **3** medge; ~ *that* el. ~*ed that* el. ~*ing that* förutsatt att; låt oss anta att, även om [så vore att]; ~*ed!* a) må så vara!, medges! b) för all del! som svar på ursäkt; *take sth* (*sb*) *for* ~*ed* ta ngt (ngn) för givet (given) **II** *s* anslag, bidrag [*towards* till], stipendium; förläning; koncession; oktroj [*of* på]; *direct ~ school* skola med statsanslag; *government ~* statsanslag, statsbidrag

grant-maintained [,grɑ:ntmeɪn'teɪnd] (förk. *GM*) *adj* statsunderstödd, med statsbidrag [~ *school*]

granular ['grænjʊlə] *adj* [små]kornig, grynig

granulated sugar [,grænjʊleɪtɪd'ʃʊgə] *s* strösocker

granule ['grænju:l] *s* [litet] korn, partikel

grape [greɪp] *s* [vin]druva; vin[ranka]; *a bunch of* ~*s* en druvklase, en vindruvsklase; *sour* ~*s!* surt, sa räven; *the* ~*s are sour* ung. surt, sa räven om rönnbären

grapefruit ['greɪpfru:t] *s* grapefrukt

grape hyacinth ['greɪp,haɪəs(ɪ)nθ] *s* bot. pärlhyacint

grapevine ['greɪpvaɪn] *s* **1** vinranka **2** grundlöst rykte; 'anka'; *on the ~* el. *through the ~* genom (via) djungeltelegrafen

graph 342

graph [grɑːf, græf] *s* grafisk framställning, diagram; matem. graf, kurva; språkv. graf; *bar* ~ stapeldiagram; *line* ~ kurvdiagram

graphic ['græfɪk] *adj* **1** grafisk [~ *industry*]; skrift-, skriv- [~ *symbols*] **2** [framställd] i diagram, diagram-, grafisk [~ *method*; ~ *record*; ~ *representation*] **3** bildl. målande, åskådlig, livlig, livslevande [framställd] [*a* ~ *description*]

graphical user interface [ˌgræfɪkəlˌjuːzəˈɪntəfeɪs] (förk. *GUI*) *s* data. grafiskt användargränssnitt

graphic arts [ˌgræfɪkˈɑːts] *s pl* teckning, målning och grafik, grafik; grafisk konst

graphics ['græfɪks] (med verb i sg.) *s pl* grafik, grafisk konst

graphics card ['græfɪksˌkɑːd] *s* data. grafikkort

graphite ['græfaɪt] *s* miner. grafit, blyerts

graphology [græˈfɒlədʒɪ] *s* grafologi

graph paper ['grɑːfˌpeɪpə, 'græf-] *s* [millimeter]rutat papper, millimeterpapper

grapple ['græpl] *vb itr* brottas; ~ *together* brottas [med varandra], ta livtag; ~ *with* strida (slåss) med [~ *with the enemy*]; brottas med; bildl. äv. ge sig i kast med, gripa sig an med, försöka lösa

grappling hook ['græplɪŋhʊk] *s* o. **grappling iron** ['græplɪŋˌaɪən] *s* sjö. dragg

grasp [grɑːsp] **I** *vb tr* **1** fatta [tag i], gripa; ~ *the nettle* bildl. ta tjuren vid hornen **2** gripa om, hålla fast, hålla i **3** fatta, begripa [~ *the point*]; sätta sig in i [~ *the situation*]
II *vb itr* med prep.:
grasp at gripa efter, försöka gripa (få tag i, uppnå); nappa på, ta emot med uppräckta händer [~ *at a proposal*]
III *s* **1** grepp, [fast] tag; räckhåll; *beyond* (*within*) *his* ~ utom (resp. inom) räckhåll för honom **2** uppfattning, förståelse; fattningsförmåga; grepp på ämne, vidsyn; andlig bredd; *have a good* ~ *of the subject* ha ett bra grepp om (behärska) ämnet; *it's beyond his* ~ det ligger över hans horisont (fattningsförmåga) **3** handtag

grasping ['grɑːspɪŋ] *adj* **1** vinningslysten, lysten, sniken, girig **2** grip-, gripande etc., jfr *grasp I*

grass [grɑːs] **I** *s* **1** gräs; *she does not let the* ~ *grow under her feet* hon låter inte gräset gro under fötterna, hon förspiller inte sin tid; *the* ~ *is* [*always*] *greener on the other side* [*of the fence*] bildl. gräset är alltid grönare på andra sidan [staketet] **2** [gräs]bete, betesmark [*half of the farm is* ~]; gräsbeväxt mark; gräs, gräsmatta [*keep off* (beträd ej) *the* ~!]; *put out to* ~ vard. pensionera **3** sl. tjallare **4** sl. gräs marijuana
II *vb itr*, ~ *on sb* tjalla på ngn
III *vb tr* med adv el. prep.:
grass over täcka med gräs, låta bli gräsbevuxen, så gräs på
grass up vard. tjalla på

grass court ['grɑːskɔːt] *s* tennis. gräsbana

grassed [grɑːst] *adj* se *grassy*

grasshopper ['grɑːsˌhɒpə] *s* zool. gräshoppa; *green* ~ vårtbitare

grassland ['grɑːslænd] *s* **1** gräslätt, gräsmark **2** klövervall, vall

grass-roots ['grɑːsruːts] *adj* gräsrots- [*at* ~ *level*]; på

gräsrotsnivå [*a* ~ *movement*]; ~ *democracy* närdemokrati

grass roots [ˌgrɑːsˈruːts] *s pl*, *the* ~ bildl. a) gräsrötterna, det enkla folket b) roten, [själva] grunden

grass skirt [ˌgrɑːsˈskɜːt] *s* bastkjol

grass snake ['grɑːsˌsneɪk] *s* zool. snok

grass widow [ˌgrɑːsˈwɪdəʊ] *s* gräsänka; frånskild [kvinna]

grass widower [ˌgrɑːsˈwɪdəʊə] *s* gräsänkling; frånskild [man]

grassy ['grɑːsɪ] *adj* **1** gräsbevuxen, gräsrik; gräs- [~ *bank*; ~ *plain*] **2** [gräs]grön; gräslik

1 grate [greɪt] (se äv. *2 grating I*) **I** *vb tr* **1** riva, smula sönder **2** gnissla med; ~ *one's teeth* skära tänder, gnissla med tänderna
II *vb itr* **1** gnissla, knarra, gnälla, raspa **2** skorra (låta) illa; ~ *on* skära (skorra) i [~ *on the ear*]

2 grate [greɪt] *s* [eld]rist, spisgaller; rost, ugnsrost; öppen spis (häll)

grateful ['greɪtf(ʊ)l] *adj* **1** tacksam [*to* (mot) *sb, for* (för) *sth*] **2** litt. angenäm [~ *news*]; behaglig, välgörande [~ *shade*]; tacknämlig

grater ['greɪtə] *s* rivjärn; skrapare, rasp

gratification [ˌgrætɪfɪˈkeɪʃ(ə)n] *s* **1** tillfredsställande [~ *of a desire*] **2** tillfredsställelse [*the* ~ *of knowing* (av att veta) *that I've done my duty*]; glädje; nöje, njutning

gratify ['grætɪfaɪ] *vb tr* tillfredsställa [~ *one's desire*; ~ *sb's curiosity*]; göra belåten (nöjd, glad), tilltala, glädja [*it has gratified me highly*]

gratifying ['grætɪfaɪɪŋ] *adj* tillfredsställande, glädjande, angenäm

1 grating ['greɪtɪŋ] *s* galler, gallerverk; sjö. trall

2 grating ['greɪtɪŋ] **I** *adj* **1** rivande, riv- **2** gnisslande etc., jfr *1 grate II*; skärande, hård, sträv; irriterande, obehaglig, pinsam
II *s* **1** rivande; ~*s of carrots* rivna morötter **2** gnisslande, gnissel etc., jfr *1 grate II*

gratis ['grætɪs, 'greɪtɪs] *adv* o. *adj* gratis

gratitude ['grætɪtjuːd] *s* tacksamhet [*to* (mot) *sb for sth*]; *I owe you a great debt of* ~ jag står i djup tacksamhetsskuld till dig; [*she was presented with the gift*] *in* ~ *for her long service* ...som tack för lång och trogen tjänst

gratuitous [grəˈtjuːɪtəs] *adj* **1** meningslös [~ *violence*]; ogrundad [~ *assumption*]; omotiverad, utan tillräckligt skäl; oberättigad, oförtjänt [*a* ~ *insult*]; opåkallad, onödig [*a* ~ *lie*] **2** kostnadsfri, avgiftsfri, fri, gratis [~ *admission*; ~ *instruction*]

gratuity [grəˈtjuːətɪ] *s* **1** drickspengar; dusör, handtryckning; *no gratuities!* drickspengar undanbedes! **2** gratifikation

1 grave [greɪv] *s* **1** grav; gravvård; *dig one's own* ~ gräva sin egen grav; *on the brink of the* ~ bildl. på gravens rand; *someone* (*a ghost*) *has just walked over my* ~ jag ryser plötsligt av obehag, det går kalla kårar efter ryggen på mig **2** *do you think there's life beyond the* ~? tror du på ett liv efter döden?; *he smoked himself into an early* ~ han fick en för tidig död pga sin rökning, han rökte ihjäl sig; *she followed him to the* ~ hon följde honom i graven

2 grave [greɪv] *adj* **1** om person allvarlig, allvarsam, högtidlig; dyster **2** om sak allvarlig, grav [*a ~ error*]; allvarsam, svår [*~ illness*]

grave-digger ['greɪvˌdɪgə] *s* dödgrävare

gravel ['græv(ə)l] **I** *s* **1** grus, grov sand **2** med. [njur]grus **II** *vb tr* grusa, sanda

gravelly ['grævəlɪ] *adj* **1** full av grus, grus-, grusig, grusliknande **2** om röst grov, skrovlig

Graves [grɑːv] **I** franskt vindistrikt **II** *s* Graves vin

gravestone ['greɪvstəʊn] *s* gravsten

graveyard ['greɪvjɑːd] *s* kyrkogård äv. bildl. [*a ~ of cars*]; begravningsplats

graveyard shift ['greɪvjɑːdˌʃɪft] *s* vard., *the ~* hundpasset skiftjobb på natt el. tidig morgon

gravitate ['grævɪteɪt] *vb itr* **1** gravitera, sträva mot en medelpunkt **2** bildl., *~ towards* el. *~ to* dras mot (till), luta åt

gravitation [ˌgrævɪ'teɪʃ(ə)n] *s* **1** gravitation, tyngdkraft; *the law of ~* tyngdlagen, gravitationslagen **2** bildl. dragning, tendens [*towards, to* mot]

gravitational [ˌgrævɪ'teɪʃənl] *adj* som beror på gravitationen (tyngdkraften)

gravitational field ['grævɪˌteɪʃənl'fiːld] *s* gravitationsfält

gravitational pull ['grævɪˌteɪʃənl'pʊl] *s* gravitation, tyngdkraft

gravity ['grævətɪ] *s* **1** tyngdkraft; *force of ~* tyngdkraft, dragningskraft; *the law of ~* tyngdlagen, gravitationslagen **2 a)** allvar, vikt, betydelse [*the ~ of an occasion; the ~ of a question*] **b)** allvarlig (betänklig) karaktär, allvar [*the ~ of an offence*]; *the ~ of the situation* situationens allvar **3** allvar, allvarlighet, värdighet [*the ~ of a judge*] **4** tyngd, vikt; *centre of ~* tyngdpunkt

gravy ['greɪvɪ] *s* **1** köttsaft; sky, jus, köttspad; [kött]sås **2** sl. stålar; storkovan, lättförtjänta pengar; *jump on* (*ride, leap on, board*) *the ~ train* komma sig [upp] i smöret, skära guld med täljknivar; *be in the ~* tjäna storkovan

gravy boat ['greɪvɪbəʊt] *s* såsskål, såssnipa

gray [greɪ] vanl. amer., se *grey*

Gray's Inn [ˌgreɪz'ɪn] se *Inns of Court*

1 graze [greɪz] **I** *vb itr* beta, gå på bete **II** *vb tr* **1** [låta] beta, driva på bete, valla [*~ sheep*] **2** låta kreaturen beta [på] [*~ a field*]; beta [av]

2 graze [greɪz] **I** *vb tr* **1** snudda vid, tuscha; skrapa mot **2** skrapa, skrubba [*~ one's knee*]; skava **II** *vb itr*, *~ against* snudda vid, skrapa mot; *~ by* el. *~ past* stryka förbi **III** *s* skråma, skrubbsår

grazing ['greɪzɪŋ] *s* **1** *~* el. *~ land* betesmark, bete **2** betande, betning

grease [griːs] **I** *s* **1** fett äv. smält, talg, ister, flott **2** tekn. smörjmedel, smörjolja, smörja, [konsistens]fett **II** *vb tr* **1** smörja med fett; smörja, olja, rundsmörja bil o.d., valla skidor; *like ~d lightning* som en oljad blixt, blixtsnabbt **2** smörja ned **3** vard., *~ sb's palm* smörja (muta) ngn

greaseball ['griːsbɔːl] *s* amer. **1** neds. dago sydeuropé **2** sl. obehaglig (oljig) individ

greasegun ['griːsgʌn] *s* smörjspruta, fettspruta

grease monkey ['griːsˌmʌŋkɪ] *s* sl. mekaniker

greasepaint ['griːspeɪnt] *s* teat. smink

greaseproof paper [ˌgriːspruːf'peɪpə] *s* smörgåspapper, smörpapper

greasy ['griːsɪ, 'griːzɪ] *adj* **1** fet [*~ food*]; oljig, talgig; orensad [*~ wool*]; hal [*a ~ road; a ~ football pitch*]; *~ pole* såpad stång att klättra upp på **2** flottig, nersmord [*~ fingers; ~ clothes*]; oljig [*a ~ smile*]

greasy spoon [ˌgriːsɪ'spuːn, ˌgriːzɪ-] *s* sl. sjaskig sylta billig restaurang

great [greɪt] **I** *adj* (se äv. *greater*) **1** stor; *a ~ wind* en stark vind; *a ~ big fish* vard. en väldig fisk, en jättefisk; *a ~ big man* vard. en stor stark karl **2** stor, viktig, betydelsefull [*a ~ occasion; no ~ matter*]; *the ~ attraction* glansnumret, huvudnumret; *the ~ majority* det stora flertalet; *the ~ thing is to keep calm* det viktigaste är att hålla sig lugn **3** stor, framstående, betydande [*~ painter; ~ statesman*]; storsint, ädel [*~ deed*] **4** mäktig, stor; hög, förnäm [*a ~ lady*]; *Alfred the Great* Alfred den store **5** om tid lång [*a ~ interval*]; hög [*a ~ age*]; *a ~ while* en lång stund **6** stor, väldig; ivrig, flitig [*~ reader*]; *~ friends* mycket goda vänner; *you're a ~ one for telling others what to do* iron. du är väldigt bra på att tala om för andra vad de ska göra [*it was a ~ sight*]; utmärkt, charmant; *~!* el. *that's ~!* fint!, utmärkt!; *we had a ~ time* vi hade jättetrevligt; *wouldn't it be ~ if…!* vore det inte underbart om…!; *she was in ~ form* hon mådde utmärkt, hon var i fin form

II *adv* vard. utmärkt [*I feel ~*]; *things are going ~* det (allt) går utmärkt (väldigt bra, fint)

III *s, the ~*[*s*] de stora, ässen [*the golf ~s*]; de mäktiga

great-aunt ['greɪtɑːnt] *s* fars (mors) faster (moster)

Great Bear [ˌgreɪt'beə] *s* astron., *the ~* Stora björn[en]

Great Britain [ˌgreɪt'brɪtn] (förk. *GB*) *s* geogr. Storbritannien; ibl. England

greatcoat ['greɪtkəʊt] *s* överrock; militärs kappa

Great Dane [ˌgreɪt'deɪn] *s* zool. grand danois hundras

Greater ['greɪtə] *adj* Stor- [*~ London, ~ Manchester, ~ New York*]

greater ['greɪtə] *adj* (komp. av *great*) större etc., jfr *great I*); *in a ~ or less degree* i mer eller mindre hög grad; *to a ~ or less extent* i större eller mindre utsträckning

Greater London [ˌgreɪtə'lʌndən] Stor-London

great-grand|child [ˌgreɪt'grænˌtʃaɪld] (pl. *-children* [-ˌtʃɪldr(ə)n]) *s* barnbarnsbarn

great-granddaughter [ˌgreɪt'grænˌdɔːtə] *s* sons (dotters) sondotter (dotterdotter); barnbarnsbarn

great-grandfather [ˌgreɪt'græn(d)ˌfɑːðə] *s* morfars (mormors) far, gammelmorfar; farfars (farmors) far, gammelfarfar

great-grandmother [ˌgreɪt'græn(d)ˌmʌðə] *s* farfars (farmors) mor, gammelfarmor; morfars (mormors) mor, gammelmormor

great-grandson [ˌgreɪt'græn(d)sʌn] *s* dotters (sons) dotterson (sonson); barnbarnsbarn

Great Lakes [ˌgreɪt'leɪks] *s pl* geogr., *the ~* stora sjöarna mellan USA o. Kanada

greatly ['greɪtlɪ] *adv* mycket, i hög grad, storligen, starkt [*I doubt ~ whether…; ~ disappointed*]; *be ~ mistaken* ta grundligt (alldeles) fel

great-nephew [ˌgreɪt'nefjʊ] s brors (systers) dotterson (sonson)

greatness ['greɪtnəs] s **1** storlek i omfång, grad **2** storhet, höghet

great-niece [ˌgreɪt'niːs] s brors (systers) dotterdotter (sondotter)

Great Powers [ˌgreɪt'paʊəz] s pl, **the ~** stormakterna

great tit [ˌgreɪt'tɪt] s zool. talgoxe

Great War [ˌgreɪt'wɔː] s, **the ~** åld. [första] världskriget

Great White Way [ˌgreɪtwaɪt'weɪ] s, **the ~** nöjesdistriktet i New York omkring Broadway och Times Square

grebe [griːb] s zool. dopping; **great crested ~** skäggdopping; **little ~** smådopping

Grecian ['griːʃ(ə)n] adj grekisk i stil [~ nose; ~ profile]

Greece [griːs] geogr. Grekland

greed [griːd] s glupskhet; snikenhet, penningbegär

greedy ['griːdɪ] adj **1** glupsk [a ~ boy] **2** lysten; girig; hungrig; ~ **for power** maktlysten; ~ **for profit** vinsthungrig

greedy-guts ['griːdɪgʌts] s sl. matvrak

Greek [griːk] **I** s **1** grek; grekinna **2** grekiska [språket]; **it is ~ to me** vard. jag förstår inte ett dugg, det är rena grekiskan för mig **II** adj grekisk; **the ~ Church** den grekisk-katolska kyrkan

green [griːn] **I** adj **1** grön; grönskande **2** färsk om matvaror, sår m.m. **3** omogen, oerfaren; naiv; **a ~ hand** en otränad (oerfaren) arbetare **4** miljö. grön, miljö-, ekologisk; ~ **energy** grön energi; **the Green Party** el. **the Greens** polit. de Gröna, Miljöpartiet; **go ~** bli mer miljömedveten **5** frisk, spänstig, ungdomlig; **keep sb's memory ~** hålla ngns minne levande **6** blek, grönblek, med en sjuklig färg **II** s **1** grönt; grön färg; grön nyans **2** allmän gräsplan, gräsmatta, äng; plan, bana [ofta i sammansättn. bowling ~], golf. green; **the village ~** byallmänningen, gräsplanen i byn **3** grönska **4** pl. **~s** vard. grönsaker **III** vb itr bli grön, grönska; ~ **out** skjuta gröna (nya) skott **IV** vb tr **1** göra (måla, färga) grön; klä i grönska [äv. ~ over] **2** miljö., **an attempt to ~ industry bosses** ett försök att göra industriledare lite grönare (mer miljömedvetna)

greenback ['griːnbæk] s ngt åld. vard. [amerikansk] dollarsedel med grön baksida

green beans [ˌgriːn'biːns] s pl kok. haricots verts, brytbönor

green belt [ˌgriːn'belt] s grönt bälte, grönområden kring stad

green card [ˌgriːn'kɑːd] s **1** amer. grönt kort tillstånd att bo och arbeta i USA **2** trafik. grönt kort

greenery ['griːnərɪ] s **1** grönska **2** [prydnads]grönt, gröna kvistar

greenfield site ['griːnfiːldˌsaɪt] s obebyggt grönområde

greenfinch ['griːnfɪn(t)ʃ] s zool. grönfink

green fingers [ˌgriːn'fɪŋgəz] s pl vard., **have ~** ha gröna fingrar, vara duktig på att sköta växter; vara trädgårdsmänniska

greenfly ['griːnflaɪ] s zool. [grön] bladlus; spec. persikbladlus

greengage ['griːngeɪdʒ, 'griːŋ-] s renklo, reine claude slags plommon

greengrocer ['griːnˌgrəʊsə] s [frukt- och] grönsakshandlare; **~'s** el. **~'s shop** frukt- och grönsaksaffär

greengrocery ['griːnˌgrəʊs(ə)rɪ] s **1** [frukt- och] grönsaksaffär **2** frukt och grönsaker som handelsvaror

greenhorn ['griːnhɔːn] s åld. gröngöling, ung spoling

greenhouse ['griːnhaʊs] s växthus

greenhouse effect ['griːnhaʊsɪˌfekt] s växthuseffekt, drivhuseffekt

greenish ['griːnɪʃ] adj grönaktig

greenkeeper ['griːnˌkiːpə] s golf. greenkeeper ansvarig för banskötseln

Greenland ['griːnlənd] geogr. Grönland

Greenland shark [ˌgriːnlənd'ʃɑːk] s zool. håkäring

Greenland whale [ˌgriːnlənd'weɪl] s zool. grönlandsval

green light [ˌgriːn'laɪt] s trafik., **at the ~** vid grönt ljus; **give sb the ~** bildl. ge ngn grönt ljus (klarsignal, klartecken)

green man [ˌgriːn'mæn] (pl. green men [-'men]) s **1** trafik. grön gubbe **2** little green men små gröna män rymdvarelser

Green Mountain State ['griːnˌmaʊntɪn'steɪt], **the ~** beteckn. för staten Vermont i USA

green onion [ˌgriːn'ʌnjən] s amer. bot. el. kok. salladslök, knipplök

green paper [ˌgriːn'peɪpə] s förslag; spec. regeringsproposition; EU. grönbok

green pepper [ˌgriːn'pepə] s se pepper I 2

green pound [ˌgriːn'paʊnd] s 'grönt pund' enhet för beräkning av Storbritanniens bidrag till el. från EU:s jordbruksfond

greenroom ['griːnruːm] s TV. el. teat. artistfoajé; ~ **talk** teaterskvaller

green salad [ˌgriːn'sæləd] s grönsallad

greenskeeper ['griːnzˌkiːpə] s amer. golf. greenkeeper ansvarig för banskötseln

green tea [ˌgriːn'tiː] s grönt te

green thumb [ˌgriːn'θʌm] s amer., **have a ~** ha gröna fingrar, vara duktig på att sköta växter; vara trädgårdsmänniska

Greenwich ['grenɪtʃ, 'grɪn-] geogr.

Greenwich Mean Time [ˌgrenɪtʃ'miːntaɪm, ˌgrɪn-] (förk. GMT) Greenwichtid standardtid över hela världen

Greenwich Village [ˌgrenɪtʃ'vɪlɪdʒ, ˌgrɪn-] stadsdel på Manhattan i New York med småstadskaraktär, förr hemvist för bohemer, studenter o.d.

greet [griːt] vb tr **1** hälsa **2** välkomna, ta emot gäst o.d. **3** om syn, ljud, lukt möta [a surprising sight ~ed us (our eyes); music ~ed her ear]; [a smell of coffee] ~ed us äv. ...slog emot oss

greeting ['griːtɪŋ] s hälsning [Christmas ~s]; hälsningsfras; välkomnande

greetings card ['griːtɪŋzkɑːd] s gratulationskort

gregarious [grɪ'geərɪəs] adj **1** sällskaplig, sällskapssjuk **2** som lever i flock; bildl. mass-; **be ~** uppträda i flock

Gregorian [grɪ'gɔːrɪən, grə'g-] adj gregoriansk [~ calendar; ~ chant (kyrkosång)]

Gregory ['gregərɪ] **1** mansnamn **2** som påvenamn m.m.
Gregorius

gremlin ['gremlɪn] s sl. elak dvärg (smådjävul) som
vållar fel på maskiner, spec. flygplan; krångel;
bråkmakare; **printer's** ~ tryckfelsnisse

Grenada [grɪ'neɪdə, grə'n-] geogr.

grenade [grɪ'neɪd, grə'n-] s mil., liten granat,
handgranat, gevärsgranat

grenadier [ˌgrenə'dɪə] s grenadjär

grenadine [ˌgrenə'diːn, 'grenədiːn] s grenadin,
granatäppelsaft

grew [gruː] imperf. av *grow*

grey [greɪ] **I** *adj* grå; om tyg vanl. oblekt, naturfärgad
II s grått; grå färg; grå nyans **III** *vb itr* gråna, bli
grå

grey area [ˌgreɪ'eərɪə] s bildl. gråzon

greycing ['greɪsɪŋ] s vard. kortform av *greyhound
racing*, se detta ord

grey eminence [ˌgreɪ'emɪnəns] s grå eminens

greyhen ['greɪhen] s zool. orrhöna

greyhound ['greɪhaʊnd] s greyhound hundras,
vinthund; **ocean** ~ snabbgående oceanångare,
oceanfartyg

Greyhound Bus® [ˌgreɪhaʊnd'bʌs] s amer.
Greyhoundbuss långfärdsbuss

greyhound racing ['greɪhaʊndˌreɪsɪŋ] s sport.
hundkapplöpning

greyish ['greɪɪʃ] *adj* gråaktig

grey matter [ˌgreɪ'mætə] s grå hjärnsubstans; vard.
grå celler, intelligens

grid [grɪd] s **1** galler; rist **2** [kraft]ledningsnät
3 elektr. el. radio. galler; gitter **4** rutor, rutnät,
rutsystem på karta; ~ **reference** kartreferens,
karthänvisning **5** startplats i motorsport [äv. *starting
~*]

griddle ['grɪdl] s **1** [pannkaks]lagg, bakplåt för
gräddning ovanpå spisen **2** grill

gridiron ['grɪdˌaɪən] s **1** halster; grill; rost
2 nät[verk] **3** amer. fotbollsplan; vard. amerikansk
fotboll

gridlock ['grɪdlɒk] s vanl. amer. **1** [fullständigt]
trafikkaos, stopp i trafiken **2** bildl. [fullständigt]
sammanbrott, dödläge, baklås

gridlocked ['grɪdlɒkt] *adj* vanl. amer. blockerad; **be** ~
ha hamnat i dödläge, ha gått i baklås, ha kört fast

grief [griːf] s sorg, grämelse, bedrövelse [*for, at
över*]; smärta; **good ~!** vard. bevare mig väl!, kors!;
give sb ~ about (**over**) **sth** vard. ge ngn en utskällning
för ngt, skälla på ngn för ngt; **come to** ~ a) råka illa
ut b) gå omkull, gå i stöpet

grief-stricken ['griːfˌstrɪk(ə)n] *adj* sorgtyngd,
bedrövad

grievance ['griːv(ə)ns] s missnöjesanledning, orsak
till klagan; klagomål [*against* mot]; ~ **procedure**
besvärsförfarande; **air one's ~s** lufta sitt missnöje;
have a ~ ha något att klaga (beklaga sig) över;
nurse a ~ against ha ett horn i sidan till

grieve [griːv] högtidl. **I** *vb itr* sörja [*at, for, over,
about* över; *to* + inf. över att] **II** *vb tr* bedröva, vålla
sorg (smärta) [~ *one's parents*]; smärta ofta opers. [*it
~s me*]

grieved [griːvd] *adj*, **be ~ at** (**about, over**) vara
sorgsen (bedrövad, förkrossad) över

grievous ['griːvəs] *adj* **1** sorglig, smärtsam, pinsam,

svår [~ *loss*; ~ *injury*; ~ *decision*]; bitter klagan **2** litt.
svår [~ *pain*; ~ *wound*; ~ *illness*; ~ *fault*; ~ *sin*];
farlig, allvarlig [~ *error*; ~ *folly*] **3** ngt åld. grov,
ohygglig [~ *crime*]; **a ~ injustice** en blodig orätt

grievous bodily harm [ˌgriːvəsbɒdəlɪ'hɑːm] (förk.
GBH) s jur. grov misshandel

griffin ['grɪfɪn] s mytol. el. herald. grip

grill [grɪl] **I** *vb tr* **1** grilla, halstra **2** bildl. ansätta hårt
[i korsförhör], grilla
II s **1** grillrätt, grillat (halstrat) kött etc. **2** grill,
halster; rost

grille [grɪl] s **1** galler omkring el. framför ngt;
gallergrind; [gallerförsedd] lucka **2** grill på bil

grilling ['grɪlɪŋ] s **1** kok. halstring, grillning
2 korsförhör, halstring, grillning

grillroom ['grɪlruːm] s grill [rum i] restaurang

grim [grɪm] *adj* **1** barsk, bister [~ *expression*];
dyster, ogästvänlig plats o.d.; **hold on like ~ death** se
under *death*; ~ **humour** bister humor, galghumor; ~
joke makabert skämt; ~ **smile** bistert leende **2** hård,
sträng, obeveklig, fast [~ *determination*] **3** vard.
otrevlig, ruskig **4** vard., **feel** ~ må dåligt **5** vard. dålig,
undermålig

grimace [grɪ'meɪs, 'grɪməs] **I** s grimas **II** *vb itr*
grimasera, göra grimaser

grime [graɪm] s ingrodd svart smuts, fet smuts, sot

Grim Reaper [ˌgrɪm'riːpə] s litt., **the** ~ liemannen
döden

grimy ['graɪmɪ] *adj* smutsig, sotig

grin [grɪn] **I** *vb itr* flina [*at* åt]; visa tänderna; ~ **and
bear it** hålla god min i elakt spel, bita ihop
tänderna i svår situation **II** s flin; grin

grind [graɪnd] **I** (*ground ground*) *vb tr* **1** mala [~
corn into (till) *flour*]; ~ el. ~ **to pieces** mala (smula)
sönder, krossa; ~ **coarsely** krossa **2** bildl. förtrycka;
trycka till marken; ~ **the faces of the poor** förtrycka
(utarma) de fattiga **3** slipa: a) vässa b) polera;
ground glass matt (mattslipat) glas **4** skrapa [med]
[*on, against* på, mot]; **she ground her cigarette into
the ashtray** hon borrade ned cigaretten i
askkoppen; ~ **one's teeth** skära tänder[na] **5** mala
på [~ *a pepper mill*]; veva; ~ **out a tune** veva fram en
melodi; ~ **out some verses** klämma fram några
verser

II (*ground ground*) *vb itr* **1** mala, gå att mala **2** [stå
och] veva (mala) **3** skrapa, skava [*on, against* på,
mot; *a ship ~ing on* (against) *the rocks*]; gnissla; ~
to a halt stanna med ett gnissel; bildl. stanna av,
köra fast **4** vard. sträva och slita, träla; plugga
5 utmanande rotera med (vicka på) höfterna i dans;
bump and ~ jucka och rotera med höfterna

III s **1** vard. knog, slit, slitgöra **2** malning; skrap,
skrapande ljud; **fine** ~ finmalning **3** amer. sl.
plugghäst

grinder ['graɪndə] s **1** kvarn [*coffee* ~; *pepper* ~];
[övre] kvarnsten; slipmaskin **2** malare; slipare
3 kindtand, oxeltand; pl. ~**s** vard. tänder

grinding ['graɪndɪŋ] *adj* **1** ~ **poverty** ständig
fattigdom **2** gnisslande

grindstone ['graɪn(d)stəʊn] s slipsten; **keep sb's nose
to the** ~ bildl. hålla ngn i ständigt arbete, låta ngn
slita hund

gringo ['grɪŋgəʊ] (pl. ~s) s gringo sydamerikanskt
öknamn på utlänning spec. amerikan el. engelsman

grip [grɪp] **I** *s* **1** grepp, [fast] tag, fattning [*of* om]; *have a ~ of* ha grepp på (om) ämne, behärska; *keep a ~ of oneself* behålla behärskningen, behärska sig; *lose one's ~ on* förlora greppet om, förlora kontrollen (herraväldet) över; *take a ~ on oneself* el. *get a ~ on oneself* vard. ta sig i kragen, skärpa sig **2** handtag, grepp på vapen, väska m.m., fäste, koppling; gripklo **3** hårklämma **4** pl. *~s* nappatag; *get to ~s with* el. *come to ~s with* äv. bildl. komma inpå livet, ge sig i kast med **5** film. el. TV. passare **II** *vb tr* **1** gripa [om], fatta tag i [*~ the railing*] **2** bildl. gripa, fängsla **III** *vb itr* **1** fatta (få) fast tag; ta [*the brakes failed to ~* (tog inte)] **2** bildl. göra starkt intryck, fängsla

gripe [graɪp] vard. **I** *s* gnäll, knot, kvirr **II** *vb itr* gnälla, knota, kvirra

griping ['graɪpɪŋ] *adj*, *~ pains* magknip

gripping ['grɪpɪŋ] *adj* gripande, fängslande

gripsack ['grɪpsæk] *s* amer. resväska, kappsäck; bag

grisly ['grɪzlɪ] *adj* hemsk, kuslig, gräslig, ohygglig

grissini [grɪ'siːniː] *s pl* grissini, brödpinnar

grist [grɪst] *s*, *~ to the mill* bildl. välkommet bidrag (tillskott), vinst, fördel; *everything* (*all*) *is ~ that comes to my mill* alla bidrag mottas med tacksamhet, jag har användning för allt

gristle ['grɪsl] *s* brosk spec. i kött

gristly ['grɪslɪ] *adj* broskig

grit [grɪt] **I** *s* **1** hård partikel, slipkorn; sandkorn; sand, grus **2** vard. gott gry, fasthet **II** *vb tr* **1** gnissla med; *~ one's teeth* a) skära tänder b) bita ihop tänderna **2** sanda [*~ the roads*]

grits [grɪts] (med verb i sg. el. pl.) *s* [kross]gryn, amer. äv. majsgryn

gritter ['grɪtə] *s* vard. trafik. sandbil

gritty ['grɪtɪ] *adj* grusig, sandig, grynig

grizzle ['grɪzl] *vb itr* vard., mest om barn gnälla; skrika

grizzled ['grɪzld] *adj* grå, gråhårig; gråsprängd

grizzle-guts ['grɪzlɡʌts] *s* o. **grizzle-pot** ['grɪzlpɒt] *s* vard. gnällmåns, gnällspik

grizzly ['grɪzlɪ] **I** *adj* grå, gråaktig; gråhårig **II** *s* se *grizzly bear*

grizzly bear [ˌgrɪzlɪ'beə] *s* grizzlybjörn

groan [grəʊn] **I** *vb itr* stöna, jämra sig [*~ with* (av) *pain*]; sucka, längta [*for* efter; *to* + inf. efter att [få] + inf.], sucka, digna [*under, beneath* under börda]; om trä o.d. knaka; *the table ~ed with food* bordet dignade av mat **II** *s* **1** stön, jämmer, suck **2** [missnöjt] mummel

groats [grəʊts] (med verb i sg. el. pl.) *s* gröpe

grobag ['grəʊbæg] *s* plastsäck med planteringsjord för grönsaker

grocer ['grəʊsə] *s* livsmedelshandlare; *~'s* el. *~'s shop* el. amer. vanl. *~'s store* livsmedelsaffär

grocery ['grəʊs(ə)rɪ] *s* **1** mest pl. *groceries* specerier **2** livsmedelsaffär [amer. äv. *~ store*]

grocery chain ['grəʊs(ə)rɪtʃeɪn] *s* livsmedelskedja

grog [grɒg] *s* sjö. toddy på rom, whisky el. konjak

groggy ['grɒgɪ] *adj* vard. ostadig [på benen]; spec. sport. groggy, omtöcknad

groin [grɔɪn] *s* anat. ljumske; vard. skrev [*kick sb in the ~*]

grommet ['grɒmɪt, 'grʌmɪt] *s* **1** öljett **2** med. dräneringsrör som kan införas i mellanörat

groom [gruːm, grʊm] **I** *s* **1** brudgum **2** hästskötare **II** *vb tr* **1** sköta, ansa; rykta **2** göra fin (snygg) **3** vard. träna, förbereda, trimma [*~ a political candidate*]

groomsman ['gruːmzmən, 'grʊmz-] *s* brudgummens marskalk

groove [gruːv] *s* **1** fåra, räffla, ränna, skåra; skivspår; fals; not, nåt; gänga på skruv **2** bildl., *get stuck in a ~* fastna i slentrian **3** mus. groove

grooved [gruːvd] *adj* urholkad, räfflad, fårad, skårad

groovy ['gruːvɪ] *adj* **1** slentrianmässig **2** ngt åld. sl. toppen; mysig; jättesnygg; maffig, häftig, ball

grope [grəʊp] **I** *vb itr* treva, famla, känna, leta [*for, after* efter] **II** *vb tr* **1** *~ one's way* treva sig fram **2** sl. tafsa på

gross [grəʊs] **I** *adj* **1** grov, plump, rå, simpel [*~ language; ~ jests*] **2** grov [*~ carelessness; ~ exaggeration*]; krass [*~ materialism*]; *~ negligence* jur. grov oaktsamhet (vårdslöshet) **3** total-, brutto- [*~ price; ~ income; ~ profit; ~ weight*] **II** *adv* brutto **III** *s* **1** (pl. *gross*) gross 12 dussin [*two ~ pens*]; *by* [*the*] *~* grossvis, i gross **2** (pl. *grosses*) vanl. amer. brutto **IV** *vb tr* **1** [för]tjäna (ta in) brutto [*~ two thousand pounds*] **2** amer. sl., *~ sb out* äckla ngn

gross domestic product ['grəʊsdə,mestɪk'prɒdʌkt] (förk. *GDP*) *s* bruttonationalprodukt, BNP

grossly ['grəʊslɪ] *adv* grovt, starkt, kraftigt [*~ exaggerated*]; skändligt

gross national income ['grəʊs,næʃənl'ɪnkʌm] *s* bruttonationalinkomst

gross national product ['grəʊs,næʃənl'prɒdʌkt] (förk. *GNP*) *s* internationellt BNP

grossness ['grəʊsnəs] *s* **1** grovhet, råhet, simpelhet **2** grovhet, skändlighet

gross-out ['grəʊsaʊt] *s* amer. sl. skit, smörja; äckel

gross receipts [ˌgrəʊsrɪ'siːts] *s* bruttointäkter

gross ton [ˌgrəʊs'tʌn] *s* brutto[register]ton, jfr *ton 2*

Grosvenor ['grəʊvnə]

grotesque [grə(ʊ)'tesk] **I** *adj* **1** grotesk, förvriden, sällsam; barock [*that is quite ~*] **2** konst. [i] grotesk [stil] **II** *s* **1** grotesk figur, groteskt motiv **2** konst. grotesk[ornamentik]

grotto ['grɒtəʊ] (pl. *~s* el. *~es*) *s* grotta spec. pittoresk el. konstgjord

grotty ['grɒtɪ] *adj* vard. **1** urusel, vissen; kass **2** ful; snuskig

grouch [graʊtʃ] vard. **I** *s* **1** surpuppa, surkart **2** knot, klagovisa; *have a ~ against sb* vara sur på ngn **II** *vb itr* knota, sura

grouchy ['graʊtʃɪ] *adj* sur, trumpen; vresig, grinig

1 ground [graʊnd] imperf. o. perf. p. av *grind*

2 ground [graʊnd] **I** *s* **1** mark; jord; grund; *break fresh ~* el. *break new ~* a) bryta (odla upp) ny mark b) bildl. bryta nya vägar (ny mark); *cut the ~ from under sb's feet* rycka undan marken under ngns fötter, beröva ngn fotfästet; *be sure of one's ~* bildl. vara säker på sin sak; *be on firm ~* ha fast mark under fötterna; *fall to the ~* falla ned; gå om intet, falla [platt] till marken [*the scheme fell to the ~*]; *it suits me down to the ~* vard. det passar mig alldeles utmärkt (precis)

2 mark, terräng; område, plats [*parade* ~]; plan [*cricket* ~; *football* ~]; [idrotts]anläggning, stadion; *we have covered a lot of* ~ *today* vi har hunnit långt i dag; *gain* ~ vinna terräng, vinna utbredning; *gain* ~ *on sb* el. *make up* ~ *on sb* ta in på ngn; *give* ~ ge vika, vika sig; *go over the* ~ *again* bildl. gå igenom saken (materialet, problemet) igen; *hold* (*stand*) *one's* ~ bibehålla sin position, hävda sin ställning (ståndpunkt), hålla stånd, stå på sig; *lose* ~ förlora terräng, gå tillbaka, avta; *be on dangerous* ~ bildl. komma in på minerat område **3** pl. ~*s* inhägnat område; [stor] tomt; *the house and* ~*s* huset och området omkring det, huset med tillhörande mark **4** persons jord, jordegendom, marker, ägor **5** anledning, grund, orsak, motiv, [giltigt] skäl [*for* till, för; *of* till, för]; *give* ~[*s*] *for* ge anledning till; *have good* ~[*s*] *for believing* ha goda skäl (all anledning) att tro; *there is no* ~ *for anxiety* el. *there are no* ~*s for anxiety* det finns ingen anledning att oroa sig (till oro); *on* [*the*] ~*s of* med anledning (på grund) av; *on the* ~*s that* med motiveringen att **6** botten spec. sjö. el. bildl., havsbotten; *break* ~ lyfta ankar; *work* (*run*, *drive*) *oneself to the* ~ slita ut sig **7** pl. ~*s* bottensats, sump [*coffee* ~*s*] drägg **8** amer. elektr. jord[kontakt], jordledning **9** grund, grundval; underlag, botten [*a design of pink roses on a white* ~] **II** *vb tr* **1** grunda, bygga, basera [*on* på]; *well* ~*ed* [väl]grundad, motiverad **2** ~ *oneself in a subject* lära sig grunderna i ett ämne; *be well* ~*ed in* ha goda grunder (kunskaper) i **3** flyg. **a**) tvinga att landa **b**) förbjuda (hindra) att flyga, utfärda flygförbud (startförbud) för; ge pilot marktjänst, beröva pilot hans flygcertifikat; *all aircraft are* ~*ed* inga plan kan (får) starta **4** förbjuda barn att gå ut och vara (leka) med sina vänner som straff **5** vanl. amer. elektr. leda ned i jorden, jorda

ground bait ['graʊn(d)beɪt] *s* fiske. lockmat som kastas ut för att locka fisk till metställe

ground beef ['graʊndbi:f] *s* amer. köttfärs

groundbreaking ['graʊn(d)ˌbreɪkɪŋ] *adj* banbrytande, nydanande, nyskapande

ground clearance ['graʊndˌklɪərəns] *s* markfrigång, frigångshöjd

ground cloth ['graʊn(d)klɒθ] *s* markskydd mot fukt, tältunderlag

ground control [ˌgraʊn(d)kən'trəʊl] *s* **1** flyg. markkontroll **2** markutrustning; ~ *approach* markstationerad landningsradar, GCA

ground cover ['graʊn(d)ˌkʌvə] *s* bot. markvegetation

ground crew ['graʊndkru:] *s* flyg. markpersonal

ground defence [ˌgraʊn(d)dɪ'fens] *s* flyg. markförsvar

ground floor [ˌgraʊn(d)'flɔ:, attr. vanl. '--] *s* **1** bottenvåning, första våning, bottenplan; *on the* ~ äv. på nedre botten; *get in on the* ~ bildl. **a**) komma in i bolag med samma rättigheter som stiftarna **b**) vara med från starten **c**) komma i en fördelaktig position **2** *lower* ~ se *basement*

ground forces [ˌgraʊnd'fɔ:sɪz] *s pl* markstridskrafter

ground glass [ˌgraʊn(d)'glɑ:s] *s* matt (mattslipat) glas; glaspulver

groundhog ['graʊndhɒg] *s* zool. skogsmurmeldjur

grounding ['graʊndɪŋ] *s* **1** grundande etc., jfr 2 *ground II* **2** grundkunskaper, underbyggnad [*a good* ~ *in grammar*]

groundless ['graʊndləs] *adj* grundlös, ogrundad

groundnut ['graʊn(d)nʌt] *s* bot. jordnöt

ground plan ['graʊn(d)plæn] *s* grundritning, planritning; bildl. grunddrag, plan, disposition

ground rent ['graʊndrent] *s* jordränta, tomthyra

ground rice [ˌgraʊnd'raɪs] *s* rismjöl

ground rules ['graʊndru:lz] *s pl* grundprinciper, förhållningsregler

groundsel ['graʊnsl] *s* bot. korsört

groundsheet ['graʊn(d)ʃi:t] *s* markskydd mot fukt, tältunderlag

groundskeeper ['graʊn(d)zˌki:pə] *s* amer. planskötare för kricketplan o.d.

grounds|man ['graʊn(d)z|mən] (pl. *-men* [-mən el. -men]) *s* planskötare för kricketplan o.d.

ground squirrel ['graʊndˌskwɪr(ə)l] *s* zool. goffer, kindpåsråtta

ground staff ['graʊn(d)stɑ:f] *s* **1** flyg. markpersonal **2** personal vid idrottsplats

ground stroke ['graʊn(d)strəʊk] *s* tennis. grundslag

ground swell ['graʊndswel] *s* **1** grunddyning; lång svår dyning **2** bildl. underström

groundwater ['graʊndˌwɔ:tə] *s* grundvatten

groundwork ['graʊndwɜ:k] *s* **1** grundval, grund [~ *for* el. *of* (till, för) *a good education*]; basis; grunddrag; grundprincip **2** grundläggande (förberedande) arbete, förarbete

ground zero [ˌgraʊnd'zɪərəʊ] *s* nollpunkt, hypocentrum vid kärnvapenexplosion

group [gru:p] **I** *s* **1** grupp, grupp- [~ *psychology*; ~ *sex*]; klunga; sammanslutning, riktning; avdelning **2** koncern **3** mil. [flyg]eskader; amer. ung. [flyg]flottilj **II** *vb tr* gruppera, ordna, ordna (samla) i grupp[er], föra samman (indela) [i grupper] [äv. ~ *together*] **III** *vb itr* gruppera (samla) sig, bilda en grupp, bilda grupper

group captain ['gru:pˌkæptɪn] *s* överste vid brittiska flygvapnet

groupie ['gru:pɪ] *s* sl. **1** groupie **2** flyg. (kortform av *group captain*) överste

grouping [gru:pɪŋ] *s* grupp, gruppering

group insurance [ˌgru:pɪn'ʃʊər(ə)ns] *s* grupplivförsäkring

group practice [ˌgru:p'præktɪs] *s* med. läkargrupp med gemensam praktik

group therapy [ˌgru:p'θerəpɪ] *s* psykol. gruppterapi

1 grouse [graʊs] (pl. *grouse*) *s* skogshöns, skogsfågel; populärt mest moripa, skotsk ripa [äv. *red* ~]; *black* ~ orre; *red* ~ moripa; ~ *shooting* moripjakt

2 grouse [graʊs] vard. **I** *s* knot, knorrande, klagomål **II** *vb itr* knota, knorra, gruffa, klaga [*about* över]

grove [grəʊv] *s* **1** skogsdunge; lund [*orange* ~]; plantering **2** klunga [*a* ~ *of little tents*]

grovel ['grɒvl] *vb itr* **1** kräla i stoftet, krypa [äv. ~ *in the dust* (*dirt*)] **2** bildl. förnedra sig; vältra sig [~ *in sentimentality*]

grovelling ['grɒvlɪŋ] **I** *adj* lismande, krypande, inställsam **II** *s* lismande, krypande, inställsamhet

grow [grəʊ] (grew grown) **I** vb itr **1** växa, växa upp; gro, spira [plants ~ from seeds]; växa till; bli större; utvecklas; utvidgas; tillta, stiga, öka[s] [his influence has ~n] **2** [småningom] bli [~ better; ~ rich]; ~ **big and strong** växa sig stor och stark; ~ **old** äv. åldras; ~ **pale** äv. blekna; ~ **tall** växa i höjden (i längd); **how tall you have ~n!** vad du har blivit lång (har vuxit)!; ~ **worse** förvärras, försämras, bli värre (sämre); **be ~ing** börja bli [be ~ing late; be ~ing old] **3** ~ **to** + inf. mer och mer börja [att], lära sig att, komma att [I grew to like it]
II vb tr **1** odla [~ potatoes]; producera **2** låta växa, anlägga; ~ **a beard** anlägga (lägga sig till med) skägg, låta skägget växa **3** **be ~n** [over] vara beväxt (bevuxen, övervuxen) [with med]
III (grew grown) vb itr med adv. el. prep.:
grow apart växa ifrån varandra, glida isär
grow away from växa ifrån, bli främmande för
grow into: ~ **into a habit** [så småningom] bli till (övergå till) en vana
grow on a) hota (hålla på) att bli ngn övermäktig, bli allt djupare rotad hos [the habit grew on him] **b)** mer och mer tilltala (imponera på) ngn; **he** (**it**) **~s on you** han (det) vinner [i längden], man fäster sig mer och mer vid honom (det)
grow out of växa ur [~ out of one's clothes]; växa ifrån [~ out of bad habits]; upphöra med
grow up a) växa upp, bli fullvuxen, bli stor; ~ **up!** var inte så barnslig!; **be ~n up** vara vuxen (fullvuxen, stor) **b)** växa fram, utvecklas
grower ['grəʊə] s **1** odlare, producent **2** **it is a rapid** (**fast**) ~ om växt den växer fort
growing ['grəʊɪŋ] adj växande, tilltagande, stigande [a ~ demand]
growing pains ['grəʊɪŋpeɪnz] s pl **1** växtvärk; bildl. äv. barnsjukdomar **2** [emotionella] pubertetsbesvär
growl [graʊl] **I** vb itr **1** morra, brumma [at mot, åt] **2** mullra **3** knota, knorra
II s morrande etc., jfr growl I; argt (missnöjt) mummel
grown [grəʊn] **I** perf. p. av grow
II adj **1** fullvuxen, vuxen, 'stor' **2** grodd [~ wheat]
grown-up [adj. ˌgrəʊn'ʌp, subst. '--] **I** adj vuxen [a ~ son] **II** s vuxen [person]; **two ~s** två vuxna
growth [grəʊθ] s **1** växt; tillväxt [the ~ of the city]; utveckling [the ~ of trade; personal and spiritual ~]; utvidgning, stigande, tilltagande **2** odling, produktion **3** växt, växtlighet, vegetation [a thick ~ of weeds]; bestånd; **a week's ~ of beard** en veckas skäggväxt **4** skörd, årgång spec. av vin, alster, produkt; vinsort; **French ~s** franska viner **5** med. växt, utväxt, svulst
growth hormone ['grəʊθˌhɔːməʊn] s tillväxthormon
growth industry [ˌgrəʊθ'ɪndəstrɪ] s tillväxtindustri, växande (expanderande) industri
growth rate ['grəʊθreɪt] s ekon. tillväxttakt
groyne [grɔɪn] s vågbrytare av trä el. sten till skydd för sandstrand
grub [grʌb] **I** vb itr gräva, rota, böka äv. bildl. [for efter]; ~ **about** gå och rota (böka)
II vb tr, ~ **up** gräva i, gräva upp land, rensa (röja) upp mark, befria från rötter o.d. [äv. ~ out; ~ out a clearing]

III s **1** vard. käk, krubb mat; ~ **up!** käket är klart! **2** zool. larv, mask
grubby ['grʌbɪ] adj smutsig; snuskig, sjaskig
grubstake ['grʌbsteɪk] s amer. vard. startkapital, startlån
grudge [grʌdʒ] **I** vb tr **1** knorra (klaga) över, vara missnöjd med, inte gilla; ~ **the cost** dra sig för kostnaderna; ~ **no pains** inte spara någon möda **2** missunna, inte unna, avundas [they ~d him his success]
II s **1** **bear sb a** ~ el. **have a** ~ **against sb** hysa agg (ha ett horn i sidan) till ngn **2** sport., ~ **match** hatmatch
grudging ['grʌdʒɪŋ] adj motsträvig, motvillig, ovillig; missunnsam, njugg; **a** ~ **admission** ett motvilligt medgivande
gruel [gru:əl] s välling; havresoppa
gruelling ['gru:əlɪŋ] vard. **I** adj mycket ansträngande, hård [a ~ motor race]; het; sträng [a ~ cross-examination]; skarp **II** s ordentlig omgång; svår (hård) pärs
gruesome ['gru:səm] adj hemsk, ohygglig, kuslig
gruff [grʌf] adj **1** grov; sträv, barsk [a ~ manner]; butter **2** skrovlig, sträv, grov [a ~ voice]
grumble ['grʌmbl] **I** vb itr **1** knota, klaga, knorra, muttra [about, at, over över] **2** morra svagt, mullra i fjärran
II s klagan; morrande, muttrande, mullrande, muller
grumbler ['grʌmblə] s kverulant, gnällspik
grumpy ['grʌmpɪ] adj knarrig, vresig, butter
grunge [grʌndʒ] s **1** vard. skit **2** mode grunge slapp sjavig klädstil, ofta second-hand **3** mus. grunge-grungekulturens musik, slags gitarrbaserad listad rock
grungy ['grʌndʒɪ] adj **1** vard. skitig, sjabbig, sjaskig **2** mus. grunge-, grungeig
grunt [grʌnt] **I** vb itr grymta; knorra, knota **II** vb tr grymta fram **III** s grymtning, grymtande
Gruyère ['gru:jeə] s gruyère slags schweizisk ost
GSM [ˌdʒi:es'em] s (förk. för Global System for Mobile Communications) digitalt mobiltelefonsystem
G-spot ['dʒi:spɒt] s i vagina G-punkt äv. bildl.
G-string ['dʒi:strɪŋ] s **1** stringtrosa **2** mus. g-sträng
guacamole [ˌgwɑ:kə'məʊlɪ] s kok. guacamole
guano ['gwɑ:nəʊ, gjʊ'ɑ:nəʊ] (pl. ~s) s guano
guarantee [ˌgær(ə)n'ti:] **I** s **1** garanti äv. bildl.; säkerhet; borgen; **give a** ~ a) ställa borgen b) lämna säkerhet **2** garant; borgensman; **be** ~ **for** äv. gå i god för, garantera
II vb tr **1** garantera [~ peace]; gå i borgen för, gå god för, [an]svara för, borga för; tillförsäkra [~ sb immunity]; ge ngn garantier [against, from mot]; **be** ~**d to do sth** garanterat komma att göra ngt **2** bädda för [good planning ~s success]
guarantee certificate [ˌgær(ə)n'ti:səˌtɪfɪkət] s garantibevis, garantisedel
guarantee warrant [ˌgær(ə)n'ti:ˌwɒr(ə)nt] s garantibevis, garantisedel
guarantor [ˌgær(ə)n'tɔ:] s garant; borgensman; ~ **powers** polit. garantimakter
guard [gɑ:d] **I** s **1** vakt, vakthållning, bevakning, skydd; **keep** ~ hålla vakt, stå (gå) på vakt, vakta; **be off one's** ~ inte vara på sin vakt; **catch sb off his** ~ överrumpla ngn; **throw sb off his** ~ invagga ngn i säkerhet, avleda ngns uppmärksamhet; **be on** ~ stå

(gå) på vakt, ha vakt; *be on one's* ~ vara på sin vakt [*against* mot]; akta sig [*against* för] **2** skydd, värn; försvar **3** försvarsställning, gard i fäktning o.d. **4** fångvaktare; vakt; väktare; [vakt]post **5** spec. mil. vakt, vaktmanskap, bevakning; ~ *of honour* hedersvakt; *the changing of the* ~ vaktombytet; *relieve* ~ avlösa vakten **6** pl. ~*s* garde [*Horse Guards*] **7** konduktör på tåg, bromsare; amer. spärrvakt **8** skydd [*mouth* ~]; skyddsanordning av olika slag; skärm på cykel

II *vb tr* **1** bevaka [~ *prisoners*]; hålla vakt vid [~ *the frontiers*]; vakta [över], övervaka **2** skydda, bevara [*against* mot, för, från; *from* mot, för, från]; gardera äv. schack. el. kortsp.; ~ *oneself against* gardera (skydda, säkra) sig mot

III *vb itr* hålla vakt; vara på sin vakt [*against* mot], akta sig [*against* för]; ~ *against temptations*] fäktn. gardera sig; ~ *against* äv. a) gardera (skydda) sig mot [~ *against disease*; ~ *suspicion*] b) vara (utgöra) ett skydd mot

guard dog ['gɑːddɒg] *s* vakthund
guarded ['gɑːdɪd] *adj* **1** bevakad, vaktad, skyddad, garderad **2** försiktig; reserverad, förbehållsam
guard hairs ['gɑːdheəz] *s pl* zool. stickelhår i pälsen
guardhouse ['gɑːdhaʊs] *s* mil. vakthus, vaktlokal; arrest
guardian ['gɑːdɪən] *s* **1** väktare [~ *of the law*]; bevakare [~ *of public interests*] **2** jur. förmyndare; vårdnadshavare, målsman
guardian angel [ˌgɑːdɪənˈeɪn(d)ʒ(ə)l] **1** skyddsängel **2** bildl. skyddsvakt
guardianship ['gɑːdɪənʃɪp] *s* **1** förmyndarskap; *be under* ~ stå under förmyndare **2** skydd, beskydd, vård, uppsikt
guardrail ['gɑːdreɪl] *s* **1** [skydds]räcke; bröstvärn; skyddslist **2** järnv. moträl
guardroom ['gɑːdruːm] *s* mil. vaktrum, vaktlokal; arrestrum
guards|man ['gɑːds|mən] (pl. -*men* [-mən]) *s* **1** gardesofficer; gardist **2** amer. nationalgardist
guard's van ['gɑːdzvæn] *s* konduktörskupé på tåg
Guatemala [ˌgwɑːtəˈmɑːlə, ˌgwæt-] geogr.
guava ['gwɑːvə] *s* bot. guavaträd, guava[frukt]
gubernatorial [ˌgjuːbənəˈtɔːrɪəl] *adj* guvernörs-; regerings-
guck [gʌk] *s* vard. smörja, skit
guelder-rose [ˌgeldəˈrəʊz] *s* bot. [skogs]olvon; snöbollsbuske
Guernsey ['gɜːnzɪ] geogr. egennamn
guerrilla [gəˈrɪlə] *s* gerillasoldat; pl. ~*s* äv. gerillatrupper, gerilla
guerrilla war [gəˌrɪləˈwɔː] *s* o. **guerrilla warfare** [gəˌrɪləˈwɔːfeə] *s* gerillakrig[föring]
guess [ges] **I** *vb tr* **1** gissa [~ *her age*]; gissa sig till [~ *the truth*]; uppskatta [*at* till] **2** vard. tro, anta, förmoda; *I ~ you are hungry* äv. du är väl hungrig?; *I ~ I'll go now* jag tänker gå nu, jag tror jag går nu; *I ~ed as much* jag tänkte mig just det, var det inte det jag trodde; *I ~ so* jag tror (antar, förmodar) det, antagligen; ~ *what!* vet du vad?, har du hört? **II** *vb itr* **1** gissa [*at sth* [på] ngt; ~ *right*; ~ *wrong*]; *keep sb ~ing* hålla ngn i ovisshet, hålla ngn på sträckbänken
III *s* gissning, förmodan; *it's anybody's* ~ det vete

fåglarna; *your* ~ *is as good as mine* jag vet inte mer om det än du, det är mer än jag vet; *give* (*have, make*) *a* ~ gissa [*at sth* [på] ngt]; *at a* ~ el. *by way of a* ~ gissningsvis
guesstimate [subst. ˈgestɪmət, verb ˈgestɪmeɪt] vard. **I** *s* [ungefärlig] gissning, grov uppskattning **II** *vb tr* göra en grov uppskattning av
guesswork ['geswɜːk] *s* gissning[ar], [rena] spekulationer
guest [gest] **I** *s* **1** gäst, gäst- [~ *conductor*; ~ *lecture*]; främmande [*we're expecting* ~*s to dinner*]; *be my* ~*!* vard. var så god!, ta för dig bara!; ofta iron. genera dig inte!; det bjuder jag på! **2** bot. el. zool. parasit
II *vb itr* vara gäst [*on* i]
guest-house ['gesthaʊs] *s* [finare] pensionat, gästhem
guest worker ['gestˌwɜːkə] *s* gästarbetare
guff [gʌf] *s* vard. snack, struntprat; humbug; *shoot the* ~ snacka strunt, snacka skit
guffaw [gʌˈfɔː] **I** *s* gapskratt, flatskratt, flabb **II** *vb itr* gapskratta, flatskratta, flabba
GUI ['guːi] data. förk. för *graphical user interface*
guidance ['gaɪd(ə)ns] *s* ledning; anförande; ciceronskap; vägledning [*we need* ~ *on this point*]; orientering; rådgivning [*marriage* ~]; rättesnöre
guidance fund ['gaɪd(ə)nsfʌnd] *s* EU. utvecklingsfond
guide [gaɪd] **I** *s* **1** resehandbok [*a* ~ *to* (över) *Italy*]; guide, katalog [*a* ~ *to* (över) *the museum*] **2** handbok [*a* ~ *to* (i) *English conversation*]; nyckel [*a* ~ *to* (till) *the pronunciation*] **3** vägvisare; guide, reseledare, förare, ciceron, ledsagare; rådgivare, vägledare [*her religious* ~] **4** rättesnöre; ledning [*serve as a* ~]; vägledning, handledning [*to* i]; ledtråd **5** flickscout
II *vb tr* **1** visa vägen [*he will* ~ *us*]; [väg]leda [*the blind man was* ~*d by his dog*]; visa; ledsaga; guida **2** styra [~ *the State*]; leda [~ *a horse*]; vara vägledande för, vägleda; *be* ~*d by* låta sig vägledas (styras) av
guidebook ['gaɪdbʊk] *s* vägvisare, resehandbok, guide; katalog
guided missile [ˌgaɪdɪdˈmɪsaɪl] *s* [fjärrstyrd] robot, robotvapen
guide dog ['gaɪ(d)dɒg] *s* ledarhund för blinda, blindhund
guided tour [ˌgaɪdɪdˈtʊə] *s* sällskapsresa; rundtur med guide, guidad tur, rundvandring, visning
guided weapons [ˌgaɪdɪdˈwepənz] *s pl* [fjärrstyrd] robot, robotvapen
guideline ['gaɪdlaɪn] *s* riktlinje, princip; ~*s* äv. anvisningar
guiding ['gaɪdɪŋ] *adj* styrande, ledande [~ *principles*]; ~ *star* el. ~ *spirit* el. ~ *light* ledstjärna; ledande figur
guild [gɪld] *s* gille, skrå; sällskap
guildhall [ˌgɪldˈhɔːl] *s* **1** gilleshus, gillesal **2** rådhus, stadshus; [*the*] *Guildhall* rådhuset i City i London
guile [gaɪl] *s* svek, falskhet, förräderi; [argan] list
guileful ['gaɪlf(ʊ)l] *adj* svekfull, listig, falsk, lömsk
guileless ['gaɪlləs] *adj* sveklös; öppen, ärlig; aningslös

guillemot ['gɪlɪmɒt] *s* zool. sillgrissla; **black ~** tobisgrissla

guillotine ['gɪləti:n] **I** *s* **1** giljotin, fallbila **2** parl. diskussionsspärr, tidsbegränsning för debatt genom fixerade tider för votering om delar av lagförslag **II** *vb tr* **1** giljotinera **2** parl. tidsbegränsa genom att fastställa tider för votering, jfr *guillotine I 2*

guilt [gɪlt] *s* **1** skuld [*proof of her ~*]; skuldkänsla, skuldmedvetenhet **2** brottslighet [*lead a life of* (i) ~]

guilt complex ['gɪlt‚kɒmpleks] *s* psykol. skuldkomplex, skuldkänsla

guiltless ['gɪltləs] *adj* **1** utan skuld, oskyldig [*of* till] **2** ~ *of* utan erfarenhet av, okunnig om

guilt-stricken ['gɪlt‚strɪk(ə)n] *adj* skuldtyngd [*his ~ conscience*]; drabbad av skuldkänslor

guilt-trip ['gɪltrɪp] *vb tr* vard. ge dåligt samvete

guilt trip ['gɪltrɪp] *s* vard., *put a ~ on sb* el. *lay a ~ on sb* ge ngn dåligt samvete

guilty ['gɪltɪ] *adj* **1** skyldig [*~ of* (till) *murder*]; *find sb ~* förklara ngn skyldig; *find sb not ~* förklara ngn icke skyldig; *plead ~* erkänna sig skyldig; *plead not ~* neka; *be proved ~* el. *stand ~* befinnas skyldig [*of* till] **2** skuldmedveten [*a ~ look*]; *~ conscience* dåligt samvete; *feel ~* få (ha) dåligt samvete

Guinea ['gɪnɪ] geogr.

guinea ['gɪnɪ] *s* guinea: a) förr mynt om 21 shilling b) hist. räkneenhet på samma belopp

Guinea-Bissau [‚gɪnɪbɪ'saʊ] geogr.

guinea fowl ['gɪnɪfaʊl] *s* pärlhöns, pärlhöna

guinea hen ['gɪnɪhen] *s* pärlhönshona

guinea pig ['gɪnɪpɪg] *s* **1** zool. marsvin **2** försökskanin

Guinness® ['gɪnɪs] *s* Guinness® slags irländsk porter

guise [gaɪz] *s* utseende, yttre; sken, mask, täckmantel; *in the ~ of* a) i form (gestalt) av b) klädd som; *under the ~ of* under sken (en mask) av [*under the ~ of friendship*]

guitar [gɪ'tɑ:] *s* gitarr; *rhythm ~* kompgitarr

guitarist [gɪ'tɑ:rɪst] *s* gitarrist; *rhythm ~* kompgitarrist

gulch [gʌltʃ] *s* amer. [smal] bergsklyfta

gulf [gʌlf] *s* **1** golf, [havs]bukt; vik [*the Gulf of Bothnia*]; *the Gulf of Mexico* Mexikanska golfen **2** bildl. svalg, avgrund, [djup] klyfta, [stort] djup

Gulf States ['gʌlfsteɪts] *s pl, the ~* a) Gulfstaterna de oljeproducerande länderna runt Persiska viken b) staterna vid Mexikanska golfen

Gulf Stream ['gʌlfstri:m] *s, the ~* Golfströmmen

gull [gʌl] *s* zool. mås; trut; *common ~* fiskmås; *little ~* dvärgmås

gullet ['gʌlɪt] *s* matstrupe; strupe

gullibility [‚gʌlɪ'bɪlətɪ] *s* godtrogenhet, lättrogenhet

gullible ['gʌləbl] *adj* lättlurad, lättrogen

Gulliver [i Swifts roman 'gʌlɪvə]

gully ['gʌlɪ] *s* **1** ränna, klyfta, ravin, bäckravin, åbädd **2** [djupt] dike, rännsten, avloppskanal

gulp [gʌlp] **I** *vb tr, ~* el. *~ down* svälja häftigt, stjälpa (slänga) i sig [*~ down a cup of tea*]; sluka; *~ back one's tears* svälja (pressa tillbaka) tårarna; *~ for air* el. *~ for breath* kippa efter andan **II** *s* **1** sväljning; *at one ~* i ett tag (drag), på en gång **2** munfull, klunk, tugga; *take a ~* äv. svälja

1 gum [gʌm] *s* anat., mest pl. *~s* tandkött

2 gum [gʌm] *interj* vard. (förvrängning av *God*); *by ~!* för tusan!

3 gum [gʌm] **I** *s* **1** tuggummi **2** gummi; kåda **II** *vb tr* **1** fästa (klistra upp) med gummi [ofta *~ down*, *~ in*, *~ up*] **2** sl., *~ up* förstöra; stoppa; *~ up the works* förstöra (sabba) alltihop

gumboil ['gʌmbɔɪl] *s* med. tandböld

gumboots ['gʌmbu:ts] *s pl* åld. gummistövlar

gummed [gʌmd] *adj* gummerad [*~ envelopes*]

gummy ['gʌmɪ] *adj* **1** gummi-, gummiartad, gummiliknande **2** som innehåller (avsöndrar) gummi **3** klibbig **4** som visar hela tandköttet

gumption ['gʌm(p)ʃ(ə)n] *s* sunt förnuft; *he has no ~* han saknar framåtanda, han är alldeles bortkommen (bakom)

gumshield ['gʌmʃi:ld] *s* boxn. tandskydd

gumshoe ['gʌmʃu:] *s* amer. åld. deckare, snut

gumtree ['gʌmtri:] *s* bot. **1** eukalyptus, [australiskt] gummiträd **2** amer., namn på flera träd, bl.a. sapodillträd **3** *be up a ~* vard. a) vara fast (illa ute), sitta i klistret b) vara på villovägar

gun [gʌn] **I** *s* **1** revolver; pistol; bössa, gevär; *the ~* sport. äv. startskottet; *staple ~* häftpistol **2** vard. revolverman, beväpnad man **3** mil. kanon; artilleripjäs; *heavy ~s* tungt artilleri; *a salute of 21 ~s* en salut på 21 skott **4** spruta; tryckspruta; insektsspruta; *grease ~* smörjspruta, fettspruta **5** spec. vard. uttr.: *big ~* stor (verklig) höjdare; pamp, storgubbe; högdjur; *son of a ~* rackare, skojare, kanalje; *jump the ~* tjuvstarta; *we were going great ~s* a) det gick som smort (en dans) [för oss] b) vi var i finfin form; *stick to one's ~s* stå fast, stå på sig **II** *vb itr* skjuta (jaga) med gevär [*go ~ning*] **III** *vb tr* vard. skjuta [på] **IV** *vb itr* o. *vb tr* med adv. el. prep.:

gun down skjuta ner

gun for vard. a) vara på jakt efter b) vara ute efter, kämpa för, försöka få (nå) [*be ~ning for a rise*]

gunboat ['gʌnbəʊt] *s* **1** sjö. kanonbåt **2** pl. *~s* amer. vard. stora bla'n skor, fötter

gunboat diplomacy ['gʌnbəʊtdɪ‚pləʊməsɪ] *s* kanonbåtsdiplomati diplomati med stöd av (hot om) militärt våld

gun control ['gʌnkən‚trəʊl] *s* vanl. amer. vapenkontroll

guncotton ['gʌn‚kɒtn] *s* kem. bomullskrut

gun crew ['gʌnkru:] *s* mil. servis manskap som betjänar artilleripjäs e.d.

gun dog ['gʌndɒg] *s* jakthund

gunfight ['gʌnfaɪt] *s* vard. eldstrid

gunfighter ['gʌn‚faɪtə] *s* stridande revolverman

gunfire ['gʌn‚faɪə] *s* skottlossning; mil. artillerield

gunge [gʌndʒ] *s* vard. gegga[moja], kladd, smörja

gung-ho [gʌŋ'həʊ] *adj* vard. nitisk, gåpåig; dumdristig

gunk [gʌŋk] *s* vard. kladd, smörja, gegga[moja]

gun|man ['gʌn|mən] (pl. *-men* [-mən]) *s* revolverman; beväpnad man

gunmetal ['gʌn‚metl] *s* kanonmetall, kanonbrons

gunnel ['gʌnl] *s* sjö., se *gunwale*

gunner ['gʌnə] *s* mil. artillerist; riktare; [kulsprute]skytt äv. på flygplan

gunnery ['gʌnərɪ] *s* **1** artillerivetenskap, skjutlära; *school of ~* artilleriskjutskola **2** artilleri

gunnery officer ['gʌnərɪ‚ɒfɪsə] *s* sjö. artilleriofficer; chef för eldledningscentral

gunny ['gʌnɪ] *s* vanl. amer. jute, säckväv

gunpoint ['gʌnpɔɪnt] *s*, **at** ~ under pistolhot (gevärshot)

gunpowder ['gʌn‚paʊdə] *s* krut

gunrunner ['gʌn‚rʌnə] *s* vapensmugglare

gunrunning ['gʌn‚rʌnɪŋ] *s* vapensmuggling

gunship ['gʌnʃɪp] *s* mil. bestyckad helikopter

gunshot ['gʌnʃɒt] *s* **1** skott; ~ **wound** skottsår **2** skottvidd, skotthåll [*out of* ~; *within* ~]

gunslinger ['gʌn‚slɪŋə] *s* sl. revolverman, gangster

gunsmith ['gʌnsmɪθ] *s* gevärssmed

gunwale ['gʌnl] *s* sjö. reling

Guppie ['gʌpɪ] *s* vard. (förk. för *Gay Urban Professional*) homosexuell yuppie

guppy ['gʌpɪ] *s* zool. guppy

gurgle ['gɜ:gl] **I** *vb itr* **1** klunka, klucka; porla, sorla **2** skrocka, bubbla [~ *with laughter*]; gurgla **II** *s* **1** klunk[ande], kluck[ande]; porlande, sorl **2** skrockande (bubblande, gurglande) ljud

gurney ['gɜ:nɪ] *s* amer. bår

guru ['gʊru:] *s* ind. guru m.m. bildl.

gush [gʌʃ] **I** *vb itr* **1** välla [fram] [*the oil* ~*ed from the well*]; strömma [ut] **2** vard. vara översvallande [i sitt tal]; ~ *about* el. ~ *over* tala med hänförelse om **II** *vb tr* spruta, spruta ut (fram) [ofta *out, forth*] **III** *s* **1** framvällande; ström, flod, fors, stråle [*a* ~ *of water*] **2** bildl. häftigt utbrott (anfall) [*a* ~ *of anger*; *a* ~ *of energy*], vard. sentimentalt svammel, flåspatos

gusher ['gʌʃə] *s* **1** översvallande (sentimental) människa **2** rik oljekälla som sprutar fram av eget tryck; bildl. kaskad

gushing ['gʌʃɪŋ] *adj* översvallande; sentimental

gusset ['gʌsɪt] *s* kil i klädesplagg

gussy ['gʌsɪ] *vb tr* vanl. amer. sl., ~ *up* el. ~ *oneself up* klä upp sig

gust [gʌst] *s* **1** häftig vindstöt, vindil, kastvind, stormby; by, regnby **2** bildl. storm, [häftigt] utbrott [*a* ~ *of anger*]

Gustavus [gʊ'stɑ:vəs] som kunganamn Gustav, Gustaf: ~ *Adolphus* [ə'dɒlfəs] Gustav Adolf

gusto ['gʌstəʊ] *s*, **with** [*great*] ~ med stort välbehag, med stor förtjusning

gusty ['gʌstɪ] *adj* byig, stormig

gut [gʌt] **I** *s* (jfr äv. *guts*) **1 a)** tarm; tarmkanal **b)** vard. mage, kagge; *bust a* ~ ta i så man spricker, göra allt man kan **2** tarmsträng, kattgut **3** tafs till metrev, gut, gutkast [*silkworm* ~] **II** *vb tr* **1** rensa fisk **2** tömma, rensa, göra rent hus i, plundra; ~*ted by fire* urblåst (utbränd) av eld

gut feeling [‚gʌt'fi:lɪŋ] *s* [instinktiv] känsla; känsla i magen (maggropen)

gutless ['gʌtləs] *adj* vard. feg

gut reaction [‚gʌtrɪ'ækʃ(ə)n] *s* [instinktiv] känsla; känsla i magen (maggropen)

gut-rot ['gʌtrɒt] *s* sl. rävgift dålig sprit; blask dåligt öl

guts [gʌts] *s pl* vard. **1** kurage; *he's got no* ~ a) det är ingen ruter i honom b) han är [för] feg **2** inälvor, tarmar; innanmäte; bildl. äv. innehåll; *I hate his* ~ jag avskyr honom som pesten; *I'll have his* ~ *for garters* ngt åld. jag ska bryta nacken av (slå ihjäl, strypa) honom; *sweat one's* ~ *out* el. *work one's* ~ *out* arbeta

ihjäl sig **3** mage [*stick a bayonet into a man's* ~] **4** amer. mage, fräckhet **5** huvuddrag, viktigaste del

gutsy ['gʌtsɪ] *adj* vard. **1** modig, käck **2** kraftfull, mustig; utmanande

gutted ['gʌtɪd] *adj* **1** förstörd, urblåst av eld **2** vard. chockad, bedrövad

gutter ['gʌtə] *s* **1** rännsten; *the language of the* ~ gatuspråket; *take sb out of the* ~ bildl. plocka upp ngn från gatan **2** avloppsränna, avloppsrör **3** takränna

guttering ['gʌtərɪŋ] *s* takrännor ofta äv. om hela systemet med takrännor, stuprännor m.m.

gutter press ['gʌtəpres] *s*, *the* ~ skandalpressen

guttersnipe ['gʌtəsnaɪp] *s* **1** rännstensunge, gatpojke **2** vard. knöl, tölp

guttural ['gʌtər(ə)l] **I** *adj* strup-; strupljuds-; spec. fonet. guttural **II** *s* strupljud; gutturalt ljud

Guy [gaɪ] mansnamn

1 guy [gaɪ] *s* **1** vard. karl, kille; *fall* ~ se *fall guy*; *he's a bad* ~ han är en buse (skurk); *he's a good* ~ han är en bra kille, han är schyst; *hey, you* ~*s!* hallå där killar [och tjejer]!; *No more Mr Nice Guy!* nu tänker inte jag vara schyst längre! **2** Guy-Fawkes-docka som till minnet av Guy Fawkes, aktiv i krutkonspirationen 1605, bärs omkring på gatorna och bränns 5 nov. **3** bildl. fågelskrämma, löjlig figur

2 guy [gaɪ] *s* gaj, stötta

Guyana [gaɪ'ænə] geogr.

Guyanese [‚gaɪə'ni:z] **I** *s* (pl. *Guyanese*) guyanan **II** *adj* guyansk

Guy Fawkes [‚gaɪ'fɔ:ks] egennamn

Guy Fawkes Night [‚gaɪ'fɔ:ksnaɪt] firas i Storbritannien den 5 nov., jfr *1 guy 2*

guzzle ['gʌzl] **I** *vb itr* supa, pimpla; vräka (glufsa) i sig, frossa **II** *vb tr* supa, pimpla, hälla i sig; vräka (sleva, glufsa) i sig, frossa på; sluka [~ *energy*]

gym [dʒɪm] *s* **1** (vard. kortform av *gymnasium 1*) gym **2** (vard. kortform av *gymnastics*) gympa gymnastik

gymkhana [dʒɪm'kɑ:nə] *s* gymkhana, idrottstävlingar

gymnasi|um [dʒɪm'neɪzj|əm] (pl. -*ums* el. -*a* [-ə]) *s* **1** gymnastiksal; gymnastiklokal, idrottslokal **2** om icke-anglosaxiska förhållanden gymnasium

gymnast ['dʒɪmnæst] *s* gymnast

gymnastic [dʒɪm'næstɪk] *adj* gymnastisk

gymnastics [dʒɪm'næstɪks] (med verb i sg. utom i betydelsen 'gymnastiserande') *s* gymnastik; [*a* ~ *lesson*; *a* ~ *teacher*]; *do* ~ göra gymnastik, gympa, gymnastisera; *mental* ~ hjärngymnastik, tankeövningar

gym shoe ['dʒɪmʃu:] *s* vard. gymnastiksko

gymslip ['dʒɪmslɪp] *s* förr gymnastikdräkt [för flickor]

gynaecological [‚gaɪnɪkə'lɒdʒɪk(ə)l, ‚dʒaɪ-] *adj* gynekologisk

gynaecologist [‚gaɪnɪ'kɒlədʒɪst, ‚dʒaɪ-] *s* gynekolog

gynaecology [‚gaɪnɪ'kɒlədʒɪ, ‚dʒaɪ-] *s* gynekologi

1 gyp [dʒɪp] *s* vard., *give sb* ~ a) ge ngn på huden; klå upp ngn b) pina (plåga) ngn

2 gyp [dʒɪp] *vb tr* vanl. amer. vard. bedra, lura

gypsum ['dʒɪpsəm] *s* miner. gips

gypsum board ['dʒɪpsəmbɔ:d] *s* gipsplatta

gypsy ['dʒɪpsɪ] *s* ngt neds. zigenare, zigenerska; attr.

zigenar- [~ *orchestra*]; zigensk; ~ **caravan**
zigenarvagn

gyrate [ˌdʒaɪ(ə)'reɪt] *vb itr* rotera, virvla [runt],
vrida sig [runt]

gyration [ˌdʒaɪ(ə)'reɪʃ(ə)n] *s* rotation, roterande,
virvlande, virvel; kretslopp, kretsande

gyro ['dʒaɪərəʊ] (pl. ~s) *s* **1** gyro[skop];
gyrokompass **2** flyg. autogiro

gyrocompass ['dʒaɪərə(ʊ)ˌkʌmpəs] *s* gyrokompass

gyroscope ['dʒaɪərəskəʊp] *s* tekn. gyroskop

gyroscopic [ˌdʒaɪərə'skɒpɪk] *adj* gyroskopisk, gyro-

1 H, h [eɪtʃ] (pl. *H's* el. *h's* ['eɪtʃɪz]) *s* H, h; jfr *aitch*

2 H [eɪtʃ] förk. för *hard, hardness* (på blyertspenna),
hydrogen

h. förk. för *height, high, hour*[s]

H₂O [ˌeɪtʃtu:'əʊ] *s* H_2O kemiska beteckningen för vatten

ha [hɑ:] *interj* [ha] ha!, ah!, åh!

habeas corpus [ˌheɪbɪəs'kɔ:pəs] *s*, **writ of** ~ ung.
åläggande om prövning [inför rätta] av det
berättigade i ett frihetsberövande

haberdashery ['hæbədæʃərɪ, ˌ--'---] *s* åld. **1** sybehör;
amer. herrekiperingsartiklar **2** sybehörsaffär; amer.,
mindre herrekipering[saffär]

habit ['hæbɪt] *s* **1** vana [*be the slave of* ~]; pl. ~**s** äv.
levnadsvanor; *a bad* ~ en ovana, en dålig (ful)
vana; *be in the* ~ *of* [*getting up late*] ha för vana
att..., bruka...; *get out of the* ~ *of* [*smoking*] vänja
sig (lägga) av med att..., sluta...; *creature of* ~
vanemänniska; *force of* ~ vanans makt; *matter of* ~
vanesak; *out of* ~ el. *from* ~ el. *from force of* ~ av
gammal vana **2** vard. beroende, begär [*heroin* ~];
kick the ~ göra sig fri från sitt beroende **3** dräkt
[*monk's* ~; *nun's* ~]; klädnad; [munk]kåpa

habitable ['hæbɪtəbl] *adj* beboelig

habitat ['hæbɪtæt] *s* biol. naturlig miljö, hemvist

habitation [ˌhæbɪ'teɪʃ(ə)n] *s* **1** boende; *not fit for* ~
obeboelig; *it shows signs of* ~ det ser bebott ut
2 högtidl. boning, bostad [*a human* ~]

habit-forming ['hæbɪtˌfɔ:mɪŋ] *adj* vanebildande

habitual [hə'bɪtʃʊəl] *adj* **1** invand, inrotad [*a* ~
practice]; vanemässig **2** inbiten, vane- [*a* ~ *smoker*]
3 vanlig [*a* ~ *sight*]; sedvanlig

habitually [hə'bɪtʃʊəlɪ] *adv* jämt, för jämnan [*he is*
~ *late*]; vanemässigt

habituated [hə'bɪtʃʊeɪtɪd] *adj* van [*to* vid]

habitué [hə'bɪtjʊeɪ] *s* habitué, stamgäst, stamkund

1 hack [hæk] **I** *vb tr* **1** hacka [i], hugga [i], göra
hack i; hacka (hugga, skära) sönder **2** sport. sparka
[~ *the ball away*]; sparka motspelare på smalbenet
(skenbenet) **3** data. hacka sig in i olagligt ta sig in i [~ *a
computer system*] **4** vard. palla (orka) med; stå ut
med [*I can't* ~ *it*]

II *vb itr* **1** hacka [*at* i, på] **2** hacka [och hosta]
3 data. hacka olagligt ta sig in i datasystem, hacka (bryta)
sig in [~ *into* (i) *a computer system*]

2 hack [hæk] **I** *s* **1** a) [tidnings]murvel [äv. ~
journalist]; dussinförfattare [äv. ~ *writer*]
b) medelmåtta i arbetslivet, klåpare **2** vard. kuse häst,
åkarkamp, hästkrake; uthyrningshäst
3 småpolitiker

II *vb itr* **1** rida långsamt **2** amer. åld. köra taxi

hacked-off [ˌhækt'ɒf] *adj* vard. tvärförbannad

hacker ['hækə] *s* data. hackare, hacker

hacking cough [ˌhækɪŋ'kɒf] *s* hackhosta

hackles ['hæklz] *s pl* t.ex. hunds, katts nackhår, fågels
nacktofs; *get one's* ~ *up* resa borst, reta upp sig;
make sb's ~ *rise* el. *raise sb's* ~ få ngn att resa borst,
reta upp ngn

hackneyed ['hæknɪd] *adj* [ut]sliten, banal
hacksaw ['hæksɔ:] *s* tekn. bågfil metallsåg
hacktivist ['hæktɪvɪst] *s* data. aktivist som använder Internet som verktyg
had [hæd, obeton. həd, əd] *imperf. o. perf. p.* av *have*
haddock ['hædək] *s* kolja; *finnan* ~ rökt kolja
Hades ['heɪdi:z] *s* Hades, underjorden
hadn't ['hædnt] = *had not*
haemoglobin [ˌhi:mə(ʊ)'gləʊbɪn] *s* kem. hemoglobin
haemophilia [ˌhi:mə(ʊ)'fɪlɪə] *s* med. blödarsjuka, hemofili
haemophiliac [ˌhi:mə(ʊ)'fɪlɪək] *s* med. blödare
haemorrhage ['hemərɪdʒ] **I** *s* med. blödning; *cerebral* ~ hjärnblödning **II** *vb itr* blöda kraftigt
haemorrhoids ['hemərɔɪdz] *s pl* med. hemorrojder
haemostasis [ˌhi:mə(ʊ)'steɪsɪs] *s* med. hemostas
haemostatic [ˌhi:mə(ʊ)'stætɪk] *adj* med. blodstillande
haemostatic forceps ['hi:mə(ʊ)ˌstætɪk'fɔ:seps] (med verb i sg. el. pl.; pl. *haemostatic forceps*) *s* kir. peang
haft [hɑ:ft] *s* handtag, skaft på dolk, kniv, verktyg
hag [hæg] *s* häxa; ful gammal käring, hagga
haggard ['hægəd] *adj* **1** utmärglad, tärd, härjad **2** vild till utseendet, stirrande [~ *eyes*]
haggis ['hægɪs] *s* spec. skotsk., ung. fårpölsa
haggle ['hægl] *vb itr* pruta; köpslå [*over, about* om]; ~ *about* (*over*) *the price of sth* [försöka] pruta (pruta ned priset) på ngt [*a lot of haggling about the price*]
hagiography [ˌhægɪ'ɒgrəfɪ, ˌheɪdʒ-] *s* hagiografi, helgonbiografi
hagiolatry [ˌhægɪ'ɒlətrɪ, ˌheɪdʒ-] *s* helgondyrkan
Hague [heɪg] geogr., *The* ~ Haag
1 hail [heɪl] **I** *s* hagel; bildl. regn, skur [*a* ~ *of blows*]; *a* ~ *of lead* ett kulregn **II** *vb itr* hagla
2 hail [heɪl] **I** *vb tr* **1** hälsa, hylla [~ *sb* [*as*] *leader*]; välkomna **2** kalla på; ropa till sig; hejda; sjö. preja; *within* ~*ing distance* inom prejningshåll (hörhåll) **II** *vb itr*, ~ *from* åld. vara (komma) från, höra hemma i [*he* ~*s from Boston*]
hailstone ['heɪlstəʊn] *s* hagel[korn]
hailstorm ['heɪlstɔ:m] *s* hagelby, hagelskur
hair [heə] *s* hår; hårstrå; *a fine head of* ~ [ett] vackert hår; *loss of* ~ håravfall; *not harm* (*touch*) *a* ~ *of sb's head* inte kröka ett hår på ngns huvud; *keep your* ~ *on!* vard. ta't lugnt!; *let one's* ~ *down* a) släppa ned håret b) vard. släppa loss; *lose one's* ~ tappa håret; *it makes my* ~ *stand on end* det får håret att resa sig [på huvudet] på mig; *split* ~*s* ägna sig åt hårklyverier, hänga upp sig på struntsaker; *she didn't turn a* ~ hon ändrade inte en min, det bekom henne inte det minsta; *get in sb's* ~ sl. gå ngn på nerverna, reta ngn; *to a* ~ el. *to the turn of a* ~ på håret (pricken), precis, alldeles; *a* ~ *of the dog* [*that bit you*] vard. en återställare
hairband ['heəbænd] *s* hårband; diadem av plast
hairbreadth ['heəbredθ] *s* o. *adj* se *hair's breadth*
hairbrush ['heəbrʌʃ] *s* hårborste
hair curler ['heəˌkɜ:lə] *s* hårspole, papiljott
haircut ['heəkʌt] *s* **1** klippning; *have a* ~ el. *get a* ~ klippas, klippa sig **2** klippning, frisyr
hairdo ['heədu:] (pl. ~*s*) *s* vard. frisyr, håruppsättning
hairdresser ['heəˌdresə] *s* frisör; hårfrisörska; ~*'s* frisersalong

hairdressing ['heəˌdresɪŋ] *s* **1** frisering; attr. frisér-, frisör- **2** frisyr[er]
hairdryer o. **hairdrier** ['heəˌdraɪə] *s* hårtork
hair dye ['heədaɪ] *s* hårfärgningsmedel
haired [heəd] *adj* som efterled i sammansättn. -hårig [*brown-haired*]
hair gel ['heədʒel] *s* hårgelé
hairgrip ['heəgrɪp] *s* hårklämma
hairless ['heələs] *adj* hårlös
hairline ['heəlaɪn] **I** *s* hårfäste **II** *adj* hårfin
hair lotion ['heəˌləʊʃ(ə)n] *s* hårvatten
hair mousse ['heəmu:s] *s* hårmousse
hairnet ['heənet] *s* hårnät
hairpiece ['heəpi:s] *s* postisch; tupé
hairpin ['heəpɪn] *s* hårnål
hairpin bend [ˌheəpɪn'bend] *s* hårnålskurva
hair-raising ['heəˌreɪzɪŋ] *adj* nervkittlande, spännande, rafflande
hair remover [ˌheərɪ'mu:və] *s* hårborttagningsmedel
hair-restorer ['heərɪˌstɔ:rə] *s* hårväxtmedel
hair ribbon ['heəˌrɪbən] *s* hårband
hair's breadth ['heəzbredθ] **I** *s* hårsmån; *escape by a* ~ undkomma med knapp nöd **II** *adj* hårfin [*a* ~ *difference*]; som hänger på ett hår; *have a* ~ *escape* undkomma med knapp nöd
hair shirt [ˌheə'ʃɜ:t, '--] *s* tagelskjorta
hairslide ['heəslaɪd] *s* hårspänne
hairsplitting ['heəˌsplɪtɪŋ] **I** *s* hårklyveri[er], spetsfundigheter **II** *adj* hårklyvande, spetsfundig
hairspray ['heəspreɪ] *s* hårsprej
hairspring ['heəsprɪŋ] *s* spiralfjäder i ur
hairstyle ['heəstaɪl] *s* frisyr
hairstyling ['heəˌstaɪlɪŋ] *s* klippning, frisering
hairstylist ['heəˌstaɪlɪst] *s* hårstylist, hårfrisör[ska]
hair transplant [ˌheə'trænsplɑ:nt] *s*, *a* ~ en hårtransplantation
hair transplantation [ˌheə'trænsplɑ:nˌteɪʃ(ə)n] *s* hårtransplantation
hair-trigger ['heəˌtrɪgə] *s*, *he has a* ~ *temper* han har mycket kort stubin
hairy ['heərɪ] *adj* **1** hårig; hårbevuxen, hårbeväxt; luden; hår- **2** vard. otäck, farlig, hårresande
Haiti ['heɪtɪ, hɑ:'i:tɪ] geogr.
Haitian ['heɪʃ(ə)n, hɑ:'i:ʃ(ə)n] **I** *s* haitier; haitiska kvinna **II** *adj* haitisk
hajj [hædʒ] *s* hajj vallfärd till Mecka
hake [heɪk] *s* zool. kummel
halcyon ['hælsɪən] *adj* stilla, lugn, fridfull, lycklig; ~ *days* lyckliga dagar
hale [heɪl] *adj* spec. om gamla spänstig, vid god vigör; ~ *and hearty* frisk och kry
half [hɑ:f] **I** (pl. *halves*) *s* **1** halva, hälft; *I'll go halves with you* jag delar lika med dig; *you don't know* (*haven't heard*) *the* ~ *of it!* om det bara vore det!; *too clever* (*kind*) *by* ~ lite väl slipad (snäll), lite för slipad (snäll); *do sth by halves* göra ngt halvt om halvt (till hälften, halvdant, halvhjärtat); *cut in* ~ el. *cut into halves* skära itu, klyva **2** sport. a) halvlek b) halvback
II *adj* halv [~ *my time*; ~ *the year*; ~ *this year*]; ~ *a crown* hist.: värdet av 2 1/2 shilling (1/8 pund); ~ *an hour* en halvtimme, en halv timme; ~ *the men* hälften av männen; *I have* ~ *a mind to try* jag har nästan lust att försöka

III *adv* **1** halvt, till hälften, halvvägs, halv- [*the potatoes were ~ cooked*; *~ dead*]; halvt om halvt; *~ as much* (*many*) *again* en halv gång till så mycket (många), en och en halv gång så mycket (många); *I ~ wish* [*he was here*] jag önskar nästan...; *at ~ past five* el. vard. [*at*] *~ five* [klockan] halv sex **2** *not half* vard. **a**) inte alls, ingalunda, långtifrån; *not ~ bad* inte så illa, inte så tokig; riktigt hygglig **b**) iron., *not ~!* om!, det kan du slå dig i backen på!, jaja män!; *he was not ~ good!* gissa om han var bra!; *he didn't ~ swear* han svor som bara den; *you haven't ~ got a cheek!* du är inte lite fräck du!

half-and-half [ˌhɑːf(ə)n(d)'hɑːf] **I** *s* **1** hälft[en] av var; en del av varje **2** amer. blandning av grädde och mjölk till kaffe el. te
II *adj* som innehåller hälften var; lika stor (liten m.m.); *give a ~ promise* lova halvt om halvt
half-arsed [ˌhɑːf'ɑːst] *adj* o. amer. **half-assed** [ˌhɑːf'æst] *adj* sl. **1** halvdan, klumpig [*a ~ attempt*] **2** urdum [*a ~ idea*]
half-back ['hɑːfbæk] *s* sport. halvback
half-baked [ˌhɑːf'beɪkt] *adj* **1** halvstekt, halvrå **2** bildl. halv[-]; halvfärdig; ogenomtänkt; omogen; grön, oerfaren; *~ measure* halvmesyr **3** vard. knasig, halvfnoskig [*~ idea*]
half-board [ˌhɑːf'bɔːd] *s* halvpension på hotell o.d.
half-breed [ˌhɑːf'briːd] *s* **1** neds. halvblod; spec. i USA halvblodsindian **2** biol. bastard, korsning
half-brother ['hɑːfˌbrʌðə] *s* halvbror
half-caste ['hɑːfkɑːst] *s* neds. halvblod spec. avkomling av europé och indier
half-cock [ˌhɑːf'kɒk] *s* se *cock I 6*
half-cut [ˌhɑːf'kʌt] *adj* åld. påstruken, full
half-dollar [ˌhɑːf'dɒlə] *s* mynt värt 50 cent i USA o. Kanada
half-hearted [ˌhɑːf'hɑːtɪd, 'hɑːfˌh-] *adj* halvhjärtad, ljum
half-holiday [ˌhɑːf'hɒlədeɪ, -dɪ] *s* halv fridag; *have a ~* vara ledig halva dagen
half-hour [ˌhɑːf'aʊə] *s* halvtimme; *it is striking the ~* klockan slår halv
half-hourly [ˌhɑːf'aʊəlɪ] *adj* o. *adv* [som går (inträffar, upprepas m.m.)] varje halvtimme (en gång i halvtimmen) [*a ~ bus service*]
half-length [ˌhɑːf'leŋθ, attr. '--] **I** *s* [porträtt i] halvfigur, bröstbild **II** *adj* i halvfigur; *~ picture* el. *~ portrait* bröstbild, halvbild
half-mast [ˌhɑːf'mɑːst] *s*, *at ~* på halv stång
half-measures ['hɑːfˌmeʒəz, ˌ-'--] *s pl* halvmesyrer
half-moon [ˌhɑːf'muːn] *s* halvmåne
half-nelson [ˌhɑːf'nelsn] *s* brottn. halvnelson
half-note ['hɑːfnəʊt] *s* mus. (amer.) halvnot
halfpenny ['heɪpnɪ, -pənɪ] *s* hist. halvpenny[mynt]
half-price [ˌhɑːf'praɪs] **I** *s* halvt pris, halv biljett **II** *adj* o. *adv* till (för) halva priset; *children* [*admitted*] *~* teat. o.d. barn [går in för] halva priset
half-sister ['hɑːfˌsɪstə] *s* halvsyster
half-term [ˌhɑːf'tɜːm] *s* mitterminslov [äv. *~ holiday* el. *~ break*]
half-timbered [ˌhɑːf'tɪmbəd, attr. '-,--] *adj* av korsvirke, korsvirkes-
half-time [attr. adj. 'hɑːftaɪm, pred. adj., adv. o. subst. ˌ-'-] **I** *adj* halvtids- [*~ work*] **II** *adv* [på] halvtid (deltid)

[*work ~*] **III** *s* halvtid äv. sport.; *be on ~* arbeta halvtid
halftone ['hɑːftəʊn] **I** *adj* boktr. halvtons-
II *s* **1** boktr. halvtonstryck[ning], autotypi **2** amer. mus. halvton
half-truth ['hɑːftruːθ, i pl. -truːðz] *s* halvsanning
halfway [ˌhɑːf'weɪ] **I** *adj* som ligger halvvägs (på halva vägen); *~ to being...* på god väg att vara...
II *adv* halvvägs, på halva vägen; *meet ~* bildl. mötas på halva vägen; *meet trouble ~* göra sig onödiga bekymmer
halfway house [ˌhɑːfweɪ'haʊs] *s* **1** mellanting [*a ~ between two systems*]; kompromiss; halvvägs till målet **2** rehabiliteringshem för t.ex. f.d. missbrukare **3** utslussningshem för f.d. fångar
halfway line ['hɑːfweɪlaɪn] *s* sport. mittlinje
half-wit ['hɑːfwɪt] *s* idiot, dumbom, sinnessvag person
half-witted [ˌhɑːf'wɪtɪd] *adj* korkad, dum, sinnessvag
half-yearly [ˌhɑːf'jɪəlɪ, -'jɜːlɪ] **I** *adj* halvårs-, som sker varje halvår **II** *adv* varje halvår, halvårsvis
halibut ['hælɪbət] *s* zool. hälleflundra
halitosis [ˌhælɪ'təʊsɪs] *s* med. dålig andedräkt, halitosis
hall [hɔːl] *s* **1** entré, [för]hall, farstu, vestibul **2** sal för banketter o.d., hall; aula, [samlings]lokal [*assembly ~*] **3** *concert ~* konserthus; *town ~* el. *city ~* stadshus, rådhus **4** univ. **a**) [college]matsal **b**) mindre college **c**) studentlokal, studentbyggnad; *~ of residence* studenthem
hallelujah [ˌhælɪ'luːjə] *s* o. *interj* halleluja
Halley's Comet [ˌhælɪz'kɒmɪt] *s* astron. Halleys komet
hallmark ['hɔːlmɑːk] **I** *s* **1** guldsmedsstämpel, kontrollstämpel **2** kännetecken, hallstämpel, kännemärke [*the ~ of success*]; *the ~s of a gentleman* det utmärkande för en gentleman
II *vb tr* kontrollstämpla, [hall]stämpla
hallo [hə'ləʊ, ˌhʌ'ləʊ, ˌhæ'ləʊ] *interj* o. s se *hello*
Hall of Fame [ˌhɔːləv'feɪm] *s* spec. i USA, byggnad i vilken man kan studera allt om berömda människor
halloo [hə'luː, hæ'l-] **I** *interj* hallå!, [o]hoj! **II** (pl. *~s*) *s* hallå[rop]
hallowed ['hæləʊd] kyrkl. ofta [-ləʊɪd] *adj* **1** helgad [*~ be thy name*; *~ ground*] **2** vördad [*~ tradition*]
Halloween o. **Hallowe'en** [ˌhæləʊ'iːn] *s* Halloween, allhelgonaafton 31 okt.
hall porter [ˌhɔːl'pɔːtə] *s* portier, vaktmästare på hotell
hallstand ['hɔːlstænd] *s* fristående klädhängare [och paraplyställ], tamburställ
hallucinate [hə'luːsɪneɪt, -'ljuː-] *vb itr* hallucinera
hallucination [həˌluːsɪ'neɪʃ(ə)n, -ˌljuː-] *s* hallucination, sinnesvilla, synvilla
hallucinatory [hə'luːsɪnət(ə)rɪ, -'ljuː-] *adj* hallucinatorisk
hallucinogen [hə'luːsɪnədʒen, -'ljuː-] *s* hallucinogen
hallucinogenic [həˌluːsɪnə'dʒenɪk, -ˌljuː-] *adj* hallucinogen
hallway ['hɔːlweɪ] *s* **1** entré, [för]hall, farstu, vestibul **2** korridor
hallo ['heɪləʊ] (pl. *-oes* el. *-os*) *s* **1** gloria, nimbus,

strålglans, bildl. äv. aura **2** solgård, mångård, ljusgård, halo[fenomen]

halogen ['hælədʒen] **I** adj halogen- [~ lamp] **II** s kem. halogen

halogen lamp [,hælədʒen'læmp] s o. **halogen light** [,hælədʒen'laɪt] s halogenlampa

halt [hɔ:lt, hɒlt] **I** s halt, rast, paus, uppehåll; rastställe; järnv. anhalt, hållplats; busshållplats; **call a ~** a) mil. kommendera halt b) bildl. säga stopp; sätta stopp [to för]; **come to a ~** el. **make a ~** göra halt (uppehåll), stanna
II vb itr o. vb tr [låta] stanna, [låta] göra halt

halter ['hɔ:ltə, 'hɒl-] s **1** grimma **2** rygglös överdel (topp) [med nackband], baddräktstopp **3** [galg]rep, snara

halter neck ['hɔ:ltənek] s o. **halter top** ['hɔ:ltətɒp] s se *halter 2*

halting ['hɔ:ltɪŋ] adj stapplande, haltande, hackig; **in ~ French** på stapplande franska

halve [hɑ:v] vb tr **1** halvera, dela lika (itu) **2** minska till (med) hälften

halves [hɑ:vz] s pl. av *half*

halyard ['hæljəd] s sjö. fall hisstråg; **flag ~** flagglina

1 ham [hæm] s **1** skinka [a slice of ~]; lår på djur **2** pl. **~s** skinkor, bak[del] **3** has; förr knäled

2 ham [hæm] vard. **I** s **1 radio ~** radioamatör **2 ~ acting** överdrivet spel
II vb itr, **~ it up** spela över

hamburger ['hæmbɜ:gə] s kok. hamburgare [äv. ~ steak]

ham-fisted [,hæm'fɪstɪd] adj o. **ham-handed** [,hæm'hændɪd] adj fumlig, klumpig, tafatt

Hamlet ['hæmlət]

hamlet ['hæmlət] s liten by ofta utan kyrka

hammer ['hæmə] **I** s **1** hammare äv. i piano el. anat.; slägga; **steak ~** köttklubba; **go at it ~ and tongs** vard. slåss (gräla) för fullt; ta i på skarpen (av alla krafter) **2** auktionsklubba; **bring sth to the ~** låta ngt gå under klubban; **come (go) under the ~** gå under klubban **3** sport. slägga; **throwing the ~** se *hammer throw*
II vb tr **1** hamra på; spika fast (upp), slå (bulta) in [ofta ~ up; ~ down]; bearbeta; **~ a nail home** slå in en spik ordentligt **2** vard. ge stryk i t.ex. spel
III vb itr hamra, slå, bulta, dunka [~ at (on) the door; ~ on (i) the table]
IV vb tr o. vb itr med adv. el. prep.:
hammer away at vard. arbeta på, slita (knoga) med
hammer into: ~ sth into sb's head (into sb) slå (få, dunka) i ngn ngt
hammer out a) hamra ut, hamra till, smida b) bildl. [mödosamt] utarbeta, utforma; fundera ut; utjämna

hammerhead ['hæməhed] s **1** hammarhuvud **2** zool. hammarhaj

hammering ['hæmərɪŋ] s, **get a ~** få stryk, få på huden i t.ex. spel

hammer throw ['hæməθrəʊ] s sport. slägga, släggkastning som tävlingsgren

hammock ['hæmək] s hängmatta, hängkoj; **garden ~** hammock

hammy ['hæmɪ] adj vard. överdriven; teatralisk; **~ acting** buskis

1 hamper ['hæmpə] vb tr hindra, hämma, verka

hämmande på [it ~ed my movements; ~ progress]; vara (ligga) i vägen för; belamra; besvära

2 hamper ['hæmpə] s **1** större korg vanl. med lock [a luncheon ~]; **Christmas ~** julkorg, julpaket med matvaror **2** amer. tvättkorg

Hampshire ['hæmpʃɪə, -ʃə] geogr.

Hampton ['hæm(p)tən] egennamn; **~ Court Palace** slott sydväst om London

hamster ['hæmstə] s zool. hamster

hamstring ['hæmstrɪŋ] **I** s knäsena; hassena
II (hamstrung hamstrung el. ~ed ~ed) vb tr bildl. lamslå [hamstrung by prejudice; hamstrung by lack of money]; undertrycka

hamstrung ['hæmstrʌŋ] imperf. o. perf. p. av *hamstring II*

hand [hænd] **I** s **1** hand; **~s** fotb. hands regelbrott; [win] **~s down** ...med lätthet; **~s off!** bort med händerna (tassarna)!; **~s up!** räck upp handen (händerna)!; under hot upp med händerna!; **bind (tie) sb ~ and foot** binda ngn till händer och fötter; **wait on sb ~ and foot** passa upp [på] ngn; **be ~ in glove with** stå på förtrolig fot med, vara nära vän med; **they work ~ in glove** de har ett nära samarbete; de är (står) i maskopi; **right ~** bildl. högra hand [he is my right ~]; **have (get, gain) the upper ~** ha (få, ta) övertaget, (överhanden); **ask for a woman's ~** anhålla om en kvinnas hand; **change ~s** övergå i andra händer; **not do a ~'s turn** vard. inte göra ett dyft; **force sb's ~** bildl. tvinga ngn att bekänna färg; **give sb a [big] ~** vard. ge ngn en [stor] applåd; **give (lend) sb a ~** ge ngn ett handtag, hjälpa ngn; **have a ~ in sth** vara inblandad i ngt; **have one's ~s full** ha händerna fulla, ha fullt upp att göra; **hold (stay) one's ~** vänta [och se], ge sig till tåls; **hold (stay) sb's ~** hejda ngn; **keep one's ~ in** hålla kontakten, hålla sig à jour; **lay [one's] ~s on** a) lägga beslag (vantarna) på; få tag i b) bära hand på ngn c) välsignande lägga händer[na] på; **lift a ~** se under *lift I 1*; **make money ~ over fist** vard. skära guld med täljkniv, håva in massor med pengar; **shake ~s** se under *shake I 1*; **take a ~ in** ta del i

2 i vissa fastare prep. förbindelser:
at: close at ~ el. **near at ~** nära, för handen, till hands; [nära] förestående; **the hour was at ~** timmen närmade sig; **at sb's ~s** från ngn, från ngns sida [I did not expect such treatment at your ~s]
by hand för hand [done by ~]; **send by ~** sända med bud; **take sb by the ~** ta ngn i hand[en]
from: from ~ to ~ ur hand i hand, från man till man; **from ~ to mouth** ur hand i mun, för dagen [live from ~ to mouth]
in hand a) i hand[en]; till sitt förfogande [have some money in ~]; på lager, i kassan, som finns inne; föreliggande [the matter in ~]; resterande, kvarvarande [the copies still in ~] b) i sin hand, under kontroll [keep [well] in ~] c) för händer [whatever he has in ~]; på gång; **one game in ~** sport. en match mindre spelad; **take in ~** ta hand om; **put in (into) sb's ~s** lämna i ngns händer, överlämna åt ngn; **go ~ in ~ with** bildl. gå hand i hand med, hålla jämna steg med
into: fall into sb's ~s falla (råka) i händerna på ngn
off hand på rak arm; **get sth (sb) off one's ~s** slippa (komma) ifrån ngt (ngn); **take sth (sb) off sb's ~s**

befria ngn från ngt (ngn)
on hand a) till hands [*I'll be on ~ when you come*]
b) i sin ägo; i (på) lager [*a stock of goods on ~*]; **on one's ~s** på sitt ansvar; **have a lot of time on one's ~s** ha en massa tid till förfogande (till övers)
out of hand a) genast, utan vidare **b**) ur kontroll, oregerlig; **the children have got out of ~ lately** barnen har blivit omöjliga (oregerliga) på sistone; **let one's temper get out of ~** förlora (tappa) humöret
to: **your letter has come to ~** Ert brev har kommit mig (oss) till handa; **~ to ~** man mot man i handgemäng
3 visare på ur [*second ~*]
4 sida, håll, hand; **on all ~s** på alla håll; **on** [**the**] **one ~... on the other ~** å ena sidan... å andra sidan; **on the right ~** på höger hand, till höger
5 hand; källa; **learn sth at first ~** få veta ngt i första hand
6 person **a**) arbetare, man [*how many ~s do you employ?*]; [sjö]man, besättningsman, gast; pl. **all ~s** hela besättningen, alle man **b**) **a bad ~ at** dålig i; **a good ~ at** duktig i; **I'm an old ~ at this** jag är gammal och van i det här, jag är gammal i gamet
7 handlag, skicklighet; **get one's ~ in** träna upp sig; komma i slag; **have** (**keep**) **one's ~ in** hålla sig tränad (i form); **try one's ~ at** försöka (ge) sig på
8 handstil
9 i formell stil namnteckning
10 kortsp. **a**) parti, spel **b**) [kort på] hand; **declare one's ~** bjuda [på sina kort]; **play into sb's ~s** spela ngn i händerna
II *vb tr* räcka, lämna, ge [*sth to sb*]; **~ sb sth on a plate** vard., se under *plate I 1*; **~ it to sb** vard. ge ngn sitt erkännande
III *vb tr* med adv. el. prep.:
hand back lämna tillbaka
hand down vanl. [över]lämna i arv, låta gå i arv, fortplanta t.ex. tradition [*~ down to posterity*]; **be ~ed down to** gå [i arv] till
hand in lämna in [*~ in an application*]
hand on skicka (låta gå) vidare
hand out dela ut, lämna ifrån sig
hand over to överlåta (överlämna) åt (till)
hand round servera; låta gå [laget] runt; dela ut
handbag ['hæn(d)bæg] *s* **1** handväska; **~ snatcher** väskryckare **2** [mindre] resväska (kappsäck)
handball ['hæn(d)bɔːl] *s* sport. **1** slags squashliknande spel utan racket för 2 el. 4 personer **2** handboll **3** fotb. hands
handbasin ['hænd,beɪsn] *s* handfat
handbill ['hæn(d)bɪl] *s* reklamlapp, flygblad; affisch; program
handbook ['hæn(d)bʊk] *s* handbok; resehandbok
handbrake ['hæn(d)breɪk] *s* handbroms; **put the ~ on** dra åt handbromsen; **take the ~ off** släppa handbromsen
h and c förk. för *hot and cold* [*water*]
handcart ['hæn(d)kɑːt] *s* handkärra, dragkärra
handcrafted ['hæn(d),krɑːftɪd] *adj* handgjord; hantverks-
handcuff ['hæn(d)kʌf] *vb tr* sätta handklovar (handbojor) på
handcuffs ['hæn(d)kʌfs] *s pl* handklovar, handbojor
handed ['hændɪd] *adj* som efterled i sammansättn. **1** -hänt

[*left-handed*]; med...händer [*big-handed*] **2** kortsp. -mans [*three-handed bridge*]
handful ['hæn(d)fʊl] (pl. ~s el. ibl. *handsful*) *s* **1** handfull, näve; litet antal; **a ~ of...** en handfull (näve)..., ett litet antal... **2** **be a ~** vard. vara jobbig (besvärlig)
hand grenade ['hæn(d)grə,neɪd] *s* handgranat
handgun ['hæn(d)gʌn] *s* handeldvapen
hand-held [,hæn(d)held] *adj* hand- [*~ camera*]
handhold ['hændhəʊld] *s* **1** fäste [för handen], något att hålla i **2** fast grepp
handicap ['hændɪkæp] **I** *s* **1** handikapp, hinder **2** fysiskt el. psykiskt funktionshinder, handikapp; rörelsehinder **3** sport. handikapp, handikapptävling
II *vb tr* **1** handikappa **2** fysiskt el. psykiskt handikappa **3** sport. ge (belasta med) handikapp
handicapped ['hændɪkæpt] *adj* **1** funktionshindrad, handikappad; rörelsehindrad **2** sport. handikappsatt
handicraft ['hændɪkrɑːft] *s* **1** hantverk, [hem]slöjd, handarbete **2** hantverksskicklighet
handily ['hændɪlɪ] *adv* **1** bekvämt, praktiskt **2** vanl. amer. enkelt
handiwork ['hændɪwɜːk] *s* **1** [händers] verk, skapelse; verk [*the whole trouble is his ~*] **2** praktiskt arbete; slöjd
handkerchief ['hæŋkətʃɪf] *s* **1** näsduk **2** huvudduk; sjalett
handle ['hændl] **I** *vb tr* **1** hantera [*~ tools*]; handha, handskas (umgås) med [*nasty stuff to ~*]; behandla [*~ colour*]; göra något av **2** sköta [om], ta, behandla, handskas med [*~ sb gently*; *~ sb with discretion*]; klara [av] [*~ a situation*]; gå i land med; ha hand om [*he ~s large sums of money*]; manövrera [*~ a ship*] **3** behandla [*~ a subject*; *~ a problem*] **4** ta i, beröra, vidröra [*do not ~ the fruit*]; plocka (röra, bläddra) i
II *vb itr*, **this car ~s well** den här bilen är lättmanövrerad
III *s* handtag, skaft, öra, dörrvred; vev; grepp; **fly off the ~** vard. bli rasande, brusa upp; **get a ~ on** bildl. få grepp om
handlebar moustache [,hændlbɑːmə'stɑːʃ] *s* cykelstyre, knävelborrar slags mustasch
handlebars ['hændlbɑːz] *s pl* styrstång, styre på cykel
handling ['hændlɪŋ] *s* hantering, handhavande, behandling m.fl., jfr *handle I*; **his ~ of...** hans sätt att handskas med..., hans sätt att klara (gå i land med)...; **he takes some ~** han är svår att få bukt med (handskas med)
handling charge ['hændlɪŋ,tʃɑːdʒ] *s* expeditionsavgift
hand lotion ['hænd,ləʊʃ(ə)n] *s* handkräm
hand luggage ['hænd,lʌgɪdʒ] *s* handbagage
handmade [,hæn(d)meɪd, attr. '--] *adj* handgjord, tillverkad för hand
hand-me-downs ['hæn(d)mɪdaʊnz] *s pl* begagnade (ärvda) kläder (prylar)
handout ['hændaʊt] *s* **1** papper, kopia som delas ut, pressmeddelande, kommuniké **2** allmosa, [nåde]gåva t.ex. mat, kläder till dörrknackare **3** gratisprov; reklamlapp
handover ['hænd,əʊvə] *s* överlämnande, överlåtelse

handpick [ˌhænd'pɪk] *vb tr* handplocka äv. bildl., plocka för hand

handrail ['hændreɪl] *s* ledstång, räcke

handset ['hæn(d)set] *s* telefonlur

hands-free ['hændzfriː] *adj*, *a ~ phone* en handsfree

handshake ['hæn(d)ʃeɪk] *s* handslag, handtryckning

hands-off [ˌhæn(d)z'ɒf] *adj* **1** låt-gå; bort-med-tassarna- [*~ policy* (*attitude*)] **2** automatisk, självreglerande [*~ device*]

handsome ['hænsəm] **I** *adj* **1** vacker, ståtlig, stilig; *~ man* stilig (snygg) man (karl); *~ woman* stilig (ståtlig) kvinna **2** generös, storsinnad, storslagen [*~ conduct*; *~ treatment*; *a ~ present*] **3** ansenlig, nätt, frikostig [*a ~ sum of money*]; ordentlig avbasning **4** amer. skicklig, duktig, god; vacker, fin [*a ~ speech*]
II *adv*, *~ is as* (*that*) *~ does* vacker är som vackert gör

handsomely ['hænsəmlɪ] *adv* vackert etc., se *handsome I*; vänligt, berömmande [*speak ~ of sb*]; flott, elegant; *come down ~* vard. inte vara knusslig

hands-on [ˌhæn(d)z'ɒn] *adj* praktisk [*~ training*]; *have ~ experience of* ha praktisk erfarenhet av; *have a ~ way of doing things* delta själv i arbetet, delta aktivt

handspring ['hæn(d)sprɪŋ] *s* gymn. handvolt

handstand ['hæn(d)stænd] *s* gymn. handstans; *do a ~* stå på händerna

hand-to-mouth [ˌhæn(d)tə'maʊθ] *adj*, *lead a ~ existence* leva ur hand i mun, leva för dagen

handwriting ['hændˌraɪtɪŋ] *s* handstil; skrift

handwritten ['hændˌrɪtn] *adj* handskriven

handy ['hændɪ] *adj* **1** bekväm, praktisk, lätthanterlig [*a ~ volume*] **2** till hands [*have sth ~*]; [*he took*] *the first towel ~* ...första bästa handduk; *come in ~* komma väl till pass **3** händig, skicklig, flink, praktisk

handyman ['hændɪmæn] (pl. *handymen* ['hændɪmen]) *s* allt i allo; hantlangare

hang [hæŋ] (*hung hung*, i betydelse *I 2* mest *~ed ~ed*)
I *vb tr* (se äv. *hang III*) **1** hänga [upp] [*äv. ~ up*]; *~ wallpaper* tapetsera, sätta upp tapeter **2** hänga [*~ oneself*]; avliva genom hängning **3** vard., *~!* el. *~ it* [*all*]*!* jäklar också!; *~ the expense!* strunta i vad det kostar!; *~ you!* dra åt skogen!; *well I'll be ~ed!* det var som tusan!; *I'll be ~ed if...* nej, så förbaske mig [om]...; *I'll see you ~ed first!* katten (tusan) heller! **4** hänga [med] [*~ one's head*] **5** behänga, pryda; *~ a room with pictures* hänga upp tavlor i ett rum **6** *~ fire* bildl. avvakta, vänta och se
II (för tema se *hang I*) *vb itr* (se äv. *hang III*) **1** hänga, vara upphängd [*by* vid, med, i, på; *from* i, ned från; *on* i, på] **2** hänga[s] i galgen, bli hängd **3** hänga, luta [fram, ned] **4** sväva; *~ in the balance* vara oviss, hänga på en tråd
III (för tema se *hang I*) *vb tr* o. *vb itr* med prep. el. adv., med spec. översättningar:

hang about el. **hang around** gå och driva; stå och hänga; hänga i (på); *~ about* (*around*) *with sb* vara [mycket tillsammans] med ngn, hänga ihop med ngn

hang back dra sig, tveka

hang behind släpa efter; dröja sig kvar

hang between: *~ between life and death* sväva mellan liv och död

hang in: *~ in there!* vard. kom igen nu!, ge inte upp!; stå på dig!

hang on a) hänga (bero) på **b**) hänga (hålla) [sig] fast, klamra sig fast [*to* vid, i] **c**) hålla 'i [*~ on to your hat*] **d**) tynga på, trycka; *time ~s heavy on my hands* tiden släpar sig fram; **e**) *~ on!* el. *~ on a moment* (*minute*)*!* vard. vänta lite!, stopp ett tag!; dröj ett ögonblick!

hang out a) hänga ut (fram) t.ex. kläder **b**) om t.ex. tunga hänga ut[e]; *let it all ~ out* vard. slappna av **c**) vard. hålla till, hålla hus; vara [mycket tillsammans] med

hang over hänga [hotande] över [*my exams are ~ing over me*]

hang together hänga (hålla) ihop, stötta varandra

hang up a) tele. lägga på [luren]; *~ up on sb* slänga på luren, lägga på i örat på ngn **b**) vard. lägga på hyllan, uppskjuta; fördröja [*the work was hung up by the strike*]
IV *s* **1** fall [*the ~ of a gown*] **2** vard., *get the ~ of* komma åt det klara (underfund) med, få grepp om **3** vard., *I don't give* (*care*) *a ~* det bryr jag mig inte ett dugg om

hangar ['hæŋə, -ŋgə] *s* hangar

hangdog ['hæŋdɒg] *adj* skyldig, skamsen; *have a ~ look* se slokörad ut

hanger ['hæŋə] *s* hängare i el. till kläder, [kläd]galge

hanger-on [ˌhæŋər'ɒn] (pl. *hangers-on*) *s* vard. snyltgäst, kardborre

hang-gliding ['hæŋˌglaɪdɪŋ] *s* hängglidning

hanging ['hæŋɪŋ] **I** *adj* **1** hängande, häng-; utskjutande, överhängande; lutande **2** hängnings-, häng-, galg-
II *s* **1** hängning, upphängning **2** oftast pl. *~s* förhängen, draperier, gobelänger; tapeter

hanging basket [ˌhæŋɪŋ'bɑːskɪt] *s* ampel

hanging garden [ˌhæŋɪŋ'gɑːdn] *s* hängande trädgård, terrassträdgård

hang|man ['hæŋ|mən] (pl. *-men* [-mən]) *s* bödel

hangout ['hæŋaʊt] *s* vard. **1** stamställe, tillhåll **2** lya bostad

hangover ['hæŋˌəʊvə] *s* **1** vard. baksmälla; *have a ~* äv. vara bakis **2** kvarleva, rest

hangup ['hæŋʌp] *s* vard. **1** fixering, fix idé; tvångstanke **2 a**) betänklighet [*I've no ~s about it*] **b**) hinder, svårighet; stötesten

hanker ['hæŋkə] *vb itr*, *~ after* el. *~ for* [gå och] längta (tråna) efter, åtrå

hankering ['hæŋk(ə)rɪŋ] *s* [hemlig] längtan [*a ~ for* (*after*) *fame*]; åtrå

hankie o. **hanky** ['hæŋkɪ] *s* vard. kortform av *handkerchief*

hanky-panky [ˌhæŋkɪ'pæŋkɪ] *s* vard. **1** smussel; fuffens, mygel; spel bakom kulisserna **2** hokuspokus **3** vänsterprassel, kuckel

Hanoi [hæ'nɔɪ] geogr.

Hanover ['hænə(ʊ)və] geogr. Hannover

hansom ['hænsəm] *s* förr tvåhjulig droska

Hants [hænts] förk. för *Hampshire*

Hanukkah ['hɑːnʊkɑː, -nəkə] *s* jud. relig. Chanukkah ljusfest

haphazard [ˌhæp'hæzəd] *adj* slumpartad,

slumpmässig [*a ~ remark*]; tillfällig; *in a ~ manner*
på en höft, på måfå

hapless ['hæpləs] *adj* olycklig

happen ['hæp(ə)n] **I** *vb itr* **1** hända [*to sb* ngn], ske,
inträffa; falla (slumpa) sig; *~ what may* hända vad
som hända vill; *how did it ~?* hur gick det till?, hur
kom det sig?; *as it ~s* el. *as it ~ed* händelsevis; *as it
~s, I have...* jag råkar ha...; *it* [*so*] *~ed that* det föll
(slumpade) sig så att; *these things will ~* så kan det
gå **2** råka [*to do* [att] göra]; *I ~ed to know* av en
händelse (händelsevis) visste jag, jag råkade veta; *I
~ed to mention* av en händelse (händelsevis) kom
jag att nämna, jag råkade nämna
II *vb itr* med adv. el. prep.:
happen by vard. råka komma förbi
happen on el. **happen upon** [händelsevis] komma på
(över), råka på

happening ['hæp(ə)nɪŋ] **I** *s* **1** händelse, tilldragelse
2 teat. o.d. happening
II *adj* trendig, inne- [*~ place (scene)*; *~ clothes*]

happenstance ['hæp(ə)nstəns] *s* vard. tillfällighet;
pure ~ en ren tillfällighet (händelse)

happily ['hæpəlɪ] *adv* **1** lyckligt **2** lyckligtvis
3 [mycket] gärna

happiness ['hæpɪnəs] *s* lycka, glädje

happy ['hæpɪ] *adj* **1** lycklig [*about, at* över; *to do*
[över] att göra]; glad, belåten; *be in a ~ mood* känna
sig glad, vara på glatt humör; [*do sth*] *to keep sb ~*
...för att hålla ngn på gott humör **2** lycklig,
gynnsam [*be in the ~ position* (ställningen) *of
having...*]; framgångsrik; glädjande; *a ~ event* vard.
en lycklig tilldragelse; [*A*] *Happy New Year!* Gott
nytt år! **3** lyckad, träffande; fyndig; *~ medium* se
happy medium; *~ thought* lycklig ingivelse **4** som
efterled i sammansättn. -glad, -galen [*trigger-happy*]

happy-go-lucky [ˌhæpɪɡə(ʊ)'lʌkɪ] *adj* sorglös,
lättsinnig, som tar dagen som den kommer; *he has
a ~ way of doing the job* han tar lätt på arbetet

happy hour ['hæpɪˌaʊə] *s* vard. 'happy hour' på krog
o.d.

happy medium [ˌhæpɪ'mi:djəm] *s* gyllene medelväg;
strike a ~ gå den gyllene medelvägen

hara-kiri [ˌhærə'kɪrɪ] *s* jap. **1** harakiri **2** bildl.
självmord [*political ~*]

harangue [hə'ræŋ] **I** *s* [högljudd] tirad; skränigt
(långrandigt) tal; våldsamt utfall **II** *vb tr* predika
för, skälla ut, läxa upp i tal

harass ['hærəs, hə'ræs, amer. vanl. hə'ræs] *vb tr*
plåga, trakassera, ofreda; trötta ut; oroa [*~ the
enemy*]; härja

harassed ['hærəst, hə'ræst, amer. vanl. hə'ræst] *adj*
plågad etc., jfr *harass*

harassment ['hærəsmənt, hə'ræs-, amer. vanl.
hə'ræs-] *s* trakasseri; plåga; *police ~*
polisövergrepp, trakasserier från polisens sida;
sexual ~ sexuella trakasserier

harbinger ['hɑ:bɪn(d)ʒə] *s* förebud [*a ~ of spring*];
budbärare

harbour ['hɑ:bə] **I** *s* **1** hamn **2** bildl. hamn,
tillflykt[sort], skydd
II *vb tr* **1** härbärgera, ta emot, ge skydd åt, hysa [*~
refugees*; *~ fugitives* (rymlingar)]; gömma [*~
smuggled goods*]; bereda fartyg hamn **2** bildl. hysa [*~
designs*; *~ suspicions*]; nära

harbour master ['hɑ:bəˌmɑ:stə] *s* hamnkapten

hard [hɑ:d] **I** *adj* **1** hård, fast; *~ and fast* se
hard-and-fast **2** hård, häftig [*a ~ fight*]; kraftig;
ihärdig [*a ~ worker*]; seg; *~ drinker* storsupare
3 svår [*a ~ question*]; *he has learnt it the ~ way* han
har fått slita hårt för att lära sig det, han har gått
den långa vägen; *have a ~ time of it* ha det svårt
(kämpigt); *it is ~ going* det är svårt (tufft); *play ~ to
get* låtsas vara svårflörtad; *be ~ of hearing* vara
lomhörd, höra dåligt **4** hård[hjärtad], känslolös;
sträng [*a ~ master*]; tung [*a ~ life*]; om klimat sträng,
hård [*~ weather*; *a ~ winter*]; *drive a ~ bargain* el.
strike a ~ bargain pressa priset till det yttersta; *~
names* starka uttryck; tillmälen; *~ words* hårda ord;
tillmälen; *be ~ on sb* vara hård (sträng) mot ngn
5 om pris [hög och] fast **6** om alkohol stark
II *adv* **1** hårt, våldsamt, skarpt; strängt; ivrigt,
flitigt [*study ~*]; *try ~* verkligen försöka, anstränga
sig **2** illa; med svårighet [*the victory was ~ won*];
svårt; *be ~ put to it* se under *put I 1*; *die ~* bildl. vara
seglivad; *be ~ up* vard. ha det dåligt ställt, ha ont om
pengar; *be ~ up for ideas* sakna idéer **3** nära; sjö. dikt

hard-and-fast [ˌhɑ:d(ə)n'fɑ:st] *adj* fastslagen,
järnhård, orubblig, benhård [*~ rules*]

hardback ['hɑ:dbæk] **I** *adj* inbunden om bok **II** *s*
inbunden bok

hardball ['hɑ:dbɔ:l] *s* amer., *play ~* spela tuff

hard-bitten [ˌhɑ:d'bɪtn] *adj* härdad, kallhamrad,
hårdhudad

hardboard ['hɑ:dbɔ:d] *s* hardboard, hårdpapp

hard-boiled [ˌhɑ:d'bɔɪld, attr. '--] *adj* **1** hårdkokt [*~
eggs*] **2** vard. hårdkokt, kallhamrad, hårdhudad [*a
~ politician*; *a ~ official*]

hard by [ˌhɑ:d'baɪ] *adv* o. *prep* strax bredvid,
alldeles intill

hard cash [ˌhɑ:d'kæʃ] *s* reda pengar, kontanter

hard copy [ˌhɑ:d'kɒpɪ] *s* utskrift [på papper]

hardcore [subst. ˌhɑ:d'kɔ:, adj. '--] **I** *s* kärntrupp,
kärna i t.ex. parti
II *adj* **1** hårdnackad; orubblig; övertygad **2** svår,
obotlig **3** *~ pornography* hårdporr

hard court [ˌhɑ:d'kɔ:t] *s* tennis hardcourt bana av asfalt,
betong etc.

hardcover ['hɑ:dˌkʌvə] *adj* o. *s* se *hardback*

hard currency [ˌhɑ:d'kʌr(ə)nsɪ] *s* hårdvaluta

hard disk [ˌhɑ:d'dɪsk] *s* data. hårddisk

hard-done-by [ˌhɑ:d'dʌnbaɪ] *adj* orättvist behandlad

hard drugs [ˌhɑ:d'drʌgz] *s pl* tung narkotika

hard-earned [ˌhɑ:dˌɜ:nd] *adj* surt (mödosamt)
förvärvad; välförtjänt

hard-edged [ˌhɑ:d'edʒd] *adj* osminkad, hårdkokt
bildl.

harden ['hɑ:dn] **I** *vb tr* **1** göra hård[are], bildl. äv.
skärpa, [för]stärka **2** härda [*~ children*; *~ steel*];
vänja; stålsätta [*~ oneself against*]; *~ oneself to*
härda sig mot, vänja sig vid **3** förhärda; *~ one's
heart* förhärda sig; *~ed* förhärdad [*a ~ed criminal*];
luttrad [*he is ~ed after 25 years in the business*]
II *vb itr* **1** hårdna; om t.ex. cement, lim härda; härdas;
förhärdas **2** om pris bli fast[are], stiga

hard-faced [ˌhɑ:d'feɪst] *adj* med stenansikte; *be ~* ha
stenansikte

hard feelings [ˌhɑ:d'fi:lɪŋz] *s* agg, groll; *no ~, I hope!*
jag hoppas du inte tar illa upp!

hard hat [ˌhɑːd'hæt] s skyddshjälm för t.ex. byggnadsarbetare

hard-headed [ˌhɑːd'hedɪd] adj kall, förslagen, praktisk [a ~ businessman]

hard-hearted [ˌhɑːd'hɑːtɪd] adj hård[hjärtad]; obarmhärtig

hard-hitting [ˌhɑːd'hɪtɪŋ] adj slagkraftig, kraftfull [a ~ opponent]; intensiv [a ~ advertising campaign]

hard labour [ˌhɑːd'leɪbə] s jur. straffarbete

hard landing [ˌhɑːd'lændɪŋ] s flyg. kraschlandning äv. bildl.

hard left [ˌhɑːd'left] s polit., **the** ~ extremvänstern, yttersta vänstern

hard line [ˌhɑːd'laɪn] adj kompromisslös, hård, tuff

hardliner ['hɑːdˌlaɪnə] s vard. hårding, tuffing, hök

hard lines [ˌhɑːd'laɪns] s pl vard. otur, osis; **it is ~ on him** det är synd om honom

hard liquor [ˌhɑːd'lɪkə] s starksprit

hard-luck [ˌhɑːd'lʌk, attr. '--] adj vard. snyft-, sorglig, patetisk [a ~ story]

hard luck [ˌhɑːd'lʌk] s vard. otur, osis

hardly ['hɑːdlɪ] adv **1** knappt, knappast [I need ~ say]; inte gärna; ~ **had she sat down when (before,** ibl. **than)** [the door opened] hon hade knappt satt sig förrän…; ~ **ever** nästan aldrig **2** med möda (svårighet), surt [hardly-earned]

hard money [ˌhɑːd'mʌnɪ] s reda pengar, kontanter

hardness ['hɑːdnəs] s hårdhet etc., jfr hard; **the ~ of** det fasta (svåra etc.) i

hard-nosed ['hɑːdnəʊzd] adj vard. tuff [~ approach to business]; oresonlig, omedgörlig

hard of hearing [ˌhɑːdəv'hɪərɪŋ] adj, **be** ~ vara lomhörd, höra dåligt

hard-on ['hɑːdɒn] s vulg. ståkuk erigerad penis; **get a ~** få stånd

hard porn [ˌhɑːd'pɔːn] s vard. hårdporr

hard-pressed [ˌhɑːd'prest] adj hårt ansatt; illa däran, i knipa; **be ~ for money** vara i penningknipa

hard right [ˌhɑːd'raɪt] s polit., **the** ~ extremhögern, yttersta högern

hard rock [ˌhɑːd'rɒk] s mus. hårdrock

hard sell [ˌhɑːd'sel] s aggressiv (tuff) försäljningsmetod

hardship ['hɑːdʃɪp] s vedermöda; lidande, prövning; umbärande, brist; **suffer great ~s** slita mycket ont, utstå svåra umbäranden

hard shoulder [ˌhɑːd'ʃəʊldə] s trafik. vägren, vägkant

hardsprung ['hɑːdsprʌŋ] adj med hård fjädring

hardtop ['hɑːdtɒp, -'-] s bil. hardtop

hardware ['hɑːdweə] s **1** data. maskinvara, hårdvara **2** järnvaror, metallvaror **3** mil. [vapen]materiel **4** vapen koll., skjutjärn koll.

hardware shop ['hɑːdweəˌʃɒp] s o. amer. vanl. **hardware store** ['hɑːdweəˌstɔː] s järnaffär

hard-wearing [ˌhɑːd'weərɪŋ] adj slitstark; motståndskraftig

hardwired ['hɑːdwaɪəd] adj data. **1** inbyggd om program el. funktion **2** fast inkopplad anslutning

hard-won ['hɑːdwʌn] adj svårvunnen; ~ **victory** äv. arbetsseger, tillkämpad seger

hardwood ['hɑːdwʊd] s lövträ; hårt träslag av lövträd, spec. ek och ask; ~ **tree** lövträd

hard-working ['hɑːdˌwɜːkɪŋ, pred. ˌ-'--] adj arbetsam, hårt arbetande, strävsam, ihärdig

hardy ['hɑːdɪ] adj härdad [a ~ mountaineer]; motståndskraftig, tålig, härdig [~ plants; ~ perennial]

hare [heə] **I** s hare; ~ **and hounds** lek snitseljakt till fots; **run with the ~ and hunt with the hounds** bära kappan på båda axlarna; spela dubbelspel **II** vb itr vard. rusa, springa, fly [sin kos]

harebell ['heəbel] s bot. **1** blåklocka **2** engelsk klockhyacint

hare-brained ['heəbreɪnd] adj snurrig, virrig, tokig

harelip [ˌheə'lɪp, '--] s harmynthet, harläpp

harelipped ['heəlɪpt] adj harmynt

harem ['hɑːriːm, 'heərəm] s harem

harem pants ['hɑːriːmpænts] s pl plagg haremsbyxor

haricot ['hærɪkəʊ] s trädgårdsböna; spec. skärböna, brytböna [äv. ~ bean]; pl. ~**s** äv. haricot verts

hark [hɑːk] vb itr **1** åld. lyssna; ~ **to** lyssna till (på); ~ **at him!** vard. hör på den (honom)! **2** ~ **back** bildl. återvända [~ back to the old days]

Harlem ['hɑːləm, -lem] svart stadsdel i New York

harlequin ['hɑːlɪkwɪn] s **1** harlekin **2** narr

Harley Street ['hɑːlɪstriːt] Londons förnämsta läkargata

harlot ['hɑːlət] s hora, sköka

harm [hɑːm] **I** s skada, ont; **do more ~ than good** göra mera skada än nytta; **there is no ~ done** det är ingen skada skedd; **there is no ~ in trying** det skadar inte att försöka, försöka duger; **come to ~** komma (ta) skada, bli skadad; **I meant no ~** jag menade inget illa, det var inte illa ment; **out of ~'s way** i säkerhet; utom fara; **keep out of ~'s way** akta sig, hålla sig undan **II** vb tr skada, göra ngn ont (illa), tillfoga ngn skada; **he wouldn't ~ a fly** han gör inte en fluga förnär

harmful ['hɑːmf(ʊ)l] adj skadlig, farlig

harmless ['hɑːmləs] adj oskadlig, ofarlig, oskyldig; harmlös; **render ~** oskadliggöra

harmonic [hɑː'mɒnɪk] **I** adj harmonisk **II** s [harmonisk] överton

harmonica [hɑː'mɒnɪkə] s munspel, [mun]harmonika

harmonious [hɑː'məʊnɪəs] adj **1** bildl. harmonisk, samstämmig, enhetlig; endräktig, vänskaplig **2** harmonisk, välljudande, melodisk

harmonium [hɑː'məʊnɪəm] s [orgel]harmonium, kammarorgel

harmonization [ˌhɑːmənaɪ'zeɪʃ(ə)n] s EU. harmonisering

harmonize ['hɑːmənaɪz] **I** vb itr harmoniera, stämma överens, passa (gå) ihop [colours that ~ well with each other] **II** vb tr **1** harmonisera, sätta harmonier till melodi, göra harmonisk **2** bildl. bringa i samklang

harmony ['hɑːmə(ə)nɪ] s **1** mus. harmoni; samklang, samspel, samstämdhet; välljud **2** bildl. harmoni, överensstämmelse, samstämmighet [in ~]; samförstånd, endräkt; **be in ~ with** äv. harmoniera med; **be out of** ~ inte passa (gå) ihop

harness ['hɑːnɪs] **I** s sele äv. bildl., seldon; **in** ~ i arbete[t], i tjänst[en], i selen, i tagen **II** vb tr **1** sela [på]; spänna för; bildl. binda [to vid] **2** utnyttja, ta i anspråk, exploatera, utbygga t.ex. vattenfall, tämja [~ nuclear power]

Harold ['hær(ə)ld] **1** mansnamn **2** som kunganamn Harald

harp [hɑːp] **I** *s* mus. harpa
II *vb itr* **1** spela [på] harpa **2** ~ *on* [*about*] [jämt]
tjata (mala) om [*she is always ~ing on her
misfortunes*]
harpist ['hɑːpɪst] *s* harpist
harpoon [hɑː'puːn] **I** *s* harpun **II** *vb tr* harpunera
harpsichord ['hɑːpsɪkɔːd] *s* mus. cembalo
harpy ['hɑːpɪ] *s* **1** mytol. harpya **2** ragata
harridan ['hærɪd(ə)n] *s* gammal häxa, käring
harrier ['hærɪə] *s* zool. kärrhök; *hen* ~ blå kärrhök
Harriet ['hærɪət] kvinnonamn
Harrod ['hærəd] **1** egennamn **2** ~*s* stort varuhus i London
Harrogate ['hærə(ʊ)gɪt, -geɪt] geogr.
Harrow ['hærəʊ] **1** geogr. egennamn **2** en av Englands
förnämsta *public schools* grundad 1571
harrow ['hærəʊ] **I** *s* harv
II *vb tr* **1** harva **2** bildl. plåga, pina, oroa [~ *sb's
mind*]
harrowing ['hærəʊɪŋ] *adj* upprörande, hemsk [*a ~
story*]
Harry ['hærɪ] **1** smeknamn för *Henry* **2** vard., *old* ~
djävulen
harry ['hærɪ] *vb tr* **1** plåga, oroa, ansätta **2** härja,
plundra
harsh [hɑːʃ] *adj* **1** hård, sträv [*a ~ towel*] **2** skarp,
kärv, frän [*a ~ flavour*] **3** skärande, sträv, skarp
4 grov, hård, [från]stötande, obehaglig [*a ~
expression*; *a ~ face*] **5** ogästvänlig, hård [*a ~
climate*] **6** hård, sträng
hart [hɑːt] *s* zool. [kron]hjort hanne
harum-scarum [ˌheərəm'skeərəm] *adj* vild, yr; virrig
Harvard ['hɑːvəd, -vɑːd] **1** egennamn **2** i Cambridge vid
Boston, USA: s äldsta universitet [äv. ~ *University*]
harvest ['hɑːvɪst] **I** *s* **1** skörd [*ripe for ~*]; fångst;
skördetid **2** skörd, gröda [*the ~ is ripe*] **3** bildl.
skörd, vinst
II *vb tr* skörda, fånga, inhösta äv. bildl.
harvester ['hɑːvɪstə] *s* **1** skördeman,
skördearbetare **2** skördemaskin;
avverkningsmaskin; *combine* ~ skördetröska
harvest festival [ˌhɑːvɪst'festəv(ə)l] *s* kyrkl.
skördefest, tacksägelsefest efter avslutad skörd
harvest moon [ˌhɑːvɪst'muːn] *s* fullmåne närmast
höstdagjämningen
Harwich ['hærɪdʒ] geogr.
has [hæz, obeton. həz, əz, z, s] 3 person sg. pres. av *have*
has-been ['hæzbɪn] *s* vard. fördetting
1 hash [hæʃ] **I** *s* **1** kok., slags stuvad pyttipanna **2** bildl.
hackmat, röra; *make a ~ of* göra pannkaka av, röra
till, fuska bort **3** bildl. uppkok (hopkok) av gammalt
material
II *vb tr* hacka sönder t.ex. kött [äv. ~ *up*]
2 hash [hæʃ] *s* vard. hasch
3 hash [hæʃ] *s* **1** fyrkant, brädstapel tecken på
tangentbord [äv. ~ *mark*] **2** tele. fyrkant [äv. ~ *button*];
press the ~ button tryck fyrkant
hash browns [ˌhæʃ'braʊnz] *s pl* slags
potatiskroketter
hashish ['hæʃiːʃ, -ʃɪʃ] *s* haschisch
hasn't ['hæznt, 'hæzn] = *has not*
hasp [hɑːsp, hæsp] *s* **1** [dörr]hasp; klinka **2** spänne
på bok
hassle ['hæsl] vard. **I** *s* **1** krångel, trubbel, strul
2 käbbel; kiv; kurr slagsmål

II *vb itr* käbbla, kivas; slåss
III *vb tr* trakassera, irritera; kivas med
hassock ['hæsək] *s* **1** knäkudde; mjuk knäpall;
fotkudde **2** [gräs]tuva
haste [heɪst] *s* hast, skyndsamhet; brådska, jäkt;
förhastande; *make* ~ raska på, skynda sig; *more ~,
less speed* ordspr., ung. [det är nog klokast att]
skynda långsamt; *in* ~ i [en] hast, hastigt; förhastat
hasten ['heɪsn] **I** *vb tr* påskynda, driva (skynda) på
II *vb itr* skynda [sig]
hastily ['heɪstəlɪ] *adv* skyndsamt etc., jfr *hasty*; i
största (all) hast, brådstörtat
Hastings ['heɪstɪŋz] geogr.
hasty ['heɪstɪ] *adj* **1** brådskande, skyndsam, snabb,
hastig [*a ~ glance*] **2** förhastad [*a ~ conclusion*; ~
words]; överilad **3** häftig, hetsig [*a ~ temper*]
hat [hæt] *s* hatt; ibl. mössa; *old* ~ vard., se *old hat*; *soft
felt* ~ mjuk hatt, filthatt; *top* ~ el. *silk* ~ hög hatt,
cylinder, stormhatt; *my* ~*!* vard. du store [tid]!,
kors!; *take off* (*raise*) *one's* ~ *to* ta av [sig] (lyfta på)
hatten för äv. bildl., hälsa på; ~*s off* [*to…*]*!* hatten av
[för…]!; *throw one's* ~ *into the ring* se under *1 ring I 1*;
pass the ~ *round* låta hatten (håven) gå runt, göra
en insamling, tigga bidrag; *pull sth out of a* ~ a) ta
(välja) ngt på måfå b) åstadkomma ngt som
genom ett trollslag; *talk through one's* ~ vard. prata i
nattmössan; bluffa, skryta; *keep sth under one's* ~
hålla tyst om ngt, inte föra ngt vidare
1 hatch [hætʃ] **I** *vb tr* **1** kläcka [äv. ~ *forth*; ~ *out*]
2 bildl. kläcka, tänka ut, koka ihop [~ *a plot*]
II *vb itr* **1** kläckas äv. bildl.; krypa fram ur ägg **2** ruva
2 hatch [hætʃ] *s* **1** [serverings]lucka; lucköppning;
nedre dörrhalva av delad dörr **2** sjö. [skepps]lucka;
down the ~*!* vard. skål!, botten opp!
hatchback ['hætʃbæk] *s* bil. halvkombi
hatchet ['hætʃɪt] *s* [hand]yxa; *bury the* ~ bildl. gräva
ned stridsyxan, sluta fred
hatchet-faced ['hætʃɪtfeɪst] *adj* med smalt och
vasst (skarpskuret) ansikte
hatchet job ['hætʃɪtdʒɒb] *s*, *do a* ~ *on* vard. sabla ner,
kritisera sönder
hatchet man ['hætʃɪtmæn] (pl. *hatchet men* [-men])
s vard. hårding, person med hårda nypor; sopkvast
hatchway ['hætʃweɪ] *s* sjö. [skepps]lucka,
lucköppning
hate [heɪt] **I** *vb tr* hata; inte tåla, avsky [*to do,
doing*]; *I'd* ~ *you to get burnt* det vore hemskt om du
skulle bränna dig; *I* ~ *to interrupt, but…* jag är
ledsen att jag avbryter, men…
II *s* **1** hat, avsky, ovilja **2** vard. hatobjekt
hateful ['heɪtf(ʊ)l] *adj* **1** förhatlig [*to* för]];
avskyvärd **2** hatfull, hätsk
hatrack ['hætræk] *s* hatthylla
hatred ['heɪtrɪd] *s* hat, ovilja, avsky [*of, for, to,
towards* mot, för; *bear* (hysa) ~ *to sb*]
hatstand ['hætstænd] *s* fristående hatthängare,
klädhängare
hatter ['hætə] *s* hattmakare; ~*'s* hattaffär; [*as*] *mad
as a* ~ spritt [språngande] galen
hat trick ['hættrɪk] *s* hat trick t.ex.: a) i fotb. tre mål av
samma spelare i en match b) kricket. att slå ut tre slagmän med
tre bollar i rad c) allm. tre segrar (framgångar) etc.
haughty ['hɔːtɪ] *adj* högdragen, högmodig
haul [hɔːl] **I** *vb tr* **1** spec. sjö. hala [~ *in the anchor*];

dra, släpa, bogsera **2** transportera, frakta **3** ~ [*up*]
föra [*be ~ed* [*up*] *before a magistrate*]; ~ *up* vard.
ställa till ansvar; ge en överhalning, läxa upp; ~ *sb*
over the coals se under *coal*
II *vb itr* **1** hala, dra [*at*, [*up*]*on* i, på] **2** sjö. ändra
kurs (riktning) äv. bildl.; segla [~ *south* (söderut)]
III *s* **1** kap, förvärv, vinst [*get a fine* ~]; byte vid
inbrott o.d. **2** halning, tag i halning, drag
3 transport[sträcka]; *it's going to be a long* ~ [*till*
she's fit again] bildl. det kommer att ta ett tag...
4 notvarp, drag; fångst
haulage ['hɔ:lɪdʒ] *s* **1** halande **2** transport
3 transportkostnader **4** gruv. uppfordring
haulage contractor ['hɔ:lɪdʒkən‚træktə] *s* åkare,
åkeriägare; transportör
haulier ['hɔ:lɪə] *s* **1** åkare; transportör; ~*s* el. *firm of*
~*s* åkeri **2** långtradarchaufför
haunch [hɔ:n(t)ʃ] *s* höft, länd; kok. lår[stycke], kyl;
sit on one's ~*es* sitta på huk; om hund sitta på
bakbenen
haunt [hɔ:nt] **I** *vb tr* **1** spöka i (på, hos); hemsöka,
husera i **2** om tankar o.d. förfölja [*the recollection* ~*ed*
him]; ansätta **3** ofta besöka, hålla till i (på, hos)
II *s* tillhåll; vistelseort; favoritställe
haunted ['hɔ:ntɪd] *adj* **1** spök- [*a* ~ *castle*]; *the room*
is ~ det spökar i det här rummet **2** plågad, skrämd
[~ *look*]
haunting ['hɔ:ntɪŋ] *adj* oförglömlig [*its* ~ *beauty*];
som förföljer en, som man inte kommer ifrån [~
memories]; efterhängsen [*a* ~ *melody*]
Havana [hə'vænə] **I** geogr. Havanna **II** *s*
havannacigarr
have [hæv, verb obeton. həv, əv, v] **I** (*had had*, 3 person
sg. pres. *has*) tempusbildande *hjälpvb* ha [*I* ~ (*had*) *done*
it]; [*it's the first time*] *I* ~ *been here* ...jag är här
II (för tema se *have I*) *vb tr* **1** ha, äga; [*if you add on*
insurance, heating] *or what* ~ *you* vard. ...och det ena
med det andra, ...eller vad du vill; ~ *a cold* vara
förkyld
2 hysa, ha [~ *a special liking* (förkärlek) *for*]; visa;
he had no fear han kände ingen fruktan ; ~ *regard to*
ta hänsyn till
3 göra, få sig, ta [sig] [~ *a walk*; ~ *a bath*]; ~ *a look*
el. ~ *a try* se resp. subst.
4 få [*I had a letter from him*]; äta [*I am having my*
dinner]; dricka, ta [*we had a cup of tea*]; *let sb* ~ *sth*
låta ngn få ngt, ge ngn ngt; *what will you* ~? vad får
det lov att vara?
5 få, föda [~ *a baby*]
6 vard. ha [fått] ngn fast, ha satt ngn på det hala;
lura; *you had me there!* a) nu har du mig fast! b) jag
har faktiskt ingen aning
7 have it i mera spec. betydelser a) *as Byron has it* som
det står hos Byron; *as the proverb has it* som det
heter i ordspråket; *rumour has it that...* ryktet går
att...; *he will* ~ *it that...* han påstår (vill ha det till)
att...; *as chance would* ~ *it, they...* slumpen ville att
de... b) *the ayes* ~ *it* jarösterna är i majoritet c) vard.
få [på pälsen], få på huden; *let him* ~ *it good and*
proper! ge honom bara!; *he had* [*got*] *it coming to him*
vard. han hade sig själv att skylla d) vard., *the car had*
had it den bilen hade gjort sitt; *he's had it* han är
alldeles slut; det är kört för honom, han har missat
chansen e) ~ *it made* ha sitt på det torra, ha lyckats

f) med prep. el. adv.: *I didn't think he had it in him* jag
visste inte att han var så duktig; ~ *it in for* vard. ha
ett horn i sidan till, vilja komma åt; ~ *it off with sb*
vard. ligga med ngn; ~ *it out with sb* göra upp (tala
ut) med ngn
8 tillåta; *I won't* ~ *it* jag tänker inte finna mig i det
9 ~ *to* + inf. vara (bli) tvungen att, få lov att, skola,
behöva [*he had to pay £100*; *he did not* ~ *to wait*
long]; *I* ~ *to go* äv. jag måste gå; *that will* ~ *to do* det
får duga
10 ~ *sth done* se till att ngt blir gjort; få ngt gjort; ~
one's hair cut [låta] klippa sig; *he is having his house*
repaired han håller på och reparerar huset (får
huset reparerat)
11 ~ *sb do* etc. *sth* låta ngn göra ngt [~ *your doctor*
examine her]; få ngn att göra ngt [*I had her learn*
English]; ~ *sb doing* etc. *sth* få se (råka ut för) att
ngn gör ngt [*we shall soon* ~ *them calling every*
day]; *what would you* ~ *me do?* vad vill ni att jag ska
göra?; *I won't* ~ *you playing in my room!* jag vill inte
att ni leker i mitt rum!
III *vb itr*, imperf. *had* i spec. användning: *you had better*
(ibl. *best*) *ask him* det är bäst att du frågar honom
IV (för tema se *have I*) *vb tr* med prep. el. adv., ofta med
spec. översättningar:
have on a) ha kläder på sig [*he had nothing on*]
b) vard., *I* ~ *nothing on this evening* jag har inget för
mig i kväll; *he has nothing on me* han är inte bättre
än jag; *the police had nothing on him* polisen hade
inga bevis mot honom
have out: ~ *a tooth out* [låta] dra ut en tand
have sb up a) stämma ngn [inför rätta] b) *be had up*
åka fast [*he was had up for drunken driving*]
V *s*, *the* ~*s and the have-nots* [de] bemedlade och
[de] obemedlade, [de] rika och [de] fattiga
haven ['heɪvn] *s* **1** hamn **2** bildl. tillflykt[sort],
fristad, hamn [äv. ~ *of rest*]
have-nots ['hævnɒts] *s pl* se *have IV*
haven't ['hævnt, 'hævn] = *have not*
haversack ['hævəsæk] *s* axelväska, persedelpåse,
ryggsäck
havoc ['hævək] *s* förstörelse, ödeläggelse; *cause* ~ el.
create ~ el. *wreak* ~ ställa till oreda, orsaka
skadegörelse; *play* ~ *with* el. *wreak* ~ *on* förstöra,
ödelägga
haw ['hɔ:] *vb itr* säga hm, hacka; jfr *2 hem II*
Hawaii [hɑ:'waɪɪ:] geogr.
Hawaiian [hɑ:'waɪɪən] **I** *adj* hawaiisk, från Hawaii
II *s* **1** hawaiian; hawaiianska kvinna **2** hawaiiska
[språket]
1 hawk [hɔ:k] *s* **1** zool. hök; falk **2** polit. hök
2 hawk [hɔ:k] *vb tr* **1** bjuda ut, ropa ut spec. varor på
gatan [äv. ~ *about*; ~ *around*] **2** ~ *about* sprida [ut]
rykten o.d.
3 hawk [hɔ:k] **I** *vb itr* harkla sig, harska **II** *vb tr*
harkla upp
hawker ['hɔ:kə] *s* gatuförsäljare, gatuhandlare;
dörrknackare; gårdfarihandlare
Hawkeye State [‚hɔ:kaɪ'steɪt], *the* ~ beteckn. för staten
Iowa
hawkish ['hɔ:kɪʃ] *adj* polit. militant
hawser ['hɔ:zə] *s* sjö. tross, tåg, kabel; kätting
hawthorn ['hɔ:θɔ:n] *s* bot. hagtorn
hay [heɪ] *s* hö; *hit the* ~ vard. krypa till kojs, gå och

knyta sig; **make** ~ bärga hö; **make ~ of** bildl. vända
upp och ned på, röra (strula) till; spoliera; **make ~
while the sun shines** smida medan järnet är varmt

hay fever ['heɪ̩fiːvə, ̩-'--] s med. hösnuva

haymaking ['heɪ̩meɪkɪŋ] s höbärgning, slåtter

haystack ['heɪstæk] s höstack

haywire ['heɪwaɪə] adj vard. **1** trasslig, rörig, trasig;
go ~ a) trassla till sig b) paja, gå sönder **2** knasig,
vild; **go** ~ äv. få spader

hazard ['hæzəd] **I** s risk[fylldhet], fara, hasard,
vågspel; ~ **lights** bil. varningsblinkers; **health** ~
hälsorisk
II vb tr **1** riskera, sätta på spel [~ *one's reputation*]
2 våga [sig på] [~ *a guess*]; våga framkasta [~ *an
opinion*]

hazardous ['hæzədəs] adj riskfylld, vågsam, vådlig,
äventyrlig, riskabel

1 haze [heɪz] **I** s **1** dis[ighet], töcken; tunn dimma
2 bildl. [lätt] förvirring; dimmighet; töcken
II vb itr, ~ **over** fördunklas, bli disig (dimmig)

2 haze [heɪz] vb tr amer. nolla, skända student

hazel ['heɪzl] **I** s **1** bot. a) hassel b) hasselnöt
2 nötbrun (ljusbrun) färg
II adj nötbrun [~ *eyes*]

hazel grouse ['heɪzlgraʊs] s o. **hazel hen** ['heɪzlhen]
s zool. järpe

hazelnut ['heɪzlnʌt] s hasselnöt

hazy ['heɪzɪ] adj **1** disig, dimmig, tjock luft **2** bildl.
dunkel, dimmig, suddig [a ~ *recollection*]; oredig

HB [̩eɪt'biː] (förk. för *hard black*) medium om
blyertspenna

H-bomb ['eɪtʃbɒm] s vätebomb

h. & c. förk. för *hot and cold* [*water*]

HCF [̩eɪtʃsiː'ef] förk. för *highest common factor*

HDL [̩eɪtʃdiː'el] s (förk. för *High Density
Lipoprotein*) HDL[-kolesterol] det goda kolesterolet

HE [̩eɪtʃ'iː] förk. för *His Eminence, His Excellency,
Her Excellency, high explosive*

1 he [hiː; obeton. hɪ, ɪ] **I** pron (objektsform *him*) **1** person
han, om djur äv. den, det; om människan hon [*modern
man has made enormous scientific advances and
yet* ~...]; **who is ~?** äv. vem är det? **2** determ. den [~
who lives will see]
II (pl. ~s) s han[n]e, han [*our dog is a* ~]; **~s and
shes** män och kvinnor; han[n]ar och honor
III adj som förled i sammansättn. vid djurnamn han-
[*he-dog*]; -han[n]e [*he-fox*]

2 he [hiː] s, **play** ~ leka kull (tafatt)

head [hed] **I** s **1** a) huvud, skalle b) i förbindelse med
annat subst.: **from ~ to foot** från topp till tå;
fullständigt; ~ **of hair** hår[växt]; ~ **over heels in love**
upp över öronen förälskad; **fall ~ over heels** falla
huvudstupa (handlöst); **turn ~ over heels** slå (göra)
en kullerbytta (volt); **he is ~ and shoulders above the
rest** han är mer än huvudet längre än de andra;
bildl. han är vida överlägsen de andra; **he has [got] a
good ~ on his shoulders (on him)** vard. han har
huvudet på skaft c) som subj.: **~s will roll** bildl.
huvuden kommer att rulla; **his ~ has been turned by
success** framgången har stigit honom åt huvudet;
two ~s are better than one fyra ögon ser mer än två
d) som obj.: **give sb his** ~ bildl. ge ngn fria tyglar
(händer); **she has a good (poor)** ~ **for figures** hon är
bra (dålig) på att räkna; **keep one's ~ above water**

hålla sig flytande äv. bildl.; **laugh one's ~ off** vard.
skratta hjäl sig; **if they put their ~s together** om de
slår sina kloka huvuden ihop; **lose one's** ~ tappa
huvudet, tappa (förlora) fattningen **e)** med prep. el.
adv.: **he is taller than Tom by a** ~ han är huvudet
längre än Tom; **win by a** ~ vinna med en
huvudlängd; ~ **first** huvudstupa; **do it in one's** ~ el.
work it out in one's ~ räkna ut det i huvudet; **put sth
into sb's** ~ intala (inbilla, sätta i) ngn ngt; **whatever
put that into your ~?** hur kunde du komma på den
tanken (idén)?; **take it into one's ~ to** [*do sth*] få i sitt
huvud (få för sig) att man ska...; **off one's** ~ vard.
knasig, knäpp; **on one's** ~ vard. som ingenting [*I
could do it on my* ~]; **get it out of your ~!** slå det ur
tankarna!; **over sb's** ~ bildl. över huvudet på ngn
[*talk over sb's* ~]; med förbigående av ngn [*be
promoted over the ~s of one's colleagues*]; **go to
sb's** ~ stiga ngn åt huvudet [*the whisky went to his
~; his successes have gone to his* ~]
2 a) chef [*the ~ of the firm*]; ledare, direktör;
huvudman; rektor; **the ~ of the family** familjens
överhuvud **b)** ledarställning, spets [*be (stå) at the ~
of sth*]; front, tät äv. mil.
3 a) person, individ; **a** ~ el. **per** ~ per man (skaft),
vardera [*they paid £20 a* ~] **b) twenty ~ of cattle**
tjugo [stycken] nötkreatur **c)** antal, bestånd [*a
large ~ of game*]
4 a) övre ända [*the ~ of a ladder*]; topp, spets;
knopp; [kolonn]huvud, kapitäl; huvudända [*the ~
of a bed*]; källa [*the ~ of a river*]; **the ~ of the table**
övre ändan av bordet, hedersplatsen **b)** huvud [*the
~ of a nail*]; **a ~ of cabbage** ett kålhuvud **c)** ~**s or
tails?** krona eller klave?; **~s I win, tails you lose!**
skämts. jag vinner i vilket fall som helst; **I cannot
make ~ or tail of it** vard. jag blir inte klok på det
d) skum, fradga [*the ~ on a glass of beer*]; grädde på
mjölk **e)** bildl. höjdpunkt, kris[punkt]; **bring matters
to a** ~ driva saken till sin spets, göra slag i saken;
come (draw, gather, grow) to a ~ komma (dra ihop
sig) till en kris
5 a) rubrik, överskrift, titel; **under the ~ of...** under
rubriken... **b)** huvudpunkt, huvudavdelning,
moment, kapitel; kategori
6 a) framdel [*the ~ of a plough*]; spets
[*arrow-head*] **b)** [hög] udde [ofta i egennamn *Beachy
Head*]
7 vulg., **give sb** ~ suga av ngn
II adj **1** huvud- [~ *office*]; främsta, första **2** mot- [~
wind]
III vb tr **1** anföra, leda [~ *a procession*]; stå (ställa
sig) i spetsen för; ~ **the list** stå överst på listan
2 fotb. nicka, skalla **3** förse med huvud **4** vända,
rikta, styra [~ *one's ship for* (mot) *the harbour*]; jfr
head for under *head* V *a*
IV vb itr stäva, styra [kosan], sätta kurs [*for,
towards* mot; ~ *south* (sydvart)]
V vb tr o. vb itr med prep. el. adv.:
head for a) vända (rikta, styra) mot [~ *one's ship for
the harbour*]; **~ed for** på väg mot (till), destinerad
till
b) bildl., **be ~ing for** gå till mötes; **he is ~ing for ruin**
han är på god väg att bli ruinerad
head off a) [komma förbi och] mota tillbaka
b) genskjuta **c)** stoppa; bildl. avvärja, förhindra

headache ['hedeɪk] *s* **1** huvudvärk; *have a* ~ ha huvudvärk, ha ont i huvudet **2** vard. huvudbry; *that's not my* ~ det är inte min huvudvärk (sak)
headachy ['hed,eɪkɪ] *adj*, *I feel* ~ jag har [lite] huvudvärk
headband ['hedbænd] *s* pannband
headboard ['hedbɔːd] *s* huvudgavel [*the* ~ *of a bed*]
head-butt ['hedbʌt] *vb tr* skalla
headcase ['hedkeɪs] *s* vard. **1** knasboll, knäppis **2** brushuvud
headcheese ['hedtʃiːz] *s* amer. pressylta
head cold ['hedkəʊld] *s* snuva
headcount ['hedkaʊnt] *s* sammanräkning av närvarande personer
headdress ['heddres] *s* huvudbonad; huvudprydnad[er]; hårklädsel
headed ['hedɪd] *adj* o. *perf p* vanl. i sammansättn. med...huvud, -huvad [*bare-headed*]; -hövdad [*two-headed*]; med... hår [*curly-headed*]; jfr *clear-headed* m.fl.
header ['hedə] *s* **1** fotb. nick, skalle **2** data. sidhuvud **3** *take a* ~ dyka med huvudet före, falla huvudstupa; huvudhopp, dykning; fall [på huvudet]
headgear ['hedgɪə] *s* huvudbonad
head-hunt ['hedhʌnt] *vb tr* rekrytera chefer, handplocka
head-hunter ['hed,hʌntə] *s* **1** huvudjägare **2** 'headhunter', chefsrekryterare
heading ['hedɪŋ] *s* rubrik, överskrift, titel
headlamp ['hedlæmp] *s* **1** bil. strålkastare, billykta **2** pannlampa för t.ex. gruvarbete
headland ['hedlənd] *s* hög udde
headless ['hedləs] *adj* **1** utan huvud, huvudlös **2** utan ledare (anförare) **3** huvudlös, dum; *run around like a* ~ *chicken* springa runt som en yr höna
headlight ['hedlaɪt] *s* strålkastare, billykta; *drive with* ~*s on* bil. köra på helljus
headline ['hedlaɪn] **I** *s* **1** rubrik; *hit* (*make*) *the* ~*s* bli (vara) rubrikstoff (förstasidesstoff) **2** pl. ~*s* radio. el. TV. rubriker, [nyhets]sammandrag **II** *vb tr* förse med rubrik, rubriksätta
headlock ['hedlɒk] *s* brottn. nacksving
headlong ['hedlɒŋ] **I** *adv* **1** på huvudet, huvudstupa [*fall* ~] **2** besinningslöst, i blindo [*rush* ~ *into danger*]; brådstörtat, huvudstupa **II** *adj* brådstörtad, plötslig [*a* ~ *decision*]
head|man ['hed|mən] (pl. *-men* [-mən]) *s* hövding
headmaster [,hed'mɑːstə] *s* rektor
headmistress [,hed'mɪstrəs] *s* kvinnlig rektor
head office [,hed'ɒfɪs] (förk. *HO*) *s* **1** huvudkontor **2** direktion
head of state [,hedəv'steɪt] *s* statsöverhuvud, statschef
head-on [,hed'ɒn] **I** *adj* frontal; ~ *collision* frontalkrock **II** *adv* med huvudet (framsidan, bogen) före, rakt på (in i); bildl. rätt upp och ned
headphones ['hedfəʊnz] *s pl* hörlurar
headquartered [,hed'kwɔːtəd] *adj* med (som har) högkvarter (säte, huvudkontor); *be* ~ *in* ha högkvarter (säte, huvudkontor) i
headquarters [,hed'kwɔːtəz, '-,--] (med verb i sg. el. pl.; pl. *headquarters*) *s* högkvarter[et]; säte[t], huvudkontor[et] [*the* ~ *of a company*]

headrest ['hedrest] *s* huvudstöd; nackstöd i bil
headroom ['hedruːm] *s* trafik. fri höjd
headscarf ['hed|skɑːf] (pl. ~s el. *headscarves* [-skɑːvz]) *s* sjalett
headset ['hedset] *s* hörlurar med mikrofon
headshrinker ['hed,ʃrɪŋkə] *s* sl. hjärnskrynklare psykiater
head start ['hedstɑːt] *s* försprång [*on, over* före]
headstone ['hedstəʊn] *s* gravsten [vid huvudändan]
headstrong ['hedstrɒŋ] *adj* halsstarrig, envis
head teacher [,hed'tiːtʃə] *s* rektor
head waiter [,hed'weɪtə] *s* hovmästare
headwaters ['hed,wɔːtəz] *s pl* källfloder, källor, källa [*the* ~ *of the Mississippi*]
headway ['hedweɪ] *s* **1** fart [framåt]; framsteg; *make* ~ skjuta fart; komma framåt (vidare), göra framsteg **2** trafik. fri höjd
headwind ['hedwɪnd] *s* motvind
headword ['hedwɜːd] *s* uppslagsord
heady ['hedɪ] *adj* **1** som stiger åt huvudet, stark, berusande [~ *wine*; ~ *perfume*] bildl. berusande **2** brådstörtad, förhastad, överilad [*a* ~ *decision*]
heal [hiːl] **I** *vb tr* **1** bota; läka; *time* ~*s all wounds* tiden läker alla sår **2** återställa, laga; ~ *a quarrel* bilägga en tvist
II *vb itr* läka[s] [*the wound* ~*s slowly*]; botas
healer ['hiːlə] *s* **1** helbrägdagörare **2** botemedel, läkemedel; *time is a great* ~ tiden är den bästa läkaren
health [helθ] *s* **1** hälsa, sundhet **2** hälsotillstånd, hälsa [*good* ~]; välstånd [*economic* ~]; *bad* (*ill*) ~ dålig (svag) hälsa, ohälsa, sjuklighet; *the Department of Health* (förk. *DH*) i Storbritannien o. *the Department of Health and Human Services* (förk. *HHS*) i USA, ung. socialdepartementet; *he is in a low state of* ~ hans hälsotillstånd är dåligt **3** *drink* [*to*] *sb's* ~ dricka ngns skål, skåla med ngn; *here's a* ~ *to...!* en skål för...!; *your* ~! el. *good* ~! skål!
health centre ['helθ,sentə] *s* vårdcentral; läkarhus
health certificate ['helθsə,tɪfɪkət] *s* friskintyg
health check-up ['helθ,tʃekʌp] *s* hälsoundersökning
health club ['helθklʌb] *s* privat gym
health farm ['helθfɑːm] *s* hälsohem
health food ['helθfuːd] *s* hälsokost
health hazard ['helθ,hæzəd] *s* hälsorisk
health insurance ['helθɪn,ʃʊər(ə)ns] *s* sjukförsäkring
health resort ['helθrɪ,zɔːt] *s* kurort
health service ['helθ,sɜːvɪs] *s* hälsovård
health visitor ['helθ,vɪzɪtə] *s* distriktssköterska
healthy ['helθɪ] *adj* **1** frisk [*be* ~; *of a* ~ *constitution*; *a* ~ *appetite*]; vid god hälsa [*be* ~]; sund [~ *judgement*; ~ *views*] **2** hälsosam, sund [*a* ~ *climate*; ~ *dwelling houses*]
heap [hiːp] **I** *s* **1** hög; *all in a* ~ i en enda hög **2** vard., *a* ~ *of* en hel hög, en hop, en massa; ~*s of* hela högar med, massor med (av), massvis med; *it did me* ~*s of good* det gjorde mig förfärligt (hemskt) gott
II *vb tr* **1** ~ el. ~ *up* (*together*) hopa, lägga i en hög [~ [*up*] *stones*]; stapla [upp]; lägga på hög, samla [ihop] [~ [*up*] *riches*] **2** fylla [~ *a plate with food*]; råga **3** överösa, överhopa
heaped [hiːpt] *adj* rågad [*2* ~ *teaspoons of sugar*]

hear [hɪə] (*heard heard*) **I** *vb tr* **1** höra **2** lyssna på (till); [*you're not going,*] *do you ~ me!* ...uppfattat?, ...hör du det!; *~ me out!* låt mig få tala till punkt! **3** få höra, få veta, erfara **4** jur. [för]höra [*~ the accused*; *~ a witness*]; pröva, behandla [*~ a case*] **II** *vb itr* **1** höra; uppfatta; *~!, ~!* utrop av bifall ja!, [ja!], bravo!, instämmer!; iron. hör på den! **2** få höra; *have you ~d about my sister?* har du hört vad som har hänt min syster? **III** *vb itr* med prep.:
hear from höra 'av, höra [något] från [*have you ~d from him lately?*]; *let me ~ from you soon* hör av dig snart!
hear of höra talas om [*I've never ~d of her*]; *I won't ~ of such a thing* jag vill inte veta 'av (höra talas om) något sådant
heard [hɜːd] imperf. o. perf. p. av *hear*
hearer ['hɪərə] *s* åhörare
hearing ['hɪərɪŋ] *s* **1** hörsel; *organ of ~* hörselorgan **2** hörhåll; *in sb's ~* i ngns närvaro, så att ngn hör (kan höra); *within ~* inom hörhåll; *out of ~* utom hörhåll **3** utfrågning, hearing; jur. hörande, förhör; prövning, behandling [*the ~ of the case*]; *preliminary ~* förundersökning; *give sb a ~* lyssna till (på) ngn
hearing aid ['hɪərɪŋeɪd] *s* hörapparat
hearing dog ['hɪərɪŋdɒg] *s* hund som specialtränats som hjälp åt hörselskadade
hearing-impaired ['hɪərɪŋɪmˌpeəd] *adj, be ~* vara hörselskadad, ha en hörselnedsättning
hearken ['hɑːk(ə)n] *vb itr* litt. lyssna [*to* till]
hearsay ['hɪəseɪ] *s* hörsägen, rykte[n], prat; attr. grundad på hörsägner [*~ evidence* (vittnesmål)]; andrahands- [*~ rumours*]
hearse [hɜːs] *s* likbil
heart [hɑːt] *s* **1** anat. hjärta; *a ~ condition* hjärtbesvär; *the ~ region* hjärttrakten; *~ trouble* hjärtbesvär; *fatty ~* fetthjärta **2** hjärta [*he lost his ~ to her*]; sinne [*a man after my own ~*]; själ; mod; *change of ~* sinnesförändring; *~ and soul* adv. med liv och lust (själ) [*throw oneself ~ and soul into sth*]; med hela sin själ; *her ~ went out to him* hennes tankar gick till honom; hon kände starkt med honom; *break sb's ~* krossa ngns hjärta; *it breaks my ~ to see...* det skär mig i hjärtat att se...; *cross my ~* [*and hope to die*]! på hedersord!, jag svär!; *have a ~!* var lite bussig nu [va]!; *he didn't have his ~ in it* han saknade lusten (den rätta glöden); *he had his ~ in his mouth* han hade hjärtat i halsgropen; *have one's ~ in the right place* ha hjärtat på rätta stället; *have one's ~ in one's work* arbeta med liv och lust, känna arbetsglädje; *lose ~* tappa modet, bli modfälld; *put one's ~* [*and soul*] *into one's work* lägga ner hela sin själ i arbetet; *set one's ~ at rest* slå sig till ro; bli lugn; *set one's ~ on sth* sätta sig i sinnet att få (uppnå) ngt; *take ~* fatta (repa) mod; *wear one's ~ on one's sleeve* öppet visa sina känslor; *at ~* i själ och hjärta, i grund och botten; *light at ~* lätt till sinnes (om hjärtat); *sick at ~* beklämd, betryckt, nedstämd; *we have it very much at ~* det ligger oss mycket varmt om hjärtat; *at the bottom of one's ~* innerst inne; *by ~* utantill, ur minnet; *from* [*the bottom of*] *one's ~* av allt hjärta, innerligt; *in my ~ ~ of ~s* i djupet av mitt hjärta, innerst inne; *it is a matter very near to his ~* det är en hjärtesak för honom; *~ to ~* förtroligt, öppet; *take*

sth to ~ a) lägga ngt på hjärtat, allvarligt begrunda ngt b) ta illa vid sig av ngt, ta ngt hårt c) låta ngt gå sig djupt till sinnes; *to one's ~'s content* av hjärtans lust; så mycket man vill; *with all one's ~* av hela sitt hjärta **3** hjärta [*in the ~ of the city*]; centrum, medelpunkt; *the ~ of the matter* kärnpunkten, pudelns kärna **4** kortsp. hjärterkort; pl. *~s* hjärter; *a ~* äv. en hjärter; *the ten of ~s* hjärtertian
heartache ['hɑːteɪk] *s* hjärtesorg, hjärtängslan
heart attack ['hɑːtəˌtæk] *s* med. hjärtattack; hjärtinfarkt
heartbeat ['hɑːtbiːt] *s* hjärtslag pulsslag
heartbreak ['hɑːtbreɪk] *s* hjärtesorg, djup smärta
heartbreaker ['hɑːtˌbreɪkə] *s* hjärtekrossare
heartbreaking ['hɑːtˌbreɪkɪŋ] *adj* förkrossande, hjärtslitande, hjärtskärande; hjärtknipande; vard. förskräckligt tråkig, själsdödande [*a ~ task*]
heartbroken ['hɑːtˌbrəʊk(ə)n] *adj* med krossat (brustet) hjärta, förtvivlad, tröstlös, modlös
heartburn ['hɑːtbɜːn] *s* halsbränna
heart disease ['hɑːtdɪˌziːz] *s* hjärtfel, hjärtsjukdom
hearted ['hɑːtɪd] *adj* vanl. i sammansättn. -hjärtad [*hard-hearted*]; med...hjärta [*heavy-hearted*]
hearten ['hɑːtn] *vb tr* uppmuntra [*~ing news*]
heart failure ['hɑːtˌfeɪljə] *s* med. hjärtsvikt, hjärtinsufficiens
heartfelt ['hɑːtfelt] *adj* djupt känd, uppriktig, innerlig, hjärtlig [*~ thanks*]
hearth [hɑːθ] *s* **1** härd äv. tekn.; eldstad, spisel **2** [hemmets] härd [*~ and home*]
heartily ['hɑːtəlɪ] *adv* **1** hjärtligt, av hjärtat, uppriktigt, varmt **2** tappert, friskt; ivrigt, energiskt, med entusiasm [*fight ~ for one's cause*] **3** med god aptit **4** innerligt, ordentligt [*~ sick* (led) *of sth*]; grundligt
heartiness ['hɑːtɪnəs] *s* hjärtlighet etc., jfr *hearty*
heartland ['hɑːtlænd] *s, the ~* den centrala delen [*the ~ of Europe*]; [själva] hjärtat [*the industrial ~ of the country*]
heartless ['hɑːtləs] *adj* hjärtlös, hård
heart-lung machine [ˌhɑːtˈlʌŋməˌʃiːn] *s* hjärtlungmaskin
heart-rending ['hɑːtˌrendɪŋ] *adj* hjärtslitande, hjärtskärande [*~ scenes*]
heart-searching ['hɑːtˌsɜːtʃɪŋ] *s*, ~ el. *~s* pl. självrannsakan, självprövning
heartstrings ['hɑːtstrɪŋz] *s pl* bildl. hjärterötter; innersta strängar (känslor); *pull* (*tear*) *at sb's ~* röra ngns innersta strängar (känslor)
heart-throb ['hɑːtθrɒb] *s* **1** vard. [flick]idol, kvinnotjusare **2** hjärtklappning
heart-to-heart [ˌhɑːttəˈhɑːt] *adj* förtrolig, öppen
heart transplant [ˌhɑːtˈtrænsplɑːnt] *s* med., *a ~* en hjärttransplantation
heart transplantation [ˌhɑːtˈtrænsplɑːnˌteɪʃ(ə)n] *s* med. hjärttransplantation
heart-warming ['hɑːtˌwɔːmɪŋ] *adj* glädjande, värmande
hearty ['hɑːtɪ] **I** *adj* **1** hjärtlig [*a ~ welcome*]; varm; uppriktig; ivrig [*a ~ supporter of a cause*] **2** kraftig [*a ~ blow*]; hurtfrisk, hejig [*a ~ type*] **3** matfrisk **4** kraftig, riklig [*a ~ meal*]; *a ~ appetite* [en] frisk

(stor, god) aptit
II *s* sl., ung. hurtbulle, friskus
heat [hi:t] **I** *s* **1** hetta; värme äv. fys. [~ *is a form of energy*] **2** bildl. hetta, iver [*speak with some* ~]; *in the ~ of the battle* (*struggle*, *combat*) i stridens hetta; *in the ~ of the moment* i ett ögonblick av upphetsning, i ett överilat ögonblick **3** sport. heat, [enkelt] lopp, löpning, uttagningslopp; *dead* ~ dött lopp; *trial* ~*s* el. *preliminary* ~*s* försöksheat, uttagningslopp **4** brunst; *in* ~ el. *on* ~ brunstig **5** vard. press, tryck; *put* (*turn*) *the* ~ *on sb* dra åt tumskruvarna på ngn, öka trycket på ngn; *the ~ is on* det är pressat (mycket på gång); *the ~ is off* det har lugnat ner sig, faran är över **6** sl., *on* ~ kåt
II *vb tr*, ~ el. ~ *up* upphetta äv. bildl. [*cool sb's ~ed brain*]; värma [upp] [~ [*up*] *some water*; ~ *up the leftovers*]; elda [i] [~ *a stove*]; hetsa [*be ~ed into fury*]
heated ['hi:tɪd] *perf p* o. *adj* upphettad etc., jfr *heat II*; het, hetsig, animerad, livlig [*a ~ discussion*]
heater ['hi:tə] *s* värmefläkt, värmeelement [*electric* ~]; varmvattensberedare
heath [hi:θ] *s* hed
heathen ['hi:ð(ə)n] *s* **1** hedning; *the* ~ koll. hedningarna **2** vard. vilde [*he grew up as a young* ~]
heathendom ['hi:ð(ə)ndəm] *s* **1** hedendom[en] **2** hednavärld[en]
heather ['heðə] *s* bot. ljung
Heathrow [ˌhi:θ'rəʊ, attr. '--], ~ *International Airport* Londons huvudflygplats
heating ['hi:tɪŋ] *s* upphettning, uppvärmande, uppvärmning, eldning; *central* ~ centralvärme; *geothermal* ~ bergvärme, jordvärme
heatproof ['hi:tpru:f] *adj* värmebeständig, värmetålig
heat pump ['hi:tpʌmp] *s* värmepump
heat rash ['hi:træʃ] *s* värmeutslag
heat-resistant ['hi:trəˌzɪst(ə)nt] *s* värmetålig
heat shield ['hi:tʃi:ld] *s* rymd. värmesköld
heatstroke ['hi:tstrəʊk] *s* med. värmeslag
heat treatment ['hi:tˌtri:tmənt] *s* tekn. värmebehandling
heat wave ['hi:tweɪv] *s* **1** värmebölja **2** fys. värmevåg
heave [hi:v] **I** (~*d* ~*d*, sjö. vanl. *hove hove*) *vb tr* **1** lyfta, häva [ofta ~ *up*]; komma att hävas, få att svalla **2** dra [~ *a sigh*]; utstöta, upphäva; ~ *a groan* stöna **3** sjö. el. vard. hiva, kasta [~ *sth overboard*; ~ *a brick through* (*out of*) *a window*] **4** sjö. hiva, hyva, [för]hala; hissa [~ *a sail*]; ~ *the anchor* lätta ankar; ~ *the ship to* dreja (lägga) bi
II (~*d* ~*d*, sjö. vanl. *hove hove*) *vb itr* **1** höja sig, svälla; ~ *in sight* komma i sikte, dyka upp **2** hävas [och sänkas], stiga och falla, bölja, svalla [*the heaving billows* (vågorna)] **3** flämta, kippa [*for breath* efter andan] **4** försöka (vilja) kräkas; kräkas, spy **5** sjö. hiva, hala [*at, on* i]; ~ *ho!* el. ~ *away!* hi å hå!; ~ *to* dreja (lägga) bi
III *s* **1** hävning, lyftning; tag [*a mighty* ~] **2** höjning, stigning; svallning, böljegång **3** sjö. hivande
heaven ['hevn] *s* **1** vanl. pl. ~*s* himmel, himlavalv **2** i utrop, *Heaven forbid!* [vilket] Gud förbjude!, Gud bevare oss (mig) [för det]!; *move ~ and earth* göra

sitt yttersta (allt man kan); *go to* ~ komma till himlen; *thank Heaven!* gudskelov!; *for ~'s sake* för Guds skull
heavenly ['hevnlɪ] *adj* **1** himmelsk; gudomlig; överjordisk; från himlen [*a ~ angel*]; ~ *choir* änglakör **2** himla-, himmels-; ~ *bodies* himlakroppar **3** vard. gudomlig, underbar
heaven-sent ['hevnsent] *adj* välkommen, gudasänd, perfekt [*a ~ opportunity*]
heavily ['hevəlɪ] *adv* **1** tungt [~ *loaded*]; hårt [~ *taxed* (beskattad)]; strängt [~ *punished*]; kraftigt [*it rained* ~]; högt [~ *insured*]; tätt [~ *populated*]; mödosamt; trögt, långsamt; jfr vid. *heavy I* **2** i hög grad, i stor utsträckning, mycket, starkt [~ *dependent on* (beroende av)]
heaviness ['hevɪnəs] *s* tyngd etc., jfr *heavy I*; ~ *of heart* tungsinthet
heaving ['hi:vɪŋ] *adj*, *be ~ with* krylla av, vara full med; jfr äv. *heave I* o. *heave II*
heavy ['hevɪ] **I** *adj* **1** tung; om tyg tjock, bastant, kraftig; ~ *traffic* a) tung trafik b) stark (livlig) trafik **2** mil. tung [*a ~ bomber*; ~ *weapons*; ~ *cavalry* (kavalleri)]; tungt beväpnad; ~ *guns* el. ~ *artillery* tungt (grovt) artilleri **3** stor [~ *expenses*]; svår [*a ~ loss*; *a ~ defeat*]; väldig, dryg, tung [~ *taxes*]; omfattande [*a ~ building programme*]; stark, livlig [~ *demand* (efterfrågan)]; våldsam, häftig [*a ~ blow*; *a ~ storm*; *open ~ fire*]; kraftig, tät [~ *snowfall*]; stadig [*a ~ meal*]; *a ~ buyer* en storköpare; *a ~ dose* en kraftig (stark) dos; *he's a ~ drinker* han dricker (super) mycket, han har alkoholproblem; *a ~ eater* en storätare; *a ~ fine* höga böter; *a ~ loser* en storförlorare; *a ~ sea* sjö. grov sjö; *be a ~ sleeper* sova tungt (hårt); *a ~ smoker* en storrökare; ~ *snoring* kraftigt snarkande; *make ~ weather of...* bildl., se under *weather I* 1; *be ~ on* använda (förbruka) massor av [*the car is ~ on oil*; *don't be so ~ on the butter*] **4** tyngd, laddad, fylld, mättad [*with* med, av] **5** allvarlig, värdig vanl. teat. [*play the ~ father*]; *a ~ part* en allvarlig roll **6** tung [*with a ~ heart*]; betryckt, nedslagen, sorgsen; nedslående, sorglig [~ *news*]
II *s* vard. **1** gangstertyp **2** tungviktare betydande person **3** pl. *the heavies* de stora (tunga) tidningarna, [tidnings]drakarna
III *adv* tungt; *time hangs* (*lies*) ~ [*on my hands*] tiden kryper fram (blir lång) [för mig]; *be ~ into sth* amer. vard. hålla på med ngt; *lie ~ on* se under *1 lie II*
heavy breather [ˌhevɪ'bri:ðə] *s* **1** person med tung andhämtning **2** flåsare person som flåsar i luren
heavy-duty [ˌhevɪ'dju:tɪ] *adj* motståndskraftig, slitstark, tålig [~ *gloves*]; tekn. tung
heavy-duty oil [ˌhevɪdju:tɪ'ɔɪl] *s* HD-olja
heavy-going ['hevɪˌgəʊɪŋ] *adj* besvärlig, tungsam
heavy goods vehicle [ˌhevɪgʊdz'vi:ɪkl] (förk. *HGV*) *s* tungt transportfordon
heavy-handed [ˌhevɪ'hændɪd] *adj* hårdhänt, med hård hand, tung; handfast; klumpig
heavy-hearted [ˌhevɪ'hɑ:tɪd] *adj* tung om hjärtat, tungsint, melankolisk, sorgsen, dyster
heavy-hitter ['hevɪˌhɪtə] *s* amer. **1** om person tungviktare, maktfaktor, en som har mycket att säga till om **2** baseboll hårt slående spelare

heavy metal [ˌhevɪˈmetl] *s* **1** tungt artilleri **2** mus. heavy metal

heavy petting [ˌhevɪˈpetɪŋ] *s* vard. grovhångel

heavy-set [ˈhevɪset] *adj* kraftigt byggd, satt

heavyweight [ˈhevɪweɪt] *s* spec. sport. **1** tungvikt; attr. tungvikts- [~ *title*]; tung **2** tungviktare

Hebraic [hɪˈbreɪɪk] *adj* hebreisk

Hebrew [ˈhiːbruː] **I** *s* **1** hebré, jude; **~s** el. *the Epistle to the* **~s** (med verb i sg.) bibl. Hebréerbrevet **2** hebreiska [språket] **II** *adj* hebreisk

Hebrides [ˈhebrɪdiːz] geogr., *the* ~ pl. Hebriderna

heck [hek] *s* vard. för *hell*; *what the* **~!** vad i helsike!

heckle [ˈhekl] *vb tr* **1** häckla, avbryta [med irriterande frågor] **2** häckla lin o.d.

hectare [ˈhekteə] *s* hektar

hectic [ˈhektɪk] *adj* hektisk, febril [*lead a* ~ *life*]

hecto- [ˈhektə(ʊ)] *prefix* hekto-

hectogram o. **hectogramme** [ˈhektə(ʊ)græm] (förk. *hg*) *s* hektogram

hector [ˈhektə] **I** *vb tr* tyrannisera, hunsa **II** *vb itr* spela översittare; skrävla, skrodera

hectoring [ˈhektərɪŋ] *adj*, *a* ~ *tone* [en] mästrande ton

he'd [hiːd] = *he had* o. *he would*

hedge [hedʒ] **I** *s* **1** häck äv. bildl. [*a* ~ *of police*] **2** bildl. skydd [*a* ~ *against inflation*] **3** vid vadslagning [hel]gardering **II** *vb tr* **1** inhägna [med en häck]; inringa; spärra av (till) [ofta ~ *up*]; ~ *in* (*round, about*) omringa, inringa; bildl. omge, omsluta **2** ~ *a bet* [hel]gardera sig, hålla på båda sidorna (flera tävlande) **III** *vb itr* svara undvikande; inte vilja ta ställning; slingra sig

hedge fund [ˈhedʒfʌnd] *s* ekon. hedgefond

hedgehog [ˈhedʒ(h)ɒg] *s* zool. igelkott

hedgerow [ˈhedʒrəʊ] *s* häck av buskar el. träd

hedge sparrow [ˈhedʒˌspærəʊ] *s* zool. järnsparv

hedonism [ˈhiːdə(ʊ)nɪz(ə)m] *s* filos. hedonism; vard. njutningslystnad

hedonistic [ˌhiːdə(ʊ)ˈnɪstɪk] *adj* filos. hedonistisk; vard. njutnings-

heebie-jeebies [ˌhiːbɪˈdʒiːbɪz] *s pl* sl., *the* ~ stora skälvan

heed [hiːd] **I** *vb tr* bry sig om [~ *a warning*]; ta hänsyn till, fästa avseende vid **II** *s*, *give* ~ *to* el. *pay* ~ *to* bry sig om, ta hänsyn till, fästa avseende vid; *take* ~ ta sig i akt, akta sig

heedless [ˈhiːdləs] *adj* **1** ~ *of* obekymrad om, som inte fäster avseende vid **2** bekymmerslös, tanklös

hee-haw [ˈhiːhɔː] *s* **1** skri av åsna **2** gapskratt, flabb

1 heel [hiːl] *s* **1** häl; bakfot, bakhov; klack [*wear high* ~*s*]; bakkappa på sko; ~*s* äv. högklackade skor; ~ *of the hand* handlov; *kick one's* ~*s* el. *cool one's* ~*s* [få] vänta; slå dank; *show a clean pair of* ~*s* lägga benen på ryggen, ta till benen; *at* ~ hack i häl; *out at* ~[*s*] om strumpa (strumpor) med hål på hälen; *hard* (*hot*) *on sb's* (*sth's*) ~*s* tätt i hälarna på ngn (ngt); *turn on one's* ~ svänga på klacken; *to* ~**!** fot! kommando till hund; *come to* ~ om hund gå fot; bildl. foga sig, lyda; *take to one's* ~*s* lägga benen på ryggen, ta till benen **2** sista delen, slut äv. om tid [*the* ~ *of a session*]; rest; *a* ~ *of cheese* en ostkant; *the* ~ *of the*

bottle sista skvätten i flaskan **3** åld. knöl, kräk **II** *vb tr* **1** klacka [~ *shoes*] **2** fotb. klacka [~ *the ball*]

2 heel [hiːl] *vb itr* sjö., ~ el. ~ *over* kränga, få slagsida

hefty [ˈheftɪ] *adj* vard. **1** stöddig, bastant; ordentlig, rejäl; kraftig [*a* ~ *push*] **2** tung

hegemony [hɪˈgemənɪ, -ˈdʒe-] *s* hegemoni, herravälde

heifer [ˈhefə] *s* kviga

height [haɪt] *s* **1** höjd [*the* ~ *of a mountain*]; *200 feet in* ~ 200 fot hög **2** längd [*draw oneself up* (sträcka på sig) *to one's full* ~]; storlek; *what is your* ~**?** hur lång är du?; *of medium* ~ el. *of average* ~ av medellängd **3** höjd; kulle; topp [*mountain* ~*s*] **4** höjdpunkt, högsta grad, toppunkt; höjd [*the* ~ *of irresponsibility*]; *the* ~ *of fashion* högsta mode[t]; *the* ~ *of perfection* fullkomligheten själv; *at its* ~ på sin höjdpunkt; *in the* ~ *of summer* mitt i sommaren, under högsommaren

heighten [ˈhaɪtn] **I** *vb tr* **1** göra hög[re], höja **2** bildl. [för]höja [~ *an effect*]; öka; förstärka [~ *the contrast*]; underblåsa [~ *suspicions* (*jealousy*)] **II** *vb itr* mest bildl. [för]höjas, ökas

heinous [ˈheɪnəs] *adj* skändlig, avskyvärd [*a* ~ *crime*]; fruktansvärd, vidrig

Heinz® [varumärket haɪnz, haɪnts]

heir [eə] *s* [laglig] arvinge, arvtagare [*to sth* till ngt]; ~ *to the throne* tronarvinge

heir apparent [ˌeərəˈpærənt] (pl. *heirs apparent*) *s* närmaste (obestridlig) arvinge, bröstarvinge till ännu levande; bildl. given (självklar) efterträdare

heiress [ˈeərɪs] *s* arvtagerska

heirloom [ˈeəluːm] *s* släktklenod, arvegods

heist [haɪst] vanl. amer. sl. **I** *s* stöt, rån, kupp **II** *vb tr* knycka, råna; göra en stöt mot (på)

held [held] imperf. o. perf. p. av *1 hold*

Helen [ˈhelɪn] **1** kvinnonamn **2** ~ *of Troy* Sköna Helena

helical [ˈhelɪk(ə)l] *adj* spiralformig, skruvformig; spiral-; ~ *gear* kugghjul

helicopter [ˈhelɪkɒptə] *s* helikopter

helicopter pad [ˈhelɪkɒptəpæd] *s* helikopterplatta för start o. landning

heliotrope [ˈhiːlɪətrəʊp] *s* bot., miner., astron. el. lantmät. heliotrop

helipad [ˈhelɪpæd] *s* vard. helikopterplatta för start o. landning

heliport [ˈhelɪpɔːt] *s* helikopterflygplats, heliport

helium [ˈhiːlɪəm] *s* kem. helium

hell [hel] *s* helvete[t]; ofta i vardagliga uttryck: *oh,* ~**!** jäklar [också]!; det var [som] fan!; *all* ~ *is breaking loose* hela helvetet bryter lös, det tar hus i helvete; *a* (starkare *one*) ~ *of* [*a mess*] en jäkla (himla)…; *a* ~ *of a noise* ett jäkla (jädrans) oväsen; *we had a* ~ *of a time* a) vi hade ett helvete, vi hade det för djävligt b) vi hade jäkligt kul; *what the* ~ [*do you want*]**?** vad i helvete…?, vad fan…?; *get the* ~ *out of here!* dra åt helvete!; *give sb* ~ låta ngn få se på fan, låta ngn få sina fiskar varma; skälla ut ngn; *this tooth is giving me* ~ det gör djävligt ont (det värker som fan) i den här tanden; *make sb's life* ~ göra livet till ett helvete för ngn; *ride* (*run*) ~ *for leather* rida (springa) allt vad tygen håller; *just for the* ~ *of it* bara för skojs skull; på [rent] djävulskap; *like* ~ *you will!* det ska du så fan heller!, i helvete heller!; [*he* drove] *like* ~ ...av bara helvete, ...som [bara] fan; *go to* ~! dra åt helvete!

he'll [hi:l] = *he will* o. *he shall*

hellbent ['helbent] *adj* vard. fast besluten [~ *on doing* (att göra) *sth*]

Hellenic [he'li:nɪk] *adj* hellensk

hellhole ['helhəʊl] *s* vard. eländig håla, riktigt helvete

hellish ['helɪʃ] *adj* helvetisk, helvetes, infernalisk

hello [ˌhe'ləʊ, hə'ləʊ] *interj* o. *s* hallå; ~ *there!* som hälsning hej[san]!, tjänare!; för att påkalla uppmärksamhet hör du du!, hallå där!; *say* ~ *to sb* a) heja (hälsa) på ngn b) hälsa till ngn

helluva ['heləvə] *adj* o. *adv* sl., se *hell of* under *hell*

helm [helm] **I** *s* roder hela styrinrättningen el. bildl., rorkult; *be at the* ~ sitta vid rodret äv. bildl., stå (sitta) till rors; *take the* ~ överta rodret äv. bildl. **II** *vb tr* styra vanl. bildl.

helmet ['helmɪt] *s* hjälm; kask

helmeted ['helmɪtɪd] *adj* hjälmprydd, i hjälm

helms|man ['helmz|mən] (pl. -*men* [-mən]) *s* rorgängare, rorsman

help [help] **I** *vb tr* **1** a) hjälpa [~ *sb* [*to*] *do* ([med] att göra) *sth*]; bistå b) främja, underlätta [*this did not* ~ *the negotiations*]; *so* ~ *me God* så sant mig Gud hjälpe; *God* ~ *you if...!* Gud nåde dig om...!; ~ *sb on* (*off*) *with his coat* hjälpa ngn på (av) med rocken; ~ *up* (*down*) hjälpa ngn upp (ned), hjälpa ngn uppför (nedför) **2** ~ *sb to sth* servera (lägga för) ngn ngt [*may I* ~ *you to some meat?*]; skaffa ngn ngt; ~ *oneself* ta för sig [*to* (av) *sth*]; ~ *oneself to sth* vard. lägga sig till med ngt; ~ *yourself!* var så god[a] och ta!, ta för dig (er)! **3** låta bli, rå för, hjälpa; *I can't* ~ *it* jag kan inte låta bli, jag rår inte för det, jag kan inte hjälpa det; *I can't* ~ *laughing* jag kan inte låta bli att skratta, jag kan inte hålla mig för skratt; *I can't* ~ *being late* jag kan inte hjälpa (rå för) att jag kommer så sent; [*I won't do it*] *if I can* ~ *it* ...om jag slipper (kan slippa); [*she won't do it again*] *if I can* ~ *it* ...om jag har något att säga till om; [*don't be longer*] *than you can* ~ ...än du behöver; *it can't be* ~*ed* det kan inte hjälpas; [*she burst out crying,*] *she could not* ~ *herself* ...hon kunde inte behärska sig **II** *vb itr* hjälpa [till], vara behjälplig; ~ *to* hjälpa till att, göra sitt till att, bidra till att [*this* ~*s to explain why it was never done*]

III *vb tr* o. *vb itr* med adv.:
help out a) tr. hjälpa ngn ur knipan, hjälpa ngn till rätta, vara till hjälp för ngn [*will* (kan) *100 pounds* ~ *you out?*] b) itr. hjälpa till [*he* ~*ed out in the shop*] **IV** *s* **1** hjälp, bistånd; *be of* ~ [*to sb*] vara [ngn] till hjälp; *can I be of any* ~ *to you?* kan jag hjälpa dig [med någonting]? **2** hjälp, botemedel [*for* mot, för]; *there is no* ~ *for it* det är ingenting att göra åt det **3** person [hem]hjälp, hembiträde

helpdesk ['helpdesk] *s* data. **1** supportavdelning **2** datorbaserad informationsresurs till hjälp för supportavdelningen

helper ['helpə] *s* hjälpare; medhjälpare, hjälpreda

helpful ['helpf(ʊ)l] *adj* **1** [som är] till stor hjälp, användbar [~ *books*]; nyttig **2** hjälpsam, tjänstvillig

helping ['helpɪŋ] *s* portion; [*do you want*] *another* ~ *of fish?* ...en portion fisk till?

helping hand ['helpɪŋhænd] *s* hjälpande hand; *get a* ~ få draghjälp; *give* (*lend*) *sb a* ~ ge någon en hjälpande hand, hjälpa till

helpless ['helpləs] *adj* hjälplös

helpline ['helplaɪn] *s* tele. akutnummer, journummer; jourhavande medmänniska

helpmate ['helpmeɪt] *s* kamrat och hjälp spec. om maka el. make

Helsinki ['helsɪŋkɪ, -'--] geogr. Helsingfors

helter-skelter [ˌheltə'skeltə] **I** *adv* huller om buller; hals över huvud, huvudstupa **II** *adj* hastig, brådstörtad [*a* ~ *flight*] **III** *s* spiralformad rutschbana på nöjesplats

1 hem [hem] **I** *s* fåll; [neder]kant **II** *vb tr* **1** fålla; kanta **2** ~ *in* stänga inne, omringa; omge; bildl. hindra, inskränka

2 hem [interj. hm, verb hem] **I** *interj* hm! **II** *vb itr* säga hm, humma; tveka; ~ *and haw* humma, stamma, dra på orden; knota

he-|man ['hi:|mæn] (pl. -*men* [-men]) *s* vard. he-man, karlakarl

hemfinch ['hemfɪn(t)ʃ] *s* sömnad. fågelkant

Hemingway ['hemɪŋweɪ]

hemisphere ['hemɪˌsfɪə] *s* **1** halvklot, hemisfär, halvglob[skarta]; *the Western* ~ västra halvklotet **2** anat., *cerebral* ~ hjärnhalva

hemline ['hemlaɪn] *s* nederkant, fåll på kjol o.d.

hemlock ['hemlɒk] *s* **1** bot. odört **2** odörtsgift[dryck]

hemo- se *hemoglobin*

hemoglobin [ˌhi:mə(ʊ)'gləʊbɪn] o. **hemophilia** [ˌhi:mə(ʊ)'fɪlɪə] vanl. amer., se *haemoglobin* o. *haemophilia* m.fl. ord

hemp [hemp] *s* bot. hampa

hemstitch ['hemstɪtʃ] **I** *vb tr* o. *vb itr* sy hålsöm [i (på)], sy med hålsöm **II** *s* hålsöm

hen [hen] *s* **1** höna **2** ofta i sammansättn. hon-, -hona [*peahen*]; -höna

henbane ['henbeɪn] *s* bot. bolmört

hence [hens] *adv* **1** härav [~ *it follows that...*]; ~ *her surprise* härav [kom] hennes förvåning **2** följaktligen, därför [*and* ~...] **3** härefter, hädanefter; *five years* ~ om fem år; fem år härefter **4** åld. el. poet. härifrån; [*get thee*] ~! [vik] hädan!

henceforth [ˌhens'fɔ:θ] *adv* o. **henceforward** [ˌhens'fɔ:wəd] *adv* hädanefter, framdeles

hench|man ['hen(t)ʃ|mən] (pl. -*men* [-mən]) *s* hejduk, hantlangare

hen-house ['henhaʊs] *s* hönshus

Henley ['henlɪ] **1** geogr. egennamn **2** *the* ~ *regatta* världens äldsta roddartävling

henna ['henə] *s* bot. henna äv. pulver el. färg

Hennessy ['henɪsɪ]

hen night ['hennaɪt] o. **hen party** ['henˌpɑ:tɪ] *s* vard. möhippa; tjejbjudning

henpecked ['henpekt] *adj* vard., om äkta man hunsad; *be* ~ stå under toffeln; *a* ~ *husband* en toffelhjälte

hen-run ['henrʌn] *s* hönsgård

Henry ['henrɪ] **1** mansnamn **2** som kunganamn Henrik

hepatitis [ˌhepə'taɪtɪs] *s* med. hepatit

heptagon ['heptəgən] *s* geom. sjuhörning

heptagonal [hep'tægənl] *adj* sjuhörnig

heptathlon [hep'tæθlən] *s* sport. sjukamp

her [hɜ:, obeton. äv. ɜ:, hə, ə] **I** *pers pron* (objektsform av

she) **1** henne vanl. äv. om fartyg; om tåg, bil, land m.m.
den, det **2** vard. hon [*it's ~*] **3** sig [*she took it with ~*]
II *fören poss pron* hennes [*it is ~ hat*]; sin [*she sold
~ house*]; dess [*England and ~ sons*]; jfr *my I*

herald ['her(ə)ld] **I** *s* **1** bildl. härold, förebud **2** hist.
härold; budbärare, sändebud **3** heraldiker
II *vb tr* **1** förebåda, inleda [*~ a new era*] **2** prisa

heraldic [he'rældɪk] *adj* heraldisk

heraldry ['her(ə)ldrɪ] *s* heraldik

herb [hɜːb] *s* **1** ört; växt [*collect ~s*]; kryddväxt;
läkeört, medicinalväxt **2** örtkrydda

herbaceous [hɜː'beɪʃ(ə)s] *adj* örtartad; ört-; *~ plants*
örtväxter

herbaceous border [hɜːˌbeɪʃ(ə)s'bɔːdə] *s* rabatt med
perenner (fleråriga växter)

herbal ['hɜːb(ə)l] *adj* ört- [*~ medicine*; *~ tea*]

herbalist ['hɜːbəlɪst] *s* medicinalväxthandlare,
medicinalväxtodlare

Herbert ['hɜːbət] mansnamn

herbicide ['hɜːbɪsaɪd] *s* växtgift, herbicid

herbivore ['hɜːbɪvɔː] *s* zool. växtätare, gräsätare,
herbivor

herculean o. **Herculean** [ˌhɜːkjʊ'liːən, hɜː'kjuːlɪən]
adj herkulisk; Herkules-; *a ~ task* ett
herkulesarbete

Hercules ['hɜːkjʊliːz] mytol. Herkules; *a labour of ~*
ett herkulesarbete

1 herd [hɜːd] **I** *s* **1** hjord [*a ~ of cattle*]; flock **2** neds.
hop, massa, skock; *follow the ~* bildl. följa med
strömmen, gå i flock
II *vb itr* gå i hjord[ar]; gå i flock; *~ together* flockas,
samlas; gå i flock (hjord[ar])

2 herd [hɜːd] *vb tr* vakta [*~ sheep*]; driva, fösa

herd instinct ['hɜːdɪnˌstɪŋ(k)t] *s*, *the ~* psykol.
flockinstinkten, hjordinstinkten

herds|man ['hɜːdz|mən] (pl. *-men* [-mən]) *s*
1 [boskaps]herde **2** amer. utfodrare;
kreatursskötare

here [hɪə] *adv* **1** här [*I live ~*]; hit; *~!* vid upprop ja!; *~,
you!* hallå där!; *~'s to you!* el. *~'s how!* [din] skål!; *~'s
to...* en skål för...; *~ and now* nu; just nu; *~, there, and everywhere* på alla
möjliga [och omöjliga] ställen, överallt; åt alla håll
och kanter; *that's neither ~ nor there* bildl. det hör
inte till saken (inte hit); det gör varken till eller
från; *~ today, [and] gone tomorrow* i dag röd, i
morgon död; *~ we are!* nu är vi framme (här)!; här
är vi nu!; här är vi [ju]!; *~ you are!* här har du!, var
så god!; se här!; *leave ~* gå (fara) härifrån; *about ~*
häromkring, här någonstans, här i trakten
(närheten); *down* (*in*) *~* här nere (inne); hit ned (in),
ned (in) hit; *from ~ to there* härifrån och dit; *near ~*
här i närheten (trakten); [*still*] *~* [ännu] här, kvar
på den punkten **2** här[i], i det här fallet [*~ we
agree*] **3** nu, då; *~ goes!* vard. ja, då sätter (kör) vi
(jag) i gång!; *~ we go* [*again*]*!* nu börjas det!, så är
(var) det dags [igen]!

hereabouts ['hɪərəˌbaʊts] *adv* o. **hereabout**
['hɪərəˌbaʊt] *adv* häromkring, här i (på) trakten

hereafter [hɪər'ɑːftə] litt. **I** *adv* jur. **1** härefter,
hädanefter **2** här nedan **3** i det tillkommande, i ett
annat liv
II *s*, *the ~* livet efter detta (döden)

hereby [ˌhɪə'baɪ, '--] *adv* härmed [*I ~ beg to inform
you...*]

hereditary [hɪ'redɪt(ə)rɪ] *adj* arv- [*~ prince*]; arvs- [*~
character* el. *disposition* (anlag)]; ärftlighets- [*~
principle*]; ärftlig [*~ disease*]; [ned]ärvd [*~
customs*]; medfödd [*~ talent*]

heredity [hɪ'redɪtɪ] *s* ärftlighet; arv [*~ and
environment*]

Hereford ['herɪfəd] hist. grevskap

Herefordshire ['herɪfədʃɪə, -ʃə] geogr.

herein [ˌhɪər'ɪn] *adv* vanl. jur. häri, här nedan

heresy ['herəsɪ] *s* kätteri; irrlära

heretic ['herətɪk] *s* kättare

heretical [hɪ'retɪk(ə)l] *adj* kättersk

hereto [ˌhɪə'tuː] *adv* åld. el. jur. härtill

heretofore [ˌhɪətʊ'fɔː] *adv* åld. el. jur. hittills; förut,
fordom, tillförne

herewith [ˌhɪə'wɪð] *adv* högtidl. härmed

heritage ['herɪtɪdʒ] *s* **1** arv; arvedel **2** kulturarv,
fädernearv; *~ coast* kuststräcka officiellt förklarad
som naturminne

hermaphrodite [hɜː'mæfrədaɪt] **I** *s* hermafrodit
II *adj* hermafroditisk, tvåkönad

hermetic [hɜː'metɪk] *adj* hermetisk, hermetiskt
tillsluten

hermit ['hɜːmɪt] *s* eremit; enstöring

hermitage ['hɜːmɪtɪdʒ] *s* eremithydda,
eremitboning; byggn. eremitage

hermit crab [ˌhɜːmɪt'kræb] *s* zool. eremitkräfta

hernia ['hɜːnɪə] *s* med. bråck

herniated ['hɜːnɪeɪtɪd] *adj* med. med bråck[bildning]

hero ['hɪərəʊ] (pl. *-es*) *s* **1** hjälte; *the ~ of the day*
dagens hjälte, hjälten för dagen **2** [manlig]
huvudperson i bok o.d., hjälte [*the ~ of the play*]
3 idol **4** amer. vard., ung. dubbel landgång

Herod ['herəd] bibl. Herodes

heroic [hɪ'rəʊɪk] *adj* heroisk; hjälte- [*~ death*; *~
deeds*; *~ tenor*]; hjältemodig

heroics [hɪ'rəʊɪks] *s pl* **1** högtravande språk (stil,
ton) **2** hjältedåd

heroin ['herəʊɪn] *s* heroin; *~ addict* heroinist,
heroinmissbrukare; *~ addiction* heroinmissbruk

heroine ['herəʊɪn] *s* **1** hjältinna **2** [kvinnlig]
huvudperson i bok o.d., hjältinna [*the ~ of the film*]
3 idol

heroinism ['herəʊɪnɪzm] *s* heroinmissbruk

heroism ['herəʊɪz(ə)m] *s* hjältemod, heroism

heron ['her(ə)n] *s* zool. häger; *night ~* natthäger

hero-worship ['hɪərəʊˌwɜːʃɪp] **I** *s* hjältedyrkan,
idoldyrkan **II** *vb tr* dyrka som hjälte (idol)

herpes ['hɜːpiːz] *s* med. herpes

herpes zoster [ˌhɜːpiːz'zɒstə] *s* med. bältros

herring ['herɪŋ] *s* zool. sill

herringbone ['herɪŋbəʊn] *s* sillben; attr. fiskbens- [*~
pattern*]; fiskbensmönstrad [*~ tweed*]

herring gull ['herɪŋgʌl] *s* zool. gråtrut

hers [hɜːz] *självst poss pron* hennes [*is that book
~?*]; sin [*she must take ~*]; *a friend of ~* en vän till
henne; jfr *1 mine*

herself [hə'self] *rfl pron* o. *pers pron* sig [*she dressed
~*]; sig själv [*she helped ~*; *she is not ~ today*]; hon
själv [*nobody but ~*]; själv [*she can do it ~*]; *her
brother and ~* hennes bror och hon [själv]; *the queen*

~ drottningen själv; själva[ste] drottningen, drottningen i egen hög person; jfr *myself*
Hertford [i England 'hɑ:fəd, 'hɑ:tf-, i USA 'hɜ:tfəd]
Hertfordshire ['hɑ:fədʃɪə, 'hɑ:tf-, -ʃə] geogr.
Herts [hɑ:ts] förk. för *Hertfordshire*
hertz [hɜ:ts] (pl. *hertz*) s fys. hertz
Herzegovina [ˌhɜ:tsə'gɒvɪnə] geogr. Hercegovina
he's [hi:z, hɪz] = *he is* o. *he has*
hesitant ['hezɪt(ə)nt] adj tvekande, tveksam, osäker
hesitate ['hezɪteɪt] vb itr **1** tveka [*about* om; *at*, *over* inför]; *he ~s at nothing* han drar sig inte för någonting **2** hacka i talet; *~ for words* leta efter orden
hesitation [ˌhezɪ'teɪʃ(ə)n] s tvekan, tveksamhet; betänkligheter; *have no ~ in doing sth* inte tveka att göra ngt
heterodox ['het(ə)rə(ʊ)dɒks] adj heterodox, irrlärig; kättersk
heterogeneity [ˌhetərə(ʊ)dʒɪ'ni:ətɪ] s heterogenitet, olikhet
heterogeneous [ˌhetərə(ʊ)'dʒi:nɪəs] adj heterogen, olik[artad]; brokig [*a ~ collection*]
heterosexual [ˌhetərə(ʊ)'seksjʊəl] adj heterosexuell
heterosexuality ['hetərə(ʊ)ˌseksjʊ'ælɪtɪ] s heterosexualitet
het up [ˌhet'ʌp] adj vard. upphetsad, upprörd, förbannad
hew [hju:] (*~ed ~ed* el. *~n*) vb tr **1** hugga [i] ngt, hugga sönder [vanl. *~ to pieces*; *~ asunder*] **2** hugga till; släthugga
hewn [hju:n] perf. p. av *hew*
hexa- ['heksə] *prefix* hexa-, sex-
hexagon ['heksəgən] s geom. hexagon, sexhörning
hexagonal [hek'sægənl] adj geom. hexagonal, sexkantig, sexvinklig, sexhörnig
hexameter [hek'sæmɪtə] s metrik. hexameter
hey [heɪ] *interj* hej! för att påkalla uppmärksamhet, hallå [där]!; hurra!; åh!, oh!; va?; hör nu!; *~, you!* hallå där!; *~ presto!* hokuspokus!, vips!
heyday ['heɪdeɪ] s höjd[punkt]; glansperiod, glansdagar, bästa dagar (tid); blomstringstid
HF [ˌeɪtʃ'ef] förk. för *high frequency*
hg förk. för *hectogram[s]*, *hectogramme[s]*
HGV [ˌeɪtʃdʒi:'vi:] (förk. för *heavy goods vehicle*) **1** tungt transportfordon **2** trafikkort
HH [ˌeɪtʃ'eɪtʃ] förk. för *His (Her) Highness*
HHS [ˌeɪtʃeɪtʃ'es] amer. förk. för *Department of Health and Human Services* se *health 2*
HI förk. för *Hawaii*
hi [haɪ] *interj* vard., *~ [there]!* hej!, hejsan!, tjänare!
hiatus [haɪ'eɪtəs] s avbrott; lucka, gap t.ex. i manuskript
hibernate ['haɪbəneɪt] vb itr övervintra; gå (ligga) i ide äv. bildl.
hibernation [ˌhaɪbə'neɪʃ(ə)n] s **1** övervintring; djurs vinterdvala; *go into ~* gå i ide **2** bildl. dvala, viloperiod
hibiscus [hɪ'bɪskəs] s bot. hibiskus
hiccough ['hɪkʌp] s o. vb itr se *hiccup*
hiccup ['hɪkʌp] **I** s **1** hickning, hicka; *have [the] ~s* ha hicka **2** vard. störning; *without a ~* äv. utan problem
II vb itr hicka

hick [hɪk] vanl. amer. sl. **I** s bondlurk, lantis; landsortsbo **II** adj bondsk, lantlig; landsorts-
hickey ['hɪkɪ] s amer. **1** grej, manick, mojäng **2** vard. sugmärke
hickory ['hɪkərɪ] s **1** hickory[träd], amerikanskt valnötsträd **2** hickory [*~ ski*]; hickoryträ
hid [hɪd] imperf. o. perf. o. av *1 hide*
hidden ['hɪdn] **I** perf. p. av *1 hide* **II** adj [undan]gömd; [för]dold, hemlig [*~ motives*]
hidden agenda [ˌhɪdnə'dʒendə] s dold plan (avsikt)
1 hide [haɪd] **I** (*hid hidden* el. *hid*) vb tr gömma, dölja [*from* för; *for* åt]; hålla gömd; *~ oneself* gömma sig, hålla sig gömd; *I didn't know where to ~ myself* jag visste inte var jag skulle göra av mig; *~ one's light under a bushel* sätta sitt ljus under skäppan
II (*hid hidden* el. *hid*) vb itr gömma sig, hålla sig gömd; *~ out* vard. hålla sig undan (gömd)
III s gömställe för att kunna iaktta djurlivet
2 hide [haɪd] s **1** [djur]hud; skinn **2** vard. skinn [*save one's ~*]; *have a thick ~* ha hård (tjock) hud, vara tjockhudad; *not see ~ nor hair of sb* (*sth*) inte se skymten av ngn (ngt); *tan sb's ~* ge ngn på huden, klå upp ngn
hide-and-seek [ˌhaɪdən(d)'si:k] s kurragömma
hide-away ['haɪdəˌweɪ] s vard. gömställe
hidebound ['haɪdbaʊnd] adj bildl. inskränkt; förstockad, trångsynt
hideous ['hɪdɪəs] adj otäck, ohygglig, avskyvärd; anskrämlig
hide-out ['haɪdaʊt] s vard. gömställe för förbrytare, gerilla o.d., tillhåll
1 hiding ['haɪdɪŋ] s **1** gömmande etc., jfr *1 hide* **2** *be in ~* hålla sig gömd; *go into ~* gömma sig; söka skydd [*in* i]; *come out of ~* komma fram, dyka upp igen **3** gömställe
2 hiding ['haɪdɪŋ] s stryk; *a [good] ~* ett [ordentligt] kok stryk; *be on a ~ to nothing* vara chanslös, inte ha någon chans
hiding place ['haɪdɪŋpleɪs] s gömställe
hierarchical [ˌhaɪə'rɑ:kɪk(ə)l] adj hierarkisk
hierarchy ['haɪərɑ:kɪ] s hierarki; rangordning
hieroglyph ['haɪərə(ʊ)glɪf] s hieroglyf[tecken]
hieroglyphic [ˌhaɪərə(ʊ)'glɪfɪk] adj hieroglyfisk, hieroglyf-
hieroglyphics [ˌhaɪərə(ʊ)'glɪfɪks] s pl hieroglyfer äv. skämts. [*I can't decipher her ~*]; hieroglyfskrift
hi-fi [ˌhaɪ'faɪ] (kortform för *high-fidelity*) **I** s **1** hi-fi naturtrogen ljudåtergivning **2** ngt åld. hi-fi-anläggning **II** adj hi-fi- [*a ~ set* (anläggning)]
higgledy-piggledy [ˌhɪgldɪ'pɪgldɪ] **I** adv huller om buller **II** adj rörig, kaotisk
high [haɪ] **I** adj (se äv. *sea*, *spirit* o. *tea* m.fl. subst.)
1 hög; högt belägen; *the tide is ~* det är flod, jfr *high tide*; *~ and dry* sjö. på torra land; strandad; bildl. ställd utanför; barskrapad; *leave sb ~ and dry* lämna ngn i sticket **2** hög, högre [*a ~ official*]; fin, förnäm [*of ~ family*]; *in ~ places* el. *in ~ quarters* på högre ort **3** förnämst; i titlar över- [*High Commissioner*]; **High Admiral** storamiral **4** hög [*~ fever*]; stark; intensiv, livlig; *~ colour* el. *~ complexion* hög [ansikts]färg; *~ wind* hård (stark, kraftig) vind **5** *it is ~ time we went* det är på tiden (hög tid) att vi går **6** högdragen; *be ~ and mighty* vard. vara hög [av sig], vara dryg

(överlägsen) **7** extrem, ultra- [*a ~ Tory*], kyrkl.
ortodox, högkyrklig, jfr äv. *High Church*
8 upprymd, glad; pred., vard. uppspelt; full, på
snusen; hög, påtänd narkotikaberusad; *~ jinks* åld., se
high jinks; *have a ~ time* vard. ha jättekul **9** lyxig,
flott [*~ living*] **10** om kött ankommen; om vilt vanl.
välhängd, med stark viltsmak
II *adv* (se äv. *1 fly* o. *run* m.fl. verb) **1** högt [*~ in the air*;
~ up]; *search* (*hunt, look*) *~ and low* leta överallt,
söka med ljus och lykta **2** högt, i högt tonläge;
gällt **3** starkt, kraftigt [*the wind was blowing ~*];
feelings ran ~ känslorna svallade (råkade i
svallning) **4** *as ~ as* så högt som
III *s* **1** topp, rekord[höjd], höjdpunkt; *hit* (*reach*) *a*
new ~ nå nya rekordsiffror **2** meteor. högtryck,
högtrycksområde **3** *on ~* i (mot) höjden
(himmelen); *from on ~* från höjden (ovan); uppifrån
4 vard. kick, stimulans
high-and-mighty [ˌhaɪən(d)ˈmaɪtɪ] *adj* vard.
högdragen, överlägsen, dryg
highball [ˈhaɪbɔːl] *s* vanl. amer. grogg
high beam [ˌhaɪˈbiːm] *s* amer. bil. helljus
high-born [ˌhaɪˈbɔːn, attr. ˈ--] *adj* förnäm, av fin
familj, högättad
highboy [ˈhaɪbɔɪ] *s* amer. byrå med höga ben
highbrow [ˈhaɪbraʊ] vard. **I** *s* intelligensaristokrat;
neds. intelligenssnobb, kultursnobb **II** *adj*
intellektuell [av sig]; neds. intelligenssnobbig,
kultursnobbig
high chair [ˌhaɪˈtʃeə] *s* hög barnstol
High Church [ˌhaɪˈtʃɜːtʃ] **I** *s* högkyrka[n] den
högkyrkliga riktningen inom den anglikanska kyrkan **II** *adj*
högkyrklig, jfr *High Church I*
high-class [ˌhaɪˈklɑːs, attr. ˈ--] *adj* **1** högklassig;
förstklassig [*a ~ hotel*]; kvalitets- [*~ article*]
2 överklass-
High Commissioner [ˌhaɪkəˈmɪʃ(ə)nə] *s*
1 överkommissarie ung. ambassadör inom Samväldet
2 *the United Nations ~ for Refugees* (förk. *UNHCR*)
FN:s flyktingkommissariat
high definition [ˌhaɪdefɪˈnɪʃ(ə)n] *adj*, *~ television*
(förk. *HDTV*) högupplösnings-tv
high-end [ˌhaɪˈend] *adj* avancerad, högkvalitativ
high-explosive [ˌhaɪɪkˈspləʊsɪv, -eks-] *adj*
högexplosiv; spräng- [*~ bomb*]; *~ shell*
spränggranat
high explosive [ˌhaɪɪkˈspləʊsɪv, -eks-] *s*
högexplosivt sprängämne
highfalutin [ˌhaɪfəˈluːtɪn] *adj* vard. uppstyltad,
pompös [*~ language*]; högtflygande [*~ ideas*]
high-fidelity [ˌhaɪfɪˈdelətɪ] *adj* high fidelity- med
naturtrogen ljudåtergivning [*a ~ set* (anläggning)]
high fidelity [ˌhaɪfɪˈdelətɪ] *s* high fidelity naturtrogen
ljudåtergivning
high finance [ˌhaɪˈfaɪnæns] *s* storfinans[en]
high-five [ˌhaɪˈfaɪv] *s* high-five triumfgest där två personer
slår ihop sina uppsträckta händer; *lay down* (*slap*) *~s* göra
en high-five
highflier o. **highflyer** [ˌhaɪˈflaɪə] *s* streber; *she is a ~*
hon är mycket lovande, hon kommer att göra en
lysande karriär
highflown [ˈhaɪfləʊn] *adj* högtravande
high-flying [ˌhaɪˈflaɪɪŋ] *adj* högtflygande; högt
strävande, ärelysten

high-frequency [ˌhaɪˈfriːkwənsɪ] **I** *adj* högfrekvens-
[*~ amplifier*; *~ generator*] **II** *s* se under *frequency*
high-grade [ˈhaɪgreɪd] *adj* förstklassig, prima, av
hög kvalitet, kvalitets-, högvärdig
high-handed [ˌhaɪˈhændɪd, attr. ˈ-ˌ--] *adj* egenmäktig,
godtycklig; överlägsen, övermodig [*he has a ~*
manner]; myndig
high-hat [ˈhaɪhæt] vard. **I** *s* **1** stropp; högfärdsblåsa
2 mus. high-hat (hi-hat) cymbaler i trumset
II *vb tr* vara mallig mot
III *adj* högfärdig, högdragen, dryg
high-heeled [ˈhaɪhiːld, pred. ˌ-ˈ-] *adj* högklackad
high heels [ˌhaɪˈhiːlz] *s pl* högklackade skor
high jinks [ˌhaɪˈdʒɪŋks, ˈ--] *s pl* ngt åld. [galna]
upptåg, skoj; fest[ande]
high jump [ˈhaɪdʒʌmp] *s* **1** sport., *the ~* höjdhopp
2 sl., *he's for the ~* han kommer att åka dit (få det
hett)
high jumper [ˈhaɪdʒʌmpə] *s* sport. höjdhoppare
highland [ˈhaɪlənd] **I** *s* högland **II** *adj* höglands-
Highlander [ˈhaɪləndə] *s* **1** [skotsk] högländare
2 soldat vid skotskt regemente
Highlands [ˈhaɪləndz] *s pl*, *the ~* Skotska
högländerna
high-level [ˈhaɪlevl] *adj* på hög nivå [*~ conference*]
high-level language [ˈhaɪˌlevlˈlæŋgwɪdʒ] *s* data.
högnivåspråk
high life [ˈhaɪlaɪf] *s* **1** [livet i] den förnäma världen
(de bättre kretsarna) **2** mus. highlife
highlight [ˈhaɪlaɪt] **I** *vb tr* **1** bildl. framhäva,
accentuera; markera med t.ex. överstrykningspenna
2 slinga håret
II *s* **1** höjdpunkt; huvudattraktion; pl. *~s* mus. urval
[av kända partier] **2** konst., *~* [*s* pl.] glansdagar,
huvudljus **3** pl. *~s* [blekta] slingor i håret
highlighter [ˈhaɪˌlaɪtə] *s* **1** överstrykningspenna,
märkpenna **2** highlighter för ögonen
highly [ˈhaɪlɪ] *adv* **1** högt [*~ esteemed*]; starkt [*~*
seasoned]; *~ paid* högavlönad **2** högst, ytterst,
högeligen, i hög grad [*~ interesting*; *~ surprised*]; *~*
recommend varmt rekommendera **3** berömmande,
uppskattande [*speak ~ of sb*]; *think ~ of sb* ha höga
tankar om ngn
highly-strung [ˌhaɪlɪˈstrʌŋ] *adj* nervös [av sig];
överspänd; *~ nerves* spända nerver
high mass [ˌhaɪˈmæs] *s* kyrkl. (katol.) högmässa
high-minded [ˌhaɪˈmaɪndɪd, attr. ˈ-ˌ--] *adj* högsint;
upphöjd, ädel [*~ purpose*]
high-necked [ˌhaɪˈnekt, attr. ˈ--] *adj* höghalsad [*a ~*
gown]
Highness [ˈhaɪnəs] *s*, *His* (*Her, Your*) *~* Hans
(Hennes, Ers) Höghet titel för furstlig person
highness [ˈhaɪnəs] *s* höjd, storlek; *the ~ of prices* de
höga priserna
high noon [ˌhaɪˈnuːn] *s* **1** middag, klockan tolv [på
dagen]; *at ~* klockan tolv [på dagen] **2** bildl.
middagshöjd, höjdpunkt
high-octane [ˌhaɪˈɒkteɪn] *adj*, *~ petrol* el. *~ gasoline*
högoktanig bensin
high-performance [ˌhaɪpəˈfɔːməns] *adj*
högpresterande [*a ~ car*; *a ~ computer*]
high-pitched [ˌhaɪˈpɪtʃt, attr. ˈ--] *adj* hög, som har
högt tonläge [*a ~ sound*]; gäll, skrikig [*a ~ voice*]
high-powered [ˌhaɪˈpaʊəd] *adj* **1** högeffektiv,

driftig, dynamisk [~ *executives*] **2** energisk, intensiv [*a ~ political campaign*] **3** stark, kraftig [*a ~ engine*]; starkt förstorande [*a ~ microscope*]; *a ~ car* en bil med stark motor

high-pressure [ˌhaɪ'preʃə, attr. '-ˌ--] *adj* **1** stressig [*a ~ job*] **2** högtrycks- [~ *cylinder*] **3** påträngande [~ *advertising*; ~ *selling*]; som utövar påtryckningar

high pressure [ˌhaɪ'preʃə] *s* högtryck

high-priced [ˌhaɪ'praɪst, attr. '--] *adj* dyr[bar], kostsam

high priest [ˌhaɪ'priːst] *s* överstepräst

high-profile [ˌhaɪ'prəʊfaɪl, attr. '-ˌ--] *adj* uppmärksammad [~ *campaign*]

high-ranking ['haɪˌræŋkɪŋ] *adj* högt uppsatt, med hög rang; *a ~ officer* äv. en högre officer

high-rise ['haɪraɪz] **I** *adj* **1** höghus- [~ *area*]; ~ *building* höghus **2** med hög midja, högt skuren [~ *jeans*]
II *s* höghus

high-risk [ˌhaɪ'rɪsk] *adj* högrisk-; som befinner sig i riskzonen (i stor fara); ~ *group* riskgrupp

highroad ['haɪrəʊd] *s* **1** huvudväg, landsväg **2** bildl., *the ~ to success* [den säkra] vägen till framgång

high roller [ˌhaɪ'rəʊlə] *s* vanl. amer. vard. **1** slösare; *be a ~* äv. låta pengarna rulla **2** storspelare; chanstagare

high school ['haɪskuːl] *s* **1** i Storbritannien skola för elever mellan 11 och 18 år **2** i USA **a)** 4-årig skola för elever mellan 14 och 18 år **b)** *junior ~* 3-årig skola för elever mellan 12 och 15 år; *senior ~* 3-årig skola för elever mellan 15 och 18 år

high seas [ˌhaɪ'siːz] *s pl*, *the ~* öppna havet utanför territorialgränsen

high season [ˌhaɪ'siːzn] *s* högsäsong

high-security [ˌhaɪsɪ'kjʊərətɪ] *adj* välbevakad [*a ~ prison*; *a ~ prisoner*]

high-sounding ['haɪˌsaʊndɪŋ, pred. ˌ-'--] *adj* klingande [~ *titles*]; högtravande

high-speed [ˌhaɪ'spiːd] *adj* snabbgående

high-speed modem [ˌhaɪspiːd'məʊdem] *s* data. höghastighetsmodem

high-speed train [ˌhaɪspiːd'treɪn] (förk. *HST*) *s* höghastighetståg

high-spirited [ˌhaɪ'spɪrɪtɪd] *adj* oförskräckt, morsk; livlig; eldig, yster [*a ~ horse*]

high spot ['haɪspɒt] *s* vard. höjdpunkt; *hit the ~s* slå runt, vara ute och festa

high street ['haɪstriːt] *s* storgata, huvudgata

high-strung [ˌhaɪ'strʌŋ] *adj* nervös [av sig]; överspänd; ~ *nerves* spända nerver

high table [ˌhaɪ'teɪbl] *s* univ. honnörsbord

hightail ['haɪteɪl] *vb itr* o. *vb tr* vanl. amer. vard., ~ *it* sticka, dunsta, försvinna [~ *down the street*]

high tea [ˌhaɪ'tiː] *s* se *high tea* under *tea*

high-tech [ˌhaɪ'tek] *adj* högteknologisk, high-tech

high technology [ˌhaɪtek'nɒlədʒɪ] *s* högteknologi

high-tension [ˌhaɪ'tenʃ(ə)n] *adj* elektr. högspännings- [~ *cable*]; ~ *current* högspänd ström, starkström

high tension [ˌhaɪ'tenʃ(ə)n] *s* elektr. högspänning

high tide [ˌhaɪ'taɪd] *s* **1** bildl. höjdpunkt, kulmen **2** flod, högvatten

high-tops ['haɪtɒps] *s pl* höga gymnastikskor, kängor

high treason [ˌhaɪ'triːzn] *s* högförräderi

high-up ['haɪʌp] *s* vard. högdjur, höjdare; pamp

high-voltage [ˌhaɪ'vəʊltɪdʒ] *adj* elektr. högspännings- [~ *cable*]; ~ *current* starkström

high voltage [ˌhaɪ'vəʊltɪdʒ] *s* elektr. högspänning

high water [ˌhaɪ'wɔːtə] *s* högvatten, flod

high-water mark [ˌhaɪ'wɔːtəˌmɑːk] (förk. *HWM*) *s* högvattensmärke; bildl. höjdpunkt

highway ['haɪweɪ] *s* **1** huvudväg, [stor] landsväg; *divided ~* el. *dual ~* amer. väg med skilda körbanor; ~*s and byways* vägar och stigar **2** [huvud]stråk, led äv. till sjöss **3** bildl., se *highroad 2*

Highway Code ['haɪweɪkəʊd] *s*, *the ~* britt. regelsamling för vägtrafikanter

highway|man ['haɪweɪ|mən] (pl. -*men* [-mən]) *s* stråtrövare spec. till häst

highway patrol [ˌhaɪweɪpə'trəʊl] *s* amer., *the ~* vägpolisen

high wire [ˌhaɪ'waɪə] *s* lina för lindans

hijab [hɪ'dʒɑːb] *s* hijab, huvudduk som muslimska kvinnor har på sig

hijack ['haɪdʒæk] vard. **I** *vb tr* **1** kapa t.ex. flygplan; [preja och] råna (plundra, stjäla) under transport [~ *goods from a train*] **2** amer., ~ *sb into doing sth* tvinga (pressa) ngn att göra ngt
II *s* kapning av t.ex. flygplan

hijacker ['haɪˌdʒækə] *s* vard. [flygplans]kapare; rånare, plundrare

hijacking ['haɪdʒækɪŋ] *s* kapning av t.ex. flygplan

hike [haɪk] vard. **I** *s* **1** [fot]vandring; *take a ~!* amer. vard. stick!, dra! **2** höjning, ökning [*a ~ in wages*]
II *vb itr* **1** [fot]vandra; [motions]promenera **2** ~ *up* om kläder åka (glida) upp
III *vb tr* **1** dra, hissa [~ *up one's socks*] **2** släpa, fösa [*they ~d him out*] **3** höja [~ *the price of milk*]

hiker ['haɪkə] *s* [fot]vandrare

hilarious [hɪ'leərɪəs] *adj* **1** uppsluppen, livad [*a ~ party*]; munter, lustig **2** festlig, dråplig

hilarity [hɪ'lærətɪ] *s* uppsluppenhet; munterhet

Hilary ['hɪlərɪ] mansnamn el. kvinnonamn

hill [hɪl] *s* **1** kulle, berg, höjd; backe; *as old as the ~s* gammal som gatan, urgammal; *be over the ~*; ha passerat den kritiska punkten, ha det bästa bakom sig; vara lite för gammal; *up ~ and down dale* backe upp och backe ned **2** hög, kupa av jord, sand o.d., stack [*ant-hill*]

hillbilly ['hɪlˌbɪlɪ, ˌ-'--] *s* amer. vard. **1** lantis, bondlurk spec. från bergstrakterna i södra USA **2** attr. lantlig, bondsk; ~ *music* folkmusik från södra USA

hillock ['hɪlək] *s* mindre kulle; hög

hillside ['hɪlsaɪd] *s* bergssluttning, backsluttning, backe

hilltop ['hɪltɒp] *s* backkrön

hilly ['hɪlɪ] *adj* bergig, kullig, kuperad [~ *country*]; backig [~ *road*]; brant

hilt [hɪlt] *s* fäste, handtag på svärd, dolk o.d.; [*up*] *to the ~* helt och hållet, till fullo

him [hɪm, obeton. äv. ɪm] (objektsform av *1 he*) **I** *pers pron* **1** honom **2** vard. han [*it's ~*] **3** sig [*he took it with ~*]
II *determ pron* den [*the prize goes to ~ who wins*]

Himalaya [ˌhɪmə'leɪə] geogr., *the ~s* pl. el. *the ~ Mountains* (pl.) Himalaya[bergen]

himbo ['hɪmbəʊ] (pl. ~*s*) *s* himbo manlig bimbo

himself [hɪm'self] *rfl pron* o. *pers pron* sig [*he brushed ~*]; sig själv [*he helped ~*; *he is not ~*

today]; han själv [*nobody but* ~]; själv [*he can do it* ~]; **his father and** ~ hans far och han [själv]; **the king** ~ kungen själv (i egen hög person), själva[ste] kungen; jfr *myself*

1 hind [haɪnd] *adj* bakre, bak- [~ *wheel*]

2 hind [haɪnd] *s* zool. hind

hinder ['hɪndə] *vb tr* hindra [*from going* [från] att gå; ~ *sb in his work*]; förhindra [~ *a crime*]; avhålla [*from* från]; vara (stå) i vägen för

Hindi ['hɪndɪ, -di:] *s* hindi språk

hind leg [ˌhaɪnd'leg] *s* zool. bakben; **he can talk the** ~ **off a donkey** vard. han är en riktig pratkvarn, mun går i ett på honom; **get up on one's** ~**s** a) skämts. resa sig, stiga (komma) upp spec. för att hålla tal, ta till orda b) om häst stegra sig c) skämts. bli jättearg

hindmost ['haɪn(d)məʊst] *adj* bakerst; borterst

hindquarters [ˌhaɪnd'kwɔːtəz] *s pl* på djur länder, bakdel

hindrance ['hɪndr(ə)ns] *s* hinder [*to* för]; **be more of a** ~ **than a help** vara mera till besvär än till nytta

hindsight ['haɪndsaɪt] *s* efterklokhet; **with** [**the benefit of**] ~... i efterhand när jag (vi etc.) vet hur det gick...

Hindu [ˌhɪn'duː, attr. '--] **I** *s* hindu **II** *adj* hinduisk; indisk

Hinduism ['hɪnduɪz(ə)m] *s* hinduism

hinge [hɪn(d)ʒ] **I** *s* gångjärn; **take a door off its** ~**s** lyfta av en dörr
II *vb tr* förse (fästa) med gångjärn
III *vb itr*, ~ **on** (**upon**) bildl. hänga (bero) på [*everything* ~*s* [*up*]*on what happens next*]; röra sig om (kring) [*the argument* ~*d on this point*]

hinged [hɪndʒd] *adj* gångjärnsförsedd, med gångjärn

hint [hɪnt] **I** *s* **1** vink, antydan, fingervisning; anspelning; pl. ~**s** äv. råd [~*s for housewives*]; tips [*a few* ~*s on* (om) *how to do it*]; **drop a** ~ ge en vink; **take the** ~ förstå vinken; *I can take a* ~ jag förstår piken **2** aning, gnutta [*gin with a* ~ *of vermouth*]; **there was no** ~ **of malice** [**in his words**] det fanns inte ett spår (en skymt) av elakhet...
II *vb tr* antyda [*to* för]; låta ana
III *vb itr*, ~ **at** antyda, ge en vink om; anspela (syfta) på

hinterland ['hɪntəlænd] *s* inland mots. kustland

1 hip [hɪp] *s* höft; **she stood with her hands on her** ~**s** hon stod med händerna i sidan; **have sb on the** ~ ha övertaget över ngn

2 hip [hɪp] *s* nypon frukt [äv. *rose* ~]

3 hip [hɪp] *adj* ngt åld. sl. hip, inne modern

4 hip [hɪp] *interj*, ~, ~, **hurrah** (**hurray**)**!** hipp hipp hurra!

hip arthroplasty ['hɪpˌɑːθrəʊplæstɪ] *s* med. höftledsoperation

hip bath ['hɪpbɑːθ] *s* sittbad; sittbadkar

hip flask ['hɪpflɑːsk] *s* [fick]plunta

hip-hop [ˌhɪp'hɒp] **I** *s* hiphop ungdomskultur o. dansmusik **II** *vb itr* dansa till hiphop[musik]

hiphuggers ['hɪpˌhʌgəz] *s pl* amer. byxor som sitter på höften

hippie ['hɪpɪ] *s* hippie

hippo ['hɪpəʊ] (pl. ~s) *s* vard. flodhäst

hip pocket [ˌhɪp'pɒkɪt] *s* bakficka på byxor

Hippocratic oath [ˌhɪpə(ʊ)krætɪk'əʊθ] *s*, **the** ~ Hippokrates ed, läkareden

hippopotam|us [ˌhɪpə'pɒtəm|əs] (pl. -*uses*, ibl. -*i* [-aɪ]) *s* zool. flodhäst

hippy ['hɪpɪ] *s* se *hippie*

hip replacement ['hɪprɪˌpleɪsmənt] *s* med., se *replacement 1*

hipsters ['hɪpstəz] *s pl* byxor som sitter på höften

hire ['haɪə] **I** *s* **1** hyra, [hyres]avgift för tillfälligt bruk av ngt; **for** ~ till uthyrning, att hyra; på taxibil ledig; **on** ~ a) att hyra, till uthyrning [*boats on* ~] b) [för]hyrd [*I've only got the car on* ~]; **let out on** ~ hyra ut
2 tjänstefolks lön **3** bildl. lön, ersättning
II *vb tr* **1** hyra [~ *a car*; ~ *a restaurant*] **2** vanl. amer. anställa, anlita **3** leja [~ *a murderer*]
III *vb tr* med adv.:
hire out hyra ut [~ *out cars*]

hire car ['haɪəkɑː] *s* hyrbil

hired ['haɪəd] *adj* hyrd [*a* ~ *car*]; lejd [~ *servants*; *a* ~ *murderer*]; ~ **bus** abonnerad (hyrd) buss; ~ **girl** amer. tjänsteflicka

hireling ['haɪəlɪŋ] *s* person som bara arbetar för pengarnas skull, person som kan köpas

hire purchase [ˌhaɪə'pɜːtʃəs] (förk. *HP*) *s* avbetalningsköp som system; attr. avbetalnings- [~ *system*]; ~ **agreement** el. ~ **contract** avbetalningskontrakt; **buy on** ~ el. **pay for on** ~ köpa på avbetalning

hirsute ['hɜːsjuːt] *adj* hårig, lurvig, raggig

his [hɪz, obeton. ɪz] *fören o. självst poss pron* hans [*it's* ~ *car*; *the car is* ~]; sin [*he sold* ~ *car*]; jfr *my I* o. *1 mine*

Hispanic [hɪ'spænɪk] **I** *adj* **1** spansk **2** vanl. amer. latinamerikansk
II *s* vanl. amer., invandrad latinamerikan, latinamerikanska

hiss [hɪs] **I** *vb itr* väsa, fräsa; brusa; vissla [*at* åt]
II *vb tr* **1** vissla åt, vissla ut; ~ **an actor off the stage** vissla ut en skådespelare **2** väsa fram
III *s* väsning, fräsande; brusande; i t.ex. radio brus; [ut]vissling

histamine ['hɪstəmiːn, -maɪn] *s* kem. histamin

histogram ['hɪstəgræm] *s* statistik. stapeldiagram

historian [hɪ'stɔːrɪən] *s* historiker; ~ **of literature** litteraturhistoriker

historic [hɪ'stɒrɪk] *adj* historisk märklig, minnesvärd [*a*[*n*] ~ *building* (*moment, speech*)]; **within** ~ **times** i historisk tid

historical [hɪ'stɒrɪk(ə)l] *adj* historisk som tillhör (bygger på) historien [*a*[*n*] ~ *document* (*novel*)]; historie- [~ *writing*]

history ['hɪst(ə)rɪ] *s* **1** historia; historien [*for the first time in* ~]; **ancient** ~ forntidens historia; **mediaeval** ~ medeltidens historia; **modern** ~ nyare tidens historia; **it's** [**ancient**] ~ **now** vard. det är ingen nyhet längre; det hör till det förgångna; **recent** ~ modern historia; ~ **of art** konsthistoria; ~ **of the world** världshistoria; **make** ~ skriva (göra) historia, vara epokgörande; **go down in** ~ gå till historien (eftervärlden) **2** **he has a** ~ **of violent crime** han har en rad grova brott bakom sig; **there is a** ~ **of heart disease in our family** vi har mycket hjärtsjukdom i familjen (släkten)

histrionic [ˌhɪstrɪ'ɒnɪk] *adj* **1** skådespelar-, teater- **2** teatralisk

hit [hɪt] **I** (*hit hit*) *vb tr* **1** slå [till]; träffa [*he did not*

~ *me*]; ~ [*it*] *big* slå igenom stort; ~ *the mark* el. ~ *the spot* el. ~ *the target* träffa prick (rätt); *it ~s you in the eye* det faller i ögonen, det är påfallande **2** slå, stöta [*against, on* mot, på, i] **3** köra (ränna, stöta, törna) mot, köra på [*the car ~ a tree*]; träffa, ta i [*the ball ~ the post*] **4** komma på, hitta, finna [*~ a happy medium*]; träffa [*~ the right note*] **5** drabba (träffa) [kännbart] [*feel* [*oneself*] *~*]; *that ~ him hard* det tog honom hårt; *be hard ~* drabbas hårt (kännbart); *he didn't know what had ~ him* han blev alldeles paff (tillplattad) **6** vard. nå, komma upp till [*~ a new high*]; komma [upp] på [*~ the front page*]; ~ *the hay* el. ~ *the sack* vard. krypa till kojs, gå och knyta sig; ~ *the road* el. ~ *the trail* vard. a) ge sig ut på luffen, lifta b) ge sig i väg; ~ *the roof* el. ~ *the ceiling* vard. gå i taket [av ilska] **7** ~ *it off* vard. komma [bra] överens
II (*hit hit*) *vb itr* **1** slå, rikta slag [*at* mot] **2** träffa; stöta, slå [*against* mot]; ~ *and run* smita [från olycksplatsen] om bilförare, se vidare *hit-and-run*; ~ *or miss* på vinst och förlust; på en höft
III (*hit hit*) *vb itr* med adv. el. prep.:
hit back a) slå tillbaka b) bildl. bita ifrån sig
hit on komma (hitta) på; träffa på; råka; ~ *on sb* 'stöta på ngn
hit out slå omkring sig; ~ *out at* el. ~ *out against* slå efter; bildl. gå till attack mot [*~ out at one's critics*]
hit upon komma (hitta) på [*~ upon an idea*]; träffa på; råka
IV *s* **1** slag, stöt, träff spec. i spel, fäktning o.d.; *direct ~* fullträff **2** gliring **3** [*lucky*] ~ lyckokast; lyckträff **4** [publik]succé, braksuccé; slagnummer; hit; *be* (*make*) *a big ~* göra stor succé [*with* hos] **5** sl. mord på uppdrag **6** data. träff
hit-and-run [ˌhɪtən(d)'rʌn] *adj* **1** trafik., ~ *accident* smitningsolycka; ~ *case* [fall av] smitning; ~ *driver* smitare **2** mil., ~ *raid* blixtanfall; överraskningsräd
hitch [hɪtʃ] **I** *vb tr* **1** vard., ~ *a lift* el. ~ *a ride* lifta, få lift **2** rycka, dra [*I ~ed my chair nearer*]; rycka på **3** binda fast [*~ a horse to* (vid) *a tree*]; haka (göra) fast, koppla [*~ a trailer to a car*]; häkta fast, fästa **4** *get ~ed* vard. gänga sig, gifta sig
II *vb tr* med prep.:
hitch up a) dra (hala) upp [*~ up one's trousers*] b) spänna för [*~ up the mare*]
III *s* **1** hinder, hake; *there's a ~ somewhere* det finns en hake någonstans, det har hakat upp sig någonstans; *technical ~* tekniskt missöde; *without a ~* perfekt, utan problem **2** ryck, knyck, dragning; stöt **3** sjö. stek
hitchhike ['hɪtʃhaɪk] *vb itr* lifta
hitchhiker ['hɪtʃˌhaɪkə] *s* liftare
hi-tech [ˌhaɪ'tek] *adj* high-tech
hither ['hɪðə] *adv* litt. hit; ~ *and thither* hit och dit
hitherto [ˌhɪðə'tuː, '---] *adv* hit[in]tills
hit list ['hɪtlɪst] *s* lista över människor som ska mördas
hit man ['hɪtmæn] *s* vard. torped lejd mördare
hit parade ['hɪtpəˌreɪd] *s* mus. topplista, hitlista
hitter ['hɪtə] *s* person som slår, etc., jfr *hit* I; slagman
HIV [ˌeɪtʃaɪ'viː] *s* med. (förk. för *human immunodeficiency virus*) hiv
hive [haɪv] **I** *s* **1** a) bikupa b) bisamhälle [i en kupa], bisvärm **2** bildl. a) svärm b) myrstack; *what a ~ of*

industry! el. *what a ~ of acitivity!* vilka arbetsmyror!
II *vb tr* o. *vb itr* med adv.:
hive off a) tr. avskilja, bryta ut; knoppa av, stycka av b) itr. knoppa av (lägga över en del av produktionen på) dotterföretag
hives [haɪvz] (med verb i sg. el. pl.) *s* med. **1** nässelfeber **2** [hud]utslag **3** krupp
HIV-negative [ˌeɪtʃaɪviː'negətɪv] *adj* med. hivnegativ
HIV-positive [ˌeɪtʃaɪviː'pɒzətɪv] *adj* med. hivpositiv
hiya ['haɪjə] *interj* vard. hej!
HM [ˌeɪtʃ'em] förk. för *His* (*Her*) *Majesty*
hm o. **h'm** [mm, hm] *interj* se **2** hem
HMO [ˌeɪtʃem'əʊ] (förk. för *health maintenance organization*) vanl. amer., slags privat sjukförsäkringssystem
HMS [ˌeɪtʃem'es] förk. för *His* (*Her*) *Majesty's Service*, *His* (*Her*) *Majesty's Ship*
HMU [ˌeɪtʃem'juː] data. sl. (förk. för *Hit Me Up*) avsändaren önskar bli kontaktad via e-post, sms eller chatt
HNC [ˌeɪtʃen'siː] *s* (förk. för *Higher National Certificate*) brittisk examen från 1–2 årig yrkesutbildning
HND [ˌeɪtʃen'diː] *s* (förk. för *Higher National Diploma*) brittisk examen ovanpå *A-level* som berättigar till studier vid universitet
HO [ˌeɪtʃ'əʊ] förk. för *head office*, *Home Office*
hoard [hɔːd] **I** *s* **1** samlat förråd, lager; undangömd skatt [*a miser's ~*] **2** arkeol. depåfynd
II *vb tr* samla (skrapa) ihop, samla på hög (i förråd), lägga på kistbotten [ofta ~ *up*]; hamstra, lägga upp förråd av, lagra [*~ food*]
III *vb itr* hamstra, lägga upp förråd
hoarder ['hɔːdə] *s* samlare; hamstrare, lagrare; girigbuk
1 hoarding ['hɔːdɪŋ] *s* **1** affischtavla, annonstavla **2** plank kring bygge o.d.
2 hoarding ['hɔːdɪŋ] *s* samling, [upp]lagring; hamstring
hoarfrost [ˌhɔː'frɒst, '--] *s* rimfrost
hoarse [hɔːs] *adj* hes [*he shouted himself ~*]; skrovlig
hoary ['hɔːrɪ] *adj* **1** grå, grånad; gråhårig, vithårig **2** urgammal, uråldrig
hoax [həʊks] **I** *s* bluff; [tidnings]anka; *bomb ~* falskt bombhot **II** *vb tr* lura [*sb into doing sth* ngn [till] att göra ngt]; spela ngn ett spratt
hob [hɒb] *s* **1** [spis]häll **2** spiselhäll vid sidan av eldhärden, där saker kan hållas varma
hobble ['hɒbl] **I** *vb itr* halta, linka; stappla [fram]; vagga när man går
II *vb tr* **1** komma (få) att halta **2** binda ihop fötterna på, sätta fotklamp på häst, binda ihop fötterna **3** bildl. lägga hinder i vägen för
III *s* haltande, linkande; stapplande
hobby ['hɒbɪ] *s* hobby
hobby-horse ['hɒbɪhɔːs] *s* **1** bildl. käpphäst, favorittema; *ride one's ~* köra med (älta) sin käpphäst **2** gunghäst; käpphäst
hobgoblin ['hɒbgɒblɪn] *s* elakt troll, vätte
hobnail boots [ˌhɒbneɪl'buːts] *s pl* o. **hobnailed boots** [ˌhɒbneɪld'buːts] *s pl* stiftade kängor
hobnob ['hɒbnɒb] *vb itr*, ~ *with* umgås med ofta ngn i hög ställning

hobo [ˈhəʊbəʊ] (pl. ~s el. ~es) s vanl. amer.
  1 vagabond, luffare **2** kringvandrande arbetare
1 hock [hɒk] s på djur has
2 hock [hɒk] s rhenvin
3 hock [hɒk] s vard., **be in ~** om sak vara på stampen
  (pantbanken); **be in ~ to sb** ha skulder till ngn
hockey [ˈhɒkɪ] s sport. **1** landhockey [amer. äv. *field ~*]
  2 se *ice hockey*
hockey rink [ˈhɒkɪrɪŋk] s hockeyrink
hockey stick [ˈhɒkɪstɪk] s landhockeyklubba
hocus-pocus [ˌhəʊkəsˈpəʊkəs] s **1** hokuspokus äv.
  som trolleriformel, [konster och] knep, bedrägeri
  2 trollkonst[er]
hod [hɒd] s **1** bärtråg för tegel, murbruk o.d.,
  [murbruks]tråg **2** kolbox hink
hoe [həʊ] **I** s hacka; kuphacka, kupningsredskap
  II vb tr o. vb itr hacka; rensa med hacka
hog [hɒg] **I** s **1** svin; spec. slaktsvin **2** bildl. svin;
  matvrak; krass egoist; drulle **3 go the whole ~** ta
  steget fullt ut; löpa linan ut
  II vb tr vard. hugga för sig [av], roffa (sno) åt sig; ~
  it hugga för sig; ~ **down** glupa i sig
hog flu [ˈhɒgfluː] s vard. svininfluensa
Hogmanay [ˈhɒgmənei, ˌ-ˈ-] s skotsk. el. nordeng.
  1 nyårsafton **2 a)** nyårsfirande **b)** nyårstraktering,
  nyårsgåva
hogwash [ˈhɒgwɒʃ] s vard. smörja, rappakalja
ho-hum [ˈhəʊhʌm] adj vard. tråkig, seg
hoi polloi [ˌhɔɪˈpəlɔɪ] s, **the ~** populasen, pöbeln
hoist [hɔɪst] **I** vb tr hissa [~ *a flag*; ~ *sail*; ~ *goods
  aboard*]; hissa (häva, lyfta) upp [*on to* på]; hala
  upp [äv. ~ *up*], gruv. uppfordra; häva, släpa [~
  oneself out of bed]; **be ~ with one's own petard**
  fångas i sin egen fälla, själv gå i fällan
  II s **1** hissning; lyft **2** hissverk, lyftanordning, telfer
hokey [ˈhəʊkɪ] adj amer. vard. **1** sentimental, töntig
  2 konstlad, fejkad
hokum [ˈhəʊkəm] s sl. **1** smörja, larv; humbug
  2 spec. teat. billiga effekter, teaterknep
Holborn [i London ˈhəʊbən] geogr.
1 hold [həʊld] **I** (held held) vb tr **1** hålla, hålla i [~
  the ladder for me?]; hålla fast (kvar); ~ **my arm** håll
  (ta) mig under armen; ~ **one's head high** hålla
  huvudet högt **2** bära (hålla) upp [*this pillar ~s the
  platform*] **3** hålla för, tåla; **he can ~ his liquor** han
  tål en hel del sprit; ~ **water** bildl. hålla, vara hållbar
  [*the argument doesn't ~ water*] **4** innehålla;
  rymma, ha plats för [*the theatre ~s 500 people*];
  what does the future ~ for us? vad kommer
  framtiden att föra med sig [åt oss]? **5** inneha [~ *a
  record*]; ha, äga [~ *shares*]; sköta, upprätthålla,
  bekläda [~ *an office*; ~ *a post*]; inta [~ *a high
  position*]; ligga på [~ *second place*]; ~ **office** sitta
  vid makten, regera **6** hålla sig kvar på (i) [~ *a job*];
  hålla [~ *a fortress*]; behärska; ~ **it!** vänta ett tag!; ~
  the line, please tele. var god och vänta (dröj); lägg
  inte på; **the car ~s the road well** bilen ligger bra på
  vägen; ~ **one's own** el. ~ **one's ground** stå på sig, stå
  sig, hålla stånd, hävda sig **7** behålla, hålla kvar;
  hålla fången, fängsla [~ *sb's attention*]; uppta; mus.
  hålla ut [~ *a note*] **8** hålla, avhålla [~ *a meeting*; ~ *a
  debate*]; anordna, ställa till med; föra, hålla i gång
  [~ *a conversation*]; fullfölja, fortsätta kurs **9** hejda;
  hålla [~ *one's breath*] **10 a)** anse; ~ **[the view] that**

anse att; ~ **sb to be** anse ngn vara, anse ngn som
  (för) **b)** ha, hysa [~ *an opinion*]; hylla, omfatta [~ *a
  theory*], litt. hålla [~ *sb dear*]; ~ **sb in contempt** hysa
  förakt för ngn **c)** ~ **sth over sb** låta ngt hänga över
  ngn som ett hot
  II (held held) vb itr **1** hålla [*the rope held*]; hålla
  ihop **2** behålla (inte släppa) taget **3** hålla i sig,
  hålla (stå) sig [*will the fine weather ~?*] **4** ~ el. ~
  good stå fast [*my promise still ~s* [*good*]]; gälla,
  vara giltig (tillämplig), hålla streck, stå sig [*the rule
  ~s* [*good*]]
  III (held held) vb tr o. vb itr med adv. el. prep.:
  hold against lägga till last [*I won't ~ it against you*]
  hold back a) tr. hålla tillbaka, hejda; dölja, förtiga
  [*from* för], hålla inne med [~ *back information*]; ~
  sth back from sb äv. undanhålla ngn ngt **b)** itr. dra
  sig undan, tveka, dröja
  hold down a) hålla ner [~ *one's head down*]; hålla
  fast; hålla nere, förtrycka **b)** vard. behålla, stanna
  kvar i (på) [*he can't ~ down a job*]
  hold forth utbreda sig, hålla låda [*on* om, över]
  hold in hålla in, tygla [~ *in one's horse*]; behärska,
  lägga band på, hålla tillbaka [~ *in one's temper*; ~
  oneself in]
  hold off a) tr. hålla på avstånd, hålla ifrån sig [~ *the
  enemy off*]; skjuta upp, dröja med **b)** itr. hålla sig
  på avstånd, hålla sig borta [*from* från] **c)** hålla
  upp, dröja; **if the rain ~s off** om det håller uppe, om
  det inte blir regn
  hold on a) tr. hålla fast, hålla på plats **b)** itr. hålla
  [sig] fast, hålla i sig [*to* i, vid; ~ *on to the rope*];
  klamra sig fast [*to* vid; ~ *on to office* (makten)]
  c) itr. hålla ut [~ *on to the end*] **d)** ~ **on!** vänta ett
  tag!; sakta i backarna!
  hold out a) tr. hålla (räcka, sträcka) ut (fram) [*he
  held out his hand*]; erbjuda [~ *out many
  opportunities*]; ~ **out hopes to sb** inge ngn hopp; ~
  out expectations to sb väcka förväntningar hos ngn
  b) itr. hålla ut, hålla stånd; ~ **out for** stå fast vid sitt
  krav på; avvakta, vänta tills man får **c)** itr. räcka
  [*will the food ~ out?*] **d)** hålla till, uppehålla sig [*a
  gang of boys who ~ out there*] **e)** vard., ~ **out on sb**
  hålla inne med (dölja) något för ngn; strunta i
  ngns önskan (krav)
  hold over a) skjuta upp [*the matter was held over
  until the next meeting*] **b)** hålla (låta vara) kvar [~ *a
  film over*]
  hold to hålla (stå) fast vid [~ *to* (*by*) *one's opinion*];
  vidhålla, hålla sig till
  hold together hålla ihop (samman) [*a leader who ~s
  the nation together*]; binda
  hold up a) hålla (räcka, sträcka) upp [~ *up your
  hand*]; ~ **up one's head** bildl. hålla huvudet högt
  b) hålla (visa) fram; bildl. framhålla, ställa upp [~
  up as a model]; ~ **up to** utsätta för, utlämna åt [~ *sb
  up to contempt*]; ~ **up to ridicule** göra till ett åtlöje
  c) hålla uppe, stödja **d)** uppehålla, försena [*we
  have been held up by fog*]; hejda, stanna [~ *up the
  traffic*]; hålla tillbaka **e)** överfalla [och plundra],
  råna **f)** itr. hålla sig uppe; hålla ut **g)** itr. stå (hålla i)
  sig [*if the wind ~s up*]; hålla upp **h)** vard. (itr.) hejda
  sig, vänta
  hold with vard. gilla [~ *with a method*]; hålla med
  IV s **1** tag, grepp, fattning; fäste; bildl. hållhake [*on*,

over på], grepp [*on, over* på, om], herravälde
[*maintain one's ~ over sb (sth)*]; **catch** (**take, lay,
seize**) **~ of** ta (fatta, gripa) tag i, gripa; **have a ~ on**
ha en hållhake på **2** brottn. grepp; boxn. fasthållning;
no ~s barred alla grepp är tillåtna **3** **put sth on ~** el.
keep sth on ~ låta ngt vänta
2 hold [həʊld] *s* sjö. el. flyg. lastrum; **~ cargo** rumslast
holdall [ˈhəʊldɔːl] *s* rymlig bag (väska)
holder [ˈhəʊldə] *s* **1** innehavare [*~ of a
championship*]; arrendator, ägare av land o.d.: i
sammansättn. -hållare [*record-holder*]; **~ of a
scholarship** stipendiat **2** hållare ofta i sammansättn.,
handtag, fäste; behållare; munstycke
[*cigarette-holder*]; ställ [*bottle-holder*]
holding [ˈhəʊldɪŋ] *s* **1** hållande; innehav[ande];
besittning, arrendering **2** pl. **~s** [innehav av]
värdepapper; banks portfölj [*the bank's ~s of
bonds*]; andel; bestånd [*the ~s of American
libraries*]; **our ~s of shares** vårt aktieinnehav, vår
aktieportfölj **3** arrende[gård]; lantegendom; **large ~**
storjordbruk; **small ~** småbruk
holding company [ˈhəʊldɪŋˌkʌmp(ə)nɪ] *s*
holdingbolag, förvaltningsbolag
holding operation [ˈhəʊldɪŋˌɒpəˈreɪʃ(ə)n] *s*
uppehållande verksamhet (aktion), bibehållande
av status quo
holdover [ˈhəʊldˌəʊvə] *s* amer. **1** kvarleva [*a ~ from
the old regime*] **2** person som står kvar i tjänst (fått
förlängt engagemang); program som står (hålls)
kvar på repertoaren
hold-up [ˈhəʊldʌp] *s* **1** avbrott, uppehåll [*a ~ in the
work*]; [trafik]stopp **2** rån, rånöverfall; **a bank ~** ett
[väpnat] bankrån
hole [həʊl] **I** *s* **1** hål **2** håla, hål äv. bildl. [*he lives in a
wretched little ~*] djurs kula, lya, bo [*the ~ of a fox*]
3 vard. knipa, klämma [*I was in a ~; get sb in[to] a
~*]
II *vb tr* **1** göra hål i (igenom) **2** slå (spela) boll i hål i
golf o.d.
III *vb itr* **1** göra hål; få hål; om strumpor gå sönder
2 ~ up sl. gömma sig, hålla sig gömd **3** golf., **~ in one**
gå i hål med ett slag, göra hole in one
hole-in-the-wall [ˌhəʊlɪnðəˈwɔːl] *s* vard.
1 uttagsautomat, bankomat® utomhus **2** hål i
väggen liten bar, restaurang etc.
holiday [ˈhɒlɪdeɪ, -dɪ] **I** *s* **1** helgdag; **bank ~** allmän
helgdag, bankfridag **2** ledighet, lov, semester [*a
week's ~*]; **~s** pl. ferier, lov [*the school ~s;
Christmas ~s*]; semester, semestrar; **take a ~** ta
ledigt, ta semester **3** attr. helgdags- [*~ clothes*];
semester- [*~ pay*]; ferie- [*~ course*]; **in a ~ mood** i
feststämning, i en glad stämning
II *vb itr* semestra, fira semester [*~ at the seaside*]
holiday camp [ˈhɒlədeɪkæmp] *s*
semesteranläggning, semesterby
holiday cottage [ˈhɒlədeɪˌkɒtɪdʒ] *s* fritidshus,
sommarstuga
holiday flats [ˈhɒlədeɪflæts] *s pl* lägenhetshotell,
semesterlägenheter
holiday-maker [ˈhɒlədeɪˌmeɪkə] *s* semesterfirare
holier-than-thou [ˌhəʊlɪəð(ə)nˈðaʊ] *adj* självgod [*~
attitude*]; gudsnådelig
Holiness [ˈhəʊlɪnəs] *s*, **His ~** Hans helighet påven
holiness [ˈhəʊlɪnəs] *s* helighet

Holland [ˈhɒlənd] geogr.
hollandaise sauce [ˌhɒləndeɪzˈsɔːs] *s* kok.
hollandaisesås
holler [ˈhɒlə] *vb itr* vard. ropa, hojta, gasta
hollow [ˈhɒləʊ] **I** *adj* **1** ihålig **2** hålig, med hål
(hålor); urholkad, konkav; insjunken, infallen [*~
cheeks*] **3** ihålig, tom, intetsägande [*~ words*]
II *s* **1** håla, urholkning, fördjupning;
grop; sänka i marken, bäcken, dal; **in the ~ of one's
hand** i sin kupade hand; **~ of the knee** knäveck
III *vb tr* göra ihålig (konkav), holka ur, gröpa ur,
gräva ut
hollow-eyed [ˈhɒləʊaɪd] *adj* hålögd
holly [ˈhɒlɪ] *s* bot. järnek, kristtorn
hollyhock [ˈhɒlɪhɒk] *s* bot. stockros
Holmes [həʊmz]
Holocaust [ˈhɒləkɔːst] *s*, **the ~** förintelsen av judar i
Tyskland under andra världskriget
holocaust [ˈhɒləkɔːst] *s* stor förödelse, förintelse
hologram [ˈhɒlə(ʊ)græm] *s* foto. hologram
hols [hɒls] *s pl* vard. kortform av *holidays*
holster [ˈhəʊlstə] *s* pistolhölster
holy [ˈhəʊlɪ] **I** *adj* **1** helig; **~ cow!** el. **~ mackerel!** el. **~
smoke!** vard. jösses!, milda makter! **2** helig,
gudfruktig
II *s*, **the ~ of holies** det allra heligaste äv. bildl.
Holy Bible [ˌhəʊlɪˈbaɪbl] *s*, **the ~** Bibeln
Holy Communion [ˌhəʊlɪkəˈmjuːnɪən] *s*, **the ~** [den
heliga] nattvarden
Holy Family [ˌhəʊlɪˈfæm(ə)lɪ] *s*, **the ~** den heliga
familjen
Holy Father [ˌhəʊlɪˈfɑːðə] *s*, **the ~** den helige fadern
påven
Holy Ghost [ˌhəʊlɪˈgəʊst] *s*, **the ~** den Helige Ande
Holy Grail [ˌhəʊlɪˈgreɪl] *s* **1 the ~** Graal, den heliga
Graal **2** bildl. ouppnåeligt mål, önsketänkande
holy orders [ˌhəʊlɪˈɔːdəz] *s pl* det andliga ståndet;
take ~ låta prästviga sig
Holy See [ˌhəʊlɪˈsiː] *s*, **the ~** påvestolen
Holy Spirit [ˌhəʊlɪˈspɪrɪt] *s*, **the ~** den Helige Ande
holy terror [ˌhəʊlɪˈterə] *s* vard., vanl. om barn ren
skräck, plågoande; satunge
Holy Trinity [ˌhəʊlɪˈtrɪnətɪ] *s*, **the ~** treenigheten,
Fadern, Sonen och den Helige Anden
holy war [ˌhəʊlɪˈwɔː] *s* religionskrig, heligt krig;
korståg
holy water [ˌhəʊlɪˈwɔːtə] *s* vigvatten
Holy Week [ˈhəʊlɪwiːk] *s* passionsveckan, stilla
veckan
Holy Writ [ˈhəʊlɪrɪt] *s* den heliga skrift
homage [ˈhɒmɪdʒ] *s* vördnad, vördnadsbetygelse,
hyllning; **pay ~ to** el. **do ~ to** hylla, betyga sin
vördnad
homburg [ˈhɒmbɜːg] *s* slags mjuk smalbrättad filthatt
home [həʊm] **I** *s* **1** hem; bostad; hemvist; hemort;
my ~ is my castle mitt hem är min borg; **there is no
place like ~** el. **east or west, ~ is best** borta bra men
hemma bäst; **make one's ~** el. **set up ~** bosätta sig,
slå sig ned; **set out for ~** el. **make for ~** bege sig på
hemväg, ge sig i väg hem (hemåt); **a ~ from ~** ett
andra hem
2 at home a) hemma [*stay at ~*]; i hemmet; i
hemlandet [*at ~ and abroad*] b) hemmastadd äv.
bildl.; **feel at ~** känna sig som hemma, finna sig till

rätta; **leave** ~ flytta hemifrån; **make yourself at** ~ känn dig som hemma; **be at** ~ **in** vara hemma i (på), vara hemmastadd (bevandrad) i **c**) sport. hemma, på hemmaplan **d**) **be at** ~ **[to sb]** ha mottagning [för ngn], ta emot [ngn]
3 hem; institution; **sailors'** ~ sjömanshem
4 a) i spel mål **b**) i lekar bo **c**) hemmamatch [2 ~s and 2 aways]
5 data., se home page
II adj **1** hem- [~ life]; hemmets [~ comforts]; hemma-; för hemmabruk; hemgjord; hemlagad **2** [som ligger] i hemorten (nära hemmet); hem-, hemma- **3** sport. hemma- [~ match; ~ team]
4 inhemsk [~ products]; inländsk; inrikes- [~ news]; ~ **affairs** inre angelägenheter; **the** ~ **market** hemmamarknaden
III adv **1** hem [come ~; go ~; welcome ~]; hemåt; **come** ~ **to roost** se ex. under roost II; **it's nothing to write** ~ **about** vard. det är ingenting att hurra för (hänga i julgran) **2** hemma, hemkommen; framme; i (vid) mål; **be** ~ **and dry** vara helt säkrad (säker); [**the treaty**] **was now** ~ **and dry** ...hade nu förts i hamn **3** i (in) ordentligt (så långt det går) [drive a nail ~]; riktigt fast [screw sth ~]; i botten [press a pedal ~]; **bring sth** ~ **to sb a**) fullt klargöra ngt för ngn, få ngn att klart inse ngt **b**) lägga skulden på ngn för ngt; **go** ~ ta, träffa [prick] [the shot went ~]; gå hem (in) [the remark went ~]; ta skruv; **hit** ~ el. **strike** ~ träffa rätt
IV vb itr med prep.:
home in on a) flyga mot **b**) bildl. rikta in sig på
home base [ˌhəʊmˈbeɪs] s i baseball innemål, slagbas
home-bound [ˈhəʊmbaʊnd] adj **1 be** ~ vara på hemgående **2** [som är] bunden vid hemmet [~ invalid]
home care [ˌhəʊmˈkeə] s hemvård
homecoming [ˈhəʊmˌkʌmɪŋ] s hemkomst
home computer [ˌhəʊmkəmˈpjuːtə] s hemdator, hem-PC
Home Counties [ˌhəʊmˈkaʊntɪz] s pl geogr., **the** ~ grevskapen närmast London
home economics [ˌhəʊmiːkəˈnɒmɪks] (med verb i sg.) s skol. hemkunskap
home ground [ˌhəʊmˈgraʊnd] s hemmaplan äv. bildl. [she was on her ~]
home-grown [ˌhəʊmˈgrəʊn, attr. ˈ--] adj av inhemsk skörd, inhemsk [~ tomatoes]
Home Guard [ˌhəʊmˈgɑːd] s, **the** ~ hemvärnet
home help [ˌhəʊmˈhelp, ˈ--] s **1** hemhjälp, vårdbiträde inom hemtjänsten; **trained** ~ hemvårdare **2** hemvård; ~ **service** hemtjänst
homeland [ˈhəʊmlænd] s hemland
homeless [ˈhəʊmləs] adj hemlös; bostadslös
home loan [ˌhəʊmˈləʊn] s vard. lån på huset (lägenheten), inteckningslån
homely [ˈhəʊmlɪ] adj **1** hemlik, hemtrevlig [a ~ atmosphere] **2** enkel, anspråkslös [live in a ~ manner]; enkel och naturlig, vardaglig, vanlig; ~ **fare** husmanskost **3** amer. alldaglig, ganska ful [a ~ face]
home-made [ˌhəʊmˈmeɪd, attr. ˈ--] adj hemgjord, hemmagjord äv. bildl., hembakad, hemlagad
homemaker [ˈhəʊmˌmeɪkə] s vanl. amer. hemmafru
homemaking [ˈhəʊmˌmeɪkɪŋ] s vanl. amer.

1 bosättning, inredning av ett hem **2** hemsysslor, husligt arbete
home movie [ˌhəʊmˈmuːvɪ] s amatörfilm
Home Office [ˈhəʊmˌɒfɪs] (förk. HO) s, **the** ~ i Storbritannien, ung. inrikesdepartementet
homeowner [ˈhəʊmˌəʊnə] s villaägare, husägare; bostadsrättsägare
home page [ˌhəʊmˈpeɪdʒ] s data. **1** ingångssida, förstasida, hemsida på webbplats **2** startsida som webbläsaren är inställd att visa vid start
home perm [ˈhəʊmpɜːm] s hempermanent
home plate [ˈhəʊmpleɪt] s i baseboll, **the** ~ innemålet
homer [ˈhəʊmə] s vard., se home run 1
homeroom [ˈhəʊmrʊm] s amer. klassrum för morgonsamling
home rule [ˌhəʊmˈruːl] s polit. självstyre
home run [ˌhəʊmˈrʌn] s **1** i baseboll frivarvsslag **2** bildl. fullträff
Home Secretary [ˌhəʊmˈsekrətrɪ] s i Storbritannien inrikesministern
homesick [ˈhəʊmsɪk] adj som lider av hemlängtan; **be** ~ el. **feel** ~ längta hem, ha hemlängtan
homesickness [ˈhəʊmsɪknəs] s hemlängtan
homespun [ˈhəʊmspʌn] adj **1** bildl. hemvävd, naturlig, enkel; grov **2** hemspunnen; hemvävd
homestead [ˈhəʊmsted] **I** s **1** [bond]gård **2** hist., vanl. i USA [nybyggar]gård, [mindre] lantgård som staten upplåtit till nyodling
II vb tr slå sig ned på (bruka, sitta på) [nybyggar]gård i (på) [pioneers ~ed the valley]
home straight [ˌhəʊmˈstreɪt] s o. **home stretch** [ˌhəʊmˈstretʃ] s sport. upplopp, upploppssträcka
home town [ˌhəʊmˈtaʊn] s hemstad
home truths [ˌhəʊmˈtruːðz] s pl obehagliga (beska) sanningar
homeward [ˈhəʊmwəd] **I** adv hemåt; mot hemmet (hemlandet); **be** ~ **bound** vara på hemväg (hemgående) **II** adj hem- [~ voyage]; destinerad hem [~ cargo]
homewards [ˈhəʊmwədz] adv se homeward I
homework [ˈhəʊmwɜːk] s hemarbete, skol. äv. hemuppgifter, [hem]läxor; **a piece of** ~ en läxa; **she hasn't done her** ~ vard. hon är inte påläst
homey [ˈhəʊmɪ] adj vanl. amer. hemlik, hemtrevlig; gästvänlig; intim
homicidal [ˌhɒmɪˈsaɪdl] adj mordisk [~ tendencies]; dråp-, mord-; ~ **lunatic** galen mördare
homicide [ˈhɒmɪsaɪd] s dråp, mord; **the** ~ **squad** vard. ~ mordkommissionen
homily [ˈhɒmɪlɪ] s predikan; bildl. moralpredikan; **book of homilies** predikosamling
homing [ˈhəʊmɪŋ] adj **1** hemvändande; ~ **instinct** zool. orienteringsförmåga som gör att djur hittar tillbaka till födelseorten **2** målsökande [~ torpedo]
homing pigeon [ˈhəʊmɪŋˌpɪdʒ(ə)n] s brevduva
hominy [ˈhɒmɪnɪ] s vanl. amer. **1** majsgryn **2** majs[gryns]gröt
homo [ˈhəʊməʊ] (pl. ~s) s neds. homo, bög, fikus
homoeopathic [ˌhəʊmɪə(ʊ)ˈpæθɪk] adj homeopatisk
homoeopathy [ˌhəʊmɪˈɒpəθɪ] s homeopati
homogeneity [ˌhɒmə(ʊ)dʒeˈniːətɪ] s homogenitet, enhetlighet
homogeneous [ˌhɒmə(ʊ)ˈdʒiːnɪəs] adj homogen, enhetlig

homogenized [hɒˈmɒdʒənaɪzd] *adj* homogeniserad mjölk

homograph [ˈhɒmə(ʊ)grɑːf] *s* språkv. homograf

homonym [ˈhɒmə(ʊ)nɪm] *s* språkv. homonym

homophobia [ˌhəʊməʊˈfəʊbɪə] *s* homofobi, rädsla för homosexualitet, bögskräck

homophone [ˈhɒmə(ʊ)fəʊn] *s* språkv. homofon

homosexual [ˌhəʊmə(ʊ)ˈsekʃʊəl, ˌhɒm-] **I** *adj* homosexuell **II** *s* homosexuell person

homosexuality [ˌhəʊmə(ʊ)seksjʊˈælətɪ] *s* homosexualitet

homy [ˈhəʊmɪ] *adj* hemlik, hemtrevlig; gästvänlig; intim

Hon. **1** kortform av *honorary* **2** kortform av *Honourable*

hon [hʌn] *s* vard. kortform av *honey 2*

hone [həʊn] *vb tr* **1** finslipa [~ *one's skills*] **2** slipa, bryna spec. rakkniv

honest [ˈɒnɪst] **I** *adj* ärlig, hederlig, rättskaffens [~ *man*; ~ *people*; ~ *labour*]; uppriktig; ~ *to God!* el. ~ *to goodness!* det ska gudarna veta!; *make an ~ living* försörja sig på ärligt (hederligt) sätt; *to be quite ~ about it* uppriktigt sagt, om jag ska vara riktigt ärlig **II** *adv* se *honestly*

honestly [ˈɒnɪstlɪ] *adv* **1** ärligt, hederligt; på ärligt sätt, ärligen **2** uppriktigt sagt, ärligt talat [*I don't think I can,* ~]

honest-to-goodness [ˌɒnɪstəˈgʊdnəs] vard. **I** *adj* verklig, äkta, sann **II** *adv* verkligen, faktiskt

honesty [ˈɒnɪstɪ] *s* ärlighet; heder, hederlighet, rättskaffenhet; uppriktighet; ~ *is the best policy* ärlighet varar längst; *the film isn't in all* ~ *as good as I expected* filmen är, om jag ska vara riktigt ärlig, inte så bra som jag trodde

honey [ˈhʌnɪ] *s* **1** honung **2** vard. raring, sötnos, älskling, lilla vän

honey bee [ˈhʌnɪbiː] *s* zool. [honungs]bi

honeycomb [ˈhʌnɪkəʊm] *s* **1** vaxkaka, honungskaka i bikupa **2** vaxkakemönster

honeycombed [ˈhʌnɪkəʊmd] *adj* hålig, porig, porös; nätmönstrad, genombruten

honeydew melon [ˌhʌnɪdjuːˈmelən] *s* honungsmelon

honeymoon [ˈhʌnɪmuːn] **I** *s* smekmånad; bröllopsresa [*they went to England for* (på) *their* ~] **II** *vb itr* fira [sin] smekmånad; vara på bröllopsresa

honeysuckle [ˈhʌnɪˌsʌkl] *s* bot. kaprifol; try

Hong Kong [hɒŋˈkɒŋ] geogr. Hongkong

honk [hɒŋk] **I** *s* **1** skrik, snattrande av vildgäss **2** bils tut; tutande **II** *vb itr* om bil, chaufför tuta

Honolulu [ˌhɒnəˈluːluː] geogr.

honor [ˈɒnə] o. **honorable** [ˈɒn(ə)rəbl] amer., se *honour* o. *honourable* m.fl. ord

honorari|um [ˌɒnəˈreərɪ|əm, ˌhɒn-] (pl. *-ums* el. *-a* [-ə]) *s* honorar, arvode

honorary [ˈɒn(ə)rərɪ] *adj* **1** heders-, äre- [~ *gift*] **2** heders- [~ *member*]; honorär-, titulär- [~ *consul*]; ~ *doctorate* hedersdoktorat; ~ *secretary* sekreterare i förening o.d., utan arvode; ~ *treasurer* kassör, kassaförvaltare i förening o.d., utan arvode

honorific [ˌɒnəˈrɪfɪk] *adj* artighets-, heders- [~ *title*]

honor roll [ˌɒnəˈrəʊl] *s* amer. skol. lista över de duktigaste eleverna

honor system [ˌɒnəˈsɪstəm] *s* amer. **1** system baserat på förtroende utan övervakning **2** skol. överenskommelse mellan elever och skolledning att följa skolans ordningsregler

honour [ˈɒnə] **I** *s* **1** ära, heder [*it is a great* ~ *to* (för) *me*]; *in* ~ *of* för att hedra (fira), med anledning av [*a party in* ~ *of her arrival*]; för att hedra minnet av [*a ceremony in* ~ *of those killed in battle*]; *in* ~ *of the occasion* dagen till ära; *guest of* ~ hedersgäst; *roll of* ~ lista över stupade hjältar; *table of* ~ honnörsbord **2** heder, hederskänsla; *he is* [*in*] ~ *bound to...* han är moraliskt förpliktad att...; *on my* ~ på hedersord; *code of* ~ hederskodex; *a man of* ~ en hedersman, en ärans man; *point of* ~ hederssak; *word of* ~ hedersord; ~ *bright* vard. det är säkert, [jo] det försäkrar jag, absolut **3** *Your Honour* Ers Nåd, Ers Höghet nu mest till vissa domare **4** mest pl. ~*s* hedersbetygelser; utmärkelser; ~*s list* förteckning över [officiella] utmärkelser (ordensutnämningar); *do the* ~*s* utöva (sköta) värdskapet, tjänstgöra som värd (värdinna); *pay sb the last* ~*s* visa (göra) ngn den sista tjänsten, följa ngn till graven; [*with*] *military* ~*s* [under] militära hedersbetygelser **5** univ., ~*s* el. ~*s degree* 'honours' kvalificerad examen med tre bedömningsgrader; *get a first-class* ~*s degree in history* få högsta betyg i historia i *honours degree* **II** *vb tr* **1** hedra [*with* med], ära; utmärka [*with* med] **2** lösa in check **3** anta, motta inbjudan

Honourable [ˈɒn(ə)rəbl] *adj*, *the* ~ (förk. *Hon.*) välborna, välborne titel som tillkommer yngre söner till *earls*, barn till *viscounts* o. *barons* samt hovdamer, medlemmar av högsta domstolen och vissa andra högre ämbetsmän; *the Right* ~ (förk. *Rt Hon.*) högvälborne titel som tillkommer *earls, viscounts* o. *barons*, medlemmar av *Privy Council*, borgmästaren i London m.fl.

honourable [ˈɒn(ə)rəbl] *adj* **1** hedervärd, värd att äras **2** ärofull [~ *peace*]; hedrande, hedersam [~ *burial*; ~ *terms*]; äre- [~ *monument*]; ~ *mention* hedersomnämnande **3** rättskaffens, ärlig [~ *conduct*; ~ *intentions*] **4** ärad epitet som tillkommer underhusets (i USA kongressens) medlemmar [*the* ~ *member for Islington North*]

honour killing [ˈɒnəˌkɪlɪŋ] *s* hedersmord

Hon. Sec. (förk. för *Honorary Secretary*) se *honorary 2*

hooch [huːtʃ] *s* amer. sl. sponken sprit; hembränt spec. whisky

1 hood [hʊd] *s* **1** kapuschong, huva, hätta, luva **2** univ. krage löst hängande på akademisk ämbetsdräkt och vars färger utmärker grad, fakultet o. universitet **3 a)** huv, valvkappa, [skydds]tak; skydd; rökhuv, rökfång, [spis]kåpa; *cooker* (*extractor,* amer. *range*) ~ köksfläkt, spisfläkt **b)** sufflett **c)** amer. motorhuv

2 hood [hʊd] *s* amer. vard., se *hoodlum*

hooded [ˈhʊdɪd] *perf p* o. *adj* **1** [försedd] med kapuschong (huva) **2** övertäckt; avskärmad [~ *lanterns*] **3** ~ *eyes* halvslutna ögon

hoodlum [ˈhuːdləm, ˈhʊd-] *s* vard. gangster; ligist

hoodwink [ˈhʊdwɪŋk] *vb tr* föra bakom ljuset

hooey [ˈhuːɪ] *s* vanl. amer. vard. skitsnack, skitprat

hoof [huːf, hʊf] **I** (pl. ~*s*, ibl. *hooves*) *s* hov; ~ el. *cloven* ~ klöv; *on the* ~ **a)** levande, i levande

tillstånd [*buy cattle on the ~*] b) vard. i farten;
oförberett, improviserat
II *vb tr* **1** sparka [med hoven] **2** vard., *~ it* gå, traska
hook [hʊk] **I** *s* **1** hake, krok; hängare, hank i kläder;
dörrhake; klädhängare; [met]krok; [virk]nål;
[telefon]klyka; [*swallow a story*] *~, line and sinker*
…med hull och hår, …utan vidare; *get (give sb)*
the ~ amer. sl. få (ge ngn) sparken; *sling one's ~* vard.
sticka, sjappa; *sling your ~!* vard. stick!; *buy clothes
off the ~* vard. köpa färdigt, köpa konfektion **2** bildl.
krok, bete, snara; *get off the ~* vard. ta sig ur knipan;
get (let) sb off the ~ hjälpa ngn ur knipan; *be on the
~* vard. vara i knipa; *by ~ or by crook* på ett eller
annat sätt, hur det sen ska gå till **3** boxn.
krok[slag], hook
II *vb tr* **1** häkta [ihop (igen)], knäppa [med hakar
och hyskor] [*~ a dress*] **2** fånga med hake (krok),
kroka; bildl. fånga, få på kroken [*~ a rich husband*]
III *vb itr* häktas [ihop (igen)], knäppas [med hakar
och hyskor] [*the dress ~s at the back*]
IV *vb tr* o. *vb itr* med prep. el. adv.:
hook in haka i
hook on a) haka (kroka, häkta) fast (på) [*to* i, vid]
b) haka sig fast [*to* vid]
hook up a) koppla in, ansluta; koppla upp dator b) *~
sb up with sth* vard. fixa ngt åt ngn c) *~ up with sb*
vard. bli ihop med ngn; slå sig ihop med ngn
hookah ['hʊkə, -kɑ:] *s* vattenpipa
hooked [hʊkt] *adj* **1** böjd, krökt, krokig [*~ nose*]
2 vard. fast, fångad; *be ~ on* a) sitta fast i, vara slav
under b) vara tänd på (tokig i) **3** försedd med
krok[ar] [*~ stick*]
hooker ['hʊkə] *s* **1** sl. fnask, prostituerad **2** sport.
kratsare i rugby
hook-up ['hʊkʌp] *s* nät för elektronisk utrustning,
hopkoppling, anslutning
hooky ['hʊkɪ] *s* vanl. amer., *play ~* skolka [från skolan]
hooligan ['hu:lɪgən] *s* huligan, ligist, buse
hooliganism ['hu:lɪgənɪz(ə)m] *s* ligistfasoner;
huliganism; *football ~* äv. läktarvåld
hoop [hu:p] *s* **1** tunnband äv. leksak, band, beslag
2 ring [spänd med papper] som cirkusryttare hoppar
genom; *go through the ~[s]* el. *go through ~[s]* vard. gå
igenom (ha) ett litet helvete; *put sb through the ~[s]*
vard. sätta åt ngn; sätta ngn på prov **3** krocketbåge
4 *~ earrings* kreoler örringar **5** amer. vard. basket
hoopla ['hu:plɑ:] *s* **1** ringkastning på nöjesfält **2** amer.
vard. ståhej, jippo
hoopoe ['hu:pu:, -pəʊ] *s* zool. härfågel
hooray [hʊ'reɪ] *interj* hurra!
Hoosier State ['hu:ʒəsteɪt], *the ~* beteckn. för staten
Indiana
hoot [hu:t] **I** *vb itr* **1** bua, skräna [*at* åt] **2** skrika,
hoa om uggla **3** tjuta om t.ex. ångvissla, tuta om t.ex.
signalhorn
II *vb tr* **1** bua åt; ta emot med buanden (skrän) **2** *~
one's horn* tuta
III *s* **1** buande, skrän; vrål [*~s of rage*] **2** ugglas
skrik, hoande **3** ångvisslas tjut; signalhorns tut **4** vard., *I
don't care (give) a ~* el. *I don't care (give) two ~s* det
bryr jag mig inte ett dugg om, det struntar jag
blankt i **5** vard., *that's a real ~* det är jättekul
hootenanny [,hu:tə'nænɪ] *s* amer. **1** folksångsfest,
folksångsmöte **2** vard. grunka, grej

hooter ['hu:tə] *s* **1** ångvissla; tuta, signalhorn **2** sl.
kran näsa
hoover ['hu:və] *vb tr* dammsuga
Hoover® ['hu:və] *s* dammsugare
hooves [hu:vz] *s* pl. av *hoof*
1 hop [hɒp] **I** *vb itr* **1** hoppa, skutta **2** vard. dansa
[och skutta] **3** vard. kila [*~ over the road*]; sticka,
flyga, göra en tur [*~ down to Rome*]; kliva, hoppa
[*~ into* (in i) *a car; ~ on* (på) *a bus*]
II *vb tr* **1** amer. hoppa på [*~ a bus (plane, train)*]
2 vard., *~ it* sticka, försvinna; *~ it!* stick!
III *s* **1** hopp, hoppande spec. på ett ben, skutt; *be on
the ~* vara i farten (om sig och kring sig); *catch sb
on the ~* a) ta ngn på sängen b) ertappa (ta) ngn på
bar gärning **2** vard. flygtur; [flyg]etapp [*from Berlin
to Tokyo in three ~s*] **3** vard. skutt dans
2 hop [hɒp] *s* humle[planta]; pl. *~s* humle som
ämnesnamn; *pick ~s* plocka humle
hope [həʊp] **I** *s* hopp, förhoppning [*of* om; *that* om
att; *of doing*]; pl. *~s* hopp, förhoppningar; *you've
got a ~ (some ~s)!* och det trodde du (inbillade du
dig)!; [*if that's what she thinks*] *then she has got
some ~s* iron. …då bedrar (misstar) hon sig allt;
raise sb's ~s too much väcka alltför stora
förhoppningar hos ngn; *set one's ~s on sb* sätta sitt
hopp till ngn, hoppas på ngn; *he is beyond (past) ~*
det finns inte något hopp [för honom] längre; iron.
han är hopplös; *live in ~* leva på hoppet; *live (be) in
~s of* ha hopp om [att få], hoppas på [att få]
II *vb itr* hoppas [*for* på]; *~ for the best* hoppas [på]
det bästa
III *vb tr* hoppas [på] [*that, to do; I ~ to see* (få se)
it]; *I ~ not* det hoppas jag inte; *I ~ so* det hoppas jag;
~ against hope [*that*] hoppas trots allt [att]; *hoping
to hear from you* i hopp om att [få] höra av dig
hopeful ['həʊpf(ʊ)l] **I** *adj* hoppfull,
förhoppningsfull, full av hopp [*feel ~ about* (inför,
med tanke på) *the future*] **II** *s, a young ~* en lovande
förmåga
hopefully ['həʊpfʊlɪ] *adv* **1** hoppfullt etc., jfr *hopeful
I* **2** förhoppningsvis
hopeless ['həʊpləs] *adj* hopplös, tröstlös; ohjälplig,
omöjlig; obotlig [*a ~ idiot*]
hopper ['hɒpə] *s* mudderpråm
hopping ['hɒpɪŋ] **I** *adj* hoppande **II** *adv, ~ mad* vard.
rosenrasande, ursinnig
hopscotch ['hɒpskɒtʃ] *s* hoppa hage lek; *play ~*
hoppa hage
horde [hɔ:d] *s* hord i olika betydelser [*~s of Tartars; a ~
of tourists*]; nomadstam; svärm [*a ~ of locusts*]
horizon [hə'raɪzn, hʊ'r-] *s* horisont äv. bildl. [*on* (vid)
the ~; it is above my ~]; *broaden sb's ~s* vidga ngns
vyer
horizontal [,hɒrɪ'zɒntl] **I** *adj* horisontal, horisontell,
vågrät [*~ line; ~ surface*]; *~ position* liggande
ställning **II** *s* horisontallinje, horisontalläge,
horisontalplan
horizontal bar [hɒrɪ,zɒntl'bɑ:] *s* gymn. räck
horizontal stabilizer [hɒrɪ,zɒntl'steɪbɪlaɪzə] *s* flyg.
vanl. amer. stabilisator
hormonal [hɔ:'məʊnl, 'hɔ:mənl] *adj* hormonell,
hormon-
hormone ['hɔ:məʊn] *s* hormon, hormon- [*~
secretion (avsöndring)*]

horn [hɔ:n] *s* **1** horn äv som ämne **2** signalhorn **3** mus. horn; vard., jazz blåsinstrument; *French* ~ valthorn **4** kok. strut [*cream* ~] **5** ~ *of plenty* ymnighetshorn; *draw* (*pull*) *in one's* ~s bildl. a) dra åt svångremmen b) ta det lugnare, slå av på takten c) stämma ned tonen; *on the* ~s *of a dilemma* se under *dilemma*

hornbeam ['hɔ:nbi:m] *s* bot. avenbok, annbok

hornbill ['hɔ:nbɪl] *s* zool. näshornsfågel, hornfågel

horned [hɔ:nd] *adj* försedd med horn; behornad; ~ *cattle* hornboskap

horned owl [ˌhɔ:nd'aʊl] *s* zool. hornuggla

hornet ['hɔ:nɪt] *s* zool. bålgeting; *stir up a* ~'s *nest* bildl. sticka sin hand i ett getingbo

horn-rimmed ['hɔ:nrɪmd] *adj* hornbågad [~ *spectacles*]

horny ['hɔ:nɪ] *adj* **1** vard. kåt; sexgalen **2** vard. sexig **3** horn-; hornartad **4** hård som horn; om hand valkig

horoscope ['hɒrəskəʊp] *s* horoskop; *cast sb's* ~ ställa ngns horoskop

horrendous [hɒ'rendəs] *adj* fasansfull, förfärlig

horrible ['hɒrəbl] *adj* fasansfull, fruktansvärd, förskräcklig, hemsk [~ *noise*; ~ *weather*]

horrid ['hɒrɪd] *adj* avskyvärd, hemsk, vidrig [~ *spectacle*; ~ *war*]; otäck

horrific [hɒ'rɪfɪk] *adj* fasansfull, fasaväckande, hårresande

horrified ['hɒrɪfaɪd] *adj* skräckslagen

horrify ['hɒrɪfaɪ] *vb tr* göra förfärad (skräckslagen), förfära; *I was horrified to hear…* jag blev förfärad (chockad) när jag hörde…

horrifying ['hɒrɪfaɪɪŋ] *adj* skräckinjagande, fasaväckande, skräck-; upprörande

horror ['hɒrə] *s* **1** fasa, skräck [*of* för; *have a* ~ *of publicity*] **2** a) fasa, ohygglighet [*the* ~s *of war*]; *chamber of* ~s skräckkammare, skräckkabinett b) attr. skräck- [~ *film*; ~ *story*]; ~ *of* ~s skämts. el. iron. ve och fasa

horror-stricken ['hɒrəˌstrɪk(ə)n] *adj* o. **horror-struck** ['hɒrəstrʌk] *adj* skräckslagen, stel av fasa, förfärad

hors-d'oeuvre [ɔ:'dɜ:vr] (pl. *hors-d'oeuvre* el. ~s utt. som sg.) *s* hors d'oeuvre; pl. ~s smårätter, assietter

horse [hɔ:s] **I** *s* **1** häst; ~s *for courses* vard. man ska göra det man är lämpad för, rätt man på rätt plats; *work like a* ~ arbeta (slita) som ett djur; *I'm so hungry, I could eat a* ~ jag är hungrig som en varg; *hold your* ~s! vard. ha inte så bråttom!, lugn i stormen!; *flog a dead* ~ spilla krut på döda kråkor, slå in öppna dörrar; *don't look a gift* ~ *in the mouth* se under *gift horse*; *get* (*come*) [*down*] *off your high* ~! sätt dig inte på dina höga hästar!; *get on* (*be on*, *ride*) *one's high* ~ vard. sätta sig på sina höga hästar; *white* ~s vita gäss på sjön; *I have got it* [*straight*] *from the* ~'s *mouth* jag har det från säkert (pålitligt) håll; det är ett stalltips **2** gymn. häst **3** ställning som stöd, torkställning för kläder [äv. *clothes* ~]; bock; sågbock **4** (med verb i pl.) mil. kavalleri; kavallerister **II** *vb itr*, ~ *around* vard. skoja, busa; spexa, spela pajas

horseback ['hɔ:sbæk] **I** *s*, *on* ~ till häst, på hästryggen, ridande; *be on* ~ sitta till häst; *get on* ~ stiga till häst; *go on* ~ el. *ride on* ~ rida **II** *adj*, *a* ~ *tour* en tur till häst

horsebox ['hɔ:sbɒks] *s* hästfinka, hästtransportvagn

horse chestnut [ˌhɔ:s'tʃesnʌt] *s* bot. hästkastanj

horseflesh ['hɔ:sfleʃ] *s* **1** kok. hästkött **2** vard. hästar; *he is a good judge of* ~ han är hästkännare (hästkarl)

horsefly ['hɔ:sflaɪ] *s* zool. broms, hästfluga

horsehair ['hɔ:sˌsheə] *s* [häst]tagel, hästhår; attr. tagel- [~ *mattress*]

horse laugh ['hɔ:slɑ:f] *s* flatskratt, [rått] gapskratt

horse|man ['hɔ:sˌmən] (pl. *-men* [-mən]) *s* [skicklig] ryttare

horsemanship ['hɔ:smənʃɪp] *s* **1** ryttarskicklighet **2** ridkonst[en]

horseplay ['hɔ:spleɪ] *s* vilt stojande; skoj; spex

horsepower ['hɔ:sˌpaʊə] (pl. *horsepower*) *s* fys. hästkraft [*an engine of* (på) 70 ~, *a 70-horsepower engine*]; *how much* ~? hur många hästkrafter?

horse-race ['hɔ:sreɪs] *s* [häst]kapplöpning, ryttartävling

horse-racing ['hɔ:sˌreɪsɪŋ] *s* [häst]kapplöpning[ar]; kapplöpningssport

horseradish ['hɔ:sˌrædɪʃ] *s* bot. pepparrot

horse sense ['hɔ:ssens] *s* vard. vanligt (sunt) bondförstånd

horseshoe ['hɔ:ʃʃu:, 'hɔ:sʃu:] *s* hästsko; attr. hästsko- [~ *magnet*; ~ *table*]; i hästskoform

horse-trading ['hɔ:sˌtreɪdɪŋ] *s* bildl. kohandel

horse trailer ['hɔ:sˌtreɪlə] *s* hästtransportvagn

horsewhip ['hɔ:swɪp] **I** *s* [rid]piska, ridspö **II** *vb tr* piska

horse|woman ['hɔ:sˌwʊmən] (pl. *-women* [-ˌwɪmɪn]) *s* [skicklig] ryttarinna

horsy ['hɔ:sɪ] *adj* **1** häst-; hästlik; *a* ~ *face* ett hästansikte **2** häst[sport]intresserad, som ägnar sig åt hästar (hästsporten) [*a* ~ *man*]; häst- [~ *talk*]

horticultural [ˌhɔ:tɪ'kʌltʃ(ə)r(ə)l] *adj* trädgårdsodlings-, trädgårds-, hortikulturell; ~ *show* trädgårdsutställning

horticulture ['hɔ:tɪkʌltʃə] *s* trädgårdsodling, trädgårdsskötsel, trädgårdskonst, hortikultur

hosanna [hə(ʊ)'zænə] *s* o. *interj* hosianna

hose [həʊz] *s* **1** slang för bevattning, dammsugare o.d. **2** (med verb i pl.) strumpor som handelsvara **II** *vb tr* vattna [med slang], spruta [vatten på]; ~ *down* spola av (över) [~ *down a car*]

hosiery ['həʊzɪərɪ, 'həʊʒə-] *s* strumpor som handelsvara

hospice ['hɒspɪs] *s* hospis, vårdhem för obotligt sjuka (för döende)

hospitable [hɒ'spɪtəbl, ibl. 'hɒspɪt-] *adj* **1** gästfri, gästvänlig [*a* ~ *house*]; hjärtlig **2** ~ *to* öppen (mottaglig) för [~ *to new ideas*]

hospital ['hɒspɪtl] *s* sjukhus, lasarett; ~ *nurse* sjuksköterska; *go to* ~ komma [in] (lägga in sig, åka in) på sjukhus

hospitality [ˌhɒspɪ'tælətɪ] *s* **1** gästfrihet **2** ~ *suite* representationsvåning

hospitalization [ˌhɒspɪt(ə)laɪ'zeɪʃ(ə)n] *s* inläggning på sjukhus; sjukhusvistelse

hospitalize ['hɒspɪt(ə)laɪz] *vb tr* lägga in på (föra till) sjukhus

hospital ship ['hɒspɪtlʃɪp] *s* lasarettsfartyg

Host [həʊst] *s* katol., *the* ~ hostian

1 host [həʊst] **I** *s* **1** värd; pl. ~s äv. värdfolk **2** TV. el.

radio. programledare, programvärd **3** värdshusvärd
4 biol. värd, värddjur, värdväxt
II *vb tr* vara värd (TV. programledare) för
2 host [həʊst] *s* massa, mängd [*a ~ of details*; *~s of
friends*]; svärm, stor hop [*a ~ of admirers*]
hostage ['hɒstɪdʒ] *s* gisslan; *as a ~* el. *as ~s* som
gisslan; *all the ~s* hela gisslan, alla i gisslan; *the five
~s* de fem gisslan, de fem [personer] som tagits
som gisslan; *give ~s to fortune* utmana ödet; *take
(hold) sb ~* ta (hålla) ngn som gisslan
hostel ['hɒst(ə)l] *s* **1** gästhem; härbärge; hem för t.ex.
bostadslösa; *youth ~* vandrarhem **2** univ. studenthem
hostess ['həʊstɪs] *s* **1** värdinna äv. som yrke [*air ~*]
2 TV. el. radio. programledare, programvärd
3 nattklubbsvärdinna; sällskapsdam
hostile ['hɒstaɪl, amer. -tl] *adj* fiende-; fientlig,
fientligt inställd [*to* mot]; ovänlig; ogynnsam [*~
conditions for plants*]
hostility [hɒ'stɪlətɪ] *s* fientlighet, fientlig inställning,
fiendskap; ovänlighet; *feel ~ towards* känna sig
fientlig (avog) mot; *hostilities* fientligheter; *suspend
hostilities* inställa fientligheterna
hot [hɒt] **I** *adj* **1** het, varm [*~ milk*; *be ~*]; *be [all] ~
and bothered* vara i upplösningstillstånd; *be ~ under
the collar* vara upphetsad (arg); *go ~ and cold [all
over]* bli kallsvettig; *go (sell) like ~ cakes* gå åt som
smör, ha en strykande åtgång; *a ~ meal* el. *~ meals*
lagad (varm) mat; *we had a ~ time there* el. vard. *it
was ~ work there* det gick hett till där; *give it him ~
[and strong]* vard. ge honom efter noter, gå hårt åt
honom; *make it ~ for sb* vard. göra livet surt för ngn,
låta ngn veta att han lever **2** om krydda stark; om
smak äv. skarp, brännande; kryddstark [*~ food*]
3 hetsig, häftig, het [*a ~ temper*]; glödande, eldig
[*~ youth*]; *be ~ for* vara entusiastisk för [*be ~ for a
reform*]; vara tänd på, vara ute efter; *be ~ on* gilla
skarpt [*he's ~ on sports cars*] **4** häftig, våldsam, het
[*a ~ struggle*]; vild [*a ~ chase*]; hård [*~ pace*] **5** svår;
farlig; *the place is becoming too ~ for him* marken
börjar bränna under hans fötter **6** nära; *~ on sb's
track (trail, heels)* hack i häl efter ngn; *be ~ on the
trail* vara inne på rätt spår, vara nära att lyckas;
you are getting ~ i lek det bränns! **7** vard. kåt; sexig
8 vard. **a)** het, stulen; *~ goods* tjuvgods;
smuggelgods **b)** efterlyst (jagad) [av polisen] **9** bra,
häftig; om t.ex. filmstjärna het; *it's pretty ~* det är inte
så tokigt (oävet), det är inga dåliga grejor; *it's not
so ~* det är ingenting att hurra för, det är inget
vidare **10** sl. hot om jazz **11** sl. trimmad, hottad [*a ~
car*]; *~ rod* hotrod trimmad äldre bil
II *adv*, *~ off the press* vard. direkt från pressarna
III *vb itr* o. *vb tr* med adv.:
hot up vard. **a)** itr. ta fart, bli livligare **b)** tr. sätta fart
på **c)** tr. trimma bil, hotta upp
hot-air [ˌhɒt'eə] *adj* varmlufts-
hot air ['hɒteə] *s* varm luft; vard. tomt skryt, bluff,
snack
hotbed ['hɒtbed] *s* **1** drivbänk **2** bildl. härd,
grogrund [*a ~ of* (för) *crime*]
hot-blooded [ˌhɒt'blʌdɪd, '-,--] *adj* hetlevrad, hetsig;
varmblodig; passionerad
hot-button [ˌhɒt'bʌtn] *adj* amer. polit. het, brännande
[*~ issues*]
hot button [ˌhɒt'bʌtn] *s* amer. polit. het fråga som

väcker starka känslor och är tacksam att ta upp för populistisk
politiker
hotchpotch ['hɒtʃpɒtʃ] *s* **1** kok. hotchpotchsoppa
2 bildl. mischmasch, röra; hopkok [*of* på]
hot cross bun [ˌhɒtkrɒs'bʌn] *s* bulle med kors på
som sås varm på långfredagen
hot dog [subst. ˌhɒt'dɒg, verb '--] **I** *s* **1** varm korv **2** *~!*
amer. vard. finemang!
II *vb itr* vanl. amer. vard. stila på skidor, surfingbräda o.d.
hot-dog stand ['hɒtdɒgstænd] *s* korvstånd
hotel [hə(ʊ)'tel, ə(ʊ)'t-] *s* hotell; *put up at a[n] ~* ta in
på [ett] hotell
hotel car [ˌhə(ʊ)'telkɑ:] *s* amer. restaurang- och
sovvagn
hotelier [hə(ʊ)'telɪeɪ] *s* o. **hotel-keeper**
[hə(ʊ)'tel,ki:pə, ə(ʊ)'t-] *s* hotellvärd,
hotellinnehavare
hotel manager [ˌhə(ʊ)'tel,mænɪdʒə] *s* hotelldirektör
hot flush [ˌhɒt'flʌʃ] *s* o. amer. **hot flash** [ˌhɒt'flæʃ] *s*
med. blodvallning
hotfoot ['hɒtfʊt] **I** *adv* i flygande fart, i största hast
II *vb tr*, *~ it* skynda sig, hasta
hot-headed [ˌhɒt'hedɪd, attr. '-,--] *adj* hetsig (häftig,
hetlevrad) [av sig]; som lätt brusar upp
hothouse ['hɒthaʊs] *s* drivhus, växthus; *~
atmosphere* drivhusklimat äv. bildl.
hot line [ˌhɒt'laɪn] *s* polit., *the ~* heta linjen
hot pants [ˌhɒt'pænts] *s pl* hotpants
hotplate ['hɒtpleɪt] *s* [elektrisk] kokplatta;
värmeplatta
hotpot ['hɒtpɒt] *s* **1** kok. köttgryta **2** amer.
vattenkokare
hot potato [ˌhɒtpə'teɪtəʊ] *s* vard. het potatis
hot rod ['hɒtrɒd] *s* hotrod trimmad äldre bil
hots [hɒts] *s pl* sl., *have (get) the ~ for sb* vara (bli)
tänd på ngn
hot seat [ˌhɒt'si:t] *s* vard. besvärlig sits, svår
situation; *be in the ~* äv. sitta (ligga) illa till
hotshot ['hɒt-ʃɒt] vard. **I** *s* överdängare, höjdare
II *adj* driven, överlägsen
hot spot [ˌhɒt'spɒt] *s* **1** oroshärd, oroligt område
2 vard. inneställe, innekrog
hot stuff [ˌhɒt'stʌf] *s* vard. **1** sexig tjej [*she's ~*]
2 pornografisk film (bok etc.) **3** överdängare,
baddare [*at* i] **4** känsliga saker
hot-tempered [ˌhɒt'tempəd, attr. '-,--] *adj* hetlevrad,
häftig
hot-water [ˌhɒt'wɔ:tə] *adj*, *~ bottle*
varmvattenflaska, sängvärmare; *~ tap* el. amer. *~
faucet* varmvattenkran
hot-wire [ˌhɒt'waɪə] *vb tr* bil. vard. tjuvkoppla [*~ the
engine*]
houmous o. **houmus** ['hu:məs, 'hʊ-] se *hummus*
hound [haʊnd] **I** *s* [jakt]hund
II *vb tr* jaga [liksom] med hundar; bildl. jaga [*~ed
by one's creditors*]; förfölja; *~ down* fånga in
hour ['aʊə] *s* **1** timme; tidpunkt; pl. *~s* äv. [arbets]tid
[*school ~s*]; *a quarter of an ~* en kvart; [*the trains
leave] every ~ ...*varje timme (en gång i timmen);
keep late ~s ha sena vanor, hålla sena tider;
twenty-four ~s ofta ett dygn; *the clock strikes the ~s*
klockan slår timslag (hela timmar); *after ~s* efter
arbetstid (arbetstidens slut); när skolan slutat [för
dagen]; efter stängningsdags; *at all ~s of the day and*

night vid alla tider på dygnet; *at the eleventh* ~ i elfte timmen, i sista minuten; *at [such] a late* ~ [så] sent; *at this* ~ så här dags; *by the* ~ a) timvis, i timmar b) per (efter) timme; *for ~s [together]* el. *for ~s and ~s* i timmar, timtals, timvis; *in the lunch* ~ el. *during the lunch* ~ på (under) lunchen (lunchrasten); *in the small* ~s fram på (framåt) småtimmarna; [*he came*] *on the* ~ ...på slaget; [*buses run*] *on the* ~ ...varje hel timme; *out of ~s* utanför arbetstiden **2** stund [*the* ~ *has come*]; *the man of the* ~ mannen för dagen, dagens hjälte; *don't desert me in my* ~ *of need* överge mig inte nu när jag behöver dig (er)

hourglass ['aʊəglɑ:s] *s* timglas

hour hand ['aʊəhænd] *s* timvisare

hourly ['aʊəlɪ] **I** *adj* **1** [som går (inträffar, upprepas m.m.)] varje timme, [en gång] i timmen [*two ~ doses*]; tim- **2** ständig [*in ~ expectation of*] **II** *adv* **1** i timmen, varje timme [*two doses ~*] **2** ständigt; vilken timme som helst [*we are expecting news ~*]

house [subst. haʊs, i pl. 'haʊzɪz, verb haʊz] **I** *s* **1** hus; villa; fastighet, lägenhet; bostad, hem; *it's on the* ~ vard. det är huset (värden på stället) som bjuder [på det]; *eat sb out of ~ and home* äta ngn ur huset; *to sb's* ~ hem till ngn; *invite sb to one's* ~ bjuda hem ngn; *go all round the ~s* vard. krångla till det; *keep open* ~ hålla öppet hus, ha ett gästfritt hem, se äv. *open house; set (put) one's ~ in order* se om sitt [eget] hus; *as safe as ~s* så säkert som aldrig det; *they are getting on (along) like a ~ on fire* vard. dom kommer jättebra överens, dom trivs fint tillsammans **2** parl. hus; kammare; *the lower* ~ se *lower house; the upper house* se *upper house* **3** teat. a) salong; *there was a full* ~ det var utsålt (fullt hus); *bring down the* ~ el. *bring the* ~ *down* ta publiken med storm, få stormande applåder; *draw crowded ~s* gå (spela) för fulla hus b) föreställning [*the second ~ starts at 9 o'clock*] **4** handelshus, affärshus, firma; *publishing* ~ [bok]förlag **5** skol. hus, elevhem på internatskola **6** hushåll; *keep* ~ sköta hushållet; *set up* ~ sätta bo, bilda eget hushåll **7** släkt, ätt, familj [*an ancient* ~]; hus

II *vb tr* **1** skaffa bostad (tak över huvudet) åt; hysa in, härbärgera, hysa, ta emot; *the club is ~d there* klubben har sina lokaler där **2** förvara, lägga (ställa) in; få under tak **3** rymma, innehålla

house agent ['haʊs,eɪdʒənt] *s* fastighetsmäklare

house arrest ['haʊsə,rest] *s*, *under* ~ i husarrest

houseboat ['haʊsbəʊt] *s* husbåt

house-bound ['haʊsbaʊnd] *adj* tvungen att stanna hemma (inne); bunden vid hemmet, låst

housebreaker ['haʊs,breɪkə] *s* **1** inbrottstjuv **2** husrivare, rivningsarbetare

housebreaking ['haʊs,breɪkɪŋ] *s* **1** inbrott [i hus] [*be arrested for* ~; *several cases of* ~] **2** rivning [av hus]

housebroken ['haʊs,brəʊk(ə)n] *adj* rumsren [*a ~ dog*]

housecoat ['haʊskəʊt] *s* slags städrock

housefly ['haʊsflaɪ] *s* zool. husfluga

houseful ['haʊsfʊl] *s* helt hus fullt [*of* av, med]; *several ~s of furniture* möbler nog att fylla flera hus

household ['haʊs(h)əʊld] **I** *s* hushåll [*we are a ~ of six* (på sex personer)]; hus

II *adj* hushålls-, hem-; vardags-; ~ *duties* hushållsgöromål, hushållsbestyr; ~ *furniture [and effects]* bohag; ~ *remedy* huskur

householder ['haʊs,(h)əʊldə] *s* husinnehavare, lägenhetsinnehavare, person med egen bostad

household name [,haʊs(h)əʊld'neɪm] *s* känt namn; kändis

household word [,haʊs(h)əʊld'wɜ:d] *s*, *his name is a* ~ hans namn är på allas läppar

house-hunting ['haʊs,hʌntɪŋ] *pres p*, *go* ~ gå och se på hus, leta efter bostad

househusband ['haʊs,hʌzbənd] *s* hemmaman

housekeeper ['haʊs,ki:pə] *s* hemhjälp, städare; husfru på hotell, hotellstädare

housekeeping ['haʊs,ki:pɪŋ] *s* hushållning, hushållsskötsel; vard. hushållspengar; ~ *money* hushållspengar; *do the* ~ sköta hushållet

houselights ['haʊslaɪts] *s pl*, *the* ~ teat. el. på bio ljuset i salongen

housemaid ['haʊsmeɪd] *s* **1** husa, husjungfru **2** ~*'s knee* med. skurknä, skurknöl

houseman ['haʊsmən] *s* ung. underläkare

house martin ['haʊs,mɑ:tɪn] *s* zool. hussvala

housemaster ['haʊs,mɑ:stə] *s* föreståndare för elevhem, 'husfar' vid internatskola

housemistress ['haʊs,mɪstrəs] *s* föreståndarinna för elevhem, 'husmor' vid internatskola

House music ['haʊs,mju:zɪk] *s* mus. house[musik]

house of cards [,haʊsəv'kɑ:dz] *s* korthus vanl. bildl.

House of Commons [,haʊsəv'kɒmənz] (förk. *HC*) *s*, *the* ~ underhuset

House of Lords [,haʊsəv'lɔ:dz] (förk. *HL*) *s*, *the* ~ överhuset

House of Representatives [,haʊsəvreprɪ'zentətɪvz] *s*, *the* ~ representanthuset

house-owner ['haʊs,əʊnə] *s* husägare, villaägare

house party ['haʊs,pɑ:tɪ] *s* **1** weekendbjudning [på landet] **2** weekendgäster

house phone ['haʊsfəʊn] *s* porttelefon

house plant ['haʊsplɑ:nt] *s* rumsväxt

house-proud ['haʊspraʊd] *adj* pedantiskt noga med städning (ordning)

houseroom ['haʊsru:m] *s*, *make ~ for* ge husrum [åt], härbärgera i sitt hem

house-sit ['haʊssɪt] *vb itr* vakta ett hus (huset)

Houses of Parliament [,haʊzɪzəv'pɑ:ləmənt] (förk. *HP*) *s*, *the* ~ parlamentshuset i London

house sparrow ['haʊs,spærəʊ] *s* zool. gråsparv

house-to-house [,haʊstə'haʊs] *adj* hemförsäljnings-; dörrknacknings-; ~ *canvassing* polit. husagitation; ~ *selling* hemförsäljning, direktförsäljning

housetop ['haʊstɒp] *s* [hus]tak; *shout (cry, proclaim) sth from the ~s* basunera (skrika) ut ngt

housetrained ['haʊstreɪnd] *adj* rumsren [*a ~ dog*]

house-warming ['haʊs,wɔ:mɪŋ] *s* o. *adj*, ~ [*party*] inflyttningsfest i nytt hem

housewife ['haʊswaɪf] (pl. *housewives*) *s* hemmafru

housewifely ['haʊs,waɪflɪ] *adj* husmoderlig [~ *duties*]; huslig, hem- [~ *work*]

house wine ['haʊswaɪn] *s* husets vin

housework ['haʊswɜ:k] *s* hushållsarbete, hushållsgöromål

housing ['haʊzɪŋ] *s* **1** bostäder [*modern* ~];

byggnader, hus; bostadsförhållanden
2 bostadsbyggande; *be on the ~ list* stå i bostadskön
3 skydd; löst tak, [över]täckning över båt o.d.
4 inhysande, härbärgering; hand. magasinering
housing agency ['haʊzɪŋˌeɪdʒ(ə)nsɪ] *s*
bostadsförmedling; fastighetsförmedling
housing association ['haʊzɪŋəsəʊsɪˌeɪʃ(ə)n] *s*
bostadsrättsförening
housing development ['haʊzɪŋdɪˌveləpmənt] *s* o.
 housing estate ['haʊzɪŋɪˌsteɪt] *s* bostadsområde,
bebyggelse
housing project ['haʊzɪŋˌprɒdʒekt] *s* amer.
kommunalt bostadsområde för fattiga
hove [həʊv] imperf. o. perf. p. av *heave*
hovel ['hɒv(ə)l, 'hʌv-] *s* **1** [öppet] skjul, lider
2 ruckel, kyffe
hover ['hɒvə, 'hʌv-] *vb itr* **1** om fåglar, flygplan o.d.
sväva, kretsa [*over* över] **2** vänta, gå fram och
tillbaka; *~ about* äv. kretsa omkring, slå sina lovar
omkring **3** bildl. sväva [*~ between life and death*];
pendla [*~ between two extremes*]; *the sales ~
around 2 million euros* försäljningen ligger
någonstans kring 2 miljoner euro
hovercraft ['hɒvəkrɑːft] (pl. *hovercraft*) *s* svävare,
svävfarkost
hover mower ['hɒvəˌməʊə] *s* luftkuddegräsklippare
hovertrain ['hɒvətreɪn] *s* luftkuddetåg
how [haʊ] *adv* **1** hur; *~ do you do?* god dag! vid
presentation; ibl. hur står det till?; jfr *how-do-you-do*;
~ are you? hur står det till [med dig]?, hur mår du?;
~ is it that…? hur kommer det sig att…?; *~'s that?*
a) hur kommer det sig?, vad beror det på? b) vad
tycker (säger) du om det?; *that's ~ it is* så är det, så
ligger det till; *that's ~ she got it* det var så (på så
sätt) hon fick det; *~ about…?* se under *about I 3*; *~
come?* se under *come I 8*; *~ ever* hur i all världen [*~
will you ever manage?*]; *~ now?* vad nu?, vad vill
det säga?; *~ so?* hur så?, hur kommer det sig?; *I'll
show you ~* [*to do it*] jag ska visa dig [hur man gör];
and ~! vard. om!, det kan du skriva upp!; *here's ~!*
skål! **2** i utrop så, vad, hur; *~ kind you are!* så snäll du
är!, vad du är snäll! **3** att [*he told me ~ there had
been a storm*]; *as ~* dial. att [*he told me as ~ there
had been a storm*]
Howard ['haʊəd] mansnamn
howdah ['haʊdə] *s* ind., täckt säte på elefant
how-do-you-do [ˌhaʊdjʊˈduː, -djəˈd-, -dʒəˈd-] **I** *interj*,
~? goddag! vid presentation; ibl. hur står det till?
II *s* **1** *give sb a friendly ~* hälsa vänligt på ngn **2** se
how-d'ye-do II
howdy ['haʊdɪ] *interj* amer. vard., *~!* tjänare!, hej!,
mors!
how-d'ye-do [ˌhaʊdjəˈduː] **I** *interj* se *how-do-you-do*
II *s* vard., *that's a nice* (*fine, pretty*) *~* det är en snygg
historia
however [haʊˈevə] **I** *adv* **1** hur…än [*~ rich she may
be*]; *~ you like* hur ni vill, hur som helst; [*give me a
room*] *~ small* …hur litet som helst **2** vard., se *how
ever* under *how 1*
II *konj* emellertid, likväl, dock [*later ~, he decided
to go*]
howitzer ['haʊɪtsə] *s* mil. haubits
howl [haʊl] **I** *vb itr* **1** tjuta, vina [*the wind ~ed
through* (i) *the trees*]; yla [*a wolf ~s*] **2** tjuta, vråla,

[gall]skrika; *~ with laughter* tjuta av skratt
II *vb tr* skrika ut; *~ down* överrösta, tysta ned [med
skrik]
III *s* **1** tjut, vinande; ylande **2** tjut, vrål, skrik;
ramaskri, skri av förbittring
howler ['haʊlə] *s* vard. groda; grovt fel
howling ['haʊlɪŋ] *adj* **1** tjutande etc., jfr *howl I*
2 ödslig [*a ~ wilderness*] **3** vard. dunder-, jätte- [*a ~
blunder*]
HP [ˌeɪtʃˈpiː] förk. för *hire purchase, Houses of
Parliament*
hp [ˌeɪtʃˈpiː] förk. för *horsepower*
HQ [ˌeɪtʃˈkjuː] förk. för *Headquarters*
hr förk. för *hour*
HRH [ˌeɪtʃɑːrˈeɪtʃ] förk. för *His* (*Her*) *Royal Highness*
hrs förk. för *hours*
HRT [ˌeɪtʃɑːˈtiː] förk. för *hormone replacement
therapy*
HST [ˌeɪtʃesˈtiː] förk. för *high-speed train*
ht förk. för *height*
HTML [ˌeɪtʃtiːˌemˈel] data. (förk. för *hypertext
markup language*) HTML standard för utformning av
hypertextdokument
HTTP [ˌeɪtʃˌtiːˌtiːˈpiː] data. (förk. för *hypertext transfer
protocol*) HTTP kommunikationsprotokoll för webbläsare
hub [hʌb] *s* **1** [hjul]nav **2** centrum [*a ~ of
commerce*]
hubbub ['hʌbʌb] *s* sorl[ande], stoj[ande]; bråk,
tumult, rabalder; ståhej, bestyr
hubby ['hʌbɪ] *s* (vard. kortform av *husband*), *my ~* min
man (gubbe)
hubcap ['hʌbkæp] *s* navkapsel
Hubert ['hjuːbət] **1** mansnamn **2** som helgonnamn
Hubertus
hubris ['hjuːbrɪs] *s* hybris övermod
huckleberry ['hʌklbərɪ, -lˌberɪ] *s* amer. huckleberry
den blåbärsliknande frukten från buskar av släktet Gaylussacia
huckster ['hʌkstə] *s* **1** schackrare, skojare **2** vanl.
amer. **a)** påträngande försäljare **b)** reklamman spec. i
radio el. tv
huddle ['hʌdl] **I** *vb tr*, *~ oneself up* krypa ihop, kura
ihop sig
II *vb itr* skocka sig, trängas, tränga ihop sig;
trycka sig intill varandra [*the children ~d together
to keep warm*]; kura ihop sig, krypa ihop; *the
children were ~d together* barnen satt (låg) tätt
tryckta intill varandra; *~ up against sb* krypa
(trycka sig) tätt intill ngn; *he lay ~d up* han låg
hopkrupen (hopkurad)
III *s* **1** massa, hög [*a ~ of large stones*]; bråte;
samling, anhopning **2** oordning, röra, virrvarr; *all
in a ~* i en enda röra **3** vard., *get* (*go*) *into a ~* ha en
privat (hemlig) överläggning, diskutera i enrum
hue [hjuː] *s* färg [*the ~s of the rainbow*]; färgton,
[färg]skiftning, nyans; bildl. schattering [*political
parties of every ~*]
hue and cry [ˌhjuːənˈkraɪ] *s* rop som manar till
förföljande [*they raised the ~ ~ – 'Stop thief!'*];
ramaskri; *raise* (*start*) *a ~ against* inleda en
kampanj mot, upphäva ett ramaskri mot
huff [hʌf] **I** *vb itr*, *~ and puff* flåsa och stöna; muttra,
visa sitt missnöje
II *s* [utbrott av] dåligt humör [*he went away in a*

~]; **be in** (**get into**) **a** ~ vara (bli) förnärmad (kränkt, stött) [*at* över]

huffed [hʌft] *adj* förnärmad, kränkt, stött [*at* över]

huffy ['hʌfɪ] *adj* **1** butter, tjurig [*in a* ~ *mood*]; **get** ~ bli förnärmad (stött) **2** lättstött, snarstucken

hug [hʌg] **I** *vb tr* **1** krama, omfamna **2** hylla [~ *an opinion*]; hålla fast vid [~ *a belief*] **3** hålla nära [~ *the shore*]; ~ **the land** kära (hålla tätt intill) land; **the car ~s the road** bilen har mycket bra väghållning (väghållningsförmåga)
II *s* kram, omfamning, famntag

huge [hju:dʒ] *adj* väldig, mycket stor, jättestor, enorm, ofantlig [~ *mountains*; ~ *waves*; *a* ~ *army*; *a* ~ *sum*]

hugely ['hju:dʒlɪ] *adv* enormt [*we enjoyed ourselves* ~]; väldigt, oerhört [mycket]

Hugh [hju:] mansnamn

Hugo ['hju:gəʊ] mansnamn

huh [hʌ, hə] *interj* **1** uttr. förakt, ~**!** ha! **2** uttr. överraskning, ~**?** va?, äh?

hula ['hu:lə] *s* se *hula-hula*

hula hoop® ['hu:ləhu:p] *s* rockring

hula-hula [ˌhu:lə'hu:lə] *s* hula-hula hawaiisk dans

hula skirt ['hu:ləskɜ:t] *s* bastkjol

hulk [hʌlk] *s* **1** holk, hulk gammalt avriggat fartygsskrov **2** vrak; ruin, skelett, skal [*the fire reduced the building to an empty* ~] **3** person bjässe, jätte, hulk

hulking ['hʌlkɪŋ] *adj* vard. stor och tung, grov, åbäkig; lunsig; klumpig; **a big** ~ **fellow** en riktig bjässe (jätte, hulk)

hull [hʌl] *s* sjö. [fartygs]skrov

hullabaloo [ˌhʌləbə'lu:] (pl. ~s) *s* ståhej, rabalder; **make a great** ~ **about sth** ställa till ett himla väsen om ngt

hullo [ˌhʌ'ləʊ, hʌ'l-] *interj* o. *s* se *hello*

hum [hʌm, interj. äv. hm] **I** *vb itr* **1** surra [~ *like a bee*] om humla el. apparat brumma; om trafik brusa **2** gnola, nynna **3** mumla, säga hm, humma; ~ *and haw* se *hem and haw* under *2 hem II* **4** sorla; vard. vara i liv och rörelse; **things are beginning to** ~ vard. nu börjar det hända saker och ting, det börjar röra [på] sig; **make things** ~ vard. få fart på saker och ting **5** vard. lukta [pyton (apa)] [*this ham is beginning to* ~]
II *vb tr* **1** gnola [på], nynna [på] [~ *a song*]; ~ *a child to sleep* nynna ett barn till sömns **2** mumla [fram]
III *s* **1** surrande [*the* ~ *of bees*]; brum[mande], jfr *hum I 1*; [svagt] sorl [*a* ~ *of voices from the next room*]; [svagt] brus [*the* ~ *of distant traffic*] **2** gnolande, nynnande **3** mummel

human ['hju:mən] **I** *adj* mänsklig [*a* ~ *voice*; *he has become more* ~ *lately*]; människo- [*the* ~ *body*]; human- [~ *biology*]; **we are only** ~ vi är ju inte mer än människor
II *s* människa [*we* ~s; *all* ~s]

human being [ˌhju:mən'bi:ɪŋ] *s* mänsklig varelse, människa

humane [hjʊ'meɪn] *adj* **1** human [~ *treatment*]; mänsklig, människovänlig, barmhärtig **2** humanistisk [~ *studies*]

human equation [ˌhju:mənɪ'kweɪʒ(ə)n] *s*, **the** ~ den mänskliga faktorn

humanism ['hju:mənɪz(ə)m] *s* **1** mänsklighet, humanitet **2** humanism

humanist ['hju:mənɪst] *s* **1** humanist **2** människovän, filantrop

humanitarian [hjʊˌmænɪ'teərɪən] *adj* humanitär, humanitets- [*for* ~ *reasons*]; människovänlig, filantropisk

humanity [hjʊ'mænətɪ] *s* **1** mänskligheten [*crimes against* ~]; människosläktet, människorna **2** den mänskliga naturen; mänsklighet, mänskliga drag **3** människokärlek, humanitet, [sann] mänsklighet; [**treat people and animals**] **with** ~ ...humant **4** *the* *humanities* humaniora spec. klassiska språk o.d.

humanize ['hju:mənaɪz] *vb tr* humanisera, göra mera human (mänsklig) [~ *business relations*]

humankind [ˌhju:mən'kaɪnd] *s* mänsklighet[en]

humanly ['hju:mənlɪ] *adv* mänskligt, på mänskligt sätt; **all that is** ~ **possible** allt som står i mänsklig makt

human nature [ˌhju:mən'neɪtʃə] *s* människans natur, den mänskliga naturen

humanoid ['hju:mənɔɪd] **I** *adj* människoliknande, människo-
II *s* människoliknande varelse (i science fiction äv. robot)

human race [ˌhju:mən'reɪs] *s*, **the** ~ människosläktet, människorna

human resources [ˌhju:mənrɪ'sɔ:sɪz] *s pl* personalavdelning; ~ **manager** personalansvarig

human rights ['hju:mənraɪts] *s pl* mänskliga rättigheter; **European Court of Human Rights** EU. Europeiska domstolen för de mänskliga rättigheterna, Europadomstolen

human trafficking [ˌhju:mən'træfɪkɪŋ] *s* människohandel

humble ['hʌmbl] **I** *adj* **1** ödmjuk [*a* ~ *attitude*]; underdånig [*he is very* ~ *towards his superiors*]; undergiven; **eat** ~ **pie** [få] svälja förödmjukelsen; krypa till korset; **your** ~ **servant** Er ödmjuke tjänare; i brev vördsammast **2** låg [*a* ~ *post*]; ringa, blygsam [*a* ~ *income*]; enkel [*a man of* ~ *origin*; *my* ~ *home*]; oansenlig, anspråkslös; **in my** ~ **opinion** enligt min ringa mening
II *vb tr* göra ödmjuk; kväsa [~ *sb's pride*]; förödmjuka [~ *one's enemies*]; förnedra

humbug ['hʌmbʌg] *s* **1** humbug, skoj, båg, bluff **2** humbug, skojare, bluff[makare] **3** slags pepparmyntskaramell

humdinger ['hʌmdɪŋə] *s* sl., **a** ~ a) om sak panggrej, kanongrej; om t.ex. match höjdare b) om person toppenkille, toppentjej

humdrum ['hʌmdrʌm] *adj* enformig, enahanda; vardaglig, alldaglig

humer|us ['hju:mər|əs] (pl. -*i* [-aɪ]) *s* anat. humerus, överarmsben[pipa]

humid ['hju:mɪd] *adj* fuktig [~ *air*; ~ *ground*]

humidifier [hjʊ'mɪdɪfaɪə] *s*, ~ el. **air** ~ luftfuktare

humidify [hjʊ'mɪdɪfaɪ] *vb tr* fukta

humidity [hjʊ'mɪdətɪ] *s* fukt, fuktighet, fuktighetsgrad

humiliate [hjʊ'mɪlɪeɪt] *vb tr* förödmjuka; förnedra

humiliating [hjʊ'mɪlɪeɪtɪŋ] *adj* förödmjukande; förnedrande

humiliation [hjʊˌmɪlɪ'eɪʃ(ə)n, ˌhju:mɪl-] *s* förödmjukelse, förödmjukande; förnedring

humility [hjʊ'mɪlətɪ] *s* ödmjukhet; anspråkslöshet

hummingbird [ˈhʌmɪŋbɜːd] *s* zool. kolibri

hummock [ˈhʌmək] *s* [låg och rund] kulle, stor tuva, upphöjning, hög

hummus [ˈhʊməs] *s* kok. hummus blandning av mosade kikärter, olja o. vitlök

humorous [ˈhjuːm(ə)rəs] *adj* humoristisk [*a ~ writer*]; skämtsam, lustig [*~ remarks*]

humour [ˈhjuːmə] **I** *s* **1** humor, skämtlynne, skämtsamhet; *he has no sense of ~* han har inget sinne för humor (ingen humor) **2 a)** humör, lynne, stämning **b)** sinnelag, temperament; *in a bad ~* på dåligt humör; *in a good ~* på gott humör **II** *vb tr* blidka [*you should try to ~ her when she is in a bad temper*]; *~ sb* äv. låta ngn få sin vilja fram, göra ngn till viljes, låta ngn få som han vill

hump [hʌmp] **I** *s* **1** puckel, knöl; kött av puckel spec. bisonoxes **2** mindre, rund kulle, hög **3** sl., *get* (*take*) *the ~* **a)** bli deppig (nere) **b)** bli på dåligt humör **4** vard. kritisk punkt, puckel; *be over the ~* ha det värsta bakom sig **II** *vb tr* **1** vard. kånka på (med) **2** vulg. sätta 'på ha samlag med

humpback [ˈhʌmpbæk] *s* puckelrygg person el. rygg

humpback bridge [ˌhʌmpbækˈbrɪdʒ] *s* trafik. valvbro

humpback whale [ˌhʌmpbækˈweɪl] *s* zool. knölval, puckelval

humph [mm, hʌmf] *interj* hm!

humus [ˈhjuːməs] *s* humus, mylla

Hun [hʌn] *s* **1** hist. hunn[er] **2** barbar, vilde; vandal

hunch [hʌn(t)ʃ] **I** *vb tr*, *~* el. *~ up* kröka, [böja och] dra upp [*he was sitting at the table with his shoulders ~ed up*]; *~ one's back* skjuta rygg, kuta rygg **II** *s* **1** puckel, knöl **2** tjockt stycke [*a ~ of bread*] **3** vard. aning, föraning; *I have a ~ that* jag har på känn att, jag har en föraning att

hunchback [ˈhʌn(t)ʃbæk] *s* puckelrygg

hunchbacked [ˈhʌn(t)ʃbækt] *adj* puckelryggig

hunched [hʌn(t)ʃt] *adj*, *~* el. *~ up* hopkrupen

hundred [ˈhʌndrəd, -drɪd] *räkn* o. *s* hundra; hundratal [*in ~s*]; *a* (*one*) *~* [ett] hundra; *a ~ to one* hundra mot ett; *a ~ per cent* **a)** som adj. hundraprocentig, fullständig **b)** som adv. hundraprocentigt, fullständigt; *~s of people* hundratals människor; *by ~s* i hundratal

hundredfold [ˈhʌndrədfəʊld, -drɪd-] **I** *adj* hundrafaldig **II** *adv*, *a ~* hundrafalt, hundrafaldigt

hundreds and thousands [ˌhʌndrədzənˈθaʊz(ə)ndz] *s pl* kok. strössel

hundredth [ˈhʌndrədθ, -drɪdθ] **I** *räkn* hundrade; *~ part* hundradel **II** *s* hundradel; *a ~ of a second* en hundradels sekund

hundredweight [ˈhʌndrədweɪt, -drɪd-] (pl. vanl. *hundredweight*) *s* ung. centner **a)** britt. = 50,802 kg **b)** amer. = 45,359 kg

hung [hʌŋ] **I** *imperf.* o. *perf. p.* av *hang* **II** *adj* **1** polit., *a ~ parliament* ett parlament där inget parti har egen majoritet **2** jur., *a ~ jury* en oenig jury

Hungarian [hʌŋˈɡeərɪən] **I** *adj* ungersk **II** *s* **1** ungrare; ungerska kvinna **2** ungerska [språket]

Hungary [ˈhʌŋɡərɪ] geogr. Ungern

hunger [ˈhʌŋɡə] **I** *s* **1** hunger; *~ is the best sauce* hungern är den bästa kryddan **2** bildl. hunger, törst [*~ for knowledge*]; längtan [*~ for love*] **II** *vb itr* bildl. hungra, törsta, längta [*~ for*]

hunger-strike [ˈhʌŋɡəstraɪk] *s* hungerstrejk

hungover [ˌhʌŋˈəʊvə, ˈ-ˌ--] *adj* vard. bakis, bakfull

hungry [ˈhʌŋɡrɪ] *adj* **1** hungrig **2** bildl. hungrande, törstande, längtande; *be ~ for* hungra (törsta) efter [*be ~ for knowledge*]; längta efter [*be ~ for affection*]; vara sugen på

hungup [ˌhʌŋˈʌp, ˈ--] *adj* vard., *be ~* vara ur gängorna (nere, deppig); *be ~ on* vara fixerad vid (besatt av), ha hakat upp sig på, vara galen i

hunk [hʌŋk] *s* **1** tjockt (stort) stycke, tjock skiva [*a ~ of bread*] **2** vard., *a* el. *a ~ of a man* en sexig kille

hunker [ˈhʌŋkə] *vb itr*, *~* el. *~ down* sitta nerhukad (på huk)

hunky-dory [ˌhʌŋkɪˈdɔːrɪ] *adj* vard. finfin, toppen, prima

hunt [hʌnt] **I** *vb tr* **1** jaga [*~ big game; ~ tigers*] **2** jaga (leta) efter, försöka få [tag i], vara på jakt efter, jaga **3** driva, jaga [*away* bort; *out* ut; *out of* ut ur, bort från] **II** *vb tr* **1** jaga britt. ofta om hetsjakt med hund; *be out* (*go*) *~ing* vara [ute] på (gå på) jakt **2** snoka, söka, leta [*after, for* efter]; *be ~ing for* vara på jakt (språng) efter **III** *vb tr* med adv.: **hunt down a)** förfölja och fånga (döda) **b)** [jaga och] få fast [*~ down a criminal*] **hunt up** jaga upp; spåra upp [*~ up quotations*] **IV** *s* **1** jakt; britt. ofta hetsjakt, rävjakt till häst med hundar som dödar räven **2** letande [*for* efter; *find sth after a long ~*]; jakt [*the ~ for* (på) *the murderer*]; *be on the ~ for* vara på jakt efter, leta efter **3** jaktsällskap, jaktklubb

hunt-and-peck [ˌhʌntən(d)ˈpek] *adj*, *the ~ system* pekfingervalsen på tangentbord

hunter [ˈhʌntə] *s* **1** jägare äv. bildl. som efterlед i sammansättn. [*fortune-hunter*] **2 a)** jakthund **b)** hunter jakthäst

hunting [ˈhʌntɪŋ] *s* jakt som näringsgren el. sport [*~ and fishing; he is fond of ~*], britt. ofta jakt [till häst], jaktridning, jfr *hunt IV 1*

hunting ground [ˈhʌntɪŋɡraʊnd] *s* jaktmark; *the happy ~s* de sälla jaktmarkerna

hunts|man [ˈhʌnts|mən] (pl. *-men* [-mən]) *s* jägare

hurdle [ˈhɜːdl] **I** *s* **1** sport.: i häcklöpning häck; i hästsport hinder; *~s* (med verb i sg.) häcklöpning, häck [*110 metres ~s*] **2** bildl. hinder, barriär, svårighet **II** *vb tr* kapplöpn. hoppa över, ta ett hinder **III** *vb itr* löpa häck; ta hinder

hurdler [ˈhɜːdlə] *s* sport. häcklöpare

hurdy-gurdy [ˌhɜːdɪˈɡɜːdɪ] *s* mus. positiv

hurl [hɜːl] *vb tr* **1** slunga, vräka, kasta [*at, on, upon* mot, på] **2** utslunga [*~ threats at* (mot)]; fara ut i [*~ invective* (smädelser) *at*]; kasta, slunga [*~ furious glances at*]; *~ defiance at* trotsa; *~ back* tillbakavisa [*~ back an accusation*]

hurling [ˈhɜːlɪŋ] *s* hurling ett landhockeyliknande spel, Irlands nationalspel

hurly-burly [ˈhɜːlɪˌbɜːlɪ, ˌ--ˈ--] *s* oväsen, tumult, väsen, villervalla, virrvarr

hurrah [hʊˈrɑː] o. **hurray** [hʊˈreɪ] *interj* hurra!

hurricane [ˈhʌrɪkən, -keɪn] *s* orkan, svår storm

hurricane lamp [ˈhʌrɪkənlæmp] *s* stormlykta

hurried ['hʌrɪd] *adj* påskyndad; brådstörtad, bråd; brådskande, hastig [*a ~ meal*]; snabb, skyndsam

hurry ['hʌrɪ] **I** *vb tr* **1** snabbt föra, snabbt dirigera (föra fram); driva [på], jaga [på]; ~ *sb away* (*off*) snabbt föra bort ngn **2** skynda på, jäkta [*it's no use ~ing her*]; påskynda [ofta ~ *on*; ~ *up*; ~ *dinner*] **II** *vb itr* skynda sig, jäkta [*don't ~, there's plenty of time*]; skynda, rusa [~ *away* (*off*); *they hurried to the station*]; brådska; ~ *on* skynda vidare; ~ *up* skynda (raska, kvicka) på [~ *up about* (med) *sth*]; skynda sig, sätta fart **III** *s* brådska, jäkt; hast; *be in a ~* ha (få) bråttom [*to* [med] att; *he was in a ~ to leave*]; *he is in no ~* han gör sig (har) ingen brådska, han har inte bråttom; [*I won't go there again*] *in a ~* vard. …i första taget, …i brådrasket

hurt [hɜːt] **I** (*hurt hurt*) *vb tr* **1** skada, skada sig i, göra illa, göra sig illa i; ~ *oneself* göra sig illa, slå sig [*did you ~ yourself?*]; *get ~* el. *be ~* bli skadad, skada sig, göra sig illa **2** skada, vålla skador på **3** *my foot ~s me* jag har ont i foten, det gör ont (värker) i foten [på mig] **4** bildl. **a**) skada [*it ~ his reputation*]; *that won't ~ him* det tar han ingen skada av **b**) såra [*her tone ~ me*]; kränka; ~ *sb's feelings* såra ngn (ngns känslor) **II** (*hurt hurt*) *vb itr* **1** vålla skada; *it won't ~* det skadar inte **2** göra ont [*it ~s terribly*] **III** *adj* skadad; sårad båda äv. bildl. [*in a ~ tone; feel ~*]; stött, kränkt **IV** *s* **1** oförrätt; *I saw the ~ it caused him* jag såg hur mycket det sårade honom; *it was a ~ to his pride* det sårade hans stolthet **2** kroppslig skada

hurtful ['hɜːtf(ʊ)l] *adj* **1** sårande [~ *remarks*] **2** skadlig, menlig, farlig [~ *to* (för) *the health*]

hurtle ['hɜːtl] *vb itr* **1** susa [fram] [*the car ~d down the road*]; rusa **2** rasa, störta, braka [*tons of snow ~d down the mountain*]

husband ['hʌzbənd] **I** *s* man [*her future* (blivande) ~]; äkta man, make; ~ *and wife* man och hustru, äkta makar **II** *vb tr* hushålla med [~ *one's resources*]; spara på [~ *one's strength* (krafterna)]

husbandry ['hʌzbəndrɪ] *s* **1** jordbruk, åkerbruk, lanthushållning **2** hushållning [*good* (*bad*) ~] **3** sparsamhet [*of med*]

hush [hʌʃ, interj. vanl. ʃ:] **I** *vb tr* **1** hyssja åt (på); göra tyst, tysta [ner] [~ *your dog!*]; få att tiga [äv. ~ *up*; ~ *down*]; ~ *a baby to sleep* vyssa ett barn till sömns; *~ed silence* djup tystnad; *in a ~ed voice* med dämpad röst **2** ~ el. ~ *up* tysta ner [~ *up a scandal*]; hemlighålla, lägga locket på **II** *vb itr* **1** tystna; tiga **2** hyssja [*at* åt, på] **III** *s* tystnad, stillhet [*in the ~ of night*] **IV** *interj* sch!, hyssj!, tyst!

hush-hush [,hʌʃ'hʌʃ, '--] vard. **I** *adj* hemlig, topphemlig [*a ~ investigation*] **II** *s* hysch-hysch, hemlighetsmakeri, tissel och tassel

hush money ['hʌʃ,mʌnɪ] *s* pengar (mutor) för att tiga (hålla tyst)

husk [hʌsk] **I** *s* **1** skal, hylsa, skida **2** bildl. [värdelöst] yttre skal **II** *vb tr* skala, rensa

1 husky ['hʌskɪ] *adj* **1** torr [i halsen]; hes, skrovlig, beslöjad [*a ~ voice*] **2** skaltorr **3** vard. stor och stark, kraftig

2 husky ['hʌskɪ] *s* zool. eskimåhund

hussar [hʊ'zɑː] *s* husar

hussy ['hʌzɪ, 'hʌsɪ] *s* **1** ngt åld. slinka, slyna, slampa **2** skämts. jäntunge, satunge [*little ~*]

hustings ['hʌstɪŋz] (med verb vanl. i sg.) *s* valrörelse, valkampanj, valmöte, valstrid

hustle ['hʌsl] **I** *vb tr* **1** knuffa [till], stöta [till], skuffa till, tränga [ihop]; fösa [~ *sb out of the room*]; tvinga, pressa [*into doing sth* [till] att göra ngt] **2** vard. skynda på, sätta fart på [~ *the work*] **3** vard. lura, blåsa på pengar; ~ *sb out of sth* lura av ngn ngt, blåsa ngn på ngt; *don't try to ~ me* försök inga tricks med mig **II** *vb itr* **1** knuffas, trängas; tränga sig; pressa sig [*someone ~d against her in the crowd*]; tränga (armbåga) sig fram **2** vanl. amer. vard. fixa pengar (grejer) på olika, oftast olagliga sätt, t.ex.: sno stjäla; gå på gatan om prostituerad; langa narkotika; spela [hasard] **III** *s* **1** knuffande, skuffande **2** jäkt; ~ *and bustle* liv och rörelse, fart och fläng **3** vanl. amer. vard. blåsning; bondfångeri; sätt att fixa stålar, jfr *hustle II 2*

hustler ['hʌslə] *s* vanl. amer. sl. **1** fixare; skojare, bondfångare; tjuv **2** fnask

hut [hʌt] *s* hydda, koja; hytt [*bathing ~*]; *mud ~* lerhydda

hutch [hʌtʃ] *s* bur [*rabbit ~*]

hyacinth ['haɪəs(ɪ)nθ] *s* bot. el. miner. hyacint

hyaena [haɪ'iːnə] *s* zool., se *hyena*

hybrid ['haɪbrɪd] **I** *s* **1** biol. hybrid, korsning **2** bildl. blandprodukt, mellanting **II** *adj* hybrid; bland- [~ *race*; ~ *form*]; blandnings-

hybridize ['haɪbrɪdaɪz] **I** *vb tr* hybridisera, korsa **II** *vb itr* hybridisera, korsa sig; kunna korsas

Hyde Park [,haɪd'pɑːk, attr. '--] park i London, samlingsplats för möten o. demonstrationer

hydrangea [haɪ'dreɪn(d)ʒə] *s* bot. [vanlig] hortensia

hydrant ['haɪdr(ə)nt] *s* vattenpost; *fire ~* brandpost[huvud]

hydrate ['haɪdreɪt] kem. **I** *s* hydrat **II** *vb tr* hydratisera

hydraulic [haɪ'drɔːlɪk] *adj* hydraulisk

hydraulics [haɪ'drɔːlɪks] (med verb vanl. i sg.) *s* hydraulik; vattenbyggnad[slära]

hydrocarbon [,haɪdrə(ʊ)'kɑːbən] *s* kem. kolväte

hydrochloric acid [,haɪdrə(ʊ)klɒrɪk'æsɪd] *s* kem. saltsyra

hydrocortisone [,haɪdrə(ʊ)'kɔːtɪzəʊn] *s* kem. hydrokortison

hydroelectric [,haɪdrə(ʊ)ɪ'lektrɪk] *adj* hydroelektrisk; ~ *power* vattenkraft; ~ *power station* vattenkraftverk

hydrofoil ['haɪdrə(ʊ)fɔɪl] *s* **1** bärplansbåt, hydrofoilbåt [äv. ~ *vessel*] **2** bärplan

hydrogen ['haɪdrədʒ(ə)n] *s* kem. väte, hydrogen; ~ *peroxide* el. *peroxide of ~* väteperoxid, vätesuperoxid

hydrogen bomb ['haɪdrədʒ(ə)nbɒm] *s* vätebomb

hydrogen chloride [,haɪdrədʒ(ə)n'klɔːraɪd] *s* kem. väteklorid

hydrophobia [,haɪdrə(ʊ)'fəʊbɪə] *s* med. rabies, vattuskräck, hydrofobi

hydroplane ['haɪdrə(ʊ)pleɪn] *s* **1** planande racerbåt, stegbåt **2** vanl. amer. hydroplan,

sjöflygplan
II *vb itr* trafik. vattenplana
hydrospeeding ['haɪdrə(ʊ)ˌspiːdɪŋ] *s* sport., slags
forsränning där deltagarna är utrustade med flotte, simfötter,
hjälm och flytväst
hydrotherapy [ˌhaɪdrə(ʊ)'θerəpɪ] *s* med. hydroterapi,
vattenkur
hyena [haɪ'iːnə] *s* zool. hyena
hygiene ['haɪdʒiːn] *s* **1** hygien [*bad ~ and lack of
food*]; hälsovård **2** hygien, miljömedicin
hygienic [haɪ'dʒiːnɪk] *adj* hygienisk
hygienics [haɪ'dʒiːnɪks] (med verb i sg.) *s* hygien,
miljömedicin
hygienist [haɪ'dʒiːnɪst] *s* hygieniker; hygienist
[*dental ~*]
hygrometer [haɪ'grɒmətə] *s* fys. hygrometer
hymen ['haɪmən] *s* anat. slidkrans, hymen
hymn [hɪm] *s* **1** hymn, lovsång **2** psalm i psalmbok
hymn book ['hɪmbʊk] *s* psalmbok
hype [haɪp] vard. **I** *s* reklam[kampanj], PR,
[reklam]jippo
II *vb tr* **1** haussa upp, överreklamera, göra [alltför]
mycket reklam för [äv. ~ *up*] **2** tända, elda
entusiasmera [äv. ~ *up*]
hyped-up [ˌhaɪpt'ʌp] *adj* sl. uppjagad, uppeldad
hyperactive [ˌhaɪpər'æktɪv] *adj* hyperaktiv
hyperbole [haɪ'pɜːbəlɪ] *s* retor. hyperbol, överdrift
hyperconscious [ˌhaɪpə'kɒnʃəs] *adj* ytterst
medveten
hypercorrect [ˌhaɪpəkə'rekt] *adj* hyperkorrekt,
överdrivet korrekt
hypercritical [ˌhaɪpə'krɪtɪk(ə)l] *adj* hyperkritisk,
överkritisk, överdrivet kritisk; småpetig
hyperglycaemia [ˌhaɪpəglaɪ'siːmɪə] *s* med.
hyperglukemi, förhöjd blodsockerhalt
hyperinflation [ˌhaɪpərɪn'fleɪʃn] *s* hyperinflation
hyperlink ['haɪpəlɪŋk] *s* data. hyperlänk
hypermarket ['haɪpəˌmɑːkɪt] *s* stormarknad
hypermedia [ˌhaɪpə'miːdɪə] *s* data. hypermedia
hypersensitive [ˌhaɪpə'sensɪtɪv] *adj* **1** hyperkänslig,
lättsårad; lättstött **2** överkänslig, allergisk
hypertension [ˌhaɪpə'tenʃ(ə)n] *s* med. hypertoni, för
högt blodtryck
hypertext ['haɪpətekst] *s* data. hypertext struktur för
icke-linjär informationsförmedling
hyphen ['haɪf(ə)n] *s* bindestreck, divis
hyphenate ['haɪfəneɪt] *vb tr* skriva med
bindestreck, sätta bindestreck mellan
hyphenated ['haɪfəneɪtɪd] *adj* som skrivs med
bindestreck; ~ *name* dubbelnamn
hypnos|is [hɪp'nəʊs|ɪs] (pl. *-es* [-iːz]) *s* hypnos
hypnotherapy [ˌhɪpnə(ʊ)'θerəpɪ] *s* terapi med hjälp
av hypnos, hypnoterapi
hypnotic [hɪp'nɒtɪk] **I** *adj* hypnotisk äv. friare **II** *s*
sömnmedel
hypnotism ['hɪpnətɪz(ə)m] *s* **1** hypnotism **2** hypnos
hypnotist ['hɪpnətɪst] *s* hypnotisör
hypnotize ['hɪpnətaɪz] *vb tr* hypnotisera
hypo ['haɪpəʊ] (pl. ~*s*) *s* vard. för *hypodermic syringe*
hypochondria [ˌhaɪpə(ʊ)'kɒndrɪə] *s* psykol.
hypokondri, inbillningssjuka
hypochondriac [ˌhaɪpə(ʊ)'kɒndrɪæk] psykol. **I** *s*
hypokondriker, hypokonder, inbillningssjuk
människa **II** *adj* hypokondrisk, inbillningssjuk

hypocrisy [hɪ'pɒkrəsɪ] *s* hyckleri, skenhelighet
hypocrite ['hɪpəkrɪt] *s* hycklare, skenhelig person
hypocritical [ˌhɪpə(ʊ)'krɪtɪk(ə)l] *adj* hycklande,
skenhelig
hypodermic [ˌhaɪpə(ʊ)'dɜːmɪk] **I** *s* **1** kanyl;
injektionsspruta **2** injektion under huden
II *adj* införd (liggande) under huden,
hypodermatisk; subkutan [~ *injection*]
hypodermic needle ['haɪpə(ʊ)ˌdɜːmɪk'niːdl] *s* kanyl;
vard. spruta injektion
hypodermic syringe ['haɪpə(ʊ)ˌdɜːmɪk'sɪrɪn(d)ʒ] *s*
injektionsspruta
hypoglycaemia [ˌhaɪpə(ʊ)glaɪ'siːmɪə] *s* med.
hypoglukemi, låg blodsockerhalt
hypotenuse [haɪ'pɒtənjuːz] *s* geom. hypotenusa
hypothermia [ˌhaɪpə(ʊ)'θɜːmɪə] *s* med. hypotermi
kroppstemperatur under det normala
hypothes|is [haɪ'pɒθəs|ɪs] (pl. *-es* [-iːz]) *s* hypotes,
antagande, tankeexperiment; förutsättning
hypothetical [ˌhaɪpə(ʊ)'θetɪk(ə)l] *adj* hypotetisk
hypotonia [ˌhaɪpəʊ'təʊnɪə] *s* med. hypotoni lågt
blodtryck
hypoxia [haɪ'pɒksɪə] *s* med. hypoxi, syrebrist
hyssop ['hɪsəp] *s* bot. isop
hysterectomy [ˌhɪstə'rektəmɪ] *s* med. hysterektomi,
bortopererande av livmodern
hysteria [hɪ'stɪərɪə] *s* hysteri
hysterical [hɪ'sterɪk(ə)l] *adj* hysterisk
hysterics [hɪ'sterɪks] (med verb vanl. i sg.) *s* hysteri;
hysteriskt anfall; *have ~* få ett hysteriskt anfall, bli
hysterisk; *be in ~* falla ihop av skratt; *have sb in ~* få
ngn att falla ihop av skratt
Hz förk. för *hertz*

1 I, i [aɪ] (pl. *I's* el. *i's* [aɪz]) *s* I, i

2 I [aɪ] *pers pron* (objektsform *me*) jag

IA o. **Ia.** förk. för *Iowa*

Ian [ɪən, 'iːən] mansnamn

Iberian [aɪ'bɪərɪən] *adj* iberisk

Iberian Peninsula [aɪˌbɪərɪənpə'nɪnsjʊlə] *s* geogr., *the* ~ Pyreneiska (Iberiska) halvön

ibex ['aɪbeks] (pl. *ibex*) *s* zool. stenbock

ibis ['aɪbɪs] *s* zool. ibis[fågel]

Ibiza [ɪ'biːθə, aɪ'biːθə] geogr.

IBS [ˌeɪbiː'es] *s* med. (förk. för *irritable bowel syndrome*) tillstånd med magsmärtor och tarmtömningar oftare än normalt

IC [ˌaɪ'siː] förk. för *integrated circuit*

ICBM [ˌaɪ'siːˌbiː'em] (förk. för *intercontinental ballistic missile*) interkontinental [mark]robot

ice [aɪs] **I** *s* **1** is; *dry* ~ kolsyresnö, torris; *break the* ~ bryta isen äv. bildl.; *cut no* ~ vard. inte göra något intryck, inte imponera [*with* på]; inte betyda ett dugg, inte spela någon roll [*with* för]; *put sth on* ~ vard. lägga ngt på is; *be on thin* ~ el. *be skating on thin* ~ bildl. vara ute (ha kommit ut) på hal is **2** glass; *an* ~ en glass **3** sorbet **4** sl. glitter diamanter, juveler **II** *vb tr* **1** kyla [ner], isa [~ *a bottle of beer*], bildl. äv. frysa [~ *relations with that country*] **2** glasera [~ *a cake*] **III** *vb tr* o. *vb itr* med prep. el. adv.:

ice over a) frysa till [*the pond ~d over*] b) täcka (belägga) med is, isa sig [*the pond was ~d over*]

ice up bli nedisad [*the wings of the aircraft had ~d up*]; frysa; *~d up* överisad

Ice Age ['aɪseɪdʒ] *s*, *the* ~ istiden

ice axe ['aɪsæks] *s* isyxa

ice bag ['aɪsbæg] *s* isblåsa

iceberg ['aɪsbɜːg] *s* isberg; *the tip of the* ~ bildl. toppen av isberget

iceberg lettuce [ˌaɪsbɜːg'letɪs] *s* isbergssallad

icebound o. **ice-bound** ['aɪsbaʊnd] *adj* **1** isblockerad, tillfrusen [*an* ~ *harbour*] **2** fastfrusen [*an* ~ *ship*]; *be* ~ el. *become* ~ bli (vara) inisad

icebox ['aɪsbɒks] *s* **1** ngt åld. amer. kylskåp **2** isskåp **3** frysfack

icebreaker ['aɪsˌbreɪkə] *s* isbrytare

ice bucket ['aɪsˌbʌkɪt] *s* ishink, vinkylare

ice cap ['aɪskæp] *s* iskalott, istäcke

ice-cold [ˌaɪs'kəʊld] *adj* iskall

ice cream [ˌaɪs'kriːm] *s* glass

ice cream cone [ˌaɪskriːm'kəʊn] *s* glasstrut

ice cream parlour [ˌaɪskriːm'pɑːlə] *s* glassbar

ice cream soda [ˌaɪskriːm'səʊdə] *s* glassdrink

ice cube ['aɪskjuːb] *s* iskub, istärning, isbit

iced coffee [ˌaɪst'kɒfɪ] *s* iskaffe

iced tea [ˌaɪst'tiː] *s* iste

iced water [ˌaɪst'wɔːtə] *s* isvatten, iskylt vatten

ice floe ['aɪsfləʊ] *s* isflak

ice hockey ['aɪsˌhɒkɪ] *s* ishockey

ice hockey skate ['aɪsˌhɒkɪskeɪt] *s* ishockeyrör

ice hockey stick ['aɪsˌhɒkɪstɪk] *s* ishockeyklubba

Iceland ['aɪslənd] geogr. Island

Icelander ['aɪsləndə, -lændə] *s* islänning, isländare; isländska kvinna

Icelandic [aɪs'lændɪk] **I** *adj* isländsk **II** *s* isländska [språket]

Iceland moss [ˌaɪslənd'mɒs] *s* islandslav, islandsmossa

Iceland sweater [ˌaɪslənd'swetə] *s* islandströja

ice lolly ['aɪsˌlɒlɪ] *s* isglass[pinne]; glasspinne

ice pack ['aɪspæk] *s* **1** med. isblåsa, isomslag **2** packis

ice pail ['aɪspeɪl] *s* ishink, vinkylare

ice pick ['aɪspɪk] *s* isklyvare

ice rink ['aɪsrɪŋk] *s* skridskobana, isbana

ice sheet ['aɪsʃiːt] *s* se *ice cap*

ice-skate ['aɪsskeɪt] *vb itr* åka skridsko[r]

ice skate ['aɪsskeɪt] *s* skridsko

ice-skating ['aɪsskeɪtɪŋ] *s*, *go* ~ åka skridsko[r]

ice water ['aɪsˌwɔːtə] *s* **1** smältvatten **2** isvatten

ice yacht ['aɪsjɒt] *s* isjakt

icicle ['aɪsɪkl] *s* istapp, ispigg

icily ['aɪsɪlɪ] *adv* isande, iskallt äv. bildl.

iciness ['aɪsɪnəs] *s* iskyla, isande köld äv. bildl.

icing ['aɪsɪŋ] *s* **1** nedisning spec. flyg. [äv. ~ *down*]; isbildning **2** kok. glasyr; *the* ~ *on the cake* bildl. pricken över 'i' **3** ishockey. icing

icing sugar ['aɪsɪŋˌʃʊgə] *s* florsocker, pudersocker

ICJ [ˌaɪsiː'dʒeɪ] *s* (förk. för *International Court of Justice*), *the* ~ Internationella domstolen i Haag

icon ['aɪkɒn, -kən] *s* ikon äv. data. o. kyrkl., idol

iconoclasm [aɪ'kɒnə(ʊ)klæz(ə)m] *s* hist. el. friare ikonoklasm, bildstormande, friare äv. omstörtande verksamhet

iconoclast [aɪ'kɒnə(ʊ)klæst] *s* hist. el. friare bildstormare, ikonoklast, friare äv. omstörtare

ICTY [ˌaɪsiːtiː'waɪ] (förk. för *International Criminal Tribunal for the former Yugoslavia*), *the* ~ Internationella krigsförbrytartribunalen i Haag, Tribunalen för krigsförbrytelser i det forna Jugoslavien

ICU [ˌaɪsiː'juː] *s* (förk. för *intensive care unit*) IVA, intensivvårdsavdelning, intensiven

icy ['aɪsɪ] *adj* **1** iskall, isig, bitande kall [*an* ~ *wind*]; ~ *cold* iskall **2** isig [~ *roads*] **3** bildl. iskall [*in an* ~ *tone; an* ~ *stare*]; isande [~ *silence*]

ID [ˌaɪ'diː] **I** *s* (förk. för *identity*) id-kort, leg **II** *vb tr* vard., se *identify I*

Id. förk. för *Idaho*

I'd [aɪd] = *I had*, *I would* o. *I should*

Ida ['aɪdə] kvinnonamn

Idaho ['aɪdəhəʊ] geogr.

ID card [ˌaɪ'diːkɑːd] *s* id-kort, leg

IDD [ˌaɪdiː'diː] tele. (förk. för *international direct dialling*) automatuppkoppling av utlandssamtal

ID disc [ˌaɪ'diːdɪsk] *s* id-bricka

idea [aɪ'dɪə] *s* idé; begrepp, föreställning, uppfattning, syn [*his* ~ *of the matter*]; åsikt [*you shouldn't force your* ~*s on other people*]; mening, avsikt [*the* ~ *of* (med) *this arrangement is…*]; infall, påhitt, påfund [*that gave me the* ~ *for* (till) *my new book; that man is full of* ~*s*]; *the* [*very*] ~*!* el. *what an* ~*!* el. *the* ~ *of such a thing!* ett sånt påhitt!, vilken [fånig] idé!, hur kan man komma på en sån tanke?; *the very ~ makes me sick* blotta tanken äcklar mig; *that's the ~!* just det, ja!; så ligger det till, ja!; så var det meningen, ja!; *what's the big ~?* vad är meningen (vitsen) med det [här] egentligen?, vad ska det vara bra för?; [*a cup of tea*] *would not be a bad ~* ...skulle inte vara [så] dumt; [*picknicking*] *is not my ~ of pleasure* ...är inte vad jag menar med nöje; *I don't want you to get the wrong ~* jag vill inte att du ska få fel intryck; *you'll soon get the ~* du kommer snart att förstå (fatta); *don't* [*you*] *get ~s into your head!* inbilla dig ingenting!; *have an ~ that...* ana att..., ha på känn att...; *I have no ~* det har jag ingen aning om; *you can have no ~ of how...* du kan inte ana (föreställa dig) hur...; *I don't like the ~ of it* jag är inte förtjust i (pigg på) det, jag gillar det inte; [*he bought the house*] *with the ~ of letting it* ...i avsikt (med tanke på) att hyra ut det

ideal [aɪ'dɪəl, -'di:əl] **I** *adj* **1** idealisk, önske- [*~ weather*]; ideal- [*an ~ woman*]; perfekt, fulländad [*~ beauty*]; mönstergill [*~ behaviour*] **2** inbillad, blott tänkt; drömd [*~ happiness*]; utopisk **II** *s* ideal; *a man of ~s* en idealist
idealism [aɪ'dɪəlɪz(ə)m, aɪ'di:əl-] *s* idealism äv. filos.
idealist [aɪ'dɪəlɪst, aɪ'di:əl-] *s* idealist äv. filos.
idealistic [aɪ,dɪə'lɪstɪk, aɪ,di:ə'l-] *adj* idealistisk
idealize [aɪ'dɪəlaɪz, -'di:əl-] *vb tr* idealisera, framställa som [ett] ideal; försköna
ideally [aɪ'dɪəlɪ] *adv* idealiskt, under idealiska förhållanden
idée fixe [,i:deɪ'fi:ks] (pl. *idées fixes* utt. som sg.) *s* fr. fix idé
identical [aɪ'dentɪk(ə)l] *adj* **1** identisk [*with* med], identiskt lik, fullkomligt (helt) överensstämmande (sammanfallande), alldeles likadan [*with* som], likvärdig [*with* med], likalydande [*in two ~ copies*]; helt ense [*we are ~ in our views*] **2** the ~ el. *the very ~* precis samma, just den
identical twins [aɪ,dentɪk(ə)l'twɪnz] *s pl* enäggstvillingar
identifiable [aɪ,dentɪ'faɪəbl] *adj* identifierbar
identification [aɪ,dentɪfɪ'keɪʃ(ə)n] *s* **1** legitimation[spapper] [*he carries ~ with him at all times*]; *can you show any means of ~?* kan ni visa [någon form av] legitimation? **2** identifiering, identifikation; igenkännande **3** associering [*with* med], uppgående, inlevelse [*with* i]
identification disc [aɪ,dentɪfɪ'keɪʃ(ə)ndɪsk] *s* identitetsbricka
identification mark [aɪ,dentɪfɪ'keɪʃ(ə)nmɑ:k] *s* igenkänningstecken
identification papers [aɪ,dentɪfɪ'keɪʃ(ə)n,peɪpəz] *s pl* identitetshandlingar, legitimationshandlingar
identification parade [aɪ,dentɪfɪ'keɪʃ(ə)npə,reɪd] *s* se *identity parade*
identification plate [aɪ,dentɪfɪ'keɪʃ(ə)npleɪt] *s* nummerplåt
identification tag [aɪ,dentɪfɪ'keɪʃ(ə)ntæg] *s* identitetsbricka
identify [aɪ'dentɪfaɪ] **I** *vb tr* **1** identifiera, uppfatta som identisk **2** *~ oneself* legitimera sig [*can you ~ yourself?*] **3** fastställa, bestämma **II** *vb itr*, *~ with* identifiera sig med

identikit [aɪ'dentɪkɪt] *s* o. amer. **identikit portrait** [aɪ,dentɪkɪt'pɔ:trət] *s* fantombild konstruerad identifieringsbild
identity [aɪ'dentətɪ] *s* **1** identitet äv. matem.; *it is a case of mistaken ~* det föreligger en förväxling [av personer] **2** egenart [*regional ~*]; *corporate ~* se under *corporate 1*
identity card [aɪ'dentətɪkɑ:d] *s* identitetskort, id-kort, legitimation
identity disc [aɪ'dentətɪdɪsk] *s* identitetsbricka
identity papers [aɪ'dentətɪ,peɪpəz] *s pl* identitetshandlingar, legitimationshandlingar
identity parade [aɪ'dentətɪpə,reɪd] *s* konfrontation vid identifikation av misstänkt
ideogram ['ɪdɪəgræm] *s* o. **ideograph** ['ɪdɪəgrɑ:f, -græf] *s* ideogram
ideological [,aɪdɪə'lɒdʒɪk(ə)l] *adj* ideologisk
ideologue ['aɪdɪəlɒg] *s* ideolog
ideology [,aɪdɪ'ɒlədʒɪ] *s* **1** polit. o.d. ideologi [*Marxist ~*] **2** filos. idéläran
idiocy ['ɪdɪəsɪ] *s* idioti, idiotisk handling
idiom ['ɪdɪəm] *s* idiom
idiomatic [,ɪdɪə'mætɪk] *adj* idiomatisk
idiosyncrasy [,ɪdɪə'sɪŋkrəsɪ] *s* egenhet, karakteristiskt drag (uttryckssätt)
idiosyncratic [,ɪdɪəsɪŋ'krætɪk] *adj* med. idiosynkratisk, överkänslig
idiot ['ɪdɪət] *s* idiot, dumbom, fån, dåre
idiotic [,ɪdɪ'ɒtɪk] *adj* idiotisk, dåraktig
idle ['aɪdl] **I** *adj* **1** sysslolös, overksam, ledig; arbetslös; oanvänd; *lie ~* ligga oanvänd **2** tekn. stillastående; på tomgång **3** lat, lättjefull, arbetsskygg **4** gagnlös, fåfäng, onyttig, utan mening, ofruktbar, fruktlös [*~ speculations*]; resultatlös [*~ efforts*]; lönlös; *~ tales* löst skvaller; *an ~ rumour* ett löst (grundlöst) rykte; *~ talk* löst (tomt) prat; *an ~ threat* [ett] tomt hot **II** *vb itr* **1** slösa bort tiden, inte göra någonting, lata sig, slöa **2** tekn. gå på tomgång **III** *vb tr*, *~* el. *~ away* slösa bort [*don't ~ away your time*] **IV** *s* tekn. tomgång; *change the ~ speed* ändra [på] tomgången
idleness ['aɪdlnəs] *s* **1** sysslolöshet; *~ is the parent of all vices* lättjan är alla lasters moder, fåfäng gå lärer mycket ont **2** lättja, lathet **3** gagnlöshet etc., jfr *idle I 4*
idler ['aɪdlə] *s* dagdrivare, lätting; flanör
idly ['aɪdlɪ] *adv* sysslolöst etc., jfr *idle I*; *look on ~* bara passivt titta på, titta på utan att göra något
idol ['aɪdl] *s* **1** idol **2** avgud; avgudabild
idolatry [aɪ'dɒlətrɪ] *s* **1** avgudadyrkan, avguderi **2** bildl. måttlös (gränslös) beundran, idoldyrkan
idolize ['aɪdə(ʊ)laɪz] *vb tr* avguda, idolisera, göra till sin gud; dyrka
idyll ['ɪdəl, 'aɪd-] *s* idyll äv. dikt
idyllic [ɪ'dɪlɪk, aɪ'd-] *adj* idyllisk; *~ spot* äv. idyll
i.e. [,aɪ'i:, ,ðæt'ɪz] (förk. för *id est* lat.) se *that is* under *that I 2*
if [ɪf] **I** *konj* **1** om, ifall [att], såvida, såvitt, därest; även om [*~ he is little, he is strong*]; om...så [*I'll do it ~ it kills me* (ska bli min död)!]; *as ~* som om, liksom om; *as ~ to* liksom för att; *it isn't as ~ he doesn't know the rules* det är inte så att han inte kan

reglerna; **even** ~ även (till och med) om, om också [*even ~ I had seen it*]; ~ **not** a) om inte [*~ not perfect at any rate satisfactory*] b) annars [*leave her alone, ~ not I'll…*]; eljes[t], i motsatt fall; **the difference, ~ any, is…** skillnaden, om det nu är någon skillnad, är…, en eventuell skillnad (den eventuella skillnaden) är…; ~ **anything** närmast, om möjligt, snarare, snarast [*conditions had ~ anything worsened*]; ~ **only** om bara [*~ only he arrives in time*]; ~ **only because** om inte för annat så bara för att; ~ **only to** om inte annat så för att [*I'll do it, ~ only to annoy her*]; ~ **so** om så är, i så fall; ~ **I were you** om jag vore [som] du, om jag vore i ditt ställe; **he's fifty** [*years of age*] ~ **he's a day** han är femti [år] så säkert som aldrig det; **well, ~ it isn't John!** ser man på, är det inte John!; ~ **it had not been for her** om inte hon hade varit; ~ **so be that** vard. om, ifall att; ~ **that** om ens det [*it will take three hours, ~ that*] **2** om, ifall, huruvida; **I doubt ~ he will come** jag tvivlar på att han kommer
II s villkor, förbehåll [*there are too many ~s in the contract*]; om [*the future is full of ~s*]; **~s and buts** el. amer. **~s, ands, or buts** om och men; **and it's a big ~** och det är ett stort frågetecken, och det är verkligen med betoning på om

iffy ['ɪfɪ] *adj* vard. oviss, osäker, problematisk; trevande [*some very ~ political measures*]; **an ~ question** en fråga med många om

igloo ['ɪgluː] (pl. ~s) s igloo

igneous ['ɪgnɪəs] *adj* **1** geol. vulkanisk **2** av eld, eld-

ignite [ɪg'naɪt] **I** *vb tr* [an]tända, sätta eld på **II** *vb itr* tändas, fatta eld

ignition [ɪg'nɪʃ(ə)n] s tändning, antändning; upphettning; brand; tändningslås; **turn the ~ on** slå på tändningen

ignition coil [ɪg'nɪʃ(ə)nkɔɪl] s tändspole

ignition key [ɪg'nɪʃ(ə)nkiː] s tändningsnyckel, startnyckel

ignition switch [ɪg'nɪʃ(ə)nswɪtʃ] s tändningslås

ignoble [ɪg'nəʊbl] *adj* gemen [*an ~ action*]; ovärdig, simpel, tarvlig [*an ~ man*]; skamlig

ignominious [ˌɪgnə(ʊ)'mɪnɪəs] *adj* vanhedrande [*an ~ peace*]; neslig, skymflig [*an ~ defeat*]; skändlig

ignominy ['ɪgnəmɪnɪ] s vanära, skam, nesa, skymf, smälek

ignoramus [ˌɪgnə'reɪməs] s åld. dumhuvud

ignorance ['ɪgn(ə)r(ə)ns] s okunnighet [*be kept in ~ of* (om) *the facts*]; ovetskap, ovetenhet [*of* om]; **~ is bliss** det man inte vet lider man inte av

ignorant ['ɪgn(ə)r(ə)nt] **I** *adj* okunnig, ovetande [*of* om] **II** s ignorant, okunnig människa

ignore [ɪg'nɔː] *vb tr* ignorera, inte ta någon notis om, nonchalera, förbigå, bortse från, inte ta någon hänsyn till, inte låtsas om, inte bry sig om, negligera, strunta i

iguana [ɪ'gwɑːnə] s zool. leguan

ikon ['aɪkɒn, -kən] s se *icon*

IL förk. för *Illinois*

ileus ['ɪlɪəs] s med. tarmvred, ileus

ilk [ɪlk] s, **that ~** vard. det slaget, den sorten [*men of that ~ cannot be expected to behave otherwise*]; den familjen

Ill. förk. för *Illinois*

I'll [aɪl] = *I will* o. *I shall*

ill [ɪl] **I** (*worse worst*) *adj* **1** mest pred. sjuk, dålig [*be ~; feel ~; seriously ~ patients*]; **be ~** vara sjuk; **be ~ in bed with a cold** ligga till sängs i förkylning; **be taken ~** el. **fall ~** bli sjuk, insjukna [*with the flu* i influensa]; ~ **at ease** se under *ease I 2* **2** dålig; ~ **fame** el. ~ **repute** dåligt rykte, vanrykte **3** illvillig, ondskefull, elak, dålig [*~ humour*; ~ *temper*] **4** **it's an ~ wind that blows nobody any good** [det finns] inget ont som inte har något gott med sig
II s **1** ont; åld. ondska **2** skada; **do ~** göra illa (orätt) **3** vanl. pl. **~s** olyckor, motgångar [*the ~s of life*]; missförhållanden [*social ~s*]
III (*worse worst*) *adv* **1** illa; dåligt [*they were ~ provided with ammunition*]; **go ~ with** gå illa för [*things* (det) *are going ~ with the Government*]; **speak ~ of** tala illa om **2** litt. svårligen, knappast [*I can ~ afford it*]

ill-advised [ˌɪləd'vaɪzd] (adv. *ill-advisedly* [ˌɪləd'vaɪzɪdlɪ]) *adj* mindre välbetänkt, oklok, obetänksam, oförnuftig [*an ~ step*; *an ~ measure*]

ill-assorted [ˌɪlə'sɔːtɪd] *adj* som inte passar varandra; **an ~ couple** ett omaka par

ill-behaved [ˌɪlbɪ'heɪvd] *adj* ouppfostrad, obelevad, ohyfsad; **he is ~** äv. han uppför sig illa

ill-bred [ˌɪl'bred] *adj* ouppfostrad, obelevad, ohyfsad

ill-concealed [ˌɪlkən'siːld] *adj* illa dold [*~ satisfaction*]

ill-conceived [ˌɪlkən'siːvd] *adj* ogenomtänkt, dåligt planerad

ill-considered [ˌɪlkən'sɪdəd] *adj* mindre välbetänkt, obetänksam

ill-defined [ˌɪldɪ'faɪnd] *adj* dåligt definierad, obestämd, oklar, oskarp

ill-disposed [ˌɪldɪ'spəʊzd] *adj* **1** illvillig, ondskefull, illasinnad **2** ogynnsamt stämd, avogt (ovänligt) sinnad, illvilligt inställd [*towards,* to mot] **3** obenägen, inte upplagd (hågad), indisponerad [*to do sth*] **4** illa disponerad (anordnad, ordnad, arrangerad)

illegal [ɪ'liːg(ə)l] **I** *adj* illegal, olaglig, lagstridig **II** s amer. vard. illegal invandrare

illegality [ˌɪlɪ'gælətɪ] s olaglighet; olaglig handling

illegible [ɪ'ledʒəbl] *adj* oläslig, oläsbar

illegitimacy [ˌɪlɪ'dʒɪtɪməsɪ] s **1** utomäktenskaplig börd **2** olaglighet etc., jfr *illegitimate I*

illegitimate [ˌɪlɪ'dʒɪtɪmət] **I** *adj* **1** illegitim, utomäktenskaplig [*an ~ child; of ~ descent* (börd)] **2** illegitim, olaglig [*an ~ action*]; orättmätig; jur. obehörig [*~ gain* (vinst)]; ogiltig; obefogad, ogrundad
II s utomäktenskapligt (illegitimt) barn

ill-equipped [ˌɪlɪ'kwɪpt] *adj* dåligt utrustad; bildl. dåligt rustad [*he is ~ for the job*]

ill-fated [ˌɪl'feɪtɪd] *adj* **1** olycklig, olycksalig [*an ~ voyage*]; olycksförföljd [*an ~ ship*]; dömd till undergång **2** olycksbringande, ödesdiger [*an ~ scheme*]

ill-favoured [ˌɪl'feɪvəd] *adj* litt. ful, motbjudande [*an ~ old man*]

ill-feeling [ˌɪl'fiːlɪŋ] s agg, groll; avoghet [*without any ~*]; misstämning; **I bear him no ~** jag hyser inget agg mot (till) honom

ill-fitting [ˌɪl'fɪtɪŋ] *adj* illasittande; **be ~** sitta illa

ill-founded [ˌɪlˈfaʊndɪd] *adj* ogrundad, fruktlös

ill-gotten gains [ˌɪlgɒtnˈgeɪnz] *s pl* skämts. lättförtjänta pengar

ill-humoured [ˌɪlˈhjuːməd] *adj* på dåligt humör; misslynt, vresig, tvär; med dåligt humör

illiberal [ɪˈlɪb(ə)r(ə)l] *adj* **1** inskränkt, intolerant **2** knusslig, snål

illicit [ɪˈlɪsɪt] *adj* olovlig, otillåten, olaglig; smyg- [~ *trade*]; lönn- [~ *distillery* (bränneri)]; ~ *sexual relations* utomäktenskapliga förbindelser

ill-informed [ˌɪlɪnˈfɔːmd] *adj* **1** okunnig **2** dåligt (illa) informerad

Illinois [ˌɪlɪˈnɔɪ] geogr.

ill-intentioned [ˌɪlɪnˈtenʃ(ə)nd] *adj* illasinnad, illvillig

illiteracy [ɪˈlɪt(ə)rəsɪ] *s* **1** analfabetism, oförmåga att läsa och skriva **2** brist på bildning, obildning

illiterate [ɪˈlɪt(ə)rət] **I** *adj* **1** inte läs- och skrivkunnig [*a largely ~ population*]; ~ *person* analfabet **2** illitterat, obildad, olärd **3** dåligt bevandrad; *computer* ~ dåligt bevandrad när det gäller datorer **II** *s* **1** analfabet **2** illitterat (obildad) person

ill-judged [ˌɪlˈdʒʌdʒd] *adj* mindre välbetänkt, oklok, oförståndig, omdömeslös [*an ~ attempt*]

ill-luck [ˌɪlˈlʌk] *s* olycka, otur; *as ~ would have it* olyckligtvis, till all olycka; *bringer of ~* olycksbringare, olycka person

ill-mannered [ˌɪlˈmænəd] *adj* ouppfostrad, oartig

ill-matched [ˌɪlˈmætʃt] *adj* **1** som inte passar ihop, omaka [*an ~ couple*] **2** ojämn [*an ~ game*]

ill-natured [ˌɪlˈneɪtʃəd] *adj* elak [av sig], ondskefull, ondsint, hätsk, illasinnad [~ *gossip*]; vresig [av sig]

illness [ˈɪlnəs] *s* sjukdom [*suffer from an ~*]; *a minor ~* en lindrig[are] sjukdom, en mindre krämpa; *she died last spring after a long ~* hon dog förra våren efter en lång tids sjukdom; *suffer from ~* vara sjuklig; *there has been a great deal of ~ this winter* det har gått många sjukdomar i vinter

illogical [ɪˈlɒdʒɪk(ə)l] *adj* ologisk; oförklarlig

illogicality [ɪˌlɒdʒɪˈkælətɪ] *s* ologiskhet; *the ~ of* det ologiska i

ill-omened [ˌɪlˈəʊmend] *adj* olycksbådande, illavarslande, olycksalig, olycklig, olycks-

ill-sounding [ˌɪlˈsaʊndɪŋ] *adj* illaljudande

ill-starred [ˌɪlˈstɑːd] *adj* olycksfödd; olycklig, olycksalig [*an ~ marriage*]; illavarslande; *be ~ from the outset* börja olyckligt

ill-tempered [ˌɪlˈtempəd] *adj* argsint; grinig, retlig, vresig

ill-timed [ˌɪlˈtaɪmd] *adj* oläglig, olämplig; illa beräknad, illa tajmad; malplacerad [~ *jokes*]

ill-treat [ˌɪlˈtriːt] *vb tr* behandla (bemöta) illa, behandla omilt; misshandla, utsätta för misshandel

ill-treatment [ˌɪlˈtriːtmənt] *s* dålig (omild) behandling; misshandel

illuminate [ɪˈluːmɪneɪt, ɪˈljuː-] *vb tr* **1** upplysa [*poorly ~d rooms*]; belysa **2** illuminera

illuminated [ɪˈluːmɪneɪtɪd, ɪˈljuː-] *adj* **1** upplyst, belyst **2** illuminerad [~ *streets*]; ~ *advertisement* el. ~ *sign* ljusreklam

illuminating [ɪˈluːmɪˌneɪtɪŋ, ɪˈljuː-] *adj* bildl. upplysande, belysande

illumination [ɪˌluːmɪˈneɪʃ(ə)n, ɪˌljuː-] *s* **1** upplysning, belysning **2** vanl. pl. ~*s* illuminering[ar], illumination[er]

ill-use [ˌɪlˈjuːz] *vb tr* se *ill-treat*

illusion [ɪˈluːʒ(ə)n, ɪˈljuː-] *s* **1** illusion, inbillning, fantasifoster; självbedrägeri; [falsk] förhoppning, vanföreställning; *cherish the ~ that…* leva i den föreställningen att…; *have no ~s about* inte göra sig några illusioner om; *you are under an ~ if you…* du bedrar (misstar) dig om du… **2** illusion, [sinnes]villa; sken [av verklighet]; bländverk; *optical ~* synvilla, optisk villa

illusionist [ɪˈluːʒənɪst, ɪˈljuː-] *s* illusionist, trollkonstnär

illusory [ɪˈluːs(ə)rɪ, ɪˈljuː-] *adj* illusorisk, bedräglig, gäckande, falsk, overklig, skenbar; förvillande [lik]

illustrate [ˈɪləstreɪt] *vb tr* **1** illustrera, belysa, förklara, förtydliga, åskådliggöra [*by* genom, med exempel, citat o.d.] **2** illustrera [*the book is very well ~d*]; ~ *with pictures* förse med bilder

illustration [ˌɪləˈstreɪʃ(ə)n] *s* **1** illustration, belysning genom exempel o.d., förklaring, förtydligande; belysande exempel [*that was a bad ~*]; *in ~ of* för att illustrera (belysa), som illustration till; *by way of ~* till belysning, som ett belysande exempel; exempelvis **2** illustration, bild; illustrering

illustrative [ˈɪləstrətɪv, -streɪt-] *adj* belysande [*an ~ anecdote*]; illustrativ; *be ~ of* vara belysande för, belysa, illustrera, tjäna som illustration till, åskådliggöra

illustrator [ˈɪləstreɪtə] *s* illustratör

illustrious [ɪˈlʌstrɪəs] *adj* lysande [*an ~ career*]; illuster, [vida] berömd, ryktbar

ill will [ˌɪlˈwɪl] *s* illvilja, agg, groll, avoghet, animositet; *bear sb ~* hysa illvilja mot ngn, bära (hysa) agg till (mot) ngn

ill-wisher [ˌɪlˈwɪʃə] *s* ovän, avundsman; illasinnad person

ILO [ˌaɪelˈəʊ] (förk. för *International Labour Organization*) ILO

I'm [aɪm] = *I am*

image [ˈɪmɪdʒ] *s* **1 a)** bild, avbildning; bildstod **b)** spegelbild; optik. bild [båda äv. *reflected ~*] **c)** avbild äv. bibl., kopia, motstycke; *he is the very (spitting) ~ of his father* han är sin far upp i dagen **2 a)** [sinne]bild; föreställning, idé; psykol. efterbild **b)** språklig bild [*speak in ~s*]; metafor, liknelse **c)** image, profil, framtoning; *the party ~* partiets image, partiets ansikte [utåt]

imagery [ˈɪmɪdʒ(ə)rɪ] *s* bilder, bildspråk [*Shakespeare's ~*]; bildframställning

imaginable [ɪˈmædʒɪnəbl] *adj* tänkbar [*his influence was the greatest ~*]; som tänkas kan, som man kan tänka (föreställa) sig

imaginary [ɪˈmædʒɪn(ə)rɪ] *adj* inbillad [~ *dangers*]; inbillnings- [~ *illness*]; fantasi- [~ *picture*]; fingerad

imagination [ɪˌmædʒɪˈneɪʃ(ə)n] *s* **1** fantasi, föreställningsförmåga; *in ~* i tankarna (fantasin) **2** inbillning [*it is only ~*]; *that's only your ~* det är bara som du tror (inbillar dig)

imaginative [ɪˈmædʒɪnətɪv] *adj* fantasirik,

fantasifull; uppfinningsrik; fantasi-; ~ *faculty* el. ~ *power* föreställningsförmåga

imagine [ɪ'mædʒɪn] *vb tr* **1** föreställa sig, tänka sig; [*just*] ~*!* kan man tänka sig! **2** gissa, misstänka, anta, tro [*I ~ it will rain*] **3** inbilla sig, få för sig

imaging ['ɪmɪdʒɪŋ] *s* data. bildbehandling

imaginings [ɪ'mædʒɪnɪŋz] *s* vanföreställningar, inbillningar; fantasifoster

imam [ɪ'mɑːm] *s* imam inom islam beteckning för olika ledare

imbalance [ɪm'bæləns] *s* obalans, bristande balans (jämvikt) äv. bildl.

imbecile ['ɪmbəsiːl, -saɪl] **I** *s* imbecill person; friare idiot, dåre **II** *adj* imbecill, friare äv. svagsint, fnoskig, idiotisk

imbecility [ˌɪmbə'sɪlətɪ] *s* imbecillitet; friare dåraktighet, dårskap, dumhet

imbibe [ɪm'baɪb] *vb tr* **1** suga upp, suga åt (till) sig [*the sponge ~s water*]; suga in, inandas **2** bildl. insupa, suga in, suga i sig [*~ knowledge*]; tillägna sig **3** skämts. dricka, hälla i sig [*~ beer*]

imbroglio [ɪm'brəʊlɪəʊ] (pl. ~*s*) *s* [allvarligt] missförstånd [*an ~ between foreign ministers*]; trassel, härva, oreda; förveckling [*dramatic* (*political*) ~*s*]

imbue [ɪm'bjuː] *vb tr* **1** genomsyra, uppfylla [*~d with* (av) *hatred*]; ~ *sb with courage* intala (inge) ngn mod, ingjuta mod hos ngn; ~ *sb with ideals* bibringa ngn ideal **2** genomdränka; impregnera med färg; starkt färga

IMF [ˌaɪem'ef] (fork. för *International Monetary Fund*) IMF, Internationella valutafonden

IMHO i e-post el. textmeddelanden förk. för *in my humble opinion*

imitate ['ɪmɪteɪt] *vb tr* imitera, efterlikna, efterbilda, söka [efter]likna; ta efter, ta till förebild; härma, härma efter

imitation [ˌɪmɪ'teɪʃ(ə)n] *s* **1** imitation, efterbildning, [efter]härmning; efterföljd; neds. efterapning; *in ~ of sb* efter förebild av ngn; *in ~ of sth* efter mönstret av ngt; *worthy of ~* efterföljansvärd **2** imitation, kopia, förfalskning [*beware of ~s*] **3** attr. oäkta, imiterad [*~ tortoise-shell*]; falsk, konst- [*~ leather*]; simili-

imitative ['ɪmɪtətɪv, -teɪt-] *adj* **1** efterliknande, efterhärmande, imitativ **2** fallen för att härma, härmlysten

imitator ['ɪmɪteɪtə] *s* imitatör, imitator, efterbildare; härmare; efterföljare

immaculate [ɪ'mækjʊlət] *adj* **1** obefläckad, fläckfri, felfri, perfekt [*an ~ rendering of the sonata*]; ren; oklanderlig [*~ conduct; an ~ appearance* (*white suit*)] **2** biol. inte fläckig

Immaculate Conception [ɪˌmækjʊlətkən'sepʃ(ə)n] *s*, *the ~* den obefläckade avlelsen

immanent ['ɪmənənt] *adj* inneboende [*~ qualities*]; inre [*~ and external factors*]

immaterial [ˌɪmə'tɪərɪəl] *adj* oväsentlig, oviktig, utan betydelse [*that is quite ~ to* (för) *me*]; likgiltig [*to* för]; *it is ~ whether...* det är likgiltigt om..., det gör varken till eller från om...

immature [ˌɪmə'tjʊə] *adj* vanl. bildl. omogen, outvecklad

immaturity [ˌɪmə'tjʊərətɪ] *s* omogenhet vanl. bildl.

immeasurable [ɪ'meʒ(ə)rəbl] *adj* omätlig, omätbar, oändlig, oöverskådlig [*~ damage*]

immediacy [ɪ'miːdɪəsɪ] *s* **1** omedelbarhet, omedelbar närhet **2** aktualitet [*many of these topics have lost their ~*]

immediate [ɪ'miːdɪət] *adj* **1** omedelbar, ögonblicklig [*~ help*]; omgående [*~ delivery*]; överhängande [*there is no ~ danger*]; *take ~ action* vidta omedelbara åtgärder, handla snabbt; *in the ~ future* inom den närmaste [fram]tiden **2** närmaste [*the ~ heir to the throne*]; *the ~ family* den närmaste familjen (släkten), de [närmast] anhöriga **3** omedelbar, direkt [*the ~ cause of death*]

immediately [ɪ'miːdɪətlɪ] **I** *adv* **1** omedelbart, ögonblickligen, [nu] genast, strax, [per] omgående **2** närmast, omedelbart [*the time ~ before the war*]; direkt [*be ~ affected by the strike*] **II** *konj* så snart [som], just som, i samma ögonblick som

immemorial [ˌɪmɪ'mɔːrɪəl] *adj* uråldrig, urgammal [*~ privileges*]; urminnes; *from time ~* el. *since time ~* från (sedan) urminnes tid[er]

immense [ɪ'mens] *adj* **1** ofantlig, enorm, oerhörd, oerhört stor, omåttlig, oändlig, väldig, kolossal **2** vard. storartad, utomordentlig, strålande, jättebra, jättefin

immensity [ɪ'mensətɪ] *s* väldig omfattning [*the ~ of the disaster*]; omätlighet, oändlighet; ofantlighet; oerhörd (väldig) mängd (massa)

immerse [ɪ'mɜːs] *vb tr* **1** sänka (lägga) ner [*in, into* i spec. en vätska], doppa [ner] [*~ one's head in the water*]; döpa genom nedsänkande i vatten **2** bildl., ~ *oneself in* fördjupa (engagera) sig i; ~*d in study* fördjupad i studier; ~*d in thought* försänkt i tankar

immersion [ɪ'mɜːʃ(ə)n] *s* **1** nedsänkning, neddoppning, neddoppande; dop genom nedsänkning i vatten **2** bildl. upptagenhet [*in* av], försjunkenhet, uppgående [*in* i]

immersion heater [ɪ'mɜːʃ(ə)nˌhiːtə] *s* doppvärmare

immigrant ['ɪmɪgr(ə)nt] **I** *s* immigrant, invandrare **II** *adj* invandrande, invandrad; immigrant-, invandrar-

immigrate ['ɪmɪgreɪt] *vb itr* immigrera, flytta in, invandra [*into* till]

immigration [ˌɪmɪ'greɪʃ(ə)n] *s* immigration, inflyttning, invandring, invandrar-

imminence ['ɪmɪnəns] *s* hotande närhet [*the ~ of war*]; överhängande fara [*of* för]

imminent ['ɪmɪnənt] *adj* hotande, överhängande [*an ~ danger*]; nära (omedelbart) förestående; *be ~* äv. närma sig [*a storm is ~*]; förestå, hota [*a strike is ~*]

immobile [ɪ'məʊbaɪl, amer. vanl. -b(ə)l] *adj* orörlig, orubblig, immobil

immobility [ˌɪmə(ʊ)'bɪlətɪ] *s* orörlighet, orubblighet

immobilize [ɪ'məʊbəlaɪz] *vb tr* göra orörlig, fästa orubbligt; med. immobilisera, fixera; sätta ur funktion, [få att] stanna

immobilizer o. **immobiliser** [ɪ'məʊbəlaɪzə] *s* bil. immobilizer, elektronisk startspärr

immoderate [ɪ'mɒd(ə)rət] *adj* omåttlig, måttlös [*~ eating*]; överdriven [*~ demands; ~ zeal*]; hejdlös, gränslös, besinningslös; *be ~* om person äv. gå till överdrifter, inte hålla måttan

immodest [ɪ'mɒdɪst] *adj* oblyg, oförskämd [~ *claims*]; oförsynt, fräck [~ *boast*]; oanständig

immodesty [ɪ'mɒdɪstɪ] *s* oblyghet etc., jfr *immodest*

immolate ['ɪmə(ʊ)leɪt] *vb tr* slakta (döda) offergåva, offra

immolation [ˌɪmə(ʊ)'leɪʃ(ə)n] *s* offrande; offer

immoral [ɪ'mɒr(ə)l] *adj* omoralisk; osedlig, otuktig, sedeslös

immorality [ˌɪmə'rælətɪ] *s* omoral, osedlighet, otukt, sedeslöshet; *the ~ of* det omoraliska etc. i

immortal [ɪ'mɔːtl] *adj* odödlig [~ *fame*; ~ *poetry*]; oförgänglig, oförglömlig

immortality [ˌɪmɔː'tælətɪ] *s* odödlighet

immortalize [ɪ'mɔːtəlaɪz] *vb tr* odödliggöra, föreviga

immovable [ɪ'muːvəbl] *adj* **1** orörlig, orubblig; ~ *feasts* kyrkl. fasta helgdagar **2** bildl. orubblig; obeveklig; känslolös

immune [ɪ'mjuːn] *adj* immun [*from, against* mot]; okänslig, oemottaglig [*to* för; *he is ~ to flattery*]; skyddad [*from, to, against* mot]

immune response [ɪ'mjuːnrɪˌspɒns] *s* med. immunitetsreaktion

immune system [ɪ'mjuːnˌsɪstəm] *s* med., *the ~* immunsystemet

immunity [ɪ'mjuːnətɪ] *s* **1** med. immunitet [*to, against* mot] **2** parl. el. dipl. immunitet [*from* mot], spec. jur. undantagsrätt, fri- och rättighet[er], privilegium

immunize ['ɪmjʊnaɪz] *vb tr* med. immunisera, skyddsympa, vaccinera [*against* mot]

immunodeficiency [ˌɪmjʊnə(ʊ)dɪ'fɪʃ(ə)nsɪ] *s* med. immundefekt, immunbrist; *human ~ virus* (förk. *HIV*) humant immundefektvirus

immunology [ˌɪmjʊ'nɒlədʒɪ] *s* med. immunologi, immunitetslära

immure [ɪ'mjʊə] *vb tr* stänga in, spärra in [~*d in a dungeon*]

immutability [ɪˌmjuːtə'bɪlətɪ] *s* oföränderlighet; oåterkallelighet

immutable [ɪ'mjuːtəbl] *adj* oföränderlig; oåterkallelig

IMO i e-post el. textmeddelanden förk. för *in my opinion*

imp [ɪmp] *s* **1** smådjävul, liten djävul **2** satunge; [bus]frö; rackarunge

imp. förk. för *imperative, imperfect, imperial*

impact [subst. 'ɪmpækt, verb ɪm'pækt] **I** *s* **1** inverkan [*the ~ of modern science on society*]; verkan, följd[er], inflytande, effekt, genomslagskraft; intryck **2** stöt spec. mek. [*against, on* mot], sammanstötning, kollision; om projektil anslag [*force of ~*]; nedslag [*point of ~*]; kraft [*the terrific ~ of the blow*]
II *vb tr* o. *vb itr*, ~ *el.* ~ *on* påverka

impact adhesive [ˌɪmpæktəd'hiːsɪv] *s* kontaktlim

impair [ɪm'peə] *vb tr* försämra, skada [~ *one's health by overwork*]; försvaga, sätta ner [~*ed eyesight*]; minska [~ *the usefulness of sth*]

impaired [ɪm'peəd] *adj* skadad, försämrad; spec. om syn el. hörsel nedsatt; *have ~ hearing* (*vision*) ha nedsatt hörsel (syn), vara hörselskadad (synskadad); *hearing ~* hörselskadad

impairment [ɪm'peəmənt] *s* försämring; försvagning

impala [ɪm'pɑːlə] *s* zool. impala slags antilop

impale [ɪm'peɪl] *vb tr* spetsa, spetsa på en påle (en nål); nagla fast

impalpable [ɪm'pælpəbl] *adj* [nästan] omärklig (omärkbar) [*an ~ pulse*]; ogripbar [*as ~ as a dream*]

impanel [ɪm'pænl] *vb tr* vanl. amer. föra upp på en [jury]lista; utse, sätta samman en jury

impart [ɪm'pɑːt] *vb tr* **1** meddela, vidarebefordra [~ *information*; ~ *news*]; tala om, avslöja [*she ~ed her plans to* (för) *him*]; ~ *knowledge to sb* meddela (bibringa) ngn kunskaper; ~ *one's views to sb* delge (meddela) ngn sina synpunkter **2** ge, skänka, förläna [*to* åt; ~ *authority to*]; överföra [*motion is ~ed to* (till) *the wheels*]

impartial [ɪm'pɑːʃ(ə)l] *adj* opartisk, objektiv, ojävig

impartiality [ɪmˌpɑːʃɪ'ælətɪ] *s* opartiskhet, objektivitet

impassable [ɪm'pɑːsəbl] *adj* oframkomlig, ofarbar [~ *roads*]; oöverstiglig [~ *mountains*]

impasse [æm'pɑːs, -'pæs, ɪm-] *s* ofta bildl. återvändsgränd, dödläge, dödvatten, död punkt; *reach an ~* komma in (hamna) i en återvändsgränd

impassioned [ɪm'pæʃ(ə)nd] *adj* lidelsefull, passionerad, fylld av djup känsla

impassive [ɪm'pæsɪv] *adj* känslolös, kall; likgiltig; okänslig; uttryckslös, livlös [*an ~ face; an ~ look*]

impatience [ɪm'peɪʃ(ə)ns] *s* otålighet; irritation; för konstr. jfr *impatient*

impatient [ɪm'peɪʃ(ə)nt] *adj* otålig; häftig, ivrig; ~ *at* otålig (irriterad) över [~ *at having to wait so long*]; *be ~ of* ha svårt att tåla, inte kunna med [*be ~ of criticism*]; *be ~ for* otålig att få, otåligt (ivrigt) längtande efter [~ *for a result*]; ~ *with sb* otålig (irriterad) på ngn

impeach [ɪm'piːtʃ] *vb tr* **1** jur. anklaga, åtala spec. ämbetsman [~ *a judge* for el. *of* (för) *taking bribes*] **2** jur. ställa inför riksrätt åtala inför amerikanska senaten [~ *the President*] **3** ifrågasätta [*do you ~ my motives?*]

impeachable [ɪm'piːtʃəbl] *adj* jur. åtalbar, som kan åtalas (anklagas)

impeachment [ɪm'piːtʃmənt] *s* jur. **1** åtal, anklagelse, beskyllning, förebråelse **2** riksrättsåtal, riksrättsprocess, jfr *impeach 2*

impeccable [ɪm'pekəbl] *adj* **1** oklanderlig [~ *manners*; ~ *clothes*]; otadlig [~ *character*]; felfri **2** om person ofelbar, felfri

impecunious [ˌɪmpɪ'kjuːnɪəs] *adj* medellös, obemedlad, utan pengar

impedance [ɪm'piːd(ə)ns] *s* elektr. impedans

impede [ɪm'piːd] *vb tr* hindra [~ *the traffic*]; hämma, hejda

impediment [ɪm'pedɪmənt] *s* hinder, avbräck [*to* för]; svårighet; förhinder; äktenskapshinder; *speech ~* talfel, talrubbning

impedimenta [ɪmˌpedɪ'mentə] *s pl* ofta skämts. bagage; utrustning, attiralj[er], grejer [*the ~ of a photographer* (*a golfer*)]

impel [ɪm'pel] *vb tr* **1** driva [*he had been ~led to crime by poverty*]; förmå, egga, aktivera [~ *sb to greater efforts*]; tvinga [~ *sb to tolerate sth*] **2** [fram]driva

impending [ɪm'pendɪŋ] *adj* överhängande, hotande

[*an ~ danger; the ~ crisis*]; annalkande [*the ~ storm*]; nära förestående [*their ~ marriage*]

impenetrability [ɪmˌpenɪtrəˈbɪlətɪ] *s* ogenomtränglighet etc., jfr *impenetrable*

impenetrable [ɪmˈpenɪtrəbl] *adj* **1** ogenomtränglig, tät [*~ darkness*] **2** bildl. ogenomtränglig [*an ~ mystery*]; outgrundlig [*to* för]; oförståelig; omöjlig att genomtränga (utforska)

impenitent [ɪmˈpenɪt(ə)nt] *adj* obotfärdig, förhärdad, förstockad

imperative [ɪmˈperətɪv] **I** *adj* **1** absolut nödvändig [*it is ~ that he should come* (kommer)]; av behovet påkallad, oavvislig, oeftergivlig, tvingande **2** befallande [*an ~ tone*] **3** gram. imperativ, imperativisk; *the ~ mood* imperativ[en] **II** *s* **1** oavvisligt krav; tvingande nödvändighet **2** gram. el. filos. imperativ

imperceptible [ˌɪmpəˈseptəbl] *adj* oförnimbar; omärklig, omärkbar [*to* för]; *by ~ degrees* omärkligt

imperfect [ɪmˈpɜːfɪkt] **I** *adj* **1** ofullkomlig, bristfällig, felaktig, defekt **2** ofullbordad, ofullständig **3** gram., *~ tense* se under *imperfect II* **II** *s* gram. progressiv (pågående) form spec. i imperfektum

imperfection [ˌɪmpəˈfekʃ(ə)n] *s* **1** ofullständighet **2** ofullkomlighet; brist, felaktighet, fel, defekt, skavank; skönhetsfel

imperial [ɪmˈpɪərɪəl] *adj* **1** kejserlig [*His Imperial Majesty*]; kejsar- [*~ crown*] bildl. äv. kunglig **2** hist. som gäller [brittiska] imperiet, inom imperiet, imperie- **3** gällande i Storbritannien, brittisk standard- [*~ weights and measures*]

imperialism [ɪmˈpɪərɪəlɪz(ə)m] *s* imperialism

imperialist [ɪmˈpɪərɪəlɪst] *s* imperialist

imperialistic [ɪmˌpɪərɪəˈlɪstɪk] *adj* imperialistisk

imperious [ɪmˈpɪərɪəs] *adj* befallande [*~ looks* (min)]; imperatorisk, diktatorisk; högdragen; övermodig, myndig, överlägsen

imperishable [ɪmˈperɪʃəbl] *adj* oförgänglig, ovansklig, odödlig [*~ fame; ~ glory*]

impermanence [ɪmˈpɜːmənəns] *s* obeständighet, ovaraktighet

impermanent [ɪmˈpɜːmənənt] *adj* obeständig, ovaraktig, övergående; provisorisk

impermeable [ɪmˈpɜːmɪəbl] *adj* ogenomtränglig; *~ to air* lufttät; *~ to water* vattentät

impersonal [ɪmˈpɜːsənl] *adj* **1** opersonlig, inte personlig **2** gram. **a)** om verb opersonlig **b)** om pronomen obestämd; opersonlig [*the ~ 'it'*]

impersonate [ɪmˈpɜːsəneɪt] *vb tr* **1** imitera [*~ famous people*]; efterlikna; föreställa [*they ~d animals*] **2** uppträda som [*he was caught when trying to ~ an officer*] **3** personifiera, förkroppsliga, representera **4** framställa, gestalta [*he has ~d Hamlet on the stage*]

impersonation [ɪmˌpɜːsəˈneɪʃ(ə)n] *s* (jfr *impersonate*) **1** imitation [*~s of famous people*] **2** uppträdande [*of* som] **3** personifiering **4** framställning, gestaltning [*his ~ of Hamlet*]

impersonator [ɪmˈpɜːsəneɪtə] *s* imitatör; *female ~* [manlig] kvinnoimitatör; *male ~* [kvinnlig] mansimitatör

impertinence [ɪmˈpɜːtɪnəns] *s* näsvishet,

impertinens; oförskämdhet, oförsynthet; påflugenhet

impertinent [ɪmˈpɜːtɪnənt] *adj* näsvis, impertinent, närgången; oförskämd, oförsynt, ohövlig; påflugen, påträngande

imperturbability [ˈɪmpəˌtɜːbəˈbɪlətɪ] *s* orubblighet; orubbligt lugn

imperturbable [ˌɪmpəˈtɜːbəbl] *adj* orubblig; orubbligt lugn

impervious [ɪmˈpɜːvɪəs] *adj* **1** oemottaglig [*~ to* (för) *reason* (*criticism*)]; otillgänglig **2** ogenomtränglig, oframkomlig, oöverkomlig, otillgänglig; *~ to light* ogenomskinlig; *~ to water* vattentät

impetigo [ˌɪmpɪˈtaɪɡəʊ] *s* med. impetigo, svinkoppor

impetuosity [ɪmˌpetjʊˈɒsətɪ] *s* häftighet, våldsamhet; häftig framfart

impetuous [ɪmˈpetjʊəs] *adj* **1** impulsiv, uppbrusande; förhastad, överilad [*an ~ remark*]; gjord i hastigt mod **2** häftig, våldsam

impetus [ˈɪmpɪtəs] *s* **1** *give an ~ to* sätta fart på (i), ge [ökad] kraft åt, driva på **2** rörelseenergi, kraft hos kropp i rörelse, levande kraft; fart; *with great ~* med våldsam kraft, med stor fart; *lose ~* tappa fart, förlora farten

impiety [ɪmˈpaɪətɪ] *s* ogudaktighet, gudlöshet; pietetslöshet; gudlös (pietetslös) handling

impinge [ɪmˈpɪn(d)ʒ] *vb itr* **1** *~ on* el. *~ upon* göra intryck på, påverka **2** inkräkta, göra intrång [*on* på; *~ on other people's rights*]

impious [ˈɪmpɪəs] *adj* **1** ogudaktig, gudlös, syndig **2** pietetslös

impish [ˈɪmpɪʃ] *adj* okynnig, småjäklig, busig; *~ tricks* sattyg

implacable [ɪmˈplækəbl] *adj* oförsonlig [*an ~ enemy; ~ hatred*]; obeveklig, oblidkelig

implant [verb ɪmˈplɑːnt, subst. ˈɪmplɑːnt] **I** *vb tr* inplanta [*~ ideas in sb*]; inympa [*~ good habits in children*]; inprägla, inskärpa [*in sb, in sb's mind* (hos ngn)]; med. implantera läkemedel, transplantera t.ex. vävnad **II** *s* med. **1** implantat, om vävnad äv. transplantat **2** implantation av läkemedel, transplantation av t.ex. vävnad

implausible [ɪmˈplɔːzəbl] *adj* osannolik; oantaglig

implement [verb ˈɪmplɪment, subst. -mənt] **I** *vb tr* realisera, genomföra, utföra, implementera, förverkliga, fullfölja [*~ a plan* (*policy, project*)]; fullgöra, uppfylla [*~ a promise* (*an agreement*)]; fullborda **II** *s* verktyg, redskap, tillbehör; pl. *~s* äv. grejer, attiralj[er]; husgeråd

implementation [ˌɪmplɪmenˈteɪʃ(ə)n] *s* realiserande etc., jfr *implement I*

implicate [ˈɪmplɪkeɪt] *vb tr* **1** blanda in [*~ sb in a crime*]; dra in; innefatta; *be ~d in* äv. vara delaktig i, bli invecklad i; *~ sth as sth* antyda att ngt är **2** påverka, inverka på **3** antyda, tyda på, tala för

implication [ˌɪmplɪˈkeɪʃ(ə)n] *s* **1** innefattande, inbegripande; innebörd; [naturlig] slutsats (följd), konsekvens[er]; insinuation; undermening; implikation äv. logik.; *by ~* underförstått, indirekt, antydningsvis **2** inblandning, delaktighet [*~ in a conspiracy*]

implicit [ɪmˈplɪsɪt] *adj* **1** underförstådd [*an ~ threat; ~ in the contract*]; inte klart utsagd, implicit; tyst [*an ~ agreement*]; stillatigande; inbegripen **2** obetingad, blind [*~ faith*]

implicitly [ɪmˈplɪsɪtlɪ] *adv* underförstått etc., jfr *implicit*; i förtäckta ordalag

implied [ɪmˈplaɪd] *adj* underförstådd [*an ~ compliment*]; indirekt; liggande i sakens natur; inbegripen [*in* i]; **it is ~ that** det framgår [av sammanhanget (omständigheterna)] att

implode [ɪmˈpləʊd] *vb itr* fys. implodera, sprängas sönder inåt

implore [ɪmˈplɔː] *vb tr* bönfalla, anropa, ödmjukt (innerligt, enträget) be, tigga och be [*sb to do sth; for* om]

imploring [ɪmˈplɔːrɪŋ] *adj* bönfallande, bedjande [*an ~ look*]

imploringly [ɪmˈplɔːrɪŋlɪ] *adv* bönfallande, bedjande, bevekande

imply [ɪmˈplaɪ] *vb tr* (jfr *implied*) **1** innebära, inbegripa, medföra, föra med sig [*this right implies certain obligations*]; betyda [*do you realize fully what your words ~?*]; kräva, förutsätta; implicera; **as the name implies** som namnet antyder **2** antyda, vilja göra gällande, vilja påstå, vilja ha sagt, låta påskina, mena

impolite [ˌɪmpəˈlaɪt] *adj* oartig, ohövlig, ohyfsad

impolitic [ɪmˈpɒlətɪk] *adj* oklok, oförståndig, mindre välbetänkt; olämplig

imponderable [ɪmˈpɒnd(ə)rəbl] **I** *s*, vanl. pl. **~s** imponderabilia obestämbara faktorer **II** *adj* ovägbar; ouppskattbar

import [subst. ˈɪmpɔːt, verb ɪmˈpɔːt] **I** *s* **1** import äv. data.; attr. import- [*~ duty* (tull); *~ goods; ~ quota; ~ trade*]; införsel; vanl. pl. **~s** importvaror, importartiklar; totalimport[en] [*~s of raw cotton*]; import[en] [*food ~s; the ~s exceed the exports*] **2** vikt, betydelse [*questions of great ~*]; betydenhet **3** innebörd, betydelse, mening **II** *vb tr* **1** importera äv. data., föra in äv. friare [*into* till] **2** innebära, beteckna, betyda

importance [ɪmˈpɔːt(ə)ns] *s* vikt, betydelse, betydenhet, angelägenhet; **attach** [**great**] **~ to** lägga (fästa) [stor] vikt vid, fästa [stort] avseende vid, sätta [stort] värde på, bry sig [mycket] om, tillmäta ngt [stor] betydelse; **with an air of ~** med en viktig min; **of no ~** utan betydelse (vikt)

important [ɪmˈpɔːt(ə)nt] *adj* viktig, väsentlig, betydelsefull, betydande [*an ~ person*]; **it's ~ for her to learn** [**to get on with people**] det är viktigt att hon får lära sig...

importantly [ɪmˈpɔːt(ə)ntlɪ] *adv* **1** viktigt nog, nog så viktigt [*but, ~ in this case, there is...*]; **more ~** vad som är viktigare **2** huvudsakligen, i första hand

importation [ˌɪmpɔːˈteɪʃ(ə)n] *s* import[erande], införsel, införande

importer [ɪmˈpɔːtə] *s* importör

importunate [ɪmˈpɔːtjʊnət] *adj* efterhängsen [*~ beggars*]; besvärlig, påträngande, enträgen, pockande, [överdrivet] angelägen [*~ demands*]

importune [ˌɪmpəˈtjuːn, ˌɪmpɔː-] *vb tr* **1** tigga och be [*~ sb for* (om) *money*]; ligga över (efter), tjata på, besvära, plåga [*~ sb with requests for* (böner om) *money*] **2** antasta för att ha sex mot betalning

impose [ɪmˈpəʊz] **I** *vb tr* **1** lägga på [*~ taxes*]; lägga [*~ a burden on* (*upon*)]; införa [*~ a speed limit*]; **~ a fine on** (**upon**) **sb** döma ngn till (ådöma ngn) böter, bötfälla ngn; **~ a task on** (**upon**) **sb** lägga en uppgift på ngn, ålägga ngn en uppgift **2 ~ sth on** (**upon**) **sb** tvinga (pracka, lura) på ngn ngt; **~ oneself on sb** tränga (tvinga) sig på ngn **II** *vb itr*, **~ on el. ~ upon** a) lura, narra [*~ on sb to do sth*]; föra bakom ljuset, dupera, bedra b) dra fördel av, utnyttja, begagna sig av [*~ on* (*upon*) *sb's good nature*]; vara till besvär, tränga sig på [*I don't want to ~* [*on you*], *but...*]

imposing [ɪmˈpəʊzɪŋ] *adj* imponerande; vördnadsbjudande, ståtlig, majestätisk

imposingly [ɪmˈpəʊzɪŋlɪ] *adv* imponerande

imposition [ˌɪmpəˈzɪʃ(ə)n] *s* **1** påläggande etc., jfr *impose I 1* [*the ~ of new taxes*]; påbud **2** pålaga, skatt **3** börda, belastning; besvär

impossibility [ɪmˌpɒsəˈbɪlətɪ, -sɪˈb-] *s* omöjlighet; **ask for impossibilities** begära det omöjliga

impossible [ɪmˈpɒsəbl, -sɪb-] *adj* **1** omöjlig, ogörlig, outförbar; **ask for the ~** begära det omöjliga **2** vard. outhärdlig [*it's an ~ situation!*]

impossibly [ɪmˈpɒsəblɪ, -sɪb-] *adv* **1** hopplöst [*~ lazy*]; otroligt [*the sky was ~ blue*]; vansinnigt [*~ expensive*] **2** *not ~* möjligtvis, möjligen; kanske

impostor [ɪmˈpɒstə] *s* bedragare, skojare

imposture [ɪmˈpɒstʃə] *s* bedrägeri, svek, skoj

impotence [ˈɪmpət(ə)ns] *s* **1** maktlöshet, vanmakt; oförmåga, kraftlöshet, impotens **2** fysiol. impotens

impotent [ˈɪmpət(ə)nt] *adj* **1** maktlös, vanmäktig; oförmögen [*to* att], kraftlös, impotent **2** fysiol. impotent

impound [ɪmˈpaʊnd] *vb tr* **1** beslagta, ta i förvar, konfiskera **2** spärra in [*catch and ~ stray* (herrelösa) *dogs*]

impoverish [ɪmˈpɒv(ə)rɪʃ] *vb tr* **1** utarma, göra utfattig **2** göra kraftlös (improduktiv, ofruktbar), suga ut, utarma [*~ the soil*]; försämra, försvaga

impoverished [ɪmˈpɒv(ə)rɪʃd] *adj* utarmad, utfattig, fattig; **my life would be ~ without music** mitt liv skulle vara fattigare utan musik

impoverishment [ɪmˈpɒv(ə)rɪʃmənt] *s* **1** utarmande, utarmning **2** utsugning, utarmning; försämring, försvagning

impracticability [ɪmˌpræktɪkəˈbɪlətɪ] *s* ogenomförbarhet etc., jfr *impracticable*

impracticable [ɪmˈpræktɪkəbl] *adj* ogenomförbar [*an ~ plan*]; outförbar, ogörlig, omöjlig; oanvändbar [*an ~ method*]

impractical [ɪmˈpræktɪk(ə)l] *adj* **1** opraktisk **2** se *impracticable*

impracticality [ˈɪmˌpræktɪˈkælətɪ] *s* **1** opraktiskhet **2** ogenomförbarhet, omöjlighet

imprecation [ˌɪmprɪˈkeɪʃ(ə)n] *s* **1** nedkallande av förbannelse (hämnd) **2** förbannelse [*oaths and ~s*]

imprecise [ˌɪmprɪˈsaɪs] *adj* inexakt; obestämd; ofullständig, bristande

imprecision [ˌɪmprɪˈsɪʒ(ə)n] *s* brist på exakthet (precision); ofullständighet, brist

impregnable [ɪmˈpregnəbl] *adj* **1** ointaglig [*an ~ fortress*]; ogenomtränglig [*~ defence*] **2** oangriplig, oövervinnelig; ovedersäglig, obestridlig, oantastlig, oanfäktbar; orubblig

impregnate ['impregneit, -'--] *vb tr* **1** impregnera [~ *wood*]; mätta [*water ~d with salt*]; genomdränka **2** bildl. genomtränga, genomsyra [*~d with* (av) *socialistic ideas*] **3** befrukta äv. bildl., göra havande

impresario [ˌimprə'sɑːriəʊ] (pl. *~s*) *s* impressario

impress [verb im'pres, subst. 'impres] **I** *vb tr* **1** göra intryck på [*the book did not ~ me at all*]; imponera på **2** inprägla, inskärpa en idé o.d. [*on* hos]; ~ *sth on* (*upon*) *one's mind* inprägla (inpränta) ngt i minnet; ~ *on sb that...* inprägla (inskärpa, inpränta) hos ngn [vikten av] att..., lägga ngn på hjärtat att...; ~ *oneself on* sätta sin prägel på **3 a**) trycka på, trycka in ett märke o.d. [*in*[*to*] i; *on* på, i]; ~ *a mark on* sätta ett märke på **b**) stämpla, prägla [*with* med]; ~ *wax with a seal* förse lack med ett sigill **II** *s* avtryck; märke, stämpel, prägel äv. bildl.; *bear the ~ of* vara präglad av, bära [en] prägel av; *leave an ~ on* sätta sin prägel på, prägla

impressed [im'prest] *adj*, ~ *by* el. ~ *with* imponerad (gripen) av; *be favourably ~ with* få ett fördelaktigt (gott) intryck av

impression [im'preʃ(ə)n] *s* **1** intryck, förnimmelse, känsla, [svagt] minne av ngt; *have an ~ that* ha ett intryck (en förnimmelse, en känsla) av att, ha på känn att, känna på sig att; *I was under the ~ that* jag hade det intrycket (hade för mig) att **2** intryck; verkan; *make a deep ~ on sb* göra [ett] djupt intryck på ngn **3** imitation [*he gave several ~s of TV personalities*] **4** märke, spår, stämpel, prägel äv. bildl. **5** tryckning [*a first ~ of 5,000 copies*]; omtryckning, nytryck

impressionable [im'preʃ(ə)nəbl] *adj* mottaglig för intryck, lättpåverkad; [*children who are*] *at the ~ age* ...i den lättpåverkade (känsliga) åldern

impressionism [im'preʃəniz(ə)m] *s* konst. o.d. impressionism

impressionist [im'preʃənist] *s* **1** konst. o.d. impressionist **2** imitatör

impressionistic [imˌpreʃə'nistik] *adj* konst. o.d. impressionistisk

impressive [im'presiv] *adj* effektfull, verkningsfull, slående, imponerande; gripande [*an ~ ceremony*]; eftertrycklig

impressiveness [im'presivnəs] *s* effektfullhet, verkningsfullhet; gripande allvar; kraft; eftertryck

imprint [subst. 'imprint, verb im'print] **I** *s* **1** avtryck [*the ~ of a foot*]; intryck, märke, prägel; bildl. äv. stämpel [*the ~ of suffering on* (i) *sb's face*] **2** typogr. tryckort, tryckår och förläggarens (boktryckarens) namn [äv. *publisher's ~; printer's ~*] **II** *vb tr* **1** bildl. inprägla, inpränta [~ *sth on* (in) *the memory* (one's mind)]; inskärpa [~ *on* (hos) *sb the importance of sth*] **2** trycka på, trycka in, stämpla [*on* på], märka; sätta [~ *a postmark on a letter*]

imprison [im'prizn] *vb tr* sätta i fängelse, fängsla; spärra in, stänga in; hålla fängslad

imprisonment [im'priznmənt] *s* fängslande; inspärrning; fångenskap [*during his long ~*]; frihetsstraff, frihetsberövande, fängelse[straff] [*two years' ~*]; ~ *for life* el. *life ~* livstids fängelse

improbability [imˌprɒbə'biləti] *s* osannolikhet; osannolik händelse, otrolig sak

improbable [im'prɒbəbl] *adj* osannolik, otrolig

impromptu [im'prɒm(p)tjuː] **I** *adv* utan

förberedelse, oförberett [*speak ~*]; [helt] improviserat **II** *adj* oförberedd, improviserad [*an ~ speech*]

improper [im'prɒpə] *adj* **1** oegentlig; oriktig, felaktig [~ *diagnosis*]; orättmätig [*make ~ use* (bruk) *of sth*] **2** opassande [~ *conduct*]; oanständig [~ *language*]; otillbörlig, otillständig

improper fraction [imˌprɒpə'frækʃ(ə)n] *s* matem. oegentligt bråk

impropriety [ˌimprə'praiəti] *s* **1** oanständighet [*of* i]; *improprieties* oanständigheter, fräckheter **2** oegentlighet; oriktighet, felaktighet **3** olämplighet; *the ~ of* det olämpliga i

improve [im'pruːv] **I** *vb tr* förbättra, [ut]bilda, utveckla [~ *a method*; ~ *one's mind*]; fullkomna, förkovra, förädla; hjälpa upp, främja; stärka [~ *one's health*]; *that did not ~ matters* det gjorde inte saken bättre **II** *vb itr* **1** förbättras, bli bättre; gå framåt, tillta, göra framsteg; *he ~s on acquaintance* han vinner vid närmare bekantskap; ~ *on sth* förbättra ngt, bättra på (överträffa) ngt [*he ~d on his previous CD*] **2** repa sig efter sjukdom, bli bättre (starkare) **3** om pris stiga, gå upp

improvement [im'pruːvmənt] *s* förbättring etc., jfr *improve*; upprustning av bostäder

improvidence [im'prɒvid(ə)ns] *s* brist på (bristande) [ekonomiskt] förutseende, brist på omtanke; slösaktighet, vårdslöshet, oförsiktighet, lättsinne

improvident [im'prɒvid(ə)nt] *adj* oförutseende; slösaktig, vårdslös, oförsiktig, lättsinnig

improvisation [ˌimprəvai'zeiʃ(ə)n, -prɒv-] *s* mus. el. friare improvisation

improvise ['imprəvaiz] **I** *vb tr* improvisera [*an ~d tune; an ~d speech; an ~d meal*], mus. äv. fantisera; *an ~d bed* en provisorisk bädd (säng) **II** *vb itr* improvisera [*on* över], mus. äv. fantisera [*on* över]

improviser ['imprəvaizə] *s* improvisatör

imprudence [im'pruːd(ə)ns] *s* oklokhet, oförsiktighet, obetänksamhet

imprudent [im'pruːd(ə)nt] *adj* oklok, oförsiktig, obetänksam, förhastad

impudence ['impjud(ə)ns] *s* oförskämdhet, fräckhet, oblyghet; *none of your ~!* vet hut!, var lagom fräck!

impudent ['impjud(ə)nt] *adj* oförskämd, fräck, oblyg, oförsynt

impugn [im'pjuːn] *vb tr* ifrågasätta [~ *sb's integrity* (hederlighet)]; bestrida [~ *a statement*; ~ *a claim*]; motsäga; bekämpa; jäva

impulse ['impʌls] *s* **1** impuls [*my first ~ was to run away*; ~ *buyers*]; ingivelse, instinkt, drift; [instinktiv] lust; *acting on an ~* [*he turned to the left*] lydande en plötslig ingivelse... **2** elektr. el. fysiol. impuls **3** stöt, knuff [framåt], fart; *give an ~ to* sätta fart på (i), rycka upp, stimulera, aktivera

impulsive [im'pʌlsiv] *adj* **1** impulsiv **2** framdrivande, pådrivande; stötvis verkande

impulsiveness [im'pʌlsivnəs] *s* impulsivitet

impunity [im'pjuːnəti] *s* straffrihet; trygghet; *with ~* ostraffat, saklöst, opåtalt; utan fara (risk)

impure [im'pjʊə] *adj* oren, bildl. äv. okysk

impurity [ɪm'pjʊərətɪ] *s* **1** orenhet äv. bildl.
2 förorening
impute [ɪm'pju:t] *vb tr* tillskriva, tillvita, påbörda
[*sth to sb* ngn ngt]; ~ *sth to* äv. lägga skulden för
(skylla) ngt på
IN förk. för *Indiana*
in [ɪn] **I** *prep* (se äv. under resp. huvudord, t.ex. *despair,
disguise, honour*) **1** uttr. befintlighet, plats (ofta bildl.) i [~
a box; ~ *politics*]; på [~ *the fields*; ~ *the street*]; vid
[*the house is* (ligger) ~ *a street near the centre*; *he is
~ the police*]; **there is something ~ it** det ligger
någonting i det
2 klädd o.d. i [*dressed ~ mourning* (*white*)]
3 a) i ngns (ngts) väsende (karaktär o.d.) [*there is no great
harm* (inte mycket ont) ~ (äv. hos) *him*]; **what's ~ a
name?** vad betyder väl ett namn? **b**) hos i en
författares verk o.d. [~ *Shakespeare*]
4 i tidsuttr. o.d. **a**) om den period under vilken något sker i [~
April]; om el. på [~ *the morning*; ~ [*the*] *summer*];
under [~ *my absence*]; ~ [*the year*] *2011* [år] 2011;
~ *the 18th century* på 1700-talet **b**) om tid som åtgår för
något på [*I did it ~ five minutes*] **c**) efter (inom) viss tid
om [*she will be back ~ a month*] **d**) före -*ing* form el.
verbalsubstantiv vid [*be careful ~ using* (användningen
av) *it*]; **she slipped ~ crossing the street** hon halkade
när (då) hon gick över gatan
5 i uttr. som anger sätt, medel, språk o.d. på, med, i; ~
earnest på allvar; ~ *this way* (*manner*) på detta sätt;
written ~ ink (*pencil*) skriven med bläck (blyerts); ~
a loud voice med hög röst; ~ *a word* med ett ord
[sagt], kort sagt
6 i uttr. som betecknar urval, proportion, antal på [*not one ~
a hundred*]; till [*seven ~ number* (antalet)]
7 [i anseende] till, i fråga om, när det gäller, i
[avseende på]; *blind ~ one eye* blind på ena ögat
8 i uttr. som anger ett tillstånd vid [~ *good health*]; i
[*walk ~ one's sleep*]
9 angivande avsikt till, som; ~ *memory of* till minne av;
~ *reply* (*answer*) *to* som (till) svar på
10 särskilda fall: enligt [~ *my experience*; ~ *my
opinion*]; med [~ *all probability*]; under [~ *these
circumstances*]
II *adv* **1** in [*come ~*]; inåt, närmast kroppen; **day ~,
day out** dag ut och dag in
2 inne äv. friare, inkommen, hemma [*he wasn't ~
when I called*]; framme, anländ; **the train is ~** tåget
är (står) inne, tåget har kommit
3 i vissa uttr.:
be in for a) kunna vänta sig, få räkna med, komma
att råka ut för (få) [*we're ~ for bad weather*]; **be ~
for it** äv. vara illa ute, vara (råka) i knipa, få det hett
om öronen **b**) vara anmäld (ha anmält sig) till [*be
~ for a competition*] **c**) vara uppe (gå upp) i [*be ~
for an examination*]; **have it ~ for sb** vard. ha ett horn
i sidan till ngn, vilja [komma] åt ngn
be in on vard. **a**) vara med i (om), ha del i [*if there's
any profit, I want to be ~ on it*]; delta i **b**) ha reda
på
be [**well**] **in with** el. **keep** [**well**] **in with** vard.: ha tumme
med [*he was well ~ with the boss*]; stå på god fot
med
III *s*, **all the ~s and outs** alla konster och knep; alla
vinklar och vrår; **know the ~s and outs of sth** känna
[till] ngt utan och innan

IV *adj* **1** vard. inne modern, på modet, populär o.d.
[*turbans are ~ this year*]; **it's the ~ thing to...** det är
inne att... **2** inkommande [*the ~ train*]; som går
inåt [*the ~ door*]
in. förk. för *inch*[*es*]
inability [ˌɪnə'bɪlətɪ] *s* **1** oförmåga, bristande
förmåga [*to* att]; oduglighet; [*he regretted*] *his ~ to
help* ...att han inte var i stånd att hjälpa **2** ~ *to pay*
oförmåga att betala, insolvens
inaccessibility ['ɪnækˌsesə'bɪlətɪ] *s* otillgänglighet
etc., jfr *inaccessible*
inaccessible [ˌɪnæk'sesəbl] *adj* otillgänglig äv. bildl.,
oåtkomlig; ouppnåelig [*to* för]
inaccuracy [ɪn'ækjərəsɪ] *s* **1** bristande noggrannhet
(precision) **2** felaktighet, oriktighet
inaccurate [ɪn'ækjərət] *adj* **1** inte [tillräckligt]
noggrann; slarvig **2** felaktig, oriktig
inaction [ɪn'ækʃ(ə)n] *s* overksamhet; slöhet
inactive [ɪn'æktɪv] *adj* **1** overksam; inaktiv,
sysslolös, som står stilla (är ur drift) **2** slö, trög,
oföretagsam, passiv
inactivity [ˌɪnæk'tɪvətɪ] *s* **1** overksamhet,
sysslolöshet, inaktivitet **2** slöhet, tröghet,
oföretagsamhet, passivitet
inadequacy [ɪn'ædɪkwəsɪ] *s* otillräcklighet, brist,
bristfällighet, ofullständighet; bristande (brist på)
motsvarighet; olämplighet
inadequate [ɪn'ædɪkwət] *adj* olämplig, otillräcklig
[*to, for* för; *to* + inf. för att], bristfällig,
otillfredsställande; ofullständig, oriktig,
inadekvat, inte fullt adekvat (träffande); inte
avpassad [*to* efter]
inadmissible [ˌɪnəd'mɪsəbl] *adj* otillåtlig, otillåten;
oantaglig; jur. oacceptabel, inte godtagbar [~
evidence]
inadvertence [ˌɪnəd'vɜ:t(ə)ns] *s*
1 ouppmärksamhet; vårdslöshet, slarv
2 förbiseende, inadvertens
inadvertent [ˌɪnəd'vɜ:t(ə)nt] *adj* oavsiktlig
inadvertently [ˌɪnəd'vɜ:t(ə)ntlɪ] *adv* oavsiktligt; av
misstag (slarv)
inadvisable [ˌɪnəd'vaɪzəbl] *adj* inte tillrådlig, oklok
inalienable [ɪn'eɪlɪənəbl] *adj* oförytterlig, omistlig
[~ *rights*]; oavhändig
inane [ɪ'neɪn] *adj* meningslös, dum, idiotisk, fånig
[~ *remark*]; banal; andefattig
inanimate [ɪn'ænɪmət] *adj* inte levande, livlös, död
[~ *nature*]; själlös
inanity [ɪ'nænətɪ] *s* **1** tomhet, innehållslöshet
2 meningslöshet, dumhet; banalitet
inapplicability [ˌɪnəplɪkə'bɪlətɪ, ˌɪnæ'plɪk-] *s*
oanvändbarhet, otillämplighet, olämplighet
inapplicable [ˌɪnə'plɪkəbl, ɪn'æplɪk-] *adj*
oanvändbar, inte tillämpbar (passande), som inte
går att tillämpa [*to* på, för]
inappropriate [ˌɪnə'prəʊprɪət] *adj* olämplig,
oändamålsenlig, inte tillämplig, inte på sin plats,
som inte hör till saken, malplacerad, olycklig,
otillbörlig [*for sb* av ngn; *to* för]
inapt [ɪn'æpt] *adj* **1** olämplig, malplacerad [~
remark]; inadekvat **2** oskicklig, tafatt [~ *attempt*];
bortkommen, oduglig
inarticulate [ˌɪnɑ:'tɪkjʊlət] *adj* **1** oartikulerad,
otydlig; stapplande; oklar, oredig; **he is always so ~**

han har alltid så svårt att uttrycka sig **2** mållös [~ *rage*; ~ *with rage*]; stum [~ *despair*]

inasmuch as [ɪnəzˈmʌtʃəz] *konj* **1** eftersom, emedan **2** försåvitt; såtillvida som

inattention [ˌɪnəˈtenʃ(ə)n] *s* ouppmärksamhet; brist på omtanke, försumlighet

inattentive [ˌɪnəˈtentɪv] *adj* ouppmärksam, inte uppmärksam [*to sth* på ngt; *to sb* mot ngn]

inaudibility [ɪnˌɔːdəˈbɪlətɪ] *s* ohörbarhet

inaudible [ɪnˈɔːdəbl] *adj* ohörbar

inaugural [ɪˈnɔːɡjʊr(ə)l] **I** *adj* invignings-, inträdes-, öppnings- [~ *speech*; ~ *address*]; installations- [~ *lecture*]
II *s* **1** inträdestal; öppningsanförande
2 invigningshögtidlighet, öppningshögtidlighet

inaugurate [ɪˈnɔːɡjəreɪt] *vb tr* **1** inviga, öppna [~ *a new air route*; ~ *an exhibition*]; avtäcka staty o.d. **2** insätta i ämbetet, installera [~ *a president*] **3** inleda [~ *a new era*]; införa

inauguration [ɪˌnɔːɡjəˈreɪʃ(ə)n] *s* **1** invigning, öppnande; avtäckning **2** installation [*the ~ of the President of the USA*] **3** inledning, början, införande

Inauguration Day [ɪˌnɔːɡjəˈreɪʃ(ə)ndeɪ] amer. installationsdagen 20 jan. då en nyvald president tillträder sitt ämbete

inauspicious [ˌɪnɔːˈspɪʃəs, -nɒs-] *adj* **1** olycksbådande **2** ogynnsam; inte lyckosam, olycklig

in-between [ˌɪnbɪˈtwiːn] *adj* vard. mittemellan[-] [*an ~ size*]

inboard [ˈɪnbɔːd] *adj* sjö. inombords belägen, inombords-

inborn [ˌɪnˈbɔːn, attr. ˈɪnb-] *adj* medfödd, inneboende, inre, naturlig

inbound [ˈɪnbaʊnd] *adj* ingående, ankommande [~ *traffic*]; på väg in, destinerad till inrikes ort [*an ~ ship*]

in-box o. **in box** o. **inbox** [ˈɪnbɒks] *s* **1** data. inkorg **2** amer. inkorg, korg (låda) för ingående post

inbred [ˌɪnˈbred, attr. ˈɪnb-] *adj* **1** medfödd, inneboende, inre, naturlig **2** uppkommen genom (föremål för) inavel, inavlad

inbreeding [ˌɪnˈbriːdɪŋ] *s* inavel

in-built [ˌɪnˈbɪlt] *adj* se *built-in*

Inc. o. **inc.** [ɪŋk] (förk. för *Incorporated*) vanl. amer., ung. AB

incalculable [ɪnˈkælkjʊləbl] *adj* **1** oräknelig, oändlig [~ *quantities*] **2** omöjlig att förutse, oförutsebar; oöverskådlig [~ *consequences*]

incandescence [ˌɪnkænˈdesns] *s* glödning; bildl. hetta; *heat of* ~ glödhetta

incandescent [ˌɪnkænˈdesnt] *adj* [vit]glödande; klart lysande, bländande; ~ *lamp* glödlampa; ~ *with rage* vit av ilska

incantation [ˌɪnkænˈteɪʃ(ə)n] *s* besvärjelse, magisk (rituell) sång; besvärjelseformel

incapability [ɪnˌkeɪpəˈbɪlətɪ] *s* oduglighet, inkompetens; oförmåga [*of* till; *of doing sth* att göra ngt]

incapable [ɪnˈkeɪpəbl] *adj* **1** oduglig; inkompetent; oskicklig; kraftlös **2** ~ *of* oförmögen (ur stånd, inkapabel) till [~ *of such an action*]; *be* ~ *of doing sth* vara oförmögen etc. att göra ngt, inte förmå (kunna) göra ngt

incapacitate [ˌɪnkəˈpæsɪteɪt] *vb tr* göra [tillfälligt] arbetsoförmögen; mil. sätta ur stridbart skick; ~ *sb for work* (*from working*) göra ngn oduglig (oförmögen) till arbete, sätta ngn ur stånd att arbeta

incapacitated [ˌɪnkəˈpæsɪteɪtɪd] *adj* **1** [tillfälligt] arbetsoförmögen, inte arbetsför; handlingsförlamad; mil. inte i (satt ur) stridbart skick **2** jur. omyndigförklarad

incapacity [ˌɪnkəˈpæsɪtɪ] *s* oförmåga, oduglighet, inkompetens; arbetsoduglighet; ~ *for work* arbetsoförmåga, oförmåga att arbeta

incarcerate [ɪnˈkɑːsəreɪt] *vb tr* fängsla, spärra in, stänga in

incarceration [ɪnˌkɑːsəˈreɪʃ(ə)n] *s* fängslande, inspärrning

incarnate [adj. ɪnˈkɑːnət, verb ˈɪnkɑːneɪt] **I** *adj* förkroppsligad, personifierad [*Liberty ~*]; *a devil ~* en djävul i människohamn, en ärkeskurk
II *vb tr* förkroppsliga; levandegöra; förverkliga

incarnation [ˌɪnkɑːˈneɪʃ(ə)n] *s* inkarnation, förkroppsligande; *she looked the ~ of health* hon såg ut som hälsan själv

incautious [ɪnˈkɔːʃəs] *adj* oförsiktig, förhastad

incendiary [ɪnˈsendɪərɪ] **I** *adj* **1** mordbrands-, brand-; ~ *bomb* brandbomb **2** uppviglande, upphetsande; ~ *speech* brandtal
II *s* brandbomb

1 incense [ˈɪnsens] *s* rökelse äv. bildl.

2 incense [ɪnˈsens] *vb tr* reta upp, göra rasande (förbittrad, indignerad), förtörna

incentive [ɪnˈsentɪv] **I** *s* drivfjäder, sporre, motivation, uppmuntran [*to* till; *to* + inf. att]; stimulansåtgärd [*financial ~s*] **II** *adj* eggande, eldande; sporrande, stimulerande; *be ~ to* sporra (stimulera) till; ~ *pay* el. ~ *wage* prestationslön

inception [ɪnˈsepʃ(ə)n] *s* påbörjande; början, start; *from its ~* från [första] början

incessant [ɪnˈsesnt] *adj* oavbruten, oavlåtlig, oupphörlig, ständig

incessantly [ɪnˈsesntlɪ] *adv* oavbrutet, oavlåtligt, oupphörligt, ständigt; utan avbrott; i det oändliga

incest [ˈɪnsest] *s* incest

incestuous [ɪnˈsestjʊəs] *adj* incest-, incestuös; skyldig till (innebärande) incest

inch [ɪn(t)ʃ] **I** (förk. *in.*) *s* tum 2,54 cm; bildl. smula, grand; *3 ~es* 3 tum; *cubic ~* kubiktum; *square ~* kvadrattum; *every ~* varje millimeter; *he is every ~ a soldier* (*gentleman*) han är en krigare i varje tum (en gentleman ut i fingerspetsarna); *give him an ~ and he'll take a mile* (*a yard*) ordspr. om man ger honom ett finger så tar han hela handen; *I don't trust him an ~* jag litar inte ett dugg (ett skvatt) på honom; ~ *by ~* litet i sänder, [så] småningom, sakta men säkert, gradvis; *by ~es* nätt och jämnt; *to an ~* till punkt och pricka; *he was within an ~ of succeeding* han var mycket nära att lyckas; [*I'll thrash him*] *within an ~ of his life* …halvt fördärvad
II *vb tr* flytta tum för tum (mycket långsamt); ~ *one's way* (*oneself*) *forward* flytta sig framåt tum för tum (mycket långsamt)

III *vb itr* flytta sig tum för tum (mycket långsamt); **~ forward** krypa framåt (fram) [bit för bit]

inchoate [ɪnˈkəʊət, -ˈkəʊeɪt] *adj* bara påbörjad, outvecklad; ofullständig

incidence [ˈɪnsɪd(ə)ns] *s* förekomst, frekvens [*the increasing ~ of road accidents*]; utbredning, omfattning [*the ~ of a disease*]

incident [ˈɪnsɪd(ə)nt] **I** *s* händelse, tilldragelse, intermezzo, incident; scen, episod i dikt el. pjäs; **they regretted the ~** de beklagade det inträffade; **frontier ~s** gränsintermezzon; **the journey was without ~** det inträffade inte något särskilt under resan **II** *adj,* **~ to** som följer med, som hör till, förenad (förbunden) med; tillhörande; vanlig för, som brukar hända (drabba)

incidental [ˌɪnsɪˈdentl] **I** *adj* **1** tillfällig; av underordnad betydelse, oväsentlig; episodisk; bi-, sido-; **~ expenses** tillfälliga (oförutsedda) utgifter; **an ~ matter** en bisak **2 ~ to** el. **~ upon** som följer (är förbunden) med, som brukar följa med **II** *s,* pl. **~s** tillfälliga (oförutsedda) utgifter

incidentally [ˌɪnsɪˈdent(ə)lɪ] *adv* **1** tillfälligtvis, i förbigående, [helt] apropå **2** för övrigt, förresten [*~, why did you come so late?*]; inom parentes, i förbigående

incidental music [ˌɪnsɪdentlˈmjuːzɪk] *s* scenmusik; beledsagande musik, bakgrundsmusik

incident room [ˈɪnsɪd(ə)ntˌruːm] *s* tillfälligt upprättad tipscentral hos polisen

incinerate [ɪnˈsɪnəreɪt] *vb tr* **1** förbränna till aska **2** amer. bränna, kremera

incineration [ɪnˌsɪnəˈreɪʃ(ə)n] *s* **1** förbränning [till aska] **2** amer. kremering

incinerator [ɪnˈsɪnəreɪtə] *s* **1** förbränningsugn t.ex. för sopor **2** amer. krematorieugn

incipient [ɪnˈsɪpɪənt] *adj* begynnande, begynnelse-, i första stadiet (begynnelsestadiet); gryende, spirande

incise [ɪnˈsaɪz] *vb tr* **1** skära (rista, hugga, gravera) in **2** skära upp, öppna sår

incision [ɪnˈsɪʒ(ə)n] *s* inskärning; skåra, snitt, insnitt; **make an ~** kir. göra (lägga) ett snitt

incisive [ɪnˈsaɪsɪv] *adj* skarp [*~ criticism*]; skarpsinnig, genomträngande [*~ voice*]; övertygande

incisor [ɪnˈsaɪzə] *s* framtand, skärtand

incite [ɪnˈsaɪt] *vb tr* egga [upp], sporra, driva

incitement [ɪnˈsaɪtmənt] *s* **1** [upp]eggande; tillskyndan; provokation **2** incitament, eggelse, sporre; motiv, bevekelsegrund

incivility [ˌɪnsɪˈvɪlətɪ] *s* ohövlighet

incl. förk. för *including, inclusive*

inclement [ɪnˈklemənt] *adj* om väder el. klimat omild, sträng, hård, bister, kylig, stormig

inclination [ˌɪnklɪˈneɪʃ(ə)n] *s* **1** lust, benägenhet, håg, böjelse [*to, for* för; *to* + inf. [för] att]; tendens [*to* till; *to* + inf. [till] att]; förkärlek, tycke, svaghet [*for* för] **2** lutning; böjning [*~ of* (på) *the head*]; fys. inklination; **angle of ~** fys. inklinationsvinkel, lutningsvinkel

incline [verb ɪnˈklaɪn, subst. ˈɪnklaɪn] **I** *vb tr* **1** göra böjd (benägen) [*to* för; *to* + inf. [för] att] **2** luta ned (fram), ge en lutning; böja [på] [*~ one's head*] **II** *vb itr* **1** luta [*to* mot, åt; *towards* mot, åt] **2** vara böjd (benägen) [*to* för; *to* + inf. [för] att]; visa tendens [*to* till; *to* + inf. [till] att]

III *s* lutning, sluttning; stigning; lutande plan

inclined [ɪnˈklaɪnd] *adj* **1** benägen, hågad, böjd [*to, for* för; *to* + inf. [för] att]; **I am ~ to think that...** jag är benägen att tro (lutar [snarast] åt den åsikten) att...; **he is ~ to be late** han har en tendens att komma sent; **do you feel ~ for (to go for) a walk?** har du lust med (har du lust att ta) en promenad?; **sociably ~** sällskapligt lagd **2** lutande, sluttande; sned riktning; **~ plane** fys. lutande plan

include [ɪnˈkluːd] *vb tr* omfatta, innefatta, inbegripa; inkludera; räkna med, inberäkna; **~ sth in one's programme** ta med (upp) ngt på sitt program

including [ɪnˈkluːdɪŋ] *prep* omfattande; inklusive [*~ all expenses*]; däribland [*fifty maps ~ six of North America*]; **not ~** utan, exklusive, ej inkluderande (inräknad, medräknad)

inclusion [ɪnˈkluːʒ(ə)n] *s* inbegripande; medräknande; medtagande [*~ in* (på) *the list*]; **with the ~ of...** inklusive..., ...medräknad

inclusive [ɪnˈkluːsɪv] *adj* **1** inberäknad, till och med; [*from Monday*] **to Saturday ~** ...t.o.m. lördag; **~ of** inklusive, inberäknad, medräknad, med; omfattande, inbegripande **2** som inkluderar allt [*an ~ fee*]; med allt inberäknat; fullständig [*an ~ list*]; **~ terms** t.ex. på hotell: fast pris med allt inberäknat (inklusive allt) **3** [all]omfattande

incognito [ˌɪnkɒgˈniːtəʊ, ɪnˈkɒgnɪtəʊ] **I** *adv* inkognito, under antaget namn **II** *adj* [som reser (uppträder)] inkognito

incoherence [ˌɪnkə(ʊ)ˈhɪər(ə)ns] *s* brist på sammanhang; oförenlighet; motsägelse, inkonsekvens

incoherent [ˌɪnkə(ʊ)ˈhɪər(ə)nt] *adj* osammanhängande, lös, löslig [*~ speech; ~ ideas*]; oförenlig; motsägande; inkonsekvent

income [ˈɪnkʌm, ˈɪŋk-, -kəm-] *s* inkomst, avkastning; persons samtliga (vanligen årliga) inkomster; **she has a very large ~** hon har mycket stora inkomster; **have a private ~** ha [privat]förmögenhet (pengar), leva på pengar (räntor); **loss of ~** inkomstbortfall; **people on high (low) ~s** folk med höga (låga) inkomster; **live over (beyond) one's ~** leva över sina tillgångar

income gap [ˈɪnkʌmgæp, ˈɪŋk-, -kəm-] *s* inkomstklyfta; lönegap

income group [ˈɪnkʌmgruːp, ˈɪŋk-, -kəm-] *s* inkomstgrupp, inkomstklass

incomer [ˈɪnˌkʌmə] *s* **1** invandrare, immigrant **2** inflyttad person

incomes policy [ˈɪnkʌmzˌpɒlɪsɪ, ˈɪŋk-, -kəmz-] *s* inkomstpolitik, lönepolitik

income support [ˈɪnkʌmsəˌpɔːt, ˈɪŋk-, -kəm-] *s* inkomstprövat socialbidrag

income-tax [ˈɪnkʌmtæks, ˈɪŋk-, -kəm-] *adj,* **~ return** självdeklaration; **~ form** el. **~ return form** deklarationsblankett

income tax [ˈɪnkʌmtæks, ˈɪŋk-, -kəm-] *s* inkomstskatt

incoming [ˈɪnˌkʌmɪŋ, ˈɪŋ-] *adj* inkommande, ingående [*~ letters*]; ankommande [*~ trains; ~ post (mail)*]; **~ call** tele. inkommande samtal

incommunicado [ˈɪnkəˌmjuːnɪˈkɑːdəʊ] *adj* isolerad, avskild från yttervärlden [*the prisoner was held* ~]

in-company [ˈɪnˌkʌmpənɪ] *adj*, ~ *training* internutbildning i företag, företagsutbildning

incomparable [ɪnˈkɒmp(ə)rəbl, ˌɪnkəmˈpær-] *adj* **1** ojämförlig [*with*, *to* med] **2** oförliknelig, makalös, utomordentlig [~ *artist*; ~ *beauty*]; enastående

incompatibility [ˈɪnkəmˌpætəˈbɪlətɪ] *s* **1** oförenlighet; *fundamental* ~ djup och varaktig söndring **2** tekn. el. data. inkompatibilitet

incompatible [ˌɪnkəmˈpætəbl] *adj* **1** tekn. el. data. inkompatibel **2** oförenlig [*with* med]; oförsonlig, ur stånd att dra jämnt; ~ *colours* färger som skär mot varandra

incompetence [ɪnˈkɒmpət(ə)ns] *s* **1** inkompetens, oförmåga, oduglighet **2** jur. obehörighet, jävighet

incompetent [ɪnˈkɒmpət(ə)nt] **I** *adj* **1** inkompetent, oduglig [*to* att; ~ *at* (för, i) one's job; ~ *for teaching* (att undervisa)] **2** jur. obehörig, jävig **II** *s* inkompetent person

incomplete [ˌɪnkəmˈpliːt] *adj* ofullständig; ofullbordad; inkomplett

incompleteness [ˌɪnkəmˈpliːtnəs] *s* ofullständighet, ofullständigt skick

incomprehensibility [ɪnˌkɒmprɪhensəˈbɪlətɪ] *s* obegriplighet

incomprehensible [ɪnˌkɒmprɪˈhensəbl] *adj* obegriplig [*to* för]

incomprehension [ɪnˌkɒmprɪˈhenʃ(ə)n] *s* oförmåga att förstå [*of sth* ngt]

inconceivable [ˌɪnkənˈsiːvəbl] *adj* obegriplig, ofattbar [*to* för], vard. otrolig

inconclusive [ˌɪnkənˈkluːsɪv] *adj* inte avgörande (slutgiltig), inte övertygande, inte bindande [~ *evidence*]; inte beviskraftig; resultatlös [~ *discussion*]; ofullständig

inconclusiveness [ˌɪnkənˈkluːsɪvnəs] *s* ofullständighet; bristande slutgiltighet; bristande beviskraft; bristande logik

incongruity [ˌɪnkɒŋˈɡruːətɪ] *s* **1** brist på överensstämmelse, inkongruens; oförenlighet; olämplighet **2** motsägelse, orimlighet

incongruous [ɪnˈkɒŋɡrʊəs] *adj* **1** oförenlig, inte motsvarande, inkongruent **2** omaka, som inte går ihop (i stil) [*with* med], avvikande, som inte passar in i omgivningen; olämplig **3** motsägande, orimlig, absurd, förnuftsvidrig

inconsequent [ɪnˈkɒnsɪkwənt] *adj* **1** inkonsekvent, inte följdriktig; ologisk **2** osammanhängande **3** obetydlig

inconsequential [ɪnˌkɒnsɪˈkwenʃ(ə)l] *adj* **1** obetydlig, oviktig **2** se *inconsequent 1* o. *inconsequent 2*

inconsiderable [ˌɪnkənˈsɪd(ə)rəbl] *adj* obetydlig, oansenlig

inconsiderate [ˌɪnkənˈsɪd(ə)rət] *adj* **1** tanklös [~ *children*]; obetänksam **2** taktlös, hänsynslös [~ *behaviour*]; ofinkänslig

inconsiderateness [ˌɪnkənˈsɪd(ə)rətnəs] *s* **1** obetänksamhet **2** taktlöshet, brist på hänsynstagande

inconsistency [ˌɪnkənˈsɪst(ə)nsɪ] *s* **1** inkonsekvens;

motsägelse, motsättning **2** oförenlighet, bristande överensstämmelse [*with* med]

inconsistent [ˌɪnkənˈsɪst(ə)nt] *adj* **1** inkonsekvent; ologisk; [själv]motsägande, osammanhängande **2** oförenlig, utan överensstämmelse [*with* med]

inconsolable [ˌɪnkənˈsəʊləbl] *adj* otröstlig [*for* över; ~ *grief*]

inconspicuous [ˌɪnkənˈspɪkjʊəs] *adj* som inte faller i ögonen, föga iögonenfallande (framträdande); [nästan] omärklig; obemärkt; tillbakadragen; oansenlig; [*she tried to make herself*] *as* ~ *as possible* ...så osynlig (liten) som möjligt; ~ *colours* diskreta färger

inconstancy [ɪnˈkɒnst(ə)nsɪ] *s* vankelmod; ombytlighet

inconstant [ɪnˈkɒnst(ə)nt] *adj* vankelmodig; ombytlig, flyktig [*an* ~ *lover*]

incontestable [ˌɪnkənˈtestəbl] *adj* oemotsäglig; obestridlig; ovedersäglig; oomtvistlig

incontinence [ɪnˈkɒntɪnəns] *s* med. inkontinens; ~ *pad* inkontinensskydd

incontinent [ɪnˈkɒntɪnənt] *adj* med. inkontinent

incontrovertible [ˌɪnkɒntrəˈvɜːtəbl] *adj* obestridlig [~ *fact*]; ovederlägglig, oomtvistlig; odiskutabel

inconvenience [ˌɪnkənˈviːnɪəns] **I** *s* olägenhet [*to* för]; obekvämlighet; besvär, omak; obehag; *put sb to* ~ vålla ngn besvär osv. **II** *vb tr* besvära, förorsaka besvär (olägenhet, obehag), störa

inconvenient [ˌɪnkənˈviːnɪənt] *adj* oläglig; olämplig; obekväm; besvärlig, förarglig [*to*, *for* för]; *it's a bit* ~ *just at the moment* äv. det passar inte så bra just nu

incorporate [ɪnˈkɔːpəreɪt] *vb tr* **1** införliva, inlemma, inkorporera [*in* i, med; *into* i, med; *with* med]; lägga till, arbeta in [~ *changes into a text*]; omfatta, innehålla [*the book* ~*s all the newest information on the subject*]; samla [*she* ~*d her ideas in a book*] **2** blanda [upp]; legera [*with* med] **3** uppta [som medlem] [*into* i] **4** göra till (konstituera som) en korporation (juridisk person m.m., jfr *corporation*)

incorporated [ɪnˈkɔːpəreɪtɪd] *adj* **1** ~ *company* aktiebolag **2** införlivad, inlemmad, inkorperad

incorporation [ɪnˌkɔːpəˈreɪʃ(ə)n] *s* **1** införlivande, inlemmande, inkorporering; inarbetande, infogande **2** erkännande (konstituerande) såsom korporation (juridisk person m.m., jfr *corporation*)

incorporeal [ˌɪnkɔːˈpɔːrɪəl] *adj* okroppslig

incorrect [ˌɪnkəˈrekt, ˌɪŋk-] *adj* inte fullt riktig (korrekt); oriktig, felaktig, inkorrekt; orättad

incorrectness [ˌɪnkəˈrektnəs, ˌɪŋk-] *s* oriktighet, felaktighet

incorrigible [ɪnˈkɒrɪdʒəbl] *adj* oförbätterlig, ohjälplig

incorruptibility [ˈɪnkəˌrʌptəˈbɪlətɪ] *s* **1** omutlighet, obesticklighet **2** ofördärvbarhet, oförstörbarhet

incorruptible [ˌɪnkəˈrʌptəbl] *adj* **1** omutlig, obesticklig **2** som inte kan fördärvas, oförstörbar; oförgänglig, evig

increase [verb ɪnˈkriːs, subst. ˈɪŋkriːs] **I** *vb itr* öka[s] [*the population has* ~*d by* (med) *2,000 to 50,000*]; stiga [*the birthrate is increasing*]; växa ['till], tillta [*in* i]; föröka sig **II** *vb tr* öka [på], öka ut; höja [~ *the price*]

III s ökning, utökning; [för]höjning [on utöver, i jämförelse med]; tilltagande, tillväxt [of av, i]; **get an ~ in pay** få löneförhöjning (höjd lön); **crime is on the ~** brottsligheten ökar (stiger)

increasing [ɪnˈkriːsɪŋ, ˈɪnkriːsɪŋ] pres p o. adj ökande, stigande etc., jfr increase I; **an ~ number of people** äv. ett allt större antal människor; **at ~ intervals** med allt längre mellanrum; **to an ever ~ extent** i allt större utsträckning (högre grad)

increasingly [ɪnˈkriːsɪŋlɪ, ˈɪnkriːsɪŋlɪ] adv mer och mer, alltmer; **~ complicated** äv. allt krångligare; **~ difficult** svårare och svårare, allt svårare

incredibility [ɪnˌkredɪˈbɪlətɪ] s otrolighet

incredible [ɪnˈkredəbl] adj otrolig; vard. ofattbar, fantastisk

incredulity [ˌɪnkrəˈdjuːlətɪ] s klentrogenhet, skepsis, tvivel

incredulous [ɪnˈkredjʊləs] adj klentrogen, skeptisk, tvivlande, misstrogen

increment [ˈɪnkrɪmənt] s tillväxt, ökning, tillökning, tillägg; lönetillägg, lönepåslag; värdestegring; matem. inkrement, differential

incriminate [ɪnˈkrɪmɪneɪt] vb tr anklaga för brott [to inför]; rikta misstankarna mot; binda vid brottet; **~d** misstänkt för brott[et]; komprometterad; **~ oneself** bli anklagad (inblandad), få misstankarna riktade mot sig

incriminating [ɪnˈkrɪmɪneɪtɪŋ] adj komprometterande, fällande [~ evidence]

incriminatory [ɪnˈkrɪmɪnət(ə)rɪ] adj anklagelse-; komprometterande, fällande [~ evidence]

in-crowd [ˈɪnkraʊd] s, **the ~** innefolket, de som är inne

incrustation [ˌɪnkrʌˈsteɪʃ(ə)n] s **1** skorpa; beläggning; pannsten **2** beläggning med en skorpa (pannsten); slaggbildning

incubate [ˈɪnkjʊbeɪt] **I** vb tr **1** ruva [på]; kläcka äv. bildl. **2** odla [~ bacteria]; utveckla **II** vb itr **1** ruva; kläckas äv. bildl. **2** odlas, utvecklas

incubation [ˌɪnkjʊˈbeɪʃ(ə)n] s **1** ruvande, ruvning; äggkläckning **2** med. inkubation

incubation period [ˌɪnkjʊˈbeɪʃ(ə)nˌpɪərɪəd] s med. inkubationstid

incubator [ˈɪnkjʊbeɪtə] s **1** med. kuvös **2** äggkläckningsmaskin **3** apparat för odling av bakterier

incub|us [ˈɪŋkjʊb|əs] (pl. -uses el. -i [-aɪ]) s incubus, mara, mardröm äv. bildl.

inculcate [ˈɪnkʌlkeɪt, ɪnˈkʌlkeɪt] vb tr inskärpa, inprägla, inpränta [in sb, into sb hos ngn]

incumbency [ɪnˈkʌmbənsɪ] s innehavande av post (ämbete); ämbetstid

incumbent [ɪnˈkʌmbənt] **I** s innehavare av post (ämbete) **II** adj **1** som åligger [on sb, upon sb ngn]; **it is ~ on (upon) you** det åligger (åvilar) dig **2** vanl. amer., **the ~ governor** innehavaren av guvernörsposten, den sittande guvernören

incur [ɪnˈkɜː] vb tr ådra sig [~ sb's hatred]; åsamka sig [~ great expense]; utsätta sig för [~ risks]

incurable [ɪnˈkjʊərəbl] adj **1** obotlig; med. inkurabel **2** bildl. oförbätterlig [an ~ optimist]; outrotlig, ingrodd

incurious [ɪnˈkjʊərɪəs] adj föga vetgirig; ouppmärksam, likgiltig

incursion [ɪnˈkɜːʃ(ə)n] s fientligt infall, plötsligt anfall (angrepp), räd, strandhugg, inbrott; plundringståg; inbrytning; bildl. intrång, inkräktande [into på]

Ind. 1 förk. för Independent **2** förk. för India **3** förk. för Indiana

indebted [ɪnˈdetɪd] adj **1** skuldsatt; **be ~ to sb** vara skyldig ngn pengar, stå i skuld till (hos) ngn **2** tack skyldig [to sb ngn]; **be ~ to sb for sth** äv. ha ngn att tacka (stå i tacksamhetsskuld till ngn) för ngt

indebtedness [ɪnˈdetɪdnəs] s **1** skuldsättning, skulder; skuld **2** tacksamhetsskuld [to till]

indecency [ɪnˈdiːsnsɪ] s oanständighet, otillbörlighet

indecent [ɪnˈdiːsnt] adj **1** oanständig; otillbörlig; ekivok; sedlighetssårande **2** vard. opassande [leave a party in ~ haste]

indecent assault [ɪnˌdiːsntəˈsɔːlt] s jur. sexuellt övergrepp

indecent exposure [ɪnˌdiːsntɪkˈspəʊʒə] s jur., sedlighetssårande, oanständigt blottande

indecipherable [ˌɪndɪˈsaɪf(ə)rəbl] adj oläslig, otydbar

indecision [ˌɪndɪˈsɪʒ(ə)n] s obeslutsamhet, vankelmod, villrådighet; tvekan

indecisive [ˌɪndɪˈsaɪsɪv] adj **1** inte (som inte är) avgörande; obestämd, svävande [~ answer] **2** obeslutsam, villrådig, vacklande; tveksam

indecorous [ɪnˈdekərəs] adj opassande, otillbörlig, otillständig

indeed [ɪnˈdiːd] **I** adv **1** verkligen, faktiskt, minsann, i sanning; ja, verkligen; riktigt; **thank you very much ~!** hjärtligt (tusen) tack!, tack så hemskt mycket!; **who knows ~?** vem vet i själva verket (för resten)?; [Who is this woman?] – **Who is she, ~?** a) … – Ja, den som visste det! b) … – Vet du verkligen inte det? **2** visserligen, förvisso **3** i svar ja (jo) visst, jaså?; **yes, ~!** el. **~, yes!** ja visst!, ja absolut!, oh ja! **II** interj verkligen!, är det möjligt?, ser man på!, jo pytt!

indefatigable [ˌɪndɪˈfætɪgəbl] adj outtröttlig, oförtruten

indefensible [ˌɪndɪˈfensəbl] adj omöjlig att försvara, ohållbar; oförsvarlig [~ conduct]

indefinable [ˌɪndɪˈfaɪnəbl] adj odefinierbar, obestämbar; **an ~ something** något odefinierbart, något – jag vet inte vad

indefinite [ɪnˈdefɪnət] adj obestämd, svävande, vag [an ~ reply; ~ promises]; inte närmare bestämd (angiven, begränsad), obegränsad, ändlös

indefinite article [ɪnˌdefɪnətˈɑːtɪkl] s gram. obestämd artikel

indefinitely [ɪnˈdefɪnətlɪ] adv på ett obestämt sätt, obestämt, vagt, svävande; på obestämd tid; obegränsat; i det oändliga

indelible [ɪnˈdeləbl] adj outplånlig äv. bildl.; **~ marker** vattenfast tuschpenna (filtpenna); **~ pencil** ung. anilinpenna

indelicacy [ɪnˈdelɪkəsɪ] s **1** taktlöshet, ofinhet **2** plumphet, råhet

indelicate [ɪn'delɪkət] *adj* **1** ogrannlaga, ofinkänslig, taktlös, ofin **2** grov, simpel, plump, rå

indemnification [ɪnˌdemnɪfɪ'keɪʃ(ə)n] *s* skadeersättning, gottgörelse

indemnify [ɪn'demnɪfaɪ] *vb tr* **1** skydda, trygga [~ *sb against* (mot) *harm* (*loss*)] **2** hålla skadeslös, gottgöra [*sb for* (för) *sth*]

indemnity [ɪn'demnətɪ] *s* **1** [tillförsäkran om] skadeslöshet (straffrihet); strafflöshet **2** gottgörelse, ersättning, skadeersättning, skadestånd

indent [ɪn'dent] **I** *vb tr* typogr. o.d. dra in, börja en bit in på, göra [ett] indrag på [~ *the first line of each paragraph*] **II** *vb itr* rekvirera, beställa [*on sb for sth* ngt från ngn] **III** *s* **1** [statlig] rekvisition, beställning, [export]order **2** se *indentation*

indentation [ˌɪnden'teɪʃ(ə)n] *s* **1** tandning; inskärning, fördjupning, hack, skåra **2** intryck, märke; buckla **3** typogr. o.d. indrag

indenture [ɪn'dentʃə] *s* kontrakt; spec. lärlingskontrakt, arbetskontrakt

independence [ˌɪndɪ'pendəns] *s* oberoende, oavhängighet, självständighet; frihet; *war of* ~ frihetskrig

Independence Day [ˌɪndɪ'pendənsdeɪ] amer. 4 juli, självständighetsdagen firas till minne av oavhängighetsförklaringen

independent [ˌɪndɪ'pendənt] **I** *adj* **1** oberoende [*of* av], oavhängig, självständig; fri, fri- [~ *church*]; partilös, som står utanför partierna; independent, independent-; av varandra oberoende, fristående [*two ~ witnesses*]; utan förbindelse med varandra **2** ekonomiskt oberoende, förmögen, självförsörjande; som gör en oberoende, egen; ~ *means* privat förmögenhet, egna pengar **3** enskild, särskild; om ingång egen **II** *s* independent; partilös

independent clause [ˌɪndɪ'pendəntklɔ:z] *s* självständig sats, huvudsats

independently [ˌɪndɪ'pendəntlɪ] *adv* oberoende, oavhängigt etc., jfr *independent I*; på egen hand; var för sig

independent school [ˌɪndɪ'pendəntsku:l] *s* friskola utan statligt ekonomiskt stöd

in-depth ['ɪndepθ] *adj* djup- [~ *interview*]; *an ~ study of* [*zoology*] en djupdykning (fördjupning) i ämnet…

indescribable [ˌɪndɪ'skraɪbəbl] *adj* obeskrivlig, obeskrivbar

indestructibility ['ɪndɪˌstrʌktə'bɪlətɪ] *s* oförstörbarhet

indestructible [ˌɪndɪ'strʌktəbl] *adj* **1** oförstörbar; outslitlig **2** outplånlig, outrotlig

indeterminable [ˌɪndɪ'tɜ:mɪnəbl] *adj* **1** obestämbar **2** omöjlig att avgöra

indeterminate [ˌɪndɪ'tɜ:mɪnət] *adj* obestämd, obestämbar, svävande, vag; oviss; oavgjord, resultatlös

ind|ex ['ɪnd|eks] **I** (pl. *-exes*, i betydelserna *index* 2 o. 3 vanl. *-ices* [-ɪsi:z]) *s* **1** alfabetisk förteckning, register, ordregister; kartotek; index; katalog; *card ~* kortregister; ~ *card* kartotekskort; *subject ~*

ämneskatalog på bibliotek, ämnesregister **2** indicium, tecken, kännetecken, mätare [*of* på] **3** matem. o.d. **a)** index **b)** exponent **4** [pris]index, indextal **II** *vb tr* **1** förse med register (index), indexera; göra (lägga upp) ett register över, lägga upp (föra) kartotek över; föra in i ett register (kartotek); katalogisera, registrera **2** ekon. indexreglera

indexation [ˌɪndek'seɪʃ(ə)n] *s* ekon. indexreglering

index finger ['ɪndeksˌfɪŋgə] *s* pekfinger

index-linked ['ɪndekslɪŋkt] *adj* ekon. indexreglerad

India ['ɪndɪə] geogr. Indien

India ink ['ɪndɪaɪŋk] *s* amer., kinesisk tusch

Indian ['ɪndɪən] **I** *adj* indisk [*the ~ Ocean*]; indiansk **II** *s* **1** indier; indiska kvinna **2** indian, indianska kvinna **3** vard. **a)** indisk mat **b)** indisk restaurang som säljer indisk mat

Indiana [ˌɪndɪ'ænə] geogr.

Indian corn [ˌɪndɪən'kɔ:n] *s* majs

Indian file [ˌɪndɪən'faɪl] *s*, *in ~* i gåsmarsch, på ett led

Indian giver [ˌɪndɪən'gɪvə] *s* amer. neds. person som ger med ena handen och tar tillbaka med den andra

Indian ink [ˌɪndɪən'ɪŋk] *s* kinesisk tusch

Indian summer [ˌɪndɪən'sʌmə] *s* brittsommar, indiansommar

Indian wrestling [ˌɪndɪən'reslɪŋ] *s* **1** armbrytning **2** slags brottning

india rubber [ˌɪndɪə'rʌbə] *s* åld. kautschuk, [rå]gummi; suddgummi

indicate ['ɪndɪkeɪt] *vb tr* ange, antyda, visa, utvisa, markera på karta o.d., ge uttryck åt, tillkännage; visa (peka) på, vittna om, tyda på [*everything ~d the opposite*]; indicera; spec. tekn. indikera [~*d effect*]; *be ~d* vara önskvärd (naturlig, på sin plats, tillrådlig, med. äv. indicerad)

indication [ˌɪndɪ'keɪʃ(ə)n] *s* **1** angivande, utvisande; tillkännagivande [*an ~ of one's intentions*]; antydan [*did she give you any ~ of* (om) *her feelings?*] **2** tecken, kännetecken, indicium; symptom, indikation äv. med.; *the ~s are that* el. *there is every ~ that* allt tyder (pekar) på att

indicative [ɪn'dɪkətɪv] **I** *adj* **1** *be ~ of* tyda på, visa, vittna om **2** gram. indikativ, indikativisk [~ *verb form*]; *the ~ mood* indikativ[en] **II** *s* gram. **1** *the ~* indikativ[en] **2** indikativform

indicator ['ɪndɪkeɪtə] *s* **1** tecken [*of* på] **2** visare; nål **3** tekn. indikator, mätare, visare **4** anslagstavla; skylt; signaltavla; nummertavla; *arrival ~* järnv., flyg. o.d. ankomsttavla; *departure ~* järnv., flyg. o.d. avgångstavla **5** bil. körriktningsvisare, blinker

indices ['ɪndɪsi:z] *s* pl. av *index*

indict [ɪn'daɪt] *vb tr* åtala, väcka åtal mot, försätta under åtal, anklaga

indictable [ɪn'daɪtəbl] *adj* åtalbar; som faller under strafflagen

indictment [ɪn'daɪtmənt] *s* åtal [*för* brott]; anklagelse [*of* mot]

indie ['ɪndɪ] *adj* från oberoende skivbolag [~ *charts*]

indifference [ɪn'dɪfr(ə)ns] *s* likgiltighet [*to, towards* för], liknöjdhet, oberördhet

indifferent [ɪn'dɪfr(ə)nt] *adj* **1** likgiltig [~ *to* (för) *danger*]; liknöjd, ointresserad, kallsinnig;

okänslig; neutral **2** oviktig, oväsentlig,
betydelselös **3** medelmåttig, slätstruken
indigenous [ɪnˈdɪdʒɪnəs] *adj* **1** infödd; inhemsk [*to*
i]; ~ *people* äv. urbefolkning **2** medfödd, naturlig
[*to* för]
indigent [ˈɪndɪdʒ(ə)nt] *adj* fattig, behövande,
utblottad
indigestible [ˌɪndɪˈdʒestəbl] *adj* osmältbar,
hårdsmält, svårsmält äv. bildl., svår att smälta
indigestion [ˌɪndɪˈdʒestʃ(ə)n] *s* dålig matsmältning;
matsmältningsbesvär, magbesvär; med. indigestion
indignant [ɪnˈdɪgnənt] *adj* indignerad, harmsen [*an*
~ *protest*]; kränkt, förnärmad, upprörd, uppbragt
[*about sth*, *at sth* över ngt]
indignantly [ɪnˈdɪgnəntlɪ] *adv* indignerat, harmset,
med harm, med förtrytelse
indignation [ˌɪndɪgˈneɪʃ(ə)n] *s* indignation, harm [*at*
sth, *over sth* över ngt], förtrytelse
indignity [ɪnˈdɪgnətɪ] *s* kränkande behandling,
kränkning, skymf, förolämpning, förödmjukelse
indigo [ˈɪndɪgəʊ] **I** (pl. ~s) *s* indigo[blått] [äv. ~ *blue*]
II *adj* indigoblå [äv. ~ *blue*]
indirect [ˌɪndəˈrekt, -dɪˈr-] *adj* indirekt [~ *answer*; ~
taxes]; medelbar; sekundär, sido-, bi- [~ *effect*]; på
omvägar; krokig; förtäckt; svekfull; ~ *lighting*
indirekt belysning; *use* ~ *methods* bildl. gå
krokvägar (bakvägar); *he went by an* ~ *route* han
tog en omväg
indirect discourse [ˌɪndɪrektˈdɪskɔːs] *s* amer.
indirekt tal (anföring)
indirectly [ˌɪndəˈrektlɪ, -dɪˈr-] *adv* indirekt; på
omvägar (krokvägar, bakvägar); i förtäckta
ordalag, förtäckt; svekfullt
indirectness [ˌɪndəˈrektnəs, -dɪˈr-] *s* indirekt
tillvägagångssätt (metod)
indirect object [ˌɪndərektˈɒbdʒekt] *s* gram. indirekt
objekt, dativobjekt
indirect question [ˌɪndərektˈkwestʃ(ə)n] *s* gram.
indirekt fråga (frågesats)
indirect speech [ˌɪndərektˈspiːtʃ] *s* indirekt tal
(anföring)
indirect taxation [ˌɪndərekttækˈseɪʃ(ə)n] *s* indirekt
beskattning
indiscernible [ˌɪndɪˈsɜːnəbl] *adj* omärkbar, inte
urskiljbar
indiscipline [ɪnˈdɪsɪplɪn] *s* brist på disciplin
indiscreet [ˌɪndɪˈskriːt] *adj* **1** obetänksam,
oförsiktig, tanklös **2** indiskret, taktlös,
ogrannlaga, lösmynt
indiscretion [ˌɪndɪˈskreʃ(ə)n] *s* **1 a)** obetänksamhet,
oförsiktighet, tanklöshet **b)** felsteg; snedsprång
2 indiskretion, taktlöshet, ogrannlagenhet,
lösmynthet
indiscriminate [ˌɪndɪˈskrɪmɪnət] *adj* **1** utan
åtskillnad; godtycklig, slumpartad, planlös;
sammanblandad, förvirrad **2** urskillningslös,
omdömeslös, kritiklös
indiscriminately [ˌɪndɪˈskrɪmɪnətlɪ] *adv*
1 godtyckligt, planlöst, om vartannat; utan
åtskillnad [*they were punished* ~]; över en kam
2 urskillningslöst, omdömeslöst, kritiklöst
indispensable [ˌɪndɪˈspensəbl] *adj* oundgänglig,
oumbärlig, [absolut] nödvändig [*to* för, *för att*]
indisposed [ˌɪndɪˈspəʊzd] *adj* **1** indisponerad,

opasslig, inte riktigt bra **2** indisponerad;
obenägen, inte upplagd [*to*, *for* för]
indisposition [ˌɪndɪspəˈzɪʃ(ə)n] *s* **1** indisposition,
opasslighet, illamående **2** obenägenhet, olust [*to*,
for för]
indisputable [ˌɪndɪˈspjuːtəbl, -dɪ-] *adj* obestridlig,
oomtvistlig, odiskutabel, oemotsäglig
indissolubility [ˈɪndɪˌsɒljʊˈbɪlətɪ] *s* **1** oupplöslighet
2 olöslighet; odelbarhet
indissoluble [ˌɪndɪˈsɒljʊbl] *adj* **1** oupplöslig [*an* ~
marriage]; fast, bindande **2** som inte kan upplösas
(sönderdelas), olöslig [~ *substances*]
indistinct [ˌɪndɪˈstɪŋ(k)t] *adj* otydlig, oklar; dunkel
indistinguishable [ˌɪndɪˈstɪŋgwɪʃəbl] *adj* **1** omöjlig
att [sär]skilja [*from* från]; obestämbar, gyttrig
2 som inte kan urskiljas, omärklig
individual [ˌɪndɪˈvɪdʒʊəl] **I** *adj* individuell [~
teaching]; enskild, särskild; egenartad, särpräglad,
personlig [~ *style*]; individual-; portions-, i
portionsstorlek, i portionsförpackning; udda,
olika
II *s* individ, enskild människa (varelse), enskild;
vard. person, individ, typ [*a peculiar* ~]
individualism [ˌɪndɪˈvɪdʒʊəlɪz(ə)m] *s* individualism;
individualitet; egoism
individualist [ˌɪndɪˈvɪdʒʊəlɪst] *s* individualist
individuality [ˈɪndɪˌvɪdʒʊˈælətɪ] *s* individualitet,
egenart, särprägel, personlighet
individualize [ˌɪndɪˈvɪdʒʊəlaɪz] *vb tr*
1 individualisera **2** ge en personlig (speciell) prägel
åt, prägla
individualized [ˌɪndɪˈvɪdʒʊəlaɪzd] *adj* individuell,
särskild; personlig
individually [ˌɪndɪˈvɪdʒʊəlɪ] *adv* **1** individuellt, var
och en särskilt (för sig) **2** personligt, individuellt,
särpräglat
indivisibility [ˈɪndɪˌvɪzɪˈbɪlətɪ] *s* odelbarhet
indivisible [ˌɪndɪˈvɪzəbl] *adj* odelbar
Indo- [ˈɪndəʊ] *prefix* **1** indo-, Indo- **2** indisk
[*Indo-Pakistan border*]
indoctrinate [ɪnˈdɒktrɪneɪt] *vb tr* indoktrinera
indoctrination [ɪnˌdɒktrɪˈneɪʃ(ə)n] *s* indoktrinering
Indo-European [ˈɪndə(ʊ)ˌjʊərəˈpiːən] *adj*
indoeuropeisk
indolence [ˈɪndələns] *s* indolens, slöhet, lojhet,
maklighet, lättja
indolent [ˈɪndələnt] *adj* indolent, slö, loj, maklig,
håglös, oföretagsam
indomitable [ɪnˈdɒmɪtəbl] *adj* okuvlig [~ *courage*;
will]; oövervinnelig, outtröttlig
Indonesia [ˌɪndə(ʊ)ˈniːʒə, -ˈniːzɪə] geogr. Indonesien
Indonesian [ˌɪndə(ʊ)ˈniːʒ(ə)n, -ˈniːzɪən] **I** *adj*
indonesisk
II *s* **1** indones; indonesiska kvinna **2** indonesiska
[språket]
indoor [ˈɪndɔː] *adj* inomhus- [~ *arena*; ~ *games*]
indoors [ˌɪnˈdɔːz] *adv* inomhus; *go* ~ äv. gå in
indrawn [ˌɪnˈdrɔːn] *adj* **1** *he heard the* ~ *breath of*
surprise han hörde hur man överraskat drog efter
andan **2** bildl. otillgänglig, reserverad
indubitable [ɪnˈdjuːbɪtəbl] *adj* otvivelaktig
indubitably [ɪnˈdjuːbɪtəblɪ] *adv* otvivelaktigt
induce [ɪnˈdjuːs] *vb tr* **1** förmå, beveka, föranleda,
förleda, locka, få [*what* ~*d you to do such a thing?*]

2 medföra, [för]orsaka [*illness ~d by overwork*]; framkalla [*~d abortion*]; ~ **labour** med. sätta i gång förlossningsarbetet
inducement [ɪn'djuːsmənt] *s* bevekelsegrund, incitament; motivation; anledning; medel; lockbete; sporre, uppmuntran; lockelse, dragning
induct [ɪn'dʌkt] *vb tr* **1** insätta, installera [*in, into* i ämbete o.d.]; introducera, uppta [*~ sb into* (i) *an organization*] **2** ~ **sb in** (**into**) sätta ngn in i, inviga ngn i **3** amer. mil. inkalla; ~ **into the army** kalla in till militärtjänst [i armén]
induction [ɪn'dʌkʃ(ə)n] *s* **1** installation; introduktion **2** med., ~ **of labour** igångsättning av förlossning **3** amer. mil. inkallelse; ~ **paper** inkallelseorder **4** härledning; slutledning **5** filos., fys. el. matem. induktion; framkallande [*~ of the hypnotic state*]
induction coil [ɪn'dʌkʃ(ə)nkɔɪl] *s* fys. induktionsapparat, induktionsrulle, gnistinduktor
induction course [ɪn'dʌkʃ(ə)nkɔːs] *s* introduktionskurs
induction hob [ɪn'dʌkʃ(ə)nhɒb] *s* induktionshäll på spis
induction loop [ɪn'dʌkʃ(ə)nluːp] *s* hörslinga
indulge [ɪn'dʌldʒ] **I** *vb tr* **1** ge efter för, vara efterlåten mot; skämma bort [*~ sb* (*oneself*) *with the best food*]; ~ **oneself** äv. a) hänge sig [*~ oneself in* (åt) *nostalgic memories*] b) klema med sig c) slå sig lös **2** ge fritt utlopp åt [*~ one's inclinations*]; tillfredsställa, vältra sig i; hysa, nära
II *vb itr*, ~ **in** hänge sig åt, tillåta sig [njutningen av], tillfredsställa sitt begär efter, unna sig [*~ in the luxury of a holiday* (*a cigar*)]
indulgence [ɪn'dʌldʒ(ə)ns] *s* **1** eftergivenhet, efterlåtenhet; släpphänthet, flathet
2 tillfredsställande [*of* av]; hängivet uppgående [*in* i], hängivet utövande; **his only ~s** hans enda nöjen, det enda (den enda lyx) han unnar (tillåter) sig **3** överseende, mildhet, skonsamhet **4** kyrkl. avlat; pl. **~s** avlatsbrev
indulgent [ɪn'dʌldʒ(ə)nt] *adj* **1** överseende, mild, skonsam **2** alltför eftergiven, släpphänt, flat
indulgently [ɪn'dʌldʒ(ə)ntlɪ] *adv* **1** med efterlåtenhet, släpphänt **2** med överseende; milt, skonsamt
industrial [ɪn'dʌstrɪəl] *adj* industriell, industri- [*~ diamond*; *~ product*; *~ society*]
industrial action [ɪn,dʌstrɪəl'ækʃ(ə)n] *s* strejkaktioner, stridsåtgärder; **take** ~ ta till stridsåtgärder
industrial arts [ɪn,dʌstrɪəl'ɑːts] *s* amer. verkstads- och maskinpraktik som läroämne i yrkesskola o.d.
industrial design [ɪn,dʌstrɪəldɪ'zaɪn] *s* industriell formgivning
industrial disease [ɪn,dʌstrɪəldɪ'ziːz] *s* yrkessjukdom
industrial dispute [ɪn,dʌstrɪəldɪ'spjuːt] *s* arbetskonflikt
industrial espionage [ɪn,dʌstrɪəl'espɪɑnɑːʒ] *s* industrispionage
industrial estate [ɪn,dʌstrɪəlɪ'steɪt] *s* industricentrum, industriområde
industrialism [ɪn'dʌstrɪəlɪz(ə)m] *s* industrialism

industrialist [ɪn'dʌstrɪəlɪst] *s* industriman, industriidkare
industrialization [ɪn,dʌstrɪəlaɪ'zeɪʃ(ə)n] *s* industrialisering
industrialize [ɪn'dʌstrɪəlaɪz] *vb tr* industrialisera
industrial park [ɪn,dʌstrɪəl'pɑːk] *s* amer. industricentrum, industriområde
industrial relations [ɪn,dʌstrɪəlrɪ'leɪʃ(ə)nz] *s pl* förhållandet mellan (förhållanden som rör) arbetsmarknadens parter
Industrial Revolution [ɪn,dʌstrɪəlrevə'luːʃ(ə)n] *s*, **the** ~ den industriella revolutionen, industrialismens genombrott
industrial tribunal [ɪn,dʌstrɪəltraɪ'bjuːn(ə)l] *s* arbetsdomstol
industrious [ɪn'dʌstrɪəs] *adj* flitig, arbetsam, strävsam, idog
industry ['ɪndəstrɪ] *s* **1** industri; näringsliv; industrigren, näringsgren, bransch [*the IT ~*]; näring [*agriculture and other industries*]; **industries fair** industrimässa **2** flit, arbetsamhet, strävsamhet, idoghet
inebriated [ɪ'niːbrɪeɪtɪd] *adj* berusad
inedible [ɪn'edəbl] *adj* oätlig, oätbar
ineducable [ɪn'edjʊkəbl] *adj* obildbar
ineffable [ɪn'efəbl] *adj* outsäglig, obeskrivlig [*~ beauty*; *~ joy*]
ineffective [,ɪnɪ'fektɪv] *adj* ineffektiv, utan [tillräcklig] verkan, otillräcklig; som inte är till mycket nytta, oduglig [*an ~ salesman*]; verkningslös [*an ~ remedy*]; resultatlös, misslyckad; som inte gör något intryck
ineffectual [ɪnɪ'fektʃʊəl, ɪnə-, -tjʊəl] *adj* **1** utan effekt [*~ measures*]; verkningslös [*~ remedy*]; resultatlös, fruktlös [*~ efforts*]; fåfäng; **an ~ gesture** ett slag i luften **2** om person ineffektiv
inefficiency [,ɪnɪ'fɪʃ(ə)nsɪ] *s* ineffektivitet; brist på driftighet (framåtanda), oduglighet
inefficient [,ɪnɪ'fɪʃ(ə)nt] *adj* **1** ineffektiv [*~ measures*; *~ organization*]; bristfällig, dålig **2** om person ineffektiv, utan driftighet och energi, medelmåttig, oduglig, inkompetent
inelegance [ɪn'elɪgəns] *s* brist på elegans (smak, förfining); klumpighet; oskönhet
inelegant [ɪn'elɪgənt] *adj* utan elegans (förfining); klumpig; smaklös, oskön
ineligibility [ɪn,elɪdʒə'bɪlətɪ] *s* **1** ovalbarhet [*for* till] **2** olämplighet, brist på kvalifikationer
ineligible [ɪn'elɪdʒəbl] *adj* **1** inte valbar [*for* till] **2** olämplig, som inte kan komma i fråga, inte kvalificerad [*~ for the position* (*office*)]
ineluctable [,ɪnɪ'lʌktəbl] *adj* ofrånkomlig, oundviklig [*~ fate*]; obönhörlig
inept [ɪ'nept] *adj* oduglig; olämplig, malplacerad; klumpig
ineptitude [ɪ'neptɪtjuːd] *s* oduglighet; olämplighet; malplacerad anmärkning o.d.
inequality [,ɪnɪ'kwɒlətɪ] *s* **1** olikhet, skillnad; ojämlikhet [*social ~*] **2** otillräcklighet, inkompetens [*to* för]
inequitable [ɪn'ekwɪtəbl] *adj* orättfärdig, orättvis
inequity [ɪn'ekwətɪ] *s* orättfärdighet, orättvisa
ineradicable [,ɪnɪ'rædɪkəbl] *adj* outrotlig, ingrodd [*~ habits*]

inert [ɪ'nɜ:t] *adj* trög, slö; overksam, död [~ *mass*; ~ *matter*]; inaktiv; kem. neutral, inert; ~ *gases* inerta gaser, ädelgaser

inertia [ɪ'nɜ:ʃə] *s* tröghet; slöhet, slapphet; inaktivitet

inertia-reel belt [ɪ,nɜ:ʃəri:l'belt] *s* o. **inertia-reel seat-belt** [ɪ,nɜ:ʃəri:l'si:tbelt] *s* bil. rullbälte

inertia selling [ɪ,nɜ:ʃə'selɪŋ] *s* [försäljning genom] negativ option översändande av ej beställda varor som debiteras kunden om de inte returneras

inertness [ɪ'nɜ:tnəs] *s* tröghet, slöhet; overksamhet

inescapable [,ɪnɪ'skeɪpəbl] *adj* oundviklig, ofrånkomlig; som man inte slipper ifrån

inestimable [ɪn'estɪməbl] *adj* ovärderlig, oskattbar; oändlig, oräknelig

inevitability [ɪn,evɪtə'bɪlətɪ] *s* oundviklighet, förutbestämdhet

inevitable [ɪn'evɪtəbl] **I** *adj* oundviklig, ofrånkomlig, vard. äv. vanlig, obligatorisk [*the ~ happy ending*]; evig [*the tourist with his ~ camera*] **II** *s*, **bow to the ~** finna sig i (böja sig för) det oundvikliga (ofrånkomliga)

inevitably [ɪn'evɪtəblɪ] *adv* oundvikligt, oundvikligen, ofrånkomligen, nödvändigt[vis]

inexact [,ɪnɪg'zækt] *adj* inexakt, inte [fullt] riktig; onöjaktig; inadekvat; otillförlitlig, felaktig

inexactness [,ɪnɪg'zæktnəs] *s* brist på noggrannhet; otillförlitlighet; onöjaktighet; felaktighet

inexcusable [,ɪnɪk'skju:zəbl] *adj* oförlåtlig, oursäktlig; oförsvarlig

inexhaustible [,ɪnɪg'zɔ:stəbl] *adj* **1** outtömlig, outsinlig [~ *supply*; ~ *subject*] **2** outtröttlig [~ *patience*]

inexorability [ɪn,eks(ə)rə'bɪlətɪ] *s* obeveklighet, ofrånkomlighet, obönhörlighet

inexorable [ɪn'eks(ə)rəbl] *adj* obeveklig, ofrånkomlig, obönhörlig; obarmhärtig [*to* mot]

inexpedient [,ɪnɪk'spi:dɪənt] *adj* olämplig, otjänlig; ofördelaktig; inte tillrådlig, oklok

inexpensive [,ɪnɪk'spensɪv] *adj* [pris]billig, inte dyr

inexperience [,ɪnɪk'spɪərɪəns] *s* oerfarenhet, brist på erfarenhet (rutin)

inexperienced [,ɪnɪk'spɪərɪənst] *adj* oerfaren [*in* i], orutinerad

inexpert [ɪn'ekspɜ:t] *adj* oerfaren, ovan, oövad, otränad; okunnig, osakkunnig

inexplicability [ɪn,ɪksplɪkə'bɪlətɪ] *s* oförklarlighet

inexplicable [,ɪnɪk'splɪkəbl] *adj* oförklarlig

inexpressible [,ɪnɪk'spresəbl] *adj* outsäglig, obeskrivlig; obeskrivbar; outsägbar

inextinguishable [,ɪnɪk'stɪŋgwɪʃəbl] *adj* outsläcklig, osläcklig; oförstörbar

in extremis [,ɪnɪk'stri:mɪs] *adv* lat. in extremis, på sitt yttersta; i yttersta nöd

inextricable [,ɪnɪk'strɪkəbl, ɪn'ekstrɪkəbl] *adj* olöslig [*an ~ dilemma*]; oupplöslig [*an ~ knot*]; [hopplöst] tilltrasslad, hopplös; invecklad, krånglig

inextricably [,ɪnɪk'strɪkəblɪ, ɪn'ekstrɪkəblɪ] *adv* oupplösligt; hopplöst, på ett hopplöst [tilltrasslat] sätt

infallibility [ɪn,fælə'bɪlətɪ] *s* ofelbarhet

infallible [ɪn'fæləbl] *adj* **1** ofelbar [*none of us is ~*] **2** osviklig, ofelbar [~ *methods* (*tests*)]; säker

infamous ['ɪnfəməs] *adj* **1** illa beryktad, ökänd **2** vanhedrande; nedrig, skamlig, avskyvärd, infam [~ *lie*]

infamy ['ɪnfəmɪ] *s* **1** vanära, infami **2** skändlighet; nidingsdåd

infancy ['ɪnfənsɪ] *s* **1** spädbarnsålder; [tidiga] barnaår; [tidig] barndom **2** bildl. barndom; **when socialism was in its ~** i socialismens barndom, när socialismen låg i sin linda

infant ['ɪnfənt] **I** *s* **1** spädbarn **2** skol. barn [under 7 år], småbarn **II** *adj* **1** barn-, barna- [~ *voices*; ~ *years*]; spädbarns-, småbarns-; **sudden ~ death syndrome** (förk. SIDS) plötslig spädbarnsdöd **2** ny[etablerad], under utveckling [~ *industries*]

infanticide [ɪn'fæntɪsaɪd] *s* **1** barnamord **2** barnamördare

infantile ['ɪnfəntaɪl] *adj* barn-, spädbarns-, barndoms-; barnslig [~ *pastimes*], neds. barnslig, infantil äv. med.

infant mortality rate [,ɪnfəntmɔ:'tælətɪreɪt] *s* barnadödlighet; spädbarnsdödlighet

infant prodigy [,ɪnfənt'prɒdɪdʒɪ] *s* underbarn

infantry ['ɪnf(ə)ntrɪ] *s* infanteri, fotfolk

infantry|man ['ɪnf(ə)ntrɪ|mən] (pl. -*men* [-mən]) *s* infanterist

infantry regiment ['ɪnf(ə)ntrɪ,redʒɪmənt] *s* infanteriregemente

infant school ['ɪnf(ə)ntsku:l] *s* skola för elever mellan 5–7 år inom den obligatoriska skolan

infatuated [ɪn'fætjʊeɪtɪd] *perf p* o. *adj* förblindad [~ *with* (av) *love* (*pride*)]; besatt [*he was ~ by her*]; passionerad [~ *love*]; ~ *with sb* blint förälskad (vansinnigt kär) i ngn; ~ *with sth* passionerat förtjust i ngt

infatuation [ɪn,fætjʊ'eɪʃ(ə)n] *s* dårskap, förblindelse; [blind] förälskelse, passion

infect [ɪn'fekt] *vb tr* infektera, smitta äv. bildl. el. data. [~*ed with* (av)]; smitta ner; smitta av sig på

infected [ɪn'fektɪd] *adj* infekterad, smittad, jfr *infect*

infection [ɪn'fekʃ(ə)n] *s* med. infektion, smitta; smittämne; smittosam sjukdom

infectious [ɪn'fekʃəs] *adj* smitt[o]sam; med. infektiös; bildl. äv. smittande [~ *laugh*]; ~ *disease* smittsam sjukdom, infektionssjukdom

infer [ɪn'fɜ:] *vb tr* **1** sluta sig till [*from* av; *you may ~ the rest*]; **he ~red that** han drog den slutsatsen att **2** innebära [*democracy ~s freedom*] **3** antyda [*I don't wish to ~ that there is anything wrong*]

inference ['ɪnf(ə)r(ə)ns] *s* slutledning; slutsats; **draw an ~ from sth** dra en slutsats av ngt; **by ~** [, **this must be wrong**] härav (därav) följer (kan man sluta sig till) att…

inferior [ɪn'fɪərɪə] **I** *adj* lägre i rang o.d. [*to* än], underlägsen, underordnad [*to sb* ngn; *to sth* ngt]; sämre [*to* än], sekunda, underhaltig, mindervärdig, dålig [~ *quality*] **II** *s* underordnad; **his ~s** hans underordnade, de som står under honom [i rang (samhällsställning, begåvning osv.)]; **I am his ~** jag är underordnad honom; jag är honom underlägsen

inferiority [ɪnˌfɪərɪˈɒrətɪ] s underlägsenhet; lägre samhällsställning (värde osv.) [to än]; *a sense of* ~ en känsla av underlägsenhet, en mindervärdeskänsla

inferiority complex [ɪnˌfɪərɪˈɒrətɪˌkɒmpleks] s mindervärdeskomplex

infernal [ɪnˈfɜːnl] adj **1** infernalisk, djävulsk, helvetisk; vard. jäkla, förbannad [it's an ~ nuisance] **2** som hör till underjorden (dödsriket, helvetet), underjordisk, helvetes-

inferno [ɪnˈfɜːnəʊ] (pl. ~s) s inferno, helvete

infertile [ɪnˈfɜːtaɪl, amer. -tl] adj ofruktbar, ofruktsam, steril; obefruktad

infertility [ˌɪnfəˈtɪlətɪ] s ofruktbarhet, ofruktsamhet; sterilitet

infest [ɪnˈfest] vb tr hemsöka, översvämma; härja på (i), göra osäker; *be ~ed with* vara hemsökt (angripen, nedlusad, översvämmad) av, myllra av

infestation [ˌɪnfeˈsteɪʃ(ə)n] s hemsökelse; härjning, skadegörelse; angrepp [av skadedjur]

infidel [ˈɪnfɪd(ə)l] s otrogen t.ex. icke-kristen, icke-jude, icke-muhammedan, hedning

infidelity [ˌɪnfɪˈdelətɪ] s **1** [fall av] otrohet [conjugal ~]; trolöshet [to mot]; trolös handling **2** brist på överensstämmelse, avvikelse vid översättning, avbildning o.d.

infield [ˈɪnfiːld] s **1** kricket. område (spelare) närmast grinden **2** i baseboll **a)** innerfält **b)** diamond, innerplan fältet innanför baserna

infighting [ˈɪnˌfaɪtɪŋ] s maktkamp

infiltrate [ˈɪnfɪltreɪt, -ˈ--] **I** vb tr infiltrera; [oförmärkt] nästla sig (tränga) in i (bakom) **II** vb itr tränga in i vänader o.d.; mil. [oförmärkt] nästla sig (tränga) in

infiltration [ˌɪnfɪlˈtreɪʃ(ə)n] s infiltration äv. med., infiltrering; mil. äv. innästling, [omärkligt] inträngande

infiltrator [ˈɪnfɪltreɪtə] s infiltratör

Infinite [ˈɪnfɪnət] s, *the* ~ den Oändlige Gud

infinite [ˈɪnfɪnət] **I** adj oändlig, ändlös, ofantlig, omätlig [~ number], spec. gram. infinit; ~ *harm* oerhört stor (gränslös) skada **II** s, *the* ~ oändligheten

infinitely [ˈɪnfɪnətlɪ] adv oändligt etc., jfr infinite I; i det oändliga; ~ *better* oändligt mycket bättre

infinitesimal [ˌɪnfɪnɪˈtesɪm(ə)l] adj oändligt liten; matem. infinitesimal-

infinitive [ɪnˈfɪnɪtɪv] gram. **I** adj infinitiv-; *the ~ mood* infinitiv[en] **II** s, *the* ~ infinitiv[en]; *the sign of the* ~ infinitivmärke

infinitive marker [ɪnˌfɪnɪtɪvˈmɑːkə] s infinitivmärke

infinitude [ɪnˈfɪnɪtjuːd] s **1** ändlöshet **2** oändlig mängd

infinity [ɪnˈfɪnətɪ] s **1** oändlighet, ändlöshet **2** oändligheten

infirm [ɪnˈfɜːm] adj klen, skröplig, bräcklig, kraftlös, orkeslös, ålderdomssvag

infirmary [ɪnˈfɜːmərɪ] s **1** sjukhus ofta i namn [the Edinburgh Royal Infirmary] **2** sjukavdelning, sjukrum vid t.ex. skola

infirmity [ɪnˈfɜːmətɪ] s skröplighet, [ålderdoms]svaghet; pl. *infirmities* krämpor [the infirmities of old age]; skavanker

inflame [ɪnˈfleɪm] vb tr **1** tända, upptända [~d with

(av) passion]; få att svalla (flamma [upp]), piska upp, hetsa [upp], egga, reta **2** upphetta; inflammera sår etc. **3** underblåsa, förvärra, inflammera

inflamed [ɪnˈfleɪmd] adj **1** inflammerad [~ eyes] **2** uppeldad; rasande

inflammable [ɪnˈflæməbl] adj lättantändlig äv. bildl.; eldfarlig [highly (mycket) ~]

inflammation [ˌɪnfləˈmeɪʃ(ə)n] s **1** med. inflammation **2** upphetsning, glöd

inflammatory [ɪnˈflæmət(ə)rɪ] adj **1** upphetsande; provocerande; ~ *speech* äv. brandtal **2** inflammatorisk [~ condition (tillstånd)]; inflammations-; förenad med inflammation

inflatable [ɪnˈfleɪtəbl] **I** adj uppblåsbar **II** s uppblåsbart föremål, uppblåsbar båt (möbel m.m.)

inflate [ɪnˈfleɪt] **I** vb tr **1** blåsa upp, pumpa [upp], fylla med luft (gas) **2** göra uppblåst [~ sb with (av) pride] **3** ekon. inflatera, öka på ett inflationsdrivande sätt, driva upp över verkliga värdet [~ prices] **II** vb itr **1** blåsas upp, pumpas [upp], fyllas med luft (gas) **2** ekon. inflateras, ökas på ett inflationsdrivande sätt, drivas upp över verkliga värdet

inflated [ɪnˈfleɪtɪd] perf p o. adj **1** ekon. inflaterad, inflatoriskt uppdriven (uppskruvad, ökad), inflations- [~ prices] **2** uppblåst, bildl. äv. inbilsk; pumpad, luftfylld; *a vastly ~ opinion of oneself* en starkt överdriven föreställning om sig själv **3** svulstig, bombastisk [~ language]

inflation [ɪnˈfleɪʃ(ə)n] s **1** ekon. inflation; *rate of* ~ el. ~ *rate* inflationstakt **2** uppblåsning, pumpning; uppsvälldhet

inflationary [ɪnˈfleɪʃn(ə)rɪ] adj inflationsdrivande, inflationsfrämjande; inflatorisk [~ effects; ~ tendencies]; inflationistisk [~ policy]; inflations-

inflationary gap [ɪnˈfleɪʃn(ə)rɪgæp] s inflationsgap

inflationary spiral [ɪnˈfleɪʃn(ə)rɪˌspaɪər(ə)l] s inflationsspiral

inflation-prone [ɪnˈfleɪʃ(ə)nprəʊn] s inflationsbenägen

inflation-proof [ɪnˈfleɪʃ(ə)npruːf] adj inflationssäkrad

inflect [ɪnˈflekt] vb tr **1** gram. böja, deklinera, konjugera **2** modulera [~ one's voice]

inflection [ɪnˈflekʃ(ə)n] s **1** gram. böjning; böjd form; böjningsändelse, böjningselement **2** röstens modulation; tonfall

inflexibility [ɪnˌfleksəˈbɪlətɪ] s ofta bildl. oböjlighet etc., jfr inflexible

inflexible [ɪnˈfleksəbl] adj ofta bildl. oböjlig; orörlig, stel; orubblig, omedgörlig; ej anpassningsbar; oföränderlig, som ej går att ändra

inflict [ɪnˈflɪkt] vb tr pålägga, ålägga [~ a penalty]; lägga på [~ heavy taxes]; vålla, tillfoga [~ suffering; ~ a wound]; tilldela [~ a blow]; utsätta för, påtvinga [on sb, upon sb i samtl. fall ngn]

infliction [ɪnˈflɪkʃ(ə)n] s **1** påläggande etc., jfr inflict **2** lidande, hemsökelse, straff[dom]

inflight [ˈɪnflaɪt] adj, ~ *meal* måltid ombord under flygning; ~ *movie* filmvisning ombord under flygning; ~ *refuelling* tankning i luften

inflow [ˈɪnfləʊ] s inströmmande; tillströmning; tillflöde; tillförsel; ~ *pipe* tilloppsrör

influence [ˈɪnfluəns] **I** s inflytande [*on, upon* på, över; *over* över, på; *with* hos]; inverkan, påverkan, influens; **have ~ with sb** äga inflytande hos ngn; **a man of ~** en inflytelserik man (person); **be under the ~ of** stå under inflytande av, påverkas av; **under the ~ of drink** el. vard. **under the ~** [sprit]påverkad; **driving under the ~** (förk. *DUI*) amer., se *driving II*
II *vb tr* ha inflytande på; influera, inverka på, påverka; förmå [*to att*]
influential [ˌɪnfluˈenʃ(ə)l] *adj* som har (utövar) [stort] inflytande, inflytelserik
influenza [ˌɪnfluˈenzə] *s* influensa
influx [ˈɪnflʌks] *s* **1** inströmning, inflöde, tillflöde [*into* i; *~ of water*] **2** tillströmning, tillflöde [*~ of visitors*; *~ of wealth*]; riklig tillförsel, uppsjö [*of* på]
info [ˈɪnfəʊ] (pl. *~s*) *s* vard. kortform av *information 1*
infomercial [ˌɪnfəˈmɜːʃ(ə)l] *s* vanl. amer. TV. långt reklaminslag som ger sken av att vara informativt, informationsreklam
inform [ɪnˈfɔːm] **I** *vb tr* **1** meddela, underrätta, upplysa, informera [*sb of sth* ngn [om] ngt; *sb that* ngn [om] att] **2** fylla, prägla, besjäla, genomsyra
II *vb itr* **1** ge information, informera **2** *~ against* el. *~ on* uppträda som angivare mot, ange, anklaga
informal [ɪnˈfɔːml] *adj* informell, utan formaliteter (ceremonier); inofficiell; kamratlig; enkel [och naturlig], anspråkslös; *~ dress* på bjudningskort kavaj, vardagsklädsel; *~ style* om språk ledig stil
informality [ˌɪnfɔːˈmælətɪ] *s* informell karaktär, enkelhet, anspråkslöshet
informally [ɪnˈfɔːməlɪ] *adv* informellt etc., jfr *informal*; utan formaliteter (ceremonier), under fria former; i all enkelhet
informant [ɪnˈfɔːmənt] *s* sagesman, källa; meddelare
informatics [ˌɪnfəˈmætɪks] (med verb i sg.) *s* informatik, informationsteknik
information [ˌɪnfəˈmeɪʃ(ə)n] *s* **1** (utan pl.) meddelande[n]; underrättelse[r], upplysning[ar], uppgift[er], information[er], orientering [*about* angående, om; *on* angående, om]; vetande, kunskap[er], kännedom; **thank you for that piece** (**bit**) **of ~** tack för upplysningen; **this ~** dessa upplysningar (uppgifter); **some ~** några upplysningar (uppgifter); **gain** (**gather, get, obtain, receive**) **~** skaffa sig (få) upplysningar; **for the ~ of** till upplysning (ledning) för; **for your ~** för [din (er)] kännedom, jag (vi) kan upplysa dig (er) om **2** jur. angivelse
information bureau [ɪnfəˈmeɪʃ(ə)nˌbjʊərəʊ] *s* informationsbyrå
information centre [ɪnfəˈmeɪʃ(ə)nˌsentə] *s* informationscentrum
information desk [ɪnfəˈmeɪʃ(ə)ndesk] *s* informationen [*ask at* (i, vid) *the ~*]
information processing [ɪnfəˌmeɪʃ(ə)nˈprəʊsesɪŋ] *s* data. informationsbehandling
information retrieval [ɪnfəˌmeɪʃ(ə)nrɪˈtriːv(ə)l] *s* data. informationssökning, informationsåtervinning
information science [ˌɪnfəˈmeɪʃ(ə)nˌsaɪəns] *s* informationsvetenskap

information superhighway [ˌɪnfəˈmeɪʃ(ə)nˌsuːpəˈhaɪweɪ] *s* data., **the ~** Internet, den digitala motorvägen
information technology [ɪnfəˌmeɪʃ(ə)ntekˈnɒlədʒɪ] *s* informationsteknik
information theory [ɪnfəˈmeɪʃ(ə)nˌθɪərɪ] *s* informationsteori
informative [ɪnˈfɔːmətɪv] *adj* **1** upplysande; upplysnings-; informativ; *~ label* varudeklaration intyg om kvalitet **2** lärorik
informed [ɪnˈfɔːmd] *adj* **1** välunderrättad, välinformerad, välorienterad; initierad; **keep sb ~ as to** hålla ngn à jour med **2** kultiverad, skolad; *~ guess* kvalificerad gissning
informed consent [ɪnˌfɔːmdkənˈsent] *s* med. el. jur. informerat samtycke
informer [ɪnˈfɔːmə] *s* angivare, tjallare
infotainment [ˌɪnfəʊˈteɪnmənt] *s* underhållning med informativa inslag, information med underhållningsinslag
infotech [ˈɪnfəʊtek] *s* informationsteknik
infraction [ɪnˈfrækʃ(ə)n] *s* brott [*~ of* (mot) *the rules*]; överträdelse, kränkning [*of* av]
infra dig [ˌɪnfrəˈdɪg] *adj* vard. (förk. för *infra dignitatem* lat.) under ens värdighet, opassande [*it's a bit ~ to go there*]
infrared [ˌɪnfrəˈred] *adj* infraröd [*~ rays*]; *~ lamp* värmelampa
infrasound [ˈɪnfrəsaʊnd] *s* fys. infraljud
infrastructure [ˈɪnfrəˌstrʌktʃə] *s* mil. el. ekon. infrastruktur
infrequency [ɪnˈfriːkwənsɪ] *s* ovanlighet, sällsynthet
infrequent [ɪnˈfriːkwənt] *adj* ovanlig, sällsynt
infrequently [ɪnˈfriːkwəntlɪ] *adv* sällan; *not ~* äv. ofta
infringe [ɪnˈfrɪn(d)ʒ] **I** *vb tr* bryta, överträda [*~ a law*; *~ a rule*]; kränka [*~ the rights of other people*]; göra intrång i [*~ a copyright*; *~ a patent*]
II *vb itr* *~ on* el. *~ upon* inkräkta på, göra intrång i
infringement [ɪnˈfrɪn(d)ʒmənt] *s* brott [*of* mot], överträdelse, kränkning [*of* av]; intrång [*on* i, på]
infuriate [ɪnˈfjʊərɪeɪt] *vb tr* göra rasande (ursinnig), försätta i raseri
infuriating [ɪnˈfjʊərɪeɪtɪŋ] *adj* fruktansvärt irriterande, som man kan bli rasande på (över)
infuse [ɪnˈfjuːz] **I** *vb tr* **1** ingjuta [*into* i], inge, bibringa; genomsyra, fylla [*with* med] **2** göra infusion på; laka ur med hett vatten, låta stå och dra [*~ the tea*]
II *vb itr* [stå och] dra [*let the tea ~*]
infusion [ɪnˈfjuːʒ(ə)n] *s* **1** ingjutande; tillförsel **2** infusion; dekokt, extrakt, avkok **3** tillsats
ingenious [ɪnˈdʒiːnɪəs] *adj* fyndig, påhittig, uppslagsrik; genial, genialisk; sinnrik [*~ machine*]; inventiös
ingénue [ˌænʒeɪˈnjuː, '---] *s* fr. **1** ingeny **2** ingenyroll
ingenuity [ˌɪn(d)ʒɪˈnjuːətɪ] *s* fyndighet, påhittighet; genialitet; sinnrikhet
ingenuous [ɪnˈdʒenjʊəs] *adj* öppen, frimodig [*~ smile*]; uppriktig [*~ confession*]; oförställd, okonstlad, naturlig; naiv, trohjärtad
ingest [ɪnˈdʒest] *vb tr* ta in föda o.d., svälja äv. bildl.
inglenook [ˈɪŋglnʊk] *s* **1** spiselvrå vid öppen spis **2** [högryggad] spiselbänk i spiselvrå

inglorious [ɪnˈglɔːrɪəs] *adj* **1** skamlig, neslig; försmädlig **2** obemärkt, okänd
ingoing [ˈɪnˌgəʊɪŋ] *adj* ingående, inkommande; tillträdande
ingot [ˈɪngət, -gɒt] *s* tacka, [obearbetat] metallstycke av guld, silver el. stål, stång, göt; plants
ingrained [ɪnˈgreɪnd] *adj* ingrodd [~ *with dirt*]; inrotad [~ *prejudices*]; oförbätterlig [~ *liar*]; tvättäkta; nedärvd
ingratiate [ɪnˈgreɪʃɪeɪt] *vb rfl*, ~ *oneself with sb* ställa (nästla) sig in hos ngn, smila in sig hos ngn
ingratiating [ɪnˈgreɪʃɪeɪtɪŋ] *adj*, ~ *smile* insmickrande (inställsamt) leende
ingratiatingly [ɪnˈgreɪʃɪeɪtɪŋlɪ] *adv* inställsamt
ingratitude [ɪnˈgrætɪtjuːd] *s* otacksamhet [*to* mot]
ingredient [ɪnˈgriːdɪənt] *s* ingrediens, beståndsdel; komponent; inslag
ingress [ˈɪngres] *s* inträde; inträngande [*into* i]; tillträde; ingång
in-group [ˈɪngruːp] *s* sociol. innegrupp
ingrowing [ˈɪnˌgrəʊɪŋ] *adj* invuxen [~ *toenail*]
inhabit [ɪnˈhæbɪt] *vb tr* bebo, befolka; bo i; perf. p. ~*ed* bebodd, befolkad
inhabitable [ɪnˈhæbɪtəbl] *adj* beboelig
inhabitant [ɪnˈhæbɪt(ə)nt] *s* invånare, inbyggare [~ *of a town*; ~ *of a country*]
inhalant [ɪnˈheɪlənt] *s* med. inhalationsmedel
inhale [ɪnˈheɪl] **I** *vb tr* andas in, dra in [~ *cigarette smoke*] **II** *vb itr* andas in; dra halsbloss
inhaler [ɪnˈheɪlə] *s* **1** inhalator, inhalationsapparat **2** person som använder inhalator
inherent [ɪnˈher(ə)nt, -ˈhɪər-] *adj* inneboende, ingående [*in* i]; naturlig, medfödd
inherently [ɪnˈher(ə)ntlɪ, -ˈhɪər-] *adv* i sig, till sin natur; i och för sig [*it is* ~ *impossible*]
inherit [ɪnˈherɪt] **I** *vb tr* ärva äv. bildl., få i arv [*from* av, efter] **II** *vb itr* ärva
inheritance [ɪnˈherɪt(ə)ns] *s* arv; arvedel
inheritance tax [ɪnˈherɪt(ə)nstæks] *s* arvsskatt
inheritor [ɪnˈherɪtə] *s* arvinge, arvtagare
inhibit [ɪnˈhɪbɪt] *vb tr* hämma, psykol. äv. inhibera; undertrycka [~ *one's natural impulses*]; hindra, förhindra
inhibited [ɪnˈhɪbɪtɪd] *adj* hämmad [*an* ~ *person*]
inhibition [ˌɪn(h)ɪˈbɪʃ(ə)n] *s* **1** hämmande, hämning; förhindrande **2** psykol. hämning, inhibition
in-home [ˈɪnhəʊm] **I** *adj* hemma- [~ *birth*] **II** *adv* i hemmet
inhospitable [ˌɪnhɒˈspɪtəbl, ɪnˈhɒsp-] *adj* ogästvänlig [*an* ~ *person*]; karg [~ *coast*]
in-house [ˈɪnhaʊs] **I** *adj* intern [*an* ~ *job*]; fast anställd **II** *adv* internt, inom företaget (organisationen etc.)
inhuman [ɪnˈhjuːmən] *adj* **1** omänsklig, grym, brutal, inhuman **2** inte mänsklig; övermänsklig
inhumane [ˌɪnhjuˈmeɪn] *adj* se *inhuman 1*
inhumanity [ˌɪnhjʊˈmænətɪ] *s* omänsklighet, grymhet, inhumanitet
inimical [ɪˈnɪmɪk(ə)l] *adj* **1** fientlig, fientligt sinnad [*to* mot] **2** ogynnsam, skadlig [*to* för]
inimitable [ɪˈnɪmɪtəbl] *adj* oefterhärmlig; oförliknelig
iniquitous [ɪˈnɪkwɪtəs] *adj* orättfärdig, orättvis; upprörande

iniquity [ɪˈnɪkwətɪ] *s* **1** orättfärdighet, orättvisa; ondska; syndfullhet **2** synd
initial [ɪˈnɪʃ(ə)l] **I** *adj* begynnelse- [~ *stage*]; inledande, utgångs- [~ *position*]; första [*the* ~ *symptoms of a disease*]; initial-; ~ *capital* a) startkapital, begynnelsekapital b) stor begynnelsebokstav
II *s* **1** begynnelsebokstav; anfang; initial **2** initial, signatur
III *vb tr* **1** signera, sätta sin signatur på (under), underteckna med initialer, parafera **2** märka med initialer
initialize [ɪˈnɪʃəlaɪz] *vb tr* data. återställa, initialisera
initially [ɪˈnɪʃ(ə)lɪ] *adv* i början
initiate [verb ɪˈnɪʃɪeɪt, subst. ɪˈnɪʃɪət] **I** *vb tr* **1** börja, påbörja, inleda, sätta i gång, ta initiativet till, initiera, starta **2** inviga [~ *sb into* (i) *a secret*]; införa, göra förtrogen [*into* med] **3** uppta (ta in) [som medlem] [~ *sb into* (i) *a society*]; initiera [~ *sb into a secret sect*]
II *s* [nyligen] invigd (initierad) [person]; nybörjare
initiation [ɪˌnɪʃɪˈeɪʃ(ə)n] *s* **1** införande, invigning, elementär undervisning **2** upptagande; initiation; ~ *ceremony* invigningsceremoni, intagningsceremoni **3** påbörjande, påbörjelse, inledning
initiative [ɪˈnɪʃɪətɪv] *s* **1** initiativ, utspel; *on one's own* ~ på eget initiativ, av egen drift **2** initiativkraft, företagsamhet [*have* ~; *lack* ~]
inject [ɪnˈdʒekt] *vb tr* **1** spruta in, injicera [*into* i] **2** bildl. ingjuta [~ *new life into sth*]; lägga in
injection [ɪnˈdʒekʃ(ə)n] *s* **1** injektion äv bildl., spruta; insprutning äv. konkr.; *have an* ~ el. *receive an* ~ få (ta) en injektion (spruta) **2** mek. insprutning [*fuel* ~]
injection pump [ɪnˈdʒekʃ(ə)npʌmp] *s* insprutningspump
in-joke [ˈɪndʒəʊk] *s* internt skämt
injudicious [ˌɪndʒʊˈdɪʃəs] *adj* omdömeslös, oklok, oförståndig, oförsiktig [~ *remark*]
injunction [ɪnˈdʒʌŋ(k)ʃ(ə)n] *s* **1** jur. förbudsföreläggande; *court* ~ domstolsföreläggande **2** förständigande, åläggande; befallning, tillsägelse
injure [ˈɪn(d)ʒə] *vb tr* **1** skada [~ *one's arm*; ~ *sb's reputation*]; såra **2** bildl. såra, kränka, förorätta, förfördela, göra ngn orätt
injured [ˈɪn(d)ʒəd] **I** *adj* **1** skadad, sårad **2** bildl. sårad, kränkt, förorättad, förfördelad; ~ *pride* sårad (kränkt) stolthet; *in an* ~ *voice* i en förorättad (förolämpad, sårad) ton
II *s*, *the* ~ de skadade (sårade)
injured party [ˌɪn(d)ʒədˈpɑːtɪ] *s* jur., *the* ~ målsägaren, målsäganden
injurious [ɪnˈdʒʊərɪəs] *adj* **1** skadlig [~ *to health* (för hälsan)] **2** kränkande [~ *statement*]; skymflig, smädlig
injury [ˈɪndʒ(ə)rɪ] *s* **1** skada; men **2** oförrätt, orättfärdig behandling
injury time [ˈɪndʒ(ə)rɪtaɪm] *s* sport. förlängning, tilläggstid
injustice [ɪnˈdʒʌstɪs] *s* orättvisa, orättfärdighet [*to* mot]; *do sb an* ~ göra ngn orätt, [be]döma ngn orättvist
ink [ɪŋk] **I** *s* **1** bläck; *Chinese* ~ el. *Indian* ~ el. amer. *India* ~ kinesisk tusch **2** trycksvärta, tryckfärg [äv.

printer's ~]
II *vb tr* bläcka ned; *~ in* fylla 'i (märka) med bläck (tusch)

ink-jet printer ['ıŋkdʒetˌprıntə] *s* data. bläckstråleskrivare

inkling ['ıŋklıŋ] *s* **1** aning, nys, hum [*of* om] **2** vink [*of* om]

inkpad ['ıŋkpæd] *s* färgdyna, stämpeldyna

inkstand ['ıŋkstænd] *s* skrivställ

inkwell ['ıŋkwel] *s* nedsänkt bläckhorn

inky ['ıŋkı] *adj* bläckig; bläcksvart

inlaid [ˌın'leıd, attr. äv. 'ınleıd] **I** imperf. o. perf. p. av *inlay* **II** *adj* inlagd, mosaik-; *~ linoleum* genomgjuten linoleummatta

inland [subst. o. adj. 'ınlənd, -lænd, adv. ın'lænd] **I** *s* inland; *the ~* äv. det inre av landet **II** *adj* **1** belägen (som ligger) inne i landet; inlands- **2** inrikes, inländsk **III** *adv* inne i landet; inåt landet, in i landet

Inland Revenue [ˌınlənd'revənjuː] *s*, *the ~* ej officiell benämning brittiska skatteverket, se *Revenue and Customs*

in-law ['ınlɔː] *s* släkting genom giftermål svärförälder o.d., ingift [*parents and ~s*]

in-law apartment ['ınlɔːəˌpɑːtmənt] *s* amer. anknuten lägenhet med egen ingång för gamla föräldrar

inlay [verb ˌın'leı, subst. 'ınleı] **I** (*inlaid inlaid*) *vb tr* lägga in trä, elfenben, mosaik o.d. i ngt **II** *s* **1** inlagt arbete, inläggning **2** tandläk. inlägg

inlet ['ınlet] *s* **1** sund, gatt, havsarm; liten vik **2** ingång; öppning; inlopp; insläpp, intag [*air ~*]; inströmning, tillströmning

inlet pipe ['ınletpaıp] *s* inloppsrör, inströmningsrör; insugningsrör

inlet valve ['ınletvælv] *s* inloppsventil; insugningsventil

in-line skates [ˌınlaın'skeıts] *s pl* sport. inlines rullskridskor med alla hjulen i rad

inmate ['ınmeıt] *s* intern, intagen på institution; patient

inmost ['ınməʊst] *adj* innerst; *in the ~ depths of the forest* djupast (längst) inne i skogen

inn [ın] *s* värdshus; gästgivargård

innards ['ınədz] *s pl* vard. **1** mage, inälvor **2** innanmäte

innate [ˌı'neıt, '--] *adj* medfödd, naturlig

inner ['ınə] *adj* inre; invändig; inner-; bildl. äv. dunkel, hemlig; *~ circle* inre krets (cirkel)

inner city [ˌınə'sıtı] *s* innerstad ofta förslummad stadsdel, [innerstads]getto

inner ear [ˌınə'ıə] *s* anat. inneröra

inner man ['ınəmæn] *s*, *the ~* själen; skämts. magen

innermost ['ınəməʊst] *adj* innerst

inner tube ['ınətjuːb] *s* innerslang

inner woman [ˌınə'wʊmən] *s*, *the ~* själen; skämts. magen

inning ['ınıŋ] *s* amer. omgång i baseball

innings ['ınıŋz] (pl. *innings*, vard. äv. *~es* [-ız]) *s* **1** kricket. o.d. [inne]omgång, tur att vara inne **2** bildl. regeringsperiod, tid vid makten; tur, chans; [glans]period; *I have had my ~* jag har haft min tid (gjort mitt)

innkeeper ['ınˌkiːpə] *s* värdshusvärd; gästgivare

innocence ['ınə(ʊ)sns] *s* **1** oskuldsfullhet, troskyldighet, naivitet; *in all ~* helt oskyldigt **2** oskuld

innocent ['ınə(ʊ)snt] **I** *adj* **1** oskuldsfull, troskyldig, naiv, okonstlad [*an ~ young girl*] **2** oskyldig [*of* till; *he is ~ of the crime*] **3** oförarglig, harmlös; oskyldig [*~ amusements*] **II** *s* **1** oskuldsfull person spec. barn **2** lättrogen (enfaldig) person

innocuous [ı'nɒkjʊəs] *adj* oskadlig [*~ drugs*]; ofarlig [*~ snakes*] bildl. blek, intetsägande, menlös

innovate ['ınə(ʊ)veıt] *vb itr* införa nyheter, göra förändringar [*in, on* i]; förnya sig, finna nya vägar

innovation [ˌınə(ʊ)'veıʃ(ə)n] *s* **1** förnyelse, nyskapande, innovation **2** innovation, införande av nyhet[er] (förändring[ar])

innovative ['ınə(ʊ)veıtıv, -vətıv] *adj* uppfinningsrik, nyskapande, innovativ; mottaglig för nya idéer

innovator ['ınə(ʊ)veıtə] *s* förnyare, nyskapare, innovatör; reformator

Inns of Court [ˌınzəv'kɔːt] *s pl*, *the ~* de fyra juristkollegierna i London (the Inner Temple, the Middle Temple, Lincoln's Inn, Gray's Inn), advokatsamfund för utbildning av *barristers*

innuendo [ˌınjʊ'endəʊ] (pl. *~s* el. *~es*) *s* [förtäckt] antydning, [elak] anspelning, insinuation; gliring, pik

innumerable [ı'njuːm(ə)rəbl] *adj* oräknelig, otalig

innumerate [ı'njuːm(ə)rət] *adj* ej räknekunnig

inoculate [ı'nɒkjʊleıt] *vb tr* **1** med. ympa in smittämne, inokulera [*on* på, i; *into* på, i]; *~ sb against* [skydds]ympa (vaccinera) ngn mot **2** trädg. okulera, ympa träd

inoculation [ıˌnɒkjʊ'leıʃ(ə)n] *s* **1** med. [in]ympning, inokulation, skyddsympning, vaccination **2** trädg. okulering

inoffensive [ˌınə'fensıv] *adj* oförarglig, fredlig, som inte väcker anstöt

inoperable [ın'ɒp(ə)rəbl] *adj* **1** som inte kan opereras, inoperabel **2** ogenomförbar

inoperative [ın'ɒp(ə)rətıv] *adj* **1** resultatlös, utan verkan; inte funktionsduglig **2** jur. verkningslös

inopportune [ın'ɒpətjuːn, ˌınɒpə't-] *adj* oläglig, olämplig, mindre lämplig [*to* för; *at an ~ time*]; inopportun

inordinate [ı'nɔːdınət] *adj* **1** omåttlig, överdriven [*~ demands; ~ expectations*]; ohämmad **2** oregelbunden [*~ hours* (tider)]; oordnad, regellös

inorganic [ˌınɔː'gænık] *adj* oorganisk [*~ chemistry*]; ostrukturerad, planlös

inorganically [ˌınɔː'gænıkəlı] *adv* oorganiskt; planlöst

inorganic chemistry [ˌınɔːgænık'kemıstrı] *s* oorganisk kemi

inpatient ['ınˌpeıʃ(ə)nt] *s* sjukhuspatient

input ['ınpʊt] **I** *s* **1** insats; bidrag **2** data. input, indata, inmatningsdata [äv. *~ data*]; inmatning **3** elektr. el. radio. ineffekt, ingångseffekt **II** (*input input* el. *~ted ~ted*) *vb tr* mata in i dator

inquest ['ınkwest] *s* rättslig undersökning; förhör om dödsorsaken (jfr *coroner*); jury

inquietude [ın'kwaıtjuːd] *s* oro; bekymmer

inquire [ın'kwaıə] **I** *vb itr* fråga, höra sig för, höra efter, förfråga (förhöra) sig, göra förfrågningar

[*about sth, after sth, concerning sth* om (angående) ngt; *of sb* hos ngn]; hänvända sig [*at* till]
II *vb tr* **1** fråga om (efter) [~ *the way*; ~ *sb's name*]; fråga [*he ~d what I wanted*] **2** ta reda på, undersöka
III *vb itr* med prep.:
inquire after sb fråga hur det står till med ngn
inquire into undersöka, forska i, utreda
inquiring [ɪnˈkwaɪərɪŋ] *adj* **1** frågande, spörjande [~ *look*] **2** vetgirig; *have an ~ mind* vara vetgirig
inquiry [ɪnˈkwaɪərɪ, amer. vanl. ˈɪnkwərɪ] *s*
1 a) förfrågan, förfrågning, efterfrågan, efterfrågning [*about* om, angående; *after* om, angående; *for* om, angående] **b)** efterforskning, undersökning, utredning, forskning [*into* om, i, angående] **c)** förhör; sjö. sjöförhör; **judicial ~** rättslig undersökning; **make inquiries** göra förfrågningar, höra sig för, inhämta upplysningar; **court of ~** undersökningsdomstol; mil. undersökningsnämnd **2** fråga; **a look of ~** en frågande (spörjande) blick
Inquisition [ˌɪnkwɪˈzɪʃ(ə)n] *s* hist., **the ~** inkvisitionen
inquisition [ˌɪnkwɪˈzɪʃ(ə)n] *s* jur. [rättslig] undersökning
inquisitive [ɪnˈkwɪzɪtɪv] *adj* **1** frågvis, nyfiken [*about* angående, på] **2** vetgirig
inroad [ˈɪnrəʊd] *s* **1** inbrytning, fientligt infall [*into* i, in i] **2** intrång, ingrepp [*into* i, på; *on* i, på]; **make ~s into** (*on*) ta (tära) på, ta ett djupt grepp i; *it made heavy ~s on my time* det lade beslag på (tog) mycket av min tid
insane [ɪnˈseɪn] *adj* **1** vansinnig, vanvettig [*an ~ idea*; *an ~ attempt*]; galen **2** psykiskt störd
insanitary [ɪnˈsænət(ə)rɪ] *adj* hälsovådlig; ohälsosam; ohygienisk, osanitär
insanity [ɪnˈsænətɪ] *s* **1** psykisk störning **2** vansinne, vanvett
insatiable [ɪnˈseɪʃəbl] *adj* omättlig [*of* på]; osläcklig [~ *thirst*]
inscribe [ɪnˈskraɪb] *vb tr* **1** skriva [in], rista [in] [*in* i; *on* på] **2** skriva in, enrollera **3** hand. inregistrera aktieägare o.d.; *~d share* aktie ställd till viss person **4** tillägna [*sth to sb*], dedicera; *~d copy* dedikationsexemplar
inscription [ɪnˈskrɪpʃ(ə)n] *s* **1** inskrift, inskription [~ *on a medal*; ~ *on a monument*]; påskrift **2** dedikation
inscrutability [ɪnˌskruːtəˈbɪlətɪ] *s* outgrundlighet etc., jfr *inscrutable*; mystik
inscrutable [ɪnˈskruːtəbl] *adj* **1** outgrundlig [*an ~ face*; *an ~ smile*]; mystisk, outrannsaklig [*the ~ ways of God*]; oförklarlig **2** ogenomtränglig [~ *fog*]
insect [ˈɪnsekt] *s* **1** insekt **2** neds., om person kryp
insecticide [ɪnˈsektɪsaɪd] *s* insektsdödande medel, insektsmedel, insektspulver, insekticid
insectivore [ɪnˈsektɪvɔː] *s* zool. insektsätare
insectivorous [ˌɪnsekˈtɪvərəs] *adj* insektsätande
insecure [ˌɪnsɪˈkjʊə] *adj* osäker [~ *footing* (*hold*); ~ *foundation*]; otrygg [*feel ~*]; vansklig [*be in an ~ position*]; utsatt för fara
insecurity [ˌɪnsɪˈkjʊərətɪ] *s* osäkerhet, otrygghet
inseminate [ɪnˈsemɪneɪt] *vb tr* **1** inseminera **2** bildl. inympa, inplantera [*in* i]

insemination [ɪnˌsemɪˈneɪʃ(ə)n] *s* insemination, konstgjord befruktning
insensate [ɪnˈsenseɪt] *adj* **1** död, livlös [~ *rocks*] **2** känslolös, brutal [~ *cruelty*; ~ *revenge*]; blind [~ *rage*]; okänslig
insensibility [ɪnˌsensəˈbɪlətɪ] *s* **1** medvetslöshet **2** känslolöshet, likgiltighet, okänslighet [*to* för; ~ *to beauty*]
insensible [ɪnˈsensəbl] *adj* **1** medvetslös **2** okänslig [~ *to* (för) *pain*]; otillgänglig, likgiltig [*to, of* för], omedveten [*to, of* om]; slö; känslolös, hård **3** omärklig; *by ~ degrees* omärkligt
insensitive [ɪnˈsensətɪv] *adj* okänslig [*to* för]
inseparability [ɪnˌsep(ə)rəˈbɪlətɪ] *s* oskiljaktighet
inseparable [ɪnˈsep(ə)rəbl] **I** *adj* oskiljaktig **II** *s*, pl. *~s* oskiljaktiga vänner
inseparably [ɪnˈsep(ə)rəblɪ] *adv* **1** oskiljaktigt **2** oskiljbart, fast
insert [verb ɪnˈsɜːt, subst. ˈɪnsɜːt] **I** *vb tr* sätta (föra, skjuta, sticka, passa, rycka) in, infoga [*in, into* i; *between* mellan]; *~ a key in a lock* sticka [in] en nyckel i ett lås; *~ a name in a list* sätta in ett namn på en lista
II *s* **1** inlägg, tillägg **2 a)** inlaga, bilaga i tidning **b)** insticksblad i bok **3** annons **4** film. el. TV. inklippt stillbild
insertion [ɪnˈsɜːʃ(ə)n] *s* insättande, införande etc., jfr *insert* **I** 2 a) inlägg, insats, inskott **b)** tillägg i skrift o.d. **c)** inlaga, bilaga i tidning, annons, meddelande
in-service [ˈɪnˌsɜːvɪs] *adj*, ~ *training* internutbildning inom offentlig förvaltning
inset [ˈɪnset] *s* **1** insatt extrasida, insatt extraark, insticksblad, insticksark, inlägg **2** infälld specialkarta (bild o.d.), infällning **3** insats; isättning, infällning i plagg, vita kantband i väst o.d.
inshore [ˌɪnˈʃɔː, ˈɪnʃ-] *adv* o. *adj* **1** in mot land (kusten); ~ *wind* pålandsvind **2** inne under (inne vid, nära) land (kusten); ~ *fisheries* kustfiske
inside [ˌɪnˈsaɪd, adj. ˈ--] **I** *s* **1** insida; *the ~* insidan, innersidan [*the ~ of the hand*; *the ~ of a curve*]; den inre sidan; det inre (innersta); innandömet; ~ *out* ut och in; med avigsidan (insidan) ut; *know sth ~ out* känna [till] (kunna) ngt utan och innan (i detalj); *turn sth ~ out* vända ut och in på ngt; *know sth from the ~* känna ngt inifrån (i sitt inre) **2** vard. mage; pl. *~s* inälvor
II *adj* inre, invändig, inner- [~ *pocket*]; invärtes; intern
III *adv* inuti, invändigt; inåt; [där] inne; in [*walk ~!*] bildl. inombords; *he has been ~* vard. han har suttit inne i fängelse; ~ *of a week* inom (på) mindre än en vecka
IV *prep* inne i, inom, inuti; in i; på insidan av, innanför
inside information [ɪnˌsaɪdɪnfəˈmeɪʃ(ə)n] *s* inside information; förhandstips, stalltips
inside job [ˌɪnsaɪdˈdʒɒb] *s* sl. insidejobb, internt jobb stöld med hjälp av någon inifrån
inside lane [ˌɪnsaɪdˈleɪn] *s* trafik. innerfil
inside leg [ˌɪnsaɪdˈleg] *s* mått innerbenlängd
insider [ˌɪnˈsaɪdə] *s* person ur (som tillhör) den inre kretsen, person som har tillgång till inside information, initierad, insider

insider dealing [ɪnˌsaɪdəˈdiːlɪŋ] *s* o. **insider trading** [ɪnˌsaɪdəˈtreɪdɪŋ] *s* insideraffärer

inside track [ˌɪnsaɪdˈtræk] *s* **1** sport. innerbana **2** bildl. fördelaktig position

insidious [ɪnˈsɪdɪəs] *adj* försåtlig, lömsk, smygande [~ *disease*]

insight [ˈɪnsaɪt] *s* insikt[er], inblick [*into* i]; förståelse [*into* för]; skarpsinne; insyn

insightful [ˈɪnsaɪtf(ʊ)l] *adj* insiktsfull

insignia [ɪnˈsɪɡnɪə] (pl. *insignia* el. ~s) *s* insignier; tecken [*an* ~ *of* (på) *mourning*]; mil. gradbeteckning[ar], tjänstetecken, utmärkelsetecken

insignificance [ˌɪnsɪɡˈnɪfɪkəns] *s* **1** obetydlighet; betydelselöshet **2** meningslöshet

insignificant [ˌɪnsɪɡˈnɪfɪkənt] *adj* **1** obetydlig, oviktig, oansenlig; utan [all] betydelse; betydelselös **2** meningslös; intetsägande

insincere [ˌɪnsɪnˈsɪə] *adj* inte uppriktig, falsk, hycklande, förställd

insincerity [ˌɪnsɪnˈserətɪ] *s* bristande (brist på) uppriktighet, falskhet, hyckleri, förställning

insinuate [ɪnˈsɪnjʊeɪt] *vb tr* **1** insinuera, låta påskina; antyda [*to* för] **2** [oförmärkt (gradvis)] smyga (föra) in; så [~ *doubt into the minds of* (tvivel hos) *the people*]; ~ **oneself** nästla sig in [*with sb* hos ngn]

insinuation [ɪnˌsɪnjʊˈeɪʃ(ə)n] *s* **1** insinuation, antydan **2** insmygande, [gradvist] inträngande

insipid [ɪnˈsɪpɪd] *adj* **1** utan smak, smaklös, fadd; *it's* ~ det smakar ingenting **2** ointressant, intetsägande, tråkig, urvattnad, banal, fadd

insist [ɪnˈsɪst] **I** *vb itr* o. *vb tr* **1** insistera, prompt vilja [*don't, unless she* ~s] **2** vidhålla sin ståndpunkt
II *vb itr* o. *vb tr* med adv. el. prep.:
insist on el. **insist upon a)** insistera på, [bestämt] yrka på, kräva, fordra **b)** stå fast vid, vidhålla, hålla fast vid, hävda [bestämt], hålla på [*he* ~s *on punctuality*] **c)** [ständigt] understryka (betona, framhålla, uppehålla sig vid)

insistence [ɪnˈsɪst(ə)ns] *s* **1** hävdande [*on* av], hållande [*on* på], fasthållande [*on* vid], [ständigt] understrykande [*on* av]; envished **2** yrkande, krav, insisterande [*on* på]; enträgen begäran

insistent [ɪnˈsɪst(ə)nt] *adj* **1** envis, enträgen; ihärdig **2** ihållande

insofar as [ˌɪnsə(ʊ)ˈfɑːəz] *konj* i den mån [som], så tillvida som

insole [ˈɪnsəʊl] *s* innersula; iläggssula

insolence [ˈɪnsələns] *s* oförskämdhet, fräckhet; förmätenhet

insolent [ˈɪnsələnt] *adj* oförskämd, fräck; förmäten

insoluble [ɪnˈsɒljʊbl] *adj* **1** olöslig [~ *salts*]; oupplöslig **2** oförklarlig, olöslig [*an* ~ *problem*]

insolvency [ɪnˈsɒlv(ə)nsɪ] *s* insolvens, bristande betalningsförmåga; obestånd

insolvent [ɪnˈsɒlv(ə)nt] *adj* insolvent, oförmögen att betala, konkursmässig

insomnia [ɪnˈsɒmnɪə] *s* med. sömnlöshet

insomniac [ɪnˈsɒmnɪæk] *s* sömnlös [person]

insomuch [ˌɪnsə(ʊ)ˈmʌtʃ] *adv*, ~ *that* till den grad att, så att; ~ *as* eftersom, enär

insouciance [ɪnˈsuːsɪəns] *s* sorglöshet; likgiltighet

Insp förk. för *Inspector*

inspect [ɪnˈspekt] *vb tr* syna, granska; ta en överblick över; bese; inspektera, besiktiga, undersöka

inspection [ɪnˈspekʃ(ə)n] *s* **1** granskning, synande [*of* av]; inspektion, undersökning, besiktning, avsyning, syn; *tour of* ~ inspektionsresa; *on closer* ~ vid närmare granskning **2** inspektion, övervakning, överinseende, uppsikt, tillsyn

inspector [ɪnˈspektə] *s* **1** inspektör, inspektor; granskare; kontrollant; uppsyningsman **2** (förk. *Insp*), *police* ~ ung. polisinspektör; högre [*chief*] ~ [polis]kommissarie [*Inspector Maigret*]

inspectorate [ɪnˈspekt(ə)rət] *s* **1** inspektorat, inspektörsbefattning, inspektörsområde **2** inspektörskår, inspektörer

inspector of taxes [ɪnˌspektərəvˈtæksɪz] *s* ung. taxeringsinspektör

inspiration [ˌɪnspəˈreɪʃ(ə)n, -spɪˈr-] *s* inspiration, ingivelse; inspirationskälla; *draw one's* ~ *from* hämta sin inspiration från

inspirational [ˌɪnspəˈreɪʃənl, -spɪˈr-] *adj* inspirations-; inspirerad; inspirerande

inspire [ɪnˈspaɪə] *vb tr* inspirera; besjäla, fylla [~ *sb with enthusiasm*]; inge [*he* ~s *confidence*]; väcka [till liv]

inspired [ɪnˈspaɪəd] *adj* inspirerad [*in an* ~ *moment*]; gudabenådad; ~ *guess* kvalificerad gissning

inspiring [ɪnˈspaɪərɪŋ] *adj* inspirerande

Inst. förk. för *Institute*

instability [ˌɪnstəˈbɪlətɪ] *s* instabilitet; ostadighet, vacklan; obeständighet

instal o. **install** [ɪnˈstɔːl] *vb tr* **1** installera [~ *a new assistant*]; inviga, insätta [~ *sb in[to] an office*]; ~ *oneself* installera sig, slå sig ned **2** installera [~ *electricity*; ~ *a machine*]; lägga in [~ *a program on a computer*]; dra in [~ *wires*]; sätta upp, montera

installation [ˌɪnstəˈleɪʃ(ə)n] *s* **1** installation; tillträdande; invigning (insättning) i ämbete **2** installation, installering; uppsättning; montering

installment [ɪnˈstɔːlmənt] *s* amer., se *instalment*; *buy on the* ~ *plan* köpa på avbetalning, göra avbetalningsköp

instalment [ɪnˈstɔːlmənt] *s* **1** avbetalning; amortering; avbetalningstermin; *by* ~s avbetalningsvis, genom avbetalningar (amorteringar), på avbetalning; *pay by monthly* ~s avbetala månadsvis, göra månatliga avbetalningar **2** [små]portion, del; avsnitt; häfte; *the story will appear in 10* ~s berättelsen kommer att publiceras i 10 avsnitt; *by* ~s portionsvis; litet i sänder; i flera avsnitt; häftesvis

instance [ˈɪnstəns] **I** *s* **1** exempel [*of* på]; ~ *to the contrary* (på motsatsen)]; belägg [*of* för, på]; fall; *for* ~ till exempel; *in this* ~ i detta fall **2** *at the* ~ *of sb* på ngns yrkande (begäran, anmodan, tillskyndan) **3** spec. jur. instans
II *vb tr* **1** anföra (ge) som exempel **2** exemplifiera; *as* ~d *by* som synes (framgår) av

instant [ˈɪnstənt] **I** *adj* **1** ögonblicklig, omedelbar [~ *relief*] **2** snabb- **3** enträgen; trängande [~ *need of help*]
II *s* ögonblick; *this* [*very*] ~ nu genast, nu med

detsamma, nu på ögonblicket; **on the** ~ el. **that** ~ el.
in an ~ ögonblickligen, genast, på stående fot
instantaneous [ˌɪnst(ə)n'teɪnɪəs] adj ögonblicklig;
spec. tekn. momentan
instant coffee [ˌɪnstənt'kɒfɪ] s snabbkaffe,
pulverkaffe
instant food [ˌɪnstənt'fuːd] s snabbmat
instantly ['ɪnstəntlɪ] adv ögonblickligen, genast,
omedelbart
instant message [ˌɪnstənt'mesɪdʒ] s
direktmeddelande
instant replay [ˌɪnstənt'riːpleɪ] s amer. TV. repris [i
slow-motion]
instead [ɪn'sted] adv i stället; ~ **of** i stället för; ~ **of**
her (it) äv. i hennes (dess) ställe
instep ['ɪnstep] s 1 [fot]vrist 2 ovanläder på sko
3 överdel av strumpfot
instigate ['ɪnstɪgeɪt] vb tr 1 egga, sporra, hetsa;
[upp]mana [to till; to + inf. [till] att] 2 anstifta,
sätta i gång, uppvigla till [~ a strike]
instigation [ˌɪnstɪ'geɪʃ(ə)n] s tillskyndan;
uppmaning; anstiftan, uppvigling, hets; **at the** ~ **of**
sb på tillskyndan (anstiftan) av ngn
instigator ['ɪnstɪgeɪtə] s tillskyndare; anstiftare,
uppviglare; upphovsman
instil o. amer. vanl. **instill** [ɪn'stɪl] vb tr bildl.
[småningom] bibringa, inge [sth into sb ngn ngt],
ingjuta, väcka [sth into sb ngt hos ngn]
instinct ['ɪnstɪŋ(k)t] s instinkt; ingivelse, sinne [an ~
for art]; intuitiv förmåga; **have an** ~ **for business** äv.
ha affärssinne; **by** ~ instinktivt; **act out of** ~ handla
instinktivt
instinctive [ɪn'stɪŋ(k)tɪv] adj instinktiv [~
behaviour]; oreflekterad, omedveten
institute ['ɪnstɪtjuːt] **I** s institut äv. konkr., högskola;
institution; samfund, stiftelse; ~ **of education** ung.
lärarhögskola
II vb tr 1 inrätta, upprätta, grunda, stifta, instifta;
införa [~ restrictions; ~ rules] 2 sätta i gång [med],
börja, inleda, företa [~ an inquiry into (i,
angående) the matter]; vidta [~ legal proceedings]
institution [ˌɪnstɪ'tjuːʃ(ə)n] s 1 institution äv. konkr.;
vårdhem; stiftelse, samfund; institut 2 inrättande
etc., jfr institute II
institutional [ˌɪnstɪ'tjuːʃənl] adj 1 institutions-,
institutionell; ~ **care** institutionsvård; sjukhusvård;
sluten psykiatrisk vård 2 amer., ~ **advertising**
goodwillreklam, prestigereklam 3 instiftelse-
institutionalize [ˌɪnstɪ'tjuːʃ(ə)nəlaɪz] vb tr 1 placera
på ett hem (en institution) 2 institutionalisera,
göra till (betrakta som) en institution
institutionalized [ˌɪnstɪ'tjuːʃ(ə)nəlaɪzd] adj
1 institutionaliserad 2 hospitaliserad
in-store ['ɪnstɔː] adj butiks- [~ bakery]
instruct [ɪn'strʌkt] vb tr 1 undervisa, handleda [in
i] 2 instruera, ge anvisning[ar] [sb on sth ngn i
(om) ngt]; visa 3 informera, ge besked, underrätta
[sb that ngn [om] att] 4 ge instruktioner, beordra
[sb to ngn att]
instruction [ɪn'strʌkʃ(ə)n] s 1 pl. ~s instruktioner,
föreskrift[er], förhållningsorder; order;
upplysning[ar], uppgift[er]; ~s [for use]
bruksanvisning[ar]; **I'm under** ~s [to be there at six]

jag har fått order om… 2 undervisning,
handledning, instruktion 3 data. instruktion
instructional [ɪn'strʌkʃənl] adj 1 undervisnings- [~
film]; instruktions- [for ~ purposes] 2 upplysande,
upplysnings-
instructive [ɪn'strʌktɪv] adj instruktiv, upplysande,
lärorik
instructor [ɪn'strʌktə] s 1 lärare, instruktör,
handledare [of, in i] 2 amer., ung. extra
högskoleadjunkt (universitetsadjunkt)
instrument ['ɪnstrəmənt, -trʊm-] s 1 instrument,
verktyg, redskap äv. bildl., [hjälp]medel; styrmedel
[economic ~s]; apparat; ~ **of torture** tortyrredskap
2 mus. instrument
instrumental [ˌɪnstrə'mentl, -trʊm-] **I** adj
1 verksam, behjälplig, bidragande [to till, in i; in
doing till (i) att göra]; **be** ~ **in** äv. [kraftigt] bidra
(medverka) till, hjälpa till med 2 instrument- [~
navigation]; instrumentell 3 mus. instrumental
II s mus. instrumentalstycke; instrumentaldel av
musikstycke
instrumentalist [ˌɪnstrə'mentəlɪst, -trʊm-] s mus.
instrumentalist
instrumentation [ˌɪnstrəmen'teɪʃ(ə)n, -trʊm-] s
1 mus. instrumentering 2 instrumentutrustning
instrument board ['ɪnstrəməntbɔːd, -trʊm-] s o.
instrument panel ['ɪnstrəmənt‚pænl, -trʊm-] s bil. el.
flyg. instrumentbräda, instrumentpanel
insubordinate [ˌɪnsə'bɔːd(ə)nət] adj olydig [mot
överordnad], uppstudsig, upprorisk
insubordination ['ɪnsə‚bɔːdɪ'neɪʃ(ə)n] s olydnad;
spec. mil. insubordination
insubstantial [ˌɪnsəb'stænʃ(ə)l] adj 1 grundlös,
dåligt underbyggd, omotiverad 2 overklig,
illusorisk; okroppslig
insufferable [ɪn'sʌf(ə)rəbl] adj odräglig [~
insolence; an ~ child]; olidlig [~ heat]; outhärdlig
insufficiency [ˌɪnsə'fɪʃ(ə)nsɪ] s 1 otillräcklighet;
brist [of på] 2 med. insufficiens, otillräcklig
funktionsduglighet; **cardiac** ~ hjärtinsufficiens,
hjärtsvikt
insufficient [ˌɪnsə'fɪʃ(ə)nt] adj otillräcklig [for för,
till; to + inf. till att], bristande [~ evidence];
bristfällig, otillfredsställande
insular ['ɪnsjʊlə] adj 1 karakteristisk för öbor, öbo-
[~ mentality] spec. trångsynt, trångsint,
fördomsfull, som är sig själv nog, självgod 2 ö-,
öliknande, som bildar (hör till, bor på, är belägen
på) en ö; ensam, isolerad
insularity [ˌɪnsjʊ'lærətɪ] s 1 egenhet[er] för öbor;
öbomentalitet 2 egenskap (karaktär) av ö;
avskildhet
insulate ['ɪnsjʊleɪt] vb tr 1 fys. el. tekn. isolera [from,
against mot] 2 isolera, skydda [from, against mot]
insulating tape ['ɪnsjʊleɪtɪŋteɪp] s isoler[ings]band
insulation [ˌɪnsjʊ'leɪʃ(ə)n] s 1 fys. el. tekn. isolation,
isolering 2 isolering; skydd
insulator ['ɪnsjʊleɪtə] s fys. el. tekn. isolator
insulin ['ɪnsjʊlɪn] s med. insulin
insulin reaction ['ɪnsjʊlɪnrɪ‚ækʃ(ə)n] s o. **insulin**
shock ['ɪnsjʊlɪnʃɒk] s med. insulinchock
insult [subst. 'ɪnsʌlt, verb ɪn'sʌlt] **I** s förolämpning,
oförskämdhet, kränkning, skymf [to mot]; **add** ~ **to**
injury göra ont värre, lägga sten på börda (lök på

laxen); **take an ~ lying down** el. **sit down under an ~**
[stillatigande] finna sig i (svälja) en förolämpning
II *vb tr* förolämpa, förnärma, kränka, skymfa; **~**
sb's intelligence behandla ngn som mindre vetande
insulting ['ɪnsʌltɪŋ] *adj* förolämpande, kränkande,
skymflig, sårande [*to* mot]
insuperable [ɪn'sju:p(ə)rəbl] *adj* oöverstiglig ofta
bildl. [~ *barriers*]; oövervinnelig [~ *difficulties*];
oöverkomlig
insupportable [ˌɪnsə'pɔ:təbl] *adj* outhärdlig, olidlig
insurance [ɪn'ʃʊər(ə)ns] *s* försäkring [*life* ~];
assurans; försäkringssumma, assuranssumma;
försäkringspremie[r], assuranspremie[r]; **marine ~**
sjöförsäkring; **take out ~** ta en försäkring, teckna
försäkring; **~ against accidents**
olycksfallsförsäkring; **claim** [**for**] **sth on one's ~**
begära (få ut) ersättning för ngt på försäkringen; **~**
against fire brandförsäkring
insurance adjuster [ɪn'ʃʊər(ə)nsə,dʒʌstə] *s* amer.
försäkr. skadereglerare
insurance agent [ɪn'ʃʊər(ə)ns,eɪdʒ(ə)nt] *s*
försäkringsagent
insurance broker [ɪn'ʃʊər(ə)ns,brəʊkə] *s*
försäkringsmäklare
insurance company [ɪn'ʃʊər(ə)ns,kʌmp(ə)nɪ] *s*
försäkringsbolag
insurance cover [ɪn'ʃʊər(ə)ns,kʌvə] *s* o. **insurance**
coverage [ɪn'ʃʊər(ə)ns,kʌvərɪdʒ] *s*
försäkringsskydd
insurance fraud [ɪn'ʃʊər(ə)nsfrɔ:d] *s*
försäkringsbedrägeri
insurance policy [ɪn'ʃʊər(ə)ns,pɒlɪsɪ] *s*
försäkringsbrev; **take out an ~** ta en försäkring,
teckna försäkring
insurance premium [ɪn'ʃʊər(ə)ns,pri:mɪəm] *s*
försäkringspremie
insure [ɪn'ʃʊə] *vb tr* försäkra, assurera; **~ oneself** el.
~ one's life livförsäkra sig
insured [ɪn'ʃʊəd] **I** *perf p* o. *adj* försäkrad, assurerad
[~ *letter*]; **heavily ~** högt försäkrad **II** *s*, **the ~**
försäkringstagaren
insurer [ɪn'ʃʊərə] *s* försäkringsgivare, assuradör
insurgency [ɪn'sɜ:dʒ(ə)nsɪ] *s* uppror, resning, revolt
insurgent [ɪn'sɜ:dʒ(ə)nt] **I** *adj* upprorisk, rebellisk,
revolterande **II** *s* upprorsman, rebell, revoltör,
amer. äv. partipolitisk frondör, oppositionsman
insurmountable [ˌɪnsə'maʊntəbl] *adj* oöverstiglig äv.
bildl. [~ *difficulties*]; oövervinnelig
insurrection [ˌɪnsə'rekʃ(ə)n] *s* resning, revolt,
uppror
intact [ɪn'tækt] *adj* orörd, intakt; hel, välbehållen, i
orubbat skick, oskadad; i behåll; obruten [*the seal*
was ~]
intake ['ɪnteɪk] *s* **1 a)** intag för vatten o.d., inlopp,
öppning **b)** insugning; påfyllning; inmatning;
tillförsel; **~ of breath** inandning **2** intagning [*the ~ of*
new students]; rekrytering [*an annual ~ of 100,000*
men]; tillströmning; antal intagna (rekryterade);
[intagnings]grupp; intag; **order ~** orderingång
intangibility [ɪn,tæn(d)ʒə'bɪlətɪ] *s* **1** obestämbarhet,
ofattbarhet **2** abstrakthet, ogripbarhet
intangible [ɪn'tæn(d)ʒəbl] *adj* **1** inte påtaglig;
obestämd, vag; ofattbar **2** som man inte kan ta på,
abstrakt, ogripbar; **~ assets** immateriella tillgångar

integer ['ɪntɪdʒə] *s* **1** matem. helt tal, heltal **2** enhet,
helhet
integral ['ɪntɪgr(ə)l] *adj* **1** integrerande, nödvändig,
väsentlig [~ *part*] **2** hel, i ett stycke, odelad,
fullständig; **an ~ whole** ett [samlat] helt **3** matem.
integral-
integral calculus [ˌɪntɪgr(ə)l'kælkjʊləs] *s*
integralkalkyl, integralräkning
integrate ['ɪntɪgreɪt] **I** *vb tr* förena, sammansmälta
[*with* med]; integrera, införliva
II *vb itr* **1** bli integrerad om skola, område o.d.
2 anpassa sig [~ *into* (till) *the community*]; **~ into** äv.
växa in i
integrated ['ɪntɪ,greɪtɪd] *adj* integrerad, som utgör
en helhet; **an ~ personality** en hel (harmonisk)
människa; **~ service** ung. enhetlig organisation,
helhetssystem
integrated circuit [ˌɪntɪgreɪtɪd'sɜ:kɪt] (förk. *IC*) *s*
elektr. integrerad krets
integration [ˌɪntɪ'greɪʃ(ə)n] *s* förening
(sammansmältning) till ett helt; samordning;
samverkan; kombination; införlivande [*into* med],
integration, integrering
integrative [ɪn'tegrətɪv] *adj* **1** integrerad [~
function]; integrerande **2** vetensk. integrativ [~
biology]
integrity [ɪn'tegrətɪ] *s* **1** redbarhet, hederlighet; **a**
man of ~ en redbar (hederlig) man **2** integritet,
okränkbarhet [*the ~ of a country*]
integument [ɪn'tegjʊmənt] *s* naturligt hölje; hud,
skinn, skal, hinna, hylle
intellect ['ɪntəlekt] *s* **1** intellekt, förstånd,
tankeförmåga **2** person [skarpt] intellekt,
[överlägsen] begåvning
intellectual [ˌɪntə'lektʃʊəl] **I** *adj* intellektuell;
förstånds-; tanke-; **~ faculties** själsförmögenheter; **~**
snob intelligenssnobb
II *s* person intellektuell; pl. **~s** intellektuella,
intelligenser, intelligentia
intellectual property [ɪntə,lektʃʊəl'prɒpətɪ] *s* jur.
immaterialrätt
intelligence [ɪn'telɪdʒ(ə)ns] *s* **1** intelligens,
förstånd; skarpsinne, begåvning **2** (utan pl.)
underrättelse[r], upplysning[ar], meddelande[n]
[*of, about* om]; **~** el. **~ service** underrättelsetjänst,
underrättelseväsen
intelligence quotient [ɪn'telɪdʒ(ə)ns,kwəʊʃ(ə)nt]
(förk. *IQ*) *s* intelligenskvot
intelligence test [ɪn'telɪdʒ(ə)nstest] *s*
intelligenstest, intelligensundersökning
intelligent [ɪn'telɪdʒ(ə)nt] *adj* intelligent äv. data.;
snabbtänkt, skarpsinnig, begåvad; förnuftig,
rationell
intelligentsia [ɪn,telɪ'dʒentsɪə] *s*, **the ~**
intelligentian, den intellektuella eliten
intelligibility [ɪn,telɪdʒə'bɪlətɪ] *s* förståelighet,
begriplighet; tydlighet
intelligible [ɪn'telɪdʒəbl] *adj* förståelig, begriplig [*to*
för]; tydlig, klar
intemperance [ɪn'temp(ə)r(ə)ns] *s* omåttlighet spec. i
mat o. dryck, överdrift [*in* i], brist på återhållsamhet;
dryckenskap
intemperate [ɪn'temp(ə)rət] *adj* **1** okontrollerad,
obehärskad [~ *language*]; hejdlös, våldsam [~

attacks] **2** omåttlig [med starka drycker], begiven på dryckenskap, supig

intend [ɪn'tend] *vb tr* **1** ämna, ha för avsikt, tänka; mena; *I ~ed no harm* jag menade ingenting illa; *what do you ~ to do?* el. *what do you ~ doing?* vad tänker du (har du för avsikt att) göra? **2** avse, ämna [*for* för, till]; *this book is ~ed for you* det är (var) meningen att du skall (skulle) få den här boken; *we ~ you to do it* vi vill (har bestämt) att du skall göra det

intended [ɪn'tendɪd] **I** *adj* **1** tillämnad, avsedd, tilltänkt, planerad; åld. blivande [*his ~ bride*] **2** avsiktlig
II *s* åld. el. skämts., *his* (*her*) *~* hans (hennes) tillkommande

intense [ɪn'tens] *adj* intensiv, stark [*~ heat*; *~ hunger*; *~ thirst*]; kraftig, häftig [*~ passion*]; våldsam [*~ pain*; *~ hatred*]; sträng [*~ cold*]; djup [*~ disappointment*]; innerlig, brinnande [*~ longing*]; livlig [*~ interest*]
intensely [ɪn'tenslɪ] *adv* intensivt etc., jfr *intense*
intensification [ɪn,tensɪfɪ'keɪʃ(ə)n] *s* intensifiering etc., jfr *intensify*
intensify [ɪn'tensɪfaɪ] **I** *vb tr* intensifiera, göra intensiv[are], förstärka, stegra, skärpa, öka
II *vb itr* intensifieras, tillta i styrka, bli intensiv[are], stegras, skärpas, öka[s]
intensity [ɪn'tensətɪ] *s* **1** intensitet, kraft, styrka, häftighet, våldsamhet; om känsla äv. innerlighet **2** fys. o.d. styrka
intensive [ɪn'tensɪv] *adj* intensiv, koncentrerad [*~ bombardment*; *~ study*]; kraftig [*~ efforts*]; *~ agriculture* intensivt jordbruk
intensive care [ɪn,tensɪv'keə] *s* med. **1** intensivvård **2** intensivvårdsavdelning, intensiven; *be in ~* vara (ligga) på intensiven
intent [ɪn'tent] **I** *adj* spänt uppmärksam, spänd [*~ look*]; *~ on* el. *~ upon* helt inriktad (inställd) på; ivrigt upptagen av (fördjupad i)
II *s* spec. jur. syfte, avsikt, intention, uppsåt [*with ~ to steal*]; *to* (amer. *for*) *all ~s and purposes* praktiskt taget, faktiskt, i allt väsentligt, så gott som
intention [ɪn'tenʃ(ə)n] *s* avsikt, syfte, uppsåt; [syfte]mål; föresats; mening, tanke; *she had every ~ of phoning him* hon hade verkligen föresatt sig att ringa honom; *I have no ~ of doing so* jag har ingen tanke på (avsikt) att göra det; *with the best ~s* el. *with the best of ~s* i bästa avsikt, i all välmening; [*the way to*] *hell is paved with good ~s* vägen till helvetet är stenlagd med goda föresatser
intentional [ɪn'tenʃ(ə)nl] *adj* avsiktlig
intentionally [ɪn'tenʃnəlɪ] *adv* avsiktligt, med flit
intently [ɪn'tentlɪ] *adv* med spänd uppmärksamhet; ivrigt; oavlåtligt
intentness [ɪn'tentnəs] *s* spänd uppmärksamhet; iver; *~ of purpose* målmedvetenhet
inter [ɪn'tɜː] *vb tr* begrava, gravsätta
interact [,ɪntər'ækt] *vb itr* påverka varandra, växelverka, samspela, interagera
interaction [,ɪntər'ækʃ(ə)n] *s* ömsesidig påverkan, växelverkan, växelspel, samspel, interaktion
interactive [,ɪntər'æktɪv] *adj* interaktiv, som påverkar varandra, ömsesidigt verkande, växelverkande; *~ exhibit* interaktiv utställning;

interaktivt utställningsföremål; *~ multimedia* interaktiv multimedia
interbred [,ɪntə'bred] imperf. o. perf. p. av *interbreed*
interbreed [,ɪntə'briːd] (*interbred interbred*) **I** *vb tr* korsa raser **II** *vb itr* korsas [med varandra]
intercede [,ɪntə'siːd] *vb itr* lägga sig ut, föra ngns talan; göra förbön [*he ~d with* (hos) *the governor for* el. *on behalf of* (för) *the condemned man*]; medla, gå (träda) emellan
intercept [,ɪntə'sept] *vb tr* **1** snappa upp på vägen [*~ a letter*; *~ a message from the enemy*]; fånga upp, hindra [*~ the light*] **2** genskjuta, hejda [*~ the enemy's bombers*]; spärra [vägen för]; hindra; avskära **3** matem. skära av
interception [,ɪntə'sepʃ(ə)n] *s* uppsnappande etc., jfr *intercept*; avbrytande; ingrepp; motåtgärd
interceptor [,ɪntə'septə] *s* mil. jaktplan
intercession [,ɪntə'seʃ(ə)n] *s* **1** förespråkande; medling; *make ~ for sb* lägga sig ut (lägga ett gott ord) för ngn **2** förbön
interchange [subst. 'ɪntətʃeɪn(d)ʒ, verb ,ɪntə'tʃeɪn(d)ʒ] **I** *s* **1** [ömsesidigt] utbyte [*~ of gifts*; *~ of ideas*]; utväxling; *~ of ideas* äv. tankeutbyte **2** mot trafikplats med två el. flera plan
II *vb itr* alternera, växla
III *vb tr* **1** utbyta [sinsemellan] [*~ views*]; byta [med varandra], [ut]växla [*~ gifts*]; byta ut [mot varandra] [*~ two things*] **2** låta omväxla [*~ work with play*]
interchangeable [,ɪntə'tʃeɪn(d)ʒəbl] *adj* utbytbar, som kan bytas ut [*with* mot]; likabetydande [*with* med]
interchangeably [,ɪntə'tʃeɪn(d)ʒəblɪ] *adv* omväxlande [*with* med]
intercity [,ɪntə,sɪtɪ] *adj* intercity-; *~ train* intercitytåg
intercollegiate [,ɪntəkə'liːdʒɪət] *adj* [som äger rum] mellan olika college (amer. äv. universitet) [*~ debates*]
intercom [,ɪntəkɒm] *s* vard. **1** *~* el. *~ system* se *intercommunication 2* **2** *~* el. *~ telephone* snabbtelefon, interntelefon
intercommunicate [,ɪntəkə'mjuːnɪkeɪt] *vb itr* stå i förbindelse med varandra; meddela sig med varandra, kommunicera
intercommunication ['ɪntəkə,mjuːnɪ'keɪʃ(ə)n] *s* **1** inbördes förbindelse, [inbördes] samfärdsel; kommunikation **2** *~* el. *~ system* snabbtelefonsystem; *~ system* äv. snabbteleanläggning, snabbteleförbindelse; direkt radioförbindelse mellan fast station o. rörlig apparat, kommunikationsradio, flyg. äv. inombordsradio, inombordstelefoni
interconnect [,ɪntəkə'nekt] **I** *vb tr* sammanbinda, sammanlänka **II** *vb itr* ligga i anslutning till varandra [*separate bedrooms that ~*]
interconnection [,ɪntəkə'nekʃ(ə)n] *s* sammanbindning, sammanlänkning; inbördes förhållande (förbund)
intercontinental ['ɪntə,kɒntɪ'nentl] *adj* interkontinental
intercontinental ballistic missile ['ɪntə,kɒntɪ'nentlbə,lɪstɪk'mɪsaɪl] (förk. *ICBM*) *s* interkontinental [mark]robot

intercourse ['ɪntəkɔːs] *s* **1** ~ el. *sexual* ~ sexuellt umgänge, samlag **2** åld. umgänge [*with* med]; gemenskap; förbindelse, samfärdsel

intercut [ˌɪntəˈkʌt] *vb tr* film. klippa ihop

interdenominational ['ɪntəˌdɪnɒmɪˈneɪʃənl] *adj* gemensam för flera trosriktningar, samkyrklig

interdepartmental [ˌɪntədɪpɑːˈtməntəl] *adj* interdepartemental

interdependence [ˌɪntədɪˈpendəns] *s* ömsesidigt beroende

interdependent [ˌɪntədɪˈpendənt] *adj* beroende av varandra

interdict [subst. 'ɪntədɪkt, -daɪt, verb ˌɪntəˈdɪkt, -ˈdaɪt] **I** *s* **1** förbud **2** kyrkl. interdikt **II** *vb tr* förbjuda

interdiction [ˌɪntəˈdɪkʃ(ə)n] *s* förbud

interdisciplinary ['ɪntəˌdɪsɪˈplɪnəri] *adj* tvärvetenskaplig

interest ['ɪntrəst, 'ɪnt(ə)rest] **I** *s* **1** intresse [*in* för; *arouse* (väcka) *great* ~]; *feel* (*take, have*) *an* ~ *in* intressera sig för, ha (fatta) intresse för; *have no* ~ *in* inte intressera sig för, sakna intresse för; *sphere of* ~ intressesfär
2 ränta äv. bildl., räntor; *compound* ~ ränta på ränta; *simple* ~ enkel ränta; *five per cent* ~ fem procents ränta; *bear* (*carry, return, yield*) ~ ge (bära, avkasta) ränta, löpa med ränta, förränta sig, förräntas; *pay* ~ *on* betala ränta på; *return sth with* ~ bildl. ge betalt för ngt med ränta; *without* ~ räntefri[tt]
3 intresse, bästa; egen fördel; *have sb's* [*best*] ~*s at heart* se till ngns bästa, ha ngns bästa för ögonen; *look after one's own* ~*s* el. *attend to one's* ~*s* bevaka sina egna intressen; *in the best* ~*s of the country* i landets intresse; till landets bästa; *in the public* ~ i allmänhetens intresse; *it is to her* ~ *to* det ligger i hennes [eget] intresse att
4 intresse, engagemang [*American* ~*s in Asia*]; andel [*have an* ~ *in a brewery*]; insats; anspråk, rätt; *controlling* ~ aktiemajoritet; *his money is invested in mining* ~*s* han har pengarna investerade (liggande) i gruvaktier
5 ~[*s* pl.] intresserade kretsar, [grupp av] intressenter; *the business* ~ affärsvärlden; *the landed* ~[*s*] godsägarna; *the shipping* ~ redarna, sjöfartsintresset
II *vb tr* (se äv. *interested*) **1** intressera [*in* för]; göra intresserad [*in* av, för]; ~ *sb in* äv. väcka ngns intresse för; ~ *oneself in* intressera sig för; *could I* ~ *you in our new range of nappies?* skulle du vara intresserad av att titta på vårt nya blöjsortiment?
2 angå, intressera [*the fight for peace* ~*s all nations*]

interested ['ɪntrəstɪd, -t(ə)rest-] *perf p* o. *adj* **1** intresserad; *be* ~ *in* a) intressera sig för, vara intresserad av (för) b) ha intressen (ha satsat pengar) i; vara inblandad (engagerad) i; *those* ~ el. *the* ~ *parties* intressenterna; vederbörande, berörda parter **2** partisk [~ *witness*] **3** egennyttig, självisk [~ *motives*]

interest-free ['ɪntrəstfriː, -t(ə)rest-] *adj* räntefri

interest group ['ɪntrəstgruːp, -t(ə)rest-] *s* intressegrupp

interesting ['ɪntrəstɪŋ, -t(ə)rest-] *adj* intressant [*to* för], intresseväckande; underhållande, fängslande; tänkvärd

interest rate ['ɪntrəstreɪt, -t(ə)rest-] *s* räntesats

interface ['ɪntəfeɪs] **I** *s* **1** data. gränssnitt **2** fys. gränsyta; bildl. beröringspunkt, kontaktyta, samspel [*the* ~ *between man and machine; the* ~ *between medicine and science*] **3** konkr. kontakt, förbindelselänk
II *vb tr* data. koppla samman
III *vb itr* **1** data. kopplas samman **2** ~ *with* samverka med, vara i samspel med

interfere [ˌɪntəˈfɪə] **I** *vb itr* **1** om person ingripa, inskrida [*in* i; *with* mot]; *don't* ~*!* lägg dig inte i det [här (där)]!; ~ *between* [*husband and wife*] gå emellan… **2** om saker komma [hindrande] i vägen (emellan), gripa in störande
II *vb itr* med prep.:
interfere with a) mixtra (krångla) med b) utnyttja sexuellt c) hindra, vara ett hinder för, störa d) kollidera med, komma i kollision (konflikt) med; ~ *with each other* kollidera [med varandra]

interference [ˌɪntəˈfɪər(ə)ns] *s* **1** ingripande [*without* ~ *from the police*]; inskridande; inblandning [*in* i] **2** hinder, störning **3** radio. o.d. störningar; *free from* ~ störningsfri

interfering [ˌɪntəˈfɪərɪŋ] *adj* som lägger sig i [andras angelägenheter]; störande

interferon [ˌɪntəˈfɪərɒn] *s* kem. el. med. interferon

intergalactic [ˌɪntəgəˈlæktɪk] *adj* astron. intergalaktisk

intergenerational [ˌɪntədʒenəˈreɪʃənl] *adj*, ~ *communication* umgänge mellan generationerna (över generationsgränserna)

intergovernmental ['ɪntəˌgʌv(ə)n'ment(ə)l] *adj* mellanstatlig, mellan regeringar[na] [~ *discussions*]; ~ *conference* regeringskonferens mellan flera staters regeringar

interim ['ɪntərɪm] lat. **I** *adj* interims-, gällande tillsvidare, tillfällig, provisorisk **II** *s* mellantid; *in the* ~ under tiden

interior [ɪnˈtɪərɪə] **I** *s* **1** inre; insida; interiör; foto. inomhusbild; *the* ~ äv. inlandet, det inre av landet **2** [departement för] inrikesärenden; *the Department of the Interior* i USA o. vissa andra länder inrikesdepartementet; *Minister of the Interior* el. amer. *Secretary of the Interior* inrikesminister
II *adj* **1** inre; invändig; inomhus- **2** inlands-, belägen inåt landet (i det inre av landet) **3** inrikes

interior angle [ɪnˈtɪərɪəˌæŋgl] *s* geom. innervinkel

interior decoration [ɪnˈtɪərɪəˌdekəˈreɪʃ(ə)n] *s* heminredning

interior decorator [ɪnˌtɪərɪəˈdekəreɪtə] *s* **1** inredare; målare, tapetserare **2** inredningsarkitekt

interior design [ɪnˌtɪərɪədɪˈzaɪn] *s* inredningsarkitektur, heminredning

interior designer [ɪnˌtɪərɪədɪˈzaɪnə] *s* inredningsarkitekt

interior-sprung [ɪnˌtɪərɪəˈsprʌŋ] *adj*, ~ *mattress* resårmadrass

interject [ˌɪntəˈdʒekt] *vb tr* skjuta (kasta) in [~ *a remark*]; utropa

interjection [ˌɪntəˈdʒekʃ(ə)n] *s* **1** inkast, inpass **2** utrop **3** gram. interjektion, utropsord

interlace [ˌɪntəˈleɪs] **I** *vb tr* fläta samman ofta bildl.; fläta in, blanda [in]; ~ *sth with…* fläta in …i (bland) ngt; ~*d pattern* flätmönster, slingmönster

II *vb itr* vara sammanflätad (sammanvävd), bilda flätmönster

interlard [ˌɪntəˈlɑːd] *vb tr* späcka ofta bildl.

interleave [ˌɪntəˈliːv] *vb tr* interfoliera [~ *a book*]

interlinear [ˌɪntəˈlɪnɪə] *adj* [skriven (tryckt)] mellan raderna [~ *translation*]; mellanradig; med inskrivningar mellan raderna

interlink [ˌɪntəˈlɪŋk] *vb tr* länka samman

interlock [ˌɪntəˈlɒk] **I** *vb itr* gripa (gå [in], klaffa) i varandra, hänga ihop; kopplas samman; vara sammankopplad (synkroniserad) **II** *vb tr* spärra, låsa; fläta ihop, knyta tätt samman; synkronisera, koppla samman

interlocking [ˌɪntəˈlɒkɪŋ] *adj* som griper i varandra, sammankopplad

interlocutor [ˌɪntəˈlɒkjʊtə] *s* interlokutör, deltagare i samtal

interloper [ˈɪntələʊpə] *s* inkräktare; påträngande (beskäftig) person, person som blandar sig i saker och ting

interlude [ˈɪntəluːd, -ljuːd] *s* mellanspel äv. bildl.; uppehåll, paus; intervall; *~s of bright weather* tidvis uppklarnande [väder]

intermarriage [ˌɪntəˈmærɪdʒ] *s* **1** giftermål[sförbindelse] mellan personer av olika religion, familj, ras o.d., blandäktenskap **2** ingifte giftermål mellan nära släktingar

intermarry [ˌɪntəˈmærɪ] *vb itr* **1** om familjer, raser o.d. förenas genom giftermål [*with* med andra familjer o.d.], gifta sig med varandra; ingå blandäktenskap **2** praktisera ingifte, gifta sig inom släkten (stammen o.d.)

intermediary [ˌɪntəˈmiːdɪərɪ] **I** *adj* **1** förmedlande, som uppträder som mellanhand (mellanled); mäklar- **2** mellanliggande, mellan- **II** *s* **1** mellanhand, mäklare; förmedlare **2** medel; mellanled

intermediate [ˌɪntəˈmiːdɪət] *adj* mellanliggande; som utgör ett övergångsstadium; mellan-

intermediate heat [ˌɪntəˈmiːdɪəthiːt] *s* sport. mellanheat

intermediate landing [ɪntəˌmiːdɪətˈlændɪŋ] *s* mellanlandning

intermediate-range ballistic missile [ˌɪntəˈmiːdɪətreɪn(d)ʒbəˌlɪstɪkˈmɪsaɪl] *s* medeldistans[mark]robot

intermediate school [ˌɪntəˈmiːdɪətskuːl] *s* amer., se *junior high school* under *high school*

intermediate stage [ˌɪntəˈmiːdɪətsteɪdʒ] *s* mellanstadium, övergångsstadium

intermediate technology [ˌɪntəmiːdɪəttekˈnɒlɒdʒɪ] *s* praktisk teknologi som är billig och enkel och därför lämplig i u-länder

intermediate time [ˌɪntəˈmiːdɪəttaɪm] *s* sport. mellantid

interment [ɪnˈtɜːmənt] *s* begravning, gravsättning

intermezzo [ˌɪntəˈmetsəʊ, -ˈmedzɪəʊ] (pl. -*os* el. -*i* [-iː]) *s* intermezzo, mellanspel äv. bildl.

interminable [ɪnˈtɜːmɪnəbl] *adj* oändlig, ändlös; som aldrig tycks vilja ta slut, långtråkig

interminably [ɪnˈtɜːmɪnəblɪ] *adv* i det oändliga, i [all] oändlighet

intermingle [ˌɪntəˈmɪŋgl] **I** *vb tr* blanda [*with* med];

blanda in [*with* i] **II** *vb itr* blanda sig; umgås [med varandra], träffas

intermission [ˌɪntəˈmɪʃ(ə)n] *s* **1** uppehåll, avbrott, paus [*without* ~] **2** teat. mellanakt

intermittent [ˌɪntəˈmɪt(ə)nt] *adj* intermittent, [ofta] avbruten; ojämn, oregelbunden [~ *pulse*]; periodisk, periodiskt återkommande, som kommer och går [~ *pain*]

intermittent claudication [ˌɪntəˈmɪt(ə)ntˌklɔːdɪˈkeɪʃ(ə)n] *s* med. intermittent hälta; vard. fönstertittarsjuka

intermittently [ˌɪntəˈmɪt(ə)ntlɪ] *adv* ryckvis, stötvis; ojämnt; periodiskt; emellanåt

intermix [ˌɪntəˈmɪks] **I** *vb tr* blanda; blanda in **II** *vb itr* blanda sig

1 intern [ɪnˈtɜːn] *vb tr* internera, spärra in

2 intern [ˈɪntɜːn] *s* amer. **1** ung. allmäntjänstgörande läkare (AT-läkare) **2** lärarkandidat **3** praktikant

internal [ɪnˈtɜːnl] *adj* inre; invärtes, invändig; inner- [~ *ear*]; för invärtes bruk [*an* ~ *remedy*]; inhemsk, inrikes[-]; inneboende i ngt, andlig; subjektiv; intern

internal combustion engine [ɪnˌtɜːnlkəmˈbʌstʃ(ə)n,en(d)ʒɪn] *s* förbränningsmotor

internal evidence [ɪnˌtɜːnlˈevɪd(ə)ns] *s* inre bevis

internally [ɪnˈtɜːnəlɪ] *adv* i det inre, invärtes; i sitt inre, inom sig

internal medicine [ɪnˌtɜːnlˈmeds(ə)n] *s* invärtes medicin, internmedicin

internal memory [ɪnˌtɜːnlˈmemərɪ] *s* data. internminne

Internal Revenue [ɪnˌtɜːnlˈrevənjuː] *s*, *the* ~ *Service* (förk. *IRS*) el. *the* ~ amerikanska skatteverket

international [ˌɪntəˈnæʃ(ə)nl] **I** *adj* **1** internationell, mellanfolklig; världsomfattande, världs- [*the* ~ *community*]; utrikes, till utlandet [~ *call*; ~ *money order*], sport. el. tele. lands- [~ *team*; ~ *code*] **2** i Storbritannien, *the Department for International Development* (förk. *DFID*) ung. biståndsdepartementet; *Secretary of State for International Development* ung. biståndsminister **II** *s* sport. **1** internationell tävling; landskamp **2** deltagare i internationella tävlingar; landslagsspelare

International Court of Justice [ˌɪntəˈnæʃ(ə)nlˌkɔːtəvˈdʒʌstɪs] (förk. *ICJ*) *s*, *the* ~ Internationella domstolen i Haag, Haagdomstolen

International Date Line [ˌɪntəˈnæʃ(ə)nlˈdeɪtlaɪn] *s*, *the* ~ internationella datumlinjen, datumgränsen

internationalism [ˌɪntəˈnæʃnəlɪz(ə)m] *s* internationalism

internationalist [ˌɪntəˈnæʃnəlɪst] *s* internationalist

internationalization [ˈɪntəˌnæʃnəlaɪˈzeɪʃ(ə)n] *s* internationalisering

internationalize [ˌɪntəˈnæʃnəlaɪz] *vb tr* internationalisera

International Monetary Fund [ˌɪntəˈnæʃ(ə)nlˈmʌnɪt(ə)rɪfʌnd] (förk. *IMF*) *s*, *the* ~ Internationella valutafonden

internaut [ˈɪntənɔːt] *s* data. internetanvändare

internecine [ˌɪntəˈniːsaɪn] *adj* förödande för alla parter [~ *war*]; inbördes [~ *struggle*]

internee [ˌɪntɜːˈniː] s internerad person; **the ~s** de internerade, internerna, fångarna

Internet [ˈɪntənet] s data., **the ~** Internet; **order off the ~** beställa på (från, via) Internet (nätet); **surf the ~** surfa på Internet (nätet); **on the ~** på Internet (nätet); **over the ~** över (via) Internet (nätet)

Internet banking [ˌɪntənetˈbæŋkɪŋ] s internetbank

Internet café [ˌɪntənetˈkæfeɪ] s internetkafé

Internet service provider [ˌɪntənetˈsɜːvɪsprəˌvaɪdə] s data., se *ISP*

internist [ɪnˈtɜːnɪst] s amer. internist, invärtesläkare

internment [ɪnˈtɜːnmənt] s internering

internment camp [ɪnˈtɜːnməntkæmp] s interneringsläger

inter-office [ˌɪntərˈɒfɪs] adj inom företaget, intern [~ *memo*]

interpenetrate [ˌɪntəˈpenɪtreɪt] **I** vb tr tränga in i, genomtränga **II** vb itr tränga in i (genomtränga) varandra

interpersonal [ˌɪntəˈpɜːs(ə)nəl] adj mellanmänsklig; **~ relations** äv. [personliga] ömsesidiga relationer

interplanetary [ˌɪntəˈplænɪt(ə)rɪ] adj interplanetarisk, mellan planeter[na]

interplay [ˈɪntəpleɪ] s samspel; växelverkan; skiftning [~ *of* (mellan) *light and shade*]

Interpol [ˈɪntəpɒl] s (förk. för *International Criminal Police Organization*) Interpol

interpolate [ɪnˈtɜːpə(ʊ)leɪt] vb tr **1** interpolera, skjuta in, inflicka ord o.d. i text, förfalska genom tillägg **2** matem. interpolera

interpolation [ɪnˌtɜːpə(ʊ)ˈleɪʃ(ə)n] s **1** interpolering, interpolation, textförfalskning; tillägg **2** matem. interpolation

interpose [ˌɪntəˈpəʊz] **I** vb tr **1** sätta (anbringa) emellan; komma hindrande emellan med; inlägga [~ *a veto*] **2** skjuta in, inflicka [~ *a question*] **II** vb itr **1** gå (träda) emellan, medla [~ *in a quarrel*]; ingripa, inskrida; lägga sig ut **2** avbryta, falla in [*'what do you mean?' she ~d*]

interpret [ɪnˈtɜːprɪt] **I** vb tr tolka, tyda, uttolka, uttyda; förklara **II** vb itr tjänstgöra som (vara) tolk, tolka [*for* åt]

interpretation [ɪnˌtɜːprɪˈteɪʃ(ə)n] s tolkning; tydning, förklaring; interpretation; **put a wrong ~ on sth** tolka ngt på fel sätt (fel), ge ngt en oriktig tolkning

interpretative [ɪnˈtɜːprɪtətɪv, -teɪt-] adj tolkande, förklarande; tolknings-

interpreter [ɪnˈtɜːprɪtə] s **1** tolk äv. data.; uttolkare; **~ of dreams** drömtydare; **~ program** data. tolkprogram **2** interpret, återgivare, tolkare, framställare [~ *of a role*]

interpretive centre [ɪnˈtɜːprətɪvˌsentə] s ung. turistanläggning [med museum, cafeteria, souvenirshop] vid sevärdhet utomhus

interracial [ˌɪntəˈreɪʃəl] adj mellan (för) [personer av] skilda raser

interrail [ˌɪntəˈreɪl] vb itr tågluffa

interregn|um [ˌɪntəˈregn|əm] (pl. -a [-ə] el. -ums) s interregnum, bildl. äv. mellantid, avbrott, paus

interrelate [ˌɪntərɪˈleɪt] vb itr stå i ett inbördes förhållande (nära förbund) [*with* till, med], hänga ihop [med varandra]

interrelated [ˌɪntərɪˈleɪtɪd] adj besläktade [med

varandra], som hänger ihop [med varandra]; **an ~ series of experiments** en serie av besläktade (samordnade) experiment

interrelation [ˌɪntərɪˈleɪʃ(ə)n] s inbördes förhållande

interrelationship [ˌɪntərɪˈleɪʃ(ə)nʃɪp] s inbördes förhållande (samband)

interrogate [ɪnˈterə(ʊ)geɪt] vb tr fråga ut; förhöra [~ *a witness*]

interrogation [ɪnˌterə(ʊ)ˈgeɪʃ(ə)n] s **1** utfrågning, förhör; **under ~** i förhör, vid förhör **2** fråga; **mark of ~** frågetecken

interrogation mark [ɪnˌterə(ʊ)ˈgeɪʃ(ə)nmɑːk] s frågetecken

interrogative [ˌɪntəˈrɒgətɪv] **I** adj frågande [*an ~ look*], gram. äv. fråge-, interrogativ **II** s gram. frågeord

interrogator [ɪnˈterə(ʊ)geɪtə] s förhörsledare, utfrågare

interrogatory [ˌɪntəˈrɒgət(ə)rɪ] adj frågande, fråge-

interrupt [ˌɪntəˈrʌpt] **I** vb tr avbryta [~ *the speaker*; ~ *one's work*]; förorsaka avbrott i; störa; stänga, skymma [~ *the view*] **II** vb itr avbryta [*don't ~!*]

interruption [ˌɪntəˈrʌpʃ(ə)n] s avbrytande; [störande] avbrott; uppehåll, paus

intersect [ˌɪntəˈsekt] **I** vb tr skära, korsa; **~ed with** el. **~ed by** genomskuren (genomkorsad) av **II** vb itr skära varandra, korsas

intersection [ˌɪntəˈsekʃ(ə)n] s **1** gatukorsning, vägkorsning **2** skärning, korsning; genomskärning **3** spec. geom. skärningspunkt

intersperse [ˌɪntəˈspɜːs] vb tr strö in, blanda in, inmänga; blanda upp, interfoliera, späcka, krydda [*a speech ~d with witty remarks*]

interstate [ˈɪntəsteɪt] **I** adj mellan stater[na] i USA, mellanstatlig **II** s motorväg (huvudväg) mellan stater i USA

interstellar [ˌɪntəˈstelə] adj interstellär, mellan stjärnor[na]

interstice [ɪnˈtɜːstɪs] s [litet] mellanrum; springa

intertraptic [ˌɪntəˈtræptɪk] adj språkv. intertraptisk

intertwine [ˌɪntəˈtwaɪn] **I** vb tr fläta samman **II** vb itr slingra (sno) ihop sig, slingra (sno) sig om varandra

interval [ˈɪntəv(ə)l] s **1** mellanrum i tid o. rum, intervall; mellantid, avbrott, mellanstund [*between* mellan]; teat. o.d. mellanakt; paus, rast; **bright ~s** tidvis uppklarnande [väder]; **at ~s** a) med intervaller, med pauser emellan, då och då, emellanåt b) med [vissa] mellanrum; **at long ~s** med långa mellanrum **2** mus. intervall, tonavstånd

interval training [ˈɪntəv(ə)lˌtreɪnɪŋ] s sport. intervallträning

intervene [ˌɪntəˈviːn] vb itr **1** komma emellan (i vägen) [*if nothing ~s*]; inträffa under tiden, tillstöta **2** intervenera; ingripa [~ *in the debate*]; inskrida; gå (träda) emellan, medla [*in i*]; **~ between** medla mellan, gå emellan **3** infalla

intervening [ˌɪntəˈviːnɪŋ] adj mellanliggande; **in the ~ years** äv. under åren däremellan

intervention [ˌɪntəˈvenʃ(ə)n] s intervention, ingripande; inskridande, mellankomst, medling

interventionist [ˌɪntəˈvenʃ(ə)nɪst] adj interventionistisk, interventions- [~ *policy*]

interview ['ɪntəvjuː] **I** *s* intervju; samtal, sammanträffande; **call sb for** ~ kalla ngn till intervju; **obtain an** ~ **with** a) få företräde hos b) få en intervju med
II *vb tr* ha en intervju (ett samtal) med [~ *all applicants for the job*]; fråga ut, intervjua
interviewee [ˌɪntəvjuːˈiː] *s* intervjuobjekt; **the** ~ äv. den intervjuade
interviewer ['ɪntəvjuːə] *s* intervjuare
interwar [ˌɪntəˈwɔː] *adj* mellankrigs- [~ *period*]
interweave [ˌɪntəˈwiːv] (*interwove interwoven*) *vb tr* väva (fläta) samman [*with* med]; väva (fläta) in äv. bildl.
interwove [ˌɪntəˈwəʊv] imperf. av *interweave*
interwoven [ˌɪntəˈwəʊv(ə)n] **I** perf. p. av *interweave*
II *adj* sammanvävd, inflätad; textil. genomvävd
intestacy [ɪnˈtestəsɪ] *s* frånfälle utan efterlämnat testamente
intestate [ɪnˈtestət] *adj* **1** *die* ~ dö utan att efterlämna testamente **2** otestamenterad [~ *property*]
intestinal [ɪnˈtestɪnl] *adj* tarm- [~ *canal*]; inälvs- [~ *worm*]; ~ **disorders** tarmbesvär
intestines [ɪnˈtestɪnz] *s pl* anat. tarmar; inälvor
intifada [ˌɪntɪˈfɑːdə] *s* intifadan palestinskt uppror mot Israel 1987
intimacy ['ɪntɪməsɪ] *s* **1** förtrolighet; förtroligt (nära) förhållande; intim bekantskap; umgänge [*with* med]; intimitet **2** intimt (sexuellt) förhållande
intimate [adj. o. subst. 'ɪntɪmət, verb 'ɪntɪmeɪt] **I** *adj* **1** förtrolig, innerlig, intim [~ *friendship; an* ~ *acquaintance with*]; [mycket] nära [~ *connection*]; ingående, djup [*an* ~ *knowledge of*]; **be on** ~ **terms with** a) vara god vän med, stå på förtrolig fot med b) ha ett förhållande med **2** *be* ~ ha intimt (sexuellt) umgänge
II *s* förtrogen vän, förtrogen
III *vb tr* **1** tillkännage, meddela **2** antyda, låta förstå
intimation [ˌɪntɪˈmeɪʃ(ə)n] *s* **1** tillkännagivande, meddelande **2** antydan, vink; tecken
intimidate [ɪnˈtɪmɪdeɪt] *vb tr* skrämma [*into doing sth* [till] att göra ngt], injaga fruktan (skräck) hos; avskräcka, trakassera; terrorisera
intimidated [ɪnˈtɪmɪdeɪtɪd] *adj* bortkommen, osäker
intimidating [ɪnˈtɪmɪdeɪtɪŋ] *adj* skrämmande, avskräckande [*for, to* för]
intimidation [ɪnˌtɪmɪˈdeɪʃ(ə)n] *s* skrämsel; hotelser
into ['ɪntʊ, framför konsonantljud äv. 'ɪntə] *prep* (se äv. under resp. huvudord) **1** om rörelse, riktning o.d. in i [*come* ~ *the house*]; ned i [*jump* ~ *the boat*]; upp i [*get* ~ *the upper berth*]; ut i [*come* ~ *the garden*]; fram i [*come* ~ *the light*]; i [*look* ~ *the box*]; in på [*go* ~ *a restaurant*]; ut på [*rush* ~ *the street; go* ~ *the country*]; ned på [*jump from the window* ~ *the street*]; på [*go out* ~ *the country*] **2** bildl. **a)** i; *fall* ~ *disgrace* råka (falla) i onåd; *get* ~ *conversation* komma i samspråk (samtal); **get** ~ **difficulties** råka i svårigheter; **run** ~ **debt** sätta sig i skuld **b)** till [*change* ~; *alter* ~; *turn water* ~ *wine*]; **develop** ~ utveckla [sig] till; **frighten sb** ~ **submission** skrämma ngn till underkastelse; **translate** ~ **English** översätta

till engelska **c)** in på [*get* ~ *details*]; **far [on]** ~ **the night** [till] långt in på natten; **he's** ~ **his thirties** han är över (drygt) trettio **d)** om, angående [*an inquiry* ~ *school violence*] **e)** matem. i, delat med (i) [*2* ~ *10 is 5*] **3** ~ **the bargain** [till] på köpet, dessutom, till yttermera visso **4** vard., **be** ~ **sth** vara intresserad av ngt, syssla med ngt **5** amer. vard., **be** ~ **sb for sth** vara skyldig ngn ngt
intolerable [ɪnˈtɒl(ə)rəbl] *adj* outhärdlig, odräglig, intolerabel, oacceptabel [*to* för], olidlig [~ *pain*]
intolerance [ɪnˈtɒlər(ə)ns] *s* ofördragsamhet, intolerans [*against* mot]; överkänslighet [~ *to* (för) *drugs*]
intolerant [ɪnˈtɒlər(ə)nt] *adj* ofördragsam, intolerant; oförmögen att uthärda (fördraga) [*of sth* ngt]
intonation [ˌɪntə(ʊ)ˈneɪʃ(ə)n] *s* **1** fonet. intonation, musikalisk accent **2** mus. intonation
intone [ɪnˈtəʊn] *vb tr* o. *vb itr* **1** läsa sjungande (entonigt) [~ *a prayer*]; mässa **2** mus. el. fonet. intonera
intoxicant [ɪnˈtɒksɪkənt] *s* berusningsmedel, rusdryck
intoxicated [ɪnˈtɒksɪkeɪtɪd] *adj* berusad äv. bildl., yr i huvudet [*with, by* av]; ~ **with joy** äv. yr (rusig) av glädje, glädjedrucken; **slightly** ~ äv. [lätt] spritpåverkad; **driving while** ~ (förk. *DWI*) amer., se *driving II*
intoxicating [ɪnˈtɒksɪkeɪtɪŋ] *adj* [be]rusande, rusgivande; ~ **liquor** rusdryck
intoxication [ɪnˌtɒksɪˈkeɪʃ(ə)n] *s* **1** berusning äv. bildl., rus **2** med. förgiftning, intoxikation
intr. förk. för *intransitive*
intractable [ɪnˈtræktəbl] *adj* motspänstig, obändig; omedgörlig; oregerlig; svårbehandlad, svårbearbetad
intranet ['ɪntrənet] *s* data. intranät företagsinternt nätverk baserat på TCP/IP
intransigence [ɪnˈtrænsɪdʒ(ə)ns, -ˈtrɑːns-] *s* omedgörlighet, oförsonlighet, orubblighet; intransigens
intransigent [ɪnˈtrænsɪdʒ(ə)nt, -ˈtrɑːn-] *adj* omedgörlig, oförsonlig, benhård, orubblig; intransigent
intransitive [ɪnˈtrænsətɪv, -ˈtrɑːns-] gram. **I** *adj* intransitiv **II** *s* intransitivt verb
intrauterine [ˌɪntrəˈjuːtəraɪn] *adj* med. livmoders-, i livmodern
intrauterine device [ˌɪntrəjuːtəraɪndɪˈvaɪs] *s* se *IUD*
intravenous [ˌɪntrəˈviːnəs] *adj* med. intravenös
in tray ['ɪntreɪ] *s* korg (låda) för ingående post
intrepid [ɪnˈtrepɪd] *adj* oförskräckt, modig [*an* ~ *explorer*]; orädd
intrepidity [ˌɪntrəˈpɪdətɪ] *s* oförskräckthet, mod, oräddhet
intricacy ['ɪntrɪkəsɪ, -'---] *s* invecklad beskaffenhet, krånglighet, trasslighet; virrvarr
intricate ['ɪntrɪkət] *adj* **1** invecklad [*an* ~ *piece of machinery*]; intrikat, krånglig, trasslig, kinkig **2** tilltrasslad äv. bildl. [*an* ~ *plot*]; hoptrasslad; slingrande, labyrintisk, förvillande; snirklad
intrigue [ɪnˈtriːg] **I** *vb tr* väcka intresse (nyfikenhet) hos [*the news* ~*d us*]; försätta i spänning; fängsla [*the puzzle* ~*d her*]; förbrylla **II** *vb itr* intrigera,

smida ränker, stämpla [*against* mot] **III** *s*
intrig[erande], ränksmideri, ränker, stämplingar,
[onda] anslag

intrigued [ɪn'triːgd] *adj* fängslad, lockad;
förbryllad; *she was* ~ *to know* [*what he thought about
the movie*] hon var spänd på att få veta...

intriguer [ɪn'triːgə] *s* intrigmakare, ränksmidare

intriguing [ɪn'triːgɪŋ] *adj* fängslande, spännande;
intressant; förbryllande; underfundig, illmarig [*an*
~ *smile*]

intrinsic [ɪn'trɪnsɪk] *adj* inre, inneboende [*the* ~
power]; egentlig, verklig, reell [*the* ~ *value of a
coin*]

intrinsically [ɪn'trɪnsɪk(ə)lɪ] *adv* i sig själv[t], i sitt
innersta väsen; på grund av eget (sitt inneboende)
värde; egentligen, verkligen, reellt

intro ['ɪntrəʊ] (pl. ~s) *s* vard. kortform av *introduction*

introduce [ˌɪntrə'djuːs] *vb tr* **1** presentera, föreställa
[*to* för]; introducera [*into* vid, i, hos; *to* vid, i,
hos]; ~ *oneself* presentera sig **2** införa, introducera,
föra in [*into* i; ~ *new ideas*]; lansera [~ *a new
product*]; komma [upp] med; infoga i, foga till [~
amendments into a bill]; *be* ~*d* äv. komma i bruk,
börja användas **3** föra in, sticka in [~ *a tube into a
wound*] **4** inleda, börja [på] **5** göra bekant, låta
stifta bekantskap [*to sth* med ngt]

introduction [ˌɪntrə'dʌkʃ(ə)n] *s* **1** introduktion,
införande [*the* ~ *of a new fashion*] **2** introduktion,
inledning [*to* till]; *by way of* ~ inledningsvis; *An
Introduction to Phonetics* som boktitel Inledning till
fonetiken, Handledning i fonetik **3** presentation
[*to* för], introduktion; *letter of* ~
rekommendationsbrev, introduktionsbrev
4 förspel, introduktion; upptakt

introductory [ˌɪntrə'dʌkt(ə)rɪ] *adj* inledande,
inlednings-, introduktions- [~ *course*]

introspection [ˌɪntrə(ʊ)'spekʃ(ə)n] *s* psykol.
introspektion, självakttagelse

introspective [ˌɪntrə(ʊ)'spektɪv] *adj* psykol.
introspektiv, självakttagande, inåtvänd

introversion [ˌɪntrə(ʊ)'vɜːʃ(ə)n] *s* inåtvändhet,
slutenhet; psykol. introversion

introvert ['ɪntrə(ʊ)vɜːt] **I** *adj* inåtvänd, sluten [*an* ~
person], psykol. introvert **II** *s* psykol. inåtvänd
(sluten, introvert) person

introverted [ˌɪntrə(ʊ)'vɜːtɪd] *adj* inåtvänd, sluten;
psykol. introvert

intrude [ɪn'truːd] *vb itr* **1** tränga (truga) sig på [*on
sb, upon sb* ngn]; inkräkta; komma objuden
(obelägligt); *I hope I'm not intruding* jag hoppas jag inte
[kommer och] stör, jag stör väl inte **2** tränga in
[*into* i]

intruder [ɪn'truːdə] *s* inkräktare, inträngling,
objuden (ovälkommen) gäst; besvärlig människa,
påhäng

intrusion [ɪn'truːʒ(ə)n] *s* **1** inkräktande, inhopp,
intrång [*on* på; *upon* på, i], störning [*on, upon*
av]; inträngande [*into* i]; opåkallad inblandning
2 påflugenhet, påträngande

intrusive [ɪn'truːsɪv] *adj* **1** inkräktande, störande;
inträngande **2** påflugen, påträngande;
ovälkommen; efterhängsen

intuit [ɪn'tjuːɪt] *vb tr* o. *vb itr* inse (uppfatta, veta)
intuitivt (omedelbart)

intuition [ˌɪntjʊ'ɪʃ(ə)n] *s* **1** intuition, omedelbar
(instinktiv) uppfattning (insikt) **2** ingivelse; känsla

intuitive [ɪn'tjuːɪtɪv] *adj* intuitiv; i besittning av
intuition; *be* ~ äv. ha intuition

Inuit ['ɪnjʊɪt] *s* inuit eskimå i Nordamerika el. Grönland

inundate ['ɪnʌndeɪt] *vb tr* översvämma äv. bildl.
[*with* med]; *be* ~*d with letters* äv. [hålla på att]
drunkna i brev

inundation [ˌɪnʌn'deɪʃ(ə)n] *s* översvämning äv. bildl.,
flöde; bildl. äv. ström, mängd [*an* ~ *of visitors*]

inure [ɪ'njʊə, -jɔː] *vb tr* vänja; härda [*to* vid; *mot*]

invade [ɪn'veɪd] **I** *vb tr* **1** invadera, tränga
(marschera) in i, göra invasion i, ockupera; om
sjukdomar angripa; om känslor gripa, fylla, bemäktiga
sig; bildl. äv. översvämma; *an invading army* en
invasionsarmé **2** kränka [~ *sb's rights*]; inkräkta
på, göra intrång i
II *vb itr* tränga (marschera) in, göra invasion

invader [ɪn'veɪdə] *s* inkräktare, invaderande
[fiende], angripare

1 invalid [ɪn'vælɪd] *adj* ogiltig äv. data. [*an* ~ *cheque*;
declare ~]; utan laga kraft [*an* ~ *claim*]; som inte
gäller (duger) [*an* ~ *argument*; *an* ~ *excuse*]

2 invalid [subst. o. adj. 'ɪnvəlɪd, -liːd, verb 'ɪnvəliːd, -lɪd]
I *s* sjukling; [kroniskt] sjuk; invalid
II *adj* sjuklig, klen [*an* ~ *aunt*]; sjuk- [~ *diet*];
funktionshindrad, handikappad; invalid-; mil.
oduglig till aktiv tjänst (krigstjänst) [~ *soldiers*]; ~
car invalidbil
III *vb tr* o. *vb itr* spec. mil., *be* ~*ed out* skickas hem
som sjuk (skadad, oduglig till aktiv tjänst, invalid)

invalidate [ɪn'vælɪdeɪt] *vb tr* göra ogiltig,
ogiltigförklara, upphäva; kullkasta [~ *arguments*]

1 invalidity [ˌɪnvə'lɪdətɪ] *s* sjuklighet; invaliditet

2 invalidity [ˌɪnvə'lɪdətɪ] *s* ogiltighet

invalidity insurance [ˌɪnvə'lɪdətɪɪnˌʃʊər(ə)ns] *s*
invaliditetsförsäkring

invaluable [ɪn'væljʊ(ə)bl] *adj* ovärderlig

invariable [ɪn'veərɪəbl] *adj* oföränderlig, invariabel;
[be]ständig; spec. matem. konstant

invariably [ɪn'veərɪəblɪ] *adv* oföränderligt,
konstant; ständigt, alltid, undantagslöst

invasion [ɪn'veɪʒ(ə)n] *s* **1** invasion äv. bildl. [*an* ~ *of
tourists*]; [fientligt] infall, ockupation
2 inkräktande, intrång [*of* i, på; ~ *of a right*];
kränkning; ~ *of privacy* kränkning av privatlivets
helgd

invasive [ɪn'veɪsɪv] *adj* **1** med. invasiv **2** invasions-
[~ *forces*]; invaderande, inträngande; infallande,
anfallande, angripande

invective [ɪn'vektɪv] *s* invektiv, smädelser,
skymford, glåpord, skällsord

inveigh [ɪn'veɪ] *vb itr*, ~ *against* fara ut (rasa) mot;
okväda, smäda

inveigle [ɪn'veɪgl, ɪn'viːgl] *vb tr* locka, förleda, lura
[*sb into sth* ngn till ngt; *sb into doing sth* ngn till
att göra ngt]

invent [ɪn'vent] *vb tr* **1** uppfinna **2** hitta på, tänka
ut; dikta upp

invention [ɪn'venʃ(ə)n] *s* **1** uppfinning [*Edison's* ~*s*];
påfund, [ren] dikt (lögn), fantasifoster; *it is pure* ~
det är rena [rama] fantasierna **2** uppfinnande [*the*
~ *of the telephone*]; uppfinningsförmåga,

uppfinningsrikedom; *necessity is the mother of ~*
nöden är uppfinningarnas moder **3** mus. invention
inventive [ɪn'ventɪv] *adj* **1** uppfinningsrik, fyndig,
påhittig **2** uppfinnings- [~ *power*]; uppfinnar- [~
genius (förmåga)]
inventor [ɪn'ventə] *s* uppfinnare
inventory ['ɪnvəntrɪ] *s* **1** inventarieförteckning,
lösöreförteckning, varuförteckning, inventarium;
bouppteckning; *make an ~ of sth* el. *take an ~ of sth* el.
draw up an ~ of sth upprätta [en]
[inventarie]förteckning över ngt, inventera ngt
2 inventering **3** amer. inventarier; lager, förråd
inverse [ˌɪn'vɜːs] *adj* omkastad; motsatt; *in ~*
proportion to el. *in ~ ratio to* omvänt proportionell
mot
inversion [ɪn'vɜːʃ(ə)n] *s* inversion, omvändning båda
äv. mus., omkastning; spegelvändning; gram.
omvänd ordföljd
invert [ɪn'vɜːt] *vb tr* vända upp och ned [på] [~ *a*
glass]; kasta (vända, flytta) om [~ *the word order*];
spegelvända
invertebrate [ɪn'vɜːtɪbrət, -breɪt] zool. **I** *s*
ryggradslöst djur **II** *adj* ryggradslös
inverted [ɪn'vɜːtɪd] *adj* upp och nedvänd; omvänd,
omkastad, omflyttad; spegelvänd; *in ~ order* i
omvänd ordning; *~ word order* gram. omvänd
ordföljd
inverted commas [ɪnˌvɜːtɪd'kɒməz] *s pl*
anföringstecken, citationstecken; *in ~* med
anföringstecken (citationstecken)
invest [ɪn'vest] **I** *vb tr* **1** investera, placera [~ *money*
in (i) *stocks*]; satsa äv. bildl. [~ *time and energy in a*
project] **2** installera [~ *sb in an office*] **3** ~ *with*
utrusta med, förse med [~ *sb with power*]; ~ *sb with*
full authority]; tilldela; inge, förläna, skänka;
inhölja i, omge med
II *vb itr* investera, placera pengar (kapital) [~ *in*
stocks]; satsa [*in* på; *a failure to* ~ *in new talents*],
vard. lägga ut (ner) pengar [*in* på], ~ *in* vard. äv. kosta
på sig [~ *in a new coat*]
investigate [ɪn'vestɪɡeɪt] *vb tr* utforska,
undersöka; utreda, försöka klara upp [~ *a crime*]
investigation [ɪnˌvestɪ'ɡeɪʃ(ə)n] *s* undersökning,
utredning [*into* angående, av; *of* av]
investigative [ɪn'vestɪɡeɪtɪv] *adj* [ut]forskande,
forsknings-, undersöknings-, undersökande;
utrednings-; ~ *journalism* el. ~ *reporting*
undersökande journalistik
investigator [ɪn'vestɪɡeɪtə] *s* forskare;
undersökare; utredare; *private ~* privatdetektiv
investiture [ɪn'vestɪtʃə] *s* **1** ordensutdelning
ceremonin **2** insättande (installerande) [i ämbete]
investment [ɪn'ves(t)mənt] *s* investering,
investerings- [~ *bank*; ~ *fund*]; placering [~ *of*
money in stocks]; satsning äv. bildl. [~ *of time and*
energy]; kapitalplacering
investment company [ɪn'ves(t)mənt,kʌmp(ə)nɪ] *s* o.
investment trust [ɪn'ves(t)mənttrʌst] *s*
investmentbolag
investor [ɪn'vestə] *s* investerare; aktieägare
inveterate [ɪn'vet(ə)rət] *adj* inrotad, ingrodd [*an ~*
habit; ~ *prejudices*]; oförbätterlig, inbiten [*an ~*
smoker]
invidious [ɪn'vɪdɪəs] *adj* olycklig, stötande,

betänklig, som väcker ont blod (ovilja); orättvis
(orättfärdig); förhatlig, förargelseväckande; *make*
~ *distinctions* göra åtskillnad; *make ~ comparisons*
göra orättvisa jämförelser
invigilate [ɪn'vɪdʒɪleɪt] *vb itr* vakta, hålla (ha) vakt
vid examensskrivning
invigilation [ɪnˌvɪdʒɪ'leɪʃ(ə)n] *s* vakt[hållning] vid
examensskrivning
invigilator [ɪn'vɪdʒɪleɪtə] *s* skol. o.d. skrivvakt
invigorate [ɪn'vɪɡəreɪt] *vb tr* stärka, styrka, liva
[upp]; friska upp
invigorating [ɪn'vɪɡəreɪtɪŋ] *adj* stärkande [*an ~*
climate; *an ~ sleep*]; upplivande [*an ~ speech*];
uppfriskande
invincibility [ɪnˌvɪnsɪ'bɪlətɪ] *s* oövervinnlighet äv.
bildl.
invincible [ɪn'vɪnsəbl] *adj* oövervinnlig äv. bildl.
inviolability [ɪnˌvaɪələ'bɪlətɪ] *s* okränkbarhet
inviolable [ɪn'vaɪələbl] *adj* okränkbar [*an ~ law*];
oantastlig; obrottslig, helig [*an ~ oath*; *an ~*
promise]; orygglig
inviolate [ɪn'vaɪələt] *adj* **1** okränkt, orörd, obruten,
oantastad; ej profanerad **2** okränkbar, oantastlig
invisibility [ɪnˌvɪzə'bɪlətɪ] *s* osynlighet
invisible [ɪn'vɪzəbl] *adj* osynlig [*to* för]; ~ *exports*
hand. osynlig export; ~ *ink* osynligt bläck; ~ *mending*
konststoppning
invitation [ˌɪnvɪ'teɪʃ(ə)n] *s* **1** inbjudan, invitation
[*to sth* till ngt; *to doing* att göra] **2** kallelse; invit,
uppmaning [*his sneer was an ~ to a fight*];
anmodan **3** lockelse, frestelse, invit
invitation card [ˌɪnvɪ'teɪʃ(ə)nkɑːd] *s*
inbjudningskort
invite [verb ɪn'vaɪt, subst. 'ɪnvaɪt] **I** *vb tr* **1** [in]bjuda,
invitera [~ *sb to* (till, på) *dinner*; ~ *sb to give a talk*];
~ *sb to one's house* bjuda hem ngn **2 a)** be,
uppmana, inbjuda [~ *sb to negotiations*]; anmoda,
begära [*sb to do sth* ngn [till] att göra ngt] **b)** be
om; inbjuda (locka) till, fresta; framkalla, ge
anledning till; dra till sig
II *vb tr* med adv. el. prep.:
invite sb along bjuda med ngn
invite sb back bjuda med ngn tillbaka till hemmet
(hotellet etc.)
invite sb in bjuda ngn [att stiga] in
invite sb over el. **invite sb round** bjuda över ngn till sig
III *s* vard. inbjudning
inviting [ɪn'vaɪtɪŋ] *adj* inbjudande; lockande,
frestande; attraktiv
in vitro [ɪn'viːtrəʊ] *adj* o. *adv* med. (lat.) in vitro, [som
sker (görs)] i glaskärl (provrör); provrörs-; ~
fertilization (förk. *IVF*) provrörsbefruktning
invocation [ˌɪnvə(ʊ)'keɪʃ(ə)n] *s* åkallan [~ *of God*; ~
of the Muses]; anropande, invokation
invoice ['ɪnvɔɪs] **I** *s* faktura, [varu]räkning; *as per ~*
enligt faktura **II** *vb tr* fakturera
invoke [ɪn'vəʊk] *vb tr* **1** åberopa **2** åkalla [~ *God*; ~
the Muses]; anropa; framkalla, uppväcka;
frambesvärja
involuntary [ɪn'vɒlənt(ə)rɪ] *adj* **1** ofrivillig;
oavsiktlig **2** oberoende av viljan [~ *muscles*]
involve [ɪn'vɒlv] *vb tr* **1** medföra, dra med sig,
involvera [*it would ~ my living abroad*]; innefatta,
omfatta, innebära; gälla **2** inveckla, dra in [~ *sb in*

trouble]; involvera; blanda in [~ *sb in a nasty business*]; ~ *oneself in unnecessary expense* skaffa sig onödiga utgifter; [*people who are*] *~d* …inblandade (berörda); *~d in* el. *~d with* äv. engagerad i

involved [ɪn'vɒlvd] *adj* **1** inblandad, invecklad, involverad; engagerad **2** invecklad, svår

involvement [ɪn'vɒlvmənt] *s* **1** inblandning; relation [*to* till]; ~ *in* äv. engagemang i **2** förhållande [*have an ~ with sb*]

invulnerability [ɪn,vʌln(ə)rə'bɪlətɪ] *s* **1** osårbarhet **2** oangriplighet etc., jfr *invulnerable* 2

invulnerable [ɪn'vʌln(ə)rəbl] *adj* **1** osårbar [*to* för] **2** oangriplig, oantastlig, oanfäktbar [~ *arguments*]

inward ['ɪnwəd] **I** *adj* **1** inre [~ *nature*; ~ *happiness*; ~ *organs*]; invändig, invärtes, andlig, själslig; in[åt]gående, inåtriktad [*an ~ movement*] **2** inhemsk [~ *investment*] **II** *adv* inåt äv. bildl.; in i själen; ~ *bound* sjö. på ingående

inward-looking [,ɪnwəd'lʊkɪŋ] *adj* introvärt, inåtvänd

inwardly ['ɪnwədlɪ] *adv* invärtes; i sitt inre (hjärta) [*grieve ~*]; i själ och hjärta, innerst inne, i sitt stilla sinne

inwards ['ɪnwədz] *adv* inåt

in-your-face [,ɪnjɔː'feɪs] *adj* vard. aggressiv, fräck, tuff

IOC [,aɪəʊ'siː] (förk. för *International Olympic Committee*), *the* ~ IOK, Internationella olympiska kommittén

iodine ['aɪə(ʊ)diːn, 'aɪədaɪn] *s* kem. jod

iodized salt [,aɪə(ʊ)daɪzd'sɔːlt] *s* jodsalt

IOM [,aɪəʊ'em] förk. för *Isle of Man*

ion ['aɪən, 'aɪɒn] *s* fys. el. kem. jon

ionization [,aɪənaɪ'zeɪʃ(ə)n] *s* fys. el. kem. jonisering

ionize ['aɪənaɪz] *vb tr* fys. el. kem. jonisera

ionosphere [aɪ'ɒnəsfɪə] *s* jonosfär

iota [aɪ'əʊtə] *s* jota [*there is not an ~ of truth in it*]

IOU [,aɪəʊ'juː] *s* (= *I owe you*) skuldsedel, enkel revers

IOW [,aɪəʊ'dʌbljuː] **1** förk. för *Isle of Wight* **2** i e-post el. textmeddelanden förk. för *in other words*

Iowa ['aɪəʊə, 'aɪəwə] geogr.

IP [,aɪ'piː] data. (förk. för *Internet protocol*) IP kommunikationsprotokoll för Internet

IP address [,aɪpɪə'dres, amer. -'ædres] *s* data. IP-adress identifikationsnummer för internet-trafik

Ipswich ['ɪpswɪtʃ] geogr.

IQ [,aɪ'kjuː] (pl. ~s) *s* (förk. för *intelligence quotient*) IQ, IK, intelligenskvot

IRA [,aɪɑːr'eɪ] *s* (förk. för *Irish Republican Army*), *the* ~ IRA, Irländska republikanska armén

Iran [ɪ'rɑːn] geogr.

Iranian [ɪ'reɪnɪən, aɪ'r-] **I** *adj* iransk **II** *s* **1** iranier; iranska kvinna **2** iranska [språket]

Iraq [ɪ'rɑːk] geogr. Irak

Iraqi [ɪ'rɑːkɪ] **I** *adj* irakisk **II** *s* irakier; irakiska kvinna

irascible [ɪ'ræsəbl] *adj* hetsig, lättretlig, argsint, snarstucken, hetlevrad

irate [aɪ'reɪt] *adj* vred, rasande, ilsken

ire ['aɪə] *s* poet. vrede, raseri

Ireland ['aɪələnd] geogr. Irland

iridescence [,ɪrɪ'desns] *s* regnbågsskimmer, irisering

iridescent [,ɪrɪ'desnt] *adj* regnbågsskimrande, iriserande

iridium [aɪ'rɪdɪəm] *s* kem. iridium

Iris ['aɪərɪs] kvinnonamn

iris ['aɪərɪs] *s* **1** anat. iris, regnbågshinna **2** bot. iris, svärdslilja

Irish ['aɪ(ə)rɪʃ] **I** *adj* irländsk, irisk **II** *s* **1** irländska (iriska) [språket] **2** *the* ~ irländarna; spec. hist. irerna

Irish coffee [,aɪ(ə)rɪʃ'kɒfɪ] *s* Irish coffee kaffe med whisky, socker och grädde i

Irish|man ['aɪ(ə)rɪʃ|mən] (pl. *-men* [-mən]) *s* irländare; spec. hist. irer

Irish Republican Army ['aɪ(ə)rɪʃrɪ,pʌblɪkən'ɑːmɪ] (förk. *IRA*) *s*, *the* ~ Irländska republikanska armén nationalistorganisation, IRA

Irish Sea [,aɪ(ə)rɪʃ'siː] *s* geogr., *the* ~ Irländska sjön

Irish setter [,aɪ(ə)rɪʃ'setə] *s* irländsk setter

Irish stew [,aɪ(ə)rɪʃ'stjuː] *s* irländsk fårgryta (stuvning)

Irish terrier [,aɪ(ə)rɪʃ'terɪə] *s* irländsk terrier

Irish|woman ['aɪ(ə)rɪʃ|,wʊmən] (pl. *-women* [-,wɪmɪn]) *s* irländska; spec. hist. iriska

irk [ɜːk] *vb tr* trötta, tråka ut, förtreta, irritera

irksome ['ɜːksəm] *adj* tröttsam, ledsam, tråkig, irriterande, besvärlig

iron ['aɪən] **I** *s* **1** järn äv. bildl.; *corrugated* ~ korrugerad plåt; *have [too] many ~s in the fire* ha [för] många järn i elden; *a will of* ~ el. *an ~ will* en järnvilja; *rule with a rod of* ~ styra med järnhand; *strike while the* ~ *is hot* smida medan järnet är varmt **2** strykjärn [*steam ~*]; pressjärn **3** brännjärn **4** golf. järn[klubba] **5** med. järn[preparat] **6** pl. *~s* järn, bojor [*put a man in ~s*] **II** *adj* **1** järn- [*an ~ mine; an ~ plate*]; järngrå, stålgrå; ~ *constitution* järnhälsa, järnfysik; ~ *tonic* järnmedicin **2** järnhård, oböjlig, sträng, obarmhärtig; järn- [*an ~ grip*] **III** *vb tr* **1** stryka [~ *a shirt*]; pressa **2** slå i järn (bojor), fjättra **3** järnbeslå **IV** *vb itr* **1** gå att stryka; *clothes* ~ *more easily [when they are damp]* äv. kläder är mera lättstrukna… **2** [stå och] stryka **V** *vb tr* med adv.: **iron out** a) bildl. utjämna [~ *out difficulties*]; bringa (få) ur världen [~ *out misunderstandings*; ~ *out a disagreement*] b) släta (pressa) ut [~ *out wrinkles*]

Iron age ['aɪəneɪdʒ] *s* arkeol., *the* ~ järnålder

iron curtain [,aɪən'kɜːtn] *s* järnridå ofta bildl.

iron hand [,aɪən'hænd] *s*, *rule with an* ~ styra med järnhand

ironic [aɪ'rɒnɪk] *adj* ironisk; *make* ~ *remarks* äv. ironisera [*about* över]

ironing ['aɪənɪŋ] *s* **1** strykning med strykjärn, pressning **2** stryktvätt

ironing board ['aɪənɪŋbɔːd] *s* strykbräde

iron lung [,aɪən'lʌŋ] *s* med. järnlunga

ironmonger ['aɪən,mʌŋgə] *s* järnhandlare; *~'s* el. *~'s shop* järnaffär, järnhandel

ironmongery ['aɪən,mʌŋg(ə)rɪ] *s* **1** järnvaror, smide[svaror] **2** järnaffär, järnhandel

iron ration [ˌaɪən'ræʃ(ə)n] s spec. mil. reservproviant, nödranson

ironstone ['aɪənstəʊn] s miner. järnmalm; spec. järnspat, järnlersten

ironware ['aɪənweə] s järnvaror

ironworks ['aɪənwɜːks] (med verb vanl. i sg.; pl. *ironworks*) s järnverk, järnbruk [*an ~*]

irony ['aɪərənɪ] s ironi; *one of life's ironies* en ödets ironi; *the ~ is that* det ironiska är att

Iroquois ['ɪrəkwɔɪ, -kwɔɪz] I (pl. *Iroquois* [vanl. 'ɪrəkwɔɪz]) s irokes II *adj* irokesisk

irradiate [ɪ'reɪdɪeɪt] *vb tr* **1** bestråla, belysa äv. bildl.; kasta ljus över [*~ a subject*] **2** utstråla [*~ happiness*] **3** lysa upp, komma (få) att stråla [upp]

irrational [ɪ'ræʃənl] *adj* irrationell äv. matem.; oförnuftig; förnuftsvidrig; ogrundad, orimlig

irrationality [ɪ,ræʃə'nælɪtɪ] s förnuftsvidrighet, orimlighet; irrationell beskaffenhet (egenskap)

irreconcilable [ɪ,rekən'saɪləbl, ɪ'r-] *adj* **1** oförsonlig [*~ enemies*] **2** oförenlig [*to, with* med; *~ ideas*]

irrecoverable [ˌɪrɪ'kʌv(ə)rəbl] *adj* oersättlig [*~ losses*]; som ej kan återfås

irredeemable [ˌɪrɪ'diːməbl] *adj* **1** oförbätterlig [*an ~ sinner*]; hopplös, ohjälplig; oåterkallelig, oöverkomlig **2** hand. ouppsägbar [*an ~ debt; an ~ loan*]; ej amorterbar, som ej kan inlösas (återköpas); oinlösbar, oinlöslig [*~ paper money*] **3** oersättlig [*an ~ loss*]; som ej kan återfås

irreducible [ˌɪrɪ'djuːsəbl] *adj* oreducerbar äv. matem.; omöjlig att minska (reducera), som ej kan bringas till önskad form (status); matem. omöjlig att förenkla; absolut [*~ minimum*]

irrefutable [ˌɪrɪ'fjuːtəbl, ɪ'refjʊt-] *adj* ovedersäglig, ovederlägglig, obestridlig [*an ~ argument*]

irregular [ɪ'regjʊlə] I *adj* **1** oregelbunden [*an ~ pulse; an ~ plural*]; ojämn [*an ~ surface*] **2** oegentlig, inkorrekt, oriktig, reglementsvidrig [*~ conduct; ~ proceedings*]; ogiltig [*an ~ marriage*] **3** oordentlig [*~ behaviour*] **4** irreguljär [*~ troops*] II s, pl. *~s* irreguljära trupper, friskaror

irregularity [ɪ,regjʊ'lærətɪ] s oregelbundenhet; oriktighet; oordentlighet i levnadssätt, ojämnhet [*irregularities in the surface*]

irrelevance [ɪ'reləvəns] s irrelevans; brist på (bristande) samband; ovidkommande anmärkning (yttrande o.d.), avvikelse från ämnet

irrelevant [ɪ'reləvənt] *adj* irrelevant, ovidkommande, omotiverad; ej hörande [*to* till]; ej tillämplig [*to* på]

irreligious [ˌɪrɪ'lɪdʒəs] *adj* irreligiös; gudlös, ogudaktig [*~ acts*]

irremediable [ˌɪrɪ'miːdɪəbl] *adj* obotlig, ohjälplig; irreparabel [*~ acts*]

irremovable [ˌɪrɪ'muːvəbl] *adj* orubblig, ej flyttbar; spec. oavsättlig, ouppsägbar [*~ officials*]

irreparable [ɪ'rep(ə)rəbl] *adj* irreparabel [*~ damage*]; ohjälplig, obotlig [*~ injury*]; oersättlig [*~ loss*]

irreplaceable [ˌɪrɪ'pleɪsəbl] *adj* oersättlig

irrepressible [ˌɪrɪ'presəbl] *adj* omöjlig (svår) att få bukt med, okuvlig; obetvinglig [*~ desire*]; uppsluppen [*~ high spirits* (humör)]

irreproachable [ˌɪrɪ'prəʊtʃəbl] *adj* oförvitlig [*~ conduct*]; oklanderlig [*~ conduct; ~ elegance*]

irresistible [ˌɪrɪ'zɪstəbl] *adj* oemotståndlig, omöjlig att motstå; förtjusande, bedårande

irresolute [ɪ'rezəluːt, -ljuːt] *adj* obeslutsam, villrådig; vankelmodig, vacklande

irrespective [ˌɪrɪ'spektɪv] *adj*, *~ of* utan hänsyn till, oavsett

irresponsibility [ˌɪrɪspɒnsə'bɪlətɪ] s oansvarighet

irresponsible [ˌɪrɪ'spɒnsəbl] *adj* oansvarig, utan ansvar; ansvarslös [*~ behaviour*]; otillräknelig; ovederhäftig

irretrievable [ˌɪrɪ'triːvəbl] *adj* oersättlig [*an ~ loss*]; obotlig, ohjälplig, hopplös; oåterkallelig

irretrievably [ˌɪrɪ'triːvəblɪ] *adv* oåterkalleligen, ohjälpligt, räddningslöst [*~ lost*]

irreverence [ɪ'rev(ə)r(ə)ns] s vanvördnad [*to, for* för], missaktning

irreverent [ɪ'rev(ə)r(ə)nt] *adj* vanvördig

irreversible [ˌɪrɪ'vɜːsəbl] *adj* **1** oåterkallelig; med. obotlig [*~ brain damage*] **2** ej omvändbar (reversibel), som endast går i en riktning

irrevocable [ɪ'revəkəbl] *adj* oåterkallelig

irrigate ['ɪrɪgeɪt] *vb tr* **1** [konst]bevattna **2** med. spola

irrigation [ˌɪrɪ'geɪʃ(ə)n] s **1** [konst]bevattning, irrigation **2** med. spolning, irrigation

irritability [ˌɪrɪtə'bɪlətɪ] s [lätt]retlighet, irritabilitet äv. fysiol.

irritable ['ɪrɪtəbl] *adj* [lätt]retlig, irritabel äv. fysiol.; på dåligt humör [äv. *in an ~ mood*]

irritant ['ɪrɪt(ə)nt] s retmedel, irritament

irritate ['ɪrɪteɪt] *vb tr* irritera, reta äv. fysiol.; reta upp, oroa, förarga

irritated ['ɪrɪˌteɪtɪd] *adj* irriterad, [upp]retad, uppbragt [*at sth, by sth, with sth* över ngt; *with sb, against sb* på ngn]; fysiol. irriterad, retad

irritating ['ɪrɪteɪtɪŋ] *adj* irriterande, retande äv. fysiol.; retsam; ret- [*an ~ cough*]

irritation [ˌɪrɪ'teɪʃ(ə)n] s irritation, retning äv. fysiol.; [upp]retad sinnesstämning, förbittring

irruption [ɪ'rʌpʃ(ə)n] s invasion, infall [*into* i]; inträngande, inbrytning

IRS [ˌaɪɑː'es] (förk. för *Internal Revenue Service*), *the ~* se *Internal Revenue*

Irving ['ɜːvɪŋ] mansnamn

is [beton. ɪz, obeton. z, s] 3 person sg. pres. av *be*

Isaac ['aɪzək] **1** mansnamn **2** bibl. Isak

Isabel ['ɪzəbel] kvinnonamn

Isaiah [aɪ'zaɪə, åld. -'zeɪə] bibl. Jesaja

ISBN [ˌaɪesbiː'en] (förk. för *international standard book number*) ISBN identifikationsnummer för böcker

ischaemic [ɪ'skiːmɪk] *adj* med. ischemisk [*~ heart disease*]

ISDN [ˌaɪesdiː'en] (förk. för *Integrated Services Digital Network*) standard för tele- och datakommunikation, bl.a Internet

Islam ['ɪzlɑːm, 'ɪs-, -læm] s **1** islam **2** den islamiska världen (kulturen)

Islamabad [ɪz'lɑːməbæd] geogr.

Islamic [ɪz'læmɪk, -'lɑːm-, ɪs-] *adj* islamisk

Islamophobia [ɪs,læmə(ʊ)'fəʊbjə] s islamofobi

island ['aɪlənd] s **1** ö äv. bildl. el. anat. [*the Orkney Islands*] **2** refug [äv. *traffic ~*]

islander ['aɪləndə] s öbo

isle [aɪl] *s* poet. el. i vissa egennamn ö [*the Isle of Wight;* *the British Isles*]

islet ['aɪlət] *s* liten ö, holme; **~s** småöar, holmar

ism ['ɪz(ə)m] *s* vard. vanl. neds. ism [*this is the age of* ~*s*]

isn't ['ɪznt] = *is not*

isobar ['aɪsə(ʊ)bɑː] *s* meteor. el. kem. isobar

isolate ['aɪsəleɪt] *vb tr* isolera, bakteriol. äv. renodla

isolated ['aɪsəleɪtɪd] *adj* isolerad; avskild; ensam; enstaka

isolation [,aɪsə(ʊ)'leɪʃ(ə)n] *s* isolering; **live in** ~ leva (bo) isolerat

isolation block [,aɪsə(ʊ)'leɪʃ(ə)nblɒk] *s* epidemiavdelning, isoleringsavdelning

isolation hospital [,aɪsə(ʊ)'leɪʃ(ə)n,hɒspɪtl] *s* epidemisjukhus

isolationism [,aɪsə(ʊ)'leɪʃ(ə)nɪz(ə)m] *s* isolationism, isoleringspolitik

isolationist [,aɪsə(ʊ)'leɪʃ(ə)nɪst] **I** *s* isolationist **II** *adj* isolationistisk

isolation ward [,aɪsə(ʊ)'leɪʃ(ə)nwɔːd] *s* epidemiavdelning, isoleringsavdelning

isosceles [aɪ'sɒsɪliːz] *adj* geom. likbent

isotherm ['aɪsə(ʊ)θɜːm] *s* meteor. isoterm

isotope ['aɪsə(ʊ)təʊp] *s* kem. isotop

ISP [,aɪes'piː] data. (förk. för *Internet Service Provider*) internetleverantör

I-spy [,aɪ'spaɪ] *s* ung. ett skepp kommer lastat lek

Israel ['ɪzreɪ(ə)l, -rɪəl] geogr.

Israeli [ɪz'reɪlɪ] **I** *adj* israelisk **II** *s* israel, israelier; israeliska kvinna

issue ['ɪʃuː, 'ɪsjuː] **I** *s* **1** fråga, spörsmål, problem, tvistefråga [*political* ~*s*]; frågeställning [äv. *question at* ~], jur. [tviste]mål, sak, rättsfråga; **cloud the** ~ el. **confuse the** ~ förvirra begreppen, blanda bort korten, trassla till saken (det); **evade the** ~ kringgå [huvud]frågan; vard. slingra sig undan; **make an** ~ **out of sth** göra stor affär av ngt; **take** ~ **with sb about** (**on, over**) **sth** vara oense med ngn om ngt, ta en diskussion med ngn om ngt; **be at** ~ vara omstridd (under debatt); **the point** (**question, matter**) **at** ~ äv. den omstridda punkten, själva sakfrågan **2** upplaga, dagsupplaga [*the* ~ *of a newspaper*]; utgåva, nummer [*an* ~ *of a magazine*]; publikation **3** utgivande, utgivning [*the* ~ *of a book*]; utlämnande, utlämning, utdelning [*the* ~ *of rations*]; utfärdande [*the* ~ *of orders; the* ~ *of a certificate*]; utsändande; utsläppande [i marknaden], emission äv. konkr. [*the* ~ *of new shares; the* ~ *of new banknotes*]; avgivande [*the* ~ *of a report*]; **day of** ~ a) ekon. emissionsdatum; utgivningsdag b) bibliot. utlåningsdag **4** spec. jur. barn, bröstarvingar, avkomma, efterlevande [*die without* ~]; efterkommande **5** utströmmande, utströmning; utsläpp **6** utgång [*a happy* ~ *of the affair*]; utfall [*the* ~ *of the war*]; följd, resultat; upplösning; avslutning

II *vb tr* **1** låta utgå, sända ut [~ *a decree;* ~ *an order*]; avge [~ *a report*]; tilldela, lämna (dela) ut [~ *rations*]; utfärda [~ *an order,* ~ *a certificate*]; sälja [~ *cheap tickets*] **2** släppa ut [i marknaden], ge ut [~ *new stamps*]; publicera; emittera [~ *banknotes;* ~ *shares*]; ställa ut **3** mil. utrusta, förse **4** om bibliotek låna ut

III *vb itr* **1** komma [ut], strömma ut [*smoke issuing from the chimneys*]; utgå, gå ut; **not a sound ~d from her lips** inte ett ljud kom över hennes läppar **2** stamma, härröra; jur. härstamma [*from* från, ur] **3** sändas ut, släppas ut [*from* från] **4** ~ **in** sluta (resultera) i, ända[s] med

isthmus ['ɪsməs, -sθm-, -stm-] *s* näs

IT [,aɪ'tiː] (förk. för *information technology*) IT [~ *department*]

1 it [ɪt] **I** *pers pron* **1** den [*Where's the cat? – It's in the garden*]; det [~ *is six miles to Oxford;* ~ *was three days ago*]; sig [*the engine pushed the waggons in front of* ~]; ~ **must not be believed that…** man får inte tro att…; **be** '**it** se flott ut; **for impudence he really is** '**it** han är något av det fräckaste [man sett]; **she thinks she is** '**it** hon tror att hon är något; **that's just** '**it** det är just det det är frågan om, just precis; **that's probably** '**it** det är [det som är] förklaringen; **now you've done ~!** nu har du minsann (verkligen) ställt till det! **2** utan direkt motsvarighet i sv. (se äv. resp. huvudord) a) **bus** ~ vard. ta bussen, åka buss; **confound ~!** vard. jäklar!, tusan (katten) också!; **lord** ~ **over** spela herre över; regera; tyrannisera; **I take** ~ **that…** jag antar (förmodar) att… b) efter prep., **run for** ~ vard. sticka, kila; skynda (sno) sig; **have a good time of** ~ ha väldigt roligt, roa sig kungligt; **you may rely on** ~ **that…** du kan lita på att…

II *s* vard. **1 be** '**it** 'ha den' i sistan o.d. lekar **2** sex appeal; **she's got** '**it** (*'It*) hon har 'det

2 it [ɪt] *s* vard. vermut [*gin and* '*it*]

Italian [ɪ'tæljən] **I** *adj* italiensk **II** *s* **1** italienare; italienska kvinna **2** italienska [språket]

Italianate [ɪ'tæljəneɪt] *adj* italianiserad, i italiensk stil

italic [ɪ'tælɪk] *adj* typogr. kursiv [~ *type*]

italicize [ɪ'tælɪsaɪz] *vb tr* typogr. kursivera

italics [ɪ'tælɪks] *s pl* typogr. kursiv[ering], kursivstil; **in** ~ med (i) kursiv, kursiverad; **print in** ~ kursivera

Italy ['ɪtəlɪ] geogr. Italien

itch [ɪtʃ] **I** *vb itr* **1** klia; känna klåda; **I am ~ing all over** det kliar överallt [på mig] **2** bildl. känna längtan (lust, [ett] begär) [*for sth* efter ngt; *to do sth* [efter] att göra ngt]; **my fingers ~ to…** el. **I am ~ing to…** det kliar i fingrarna på mig att…

II *s* **1** klåda; **have an** ~ ha klåda **2** obetvinglig längtan (lust), starkt begär [*have an* ~ *for* (efter) *money; have an* ~ *to do sth*]; **have an** ~ **to write** ha skrivklåda

itchy ['ɪtʃɪ] *adj* **1** kliande [*an* ~ *disease*]; ~ **stockings** stickiga strumpor **2** vard., **have** (**get**) ~ **feet** ha (få) reslust; **have an** ~ **palm** vara girig

it'd ['ɪtəd] = *it had* o. *it would*

item ['aɪtəm] **I** *s* **1** punkt [*the first* ~ *on the agenda*]; nummer [*the first* ~ *on the programme*]; post [*an* ~ *on a list; an* ~ *in a bill* (på en räkning)]; moment; sak, artikel [*the* ~*s in a catalogue*]; ingrediens; **collectors** ~ se *collector's item* **2** notis, nyhet i tidning; TV. el. radio. [nyhets]inslag [äv. ~ *of news* el. *news* ~] **3** vard., **be an** ~ vara ett par

II *vb tr* föra upp, notera

itemize ['aɪtəmaɪz] *vb tr* specificera, ange i detalj

iterate ['ɪtəreɪt] *vb tr* upprepa [~ *words*]

iteration [,ɪtə'reɪʃ(ə)n] *s* upprepning

itinerant [aɪ'tɪn(ə)r(ə)nt, ɪ't-] *adj* [kring]resande, kringvandrande [*~ musicians*; *an ~ preacher*]; rese-
itinerary [aɪ'tɪn(ə)rərɪ, ɪ't-] *s* **1** resväg **2** resebeskrivning, resedagbok **3** resehandbok, [rese]guide, vägvisare; resplan
it'll ['ɪtl] = *it will*
ITN [ˌaɪti:'en] (förk. för *Independent Television News*) ITN brittiskt bolag för nyhetssändningar
its [ɪts] *poss pron* dess [*I like Wales and ~ green hills*]; sin [*the dog obeys ~ master*]; jfr *my I*
it's [ɪts] = *it is* o. *it has*
itself [ɪt'self] *rfl pron* o. *pers pron* sig [*the dog scratched ~*]; sig själv [*the child dressed ~*; *the child is not ~ today*]; den (det) [själv] [*no other animal than ~*]; själv [*the thing ~ is not valuable*]; *he is honesty ~* han är hederligheten (hedern) själv; [*he doesn't live in*] *the town ~* ...själva staden; *a house standing by ~* ett hus som ligger för sig själv[t]; *by ~* äv. av sig själv, automatiskt; *in ~* i sig själv [*it isn't bad in ~*]; *of ~* av sig själv; jfr *myself*
itsy-bitsy [ˌɪtsɪ'bɪtsɪ] o. **itty-bitty** [ˌɪtɪ'bɪtɪ] *adj* vard. el. barnspr. pytteliten
ITV [ˌaɪti:'vi:] (förk. för *Independent Television*) ITV brittisk reklamfinansierad tv-kanal
IUCD [ˌaɪju:si:'di:] (förk. för *intra-uterine contraceptive device*) se *IUD*
IUD [ˌaɪju:'di:] *s* (förk. för *intra-uterine device*) IUP intrauterint preventivmedel, spiral
IV [ˌaɪ'vi:] **I** förk. för *intravenous* **II** *s* amer. med. dropp
I've [aɪv] = *I have*
IVF [ˌaɪvi:'ef] med. (förk. för *in vitro fertilization*) provrörsbefruktning
ivory ['aɪv(ə)rɪ] *s* **1** elfenben **2** elfenbensfärg, elfenbensvitt **3** attr. elfenbens-, elfenbensvit
Ivory Coast [ˌaɪvərɪ'kəʊst] geogr. åld., *Côte d'Ivoire*
ivory tower [ˌaɪv(ə)rɪ'taʊə] *s* bildl. elfenbenstorn [*live in one's ~ tower*]
ivy ['aɪvɪ] *s* bot. murgröna
Ivy League ['aɪvɪli:g] *s*, *the ~* en grupp av högt ansedda universitet i östra USA

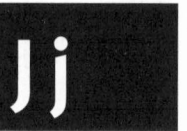

1 J, j [dʒeɪ] (pl. *J's* el. *j's* [dʒeɪz]) *s* J, j
2 J [dʒeɪ] förk. för *joule*, *Judge*, *Justice*
jab [dʒæb] **I** *vb tr* sticka [*~ a needle into* (i) *one's arm*]; stöta [*he ~bed his elbow into* (i) *my side*]; slå, slå till, smocka till
II *vb itr* stöta (slå) [till], smocka till; boxn. jabba [*at mot*]
III *s* **1** stöt; slag, smocka; boxn. jabb; *take a ~ at sb* (*sth*) bildl. ge ngn (ngt) en smocka **2** vard. stick, spruta injektion
jabber ['dʒæbə] **I** *vb itr* o. *vb tr* pladdra, babbla **II** *s* pladder, babbel
jacaranda [ˌdʒækə'rændə] *s* **1** jakaranda[träd] **2** jakarandaträd
Jack [dʒæk] (jfr *jack*) **1** smeknamn för *John*) **2** *the Union ~* Union Jack Storbritanniens flagga
jack [dʒæk] **I** *s* **1** domkraft; vinsch, vindspel **2** kortsp. knekt **3** tele. jack; elektr. grenuttag **4** boll som siktmärke i *bowls* **5** *every man ~* el. *every man ~ of them* åld. vareviga en [av dem], varenda kotte
II *vb tr*, *~ it all in* lägga av, sluta
III *vb tr* o. *vb itr* med adv. el. prep.:
jack off itr., amer. sl. runka masturbera
jack up tr. **a)** hissa (lyfta) [upp] med domkraft e.d. **b)** vard. höja [*~ up prices*] **c)** vard. karska upp, stärka [*he had a drink to ~ up his courage*]
jackal ['dʒækɔ:l, -k(ə)l] *s* zool. sjakal
Jack and Jill [ˌdʒækən'dʒɪl] vard., ung. motsv. Kålle och Ada; *every ~ was there* alla var där, varenda kotte var där
jackass ['dʒækæs] *s* vard. åsna, fårskalle
jackboot ['dʒækbu:t] *s* **1** kragstövel; militärstövel **2** bildl., *the ~* stöveln, stöveltrampet
jackdaw ['dʒækdɔ:] *s* zool. kaja
jacket ['dʒækɪt] *s* **1** jacka; kavaj, blazer, rock kavaj; grövre kofta **2** omslag; skyddsomslag till bok; amer. [skiv]omslag, [skiv]fodral **3** skal på potatis, frukt o.d.; *~ potatoes* [ugns]bakad potatis; *potatoes boiled in their ~s* potatis kokt med skalen på **4** tekn. fodral, beklädnad, mantel, kappa; *water ~* vattenmantel; *~ crown* tandläk. jacketkrona
Jack Frost [ˌdʒæk'frɒst] Kung Bore
jackfruit ['dʒækfru:t] *s* jackfrukt, brödfrukt
jackhammer ['dʒækˌhæmə] *s* amer. tryckluftsborr
jack-in-the-box ['dʒækɪnðəbɒks] *s* gubben i lådan äv. bildl.
jackknife ['dʒæknaɪf] *s* stor fällkniv
Jack-of-all-trades [ˌdʒækəv'ɔ:ltreɪdz, ˌ---'-] (pl. *Jacks-of-all-trades*) *s* tusenkonstnär, mångfrestare, mångsysslare
jackpot ['dʒækpɒt] *s* spel. jackpot, storvinst; *hit the ~* vard. **a)** vinna jackpoten, få en jackpot; kamma hem en storvinst **b)** ha stor framgång (tur)
jack rabbit ['dʒækˌræbɪt] *s* amer. zool. åsnehare
Jack Robinson [ˌdʒæk'rɒbɪns(ə)n], *before you could say ~* innan man visste ordet av, hux flux, i ett nafs
Jack Russell [ˌdʒæk'rʌsl] *s* jack russel-terrier

Jack the Ripper [ˌdʒækðəˈrɪpə] Jack Uppskäraren
Jacobean [ˌdʒækə(ʊ)ˈbiːən] *adj* **1** britt. hist. från
(tillhörande) Jakob I:s tid 1603–25 **2** attr. 1600-tals-
[*~ style*]
Jacuzzi® [dʒəˈkuːzɪ] *s* bubbelpool, Jacuzzi®
jade [dʒeɪd] *s* miner. jade [*jade-green*]
jaded [ˈdʒeɪdɪd] *adj* **1** tröttkörd, utsliten, utmattad
[*~ from overwork*] **2** avtrubbad [*~ taste*]; nedsatt
[*~ appetite*] **3** trött, blasé
Jag [dʒæg] *s* sl. Jagga Jaguar (bil)
jagged [ˈdʒægɪd] *adj* **1** ojämn [*a ~ edge*];
[såg]tandad [*a ~ knife*]; spetsig [*~ rocks*]; uddad,
naggad; avbruten **2** bildl. skarp, gäll, skärande [*a ~
voice*]; skarpt markerad [*~ rhythm*]
Jaguar [ˈdʒægjʊə] *s* Jaguar bilmärke
jaguar [ˈdʒægjʊə] *s* zool. jaguar
jail [dʒeɪl] **I** *s* fängelse; häkte **II** *vb tr* sätta i fängelse
jailbait [ˈdʒeɪlbeɪt] *s* vard. olovlig tjej minderårig
jailbird [ˈdʒeɪlbɜːd] *s* fängelsekund; fånge
jailbreak [ˈdʒeɪlbreɪk] *s* rymning [från fängelse] med
våld
jailer [ˈdʒeɪlə] *s* fångvaktare
jailhouse [ˈdʒeɪlhaʊs] *s* amer. fängelse
Jakarta [dʒəˈkɑːtə] geogr.
jalapeño [ˌhæləˈpeɪnjəʊ, amer. ˌhɑːləˈpeɪnjəʊ] *s*, *~* el.
~ pepper jalapeno, jalapenopeppar
1 jam [dʒæm] *s* **1** sylt, marmelad **2** *it's always ~
tomorrow, but never ~ today* [det är att] lova runt
och hålla tunt
2 jam [dʒæm] **I** *s* **1** [folk]trängsel; anhopning; *~* el.
traffic ~ trafikstockning; *~ of logs* timmerbråte i
flottled **2** sl. knipa, klämma; klammeri; *be in a ~* vara
i knipa (klämma, klistret); *get into a ~* råka i knipa
etc. **3** stopp i maskin o.d., låsning; radio. störning
4 kläm, press
II *vb tr* **1** klämma, trycka, stoppa, pressa [*together*
ihop; *into* in i, ner i]; *~ on the brakes* slå till
bromsarna, bromsa hårt **2** fylla, blockera [*~ a
passage*] **3** sätta ur funktion, stoppa [*~ a machine*];
~ a transmission radio. störa en sändning; *~ up*
bromsa [upp], stoppa äv. bildl.
III *vb itr* **1** råka i kläm, bli fastkilad; fastna;
blockeras **2** sättas ur funktion, låsa sig, krångla,
hänga [upp] sig [*the brakes ~med*; *the machine
~med*]
Jamaica [dʒəˈmeɪkə] **I** geogr. egennamn **II** *s*, *~ rum*
jamaicarom
Jamaican [dʒəˈmeɪkən] **I** *s* jamaican; jamaicanska
kvinna **II** *adj* jamaicansk
jamb [dʒæm] *s* sidopost, sidokarm i dörr el. fönster; pl.
~s spec. sidostycken i öppen spis
jamboree [ˌdʒæmbəˈriː, ˈ---] *s* **1** skiva, hippa, glad
(uppsluppen) tillställning **2** jamboree scoutmöte
jam jar [ˈdʒæmdʒɑː] *s* syltburk, syltkruka
jammed [dʒæmd] *adj* (jfr äv. *2 jam* II o. *2 jam* III)
1 packad, proppfull; *~ full of* fullproppad med **2** *be
~* sitta (vara) i kläm, vara (sitta) fastklämd; *we
were ~ together in the narrow corridor* vi stod som
packade sillar i den trånga korridoren **3** trasig
jammies [ˈdʒæmɪz] *s pl* vard. pyjamas
jamming [ˈdʒæmɪŋ] *s* radio. störning [genom
störningssändare]
jamming station [ˈdʒæmɪŋˌsteɪʃ(ə)n] *s* radio.
störningssändare

jammy [ˈdʒæmɪ] *adj* **1** klibbig, kletig, kladdig
2 jättelätt; *~ bugger* lycklig fan
jampacked [ˈdʒæmpækt] *adj* vard. proppfull
jam pot [ˈdʒæmpɒt] *s* syltburk, syltkruka
jam session [ˈdʒæmˌseʃ(ə)n] *s* mus. jamsession
sammankomst där man improviserar musik
Jan. förk. för *January*
Jane Doe [ˌdʒeɪnˈdəʊ] jur. N.N. fingerad kvinna
(kärande)
jangle [ˈdʒæŋgl] **I** *vb itr* **1** rassla, skramla [*jangling
keys*]; skrälla [*jangling phones*]; dåna [*jangling
bells*]; låta illa, skära [i öronen] **2** skärra [*~d
nerves*]
II *vb tr* föra oljud med; rassla med etc., jfr *jangle* I 1
[*~ one's keys*]
III *s* oljud; rassel, skrammel, skrällande,
klirr[ande]
janitor [ˈdʒænɪtə] *s* vanl. amer. portvakt,
fastighetsskötare, vaktmästare
January [ˈdʒænjʊ(ə)rɪ] *s* januari
Jap [dʒæp] *s* vard. (neds.) japp, guling
Japan [dʒəˈpæn] geogr. egennamn
japan [dʒəˈpæn] *s* japanlack
Japanese [ˌdʒæpəˈniːz] **I** *adj* japansk
II *s* **1** (pl. *Japanese*) japan; japanska kvinna
2 japanska [språket]
Japanese lantern [ˌdʒæpəniːzˈlæntən] *s* kulört
lykta, papperslykta
jape [dʒeɪp] *s* åld. skämt, skoj; drift
japonica [dʒəˈpɒnɪkə] *s* bot. [liten] rosenkvitten
1 jar [dʒɑː] *s* **1** burk; kruka; *a ~ of jam* en burk sylt
2 vard., *do you fancy a ~ after work?* ska vi ta en öl
efter jobbet?
2 jar [dʒɑː] **I** *vb itr* **1** låta illa, ljuda falskt; gnissla;
skorra, skära; *~ on the ears* skära i öronen
2 skramla, skallra; skaka, vibrera, darra **3** bildl., *~
on* stöta, irritera; *it ~red on my nerves* det gick mig
på nerverna **4** inte gå (passa) ihop, vara oförenlig
II *s* **1** skärande ljud, skorrande **2** stöt, vibration,
skallrande, skakning, darrning **3** bildl. chock [*a
nasty ~*]; uppskakning
jargon [ˈdʒɑːgən] *s* **1** jargong [*medical ~*];
fikonspråk **2** pladder, gallimatias, dravel
jarring [ˈdʒɑːrɪŋ] *adj* skärande [*a ~ note*]; stridig;
vibrerande
jasmine [ˈdʒæzmɪn, -æsm-] *s* bot. jasmin
jaundice [ˈdʒɔːndɪs] *s* med. gulsot
jaundiced [ˈdʒɔːndɪst] *adj* **1** bitter, misstrogen,
kritisk; *take a ~ view of sth* vara skeptisk till ngt, ha
en kritisk inställning till ngt, se kritiskt på ngt
2 behäftad med gulsot, gulsiktig; gul[aktig],
gulblek
jaunt [dʒɔːnt] **I** *s* utflykt, utfärd; [nöjes]resa **II** *vb itr*
göra en utflykt, ta en tur
jaunty [ˈdʒɔːntɪ] *adj* **1** lätt och ledig [*a ~ step*];
sorglös; hurtig, pigg **2** käck, stilig [*a ~ little hat*]
1 Java [ˈdʒɑːvə] geogr. egennamn
2 Java [ˈdʒɑːvə] *s* data. Java programspråk
java [ˈdʒɑːvə] *s* vard. java kaffe
Javan [ˈdʒɑːvən] **I** *adj* javanesisk **II** *s* javanes;
javanesiska
Javanese [ˌdʒɑːvəˈniːz] **I** *adj* javanesisk
II *s* **1** (pl. *Javanese*) javanes; javanesiska
2 javanesiska [språket]

javelin ['dʒævlɪn] *s* spjut äv. sport.; *the ~* sport. spjut idrottsgrenen

javelin throw ['dʒævlɪnθrəʊ] *s* sport. spjutkastning som tävlingsgren

jaw [dʒɔ:] **I** *s* **1** käke; hakparti, haka; *lower ~* underkäke; *upper ~* överkäke; *her ~ dropped when...* hon tappade hakan när... **2** pl. *~s* mun, gap; käft äv. på skruvstäd o.d.; bildl. käftar [*the ~s of death*] **3** vard. käft, trut; *hold your ~!* el. *stop your ~!* håll klaffen!
II *vb itr* vard. gaffla, snacka [*away* 'på]; *~ at* skälla (tjata) på

jawbone ['dʒɔ:bəʊn] *s* käkben

jay [dʒeɪ] *s* zool. nötskrika

jay-walk ['dʒeɪwɔ:k] *vb itr* vard. oförsiktigt (olagligt) vandra gatan fram, oförsiktigt gå över gatan

jay-walker ['dʒeɪ,wɔ:kə] *s* vard. oförsiktig fotgängare

jazz [dʒæz] **I** *s* **1** jazz [*~ ballet*; *~ band*] **2** sl., *responsibilities, duties and all that ~* ansvar, förpliktelser och allt det där (det där snacket)
II *vb tr*, *~ up* jazza upp; piffa upp; sätta fart på, pigga upp

jazzy ['dʒæzɪ] *adj* jazzig

jealous ['dʒeləs] *adj* **1** svartsjuk; avundsjuk; *~ of* avundsjuk på, missunnsam mot **2** rädd, mån [*~ of* (om) *one's prestige*] **3** misstänksamt vaksam; *keep a ~ eye on* misstroget bevaka

jealousy ['dʒeləsɪ] *s* svartsjuka; avundsjuka, missunnsamhet; utbrott av svartsjuka, bevis på svartsjuka etc.

Jean [dʒi:n] kvinnonamn

jeans ['dʒi:nz] *s pl*, *~* el. *blue ~* jeans

jeep® [dʒi:p] *s* jeep; *~ carrier* amer. sjö. eskorthangarfartyg

jeer [dʒɪə] **I** *vb itr* **1** göra narr [*at* av], driva, gyckla, skoja [*at* med]; hånskratta, skratta hånfullt [*at* åt]; bua ut **2** *~ at* håna, vara spydig mot
II *vb tr* håna, skratta hånfullt åt
III *s* gliring, spydighet, speglosa

jeering ['dʒɪərɪŋ] **I** *adj* hånfull, spydig; buande **II** *s* hån, spott och spe

jeez [dʒi:z] *interj* vanl. amer. vard. jösses [då]!; aj då!

Jehovah [dʒɪ'həʊvə] bibl. Jehova, Jahve; *~'s Witnesses* Jehovas vittnen

jejune [dʒɪ'dʒu:n] *adj* litt. torftig, mager, tunn ofta bildl., andefattig, innehållslös [*a ~ film*; *a ~ novel*]

Jekyll and Hyde [,dʒekələnd'haɪd] *s* doktor Jekyll och mister Hyde dubbelnatur, efter Stevensons roman

jell [dʒel] *s* o. *vb itr* se *gel*

jellied ['dʒelɪd] *adj* geléartad; inkokt i gelé; gelatinerad; *~ eels* ål i gelé

Jell-O® ['dʒeləʊ] *s* amer. [frukt]gelé

jelly ['dʒelɪ] *s* gelé; fruktgelé; *I feel like ~* jag är alldeles darrig [i knäna]

jelly babies ['dʒelɪ,beɪbɪz] *s pl* ung. sega gubbar slags godis

jelly bean ['dʒelɪbi:n] *s* geléböna slags godis

jellyfish ['dʒelɪfɪʃ] *s* zool. manet

jelly roll ['dʒelɪrəʊl] *s* amer. rulltårta

jemmy ['dʒemɪ] **I** *s* kofot, dyrk **II** *vb tr* bryta upp, öppna [med kofot]

jeopardize ['dʒepədaɪz] *vb tr* äventyra, sätta på spel, riskera, våga; *~ one's life* våga (riskera) livet

jeopardy ['dʒepədɪ] *s* fara [*be in ~ of* (för) *one's life*]; våda, riskabel (farlig) belägenhet

jeremiad [,dʒerɪ'maɪəd] *s* jeremiad, klagovisa

Jeremiah [,dʒerɪ'maɪə] **1** mansnamn **2** bibl. Jeremia

jerk [dʒɜ:k] **I** *s* **1** ryck, knyck [*the train stopped with a ~*]; stöt, puff [*he gave me a ~*] **2** *physical ~s* vard. [ben]sprattel gymnastik **3** sl. tönt, idiot, drummel; odåga
II *vb tr* kasta [med en knyck], slänga [i väg]; göra ett kast med (ryck i); rycka [*he ~ed the fish out of the water*]; stöta (puffa, vrida) till
III *vb itr* rycka [till]; fara upp; *~ along* a) rycka i gång [*the train ~ed along*] b) stappla (stamma) 'på [*she ~ed along through her story*]
IV *vb itr* o. *vb tr* med adv. el. prep.:
jerk around vanl. amer. vard. jönsa omkring; *~ sb around* a) köra med ngn b) slänga fram, stamma fram [*~ out words in a broken way*]
jerk off vulg. runka onanera

jerkin ['dʒɜ:kɪn] *s* långväst

jerkwater town ['dʒɜ:k,wɔ:tətaʊn] *s* amer. vard. [bonn]håla

1 jerky ['dʒɜ:kɪ] *adj* ryckig, stötig; krampaktig

2 jerky ['dʒɜ:kɪ] *s* lufttorkat kött skuret i strimlor o. ibland rökt

Jerry ['dʒerɪ] *s* mil. sl. tysk; tysk soldat

jerry-built ['dʒerɪbɪlt] *adj* dåligt (uselt) byggd, uppsmälld, uppsmäckt; *a ~ house* ett dåligt byggt hus, ett fuskbygge

jerrycan ['dʒerɪkæn] *s* vattendunk; bensindunk

Jersey ['dʒɜ:zɪ] **I** geogr. egennamn
II *s* jerseyko [äv. *~ cow*]

jersey ['dʒɜ:zɪ] *s* **1** [jersey]tröja **2** textil. jersey

Jerusalem [dʒə'ru:s(ə)ləm] geogr.

Jerusalem artichoke [dʒə,ru:s(ə)ləm'ɑ:tɪtʃəʊk] *s* jordärtskocka

jest [dʒest] *åld.* **I** *s* skämt; lustighet, lustigt infall; drift, gyckel; *in ~* på skämt, på skoj **II** *vb itr* skämta, skoja, gyckla [*about* om; *at, with* med]

jester ['dʒestə] *s* skämtare; gyckelmakare; spefågel

Jesu ['dʒi:zju:] litt. Jesu[s]

Jesuit ['dʒezjʊɪt] *s* jesuit äv. bildl.

Jesus ['dʒi:zəs] egennamn; *~!* el. *~ Christ!* vard. Herre Gud!, jösses!; *the Society of ~* jesuit[er]orden

Jesus freak ['dʒi:zəsfri:k] *s* Jesusfreak, kristen fanatiker

1 jet [dʒet] **I** *s* **1** stråle [*a ~ of water*; *a ~ of steam*]; ström [*a ~ of gas*; *a ~ of blood*]; *a ~ of flame* en eldstråle; *a ~ of gas* en gaslåga **2** spec. flyg. jet reaktionsdrift; attr. jet- [*~ fighter*; *~ plane*; *~ propulsion*] **3** jetplan; jetflyg [*go by ~*] **4** pip, rör; tekn. munstycke, gjuttapp
II *vb itr*, *~* el. *~ off* flyga [med jetflyg]

2 jet [dʒet] **I** *s* miner. jet, gagat **II** *adj* jet-; jetsvart, kolsvart

jet-assisted ['dʒetə,sɪstɪd] *adj* spec. flyg., *~ take-off* start med jetdriven hjälpmotor

jet-black [,dʒet'blæk, attr. '--] *adj* jetsvart, kolsvart

jetfoil ['dʒetfɔɪl] *s* se *hydrofoil*

jet lag ['dʒetlæg] *s* jetlag, rubbad dygnsrytm efter längre flygning

jet-lagged ['dʒetlægd] *adj*, *be ~* ha jetlag efter längre flygning, känna av tidsomställningen

jet-propelled ['dʒetprə,peld] *adj* spec. flyg. jetdriven

jetsam ['dʒetsəm, -sæm] *s* **1** överbordkastat (utkastat) gods; ilandflutet vrakgods; *flotsam and* ~ se under *flotsam* **2** bildl., om person vrak
jet set ['dʒetset] *s, the* ~ vard. jetsetet, innekretsarna
jetsetter ['dʒet,setə] *s* jetsettare
jet-ski ['dʒetski:] *vb itr* köra vattenskoter
jet ski ['dʒetski:] *s* vattenskoter
jettison ['dʒetɪsn, -tɪzn] *vb tr* **1** kasta överbord [~ *goods in order to lighten a ship*]; göra sig av med [*the plane ~ed its bombs*]; befria sig från [~ *a burden*] **2** kortsp. saka **3** [om]kullkasta, omintetgöra [~ *a plan*]
jetty ['dʒetɪ] *s* **1** pir, vågbrytare **2** utskjutande [angörings]brygga, kaj
Jew [dʒu:] *s* jude
jewel ['dʒu:əl, dʒʊ:l] **I** *s* juvel, ädelsten; [juvel]smycke; bildl. klenod, skatt, pärla, juvel [*his wife is a* ~]; pl. ~*s* ofta smycken **II** *vb tr* pryda (besätta) med juveler
jewel box ['dʒu:əl,bɒks, dʒʊ:l-] *s* data. etc. kristallask plastförpackning för cd-skiva
jewel case ['dʒu:əlkeɪs, 'dʒʊ:l-] *s* juvelskrin
jewelled ['dʒu:əld] *adj* **1** besatt (prydd) med juveler; ~ *fingers* juvelprydda fingrar; *a* ~ *ring* en juvelbesatt ring; *heavily* ~ juvelbehängd **2** försedd med stenar; *a* ~ *watch* en klocka [försedd] med stenar
jeweller ['dʒu:ələ, 'dʒʊ:lə] *s* juvelerare, guldsmed; ~*'s* el. ~*'s shop* guldsmedsaffär; ~*'s rouge* slags silverputs[pulver]
jewellery ['dʒu:əlrɪ, 'dʒʊ:l-] *s* smycken, juveler; *a piece of* ~ ett smycke
Jewess ['dʒu:es, dʒu:'es] *s* åld. (ofta neds.) judinna
Jewish ['dʒu:ɪʃ] *adj* judisk
Jewry ['dʒʊərɪ] *s* judarna; *international* ~ den internationella judendomen
Jezebel ['dʒezəbl] *s* slinka, slyna
JFK [,dʒeɪef'keɪ] **1** kortform (smeknamn) för *John F. Kennedy* **2** vard. för *Kennedy Airport* i New York
1 jib [dʒɪb] sjö. **I** *s* **1** klyvare **2** kranarm
II *vb itr* gip[p]a, svänga över åt andra sidan
2 jib [dʒɪb] *vb itr* **1** om t.ex. häst vara (bli) istadig, vägra [att gå vidare]; rygga, skygga **2** ~ *at* skygga (rygga) för, visa motvilja mot, streta emot; ~ *at doing sth* vara ovillig att göra ngt
jib boom [,dʒɪ(b)'bu:m] *s* sjö. klyvarbom
jibe [dʒaɪb] *vb itr* o. *s* se *gibe*
jicama ['hi:kəmə] *s* bot. el. kok. jicama
jiff [dʒɪf] *s* o. **jiffy** ['dʒɪfɪ] *s* vard., *in a* ~ alldeles strax, i ett nafs, på ett [litet] kick
Jiffybag® ['dʒɪfɪbæg] *s* Jiffypåse vadderat kuvert
jig [dʒɪg] **I** *s* **1** jigg slags dans, jiggmelodi **2** fiske. pimpel, pilk **3** tekn. jigg vid borrning o.d.
II *vb itr* **1** jigga, dansa jigg; skutta, hoppa, gunga [upp och ned] **2** fiske. pimpla, pilka; ~ *for cod* pilka torsk
III *vb tr* låta (få att) skutta (hoppa, gunga) upp och ned; gunga [upp och ned]
jiggered ['dʒɪgəd] *adj* åld. vard., *I'm* ~*!* det var som katten (tusan)!
jiggery-pokery [,dʒɪgərɪ'pəʊkərɪ] *s* vard. fiffel, skoj; hokuspokus; knep
jiggle ['dʒɪgl] *vb itr* o. *vb tr* vard. vicka med (på), vippa med (på); ruska [på], skaka [på]; dingla (svänga, gunga) med

jigsaw ['dʒɪgsɔ:] *s* **1** ~ el. ~ *puzzle* pussel; *the police are trying to piece together the* ~ *of how* [*the dead man spent his last hours*] bildl. polisen försöker lägga pussel för att få fram hur… **2** figursåg, kontursåg, dekupirsåg
jihad [dʒɪ'hæd, -'hɑ:d] *s* muslimskt jihad, heligt krig äv. bildl.
Jill [dʒɪl] **1** kvinnonamn **2** se äv. *Jack and Jill*
jilt [dʒɪlt] *vb tr* överge, ge på båten, slå upp med
Jim Crow [,dʒɪm'krəʊ] *s* amer. vard. **1** diskriminering av svarta **2** hist. neds. nigger **3** attr. segregerad, endast för svarta [*a* ~ *car*]
jimmy ['dʒɪmɪ] *s* amer. kofot, dyrk
jingle ['dʒɪŋgl] **I** *vb itr* **1** klinga, pingla; skramla, rassla [*the keys* ~*d in his pocket*] **2** neds., om vers el. prosa löpa [alltför] lätt och ledigt, vara lättvindigt hopkommen, vara billigt rimsmideri
II *vb tr* klinga (pingla) med; skramla (rassla) med [*she* ~*d her keys*]; klirra med [~ *the glasses*]
III *s* **1** klingande, pinglande, klirrande **2** ramsa, barnrim; reklamramsa, jingel; neds. nonsensvers; slagdänga
jingoism ['dʒɪŋgəʊɪz(ə)m] *s* chauvinism
jingoistic [,dʒɪŋgəʊ'ɪstɪk] *adj* chauvinistisk
jingulous ['dʒɪŋgjʊləs] *adj* geom. jingulär
jink [dʒɪŋk] *vb itr* **1** spec. rugby., ~ el. ~ *one's way* finta sig fram **2** spec. flyg. göra undanmanövrer
jinx [dʒɪŋks] *s* sl. olycksbringande sak; trolldom; *there's a* ~ *on this job* det har gått troll i det här jobbet; *put a* ~ *on sb* dra olycka över ngn
jinxed [dʒɪŋkst] *adj* otursförföljd; olycksbringande
jism ['dʒɪz(ə)m] *s* sl. **1** sats, sås sädesvätska **2** ork, kraft; *have* ~ ha stake (ruter) i sig
jitterbug ['dʒɪtəbʌg] *s* jitterbug dans; *do the* ~ el. *dance the* ~ dansa jitterbug
jitters ['dʒɪtəz] *s pl* vard., *get the* ~ få stora darren (skälvan); *it gives me the* ~ det ger mig stora darren (skälvan)
jittery ['dʒɪtərɪ] *adj* vard. skakis, nervis
jive [dʒaɪv] sl. **I** *s* **1** jive slags jazz, bugg **2** amer. nonsens, skitsnack
II *vb itr* dansa (spela) jive; bugga
Jnr ['dʒu:nɪə] förk. för *junior*
Joan [dʒəʊn] **1** kvinnonamn **2** ~ *of Arc* el. *St* ~ *of Arc* Jeanne d'Arc; *Saint* ~ äv. Sankta Johanna
Job [dʒəʊb] **1** bibl. egennamn; *the Book of* ~ Jobs bok **2** *a* ~*'s comforter* en dålig (klen) tröst [som gör ont värre]; ~*'s news* jobspost; *have the patience of* ~ ha en ängels tålamod
job [dʒɒb] **I** *s* **1** arbete, arbetsuppgift; *he always does a fine* ~ *of work* han gör alltid ett fint arbete; *make a bad* ~ *of sth* göra (klara av) ngt dåligt; *make a good* ~ *of sth* göra (klara av) ngt bra **2** jobb anställning [*he has a good* ~]; arbetstillfälle; ~*s for the boys* ung. rena svågerpolitiken (myglet); *be out of a* ~ vara arbetslös, vara utan arbete **3** arbetsplats **4** arbete, produkt [*the new model is a fine* ~]; grej **5** vard. jobb; fasligt besvär (sjå), knog, slit [*what a* ~*!*]; göra, uppgift; *she had quite a* ~ *getting the things in order* el. *she had quite a* ~ *to get the things in order* hon hade ett fasligt sjå [med] att få ordning på det hela **6** vard. sak; fall; affär, historia; *a bad* ~ en sorglig historia, en tråkig situation; *he gave it up as a bad* ~ han gav spelet förlorat, han gav upp spelet; *a big* ~

en svår sak; **it's a good** ~ det var tur (bra); **he went, and a good ~, too!** han gick och väl var det!, han gick och gudskelov för det! **7** vard. stöt, jobb, kupp; skum affär **8** data. jobb **9** vard., **nose ~** plastikoperation av näsan

II *vb itr* **1** göra tillfällighetsjobb; arbeta på ackord, arbeta på beting **2** hand. **a)** jobba, handla [*in* i, *med*] **b)** jobba, spekulera [*in* i, *med*]; **~ in stocks** jobba med aktier; spekulera i aktier **3** fiffla, svindla; mygla

job action ['dʒɒb,ækʃ(ə)n] *s* amer. strejkaktioner, stridsåtgärder

job analys|is [,dʒɒbə'næljə|sɪs] (pl. *-es* [-i:z]) *s* arbetsanalys, arbetsstudie[r]

jobber ['dʒɒbə] *s* **1** hand. mellanhand; grossist; mäklare **2** börsjobbare

jobbing ['dʒɒbɪŋ] *adj*, **~ gardener** trädgårdsmästare som arbetar mot timlön

jobcentre ['dʒɒb,sentə] *s* arbetsförmedling lokal

job club ['dʒɒbklʌb] *s* organisation som hjälper arbetslösa att finna jobb

job creation ['dʒɒbkrɪ,eɪʃ(ə)n] *s* skapande av arbetstillfällen (jobb); **~ schemes** sysselsättningsskapande (arbetsmarknadspolitiska) åtgärder

job description ['dʒɒbdɪ,skrɪpʃ(ə)n] *s* arbetsbeskrivning

job-hopper ['dʒɒb,hɒpə] *s* vard. hoppjerka i fråga om arbete

jobless ['dʒɒbləs] *adj* arbetslös; **~ insurance** arbetslöshetsförsäkring

job lot ['dʒɒblɒt] *s* hand. [blandat] varuparti

job security ['dʒɒbsɪ,kjʊərətɪ] *s* anställningstrygghet

jobseeker ['dʒɒb,si:kə] *s* arbetssökande

Jobseeker's Allowance ['dʒɒbsi:kəzə,laʊəns] *s* arbetslöshetsunderstöd

job-sharing ['dʒɒb,ʃeərɪŋ] *s*, **we encourage ~** vi uppmuntrar att två personer delar på ett arbete

jobsworth ['dʒɒbzwəθ] *s* vard. paragrafryttare, petimäter

jock [dʒɒk] *s* amer. vard. **1** idrottare, sportig typ **2** förk. för *jockstrap*

jockey ['dʒɒkɪ] **I** *s* jockej, jockey **II** *vb itr* använda sig av knep, manövrera; **~ for position a)** kapplöpn. tränga [medtävlare] för att skaffa sig bättre position b) bildl. försöka att manövrera sig in i (på) en fördelaktig position

jockstrap ['dʒɒkstræp] *s* suspensoar

jocose [dʒə(ʊ)'kəʊs] *adj* litt. skämts. munter

jocular ['dʒɒkjʊlə] *adj* skämtsam, munter, glad; lustig, humoristisk

jocularity [,dʒɒkjʊ'lærətɪ] *s* skämtsamhet etc., jfr *jocular*

jocund ['dʒɒkənd, 'dʒəʊk-, -kʌnd] *adj* litt. munter, glad, glättig, livlig, livad, uppsluppen; trevlig

jodhpurs ['dʒɒdpəz, -pɜ:z] *s pl* jodhpurs, långa ridbyxor [*a pair of ~*]

Joe [dʒəʊ] **1** kortform av *Joseph* **2** amer. vard., **an ordinary** (**regular, average**) ~ en vanlig kille

Joe Bloggs [,dʒəʊ'blɒgz] *s* vard. genomsnittsbritten

Joe Blow [,dʒəʊ'bləʊ] *s* o. **Joe Doakes** [,dʒəʊ'dəʊks] *s* amer. vard. genomsnittsamerikan[en]

Joe Sixpack [,dʒəʊ'sɪkspæk] *s* amer. sl. neds. vanlig enkel jobbare med osofistikerade vanor; ung. svenne

jog [dʒɒg] **I** *vb itr* lunka, skumpa [*along, on* på, i väg, fram]; sport. jogga; **we must try to ~ along somehow** el. **we must try to ~ on somehow** vi måste försöka komma (knega) vidare [på något sätt] **II** *vb tr* **1** stöta (puffa) till ofrivilligt el. för att påkalla uppmärksamhet [*he ~ged my elbow*] lätt knuffa [till], skuffa; komma att skumpa (guppa) [*the horse ~ged its rider up and down*] **2** bildl., **~ sb's memory** friska upp ngns minne; ge ngn en påstötning, stöta 'på ngn [*about sth* om ngt] **III** *s* **1** joggingrunda; **go for a ~** sticka ut och jogga, göra en joggingrunda **2** knuff, stöt, puff

jogger ['dʒɒgə] *s* sport. joggare

joggers ['dʒɒgəz] *s pl* **1** träningsbyxor, joggingbyxor **2** pl. av *jogger*

jogging ['dʒɒgɪŋ] *s* sport. joggning; **go ~** jogga

jogging shoe ['dʒɒgɪŋʃu:] *s* joggingsko

jogging suit ['dʒɒgɪŋsu:t] *s* träningsoverall, joggingdress

joggle ['dʒɒgl] **I** *vb tr* skaka, ruska **II** *vb itr* skaka; skumpa

jog trot ['dʒɒgtrɒt] *s*, **the usual ~** bildl. den vanliga lunken, den grå vardagen; **at a ~** i sakta lunk (mak); i långsamt trav

John [dʒɒn] **1** mansnamn **2** **Dear ~ letter** vard. avskedsbrev från kvinna till man där hon gör slut **3** som kunganamn Johan **4** bibl. el. som påvenamn Johannes; **~ the Baptist** Johannes Döparen

john [dʒɒn] *s* vanl. amer. sl. **1** **the ~** toa[n], dass[et], muggen **2** torsk kund hos prostituerad

John Bull [,dʒɒn'bʊl] *s* John Bull personifikation av Storbritannien, [den typiske] engelsmannen

John Doe [,dʒɒn'dəʊ] *s* **1** jur. N. N. fingerad man (kärande); **~ and Richard Roe** ung. [herr] X. och [herr] Y. **2** motsv. ung. medelsvensson

John Hancock [,dʒɒn'hænkɒk] *s* amer. vard. namnteckning, signatur [*put your ~ here*]

joie de vivre [,ʒwɑ:də'vi:vr] *s* fr. livsglädje, livslust

join [dʒɔɪn] **I** *vb tr* **1** förena [*~ one thing to* (med) *another*]; förbinda [*~ an island to* (med) *the mainland*]; föra tillsamman, knyta samman; slå samman, foga samman, sätta (foga, skarva, sy) ihop [*~ the pieces*]; koppla; **~ battle** drabba samman; **~ efforts** göra förenade ansträngningar; **~ forces** slå sig ihop, förena sig, alliera sig [*with* med]; **~ two persons in marriage** viga två personer; **~ together** el. **~ up** foga samman, sätta ihop **2** förena sig med, slå sig tillsammans med; flytta ihop med; följa med; komma över (gå in) till; göra gemensam sak med; träffa [*~ one's friends*]; hinna upp; **won't you ~ us?** vill du inte göra oss sällskap?; **I'll ~ you in a minute** jag kommer efter strax, vi ses strax **3** gå in i (vid), börja på; **~ the army** gå in i (vid) armén, ta värvning, gå i krigstjänst; **~ a class** el. **~ a course** börja på en kurs; **~ a party** komma till en fest; **~ a society** gå med i en förening **4** gränsa till, ligga (stöta) intill

II *vb itr* **1** förenas, stöta samman, mötas, råkas; förena sig [*in* i; *with* med]; sluta sig tillsammans; **how do these two pieces ~?** hur passar de här två bitarna ihop? **2** gränsa till varandra

III *vb itr* med adv. el. prep.:

join in a) som adv. vara (komma, bli) med [*I won't ~ in*; *may I ~ in?*]; delta, falla (stämma) in [*here the violin ~s in*] **b)** som prep. delta i, blanda sig i [*~ in the conversation*]; stämma (falla) in i [*they all ~ed in the song*]; *~ in an undertaking* gå (vara) med på ett företag

join up vard. bli soldat, ta värvning

IV s skarv, fog, hopfogning

joined-up [ˌdʒɔɪnd'ʌp] *adj*, *~ writing* skrivstil

joiner ['dʒɔɪnə] s **1** [inrednings]snickare **2** amer. klubbmänniska, föreningsmänniska

joinery ['dʒɔɪnərɪ] s snickeri

joint [dʒɔɪnt] **I** *adj* förenad, förbunden, med-; gemensam, samfälld, sam-; *~ account* gemensamt konto, gemensam räkning; *~ author* medförfattare; *~ owner* a) medägare b) partredare; *~ ownership* jur. samäganderätt; *~ taxation* sambeskattning **II** s **1** sammanfogning[sställe], föreningspunkt; tekn. fog, skarv **2** bot., biol. el. friare led; *out of ~* ur led, ur gängorna; i olag; *put sb's nose out of ~* bildl. slå ngn ur brädet, knuffa (skjuta) ngn åt sidan **3** kok. stek; [styckad] bit; *~ of lamb* lammstek **4** sl. a) enklare ställe; sämre nattklubb; sylta; [lönn]krog; spelhåla b) kyffe **5** sl. joint, marijuanacigarett **III** *vb tr* **1** stycka **2** foga ihop (samman), förbinda

joint custody [ˌdʒɔɪnt'kʌstədɪ] s delad vårdnad

jointed ['dʒɔɪntɪd] *adj* ledad

jointly ['dʒɔɪntlɪ] *adv* gemensamt, samfällt, i gemenskap; *~ and separately* en för alla och alla för en

joint stock [ˌdʒɔɪnt'stɒk] s aktiekapital

joint stock company [ˌdʒɔɪnt'stɒk,kʌmp(ə)nɪ] s aktiebolag

joint venture [ˌdʒɔɪnt'ventʃə] s samriskföretag, joint venture, samarbetsbolag

joist [dʒɔɪst] s tvärbjälke; golvbjälke; takbjälke

joke [dʒəʊk] **I** s **1** skämt; kvickhet, vits, lustighet; skoj; *practical ~* practical joke handgripligt skämt, spratt, skoj; *the ~'s on me* det är mig skämtet (det) går ut över; *it's no ~* det är inget skämt, det är minsann ingenting att skämta med (om); *it's no ~ to be...* el. *it's no ~ being...* det är [minsann] inte så roligt att vara...; *crack ~s* el. *make ~s* säga (kläcka ur sig) kvickheter, skämta; *play a ~ on sb* spela ngn ett spratt, skämta (skoja) med ngn; *he can't take a ~* han tål (förstår) inte skämt; *it's getting beyond a ~* det börjar gå för långt; *as a ~* el. *for a ~* el. *by way of a ~* på skämt, på skoj **2** föremål för skämt (drift) [*a standing ~*]; driftkucku **II** *vb itr* skämta, skoja, gyckla; *you must be joking!* skojar du?

joker ['dʒəʊkə] s **1** skämtare, lustigkurre; spefågel; kvickhuvud **2** kortsp. joker; *~ in the pack* joker i leken person

joking ['dʒəʊkɪŋ] **I** *adj* skämtsam [*~ remarks*] **II** s skämt, skoj; gyckel, drift; *this is no ~ matter* det här är ingenting att skämta om; *~ apart* skämt åsido

jokingly ['dʒəʊkɪŋlɪ] *adv* på skämt; skämtande, skämtsamt

jolly ['dʒɒlɪ] **I** *adj* glad, trevlig, rolig, munter, skojig, kul, livad; upprymd; *a ~ fellow* en glad gosse (prick) **II** *adv* vard. ngt åld. mycket, väldigt, förbaskat [*he*

knows ~ well that...*]; *that's ~ good* det var riktigt bra (jättebra); *take ~ good care not to* akta sig väldigt noga för att; *a ~ good fellow* en hedersknyffel, en förbaskat bra karl; *he knows ~ well* han vet [det] nog [alltför väl]; *you've ~ well got to* el. *you've ~ well got to do so* det blir du förbaske mig (faktiskt) tvungen att göra; *he (they osv.) ~ well ought to!* fattas bara annat!

Jolly Roger [ˌdʒɒlɪ'rɒdʒə] s, *the ~* sjörövarflaggan med dödskallemärke

jolt [dʒəʊlt] **I** *vb itr* om åkdon o.d. skaka, skaka till, skumpa; *~ along* skumpa i väg, skaka i väg **II** *vb tr* skaka [om], ruska; ge en chock; kullkasta **III** s skakning, ryck, stöt, bildl. äv. slag, chock

Jonah ['dʒəʊnə] **I** bibl. egennamn Jona **II** s olycksbringare

Jonathan ['dʒɒnəθ(ə)n] **1** mansnamn **2** bibl. Jonatan

Jones [dʒəʊnz] **1** egennamn **2** *keep up with the ~es* ung. göra som alla andra gör, inte vara sämre än grannen

Jordan ['dʒɔːdn] s geogr. **1** *the ~* Jordan[floden] **2** Jordanien

Joseph ['dʒəʊzɪf] **1** mansnamn **2** bibl. Josef

josh [dʒɒʃ] *vb itr* vanl. amer. vard. skoja, skämta, retas

jostle ['dʒɒsl] **I** *vb tr* knuffa, knuffa till, skuffa undan, tränga undan; ränna (stöta) emot; *~ one's way* armbåga sig fram **II** *vb itr* knuffas, skuffas, trängas

jot [dʒɒt] **I** s jota, dugg, dyft; *not a ~* el. *not one ~* inte ett dugg, inte det ringaste **II** *vb tr*, *~ down* krafsa (kasta) ned, anteckna, notera; skissa

jotter ['dʒɒtə] s anteckningsbok, annotationsbok

jottings ['dʒɒtɪŋz] s *pl* snabbt nedkastade anteckningar

joule [dʒuːl] (förk. *J*) s fys. joule

journal ['dʒɜːnl] s **1** tidskrift ofta teknisk el. vetenskaplig, journal; [dags]tidning **2** journal, dagbok; liggare; sjö. loggbok, skeppsjournal; *keep a ~* föra dagbok, föra journal

journalese [ˌdʒɜːnə'liːz] s neds. tidningsjargong, [enkelt] tidningsspråk

journalism ['dʒɜːnəlɪz(ə)m] s journalistik

journalist ['dʒɜːnəlɪst] s journalist, tidningsman

journalistic [ˌdʒɜːnə'lɪstɪk] *adj* journalistisk, journalist-

journey ['dʒɜːnɪ] **I** s resa spec. till lands el. bildl. [*make a ~*; *set out on a ~*]; *break a ~* göra ett stopp i resan **II** *vb itr* resa

journey|man ['dʒɜːnɪ|mən] (pl. -men [-mən]) s åld. **1** gesäll; *~ tailor* skräddargesäll **2** bildl. arbetsträl, slav, underhuggare

journo ['dʒɜːnəʊ] (pl. ~s) s vard., se *journalist*

joust [dʒaʊst] *vb itr* **1** bildl. duellera **2** hist. tornera, deltaga i en tornering

Jove [dʒəʊv] mytol. Jupiter; *by ~!* du store!

jovial ['dʒəʊvɪəl] *adj* jovialisk [*a ~ fellow*]; fryntlig, gemytlig, glad, gladlynt, munter; *in a ~ mood* på glatt humör

joviality [ˌdʒəʊvɪ'ælɪtɪ] s **1** jovialitet, fryntlighet etc., jfr *jovial* **2** festglädje

jowl [dʒaʊl] s **1** käkben; [under]käke, haka **2** kind

joy [dʒɔɪ] s glädje, fröjd [*at* över; *weep for* (av) ~; *jump for* (av) ~]; glädjekälla, glädjeämne; pl. *~s* fröjder, glädjeämnen; *~ of life* livsglädje

joyful ['dʒɔɪf(ʊ)l] *adj* **1** [jublande] glad, förtjust **2** glädjande [~ *news*]; lycklig [*a* ~ *event*]

joyless ['dʒɔɪləs] *adj* glädjelös

joyous ['dʒɔɪəs] *adj* **1** glad, glättig [*a* ~ *melody*; *a* ~ *temper*] **2** glädjande [~ *news*]; fröjdefull, glad

joyousness ['dʒɔɪəsnəs] *s* glädje, fröjd; glättighet

joypad ['dʒɔɪpæd] *s* data. handkontroll

joyride ['dʒɔɪraɪd] *s* **1** nöjestur **2** vard. buskörning (vansinnesfärd) i stulen bil

joyrider ['dʒɔɪ,raɪdə] *s* person som buskör i stulen bil

joyriding ['dʒɔɪ,raɪdɪŋ] *s* billån, buskörning

joystick ['dʒɔɪstɪk] *s* **1** flyg. vard. styrspak, styrpinne **2** data. styrspak, joystick **3** vulg. kuk

JP [,dʒeɪ'piː] förk. för *Justice of the Peace*

Jr o. **jr** ['dʒuːnɪə] förk. för *junior*

jubilant ['dʒuːbɪlənt] *adj* jublande, triumferande; *be in ~ mood* vara jublande glad

jubilation [,dʒuːbɪ'leɪʃ(ə)n] *s* jubel; segerjubel

jubilee ['dʒuːbɪliː, -eɪ, dʒuːbɪ'liː] *s* jubileum; attr. jubileums- [~ *edition*; ~ *exhibition*]

Judah ['dʒuːdə] bibl. Juda

Judaic [dʒʊ'deɪɪk] *adj* o. **Judaical** [dʒʊ'deɪɪk(ə)l] *adj* judisk, judaistisk

Judaism ['dʒuːdeɪɪz(ə)m] *s* judendom[en]; judaism[en]

Judas ['dʒuːdəs] **1** bibl. egennamn **2** bildl. judas, förrädare

Judas kiss ['dʒuːdəskɪs] *s* judaskyss

Judas tree ['dʒuːdəstriː] *s* bot. judasträd

judder ['dʒʌdə] **I** *vb itr* skaka, vibrera [kraftigt]; *~ to a halt* skaka till och stanna **II** *s* skakning, vibration

judge [dʒʌdʒ] **I** *s* domare; bedömare, kännare [*a good ~ of horses*]; *Judges* el. *the Book of Judges* bibl. Domareboken; *~'s stand* el. *~'s box* domartorn, domarplats vid [häst]kapplöpning; *be a good ~ of* förstå sig bra på, känna väl till; *he is no ~* han är inte sakkunnig; det kan han inte bedöma; *I am no ~ of that* den saken (det) kan jag inte bedöma (avgöra) **II** *vb tr* **1** döma, fälla dom över; avgöra; bestämma [*that* att]; *~ a case* döma i ett mål **2** bedöma [*I can't ~ whether she was right or wrong*]; *as far as I can ~* såvitt jag kan bedöma; *it's for you to ~* det får ni själv bedöma (avgöra), anse för [*I ~d him to be about 50*]; förmoda, anta **III** *vb itr* **1** tjänstgöra (sitta) som domare, sitta till doms; avkunna dom, döma, fälla utslag; medla **2** döma, fälla omdöme [*of* om, över; *by, from* efter, av]; *~ for yourself!* döm själv!; *to ~ from* el. *judging by* el. *judging from* att döma av

judgement ['dʒʌdʒmənt] *s* **1** bedömande, bedömning, omdöme; omdömesförmåga; gott omdöme, urskillning; uppfattning; *pass ~ on* ge ett omdöme om; kritisera; *reserve ~* vänta med att ge ett omdöme; *error of ~* felbedömning; *against one's better ~* mot bättre vetande; *in my ~* el. *according to my ~* efter min mening, enligt min uppfattning **2** jur. dom, utslag spec. i civilmål; *give ~* el. *pass ~* el. *pronounce ~* avkunna (fälla) dom, fälla utslag [*against, for, on* över] **3** dom, kritik, klander; *sit in ~ on sb* sätta sig till doms över ngn **4** relig., *the Last Judgement* yttersta domen; *the Day of Judgement* el. *Judgement Day* domedagen

judgemental [,dʒʌdʒ'ment(ə)l] *adj* fördömande, kritisk

Judgement Day [,dʒʌdʒməntdeɪ] *s* relig., se *judgement 4*

judgment ['dʒʌdʒmənt] *s* se *judgement*

judicature ['dʒuːdɪkətʃə, -tjʊə] *s* **1** rättskipning, domsrätt, jurisdiktion; domvärjo **2** domarkår **3** domstol

judicial [dʒʊ'dɪʃ(ə)l] *adj* **1** rättslig, juridisk [*on ~ grounds*]; domstols-, judiciell; rätts- [*a ~ act*]; domar- [~ *duties*]; doms-; ådömd; dömande; *~ proceedings* lagliga (laga) åtgärder, rättegång, åtal **2** opartisk [*a ~ investigation*]; kritisk

judicially [dʒʊ'dɪʃ(ə)lɪ] *adv* **1** rättsligen, juridiskt; på grund av (genom) domstolsutslag **2** såsom domare **3** opartiskt; kritiskt

judicial murder [dʒʊ,dɪʃ(ə)l'mɜːdə] *s* justitiemord

judicial separation [dʒʊ,dɪʃ(ə)lsepə'reɪʃ(ə)n] *s* av domstol ålagd hemskillnad

judiciary [dʒʊ'dɪʃɪərɪ, -ʃə-] **I** *adj* se *judicial* **II** *s*, *the ~* domarkåren, domarna; domstolarna

judicious [dʒʊ'dɪʃəs] *adj* förståndig, klok; omdömesgill, välbetänkt, rationell

judiciousness [dʒʊ'dɪʃəsnəs] *s* förstånd, urskillning, [gott] omdöme, klokhet

Judith ['dʒuːdɪθ] **1** kvinnonamn **2** bibl. Judit

judo ['dʒuːdəʊ] *s* sport. judo

jug [dʒʌg] *s* **1** kanna, tillbringare [*a milk ~*; *a ~ of milk*]; stånka, stop [*a ~ of beer*]; amer. krus **2** åld. sl. kåk fängelse; *be in ~* sitta på kåken

jugged [dʒʌgd] *adj* tillagad i ugnsfast form (lergryta); *~ hare* ung. harragu

juggernaut ['dʒʌgənɔːt] *s* **1** vard. långtradare; jättetruck **2** bildl. jaggernaut, ångvält

juggle ['dʒʌgl] **I** *vb itr* **1** jonglera, bolla **2** bildl. leka [~ *with ideas*]; bolla, trolla [~ *with figures*]; fiffla **II** *vb tr* lura; fiffla med [*the manager ~d his figures*]; *~ sb into sth* lura ngn till ngt

juggler ['dʒʌglə] *s* jonglör, bollkonstnär

Jugoslavia [,juːgə(ʊ)'slɑːvɪə] geogr. hist., se *Yugoslavia*

jugular ['dʒʌgjʊlə] *s* halsblodåder, halsven; *go for the ~* vard. sätta kniven på strupen på ngn

jugular vein [,dʒʌgjʊlə'veɪn] *s* halsblodåder, halsven

juice [dʒuːs] **I** *s* **1** saft vätska, sav o.d., juice; *two orange ~s, please!* två [glas] apelsinjuice, tack!; *digestive ~s* matsmältningsvätskor; *gastric ~* el. *gastric ~s* magsaft **2** vard. **a)** soppa bensin **b)** kräm, elström **3** amer. sl. stålar **4** amer. sl. dricka sprit **II** *vb tr* **1** pressa saften ur **2** ~ *sth up* vard. liva upp, sätta sprätt på

juice box ['dʒuːsbɒks] *s* liten juicekartong med sugrör

juice extractor ['dʒuːsɪk,stræktə] *s* saftpress

juicer ['dʒuːsə] *s* **1** råsaftcentrifug; saftpress **2** citronpress **3** amer. sl. fyllbult

juiciness ['dʒuːsɪnəs] *s* saftighet

juicy ['dʒuːsɪ] *adj* **1** saftig **2** vard. saftig, mustig, pikant [~ *gossip*] **3** läcker, sexig, förförisk **4** *a ~ contract* ett fördelaktigt kontrakt

ju-jitsu [dʒuː'dʒɪtsuː] *s* sport. jiujitsu

jukebox ['dʒuːkbɒks] *s* jukebox

Jul. förk. för *July*

julep ['dʒuːlep] *s* amer. **1** *mint ~* mint julep söt whiskeydrink med krossad is o. mynta **2** farmakol., sötad medicintillsats, ung. sirap

Juliet ['dʒuːlɪət] **1** kvinnonamn **2** hos Shakespeare Julia

July [dʒʊ'laɪ] *s* juli

jumble ['dʒʌmbl] **I** *vb tr*, ~ el. ~ *up* blanda (röra, vräka) ihop utan ordning; *be ~d* el. *be ~d up together* ligga (vara) i en enda röra **II** *s* virrvarr, röra, hopplock, mischmasch; sammelsurium [*a ~ of words*]; skräp; *a ~ of* en [enda] röra av, ett [enda] virrvarr av

jumbled ['dʒʌmbld] *adj* rörig; oredig, vimsig

jumble sale ['dʒʌmblseɪl] *s* loppmarknad vanl. för att samla in pengar

jumbo ['dʒʌmbəʊ] (pl. ~s) *s* **1** bjässe, jätte; klumpeduns äv. bildl. **2** flyg. jumbojet

jumbo jet ['dʒʌmbəʊdʒet] *s* jumbojet

jump [dʒʌmp] **I** *vb itr* hoppa; skutta; guppa; hoppa till, rycka till; ~ *down sb's throat* fara ut mot ngn, kasta sig över ngn; ~ *for joy* hoppa högt (dansa) av glädje; ~ *to conclusions* dra förhastade slutsatser; ~ *to one's feet* springa upp, rusa upp; ~ *to it* vard. skynda (raska) på, sätta fart, hugga i; *it made him ~* det kom (fick) honom att hoppa högt av t.ex. förskräckelse

II *vb tr* **1** hoppa över [~ *a fence*; ~ *a chapter*]; ~ *the gun* vard. tjuvstarta; ta ut ngt i förväg, förhasta sig; ~ *the lights* el. ~ *the traffic lights* vard. amer. köra mot rött ljus; ~ *the queue* el. amer. ~ *the line* vard. tränga sig före [i kön], smita före [i kön]; ~ *the rails* el. ~ *the track* spåra ur **2** ~ *a train* a) tjuvåka med [ett] tåg b) amer. hoppa på ett tåg [i farten]; ta tåget i all hast **3** förmå (få) att hoppa, låta hoppa [~ *one's horse over a fence*]; ~ *a child on one's knee* ung. låta ett barn rida ranka

III *vb itr* med adv. el. prep.:

jump at: ~ *at a chance* gripa en chans; ~ *at an offer* nappa på (hoppa 'på') ett erbjudande; ~ *at an opportunity* gripa ett tillfälle; *she ~ed at it* bildl. hon kastade sig över det

jump in hoppa in i vagn o.d.

jump on sb bildl. slå ned på ngn, hoppa 'på' ngn; läxa upp ngn, ge ngn en omgång

IV *s* **1** hopp; skutt, språng; *high ~* höjdhopp; *long ~* längdhopp; *pole ~* stavhopp; *be one ~ ahead* vara steget före; *get the ~ on* vard. få försprång framför; *have the ~ on* vard. ha försprång framför **2** [plötslig] stegring, [plötslig] höjning [*a ~ in prices*]

jumped-up ['dʒʌmptʌp] *adj* vard. stöddig; *they are a ~ lot* de är en samling uppkomlingar

jumper ['dʒʌmpə] *s* **1** hoppare; *high ~* höjdhoppare **2** plagg jumper; sjö. bussarong **3** amer., slags förkläde

jumper cables ['dʒʌmpə,keɪblz] *s pl* amer. bil. startkablar

jumping jack [,dʒʌmpɪŋ'dʒæk] *s* **1** sprattelgubbe **2** pyrotekn. svärmare **3** gymn. krysshopp

jumping-off point [,dʒʌmpɪŋ'ɒfpɔɪnt] *s* startpunkt

jump jet ['dʒʌmpdʒet] *s* flyg. vertikalstartare, VTOL-plan

jump leads ['dʒʌmpliːdz] *s pl* bil. startkablar

jump rope [subst. 'dʒʌmprəʊp, verb dʒʌmp'rəʊp] amer. **I** *s* hopprep **II** *vb itr* hoppa hopprep

jump seat ['dʒʌmpsiːt] *s* klaffsits, nedfällbar sits i t.ex. bil el. flyplan

jump-start ['dʒʌmpstɑːt] *vb tr*, ~ *a car* a) rulla

(putta) i gång en bil b) starta en bil med startkablar; ~ *the economy* få fart på ekonomin

jumpsuit ['dʒʌmpsuːt, -sjuːt] *s* overall

jumpy ['dʒʌmpɪ] *adj* **1** hoppig; hoppande **2** vard. skärrad, nervös

1 Jun. förk. för *June*

2 Jun. ['dʒuːnɪə] förk. för *junior*

junction ['dʒʌŋ(k)ʃ(ə)n] *s* **1** a) vägkors[ning], korsning b) avfart; påfart c) järnvägsknut [*Clapham Junction*] **2** elektr. koppling **3** förenande, förening; förbindelse

junction box ['dʒʌŋ(k)ʃ(ə)nbɒks] *s* elektr. kopplingsdosa, förgreningsdosa

juncture ['dʒʌŋ(k)tʃə] *s* **1** kritiskt ögonblick; avgörande tidpunkt, situation; *a crucial ~* ett avgörande (kritiskt) läge; *at this ~* vid denna tidpunkt, i detta läge **2** föreningspunkt; fog

June [dʒuːn] *s* **1** juni **2** kvinnonamn

jungle ['dʒʌŋgl] *s* djungel, bildl. äv. snårskog, gytter; *asphalt ~* el. *concrete ~* storstadsdjungel, stenöken; *the law of the ~* djungelns lag

jungle gym [,dʒʌŋgl'dʒɪm] *s* amer. klätterställning för barn

junior ['dʒuːnɪə] **I** *adj* yngre äv. i tjänsten o.d.; den yngre, junior [*John Smith, Junior*]; junior- [*a ~ team*]; lägre i rang, underordnad [~ *minister* i regeringen]; ~ *miss* vard. tonårstjej; ~ *partner* yngre kompanjon; ~ *to* yngre än; underordnad **II** *s* **1** [person som är] yngre äv. i tjänsten o.d., yngre medlem; yngre kompanjon; *my ~s* de som är yngre än jag [i tjänsten], mina yngre kolleger; *he is six years my ~* el. *he is my ~ by six years* han är sex år yngre än jag **2** spec. sport. junior **3** amer. tredjeårsstudent vid college, junior[student]; tredjeårselev vid fyraårig 'high school', junior[elev] **4** amer. vard. grabb[en] [*take it easy, ~!*]; *I bought it for ~* jag köpte den åt grabben (min pojke)

junior college [,dʒuːnɪə'kɒlɪdʒ] *s* amer. förberedande college som ger lägre universitetsexamen

junior high school [,dʒuːnɪə'haɪskuːl] *s* se *high school 2 b*

junior school ['dʒuːnɪəskuːl] *s* skola för elever mellan 7 och 11 år inom den obligatoriska skolan

juniper ['dʒuːnɪpə] *s* **1** bot. en; *oil of ~* enbärsolja **2** envirke, ene

juniper berry ['dʒuːnɪpə,berɪ] *s* enbär

junk [dʒʌŋk] *s* skräp [*an attic full of ~*]; skrot, lump, sopor; bildl. smörja [*talk ~*]; *this car is a piece of ~* den här bilen är rena skrothögen

junk art ['dʒʌŋkɑːt] *s* skrotskulpturer o.d.

junket ['dʒʌŋkɪt] *s* **1** kalas, fest; utflykt som betalas med allmänna medel **2** sötad mjölk som bringats att stelna genom löpe, slags kvarg

junk food ['dʒʌŋkfuːd] *s* skräpmat, snabbmat

junkie ['dʒʌŋkɪ] *s* sl. pundare, sprutnarkoman

junk mail ['dʒʌŋkmeɪl] *s* skräpreklam, direktreklam

junk shop ['dʒʌŋkʃɒp] *s* lumpbod, affär för begagnade prylar (kläder etc.)

junky ['dʒʌŋkɪ] *s* sl., *junkie*

junk yard ['dʒʌŋkjɑːd] *s* skroten, skrotupplag

junta ['dʒʌntə, 'hʊntə] *s* polit. junta

Jupiter ['dʒuːpɪtə] mytol. el. astron. Jupiter

Jurassic [dʒʊ(ə)'ræsɪk] geol. **I** *adj* jura- [~

formation]; **the ~ period** se under *Jurassic II* **II** *s*, **the ~**
jura[tiden], juraperioden
juridical [dʒʊəˈrɪdɪk(ə)l] *adj* juridisk, rättslig
jurisdiction [ˌdʒʊərɪsˈdɪkʃ(ə)n] *s* jurisdiktion:
a) rättskipning b) domsrätt, domvärjo
c) rättskipningsområde, domsaga
jurisprudence [ˌdʒʊərɪsˈpruːd(ə)ns, ˌ--ˈ--] *s* juridik,
jurisprudens, rättsvetenskap
jurist [ˈdʒʊərɪst] *s* rättslärd; jurist
juror [ˈdʒʊərə] *s* juryman, juryledamot, jurymedlem
  äv. friare
jury [ˈdʒʊərɪ] *s* **1** jur. jury grupp av edsvurna; **grand ~**
  amer. åtalsjury; **be on a ~** vara med i en jury, vara
  utsedd till juryman; **serve on a ~** el. **sit on a ~** sitta i
  en jury **2** [tävlings]jury; **the ~ is still out on...** juryn
  har ännu inte bestämt sig om...
jury box [ˈdʒʊərɪbɒks] *s* jurybås
jury duty [ˈdʒʊərɪˌdjuːtɪ] *s* vanl. amer. juryplikt
jury|man [ˈdʒʊərɪ|mən] (pl. *-men* [-mən]) *s*
jurymedlem man
jury service [ˈdʒʊərɪˌsɜːvɪs] *s* juryplikt
jury|woman [ˈdʒʊərɪ|wʊmən] (pl. *-women*
[-ˌwɪmɪn]) *s* jurymedlem kvinna
just [dʒʌst, adv. äv. dʒəst] **I** *adj* **1** rättvis [*to, towards*
mot; *a ~ decision; a ~ teacher*]; rättrådig,
rättskaffens, opartisk [*a ~ man*] **2** rätt, riktig [*~
conduct*]; väl avvägd **3** välförtjänt [*~ punishment;
~ reward*] **4** skälig, rimlig [*the payment is ~*]
5 berättigad, befogad, välgrundad [*a ~ opinion; ~
suspicions*]
  II *adv* **1** just [*this is ~ what I wanted*]; alldeles,
exakt, precis [*it's ~ two o'clock*]; **it's ~ as well** det är
lika bra, det är lika så gott; **~ as well** lika gärna; **~
by** strax bredvid, alldeles intill; **~ now** a) just nu, för
ögonblicket, för tillfället b) alldeles nyss, helt
nyligen; **that's ~ it** just [precis] det ja; **he is ~ the
man** [*for the post*] han är rätte mannen... **2** just
[*they have ~ left*]; nyss, nyligen **3** genast, strax,
med detsamma; **it's ~ on six** klockan är snart
(nästan) sex **4** nätt och jämnt, knappt; **I ~ managed
to** jag lyckades med knapp nöd (med nöd och
näppe) att; **~ about** [på ett] ungefär; nästan **5** bara,
endast [*she is ~ a child*; *I ~ looked at him*]; **~ fancy!**
tänk bara!; **~ a minute!** el. **~ a moment!** ett ögonblick
bara! **6** vard. fullkomligt, alldeles [*he's ~ crazy*]; **not
~ yet** inte riktigt än **7** vard. a) förstärkande minsann,
verkligen; verkligt [*that's ~ fine!*]; **I'll ~ give it to you!**
jag ska minsann ge dig!; [*Did she laugh?*] – **Didn't
she ~!** ... – jo, det kan du tro (skriva upp) att hon
gjorde! b) i frågor egentligen; **~ 'who owns this place?**
vem äger egentligen det här stället?
justice [ˈdʒʌstɪs] *s* **1** rättvisa, rätt; **law and ~** lag och
rätt; **administer ~** el. **dispense ~** skipa rättvisa (lag,
rätt); **do ~ to sb** el. **render ~ to sb** göra ngn rättvisa;
vara rättvis mot ngn; **he did ample ~ to the dinner**
han gjorde all heder åt middagen; **court of ~**
domstol, rätt; **High Court of Justice** ung. hovrätt; **fall
into the hands of ~** falla i rättvisans händer; **bring to
~** dra inför rätta **2** rätt [och billighet];
berättigande; riktighet; rimlighet; **in ~** rätteligen;
med skäl; **in all ~** el. **with great ~** med all rätt, med
allt (fullt) fog **3** domare spec. i *Supreme Court of
Judicature*, ung. justitieråd; **Lord Justice** domare i
Court of Appeal; **Lord Chief Justice** se under *chief*

justice; **Mr Justice Smith** domaren Smith i *High
Court of Justice*
Justice of the Peace [ˌdʒʌstɪsəvðəˈpiːs] (förk. *JP*) *s*
fredsdomare
justifiable [ˌdʒʌstɪˈfaɪəbl, ˈ-----] *adj* försvarlig,
rättmätig; riktig, rättfärdig [*a ~ action*]
justifiable homicide [ˈdʒʌstɪˌfaɪəblˈhɒmɪsaɪd] *s*
dråp i nödvärn
justification [ˌdʒʌstɪfɪˈkeɪʃ(ə)n] *s* försvar,
rättfärdigande; berättigande; urskuldande; **in ~ of**
till försvar för; **with some ~** med viss rätt
justify [ˈdʒʌstɪfaɪ] *vb tr* **1** försvara; rättfärdiga;
urskulda, ursäkta [*nothing can ~ such an action*]; **I
was justified in doing so** jag var i min fulla rätt att
göra det, jag hade all rätt att göra det; **the end
justifies the means** ändamålet helgar medlen **2** ge
rätt åt, bevisa [*~ a statement*]; bestyrka, verifiera
just-in-time [ˌdʒʌstɪnˈtaɪm] *adj* just-in-time [*~
printing*]
justly [ˈdʒʌstlɪ] *adv* rättvist [*treat sb ~*]; med rätta,
på goda grunder [*~ indignant*]
jut [dʒʌt] **I** *vb itr*, **~** el. **~ out** skjuta ut, sticka fram
(ut) **II** *vb tr*, **~** el. **~ out** skjuta [fram], sticka [ut]
jute [dʒuːt] *s* bot. el. textil. jute
jute cloth [ˈdʒuːtklɒθ] *s* juteväv
Jutland [ˈdʒʌtlənd] geogr. Jylland
juvenile [ˈdʒuːvənaɪl, amer. ibl. -n(ə)l] **I** *adj*
1 ungdoms- [*~ books*]; barn- **2** omogen, naiv,
juvenil **3** litt. ungdomlig
  II *s* tonåring, barn; pl. *~s* äv. minderåriga;
ungdomar; **for ~s** äv. barntillåten
juvenile court [ˌdʒuːvənaɪlˈkɔːt] *s* åld., se *youth court*
juvenile delinquency [ˌdʒuːvənaɪldɪˈlɪŋkwənsɪ] *s*
ungdomsbrottslighet
juvenile delinquent [ˌdʒuːvənaɪldɪˈlɪŋkwənt] *s* o.
  juvenile offender [ˌdʒuːvənaɪləˈfendə] *s*
ungdomsbrottsling
juxtapose [ˈdʒʌkstəpəʊz] *vb tr* placera intill
varandra, placera sida vid sida, sammanställa
juxtaposition [ˌdʒʌkstəpəˈzɪʃ(ə)n] *s* plats (läge)
intill varandra, placering sida vid sida,
sammanställning

1 K, k [keɪ] (pl. *K's* el. *k's* [keɪz]) *s* K, k
2 K [keɪ] förk. för *kelvin*
k (förk. för *kilo*-); [ett] tusen [*£12k; 23k miles*]
K9 ['keɪnaɪn] vanl. amer. (förk. för o. homonym till *canine*) hund[-]
Kabul ['kɑ:bul] geogr.
kaffeeklatch o. **kaffeeklatch** ['kæfeɪklætʃ] *s* amer. kafferep
kaftan ['kæftæn] *s* österländsk kaftan
kahuna [kə'hu:nə] *s* vard. nummer ett, den som vet mest
Kalashnikov [kə'læʃnɪkɒf] *s* kalasjnikov sovjetisk automatkarbin
kale [keɪl] *s* grönkål, kruskål
kaleidoscope [kə'laɪdəskəup] *s* kalejdoskop; *a ~ of colours* bildl. ett mångskiftande färgspel
kaleidoscopic [kə,laɪdə'skɒpɪk] *adj* kalejdoskopisk, mångskiftande, brokig
kamikaze [,kæmɪ'kɑ:zɪ] *adj*, *~ pilot* självmordspilot
kangaroo [,kæŋɡə'ru:] (pl. ~s) *s* zool. känguru
kangaroo court [,kæŋɡəru:'kɔ:t] *s* skendomstol
Kans. förk. för *Kansas*
Kansas ['kænzəs] geogr.
kaolin ['keɪəlɪn] *s* kaolin fin porslinslera
kapok ['keɪpɒk] *s* kapock, glansull
kaput [kæ'pʊt] *adj* sl. kaputt, slut; kass
karaoke [,kærə'əʊkɪ] *s* karaoke amatörtävling där man sjunger till inspelad musik
karate [kə'rɑ:tɪ] *s* sport. karate
karate chop [kə'rɑ:tɪtʃɒp] *s* sport. karateslag
karma ['kɑ:mə] *s* relig. karma
Kashmir [,kæʃ'mɪə] geogr.
kayak ['kaɪæk] *s* kajak
Kazakhstan [,kæzæk'stɑ:n] geogr. Kazakstan
KB [,keɪ'bi:] data. förk. för *kilobyte*
kbps data. förk. för *kilobits per second*
KC [,keɪ'si:] förk. för *King's Counsel, Knight Commander*
Keats [ki:ts]
kebab [kɪ'bæb, kə-] *s* kok. kebab grillspett
kedgeree [,kedʒə'ri:, '---] *s* ung. fiskrisotto med ägg
keel [ki:l] **I** *s* köl; *on an even ~* a) sjö. på rät köl b) bildl. på rät köl; i balans
II *vb itr* med adv.:
keel over a) sjö. kantra; vända upp kölen b) vard. tuppa av c) bildl. haverera
keen [ki:n] *adj* **1** ivrig [*I am ~ on going again*]; entusiastisk [*a ~ sportsman*]; passionerad [*a ~ lover of music*]; *be ~* äv. ha lust; [*as*] *~ as mustard* vard., se *mustard*; *~ on* pigg på, angelägen om, entusiastisk för [*sth* ngt; *doing sth* att göra ngt]; förtjust (kär) i [*he is ~ on Mary*]; *~ on travelling* reslysten **2** om sinnen, förstånd skarp [*~ sight; ~ hearing; a ~ eye* (blick) *for*]; fin [*a ~ nose for*]; skarpsinnig, klok, klipsk **3** om känslor m.m. intensiv; häftig [*a ~ pain*]; bitter [*~ sorrow*]; livlig, stark [*a ~ sense of duty*]; levande [*a ~ interest*]; frisk [*a ~ appetite*]; hård [*~*

competition] **4** bildl. skarp, intensiv; genomträngande, isande [*a ~ wind*]; bitande [*~ satire; ~ sarcasm*] **5** skarp, vass [*a ~ edge; a ~ razor*]
keenness ['ki:nnəs] *s* skärpa äv. bildl., iver, entusiasm etc., jfr *keen*
keep [ki:p] **I** (*kept kept*) *vb tr* (se äv. *keep III*)
1 hålla, behålla, hålla kvar, hålla fast; uppehålla; *~ alive* hålla vid liv; *~ sb company* hålla ngn sällskap; *~ one's head* behålla fattningen, hålla huvudet kallt; *~ going* hålla vid liv; hålla i gång (sysselsatt); hålla flytande [*will £50 ~ you going until payday?*]; *I won't ~ you long* jag ska inte uppehålla dig länge, det tar inte lång tid; du ska inte behöva vänta länge på mig; *~ sb waiting* låta ngn vänta **2** behålla; hålla på, spara [på], gömma på [*~ for future needs*]; låta stå; ha; förvara; hålla inne med, bevara [*~ a secret*] **3** ha, äga, hålla sig med [*~ a car; ~ a dog*], hand. föra [*we don't ~ that brand* (märke)] **4** underhålla, uppehålla, försörja [*he has a wife and children to ~*] **5** hålla [*~ one's promise*]; iaktta, lyda [*~ the law*]; fira [*~ Christmas*] **6** föra [*~ a diary*]; sköta [*~ accounts*] **7** sköta, vårda **8** hålla sin hand över, skydda, bevara; *~ goal* stå i mål
II (*kept kept*) *vb itr* (se äv. *keep III*) **1** hålla sig [*~ awake; ~ silent*]; förbli; *how are you ~ing?* hur står det till med dig?; *~ cool!* ta det lugnt! **2** stå sig, hålla sig [*will the meat ~?*] **3** fortsätta [*~ straight on* (rakt fram)]; *~ left!* håll (kör, gå) till vänster! **4** *~* [*on*] *doing sth* fortsätta (fortfara) [med] att göra ngt, hålla på med att göra ngt; *he kept* [*on*] *changing his plans* han ändrade hela tiden sina planer; *~* [*on*] *going* fortsätta; hålla sig i gång (på benen); *~* [*on*] *moving!* rör på er (på benen)!; *she ~s* [*on*] *talking* hon bara pratar och pratar, hon pratar oavbrutet
III (*kept kept*) *vb tr* o. *vb itr* med adv. el. prep., ofta med spec. översättningar:
keep sb after amer. låta ngn sitta kvar efter skolan
keep at it a) hålla i arbete, driva på b) ligga i, inte ge upp (tappt), arbeta hårt
keep away hålla på avstånd (borta); hålla sig på avstånd (borta) [*from* från]
keep back hålla tillbaka, hejda; undanhålla; *~ sb back* låta ngn sitta kvar efter skolan; amer. låta ngn gå om ett år i skolan
keep down hålla nere [*~ down prices*]; undertrycka, hålla tillbaka [*~ down a revolt*]
keep from avhålla från; dölja för; *~ sb from doing sth* hindra ngn (avhålla ngn) från att göra ngt
keep in a) hålla inne [med], lägga band på, tygla b) hålla med [*~ sb in pocket money*] c) hålla sig inne
keep off hålla på avstånd (borta); avvärja; stänga ute; hålla sig undan (på avstånd, borta); hålla sig ifrån, undvika [*I kept off the subject*]; *~ off the grass!* beträd ej gräsmattan!
keep on a) fortsätta, hålla i sig [*if the rain ~s on*]; fortsätta med; *~ on at* vard. tjata på; hålla efter ngn b) behålla [på], inte ta av sig [*~ one's hat on*]
keep out hålla ute, stänga ute [*of från*]; *~ out of* hålla sig borta ifrån, hålla sig utanför (ifrån); *~ out of sb's way* undvika (gå ur vägen för) ngn
keep to hålla sig till; hålla fast vid [*~ to one's*

plans]; stå fast vid [*~ to one's promise*]; **~ sth to oneself** [be]hålla ngt för sig själv, tiga med ngt; ~ **oneself to oneself** el. **~ to oneself** hålla sig för sig själv; **~ to the right!** håll (kör, gå) till höger!
keep together hålla ihop (tillsammans); *enough to ~ body and soul together* tillräckligt för att uppehålla livet
keep under hålla nere, undertrycka, kuva, tygla
keep up hålla uppe, uppehålla äv. bildl. [*they kept me up all night*; *~ up a correspondence*]; underhålla, vidmakthålla, hålla i stånd; fortsätta [med], hålla i gång; hålla vid liv [*~ up a conversation*]; hålla sig uppe äv. bildl.; hålla i sig; **~ it up** fortsätta [med det], hänga i, inte ge tappt; **~ up with** hålla jämna steg med, följa (hänga) med, hålla sig à jour med; hinna med
IV *s* **1** underhåll; uppehälle; *earn one's ~* a) försörja sig, förtjäna sitt uppehälle b) göra rätt för sig **2** [huvud]torn i medeltida borg **3** *for ~s* vard. för alltid, för gott
keeper ['ki:pə] *s* **1** vårdare, [mental]skötare; skogvaktare; vakt, väktare; [djur]skötare; uppsyningsman; intendent vid museum **2** som efterled i sammansättn. -innehavare [*shopkeeper*]; -hållare [*bookkeeper*]; -vakt [*goalkeeper*]; -vaktare, -vårdare, -skötare **3** sport. målvakt
keep-fit [ˌki:p'fɪt] *s*, **~ campaign** 'håll-i-form-kampanj', motionskampanj; **~ exercises** motionsgymnastik; **~ movement** frisksport[rörelse]; *go to ~ classes* gå på motionsgymnastik
keeping ['ki:pɪŋ] *s* **1** förvar, vård; *in safe ~* i säkert (gott) förvar **2** samklang, harmoni; *be in ~ with* gå ihop (i stil) med, stämma överens med; *be out of ~ with* inte gå ihop (stämma överens, harmoniera) med, inte passa in i
keepsake ['ki:pseɪk] *s* minne, minnessak, souvenir; *for a ~* el. *as a ~* som minne
keg [keg] *s* **1** kagge, kutting **2** ~ el. **~ beer** slags fatöl filtreras och serveras med kolsyretryck
kegger ['kegə] *s* amer. vard. ölfest utomhus
Keith [ki:θ] mansnamn
kelp [kelp] *s* bot. kelp äv. askan
kelvin ['kelvɪn] (förk. *K*) *s* fys. kelvin enhet för temperatur
Ken. förk. för *Kentucky*
ken [ken] *s*, *it is beyond my ~* det går över min horisont (min förmåga, mitt förstånd)
Kennedy ['kenədɪ] **1** egennamn **2 ~ International Airport** el. **~ Airport** en av New Yorks flygplatser
kennel ['kenl] *s* **1** hundkoja **2** kennel; hundpensionat [äv. *~s*]
kennel club ['kenlklʌb] *s* kennelklubb
Kensington ['kenzɪŋtən] geogr.
Kent [kent] geogr.
Kentucky [ken'tʌkɪ] geogr.
Kentucky Derby [kenˌtʌkɪ'dɜ:bɪ] *s*, *the ~* årlig hästkapplöpning i Kentucky
Kenya ['kenjə, 'ki:n-] geogr.
Kenyan ['kenjə, 'ki:n-] **I** *adj* kenyansk **II** *s* kenyan; kenyanska kvinna
kept [kept] imperf. o. perf. p. av *keep*
kept woman [ˌkept'wʊmən] *s* skämts. el. åld. hålldam, älskarinna
kerb [kɜ:b] *s* trottoarkant

kerb crawler ['kɜ:bˌkrɔ:lə] *s* sexköpare som raggar i bil
kerb drill ['kɜ:bdrɪl] *s* [fotgängares] trafikvett
kerbstone ['kɜ:bstəʊn] *s* kantsten i trottoarkant
kerb weight ['kɜ:bweɪt] *s* bils tjänstevikt
kerchief ['kɜ:tʃɪf] *s* sjalett, halsduk; huvudduk
kerfuffle [kə'fʌfl] *s* sl. ståhej
kernel ['kɜ:nl] *s* **1** kärna i nöt, fruktsten o. säd, [sädes]korn **2** bildl. kärna, grundstomme
kerosene o. **kerosine** ['kerəsi:n] *s* **1** vanl. amer. fotogen **2** flyg., *aviation* ~ flygfotogen
kestrel ['kestr(ə)l] *s* zool. tornfalk; *lesser* ~ rödfalk
ketch [ketʃ] *s* sjö. ketch
ketchup ['ketʃəp] *s* ketchup [*tomato ~*]
kettle ['ketl] *s* **1** kanna för tevatten, [kaffe]panna; *electric* ~ elektrisk vattenkokare; *whistling* ~ visselpanna, visseljohanna; *put the ~ on* [*for tea*] sätta på [te]vatten **2** [fisk]kittel; *a fine (pretty) ~ of fish* en skön röra
kettledrum ['ketldrʌm] *s* mus. puka
kettle-holder ['ketlˌhəʊldə] *s* grytlapp
Kew [kju:] **1** geogr. egennamn **2 ~ Gardens** botanisk trädgård i Kew utanför London
kewpie doll® ['kju:pi:dɒl] *s* amer., slags knubbig docka
key [ki:] **I** *s* **1** nyckel äv. bildl. [*~ figure*; *~ industry*]; lösning, förklaring, facit, klav [*to till*]; *master* ~ huvudnyckel; *the ~ of the door* dörrnyckeln, nyckeln som hör till dörren; *the ~ to the door* nyckeln som passar till dörren; *~ to the signs* [*used*] teckenförklaring **2** urnyckel, [uppdragnings]nyckel; nyckel öppnare till t.ex. sardinburk **3** facit, nyckel **4** tangent på piano, tangentbord m.m., klaff på blåsinstrument **5** mus. tonart [*the ~ of C*] bildl. ton[art], stil; färgton; *speak in a high ~* tala med hög (gäll) röst; *all in the same ~* monotont, uttryckslöst
II *vb tr* **1** el. **~ in** registrera, skriva (knappa, koda) in på t.ex. dator **2** vanl. amer., **~ to** anpassa till
keyboard ['ki:bɔ:d] **I** *s* **1** tangentbord till dator, skrivmaskin m.m., klaviatur; manual på orgel **2** ~[*s*] keyboards, synt
II *vb tr* skriva (knappa) in på t.ex. dator
keyboarder ['ki:ˌbɔ:də] *s* data. inskrivare, inkodare
keyboardist ['ki:ˌbɔ:dɪst] *s* keyboardspelare
key card ['ki:kɑ:d] *s* nyckelkort, plastkort som fungerar som nyckel i elektroniska lås
keyed up [ˌki:d'ʌp] *adj* bildl. uppskruvad, spänd [*about* för]
key-fob ['ki:fɒb] *s* nyckelemblem
key grip ['ki:grɪp] *s* vanl. amer. huvudpassare, produktionsassistent
keyhole ['ki:həʊl] *s* nyckelhål
keyhole surgery [ˌki:həʊl'sɜ:dʒ(ə)rɪ] *s* kir. titthålskirurgi
key money ['ki:ˌmʌnɪ] *s* handpenning för att komma åt lägenhet el. hus
keynote ['ki:nəʊt] *s* **1** mus. grundton **2** bildl. grundton; grundtanke, grundprincip [*the ~ of his speech (policy)*]
keynote address [ˌki:nəʊtə'dres] *s* o. **keynote speech** [ˌki:nəʊt'spi:tʃ] inledningsanförande, hälsningsanförande
keypad ['ki:pæd] *s* knappsats på telefon, fjärrkontroll m.m., [litet] tangentbord

keypal ['ki:pæl] s data. mejlkompis
keyphone ['ki:fəʊn] s knapp[sats]telefon
key ring ['ki:rɪŋ] s nyckelring
key signature [ˌki:'sɪɡnətʃə] s mus. förtecken, tonartstecken
keystone ['ki:stəʊn] s **1** byggn. slutsten i valv **2** bildl. grundval, kärna, hörnsten; grundprincip, huvudprincip
Keystone State [ˌki:stəʊn'steɪt], *the* ~ beteckn. för staten *Pennsylvania*
kg förk. för *kilogram*[s], *kilogramme*[s]
khaki ['kɑ:kɪ] **I** s kaki tyg o. färg **II** adj kakifärgad
kHz förk. för *kilohertz*
kibble ['kɪbl] **I** vb tr grovmala, gröpa **II** s amer. torrfoder för hundar i form av små runda kulor
kibbutz [kɪ'bʊts] (pl. *kibbutzim* [ˌkɪbʊt'si:m]) s kibbutz
kibitz ['kɪbɪts] vb itr amer. vard. komma med obehövliga råd, lägga näsan i blöt, göra dumma kommentarer spec. som åskådare vid kortspel
kibosh ['kaɪbɒʃ] s sl., *put the* ~ *on* ta (göra) kål på; sabba; sätta p för, göra slut på
kick [kɪk] **I** vb tr (se äv. *kick III*) **1** sparka [till]; ~ *the bucket* el. ~ *it* sl. kola [av] dö; *I could* ~ *myself for missing the chance* Gud vad det retar (grämer) mig att jag inte tog chansen **2** stöta till; om skjutvapen rekylera mot
II vb itr (se äv. *kick III*) **1** sparka[s]; om häst slå bakut **2** bildl. protestera [~ *against* (at) *a decision*]; bråka, klaga [*about* om, över]; vara uppstudsig [*against*, *at* mot] **3** om skjutvapen rekylera, stöta
III vb tr o. vb itr med prep. el. adv., ofta med spec. översättningar:
kick about a) köra med ngn **b)** diskutera fram och tillbaka **c)** driva (flyta) omkring
kick against: ~ *against the pricks* spjärna emot, spjärna mot udden; jfr *kick II 2*
kick back vanl. amer. koppla av
kick in a) vard. [börja] verka (gälla) **b)** sl. punga ut med t.ex. pengar
kick off a) vard. sparka i gång [~ *off a campaign*]; göra avspark i fotboll **b)** sparka av sig skorna
kick out sparka ut; kasta ut; slå bakut; *be ~ed out* vard. få sparken (kicken)
kick up sparka (riva) upp t.ex. damm; vard. ställa till; ~ *up a row* (*fuss*) ställa till bråk (oväsen) [*about*, *over* om, för...skull]
IV s **1** spark; *free* ~ frispark; *penalty* ~ straffspark **2** vard. **a)** nöje, njutning, spänning, stimulans; kick **b)** mani, vurm; *she gets a big* ~ *out of skiing* el. *she gets her ~s by skiing* hon får en kick av att åka skidor; *for* ~*s* för nöjes (njutningens, kickens) skull **3** vard. styrka, krut i dryck **4** rekyl, stöt av skjutvapen **5** sl., *get the* ~ få kicken (sparken); *give sb the* ~ ge ngn kicken (sparken)
kickback ['kɪkbæk] s vard. mutor, pengar under bordet
kickdown ['kɪkdaʊn] s nedväxling i automatväxlad bil, kickdown
kick-off ['kɪkɒf] s **1** avspark i fotboll **2** bildl. igångsparkande [*the* ~ *of a campaign*]
kickstand ['kɪkstænd] s cykelstöd
kick-start ['kɪkstɑ:t] **I** vb tr trampa i gång, kickstarta

II s **1** kickstart **2** *give the economy a* ~ sätta fart på ekonomin, ge ekonomin en skjuts
kick-starter ['kɪkˌstɑ:tə] s kickstart
kick turn ['kɪktɜ:n] s skidsport. lappkast
1 kid [kɪd] s **1** vard. barn, unge; grabb, tjej; ofta i tilltal [*how are you doing* ~*?*], vanl. amer. äv. ungdom [*college* ~*s*]; ~ *brother* lillebror; ~ *sister* lillasyster; ~*s' stuff* el. amer. ~ *stuff* a) något för barn b) en barnlek, en struntsak **2** zool. killing, kid **3** getskinn, killingskinn; chevreau; pl. ~*s* glacéhandskar [äv. ~ *gloves*]; *treat* (*handle*) *sb with* ~ *gloves* bildl. behandla ngn med silkesvantar
2 kid [kɪd] **I** vb tr lura, narra; skoja (retas) med; *you're* ~*ding!* el. *you're* ~*ding me!* nu skojar du med mig!, du skämtar!; ~ *oneself* lura sig själv; *don't* ~ *yourself!* inbilla dig inget! **II** vb itr skämta, skoja; retas; *I'm not* ~*ding!* el. *no* ~*ding!* jag lovar!, det är säkert!, jag skämtar (skojar) inte!; ~ *around* skoja, busa, retas
kiddie ['kɪdɪ] s vard. litet barn, unge; pl. ~*s* äv. småttingar
kiddy car ['kɪdɪkɑ:] s trampbil
kidnap ['kɪdnæp] **I** vb tr kidnappa, röva bort **II** s kidnappning
kidnapper ['kɪdnæpə] s kidnappare
kidney ['kɪdnɪ] s njure
kidney bean ['kɪdnɪbi:n] s bot. **1** [röd] kidneyböna **2** trädgårdsböna; spec. skärböna, brytböna; rosenböna
kidney dish ['kɪdnɪdɪʃ] s med. rondskål
kidney machine ['kɪdnɪməˌʃi:n] s med. konstgjord njure
kidney transplant [ˌkɪdnɪ'trænsplɑ:nt] s med., *a* ~ en njurtransplantation
kidney transplantation [ˌkɪdnɪ'trænsplɑ:nˌteɪʃ(ə)n] s med. njurtransplantation
kidult ['kɪdʌlt] s vard. (av *1 kid* o. *adult*) barnslig vuxen [person]
Kiev ['ki:ev, 'ki:ef] geogr.
kill [kɪl] **I** vb tr **1** döda, mörda, slå ihjäl; slakta; ta död på; ta kål på; *be* ~*ed* äv. dö, omkomma [*he was* ~*ed in an accident*]; slå ihjäl sig; *be* ~*ed in action* stupa i strid; *that won't* ~ *him* det dör han inte av; ~ *oneself* a) ta livet av sig, ta död på sig b) förta sig äv. iron. [*don't* ~ *yourself!*]; ~ *time* el. ~ *the time* fördriva (döda, slå ihjäl) tiden, få tiden att gå; ~ *sb with kindness* dalta för mycket med ngn; *it is a case of* ~ *or cure* ung. det må bära eller brista, går det så går det **2** vard. ta död (kål, knäcken) på; *you're* ~*ing me!* a) jag dör av skratt! b) iron. dödskul, va!; *my feet are* ~*ing me* jag har jätteont i fötterna **3 a)** fotb. döda, dämpa boll **b)** tennis., ~ *the ball* slå en dödande boll
II vb itr **1** döda, dräpa [*thou shalt not* ~]; mörda **2** vard. göra ett överväldigande intryck; göra susen; *dressed to* ~ el. *got up to* ~ ursnyggt klädd, uppklädd till tusen
III vb tr med adv.:
kill off a) utrota, ta kål på **b)** bildl. ta livet av, låta dö
IV s jakt., villebrådets dödande; [jakt]byte; *be in at the* ~ vara på plats när något händer; *move in for the* ~ sätta in dödsstöten
killer ['kɪlə] s **1** mördare, dråpare; slaktare **2** ngt livsfarligt; utrotningsmedel; *it's a* ~ *disease* det är

en dödlig sjukdom; **his punch was a** ~ hans slag var dödande **3** amer. sl. höjdare, pangsak fin sak

killer bimbo ['kɪlə,bɪmbəʊ] (pl. ~s) s tuff och snygg ung tjej, bimbo som inte låter sig utnyttjas

killer cell ['kɪləsel] s fysiol. mördarcell

killer instinct ['kɪlər,ɪnstɪŋ(k)t] s extrem hänsynslöshet, brutalitet; iskyla

killer whale ['kɪləweɪl] s zool. späckhuggare

killing ['kɪlɪŋ] **I** s **1** dödande etc., jfr kill I; mord; **take some** ~ vara seglivad **2** vard., **make a** ~ göra ett fint kap (ett klipp); göra dundersuccé
II adj dödande, dödlig; bildl. mördande [a ~ pace (tempo)]; isande [a ~ arrogance]

killing fields ['kɪlɪŋfi:ldz] s pl dödens fält

killjoy ['kɪldʒɔɪ] s glädjedödare, glädjestörare

kiln [kɪln, yrkesspråk kɪl] s brännugn för kalk, tegel o.d., torkugn; kölna

kilo ['ki:ləʊ] (pl. ~s) s förk. för kilogram[me]

kilo- ['kɪlə(ʊ)] prefix kilo-

kilobyte ['kɪlə,baɪt] (förk. KB) s data. kilobyte

kilocalorie ['kɪlə,kælərɪ] (förk. Kcal) s kilokalori

kilogram o. **kilogramme** ['kɪlə(ʊ)græm] (förk. kg) s kilogram

kilohertz ['kɪlə(ʊ)hɜ:ts] (förk. kHz) s kilohertz

kilometre ['kɪlə(ʊ),mi:tə, kɪ'lɒmɪtə] (förk. km) s kilometer

kiloton ['kɪlə(ʊ)tʌn] s kiloton

kilowatt ['kɪlə(ʊ)wɒt] (förk. kW) s kilowatt

kilowatt-hour [,kɪlə(ʊ)wɒt'aʊə] (förk. kWh) s kilowattimme

kilt [kɪlt] **I** s kilt
II vb tr **1** skörta upp fästa upp **2** vecka, plissera

kilted ['kɪltɪd] adj klädd i kilt

kilter ['kɪltə] s vard., **out of** ~ el. **off** ~ ur funktion, ur balans, i otakt

kimono [kɪ'məʊnəʊ] (pl. ~s) s kimono

kin [kɪn] s **1** (med verb i pl.) släkt[ingar] **2** släktskap; **of** ~ släkt, besläktad; **we are near of** ~ vi är nära släkt; **next of** ~ se next-of-kin **3** familj ätt

1 kind [kaɪnd] s **1** slag, sort; **nothing of the** ~ ingenting ditåt (sådant), inte alls så; som svar äv. visst inte!, inte alls!; **something of the** ~ något ditåt (i den stilen); **they are two of a** ~ de (båda två) är likadana (lika goda); **of a different** ~ av ett annat slag, av en annan sort
kind of a) slags, sorts; **a** ~ **of** ett slags, något slags; **I had a** ~ **of feeling** jag hade liksom på känn; **it is meant to be a** ~ **of surprise** det ska liksom vara en överraskning; **a different** ~ **of** ett annat slags; **every** ~ **of** el. **all** ~**s of** alla slags, alla möjliga; **that** ~ **of thing** sådant där; **what** ~ **of trees are those?** vad är det där för slags träd?; **what** ~ **of weather is it?** hurdant väder är det?; **he is not the** ~ **of man to do such a thing** han är inte den som gör något sådant b) adverbiellt, vard. liksom, på sätt och vis, nästan, nog [I ~ of expected it]
2 in ~ in natura [pay in ~]; **benefits in** ~ naturaförmåner; **repay in** ~ ofta bildl. betala med samma mynt; **repay insolence in** ~ vara lika oförskämd tillbaka

2 kind [kaɪnd] adj vänlig, snäll, hjälpsam, god, älskvärd, hygglig [~ people]; to mot]; ~ **regards** hjärtliga hälsningar; **would you be** ~ **enough to...?** el.

would you be so ~ **as to...?** vill du vara vänlig och...?

kindergarten ['kɪndə,gɑ:tn] s **1** amer. förskoleklass **2** förskola

kind-hearted [,kaɪnd'hɑ:tɪd, attr. '-,--] adj godhjärtad, snäll

kindle ['kɪndl] **I** vb tr **1** antända, tända [på] **2** lysa upp **3** bildl. upptända, väcka [~ the interest of the audience]; egga upp; underblåsa
II vb itr **1** tända, fatta eld **2** bildl. upptändas, flamma upp; lysa upp

kindliness ['kaɪndlɪnəs] s välvilja, godhet, vänlighet

kindling ['kɪndlɪŋ] s tändved, torrved, stickor att tända eld med, tändmaterial

kindly ['kaɪndlɪ] **I** adv vänligt etc., jfr 2 kind; ~ **shut the door at once!** befallande var snäll och stäng dörren genast!; ~ **meant** välment; **feel** ~ **towards** känna sig välvilligt stämd mot; **look** ~ **on** se välvilligt på; **take sth** ~ uppta ngt väl; **not take** ~ **to sth** (sb) inte se med blida ögon på ngt (ngn); **thank** ~ tacka hjärtligt
II adj **1** vänlig, välvillig, godhjärtad, human **2** bildl. mild [a ~ climate]; gynnsam; välgörande, värmande, angenäm **3** åld. infödd [a ~ Scot]

kindness ['kaɪndnəs] s vänlighet, snällhet, hjälpsamhet, välvilja, godhet [to mot]; **do sb a** ~ visa ngn en vänlighet; **have the** ~ **to...** vara vänlig och..., ha vänligheten att...; **in** ~ i all vänlighet; i all välmening

kindred ['kɪndrəd] **I** s **1** släktskap genom födsel **2** (med verb i pl.) släkt[ingar] [his ~ live abroad]
II adj besläktad, befryndad äv. bildl.; liknande; **a** ~ **likeness** släkttycke; ~ **spirits** själsfränder

kinetic [kɪ'netɪk, kaɪ'n-] adj fys. kinetisk

kinetic art [kɪ,netɪk'ɑ:t] s rörlig konst, mobilskulpturer

kinetic energy [kɪ,netɪk'enədʒɪ] s kinetisk energi, rörelseenergi

kinetics [kɪ'netɪks, kaɪ'n-] (med verb i sg.) s fys. kinetik

kinfolk ['kɪnfəʊk] s vanl. amer., se kinsfolk

king [kɪŋ] **I** s **1** kung, konung äv. bildl. [the ~ of beasts; oil ~]; **Kings** bibl. Konungaböckerna; **the First Book of Kings** bibl. Första Konungaboken; **the three Kings** de tre vise männen, heliga tre konungar; **the King of** ~**s** konungarnas konung; **the** ~ **of pens** i reklam världens bästa penna; **dish fit for a** ~ kunglig rätt **2** kung i kortlek, schack m.fl. spel, dam i damspel; ~**'s pawn** schack. kungsbonde; ~ **of hearts** hjärter kung
II vb tr **1** göra till kung **2** ~ **it** uppträda som (spela) kung, härska

king cobra [,kɪŋ'kɒbrə] s zool. kungskobra

kingdom ['kɪŋdəm] s **1** kungarike, konungarike; kungadöme; **the** ~ **of Sweden** kungariket Sverige **2** bildl. rike, välde; område; **the** ~ **of darkness** mörkrets välde; **the** ~ **of God** Guds rike; **the** ~ **of heaven** himmelriket; ~ **come** livet efter detta; **thy** ~ **come** bibl. tillkomme ditt rike; **blow sb** (sth) **to** ~ **come** vard. göra mos av ngn (ngt); **wait till** ~ **come** vard. vänta i evighet **3** naturv. rike; **the animal, vegetable, and mineral** ~**s** djur-, växt- och mineralriket

kingfisher ['kɪŋ,fɪʃə] s zool. kungsfiskare, isfågel

kingly ['kɪŋlɪ] adj kunglig, konungslig; majestätisk

kingpin ['kıŋpın] s **1** bildl. ledare; stöttepelare [*he (it) is the ~ of the whole system*] **2** i kägelspel kung
King's Counsel [ˌkıŋz'kaʊns(ə)l] (förk. *KC*) s jur. 'kunglig advokat' titel som ges åt äldre, framstående *barrister* när monarken är en kung
King's English [ˌkıŋz'ıŋglıʃ] s, **the ~** ung. riktig (korrekt) engelska
King's evidence [ˌkıŋz'evıd(ə)ns] s jur., **turn ~** uppträda som kronvittne mot medbrottslingar
kingship ['kıŋʃıp] s kungavärdighet
king-size ['kıŋsaız] adj o. **king-sized** ['kıŋsaızd] adj jättestor, extra stor; king-size, extra lång [*a ~ cigarette*]
kink [kıŋk] **I** s **1** böj, buckla i (på) annars rakt, knut, ögla på tråd; sjö. kink; krullad (lagd) [hår]lock **2** egenhet; egendomlighet; hugskott, påfund **II** vb itr sno (trassla) sig **III** vb tr slå en knut (ögla) på
kinky ['kıŋkı] adj **1** pervers, sexuellt avvikande **2** krullig [*~ hair*]
kinsfolk ['kınzfəʊk] (med verb i pl.) s litt. släkt[ingar]
kinship ['kınʃıp] s **1** släktskap; blodsband **2** bildl. frändskap, likhet; **~ in spirit** själsfrändskap
kins|man ['kınz|mən] (pl. *-men* [-mən]) s litt. [manlig] släkting, frände
kins|woman ['kınz|ˌwʊmən] (pl. *-women* [-ˌwımın]) s litt. [kvinnlig] släkting, frände
kiosk ['kiːɒsk] s kiosk
kip [kıp] sl. **I** s sömn; **get some ~** kvarta ett tag **II** vb itr, **~** el. **~ down** gå och kvarta, knyta sig lägga sig, slafa sova
kipper ['kıpə] s 'kipper' slags fläkt, saltad o. röktorkad fisk, spec. sill
kippered ['kıpəd] adj fläkt, saltad och [rök]torkad fisk [*~ herring*]
Kirghizia [kɜːˈgızıə] geogr. Kirgisistan
kirsch [kıəʃ, kɜːʃ] s kirsch, körsbärsbrännvin
kismet ['kızmet, -ısm-] s kismet, öde[t] inom islam
kiss [kıs] **I** vb tr kyssa äv. bildl., pussa; **~ my ass** amer. sl. kyss mig i röven; **~ sb's arse** (amer. **ass**) sl. smöra ngn; **~ hands** kyssa på hand; **I'll ~ it better** till barn jag ska blåsa på det [så går det över]; **~ the rod** bildl. kyssa riset; **~ away** kyssa bort **II** vb itr kyssas, pussas; **~ and tell** skryta med sina erövringar; **~ goodbye to** säga farväl till (åt) **III** s kyss, puss; **the ~ of death** dödsstöten; **~ of life** bildl. återupplivande; **give sb the ~ of life** behandla ngn med mun-mot-mun-metoden
kissable ['kısəbl] adj kysstäck
kiss-ass ['kısæs] adj amer. sl. smörande, smickrande
kisser ['kısə] s åld. sl. **1** trut mun, nylle ansikte; **sock sb on the ~** slå ngn på käften **2 a good** (**terrible**) **~** en [person] som är bra (dålig) på att kyssas (pussas)
kissing cousin [ˌkısıŋ'kʌzn] s kär släkting som man hälsar med en kyss, förtrolig vän
kissogram ['kısəgræm] s kyssogram
kissproof ['kıspruːf] adj kyssäkta
kit [kıt] **I** s **1** grejor, saker [*golfing ~*; *skiing ~*]; sats, uppsättning, byggsats; utrustning av kläder m.m., persedlar; mundering [*battle ~*]; utstyrsel [*ski ~*]; **first-aid ~** förbandslåda; **get one's ~ off** sl. klä av sig **2** kappsäck; mil. packning, ränsel **II** vb tr, **~ out** el. **~ up** utrusta, ekipera
kitbag ['kıtbæg] s sportbag, sportväska

kitchen [-tʃ(ə)n, 'kıtʃın] **I** s kök **II** adj köks- [*~ fan*; *~ island*; *~ machine*]; **~ utensils** husgeråd, köksgeråd
kitchen cabinet ['kıtʃ(ə)nˌkæbınət] s polit. politisk ledares stab av privata, inflytelserika rådgivare urspr. till USA:s president
kitchen-diner [ˌkıtʃ(ə)n'daınə] s kök [med matplats]
kitchenette [ˌkıtʃə'net] s kokvrå, litet kök, pentry
kitchen garden [ˌkıtʃ(ə)n'gɑːdn] s köksträdgård
kitchen paper ['kıtʃ(ə)nˌpeıpə] s hushållspapper
kitchen range ['kıtʃ(ə)nreın(d)ʒ] s köksspis
kitchen roll ['kıtʃ(ə)nrəʊl] s köksrulle, hushållsrulle; hushållspapper
kitchen-sink [ˌkıtʃ(ə)n'sıŋk] adj teat., **~ drama** vardagsdrama; **~ realism** diskbänksrealism
kitchen sink [ˌkıtʃ(ə)n'sıŋk] s **1** diskbänk; **everything but the ~** vard. allt möjligt, rubbet **2** attr., **kitchen-sink drama** teat. vardagsdrama; **kitchen-sink realism** teat. diskbänksrealism
kitchen towel ['kıtʃ(ə)nˌtaʊ(ə)l] s amer. hushållspapper
kitchen unit [ˌkıtʃ(ə)n'juːnıt] s färdigkomponerat kök som köps i en enhet från fabrikant
kitchenware ['kıtʃ(ə)nweə] s husgeråd, köksgeråd, köksutrustning
kite [kaıt] **I** s **1** drake av papper o.d.; **fly a ~** a) sända upp en drake b) bildl. släppa upp en försöksballong, göra (skicka ut) en trevare, pejla opinionen; **go fly a ~!** sl. stick!, dra åt helsike! **2** zool. glada **3** amer. vard. check utan täckning **II** vb itr amer. stiga om priser **III** vb tr amer. **1** höja priser **2** vard. skriva ut... utan täckning [*~ a check*]
kite-flying ['kaıtˌflaıŋ] s **1** drakflygning **2** bildl. opinionspejling, uppsläppande av en försöksballong
kith [kıθ] s, **~ and kin** vänner och fränder; släktingar
kit man ['kıtmæn] s o. **kit manager** ['kıtˌmænıdʒə] s sport. materialförvaltare
kitsch [kıtʃ] **I** s vard. (ty.) smörja, skräp, krimskrams, kitsch **II** adj banal, billig, smaklös, kitschig
kitten ['kıtn] s kattunge; **have ~s** vard. sitta som på nålar; få spader
kitten heels ['kıtnhiːlz] s pl taxklackar
kittenish ['kıt(ə)nıʃ] adj **1** lekfull [som en kattunge] **2** tillgjort flirtig
1 kitty ['kıtı] s **1** kassa, fond **2** spel. pott, insats
2 kitty ['kıtı] s kattunge, kissemiss
kiwi ['kiːwiː] s **1** zool. kivi **2** vard. nyzeeländare utom i Nya Zeeland [äv. *Kiwi*] **3** bot., se *kiwi fruit*
kiwi fruit ['kiːwiːfruːt] s kiwifrukt
KKK [ˌkeıkeı'keı] (förk. för *Ku Klux Klan*), **the ~** se *Ku Klux Klan*
klaxon ['klæksn] s bilhorn med kraftigt ljud
Kleenex® ['kliːneks] s ansiktsservett, pappersnäsduk, kleenex
kleptomania [ˌkleptə(ʊ)'meınıə] s kleptomani
kleptomaniac [ˌkleptə(ʊ)'meınıæk] s kleptoman
Klondike ['klɒndaık] geogr., **the ~** Klondike
kludge [kluːdʒ] s data. hoplappning, fix
km förk. för *kilometre[s]*
knack [næk] s **1** skicklighet, talang att göra ngt, [gott] handlag, grepp, förmåga; **get the ~ of sth** få kläm

på ngt, få in det rätta greppet på ngt **2** liten vana, egenhet, benägenhet

knacker ['nækə] **I** *vb tr* sl. **1** ~ *oneself* el. ~ *oneself out* slita ut sig **2** paja, göra illa [~ *one's elbow*] **II** *s*, ~'*s* åld., se *knacker's yard*

knackered ['nækəd] *adj* sl. **1** utschasad, helt färdig **2** pajad, förstörd

knacker's yard [,nækəz'jɑ:d] *s* åld. slakthus för hästar

knapsack ['næpsæk] *s* ryggsäck, ränsel; axelväska

knave [neɪv] *s* åld. **1** knekt i kortlek; ~ *of hearts* hjärter knekt **2** kanalje, skojare, bedragare

knead [ni:d] **I** *vb tr* knåda äv. massera, älta **II** *vb itr* om katt karda

knee [ni:] **I** *s* knä äv. tekn. el. byggn.; *bend the* (*one's*) ~[*s*] el. *bow the* (*one's*) ~[*s*] böja knä, knäböja äv. bildl.; *his trousers are torn at the* ~*s* hans byxor har hål på knäna, han har [slitit] hål på knäna på byxorna; *sit on sb's* ~ sitta i knät på ngn; *on one's bended* ~*s* på sina bara knän; *bring sb to his* ~*s* tvinga ngn på knä (till underkastelse); *bring sth to its* ~*s* få ngt att gå på knäna **II** *vb tr* knäa, beröra med knä[e]t

knee breeches ['ni:,brɪtʃɪz] *s pl* knäbyxor

kneecap ['ni:kæp] **I** *s* knäskål **II** *vb tr* skadskjuta ngn i knät som hämnd e.d., krossa knät på

knee-deep [,ni:'di:p] *adj* o. *adv* knädjup, [nedsjunken] till knäna; *the snow was* ~ snön gick [upp] till knäna; *be* ~ *in work* bildl. ha arbete upp över öronen

knee-high [,ni:'haɪ] **I** *adj* som går [upp] till knäna, knähög; ~ *to a grasshopper* åld. skämts. liten, en tvärhand hög **II** *adv* upp (ända) till knäna **III** *s* knästrumpa

knee-jerk ['ni:dʒɜ:k] *adj* reflexartad, automatisk [~ *reaction*]; stereotyp; ~ *reflex* med. knä[sen]reflex, patellarreflex

kneel [ni:l] (*knelt* knelt el. ~*ed* ~ed) *vb itr* knäböja, falla (ligga) på knä [*to* för ngn; *before* inför]; ~ *down* falla på knä; lägga sig på knä

knee-length [,ni:'leŋθ, attr. '--] *adj* knäkort; ~ *sock* knästrumpa

kneepad ['ni:pæd] *s* knäskydd

knees-up ['ni:zʌp] *s* vard. åld. brakskiva med dans

knell [nel] *s* själaringning; klämtning; bildl. dödsklocka; olyckligt förebud; dödsstöt; *toll the* ~ ringa själaringning

knelt [nelt] imperf. o. perf. p. av *kneel*

knew [nju:] imperf. av *know*

knicker ['nɪkə] *adj* byx- [~ *elastic*]; till (för) underbyxor

knickerbockers ['nɪkəbɒkəz] *s pl* knickers, knickerbockers slags byxor

knickers ['nɪkəz] *s pl* [dam]underbyxor [med ben], benkläder; mamelucker; *get one's* ~*s in a twist* sl. bli upprörd, hetsa upp sig

knick-knack ['nɪknæk] *s* prydnadsföremål, småsak; pl. ~*s* äv. krimskrams, krafs

knife [naɪf] **I** (pl. *knives* [naɪvz]) *s* kniv; *have* [*got*] *one's* ~ *into sb* ha ett horn i sidan till ngn; *the knives are out* [*for sb*] det ser illa ut [för ngn]; *under the* ~ vard. skämts. under [operations]kniven **II** *vb tr* knivhugga, knivskära, sticka ned [med kniv]

knife-board ['naɪfbɔ:d] *s* träskiva ofta klädd med läder, som man rengör och putsar knivar mot

knife-edge ['naɪfedʒ] *s* **1** knivsegg; knivskarp vågkam (bergskam); knivskarp kant; ~ *crease* knivskarpt veck **2** bildl., *the situation is balanced on a* ~ det står och väger, situationen har ställts på (drivits till) sin spets; *she is on a* ~ *about her promotion* hon är ivrig att få veta något om sin befordran

knife-pleated ['naɪf,pli:tɪd] *adj* sömnad. helveckad, efterveckad [*a* ~ *skirt*]

knifepoint ['naɪfpɔɪnt] *s*, *at* ~ under knivhot

knight [naɪt] **I** *s* **1** riddare äv. bildl. **2** [ordens]riddare **3** knight adelsman av lägsta rang (titeln ej ärftlig) **4** schack. springare, häst **II** *vb tr* dubba till riddare; utnämna till knight, adla

knight-errant [,naɪt'er(ə)nt] (pl. *knights-errant*) *s* vandrande (sökande) riddare på medeltiden

knighthood ['naɪthʊd] *s* **1** (jfr *knight I 1–3*) riddarvärdighet, knightvärdighet; *confer a* ~ *on* förläna riddarvärdighet åt; utnämna till knight, adla; *order of* ~ riddarorden **2** koll. ridderskap

knightly ['naɪtlɪ] *adj* o. *adv* ridderlig[t]

Knightsbridge ['naɪtsbrɪdʒ] geogr.

knit [nɪt] (~*ted* ~ted el. *knit knit*, i betydelse *I 1* o. *II 1* vanl. ~*ted* ~ted) **I** *vb tr* **1** sticka t.ex. strumpor, sticka ngt med räta maskor; ~ *sb sth* sticka ngt åt ngn **2** ~ *together* [fast] förena, knyta (binda) [samman] äv. bildl. [*to* med]; få att växa ihop [~ *broken bones*] **3** dra ihop, rynka; ~ *one's brows* rynka pannan (ögonbrynen) **II** *vb itr* **1** sticka; sticka räta maskor **2** växa ihop; [fast] förenas äv. bildl.; knytas till varandra **3** rynka sig, rynkas [*his brows* ~]

knitter ['nɪtə] *s*, *I'm a good* ~ jag är duktig på att sticka

knitting ['nɪtɪŋ] *s* stickning äv. konkr., stickat arbete; *stick to one's* ~ amer. vard. hålla sig till saken, sköta sitt

knitting needle ['nɪtɪŋ,ni:dl] *s* [strump]sticka

knitwear ['nɪtweə] *s* trikåvaror; stickade plagg, stickat

knives [naɪvz] *s* pl. av *knife*

knob [nɒb] *s* **1** knopp, knapp, kula; ratt på t.ex. radio; runt handtag, vred [*door-knob*]; knöl **2** liten bit [*a* ~ *of sugar*; *a* ~ *of coal*]; klick [*a* ~ *of butter*] **3** [rund] kulle **4** sl. handtag penis **5** vard., *with* ~*s on* och mer därtill, så det förslår; alla gånger; *the same to you with* ~*s on!* tack detsamma!, det kan du vara själv!

knock [nɒk] **I** *vb tr* (se äv. *knock III*) **1** slå [hårt], slå till; bulta, knacka; ~ *sb cold* a) slå ngn medvetslös b) slå ngn med häpnad; ~ *sb into the middle of next week* se under *middle II 1* **2** vard. slå med beundran (häpnad); förbluffa **3** vard. racka ner på, hacka på **II** *vb itr* (se äv. *knock III*) **1** knacka äv. om motor, bulta [~ *at the door*]; slå **2** stöta (slå) ihop, kollidera, krocka [*into* med] **III** *vb tr* o. *vb itr* med adv. el. prep., ofta med spec. översättning:

knock about a) våldsamt misshandla; behandla illa äv. bildl. **b)** vard. driva (flacka) omkring [i] **c)** vard., om saker ligga och skräpa **d)** vard., ~ *about with* pola med, hänga ihop med

knock against stöta (slå) emot, kollidera med; ~ *one's head against* slå huvudet mot (i); ~ *one's head against a stone* (**brick**) *wall* bildl. köra huvudet i väggen

knock around se *knock about* under *knock III* ovan

knock back vard. a) svepa, stjälpa i sig [~ *back five beers in no time*] b) ~ *sb back sth* kosta ngn ngt c) ~ *sb back* skaka om ngn själsligt

knock down a) knocka, golva, slå ned; köra på; riva ned (omkull) b) riva; montera ned, ta isär t.ex. maskin för transport c) på auktion klubba, sälja [*to* åt, *till*] d) vard. pressa ned, slå av på [~ *down the price of*]

knock in slå in (i); bryta upp

knock sth into shape få fason på ngt

knock off vard. a) slå av b) slå av på [~ *ten pounds off the price*] c) sluta [med] [~ *off work at five*]; lägga av med; sluta arbetet, lägga av d) klara av, göra undan; sno (smälla) ihop [~ *off an article*] e) knycka, stjäla f) knäppa mörda; ~ *sb's head off* bildl. slå in skallen på ngn; *he was ~ed off his legs* han stod som fallen från skyarna; ~ *it off!* lägg av!

knock on slå mot (i) [~ *one's head on a wall*]; ~ *sth on the head* bildl. sätta p (stopp) för ngt

knock out a) knocka, slå boxare knockout, besegra; slå medvetslös; bildl. överväldiga; lamslå b) slå ut; knacka ur [~ *out one's pipe*]; ~ *the bottom out of* slå ur botten på; bildl. slå hål på, kullkasta [~ *the bottom out of a theory*]

knock over a) slå (stöta) omkull b) överrumpla, göra paff

knock to pieces slå i bitar (sönder) äv. bildl.

knock together a) vard. sätta ihop i en hast, smälla (rafsa) ihop b) slå ihop (samman)

knock up a) kasta upp; knacka upp, väcka genom att knacka b) vard. [hastigt] ställa till med, improvisera; sno ihop [~ *up a meal*]; rafsa ihop; smälla upp; skramla ihop c) sl. göra på smällen göra gravid

IV *s* **1** slag; knackning äv. i motor, smäll, stöt; *there is a ~ at the door* det knackar [på dörren] **2** vard. smäll, stöt; ovett, kritik; anmärkning, prickning; *the school of hard ~s* livets hårda skola; *take a ~* få en knäck, bli ruinerad

knockabout ['nɒkəbaʊt] *adj* bullersam, högröstad, våldsam; ~ *comedy* buskteater

knock-down ['nɒkdaʊn] *adj* **1** om pris nedsatt; på auktion minimi- [*a ~ price*] **2** bildl. bedövande, dräpande; *a ~ blow* ett dråpslag

knocker ['nɒkə] *s* **1** a) portklapp b) person (sak) som knackar (bultar, slår) **2** vard. gnällspik, felfinnare **3** sl., pl. ~*s* pattar bröst

knock-kneed [ˌnɒk'niːd] *adj* **1** kobent **2** bildl. haltande; tafatt

knockoff ['nɒkɒf] *s* amer. vard. billig kopia (imitation)

knock-on ['nɒkɒn] *adj*, ~ *effect* kedjereaktion, dominoeffekt

knockout ['nɒkaʊt] **I** *s* **1** knockout[slag] i boxning **2** vard. pangsuccé; toppengrej; pangbrud, pangkille **II** *adj* knockout- [*a ~ blow*]

knockout competition ['nɒkaʊtˌkɒmpə'tɪʃ(ə)n] *s* utslagstävling

knockout drops ['nɒkaʊtdrɒps] *s pl* sl. knockoutdroppar

knock-up ['nɒkʌp] *s* vard. inslagning, träning före [tennis]match; *have a ~* bolla in sig i t.ex. tennis

knoll [nəʊl] *s* [rund] kulle

knot [nɒt] **I** *s* **1** knut; knop; *make a ~* el. *tie a ~* göra (knyta, slå) en knut [*in* på]; *undo a ~* el. *untie a ~* lösa (knyta) upp en knut **2** [band]rosett, kokard **3** skärningspunkt, föreningspunkt; nervknut; bergknut **4** bildl. svårighet, problem; *the* [*very*] ~ själva knuten [*of* i]; *tie oneself* [*up*] *in ~s* el. *get into ~s* a) trassla in sig b) trassla till det för sig **5** knöl, [ut]växt; ledknut; kvist i trä, knopp **6** klunga, grupp [*people were standing about in ~s*] **7** sjö. knop i timmen; *do 20 ~s* göra 20 knop **8** garnhärva, garndocka

II *vb tr* **1** knyta en knut, knyta om [~ *a parcel firmly*]; ~ *one's hair* sätta upp sitt hår i knut; ~ *together* knyta ihop **2** bildl. a) knyta samman, förena b) veckla in, trassla till **3** få ngt att knyta sig

knotted ['nɒtɪd] *adj* knutig; knölig, knotig; *get ~!* sl. dra åt helvete!; helvete heller!

knotty ['nɒtɪ] *adj* **1** knutig; knölig, knotig, skrovlig, kvistig **2** bildl. kvistig, kinkig, knepig

know [nəʊ] **I** (*knew known*) *vb tr* o. *vb itr* (se äv. *known*) **1** veta; ha reda på, känna till, veta av; [*he's a bit stupid,*] *you* ~ [som] du vet (vet du, förstår du); *you never* ~ man kan aldrig veta; *I wouldn't* ~ vard. inte vet jag, jag har ingen aning; *as* (*so*) *far as I* ~ såvitt jag vet; *he is at work for all I* ~ vad jag vet så är han på jobbet; ~ *one's own mind* veta vad man vill; ~ *a thing or two* el. ~ *what's what* vard. ha [väl] reda på sig, inte vara bortkommen; *not if I* ~ *it* vard. inte så länge jag får ett ord med i laget, det aktar jag mig nog för; *let me* ~ [*when you are ready*] säg till [mig]…, säg ifrån…; *before you* ~ *where you are* innan man (du) vet ordet av; [*I'm so happy*] *I hardly* ~ *where I am* …så jag knappt vet till mig; ~ *about* känna till, veta om; *what do you* ~! vard. vad säger du om det då!, det må jag [då] säga!, nej men ser man på!; *that's all you* ~! iron. du skulle bara veta!, det är vad du tror!; ~ *of* känna till, veta [*I ~ of a place that would suit you*]; ha hört talas om [*I ~ of him*]; *not that I* ~ *of* inte såvitt (vad) jag vet

2 kunna, ha lärt sig, vara kunnig (hemmastadd, insatt) i; *he ~s his business* han kan sin sak (sitt yrke); han vet vad han pratar om; *he ~s all about cars* han kan [allt om] (förstår sig på) bilar; *I ~ nothing about paintings* jag förstår mig inte alls på tavlor; ~ *sth by heart* kunna ngt utantill

3 ~ *how to* kunna [konsten att], förstå sig på att; veta att; ~ *how to read* kunna läsa

4 känna, vara bekant med [*I don't ~ him*]; *get to* ~ lära känna, bli bekant med; [*she will do it*] *if I ~ her* …om jag känner henne rätt

5 känna igen; identifiera; [kunna] skilja [*from* från; *it's impossible to ~ one from the other*]; ~ *a good thing when one sees it* kunna skilja på bra och dåligt, veta vad som är bra; *I knew him by his voice* jag kände igen honom på rösten

6 vara med om, uppleva [*he knew poverty in his early life*]; se [*she has ~n better days*]; *it has never been ~n to happen* det har veterligen aldrig hänt;

she has never been ~n to tell a lie ingen har någonsin
(man har aldrig) hört henne ljuga
II *s*, *in the* ~ vard. initierad, invigd
know-all ['nəʊɔːl] *s* vard. besserwisser; allvetare
know-how ['nəʊhaʊ] *s* vard. know-how, kunnande,
sakkunskap, expertis
knowing ['nəʊɪŋ] **I** *adj* **1** menande [*a ~ glance*];
[knip]slug, slipad [*a ~ fellow*]; illmarig **2** kunnig,
insiktsfull, erfaren **3** medveten
II *s* vetande, kunskap; *there is no ~ where that will
end* man kan inte veta var det ska sluta
knowingly ['nəʊɪŋlɪ] *adv* **1** medvetet, avsiktligt,
med vett och vilja **2** menande
know-it-all ['nəʊɪtɔːl] *s* vard. besserwisser; allvetare
knowledge ['nɒlɪdʒ] (utan pl.) *s* **1** kunskap[er],
insikt[er] [*of* om, i]; vetskap, kännedom,
medvetande [*of* om]; erfarenhet [*of* av]; vetande,
lärdom; *a thorough ~ of English* grundliga kunskaper
(insikter) i engelska; *get ~ of* få vetskap om, få
veta, få reda på; *in the ~ that* i vetskapen om att,
medveten om att; *it came to my ~* det kom till min
kännedom (vetskap); *to my ~* såvitt (vad) jag vet
2 jur., *carnal ~* könsumgänge
knowledgeable ['nɒlɪdʒəbl] *adj* kunnig; klyftig;
välunderrättad
known [nəʊn] *adj* o. *perf p* (av *know*) känd [*as* som,
för att vara], bekant [*to sb* för ngn]; *be ~ by* a) vara
känd av [*he is ~ by all*] b) kännas igen på [*he is ~ by
his voice*]; *be ~ by the name of...* vara känd (gå)
under namnet...; *become ~ to sb* bli bekant för
ngn, komma till ngns kännedom; *he is ~ to the
police* han är känd av polisen; *make ~* bekantgöra,
offentliggöra; meddela; *make oneself ~ to sb*
presentera sig för ngn; *as is well ~* som bekant; *he is
better ~* han är mera känd
knuckle ['nʌkl] **I** *s* **1** knoge; led; *give sb a rap on
(over) the ~s* se under *rap I 1* **2** på vissa djur knäled; kok.
lägg på kalv o. svin; *~ of veal* äv. kalvkyl **3** [*a bit*] *near
the ~* vard. på gränsen till oanständig
II *vb itr* med prep.:
knuckle down to vard. hugga i med, ta itu med [~
down to the job]
knuckle under vard. falla till föga, böja sig [*to* för]
knuckleduster ['nʌkl,dʌstə] *s* knogjärn
KO [,keɪ'əʊ] boxn. sl. **I** *s* = *knockout* **II** *vb tr* knocka,
slå ut
koala [kəʊ'ɑːlə] *s* o. **koala bear** [kəʊ'ɑːlə,beə] *s* zool.
koala, pungbjörn
kohl [kəʊl] *s* kajal ögonmakeup
kohlrabi [,kəʊl'rɑːbɪ] *s* bot. kålrabbi
Kombi® [kɒmbɪ] *s* campingbuss, husbil av enklare typ
kook [kuːk] *s* vanl. amer. sl. knasboll, dåre
kookaburra ['kʊkə,bʌrə] *s* zool. skrattfågel
Koran [kɔː'rɑːn] *s*, *the* ~ Koranen
Korea [kə'rɪə] geogr., *North* ~ Nordkorea; *South* ~
Sydkorea
Korean [kə'rɪən] **I** *s* **1** korean, koreanska
2 koreanska [språket]
II *adj* koreansk
kosher ['kəʊʃə] *adj* **1** jud., om mat o.d. koscher
ritualenlig [~ *food*; ~ *foodshop*] **2** vard. äkta, genuin
Kosovar ['kɒsəvɑː] **I** *adj* kosovoalbansk **II** *s*
kosovoalban; kosovoalbanska
Kosovo ['kɒsəvəʊ] geogr.

kowtow [,kaʊ'taʊ] *vb itr* krypa, svansa [*to* för]
KP [,keɪ'piː] *s* amer. vard. **1** köksmalaj barn på läger el.
soldat som tjänstgör i köket, ofta som bestraffning
2 tjänstgöring som köksmalaj
kph [,keɪpiː'eɪtʃ] förk. för *kilometres per hour*
KPI [,keɪpiː'aɪ] (förk. för *Key Performance Indicator*)
nyckeltal
Kraut [kraʊt] *s* sl. (neds.) tysk
Kremlin ['kremlɪn] geogr., *the* ~ Kreml
krill [krɪl] (pl. *krill*) *s* zool. krill
krona ['krəʊnə] (pl. *kronor* el. *~s*) *s* krona svensk
myntenhet
KS förk. för *Kansas*
Kuala Lumpur [,kwɑːlə'lʊmpʊə] geogr.
kudos ['kjuːdɒs] *s* vard. beröm, ära, heder
Ku Klux Klan [,kjuːklʌks'klæn] (förk. *KKK*), *the* ~ Ku
Klux Klan hemlig vit rasistisk organisation i södra USA
kumquat ['kʌmkwɒt] *s* bot. kumquat små apelsinliknande
frukter
kung fu [kʊŋ'fuː] *s* kung fu kinesisk form av självförsvar
Kurd [kɜːd] *s* kurd; kurdiska kvinna
Kurdish ['kɜːdɪʃ] **I** *adj* kurdisk **II** *s* kurdiska
[språket]
Kurdistan [,kɜːdɪ'stɑːn, -'stæn] geogr.
Kuwait [kʊ'weɪt, -'waɪt] geogr.
Kuwaiti [kʊ'weɪtɪ, -'waɪtɪ] **I** *s* kuwaitier; kuwaitiska
kvinna **II** *adj* kuwaitisk
kvetch [kvetʃ] *vb itr* amer. vard. ständigt gnälla
(klaga)
kW (förk. för *kilowatt*[*s*]) kw
kWh förk. för *kilowatt-hour*
KY o. **Ky.** förk. för *Kentucky*

1 L, l [el] (pl. *L's* el. *l's* [elz]) *s* L, l
2 L [el] (förk. för *Learner*) övningsbil, övningskörning skylt på bil; **~ driver** övningsförare; **~ plate** övningsbilsskylt, övningskörningsskylt
3 L [el] amer. vard. (förk. för *elevated railroad*) högbana; **~ train** L-tåg
4 L (förk. för *Large*) L beteckning för storleken stor i klädesplagg
l förk. för *litre*[s], *line*
£ [paʊnd, pl. vanl. paʊndz] (förk. för *pound* (*pounds*) [*sterling*]) pund, £ [£5]
LA förk. för *Louisiana*
La. förk. för *Louisiana*
L.A. [ˌelˈeɪ] förk. för *Los Angeles*
la [lɑ:] *s* mus. la
Lab. förk. för *Labour* [*Party*]
lab [læb] *s* (vard. kortform av *laboratory*) labb
label [ˈleɪbl] **I** *s* **1** etikett äv. data., märke; adresslapp; påskrift; **clothes with a designer ~** märkeskläder **2** bildl. etikett, stämpel [*attach a ~ to* (på) *people*]; beteckning **3** skivmärke skivbolag
II *vb tr* etikettera äv. data., förse med påskrift (adresslapp), märka; sätta etikett på äv. bildl.; rubricera; beteckna; **~ sb as a reactionary** stämpla ngn som reaktionär
labia [ˈleɪbɪə] *s* pl. av *labium*
labial [ˈleɪbɪəl] **I** *adj* läpp-, labial **II** *s* fonet. labial, läppljud
labium [ˈleɪbɪəm] (pl. *labia* [ˈleɪbɪə]) *s* med. (lat.), pl. *labia* blygdläppar; *labia majora* stora blygdläpparna; *labia minora* små blygdläpparna
labor [ˈleɪbə] amer. **I** *s* se *labour* I; **American Federation of Labor** grupp av fackförbund, se *AFL-CIO* **II** *vb itr* o. *vb tr* se *labour* II o. *labour* III
laboratory [ləˈbɒrət(ə)rɪ, amer. ˈlæbrətɔ:rɪ] *s* laboratorium; verkstad äv. bildl.
Labor Day [ˈleɪbədeɪ] *s* ung. 'arbetarklassens dag' i USA o. Kanada fridag 1:a måndagen i september
laborious [ləˈbɔ:rɪəs] *adj* **1** mödosam [*~ task*]; tung [*~ style*] **2** strävsam
labor union [ˈleɪbəˌju:nɪən] *s* amer. fackförening
labour [ˈleɪbə] **I** *s* **1** arbete, möda, ansträngning, vedermöda; **hard ~** straffarbete **2** ekon. **a)** arbete **b)** arbetskraft; arbetare koll.; **skilled ~** se *skilled labour* **3** polit., **Labour** arbetarna, arbetarklassen; **organized ~** fackföreningsrörelsen; **International Labour Organization** (förk. *ILO*) internationella arbetsorganisationen **4** förlossningsarbete; värkar [äv. *~ pains*]; **be in ~** ha värkar; **she went into ~** hon började få värkar
II *vb itr* **1** arbeta [hårt] [*~ at* (på, med) *a task*; *~ in* (för) *the cause of peace*] **2** bemöda sig [*to att, om att*], anstränga sig [*to att, för att*], sträva [*to efter att; for efter*] **3** **~ under** ha att dras (kämpa) med [*~ under a difficulty*] **4** arbeta (kämpa) sig [fram]
III *vb tr* (se äv. *laboured*) breda ut sig över; lägga

[för] stor vikt vid, hålla strängt på [*~ a point; ~ the obvious*]
labour camp [ˈleɪbəkæmp] *s* [tvångs]arbetsläger
labour court [ˈleɪbəkɔ:t] *s* arbetsdomstol
labour dispute [ˈleɪbədɪˌspju:t] *s* arbetstvist, arbetskonflikt
laboured [ˈleɪbəd] *adj* **1** överarbetad, ansträngd, tvungen, krystad [*~ style*] **2** tung [*~ breathing*]
labourer [ˈleɪbərə] *s* arbetare; spec. grovarbetare; **agricultural ~** jordbruksarbetare, lantarbetare
labour force [ˈleɪbəfɔ:s] *s* arbetsstyrka, arbetskraft
Labour Government [ˈleɪbəˌgʌvnmənt] *s* arbetarregering
labour-intensive [ˈleɪbərɪnˌtensɪv] *adj* arbetsintensiv
Labour leader [ˈleɪbəˌli:də] *s* **1** ledare för arbetarpartiet, arbetarledare **2** fackföreningsledare
labour legislation [ˈleɪbəˌledʒɪsˈleɪʃ(ə)n] *s* arbetslagstiftning
labour market [ˈleɪbəˌmɑ:kɪt] *s*, **on** (**in**) **the ~** på arbetsmarknaden
labour mobility [ˌleɪbəmə(ʊ)ˈbɪlətɪ] *s* arbetskraftsrörlighet, rörlighet på arbetsmarknaden
labour movement [ˈleɪbəˌmu:vmənt] *s*, **the ~** arbetarrörelsen
labour of love [ˌleɪbərəvˈlʌv] (pl. *labours of love*) *s* kärt besvär
Labour Party [ˈleɪbəˌpɑ:tɪ] (förk. *LP*) *s* polit., **the ~** 'labourpartiet', arbetarpartiet i Storbritannien
labour relations [ˈleɪbərɪˌleɪʃ(ə)nz] *s pl* förhållandet mellan arbetsmarknadens parter
labour-saving [ˈleɪbəˌseɪvɪŋ] *adj* arbetsbesparande; **~ devices** el. **~ appliances** arbetsbesparande hjälpmedel (apparater)
labour supply [ˈleɪbəsəˌplaɪ] *s* **1** arbetstillgång **2** tillgång på arbetskraft
labour unrest [ˈleɪbərʌnˌrest] *s* oro på arbetsmarknaden
labour ward [ˈleɪbəwɔ:d] *s* förlossningsavdelning
Labrador [ˈlæbrədɔ:] *s* labrador [retriever] hundras
laburnum [ləˈbɜ:nəm] *s* bot. gullregn
labyrinth [ˈlæbərɪnθ] *s* labyrint äv. anat. el. bildl.
labyrinthine [ˌlæbəˈrɪnθaɪn] *adj* labyrintisk, villsam, komplicerad
lace [leɪs] **I** *s* **1** spets[ar]; **a piece of ~** en spets; en bit spets **2** snöre, snörband; snodd
II *vb tr* **1** snöra [*up* till, ihop, åt]; **~ one's shoes** el. **~ up one's shoes** snöra skorna **2** trä [*through* genom] **3** spetsa [*~ coffee with brandy*]; **~d coffee** ung. kaffegök, kaffekask **4** krydda; utsmycka; översålla **5** tvinna ihop
III *vb itr* snöra sig i korsett; **~** el. **~ up** snöras [*it ~s* [*up*] *at the side*]; **shoes that ~** skor som kan snöras, snörskor
lace curtain [ˌleɪsˈkɜ:tn] *s* spetsgardin
lacerate [ˈlæsəreɪt] *vb tr* slita (riva) sönder, sarga, gå hårt åt
lacerating [ˈlæsəreɪtɪŋ] *adj* **1** nedgörande [*~ criticism*]; nedbrytande, destruktiv **2** sargande, sönderslitande
laceration [ˌlæsəˈreɪʃ(ə)n] *s* rivsår, skärsår
lace-ups [ˈleɪsʌps] *s pl* vard. snörskor; snörkängor
lachrymal [ˈlækrɪm(ə)l] *adj* tår-

lachrymal duct [ˌlækrɪm(ə)l'dʌkt] *s* anat. tårkanal
lachrymal gland [ˌlækrɪm(ə)l'glænd] *s* anat. tårkörtel
lachrymose ['lækrɪməʊs] *adj* **1** tårfylld, gråtfärdig [~ *voice*] **2** gråtmild; sorglig
lack [læk] **I** *s* brist [*of* på]; fattigdom [*of* på]; ~ *of attention* m.fl. ex., jfr *want IV 2*; *for* ~ *of* el. *through* ~ *of* av brist på; *no* ~ *of* ingen brist på
II *vb tr* sakna, inte ha [~ *courage*]; lida brist på, vara utan
III *vb itr*, ~ *for* sakna [*they* ~*ed for nothing*]
lackadaisical [ˌlækə'deɪzɪk(ə)l] *adj* nonchalant, likgiltig, lättjefull, slapp [~ *manner*]
lackey ['lækɪ] *s* lakej äv. bildl.
lacking ['lækɪŋ] *adj* **1** *be* ~ fattas, saknas [*for* för; *from* i, hos]; *nothing is* ~ det fattas (saknas) ingenting **2** *be* ~ *in* sakna [*he is* ~ *in courage*]; vara utan **3** otillräcklig
lacklustre ['lækˌlʌstə] *adj* glanslös, matt
laconic [lə'kɒnɪk] *adj* lakonisk, ordknapp
laconically [lə'kɒnɪk(ə)lɪ] *adv* lakoniskt, ordknapp
lacquer ['lækə] **I** *s* **1** lackfernissa **2** lack [*Japanese* ~] **3** lackarbete[n] **4** åld. hårsprej [äv. *hair* ~]
II *vb tr* **1** lackera **2** åld. spreja
lacrosse [lə'krɒs, lɑ:'k-] *s* lacrosse landhockeyliknande lagspel med gummiboll och håvlik racket
lactate ['lækteɪt] *vb itr* avsöndra mjölk
lactic acid [ˌlæktɪk'æsɪd] *s* mjölksyra
lactose [læk'təʊs, '--] *s* laktos, mjölksocker
lacun|a [lə'kju:n|ə] (pl. *-ae* [-i:, -aɪ] el. *-as*) *s* lakun, lucka, tomrum; hålighet
lacy ['leɪsɪ] *adj* spetslik, spets-
lad [læd] *s* **1** pojke, grabb, kille, gosse **2** vard., *the* ~*s* grabbarna; *one of the* ~*s* en i gänget **3** vard., *he's a bit of a* ~ han är en riktig en **4** vard., *the* ~*s in blue* polisen
ladder ['lædə] **I** *s* **1** stege, trappstege; sjö. lejdare; [fisk]trappa; *the* ~ *of success* karriärstegen **2** maska på strumpa o.d.
II *vb itr*, *my stocking has* ~*ed* det har gått en maska (maskor) på min strumpa; *tights that won't* ~ masksäkra strumpbyxor
III *vb tr* riva upp en maska (maskor) på; *I've* ~*ed my stocking* el. *my stocking is* ~*ed* det har gått en maska (maskor) på min strumpa
laddie ['lædɪ] *s* vard. grabb; i tilltal lille (min) vän; grabben
laddish ['lædɪʃ] *adj* vard. grabbig
laden ['leɪdn] *adj* **1** lastad [*with* med; *a* ~ *mule*]; *trees* ~ *with apples* träd dignande av äpplen **2** bildl. mättad; fylld [~ *with* (med, av) *moisture*] **3** bildl. tyngd, nedtryckt [~ *with* (av) *grief*]
ladette [læd'et] *s* vard. grabbig tjej, stökig tjej som dricker för mycket tillsammans med sina kompisar
la-di-dah [ˌlɑ:dɪ'dɑ:] *adj* vard. tillgjord, snobbig, affekterad, 'fin'
ladies o. **ladies'** ['leɪdɪz] *s* se *lady 2 b*
ladieswear ['leɪdɪzˌweə] *s* damkläder; damavdelning på varuhus
ladle ['leɪdl] **I** *s* slev [*soup* ~], tekn. skopa; skovel på vattenhjul
II *vb tr* ösa med slev, sleva; ~ *out* ösa upp, servera; ~ *out honours* dela ut hedersbetygelser åt höger och vänster
Lady ['leɪdɪ] *s* Lady adelstitel

lady ['leɪdɪ] *s* **1** dam; *ladies and gentlemen* mina damer och herrar; *his young* ~ vard. (åld.) hans flickvän (flicka, fästmö); *my dear young* ~ [min] bästa fröken **2 a)** ~*'s* el. *ladies'* ofta dam- [*ladies' hairdresser* (*tailor*)]; *ladies' doubles* tennis. damdubbel; *ladies' singles* tennis. damsingel; ~*'s maid* kammarjungfru; ~*'s man* el. *ladies' man* fruntimmerskarl **b)** *ladies* el. *ladies'* (med verb i sg.) vard. damtoalett; *ladies* på skylt äv. damer; *ladies room* amer. damtoalett **3** attr. kvinnlig [~ *principal*]; ~ *author* ngt åld. författarinna, kvinnlig författare; ~ *friend* kvinnlig vän, väninna vanl. till man **4** fru; härskarinna; *the* ~ *of the house* åld. frun i huset, värdinnan **5** vard., *my* (*your* etc.) ~ frun, frugan; *the old* ~ a) frugan b) morsan
ladybird ['leɪdɪbɜ:d] *s* o. amer. **ladybug** ['leɪdɪbʌg] *s* zool. [Maria] nyckelpiga [äv. ~ *beetle*]
Lady Day ['leɪdɪdeɪ] *s* vårfrudagen, Maria bebådelsedag 25 mars
ladyfinger ['leɪdɪˌfɪŋgə] *s* kok., ung. långsmal sockerkaksbit
lady-in-waiting [ˌleɪdɪɪn'weɪtɪŋ] (pl. *ladies-in-waiting*) *s* [uppvaktande] hovdam [~ *to* (hos) *the Queen*]
lady-killer ['leɪdɪˌkɪlə] *s* vard. kvinnotjusare, kvinnojägare
ladylike ['leɪdɪlaɪk] *adj* **1** som (lik) en lady, som anstår en dam, elegant, fin **2** feminin
Lady Muck [ˌleɪdɪ'mʌk] *s* vard., *she thinks she's* ~ hon tror att hon är något, hon är så skitförnäm av sig
lady of leisure [ˌleɪdɪəv'leʒə, amer. vanl. -'li:ʒə] *s* lyxhustru
lady's-finger ['leɪdɪzˌfɪŋgə] *s* kok., se *ladyfinger*
Ladyship ['leɪdɪʃɪp] *s*, *Her* (*Your*) ~ Hennes (Ers) nåd, grevinnan m.fl. adelstitlar enl. ladyns rang
lady's-slipper ['leɪdɪzˌslɪpə] *s* bot. guckusko
1 lag [læg] **I** *vb itr* **1** ligga (halka, sacka) efter, komma op efterkälken [äv. ~ *behind*] **2** mattas [*interest* ~*s*]
II *s* försening [~ *of the tide*]; förskjutning; eftersläpning; se äv. *time lag*
2 lag [læg] *vb tr* värmeisolera, klä in i (med) värmeisolerande material
lager ['lɑ:gə] *s* [ljus] lager [äv. ~ *beer*]
lager lout ['lɑ:gəˌlaʊt] *s* vard. stökig kille som dricker för mycket öl på t.ex. fotbollsmatcher
laggard ['lægəd] *s* sölkorv, eftersläntrare; slöfock
lagging ['lægɪŋ] *s* tekn. isolering äv. material
lagoon [lə'gu:n] *s* lagun
lah [lɑ:] *s* mus. la
laid [leɪd] imperf. o. perf. p. av *2 lay*
laid-back [ˌleɪd'bæk, attr. ofta '--] *adj* vard. obekymrad, avspänd, lättsinnig
lain [leɪn] perf. p. av *1 lie*
lair [leə] *s* **1** vilda djurs läger, lya, kula, håla, ide **2** bildl. lya; tillhåll
laird [leəd] *s* (skotsk. nordeng. form av *lord*) godsägare; ~ *of* herre till
lairy ['leərɪ, amer. 'lerɪ] *adj* vard. stöddig, gapig
laissez-faire o. **laissez-faire** [ˌleɪseɪ'feə] *s* ekon. laissez-faire, friare äv. låt-gå [~ *economy*; ~ *attitude*]
laity ['leɪətɪ] (med verb i pl.) *s*, *the* ~ lekmännen

lake [leɪk] *s* sjö, insjö, bildl. äv. hav; *a wine* ~ en sjö (ett hav) av vin

Lake District [ˈleɪkˌdɪstrɪkt] *s*, *the* ~ sjödistriktet i nordvästra England

Lake Erie [ˌleɪkˈɪərɪ] geogr. Eriesjön

Lake Huron [ˌleɪkˈhjʊər(ə)n] geogr. Huronsjön

Lake Michigan [ˌleɪkˈmɪʃɪgən] geogr. Michigansjön

Lake of Geneva [ˌleɪkəvdʒəˈni:və] geogr., *the* ~ Genèvesjön

Lake Ontario [ˌleɪkɒnˈteərɪəʊ] geogr. Ontariosjön

Lakes [leɪks] *s pl*, *the* ~ el. *the English* ~ sjödistriktet i nordvästra England

lakeside [ˈleɪksaɪd] *adj* som ligger vid sjön, på sjösidan

Lake Superior [ˌleɪkˈsʊpɪərɪə] geogr. Övre sjön

1 lam [læm] *vb itr* med prep.:
  lam into sb sl. a) klå upp ngn b) skälla ut ngn

2 lam [læm] *s* amer. sl., *be on the* ~ vara på rymmen; ha gått under jorden

lama [ˈlɑ:mə] *s* lama buddistisk munk

lamb [læm] **I** *s* **1** lamm äv. bildl.; *poor* ~! stackars krake! **2** kok. lamm[kött]; *roast* ~ lammstek; ~ *chop* lammkotlett
  II *vb itr* lamma

lambada [ˌlæmˈbɑ:də] *s* lambada dans

lambaste [læmˈbeɪst] *vb tr* o. **lambast** [læmˈbæst] *vb tr* vard. skälla ut, kritisera ned

lambskin [ˈlæmskɪn] *s* lammskinn

lambswool [ˈlæmzwʊl] *s* **1** lammull **2** lammullstyg, lammullströja o.d.

lame [leɪm] **I** *adj* **1** halt; *be* ~ *in one leg* vara halt (halta) [på ena benet] **2** bildl. bristfällig, otillfredsställande; haltande [~ *verses*]; lam [*a* ~ *excuse*]
  II *vb tr* göra halt

lamé [ˈlɑ:meɪ, ˈlæm-, -ˈ-] *s* fr. lamé

lamebrain [ˈleɪmbreɪn] *s* amer. vard. dumhuvud, träskalle

lame-duck [ˈleɪmdʌk] *adj* vanl. amer. övergångs-; *he is a* ~ *president* äv. han är en maktlös president som snart ska avgå

lame duck [ˌleɪmˈdʌk] *s* **1** hjälplös person (sak), oduglig **2** företag i svårigheter; insolvent börsspekulant, dålig betalare **3** polit. oduglig regering (president)

lamely [ˈleɪmlɪ] *adv* lamt, hjälplöst; tamt

lameness [ˈleɪmnəs] *s* halthet; bristfällighet etc., jfr *lame I*

lament [ləˈment] **I** *vb itr* klaga, jämra [sig], gråta [*for, over* över]
  II *vb tr* beklaga; begråta, sörja över; sörja [~ *sb*]
  III *s* **1** klagan **2** klagosång, klagovisa

lamentable [ˈlæməntəbl, ləˈment-] *adj* **1** beklaglig, sorglig [*a* ~ *mistake*] **2** bedrövlig, jämmerlig [*a* ~ *performance*]; ynklig

lamentation [ˌlæmenˈteɪʃ(ə)n] *s* klagan, jämmer, sorg; beklagande

Lamentations [ˌlæmenˈteɪʃ(ə)nz] *s* bibl. Klagovisorna [äv. *the Book of* ~]

lamented [ləˈmentɪd] *adj* sörjd, [djupt] saknad; *your late* ~ *father* din [djupt saknade] far

laminate [ˈlæmɪneɪt] *s* laminat

laminated [ˈlæmɪneɪtɪd] *adj* laminerad; ~ *glass*

lamellglas, glaslaminat; ~ *plastics* plastlaminat; ~ *wood* trälaminat, kryssfaner, plywood

lamp [læmp] *s* lampa; lykta; bildl. ljus

lamplight [ˈlæmplaɪt] *s* lampsken, lampljus

lampoon [læmˈpu:n] **I** *s* pamflett, smädeskrift, nidskrift **II** *vb tr* skriva en pamflett (pamfletter) mot; smäda i skrift

lamppost [ˈlæmppəʊst] *s* lyktstolpe; *between you and me and the* ~ vard. i förtroende (oss emellan) [sagt]

lampshade [ˈlæmpʃeɪd] *s* lampskärm

LAN [læn] data. (förk. för *local area network*) lokalt nätverk

Lancashire [ˈlæŋkəʃɪə, -ʃə] geogr.

Lancaster [ˈlæŋkəstə] geogr.

lance [lɑ:ns] **I** *s* lans
  II *vb tr* med. öppna med lansett; ~ *a boil* öppna (sticka hål på) en böld

lance corporal [ˌlɑ:nsˈkɔ:p(ə)r(ə)l] *s* korpral gruppbefäl inom armén

lancer [ˈlɑ:nsə] *s* mil. hist. lansiär

Lancet [ˈlɑ:nsət] *s*, *the* ~ ansedd brittisk läkartidskrift

lancet [ˈlɑ:nsət] *s* med. lansett

Lancs [læŋks] förk. för *Lancashire*

land [lænd] **I** *s* **1** land i mots. till hav, vatten; *see* (*find out*) *how the* ~ *lies* sondera terrängen; *on* ~ a) på [torra] land b) till lands **2** litt. el. bildl. land, rike; *the* ~ *of dreams* drömmarnas land (rike); *be* [*back*] *in the* ~ *of the living* skämts. ha återvänt till livet igen, tillhöra de levandes antal igen **3** ägd mark, jord; pl. ~*s* [jord]egendomar; marker, ägor; *a piece of* ~ ett stycke mark (jord), en tomt; *work on the* ~ vara lantarbetare **4** jord, mark [*arable* ~; *stony* ~]; *work on the* ~ vara lantarbetare
  II *vb itr* **1** landa [*the plane* ~*ed*]; gå ned; ta mark, slå ned; komma ned; ~ *on one's feet* komma ned på fötterna äv. bildl. **2** landa, lägga till; landstiga, gå i land [*we* ~*ed at Bombay*] **3** hamna [äv. ~ *up*; ~ *up 40 miles from home*; ~ *in the mud*]; råka in [*in* i]; sluta [*in* med, i]; ~ *up in* hamna (sluta) i, råka rakt in i; ~ *up with* vard. sluta med, plötsligt sitta där med
  III *vb tr* **1** ~ *a plane* gå ned med (landa med) ett flygplan **2** landsätta, sätta i land [~ *passengers*]; föra i land, lossa [~ *goods*]; landa fiskfångst **3 a)** vard. fånga, få tag i, få [~ *a husband*; ~ *a job*]; ta (kamma) hem, vinna [~ *the prize*] **b)** dra i land, landa [~ *a fish*] **4** ~ *oneself in great trouble* råka in i en mycket besvärlig situation; *they were* ~*ed in a strange town* [*without money*] de befann sig mitt i en främmande stad...; *be* ~*ed with* vard. åka 'på **5** vard. pricka in, ge [~ *a punch*]

land agent [ˈlændˌeɪdʒ(ə)nt] *s* **1** fastighetsmäklare **2** förvaltare

land-based [ˈlæn(d)beɪst] *adj* landbaserad [~ *aircraft*]

landed [ˈlændɪd] *adj* **1** jordägande, besutten; *the* ~ *interest*[*s*] godsägarna; ~ *proprietor* godsägare; *the* ~ *aristocracy* godsägararistokratin **2** jord-; ~ *estate* jordegendom, gods; ~ *property* jordegendom

landfall [ˈlæn(d)fɔ:l] *s* **1** sjö. landkänning; angöring **2** flyg. landning

landfill [ˈlæn(d)fɪl] *s* **1** jordövertäckt soptipp; ~ *site* plats för soptipp som täckts med jord **2** nedgrävning av sopor **3** sopor för tippen

landholder ['lænd,həʊldə] s **1** arrendator
2 jordägare
landing ['lændɪŋ] s **1** trappavsats, våningsplan
2 landning; landstigning; landsättning etc., jfr *land*
II o. *land III*; ~ *operation* landstigningsföretag;
emergency ~ el. *forced* ~ nödlandning
3 landningsplats; kaj; landgång [äv. ~ *place*] **4** sport.
nedslag
landing craft ['lændɪŋkrɑːft] (pl. *landing craft*) s mil.
landstigningsbåt, landstigningsfarkost
landing field ['lændɪŋfiːld] s flygfält
landing gear ['lændɪŋgɪə] s flyg. landställ,
landningsställ
landing pad ['lændɪŋpæd] s helikopterplatta för start
o. landning
landing place ['lændɪŋpleɪs] s se *landing 3*
landing stage ['lændɪŋsteɪdʒ] s sjö., spec. flytande
[landnings]brygga, flottbrygga
landing strip ['lændɪŋstrɪp] s flyg. landningsbana
spec. tillfällig för t.ex. militära ändamål
landlady ['læn(d),leɪdɪ] s **1** [hyres]värdinna;
[kvinnlig] husägare; [värdshus]värdinna
2 [kvinnlig] godsägare som arrenderar ut jord
landless ['læn(d)ləs] adj jordlös, utan jord
landline ['læn(d)laɪn] s tele. **1** landkabel **2** fast
telefon
landlocked ['læn(d)lɒkt] adj instängd (omgiven) av
land; *a ~ country* en inlandsstat
landlord ['læn(d)lɔːd] s **1** [hyres]värd; husägare;
[värdshus]värd **2** jordägare, godsägare som
arrenderar ut jord
landlubber ['læn(d),lʌbə] s sjö. vard. landkrabba
landmark ['læn(d)mɑːk] s **1** landmärke; sjö.
riktmärke; orienteringspunkt **2** gränsmärke,
råmärke **3** bildl. hållpunkt; milstolpe
landmarked building [,læn(d)mɑːkt'bɪldɪŋ] s amer.
k-märkt byggnad
landmass ['læn(d)mæs] s geogr. landmassa
landmine ['læn(d)maɪn] s mil. landmina
land office ['lænd,ɒfɪs] s amer. markbyrå statlig
myndighet som sköter försäljning av statens mark
land of Nod [,lændəv'nɒd] s, *the* ~ Jon Blunds rike
landowner ['lænd,əʊnə] s jordägare
land reform ['lændrɪ,fɔːm] s jordreform
land registry ['læn(d),redʒɪstrɪ] s fastighetsregister,
jordregister
Land Rover® ['læn(d),rəʊvə] s Land Rover® slags
terrängbil
landscape ['læn(d)skeɪp] **I** s **1** landskap, natur
2 konst. landskap; landskapsmåleri
II vb tr förbättra (forma, försköna) [genom
trädgårdsanläggningar o.d.]; anlägga
landscape architecture [,læn(d)skeɪp'ɑːkɪtektʃə] s
landskapsarkitektur; landskapsvård
landscape gardener [,læn(d)skeɪp'gɑːdnə] s
trädgårdsarkitekt
landscape gardening [,læn(d)skeɪp'gɑːdnɪŋ] s
trädgårdskonst, trädgårdsarkitektur
landscape mode ['læn(d)skeɪpməʊd] s data. liggande
utskrift inställning på skrivare
landscape painter [,læn(d)skeɪp'peɪntə] s
landskapsmålare
landscaper ['læn(d)skeɪpə] s amer.
trädgårdsarkitekt, landskapsarkitekt

landscape window [,læn(d)skeɪp'wɪndəʊ] s
panoramafönster
Land's End [,læn(d)z'end] geogr., Englands sydvästligaste
udde; *from ~ to John o'Groats* ung. från norr till söder,
från ena ändan av landet till den andra
landslide ['læn(d)slaɪd] s **1** jordskred **2** polit.
jordskred; jordskredsseger [äv. ~ *victory*]
landslip ['læn(d)slɪp] s jordras
landward ['læn(d)wəd] adj [liggande] mot (inåt)
land; land- [*the ~ side*]
lane [leɪn] s **1 a)** smal väg mellan häckar o.d., stig
b) trång gata, gränd; ofta bakgata; *it is a long ~ that*
has no turning allting har en ända hur tröstlöst det än ser
ut **2** körfält, fil [äv. *traffic ~*]; *cycle ~* cykelbana
3 sport. bana; bowlingbana **4** farled, rutt för
oceanfartyg, segelled; flyg. luftled, luftkorridor,
passage, stråk **5** häck av militär o.d., passage, gång
mellan led o.d.; *form a ~* bilda häck **6** råk; isränna
language ['læŋgwɪdʒ] s **1** språk; tungomål **2** språk,
sätt att uttrycka sig [*his ~ was dreadful*];
framställning; *bad ~* el. *foul ~* rått (grovt) språk,
svordomar; *strong ~* kraftuttryck, svordomar; *mind*
(*watch*) *your ~!* svär inte!
language lab ['læŋgwɪdʒlæb] s vard. språklabb,
inlärningsstudio
language laboratory ['læŋgwɪdʒlə,bɒrət(ə)rɪ] s
inlärningsstudio, språklaboratorium
language learning ['læŋgwɪdʒ,lɜːnɪŋ] s
språkinlärning
languid ['læŋgwɪd] adj **1** slapp, svag, matt äv. bildl.
[~ *gesture*; ~ *voice*] **2** slö; likgiltig; trög, långsam
[av sig]
languish ['læŋgwɪʃ] vb itr **1** avmattas, tyna av äv.
bildl.; försmäkta, tyna bort **2** tråna, trängta [*for*
efter; *to* efter att]; se trånsjuk ut
languor ['læŋgə] s **1** vällustig matthet (slöhet)
2 dåsighet; tryckande stillhet [*the ~ of a summer*
day]
languorous ['læŋgərəs] adj **1** vällustigt slapp (trött,
slö) **2** ~ *notes* smäktande toner
lank [læŋk] adj om hår stripigt, tunt, slätt
lanky ['læŋkɪ] adj [lång och] gänglig, skranglig
lanolin ['lænə(ʊ)lɪn] s lanolin
lantern ['læntən] s **1** lykta; lanterna; *Chinese ~*
a) kulört lykta, papperslykta **b)** bot. physalis
2 lanternin
lantern-jawed ['læntəndʒɔːd] adj med insjunkna
kinder
lantern jaws [,læntən'dʒɔːz] s pl infallna kinder
Laos ['lɑːɒs] geogr.
1 lap [læp] s **1** knä; sköte äv. bildl. [*in the ~ of the*
gods]; [kjol]fång; *in one's ~* el. *on one's ~* i knät; *in*
the ~ of the gods i Guds händer; *live in the ~ of luxury*
leva lyxliv **2** skört, flik
2 lap [læp] **I** vb tr **1** linda, svepa, linda (svepa) in [*in*
i] **2** lägga kant över kant (om lott) **3** sport. **a)** varva
komma ett el. flera varv före **b)** avverka [*they ~ped the*
course in 3 minutes]
II vb itr skjuta (gå, nå) ut [*over* över]; ~ *over*
överlappa varandra, ligga om lott
III s **1** sport. varv; ~ *time* varvtid **2** etapp [*the first ~*
of the journey]
3 lap [læp] **I** vb tr **1** lapa, slicka upp (i sig) [äv. ~ *up*];
sörpla i sig [äv. ~ *up*; ~ *down*]; *he ~s up everything*

you say vard. han slickar i sig (suger i sig, sväljer) allt vad du säger **2** om vågor skvalpa, klucka **II** *vb itr* om vågor skvalpa, klucka [*against*, *on* mot]

laparoscopy [ˌlæpəˈrɒskəpɪ] *s* laparoskopi

lap belt [ˈlæpbelt] *s* bil. säkerhetsbälte över höfterna

lapdog [ˈlæpdɒg] *s* knähund äv. bildl.

lapel [ləˈpel] *s* slag på kavaj o.d.

lapidary [ˈlæpɪdərɪ] *adj* [som] huggen i sten; korthuggen, koncis; ~ *style* lapidarstil, stenstil

lapis lazuli [ˌlæpɪsˈlæzjʊlɪ, -aɪ] *s* lasursten, lapis lazuli

Lapland [ˈlæplænd] geogr. Lappland, Lappmark[en]

Laplander [ˈlæplændə] *s* same; samekvinna

lap of honour [ˌlæpəvˈɒnə] (pl. *laps of honour*) *s* sport. ärevarv

Lapp [læp] *s* same; samekvinna

lapse [læps] **I** *s* **1** lapsus, förbiseende, misstag; *it was a ~ of [the] memory* det var ett minnesfel; *~ of the pen* skrivfel **2** felsteg, försyndelse; avfall, avvikelse [*~ from true belief*]; avsteg [*~ from one's principles*] **3** nedsjunkande, fall, återfall **4** om tid [för]lopp; tid[srymd]; *a ~ of a hundred years* [en tidsrymd av] hundra år; *the ~ of time* tidens gång **II** *vb itr* **1 a)** sjunka ned, förfalla, återfalla [äv. ~ *back*; *into* till, i]; *he ~d into silence* han försjönk i tystnad **b)** *~ from* avfalla (avvika) från, göra avsteg från **2** upphöra, komma ur bruk

lapsed [læpst] *adj* **1** kommen ur bruk, försvunnen **2** teol. som avfallit från sin tro [*a ~ Catholic*] **3** jur. förfallen; hemfallen

lap strap [ˈlæpstræp] *s* flyg. säkerhetsbälte över höfterna

laptop [ˈlæptɒp] **I** *s* laptop, bärbar dator **II** *adj*, ~ *computer* laptop, bärbar dator

lapwing [ˈlæpwɪŋ] *s* zool. vipa; spec. tofsvipa

larcenist [ˈlɑːsənɪst] *s* jur. tjuv

larceny [ˈlɑːsənɪ, -snɪ] *s* jur. tillgrepp; stöld; *grand ~* amer. grov stöld; *petty ~* åld. el. amer. snatteri

larch [lɑːtʃ] *s* bot. lärk[träd] [äv. ~ *tree*]

lard [lɑːd] **I** *s* isterflott, [svin]ister **II** *vb tr* späcka äv. bildl. [*with* med]; *~ed with quotations*]

larder [ˈlɑːdə] *s* skafferi; visthus[bod]

large [lɑːdʒ] **I** *adj* **1** stor i div. betydelser, t.ex. **a)** rymlig [*a ~ flat*] **b)** large beteckning för storleken stor i klädesplagg **c)** ansenlig [*a ~ sum*]; betydande [*a ~ number; a ~ quantity*] **d)** riklig [*a ~ supply*]; *as ~ as life* i kroppsstorlek, i naturlig storlek; vard. livslevande, i egen hög person [*here she is, as ~ as life*]; *~r than life* i övernaturlig storlek; överdriven **2** frikostig, liberal, stor, storslagen [*~ charity*] **II** *s at large* **a)** fri, lös, på fri fot; *set sb at ~* försätta ngn på fri fot, försätta ngn i frihet, frige ngn **b)** utförligt, i detalj, detaljerat [*write at ~*]; vidlyftigt; vitt och brett **c)** i stort; *the public at ~* den stora allmänheten; folk i allmänhet; *society at ~* samhället i stort (sin helhet) **III** *adv* **1** sjö., *sail ~* slöra **2** *by and ~* i stort sett, på det hela taget

large-handed [ˌlɑːdʒˈhændɪd] *adj* rundhänt, givmild

large-hearted [ˌlɑːdʒˈhɑːtɪd, attr. '-ˌ--] *adj* vidhjärtad, storsinnad

large intestine [ˌlɑːdʒɪnˈtestɪn] *s* anat., *the ~* tjocktarmen

largely [ˈlɑːdʒlɪ] *adv* till stor (övervägande) del; i [tämligen] hög grad; i stor utsträckning

largeness [ˈlɑːdʒnəs] *s* storlek; stor omfattning; stor utsträckning; vidsynthet; frikostighet etc., jfr *large I*; ~ *of mind* storsinthet; vidsynthet

large-scale [ˈlɑːdʒskeɪl] *adj* i stor skala, storskalig [*~ map*]; omfattande [*~ reforms*]; stor [*~ project*]; stor- [*~ consumer*]; mass- [*~ production*]

largesse o. **largess** [lɑːˈdʒes] *s* **1** generös gåva, skänk **2** frikostighet; välvilja

largish [ˈlɑːdʒɪʃ] *adj* ganska stor; *a ~ sum of money* en större summa pengar

lariat [ˈlærɪət] *s* amer. lasso

1 lark [lɑːk] *s* zool. lärka; *be up with the ~* vara uppe med tuppen

2 lark [lɑːk] vard. **I** *s*, *have a ~ with* skoja med; *for a ~* på skoj, på skämt; *sod that for a ~!* [*I'm not doing any more tonight*] sl. jag skiter i det här...; *what a ~!* så skojigt (kul)! **II** *vb itr* skoja, leka [*with* med]; ~ *about* skoja, bråka, stoja

larkspur [ˈlɑːkspɜː, -spə] *s* bot. riddarsporre

larv|a [ˈlɑːv|ə] (pl. *-ae* [-iː]) *s* zool. larv

larval [ˈlɑːv(ə)l] *adj* larv-

laryngitis [ˌlærɪnˈdʒaɪtɪs] *s* med. laryngit, strupkatarr

larynx [ˈlærɪŋks] (pl. *larynges* [læˈrɪndʒiːz] el. *~es*) *s* struphuvud

lasagne [ləˈzænjə, -ˈzɑːn-, -jeɪ] *s pl* kok. (it.) lasagne

lascivious [ləˈsɪvɪəs] *adj* lysten, vällustig, liderlig [*~ thoughts; a ~ old man*]; obscen

laser [ˈleɪzə] *s* fys. laser [*~ memory*; ~ *surgery*]

laser beam [ˈleɪzəbiːm] *s* laserstråle

laserdisc o. **laserdisk** [ˈleɪzədɪsk] *s* laserskiva

laser gun [ˈleɪzəgʌn] *s* laserpistol

laser printer [ˈleɪzəˌprɪntə] *s* laserskrivare

1 lash [læʃ] **I** *vb tr* **1** piska; piska (klatscha) 'på'; prygla; gissla; om vågor, regn [ursinnigt] piska mot; slå; kasta; piska med [*the tiger ~ed its tail angrily*]; ~ *oneself into a fury* piska (arbeta) upp sig till raseri **2** bildl. gissla; komma med våldsamma utfall mot **II** *vb itr* piska, slå; om orm göra [ett] utfall; ~ *at* slå [efter], piska (ge) 'på', snärta till **III** *vb itr* med adv.: *lash out* **a)** slå vilt omkring sig, bråka, rasa; om häst slå bakut [*at* mot]; ~ *out at* bildl. häftigt angripa, gå till angrepp mot; fara ut mot **b)** vard. slå på stort, slösa, spendera **IV** *s* **1** snärt, tafs på piska **2** [pisk]rapp äv. bildl. **3** spörapp, spöslag **4** ögonfrans, ögonhår

2 lash [læʃ] *vb tr* surra, sjö. äv. naja [*to* vid; *together* ihop]; ~ *down* surra (naja) fast [*on* på]

1 lashing [ˈlæʃɪŋ] *s* **1** piskande, piskning etc., jfr *1 lash I* o. *1 lash II*; *get a ~* få prygel **2** pl. *~s of* åld. massor (massvis) av

2 lashing [ˈlæʃɪŋ] *s* surrning

Las Palmas [læsˈpælməs, -ˈpɑːl] geogr.

lass [læs] *s* flicka, tös

lassie [ˈlæsɪ] *s* tös, tösunge

lassitude [ˈlæsɪtjuːd] *s* **1** trötthet, matthet, slapphet **2** liknöjdhet, slöhet, leda

lasso [ləˈsuː, ˈlæsəʊ] **I** (pl. *~s* el. *~es*) *s* lasso, kastsnara **II** *vb tr* fånga med lasso

1 last [lɑːst] **I** *adj* (ofta substantiviskt; jfr äv. *1 last III*)

1 sist; ytterst; enda återstående; slutlig; *in the ~ place* i sista rummet (hand), sist; *~ resort* se under *resort I 2*; *the ~ two volumes* de två sista (sista två) banden; *~ but not least* sist men inte minst **2** sist, senast, sistliden; förra; *~ month* (*week*) [i] förra månaden (veckan); *~ night* i går kväll; *~ time* el. *the ~ time* förra gången; *the ~ time* sista gången; *~ year* i fjol, förra året; *~ Christmas* i julas, förra julen; *~ Monday* el. *on Monday ~* i måndags, förra måndagen; *~ Monday week* i måndags åtta dagar sedan, åtta dagar i måndags; *this day ~ week* i dag för en vecka sedan, i dag åtta dagar sedan; *these ~ few days* el. *in* (*for, during*) *the ~ few days* [under] de sista (senaste) dagarna; sedan några dagar [tillbaka]; *the year before* ~ förförra året, i förfjol; *the ~ few years* de senaste åren **3** allra störst, ytterst, högst; *to the ~ degree* i högsta grad
II *adv* **1** sist [*who came ~?*]; i sista rummet; som förled i sammansättn. sist- [*last-mentioned*]; *~ of all* allra sist; *~ in, first out* sist anställd, först friställd; sist in, först ut **2** senast, sist, sista gången [*when did you see her ~?*] **3** [och] slutligen (till sist)
III *s* **1** sista
the last a) den sista; det sista; *the ~ but one* (*two*) se under *but I 2 d* **b**) den föregående (andra); den sistnämnda; [*a row of girls*] *each prettier than the ~* ...den ena sötare än den andra **2** sista stund, yttersta, död; slut; *breathe* (*gasp*) *one's ~* utandas sin sista suck **3** *I shall never hear the ~ of that* det där kommer jag att få höra (äta upp) många gånger (så länge jag lever); *I shall be glad to see* (*hear*) *the ~ of him* det ska bli skönt att bli kvitt (av med) honom; *to the ~* ända in i det sista, ända till slutet **4** *at* ~ till slut, slutligen, äntligen; *at long* ~ långt om länge, äntligen; *now at* ~ först nu, äntligen
2 last [lɑ:st] **I** *vb itr* **1** vara, hålla på [*how long did the programme ~?*]; räcka; förslå; hålla i sig; leva vidare; *~ for ever* räcka (vara) i evighet **2** hålla [*the coat will ~ the year out*]; hålla sig, stå sig; om färg sitta i **3** hålla ut; klara sig; leva
II *vb tr* räcka [till] för ngn [*it will ~ me a month*]
III *vb tr* med adv.:
last out hålla ut; *~ out the winter a*) räcka vintern över (ut) **b**) klara (kämpa igenom) vintern
3 last [lɑ:st] **I** *s* skomakares läst; *stick to one's ~* bli vid sin läst, inte lägga sig i det man inte begriper **II** *vb tr* lästa [ut]
last call [ˌlɑ:stˈkɔ:l] *s* amer. dagens sista beställning i en bar
last-ditch [ˌlɑ:stˈdɪtʃ] *adj*, *a ~ attempt* el. *a ~ effort* ett sista desperat (förtvivlat) försök
last-gasp [ˌlɑ:stˈgɑ:sp] *adj* i sista minuten [*a ~ goal*]
last hurrah [ˌlɑ:stˈhʊreɪ] *s* amer. sista ryck, sista ansträngning
lasting [ˈlɑ:stɪŋ] *adj* **1** bestående, varaktig; ihållande **2** hållbar
lastly [ˈlɑ:stlɪ] *adv* till sist, slutligen; avslutningsvis
last-mentioned [ˈlɑ:stˌmenʃ(ə)nd] *adj* sistnämnd
last-minute [ˈlɑ:stˌmɪnɪt] *adj* i sista minuten [*a ~ appeal*]
last name [ˈlɑ:stneɪm] *s* efternamn
last orders [ˌlɑ:stˈɔ:dəz] *s pl* dagens sista beställningar på en pub el. i en bar

last post [ˌlɑ:stˈpəʊst] *s*, *the ~ a*) melodi spelad på signalhorn vid militära begravningar **b**) ung. tapto
last rites [ˌlɑ:stˈraɪts] *s pl* relig. sista smörjelsen
Last Supper [ˌlɑ:stˈsʌpə] *s*, *the ~ a*) bibl. Jesu sista måltid **b**) Nattvarden da Vincis målning
latch [lætʃ] **I** *s* **1** [dörr]klinka; *the door is on the ~* låset [på dörren] är uppställt **2** [säkerhets]lås **3** spärrhake
II *vb tr* stänga med klinka; låsa, smälla igen
III *vb itr* med adv. el. prep.:
latch on vard. haja, fatta
latch onto vard. hänga sig på
latchkey [ˈlætʃki:] *s* portnyckel
latchkey child [ˈlætʃki:tʃaɪld] *s* o. **latchkey kid** [ˈlætʃki:kɪd] *s* nyckelbarn
late [leɪt] **I** (komp. *later* el. *latter*, superl. *latest* el. *last*, jfr dessa ord) *adj* **1** sen; för sen, försenad, fördröjd; långt framskriden; *in ~ August* i slutet av augusti; *in the ~ forties* i slutet av (på) fyrtiotalet; *she is in her ~ forties* hon är närmare femtio; *he is a ~ riser* han stiger upp sent (ligger länge) om morgnarna; *~ summer* sensommar[en], eftersommar[en]; *in* [*the*] *summer* äv. sent på sommaren; *be ~* vara sen (försenad), komma sent, komma för sent [*be ~ for* (till) *dinner*]; *make ~* försena; *don't make it ~!* kom inte hem för sent!; *it is getting ~* det börjar bli sent, klockan är mycket **2** end. framför subst. **a**) [nyligen] avliden, framliden **b**) förre, förra; före detta (förk. f.d.), förutvarande, tidigare [*~ director of the company*]; *my ~ husband* min avlidne (salig) man; *the ~ king* gamle (salig) kungen; *the ~ prime minister* förutvarande (förre; framlidne) premiärministern **3** nyligen avslutad (inträffad o.d.); senaste tidens [*the ~ political troubles*]; senaste; *of ~ years* (under) senare år[en], på (under) [de] sista åren; *of ~ a*) på senare tid[en], på sista tiden **b**) nyligen, för kort tid sedan
II (komp. *later*, superl. *latest* el. *last*, jfr dessa ord) *adv* **1** sent; för sent; *better ~ than never* bättre sent än aldrig; *sit ~* el. *sit up ~* el. *be up ~* sitta (vara) uppe länge om kvällarna; *sit ~ at dinner* sitta länge till bords; *sleep ~* sova länge; *~ at night* sent på natten; *~ in the day a*) sent (långt fram) på dagen **b**) bildl. i senaste (sista) laget, mer än lovligt sent; *~ into the night* till långt in på natten; *as* (*so*) *~ as 2002* [ännu] så sent som 2002, ännu 2002 **2** *~ of* förut bosatt i [*Mr Smith, ~ of Paris*]; tidigare anställd vid
late-breaking [ˈleɪtbreɪkɪŋ] *adj*, *~ news* sent inkomna nyheter strax före sändning i radio (tv) el. före pressläggning på tidning
latecomer [ˈleɪtˌkʌmə] *s* person som kommer för sent, senkomling, eftersläntrare
lately [ˈleɪtlɪ] *adv* på sista tiden, på sistone, [helt] nyligen, nyss; för inte så länge sedan
latency [ˈleɪt(ə)nsɪ] *s* latent tillstånd, bundenhet; med. el. psykol. latens
lateness [ˈleɪtnəs] *s*, *the ~ of his arrival* hans sena ankomst; *the ~ of the hour* den sena timmen
late-night [ˌleɪtˈnaɪt] *adj* sen på natten (kvällen); *~ news* sena nyheterna
latent [ˈleɪt(ə)nt] *adj* latent [*~ disease*; *~ germs*]; dold [*~ talent*]; förborgad
latent heat [ˌleɪt(ə)ntˈhi:t] *s* bunden värme
later [ˈleɪtə] **I** *adj* senare; nyare, yngre

II *adv* senare; efteråt; **sooner or** ~ förr eller senare; **three days** ~ tre dagar senare (därefter); **~ in the day** senare (längre fram) på dagen; **~ on** senare [i tiden], längre fram; **no** ~ **[ago] than Friday** först (senast) i fredags; **not** ~ **than Friday** senast på (inte senare än [på]) fredag; **see you** ~**!** ajö (hej) så länge!, vi ses [snart igen]!

L8R i e-post el. textmeddelanden förk. för *later*

lateral ['læt(ə)r(ə)l] *adj* sido- [~ *bud*; ~ *branch of a family*]; sidoställd

lateral thinking [,læt(ə)r(ə)l'θɪŋkɪŋ] *s* lateralt tänkande

latest ['leɪtɪst] **I** *adj* senast, sist [*the ~ fashion*]; **the** ~ el. **the ~ thing** det senaste [i modeväg]; **it's the** ~ äv. det är sista modet (skriket); **at the** ~ senast, inte senare än; **by Monday at the** ~ senast om (på) måndag **II** *adv* senast, sist [*latest-born*]

latex ['leɪteks] *s* bot. mjölksaft; latex [~ *gloves*]

lath [lɑːθ, subst. pl. äv. lɑːðz] *s* ribba, spjäla, läkt, latta, list; **~ and plaster** putsning, rappning

lathe [leɪð] *s* svarv; svarvstol

lather ['lɑːðə, 'læðə] **I** *s* **1** lödder äv. på häst **2** vard., **be [all] in a** ~ vara uppjagad (upphetsad) **II** *vb tr* tvåla in; täcka med lödder **III** *vb itr* löddra sig

lathery ['lɑːðərɪ, 'læð-] *adj* löddrig

Latin ['lætɪn] **I** *adj* latinsk, romersk **II** *s* **1** latin [*classical* ~; *late* ~]; **Low** ~ icke-klassiskt latin, senlatin **2 a)** latinamerikan; latinamerikanska kvinna **b)** sydeuropé; sydeuropeiska kvinna

Latin America [,lætɪnə'merɪkə] *s* geogr. Latinamerika

Latin-American [,lætɪnə'merɪkən] **I** *adj* latinamerikansk **II** *s* latinamerikan; latinamerikanska kvinna

Latino [lə'tiːnəʊ] **I** *s* (pl. ~s) *s* amer. vard. **1** latinamerikan; latinamerikanska kvinna **2** amerikan (amerikanska) av latinamerikanskt ursprung **II** *adj* latinamerikansk [~ *culture*]

latitude ['lætɪtjuːd] *s* **1** geogr. el. astron. latitud, bredd, geogr. äv. breddgrad [äv. *degree of* ~]; pl. **~s** äv. delar av världen, trakter [*warm* ~*s*] **2** handlingsfrihet, [rörelse]frihet [*don't allow the boy too much* ~]; spelrum, utrymme, latitud

latrine [lə'triːn] *s* latrin[grop], avträde

latte ['lɑːteɪ] *s* it., se *caffè latte*

latter ['lætə] *adj* **1 the** ~ den (det, de) senare [*the former…the* ~…]; denne [*my brother asked the landlord but the* ~ *wouldn't allow it*]; denna, dessa **2** sista, senare [*the* ~ *half; the* ~ *part*]

latter-day ['lætədeɪ] *adj* modern, nutida; **the Latter-day Saints** de sista dagarnas heliga mormonerna

latterly ['lætəlɪ] *adv* på sista tiden, nyligen

lattice ['lætɪs] *s* **1** galler[verk], spjälverk **2** gallerfönster; fönster med blyinfattade rutor [äv. ~ *window*]

Latvia ['lætvɪə] geogr. Lettland

Latvian ['lætvɪən] **I** *adj* lettisk **II** *s* **1** lett; lettiska kvinna **2** lettiska [språket]

laud [lɔːd] *vb tr* lova, prisa; **~ sb (sth) to the skies** höja ngn (ngt) till skyarna

laudable ['lɔːdəbl] *adj* lovvärd, berömvärd

laudanum ['lɔːd(ə)nəm, 'lɒ-] *s* laudanum, opium[droppar], opiat

laudatory ['lɔːdət(ə)rɪ] *adj* prisande, berömmande

laugh [lɑːf] **I** *vb itr* skratta; **don't make me ~!** och det ska man tro på!, lägg av!; **~ on the other side of one's face** el. amer. äv. **~ on the other side of one's mouth** skratta så lagom, bli (vara) så lagom glad (mallig), tappa lusten att skratta; **he who ~s last ~s longest** el. **he ~s best who ~s last** ordspr. skrattar bäst som skrattar sist; **~ up one's sleeve** se under *sleeve 1*; **~ one's head off** vard., se under *head I 1 d* **II** *vb tr* skratta; **~ sb out of court** skratta ut ngn **III** *vb itr* o. *vb tr* med adv. el. prep.:

laugh at skratta åt, ha roligt åt, göra narr av, förlöjliga; **~ at difficulties** skratta åt (ta lätt på) svårigheter

laugh away el. **laugh off** slå bort med ett skratt

IV *s* skratt; **a hearty** ~ ett hjärtligt skratt; **the ~ was on her** det var hon som fick tji; **he's a bit of a** ~ **a)** han är en lustigkurre **b)** han är en underlig typ; **that's a** ~**!** iron. det är skrattretande (rena rama skämtet)!; **have the last** ~ vara den som skrattar sist, vinna till sist; **raise a** ~ framkalla [ett] skratt, väcka allmän munterhet; **break into a** ~ brista i skratt; **do sth for a** ~ göra ngt på skoj (skämt); **be a ~ a minute** vard. vara skitkul

laughable ['lɑːfəbl] *adj* skrattretande; löjlig

laughing ['lɑːfɪŋ] **I** *adj* skrattande **II** *s* skratt, skrattande; **it is no ~ matter** det är ingenting att skratta åt

laughing gas ['lɑːfɪŋgæs] *s* lustgas

laughing jackass [,lɑːfɪŋ'dʒækæs] *s* zool. skrattfågel, jättekungsfiskare

laughingly ['lɑːfɪŋlɪ] *adv* **1** skrattretande [nog], på ett skrattretande sätt **2** skrattande[s]

laughing stock ['lɑːfɪŋstɒk] *s* [föremål för] åtlöje; driftkucku; **make a ~ of oneself** göra sig löjlig (till ett åtlöje)

laugh lines ['lɑːflaɪnz] *s pl* amer. vard. skrattrynkor kring ögonen

laughter ['lɑːftə] *s* skratt, munterhet [*cause* ~]; **burst into** ~ el. **dissolve into** ~ brista ut i skratt; **loud** ~ el. **burst of** ~ gapskratt; **roars of** ~ el. **fits of** ~ el. **peals of** ~ skallande skrattsalvor

laughter lines ['lɑːftə,laɪnz] *s pl* skrattrynkor kring ögonen

1 launch [lɔːn(t)ʃ] **I** *vb tr* **1** lansera, föra fram; starta [~ *a campaign*]; sätta i gång [med], ge fart åt, ge en start åt, hjälpa fram; **~ an attack** börja ett anfall **2** sjösätta fartyg, sätta i sjön, skjuta ut båt **3** skjuta av, sända i väg [~ *a torpedo*]; skjuta (sända) upp [~ *a rocket*] **II** *vb itr* sätta i gång, starta **III** *vb itr* med prep. el. adv.:

launch into a) kasta sig in i (på); dra på sig [~ *into expense*] **b)** brista ut i

launch out sätta i gång [*on* med]; ge sig in [*on* på]; ge sig ut [*into* på]; **~ out against sb** bildl. ge sig på ngn

2 launch [lɔːn(t)ʃ] *s* större motorbåt för passagerartrafik, färja; ångslup

launcher ['lɔːn(t)ʃə] *s* utskjutningsrör; för raket o.d. riktningsgivare, startlavett; för robot startbana

launching pad ['lɔːn(t)ʃɪŋpæd] *s launch pad*

launching site [ˈlɔːn(t)ʃɪŋsaɪt] *s* avskjutningsbas, startområde för raketer o.d.

launch pad [ˈlɔːn(t)ʃpæd] *s* **1** avskjutningsramp, startplatta för raket o.d. **2** bildl. språngbräde

launder [ˈlɔːndə] *vb tr* **1** tvätta [och stryka] **2** bildl. tvätta svarta pengar o.d.

launderette o. **laundrette** [ˌlɔːndəˈret, ˌlɔːnˈdret] *s* självtvätt[inrättning], tvättomat

Laundromat® [ˈlɔːndrəmæt] *s* vanl. amer. självtvätt [inrättning], tvättomat

laundry [ˈlɔːndrɪ] *s* **1** tvätt [*has the ~ come back yet?*]; tvättkläder; *do the ~* tvätta, sköta tvätten **2** tvätt [och strykning (mangling)] **3** tvättinrättning; tvättstuga

laundry basket [ˈlɔːndrɪˌbɑːskɪt] *s* tvättkorg

laundry detergent [ˈlɔːndrɪdɪˌtɜːdʒ(ə)nt] *s* amer. tvättmedel

laundry list [ˈlɔːndrɪlɪst] *s* vanl. amer. lång lista, katalog

laundry room [ˈlɔːndrɪruːm] *s* tvättstuga

laureate [ˈlɔːrɪət] *s*, **Nobel ~** Nobelpristagare

Laurel [ˈlɒr(ə)l] egennamn

laurel [ˈlɒr(ə)l] *s* **1** lager; lagerträd **2** bildl., *gain ~s* el. *reap ~s* el. *win ~s* skörda lagrar; *look to one's ~s* se till att man inte blir distanserad; *rest on one's ~s* vila på sina lagrar

Laurel and Hardy [ˌlɒr(ə)lnˈhɑːdɪ] *s* komikerpar Helan Hardy och Halvan Laurel

laurel wreath [ˈlɒr(ə)lriːθ] *s* lagerkrans

lav [læv] *s* (vard. kortform av *lavatory*) toa

lava [ˈlɑːvə] *s* lava

lava flow [ˈlɑːvəfləʊ] *s* lavaström

lava stream [ˈlɑːvəstriːm] *s* lavaström

lavatory [ˈlævət(ə)rɪ] *s* toalett[rum], W.C.

lavatory humour [ˈlævət(ə)rɪˌhjuːmə] *s* dasshumor

lavatory paper [ˈlævət(ə)rɪˌpeɪpə] *s* toalettpapper

lavender [ˈlævəndə] *s* **1** lavendel [*~ bag; ~ oil*] **2** lavendel[blått] [äv. *~ blue*]

lavender water [ˈlævəndəˌwɔːtə] *s* lavendelparfym

lavish [ˈlævɪʃ] **I** *adj* **1** slösande [*~ praise*]; överflödande, överdådig; påkostad **2** slösaktig, [alltför] frikostig, flott **II** *vb tr* slösa [med], vara frikostig med, överösa [*on* med]

law [lɔː] *s* **1** lag; regel; *~ and justice* lag och rätt; *~ and order* lag och ordning (rätt), [den] allmänna ordningen; *the ~s of cricket* kricketreglerna; *the ~ of gravitation* tyngdlagen, gravitationslagen; *the ~ of the land* landets lag[ar], lagen; *~ of nature* naturlag; *the ~ of self-preservation* självbevarelsedriften; *the* [*long*] *arm of the ~* lagens [långa] arm; *make ~s* stifta lagar; *be a ~ unto oneself* gå sina egna vägar, skriva sina egna lagar; *take the ~ into one's own hands* ta lagen i egna händer; *beyond the ~* utom räckhåll för lagen; *go beyond the ~* bryta mot (överträda) lagen; *by ~* el. *according to ~* enligt lag[en]; i lag; *protected by ~* lagligen skyddad; *in ~* enligt lagen, rättsenligt, i laga form, laggill; juridiskt **2** samling rättsregler: rätt, jfr äv. *civil law*, *commercial law* o. *Roman law*; lag **3** juridik, rättsvetenskap, lagfarenhet; *court of ~* domstol, rätt; *doctor of ~*[s] juris doktor; *the faculty of ~* juridiska fakulteten; *read ~* el. *study ~* läsa (studera) juridik **4** *the ~* a) juristyrket b) vard. polisen; *enter the ~* el. *go in for the ~* slå in på

juristbanan, läsa juridik, bli jurist; *have the ~ on sb* vard. anmäla ngn för polisen **5** process; *go to ~ about sth* börja process om ngt, dra ngt inför rätta

law-abiding [ˈlɔːəˌbaɪdɪŋ] *adj* laglydig

law-breaker [ˈlɔːˌbreɪkə] *s* lagbrytare

law court [ˈlɔːkɔːt] *s* domstol, [tings]rätt; rådhus

Law Courts [ˈlɔːkɔːts] *s pl*, *the ~* justitiepalatset i London

law enforcement [ˈlɔːɪnˌfɔːsmənt] *s* upprätthållande av lag och ordning; *~ agent* amer. polisman

law firm [ˈlɔːfɜːm] *s* vanl. amer. advokatbyrå, advokatfirma

lawful [ˈlɔːf(ʊ)l] *adj* **1** laglig, tillåten (inte förbjuden) i lag, lagenlig, laga **2** laglig, erkänd av lagen, [lagligt] berättigad; *~ age* myndig (laga) ålder; *reach ~ age* bli myndig; *~ business* lovliga ärenden; *~ heir* rättmätig arvinge; *~ wife* lagvigd hustru

lawless [ˈlɔːləs] *adj* laglös, rättslös; lagstridig

Law Lord [ˈlɔːlɔːd] *s* lagkunnig överhusmedlem, 'laglord'

lawmaker [ˈlɔːˌmeɪkə] *s* lagstiftare

law-making [ˈlɔːˌmeɪkɪŋ] **I** *adj* lagstiftande, lagstiftnings- **II** *s* lagstiftning[sarbete]

law|man [ˈlɔːmæn] (pl. *-men* [-mən]) *s* amer. ordningens upprätthållare som polis, sheriff etc.

1 lawn [lɔːn] *s* gräsmatta, gräsplan; gräsmark; *croquet ~* krocketplan

2 lawn [lɔːn] *s* fint linne, fin bomull, batist

lawn chair [ˈlɔːntʃeə] *s* amer. solstol

lawnmower [ˈlɔːnˌməʊə] *s* gräsklippare; *power ~* el. *powered ~* motorgräsklippare

lawn tennis [ˈlɔːnˌtenɪs] *s* grästennis tennis på gräsplan, men äv. den formella beteckningen på tennis

Lawrence [ˈlɒr(ə)ns] egennamn

law school [ˈlɔːskuːl] *s* vanl. amer. juridisk fakultet

law student [ˈlɔːˌstjuːd(ə)nt] *s* juris studerande

lawsuit [ˈlɔːsuːt, -sjuːt] *s* process, rättegång; mål; *file a ~ against* öppna process mot

lawyer [ˈlɔːjə, ˈlɔɪə] *s* jurist; advokat, affärsjurist

lax [læks] *adj* **1** slapp [*~ discipline*]; löslig, lös; vag, obestämd; släpphänt, lättsinnig; slarvig **2** fonet. slapp [*~ vowel*] **3** lös, slak [*~ cord*]; porös; *~ bowels* med. lös mage

laxative [ˈlæksətɪv] **I** *s* laxermedel, laxativ **II** *adj* med. lösande, avförande, laxer-

laxity [ˈlæksətɪ] *s* **1** slapphet, löslighet; obestämdhet; *~ of morals* moralisk slapphet, slapp moral **2** löshet

1 lay [leɪ] imperf. av *1 lie*

2 lay [leɪ] **I** (*laid laid*) *vb tr* (se äv. *2 lay III* o. fraser med *lay* under *claim* m.fl.) **1** lägga; placera; *~ eggs* lägga ägg, värpa; *~ the foundation* lägga grunden; *~ hold of* fatta (få) tag i, ta på, gripa; utnyttja, begagna förevändning; *~ one's hopes on* sätta sitt hopp (sin lit) till; *~ a trap* gillra en fälla **2** få (komma) att lägga sig; *~ a ghost* se under *ghost I 1* **3** duka [*~ the table*]; duka fram **4** täcka [*~ a floor with a carpet*]; lägga 'på [*~ a carpet*]; belägga **5** lägga [på] [*~ a tax on; ~ a burden on*]; kasta [*~ the blame on*]; *~ sth at sb's door* ge ngn skulden för ngt; *~ sth to sb's credit* räkna ngn ngt till förtjänst **6** anlägga [*~ a road*]; bygga, lägga, dra [*~ a pipeline*]; *~ a cable* lägga ner

(ut) en kabel; slå (dra) en kabel **7** vid vadhållning sätta, hålla [~ *ten to* (mot) *one*]; ~ *a bet* slå (hålla) vad **8** förlägga [~ *the story in* (till)] **9** lägga fram [~ *facts before* (för)] **10** sl., *get laid* få sig ett ligg (nyp) **11** med adj. lägga; ~ *bare* blottlägga; ~ *open* öppna; blotta, avslöja; förklara; blottställa, utsätta [*to* för]; ~ *waste* ödelägga
II (*laid laid*) *vb itr* (se äv. *2 lay III*) **1** värpa **2** slå vad [*against* mot] **3** sjö. lägga sig [~ *close to the wind*] **4** i ovårdat språk i stället för *1 lie*
III (*laid laid*) *vb tr* o. *vb itr* med adv. el. prep., ofta med spec. översättningar:
lay about åld. slå vilt omkring sig; gå lös på, ge på huden, damma på; *he laid about him* a) han slog omkring sig åt alla håll; han bråkade (gormade, väsnades) b) han gjorde sitt yttersta
lay aside a) lägga av (undan), spara [~ *aside money for one's old age*] b) lägga bort (ifrån sig) [~ *aside the book*]
lay down a) lägga ner [~ *down a book*]; ~ *oneself down* lägga sig; ~ *down* [*one's*] *arms* lägga ned vapnen, sträcka vapen b) fastställa, fastslå, uppställa [~ *sth down as a rule*]; hävda, konstatera; ~ *down the law* lägga ut texten; domdera, tala om hur saker och ting ska vara c) offra [~ *down one's life*]
lay off a) friställa [~ *off workmen*] b) vard. sluta upp med, låta bli, lägga av [~ *off!*] c) vard. ta ledigt, vila d) fotb. passa
lay on a) ordna, arrangera b) lägga 'på [~ *on paint*]; anbringa, applicera; ~ *it on* [*thick*] vard. bre 'på [för tjockt] c) lägga på [~ *on taxes*]
lay out a) lägga ut; lägga fram [~ *out one's clothes*]; duka fram b) planera, anlägga [och ordna] [~ *out a garden*]; staka ut väg o.d., göra upp [~ *out plans*]; göra layouten till, layouta [~ *out a page*] c) lägga ut, göra av med [~ *out one's money*] d) vard. knocka
lay over amer. göra uppehåll, stanna över [*at, in*]
lay together lägga (slå) ihop; *they laid* [*their*] *heads together* de slog sina kloka huvuden ihop
lay up a) *be laid up* ligga sjuk [*with the flu* i influensa] b) sjö. lägga upp [*the ship is laid up*] c) åld. lägga upp, lagra [~ *up provisions*]; lägga undan
IV *s* **1** läge; ställning, riktning; *know the ~ of the land* veta hur landet ligger **2** sl. a) ligg samlagspartner b) ligg, skjut samlag
3 lay [leɪ] *adj* lekmanna- [~ *preacher*; ~ *opinion*]; amatör-; ~ *brother* lek[manna]broder, tjänande broder
4 lay [leɪ] *s* poet. kväde, sång; ballad, visa
layabout ['leɪəbaʊt] *s* vard. dagdrivare, odåga, arbetsskygg individ
layaway ['leɪəweɪ] amer. **I** *s* slags avbetalningsköp där säljaren behåller varan tills den är helt betald; *put on ~* ta på avbetalning **II** *adj* avbetalnings- [~ *plan*]
lay-by ['leɪbaɪ] *s* parkeringsplats vid landsväg, rastplats
layer ['leɪə] **I** *s* **1** lager, skikt, varv [~ *of clay*] **2** bot. avläggare **3** läggare; värphöna [*a good ~*] **II** *vb tr* **1** lägga i lager, varva **2** klippa håret i etapper
layette [leɪ'et] *s* babyutstyrsel

lay figure [,leɪ'fɪgə] *s* modelldocka
lay|man ['leɪ|mən] (pl. *-men* [-mən]) *s* lekman; icke-fackman; *among laymen* äv. på lekmannahåll; *in ~'s terms* i lekmannatermer
lay-off ['leɪɒf] *s* **1** friställning **2 a)** ofrivillig ledighet, arbetslöshet; arbetslöshetsperiod **b)** paus; lugn (tyst) period (årstid); uppehåll
layout ['leɪaʊt] *s* **1** planering, anläggning äv. konkr., utstakning av väg **2** layout, skiss, schema; plan; planlösning; arrangemang, uppställning
layover ['leɪˌəʊvə] *s* amer. uppehåll, avbrott i resa
lay|person ['leɪ|pɜːsn] (pl. ~s el. *-people* [-piːpl]) *s* lekman, icke-fackman
lay|woman ['leɪˌwʊmən] (pl. *-women* [-ˌwɪmɪn]) *s* [kvinnlig] lekman
laze [leɪz] *vb itr* lata sig, slöa; slå dank; dåsa; ~ *around* gå och slå dank, driva omkring; ~ *in bed* ligga och dra sig
lazily ['leɪzəlɪ] *adv* lättjefullt; dåsigt
laziness ['leɪzɪnəs] *s* lättja; dåsighet
lazy ['leɪzɪ] *adj* **1** lat, lättjefull; dåsig **2** som rör sig långsamt, långsamt flytande [*a ~ river*]
lazybones ['leɪzɪˌbəʊnz] (med verb i sg.; pl. *lazybones*) *s* vard. latmask, slöfock
lb o. **lb.** [paʊnd, pl. paʊndz] (förk. för *libra, librae* lat. = *pound[s]*) [skål]pund
LBD [,elbiː'diː] (förk. för *Little Black Dress*); *the ~* den lilla svarta [klänningen]
lbs [paʊndz] pl. av *lb*
lbw [,elbiː'dʌbljuː] kricket. förk. för *leg before wicket*
LCD [,elsiː'diː] **1** (förk. för *liquid crystal display*) LCD **2** förk. för *lowest common denominator*
LCM [,elsiː'em] förk. för *lowest common multiple, least common multiple*
LDL [,eldiː'el] *s* (förk. för *Low Density Lipoprotein*) LDL[-kolesterol] det onda kolesterolet
LEA [,eliː'eɪ] förk. för *Local Education Authority*
leach [liːtʃ] *vb tr* **1** filtrera **2** luta ut aska, laka ur, vaska ur [äv. ~ *away*; ~ *out*]
1 lead [liːd] **I** (*led led*) *vb tr* (se äv. *1 lead III*) **1** leda, föra [*to* till; *into* in i]; vägleda; anföra; dirigera; vara ledare för, stå i spetsen för [~ *an undertaking*]; ~ *the way* gå i spetsen, visa vägen; ~ *by the hand* leda, föra vid handen; ~ *sb by the nose* hålla ngn i ledband, få ngn vart man vill **2** föranleda, komma, få [*to* att]; *do not let this ~ you to* låt inte detta förleda dig att **3 a)** föra [~ *a miserable existence* (tillvaro)]; leva [~ *a quiet life*]; ~ *a double life* leva [ett] dubbelliv **b)** ~ *sb a dance* se under *dance II 1* **4** kortsp. [ha förhand och] spela ut, dra [~ *the ace of trumps*]
II (*led led*) *vb itr* (se äv. *1 lead III*) **1** leda, gå före (i spetsen), vara (gå) först; anföra, vara ledare; ange tonen; ligga i täten; sport. leda, ha ledningen **2** om väg o.d. gå, föra, leda [*to* till; *into* in i]; *all roads ~ to Rome* ordspr. alla vägar bär till Rom **3** ~ *to* el. ~ *into* leda till, medföra, resultera i **4** kortsp. ha förhand, spela ut
III (*led led*) *vb tr* o. *vb itr* med adv. el. prep., ofta med spec. översättningar:
lead astray föra vilse ofta bildl.; föra på avvägar, förleda
lead away föra bort; *be led away by* bildl. låta sig ryckas med (förledas) av

lead off a) öppna, inleda **b)** börja [*he led off by saying that…*]; kortsp. spela ut, ha förhand
lead on tr.: ~ *sb on* locka (uppmuntra; förleda) ngn; *he's just ~ing you on* han bara driver med dig
lead up to föra (leda) [upp (fram)] till, resultera i
lead with om tidning, i nyhetssändning o.d. ha som första nyhet, börja med
IV *s* **1 a)** ledning; anförande **b)** ledande plats (ställning); försprång; tät; *follow sb's* ~ el. *take sb's* ~ följa ngns exempel; *give the* ~ ange tonen; *take the* ~ ta (gå upp i) ledningen, gå i täten; ta initiativet [*towards* till] **2** teat. **a)** huvudroll **b)** huvudrollsinnehavare **3** ledtråd; tips **4** koppel rem **5** elektr. sladd; kabel, ledning; ledare **6** kortsp. utspel äv. bildl., förhand
2 lead [led] **I** *s* **1** bly; *red* ~ mönja; *oxide of* ~ blyoxid; *go down like a* ~ *balloon* vard. falla platt till marken **2 a)** blyerts, grafit **b)** blyertsstift **3** amer. åld. kula; kulor, bly **4** sjö. [sänk]lod **5** pl. ~*s* **a)** blytak **b)** blyinfattning i fönster
II *adj* av bly, bly- [~ *pipes*]
leaded ['ledɪd] *adj* **1** blyinfattad [~ *windows*] **2** med bly; ~ *petrol* el. amer. ~ *gasoline* blyad bensin **3** boktr. mellanslagen
leaden ['ledn] *adj* **1** bly-; blyaktig **2** tung [~ *heart*; ~ *sleep*; ~ *steps*]; blytung, tryckande, dyster; blygrå [~ *clouds*]; matt
leader ['li:də] *s* **1** ledare; anförare, chef; föregångsman, främste man, förman; *follow my* (amer. äv. *the*) ~ lek, bildl., ung. 'följa John' **2** mus. konsertmästare, amer. äv. dirigent **3** ledare i tidning
leadership ['li:dəʃɪp] *s* **1** ledarskap; ledning **2** ledarförmåga
leader-writer ['li:də,raɪtə] *s* ledarskribent
lead-free ['ledfri:] *adj* blyfri [~ *petrol*; amer. ~ *gasoline*]
lead-in ['li:dɪn] *s* inledning, introduktion
leading ['li:dɪŋ] *adj* ledande, ledar-; förnämst, viktigast, huvud-; tongivande
leading actor [,li:dɪŋ'æktə] *s* [manlig] huvudrollsinnehavare
leading actress [,li:dɪŋ'æktrəs] *s* [kvinnlig] huvudrollsinnehavare
leading article [,li:dɪŋ'ɑ:tɪkl] *s* tidn. ledare; huvudartikel
leading-edge [,li:dɪŋ'edʒ] *adj* [som är] på aktuell teknisk nivå (toppmodern); ~ *project* spjutspetsprojekt
leading edge [,li:dɪŋ'edʒ] *s* framkant äv. tekn. el. flyg. (på vinge); *be at the* ~ *of sth* ligga i framkant på (när det gäller) ngt
leading lady [,li:dɪŋ'leɪdɪ] *s* [kvinnlig] huvudrollsinnehavare; primadonna
leading light [,li:dɪŋ'laɪt] *s* drivande kraft
leading man [,li:dɪŋ'mæn] (pl. *leading men* [-men]) *s* huvudrollsinnehavare, person som spelar huvudrollen (huvudrollerna)
leading part [,li:dɪŋ'pɑ:t] *s* huvudroll
leading question [,li:dɪŋ'kwestʃ(ə)n] *s* ledande fråga
leading strings ['li:dɪŋstrɪŋz] *s pl* **1** bildl. ledband; *be in* ~ gå i ledband **2** amer. sele för barn
lead pencil [,led'pensl] *s* blyertspenna
lead poisoning [,led'pɔɪznɪŋ] *s* blyförgiftning

lead replacement petrol [,ledrɪ'pleɪsmənt,petr(ə)l] *s* bensin med blyersättningsmedel
lead story ['li:d,stɔːrɪ] *s* huvudstory, huvudnyhet i tidning el. tidskrift
lead time ['li:dtaɪm] *s* **1** tid mellan idé och produktion, genomloppstid **2** hand. ledtid, leveranstid
lead-up ['li:dʌp] *s* inledning, upptakt
leaf [li:f] **I** (pl. *leaves*) *s* **1** löv, blad; *be in [full]* ~ vara utsprucken (lövad); *come into* ~ spricka ut, lövas; *shake like a* ~ darra som ett asplöv **2** blad i bok; *take a* ~ *out of sb's book* bildl. följa ngns exempel; *turn over a new* ~ bildl. börja ett nytt liv, bli en ny människa, bättra sig **3** folie, folium, tunn skiva **4** klaff, skiva till bord o.d.
II *vb itr* **1** lövas, spricka ut **2** ~ *through* bläddra i (igenom)
leafage ['li:fɪdʒ] *s* lövverk
leafless ['li:fləs] *adj* utan blad; inte lövad; avlövad
leaflet ['li:flət] **I** *s* flygblad, reklamlapp; folder, cirkulär, broschyr **II** *vb tr* o. *vb itr* dela ut flygblad etc. [till]
leaf mould ['li:fməʊld] *s* lövjord
leafy ['li:fɪ] *adj* **1** lövad, lövrik, bladrik, lummig; bladbeklädd **2** bladliknande
1 league [li:g] *s* **1** förbund; *be in* ~ *with* stå i förbund med; konspirera med **2** sport. serie; *the League* se *Premier League*; ~ *competition* serietävling; *he is not in the same* ~ vard. han är inte i samma klass
2 league [li:g] *s* **1** förr: längdmått, ung. 5 km **2** poet. mil
league table ['li:g,teɪbl] *s* **1** sport. tabell, serietabell, ligatabell med poängställning **2** jämförelsetabell, lista för kvalitetsbedömning av t.ex. skolor, sjukhus
leak [li:k] **I** *s* läcka äv. elektr. el. bildl., otäthet; läckage äv. bildl.; *there is a* ~ *in the roof* taket läcker (är otätt), det läcker genom taket; *a* ~ *of information* en [informations]läcka; *have a* ~ el. *take a* ~ sl. kissa; *spring a* ~ sjö. springa läck
II *vb itr* läcka, inte hålla tätt; vara läck (otät), bildl. äv. låta nyheten (uppgiften) läcka ut; *the roof* ~*s* taket läcker (är otätt), det läcker genom taket; *the tap* ~*s* kranen droppar (rinner, läcker); *the rain is* ~*ing in* det regnar in; ~ *out* sippra (läcka) ut äv. bildl.; dunsta ut, komma ut
III *vb tr* låta läcka (sippra) ut (in), släppa igenom (in) [*this camera* ~*s light*], bildl. äv. läcka [~ *news to the press*]
leakage ['li:kɪdʒ] *s* läckande, läckning; läcka, läckage äv. bildl.
leaky ['li:kɪ] *adj* läckande, läck, otät, gisten
1 lean [li:n] **I** (*leaned leaned* [lent el. li:nd] el. vanl. britt. *leant leant* [lent]) *vb itr* **1** luta sig [~ *out (forwards, over, against* osv.)]; stödja sig [*against* mot, på; *on* mot, på]; ~ *on* el. ~ *upon* bildl. förlita sig på **2** stå snett, luta [äv. ~ *over*]; *to* mot, åt]; ~ *over backwards* bildl., se *backwards*
II (för tema se *1 lean I*) *vb tr* luta, stödja, ställa
2 lean [li:n] **I** *adj* **1** smal, tunn; mager [*a* ~ *man (face)*; ~ *meat*; ~ *crops (soil)*]; torftig, näringsfattig [~ *diet*]; ~ *years* magra år; *become* ~ el. *grow* ~ magra vanl. om djur **2** ekon. slimmad, kostnadseffektiv
II *s* magert kött
leaning ['li:nɪŋ] *s* **1** lutning **2** böjelse, benägenhet,

sympati [*towards* för], tendens [*towards* till]; **have literary ~s** ha litterära intressen

leanness ['li:nnəs] *s* magerhet; torftighet

leant [lent vanl. britt., imperf. o. perf. p. av *1 lean*

lean-to ['li:ntu:, ˌli:n'tu:] (pl. ~s) *s* liten utbyggnad med sluttande tak, skjul byggt mot vägg; **~ greenhouse** växthus sammanbyggt med huset

leap [li:p] **I** (*leapt leapt* [lept] el. *leaped leaped* [lept el. li:pt]) *vb itr* **1** hoppa, för ex. jfr *jump I*; **my heart ~s with joy** hjärtat (mitt hjärta) spritter av glädje, jag är överlycklig; **~ into action** sätta i gång; **~ to sb's defence** (amer. **defense**) rycka ut till ngns försvar; **~ up** slå upp [*flames were ~ing up*] **2 a**) om priser o.d. öka dramatiskt **b**) hoppa fram [till] **c**) avancera **II** (för tema se *leap I*) *vb tr* hoppa över [~ *a wall*]; sätta över **III** *s* **1** hopp, språng; plötslig övergång; hinder; **a great ~ forward** ett stort steg (språng) framåt; **a ~ in the dark** ett språng ut i det okända, ett vågstycke; **by ~s and bounds** med stormsteg **2** [fisk]trappa

leap day ['li:pdeɪ] *s* skottdag[en]

leapfrog ['li:pfrɒg] **I** *s* gymn. hoppa bock; **play ~** hoppa bock **II** *vb itr* o. *vb tr* hoppa bock [över]

leapt [lept] imperf. o. perf. p. av *leap*

leap year ['li:pjɪə] *s* skottår

learn [lɜ:n] **I** *vb tr* (*learned learned* [lɜ:nt el. lɜ:nd] el. vanl. britt. *learnt learnt* [lɜ:nt]) **1** lära sig [*from sb* av ngn]; läsa på (över), lära in, studera; **~ by heart** lära sig utantill **2** [få] höra [*from* av] **3** ovårdat el. dial., för *teach* **II** (för tema se *learn I*) *vb itr* **1** lära [sig] [*he ~s fast*]; skaffa sig kunskaper **2** [få] höra [*of* om; *I've ~t of his illness*]

learned [i betydelse *I* lɜ:nt, lɜ:nd, i betydelse *II* 'lɜ:nɪd] **I** imperf. o. perf. p. av *learn* **II** *adj* lärd; bevandrad [*in* i]; **my ~ friend** min ärade kollega; **a ~ person** en lärd

learner ['lɜ:nə] *s* elev; nybörjare; volontär, övningsförare; **~ car** övningsbil; **~ driver** övningsförare; **she is a fast ~** hon lär sig snabbt; **the ~ of a language** den (en) som lär sig ett språk

learner's permit ['lɜ:nəz,pɜ:mɪt] *s* amer. körkortstillstånd

learning ['lɜ:nɪŋ] *s* **1** inlärande, studium; inlärning **2** vetande, lärdom; bildning; **a person of great ~** en [grund]lärd

learning curve ['lɜ:nɪŋkɜ:v] *s* inlärningskurva

learning difficulty ['lɜ:nɪŋˌdɪfɪk(ə)ltɪ] o. **learning disability** ['lɜ:nɪŋdɪsəˌbɪlətɪ] *s* begåvningshandikapp; **he has got a ~** han har inlärningssvårigheter

learning-disabled ['lɜ:nɪŋdɪsˌeɪbld] *adj* ped., **a ~ pupil** en elev med inlärningssvårigheter

learnt [lɜ:nt vanl. britt., imperf. o. perf. p. av *learn*

lease [li:s] **I** *s* arrende, uthyrande; arrende[tid], hyrestid; arrendekontrakt, hyreskontrakt; **have a long ~ of life** ha ett långt liv, vara långlivad; **get a new ~ of life** el. amer. **get a new ~ on life** få nytt liv, leva upp igen; **let out on ~** arrendera (hyra) ut **II** *vb tr* **1** arrendera, hyra [*from* av], överta (inneha) arrendet på **2** arrendera ut, hyra ut [äv. ~ *out*]; till]; leasa

leaseback ['li:sbæk] *s* återförhyrning, leaseback

leasehold ['li:s(h)əʊld] **I** *s* arrende **II** *adj* arrenderad, arrende-

leaseholder ['li:s,(h)əʊldə] *s* arrendator

leash [li:ʃ] vanl. amer. **I** *s* [hund]koppel, rem; **give full ~ to** bildl. ge fria tyglar åt; **keep sb on a tight ~** hålla ngn hårt, hålla efter ngn ordentligt; **strain at the ~** dra (rycka, slita) i kopplet äv. bildl.; **on a ~** el. **on the ~** i koppel **II** *vb tr* koppla; föra i koppel

leasing ['li:sɪŋ] *s* leasing, uthyrning

least [li:st] (superl. av *little*) **I** *adj* o. *adv* minst; **without the ~ hesitation** utan [den] minsta (ringaste) tvekan; **~ of all** minst av allt (alla) **II** *pron*, **the ~** det minsta; **that's the [very] ~ I can do** det är det minsta jag kan göra; **~ said, soonest mended** ordspr. ju mindre man talar om saken, dess bättre är det (desto fortare går den över); **to say the ~ [of it]** minst sagt, milt talat; **at ~** a) åtminstone; i varje fall, i alla händelser b) [allra] minst, åtminstone [äv. *at the very ~*]; **not in the ~** inte det minsta, inte alls

leastwise ['li:stwaɪz] *adv* [eller] åtminstone, i varje fall

leather ['leðə] *s* **1** läder, skinn; **run hell for ~** vard. ligga som en rem efter marken, rusa fram (i väg) **2** föremål av läder t.ex. läderrem, läderbit; [sämsk]skinn; vard. läder[kula] i t.ex. fotboll; pl. **~s** vanl. skinnställ för motorcyklister

leatherette [ˌleðə'ret] *s* konstläder, läderimitation; slags klot

leather upholstery [ˌleðʌp'həʊlst(ə)rɪ] *s* skinnklädsel

leathery ['leðərɪ] *adj* läderartad, seg [~ *meat*]

1 leave [li:v] **I** (*left left*) *vb tr* **1** lämna; lämna kvar; lämna efter sig, efterlämna; glömma [kvar]; låta ligga [kvar]; lägga, sätta; uppskjuta [*don't ~ it too late* (för länge)]; **~ it at that** låta det vara, lämna det därhän; låta det bli därvid; **3 from 7 ~s 4** 3 från 7 är (blir) 4; **~ hold** el. **~ go** vard. släppa [taget]; **it ~s much (nothing) to be desired** det lämnar mycket (ingenting) övrigt att önska; **the illness had left him a wreck** sjukdomen hade gjort honom till ett vrak; **~ him be** låt honom vara; **~ alone** låta vara [i fred], låta bli; inte blanda (lägga) sig i; **~ well alone** el. amer. **~ enough alone** låt det vara som det är; **be left** a) lämnas kvar b) finnas (bli) kvar; **she was left a widow** hon blev änka **2** testamentera, efterlämna **3** lämna, gå (resa) ifrån, avgå ifrån; överge; **~ home** flytta hemifrån; **~ school** sluta (lämna) skolan **4** överlåta, lämna, överlämna [*to* åt]; låta; **~ to chance** lämna åt slumpen; **~ it to me!** låt mig sköta det här!; **I'll ~ it to you to...** jag överlåter åt dig att...; **you ~ me to do all the work** du låter mig göra alltsammans **II** (*left left*) *vb itr* resa, avgå, avsegla, fara [sin väg], ge sig av (i väg) [*for* till]; lämna sin plats, sluta, flytta **III** (*left left*) *vb tr* i spec. förbindelser med adv.: **leave aside** lämna åsido, bortse ifrån **leave behind** lämna [kvar], lämna efter sig, efterlämna; ställa kvar, glömma [kvar]; **be left behind** hamna på efterkälken, bli efter **leave off** a) sluta [med], avbryta [~ *off work*; ~ *off reading*]; sluta upp med, upphöra med, lägga bort [~ *off a bad habit*; ~ *off smoking*]; lägga av [~ *off one's winter clothes*] b) itr. sluta [*we left off at page 10*]

leave out a) utelämna, glömma; förbigå; inte

inbjuda **b**) låta ligga framme; *feel left out of things* känna sig utanför
IV s **1** lov, tillåtelse, tillstånd; *by your* ~ el. *with your* ~ a) med er tillåtelse b) ofta iron. med förlov sagt; *he went out without a 'by your ~'* han gick ut utan att be om lov (utan vidare); *ask* ~ *to* el. *beg* ~ *to* anhålla att få **2** permission, [tjänst]ledighet [äv. ~ *of absence*]; lov; *maternity* ~ o. *paternity* ~ o. *parental* ~ se *maternity leave* etc.; *break* ~ överskrida permissionen; *be on* ~ *of absence* el. *be on* ~ ha permission; vara [tjänst]ledig; *absent with* ~ [tjänst]ledig; *absent without* ~ frånvarande utan giltigt förfall **3** farväl; *take one's* ~ åld. säga adjö, ta farväl; *take* ~ *of one's senses* bli galen; *take French* ~ vard., se under *French leave*
2 leave [li:v] *vb itr* lövas, spricka ut
leaved [li:vd] *adj* med blad; som efterled i sammansättn. -bladig [*thick-leaved*]
leaven ['levn] **I** s **1** surdeg **2** bildl. [positivt] inslag **II** *vb tr* **1** jäsa med surdeg, syra **2** bildl. genomsyra; blanda [upp]; omdana
leave of absence [ˌli:vəv'æbs(ə)ns] s permission, [tjänst]ledighet
leaves [li:vz] s pl. av *leaf*
leave-taking ['li:vˌteɪkɪŋ] s avsked; avskedstagande
Lebanese [ˌlebə'ni:z] **I** (pl. *Lebanese*) s libanes; libanesiska kvinna **II** *adj* libanesisk
Lebanon ['lebənən] geogr. Libanon
lech [letʃ] *vb itr* vard., ~ *after* el. ~ *over* jaga, springa efter, dräggla över
lecher ['letʃə] s flickjägare, bock; erotoman
lecherous ['letʃ(ə)rəs] *adj* liderlig; vällustig
lechery ['letʃərɪ] s liderlighet, lusta; otukt
lectern ['lektən] s **1** läspulpet, korpulpet i kyrka **2** kateder, talarstol
lecture ['lektʃə] **I** s **1** föreläsning, föredrag [*on* om, över]; *attend ~s* gå på föreläsningar; *give a* ~ hålla en föreläsning [*on* om, över; *to* för] **2** straffpredikan, skrapa; *give sb a* ~ läsa lagen för ngn, läxa upp ngn **II** *vb itr* föreläsa, hålla föreläsningar [*on* om, över] **III** *vb tr* läxa upp, ge en skrapa
lecture hall ['lektʃəhɔ:l] s föreläsningssal
lecturer ['lektʃ(ə)rə] s **1** föreläsare, föredragshållare **2** univ., ung. högskolelektor
lectureship ['lektʃəʃɪp] s ung. högskolelektorat
lecture theatre ['lektʃəˌθɪətə] s föreläsningssal
LED [ˌeli:'di:] s (förk. för *light emitting diode*) lysdiod, LED
led [led] imperf. o. perf. p. av *1 lead*
ledge [ledʒ] s **1** [klipp]avsats, klipphylla; fönsterbräde **2** klipprev **3** [utskjutande] list, [smal] hylla
ledger ['ledʒə] s hand. huvudbok, liggare
lee [li:] **I** s lä; läsida **II** *adj* lä- [~ *side*]; i lä
leech [li:tʃ] s **1** zool. blodigel **2** bildl. **a**) igel [*he hangs on like a* ~] **b**) blodsugare
Leeds [li:dz] geogr.
leek [li:k] s purjolök äv. nationalemblem för Wales
leer [lɪə] **I** *vb itr* snegla, kasta lömska etc. blickar [*at* på] **II** s sneglande; lömsk [hånfull; lysten] blick
leery ['lɪərɪ] *adj* vard. misstänksam, misstrogen [*of* mot], tveksam, osäker [*of* inför]
lees [li:z] s pl dräggd, bottensats äv. bildl., fällning

leeward ['li:wəd, sjö. 'lu:əd, 'lju:əd] **I** *adj* lä-, i lä **II** *adv* i lä; lävart **III** s lä; *to* ~ ner i lä, åt läsidan
leeway ['li:weɪ] s **1** vard. spelrum; andrum, frist; *give sb plenty of* ~ ge ngn stor frihet (fritt spelrum) **2** *have much* ~ *to make up* ha mycket att ta igen av vad man försummat o.d.
1 left [left] imperf. o. perf. p. av *1 leave*
2 left [left] **I** *adj* vänster, vänster- äv. polit.; ~ *turn* vänstersväng; *have two ~ feet* vara tungfotad **II** *adv* till vänster [*of* om], åt vänster; ~ *turn!* mil. vänster om!; *turn* ~ svänga (gå, köra) till vänster, ta av åt vänster **III** s vänster sida (hand), vänster flygel; *the* ~ el. *the Left* polit. vänstern; *a straight* ~ boxn. en rak vänster; *at* ~ amer. till vänster; *on your* ~ till vänster om dig, på din vänstra sida; *in England you keep to the* ~ det är vänstertrafik i England
left-click ['leftklɪk] *vb itr* data. vänsterklicka
left-hand ['lefthænd] *adj* vänster, vänster- [~ *side*; ~ *traffic*]; med vänster hand [~ *blow*]
left-hand drive [ˌlefthænd'draɪv] **I** s vänsterstyrning **II** *adj*, *the car is* ~ bilen är vänsterstyrd, bilen har ratten på vänster sida
left-handed [ˌleft'hændɪd] *adj* **1** vänsterhänt; med vänster hand, vänster- [~ *blow*]; avsedd för vänster hand **2** tafatt, avig, drumlig; ~ *compliment* tvetydig (ironisk, klumpig) komplimang
left-hander [ˌleft'hændə] s **1** vänsterhänt person; sport. vänsterhandsspelare **2** vänsterslag, vänsterstöt
leftist ['leftɪst] polit. **I** s vänsteranhängare **II** *adj* vänsterorienterad, vänster- [~ *supporters*]
left-luggage office [ˌleft'lʌgɪdʒˌɒfɪs] s järnv. o.d. effektförvaring, resgodsinlämning
left-of-centre [ˌleftəv'sentə] *adj*, *a* ~ *newspaper* en tidning politiskt till vänster om mitten
left-off ['leftɒf] vard. **I** *adj*, ~ *clothes* el. ~ *clothing* avlagda kläder **II** s, pl. ~s avlagda kläder
leftover ['leftˌəʊvə] **I** s **1** pl. ~s [mat]rester **2** kvarleva, relikt **II** *adj* överbliven, rest-; ledig
leftward ['leftwəd] **I** *adj* vänster, vänster- **II** *adv* se *leftwards*
leftwards ['leftwədz] *adv* till (åt) vänster
left-wing [ˌleft'wɪŋ, attr. '--] *adj* polit. [som befinner sig] på vänsterkanten (vänstra sidan el. flygeln); vänstervriden, vänsterbetonad, radikal
left wing [ˌleft'wɪŋ] s, *the* ~ vänstra flygeln, vänsterflygeln, polit. äv. vänstern, de vänsterradikala
left-winger [ˌleft'wɪŋə] s **1** vänsteranhängare, radikal **2** sport. vänsterytter
lefty ['leftɪ] s vard. **1** vänsterradikal, vänstervriden [person] **2** vanl. amer. vänsterhänt person
leg [leg] **I** s **1** ben lem; *wooden* ~ träben; *break a ~!* lycka till!; *change* ~ om häst byta om fot (steg), ändra gångart; *get one's* ~ *over* sl. få sig ett skjut; *give sb a* ~ *up* litt. hjälpa ngn upp i sadeln; bildl. ge ngn ett handtag; *he has not a* ~ *to stand on* vard. han har inget stöd [för sina påståenden]; *pull sb's* ~ vard. driva (skoja) med ngn [*you're pulling my* ~]; *shake a* ~ vard. skynda (sno) sig; *show a* ~ vard. stiga upp ur sängen; sätta [litet] fart (fräs); *stretch one's ~s* [få] sträcka på benen; röra på sig; *take to one's ~s* ta till

benen, sjappa, smita; **run sb off his ~s** ta musten ur (trötta ut) ngn; **be on one's last ~s** vard. a) vara nära slutet (alldeles utmattad) b) vara så gott som ruinerad; sjunga på sista versen; **stand on one's own ~s** stå på egna ben, vara oberoende **2** kok. lägg, lår[stycke]; **~ of mutton** fårstek, fårlår, kyl **3** [byx]ben; skaft på strumpa el. stövel **4** ben, fot på möbel o.d.; **be on its last ~s** ha vingliga (vacklande) ben, vara nära att falla ihop **5** etapp av distans, resa o.d. **6** sport. omgång av matcher o.d. [*first* (*second*) ~] **7** kricket. 'legsidan' del av planen till vänster räknat från slagmannen; **~ before** [**wicket**] (förk. *lbw*) 'ben framför' då bollen träffar slagmannens ben och annars skulle ha träffat grinden

II *vb tr*, **~ it** vard. lägga benen på ryggen, skynda sig [i väg], lägga i väg

legacy ['legəsɪ] *s* legat, testamentarisk gåva (donation); bildl. arv; **a ~ of hatred** ett nedärvt hat

legal ['liːg(ə)l] *adj* **1** laglig, laga, lag-; lagenlig; rättslig, juridisk; **take ~ advice** rådfråga en advokat; **from a ~ point of view** juridiskt sett, ur rättssynpunkt; **without ~ rights** rättslös **2** tillåten av lagen [~ *limit*]

legal action [ˌliːg(ə)l'ækʃ(ə)n] *s*, **take ~** vidta laga åtgärder, dra saken inför rätta, gå till domstol

legal aid [ˌliːg(ə)l'eɪd] *s* rättshjälp för obemedlade

legal holiday [ˌliːg(ə)l'hɒlədeɪ] *s* amer. bankfridag

legalistic [ˌliːgə'lɪstɪk] *adj* formalistisk

legality [lɪ'gælətɪ] *s* laglighet, lagenlighet, legalitet

legalize ['liːgəlaɪz] *vb tr* legalisera, göra laglig, lagligen bekräfta (stadfästa), godkänna

legal offence [ˌliːg(ə)lə'fens] *s* lagbrott, straffbar handling

legal person [ˌliːg(ə)l'pɜːsn] *s* juridisk person

legal proceedings [ˌliːg(ə)lprə'siːdɪŋz] *s pl* se *proceedings 1*

legal profession [ˌliːg(ə)lprə'feʃ(ə)n] *s*, **the ~** juristyrket; juristkåren, juristerna; den juridiska banan

legal separation [ˌliːg(ə)lsepə'reɪʃ(ə)n] *s* av domstol ålagd hemskillnad

legal system ['liːg(ə)lˌsɪstəm] *s* rättsordning, rättssystem

legal tender [ˌliːg(ə)l'tendə] *s* lagligt betalningsmedel

legate ['legət] *s* [påvlig] legat, påvligt sändebud

legatee [ˌlegə'tiː] *s* legattagare, testamentstagare, arvinge

legation [lɪ'geɪʃ(ə)n] *s* legation, beskickning

legato [lɪ'gɑːtəʊ, lə'g-] mus. (it.) **I** (pl. ~s) *s* legato **II** *adv* o. *adj* legato[-]

legend ['ledʒ(ə)nd] *s* **1** legend, helgonberättelse; [folk]saga, sägen **2** inskrift, omskrift på mynt el. medalj, legend; inskription

legendary ['ledʒ(ə)nd(ə)rɪ] *adj* legend-; legendarisk [~ *heroes*]; legendartad; sagoomspunnen; sagolik, otrolig

legged [legd, 'legɪd] *adj* vanl. som efterled i sammansättn. med ...ben, -bent [*three-legged*]

leggings ['legɪŋz] *s pl* **1** leggings **2** spec. för barn överdragsbyxor **3** benläder

leggy ['legɪ] *adj* med smäckra (snygga) ben

legibility [ˌledʒɪ'bɪlətɪ] *s* läslighet, läsbarhet

legible ['ledʒəbl] *adj* läslig, läsbar; tydlig

legion ['liːdʒ(ə)n] *s* legion; bildl. här[skara], [stor] skara

legionary ['liːdʒənərɪ] **I** *adj* legions- **II** *s* legionär, legionssoldat

legionnaire [ˌliːdʒə'neə] *s* legionär, medlem av *the American* (*British, Foreign*) *Legion*, se *legion*

legionnaire's disease [ˌliːdʒə'neəzdɪˌziːz] *s* legionärsjuka

leg irons ['legˌaɪənz] *s pl* fotbojor

legislate ['ledʒɪsleɪt] *vb itr* lagstifta, stifta lagar

legislation [ˌledʒɪs'leɪʃ(ə)n] *s* lagstiftning; lagar; **a piece of ~** en lag

legislative ['ledʒɪslətɪv, -leɪt-] *adj* lagstiftande; lagstiftnings- [~ *reforms*]; legislativ; **~ body** el. **~ assembly** lagstiftande församling

legislator ['ledʒɪsleɪtə] *s* lagstiftare

legislature ['ledʒɪsleɪtʃə, -lətʃə] *s* lagstiftande församling, legislatur

legit [lɪ'dʒɪt] *adj* sl. schyst, ärlig, äkta, laglig, legitim

legitimacy [lɪ'dʒɪtɪməsɪ] *s* legitimitet, laglighet; rättmätighet; äkta börd

legitimate [adj. lɪ'dʒɪtɪmət, verb lɪ'dʒɪtɪmeɪt] *adj* **1** legitim, laglig, rättmätig [*the ~ king*]; lagligt berättigad **2** befogad, välgrundad, rimlig [*a ~ reason*]; berättigad, legitim [~ *claims*] **3** legitim, född inom äktenskapet [*a ~ child*]; äkta, [inom]äktenskaplig [*of ~ birth*]

legitimize [lɪ'dʒɪtɪmaɪz] *vb tr* **1** legitimera, förklara för äkta **2** stadfästa; göra laglig, legalisera **3** berättiga, rättfärdiga

legless ['legləs] *adj* **1** benlös, utan ben **2** vard. helpackad berusad

Lego® ['legəʊ] *s* lego® [~ *block*; ~ *car*]

leg-pull ['legpʊl] *s* vard. skämt, skoj

legroom ['legruːm] *s* plats för benen, benutrymme

legume ['legjuːm] *s* **1** balja av ärt el. böna, skidfrukt **2** pl. ~s a) legymer, grönsaker b) ärtväxter foderväxter

leguminous plants [le'gjuːmɪnəsplɑːnts] *s pl* baljväxter, ärtväxter

leg-up ['legʌp] *s*, **give sb a ~** a) hjälpa ngn upp i sadeln b) vard. ge ngn en hjälpande hand (ett handtag) äv. bildl.

legwork ['legwɜːk] *s* vard. fotarbete rörligt, ej stillasittande arbete; planeringsarbete

Leicester ['lestə] geogr.

Leicestershire ['lestəʃɪə, -ʃə] geogr.

Leics ['lestəʃɪə, -ʃə] förk. för *Leicestershire*

leisure ['leʒə, amer. vanl. 'liːʒə] **I** *s* ledighet, fritid; lägligt tillfälle, tid, god tid [*for* för, till; *to do sth* [till] att göra ngt]; **at ~** a) ledig, inte upptagen b) utan brådska, i lugn och ro [*do sth at ~*]; **at your ~** när du får tid, när det passar dig [bra]; efter behag

II *adj* ledig, fri, inte upptagen; fritids-

leisure centre ['leʒəˌsentə, amer. vanl. 'liːʒə-] *s* ung. fritidscenter med olika idrottsanläggningar, idrottshall

leisure clothes ['leʒəkləʊðz, amer. vanl. 'liːʒə-] *s pl* fritidskläder

leisured ['leʒəd, amer. vanl. 'liːʒəd] *adj* ledig, som förfogar över sin tid; lugn; **the ~ classes** de [klasser] som inte behöver arbeta, de rika, överklassen

leisure hours ['leʒəˌaʊəz, amer. vanl. 'liːʒə-] *s pl* lediga stunder, fritid

leisurely ['leʒəlɪ, amer. vanl. 'liːʒəlɪ] **I** *adj* lugn, maklig; ledig, som har gott om tid; *at a ~ pace* i lugn och ro, i lugn (maklig) takt **II** *adv* utan brådska, makligt; i lugn och ro

leisure pursuit ['leʒəpəˌsjuːt, amer. vanl. 'liːʒə-] *s* fritidssysselsättning

leisure suit ['leʒəsuːt, amer. vanl. 'liːʒə-] *s* mysdress

leisure-time ['leʒətaɪm, amer. vanl. 'liːʒə-] *adj* fritids- [~ *activities*]

leisure time ['leʒətaɪm, amer. vanl. 'liːʒə-] *s* lediga stunder, fritid

leisurewear ['leʒəweə, amer. vanl. 'liːʒə-] *s* fritidskläder

lemming ['lemɪŋ] *s* zool. fjällämmel

lemon ['lemən] **I** *s* **1 a)** citron **b)** citronträd **c)** citronfärg **2** vard. dumskalle **3** vard. fiasko, flopp; *the answer is a ~* där kammar du noll; *she has an old car that's a real ~* hon har en gammal bil som bara krånglar **II** *adj* citronfärgad, citrongul

lemonade [ˌleməˈneɪd] *s* lemonad, läskedryck; sockerdricka

lemon curd [ˌlemənˈkɜːd] *s* citronkräm

lemon grass ['lemənɡrɑːs] *s* bot. citrongräs

lemon soda [ˌlemənˈsəʊdə] *s* se *lemon squash*

lemon sole [ˌlemənˈsəʊl] *s* zool. el. kok. bergtunga

lemon squash [ˌlemənˈskwɒʃ] *s* lemon squash citronsaft och vatten el. sodavatten

lemon squeezer ['lemənˌskwiːzə] *s* citruspress

lemur ['liːmə] *s* zool. lemur

lend [lend] (*lent lent*) *vb tr* **1** låna [~ *sth to sb*; ~ *sb sth*]; låna ut; ~ *at interest* låna [ut] mot ränta **2** ~ *oneself to* **a)** låna sig till, gå med på, samtycka till **b)** om sak lämpa sig (passa, vara lämplig) för; *it may ~ itself to abuse* det kan inbjuda till (föranleda) missbruk **3** ge, skänka [~ *aid*; ~ *enchantment*]; förläna [~ *dignity*; ~ *glory*]; ~ *an ear* lyssna, höra [*to* på], låna ett [välvilligt] (sitt) öra [*to* åt]; ~ *sb a hand* ge ngn ett handtag, hjälpa ngn; ~ *a hand with sth* hjälpa till med ngt; ~ *a helping hand* räcka en hjälpande hand; ~ *one's name to* ge namn åt

lender ['lendə] *s* långivare

lending library ['lendɪŋˌlaɪbr(ə)rɪ] *s* lånebibliotek

lending rate ['lendɪŋreɪt] *s* låneränta, utlåningsränta

length [leŋθ] *s* **1** längd; om tid äv. varaktighet, långvarighet; sträcka, [ut]sträckning; *a ~ of pipe* ett rörstycke (stycke rör); *a ~ of rope* en repstump (tågända); *you may stay for any ~ of time* du får stanna så länge det behövs (du vill); *a ~ of years* en lång följd av år; *along the whole ~ of the wall* längs hela väggen; *a ~ of wallpaper* en tapetvåd; *at arm's ~* se under *1 arm 1*; *win by three ~s* sport. vinna med tre längder; *ten metres in ~* tio meter lång; *a stay of some ~* en längre tids vistelse; *throughout the ~ and breadth of the country* över (i, genom) hela landet; *go the whole ~* bildl. ta steget fullt ut; *go to any ~s* (*to all ~s*) gå hur långt som helst med ngt, inte sky något, tillgripa alla medel; *go to great ~s* el. *go a great ~* bildl. gå (sträcka sig) mycket långt **2** *at ~* **a)** slutligen; äntligen, sent omsider **b)** länge [*speak at ~*] **c)** utförligt, omständligt, ingående, i detalj; *at*

great ~ mycket utförligt (detaljerat, ingående), länge och väl

lengthen ['leŋθ(ə)n] **I** *vb tr* förlänga, göra [ännu] längre; dra ut på, töja [äv. ~ *out*]; ~ *a skirt* lägga ned en kjol **II** *vb itr* förlängas, bli längre

lengthiness ['leŋθɪnəs] *s* långrandighet, långtråkighet

lengthways ['leŋθweɪz] *adv* o. **lengthwise** ['leŋθwaɪz] *adv* på längden, längsefter

lengthy ['leŋθɪ] *adj* [väl] lång, långvarig; [för] utförlig, vidlyftig; långdragen; långrandig

leniency ['liːnɪənsɪ] *s* mildhet etc., jfr *lenient*; överseende

lenient ['liːnɪənt] *adj* mild, fördragsam, överseende, eftergiven [*to, towards, with* mot]

Lenin ['lenɪn]

lens [lenz] *s* **1** fys. el. anat. lins **2** foto. lins; objektiv; ~ *aperture* bländaröppning; ~ *attachment* objektivtillbehör; ~ *cap* objektivskydd; ~ *hood* motljusskydd **3** kontaktlins [äv. *contact ~*]

Lent [lent] *s* fasta[n], fastlag[en]

lent [lent] imperf. o. perf. p. av *lend*

Lenten ['lentən] *adj* fastlags-, faste-

lentil ['lentl] *s* bot. el. kok. lins

Leo ['liːəʊ] **I** mansnamn **II** *s* o. *adj* astrol. Lejonet; *he's a ~* el. *he's ~* han är lejon

Leonard ['lenəd] mansnamn

leonine ['liːə(ʊ)naɪn] *adj* lejon-, lejonartad

leopard ['lepəd] *s* zool. leopard; *a ~ cannot change its spots* ränderna går aldrig ur

leopardess ['lepədes] *s* leopardhona

leotard ['liːətɑːd] *s* gympadräkt

leper ['lepə] *s* spetälsk, leprasjuk; bildl. utstött

leprechaun ['leprəkɔːn, -prəhɔːn] *s* irl., slags elak pyssling, tomte; troll

leprosy ['leprəsɪ] *s* spetälska, lepra

lesbian ['lezbɪən] **I** *adj* lesbisk **II** *s* lesbisk kvinna

lesion ['liːʒ(ə)n] *s* **1** med. lesion, organskada, sjuklig förändring **2** [yttre] skada; skavank

Leslie ['lezlɪ, amer. 'leslɪ] mansnamn el. kvinnonamn

Lesotho [lə'suːtuː, -'səʊt-, -təʊ] geogr.

less [les] **I** *adj* o. *adv* o. *s* (komp. av *little* se äv. detta ord) **1** mindre; ~ *and* ~ [allt] mindre och mindre, allt mindre; *to a greater or* ~ *extent* i större eller mindre utsträckning; *none the* ~ = *nevertheless*; *I don't think any the* ~ *of her because*... jag uppskattar henne inte mindre för att...; *little* ~ *than* föga mindre än, nästan; *a little* ~ *than* något (litet) mindre än, knappt; *in* ~ *than no time* i en handvändning, på nolltid **2** *no* ~ el. *not* ~ el. *nothing* ~ i div. uttr.: *I could do no ~* det var det minsta jag kunde göra; *I expected no ~* det var just vad jag väntade [mig]; *they have six cars, no* ~! de har inte mindre än sex bilar[, kan du tänka dig]!; *he got no* ~ *than £1000* han fick inte mindre än (hela) 1000 pund; [*we can guarantee you an income of*] *not* ~ *than £25,000* ...[allra] minst (åtminstone) 25 000 pund; *it's no* (*nothing*) ~ *than a scandal* det är ingenting mindre än en skandal **II** *prep* minus [*5* ~ *2 is 3*]; med avdrag av (för) [*£300 a week* ~ *rates and taxes*]; så när som på [*a year* ~ *three days*]

lessee [le'siː] *s* arrendator; hyresgäst

lessen ['lesn] **I** *vb tr* **1** [för]minska, reducera [~ *the* *effect*; ~ *speed*] **2** förringa, nedvärdera

II *vb itr* minskas, bli mindre (färre); avta

lesser ['lesə] *adj* mindre [*the* ~ *prophets*]; **one must choose the** ~ **of two evils** se under *evil II*

Lesser Bear [ˌlesə'beə] *s* astron., **the** ~ Lilla björn[en]

lesson ['lesn] *s* **1** lektion; [undervisnings]timme; **English** ~ engelsklektion; engelsktimme **2** läxa, hemuppgift; **do one's ~s** el. **learn one's ~s** el. **prepare one's ~s** lära sig läxorna, läsa på (över) läxorna; **set the** ~ ge läxa [till nästa gång] **3** bildl. läxa, lärdom; tillrättavisning, skrapa; *I learnt a* (*my*) ~ jag fick [mig] en läxa, jag fick [mig] en tankeställare; *I have learnt a* ~ *never to…* jag har lärt mig att aldrig…; **teach sb a** ~ ge (lära) ngn en läxa; **let that be a** ~ **to you!** vard. låt det här bli en läxa för dig!, ta lärdom av det här! **4** kyrkl. bibeltext

lessor [ˌle'sɔː, 'lesɔː] *s* utarrenderare; hyresvärd

lest [lest] *konj* vanl. litt. **1** för (så) att inte, ifall ngt skulle hända **2** efter ord för fruktan, oro o.d. [för] att [kanske]

1 let [let] **I** (*let let*) *vb tr* (se äv. *1 let III* o. *1 let IV*) **1** (äv. som hjälpverb) låta, tillåta; *won't you* ~ *me help you?* får jag inte hjälpa dig?; *yes,* ~*'s!* ja, det gör vi!; ~*'s have a drink!* ska vi ta [oss] en drink?; ~ *me introduce…* får jag presentera…; ~ *her say whatever she likes* hon må (får) säga vad hon vill; *just* ~ *him try!* han skulle bara våga!; ~ *it never be said that…* ingen ska kunna säga att…; *Let there be light!* bibl. Varde ljus!; ~ *AB be* [*equal to CD*] geom. antag att AB är… **2** släppa in [*my shoes* ~ *water*]

II (*let let*) *vb tr* o. *vb itr* (se äv. *1 let III* o. *1 let IV*) hyra ut [*she has* ~ *her house to* (åt) *us*]; arrendera ut; hyras ut [*the flat* ~*s for £500 a month*]; *to* ~ att hyra

III (*let let*) *vb tr* o. *vb itr* i vissa förbindelser (se för övrigt under resp. huvudord)

1 med adj.:

let alone a) låta vara [i fred], låta bli, inte bry sig om [~ *those problems alone*]; ~ *well alone!* låt det vara som det är! **b)** för att [nu] inte tala om, än[nu] (mycket) mindre [*he can't look after himself,* ~ *alone others*]

let loose släppa, släppa lös [~ *that dog loose*]; ge fritt lopp åt

2 med vissa verb (se äv. under t.ex. *drop, 1 fly* o. *2 live*):

let be låta vara [i fred], låta bli [~ *me be*]

let fall a) låta falla; tappa **b)** fälla, låta undfalla sig [~ *fall a remark*]

let go a) låta fara; släppa [~ *me go!*; ~ *go sb's hand*]; släppa lös (fri); släppa ifrån sig; släppa taget; sjö. låta gå, fälla [~ *go the anchor*]; slå bort [tanken på]; [*business was slack and many employees*] *were* ~ *go* …fick gå; ~ *go of* släppa [~ *go of sb's hand*] **b)** ~ *it go at that!* låt gå för det!, låt det vara [som det är]! **c)** ~ *oneself go* låta sig ryckas med [*he* ~ *himself go on* (av) *the subject*]; slå (släppa) sig lös; missköta sig, slarva med sitt utseende

let slip a) försitta [~ *slip an opportunity*] **b)** låta undfalla sig [~ *slip a remark*]

IV (*let let*) *vb tr* o. *vb itr* med adv. el. prep.:

let down a) bildl. lämna i sticket, svika [~ *down a friend*]; förödmjuka **b)** släppa (dra, sänka, fira) ner; ~ *one's hair down* se under *hair*; ~ *the window down* öppna fönstret genom att dra ner det, dra ner

fönstret **c)** sömnad. lägga (släppa) ner

let in a) släppa in [~ *in sb; windows* ~ *in light and air*]; ~ *oneself in* ta sig in i själv **b)** ~ *sb in on* vard. inviga ngn i **c)** ~ *sb in for* [*a lot of trouble*] dra (blanda) in ngn i…, förorsaka ngn…; ~ *oneself in for* inlåta sig på, ge sig in på; *you're* ~*ting yourself in for a lot of work* du får bara en massa arbete på halsen **d)** ~ *in the clutch* bil. släppa upp kopplingen

let into a) släppa in i; *be* ~ *into* släppas (slippa) in i **b)** inviga i, låta få veta [~ *sb into a secret*] **c)** sätta in i [*we must* ~ *another window into the wall*]

let off a) släppa, låta slippa undan [~ *off with* (med) *a fine*]; *be* ~ *off* släppas, slippa [undan (ifrån)] **b)** släppa av [~ *me off at 12th Street!*] **c)** släppa ut t.ex. ånga, tappa av; släppa upp t.ex. en ballong; ~ *off steam* vard. avreagera sig **d)** avskjuta, bränna av [~ *off fireworks*]; fyra av äv. bildl. **e)** släppa sig fjärta

let on vard. **a)** skvallra [*I won't* ~ *on*] **b)** förråda, erkänna **c)** låtsas, låtsas om [*don't* ~ *on that you are annoyed*]

let out a) släppa ut; släppa lös; *be* ~ *out* släppas (slippa) ut (lös) **b)** utstöta, ge ifrån sig [~ *out a shriek*] **c)** sömnad. lägga (släppa) ut **d)** avslöja [~ *out a secret*]; tala 'om **e)** ~ *out* [*on lease*] hyra (arrendera) ut **f)** amer. sluta [*when does the university* ~ *out?*]

let through släppa igenom (fram)

let up a) avta, minska; sluta **b)** ~ *up on* ta lite lättare på; behandla mildare

2 let [let] *s* **1** jur., **without** ~ **or hindrance** utan minsta hinder **2** sport. nätboll vid serve

let-down ['letdaʊn] *s* **1** besvikelse, missräkning; bakslag **2** minskning, nedgång [*a* ~ *in sales*]

lethal ['liːθ(ə)l] *adj* dödlig, dödande; letal; ~ *chamber* avlivningsrum för djur; *a* ~ *combination* en livsfarlig kombination; ~ *injection* vid avrättningar dödlig injektion, giftinjektion; ~ *weapon* dödligt (livsfarligt) vapen, mordvapen

lethargy ['leθədʒɪ] *s* letargi; sjukligt slöhetstillstånd, onaturligt tung sömn, dvala äv. bildl.

let-off ['letɒf] *s* undkommande, undslippande; tur [att slippa undan billigt (att klara sig)]; försutten chans; *that was a light* ~ *for him* han slapp billigt undan

let-out ['letaʊt] *s* vard. förevändning; utväg, kryphål; alibi; attr. kryphåls- [*a* ~ *clause*]

let's [lets] = *let us*

1 letter ['letə] *s* **1** brev, skrivelse [*on* om; *for, to* till]; ~ *of protest* protestskrivelse; ~ *to the paper* el. ~ *to the editor* insändare **2** bokstav äv. bildl. [*follow the* ~ *of the law*] bildl. äv. ordalydelse; *capital* ~*s* stora bokstäver; *small* ~*s* små bokstäver; *use capital* ~*s* äv. texta; *to the* ~ bokstavligt; till punkt och pricka [*carry out an order to the* ~]; obetingat **3** ~*s* (med verb i sg. el. pl.) litteratur, vitterhet; litterär bildning, lärdom; *man of* ~*s* oftast författare, skriftställare, lärd man

2 letter ['letə] *s* uthyrare [~ *of rooms*]

letter bomb ['letəbɒm] *s* brevbomb

letterbox ['letəbɒks] *s* **1** brevinkast på dörr **2** brevlåda

letter card ['letəkɑːd] *s* postbrev; kortbrev

letter carrier ['letəˌkærɪə] *s* amer. brevbärare

letter drop ['letədrɒp] *s* amer. brevinkast på dörr

letterhead ['letəhed] s **1** brevhuvud
 2 firmabrevpapper med brevhuvud
lettering ['letərɪŋ] s bokstäver, [in]skrift [~ *on a gravestone*]; textning
letter of credence [ˌletərəv'kri:d(ə)ns] s dipl. kreditiv[brev]
letter of credit [ˌletərəv'kredɪt] s hand. kreditiv
letter opener ['letərˌəʊpənə] s amer. brevöppnare
letter-perfect [ˌletə'pɜ:fɪkt] adj, **be** ~ kunna ngt perfekt
letterpress ['letəpres] s **1** ~ *printing* boktryck
 2 [tryckt] text i motsats till illustrationer
letter rack ['letəræk] s brevfack
letters patent [vanl. ˌletəz'pæt(ə)nt] s patentbrev, privilegiebrev
letter-writer ['letəˌraɪtə] s **1** brevskrivare
 2 brevställare
lettuce ['letɪs] s bot. [huvud]sallat, sallad; salladshuvud
let-up ['letʌp] s **1** avbrott, uppehåll [*it rained a whole week without* ~] **2** avtagande, minskning
leukaemia o. vanl. amer. **leukemia** [lʊ'ki:mɪə, ljʊ-] s med. leukemi
levanistic [ˌlevæ'nɪstɪk] adj litt. levanistisk
levee ['levɪ, lə'vi:] s amer. fördämning, skyddsvall
level ['levl] **I** s **1** nivå, plan äv. bildl. [*a conference at the highest* ~]; höjd [*the water rose to a* ~ *of 10 metres*]; **the** ~ **of the water** vattenståndet; **above the** ~ **of the sea** över havsytan (havet); [*the lecture*] **was above my** ~ ...låg över min horisont (nivå); **on a** ~ **with** i nivå (höjd, paritet) med, i jämnhöjd med; **come down to sb's** ~ sänka sig till ngns nivå **2** vard., **on the** ~ uppriktigt, ärligt [sagt], schyst; **he's on the** ~ han är renhårig (schyst) **3** vattenpass
 II adj **1** jämn, slät, plan **2** vågrät; på samma plan [*with* som], i jämnhöjd, jämställd, likställd [*with* med]; likformig; jämn; **a** ~ **teaspoonful** en struken tesked; **do one's** ~ **best** göra sitt allra bästa; **draw** ~ komma jämsides (i jämnhöjd) med varandra; **draw** ~ **with**; hinna upp [*draw* ~ *with the other runners*]; **keep** ~ **with** hålla jämna steg med **3** **have a** ~ **head** vara redig (klar) i huvudet; **keep a** ~ **head** hålla huvudet kallt **4** stadig [*a* ~ *look*]
 III vb tr **1** jämna, planera [~ *a lawn*; ~ *a road*] **2** göra vågrät med t.ex. ett vattenpass, nivellera; jämna ut; jämna till, göra likställd [*to, with* med]; ~ **down** sänka [till en lägre nivå]; jämna; ~ **up** höja [till en högre nivå] **3** ~ el. ~ **with** (**to**) **the ground** jämna med marken, rasera **4** avpassa, lämpa [*to* efter]; ~ **oneself to** anpassa sig efter
 IV vb itr bli jämn[are]
 V vb itr o. vb tr med adv. el. prep.:
level at rikta mot [~ *an accusation at sb*]; ~ **one's gun at** rikta (höja) geväret mot
level off flyg. plana ut
level out göra vågrät med t.ex. ett vattenpass, nivellera; jämna ut
level with sb vard. tala ut med ngn, vara ärlig mot ngn
level crossing [ˌlevl'krɒsɪŋ] s plankorsning; järnvägskorsning [i plan]; **open** ~ el. **unguarded** ~ obevakad järnvägsövergång
level-headed [ˌlevl'hedɪd] adj balanserad, nykter, sansad, förståndig

level-pegging [ˌlevl'pegɪŋ] adj, **be** ~ stå lika, vara jämsides [*with* med]
level playing field [ˌlevl'pleɪŋfi:ld] s polit. ekon. neutral arena som ger parterna lika förutsättningar; **this is not a** ~ förutsättningarna är olika, vi kan inte slåss på samma villkor
lever ['li:və, amer. vanl. 'levə] **I** s **1** hävstång; spak; handtag; spett **2** bildl. påtryckningsmedel [*a* ~ *to force him to resign*]; tillhygge
 II vb tr lyfta (flytta) med [en] hävstång; baxa [undan]; bända [upp]; ~ **oneself up** häva sig upp
leverage ['li:v(ə)rɪdʒ, amer. vanl. 'lev-] **I** s **1** makt, maktmedel, inflytande **2** tekn. hävstångsverkan, hävstångskraft
 II vb tr utnyttja (dra nytta av) maximalt
leviathan [lɪ'vaɪəθ(ə)n] s gigant, koloss
levitate ['levɪteɪt] spirit. **I** vb tr få att sväva **II** vb itr levitera, sväva
Leviticus [lɪ'vɪtɪkəs] s bibl. Tredje mosebok
levity ['levɪtɪ] s lättsinne, lättfärdighet
levy ['levɪ] **I** s uttaxering; [tvångs]upptagande (utskrivning) [av skatt]; uppbörd
 II vb tr uttaxera, ta upp, utskriva, uppbära, lägga på [~ *a tax*]; ~ **a tax on sb** påföra ngn en skatt
lewd [lu:d, lju:d] adj liderlig, otuktig, vällustig; oanständig [*a* ~ *joke*; *a* ~ *person*]
lexical ['leksɪk(ə)l] adj lexikalisk
lexicographer [ˌleksɪ'kɒgrəfə] s lexikograf, ordboksförfattare
lexicography [ˌleksɪ'kɒgrəfɪ] s lexikografi
lexicon ['leksɪkən] s lexikon vanl. om en grekisk, latinsk el. hebreisk ordbok
lexis ['leksɪs] (pl. *lexes*) s språkv. ordförråd, lexikon
lez [lez] s o. **lezzy** ['lezɪ] s vard. lesbisk kvinna
LF [ˌel'ef] förk. för *low frequency*
LGBT [ˌeldʒi:bi:'ti:] (förk. för *lesbian, gay, bisexual, or transgender*) hbt (förk. för homo-, bi- och transsexuella)
liability [ˌlaɪə'bɪlətɪ] s **1** ansvar, skadeståndsskyldighet, ansvarsskyldighet; skyldighet; betalningsskyldighet, [ekonomisk] förpliktelse, engagemang; **limited** ~ begränsad ansvarighet; ~ **for** (**to**) **military service** värnplikt; ~ **to pay taxes** el. **tax** ~ skatteplikt **2** bildl. belastning, handikapp; olägenhet, nackdel **3** pl. **liabilities** hand. skulder, skuldförbindelser, passiva, jfr *asset 1*; **meet one's liabilities** infria sina [skuld]förbindelser **4** mottaglighet [~ *to* (för) *certain diseases*]; benägenhet [*to* för, till]
liable ['laɪəbl] adj **1** ansvarig [*for* för] **2** mottaglig, disponerad [*to* för]; benägen, fallen [*to* för; *to do sth* [för] att göra ngt]; ~ **to abuse** som lätt kan missbrukas; ~ **to certain diseases** mottaglig för vissa sjukdomar; **it is** ~ **to be misunderstood** det kan så lätt missförstås **3** förpliktad, skyldig [*to att; be* ~ *to serve on a jury*]; ~ **to** belagd med straff, skatt o.d., underkastad; ~ **to duty** tullpliktig; **be** ~ **to a fine** kunna bötfällas; **make oneself** ~ **to** utsätta sig för risken av [*she made herself* ~ *to a heavy fine*]
liaise [li:'eɪz] vb itr **1** etablera (upprätthålla) kontakt **2** mil. fungera som sambandsofficer
liaison [lɪ'eɪzən, -zɒn] s **1 a)** förbindelse, nära samband **b)** [fritt] förhållande,

[kärleks]förbindelse, liaison **2** kontaktperson **3** *in*
~ *with* i förbund (maskopi) med **4** mil. samband
liaison officer [lɪ'eɪzən,ɒfɪsə] *s* kontaktperson; mil.
sambandsofficer
liana [lɪ'ɑ:nə] *s* o. **liane** [lɪ'ɑ:n] *s* bot. lian
liar ['laɪə] *s* lögnare, lögnhals
Lib. förk. för *Liberal*
lib [lɪb] *s* kortform av *liberation* [*gay* ~; *kids'* ~];
women's ~ vard., se *woman 2*
Lib Dem [,lɪb'dem] *s* förk. för *Liberal Democrat*
libel ['laɪb(ə)l] **I** *s* **1** ärekränkning spec. i skrift,
smädeskrift, libell **2** skymf, förolämpning [*on*,
upon mot]
II *vb tr* ärekränka; smäda, skymfa, ta heder och
ära av
libellous ['laɪbələs] *adj* ärekränkande, smädlig,
smäde- [*a* ~ *poem*]
Liberal ['lɪb(ə)r(ə)l] polit. **I** *adj* liberal **II** *s* liberal
liberal ['lɪb(ə)r(ə)l] *adj* **1** liberal, fördomsfri,
frisinnad **2** frikostig, generös [*of* med, på; *to* mot;
a ~ *giver*]; givmild, rundhänt, liberal **3** *a* ~
education [högre] allmänbildning, [en] god
uppfostran
liberal arts [,lɪb(ə)r(ə)l'ɑ:ts] *s pl*, *the* ~ humaniora
Liberal Democrats [,lɪb(ə)r(ə)l'demәkræts] polit., *the*
~ det liberaldemokratiska partiet i Storbritannien
liberalism ['lɪb(ə)rәlɪz(ə)m] *s* liberalism, frisinne
liberality [,lɪbә'rælәtɪ] *s* **1** liberalitet, fördomsfrihet,
jfr vidare *liberal 1* **2** frikostighet, generositet, jfr vidare
liberal 2; pl. *liberalities* frikostiga gåvor
liberalization [,lɪb(ə)rәlaɪ'zeɪʃ(ə)n] *s* liberalisering
liberalize ['lɪb(ə)rәlaɪz] *vb tr* liberalisera
liberate ['lɪbәreɪt] *vb tr* **1** befria, lösa [*from* från];
frige, försätta på fri fot; bildl. frigöra **2** kem. frigöra
liberated ['lɪbәreɪtɪd] *adj* bildl. frigjord [*a* ~ *woman*]
liberation [,lɪbә'reɪʃ(ə)n] *s* **1** befrielse; frigivning,
frigivande; frigörelse, frigörande; ~ *movement*
befrielserörelse; frihetsrörelse; *women's* ~
movement se under *woman 2* **2** kem. frigörelse
liberator ['lɪbәreɪtә] *s* befriare
Liberia [laɪ'bɪәrɪә] geogr.
Liberian [laɪ'bɪәrɪәn] **I** *adj* liberiansk **II** *s* liberian;
liberianska kvinna
libero ['li:bәrәʊ] (pl. ~*s*) *s* fotb. libero
libertarian [,lɪbә'teәrɪәn] *s* frihetsivrare
libertine ['lɪbәti:n, -taɪn] *s* libertin, vällusting
liberty ['lɪbәtɪ] *s* frihet; pl. *liberties* äv. fri- och
rättigheter, privilegier; ~ *of action* handlingsfrihet;
the ~ *of the press* tryckfrihet[en]; ~ *of speech*
yttrandefrihet; *take liberties* ta sig friheter [*with sb*
gentemot ngn; *with sth* med ngt], vara närgången
[*with* mot]; *what a* ~! vard. vad fräckt!; *at* ~ a) på fri
fot [*runaways at* ~]; i frihet b) fri, oförhindrad; *you
are at* ~ *to* det står dig fritt att; *I am not at* ~ *to tell
you* jag får inte (har inte lov att) tala om det; *set at*
~ försätta på fri fot, frige [*set prisoners at* ~]
libido [lɪ'bi:dәʊ, amer. äv. -'baɪd-] (pl. ~*s*) *s* **1** psykol.
libido **2** könsdrift
Libra ['li:brә, 'lɪb-] *s* o. *adj* astrol. Vågen; *she is a* ~ el.
she is ~ hon är våg
librarian [laɪ'breәrɪәn] *s* bibliotekarie
library ['laɪbr(ə)rɪ] *s* bibliotek; film. arkiv; *mobile* ~
bokbuss; *public* ~ offentligt bibliotek,

folkbibliotek; *record* ~ skivsamling, lånebibliotek
för skivor
library ticket ['laɪbr(ə)rɪ,tɪkɪt] *s* lånekort
librettist [lɪ'bretɪst] *s* librettoförfattare, librettist
librett|o [lɪ'bret|әʊ] (pl. -*os* el. -*i* [-ɪ]) *s* libretto
Libya ['lɪbɪә] geogr. Libyen
Libyan ['lɪbɪәn] **I** *adj* libysk **II** *s* libyer; libyska kvinna
lice [laɪs] *s* pl. av *louse I 1*
licence ['laɪs(ə)ns] **I** *s* **1 a**) licens [*radio* ~];
tillståndsbevis; privilegium; tillstånd, lov, rätt;
dispens; jfr *marriage licence, special licence* o.
vehicle 1; *dog* ~ ung. hundskatt; *driving* ~ el. *driver's* ~
körkort; *made under* [*a*] ~ tillverkad på licens
b) [sprit]rättigheter c) *pilot's* ~ [flyg]certifikat
2 [handlings]frihet; konst. frihet; *poetic* ~ poetisk
frihet, licentia poetica **3 a**) tygellöshet, självsvåld
b) lättfärdighet, lättsinne
II *vb tr* se *license I*
licence fee ['laɪs(ə)nsfi:] *s* licens[avgift]
license ['laɪs(ə)ns] **I** *vb tr* bevilja (ge) ngn licens
(tillstånd, [sprit]rättigheter), utfärda
tillståndsbevis för, licensera; auktorisera; *shops* ~*d*
[*to sell tobacco*] affärer som har rätt (tillstånd)...
II *s* amer., se *licence I*
licensed ['laɪs(ə)nst] (jfr äv. *license I*) *adj* spec. med
[sprit]rättigheter; *be fully* ~ ha vin- och
spriträttigheter, ha fullständiga rättigheter; ~
premises restaurang med spriträttigheter; ~ *house*
hotell med spriträttigheter
licensee [,laɪs(ə)n'si:] *s* licensinnehavare; person
som har [sprit]rättigheter
license number ['laɪs(ə)ns,nʌmbә] *s* amer., bils
registreringsnummer
license plate ['laɪs(ə)nspleɪt] *s* amer., bils
nummerplåt, registreringsskylt
licensing hours ['laɪs(ə)nsɪŋ,aʊәz] *s pl*
utskänkningstider
licensing laws ['laɪs(ə)nsɪŋlɔ:z] *s pl*
utskänkningslagar
licentiate [laɪ'senʃɪәt] *s* auktoriserad (legitimerad)
utövare av ett visst yrke; *Licentiate of the Royal College
of Physicians* (*Surgeons*) ung. legitimerad läkare
licentious [laɪ'senʃәs] *adj* tygellös, lössläppt
lichen ['laɪkәn, 'lɪtʃәn] *s* bot. lav
lick [lɪk] **I** *vb tr* **1** slicka äv. om eld el. vågor, slicka på
[~ *a lolly*]; ~ *sb's boots* vard. krypa [i stoftet] (krusa)
för ngn; ~ *one's lips* el. ~ *one's chops* slicka sig om
mun[nen]; ~ *into shape* sätta (få) fason (hyfs) på,
sätta pli på, göra folk av; ~ *up* slicka i sig, slicka
upp; om eld förtära **2** vard. klå upp, ge stryk, klå, slå
[~ *sb at tennis*]; fixa; *get* ~*ed* få stryk (smörj)
II *s* **1** slickning; *give one's face a cat's* ~ vaska av sig
i ansiktet; *give sth a* ~ *and a promise* gå över (tvätta,
rengöra) ngt rätt slarvigt (hafsigt) **2** vard. klick,
skvätt [*a* ~ *of paint*]; [musik]snutt [*a guitar* ~]
3 vard. fräs fart; *at a great* ~ el. *at full* ~ i full fräs
(speed) **4** vard., *not a* ~ *of work* inte ett skvatt
(smack) **5** se *cowlick*
licking ['lɪkɪŋ] *s* **1** vard. stryk, smörj **2** slickande
licorice ['lɪkәrɪs] *s* vanl. amer. **1** bot. lakritsrot
2 lakrits
lid [lɪd] *s* **1** lock; *put the* ~ *on* vard. a) sätta stopp för
[*put the* ~ *on gambling*] b) göra slut på [*that put
the* ~ *on their friendship*] c) lägga på locket [*the*

government managed to put the ~ on before the affair became public]; **that put the ~ on it** det satte p för det hela, det var dödstöten; **take (blow, lift) the ~ off** vard. avslöja [*the newspapers blew the ~ off corruption in the city*] **2** ögonlock [äv. *eyelid*]

lidded ['lɪdɪd] *adj* **1** med lock; **be ~** ha lock **2** *half-lidded eyes* halvslutna ögon; *heavily-lidded eyes* tunga ögonlock; **a ~ gaze** en tung blick

lido ['liːdəʊ] (pl. *~s*) *s* friluftsbad

1 lie [laɪ] **I** (*lay lain*) *vb itr* **1 a)** ligga [*~ motionless*]; **~ awake** el. **be lying awake** ligga vaken; **~ reading** ligga och läsa **b)** ligga begraven, vila; **here ~s** här vilar **2 a)** utbreda sig, ligga [*know how the land ~s*]; vara belägen, befinna sig **b)** om väg o.d. gå [*the road ~s along the coast*]; leda [*the path ~s through the wood*] **3** sjö. ligga an viss kurs

II (*lay lain*) *vb itr* med adv. el. prep., ofta med spec. översättningar:

lie about el. **lie around a)** ligga och skräpa, ligga kringspridd[a]; *leave money lying about* låta pengar ligga framme **b)** slöa

lie at: sjö., **~ at anchor** ligga för ankar

lie back luta (lägga) sig tillbaka

lie down a) lägga sig [och vila], lägga sig ner **b)** *take an insult lying down* finna sig i en förolämpning; *take it lying down* ge sig utan vidare

lie in a) ligga kvar i sängen **b)** ligga i [*the difficulty ~s in the pronunciation*]; bestå i, bero på; *everything that ~s in my power* allt som står i min makt

lie on a) ligga på; **~ hard (heavy) on** ligga tung över; vila tungt på, tynga [på] [*it lay heavy on his conscience*] **b)** åligga, tillkomma

lie under ligga under; vara utsatt för; tyngas av; **~ under an obligation to sb** stå i tacksamhetsskuld till ngn; **~ under suspicion** vara misstänkt

lie up om fartyg läggas upp

lie with ligga på, åvila [*the burden of proof ~s with you*]; ligga hos [*the fault ~s with the Government*]; *it ~s with you to* det är din sak att

III *s* läge, belägenhet; riktning, sträckning [*the ~ of the valley*]; **the ~ of the country** landets topografi; **know the ~ of the land** bildl. veta hur landet ligger

2 lie [laɪ] **I** *s* lögn, osanning; **give the ~ to sth** vederlägga (jäva, motsäga) ngt, komma ngt på skam [*events gave the ~ to our fears*]; **live a ~** se under *1 live II*; **tell a ~** el. **tell ~s** ljuga, tala (fara med) osanning; *it was just a pack of ~s* det var bara lögn alltsammans (en massa lögner) **II** *vb itr* o. *vb tr* ljuga [*to för*]; **she ~d to my face** hon ljög mig mitt upp i ansiktet

Liechtenstein ['lɪktənstaɪn] **I** geogr. egennamn **II** *adj* liechtensteinsk

lie-detector ['laɪdɪˌtektə] *s* lögndetektor

lie-down [ˌlaɪ'daʊn] *s*, **go and have a ~** lägga sig och vila

lie-in [laɪ'ɪn, '--] *s* vard., **have a nice ~** ligga och dra sig i sängen

lieu [ljuː, luː] *s*, **in ~ of** i stället för

Lieut förk. för *Lieutenant*

lieutenant [lef'tenənt, amer. luː'tenənt] *s* **1** löjtnant inom armén, kapten inom flottan; *flight ~* kapten inom

flyget; *first ~* i USA löjtnant inom armén o. flyget; **second ~** fänrik inom armén (i USA äv. inom flyget); **~ junior grade** i USA löjtnant inom flottan **2** ställföreträdare, närmaste man, högra hand **3** i USA **a)** ung. polisinspektör **b)** biträdande brandkapten

lieutenant colonel [lefˌtenənt'kɜːnl, amer. luːˌt-] *s* överstelöjtnant

lieutenant commander [lefˌtenəntkə'mɑːndə, amer. luːˌt-] *s* örlogskapten

lieutenant general [lefˌtenənt'dʒen(ə)r(ə)l, amer. luːˌt-] *s* generallöjtnant

life [laɪf] (pl. *lives*) *s* **1 a)** liv **b)** livstid, livslängd, liv [*a cat has nine lives*]; levnad, levnadslopp; varaktighet **c)** tillvaro, liv [*lead (föra) a quiet ~*]; [*she told me his*] **~ story** ...livs historia; **country ~** lantliv[et], livet på landet; **early ~** ungdom[en]; **early in ~** redan i ungdomen; **get a ~** göra ngt av (förändra) livet, börja leva [på riktigt]; **how's ~?** hur lever livet med dig?, hur är läget?; **human ~** människoliv[et]; **the ~ and soul of the party** festens eldsjäl, den som får fart på festen; **he was in danger of his ~** han svävade i livsfara; **expectation of ~** sannolik livslängd; medellivslängd; [*tell the children*] **the facts of ~** vard. ...hur ett barn blir (kommer) till; **great loss of ~** stora förluster i människoliv, stor manspillan; **it is a matter of ~ and death** det är en fråga om liv eller död, det gäller livet; **a slice of ~** ett stycke verklighet; **at my time of ~** vid min ålder; **I had the time of my ~** vard. jag hade jätteroligt; **come to ~** kvickna till, komma till liv [igen]; **do ~** vard. sitta inne på livstid avtjäna livstids fängelse; **be given ~** vard. få livstid bli dömd till livstids fängelse; **frighten the ~ out of sb** skrämma livet ur ngn; **lose one's ~** förlora livet, omkomma, [få] sätta livet till; **put some ~ into** sätta lite liv i, sätta lite fart på; **put an end to one's [own]** el. **take one's [own] ~** ta livet av sig, ta sitt liv; **take sb's ~** ta livet av ngn, bringa ngn om livet; **take one's ~ in one's [own] hands** våga livet, ta risken; **for ~** för [att rädda] livet; för livet [*friends for ~*]; på livstid [*imprisonment for ~*]; [*they ran*] **for dear ~** ...för brinnande livet; **not for the ~ of me** vard. inte för mitt liv (allt i världen); **not on your ~** aldrig i livet **2** levnadsteckning, levnadsbeskrivning, biografi [*the lives of (över) great men*] **3** konst. natur, verklighet; **from ~** efter naturen, efter levande modell; **as large as ~** el. **larger than ~** se under *large I 1* **4** i spel liv

life-and-death [ˌlaɪfən(d)'deθ] *adj*, **a ~ struggle** en strid på liv och död; **a ~ matter** en sak som gäller livet

life assurance ['laɪfəˌʃʊər(ə)ns] *s* livförsäkring

lifebelt ['laɪfbelt] *s* livbälte; räddningsbälte

lifeblood ['laɪfblʌd] *s* **1** hjärtblod **2** bildl. livsnerv, livsbetingelse, hjärteblod

lifeboat ['laɪfbəʊt] *s* livbåt; livräddningsbåt

lifeboat operation ['laɪfbəʊtɒpəˌreɪʃ(ə)n] *s* bildl. räddningsaktion

lifebuoy ['laɪfbɔɪ] *s* livboj, frälsarkrans

life cycle ['laɪfˌsaɪkl] *s* biol. livscykel

life expectancy [ˌlaɪfɪk'spekt(ə)nsɪ, -ek'-] *s* sannolik livslängd; medellivslängd

lifeguard [ˈlaɪfgɑːd] s **1** livräddare; strandvakt, badvakt **2** pl. **~s** livgarde
life history [ˌlaɪfˈhɪst(ə)rɪ] s levnadshistoria
life imprisonment [ˌlaɪfɪmˈprɪznmənt] s, **sentenced to** ~ dömd till livstidsfängelse
life insurance [ˈlaɪfɪnˌʃʊər(ə)ns] s livförsäkring
life jacket [ˈlaɪfˌdʒækɪt] s flytväst
lifeless [ˈlaɪfləs] adj livlös, död, friare äv. utan liv, matt, trög; andefattig, själlös
lifelike [ˈlaɪflaɪk] adj livslevande, naturtrogen, levande, verklighetstrogen
lifeline [ˈlaɪflaɪn] s **1** livlina **2** räddningslina, räddningstross **3** livslinje i handen **4** livsviktig förbindelse [med omvärlden]
lifelong [ˈlaɪflɒŋ] adj livslång [~ friendship]; livstids-; ~ **friends** vänner för livet
life member [ˌlaɪfˈmembə] s medlem på livstid
life partner [ˌlaɪfˈpɑːtnə] s livskamrat
life peer [ˌlaɪfˈpɪə] s pär på livstid vars titel inte är ärftlig
life preserver [ˈlaɪfprɪˌzɜːvə] s amer. livräddningsredskap, livbälte, flytväst
life raft [ˈlaɪfrɑːft] s sjö. räddningsflotte
lifesaver [ˈlaɪfˌseɪvə] s **1** se lifeguard 1 **2** vard. räddare i nödens stund
life-saving [ˈlaɪfˌseɪvɪŋ] **I** adj livräddnings-, livräddande **II** s livräddning
life sciences [ˈlaɪfˌsaɪənsɪz] s pl vetenskaperna om olika organismers beskaffenhet som biologi, medicin, sociologi m.fl.
life sentence [ˌlaɪfˈsentəns] s, **get a** ~ få livstidsfängelse
life-size [ˌlaɪfˈsaɪz, attr. '--] adj o. **life-sized** [ˌlaɪfˈsaɪzd, attr. '--] adj i kroppsstorlek, i naturlig storlek [a ~ portrait]
life span [ˈlaɪfspæn] s biol. livslängd
life story [ˈlaɪfˌstɔːrɪ] s levnadshistoria, levnadsbeskrivning
lifestyle [ˈlaɪfstaɪl] s livsstil, livsföring
life-support [ˌlaɪfsəˈpɔːt] s livsuppehållande behandling (vård)
life-support machine [ˌlaɪfsəˈpɔːtməˌʃiːn] s o.
life-support system [ˌlaɪfsəˈpɔːtˌsɪstəm] s livsuppehållande apparat, respirator; ventilator
life-threatening [ˈlaɪfˌθretnɪŋ] adj livshotande
lifetime [ˈlaɪftaɪm] s livstid; **a** ~ ett helt liv; hela livet [it'll last a ~]; [**I must accept the offer,**] **it is the chance of a** ~ ...det är mitt livs [stora] (är alla tiders) chans; **a** ~ **achievement** ett livsverk
lift [lɪft] **I** vb tr **1** lyfta [from från, upp från; into upp i, till, upp till; off av; to till, upp till, mot, upp mot; onto upp på; äv. sport. ~ a ball]; lyfta på [~ the lid]; höja äv. bildl.; **have one's face ~ed** genomgå en ansiktslyftning; ~ **a hand** röra ett finger (en fena) [he never ~ed a hand to help me]; ~ **a word out of its context** bryta ut ett ord ur sitt sammanhang; ~ **one's spirits** höja humöret **2** häva [~ a blockade]; upphäva **3** ta upp rotfrukter **4** vard. knycka, snatta **II** vb itr **1** lyfta [at i, på] **2** lyfta, höja sig **3** lätta [the fog ~ed]; lyfta, skingras
III vb itr o. vb tr med adv. el. prep.:
lift off rymd. el. flyg. starta, lyfta, lätta
lift up lyfta upp, upplyfta, höja
IV s **1** hiss; [skid]lift **2** [gratis]skjuts, lift;

befordran **3** lyft[ande], lyftning, höjande, höjning; tyngd, börda
liftoff [ˈlɪftɒf] s rymd. start; uppskjutning
ligament [ˈlɪgəmənt] s anat. ligament, ledband
ligature [ˈlɪgəˌtʃə, -ˌtjʊə, -tʃʊə] s med. el. mus. ligatur
1 light [laɪt] **I** s **1** ljus, [ljus]sken; belysning; dagsljus, dager; lampa; pl. **~s** ofta trafikljus; [**shining**] ~ [klart skinande] ljus, snille; **bring to** ~ bringa i dagen, dra fram i ljuset; **cast** ~ **on** el. **shed** ~ **on** el. **throw** ~ **on** bildl. sprida (kasta) ljus över, bringa klarhet i, belysa; **come to** ~ komma i dagen; **go out like a** ~ vard. slockna direkt om person; **have the ~s on** ha ljuset på (tänt) på t.ex. bil; **may (can) I have a ~?** kan jag få lite eld?; **put on the** ~ tända [ljuset]; **put out the** ~ släcka [ljuset]; **run a** ~ el. **run a red** ~ vanl. amer. trafik. köra mot rött; **see the** ~ se dagens ljus, komma till världen [äv. see the ~ of day], relig. bli frälst (väckt); **strike a** ~ tända (stryka eld på) en tändsticka; **strike a ~!** vard. jösses!, Herre Gud!; **in a false** ~ i [en] falsk dager; **place sth in a good (favourable)** ~ [fram]ställa ngt i en gynnsam (fördelaktig) dager; **I don't see the matter in that** ~ jag ser inte saken så; **stand in sb's** ~ el. **be in sb's** ~ stå i ljuset för ngn, skymma ngn; bildl. stå i vägen för ngn; **not worth a** ~ vard. inte värd ett ruttet lingon **2** sjö. **a)** fyr **b)** lanterna **3** pl. **~s** förstånd, vett; **according to one's ~s** efter bästa förstånd **4** ljusöppning; fönster[ruta] **5** konst. ljusparti på tavla, dager; ~ **and shade** skuggor och dagrar **6** pl. **~s** teat. rampljus
II adj ljus; belyst, upplyst; [**it's beginning to**] **get (grow)** ~ ...bli ljust; ~ **running (forest) track** elljusspår
III (lit lit el. lighted lighted) vb tr **1** tända [äv. ~ up; ~ a candle; ~ a cigarette; ~ the gas]; få eld (fyr) i (på); ~ **a fire** tända (elda) en brasa **2** belysa, förse med belysning
IV (lit lit el. lighted lighted) vb itr tändas; ta eld
V (lit lit el. lighted lighted) vb tr o. vb itr med adv.:
light up a) lysa upp äv. bildl., belysa; tända [ljus] i; **a smile ~ed (lit) up her face** hennes ansikte lystes upp av ett leende **b)** tända [ljuset] [it's time to ~ up] **c)** vard. tända (få eld på) cigaretten (pipan, cigarren) [he struck a match and lit up] **d)** bildl. lysa upp [~ up with delight (av förtjusning)]
2 light [laɪt] **I** adj **1** lätt [a ~ burden]; lätt- med låg halt av fett, kolesterol m.m. [~ beer; ~ margarine]; **a ~ meal** en lätt måltid; ~ **programme** lättare program, underhållningsprogram; ~ **reading** nöjesläsning; ~ **sentence** mild dom; **he is a ~ sleeper** han sover lätt; ~ **verse** lättare inte seriös vers; ~ **of heart** el. ~ **at heart** lätt om hjärtat, lätt till sinnes **2** mil. lätt [~ bomber; ~ infantry]; lättbeväpnad **3** lös, lätt [~ soil (jord)] om bröd lätt; tunn **4** oviktig; obetydlig, ringa; lindrig, lätt [a ~ attack of illness]; **this is no ~ matter** det här är ingen småsak (bagatell); **make ~ of** ringakta; bagatellisera **5** lättsinnig; flyktig; lätt[färdig] [a ~ woman]
II adv lätt [sleep ~]; **get off** ~ slippa lindrigt undan; **travel** ~ resa utan tungt (med lite) bagage
3 light [laɪt] (lit lit el. lighted lighted) vb itr, ~ **on** el. ~ **upon** råka (stöta, träffa) på, [oförmodat] hitta
light bulb [ˈlaɪtbʌlb] s glödlampa

light-coloured ['laɪt͵kʌləd] *adj* i ljusa färger; *in a ~ dress* ljusklädd

1 lighten ['laɪtn] **I** *vb tr* lätta [*~ a ship of* (från) *her cargo*]; göra lättare, bildl. äv. lindra **II** *vb itr* lätta [*his worries seem to have ~ed somewhat*]; bli lättare

2 lighten ['laɪtn] *vb itr* **1** ljusna, klarna **2** blixtra, ljunga

light entertainment [͵laɪtentə'teɪnmənt] *s* lättsam underhållning

1 lighter ['laɪtə] *s* tändare [*cigarette ~*]

2 lighter ['laɪtə] *s* pråm, läktare

lighter fluid ['laɪtə͵fluːɪd] *s* tändarvätska till cigarettändare

light-fingered ['laɪt͵fɪŋgəd, ͵-'--] *adj* **1** långfingrad, långfingrig **2** fingerfärdig

light fitting ['laɪt͵fɪtɪŋ] *s* elektr. lamphållare

light-headed [͵laɪt'hedɪd] *adj* **1** yr i huvudet [*after two drinks she began to feel ~*]; virrig **2** tanklös, lättsinnig

light-hearted [͵laɪt'hɑːtɪd, '---] *adj* lätt om hjärtat (till sinnes), glad, sorglös

light heavyweight [͵laɪt'hevɪweɪt] *s* boxn. **1** lätt tungvikt; attr. lätt tungvikts- [*~ title*] **2** lätt tungviktare

lighthouse ['laɪthaʊs] *s* fyr, fyrtorn

lighting ['laɪtɪŋ] *s* lyse, belysning, upplysning; *~ effects* ljuseffekter

lighting-up time [͵laɪtɪŋ'ʌptaɪm] *s* tändningsdags (tändningstid) för gatubelysning o.d.

lightly ['laɪtlɪ] *adv* **1** lätt; försiktigt [*eat ~*]; flyktigt; *~ clad* lättklädd, tunnklädd; *~ done* lättstekt; *get off ~* el. *escape ~* el. *be let off ~* slippa (komma) lindrigt (billigt) undan; *sleep ~* sova lätt; *take sth ~* ta lätt på ngt; *touch ~ on* el. *touch ~ upon* bildl. beröra flyktigt; *tread ~* gå med lätta steg **2** sorglöst, glatt **3** ytligt, tanklöst, lättsinnigt; utan vägande skäl [*the prize is not given ~*]

light meter ['laɪt͵miːtə] *s* ljusmätare

lightness ['laɪtnəs] *s* **1** ljus[styrka], klarhet, jfr *1 light 2* lätthet m.fl., jfr *2 light I 1* o. *2 light I 3*; lättnad; *~ of heart* sorglöshet

lightning ['laɪtnɪŋ] *s* **1** blixtrande, blixtar, blixt; *a flash of ~* en blixt; *ball ~* klotblixt[ar], kulblixt[ar]; *forked ~* el. amer. *chain ~* sicksackblixt[ar], grenig[a] blixt[ar]; *sheet ~* ytblixt[ar]; *summer ~* el. *heat ~* kornblixt[ar] **2** attr. blixt- [*~ visit; ~ war*]; *like [greased] ~* som en [oljad] blixt, blixtsnabbt

lightning conductor ['laɪtnɪŋkən͵dʌktə] *s* åskledare

lightning raid [͵laɪtnɪŋ'reɪd] *s* blixtanfall

lightning rod ['laɪtnɪŋrɒd] *s* åskledare

lightning strike [͵laɪtnɪŋ'straɪk] *s* vild strejk

light opera [͵laɪt'ɒpərə] *s* operett

light pen ['laɪtpen] *s* data. ljuspenna, läspenna

light-proof ['laɪtpruːf] *adj* ljustät

light railway [͵laɪt'reɪlweɪ] *s* o. amer. **light rail** [͵laɪt'reɪl] *s* järnväg för lättare trafik

lights [laɪts] *s pl* lungor av slaktat djur

lightship ['laɪtʃɪp] *s* fyrskepp

light show ['laɪtʃəʊ] *s* ljusshow med färgade ljus under rockkonsert

lightweight ['laɪtweɪt] *s* **1** lättvikt; attr. lättvikts- [*~ bicycle*]; lätt; *~ entertainment* äv. underhållning i

den lättare genren; *~ suit* lättviktskostym **2** sport. el. bildl. lättviktare

light year ['laɪtjɪə] *s* astron. ljusår äv. bildl.

lignite ['lɪgnaɪt] *s* miner. lignit slags brunkol

Liguria [lɪ'gjʊərɪə] geogr. Ligurien

likable ['laɪkəbl] *adj* sympatisk, trevlig; tilltalande, behaglig

1 like [laɪk] **I** *adj* **1** (jfr *1 like II*) pred. lik; *be ~* vara lik, likna [*she is ~ him*]; se ut som [*she was ~ a witch*]; *who do you think he is ~?* vem tycker du han är lik (liknar)?; *what's it ~?* a) hur[dan] är den? b) hur ser den ut? c) hur smakar den (det)? d) hur känns det?, hur är det?; *what...is ~* vad...vill säga [*learn what skiing is ~*]; *I have one ~ this at home* jag har en likadan hemma; *that's more ~ it* vard., se *more 4* **2** litt. liknande [*hospitals and ~ institutions*]; samma; *~ father, ~ son* äpplet faller inte långt från trädet; *in ~ manner* på samma sätt, likaså

II *prep* **1** som [*if I were to behave ~ you*]; som t.ex., såsom, liksom, lik[t]; *she speaks French ~ a native* hon talar franska som en infödd; *~ this* så här; *a book ~ this* en sådan [här] bok; *just ~ that* [så där] utan vidare; *teachers are ~ that* lärare är såna **2** likt, typiskt [för]; *that is just ~ him!* det är [just (så)] likt honom!

3 i spec. förbindelser:

like anything vard. som bara den [*he ran ~ anything*]; så in i vassen, i högan sky [*cry ~ anything*]; av hela sitt hjärta [*she wanted ~ anything to go there*]; *anything ~* någorlunda, någotsånär [*if the weather is anything ~ fine*]

nothing like vard. inte alls; inte på långt när [*nothing ~ as (so) old*]; *there is nothing ~ sailing* det finns inget som går upp mot att segla

something like a) vard. omkring, ungefär [*something ~ £100*] b) något liknande [*feel something ~ anger*]; något i stil med; *something ~ that* något i den stilen, något sådant

III *konj* (inledande fullständig sats) vard. **1** som [*pronounce the word ~ I do*]; såsom **2** som om [*he behaved ~ he was the only one*]

IV *adv* **1** *as ~ as not* högst sannolikt **2** vard. liksom, så att säga [*they encouraged us ~*]

V *s* **1** *the ~* något liknande (dylikt, sådant); *the ~ of* maken till [*I never saw the ~ of him*]; *and the ~* och (med mera) dylikt; med flera **2** vard., *the ~s of me* såna som jag

2 like [laɪk] **I** *vb tr* o. *vb itr* tycka [bra] om, gilla; [gärna] vilja [*I don't ~ troubling* (to trouble) *them*]; vilja [*do as you ~*]; ha lust; vilja ha [*I ~ my tea strong*]; *whenever she ~s* när hon vill (har lust), när det faller henne in, när det passar henne; *how do you ~ it?* vad tycker du om det?; hur smakar det?; hur vill du ha det? t.ex. teet, hur trivs du?; *well, I ~ that!* iron. det må jag [då] säga!, det var just snyggt!; *I ~ his impudence* (*cheek*)*!* iron. han är inte lite fräck han!; *would you ~* [*a cup of tea*]*?* vill du ha (hur skulle det smaka)...?; *what would you ~?* vad skulle du vilja ha?, vad får det lov att vara?

II *s*, pl. *~s and dislikes* sympatier och antipatier; [*he tried to find out*] *her ~s and dislikes* ...vad hon tyckte om och inte tyckte om (gillade och inte gillade)

likeable ['laɪkəbl] *adj* se *likable*

likelihood ['laɪklɪhʊd] *s* sannolikhet, rimlighet; *in all ~* med all sannolikhet, antagligen

likely ['laɪklɪ] **I** *adj* **1** sannolik, trolig, antaglig, rimlig; *she is the most ~ person to know* hon är nog den som har bäst reda på saken; *that's a ~ story!* iron. och det tror du jag ska gå på?; *it is ~ to be misunderstood* det kan lätt missförstås; *he is ~ to win* han vinner säkert; *not ~!* vard. sällan!, och det trodde du!; *not bloody ~!* vard. i helvete heller!, jag gör så fan heller! **2** lämplig [*I couldn't find a ~ house*]; passande [*for* för]; ägnad [*to* att]; tänkbar [*he called at every ~ house*]
II *adv*, *very* (*most*) *~* el. *as ~ as not* [högst] sannolikt, troligen, troligtvis, antagligen

like-minded [ˌlaɪk'maɪndɪd, attr. '-ˌ--] *adj* likasinnad

liken ['laɪk(ə)n] *vb tr* litt. likna [*to* vid]

likeness ['laɪknəs] *s* **1** likhet [*between* mellan; *to* med]; *family ~* släkttycke **2** skepnad [*assume* (anta) *the ~ of a swan*]; form **3** porträtt; avbild; beläte; [*the portrait*] *is a good ~* ...är mycket likt

likewise ['laɪkwaɪz] *adv* **1** på samma sätt, sammaledes, likaledes; *have a nice time! – ~!* ha det så kul! – detsamma!; *say* (*do*) *~* säga (göra) detsamma **2** också, därtill, dessutom, tillika [*she is ~ our chairman*]; ävenledes

liking ['laɪkɪŋ] *s*, *~* el. *special ~* förkärlek; *have a ~ for* gilla; *take a ~ to* fatta tycke (sympati) för, få smak för; *to sb's ~* i ngns smak, till ngns belåtenhet [*is it to your ~?*]; efter önskan; efter ngns huvud

lilac ['laɪlək] **I** *s* **1** syren **2** lila, gredelint
II *adj* syrenfärgad, lila[färgad], gredelin

Lilliput ['lɪlɪpʌt, -pʊt] Lilleputt land i Swifts 'Gullivers resor'

Lilliputian [ˌlɪlɪ'pju:ʃən] **I** *s* lilleputt invånare i Lilleputt o. friare **II** *adj* lilleputt[s]-; friare lilleputtaktig, pytteliten, miniatyr-

Lilo® ['laɪləʊ] (pl. *~s*) *s* luftmadrass, gummimadrass

lilt [lɪlt] *s* **1** glad visa (melodi), trall **2** [fast (vacker)] rytm, schvung

lilting ['lɪltɪŋ] *adj* rikt modulerad [*a ~ voice*]; sjungande

lily ['lɪlɪ] *s* lilja; näckros; *African ~* kärlekslilja; *gild the ~* söka förbättra naturen (det som inte kan förbättras); överdriva

lily-livered [ˌlɪlɪ'lɪvəd, attr. '--ˌ--] *adj* feg

lily of the valley [ˌlɪlɪəvðə'vælɪ] (pl. *lilies of the valley*) *s* liljekonvalj

lily-white [ˌlɪlɪ'waɪt, attr. '---] *adj* **1** liljevit **2** bildl. oförvitlig

Lima [i Peru 'li:mə] geogr.

lima bean ['li:məbi:n] *s* limaböna

limb [lɪm] *s* **1** lem, arm, ben [*rest one's tired ~s*]; *stretch one's ~s* sträcka på armar och ben; *tear sb ~ from ~* slita ngn i stycken **2** [stor] gren; *go out on a ~* vard. sticka ut hakan

limbed [lɪmd] *adj* som efterled i sammansättn. -lemmad [*large-limbed*]

limber ['lɪmbə] **I** *adj* böjlig, smidig, mjuk **II** *vb tr* o. *vb itr*, *~ up* mjuka upp [*~ up one's muscles*]

1 limbo ['lɪmbəʊ] (pl. *~s*) *s* limbo dans

2 limbo ['lɪmbəʊ] (pl. *~s*) *s* teol. limbo, limbus, övergångsstadium; *be in ~* sväva i ovisshet

1 lime [laɪm] **I** *s* kalk; *slaked ~* släckt kalk
II *vb tr* kalka vägg, jord, hudar

2 lime [laɪm] *s* **1** bot. lime frukt **2** limejuice [äv. *~ juice*]

3 lime [laɪm] *s* bot. lind

lime-green [ˌlaɪm'gri:n] *adj* limegrön, limefärgad

lime juice ['laɪmdʒu:s] *s* limejuice

limelight ['laɪmlaɪt] *s* bildl. rampljus; *be in the ~* stå i rampljuset, stå i förgrunden

Limerick ['lɪmərɪk] **I** geogr. egennamn **II** *s* (äv. *limerick*) limerick slags skämtvers som består av fem rader där rimordet i första raden oftast är ett ortnamn [*There was a young lady of Riga…*]

limescale ['laɪmskeɪl] *s* kalkavlagring, kalkbeläggning i t.ex. rör, tekokare

limestone ['laɪmstəʊn] *s* geol. kalksten

limey ['laɪmɪ] *s* amer. åld. britt

limit ['lɪmɪt] **I** *s* gräns, yttersta gräns äv. bildl. [*of, to* för]; pl. *~s* gränser, skrankor, begränsning; *age ~* åldersgräns; *the three-mile* (*three miles'*) *~* tremilsgränsen; *he's the ~!* vard. han är alldeles hopplös!; *that's the ~!* vard. det är [då] höjden!, det var det värsta!; *there's a ~!* det måste finnas någon gräns!, [det ska vara] måtta i allt!; *off ~s* spec. skol. el. mil. [på] förbjudet område, förbjudet; [*he can't drive –*] *he's over the ~* ...han har druckit för mycket, han har för hög promillehalt; *within ~s* inom vissa (rimliga) gränser
II *vb tr* begränsa, sätta [en] gräns för; inskränka [*to* till], hand. limitera

limitation [ˌlɪmɪ'teɪʃ(ə)n] *s* **1** begränsning, inskränkning; gräns; *she has her ~s* hon har sin begränsning **2** jur. preskription; *~* el. *period of ~* preskriptionstid; giltighetstid

limited ['lɪmɪtɪd] *adj* begränsad, inskränkt; knapp; snäv

limited company [ˌlɪmɪtɪd'kʌmp(ə)nɪ] *s* aktiebolag med begränsad ansvarighet

limited edition [ˌlɪmɪtɪdɪ'dɪʃ(ə)n] *s* begränsad upplaga

limited liability company [ˌlɪmɪtɪdlaɪə'bɪlətɪˌkʌmp(ə)nɪ] (förk. *LLC*) *s* aktiebolag med begränsad ansvarighet

limitless ['lɪmɪtləs] *adj* obegränsad, gränslös

limo ['lɪməʊ] (pl. *~s*) *s* vard. kortform av *limousine*

limousine [ˌlɪmə'zi:n, '---] *s* limousine äv. om trafikbil mellan flygterminal och flygplats, lyxbil

1 limp [lɪmp] *adj* mjuk, böjlig; slapp [*a ~ hand*]; kraftlös, sladdrig, lealös; hängig, slokande; *~ cloth* el. *~ binding* mjukt band på bok

2 limp [lɪmp] **I** *vb itr* linka, halta äv. bildl. **II** *s* haltande [gång]; *walk with a ~* halta

limpet ['lɪmpɪt] *s* **1** zool. skålsnäcka **2** person som klamrar sig fast, plåster

limpid ['lɪmpɪd] *adj* klar äv. bildl. [*a ~ style*]; genomskinlig, kristallklar

limpidity [lɪm'pɪdətɪ] *s* klarhet etc., jfr *limpid*

limp-wristed [ˌlɪmp'rɪstɪd] *adj* omanlig, sjåpig, vek

linchpin ['lɪn(t)ʃpɪn] *s* bildl. stöttepelare

Lincoln Center ['lɪŋkənˌsentə] *s*, *~* el. *~ for the performing arts* kulturcentrum i New York

Lincolnshire ['lɪŋkənʃɪə, -ʃə] geogr.

Lincs [lɪŋks] förk. för *Lincolnshire*

linctus ['lɪŋktəs] *s* slags hostmedicin

lindane ['lɪndeɪn] *s* lindan preparat för insektsbekämpning

linden ['lɪndən] *s* bot. lind [äv. *~ tree*]

1 line [laɪn] **I** s **1 a)** linje, streck **b)** kontur, grundlinje, linje **c)** linje i handen o.d., rynka, fåra **d)** strimma; linje i tv-bild
2 gräns[linje] [*cross the ~ into Canada*]
3 a) lina; [met]rev; [kläd]streck; mätlina **b)** elektr. el. tele. ledning, kabel, tråd [*telephone ~s*]; linje
4 linje äv. bolag [*a bus ~*]; rutt; järnv. linje [*the train stopped on* (ute på) *the ~*]; bana, spår
5 i skrift **a)** rad [*page 10 ~ 5*; *drop* (skriv) *me a ~*; *read between the ~s*]; vers[rad] **b)** teat., vanl. pl. **~s** replik [*the actor had forgotten his ~s*]; roll [*he knew his ~s*] **c)** vard., pl. **~s** el. pl. **marriage ~s** vigselattest **d)** skol., pl. **~s** rader som en elev åläggs att skriva som straff **e)** vard., *don't give med that ~ about having to work late again* kom inte med det där igen att du behöver jobba över
6 rad [*a ~ of chairs*]; linje, länga, räcka; fil; vanl. amer. kö; **single ~ of traffic** enkelt körfält
7 mil. el. sjö. linje i div. betydelser [äv. t.ex. *the Maginot ~*]; **the ~** a) linjen, linjetrupperna b) fronten
8 hand. vara, sortiment [*a cheap ~ in pens*]; [varu]slag; modell, typ [*a new ~ of computer printers*]
9 riktning [*the ~ of march*]; kurs, bildl. äv. linje [*follow the party ~*]; handlingssätt [*what ~ would you recommend?*]
10 fack, bransch [*what ~ is he in?*]; *it's not* [*in*] *my ~* [*of country*] det är inte mitt fack (min bransch, mitt gebit); *saving is not in my ~* att spara ligger inte för mig
11 [släkt]gren, linje, led [*in a direct* (direkt nedstigande) *~*]; ätt [*the last of his ~*]
12 geogr. el. sjö., **the Line** linjen ekvatorn [*cross the Line*]
13 *hard ~s* vard., se *hard lines*
14 div. fraser och uttryck **a)** i förbindelse med 'of': *~ of action* förfaringssätt, handlingssätt; *~ of argument* bevisföring; argumentering; *~ of business* affärsgren, bransch; *~ of goods* varuslag; *~ of thought* tankegång; *~ of vision* synlinje; *the end of the ~* slutet [*it'll be the end of the ~ for him*] **b)** i förbindelse med verb: *be in ~ with* el. *be on a ~ with* ligga helt i linje med; *be out of ~* göra något olämpligt, gå sin egen väg; *are you still on the ~?* är du kvar [i telefon]?; pågår samtal?; *I have just been on the ~ to him* jag har just haft honom på tråden; *bring sth into ~ with* bringa ngt i överensstämmelse (samklang) med; *draw the ~* bildl. dra gränsen [*at* vid], säga stopp, säga ifrån [*at* när det gäller]; *draw the ~ at* äv. inte vilja vara (gå) med på; *~ engaged!* el. amer. *~ busy!* tele. upptaget!; *fall into ~* mil. falla in i ledet; bildl. inta samma ståndpunkt; *fall into ~ with* vard. följa, acceptera; *hold the ~, please!* tele. var god och vänta!; *lay it on the ~* tala klarspråk; sätta ngt på spel; *read between the ~s* läsa mellan raderna; *shoot a ~* sl. skryta; *step into ~* anpassa sig, foga sig efter andra; *take a ~* inta en hållning (ståndpunkt); *take a strong* (*firm, hard*) *~* uppträda bestämt; *walk a fine* (*thin*) *~* el. *thread a fine* (*thin*) *~* vard. gå balansgång **c)** andra förbindelser med prep. el. adv.: *all along the ~* bildl. över ([ut]efter) hela linjen, till alla delar; *somewhere along the ~* [*we made a mistake*] vid något tillfälle...; *in ~ for* i tur för; *in ~ with* i linje (överensstämmelse) med; *in that ~* bildl. i den vägen

[*she did something in that ~*]; *in the ~ of duty* i tjänsten, under tjänsteutövning; *on ~* data. on-line, uppkopplad; *pay on the ~* betala kontant; *on sound ~s* efter sunda principer; *don't step* (*do anything*) *out of ~!* gör inte något olämpligt!
II vb tr **1** dra linjer (en linje) på, rita streck på, linjera **2** ordna i linje, rada upp; mil. ställa upp [på linje] **3** stå utefter, kanta [*many people ~d the streets*] **4** göra rynkig, fåra pannan o.d.
III vb itr bilda linje
IV vb itr med adv.:
line up a) ställa upp [sig] **b)** ställa sig i kö, köa
2 line [laɪn] vb tr **1** fodra, beklä [invändigt], sko
2 fylla, stoppa full [*~ one's stomach*]; späcka; *~ one's pocket* el. *~ one's purse* tjäna mycket pengar; sko sig [*at sb's expense* på ngns bekostnad]

lineage ['lɪnɪɪdʒ] s **1** härstamning, härkomst **2** ättlingar, ätt
lineal ['lɪnɪəl] adj **1** i rätt nedstigande led [*a ~ descendant*]; direkt **2** se *linear*
lineally ['lɪnɪəlɪ] adv i rätt nedstigande led
linear ['lɪnɪə] adj linje-, linear-, linjär, lineär; längd-; bestående av linjer; bildl. direkt
linear equation [ˌlɪnɪəˈkweɪʒ(ə)n] s matem. linjär ekvation, förstagradsekvation
linear measure [ˌlɪnɪəˈmeʒə] s längdmått
linear perspective [ˌlɪnɪəpəˈspektɪv] s linjeperspektiv, linearperspektiv
linebacker ['laɪnbækə] s linjeback i amerikansk fotboll
1 lined [laɪnd] adj **1** randig; strimmig; *~ paper* linjerat papper **2** rynkad, rynkig, fårad
2 lined [laɪnd] adj fodrad etc., jfr *2 line*; *~ envelope* fodrat kuvert; *well ~* vard. tät förmögen, jfr *well-lined*
line drawing ['laɪnˌdrɔːɪŋ] s streckteckning
line frequency ['laɪnˌfriːkwənsɪ] s TV. linjefrekvens; *~ control* linjehållning
line|man ['laɪnˌmən] s **1** sport. forward i amerikansk fotboll **2** linjearbetare; kabelläggare
line management ['laɪnˌmænɪdʒmənt] s linjeorganisation
line manager ['laɪnˌmænɪdʒə] s produktionsansvarig chef
linen ['lɪnɪn] **I** s **1** linne[väv], linnelärft **2** koll. linne [*bed ~*]; underkläder; *dirty ~* el. *soiled ~* smutskläder, smutstvätt; *wash one's dirty ~ in public* bildl., se *wash I 1*
II adj linne-, av linne, av linnelärft
linen basket ['lɪnɪnˌbɑːskɪt] s tvättkorg
linen cupboard ['lɪnɪnˌkʌbəd] s o. amer. **linen closet** ['lɪnɪnˌklɒzɪt] s linneskåp
line printer ['laɪnˌprɪntə] s data. radskrivare
1 liner ['laɪnə] s **1** linjefartyg, oceanfartyg **2** se *eyeliner*
2 liner ['laɪnə] s **1 a)** [löstagbart] foder **b)** tekn. foder; mellanlägg; insats **c)** påse **2** skivfodral, skivalbum
liner notes ['laɪnənəʊts] s pl omslagstext på skiva
lines|man ['laɪnzˌmən] s **1** sport. linjedomare, linjeman **2** linjearbetare; kabelläggare **3** banvakt
line-up ['laɪnʌp] s **1** uppställning, sport. äv. startfält; bildl. gruppering [*a new ~ of Afro-Asian powers*] **2** uppsättning, samling; spec. radio. el. TV. program[utbud] **3** vanl. amer. konfrontation ofta misstänkta uppställda för identifiering

1 ling [lɪŋ] s bot. ljung
2 ling [lɪŋ] s zool. långa torskart
linger ['lɪŋgə] vb itr (jfr *lingering*) **1** dröja [sig] kvar, stanna [kvar] [*we ~ed for a while after the party*] **2** ~ el. ~ **on** fortleva, [ännu] leva kvar [*the custom ~s on*] **3** tveka; söla; ~ **on** el. ~ **over** bildl. dröja vid, uppehålla sig länge vid [~ *on* (*over*) *a subject*]
lingerie ['lænʒərɪ, 'lɒn-] s damunderkläder
lingering ['lɪŋgərɪŋ] adj dröjande, lång [*a ~ look*]; kvardröjande; utdragen; långsam, långvarig [*a ~ illness*]
lingo ['lɪŋgəʊ] (pl. ~*es* el. ~*s*) s neds. el. skämts. språk; fikonspråk, rotvälska; [yrkes]jargong
lingonberry ['lɪŋənb(ə)rɪ] s lingon
lingua franca [ˌlɪŋgwə'fræŋkə] s lingua franca; friare äv. gemensamt språk, [internationellt] blandspråk
linguine o. **linguini** [lɪŋ'gwiːnɪ] s kok. linguine, linguini slags pasta
linguist ['lɪŋgwɪst] s **1** språkkunnig person; *he is a good ~* han är mycket språkbegåvad **2** lingvist, språkforskare
linguistic [lɪŋ'gwɪstɪk] adj lingvistisk, språkvetenskaplig; språklig, språk- [~ *theory*]; ~ *ability* språkbegåvning
linguistics [lɪŋ'gwɪstɪks] s (med verb i sg.) lingvistik, språkvetenskap
liniment ['lɪnəmənt] s med. liniment
lining ['laɪnɪŋ] s foder, [invändig] beklädnad (klädsel) [*a jewel case with a velvet ~*]; brädfodring, revetering; tekn. foder [*cylinder ~*]; belägg [*brake ~*]
link [lɪŋk] **I** s **1 a)** länk i kedja, maska, ögla **b)** manschettknapp **2** bildl. länk [*a ~ in a chain of evidence*]; [mellan]led, mellanlänk; förbindelseled, förbindelse[länk] [*the ~ between the past and the future*]; koppling; anknytning; *connecting ~* förbindelseled; föreningsband; anknytning; *the missing ~* den felande länken **3** data. länk **II** vb tr länka (koppla) ihop (samman), förena, förbinda [äv. ~ *together*, ~ *up*; *to* med; *two towns ~ed by a canal*]; knyta [*to* till]; ~ *arms* gå arm i arm; *he ~ed his arm in* (*through*) *hers* han tog henne under armen **III** vb itr, ~ *up* länkas (kopplas) ihop (samman), förena sig, vara förenad[e], stå i förbindelse med varandra
linkage ['lɪŋkɪdʒ] s **1** [samman]koppling; tekn. länksystem **2** genetik koppling
link|man ['lɪŋk|mæn] (pl. *-men* [-mən]) s TV. el. radio., ung. programledare, programuppläsare; presentatör
links [lɪŋks] s pl (med verb ofta i sg.) golfbana
link-up ['lɪŋkʌp] s **1** sammanlänkning, sammankoppling; samgående; sammanträffande, möte; förbindelseled, förbindelselänk **2** TV. satellitlänk **3** rymd. dockning
link|woman ['lɪŋk|wʊmən] (pl. *-women* [-ˌwɪmɪn]) s TV. el. radio., ung. programledare, programuppläsare; presentatör
linnet ['lɪnɪt] s zool. hämpling
lino ['laɪnəʊ] s vard. för *linoleum*
linocut ['laɪnə(ʊ)kʌt] s linoleumsnitt
linoleum [lɪ'nəʊlɪəm] s linoleum; linoleummatta, korkmatta
linseed ['lɪnsiːd] s linfrö

linseed oil ['lɪnsiːdɔɪl] s linolja
lint [lɪnt] s **1** absorptionsförband, linneskav **2** vanl. amer., löst ludd
lintel ['lɪntl] s överstycke på dörr el. fönster
lint roller ['lɪntˌrəʊlə] s klädvårdsrulle
Linux ['lɪnʊks, 'liːnʊks] s data. Linux Unix-baserat operativsystem
lion ['laɪən] s **1** lejon; *the ~'s share* lejonparten, brorslotten **2** bildl. berömdhet, celebritet, lejon
Lionel ['laɪənl] mansnamn
lioness ['laɪənes] s lejoninna
lion-hearted ['laɪənˌhɑːtɪd] adj modig som ett lejon
lion-hunter ['laɪənˌhʌntə] s kändisjägare
lionize ['laɪənaɪz] vb tr fira, dyrka
lip [lɪp] s **1** läpp; pl. ~*s* läppar, mun [*put the glass to one's ~*], för fraser se äv. under *lick I 1, 1 smack I 2* o. *stiff I 2*; *lower ~* el. *bottom ~* underläpp; *upper ~* el. *top ~* överläpp; *bite one's ~* bita sig i läppen; bita ihop tänderna; *button up your ~* el. *zip your ~* vard. knäpp igen!, stoppa igen munnen!; *pass sb's ~s* komma över ngns läppar; *read my ~s* el. *watch my ~s* vard. hör på nu! **2** kant, rand, brädd; pip **3** *none of your ~!* vard. var inte så uppkäftig!
lip balm ['lɪpbɑːm] s läppbalsam
lip gloss ['lɪpglɒs] s läppglans
lipid ['lɪpɪd] s kem. lipid
liposuction ['lɪpəʊˌsʌkʃ(ə)n, 'laɪ-] s fettsugning
lipped [lɪpt] adj som efterled i sammansättn. -läppad, med...läppar [*thick-lipped*]
Lippes loop [ˌlɪpɪs'luːp] s spiral livmoderinlägg
lippy ['lɪpɪ] adj vard. uppkäftig, uppnosig
lip-read ['lɪpriːd] (*lip-read lip-read*) vb tr o. vb itr läsa på läpparna
lip-reading ['lɪpˌriːdɪŋ] s läppavläsning
lipsalve ['lɪpsælv, -sɑːv] s cerat
lip service ['lɪpˌsɜːvɪs] s tomma ord, munväder, läpparnas bekännelse; *pay ~ to* låtsas hålla med om (stödja)
lipstick ['lɪpstɪk] s läppstift
lip-sync o. **lip-synch** ['lɪpsɪŋk] vb itr o. vb tr mima låtsas tala el. sjunga till inspelat ljud
liquefied petroleum gas ['lɪkwɪfaɪdpəˌtrəʊlɪəm'gæs] (förk. *LPG*) s gasol, kondenserad petroleumgas
liquefy ['lɪkwɪfaɪ] vb tr o. vb itr smälta; kondensera; anta vätskeform
liqueur [lɪ'kjʊə] s likör
liqueur brandy [lɪˌkjʊə'brændɪ] s benämning på finare konjak
liquid ['lɪkwɪd] **I** s vätska; spad **II** adj **1** flytande, i vätskeform; poet. vatten-, våt; ~ *soap* flytande tvål **2** klar [*a ~ sky*]; genomskinlig; ~ *eyes* blanka (klara, ibl. tårfyllda) ögon **3** om ljud o.d. mjuk, klar, smekande, smältande **4** hand. likvid, disponibel; ~ *assets* likvida tillgångar, disponibla medel
liquidate ['lɪkwɪdeɪt] **I** vb tr **1** likvidera, betala [~ *a debt*] **2** likvidera, avveckla [~ *a firm*] **3** bildl. likvidera, utrota **II** vb itr träda i likvidation, gå i konkurs
liquidation [ˌlɪkwɪ'deɪʃ(ə)n] s (jfr *liquidate*) **1** likvidering, betalning **2** likvidation, avveckling; administration; *go into ~* träda i likvidation, gå i konkurs **3** likvidering, undanröjande

liquid crystal display [ˌlɪkwɪd'krɪstldɪˌspleɪ] *s* flytande kristaller i t.ex. armbandsur

liquidity [lɪ'kwɪdətɪ] *s* **1** ekon. likviditet **2** flytande tillstånd

liquidize ['lɪkwɪdaɪz] *vb tr* göra flytande, försätta i flytande tillstånd; mosa, pressa

liquidizer ['lɪkwɪdaɪzə] *s* slags mixer

liquid lunch [ˌlɪkwɪd'lʌn(t)ʃ] *s* vard. skämts. våt lunch lunch där man dricker snarare än äter

liquid measure [ˌlɪkwɪd'meʒə] *s* mått för våta varor

liquid paraffin [ˌlɪkwɪd'pærəfɪn] *s* paraffinolja, flytande paraffin

liquor ['lɪkə] *s* spritdryck, rusdryck, [stark]sprit; *alcoholic ~s* el. *spirituous ~s* alkoholhaltiga (starka) drycker, spritdrycker; *hard ~* [stark]sprit

liquorice ['lɪkərɪs] *s* **1** bot. lakritsrot **2** lakrits

liquorice allsorts [ˌlɪkərɪs'ɔːlsɔːts] *s pl* engelsk lakritskonfekt

liquor store ['lɪkəˌstɔː] *s* amer. spritbutik

lira ['lɪərə] (pl. *lire* ['lɪərɪ, -reɪ] el. *liras*) *s* it. hist. lira

Lisa ['liːzə, 'laɪzə, 'liːsə] kvinnonamn

Lisbon ['lɪzbən] geogr. Lissabon

lisp [lɪsp] **I** *vb itr* läspa **II** *vb tr* läspa [fram] [äv. ~ *out*] **III** *s* läspning, läspande; *have a ~* el. *speak with a ~* läspa

lissom o. **lissome** ['lɪsəm] *adj* smidig, mjuk, graciös; vig, snabb

1 list [lɪst] **I** *s* lista, förteckning [*of* på, över], mil. rulla
II *vb tr* **1 a)** ta upp (ta med, sätta upp, föra upp, skriva upp) på listan (en lista osv.) [~ *sb's name*]; lista; ta (föra) upp [*the dictionary ~s many technical terms*]; *their number is not ~ed* deras telefonnummer är inte med (står inte) i katalogen **b)** göra upp en lista (förteckning) på (över) [~ *all one's engagements*] **2** hand. **a)** notera **b)** prissätta [*at* till]

2 list [lɪst] spec. sjö. **I** *vb itr* ha (få) slagsida **II** *s* slagsida; *~ to port* babords slagsida; *~ to starboard* styrbords slagsida

3 list [lɪst] *s*, *enter the ~s* ge sig in i striden, ta upp kampen [*against, with* mot; *for* för]

listed building [ˌlɪstɪd'bɪldɪŋ] *s* k-märkt byggnad

listen ['lɪsn] **I** *vb itr* lyssna, höra på, höra efter [*now ~ carefully!*]; *~ to* lyssna på (till), höra [på] [~ *to music*]; avlyssna, höra efter [~ *to how sb pronounces a sound*]; bildl. höra på, lyssna till, lyda, ge efter för, följa
II *vb itr* med adv. el. prep.:
listen for lyssna efter
listen in a) höra [på] (lyssna på) radio [äv. ~ *in to the radio*]; *~ in to* höra [på] (lyssna på) i radio [~ *in to the Prime Minister* [*on the radio*]] **b)** [tjuv]lyssna, avlyssna ett [telefon]samtal; *~ in on* avlyssna, tjuvlyssna på
listen out for lyssna efter [~ *out for sb's footsteps*]

listener ['lɪsnə] *s* åhörare; lyssnare [*a good ~*]

listing ['lɪstɪŋ] *s* **1** upptagande på (uppgörande av) en lista, listning **2** förteckning

listless ['lɪstləs] *adj* håglös, likgiltig, apatisk; slapp, slö, försoffad

list price ['lɪstpraɪs] *s* katalogpris, listpris

LISTSERV® ['lɪstsɜːv] *s* data. LISTSERV® program som hanterar sändlistor för e-post

lit [lɪt] imperf. o. perf. p. av *1 light* o. *3 light*

lit. förk. för *literary, literature*

litany ['lɪtənɪ] *s* kyrkl. litania äv. bildl.

litchi [ˌlaɪ'tʃiː, 'lɪtʃiː] *s* bot. litchi frukt

lite [laɪt] *adj* (= *2 light*) vard. lätt- med låg halt av fett, socker m.m. [~ *margarine*; ~ *beer*]

liter ['liːtə] (förk. *l*) *s* vanl. amer. liter [*two ~s of milk*]

literacy ['lɪt(ə)rəsɪ] *s* läs- och skrivkunnighet

literal ['lɪt(ə)r(ə)l] *adj* **1** ordagrann [~ *translation*]; exakt [*a ~ copy of an old manuscript*]; bokstavstrogen, slavisk **2** bokstavlig, egentlig [*in the ~ sense of the word*], vard. fullkomlig, verklig, formlig

literally ['lɪt(ə)rəlɪ] *adv* **1** ordagrant, ord för ord **2** bokstavligt [*carry out orders too ~*]; bokstavligen; i egentlig betydelse, egentligen; vard. bokstavligt talat, formligen [*the children were ~ starving*]

literary ['lɪt(ə)rərɪ] *adj* litterär, boklig; vitter, vitterhets-; litteratur- [~ *history*]; författar- [*the ~ profession*]; *~ career* karriär som författare

literary critic [ˌlɪt(ə)rərɪ'krɪtɪk] *s* litteraturkritiker; bokanmälare, recensent

literate ['lɪtərət] *adj* **1** läs- och skrivkunnig **2** litterat, bildad

literature ['lɪt(ə)rətʃə, -tjʊə] *s* litteratur

lithe [laɪð] *adj* smidig, vig, mjuk; böjlig

lithium ['lɪθɪəm] *s* kem. litium

lithograph ['lɪθə(ʊ)grɑːf, -græf] **I** *s* litografi **II** *vb tr* o. *vb itr* litografera

lithographer [lɪ'θɒgrəfə] *s* litograf

lithographic [ˌlɪθə(ʊ)'græfɪk] *adj* litografisk

lithography [lɪ'θɒgrəfɪ] *s* litografi, stentryck

Lithuania [ˌlɪθjʊ'eɪnɪə] geogr. Litauen

Lithuanian [ˌlɪθjʊ'eɪnɪən] **I** *adj* litauisk
II *s* **1** litauer; litauiska kvinna **2** litauiska [språket]

litigant ['lɪtɪgənt] **I** *adj* processande, tvistande; *the ~ parties* parterna i målet **II** *s* tvistande part; *the ~s* parterna i målet

litigate ['lɪtɪgeɪt] **I** *vb itr* processa **II** *vb tr* processa om; tvista om

litigation [ˌlɪtɪ'geɪʃ(ə)n] *s* rättstvist, process

litmus ['lɪtməs] *s* lackmus [~ *paper*]

litmus test ['lɪtməstest] *s* **1** avgörande prov **2** lackmusprov

litre ['liːtə] (förk. *l*) *s* liter [*two ~s of milk*]

litter ['lɪtə] **I** *s* **1** skräp, avfall, smörja **2** kull [*a ~ of pigs, a ~ of puppies*] **3** strö t.ex. under kreatur; *cat ~* kattsand; *~ tray* el. amer. *~ box* kattlåda **4** bår för sjuka
II *vb tr* **1 a)** skräpa ner [i, på], stöka till i (på) [~ *up the room* (*the table*)] **b)** strö omkring sig [*she ~ed her things all over the room*]; kasta huller om buller **c)** ligga kringströdda (och skräpa) i (på) [*papers ~ed the room* (*the table*)]; belamra **2** föda (få) en kull ungar
III *vb itr* föda [en kull] ungar, yngla, grisa

litter bin ['lɪtəbɪn] *s* papperskorg på allmän plats, papperspelle

litterbug ['lɪtəbʌg] *s* vard. person som skräpar ner på allmän plats

little ['lɪtl] (komp. *less* el. *lesser*, superl. *least*) **I** *adj* (se äv. *little II*) **1** liten; pl. små; lill- [~ *finger*; ~ *toe*]; lilla- [*my ~ sister*]; lille- [*my ~ brother*]; små- [~ *children*]; kortväxt; *the ~ man* ofta den vanliga

människan; *the ~ woman* skämts. frugan **2** småsint, futtig; *~ things please ~ minds* ordspr. litet roar barn **II** *adj* o. *adv* o. *pron* **1** lite, litet, föga [*of ~ value*]; ringa [*of ~ importance*]; obetydlig [~ *damage*]; *~ by ~* litet i sänder, [så] småningom, gradvis; *~ or nothing* föga eller intet, knappast någonting; *~ short of* se under *short I 3*; *I have ~ left to say* jag har inte mycket att tillägga; *he ~ imagined that* el. *~ did he imagine* (*think*) *that* föga anade han att; *make ~ of* bagatellisera, inte göra mycket väsen av; *every ~ helps* el. *every ~ counts* minsta bidrag mottas tacksamt, många bäckar små gör en stor å; *no ~* inte ringa, inte [så] litet [*it takes no ~ courage to do that*]; *she did what ~ she could* hon gjorde det lilla hon kunde; *the ~* det lilla [*the ~ of his work I have seen*]
2 *a little* i spec. betydelser **a)** lite, litet [*he had a ~ money left*]; en smula **b)** *not a ~* inte så litet, ganska mycket, ganska; *only a ~* bara [helt] lite [*there was only a ~ snow left*]; [endast] föga

Little Bear [ˌlɪtl'bɛə] *s* astron., *the ~* Lilla björn[en]
Little Dipper [ˌlɪtl'dɪpə] *s* astron., *the ~* amer. vard. Lilla Karlavagnen
little finger [ˌlɪtl'fɪŋgə] *s* lillfinger; *she can twist* (*wrap, wind*) *him round her ~* hon kan linda honom kring (runt) sitt lillfinger
Little Italy [ˌlɪtl'ɪtəlɪ] de italienska kvarteren i storstad
Little League ['lɪtlliːg] *s* sport., *the ~* amerikanska basebolligan för knattelag
little people ['lɪtlˌpiːpl] (med verb i pl.) *s* **1** småfolket vanliga fattiga människor **2** småfolket pysslingar, tomtar o.d. **3** småbarn
little toe [ˌlɪtl'təʊ] *s* lilltå
littoral ['lɪtər(ə)l] **I** *adj* kust- [~ *zone*]; strand-, litoral **II** *s* kuststräcka
liturgical [lɪ'tɜːdʒɪk(ə)l] *adj* liturgisk
liturgy ['lɪtədʒɪ] *s* liturgi, gudstjänstordning
livable ['lɪvəbl] *adj* **1** beboelig **2** om liv värd att leva, dräglig **3** *~ with* lätt att bo ihop med (att komma överens med)
1 live [lɪv] **I** *vb itr* **1** leva; fortleva, leva kvar [*his memory will always ~*]; *~ and breathe sth* helt gå upp i ngt, helt gå in för ngt [*she just ~s and breathes politics*]; *we ~ and learn* man lär så länge man lever; *~ and let ~* man ska leva sitt eget liv och låta andra leva sitt; *long ~ the king!* leve kungen!; *~ well* leva (äta) gott; ha det bra; *he ~ed to be 90* han levde tills han blev 90, han blev 90 år gammal; *you will ~ to repent this* du kommer att få ångra det här; *~ to see* få uppleva **2** bo [~ *in the country*; *~ with* (hos) *one's parents*]; vara bosatt [~ *in London*]; vistas; *unfit to ~ in* obeboelig; *~d in* [by] bebodd [av] **II** *vb tr* leva [*~ a happy life*; *~ a double life*]; *~ a lie* leva på en lögn; *~ the part* leva sig in i rollen; *~ it up* vard. leva livet (livets glada dagar)
III *vb itr* o. *vb tr* med adv. el. prep.:
live by a) leva av (på) [~ *by hunting and fishing*]
b) leva efter [~ *by certain principles*]
live down a) rehabilitera sig efter, [lyckas] få folk att glömma [*he never ~d down the scandal*]; gottgöra, sona [~ *down one's crimes*]
b) [småningom] hämta sig efter (komma över) [~ *down a sorrow*]

live in bo på arbetsplatsen
live off leva av (på)
live on a) med obj. (prep.) leva på [~ *on charity*]; leva av **b)** utan obj. (adv.) leva vidare, leva kvar
live out: *~ out one's life* leva resten av sitt liv; *~ out the storm* rida ut stormen
live through genomleva, uppleva [*he has ~d through two wars*]
live together leva ihop, sammanbo
live up to leva upp till, motsvara [~ *up to one's reputation*]; göra skäl för; uppfylla, infria löfte
live with a) leva samman (ihop) med ngn, vara sambo med ngn **b)** leva med ngt [*you have to learn to ~ with pollution*]
2 live [laɪv] **I** *adj* mest attr. **1** levande, livslevande; *~ bait* levande bete **2** radio. el. TV. direkt-, direktsänd, live; *~ broadcast* el. *~ coverage* el. *~ transmission* direktsändning **3** glödande; *~ coal* glödande kol[stycke], glöd **4** inte avbränd, oanvänd [*a ~ match*]; inte exploderad [*a ~ shell*; *a ~ bomb*]; laddad [*a ~ cartridge*]; skarp, stridsladdad [~ *ammunition*]; ström-
II *adv* radio. el. TV. direkt [*they broadcast it ~*]
liveable ['lɪvəbl] *adj* se *livable*
live-apart ['lɪvəpɑːt] *s* vard. särbo
lived-in ['lɪvdɪn] *adj* **1** inbodd **2** vard. intressant [*a ~ face*]
live-in ['lɪvɪn] *s* **1** inneboende hemhjälp [*domestic ~*] **2** sambo; *~ couple* sambor, sammanboende par
livelihood ['laɪvlɪhʊd] *s* [livs]uppehälle, utkomst, levebröd [*deprive sb of his ~*]; *means of ~* födkrok; *earn* (*gain, get, make*) *one's ~* förtjäna sitt uppehälle, försörja sig [*by på*]
liveliness ['laɪvlɪnəs] *s* livlighet etc., jfr *lively*
lively ['laɪvlɪ] *adj* **1** livlig, pigg; *look ~!* raska på!, snabba på! **2** levande, livfull [*a ~ description*] **3** om färg glad
liven ['laɪvn] *vb tr* o. *vb itr* med adv.:
liven up a) liva (pigga) upp **b)** bli livlig[are] (uppiggad), livas (piggas) upp
liver ['lɪvə] *s* lever anat. el. kok.
liveried ['lɪvərɪd] *adj* **1** livréklädd, i livré **2** med logotyp
liverish ['lɪvərɪʃ] *adj* **1** vard. leversjuk, illamående **2** vard. retlig, sur; ur gängorna
liver paste ['lɪvəpeɪst] *s* paté, finare leverpastej
Liverpool ['lɪvəpuːl] geogr.
Liverpudlian [ˌlɪvə'pʌdlɪən] **I** *adj* Liverpool- **II** *s* liverpoolbo, person från Liverpool
liver sausage ['lɪvəˌsɒsɪdʒ] *s* leverkorv
liver spot ['lɪvəspɒt] *s* leverfläck
liver transplant [ˌlɪvə'trænsplɑːnt] *s* med., *a ~* en levertransplantation
liver transplantation [ˌlɪvə'trænsplɑːnˌteɪʃ(ə)n] *s* med. levertransplantation
livery ['lɪvərɪ] *s* **1** livré; *~ servant* livréklädd betjänt **2** företags profil, logotyp
livery stable ['lɪvərɪˌsteɪbl] *s* utfodringsstall, hyrstall; hyr[kusk]verk
lives [laɪvz] *s* pl. av *life*
livestock ['laɪvstɒk] *s* husdjur, husdjursbesättning, kreatursbesättning; boskap
live wire [ˌlaɪv'waɪə] *s* **1** vard. energiknippe, eldsjäl **2** strömförande (spänningsförande) ledning

livid ['lɪvɪd] *adj* **1** vard. rasande **2** blygrå, svartblå [~ *marks on the body*]; blå[blek], likblå [~ *with cold*]; askgrå, likblek, vit [~ *with rage*]

living ['lɪvɪŋ] **I** *adj* levande [~ *beings*]; i livet [*are your parents ~?*]; samtida; *the ~* de levande; *within ~ memory* el. *in ~ memory* i mannaminne
II *s* **1** liv, att leva [~ *is expensive these days*]; vistelse, att vistas [~ *in the same house became impossible*]; att bo; levnadssätt [*luxurious ~*]; *be fond of good ~* tycka om god mat och god dryck; *standard of ~* levnadsstandard **2** livsuppehälle, utkomst, levebröd; *earn a ~* el. *make a ~* försörja sig, förtjäna sitt uppehälle; *scrape a ~* el. *scratch a ~* skrapa ihop pengar till brödfödan, hanka sig fram; *what does she do for a ~?* vad försörjer hon sig på?; *write for a* (*one's*) *~* leva (försörja sig) på att skriva **3** kyrkl. [prebende]pastorat **4** attr. livs-, levnads- [~ *conditions*]; *~ quarters* bostad; *~ space* a) boyta b) livsrum

living conditions ['lɪvɪŋkən͵dɪʃ(ə)nz] *s pl* levnadsvillkor, livsbetingelser; levnadsförhållanden

living death [͵lɪvɪŋ'deθ] *s* tillvaro (tillstånd) där man är mera död än levande, tröstlös tillvaro

living hell [͵lɪvɪŋ'hel] *s*, *a ~* ett rent helvete; *it's a ~* äv. det är rena helvetet

living room ['lɪvɪŋruːm, -rʊm] *s* vardagsrum

living wage [͵lɪvɪŋ'weɪdʒ] *s*, *a ~* en lön som man kan leva på, ett existensminimum

living will [͵lɪvɪŋ'wɪl] *s* livsslutsdirektiv, skriftligt förhandstillstånd till läkare att, i händelse av obotlig sjukdom, avbryta livsuppehållande åtgärder

lizard ['lɪzəd] *s* zool. ödla

Lizzie ['lɪzɪ] **I** kortform av *Elizabeth*
II *s* **1** *tin ~* bilskrälle, rishög **2** bot., *busy ~* flitiga Lisa

Ljubljana [͵lʊblɪ'ɑːnə] geogr.

ll. förk. för *lines*

'll [l] = *will* o. *shall* [*I'll* = *I will, I shall*]

llama ['lɑːmə] *s* zool. lama[djur]

LLB [͵elel'biː] (förk. för *Legum Baccalaureus* lat. = *Bachelor of Laws*) ung. jur. kand.

LLC [͵elel'siː] förk. för *Limited Liability Company*

LLD [͵elel'diː] (förk. för *Legum Doctor* lat. = *Doctor of Laws*) jur. dr

Llewellyn o. **Llewelyn** [lʊ'elɪn] mansnamn

lo [ləʊ] *interj* **1** åld., *~!* si! **2** skämts., *~ and behold!* har man sett!, hör och häpna!

load [ləʊd] **I** *s* **1** last; lass; börda äv. bildl.; *a teaching ~ of* [*30 hours a week*] en undervisningsskyldighet på…; *a heavy teaching ~* en tung undervisningsbörda; *a ~ of hay* ett hölass; *take a ~ off one's feet* sätta sig ned; *a ~ was lifted from my heart* el. *that was* (*took*) *a ~ off my mind* en sten (tyngd) föll från mitt bröst; *place a heavy ~ on* belasta, anstränga **2** tekn. belastning **3** vard., pl. *~s* massor; *~s of* massor (lassvis, fullt upp) med, en massa [*~s of people*] **4** sl., *get a ~ of* lyssna på, höra på; kolla in **5** vulg., *shoot one's ~* satsa, spruta ejakulera
II *vb tr* **1** lasta [~ *a ship*; ~ *coal*]; lassa; fylla, lägga in i [~ *the washing machine*]; *~ sb with sth* el. *~ sth onto sb* lassa (lasta) på ngn ngt **2 a)** belasta tekn. el.

friare [~ *one's memory with*] **b)** tynga ner, komma att digna [ofta ~ *down*; *grapes ~ down the vines*]; överlasta, lasta full [ofta ~ *down*; *~ sb down with parcels*]; *~ one's stomach with food* proppa i sig **3** överhopa [~ *sb with gifts*; *~ed with debts*]; överösa [~ *sb with abuse*] **4** ladda äv. data. [~ *a camera*; *~ a film*; *~ a gun*] **5** *~ dice* förfalska tärningar genom att göra en sida tyngre; *~ the dice against sb* ligga ngn i fatet [*lack of education ~ed the dice against him*]; *the dice are heavily ~ed against us* vi har alla oddsen emot oss; *~ the dice in favour of* gynna
III *vb itr* **1** lasta, ta in (ombord) last, ta in (ombord) passagerare [äv. *~ up*] **2** ladda
IV *vb tr* o. *vb itr* med adv.:
load up a) lasta (lassa) på **b)** lasta (lassa) full **c)** vard. ladda in, proppa i sig

loaded ['ləʊdɪd] *perf p* o. *adj* **1** lastad etc., jfr *load II*; *~ dice* falska tärningar **2** bildl. [värde]laddad, känsloladdad [*a ~ word*] **3** sl. packad berusad **4** vard. **a)** tät, rik **b)** full [~ *with calories*]

loading bay ['ləʊdɪŋbeɪ] *s* o. **loading dock** ['ləʊdɪŋdɒk] *s* lastkaj vid varuhus o.d.

loadsa ['ləʊdzə] *adj* vard. massor med [~ *money*]

loadstar ['ləʊdstɑː] *s* se *lodestar*

1 loaf [ləʊf] (pl. *loaves*) *s* **1** limpa, [större] bulle, bröd [äv. ~ *of bread*]; *~* el. *tin ~* formbröd; *half a ~ is better than none* (*no bread*) små smulor är också bröd, något är bättre än inget **2** *meat ~* köttfärs i ugn, kött[färs]limpa **3** sl., *use your ~!* använd knoppen (förståndet)!

2 loaf [ləʊf] *vb itr* **1** stå och hänga [*they were ~ing at street corners*]; *~* el. *~ about* slå dank, [sitta och] slöa **2** släntra [*he ~ed across the room*]; *~* el. *~ about* gå och driva (dra), driva (loda, strosa) omkring

loafer ['ləʊfə] *s* **1** loafer slags lågsko **2** dagdrivare

loaf tin ['ləʊftɪn] *s* avlång bakform (brödform)

loam [ləʊm] *s* **1** formlera, loom **2** bördig lerjord, sandblandad lera

loamy ['ləʊmɪ] *adj* lerartad, lerig

loan [ləʊn] **I** *s* lån; kredit; pl. *~s* äv. kreditgivning, utlåning; *ask for the ~ of* be att få låna; *on ~* el. *out on ~* utlånad [*the book has been* [*out*] *on ~ to…*]; till låns [*I have the book* [*out*] *on ~ from…*] **II** *vb tr* låna [ut]

loan shark ['ləʊnʃɑːk] *s* vard. kredithaj, procentare

loan-sharking ['ləʊn͵ʃɑːkɪŋ] *s* vard. ocker

loan word ['ləʊnwɜːd] *s* lånord

loath [ləʊθ] *adj* obenägen, ohågad, ovillig [*to att*]

loathe [ləʊð] *vb tr* avsky; äcklas av

loathing ['ləʊðɪŋ] *s* avsky; leda; vämjelse, äckel; *have a ~ for* hysa (känna) avsky för, känna äckel för

loathsome ['ləʊðsəm, 'ləʊθs-] *adj* avskyvärd, vidrig, äcklig, vämjelig

loaves [ləʊvz] *s* pl. av *1 loaf 1*

lob [lɒb] **I** *s* sport. lobb **II** *vb tr* sport. lobba

lobby ['lɒbɪ] **I** *s* **1** hall, vestibul, entréhall, lobby i hotell o.d., [teater]foajé; korridor; tambur **2** parl. **a)** påtryckningsgrupp, intressegrupp, lobby **b)** förhall där allmänheten kan komma till tals med medlemmar av lagstiftande församling; *~* el. *division ~* voteringskorridor, omröstningskorridor vid sidan av underhusets sessionssal
II *vb itr* arbeta som påtryckningsgrupp, öva

påtryckningar, bedriva korridorpolitik
III *vb tr* öva påtryckningar på, bearbeta medlem av
lagstiftande församling

lobbyist ['lɒbɪɪst] *s* medlem av påtryckningsgrupp
(intressegrupp), korridorpolitiker, lobbyist

lobe [ləʊb] *s* lob [~ *of the brain*; ~ *of the lung*]; flik
[~ *of an oak leaf*]; ~ *of the ear* örsnibb

lobed [ləʊbd] *adj* försedd med lober (flikar)

lobelia [lə(ʊ)'biːlɪə] *s* bot. lobelia

lobster ['lɒbstə] *s* hummer; *red as a* ~ röd som en
kräfta, illröd

lobsterpot ['lɒbstəpɒt] *s* hummertina

local ['ləʊk(ə)l] **I** *adj* lokal [~ *time*]; lokal- [~ *radio*];
[här] på platsen [*the ~ doctor*; *a ~ firm*]; plats-,
orts-, ortens, på orten [~ *population*]; kommun-,
kommunal; ~ *press* lokalpress, ortstidningar
II *s* **1** ortsbo [*I met one of the ~s*]; *he is a* ~ han är
härifrån, han bor här **2** vard., *the* ~ kvarterspuben,
bykrogen, ortens pub **3** sport., *the ~s* ortslaget,
ortens eget lag **4** lokalförbindelse **5** amer.,
fackförenings lokalavdelning

lo-cal [ˌləʊ'kæl] *adj* vard. (förk. för *low calorie*)
lågkalori-

local anaesthetic ['ləʊk(ə)lˌænəs'θetɪk] *s*
lokalbedövning

local area network ['ləʊk(ə)lˌeərɪə'netwɜːk] *s* data.,
se *LAN*

local authority [ˌləʊk(ə)lɔː'θɒrɪtɪ] *s*, *the* ~ el. *the local
authorities* de lokala (kommunala) myndigheterna,
kommunen

local call ['ləʊk(ə)lkɔːl] *s* närsamtal

local colour [ˌləʊk(ə)l'kʌlə] *s* lokalfärg

locale [lə(ʊ)'kɑːl] *s* plats, scen för en händelse o.d.

local education authority
[ˌləʊk(ə)ledjʊ'keɪʃ(ə)nɔːˌθɒrətɪ] (förk. *LEA*) *s* ung.
länsskolnämnd

local government [ˌləʊk(ə)l'gʌvnmənt] *s*
1 kommunal självstyrelse; ~ *officer* kommunal
tjänsteman **2** *the* ~ de lokala (kommunala)
myndigheterna, kommunen

locality [lə(ʊ)'kælətɪ] *s* **1** lokalitet, plats, ställe;
fyndplats, fyndort; trakt, ort **2** läge, [geografisk]
belägenhet

localization [ˌləʊkəlaɪ'zeɪʃ(ə)n] *s* lokalisering, jfr
localize; lokalisation

localize ['ləʊkəlaɪz] *vb tr* lokalisera, begränsa,
inskränka; ge en lokal prägel (karaktär)

localized ['ləʊkəlaɪzd] *adj* lokal, begränsad

locally ['ləʊkəlɪ] *adv* lokalt; med hänsyn till platsen
; ~ *produced* närproducerad

local radio [ˌləʊk(ə)l'reɪdɪəʊ] *s* lokalradio

local rag [ˌləʊk(ə)l'ræg] *s* vard. lokalblaska tidning

local taxes [ˌləʊk(ə)l'tæksɪz] *s pl* kommunalskatt

local time ['ləʊkəltaɪm] *s* lokaltid

locate [lə(ʊ)'keɪt, amer. '--] *vb tr* **1** lokalisera [~ *the
enemy's camp*; ~ *the disease*]; leta reda på [*I ~d the
town on the map*]; spåra, finna; pejla [med hjälp av
radio] **2** förlägga [~ *the headquarters in* (till)
Paris]; lokalisera; placera; *be ~d* förläggas etc.

located [lə(ʊ)'keɪtɪd] *adj* lokaliserad etc., jfr *locate*;
belägen

location [lə(ʊ)'keɪʃ(ə)n] *s* **1** lokalisering; ~ el. *radio* ~
[radio]pejling **2** läge, belägenhet, plats [*a suitable ~
for a factory*]; *on* ~ på ort och ställe **3** film.

inspelningsplats utanför studion; *shoot films on* ~ spela
in (filma) på platsen dvs. ej i studio

loch [lɒk, lɒx] *s* skotsk. **1** insjö, sjö **2** havsvik, fjord

Loch Ness [ˌlɒk'nes, ˌlɒx-] skotsk insjö berömd för ett
sjöodjur, 'the Loch Ness monster'

loci ['ləʊsaɪ] *s* pl. av *locus*

1 lock [lɒk] **I** *vb tr* **1** låsa [igen], stänga [till] med lås
2 data. låsa **3** innesluta; omsluta, [om]slingra,
omfamna; ~*ed in an embrace* tätt omslingrade **4** ~
horns drabba samman [*with* med]
II *vb itr* gå i lås, låsas [*the door ~s automatically*];
gå att låsa, kunna låsas [*does this trunk ~?*]
III *vb tr* o. *vb itr* med adv. el. prep.:
lock away låsa undan [~ *away the jewellery*]
lock in: ~ *sb* (*oneself*) *in* låsa (stänga) in ngn (sig),
låsa om ngn (sig)
lock out a) låsa ut, stänga (låsa) ute **b**) lockouta,
avstänga från arbetet
lock up a) låsa (stänga) till [~ *up a room*] **b**) låsa in
(undan) [~ *up the jewellery*] **c**) spärra in [~ *up a
prisoner*] **d**) låsa, binda [*his capital is ~ed up in
land*] **e**) låsa [dörren (dörrarna)] [efter sig]
IV *s* **1** lås [*av* s.; data.; *under* ~ *and key* inom lås och
bom, under (inom) lås, inlåst; *put sth under* ~ *and
key* låsa in (ner, undan) ngt **2** på gevär o.d. säkring; ~,
stock, and barrel rubb och stubb, hela rubbet
3 spärr **4** sluss; *air* ~ luftsluss **5** bil. vändradie; *four
turns* [*of the wheel*] *from* ~ *to* fyra rattvarv mellan
fulla framhjulsutslag **6** vanl. amer. bildl., *have a* ~ *on
sth* ha ett grepp över ngt; *get a* ~ *on sth* få grepp om
ngt

2 lock [lɒk] *s* lock, länk av hår; pl. ~*s* äv. hår

locker ['lɒkə] *s* [låsbart] skåp (fack),
förvaringsfack; förvaringsbox

locker room ['lɒkəruːm] *s* omklädningsrum [med
låsbara skåp]

locket ['lɒkɪt] *s* medaljong

lockjaw ['lɒkdʒɔː] *s* med. kägläsa, munläsa; vard.
stelkramp

lock-keeper ['lɒkˌkiːpə] *s* slussvakt[are]

lockout ['lɒkaʊt] *s* lockout; ~ *notice* lockoutvarsel

locksmith ['lɒksmɪθ] *s* låssmed

lockup ['lɒkʌp] *s* **1** arrest, finka **2** se *lock-up garage*
o. *lock-up shop*

lock-up ['lɒkʌp] *adj* låsbar, som kan låsas, [försedd]
med lås

lock-up garage [ˌlɒkʌp'gærɑːʒ] *s* hyrt garage utan
anslutning till bostaden

lock-up shop [ˌlɒkʌp'ʃɒp] *s* butik (affär) utan
tillhörande bostad

loco ['ləʊkəʊ] *adj* vanl. amer. sl. galen, tokig

locomotion [ˌləʊkə'məʊʃ(ə)n] *s* **1** förflyttning,
rörelse **2** rörelseförmåga

locomotive [ˌləʊkə'məʊtɪv, '----] **I** *s* lokomotiv, lok
II *adj* [utrustad] med rörelseförmåga; rörlig

locum ['ləʊkəm] *s* vikarie för läkare el. präst

locus ['ləʊkəs] (pl. *loci* ['ləʊsaɪ]) *s* lat. plats, ställe;
matem. [geometrisk] ort

locust ['ləʊkəst] *s* zool. gräshoppa från Asien o. Afrika
som uppträder i svärmar

locution [lə(ʊ)'kjuːʃ(ə)n] *s* **1** talesätt, vändning,
[idiomatiskt] uttryck **2** uttryckssätt

lode [ləʊd] *s* gruv. malmåder, malmgång

lodestar ['ləʊdstɑː] *s* ledstjärna

lodge [lɒdʒ] **I** *vb tr* **1** spec. jur. anföra, framföra {~ *a complaint* (klagomål)}; inlägga {~ *a protest*}; lämna in {~ *an application*} **2** inkvartera, hysa [in], logera, härbärgera äv. friare, hyra ut rum åt; *board and ~ sb* ge ngn kost och logi (helinackordering) **3** placera, sätta, lägga **4** deponera {~ *money in the bank*} **5** driva (sticka) in vapen o.d.; *a bullet ~d in the brain* en kula som har fastnat (sitter [kvar]) i hjärnan
II *vb itr* **1** hyra [rum], bo {*with* hos} **2** ta in, logera, bo **3** slå ned, hamna, landa; sätta sig fast, fastna {*the bullet ~d in his jaw*}
III *s* **1** grindstuga {äv. *gatekeeper's ~*}; [trädgårdsmästar]bostad **2** [jakt]hydda, [jakt]stuga; vanl. amer. sportstuga, sommarstuga **3** portvaktsrum, portvaktsbostad {äv. *porter's ~*} **4** bäverhydda **5** ordenslogе **6** amer. wigwam, [indian]hydda
lodger ['lɒdʒə] *s* inneboende, hyresgäst, inackordering; {*make a living*} *by taking in ~s* ...genom att hyra ut rum
lodging ['lɒdʒɪŋ] *s* **1** husrum, logi; *a night's ~* el. *[a] ~ for the night* nattlogi **2** pl. *~s* hyresrum, uthyrningsrum, rum i privatfamilj, möblerade rum; [hyres]lägenhet, bostad
lodging house ['lɒdʒɪŋhaʊs] *s* enklare [privat]hotell
loft [lɒft] **I** *s* **1** vind, loft; [hö]skulle **2** i kyrka o.d. läktare, galleri **3** lägenhet i ombyggd fabrik **4** amer. ateljévåning, vindsvåning
II *vb tr* sport., *~ the ball* lyfta bollen; slå en hög boll
loftily ['lɒftəlɪ] *adv* högt etc., jfr *lofty*; i höjden
loftiness ['lɒftɪnəs] *s* (jfr *lofty*) **1 a**) höjd **b**) höghet, upphöjdhet **2** högdragenhet
lofty ['lɒftɪ] *adj* **1** hög, imponerande {*a ~ tower*; *a ~ mountain*}; ståtlig; om rum hög i taket **2** bildl. hög {~ *ideals*}; upphöjd {~ *sentiments*; ~ *style*}; ädel **3** om person högdragen
1 log [lɒg] **I** *s* **1** [timmer]stock, [fälld] stam; vedträ; [trä]kubb; *sleep like a ~* sova som en stock **2** sjö. **a**) logg **b**) se *logbook* **3** data. logg
II *vb tr* **1** registrera, föra in i loggboken **2** tillryggalägga (göra) en viss sträcka enligt loggen **3** kapa timmer i stockar; amer. avverka
III *vb tr* med adv. el. prep., data.:
log in el. **log on** logga in (på)
log off el. **log out** logga av (ut)
2 log [lɒg] vard. kortform av *logarithm*
loganberry ['ləʊgənb(ə)rɪ, -,berɪ] *s* loganbär en korsning mellan hallon och björnbär
logarithm ['lɒgərɪð(ə)m] *s* matem. logaritm
logarithmic [,lɒgə'rɪðmɪk] *adj* logaritmisk, logaritm-
logbook ['lɒgbʊk] *s* **1** sjö. el. flyg. loggbok **2** resejournal
log cabin ['lɒg,kæbɪn] *s* timmerstuga, blockhus, timmerkoja
logger ['lɒgə] *s* skogshuggare; timmerhuggare; skogsarbetare
loggerheads ['lɒgəhedz] *s pl*, *be at ~* vara osams (oense) {*with* med}
logging ['lɒgɪŋ] *s* [skogs]avverkning
logic ['lɒdʒɪk] *s* logik äv. data., följdriktighet, bildl. äv. beviskraft
logical ['lɒdʒɪk(ə)l] *adj* logisk, följdriktig; *carry*

(*push*) *sth to its ~ conclusion* ung. driva ngt till sin spets
logician [lə'dʒɪʃ(ə)n, ləʊ'dʒ-] *s* logiker
login ['lɒgɪn] *s* data. **1** inloggning, påloggning **2** inloggnings-, påloggnings-
logistics [lə(ʊ)'dʒɪstɪks] (med verb i sg. el. pl.) *s* **1** logistik **2** mil. underhållstjänst, planläggning och utförande av transporter och underhåll
logjam ['lɒgdʒæm] *s* **1** [timmer]bröt **2** bildl. dödläge; stopp
logo ['ləʊgəʊ, 'lɒgəʊ] (pl. ~s) *s* vard. kortform av *logotype*
logoff ['lɒgɒf] *s* data. **1** avloggning, utloggning **2** avloggnings-, utloggnings-
logon ['lɒgɒn] *s* data. **1** inloggning, påloggning **2** inloggnings-, påloggnings-
logotype ['lɒgə(ʊ)taɪp] *s* logotyp
logout ['lɒgaʊt] *s* data. **1** avloggning, utloggning **2** avloggnings-, utloggnings-
log rolling ['lɒg,rəʊlɪŋ] *s* vard. **1** polit. kohandel **2** {*literary*} ~ om författare o.d. ömsesidigt beröm, ömsesidig reklam, vänrecenserande
loin [lɔɪn] *s* **1** pl. *~s* länder; *the ~s* äv. njurtrakten **2** kok. njurstek, fransyska
loincloth ['lɔɪnklɒθ] *s* höftskynke, höftkläde
loiter ['lɔɪtə] *vb itr* **1** stå och hänga {~ *outside a house*}; dra (driva) omkring; gå och driva, slå dank **2** söla
loiterer ['lɔɪtərə] *s* **1** person står och hänger; dagdrivare **2** sölare
loitering ['lɔɪt(ə)rɪŋ] *s*, *~ is forbidden* el. *no ~* förbjudet för obehöriga att uppehålla sig på området o.d.
LOL i e-post el. textmeddelanden **1** förk. för *laughing out loud* **2** som avslutning, förk. för *lots of love*
loll [lɒl] *vb itr* **1** ligga och dra sig {~ *in bed all morning*}; sitta och hänga, sitta och vräka sig {~ *in a chair*}; lättjefullt luta sig {*on* mot}; ~ el. ~ *about* gå och driva, [gå omkring och] lata sig **2** ~ *out* hänga ut ur munnen {*the dog's tongue was ~ing out*}
lollipop ['lɒlɪpɒp] *s* **1** klubba, slickepinne **2** klubbliknande skylt
lollipop lady ['lɒlɪpɒp,leɪdɪ] *s* vard. [kvinnlig] trafikvakt med klubbliknande skylt vid övergångsställe för skolbarn
lollipop man ['lɒlɪpɒp,mæn] *s* vard. [manlig] trafikvakt med klubbliknande skylt vid övergångsställe för skolbarn
lollop ['lɒləp] *vb itr* vard. skumpa
lolly ['lɒlɪ] *s* **1** vard. klubba, slickepinne; *ice ~* isglass[pinne] **2** åld. sl. stålar, kosing pengar
London ['lʌndən] geogr.
Londonderry [,lʌndən'derɪ] geogr.
Londoner ['lʌndənə] *s* londonbo
lone [ləʊn] *adj* **1** enslig[t belägen] {*a ~ house*} **2** ensam; ensamstående om ogift el. änka
loneliness ['ləʊnlɪnəs] *s* ensamhet; enslighet, ödslighet; övergivenhet
lonely ['ləʊnlɪ] *adj* ensam; enslig, ensligt belägen {*a ~ house*}; öde, ödslig; ensam och övergiven {*feel ~*}; dyster
lonely-hearts advertisement [,ləʊnlɪ'hɑːtsəd,vɜːtɪsmənt] *s* vard. kontaktannons
lonely-hearts club [,ləʊnlɪ'hɑːtsklʌb] *s* vard. ensamma hjärtans klubb (förening)

lonely-hearts column [ˌləʊnlɪˈhɑːtsˌkɒləm] s vard.
hjärtespalten i tidning

lone-parent family [ˌləʊnpærəntˈfæmɪlɪ] s
enföräldersfamilj

loner [ˈləʊnə] s **1** enstöring **2** ensamvarg

lonesome [ˈləʊnsəm] adj se lonely

Lone Star State [ˌləʊnstɑːˈsteɪt], **the** ~ beteckn. för
staten Texas

lone wolf [ˌləʊnˈwʊlf] s ensamvarg

1 long [lɒŋ] **I** adj (se äv. 1 long IV) lång i rum o. tid;
långvarig; långdragen; längd- [~ jump]; ~ **face** se
under face I 1; **a** ~ **memory** [ett] gott minne; ~ **odds**
höga odds; **it will be a** ~ **time before...** det dröjer
länge innan...; **she won't arrive for a** ~ **time** hon
kommer inte på länge; ~ **time no see!** ngt åld. vard. det
var länge sen [vi sågs]!; **a** ~ **time ago** m.fl. fraser, se
under time I 4

II s (se äv. 1 long IV) **1 the** ~ **and** [**the**] **short of it**
summan av kardemumman, kontentan **2** lång
[signal] i morsealfabetet

III adv (se äv. 1 long IV) **1** länge; ~ **live the King!** leve
kungen!; **he had not** ~ **dined** han hade nyss ätit **2** efter
tidsuttr. hel; **an hour** ~ en hel timme; **all day** ~ hela
dagen; **all night** ~ hela natten

IV adj o. s o. adv i div. spec. förbindelser **1** med verb: **I
shan't** (**won't**) **be** ~ jag är strax tillbaka, jag blir inte
länge [borta]; **be** ~ **about sth** hålla på länge (dröja)
med ngt; **be** ~ [**in**] **doing sth** hålla på länge (dröja)
med att göra ngt; **he was not** ~ [**in**] **coming** han lät
inte vänta på sig; **it was not** ~ **before she came** det
dröjde inte länge förrän hon kom; **take** ~ ta lång
tid **2** med adv., konj. el. prep.: ~ **ago** för länge sedan; **as**
~ så lång tid [it will take three times as ~]; **as** ~ **as** el.
so ~ **as** a) så länge [som] [stay [for] as ~ as you like];
lika länge som b) om...bara, bara [you may
borrow the book so ~ as you keep it clean]; **as** ~
as...ago redan för...sedan; **before** ~ inom kort,
snart; **for** ~ länge; på länge; **so** ~! vard. hej [så
länge]!; ~ **since** för länge sedan

2 long [lɒŋ] vb itr längta [for efter]; **I'm ~ing to see
you** jag längtar [efter] att träffa (få träffa) dig

long-awaited [ˈlɒŋəˌweɪtɪd] adj länge väntad,
efterlängtad

longboat [ˈlɒŋbəʊt] s sjö., segelfartygs storbåt, barkass

longbow [ˈlɒŋbəʊ] s långbåge, pilbåge

long-distance [ˌlɒŋˈdɪst(ə)ns] **I** adj långdistans- [~
flight]; fjärr- [~ train]; ~ **call** tele. fjärrsamtal; ~ **lorry**
el. ~ **truck** långtradare; ~ **runner** äv. långdistansare
II adv **1** på långdistans **2** tele., **call** ~ ringa
fjärrsamtal

long-drawn-out [ˌlɒŋdrɔːnˈaʊt] adj [alltför]
långdragen, [långt] utdragen

long drink [ˌlɒŋˈdrɪŋk] s vard. drink i högt glas

long-eared owl [ˌlɒŋɪədˈaʊl] s zool. hornuggla

longed-for [ˈlɒŋfɔː] adj efterlängtad

long-established [ˌlɒŋɪˈstæblɪʃt] adj gammal [a ~
custom; a ~ firm]

longevity [lɒnˈdʒevətɪ] s långt liv; livslängd; hög
ålder

longhand [ˈlɒŋhænd] s vanlig skrift i motsats till
stenografi, långskrift; **write in** ~ skriva för hand

long-haul [ˈlɒŋhɔːl] adj, ~ **flights**
långdistansflygningar; ~ **transport** fjärrtransport

longhorn [ˈlɒŋhɔːn] s långhornsboskap biffdjur

longhouse [ˈlɒŋhaʊs] s hist., i vissa indiankulturer
långhus

longing [ˈlɒŋɪŋ] **I** adj längtande, längtansfull;
begärlig **II** s längtan [for, after efter; to do sth
[efter] att [få] göra ngt]; begär

Long Island [i New York State ˌlɒŋˈaɪlənd] geogr.

longitude [ˈlɒŋɡɪtjuːd, ibl. ˈlɒŋ(d)ʒ-] s geogr. el. astron.
longitud, längd, geogr. äv. längdgrad [äv. degree of
~]; **east** ~ el. ~ **east** östlig längd

longitudinal [ˌlɒŋ(d)ʒɪˈtjuːdɪnl, ˌlɒŋɡɪ-] adj **1** längd-,
längsgående; på längden, längsefter **2** longitud-

long johns [ˈlɒŋdʒɒnz] s pl ngt åld. vard. långkalsingar

long jump [ˈlɒŋdʒʌmp] s sport., **the** ~ längdhopp

long jumper [ˈlɒŋˌdʒʌmpə] s sport. längdhoppare

long-lasting [ˌlɒŋˈlɑːstɪŋ] adj långvarig, långtids- [~
effects]

long-life [ˌlɒŋˈlaɪf] adj med lång hållbarhet [~ milk];
med lång livslängd [~ battery]

long-lived [ˌlɒŋˈlɪvd] adj långlivad; långvarig

long-lost [ˈlɒŋlɒst] adj för länge sedan förlorad

long-range [ˌlɒŋˈreɪn(d)ʒ, attr. äv. '--] adj
långskjutande [~ gun]; med stor räckvidd;
långdistans- [~ flight]; långtids- [~ forecast
(prognos)]; på lång sikt, långsiktig [~ plans; ~
planning]; ~ **ballistic missile** långdistansrobot

long-running [ˈlɒŋˌrʌnɪŋ] adj som har gått länge; **a** ~
play (**film**) äv. en långkörare

long-serving [ˈlɒŋˌsɜːvɪŋ] adj som har haft jobbet
(tjänsten) länge; långtids-

longshore|man [ˈlɒŋʃɔːˌmən] (pl. **-men** [-mən]) s
hamnarbetare, stuveriarbetare, stuvare, sjåare

long shot [ˈlɒŋʃɒt] s vard. chansning

long-sighted [ˌlɒŋˈsaɪtɪd, '-,--] adj **1** långsynt;
översynt **2** bildl. skarpsynt, klarsynt, förutseende

long-sleeved [ˈlɒŋsliːvd] adj långärmad

long-standing [ˈlɒŋˌstændɪŋ] adj gammal, av
gammalt datum; långvarig, mångårig

long-stay [ˈlɒŋsteɪ] adj **1** långvårds- [~ patients]
2 långtids- [~ parking]

long-suffering [ˌlɒŋˈsʌf(ə)rɪŋ] adj långmodig,
tålmodig, tålig

long-term [ˈlɒŋtɜːm] adj lång, långfristig [~ loans];
långsiktig [~ policy]; långtids- [~ planning]; ~
memory; ~ unemployment]; **take a** ~ **view of sth** se
ngt på lång sikt

long-term parking [ˌlɒŋtɜːmˈpɑːkɪŋ] s
långtidsparkering

long-time [ˈlɒŋtaɪm] adj mångårig

long vacation [ˌlɒŋvəˈkeɪʃ(ə)n] s, **the** ~ sommarlovet

long wave [ˈlɒŋweɪv] (förk. LW) s radio. långvåg

long-wearing [ˌlɒŋˈweərɪŋ] adj amer. slitstark;
motståndskraftig

long weekend [ˌlɒŋwiːˈkend] s långhelg

long-winded [ˌlɒŋˈwɪndɪd] adj mångordig,
omständlig, långrandig, långtråkig

loo [luː] (pl. ~s) s vard., **the** ~ toa, dass[et]

loofah [ˈluːfə, -fɑː] s **1** bot. luffa slags gurkväxt
2 luffasvamp, tvättgurka

look [lʊk] **I** vb itr o. vb tr **1** se, titta; ~**!** el. ~ **here!**
a) titta [här]! b) hör nu (du)!, vet du!; ~ **before you
leap!** tänk först och handla sen!; ~ **alive!** el. ~ **lively!**
åld. raska på!; ~ **sharp** se under sharp III 2 **2** leta,
söka; ~ el. ~ **and see** el. ~ **to see** se (titta) efter **3** se ut,
verka, förefalla, synas, tyckas, te sig; se ut som,

likna; ~ *like* se ut som, likna [*it ~s like gold*]; **what does she ~ like?** hur ser hon ut?; **it ~s like being** [*a fine day*] det ser ut att (verkar) bli...; **it ~s very like him** det är mycket likt honom; **it ~s like rain** det ser ut att bli regn, vi får bestämt regn; **he ~s** [**like**] **it** det ser han ut för; **she ~s 50** hon ser ut som [om hon vore] 50; **make sb ~ a fool** göra ngn till ett åtlöje; **she ~s herself** (**her old self**) **again** hon är sig lik igen; **he ~ed the part** han var som skapt för rollen **4** ha utsikt, vetta, ligga [*on* [*to*], *to*, *towards*, *into* mot, åt; *the window ~s north* (åt, mot norr)] **5** ~ **daggers** ha mord i blicken; **he ~ed daggers at me** han gav mig en mördande blick

II *vb itr* o. *vb tr* med adv. el. prep.:
look about se sig om[kring]; ~ *about for* [*a job*] se sig om efter..., söka...
look after a) se efter, se till, passa på; ha (ta) hand om, vårda; sköta [om] [*~ after one's health*]; ~ *after oneself* klara (sköta) sig själv, sköta om sig **b)** tillvarata, bevaka [*~ after one's interests*]
look ahead se framåt
look around se sig om[kring]; känna sig för; ~ *around for* leta (titta, söka) efter
look at se (titta) på (åt); ~ *at every penny* se (vända) på slantarna; **she is the sort of person you wouldn't ~ twice at** hon är inte en sådan som man vänder sig om efter; **that's how I ~ at it** så ser jag det; **it isn't much to ~ at** vard. det ser ingenting ut [för världen]; **you wouldn't think so to ~ at her** det skulle man inte tro när man ser henne
look away se (titta) bort
look back a) se (tänka) tillbaka [*on, upon, to* på] **b)** se sig om **c)** *from then on he never ~ed back* från och med då gick det stadigt framåt för honom
look down se (titta) ned [*on, upon* på]; ~ *down on* (*upon*) *sb* bildl. se ned på ngn
look for a) leta (titta, söka) efter **b)** vänta [sig]
look forward se framåt; ~ *forward to* se fram emot, längta efter, emotse
look in titta in [*on sb* till ngn], hälsa på [*on sb* [hos] ngn]
look into a) undersöka [*I'll ~ into the matter*] **b)** se (titta) in i
look on a) se (titta) 'på, [bara] vara åskådare **b)** se *look upon* under *look II* nedan
look out a) se (titta) ut [*~ out of* (genom) *the window*] **b)** se sig för; ~ *out!* se upp!, se dig för!, akta dig!; ~ *out for* se upp (akta sig) för; titta (spana) efter, leta efter **c)** ~ *out on* el. ~ *out over* ha utsikt över, vetta mot
look over a) se över **b)** se igenom, se (gå) över; se på, inspektera [*~ over a house before buying it*]; granska; undersöka
look round a) se sig om[kring] [*~ round the town* (i staden)] **b)** se (titta, vända) sig om [*for* efter] **c)** se *look around* under *look II* ovan
look through a) se (titta) igenom; titta i [*~ through a telescope*] **b)** se (titta, gå) igenom [*~ through some letters*]; undersöka, granska **c)** låtsas inte se
look to a) bildl. se på (till) **b)** sköta (se) om; sörja för; ~ *to it that...* se till (laga så, sörja för) att... **c)** räkna med (på), vänta [sig], se fram emot, hoppas på; ~ *to sb for sth* vänta [sig] ngt av ngn
look up a) se (titta) upp; ~ *up to sb* se upp till ngn,

respektera ngn **b)** *things are ~ing up* bildl. det ljusnar, det tar sig igen **c)** ta reda på, slå upp [~ *up a word in a dictionary*]; vard. söka upp, hälsa på **d)** ~ *sb up and down* mönstra ngn [från topp till tå], mäta ngn med blicken
look upon a) bildl. betrakta [*~ upon sb with distrust*]; ~ *upon sth with favour* vara välvilligt inställd till ngt **b)** ~ *upon as* betrakta som, anse som (för)
III *s* **1** blick; titt; ögonkast; *let me have a* ~ får jag se (titta); *have* (*take*) *a* ~ *at* titta på, ta [sig] en titt på; *take a* [*long*] *hard* ~ *at sth* ta sig en funderare på ngt **2 a)** utseende **b)** uttryck [*an ugly ~ on* (i) *his face*] **c)** min [*angry ~s*]; uppsyn **d)** pl. ~*s* persons utseende [*she has her mother's ~s*]; *I don't like the ~ of it* jag tycker inte om det; det verkar oroande; *by the ~ of it* av utseendet att döma
lookalike ['lʊkəlaɪk] *s* dubbelgångare
looker ['lʊkə] *s* vard., ~ el. *good* ~ snygging, snyggis
looker-on [ˌlʊkər'ɒn] (pl. *lookers-on* [ˌlʊkəz'ɒn]) *s* åskådare
look-in ['lʊkɪn] *s* vard. **1** chans [*I didn't even get a ~*] **2** titt, påhälsning; *give sb a* ~ titta in till ngn, hälsa på [hos] ngn
looking glass ['lʊkɪŋɡlɑːs] *s* spegel; spegelglas
lookout ['lʊkaʊt] *s* **1** utkik i alla betydelser; ~ *man* utkiksman; *keep a good* ~ hålla skarp utkik [*for* efter]; *be on the* ~ *for* hålla utkik efter, försöka få tag i **2** utsikt; bildl. utsikter **3** *that's my* (*his*) ~ det är min (hans) sak (ensak); det angår ingen annan
look-see [ˌlʊk'siː, '--] *s* vard. titt, koll
1 loom [luːm] *vb itr* [hotfullt] dyka fram (upp) [*the ship ~ed* [*up*] *through the fog*]; framträda; ~ *ahead* bildl. hota, vara i annalkande; ~ *large* bildl. överskugga allt, torna upp sig
2 loom [luːm] *s* **1** vävstol **2** lom på åra
1 loon [luːn] *s* vard. idiot, dåre
2 loon [luːn] *s* amer. zool. lom; *common* ~ islom; *Pacific* ~ storlom; *red-throated* ~ smålom
loony ['luːnɪ] vard. **I** *adj* galen; idiotisk [~ *idea*]; hispig **II** *s* galning, dåre, tokstolle
loony bin ['luːnɪbɪn] *s* dårhus
loop [luːp] **I** *s* **1** ögla; slinga; krök [*the road makes a wide ~ round the lake*]; stropp, hank, hängare; träns; hälla; knut, rosett; handrem på skidstav, båge i krocket **2** data. slinga, loop **3** elektr. sluten krets **4** järnv. slingspår; vändslinga **5** cirkelbana; flyg. looping **6** amer. vard., *knock for a* ~ el. *throw for a* ~ förbluffa, göra paff, slå med häpnad **7** vard. bildl., *in* (*out*) *of the* ~ invigd (oinvigd)
II *vb tr* **1** lägga i en ögla (öglor) **2** göra (slå) en ögla (öglor) på **3** vira [i öglor] [*~ a rope round sth*] **4** flyg., ~ *the loop* göra en looping
III *vb itr* **1** bilda en ögla (öglor); gå i en ögla (båge) **2** cirkla, flyga i cirkel [*come ~ing through the air*], flyg. göra loping
loophole ['luːphəʊl] *s* kryphål, smyghål [*a ~ in the law*]
loopy ['luːpɪ] *adj* vard. tokig, virrig; *go* ~ bli vansinnig av ilska
loose [luːs] **I** *adj* **1 a)** lös [~ *flowers*; *a ~ knot*; ~ *sand*]; slapp [~ *skin*]; slak [*a ~ rope*]; lucker, porös [~ *soil*]; gles [*a ~ material*]; vid, löst sittande [~ *clothes*]; ~ *connection* lös förbindelse; elektr. glappkontakt; ~ *cover* [möbel]överdrag; ~ *ends* lösa

ändar; bildl. ouppklarade (oavslutade) saker
(frågor); **be at a ~ end** vard. vara sysslolös, inte ha
något för sig **b**) (se äv. under resp. verb som *break II 3* o.
1 let III 1) lös, lossnad [*a ~ tooth*]; loss [*break sth
~*]; glapp; **be ~** äv. glappa; **come ~** lossna; **get ~**
lossna; komma lös, slita sig [loss]; **set ~** släppa lös
(fri) **2** slankig, ledlös [*~ limbs*] **3** löslig [*~
thinking*]; fri [*a ~ translation*]; slapp [*~ style*]; vag,
obestämd **4** åld. lösaktig, lättfärdig [*a ~ life; a ~
woman*]; **~ living** lösaktigt leverne; **~ morals**
lättfärdighet, lösa seder
II *s* vard., **be on the ~** vara på fri fot, springa lös
III *vb tr* lösa, släppa lös; lossa

loose cannon [ˌluːˈkænən] *s* bildl. osäkrad bomb
loose change [ˌluːˈstʃeɪn(d)ʒ] *s* småpengar,
småmynt
loose-fitting [ˈluːsˌfɪtɪŋ] *adj* löst sittande; ledig, vid
loose-leaf [ˈluːsliːf] *adj* lösblads- [*~ book*; *~ system*];
med lösa blad [*~ notebook*]
loosely [ˈluːslɪ] *adv* löst etc., jfr *loose I*
loosen [ˈluːsn] **I** *vb tr* **1** lossa [på] [*~ a screw*]; lösa
upp [*~ a knot*]; släppa efter på, bildl. äv. lätta på,
mildra [*~ discipline*] **2** göra lös[are], luckra [upp]
3 bildl. lösa, frigöra; *it ~ed her tongue* det löste
(lossade) hennes tungas band
II *vb itr* **1** lossna; om knut gå upp **2** lösas upp; bli
lös[are]
III *vb tr* o. *vb itr* med adv.:
loosen up a) mjuka upp [*~ up one's muscles*]; värma
upp musklerna etc. **b**) vard. spänna av, bli mera
meddelsam
looseness [ˈluːsnəs] *s* löshet; vidd, ledighet;
löslighet etc., jfr *loose I*
loot [luːt] **I** *s* **1** byte, rov äv. bildl. **2** sl. [mycket] stålar
pengar **3** vard. prylar, grejor
II *vb tr* **1** plundra [*~ a city*] **2** föra bort som byte
III *vb itr* plundra
looter [ˈluːtə] *s* plundrare; tjuv
lop [lɒp] **I** *vb tr* **1** kvista, tukta, klippa, toppa träd,
kvista upp **2** hugga av, kapa
II *vb tr* med adv.:
lop off a) hugga av, kapa [*~ off branches*] **b**) bildl.
kapa, skära (ta) bort
lope [ləʊp] **I** *vb itr* gå med långa kliv; om djur skutta
II *s* långt kliv; långt skutt
lop-sided [ˌlɒpˈsaɪdɪd] *adj* **1** som lutar (hänger över)
åt ena sidan; sned, skev, osymmetrisk; **be ~** äv. luta
åt ena sidan, hänga snett **2** bildl. skev, ensidig; med
slagsida
loquacious [ləˈ(ʊ)kweɪʃəs] *adj* pratsam, pratsjuk;
mångordig, pratig
loquacity [ləˈ(ʊ)kwæsətɪ] *s* pratsamhet, pratsjuka;
mångordighet, pratighet
Lord [lɔːd] *s* **1** teol., **the ~** Herren, Gud; **Our ~** Vår
Herre och Frälsare, Kristus; **in the year of our ~ 1500**
år 1500 efter Kristi födelse; **the Lord's Prayer**
fadervår, Herrens bön; **~!** el. **good ~!** Herre Gud!,
du store [tid]!; **~, no!** el. **good ~, no!** nej, bevare mig
väl!; **~ bless me!** el. **~ bless my soul!** vard. du store
tid!; **~ knows who** (**how**)**!** vard. Gud vet vem (hur)!
2 the **~s** el. **the House of ~s** överhuset **3** som adelstitel
före namn Lord **4** som ämbetstitel [*~ Chancellor*; *~
Chief Justice* m.fl.]; se under *chancellor* o. *chief justice*
m.fl. **5** *My ~* [mɪˈlɔːd, till domare äv. mɪˈlʌd] i tilltal till:

a) högre adelsmän Ers nåd, greven, baron etc. **b**) högre
domare, biskopar m.fl. Ers nåd, herr domare etc.
lord [lɔːd] **I** *s* **1** herre, härskare [*of* över], poet. ägare
[*of* till]; **the ~ of the manor** godsherren, godsägaren
2 magnat [*press ~s*] **3** poet. el. skämts. gemål; **her ~
[and master]** hennes herre och man **4** lord; **as drunk
as a ~** full som en alika (kaja); **live like a ~** leva
furstligt (som en prins); **swear like a ~** svära som en
borstbindare
II *vb tr*, **~ it over** spela herre över
Lord Chamberlain [ˌlɔːdˈtʃeɪmbəlɪn] *s*, **~** [*of the
Household*] i Storbritannien hovmarskalk förr äv.
teatercensor
lordly [ˈlɔːdlɪ] *adj* **1** högdragen; befallande, myndig
2 förnäm, värdig; ståtlig
Lord Mayor [ˌlɔːdˈmeə] *s* lordmayor,
[över]borgmästare i London
lordship [ˈlɔːdʃɪp] *s* **1** *Your* (**His**) *Lordship* Ers (Hans)
nåd etc., jfr *My Lord* under *Lord 5*; **His Lordship** äv.
lorden **2** skämts., **his ~** min herre **3** herravälde,
myndighet [*over* över] **4** lordvärdighet
lore [lɔː] *s* kunskap, kännedom, lära [*the ~ of
herbs*]; [folk]kultur [*Irish ~*]; **bird ~** läran om
fåglarna
lorry [ˈlɒrɪ] *s* **1** lastbil; i sammansättn. -bil [*coal-lorry*]
2 flakvagn; öppen godsvagn **3** vard. skämts., ngt man
kommit över el. skaffat sig på ett tvivelaktigt sätt, **he said it
fell off the back of a ~** han påstod att han hade
'hittat' den
lorry-load [ˈlɒrɪləʊd] *s* lass [*a ~ of coal*]
Los Angeles [lɒsˈæn(d)ʒɪliːz, amer. äv. -ˈæŋgələs,
-ˈændʒələs] geogr.
lose [luːz] (*lost lost*, se äv. *losing* o. *lost*) **I** *vb tr*
1 förlora, mista [*~ one's money (leg)*]; *he has lost his
wife*]; tappa [*~ one's hair*]; bli av med [*I've lost my
cold*]; gå miste om, missa [*I lost part of what he
said*]; **~ 2 kilos** magra (gå ned) 2 kilo; **~ courage** el. **~
heart** tappa modet, bli modfälld; **~ ground**, **~ one's
head**, **~ heart** se under resp. subst.; **~ one's life** mista
livet, [få] släppa (sätta) till livet; **~ weight** gå ned i
vikt, magra; **she lost her mother to cancer** hon
förlorade sin mor i cancer **2** förlora [*~ a war*; *~ an
election*]; bli slagen i **3** tappa bort: **a**) slarva bort,
förlägga [*I've lost my key*] **b**) komma ifrån [*I lost
him in the crowd*]; **~ sight of** förlora ur sikte, bildl.
äv. bortse från, glömma [bort]; **~ the thread** bildl.
tappa tråden, komma av sig; **~ one's** (**the**) **way** gå
(råka, köra o.d.) vilse, tappa bort (förirra) sig, gå
bort sig, sätta (kasta) bort, ödsla [*~ time*];
försumma, försitta [*~ the chance*]; **there's no time to
~** det är ingen tid att förlora **4** om klocka sakta sig,
dra sig [efter] [*my watch has lost 3 minutes*]; **~ time**
sakta sig, dra sig [efter] **5** vard., **then he just lost it
and started yelling** sedan ballade han bara ur och
började vråla, sedan kunde han bara inte behärska
sig längre utan började vråla
II *vb rfl*, **~ oneself** tappa bort (förirra) sig [*I lost
myself in the city*]; förlora sig [*~ oneself in details*];
försjunka, fördjupa sig [*she lost herself in a book*];
~ oneself in one's work helt gå upp i sitt arbete
III *vb itr* **1** förlora [*you won't ~ by* (på) *it*]; **~ by**
(med) *five points*]; tappa; misslyckas, bli slagen; **~
heavily** göra stora förluster **2** om klocka sakta sig,

dra sig [efter] **3** ~ *out* misslyckas; förlora; dra det kortaste stråt
loser ['luːzə] *s* förlorare [*be a bad* (*good*) ~]; **be the ~ by** vara den som förlorar (blir lidande) på
losing ['luːzɪŋ] *adj* förlorande [*the* ~ *side*]; förlustbringande; ~ *cards* kortsp. förlustkort; *it's a ~ game* det är ett hopplöst företag, det är dömt att misslyckas
loss [lɒs] *s* **1** förlust; skada [*to* för]; *the ~ of the opportunity* [*depressed him*] att han missade chansen…; *that's my ~* det är jag som förlorar (blir lidande); *one man's ~ is another man's gain* den enes död är den andres bröd; *cut one's* ~*es* se under *cut I 13*; *clear* ~ el. *dead* ~ ren förlust; *he's* (*it's*) *a dead* ~ vard. han (den) är värdelös, han (den) är inget att ha; *she is no* ~ ingen kommer att känna någon större saknad efter (kommer att sakna) henne; ~ *of appetite* bristande aptit; ~ *of blood* blodförlust; *feel the* ~ *of* känna saknad (avsaknad) efter, sakna; *grieve for the* ~ *of sb* el. *mourn the* ~ *of sb* sörja (sakna) ngn; *sell at a* ~ sälja med förlust **2** *be at a* ~ vara villrådig (handfallen), vara i bryderi [*what to do* om vad man ska göra]; *she is never at a* ~ [*what to do*] hon vet alltid råd; *he is never at a* ~ *for an answer* han är aldrig svarslös; *be at a* ~ *to know what to say* inte veta vad man ska säga
loss adjuster ['lɒsəˌdʒʌstə] *s* försäkr. skadereglerare
loss-leader ['lɒsˌliːdə] *s* hand. lockvara
loss-making [ˌlɒsˈmeɪkɪŋ] *adj* förlustbringande [*a ~ company*]
lost [lɒst] **I** imperf. av *lose*
II *adj* o. *perf p* (av *lose*) **1** förlorad; borttappad, förkommen; försvunnen; *it is* ~ äv. den är borta, den har försvunnit (kommit bort); *he is* ~ han är förlorad, han står inte [till] att rädda; *get* ~ komma bort, försvinna; gå förlorad; *get* ~*!* sl. dra åt helsike!, stick!; *be* ~ *in* försvinna (drunkna) i [*he was* ~ *in the crowd*]; bildl. vara försjunken (fördjupad) i [*be* ~ *in thought* (tankar)]; *a* ~ *cause* ett hopplöst fall (företag); *be* ~ *to the world* vara (leva) i sin egen värld **2 a**) vilsegången, vilsekommen [*a* ~ *child*]; bortkommen, vilsen [*I felt* ~; *a* ~ *soul*] **b**) [helt] hjälplös, förlorad [*I'm* ~ *without my glasses*]; *I got* ~ jag gick (körde) vilse, jag tappade bort mig; *I am* ~ jag har gått (kört) vilse, jag har tappat bort mig; *I am completely* ~ jag har fullständigt tappat bort (förirrat) mig; bildl. jag vet varken ut eller in, jag är alldeles förvirrad (desorienterad) **3** vard., *I'm afraid you've* ~ *me there* jag hänger tyvärr inte riktigt med **4** sjö. förlist; *the crew was* ~ besättningen omkom; *the ship was* ~ fartyget förliste (gick under) **5** förtappad, fördömd [*a* ~ *soul*] **6** förspilld, bortkastad [~ *time*]; försutten, försummad [~ *opportunities*]; se äv. ex. under *love I 1*; *be* ~ *on* bildl. vara bortkastad på, inte göra verkan på; gå förlorad för, gå ngn förbi; *the hint was not* ~ *on him* han fattade vinken **7** *be* ~ *to* bildl. vara helt renons på, ha förlorat (tappat) [*he is* ~ *to all sense of duty*]
lost and found [ˌlɒstənˈfaʊnd] *s* vanl. amer. hittegodsavdelning [äv. ~ *office*]
lost property [ˌlɒstˈprɒpətɪ] *s* **1** hittegods **2** hittegodsavdelning [äv. ~ *office*]
lot [lɒt] *s* **1** sällskap, samling, gäng; anhang [*he and*

his ~]; *that* ~ [*ought to be shot*] såna där [typer]…; *they are a bad* ~ de är ett riktigt pack; *they are a queer* ~ de är ena konstiga ena (typer)
2 omgång, sats, uppsättning
3 massa, mängd; *a* ~ mycket [*that's a* ~; *he is a* ~ *better*]; till stor del, i hög grad [*it looks a* ~ *like it used to*]; ~*s* massor [*I've* ~*s to do*]; *a* ~ *of* [*things*] el. ~*s of* [*things*] en massa…, en hel hop (hög)…, [väldigt] mycket (många)…; ~*s and* ~*s* [*of*] massvis [med], massor [med (av)]; *quite a* ~ en hel del, ganska (rätt) mycket, inte så litet [*she knows quite a* ~]; *you have* ~*s of time* du har gott om (massor av) tid, du hinner mycket väl; *a* [*fat*] ~ *you care!* det bryr du dig väl inte ett dugg om!; *a* [*fat*] ~ *you know about it!* det vet du väl inte ett dugg om!; *that's a fat* ~ *of good!* det är minsann inte mycket att ha!
4 film. inspelningsområde
5 vanl. amer. tomt [*building* ~]; plats [*burial* ~]; område [*wood* ~]
6 *the* ~ **a**) allt, alltihop [*that's the* ~]; rubbet **b**) allihopa [*she is the best of the* ~]; *the whole* ~ hela rubbet (alltet); hela högen (bunten); *go away the whole* ~ (*the* ~) *of you* ge er i väg allihopa
7 a) lott, nummer på auktion **b**) lott; *cast* ~*s* el. *draw* ~*s* kasta (dra) lott; *by* ~ genom lottning **c**) lott, andel, del; öde; *cast* (*throw*) *in one's* ~ *with* förena sitt öde med, göra gemensam sak med; *fall to sb's* ~ falla på ngns lott, komma ngn till del; bli ngns lott (öde)
lotion ['ləʊʃ(ə)n] *s* vätska, lösning [*antiseptic* ~]; lotion, tinktur; vatten [*hair* ~]; *hand* ~ handkräm; *rubbing* ~ liniment; *setting* ~ läggningsvätska; *suntan* ~ solkräm
lottery ['lɒtərɪ] *s* lotteri äv. bildl. [*marriage is a* ~]
lottery list ['lɒtərɪlɪst] *s* dragningslista
lottery ticket ['lɒtərɪˌtɪkɪt] *s* lott[sedel]
lotto ['lɒtəʊ] *s* lotto[spel]
lotus ['ləʊtəs] *s* lotus[blomma]
lotus position ['ləʊtəspəˌzɪʃ(ə)n] *s*, *the* ~ lotusställning vid t.ex. meditation
loud [laʊd] **I** *adj* **1** hög [~ *voice*]; kraftig, stark [~ *sound*]; högljudd, ljudlig; bullersam, larmande; *in a* ~ *voice* med hög röst **2** bildl. skrikig [*a* ~ *tie*]; skrikande, bjärt, gräll [~ *colours*]; grann, prålig; tarvlig, vulgär [~ *manners*]
II *adv* högt [*don't speak so* ~*!*]; *out* ~ högt, med hög röst [*laugh* (*read, say, think*) *out* ~]
loudhailer [ˌlaʊdˈheɪlə] *s* megafon
loudly ['laʊdlɪ] *adv* **1** högt, med hög röst; högljutt etc., jfr *loud I 1* **2** bildl. skrikigt etc., jfr *loud I 2*
loudmouth ['laʊdmaʊθ] *s* gaphals, skränfock
loud-mouthed ['laʊdmaʊðd, -maʊθt] *adj* högljudd [av sig]; skränig, gapig
loudness ['laʊdnəs] *s* **1** högljuddhet, [ljud]styrka **2** bildl. skrikighet etc., jfr *loud I 2*
loud pedal ['laʊdˌpedl] *s* vard., *the* ~ högerpedalen, fortepedalen på piano o.d.
loudspeaker [ˌlaʊdˈspiːkə] *s* högtalare
Louis ['luːɪ, 'luːɪs, franskt namn 'luːɪ] mansnamn; som kunganamn Ludvig
Louisiana [luˌiːzɪˈænə, -ˈɑːnə] geogr.
lounge [laʊn(d)ʒ] **I** *s* **1** på flygplats vänthall **2** på hotell sällskapsrum, salong, vestibul; *cocktail* ~ cocktailbar; *TV* ~ tv-rum **3** i bostad vardagsrum;

'finare' salong

II *vb itr* **1** släntra; ~ el. ~ *about* gå och driva (dra), strosa [omkring], gå och strosa, flanera; ~ *off* släntra (masa sig) i väg **2** stå (sitta) och hänga; slöa
III *vb tr*, ~ *away* slöa bort [~ *away an hour*]; fördriva i sysslolöshet
lounge bar ['laʊn(d)ʒbɑ:] *s*, *the* ~ i pub den 'finaste' avdelningen
lounge chair [ˌlaʊn(d)ʒ'tʃeə, '--] *s* vilstol, vilfåtölj
lounge lizard ['laʊn(d)ʒˌlɪzəd] *s* vard., ung. salongslejon
lounger ['laʊn(d)ʒə] *s* **1** vilstol, vilfåtölj; solsäng **2** dagdrivare, lätting
lounge suit [ˌlaʊn(d)ʒ'su:t, -'sju:t, '--] *s* kostym
lour ['laʊə] *vb itr* se bister (ond, hotfull) ut; blänga [*at, on* på]; om himlen mörkna, mulna
louse [subst. laʊs, verb laʊz, laʊs] **I** *s* **1** (pl. *lice* [laɪs]) lus **2** (pl. ~*s*) vard. äckel, kräk, skit
II *vb tr* vard., ~ *up* sabba
lousy ['laʊzɪ] *adj* **1** vard. urdålig, botten, taskig, urusel [*a ~ dinner; a ~ player; feel ~*]; vidrig [~ *weather*]; jäkla [*you ~ swine*]; gemen, nedrig **2** vard., ~ *with* nedlusad med [*he is ~ with money*] **3** lusig, full med löss
lout [laʊt] *s* slyngel; drummel, tölp, buffel
loutish ['laʊtɪʃ] *adj* drumlig, tölpig, bufflig
louvre vanl. amer. **louver** ['lu:və] *s* spjälgaller; [luft]insläpp; ventilationsgaller
louvred o. amer. vanl. **louvered** ['lu:vəd] *adj* spjäl, spjälgaller-
lovable ['lʌvəbl] *adj* älskling, älskvärd, gullig
love [lʌv] **I** *s* **1** kärlek [*for sb, of sb* till ngn; *of sth* till ngt]; förälskelse [*for* i]; tillgivenhet [*towards* för]; lust, böjelse, förtjusning [*of* för]; passion [*music is one of the great ~s of his life*]; *there is no ~ lost between them* de tål inte varandra, de är inga vänner precis; *make ~* älska, ligga med varandra; *make ~ to* älska (ligga) med; ~ *of adventure* äventyrslusta; ~ *of mankind* människokärlek; ~ *of reading* läslust; *for ~* av kärlek [*marry for ~*]; *it is not to be had for ~ or money* det går inte att få för pengar (till något pris); *for the ~ of God!* för Guds skull!; *in ~* förälskad, kär [*with* i]; *fall in ~ with* förälska sig i, bli kär (förälskad, förtjust) i; *he has fallen out of ~ with her* han är inte kär i henne längre
2 hälsning[ar]; *send* (*give*) *sb one's* ~ hälsa till ngn; *send* (*give*) *her my* ~ hälsa henne så gott; [*lots of*] ~ el. ~ *from* el. *all my* ~ i brevslut [många] hjärtliga hälsningar, [massor av] kram[ar] **3** älskling, raring; lilla vän; till främmande person snälla du (ni) el. utan motsvarighet på sv.; *my ~!* äv. min älskade **4** vard. rar (förtjusande) människa [*he is a ~*]; raring, sötnos; förtjusande (tjusig) sak **5** i tennis o.d. noll; *fifteen ~* femton–noll; ~ *all* noll–noll
II *vb tr* o. *vb itr* älska; tycka [mycket] om, vara förtjust i [*she ~s dancing; she ~s to dance*]; hålla [mycket] av; ~ *sb dearly* älska ngn högt (innerligt, ömt); *she* (*he*) ~*s me, she* (*he*) ~*s me not* älskar, älskar inte ramsa; *yes, I'd* ~ ja, mycket (hemskt) gärna, ja, med förtjusning; *I'd* ~ *to stay but...* jag skulle hemskt gärna stanna, men...; *I'll have to* ~ *you and leave you* jag måste gå fastän jag gärna skulle vilja stanna

love affair ['lʌvəˌfeə] *s* kärleksaffär, kärlekshistoria
lovebird ['lʌvbɜ:d] *s* **1** zool. dvärgpapegoja **2** pl. ~*s* vard. turturduvor kärlekspar
love bite ['lʌvbaɪt] *s* sugmärke
love child ['lʌvtʃaɪld] *s* kärleksbarn
love game ['lʌvgeɪm] *s* blankt game i tennis o.d.
love handles ['lʌvˌhændlz] *s pl* vard. kärlekshandtag fettvalkar runt magen
love-hate [ˌlʌv'heɪt] *adj* hatkärleks- [~ *relationship*]
love-in-idleness [ˌlʌvɪn'aɪdlnəs] *s* bot. styvmorsviol
loveless ['lʌvləs] *adj* **1** kärlekslös, utan kärlek [*a ~ marriage*] **2** kärlekslös, kall och hård **3** oälskad, försummad, övergiven
love letter ['lʌvˌletə] *s* kärleksbrev
love life ['lʌvlaɪf] *s* kärleksliv
loveliness ['lʌvlɪnəs] *s* skönhet etc., jfr *lovely*
lovelorn ['lʌvlɔ:n] *adj* poet. **1** försmådd av sin älskade **2** sjuk av kärlek, trånande
lovely ['lʌvlɪ] *adj* **1** förtjusande, vacker, söt, tjusig [*a ~ girl*]; ljuvlig **2** vard. härlig, underbar [*we had a ~ holiday*]; festlig, kul, rolig [*a ~ joke*]; *it's ~ and warm here* det är varmt och skönt (gott) här
lovemaking ['lʌvˌmeɪkɪŋ] *s* samlag
love match ['lʌvmætʃ] *s* giftermål av kärlek
love nest ['lʌvnest] *s* kärleksnäste
lover ['lʌvə] *s* **1** älskare; tillbedjare, fästman; *the ~s* de älskande; *they are ~s* de har ett [kärleks]förhållande **2** [varm] vän, beundrare, älskare [*of* av]; *be a ~ of* äv. älska, tycka om; *a ~ of music* el. *a music ~* en musikälskare, en musikvän
lover boy ['lʌvəbɔɪ] *s* snygging; kvinnojägare, donjuan
love seat ['lʌvsi:t] *s* liten tvåmanssoffa
lovesick ['lʌvsɪk] *adj* kärlekskrank; smäktande
love triangle [ˌlʌv'traɪæŋgl] *s* triangeldrama
lovey ['lʌvɪ] *s* vard. älskling, raring i tilltal
lovey-dovey [ˌlʌvɪˈdʌvɪ] vard. **I** *s* älskling, raring i tilltal **II** *adj*, [*there was a lot of*] ~ *stuff* (*talk*) *between them...* ...gullande (kuttrande) mellan dom
loving ['lʌvɪŋ] *adj* kärleksfull, öm [~ *parents;* ~ *words*]; älskande; tillgiven [*a ~ friend*]; *a ~ couple* ett älskande par, ett kärlekspar
lovingly ['lʌvɪŋlɪ] *adv* kärleksfullt etc., jfr *loving*
1 low [ləʊ] **I** *adj* **1** låg i olika betydelser, låglänt [~ *ground*]; djup [*a ~ bow* [baʊ]]; urringad [*a ~ dress*]; ~ *pulse* låg (långsam) puls; *the tide is* ~ det är ebb **2** ringa, obetydlig [~ *rainfall* (nederbörd)]; låg [~ *birth* (börd)]; oansenlig; lågt stående, lägre [~ *forms of life*]; *high and* ~ hög[a] och låg[a] **3** simpel, låg, tarvlig, vulgär [~ *manners;* ~ *company*]; gemen, nedrig [*a ~ trick*]; ~ *comedy* buskis, fars **4** klen, svag, kraftlös [*feel ~ and listless*] **5** knapp, mager [~ *diet*]; ~ *in protein* fattig på protein, proteinfattig **6** nästan slut [*our supply is very ~*]
II *adv* **1** lågt; djupt [*bow ~*]; lågmält, lågt, tyst [*speak ~*]; svagt [*burn ~*]; billigt, till lågt pris [*buy ~*]; ~ *down on* (*in*) *the list* el. ~ *on* (*in*) *the list* långt ner på listan
2 knappt; *the battery is running* ~ batteriet håller på att ta slut
3 *as* ~ *as* [ända] ner till [*temperatures as* ~ *as...*]
4 i förbindelse med vissa verb:
bring low **a**) förnedra, förödmjuka [*be brought ~*]
b) ruinera

lay low a) kasta omkull (till marken), döda; begrava b) tvinga att ligga till sängs [*influenza has laid her ~*]

lie low a) hålla sig gömd (undan), [ligga och] trycka b) ligga lågt, förhålla sig avvaktande; kortsp. lurpassa

III *s* **1** botten[läge] [*the recent ~ in the stock market*]; bottennotering; *this is a new ~ in tastelessness* el. *this is an all-time ~ in tastelessness* det är bottenrekord i (absoluta botten av) smaklöshet **2** meteor. lågtryck, lågtrycksområde

2 low [ləʊ] *vb itr* råma, böla

low-alcohol [ˌləʊˈælkəhɒl] *adj*, *~ beer* lättöl

low beam [ˌləʊˈbiːm] *s* bil. halvljus; *be on ~* köra på halvljus

low-born [ˌləʊˈbɔːn], attr. '--] *adj* av låg börd

lowbrow [ˈləʊbraʊ] ofta neds. **I** *adj* ointellektuell, obildad; enklare, ytlig [*~ entertainment*] **II** *s* ointellektuell (obildad) person

low-cal [ˌləʊˈkæl] *adj* vard. lågkalori-, med få kalorier

low-calorie [ˈləʊˌkælərɪ] *adj* lågkalori-, med få kalorier

low-carb [ˌləʊkɑːbə(ʊ)ˈhaɪdreɪt] *adj* vard., se *low-carbohydrate*

low-carbohydrate [ˌləʊkɑːbə(ʊ)ˈhaɪdreɪt] *adj*, *~ diet* kolhydratbantning

low-carbon [ˈləʊˌkɑːbən] *adj* koldioxidsnål [*the ~ society*; *~ economy*]

Low-Church [ˌləʊˈtʃɜːtʃ] *adj* lågkyrklig

Low Church [ˌləʊˈtʃɜːtʃ] *s* lågkyrka[n]

low-class [ˌləʊˈklɑːs], attr. '--] *adj* **1** enklare, sämre, andra klassens [*a ~ pub*] **2** underklass-

Low Countries [ˌləʊˈkʌntrɪz] *s pl* geogr., *the ~* Nederländerna, Belgien och Luxemburg

low current [ˌləʊˈkʌr(ə)nt] *s* svagström

low-cut [ˌləʊˈkʌt], attr. '--] *adj* urringad

lowdown [ˈləʊdaʊn] *s* vard., *get (give sb) the ~ on sth* få (ge ngn) de viktigaste uppgifterna om ngt

low-down [ˈləʊdaʊn] *adj* **1** nedrig, gemen, tarvlig, lumpen [*a ~ trick*] **2** avsigkommen, förfallen, eländig

1 lower [ˈləʊə] **I** *adj* lägre etc., jfr *1 low I*; undre; nedre [*Lower Austria*]; under- [*~ bed*; *~ lip*; *~ jaw*]; *~ limit* undre (lägre) gräns, minimigräns; *the ~ world* a) jorden b) underjorden, helvetet **II** *adv* lägre etc., jfr *1 low II*; *~ down* längre ner **III** *vb tr* sänka; sätta ned äv. bildl. [*~ resistance* (motståndskraften)]; göra lägre; dämpa äv. bildl. [*~ sb's pride*]; skruva ned [*~ the gas*; *~ the radio*]; minska [på]; sänka (hissa) ned [*into i*], hala (ta) ned [*~ a flag*], sjö. fira [ner], sätta ut [*~ a boat*]; *~ oneself* förödmjuka sig; nedlåta (sänka) sig [*to till*, till att] **IV** *vb itr* sjunka [*it ~ed in value*]; bli lägre

2 lower [ˈlaʊə] *vb tr* o. *vb itr* se *lour*

lower-case [ˈləʊəkeɪs] *adj* typogr., *~ letter* gemen, liten bokstav

lower case [ˌləʊəˈkeɪs] *s* typogr. gemen, liten bokstav

lower-class [ˌləʊəˈklɑːs], attr. '---] *adj* underklass-; underklassig; *be ~* vara underklass

lower class [ˌləʊəˈklɑːs] *s*, *the ~* el. *the ~es* de lägre klasserna, underklassen

lower deck [ˈləʊəˌdek] *s* sjö. undre däck; trossdäck

lower house [ˌləʊəˈhaʊs] *s*, *the ~* andra kammaren; i Storbritannien underhuset

lowermost [ˈləʊəməʊst] *adj* lägst; underst

lower school [ˈləʊəˌskuːl] *s*, *the ~* de lägre årskurserna i *secondary school*

low-fat [ˌləʊˈfæt], attr. '--] *adj* lätt- [*~ margarine*; *~ milk*]; *~ cheese* halvfet (mager) ost

low frequency [ˌləʊˈfriːkwənsɪ] *s* radio., se *frequency*

low-grade [ˈləʊgreɪd] *adj* av låg kvalitet, lågvärdig

low-heeled [ˈləʊhiːld, pred. ˌ-ˈ-] *adj* lågklackad

low-key [ˌləʊˈkiː], attr. '--] *adj* lågmäld, dämpad äv. bildl.

lowland [ˈləʊlənd] **I** *s* lågland **II** *adj* låglands-; *~ plain* lågslätt

Lowlands [ˈləʊləndz] *s pl*, *the ~* Skotska lågländerna

low-level [ˌləʊˈlevl] *adj* **1** på låg nivå [*~ conference*] **2** mil. från (på) låg höjd [*~ bombing*]

low-level language [ˌləʊˈlevlˌlæŋgwɪdʒ] *s* data. lågnivåspråk

lowlife [ˈləʊlaɪf] (pl. *~s*) *s* sl. skurk; skummis, skumraskfigur

lowlights [ˈləʊlaɪts] *s pl* **1** [mörka] slingor i håret **2** bildl. bottennapp

lowly [ˈləʊlɪ] *adj* ringa; obetydlig, oansenlig

low-lying [ˌləʊˈlaɪɪŋ], attr. '-,--] *adj* låglänt

low-necked [ˌləʊˈnekt], attr. '--] *adj* låghalsad, urringad, djupringad

lowness [ˈləʊnəs] *s* låghet, ringa höjd; ringa ställning; gemenhet etc., jfr *1 low I*

low-octane [ˌləʊˈɒkteɪn] *adj*, *~ petrol* el. *~ gasoline* lågoktanig bensin

low-paid [ˌləʊˈpeɪd], attr. '--] *adj* lågavlönad

low-pitched [ˌləʊˈpɪtʃt], attr. '--] *adj* låg, som har lågt tonläge [*a ~ sound*]; lågmäld [*a ~ voice*]

low-pressure [ˌləʊˈpreʃə], attr. '-,--] *adj* **1** lågtrycks- [*~ turbine*] **2** vard. avspänd, lugn **3** vard. diskret, försynt [*~ methods*]

low pressure [ˌləʊˈpreʃə] *s* lågtryck

low-priced [ˈləʊˌpraɪst] *adj* prisbillig, lågpris-

low-profile [ˌləʊˈprəʊfaɪl] *adj*, *~ campaign* kampanj med låg profil; *~ tyre* (amer. *tire*) lågprofildäck

low-rent [ˌləʊˈrent] *adj* billig, billighets-

low-rise [ˈləʊraɪz] *adj* **1** låghus- [*~ area*]; *~ building* låghus **2** med låg midja, lågt skuren [*~ jeans*]

low-risk [ˌləʊˈrɪsk] *adj* lågrisk-, med liten risk, med litet risktagande

low season [ˌləʊˈsiːzn] *s* lågsäsong

low-slung [ˌləʊˈslʌŋ] *adj* låg [*~ cars (furniture)*]

low-spirited [ˌləʊˈspɪrɪtɪd] *adj* nedstämd, modfälld, olustig

low-tar [ˌləʊˈtɑː] *adj* med låg tjärhalt [*~ cigarettes*]

low-tech [ˌləʊˈtek] *adj* lågteknologisk, lowtech, teknologiskt primitiv

low-tension [ˌləʊˈtenʃ(ə)n] *adj* elektr. lågspännings- [*~ cable*]; *~ current* lågspänd ström, svagström

low tension [ˌləʊˈtenʃ(ə)n] *s* elektr. lågspänning

low tide [ˌləʊˈtaɪd] *s* lågvatten, ebb

low-voiced [ˌləʊˈvɔɪst] *adj* lågmäld

low-voltage [ˌləʊˈvəʊltɪdʒ] *adj* elektr. svagströms- [*~ motor*]; lågspännings-; *~ current* svagström

low voltage [ˌləʊˈvəʊltɪdʒ] *s* elektr. lågspänning

low water [ˌləʊˈwɔːtə] *s* lågvatten, ebb

low-water mark [ˌləʊˈwɔːtəmɑːk] (förk. *LWM*) *s* lågvattensmärke, lågvattenslinje

lox [lɒks] *s* kok. (vanl. amer.), slags rökt lax

loyal ['lɔɪ(ə)l] *adj* lojal, solidarisk [*to* mot, med], trofast, pålitlig [*a ~ friend*]; [plikt]trogen

loyalist ['lɔɪəlɪst] *s* regeringstrogen person; attr. regeringstrogen [*the ~ troops*]

loyalty ['lɔɪ(ə)ltɪ] *s* lojalitet; trofasthet; [plikt]trohet

loyalty card ['lɔɪ(ə)ltɪkɑːd] *s* förmånskort som ger bonuspoäng vid inköp

lozenge ['lɒzɪn(d)ʒ] *s* **1** ruta; geom. romb **2** pastill, tablett [*throat ~*]

1 LP [ˌel'piː] (pl. *LPs*) *s* (förk. för *long-playing*) LP[-skiva]

2 LP förk. för *Labour Party*

L-plate ['elpleɪt] *s* övningskörningsskylt

LPN [ˌelpiː'en] amer. förk. för *licensed practical nurse*

LSD [ˌeles'diː] *s* LSD narkotiskt medel

L.S.D o. **£.s.d.** [ˌeles'diː] *s* vard. (förk. för *pounds, shillings and pence*) vard. pengar; *it is only a matter of ~* det är bara en penningfråga

Lt förk. för *lieutenant*

Ltd ['lɪmɪtɪd] (förk. för *Limited*) AB; *Black and White ~ AB* Black and White

lubber ['lʌbə] *s* luns, tölp, drummel

lube job ['luːbdʒɒb] *s* amer. vard. rundsmörjning

lubricant ['luːbrɪkənt, 'ljuː-] *s* smörjmedel, smörjämne; glidmedel

lubricate ['luːbrɪkeɪt, 'ljuː-] *vb tr* **1** [rund]smörja; olja; smörja (olja) in; bildl. göra smidigare, få att gå (löpa) lättare (smidigare) **2** vard. muta, smörja

lubrication [ˌluːbrɪ'keɪʃ(ə)n, ˌljuː-] *s* [rund]smörjning; insmörjning; attr. smörj- [*~ instructions*]

lubricious [luː'brɪʃəs, ljuː-] *adj* liderlig, slipprig

lucerne [luː'sɜːn, ljuː'sˈ-] *s* bot. [blå]lusern

lucid ['luːsɪd, 'ljuː-] *adj* klar, redig, tydlig, åskådlig, överskådlig, lättförståelig [*a ~ explanation*]

lucidity [luː'sɪdətɪ, ljuː-] *s* klarhet ofta bildl., jfr *lucid*

luck [lʌk] **I** *s* lycka, tur; slump, öde; *any ~?* vard. lyckades det?, blev (gav) det något resultat?; *bad ~* otur, olycka; motgång; *bad ~!* otur!; *have a run of bad ~* ha en ständig otur, ha den ena motgången efter den andra; *good ~* lycka, tur; framgång, medgång; *good ~ [to you]!* lycka till!; *hard* (*rotten, rough, tough*) *~* vard. otur [*on sb* för ngn]; *ill ~* se *ill-luck; just my ~!* iron. det är min vanliga tur (mitt vanliga öde)!; *no such ~!* så väl är (var) det inte!; [*I didn't get the job,*] *worse ~* ...sorgligt nog, ...tyvärr; *worse ~!* tyvärr!; *the best of ~!* lycka till [och ha det så bra]!; *a wonderful piece* (*stroke*) *of ~* en underbar tur; *as ~ would have it, I was...* det slumpade sig så att...; *some people have all the ~!* det finns somliga som har tur [ska jag säga]!; *push one's ~* vard. utmana ödet; *try one's ~* pröva lyckan (sin lycka); *my ~ is in* el. *I'm in ~* jag har tur [med mig]; *my ~ is out* el. *I'm out of ~* jag har otur, jag har ingen tur (framgång) [längre]; *be down on one's ~* vard. vara förföljd av otur, vara i knipa, ha det besvärligt; *with any ~* med lite tur

II *vb itr, ~ out* ha tur, lyckas

luckily ['lʌkəlɪ] *adv* lyckligtvis, som tur var; *~ for me* till min lycka, som tur var för mig

luckless ['lʌkləs] *adj* olycklig, förföljd av otur; olycksalig; misslyckad [*a ~ attempt*]

lucky ['lʌkɪ] *adj* som har tur, med tur [*a ~ man*];

lyckad [*a ~ escape; a ~ guess*]; lyckosam, lycklig, tursam; lyckobringande [*a ~ charm* (amulett)]; lycko- [*it's my ~ day* (*number, star*)]; *be ~* a) ha tur [*you are ~ to be* (som är) *there*]; vara lyckligt lottad b) vara tur [*it's ~ for him*] c) bringa lycka, ha lycka (tur) med sig [*a horseshoe is ~*]; *you* etc. *should be so ~!* vard. trodde du, ja!; *by a ~ chance* genom en lycklig slump, av en [ren] lyckträff; *a ~ dog* (*beggar, devil*) en lyckans ost; *~ you!* tur för dig!; [din] lyckans ost!; *third time ~!* tredje gången gillt!; *strike* [*it*] *~* ha tur

lucky dip [ˌlʌkɪ'dɪp] *s* ung. fiskdamm på basar o.d.

lucrative ['luːkrətɪv, 'ljuː-] *adj* lukrativ, inbringande, lönande [*~ business*]; räntabel, fördelaktig [*~ investments*]

lucre ['luːkə, 'ljuː-] *s, for* [*filthy*] *~* för snöd vinnings skull; *filthy ~* äv. den snöde mammon

Lucy ['luːsɪ] kvinnonamn

Luddite ['lʌdaɪt] *s* motståndare till ny teknik och nya arbetsmetoder

ludicrous ['luːdɪkrəs, 'ljuː-] *adj* löjlig; skrattretande

ludo ['luːdəʊ] *s* ung. fia[spel], 'ludo'

1 lug [lʌg] *vb tr* släpa, kånka [*he ~ged it up the stairs*]; dra; släpa (kånka, knoga) på

2 lug [lʌg] *s* **1** grepe, öra på kärl, handtag; tekn. utskjutande kant, tapp, fläns, flik **2** vard. öra

luge [luːʒ] **I** *s* rodel **II** *vb itr* åka (köra) rodel

lugeing ['luːʒɪŋ] *s* sport. rodel[åkning]

luggage ['lʌgɪdʒ] *s* resgods, bagage, reseffekter; *a piece of ~* ett kolli

luggage label ['lʌgɪdʒˌleɪbl] *s* adresslapp

luggage rack ['lʌgɪdʒræk] *s* bagagehylla, bagagenät

luggage van ['lʌgɪdʒvæn] *s* resgodsvagn, godsfinka

lugubrious [lə'guːbrɪəs, lʊ'g-] *adj* dyster

lugworm ['lʌgwɜːm] *s* zool. sandmask

Luke [luːk, ljuːk] bibl. Lukas; *St* (*Saint*) *~ the Evangelist* evangelisten Lukas

lukewarm ['luːkwɔːm, 'ljuːk-] *adj* **1** ljum [*~ tea*] **2** bildl. halvhjärtad [*~ support*]; ljum [*~ friendship*]

lull [lʌl] **I** *vb tr* **1** vyssja, lulla [*to sleep* till sömns] **2** bildl. söva [*~ sb's suspicions*]; lugna, stilla [*~ sb's fears*]; *~ sb into a false sense of security* invagga ngn i en falsk känsla av säkerhet **3** *be ~ed* lugna sig, lägga sig [*the wind* (*sea*) *was ~ed*]

II *s* paus, uppehåll [*a ~ in the conversation*] bildl. stiltje, stillastående; *the ~ before the storm* lugnet före stormen äv. bildl.

lullaby ['lʌləbaɪ] *s* vaggvisa, vaggsång

lumbago [lʌm'beɪgəʊ] *s* med. ryggskott, lumbago

lumbar ['lʌmbə] *adj* anat. lumbal; länd- [*~ vertebra*]; *the ~ region* korsryggen

lumbar puncture [ˌlʌmbə'pʌŋ(k)tʃə] *s* med. lumbalpunktion, ryggmärgsprov

1 lumber ['lʌmbə] *vb itr* lufsa, klampa [*along* fram, i väg]

2 lumber ['lʌmbə] **I** *s* **1** vanl. amer. timmer, virke **2** [gammalt] skräp, bråte, bildl. äv. smörja, tyngande gods, barlast

II *vb tr* belasta, tynga [*a mind ~ed with useless facts*]; få ta på sig, bli fast med

lumberer ['lʌmbərə] *s* vanl. amer. timmerhuggare, skogshuggare; skogsarbetare

lumberjack ['lʌmbədʒæk] *s* se *lumberer*

lumber room ['lʌmbəruːm] *s* skräpkammare

lumberyard ['lʌmbəjɑːd] s amer. brädgård
luminary ['luːmɪnərɪ, 'ljuː-] s förgrundsfigur; vard. celebritet, kändis
luminosity [ˌluːmɪ'nɒsətɪ] s lysförmåga; glans; astron. ljusstyrka
luminous ['luːmɪnəs, 'ljuː-] adj lysande; självlysande [~ paint]; strålande [~ eyes]; ljus- [~ intensity]
luminous tape [ˌluːmɪnəs'teɪp] s reflexband
1 lump [lʌmp] **I** s **1** klump; stycke; klimp, klick, bit; a ~ of coal ett kol; a ~ of sugar en sockerbit **2** vard. massa, mängd; hög [the articles were piled in a great ~] **3** bula, knöl **4** vard. trögmåns, tjockskalle **II** vb tr slå ihop [they ~ed their expenses]; ~ together slå ihop [i klump] [~ items together]; bunta ihop; bildl. behandla i klump, skära över en kam
2 lump [lʌmp] vb tr vard., like it or ~ it passar det inte (om du inte vill ha det) så får det vara!
lumpectomy [lʌmp'ektəmɪ] s kir. lumpektomi, tumorektomi
lumpfish ['lʌmpfɪʃ] s zool. stenbit, sjurygg
lumpish ['lʌmpɪʃ] adj **1** tung, klumpig **2** fånig; slö, likgiltig, trög
lump sugar [ˌlʌmp'ʃʊgə] s bitsocker
lump sum [ˌlʌmp'sʌm] s klumpsumma; pay down a ~ betala en klumpsumma, betala på en gång (på ett bräde)
lumpy ['lʌmpɪ] adj **1** full av klumpar, klimpig [~ sauce]; knölig [a ~ bed]; ojämn **2** klumpig [a ~ gait]
lunacy ['luːnəsɪ, 'ljuː-] s vansinne, vanvett
lunar ['luːnə] adj mån- [~ landscape; ~ year]; lunar, lunarisk
lunar module [ˌluːnə'mɒdjʊl] s månlandare
lunar month [ˌluːnə'mʌnθ] s synodisk månad; månvarv
lunar orbit [ˌluːnər'ɔːbɪt] s månbana
lunar probe [ˌluːnə'prəʊb] s månsond
lunatic ['luːnətɪk] **I** s **1** galning, dåre [work like a ~] **2** åld. neds. sinnessjuk person **II** adj vansinnig, vanvettig, dåraktig [a ~ proposal]
lunatic asylum ['luːnətɪkəˌsaɪləm] s se asylum 2
lunatic fringe [ˌluːnətɪk'frɪn(d)ʒ] s fanatisk extremistgrupp, fanatiska extremister i politik o.d.
lunch [lʌn(t)ʃ] **I** s **1** lunch; have ~ el. take ~ äta lunch; let's do ~ vanl. amer. vard. vi kan väl äta lunch tillsammans; he is at ~ a) han är på (till) lunch b) han [sitter och] äter lunch; ~ packet el. packed ~ [lunch]matsäck, lunchkorg, lunchpaket **2** i USA a) lunch b) lätt måltid, mellanmål, extramål **II** vb itr äta lunch, luncha; we ~ed on salmon vi åt lax till lunch
lunch box ['lʌn(t)ʃbɒks] s matlåda
lunch break ['lʌn(t)ʃbreɪk] s lunchrast; in the ~ el. during the ~ på (under) lunchen
luncheon ['lʌn(t)ʃ(ə)n] (formellt för lunch) **I** s lunch **II** vb itr luncha, äta lunch
luncheon meat ['lʌn(t)ʃ(ə)nmiːt] s konserverat fläskkött blandat med säd
luncheon voucher ['lʌn(t)ʃ(ə)nˌvaʊtʃə] (förk. LV) s lunchkupong
lunch hour ['lʌn(t)ʃˌaʊə] s lunchrast; in the ~ el. during the ~ äv. på (under) lunchen

lunch lady ['lʌn(t)ʃˌleɪdɪ] s amer. skolmåltidspersonal, 'mattant'
lunchroom ['lʌn(t)ʃruːm] s amer. lunchrum, lunchmatsal
lunchtime ['lʌn(t)ʃtaɪm] s lunchtid, lunchdags; lunch- [~ concert]
lunchtime recess [ˌlʌn(t)ʃtaɪm'riːses] s amer. lunchrast
lung [lʌŋ] s lunga äv. bildl.; attr. lung- [~ cancer]
lunge [lʌndʒ] **I** vb itr **1** göra [ett] utfall [äv. ~ out; at mot]; he ~d out suddenly han gjorde ett plötsligt utfall **2** boxn. slå ett rakt (raka) slag **3** rusa, störta; göra ett plötsligt (hastigt) ryck [the car ~d forward] **II** s **1** fäktn. utfall äv. bildl.; boxn. rakt slag **2** häftig rörelse [framåt]; with a ~ he grabbed the ball han kastade sig på bollen
lupin ['luːpɪn, 'ljuː-] s bot. lupin
lupus ['luːpəs, 'ljuː-] s med. lupus hudsjukdom; systematic ~ erythematosus (förk. SLE) SLE (förk. för systematisk lupus erythematosus)
1 lurch [lɜːtʃ] vb itr kränga; vard. ragla, vingla
2 lurch [lɜːtʃ] s, leave in the ~ lämna i sticket, svika; strandsätta
lure [ljʊə, lʊə] **I** vb tr locka, lura [away bort; into in i] **II** s **1** lockelse, dragningskraft [the ~ of the sea]; frestelse [the ~s of the metropolis] **2** lockbete; fisk. drag; bete; vid falkjakt lockfågel, bulvan
Lurex® ['luːreks, 'ljuː-] s textil. lurex®
lurid ['ljʊərɪd, 'lʊə-] adj **1** brandröd, glödande, flammande [a ~ sky; a ~ sunset]; skrikig, gräll [paperbacks in ~ covers] **2** hotande, hotfull [~ thunderclouds]; kuslig, hemsk, spöklik [a ~ atmosphere]; ohygglig, makaber
lurk [lɜːk] vb itr **1** [stå och] lura [a man ~ing in the shadows]; stå (ligga) på lur; hålla sig dold **2** bildl. lura [dangers were ~ing]; dölja sig
lurker ['lɜːkə] s data. sl., ung. lyssnare person som följer diskussion i nyhetsgrupp (datorforum) utan att ge sig själv till känna
luscious ['lʌʃəs] adj **1** läcker, delikat [~ peaches]; ljuvlig, härlig [a ~ feeling]; ~ lips sensuella läppar, [en] generös mun **2** bildl. överlastad [a ~ style] **3** vard. yppig [och sexig] [a ~ blonde]
1 lush [lʌʃ] adj **1** frodig, yppig [a ~ growth of vegetation]; saftig [~ grass]; grönskande [~ meadows] **2** flott, lyxig [~ surroundings]; överdådig, påkostad [a ~ dinner]; läcker, smakfull
2 lush [lʌʃ] s amer. sl. fyllo, suput
lust [lʌst] **I** s lusta; kättja; åtrå, begär [for efter]; the ~s of the flesh köttets lustar; ~ for gold guldtörst, guldhunger; ~ for life livsaptit; ~ for power maktlystnad, maktbegär **II** vb itr, ~ for el. ~ after åtrå, eftertrakta, längta efter; törsta efter
luster ['lʌstə] o. **lusterless** ['lʌstələs] amer., se lustre o. lustreless
lustful ['lʌstf(ʊ)l] adj lysten [~ eyes]; vällustig, kättjefull
lustily ['lʌstəlɪ] adv av alla krafter, energiskt [work ~; fight ~]; duktigt [cry ~]; friskt [burn ~]; kraftigt; hjärtligt [laugh ~]
lustre ['lʌstə] s **1** glans; lyster, skimmer **2** bildl.

glans, ära; strålande skönhet; **add fresh ~ to** skänka ny glans åt

lustreless ['lʌstələs] *adj* glanslös, matt

lustrous ['lʌstrəs] *adj* glänsande; skimrande [~ *pearls*]; strålande [~ *eyes*]

lusty ['lʌstɪ] *adj* frisk och stark, kraftfull, livskraftig; kraftig [~ *cheers*; *a* ~ *kick*]; hjärtlig [*a* ~ *laugh*]; rejäl [*a* ~ *meal*]; **a ~ appetite** en strålande aptit

lute [luːt, ljuːt] *s* mus. luta

Luther ['luːθə, 'ljuː-]

Lutheran ['luːθ(ə)r(ə)n, 'ljuː-] **I** *adj* luthersk; evangelisk-luthersk [*the* ~ *Church*] **II** *s* lutheran

luv [lʌv] *s* skämts., se *love I 4*

luvvy ['lʌvɪ] *s* vard. **1** se *love I 4* **2** skämts. el. ngt neds. [tillgjord] skådis

Luxembourg ['lʌks(ə)mbɜːg] **I** geogr. egennamn **II** *adj* luxemburgsk

Luxembourger ['lʌks(ə)m,bɜːgə] *s* luxemburgare

luxuriance [lʌg'zjʊərɪəns, lʌg'ʒʊə-, lʌk'sj-] *s* frodighet, yppighet, ymnighet, överflöd, rikedom

luxuriant [lʌg'zjʊərɪənt, lʌg'ʒʊə-, lʌk'sj-] *adj* frodig, yppig [~ *vegetation*]; ymnig, överflödande; kraftig, yvig [~ *hair*]; överlastad, blomsterrik

luxuriate [lʌg'zjʊərɪeɪt, lʌg'ʒʊə-, lʌk'sj-] *vb itr* frodas; njuta i fulla drag; ~ **in** frossa i, njuta av, hänge sig åt

luxurious [lʌg'zjʊərɪəs, lʌg'ʒʊə-, lʌk'sj-] *adj* **1** luxuös [*a* ~ *hotel*]; lyxig, lyxbetonad, flott [~ *surroundings*]; praktfull, påkostad, överdådig; utsökt, läcker [~ *food*]; skön och bekväm [*a* ~ *armchair*]; **a ~ life** en lyxtillvaro, ett lyxigt liv **2** lyxälskande, njutningslysten; njutningsfylld, härlig [*a* ~ *feeling of well-being*]; dyrbar, lyxig [~ *habits*]

luxury ['lʌkʃ(ə)rɪ] *s* **1** lyx, överflöd, överdåd [*live in* ~]; **a life of** ~ ett lyxliv, ett liv i lyx; ~ **goods** lyxartiklar **2** lyxartikel, lyxvara [*jewels and other luxuries*]; pl. **luxuries** äv. delikatesser, godsaker; [**a** **bathroom is**] **no** ~ ...är ingen lyx; **I can afford a few luxuries now and then** jag kan kosta på mig lite lyx då och då **3** [riktig] njutning **4** attr. lyx- [*a* ~ *hotel*; *a* ~ *flat*]; ~ **tax** lyxskatt

LV [,el'viː] förk. för *luncheon voucher*

LW radio. förk. för *long wave*

LWM [,eldʌblju:'em] förk. för *low-water mark*

lychee [,laɪ'tʃiː, 'lɪtʃiː] *s* bot., se *litchi*

Lycra® ['laɪkrə] *s* textil. Lycra®

Lydia ['lɪdɪə] kvinnonamn

lye [laɪ] *s* lut

1 lying ['laɪɪŋ] **I** *pres p* av *2 lie II* **II** *adj* lögnaktig [*a* ~ *person*; *a* ~ *report*]; som ljuger **III** *s* ljugande; lögnaktighet

2 lying ['laɪɪŋ] *pres p* av *1 lie I*

Lyme disease ['laɪmdɪ,ziːz] *s* med. Lyme borrelios

lymph [lɪmf] *s* fysiol. lymfa

lymphatic [lɪm'fætɪk] *adj* **1** lymfatisk; lymf- [~ *gland*; ~ *vessel*] **2** flegmatisk **3** blek[siktig]

lymphatic system [lɪm'fætɪk,sɪstəm] *s* fysiol. lymfsystem

lymph gland ['lɪmfglænd] *s* o. **lymph node** ['lɪmfnəʊd] *s* anat. lymfkörtel, lymfknut

lymphoma [,lɪm'fəʊmə] (pl. ~*ta* [-tə] el. ~*s*) *s* med. lymfom

lynch [lɪn(t)ʃ] *vb tr* lyncha

lynx [lɪŋks] *s* lo[djur]

lyre ['laɪə] *s* mus. lyra

lyric ['lɪrɪk] **I** *adj* lyrisk; ~ **poet** lyrisk skald, lyriker; ~ **poetry** el. ~ **verse** lyrik; ~ **stage** lyrisk scen; opera **II** *s* **1** lyrisk dikt **2** pl. ~**s** [sång]text

lyrical ['lɪrɪk(ə)l] *adj* lyrisk ofta bildl., känslofull, svärmisk, högstämd

lyricism ['lɪrɪsɪz(ə)m] *s* **1** lyrisk karaktär (stil) **2** lyriskt uttryck **3** lyriskt patos, lyrism

lyricist ['lɪrɪsɪst] *s* [sång]textförfattare

1 M, m [em] (pl. *M's* el. *m's* [emz]) *s* M, m
2 M [em] **1** (förk. för *Medium*) M beteckning för storleken medelstor i klädesplagg **2** förk. för *motorway* [*M 1*]
m o. **m.** förk. för *metre[s]*, *mile[s]*, *million[s]*, *minute[s]* (se *1 minute*)
'm 1 = *am* [*I'm*] **2** se *ma'am*
ma [mɑ:] *s* vard. mamma; mor [~ (*Ma*) *Smith*]
1 MA [ˌem'eɪ] förk. för *Master of Arts*
2 MA förk. för *Massachusetts*
ma'am [mæm, məm] *s* frun i tilltal av tjänstefolk m.fl., ofta utan mots. i sv. [*Yes, ~!*]; se äv. *madam 1*
Maastricht Treaty [ˈmɑːstrɪxtˌtriːtɪ] EU., *the ~* Maastrichtfördraget Unionsfördraget
Mac [mæk] *s* vanl. amer., i tilltal grabben, polarn [*hey, ~, where are you going?*]
mac [mæk] *s* (kortform av *mackintosh*) regnrock, regnkappa
macabre [məˈkɑːbrə] *adj* makaber
macadam [məˈkædəm] *s* makadam[kross], krossten; ~ *road* makadamväg, grov asfaltväg
Macafee [ˌmækəˈfiː, '---]
macaroni [ˌmækəˈrəʊnɪ] *s* makaroni, makaroner; ~ *cheese* el. amer. ~ *and cheese* makaronilåda med ostsås
macaroon [ˌmækəˈruːn] *s* kok. mandelbiskvi, makron, polyné
macaw [məˈkɔː] *s* zool. ara[papegoja]
Mace® [meɪs] *s* tårgas äv. i sprejburk som används i försvarssyfte
1 mace [meɪs] *s* muskotblomma krydda
2 mace [meɪs] *s* stav buren framför t.ex. talmannen i underhuset [*the Mace*]
Macedonia [ˌmæsɪˈdəʊnɪə] geogr. Makedonien
Macedonian [ˌmæsɪˈdəʊnɪən] **I** *adj* makedonisk **II** *s* **1** makedonier; makedonska kvinna **2** makedonska [språket]
macerate [ˈmæsəreɪt] **I** *vb tr* lösa (blöta) upp; laka ur
II *vb itr* lösas (blötas) upp; lakas ur; smälta
Mach [mæk, mɑːk] *s* mach; ~ el. ~ *number* flyg. machtal
machete [məˈʃetɪ, -ˈtʃet-, məˈʃet] *s* machete stor kniv
Machiavellian [ˌmækɪəˈvelɪən] *adj* machiavellisk; bildl. äv. samvetslös
machinations [ˌmækɪˈneɪʃ(ə)nz, ˌmæʃ-] *s pl* ränker, intriger, stämplingar
machine [məˈʃiːn] **I** *s* **1** maskin äv. = bil, motorcykel, flygplan o.d., apparat [*X-ray ~*]; ~ el. *automatic ~* automat **2** dator **3** bildl. [parti]organisation, [parti]apparat [*the Democratic ~*]; maskineri **4** attr. maskin- [*the ~ age*; ~ *milking*]; maskinell [~ *equipment*]
II *vb tr* tillverka med (på) maskin; sy på maskin
machine code [məˈʃiːnkəʊd] *s* data. maskinkod
machine-gun [məˈʃiːngʌn] *vb itr* o. *vb tr* mil. skjuta med kulspruta [på]

machine gun [məˈʃiːngʌn] *s* mil. kulspruta, maskingevär; *light* ~ kulsprutegevär
machine language [məˈʃiːnˌlæŋgwɪdʒ] *s* data. maskinspråk
machine-made [məˈʃiːnmeɪd] *adj* maskingjord, maskintillverkad; maskinsydd
machine-readable [məˌʃiːnˈriːdəbl] *adj* data. maskinläsbar
machinery [məˈʃiːnərɪ] *s* **1** maskiner, maskinell utrustning [*the factory has a great deal of* ~]; maskinpark; *by* ~ med maskinkraft; maskinellt; *made by* ~ äv. maskintillverkad **2** maskineri äv. bildl., mekanism
machine tool [məˈʃiːntuːl] *s* verktygsmaskin
machine translation [məˈʃiːntrænsˌleɪʃ(ə)n] *s* data. maskinöversättning, översättning gjord av en dator
machine-washable [məˌʃiːnˈwɒʃəbl] *adj* maskintvättbar om kläder
machinist [məˈʃiːnɪst] *s* **1** konfektionssömmerska; maskinarbetare **2** maskinkonstruktör, maskiningenjör; maskinreparatör
machismo [məˈtʃɪzməʊ] *s* [starkt utvecklad] manlighet; manschauvinism
macho [ˈmætʃəʊ, ˈmɑː-] *adj* macho-, supermanlig
macho man [ˈmætʃəʊmæn, ˈmɑː-] (pl. *macho men* [-men]) *s* macho, mansgris
mack [mæk] *s* se *mac*
mackerel [ˈmækr(ə)l] (pl. *mackerel* el. ~*s*) *s* zool. makrill
mackintosh [ˈmækɪntɒʃ] *s* åld., se *mac*
macramé [məˈkrɑːmɪ] *s* makramé
macro- [ˈmækrə(ʊ)] *prefix* makro-, stor-, se för övrigt sammansättn. nedan
macrobiotic [ˌmækrə(ʊ)baɪˈɒtɪk] *adj* makrobiotisk [~ *diet*]
macrocosm [ˈmækrə(ʊ)kɒz(ə)m] *s* makrokosmos universum
macroeconomics [ˈmækrəʊˌiːkəˈnɒmɪks] (med verb i sg.) *s* makroekonomi
Macy [ˈmeɪsɪ] **1** egennamn **2** ~*'s* stort varuhus i New York
mad [mæd] *adj* **1 a)** vansinnig; galen, tokig äv. vard. [*about, on* i; *after* efter; *she's ~ about him*] **b)** vard. arg, rasande, förbaskad, förbannad [*about doing sth, at doing sth* över att ha gjort ngt; *at sb, with sb*, amer. äv. *on sb* på ngn]; *go* ~ bli vansinnig (galen, tokig), bli utom sig; *it's enough to drive one* ~ det är så man kan bli (det kan göra en) vansinnig (galen, tokig); *like* ~ som en galning, som [en] besatt [*he worked like* ~]; vilt; [*they're banging*] *like* ~ ...som bara den; *raving* ~ el. *as* ~ *as a March hare* el. *as* ~ *as a hatter* spritt [språngande] galen, helgalen **2** [folk]ilsken [*a* ~ *bull*]; galen om hund
Madagascan [ˌmædəˈgæskən] **I** *adj* madagaskisk **II** *s* madagask; madagaskiska kvinna
Madagascar [ˌmædəˈgæskə] geogr. Madagaskar
madam [ˈmædəm] *s* **1** i tilltal, ~ el. *Madam* frun, fröken; i affärer o.d. äv. damen; ofta utan motsv. i sv. [*Yes, Madam!*]; *can I help you, ~?* kan jag hjälpa er (damen)?; *Madam* el. *Dear Madam* tilltalsord i formella brev, utan motsv. i sv.; *Madam Chairman!* Ordförande! **2** vard. tyrann, översittare [*isn't she a proper little ~?*] **3** vard. bordellmamma

madcap ['mædkæp] s vildhjärna, galenpanna; vildbasare; yrhätta

mad cow disease [ˌmæd'kaʊdɪˌzi:z] s vard. galna ko-sjukan virussjukdom som drabbar hjärnan hos kor

madden ['mædn] vb tr göra galen (rasande)

maddening ['mædnɪŋ] adj vild, vansinnig [~ pains], vard. outhärdlig [~ delays]

made [meɪd] **I** imperf. av make
II adj o. perf p (av make) **1** gjord, tillverkad [~ in England] i sammansättn. -gjord, -tillverkad [factory-made]; **she is ~ for the job** hon är som gjord (skapt) för arbetet; [**show them**] **what you are ~ of** …vad du går för (duger till); **~ of money** gjord av pengar, stenrik **2** konstruerad, uppbyggd [the plot is well ~]; sammansatt **3** välbärgad, rangerad, som lyckats [a ~ man]; **he is a ~ man** äv. hans lycka är gjord; **she has** [**got**] **it ~** vard. hon har det väl förspänt; hennes lycka är gjord

Madeira [mə'dɪərə] **I** geogr. egennamn **II** s madeira vin

Madeira cake [mə'dɪərəkeɪk] s sockerkaka med citronskal

Madeleine ['mæd(ə)lɪn, -leɪn] kvinnonamn

made-to-measure [ˌmeɪdtə'meʒə] adj måttbeställd, måttsydd

made-to-order [ˌmeɪdtʊ'ɔ:də] adj [mått]beställd [a ~ suit]; beställnings-, på beställning, skräddarsydd äv. bildl. [a ~ house]

made-up [attr. adj. ˌmeɪd'ʌp, pred. ˌ-'-] adj **1** (se äv. make up under make III) påhittad, uppdiktad [a ~ story]; konstruerad [a ~ word] **2** sminkad, målad [a ~ woman] **3** färdiggjord; **a ~ bed** en bäddad säng (iordninggjord sängplats); **~ clothes** konfektionssydda kläder; **~ tie** färdigknuten slips

Madge [mædʒ] kortform av Margaret

madhouse ['mædhaʊs] s vard. dårhus

Madison Avenue [ˌmædɪsn'ævənjuː] **1** gata i centrala New York **2** centrum för reklam och PR-firmor och symbol för deras attityder och metoder

Madison Square Garden [ˌmædɪsnskweə'gɑːdn] sporthall i New York

madly ['mædlɪ] adv **1 a)** vansinnigt, som en vansinnig (galning); tokigt **b)** ursinnigt **2** vard. vansinnigt, vanvettigt [~ excited]

mad|man ['mæd|mən] (pl. -men [-mən el. -men]) s dåre, vettvilling; **like a ~** som en galning

madness ['mædnəs] s **1** vansinne, galenskap; bildl. äv. vanvett **2** ursinne, raseri

Madonna [mə'dɒnə] s madonna [the ~]; madonnabild, madonnastaty

Madrid [mə'drɪd] geogr.

madrigal ['mædrɪg(ə)l] s mus. el. litt. madrigal

mad|woman ['mæd|ˌwʊmən] (pl. -women [-ˌwɪmɪn]) s vansinnig (galen) kvinna

maelstrom ['meɪlstrɒm, -strəm] s malström äv. bildl. [the ~ of war]; häxkittel

maestr|o ['maɪstr|əʊ, mɑː'estr|əʊ] (pl. -i [-i:] el. -os) s mästare, maestro; virtuos

Mafia o. **mafia** ['mæfɪə, 'mɑː-] s maffia äv. bildl.; **the ~** maffian

mafios|o [ˌmæfɪ'əʊz|əʊ, ˌmɑː-] (pl. -i [-i:]) s mafioso, maffiamedlem

mag [mæg] s vard. för magazine 1

magazine [ˌmægə'ziːn] s **1** [illustrerad] tidning, tidskrift, magasin äv. radio. el. TV., veckotidning **2** magasin i gevär, kassett i kamera **3** mil. [ammunitions]förråd, [proviant]förråd; förrådshus, kruthus; [krut]durk

Magdalen ['mɔːdlɪn] s college i Oxford äv. ~ College]

magenta [mə'dʒentə] **I** s magenta **II** adj magentafärgad

maggot ['mægət] s [flug]larv; mask i ost el. kött

maggoty ['mægətɪ] adj **1** full av mask[ar], med mask i [~ cheese] **2** konstig, stollig

Magi ['meɪdʒaɪ] s pl, **the ~** el. **the three ~** bibl. de tre vise männen från Österlandet

magic ['mædʒɪk] **I** adj magisk [~ rites]; troll-, trolldoms- [~ power]; trolsk [a ~ glimmer]; förtrollad [a ~ wood]; förtrollande [~ beauty] **II** s magi [black ~]; trolldom; trolleri, trollkonster; magik; förtrollning, tjusning, tjuskraft [the ~ of spring]; **work ~** trolla, göra underverk [I can't work ~]; ha en magisk verkan; **as if by ~** el. **like ~** som genom ett trollslag (trolleri); **act like ~** ha en magisk verkan
III vb tr med adv. el. prep.:

magic away trolla bort

magic up trolla fram

magical ['mædʒɪk(ə)l] adj **1** magisk [~ effect]; förbluffande, fantastisk [the result was ~] **2** trolsk, förtrollande

magic bullet [ˌmædʒɪk'bʊlɪt] s undermedicin, undermedel äv. bildl.

magic carpet [ˌmædʒɪk'kɑːpɪt] s flygande matta

magic eye [ˌmædʒɪk'aɪ] s vard. fotoelektrisk cell, fotocell

magician [mə'dʒɪʃ(ə)n] s illusionist, trollkarl

magic lantern [ˌmædʒɪk'læntən] s hist. laterna magica; skioptikon

magic mushroom [ˌmædʒɪk'mʌʃrʊm] s vard. psykedelisk svamp, Mexikos heliga svamp som innehåller hallucinogena ämnen

magic wand [ˌmædʒɪk'wɒnd] s trollspö, trollstav

magisterial [ˌmædʒɪ'stɪərɪəl] adj auktoritativ; myndig, dominerande, befallande [a ~ manner]; docerande [in a ~ tone]

magistracy ['mædʒɪstrəsɪ] s **1** [freds]domarämbete **2 the ~** [freds]domarna, [freds]domarkåren

magistrate ['mædʒɪstreɪt, -trət] s fredsdomare ofta oavlönad ej juridiskt utbildad domare, [underrätts]domare

Magistrates' Court ['mædʒɪstreɪtskɔːt] s ung. motsv. tingsrätt

magma ['mægmə] s geol. magma

magna cum laude [ˌmægnəkʊm'laʊˌdeɪ] adj o. adv vanl. amer. (lat.) [med] näst högsta betyg av tre betygsgrader över godkänd

magnanimous [mæg'nænɪməs] adj storsint, ädelmodig, högsint; ädel

magnate ['mægneɪt] s magnat, storman; storhet

magnesia [mæg'niːʃə, məg-] s kem. **1** magnesia **2** vard. magnesiumpreparat; bittersalt

magnesium [mæg'niːzɪəm, məg-] s kem. magnesium

magnet ['mægnət] s magnet äv. bildl.

magnetic [mæg'netɪk] adj **1** magnetisk; magnet- [~ needle] **2** bildl. fängslande, tilldragande [a ~ personality]; lockande, förförisk [a ~ smile]; magnetisk [~ attraction]

magnetic disk [mægˌnetɪk'dɪsk] s data. magnetskiva, skivminne

magnetic field [mæg͵netɪk'fiːld] *s* magnetfält
magnetic head [mæg͵netɪk'hed] *s* magnethuvud
magnetic media [mæg͵netɪk'miːdɪə] *s pl*
magnetmedia
magnetic mine [mæg͵netɪk'maɪn] *s* magnetmina
magnetic needle [mæg͵netɪk'niːd(ə)l] *s* magnetnål
magnetic north [mæg͵netɪk'nɔːθ] *s*, **the ~**
magnetiska nordpolen
magnetic pole [mæg͵netɪk'pəʊl] *s* magnetpol
magnetic tape [mæg͵netɪk'teɪp] *s* magnetband
magnetism ['mægnətɪz(ə)m] *s* magnetism, bildl. äv.
dragningskraft
magnetize ['mægnətaɪz] *vb tr* **1** magnetisera, göra
magnetisk **2** bildl. fängsla, trollbinda
magneto [mæg'niːtəʊ] (pl. ~s) *s* magnetapparat i
motor
magnification [͵mægnɪfɪ'keɪʃ(ə)n] *s* förstoring
magnificence [mæg'nɪfɪsns, məg-] *s* storslagenhet,
prakt
magnificent [mæg'nɪfɪsnt, məg-] *adj* storslagen,
storartad, magnifik; praktfull; vard. härlig,
strålande [~ *weather*]
magnifier ['mægnɪfaɪə] *s* förstoringsglas, lupp,
förstoringsapparat
magnify ['mægnɪfaɪ] *vb tr* **1** förstora **2** förstärka ljud
3 bildl. förstora [upp], överdriva [~ *the dangers*]
magnifying glass ['mægnɪfaɪɪŋglɑːs] *s*
förstoringsglas
magnitude ['mægnɪtjuːd] *s* storlek; omfattning;
betydenhet, betydelse; astron. magnitud; matem.
storhet
magnolia [mæg'nəʊlɪə] *s* bot. magnolia
Magnolia State [mæg͵nəʊlɪə'steɪt], **the ~** beteckn. för
staten *Mississippi*
magnum ['mægnəm] *s* **1** magnumbutelj **2** Magnum
stort skjutvapen
magnum opus [͵mægnəm'əʊpəs] *s* lat. magnum
opus, förnämsta verk
magpie ['mægpaɪ] *s* zool. skata
maharajah o. **maharaja** [͵mɑː(h)ə'rɑːdʒə] *s* ind.
maharadja
maharani o. **maharanee** [͵mɑː(h)ə'rɑːniː] *s* ind.
maharani maharadjas hustru
mah-jong [͵mɑː'dʒɒŋ] *s* mahjong sällskapsspel
mahogany [mə'hɒgənɪ] **I** *s* **1** mahogny[trä]
2 mahognyträd **3** mahognyfärg
II *adj* **1** mahogny- **2** mahognyfärgad
maître d'hôtel [͵meɪtrədəʊ'tel, 'met-] (pl. *maîtres
d'hôtel* utt. som sg.) *s* fr. hovmästare; **~ butter**
persiljesmör
maid [meɪd] *s* **1** hembiträde, tjänsteflicka;
[kvinnlig] hotellstädare **2** poet. mö, flicka **3** åld.
ungmö; **old** ~ se *old maid*
maiden ['meɪdn] **I** *s* poet. mö, flicka; ungmö
II *adj* **1** förstlings-, allra första [~ *work*]; jungfru-
[~ *speech*; ~ *trip*; ~ *voyage*; ~ *flight*] **2** ogift [*my ~
aunt*]; jungfrulig [~ *modesty*]; jungfru-, flick- [~
name] **3** bildl. jungfrulig, orörd [~ *soil*]; **~ over**
kricket. over kastomgång utan lopp
maidenhair ['meɪdnheə] *s* bot. venushår äv. kvinnas
maidenhead ['meɪdnhed] *s* **1** jungfrulighet; mödom
2 slidkrans
maiden name ['meɪdnneɪm] *s* flicknamn kvinnas
efternamn före äktenskap

maiden speech [͵meɪdn'spiːtʃ] *s* jungfrutal
maid of honour [͵meɪdəv'ɒnə] (pl. *maids of honour*)
s [förnämsta] brudtärna
maidservant ['meɪd͵sɜːv(ə)nt] *s* åld. hembiträde,
tjänsteflicka, jungfru
1 mail [meɪl] **I** *s* **1** vanl. amer. post försändelser [*is there
much ~?*; *open the ~*; *there was a bill in* (med,
bland) *the ~*]; postlägenhet [*by the next ~*];
post[befordran]; pl. **~s** post[försändelser] [*the ~s
were lost*]; **send by ~** sända med posten (per post)
2 post[verk]; *the Royal Mail* brittiska postverket;
U.S. Mail amerikanska postverket **3** data. mejl,
e-post **4** posttåg [*night ~*]
II *vb tr* **1** vanl. amer. sända (skicka) med posten (per
post); skicka [~ *a parcel*]; posta, lägga på [~ *a
letter*] **2** data. mejla, skicka med e-post; mejla
(skicka e-post) till
2 mail [meɪl] *s* brynja, rustning; pansar äv. bildl.; *coat
of* ~ el. **~ coat** brynja, pansarskjorta
mailbag ['meɪlbæg] *s* postsäck; postväska
mailbomb ['meɪlbɒm] data. **I** *s* e-postbomb ett stort
meddelande eller ett mycket stort antal meddelanden, avsett att
krascha mottagarens system **II** *vb tr* o. *vb itr* e-postbomba
mailbox ['meɪlbɒks] *s* **1** data. [elektronisk] brevlåda
2 vanl. amer. brevlåda; brevfack
mail carrier ['meɪl͵kærɪə] *s* amer. brevbärare
mail drop ['meɪldrɒp] *s* **1** vanl. amer. brevinkast,
brevlåda i dörr **2** postbox, postadress; brevfack
mailing ['meɪlɪŋ] *s* postande
mailing address ['meɪlɪŋə͵dres] *s* postadress
mailing list ['meɪlɪŋlɪst] *s* adressregister,
adressförteckning, utskickslista
mail|man ['meɪl|mən] (pl. -men [-mən]) *s* vanl. amer.
brevbärare
mail merge ['meɪlmɜːdʒ] *s* data. samsortering av t.ex.
standardbrev och adressregister för massutskick
mail-order [͵meɪl'ɔːdə, '---] *adj* postorder- [~
catalogue]; *~ firm* el. **~ company** postorderfirma
mail order [͵meɪl'ɔːdə] *s* postorder
mailshot ['meɪlʃɒt] *s* reklamutskick
mail slot ['meɪlslɒt] *s* amer. brevinkast på dörr
maim [meɪm] *vb tr* lemlästa, stympa; skadskjuta;
bildl. fördärva, förvanska; **~ed** äv. lytt, ofärdig
main [meɪn] **I** *adj* **1** huvudsaklig, väsentlig,
viktigast; störst; huvud- [~ *building*], sjö. stor-; *a
young woman with an eye to the ~ chance* en ung
kvinna som kan ta för sig; *~ character*
huvudperson i pjäs, roman o.d.; *the ~ entrance*
huvudingången, stora ingången; *the ~ part*
huvuddelen, största delen, flertalet; *the ~ thing*
huvudsaken, det viktigaste **2** *by ~ force* a) med våld
b) av alla krafter
II *s* **1** huvudledning för vatten, gas, elektricitet; pl. **~s**
elektr. nät; *~s connection* nätanslutning **2** *in the ~*
huvudsakligen, i huvudsak, på det hela taget
3 *with might and ~* med all makt, av alla krafter
main beam [͵meɪn'biːm] *s* bil. helljus
main clause [͵meɪn'klɔːz] *s* gram. huvudsats
main course [͵meɪn'kɔːs] *s* huvudrätt
main drag [͵meɪn'dræg] *s* amer. vard. ström,
promenadstråk
Maine [meɪn] geogr.
main floor [͵meɪn'flɔː] *s* amer., *the ~* bottenvåningen,
gatuplanet i varuhus

mainframe ['meɪnfreɪm] *s* data. stordator [äv. ~ *computer*]

mainland ['meɪnlənd, -lænd] *s*, **the** ~ fastlandet

Mainland State [ˌmeɪnlænd'steɪt], **the** ~ beteckn. för staten *Alaska*

mainline ['meɪnlaɪn] **I** *adj* **1** framstående, ledande [~ *churches*; ~ *politicians*] **2** se *1 mainstream II* **II** *vb itr* sl. sila, skjuta injicera narkotika

main line [ˌmeɪn'laɪn] *s* järnv. huvudbana, stambana; amer. huvudväg, [stor] landsväg

mainly ['meɪnlɪ] *adv* huvudsakligen, mest, till största delen, övervägande; väsentligen

mainmast ['meɪnmɑːst, sjö. -məst] *s* sjö. stormast

main road [ˌmeɪn'rəʊd] *s* huvudväg, [stor] landsväg, huvudstråk

mainsail ['meɪnseɪl, sjö. -sl] *s* sjö. storsegel

mains-operated ['meɪnzˌɒpəreɪtɪd] *adj* elektr. nätansluten, för (med) nätdrift

mainspring ['meɪnsprɪŋ] *s* **1** huvudmotiv; drivfjäder **2** drivfjäder i klocka, slagfjäder i gevär

mainstay ['meɪnsteɪ] *s* stöttepelare

1 mainstream ['meɪnstriːm] **I** *s* huvudströmning[ar], ledande riktning; allfarväg **II** *adj* traditionell, konventionell, bred [~ *art*]; strömlinjeformad [~ *politics*]

2 mainstream ['meɪnstriːm] *vb tr* integrera ett funktionshindrat barn i vanlig skolundervisning

Main Street ['meɪnstriːt] *s* amer. **1** huvudgata, storgata **2** bildl., **on** ~ bland vanligt folk

maintain [ˌmeɪn'teɪn] *vb tr* **1** uppehålla, upprätthålla [~ *contact*; ~ *friendly relations*]; hålla vid makt, vidmakthålla [~ *law and order*]; [bi]behålla, bevara [~ *a tradition*]; hålla [~ *a speed of 90 kilometres an hour*]; ~ *discipline* upprätthålla disciplinen, hålla disciplin; ~ *silence* iaktta tystnad, hålla tyst **2** underhålla, hålla i stånd, hålla i gott skick [~ *a house*] **3** hålla på, försvara, hävda [~ *one's rights*]; [under]stödja [~ *a cause*] **4** underhålla, försörja [~ *a family*]; livnära, uppehålla; hålla [~ *a son at a public school*] **5** stå fast vid [~ *one's principles*]; hävda, [vilja] påstå [*I ~ that…*]

maintenance ['meɪntənəns] *s* **1** uppehållande etc., jfr *maintain 1* **2** underhållande; underhåll, skötsel; mil. underhållstjänst; ~ *work* underhållsarbete; *road* ~ vägunderhåll **3** försvarande, försvar; understödjande, stöd **4** försörjning; [livs]uppehälle, existensmedel; underhållsbidrag, underhåll [*she gets no* ~ *from her ex-husband*]; ~ *order* jur. underhållsåläggande

maintop ['meɪntɒp, sjö. -təp] *s* sjö. stormärs, mastkorg

main-topmast ['meɪntɒpmɑːst, sjö. -təpməst] *s* sjö. stormärsstång

main-topsail ['meɪntɒpseɪl, sjö. -təpsl] *s* sjö. stormärssegel

Maisie ['meɪzɪ] kortform av *Margaret*

maisonette [ˌmeɪzə'net] *s* etagevåning, tvåplanslägenhet

maize [meɪz] *s* bot. majs; *ear of* ~ majsax, majskolv

maize meal ['meɪzmiːl] *s* majsmjöl

maizena® [meɪ'ziːnə] *s* majsena majsmjöl

maize oil ['meɪzɔɪl] *s* majsolja

Maj. mil., förk. för *Major* se *major II 1*

majestic [mə'dʒestɪk] *adj* majestätisk

majesty ['mædʒɪstɪ] *s* majestät i olika betydelser, majestätisk storhet (storslagenhet) [*the* ~ *of Rome*]; *Your* (*His, Her*) *Majesty* Ers (Hans, Hennes) Majestät

major ['meɪdʒə] **I** *adj* **1** större [*a* ~ *operation*; *the* ~ *prophets*]; stor- [*a* ~ *war*]; [mera] betydande, [ganska] betydelsefull [*he was a* ~ *figure at the time*]; viktig[are], viktigast [*the* ~ *cities*]; allvarlig[are], svår[are] [*a* ~ *illness*]; överordnad; *Brown* ~ i skolor den äldre [av bröderna] Brown, Brown senior **2** jur. myndig [~ *age*] **3** mus. **a)** stor [~ *interval*]; ~ *third* stor ters **b)** dur- [~ *scale*]; ~ *key* el. ~ *mode* durtonart; *be in the* ~ *key* gå i dur äv. bildl.; *A* ~ A-dur
II *s* **1** mil. major **2** jur. myndig [person] **3** amer. univ. **a)** huvudämne [*history is his* ~] **b)** student med (som har) ngt som huvudämne [*two history* ~*s*] **4** mus. dur **5** amer. sport., *the* ~*s* de högre serierna
III *vb itr* med prep.:
major in vanl. amer. univ. specialisera sig på, ha (välja) som huvudämne [*she is* ~*ing in history*]

major axis [ˌmeɪdʒər'æksɪs] *s* geom. storaxel

Majorca [mə'jɔːkə, mə'dʒɔːkə] geogr. Mallorca

majorette [ˌmeɪdʒə'ret, '---] *s* vanl. amer. [kvinnlig] tamburmajor

major-general [ˌmeɪdʒə'dʒen(ə)r(ə)l] *s* generalmajor

majority [mə'dʒɒrətɪ] *s* **1 a)** majoritet, flertal; *the* ~ *of people* de flesta [människor]; *the great* (*vast*) ~ det stora flertalet, de allra flesta; *in the* [*great*] ~ *of cases* i de [allra] flesta fall **b)** majoritet; *gain a* ~ komma i majoritet[sställning]; *a solid* ~ en kompakt majoritet; ~ *el.* ~ *of votes* röstövervikt, [röst]majoritet; *absolute* ~ el. *clear* ~ el. *overall* ~ absolut majoritet; *ordinary* ~ enkel majoritet; *the silent* ~ den tysta majoriteten; *she was elected by a large* ~ hon valdes med stor majoritet; *by a* ~ *of ten* [*votes*] med tio rösters majoritet (övervikt) **2** myndig ålder, myndighetsålder; *attain one's* ~ el. *reach one's* ~ bli myndig

majority leader [mə'dʒɒrətɪˌliːdə] *s* amer. polit. majoritetsledare

majority rule [mə'dʒɒrətɪ'ruːl] *s* majoritetsstyre

majority verdict [mə'dʒɒrətɪ'vɜːdɪkt] *s* jur. majoritetsutslag

major league ['meɪdʒəliːg] *s* amer. sport. högre serie

major planet [ˌmeɪdʒə'plænɪt] *s* huvudplanet

major road [ˌmeɪdʒə'rəʊd] *s* huvudled; ~ *ahead* på trafikskylt korsande huvudled

major subject [ˌmeɪdʒə'sʌbdʒekt] *s* amer. univ. huvudämne

make [meɪk] **I** (*made made*) *vb tr* (se äv. *make III* o. *made*; för spec. förbindelser som *make room* (*way*), *make a fool of* o. *make light of* se under resp. huvudord) **1 a)** göra [*of, out of* av; *from* av, på]; tillverka, framställa; *she is as sweet as they* ~ *them* hon är det sötaste man kan tänka sig **b)** göra [i ordning], laga [till] [~ *lunch*]; koka, brygga [~ *coffee*; ~ *tea*]; sy [~ *a dress*] **c)** göra, åstadkomma; ingå [~ *an agreement*]; fatta [~ *a decision*]; hålla [~ *a speech*]; stifta [~ *laws*]; sluta [~ *an alliance*]; lämna, ge [~ *a contribution*]; komma med [~ *excuses*]; ställa [~ *conditions*]; avge [~ *a promise*]; ~ *the bed* bädda [sängen]; ~ *bread* baka bröd; ~ *haste* raska på,

skynda sig; ~ *a phone call* ringa ett samtal; ~ *a timetable* skol. lägga ett schema; ~ *war* föra krig; börja krig; ~ *water* kasta vatten
2 a) med adj. göra; ~ *sb happy* göra ngn glad; *what ~s you so late?* hur kommer det sig att du är så sen?
b) göra till [~ *it a rule*]; utnämna (utse) till [*they made him chairman*]
3 med inf. **a)** få (komma) att [*he made me cry*]; förmå att [*she made me do it*]; låta [*he made me work hard*]; tvinga att, i roman o.d. låta [*the author ~s the heroine die in the last chapter*]; *it's enough to ~ one cry* det är så man kan gråta [åt det]; *what made the car stop?* vad var det som gjorde att bilen stannade? **b)** ~ *believe that one is* låtsas att man är **c)** ~ *do* klara sig
4 a) förtjäna [~ *£15,000 a year*]; göra [sig], skapa [sig] [~ *a fortune*]; få, skaffa sig [~ *many friends*] **b)** vinna, göra [~ *5 points*], kortsp. ta [hem] [~ *a trick* (stick)] **c)** [för]skaffa [*that made him many enemies*]
5 bli, vara [*this ~s the tenth time*]; göra; bilda, utgöra; **3 times 3 ~[s] 9** 3 gånger 3 är (blir, gör) 9; **100 pence ~ a pound** det går 100 pence på ett pund
6 a) uppskatta till [*I ~ the distance 5 miles*]; få till [*how many do you ~ them?*]; *what time do you ~ it?* el. *what do you ~ the time?* hur mycket är din klocka?; *what do you ~ of that?* vad säger (tror) du om det?; *I don't know what to ~ of it* jag vet inte vad jag ska tro om det **b)** bestämma (fastställa) till [~ *the price 10 dollars*]; ~ *it two!* ta två!; vi säger två!; *let's ~ it 6 o'clock!* ska vi säga (bestämma) klockan 6?
7 avverka, tillryggalägga, köra o.d. [~ *50 miles in a day*]
8 a) komma fram till, [lyckas] nå [~ *the summit*] **b)** sjö. nå [~ *port*]; angöra, få i sikte [~ *land*] **c)** hinna [i tid] till, hinna med [*we made the bus*]; *can we ~ it?* hinner vi?
9 a) göra berömd [*that book made him*]; *it will ~ or break her* det blir hennes framgång eller fall **b)** *that's made the (my) day* dagen är räddad
II (*made made*) *vb itr* (se äv. *make* III) **1 a)** styra kurs, fara, gå [*for mot, till; towards mot*]; skynda, rusa [*for mot, till; towards mot*] **b)** ~ *at* slå efter, hötta mot [*he made at me with his stick*] **2 ~ *for*** främja, bidra till, verka för [~ *for better understanding*] **3 a)** ~ *as if* el. ~ *as though* låtsas som om [*he made as if he didn't hear us*]; göra min av att [vilja] [*he made as if to go*] **b)** ~ *to* göra en ansats att, visa tecken till att
III (*made made*) *vb tr* o. *vb itr* med adv., ofta med spec. översättningar:
make away with a) försvinna med **b)** röja undan
make into göra till, förvandla till
make off ge sig i väg, smita, sjappa [*with* med]
make out a) tyda; uppfatta, urskilja, skönja **b)** förstå, begripa [*as far as I can ~ out*]; komma underfund med; *I can't ~ him out* äv. jag förstår mig inte på honom; *how did you ~ that out?* hur kom du fram till det? **c)** skriva (ställa) ut [~ *out a cheque*]; utfärda [~ *out a passport*]; göra upp, upprätta [~ *out a list*]; fylla i [~ *out a form*] **d)** påstå, göra gällande [*he made out that I was there*] **e)** bevisa [riktigheten av], framlägga, förklara [~ *out one's*

case]
make over överlåta, lämna över [*to* till]
make up a) utgöra, [tillsammans] bilda, skapa; *be made up of* bestå (utgöras) av **b)** göra (sätta, ställa) upp, upprätta [~ *up a list*] **c)** hitta på, dikta ihop **d)** laga (reda) till, göra i ordning, expediera [~ *up a prescription*]; sätta (blanda, röra) ihop [*into* till]; sy upp [~ *up a dress*]; sy [ihop]; ~ *up a bed* ställa i ordning en säng **e)** slå (packa, lägga) in [~ *up a parcel*] **f)** sminka, teat. äv. maskera [*as* till]; ~ [*oneself*] *up* sminka (måla) sig, göra makeup, teat. äv. maskera sig **g)** göra upp, avsluta [~ *up the accounts*] **h)** fylla ut, komplettera; få ihop till [~ *up the required sum*]; täcka [~ *up a deficit*] **i)** göra slut på [~ *up a quarrel*]; ~ *it up* bli sams igen [] ~ *up* el. ~ *up for* ersätta, gottgöra [~ *up [for] the loss*]; reparera; ta igen, hämta in [~ *up [for] lost time*]; ~ *it up to sb* [*for sth*] gottgöra ngn [för ngt], ge ngn kompensation [för ngt]; ~ *up for lost ground* ta igen det försummade; *to ~ up for it* äv. i gengäld, som kompensation
IV *s* **1 a)** fabrikat, tillverkning [*our own ~*; *of our own ~*] **b)** märke, fabrikat [*cars of all ~s*] **2** utförande, snitt **3** vard. lyckat kap; *be on the ~* vara vinningslysten, vara om sig
make-believe ['meɪkbɪˌliːv] **I** *s* inbillning, fantasi; låtsaslek; *it is only ~* äv. det är bara låtsat (spelat), det är på låtsas; *world of ~* fantasivärld, inbillningsvärld **II** *adj* låtsad, spelad; falsk, oäkta; låtsas- [~ *friend*; ~ *world*]
make-or-break [ˌmeɪkɔːˈbreɪk] *adj* avgörande [*a ~ attempt*]; *he was in a ~ situation* äv. han var i en situation där det gällde att vinna eller försvinna; *it's a case of ~* det må bära eller brista
makeover ['meɪkˌəʊvə] *s* omändring, förändring
maker ['meɪkə] *s* **1** tillverkare, fabrikant [~ *of auto parts*]; producent; i sammansättn. ofta -makare; *coffee ~* kaffebryggare; *decision ~* beslutsfattare **2** skapare; *the Maker* el. *our Maker* Skaparen
makeshift ['meɪkʃɪft] *adj* provisorisk, tillfällig; nöd- [*a ~ rhyme*; *a ~ solution*]
make-up ['meɪkʌp] *s* **1 a)** makeup, sminkning **b)** smink, skönhetsmedel, kosmetika; *put on ~* sminka sig, göra makeup **2** sammansättning [*the ~ of a team*]; beskaffenhet, natur **3** amer. skol. extraprov för elev som varit sjuk, omprov
make-up artist ['meɪkʌpˌɑːtɪst] *s* makeup-artist, sminkös, sminkör
makeweight ['meɪkweɪt] *s* **1** tillägg, påbröd **2** fyllnadsgods; staffagefigur
making ['meɪkɪŋ] *s* **1** tillverkning, förfärdigande; tillagning; skapande, danande; förtjänande etc., jfr *make* I–III; *it is in the ~* det är i vardande, det håller på att bli till (ta form, utveckla sig); *the problems she has now are of her own ~* de problem hon har nu har hon själv ordnat (dragit på sig); *that was the ~ of him* det gjorde honom till den han är; det satte fason på honom **2** *have the ~s of...* ha goda förutsättningar (anlag, möjligheter) att bli...
malachite ['mæləkaɪt] *s* miner. malakit
maladjusted [ˌmæləˈdʒʌstɪd] *adj* **1** missanpassad; miljöskadad **2** feljusterad
maladministration ['mælədˌmɪnɪ'streɪʃ(ə)n] *s* dålig förvaltning, vanstyre

maladroit [ˌmælə'drɔɪt] *adj* oskicklig; klumpig

malady ['mælədɪ] *s* sjukdom [*spiritual maladies*]; sjuka, ont äv. bildl. [*a social ~*]; lidande

malaise [mə'leɪz] *s* **1** olustkänsla, missmod; missnöje [*social ~*] **2** lätt illamående (obehag)

malapropism ['mæləprɒpɪz(ə)m] *s* felanvändning av ord [*'epitaphs' for 'epithets' is a ~*]; groda

malaria [mə'leərɪə] *s* med. malaria, sumpfeber

malarkey [mə'lɑ:kɪ] *s* sl. bluff; skitsnack

Malawi [mə'lɑ:wɪ] geogr.

Malawian [mə'lɑ:wɪən] **I** *adj* malawisk **II** *s* malawier; malawiska kvinna

Malay [mə'leɪ] **I** *s* **1** malaj; malajiska kvinna **2** malajiska [språket] **II** *adj* malajisk

Malaya [mə'leɪə] geogr. **1** Malaya södra delen av Malackahalvön **2** Malajiska federationen [äv. *the Federation of ~*]

Malayan [mə'leɪən] **I** *adj* malajisk **II** *s* malaj; malajiska kvinna

Malay Peninsula [mə,leɪpə'nɪnsjʊlə] geogr., *the ~* Malackahalvön

Malaysia [mə'leɪzɪə, -'leɪʒ-] geogr.

Malaysian [mə'leɪzɪən, -'leɪʒ-] **I** *s* malaysier; malaysiska kvinna **II** *adj* malaysisk

malcontent ['mælkən,tent] *s* missnöjd person, oppositionsman

Maldive ['mɔ:ldi:v, 'mɒl-, -dɪv] geogr., *the ~ Islands* öarna Maldiverna; *the Republic of ~s* staten Maldiverna

male [meɪl] **I** *adj* manlig [*~ heir; ~ servant; the ~ population*]; mans- [*~ voice*]; av mankön; han- [*~ animal; ~ flower*]; av hankön; *~ bonding* manligt kompisskap; *~ child* gossebarn; *~ elephant* elefanthane; *~ nurse* [manlig] sjuksköterska; *~ sex* mankön, hankön; *~ voice choir* el. *~ choir* manskör **II** *s* **1** mansperson, manlig individ; statistik. o.d. man [*~s and females*] **2** zool. hane, hanne

male chauvinist [ˌmeɪl'ʃəʊvɪnɪst] *s* manschauvinist

male chauvinist pig [ˌmeɪl,ʃəʊvɪnɪst'pɪg] *s* vard. [mullig] mansgris

malediction [ˌmælɪ'dɪkʃ(ə)n] *s* förbannelse

male-dominated ['meɪldɒmɪ,neɪtɪd] *adj* mansdominerad; *~ society* manssamhälle

malefactor ['mælɪfæktə] *s* brottsling

male menopause [ˌmeɪl'menə(ʊ)pɔ:z] *s*, *the ~* det manliga klimakteriet, mannens övergångsålder

malevolence [mə'levələns] *s* elakhet, illvilja

malevolent [mə'levələnt] *adj* elak, illvillig

malformation [ˌmælfɔ:'meɪʃ(ə)n] *s* missbildning, vanskapthet; skevhet

malformed [mæl'fɔ:md] *adj* missbildad, vanskapt; skev

malfunction [ˌmæl'fʌŋ(k)ʃ(ə)n] *s* krångel, funktionsoduglighet; tekniskt fel

Mali ['mɑ:lɪ] geogr.

Malian ['mɑ:lɪən] **I** *adj* malisk **II** *s* malier; maliska kvinna

malice ['mælɪs] *s* **1** illvilja, elakhet; *bear sb ~* hysa agg till (mot) ngn **2** jur. brottslig avsikt, uppsåt till brott; *with ~ aforethought* med berått mod, i uppsåt att skada; *without ~* utan ont uppsåt

malicious [mə'lɪʃəs] *adj* **1** illvillig, elak, ondskefull; maliciös, skadeglad [*a ~ smile*]; spydig [*~ remarks*]; *take a ~ delight in* vara skadeglad över, njuta [skadeglatt] av **2** jur. uppsåtlig [*~ damage*]; *~ intent* ont uppsåt

malign [mə'laɪn] **I** *vb tr* baktala, svärta ned **II** *adj* **1** skadlig **2** ondskefull, illvillig

malignancy [mə'lɪgnənsɪ] *s* **1** med. elakartad beskaffenhet; malignitet **2** ondska, ondskefullhet

malignant [mə'lɪgnənt] *adj* **1** med. elakartad, malign [*~ tumour*] **2** ondskefull, [djävulskt] elak, hätsk; skändlig; ond [*~ intention; ~ spirit*]

malignity [mə'lɪgnətɪ] *s* elakhet, illvilja

malinger [mə'lɪŋgə] *vb itr* simulera spela sjuk

mall [mɔ:l, mæl] *s* [inbyggt] köpcenter, galleria

mallard ['mæləd] *s* zool. gräsand

malleability [ˌmælɪə'bɪlətɪ] *s* **1** smidbarhet **2** bildl. formbarhet etc., jfr *malleable 2*; anpassningsförmåga

malleable ['mælɪəbl] *adj* **1** smidbar **2** bildl. formbar, smidig; foglig, anpassningsbar

mallet ['mælɪt] *s* mindre klubba, [trä]hammare; sport. klubba för krocket och polo

Mallorca [mə'ljɔ:kə, mə'lɔ:-] geogr.

mallow ['mæləʊ] *s* bot. malva

malnourished [mæl'nʌrɪʃt] *adj* undernärd, felnärd

malnutrition [ˌmælnjʊ'trɪʃ(ə)n] *s* undernäring, näringsbrist, felnäring

malpractice [ˌmæl'præktɪs] *s* jur. tjänstefel, ämbetsbrott; felbehandling av patient

malt [mɔ:lt, mɒlt] *s* **1** malt; *~ liquors* maltdrycker; *extract of ~* el. *~ extract* maltextrakt **2** vard. maltdryck **3** amer. milkshake med glass och maltsmak **4** = *malt whisky*

Malta ['mɔ:ltə, 'mɒl-] geogr.

malted milk [ˌmɔ:ltɪd'mɪlk] *s* **1** pulver (dryck) på malt och torrmjölk **2** amer. milkshake med glass och maltsmak

Maltese [ˌmɔ:l'ti:z, ˌmɒl-] **I** *adj* maltesisk; malteser- [*~ dog*] **II** *s* **1** (pl. *Maltese*) maltesare; maltesiska kvinna **2** maltesiska [språket]

Maltese cross [ˌmɔ:lti:z'krɒs] *s* malteserkors

maltreatment [mæl'tri:tmənt] *s* misshandel, dålig (omild) behandling

malt whisky [ˌmɔ:lt'wɪskɪ] *s* maltwhisky

malware ['mælweə] *s* (av *malicious* o. *software*) data. sabotageprogram

mama [mə'mɑ:] *s* se *mamma*

mamba ['mæmbə] *s* zool. mamba

mamma [mə'mɑ:, amer. 'mɑ:mə] *s* **1** barnspr. mamma; *~'s boy* mammas gosse **2** sl., *red-hot ~* sexig brud

mammal ['mæm(ə)l] *s* däggdjur

mammalian [mæ'meɪlɪən, mə'm-] *adj* däggdjurs-

mammary ['mæmərɪ] *adj* anat. bröst-

mammary gland ['mæmərɪglænd] *s* fysiol. bröstkörtel, mjölkkörtel

mammography [mə'mɒgrəfɪ] *s* med. mammografi

mammon ['mæmən] *s* mammon; bibl. Mammon [*serve God and ~*]

mammoth ['mæməθ] **I** *s* zool. mammut **II** *adj* kolossal, jättelik, mastodont- [*~ organization*]

mammy ['mæmɪ] *s* vanl. amer. barnspr. mamma; *~'s darling* morsgris; mammas älskling

Man [mæn] *s*, *the Isle of ~* geogr. ön Man

man [mæn] **I** (pl. *men* [men]) *s* **1 a)** man, karl, herre;

vanl. amer. vard., i tilltal du, hörru, grabben, polarn [*hi ~*; *what's up, ~?*]; **a ~'s** en [riktig] karlakarl; **every ~ for himself** rädda sig den som kan!; **an old ~** en gammal man, en [gammal] gubbe; **hello, old ~!** åld. hej gamle gosse (vän)!; **old ~ Jones** vard. gubben Jones; **the old ~** vard. [fars]gubben; **that ~ Brown** den där Brown; **~ and boy** adverbiellt alltsedan pojkåren; **be a ~!** var som en [riktig] karl!; **when I am a ~** när jag blir stor; **be one's own ~** vara sin egen herre, rå sig själv; **he is your ~** han är [säkert] rätt man; **I'm your ~** vard. kör till då!, okej!; **make a ~ of sb** göra karl (folk) av ngn; **~ to ~** man mot man; män emellan; öppet **b)** i allm. betydelse mannen [*~ is physically different from woman*] **c)** [äkta] man, make; pojkvän, kille; älskare; **her old ~** äv. hennes gubbe **d)** (pron.) vard., **a ~** man [*what can a ~ do in such a case?*] **2** människa [*all men must die; feel a new ~*]; människan, mänskligheten [äv. *Man; the development of ~*]; **~ and beast** folk och fä; **Shaw the ~** Shaw som människa; **~ for ~** individuellt [sett]; en för en; **the ~ in the street** vard. mannen på gatan, gemene man **3** attr. o. i sammansättn. man-, mans-, karl-; människo- [*man-eater*]; herr-; manlig-; **men friends** manliga bekanta; herrbekanta; **~'s** el. **men's** vanl. herr-; **men's clothes** herrkläder; **men's doubles** tennis. herrdubbel; **men's singles** tennis. herrsingel **4 a)** betjänt [*my ~ Jeeves*]; tjänare; dräng; biträde **b)** arbetare [*the men were locked out*] **c)** vanl. pl. **men** mil. meniga [*officers and men*], sjö. matroser; **200 men** äv. 200 man; **the men** äv. manskapet, karlarna **5 he is a Bristol ~** han är från Bristol; **an Oxford ~** vard. en [gammal (f.d.)] oxfordstudent **6** pjäs i schack, bricka i brädspel o.d. **II** *vb tr* **1** spec. sjö. el. mil. bemanna [*~ a ship*; *~ the guns*]; besätta med manskap [*~ the barricades*] **2** besätta [*~ a post*]

manacle ['mænəkl] **I** *s*, vanl. pl. **~s** handbojor, handklovar; bildl. bojor **II** *vb tr* sätta (lägga) handbojor på; bildl. fjättra; hämma

manage ['mænɪdʒ] **I** *vb tr* **1** hantera [*~ an oar*]; sköta, ha hand om, handha, leda [*~ a business*]; förvalta; spec. sjö. manövrera, styra **2** få bukt med, få att lyda, klara [av], ta hand om [*I think I can ~ her*]; tygla [*~ a restive horse*] **3** klara, gå i land med, orka med [*can you ~ all that work?*]; lyckas med, sköta, ordna [*they ~ these things better at that hotel*]; lyckas; **she ~d to do it** hon lyckades göra det, förmå, kunna; **could you ~ [another piece of cake?**] orkar du [äta ('med)]…?; **he only just ~d to escape** han lyckades med knapp nöd (med nöd och näppe) [att] undkomma **II** *vb itr* klara sig (det), reda sig [*we can't ~ without his help*]; **can you ~?** klarar du (kan du klara) dig (det)?

manageable ['mænɪdʒəbl] *adj* [lätt]hanterlig; överkomlig [*~ task*; *~ problem*]; lättskött; om person medgörlig, foglig

management ['mænɪdʒmənt] *s* **1 a)** skötsel [*the failure was caused by bad ~*]; drift **b)** förvaltning, ledning, management **c)** [företags]ledning, styrelse, direktion; regi, regim; **under new ~** på skylt ny regim **2** handhavande, behandling; hanterande; spec. sjö. manövrering

manager ['mænɪdʒə] *s* **1** direktör, [avdelnings]chef;

föreståndare; förvaltare; intendent; **branch ~** el. **~ kamrer** för banks avdelningskontor **2** manager, sport. äv. lagledare; förbundskapten

manageress [,mænɪdʒə'res, '----] *s* ngt åld. [kvinnlig] föreståndare (avdelningschef); [kvinnlig] direktör

managerial [,mænə'dʒɪərɪəl] *adj* direktörs- etc., jfr *manager 1* o. *manager 2*; styrelse- [*a ~ meeting*]

managing director [,mænɪdʒɪŋdɪ'rektə] (förk. *MD*) *s* verkställande direktör

managing editor [,mænɪdʒɪŋ'edɪtə] *s* redaktionschef

man-at-arms [,mænət'ɑ:mz] (pl. *men-at-arms*) *s* soldat

manatee [,mænə'ti:] *s* zool. manate, lamatin; slags sjöko

Manchester ['mæn(t)ʃɪstə, -əstə] geogr. egennamn

Mancunian [mæŋ'kju:nɪən] **I** *adj* manchester-, från Manchester **II** *s* manchesterbo

M & A [,emənd'eɪ] *s pl* hand. = *Mergers and Acquisitions*

mandarin ['mændərɪn] *s* **1** byråkrat, pamp **2** mandarin kinesisk ämbetsman **3** bot. **a)** mandarin [äv. *~ orange*] **b)** mandarinträd

mandarin orange [,mændərɪn'ɒrɪn(d)ʒ] *s* bot. mandarin

mandate [subst. 'mændeɪt, -dɪt, verb 'mændeɪt, -'-] **I** *s* **1** mandat, uppdrag **2** fullmakt, bemyndigande **3** polit. **a)** mandat [*of, over* över] **b)** mandat[område] **4** befallning, order, påbud **II** *vb tr* överlämna till mandatärstat

mandated ['mændeɪtɪd] *adj* **1 ~ territory** mandat[område] **2** med mandat (fullmakt); **be ~ to** ha mandat (fullmakt); få mandat (fullmakt)

mandatory ['mændət(ə)rɪ] *adj* **1 ~ power** mandatärmakt **2** föreskriven, obligatorisk [*on* för] **3** befallande, påbjudande; **~ sign** påbudsmärke

mandible ['mændɪbl] *s* **1** [under]käke **2** näbbhalva; **under ~** undernäbb; **upper ~** övernäbb **3** insekts mandibel

mandolin [,mændə'lɪn] *s* mus. mandolin

mandrake ['mændreɪk] *s* bot. alruna

mandrill ['mændrɪl] *s* zool. mandrill

M&S [,emən'es] vard. för *Marks & Spencer*

mane [meɪn] *s* man på djur, äv. vard. för tjockt hår

man-eater ['mæn,i:tə] *s* **1 a)** människoätare, människoätande djur **b)** människohaj **2** människoätare, kannibal **3** vard. manslukerska

maneuver [mə'nu:və] o. **maneuvering** [mə'nu:v(ə)rɪŋ] amer., se *manoeuvre* o. *manoeuvring* m.fl. ord

man Friday [,mæn'fraɪdeɪ] *s* se *Friday*

manful ['mænf(ʊ)l] *adj* manlig, modig; beslutsam

manga ['mæŋgə] *s* manga japansk serieteckningstradition

manganese [,mæŋgə'ni:z, '---] *s* kem. mangan

mange [meɪn(d)ʒ] *s* skabb på husdjur

manger ['meɪn(d)ʒə] *s* krubba

mangetout [,mɒn(d)ʒ'tu:] *s* sockerärt [äv. *~ pea*]

1 mangle ['mæŋgl] *vb tr* **1** hacka (riva) sönder, sarga **2** illa tilltyga, skada svårt, massakrera **3** bildl. fördärva, misshandla

2 mangle ['mæŋgl] **I** *s* **1** mangel; spec. varmmangel, strykmangel **2** vridmaskin
II *vb tr* o. *vb itr* **1** mangla **2** vrida

mango ['mæŋgəʊ] (pl. ~es) s bot. **1** mango frukt
2 mangoträd
mangrove ['mæŋgrəʊv] s bot. mangrove[träd]
mangy ['meɪn(d)ʒɪ] adj **1** skabbig [a ~ dog] **2** vard.
sjaskig, sjabbig, eländig
manhandle ['mæn,hændl] vb tr **1** hantera hårdhänt;
illa tilltyga, misshandla **2** flytta med handkraft
Manhattan [mæn'hæt(ə)n] stadsdel i New York
(ekonomiskt och kulturellt centrum)
manhole ['mænhəʊl] s manhål; i gata o.d.
inspektionsbrunn; ~ **cover** man[håls]lucka
manhood ['mænhʊd] s **1** mannaålder, vuxen
(mogen) ålder, mognad [reach ~]; manbarhet
2 manlighet; mandom; [manna]mod; ~ **test**
mandomsprov **3** skämts., om penis mandom,
manlighet **4** [alla] män, manlig befolkning
man-hour ['mæn,aʊə] s mantimme [production per
~]; arbetstimme
manhunt ['mænhʌnt] s människojakt
mania ['meɪnɪə] s **1** psykol. mani, mania **2** mani,
fluga, vurm; **have a ~ for** ha mani (dille) på, vurma
för **3** som efterled i sammansättn. -hysteri
maniac ['meɪnɪæk] **I** s galning, dåre äv. friare [a
football ~]; niding **II** adj galen, vansinnig
maniacal [mə'naɪək(ə)l] adj galen, vansinnig
manic ['mænɪk] adj psykol. manisk
manic depression [,mænɪkdɪ'preʃ(ə)n] s psykol.
manodepression
manic-depressive [,mænɪkdɪ'presɪv] psykol. **I** s
manodepressiv person **II** adj manodepressiv,
manisk-depressiv
manicure ['mænɪkjʊə] **I** s manikyr **II** vb tr
manikyrera
manicured ['mænɪkjʊəd] adj **1** manikyrerad
[well-manicured nails] **2** ansad, skött
[well-manicured lawns]
manicurist ['mænɪkj(ʊ)ərɪst] s manikyrist
manifest ['mænɪfest] **I** vb tr **1** bevisa [~ the truth of
a statement] **2** manifestera, visa [~ good conduct];
uppenbara, röja [~ one's feelings]; ge uttryck för [~
one's surprise] **3** manifest oneself a) visa sig [the
ghost ~ed itself at midnight] b) (äv. be ~ed) yttra
(visa) sig, bli uppenbar, komma i dagen; göra sig
gällande [the American competition began to ~
itself]
II adj påtaglig, uppenbar
manifestation [,mænɪfe'steɪʃ(ə)n] s
1 manifestation, uppenbarande; yttring, tecken;
uttryck; utslag [a ~ of bad temper]
2 demonstration, manifestation
manifestly ['mænɪfestlɪ] adv uppenbarligen,
tydligen
manifesto [,mænɪ'festəʊ] (pl. ~s el. ~es) s manifest
manifold ['mænɪfəʊld] **I** adj [av] många [slag],
mångahanda [~ duties]; mångfaldig [~ times; our ~
sins]; mångsidig [a ~ programme]
II s tekn. förgreningsrör, [gren]rör [exhaust ~;
intake ~]; samlingsrör
manikin ['mænɪkɪn] s **1** anatomisk modell **2** målares
modelldocka **3** eg. liten man, pyssling, dvärg,
kryp **4** se mannequin
Manila o. **Manilla** [mə'nɪlə] **I** geogr. egennamn
II s (äv. manila) **1** manilla[hampa] **2** attr. manilla-
[~ hemp; ~ rope]

manipulate [mə'nɪpjʊleɪt] vb tr **1** hantera äv. data.,
sköta, manövrera [~ a lever]; manipulera äv. med.
2 manipulera med, fuska med, förfalska [~
accounts] **3** manipulera, styra [~ one's supporters]
manipulative [mə'nɪpjʊlətɪv, -leɪtɪv] adj
1 manipulativ äv. med. **2** tekn. manipulerings-,
manipulations-, handgrepps-
manipulator [mə'nɪpjʊleɪtə] s mek. manipulator,
person äv. manipulatör
Manitoba [,mænɪ'təʊbə] geogr.
mankind [i betydelse 1 mæn'kaɪnd, i betydelse 2
'mænkaɪnd] s **1** mänskligheten, människosläktet,
människorna **2** manssläktet, män, männen
manky ['mæŋkɪ] adj vard. **1** dålig, värdelös, kass
2 smutsig, skitig [a ~ old pullover]
manliness ['mænlɪnəs] s **1** manlighet
2 manhaftighet
manly ['mænlɪ] adj **1** manlig [~ behaviour; ~ sports]
2 manhaftig [a ~ woman]
man-made ['mænmeɪd] adj människotillverkad;
orsakad av människor [pollution is chiefly a ~
problem]; konstgjord [a ~ lake]; ~ **fibre** syntetfiber,
konstfiber
manna ['mænə] s bibl., bot. el. bildl. manna
manned [mænd] adj ngt neds. bemannad
mannequin ['mænɪkɪn] s **1** skyltdocka; provdocka
2 mannekäng, modell
manner ['mænə] s **1** sätt, vis mest i prepositionsuttr.; **in a
~ of speaking** på sätt och vis, på ett sätt; **adverb of ~**
gram. sättsadverb; **she is to the ~ born** hon är född
till det, hon är som klippt och skuren för (till) det
2 sätt [att uppträda], hållning, uppträdande,
beteende [he has an awkward ~] **3** pl. **~s** [belevat]
sätt, [gott] uppförande, levnadsvett, hyfsning,
[folk]skick; uppfostran; **good ~s** god ton, fint sätt,
goda seder; **what ~s!** sådana fasoner!, vilket sätt!;
he has no ~s han vet inte hur man uppför sig, han
bär sig ohyfsat åt; **teach sb ~s** lära ngn att uppföra
(skicka) sig **4** pl. **~s** seder, [levnads]vanor;
samhällsförhållanden; **~s and customs** el. **ways and
~s** seder och bruk **5** sort, slag; **by no ~ of means** el.
not by any ~ of means inte på minsta sätt, på intet
vis; under inga omständigheter; **all ~ of things** allt
möjligt
mannered ['mænəd] adj **1** [för]konstlad, tillgjord
2 i sammansättn. med...sätt, jfr äv. ill-mannered o.
well-mannered
mannerism ['mænərɪz(ə)m] s manér, tillgjordhet
mannerly ['mænəlɪ] adj belevad, väluppfostrad,
artig, hövlig
mannish ['mænɪʃ] adj manhaftig [a ~ woman];
karlaktig, maskulin
manoeuvrability [mə,nu:vrə'bɪlətɪ] s styrförmåga;
manöverduglighet
manoeuvrable [mə'nu:vrəbl] adj manövrerbar,
styrbar; manöverduglig
manoeuvre [mə'nu:və] **I** s manöver äv. bildl.; pl. **~s**
mil. äv. manöver
II vb itr **1** manövrera, manipulera [~ for a new
post] **2** hålla manöver [the fleet is manoeuvring off
the east coast]
III vb tr manövrera [med]; leda, föra, styra; ~ **sb
into** [a good job] lotsa in ngn på...

manoeuvring [mə'nu:v(ə)rɪŋ] *s* **1** manövrering **2** intrig, manipulation, rävspel

man of letters [ˌmænə(v)'letəz] (pl. *men of letters*) *s* oftast författare, skriftställare, lärd man

man-of-war [ˌmænə(v)'wɔ:] (pl. *men-of-war*) *s* örlogsfartyg, örlogsman; krigsfartyg

manometer [mə'nɒmɪtə] *s* fys. manometer

manor ['mænə] *s* **1** herrgård; gods; hist. säteri; *the lord of the* ~ godsägaren; hist. godsherren **2** sl. gebit, område

manor house ['mænəhaʊs] *s* **1** herrgård; herresäte; slott **2** man[gårds]byggnad

manorial [mə'nɔ:rɪəl] *adj* herrgårds-; gods-; hist. säteri-

manpower ['mænˌpaʊə] *s* arbetskraft; människomaterial

manqué [mɒŋ'keɪ, mɑ:ŋ-] *adj* fr. misslyckad; *he is an artist* ~ han är en misslyckad konstnär; han kunde ha blivit konstnär

mansard ['mænsɑ:d] *s* o. **mansard roof** [ˌmænsɑ:d'ru:f] *s* valmat mansardtak, brutet tak

manservant ['mænˌsɜ:v(ə)nt] (pl. *menservants*) *s* [manlig] tjänare, betjänt

mansion ['mænʃ(ə)n] *s* **1** [ståtlig] byggnad, förnäm bostad, herrgård[sbyggnad] **2** pl. ~*s* hus med hyresvåningar, hyreshus, bostadskvarter [*Victoria Mansions*]

man-sized ['mænsaɪzd] *adj* vard. i mansstorlek; manshög; stor [nog för en karl] [*a ~ bite of food*]

manslaughter ['mænˌslɔ:tə] *s* jur. dråp

mantel ['mæntl] *s* se *mantelpiece*

mantelpiece ['mæntlpi:s] *s* spiselkrans, spiselhylla; ~ *clock* pendyl

mantilla [mæn'tɪlə] *s* mantilj

mant|is ['mænt|ɪs] (pl. *-ises* el. *-es* [-i:z]) *s* zool. bönsyrsa [äv. *praying* ~]

mantle ['mæntl] **I** *s* **1** take on the ~ *of* el. *assume the ~ of* ta över ansvaret för **2** bildl. täcke [*a ~ of snow*]; slöja **3** mantel, cape **4** zool. el. tekn. mantel **5** geol., *the* ~ jordmanteln
II *vb tr* hölja [om], täcka; skyla [över], svepa in, dölja; breda ut sig över (i) [*a blush ~d his cheeks*]

man-to-man [ˌmæntə'mæn] *adj* ...man mot man [*a ~ fight*]; ...män emellan [*a ~ talk*]; ~ *marking* sport. punktmarkering

mantra ['mæntrə] *s* mantra formel för meditation

manual ['mænjʊəl] **I** *adj* manuell, [utförd] med händerna, hand-; ~ *gearshift* manuell växelspak, handspak; ~ *labour* el. ~ *work* manuellt arbete; kroppsarbete
II *s* handbok, manual, bruksanvisning; lärobok; *instruction* ~ instruktionsbok; handbok; *on* ~ i manuellt läge

manually ['mænjʊəlɪ] *adv* för hand, manuellt; ~ *operated* manuellt skött (driven)

manufacture [ˌmænjʊ'fæktʃə] **I** *vb tr* tillverka, fabricera [~ *shoes*]; producera äv. friare [~ *a lot of novels*]; frambringa; hitta på [~ *evidence*]; ~*d goods* fabriksvaror
II *s* **1** tillverkning, fabrikation; frambringande, produktion **2** produkt, [fabriks]vara; tillverkning, fabrikat

manufacturer [ˌmænjʊ'fæktʃ(ə)rə] *s* fabrikant, tillverkare, producent; fabrikör, fabriksidkare

manufacturing [ˌmænjʊ'fæktʃ(ə)rɪŋ] **I** *s* fabrikation, tillverkning; fabricering **II** *adj* fabriks- [~ *district*; ~ *town*]; fabriksidkande [~ *establishment*]; ~ *industry* tillverkningsindustri

manure [mə'njʊə] **I** *s* gödsel, gödning[sämne]; *artificial* ~ konstgödsel, konstgödning **II** *vb tr* gödsla, göda

manuscript ['mænjʊskrɪpt] **I** *s* manuskript, manus [*of till*], handskrift **II** *adj* handskriven [*a ~ copy*]; i manuskript

Manx [mæŋks] **I** *adj* Man-, från ön Man **II** *s*, pl. *the* ~ Manborna, befolkningen på ön Man

Manx cat [ˌmæŋks'kæt] *s* manxkatt

Manx|man ['mæŋks|mən, -mæn] (pl. *-men*) *s* Manbo, invånare på ön Man

many ['menɪ] *adj* o. *pron* många [~ *people* (människor)]; mycket [~ *people* (folk)]; *a good* ~ ganska (rätt) många, inte så få; ganska (rätt) mycket, inte så litet [*a good ~ people* (folk)]; *a great* ~ en [stor] mängd; en massa, en hel del (hop), [väldigt] många [*a great ~ boys*]; ~ *a man* mest litt. mången [man]; litt. mången; [*I've not been there*] *for ~ a day* ...på [mycket] länge, ...på mången god dag; ~ *is the time I have seen you do it* jag har ofta sett dig göra det; *we were packed like so ~ sardines* vi stod (satt, låg) som packade sillar; *he said so in so ~ words* han sa klart och tydligt så; han sa så (det) rent ut (rakt på sak); *be one too ~* vara en för mycket, vara överflödig, vara i vägen; *have one too ~* vard. ta sig ett glas (ett järn) för mycket

many-sided [ˌmenɪ'saɪdɪd, attr. '--ˌ--] *adj* mångsidig, med många sidor äv. bildl. [*a ~ problem*]

Maoism ['maʊɪz(ə)m] *s* maoism[en]

Maoist ['maʊɪst] *s* maoist

Maori ['maʊrɪ] **I** *s* **1** maori person **2** maori språk **II** *adj* maorisk

map [mæp] **I** *s* karta; [sjö]kort [*a ~ of* (över) *the islands*]; *read a* ~ läsa kartan; *off the* ~ vard. a) inte aktuell; glömd, föråldrad b) utanför kartan, avsides belägen; *on the* ~ vard. aktuell, brännande; viktig; *put sb (sth) on the* ~ vard. placera ngn (ngt) på kartan, göra ngn känd (ngt känt)
II *vb tr* göra en karta över, kartlägga; göra upp [~ *a programme*]
III *vb tr* med prep. el. adv.:
map onto länka ihop med
map out a) kartlägga [i detalj] b) staka ut; planera, fördela, ruta in [~ *out one's time*]

maple ['meɪpl] *s* **1** bot. lönn; *Norway* ~ blodlönn **2** lönn[trä]

maple leaf ['meɪplli:f] (pl. *maple leaves*) *s* lönnlöv, lönnblad Kanadas nationalsymbol

maple syrup [ˌmeɪpl'sɪrəp] *s* lönnsirap

mapping ['mæpɪŋ] *s* kartläggning; ~ *out* kartläggning etc., jfr *map II*

map-reading ['mæpˌri:dɪŋ] *s* kartläsning

Mar. förk. för *March*

mar [mɑ:] *vb tr* fördärva; skämma, störa, vanpryda; *make or* ~ *sb* hjälpa eller stjälpa ngn

marabou ['mærəbu:] *s* zool. marabu[stork]

maracas [mə'rækəz] *s pl* mus. maracas

marathon ['mærəθ(ə)n] *s* maraton[lopp]; attr. maraton- [~ *race*; ~ *dance*]

marauding [mə'rɔ:dɪŋ] *adj* härjande [~ *street gangs*]

marble ['mɑːbl] **I** s **1** marmor **2** marmorskulptur, marmorstaty **3** kula till kulspel; ~s kulspel; *play ~s* spela kula **4** vard., *have all one's ~s* vara klar i knoppen, vara [riktigt] skärpt; *he has lost his ~s* han är inte riktigt klok, han är från vettet **II** adj marmor- [*a ~ statue; a ~ tomb*] bildl. marmorvit [*a ~ brow*]; marmorhård, marmorkall

marbled ['mɑːbld] adj **1** marmor-, av (i) marmor **2** marmorerad, ådrig, strimmig

marcasite ['mɑːkəsaɪt] s miner. markasit

March [mɑːtʃ] s månaden mars; *as mad as a ~ hare* spritt [språngande] galen, helgalen

march [mɑːtʃ] **I** vb itr **1** marschera [*for* mot, till; *against, on* mot], tåga; vandra; *~ off* marschera (tåga) i väg, [be]ge sig i väg (av); *~ past* defilera [förbi]; *forward ~!* framåt marsch!; *quick ~!* [avdelning] framåt marsch! **2** bildl. gå framåt, avancera; *~ on* skrida fram[åt] [*time ~es on*] **II** vb tr låta marschera; föra [i marschordning] [*the prisoners were ~ed through the streets*]; låta bryta upp [*~ the troops*]; *~ off* föra bort [*they ~ed him off to prison*] **III** s **1** marsch, tåg; [lång (mödosam)] vandring (färd); *on the ~* på marsch (väg) **2** dagsmarsch [äv. *day's ~*]; *steal a ~ on* bildl. [obemärkt] skaffa sig ett försprång (en fördel) framför **3** mus. marsch; *funeral* el. *dead ~* begravningsmarsch, sorgmarsch; *wedding ~* bröllopsmarsch **4** bildl. framåtskridande, [fort]gång, framsteg, utveckling; *the ~ of events* händelseutvecklingen; *the ~ of time* tidens gång; *on the ~* på frammarsch

marcher ['mɑːtʃə] s marschdeltagare [ofta som efterled i sammansättn. *hunger-marcher*]

marching ['mɑːtʃɪŋ] s marsch[erande], tåg[ande]; attr. marsch- [*~ day; ~ pace; ~ column*]

marching band ['mɑːtʃɪŋˌbænd] s musikkår

marching order ['mɑːtʃɪŋˌɔːdə] s mil. **1** marschutrustning, fältutrustning, [full] packning **2** marschordning; *light* (*heavy*) *~* marschordning utan (med full) packning

marching orders ['mɑːtʃɪŋˌɔːdəz] s pl, *get ~* el. *be given ~* vard. få respass (avsked på grått papper)

marchioness [ˌmɑːʃəˈnes, 'mɑːʃ(ə)nɪs] s markisinna

march past ['mɑːtʃpɑːst] s förbimarsch, defilering

Mardi gras [ˌmɑːdɪˈɡrɑː] s fr. **1** fettisdag[en] **2** Mardi gras karnevalen i bl.a. Västindien o. södra USA runt fettisdagen

mare [meə] s sto, märr

mare's-nest ['meəznest] s **1** chimär, inbillningsfoster, illusion; *find a ~* ung. få fikon, få lång näsa **2** röra; *the room was a ~* rummet var [i] en enda röra

Margaret ['mɑːɡ(ə)rɪt] kvinnonamn

margarine [ˌmɑːdʒəˈriːn, ˌmɑːɡə-, '---] s margarin

margarita [ˌmɑːɡəˈriːtə] s slags cocktail med tequila

marge [mɑːdʒ] s vard. för *margarine*

margin ['mɑːdʒɪn] s **1** marginal, kant [*notes written in (on) the ~*]; marg **2** kant, rand, brädd; strand **3** hand. el. bildl. marginal; täckning; säkerhetsmarginal [äv. *safety ~*]; tidsmarginal; spelrum; [yttersta] gräns; *~ of error* el. *~ for error* felmarginal; *allow a ~* el. *leave a ~* lämna en marginal; *win by a handsome* (*safe*) *~* vinna med god

(betryggande) marginal; *escape defeat by a narrow ~* vara [mycket] nära att bli besegrad

marginal ['mɑːdʒɪn(ə)l] adj marginell, mindre [betydande], underordnad [*of ~ importance*]; [som är (befinner sig)] i utkanten (marginalen) [*~ groups of society*]; marginal-; kant-, rand-, brädd-; gräns- [*~ zone*]; *~ rate of tax* marginalskattesats; *~ seat* polit. osäkert mandat

marginalize ['mɑːdʒɪnəlaɪz] vb tr marginalisera, försätta i utkanten (marginalen) av samhället

marginally ['mɑːdʒɪnəlɪ] adv i marginalen; i kanten; marginellt

marguerite [ˌmɑːɡəˈriːt] s bot. prästkrage; margerit; odlad krysantemum

Maria [məˈriːə, məˈraɪə] **1** kvinnonamn **2** *Black ~* vard. (hist.), se *Black Maria*

marigold ['mærɪɡəʊld] s bot. ringblomma [äv. *pot ~*]; *French ~* el. större *African ~* tagetes

marijuana [ˌmærɪˈwɑːnə] s marijuana

marimba [məˈrɪmbə] s mus. marimba

marina [məˈriːnə] s marina, småbåtshamn

marinade [ˌmærɪˈneɪd] kok. **I** s marinad **II** vb tr marinera

marinate ['mærɪneɪt, ˌ--'-] vb tr kok. marinera

marine [məˈriːn] **I** adj marin-, marin; havs- [*~ products*]; sjö-; sjöfarts-; sjöförsvars-; *~ biology* marinbiologi, biologisk havsforskning; *~ engineer* a) maskinist på fartyg b) sjöingenjör; *~ insurance* sjöförsäkring, sjöassurans **II** s **1** marinsoldat; [*you can*] *tell that to the ~s* vard. åld. det går jag inte på, det kan du försöka inbilla andra **2** marin, flotta; *the mercantile ~* el. amer. *the merchant ~* handelsflottan

Marine Corps [məˈriːnˌkɔː] s, *the ~* amer. marinsoldatkåren

mariner ['mærɪnə] s litt. sjö. sjöman, sjöfarande, seglare

Marines [məˈriːnz] s pl, *the ~* a) britt., se *Royal Marines* b) amer., se *Marine Corps*

marionette [ˌmærɪəˈnet] s marionett

marital ['mærɪtl] adj äktenskaplig [*~ obligations*]; äktenskaps- [*~ problems*]; *~ breakdown* ung. djup och varaktig söndring; *~ likeness* äktenskapstycke

marital status ['mærɪtlˌsteɪtəs] s civilstånd

maritime ['mærɪtaɪm] adj **1** maritim [*~ climate*]; sjö-; sjöfarts-, sjöfartsidkande; *~ insurance* sjöförsäkring; *~ law* sjörätt; sjölag; *a ~ people* ett sjöfarande folk; *~ power* sjömakt **2** belägen (boende, växande) vid havet; kust- [*~ provinces*]; *~ population* kustbefolkning, skärgårdsbefolkning

marjoram ['mɑːdʒ(ə)rəm] s bot. el. kok. mejram

Mark [mɑːk] **1** mansnamn **2** bibl. Markus; *St* (*Saint*) *~ the Evangelist* evangelisten Markus

1 mark [mɑːk] **I** s **1** märke, fläck [*dirty ~s on my new book?*]; prick; ärr; spår; *leave* (*make*) *a ~ on* sätta sitt märke (sin prägel) på; *make one's ~* [*in the world*] göra sig ett namn, utmärka sig; *be close to the ~* el. *be near the ~* vara nära, vara ett bra försök; *be off the ~* vara långtifrån; vara långsökt **2** [känne]tecken, kännemärke [*of* på]; uttryck [*of* för]; *a ~ of gratitude* ett bevis på tacksamhet **3** märke, tecken; bomärke [*make* (rita) *one's ~*]; *exclamation ~* el. *~ of exclamation* utropstecken; *~ of origin* hand. ursprungsbeteckning **4** betyg [*get good*

~s]; poäng **5** streck på en skala, märke på t.ex. logglina; **overstep the** ~ överskrida gränsen, gå för långt; **pass the million** ~ passera miljonstrecket; **be up to the** ~ vard. a) hålla (fylla) måttet b) åld. vara [riktigt] kry (i form); **keep sb up to the** ~ bildl. ta ngn i örat **6** riktmärke; sjömärke **7** mål, prick, skottavla; **he's an easy** ~ vard. han är ett tacksamt offer lättlurad; **hit the** ~ träffa prick (rätt); slå huvudet på spiken; lyckas; **miss the** ~ bomma, missa [målet]; förfela sin verkan; **beside the** ~ vid sidan av; inte på sin plats; **wide of the** ~ se under *wide I 3* **8** sport. startlinje; **on your ~s, get set, go!** på era platser (klara), färdiga, gå!; **quick off the** ~ snabb i starten; **slow off the** ~ långsam (trög) i starten **9** typ, modell t.ex. av flygplan [*Meteor Mark IV*]; kvalitet, sort; vard. typ [*she's just my* ~]; stil; **that's just your** ~ vard. (iron.) det är något [som passar] för dig **10** *of* ~ av [stor] betydelse, betydande, framstående [*a man of* ~]
II *vb tr* **1** sätta märke[n] på, märka [*~ sth with chalk*]; prissätta; notera, anteckna **2** markera; utmärka, känneteckna; märka, sätta [sina] spår hos [*such an experience ~s you*]; beteckna [*this speech ~s a change of policy*]; **his writing was ~ed by originality** hans stil präglades av originalitet; *~ time* göra på stället marsch; bildl. stå och stampa på samma fläck; ~ **the time** slå takten **3** spel. el. sport. markera **4** betygsätta, rätta [*~ a paper* (skrivning)]; bedöma **5** pricka (märka) ut [*~ a route*] **6** märka, lägga märke till; ~ **my words** märk (sanna) mina ord **III** *vb itr* **1** sätta märken **2** spel. el. sport. markera **3** märka, se upp
IV *vb tr* med adv. el. prep.:
mark down a) notera, anteckna **b)** sätta ned [priset på] **c)** ~ **sb down** ge ngn lägre betyg **d)** ~ **sb down as** betrakta ngn som
mark off a) avgränsa [*~ off an estate*] **b)** märka ut [*~ off a border*] **c)** pricka för
mark out staka ut [*~ out boundaries*]; strecka; planera; utse, välja ut, bestämma [*for till*]
mark up sätta upp [priset på]; märka upp; vard. skriva upp, lämna på krita
2 mark [mɑːk] *s* hist. mark mynt
markdown ['mɑːkdaʊn] *s* [pris]nedsättning [*a ~ of* (med) *20 per cent*]
marked [mɑːkt] *adj* **1** märkt etc., jfr *1 mark II; he was a ~ man* han var på förhand dömd (märkt för livet); ~ *price* utsatt pris **2** markerad [*strongly ~ features*]; utpräglad [*a ~ American accent*]; tydlig, påfallande, uppenbar, påtaglig, markant
markedly ['mɑːkɪdlɪ] *adv* markerat, i utpräglad grad, utpräglat; tydligt, påfallande, påtagligt
marker ['mɑːkə] *s* **1** markör äv. språkv. **2** märkpenna, filtpenna **3** bokmärke **4** [spel]mark **5** märkare; stämplare; skol. o.d. betygsättare
market ['mɑːkɪt] **I** *s* **1** [salu]torg, marknadsplats; marknad; torgdag; ofta som efterled i sammansättn. handel, marknad [*antique ~*]; ~ el. **covered ~** saluhall; *in* (*at*) *the* ~ på torget; **bring to** ~ el. **carry to** ~ torgföra, saluföra **2** ekon. el. hand. marknad [*the freight* (*labour, world*) ~; *there is no ~ for these goods*]; avsättning; efterfrågan [*for på*]; marknadspris, marknadskurs, marknadsvärde; avsättningsort, avsättningsområde; **the black ~** svarta börsen; **a buyer's** (**seller's**) ~ köparens

(säljarens) marknad; **the home ~** hemmamarknaden, den inhemska marknaden; **the money ~** penningmarknaden; **the ~ is brisk** marknaden är livlig; **the ~ is dull** (**slack**) marknaden är trög; **find a ~ for one's goods** finna [en] marknad (avsättning) för sina varor; **meet with a ready ~** få god avsättning; **flood the ~** översvämma marknaden; **play the ~** vard. a) spekulera på börsen b) manipulera i eget vinstintresse; *in* (*on*) *the* ~ på (i) marknaden, i handeln, till salu; **put on the ~** släppa ut på marknaden (i handeln), bjuda ut
II *vb tr* **1** hand. marknadsföra, skaffa marknad för, avsätta, sälja, handla med **2** sälja på torget, torgföra, saluföra
marketable ['mɑːkɪtəbl] *adj* **1** säljbar, kurant, lättsåld [~ *products*] **2** marknads-, handels- [~ *value*]
market analysis [ˌmɑːkɪtə'næləsɪs] *s* marknadsundersökning, marknadsanalys
market capitalization ['mɑːkɪt͵kæpɪtəlaɪ'zeɪʃ(ə)n] *s* o. vard. **market cap** [ˌmɑːkɪt'kæp] *s* börsvärde
market day ['mɑːkɪtdeɪ] *s* torgdag, marknadsdag
market-driven [ˌmɑːkɪt'drɪvn] *adj* marknadsstyrd
market economy [ˌmɑːkɪt'kɒnəmɪ] *s* marknadsekonomi
marketeer [ˌmɑːkɪ'tɪə] *s* marknadsförare, specialist på marknadsföring
market forces [ˌmɑːkɪt'fɔːsɪz] *s pl* marknadskrafter[na]
market garden [ˌmɑːkɪt'gɑːdn] *s* handelsträdgård
marketing ['mɑːkɪtɪŋ] **I** *s* marknadsföring, marketing, försäljning[sorganisation] **II** *adj* marknadsförings-, sälj- [~ *scheme*]; marknads-, avsättnings- [~ *possibilities*]; ~ *research* marknadsundersökning[ar], marknadsforskning
market-leader ['mɑːkɪt͵liːdə] *s* marknadsledare
market-led [ˌmɑːkɪt'led] *adj* marknadsstyrd
marketplace ['mɑːkɪtpleɪs] *s* **1** [salu]torg; marknadsplats, bildl. äv. [öppet] forum **2** marknad i allm.
market price [ˌmɑːkɪt'praɪs, '---] *s* ekon. marknadspris, marknadsvärde
market research [ˌmɑːkɪtrɪ'sɜːtʃ] *s* marknadsundersökning[ar]
market share [ˌmɑːkɪt'ʃeə] *s* marknadsandel
market square [ˌmɑːkɪt'skweə] *s*, **the** ~ stortorget
market stall ['mɑːkɪtstɔːl] *s* torgstånd, marknadsstånd, salustånd
market town ['mɑːkɪttaʊn, ͵--'-] *s* ung. marknadsort
market value [ˌmɑːkɪt'vælju:] *s* marknadsvärde
marking ['mɑːkɪŋ] **I** *adj* märk-, märknings-; stämpel-, stämplings-
II *s* **1** märkning, stämpling; markering äv. sport.; betygsättning, rättning [~ *of examination papers*], jfr för övrigt *1 mark II* **2** teckning [*the ~ of a bird's feather; the ~ of an animal's skin*]
Marks & Spencer [ˌmɑːksən(d)'spensə] stor varuhuskedja [äv. ~*'s*]
marks|man ['mɑːksmən] (pl. *-men* [-mən]) *s* skicklig skytt, prickskytt
marksmanship ['mɑːksmənʃɪp] *s* skjutskicklighet, skjutfärdighet; träffsäkerhet
markup ['mɑːkʌp] *s* hand. **1** prishöjning, prisökning **2** pålägg

Marlborough [hertigen, engelsk stad o. college 'mɔ:lbərə, amer. o. ibl. britt. 'mɑ:l-] egennamn

Marlborough College [ˌmɔ:lbərə'kɒlɪdʒ] känd *public school*

marlin ['mɑ:lɪn] *s* zool. spjutfisk

marmalade ['mɑ:m(ə)leɪd] *s* marmelad av citrusfrukter, spec. apelsiner

marmalade cat ['mɑ:m(ə)leɪdkæt] *s* zool. rödtabby, röd[orange] katt

Marmite® ['mɑ:maɪt] *s* jäst- och grönsakspasta

marmoset ['mɑ:məʊzet, ˌ--'-] *s* zool. marmosett, vit silkesapa

marmot ['mɑ:mət] *s* zool. murmeldjur

1 maroon [mə'ru:n] **I** *adj* rödbrun
II *s* **1** rödbrun färg, rödbrunt **2** smällare; mil. signalraket

2 maroon [mə'ru:n] *vb tr* strandsätta; lämna åt sitt öde

marque [mɑ:k] *s* se *1 mark I 9*

marquee [mɑ:'ki:] *s* **1** [stort] tält; officerstält **2** amer. [skärm]tak, baldakin över entré o.d.

marquess ['mɑ:kwɪs] *s* markis titel

marquis ['mɑ:kwɪs] *s* markis titel

marriage ['mærɪdʒ] *s* **1** äktenskap, giftermål, gifte; bildl. [nära] förening; *the ~ acts* el. *the code of ~ laws* giftermålsbalken; *~ allowance* familjebidrag; *open ~* fritt äktenskap; *by ~* genom gifte; *by his first ~* [*he had a daughter*] äv. i sitt första gifte... **2** vigsel, bröllop, förmälning

marriageable ['mærɪdʒəbl] *adj* giftasvuxen [äv. *of ~ age*]

marriage bureau ['mærɪdʒˌbjʊərəʊ] *s* äktenskapsförmedling

marriage ceremony ['mærɪdʒˌserəmənɪ] *s* vigselceremoni, vigselakt

marriage certificate ['mærɪdʒsəˌtɪfɪkət] *s* vigselbevis, vigselattest

marriage guidance [ˌmærɪdʒ'gaɪd(ə)ns] *s* äktenskapsrådgivning

marriage guidance counsellor ['mærɪdʒˌgaɪd(ə)ns'kaʊnsələ] *s* äktenskapsrådgivare

marriage licence ['mærɪdʒˌlaɪs(ə)ns] *s* äktenskapslicens tillstånd att gifta sig utan lysning

marriage of convenience [ˌmærɪdʒɒvkən'vi:nɪəns] *s* konvenansparti

marriage settlement ['mærɪdʒˌsetlmənt] *s* äktenskapsförord

marriage vows ['mærɪdʒvaʊz] *s pl* äktenskapslöften

married ['mærɪd] *adj* o. *perf-p* gift [*to med*]; äkta; äktenskaplig, äktenskaps-; *a ~ couple* ett gift (äkta) par; *the newly ~ couple* de nygifta; *~ life* äktenskapligt samliv, äktenskap; *he is a ~ man* han är gift; *her ~ name* hennes namn som gift; *be ~* vara gift; bli gift; gifta sig, vigas [*they were ~ in 2007*]; *get ~* gifta sig; *engaged to be ~* förlovad

marrow ['mærəʊ] *s* **1** märg [*bone ~*]; *be frozen to the ~* el. *be chilled to the ~* frysa ända in i märgen, vara genomfrusen **2** bot., *~* el. *vegetable ~* el. amer. äv. *~ squash* märgpumpa; olika sorters squash

marrowbone ['mærəʊbəʊn] *s* märgben, märgpipa

marry ['mærɪ] **I** *vb tr* (jfr *married*) **1** gifta sig med; *~ money* el. *~ a fortune* gifta sig till en förmögenhet (pengar), gifta sig rikt, göra ett gott parti **2** gifta

bort [*to med*] **3** viga; förena i äktenskap
II *vb itr* gifta sig, ingå äktenskap; bildl. förenas; *~ again* gifta om sig
III *vb tr* med prep. el. adv.:
marry into gifta in sig i
marry off gifta bort [*to med*]

Mars [mɑ:z] **1** mytol. el. astron. Mars **2** *Mars®* el. *~ bar* Mars slags fylld större chokladbit

Marseilles [mɑ:'seɪ, -'seɪlz] geogr. Marseille

marsh [mɑ:ʃ] *s* sumpmark, moras, myr, träsk, kärr, mosse

marshal ['mɑ:ʃ(ə)l] **I** *s* **1** mil. marskalk; *Marshal of the Royal Air Force* flygmarskalk högsta grad i brittiska flygvapnet, jfr äv. *air chief marshal, air marshal* o. *air vice-marshal* **2** ordningsvakt; funktionär vid t.ex. tävlingar **3** amer. **a)** ung. sheriff, polischef i en storkommun; polismästare **b)** brandchef
II *vb tr* **1** ställa upp [*~ military forces*], järnv. rangera **2** ordna, bringa ordning i [*~ one's thoughts*]; framställa klart [och tydligt] [*~ facts*]

marshalling yard ['mɑ:ʃ(ə)lɪŋjɑ:d] *s* rangerbangård

marsh gas ['mɑ:ʃgæs] *s* sumpgas

marshmallow [ˌmɑ:ʃ'mæləʊ] *s* marshmallow slags sötsak

marsh marigold [ˌmɑ:ʃ'mærɪgəʊld] *s* bot. kabbeleka

marshy ['mɑ:ʃɪ] *adj* sumpig, sank, träskartad; kärr-, moss-

marsupial [mɑ:'su:pɪəl, -'sju:-] zool. **I** *adj* pungartad, pung-; pungdjurs- **II** *s* pungdjur

mart [mɑ:t] *s* **1** marknad, handelsplatscentrum **2** auktionskammare [äv. *auction-mart*]

marten ['mɑ:tɪn] *s* **1** zool. mård **2** mård[skinn]

martial ['mɑ:ʃ(ə)l] *adj* krigisk; krigs-, strids-, krigar-; stridslysten; martialisk; militär- [*~ music*]; soldat-

martial arts [ˌmɑ:ʃ(ə)l'ɑ:ts] *s pl, the ~* kampsporter som judo, karate, kendo

martial law [ˌmɑ:ʃ(ə)l'lɔ:] *s* **1** krigslag[ar] **2** [militärt] undantagstillstånd

Martian ['mɑ:ʃ(ə)n] **I** *adj* astron. Mars-, marsiansk **II** *s* marsian, marsmänniska

martin ['mɑ:tɪn] *s* zool. svala; *~* el. *house ~* hussvala; *sand ~* backsvala

martinet [ˌmɑ:tɪ'net] *s* spec. mil. tyrann, plågoande, [sträng] pedant

Martini® [mɑ:'ti:nɪ] *s* martini slags vermouth

martini [mɑ:'ti:nɪ] *s*, *[dry] ~* [dry] martini slags cocktail

Martinique [ˌmɑ:tɪ'ni:k] geogr.

martyr ['mɑ:tə] **I** *s* martyr äv. bildl.; offer [*to för*]; *die a ~* dö som martyr, lida martyrdöden
II *vb tr* låta lida martyrdöden, göra till martyr äv. bildl.

martyrdom ['mɑ:tədəm] *s* martyrskap, martyrium; martyrdöd; bildl. kval, pina; *suffer ~* lida martyrdöden; lida kval, pinas

martyred ['mɑ:təd] *adj* **1** som blivit martyr, som man har gjort till martyr; *the ~ saints* de heliga martyrerna **2** bildl. lidande, pinad

marvel ['mɑ:v(ə)l] **I** *s* underverk [*the ~s of modern science*]; under; *work ~s* göra underverk **II** *vb itr* litt. förundra sig [*at över; that över att*]

marvellous ['mɑ:v(ə)ləs] *adj* underbar

Marx [mɑ:ks]

Marxism ['mɑ:ksɪz(ə)m] *s* marxism[en]

Marxist ['mɑːksɪst] **I** s marxist **II** adj marxistisk
Mary ['meərɪ] **1** kvinnonamn **2** som drottningnamn (ofta) el.
bibl. Maria; ~ **Queen of Scots** Maria Stuart; **the Virgin**
~ el. **St** ~ Jungfru Maria
Maryland ['meərɪlænd, -lənd, amer. 'merɪlənd] geogr.
marzipan ['mɑːzɪpæn, ˌ--'-] s marsipan
masc. förk. för *masculine*
mascara [mæ'skɑːrə] s mascara
mascot ['mæskət] s maskot
masculine ['mæskjʊlɪn] **I** adj **1** manlig [a ~ face; ~
pride]; maskulin [a ~ appearance (utseende); ~
habits] **2** om kvinna maskulin [a woman with ~
features]; manhaftig [a ~ woman] **3** gram. maskulin
[a ~ noun; the ~ gender] **II** s gram. **1** the ~ [genus] maskulinum
2 maskulinum, maskulint ord
masculinity [ˌmæskjʊ'lɪnətɪ] s manlighet;
manhaftighet
mash [mæʃ] **I** s **1** vard. potatismos [sausage and ~]
2 sörp; slags blandfoder **3** mäsk **4** mos; sörja, röra
äv. bildl.
II vb tr **1** mosa, göra mos av, krossa till mos; stöta
sönder; röra ihop [äv. ~ up] **2** mäska
mashed potatoes [ˌmæʃtpə'teɪtəʊz] s pl potatismos
masher ['mæʃə] s [potatis]press
mask [mɑːsk] **I** s **1** mask, ansiktsmask äv. som
kosmetiskt medel; med. munskydd; sport. ansiktsskydd
2 bildl. mask [his friendliness is only a ~];
förklädnad; sken, täckmantel
II vb tr maskera äv. bildl.; förklä; dölja [~ one's
feelings]
masked [mɑːskt] adj maskerad
masked ball [ˌmɑːskt'bɔːl] s maskeradbal
masking tape ['mɑːskɪŋteɪp] s maskeringstejp
masochist ['mæsə(ʊ)kɪst, 'mæz-] s psykol. masochist
masochistic [ˌmæsə(ʊ)'kɪstɪk, ˌmæz-] adj psykol.
masochistisk
Mason ['meɪsn] s frimurare
mason ['meɪsn] s [sten]murare; stenhuggare,
stenarbetare
Masonic [mə'sɒnɪk] adj frimurar- [~ lodge]
mason jar ['meɪsndʒɑː] s amer. konservburk i glas
masquerade [ˌmæskə'reɪd, ˌmɑː-] **I** s maskerad;
bildl. förklädnad; ~ **dress** maskeraddräkt; **in** ~
förklädd
II vb itr **1** vara maskerad (utklädd) **2** bildl.
uppträda; ~ **as** äv. ge sig sken av (ge sig ut för) att
vara
Mass. förk. för *Massachusetts*
1 mass o. **Mass** [mæs] s kyrkl. mässa äv. mus.; **attend** ~
gå i (vara i, höra) mässan; **go to** ~ gå i mässan; **say**
~ läsa mässan
2 mass [mæs] **I** s **1** massa; mängd, hop; klump; attr.
mass- [~ psychosis; ~ grave; ~ meeting]; **the** el. **the
great** ~ huvudmassan, större delen, [det stora]
flertalet [of av]; **the ~es** massan, massorna, de
breda lagren; **a ~ of colour** ett hav av färger; **a ~ of
errors** en massa fel, idel fel; **in the** ~ i massa; i
klump; som helhet; **in ~es** i massor, massvis **2** fys.
massa
II vb tr **1** samla [ihop], hopa, slå ihop [äv. ~
together (up)]; **~ed choir** masskör **2** mil.
koncentrera, dra samman [~ troops]

III vb itr **1** samlas, hopa (skocka, formera) sig
2 mil. koncentreras, dras samman
Massachusetts [ˌmæsə'tʃuːsɪts] geogr.
massacre ['mæsəkə] **I** s massaker, massmord [of
på], slakt, blodbad **II** vb tr massakrera, slakta
massage ['mæsɑːʒ, amer. mə'sɑːʒ] **I** s massage **II** vb
tr massera
massage parlour amer. **massage parlor**
['mæsɑːʒˌpɑːlə] s **1** sexklubb **2** massageinstitut
massed [mæst] adj, ~ **ranks of tourists** turister i
stora skaror; ~ **attack** mil. massanfall,
massangrepp, massattack
masseur [mæ'sɜː] s massör
masseuse [mæ'sɜːz] s massös
massif ['mæsiːf, -'-] s [berg]massiv
massive ['mæsɪv] adj **1** massiv, tung, stadig; väldig,
kolossal, omfattande, kraftig, allvarlig [a ~ heart
attack]; ~ **resistance** kompakt motstånd **2** spec.
miner. massiv [~ gold]; kompakt, fast **3** kraftig [~
features]; högvälvd [a ~ forehead], vard. tjock [~
legs]
mass-market [ˌmæss'mɑːkɪt] **I** adj massmarknads-,
avsedd för massmarknaden **II** vb tr producera för
massmarknaden
mass market [ˌmæss'mɑːkɪt] s massmarknad
mass media [ˌmæs'miːdɪə] s mass|medier[na],
-media; attr. massmedie- [~ research]
mass-produce [ˌmæsprə'djuːs] vb tr
massproducera, masstillverka, serietillverka
mass-produced [ˌmæsprə'djuːst] adj
masstillverkad; ~ **article** äv. massartikel
mass production [ˌmæsprə'dʌkʃ(ə)n] s
massproduktion
mast [mɑːst] s mast äv. sjö. [radio ~]; **at full** ~ på hel
stång; **at half** ~ på halv stång
master ['mɑːstə] **I** s **1** herre, härskare [of över];
överman [find one's ~]; mästare; **be** ~ **of one's own
fate** bestämma över sitt eget öde; **be** ~ **of the
situation** behärska situationen **2** åld. husbonde; **the
~ of the house** herrn i huset, husbonden, husfadern;
like ~ **like man** sådan herre, sådan dräng **3** djurs
husse **4** sjö. kapten, befälhavare på handelsfartyg,
skeppare; ~'s **certificate** sjökaptensbrev **5 a)** åld.
lärare spec. vid högre skolor **b)** [läro]mästare, lärofader
6 univ. o.d., **Master's degree** ung. magisterexamen;
Master of Arts (Science) se under 1 art 2 o. science 1 c;
Master of Engineering ung. civilingenjör; **Master of
Laws** juris licenciat; **Master of Mining** el. **Master of
Metallurgy** ung. bergsingenjör; **Master of Surgery** (förk.
MCh) ung. medicine licentiat i kirurgi **7** mästare [a
picture by an old ~]; stor konstnär **8 Master of
Ceremonies** (förk. MC) ceremonimästare,
klubbmästare; programvärd, konferencier
9 Master före pojknamn unge herr [Master Henry]
10 ~ **copy** original
II adj **1** mästerlig; mästar-, mäster- [a ~ cook; a ~
criminal] **2** huvud- [a ~ plan]; över-, ledar-;
förhärskande, dominerande
III vb tr **1** göra sig till (bli) herre över; övervinna;
övermanna, överväldiga, tämja **2** [lära sig]
behärska [~ a language]; [lära sig] bemästra [~ the
situation]; [helt] förstå, kunna
master bedroom [ˌmɑːstə'bedruːm, -rʊm] s, **the** ~

stora största sovrummet i ett hus el. lägenhet, ofta med eget badrum

master class ['mɑ:stəklɑ:s] s spec. mus. mästarklass

masterful ['mɑ:stəf(ʊ)l] adj **1** dominerande, mästrande; befallande; myndig; egenmäktig **2** se *masterly*

master key ['mɑ:stəki:] s huvudnyckel

masterly ['mɑ:stəlɪ] adj mästerlig, överlägset skicklig; mästar-; mäster- [a ~ shot]

mastermind ['mɑ:stəmaɪnd] **I** s, *be the ~ behind sth* vara hjärnan bakom ngt; *have a ~* ha en överlägsen intelligens, vara mycket intelligent **II** vb tr leda, dirigera, vara hjärnan bakom (i)

masterpiece ['mɑ:stəpi:s] s mästerverk, mästerstycke

master plan ['mɑ:stəplæn] s huvudplan

masterstroke ['mɑ:stəstrəʊk] s mästerdrag, mästerstycke

master switch ['mɑ:stəswɪtʃ] s huvudströmbrytare

mastery ['mɑ:st(ə)rɪ] s **1** herravälde [~ over one's enemies]; övertag [over, of över]; kontroll [~ of (över) one's desires] **2** [suveränt] behärskande [his ~ of French; her ~ of the violin]; kunskap; *have a thorough ~ of sth* grundligt behärska ngt

masthead ['mɑ:sthed] s masttopp

masticate ['mæstɪkeɪt] vb tr **1** tugga **2** mala sönder

mastiff ['mæstɪf, 'mɑ:s-] s mastiff stor dogg

mastitis [mæ'staɪtɪs] s med. mastit; bröstböld

masturbate ['mæstəbeɪt] vb itr onanera, masturbera

mat [mæt] s **1** matta; spec. dörrmatta; *be on the ~* vard. få en skrapa (reprimand), bli utskälld **2** underlägg för karott o.d., tablett; liten duk

matador ['mætədɔ:] s matador

1 match [mætʃ] s tändsticka; *dead ~* el. *spent ~* avbränd tändsticka; *strike a ~* tända en tändsticka

2 match [mætʃ] **I** s **1** sport. match, tävling; *football ~* el. *soccer ~* fotbollsmatch; *man of the ~* bäst på plan, matchens lirare **2** like, jämlike [he has not his ~]; *be no ~ for* inte kunna mäta sig med, inte vara någon match för; *find one's ~* el. *meet one's ~* finna sin jämlike; finna (möta) sin överman **3** motstycke, motsvarighet, make, pendang [find a ~ to the vase]; [these colours] are a good ~ ...går (passar) bra ihop, ...matchar varandra bra **4** giftermål, äktenskap; parti äv. om person [she is an excellent ~]
II vb tr **1** vara (finna) en värdig (jämbördig) motståndare till, [kunna] mäta sig (tävla) med; sport. matcha [~ a boxer; ~ a team]; [I'm ready to] ~ *my strength against* (*with*) *yours* ...mäta mina krafter med (ställa upp mot, tävla med) dig; *no one can ~ him* äv. ingen går upp emot honom **2** gå [bra] ihop med, gå i stil med, passa [till], matcha [the carpets should ~ the curtains]; svara mot, stämma överens med [her feelings ~ed her actions] **3** para ihop; anpassa [to efter]; finna ett motstycke till **4** gifta bort, förena i äktenskap [with, to med]
III vb itr stämma överens [med varandra] [her feelings and actions don't ~]; passa (gå) [bra] ihop, matcha varandra [these colours ~ well]; passa [with till], harmoniera [with med]
IV vb itr med adv.:
match up to a) [kunna] mäta sig med, [kunna] tävla

med **b)** motsvara, leva upp till [~ up to sb's *expectations*]

matchbook ['mætʃbʊk] s amer. tändsticksplån med avrivningständstickor

matchbox ['mætʃbɒks] s tändsticksask

matchless ['mætʃləs] adj makalös, oförliknelig, [som är] utan motstycke; överlägsen

matchmaker ['mætʃˌmeɪkə] s **1** äktenskapsmäklare, äktenskapsmäklerska **2** matcharrangör, promotor

match point [ˌmætʃ'pɔɪnt, '--] s matchboll i tennis o.d.

matchstick ['mætʃstɪk] **I** s [trädelen av] tändsticka **II** adj tändsticks- [a ~ model]; ~ *men* streckgubbar

1 mate [meɪt] **I** s **1** vard. kompis, polare, [arbets]kamrat, i tilltal äv. du el. utan motsv. i sv. [hallo, ~!; where are you going, ~?] **2 a)** [god] make, [god] maka **b)** om djur, spec. fåglar make, maka **c)** om sak make [the ~ to this glove] **3** biträde; *bricklayer's ~* murarhantlangare **4** sjö. styrman; *chief ~* överstyrman; *first ~* förste styrman
II vb itr **1** om djur para sig; om fåglar, fiskar leka **2** sällskapa med
III vb tr para djur [äv. ~ up]

2 mate [meɪt] schack. **I** s o. interj matt; ~! [schack och] matt! **II** vb tr o. vb itr göra matt; *be ~d* bli (göras) matt

material [mə'tɪərɪəl] **I** s **1** tyg **2** material, ämne båda äv. bildl.; *raw ~[s]* råämne äv. bildl., råvara, råvaror **3** pl. ~s materiel; *writing ~s* skrivmateriel **4** stoff, underlag, material [collect ~ for a book]
II adj **1** materiell [~ needs; ~ comfort; the ~ world]; kroppslig, fysisk **2** väsentlig, påtaglig, substantiell [a ~ improvement]

materialism [mə'tɪərɪəlɪz(ə)m] s materialism

materialistic [məˌtɪərɪə'lɪstɪk] adj materialistisk

materialization [məˌtɪərɪəlaɪ'zeɪʃ(ə)n, -lɪ'z-] s **1** materialisering, förkroppsligande **2** förverkligande [the ~ of one's plans (hopes)]

materialize [mə'tɪərɪəlaɪz] **I** vb itr **1** ta fast form; förverkligas, gå i uppfyllelse [our plans did not ~] **2** materialisera (uppenbara) sig, vard. visa sig, dyka upp [he did not ~]
II vb tr **1** materialisera, förkroppsliga **2** förverkliga [~ one's plans]

materially [mə'tɪərɪəlɪ] adv **1** materiellt, i sak **2** i väsentlig grad **3** påtagligt, uppenbart

maternal [mə'tɜ:nl] adj **1** moderlig [~ care]; moders- [~ love; ~ happiness] **2** på mödernet (mödernesidan); ~ *grandfather* morfar; ~ *grandmother* mormor; *on the ~ side* på mödernet, på mödernesidan

maternally [mə'tɜ:nəlɪ] adv **1** moderligt **2** på mödernet [be ~ related]

maternity [mə'tɜ:nətɪ] s moderskap; attr. moderskaps-, mödra-, mamma-; BB-, förlossnings-

maternity allowance [mə'tɜ:nətɪəˌlaʊəns] s motsv. föräldrapenning

maternity benefit [mə'tɜ:nətɪˌbenɪfɪt] s motsv. föräldrapenning

maternity dress [mə'tɜ:nətɪdres] s mammaklänning

maternity home [mə'tɜ:nətɪhəʊm] s ngt åld. BB för ensamma, blivande mammor

maternity hospital [mə'tɜ:nətɪˌhɒspɪtl] s BB

maternity insurance [mə'tɜ:nətɪɪn'ʃʊər(ə)ns] s motsv. föräldraförsäkring

maternity leave [mə'tɜ:nətɪli:v] s mammaledighet; **be on** ~ vara mammaledig

maternity pay [mə'tɜ:nətɪpeɪ] s motsv. föräldrapenning

maternity ward [mə'tɜ:nətɪwɔ:d] s BB-avdelning, förlossningsavdelning

matey ['meɪtɪ] vard. **I** adj kamratlig; sällskaplig, trevlig; vänskaplig **II** s kompis, polare, kamrat

math [mæθ] s (amer. vard. kortform av *mathematics*) matte

mathematical [ˌmæθə'mætɪk(ə)l] adj matematisk [~ *problem*; ~ *logic*]

mathematical certainty [ˌmæθə,mætɪk(ə)l'sɜ:t(ə)ntɪ] s, **it's a** ~ det är en absolut säkerhet

mathematician [ˌmæθəmə'tɪʃ(ə)n] s matematiker

mathematics [ˌmæθə'mætɪks] s **1** (med verb vanl. i sg.) matematik [~ *is founded on logic*; ~ *is his weak subject*] **2** (med verb vanl. i pl.) matematik[kunskaper]; *her* ~ *are weak* hon är svag i matematik

maths [mæθs] s (vard. kortform av *mathematics*) matte

Matilda [mə'tɪldə] **I** kvinnonamn **II** s austral. vard., *walk* ~ el. *waltz* ~ vandra, gå på luffen

matin ['mætɪn] adj morgon-; ottesångs-

matinée ['mætɪneɪ] s matiné, [efter]middagsföreställning

matinée idol ['mætɪneɪ,aɪdl] s filmidol, teateridol

mating ['meɪtɪŋ] s zool. parning; fåglars, fiskars lek

mating season ['meɪtɪŋ,si:zn] s zool. parningstid, brunsttid

matins ['mætɪnz] (med verb i sg. el. pl.) s kyrkl. morgonbön, morgonandakt, morgongudstjänst; katol. ottesång

matriarch ['meɪtrɪɑ:k] s matriark

matriarchal [ˌmeɪtrɪ'ɑ:k(ə)l] adj matriarkalisk

matriarchy ['meɪtrɪɑ:kɪ] s matriarkat

matrices ['meɪtrɪsi:z, 'mæt-] s pl. av *matrix*

matricide ['meɪtrɪsaɪd] s **1** modermord **2** modermördare

matrimonial [ˌmætrɪ'məʊnɪəl] adj äktenskaplig, äktenskaps- [~ *problems*]; giftermåls- [~ *plans*]; ~ *agency* äktenskapsbyrå

matrimony ['mætrɪm(ə)nɪ] s **1** äktenskap[et], [det] äkta stånd[et]; *enter into holy* ~ inträda i det heliga äkta ståndet **2** giftermål, bröllop

matri|x ['meɪtrɪ|ks, 'mæt-] (pl. -ces [-si:z] el. -xes) s matris, gjutform

matrix printer ['meɪtrɪks,prɪntə] s matrisskrivare

matron ['meɪtr(ə)n] s **1** husmor (sköterska) på en institution (skola); förr [avdelnings]föreståndarinna; husmor på sjukhus, i skola o.d. **2** litt. mogen [gift] kvinna; matrona **3** amer. åld. [kvinnlig] fångvaktare med ansvar för kvinnor o. barn bland fångarna

matronly ['meɪtr(ə)nlɪ] adj matronaliknande, matroneaktig [a ~ *figure*]; tantig, tantaktig

matron of honour [ˌmeɪtr(ə)nəv'ɒnə] (pl. *matrons of honour*) s gift kvinna i bruds följe

matt [mæt] adj matt [~ *colour*; ~ *gold*] om yta äv. matterad [~ *paper*; ~ *surface*]; ~ *finish* matt yta

matted ['mætɪd] adj **1** hoptovad, hopfiltad, tovig [~ *hair*] **2** [hop]flätad, av flätverk

matter ['mætə] **I** s **1** materia; stoff; substans, ämne [*liquid* ~; *solid* ~]; *colouring* ~ färgämne; *reading* ~ tryckalster; lektyr; *mind and* ~ ande och materia **2** ämne [äv. *subject* ~]; innehåll **3 a)** sak [a ~ *I know little about*]; angelägenhet, affär, ärende; fråga, spörsmål [*legal* ~s] **b)** pl. ~s förhållanden[a], tillståndet, saker och ting; *it's no laughing* ~ det är ingenting att skratta åt; *money* ~s penningfrågor; *it is a* ~ *of...* det är en fråga om..., det handlar om..., det gäller...; *a* ~ *of course* en självklar sak; *as a* ~ *of course* självfallet, självklart; *a* ~ *of fact* ett faktum; *as a* ~ *of fact* faktiskt, i själva verket; *a* ~ *of habit* en vanesak; *it is a* ~ *of life and death* det är en fråga om liv eller död, det gäller livet; *it is only a* ~ *of time* det är bara en tidsfråga; *make* ~s *worse* förvärra saken (situationen); *for that* ~ vad det beträffar, för den delen **4** orsak, anledning [*of*, *for* till]; föremål [*be a* ~ *of* (för) *interest*]; *it is a* ~ *of* (*for*) *regret that...* det är att beklaga att... **5** *no* ~ det gör ingenting, det spelar ingen roll; *no* ~ *where it* (*who it*) *is* var den (vem det) än må vara (är); *no* ~ *how I try* hur jag än försöker **6** *what is the* ~? vad står på?, vad har hänt?, vad är det?; *what's the* ~ *with him?* a) vad är det med honom? b) vad är det för fel med honom? **7** post., *postal* ~ postförsändelse[r]; *printed* ~ trycksak[er] **8** typogr. text i motsats till rubriker el. annonser **9** med. var **10** a ~ *of* i tids- o. måttsuttryck o.d. några [få] [*within a* ~ *of hours*]; ungefär, omkring [a ~ *of £50*]; *a* ~ *of* [**10 weeks**] äv. [så där] en...
II vb itr betyda [*learning* ~s *less than common sense*]; vara av betydelse; *it doesn't* ~ det gör ingenting, det spelar ingen roll; *it doesn't* ~ *to me* det gör mig detsamma; *it* ~s *little whether...* det spelar liten roll om...; *not that it* ~s el. *not that it* ~s [*very*] *much* inte för att det gör något (spelar någon större roll)

matter-of-fact [ˌmæt(ə)rə(v)'fækt] adj [torr och] saklig, opersonlig, prosaisk, nykter, realistisk

Matthew ['mæθju:] **1** mansnamn **2** bibl. Matteus; *St* (*Saint*) ~ *the Evangelist* evangelisten Matteus

matting ['mætɪŋ] s mattväv; mattor, mattbeläggning; *coconut* ~ kokosmatta

mattress ['mætrəs] s madrass

mattring iron ['mætrɪŋ,aɪən] s tekn. motförnobare

maturation [ˌmætjʊ'reɪʃ(ə)n] s mognande, mognad

mature [mə'tjʊə] **I** adj **1 a)** mogen, fullt utvecklad äv. bildl. [a ~ *cell*; ~ *plans*]; *after* ~ *consideration* efter moget övervägande **b)** vuxen [*persons of* ~ *age* (*years*)] **2** förfallen till betalning [a ~ *bill*]
II vb tr bringa till mognad, få (komma) att mogna [*these years* ~d *her character*]; [fullt] utveckla [*into* till]
III vb itr **1** mogna, [fullt] utvecklas äv. bildl. [~ *into* (till) a *man*]; låta mogna [*leave wine* (*cheese*) *to* ~] **2** förfalla [till betalning] [*the bill* ~s *next month*]

mature student [mə,tjʊə'stju:d(ə)nt] s vuxenstuderande

maturity [mə'tjʊərətɪ] s **1** mognad, mogenhet ofta bildl. **2** mogen ålder [äv. *age* (*years*) *of* ~]; *reach* ~ nå mogen ålder **3** hand. förfallotid, förfallodag

maudlin ['mɔ:dlɪn] adj gråtmild [~ *sentimentality*]; känslosam; rörd, gråtfärdig; [fyll]sentimental

maul [mɔ:l] vb tr **1** klösa, riva [sönder] **2** misshandla äv. bildl. **3** kritisera ihjäl, göra ned

Maundy Thursday [ˌmɔːndɪ'θɜːzdeɪ] *s*
skärtorsdag[en]
Mauritania [ˌmɒrɪ'teɪnjə, ˌmɔːr-] geogr. Mauretanien
Mauritius [mə'rɪʃəs, mɒ'r-] geogr.
Mauser ['maʊzə] **I** egennamn **II** *s* mauser[gevär] [äv. ~ *rifle*]
mausole|um [ˌmɔːsə'liːəm] (pl. äv. -*a* [-ə]) *s* mausoleum
mauve [məʊv] **I** *adj* malvafärgad, [ljus]lila [äv. *mauve-coloured*] **II** *s* malva[färg], [ljus]lila
maven ['meɪvən] *s* amer. expert, kännare
maverick ['mæv(ə)rɪk] *s* partilös [person], [politisk] vilde
maw [mɔː] *s* **1** käft, gap **2** litt. mage [*the ~ of an animal*]; löpmage; kräva [*the ~ of a bird*]
mawkish ['mɔːkɪʃ] *adj* sentimental, känslosam; mjäkig [*a ~ manner; a ~ young man*]
max [mæks] (vard. kortform av *maximum*) **I** *s*, **to the ~** till max; maximalt, högst **II** *vb itr*, **~ out** amer. ge max, ge allt, ge järnet
maxi ['mæksɪ] **I** *adj* **1** maxi-, hellång [*~ skirt*] **2** stor, maximal [*a ~ saving on fuel*] **II** *s* maxikjol; ankellång klänning; maxikappa, långkappa; maximode[t]
maxim ['mæksɪm] *s* maxim, [levnads]regel
maximal ['mæksɪm(ə)l] *adj* maximal, högst, störst
maximize ['mæksɪmaɪz] *vb tr* maximera, bringa till [ett] maximum, göra maximal
maxim|um ['mæksɪm|əm] **I** (pl. -*a* [-ə] el. -*ums*) *s* maximum, höjdpunkt, högsta punkt; **be at its (a) ~** stå (vara) på höjdpunkten; vara maximal; [*he got 90 marks*] **out of a ~ of 100** ...av maximalt (maximala) 100, ...av 100 möjliga **II** *adj* högst, störst; maximi- [*~ temperature; ~ thermometer; ~ value*]; maximal, maximal-
May [meɪ] **I** *s* månaden maj **II** kvinnonamn
may [meɪ] (imperf. *might*) hjälpvb pres. **1** kan [kanske (möjligen, eventuellt)] [*he ~ have said so*]; kan tänkas; torde (skulle) [kunna]; **he ~ or ~ not do it** kanske han gör det, kanske inte; **it ~ be mentioned that...** det kan nämnas att...; **it ~ be so** det är möjligt [att det är så]; **well, who ~ you be?** vem är ni egentligen?; **you ~ regret it** [**some day**] du kan komma (kommer kanske) att [få] ångra det..., du kanske ångrar (får ångra) det...
2 får [lov att] [*~ I interrupt you?*]; kan [få]; **~ I come in?** får jag komma in?; **yes, you ~** ja, det får du; **no, you ~ not** el. **no, you ~n't** nej, det får du inte; **it ~ well be true** det kan mycket väl vara sant; **you ~ be sure that...** du kan vara säker på att...; **you ~ as well ask him** du kan [lika] gärna [ta och] fråga honom
3 må, måtte, i bisats äv. ska, kommer att; **~ this be a warning to you** låt detta bli en varning; **whatever she ~ say** vad hon än kan tänkas säga; **however that ~ be** hur det än förhåller sig (må vara) med den saken, det får vara hur som helst med den saken; **be that as it ~** det må vara hur som helst [med den saken]; **come what ~** hända vad som hända vill, vad som än må hända
maybe ['meɪbiː] *adv* kanske, kanhända, måhända
Mayday ['meɪdeɪ] *s* MAYDAY internationell nödsignal
May-Day ['meɪdeɪ] *adj* förstamaj- [*~ demonstration*]

May Day ['meɪdeɪ] *s* första maj som fest- el. demonstrationsdag; **~ holiday** första måndagen efter första maj
Mayfair ['meɪfeə] fashionabel stadsdel i Londons West End
mayfly ['meɪflaɪ] *s* zool. dagslända
mayhem ['meɪhem] *s* förödelse; **cause ~** el. **create ~** åstadkomma förödelse, härja vilt
mayn't [meɪnt] = *may not*, se *may*
mayonnaise [ˌmeɪə'neɪz, '---] *s* majonnäs
mayor [meə] *s* borgmästare, ordförande i kommunfullmäktige (om utländska förh.); se äv. *Lord Mayor*
mayoral ['meər(ə)l] *adj* borgmästar-, jfr *mayor*
mayoress [ˌmeər'es, 'meərəs] *s* ngt åld. **1** hustru till *mayor* **2** kvinnlig borgmästare
maypole ['meɪpəʊl] *s* majstång, midsommarstång
maze [meɪz] *s* **1** labyrint ofta anlagd med höga häckar, irrgång[ar], virrvarr [av gångar (vägar)] alla äv. bildl. **2** förvirring, bryderi; bestörtning
MB [ˌem'biː] **1** (förk. för *Medicinae Baccalaureus* lat. = *Bachelor of Medicine*) ung. med. kand. **2** data. förk. för *megabyte*
MBE [ˌembiː'iː] förk. för *Member of* [*the Order of*] *the British Empire*
Mbyte data. (förk. för *megabyte*) Mbit
MC [ˌem'siː] förk. för *Master of Ceremonies, Member of Congress*
McCoy [mə'kɔɪ] **I** egennamn **II** *s* sl., **be the real ~** vara äkta [vara], vara den rätta grejen
MCh förk. för *Magister Chirurgiae* lat. = *Master of Surgery*
m-commerce ['em.kɒmɜːs] *s* m-handel handel via mobiltelefon med internetuppkoppling
1 MD [ˌem'diː] **1** förk. för *Medicinae Doctor* lat. = *Doctor of Medicine* **2** förk. för *Managing Director*
2 MD o. **Md.** förk. för *Maryland*
1 ME [ˌem'iː] *s* med. (förk. för *myalgic encephalomyelitis*) kroniskt trötthetssyndrom, yuppie-sjuka
2 ME o. **Me.** förk. för *Maine*
1 me [miː, obeton. mɪ] **I** *pers pron* (objektsform av uppslagsordet *2 I*) **1** mig **2** vard. jag [*it's only ~; ~ too*] **3** jag, mig [*he's younger than ~*] **4** vard. för *my*; **she likes ~ singing** [*her to sleep*] hon tycker om att jag sjunger... **5** (åld., poet. el. amer. dial. för *myself*) mig [*I laid ~ down; I'm going to get ~ a car* amer.] **II** *fören poss pron* (dial. vard. för *my*) min [*where's ~ hat?*] **III** *s* vard., **the real ~** mitt rätta (verkliga) jag
2 me [miː] *s* mus. mi
mead [miːd] *s* mjöd
meadow ['medəʊ] *s* äng
meadow pipit ['medəʊ.pɪpɪt] *s* zool. ängspiplärka
meagre ['miːgə] *adj* mager äv. bildl. [*a ~ face; ~ soil*]; påver [*~ result; ~ meal*]; knapp [*a ~ income*]; torftig [*a ~ essay*]; ynklig [*~ wages*]
1 meal [miːl] *s* mål [mat] [*three ~s a day*]; måltid [*breakfast, the first ~ of the day*]; **hot ~s** lagad mat; **make a ~ of** bildl. vard. **a)** ta 'i i överkant **b)** göra stor affär av; **at ~s** vid måltiderna, vid bordet; **go out for a ~** gå ut [på restaurang] och äta
2 meal [miːl] *s* [grovt] mjöl
meals on wheels [ˌmiːlzɒn'wiːlz] (med verb i sg. el. pl.) *s*

hemkörning av lagad mat vanl. som service inom hemtjänsten

meal ticket ['mi:l,tɪkɪt] *s* **1** vard. födkrok; försörjare **2** matkupong

mealtime ['mi:ltaɪm] *s* matdags [*it's ~*]

mealy ['mi:lɪ] *adj* mjölig [*~ potatoes*]; mjölaktig

mealy-mouthed ['mi:lɪmaʊðd] *adj* **1** undanglidande **2** inställsam, skenhelig

1 mean [mi:n] (*meant meant*) **I** *vb tr* **1** betyda [*dictionaries tell you what words ~*]; innebära [*his failure ~s my ruin*]; *does the name ~ anything to you?* säger namnet dig någonting?; *twenty pounds ~s a lot to him* tjugo pund betyder mycket för honom; *I know what it ~s [to be alone]* jag vet vad det vill säga... **2** mena, vilja [*she ~s no harm* (illa)]; ha i sinnet; ämna, tänka [*to do sth göra ngt*]; ha för avsikt, vara fast besluten [*he really ~s to do it*]; *I ~t to tell you* jag tänkte tala om det för dig **3** [till]ämna [*for till, åt, för*], avse, mena [*as sth, for sth* som ngt; *for sb* till (åt, för) ngn]; *it was ~t for [a garage]* det [var meningen att det] skulle bli..., det var tänkt som...; *what is this ~t to be?* vad ska det här vara (föreställa)?; *it is ~t to be used* det är meningen att den ska användas, den är till för att användas **4** mena, syfta på, åsyfta, avse [*by* med]; *say one thing and ~ another* säga ett och mena ett annat; *I ~ to say!* vard. a) det är ju det jag menar! b) jo, jag menar det!; *you don't ~ it!* det menar du [väl] inte!, det kan [väl] aldrig vara ditt allvar!; *you don't ~ to say that...* du menar väl [ändå] inte att..., du vill väl aldrig (inte) påstå att... **5** vanl. perf. p. *~t* förutbestämd [*she was ~t for greater things*]; *we were ~t for each other* äv. vi är som gjorda för varandra

II *vb itr* mena; *~ well* mena väl [*by sb* med ngn]

2 mean [mi:n] *adj* **1** snål, knusslig [*about* med], gemen, tarvlig; ful [*a ~ trick*] **2** vanl. amer. vard. elak, otäck, ruskig **3** ringa, enkel, låg [*of ~ birth* (börd)]; *have a ~ opinion of* ha en låg tanke om; *she is no ~ pianist* hon är ingen dålig pianist **4** torftig, sjabbig [*a ~ house in a ~ street*]; smutsig; fattig **5** vard., *feel ~* skämmas, amer. äv. känna sig krasslig (ur gängorna, vissen)

3 mean [mi:n] **I** *s* **1** medelväg; *strike the golden ~* gå den gyllene medelvägen **2** matem. el. statistik. medelvärde, medeltal, medium [*the ~ of 3,5 and 7 is 5*]; genomsnitt

II *adj* spec. vetensk. medel- [*~ distance; ~ temperature; ~ value*]

meander [mɪ'ændə] **I** *vb itr* **1** om flod o.d. snirkla (slingra) sig **2** ströva omkring, släntra [fram] [äv. *~ along*] **3** snirkla sig [fram] [*his lecture ~ed along*] **II** *s*, vanl. pl. *~s* slingrande [flod]lopp, slingringar, meandrar [*the ~s of a river*]

meanderings [mɪ'ændərɪŋz] *s pl* se *meander II*

meanie ['mi:nɪ] *s* vard. **1** snåljåp **2** knöl, buse

meaning ['mi:nɪŋ] **I** *adj* menande, talande [*a ~ look*] **II** *s* mening; betydelse [*a word with many ~s*]; innebörd [*I did not grasp the ~ of her speech*]; *what is the ~ of [this word]?* vad betyder...?; *if you get my ~* om du förstår vad jag menar; [*love –*] *you don't know the ~ of the word!* ...du har ingen aning om vad det betyder!, ...vad vet du om det?

meaningful ['mi:nɪŋf(ʊ)l] *adj* **1** meningsfull,

meningsfylld [*~ work*]; betydelsefull **2** menande [*a ~ look*]

meaningless ['mi:nɪŋləs] *adj* meningslös; betydelselös; intetsägande

meanly ['mi:nlɪ] *adv* snålt etc., jfr *2 mean*

meanness ['mi:nnəs] *s* snålhet etc., jfr *2 mean*

means [mi:nz] *s* **1** (med verb ofta i sg.; pl. *means*) medel, hjälpmedel, utväg[ar], möjlighet[er], sätt [*a ~; this ~; every ~ has (all ~ have) been tried; there is (are) no ~ of learning what is happening*] bildl. verktyg [*a ~ in the service of science*]; *by ~ of* med hjälp av, genom [*thoughts are expressed by ~ of words*]; *by ~ of doing sth* genom att göra ngt; *by all ~* a) så gärna, naturligtvis, givetvis, för all del b) ovillkorligen, prompt, till varje pris c) på alla sätt; *by no ~* el. *not by any ~* visst inte, nej för all del [*Am I in the way? By no ~!*]; inte alls, långtifrån [*these goods are by no ~ satisfactory*]; på intet sätt, ingalunda [*this is by no ~ an easy job*]; på inga villkor, absolut inte [*May I go now? No, by no ~!*]; *by some ~ or other* på ett eller annat sätt; *by this ~* på det (detta) sättet, på så sätt; härigenom, sålunda **2** *means* pl. medel, tillgångar, resurser; förmögenhet [*my [private] ~ were much reduced*]; *~ of production* produktionsmedel; *live beyond (within) one's ~* leva över (inom ramen för) sina tillgångar; *a man of ~* en välbärgad (förmögen) man; *without ~* medellös, obemedlad

means-test ['mi:nztest] *vb tr* behovspröva, inkomstpröva

means test ['mi:nztest] *s* behovsprövning, inkomstprövning

means-tested ['mi:nz,testɪd] *adj* behovsprövad, inkomstprövad

meant [ment] imperf. o. perf. p. av *1 mean*

meantime ['mi:ntaɪm] o. **meanwhile** ['mi:nwaɪl] **I** *s* mellantid; *in the ~* under tiden, så länge; under (i) mellantiden **II** *adv* under tiden, så länge; under (i) mellantiden

measles ['mi:zlz] (med verb vanl. i sg.) *s* mässling[en]; *German ~* röda hund; *be down with [the] ~* ligga sjuk i mässlingen

measly ['mi:zlɪ] *adj* vard. ynklig, futtig [*a ~ present*]

measurable ['meʒ(ə)rəbl] *adj* mätbar; överskådlig [*in a ~ future*]; *within [a] ~ distance of [success]* bildl. mycket nära...

measure ['meʒə] **I** *s* **1** mått, storlek, dimension **2** mått konkr. [*a pint ~*]; mätredskap; bildl. mått, måttstock; *weights and ~s* mått och vikt; *in ample ~* i rikt mått; *dry ~* mått för torra varor; *liquid ~* mått för våta varor; *full (good) ~* rågat mått; *for good ~* som påbröd; *half ~s* se *half-measures*; *short ~* knappt mått; *give short ~* mäta [upp] knappt; *give full ~* mäta [upp] med råge; *take sb's ~* a) ta mått på ngn [*for a suit* till en kostym] b) bildl. ta reda på vad ngn går för **3** [mått och] steg, åtgärd [*these ~s proved inadequate*]; *take ~s* vidta mått och steg; *take strong ~s* vidta stränga åtgärder **4** mån, grad; *in a ~, in some ~* i viss (någon) mån; *in a great ~* el. *in a large ~* i hög grad **5** gräns; *know no ~* inte känna någon gräns; *beyond ~* el. *out of [all] ~* som adj. omåttlig, omåttligt; som adv. övermåttan **6** versmått, meter **7** mus. takt, rytm

II *vb tr* **1** mäta; ta mått på [*~ sb for (till) a suit*]; *~*

oneself (*one's ability, one's strength*) *against...* mäta sig (sin förmåga, sina krafter) med...; *get* (*be*) *~d for a suit* [låta] ta mått till en kostym **2** avpassa, lämpa [*by, to* efter]
III *vb itr* **1** mäta, ta mått **2** mäta visst avstånd; *it ~s 7 centimetres* den mäter 7 centimeter **3** gå att mäta, kunna mätas
IV *vb tr* o. *vb itr* med adv. el. prep.:
measure off el. **measure out** mäta upp
measure up bildl. hålla måttet; *~ up to* kunna mäta sig med; motsvara [*his conduct didn't ~ up to their expectations*]
measured ['meʒəd] *adj* **1** [upp]mätt; avpassad **2** väl avvägd **3** taktfast, regelbunden, jämn, stadig, avmätt [*~ steps*]
measurement ['meʒəmənt] *s* **1** mätning; *system of ~* måttsystem; *unit of ~* måttenhet **2** pl. *~s* mått, dimensioner; *take sb's ~s* ta mått på ngn
measuring cup ['meʒərɪŋkʌp] *s* amer. **1** kopp som volymmått = 236 ml **2** mått
measuring jug ['meʒərɪŋdʒʌg] *s* ung. litermått
measuring tape ['meʒ(ə)rɪŋteɪp] *s* måttband
meat [miːt] *s* **1** a) kött; *butcher's ~* färskt slaktkött utom fläsk, vilt, fågel o.d.; *cold ~* kallskuret; *~ tenderizer* mörningsmedel för kött b) [ätligt] innanmäte [*the ~ of an egg*]; kött [*the ~ of a lobster* (*a crab*)] **2** *it was ~ and drink to me* vard. det var just det rätta (det var någonting) för mig; *strong ~* bildl. en stark sak, starka saker [*that film was really strong ~*]; *one man's ~ is another man's poison* vard. smaken är olika **3** [väsentligt] innehåll; *the ~ and potatoes of sth* amer. vard. den viktigaste delen av ngt, det väsentliga i ngt
meatball ['miːtbɔːl] *s* **1** köttbulle **2** vanl. amer. sl. klantskalle, pundhuvud
meat cube ['miːtkjuːb] *s* buljongtärning
meat extract [,miːt'ekstrækt] *s* köttextrakt
meat grinder ['miːt,graɪndə] *s* amer. köttkvarn
meat loaf ['miːtləʊf] (pl. *meat loaves*) *s* köttfärslimpa
meat packing ['miːtpækɪŋ] *s* amer. köttindustrin, köttindustri-, kött-
meat pie [,miːt'paɪ] *s* köttpaj; köttpastej
meaty ['miːtɪ] *adj* **1** köttig; kött- [*a ~ bone; a ~ flavour*]; välmatad [*a ~ crab*] **2** innehållsrik
Mecca ['mekə] geogr. Mecka
mecca ['mekə] *s* bildl. mecka [*a ~ for tourists*]; vallfartsort
mechanic [mə'kænɪk] *s* mekaniker, reparatör; maskinarbetare, verkstadsarbetare; *aircraft ~* flygmekaniker, montör
mechanical [mə'kænɪk(ə)l] *adj* mekanisk äv. bildl. [*~ brake; ~ movements; ~ power*]; maskinmässig, maskinell, maskin-; [maskin]teknisk; automatisk
mechanical engineering [mə'kænɪk(ə)l,en(d)ʒɪ'nɪərɪŋ] *s* maskinteknik
mechanical pencil [mə,kænɪk(ə)l'pensl] *s* amer. stiftpenna, skruvpenna
mechanics [mə'kænɪks] *s* **1** (med verb vanl. i sg.) mekanik; maskinlära; *~ of materials* hållfasthetslära **2** (med verb i pl.) teknik, arbetsgång [*the ~ of play-writing*]
mechanism ['mekənɪz(ə)m] *s* **1** mekanism äv. bildl.; psykol. [*defence ~*]; maskineri äv. bildl. **2** mekanik

[*the ~ of supply and demand*]; teknik, verkningssätt
mechanization [,mekənaɪ'zeɪʃ(ə)n] *s* mekanisering; motorisering
mechanize ['mekənaɪz] *vb tr* mekanisera; motorisera [*~d forces*]
Med [med] geogr. vard., *the ~* a) Medelhavet b) Medelhavsländerna
medal ['medl] *s* medalj
medallion [mə'dælɪən] *s* medaljong
medallist ['med(ə)lɪst] *s* medaljör, medaljvinnare; *gold ~* guldmedaljör
meddle ['medl] *vb itr* blanda (lägga) sig 'i [andras angelägenheter], lägga sin näsa i blöt; *you are always meddling* du lägger dig då 'i allting, du ska då alltid lägga din näsa i blöt; *~ with* a) blanda (lägga) sig 'i [*don't ~ with that business*] b) fingra på, rota i [*who's been meddling with my things?*]
meddler ['medlə] *s* **1** person som lägger sig 'i allt, person som [alltid] lägger sin näsa i blöt **2** klåfingrig person
meddlesome ['medlsəm] *adj* beskäftig, beställsam
meddling ['medlɪŋ] *s* **1** [obehörig] inblandning **2** fingrande [*with* på], rotande [*with* i]
1 media ['miːdɪə] *s*, *the ~* (med verb i sg. el. pl.) massmedia, media
2 media ['miːdɪə] *s* pl. av *medium*
media coverage ['miːdɪə,kʌvərɪdʒ] *s* mediabevakning
mediaeval [,medɪ'iːv(ə)l, ,miːd-] *adj* se *medieval*
media event ['miːdɪə,ɪvent] *s* mediahändelse
median ['miːdɪən] **I** *adj* mitt-, mellan-, median- [*~ value*]
II *s* **1** geom. el. statistik. median **2** amer. mittremsa på [motor]väg [äv. *~ strip*]
median strip ['miːdɪən,strɪp] *s* amer., se *median II 2*
mediate ['miːdɪeɪt] **I** *vb itr* medla **II** *vb tr* medla [*~ a peace*]; åstadkomma t.ex. uppgörelse genom medling (förlikning)
mediation [,miːdɪ'eɪʃ(ə)n] *s* medlande; medling; förlikning
mediator ['miːdɪeɪtə] *s* medlare; fredsmäklare; förlikningsman
medic ['medɪk] *s* **1** vard. a) läkare, doktor b) medicinare student **2** amer. mil. sjukvårdare
Medicaid ['medɪkeɪd] *s* amer., statlig o. federal sjukhjälp åt låginkomsttagare
medical ['medɪk(ə)l] **I** *adj* medicinsk; läkar-; medicinal- [*~ herb*]; *~ attention* el. *~ care* läkarvård; *~ corps* mil. fältläkarkår; *be put on the ~ register* få legitimation som läkare; *be struck off the ~ register* förlora sin legitimation som läkare; *~ treatment* läkarvård **II** *s* vard. läkarundersökning
medical certificate ['medɪk(ə)lsə,tɪfɪkət] *s* **1** friskintyg **2** läkarintyg vid sjukdom
medical check-up ['medɪk(ə)l,tʃekʌp] *s* *medical examination*
medical examination ['medɪk(ə)lɪgzæmɪ,neɪʃ(ə)n] *s* läkarundersökning, hälsoundersökning
medical examiner ['medɪk(ə)lɪg,zæmɪnə] *s* **1** läkare vid hälsoundersökning **2** amer. rättsläkare
medical history ['medɪk(ə)l,hɪst(ə)rɪ] *s* sjukdomshistoria

medically ['medɪk(ə)lɪ] *adv* medicinskt; från läkarsynpunkt; **be ~ examined** bli läkarundersökt
medical officer ['medɪk(ə)l‚ɒfɪsə] (förk. *MO*) *s* företagsläkare; [tjänste]läkare; mil. militärläkare
medical practitioner ['medɪk(ə)l‚præk'tɪʃənə] *s* praktiserande läkare, legitimerad läkare
medical records ['medɪk(ə)l‚rekɔ:dz] *s pl* journal
medical school ['medɪk(ə)lsku:l] *s* medicinsk fakultet
medical student ['medɪk(ə)l‚stju:d(ə)nt] *s* medicine studerande, medicinare
medical waste [‚medɪk(ə)l'weɪst] *s* sjukhusavfall, sjukvårdsavfall
medicament [me'dɪkəmənt] *s* läkemedel
Medicare ['medɪkeə] *s* amer. federal sjukförsäkring för personer över 65 år
medicated ['medɪkeɪtɪd] *adj* medicinsk [~ *cough sweet*; ~ *soap*]; som innehåller medicinskt verkande medel
medication [‚medɪ'keɪʃ(ə)n] *s* medicin, medikament; **be on ~** äta medicin
medicide ['medɪsaɪd] *s* aktiv dödshjälp, självmord med hjälp av läkare
medicinal [me'dɪsɪnl] *adj* **1** läkande [~ *properties* (egenskaper)]; botande; hälsosam, hälsobringande **2** medicinsk; medicinal- [~ *herb*]
medicine ['meds(ə)n] *s* **1** medicin äv. i mots. till kirurgi m.m., läkekonst[en]; läkarvetenskap[en]; *Doctor of Medicine* medicine doktor **2** medicin, läkemedel; **get a taste (a dose) of one's own ~** bildl. få smaka sin egen medicin; **take one's ~** bita i det sura äpplet
medicine cabinet ['meds(ə)n‚kæbɪnət] *s* medicinskåp, husapotek
medicine chest ['meds(ə)ntʃest] *s* medicinlåda, husapotek, reseapotek
medicine man ['meds(ə)n‚mæn] (pl. *medicine men* [-men]) *s* medicinman
medico ['medɪkəʊ] (pl. ~s) *s* vard. **1** läkare, doktor **2** medicinare student
medieval [‚medɪ'i:v(ə)l, ‚mi:d-] *adj* medeltida, medeltids-; **in ~ times** under medeltiden
mediocre [‚mi:dɪ'əʊkə] *adj* medelmåttig, slätstruken, medioker, skäligen enkel
mediocrity [‚mi:dɪ'ɒkrətɪ] *s* **1** medelmåttighet, slätstrukenhet **2** medelmåtta [*he is a ~*]
meditate ['medɪteɪt] **I** *vb tr* **1** fundera på, planera **2** begrunda, grubbla på
II *vb itr* meditera, fundera [*on, upon* på, över]
meditation [‚medɪ'teɪʃ(ə)n] *s* meditation, begrundan[de]; religiös betraktelse [*on, upon* över]; funderande, grubbel [*on* på, över]
meditative ['medɪtətɪv, -teɪt-] *adj* meditativ, begrundande, tankfull, spekulativ, grubblande
Mediterranean [‚medɪtə'reɪnɪən] **I** geogr., **the ~** Medelhavet **II** *adj* medelhavs- [~ *climate*]
Mediterranean Sea ['medɪtə‚reɪnɪən'si:] geogr., **the ~** Medelhavet
medi|um ['mi:dɪ|əm] **I** (pl. *-a* [-ə] el. *-ums*) *s* **1** medium; medel, hjälpmedel, förmedlingslänk; förmedlare äv. spiritistiskt **2 strike a happy ~** se *happy medium*
II *adj* medelstor, medelstark, medelgod; mellanstor; medium; medel- [~ *price*]; medium-, mellan-; **~ bomber** medeltungt bombplan; **below ~**

height under medellängd; **~ size** medelstorlek, mellanstorlek
medium dry [‚mi:dɪəm'draɪ] *adj* halvtorr [*a ~ sherry*; *a ~ wine*]
medium-priced ['mi:dɪəmpraɪst] *adj* amer. i mellanprisklass
medium-range ['mi:dɪəmreɪn(d)ʒ] *adj* medeldistans- [*a ~ missile*]
medium-sized ['mi:dɪəmsaɪzd] *adj* medelstor, mellanstor; i mellanstorlek (mellanformat), i medium
medium term ['mi:djəmtɜ:m] *s*, **in the ~** på inte alltför lång sikt
medium wave [‚mi:dɪəm'weɪv] (förk. *MW*) *s* radio. mellanvåg
medley ['medlɪ] *s* **1** mus. potpurri **2** [brokig] blandning, sammelsurium, röra, virrvarr; blandat sällskap **3** simn. medley individuellt; **~ relay** medleylagkapp
meek [mi:k] *adj* **1** ödmjuk, undergiven, saktmodig **2** foglig, eftergiven, beskedlig, spak
meerschaum ['mɪəʃəm, 'mɪəʃaʊm] *s* sjöskumspipa [äv. ~ *pipe*]
meet [mi:t] **I** (*met met*) *vb tr* **1** möta; träffa, råka, sammanträffa med; lära känna; om flod flyta samman (förena sig) med; **~ Mr Smith!** får jag föreställa herr Smith?; **there's more in this than ~s the eye** det ligger något bakom det här, det är en hund begraven här **2** möta i strid, bekämpa; bemöta [~ *criticism*]; besvara; **~ a challenge** anta en utmaning; **~ a difficulty** övervinna en svårighet **3** motsvara [~ *expectations*]; tillfredsställa, nå, uppfylla, tillmötesgå [~ *demands*]; infria [~ *obligations*]; bestrida [~ *costs*]; täcka [~ *a deficiency*]; **the supply ~s the demand** tillgången motsvarar efterfrågan
II (*met met*) *vb itr* mötas, ses; träffas, råkas, sammanträffa; om floder flyta samman; **~ again** ses igen, återses; **Parliament ~s tomorrow** parlamentet samlas i morgon; **make both ends ~** få det att gå ihop ekonomiskt; **pleased to ~ you!** el. amer. **nice ~ing you!** [det var] roligt (trevligt) att träffas!; goddag!
III (*met met*) *vb tr* med prep. el. adv.:
meet up with träffa, råka
meet with träffa [på], stöta på; uppleva [~ *with an adventure*]; komma över, hitta; möta, röna; amer. träffa; **~ with an accident** råka ut för en olyckshändelse; **~ with approval** vinna gillande (bifall); **~ with difficulties** stöta på svårigheter; **~ with a loss** lida en förlust; **~ with a refusal** få avslag, få nej
IV *s* **1** jakt. möte; mötesplats; jaktsällskap **2** sport., se *meeting 2*
meeting ['mi:tɪŋ] *s* **1** möte; sammanträffande; sammanträde; **~ of minds** full samstämmighet **2** sport. tävling, möte
meeting ground ['mi:tɪŋgraʊnd] *s* [neutral] mötesplats
meeting place ['mi:tɪŋpleɪs] *s* mötesplats, samlingsplats; möteslokal
meg [meg] *s* vard. kortform av *megabyte*
mega ['megə] *adj* vard. **1** stor, mega, super [~ *bid*; ~ *merger*] **2** jättebra, framgångsrik, toppen
mega- ['megə, ‚megə] se för övrigt sammansättn. nedan]

prefix **1** mega- en miljon **2** vard. mega-, super-
[*megastar*]
megabit ['megə‚bɪt] *s* data. megabit
megabucks ['megəbʌks] *s pl* vard. massor med
pengar [*she's earning* ~]
megabyte ['megəbaɪt] (förk. *MB*) *s* data. megabyte
megadeath ['megədeθ] *s*, **fifty** (**sixty** etc.) ~**s** femtio
(sextio etc.) miljoner döda [människor]
megahertz ['megəhɜːts] *s* megahertz
megahit ['megəhɪt] *s* vard. megahit, jättesuccé
megalith ['megəlɪθ] *s* arkeol. megalit, [stort]
stenblock
megalomania [‚megələ(ʊ)'meɪnɪə] *s* psykol.
storhetsvansinne, megalomani
megalomaniac [‚megələ(ʊ)'meɪnɪæk] *s* psykol.
person som lider av storhetsvansinne
(megalomani)
megalopolis [‚megə'lɒpəlɪs] *s* miljonstad
megaphone ['megəfəʊn] *s* megafon
megastar ['megəstɑː] *s* vard. megakändis
megaton ['megətʌn] (förk. *mt.*) *s* megaton
megawatt ['megəwɒt] (förk. *MW*) *s* megawatt
melamine ['meləmiːn] *s* melamin
melancholia [‚melən'kəʊlɪə] *s* psykol. melankoli
melancholic [‚melən'kɒlɪk] *adj* psykol. melankolisk
melancholy ['melənkəlɪ] **I** *s* melankoli, tungsinthet
II *adj* **1** melankolisk, tungsint, svårmodig
2 sorglig, bedrövlig
melanin ['melənɪn] *s* kem. melanin
melanoma [‚melə'nəʊmə] (pl. äv. ~*ta* [-tə]) *s* med.
melanom
Melba sauce [‚melbə'sɔːs] *s* kok. Melbasås av hallon o.
florsocker
Melba toast [‚melbə'təʊst] *s* kok. Melbatoast tunn
hårt rostad brödskiva
Melbourne ['melbən spec. i Australien; utanför Australien
ofta 'melbɔːn] geogr.
melee ['meleɪ] *s* fr. litt. **1** skärmytsling;
handgemäng; strid[svimmel], kalabalik **2** virrvarr
mellow ['meləʊ] **I** *adj* **1** om frukt [full]mogen, söt och
saftig; om vin fyllig, vällagrad, mogen; om ost mogen
2 om t.ex. ljud, färg, ljus fyllig, djup, rik **3** mogen,
mild[rad] gm ålder o. erfarenhet **4** vard. lätt påverkad,
lite glad av alkohol
II *vb tr* **1** bringa till mognad, göra [full]mogen etc.,
jfr *mellow I 1* o. *mellow I 2*; mildra, dämpa **2** göra
mogen (mild), mildra gm ålder o. erfarenhet, slipa av
III *vb tr* **1** om t.ex. frukt mogna **2** mildras, dämpas;
vekna, tina upp **3** mogna, mildras gm ålder o.
erfarenhet **4** vard., ~ *out* koppla av, varva ner
melodic [mɪ'lɒdɪk] *adj* melodisk, melodi-
melodious [mɪ'ləʊdjəs] *adj* melodisk, melodiös
melodiousness [mɪ'ləʊdɪəsnəs] *s* melodiskhet,
välljud
melodrama ['melə(ʊ)‚drɑːmə] *s* melodram
melodramatic [‚melə(ʊ)drə'mætɪk] *adj*
melodramatisk
melody ['melədɪ] *s* **1** melodi **2** välljud, musik
melon ['melən] *s* bot. melon
melt [melt] **I** *vb itr* **1** smälta; lösas upp; vard. smälta
bort av hetta **2** bildl. röras, vekna, smälta; ~ *into tears*
röras till tårar
II *vb tr* **1** smälta; lösa upp; skira smör, komma (få)
att smälta ihop, smälta samman [*into* till] **2** bildl.

röra, beveka, smälta
III *vb itr* o. *vb tr* med adv.:
melt away smälta [bort]; smälta ihop; skingras, ta
slut, försvinna
melt down smälta ned (ner)
meltdown ['meltdaʊn] *s* fys. härdsmälta
melting point ['meltɪŋpɔɪnt] *s* fys. smältpunkt
melting pot ['meltɪŋpɒt] *s* smältdegel äv. bildl.; *be in*
the ~ bildl. vara i stöpsleven
member ['membə] *s* **1** medlem, ledamot; deltagare
[*conference* ~], parl. representant [*for* för valkrets]; ~
state medlemsstat; ~ *of* [*the*] *Congress* i USA
kongressledamot; *be* ~ *for* representera valkrets
2 eufem. manslem [äv. *male* ~] **3** åld. el. litt. lem;
kroppsdel **4** matem. del; led av t.ex. sats, ekvation
Member of Parliament [‚membərəv'pɑːləmənt] (förk.
MP) *s* parlamentsledamot
membership ['membəʃɪp] *s* **1** medlemskap,
ledamotskap **2** medlemsantal
membrane ['membreɪn] *s* biol. el. anat. membran,
hinna, tunn skiva
memento [mɪ'mentəʊ] (pl. ~*s* el. ~*es*) *s* minne [*keep*
sth as a ~]; minnessak
memo ['meməʊ] (pl. ~*s*) *s* (förk. för *memorandum*)
pm; ~ *pad* anteckningsblock
memoir ['memwɑː] *s* **1** vanl. pl. ~*s* memoarer,
levnadsminnen, självbiografi; *writer of* ~*s*
memoarförfattare **2** biografi
memorabilia [‚memərə'bɪlɪə] *s pl* ting (händelser)
att minnas
memorable ['mem(ə)rəbl] *adj* minnesvärd
memorand|um [‚memə'rænd|əm] (pl. -*a* [-ə] el. -*ums*)
s **1** meddelande, pm, promemoria [*an inter-office*
(intern) ~] **2** [minnes]anteckning; minneslista
3 dipl. diplomatisk not
memorial [mɪ'mɔːrɪəl] **I** *adj* minnes- [~ *service*; ~
volume (skrift)]; ~ *arch* triumfbåge; ~ *park* amer.,
parkliknande kyrkogård
II *s* minnesmärke, minnessten [*to* över]
Memorial Day [mɪ'mɔːrɪəldeɪ] *s* amer. minnesdagen
till minne av i olika krig stupade soldater, vanl. 30 maj
memorize ['meməraɪz] *vb tr* memorera, lära sig
utantill
memory ['memərɪ] *s* **1** minne, minnesförmåga; *if my*
~ *serves me* [*right*] om jag minns rätt; *speak from* ~
tala utan manuskript; *to the best of my* ~ såvitt jag
kan minnas; *loss of* ~ minnesförlust; *commit to* ~
lägga på minnet; lära sig utantill **2** minne,
hågkomst; åminnelse; eftermäle; *memories of*
childhood barndomsminnen; *in* ~ *of* el. *to the* ~ *of* till
minne av; *of blessed* ~ salig i åminnelse **3** minne tid
man minns ngt; *within living* ~ i mannaminne **4** data.
minne
memory bank ['memərɪbæŋk] *s* data. minnesbank
memory lane ['memərɪleɪn] *s*, *a trip down* ~ el. *a walk*
down ~ en tur tillbaka bland gamla kära minnen,
en nostalgitripp
memory stick ['memərɪstɪk] *s* data. usb-minne
men [men] *s* pl. av *man I*
menace ['menəs] **I** *s* hot [*to* mot], [hotande] fara
[*to* för]; hotelse; *he's a* ~ vard. han är hopplös
(odräglig)
II *vb tr* hota
menacingly ['menəsɪŋlɪ] *adv* hotande, hotfullt

ménage [me'nɑ:ʒ] *s* fr. hushåll

ménage à trois [me,nɑ:ʒɑ:'trwɑ:] *s* fr. ménage à trois, trekant

menagerie [mɪ'nædʒərɪ] *s* menageri

mend [mend] **I** *vb tr* **1** laga, reparera; lappa kläder, stoppa strumpor **2** avhjälpa; ställa till rätta, rätta till; ~ *fences* återställa ett gott förhållande till ngn **3** förbättra; bättra på; ~ *one's ways* bättra sig **II** *vb itr* **1** bli bättre; läkas, tillfriskna, ta sig **2** *it is never too late to* ~ bättre sent än aldrig, det är aldrig för sent att bättra sig **III** *s* **1** lapp, stopp, lagning lagat ställe **2** *be on the* ~ a) vara på bättringsvägen, ta sig b) om affärer hålla på och ordna [till] sig

mendacious [men'deɪʃəs] *adj* lögnaktig

mendacity [men'dæsətɪ] *s* **1** lögnaktighet **2** osanning

mendicant ['mendɪkənt] **I** *adj* tiggande, bettlande; tiggar- [~ *friar*] **II** *s* **1** tiggare **2** tiggarmunk

mending ['mendɪŋ] *s* **1** kläder som ska lagas **2** lagning, reparation; lappning, stoppning; ~ *wool* stoppgarn

menfolk ['menfəʊk] (med verb i pl.) *s* åld. manfolk, karlar

menial ['mi:nɪəl] **I** *adj* ovärdig, tarvlig, enkel [~ *work*; ~ *tasks*] **II** *s* neds. tjänare, betjänt, lakej

meningitis [,menɪn'dʒaɪtɪs] *s* med. hjärnhinneinflammation, meningit

men-of-war [,menəv'wɔ:] *s* pl. av *man-of-war*

menopausal [,menə'pɔ:zl] *adj* med. klimakterie-, övergångs- [~ *symptoms*]; ~ *women* kvinnor i klimakteriet (övergångsåldern)

menopause ['menə(ʊ)pɔ:z] *s* med. menopaus, klimakterium; *male* ~ manlig övergångsålder

Menorca [me'nɔ:kə] Minorca

menorrhagia [,menɔ:'reɪdʒɪə] *s* med. menorragi, hypermenorré, riklig menstruationsblödning

menorrhoea [,menə'rɪə] *s* med. menorré, normal menstruationsblödning

menses ['mensi:z] *s pl* med. menstruation

menstrual ['menstrʊəl] *adj* menstruations- [~ *cycle*]; ~ *flow* el. ~ *discharge* menstruationsblödning

menstruate ['menstrʊeɪt] *vb itr* menstruera, ha menstruation

menstruation [,menstrʊ'eɪʃ(ə)n] *s* menstruation

menswear ['menzweə] *s* herrkläder; herravdelning på varuhus

mental ['mentl] *adj* **1** mental, psykisk, själslig, själs-, sinnes-; förstånds-; ~ *hygiene* mentalhygien; ~ *picture* el. ~ *image* föreställningsbild; *make a* ~ *note of* lägga på minnet **2** vard. galen, knasig [*go* (bli) ~]

mental age [,mentl'eɪdʒ] *s* ped. el. psykol. intelligensålder

mental arithmetic [,mentlə'rɪθmətɪk] *s* huvudräkning

mental block [,mentl'blɒk] *s* psykol. blockering

mental cruelty [,mentl'krʊəltɪ] *s* psykisk (själslig) misshandel

mental disorder [,mentldɪs'ɔ:də] *s* mentalsjukdom; psykisk störning

mental gymnastics [,mentldʒɪm'næstɪks] (med verb i sg.) *s* hjärngymnastik

mental handicap [,mentl'hændɪkæp] *s* ngt åld. förståndshandikapp

mental home ['mentlhəʊm] *s* ngt åld. mentalsjukhus

mental hospital [,mentl'hɒspɪtl] *s* ngt åld. mentalsjukhus

mental illness [,mentl'ɪlnəs] *s* psykisk störning

mentality [men'tælətɪ] *s* **1** mentalitet, [själs]läggning, kynne, karaktär **2** intelligens, förstånd

mentally ['mentəlɪ] *adv* **1** mentalt, psykiskt, själsligt; andligt; ~ *ill* psykiskt störd; ~ *handicapped* el. ~ *retarded* åld. förståndshandikappad **2** i tankarna; i huvudet [*calculate* ~]

mental patient ['mentl,peɪʃ(ə)nt] *s* psykiskt störd [patient]

mental state [,mentl'steɪt] *s* sinnestillstånd, själstillstånd

menthol ['menθɒl] *s* mentol

mentholated ['menθəleɪtɪd] *adj* mentol-, med mentol

mention ['menʃ(ə)n] **I** *vb tr* omnämna; nämna, tala om [*to* för]; *not to* ~ för att [nu] inte tala om (nämna); *don't* ~ *it!* som svar på tack el. ursäkt ingen orsak!, [det är] ingenting att tala om!, för all del!; [*that's odd,*] *now that you* ~ *it* …nu när du säger det; *no harm worth* ~*ing* ingen nämnvärd skada **II** *s* omnämnande; *honourable* ~ hedersomnämnande; *make* ~ *of* [om]nämna

mentor ['mentɔ:] *s* mentor, rådgivare, handledare

menu ['menju:] *s* matsedel; meny äv. data.

menu bar ['menju:bɑ:] *s* data. menyrad

menu-driven ['menju:,drɪvn] *adj* data. menystyrd

MEP [,emi:'pi:] *s* förk. för *Member of the European Parliament*

Merc [mɜ:k] *s* vard. Mersa Mercedes (bil)

mercantile ['mɜ:k(ə)ntaɪl] *adj* merkantil; handels-, affärs-, köpmans-

mercantile marine [,mɜ:k(ə)ntaɪlmə'ri:n] *s* handelsflotta

Mercedes [bil mə'seɪdɪz, -i:z]

mercenary ['mɜ:s(ə)n(ə)rɪ] **I** *s* legosoldat, legoknekt; pl. *mercenaries* äv. legotrupper **II** *adj* **1** vinningslysten; egennyttig **2** om soldat lejd, lego-

mercerized cotton [,mɜ:səraɪzd'kɒtn] *s* merceriserad bomull

merchandise ['mɜ:tʃ(ə)ndaɪz] **I** *s* koll. [handels]varor **II** *vb itr* handla

merchandising ['mɜ:tʃ(ə)ndaɪzɪŋ] *s* marknadsföring

merchant ['mɜ:tʃ(ə)nt] **I** *s* **1** köpman, grosshandlare, grossist spec. importör el. exportör **2** skotsk. el. amer. detaljhandlare **3** vard. karl, individ, typ **II** *adj* handels-; ~ *ship* el. ~ *vessel* handelsfartyg

merchant bank [,mɜ:tʃ(ə)nt'bæŋk] *s* affärsbank

merchant banker [,mɜ:tʃ(ə)nt'bæŋkə] *s* direktör i affärsbank

merchant navy [,mɜ:tʃ(ə)nt'neɪvɪ] *s* o. amer. **merchant marine** [,mɜ:tʃ(ə)ntmə'ri:n] *s* handelsflotta

merciful ['mɜ:sɪf(ʊ)l] *adj* barmhärtig, nådig, misskundsam [*to* mot]; skonsam

merciless ['mɜ:sɪləs] *adj* obarmhärtig [*to, towards* mot]; skoningslös

mercurial [mɜːˈkjʊərɪəl] *adj* **1** kvicksilver- [~ *poisoning*] **2** livlig [~ *temperament*]; kvick[tänkt] **3** flyktig, ombytlig

Mercury [ˈmɜːkjʊrɪ] mytol. el. astron. Merkurius

mercury [ˈmɜːkjʊrɪ] *s* kvicksilver; *the ~ is rising* barometern (termometern) stiger

mercy [ˈmɜːsɪ] *s* **1** barmhärtighet, förbarmande; förskoning, misskund; nåd; *petition for ~* nådeansökan; *ask* (*beg*, *cry*) *for ~* be (tigga) om nåd; *have ~ on* (*upon*) *sb* förbarma sig över ngn, ha förbarmande med ngn; *be at the ~ of sb* (*sth*) el. *be at sb's ~* el. *be left to the ~* (*mercies*) *of sb* (*sth*) vara i ngns (ngts) våld, vara utelämnad på nåd och onåd till ngn (ngt) **2** lycka, tur; pl. *mercies* äv. nådegåvor; glädjeämnen; *it is a ~ that...* det är en [Guds] lycka (välsignelse) att...; *be thankful* (*grateful*) *for small mercies* vara tacksam för litet (det lilla)

mercy killing [ˈmɜːsɪˌkɪlɪŋ] *s, a ~* ett fall av dödshjälp, ett barmhärtighetsmord

mercy mission [ˈmɜːsɪˌmɪʃ(ə)n] *s* räddningsuppdrag

mere [mɪə] *adj* blott, ren, bara; *by a ~ chance* el. *by the ~st chance* av en ren slump; *she is a ~ child* hon är bara barnet; *the ~ fact that she was...* bara den omständigheten (det faktum) att hon...; *the ~ thought of* blotta tanken på; *a ~ 2%* ynka (futtiga) 2 %

merely [ˈmɪəlɪ] *adv* endast, bara, blott och bart

meretricious [ˌmerɪˈtrɪʃəs] *adj* grann, prålig [~ *jewellery*; *a ~ style*]; utstofferad; oäkta, falsk

merge [mɜːdʒ] **I** *vb tr* slå ihop (samman) [~ *two companies*]; *with* med; *into* till]; *be ~d in* äv. gå över i, förvandlas till **II** *vb itr* gå ihop (samman) [*into* i; *with* med]; smälta ihop (samman), absorberas; flyta ihop [*into* med]

merger [ˈmɜːdʒə] *s* hand. sammanslagning, fusion

meridian [məˈrɪdɪən] **I** *s* **1** meridian **2** middagshöjd äv. bildl.; kulmen, höjdpunkt **II** *adj* meridian-, middags-

meringue [məˈræŋ] *s* maräng; *lemon ~ pie* citronpaj

merino [məˈriːnəʊ] (pl. *~s*) **I** *s* **1** merinofår **2** merino; merinotyg, merinogarn **II** *adj* merino-

merit [ˈmerɪt] **I** *s* förtjänst, merit [*the book has its ~s*]; värde; *~s and demerits* fel och förtjänster, fördelar och nackdelar; *a work of great ~* ett mycket förtjänstfullt arbete; *the ~s of the case* det verkliga [sak]förhållandet, föreliggande fakta; *promotion by ~* befordran på meriter; *judge sth on its ~s* bedöma ngt [rent] objektivt (efter sakliga hänsyn) **II** *vb tr* förtjäna, vara värd, göra sig förtjänt av

meritocracy [ˌmerɪˈtɒkrəsɪ] *s* meritokrati

meritorious [ˌmerɪˈtɔːrɪəs] *adj* förtjänstfull

mermaid [ˈmɜːmeɪd] *s* sjöjungfru

merrily [ˈmerəlɪ] *adv* muntert, uppsluppet; glatt

merriment [ˈmerɪmənt] *s* munterhet, uppsluppenhet

merry [ˈmerɪ] *adj* **1** munter, uppsluppen; glad; *Merry Christmas!* el. *A Merry Christmas!* God Jul!; *the more the merrier* ju fler dess (desto, ju roligare; *make ~* åld. roa sig, förlusta sig, festa **2** vard. lite glad (upprymd, i gasen)

merry-go-round [ˈmerɪɡə(ʊ)raʊnd] *s* karusell; bildl. äv. virvel

merrymaker [ˈmerɪˌmeɪkə] *s* festare, rumlare

merrymaking [ˈmerɪˌmeɪkɪŋ] *s* festande, uppsluppenhet

Merry Widow [ˌmerɪˈwɪdəʊ] mus., *the ~* Glada änkan operett

Merseyside [ˈmɜːzɪsaɪd] geogr., området runt Liverpool

mesa [ˈmeɪsə] *s* amer. mesa slags högplatå

mesh [meʃ] **I** *s* maska i nät o.d.; pl. *~es* äv. trådar; nät[verk]; snaror, garn äv. bildl. **II** *vb itr* **1** gå (passa) ihop, stämma överens **2** om kugge gripa in [*with* i] **III** *vb tr* mek. koppla ihop äv. bildl.

mesmerist [ˈmezm(ə)rɪst] *s* hypnotisör, mesmerist

mesmerize [ˈmezm(ə)raɪz] *vb tr* **1** magnetisera, hypnotisera **2** suggerera; fascinera

mesmerizing [ˈmezm(ə)raɪzɪŋ] *adj* fascinerande; spännande

mess [mes] **I** *s* **1** röra, oreda, oordning, virrvarr; soppa, jobbig (rörig) situation, klämma, knipa; *she looked a ~* hon såg hemsk (förfärlig) ut; *make a ~ of sth* förstöra (sabba) ngt; ställa (strula, trassla) till ngt; *we are in a fine ~* äv. nu står vi där vackert, vilken soppa vi har hamnat i; *get into a ~* råka i oordning, stökas (röras) till; råka illa ut, komma i knipa, ställa (strula) till det för sig **2** smörja, skräp; [hund]lort; *make a ~* smutsa (söla, kladda, skräpa) ner, se äv. *mess I 1*; *the child has made a ~ in his nappy* barnet har gjort på sig; *the dog has made a ~ on the carpet* hunden har gjort på mattan **3** vard. sopa, misslyckad (hopplös) individ **4** mil. el. sjö. matsällskap; mäss **II** *vb tr* o. *vb itr* med prep. el. adv.:

mess about el. **mess around** vard. **a)** gå och driva, slå dank, strula [omkring] **b)** ställa (röra, strula) till [*with* med] **c)** *~ around* vänsterprassla [*with* med] **d)** *~ sb about* el. *~ sb around* röra (trassla) till saker och ting (det) för ngn, djävlas med ngn

mess up a) röra (stöka) till; smutsa (söla, kladda) ner; trassla (strula) till, kullkasta [*it has ~ed up our plans*]; förstöra **b)** fara hårt fram med ngn, göra förvirrad

mess with bråka (djävlas) med, lägga sig i; beblanda sig med, ha att göra med

message [ˈmesɪdʒ] **I** *s* **1** meddelande [*did she leave any ~?*]; budskap äv. politiskt o.d., bud; *he got the ~* vard. han förstod vinken; *give sb a ~* hälsa ngn från ngn; *can I take* (*leave*) *a ~?* i telefon o.d. är det något jag kan framföra? **2** ärende [*go ~s*; *run ~s*] **II** *vb tr* skicka meddelande till

message board [ˈmesɪdʒbɔːd] *s* data. diskussionsforum på Internet

messenger [ˈmesɪndʒə] *s* bud; budbärare; sändebud; *~ boy* expressbud; springpojke äv. bildl.

Messiah [məˈsaɪə] *s* **1** Messias äv. bildl. **2** Kristus

Messrs [ˈmesəz] *s* (eg. förk. för *Messieurs* ofta i affärsstil använt som pl. av *Mr*) **1** herrar[na], hrr **2** Firma, Herrar, Hrr [~ *Jones & Co.*]

mess-up [ˈmesʌp] *s* vard. trassel, strul; röra, sammelsurium; *make a ~ of things* ställa till oreda, trassla (röra) till allting (saker och ting)

messy [ˈmesɪ] *adj* **1** rörig, stökig; tilltrasslad **2** smutsig, kladdig, grisig, snaskig

mestiza [meˈstiːzə] *s* mestis kvinna

mestizo [meˈstiːzəʊ] (pl. *~s* el. *~es*) *s* mestis

met [met] imperf. o. perf. p. av *meet*

1 Met [met] *s, the ~* a) vard. Metropolitan opera i New York b) kortform av *the Metropolitan Railway* en av tunnelbanelinjerna i London c) kortform av *the Metropolitan Police* Londonpolisen

2 Met [met] *s, the ~ Office* el. *the ~* = *the Meteorological Office; a ~ report* en väderleksrapport

metabolic [ˌmetəˈbɒlɪk] *adj* metabolisk; *~ rate* kroppens energiomsättning; *basal ~ rate* basalmetabolism, grundomsättning

metabolism [məˈtæbəlɪz(ə)m] *s* ämnesomsättning, metabolism

metabolize [məˈtæbəlaɪz] *vb tr* metabolisera, uppta och omsätta näringsämnen

metal [ˈmetl] **I** *s* **1** metall **2** metallblandning, legering **3** krossten för vägbygge, makadam **II** *adj* metall-; *~ tip* beslag; hästsko

metalanguage [ˈmetəˌlæŋgwɪdʒ] *s* språkv. metaspråk

metal detector [ˈmetldɪˌtektə] *s* tekn. metalldetektor

metal fatigue [ˈmetlfəˌtiːg] *s* metallutmattning

metallic [meˈtælɪk] *adj* metallisk; metall-

metallic paint [meˌtælɪkˈpeɪnt] *s* metallic, metallicfärg, metalliclack slags billack

metallurgist [meˈtælədʒɪst, mɪˈt-] *s* metallurg

metallurgy [meˈtælədʒɪ, mɪˈt-] *s* metallurgi

metalwork [ˈmetlwɜːk] *s* **1** metallsmide; *piece of ~* konkr. metallarbete **2** metallslöjd

metalworker [ˈmetlˌwɜːkə] *s* metallarbetare

metamorphose [ˌmetəˈmɔːfəʊz] **I** *vb tr* förvandla [*into* till]; omdana **II** *vb itr* genomgå en metamorfos

metamorphos|is [ˌmetəˈmɔːfəs|ɪs] (pl. -*es* [-iːz]) *s* metamorfos, förvandling, omdaning

metaphor [ˈmetəfə] *s* metafor, bild, bildligt uttryck; *speak in ~s* tala i bilder

metaphorical [ˌmetəˈfɒrɪk(ə)l] *adj* metaforisk, bildlig

metaphysical [ˌmetəˈfɪzɪk(ə)l] *adj* metafysisk

metaphysics [ˌmetəˈfɪzɪks] (med verb i sg.) *s* metafysik

metastas|is [ˌmetəˈsteɪs|ɪs] (pl. -*es* [-iːz]) *s* med. metastas

metastasize [meˈtæstəˌsaɪz] *vb itr* med. metastasera, bilda metastaser

mete [miːt] *vb tr* litt., *~ out* utmäta [*~ out punishment*]; tilldela, beskära

meteor [ˈmiːtɪə] *s* meteor

meteoric [ˌmiːtɪˈɒrɪk] *adj* **1** meteor- [*a ~ stone*]; meteorartad, meteorlik äv. bildl.; *a ~ career* en kometkarriär; *~ shower* meteorregn **2** atmosfärisk

meteorite [ˈmiːtɪəraɪt] *s* meteorit, meteorsten

meteorological [ˌmiːtɪərəˈlɒdʒɪk(ə)l] *adj* meteorologisk; *~ office* vädertjänst

meteorologist [ˌmiːtɪəˈrɒlədʒɪst] *s* meteorolog

meteorology [ˌmiːtɪəˈrɒlədʒɪ] *s* meteorologi

1 meter [ˈmiːtə] **I** *s* mätare; taxameter **II** *vb tr* mäta

2 meter [ˈmiːtə] *s* amer., se *metre*

meter maid [ˈmiːtəmeɪd] *s* amer. vard. lapplisa

methadone [ˈmeθədəʊn] *s* farmakol. metadon

methane [ˈmiːθeɪn] *s* kem. metangas, sumpgas

methanol [ˈmeθənɒl] *s* kem. metanol, träsprit

methinks [mɪˈθɪŋks] (imperf. *methought*) åld. el. skämts. för *it seems to me*, det synes mig, mig tyckes

method [ˈmeθəd] *s* metod; ordning, system;

[planmässigt] förfaringssätt; sätt, vis; *there is* [*a*] *~ in his* (*her* etc.) *madness* vard. det finns metod i galenskapen

methodical [məˈθɒdɪk(ə)l] *adj* metodisk, systematisk; planmässig

Methodism [ˈmeθədɪz(ə)m] *s* kyrkl. metodism

Methodist [ˈmeθədɪst] kyrkl. **I** *s* metodist **II** *adj* metodistisk, metodist-

methodology [ˌmeθəˈdɒlədʒɪ] *s* metodologi, metodlära, metod

meths [meθs] *s pl* vard. för *methylated spirits*

Methuselah [mɪˈθjuːz(ə)lə] bibl. egennamn Metusalem, Metusela; *as old as ~* gammal som gatan

methyl alcohol [ˌmeθɪlˈælkəhɒl] *s* kem. metylalkohol, träsprit

methylated spirits [ˌmeθɪleɪtɪdˈspɪrɪts] (med verb i sg.) *s pl* denaturerad sprit

meticulous [məˈtɪkjʊləs] *adj* noggrann, skrupulös; minutiös; pedantisk, petig

métier [ˈmetɪeɪ, ˈmeɪtɪeɪ] *s* fr. fack, yrke

Met Office [ˈmetˌɒfɪs] *s, the ~* se *2 Met*

metre [ˈmiːtə] *s* **1** (förk. *m*) meter längdmått **2** litt. meter i poesi, versmått; takt

metric [ˈmetrɪk] *adj* meter- [*the ~ system*]

metrical [ˈmetrɪk(ə)l] *adj* **1** måtts-; metrisk **2** litt. metrisk, i bunden form

metrication [ˌmetrɪˈkeɪʃ(ə)n] *s* övergång till metersystemet

metric ton [ˌmetrɪkˈtʌn] *s* ton 1000 kg

metro [ˈmetrəʊ] **I** (pl. *~s*) *s* **1** tunnelbana spec. i Paris; *travel on the ~* el. *travel by ~* åka tunnelbana **2** tunnelbane- [*~ station*] **II** *adj* amer. vard., se *metropolitan 1*

metronome [ˈmetrənəʊm] *s* metronom

metropolis [məˈtrɒpəlɪs] *s* metropol, huvudstad; storstad, världsstad

metropolitan [ˌmetrəˈpɒlɪt(ə)n] *adj* **1** huvudstads-, storstads-, världsstads-; *~ city* se *metropolis* **2** som hör till (utgör) moderlandet

Metropolitan Opera [ˈmetrəˌpɒlɪt(ə)nˈɒp(ə)rə] *the ~* operahus i New York

Metropolitan Police [ˌmetrəpɒlɪt(ə)npəˈliːs] (med verb i pl.) *s, the ~* Londonpolisen

Metropolitan Railway [ˈmetrəˌpɒlɪt(ə)nˈreɪlweɪ] *the ~* en av tunnelbanelinjerna i London

metrorrhagia [ˌmiːtrəʊˈreɪdʒɪə] *s* med. metrorragi, mellanblödning mellan menstruationerna

mettle [ˈmetl] *s* mod, kurage; *show one's ~* el. *prove one's ~* visa vad man går för; *try sb's ~* se vad ngn går för (duger till); *be on one's ~* uppbjuda alla sina krafter; *put sb on his ~* sätta ngn [riktigt] på prov, tvinga ngn att göra sitt yttersta

mew [mjuː] **I** *vb itr* jama **II** *s* jamande; mjau

mews [mjuːz] (med verb vanl. i sg.; pl. *mews*) *s* **1** huslänga, garagelänga som urspr. varit stall **2** bakgård; bakgata

Mexican [ˈmeksɪkən] **I** *adj* mexikansk **II** *s* mexikan; mexikanska

Mexican wave [ˌmeksɪkənˈweɪv] *s, the ~* spec. sport. vågen

Mexico [ˈmeksɪkəʊ] **1** geogr. egennamn **2** *the Gulf of ~* Mexikanska bukten

mezzanine [ˈmetsəniːn, ˈmez-] *s* **1** byggn.

entresol[våning], mezzanin [äv. ~ *storey*] **2** amer. teat.
[främre] första raden

mezzo-sopran|o [ˌmedzəʊsəˈprɑːnəʊ, ˈmetsəʊ-] *s* (pl.
äv. *-i* [-iː]) mus. mezzosopran

mezzotint [ˈmedzəʊtɪnt, ˈmetsəʊ-] *s*
mezzotint[gravyr]

MG [ˌemˈdʒiː] *s* (eg. *Morris Garages Ltd*) MG
bil[märke]

mg förk. för *milligram*[*s*], *milligramme*[*s*]

MGM [ˌemdʒiːˈem] (förk. för *Metro-Goldwyn-Mayer*)
[ˈmetrəʊˌɡəʊldwɪnˈmeɪə]

MHz (förk. för *megahertz*) MHz

mi [miː] *s* mus. mi

1 MI [ˌemˈaɪ] (förk. för *Military Intelligence*); **~ 5**
[ˌemaɪˈfaɪv] hist. avdelning inom MI som sysslade med
kontraspionage; **~ 6** [ˌemaɪˈsɪks] hist. avdelning inom MI
som sysslade med spionage; båda benämningarna används
numera vard. för regeringens spionageverksamhet o.
underrättelsetjänst

2 MI förk. för *Michigan*

MIA [ˌemaɪˈeɪ] amer. förk. för *missing in action*

Miami [maɪˈæmɪ] geogr.

miasma [mɪˈæzmə, maɪˈæ-] (pl. *~ta* [-tə] el. *~s*) *s*
[stinkande] utdunstning; förpestad (tjock) luft;
bildl. äv. töcken

mic [maɪk] *s* vard. mick mikrofon

mica [ˈmaɪkə] *s* miner. glimmer; *yellow* ~ kattguld

mice [maɪs] *s* pl. av *mouse*

Mich. förk. för *Michigan*

Michael [ˈmaɪkl] **1** mansnamn **2** som kunganamn Mikael;
St ~ Sankt Mikael

Michaelmas [ˈmɪklməs] *s* mickelsmässa 29 sept. [äv. ~
Day]

Michaelmas daisy [ˌmɪklməsˈdeɪzɪ] *s* bot. höstaster

Michelangelo [ˌmaɪkəlˈændʒələʊ]

Michigan [ˈmɪʃɪɡən] geogr.

Mick [mɪk] kortform av *Michael*, se *Michael 1*

mick [mɪk] *s* sl. (neds.) irländare

Mickey [ˈmɪkɪ] **1** vard. för *Michael 1* **2** se *Mickey Finn*

mickey [ˈmɪkɪ] *s* vard., *take the* ~ *out of sb* driva
(retas) med ngn

Mickey Finn [ˌmɪkɪˈfɪn] *s* (äv. *mickey finn*) sl. drink
med knockoutdroppar

Mickey Mouse [ˌmɪkɪˈmaʊs] **I** egennamn Musse Pigg
seriefigur
II *adj* (äv. *mickey mouse*) **1** fattig, ynklig [*a ~
military operation*]; meningslös, banal **2** enkel, lätt
[*a ~ university course*]

micro [ˈmaɪkrə(ʊ)] (pl. *~s*) *s* vard. för *microcomputer*,
microprocessor

microbe [ˈmaɪkrəʊb] *s* mikrob

microbiology [ˌmaɪkrə(ʊ)baɪˈɒlədʒɪ] *s* mikrobiologi

microchip [ˈmaɪkrə(ʊ)tʃɪp] *s* data. mikrochips,
integrerad krets

micro-chip [ˈmaɪkrə(ʊ)tʃɪp] *vb tr* id-märka med
mikrochips

micro-chipped [ˈmaɪkrə(ʊ)tʃɪpt] *adj* id-märkt med
mikrochips, chip-märkt

microclimate [ˈmaɪkrə(ʊ)ˌklaɪmət] *s* mikroklimat

microcomputer [ˌmaɪkrə(ʊ)kɒmˈpjuːtə] *s* data.
mikrodator

microcosm [ˈmaɪkrə(ʊ)kɒz(ə)m] *s* mikrokosm[os],
värld i smått

microdot [ˈmaɪkrə(ʊ)dɒt] *s* foto. mikropunkt

microeconomics [ˌmaɪkrə(ʊ)iːkəˈnɒmɪks] (med verb i
sg.) *s* mikroekonomi

microelectronics [ˈmaɪkrə(ʊ)ɪˌlekˈtrɒnɪks] (med verb i
sg.) *s* mikroelektronik

microfibre [ˈmaɪkrə(ʊ)ˌfaɪbə] *s* textil. mikrofiber

microfiche [ˈmaɪkrə(ʊ)fiːʃ] *s* foto. mikrofiche,
mikrokort

microfilm [ˈmaɪkrə(ʊ)fɪlm] **I** *s* mikrofilm **II** *vb tr*
mikrofilma

microlight [ˈmaɪkrə(ʊ)laɪt] *s* ultralätt sportflygplan
för två personer

Micronesia [ˌmaɪkrə(ʊ)ˈniːzɪə] geogr., *Federated
States of* ~ Mikronesiska federationen
(Mikronesien)

micro-organism [ˌmaɪkrə(ʊ)ˈɔːɡənɪz(ə)m] *s*
mikroorganism

microphone [ˈmaɪkrəfəʊn] *s* mikrofon

microprocessor [ˌmaɪkrə(ʊ)ˈprəʊsesə] *s* data.
mikroprocessor

microprogram [ˈmaɪkrə(ʊ)ˌprəʊɡræm] *s* data.
mikroprogram

microscope [ˈmaɪkrəskəʊp] *s* mikroskop

microscopic [ˌmaɪkrəˈskɒpɪk] *adj* mikroskopisk

microstructure [ˈmaɪkrə(ʊ)ˌstrʌktʃə] *s*
mikrostruktur

microsurgery [ˈmaɪkrə(ʊ)ˌsɜːdʒərɪ] *s* mikrokirurgi
operation o.d. under mikroskop

microwavable [ˈmaɪkrə(ʊ)ˌweɪvəbl] *adj*, *~ food* mat
för tillagning i mikrovågsugn; vard. mat som går
att mikra

microwave [ˈmaɪkrə(ʊ)weɪv] **I** *s* **1** mikro,
mikrovågsugn **2** mikrovåg
II *vb itr* o. *vb tr* mikra, laga [mat] i en
mikrovågsugn

microwave oven [ˌmaɪkrə(ʊ)weɪvˈʌvn] *s*
mikrovågsugn

mid [mɪd] **I** (oftast i sammansättn.) *adj* mitt-, mellan-,
mid-; [i] mitten av (på) [*it was* ~ *May* (*mid-May*)];
from ~ *May to* ~ *July* från mitten av maj till mitten av
juli; *in* ~ *channel* mitt i farleden; *in* ~ *flight* i flykten;
bildl. halvvägs; *in* ~ *ocean* mitt ute på havet **II** *prep*
poet. för *amid*

mid-air [ˌmɪdˈeə] **I** *s*, *in* ~ [högt uppe] i luften [*catch
a ball in* ~]; *be suspended in* ~ sväva mellan himmel
och jord; bildl. sväva i ovisshet
II *adj* [som är (sker)] i luften [*a ~ collision*]

mid-Atlantic [ˌmɪdətˈlæntɪk] *adj* som har både
brittisk och amerikansk prägel (brittiska och
amerikanska drag) [*a ~ accent*]

midday [ˈmɪddeɪ, i betydelse 1 äv. ˌmɪdˈd-] *s*
1 middagstid, middag; *at* ~ vid middagstiden, på
middagen **2** attr. mitt på dagen, middags-; *~ dinner*
middag[smål] mitt på dagen

midden [ˈmɪdn] *s* gödselhög, avskrädeshög

middle [ˈmɪdl] **I** *adj* mellersta, mittersta, mellan-,
medel-; *~ height* medelhöjd
II *s* **1** mitt; *split* (*devide*) *down the* ~ dela mitt itu; *in
the* ~ *of* i mitten av (på), mitt i (på, under); *in the* ~
of nowhere på vischan; bortom all ära och
redlighet; *knock sb into the* ~ *of next week* slå ngn
gul och blå (sönder och samman) **2** midja

middle age [ˌmɪdlˈeɪdʒ] *s* medelålder; *a man of* ~ en
medelålders man

middle-aged [ˌmɪdlˈeɪdʒd, attr. '--] *adj* medelålders

Middle Ages [ˌmɪdl'eɪdʒɪz] s pl, **the** ~ medeltiden
middle-age spread [ˌmɪdleɪdʒ'spred] s o.
middle-aged spread [ˌmɪdleɪdʒd'spred] s vard.
gumfläsk, gubbfläsk
Middle America [ˌmɪdlə'merɪkə] geogr.
Mellanamerika med Mexico [och Västindien]
middlebrow ['mɪdlbraʊ] s ofta neds. person med
konventionell smak, genomsnittsmänniska
middle C [ˌmɪdl'si:] s mus. ettstrukna C
middle-class [ˌmɪdl'klɑ:s, attr. '--] adj medelklass-,
borgerlig
middle class [ˌmɪdl'klɑ:s] s, **the** ~ (~es)
medelklassen; **the lower** ~ (~es) undre
medelklassen; **the upper** ~ (~es) övre medelklassen
middle-distance [ˌmɪdl'dɪst(ə)ns, attr. '---] adj sport.
medeldistans- [~ race; ~ runner]
middle distance [ˌmɪdl'dɪst(ə)ns] s **1** konst.
mellanplan **2** sport. medeldistans
middle ear [ˌmɪdl'ɪə] s anat. mellanöra
Middle East [ˌmɪdl'i:st] geogr., **the** ~ Mellanöstern
middle finger [ˌmɪdl'fɪŋgə] s långfinger
middle ground ['mɪdlgraʊnd] s kompromiss,
mellanting, medelväg
middle|man ['mɪdl|mæn] (pl. -men [-men]) s hand.
mellanhand
middle management [ˌmɪdl'mænɪdʒmənt] s ledning
(chefer) på mellannivå
middle manager [ˌmɪdl'mænɪdʒə] s mellanchef
middle name [ˌmɪdl'neɪm] s andra namn mellan
tilltals- o. efternamn
middle-of-the-road [ˌmɪdləvðə'rəʊd] adj moderat,
mitten-, mellan-; ~ **Swede** medelsvensson
middle ranking [ˌmɪdl'ræŋkɪŋ] adj på mellannivå [~
officer]
middle school ['mɪdlsku:l] s **1** i England o. Wales skola
för barn i åldern 8–12 år **2** i USA skola för barn i
åldern 11–14 år
middle-sized [ˌmɪdl'saɪzd, attr. '---] adj medelstor,
mellanstor; av medellängd
middleweight ['mɪdlweɪt] s spec. sport. **1** mellanvikt;
attr. mellanvikts- **2** mellanviktare
Middle West [ˌmɪdl'west] **the** ~ Mellanvästern i USA
middling ['mɪdlɪŋ] **I** adj **1** medelgod, ordinär,
sekunda; medelmåttig **2** någorlunda [bra], något
så när [frisk]
II adv tämligen, någorlunda
Mideast [ˌmɪd'i:st] s amer., **the** ~ Mellanöstern
midfield ['mɪdfi:ld] s sport. mittfält; ~ **player**
mittfältspelare
midfielder ['mɪdˌfi:ldə] s sport. mittfältare
mid-fifties [ˌmɪd'fɪftɪz] s pl, **in her** ~ i
femtifemårsåldern, [när hon var] omkring 55; **in
the** ~ [**he founded...**] i mitten på femtitalet...
midge [mɪdʒ] s zool. [fjäder]mygga
midget ['mɪdʒɪt] **I** s **1** åld. neds. dvärg som förevisas
2 vard. lilleputt
II adj mini- [~ golf; ~ submarine]; lilleputt-, dvärg-
MIDI ['mɪdɪ] data. el. mus. (förk. för musical instrument
digital interface) **I** s MIDI gränssnitt mellan dator och
[elektroniskt] musikinstrument **II** adj MIDI-
Midland ['mɪdlənd] adj Midlands-, i mellersta
England, jfr Midlands
Midlands ['mɪdləndz] s Midlands, mellersta
England benämning på de centrala grevskapen

midlife cris|is [ˌmɪdlaɪf'kraɪsɪs] (pl. -es -i:z) s
fyrtioårskris
midnight ['mɪdnaɪt] s **1** midnatt **2** attr. midnatts- [~
blue; ~ mass]; nattsvart; **burn the** ~ **oil** låta flitens
lampa brinna, arbeta till långt in på natten
midnight sun [ˌmɪdnaɪt'sʌn] s, **the** ~ midnattssolen
midpoint ['mɪdpɔɪnt] s mitt; **be at the** ~ **of** vara
halvvägs i
mid-range [ˌmɪd'reɪn(d)ʒ] adj om produkt, vara
ordinär, genomsnitts- [a ~ computer]
midriff ['mɪdrɪf] s mellangärde, diafragma
midship|man ['mɪdʃɪp|mən] (pl. -men [-mən]) s sjö.
kadett
midships ['mɪdʃɪps] adv midskepps
midsized ['mɪdsaɪzd] adj o. **midsize** ['mɪdsaɪz] adj
vanl. amer. medelstor [~ car] om tennisracket midsize
midst [mɪdst] s litt. mitt; **in the** ~ **of** mitt i, mitt
ibland, mitt uppe i, mitt under; mitt i värsta
(hetaste)...; **in our** ~ [mitt] ibland oss, i vår krets
midstream ['mɪdstri:m] **I** s mitten av strömfåra[n]
II adv midströms, mitt i strömfåran
midsummer ['mɪdˌsʌmə] s midsommar
Midsummer Day ['mɪdˌsʌmə'deɪ] s
midsommardagen 24 juni
Midsummer Eve ['mɪdˌsʌmər'i:v] s
midsommarafton
midterm ['mɪdtɜ:m] s **1** skol. el. univ. mitten på
terminen; ~ **exam** mitterminsprov **2** amer. polit.
mitten på [presidents] ämbetsperiod; ~ **election**
kongressval; delstatsval; kommunval
midtown ['mɪdtaʊn] s amer. innerstad[en], centrala
staden [a ~ restaurant]
midway [ˌmɪd'weɪ, '--] adv halvvägs
midweek [ˌmɪd'wi:k] adj o. adv mitt i veckan
Midwest [ˌmɪd'west] s, **the** ~ Mellanvästern i USA
midwife ['mɪdwaɪf] (pl. midwives) s barnmorska
midwifery [ˌmɪd'wɪf(ə)rɪ] s förlossningskonst,
obstetrik; förlossningshjälp
midwinter [ˌmɪd'wɪntə] s midvinter; **in** ~ mitt i
vintern
mien [mi:n] s litt. min, uppsyn; utseende; hållning,
uppträdande, uppförande
miffed [mɪft] adj vard. stött, sur [at över; with på]
1 might [maɪt] hjälpvb (imperf. av may) **1** kunde,
skulle [kanske] kunna; **he** ~ **lose his way** han kunde
gå vilse; **as the case** ~ **be** allt efter
omständigheterna, som det föll sig; **as quickly as** ~
be så fort som möjligt **2** fick, kunde få; **she asked if
she** ~ **come in** hon frågade om hon fick (kunde få)
komma in **3** måtte, skulle [komma att]; **I hoped he**
~ **succeed** jag hoppades han skulle (måtte) lyckas; **I
changed my seat, so that I** ~ **hear better** jag bytte
plats för att jag skulle höra bättre
2 might [maɪt] s litt. makt; kraft, förmåga; **with all
one's** ~ el. **with** ~ **and main** med all makt, av alla
krafter
mightily ['maɪtəlɪ] adv **1** mäktigt, väldigt, kraftigt
2 vard. väldigt, mycket, mäkta
mighty ['maɪtɪ] **I** adj **1** litt. mäktig, väldig; kraftig,
stark **2** vanl. amer. vard. väldig, kolossal
II adv vard. väldigt, mycket, mäkta ofta iron.
mignonette [ˌmɪnɪə'net] s bot. [lukt]reseda
migraine ['mi:greɪn, 'maɪ-] s migrän
migrant ['maɪgr(ə)nt] **I** adj flyttande, vandrande

II *s* **1** person som flyttar (drar) från plats till plats; ~ el. ~ **worker** gästarbetare **2** flyttfågel; vandringsdjur

migrate [maɪ'greɪt, 'maɪgreɪt] *vb itr* **1** om person utvandra **2** om fåglar flytta; om fisk vandra **3** bildl. flytta

migration [maɪ'greɪʃ(ə)n] *s* **1** vandring, in- och utvandring; folkvandring, migration **2** grupp; flock; [fågel]sträck

migratory ['maɪgrət(ə)rɪ, maɪ'greɪtərɪ] *adj* utvandrande; kringflyttande; ~ **birds** flyttfåglar

mike [maɪk] *s* vard. mick mikrofon

Milan [mɪ'læn] geogr. Milano

Milanese [ˌmɪləˈniːz] **I** *adj* milanesisk **II** (pl. *Milanese*) *s* milanes[are]

milch cow ['mɪltʃkaʊ] *s* bildl. mjölkko

mild [maɪld] **I** *adj* mild; blid; ljum äv. bildl. [*she showed only a ~ interest in it*]; svag [*a ~ drink*; *a ~ attempt*; *a ~ protest*]; lindrig [*~ illness*; *a ~ punishment*] **II** *s* slags mörkt öl med mild smak

mildew ['mɪldjuː] *s* **1** mjöldagg; bladmögel **2** mögel[fläckar] på tyg, papper o.d.

mildewed ['mɪldjuːd] *adj* fläckad (förstörd) av mjöldagg (mögel)

mildly ['maɪldlɪ] *adv* milt etc., jfr *mild*; **to put it ~** för att använda ett milt uttryck, milt uttryckt

mile [maɪl] (förk. *m*) *s* engelsk mil, mile (= 1760 *yards* = 1609 m); **nautical ~** nautisk mil, distansminut; **square ~** engelsk kvadratmil; **50 ~s an hour** 50 'miles' i timmen = ung. 80 km i timmen; **~s long** milslång; **the queue was ~s long** kön sträckte sig mil bort, kön tog aldrig slut; **go the extra ~** ta i (anstränga sig) extra; **be ~s away** vard. vara helt borta; **you see (tell) a ~ away off** [*that she was sad*] det syntes på långt håll...; **he's ~s above me** vard. han står skyhögt över mig; **it was ~s better (easier)** vard. det var ofantligt mycket bättre (lättare); **for ~s and ~s** mil efter mil; milslångt; **it sticks (stands) out a ~** det syns (märks) lång väg

mileage ['maɪlɪdʒ] *s* **1** antal [körda] 'miles' (mil); vägsträcka i 'miles' (mil); längd (avstånd) i 'miles' (mil) **2** kostnad per 'mile' (mil), milkostnad; reseersättning [äv. ~ *allowance*] **3** antal körda 'miles' (mil) per 'gallon' (liter); **my new car gets better ~** min nya bil drar mindre bensin **4** vard. bildl., **political ~** politisk fördel; **get a lot of ~ out of** dra stor nytta av, leva högt på

mileometer [maɪ'lɒmɪtə] *s* vägmätare

milepost ['maɪlpəʊst] *s* o. **milestone** ['maɪlstəʊn] *s* milstolpe äv. bildl.

milieu ['miːljɜː, -'-, amer. miːl'juː] *s* miljö, omgivning

militancy ['mɪlɪt(ə)nsɪ] *s* stridbarhet; stridshumör

militant ['mɪlɪt(ə)nt] **I** *adj* militant, stridbar; aggressiv; ~ **propaganda** hetspropaganda **II** *s* **1** militant (stridbar) person **2** [strids]kämpe, kämpande

militarism ['mɪlɪtərɪz(ə)m] *s* militarism

militarize ['mɪlɪtəraɪz] *vb tr* militarisera

military ['mɪlɪt(ə)rɪ] **I** *adj* militärisk, militär[-], krigs-; ~ **intelligence** (förk. *MI*) militär underrättelsetjänst; **take ~ action** ingripa militärt; **organized on a ~ scale** militäriskt organiserad **II** (med verb i pl.) *s* militärer; **the ~** militären; **in the ~** i det militära

Military Academy [ˌmɪlɪt(ə)rɪəˈkædəmɪ] *s* militärhögskola, krigshögskola, kadettskola

military court [ˌmɪlɪt(ə)rɪˈkɔːt] *s* militärdomstol, krigsrätt

military police [ˌmɪlɪt(ə)rɪpəˈliːs] (förk. *MP*) *s* militärpolis

military service [ˌmɪlɪt(ə)rɪˈsɜːvɪs] *s* militärtjänst; **compulsory ~** allmän värnplikt

militate ['mɪlɪteɪt] *vb itr* strida vanl. bildl.; ~ **against** strida mot; motverka, skada

militia [mɪ'lɪʃə] *s* milis, lantvärn

militia|man [mɪ'lɪʃə|mən] (pl. *-men* [-mən]) *s* milissoldat

milk [mɪlk] **I** *s* mjölk; mjölk- [*~ chocolate*]; **come home with the ~** vard. komma hem på morgonkulan; **it's no use (good) crying over spilt ~** ordspr. gjort är gjort, man ska inte gråta över spilld mjölk **II** *vb tr* **1** mjölka; tappa **2** bildl. mjölka på, åderlåta; sko sig på

milk bar ['mɪlkbɑː] *s* ung. glassbar där äv. mjölkdrinkar o. smörgåsar serveras

milk cap ['mɪlkkæp] *s* bot. riska

milk float ['mɪlkfləʊt] *s* mjölkbil för utkörning av mjölk

milking ['mɪlkɪŋ] *s* mjölkning; **the cow yields...a ~** kon ger...per mjölkning

milking machine ['mɪlkɪŋməˌʃiːn] *s* mjölkningsmaskin

milk jug ['mɪlkdʒʌg] *s* mjölktillbringare

milkmaid ['mɪlkmeɪd] *s* åld. **1** mjölkerska, mjölkpiga **2** mejerska

milk|man ['mɪlk|mən] (pl. *-men* [-mən]) *s* mjölkutkörare, mjölkbud

milk of magnesia® [ˌmɪlkəvmægˈniːʃə] *s* farmakol. magnesiumhydroxidsuspension

milk powder ['mɪlkˌpaʊdə] *s* torrmjölk, mjölkpulver

milk pudding [ˌmɪlkˈpʊdɪŋ] *s* gröt kokt på mjölk; risgrynsgröt

milk round ['mɪlkraʊnd] *s* mjölkbuds runda, rond; distrikt

milk run ['mɪlkrʌn] *s* **1** flyg. vard. 'mjölkrunda', rutinflygning lätt flygning trots farligt uppdrag **2** vanlig runda, daglig tur t.ex. till affären **3** sådan med barnen

milkshake [ˌmɪlkˈʃeɪk, '--] *s* milkshake ofta med glass

milksop ['mɪlksɒp] *s* åld. mes, mähä, sillmjölke

milk tooth ['mɪlktuːθ] (pl. *-teeth* [-tiːθ]) *s* mjölktand

milky ['mɪlkɪ] *adj* mjölkaktig, mjölkig; mjölkfärgad; mjölk-

Milky Way [ˌmɪlkɪˈweɪ] *s*, **the ~** Vintergatan

mill [mɪl] **I** *s* **1** kvarn; **he has been through the ~** han har fått slita ont, han har varit med om litet av varje; **put sb through the ~** sätta ngn på prov; utsätta ngn för svåra prövningar **2** fabrik; spinneri; verk, bruk samtliga ofta som efterled i sammansättn.; **cotton ~** bomullsspinneri **II** *vb tr* **1** mala; krossa **2** valsa t.ex. järn, valka, stampa tyg **3** räffla, lettra mynt m.m., fräsa **III** *vb itr*, ~ **about** el. ~ **around** trängas; myllra, krylla

millenni|um [mɪ'lenɪ|əm] (pl. äv. *-a* [-ə]) *s* **1** årtusende, millennium **2** millenniefirande, tusenårsjubileum, tusenårsfest **3 the ~** det tusenåriga riket; den eviga freden

Millennium Dome [mɪˌlenɪəmˈdəʊm] *s*, **the ~** Millenniedomen i Greenwich, London

miller ['mɪlə] *s* mjölnare

millet ['mɪlɪt] *s* bot. hirs
mill hand ['mɪlhænd] *s* fabriksarbetare
millibar ['mɪlɪbɑ:] *s* meteor. millibar
milligram o. **milligramme** ['mɪlɪgræm] (förk. *mg*) *s* milligram
millilitre ['mɪlɪˌliːtə] (förk. *ml*) *s* milliliter
millimetre ['mɪlɪˌmiːtə] (förk. *mm*) *s* millimeter
milliner ['mɪlɪnə] *s* modist; **~'s** el. **~'s shop** modistaffär, hattaffär
milling ['mɪlɪŋ] *s* **1** malning etc., jfr *mill II*; lettring på mynt **2** myllrande
million ['mɪljən, -ɪən] *s* miljon; **two ~ people** två miljoner människor; **~s of people** miljontals (miljoner) människor; **thanks a ~!** tusen tack!; **feel like a ~ dollars (bucks)** vard. må jättebra (som en prins); **by the ~** i miljontal; **not (never) in a ~ years** aldrig någonsin
millionaire [ˌmɪljəˈneə, -ɪə-] *s* miljonär
millionairess [ˌmɪljəˈneərɪs] *s* ngt åld. miljonärska
millionfold ['mɪljənfəʊld, -ɪə-] **I** *adj* miljonfaldig **II** *adv*, **a ~** en miljon gånger
millionth ['mɪljənθ, -ɪənθ] **I** *räkn* miljonte; **~ part** miljondel **II** *s* miljondel
millipede ['mɪlɪpiːd] *s* zool. tusenfoting
millisecond ['mɪlɪˌsek(ə)nd] *s* millisekund tusendels sekund
millpond ['mɪlpɒnd] *s* **1** kvarndamm **2** *the ~* skämts. pölen Atlanten
millstone ['mɪlstəʊn] *s* kvarnsten; **a ~ round sb's neck** bildl. en kvarnsten om ngns hals; en black om foten för ngn
millwheel ['mɪlwiːl] *s* kvarnhjul
milometer [maɪˈlɒmɪtə] *s* se *mileometer*
milt [mɪlt] *s* mjölke hos fisk
Milton ['mɪlt(ə)n]
mime [maɪm] **I** *s* **1** mim **2** mim[iker], mimskådespelare; pantomimiker; komiker **II** *vb itr* spela [panto]mim, mima; spela komedi **III** *vb tr* härma, efterapa
mimic ['mɪmɪk] **I** *vb tr* **1** härma, imitera, parodiera **2** apa efter **3** härma, efterlikna; vara förvillande lik ngt annat **II** *s* **1** imitatör, härmare **2** mimiker **III** *adj* **1** mimisk; härmande; härmlysten **2** imiterad, låtsad
mimicry ['mɪmɪkrɪ] *s* **1** härmande, härmning **2** efterapning äv. konkr. **3** zool. mimicry, skyddande förklädnad (likhet) [äv. *protective ~*]
mimosa [mɪˈməʊzə] *s* bot. mimosa
min. (förk. för *minimum, minute[s]*) (se *1 minute*)
minaret ['mɪnəˈret] *s* minaret
mince [mɪns] **I** *vb tr* **1** hacka [fint], skära sönder i småbitar; hacka sönder äv. bildl.; **~d meat** finskuret kött; köttfärs **2** välja [~ *one's words*]; **not ~ matters** el. **not ~ [one's] words** inte skräda orden **II** *vb itr* trippa, gå tillgjort **III** *s* **1** finskuret kött; köttfärs **2** se *mincemeat*
mincemeat ['mɪnsmiːt] *s* blandning av russin, mandel, äpplen, socker, kryddor m.m. som fyllning i paj o.d.; **make ~ of** vard. göra hackmat (mos, slarvsylta) av
mince pie [ˌmɪnsˈpaɪ] *s* [portions]paj med *mincemeat*
mincer ['mɪnsə] *s* **1** köttkvarn **2** hackare, hackmaskin

mincing ['mɪnsɪŋ] *adj* tillgjord; trippande
mind [maɪnd] **I** *s* **1** sinne; förstånd; fantasi, tankar; sinnelag; mentalitet; inställning [*a reactionary ~*]; **she has a brilliant ~** hon är en lysande begåvning; **he has a dirty ~** han har snuskig fantasi; **have an open ~** vara öppen för nya idéer (intryck o.d.); **frame of ~** sinnesstämning; **presence of ~** sinnesnärvaro; **have sth at the back of one's ~** ha ngt ständigt i tankarna; **what's at the back of your ~?** vad har du för baktanke [med det]?; **broaden sb's ~** vidga ngns synkrets (vyer); **it crossed my ~** se under *cross III 1*; **keep one's ~ on** koncentrera sig på; **take sb's ~ off** få ngn att glömma; avleda ngns uppmärksamhet från; **in ~ and body** till kropp och själ; **be all in one's (the) ~** bara finnas (existera) i tanken (fantasin); **in one's right ~** el. **of sound ~** vid sina sinnen (sinnens fulla bruk); **in one's ~'s eye** för sitt inre öga, i tankarna, i fantasin; **what did you have in ~?** vad hade du tänkt dig?; **whatever put that into your ~?** hur kunde du komma på den tanken (idén)?; **that was a weight (load) off my ~** en sten föll från mitt bröst; **get sth off one's ~** [lyckas] få (slå) ngt ur tankarna; **have sth on one's ~** gå och tänka på ngt, ha ngt på hjärtat; **be out of one's ~** vara från sina sinnen, vara tokig (rubbad); **put that out of your ~!** slå det ur tankarna! **2** mening, åsikt, tanke; **be of one ~** vara av samma mening (åsikt) [*with* som]; **change one's ~** ändra mening (åsikt); **give sb a piece (bit) of one's ~** säga ngn sin mening rent ut, säga ngn rent ut vad man tycker; **read sb's ~** läsa ngns tankar; **to my ~** enligt (efter) min mening, i mitt tycke **3** lust, håg, böjelse; önskan; **have a [good] ~ to** ha god lust att; **have half a ~ to** nästan ha lust att; **know one's own ~** veta vad man vill; **make up one's ~** besluta (bestämma) sig; **put one's ~ to it** verkligen koncentrera sig på (gå in för) det; **set one's ~ on sth** sätta sig ngt i sinnet; **be in two ~s** vara villrådig **4** minne; **bear (have, keep) in ~** komma ihåg, ha (hålla) i minnet; **he puts me in ~ of** han påminner mig om; **from (since) time out of ~** sedan urminnes tid **5** person ande, hjärna, personlighet; **great ~s** snillen, skarpa hjärnor; **small ~s** små (trångsynta) själar; **~ over matter** viljans (andens) seger över köttet (materian)
II *vb tr* **1** ge akt på; tänka på; se till; **~ you are in time!** se till att du kommer i tid!; **~ what you are doing!** se dig för!, tänk på vad du gör!; **~ one's P's and Q's** vard. tänka på vad man säger (gör) **2** akta sig för; vara rädd om; **~ the dog!** varning för hunden!; **~ your head!** akta huvudet!; **~ you don't fall!** akta så att du inte faller!; **~ how you go!** var försiktig!, ta det försiktigt! **3** se efter, sköta [om], passa [~ *children*]; **~ your own business!** vard. sköt du ditt (dina egna affärer)! **4** ofta i nekande el. frågande satser **a)** bry sig om, fästa sig vid, tänka på; ha något emot; **I don't ~...** jag bryr mig inte om...; jag har inget emot...; **don't ~ me!** bry dig inte om mig!; genera dig inte [för mig]! äv. iron.; **never ~ him!** bry dig inte om honom! **b)** i hövlighetsuttryck, **do you ~ my smoking?** har du något emot att jag röker?; **would you ~ shutting the window?** vill du vara snäll och stänga fönstret?; **don't ~ my asking, but...** ursäkta att jag frågar, men...
III *vb itr* **1** **~ [you]!** kom ihåg!, märk väl!; **it's not**

the only one, ~ *[you]!* det är inte den enda, ska du veta! **2** akta sig, se upp [äv. ~ *out*] **3** *do you* ~ *if I smoke?* har du något emot att jag röker?; *I don't* ~ gärna för mig, det har jag inget emot; *I don't* ~ *if I do* vard. det säger jag inte nej till; *never* ~*!* strunt i det!, bry (bekymra) dig inte om det!; det angår dig inte! [äv. *never you* ~*!*]

mind-bending ['maɪnd,bendɪŋ] *adj* vard. hallucinogen [~ *drugs*]; psykedelisk

mind-blowing ['maɪnd,bləʊɪŋ] *adj* vard. överväldigande; extatisk

mind-boggling ['maɪnd,bɒglɪŋ] *adj* häpnadsväckande [~ *statistics*]; ofattbar; *it's* ~ äv. tanken svindlar

minded ['maɪndɪd] *adj* **1** hågad, sinnad [*to* att]; *socially* ~ socialt inriktad, samhällstillvänd **2** som efterled i sammansättn. -sinnad, -sint [*high-minded*]

minder ['maɪndə] *s* **1** som efterled i sammansättn. -skötare, -vakt **2** kortform av *childminder*

mindful ['maɪn(d)f(ʊ)l] *adj* uppmärksam; *be* ~ *of* vara uppmärksam (ge akt) på; tänka på

mind games ['maɪndgeɪmz] *s pl* vard., *play* ~ försöka psyka

mindless ['maɪndləs] *adj* **1** meningslös [~ *violence*]; vettlös **2** meningslös, trist, enformig, själlös, andefattig **3** glömsk [*of* av], ouppmärksam [*of* på]

mind reader ['maɪnd,ri:də] *s* tankeläsare

mindset ['maɪndset] *s* vard. [inrotat] tänkesätt

Mind-your-own-business [,maɪndjɔ:rəʊn'bɪznəs] *s* bot. vard. hemtrevnad

1 mine [maɪn] *poss pron* min [*it is* ~; *I have lost* ~]; *a book of* ~ en av mina böcker; *a friend of* ~ en [god] vän till mig; *it's a habit of* ~ det är en vana jag har; *this* (*that*) *son of* ~ *drives me mad!* neds. den där sonen jag har [begåvats med] gör mig galen!; *the pleasure is all* ~ nöjet är helt på min sida

2 mine [maɪn] **I** *s* **1** gruva **2** bildl. [verklig] guldgruva, [rik] källa; outtömligt förråd; *be a* ~ *of information* vara en verklig guldgruva (en rik informationskälla) **3** mil. mina; *lay* ~*s* lägga ut minor, minera

II *vb tr* **1 a)** bryta [~ *ore*]; utvinna **b)** bearbeta [~ *an orefield*]; gräva i [~ *the earth for gold*] **2** arbeta i en gruva **3** mil. minera, lägga ut minor

mine clearance ['maɪn,klɪərəns] *s* o. **mine clearing** ['maɪn,klɪərɪŋ] *s* mil. minröjning, minsvepning

mine detector ['maɪndɪ,tektə] *s* mil. minsökare

minefield ['maɪnfi:ld] *s* mil. minfält; bildl. krutdurk

miner ['maɪnə] *s* gruvarbetare

mineral ['mɪn(ə)r(ə)l] **I** *s* **1** mineral **2** pl. ~*s* koll. mineralvatten; läskedrycker **II** *adj* mineralisk; mineralhaltig; mineral- [~ *oil*; ~ *wool*]

mineral deposit [,mɪn(ə)r(ə)ldɪ'pɒzɪt] *s* mineralfyndighet

mineral kingdom [,mɪn(ə)r(ə)l'kɪŋdəm] *s*, *the* ~ mineralriket

mineralogist [,mɪnə'rælədʒɪst] *s* mineralog

mineralogy [,mɪnə'rælədʒɪ] *s* mineralogi

mineral oil ['mɪn(ə)r(ə)lɔɪl] *s* **1** mineralolja, petroleum **2** amer. paraffinolja

mineral water ['mɪn(ə)r(ə)l,wɔ:tə] *s* mineralvatten; läskedryck

mineral wool ['mɪn(ə)r(ə)lwʊl] *s* mineralull

mineshaft ['maɪnʃɑ:ft] *s* gruvschakt

minestrone [,mɪnə'strəʊnɪ] *s* kok. minestrone slags italiensk soppa

minesweeper ['maɪn,swi:pə] *s* minsvepare

mingle ['mɪŋgl] **I** *vb tr* blanda; ~*d feelings* blandade känslor

II *vb itr* blanda sig, blandas; förena sig; ~ *with* (*in*) blanda sig med (i); umgås med; deltaga i

mingy ['mɪndʒɪ] *adj* vard. **1** snål, knusslig **2** futtig, ynka

mini ['mɪnɪ] *s* **1** miniatyr[föremål]; minibil, småbil **2** minikjol; minimode[t]

miniature ['mɪnətʃə, -ɪtʃ-, 'mɪnɪə-] **I** *s* **1** miniatyr i olika betydelser, miniatyrmålning **2** miniatyrmåleri **II** *adj* miniatyr-, i miniatyr (smått); dvärg- [~ *pinscher*]

miniature camera [,mɪnətʃə'kæm(ə)rə] *s* småbildskamera

miniature golf [,mɪnətʃə'gɒlf] *s* minigolf

miniaturist ['mɪnətʃərɪst, -ɪtʃ-, 'mɪnɪə-] *s* miniatyrmålare

miniaturize ['mɪnətʃəraɪz, -ɪtʃ-, 'mɪnɪə-] *vb tr* miniatyrisera, tillverka i liten skala (i miniatyr[format])

miniaturized ['mɪnətʃəraɪzd, -ɪtʃ-, 'mɪnɪə-] *adj* miniatyriserad, miniatyr-, i miniatyr[format] [~ *components are becoming more readily available*]

minibar ['mɪnɪbɑ:] *s* minibar i t.ex. hotellrum

minibreak ['mɪnɪbreɪk] *s* minisemester

minibus ['mɪnɪbʌs] *s* minibuss

minicab ['mɪnɪkæb] *s* minitaxi

minicalculator [,mɪnɪ'kælkjʊ,leɪtə] *s* miniräknare, minikalkulator

minicam ['mɪnɪkæm] *s* o. **minicamera** ['mɪnɪ,kæm(ə)rə] *s* småbildskamera

minicar ['mɪnɪkɑ:] *s* minibil, småbil

minicomputer ['mɪnɪkəm,pju:tə] *s* minidator

MiniDisc® ['mɪnɪdɪsk] *s* MiniDisc® slags inspelningsbar liten cd

minigolf ['mɪnɪgɒlf] *s* minigolf

minim ['mɪnɪm] *s* mus. halvnot

minimal ['mɪnɪm(ə)l] *adj* minimal, lägst, minst

minimalism ['mɪnɪməlɪzm] *s* litt. hist. el. konst. minimalism[en]

minimalist ['mɪnɪməlɪst] *s* litt. hist. el. konst. minimalist

minimart ['mɪnɪmɑ:t] *s* vanl. amer., slags minilivs med långa öppettider

minimize ['mɪnɪmaɪz] *vb tr* **1** reducera (begränsa) till ett minimum, minimera **2** bagatellisera, förringa; underskatta

minim|um ['mɪnɪm|əm] **I** (pl. -*a* [-ə] el. -*ums*) *s* minimum, lägsta punkt; *with a* (*the*) ~ *of...* med minsta möjliga... **II** *adj* lägsta, minsta; minimi- [~ *thermometer*; ~ *wage*]; minimal[-]; ~ *security prison* öppen anstalt

mining ['maɪnɪŋ] *s* **1** gruvdrift; gruvarbete; brytning; attr. gruv-, bergs- **2** mil. el. sjö. minering

mining engineer ['maɪnɪŋ,en(d)ʒɪ'nɪə] *s* bergsingenjör; gruvingenjör

minion ['mɪnjən, -ɪən] *s* neds. hejduk, hantlangare; skämts., om tjänare tjänande ande

minipill ['mɪnɪpɪl] *s* minipiller preventivmedel

mini-roundabout [,mɪnɪ'raʊndəbaʊt] *s* trafik. minirondell

miniseries ['mɪnɪ,sɪəri:z] (pl. *miniseries*) s miniserie, kort tv-serie

mini-size ['mɪnɪsaɪz] *adj* mini-, i liten storlek, i litet format, i lilleputtformat

miniskirt ['mɪnɪskɜ:t] s kort-kort kjol, minikjol

minister ['mɪnɪstə] **I** s **1** polit. el. dipl. minister; **~ without portfolio** minister utan portfölj **2** kyrkl. präst spec. i Skottland el. frikyrklig, i USA protestantisk; tjänare [*a ~ of God*]; **~ of religion** protestantisk präst **II** *vb itr* hjälpa [till], tjäna; **~ to** passa upp på; sköta, vårda; sörja för; bidra till

ministerial [,mɪnɪ'stɪərɪəl] *adj* **1** minister-; regerings-; regeringsvänlig; ministeriell; **the ~ benches** regeringspartiets bänkar **2** prästerlig, präst-

ministering angel [,mɪnɪst(ə)rɪŋ'eɪn(d)ʒ(ə)l] s skyddsängel äv. person

minister of state [,mɪnɪst(ə)rəv'steɪt] s biträdande departementschef i vissa större departement

ministrations [,mɪnɪ'streɪʃ(ə)nz] s pl tjänster, omvårdnad

ministry ['mɪnɪstrɪ] s **1** departement, ministerium **2** prästerlig verksamhet (tjänstgöring, gärning), prästämbete, predikoämbete; **enter the ~** bli präst, gå den prästerliga banan

minivan ['mɪnɪvæn] s amer., mindre minibuss

mink [mɪŋk] s **1** flodiller; mink amerikansk art **2** skinn mink, nerz

Minn. förk. för *Minnesota*

Minneapolis [,mɪnɪ'æpəlɪs] geogr.

Minnesota [,mɪnɪ'səʊtə] geogr.

Minnie Mouse [,mɪnɪ'maʊs] seriefigur Mimmi Pigg

minnow ['mɪnəʊ] s zool. kvidd, elritsa; mört

minor ['maɪnə] **I** *adj* **1** mindre [*a ~ offence; a ~ operation; the ~ prophets*]; smärre [*~ adjustments*]; mindre betydande, obetydlig [*a ~ poet*]; mindre väsentlig, mindre viktig; små- [*~ planets*]; underordnad, lägre i rang; **a ~ illness** en lindrig[are] sjukdom, en mindre krämpa; **Brown ~** i skolor den yngre [av bröderna] Brown; Brown junior **2** jur. omyndig, minderårig **3** mus. a) liten [*~ interval*]; **~ third** liten ters b) moll- [*~ scale*]; **~ key** el. **~ mode** molltonart; **be in the ~ key** gå i moll äv. bildl.; **A ~** a-moll **II** s **1** jur. omyndig person, minderårig **2** amer. univ. a) tillvalsämne, mindre kurs b) student som har ngt som tillvalsämne [*he is a history ~*] **3** mus. moll **III** *vb itr* med prep.: **minor in** vanl. amer. univ. ta en mindre kurs i, ha (välja) som tillvalsämne [*she is ~ing in history*]

Minorca [mɪ'nɔ:kə] geogr. Menorca

minority [maɪ'nɒrətɪ, mɪ'n-] s **1** minoritet [*national minorities*]; mindretal; attr. minoritets- [*~ government; ~ language; ~ programme*]; **be in a (the) ~** vara i minoritet; **be in a ~ of one** vara ensam om sin åsikt **2** minderårighet, omyndighet, omyndig ålder

minority leader [maɪ'nɒrətɪ,li:də] s amer. polit. minoritetsledare

minor-league ['maɪnəli:g] *adj* små- [*~ crooks*]; obetydlig, småttig

minor league ['maɪnəli:g] s amer. sport. lägre serie

Minsk [mɪnsk] geogr.

minster ['mɪnstə] s **1** klosterkyrka **2** domkyrka, katedral [*York Minster*]

minstrel ['mɪnstr(ə)l] s **1** hist., medeltida trubadur, minstrel **2** sångare, entertainer vanl. svartsminkad [förr äv. *nigger ~*]

1 mint [mɪnt] s **1** bot. mynta **2** bit mintchoklad, mintkaramell, mintkaka

2 mint [mɪnt] **I** s **1** myntverk, mynt; **in ~ condition** ny [och fin], fräsch, obegagnad; i skick som ny **2** vard. massa [pengar]; **a ~ of money** en [hel] massa pengar **II** *vb tr* mynta, prägla

mint julep [,mɪnt'dʒu:lep] s amer. mint julep söt whiskeydrink med krossad is o. mynta

mint sauce [,mɪnt'sɔ:s] s kok. myntasås

minuet [,mɪnjʊ'et] s mus. menuett

minus ['maɪnəs] **I** *prep* **1** minus **2** vard. utan [*~ her clothes*] **II** *adj* minus-; negativ **III** s **1** matem. minus[tecken] **2** minus, brist; negativ kvantitet

minuscule ['mɪnəskju:l] *adj* diminutiv

minus sign ['maɪnəssaɪn] s matem. minus[tecken]

1 minute ['mɪnɪt] s **1** (förk. *min.*) el. *m*) minut; [liten] stund, ögonblick; **it is ten ~s to two (past two)** klockan är tio minuter i två (över två); **I won't be a ~** jag kommer strax (om ett ögonblick); **wait a ~!** [vänta] ett ögonblick!, vänta lite!; låt mig se!; **just a ~!** ett ögonblick bara!; **I knew her the ~ I saw her** jag kände igen henne i samma ögonblick jag såg henne; **this ~** a) ögonblickligen, genast b) alldeles nyss, för ett ögonblick sedan; **by the ~** för varje minut; **in a ~** om ett ögonblick, strax; **up to the ~** rykande het (aktuell), det allra senaste **2** minut del av grad **3** pl. **~s** protokoll [*of* över, vid, från]; **keep the ~s** el. **take the ~s** föra protokoll

2 minute [maɪ'nju:t, mɪ'n-] *adj* **1** ytterst liten, minimal **2** minutiös; **in ~ detail** in i minsta detalj

minute hand ['mɪnɪthænd] s minutvisare

minutely [maɪ'nju:tlɪ, mɪ'n-] *adv* **1** minimalt; obetydligt **2** minutiöst, ytterst noggrant, i detalj

minutiae [maɪ'nju:ʃii:, mɪ'n-] s pl [minsta (obetydligaste)] detaljer; bagateller

minx [mɪŋks] s åld. fräck slyna, markatta; ofta skämts. flicksnärta

mips [mɪps] s data. (förk. för *million instructions per second*) mips miljoner instruktioner per sekund

miracle ['mɪrəkl] s mirakel, under[verk]; **~ man** undergörare; **work ~s** el. **perform ~s** göra (uträtta) underverk, trolla

miracle cure ['mɪrəklkjʊə] s underkur, mirakelkur

miracle drug ['mɪrəkldrʌg] s mirakelmedicin, undergörande drog

miracle-worker ['mɪrəkl,wɜ:kə] s undergörare

miraculous [mɪ'rækjʊləs] *adj* mirakulös

mirage ['mɪrɑ:ʒ, -'-] s hägring, bildl. äv. villa, illusion

mire ['maɪə] s **1** träsk, myr, kärr **2** dy äv. bildl.; gyttja; **drag through (in, into) the ~** bildl. dra ned (släpa) i smutsen, smutskasta

mired ['maɪəd] *adj*, **be ~** sitta (ha kört) fast [i smutsen (dyn)]

mirror ['mɪrə] **I** s spegel äv. bildl.; **driving ~** backspegel **II** *vb tr* [av]spegla, återspegla

mirrored ['mɪrəd] *adj* **1** spegelförsedd; **~ wall**

spegelvägg **2** återspeglande, reflekterande [~ *sunglasses*]

mirror image [ˌmɪrəˈɪmɪdʒ] *s* spegelbild äv. bildl.

mirror site [ˈmɪrəˌsaɪt] *s* data. spegelsida

mirth [mɜːθ] *s* munterhet, uppsluppenhet

mirthless [ˈmɜːθləs] *adj* glädjelös, dyster, trist

misadventure [ˌmɪsədˈventʃə] *s* olyckshändelse, missöde; *death by ~* jur. död genom olyckshändelse

misalliance [ˌmɪsəˈlaɪəns] *s* mesallians

misanthrope [ˈmɪz(ə)nθrəʊp, ˈmɪs(ə)n-] *s* misantrop, människohatare; enstöring

misanthropic [ˌmɪz(ə)nˈθrɒpɪk, ˌmɪs(ə)n-] *adj* misantropisk, människofientlig; folkskygg

misapply [ˌmɪsəˈplaɪ] *vb tr* använda (tillämpa) felaktigt; missbruka; perf. p. *misapplied* äv. malplacerad

misapprehension [ˈmɪsˌæprɪˈhenʃ(ə)n] *s* missförstånd, missuppfattning; *be under a (the) ~ that...* missta sig och tro att...

misappropriate [ˌmɪsəˈprəʊprɪeɪt] *vb tr* förskingra; tillskansa sig

misappropriation [ˈmɪsəˌprəʊprɪˈeɪʃ(ə)n] *s* förskingring

misbegotten [ˈmɪsbɪˌɡɒtn, ˌ--ˈ--] *adj* **1** halvfärdig, ogenomtänkt [~ *plans*] **2** neds. eländig, föraktlig

misbehave [ˌmɪsbɪˈheɪv] *vb itr* o. *vb rfl*, *~* el. *~ oneself* bära sig illa åt, uppföra sig illa (opassande)

misbehaviour [ˌmɪsbɪˈheɪvjə] *s* dåligt uppförande

misc. förk. för *miscellaneous*

miscalculate [ˌmɪsˈkælkjʊleɪt] **I** *vb tr* **1** räkna fel på; felberäkna, felkalkylera **2** felbedöma, missta sig på
II *vb itr* **1** räkna fel **2** missräkna sig, missta sig

miscalculation [ˈmɪsˌkælkjʊˈleɪʃ(ə)n] *s* **1** felräkning; felberäkning, felkalkyl **2** felbedömning

miscarriage [ˌmɪsˈkærɪdʒ] *s* missfall; *have a ~* få missfall

miscarriage of justice [mɪsˌkærɪdʒəvˈdʒʌstɪs] *s* justitiemord

miscarry [ˌmɪsˈkærɪ] *vb itr* **1** få missfall
2 misslyckas, gå om intet, gå galet; slå fel

miscast [ˌmɪsˈkɑːst] (*miscast miscast*) *vb tr* tilldela (ge) skådespelare fel roll; *he was ~ as Hamlet* han passade inte för rollen som Hamlet

miscegenation [ˌmɪsɪdʒɪˈneɪʃ(ə)n] *s* rasblandning spec. mellan vita o. svarta

miscellaneous [ˌmɪsəˈleɪnɪəs] *adj* **1** blandad, brokig, sammansatt **2** varjehanda

miscellany [mɪˈselənɪ] *s* **1** [brokig] blandning **2** pl. *miscellanies* a) blandade (strödda) skrifter, strögods b) antologi; varia

mischance [ˌmɪsˈtʃɑːns] *s* missöde, otur

mischief [ˈmɪstʃɪf] *s* **1** ofog, rackartyg, sattyg; *there is ~ brewing* el. *there is ~ in the wind* jag anar (det är) ugglor i mossen; *be up to ~* ha något rackartyg (fuffens, hyss) för sig, busa; *get into ~* hitta på rackartyg; *keep out of ~* a) låta bli att göra rackartyg, hålla sig i skinnet b) hålla ngn borta från rackartyg (i styr) **2** okynne; *her eyes were full of ~* spjuvern lyste ur ögonen på henne **3** rackarunge, busfrö [*you are a proper* (riktig) ~] **4** skada, förtret; åverkan; *do ~* göra ont (skada, åverkan); vålla förtret [*to* för]; *make ~* ställa till bråk, skapa osämja [*between*]

mischief-maker [ˈmɪstʃɪfˌmeɪkə] *s* intrigmakare; orostiftare, bråkmakare

mischievous [ˈmɪstʃɪvəs] *adj* **1** okynnig, busig, rackar-; *~ tricks* rackartyg **2** elak, illasinnad [~ *rumours*]

misconceive [ˌmɪskənˈsiːv] *vb tr* missuppfatta, missförstå

misconceived [ˌmɪskənˈsiːvd] *adj* ogenomtänkt; orealistisk, verklighetsfrämmande

misconception [ˌmɪskənˈsepʃ(ə)n] *s* missuppfattning

misconduct [mɪsˈkɒndʌkt] *s* **1** dåligt uppförande **2** jur. äktenskapsbrott; *professional ~* tjänstefel; *sexual ~* sexuellt ofredande **3** vanskötsel

misconstruction [ˌmɪskənˈstrʌkʃ(ə)n] *s* misstolkning, feltolkning

misconstrue [ˌmɪskənˈstruː] *vb tr* misstolka, feltolka

miscount [ˌmɪsˈkaʊnt] **I** *vb itr* o. *vb tr* räkna fel [på] **II** *s* felräkning spec. av röster

misdeed [ˌmɪsˈdiːd] *s* missgärning, missdåd

misdemeanour [ˌmɪsdɪˈmiːnə] *s* **1** förseelse i allm. **2** jur. (åld. el. amer.) förseelse, [mindre] lagöverträdelse (brott)

misdiagnose [ˌmɪsˈdaɪəɡnəʊz] *vb tr* feldiagnostisera

misdiagnosis [ˈmɪsˌdaɪəɡˈnəʊsɪs] *s* feldiagnos

misdial [mɪsˈdaɪəl] tele. **I** *vb itr* slå fel [telefon]nummer **II** *vb tr* slå fel

misdirect [ˌmɪsdəˈrekt, -daɪˈr-] *vb tr* **1** visa ngn fel väg (åt fel håll); leda (föra) vilse (på villospår) ofta bildl. **2** vanl. perf. p. *~ed* felriktad [*a ~ blow*]; missriktad [~ *patriotism*]

miser [ˈmaɪzə] *s* girigbuk, snåljåp

miserable [ˈmɪz(ə)r(ə)bl] *adj* **1** olycklig, förtvivlad; eländig; *make things* (*life*) *~ for sb* göra livet surt för ngn **2** miserabel, bedrövlig; ömklig, usel

miserably [ˈmɪz(ə)r(ə)blɪ] *adv* olyckligt; miserabelt, eländigt, bedrövligt, uselt [*they were ~ paid*]; [*the team*] *failed ~* ...misslyckades kapitalt

miserliness [ˈmaɪzəlɪnəs] *s* girighet, gnidighet

miserly [ˈmaɪzəlɪ] *adj* **1** girig, gnidig, snål **2** futtig, ynklig

misery [ˈmɪzərɪ] *s* **1** elände; olycka; bedrövelse, förtvivlan; kval; *make sb's life a ~* göra ngns liv till en pina; göra livet surt för ngn; *put an animal out of its ~* göra slut på ett djurs lidanden; *put me out of my ~ – did I pass or didn't I?* håll mig inte på sträckbänken längre - har jag klarat mig eller inte? **2** misär, nöd **3** vard. dysterkvist; gnällspik

misfire [ˌmɪsˈfaɪə] *vb itr* **1** om skjutvapen klicka **2** om motor inte tända (starta), krångla **3** slå slint, misslyckas [*his plans ~d*]

misfit [ˈmɪsfɪt] *s* misslyckad individ, missanpassad [person]

misfortune [mɪsˈfɔːtʃ(ə)n, -tʃuːn] *s* olycka; motgång; missöde; otur [*have the ~ to*]

misgiving [mɪsˈɡɪvɪŋ] *s* farhåga; obehaglig känsla, misstanke; *~[s* pl.] äv. onda aningar; tvivel, betänkligheter; *an air of ~* en betänksam min

misguided [ˌmɪsˈɡaɪdɪd] *adj* vilseledd, vilseförd; missriktad; omdömeslös

mishandle [ˌmɪsˈhændl] *vb tr* **1** missköta **2** misshandla, behandla illa

mishap ['mɪshæp, mɪs'h-] s missöde, malör; olyckshändelse

mishear [ˌmɪs'hɪə] (misheard misheard) vb tr o. vb itr höra fel [på], missta sig [på]

misheard [ˌmɪs'hɜːd] imperf. o. perf. p av mishear

mishit [subst. 'mɪshɪt, verb -'-] **I** s miss, bom **II** (mishit mishit) vb tr missa

mishmash ['mɪʃmæʃ, amer. äv. -mɑːʃ] s mischmasch, röra

misinform [ˌmɪsɪn'fɔːm] vb tr vilseleda; felunderrätta [you have been (är) ~ed]

misinformation [ˌmɪsɪnfə'meɪʃ(ə)n] (utan pl.) s felaktig[a] upplysning[ar] (information[er]); felunderrättelse[r]

misinterpret [ˌmɪsɪn'tɜːprɪt] vb tr misstolka, feltolka, vantolka, misstyda; missuppfatta

misinterpretation ['mɪsɪnˌtɜːprɪ'teɪʃ(ə)n] s misstolkning, feltolkning, vantolkning

misjudge [ˌmɪs'dʒʌdʒ] vb tr **1** felbedöma, missta sig på **2** misskänna, underskatta

miskick ['mɪskɪk] s sport. snedspark

mislaid [mɪs'leɪd] imperf. o. perf. p. av mislay

mislay [mɪs'leɪ] (mislaid mislaid) vb tr förlägga [I have mislaid my gloves]

mislead [mɪs'liːd] (misled misled) vb tr vilseleda, föra bakom ljuset; förleda

misleading [ˌmɪs'liːdɪŋ] adj vilseledande, missvisande [~ statements]

misleadingly [ˌmɪs'liːdɪŋlɪ] adv vilseledande, felaktigt

misled [mɪs'led] imperf. o. perf. p. av mislead

mismanage [ˌmɪs'mænɪdʒ] vb tr missköta, vansköta; förvalta dåligt

mismanagement [ˌmɪs'mænɪdʒmənt] s misskötsel, vanskötsel; vanstyre

mismatch [verb mɪs'mætʃ, subst. 'mɪsmætʃ] **I** vb tr matcha dåligt, inte passa (gå bra) ihop med **II** s dålig överensstämmelse

misname [mɪs'neɪm] vb tr oriktigt benämna

misnomer [ˌmɪs'nəumə] s oriktig benämning; felbeteckning

misogynist [mɪ'sɒdʒɪnɪst] s kvinnohatare

misogynistic [mɪˌsɒdʒɪ'nɪstɪk] adj kvinnofientlig

misogyny [mɪ'sɒdʒənɪ] s kvinnohat

misplace [ˌmɪs'pleɪs] vb tr förlägga, slarva bort

misplaced [ˌmɪs'pleɪst] adj **1** förlagd, bortslarvad **2** malplacerad; missriktad, bortkastad [~ generosity]

misprint ['mɪsprɪnt] s tryckfel

mispronounce [ˌmɪsprə'naʊns] vb tr uttala fel (felaktigt)

mispronunciation ['mɪsprəˌnʌnsɪ'eɪʃ(ə)n] s felaktigt uttal, feluttal; uttalsfel

misquote [ˌmɪs'kwəʊt] vb tr felcitera

misread [ˌmɪs'riːd] (misread misread [ˌmɪs'red]) vb tr läsa fel; feltolka, missuppfatta

misreport [ˌmɪsrɪ'pɔːt] vb tr lämna en oriktig eller osann rapport, felrapportera

misrepresent ['mɪsˌreprɪ'zent] vb tr framställa oriktigt, ge en vilseledande (missvisande) bild av; förvränga, vanställa

misrepresentation ['mɪsˌreprɪzen'teɪʃ(ə)n] s oriktig framställning, felaktig bild; förvrängning [~ of facts]

misrule [ˌmɪs'ruːl] s vanstyre

Miss [mɪs] s (kortform av mistress) **1** fröken före namn [~ Jones]; ibl. utan motsv. i sv. om författare, konstnärer m.m. [~ Agatha Christie]; ~ **Brown** [äldsta] fröken Brown om den äldsta av systrar [däremot om yngre syster ~ Ethel Brown]; **the ~ Browns** (~es Brown formellt) fröknarna Brown **2** [skönhets]miss [~ England]

Miss. förk. för Mississippi

1 miss [mɪs] **I** vb tr **1** missa; inte hinna med, komma för sent till [~ the bus; ~ the boat]; inte träffa; ~ **the boat** el. ~ **the bus** äv. (vard.) missa chansen, vara för sent ute; komma på överblivna kartan; inte hinna med tåget; ~ **the bus by five minutes** komma fem minuter för sent till bussen; ~ **one's (the) way** gå fel (vilse); **you can't ~ it!** du kan inte ta (komma, gå) fel! **2** missa, bomma på, inte träffa mål; ~ **a penalty** sport. äv. bränna en straff **3** gå miste om, bli utan; missa; försumma; utebli från; undgå; ~ **a lesson** försumma (missa) en lektion; ~ **an opportunity** el. ~ **a chance** försumma (missa) ett tillfälle, låta ett tillfälle gå sig ur händerna; **he never ~es a trick** vard. han har ögonen med sig, han kan alla knep; **he just ~ed being hit** han var på vippen att bli träffad, han hade så när träffats **4** sakna [~ one's purse; ~ a friend]; känna saknad efter, längta efter **5** utelämna, [ute]glömma; hoppa över

II vb itr missa, bomma; bildl. slå slint, misslyckas

III vb itr o. vb tr med adv.:

miss out a) utelämna, glömma; hoppa över b) gå miste om; utebli [från]; ~ **out on** gå miste om; utebli [från]

IV s miss, bom; **it was a near ~** a) det var nästan träff b) det var nära ögat; **give sb a ~** undvika ngn; låta ngn vara [i fred]; **give sth a ~** låta bli (strunta i, hoppa över) ngt [I'll give the dinner a ~]; **a ~ is as good as a mile** nära skjuter ingen hare

2 miss [mɪs] s **1** skämts. flicka; ung dam; flicksnärta **2** hand., **junior ~** tonåring

missal ['mɪs(ə)l] s missale, [katolsk] mässbok

misshapen [ˌmɪs'ʃeɪp(ə)n] adj missbildad, vanskapt

missile ['mɪsaɪl, amer. 'mɪsl] s **1** robot[vapen], missil; raket[vapen]; **cruise ~** kryssningsrobot; **intercontinental ballistic ~** interkontinental [mark]robot; **intermediate (medium) range ballistic ~** medeldistans [mark]robot **2** kastvapen, kastat föremål sten, spjut o.d., projektil kula, granat, pil

missing ['mɪsɪŋ] adj saknad, försvunnen; frånvarande; borta; **be ~** saknas, fattas, vara borta; **the ~** de saknade t.ex. soldater i krig

missing link [ˌmɪsɪŋ'lɪŋk] s, **the ~** den felande länken äv. bildl.

mission ['mɪʃ(ə)n] s **1** polit. el. dipl. a) [officiellt] uppdrag, mission b) delegation äv. hand., dipl. äv. beskickning **2** mil. uppdrag [a bombing ~] **3** mission; uppgift, värv; kallelse; ~ **in life** livsuppgift **4** relig. mission; missionsfält; missionsstation

missionary ['mɪʃ(ə)nərɪ] **I** adj **1** missions- [a ~ meeting; ~ work]; missionärs- [the ~ position] **2** bildl. stor, glödande [~ zeal] **II** s missionär

missionary position ['mɪʃ(ə)nərɪpəzɪʃ(ə)n] s, **the ~** missionärsställningen vid samlag

mission control [ˌmɪʃ(ə)nkən'trəʊl] *s*
[rymd]kontrollen
mission statement ['mɪʃ(ə)nˌsteɪtmənt] *s* hand.
mission statement, företags målsättning (program)
missis ['mɪsɪz] *s* vard. **1** frun använt av tjänstefolk [*yes,
~*]; *the ~ has gone out* frun har gått ut **2** *the* (*my, his,
your*) *~* skämts. frugan
Mississippi [ˌmɪsɪ'sɪpɪ] geogr.
missive ['mɪsɪv] *s* spec. officiell skrivelse
Missouri [mɪ'zʊərɪ, mɪ's-] geogr.
misspell [ˌmɪs'spel] (*~ed ~ed* el. vanl. britt. *misspelt
misspelt*) *vb tr* o. *vb itr* stava fel
misspelt [ˌmɪs'spelt] vanl. britt., imperf. o. perf. p. av
misspell
misspend [ˌmɪs'spend] (*misspent misspent*) *vb tr*
förspilla [*misspent youth*]; slösa bort
misspent [ˌmɪs'spent] imperf. o. perf. p. av *misspend*
misstep [ˌmɪs'step] *s* felsteg; fel, blunder
missus ['mɪsɪz] *s* se *missis*
missy ['mɪsɪ] *s* vard. fröken; i tilltal lilla fröken
mist [mɪst] **I** *s* **1** dimma, dis, töcken, mist; imma
2 bildl. töcken; slöja [*a ~ of tears*]; *be in a ~* vara
förbryllad
II *vb tr* **1** hölja i dimma (dis); göra immig; *the glass
is ~ed over* glaset är immigt **2** duscha växter
III *vb itr* bli (vara) dimmig (disig); upplösas i
dimma; bildl. skymmas, fördunklas; *~ over* höljas i
dimma (dis); imma [sig]; *~ up* bli immig
mistake [mɪ'steɪk] **I** *s* misstag; missförstånd,
missuppfattning; fel; missgrepp; *make a ~* a) missta
sig, begå (göra) ett misstag, ta fel b) i skrivning o.d.
göra (skriva) ett fel; *spelling ~* stavfel; *my ~* jag tar
fel; mitt fel; *and no ~* el. *make no ~* det är inte tu tal
om det, det är inget tvivel om det, var [så] säker på
det; *by ~* av misstag
II (*mistook mistaken,* se äv. *mistaken*) *vb tr*
1 missförstå, missuppfatta [*don't ~ me*] **2** ta miste
(fel) på; *there is no mistaking...* man kan inte missta
sig på..., det råder inget tvivel om... **3** *~ sb* (*sth*) *for*
förväxla ngn (ngt) med, ta ngn (ngt) för, tro ngn
(ngt) vara
mistaken [mɪ'steɪk(ə)n] **I** *perf p* (av *mistake*), *be ~*
missta sig, ta fel [*about* på, i fråga om]; förväxlas
[*for* med]
II *adj* **1** felaktig, falsk; förfelad, missriktad **2** *it is a
case of ~ identity* det föreligger en förväxling [av
personer]
mistakenly [mɪ'steɪk(ə)nlɪ] *adv* av misstag;
felaktigt; med orätt
mister ['mɪstə] *s* **1** herr[n] [*don't call me ~*] **2** vard.
herrn; barnspr. farbror; *hey ~,* [*what do you think
you're doing?*] hallå där..., hör du du...
mistime [ˌmɪs'taɪm] *vb tr* välja olämplig tid[punkt]
för, göra ngt i otid; feltajma t.ex. slag i tennis, tajma in
dåligt
mistimed [ˌmɪs'taɪmd] *adj* **1** oläglig **2** malplacerad,
feltajmad
mistletoe ['mɪsltəʊ] *s* bot. mistel
mistook [mɪ'stʊk] imperf. av *mistake*
mistral ['mɪstr(ə)l, mɪ'strɑ:l] *s* meteor. mistral vind i
Sydfrankrike
mistranslation [ˌmɪstræns'leɪʃ(ə)n, -trɑ:ns-] *s*
felöversättning
mistreat [ˌmɪs'tri:t] *vb tr* behandla illa; misshandla

mistress ['mɪstrəs] *s* **1** älskarinna, mätress; *kept ~*
hålldam **2** härskarinna [*of* över]; mästare,
mästarinna [*of sth* i (på) ngt] **3** åld. lärarinna,
skolfröken, [kvinnlig] lärare; *the French ~*
lärarinnan i franska, fransklärarinnan **4** åld.
husmor; *the ~ of the house* frun [i huset] **5** åld., djurs
matte
mistrial [ˌmɪs'traɪ(ə)l] *s* jur. (ung.) ogiltigförklarad
rättegång [till följd av procedurfel (amer. till följd
av icke beviskraftig utredning)]
mistrust [ˌmɪs'trʌst] **I** *vb tr* **1** se *distrust II*
2 misstänka
II *s* se *distrust I*
misty ['mɪstɪ] *adj* **1** dimmig, disig, töcknig; immig
2 bildl. dimmig, otydlig, oklar
misty-eyed ['mɪstɪaɪd] *adj* tårögd
misunderstand [ˌmɪsʌndə'stænd] (*misunderstood
misunderstood*) *vb tr* missförstå, missuppfatta
misunderstanding [ˌmɪsʌndə'stændɪŋ] *s*
1 missförstånd, missuppfattning **2** missförstånd,
misshällighet, oenighet [*between* mellan]
misunderstood [ˌmɪsʌndə'stʊd] imperf. o. perf. p. av
misunderstand
misuse [subst. ˌmɪs'ju:s, verb ˌmɪs'ju:z] **I** *s* missbruk,
utnyttjande [*~ of sb's position*]; felaktig
användning [*~ of a word*]
II *vb tr* missbruka, utnyttja; använda felaktigt
1 mite [maɪt] *s* zool. kvalster; or
2 mite [maɪt] *s* **1** pyre, liten parvel (knatte); *poor
little ~!* stackars liten! **2** vard. liten smula **3** bibl.
skärv äv. bildl. [*the widow's ~*]
mitigate ['mɪtɪgeɪt] *vb tr* mildra, lindra [*~ pain*]
mitigating ['mɪtɪgeɪtɪŋ] *adj,* *~ circumstances*
förmildrande omständigheter
mitigation [ˌmɪtɪ'geɪʃ(ə)n] *s* mildrande, mildring,
lindring; förmildrande omständighet; *in ~* till
försvar, som förmildrande omständighet
mitre ['maɪtə] *s* **1** mitra, biskopsmössa; bildl.
biskopsvärdighet **2** tekn. gering; sned fog
mitt [mɪt] *s* **1** halvvante, halvhandske **2** [tum]vante
3 basebollhandske; vard. boxhandske **4** sl. labb,
karda, näve
mitten ['mɪtn] *s* **1** [tum]vante, tumhandske
2 halvvante, halvhandske
mix [mɪks] **I** *vb tr* **1** blanda [*together* ihop; *with*
med]; röra ihop [*~ a cake*]; *~ it* el. *~ it up* vard. råka i
slagsmål (gräl) [*with* med] **2** förena [*~ business
with pleasure*] **3** tekn. mixa
II *vb itr* **1** blanda sig; gå ihop [*with* med] **2** umgås
[*~ in certain circles*; *~ with other people*]; blanda
sig [*~ with the other guests*]; beblanda sig [*I don't ~
with people like that*]; *he doesn't ~ well* han har
svårt att umgås (går inte bra ihop) med folk
III *vb tr* med adv.:
mix up blanda (röra) ihop, bildl. äv. förväxla
IV *s* **1** blandning; [kak]mix **2** tekn. mix[ning]
mixed [mɪkst] *adj* **1** blandad [*a ~ salad*]; bland- [*~
forest*]; om färg melerad **2** blandad [*~ company*];
bland- [*~ marriage*]; gemensam, gemensamhets- [*~
bathing*]; sam- [*~ school*]; med (för) båda könen
(olika raser, religioner, nationaliteter) **3** blandad
[*~ feelings*]
mixed ability ['mɪkstəˌbɪlətɪ] *adj* med varierande
kunskapsnivå [*~ class*]

mixed bag [ˌmɪkstˈbæg] *s* blandad kompott, salig blandning

mixed blessing [ˌmɪkstˈblesɪŋ] *s*, *a* ~ ett blandat nöje; *it's a* ~ det är på både gott och ont

mixed breed [ˌmɪkstˈbriːd] *s* blandras

mixed doubles [ˌmɪkstˈdʌblz] *s pl* tennis. o.d. mixed dubbel

mixed economy [ˌmɪkstɪˈkɒnəmɪ] *s* blandekonomi

mixed farming [ˌmɪkstˈfɑːmɪŋ] *s* [både] åkerbruk och boskapsskötsel

mixed grill [ˌmɪkstˈgrɪl] *s* kok. mixed grill

mixed messages [ˌmɪkstˈmesɪdʒɪz] *s pl* dubbla budskap

mixed up [ˌmɪkstˈʌp, attr. '--] *adj* **1** *be* ~ el. *get* ~ a) bli förväxlad, förväxlas b) om person vara (bli) inblandad (invecklad, insyltad) [*in* i] c) vara (bli) förvirrad **2** vard. förvirrad, virrig; rådvill, vilsen [*a mixed-up kid*]

mixer ['mɪksə] *s* **1** blandare [*concrete* ~]; ~ el. *electric* ~ el. *hand* ~ elvisp; ~ el. *food* ~ mixer **2** *he is a good* (*poor*) ~ vard. han har lätt (svårt) för att umgås med folk **3** groggvirke **4** inom ljudtekniken mixer[bord]; radio. kontrollbord; TV. bildkontrollbord, bildmixer; film. mixningsbord **5** radio. el. TV. o.d. ljudtekniker

mixer faucet ['mɪksəˌfɔːsɪt] *s* vanl. amer. o. **mixer tap** ['mɪksətæp] *s* blandningskran, blandare

mixing bowl ['mɪksɪŋbəʊl] *s* kok. mixerskål

mixture ['mɪkstʃə] *s* **1** blandning äv. konkr., legering **2** mixtur; *the ~ as before* vard. det gamla vanliga

mix-up ['mɪksʌp] *s* vard. [samman]blandning; förväxling; misstag; förvirring

mizzen ['mɪzn] *s* sjö. **1** mesan[segel] **2** se *mizzenmast*

mizzenmast ['mɪznmɑːst, sjö. -məst] *s* sjö. mesanmast

ml förk. för *millilitre*[*s*]

mm förk. för *millimetre*[*s*]

MN 1 förk. för *Minnesota* **2** förk. för *Merchant Navy*

mnemonic [nɪˈmɒnɪk] **I** *adj* mnemoteknisk, som stöder minnet; minnes- [~ *rule*] **II** *s* stöd för minnet

Mo. förk. för *Missouri*

mo [məʊ] *s* vard. (kortform av *moment*) ögonblick; *half a ~!* [bara (vänta)] ett ögonblick!, vänta ett tag!

1 MO [ˌemˈəʊ] **1** förk. för *Medical Officer* **2** förk. för *modus operandi*

2 MO förk. för *Missouri*

moan [məʊn] **I** *vb itr* **1** jämra sig, stöna [svagt]; klaga, sucka **2** vard. beklaga sig, knota, kvirra; ~ *and groan* gnöla och gnälla **II** *s* jämmer, stönande; klagan, suckande; *have a ~ about* ha en klagostund över (om)

moat [məʊt] *s* vallgrav, slottsgrav

mob [mɒb] **I** *s* **1** *the* ~ pöbeln, mobben, [den skränande] massan; ~ *rule* pöbelvälde; ~ *orator* folktalare; uppviglare **2** vard. gäng, krets, klick **3** sl. gangsterliga; *the Mob* maffian **II** *vb tr* **1** skocka sig omkring, omringa; ofreda, ansätta, anfalla, mobba om fåglar; *be ~bed* äv. förföljas [av en folkhop] **2** invadera, översvämma [*bargain-hunters ~bed the store on sale days*]

mobe [məʊb] *s* vard., se *mobile phone*

mobile ['məʊbaɪl, -biːl, adj. amer. vanl. -b(ə)l] **I** *adj* **1** rörlig; mobil; transportabel, mil. äv. marschfärdig; ~ *police* motoriserad trafikpolis, trafikövervakare; ~ *telephone* mobiltelefon **2** [lätt]rörlig, livlig; hastigt skiftande, ombytlig **II** *s* **1** mobil[telefon], nalle **2** konst. mobil

mobile home [ˌməʊbaɪlˈhəʊm] *s* **1** husvagn som permanent bostad **2** amer. monteringsfärdigt hus

mobile library [ˌməʊbaɪlˈlaɪbr(ə)rɪ] *s* bokbuss

mobile phone [ˌməʊbaɪlˈfəʊn] *s* mobiltelefon; ~ *mast* mobil[telefon]mast

mobility [mə(ʊ)ˈbɪlətɪ] *s* **1** rörlighet äv. sociol., mil. äv. mobilitet; *social* ~ rörlighet mellan samhällsklasserna **2** lättrörlighet, livlighet

mobilization [ˌməʊbɪlaɪˈzeɪʃ(ə)n] *s* mobilisering

mobilize ['məʊbɪlaɪz] **I** *vb tr* mobilisera; uppbåda, uppbjuda [~ *one's energy*]; sätta i rörelse (omlopp) **II** *vb itr* mobilisera

mobster ['mɒbstə] *s* vanl. amer. sl. ligamedlem, gangster; maffiamedlem

moccasin ['mɒkəsɪn] *s* mockasin

mocha ['mɒkə] *s* **1** mocka[kaffe] **2** mocka[smak] **3** mocka[skinn]

mock [mɒk] **I** *vb tr* **1** förlöjliga, driva med **2** parodiera, härma; apa efter **3** gäcka [~ *sb's hopes*] **II** *vb itr* retas; gyckla, driva, skoja [*at* med] **III** *adj* oäkta, falsk, imiterad; fingerad, sken-; låtsad, spelad [*with* ~ *dignity*]; ~ *trial* skenprocess **IV** *s*, ~*s* skol. övningsprov före examen

mockery ['mɒkərɪ] *s* **1** *a*) drift; hån *b*) [föremål för] åtlöje; *make a ~ of sth* driva med ngt, vara en drift med ngt **2** parodi [*of* på; *a ~ of justice*]; vrångbild; *a* [*mere*] ~ rena farsen

mocking ['mɒkɪŋ] *adj* gäckande; retsam, spydig, spefull; hånfull

mockingbird ['mɒkɪŋbɜːd] *s* zool. härmfågel

Mockney ['mɒknɪ] *s* fusk-cockney, cockney-dialekt anlagd för att dölja bildad eller priviligierad familjebakgrund

mock-up o. **mockup** ['mɒkʌp] *s* modell ofta i full skala, attrapp

MOD [ˌeməʊˈdiː] (förk. för *Ministry of Defence*), *the* ~ se *defence 1*

Mod o. **mod** [mɒd] åld. sl. **I** *s* ung. mods klädmedveten ungdom på 60-talet **II** *adj* mods-, moddig

modal ['məʊdl] *adj* språkv. modal; formell; ~ *auxiliary* modalt hjälpverb

mod cons [ˌmɒdˈkɒnz] vard. förk. för *modern conveniences*

mode [məʊd] *s* **1** sätt; metod; form; ~ *of payment* betalningssätt **2** läge [*manual* ~] **3** bruk; stil, mode **4** tonart spec. i grek. el. medeltida musik, kyrkoton[art]

model ['mɒdl] **I** *s* **1** modell [*clay* ~; *sports* ~; *last year's* ~]; [foto]modell; mannekäng; skyltdocka; provdocka; *sit* (*pose*) *as a* ~ sitta (stå) modell **2** mönster, förebild, förlaga **II** *adj* **1** modell- [~ *train*] **2** mönster-; mönstergill, exemplarisk, idealisk, perfekt; ~ *farm* mönstergård, mönsterjordbruk **III** *vb tr* **1** visa [~ *dresses*]; *she's ~ling clothes for an agency* hon är mannekäng åt en modefirma **2** modellera; forma **3** utforma, rita [modellen till] **4** ~ *sth on* [ut]forma (göra, bilda) ngt efter (med…som förebild); kalkera ngt på; ~ *oneself on* (amer. *after*) *sb* [försöka] efterlikna (ta efter) ngn

IV *vb itr* **1** vara (arbeta som) modell (fotomodell, mannekäng) **2** modellera [~ *in clay*]

model home ['mɒdlhəʊm] *s* amer. visningshus

modeller ['mɒd(ə)lə] *s* modellör; ~*'s clay* modellera

modelling ['mɒd(ə)lɪŋ] *s* **1** arbete som modell (fotomodell, mannekäng) **2** modellering etc., jfr *model III*; utformning; form

modelling clay ['mɒd(ə)lɪŋˌkleɪ] *s* modellera

modem ['məʊdem] *s* data. modem

modem hijacking ['məʊdemˌhaɪdʒækɪŋ] *s* data. modemkapning

moderate [adj. o. subst. 'mɒd(ə)rət, verb 'mɒdəreɪt]
I *adj* **1** måttlig; moderat, måttfull; skälig, billig; lagom; lindrig; ~ *breeze* måttlig vind; sjö. frisk bris; ~ *gale* hård vind; sjö. styv kuling; ~ *oven* medelvarm ugn **2** medelmåttig; rätt bra
II *s* moderat
III *vb tr* **1** moderera, mildra, dämpa; lägga band på; lugna [*have a moderating influence on sb*] **2** leda [~ *a meeting*; ~ *discussion*]
IV *vb itr* **1** lugna (lägga) sig; dämpas, avta [*the wind is moderating*] **2** leda förhandlingar[na], presidera

moderately ['mɒd(ə)rətlɪ] *adv* **1** måttligt; lagom **2** medelmåttigt; någorlunda

moderation [ˌmɒdə'reɪʃ(ə)n] *s* måtta, måttlighet, återhållsamhet; lugn, besinning; *in* ~ med måtta, inom rimliga gränser; måttligt; lagom; *everything in* ~ lagom är bäst

moderator ['mɒdəreɪtə] *s* **1** ordförande, förhandlingsledare; radio. el. TV. äv. programledare i frågeprogram o.d., moderator **2** skiljedomare; medlare

modern ['mɒd(ə)n] **I** *adj* modern, samtida, nutida [~ *art*; ~ *society*]; nutids- [~ *history*]; ny- [*Modern Greek*]; nymodig; *a flat with* ~ *conveniences* en modern[t utrustad] lägenhet; ~ *languages* moderna språk; ~ *times* nyare tiden; nutiden; moderna tider **II** *s* nutidsmänniska; modern människa

modern-day ['mɒd(ə)ndeɪ] *adj*, *a* ~ *Messiah* en modern (våra dagars) Messias

modernism ['mɒdənɪz(ə)m] *s* **1** nymodighet; modernt uttryck (ord), nybildning **2** modern tidsanda (uppfattning, inställning); konst. el. litt. modernism[en]

modernistic [ˌmɒdə'nɪstɪk] *adj* konst. el. litt. modernistisk

modernity [mɒ'dɜːnətɪ] *s* modernitet, nymodighet

modernize ['mɒdənaɪz] **I** *vb tr* modernisera **II** *vb itr* bli (vara) modern

modest ['mɒdɪst] *adj* **1** blygsam [*a* ~ *income*]; anspråkslös, försynt [*a* ~ *request*]; ringa; modest; *be* ~ *about* inte skryta med; *her* ~ *savings* hennes små besparingar **2** anständig, ärbar, sedesam

modesty ['mɒdɪstɪ] *s* **1** blygsamhet; anspråkslöshet **2** anständighet, ärbarhet

modicum ['mɒdɪkəm] *s* [liten] smula; minimum [*with a* ~ *of effort*]

modification [ˌmɒdɪfɪ'keɪʃ(ə)n] *s* [för]ändring; modifikation, modifiering; jämkning

modifier ['mɒdɪfaɪə] *s* gram. bestämning, bestämningsord; *adverbial* ~ adverbial

modify ['mɒdɪfaɪ] *vb tr* **1** [för]ändra; modifiera; anpassa; jämka (rucka) på, mildra, slå av på [~

one's demands] **2** gram. bestämma, stå som bestämning till; inskränka betydelse

modish ['məʊdɪʃ] *adj* modern, tidsenlig; som följer modet, chic

modular ['mɒdjʊlə] *adj* modul- [~ *design*]

modulate ['mɒdjʊleɪt] *vb tr* o. *vb itr* modulera äv. mus.; anpassa [*to* efter]

module ['mɒdjuːl] *s* **1** mått[enhet], data. äv. maskinenhet, vanligaste värde **2** tekn. el. ped. modul; *lunar* ~ månlandare

modus operandi ['məʊdəsˌɒpə'rændiː] (förk. *MO*) *s* lat. [arbets]metod, förfaringssätt

moggy ['mɒgɪ] *s* vard. kissekatt

1 mogul ['məʊgʌl, -ʊl, -əl] *s* vard. magnat, mogul

2 mogul ['məʊg(ə)l] *s* sport. puckelpist

mohair ['məʊheə] *s* textil. mohair

Mohammed [mə(ʊ)'hæmɪd, -məd] Muhammed

Mohammedan [mə(ʊ)'hæmɪd(ə)n] åld. **I** *adj* muhammedansk **II** *s* muhammedan

Mohawk ['məʊhɔːk] *s* **1** mohawk indian **2** amer. mohikanfrisyr

Mohican ['məʊɪkən] **I** *s* **1** mohikan indian; *the last of the* ~*s* den siste mohikanen; den siste av sin ätt **2** mohikanfrisyr
II *adj* mohikansk; ~ *haircut* mohikanfrisyr

moi [mwɑː] *pron* vard. el. skämts. (fr.) jag [*'arrogant – ~?'; John and ~*]

moist [mɔɪst] *adj* fuktig [~ *climate*; ~ *lips*]; immig; *eyes* ~ *with tears* tårade (tårfyllda) ögon

moisten ['mɔɪsn] *vb tr* fukta

moisture ['mɔɪstʃə] *s* fukt, fuktighet; imma

moisturize ['mɔɪstʃəraɪz] *vb tr* fukta, göra fuktig [*use cream to* ~ *your skin*]

moisturizer ['mɔɪstʃəraɪzə] *s* fuktighetsbevarande hudkräm, fuktkräm

mojo ['məʊdʒəʊ] *s* vard. [magisk] dragningskraft, karisma

molar ['məʊlə] *s* oxeltand, molar; kindtand

molasses [mə(ʊ)'læsɪz] (med verb i sg.) *s* vanl. amer. sirap; melass

mold [məʊld] o. **molder** ['məʊldə] amer., se *1 mould*, *2 mould* o. *moulder* m.fl. ord

Moldavia [mɒl'deɪvɪə] geogr. Moldavien

Moldova [mɒl'dəʊvə] geogr. Moldova

1 mole [məʊl] *s* zool. mullvad

2 mole [məʊl] *s* [födelse]märke, [mörk] hudfläck

molecular [mə(ʊ)'lekjʊlə, mɒ'l-] *adj* molekyl- [~ *compound*]; molekylar- [~ *weight*]; molekylär

molecule ['mɒlɪkjuːl, 'məʊl-] *s* fys. el. kem. molekyl

molehill ['məʊlhɪl] *s* mullvadshög; *make a mountain out of a* ~ göra en höna av en fjäder, förstora upp allting

moleskin ['məʊlskɪn] *s* mullvadsskinn, mollskinn slags tyg

molest [mə(ʊ)'lest] *vb tr* **1** utsätta för sexuella övergrepp **2** störa, besvära

mollify ['mɒlɪfaɪ] *vb tr* **1** blidka, lugna **2** dämpa, mildra, lindra

mollusc ['mɒləsk] *s* zool. mollusk, blötdjur

Molly ['mɒlɪ] smeknamn för *Mary*

mollycoddle ['mɒlɪkɒdl] *vb tr* klema (pjoska) med, skämma bort

Molotov cocktail [ˌmɒlətɒf'kɒkteɪl] *s* vard. molotovcocktail bensinbomb

molt [məʊlt] *vb itr* amer., se *moult*
molten ['məʊlt(ə)n] *adj* **1** smält, flytande [~ *steel*; ~ *lava*]; ~ *metal* gjutmetall **2** stöpt, gjuten
molybdenum [mə'lıbdənəm] *s* kem. molybden
mom [mɒm] *s* amer. vard. (kortform av *momma*) mamma
moment ['məʊmənt] *s* **1** ögonblick; [liten] stund; tidpunkt; *the ~ of truth* sanningens [bistra] ögonblick, sanningens stund; *one ~* el. *half a ~* el. *wait a ~* el. *just a ~* [vänta] ett ögonblick, vänta lite; *this ~* adv. a) ögonblickligen, genast, med detsamma b) för ett ögonblick sedan, alldeles nyss; *at the ~* för ögonblicket, för tillfället, just nu; [just] då, vid den tidpunkten; *at the last ~* i sista ögonblicket (stund); *at the present ~* för närvarande; *at that very ~* i samma ögonblick, just i det ögonblicket; [*at*] *any ~* vilket ögonblick (när) som helst [*he'll be here at any ~*]; *at a ~'s notice* när som helst, med detsamma, omedelbart; *in a ~* om ett ögonblick, på ett ögonblick [*it was done in a ~*]; *the man of the ~* mannen för dagen **2** betydelse, vikt [*an affair of great ~*]; *a matter of no ~* en sak utan vikt, en oviktig sak **3** fys. moment
momentary ['məʊmənt(ə)rı] *adj* ett ögonblicks, en kort stunds [*a ~ pause*]; tillfällig, kortvarig; momentan
momentous [mə(ʊ)'mentəs] *adj* **1** [mycket] viktig, betydelsefull **2** ödesdiger, kritisk
moment|um [mə(ʊ)'ment|əm] *s* fart äv. bildl.; styrka, [slag]kraft [*gain* (vinna i) ~; *the growing ~ of the attack*]; *the car gained* ~ bilen fick fart (fick upp farten)
momma ['mɒmə] *s* amer. vard., se *mamma*
Mon. förk. för *Monday*
Monaco ['mɒnəkəʊ, mə'nɑ:kəʊ] geogr.
monarch ['mɒnək] *s* monark; bildl. konung
monarchical [mə'nɑ:kık(ə)l] *adj* **1** monarkisk; konungslig **2** monarkistisk
monarchist ['mɒnəkıst] *s* monarkist
monarchy ['mɒnəkı] *s* monarki
monastery ['mɒnəst(ə)rı] *s* [munk]kloster
monastic [mə'næstık] *adj* kloster-, munk-
monasticism [mə'næstısız(ə)m] *s* **1** klosterväsen, munkväsen **2** klosterliv, munkliv
Monday ['mʌndeı, attr. ofta -dı] *s* måndag; *Easter ~* annandag påsk; för ex. jfr vidare *Sunday*
Monegasque [ˌmɒnə'gæsk] **I** *s* monegask; monegaskiska kvinna **II** *adj* monegaskisk
monetarism ['mʌnıtərızm] *s* ekon. monetarism
monetary ['mʌnıt(ə)rı] *adj* monetär, mynt-, penning-
monetary economy ['mʌnıt(ə)rıˌkɒnəmı] *s* penninghushållning
monetary policy ['mʌnıt(ə)rıˌpɒlısı] *s* valutapolitik
monetary system ['mʌnıt(ə)rıˌsıstəm] *s* myntsystem
money ['mʌnı] *s* **1** (utan pl.) a) pengar, slantar [*hard-earned ~*] b) attr. penning-; ekonomisk, finansiell; ~ *matters* penningfrågor, penningaffärer; *have ~ to burn* ha pengar som gräs; ~ *for old rope* vard. lättförtjänta pengar, ett lätt jobb; ~ *in hand* reda pengar, kontanter; *make ~ hand over fist* vard. skära guld med täljknivar, tjäna grova pengar; *marry ~* gifta sig till pengar, gifta sig rikt; *get one's ~'s*

worth få valuta för pengarna (sina pengar); *for my ~* vard. enligt min mening; *be in the ~* vard., om person vara tät, tjäna grova pengar; *be short of ~* ha ont om pengar **2** mynt[sort]; *foreign ~s* utländska mynt[sorter]
money-back guarantee [ˌmʌnıbæk,gær(ə)n'ti:] *s* återbetalningsgaranti
moneybags ['mʌnıbægz] (med verb i sg.) *s* vard. skämts. el. neds. kapitalist
moneybox ['mʌnıbɒks] *s* sparbössa; kassaskrin
moneychanger ['mʌnıˌtʃeın(d)ʒə] *s* [valuta]växlare
moneyed ['mʌnıd] *adj* **1** penningstark, förmögen, rik, tät [*a ~ man*] **2** penning- [~ *power*]
moneygrabber ['mʌnıˌgræbə] *s* o. **moneygrubber** ['mʌnıˌgrʌbə] *s* girigbuk; roffare
moneygrabbing ['mʌnıˌgræbıŋ] *adj* o.
moneygrubbing ['mʌnıˌgrʌbıŋ] *adj* som [bara] roffar åt sig pengar; girig
moneylender ['mʌnıˌlendə] *s* penningutlånare
moneymaker ['mʌnıˌmeıkə] *s* **1** person som tjänar (bara tänker på) pengar **2** guldgruva, lönande (lukrativt) företag, sak som ger pengar
moneymaking ['mʌnıˌmeıkıŋ] **I** *adj* **1** som tjänar (gör) pengar **2** inbringande, lukrativ, lönande **II** *s* penningförvärv; att tjäna (göra) pengar
money market ['mʌnıˌmɑ:kıt] *s* penningmarknad, lånemarknad
money order ['mʌnıˌɔ:də] *s* postanvisning
money-spinner ['mʌnıˌspınə] *s* vard., se *moneymaker* 2
money supply ['mʌnısə,plaı] *s* penningtillgång[ar]
monger ['mʌŋgə] *s* mest som efterled i sammansättn. **1** -handlare [*ironmonger*] **2** -makare, -spridare [*scandalmonger*]
Mongol ['mɒŋgɒl] **I** *s* mongol **II** *adj* mongolisk, mongol-
Mongolia [mɒŋ'gəʊlıə] geogr. Mongoliet
mongolism ['mɒŋgə(ʊ)lız(ə)m] *s* åld. neds., se *Down's syndrome*
mongoose ['mɒŋgu:s, 'mʌŋ-] *s* zool. **1** a) mungo b) faraoråtta **2** slags kattapa
mongrel ['mʌŋgr(ə)l] *s* **1** byracka **2** bastard; korsning, blandning
moniker ['mɒnıkə] *s* vard. namn; öknamn
monitor ['mɒnıtə] **I** *vb tr* övervaka, kontrollera, följa; avlyssna **II** *vb itr* vara övervakare **III** *s* **1** bildskärm, monitorskärm **2** monitor, kontrollinstrument; TV. o.d. kontrollmottagare; dosmätare för radioaktivitet **3** övervakare **4** skol. ordningsman **5** varan slags ödla
monk [mʌŋk] *s* munk; *black ~* svartbroder
monkey ['mʌŋkı] **I** *s* **1** zool. apa; markatta **2** bildl., *you little ~!* din lilla rackarunge!; *not give a ~'s* sl. inte bry sig ett dugg (skvatt) om det; *make a ~ [out] of sb* vard. göra ngn till åtlöje, driva med ngn **II** *vb itr*, ~ *about* el. ~ *around* gå och driva, slå dank; spela apa; göra rackartyg; ~ *about* (*around*) *with* vard. mixtra (greja) med
monkey bars ['mʌŋkıbɑ:z] *s pl* **1** amer. klätterställning för barn **2** ribbstol
monkey business ['mʌŋkıˌbısnıs] *s* vard. **1** fuffens, något skumt, sattyg **2** larv, skoj
monkey nut ['mʌŋkınʌt] *s* vard. jordnöt med skal

monkey suit ['mʌŋkɪsuːt] *s* vanl. amer. sl. **1** grann uniform på nöjesfält o.d. **2** smoking
monkey wrench ['mʌŋkɪren(t)ʃ] *s* skiftnyckel
1 mono ['mɒnəʊ] **I** (pl. ~s) *s* **1** mono **2** monoplatta [äv. ~ *record (disc)*]
 II *adj* vard. för *monophonic*
2 mono ['mɒnəʊ] *s* amer. vard., *mononucleosis*
monochrome ['mɒnəkrəʊm] **I** *adj* monokrom, enfärgad **II** *s* monokrom
monocle ['mɒnəkl] *s* monokel
monogamous [mɒ'nɒgəməs] *adj* monogam
monogamy [mɒ'nɒgəmɪ] *s* engifte, monogami
monogram ['mɒnəgræm] *s* monogram, namnchiffer
monogrammed ['mɒnəgræmd] *adj* [märkt] med monogram, märkt
monograph ['mɒnəgrɑːf, -græf] *s* monografi [*on* över]
monolingual [ˌmɒnəʊ'lɪŋgwəl] *adj* enspråkig [~ *dictionary*]
monolith ['mɒnə(ʊ)lɪθ] *s* monolit pelare, skulptur o.d. i ett enda block
monolithic [ˌmɒnə(ʊ)'lɪθɪk] *adj* **1** monolitisk, uthuggen i ett block **2** bildl. monolitisk, sluten; mäktig
monologue ['mɒnəlɒg] *s* monolog
monomania [ˌmɒnə(ʊ)'meɪnɪə] *s* **1** monomani, fix idé **2** vurm, mani
mononucleosis ['mɒnəʊˌnjuːklɪ'əʊsɪs] *s* med. mononukleos, körtelfeber
monophonic [ˌmɒnə(ʊ)'fɒnɪk] *adj* monofonisk, mono-
monoplane ['mɒnə(ʊ)pleɪn] *s* flyg. monoplan, endäckare
monopolistic [məˌnɒpə'lɪstɪk] *adj* monopol-
monopolization [məˌnɒpəlaɪ'zeɪʃ(ə)n] *s* monopolisering
monopolize [mə'nɒpəlaɪz] *vb tr* **1** monopolisera; få (ha) monopol på (ensamrätt till) **2** bildl. [själv] lägga beslag på, ensam ta hand om
monopoly [mə'nɒpəlɪ] *s* monopol, ensamrätt
Monopoly® [mə'nɒpəlɪ] *s* Monopol sällskapsspel; ~ *money* vard. Monopolpengar, leksakspengar
monorail ['mɒnə(ʊ)reɪl] *s* enspårsbana
monosodium glutamate [mɒnəʊˌsəʊdɪəm'gluːtəmeɪt] (förk. *MSG*) *s* kem. natriumglutamat
monosyllabic [ˌmɒnə(ʊ)sɪ'læbɪk] *adj* enstavig, monosyllabisk
monosyllable ['mɒnəˌsɪləbl] *s* enstavigt ord; *speak in ~s* tala enstavigt; vara fåmäld
monotheism ['mɒnə(ʊ)ˌθiːɪzm] *s* monoteism
monotone ['mɒnətəʊn] *s* entonighet; enformighet; *speak* (*read*) *in a ~* tala (läsa) entonigt (med entonig röst)
monotonous [mə'nɒtənəs] *adj* monoton, enformig [~ *work*]; entonig [*a ~ voice*]
monotony [mə'nɒtənɪ] *s* monotoni, enformighet, entonighet
monoxide [mə'nɒksaɪd] *s*, *carbon* ~ koloxid
monsoon [mɒn'suːn] *s* meteor. monsun
monster ['mɒnstə] **I** *s* monster, missfoster, odjur **II** *adj* kolossal, gigantisk, jätte-; ~ *meeting* massmöte

monstrosity [mɒn'strɒsətɪ] *s* vidunder; missfoster; monstrum; odjur
monstrous ['mɒnstrəs] *adj* **1** avskyvärd, ohygglig [*a ~ crime*] **2** ofantlig, oerhörd [*a ~ lie*] **3** vard. fullkomligt orimlig (otrolig), skandalös **4** vanskapt; monstruös
Mont. förk. för *Montana*
montage [mɒn'tɑːʒ, 'mɒntɑːʒ] *s* fr. montage
Montana [mɒn'tænə] geogr.
Mont Blanc [mɒn'blɑːŋ] geogr.
Monte Carlo [ˌmɒntɪ'kɑːləʊ] geogr.
Montenegro [ˌmɒntɪ'niːgrəʊ] geogr.
Montessori [ˌmɒnte'sɔːrɪ] egennamn; *the ~ system* (*method*) skol. Montessorimetoden
Montevideo [ˌmɒntɪvɪ'deɪəʊ] geogr.
Montezuma [ˌmɒntɪ'zuːmə]
month [mʌnθ] *s* månad; *this ~* [i] denna månad[en]; *by the ~* per månad, månadsvis; *be paid by the ~* ha månadslön, få betalt per månad; *~ by ~* månad efter månad, varenda månad; *for ~s* i månader; *she's in her eighth ~* hon är i åttonde månaden; *it may last a ~ of Sundays* vard. det kan vara (räcka) i evighet (i det oändliga); *never in a ~ of Sundays* vard. aldrig någonsin, aldrig i livet
monthly ['mʌnθlɪ] **I** *adj* månatlig; ~ *salary* månadslön
 II *adv* månatligen, månadsvis, en gång i månaden, varje månad
 III *s* månadstidskrift, månadstidning
Montreal [ˌmɒntrɪ'ɔːl] geogr.
monument ['mɒnjʊmənt] *s* **1** monument [*to* över]; *ancient* ~ fornminne, fornlämning; kulturminnesmärke **2** bildl. betydelsefullt (monumentalt) verk
monumental [ˌmɒnjʊ'mentl] *adj* **1** monumental[-], storslagen, vard. äv. häpnadsväckande, enorm [~ *ignorance*] **2** monument-, minnes- [*a ~ inscription*]; ~ *mason* gravvårdshuggare, stenhuggare
monumentally [ˌmɒnjʊ'mentəlɪ] *adv* enormt
moo [muː] **I** *vb itr* säga 'mu'; råma, böla **II** (pl. ~s) *s* mu; råmande, bölande
mooch [muːtʃ] **I** *vb itr* vard., ~ *about* el. ~ *around* driva [omkring], gå och drälla, stryka omkring **II** *vb tr* sl. bomma tigga; snylta till sig
moo-cow ['muːkaʊ] *s* barnspr. kossamu
1 mood [muːd] *s* [sinnes]stämning; humör; lust, håg; *be in the ~* vara upplagd [*for sth* för ngt], ha lust [*for sth* för ngt, med ngt; *to do sth* att göra ngt]; *be in no ~* inte vara upplagd (ha lust)
2 mood [muːd] *s* gram. modus
mood music ['muːdˌmjuːzɪk] *s* stämningsmusik
mood swing ['muːdswɪŋ] *s* humörsvängning
moody ['muːdɪ] *adj* **1** lynnig, nyckfull **2** på dåligt humör, trumpen, sur
moon [muːn] **I** *s* måne; *once in a blue ~* vard., se *blue* I 1; *full* ~ fullmåne; *new* ~ nymåne; *there is a* ~ el. *the* ~ *is out* det är månsken; *promise the* ~ el. *promise the* ~ *and the stars* lova guld och gröna skogar; *cry* (*ask, reach*) *for the* ~ begära att få ner månen, begära det orimliga; *the man in the* ~ gubben i månen; *change of the* ~ månskifte; *be over the* ~ vard. få glädjefnatt, vara jätteglad
 II *vb itr* o. *vb tr* med adv. el. prep.:

moon about el. **moon around** vard. **a)** gå och dra, slöa
b) dagdrömma
moon over sitta och stirra på
moonbeam ['mu:nbi:m] s månstråle
moonlight ['mu:nlaɪt] **I** s månsken, månljus
II adj månljus, månbelyst; månskens- [~ night]
III vb itr vard. extraknäcka; jobba svart
moonlight flit [,mu:nlaɪt'flɪt] s, **do a ~** vard. dunsta
(sticka) under natten och smita från hyran
moonlighting ['mu:n,laɪtɪŋ] s vard. **1** extraknäck
2 skumraskaffär[er], skumrasktrafik
moonlit ['mu:nlɪt] adj månljus, månbelyst
moonscape ['mu:nskeɪp] s månlandskap
moonshine ['mu:nʃaɪn] s **1** vilda fantasier, utopier,
idéer ut i det blå; nonsens; **that's all ~** äv. det är
bara prat **2** sl. smuggelsprit, hembränt spec. whisky
moonstone ['mu:nstəʊn] s miner. månsten
moonstruck ['mu:nstrʌk] adj galen, sinnesrubbad
Moor [mʊə, mɔ:] s mor; förr äv. morian
1 moor [mʊə, mɔ:] s [ljung]hed [the Yorkshire ~s]
2 moor [mʊə, mɔ:] vb tr o. vb itr sjö. förtöja
moorhen ['mʊəhen, 'mɔ:-] s zool. **1** rörhöna **2** [höna
av] moripa
mooring ['mʊərɪŋ, 'mɔ:-] s sjö. **1** vanl. pl. **~s**
förtöjningar äv. bildl. **2** tilläggsplats [äv. ~ place]
3 förtöjning fastgörande
mooring buoy ['mʊərɪŋbɔɪ, 'mɔ:-] s sjö. moringsboj,
förtöjningsboj
Moorish ['mʊərɪʃ, 'mɔ:-] adj morisk
moorland ['mʊələnd, 'mɔ:-] s hed[land], ljungmark,
ljunghedar
moose [mu:s] (pl. ~s el. moose) s [amerikansk] älg
moot [mu:t] **I** adj **1** diskutabel, omtvistad,
tvivelaktig; ~ **point** el. ~ **question** omtvistad fråga
2 inaktuell
II vb tr ta upp till diskussion, bringa (föra) på tal
mop [mɒp] **I** s **1** mopp; disksvabb; sjö. svabb **2** vard.
kalufs
II vb tr torka [av], moppa [~ the floor], sjö. svabba;
~ **one's brow** torka sig i pannan, torka svetten ur
pannan; ~ **the floor with sb** vard. sopa golvet (banan)
med ngn
III vb tr med adv.:
mop up a) torka upp, suga upp **b)** vard. klara av,
avverka, slutföra [~ up arrears of work] **c)** mil.
rensa [från fiender], rensa upp [~ up a district]
mope [məʊp] vb itr vara dyster (nere, slö), [sitta
och] grubbla (tjura), sitta ensam och uggla; ~ **about**
el. ~ **around** gå omkring och grubbla (hänga med
huvudet)
moped ['məʊped] s moped
moppet ['mɒpɪt] s **1** vard. barn, flickebarn **2** vard.
sötnos
MOR [,eməʊ'ɑ:] förk. för middle-of-the-road
moraine [mɒ'reɪn] s geol. morän
moral ['mɒr(ə)l] **I** adj **1** moralisk, sedelärande,
moral-, sede-; sedlig, dygdig [live a ~ life] **2** andlig,
moralisk; inre, bestämd; ~ **certainty** bestämd
övertygelse; till visshet gränsande sannolikhet; ~
courage moraliskt mod; ~ **support** moraliskt
(andligt) stöd; ~ **victory** moralisk seger
II s **1** pl. **~s** moral ofta sexualmoral; sedlighet,
moraliska principer **2** [sens]moral, [moralisk]

lärdom ur ngt; **draw the ~** dra ut sensmoralen; **point
the ~** peka på (framhålla) sensmoralen
morale [mɒ'rɑ:l, mə'r-] s spec. truppers moral,
stridsmoral [the ~ of the troops is excellent]; [god]
anda, kampanda, kampvilja
morale-booster [mə'rɑ:l,bu:stə] s något som stärker
moralen
moral fibre [,mɒr(ə)l'faɪbə] s [moralisk]
karaktärsstyrka
moralist ['mɒrəlɪst] s moralist; moralpredikant
moralistic [,mɒrə'lɪstɪk] adj moralistisk
morality [mə'rælətɪ] s **1** moral; sedelära; **a high
standard of ~** en hög moralisk standard **2** sedlighet;
dygd
moralize ['mɒrəlaɪz] vb itr moralisera, predika
moral [about, on över]
moral majority [,mɒr(ə)lmə'dʒɒrətɪ] s, **the ~**
moralisterna
morass [mə'ræs] s moras, träsk; bildl. dy, träsk
moratori|um [,mɒrə'tɔ:rɪ|əm] (pl. äv. -a [-ə]) s
moratorium, betalningsanstånd
Moravia [mə'reɪvɪə] geogr. Morava, Mähren
morbid ['mɔ:bɪd] adj **1** sjuklig, osund, morbid [~
imagination]; sjukdoms-; sjukligt dyster
(misstänksam) **2** makaber, ohygglig [~ details]
morbidity [mɔ:'bɪdətɪ] s sjuklighet, morbiditet;
sjukligt tillstånd
mordant ['mɔ:d(ə)nt] adj bitande [~ criticism]; vass,
sarkastisk
more [mɔ:] adj, pron o. adv (komp. till much o. many
se äv. dessa ord; för ex. med no more o. not any more se
more 5)
1 mer, mera; **it's getting ~ and ~ difficult** det blir allt
svårare; **it's getting ~ and ~ exciting** det blir mer och
mer spännande; ~ **or less a)** mer eller mindre
b) ungefär, cirka [a hundred ~ or less]; **little ~ than**
föga mer än, inte stort mer (annat) än; **and what is
~** och inte nog med det, och vad mera är; **there is ~
to it than that** fullt så enkelt är det inte; **all the ~** el.
so much the ~ så mycket mera, desto mera [as
som]; **the ~ she gets, the ~ she wants** ju mer hon får,
dess (desto, ju) mer vill hon ha; **[the] ~ fool you to
follow his advice** hur kunde du vara så dum och
följa hans råd; **the situation is [all] the ~ difficult
because...** situationen är så mycket besvärligare
eftersom...
2 fler, flera [than än]; ~ **books** fler[a] böcker; **the ~
the merrier** ju fler desto (dess, ju) roligare
3 ytterligare, till [a few ~]; mer; vidare; **once ~** en
gång till, ännu en gång
4 som komparativ-bildande adv. mer; -are; ofta (vid
jämförelse mellan två) mest; -[a]st, -[a]ste; ~
complicated mera komplicerad; ~ **easily** lättare;
that's ~ like it vard. det är (låter) bättre, det var
annat det; **the ~ difficult problem** [of the two] det
svåraste problemet [av de två]
5 no more a) inte mer[a], inga (inte) fler[a] b) inte
(aldrig) mer; inte vidare, inte längre [he is an actor
no ~]; inte heller; lika litet [she knows very little
about it, and no ~ do I]; **no ~ of that!** nog om den
saken!, nu får det vara nog!; **we saw no ~ of her** vi
såg aldrig mer till henne; **no ~ than** knappast mer
än, bara [no ~ than five people]; lika litet som; **he
can no ~ do it than he can fly** det är lika omöjligt [att

göra] för honom som att flyga
not any more a) inte mer[a], (fler[a]) [*than* än; *I don't want any ~*] **b**) aldrig mer[a]; *I don't want to see him any ~* jag vill aldrig se honom mer (igen)
moreish ['mɔːrɪʃ] *adj* vard., [*this cake is*] *very ~* …ger verkligen mersmak
morello [mə'reləʊ, mɒ'r-] (pl. *~s*) *s* bot., *~ cherry* morell
moreover [mɔː'rəʊvə] *adv* dessutom; vidare
mores ['mɔːriːz] *s pl* seder [och bruk], sedvänjor
morgue [mɔːg] *s* bårhus; *this place is like a ~* här är det tyst som i graven
MORI ['mɔːrɪ] (förk. för *Market and Opinion Research Institute*) ung. institut för marknads- och opinionsundersökningar
moribund ['mɒrɪbʌnd] *adj* döende; utdöende [*~ civilizations*]; stagnerande [*a ~ political party*]
Mormon ['mɔːmən] **I** *s* mormon **II** *adj* mormonsk
Mormonism ['mɔːmənɪz(ə)m] *s* mormonism[en]
Mormon State [,mɔːmən'steɪt] *s*, *the ~* Mormonstaten Utah
morn [mɔːn] *s* poet. morgon
morning ['mɔːnɪŋ] *s* **1** morgon, förmiddag; *this ~* adv. i morse, i dag på morgonen (förmiddagen), i förmiddags; *the following ~* el. [*the*] *next ~* el. *the ~ after* morgonen därpå, nästa (följande) morgon (förmiddag); *I feel like* (*I've got*) *the ~ after* jag är dagen efter, jag har baksmälla; *yesterday ~* i går morse (förmiddag); *in the ~* på morgonen (förmiddagen), på (om) mornarna (förmiddagarna); efter klockslag äv. f.m.; *on the ~ of Nov. 6* på morgonen (förmiddagen) den 6 nov.; *on Friday ~* i fredags morse (förmiddag), på fredag[s]morgonen; på fredag morgon (förmiddag) **2** attr. morgon-, förmiddags- [*a ~ walk*]; *~ assembly* skol. morgonsamling
morning-after pill [,mɔːnɪŋ'ɑːftəpɪl] *s* med. dagen-efter-piller preventivmedel
morning coat ['mɔːnɪŋkəʊt] *s* jackett
morning dress ['mɔːnɪŋdres] *s* jackett, förmiddagsdräkt
morning glory [,mɔːnɪŋ'glɔːrɪ] *s* bot. blomman för dagen
morning room ['mɔːnɪŋruːm] *s* ung. vardagsrum i större hus
morning sickness [,mɔːnɪŋ'sɪknəs] *s* illamående på morgonen kräkning på grund av graviditet
Moroccan [mə'rɒkən] **I** *adj* marockansk **II** *s* marockan; marockanska
Morocco [mə'rɒkəʊ] geogr. Marocko
morocco [mə'rɒkəʊ] *s* marokäng, saffian
moron ['mɔːrɒn] *s* **1** vard. el. neds. idiot **2** psykol. debil [person]
moronic [mə'rɒnɪk] *adj* **1** vard. el. neds. enfaldig, idiotisk **2** psykol. debil
morose [mə'rəʊs] *adj* sur[mulen], butter, vresig
morphia ['mɔːfɪə] *s* åld., *morphine*
morphine ['mɔːfiːn] *s* morfin; *~ addict* morfinist
morphology [mɔː'fɒlədʒɪ] *s* spec. biol. el. språkv. morfologi, språkv. äv. formlära
morrow ['mɒrəʊ] *s* litt. morgondag; *the ~* morgondagen, följande (nästa) dag
Morse [mɔːs] *s* morsealfabet
Morse code [,mɔːs'kəʊd] *s*, *the ~* morsealfabetet

morsel ['mɔːs(ə)l] *s* munsbit; bit, smula; stycke
mortal ['mɔːtl] **I** *adj* **1** dödlig äv. bildl. [*man is ~*; *a ~ disease*]; jordisk, förgänglig [*this ~ life*]; dödsbringande, dödande, ödesdiger [*to* för]; döds- [*~ agony*; *~ danger*; *~ enemy*; *~ sin*]; *~ combat* strid på liv och död; *his ~ remains* hans jordiska kvarlevor **2** vard. (som förstärkningsord), *no ~ reason* ingen som helst anledning; *not a ~ soul* inte en själ (kotte); *they wouldn't do a ~ thing* de ville inte göra ett enda (jäkla) dugg; *every ~ thing* varenda (vareviga) sak
II *s* dödlig människa (varelse), dödlig; *ordinary ~s* vanliga dödliga
mortality [mɔː'tælətɪ] *s* **1** dödlighet **2** mortalitet, dödlighet [*infant ~*]; dödlighetsprocent, dödssiffra [*heavy* (hög) *~*]
mortality rate [,mɔː'tælətɪreɪt] *s* dödstal, dödlighetsprocent; mortalitet
mortally ['mɔːtəlɪ] *adv* **1** dödligt äv. bildl. [*~ wounded*; *~ offended*] **2** vard. förfärligt
mortal sin [,mɔːtl'sɪn] *s* katol. dödssynd
1 mortar ['mɔːtə] *s* murbruk
2 mortar ['mɔːtə] *s* **1** mil. granatkastare; *~ attack* granatattack; *come under ~ fire* utsättas för granatbeskjutning **2** mortel
mortarboard ['mɔːtəbɔːd] *s* vard. akademikermössa med styv fyrkantig skiva ovanpå
mortgage ['mɔːgɪdʒ] **I** *s* inteckning; hypotek; inteckningshandling, hypotekshandling [äv. *~ deed*], vard. lån; *first ~* första inteckning, botteninteckning; *first ~ loan* bottenlån; *~ loan* el. *loan on ~* [lån mot] inteckning, inteckningslån, hypotekslån; *have a ~ on* ha en inteckning i egendom **II** *vb tr* **1** inteckna [*~d up to the hilt*]; belåna **2** bildl. sätta i pant, [pant]förskriva
mortgagee [,mɔːgə'dʒiː] *s* inteckningshavare, hypoteksinnehavare
mortgagor [,mɔːgə'dʒɔː] *s* inteckningsgäldenär, hypoteksgäldenär
mortician [mɔː'tɪʃ(ə)n] *s* amer. begravningsentreprenör
mortification [,mɔːtɪfɪ'keɪʃ(ə)n] *s* **1** förödmjukelse, kränkning **2** harm, grämelse, förtret, smälek; missräkning
mortified ['mɔːtɪfaɪd] *adj* skamsen, generad; illa berörd
mortifying ['mɔːtɪfaɪɪŋ] *adj* förödmjukande, sårande, kränkande
mortise ['mɔːtɪs] *s* snick. tapphål; *~ and tenon* tapphål och tapp; tappning
mortise chisel ['mɔːtɪs,tʃɪzl] *s* håljärn, stämjärn
mortise lock ['mɔːtɪslɒk] *s* instickslås
mortuary ['mɔːtjʊərɪ] **I** *s* bårhus **II** *adj* begravnings- [*~ rites*]; grav- [*~ chapel*]; döds-
Mosaic [mə(ʊ)'zeɪɪk] *adj* bibl. mosaisk [*the ~ law*]
mosaic [mə(ʊ)'zeɪɪk] **I** *adj* mosaik-, musivisk **II** *s* mosaik [*a design in ~*]
Moscow ['mɒskəʊ, amer. vanl. 'mɒskaʊ] geogr. Moskva
Moses ['məʊzɪz] bibl. Mose[s]; *Holy ~!* vard. jösses!, milda makter!, gudars skymning!
Moses basket ['məʊzɪz,bɑːskɪt] *s* [bärbar] babykorg

mosey ['məʊzɪ] *vb itr* vard. släntra [*around* omkring]; ~ *along* lunka i väg

mosh [mɒʃ] *vb itr* mus. 'mosha' dansa (hoppa) våldsamt [och krocka med andra] under rockkonsert

mosh pit ['mɒʃpɪt] *s* mus. området närmast scenen på rockkonsert, jfr *mosh*

Moslem ['mɒzləm] *s* o. *adj* se *Muslim*

mosque [mɒsk] *s* moské

mosquito [mə'skiːtəʊ] (pl. ~*s* el. ~*es*) *s* zool. moskit, [stick]mygga; pl. ~[*e*]*s* äv. mygg

mosquito net [mə'skiːtəʊnet] *s* moskitnät, myggnät

moss [mɒs] *s* bot. mossa; attr. moss-

mossy ['mɒsɪ] *adj* mossig; moss- [~ *green*]; mossbelupen äv. bildl.; mosslik, mjuk [som mossa]

most [məʊst] (superl. till *much* el. *many* , se äv. dessa ord) **I** *adj* o. *pron* mest, flest [*I have many books but she has* ~]; den (det) mesta, de flesta, se för övrigt ex.; *the* ~ det mesta [*that's the* ~ *I can do*]; ~ *children* de flesta barn; *for the* ~ *part* mest, till största delen; mestadels, för det mesta; ~ *of my time* det mesta av min (min mesta) tid, största delen av min tid; ~ *of us* de flesta av oss; *make the* ~ *of* dra största möjliga fördel av, göra det mesta möjliga av, utnyttja (njuta av) på bästa sätt, ta väl vara på; *at* [*the*] ~ högst, på sin höjd; i bästa fall; *at the very* ~ allra högst, på sin höjd; i allra bästa fall

II *adv* **1** mest [*what pleased me* ~ el. *what* ~ *pleased me*]; *the one she values* [*the*] ~ den som hon värderar högst (mest); ~ *of all* allra mest (helst), mest (helst) av allt, jfr *most II 2* **2** superlativbildande mest; -[a]st, -[a]ste; *the* ~ *beautiful of all* den allra vackraste; ~ *easily* lättast; ~ *famous* ryktbarast, mest berömd; [*when you are*] ~ *prepared* ...[som] mest förberedd **3** högst, i högsta grad, ytterst, särdeles, synnerligen [~ *interesting*; *a* ~ *wonderful story*]; ~ *certainly* [ja] absolut, alldeles säkert, helt visst; ~ *probably* el. ~ *likely* högst sannolikt

most-favoured [ˌməʊst'feɪvəd] *adj*, ~ *nation* mest gynnad nation

mostly ['məʊs(t)lɪ] *adv* **1** mest, mestadels, till största delen, huvudsakligen **2** vanligen, för det mesta, mest, mestadels [*he's at home* ~]

MOT [ˌeməʊ'tiː] (förk. för *Ministry of Transport*); ~ el. ~ *test* vard. kontrollbesiktning av fordon äldre än tre år; *fail one's* ~ inte klara besiktningen

mote [məʊt] *s* stoftkorn; smolk, grand

motel [məʊ'tel, 'məʊtel] *s* motell

motet [məʊ'tet] *s* mus. motett

moth [mɒθ] *s* **1** nattfjäril **2** mal, mott; *clothes* ~ mal

mothball ['mɒθbɔːl] **I** *s* malkula, malmedel; *in* ~*s* bildl. i malpåse

II *vb tr* bildl. lägga (förvara) i malpåse, lägga upp (ned)

moth-eaten ['mɒθˌiːtn] *adj* maläten, bildl. äv. förlegad

mother ['mʌðə] **I** *s* **1** mor, moder, mamma; ~*'s boy* mammas gosse; ~*'s darling* mammagris, morsgris; mammas älskling; ~*'s meeting* bildl. syjunta; *I learned it at my* ~*'s knee* ung. det lärde jag mig innan jag kunde gå; *every* ~*'s son* vard. varenda en; *be* ~ vard. servera te, vara värdinna (värd); *be a* ~ *to* vara som en mor för; *become a* ~ bli mor; *play* ~*s and fathers* leka mamma, pappa, barn **2** bildl. moder, källa, ursprung, upphov [*misrule is often the* ~ *of*

(till) *revolt*]; *the* ~ *of* [*all*] vard., förstärk. världens, jordens [*I woke up with the* ~ *of all hangovers*]; *the Mother of Parliaments* parlamentens moder brittiska parlamentet **3** moder, abbedissa [äv. *Mother Superior*]

II *vb tr* dalta med; pyssla (sköta) om

motherboard ['mʌðəbɔːd] *s* data. moderkort

mother country ['mʌðəˌkʌntrɪ] *s* moderland; fosterland, fädernesland; hemland

Mother Earth [ˌmʌðər'ɜːθ] *s* moder jord

mother figure ['mʌðəˌfɪgə] *s* modersgestalt

motherfucker ['mʌðəˌfʌkə] *s* vulg. skitstövel

mother hen [ˌmʌðə'hen] *s* vanl. neds. hönsmamma

motherhood ['mʌðəhʊd] *s* moderskap

mother image ['mʌðərˌɪmɪdʒ] *s* modersgestalt

Mothering Sunday [ˌmʌðərɪŋ'sʌndeɪ] *s* ngt åld., *Mother's Day*

mother-in-law ['mʌð(ə)rɪnlɔː] **I** (pl. *mothers-in-law* ['mʌðəzɪnlɔː]) *s* **1** svärmor **2** vard. styvmor

II *adj*, ~ *apartment* el. ~ *unit* amer. anknuten lägenhet med egen ingång för gamla föräldrar

motherless ['mʌðələs] *adj* moderlös

motherliness ['mʌðəlɪnəs] *s* moderlighet

motherly ['mʌðəlɪ] *adj* moderlig [~ *care*]; moders- [~ *love*; ~ *pride*]

Mother Nature [ˌmʌðə'neɪtʃə] *s* moder natur

mother-of-pearl [ˌmʌð(ə)rə(v)'pɜːl] *s* pärlemor

Mother's Day ['mʌðəzdeɪ] *s* mors dag i Storbritannien fjärde söndagen i fastan, i USA andra söndagen i maj

mother ship ['mʌðəʃɪp] *s* sjö. moderfartyg

mother's ruin [ˌmʌðəz'ruːɪn] *s* åld. skämts. gin dryck

Mother Superior [ˌmʌðəsʊ'pɪərɪə, ˌmʌðəsjʊ-] *s* abbedissa

mother-to-be [ˌmʌðətə'biː] (pl. *mothers-to-be*) *s* blivande mor

mother tongue [ˌmʌðə'tʌŋ] *s* **1** modersmål **2** moderspråk, grundspråk

mothproof ['mɒθpruːf] *adj* malsäker; ~ *bag* malpåse

motif [məʊ'tiːf] *s* **1** mus., konst. el. litt. motiv, tema, ämne, grundtanke **2** [spets]motiv, garnering

motion ['məʊʃ(ə)n] **I** *s* **1** rörelse; gest, åtbörd, tecken; *slow* ~ film. ultrarapid; slow motion; *go through the* ~*s* vard. a) låtsas som om man gör något, simulera; arbeta [slött och] mekaniskt b) visa hur det går (gick) till; *make a* ~ (~*s*) *to leave* göra en ansats att ge sig i väg; *in* ~ i rörelse, i gång, i verksamhet; på rörlig fot; *put in* ~ el. *set in* ~ sätta i rörelse (i gång) **2** [omröstnings]förslag, motion, yrkande äv. jur.; jur. hemställan **3** a) med. öppning, avföring; *pass a* ~ ha avföring b) vanl. pl. ~*s* avföring, exkrementer

II *vb itr* vinka, ge (göra) tecken [*to* åt, till]

III *vb tr* vinka (ge el. göra tecken) åt (till) [~ *sb to come*]

motionless ['məʊʃ(ə)nləs] *adj* orörlig; i vila

motion picture [ˌməʊʃ(ə)n'pɪktʃə] *s* vanl. amer. [spel]film

motion sickness ['məʊʃ(ə)nˌsɪknəs] *s* vanl. amer. åksjuka

motivate ['məʊtɪveɪt] *vb tr* **1** motivera **2** vara drivfjädern bakom (motivet till) [*what* ~*d their desperate action?*] **3** skapa intresse hos, ge motivation [åt], motivera

motivated ['məʊtɪveɪtɪd] *adj* motiverad; *politically* (*economically*) ~ av politiska (ekonomiska) skäl

motivation [ˌməʊtɪ'veɪʃ(ə)n] *s* motivering; spec. psykol. motivation

motivational [ˌməʊtɪ'veɪʃ(ə)nl] *adj* motivations-

motivator [ˌməʊtɪ'veɪtə] *s* **1** drivkraft **2** pådrivare

motive ['məʊtɪv] **I** *s* motiv, bevekelsegrund, anledning, drivfjäder [*of* till; *for doing sth* att göra ngt] **II** *adj* rörelse-, driv-

motive force ['məʊtɪvfɔ:s] *s* o. **motive power** ['məʊtɪvˌpaʊə] *s* drivkraft, drivande kraft

motley ['mɒtlɪ] *adj* brokig, blandad; sammanrafsad; *a* ~ *crew* el. *a* ~ *crowd* en brokig skara

motocross [ˌməʊtə'krɒs, '---] *s* sport. motocross

motor ['məʊtə] **I** *s* **1** motor; attr. motor- **2** åld. el. vard. bil; attr. bil-
II *adj* fysiol. motorisk [~ *nerve*]; ~ *activity* motorik; ~ *learning* motorisk inlärning; *fine* ~ *skills* finmotorik; *gross* ~ *skills* grovmotorik
III *vb itr* åld. bila, åka (köra) bil [*we ~ed to Brighton*]

motorbike ['məʊtəbaɪk] *s* vard. för *motorcycle*

motorboat ['məʊtəbəʊt] *s* motorbåt

motorcade ['məʊtəkeɪd] *s* bilkortege

motor car ['məʊtəkɑ:] *s* åld. bil

motorcoach ['məʊtəkəʊtʃ] *s* **1** buss; turistbuss, rundtursbuss **2** järnv. motorvagn

motorcycle ['məʊtəˌsaɪkl, ˌ--'--] *s* motorcykel; ~ *combination* motorcykel med sidvagn; *ride a* ~ köra motorcykel

motorcyclist ['məʊtəˌsaɪklɪst] *s* motorcyklist, motorcykelförare

motor home ['məʊtəhəʊm] *s* husbil

motoring ['məʊtərɪŋ] *s* åld. bilande, bilåkning, bilkörning

motor inn ['məʊtərɪn] *s* större motell

motorist ['məʊtərɪst] *s* bilist, bilförare, motorförare

motorized ['məʊtəraɪzd] *adj* **1** försedd med motor; ~ *dish* TV. motorstyrd parabolantenn; ~ *wheelchair* eldriven rullstol **2** motoriserad [~ *divisions*]

motormouth ['məʊtəmaʊθ] *s* vard. [högljudd] pratmakare, pratkvarn

motor pool ['məʊtəpu:l] *s* vanl. amer. bilpool

motor racing ['məʊtəˌreɪsɪŋ] *s* motorsport

motor scooter ['məʊtəˌsku:tə] *s* skoter

motor vehicle ['məʊtəˌvi:ɪkl] *s* motorfordon

motor vessel ['məʊtəˌvesl] *s* motorfartyg

motorway ['məʊtəweɪ] *s* motorväg

motor yacht ['məʊtəjɒt] (förk. *MY*) *s* motorkryssare

mottled ['mɒtld] *adj* spräcklig, fläckig, marmorerad, brokig; röd- och vitflammig

motto ['mɒtəʊ] (pl. *~es* el. *~s*) *s* **1** motto, valspråk, devis; tänkespråk **2** överskrift

1 mould [məʊld] **I** *s* **1** form äv. bildl., gjutform; matris; tekn. äv. modell, schablon, mall; *cast in the same* ~ stöpt i samma form **2** kok. **a)** form **b)** pudding; aladåb **3** form, [kropps]byggnad; gestalt **4** bildl. typ, läggning, prägel, karaktär [*men of a quite different* ~]; *break the* ~ bryta mönstret; *fit the* ~ passa in i mönster
II *vb tr* gjuta, stöpa, forma äv. bildl. [*out of* av; *into* till; *on* efter]; ~ *sb's character* forma (dana) ngns karaktär

2 mould [məʊld] *s* **1** mögel **2** mögelsvamp

moulder ['məʊldə] *vb itr*, ~ el. ~ *away* vittra (falla) sönder; [för]multna; bildl. förtvina, mögla [bort]

moulding ['məʊldɪŋ] *s* **1** gjutning etc., jfr *1 mould II*; form, attr. äv. form- [~ *press*]; *opinion* ~ opinionsbildning, formande av opinion[en] **2** listverk, list, profil; utsirning, prydnadslist

mouldy ['məʊldɪ] *adj* **1** möglig; unken; murken; *become* (*grow, go*) ~ mögla; *smell* ~ lukta mögel **2** bildl. möglig, gammaldags

moult [məʊlt] *vb itr* **1** om fåglar rugga **2** om andra djur fälla hår (horn); ömsa skal, byta skinn

mound [maʊnd] *s* **1** hög, kulle; upphöjning; gravhög, gravkulle; kummel, röse **2** vall **3** bildl., *a* ~ *of* en hög med [*a* ~ *of paperwork to do*]

1 mount [maʊnt] **I** *vb tr* (jfr äv. *mounted*) **1** sätta upp; installera; göra [i ordning] [~ *an exhibition*]; montera [~ *a gun on a carriage*; ~ *insects*; ~ *pictures*]; klistra (sätta) upp (in) [i album] [~ *stamps*]; uppfodra; infatta [~ *a diamond in a ring*]; rama in; besätta; beslå **2** gå (springa) uppför [~ *the stairs*]; stiga (gå, klättra) upp på (i) [~ *a platform*; ~ *a pulpit*]; bestiga [~ *the throne*]; ~ *a horse* sitta upp, stiga till häst **3** placera [*on* på; ~ *a statue on a foundation*] **4** sätta upp, iscensätta [~ *a play*] **5** om djur betäcka, bestiga **6** mil. sätta i gång, öppna; ~ *an offensive* äv. ta till offensiven **7** ~ *guard* a) gå 'på (överta) vakten, ställa sig på vakt b) gå på vakt, stå på post, hålla vakt c) sätta ut vakt
II *vb itr* (jfr äv. *mounted*) **1** bildl., ~ el. ~ *up* stiga, växa, gå (rusa) i höjden [*bills* ~ *up quickly at hotels*] **2** stiga; stiga (gå, klättra) upp [*on* på]; gå uppför; höja sig **3** sitta upp, stiga till häst
III *s* **1** kartong, papper, underlag o.d. som bakgrund till bilder m.m. **2** [rid]häst **3** montering; infattning; inramning; beslag **4** mil. stativ, lavett[age]

2 mount [maʊnt] *s* litt. (i namn) berg [*the Mount of Olives*]; *the* ~ *of Venus* anat. venusberget

mountain ['maʊntɪn, -ən] *s* [högre] berg, fjäll; *a* ~ *of flesh* ett fläskberg fet person; *I have ~s of work to do* jag är överlastad med arbete; *move* (bibl. *remove*) ~*s* försätta (förflytta) berg; *chain of ~s* el. *range of ~s* el. ~ *region* bergstrakt

mountain ash [ˌmaʊntən'æʃ] *s* bot. rönn

mountain bike ['maʊntənbaɪk] *s* mountainbike, terrängcykel

mountain-climbing ['maʊntɪnˌklaɪmɪŋ] *s* bergsbestigning

mountaineer [ˌmaʊntɪ'nɪə] *s* **1** bergsbestigare, alpinist **2** bergsbo

mountaineering [ˌmaʊntɪ'nɪərɪŋ] *s* bergsbestigning[ar], alpinism

mountain lion ['maʊntənlaɪən] *s* puma

mountainous ['maʊntɪnəs] *adj* **1** bergig **2** ofantlig, enorm, hög som berg [~ *waves*]

mountain range ['maʊntɪnreɪn(d)ʒ] *s* bergskedja

mountainside ['maʊntɪnsaɪd] *s* bergssida, bergssluttning

mounted ['maʊntɪd] *adj* **1** ridande [~ *police*]; fordonsburen [~ *infantry*] **2** uppklättrad, uppkliven, sittande [*on* på] **3** monterad; uppsatt; uppställd; uppklistrad, insatt i album; inramad, infattad

Mount Etna [ˌmaʊnt'etnə] geogr. Etna

mounting ['maʊntɪŋ] *adj* stigande, växande
Mount of Olives [ˌmaʊntəv'ɒlɪvz] *s*, **the** ~ bibl.
Oljeberget
Mount Sinai [ˌmaʊnt'saɪnaɪ] geogr. Sinai[berget]
mourn [mɔːn] **I** *vb itr* sörja [*for*, *over* över]; ~ **for sb**
sörja ngn; ha sorg (bära sorgdräkt) efter ngn **II** *vb*
tr sörja över, begråta; sörja
mourner ['mɔːnə] *s* **1** sörjande [person]; deltagare i
sorgetåg (begravningsfölje); **the ~s** de sörjande; **the**
chief ~ den närmast sörjande **2 professional** ~ el.
hired ~ gråterska, lejd sörjande
mournful ['mɔːnf(ʊ)l] *adj* sorglig, dyster; sorgsen
mourning ['mɔːnɪŋ] **I** *adj* sörjande
II *s* **1** sorg; sorgdräkt, sorgkläder; **deep** ~ djup
sorg[dräkt]; **national** ~ el. **public** ~ landssorg; **in** ~
sorgklädd; **be in** ~ **for** sörja, gå sorgklädd efter
2 attr. sorg-; ~ **clothes** el. ~ **dress** sorgdräkt,
sorgkläder
mouse [maʊs] (pl. *mice* [maɪs]) *s* **1 a**) mus, [liten]
råtta **b**) bildl. skygg och tillbakadragen person; **as**
quiet as a ~ tyst som en mus; **are you a man or a ~?**
du är väl [en] karl! **2** data. mus
mouse button ['maʊsbʌtn] *s* data. musknapp
mouse mat ['maʊsmæt] *s* o. amer. vanl. **mousepad**
['maʊspæd] *s* data. musmatta
mouse potato ['maʊsp(ə)ˌteɪtəʊ] (pl. ~*es*) *s* data. vard.
datorfreak person som tillbringar mycket tid framför datorn
mouser ['maʊzə, 'maʊsə] *s* råttfångare, råttkatt
mousetrap ['maʊstræp] *s* råttfälla
moussaka [mʊ'sɑːkə, ˌmʊsə'kɑː] *s* kok. moussaka
mousse [muːs] *s* **1** kok. mousse, som dessert äv.
fromage **2** hårmousse
moustache [mə'stɑːʃ, amer. vanl. 'mʌstæʃ] *s*
mustasch[er]; **grow a** ~ anlägga mustasch
moustached [mə'stɑːʃt, amer. vanl. 'mʌstæʃt] *adj* o.
moustachioed [məs'tɑːʃɪəʊd] *adj* med
mustasch[er], mustaschprydd
mousy ['maʊsɪ] *adj* råttlik[nande], musaktig;
råttfärgad [~ *hair*]
mouth [subst. maʊθ, i pl. maʊðz; verb maʊð] **I** *s* **1** mun;
corner of the ~ mungipa; **by word of** ~ muntligen,
från mun till mun; **she's all** ~ vard. hon bara
snackar; **be down in the** ~ vard. vara deppig
(moloken), hänga läpp; **have a big** ~ vard. prata för
mycket; vara stor i truten; **have a foul** ~ vara ful i
mun[nen]; **have one's heart in one's** ~ ha hjärtat i
halsgropen; **have many ~s to feed** ha många munnar
att mätta; **keep one's** ~ **shut** hålla (vara) tyst; **put**
words into sb's ~ **a**) lägga ord (orden) i ngns mun,
sufflera ngn **b**) tillskriva ngn ett uttalande; **shut**
your ~! håll mun (käften)!; **stop sb's** ~ täppa till
mun[nen] på ngn, tysta ngn, få ngn att tiga (hålla
mun); **take the words out of sb's** ~ ta ordet (orden)
ur mun[nen] på ngn **2** mynning [*the* ~ *of a river*];
utlopp, inlopp; öppning, ingång
II *vb tr* **1** forma [ljudlöst] med läpparna **2** rapa
upp, häva ur sig
III *vb itr* med adv.:
mouth off a) klaga [*about* på] **b**) vara oförskämd [*to*
mot] **c**) deklamera, predika, tala tillgjort
mouthful ['maʊθfʊl] *s* munfull; munsbit, tugga;
smula; **swallow sth at a** ~ svälja ngt i en munsbit;
what a ~! el. **that was a ~!** **a**) det var en ordentlig
munsbit (tugga)! **b**) det var mycket [sagt] på en

gång!; vilken lång ramsa!; **you said a ~!** amer. vard.
det är så sant som det är sagt!
mouth organ ['maʊθˌɔːgən] *s* munspel,
munharmonika
mouthpiece ['maʊθpiːs] *s* **1** [telefon]lur [*speak into*
the ~!] **2** munstycke; bett på betsel; boxn. tandskydd
3 bildl. talesman, språkrör, organ
mouth-to-mouth [ˌmaʊθtə'maʊθ] *adj*, ~ **method**
mun-mot-munmetod; ~ **resuscitation**
återupplivning genom mun-mot-munmetoden
mouthwash ['maʊθwɒʃ] *s* munvatten
mouth-watering ['maʊθˌwɔːt(ə)rɪŋ] *adj*
aptitretande, som får det att vattnas i munnen
mouthy ['maʊðɪ] *adj* vard. [som är] stor i käften;
snackig
movable ['muːvəbl] **I** *adj* **1** rörlig, flyttbar **2** lös [~
property]; personlig [~ *goods*]
II *s*, vanl. pl. ~**s** lösöre, inventarier; bohag,
husgeråd, möbler; flyttsaker
movable feast [ˌmuːvəbl'fiːst] *s* kyrkl. rörlig
helg[dag]
move [muːv] **I** *vb tr* **1** flytta, flytta på, rubba;
förflytta, transportera [~ *troops*]; ~ **house** flytta,
byta bostad **2 a**) röra [på] [~ *one's lips*] **b**) sätta i
gång; hålla i gång, driva **3** röra, göra rörd, gripa,
bedröva; göra intryck på, beveka; **be ~d** bli rörd,
röras, gripas [*by*, *with* av; *he was deeply ~d*]
4 påverka, förmå, driva, föranleda; **nothing could** ~
her ingenting kunde påverka henne; [*I will do it*]
when the spirit ~s me …när andan faller på
5 hemställa hos [*for* om] **6** parl. o.d. föreslå,
framlägga förslag om; yrka [på]
II *vb tr* **1 a**) röra [på] sig **b**) förflytta sig, flytta [på]
sig, maka [på] sig [~ *one step*]; **you must** ~ **very**
carefully du måste gå fram med stor försiktighet; ~
with the times följa med sin tid **2 a**) sätta sig i
rörelse, röra på sig [*begin to* ~]; sätta[s] i gång
b) bryta upp; flytta; **I must be moving** vard. jag måste
ge mig av (i väg); **things are beginning to** ~ det
börjar röra på sig **3** i schack o.d. **a**) om pjäs röra sig,
flyttas **b**) flytta, dra **4** företa sig något, vidta
åtgärder, ingripa **5** vistas; ~ **in the best society** röra
sig (umgås) i de bästa kretsar **6** hemställa, väcka
förslag [*for* om], yrka [*for* på]
III *vb itr* med adv. el. prep.:
move in flytta in; ~ **in with** flytta ihop med
move in on a) försöka ta kontrollen över **b**) ringa in
move off ge sig av, avlägsna sig
move on gå på (vidare), cirkulera
move out flytta [ut], avflytta
move over flytta [på] sig
move up stiga (gå) fram, maka ihop sig
IV *s* flyttning; i schack o.d. drag; bildl. [schack]drag [*a*
clever ~]; utspel [*a new* ~ *to solve the crisis*];
åtgärd, steg; **a wrong** ~ ett feldrag; **what's the next**
~? vard. vad ska vi göra nu?; **it's your** ~ det är ditt
drag; **she is up to every** ~ hon kan knepen; **get a** ~
on! vard. raska (skynda) på!; **make a** ~ bildl. göra ett
drag äv. i schack o.d., handla, göra något; **make a ~ to**
go göra en ansats att gå; **be on the** ~ vara i rörelse,
vara på resande (rörlig) fot, [ständigt] vara i farten
movement ['muːvmənt] *s* **1** politisk, religiös o.d. rörelse
[*the Labour* ~; *the temperance* ~]; riktning
[*philosophical* ~*s*] **2** rörelse; förskjutning; **freedom**

of ~ bildl. rörelsefrihet **3** vanl. pl. *~s* rörelser,
förehavanden, beteende; hållning, skick; *watch
sb's ~s* iaktta ngns förehavanden, hålla ett
vakande öga på ngn **4** mus. **a)** sats [*the first ~ of a
symphony*] **b)** tempo; rytm **5** [ur]verk; gång;
mekanism **6** tendens [*a ~ towards formalism*];
utveckling [*a ~ towards greater freedom of the
press*]
mover ['mu:və] *s* **1** upphov, drivkraft;
upphovsman, drivande kraft; *prime ~* se *prime
mover* **2** förslagsställare, motionär **3** vanl. amer.
flyttkarl, flyttfirma **4** om djur, *it is a fast ~* den rör sig
snabbt **5** *~s and shakers* makthavare
movie ['mu:vɪ] *s* vanl. amer. film; *go to the ~s* gå på
bio
moviecamera ['mu:vɪˌkæmərə] *s* vanl. amer.
filmkamera
moviegoer ['mu:vɪˌgəʊə] *s* vanl. amer. biobesökare
movie house ['mu:vɪhaʊs] *s* amer. åld. bio[graf]
movieland ['mu:vɪlænd] *s* **1** filmvärlden
2 Hollywood
movie star ['mu:vɪstɑ:] *s* vanl. amer. filmstjärna
movie theater ['mu:vɪˌθɪətə] *s* amer. bio[graf]
moving ['mu:vɪŋ] **I** *adj* o. *pres p* **1** rörande,
stämningsfull [*~ ceremony*]; bevekande **2** rörlig,
som rör (kan röra) sig
II *s* [för]flyttning
moving van ['mu:vɪŋˌvæn] *s* amer. flyttbil
mow [məʊ] (imperf. *mowed*, perf. p. *mown, mowed*)
I *vb tr* meja, slå [*~ grass* (*hay, crops*); *~ a field*];
skära [*~ corn*]; klippa [*~ a lawn*]; *~ down* bildl. meja
ned **II** *vb itr* slå, skära; klippa
mower ['məʊə] *s* **1** gräsklippare **2** slåttermaskin
moxie ['mɒksɪ] *s* amer. sl. åld. **1** energi, fart,
gåpåaranda; mod **2** skicklighet
Mozambican [ˌməʊzəm'bi:kən] **I** *adj* moçambikisk
II *s* moçambikier; moçambikiska kvinna
Mozambique [ˌməʊzəm'bi:k] geogr. Moçambique
Mozart ['məʊtsɑ:t]
mozzarella [ˌmɒtsə'relə] *s* mozzarella italiensk färskost
av buffel- eller komjölk
MP [ˌem'pi:] *s* **1** (pl. *MP's* el. *MPs*) (förk. för *Member
of Parliament*) *he is an ~* han är
parlamentsledamot **2** förk. för *Metropolitan Police,
Military Police*
MP3 [ˌempi:'θri:] *s* data. MP3; MP3-fil; *~ player*
MP3-spelare
mpg [ˌempi:'dʒi:] förk. för *miles per gallon*
mph förk. för *miles per hour*
MPV [ˌempi:'vi:] förk. för *multipurpose vehicle*
Mr ['mɪstə] (pl. *Messrs* ['mesəz]) (förk. för *mister*) hr,
herr; **a)** före namn [*~ Brown; ~ John B.*] **b)** vid tilltal
före vissa titlar, utan namn [*~ Chairman; ~ Speaker* m.fl.]
c) före titel och namn, i sv. utan motsvarighet [*~ Justice
Brown*] **d)** före kirurgs namn i motsats till andra läkare
Mr Big [ˌmɪstə'bɪg] *s* vard. bossen, chefen
Mr Clean [ˌmɪstə'kli:n] *s* vard. ärligheten själv,
person som har rent mjöl i påsen spec. om politiker
Mr Fixit [ˌmɪstə'fɪksɪt] *s* vard. fixaren
Mr Right [ˌmɪstə'raɪt] *s* den rätte att gifta sig med
Mrs ['mɪsɪz] (förk. för *missis*) fru framför namn el. ibl. i
tilltal före vissa titlar [*~ Brown; ~ Jane* (*John*) *B.; ~
Chairman*]; *Dr and ~ Smith* Dr och Fru Smith, Dr
Smith med Fru

MRSA [ˌemɑ:res'eɪ] med. (förk. för *Methicillin
Resistant Staphylococcus aureus*) MRSA,
meticillinresistenta stafylokocker
Ms. o. **Ms** [mɪz, məz] **I** titel för kvinna som ersättning för
Miss el. Mrs före namn [*~* [*Sarah*] *Brown*]
II (pl. *Mses*[.] el. *Mss*[.] ['mɪzɪz]) *s* kvinna i allm. [*a
fair sprinkling of ~s among the staff*]
M/S [ˌem'es] förk. för *motor-ship*
1 MS [ˌem'es, 'mænjʊskrɪpt] (pl. *MSS* [ˌemes'es el.
'mænjʊskrɪpts]) förk. för *manuscript*
2 MS [ˌem'es] **1** (förk. för *multiple sclerosis*) MS
2 förk. för *Master of Science, Master of Surgery*
3 MS förk. för *Mississippi*
MSc [ˌemes'si:] förk. för *Master of Science*
MS-DOS® [ˌemes'dɒs] data. MS-DOS® äldre
operativsystem för persondatorer
MSG [ˌemes'dʒi:] förk. för *monosodium glutamate*
MSS [ˌemes'es, 'mænjʊskrɪpts] pl. av *1 MS*
MST [ˌemes'ti:] (förk. för *Mountain Standard Time*)
en standardtid i Nordamerika, 7 timmar efter Greenwichtid
MT förk. för *Montana*
Mt förk. för *1 Mount, mountain*
mt. förk. för *megaton*
mtg förk. för *meeting*
MTV® [ˌemti:'vi:] (förk. för *music television*) tv-kanal i
Storbritannien som visar musikvideos och annan lätt
underhållning
much [mʌtʃ] **I** (*more most*) *adj* mycket, mycken;
without ~ difficulty utan större svårighet; *~ good may
it do you!* iron. väl bekomme!, lycka till!; *I have ~
pleasure in presenting...* jag har [härmed] det stora
nöjet att presentera...; *it was all so ~ nonsense*
(*rubbish*) det var bara smörja
II *pron* **1** mycket [*you have ~ to learn; she is not ~
to look at*]; *~ you know about it!* det vet du inte ett
dugg om!; *this* (*that*) *~* så mycket; *not ~!* vard. visst
inte!, sällan!; *nothing ~* vard. just ingenting, inget
vidare; *he is not ~ of a writer* han är [just] inte någon
vidare författare; *make ~ of* a) förstå [*I couldn't
make ~ of the play*] b) göra stor affär av; *I don't
think ~ of* jag ger inte mycket för; [*his work*] *is not up
to ~* ...är inget vidare
2 *as ~* mycket [*as som*]; *as ~ again* el. *as ~
more* lika mycket till; *she said as ~* det var ungefär
vad hon sa (menade); *I thought as ~* var det inte det
jag trodde; *it is as ~ as to say that...* det är som om
man skulle säga att...; *it was as ~ as he could do to
keep calm* det var knappt han kunde hålla sig lugn
3 *how ~* hur mycket; *how ~ is this?* vad kostar den
här?; *how ~ does it all come to?* vad går alltsammans
på?
4 *so ~* så mycket; *so ~ the better* så mycket (desto)
bättre; *so ~ the worse* så mycket (desto) värre; *not
so ~ as* inte så mycket som, inte ens [*they hadn't so
~ as heard of it*]; *the scene resembled nothing so ~
as...* scenen liknade mest av allt...; *so ~ for that* så
var det med det (den saken)
III (*more most*) *adv* **1** mycket: **a)** före komp. [*~ older;
~ more useful; ~ inferior*]; *very ~ older* betydligt
äldre **b)** före vissa adj. [äv. *very ~;* [*very*] *~ afraid;*
[*very*] *~ alike*]; *he doesn't look ~ like a clergyman* han
ser knappast (just inte) ut som en (nån) präst; *it
looks very ~ like it* det ser nästan så ut, det är inte
långt ifrån **c)** vid verb o. perf. p. [äv. *very ~; I ~ regret*

the mistake; [*very*] *~ astonished*]; **thank you very ~** tack så mycket **d)** vid adverbiella uttr. [*~ above the average*]; *~* **to my delight** till min stora förtjusning; *~* **too low** alldeles för låg

2 före superl. absolut, utan all tvekan; *~* **the best plan** äv. den avgjort bästa planen; *~* **the most likely** den allra sannolikaste

3 ungefär, nästan; **pretty ~ alike** ungefär lika; **it is ~ the same to me** det gör mig ungefär detsamma

muchness ['mʌtʃnəs] *s* vard., **it is much of a ~** det är ungefär detsamma (hugget som stucket, hipp som happ); **they are much of a ~** de är egentligen väldigt lika

mucilage ['mju:səlɪdʒ] *s* [växt]slem; med. mucilago

muck [mʌk] **I** *s* **1** gödsel, dynga **2** vard. lort, skit, smörja äv. bildl.

II *vb tr* **1** gödsla **2** vard. lorta (skita, grisa) ner; *~ sb* **about** el. *~ sb around* köra med ngn; bråka (tjafsa) med ngn; *~ sth up* vard. misslyckas med (sabba) ngt; trassla (ställa) till ngt

III *vb itr* med adv. el. prep., vard.:

muck about el. **muck around a)** gå och dra, drälla omkring **b)** tjafsa; *~ about (around)* **with** pillra (pilla) med (på)

muck in a) hjälpa till **b)** dela [*with* med]

muckraker ['mʌkˌreɪkə] *s* skandalspridare, sensationsmakare

muckraking ['mʌkˌreɪkɪŋ] *s* vard. sensationsmakeri; skandalskriverier

muck-up ['mʌkʌp] *s* vard. soppa, röra, fiasko; **make a ~ of sth** misslyckas med (sabba) ngt, göra bort sig; trassla (soppa) till ngt

mucky ['mʌkɪ] *adj* vard. **1** lortig, skitig; motbjudande; lerig, gyttjig [*a ~ road*] **2** snuskig [*~ books; ~ jokes*]

mucous membrane [ˌmju:kəs'membreɪn] *s* slemhinna

mucus ['mju:kəs] *s* slem

mud [mʌd] *s* gyttja, dy; sörja, smuts, lera [*the ~ of the roads*]; mudder, slam; **it's as clear as ~** skämts. el. iron. man fattar inte ett dyft; **drag sb's name in the ~** släpa ngns namn i smutsen; [*here's*] *~* **in your eye!** vard. skål då dig!; **throw (fling, sling) ~ at** bildl. smutskasta, svärta ned; förtala

mudbath ['mʌdbɑ:θ] *s* gyttjebad; gyttjepöl

muddle ['mʌdl] **I** *s* röra, oreda, virrvarr; **everything was in a ~** allt var en enda röra, allt låg huller om buller

II *vb tr* **1** fördärva, förstöra, förfuska [*you have ~d the scheme*]; trassla till **2** förvirra; göra omtöcknad (lummig) [*the drink ~d him*] **3** *~* **up** el. *~* **together** röra ihop [*he has ~d things up completely*]; blanda ihop, förväxla

III *vb itr* med adv. el. prep.:

muddle along a) hålla på och vimsa **b)** hanka sig fram

muddle through klara sig [trots allt] [*England ~ed through*]; trassla (krångla) sig igenom

muddle up se *muddle II 3* ovan

muddled ['mʌdld] *adj* rörig, oredig, virrig

muddle-headed ['mʌdlˌhedɪd] *adj* virrig, oredig [i huvudet]

muddy ['mʌdɪ] **I** *adj* **1** smutsig, lerig [*~ roads; ~ shoes*]; gyttjig, dyig **2** grumlig [*~ coffee; ~ stream*];

grumsig, oklar

II *vb tr* **1** göra smutsig (lerig, sörjig); smutsa (stänka) ned **2** grumla

mudflap ['mʌdflæp] *s* stänkskydd på bil

mudflat ['mʌdflæt] *s* gyttjig strand[remsa]

mudguard ['mʌdgɑ:d] *s* **1** stänkskärm på cykel **2** amer. stänkskydd på bil

mudpack ['mʌdpæk] *s* kosmetisk ansiktsmask

mud pie [ˌmʌd'paɪ] *s* barns sandkaka, lerkaka

mudslide ['mʌdslaɪd] *s* lerskred

mudslinging ['mʌdˌslɪŋɪŋ] *s* smutskastning; förtal

muesli ['mju:zlɪ, 'mu:-] *s* kok. müsli

muezzin [mu'ezɪn] *s* muezzin, böneutropare

1 muff [mʌf] *s* **1 a)** muff **b)** se *earmuffs* **2** tekn. muff, rörhylsa

2 muff [mʌf] *vb tr* vard. missa, sumpa [*~ an opportunity*]; *~* **a catch** sport. tappa bollen

muffin ['mʌfɪn] *s* **1** muffins **2** *~* el. amer. **English *~*** slags tekaka som äts varm med smör

muffle ['mʌfl] *vb tr* **1** dämpa, tysta [ned], linda [om] för att dämpa ljud, madrassera dörr **2** *~ up* el. *~* pälsa (klä, bylta) på [*~ oneself up well*]; svepa (vira) in

muffled ['mʌf(ə)ld] *adj* dämpad, dov [*~ sounds*]; halvkvävd [*~ voices*]; *~* **drums** förstämda trummor

muffler ['mʌflə] *s* **1** [ylle]halsduk **2 a)** vanl. amer. ljuddämpare **b)** mus. dämmare

mufti ['mʌftɪ] *s* **1** mufti muslimsk rättslärd **2** *in ~* åld. i civila kläder, civil[klädd]

1 mug [mʌg] **I** *s* **1** mugg [*a ~ of tea*]; sejdel [*a ~ of beer*] **2** sl. [blåögd] idiot, lättlurad stackare; **it's a ~'s game** det är bara idioter som gör sånt **3** sl. **a)** tryne, fejs **b)** käft, trut

II *vb tr* vard. överfalla (slå ner) och råna spec. på gatan

III *vb itr* grimasera; spec. teat. åma sig; posera

2 mug [mʌg] *vb tr* o. *vb itr* vard., *~ up* plugga

mugful ['mʌgfʊl] (pl. *~s* el. *mugsful*) *s* mugg (sejdel) [full] [*of* med]

mugger ['mʌgə] *s* vard. [brutal] rånare spec. på gatan

mugging ['mʌgɪŋ] *s* vard. rånöverfall spec. på gatan

muggins ['mʌgɪnz] *s* vard. dumbom

muggy ['mʌgɪ] *adj* kvav, tryckande

mugshot ['mʌgʃɒt] *s* vard. [förbrytar]fotografi

mugwump ['mʌgwʌmp] *s* vard. amer. [politisk] vilde; vingelpelle, person som inte tar ställning

Muhammad [mʊ'hæmɪd, -məd] se *Mohammed*

mujaheddin [ˌmu:dʒəhə'di:n] *s* mujaheddin muslimsk gerilla; eg. 'den som för ett heligt krig'

mulatto [mjʊ'lætəʊ] (pl. *~s* el. *~es*) *s* neds. mulatt

mulberry ['mʌlb(ə)rɪ] *s* mullbär; *~* el. *~* **tree** mullbärsträd; [*here we go round*] **the *~* bush** sånglek ...en enebärsbuske

mulch [mʌl(t)ʃ] **I** *s* **1** trädg. komposttäckning konkr. **2** gödselhalm

II *vb tr* täcka över med kompostmaterial

1 mule [mju:l] *s* **1** mula; mulåsna; **as stubborn (obstinate) as a ~** envis som synden (en åsna) **2** knarkkurir

2 mule [mju:l] *s* sandalett utan häl el. rem, hällös toffel

mull [mʌl] *vb itr*, *~ over* grubbla (fundera) över

mullah ['mʌlə] *s* mulla[h] muslimsk [rätts]lärd

mulled wine [ˌmʌld'waɪn] *s* glödgat vin, vinglögg

1 mullet ['mʌlɪt] *s* zool. **1 grey *~*** multe[fisk] **2 red *~*** mullus[fisk]

2 mullet ['mʌlɪt] *s* hockeyfrilla frisyr

mulligatawny [ˌmʌlɪgə'tɔ:nɪ] *s* indisk currysoppa med höns och ris {äv. ~ *soup*}

mullioned ['mʌliənd] *adj*, ~ *window* lodrätt delat fönster spec. gotiskt

multi-access system [ˌmʌltɪ'ækses,sɪst(ə)m] *s* data. multiaccess-system, fleranvändarsystem

multicoloured ['mʌltɪ,kʌləd] *adj* mångfärgad, flerfärgad

multicultural [ˌmʌltɪ'kʌltʃ(ə)r(ə)l] *adj* mångkulturell

multidimensional [ˌmʌltɪdaɪ'menʃənl, -dɪ'm-] *adj* flerdimensionell

multidisciplinary [ˌmʌltɪdɪsɪ'plɪnərɪ] *adj* tvärvetenskaplig

multifaceted [ˌmʌltɪ'fæsɪtɪd] *adj* mångfasetterad äv. bildl.

multi-faith ['mʌltɪ,feɪθ] *adj* mångreligiös, bestående av många religioner {a ~ *service*}

multifarious [ˌmʌltɪ'feərɪəs] *adj* mångahanda {his ~ *duties*}; mångskiftande {~ *activities*}

multifocals [ˌmʌltɪ'fəʊk(ə)lz] *s pl* progressiva glasögon

multifunctional [ˌmʌltɪ'fʌŋ(k)ʃənl] *adj* om maskin etc. med flera funktioner; *it is* ~ den har flera funktioner

multigym ['mʌltɪdʒɪm] *s* multigym slags träningsapparat i vilken man kan träna flera olika muskelgrupper

multilane ['mʌltɪleɪn] *adj*, ~ *road* el. ~ *highway* flerfilig väg

multilateral [ˌmʌltɪ'læt(ə)r(ə)l] *adj* multilateral {~ *agreement*; ~ *treaty*}; mångsidig, flersidig

multilingual [ˌmʌltɪ'lɪŋgw(ə)l] *adj* flerspråkig {~ *people*; ~ *books*}

multimedia [ˌmʌltɪ'mi:dɪə] **I** *s* multimedia **II** *adj* multimedia-, multimedial

multimillion [ˌmʌltɪ'mɪljən] *adj* mångmiljon-

multimillionaire [ˌmʌltɪmɪljə'neə] *s* mångmiljonär

multinational [ˌmʌltɪ'næʃənl] **I** *adj* multinationell **II** *s* multinationellt företag

multipartite [ˌmʌltɪ'pɑ:taɪt] *adj* **1** flerdelad **2** multilateral {~ *agreement*}

multiparty [ˌmʌltɪ'pɑ:tɪ] *adj* flerparti-

multiple ['mʌltɪpl] **I** *adj* mångahanda, av många slag, mångsidig {~ *interests*}; mångfaldig, åtskillig {~ *bruises*}; flerdubbel {~ *system*}; ~ *fracture* multipelfraktur; *a ~ pile-up* en seriekrock med många bilar inblandade **II** *s* **1** matem. mångfald, multipel; *lowest common ~* el. *least common ~* (förk. *LCM*) minsta gemensamma dividend **2** filial[affär] i butikskedja, kedjebutik {äv. ~ *shop* (*store*)}

multiple-choice [ˌmʌltɪpl'tʃɔɪs] *adj* flervals- {~ *test*; ~ *item* (uppgift)}

multiple sclerosis [ˌmʌltɪplsklə'rəʊsɪs] *s* med. multipel skleros

multiple shop [ˌmʌltɪpl'ʃɒp] *s* o. **multiple store** [ˌmʌltɪpl'stɔ:] *s* filial[affär] i butikskedja, kedjebutik

multiplex ['mʌltɪpleks] **I** *adj* mångfaldig, flerfaldig; multiplex- {~ *telegraphy*}; ~ *cinema* biopalats med flera salonger **II** *s* biopalats med flera salonger

multiplication [ˌmʌltɪplɪ'keɪʃ(ə)n] *s* **1** matem. multiplikation **2** mångfaldigande, mångdubblande; [för]ökning

multiplication sign [ˌmʌltɪplɪ'keɪʃ(ə)nsaɪn] *s* matem. multiplikationstecken

multiplication table [ˌmʌltɪplɪ'keɪʃ(ə)n,teɪbl] *s* matem. multiplikationstabell

multiplicity [ˌmʌltɪ'plɪsətɪ] *s* mångfald {a ~ *of duties*}; mångskiftande karaktär

multiply ['mʌltɪplaɪ] **I** *vb tr* **1** multiplicera {by med} **2** mångfaldiga; öka **II** *vb itr* **1** mångdubblas, flerdubblas; ökas **2** föröka (fortplanta) sig

multipurpose ['mʌltɪ,pɜ:pəs] *adj* som kan användas till mycket, universal- {~ *furniture*}

multipurpose vehicle ['mʌltɪ,pɜ:pəs'vi:ɪkl] (förk. *MPV*) *s* familjebuss

multiracial [ˌmʌltɪ'reɪʃ(ə)l] *adj* som omfattar (representerar) många raser

multistage ['mʌltɪsteɪdʒ] *adj* flerstegs- {~ *rocket*}

multi-storey o. amer. vanl. **multistory** [ˌmʌltɪ'stɔ:rɪ] **I** *adj* flervånings- {~ *hotel*}; ~ *block* el. ~ *building* höghus; ~ *car park* parkeringshus **II** *s* parkeringshus

multitasking ['mʌltɪtɑ:skɪŋ] *s* **1** data. multiuppdragskörning **2** *I'm very good at* ~ jag är mycket bra på att göra flera saker samtidigt, jag har stor simultankapacitet

multitude ['mʌltɪtju:d] *s* **1** folkmassa, folkhop; *the ~* [den stora] massan {a book that applies to the ~}; mängden **2** mängd, massa, otal; *cover (hide) a ~ of sins* ofta skämts. uppväga mycket, ursäkta mycket

multitudinous [ˌmʌltɪ'tju:dɪnəs] *adj* **1** otalig, talrik **2** mångfaldig, varierande

multi-user [ˌmʌltɪ'ju:zə] *adj* data. fleranvändar-, för flera användare samtidigt

1 mum [mʌm] *s* barnspr. mamma; vard. morsa {my ~}

2 mum [mʌm] vard. **I** *interj* tyst!, tig! **II** *s*, ~*'s the word!* håll tyst med det! **III** *adj* tyst {keep ~}

mumble ['mʌmbl] **I** *vb itr* mumla **II** *s* mummel

mumbo jumbo [ˌmʌmbəʊ'dʒʌmbəʊ] (pl. ~s) *s* **1** tomma ceremonier (ritualer), teater **2** fikonspråk, obegriplig jargong

mummify ['mʌmɪfaɪ] *vb tr* mumifiera

1 mummy ['mʌmɪ] *s* barnspr. mamma; ~*'s darling* mammagris, morsgris; mammas älskling

2 mummy ['mʌmɪ] *s* mumie äv. bildl.

mumps [mʌmps] (med verb i sg.) *s* med. påssjuka; *be down with* {the} ~ ligga i påssjuka

mum-to-be [ˌmʌmtə'bi:] (pl. *mums-to-be*) *s* vard. blivande mamma

munch [mʌn(t)ʃ] **I** *vb itr* mumsa **II** *vb tr* mumsa på; mumsa (snaska) [i sig] {~ *chocolates*}

munchies ['mʌn(t)ʃɪz] *s pl* vard. **1** *have the* ~ känna sig hungrig **2** amer. tilltugg

mundane ['mʌndeɪn] *adj* **1** jordisk, världslig, denna världens {~ *pleasures*} **2** trivial, vardaglig

mung bean ['mʌŋbi:n] *s* bot. mungböna

Munich ['mju:nɪk] geogr. München

municipal [mjʊ'nɪsɪp(ə)l] *adj* kommunal {~ *buildings*}; kommun-, stads- {~ *libraries*}; ~ *council* kommunfullmäktige

municipality [mjʊ,nɪsɪ'pælətɪ] *s* **1** kommun **2** kommunstyrelse

munificent [mju'nɪfɪsnt] *adj* [mycket] frikostig; storslagen {~ *gift*; ~ *reward*}

munitions [mjʊˈnɪʃ(ə)nz] *s pl* krigsmateriel; spec. vapen och ammunition

mural [ˈmjʊər(ə)l] **I** *s* muralmålning, väggmålning **II** *adj* mur-, vägg-; ~ *painting* muralmålning, väggmålning

murder [ˈmɜːdə] **I** *s* mord [*of* på]; ~ *case* mordfall, mordaffär; ~ *investigation* mordutredning; ~ *investigator* mordutredare, mordspanare; *attempted* ~ mordförsök; ~ *will out* ett brott kommer förr eller senare i dagen; vard. sanningen kryper alltid fram så småningom; *it's* ~ vard. det är rena självmordet (livsfarligt) [*it's* ~ *to drive on those roads*]; det är för jäkligt; *cry blue* (amer. *bloody*) ~ el. *scream blue* (amer. *bloody*) ~ vard. skrika i högan sky, gallskrika; *he would get away with* ~ vard. han klarar sig vad han än tar sig till **II** *vb tr* **1** mörda **2** bildl. fördärva; misshandla, mörda [~ *a song*]; *your mum will* ~ *you when she hears about it* vard. din morsa kommer att slå ihjäl dig när hon hör det här; *I could* ~ *a beer* vard. jag är sugen på en öl

murderer [ˈmɜːdərə] *s* mördare

murderess [ˈmɜːdərəs] *s* ngt åld. [kvinnlig] mördare

murderous [ˈmɜːd(ə)rəs] *adj* **1** mordisk, mordlysten; blodtörstig **2** mord- [~ *assault*; ~ *weapons*]

Muriel [ˈmjʊərɪəl] kvinnonamn

murky [ˈmɜːkɪ] *adj* **1** mörk, skum, dunkel [*a* ~ *night*]; dyster **2** mulen; tät, svart [~ *darkness*] **3** bildl. skum [*a man with a* ~ *past*]

murmur [ˈmɜːmə] **I** *vb itr* **1** sorla, susa, brusa, porla; surra **2** mumla, muttra; knota, knorra [*at, against* över] **II** *s* **1** sorl, sus, brus, porlande; surr [*the* ~ *of bees*] **2** mummel, mumlande; *without a* ~ utan knot, utan att knysta (mucka) **3** med., ~ el. *heart* ~ blåsljud

Murphy's law [ˈmɜːfɪzlɔː] *s* vard. lagen om alltings djävlighet

MusB [ˌmʌzˈbiː] förk. för *Bachelor of Music*

muscat [ˈmʌskət] *s* **1** ~ el. ~ *grape* muskatdruva **2** muskatvin

muscatel [ˌmʌskəˈtel] *s* **1** muskatell[vin] **2** muskatellrussin **3** muskatdruva

muscle [ˈmʌsl] **I** *s* **1** muskel; pl. ~*s* äv. muskulatur; *not move a* ~ inte röra en fena; inte ändra en min; *pull* (*strain*) *a* ~ sträcka en muskel, få en muskelsträckning **2** muskler; muskelstyrka **II** *vb itr* vard., ~ *in* tränga (nästla) sig in [*on* på, i]; hålla sig framme, försöka komma med på ett hörn **III** *vb tr* vard., ~ *one's way* tränga sig [fram]; ~ *one's way into* [*the conversation*] lägga sig i…

muscle-bound [ˈmʌslbaʊnd] *adj* stel i musklerna spec. efter träning; bildl. stelbent

muscle|man [ˈmʌsl|mæn] (pl. -*men* [-men]) *s* vard. **1** gorilla gangsters livvakt **2** muskelknutte

Muscovite [ˈmʌskə(ʊ)vaɪt] *s* moskvabo

muscular [ˈmʌskjʊlə] *adj* **1** muskel- [~ *rheumatism*; ~ *strength*; ~ *tissue*] **2** muskulös, [muskel]stark

muscular dystrophy [ˌmʌskjʊləˈdɪstrəfɪ] *s* med. muskeldystrofi

muscularity [ˌmʌskjʊˈlærətɪ] *s* muskelstyrka

musculature [ˈmʌskjʊlətʃə] *s* muskulatur

1 muse [mjuːz] *vb itr* **1** fundera, grubbla [*on, over* på, över] **2** säga [halvt] för sig själv; ~ *aloud* tänka högt **3** se (titta) begrundande [*on* på]

2 muse [mjuːz] *s* **1** mytol. musa; *the* [*nine*] *Muses* [de nio] muserna **2** poet

museum [mjʊˈzɪəm] *s* museum

museum piece [ˌmjʊˈzɪəmpiːs] *s* museiföremål äv. bildl., museisak

mush [mʌʃ] *s* **1** a) mos, röra, gröt, sörja b) amer. majsgröt **2** vard. smörja, dravel, sentimentalt svammel

mushroom [ˈmʌʃrʊm, -ruːm] **I** *s* svamp [*edible* (*poisonous*) ~*s*]; champinjon; *spring up like* ~*s* växa upp som svampar [ur marken] **II** *adj* **1** svamp-, champinjon- [~ *omelette*; ~ *soup*] **2** svampliknande, svamp- [*the* ~ *cloud of an atom bomb*] **3** hastigt uppväxande (uppvuxen) [*a* ~ *town*]; plötslig; kortlivad, dagsländeartad [~ *enterprise*] **III** *vb itr* **1** växa (öka) lavinartat; ~ *out* el. ~ *up* växa upp som svampar (en svamp) [ur marken] **2** plocka svamp (champinjoner) [*go* ~*ing*]

mushy [ˈmʌʃɪ] *adj* **1** mosig, grötig, lös, mjuk, sörjig, slafsig **2** vard. blödig, mjäkig

music [ˈmjuːzɪk] *s* **1** a) musik; *sacred* ~ kyrkomusik; *have a good ear for* ~ vara musikalisk, ha bra musiköra; *piece of* ~ musikstycke; *to the sound of* ~ till (under) musik; *to the* ~ *of* till musik (tonerna) av; *set* (*put*) *sth to* ~ sätta musik (melodi) till ngt, tonsätta ngt b) attr. musik- [~ *lesson*; ~ *festival*] **2** noter [*read* ~]; nothäften [*printed* ~]; *sheet of* ~ notblad, nothäfte; *play from* ~ spela efter noter; *play without* ~ spela utan noter **3** bildl., *face the* ~ ta konsekvenserna, [få] stå sitt kast; *it's* ~ *to my ears* det låter som [ljuv] musik för mina öron

musical [ˈmjuːzɪk(ə)l] **I** *adj* **1** musikalisk; välljudande, melodisk [*a* ~ *voice*]; musikintresserad [*a* ~ *person*]; musikaliskt utvecklad [~ *taste*]; *have a* ~ *ear* ha bra musiköra **2** musik- [~ *instruments*]; musikalisk; ~ *evening* [*party*] musikafton, musikalisk soaré; ~ *item* musiknummer **II** *s* musikal; filmmusikal

musical box [ˈmjuːzɪk(ə)lbɒks] *s* speldosa

musical chairs [ˌmjuːzɪk(ə)lˈtʃeəz] (med verb i sg.) *s* sällskapslek hela havet stormar äv. bildl.

musical comedy [ˌmjuːzɪk(ə)lˈkɒmədɪ] *s* musikal; filmmusikal

musical director [ˈmjuːzɪk(ə)ldɪˌrektə] *s* se *music director*

musical instrument [ˌmjuːzɪk(ə)lˈɪnstrʊmənt] *s* musikinstrument

musicality [ˌmjuːzɪˈkælətɪ] *s* **1** välljud, melodiskhet [*the* ~ *of her voice*]; musikalisk karaktär **2** musikalitet, musikintresse

music box [ˈmjuːzɪkbɒks] *s* vanl. amer. speldosa

music director [ˈmjuːzɪkdɪˌrektə] *s* musikalisk ledare för en orkester el. musikgrupp

music hall [ˈmjuːzɪkhɔːl] *s* **1** varieté[teater]; ~ *singer* varietésångare, vissångare; ~ *song* kuplett **2** amer. konsertsal

musician [mjʊˈzɪʃ(ə)n] *s* **1** musiker; musikant **2** tonsättare, kompositör

musicologist [ˌmjuːzɪˈkɒlədʒɪst] *s* musikolog, musikforskare

musicology [ˌmjuːzɪ'kɒlədʒɪ] s musikologi, musikvetenskap

music stand ['mjuːzɪkstænd] s notställ

musk [mʌsk] s mysk

musk deer ['mʌskdɪə] s zool. myskdjur, myskhjort

musket ['mʌskɪt] s hist. musköt

musketeer [ˌmʌskə'tɪə] s hist. musketerare; musketör

musk melon ['mʌskˌmelən] s cantaloupemelon, honungsmelon; **netted** ~ nätmelon

musk ox ['mʌskɒks, ˌ-'-] s zool. myskoxe

muskrat ['mʌskræt, ˌ-'-] s zool. bisamråtta

musk rose ['mʌskrəʊz, ˌ-'-] s bot. **1** myskros **2** myskmalva

musky ['mʌskɪ] adj myskartad; myskdoftande; om doft tung och sötaktig

Muslim ['mʊzlɪm, 'mʌz-] **I** s muslim **II** adj muslimsk

muslin ['mʌzlɪn] s **1** muslin **2** amer., ung. [bomulls]lärft

muso ['mjuːzəʊ] (pl. ~s) s sl. **1** britt. neds. [pop]musiker **2** austral. musiker

mussel ['mʌsl] s zool. mussla

must [mʌst, verb obeton. məst, məs, mst, ms] **I** hjälpvb (pres. o. i vissa fall imperf.) **1** måste, får (fick) [lov att], är (var) tvungen att [he said I ~ go; I couldn't stand it – I ~ help her]; **well, if you ~!** om du absolut (nödvändigtvis) måste (vill) så! **2** i påståendesats med negation får, fick [you ~ never ask]; ~ **not** el. **~n't** får (fick) inte [you ~ not go; she said I ~ not go]; skall (skulle) inte, bör (borde) inte [you ~n't be surprised; he said I ~n't be surprised]; **we ~n't be late, ~ we?** vi får inte komma för sent, eller hur? **3** måste [utan tvivel], måtte **4** ngt iron., **he ~ [come and bother me just now!]** han ska naturligtvis (förstås)…, det är typiskt att han ska…; **she ~ go and break her leg** det är klart att hon skulle gå och bryta benet **II** s vard., **a ~** ett måste [that book is a ~]

mustache ['mʌstæʃ, mə'stæʃ] o. **mustached** ['mʌstæʃt, mə'stæʃt] amer., se moustache o. moustached m.fl. ord

mustachio [mə'stɑːʃɪəʊ] s, ~ el. **~s** pl. [stor] mustasch

mustang ['mʌstæŋ] s mustang häst

mustard ['mʌstəd] s senap äv. bot.; **~ and cress** blandning av vita senapsfrön och krasse för sallader; **cut the ~** vard. motsvara förväntningarna, lyckas; **[as] keen as ~** vard. entusiastisk, ivrig; nitisk

muster ['mʌstə] **I** vb tr **1** ~ el. ~ **up** uppbjuda [~ [up] all one's strength]; ~ **[up] all one's courage** samla (uppbjuda) allt sitt mod, riktigt ta mod till sig **2** samla [ihop], uppbåda, få ihop; mil. ställa upp **II** vb itr **1** ställa upp [sig] [~ for inspection] **2** samlas, träffas, möta upp **III** s **1** mönstring, inspektion, besiktning; **pass ~** undergå mönstring (inspektion) utan anmärkning, bli antagen; bildl. godkännas, bli accepterad; duga [as, for till] **2** uppbåd [a large ~ of football supporters]; samling

muster station [ˌmʌstə'steɪʃ(ə)n] s o. **muster point** [ˌmʌstə'pɔɪnt] s återsamlingsplats vid nödläge

mustn't ['mʌsnt] = must not

musty ['mʌstɪ] adj **1** unken [~ smell]; instängd [~ air]; ovädrad [~ room]; möglig **2** bildl. förlegad, föråldrad, mossig [~ ideas]

mutant ['mjuːtənt] biol. **I** s mutant; mutationsform **II** adj som undergår mutation

mutation [mjuː'teɪʃ(ə)n] s **1** förändring; växling **2** biol. mutation **3** språkv. omljud

mute [mjuːt] **I** adj **1** stum; mållös; tyst **2** fonet. stum, som inte uttalas [~ 'e'] **II** s **1** mus. sordin; dämmare **2** stum person **III** vb tr dämpa; mus. sätta sordin på

mute button [ˌmjuː't'bʌtn] s tele. sekretessknapp

muted ['mjuːtɪd] adj **1** dämpad, sordinerad; **in ~ tones** med dämpad (sordinerad) röst **2** mus. med sordin, sordinbelagd; **play the violin with ~ strings** spela fiol med sordin

mutilate ['mjuːtɪleɪt] vb tr stympa äv. bildl., lemlästa; vanställa, förvanska

mutilation [ˌmjuːtɪ'leɪʃ(ə)n] s stympande, stympning; förvanskning

mutineer [ˌmjuːtə'nɪə] s myterist; upprorsman

mutinous ['mjuːtənəs] adj upprorisk; som gör (vill göra) myteri [the ~ crew]; **~ spirit** upprorsanda

mutiny ['mjuːtənɪ] **I** s myteri äv. bildl.; uppror, resning **II** vb itr göra myteri (uppror)

mutt [mʌt] s sl. **1** hundracka **2** dumskalle

mutter ['mʌtə] **I** vb itr **1** mumla, muttra [to oneself för sig själv] **2** knota, knorra [at, about över] **II** vb tr mumla [fram], muttra [~ an answer] **III** s **1** mumlande, mummel, muttrande **2** knorrande, knot

mutton ['mʌtn] s får[kött]; **roast ~** fårstek; **she's dressed [up] as lamb** vard. hon lägger an på att se ung ut

mutton chop [ˌmʌtn'tʃɒp] s fårkotlett

muttonchops [ˌmʌtn'tʃɒps] s pl långa yviga polisonger

muttonhead ['mʌtnhed] s vard. fårskalle, dumhuvud

mutual ['mjuːtʃʊəl, -tjʊəl] adj **1** ömsesidig; inbördes; **~ admiration society** sällskap för inbördes beundran; **they are ~ enemies** de är fiender till varandra **2** gemensam [a ~ friend]; **~ efforts** förenade (gemensamma) ansträngningar

mutual fund ['mjuːtʃʊəlfʌnd] s amer. aktiefond

mutually ['mjuːtʃʊəlɪ, -tjʊəl-] adv ömsesidigt; **they are ~ exclusive** det ena utesluter det andra

Muzak® ['mjuːzæk] s skvalmusik på varuhus o.d., muzak®

muzzle ['mʌzl] **I** s **1** nos, mule, tryne **2** munkorg, bildl. äv. munkavle; nosgrimma **3** mynning på skjutvapen **II** vb tr **1** sätta munkorg på, bildl. äv. sätta munkavle på, tysta ner **2** trycka (gnugga) nosen mot

muzzy ['mʌzɪ] adj vard. **1** virrig, yr i mössan; omtöcknad, lummig **2** otydlig, suddig [a ~ outline]

MV [ˌem'viː] förk. för motor vessel

MVP [ˌemviː'piː] amer. sport. förk. för Most Valuable Player

MW förk. för megawatt, megawatts, medium wave

my [maɪ, obeton. mɪ] **I** fören poss pron min; **without ~ knowing it** utan att jag vet (visste) om det; **yes, ~ dear!** ja, kära (lilla) du!; ja, kära (lilla) vän! **II** interj, **oh, ~!** nä men!, oj då!

myalgic encephalomyelitis

[maɪˈældʒɪkenˌsefələʊmaɪɪˈlaɪtɪs] (förk. *ME*) s med.
kroniskt trötthetssyndrom, yuppiesjuka
Myanmar [ˈmaɪænmɑ:] geogr.
mycology [maɪˈkɒlədʒɪ] s mykologi,
svampkännedom
mycotoxin [ˌmaɪkəˈtɒksɪn] s mykotoxin giftämne
orsakat av mögelsvamp
MYOB i e-post el. textmeddelanden förk. för *mind your
own business*
myocarditis [ˌmaɪəʊkɑːˈdaɪtɪs] s med. myokardit,
hjärtmuskelinflammation
myopia [maɪˈəʊpjə] s med. myopi, närsynthet
myopic [maɪˈɒpɪk, -ˈəʊp-] adj med. myopisk, närsynt
myriad [ˈmɪrɪəd] **I** s myriad, otalig mängd **II** adj litt.
oräknelig, otalig
myrrh [mɜ:] s **1** myrra **2** bot. spansk körvel
myrtle [ˈmɜ:tl] s bot. myrten
myself [maɪˈself, obeton. äv. mɪˈs-] *rfl pron* o. *pers
pron* mig [*I have hurt* ~]; mig själv [*I can help* ~; *I
am not quite* ~ *today*]; jag själv [*nobody but* ~];
själv [*I saw it* ~; *I* ~ *saw it*]; ***my wife and* ~** min fru
och jag [själv]; ***a man like* ~** en man (en sådan) som
jag; [*all*] ***by* ~** a) [alldeles] ensam (för mig själv) [*I
live all by* ~] b) [alldeles] själv, [helt] på egen hand
[*I did it all by* ~]; [***I like to find out***] ***for* ~** …själv (på
egen hand)
mysterious [mɪˈstɪərɪəs] adj **1** mystisk [*a* ~ *death*; *a*
~ *person*]; gåtfull, hemlighetsfull, dunkel,
mysteriös **2** hemlighetsfull [av sig], förtegen
mystery [ˈmɪst(ə)rɪ] s **1** a) mysterium, gåta [*it is a* ~
to (för) *me*]; hemlighet b) mystik
c) hemlighetsfullhet, hemlighetsmakeri; ***there is an
air of* ~ *about it*** det är något mystiskt med det
2 deckare roman o.d. [äv. ~ *novel*] **3** relig. mysterium
mystery guest [ˈmɪst(ə)rɪgest] s hemlig gäst
mystery-monger [ˈmɪst(ə)rɪˌmʌŋgə] s
hemlighetsmakare
mystery play [ˈmɪst(ə)rɪpleɪ] s medeltida mysteriespel
mystery tour [ˈmɪst(ə)rɪtʊə] s hemlig resa utflykt med
okänt mål
mystery voice [ˈmɪst(ə)rɪvɔɪs] s spökröst i frågetävling
i radio
mystery writer [ˈmɪst(ə)rɪˌraɪtə] s deckarförfattare
mystic [ˈmɪstɪk] s mystiker
mystical [ˈmɪstɪk(ə)l] adj **1** mystisk, inre [~
experience] **2** gåtfull
mysticism [ˈmɪstɪsɪz(ə)m] s mystik; mysticism
mystification [ˌmɪstɪfɪˈkeɪʃ(ə)n] s **1** mystifikation;
huvudbry **2** gåta, mysterium
mystify [ˈmɪstɪfaɪ] vb tr mystifiera; förbrylla, sätta
myror i huvudet på, göra perplex
mystique [mɪˈsti:k] s **1** a) nimbus [*of* kring] b) kult,
mytbildning [*of* kring] **2** hemligheter
myth [mɪθ] s myt, [guda]saga, sägen, legend
mythical [ˈmɪθɪk(ə)l] adj **1** mytisk [~ *literature*];
sago- [~ *heroes*] **2** bildl. mytisk, mytomspunnen
mythology [mɪˈθɒlədʒɪ] s mytologi
mythomania [ˌmɪθə(ʊ)ˈmeɪnɪə] s psykol. mytomani
myxomatosis [ˌmɪksə(ʊ)məˈtəʊsɪs] s myxomatos,
kaninpest

1 N, n [en] (pl. *N's* el. *n's* [enz]) s N, n
2 N [en] förk. för *National, Nationalist, Navy, New,
newton, North* (postdistrikt i London), *north, northern*
n. förk. för *neuter II 1, nominative, noon, noun*
'n o. **'n'** [n] vard. = *and* [t.ex. *rock-'n'-roll*]
NAACP [ˈendʌbəlˌeɪsiːˈpi:] s förk. för *National
Association for the Advancement of Colored
People*
NAAFI s o. **Naafi** [ˈnæfɪ] s mil. (förk. för *Navy, Army,
and Air Force Institute[s]*) ung. marketenteri
naan [nɑ:n] s se *2 nan*
nab [næb] vb tr vard. **1** haffa; ***the police* ~*bed him***
polisen haffade honom **2** sno åt sig, sno, norpa,
hugga [*åt sig*]
nachos [ˈnætʃəʊz] s pl kok. nachos
nadir [ˈneɪdɪə, ˈnæd-] s **1** astron. nadir **2** bildl. botten,
bottenläge
1 naff [næf] adj vard. värdelös, kass [*a* ~ *film*];
urfånig; vulgär, kitschig
2 naff [næf] vb itr sl., ~ *off!* stick!, dra åt helvete!
NAFTA [ˈnæftə] s (förk. för *North American Free
Trade Agreement*) NAFTA frihandelsområde bestående
av Kanada, Mexico och USA
1 nag [næg] **I** vb tr tjata på, gnata på [*she* ~*ged her
husband*] **II** vb itr tjata, gnata [*at* på]; ~ *at* tjata på;
plåga
2 nag [næg] s [liten] ridhäst; vard. hästkrake
nagging [ˈnægɪŋ] adj **1** tjatig, gnatig **2** molande,
malande [~ *pain*]; gnagande
nail [neɪl] **I** s **1** nagel; klo **2** spik; ***hit the* ~ *on the head***
bildl. slå (träffa) huvudet på spiken; ***hard as* ~*s*** el. ***as
hard as* ~*s*** vard. a) stenhård, obeveklig b) i
toppform; ***on the* ~** vard. på stubben [*pay on the* ~],
spec. amer. helt rätt
II vb tr **1** spika [fast]; spika ihop; ~ *down* spika igen
2 avslöja; ~ *a lie* avslöja en lögn **3** hålla fast (kvar)
[~ *sb*]; hålla fången, fängsla [*she* ~*ed her audience*];
~ *sb down* ställa ngn mot väggen, pressa ngn [på
klart besked]; ***he refuses to be* ~*ed down*** han nekar
att ge klart besked; ***be* ~*ed to the spot*** stå som
fastnaglad **4** a) sätta dit, få (sätta) fast, haffa
[*they* ~*ed the thief*]; ***get* ~*ed*** åka dit b) skjuta ned,
fälla [~ *a bird in flight*] **5** amer. sl. knycka, stjäla
nail-biter [ˈneɪlˌbaɪtə] s nagelbitare
nail-biting [ˈneɪlˌbaɪtɪŋ] **I** s nagelbitning; vard.
nervositet **II** adj, attr. nervpirrande, spännande
nail brush [ˈneɪlbrʌʃ] s nagelborste
nail file [ˈneɪlfaɪl] s nagelfil
nail polish [ˈneɪlˌpɒlɪʃ] s nagellack
nail scissors [ˈneɪlˌsɪzəz] s pl nagelsax
nail trimmer [ˈneɪlˌtrɪmə] s nagelklippare
nail varnish [ˈneɪlˌvɑːnɪʃ] s nagellack
Nairobi [ˌnaɪ(ə)ˈrəʊbɪ] geogr.
naive [naɪˈi:v, nɑːˈi:v] adj naiv, aningslös
naivety [naɪˈi:vətɪ] s naivitet, aningslöshet
naïve adj se *naive*
naked [ˈneɪkɪd] adj **1** naken; bar, kal [~ *trees*];

öppen [~ *threats*; *a* ~ *flame*]; **the ~ eye** blotta ögat; ~ **facts** nakna fakta; *a* ~ *sword* ett blottat svärd; **the ~ truth** den osminkade sanningen **2** obeväpnad, försvarslös, värnlös

namby-pamby [ˌnæmbɪ'pæmbɪ] *adj* **1** känslosam, sentimental **2** mjäkig, pjoskig, sjåpig; klemig, daltig; *be* ~ vara mjäkig etc.; sjåpa sig

name [neɪm] **I** *s* **1** namn; benämning [*of*, *for* på, för]; *give in one's* ~ el. *send in one's* ~ anmäla sig; *put one's* ~ *to* sätta sitt namn under, skriva på; *a boy by the* ~ *of Tom* el. *a boy of the* ~ *of Tom* el. (litt.) *a boy, Tom by* ~ en pojke vid namn Tom, en pojke som heter Tom; *know sb by* ~ a) känna ngn till namnet b) veta (kunna) namnet på ngn, veta vad ngn heter; *address sb by* ~ el. *mention sb by* ~ nämna ngn vid (tilltala ngn med) namn; *go by the* ~ *of...* el. *go under the* ~ *of...* vara känd (gå) under namnet...; *in the* ~ *of the law* i lagens namn; *the* ~ *of the game* vard. vad det handlar om, vad det går ut på; *in one's own* ~ i eget namn, på eget bevåg; *what's in a* ~? vad betyder väl ett namn?; *she hasn't a penny to her* ~ el. *she hasn't a cent to her* ~ hon äger inte ett öre **2** skällsord; *call sb* ~s kalla ngn fula saker, kasta glåpord efter ngn **3** rykte, namn; *bad* ~ el. *ill* ~ dåligt rykte; *he has a good* ~ han har gott rykte (anseende); *have a* ~ *for* vara känd för; *make a* ~ *for oneself* el. *make oneself a* ~ el. *make one's* ~ skapa sig ett namn, slå igenom

II *vb tr* **1** ge namn [åt] [~ *a baby*]; döpa [till]; kalla [för] [*they* ~d *the child Tom*]; *be* ~d döpas till, kalls för; heta, kallas **2** namnge, nämna [vid namn] [*three persons were* ~d]; säga namnet på [*can you* ~ *this flower?*]; benämna; nämna [*the* ~d *person*]; *you* ~ *it* vard. allt man kan tänka sig, allt mellan himmel och jord [*he's been a teacher, a taxi-driver* – *you* ~ *it*] **3** a) säga, bestämma, ange [*you can* ~ *your price*]; ~ *the day* vard. bestämma bröllopsdatum b) utse, utnämna; ~ *as* utse till [att vara]; ~ *to* utse till, utnämna till **4** sätta namn på, märka, namna

III *vb tr* med adv. el. prep.:
name after el. amer. äv. **name for** uppkalla efter

name day ['neɪmdeɪ] *s* **1** namnsdag **2** katol. helgondag

name-dropping ['neɪmˌdrɒpɪŋ] *s* 'kändissnobberi' skryt över att vara bekant med kända personer

nameless ['neɪmləs] *adj* **1** namnlös, utan namn; okänd, anonym; *a person who shall be* ~ en person vars namn inte ska nämnas; en person som får förbli anonym **2** outsäglig, obeskrivlig [~ *misery*]

namely ['neɪmlɪ] *adv* nämligen [*only one boy was there*, ~ *John*]; det vill säga

nameplate ['neɪmpleɪt] *s* namnskylt, namnplåt, namntavla

namesake ['neɪmseɪk] *s* namne

name tag ['neɪmtæg] *s* namnlapp; bagageetikett

name tape ['neɪmteɪp] *s* märkband, namnlapp

Namibia [nə'mɪbɪə] geogr.

Namibian [nə'mɪbɪən] **I** *adj* namibisk **II** *s* namibier, namibiska

1 nan [næn] *s* barnspr. mormor, farmor

2 nan [nɑːn] *s*, ~ el. ~ *bread* nan indiskt bröd

nanny ['nænɪ] *s* **1** barnspr. a) yngre barnflicka; äldre

nanny b) mormor, farmor **2** se *nanny-goat* **3** bildl. förmyndare

nanny-goat ['nænɪɡəʊt] *s* get hona

nannying ['nænɪɪŋ] *s* daltande

nanny state [ˌnænɪ'steɪt] *s*, **the** ~ förmyndarsamhället

1 nap [næp] **I** *s* tupplur; *have a* ~ el. *take a* ~ ta sig en tupplur **II** *vb itr* ta sig en tupplur; *catch sb* ~*ping* ta ngn på sängen, bildl. äv. överrumpla ngn

2 nap [næp] *s* lugg, ludd på tyg o.d.

napalm ['neɪpɑːm, 'næp-] **I** *s* napalm; ~ *bomb* napalmbomb **II** *vb tr* använda napalm mot

nape [neɪp] *s*, ~ el. ~ *of the neck* nacke

naphtha ['næfθə, 'næpθə] *s* kem. nafta

naphthalene o. **naphthaline** ['næfθəliːn, 'næpθ-] *s* kem. naftalen, naftalin

napkin ['næpkɪn] *s* **1** ~ el. *table* ~ servett **2** blöja; *disposable* ~ [engångs]blöja **3** amer., ~ el. *sanitary* ~ dambinda

Naples ['neɪplz] geogr. Neapel

Napoleon [nə'pəʊljən]

nappy ['næpɪ] *s* (vard. kortform av *napkin*) blöja; *disposable* ~ [engångs]blöja

nappy pants ['næpɪpænts] *s pl* blöjbyxor

nappy rash ['næpɪræʃ] *s* blöjeksem

naprapath ['næprəpæθ] *s* naprapat

narcissism ['nɑːsɪsɪz(ə)m] *s* psykol. narcissism

narcissistic [ˌnɑːsɪ'sɪstɪk] *s* psykol. narcissistisk

narciss|us [nɑː'sɪs|əs] (pl. -*i* [-aɪ] el. -*uses* *s* bot. narciss; spec. pingstlilja

narcotic [nɑː'kɒtɪk] med. **I** *s* narkotiskt preparat; pl. ~*s* narkotika; ~*s addict* narkotikamissbrukare; ~*s ring* narkotikahärva **II** *adj* narkotisk; bedövande, sömngivande

narcotics squad [nɑː'kɒtɪksskwɒd] *s*, **the** ~ narkotikaroteln

nark [nɑːk] **I** *s* sl. tjallare **II** *vb itr* sl. tjalla för polisen

narrate [nə'reɪt, næ'r-] **I** *vb tr* berätta [~ *a story*]; berätta om, skildra **II** *vb itr* berätta; *the film was* ~d *by...* berättare i filmen var...

narration [nə'reɪʃ(ə)n, næ'r-] *s* **1** berättande **2** berättelse, skildring

narrative ['nærətɪv] **I** *s* se *narration* **II** *adj* berättande, narrativ [~ *poems*]; berättelse- [*in* ~ *form*]; berättar- [~ *art*; ~ *skill*]

narrator [næ'reɪtə, nə'r-] *s* berättare

narrow ['nærəʊ] **I** *adj* **1** smal, trång **2** knapp [~ *majority*]; snäv [*within* ~ *bounds*]; begränsad [*a* ~ *field of study*]; *have a* ~ *escape* undkomma med knapp nöd; *that was a* ~ *escape!* el. *that was a* ~ *shave!* el. *that was a* ~ *squeak!* vard. det var nära ögat!; *in a* ~ *sense* i inskränkt betydelse **3** trångsynt **4** noggrann, ingående; *a* ~ *examination* en noggrann undersökning; ~ *transcription* fonet. noggrann transkription

II *vb itr* bli trång (trängre); smalna, smalna av [*into* till]; minskas, dra ihop sig

III *vb tr* göra trängre (smalare); dra ihop; ~ el. ~ *down* begränsa, inskränka

narrow-gauge [ˌnærəʊ'ɡeɪdʒ, attr. '---] *adj* järnv. smalspårig [~ *railway*]

narrow gauge [ˌnærəʊ'ɡeɪdʒ] *s* järnv. smal spårvidd

narrowly ['nærəʊlɪ] *adv* **1 a)** smalt etc., jfr *narrow I*

b) noga, ordentligt [*watch him ~*] **2** med knapp nöd, nätt och jämnt [*she ~ escaped*]
narrow-minded [ˌnærəʊˈmaɪndɪd] *adj* trångsynt, inskränkt, fördomsfull
narrows [ˈnærəʊz] *s pl* (med verb i sg. el. pl.) trångt farvatten, gatt
narrow-shouldered [ˌnærəʊˈʃəʊldəd] *adj* smalaxlad
narwhal [ˈnɑːw(ə)l] *s* zool. narval
NASA [ˈnæsə] *s* (förk. för *National Aeronautics and Space Administration*) NASA, amerikanska rymdflygstyrelsen
nasal [ˈneɪz(ə)l] **I** *adj* **1** näs-; ~ *catarrh* med. snuva; ~ *spray* nässpray **2** fonet. nasal; *have a ~ twang* tala i näsan
II *s* nasal[ljud], näsljud
nasal bone [ˈneɪz(ə)lbəʊn] *s* näsben
nasalize [ˈneɪzəlaɪz] **I** *vb tr* nasalera, uttala nasalt **II** *vb itr* tala nasalt, tala i näsan
nascent [ˈnæsnt] *adj* begynnande, gryende; *a ~ republic* en republik i vardande; ~ *state* begynnelsestadium
NASDAQ [ˈnæzˌdæk] *s* (förk. för *National Association of Securities Dealers Automated Quotation* [*System*]) Nasdaq börs för handel med aktier i främst högteknologiska företag
nastiness [ˈnɑːstɪnəs] *s* otäckhet etc., jfr *nasty*
nasturtium [nəˈstɜːʃ(ə)m] *s* bot. [indian]krasse
nasty [ˈnɑːstɪ] *adj* **1** otäck i olika betydelser: **a**) äcklig, vidrig **b**) obehaglig, otrevlig [*he turned* (blev) *~*] **c**) elak, stygg, dum [*to mot*], ilsken [*she gave me a ~ look*] **d**) ful [*a ~ habit*] **e**) ruskig [*~ weather*] **f**) svår [*a ~ storm*]; elakartad [*a ~ wound*]; *a ~ bend* en farlig kurva; *a ~ trick* ett elakt (fult) spratt; *he is a ~ piece of work* el. *he is a ~ bit of work* vard. han är en ful fisk **2** besvärlig, kinkig [*a ~ problem*] **3** tarvlig [*cheap and ~*]
natch [nætʃ] *adv* (vard. kortform av *naturally*) så klart, självklart
Nathaniel [nəˈθænjəl] mansnamn
nation [ˈneɪʃ(ə)n] *s* nation; folk; folkslag
national [ˈnæʃənl] **I** *adj* nationell [*~ art*; *~ pride*]; national- [*~ income*; *~ romanticism*]; stats-, statlig [*~ income tax*]; riks- [*the ~ press*]; lands-, landsomfattande [*a ~ campaign*]; folk- [*a ~ hero*]; inhemsk; ~ *hero* folkhjälte, nationalhjälte; ~ *news* inrikesnyheter
II *s* **1** medborgare, undersåte [*British ~s*] **2** rikstidning
national anthem [ˌnæʃənlˈænθəm] *s* nationalsång
national colours [ˌnæʃənlˈkʌləz] *s pl* nationalflagga
national costume [ˌnæʃənlˈkɒstjuːm] *s* nationaldräkt, folkdräkt
national debt [ˌnæʃənlˈdet] *s*, *the ~* statsskulden
national flag [ˌnæʃənlˈflæg] *s* nationalflagga
National Guard [ˌnæʃənlˈgɑːd] *s*, *the ~* i USA nationalgardet
National Health Service [ˌnæʃənlˈhelθˌsɜːvɪs] (förk. *NHS*) *s*, *the ~* allmänna hälso- och sjukvården
national holiday [ˌnæʃənlˈhɒlədeɪ] *s* nationaldag
national income [ˌnæʃənlˈɪnkʌm] *s* ekon. nationalinkomst
National Insurance [ˌnæʃənlɪnˈʃʊər(ə)ns] (förk. *NI*) *s*, *the ~ Act* socialförsäkringslagen
nationalism [ˈnæʃ(ə)nəlɪz(ə)m] *s* nationalism

nationalist [ˈnæʃ(ə)nəlɪst] **I** *s* nationalist **II** *adj* nationalistisk [*a ~ movement*]; nationalist- [*the Nationalist Army*]
nationalistic [ˌnæʃ(ə)nəˈlɪstɪk] *adj* nationalistisk
nationality [ˌnæʃ(ə)ˈnælətɪ] *s* nationalitet
nationality sign [ˌnæʃ(ə)ˈnælətɪsaɪn] *s* nationalitetsbokstav på bil
nationalization [ˌnæʃ(ə)nəlaɪˈzeɪʃ(ə)n, -lɪˈz-] *s* förstatligande, nationalisering
nationalize [ˈnæʃ(ə)nəlaɪz] *vb tr* förstatliga, nationalisera [*~ railways*]
nationalized [ˈnæʃ(ə)nəlaɪzd] *adj* förstatligad, nationaliserad; statlig
National Lottery [ˌnæʃənlˈlɒtərɪ] *s* ekon., statskontrollerat brittiskt lotteri med skraplotter etc.; ung. sv. motsv. Penninglotteriet
nationally [ˈnæʃ(ə)nlɪ] *adv* inom landet, över hela landet, nationellt
national mourning [ˌnæʃənlˈmɔːnɪŋ] *s* landssorg
national park [ˌnæʃənlˈpɑːk] *s* nationalpark, naturreservat
National Security Council [ˌnæʃənlsɪˈkjʊərətɪˌkaʊnsl] (förk. *NSC*) *s*, *the ~* Nationella säkerhetsrådet i USA
national service [ˌnæʃənlˈsɜːvɪs] *s* allmän värnplikt
National Socialism [ˌnæʃənlˈsəʊʃəlɪz(ə)m] *s* hist. nationalsocialism
National Trust [ˌnæʃənlˈtrʌst] (förk. *NT*) *s*, *the ~* brittisk kulturhistorie- och naturvårdsorganisation
nationwide [ˈneɪʃ(ə)nwaɪd] **I** *adj* landsomfattande, riksomfattande, nationell **II** *adv* över hela landet, nationellt
native [ˈneɪtɪv] **I** *adj* **1** födelse- [*my ~ town*]; ~ *country* el. poet. ~ *land* fosterland, fädernesland, hemland; ~ *language* el. ~ *tongue* modersmål **2** medfödd [*~ ability*]; naturlig [*~ beauty*]; *be ~ to* vara medfödd hos, vara naturlig för **3** infödd [*a ~ Welshman*]; inhemsk **4** infödings- [*~ customs*; ~ *troops*]; *go ~* [börja] leva infödingsliv **5** zool. el. bot. inhemsk [*to i*]; *be ~ to* ibl. höra hemma i; ~ *forest* urskog
II *s* **1** infödd [*he speaks English like a ~*]; *he is a ~ of England* (*Sheffield*) han är infödd engelsman (Sheffieldbo) **2** zool. el. bot. inhemskt djur, inhemsk växt **3** neds. inföding
Native American [ˌneɪtɪvəˈmerɪkən] *s* indian, indianska
native speaker [ˌneɪtɪvˈspiːkə] *s* infödd talare
Nativity [nəˈtɪvətɪ] *s*, *the ~* Kristi födelse
nativity [nəˈtɪvətɪ] *s* födelse; börd
nativity play [nəˈtɪvətɪpleɪ] *s* julspel
NATO o. **Nato** [ˈneɪtəʊ] *s* (förk. för *North Atlantic Treaty Organization*) NATO atlantpaktsorganisationen
natter [ˈnætə] vard. **I** *vb itr* snacka [*about* om], babbla; bråka [*about* om] **II** *s* pratstund, snack; *have a ~* få sig en pratstund
natty [ˈnætɪ] *adj* vard. nätt, prydlig; snygg [*~ gloves*]; behändig [*a ~ little gadget*]
natural [ˈnætʃr(ə)l] **I** *adj* **1** naturlig; natur- [*~ gas*; ~ *product*]; naturenlig; ~ *childbirth* naturlig förlossning; ~ *philosophy* hist. naturfilosofi; åld. fysik; ~ *state* naturtillstånd **2** naturlig, medfödd; ~ *gift* el. ~ *talent* medfödd begåvning, naturlig fallenhet, naturbegåvning **3** naturlig, otvungen;

omedelbar; ursprunglig; självklar; normal; *a ~ mistake* ett förklarligt fel **4 a**) biologisk, köttslig, riktig [~ *brother*] **b**) åld. illegitim, utomäktenskaplig [*a ~ son*] **5** vildväxande **6** mus. utan förtecken; *A ~* [stamtonen] A
II *s* **1** naturbegåvning [*as an actor he's a ~*]; *she's a ~ for the job* hon är som skapt för jobbet, hon är som klippt och skuren för jobbet **2** mus. **a**) stamton **b**) återställningstecken **c**) vit tangent på piano
natural-born ['nætʃr(ə)lbɔ:n] *adj* **1** som född till, som skapt för [*a ~ singer*] **2** infödd; *~ British subjects* infödda brittiska undersåtar
natural food ['nætʃr(ə)lfu:d] *s* mat utan smak- eller tillsatsämnen
natural gas [,nætʃr(ə)l'gæs] *s* naturgas
naturalism ['nætʃrəlɪz(ə)m] *s* naturalism
naturalist ['nætʃrəlɪst] *s* **1** naturalist **2** naturforskare; spec. biolog
naturalistic [,nætʃrə'lɪstɪk] *adj* **1** naturalistisk **2** naturhistorisk
naturalization [,nætʃrəlaɪ'zeɪʃ(ə)n] *s* naturalisering, naturalisation
naturalize ['nætʃrəlaɪz] *vb tr* **1** naturalisera, ge medborgarskap [åt] [~ *immigrants into* (i) *the USA*]; *become a ~d British subject* bli naturaliserad brittisk medborgare, få brittiskt medborgarskap **2** uppta, låna in [~ *a foreign word*]
naturally ['nætʃrəlɪ] *adv* **1** naturligt, otvunget [*behave ~*] **2 a**) naturligtvis, givetvis **b**) naturligt nog, begripligt nog **3** av naturen [*she is ~ musical*] **4** av sig själv [*it grows ~*]; *her hair curls ~* hon är självlockig; *it comes ~ to me* det faller sig naturligt för mig, det ligger 'för mig
natural parents [,nætʃr(ə)l'peər(ə)nts] *s pl* biologiska föräldrar
natural person [,nætʃr(ə)l'pɜ:sn] *s* jur. fysisk person
natural resources [,nætʃr(ə)lrɪ'sɔ:sɪz] *s pl* naturtillgångar
natural science [,nætʃr(ə)l'saɪəns] *s* naturvetenskap
natural selection [,nætʃr(ə)lsə'lekʃ(ə)n] *s* naturligt urval
natural wastage [,nætʃr(ə)l'weɪstɪdʒ] *s* naturlig avgång
nature ['neɪtʃə] *s* **1** natur; naturen **2** väsen, karaktär, beskaffenhet; art, slag, sort [*things of this ~*]; kynne, läggning; *human ~* människans natur, den mänskliga naturen; *by ~* **a**) till sin natur [*she is kind by ~*] **b**) av naturen [*richly endowed by ~*]; *it is in the ~ of things* det ligger i sakens natur; *be in the ~ of* ha karaktären av, vara liktydig med [*this trip is in the ~ of work*]; *something in the ~ of* något i stil med, något slags **3** attr. natur-
nature conservancy ['neɪtʃəkən,sɜ:v(ə)nsɪ] *s* o.
nature conservation ['neɪtʃəkɒnsə,veɪʃ(ə)n] *s* naturvård
nature-cure ['neɪtʃə,kjʊə] *adj, ~ medicine* naturläkemedel
nature healer ['neɪtʃə,hi:lə] *s* naturläkare
nature reserve ['neɪtʃərɪ,zɜ:v] *s* naturreservat
nature study ['neɪtʃə,stʌdɪ] *s* ung. naturkunskap som skolämne
nature tourism [,neɪtʃə'tʊərɪz(ə)m] *s* naturturism, ekoturism

nature trail ['neɪtʃətreɪl] *s* naturstig
naturist ['neɪtʃərɪst] *s* naturist, nudist
naught [nɔ:t] *s* **1** högtidl. el. åld. ingenting, intet; *bring to ~* omintetgöra, förstöra; *come to ~* el. *go to ~* gå om intet, gå i stöpet, komma på skam **2** vanl. amer. noll, nolla
naughtiness ['nɔ:tɪnəs] *s* **1** stygghet, elakhet **2** oanständigheter
naughty ['nɔ:tɪ] *adj* **1** spec. om barn stygg, elak **2** oanständig [*a ~ novel*]
nausea ['nɔ:sjə, -zjə] *s* kväljningar, illamående; äckel, vämjelse
nauseate ['nɔ:sɪeɪt, -zɪeɪt] *vb tr* kvälja, göra illamående; äckla; *be ~d by* få kväljningar av; äcklas av
nauseating ['nɔ:sɪeɪtɪŋ, -zɪeɪt-] *adj* o. **nauseous** ['nɔ:sjəs, -ʃjəs] *adj* kväljande, äcklande; äcklig, vämjelig
nautical ['nɔ:tɪk(ə)l] *adj* nautisk [~ *instrument*]; sjö- [~ *term*]; sjömans- [~ *expression*]; navigations-
nautical chart [,nɔ:tɪk(ə)l'tʃɑ:t] *s* sjökort
nautical mile [,nɔ:tɪk(ə)l'maɪl] *s* sjö. nautisk mil, distansminut
naval ['neɪv(ə)l] *adj* sjömilitär; sjö- [~ *battle; ~ hero; ~ power*]; marin-, flott-, örlogs- [~ *base; ~ station*]; skepps-, fartygs- [~ *gun*]; *~ forces* sjöstridskrafter; *~ officer* sjöofficer
naval academy [,neɪv(ə)lə'kædəmɪ] *s* amer. sjökrigsskola
naval architecture [,neɪv(ə)l'ɑ:kɪtektʃə] *s* skeppsbyggnad[skonst]
naval college ['neɪv(ə)l,kɒlɪdʒ] *s* sjökrigsskola
naval dockyard [,neɪv(ə)l'dɒkjɑ:d] *s* örlogsvarv
naval warfare [,neɪv(ə)l'wɔ:feə] *s* sjökrigföring, krig[föring] till sjöss
nave [neɪv] *s* arkit. mittskepp i kyrka
navel ['neɪv(ə)l] *s* anat. navel
navigable ['nævɪgəbl] *adj* **1** segelbar, farbar, navigerbar **2** manöverduglig; om ballong styrbar
navigate ['nævɪgeɪt] **I** *vb tr* **1** navigera, föra [~ *a ship; ~ an aircraft*] **2** segla på, segla över [~ *the Atlantic*]; trafikera; köra på **3** bildl. lotsa [~ *a bill through Parliament*]
II *vb itr* navigera, läsa kartan i bil
navigation [,nævɪ'geɪʃ(ə)n] *s* **1** navigation, navigering **2** sjöfart **3** trafikering [~ *of the Thames*]
navigational [,nævɪ'geɪʃənl] *adj* navigerings-, navigations- [~ *instrument*]
navigator ['nævɪgeɪtə] *s* navigatör
navvy ['nævɪ] *s* vägarbetare; järnvägsarbetare, rallare
navy ['neɪvɪ] *s* **1** [örlogs]flotta, marin; *the British Navy* el. *the Royal Navy* brittiska flottan **2** marinblått [äv. ~ *blue*]
navy-blue [,neɪvɪ'blu:, attr. '---] *adj* marinblå
navy yard ['neɪvɪjɑ:d] *s* vanl. amer. örlogsvarv, örlogsdepå
nay [neɪ] **I** *adv* litt. för att inte säga; *I suspect, ~, I am certain* [*, that he is wrong*] jag misstänker, för att inte säga, jag är säker på...
II *s* **1** nejröst; nejröstare; *the ~s have it* nejrösterna är i majoritet **2** litt. nej, avslag
Nazi ['nɑ:tsɪ, 'nɑ:zɪ] **I** *s* nazist **II** *adj* nazistisk, nazist-

Nazism ['nɑːtsɪz(ə)m, 'nɑːzɪ-] *s* nazism[en]
NB [ˌen'biː] (förk. för *nota bene, North Britain* (som
adress = *Scotland*), *North British, New Brunswick*)
(i Kanada)
NBC [ˌenbiː'siː] förk. för *National Broadcasting
Company*
NC förk. för *North Carolina*
nc [ˌen'siː] förk. för *network computer*
NCO [ˌensiː'əʊ] förk. för *non-commissioned officer*
ND förk. för *North Dakota*
N. Dak. förk. för *North Dakota*
NE 1 förk. för *Nebraska, New England* **2** förk. för
North-Eastern (postdistrikt i London), *north-east[ern]*
3 i e-post el. textmeddelanden förk. för *any*
Neanderthal [nɪ'ændətɑːl] *adj* neandertal-; *~ man*
neandertalmänniska
Neapolitan [nɪə'pɒlɪt(ə)n] **I** *s* neapolitan **II** *adj*
neapolitansk, från (i) Neapel
neap tide ['niːptaɪd] *s* nipflod, niptid
near [nɪə] **I** *attr adj* **1** nära [*a ~ friend*]; närbelägen;
närliggande; närstående; nära förestående; *in the ~
future* i en nära (snar) framtid, inom den kortaste
[fram]tiden **2 a)** konst- [*~ leather; ~ silk*]; imiterad,
halv-, -liknande **b)** nära nog fullständig; *it was a ~
escape* el. *it was a ~ thing* det var nära ögat, det
hängde på ett hår **3 a)** hitre **b)** trafik., se *nearside*
c) vid ridning o. körning med häst vänster
II *adv* o. *pred adj* nära [*don't go too ~*]; *~ enough*
nära nog, nästan; *be ~* vara nära, bildl. stå för
dörren [*Christmas is ~*]; *I was ~ doing it* el. *I came ~
to doing it* jag var nära (höll på) att göra det, det
var nära att jag gjorde det; *come ~* el. *get ~* närma
sig [*sth* el. *to sth* ngt], komma i närheten av; *draw ~*
närma sig, nalkas, vara i annalkande; *~ at hand*
a) [nära] till hands, i närheten [*have sth ~ at hand*]
b) nära förestående; *~ to* nära, nära intill, i
närheten av [*keep ~ to me*]; *~ on* el. *~ upon* nära [*it
was ~ upon 2 o'clock*]; *as ~ as I can remember* om
jag minns någorlunda rätt; *it is nowhere ~ so good* el.
it is not anywhere ~ so good det är inte på långa
vägar så bra, det är inte tillnärmelsevis bra
III *prep* nära [*~ the door; ~ death; ~ midnight*]; i
närheten av; *it lies ~ to my heart* det ligger mig
varmt om hjärtat
IV *vb tr* o. *vb itr* närma sig [*as the ship ~ed land; the
baseball season is ~ing*]
near-accident [ˌnɪər'æksɪd(ə)nt] *s* olyckstillbud
nearby [adj. 'nɪəbaɪ, adv. o. prep. nɪə'baɪ] **I** *adj*
närbelägen, som ligger i närheten [*a ~ pub*]
II *adv* i närheten, strax bredvid, strax intill [*he
lives ~*]
III *prep* i närheten av [*he lives ~ the river*]
Near East [ˌnɪər'iːst] *s, the ~* Främre Orienten
nearer ['nɪərə] *adj* o. *adv* o. *prep* (komp. av *near*)
närmare etc., jfr *near*); *the ~* den närmare, den hitre;
a ~ way en närmare väg; *~ to* närmare
nearest ['nɪərɪst] *adj* o. *adv* o. *prep* (superl. av *near*)
närmast etc., jfr *near*); hiterst; *the ~ way* den
närmaste vägen; *~ to* närmast; *those ~ to me* el.
those ~ and dearest to me mina närmaste
nearly ['nɪəlɪ] *adv* **1** nästan, närapå; närmare,
inemot [*~ 2 o'clock*]; uppemot; *finished, or ~ so* i det
närmaste färdig; *not ~* inte på långt när, inte på

långa vägar, långt ifrån [*not ~ so bad*] **2** nära; *~
related* nära släkt, släkt på nära håll
near miss [ˌnɪə'mɪs] *s, it was a ~* det var nära ögat;
det var nästan träff
nearness ['nɪənəs] *s* **1** närhet; närbelägenhet [*to*
till] **2** nära släktskap, nära förhållande
nearside ['nɪəsaɪd] *s* o. *adj* trafik. passagerarsida på
bil; vid vänstertrafik vänster [sida]; vid högertrafik höger
[sida]
near-sighted [ˌnɪə'saɪtɪd] *adj* närsynt
near-sightedness [ˌnɪə'saɪtɪdnəs] *s* närsynthet
neat [niːt] *adj* **1** ordentlig [*a ~ worker*]; prydlig,
snygg [*~ work*]; välstädad [*a ~ desk*]; ren [och
snygg]; proper **2** snygg, nätt, välformad [*a ~
figure*] **3** fyndig [*a ~ answer*]; elegant, smidig [*a ~
solution*] **4** ren, outspädd [*drink one's whisky ~*];
oblandad [*~ wine*] **5** amer. vard. schyst, cool, läcker
Nebr. förk. för *Nebraska*
Nebraska [nə'bræskə] geogr.
nebul|a ['nebjʊl|ə] (pl. *-ae* [-iː]) *s* astron. nebulosa
nebulous ['nebjʊləs] *adj* oklar, dimmig, dunkel,
vag
necessarily ['nesəs(ə)rəlɪ, ˌnesə'serəlɪ] *adv*
nödvändigtvis; ovillkorligen
necessary ['nesəserɪ, -(ə)rɪ] **I** *adj* nödvändig [*a ~
evil*]; erforderlig; ofrånkomlig [*a ~ result*];
ovillkorlig; *if ~* om så är nödvändigt, om så
behövs, eventuellt; *when ~* vid behov, när så
behövs **II** *s* nödvändighetsartikel, nödvändigt ting;
necessaries of life livsförnödenheter
necessitate [nə'sesɪteɪt] *vb tr* **1** nödvändiggöra,
kräva **2** tvinga, nödga
necessit|y [nə'sesɪtɪ] *s* **1 a)** nödvändighet [*of* av]
b) behov, tvingande behov [*for* av] **c)** tvång,
nödtvång **d)** nöd [*driven by ~ to steal*]; *~ is the
mother of invention* nöden är uppfinningarnas
moder; *there is no ~ for you to go* det är inte
nödvändigt att du går; *from ~* el. *out of ~* av
nödtvång; *in case of ~* i nödfall, vid [tvingande]
behov, om det är [absolut] nödvändigt
2 nödvändig sak [*food and warmth are -ies*];
villkor, förutsättning [*a ~ for happy living*];
livsförnödenheter; *the -ies of life* livets nödtorft
neck [nek] **I** *s* **1** hals; *back of the ~* nacke; *have a stiff
~* vara stel i nacken; *break one's ~* **a)** bryta nacken
(halsen) av sig **b)** vard. göra sitt yttersta [*to* för att];
save one's ~ rädda skinnet; *stick one's ~ out* vard.
sticka ut hakan utsätta sig för kritik; *be ~ and ~* vid
kappridning ligga jämsides, hålla jämna steg; *it's ~ or
nothing* det får bära eller brista, kosta vad det
kosta vill; *win by a ~* vinna med en halslängd
(noslängd); *get it in the ~* vard. få på huden (nöten);
be thrown out on one's ~ bli utkastad med huvudet
före; *be up to one's ~ in debt* vara skuldsatt upp över
öronen **2** urringning, [hals]ringning [*a round ~*]
3 bildl. hals [*the ~ of a bottle*] **4** slakt. hals,
halsstycke [*~ of mutton*] **5** långsmalt pass,
långsmalt sund; *~ of land* landtunga, [smalt] näs; *he
lives in your ~ of the woods* han bor i dina trakter
6 vard. fräckhet [*he had the ~ to…*]
II *vb itr* sl. hångla
neckband ['nekbænd] *s* halslinning
neckerchief ['nekətʃɪf] *s* scarf; snusnäsduk

necklace ['nekləs] *s* halsband, collier [*pearl* ~]; halssmycke

neckline ['neklaɪn] *s* urringning [*V-shaped* ~]

necktie ['nektaɪ] *s* åld. el. högtidl. amer. slips, halsduk

necromancy ['nekrə(ʊ)mænsɪ] *s* **1** nekromanti **2** svartkonst

nectar ['nektə] *s* nektar; gudadryck

nectarine ['nekt(ə)rɪn] *s* nektarin

Ned [ned] kortform av *Edward*

née [neɪ] *adj* om gift kvinna född [*Mrs Crawley,* ~ *Sharp*]

need [niːd] **I** *s* **1** behov [*of, for* av]; *if* ~ *be* om så behövs, om så erfordras; *there is a* ~ *for caution here* här krävs försiktighet; *there is a* ~ *for teachers* det behövs lärare, det finns behov av lärare; *there is no* ~ *for anxiety* el. *there is no* ~ *to be anxious* det finns ingen anledning till oro (att vara orolig); *there is no* ~ *for you to go* el. *you have no* ~ *to go* du behöver (måste) inte gå, du är inte tvungen att gå; *meet a long-felt* ~ fylla ett länge känt behov; *at* ~ vid behov; *in case of* ~ a) vid behov b) i nödfall **2** pl. ~*s* behov [*our daily* ~*s*] **3** nöd, trångmål; *be in* ~ vara i nöd, lida nöd; *a friend in* ~ *is a friend indeed* i nöden prövas vännen
II *vb tr* **1** behöva [*that is what he* ~*s most*]; ha behov av; kräva, fordra [*work that* ~*s much care*]; behövas, fordras, krävas [*it* ~*s a lot of money for that*]; *it* ~*s rewriting* det behöver skrivas om; *I might* ~ *you* jag behöver kanske din hjälp (ditt stöd) **2** behöva, vara tvungen att [~ *he do it?*]; *he* ~ *not come*]; *not* ~ inte behöva, slippa; *you* ~*n't be afraid* du behöver (ska) inte vara rädd; *I* ~ *hardly tell you that...* jag behöver väl knappast tala om för dig att...
III *vb itr* **1** behöva, vara behövande [*give to those who* ~] **2** behövas [*all that* ~*s*]

needed ['niːdɪd] *adj* behövlig, nödvändig; önskad

needful ['niːdf(ʊ)l] *adj* nödvändig, som behövs; önskvärd [*to, for* för]

needle ['niːdl] **I** *s* **1** nål, visare på instrument; ~ el. *crochet* ~ virknål; ~ el. *knitting* ~ strumpsticka; ~ el. *sewing* ~ synål; *darning* ~ stoppnål; *it is like looking for a* ~ *in a haystack* det är som att leta efter en nål i en höstack **2** med., *hypodermic* ~ kanyl; vard. spruta injektion **3** barr på gran el. tall
II *vb tr* vard. tråka, driva med, jäklas med; irritera, enervera

needlecord ['niːdlkɔːd] *s* textil. smalspårig manchester

needlecraft ['niːdlkrɑːft] *s* handarbete, sömnad

Needles ['niːdlz] *s pl,* **the** ~ spetsiga kritklippor på västkusten av ön Wight

needle shower ['niːdl,ʃaʊə] *s* dusch med fin hård stråle, hård dusch

needless ['niːdləs] *adj* onödig, överflödig [~ *work*]; ~ *to say, she did it* självfallet gjorde hon det

needle|woman ['niːdl,wʊmən] (pl. -*women* [-,wɪmɪn]) *s* sömmerska; *she is a good* ~ hon är duktig på att sy

needlework ['niːdlwɜːk] *s* handarbete; sömnad, syarbete; *a piece of* ~ ett handarbete, en sömnad; *do* ~ sy; handarbeta

needn't ['niːdnt] = *need not*

needs [niːdz] *adv* åld. (före el. efter *must*)

nödvändigtvis, ovillkorligen; *I* ~ *must do it just now* jag måste ovillkorligen göra det just nu, jag är absolut tvungen att göra det just nu

needy ['niːdɪ] *adj* behövande, hjälpbehövande, fattig, nödlidande

ne'er [neə] *adv* mest poet. = *never*

ne'er-do-well ['neədʊ,wel] *s* ngt åld. odåga; slarver

nefarious [nɪ'feərɪəs] *adj* skändlig, nedrig, gudlös

negate [nɪ'geɪt] *vb tr* förneka, bestrida, negera äv. filos.

negation [nɪ'geɪʃ(ə)n] *s* **1** förnekande [*of* av], nekande, negering, negation **2** gram. el. filos. negation

negative ['negətɪv] **I** *adj* negativ; nekande, avvisande [*a* ~ *answer*]; negerande
II *s* **1** nekande [svar]; ~! svar nej; *an answer in the* ~ ett nekande svar, ett nej till svar; *answer in the* ~ el. *reply in the* ~ svara nekande, svara nej **2** nekande ord (uttryck), gram. äv. negation **3** foto. negativ **4** dålig sida, nackdel, svaghet

negative pole [,negətɪv'pəʊl] *s* elektr. minuspol, negativ pol

neglect [nɪ'glekt] **I** *vb tr* **1** försumma, underlåta, låta bli, strunta i; ~ *to do sth* el. ~ *doing sth* låta bli att göra ngt, underlåta att göra ngt **2** försumma, missköta [~ *one's duty*; ~ *one's family*]; slarva med; nonchalera, negligera, inte bry sig om, åsidosätta
II *s* **1** försummelse, underlåtenhet; nonchalerande, åsidosättande [*of* av] **2** vanskötsel, vanvård; *be in a state of* ~ vara vanskött, vara vanvårdad

neglectful [nɪ'glektf(ʊ)l] *adj* försumlig; slarvig, vårdslös [*of* med]

négligé ['neglɪʒeɪ] *s* se *negligee*

negligee ['neglɪʒeɪ] *s* negligé

negligence ['neglɪdʒ(ə)ns] *s* vårdslöshet; försumlighet, slarv; nonchalans; *by* ~ el. *from* ~ el. *through* ~ av (genom) försumlighet etc.

negligent ['neglɪdʒ(ə)nt] *adj* vårdslös, försumlig, slarvig [*in, of* i, med]; nonchalant [*of* mot]

negligible ['neglɪdʒəbl] *adj* negligerbar [*a* ~ *factor*]; försumbar; oväsentlig, betydelselös

negotiable [nɪ'gəʊʃjəbl] *adj* **1** förhandlingsbar **2** hand. överlåtbar, säljbar [~ *securities*] **3** om väg framkomlig, farbar; om flod o.d. som går att komma över; om hinder o.d. överkomlig

negotiate [nɪ'gəʊʃɪeɪt] **I** *vb itr* förhandla, underhandla [*about, for, on, over* om; *with* med]
II *vb tr* **1** förhandla om, underhandla om [~ *peace*]; ~*d peace* förhandlingsfred **2** förhandla fram, förhandla sig till, få till stånd, utverka; ordna, förmedla [~ *a loan*; ~ *a sale*]; träffa, nå [~ *an agreement*] **3** klara [*a difficult corner for a bus to* ~]; komma över, komma förbi **4** övervinna

negotiating [nɪ'gəʊʃɪeɪtɪŋ] *adj* förhandlings-; *the* ~ *table* förhandlingsbordet

negotiation [nɪ,gəʊʃɪ'eɪʃ(ə)n] *s* förhandling, underhandling [*about, for, on, over* om]; *enter into* ~ *with* el. *enter upon* ~ *with* inleda förhandlingar med

negotiator [nɪ'gəʊʃɪeɪtə] *s* förhandlare, underhandlare

Negress o. **negress** ['niːgrəs] *s* åld. (neds.) negress

Negro o. **negro** ['niːgrəʊ] (pl. ~*es*) *s* åld. (neds.) neger

Negroid ['niːgrɔɪd] **I** *adj* negroid **II** *s* negroid

neigh [neɪ] *vb itr* gnägga
neighbor ['neɪbə] o. **neighborhood** ['neɪbəhʊd] amer.,
se *neighbour* o. *neighbourhood* m.fl. ord
neighbour ['neɪbə] **I** *s* **1** granne; *my ~ at table* min
bordsgranne **2** medmänniska; bibl. nästa
II *vb itr* **1** *~ upon* gränsa till; bo (ligga) i närheten
av **2** amer. umgås [som goda grannar]
III *vb tr* gränsa till; bo (ligga) i närheten av
neighbourhood ['neɪbəhʊd] *s* **1** grannskap;
omgivning, trakt [*a lovely ~*]; omnejd; kvarter; *a*
fashionable ~ en fashionabel stadsdel; *in our ~* i våra
trakter **2** *in the ~ of £500* omkring 500 pund,
ungefär 500 pund
neighbourhood watch [ˌneɪbəhʊd'wɒtʃ] *s*
grannsamverkan mot brott
neighbouring ['neɪb(ə)rɪŋ] *adj* grann-, närbelägen
[*~ country*; *~ village*]; angränsande; kringboende
neighbourliness ['neɪbəlɪnəs] *s* grannsämja, gott
grannförhållande
neighbourly ['neɪbəlɪ] *adj* som det anstår en god
granne (goda grannar); vänskaplig; *good ~ relations*
god grannsämja
Neil [niːl] mansnamn
neither ['naɪðə, amer. vanl 'niːðə] **I** *pron* ingen spec. av
två, ingendera; *in ~ case* i ingetdera fallet, i inget av
[de båda] fallen, inte i någotdera fallet
II *konj* o. *adv* **1** *~...nor* varken...eller; se äv. *here* 1
2 med föreg. negation inte heller; *she can't sing, ~ can I*
hon kan inte sjunga och [det kan] inte jag heller; *if*
you don't go, ~ shall I om du inte går så gör inte jag
det heller
Nelly ['nelɪ] **I** smeknamn för *Eleanor* o. *Helen* **II** *s* sl.,
not on your ~! aldrig i livet!, sällan!
Nelson ['nelsn] egennamn
nelson ['nelsn] *s* brottn. nelson; *half ~* halvnelson
neo- ['niːəʊ, jfr sammansättn. nedan) *prefix* ny-, neo-
neoclassicism [ˌniːəʊ'klæsɪsɪzm] *s*
neoklassicism[en], nyklassicism[en]
neocolonialism [ˌniːəʊkə'ləʊnjəlɪz(ə)m] *s*
neokolonialism[en]
neo-fascism [ˌniːəʊ'fæʃɪzm] *s* nyfascism[en]
neo-liberalism [ˌniːəʊ'lɪb(ə)rəlɪz(ə)m] *s*
nyliberalism[en]
Neolithic [ˌniːəʊ'lɪθɪk] *adj* neolitisk, från (under)
yngre stenåldern; *the ~ Age* den neolitiska tiden,
yngre stenåldern
neologism [nɪ'ɒlədʒɪz(ə)m] *s* neologism, [språklig]
nybildning
neon ['niːən, -ɒn] *s* kem. neon; attr. neon- [*~ light*]
neo-nazi [ˌniːəʊ'nɑːtsɪ] **I** *adj* nynazistisk **II** *s*
nynazist
neon light ['niːənlaɪt] *s* neonljus
neon sign ['niːənsaɪn] *s* neonskylt
neon tetra [ˌniːən'tetrə] *s* zool. neontetra
neon tube ['niːəntjuːb] *s* neonrör
Nepal [nɪ'pɔːl] geogr.
Nepalese [ˌnepɔː'liːz] **I** (pl. *Nepalese*) *s* nepales;
nepalesiska **II** *adj* nepalesisk
nephew ['nefjʊ, 'nevj-] *s* brorson, systerson
nephritis [ne'fraɪtɪs] *s* med. njurinflammation, nefrit
nepotism ['nepətɪz(ə)m] *s* nepotism, svågerpolitik
Neptune ['neptjuːn] mytol. el. astron. Neptunus
nerd [nɜːd] *s* vard. **1** tönt, nörd; *~* el. *computer ~*
datanörd **2** dumskalle

Nero ['nɪərəʊ]
nerve [nɜːv] **I** *s* **1** anat. nerv **2** pl. *~s* nerver; *~s of iron*
nerver av stål; *he's a bundle of ~s* el. *he's a bag of ~s*
han är ett nervknippe; *war of ~s* nervkrig; *it gets on*
my ~s det går mig på nerverna; *she lives on her ~s*
hon är ett nervknippe, hon är nervig; *suffer from ~s*
känna av nerverna, vara nervös **3 a)** mod,
oräddhet **b)** vard. fräckhet; *have the ~ to...* ha mod
nog att..., vara modig nog att...; vard. ha
fräckheten att..., vara fräck nog att...; *you've got a*
~! el. *I like your ~!* du är inte lite fräck du!; *he lost his*
~ han tappade självkontrollen **4** *touch* (*hit*) *a raw ~*
träffa en öm punkt
II *vb tr* ge mod [åt], ge styrka [åt]; *~ oneself* samla
mod, samla styrka; *~ oneself for* göra sig beredd
för, göra sig rustad för
nerve cell ['nɜːvsel] *s* fysiol. nervecell
nerve centre ['nɜːvˌsentə] *s* nervcentrum
nerve gas ['nɜːvgæs] *s* nervgas
nerveless ['nɜːvləs] *adj* **1** kraftlös, slapp **2** lugn,
sansad
nerve-racking ['nɜːvˌrækɪŋ] *adj* nervpåfrestande,
nervslitande; enerverande
nervous ['nɜːvəs] *adj* **1** nerv- [*~ shock*]; nervös,
nervöst betingad; *a ~ wreck* ett nervvrak **2** nervös,
ängslig [*about* för]; *~ of doing sth* el. *~ about doing*
sth nervös (orolig) för att göra ngt
nervous breakdown [ˌnɜːvəs'breɪkdaʊn] *s*, *a ~* [ett]
nervsammanbrott
nervousness ['nɜːvəsnəs] *s* nervositet, ängslan;
överspändhet
nervous system ['nɜːvəsˌsɪstəm] *s* nervsystem
nervy ['nɜːvɪ] *adj* vard. **1** nervig, nervös, skärrad
2 amer. fräck
nest [nest] **I** *s* **1** bo [*a wasp's ~*]; rede, näste; *leave*
the ~ flytta hemifrån **2** krypin **3** näste, tillhåll; *a ~*
of vice ett syndens (lastens) näste **4** sats av likartade
föremål som passar i varandra; *~ of tables* satsbord
II *vb itr* **1** bygga bo **2** gå att stapla, kunna staplas;
~ing chairs stapelbara stolar
nest egg ['nesteg] *s* **1** bildl. reserv; sparad slant; *he*
has a little ~ han har en sparad slant, han har lagt
undan lite pengar **2** redägg ägg som läggs i rede för att
locka till värpning
nestle ['nesl] **I** *vb itr* **1** *~* el. *~ up* sätta (lägga) sig
bekvämt till rätta, ordna det skönt för sig, krypa
ihop; *the village ~d at the foot of the hill* byn låg
inbäddad vid bergets fot **2** *~ up* trycka sig, smyga
sig [*to, against* intill] **II** *vb tr* **1** trycka, smyga [*against* intill] **2** hålla ömt
[*~ a bird in one's hand*]
Net [net] *s* data., *the ~* nätet, Internet; *order on the ~*
beställa på (från, via) nätet; *surf the ~* surfa på
nätet
1 net [net] **I** *s* **1** nät; håv [*butterfly ~*] **2** bildl. nät,
garn, snara **3** data. nätverk; *the Net* se *Net* **4** tyll; *~*
curtain trädgardin **5** sport. målbur; *hit the back of the*
~ näta, slå bollen i nät
II *vb tr* **1** fånga med nät, fånga i håv **2** bildl. fånga [i
sina garn]
III *vb itr* **1** knyta nät **2** sport. näta, göra mål; tennis.
o.d. slå bollen i nät
2 net [net] **I** *adj* **1** netto; netto- [*~ weight*]
2 egentlig, slut-; *after all that work, what was the ~*

result? efter allt det jobbet, vad blev resultatet av det hela?
II *vb tr* **1** förtjäna netto, göra en nettovinst på [*he ~ted £500 from* (på) *the deal*]; håva in **2** inbringa [i] netto

netball ['netbɔ:l] *s* **1** slags korgboll **2** i tennis o.d. nätboll

netcord ['netkɔ:d] *s* i tennis o.d. nätrullare

nethead ['nethed] *s* vard. nätnörd person som tillbringar för mycket tid på Internet

nether ['neðə] *adj* undre, nedre; under- [*~ lip*; *~ jaw*]; neder-; *the ~ regions* el. *the ~ world* underjorden; helvetet

Netherlands ['neðələndz] **I** geogr., *the ~* (med verb i sg. el. pl.) Nederländerna **II** *adj* nederländsk

nethermost ['neðəməust] *adj* underst, nederst

netiquette ['netɪket, ˌnetɪ'ket] *s* data. netikett regler för hur man umgås på Internet

netizen ['netɪz(ə)n] *s* data., ung. nätmedborgare person som utnyttjar Internet, spec. chat- och diskussionsfunktionerna

net register ton ['net ˌredʒɪstə'tʌn] *s* nettoregisterton

netspeak ['netspi:k] *s* data. internetslang

net stocking [ˌnet'stɒkɪŋ] *s* nätstrumpa

netsurfer ['net ˌsɜ:fə] *s* data. surfare på Internet

nett [net] *adj* o. *vb tr* se *2 net*

netting ['netɪŋ] *s* **1** nätknytning, nätbindning **2** nätverk, nät; *wire ~* ståltrådsnät

nettle ['netl] **I** *s* nässla; *stinging ~* brännässla **II** *vb tr* reta, irritera; såra

nettlerash ['netlræʃ] *s* med. nässelfeber, nässelutslag

net ton [ˌnet'tʌn] *s* nettoregisterton

network ['netwɜ:k] **I** *s* **1** ofta bildl. nät [*a ~ of railways*]; nätverk äv. data., system **2** radio. el. TV. sändarnät, stationsnät; radiobolag; tv-bolag **3** nätverk, kontaktnät mellan människor
II *vb itr* **1** skapa ett kontaktnät, underhålla sina kontakter **2** data. göra ett nätverk, koppla ihop datorer till ett nätverk
III *vb tr* radio. el. TV. sända på flera sändningsnät, sända från flera tv-stationer

networking ['net ˌwɜ:kɪŋ] *s* **1** data. nätverksarbete **2** kontaktskapande; *do some ~* skapa ett kontaktnät, underhålla sina kontakter

network server ['netwɜ:k ˌsɜ:və] *s* data. nätverksserver

neuralgia [ˌnjuə'rældʒə] *s* med. neuralgi, nervvärk

neural network [ˌnjuər(ə)l'netwɜ:k] *s* data. artificiellt neuronnät slags artificiell intelligens

neurologist [ˌnjuə'rɒlədʒɪst] *s* neurolog, nervspecialist

neurology [ˌnjuə'rɒlədʒɪ] *s* neurologi

neurophysiology [ˌnjuərə(u)fɪzɪ'ɒlədʒɪ] *s* neurofysiologi

neuros|is [ˌnjuə'rəusɪs] (pl. *-es* [-i:z]) *s* psykol. neuros

neurotic [ˌnjuə'rɒtɪk] psykol. **I** *adj* neurotisk **II** *s* neurotiker

neuter ['nju:tə] **I** *adj* **1** gram. neutral [*a ~ noun*]; neutrum- [*a ~ ending*]; *the ~ gender* neutrum, neutralt genus **2** bot. el. zool. könlös
II *s* **1** gram. a) *the ~* genus neutrum b) neutrum, neutralt ord **2** zool. kastrerat (steriliserat) djur
III *vb tr* **1** kastrera [*a ~ed tomcat*]; sterilisera **2** neutralisera, ta udden av, späda ut

neutral ['nju:tr(ə)l] **I** *adj* neutral [*~ country*; *~ colour*; *~ reaction*]; opartisk [*a ~ person*]; obestämd
II *s* **1** neutral person (stat o.d.) **2** motor. friläge, neutralläge; *put* (*slip*) *the gear into ~* el. *put the car in ~* lägga växeln i friläge (neutralläge), lägga ur växeln

neutral gear ['nju:tr(ə)l'gɪə] *s* motor., se *neutral II 2*

neutrality [njʊ'trælətɪ] *s* neutralitet, opartiskhet; *armed ~* väpnad neutralitet

neutralization [ˌnju:trəlaɪ'zeɪʃ(ə)n] *s* neutralisering; kem. neutralisation; motverkan etc., jfr *neutralize*

neutralize ['nju:trəlaɪz] *vb tr* **1** neutralisera; göra neutral, förklara neutral; motverka, upphäva (förta) verkan av; uppväga, utjämna **2** mil. oskadliggöra [*~ a bomb*]; nedkämpa

neutron ['nju:trɒn] *s* fys. neutron

neutron bomb ['nju:trɒnbɒm] *s* neutronbomb

Nev. förk. för *Nevada*

Nevada [ne'vɑ:də, nə'v-] geogr.

never ['nevə] *adv* aldrig; spec. vard. inte [alls]; *~!* vard. nej, vad säger du!, det menar du inte!; *~ in all my* (*your*) *life!* aldrig i livet!, aldrig någonsin!; *well, I ~!* el. *well, I ~ did!* jag har då aldrig sett (hört) på maken!, det var som bara den!, kan man tänka sig!; *~ a...* inte en enda...; *~ again* aldrig mera; *~ once* inte en enda gång; *~ yet* ännu aldrig, hittills inte; *~ so much as* inte så mycket som, inte ens [en gång]; *~ mind* se under *mind II 4 a*; *~ say die!* ge aldrig tappt!, ge aldrig upp!

never-ceasing ['nevə ˌsi:sɪŋ] *adj* o. **never-ending** ['nevər ˌendɪŋ] *adj* evig, ständig, oupphörlig; oändlig, aldrig sinande; *the work is ~* arbetet tar aldrig slut

never-failing ['nevə ˌfeɪlɪŋ] *adj* ofelbar, osviklig; aldrig svikande, aldrig sviktande

nevermore [ˌnevə'mɔ:] *adv* aldrig mer

Never-Never [ˌnevə'nevə] *s*, *the ~* el. *the ~ Land* öde område i nordöstra Australien

never-never [ˌnevə'nevə] *adj* o. *s* **1** vard. åld., *on the ~* på avbetalning **2** *~ land* bildl. drömland; önsketillstånd

nevertheless [ˌnevəðə'les] *adv* trots det, trots allt, icke desto mindre; likväl, ändå, i alla fall

new [nju:] *adj* **1** ny; ny- [*~ election*]; *I'm ~ to this kind of work* sådant här arbete är nytt för mig; *he's ~ to the work* han är ny i arbetet, han är ovan vid arbetet; *that's a ~ one on me* vard. det visste jag inte **2** nygjord; färsk [*~ milk*]; bildl. frisk [*~ blood*]

New Age [ˌnju:'eɪdʒ] *s*, *~ Movement* new age[-rörelsen]; *~ music* new age-musik

newbie ['nju:bɪ] *s* data. vard. nybörjare

newborn ['nju:bɔ:n] *adj* **1** nyfödd **2** pånyttfödd

new bread [ˌnju:'bred] *s* färskt bröd, nybakat bröd

New Brunswick [ˌnju:'brʌnzwɪk] geogr.

new-built ['nju:bɪlt] *adj* nybyggd

Newcastle ['nju: ˌkɑ:sl] geogr.

newcomer ['nju: ˌkʌmə] *s* nykomling

New Covent Garden [nju: ˌkɒvənt'gɑ:dn] se *Covent Garden 1*

New Deal [ˌnju:'di:l] *s*, *the ~* den nya given president Roosevelts reformprogram som inleddes på 30-talet i USA

New Delhi [ˌnju:'delɪ] geogr.

New England [ˌnju:'ɪŋglənd] geogr. Nya England

newfangled [ˌnjuːˈfæŋgld] *adj* neds. nymodig; **~ ideas** nymodiga idéer; nya påfund, nymodigheter

Newfoundland [namn ˌnjuːf(ə)ndˈlænd, njʊˈfaʊndlənd, hunden vanl. njʊˈfaʊndlənd] **I** geogr. egennamn **II** *s*, **~** el. **~ dog** newfoundlandshund

New Hampshire [ˌnjuːˈhæmpʃɪə, -ʃə] geogr.

New Jersey [ˌnjuːˈdʒɜːzɪ] geogr.

new-laid [ˌnjuːˈleɪd, attr. '--] *adj* nyvärpt, färsk [~ *eggs*]

new look [ˌnjuːˈlʊk] *s* nytt utseende, nytt ansikte, ny prägel, ny karaktär, ny skepnad [*the street has been given a ~*]

newly [ˈnjuːlɪ] *adv* nyligen [~ *arrived*]; ny- [*a newly-married couple*; *the newly-rich*]

newly-fledged [ˌnjuːlɪˈfledʒd] *adj* bildl. nybakad

newly-opened [ˈnjuːlɪˌəʊpənd] *adj* nyinvigd om t.ex. byggnad el. utställning

newly-weds [ˈnjuːlɪwedz] *s pl*, **the ~** de nygifta

New Man [ˌnjuːˈmæn] *s* modern, jämställd man; neds. mjukis

New Mexico [ˌnjuːˈmeksɪkəʊ] geogr.

new moon [ˌnjuːˈmuːn] *s* nymåne

new-mown [ˈnjuːˈməʊn] *adj* nyslagen [~ *hay*]; nyklippt [*a ~ lawn*]

newness [ˈnjuːnəs] *s* nymodighet; **the ~ of** det nya med (i)

New Orleans [ˌnjuːˈɔːlɪənz, ˌnjuːˈɔːˈliːnz] geogr.

new potatoes [ˌnjuːpəˈteɪtəz] *s pl* färskpotatis, nypotatis

news [njuːz] (med verb i sg.) *s* nyheter [*watch the ~ on TV*]; nyhet, underrättelse[r] [*about* om, angående; *from* från; *of* om]; **an interesting piece of ~** el. **an interesting item of ~** el. **an interesting bit of ~** en intressant nyhet; **have you heard the ~?** har du hört vad som har hänt?; **there is no ~ from her** hon har inte hört av sig, hon har inte hörts av; **that's ~ to me** det är nytt (en nyhet) för mig, det visste jag inte; **it's very much in the ~** det skrivs (talas) mycket om det, det är högaktuellt; **it was on the ~** det sas (visades) i nyheterna; **break the ~** tala om vad som hänt, tala om de dåliga nyheterna [*to sb* för ngn]; **~ headlines** nyhetsrubriker

news agency [ˈnjuːzˌeɪdʒ(ə)nsɪ] *s* nyhetsbyrå, telegrambyrå

newsagent [ˈnjuːzˌeɪdʒ(ə)nt] *s* innehavare av tidnings- och tobaksaffär; **~'s** tidnings- och tobaksaffär

newsboy [ˈnjuːzbɔɪ] *s* tidningspojke, tidningsbud

news bulletin [ˈnjuːzˌbʊlətɪn] *s* nyheter, nyhetsbulletin i radio o.d.

newscast [ˈnjuːzkɑːst] *s* radio. el. TV. vanl. amer. nyhetssändning

newscaster [ˈnjuːzˌkɑːstə] *s* radio. el. TV. vanl. amer. nyhetsuppläsare

news conference [ˈnjuːzˌkɒnf(ə)r(ə)ns] *s* presskonferens

newsdealer [ˈnjuːzˌdiːlə] *s* amer. innehavare av tidnings- och tobaksaffär

news desk [ˈnjuːzdesk] *s* nyhetsredaktion

newsflash [ˈnjuːzflæʃ] *s* kort extrameddelande, extra nyhetssändning i radio el. tv

newsgroup [ˈnjuːzgruːp] *s* data. diskussionsgrupp forum för diskussion på Internet el. BBS

newsletter [ˈnjuːzˌletə] *s* nyhetsbrev, cirkulär; föreningsbulletin

newspaper [ˈnjuːzˌpeɪpə, ˈnjuːs-] *s* **1** tidning **2** tidningspapper [*wrapped in ~*]

newspaper cutting [ˈnjuːzpeɪpəˌkʌtɪŋ, ˈnjuːs-] *s* tidningsurklipp

newsprint [ˈnjuːzprɪnt] *s* tidningspapper

newsreader [ˈnjuːzˌriːdə] *s* radio. el. TV. nyhetsuppläsare

newsreel [ˈnjuːzriːl] *s* journalfilm

newsroom [ˈnjuːzruːm] *s* nyhetsredaktion

newsstand [ˈnjuːzstænd] *s* tidningskiosk, tidningsstånd

news summary [ˈnjuːzˌsʌmərɪ] *s* nyheter i sammandrag

newsvendor [ˈnjuːzˌvendə] *s* tidningsförsäljare på gatan

newsworthy [ˈnjuːzˌwɜːðɪ] *adj* som har nyhetsvärde; **a ~ event** en händelse med nyhetsvärde

newsy [ˈnjuːzɪ] *adj* vard. full av nyheter, full av skvaller [*a ~ letter*]

newt [njuːt] *s* zool. vattensalamander, vattenödla

New Testament [ˌnjuːˈtestəmənt] (förk. *NT*) *s*, **the ~** Nya testamentet

Newton [ˈnjuːtn] egennamn

newton [ˈnjuːtn] *s* fys. newton

new town [ˌnjuːˈtaʊn] *s* nyanlagd stad som byggs för att ge bostäder, affärer och arbetstillfällen

New World [ˌnjuːˈwɜːld], **the ~** Nya världen

New Year [ˌnjuːˈjɪə] *s* nyår

New Year honours [ˌnjuːjɪərˈɒnəz] *s pl* ordensutnämningar på nyårsdagen

New Year's Day [ˌnjuːjɪəzˈdeɪ] *s* nyårsdag[en]

New Year's Eve [ˌnjuːjɪəzˈiːv] *s* nyårsafton

New Year's resolution [ˌnjuːjɪəzrezəˈluːʃ(ə)n] *s* nyårslöfte; **make a ~** avlägga ett nyårslöfte

New York [ˌnjuːˈjɔːk] geogr.

New Yorker [ˌnjuːˈjɔːkə] *s* newyorkbo, person från New York

New Zealand [ˌnjuːˈziːlənd] **I** geogr. egennamn Nya Zeeland **II** *adj* nyzeeländsk

New Zealander [ˌnjuːˈziːləndə] *s* nyzeeländare; nyzeeländska kvinna

next [nekst, före konsonant ofta neks] **I** *adj* o. *s* **1 a)** nästa [*see ~ page*]; [närmast] följande, nästföljande **b)** närmast [*during the ~ two days*]; **to be continued in our ~** fortsättning följer i nästa nummer; **he lives ~ door to me** han bor alldeles bredvid mig, han bor i huset (lägenheten, rummet) intill, han bor vägg i vägg med mig; **the girl ~ door** äv. en alldeles vanlig tjej, en tjej vem som helst; **in the ~ place** närmast, i första hand; därnäst; **~ Sunday** el. **on Sunday ~** [nu] på söndag; **the ~ few years** de närmaste åren **2** näst [*the ~ greatest*] **3 ~ to** se under *next II 4*

II *adv* **1** därefter, därpå [~ *came a tall man*]; [nu] närmast, sedan [*what are you going to do ~?*]; **what ~?** hur blir det sen?, och sen (nu) då?; uttr. förvåning var ska det sluta egentligen?; **when ~ we meet** när vi ses härnäst (nästa gång) **2** alldeles, omedelbart [*the room ~ above*] **3** näst; **the ~ best thing is...** det näst bästa är... **4 ~ to a)** närmast, [tätt] intill, [alldeles] bredvid [*she stood ~ to me*]; närmast

efter, näst efter [*he came ~ to me*] b) näst [efter]
[*the largest city ~ to London*] c) nära nog, så gott
som [*~ to impossible*]; **~ to nothing** nästan ingenting
[alls], knappt någonting
next-door [ˌneksˈdɔ:] **I** *adj* grann- [*the ~ house*];
närmast [*my ~ neighbours*] **II** *adv* se *next I* 1 **III** *s*
vard. granne[n]
next-of-kin [ˌnekstəvˈkɪn] *s* närmaste anhörig
(anhöriga) [*the ~ has (have) been notified*]
nexus [ˈneksəs] *s* samband, sammanhang [*of
mellan*]; förbindelse, band; **cash ~**
penningförbindelse[r], penningrelation[er]
NH o. **N.H.** förk. för *New Hampshire*
NHL [ˌeneɪtʃˈel] (förk. för *National Hockey League*) i
Nordamerika
NHS [ˌeneɪtʃˈes] förk. för *National Health Service*
NHS trust [ˌeneɪtʃˈestrʌst] *s* självstyrande enhet
sjukhus el. grupp av sjukhus inom den allmänna hälso-
och sjukvården
NI **1** (förk. för *national insurance*) socialförsäkring
2 förk. för *Northern Ireland*
nib [nɪb] *s* stift på reservoarpenna
nibble [ˈnɪbl] **I** *vb tr* knapra på, [små]gnaga på,
nagga på; nafsa [*away bort*]
II *vb itr* **1** knapra, [små]gnaga, nagga [*at på*];
nafsa [*at efter*] **2** om fisk hugga, nappa [*at efter*]
3 bildl., **~ at** lukta (nosa) på, vara nära att nappa på
[*~ at an offer*]; **begin to ~ at one's capital** [börja]
nagga sitt kapital i kanten
III *s* **1** napp; **I felt a ~ at the bait** jag kände hur det
nappade **2** knaprande, nafsande; **~s** småplock,
plockmat; **he took the bread in little ~s** han
knaprade i sig brödet
nib sugar [ˈnɪbˌʃʊgə] *s* fackspr. pärlsocker
Nicaragua [ˌnɪkəˈrægjʊə] geogr.
Nicaraguan [ˌnɪkəˈrægjʊən] **I** *s* nicaraguan;
nicaraguanska kvinna **II** *adj* nicaraguansk
Nice [ni:s] geogr. Nice
nice [naɪs] *adj* **1** a) trevlig; sympatisk; hygglig; snäll
[*to mot*], rar; vacker [*a ~ day*; *~ weather*]; fin,
prydlig, söt, snygg [*a ~ dress*]; behaglig, skön; **it
wasn't ~ of you!** det var inte snällt av dig! b) iron.
snygg, fin, skön, vacker; **a ~ mess** en skön röra; **~
one!** el. **~ work!** bra!, bra gjort!, bra jobbat!; **you're a
~ one!** du är just en snygg en! c) **~ and comfortable**
riktigt skön, riktigt bekväm; **~ and clean** ren och fin
2 god, välsmakande **3** **a ~ book** en god (bra, trevlig)
bok **4** ömtålig, kinkig **5** [hår]fin, subtil [*a ~
distinction*]
nice-looking [ˌnaɪsˈlʊkɪŋ, ˈ-ˌ--] *adj* se *good-looking*
nicely [ˈnaɪslɪ] *adv* **1** trevligt etc., jfr *nice 2* vard.
utmärkt [*that will suit me ~*]; **she is doing ~** det går
bra för henne; **that'll do ~** det blir jättebra, det
passar alldeles utmärkt
nicety [ˈnaɪs(ə)tɪ] *s* **1** precision, noggrannhet;
skärpa i t.ex. omdöme o. uppfattning; **to a ~** på pricken,
precis, lagom **2** finess; ofta pl. **niceties** [små]detaljer;
spetsfundigheter
niche [ni:ʃ, amer. nɪtʃ] *s* nisch
niche market [ˌnɪtʃˈmɑ:kɪt] *s* nischmarknad
niche marketing [ˌni:ʃˈmɑ:kətɪŋ] *s* riktad
marknadsföring
niche player [ˌnɪtʃˈpleɪə] *s* aktör (företag) på
nischmarknad

Nicholas [ˈnɪk(ə)ləs] **1** mansnamn **2** som namn på påvar
och tsarer Nikolaus
Nick [nɪk] kortform av *Nicholas*
nick [nɪk] **I** *s* **1** hack, jack, inskärning, skåra **2** rätt
ögonblick; **in the ~ of time** i sista (rätta)
ögonblicket, i grevens tid **3** vard., **in the ~** i häktet;
på kåken **4** vard., **in good ~** i [fin] form; i gott skick
II *vb tr* **1** göra ett hack etc. i **2** vard. knycka **3** vard.
ta, haffa gripa [*~ a criminal*]
nickel [ˈnɪkl] **I** *s* **1** nickel **2** amer. femcentare
II *vb tr* förnickla
nickel silver [ˌnɪklˈsɪlvə] *s*, **~** el. **electroplated ~** (förk.
EPNS) alpacka
nick-nack [ˈnɪknæk] *s* se *knick-knack*
nickname [ˈnɪkneɪm] **I** *s* öknamn; smeknamn
II *vb tr* ge ngn öknamn (smeknamn) [*they ~d him
Skinny*]
nicotine [ˈnɪkəti:n, ˌ--ˈ-] *s* nikotin
nicotine patch [ˈnɪkəti:npætʃ] *s* nikotinplåster
niece [ni:s] *s* brorsdotter, systerdotter
niffy [ˈnɪfɪ] *adj* illaluktande; **it's a bit ~ here** det
luktar illa här
nifty [ˈnɪftɪ] *adj* vard. **1** fiffig, smart; behändig
2 kvick, snabb
Nigel [ˈnaɪdʒ(ə)l] mansnamn
Niger [staten nɪˈʒeə, floden ˈnaɪdʒə] geogr.
Nigeria [naɪˈdʒɪərɪə] geogr.
Nigerian [naɪˈdʒɪərɪən] **I** *s* nigerian; nigerianska
II *adj* nigeriansk
Nigerien [ni:ˈʒeərɪən] **I** *s* nigerer; nigeriska **II** *adj*
nigeriansk, nigerisk
nigga [ˈnɪgə] (pl. *niggaz* [-z]) *s* amer. nigga svart man,
vanligt i rap-texter o i tilltal svarta emellan [*what's up, ~?*]
niggard [ˈnɪgəd] *s* snåljåp, gnidare, girigbuk
niggardly [ˈnɪgədlɪ] åld. **I** *adj* knusslig, [små]snål,
njugg, gnidig **II** *adv* knussligt etc., jfr *niggardly I*
nigger [ˈnɪgə] *s* neds. nigger, svarting
niggle [ˈnɪgl] **I** *vb itr* **1** gnata, klanka **2** tjafsa,
pjoska
II *vb tr* **1** plåga; reta upp **2** driva med, håna,
förlöjliga
niggling [ˈnɪglɪŋ] *adj* **1** gnagande; **have ~ doubts**
känna ett gnagande tvivel; **~ injuries** småskador; **~
worries** småbekymmer **2** petig; **~ work** knåpgöra
nigh [naɪ] litt. el. poet. **I** *adv* **1** nära; **draw ~** nalkas; **~
on** nära, nästan **2** nästan
II *prep* nära
night [naɪt] *s* natt äv. bildl.; kväll, afton; attr. natt-,
kvälls- [*~ work*]; **~!** vard. för *good night!*, se *good I*
10; **first ~** premiär, premiärkväll; **last ~** i går kväll; i
natt, natten till i dag; **this ~** i kväll; i natt innevarande
el. kommande natt; **have a bad ~** sova illa; **have a good ~**
sova gott; **have an early ~** gå och lägga sig tidigt; **we
had a ~ out yesterday** vi var ute och festade i går
kväll; **have a ~ off** el. **have a ~ out** ha (få sig) en ledig
kväll; **make a ~ of it** vard. göra sig en glad kväll, göra
sig en helkväll; **stay the ~** övernatta, stanna över
natten; **at ~** på kvällen, på kvällarna, under
kvällstid; på natten, på nätterna; **by ~** på natten, på
nätterna, nattetid; **the ~ before yesterday** el. **on the ~
before yesterday** i förrgår kväll; [under] natten till
gårdagen; **on the ~ of 17th December** el. amer. **on the ~
of December 17** natten (kvällen) den 17 december
nightbird [ˈnaɪtbɜ:d] *s* **1** nattfågel **2** vanl. nattuggla

night blindness ['naɪt͵blaɪndnəs] *s* nattblindhet
nightcap ['naɪtkæp] *s* **1** vard. sängfösare
 2 nattmössa
nightclub ['naɪtklʌb] *s* nattklubb
night depository [͵naɪtdɪ'pɒzɪt(ə)rɪ] *s* amer.
 servicebox, nattfack på bank
nightdress ['naɪtdres] *s* nattlinne; nattdräkt
night-duty ['naɪt͵djuːtɪ] *s* nattjänst, nattvak
nightfall ['naɪtfɔːl] *s* nattens (mörkrets) inbrott; *at ~*
 vid mörkrets inbrott, på kvällskvisten; *towards ~*
 mot natten
nightgown ['naɪtgaʊn] *s* se *nightdress*
nighthawk ['naɪthɔːk] *s* vanl. amer. vard. nattuggla
 person
nightie ['naɪtɪ] *s* vard., se *nightdress*
nightingale ['naɪtɪŋgeɪl] *s* zool. sydnäktergal; *thrush
 ~* näktergal
nightjar ['naɪtdʒɑː] *s* zool. nattskärra
nightlight ['naɪtlaɪt] *s* nattljus; nattlampa t.ex. i
 sovrum
nightly ['naɪtlɪ] **I** *adj* nattlig, natt-; kvälls- **II** *adv* på
 natten, på nätterna, nattetid, varje natt; varje kväll
nightmare ['naɪtmeə] *s* mardröm
night owl ['naɪtaʊl] *s* vard. nattuggla person
night porter ['naɪt͵pɔːtə] *s* nattportier
nights [naɪts] *adv* vard. på (om) nätterna, på natten
night safe ['naɪtseɪf] *s* servicebox, nattfack på bank
nightschool ['naɪtskuːl] *s* aftonskola
nightshade ['naɪtʃeɪd] *s* bot. Solanum; *deadly ~*
 belladonna
nightshift ['naɪtʃɪft] *s* nattskift
nightshirt ['naɪtʃɜːt] *s* nattskjorta
nightspot ['naɪtspɒt] *s* nattklubb; nöjeslokal
nightstand ['naɪtstænd] *s* amer. nattduksbord
nightstick ['naɪtstɪk] *s* amer. [polis]batong
nighttable ['naɪt͵teɪbl] *s* amer. nattduksbord
night-time ['naɪttaɪm] *s, at ~* nattetid, på natten, på
 nätterna
night watch|man [͵naɪt'wɒtʃ|mən] (pl. *-men* [-mən])
 s nattvakt
nightwear ['naɪtweə] *s* nattdräkt, nattkläder
nighty ['naɪtɪ] *s* vard., se *nightdress*
nihilist ['naɪɪlɪst, 'niː-] *s* filos. el. polit. nihilist
nil [nɪl] *s* ingenting; noll; *they won two ~* de vann
 med två [mot] noll
Nile [naɪl] geogr., *the ~* Nilen
nil growth ['nɪlgrəʊθ] *s* ekon. nolltillväxt
nimble ['nɪmbl] *adj* kvick, flink, snabb [*~ feet; ~
 movements*]; lätt, rörlig, vig
nimble-witted ['nɪmbl͵wɪtɪd] *adj* kvicktänkt,
 snarfyndig
nimb|us ['nɪmb|əs] (pl. *-uses* el. *-i* [-aɪ]) *s* lat.
 1 nimbus; gloria **2** meteor. nimbus, regnmoln
Nimby o. **nimby** ['nɪmbɪ] **I** vard. (förk. för *not in my
 back yard*) 'bara det inte påverkar mig' uttryck som
 betecknar att man är emot något som påverkar ens egen
 omgivning, t.ex. ett vägbygge **II** *s* person med
 'bara-det-inte-påverkar-mig-attityd', jfr *Nimby I*
nincompoop ['nɪnkəmpuːp, 'nɪŋk-] åld. dumhuvud,
 idiot, våp
nine [naɪn] (jfr *five* med ex. o. sammansättn.) **I** *räkn* nio;
 a ~ days' wonder ung. en kortvarig sensation, en
 snabbt glömd sensation **II** *s* nia

ninepins ['naɪnpɪnz] (med verb i sg.) *s* kägelspel; *play ~*
 spela kägel
nineteen [͵naɪn'tiːn, attr. '--] *räkn* o. *s* nitton; jfr
 fifteen o. sammansättn.
nineteenth [͵naɪn'tiːnθ, attr. '--] *räkn* o. *s* nittonde;
 nittondel; jfr *fifth*; *the ~ hole* vard. 'nittonde hålet'
 baren i en klubblokal vid en golfbana
ninetieth ['naɪntɪɪθ, -tɪəθ] *räkn* o. *s* nittionde;
 nittiondel
nine-to-fiver [͵naɪntə'faɪvə] *s* vard. knegare [som
 jobbar mellan nio och fem]
ninety ['naɪntɪ] (jfr *fifty* med sammansättn.) **I** *räkn* nittio
 II *s* nittio, nittiotal
ninja ['nɪndʒə] (pl. *ninja* el. *~s*) *s* jap. ninja
ninny ['nɪnɪ] *s* åld. våp, mähä; dumbom
ninth [naɪnθ] *räkn* o. *s* nionde; niondel; jfr *fifth*
ninthly ['naɪnθlɪ] *adv* för det nionde
1 nip [nɪp] **I** *vb tr* **1** nypa, klämma, knipa; nafsa
 2 bita i [*a cold wind that ~s the fingers*]; sveda,
 skada växtskott o.d. **3** fördärva, förlama, hejda; *~ in
 the bud* se under *1 bud I*
 II *vb itr* vard. kila, slinka; *~ along* kila (slinka) i väg;
 ~ off kila bort, slinka i väg; *~ on ahead* kila (slinka)
 före; *~ round* kila över, slinka in
 III *s* **1** nyp[ning], klämning, knipning **2** frostskada
 3 skarp kyla; *there is a ~ in the air today* det är lite
 kyligt i dag **4** *be ~ and tuck* vard. ligga jämsides,
 hålla jämna steg
2 nip [nɪp] *s* droppe [*a ~ of whisky*]; *have a ~* ta sig
 en hutt, ta sig en tår på tand
nipper ['nɪpə] *s* **1** pl. *~s* kniptång; *cutting ~s*
 avbitartång; *a pair of ~s* en kniptång **2** vard. ngt åld.
 unge; grabb; tjej
nipple ['nɪpl] *s* **1** bröstvårta; spene **2** vanl. amer.
 dinapp **3** tekn. nippel
nippy ['nɪpɪ] *adj* vard. **1** om väder bitande kall **2** kvick,
 rask; fräsig; *look ~!* sno på!
niqab ['nɪkɑːb] *s* niqab ansiktsslöja
nirvana [nɪə'vɑːnə] *s* relig. el. friare nirvana
1 nit [nɪt] *s* gnet ägg av lus o.d.
2 nit [nɪt] *s* vard., se *nitwit*
nitpicker ['nɪt͵pɪkə] *s* vard. felfinnare; pedant
nitpicking ['nɪt͵pɪkɪŋ] vard. **I** *s* petighet, pedanteri
 II *adj* petig, pedantisk
nitrate ['naɪtreɪt] *s* kem. nitrat; *~ of silver* silvernitrat
nitre ['naɪtə] *s* kem. salpeter
nitric acid [͵naɪtrɪk'æsɪd] *s* kem. salpetersyra
nitric oxide [͵naɪtrɪk'ɒksaɪd] *s* kem. kväveoxid
nitrogen ['naɪtrədʒən] *s* kem. kväve
nitrogen dioxide [͵naɪtrədʒəndaɪ'ɒksaɪd] *s* kem.
 kvävedioxid
nitroglycerine o. **nitroglycerin** [͵naɪtrə(ʊ)glɪsə'riːn] *s*
 kem. nitroglycerin
nitrous ['naɪtrəs] *adj* kem. salpeterhaltig, salpeter-
nitrous oxide [͵naɪtrəs'ɒksaɪd] *s* dikväveoxid, vard.
 lustgas
nitty-gritty [͵nɪtɪ'grɪtɪ] *s* vard. praktiska [och
 tråkiga] detaljer; kärnpunkt; *get down to the ~*
 komma till kärnan (sakens kärna), komma till det
 väsentliga
nitwit ['nɪtwɪt] *s* vard. dumbom, fårskalle
NJ o. **N.J.** förk. för *New Jersey*
NM o. **N.M.** förk. för *New Mexico*
nm förk. för *nanometre, nautical mile*

N. Mex. förk. för *New Mexico*
NNE (förk. för *north-north-east*) nordnordost
NNW (förk. för *north-north-west*) nordnordväst
1 no [nəʊ] *adj* **1 a**) ingen, inte någon; ~ *one* ingen, inte någon; ~ *man's land* ingenmansland; ~ *one man could have done it* det skulle ingen ha kunnat göra ensam; ~ *way!* se *way I 9* **b**) ~ *parking* (*smoking* m.fl.) parkering (rökning m.fl.) förbjuden **2** inte precis någon [*she's* ~ *angel*] **3 there is** ~ *knowing when...* man kan inte (aldrig) veta när...; *there was* ~ *mistaking* det var (gick) inte att ta fel på..., man kunde inte missa sig på...
2 no [nəʊ] **I** *adv* **1** nej; ~*?* jaså, inte det?; *or* ~ eller inte; ~ *better than before* inte bättre än förut; ~ *less* (*more, sooner*) se under *less I 2, more 5* o. *sooner 1; to* ~ *inconsiderable extent* i inte ringa omfattning; ~ *can do!* vard. kan [bara] inte!, det går [bara] inte! **2** förstärkande ja, nej [*I suspect,* ~, *I am certain, that he is wrong*]
II (pl. *~es*) *s* **1** nej; *he won't take* ~ *for an answer* han accepterar inte ett nej, han ger sig inte **2** nejröst; *the ~es have it* nejrösterna är i majoritet
no-account [ˌnəʊə'kaʊnt] *adj* amer. åld. vard. obetydlig
Noah ['nəʊə, nɔ:] **1** mansnamn **2** bibl. Noa, Noak
nob [nɒb] *s* ngt åld. vard. överklassare; snobb; höjdare
nobble ['nɒbl] *vb tr* vard. **1** kapplöpn. fixa (droga) en häst för att hindra den att vinna **2** locka över på sin sida, muta
Nobel [nəʊ'bel] egennamn
Nobel prize [nəʊ'belpraɪz, äv. 'nəʊbelpraɪz], *the* ~ nobelpriset
nobility [nə(ʊ)'bɪlətɪ] *s* **1** adel, adelsstånd; *the* ~ britt. högadeln **2** adelskap; adlig börd **3** bildl. ädelhet, upphöjdhet, nobless
noble ['nəʊbl] **I** *adj* **1** adlig, högadlig **2** ädel, förnäm [*a* ~ *face*]; nobel; ståtlig **3** bildl. ädel [*a* ~ *mind*; ~ *thoughts*; *a* ~ *action*]; nobel, upphöjd; förfinad; storsint **4** ~ *gas* ädelgas; ~ *metals* ädla metaller
II *s* ädling, adelsman
noble|man ['nəʊbl|mən] (pl. *-men* [-mən]) *s* adelsman
noble|woman ['nəʊbl|ˌwʊmən] (pl. *-women* [-ˌwɪmɪn]) *s* adelsdam
nobody ['nəʊb(ə)dɪ, 'nəʊˌbɒdɪ] **I** *självst indef pron* ingen, inte någon **II** *s* nolla obetydlig person, enkel människa; *like ~'s business* vard. som bara den
no-claims bonus [nəʊ'kleɪmzˌbəʊnəs] *s* bonus för skadefritt år
no-confidence [nəʊ'kɒnfɪdəns] *s*, ~ *vote* misstroendevotum
nocturnal [nɒk'tɜ:nl] *adj* nattlig, sen [~ *habits*]; natt- [~ *birds*; ~ *animals*]
nocturne ['nɒktɜ:n, ˌ-'-] *s* **1** mus. nocturne **2** konst. nattstycke
nod [nɒd] **I** *vb itr* **1** nicka [*to, at* åt, till] **2** nicka till, halvsova, [sitta och] sova; ~ *off* vard. slumra till, nicka till
II *vb tr* **1** nicka med; ~ *one's head* nicka **2** nicka; ~ *approval* nicka bifall; ~ *assent* nicka samtycke
III *s* **1** nick [*a* ~ *of* (med, på) *the head*]; nickning äv. av sömnighet; *a* ~ *is as good as a wink to him* han förstår vinken **2** tupplur, lur

nodding ['nɒdɪŋ] *s* nickande; ~ *acquaintance* se under *acquaintance 1*
noddle ['nɒdl] *s* åld. vard. skalle
node [nəʊd] *s* **1** knut; knöl; med. äv. knuta **2** bot. led, ledknut **3** astron. el. fys. nod
nodular ['nɒdjʊlə] *adj* knutformig, knölformig; nodulär
nodule ['nɒdju:l] *s* liten knut, liten knöl äv. anat.
Noel [mansnamn 'nəʊəl, subst. nəʊ'el] **I** mansnamn **II** *s* jul[en] i julsånger o.d.
no-fly zone [ˌnəʊ'flaɪzəʊn] *s* flygförbudzon
no-go [ˌnəʊ'gəʊ] *adj* vard., ~ *situation* omöjlig situation
no-go area [ˌnəʊ'gəʊˌeərɪə] *s* **1** förbjudet område; osäkert område, område som man bör undvika **2** känsligt ämne, tabubelagt ämne
nohow ['nəʊhaʊ] *adv* vard. inte på något sätt, inte alls
noise [nɔɪz] **I** *s* **1** buller, [störande] ljud, dån; i t.ex. radio brus, störning[ar]; *make a* ~ föra oljud, föra oväsen; ~ *abatement* bullerbekämpning; bullerminskning; ~*s off* radio. o.d. bakgrundsljud, ljudkuliss, teat. äv. röster i bakgrunden **2** bråk, oväsen, väsen, liv **3** *make encouraging ~s* försöka låta uppmuntrande
II *vb tr* åld., ~ el. ~ *abroad* basunera ut, sprida [ut]
noiseless ['nɔɪzləs] *adj* ljudlös, stilla; tystgående [*a* ~ *keypad*]
noise pollution ['nɔɪzpəˌlu:ʃ(ə)n] *s* bullerförorening
noisy ['nɔɪzɪ] *adj* bullrig, bullrande, bråkig, stimmig; högljudd
nomad ['nəʊmæd, 'nɒm-] **I** *s* nomad **II** *adj* nomad-, nomadiserande, nomadisk
nomadic [nə(ʊ)'mædɪk] *adj* se *nomad II*
no-man's-land ['nəʊmænzlænd] *s* ingenmansland
nomenclature [nə(ʊ)'menklətʃə, 'nəʊmenkleɪtʃə] *s* nomenklatur; terminologi
nominal ['nɒmɪnl] *adj* **1** nominell, formell, [bara] till namnet [*a* ~ *ruler*]; så kallad **2** nominell
nominally ['nɒmɪnəlɪ] *adv* nominellt, formellt, [bara] till namnet
nominate ['nɒmɪneɪt] *vb tr* **1** nominera, föreslå, föreslå som kandidat; ~ *for* nominera till, föreslå som **2** utnämna, utse
nomination [ˌnɒmɪ'neɪʃ(ə)n] *s* **1** nominering; ~ *of candidates for* nominering av kandidater till **2** utnämning; utnämningsrätt
nominative ['nɒmɪnətɪv] *s* gram. nominativ; *the* ~ el. *the* ~ *case* nominativ
nominee [ˌnɒmɪ'ni:] *s* kandidat
non [nɒn] *adv* lat. inte; som prefix (jfr sammansättn. nedan): **a**) icke- [*non-smoker*] **b**) o- [*non-essential*] **c**) non- [*non-intervention*] **d**) -fri [*non-iron*; *non-skid*] **e**) pseudo- [*non-event*]
non-absorbent [ˌnɒnəb'sɔ:bənt, -əb'z-] *adj* icke absorberande, vattenavstötande [~ *cotton*]
nonagenarian [ˌnəʊnədʒɪ'neərɪən] **I** *adj* nittioårig; [som är] mellan nittio och hundra år gammal **II** *s* nittioåring; person mellan nittio och hundra år [gammal]
non-aggression [ˌnɒnə'greʃ(ə)n] *s*, ~ *pact* icke-angreppspakt, nonaggressionspakt
non-alcoholic ['nɒnˌælkə'hɒlɪk] *adj* alkoholfri
non-aligned [ˌnɒnə'laɪnd] *adj* alliansfri

non-alignment [ˌnɒnəˈlaɪnmənt] *s* alliansfrihet; *policy of* ~ alliansfri politik

non-arrival [ˌnɒnəˈraɪv(ə)l] *s* uteblivelse

non-attendance [ˌnɒnəˈtendəns] *s* frånvaro, uteblivelse

nonce [nɒns] *s*, *for the* ~ för tillfället, för närvarande; ~ *use* tillfällig (speciell) användning av t.ex. ett ord

non-certificated [ˌnɒnsɜːˈtɪfɪkeɪtɪd] *adj* icke behörig [~ *teacher*]

nonce-word [ˈnɒnswɜːd] *s* språkv. tillfällig [ord]bildning

nonchalance [ˈnɒnʃ(ə)ləns] *s* nonchalans; likgiltighet; oberördhet, sorglöshet

nonchalant [ˈnɒnʃ(ə)lənt] *adj* nonchalant, ogenerad, obesvärad; likgiltig, oberörd, sorglös, oengagerad

non-classified [ˌnɒnˈklæsɪfaɪd] *adj* **1** icke-hemligstämplad [~ *information*] **2** sport. ej fullständiga [~ *results*]

non-combatant [ˌnɒnˈkɒmbət(ə)nt, -ˈkʌm-] *s* mil. icke stridande, nonkombattant

non-commissioned officer [ˌnɒnkəmɪʃ(ə)ndˈɒfɪsə] (förk. *NCO*) *s* underofficer, plutonsbefäl; underbefäl

non-committal [ˌnɒnkəˈmɪtl] *adj* reserverad, diplomatisk, försiktig, avvaktande [*a* ~ *attitude*]; som inte förpliktigar till något [*a* ~ *answer*]

non compos mentis [nɒnˌkɒmpɒsˈmentɪs, -pəs-] *adj* mest jur. (lat.) otillräknelig

non-conductor [ˌnɒnkənˈdʌktə] *s* fys. isolator, icke-ledare

nonconformist [ˌnɒnkənˈfɔːmɪst, ˈnɒnk-] *s* nonkonformist, frikyrklig, dissenter; frireligiös

non-dairy [ˌnɒnˈdeərɪ] *adj* mjölkfri

nondescript [ˈnɒndɪskrɪpt] *adj* vanl. neds. [helt] vanlig, intetsägande, slätstruken

non-drip [ˌnɒnˈdrɪp] *adj* droppfri

none [nʌn] **I** *indef pron* ingen, inte någon [~ *of them has* (*have*) *come*]; inga, inte några; inget, inte något, ingenting, inte någonting [~ *of this concerns me*]; ~ *of your nonsense!* inga dumheter!, sluta upp med de där dumheterna!; *I'll have* ~ *of it* det vill jag inte höra talas om, det vill jag inte veta av; ~ *of that!* sluta upp med det där!, nu räcker det! **II** *adv* inte, ingalunda; ~ *the less* se *nevertheless*; *I was* ~ *the wiser for it* det blev jag inte klokare av; *the pay is* ~ *too high* lönen är inte alltför (inte särskilt) hög

nonentity [nɒˈnentətɪ] *s* [ren] nolla, obetydlig person; obetydlig sak, obetydlighet

non-essential [ˌnɒnɪˈsenʃ(ə)l] *adj* oväsentlig, inte nödvändig

nonetheless [ˌnʌnðəˈles] *adv* se *nevertheless*

non-event [ˌnɒnɪˈvent] *s* pseudohändelse

non-existent [ˌnɒnɪgˈzɪst(ə)nt] *adj* obefintlig; icke existerande; *it is* ~ den (det) existerar inte, den (det) finns inte

non-fiction [ˌnɒnˈfɪkʃ(ə)n] *s* facklitteratur; sakprosa icke skönlitteratur

non-fossil [ˌnɒnˈfɒsl] *adj*, ~ *fuel* icke-fossilt bränsle

non-infectious [ˌnɒnɪnˈfekʃəs] *adj* smittofri, inte smittsam

non-iron [ˌnɒnˈaɪən] *adj* strykfri [*a* ~ *shirt*]

no-no [ˌnəʊˈnəʊ] (pl. *no-no's* el. *no-nos*) *s* vard., *that's a* ~ det får man inte, det är inte acceptabelt

no-nonsense [ˌnəʊˈnɒnsəns] *adj* rakt på sak, rättfram [*a* ~ *approach to the problem*]

non-payment [ˌnɒnˈpeɪmənt] *s* utebliven betalning

non-PC [ˌnɒnˌpiːˈsiː] *adj* ej politiskt korrekt används ofta uppskattande om person som är orädd och säger vad hon tänker [*that's a* ~ *attitude*]

non-person [ˌnɒnˈpɜːsn] *s* icke-person politiskt (socialt) 'död' person

nonplussed [ˌnɒnˈplʌst] *adj* svarslös, paff; *be* ~ bli svarslös (paff), bli helt ställd

non-poisonous [ˌnɒnˈpɔɪz(ə)nəs] *adj* giftfri; ogiftig, inte giftig

non-productive [ˌnɒnprəˈdʌktɪv] *adj* icke-produktiv

non-profit [ˌnɒnˈprɒfɪt] *adj* o. **non-profit-making** [ˌnɒnˈprɒfɪtˌmeɪkɪŋ] *adj* icke vinstdrivande, ideell [~ *organization*]

non-proliferation [ˈnɒnprə(ʊ)ˌlɪfəˈreɪʃ(ə)n] *s*, ~ *treaty* icke-spridningsavtal

non-resident [ˌnɒnˈrezɪd(ə)nt] **I** *adj* som inte är fast bosatt [här] på orten **II** *s* person som inte är fast bosatt [här] på orten; tillfällig besökare, utifrån kommande gäst; *the hotel restaurant is open to* ~*s* hotellets restaurang är öppen även för andra än hotellets gäster

non-residential [ˌnɒnˌrezɪˈdenʃ(ə)l] *adj* **1** utan boende, utan bostadsbebyggelse [*a* ~ *area*] **2** utan boende (inkvartering) på platsen [*a* ~ *course*; ~ *care*]

nonsense [ˈnɒns(ə)ns] *s* nonsens, [meningslöst] prat, trams, dumheter; ~ *verses* el. ~ *rhymes* nonsenspoesi; *it's a* ~ det är nonsens; ~*!* el. *it's all* ~*!* [det är bara] snack (struntprat, dumheter)!; *there is no* ~ *about him* det är inga konstigheter med honom, han är bra att ha att göra med

nonsensical [nɒnˈsensɪk(ə)l] *adj* meningslös, orimlig, dum, fånig

non-shrink [ˌnɒnˈʃrɪŋk] *adj* krympfri

non-skid [ˌnɒnˈskɪd] *adj* halkfri [~ *soles*]

non-smoker [ˌnɒnˈsməʊkə] *s* **1** icke-rökare **2** kupé för icke-rökare

non-smoking [ˌnɒnˈsməʊkɪŋ] *s*, ~ *area* rökfri zon; ~ *compartment* kupé för icke-rökare

non-standard [ˌnɒnˈstændəd] *adj* som inte följer standarden (normen), ovanlig, avvikande från viss norm

non-starter [ˌnɒnˈstɑːtə] *s* **1** he is a ~ han har inga chanser, han är chanslös; *that's a* ~ det är dömt att misslyckas, det är kört [från början] **2** sport., *be a* ~ inte ställa upp, inte starta

non-stick [ˌnɒnˈstɪk] *adj* non-stickbehandlad, teflonbehandlad [*a* ~ *pan*; *a* ~ *surface*]

non-stop [ˌnɒnˈstɒp] *adj* o. *adv* nonstop, utan mellanlandning, direkt; utan att stanna; ~ *flight* direktflyg; ~ *train* direkttåg

non-toxic [ˌnɒnˈtɒksɪk] *adj* giftfri

non-union [ˌnɒnˈjuːnjən] *adj* oorganiserad, som inte är med i facket

non-verbal [ˌnɒnˈvɜːb(ə)l] *adj* icke-verbal [~ *communication*]

non-violence [ˌnɒnˈvaɪələns] *s* icke-våld

non-white [nɒnˈwaɪt] *s* icke-vit

1 noodle [ˈnuːdl] *s* kok. nudel; *glass* ~*s* glasnudlar

2 noodle ['nu:dl] *s* vard. **1** dumhuvud, fårskalle, stolle **2** skalle huvud

nook [nʊk] *s* vrå, skrymsle, krypin; avkrok [av världen]; *every ~ and cranny* alla vinklar och vrår

noon [nu:n] *s* **1** klockan tolv [på dagen] [*before ~*]; *at ~* klockan tolv [på dagen] **2** bildl. höjdpunkt

noose [nu:s, nu:z] *s* **1** ~ el. *running ~* rännsnara, löpknut **2** bildl. snara; band

nope [nəʊp] *adv* vard. nej, nix

no place ['nəʊpleɪs] *s* vanl. amer. vard., se *nowhere*

nopotos|a [ˌnɒpəˈtəʊzə] (pl. *-as* el. *-ae* [-i:]) *s* bot. narviol

nor [nɔ:] *konj* **1** *neither...~* varken...eller **2** med föreg. negation och inte [heller]; *the book is no better ~ worse than...* boken är varken bättre eller sämre än...; *he had not seen it, ~ had I* han hade inte sett den och [det hade] inte jag heller; [*I don't understand this. –*] *Nor do I* ...Det gör inte jag heller, ...Inte jag heller **3** utan föreg. negation och inte, men inte; *~ was this all* och (men) det var inte allt

Nora ['nɔ:rə] kvinnonamn

Nordic ['nɔ:dɪk] *adj* nordisk

Nordic walking [ˌnɔ:dɪkˈwɔ:kɪŋ] *s* stavgång; *~ poles* gåstavar

Norfolk ['nɔ:fək] geogr.

norm [nɔ:m] *s* norm; rättesnöre; *the ~* normen, det normala; *departures from the ~* avvikelser från det normala

Norma ['nɔ:mə] kvinnonamn

normal ['nɔ:m(ə)l] **I** *adj* normal, normal- **II** *s* det normala [*below ~*; *above ~*]; *be back to ~* vara som förut (vanligt); *trains are back to ~* tågen går som vanligt

normalcy ['nɔ:m(ə)lsɪ] *s* o. **normality** [nɔ:ˈmælətɪ] *s* normaltillstånd; normala förhållanden

normalization [ˌnɔ:məlaɪˈzeɪʃ(ə)n] *s* normalisering

normalize ['nɔ:məlaɪz] *vb tr* normalisera

normally ['nɔ:məlɪ] *adv* normalt [sett]; under normala förhållanden; i vanliga fall

Norman ['nɔ:mən] **I** mansnamn **II** *s* hist. normand **III** *adj* **1** hist. normandisk **2** arkit. romansk, rundbåge- [*~ style*]

Norman Conquest [ˌnɔ:mənˈkɒŋkwest] *s*, *the ~* normandernas erövring av England 1066

Normandy ['nɔ:məndɪ] geogr. egennamn Normandie

normative ['nɔ:mətɪv] *adj* normativ, normerande, normgivande

Norse [nɔ:s] *adj* nordisk [*~ mythology*]

north [nɔ:θ] **I** *s* **1** norr, nord; för ex. jfr *east I* **2** *the ~* el. *the North* nordliga länder; norra delen; norra halvklotet; *the North* äv. a) Norden b) i USA nordstaterna **II** *adj* nordlig, norra, nord-, nordan-; *the North Atlantic Treaty Organization* Atlantpaktsorganisationen; *the ~ side* norra sidan, nordsidan **III** *adv* mot (åt) norr, norrut, nordvart; norr, nord; för ex. jfr *east III*

North America [ˌnɔ:θəˈmerɪkə] geogr. Nordamerika

Northamptonshire [nɔ:ˈθæm(p)tənʃɪə, -ʃə] geogr.

Northants [nɔ:ˈθænts] förk. för *Northamptonshire*

northbound ['nɔ:θbaʊnd] *adj* nordgående, destinerad norrut

North Carolina [ˌnɔ:θkærəˈlaɪnə] geogr.

Northd förk. för *Northumberland*

North Dakota [ˌnɔ:θdəˈkəʊtə] geogr.

north-east [ˌnɔ:θˈi:st] (för ex. jfr *east*) **I** *s* nordost, nordöst **II** *adj* nordöstlig, nordostlig, nordöstra **III** *adv* mot nordost (nordöst), i nordost (nordöst); *~ of* nordost om

north-easter [ˌnɔ:θˈi:stə] *s* nordost vind

north-easterly [ˌnɔ:θˈi:stəlɪ] **I** *adj* nordostlig, nordöstlig, nordöstra **II** *adv* mot nordost (nordöst); från nordost

north-eastern [ˌnɔ:θˈi:stən] *adj* nordostlig, nordöstlig, nordöstra

northerly ['nɔ:ðəlɪ] *adj* o. *adv* o. *s* nordlig; mot norr, från norr; nordlig vind; jfr vidare *easterly*

northern ['nɔ:ð(ə)n] *adj* **1** nordlig; norra, nord-, norr-; för ex. jfr *eastern*; *the ~ hemisphere* norra halvklotet **2** nordisk

northerner ['nɔ:ð(ə)nə] *s* person från norra delen av landet (norra England); nordbo; i USA nordstatsbo

Northern Ireland [ˌnɔ:ð(ə)nˈaɪələnd] geogr. Nordirland

northern lights [ˌnɔ:ð(ə)nˈlaɪts] *s pl* norrsken

northernmost ['nɔ:ð(ə)nməʊst] *adj* nordligast

North Korea [ˌnɔ:θkəˈrɪə] geogr. Nordkorea

North Korean [ˌnɔ:θkəˈrɪən] **I** *s* nordkorean; nordkoreanska kvinna **II** *adj* nordkoreansk

North Pole [ˌnɔ:θˈpəʊl] geogr., *the ~* nordpolen

North Sea [ˌnɔ:θˈsi:] geogr., *the ~* Nordsjön

North Star [ˌnɔ:θˈstɑ:] *s*, *the ~* Polstjärnan

Northumberland [nɔ:ˈθʌmbələnd, nəˈθ-] geogr.

northward ['nɔ:θwəd] **I** *adj* nordlig etc., jfr *eastward I* **II** *adv* mot (åt) norr, norrut; sjö. nordvart; *~ of* norr om

northwards ['nɔ:θwədz] *adv* se *northward II*

north-west [ˌnɔ:θˈwest] (för ex. jfr *east*) **I** *s* nordväst **II** *adj* nordvästlig, nordvästra **III** *adv* mot (i) nordväst; *~ of* nordväst om

north-wester [ˌnɔ:θˈwestə] *s* nordväst vind

north-westerly [ˌnɔ:θˈwestəlɪ] **I** *adj* nordvästlig, nordvästra **II** *adv* mot nordväst; från nordväst

north-western [ˌnɔ:θˈwestən] *adj* nordvästlig, nordvästra

north wind [ˌnɔ:θˈwɪnd] *s* nordlig vind, nordan, nordanvind

Norway ['nɔ:weɪ] geogr. Norge

Norway lobster [ˌnɔ:weɪˈlɒbstə] *s* havskräfta, kejsarhummer

Norway maple [ˌnɔ:weɪˈmeɪpl] *s* bot. blodlönn

Norwegian [nɔ:ˈwi:dʒ(ə)n] **I** *adj* norsk **II** *s* **1** norrman; norska kvinna **2** norska [språket]

Norwich [i England 'nɒrɪdʒ, i USA 'nɔ:wɪtʃ] geogr.

nose [nəʊz] **I** *s* **1** näsa; nos; *it is as plain as the ~ on your face* vard. det är solklart, det är klart som korvspad; *blow one's ~* snyta sig; *cut off one's ~ to spite one's face* se under *spite II*; *make a long ~ at* räcka lång näsa åt; *stick one's ~ into* el. *poke one's ~ into* lägga sig i; *stick (poke) one's ~ into other people's business* blanda (lägga) sig i andras angelägenheter, lägga sin näsa i blöt; *turn up one's ~ at* el. *turn one's ~ up at* rynka på näsan åt; *win by a ~* kapplöpn. vinna med en noslängd; *I had to pay through the ~* vard. jag blev uppskörtad, det var svindyrt; *speak through one's ~* el. *speak in one's ~*

tala i näsan; **under sb's [very]** ~ mittför näsan på ngn **2** bildl. näsa; luktsinne; väderkorn; **have a [keen]** ~ **for** ha [fin] näsa för; **have a good** ~ el. **have a sharp** ~ ha gott väderkorn **3** på flygplan nos; på projektil spets **4** doft, arom, bouquet
II *vb tr* **1** ~ **along** om t.ex. bil långsamt köra fram; ~ el. ~ **out** spåra upp, nosa (lukta) sig till, nosa upp **2** ~ **ahead** ta ledningen; ~ **sb out** slå ngn, bräda ngn, konkurrera ut ngn
III *vb itr* **1** nosa [*at* på; *for, after* efter] **2** ~ el. ~ **about** el. ~ **around** snoka [*for, after* efter; *into* i]
nosebag ['nəʊzbæg] *s* **1** foderpåse, tornister **2** vard. matsäck, matpaket
noseband ['nəʊzbænd] *s* nosgrimma
nose-bleed ['nəʊzbli:d] *s* o. **nose-bleeding** ['nəʊzˌbli:dɪŋ] *s* näsblod
nosedive ['nəʊzdaɪv] **I** *s* flyg. störtdykning; **take a** ~ göra en störtdykning, falla snabbt **II** *vb itr* flyg. störtdyka, göra en störtdykning
nosegay ['nəʊzgeɪ] *s* åld. [liten] blombukett
nosey ['nəʊzɪ] vard., se *nosy*
nosh [nɒʃ] sl. **I** *s* käk **II** *vb itr* käka
no-show [ˌnəʊ'ʃəʊ] *s* person som inte dyker upp och som inte tar reserverad plats i anspråk
nosh-up ['nɒʃʌp] *s* sl. skrovmål
no-smoking ['nəʊˌsməʊkɪŋ] *adj*, ~ **section** rökfri avdelning
nostalgia [nɒ'stældʒɪə] *s* nostalgi; längtan tillbaka [*for* till]
nostalgic [nɒ'stældʒɪk] *adj* nostalgisk
nostril ['nɒstr(ə)l] *s* näsborre
nostrum ['nɒstrəm] *s* patentmedicin; patentlösning
nosy ['nəʊzɪ] *adj* vard. nyfiken; närgången [*a* ~ *question*]
nosy parker [ˌnəʊzɪ'pɑːkə] *s* vard. nyfiken (snokande, frågvis) människa; ~**!** nyfiken i en strut!
not [nɒt] *adv* (efter hjälpverb ofta *n't: haven't, couldn't*) inte, icke, ej; ~ **a** inte någon, ingen [~ *a bad idea!*]; **you had better** ~ det är bäst du låter bli; **he warned me** ~ **to go there** han varnade mig för att gå dit; ~ **that** + sats inte för att..., det är inte det att... [~ *that I fear him*]; inte som om...; ~ **that I know of** inte såvitt jag vet, inte vad jag vet; ~ **to** + inf. a) att inte... b) för att [nu] inte...; ~ **to mention...** för att nu inte tala om (nämna)...; ~ **until then** inte förrän då, först då; **..., doesn't (hasn't, can't** m.fl.) **he (she, it)?** vanl. ...eller hur?, ...inte sant?
notability [ˌnəʊtə'bɪlətɪ] *s* notabilitet, bemärkt person
notable ['nəʊtəbl] **I** *adj* **1** påfallande, märkbar; märklig, anmärkningsvärd [*a* ~ *event*] **2** framstående, betydande [*a* ~ *painter*]; **be** ~ **for sth** vara känd för ngt
II *s* notabilitet, bemärkt person
notably ['nəʊtəblɪ] *adv* **1** särskilt, i synnerhet [*other countries,* ~ *Britain and the USA*] **2** påfallande, märkbart; märkligt, anmärkningsvärt; på ett slående sätt
notary ['nəʊtərɪ] (pl. *notaries*) *s* o. **notary public** [ˌnəʊtərɪ'pʌblɪk] (förk. *NP*) (pl. *notaries public*) *s* notarius publicus
notation [nə(ʊ)'teɪʃ(ə)n] *s* notation, teckensystem; beteckning
notch [nɒtʃ] **I** *s* **1** hack, jack, skåra, inskärning

2 vard. pinnhål, streck, grad, steg; **take sb down a** ~ **or two** sätta ngn på plats
II *vb tr* **1** göra [ett] hack etc. i (på), karva i, nagga i kanten **2** ~ el. ~ **down** el. ~ **up** göra en skåra för, göra ett märke för [*he* ~*ed each one on a stick*] **3** ~ el. ~ **up** notera [~ *another victory*]
note [nəʊt] **I** *s* **1** anteckning, notering; pl. ~**s** a) anteckningar, noteringar b) referat c) koncept, manuskript [*he spoke for an hour without* ~*s*]; **compare** ~**s** se under *compare* I 1; **make** ~**s** el. **take** ~**s** göra anteckningar, notera **2** kort brev, kort meddelande **3** dipl. not; **exchange of** ~**s** notväxling **4** not, anmärkning i marginalen eller under texten; pl. ~**s** noter, kommentar[er] **5** *promissory* ~ skuldsedel, revers [*for* på] **6** sedel; ~ **issue** sedelutgivning **7** mus. a) ton b) not, nottecken c) tangent; **a false** ~ en falsk ton; **strike a false** ~ el. **sound a false** ~ bildl. klinga falskt; **strike the right** ~ bildl. anslå den rätta tonen **8** sång, fågelsång [*the blackbird's merry* ~]; kraxande **9** ton, underton, stämning; **the book ends on a** ~ **of pessimism** boken slutar i en pessimistisk ton **10** **a family of** ~ en ansedd familj; **a man of** ~ en framstående (betydande) man **11** uppmärksamhet, beaktande; **take** ~ **of** lägga märke till, ta notis om; **nothing of** ~ ingenting av betydelse, ingenting att fästa sig vid; **worthy of** ~ beaktansvärd, värd att lägga märke till
II *vb tr* **1** lägga [noga] märke till, märka, notera, konstatera, se [*we* ~ *from* (av) *your letter that...*]; beakta; **it is to be** ~**d that...** observera att..., det är att märka att... **2** framhålla, påpeka **3** ~ el. ~ **down** anteckna, skriva upp (ned), notera
note block ['nəʊtblɒk] *s* kollegieblock
notebook ['nəʊtbʊk] *s* anteckningsbok
notecard ['nəʊtkɑːd] *s* kortbrev vikt brevpapper eller kort med bild
noted ['nəʊtɪd] *adj* bekant, känd, välkänd [*for* för]
notelet ['nəʊtlət] *s* kortbrev vikt brevpapper eller kort med bild
notepad ['nəʊtpæd] *s* anteckningsblock
notepaper ['nəʊtˌpeɪpə] *s* brevpapper
noteworthy ['nəʊtˌwɜːðɪ] *adj* anmärkningsvärd, beaktansvärd, märklig
not-for-profit [ˌnɒtfə'prɒfɪt] *adj* utan vinstintresse
nothing ['nʌθɪŋ] **I** *självst indef pron* **1** ingenting, inte något, inte någonting, inget; ~ **but** el. ~ **else than** el. ~ **else but** ingenting annat än, bara, endast; **he did** ~ **but complain** han gjorde inget annat än klagade; ~ **doing** se under 2 *do* II 2; ~ **less** se under *less* I 2; ~ **like** se under 1 *like* II 3; ~ **much** inte särskilt mycket, just inte mycket; **it resembles** ~ **so much as...** det liknar mest av allt...; **five foot** ~ jämnt fem fot; **he is** ~ **if not persistent** om det är något han är, så är det envis; **there is** ~ **for it but to** + inf. det är inget annat att göra än att..., det är bara att...
2 **for** ~ a) gratis [*he did it for* ~]; för ingenting b) utan orsak [*they quarrelled for* ~] c) förgäves [*they had suffered for* ~]; till ingen nytta; **not for** ~ inte för inte
3 **there is** ~ **in it** a) det ligger ingenting ingen sanning i det b) det har ingen betydelse c) det är ingen konst **4** **make** ~ **of** a) ta [ganska] lätt på, bagatellisera b) inte få ut något av, inte utnyttja [*make* ~ *of one's opportunities*]; **I can make** ~ **of it** jag får inte

ut något av det, jag förstår mig inte på det; **to say ~ of** för att [nu] inte tala om, se äv. fraser under *say*
5 his collection has ~ on mine hans samling är ingenting (går inte upp) mot min
6 it's ~ to me det gör mig ingenting, det har ingenting med mig att göra; **it's ~ to what I have seen** det är ingenting mot vad jag har sett; **there's ~ to it** a) det är (var) ingen konst b) det ligger ingenting ingen sanning i det; **have ~ to do with** inte ha något att göra med; **it has ~ to do with you** det har ingenting med dig att göra; **come to ~** se under *come II*
7 with ~ on utan någonting på sig
II *adv* inte alls, ingalunda; **~ near** el. **~ like** inte tillnärmelsevis, inte på långt när
nothingness ['nʌθɪŋnəs] *s* **1** intighet, intet; **pass into ~** bli till intet **2** betydelselöshet; obetydlighet
notice ['nəʊtɪs] **I** *s* **1** notis, meddelande [*a short ~ in the paper*]; tillkännagivande, kungörelse; anslag; **~s of births** födelseannonser; **put up a ~** sätta upp ett anslag (meddelande) **2** kort recension, anmälan; pl. **~s** a) recensioner b) kritik, press [*the actor got very good ~s*] **3** a) varsel, meddelande på förhand; förvarning [*without ~*] b) uppsägning; **~ of a strike** strejkvarsel; **give ~** underrätta, varsko [*of* om], säga till [*we will give you ~ in due course*]; **give ~** el. **give ~ to quit** säga upp sig; säga upp [*you must give him ~ at once*]; **at an hour's ~** med en timmes varsel; **at short ~** med kort varsel; **be under ~** el. **be under ~ to leave** el. **be under ~ to quit** vara uppsagd; **until further ~** el. **till further ~** tills vidare **4** uppmärksamhet, beaktande; kännedom [*bring sth to sb's ~*]; **attract ~** tilldra sig (väcka) uppmärksamhet; **people began to sit up and take ~, when...** man började spetsa öronen [på allvar], när...; **take ~ of** lägga märke till, ta notis om, bry sig om, fästa sig vid; **he took no ~ of it** han brydde sig inte om det, han struntade i det
II *vb tr* märka, lägga märke till, iaktta; **get ~d** bli uppmärksammad, få uppmärksamhet
noticeable ['nəʊtɪsəbl] *adj* **1** märkbar; synlig, synbar **2** påfallande
notice board ['nəʊtɪsbɔ:d] *s* anslagstavla
notifiable ['nəʊtɪfaɪəbl, ˌnəʊtɪ'faɪ-] *adj* som skall anmälas [till myndigheterna], som det råder anmälningsskyldighet för [*~ diseases*]
notification [ˌnəʊtɪfɪ'keɪʃ(ə)n] *s* **1** underrättelse, anmälan, meddelande, rapport **2** tillkännagivande, kungörelse **3** anmält fall [*27 ~s of salmonella*]
notify ['nəʊtɪfaɪ] *vb tr* **1 ~ sb of sth** el. **~ sth to sb** underrätta (varsko) ngn om ngt, anmäla ngt för (till) ngn, meddela ngt till ngn, rapportera ngt för ngn **2** tillkännage, kungöra [*sth to* (för) *sb*]
notion ['nəʊʃ(ə)n] *s* **1** föreställning, begrepp **2** uppfattning, åsikt **3** aning; **I have not the faintest ~ of** jag har inte den blekaste aning om **4** idé, infall [*a stupid ~*]; **get that ~ out of your head** slå de där grillerna ur huvudet **5** amer., pl. **~s** sybehör; **~ store** amer. diversehandel
notional ['nəʊʃənl] *adj* **1** spekulativ, teoretisk **2** abstrakt, imaginär **3** språkv. betydelsebärande; **~ verb** huvudverb
notoriety [ˌnəʊtə'raɪətɪ] *s* ökändhet, notorietet

notorious [nə(ʊ)'tɔ:rɪəs] *adj* ökänd, beryktad [*for* för; *a ~ criminal*]; allmänt känd, notorisk
notoriously [nə(ʊ)'tɔ:rɪəslɪ] *adv* som alla vet, som bekant; **~ cruel** känd för sin grymhet
Nottingham ['nɒtɪŋəm] geogr.
Nottinghamshire ['nɒtɪŋəmʃɪə, -ʃə] geogr.
Notting Hill [ˌnɒtɪŋ'hɪl] stadsdel i London med årlig västindisk karneval
Notts [nɒts] förk. för *Nottinghamshire*
notwithstanding [ˌnɒtwɪθ'stændɪŋ, -wɪð'-] **I** *prep* oaktat, trots; utan hinder av **II** *adv* det oaktat, inte desto mindre
nougat ['nu:gɑ:, 'nʌgət, amer. 'nu:gət] *s* fransk (hård) nougat
nought [nɔ:t] *s* **1** noll, nolla **2** se *naught 1*
noughts and crosses [ˌnɔ:tsən'krɒsɪz] (med verb i sg.) *s* slags luffarschack
noun [naʊn] *s* gram. substantiv
nourish ['nʌrɪʃ] *vb tr* **1** ge näring åt, nära; uppföda **2** bildl. a) nära, hysa [*~ hope*] b) fostra; ge näring åt; främja; understödja, underblåsa t.ex. uppror
nourishing ['nʌrɪʃɪŋ] *adj* närande [*~ food*]
nourishment ['nʌrɪʃmənt] *s* näring, föda; näringsmedel
Nov. förk. för *November*
Nova Scotia [ˌnəʊvə'skəʊʃə] geogr.
novel ['nɒv(ə)l] **I** *s* roman **II** *adj* ny [*a ~ style; a ~ experience*]; nymodig, hittills okänd
novelette [ˌnɒvə'let] *s* dussinroman
novelist ['nɒvəlɪst] *s* romanförfattare
novelt|y ['nɒv(ə)ltɪ] *s* **1** nyhet, nymodighet; **~ value** nyhetsvärde; **have the charm of ~** äga nyhetens behag; **by way of ~** som omväxling **2** konkr. nyhet [*fashion -ies*]; modernitet; **~** el. **party ~** skämtartikel
November [nə(ʊ)'vembə] *s* november
novice ['nɒvɪs] *s* **1** kyrkl. novis **2** novis, nybörjare [*at, in* i]
now [naʊ] **I** *adv* **1** nu; nuförtiden; **~...~** el. **~...then** än...än; [*every*] **~ and then** el. [*every*] **~ and again** då och då, allt emellanåt, en och annan gång; **~ that** el. **~ when** nu då; **before ~** förut; [långt] före detta; tidigare [*he should have been here before ~*]; **by ~** vid det här laget, nu; **for ~** för tillfället, tillsvidare [*that's enough for ~*]; **bye-bye for ~!** hej så länge!; **as of ~** el. **from ~** el. **from ~ on** från och med nu, hädanefter **2** med försvagad tidsbetydelse: **~, that's how it is** ja, så är det; **~, what do you mean by that?** vad menar du med det för resten?; **~, ~** a) aj, aj, aja baja [*~ ~, don't touch it!*] b) så där ja; nånå; seså uppfordrande; **~ then** så där ja [*~ then, that was that!*]; nå [*~ then, what are we going to do now?*]; **and ~ you know!** så nu vet du det!; **did he ~!** nej [men] (jaså), gjorde han det?, nej verkligen?, ser man på!; **what was your name, ~?** vad var det du hette nu igen?
II *konj* nu då, när [*~ you mention it, I do remember*]
III *s* nu[et]
nowadays ['naʊədeɪz] *adv* nuförtiden, i våra dagar
no-waiting ['nəʊˌweɪtɪŋ] *adj*, **~ zone** plats där det råder stoppförbud
noway ['nəʊweɪ] *adv* ingalunda, jfr *no way* under *way I 9*
nowhere ['nəʊweə] *adv* ingenstans, inte

någonstans; ingen (inte någon) vart; **~ else** [**but**] inte någon annanstans [än]; **~ near** inte på långt när, inte på långa vägar, inte tillnärmelsevis; **be ~** el. **come in ~** vard. vara klart distanserad, vara ur räkningen, inte bli placerad i t.ex. tävling; bildl. vara ohjälpligt på efterkälken, fullständigt misslyckas, vara ur räkningen; **that will get you ~** det kommer du ingenstans (ingen vart) med

no-win [ˌnəʊˈwɪn] *adj*, **~ situation** situation med bara förlorare, situation där alla lösningar är dåliga

noxious [ˈnɒkʃəs] *adj* skadlig, farlig [*to* för]; giftig

nozzle [ˈnɒzl] *s* munstycke, pip; tekn. dysa

NSPCC [ˌenesˈpiːˌsiːˈsiː] (förk. för *National Society for the Prevention of Cruelty to Children*) ung. motsv. i sv. BRIS (Barnens rätt i samhället)

NSW förk. för *New South Wales*

NT förk. för *National Trust, New Testament*

nth [enθ] *räkn* **1** matem. n-te **2** vard., **to the ~ degree** i allra högsta grad; **for the ~ time** för femtioelfte gången

nuance [njʊˈɑːns] *s* nyans, nyansering, betydelsenyans, valör

nub [nʌb] *s* bildl. knut, kärna, kärnpunkt [*the ~ of the matter*]

nubile [ˈnjuːbaɪl, amer. -bl] *adj* **1** giftasvuxen; [köns]mogen **2** vard. sexuellt attraktiv om flicka

nuclear [ˈnjuːklɪə] *adj* kärn-; fys. äv. atom-; nukleär; kärnvapen- [*~ disarmament*]; **~ heating plant** kärnvärmeverk, atomvärmeverk; **~ research** kärnforskning; **~ war** kärnvapenkrig

nuclear bomb [ˌnjuːklɪəˈbɒm] *s* atombomb

nuclear carrier [ˌnjuːklɪəˈkærɪə] *s* kärnvapenbärare

nuclear energy [ˌnjuːklɪəˈenədʒɪ] *s* atomenergi, kärnenergi

nuclear family [ˌnjuːklɪəˈfæm(ə)lɪ] *s* sociol. kärnfamilj

nuclear fission [ˌnjuːklɪəˈfɪʃ(ə)n] *s* fys. fission, kärnklyvning

nuclear-free [ˌnjuːklɪəˈfriː] *adj* kärnvapenfri [*~ zone*]

nuclear fusion [ˌnjuːklɪəˈfjuːʒ(ə)n] *s* fys. fusion

nuclear physics [ˌnjuːklɪəˈfɪzɪks] (med verb i sg.) *s* kärnfysik

nuclear power [ˌnjuːklɪəˈpaʊə] *s* kärnkraft

nuclear-powered [ˌnjuːklɪəˈpaʊəd] *adj* kärnenergidriven, atom- [*~ submarine*]

nuclear power plant [ˌnjuːklɪəˈpaʊəplɑːnt] *s* o.

nuclear power station [ˌnjuːklɪəˈpaʊəˌsteɪʃ(ə)n] *s* kärnkraftverk

nuclear-propelled [ˌnjuːklɪəprəˈpeld] *adj* se *nuclear-powered*

nuclear reactor [ˌnjuːklɪərɪˈæktə] *s* kärnreaktor

nuclear waste [ˌnjuːklɪəˈweɪst] *s* radioaktivt avfall; kärnavfall

nuclei [ˈnjuːklaɪ] *s* pl. av *nucleus*

nucleic acid [ˌnjuːkliːkˈæsɪd] *s* kem. nukleinsyra

nucle|us [ˈnjuːklɪəs] (pl. *-i* [-aɪ], ibl. *-uses*) *s* **1** astron., biol. el. fys. kärna **2** bildl. kärna [*the ~ of a town*]; centrum; grundstomme; grundplåt [*of* till]

nude [njuːd] **I** *adj* naken; bar; **~ dancer** nakendansös **II** *s* nakenfigur, nakenbild, konst. äv. nakenstudie, akt; **in the ~** naken; **pose in the ~** posera naken, stå nakenmodell

nudge [nʌdʒ] **I** *vb tr* **1** **~ sb** a) knuffa (puffa) till ngn

[med armbågen], stöta ngn i sidan för att påkalla uppmärksamhet b) bildl. driva (puffa) på ngn; **~ one's way through** pressa (tränga) sig fram genom **2** snudda vid, nästan nå [*inflation is nudging 25%*] **II** *s* [lätt] knuff, puff

nudism [ˈnjuːdɪz(ə)m] *s* nudism

nudist [ˈnjuːdɪst] *s* nudist

nudist colony [ˈnjuːdɪstˌkɒlənɪ] *s* nudistkoloni, nudistläger

nudity [ˈnjuːdətɪ] *s* nakenhet

nugget [ˈnʌgɪt] *s* klump, klimp av ädel metall; **~** el. **~ of gold** guldklimp

nuisance [ˈnjuːsns] *s* besvär, elände; plåga [*he is a real (riktig) ~*] spec. om barn bråkstake; jur. olägenhet, förfång; **what a ~!** vad jobbigt!, ett sånt elände!; **make a ~ of oneself** ställa till besvär, bråka

nuke [nuːk] sl. **I** *vb tr* anfalla (bomba) med kärnvapen **II** *s* kärnvapen

null [nʌl] *adj* jur. ogiltig; **~ and void** ogiltig, av noll och intet värde, utan all kraft och verkan

nullify [ˈnʌlɪfaɪ] *vb tr* annullera, upphäva; ogiltigförklara

numb [nʌm] **I** *adj* stel, stelfrusen, känslolös, domnad; **~ with cold** stel av köld **II** *vb tr* göra stel[frusen]; förlama [*~ed with grief*]; döva [*medicine to ~ the pain*]

number [ˈnʌmbə] **I** *s* **1** antal [*a considerable ~*]; mängd; **~s** [*of people*] **live like this** massor av (ett stort antal) människor bor så här; **few (many, small) in ~** el. **few (many, small) in ~s** få (många, ringa) till antalet; **superiority in ~s** numerär överlägsenhet; **times out of ~** el. **times without (beyond) ~** otaliga (oräkneliga) gånger

2 nummer [*telephone ~*]; tal [*whole ~s; odd ~s*]; **cardinal ~** grundtal; **thirteen is an unlucky ~** tretton är ett olyckstal

3 teat. o.d. nummer [*do a solo ~*]

4 gram. numerus

5 pl. **numbers** i spec. betydelser a) **~s** el. **superior ~s** numerär överlägsenhet, övermakt i antal; **there is safety in ~s** el. **there is strength in ~s** ung. ju fler man är desto större trygghet (desto bättre) b) amer., **~s** el. **~s game** el. **~s racket** slags olagligt lotteri

6 i div. uttr. a) **~ one** etta spec. på topplista [*this week's ~ one*]; sl. bäst, toppen [*you're ~ one*] b) vard., **~ one** en själv, ens egen person; **take care of ~ one** el. **look after ~ one** vara om sig och kring sig, alltid tänka först på sig själv c) barnspr., **do ~ one** el. **do a ~ one** kissa; **do ~ two** el. **do a ~ two** bajsa d) vard., **his ~ is up** det är ute med honom

II *vb tr* **1** numrera; ibl. paginera **2** räkna [*the army ~ed 40, 000*]; omfatta, uppgå till; **we ~ed 20 in all** vi var sammanlagt 20 **3** räkna hänföra [*among, in, with* bland, till; *I ~ myself among his friends*]

4 räkna antalet av; **his days are ~ed** hans dagar är räknade

III *vb itr* räknas [*among, with* bland]

number cruncher [ˈnʌmbəˌkrʌn(t)ʃə] *s* vard. **1** ofta neds. räknenisse **2** data. siffertuggare dator el. program med stor beräkningskapacitet

number crunching [ˈnʌmbəˌkrʌn(t)ʃɪŋ] *s* vard. **1** ofta neds. siffertuggande **2** data., omfattande beräkningsarbete

numberless [ˈnʌmbələs] *adj* oräknelig, otalig

number plate ['nʌmbəpleɪt] s nummerplåt, registreringsskylt

Numbers ['nʌmbəz] (med verb i sg.) s bibl. Fjärde mosebok

number sign ['nʌmbəsaɪn] s data. el. tele. brädgårdstecken; på telefonens knappsats fyrkant

numeracy ['nju:m(ə)r(ə)sɪ] s räkneförmåga, färdigheter i [grundläggande] räkning

numeral ['nju:m(ə)r(ə)l] **I** adj siffermässig, siffer-, talmässig; ~ **sign** taltecken
II s **1** gram. räkneord; **cardinal** ~ grundtal
2 taltecken, siffra [Roman ~s]

numerate ['nju:mərət] adj räknekunnig

numerator ['nju:məreɪtə] s **1** räknare **2** matem. täljare

numerical [njʊ'merɪk(ə)l] adj **1** numerisk, numerär, siffermässig; ~ **strength** numerär styrka; ~ **superiority** numerär överlägsenhet **2** siffer- [~ calculation; ~ system] **3** nummer-; **in** ~ **order** i nummerordning

numerous ['nju:m(ə)rəs] adj talrik

numismatics [,nju:mɪz'mætɪks] (med verb i sg.) s numismatik

numskull ['nʌmskʌl] s vard. dumhuvud, träskalle

nun [nʌn] s nunna

nuncio ['nʌnʃɪəʊ] (pl. ~s) s nuntie, påvligt sändebud

nunnery ['nʌnərɪ] s kloster, nunnekloster

nuptial ['nʌpʃ(ə)l] adj bröllops-, vigsel-; äktenskaps- [~ vows]; äktenskaplig [~ happiness]

nuptials ['nʌpʃ(ə)lz] s pl bröllop, vigsel

nurse [nɜ:s] **I** s **1** [sjuk]sköterska, syster; **male** ~ [manlig] sjuksköterska; **practical** ~ amer. undersköterska **2** åld. barnsköterska
II vb tr **1** sköta barn el. sjuka, vårda **2** åld. amma **3** kela med [~ a kitten; [sakta] smeka, hålla i sina armar, hålla i knät **4** sköta om [~ a cold]; vara försiktig med [~ a weak ankle]; spara, skona; pyssla (måna) om; sköta; omhulda, främja **5** hysa, nära; uppamma; ~ **a grudge against sb** hysa agg mot ngn
III vb itr **1** amma **2** sköta sjuka

nursemaid ['nɜ:smeɪd] s åld. barnjungfru, barnflicka

nursery ['nɜ:s(ə)rɪ] s **1** förskola; ~ **tale** [barn]saga; amsaga **2 a)** handelsträdgård [äv. commercial ~]
b) plantskola, trädskola

nursery|man ['nɜ:s(ə)rɪ|mən] (pl. -men [-mən]) s plantskoleägare, plantskolechef

nursery rhyme ['nɜ:s(ə)rɪraɪm] s barnramsa, barnkammarrim, barnvisa

nursery school ['nɜ:s(ə)rɪsku:l] s förskola

nursery slope ['nɜ:s(ə)rɪsləʊp] s skidsport. nybörjarbacke för utförsåkning

nursing ['nɜ:sɪŋ] s **1** sjukvård; vård; **the** ~ **profession** sjuksköterskeyrket; **go into** ~ börja [jobba] inom sjukvården **2** amning; ~ **bottle** vanl. amer. nappflaska

nursing home ['nɜ:sɪŋhəʊm] s servicehus, äldreboende

nursing officer ['nɜ:sɪŋ,ɒfɪsə] s ung. sjukhusföreståndare, klinikföreståndare

nurturance ['nɜ:tʃərəns] s amer. omvårdnad och omtanke

nurture ['nɜ:tʃə] vb tr **1** fostra, uppfostra, vårda **2** föda [upp]; driva upp planta, nära **3** bildl. hysa, nära, umgås med

nut [nʌt] **I** s **1 a)** nöt; [nöt]kärna **b)** bildl., **he's a tough** ~ han är en hårding **2** tekn. mutter **3** vard.
a) knäppskalle, knasboll **b)** -fantast, -älskare [football ~] **4** vard. ngt åld., huvud rot, boll **5** vard., **be off one's** ~ vara knäpp (galen); **do one's** ~ a) vara (bli) galen, bli jättearg b) jobba som en galning **6** vulg., pl. ~s ballar testiklar
II vb itr plocka nötter; **go ~ting** gå ut och plocka nötter
III vb tr vard. skalla

nutcase ['nʌtkeɪs] s sl. knasboll; dåre, galning

nutcracker ['nʌt,krækə] s **1** vanl. pl. ~s nötknäppare; **a pair of** ~s en nötknäppare **2** zool. nötkråka

nuthatch ['nʌthætʃ] s zool. nötväcka

nut-house ['nʌthaʊs] s sl. dårhus

nutmeg ['nʌtmeg] **I** s bot. muskot[nöt] äv. krydda; ~ el. ~ **tree** muskotträd; ~ **grater** fint rivjärn **II** vb tr fotb., ~ **a player** göra en tunnel på en spelare

Nutmeg State [,nʌtmeg'steɪt], **the** ~ beteckn. för staten Connecticut

nutraceutical [,nju:trə'sju:tɪk(ə)l] **I** s funktionellt livsmedel **II** adj funktionell om mat med hälsosamma tillsatser

nutrient ['nju:trɪənt] s näringsämne

nutriment ['nju:trɪmənt] s näring, föda

nutrition [nju'trɪʃ(ə)n] s **1** kost; näring, näringstillförsel; livsmedelsförsörjning **2** näringslära, näringsfysiologi

nutritional [nju'trɪʃənl] adj närings- [~ value]

nutritionist [,nju:'trɪʃənɪst] s näringsfysiolog

nutritious [nju'trɪʃəs] adj näringsrik, närande

nutritive ['nju:trətɪv] **I** adj **1** närings-; ~ **value** näringsvärde **2** närande; som tillhandahåller näring
II s näringsmedel

nuts [nʌts] **I** interj vard. vanl. amer., ~! äsch!, [skit]snack!, dra åt skogen! **II** s pl. av **nut III** adj sl. knasig, knäpp [he's ~]; **be** ~ **about** vara alldeles galen i; **go** ~ få spader, bli knäpp (knasig)

nutshell ['nʌt-ʃel] s nötskal; **in a** ~ bildl. i ett nötskal; i korthet; **to put it in a** ~ kort sagt

nutter ['nʌtə] s sl. knasboll, tokstolle

nutty ['nʌtɪ] adj **1** nötrik, med mycket nötter [a ~ cake] **2** nötliknande; med nötsmak; ~ **flavour** nötsmak **3** vard. knasig, knäpp; **be** ~ **about sb** vara galen i ngn

nuzzle ['nʌzl] **I** vb tr **1** gnida nosen (mulen) mot [the horse ~d my shoulder]; borra in näsan i, smeksamt trycka sig mot, smyga sig intill; ~ **one's face against** trycka ansiktet mot **2** spec. om svin rota i jorden, böka upp [~ truffles (tryffel)]
II vb itr **1** ~ **against** el. ~ **up against** gnida nosen (mulen) mot; trycka (smyga) sig intill **2** spec. om svin samt bildl. rota, böka [in i]

NV förk. för Nevada

NW förk. för North-Western (postdistrikt i London), north-west[ern]

NWT (förk. för Northwest Territories) i Kanada

NY o. **N.Y.** förk. för New York

nylon ['naɪlən, -lɒn] s nylon; pl. ~s åld. nylonstrumpor

nymph [nɪmf] s mytol. nymf

nymphet [nɪm'fet] s nymfett sexuellt brådmogen flicka

nympho ['nɪmfəʊ] (pl. ~s) s vard. nymfoman

nymphomaniac [ˌnɪmfə(ʊ)'meɪnɪæk] *adj* o. *s*
 nymfoman
NZ förk. för *New Zealand*

1 O, o [əʊ] (pl. *O's* el. *o's* [əʊz]) *s* **1** O, o **2** nolla; i
sifferkombinationer noll; **please dial 5060**
[ˌfaɪvəʊ'sɪksəʊ] var snäll och ring 5060
2 O förk. för *Ohio*
o' [ə] förk. i obetonad ställning för *of* [*man-o'-war; one
o'clock*]
oaf [əʊf] *s* fån[e], dummerjöns; drummel
oak [əʊk] *s* **1** ek träd **2** ek, ekträ, ekvirke
oaken ['əʊk(ə)n] *adj* av ek, ek-
Oaks [əʊks], **the ~** Oaks berömd hästkapplöpning vid
Epsom i England
oar [ɔ:] **I** *s* åra; **put one's ~ in** blanda sig i samtalet,
lägga sin näsa i blöt; **a good ~** en bra roddare
II *vb tr* o. *vb itr* ro
oarlock ['ɔ:lɒk] *s* vanl. amer. årtull, årklyka
oars|man ['ɔ:zmən] (pl. *-men* [-mən]) *s* roddare
oas|is [əʊ'eɪs|ɪs] (pl. *-es* [-i:z]) *s* oas
oast house ['əʊsthaʊs] *s* torkhus för humle
oatcake ['əʊtkeɪk] *s* slags havrekaka, havrebröd
oath [əʊθ, i pl. əʊðz, əʊθs] *s* **1** ed; **~ of office**
tjänsteed; **swear an ~** el. **take an ~** avlägga (svära) en
ed; **take an ~ that...** svära på att..., gå ed på att...;
take the ~ jur. avlägga eden; **under ~** el. **on ~** under
ed, edsvuren **2** svordom
oatmeal ['əʊtmi:l] *s* **1** havremjöl **2** amer.
havregrynsgröt
oats [əʊts] *s* **1** havre; **rolled ~** [valsade] havregryn;
wild ~ se *wild oats* **2** havregrynsgröt **3** vard., **be off
one's ~** ha tappat matlusten; inte vara i form; **feel
one's ~** a) känna sig uppåt b) vara viktig, göra sig
viktig, vara mallig
obduracy ['ɒbdjʊrəsɪ] *s* envetenhet, egensinnighet;
hårdhet
obdurate ['ɒbdjʊrət] *adj* obstinat, enveten,
egensinnig; hård, hårdhjärtad; **remain ~** framhärda
OBE [ˌəʊbi:'i:] förk. för *Officer of the Order of the
British Empire*
obedience [ə'bi:djəns] *s* lydnad [*to* mot], åtlydnad
[*from* av]
obedient [ə'bi:djənt] *adj* lydig [*to* mot]; **your ~
servant** åld., i brevslut Med utmärkt högaktning
obediently [ə'bi:djəntlɪ] *adv* lydigt
obeisance [ə(ʊ)'beɪs(ə)ns] *s* **1** [vördnadsfull]
hälsning (bugning, nigning); **make ~** el. **do ~** el. **pay ~**
göra reverens, buga sig djupt, niga djupt [*to* för]
2 hyllning, vördnad
obelisk ['ɒbəlɪsk] *s* obelisk
obese [ə(ʊ)'bi:s] *adj* mycket (sjukligt) fet
obesity [ə(ʊ)'bi:sətɪ] *s* med. fetma
obey [ə(ʊ)'beɪ] *vb tr* o. *vb itr* lyda, åtlyda,
hörsamma; **~ the law** följa lagen
obituary [ə'bɪtʃʊərɪ, ə'bi:tj-] *s* **1 ~** el. **~ notice**
dödsruna; minnesruna; dödsannons **2** som rubrik i
tidning dödsfall
object [subst. 'ɒbdʒɪkt, verb əb'dʒekt] **I** *s* **1** föremål,
objekt, sak, ting; **she was an ~ of admiration** hon var
föremål för beundran **2** syfte, mål, avsikt, mening;

the ~ is [*to get all the balls into the holes*] det gäller...; *the ~ of his journey* syftet (ändamålet) med hans resa; *money is no* ~ det spelar ingen roll vad det kostar, det får kosta vad det vill **3** gram. objekt **II** *vb tr* invända [*I ~ed that...*] **III** *vb itr* ha invändningar, komma med invändningar, opponera sig, protestera [*to mot*]; ogilla, inte tåla [*I ~ to people who come late*]; *if you don't* ~ om du inte har något emot det, om du inte har något att invända

object code [ˈɒbdʒɪktkəʊd] *s* data. objektkod, maskinkod

objection [əbˈdʒekʃ(ə)n] *s* invändning, protest [*to, against* mot]; motvilja [*he has a strong ~ to getting up early*]; *~!* jur. protest!; *~ sustained* jur. protesten bifalles; *~ overruled* jur. protesten avslås; *I have no ~* el. *I have no ~ to it* jag har ingenting att invända (inga invändningar) mot det, gärna för mig; *I have no ~ to doing it* det har jag ingenting emot att göra, det gör jag gärna

objectionable [əbˈdʒek ʃ(ə)nəbl] *adj* förkastlig, betänklig; anstötlig [*the ~ parts of the book*]; stötande; obehaglig, otäck [*an ~ smell*]

objective [əbˈdʒektɪv] **I** *adj* **1** objektiv; saklig **2** gram. objektiv [*~ genitive*]; *~ case* objektskasus **II** *s* **1** mål **2** ~ el. *~ lens* optik. objektiv

objectivity [ˌɒbdʒekˈtɪvətɪ] *s* objektivitet; saklighet

object lesson [ˈɒbdʒɪktˌlesn] *s* skolexempel [*in* på], praktisk illustration [*in* till]

objector [əbˈdʒektə] *s* person som gör invändningar, motståndare; *there were no ~s to...* det fanns inga motståndare till..., det fanns inte några som protesterade mot...

object-oriented programming [ˈɒbdʒɪktˌɔːrɪˈentədˈprəʊgræmɪŋ] (förk. *OOP*) *s* data. objektorienterad programmering

objet d'art [ˌɒbʒeɪˈdɑː] (pl. *objets d'art* utt. som sg.) *s* fr. konstföremål

obligated [ˈɒblɪgeɪtɪd] *adj* **1** förpliktigad; *feel ~ to do sth* känna sig tvungen (skyldig) att göra ngt **2** *be ~ to sb* stå i tacksamhetsskuld till ngn

obligation [ˌɒblɪˈgeɪʃ(ə)n] *s* **1** förpliktelse, åtagande, plikt; åliggande, skyldighet; *be under an ~* vara förpliktad, vara skyldig [*to* att]; *put sb under an ~ to* el. *lay sb under an ~ to* ålägga ngn att; *without ~ to buy* utan köptvång **2** tacksamhetsskuld; *be under an ~ to sb* stå i tacksamhetsskuld till ngn [*for* för]

obligatory [ˌɒblɪgət(ə)rɪ, ˈɒblɪgeɪtərɪ] *adj* obligatorisk; bindande [*an ~ promise*]

oblige [əˈblaɪdʒ] *vb tr* o. (ibl. *vb itr*) **1** förplikta; tvinga; *be ~d to* vara (bli) skyldig att; vara (bli) tvungen att **2** tillmötesgå [*I do my best to ~ him*]; göra (vara) till lags; göra ngn en tjänst; stå ngn till tjänst; *please ~ me by shutting...* skulle du kunna göra mig den tjänsten och (att) stänga...; *to ~ you* för att göra dig en tjänst; *be ~d to sb* vara ngn tacksam, stå i tacksamhetsskuld till ngn; *I'm much ~d* el. *I'm much ~d to you* jag är [dig] mycket tacksam [*for* för]; *much ~d!* tack så mycket!, tack ska du ha! äv. iron.

obliging [əˈblaɪdʒɪŋ] *adj* förekommande, tillmötesgående, förbindlig, tjänstvillig [*to* mot]

oblique [ə(ʊ)ˈbliːk] *adj* **1** sned, skev; *~ angle* sned

vinkel **2** språkv., *~ case* oblikt kasus **3** indirekt; smyg-; förtäckt [*~ threats*]

obliterate [əˈblɪtəreɪt] *vb tr* utplåna, avlägsna; tillintetgöra

oblivion [əˈblɪvɪən] *s* glömska, förgätenhet; *fall into* ~ el. *sink into* ~ falla (råka) i glömska

oblivious [əˈblɪvɪəs] *adj* omedveten [*of, to* om]; *be ~ of* [helt] glömma [bort]

oblong [ˈɒblɒŋ] **I** *adj* avlång, rektangulär **II** *s* avlång figur, rektangel

obloquy [ˈɒbləkwɪ] *s* smädelse[r], förtal

obnoxious [əbˈnɒkʃəs] *adj* avskyvärd, motbjudande, vidrig [*an ~ smell*]; förhatlig

oboe [ˈəʊbəʊ] *s* mus. oboe

oboist [ˈəʊbəʊɪst] *s* mus. oboist

obscene [əbˈsiːn] *adj* **1** oanständig, obscen **2** motbjudande, vidrig

obscenity [əbˈsenɪtɪ, -ˈsiːn-] *s* **1** oanständighet, obscenitet **2** vidrighet

obscure [əbˈskjʊə] **I** *adj* **1** dunkel, mörk, skum [*an ~ corner*] **2** otydlig, oklar [*an ~ sound*] **3** svårfattlig, dunkel [*an ~ passage in a book*]; grumlig, oklar **4** obemärkt, okänd [*an ~ French artist*]; obeaktad; obskyr **II** *vb tr* **1** förmörka, fördunkla; skymma [*mist ~d the view*] **2** bildl. **a)** fördunkla, grumla, förvirra **b)** ställa i skuggan

obscurity [əbˈskjʊərətɪ] *s* **1** dunkel, mörker **2** otydlighet, oklarhet **3** svårfattlighet **4** obemärkthet; *live in* ~ leva obemärkt

obsequies [ˈɒbsɪkwɪz] *s pl* begravningshögtidligheter; likbegängelse

obsequious [əbˈsiːkwɪəs] *adj* inställsam, krypande

observable [əbˈzɜːvəbl] *adj* märkbar [*an ~ decline*]; iakttagbar, observerbar

observance [əbˈzɜːv(ə)ns] *s* **1** iakttagande, efterlevnad **2** firande [*the ~ of a holiday*]

observant [əbˈzɜːv(ə)nt] *adj* uppmärksam [*of* på], vaken [*an ~ boy*]; observant, iakttagande

observation [ˌɒbzəˈveɪʃ(ə)n] *s* **1** observation; iakttagelse, rön, erfarenhet; observerande, iakttagande, jfr *observe I 1*; *escape ~* undgå att bli sedd; *keep sb under ~* ha ngn under observation **2** iakttagelseförmåga **3** anmärkning, yttrande; *make an ~* göra en anmärkning, yttra sig [*about* om]

observation post [ˌɒbzəˈveɪʃ(ə)npəʊst] *s* mil. observationspost, observationsplats

observatory [əbˈzɜːvətrɪ] *s* observatorium

observe [əbˈzɜːv] **I** *vb tr* **1** observera, iaktta; lägga märke till, uppmärksamma; varsebli, märka, se, konstatera **2** iaktta [*~ silence*]; följa, efterleva [*~ a principle; ~ a law*] **3** fira [*~ a festival*] **4** anmärka, yttra; *as has already been ~d* som redan nämnts, som redan konstaterats **II** *vb itr* iaktta, observera

observer [əbˈzɜːvə] *s* **1** iakttagare; observatör; *he is a keen ~* han är en skarpsynt iakttagare **2** *an ~ of* en som följer (efterlever etc., jfr *observe I 2*)

obsess [əbˈses] **I** *vb tr* hemsöka, anfäkta; *be ~ed by* el. *be ~ed with* vara [som] besatt av **II** *vb itr* amer. bara tänka på; *stop ~ing about* sluta att bara tänka på

obsession [əb'seʃ(ə)n] s besatthet, fix idé, fixering, tvångsföreställning

obsessional [əb'seʃənl] adj tvångsmässig, tvångs-; ~ *neurosis* psykol. tvångsneuros

obsessive [əb'sesɪv] adj **1** tvångsmässig [~ *fears*]; *become ~ about* bli tvångsmässigt fixerad vid **2** överdriven, abnorm

obsolescence [ˌɒbsə(ʊ)'lesns] s föråldrad karaktär (beskaffenhet); *technological ~ means...* att tekniken blir föråldrad innebär...

obsolescent [ˌɒbsə(ʊ)'lesnt] adj något ålderdomlig

obsolete ['ɒbsəli:t, ˌ--'-] adj föråldrad [~ *words*; ~ *expressions*]; gammalmodig; omodern

obstacle ['ɒbstəkl] s hinder äv. bildl. [*to* för]

obstacle course ['ɒbstəklkɔ:s] s **1** bana med hinder **2** amer. mil. hinderbana

obstacle race ['ɒbstəklreɪs] s hindertävling slags sällskapslek

obstetric [ɒb'stetrɪk] adj obstetrisk; ~ *ward* förlossningsavdelning

obstetrician [ˌɒbste'trɪʃ(ə)n] s obstetriker

obstetrics [ɒb'stetrɪks] (med verb i sg.) s obstetrik

obstinacy ['ɒbstɪnəsɪ] s envishet

obstinate ['ɒbstɪnət] adj envis, obstinat

obstreperous [əb'strep(ə)rəs] adj bråkig, bullrig; oregerlig [~ *behaviour*]

obstruct [əb'strʌkt] **I** vb tr **1** täppa till, täppa igen, spärra [av], blockera [~ *a passage*] **2** hindra [~ *the traffic*]; hämma; obstruera **3** skymma; ~ *the view* skymma sikten, hindra utsikten

II vb itr parl. o.d. obstruera, tillämpa (bedriva) obstruktion

obstruction [əb'strʌkʃ(ə)n] s **1** tilltäppning, tilltäppande, blockerande **2** spärr; hinder **3** sport. o. polit. obstruktion

obstructive [əb'strʌktɪv] adj **1** tilltäppande, spärrande, blockerande **2** hindrande, hämmande; *she is deliberately ~* hon försvårar (sätter sig på tvären) medvetet

obtain [əb'teɪn] **I** vb tr **1** [lyckas] få, skaffa sig [~ *information*; ~ *permission*] **2** få tag i [*where can I ~ the book?*]; [upp]nå, vinna; *tickets can be ~ed from...* biljetter finns att få hos (i)... **3** utvinna [*metal is ~ed from* (ur) *ore*]

II vb itr gälla, råda; [*this custom still ~s in some places*]

obtainable [əb'teɪnəbl] adj som kan fås, [som är] möjlig att få etc., jfr *obtain I*; tillgänglig; *details are ~ from...* närmare detaljer fås hos...

obtrude [əb'tru:d] **I** vb tr, ~ *sth on sb* el. ~ *sth upon sb* tvinga (pracka) på ngn ngt; ~ *oneself* [*up*]*on sb* el. ~ *one's company* [*up*]*on sb* tvinga (tränga) sig på ngn

II vb itr tränga sig på (fram); ~ *on sb* el. ~ *upon sb* tvinga (tränga) sig på ngn

obtrusive [əb'tru:sɪv] adj **1** påträngande, påflugen, närgången **2** påfallande [*an ~ error*]

obtuse [əb'tju:s] adj **1** bildl. slö, trög, trögtänkt **2** trubbig, slö; *an ~ angle* en trubbig vinkel

obverse ['ɒbvɜ:s] s **1** motsats [*of* till] **2** åtsida, framsida på mynt o.d.

obviate ['ɒbvɪeɪt] vb tr förebygga [~ *misunderstanding*]; undanröja [~ *a risk*; ~ *a danger*]

obvious ['ɒbvɪəs] adj tydlig, uppenbar, påtaglig;

självklar [*the ~ thing to do*]; *for ~ reasons* av lättförklarliga skäl

obviously ['ɒbvɪəslɪ] adv tydligen, uppenbarligen; självklart; helt klart, förstås

occasion [ə'keɪʒ(ə)n] **I** s **1** tillfälle [*on festive* (festliga) ~s]; *should the ~ arise* i förekommande fall, vid behov; *this is not an ~ for laughter* det är inte rätt tillfälle att skratta nu; *from ~ to ~* från den ena gången till den andra; *make the most of the ~* utnyttja tillfället (situationen); *on ~* då och då, någon gång; vid behov; *on several ~s* vid flera tillfällen, flera gånger; *on that ~* vid det tillfället, den gången; *rise to the ~* el. *be equal to the ~* [visa sig] vara situationen vuxen; visa vad man duger till **2** särskilt tillfälle, evenemang, [stor] tilldragelse, stor händelse (dag) [*celebrate the ~*] **3** [yttre] anledning, [bidragande] orsak; *there is no ~ for you to do it* det finns ingen anledning för dig att göra det

II vb tr orsaka, vålla, ge anledning till; föranleda [~ *sb to do sth*]

occasional [ə'keɪʒənl] adj tillfällig; enstaka [~ *showers*]; *I have the ~ cup of tea* jag dricker en kopp te någon gång då och då; *an ~ job* ett och annat [tillfälligt] jobb, ett jobb då och då; *he pays me ~ visits* han besöker mig [någon gång] då och då

occasionally [ə'keɪʒnəlɪ] adv [någon gång] då och då, emellanåt; *very ~* någon enstaka (enda) gång

occasional table [ə'keɪʒnl,teɪbl] s udda bord, småbord, [litet] extrabord

Occident ['ɒksɪd(ə)nt] s, *the ~* västerlandet, occidenten

occidental [ˌɒksɪ'dentl] adj västerländsk, occidental

occult [ɒ'kʌlt] **I** adj ockult; magisk **II** s, *the ~* det ockulta, ockulta ting

occupant ['ɒkjʊpənt] s **1** invånare [*the ~s of the house*] **2** *the ~s of the car were...* de [personer] som satt (befann sig) i bilen var..., bilens passagerare var... **3** innehavare [*the first ~ of the post*]

occupation [ˌɒkjʊ'peɪʃ(ə)n] s **1** yrke, sysselsättning [*state name and ~*]; *gainful ~* förvärvsarbete; *choose one's ~* välja yrke **2** sysselsättning [*my favourite ~*]; sysslande [*all this ~ with...*]; syssla [*my daily ~s*] **3** mil. ockupation, besättande

occupational [ˌɒkjʊ'peɪʃənl] adj arbets- [~ *therapy*]; yrkes- [~ *disease*]; ~ *hazard* yrkesfara

occupational pension [ɒkjʊˌpeɪʃnl'penʃ(ə)n] s tjänstepension

occupational therapy [ˌɒkjʊˌpeɪʃnl'θerəpɪ] s arbetsterapi

occupied ['ɒkjʊpaɪd] adj upptagen [*the seat is ~*]

occupier ['ɒkjʊpaɪə] s **1** innehavare [*the ~ of the flat*]; *the ~s of the flat* innehavarna av lägenheten, de som bodde i lägenheten **2** ockupant äv. mil.

occupy ['ɒkjʊpaɪ] vb tr **1** mil. ockupera, besätta, inta; friare ta i besittning **2** inneha [~ *a high office*; ~ *an important position*]; vara innehavare av, bekläda; inta [~ *a prominent* (ledande) *position*] **3** bo i; bo på [*they ~ the ground floor*]; bebo [~ *a house*] **4** uppta [~ *sb's time*]; fylla **5** sysselsätta, uppta [*it occupied his thoughts* el. *it occupied his mind* (hans tankar)]; *be occupied* vara sysselsatt, vara upptagen, hålla på [*with sth* med ngt; *doing sth* el. *in doing sth* med att göra ngt]

occur [əˈkɜː] *vb itr* **1** inträffa, hända, ske **2** ~ *to sb* falla ngn in [*to* att]; *it ~red to me that* jag kom att tänka på att, det föll mig in att **3** förekomma [*misprints ~ on every page*]; finnas, påträffas

occurrence [əˈkʌr(ə)ns] *s* **1** händelse, tilldragelse, företeelse; *that is an everyday* ~ det förekommer dagligen **2** förekomst; inträffande; *it is of frequent* ~ det förekommer ofta, det inträffar ofta

ocean [ˈəʊʃ(ə)n] *s* **1** ocean, hav, världshav **2** vard., ~*s of time* massor av tid

ocean-going [ˈəʊʃ(ə)nˌɡəʊɪŋ] *adj* oceangående

Oceania [ˌəʊʃɪˈeɪnjə] Oceanien Söderhavsöarna

oceanic [ˌəʊʃɪˈænɪk] *adj* oceanisk, ocean-, havs-

ocean liner [ˌəʊʃ(ə)nˈlaɪnə] *s* oceanångare

oceanographer [ˌəʊʃjəˈnɒɡrəfə] *s* oceanograf, [djup]havsforskare

oceanography [ˌəʊʃjəˈnɒɡrəfɪ] *s* oceanografi, [djup]havsforskning

Ocean State [ˌəʊʃ(ə)nˈsteɪt], *the* ~ beteckn. för staten *Rhode Island*

ocelot [ˈɒsəlɒt, ˈəʊs-] *s* zool. ozelot äv. pälsverk

ochre [ˈəʊkə] *s* miner. el. tekn. ockra

ocker [ˈɒkə] austral. sl. **I** *s* bondtölp, buffel **II** *adj* tölpig, bufflig

o'clock [əˈklɒk] *adv*, *it is ten* ~ klockan är tio; *ten* ~ *came* klockan blev tio

OCT [ˌəʊsiːˈtiː] EU. (förk. för *Overseas Countries and Territories*) ULT (förk. för utomeuropeiska länder och territorier)

Oct. förk. för *October*

octagon [ˈɒktəɡən] *s* geom. oktogon, åtthörning

octagonal [ɒkˈtæɡənl] *adj* åtthörnig, åttkantig

octane [ˈɒkteɪn] *s* kem. oktan

octane number [ˈɒkteɪnˌnʌmbə] *s* o. **octane rating** [ˈɒkteɪnˌreɪtɪŋ] *s* oktantal

octave [ˈɒktɪv] *s* mus. oktav

octet [ɒkˈtet] *s* mus. oktett

October [ɒkˈtəʊbə] *s* oktober

octogenarian [ˌɒktəʊdʒɪˈneərɪən] *s* åttioåring; person mellan åttio och nittio år [gammal]

octopus [ˈɒktəpəs] *s* zool. [åttaarmad] bläckfisk

ocular [ˈɒkjʊlə] *adj* **1** okulär[-]; ögon- **2** synlig; ~ *proof* synligt bevis

oculist [ˈɒkjʊlɪst] *s* åld. ögonläkare, ögonspecialist

OD [ˌəʊˈdiː] vard. (förk. för *overdose*) **I** (pl. *OD's* el. *ODs*) *s* **1** överdos [av narkotika] **2** person som har tagit en överdos [av narkotika] **II** (*OD'd OD'd* el. *ODed ODed*) *vb itr* ta en överdos [*on* av narkotika]

odd [ɒd] *adj* **1** underlig, besynnerlig, konstig **2** udda, ojämn; *an* ~ *number* ett ojämnt tal **3** omaka, udda [*an* ~ *glove*] **4** enstaka; ~ *pair* restpar **5** extra [*an* ~ *player*]; överskjutande, övertalig; överbliven [*the* ~ *bits of metal*]; *keep the* ~ *change!* det är jämna pengar!, det är jämnt!; ~ *trick* kortsp. trick; *at fifty* ~ när man är lite över femtio, vid några och femtio [års ålder]; *it cost 20 pounds* ~ det kostade lite drygt 20 pund **6** tillfällig, sporadisk, strö-, extra; ~ *jobs* ströjobb, diverse småjobb; *at* ~ *moments* på lediga stunder, lite då och då **7** ~ *man out* a) 'udde' den som blir över vid vissa

sällskapslekar b) bildl. udda person, särling c) bildl. femte hjulet under vagnen

oddball [ˈɒdbɔːl] vard. **I** *s* underlig typ, kuf **II** *adj* kufisk

oddity [ˈɒdətɪ] *s* **1** besynnerlighet, konstighet; *an* ~ något underligt, något konstigt **2** udda person (företeelse), original [*he's something of an* ~]

odd-job man [ˌɒdˈdʒɒbmæn] (pl. *odd-job men*) *s* diversearbetare person som utför diverse småjobb

oddly [ˈɒdlɪ] *adv* underligt, besynnerligt, konstigt [~ *enough* (nog)]

oddments [ˈɒdmənts] *s pl* enstaka exemplar, restmaterial, stuvbitar

odds [ɒdz] (med verb vanl. i pl.) *s* **1** utsikter, odds, chanser; sannolikhet; *the* ~ *are against him* han har oddsen emot sig; *the* ~ *are in his favour* han har goda utsikter, han har stora chanser; *the* ~ *are that she will do it* allting talar för att hon gör det; *fight against heavy* ~ kämpa mot övermakten, kämpa en ojämn strid **2** spel. o.d. odds; *long* ~ el. *large* ~ höga odds; små chanser; *short* ~ låga odds; *the* ~ *are 3 to 1* oddsen är 3 mot 1; *lay* ~ *of 3 to 1* hålla (sätta) 3 mot 1; *take* ~ *of 3 to 1* gå med på (anta) oddset 3 mot 1; *shout the* ~ vard. domdera; *pay over the* ~ betala alldeles för mycket **3** olikhet[er], skillnad[er]; *split the* ~ mötas på halva vägen; *what's the* ~? vard. vad spelar det för roll?; *it makes no* ~ vard. det gör varken till eller från **4** *at* ~ oense, osams, på kant med varandra

odds and ends [ˌɒdzənˈendz] *s pl* småsaker, [små]prylar; smått och gott; rester, stumpar, småskräp, avfall

odds and sods [ˌɒdzənˈsɒdz] *s pl* sl. **1** typer, kreti och pleti **2** se *odds and ends*

odds-on [ˈɒdzɒn] *adj*, *it's* ~ *that…* det är stor chans (risk) att …; *stand an* ~ *chance of winning* ha [mycket] goda utsikter att vinna; *be an* ~ *favourite* vara klar favorit

ode [əʊd] *s* ode [*on* över]

odious [ˈəʊdjəs] *adj* förhatlig, motbjudande

odium [ˈəʊdjəm] *s* hat, ovilja

odometer [əʊˈdɒmɪtə, ɒˈd-] *s* vanl. amer. vägmätare

odor [ˈəʊdə] amer., se *odour*

odorous [ˈəʊdərəs] *adj* mest poet. välluktande

odour [ˈəʊdə] *s* lukt, odör

odourless [ˈəʊdələs] *adj* luktfri, doftlös

Odyssey [ˈɒdɪsɪ] *s* **1** *the* ~ Odysséen **2** bildl. odyssé, irrfärd

OECD [ˌəʊiːsiːˈdiː] (förk. för *Organization for Economic Cooperation and Development*) OECD

Oedipus [ˈiːdɪpəs] mytol. Oidipus; *the* ~ *complex* psykol. oidipuskomplex[et]

o'er [ˈəʊə, ɔː] *prep* o. *adv* poet. sammandragning av *over*

oesopha|gus [iːˈsɒfəɡəs] (pl. -*gi* [-ɡaɪ el. -dʒaɪ] el. -*guses*) *s* anat. matstrupe

oestrogen [ˈiːstrə(ʊ)dʒ(ə)n, ˈes-] *s* fysiol. östrogen

oeuvre [ˈɜːvr(ə)] *s* fr., författares etc. samlade verk

of [ɒv, obeton. əv, v] **1** i uttr. som beteckn. läge, avskiljande: om [*north* ~ *York*]; från [*within a mile* ~ *Hull*]; *cure sb* ~ *a cold* bota ngn från en förkylning; *be robbed* ~ *sth* bli bestulen på ngt; *five minutes* ~ *twelve* amer. fem minuter i tolv **2** i uttr. som beteckn. härkomst, ursprung: av [*born* ~ *poor parents*]; från [*Professor Smith* ~ *Cambridge*]

3 i uttr. som beteckn. orsak, anledning o.d.: för [*be afraid* ~; *for* (av) *fear* ~]; över [*be proud* ~]; på [*be weary* ~]; av [*die* ~ *hunger*]; av el. i [*die* ~ *cancer*]
4 efter vissa adj. av [*it was kind* ~ *you*]
5 i uttr. som beteckn. material, innehåll: av [*flour is made* ~ *wheat*]; på [*an army* ~ *20, 000 men*]
6 i prepostionsattribut efter vissa subst. utan direkt motsvarighet i sv. **a)** *a cup* ~ *tea* en kopp te; *a number* ~ *people* ett antal människor; *a piece* ~ *paper* ett papper **b)** *the city* ~ *Brighton* staden Brighton **c)** *on the fifth* ~ *May* ...den femte maj; *by the name* ~ *John* el. *of the name* ~ *John* vid namn John, som heter John; *the winter* ~ *2010* vintern 2010
7 i uttr. som beteckn. innehåll, ämne, förhållande o.d.: om [*read* ~ *sth*; *speak* ~ *sth*; *stories* ~ *his travels*]; *hear* ~ *sth* höra talas om ngt; *swift* ~ *foot* snabbfotad; *blind* ~ *one eye* blind på ena ögat
8 i uttr. med objektiv genitiv: av [*the betrayal* ~ *the secret*]; för [*the fear* ~ *God*]; om [*knowledge* ~ *the past*]; på [*the murder* ~ *Mr Smith*]
9 i uttr. med egenskapsgenitiv: med [*a man* ~ *foreign appearance*]; av [*goods* ~ *our own manufacture*]; *a man* ~ *note* en framstående (betydande) man; *a boy* ~ *ten* en pojke på tio [år], en tioårig pojke
10 i uttr. med partitiv genitiv o. i likartade konstr. (jfr äv. *of 6 a* ovan) **a)** av [*most* ~ *them*]; *there were only six* ~ *us* vi var bara sex; *the best time* ~ *the year* bästa tiden på året **b)** framför en elliptisk genitiv: *a friend* ~ *John Smith's* en [god] vän till John Smith
11 i uttr. som beteckn. tillhörighet, ägande, förbindelse o.d.: i [*professor* ~ *history*]; på [*the governor* ~ *St Helena*]; till [*she is the daughter* ~ *a clergyman*]; *the works* ~ *Milton* Miltons verk; *the University* ~ *London* Londons universitet, universitetet i London
12 i vissa tidsuttryck på, om; *I sometimes see her* ~ *an evening* jag träffar henne ibland på kvällarna
13 *an angel* ~ *a woman* en ängel till kvinna

off [ɒf] **I** *adv* o. *pred adj* **1** bort, i väg [*steal* (smyga) ~; ~ *with you!*]; av [*get* (stiga) ~]; på instrumenttavla o.d. från[kopplad]; ~ *we go!* nu går vi!; *far* ~ långt bort; *Christmas is only a week* ~ det är bara en vecka till jul; *3%* ~ *for ready cash* 3 % rabatt vid kontant betalning
2 *time* ~ ledighet; *take time* ~ ta ledigt
3 *be off* i spec. betydelser **a)** vara av[tagen] [*the lid is* ~]; vara ur, ha lossnat [*the button is* ~; *the paint is* ~] **b)** ge sig av, kila; *the horses are* ~! hästarna har startat!; *it's time we were* ~ det är på tiden vi kommer i väg; *where are you* ~ *to?* vart ska du [ta vägen] **c)** vara ledig **d)** vara slut [*this dish is* ~ *today*]; vara avstängd [*the water is* ~]; vara frånkopplad; vara inställd [*the party is* ~]; vara avblåst [*the strike is* ~]; *the deal is* ~ köpet har gått om intet; *the wedding is* ~ det blir (blev) inget bröllop [av] **e)** vard. inte vara färsk, vara ankommen (dålig) [*the meat was a bit* ~] **f)** *be badly* (*comfortably, well*) ~ se resp. adv.; *how are you* ~ *for money?* hur har du det [ställt] med pengar?
II *attr adj* ledig; *we have our* ~ *moments* **a)** vi har våra lugna (lediga) stunder **b)** alla har vi våra svaga perioder; ~ *season* lågsäsong, dödsäsong
III *prep* **1** bort från [*take your elbows* ~ *the table!*]; ner från [*he fell* ~ *the ladder*]; av [*he fell* ~ *the bicycle*]; borta från, ur [~ *course*]; *keep one's hands*

~ *sth* hålla fingrarna borta från ngt **2** vid, nära [~ *Baker Street*]; spec. sjö. utanför [~ *the Welsh coast*]
3 vard., *be* ~ *sth* (*sb*) ha tappat intresset för ngt (ngn), ha tappat lusten för ngt (ngn); *he's* ~ *his food* han har tappat matlusten; *I'm* ~ *smoking* jag har lagt av med att (slutat) röka [för tillfället] **4** på [*3% discount* ~ *the price*]

offal [ˈɒf(ə)l] *s* inälvsmat; slaktavfall
offbeat [ˈɒfbiːt] *adj* **1** vard. annorlunda, okonventionell **2** mus. offbeat med markering på andra och fjärde tonen
off-campus [ˌɒfˈkæmpəs] *adj* utanför universitetsområdet (collegeområdet, campus); ~ *study* distansundervisning
off-centre [ˌɒfˈsentə] *adj* **1** [som är] vid sidan av, inte helt centrerad, inte helt i mitten **2** bildl. lite udda, lite smågalen (obalanserad)
off-chance [ˈɒftʃɑːns] *s* liten chans; *we called on the* ~ *of finding you at home* vi chansade på att du skulle vara hemma
off-colour [ˌɒfˈkʌlə] *adj* **1** [lite] krasslig, hängig, ur gängorna **2** vågad; *an* ~ *joke* ett vågat skämt
offcut [ˈɒfkʌt] *s* avklipp av t.ex. papper, plywood, tyg
off-day [ˈɒfdeɪ] *s* dålig dag, otursdag [*it was one of my* ~*s*]
off-duty [ˌɒfˈdjuːtɪ] *adj* inte i tjänst, ledig; på min (sin etc.) lediga tid, på fritiden
offence [əˈfens] *s* **1** lagöverträdelse, brott [*a serious* ~]; förseelse; *punishable* ~ straffbar handling; *a slight* ~ en mindre förseelse; *it is an* ~ *to* det är straffbart att; *commit an* ~ överträda lagen, bryta mot lagen, begå ett brott **2** anstöt, förargelse; förolämpning; *give* ~ *to* el. *cause* ~ *to* väcka anstöt hos, stöta; *take* ~ ta illa upp; *quick to take* ~ lättstött; *no* ~! el. *no* ~ *was meant!* det var inte så illa men[a]t!, ta inte illa upp! **3** anfall
offend [əˈfend] **I** *vb tr* väcka anstöt hos, verka stötande på; såra [~ *sb's feelings*]; förnärma, förolämpa, kränka; förarga; *be* ~*ed* bli stött [*with sb* el. *by sb* på ngn; *at sth* el. *by sth* över ngt]; *don't be* ~*ed* ta inte illa upp [*if* om]
II *vb itr* **1** väcka anstöt (förargelse) **2** synda, fela; begå brott; ~ *against* **a)** synda mot **b)** bryta mot [~ *against a law*]; kränka
offender [əˈfendə] *s* **1** lagöverträdare, lagbrytare; *first* ~ förstagångsförbrytare; *old* ~ vaneförbrytare, fängelsekund; ~*s will be prosecuted* överträdelse beivras **2** syndare
offense [əˈfens] *s* amer., se *offence*
offensive [əˈfensɪv] **I** *adj* **1** anstötlig, stötande [*to sb* för ngn]; förolämpande, sårande, kränkande [~ *language*] **2** offensiv, anfalls- [~ *weapons*]; aggressiv; ~ *movements* offensiva trupprörelser **3** obehaglig [*an* ~ *person*]; vidrig, motbjudande [*an* ~ *smell*]
II *s* offensiv; *mount an* ~ sätta i gång en offensiv; *take the* ~ el. *go on the* ~ ta till offensiven, övergå till anfall
offer [ˈɒfə] **I** *vb tr* **1** erbjuda [*sb sth, sth to sb* ngn ngt; *I* ~*ed him £150,000 for the house*], hand. offerera; bjuda ut [~ *the shares at* (till) *98*]; ~ *for sale* bjuda ut till försäljning, saluföra; ~ *one's services* erbjuda sina tjänster, ställa sig till förfogande **2** utfästa, utlova; ~ *a reward* utfästa en

belöning **3** relig., **~** el. **~ up** offra [*to* åt] **4** framföra [*~ an apology*]; lägga fram [*~ an opinion*]; ge, komma med [*~ an explanation*]; anföra **5** förete, erbjuda [*~ many advantages*]
II *vb itr* **1** erbjuda sig; **as occasion ~s** när det blir tillfälle **2 ~ to** + inf. erbjuda sig att [*he ~ed to help me*]
III *s* erbjudande [*of* om], anbud, bud; hand. offert; **~ for sth** offert på ngt vid köp; **~ of sth** offert på ngt vid försäljning; **~** el. **~ of marriage** [giftermåls]anbud, frieri; **give an ~** el. **make an ~** lämna [ett] anbud, lämna [en] offert; **on ~** a) till salu, till försäljning b) **nappies are on ~ this week** det är extrapris på blöjor den här veckan
offering ['ɒf(ə)rɪŋ] *s* **1** offrande **2** offer, offergåva; bildl. gåva **3** erbjudande
off-guard [ˌɒf'gɑːd] *adj*, **catch sb ~** el. **take sb ~** överrumpla ngn
off-hand [ˌɒf'hænd] **I** *adv* **1** på rak arm, på stående fot, utan vidare [*I can't tell you ~*] **2** nonchalant; kort [*reply ~*]
II *adj* **1** oförberedd, oövertänkt, improviserad **2** nonchalant
off-hour [ˌɒf'aʊə] *s* amer. **1** ledig tid, ledighet, fritid [*I spent my ~ reading*] **2** pl. **~s** lågtrafik[tid]; **go shopping in the ~s** åka och handla när det inte är rusning[stid]
Office ['ɒfɪs] *s* **1** departement [*the Home ~*] **2** [ämbets]verk [*the Patent ~*]
office ['ɒfɪs] *s* **1** a) kontor [ofta pl. **~s**]; byrå; expedition; redaktion; tjänsterum; kansli b) ofta som efterled i sammansättn. -bolag, -kontor; **~ equipment** kontorsinredning, kontorsinventarier; **at the ~** el. **in the ~** på kontoret etc. **2** amer. [läkar]mottagning, mottagningsrum **3** tjänst, post, befattning, tjänsteställning, syssla; **resign ~** el. **leave ~** el. **retire from ~** avgå [ur tjänst]; **take ~** el. **come (get) into ~** tillträda sitt ämbete (sin tjänst, sin post), om minister äv. inträda i regeringen; om parti, regering komma till makten; **the Government in ~** den sittande regeringen **4** tjänsteförrättning, uppgift, plikt, funktion, göromål
office block ['ɒfɪsblɒk] *s* o. amer. **office building** ['ɒfɪsˌbɪldɪŋ] *s* kontorsbyggnad
office-holder ['ɒfɪsˌhəʊldə] *s* [stats]tjänsteman; befattningshavare; politiker
office hours ['ɒfɪsˌaʊəz] *s pl* **1** kontorstid [*during ~*] **2** amer. mottagningstid, [läkar]mottagning
office party [ˌɒfɪs'pɑːtɪ] *s* firmafest
officer ['ɒfɪsə] *s* **1** officer; pl. **~s** officerare, befäl; **~ of the day** el. **~ on duty** dagofficer **2 ~** el. **public ~** tjänsteman i statlig tjänst o.d.; **medical ~** se *medical officer* **3 ~** el. **police ~** polis[man], [polis]konstapel
office-worker ['ɒfɪsˌwɜːkə] *s* kontorsanställd, kontorist
official [ə'fɪʃ(ə)l] **I** *s* **1** tjänsteman, befattningshavare; **government ~** regeringstjänsteman **2** sport. funktionär
II *adj* **1** officiell, tjänste-; **~ career** tjänstemannakarriär, ämbetsmannabana; **~ letter** tjänstebrev; **in ~ circles** i officiella kretsar; [*he is here*] **on ~ business** ...på tjänstens vägnar; **~ quotation** hand. kursnotering; **an ~ secret** en statshemlighet **2** officiell; stel, kansli- [*~ style*]

officialdom [ə'fɪʃ(ə)ldəm] *s* byråkrati; tjänstemannakåren
officialese [əˌfɪʃə'liːz] *s* kanslispråk, kanslistil
officially [ə'fɪʃ(ə)lɪ] *adv* officiellt; på tjänstens vägnar
official receiver [əˌfɪʃ(ə)lrɪ'siːvə] *s* jur. konkursförvaltare, god man
Official Secrets Act [əˌfɪʃ(ə)l'siːkrətsækt] *s*, **the ~** sekretesslagen
officiate [ə'fɪʃɪeɪt] *vb itr* **1** kyrkl. förrätta gudstjänst; officiera [*at* vid] **2** sport. vara funktionär [*at* vid] **3** fungera [*~ as host; ~ as chairman*]; tjänstgöra
officious [ə'fɪʃəs] *adj* beskäftig
offing ['ɒfɪŋ] *s*, **in the ~** i antågande, under uppsegling, i faggorna
offish ['ɒfɪʃ] *adj* vard. högdragen, reserverad
off-key [ˌɒf'kiː] *adj* **1** falsk; **be ~** sjunga falskt **2 be ~** inte stämma, inte passa in
off-licence ['ɒfˌlaɪs(ə)ns] *s* **1** vin- och spritbutik **2 have an ~** ha rättighet att sälja vin och sprit
off-limits [ˌɒf'lɪmɪts] *adj* o. *adv* spec. mil. [som är] på förbjudet område; **be ~ to** vara förbjudet område för
off-line ['ɒflaɪn] *adj* data. inte uppkopplad; inte ansluten
off-load ['ɒfləʊd] *vb tr* **1** lasta av, lossa **2** bildl. lasta över, vältra över
off-peak ['ɒfpiːk, pred. ˌ-'-] *adj* inte maximal, låg-; **at ~ hours** vid lågtrafik; när det inte är rusning; vid lågbelastning; **~ season** lågsäsong
off-piste [ˌɒf'piːst] *adj* skidsport. offpist-
offprint ['ɒfprɪnt] *s* särtryck
offputting ['ɒfˌpʊtɪŋ] *adj* vard. avskräckande, motbjudande, frånstötande; avtändande; **it is so ~** det är så man tappar lusten
off-ramp ['ɒfræmp] *s* amer. trafik. avfart från motorväg
off-road vehicle [ˌɒfrəʊd'viːɪkl] *s* terränggående fordon
off-season ['ɒfˌsiːzn] **I** *adj* lågsäsong-, dödsäsong- **II** *adv* under lågsäsong[en], under dödsäsong[en]
offset ['ɒfset] (*offset offset*) *vb tr* uppväga [*the gains ~ the losses; ~ a disadvantage*]; neutralisera, utjämna, kompensera
offshoot ['ɒfʃuːt] *s* **1** bot. sidoskott **2** avkomling i sidoled, sidogren [*an ~ of a family*] **3** bildl. sidoskott; avläggare, utlöpare
offshore [ˌɒf'ʃɔː] *adj* o. *adv* **1** frånlands- [*~ wind*]; **the wind is blowing ~** vinden blåser från land **2** [ett stycke] utanför kusten, [en bit] från land [*~ fisheries*]; offshore- [*~ platform*]
offside [ˌɒf'saɪd] **I** *adv* fotb. o.d. offside
II *adj* **1** fotb. o.d. offside- **2** trafik. på förarsidan, vid vänstertrafik höger; vid högertrafik vänster
III *s* **1** trafik. förarsida; höger sida, vänster sida, jfr *offside II 2* **2** fotb. o.d. offside
offspring ['ɒfsprɪŋ] (pl. vanl. *offspring*) *s* **1** avkomma [*a numerous ~*]; avföda **2** ättling; barn [*she is the mother of numerous ~*]
offstage [ˌɒf'steɪdʒ] *adj* o. *adv* utanför scenen; i kulisserna
off-street [ˌɒf'striːt] *adj* på bakgator[na], på sidogator[na] [*~ parking*]
off-the-cuff [ˌɒfðə'kʌf] *adj* improviserad, spontan

off-the-peg [ˌɒfðə'peg] *adj* vard. konfektionssydd, färdigsydd

off-the-rack [ˌɒfðə'ræk] *adj* vard., se *off-the-peg*

off-the-record [ˌɒfðə'rekɔ:d] *adj* inofficiell, utom protokollet; **~ talks** förtroliga samtal

off-the-shelf [ˌɒfðə'ʃelf] *adj* [som finns] i lager, som finns inne, som finns till försäljning [~ *software*]

off-the-wall [ˌɒfðə'wɔ:l] *adj* vard. originell, okonventionell [*an ~ idea*]

off-white [ˌɒf'waɪt, attr. '--] *adj* off-white, benvit

off-year ['ɒfjɪə] *s* **1** ett mindre bra år, [rätt] lugnt år **2** mellanår; **~ election** vanl. amer. mellanårsval

oft [ɒft] *adv* poet. ofta; **many a time and ~** mången gång

often ['ɒfn, 'ɒft(ə)n] *adv* ofta, många gånger; **as ~ as not** inte så sällan, ganska ofta; **more ~ than not** [som] oftast; **every so ~** då och då, allt som oftast; **only too ~** alltför ofta

ogle ['əʊgl] **I** *vb itr* glo, stirra [*at* på] **II** *vb tr* glo på, stirra på

ogre ['əʊgə] *s* i folksagor [människoätande] jätte, troll; odjur

OH förk. för *Ohio*

oh [əʊ] *interj* **1** *~!* å[h]!, ä[h]!, äsch!, asch!; oj!, aj!; fy!; *~!* el. *~, indeed!* el. *~, is that so?* jaså [du]!; *~ no!* nej då!, visst inte!, ånej!; *~ yes!* jo [då]!, jo (ja) visst!, ja då!, åjo!; *~ well!* nåja! **2** hör du [*~, John, would you pass those books?*]

Ohio [ə(ʊ)'haɪəʊ] geogr.

ohm [əʊm] *s* fys. ohm

OHMS [ˌəʊeɪtʃem'es] förk. för *On His Majesty's Service* el. *On Her Majesty's Service*

OHP [ˌəʊeɪtʃ'pi:] förk. för *overhead projector*

oil [ɔɪl] **I** *s* **1** olja; **~ pressure gauge** oljetrycksmätare; **pour ~ on the flame** el. **pour ~ on the flames** gjuta olja på elden; **pour ~ on troubled waters** gjuta olja på vågorna; **strike ~** a) hitta olja vid oljeborrning b) vard. hitta en guldgruva; lyckas, ha framgång **2** mest pl. **~s** oljemålningar, oljor; **paint in ~s** måla i olja **II** *vb tr* olja [in], smörja [med olja]; **~ sb's palm** el. **~ sb's hand** bildl. smörja ngn, muta ngn

oil-bearing ['ɔɪlˌbeərɪŋ] *adj* oljeförande

oilcake ['ɔɪlkeɪk] *s* oljekaka

oilcan ['ɔɪlkæn] *s* oljekanna

oilcloth ['ɔɪlklɒθ] *s* vaxduk; oljeduk

oilfield ['ɔɪlfi:ld] *s* oljefält, oljedistrikt

oilfired ['ɔɪlˌfaɪəd] *adj* oljeeldad; **~ central heating** oljeeldning

oil gauge ['ɔɪlgeɪdʒ] *s* olje[nivå]mätare, oljeståndsmätare

oiliness ['ɔɪlɪnəs] *s* oljighet

oil paint [ˌɔɪl'peɪnt, '--] *s* oljefärg

oil painting ['ɔɪlˌpeɪntɪŋ] *s* **1** oljemålning **2** vard., **he's not exactly an ~** el. **he's no ~** han är inte någon skönhet precis

oil pan ['ɔɪlpæn] *s* amer. motor. oljetråg

oil rig ['ɔɪlrɪg] *s* oljerigg, oljeborrplattform

oilskin ['ɔɪlskɪn] *s* **1** vaxduk; oljeduk **2** plagg av oljetyg, oljerock; pl. **~s** oljekläder, oljeställ

oil slick ['ɔɪlslɪk] *s* oljefläck t.ex. på vattnet, oljebälte

oil tanker ['ɔɪlˌtæŋkə] *s* oljetanker

oil well ['ɔɪlwel] *s* oljekälla

oily ['ɔɪlɪ] *adj* **1** oljig; fet, flottig **2** bildl. oljig, hal, lismande, sliskig

oink [ɔɪŋk] *interj* ~, ~! nöff, nöff!

ointment ['ɔɪntmənt] *s* salva; smörjelse

1 OK [ˌəʊ'keɪ] vard. **I** *adj* o. *adv* OK, helt i sin ordning, riktig[t], bra, fin[t]; **it's ~ by me** el. **it's ~ with me** det är OK för min del, gärna för mig **II** *s*, **~** el. **the ~** okej, godkännande, klarsignal, klartecken [*get the ~; give the ~*] **III** (*OK'd OK'd* el. *OKed OKed*) *vb tr* godkänna

2 OK förk. för *Oklahoma*

okapi [əʊ'kɑ:pɪ] *s* zool. okapi

okay [ˌəʊ'keɪ] *adj, adv, s* o. *vb tr* se *1 OK*

Okla. förk. för *Oklahoma*

Oklahoma [ˌəʊklə'həʊmə] geogr.

okra ['əʊkrə, 'ɒkrə] *s* okra, gumbo grönsak

old [əʊld] **I** (komp. o. superl. *older oldest*; ibl. *elder eldest*, jfr dessa ord) *adj* **1** a) gammal, ålderstigen b) gammal, använd, förlegad c) tidigare, gammal, f.d. [*an ~ Etonian*] d) gammal och van, erfaren; **he is an ~ bird** vard. han är en gammal räv; **~ clothes** gamla [avlagda] kläder; **the ~ country** [det gamla] hemlandet [*relatives in the ~ country*]; **I'm doing well in my ~ days** jag klarar mig bra på gamla dar; **any ~ how** vard. [lite] hur som helst, på en höft, på måfå; **my ~ man** farsan; **any ~ thing** vard. vad katten som helst; **have a fine (good, high) ~ time** vard. ha jättekul, ha jätteskoj; **in the good ~ days** el. **in the good ~ times** på den gamla goda tiden; **good ~ John!** vard. gamle [käre] John!; **the ~** de gamla, gamlingarna **2** forn- [*Old English*; *Old French*; *Old High (Low) German*]; **Old London** forna tiders London, det gamla London

II *s*, **of ~** el. **in days of ~** el. **in times of ~** fordom, i gamla tider, förr i världen; **I know her of ~** jag känner henne sedan gammalt; **from of ~** sedan (av) gammalt, av ålder

old age [ˌəʊld'eɪdʒ] *s* ålderdom[en]; **in one's ~** på ålderdomen, på gamla dar

old-age pension [ˌəʊldeɪdʒ'penʃ(ə)n] *s* åld. ålderspension, folkpension

old-age pensioner [ˌəʊldeɪdʒ'penʃ(ə)nə] *s* åld. ålderspensionär

Old Bailey [ˌəʊld'beɪlɪ] *s*, **the ~** Centralbrottmålsdomstolen i London

old boy [ˌəʊld'bɔɪ, i betydelserna 2–4 ˌ-'-] *s* **1** gammal (tidigare) elev, f.d. elev **2** vard. gammal man **3** ngt åld. vard. gamle vän, gamle gosse **4** sport. oldboy

old boy network [ˌəʊld'bɔɪˌnetwɜ:k] *s* grabbnätverk nätverk av f.d. elever eller studenter vid vissa 'public schools' eller universitet

Old Dominion State [ˌəʊlddə'mɪnjənsteɪt], **the ~** beteckn. för staten *Virginia*

old-established [ˌəʊldɪ'stæblɪʃt] *adj* **1** gammal [känd] [*an ~ firm*] **2** hävdvunnen

old-fashioned [ˌəʊld'fæʃ(ə)nd] *adj* gammalmodig, gammaldags, omodern, ålderdomlig

old flame [ˌəʊld'fleɪm] *s* gammal flamma, gammal flickvän; gammal pojkvän

old folk ['əʊldˌfəʊk] *s* se *folk*

old folks' home [ˌəʊldfəʊks'həʊm] *s* vard. ålderdomshem

old girl [ˌəʊld'gɜ:l, i betydelserna 2 o. 3 ˌ-'-] *s* **1** gammal (tidigare) elev, f.d. elev **2** vard. gammal tant **3** ngt åld. vard. lilla gumman

Old Glory [ˌəʊld'glɔ:rɪ] *s* amer. vard. Stjärnbaneret

old guard [ˌəʊld'gɑːd] *s*, *the* ~ det gamla gardet

Oldham ['əʊldəm] geogr.

old hand [ˌəʊld'hænd] *s* gammal rutinerad arbetare; *he's an* ~ vard. han är gammal i gamet; *I'm an* ~ *at this work* jag är gammal och van i det här arbetet

old hat [ˌəʊld'hæt] *adj* vard. ute, omodern, förlegad [*that song is old* ~]

oldie ['əʊldɪ] *s* vard. gammal person, gamling; gammal sak; *golden* ~ gammal goding; mus. evergreen

oldish ['əʊldɪʃ] *adj* äldre, rätt gammal

old lady [ˌəʊld'leɪdɪ] *s* se *lady 5*

Old Line State [ˌəʊld'laɪnsteɪt], *the* ~ beteckn. för staten *Maryland*

old maid [ˌəʊld'meɪd] *s* åld. (neds.) gammal ungmö, gammal fröken (nucka)

old-maidish [ˌəʊld'meɪdɪʃ] *adj* frökenaktig, nuckig, tantig

old man [ˌəʊld'mæn] *s* se *man I 1*

Old North State [ˌəʊld'nɔːθsteɪt], *the* ~ beteckn. för staten *North Carolina*

old people ['əʊldˌpiːpl] *s* se *people I 4*

old people's home [ˌəʊld'piːplzhəʊm] *s* servicehus, äldreboende

oldster ['əʊldstə] *s* vard. gamling

Old Testament [ˌəʊld'testəmənt] *s*, *the* ~ Gamla testamentet

old-time ['əʊldtaɪm] *adj* gammaldags, gammal- [~ *dancing*]; ålderdomlig, gångna (gamla) tiders

old-timer [ˌəʊld'taɪmə] *s* vard. **1** *an* ~ en som är gammal i gamet **2** amer. gamling

Old Vic [ˌəʊld'vɪk], *the* ~ berömd teater i London

Old World [ˌəʊld'wɜːld] *s*, *the* ~ Gamla världen

old-world ['əʊldwɜːld] *adj* gammaldags, förtjusande gammal [*an* ~ *cottage*]

oleaginous [ˌəʊlɪ'ædʒɪnəs] *adj* **1** oljig, smörjig **2** bildl. oljig, hal

oleander [ˌəʊlɪ'ændə] *s* bot. oleander, nerium, rosenlager

olfactory [ɒl'fækt(ə)rɪ] anat. **I** *adj* lukt- [~ *organ*; ~ *nerves*] **II** *s* luktorgan

oligarchy ['ɒlɪgɑːkɪ] *s* oligarki, fåvälde

olive ['ɒlɪv] **I** *s* **1** oliv träd o. frukt **2** el. ~ *colour* oliv[färg], olivgrönt **II** *adj* olivfärgad [*an* ~ *complexion*]; olivgrön

olive branch ['ɒlɪvbrɑːn(t)ʃ] *s* olivgren; olivkvist äv. som symbol för fred; *hold out the* ~ sträcka ut handen till försoning

olive-drab [ˌɒlɪv'dræb] *adj* amer. militärgrön, grågrön [*an* ~ *jacket*]

olive drab [ˌɒlɪv'dræb] *s* amer. **1** militärgrönt, grågrönt **2** militärgrön uniform

olive oil [ˌɒlɪv'ɔɪl] *s* olivolja

olycography [ˌɒlɪ'kɒgrəfɪ] *s* polit. olicografi

Olympiad [ə(ʊ)'lɪmpɪæd] *s* olympiad, olympiska spel [*the 23rd* ~]

Olympian [ə(ʊ)'lɪmpɪən] **I** *adj* olympisk [~ *calm*]; majestätisk **II** *s* olympier

Olympic [ə'lɪmpɪk] **I** *adj* olympisk; ~ *village* olympiaby **II** *s*, *the* ~*s* [de] olympiska spelen, olympiaden, OS; *the Summer* ~*s* sommar-OS, sommarolympiaden

Olympic Games [əˌlɪmpɪk'geɪmz] *s pl* **1** *the* ~ [de] olympiska spelen, olympiaden, OS; *the Summer* ~ sommarolympiaden **2** grek. hist. olympiska spel

Omaha ['əʊməhɑː] geogr.

Oman [ə(ʊ)'mɑːn] **1** geogr. egennamn **2** *the Gulf of* ~ Omanviken

Omani [ə(ʊ)'mɑːnɪ] **I** *s* omanier; omanska kvinna **II** *adj* omansk

ombuds|man ['ɒmbʊdz|mən, -mæn] (pl. -*men* [-men el. -mən]) *s* ombudsman

omega ['əʊmɪgə, -meg-] *s* **1** grekiska bokstaven omega **2** bildl. ände, slut; jfr *alpha 2*

omelette o. amer. **omelet** ['ɒmlət, -let] *s* omelett; *savoury* ~ grönsaksomelett; *sweet* ~ syltomelett; *you can't make an* ~ *without breaking eggs* ung. smakar det så kostar det

omen ['əʊmen] *s* omen, förebud [*of* till, om; *that* om att]; *it is of good* ~ el. *it is a good* ~ det är ett gott tecken, det lovar gott för framtiden; *a bad* ~ el. *an ill* ~ ett dåligt omen (tecken)

ominous ['ɒmɪnəs, 'əʊm-] *adj* illavarslande [*of* för], olycksbådande

omission [ə(ʊ)'mɪʃ(ə)n] *s* **1** utelämnande, utelämning **2** försummelse, uraktlåtenhet; *sins of* ~ underlåtenhetssynder

omit [ə(ʊ)'mɪt] *vb tr* **1** utelämna, utesluta, hoppa över **2** underlåta, försumma

omnibus ['ɒmnɪbəs] *s* **1** samlingsband, samlingsverk, samlingsvolym; billighetsupplaga **2** radio. o. TV. samlingsprogram **3** åld. omnibus

omnipotence [ɒm'nɪpət(ə)ns] *s* allmakt

omnipotent [ɒm'nɪpət(ə)nt] *adj* allsmäktig

omnipresent [ˌɒmnɪ'prez(ə)nt] *adj* allestädes närvarande

omniscience [ɒm'nɪsɪəns, -ʃɪən-] *s* allvetenhet

omniscient [ɒm'nɪsɪənt, -ʃɪən-] *adj* allvetande

omnivore ['ɒmnɪvɔː] *s* allätare

omnivorous [ɒm'nɪv(ə)rəs] *adj* **1** zool. allätande **2** bildl., *he is an* ~ *reader* han är allätare när det gäller litteratur, han läser allt han kommer över

on [ɒn] **I** *prep* (se äv. under resp. huvudord)

i rumsuttryck el. friare

1 a) på; ~ *a chair* på en stol; *interest* ~ *one's capital* ränta på kapitalet **b)** på, vid; ~ *the Riviera* på Rivieran; *a house* ~ *19th street* amer. ett hus på (vid) 19:e gatan; ~ *a newspaper* på (vid) en tidning **c)** på, i; ~ *the radio* på radio; *the play is* ~ *TV* pjäsen visas på tv

2 i; ~ *the ceiling* i taket; ~ *a committee* i en kommitté; *talk* ~ *the telephone* tala i telefon

3 vid; *Newcastle is situated* ~ *the Tyne* Newcastle ligger vid Tyne

4 mot; *an attack* ~ ett anfall mot; *fair* ~ schyst mot

5 till; ~ *land and sea* till lands och till sjöss; ~ *foot* till fots

i tidsuttryck

6 på, om, under el. utan motsv. i sv.; ~ *Friday* på fredag; *she died* ~ *1st May* el. *she died* ~ *May 1st* el. amer. *she died* ~ *May 1* han dog den 1 maj; ~ *the morning of May 1* på morgonen den 1 maj

7 [genast] efter, vid; ~ *my father's death* omedelbart efter min fars död; ~ *my arrival at Hull, I went...* vid (efter) ankomsten till Hull, gick jag...; ~ *reaching Hull, I went...* sedan jag anlänt till Hull, gick jag...; ~ *hearing this he changed his plans* sedan han fått (då

han fick el. fått) veta detta, ändrade han sina planer; **~ second thoughts** vid närmare eftertanke **andra fall**
8 om, över, kring ett ämne o.d.; **an article ~** en artikel om; **a book ~** en bok om; **a lecture ~** en föreläsning om
9 för; **the fire went out ~ me** elden slocknade för mig; **that's a new one ~ me** vard. det var nytt för mig
10 i förhållande till, jämfört med, i jämförelse med; **the prices are up by 5 per cent ~ last year** priserna har gått upp med 5 % jämfört med förra året
11 enligt, efter; **~ this principle** enligt denna princip
12 mot; **~ payment of...** mot [betalning av]...
13 vid upprepningar på, efter; **loss ~ loss** förlust efter förlust
14 **this is ~ me** vard. det är jag som bjuder; **it's ~ the house** vard. det är huset (värden på stället) som bjuder; **have one ~ me!** ta en drink, jag bjuder!
II adv o. pred adj (se äv. under resp. huvudord) **1** på, på sig; **a pot with a lid ~** en kanna med lock på; **he drew his boots ~** han drog på sig stövlarna; **keep your coat ~!** behåll kappan på!
2 a) vidare; **pass it ~!** skicka den vidare!; **send ~** skicka...i förväg **b)** fram, framåt; **walk right ~** gå rakt fram; **a little further ~** litet längre fram; **from that day ~** från och med den dagen; **it was well ~ in the day** det var rätt långt fram på dagen **c)** på; **work ~** jobba på **d)** kvar; **sit ~** sitta kvar [he sat ~ at the table]
3 på påkopplad o.d.; på instrumenttavla o.d. till; **the light is ~** ljuset (det) är tänt; **the radio was ~** radion var på
4 be on i spec. betydelser **a)** vara i gång; **the game is ~ again** spelet är i gång igen **b)** spelas, uppföras, ges; **the play was ~ last year** pjäsen gick förra året; **what's ~ tonight?** vad är det för program i kväll?; vad händer i kväll? **c)** **I'm ~!** vard. jag är med [på det]!, kör till! **d)** vard. vara möjlig; **it's just not ~** så gör man bara inte; det går bara inte **e)** **what is he ~ about?** vard. vad håller han på och bråkar (gapar) om?
5 a) **~ and ~** utan uppehåll, i ett; **we walked ~ and ~** vi bara gick och gick **b)** **~ and off** av och på, från och till; av och till, [lite] då och då; **it rained ~ and off all evening** det regnade till och från hela kvällen **c)** **~ to** [upp] på, över till, ut på, ner på; **jump ~ to the bus** hoppa på bussen
on-air ['ɒneə] adj direktsänd, live; **an ~ interview** en direktsänd intervju
once [wʌns] **I** adv **1** (ibl. subst.) en gång [more than ~; som subst.: ~ is enough for me]; **~ nought is nought** en gånger noll är noll; **if I've told you ~ I've told you a dozen times** det har jag sagt dig dussintals gånger; **~ or twice** [en eller] ett par gånger; **~ bitten twice shy** bränt barn skyr elden; **~ and for all** en gång för alla; **just this ~** el. **just for this ~** bara för den här gången; **at ~ a)** genast, omedelbart **b)** på samma gång; **for ~** el. **for ~ in a while** för en gångs skull, för ovanlighetens skull; **it doesn't matter for ~** det gör inget för en gångs skull, en gång är ingen gång; **never ~** aldrig någonsin, inte en enda gång; **it was only that ~** det var bara [för] den gången **2** (äv. adj.) en gång [i tiden], förr [i tiden], förr i världen, tidigare [he ~ lived in London]; **~ there was a king** el.

~ upon a time there was a king det var en gång en kung
II konj, **~** el. **if ~** el. **when ~** när (om)...väl, när (om)... en gång; **~ he hesitates, we have him** så snart han tvekar så har vi honom fast
once-for-all [,wʌnsfər'ɔːl] adj engångs- [~ cost]
once-over ['wʌns,əʊvə] s, **give sth the ~** vard. a) kasta en hastig blick på ngt b) [snabbt] fixa till ngt, städa upp ngt
oncoming ['ɒn,kʌmɪŋ] adj **1** mötande [~ traffic]
2 förestående, annalkande [an ~ storm]
one [wʌn] (jfr five med ex. o. sammansättn.) **I** räkn o. adj
1 a) en, ett [~ third; ~ Sunday] **b)** ena, den [det] ena [blind in (på) ~ eye]; **~ half of** hälften av, ena halvan av; **for ~ thing** för det första, först och främst; till exempel; **not ~** inte en enda en; **it's all ~ to me** det gör mig detsamma, det kvittar lika för mig; **~...the other** el. **the ~...the other** [den] ena...[den] andra, en...en, en...en annan, den förra...den senare; **~ and all** varenda en, allesammans; **~ or other** den ena eller den andra, **~ or two** ett par [stycken]; **~ after another** el. **~ after the other** den ena efter den andra; **~ at a time** el. **~ at the time** en och en, en i sänder, en i taget; **it is difficult to tell ~ from the other** det är svårt att skilja dem åt; **he lost ~ of his arms** han förlorande ena armen; **~ by ~** en och en, en åt gången, en i taget; den ena efter den andra; **I for ~** jag för min del; **in ~** el. **all in ~** [allt] i ett; samfällt
2 enda; **the ~ thing that matters** el. **the ~ and only thing that matters** det [absolut] enda som betyder något; **the ~ and only...!** den oförliknelige...!
II pron **1** man; ofta som obj. en [it hurts ~ to be told the truth] rfl. sig [pull after ~]; **~'s** ens [~'s own children]; sin [~ must always be on ~'s guard]; sitt [~ has to do ~'s best]; sina **2** en, en viss [~ John Smith el. ~ Mr John Smith] **3 ~ another** varandra [they like ~ another] **4** med syftning på ett tidigare nämnt el. underförstått subst. **a)** ensamt: en [I lose a friend and you gain ~]; någon, något [where is my umbrella? – you didn't bring ~]; **she is not ~ to desert a friend** hon är inte den som överger en vän; **he behaved like ~ possessed** han betedde sig som en besatt; **he got ~ on the jaw** vard. han fick [ett slag] på käften; **have ~ on me!** ta en drink, jag bjuder! **b)** efter adj., ofta utan motsv. i sv. [take the red box, not the black ~]; **my life has been a long ~** mitt liv har varit långt; **that was a nasty ~** det var ett otäckt slag, det var elakt sagt; **my dear ~s** mina kära; **the little ~s** småttingarna; **young ~s** ungar **c)** efter best. art. el. pron., **the ~** determ. pron. den [that man is the ~ who stole my watch]; **this ~ will do** den här duger; **which ~ (which ~s) do you like?** vilken (vilka) tycker du om?
III s **1** etta [three ~s]; **they came in ~s and twos** de kom en och en och två och två **2** enhet **3** vard., **be a ~ for** vara tokig i, hålla på mycket med; **I've never been a great ~ for writing letters** jag har aldrig varit mycket för att skriva brev
one-acter [,wʌn'æktə] s enaktare
one-act play [,wʌnækt'pleɪ] s enaktare
one-armed bandit [,wʌnɑːmd'bændɪt] s vard. enarmad bandit spelautomat
one-horse [,wʌn'hɔːs, '--] adj **1 a ~ town** en landsortshåla, en byhåla **2 a ~ race** ett lopp med en klar favorit

one-liner [ˌwʌnˈlaɪnə] *s* kort vits, vitsig replik
one-man [ˈwʌnmæn] *adj* enmans- [*a ~ band*]
one-man show [ˌwʌnmænˈʃəʊ] *s* **1** enmansteater, enmansshow **2** separatutställning
one-night stand [ˌwʌnnaɪtˈstænd] *s* vard.
1 engångsligg person el. samlag **2** [artists] engagemang för en kväll
one-off [ˈwʌnɒf] *adj* engångs-, enstaka; *a ~ affair* el. *a ~ event* en engångsföreteelse
one-on-one [ˌwʌnɒnˈwʌn] *adj* o. *adv* vanl. amer. på tu man hand
one-parent family [ˌwʌnpeər(ə)ntˈfæm(ə)lɪ] *s* enföräldersfamilj
one-piece [ˈwʌnpiːs] *adj* hel [*a ~ bathing suit*]
onerous [ˈəʊn(ə)rəs, ˈɒn-] *adj* betungande, tyngande, tung [*~ duties*; *~ taxes*]; besvärlig, svår
oneself [wʌnˈself] *rfl pron* o. *pers pron* sig [*wash ~*]; sig själv [*proud of ~*]; själv [*one had better do it ~*]; en själv; jfr *myself*
one-shot [ˈwʌnʃɒt] *adj* vanl. amer. engångs-, enstaka; *a ~ deal* en engångsföreteelse
one-sided [ˌwʌnˈsaɪdɪd, attr. ˈ---] *adj* ensidig
one-stop [ˈwʌnstɒp] *adj* med mycket stort utbud av varor, som säljer allt möjligt [*a ~ store*]
one-time [ˈwʌntaɪm] *adj* o. *adv* tidigare; förutvarande, f.d.
one-to-one [ˌwʌntəˈwʌn] **I** *adj* **1** på tu man hand; *~ teaching* undervisning med en lärare och en elev **2** ett-till-ett-, exakt (precis) motsvarande **II** *adv* på tu man hand
one-track [ˈwʌntræk] *adj* enkelspårig; *have a ~ mind* bara ha en sak i huvudet
one-upmanship [wʌnˈʌpmənʃɪp] *s* konsten att psyka ngn, konsten att platta till andra
one-way [ˈwʌnweɪ] *adj* enkelriktad [*a ~ street*] **2** amer., *~ ticket* enkel biljett
one-woman [ˈwʌnˌwʊmən] *adj* **1** enmans-, solo-; jfr *one-man show* **2** monogam [*a ~ man*]
ongoing [ˈɒnˌɡəʊɪŋ] **I** *adj* pågående, fortgående **II** *s*, pl. *~s* se *goings-on*
onion [ˈʌnjən] *s* bot. lök, rödlök; *know one's ~s* vard. kunna sina saker
online [ˈɒnlaɪn] *adj* data. direktansluten, uppkopplad, online, nät- [*~ poker*]
online banking [ˌɒnlaɪnˈbæŋkɪŋ] *s* internetbank
onlooker [ˈɒnˌlʊkə] *s* åskådare
only [ˈəʊnlɪ] **I** *adj* **1** enda [*this is my ~ coat; her ~ brother*]; *she was an ~ child* hon var enda barnet; *my one and ~ chance* min [absolut] enda chans **2** enda rätta; enda verkliga; *he's the ~ man for the position* han är den ende rätte för posten **II** *adv* **1** bara, endast; *~ once* bara en gång; *~ too* a) bara alltför [*I know that ~ too well*] b) väldigt [*we are ~ too pleased to come*]; *~ think!* tänk [dig] bara!; *if ~ because* om inte för annat så bara för att; *if ~ to* om inte för annat så bara för att [*if ~ to spite him*]; *not ~...but also* inte bara...utan även (också); *when he was ~ five he could play the piano* redan vid fem års ålder kunde han spela piano **2** a) först, inte förrän [*I don't know him very well, I saw* (träffade) *him ~ yesterday*] b) senast, så sent som [*he can't be dead, I saw* (såg) *him ~ yesterday*]; *~ now* först, nu, inte förrän nu; *~ then* först då, inte förrän då; *~ when* först när, först sedan [*it was ~*

when I had seen it that...] **3** *~ just* just nu, alldeles nyss, precis [*I have ~ just received it*]; *we ~ just caught the train* vi hann nätt och jämnt med tåget **III** *konj* men, det är bara det att; [*I would lend you the book with pleasure,*] *~ I don't know where it is* ...[men] jag vet bara inte var den är; *~ that* utom [det] att; om...inte; [*he is remarkably like his brother,*] *~ he is a little taller* ...förutom att han är litet längre
o.n.o. [ˌəʊenˈəʊ] (förk. för *or nearest offer*) i annonser eller närmaste bud lite lägre pris kan accepteras [*£50 ~*]
onomatopoeia [ˌɒnə(ʊ)mætə(ʊ)ˈpiːə] *s* onomatopoesi, ljudhärmning
onomatopoeic [ˌɒnə(ʊ)mætə(ʊ)ˈpiːɪk] *adj* o.
onomatopoetic [ˌɒnə(ʊ)mætə(ʊ)pəʊˈetɪk] *adj* onomatopoetisk, ljudhärmande
on-ramp [ˈɒnræmp] *s* amer. påfartsramp till huvudväg
onrush [ˈɒnrʌʃ] *s* anstormning
on-screen [ˈɒnskriːn] *adj* data. el. TV. på skärmen; *~ display* display på skärmen
onset [ˈɒnset] *s* **1** ansats; början, inträde [*the ~ of winter*] **2** anfall, angrepp
onshore [ˌɒnˈʃɔː] *adj* o. *adv* **1** pålands- [*~ wind*]; *a wind blowing ~* en vind som blåser mot land **2** nära (längs) kusten; på kusten; kust- **3** i land
onside [ˌɒnˈsaɪd] *adj* o. *adv*, *she was ~* sport. hon var inte offside
onslaught [ˈɒnslɔːt] *s* våldsamt angrepp
onstage [ˌɒnˈsteɪdʒ] *adj* o. *adv* scen-; på scenen; in på scenen
Ontario [ɒnˈteərɪəʊ] geogr.
on-the-job [ˈɒnðəˌdʒɒb] *adj* amer., *~ training* internutbildning på arbetsplatsen
on-the-spot [ˈɒnðəˈspɒt] *adj* på ort och ställe, på platsen [*~ inquiries*]; *~ fine* ung. ordningsbot
onto [ˈɒntʊ, framför konsonantljud äv. ˈɒntə] *prep* = *on to*
onus [ˈəʊnəs] *s* börda; skyldighet, åliggande; *the ~ is on the employers to...* det är arbetsgivarnas skyldighet att...
onward [ˈɒnwəd] **I** *adj* framåtriktad; som för (leder) framåt, framåt-; *~ march* frammarsch; *~ movement* rörelse framåt **II** *adv* se *onwards*
onwards [ˈɒnwədz] *adv* framåt, vidare [*move ~*]; fram [*it is further ~*]; *from page 10 ~* från och med sidan 10
onyx [ˈɒnɪks, ˈəʊ-] *s* miner. onyx
oodles [ˈuːdlz] *s pl* vard. massor [*~ of money*]
oomph [ʊmf] *s* vard. **1** fart, ös **2** sex appeal
oops [ʊps] *interj* hoppsan!; oj [oj] då!
oops-a-daisy [ˈʊpsəˌdeɪzɪ] *interj* vard., se *upsydaisy*
ooze [uːz] **I** *vb itr* **1** ~ el. *~ out* sippra [ut], sippra fram, sippra igenom, sakta flyta (rinna) fram, dunsta ut **2** bildl. a) ~ el. *~ out* sippra (läcka, komma) ut [*the secret began to ~ out*] b) ~ el. *~ away* rinna bort, [börja] sina [*my courage was -ing away*] **3** drypa; droppa; *~ with sweat* drypa av svett **II** *vb tr* låta sippra ut; avge, avsöndra; *he was oozing sweat* han dröp av svett; *the wound was oozing blood* det sipprade blod ur såret **III** *s* **1** sakta flöde, [ut]sipprande, framsipprande **2** dy, gyttja, [botten]slam
oozy [ˈuːzɪ] *adj* fuktig, drypande; dyig, gyttjig
op [ɒp] vard. förk. för *operation* se *operation 4*

opacity [ə(ʊ)'pæsətɪ] *s* ogenomskinlighet; opacitet

opal ['əʊp(ə)l] *s* miner. opal

opalescent [ˌəʊpə'lesnt] *adj* opalskimrande

opaque [ə(ʊ)'peɪk] *adj* ogenomskinlig; opak; dunkel; ogenomskådlig

OPEC ['əʊpek] *s* (förk. för *Organization of Petroleum Exporting Countries*) OPEC

Op-Ed o. **op-ed** ['ɒped] *adj* o. *s* amer., ~ el. ~ *page* tidnings debattsida

open ['əʊp(ə)n] **I** *adj* **1** öppen; *in the* ~ *air* i friska luften, i det fria; ~ *fire* öppen eld ej i eldstad; ~ *force* öppet våld; *under the* ~ *sky* under bar himmel; ~ *warfare* öppet krig; *with one's eyes* ~ bildl. med öppna ögon, utan skygglappar; *wide* ~ vidöppen, på vid gavel; *the door flew* ~ dörren flög upp; *fling* ~ kasta (slänga, slå, rycka) upp; *keep one's bowels* ~ hålla magen i gång **2** öppen; offentlig; fri; obegränsad; tillgänglig; ~ *championship* sport. öppet mästerskap; ~ *competition* a) tävling öppen för alla b) t.ex. inom EU allmänt uttagningsprov; ~ *scholarship* stipendium som står öppet för alla; *the* ~ *season* el. *the* ~ *time* lovlig (tillåten) tid för jakt el. fiske **3** öppen, öppenhjärtig, uppriktig [*with* mot] **4** ledig [*the job is still* ~] **5** *open to* a) upplåten till, tillgänglig för, öppen för [*the race is* ~ *to all*]; *there are two courses* ~ *to you* två vägar står öppna för dig b) öppen för, mottaglig för [~ *to argument*] c) ~ *to doubt* el. ~ *to question* diskutabel, som kan ifrågasättas, tvivelaktig
II *s* **1** *in the* ~ i det fria, utomhus; bildl. öppet, offentligt; *come into the* ~ el. *come out into the* ~ a) komma ut, bli offentlig b) tala öppet **2** sport. open tävling öppen för proffs o. amatörer
III *vb tr* **1** öppna; ~ *your books at page 21* öppna böckerna på sidan 21; ~ *sb's eyes* bildl. öppna ngns ögon [*to* för]; ~ *the mind* vidga horisonten **2** ~ el. ~ *up* a) öppna, skära upp [~ *a wound*] b) bryta, röja [~ *ground*]; exploatera, öppna [~ *undeveloped land*] **3** öppna; upplåta, göra tillgänglig; börja, sätta i gång; inleda; inviga [~ *a new railway*]; ~ *an account with* öppna konto hos; ~ *fire* mil. öppna eld [*at* el. *on* mot] **4** yppa, uppenbara, öppna, avslöja; ~ *oneself to sb* el. ~ *one's mind to sb* öppna sig för ngn
IV *vb itr* **1** öppnas, öppna sig; ~ *sesame* se under *sesame* 2 **2** om blomma öppna sig, slå ut **3** öppna, börja [*the story* ~*s well*]; ha premiär [*the play* ~*ed yesterday*] **4** vetta, ha utsikt [*the window* ~*ed on to* (mot, åt) *the garden*]; leda, föra, mynna [*into* (to, on to) *in till, ut till, ut i*]; *the room* ~*s on the garden* el. *the room* ~*s on to the garden* rummet har förbindelse med trädgården, rummet har utgång mot trädgården **5** ~ el. ~ *out* öppna sig, breda ut sig **6** ~ *up* a) öppna; ~ *up!* öppna dörren! b) öppna sig, bli meddelsam, tala öppet c) öppna eld [*on* mot]

open-air [ˌəʊpən'eə, attr. äv. '---] *adj* frilufts- [~ *life*]; utomhus- [*an* ~ *dance floor*]; *an* ~ *concert* en utomhuskonsert

open-and-shut [ˌəʊpənən(d)'ʃʌt] *adj* självklar, solklar [*an* ~ *case*]; enkel

open-cast ['əʊpənkɑːst] gruv. **I** *s* dagbrott **II** *adj* [som bryts] i dagbrott

open-cast mine [ˌəʊpənkɑːst'maɪn] *s* gruv. dagbrott

open-cast mining [ˌəʊpənkɑːst'maɪnɪŋ] *s* gruv. dagbrytning

open-cut ['əʊpənkʌt] amer., se *open-cast*

open-date [ˌəʊpən'deɪt] *vb tr* datummärka t.ex. mat

open day ['əʊp(ə)ndeɪ] *s* öppet hus för allmänheten, skol. åhörardag

open-ended [ˌəʊpən'endɪd] *adj* **1** ej tidsbegränsad **2** öppen [och opartisk], förutsättningslös

opener ['əʊp(ə)nə] *s* **1** öppnare; *can* ~ el. *tin* ~ konservöppnare, burköppnare **2** sport. inledande match (omgång); öppningsnummer; *for* ~*s* till att börja med **3** inledare [~ *of a discussion*]

open-eyed [ˌəʊpən'aɪd] *adj* **1** med öppna ögon **2** vaken, vaksam **3** storögd, med uppspärrade ögon

open-faced sandwich ['əʊpənfeɪstˌsændwɪtʃ] *s* amer., enkel smörgås med pålägg

open-handed [ˌəʊpən'hændɪd] *adj* frikostig, givmild; ~ *hospitality* stor gästfrihet

open-hearted [ˌəʊpən'hɑːtɪd] *adj* öppenhjärtig, uppriktig

open-heart surgery [ˌəʊpənhɑːt'sɜːdʒ(ə)rɪ] *s* öppen hjärtkirurgi

open-house [ˌəʊpən'haʊs] *adj*, *she is giving an* ~ *party tomorrow* det är öppet hus hos henne i morgon

open house [ˌəʊpən'haʊs] *s* **1** öppet hus; *it's always* ~ *at John's place* alla är alltid välkomna hem till John **2** amer. öppet hus för allmänheten, skol. åhörardag **3** amer. visning av hus före försäljning o.d.

opening ['əʊp(ə)nɪŋ] **I** *pres p* o. *adj* öppnande; inlednings-, begynnelse-, öppnings-; ~ *chapter* inledningskapitel; *his* ~ *remarks* hans inledande anmärkningar
II *s* **1** öppnande etc., jfr *open III*; början, inledning [*the* ~ *of the session*]; upptakt; invigning; premiär; *the* ~ *of Parliament* parlamentets öppnande **2** öppning äv. bildl. [*find an* ~]; springa, hål, glugg; mynning **3** [gynnsamt] tillfälle, möjlighet, chans **4** schack. öppning

opening hours ['əʊp(ə)nɪŋˌaʊəz] *s pl* öppettid[er]

opening night [ˌəʊp(ə)nɪŋ'naɪt] *s* premiär

opening time ['əʊp(ə)nɪŋtaɪm] *s* öppningsdags spec. för pubar

open letter [ˌəʊpən'letə] *s* tidn. öppet brev

openly ['əʊpənlɪ] *adv* öppet; oförbehållsamt; offentligt; *talk* ~ *about* tala öppet om

open-minded [ˌəʊpən'maɪndɪd] *adj* öppen (mottaglig) för nya idéer (intryck, synpunkter o.d.), fördomsfri; obunden

open-mouthed [ˌəʊpən'maʊðd] *adj* med vidöppen mun, gapande

open-necked [ˌəʊp(ə)n'nekt] *adj* uppknäppt i halsen [*an* ~ *shirt*]

openness ['əʊpənnəs] *s* öppenhet etc., jfr *open I*

open-plan [ˌəʊpən'plæn, attr. äv. '---] *adj*, ~ *kitchen living space* öppen planlösning [mellan kök och vardagsrum]; ~ *office* kontorslandskap; ~ *school* skola med öppen planlösning

open primary [ˌəʊp(ə)n'praɪmərɪ] *s* öppet primärval i USA

open prison [ˌəʊp(ə)n'prɪzn] *s* öppen anstalt

open sandwich [ˌəʊp(ə)n'sænwɪdʒ] *s* enkel smörgås med pålägg

open secret [ˌəʊp(ə)n'siːkrət] *s* offentlig hemlighet

open sesame [ˌəʊp(ə)n'sesəmɪ] *s, **an ~ to a happier** life* en nyckel till ett lyckligare liv

open system [ˌəʊp(ə)n'sɪstəm] *s* data. öppet system som möjliggör att olika operativsystem (produkter, protokoll) kan fungera tillsammans

Open University ['əʊp(ə)nˌjuːnɪ'vɜːsətɪ] (förk. *OU) s, the ~* det öppna universitetet universitetsform utan formella inträdeskrav, i vilken undervisning sker genom korrespondenskurser, föreläsningar i radio el. tv m.m.

open verdict [ˌəʊp(ə)n'vɜːdɪkt] *s* jur. öppet utslag

opera ['ɒp(ə)rə] *s* **1** opera; se äv. *comic opera* o. *grand opera* **2** pl. av *opus*

operable ['ɒp(ə)rəbl] *adj* **1** praktiskt genomförbar, görlig **2** med. opererbar, som kan opereras

opera glasses ['ɒp(ə)rəˌglɑːsɪz] *s pl* teaterkikare

operate ['ɒpəreɪt] **I** *vb itr* (se äv. *operating*) **1** verka, fungera; om t.ex. maskin arbeta, vara i gång **2** med. operera; *~ on sb for sth* operera ngn för ngt **3** operera äv. mil., verka **4** börs. göra finansoperationer; spekulera
II *vb tr* (se äv. *operating*) **1** sätta i gång, hålla i gång, manövrera, sköta [*~ a machine*]; *hand ~d* manuellt skött; *mechanically ~d* maskindriven **2** leda, hålla, driva; *~ a company* leda ett företag **3** amer. med. operera [*~ a patient*]

operating ['ɒpəreɪtɪŋ] *pres p* o. *adj* **1** arbets-, manöver-; drift[s]-; *~ expenses* el. *~ costs* driftskostnader; *~ instructions* bruksanvisning[ar] **2** fungerande, [som är] i gång **3** med. operations- [*~ table*]

operating room ['ɒpəreɪtɪŋruːm] *s* amer. operationssal

operating system ['ɒpəreɪtɪŋˌsɪstəm] *s* data. operativsystem; styrsystem

operating theatre ['ɒpəreɪtɪŋˌθɪətə] *s* operationssal

operation [ˌɒpə'reɪʃ(ə)n] *s* **1** verkan; verksamhet, funktion, gång [*the ~ of an engine*]; användning, bruk; *be in ~* vara i gång, vara i funktion; *begin ~s* el. *commence ~s* sätta i gång, börja verksamheten; *come into ~* a) träda i verksamhet (funktion), komma i gång b) om t.ex. lag träda i kraft; *put into ~* sätta (köra) i gång, sätta i verket [*put a plan into ~*] **2** operation; arbete [*building ~s*]; förfarande, förfaringssätt; *it can be done in three ~s* det kan göras i tre moment **3** mil. operation **4** med., *~* el. *surgical ~* operation, operativt ingrepp; *have an ~ for...* bli opererad för...; *perform an ~ on sb* utföra en operation (ett ingrepp) på ngn, operera ngn **5** börs. spekulation; börsoperation, finansoperation **6** drivande, drift [*the ~ of an enterprise*]; skötsel, hantering [*the ~ of a machine*]

operational [ˌɒpə'reɪʃ(ə)nl] *adj* **1** drift[s]-; operations- **2** funktionsduglig; stridsklar

operational research [ˌɒpəreɪʃ(ə)nlriː'sɜːtʃ] o. **operations research** ['ɒpəˌreɪʃ(ə)nzriː'sɜːtʃ] *s* operationsanalys

operative ['ɒp(ə)rətɪv] **I** *s* **1** arbetare, fabriksarbetare **2** amer. vard. **a)** detektiv **b)** [hemlig] agent
II *adj* **1** **a)** verkande, verksam, aktiv; i verksamhet **b)** om t.ex. lag i kraft, gällande; *become ~* träda i kraft, börja gälla **2** effektiv, verksam; *the ~ clause* den väsentliga paragrafen; *the ~ word* det avgörande ordet **3** med. operativ, operations-

operator ['ɒpəreɪtə] *s* **1** operatör äv. data., tekniker, maskinist, skötare, maskinskötare **2** telefonist **3** arrangör [*tour ~*]; driftsledare; ägare **4** [börs]spekulant **5** vard., *~* el. *smooth ~* smart typ

operetta [ˌɒpə'retə] *s* operett

ophthalmic [ɒf'θælmɪk, ɒp'θ-] *adj* **1** ögon- **2** drabbad av ögoninflammation

ophthalmology [ˌɒfθæl'mɒlədʒɪ, ˌɒpθ-] *s* oftalmologi

opiate ['əʊpɪət] *s* opiat; narkotiskt medel

opinion [ə'pɪnjən] *s* **1** mening, åsikt, uppfattning, omdöme [*of, about,* om sak äv. *on* om, beträffande]; *public ~* den allmänna opinionen (meningen); *form an ~ of* bilda sig en mening (en åsikt, en uppfattning) om; *have a low ~ of* el. *have a bad ~ of* ha en låg tanke om; *give one's ~* el. *give an ~* säga (uttala) sin mening, avge ett omdöme, uttala sig, yttra sig [*about, on* om]; *hold an ~* hysa en åsikt; *in my ~* enligt min mening, enligt min åsikt; *a matter of ~* en fråga om tycke och smak, en omdömessak; *I am of the ~ that...* jag är av den meningen (åsikten) att..., jag har den uppfattningen att..., jag menar (anser) att... **2** [sakkunnigt] betänkande, [sakkunnigt] yttrande, [expert]utlåtande [*on* om, över, i; *legal ~s; medical ~s*]

opinionated [ə'pɪnjəneɪtɪd] *adj* envis, egensinnig; påstridig

opinion-makers [ə'pɪnjənˌmeɪkəz] *s pl* opinionsbildare

opinion poll [ə'pɪnjənpəʊl] *s* opinionsundersökning

opium ['əʊpjəm] *s* opium; *~ addict* opiummissbrukare; *~ den* opiumhåla

opossum [ə'pɒsəm] *s* zool. opossum, pungråtta

opponent [ə'pəʊnənt] **I** *s* motståndare [*of* till], i spel äv. motspelare **II** *adj* motstående; motsatt [*to* mot]

opportune ['ɒpətjuːn, ˌɒpə'tjuːn] *adj* opportun, läglig; lämplig, passande [*an ~ remark; an ~ speech*]

opportunism [ˌɒpə'tjuːnɪz(ə)m, 'ɒpətjuːn-] *s* opportunism

opportunist [ˌɒpə'tjuːnɪst, 'ɒpətjuːn-] *s* **1** hänsynslös streber; opportunist **2** person som utnyttjar tillfället (möjligheterna) t.ex. för att göra inbrott

opportunity [ˌɒpə'tjuːnətɪ] *s* [gynnsamt] tillfälle, möjlighet, chans; *~ to do sth* el. *~ of doing sth* el. *~ for doing sth* tillfälle att göra ngt; *~ for sth* tillfälle till (för) ngt; *when the ~ arises* när det ges ett tillfälle; *lose (miss) an ~* el. *let an ~ pass* el. *let an ~ slip by* missa ett tillfälle, låta ett tillfälle gå sig ur händerna; *take the ~* ta tillfället i akt, gripa tillfället; *take advantage of an ~* el. *make the most of an ~* dra nytta av ett tillfälle; *at the first ~* el. *at the earliest ~* vid första [bästa] tillfälle

oppose [ə'pəʊz] *vb tr* **1** opponera sig mot, motsätta sig [*~ a plan*]; sätta (vända) sig emot, göra motstånd mot, bekämpa, motarbeta, strida mot **2** sätta (framställa) som motsats[er]

opposed [ə'pəʊzd] *adj* **1** motsatt, stridig [*~ views*]; kontrasterande; *be ~* stå i motsatsförhållande, stå i motsats, stå i kontrast [*to* till, mot]; *be diametrically ~* vara diametralt motsatt; bilda en (stå i) skarp motsats [*to* till]; *he was ~ to the plan*

han motsatte sig planen, han var motståndare till planen; *country life as* ~ *to town life* lantliv i motsats till stadsliv **2** motstående, motsatt
opposite ['ɒpəzɪt, -əsɪt] **I** *adj* **1** mitt emot, belägen mitt emot, motsatt; *the* ~ *house* huset mitt emot; *they went in* ~ *directions* de gick åt var sitt håll; *in the* ~ *direction to* el. *in the* ~ *direction from* i motsatt riktning mot; *on the* ~ *side of the street* på andra sidan gatan; ~ *to* mitt emot [*a house* ~ *to the post office*] **2** motsatt [*from, to* mot]; ~ *number* kollega i motsvarande ställning; ~ *sex* motsatt kön
II *prep* **1** mitt emot [*a house* ~ *the post office*] **2** mot
III *adv* mitt emot [*there was an explosion* ~] **IV** *s* motsats [*of, to* till, mot; *black and white are* ~*s*]; *I mean the* ~ jag menar tvärtom; ~*s attract* motsatserna dras till varandra
Opposition [ˌɒpə'zɪʃ(ə)n] *s* polit., se *opposition 2*
opposition [ˌɒpə'zɪʃ(ə)n] *s* **1** motstånd, opposition, motsättning, motsats; *he spoke in* ~ *to the plan* han talade mot planen, han motsatte sig planen **2** polit. opposition [*be in* ~]; ~ el. ~ *party* oppositionsparti; *the Opposition* oppositionen; *His* (*Her*) *Majesty's* ~ britt. oppositionen; *the Opposition benches* oppositionens bänkar i engelska parlamentet; *the Leader of the Opposition* oppositionsledaren **3** sport. motståndarsida
oppress [ə'pres] *vb tr* **1** tynga [ned], trycka [ned]; göra beklämd; ~*ed with the heat* el. ~*ed by the heat* besvärad av hettan **2** förtrycka, undertrycka, underkuva
oppressed [ə'prest] *adj* **1** förtryckt, underkuvad **2** beklämd, betryckt
oppression [ə'preʃ(ə)n] *s* **1** undertryckande, underkuvande; förtryck [*the* ~ *of the people*] **2** beklämdhet, beklämning, betryckthet **3** tryck, tyngd, press; börda
oppressive [ə'presɪv] *adj* **1** tyngande, betungande [~ *taxes*]; besvärande, tryckande, pressande [~ *heat*]; *it's very* ~ det är mycket kvavt (kvalmigt) **2** förtryckande, tyrannisk, grym [~ *laws*; ~ *rules*]
oppressor [ə'presə] *s* förtryckare
opprobrious [ə'prəʊbrɪəs] *adj* smädlig
opprobrium [ə'prəʊbrɪəm] *s* **1** smälek, skymf **2** koll. ovett, smädelser, skymford
opt [ɒpt] *vb itr* välja [~ *between alternatives*]; ~ *for sth* välja ngt, uttala sig för ngt; ~ *out* vard. inte vilja vara med, hoppa av
optic ['ɒptɪk] *adj* anat. optisk, syn-
optical ['ɒptɪk(ə)l] *adj* optisk [~ *effects*]; syn-; ~ *image* synbild
optical axis [ˌɒptɪkəl'æksɪs] *s* **1** anat. synaxel **2** optisk axel
optical character reader [ˌɒptɪk(ə)l'kærəktəˌriːdə] *s* data. optisk teckenläsare
optical character recognition [ˌɒptɪk(ə)l'kærəktəˌrekəg'nɪʃ(ə)n] (förk. *OCR*) *s* data. optisk teckenläsning, maskinläsning
optical disc [ˌɒptɪk(ə)l'dɪsk] *s* data. optisk skiva, optiskt läsbar skiva
optical fibre [ˌɒptɪkəl'faɪbə] *s* optisk fiber
optical illusion [ˌɒptɪk(ə)lɪ'luːʒ(ə)n] *s* synvilla, optisk villa

optical reader [ˌɒptɪk(ə)l'riːdə] *s* data. optisk teckenläsare
optical scanner [ˌɒptɪk(ə)l'skænə] *s* data. optisk teckenläsare, scanner
optician [ɒp'tɪʃ(ə)n] *s* optiker
optic nerve ['ɒptɪknɜːv] *s* anat., *the* ~ synnerven, 2:a kranialnerven
optics ['ɒptɪks] (med verb i sg.) *s* optik
optimal ['ɒptɪm(ə)l] *adj* optimal
optimism ['ɒptɪmɪz(ə)m] *s* optimism
optimist ['ɒptɪmɪst] *s* optimist
optimistic [ˌɒptɪ'mɪstɪk] *adj* optimistisk
optimize ['ɒptɪmaɪz] *vb tr* optimera; utveckla optimalt, använda optimalt
optimum ['ɒptɪməm] *s* lat. **1** optimum **2** attr. optimum-, optimal
option ['ɒpʃ(ə)n] *s* **1** val [*I had no* ~]; fritt val; valfrihet; *have no* [*other*] ~ *but to* inte ha annat val än att **2** alternativ [*none of the* ~*s is satisfactory*]; valmöjlighet; *choose a soft* ~ vard. välja det lättaste alternativet, välja den enklaste utvägen **3** hand. el. jur. option; ~ el. *right of* ~ optionsrätt; *have an* ~ *on a house* ha förköpsrätt till ett hus **4** univ. tillval, frivillig kurs **5** extrautrustning, tillval
optional ['ɒpʃ(ə)nl] *adj* valfri, fakultativ, frivillig; ~ *extra* kringutrustning, tillbehör; ~ *subject* valfritt (frivilligt) ämne; tillvalsämne
opt-out ['ɒptaʊt] *s* avhopp [~*s from the treaty*]
opulence ['ɒpjʊləns] *s* välstånd, rikedom; överflöd
opulent ['ɒpjʊlənt] *adj* välmående; rik [~ *decorations*]; frodig [~ *vegetation*]
opus ['əʊpəs, 'ɒpəs] (pl. ~*es*, i betydelse *1* äv. *opera* ['ɒp(ə)rə]) *s* lat. **1** (förk. *Op.*) musikaliskt opus [*Beethoven Op. 37*]; [musik]verk **2** litterärt, konstnärligt opus äv. skämts., verk
OR förk. för *Oregon*
or [ɔː, obeton. ə] *konj* eller; ~ el. ~ *else* annars [så], eller också; *hurry up,* ~ [*else*] *you'll be late!* skynda dig, annars kommer du för sent!; *don't do that,* ~ *else!* låt bli det där, annars så!; *don't touch him,* ~ *he'll bite* rör honom inte, [för] då biter han; *two* ~ *three hours* ett par (en två) tre timmar, två à tre timmar
oracle ['ɒrəkl] *s* orakel; orakelsvar
oracular [ɒ'rækjʊlə] *adj* orakelmässig, orakel-; gåtfull
oral ['ɔːr(ə)l] **I** *adj* **1** muntlig [~ *tradition*] **2** oral, mun-
II *s* vard. munta muntlig examen
oral cavity [ˌɔːr(ə)l'kævətɪ] *s* munhåla
oral contraceptive [ˌɔːr(ə)lkɒntrə'septɪv] *s* oralt preventivmedel
orally ['ɔːrəlɪ] *adv* **1** muntligen, muntligt **2** oralt; *not to be taken* ~ om medicin får ej tas oralt, får ej tas genom munnen; för utvärtes bruk
oral sex [ˌɔːr(ə)l'seks] *s* oralsex
oral thermometer [ˌɔːr(ə)lθə'mɒmɪtə] *s* muntermometer
Orange ['ɒrɪn(d)ʒ] **1** kungahuset Oranien **2** *the* ~ *Free State* geogr. el. hist. Oranjefristaten
orange ['ɒrɪn(d)ʒ, amer. vanl. ɔːr-] *s* **1** apelsin; ~*s and lemons* barnlek ung. bro, bro, breja **2** apelsinträd **3** orange färg

orangeade [ˌɒrɪn(d)ʒ'eɪd] *s* apelsindricka; läskedryck med apelsinsmak

orange peel ['ɒrɪn(d)ʒpiːl] *s* apelsinskal

orange squash [ˌɒrɪn(d)ʒ'skwɒʃ] *s* apelsinsaft, apelsinlemonad

orang-outang [əˌræŋʊ'tæŋ] *s* o. **orang-utan** [əˌræŋʊ'tæn] *s* zool. orangutang

oration [ə'reɪʃ(ə)n] *s* oration; högtidligt tal

orator ['ɒrətə] *s* [väl]talare, orator

oratorio [ˌɒrə'tɔːrɪəʊ] (pl. ~s) *s* mus. oratorium

oratory ['ɒrət(ə)rɪ] *s* talarkonst, vältalighet, retorik äv. iron.

orb [ɔːb] *s* **1** klot, sfär, glob, kula **2** riksäpple

orbit ['ɔːbɪt] **I** *s* **1** t.ex. planets, satellits bana, omloppsbana, varv; himlakropps kretslopp; *in ~* i [sin] bana; *send into ~* sända upp i bana **2** bildl. verksamhetsområde, inflytelsesfär; intressesfär **II** *vb tr* **1** röra sig i en bana kring, kretsa kring **2** sända upp i bana

orbital ['ɔːbɪtl] **I** *adj* omlopps-; *an ~ road* en stor ringled **II** *s* stor ringled, motorväg runt storstad [*the London ~*]

orchard ['ɔːtʃəd] *s* fruktträdgård; *cherry ~* körsbärsträdgård

orchestra ['ɔːkɪstrə, -kes-] *s* **1** orkester **2** se *orchestra pit* **3** amer. [främre] parkett

orchestral [ɔː'kestr(ə)l] *adj* orkester-; orkestral, satt för orkester

orchestra pit [ˌɔːkɪstrə'pɪt] *s* orkesterdike

orchestra stalls [ˌɔːkɪstrə'stɔːlz] *s* främre parkett

orchestrate ['ɔːkɪstreɪt, -kes-] *vb tr* **1** mus. orkestrera **2** iscensätta [*a carefully ~d media campaign*]

orchestration [ˌɔːke'streɪʃ(ə)n] *s* mus. orkestrering, instrumentation

orchid ['ɔːkɪd] *s* bot. orkidé

ordain [ɔː'deɪn] *vb tr* **1** prästviga, ordinera; *~ sb priest* viga ngn till präst **2** föreskriva, förordna

ordeal [ɔː'diːl, -'dɪəl, '--] *s* svårt prov, prövning, eldprov, pärs, pina

order ['ɔːdə] **I** *s* **1 a**) ordning; ordningsföljd; system; reda **b**) arbetsordning, ordningsstadga, reglemente, regel, föreskrift[er], stadga[r]; *Order! Order!* parl. till ordningen!, till saken!; *point of ~* procedurfråga; *~ of the day* dagordning, jfr *order I 2 a* nedan; *keep ~* hålla ordning, upprätthålla ordningen; *in ~* i ordning; i gott skick; reglementsenlig; *in alphabetical ~* i alfabetisk ordning; *in chronological ~* i kronologisk ordning; *in (after) the natural ~ of things* enligt naturens ordning, efter tingens vanliga gång; *in good working ~* i gott skick, funktionsduglig; *out of ~* i dåligt skick, i olag, ur funktion; mot reglemente (stadgarna); opassande; *my stomach is out of ~* min mage är i olag; *you are out of ~* du uppför dig verkligen illa; *the Speaker called him to ~* parl. talmannen kallade honom till ordningen **2 a**) order, befallning, tillsägelse, bud; *~s are ~s* [en] order är [en] order; *~ of the day* mil. dagorder, jfr *order I 1* ovan; *it's an ~!* gör som jag (han etc.) säger!; *it's doctor's ~s* det har doktorn sagt (ordinerat); *she is under doctor's ~s not to smoke* doktorn har förbjudit henne att röka; *by ~* på befallning, enligt order; *be under ~s to* + inf. ha

order att + inf. **b**) jur., domstols, domares åläggande; beslut, utslag; *~ of the Court* domstolsutslag, domstolsbeslut **3 a**) hand. order, beställning, rekvisition [*for* på]; uppdrag; *it's a tall ~* el. *it's a large ~* vard. det är för mycket begärt; *place an ~ for sth with a firm* el. *give an ~ for sth to a firm* lägga en order på ngt hos en firma; *~ intake* orderingång; *~s in hand* ingångna order, ingångna beställningar; *be on ~* vara beställd; *made to ~* tillverkad på beställning; skräddarsydd **b**) på restaurang beställning **4** hand. el. bank. anvisning; [utbetalnings]order, [betalnings]uppdrag [*an ~ for payment on a bank*] **5** [samhälls]klass, stånd, rangklass; *the higher ~s* de högre klasserna (stånden); *the lower ~s* de lägre klasserna (stånden) **6** orden äv. ordenstecken; ordenssällskap; *the Order of the Garter* strumpebandsorden; *the Order of the British Empire* Brittiska imperieorden **7** *~s* holy *~s* det andliga ståndet; prästvigning; *take [holy] ~s* låta prästviga sig **8** *in ~ to* + inf. för att + inf., i avsikt (syfte) att + inf.; *~ for you to [see clearly]* för (så) att du ska...; *in ~ that* för att, så att [*I did it in ~ that she shouldn't worry*] **9** slag, sort; storleksordning [*sums of quite a different ~*]; *an achievement of a high ~* en förnämlig prestation; *of (in) the ~ of* el. amer. *on the ~ of* av (i) storleksordningen **II** *vb tr* **1** beordra, befalla, ge order om, säga till [*sb to do sth, sth to be done* att ngt skall göras]; *~ a player off* el. *a player off the field* sport. utvisa en spelare; *the regiment was ~ed to the front* regementet kommenderades ut till fronten; *~ sb about* el. *~ sb around* bildl. köra med ngn **2** beställa [*~ a taxi*]; rekvirera; *~ on (over) the Internet* beställa på (via) Internet **3** med. ordinera, föreskriva; *that's just what the doctor ~ed* vard. [det var] precis vad jag (du etc.) behövde **4** jur. ålägga [*he was ~ed to pay damages*] **5** ordna [upp] [*~ one's affairs*]

order book ['ɔːdəbʊk] *s* hand. el. mil. orderbok

order form ['ɔːdəfɔːm] *s* ordersedel

Order in Council [ˌɔːdɪn'kaʊnsl] *s* kunglig förordning

orderly ['ɔːdəlɪ] **I** *adj* **1** [väl]ordnad; metodisk; regelbunden [*~ rows of bungalows*]; *she is a woman with an ~ mind* hon är metodisk [av sig] **2** om person ordentlig **3** stillsam, stilla, [som håller sig] lugn [*an ~ crowd*]; disciplinerad **4** mil., *~ duty* ordonnanstjänstgöring; *~ officer* dagofficer **II** *s* **1** mil. ordonnans **2 a**) *~* el. *hospital ~* sjukvårdsbiträde **b**) *~* el. *medical ~* mil. sjukvårdare

order paper ['ɔːdəˌpeɪpə] *s* parl. föredragningslista, dagordning

ordinal ['ɔːdɪnl] **I** *adj* ordnings- **II** *s* gram. ordningstal

ordinal number [ˌɔːdɪnl'nʌmbə] *s* gram. ordningstal

ordinance ['ɔːdɪnəns] *s* förordning, stadga, föreskrift

ordinarily ['ɔːdɪn(ə)rəlɪ] *adv* **1** vanligen, i vanliga fall **2** vanligt; ordinärt, alldagligt

ordinary ['ɔːdn(ə)rɪ, -ərɪ, -erɪ] **I** *adj* **1** vanlig; vardaglig, ordinär, alldaglig; *in ~ life* i vardagslivet; *on ~ occasions* el. *on ~ days* i vardagslag; *in the ~ way I should refuse* under normala förhållanden skulle

jag säga nej **2** ordinarie [*the ~ train*]
II *s*, **ability far above the** ~ förmåga långt utöver det
vanliga; **out of the** ~ utöver det vanliga
ordinary sea|man [ˌɔːdnrɪˈsiːˌmən] (pl. *-men* [-mən])
s **1** i marinen menig **2** i handelsflottan jungman;
lättmatros
ordinary share [ˈɔːdnrɪʃeə] *s* stamaktie
ordination [ˌɔːdɪˈneɪʃ(ə)n] *s* kyrkl. prästvigning,
ordination
ordnance [ˈɔːdnəns] *s* **1** artilleri **2** artillerimateriel,
krigsmateriel
ordnance survey map [ˌɔːdnənsˈsɜːveɪmæp] *s*
generalstabskarta; officiellt kartblad
ordure [ˈɔːdjʊə] *s* träck, dynga
ore [ɔː] *s* **1** malm **2** metall, ädelmetall ofta poet.
Oreg. fork. för *Oregon*
oregano [ˌɒrɪˈgɑːnəʊ, əˈregənəʊ] *s* bot. oregano,
kungsmynta
Oregon [ˈɒrɪgən, -gɒn] geogr.
Oregon Trail [ˌɒrɪgənˈtreɪl] *s*, **the** ~ amer. hist.,
pionjärernas väg från Missouri till Oregon
organ [ˈɔːgən] *s* **1** anat. organ; **the ~s of speech**
talorganen; **male** ~ manslem **2** orgel **3** organ röst,
stämma **4** bildl. organ tidning, organisation o.d.; språkrör
5 mus. positiv
organdie o. **organdy** [ˈɔːgəndɪ] *s* organdi tyg
organ-grinder [ˈɔːgənˌgraɪndə] *s* positivhalare,
positivspelare
organic [ɔːˈgænɪk] **I** *adj* **1** organisk [*~ diseases*];
fundamental, strukturell **2** ekologisk; **~ farming**
ekologisk odling, ekologiskt jordbruk (lantbruk)
II *s* organiskt ämne
organically [ɔːˈgænɪklɪ] *adv*, **~ grown** ekologiskt
odlad
organic chemistry [ɔːˌgænɪkˈkeməstrɪ] *s* organisk
kemi
organism [ˈɔːgənɪz(ə)m] *s* organism
organist [ˈɔːgənɪst] *s* organist
organization [ˌɔːgənaɪˈzeɪʃ(ə)n, -nɪˈz-] *s*
1 organisation, organisering **2** organisation;
företag **3** struktur, komposition
organize [ˈɔːgənaɪz] **I** *vb tr* **1** organisera, lägga upp
[*~ one's work*; *~ a political party*]; ordna,
arrangera; **~d crime** organiserad brottslighet
2 [fackligt] organisera; **~d labour** organiserad
(fackansluten) arbetskraft
II *vb itr* **1** organisera sig **2** bli organisk **3** vard., **get
~d** a) ta sig samman b) fixa något
organizer [ˈɔːgənaɪzə] *s* organisatör; arrangör
organ loft [ˈɔːgənlɒft] *s* orgelläktare
organ transplant [ˌɔːgənˈtrænsplɑːnt] *s* med., **a ~** en
organtransplantation
organ transplantation [ˌɔːgənˈtrænsplɑːnˌteɪʃ(ə)n] *s*
med. organtransplantation
orgasm [ˈɔːgæz(ə)m] *s* orgasm, utlösning
orgasmic [ɔːˈgæzmɪk] *adj* orgastisk
orgiastic [ˌɔːdʒɪˈæstɪk] *adj* orgiastisk, orgieartad
orgy [ˈɔːdʒɪ] *s* orgie; **indulge in an ~ of** fira orgier i
Orient [ˈɔːrɪənt] *s*, **the** ~ åld. Orienten, Östern,
Österlandet
orient [ˈɔːrɪent] *vb tr* **1** orientera äv. bildl.; bestämma
ngts el. ngns position **2** anpassa, avpassa, rätta,
justera [*to* efter]; **be ~d towards** vara inriktad på

Oriental [ˌɔːrɪˈentl, ˌɒr-] **I** *adj* orientalisk [*~ rugs*];
österländsk **II** *s* neds. oriental, österlänning
orientate [ˈɔːrɪənteɪt, -rɪen-] *vb tr* se *orient*
orientation [ˌɔːrɪənˈteɪʃ(ə)n] *s* orientering,
inriktning; **sexual ~** se *sexual orientation*
oriented [ˈɔːrɪəntɪd] *adj* orienterad äv. bildl.
orienteer [ˌɔːrɪənˈtɪə] *s* sport. orienterare
orienteering [ˌɔːrɪənˈtɪərɪŋ] *s* sport. orientering
orifice [ˈɒrɪfɪs] *s* mynning [*the ~ of a tube*]; öppning
origin [ˈɒrɪdʒɪn] *s* ursprung, [första] början,
uppkomst, upprinnelse, tillkomst; upphov, källa;
~ el. pl. **~s** härkomst; **country of** ~ ursprungsland;
place of ~ stamort; **take (have) one's ~ from** el. **take
(have) one's ~ in** ha sitt ursprung i
original [əˈrɪdʒənl] **I** *adj* **1** ursprunglig, första,
begynnelse-, ur-, original-; **~ performance**
uruppförande; **~ text** ursprunglig text, grundtext
2 originell, nyskapande, självständig [*an ~ thinker*;
~ work]; ny, frisk [*~ ideas*]
II *s* **1** original [*this is not the ~, it is only a copy*];
grundtext, originaltext **2** original särskild person [*he
is a real ~*]
original equipment manufacturer
[əˌrɪdʒənlɪˈkwɪpməntˌmænjʊˈfæktʃ(ə)rə] (förk.
OEM) *s* data., ursprunglig komponenttillverkare av
delar till sammansatt produkt
originality [əˌrɪdʒəˈnælətɪ] *s* originalitet;
ursprunglighet
originally [əˈrɪdʒ(ə)n(ə)lɪ] *adv* **1** ursprungligen, från
början **2** originellt [*write ~*]
original sin [əˌrɪdʒənlˈsɪn] *s* teol. arvsynd
originate [əˈrɪdʒəneɪt] **I** *vb tr* ge (vara) upphov till
II *vb itr* härröra, härstamma, utgå [*from sth* el. *in
sth* från ngt; *from sb* el. *with sb* från ngn]; uppstå,
uppkomma
originator [əˈrɪdʒəneɪtə] *s* upphovsman, skapare
oriole [ˈɔːrɪəʊl] *s* zool. **1** gylling; **golden ~**
sommargylling **2** amer. trupial, vävarstare
Orkney [ˈɔːknɪ] geogr., **the ~s** pl. el. **the ~ Islands** (pl.)
Orkneyöarna
ormolu [ˈɔːmə(ʊ)luː] *s* äkta guldbrons; musivguld
ornament [subst. ˈɔːnəmənt, verb ˈɔːnəment] **I** *s*
1 ornament; prydnad, utsmyckning; **she was an ~
to his profession** skämts. hon var en prydnad för sitt
yrke **2** prydnadsföremål, prydnadssak
II *vb tr* ornamentera, dekorera; smycka, pryda
ornamental [ˌɔːnəˈmentl] *adj* dekorativ,
ornamental; prydnads- [*an ~ plant*; *an ~ shrub*];
...are only ~ ...är bara dekoration
ornamentation [ˌɔːnəmenˈteɪʃ(ə)n] *s*
1 ornamentering, utsmyckning, dekorering
2 ornament, ornamentering
ornate [ɔːˈneɪt, ˈɔːneɪt] *adj* [skönt] utsirad,
utsmyckad; sirlig, snirklad
ornery [ˈɔːnərɪ] *adj* amer. vard. grinig, sur
ornithological [ˌɔːnɪθəˈlɒdʒɪk(ə)l] *adj* ornitologisk
ornithologist [ˌɔːnɪˈθɒlədʒɪst] *s* ornitolog
ornithology [ˌɔːnɪˈθɒlədʒɪ] *s* ornitologi
orphan [ˈɔːf(ə)n] **I** *s* föräldralöst barn, föräldralös
II *vb tr* göra föräldralös; **be ~ed** bli föräldralös
orphanage [ˈɔːf(ə)nɪdʒ] *s* barnhem, hem för
föräldralösa barn
Orpheus [ˈɔːfjuːs, -fɪəs] mytol. Orfeus
orris root [ˈɒrɪsruːt] *s* violrot

orthodontic [ˌɔːθəˈdɒntɪk] *adj* ortodontisk

orthodontics [ˌɔːθə(ʊ)ˈdɒntɪks] (med verb i sg.) *s* ortodonti, tandreglering

orthodox [ˈɔːθədɒks] *adj* ortodox [~ *behaviour*; ~ *views*]; renlärig

Orthodox Church [ˌɔːθədɒksˈtʃɜːtʃ], **the** ~ ortodoxa (grekisk-ortodoxa, grekisk-katolska) kyrkan

orthodoxy [ˈɔːθədɒksɪ] *s* ortodoxi; renlärighet

orthographic [ˌɔːθə(ʊ)ˈgræfɪk] *adj* o. **orthographical** [ˌɔːθə(ʊ)ˈgræfɪk(ə)l] *adj* ortografisk

orthography [ɔːˈθɒgrəfɪ] *s* ortografi, rättskrivning, rättstavning, stavning; stavningsregler

orthopedic o. **orthopaedic** [ˌɔːθə(ʊ)ˈpiːdɪk] *adj* med. ortopedisk

orthopedics o. **orthopaedics** [ˌɔːθə(ʊ)ˈpiːdɪks] (med verb i sg.) *s* med. ortopedi

orthopedist o. **orthopaedist** [ˌɔːθə(ʊ)ˈpiːdɪst] *s* med. ortoped

ortolan [ˈɔːtələn] *s* zool., ~ el. ~ *bunting* ortolansparv

Orwell [ˈɔːw(ə)l]

Oscar [ˈɒskə] **I** mansnamn **II** *s* Oscar amerikanskt filmpris

OSCE [ˌəʊessiːˈiː] EU. (förk. för *Organization for Security and Cooperation in Europe*) OSSE (förk. för Organisation för säkerhet och samarbete i Europa)

oscillate [ˈɒsɪleɪt] **I** *vb itr* **1** svänga; pendla; oscillera; vibrera **2** bildl. pendla, svänga; växla; vackla
II *vb tr* sätta i svängning

oscillation [ˌɒsɪˈleɪʃ(ə)n] *s* **1** svängning; pendling; oscillation; vibrering; svängningsrörelse, pendelrörelse **2** bildl. svängning, pendling; växling, skiftning; vacklande

osier [ˈəʊʒə, -ʒjə] *s* bot. vide; spec. korgvide

Oslo [ˈɒzləʊ] geogr.

osprey [ˈɒsprɪ, ˈɒspreɪ] *s* zool. fiskgjuse

ossification [ˌɒsɪfɪˈkeɪʃ(ə)n] *s* **1** ossifikation, benbildning, förbening **2** stelnande; förstockelse

ossify [ˈɒsɪfaɪ] *vb itr* **1** ossifieras, förvandlas (övergå) till ben, förbenas; bli benhård **2** stelna; förstockas, förhärdas; bli benhård

ostensible [ɒˈstensəbl] *adj* skenbar, påstådd, uppgiven

ostensibly [ɒˈstensəblɪ] *adv* skenbart, till synes

ostentation [ˌɒstenˈteɪʃ(ə)n] *s* ståt, prål, skryt

ostentatious [ˌɒstenˈteɪʃəs] *adj* grann, prålig [~ *jewellery*]; vräkig, skrytsam; prålsjuk

osteopath [ˈɒstɪəpæθ] *s* med. osteopat, kiropraktor

osteopathy [ˌɒstɪˈɒpəθɪ] *s* med. osteopati

ostracism [ˈɒstrəsɪz(ə)m] *s* uteslutning, utfrysning från sällskapsliv, sociala förmåner, bojkott

ostracize [ˈɒstrəsaɪz] *vb tr* utesluta, frysa ut

ostrich [ˈɒstrɪtʃ, -ɪdʒ; i pl. ofta -ɪdʒɪz] *s* struts

OT [ˌəʊˈtiː] bibl. förk. för *Old Testament*

other [ˈʌðə] **I** (som självst. pl. ~s) *indef pron* annan, annat, andra; ytterligare, ...till; för ex. se äv. *one I*; **the ~ day** häromdagen; **one ~ word** ett ord till; **the two ~s** el. **the ~ two** de båda andra; **he is better than any ~ member of the team** han är bättre än någon annan medlem i laget; **every ~ week** varannan vecka; **I do not wish him ~ than he is** jag önskar honom inte annorlunda än han är; **it was no (none) ~ than the President** det var ingen annan (mindre) än presidenten, det var självaste presidenten; **some day or ~** någon dag [förr eller senare]; **some idiot or ~ has broken it** någon idiot har haft sönder den; **somehow or ~** på ett eller annat sätt; **among ~s** bland andra, bl.a.
II *adv*, ~ **than** annat än, annorlunda än

otherwise [ˈʌðəwaɪz] *adv* (ibl. *adj* el. *konj*) **1** annorlunda, annat, på annat sätt [*I could not have done* ~]; ~ *than friendly* allt annat än vänlig; ~ *engaged* upptagen på annat håll; *he knew* ~ han visste bättre; *unless* ~ *agreed upon* såvida inte annat överenskommits **2** annars [så], i annat fall [*I went at once,* ~ *I should have missed him*] **3** i andra avseenden; [*he has been lax,*] *but is* ~ *not to blame* ...men kan för (i) övrigt inte klandras **4** ~ *known as* även kallad, även känd som, alias

otherworldly [ˌʌðəˈwɜːldlɪ] *adj* som hör till en annan värld; verklighetsfrämmande, världsfrämmande

otiose [ˈəʊtɪəʊs] *adj* överflödig, onödig

OTOH i e-post el. textmeddelanden förk. för *on the other hand*

Ottawa [ˈɒtəwə] geogr.

otter [ˈɒtə] *s* zool. utter djur, skinn el. fiskredskap

OU [ˌəʊˈjuː] förk. för *the Open University*; Oxford University

ouch [aʊtʃ] *interj* aj!, oj!

ought [ɔːt] *hjälpvb* (pres. o. imperf., med *to* + inf.) **1** bör, borde, skall, skulle; *as it* ~ *to* el. *as it* ~ *to be* som sig bör; *I* ~ *to know* det måtte jag väl veta; *I think I* ~ *to do it* jag tycker att jag bör (borde) göra det **2** *he* ~ *to be there now* han bör (torde) vara där nu

ounce [aʊns] *s* **1** uns (vanl. = 1/16 *pound* 28,35 gram) **2** bildl. uns, gnutta

our [ˈaʊə] *fören poss pron* vår, jfr *my I*

Our Father [ˌaʊəˈfɑːðə] *s*, *say* ~ läsa Fader vår

Our Lady [ˌaʊəˈleɪdɪ] *s* Vår Fru Jungfru Maria

ours [ˈaʊəz] *självst poss pron* vår [*the house is* ~]; jfr *1 mine*; ~ *is a large family* vi är en stor familj

ourselves [ˌaʊəˈselvz] *rfl pron* o. *pers pron* oss [*we amused* ~]; oss själva [*we can take care of* ~]; vi själva [*everybody but* ~]; själva [*we made that mistake* ~]; jfr *myself*

oust [aʊst] *vb tr* köra bort, avlägsna [*from* från]; tränga undan, tränga ut

out [aʊt] **I** *adv* o. *pred adj* (jfr resp. huvudord) **1** uttr. läge el. befintlighet ute, utanför; borta, inte hemma; ~ *here* härute; ~ *there* därute; *the sun is* ~ solen är framme; *be* ~ *for a walk* vara ute och gå (promenera); *his brother was* ~ *in Canada* hans bror var ute (borta) i Kanada; *shall we dine* ~ *tonight?* skall vi äta ute på restaurang i kväll?
2 uttr. rörelse el. riktning ut, bort; fram; *I could not get a word* ~ jag kunde inte få fram ett ord; ~ *you go!* ut med dig!, marsch i väg!; *take* ~ ta fram ur t.ex. fickan **3** i bildl. uttr. **a)** i förbindelse med *be*: *the book is* ~ boken är utlånad; boken har kommit ut; *the fire is* ~ brasan har slocknat; *the light is* ~ ljuset är släckt; *the miners are* ~ gruvarbetarna är i strejk; *the tide is* ~ det är ebb; *my watch is two minutes* ~ min klocka går två minuter fel; *before the year is* ~ innan året är slut (till ända); *he is £100* ~ han har räknat fel på 100 pund; *I was* ~ *in my calculations* jag hade räknat fel; *you are not far* ~ vard. det är (var) inte så galet, det är (var) inte så illa gissat; *be* ~ *and about* ute

bland folk **b**) övr. förbindelser: **let them fight it ~!** låt
dem slåss om det (saken)!; **hear me ~!** låt mig tala
till punkt!, låt mig tala ut (färdigt)!; **~ and away**
utan jämförelse [*~ and away the best*]; **it was her
Sunday ~** det var hennes lediga söndag
4 i fastare förbindelser med prep.:
out after: be ~ after vara ute efter
out of a) ut från, ut ur [*come ~ of the house*]; upp
ur; ut genom; ur [*drink ~ of a cup*; *~ of use*]; från;
ute ur, borta från, utanför; utom; **~ of doors**
utomhus; **times ~ of number** otaliga (oräkneliga)
gånger; **~ of sight** utom synhåll; **in two cases ~ of ten**
i två fall av tio; **get ~ of here!** ut härifrån!; **he isn't ~
of bed yet** han har inte stigit upp [ur sängen] ännu;
you must be ~ of your mind du kan inte vara riktigt
klok, du måste vara galen; **be ~ of it** vara (känna
sig) utanför [äv. *feel ~ of it*]; stå utanför saken; inte
ha en chans **b**) utan [*we are ~ of butter and eggs*]
c) av [*~ of curiosity*; *~ of kindness*; *it is made ~ of
wood*] **d**) **be ~ of one's head** vara full, vara drogad
out with: ~ with it! fram med det!, ut med språket!
II *attr adj* **1** yttre; avsides, avsides belägen [*an ~
island*] **2** ytter-, som leder ut[åt] [*the ~ door*];
utgående [*the ~ train*]
III *s* **1 the ins and ~s** se under *in* **III 2** ursäkt, utväg
IV *vb itr* **1** komma fram, uppdagas [*truth will ~*]
2 ~ with vard. komma fram (ut) med
out-and-out [ˌaʊtn(d)'aʊt] *adj* vard. tvättäkta [*an ~
Londoner*]; fullblods- [*an ~ idealist*]; inbiten
outback ['aʊtbæk] austral. **I** *s* vildmark, obygd [*the
Outback*] **II** *adj* vildmarks-, obygds-
outbalance [ˌaʊt'bæləns] *vb tr* uppväga; väga mer
än
outbid [ˌaʊt'bɪd] (*outbid outbid*) *vb tr* bjuda över;
bildl. överbjuda, överträffa
outboard ['aʊtbɔːd] **I** *adv* utombords **II** *adj*
utombords- [*an ~ motor*]
outboard motor [ˌaʊtbɔːd'məʊtə] *s*
utombordsmotor
outbound ['aʊtbaʊnd] *adj* utgående [*~ traffic*]; på
väg ut, destinerad till utrikes ort [*an ~ ship*]
out-box o. **out box** o. **outbox** ['aʊtbɒks] *s* **1** data.
utkorg **2** amer. korg (låda) för utgående post,
utkorg
outbreak ['aʊtbreɪk] *s* utbrott [*an ~ of anger*; *an ~ of
hostilities*]; **~ of fire** eldsvåda, brand; **there has been
an ~ of smallpox** en smittkoppsepidemi har brutit ut
outbuilding ['aʊtˌbɪldɪŋ] *s* uthus, uthusbyggnad
outburst ['aʊtbɜːst] *s* utbrott [*an ~ of rage*]; anfall,
attack [*an ~ of laughter*]; ryck [*an ~ of energy*]
outcast ['aʊtkɑːst] *s* utstött (övergiven, hemlös)
varelse, utslagen [människa]
outclass [ˌaʊt'klɑːs] *vb tr* sport. utklassa
outcome ['aʊtkʌm] *s* **1** resultat, utgång, utfall;
följd; slutsats **2** utlopp [*it gave no ~ for her energy*]
outcry ['aʊtkraɪ] *s* ramaskri; rabalder; rop; skrik
outdated [ˌaʊt'deɪtɪd] *adj* omodern, gammalmodig
outdid [ˌaʊt'dɪd] imperf. av *outdo*
outdistance [ˌaʊt'dɪstəns] *vb tr* distansera, lämna
bakom sig, dra ifrån
outdo [ˌaʊt'duː] (*outdid outdone*) *vb tr* överträffa,
överglänsa, övertrumfa; övervinna
outdone [ˌaʊt'dʌn] perf. p. av *outdo*
outdoor ['aʊtdɔː] *adj* utomhus- [*an ~ aerial*]; ute-,

frilufts-; **~ clothes** ytterkläder; **~ games**
utomhuslekar; **~ type** friluftsmänniska; **lead an ~ life**
leva friluftsliv
outdoors [ˌaʊt'dɔːz] **I** *adv* utomhus, ute, i fria
luften, i det fria **II** (med verb i sg.) *s* fria luften, det
fria
outer ['aʊtə] *adj* yttre, ytter-; utvändig
outer clothes [ˌaʊtə'kləʊðz] *s pl* o. **outer garments**
[ˌaʊtə'gɑːmənts] *s pl* ytterkläder; överkläder i
motsats till underkläder
outer lane [ˌaʊtə'leɪn] *s* trafik. ytterfil
outermost ['aʊtəməʊst, -məst] *adj* ytterst
outer space [ˌaʊtə'speɪs] *s* yttre rymden,
världsrymden
outerwear ['aʊtəweə] *s* ytterkläder; överkläder i
motsats till underkläder
outface [ˌaʊt'feɪs] *vb tr* modigt möta, trotsa
outfall ['aʊtfɔːl] *s* utlopp, mynning
outfight [ˌaʊt'faɪt] (*outfought outfought*) *vb tr*
kämpa bättre än; slå, besegra
outfit ['aʊtfɪt] **I** *s* **1** utstyrsel, kläder [*a new spring
~*]; persedlar **2** utrustning [*a camping ~*]; redskap,
tillbehör; uppsättning; **repair ~** reparationslåda
3 vard. företag **4** vard. gäng; grupp; [arbets]lag;
band
II *vb tr* utrusta, ekipera
outfitter ['aʊtfɪtə] *s* **1** åld. försäljare av
herrekiperingsartiklar; **~'s** el. **gentlemen's ~'s**
herrekipering[saffär] **2** amer. friluftsaffär
outflank [ˌaʊt'flæŋk] *vb tr* mil. kringgå, överflygla
äv. bildl.; **~ing movement** kringgående rörelse
outflow ['aʊtfləʊ] *s* utflöde [*an ~ of water*];
utströmning
outfought [ˌaʊt'fɔːt] imperf. o. perf. p. av *outfight*
outfox [ˌaʊt'fɒks] *vb tr* överlista
outgoing ['aʊtˌgəʊɪŋ] *adj* **1** utåtriktad, sällskaplig
[*an ~ personality*] **2** avgående [*the ~ Ministry*];
avträdande, frånträdande [*the ~ tenant*]
3 utgående [*an ~ telephone call*]; **~ mail** utgående
post **4 ~ tide** sjunkande tidvatten
outgoings ['aʊtˌgəʊɪŋz] *s pl* utgifter, kostnader
outgrew [ˌaʊt'gruː] imperf. av *outgrow*
outgrow [ˌaʊt'grəʊ] (*outgrew outgrown*) *vb tr* växa
om, växa ngn över huvudet; växa ifrån; bli för stor
(gammal) för; växa fortare än; växa ur kläder
outgrown [ˌaʊt'grəʊn] perf. p. av *outgrow*
outgrowth ['aʊtgrəʊθ] *s* utväxt, utgrening
outhouse ['aʊthaʊs] *s* **1** uthus **2** amer. utedass
outing ['aʊtɪŋ] *s* **1** utflykt **2** vard. offentligt
avslöjande av kändis, politikers etc. homosexualitet
outlandish [ˌaʊt'lændɪʃ] *adj* **1** sällsam, besynnerlig
2 avlägsen mest neds.
outlast [ˌaʊt'lɑːst] *vb tr* räcka (vara) längre än;
överleva
outlaw ['aʊtlɔː] **I** *s* **1** laglös individ, bandit **2** hist.
fredlös, fågelfri
II *vb tr* **1** kriminalisera [*~ war*]; [i lag] förbjuda
2 ställa utom (utanför) lagen; förklara fredlös
(fågelfri)
outlay ['aʊtleɪ] *s* **1** utlägg, utgift[er]; **have an ~ on** el.
have an ~ for ha stora utgifter för **2** förbrukning [*~
of energy*]
outlet ['aʊtlet, -lət] *s* **1** utlopp [*the ~ of a lake*; *an ~
for one's energy*]; avlopp; utgång; avloppskanal

2 filial [*open a new* ~]; [kedje]butik; försäljningsställe; outlet; *factory* ~ fabriksbod, fabriksbutik **3** marknad, avsättning [*an* ~ *for one's products*] **4** amer. elektr. uttag

outline ['aʊtlaɪn] **I** *s* **1** skiss, utkast [*for* till]; översikt, sammanfattning [*of* över, av]; disposition; *An Outline of European History* titel Grunddragen i Europas historia, Europas historia i sammandrag; *rough* ~ skiss, utkast; *in broad* ~ el. *in general* ~ i stora (grova) drag **2** kontur[er]; ~ *map* konturkarta **3** konturteckning; *draw in* ~ konturera **4** pl. ~s grunddrag, huvuddrag; allmänna principer **II** *vb tr* **1** ange huvuddragen i, skissera, skildra i stora drag **2** teckna konturerna av, skissera; *be* ~*d* avteckna sig, vara avtecknad

outlive [ˌaʊt'lɪv] *vb tr* överleva [~ *one's husband*]; få folk att glömma [~ *a disgrace*]; komma över; *it has* ~*d its usefulness* den har överlevt sig själv

outlook ['aʊtlʊk] *s* **1** utsikt; bildl. inställning, åskådning, sätt att se, syn; ~ *on life* livsinställning, livssyn, livsåskådning **2** [framtids]utsikter; *the* ~ *is gloomy* el. *the* ~ *is black* det ser dystert (mörkt) ut; *further* ~ meteor. utsikterna för de närmaste dagarna **3** utkik; *on the* ~ på utkik, på spaning

outlying ['aʊtˌlaɪŋ] *adj* **1** avsides [belägen], avlägsen; ytter- **2** som ligger utanför vissa gränser, gräns-; ~ *farm* utgård; *an* ~ *suburb* en ytterförort **3** utanför ämnet, ovidkommande

outmanoeuvre [ˌaʊtmə'nuːvə] *vb tr* utmanövrera; överlista

outmoded [ˌaʊt'məʊdɪd] *adj* urmodig, omodern

outmost ['aʊtməʊst] *adj* se outermost

outnumber [ˌaʊt'nʌmbə] *vb tr* överträffa (vara överlägsen) i antal, vara fler än; ~*ed* underlägsen, i minoritet

out-of-date [ˌaʊtəv'deɪt] *adj* föråldrad, gammal; ogiltig

out-of-doors [ˌaʊtəv'dɔːz] *adv* se outdoors I

out-of-pocket [ˌaʊtəv'pɒkɪt] *adj* kontant, direkt [~ *expenses*]

out-of-print [ˌaʊtəv'prɪnt] *adj* utgången på förlaget, utsåld [från förlaget]

out-of-the-way [ˌaʊtəvð(ə)'weɪ, -təð-] *adj* avsides [belägen], avlägsen

out-of-work [ˌaʊtəv'wɜːk] *adj* o. *s* arbetslös

outpatient ['aʊtˌpeɪʃ(ə)nt] *s* poliklinikpatient, patient i öppenvården; ~*s'* el. ~ *department* el. ~ *clinic* poliklinik, öppenvårdsmottagning

outperform [ˌaʊtpə'fɔːm] *vb tr* överträffa, utklassa, prestera bättre än, spela ut

outplacement ['aʊtˌpleɪsmənt] *s* omplacering, hjälp till en anställd till ett nytt jobb i samband med uppsägning

outplay [ˌaʊt'pleɪ] *vb tr* spela bättre än; spela ut [*they were* ~*ed by their opponents*]

outpoint [ˌaʊt'pɔɪnt] *vb tr* poängbesegra; få fler poäng än

outpost ['aʊtpəʊst] *s* **1** mil. el. bildl. utpost, förpost **2** amer. mil. bas i utlandet

outpouring ['aʊtˌpɔːrɪŋ] *s* **1** utgjutande, utströmmande; utflöde äv. konkr.; ström **2** bildl., mest pl. ~s utgjutelser

output ['aʊtpʊt] **I** *s* **1** produktion, tillverkning [*the* ~ *of a factory*]; prestation [*the* ~ *of each man*];

utbyte, avkastning; *energy* ~ energiutveckling **2** elektr. el. radio. uteffekt; ~ *stage* slutsteg; *rated* ~ märkeffekt **3** data. utdata, utmatning **II** (*output output*) *vb tr* data. skriva ut, visa

outrage ['aʊtreɪdʒ] **I** *s* **1** harm, indignation [*sense of* ~] **2** våldshandling, attentat [*against, on, upon* mot]; *this is an* ~ detta är skandal **3** våld, övervåld **II** *vb tr* **1** uppröra, chockera **2** våldföra sig på; skymfa

outrageous [ˌaʊt'reɪdʒəs] *adj* **1** skandalös, upprörande, skändlig [~ *treatment*]; kränkande [~ *epithets*] **2** överdriven, omåttlig

outran [ˌaʊt'ræn] imperf. av outrun

outrank [ˌaʊt'ræŋk] *vb tr* **1** ha högre rang än **2** betyda mer än, vara förmer än

outreach programme [ˌaʊt'riːtʃˌprəʊgræm] *s* uppsökande verksamhet

outridden [ˌaʊt'rɪdn] perf. p. av outride

outride [ˌaʊt'raɪd] (*outrode outridden*) *vb tr* rida om (ifrån), rida fortare (bättre) än

outrider ['aʊtˌraɪdə] *s* **1** förridare **2** föråkare, [motorcykel]eskort

outright [adv. ˌaʊt'raɪt, adj. '--] **I** *adv* **1** helt och hållet; på en gång; på fläcken [*he was killed* ~]; *buy sth* ~ köpa ngt kontant **2** rent ut, rakt ut [*ask her* ~]; utan vidare, öppet **II** *adj* fullständig, hel, total; grundlig; riktig, ren [~ *wickedness*]; direkt; avgjord, obestridlig [*he was the* ~ *winner*]

outrival [ˌaʊt'raɪv(ə)l] *vb tr* besegra, konkurrera ut

outrode [ˌaʊt'rəʊd] imperf. av outride

outrun [ˌaʊt'rʌn] (*outran outrun*) *vb tr* **1** springa om, springa förbi (ifrån) **2** övergå, överstiga, överträffa, gå om

outsell [ˌaʊt'sel] (*outsold outsold*) *vb tr* sälja mer (bättre) än, gå bättre än, konkurrera ut

outset ['aʊtset] *s* början, inledning; inträde; anträdande av resa, avresa; *at the* ~ [redan] i början, [redan] vid starten; *from the* ~ från början (starten)

outshine [ˌaʊt'ʃaɪn] (*outshone outshone*) *vb tr* **1** överglänsa, ställa i skuggan **2** lysa starkare än

outshone [ˌaʊt'ʃɒn] imperf. o. perf. p. av outshine

outside [ˌaʊt'saɪd, adj. '--] **I** *s* **1** utsida, yttersida; yta; ngts (ngns) yttre; *open the door from the* ~ öppna dörren utifrån **2** *at the very* ~ på sin höjd, högst **II** *adj* **1** utvändig, yttre; utvärtes; ytter-; ute-, utomhus-; utanför befintlig; ~ *assistance* hjälp utifrån; *get an* ~ *opinion* rådfråga (tillfråga) en utomstående; *the* ~ *world* yttervärlden **2** ytterst, maximum-, högst [~ *prices*]; *at an* ~ *estimate* högt räknat **3** obetydlig, ytterst liten [*an* ~ *chance*] **III** *adv* ute; ut [*come* ~!]; utanför; utanpå; utvändigt; ~ *of* amer. **1** förutom **2** utanför **IV** *prep* utanför, utom; utanpå; vard. bortsett från, utöver

outside broadcast [ˌaʊtsaɪd'brɔːdkɑːst] *s* o. **outside broadcasting** [ˌaʊtsaɪd'brɔːdˌkɑːstɪŋ] *s* radio. el. TV. OB-sändning sändning utanför studion

outside lane [ˌaʊtsaɪd'leɪn] *s* trafik. ytterfil, omkörningsfil

outsider [ˌaʊt'saɪdə] *s* **1** outsider, utomstående; utböling; särling **2** sport. m.m. outsider, icke-favorit

outside track [ˌaʊtsaɪd'træk] *s* sport. ytterbana

outsize ['aʊtsaɪz] *adj* extra stor, mycket stor

outskirts ['aʊtskɜ:ts] *s pl* utkant[er]; ytterområden; gränser; *on the ~ of the town* i utkanten av staden

outsmart [ˌaʊt'smɑ:t] *vb tr* vard. överlista, vara smartare än

outsold [ˌaʊt'səʊld] imperf. o. perf. p. av *outsell*

outsourcing ['aʊtsɔ:sɪŋ] *s* ekon. el. data. entreprenad, kontraktstillverkning, outsourcing

outspoken [ˌaʊt'spəʊk(ə)n] *adj* rättfram, öppen[hjärtig], frimodig; frispråkig

outstanding [i betydelse *1* 'aʊtˌstændɪŋ, i betydelse *2* ˌ-'--] *adj* **1** enastående, utomordentlig; framstående, framträdande **2** om skulder m.m. utestående, obetald; om arbete ogjord; *we still have a lot of work ~* vi har fortfarande en massa arbete ogjort (som väntar)

outstare [ˌaʊt'steə] *vb tr* stirra ut, titta ut, få att slå ned blicken

outstay [ˌaʊt'steɪ] *vb tr* stanna längre än [*~ the other guests*]; stanna utöver bestämd tid; *~ one's welcome* se under *welcome III 1*

outstretched ['aʊtstretʃt] *adj*, *with ~ arms* med utbredda armar

outstrip [ˌaʊt'strɪp] *vb tr* **1** överträffa; vara större än **2** distansera, springa (gå) om; löpa förbi

out-tray ['aʊttreɪ] *s* korg (låda) för utgående post, utkorg

outvote [ˌaʊt'vəʊt] *vb tr* överrösta, rösta omkull

outward ['aʊtwəd] **I** *adj* **1** utgående; ut-; utåtriktad, utåtvänd; *the ~ journey* el. *the ~ voyage* utresan **2** yttre; utvändig, utvärtes; *his ~ appearance* hans yttre; *to all ~ appearances* av det yttre att döma **II** *adv* utåt, ut

outwardly ['aʊtwədlɪ] *adv* **1** utåt; utvändigt, utanpå **2** till det yttre

outwards ['aʊtwədz] *adv* se *outward II*

outweigh [ˌaʊt'weɪ] *vb tr* uppväga; väga mer än

outwit [ˌaʊt'wɪt] *vb tr* överlista

outwork ['aʊtwɜ:k] *s* hemarbete, arbete som utförs i hemmet

outworn ['aʊtwɔ:n] *adj* sliten, utnött; föråldrad

ouzel ['u:zl] *s* zool. ringtrast

ouzo ['u:zəʊ] *s* ouzo grekiskt brännvin

ova ['əʊvə] *s* pl. av *ovum*

oval ['əʊv(ə)l] *adj* oval; äggformig

Oval Office [ˌəʊv(ə)l'ɒfɪs] *s*, *the ~* i USA a) ovala rummet presidentens ämbetsrum b) presidentposten, presidentämbetet

ovarian [əʊ'veərɪən] *adj* anat. äggstocks- [*~ cancer*]

ovaritis [ˌəʊvə'raɪtɪs] *s* med. äggstocksinflammation, ovarit

ovary ['əʊvərɪ] *s* **1** anat. äggstock, ovarium **2** bot. fruktämne

ovation [ə(ʊ)'veɪʃ(ə)n] *s* ovation, bifallsstorm, livlig hyllning; *they gave her a standing ~* de stod upp och hyllade henne; *receive an ~* bli föremål för ovationer (hyllningar)

oven ['ʌvn] *s* ugn

oven door [ˌʌvn'dɔ:] *s* ugnslucka

oven glove [ˌʌvn'glʌv] *s* grytvante

ovenproof ['ʌvnpru:f] *adj* [ugns]eldfast, ugnssäker

oven-ready ['ʌvnˌredɪ] *adj* klar att sättas i ugn[en], ugnsfärdig

ovenware ['ʌvnweə] *s* [ugns]eldfast gods, eldfasta formar

over ['əʊvə] **I** *prep* **1** över; ovanför; utanpå, ovanpå; *how long was he ~ it?* hur länge höll han på med det?; *strike sb ~ the head* slå ngn i huvudet; *go ~ one's notes* gå igenom sina anteckningar **2** tvärs över, över [till andra sidan av]; på andra sidan av; *the house ~ the street* huset på andra sidan gatan, huset mitt emot **3** över, mer än [*it cost ~ £100*]; *~ and above* förutom, utöver **4** i tidsuttr. a) under, i [*~ several days*]; genom; *~ the years* under årens lopp, genom åren, med åren b) över [*can you stay ~ Monday?*] **5** i, på; *say sth ~ the telephone* säga ngt i telefon[en]; *hear sth ~ the radio* höra ngt i (på) radio **6** a) angående, beträffande, över [*unease ~ the political situation*]; på grund av b) om [*fight ~ sth*] **II** *adv* **1** över [till (på) andra sidan] [*he is ~ in America*]; över [*the milk boiled ~*]; *be ~ there* vara där borta (framme); *go ~ there* gå dit bort (fram), gå över dit **2** över, kvar [*there are four apples ~*]; [*7 into 15 goes twice*] *and one ~* ...och ett i minne (rest) **3** igenom [*talk sth ~*]; från början till slut; *ten times ~* tio gånger om; *~ and* el. *~ and ~ again* om och om igen, gång på gång; *it rolled ~ and ~* den rullade runt flera gånger; *~ again* omigen, en gång till; *begin all ~ again* börja om från början **4** över [*paint the old name ~*] **5** över, till ända, slut, förbi [*the struggle is ~*]; *get it ~* el. *get it ~ and done with* få det gjort, få det ur världen; *it's all ~ with him* det är ute (slut) med honom **6** framför adj. o. perf. p. alltför, över sig, särskilt, så värst [*he is not ~ well*]; överdrivet [*be ~ polite*]; över- **III** *s* kricket. over serie om vanl. 6 kast **IV** *interj* tele., *~!* el. *~ to you!* kom!; *~ and out!* klart slut!

overachiever [ˌəʊvərə'tʃi:və] *s* högpresterande elev (person); *be an ~* vara högpresterande

overact [ˌəʊvər'ækt] *vb itr* o. *vb tr* teat. spela över, spela överdrivet; överdriva

over-active [ˌəʊvə'æktɪv] *adj* överaktiv

overage [ˌəʊvər'eɪdʒ] *adj* överårig, för gammal

overall ['əʊvərɔ:l] **I** *s* **1** [skydds]rock, städrock **2** pl. *~s* blåställ, överdragskläder, overall **II** *adj* total [*~ efficiency*]; total- [*the ~ length of a bridge*]; helhets- [*an ~ impression*]; samlad [*the ~ production*]; allmän, generell [*an ~ wage increase*] **III** *adv* allt som allt; totalt; generellt

over-ambitious [ˌəʊvəræm'bɪʃəs] *adj* **1** alltför ärelysten (äregirig) **2** överambitiös

over-anxious [ˌəʊvər'æŋ(k)ʃəs] *adj* **1** alltför ängslig, överdrivet orolig **2** alltför ivrig; *not be ~ to do sth* inte vara speciellt intresserad av att göra ngt

overarching [ˌəʊvər'ɑ:tʃɪŋ] *adj* övergripande

overarm [adj. 'əʊvərɑ:m, adv. ˌəʊvər'ɑ:m] sport. **I** *adj* överarms-, överhands- [*an ~ ball; an ~ bowler*] **II** *adv* över axelhöjd (huvudet) [*serve ~*]; *bowl ~* el. *pitch ~* göra ett överarmskast (överhandskast)

overate [ˌəʊvər'et, amer. vanl. ˌəʊvər'eɪt] imperf. av *overeat*

overawed [ˌəʊvər'ɔ:d] *adj* överväldigad

overbalance [ˌəʊvə'bæləns] **I** *vb tr* **1** få att tappa balansen; välta [omkull]; få att kantra [*he ~d the boat*] **2** uppväga [*the gains ~ the losses*] **II** *vb itr* tappa balansen, ta överbalansen [*he ~d and fell*] om båt kantra

overbearing [ˌəʊvəˈbeərɪŋ] *adj* övermodig, högdragen, överlägsen [*an* ~ *manner*]

overbid [verb ˌəʊvəˈbɪd, subst. '---] **I** (*overbid overbid*) *vb tr* o. *vb itr* bjuda över; ~ el. ~ *one's hand* kortsp. bjuda för högt [på sina kort] **II** *s* överbud, kortsp. äv. för högt bud

overbite [ˈəʊvəbaɪt] *s* tandläk. överbett

overblown [ˌəʊvəˈbləʊn] *adj* **1** överdriven [~ *ambition;* ~ *praise*] **2** svulstig, bombastisk [~ *prose*] **3** överblommad

overboard [ˈəʊvəbɔːd, ˌ--'-] *adv* **1** sjö. överbord [*fall* ~]; utombords; *he was lost* ~ han föll överbord och drunknade **2** bildl., *go* ~ gå för långt, överdriva; *throw sth* ~ förkasta ngt, överge ngt

overbook [ˌəʊvəˈbʊk] *vb tr* överboka

overburden [ˌəʊvəˈbɜːdn] *vb tr* överbelasta, överlasta, belasta för tungt; bildl. betunga, tynga [ned]; *be ~ed with grief* vara tyngd av sorg

overcame [ˌəʊvəˈkeɪm] imperf. av *overcome*

overcast [verb o. pred. adj. ˌəʊvəˈkɑːst, attr. adj. '---] **I** (*overcast overcast*) *vb tr* täcka, förmörka [*grey clouds* ~ *the sky*] **II** (*overcast overcast*) *vb itr* mulna [på], mörkna **III** *adj* mulen, molntäckt [*an* ~ *sky*]

over-cautious [ˌəʊvəˈkɔːʃəs] *adj* alltför försiktig, överdrivet varsam

overcharge [ˌəʊvəˈtʃɑːdʒ] **I** *vb tr* o. *vb itr* **1** ta för höga priser [av], ta överpriser [av]; *he was ~d* [*for what he bought*] han fick betala för mycket…, han fick betala överpris… **2** överbelasta [~ *a battery*] **3** överdriva **II** *s* **1** överpris, för högt pris; överdebitering, uppskörtning **2** överbelastning

overcloud [ˌəʊvəˈklaʊd] **I** *vb tr* täcka (skymma) med moln **II** *vb itr* bli molntäckt

overcoat [ˈəʊvəkəʊt] *s* överrock, ytterrock

overcome [ˌəʊvəˈkʌm] **I** (*overcame overcome*) *vb tr* övervinna [~ *an obstacle*]; besegra [~ *an enemy*]; betvinga, lägga band på [~ *one's emotion*]; få bukt med [~ *a bad habit*] **II** (*overcame overcome*) *vb itr* segra [*we shall* ~] **III** *perf p* o. *adj* överväldigad; utom sig; utmattad [~ *by* (av) *lack of sleep*]; ~ *by exhaustion* utmattad; *be* ~ *by the heat* svimma (förlora medvetandet) av hettan; ~ *with emotion* el. ~ *by emotion* överväldigad av rörelse

overcompensate [ˌəʊvəˈkɒmpənseɪt] *vb itr* psykol. överkompensera

overconfident [ˌəʊvəˈkɒnfɪd(ə)nt] *adj* alltför (överdrivet) tillitsfull; tvärsäker, självsäker

overcook [ˌəʊvəˈkʊk] *vb tr* o. *vb itr* koka (steka) för länge

overcrowded [ˌəʊvəˈkraʊdɪd] *adj* överbefolkad [*an* ~ *city; an* ~ *district*]; överfull [*an* ~ *bus*]; överbelagd [*an* ~ *hospital*]

overcrowding [ˌəʊvəˈkraʊdɪŋ] *s* överbefolkning; överbeläggning; trångboddhet

overdeveloped [ˌəʊvədɪˈveləpt] *adj* överutvecklad, alltför kraftig; *she has an* ~ *sense of her importance* hon har en övertro på sig själv

overdid [ˌəʊvəˈdɪd] imperf. av *overdo*

overdo [ˌəʊvəˈduː] (*overdid overdone*) *vb tr* **1** överdriva, göra för mycket av; driva för långt; ~ *it* el. ~ *things* el. ~ *matters* gå till överdrift, överdriva **2** steka (koka) mat för länge (mycket, hårt); *she overdid the salt* hon tog (använde) för mycket salt

3 ~ *it* förta sig, överanstränga sig; *don't* ~ *it!* ansträng dig inte för mycket!, ta i lagom!

overdone [ˌəʊvəˈdʌn, attr. '---] **I** *perf p* (av *overdo*) **II** *adj* **1** för hårt (länge, mycket) stekt (kokt) **2** överdriven [*his politeness is* ~]

overdose [subst. ˈəʊvədəʊs, verb ˌəʊvəˈdəʊs] **I** *s* överdos, för stor dos **II** *vb tr* **1** ge en överdos, ge en för stor dos [~ *sb*] **2** överdosera [~ *a medicine*] **III** *vb itr*, *he* ~*d on heroine* han tog en överdos heroin

overdraft [ˈəʊvədrɑːft] *s* bank. övertrassering; kredit kopplad till konto

overdramatize [ˌəʊvəˈdræmətaɪz] *vb tr* överdramatisera

overdraw [ˌəʊvəˈdrɔː] (*overdrew overdrawn*) *vb tr* bank. dra över [på], överskrida, övertrassera

overdrawn [ˌəʊvəˈdrɔːn] *adj* o. perf p (av *overdraw*) bank. överdragen, övertrasserad [*an* ~ *account*]; *I'm* ~ *by £100* jag har dragit över mitt konto med 100 pund

overdress [ˌəʊvəˈdres] *vb itr* o. *vb rfl*, ~ el. ~ *oneself* klä upp sig för mycket

overdressed [ˌəʊvəˈdrest] *adj* för uppklädd

overdrew [ˌəʊvəˈdruː] imperf. av *overdraw*

overdrive [ˈəʊvədraɪv] *s* bil. överväxel; *go into* ~ bildl. lägga i en extra växel, gå för högtryck

overdue [ˌəʊvəˈdjuː] *adj* **1** hand. förfallen; *the rent is long* ~ hyran är för länge sedan förfallen till betalning **2** försenad [*the post is* ~] **3** med. överburen; *she is ten days* ~ hon har gått tio dagar över tiden **4** [länge] emotsedd; *this improvement is long* ~ den här förbättringen skulle ha gjorts för länge sedan, den här förbättringen behövs verkligen

overeat [ˌəʊvərˈiːt] (*overate* [ˌəʊvərˈet, amer. vanl. ˌəʊvərˈeɪt] *overeaten*) **I** *vb itr* äta för mycket, föräta sig **II** *vb rfl*, ~ *oneself* föräta sig

overeaten [ˌəʊvərˈiːtn] perf. p. av *overeat*

overestimate [verb ˌəʊvərˈestɪmeɪt, subst. ˌəʊvərˈestɪmət] **I** *vb tr* överskatta, övervärdera; beräkna för högt **II** *s* överskattning, övervärdering; alltför hög beräkning

overexcited [ˌəʊvərɪkˈsaɪtɪd] *adj* exalterad, upphetsad

overexertion [ˌəʊv(ə)rɪgˈzɜːʃ(ə)n] *s* överansträngning

overexpose [ˌəʊv(ə)rɪkˈspəʊz] *vb tr* **1** ~ *oneself to the sun* vara för länge i solen **2** foto. överexponera **3** *be* ~*d* bildl. bli överexponerad förekomma för mycket i media

overexposure [ˌəʊv(ə)rɪkˈspəʊʒə] *s* foto. överexponering

overextend [ˌəʊvərɪkˈstend] *vb tr* överanstränga

overfed [ˌəʊvəˈfed] imperf. o. perf. p. av *overfeed*

overfeed [ˌəʊvəˈfiːd] (*overfed overfed*) *vb tr* övergöda

over-fifties [ˌəʊvəˈfɪftɪz] *s pl*, *the* ~ de [som är] över femtio

overflew [ˌəʊvəˈfluː] imperf. av *overfly*

overflow [verb ˌəʊvəˈfləʊ, subst. '---] **I** *vb tr* svämma över [*the river* ~*ed its banks*]; översvämma, överfylla **II** *vb itr* flöda över, svämma över bräddarna [*the*

lake is ~ing]; bildl. flöda (svalla) över [~ *with* (av) *gratitude*]
III *s* **1** översvämning **2** överflöd, ymnighet; överskott; tekn. överlopp, överflöde; data. spill; ~ *pipe* tekn. skvallerrör; överfallsrör; ~ *of population* befolkningsöverskott
overflown [ˌəʊvəˈfləʊn] perf. p. av *overfly*
overfly [ˌəʊvəˈflaɪ] (*overflew overflown*) *vb tr* mil. flyga över
over-forties [ˌəʊvəˈfɔːtɪz] *s pl*, **the** ~ de [som är] över fyrtio
overgrown [ˌəʊvəˈɡrəʊn, attr. '---] *adj* o. *perf p*
1 övervuxen [*walls* ~ *with* (med, av) *ivy*]; igenvuxen [*a garden* ~ *with* (av) *weeds*]
2 förvuxen, för stor, ovanligt stor [*an* ~ *boy*]
overhand [ˈəʊvəhænd] *adj* o. *adv* amer., se *overarm*
overhang [ˌəʊvəˈhæŋ] (*overhung overhung*) **I** *vb tr*
1 hänga [ut] över, skjuta fram (ut) över [*the cliffs* ~ *the stream*] **2** sväva (hänga) över ngns huvud, hota
II *vb itr* **1** skjuta fram (ut) [*the ledge* ~*s several feet*] **2** hota
overhaul [ˌəʊvəˈhɔːl, subst. '---] **I** *vb tr* **1** se över, gå igenom; [noggrant] undersöka; sjö. överhala reparera; **have one's car ~ed** få bilen genomgången **2** köra (segla) om [~ *another ship*]; hinna upp
II *s* översyn; undersökning
overhead [adv. ˌəʊvəˈhed, adj. '---] **I** *adv* över huvudet; uppe i luften (skyn) [*the clouds* ~] **II** *adj* [befintlig] över marken; ~ *costs* el. ~ *expenses* el. ~ *charges* se *overheads*; ~ *door* se *overhead door* **III** *s* overhead, stordia
overhead camshaft [ˌəʊvəhedˈkæmʃɑːft] *s* överliggande kamaxel
overhead door [ˌəʊvəhedˈdɔː] *s* vipport
overhead projector [ˌəʊvəhedprəˈdʒektə] (förk. OHP) *s* overheadprojektor, stordiaprojektor
overheads [ˈəʊvəhedz] (amer. äv. med verb i sg.) *s pl* allmänna (generella) omkostnader, fasta utgifter
overhear [ˌəʊvəˈhɪə] (*overheard overheard*) *vb tr* [råka] få höra, [råka] lyssna på [~ *a conversation*]; tjuvlyssna, snappa (fånga) upp [~ *a word*]
overheard [ˌəʊvəˈhɜːd] imperf. o. perf. p. av *overhear*
overheat [ˌəʊvəˈhiːt] **I** *vb tr* överhetta äv. ekon., hetta (värma) upp för mycket; **get ~ed** bli överhettad; tekn. gå varm **II** *vb itr* bli överhettad, bli för varm
overhung [ˌəʊvəˈhʌŋ] imperf. o. perf. p. av *overhang*
overindulge [ˌəʊv(ə)rɪnˈdʌldʒ] **I** *vb itr* **1** skämma bort sig **2** äta och dricka för mycket, frossa; ~ *in* el. ~ *oneself in* hänge sig för mycket åt, frossa i
II *vb tr* vara alltför efterlåten (eftergiven) mot
overjoyed [ˌəʊvəˈdʒɔɪd] *adj* utom sig av glädje, överlycklig, överförtjust [*at, with* över]
overkill [ˈəʊvəkɪl] *s* **1** *that's* ~ det är för mycket [av det goda] **2** mil. överdödningsförmåga totalförstöringskapacitet med kärnvapen
overladen [ˌəʊvəˈleɪdn] *adj* överlastad
overlaid [ˌəʊvəˈleɪd] imperf. o. perf. p. av *overlay*
overland [adv. ˌəʊvəˈlænd, adj. '---] **I** *adv* på land; landvägen, till lands [*travel* ~] **II** *adj* på land, landvägen, till lands; **an ~ journey** en resa till lands (landvägen)
overlap [verb ˌəʊvəˈlæp, subst. '---] **I** *vb tr* o. *vb itr* överlappa [varandra], skjuta ut över [varandra], delvis täcka [varandra] [*tiles that* ~ *one another*;

~ping boards]; [delvis] sammanfalla [med], gå i [varandra] **II** *s* överlapp[ning]
overlapping [ˌəʊvəˈlæpɪŋ] *adj* överlappande, överskjutande
overlay [ˌəʊvəˈleɪ] (*overlaid overlaid*) *vb tr* täcka över; belägga, överdra [*wood overlaid with gold*]
overleaf [ˌəʊvəˈliːf] *adv* på andra sidan, på baksidan av papper
overlie [ˌəʊvəˈlaɪ] *vb tr* **1** ligga på, vila på **2** ligga ihjäl ett barn, en katt etc.
overload [verb ˌəʊvəˈləʊd, subst. ˈəʊvələʊd] **I** *vb tr* över[be]lasta [~ *one's memory*]; lasta för tungt [~ *a wagon*]
II *s* överlastning, överbelastning
overlook [ˌəʊvəˈlʊk] *vb tr* **1 a)** titta (se) över [~ *a wall*]; se (skåda) ut över [~ *a valley from a hill*]
b) erbjuda utsikt över, höja sig över; **a house ~ing the sea** ett hus med utsikt över havet; **my window ~s the park** mitt fönster vetter [ut] mot parken
2 förbise, inte märka [~ *a printer's error*] **3** överse med, se genom fingrarna med, inte låtsas om [~ *a fault*] **4** se 'till, se 'efter, ha tillsyn (uppsikt) över, övervaka
overlord [ˈəʊvəlɔːd] *s* pamp, storpamp [*the ~s of industry*]
overly [ˈəʊvəlɪ] *adv* alltför, alltför mycket
overmanned [ˌəʊvəˈmænd] *adj* överbemannad; **be ~** vara överbemannad, ha för stor personal (besättning)
overmuch [ˌəʊvəˈmʌtʃ] *adj* o. *adv* alltför mycket
overnight [adv. ˌəʊvəˈnaɪt, adj. '---] **I** *adv* **1** över natt[en]; **stay ~** stanna över natten, övernatta **2** på natten [*preparations were made ~*] **3** över en natt, över natten, på (under) en enda natt [*it changed ~*; *it lasted only ~*]
II *adj*, ~ *guests* gäster [som stannar] över en natt (natten), nattgäster; ~ *stop* övernattning; ~ *train* nattåg
overpaid [ˌəʊvəˈpeɪd] imperf. o. perf. p. av *overpay*
overpass [ˈəʊvəpɑːs] *s* amer. vägbro, överfart
overpay [ˌəʊvəˈpeɪ] (*overpaid overpaid*) *vb tr* överbetala [~ *sb*]; belöna för frikostigt
overplay [ˌəʊvəˈpleɪ] *vb tr* **1** teat., se *overact* **2** ~ *one's hand* spela för högt [spel] **3** överbetona, lägga för stor vikt vid
overpopulated [ˌəʊvəˈpɒpjʊleɪtɪd] *adj* överbefolkad
overpopulation [ˈəʊvəˌpɒpjʊˈleɪʃ(ə)n] *s* överbefolkning
overpower [ˌəʊvəˈpaʊə] *vb tr* överväldiga, övermannna; göra matt; **be ~ed by the heat** vara alldeles matt av värmen
overpowering [ˌəʊvəˈpaʊərɪŋ] *adj* överväldigande
overpriced [ˌəʊvəˈpraɪst] *adj*, **be ~** ta överpriser, vara för dyr
overprotective [ˌəʊvəprəˈtektɪv] *adj* överbeskyddande
overqualified [ˌəʊvəˈkwɒlɪfaɪd] *adj* överkvalificerad
overran [ˌəʊvəˈræn] imperf. av *overrun*
overrate [ˌəʊvəˈreɪt] *vb tr* övervärdera, överskatta; värdera för högt; **an ~d film** en överreklamerad film
overreach [ˌəʊvəˈriːtʃ] *vb tr* **1** sträcka sig [ut]över (utom); nå bortom; ~ *the mark* skjuta över målet **2** ~ *oneself* bildl. ta sig vatten över huvudet, förta sig

overreact [ˌəʊvərɪˈækt] *vb itr* överreagera, ta i för hårt

overrepresented [ˌəʊvərepriˈzentɪd] *adj* överrepresenterad

overridden [ˌəʊvəˈrɪdn] perf. p. av *override*

override [ˌəʊvəˈraɪd] (*overrode overridden*) *vb tr* bildl. **1** sätta sig över, åsidosätta [~ *sb's claims*] **2** överskugga, dominera [*fear overrode all other emotions*]

overriding [ˌəʊvəˈraɪdɪŋ] *adj* allt överskuggande, dominerande

overrode [ˌəʊvəˈrəʊd] imperf. av *override*

overrule [ˌəʊvəˈruːl] *vb tr* **1** avvisa, åsidosätta [~ *a claim*]; spec. jur. ogilla [~ *an action*; ~ *a plea*]; upphäva [~ *a decision*]; **objection ~d!** jur. protesten avslås **2** behärska, överväldiga, styra, vara starkare än [*his greed ~d his common sense*]; **be ~d** bildl. bli överkörd

overrun [ˌəʊvəˈrʌn] (*overran overrun*) **I** *vb tr* **1** invadera; översvämma [*warehouses overrun with* (av) *rats*]; härja [i] [*an epidemic disease was ~ning the country*] **2** täcka [*a wall overrun with ivy*]; **overrun with weeds** täckt av ogräs, övervuxen med ogräs
II *vb itr* **1** dra över tiden **2** om kostnader bli (vara) högre än beräknat, hålla på för länge

oversaw [ˌəʊvəˈsɔː] imperf. av *oversee*

overseas [adj. ˈəʊvəsiːz, adv. ˌ--ˈ-] **I** *adj* utländsk, utrikes-, utlands-, från (till) utlandet; ~ *countries* främmande länder, utlandet; **Overseas Countries and Territories** (förk. OCT) EU. utomeuropeiska länder och territorier (förk. ULT); ~ *trade* utrikeshandel **II** *adv* på (från, till) andra sidan havet; från (till) utlandet; utomlands [*live ~*; *go ~*]

oversee [ˌəʊvəˈsiː] (*oversaw overseen*) *vb tr* se till, övervaka, ha uppsikt över, ha uppsyn över [~ *workmen*]

overseen [ˌəʊvəˈsiːn] perf. p. av *oversee*

overseer [ˈəʊvəsɪə] *s* förman, verkmästare; uppsyningsman

oversell [ˌəʊvəˈsel] (*oversold oversold*) *vb tr* **1** överreklamera, framhålla fördelarna med ngt för mycket; ~ *oneself* tala om att man är bättre än man är **2** sälja för mycket av ngt

over-sensitive [ˌəʊvəˈsensɪtɪv] *adj* överkänslig

oversexed [ˌəʊvəˈsekst] *adj* sexfixerad

overshadow [ˌəʊvəˈʃædəʊ] *vb tr* **1** ställa i skuggan; **be ~ed by sb** överskuggas av, få stå i skuggan för ngn **2** överskugga, kasta [sin] skugga över äv. bildl.

overshoe [ˈəʊvəʃuː] *s* galosch; pampusch, bottin

overshoot [ˌəʊvəˈʃuːt] (*overshot overshot*) **I** *vb tr* **1** skjuta över, missa [~ *the target*] **2** köra förbi; flyg. flyga in för högt för att kunna landa på, plusbedöma [~ *the runway*]
II *vb itr* göra av med för mycket pengar

overshot [ˌəʊvəˈʃɔt] imperf. o. perf. p. av *overshoot*

oversight [ˈəʊvəsaɪt] *s* **1** förbiseende, ouppmärksamhet; **by an** ~ el. **through an** ~ av (genom ett) förbiseende **2** uppsikt, tillsyn

oversimplify [ˌəʊvəˈsɪmplɪfaɪ] *vb tr* förenkla alltför mycket [~ *a problem*]

over-sixties [ˌəʊvəˈsɪkstɪz] *s pl*, **the** ~ de [som är] över sextio

oversize [ˈəʊvəsaɪz] *adj* o. **oversized** [ˈəʊvəsaɪzd]

adj [som är] över medelstorlek, [som är] över medellängd; överdimensionerad

oversleep [ˌəʊvəˈsliːp] (*overslept overslept*) *vb itr* försova sig

overslept [ˌəʊvəˈslept] imperf. o. perf. p. av *oversleep*

oversold [ˌəʊvəˈsəʊld] imperf. o. perf. p. av *oversell*

overspend [ˌəʊvəˈspend] (*overspent overspent*) **I** *vb tr* ge ut mer än, överskrida [~ *one's budget*] **II** *vb itr* överskrida sina tillgångar, slösa [bort sina pengar]

overspent [ˌəʊvəˈspent] imperf. o. perf. p. av *overspend*

overspill [ˈəʊvəspɪl] **I** *s*, ~ el. ~ *of population* befolkningsöverskott **II** *vb itr* svämma över äv. bildl.

overstaffed [ˌəʊvəˈstɑːft] *adj* överbemannad; **be ~** vara överbemannad, ha för stor personal

overstate [ˌəʊvəˈsteɪt] *vb tr* överdriva påstående, uppgift o.d.; ange för högt; ~ *one's case* säga mer än man kan stå för, ta till i överkant; **it cannot be ~d** det kan inte nog betonas

overstatement [ˌəʊvəˈsteɪtmənt] *s* överdrift; överdrivet påstående

overstay [ˌəʊvəˈsteɪ, ˈ---] *vb tr* stanna [ut]över, stanna längre än [~ *a fixed* (bestämd) *time*]; ~ *one's welcome* se under *welcome* III 1

overstep [ˌəʊvəˈstep] *vb tr* överskrida äv. bildl.; ~ *the mark* sport. a) göra ett övertramp b) gå för långt

overstock [ˌəʊvəˈstɔk] *vb tr* förse med för stort lager; **be ~ed** ha för stort lager

overstrung [ˌəʊvəˈstrʌŋ, attr. ˈ---] *adj* överspänd [~ *nerves*; *he is ~*]; hypernervös

oversubscribe [ˌəʊvəsəbˈskraɪb] *vb tr* överteckna [~ *a loan*]; **be ~d** vara överbokad

overt [əʊ(ʊ)ˈvɜːt, ˈəʊvɜːt] *adj* öppen, uppenbar [~ *hostility*]; offentlig

overtake [ˌəʊvəˈteɪk] (*overtook overtaken*) **I** *vb tr* **1** köra om, köra förbi [~ *other cars on the road*]; gå om, gå förbi äv. bildl. **2** hinna upp (i fatt); ta igen [~ *arrears of work*] **3** överraska [*be ~n by a storm*]; komma över [*darkness overtook us*] **4** drabba [*be ~n by a disaster*]; gripa, överväldiga [*be ~n by* (*with*) *fear* (*surprise*)]
II *vb itr* köra om, göra en omkörning

overtaken [ˌəʊvəˈteɪkn] perf. p. av *overtake*

overtaking [ˌəʊvəˈteɪkɪŋ] *s* omkörning; **no ~** omkörning förbjuden; ~ *lane* omkörningsfil

overtax [ˌəʊvəˈtæks] *vb tr* **1** överbeskatta, övertaxera, beskatta (taxera) för högt **2** kräva för mycket av; ~ *one's strength* överanstränga sig

over-the-counter [ˌəʊvəðəˈkaʊntə] *adj* **1** receptfri [~ *drugs*] **2** som säljs över disk (öppet och lagligt) [~ *articles*]

overthrew [ˌəʊvəˈθruː] imperf. av *overthrow*

overthrow [verb ˌəʊvəˈθrəʊ, subst. ˈ---] **I** (*overthrew overthrown*) *vb tr* **1** störta, fälla [~ *the government*]; omstörta; slå, förstöra; ~ *the established order* omstörta den bestående ordningen; ~ *the enemy* slå fienden **2** kasta omkull, vräka omkull [*trees ~n by the storm*]; kullkasta planer
II *s* **1** störtande, fällande [*the ~ of a government*]; omstörtning **2** nederlag, undergång, fall **3** kullkastande; **the ~ of the plan** kullkastandet av planen

overthrown [ˌəʊvəˈθrəʊn] perf. p. av *overthrow*

overtime ['əʊvətaɪm] **I** s **1** övertid; övertidsarbete; övertidsersättning; *be on ~* arbeta över, arbeta på övertid **2** amer. sport. förlängning[en]
II adj övertids- [~ *work* (*pay*)]
III adv på övertid; *work ~* arbeta över; *your imagination is working ~* fantasin skenar i väg med dig

overtone ['əʊvətəʊn] s mus. el. bildl. överton

overtook [ˌəʊvə'tʊk] perf. p. av *overtake*

overtop [ˌəʊvə'tɒp] vb tr höja sig över; överträffa, vara överlägsen

overture ['əʊvətjʊə] s **1** mus. ouvertyr **2** ofta pl. *~s* närmanden, trevare; förslag, anbud om förhandling; *~s of peace* el. *peace ~s* fredstrevare, fredsförslag; *make ~s to* göra närmanden till, sända ut trevare till

overturn [verb ˌəʊvə't3:n, subst. '---] **I** vb tr välta [omkull] [~ *a chair*]; stjälpa [omkull] [~ *a glass*]; stjälpa med [~ *a load of hay*]; kantra med [~ *a boat*]; störta [över ända] äv. bildl. [~ *a kingdom*]; omstörta [~ *society*]
II vb itr stjälpa, välta; *the car ~ed* bilen slog runt
III s bildl. omstörtning, omvälvning, fall

overvalue [ˌəʊvə'vælju:] vb tr övervärdera [~*d currency*]

overview ['əʊvəvju:] s översikt

overweening [ˌəʊvə'wi:nɪŋ] adj **1** förmäten, övermodig, inbilsk **2** omåttlig, överdriven; *~ pride* övermod

overweight ['əʊvəweɪt] **I** s övervikt **II** adj övervikts- [~ *luggage*]; överviktig; *your luggage is ~* ert bagage har övervikt

overwhelm [ˌəʊvə'welm] vb tr **1** överväldiga [*be ~ed with* (av) *gratitude*]; förkrossa [*be ~ed with* (av) *grief*]; övermanna; överhopa [~ *with work*; *~ with inquiries*] **2** översvämma [*be ~ed by a flood*]

overwhelming [ˌəʊvə'welmɪŋ] adj överväldigande [*an ~ victory*]; förkrossande [~ *sorrow*]

overwinter [ˌəʊvə'wɪntə] **I** vb itr **1** övervintra, klara vintern **2** övervintra, tillbringa vintern
II vb tr få att klara vintern, få att övervintra

overwork [ˌəʊvə'w3:k] **I** s för mycket arbete, överansträngning [*ill through ~*] **II** vb tr överanstränga [~ *a horse*; ~ *oneself*] **III** vb itr överanstränga sig, arbeta för mycket (hårt)

overworked [ˌəʊvə'w3:kt] adj **1** överansträngd, utarbetad [*an ~ doctor*] **2** överarbetad [*an ~ poem*]

overwrite [ˌəʊvə'raɪt] vb tr skriva över

overwrought [ˌəʊvə'rɔ:t] adj **1** överspänd, mycket nervös **2** utstuderad, överdriven [*an ~ style*]

Ovid ['ɒvɪd] Ovidius

oviduct ['əʊvɪdʌkt] s anat. äggledare, ovidukt

oviparous [əʊ'vɪpərəs] adj zool. äggläggande

ovulate ['ɒvjʊleɪt] vb itr biol. ha ägglossning

ovulation [ˌɒvjʊ'leɪʃ(ə)n, ˌəʊv-] s biol. ägglossning, ovulation

ov|um ['əʊv|əm] (pl. *-a* [-ə]) s biol. ägg, ovum

ow [aʊ] interj aj!

owe [əʊ] vb tr o. vb itr vara skyldig [*he still ~s for the goods*]; ha ngn (ngt) att tacka för ngt; *I ~ him a debt of gratitude* jag står i tacksamhetsskuld till honom; *I ~ him a great deal* a) jag har honom att tacka för mycket b) jag är skyldig honom mycket; *~ it to oneself to...* vara skyldig sig själv att...; *I ~ it to you that...* jag har dig att tacka för att...

Owen ['əʊɪn] mansnamn

owing ['əʊɪŋ] adj **1** som ska betalas; *the amount ~* skuldbeloppet; [*there's a lot of money*] *still ~* ...som ännu inte är betalda, ...som fortfarande fattas **2** *~ to* på grund av, genom [~ *to a mistake*]; med anledning av; tack vare [~ *to his help*]; *be ~ to* bero på, komma sig av, ha sin orsak i

owl [aʊl] s **1** uggla; *barn ~* tornuggla; *eagle ~* [berg]uv; *hawk ~* hökuggla; *long-eared ~* hornuggla; *short-eared ~* jorduggla; *tawny ~* kattuggla; *solemn as an ~* gravallvarlig **2** bildl. nattuggla, nattmänniska

owlet ['aʊlət] s liten uggla; uggleunge

owlish ['aʊlɪʃ] adj uggellik, uggleaktig; klok som en uggla

own [əʊn] **I** vb tr **1** äga [*I ~ this house*] **2** erkänna, tillstå, vidgå [~ *one's faults*]; *~ oneself in the wrong* erkänna sig ha orätt **3** kännas vid, erkänna [*he refused to ~ the child*]
II vb itr, *~ to* erkänna [~ *to a mistake*]; *~ up* vard. erkänna, bekänna [*you had better ~ up*]; *~ up to* vard. öppet erkänna [~ *up to a fault*]
III adj efter poss. pron. el. genitiv egen [*this is my ~ house*; *this house is my ~*]; *she cooks her ~ meals* hon lagar maten själv; *it has a flavour all its ~* den har en alldeles speciell smak; *I have my ~ views on* (*of*) *the matter* jag har min [egen] syn på saken; *be one's ~ master* vara sin egen herre, vara oberoende; *make sth one's ~* göra ngt till sitt, tillägna sig ngt; *each in his ~ way* var och en på sitt sätt; *in your ~* [*good*] *time* el. *at your ~* [*good*] *time* vid lägligt tillfälle, när det passar dig bäst; *come into one's ~* få vad som tillkommer en; komma till sin rätt, få visa vad man duger till; *she has a will of her ~* hon har en (sin) egen vilja, hon vet vad hon vill; *he has a house of his ~* han har eget hus; *on one's ~* a) ensam, för sig själv [*he lives on his ~*] b) själv, på egen hand, självständigt [*he can be left to work on his ~*]; på eget initiativ, på eget bevåg; *he is on his ~* el. *he is working on his ~* han är sin egen, han är egen företagare

own brand [ˌəʊn'brænd] **I** s egen produkt, vara (produkt) av eget märke, vara (produkt) av egen tillverkning **II** adj egen, av eget märke, av egen tillverkning

owner ['əʊnə] s ägare [*of* till]

owner-driver [ˌəʊnə'draɪvə] s privatbilist

owner-occupied [ˌəʊnər'ɒkjʊpaɪd] adj som bebos av ägaren [själv]; *~ flat* äv. andelslägenhet, bostadsrättslägenhet; *~ houses* äv. egnahem

owner-occupier [ˌəʊnər'ɒkjʊpaɪə] s person som bor i eget hus, person som äger sin bostad

ownership ['əʊnəʃɪp] s ägande; äganderätt; *be under new ~* ha ny ägare; *pass into private ~* övergå i privat ägo

own goal [ˌəʊn'gəʊl] s fotb. självmål; *score an ~* a) göra självmål b) falla på eget grepp

own label ['əʊnleɪbl, attr. -'-] s o. adj se *own brand*

ox [ɒks] (pl. *oxen* ['ɒks(ə)n]) s oxe; stut

Oxbridge ['ɒksbrɪdʒ] gemensam benämning på *Oxford* o. *Cambridge*

oxeye ['ɒksaɪ] s bot. gul prästkrage, tusensköna m.fl.

oxeye daisy [ˌɒksaɪˈdeɪzɪ] *s* bot. prästkrage
Oxfam [ˈɒksfæm] (förk. för *Oxford Committee for
Famine Relief*) brittisk hjälporganisation
Oxford [ˈɒksfəd] **1** geogr. egennamn **2** attr. oxford-; ~ el.
~ *shoe* [kraftig] snörsko **3** det ena av Englands två äldsta
universitet [äv. ~ *University*]
Oxford accent [ˌɒksfədˈæks(ə)nt] *s* Oxfordaccent,
Oxfordengelska uttal som uppfattas som affekterat och
antas härröra från Oxford University
Oxfordshire [ˈɒksfədʃɪə, -ʃə] geogr.
oxidation [ˌɒksɪˈdeɪʃ(ə)n] *s* kem., se *oxidization*
oxide [ˈɒksaɪd] *s* kem. oxid
oxidization [ˌɒksɪdaɪˈzeɪʃ(ə)n] *s* kem. oxidering
oxidize [ˈɒksɪdaɪz] *vb tr* o. *vb itr* kem. oxidera[s]
Oxon [ˈɒks(ə)n, ˈɒksɒn] **1** (förk. för *Oxoniensis* lat.)
från universitetet i Oxford [*MA* ~] **2** (förk. för
Oxonia lat.) Oxford; Oxfordshire
Oxonian [ɒkˈsəʊnjən] **I** *adj* från (tillhörande
universitetet i) Oxford, oxford-
II *s* **1** oxfordstudent, person som har legat i
Oxford **2** oxfordbo
oxtail soup [ˌɒksteɪlˈsuːp] *s* oxsvanssoppa
oxygen [ˈɒksɪdʒ(ə)n] *s* kem. syre, oxygen; syrgas
oxygenate [ˈɒksɪdʒəneɪt, ɒkˈsɪ-] *vb tr* syrsätta [~ *the
blood*]; tillföra syre till
oxygen mask [ˈɒksɪdʒ(ə)nmɑːsk] *s* syrgasmask
oxygen tent [ˈɒksɪdʒ(ə)ntent] *s* med. syrgastält
oxymoron [ˌɒksɪˈmɔːrɒn] *s* oxymoron slags stilistisk
figur [t.ex. *cruel kindness, an open secret*]
oyster [ˈɔɪstə] *s* ostron; *the world is your* ~ hela
världen ligger för dina fötter
oystercatcher [ˈɔɪstəˌkætʃə] *s* zool. strandskata
Oz [ɒz] austral. vard. Australien
oz [aʊns] o. **oz.** [pl. ˈaʊnsɪz] förk. för *ounce*[*s*]
ozone [ˈəʊzəʊn, -ˈ-] *s* kem. ozon
ozone depleter [ˌəʊzəʊndɪˈpliːtə] *s* ämne som
skadar (bryter ned) ozonskiktet
ozone-friendly [ˌəʊzəʊnˈfrendlɪ] *adj* ozonvänlig,
som inte skadar ozonskiktet
ozone hole [ˈəʊzəʊnhəʊl] *s* ozonhål
ozone layer [ˈəʊzəʊnˌleɪə] *s* ozonskikt, ozonlager
ozonosphere [əʊˈzəʊnəsfɪə] *s*, *the* ~ ozonskiktet,
ozonlagret

P p

1 P, p [piː] (pl. *P's* el. *p's* [piːz]) *s* P, p; *mind one's p's
and q's* tänka på vad man säger, hålla tungan rätt i
mun[nen]; vara noga med vad man gör
2 P [piː] förk. för *parking*
p [i betydelse *1* i sg. o. pl. piː] **1** förk. för *penny, pence*
[*these matches are 40* ~; *a ten* ~ *coin*] **2** mus. förk. för
piano II
p. förk. för *1 page*
pa [pɑː] *s* vard. pappa
p.a. (förk. för *per annum* lat.) årligen, om året
1 PA [ˌpiːˈeɪ] *s* **1** förk. för *personal assistant* **2** ~ el. ~
system (förk. för *public-address system*)
högtalaranläggning, högtalare på t.ex. flygplats
2 PA o. **Pa.** förk. för *Pennsylvania*
pace [peɪs] **I** *s* **1** hastighet, fart, tempo, takt; bildl.
puls; *force the* ~ driva upp takten; *gather* ~ skjuta
(ta) fart; *keep* ~ *with* hålla jämna steg med äv. bildl.;
quicken one's ~ öka farten; *slacken one's* ~ sakta
farten; *set the* ~ a) bestämma farten, dra vid löpning
b) ange tonen; *show one's* ~*s* visa sig på styva linan;
he could not stand the ~ han orkade inte hålla
tempot, han hängde inte med; *at a slow* ~ i
långsamt tempo, med långsamma steg **2** steg spec.
som mått [*ten* ~*s away*] **3** gång, sätt att gå; hästs
gångart; *at a walking* ~ gående; om häst i skritt **4** *put
sb through his* ~*s* låta ngn visa vad han går för
II *vb itr* gå med avmätta steg, skrida
III *vb tr* **1** gå av och an i, gå fram och tillbaka i
(på) [~ [*up and down*] *a room*]; ~ *oneself* arbeta i
sin egen takt **2** sport. dra (vara pacemaker) åt
IV *vb tr* med adv. el. prep.:
pace off el. **pace out** stega upp [~ *off* (*out*) *a distance
of 30 metres*]
pacemaker [ˈpeɪsˌmeɪkə] *s* **1** med. pacemaker **2** sport.
pacemaker, draghjälp, farthållare, hare
pacesetter [ˈpeɪsˌsetə] *s* sport., se *pacemaker 2*
pachyderm [ˈpækɪdɜːm] *s* zool. el. bildl. tjockhuding
Pacific [pəˈsɪfɪk] **I** *adj* Stillahavs- [*Canadian* ~
Railway] **II** geogr. egennamn, *the* ~ Stilla havet
pacific [pəˈsɪfɪk] *adj* fredlig, fridsam, försonlig;
fridfull, stilla
pacification [ˌpæsɪfɪˈkeɪʃ(ə)n] *s* pacificering;
återställande av fred (lugnet) [*of* i, på]; lugnande
Pacific Ocean [pəˌsɪfɪkˈəʊʃ(ə)n] geogr., *the* ~ Stilla
havet
Pacific Rim [pəˌsɪfɪkˈrɪm] *s*, *the* ~ länderna kring
Stilla Havet ekonomisk grupp
Pacific Standard Time [pəˌsɪfɪkˈstændədtaɪm] (förk.
PST) *s* normaltid (tidszon) vid Stillahavskusten i
Nordamerika
pacifier [ˈpæsɪfaɪə] *s* **1** amer. [tröst]napp
2 fredsstiftare
pacifism [ˈpæsɪfɪz(ə)m] *s* pacifism
pacifist [ˈpæsɪfɪst] *s* pacifist, fredsvän, fredsivrare
pacify [ˈpæsɪfaɪ] *vb tr* **1** pacificera, återställa freden
(lugnet) i (på), skapa fred i (på) [~ *a country*; ~ *an
island*] **2** lugna [ned] [~ *the children*]

1 pack [pæk] **I** *vb itr* **1** packa [*you must begin
~ing*]; *I have ~ed* el. *I am ~ed* jag har packat; *~ up*
vard. a) packa ihop, lägga av [*~ up for the day*]
b) paja, lägga av [*the engine ~ed up*] **2** gå att
packa, kunna packas **3** a) tränga (packa) ihop sig
[*into i*] b) samla sig [i flock], skocka sig **4** packa
sig i väg [äv. *~ off*]; *send sb ~ing* köra i väg ngn
II *vb tr* **1** a) packa [*~ one's things*]; bunta; packa
(tränga, köra) ihop [*~ people into a bus*]; pressa
(klämma) in [*~ a lot of work into one day*] b) packa
[*~ a box*]; fylla, packa full **2** a) förpacka,
emballera b) konservera på burk [*~ meat*] **3** vard.
bära, ha; *~ a gun* bära (ha) revolver; *he ~s a terrific
punch* han har krut i näven
III *vb tr* med adv. el. prep.:
pack away vard. sätta (stoppa) i sig [*he can ~ away a
lot of food*]
pack in: *~ in smoking* vard. sluta röka; *~ it in!* sl. lägg
av (sluta) [med det där]!
pack off skicka (sända) i väg [*to till*]; *~ sb off* köra i
väg ngn
pack up a) packa ner (in) b) *~ up smoking* vard. o. *~ it
up!* sl., se *pack in smoking* resp. *pack it in!* under *pack
III*
IV *s* **1** a) förpackning b) amer. paket, ask [*a ~ of
cigarettes*] **2** packe, knyte, bylte; mil. [buren]
packning; bal **3** band [*a ~ of thieves*]; samling [*a ~
of liars*]; hop, massa [*a ~ of lies*]; pack; *the whole ~*
hela byket (packet) **4** [kort]lek; *a ~ of cards* en
kortlek **5** släpp, koppel [*a ~ of dogs*]
6 [forwards]kedja i rugby **7** med. inpackning [*dry ~;
wet ~*]; inpackningsbad
2 pack [pæk] *vb tr* välja (utse) partiska medlemmar
till [*~ a jury*]
package ['pækɪdʒ] **I** (förk. *pkg.*) *s* **1** packe, bunt;
större paket äv. bildl., kolli; bal; förpackning
2 förpackning, emballage
II *vb tr* förpacka, emballera; packa [in]
package deal ['pækɪdʒdi:l] *s* paketavtal,
paketöverenskommelse
package holiday [,pækɪdʒ'hɒlədeɪ] *s*
chartersemester, charterresa, paketresa
package store ['pækɪdʒstɔ:] *s* amer. åld. spritbutik
package tour ['pækɪdʒtʊə] *s* chartersemester,
charterresa, paketresa
packaging ['pækɪdʒɪŋ] *s* **1** förpackning, emballage;
emballering **2** bildl. förpackning, sätt att presentera
en produkt; imageuppbyggnad
pack animal ['pæk,ænɪm(ə)l] *s* packdjur
packed [pækt] *adj* **1** packad, full [*the restaurant
was ~; play to ~ houses*]; *the room was ~ with people*
rummet var fullpackat med (fullt av) folk **2** ~ el. ~
up färdigpackad [*I'm all ~ and ready to go*]
packed lunch [,pækt'lʌn(t)ʃ] *s* lunchpaket, matsäck
packed out [,pækt'aʊt] *adj* vard. fullsatt [*the theatre
was ~*]; proppad [med folk]
packer ['pækə] *s* packare, paketerare
packet ['pækɪt] *s* **1** (förk. *pkt*) mindre paket; bunt; *a ~
of [cigarettes]* ett paket (en ask)... **2** vard., *it costs a
~* det kostar massor (skjortan); *make a ~* göra
storkovan **3** sl., *catch (cop, get, stop) a ~* åka på en
propp (smäll); råka illa ut **4** datapaket
packet switching ['pækɪt,swɪtʃɪŋ] *s* data.
[data]paketförmedling

pack horse ['pækhɔ:s] *s* packhäst, klövjehäst
pack ice ['pækaɪs] *s* packis
packing ['pækɪŋ] *s* **1** packning, förpackning etc., jfr
1 pack II **2** emballage **3** tekn. tätning, packning
packing case ['pækɪŋkeɪs] *s* o. amer. vanl. **packing
crate** ['pækɪŋkreɪt] *s* packlåda, packlår
pack rat ['pækræt] *s* pryltokig person
packthread ['pækθred] *s* segelgarn
pack trip ['pæktrɪp] *s* amer. [ponny]ridning i naturen
pact [pækt] *s* pakt, fördrag, överenskommelse
pad [pæd] **I** *s* **1** skydd [*knee ~, shin ~; incontinence
~*]; *sanitary ~* [dam]binda, sanitetsbinda **2** dyna; flat
kudde; *a ~ of cotton wool* en bomullsstuss; *electric
heating ~* elektrisk värmedyna **3** stoppning,
vaddering; valk [*a hair ~*]; *shoulder ~* axelvadd
4 anteckningsblock, skrivblock; *~* el. *writing ~*
skrivblock; [skriv]underlägg **5** zool. trampdyna;
tass, fot hos vissa djur **6** avskjutningsramp,
startplatta för raket o.d. **7** vard. lya, kvart
II *vb tr* **1** stoppa; madrassera [*a ~ded cell*];
vaddera; [*a jacket*] *with ~ded shoulders* äv. ...med
axelvaddar **2** *~ out* fylla ut med fyllnadsgods [*~ out an
essay with quotations*]
padding ['pædɪŋ] *s* **1** stoppning, madrassering,
vaddering **2** spaltfyllnad [*~ in a newspaper*];
fyllnadsgods
Paddington ['pædɪŋtən] **1** geogr. egennamn **2** en av
Londons viktigaste järnvägsstationer [äv. *~ station*]
1 paddle ['pædl] **I** *s* **1** paddel[åra] **2** paddling,
paddeltur; sakta rodd[tur] **3** spadformigt redskap;
[deg]spade **4** skovel på hjul **5** bordtennisracket
II *vb tr* paddla [*~ a canoe*]
III *vb itr* **1** paddla; ro sakta **2** simma hundsim
2 paddle ['pædl] **I** *vb itr* **1** plaska [omkring], vada
omkring **2** fingra [*with* på, med], leka, plocka
[*with* med]
II *s*, *have a ~* bada fötterna
paddle boat ['pædlbəʊt] *s* amer. **1** trampbåt,
vattencykel **2** hjulångare
paddle steamer ['pædl,sti:mə] *s* hjulångare
paddle tennis ['pædl,tenɪs] *s* amer., se *table tennis*
paddle wheel ['pædlwi:l] *s* skovelhjul
paddling pool ['pædlɪŋpu:l] *s* plaskdamm
paddock ['pædək] *s* **1** paddock **2** sadelplats
Paddy ['pædɪ] **I** vard. för *Patrick* **II** *s* skämts. irländare
ofta i tilltal
1 paddy ['pædɪ] *s* risfält
2 paddy ['pædɪ] *s* vard. raseri; *get in a ~* bli rasande
paddy field ['pædɪfi:ld] *s* risfält
paddy wagon ['pædɪ,wægən] *s* amer. sl. snuthäck,
Svarta Maja
padlock ['pædlɒk] **I** *s* hänglås **II** *vb tr* sätta hänglås
för
padre ['pɑ:drɪ, -dreɪ] *s* fältpräst; vard. präst
paean ['pi:ən] *s* jubelsång, lovsång; segerhymn
paediatric [,pi:dɪ'ætrɪk] *adj* pediatrisk
paediatrician [,pi:dɪə'trɪʃ(ə)n] *s* pediatriker,
barnläkare
paediatrics [,pi:dɪ'ætrɪks] (med verb i sg.) *s* pediatrik
paedophile ['pi:də(ʊ)faɪl] *s* pedofil
paella [pɑ:'eɪlɪə, pɑ:'elə, paɪ-] *s* kok. **1** paella
2 paellapanna
pagan ['peɪgən] **I** *s* hedning **II** *adj* hednisk
paganism ['peɪgənɪz(ə)m] *s* hedendom[en]

1 page [peɪdʒ] **I** (förk. *p.*) *s* sida äv. data., bildl. äv. blad [*the ~s of history*] **II** *vb tr*, *~ through* amer. bläddra i (i genom)

2 page [peɪdʒ] **I** *s* **1** hist. page, hovsven **2** se *pageboy* **II** *vb tr* kalla på, söka med personsökare o.d.; *paging Mr Smith!* Herr Smith [söks]!

pageant ['pædʒ(ə)nt] *s* **1** lysande [historiskt] festspel, praktfullt skådespel; festtåg, parad **2** amer., *beauty ~* se *beauty pageant*

pageantry ['pædʒ(ə)ntrɪ] *s* pomp och ståt; parad

pageboy ['peɪdʒbɔɪ] *s* **1** brudnäbb ung pojke **2** pagefrisyr [äv. *~ style*] **3** åld. pickolo, hotellpojke, springpojke på varuhus o.d.

pager ['peɪdʒə] *s* personsökare mottagare

paginate ['pædʒɪneɪt] *vb tr* paginera

pagination [,pædʒɪ'neɪʃ(ə)n] *s* paginering

pagoda [pə'gəʊdə] *s* pagod byggnad el. indiskt mynt

paid [peɪd] imperf. o. perf. p. av *pay*

paid-up ['peɪdʌp] *adj* **1** betald; som har betalat sin avgift [*~ members*]; *~ shares* till fullo betalda aktier **2** *she is a fully ~ capitalist* hon är kapitalist till 100 procent, hon är fullblodskapitalist

pail [peɪl] *s* hink, spann, ämbar

pailful ['peɪlfʊl] (pl. *~s* el. *pailsful*) *s* som mått hink, spann [*of* med]

pain [peɪn] **I** *s* **1** smärta, värk; pina, plåga; *~s of childbirth* el. *labour ~s* födslovärkar, förlossningsvärkar; bildl. födslovånda; *he's a ~ in the neck* (vulg. *arse*, amer. *ass*) sl. han är en plåga [för omgivningen], han är [fullständigt] hopplös; *it gives me a ~ in the neck* sl. det gör mig galen, det är en riktig plåga; *where's the ~?* var gör det ont?; *have a ~ in one's (the) knee* ha ont i knäet; *suffer great ~* lida (plågas) mycket; *be in ~* ha ont, känna smärta, plågas; *put sb out of his ~* befria ngn från hans plågor **2** pl. *~s* (med verb ibl. i sg.) besvär, omak, möda [*great ~s have been taken* (lagts ner)]; *take (go to) great ~s about (over, with) sth* göra sig stort (mycket) besvär med ngt, vinnlägga sig om ngt; *be at ~s to do sth* ha mycket (stort) besvär med att göra ngt **3** i vissa jur. uttryck straff; *on (under) ~ of death* vid dödsstraff

II *vb tr* smärta, plåga, pina; *look ~ed* se plågad ut

pain control ['peɪnkən,trəʊl] *s* med. smärtlindring

pained ['peɪnd] *adj* pinad, plågad

painful ['peɪnf(ʊ)l] *adj* smärtsam, plågsam äv. bildl.

painkiller ['peɪn,kɪlə] *s* smärtstillande medel

painkilling ['peɪn,kɪlɪŋ] *adj* smärtstillande

painless ['peɪnləs] *adj* smärtfri [*a ~ childbirth*]; utan plågor [*a ~ death*]

painstaking ['peɪnz,teɪkɪŋ] *adj* omsorgsfull, noggrann, flitig

paint [peɪnt] **I** *s* **1** [målar]färg; pl. *~s* färger; färgtuber; färglåda, målarskrin; *wet ~!* el. *mind the ~!* nymålat!; *a box of ~s* en färglåda, ett målarskrin **2** vard. smink

II *vb tr* **1** måla, färga; *~ the town red* vard. [gå ut och] göra stan osäker, [gå ut och] slå runt; *~ out* el. *~ over* måla över, utplåna **2** sminka, måla

III *vb itr* **1** måla **2** sminka (måla) sig

paintbox ['peɪntbɒks] *s* **1** färglåda, målarskrin **2** sminklåda, sminkskrin

paintbrush ['peɪntbrʌʃ] *s* målarpensel

1 painter ['peɪntə] *s* målare; *~ and decorator* målare hantverkare; *~'s colours* målarfärg

2 painter ['peɪntə] *s* sjö. fånglina

painting ['peɪntɪŋ] *s* **1** målning, tavla **2** målning, målande; måleri; målarkonst **3** sminkning

paint-stripper ['peɪnt,strɪpə] *s* färgborttagningsmedel

paintwork ['peɪntwɜ:k] *s*, *the ~* målningen, färgen, det målade; bil. lackeringen

pair [peə] **I** *s* **1** par; *a ~ of scissors* (*tongs*) en sax (tång); *a ~ of shoes* (*trousers*) ett par skor (byxor); *in ~s* parvis, par om par; två och två; *the ~ of you* båda (ni) två [*shut up the ~ of you!*] **2** åld. spann [*a ~ of horses*]; *carriage and ~* tvåspänd vagn, tvåspännare

II *vb tr* **1** para [ihop], para samman [äv. *~ up*] **2** ordna parvis [äv. *~ off*]

III *vb itr* para sig

IV *vb itr* med adv.:

pair off a) ordna sig (vara ordnad) parvis; gruppera sig (gå) två och två **b)** vard. gifta sig [*with* med]

pair up slå sig ihop

pairs-skating ['peəz,skeɪtɪŋ] *s* sport. paråkning

paisley ['peɪzlɪ] **I** *s* paisleymönster, persiskt mönster **II** *adj* paisleymönstrad, med persiskt mönster

pajama [pə'dʒɑ:mə] *adj* o. **pajamas** [pə'dʒɑ:məz] *s pl* vanl. amer., se *pyjama* resp. *pyjamas*

pak choi [,pæk'tʃɔɪ] *s* kinakål, salladskål

Paki ['pɑ:kɪ] *s* sl. neds. pakistanare

Pakistan [,pɑ:kɪ'stɑ:n] geogr.

Pakistani [,pɑ:kɪ'stɑ:nɪ] **I** *adj* pakistansk **II** *s* pakistanare, pakistanska

pal [pæl] vard. **I** *s* kamrat, kompis [*a great ~ of mine*] **II** *vb itr*, *~ around with* vanl. amer. vara kompis med; *~ up with* åld. bli god vän (kompis) med, slå sig ihop med

palace ['pælɪs, -ləs] *s* palats, slott

palace coup [,pælɪs'ku:] *s* o. **palace revolution** [,pælɪsrevə'lu:ʃ(ə)n] *s* palatsrevolution

palaeography [,pælɪ'ɒgrəfɪ, ,peɪl-] *s* paleografi

Palaeolithic [,pælɪə(ʊ)'lɪθɪk, ,peɪl-] *adj* geol. paleolitisk, från (under) äldre stenåldern; *the ~ Age* den paleolitiska tiden, äldre stenåldern

palaeontologist [,pælɪɒn'tɒlədʒɪst, ,peɪl-] *s* paleontolog

palaeontology [,pælɪɒn'tɒlədʒɪ, ,peɪl-] *s* paleontologi

palatable ['pælətəbl] *adj* välsmakande, smaklig [*~ food*]; bildl. behaglig, tilltalande, acceptabel

palatal ['pælətl] **I** *adj* fonet. el. anat. palatal, gom- [*~ sounds*] **II** *s* fonet. palatal, [främre] gomljud

palate ['pælət] *s* **1** gom; *cleft ~* kluven gom; gomklyvning, gomspalt; *the hard ~* hårda gommen; *the soft ~* mjuka gommen **2** bildl. gom, smak

palatial [pə'leɪʃ(ə)l] *adj* palatslik[nande], palats-

palaver [pə'lɑ:və] *s* **1** [omständlig] överläggning, parlamenterande; palaver **2** prat, babblande

1 pale [peɪl] **I** *adj* blek [*he turned ~ with* (av) *fear*; *a ~ imitation*]; matt, svag [*~ colours*; *~ light*]; *~ blue* svagt blå, blekblå

II *vb itr* blekna, bli blek; bildl. förblekna; *it ~s into insignificance* det förbleknar fullständigt (till intet)

2 pale [peɪl] *s*, **beyond the** ~ utanför anständighetens gräns[er]; otänkbar i bildat sällskap
pale ale [ˌpeɪl'eɪl] *s* ljust öl
paleface ['peɪlfeɪs] *s* neds. blekansikte
Palestine ['pæləstaɪn] geogr. Palestina
Palestinian [ˌpælə'stɪnɪən] **I** *adj* palestinsk, från Palestina **II** *s* palestinier; palestinska kvinna
palette ['pælət] *s* palett
palette knife ['pælətnaɪf] *s* **1** mål. palettkniv **2** kok. skrapa
palimony ['pælɪmənɪ] *s* jur. (vanl. amer. vard.) underhåll till f.d. sambo
paling ['peɪlɪŋ] *s* staket, plank, inhägnad
palisade [ˌpælɪ'seɪd] *s* **1** palissad, pålverk **2** pl. ~**s** amer. [rad av] branta klippor
1 pall [pɔ:l] *s* **1** bildl. [mörkt] täcke, skugga; **a ~ of smoke** en tjock rök, en mörk rökridå **2** bår kista vid begravning **3** [bår]täcke
2 pall [pɔ:l] *vb itr* förlora sin dragningskraft, förlora sitt intresse; **it ~s on you** (**one**) man tappar intresset (mister smaken) för det, det tråkar ut en
pall-bearer ['pɔ:lˌbeərə] *s* kistbärare; hedersvakt
palliative ['pælɪətɪv] **I** *adj* **1** lindrande [för tillfället] **2** överskylande; förmildrande [~ *circumstances*] **II** *s* palliativ, lindrande medel
pallid ['pælɪd] *adj* blek
Pall Mall [ˌpæl'mæl] gata i London
pallor ['pælə] *s* blekhet
pally ['pælɪ] *adj* vard. bussig, vänlig, kamratlig
1 palm [pɑ:m, amer. pɑ:lm, pɔ:m] **I** *s* handflata; **grease sb's** ~ el. **oil sb's** ~ vard. smörja (muta) ngn; **have sth** (**sb**) **in the** ~ **of one's hand** bildl. ha ngt (ngn) i sin hand **II** *vb tr* **1** dölja i handen **2** ~ **sth off on sb** pracka (lura) på ngn ngt; ~ **sb off** avspisa ngn
2 palm [pɑ:m] *s* palm; palmkvist, palmblad; segerpalm; seger; **the ~ of victory** segerpalmen
Palm Beach [ˌpɑ:m'bi:tʃ] semesterort i Florida
palmetto [pæl'metəʊ] (pl. ~s el. ~es) *s* bot. palm [med solfjäderformad bladställning], palmetto
Palmetto State [pælˌmetəʊ'steɪt], **the** ~ beteckn. för staten *South Carolina*
palmist ['pɑ:mɪst] *s* person som spår i händerna, spåkvinna, kiromant
palmistry ['pɑ:mɪstrɪ] *s* konsten att spå i händer, kiromanti; **practise** ~ spå i händer
palm oil ['pɑ:mɔɪl, ˌ-'-] *s* palmolja
Palm Sunday [ˌpɑ:m'sʌndeɪ] palmsöndag[en]
palmtop ['pɑ:mtɒp] *s* handdator
palmy ['pɑ:mɪ] *adj* bildl. segerrik; blomstrande
palpable ['pælpəbl] *adj* **1** påtaglig, handgriplig, tydlig; uppenbar [*a ~ error*] **2** kännbar, förnimbar
palpate ['pælpeɪt] *vb tr* känna (ta) på; med. palpera
palpitate ['pælpɪteɪt] *vb itr* **1** klappa, slå [*his heart ~d wildly*]; pulsera **2** skälva, darra [~ *with* (av) *terror*]
palpitations [ˌpælpɪ'teɪʃ(ə)nz] *s pl* hjärtklappning
paltry ['pɔ:ltrɪ, 'pɒl-] *adj* usel, futtig [*a ~ sum*]; eländig, ynklig [*a ~ excuse*]; lumpen, tarvlig
Pampas ['pæmpəz] geogr., **the ~** Pampas i Argentina
pampas ['pæmpəs] *s pl* pampas[slätter]
pampas grass ['pæmpəsgrɑ:s] *s* pampasgräs
pamper ['pæmpə] *vb tr* klema (skämma) bort, dalta (klema) med; pjoska med [~ *one's health*]

pamphlet ['pæmflət] *s* broschyr; [strö]skrift; stridsskrift
pamphleteer [ˌpæmflə'tɪə] *s* ströskriftsförfattare, stridsskriftsförfattare
Pan [pæn] **1** mytol. egennamn **2** *pipes of* ~ panflöjt; herdepipa
pan- [pæn] *prefix* grek. all[t]-, pan-
1 pan [pæn] **I** *s* **1** kok. panna [*frying* ~]; [bak]form; [låg] skål, bunke **2** wc-skål [äv. *lavatory* ~]; **it has gone down the** ~ vard. det har gått åt pipan **3** [säng]bäcken **4** vågskål **5** vaskpanna för guldvaskning **II** *vb tr* **1** vard. såga, sabla (göra) ner; förlöjliga **2** vaska [äv. ~ *off*; ~ *out*; ~ *gold*] **III** *vb itr* **1** vaska [efter guld] **2** ~ *out* vard. lyckas, utfalla [väl] [*the scheme ~ned out well*]
2 pan [pæn] *vb itr* o. *vb tr* film. panorera; panorera i (över) sceneri
panacea [ˌpænə'sɪə, -'si:ə] *s* universalmedel; patentmedicin, patentlösning; panacé
panache [pə'næʃ, pæ'nɑ:ʃ] *s* panasch, bravur, glans, schvung; stil
Panama [ˌpænə'mɑ:, attr. '---] geogr. egennamn
Panama Canal [ˌpænəmɑ:kə'næl] geogr., **the ~** Panamakanalen
panama hat [ˌpænəmɑ:'hæt] *s* panamahatt
Pan-American [ˌpænə'merɪkən] *adj* panamerikansk
pancake ['pænkeɪk] *s* **1** pannkaka **2** tjockt lager makeup
Pancake Day ['pænkeɪkdeɪ] *s* fettisdag[en] då man äter pannkakor
pancetta [pæn'tʃetə] *s* kok. (it.) saltat och lufttorkat sidfläsk
pancreas ['pæŋkrɪəs] *s* anat. bukspottkörtel, pankreas
pancreatitis [ˌpæŋkrɪə'taɪtɪs] *s* med. bukspottkörtelinflammation, pankreatit
panda ['pændə] *s* zool. panda, kattbjörn; **giant ~** jättepanda
panda car ['pændəkɑ:] *s* svartvit polisbil
pandemic [pæn'demɪk] **I** *adj* **1** med. pandemisk **2** allmän, universell [~ *fear*] **II** *s* med. pandemi
pandemonium [ˌpændɪ'məʊnɪəm] *s* tumult, kaos; ~ **broke loose** det blev ett helvetes liv
pander ['pændə] *vb itr*, ~ *to* uppmuntra, underblåsa, vädja till, ge efter för [~ *to low tastes*]
p & h [ˌpi:ən'eɪtʃ] amer. förk. för *postage and handling*
p & p [ˌpi:ən'pi:] förk. för *postage and packing*
pane [peɪn] *s* [glas]ruta
panegyric [ˌpænɪ'dʒɪrɪk] *s* panegyrik, lovtal
panel ['pænl] **I** *s* **1** panel; fält, spegel i vägg, dörr m.m., pannå; ruta, fyrkant, fyrkantigt stycke **2** fyrkantig isättning (infällning) i plagg el. tyg **3** radio. el. TV. o.d. panel, [expert]grupp; ~ *discussion* paneldiskussion; estradsamtal **4** **a**) jurylista, förteckning över jurymän till förfogande **b**) jury **5** instrumentbräda, [instrument]tavla; panel **II** *vb tr* indela i (förse med) rutor (fält); panela
panel beater ['pænlˌbi:tə] *s* bil. karosseriarbetare
panelling ['pænəlɪŋ] *s* [trä]panel; panelning
panellist ['pænəlɪst] *s* radio. el. TV. o.d. panelmedlem, diskussionsdeltagare
panel pin ['pænlpɪn] *s* tavelstift

panel truck ['pænltrʌk] *s* amer. skåpbil, varubil

pang [pæŋ] *s* [häftig] smärta (plåga); styng, sting; kval; **~s of conscience** samvetskval; **feel a ~** känna ett sting [i hjärtat]

panhandle ['pæn,hændl] *vb itr* o. *vb tr* amer. vard. tigga på gatan [av]

Panhandle State ['pæn,hændl'steɪt], **the ~** beteckn. för staten *West Virginia*

panic ['pænɪk] **I** *s* panik, skräck; **~ buying** panikköp; **what's the ~?** varför så bråttom?, det är ingen panik; **get into a ~** få panik, gripas av panik **II** *adj* panisk [~ *fear*] **III** *vb itr* (imperf. o. perf. p. *panicked*) gripas av (råka i) panik; **don't ~!** ingen panik! **IV** *vb tr*, **she was panicked into buying things she didn't need** hon greps av panik och köpte saker som hon inte behövde

panic attack ['pænɪkə,tæk] *s* psykol. [anfall av] panikångest

panic button ['pænɪk,bʌtn] *s* alarmknapp äv. bildl. [*press* (*push*) *the ~*]

panicky ['pænɪkɪ] *adj* vard. gripen av panik; nervös; panikartad

panic stations ['pænɪk,steɪʃ(ə)nz] (med verb i sg.) *s*, **it was ~** det var rena rama paniken

panic-stricken ['pænɪk,strɪk(ə)n] *adj* gripen av panik, panikslagen

pan loaf ['pænləʊf] (pl. *pan loaves*) *s* amer. formbröd

pannier ['pænɪə] *s* **1** cykelväska, packväska **2** klövjekorg; ryggkorg

panoply ['pænəplɪ] *s* **1** stort uppbåd (pådrag); pompa **2** batteri, uppsättnig

panorama [,pænə'rɑːmə] *s* panorama; panoramamålning, rundmålning

panoramic [,pænə'ræmɪk, -'rɑːm-] *adj* panorama-; **~ sight** mil. panoramakikare, kikarsikte

pan pipes ['pænpaɪps] *s pl* panflöjt; herdepipa

pansy ['pænzɪ] *s* **1** bot. pensé; **wild ~** styvmorsviol **2** sl. **a)** mes **b)** ngt åld. fikus, homofil

pant [pænt] **I** *vb itr* flämta, flåsa; stöna; **~ for breath** kippa efter andan **II** *vb tr* flämta (stöna) fram

pantalets o. **pantalettes** [,pæntə'lets] *s pl* mamelucker, yllebyxor

pantheism ['pænθɪɪz(ə)m] *s* filos. panteism

pantheistic [,pænθɪ'ɪstɪk] *adj* filos. panteistisk

pantheon ['pænθɪən] *s* **1** gudavärld, gudar [*the ancient Egyptian ~*] **2** panteon, minnestempel

panther ['pænθə] *s* zool. **1** panter **2** amer. puma

panties ['pæntɪz] *s pl* vard. **1** trosor **2** barnbyxor

pantihose ['pæntɪhəʊz] *s* se *pantyhose*

panto ['pæntəʊ] (pl. ~s) *s* vard. kortform av *pantomime*

pantomime ['pæntəmaɪm] *s* **1** pantomim **2** julspel, julshow med musik o. dans [äv. *Christmas ~*]

pantry ['pæntrɪ] *s* **1** skafferi **2** serveringsrum **3** sjö. el. på hotell o.d. pentry

pants [pænts] *s pl* **1** kalsonger; trosor; barnbyxor **2 a)** vanl. amer. [lång]byxor, brallor **b)** vard., **scare the ~ off sb** skrämma slag på ngn; **wear the ~** vara herre i huset, bestämma var skåpet ska stå; **give sb a kick in the ~** ge ngn en spark i ändan; **catch sb with his ~ down** ta ngn på sängen, överrumpla ngn

pantskirt ['pæntskɜːt] *s* byxkjol

pantsuit ['pæntsuːt, -sjuːt] *s* byxdress, byxdräkt

panty girdle ['pæntɪ,gɜːdl] *s* vard. byxgördel, trosgördel

pantyhose ['pæntɪhəʊz] (med verb i pl.) *s* vanl. amer. strumpbyxor

panty liner ['pæntɪ,laɪnə] *s* trosskydd

pap [pæp] *s* **1** bildl. [tunn] smörja **2** välling; barnmat

papa [pə'pɑː, amer. vanl. 'pɑːpə] *s* pappa

papacy ['peɪpəsɪ] *s* **1 the ~** pontefikatet; påvemakten, påväldet **2** påvedöme **3** påves ämbetstid

papal ['peɪp(ə)l] *adj* påvlig

paparazzi [,pæpə'rætsɪ] *s pl* it. [efterhängsna] fotoreportrar, kändisfotografer, paparazzi

papaya [pə'paɪə] *s* bot. **1** papayaträd **2** papaya[frukt]

paper ['peɪpə] **I** *s* **1** papper; papperslapp; pappers- [~ *bag*; ~ *plate*]; **on ~** på papperet, i teorin [*a good scheme on ~*]; **I want it down on ~** jag vill ha skriftligt på det **2** tidning; **the ~ says** el. **it is in the ~** det står i tidningen **3** dokument, akt, handling; viktigt papper; legitimationshandling **4** [skriftligt] prov, [examens]skrivning; uppsats **5** avhandling, skrift, uppsats, föredrag; **read a ~** äv. hålla [ett] föredrag [*on* om, över] **II** *vb tr* **1** tapetsera, sätta upp tapeter i (på) [~ *a room* (*wall*)]; **~ over the cracks** tapetsera över sprickorna; bildl. [nödtorftigt] skyla (släta) över bristerna **2** täcka (klä, fodra) med papper, lägga papper i [~ *drawers*]

paperback ['peɪpəbæk] *s* häftad bok, paperback, pocketbok

paper boy ['peɪpəbɔɪ] *s* [manligt] tidningsbud

paper chase ['peɪpətʃeɪs] *s* snitseljakt

paper clip ['peɪpəklɪp] *s* pappersklämma, gem

paper girl ['peɪpəgɜːl] *s* [kvinnligt] tidningsbud

paperhanger ['peɪpə,hæŋə] *s* tapetuppsättare; ung. motsv. målare

paper knife ['peɪpənaɪf] *s* papperskniv

paperless ['peɪpələs] *adj* papperslös

papermill ['peɪpəmɪl] *s* pappersbruk

paper money ['peɪpə,mʌnɪ] *s* sedlar, papperspengar

paper-pusher ['peɪpə,pʊʃə] *s* kontorsslav

paper round ['peɪpəraund] *s* o. amer. **paper route** ['peɪpəruːt] *s*, **do a ~** bära ut tidningar

paper shop ['peɪpəʃɒp] *s* tidningsaffär, tidningsbutik

paper-shredder ['peɪpə,ʃredə] *s* dokumentförstörare apparat

paper-thin ['peɪpəθɪn] *adj* lövtunn

paper tiger [,peɪpə'taɪgə] *s* bildl. papperstiger

paper towel ['peɪpə,tauəl] *s* pappershandduk

paperweight ['peɪpəweɪt] *s* brevpress

paperwork ['peɪpəwɜːk] *s* pappersarbete, pappersexercis, skrivbordsarbete

papier-mâché [,pæpjeɪ'mɑːʃeɪ] *s* papier-maché

papist ['peɪpɪst] *s* neds. papist katolik

papoose [pə'puːs] *s* [rygg]bärställning för spädbarn

paprika ['pæprɪkə, pə'priːkə] *s* paprika, paprikapulver

Pap smear ['pæpsmɪə] *s* o. **Pap test** ['pæptest] *s* Pap-smear, Pap-test cellprov på slidsekret, för att upptäcka livmoderhalscancer

Papua New Guinea ['pæpʊə,njuː'gɪnɪ] geogr. Papua Nya Guinea

papyr|us [pə'paɪər|əs] (pl. *-i* [-aɪ] el. ~*es*) *s* **1** bot.
papyrus **2** papyrusmanuskript, papyrusrulle
1 par [pɑ:] *s* **1** det normala, medeltal; hand. pari;
above ~ över det normala (medeltalet); hand. över
pari; *at* ~ till pari[kurs]; *below* ~ el. *under* ~ under det
normala (medeltalet); hand. under pari; *on a* ~ i
genomsnitt; *I am not feeling* [*quite*] *up to* ~ vard. jag
känner mig lite vissen **2** *be on a* ~ stå (kunna
ställas) i jämbredd; vara lika stor [*with* som], gå
jämnt upp; *put on a* ~ jämställa, likställa **3** golf. par;
i bowling pari; ~ *for the course* bildl. det vanliga, vad
man kan vänta sig
2 par [pɑ:] *s* vard. kortform av *paragraph*
para ['pærə] *s* vard. **1** kortform av *paratrooper*
2 kortform av *paragraph*
parable ['pærəbl] *s* parabel, liknelse [*of* om]
parabola [pə'ræbələ] *s* matem. parabel
parabolic [ˌpærə'bɒlɪk] *adj* matem. parabolisk
paracetamol [ˌpærə'si:təmɒl] *s* farmakol.
paracetamol
parachute ['pærəʃu:t] **I** *s* fallskärm; *golden* ~ ekon., se
golden parachute
II *vb tr* kasta ner (marksätta) med fallskärm
III *vb itr* hoppa [ut] med fallskärm
parachutist ['pærəʃu:tɪst] *s* fallskärmshoppare
parade [pə'reɪd] **I** *s* **1** spec. mil. parad, uppställning;
mönstring; *be on* ~ paradera **2** uppvisning,
förevisning, parad; skyltande; paraderande;
fashion ~ modevisning; *make a* ~ *of sth* stoltsera
(skylta) med ngt, demonstrera ngt **3** butiksgata [äv.
~ *of shops*]
II *vb itr* **1** spec. mil. paradera **2** tåga [i procession]
3 promenera (flanera) fram och tillbaka, gå
omkring och visa upp sig
III *vb tr* **1** spec. mil. låta paradera, ställa upp [till
parad (uppvisning)] [~ *the troops*]; mönstra **2** tåga
igenom [i procession] **3** promenera fram och
tillbaka på [för att visa upp sig] [~ *the streets*]
4 stoltsera (skylta) med, visa upp
parade ground [pə'reɪdgraʊnd] *s* mil. exercisplats,
uppställningsplats, paradplats
paradigm ['pærədaɪm] *s* paradigm, gram. äv.
böjningsmönster
paradigm shift ['pærədaɪmˌʃɪft] *s* paradigmskifte
Paradise ['pærədaɪs] *s* bibl. Paradiset
paradise ['pærədaɪs] *s* paradis; *live in a fool's* ~ leva i
lycklig okunnighet, leva på illusioner; *bird of* ~
paradisfågel
paradox ['pærədɒks] *s* paradox
paradoxical [ˌpærə'dɒksɪk(ə)l] *adj* paradoxal
paradoxical sleep [pærəˌdɒksɪk(ə)l'sli:p] *s* fysiol.
paradoxal sömn, parasömn, REM-sömn
paraffin ['pærəfɪn, -fi:n] *s* fotogen; paraffin
paraffin oil ['pærəfɪnɔɪl] *s* **1** fotogen **2** amer.
paraffinolja
paragliding ['pærəˌglaɪdɪŋ] *s* sport. skärmflygning
paragon ['pærəgən] *s* mönster, förebild; *a* ~ *of
beauty* en fulländad skönhet, en skönhet utan like
paragraph ['pærəgrɑ:f] *s* stycke, [kort] avdelning av
en text, [text]avsnitt, moment; ~ el. *fresh* ~*!* nytt
stycke!
Paraguay ['pærəgwaɪ, -gweɪ, --'-] geogr.
Paraguayan [ˌpærə'gwaɪən, -'gweɪən] **I** *s*

paraguayare, paraguayan; paraguayanska kvinna
II *adj* paraguaysk, paraguayansk
parakeet ['pærəki:t, --'-] *s* zool. **1** parakit, liten
[långstjärtad] papegoja **2** amer. undulat
parallel ['pærəlel, -ləl] **I** *adj* parallell äv. bildl.,
jämlöpande [*with*, *to* med]
II *s* **1** parallell [linje] **2** geogr. breddgrad, latitud [äv.
~ *of latitude*]; parallellcirkel **3** motstycke,
motsvarighet, parallell [*for* till]; *without* [*a*] ~ utan
motstycke **4** jämförelse, parallell [*to* med]; *draw a* ~
dra upp en jämförelse, dra en parallell [*between*
mellan] **5** *in* ~ [*with*] parallellt [med], samtidigt
[som]
III *vb tr* **1** jämställa; jämföra **2** finna (uppvisa) en
motsvarighet till **3** motsvara, vara ett (bilda)
motstycke till **4** vara parallell med
parallel bars [ˌpærəlel'bɑ:z] *s pl* gymn. barr
parallel imports [ˌpærəlel'ɪmpɔ:ts] *s pl*
parallellimport[en], parallellimportvaror
parallelogram [ˌpærə'lelə(ʊ)græm] *s* geom.
parallellogram
parallel port [ˌpærəlel'pɔ:t] *s* data. parallellport
parallel processing [ˌpærəlel'prəʊsesɪŋ] *s* data.
parallell databehandling
parallel turn [ˌpærəlel'tɜ:n] *s* parallellsväng i
skidåkning
Paralympian [ˌpærə'lɪmpɪən] *s* deltagare i
handikapp-OS
Paralympics [ˌpærə'lɪmpɪks] *s pl* sport., *the* ~
handikapp-OS
paralyse ['pærəlaɪz] *vb tr* paralysera, förlama;
lamslå [*the traffic was* ~*d*]; ~*d with fear*
skräckslagen
paralysis [pə'ræləsɪs] *s* förlamning äv. bildl.; med.
paralysi, bildl. äv. vanmakt
paralytic [ˌpærə'lɪtɪk] **I** *adj* paralytisk, förlamad **II** *s*
paralytiker, förlamad [person]
paramedic [ˌpærə'medɪk] *s* sjukvårdare person med
paramedicinsk utbildning (paramedicinskt yrke)
paramedical [ˌpærə'medɪk(ə)l] *adj* paramedicinsk
parameter [pə'ræmɪtə] *s* parameter
paramilitary [ˌpærə'mɪlɪt(ə)rɪ] *adj* paramilitär,
halvmilitär [~ *forces*]
paramount ['pærəmaʊnt] *adj* högst [*the* ~ *chiefs*];
störst [*of* ~ *interest*]; förnämst, överlägsen,
dominerande; ytterst viktig [*a* ~ *consideration*]
paranoia [ˌpærə'nɔɪə] *s* med. paranoia,
förföljelsemani
paranoid ['pærənɔɪd] **I** *adj* paranoid **II** *s* paranoiker
paranormal [ˌpærə'nɔ:m(ə)l] *adj*, ~ *phenomena*
paranormala (översinnliga) fenomen
parapet ['pærəpɪt, -pet] *s* arkit. bröstvärn, balustrad,
räcke, parapet; bröstning
paraphernalia [ˌpærəfə'neɪlɪə] (med verb vanl. i sg.) *s*
tillbehör, utrustning; [personliga] grejer
paraphrase ['pærəfreɪz] **I** *s* parafras, [förklarande]
omskrivning **II** *vb tr* parafrasera, omskriva
paraplegia [ˌpærə'pli:dʒə] *s* med. paraplegi,
dubbelsidig förlamning
paraplegic [ˌpærə'pli:dʒɪk] med. **I** *adj* paraplegisk,
förlamad [i båda benen] **II** *s* paraplegiker
parapsychology [ˌpærəsaɪ'kɒlədʒɪ, 'pærəpsaɪ-] *s*
parapsykologi

Paraquat® ['pærəkwɒt] *s* slags bekämpningsmedel mot ogräs

parasailing ['pærə͵seɪlɪŋ] *s* sport. flygning med bogserskärm efter båt

parascending ['pærə͵sendɪŋ] *s* sport. skärmflygning med start genom bogsering av bil etc.

parasite ['pærəsaɪt] *s* parasit, bildl. äv. snyltgäst, snyltare

parasitic [͵pærə'sɪtɪk] *adj* parasitisk, parasiterande, snyltande, snylt-, parasit- [~ *plant*; ~ *animal*]

parasol ['pærəsɒl, ͵--'-] *s* parasoll

paratrooper ['pærə͵truːpə] *s* fallskärmsjägare

paratroops ['pærətruːps] *s pl* fallskärmstrupper

paratyphoid [͵pærə'taɪfɔɪd] *s* med. paratyfus, paratyfoid

parboil ['pɑːbɔɪl] *vb tr* **1** förvälla, blanchera **2** överhetta

parcel ['pɑːsl] **I** *s* **1** paket, packe, kolli; bunt [*a ~ of banknotes*]; pl. **~s** järnv. styckegods; **make a ~ of** el. **make into a ~** göra ett paket av, slå in i paket **2** del; **be part and ~ of** vara en väsentlig del av, vara oupplösligt knuten till
II *vb tr* med adv. el. prep.:
parcel off dela upp
parcel out dela; stycka [*~ out land*]; dela ut
parcel up slå in [i paket], packa in

parcel bomb ['pɑːslbɒm] *s* paketbomb

parcel post ['pɑːslpəʊst] *s* paketpost

parched [pɑːtʃt] *adj* svedd, bränd, förtorkad [*~ deserts*]; **be ~** [**with thirst**] vara alldeles torr i halsen, ha en brännande törst

parchment ['pɑːtʃmənt] *s* **1** pergament **2** pergamentmanuskript, pergamentdokument

pardon ['pɑːdn] **I** *s* **1** förlåtelse [*ask for* (om) ~ *for* (för) *sth*]; tillgift; [*I beg your*] **~!** el. **~ me!** förlåt!, ursäkta!; hur sa? **2** jur. benådning, amnesti [*general ~*]
II *vb tr* **1** förlåta [*~ sb*; *~ a fault*; *~ sins*]; ursäkta **2** jur. benåda [*~ a criminal*]

pardonable ['pɑːdnəbl] *adj* förlåtlig, ursäktlig; förståelig

pare [peə] *vb tr* skala [*~ an apple*]; klippa [*~ one's nails*]; beskära [*~ a hedge*]; skrapa; ~ el. **~ down** el. **~ back** bildl. skära ned, minska

parent ['peər(ə)nt] *s* förälder; målsman; förfader

parentage ['peər(ə)ntɪdʒ] *s* **1** härkomst, härstamning, börd **2** föräldraskap

parental [pə'rentl] *adj* föräldra- [*~ home*]; faderlig, moderlig; ~ **care** föräldraomsorg

parental leave [pə͵rentl'liːv] *s* föräldraledighet; **be on ~** vara föräldraledig

parent company ['peər(ə)nt͵kʌmp(ə)nɪ] *s* moderbolag

parenthes|is [pə'renθəs|ɪs] (pl. *-es* [-iːz]) *s* parentes; parentestecken

parenthetical [͵pær(ə)n'θetɪk(ə)l] *adj* parentetisk, [inskjuten] inom parentes

parenthood ['peər(ə)nthʊd] *s* föräldraskap

parenting ['peərəntɪŋ] *s* föräldraskap; barnuppfostran

parent ship ['peər(ə)ntʃɪp] *s* moderfartyg

parents-in-law ['peər(ə)ntsɪnlɔː] *s pl* svärföräldrar

Parent-Teacher Association [͵peər(ə)nt'tiːtʃə

͵səʊsɪ'eɪʃ(ə)n] (förk. *PTA*) *s* skol. föräldraförening, hem- och skolaförening

par excellence [pɑːr'eksəlɑː(n)s] *adv* fr. framför alla andra, par excellence

parfait [pɑː'feɪ, '--] *s* parfait slags glass

pariah [pə'raɪə, 'pærɪə] *s* paria äv. bildl.; utstött [individ]

paring knife ['peərɪŋ͵naɪf] *s* skalkniv

parings ['peərɪŋz] *s pl* avskalade skal; **the ~** äv. det [av]klippta (avskurna), klippet, avfallet; **nail ~** [av]klippta naglar

Paris ['pærɪs] geogr.

parish ['pærɪʃ] *s* socken; [kyrklig] församling

parish clerk [͵pærɪʃ'klɑːk] *s* ung. församlingstjänsteman; förr klockare

parish council [͵pærɪʃ'kaʊnsl] *s* ung. kommunalnämnd; kommundelsnämnd

parishioner [pə'rɪʃənə] *s* sockenbo; församlingsbo

parish pump ['pærɪʃpʌmp] *adj* åld. småstads-, grönköpings- [*~ politics*]

parish register [͵pærɪʃ'redʒɪstə] *s* kyrk[o]bok

Parisian [pə'rɪzɪən, -ʒ(ə)n] **I** *adj* parisisk, paris[er]-
II *s* parisare, parisiska

Parisienne [pə͵rɪzɪ'en] *s* parisiska

parity ['pærɪtɪ] *s* paritet, [jäm]likhet

park [pɑːk] **I** *s* **1** park, parkanläggning **2** parkeringsplats, bilparkering [äv. *car ~*] **3** vard., **the ~** fotbollsplan, amer. äv. bollplan, stadion
II *vb tr* parkera [*where can we ~ the car?*]; vard. parkera, sätta, placera [*where can I ~ my luggage?*; *she ~ed herself on my chair*]
III *vb itr* parkera

parka ['pɑːkə] *s* **1** parkas **2** [skinn]anorak

park and ride [͵pɑːkən(d)'raɪd] *s*, **the ~** [systemet med] infartsparkering

park home ['pɑːkhəʊm] *s* stor husvagn som är permanentbostad

parkin ['pɑːkɪn] *s* kok. mjuk ingefärskaka

parking ['pɑːkɪŋ] (förk. *P*) *s* parkering; **No Parking** Parkering förbjuden

parking brake ['pɑːkɪŋbreɪk] *s* parkeringsbroms, handbroms

parking disc ['pɑːkɪŋdɪsk] *s* trafik. p-skiva, parkeringsskiva

parking garage ['pɑːkɪŋ͵gærɑːʒ] *s* amer. parkeringshus

parking light ['pɑːkɪŋlaɪt] *s* **1** parkeringsljus **2** positionsljus

parking lot ['pɑːkɪŋlɒt] *s* amer. parkeringsplats, parkeringsområde

parking meter ['pɑːkɪŋ͵miːtə] *s* parkeringsautomat, parkeringsmätare

parking place ['pɑːkɪŋpleɪs] *s* o. **parking space** ['pɑːkɪŋspeɪs] *s* parkeringsplats; parkeringsruta

parking ticket ['pɑːkɪŋ͵tɪkɪt] *s* parkeringslapp, parkeringsböter

Parkinson's disease ['pɑːkɪnsnzdɪ͵ziːz] *s* med. Parkinsons sjukdom

Parkinson's law ['pɑːkɪnsnzlɔː] *s* Parkinsons lag lagen om att varje arbetsuppgift sväller så att den fyller den tid som står till buds

park keeper ['pɑːk͵kiːpə] *s* parkvakt

parkway ['pɑːkweɪ] *s* amer. **1** större genomfartsled med planteringar; aveny **2** sidoallé, gångallé

parky ['pɑ:kɪ] *adj* vard. kylig [*~ air*; *~ weather*]; bitande [*a ~ wind*]; råkall [*a ~ day*]

parlance ['pɑ:ləns] *s* språk, talspråk; språkbruk [*in military ~*]; **in common ~** i dagligt tal

parlay ['pɑ:lɪ] *vb tr* amer. **1 ~ sth into sth** utnyttja (dra nytta av) ngt för att uppnå ngt [nytt] [*she ~ed her talents into a successful career*] **2** vid spel satsa [vunnen insats] på nytt

parley ['pɑ:lɪ] åld. **I** *s* **1** förhandling, överläggning **2** mil. underhandling **II** *vb itr* **1** förhandla, diskutera, konferera **2** mil. underhandla

parliament ['pɑ:ləmənt] *s* parlament; riksdag

parliamentarian [,pɑ:ləmen'teərɪən] *s* **1** [god] parlamentariker **2** hist. parlamentsanhängare

parliamentary [,pɑ:lə'ment(ə)rɪ] *adj* parlamentarisk [*~ language*]; parlaments- [*~ debates*]; beslutad (fastställd) av parlamentet; *~ committee* EU. parlamentsutskott; *Parliamentary Private Secretary* britt. underordnad minister i regeringsdepartement

parlor ['pɑ:lə] *s* amer. (se äv. *parlour* m.fl. ord); *shaving ~* raksalong, rakstuga

parlor car ['pɑ:ləkɑ:] *s* amer. järnv. salongsvagn

parlour ['pɑ:lə] *s* **1 a)** sällskapsrum på värdshus o.d.; samtalsrum i kloster; mottagningsrum **b)** ngt åld. el. amer. vardagsrum; förmak, finrum, mindre salong **2** salong [*beauty ~*; *hairdresser's ~*]; ateljé [*photographer's ~*]; bar [*ice-cream ~*]

parlour game ['pɑ:ləgeɪm] *s* sällskapsspel, sällskapslek

parlour maid ['pɑ:ləmeɪd] *s* hist. husa

parlous ['pɑ:ləs] *adj* **1** farlig **2** kinkig, svår

Parmesan [,pɑ:mɪ'zæn, attr. '---] **I** *adj* från Parma, parma-; parmesan- [*~ cheese*] **II** *s* parmesan[ost]

parochial [pə'rəʊkɪəl] *adj* **1** församlings-, socken- **2** trångsynt, provinsiell

parodist ['pærədɪst] *s* parodiförfattare

parody ['pærədɪ] **I** *s* parodi **II** *vb tr* parodiera

parole [pə'rəʊl] **I** *s* jur. villkorlig frigivning (benådning) [äv. *release on ~*] **II** *vb tr* jur. frige villkorligt; med. försöksutskriva

paroxysm ['pærəksɪz(ə)m] *s* paroxysm, häftigt (plötsligt) anfall [*a ~ of laughter (pain, rage)*]

parquet ['pɑ:keɪ, -kɪ] *s* **1** parkett[golv] [äv. *~ flooring*] **2** amer. [spec. främre] parkett på teater o.d.; *~ circle* bortre parkett

parricide ['pærɪsaɪd] *s* jur. **1** fadermord; modermord **2** fadermördare; modermördare

parrot ['pærət] **I** *s* papegoja **II** *vb tr* [mekaniskt] säga efter, imitera

parrot-fashion ['pærət,fæʃ(ə)n] *adv* som en papegoja

parrot-like ['pærətlaɪk] **I** *adj* papegojlik[nande], papegojaktig **II** *adv* papegojaktigt

parry ['pærɪ] sport. el. bildl. **I** *vb tr* parera, avvärja [*~ a blow*] **II** *s* parad, parering, avvärjning

parse [pɑ:z] *vb tr* gram. el. data. analysera [*~ a word*]; ta ut satsdelarna (ordklasserna) i [*~ a sentence*]

parser ['pɑ:zə] *s* data. parser system för språklig analys

parsimonious [,pɑ:sɪ'məʊnɪəs] *adj* överdrivet sparsam, gnidig; knusslig, njugg

parsimony ['pɑ:sɪmənɪ] *s* överdriven sparsamhet

parsley ['pɑ:slɪ] *s* bot. persilja

parsnip ['pɑ:snɪp] *s* bot. palsternacka

parson ['pɑ:sn] *s* kyrkoherde; vard. prelat, präst

parsonage ['pɑ:s(ə)nɪdʒ] *s* prästgård

parson's nose [,pɑ:snz'nəʊz] *s* vard. kok., *the ~* prästnäsan fågelgumpen

part [pɑ:t] **I** *s* **1** del; avdelning, stycke; avsnitt; beståndsdel, bråkdel; [reserv]del; *give the principal ~s of a verb* ta temat på ett verb; *for the most ~* till största delen, för det mesta; *form ~ of* utgöra en del av; *go ~ of the way by bus* åka buss ett stycke (en bit) av vägen; *in ~* delvis, till en del; *take in good ~* inte ta illa upp **2** [an]del, lott; uppgift; *I have no ~ in it* jag har ingen del i det; *take ~* delta, medverka **3** sida, part; håll, kant; *take sb's ~* el. *take ~ with sb* ta ngns parti; *for my ~* [jag] för min del; *on his ~* från hans sida **4** ofta pl. *~s* [kropps]delar, parti[er], organ; *private ~s* el. *privy ~s* könsdelar **5** pl. *~s* trakt[er], ort, del; kvarter **6** häfte; *in ~s* häftesvis [*be published in ~s*] **7** teat. o.d. roll äv. bildl.; *play a ~* el. *act a ~* spela (göra) en roll; bildl. spela teater; *play a vital ~ in* bildl. spela en viktig roll i **8** mus. stämma [*orchestra ~s*] **9** amer. bena i håret **II** *adv* delvis, till en del [*made ~ of iron*; *~ of wood*]; dels [*~ ignorance*; *~ laziness*] **III** *vb tr* **1** skilja [åt] [*we tried to ~ them*; *till death do us (us do) ~*]; *~ company* skiljas **2** dela; bena; *she wears her hair ~ed down the middle* hon har mittbena **IV** *vb itr* **1** skiljas [*from sb* från ngn], skiljas åt; gå åt olika håll **2** öppna (dela) sig; *his hair ~s in the middle* han har mittbena **V** *vb itr* med prep.: *part with* **a)** skiljas från (vid), avstå från [*~ with one's possessions*] **b)** göra sig av med

partake [pɑ:'teɪk] (*partook partaken*) *vb itr* delta; *~ in sth* el. *~ of sth* delta i ngt

partaken [pɑ:'teɪkn] perf. p. av *partake*

part exchange [,pɑ:tɪks'tʃeɪn(d)ʒ] *s* dellikvid, delbetalning; *take sth in ~* äv. ta ngt i inbyte

partial ['pɑ:ʃ(ə)l] *adj* **1** partiell [*a ~ eclipse*]; ofullständig [*a ~ success*]; del- [*~ payment*] **2** partisk [*towards, to* för; *a ~ judge*] **3** *be ~ to* vard. vara svag för, vara förtjust i

partiality [,pɑ:ʃɪ'ælətɪ] *s* **1** partiskhet [*towards, to* för] **2** svaghet, smak, förkärlek

partially ['pɑ:ʃəlɪ] *adv* **1** delvis, till en del, partiellt; *~ sighted* synsvag, synskadad **2** partiskt [*judge ~*]

participant [pɑ:'tɪsɪpənt] *s* deltagare

participate [pɑ:'tɪsɪpeɪt] *vb itr* delta, ta del [*in sth*]

participation [pɑ:,tɪsɪ'peɪʃ(ə)n] *s* deltagande [*the ~ of sb in a meeting*]; delaktighet; medverkan [*with the active ~ of Mr Brown*]

participle ['pɑ:tɪsɪpl] *s* gram. particip [*past ~*; *present ~*]

particle ['pɑ:tɪkl] *s* partikel äv. gram. el. fys.

particoloured ['pɑ:tɪ,kʌləd] *adj* brokig äv. bildl.

particular [pə'tɪkjʊlə, -kjələ] **I** *adj* **1** särskild, speciell [*in this ~ case*]; bestämd [*for a ~ purpose*]; [*why did she want] that ~ book? ...*just den boken?; *a ~ friend* en mycket god vän; *nothing ~* [just] ingenting särskilt **2** om person noggrann, noga, nogräknad, kinkig [*about, as to, in* i fråga om, med]; kräsen [*be ~ about* el. *over* (i fråga om) *food*]; [*do you want tea or coffee?*] *I'm not ~ ...*det gör detsamma [vilket] **3** utförlig, detaljerad [*a ~ account*]

II *s* **1** detalj [*go into* (in på) ~*s*]; pl. ~**s** närmare omständigheter (detaljer); detaljerad beskrivning; **for** ~**s apply to** närmare upplysningar lämnas av **2** *in* ~ i synnerhet, särskilt; **nothing in** ~ [just] ingenting särskilt

particularize [pə'tɪkjʊləraɪz, -kjəl-] **I** *vb tr* **1** nämna särskilt; specificera **2** beskriva i detalj
II *vb itr* gå in på detaljer

particularly [pə'tɪkjʊləlɪ, -kjəl-] *adv* särskilt, speciellt etc., jfr *particular I*; synnerligen [*be* ~ *glad*]; i synnerhet [*be fond of flowers*, ~ *roses*]

parting ['pɑːtɪŋ] *s* **1** avsked, skilsmässa; ~ **speech** avskedstal **2** bena; **make a** ~ kamma (göra en) bena **3** delning, åtskiljande, skiljande skikt; **be at the** ~ **of the ways** bildl. stå vid skiljevägen (ett vägskäl)

parting shot [ˌpɑːtɪŋ'ʃɒt] *s* [dräpande] slutreplik

partisan [ˌpɑːtɪ'zæn, i betydelse 2 'pɑːtɪz(ə)n] *s* **1** mil. partisan [~ *troops*]; frihetskämpe **2** anhängare, förkämpe [*a* ~ *of liberalism*]; ~ **politics** partipolitik

partition [pɑː'tɪʃ(ə)n, pə't-] **I** *s* **1** skiljevägg äv. bildl. el. bot., mellanvägg **2** delning [*the* ~ *of Germany*] **3** del, avdelning; fack
II *vb tr* **1** dela **2** ~ **off** avdela, avskilja [*a room was* ~*ed off*]

partition wall [pɑː'tɪʃ(ə)nwɔːl, pə't-] *s* skiljevägg, mellanvägg, avbalkning; skiljemur

partitive ['pɑːtɪtɪv] gram. **I** *adj* partitiv [~ *genitive*]
II *s* partitivattribut

partly ['pɑːtlɪ] *adv* delvis, till en del [*made* ~ *of iron*]; dels [~ *ignorance*; ~ *laziness*]

partner ['pɑːtnə] **I** *s* **1** make, maka, äkta hälft; sambo; partner i homosexuellt förhållande
2 kompanjon, delägare, partner [~*s in a firm*]; **sleeping** ~ passiv delägare **3** deltagare, kamrat; ~ *in* **crime** ofta skämts. medbrottsling, kumpan **4** partner, moatjé, kavaljer, dam; **dancing** ~ danspartner, danskavaljer; ~ **at table** bordskavaljer, bordsdam **5** i spel partner [*bridge* ~; *tennis* ~]; medspelare
II *vb tr* vara (bli) kompanjon (partner, medspelare) till

partnership ['pɑːtnəʃɪp] *s* **1** kompanjonskap; enkelt bolag, handelsbolag; **enter** (**go**) **into** ~ **with** ingå kompanjonskap (bilda bolag) med, bli kompanjon med; **take sb into** ~ ta ngn till kompanjon
2 partnerskap i homosexuellt förhållande

part of speech [ˌpɑːtəv'spiːtʃ] *s* ordklass

partook [pɑː'tʊk] imperf. av *partake*

part-owner [ˌpɑːt'əʊnə] *s* delägare; sjö. medredare

part-payment [ˌpɑːt'peɪmənt] *s* delbetalning, dellikvid

partridge ['pɑːtrɪdʒ] *s* zool. rapphöna; rapphöns

part-singing ['pɑːtˌsɪŋɪŋ] *s* flerstämmig sång

part-song ['pɑːtsɒŋ] *s* flerstämmig sång (visa)

part-time [attr. adj. 'pɑːttaɪm, pred. adj. o. adv. ˌ-'-] **I** *adj* deltids-, halvtids- [~ *work*]; **a** ~ **worker** en deltidsanställd, en deltidsarbetande **II** *adv* på deltid (halvtid); **work** ~ ha (arbeta) deltid

part-timer [ˌpɑːt'taɪmə] *s* deltidsarbetande, deltidsanställd

partway [ˌpɑːt'weɪ, '--] *adv* **1** en bit [på väg]; ~ **home** a) en bit på hemväg b) nästan hemma **2** delvis, till en del

party ['pɑːtɪ] **I** *s* **1** bjudning [*tea* ~]; fest, party; ~ **dress** festklänning, finklänning, aftonklänning;

birthday ~ födelsedagskalas, födelsedagsbjudning; **the** ~ **is over** vard. a) nu stundar hårdare tider b) nu är festen slut; **give** (**throw, have**) **a** ~ ha fest osv.; **be** (**make**) **one of a** (**the**) ~ vara med på fest osv., delta; **go to a** ~ gå på fest osv., gå bort **2** spec. polit. parti; attr. parti- [~ *member*]; ~ **conference** el. ~ **convention** partikongress **3** sällskap [*a* ~ *of tourists*; *a fishing* ~]; lag, grupp [*a working* ~]; **search** ~ spaningspatrull, skallgångskedja **4** spec. jur. part [*be a* ~ *in* (*to*) *the case*]; kontrahent; sakägare; delägare; intressent [äv. *interested* ~]; **the guilty** ~ den skyldige **5** mil. patrull, avdelning [*landing* ~]; detachement **6** deltagare [*to* i]; medbrottsling [*make sb* ~ *to* (till medbrottsling i) *a crime*]; **I won't be a** ~ **to that affair** det vill jag inte vara med om (bli inblandad i)
II *vb itr* vanl. amer. vard. festa, slå runt

party animal ['pɑːtɪˌænəm(ə)l] *s* festmänniska

party-goer ['pɑːtɪˌgəʊə] *s* **1** flitig partygäst **2** festdeltagare, partygäst

party line ['pɑːtɪlaɪn, ˌ--'-] *s* **1** polit. partilinje **2** tele. gemensam ledning, partledning

party political [ˌpɑːtɪpə'lɪtɪk(ə)l] *adj* partipolitisk

party politics [ˌpɑːtɪ'pɒlɪtɪks] (med verb i sg. el. pl.) *s* partipolitik

party pooper ['pɑːtɪˌpuːpə] *s* vard. tråkmåns, festsabotör

party spirit [ˌpɑːtɪ'spɪrɪt] *s* partianda

party wall [ˌpɑːtɪ'wɔːl] *s* mest jur. brandmur mellan fastigheter

parvenu ['pɑːvənjuː] *s* uppkomling, parveny

pascal ['pæskəl] *s* fys. pascal

pashmina [pæʃ'miːnə] *s* pashminasjal

pass [pɑːs] **I** *vb itr* (se äv. *pass III* o. *passing*)
1 passera [förbi], gå (fara, komma, köra osv.) förbi (igenom, vidare); köra om, gå om; **ships that** ~ *in* **the night** bildl. skepp som mötas i natten; [*the road was too narrow*] **for cars to** ~ ...för att bilar skulle kunna mötas **2** om tid o.d. gå [*time* ~*ed quickly*]; förflyta, lida, skrida **3** övergå, förvandlas **4** utväxlas, utbytas [*a few words* ~*ed between them*] **5** gå över, upphöra, försvinna [*the pain soon* ~*ed*] **6** [få] passera; [kunna] godtas, gå an; ~ **unnoticed** gå obemärkt förbi; **we'll let that** ~**, but...** det får duga (får passera), men... **7** gälla, vara gångbar, gå [*these old coins won't* ~ *in England*] **8** gälla, gå, passera; **she would easily** ~ **for a Swede** hon kunde mycket väl tas för en svenska **9 a)** parl. o.d. gå igenom, antas [*the bill* ~*ed and became law*] **b)** klara examen; klara sig, bli godkänd
II *vb tr* (se äv. *pass III* o. *passing*) **1** passera [förbi (igenom)], gå (fara, komma, köra osv.) förbi (igenom) [*we* ~*ed the town*]; gå över, fara över [~ *the frontier*; ~ *the river*]; hoppa över **2** låta passera, släppa igenom, låta gå **3** tillbringa [~ *a pleasant evening*]; fördriva [~ *the time*] **4** räcka, skicka [~ [*me*] *the salt, please!*]; skicka vidare, langa **5** ~ **a remark** fälla ett yttrande; ~ **the time of day** hälsa på varandra, byta några ord **6** släppa ut, prångla ut; ~ **a dud cheque** lämna en falsk check **7** anta [*Parliament* ~*ed the bill*]; godkänna [*the scene was* ~*ed by the censor*]; bli antagen av, godkännas av; ~ **the Customs** gå igenom (passera) tullen **8 a)** avlägga, bli godkänd i, klara

b) godkänna **9** överskrida, gå utöver, övergå [*it ~es my comprehension* (förstånd)]; *it ~es all description* det trotsar all beskrivning **10** föra, dra, fara med, låta fara [*over över*] **11** föra, träda; *~ a rope round sth* slå ett rep om ngt **12** låta passera (defilera) förbi; *~ troops in review* mil. låta trupper passera revy **13 a)** jur. avkunna, fälla [*~ sentence on* (över) *sb*] **b)** [av]ge; uttala, rikta [*~ criticism on* (mot)]; *~ judgement on sth* bedöma (uttala sig om) ngt... **14** sport. passa

III *vb itr* o. *vb tr* med adv. el. prep.:
pass as se *pass for* under *pass I 8* ovan
pass away a) dö, gå bort **b)** gå bort, försvinna **c)** om smärta, vrede o.d. äv. gå över **d)** *~ away the time* fördriva tiden
pass by a) gå (fara, komma osv.) förbi, passera [förbi] **b)** bildl. förflyta, förrinna, gå [förbi] **c)** bildl. förbigå, gå förbi
pass down låta gå vidare från generation till generation, föra vidare, nedärva
pass off a) gå över, försvinna [*her anger* (*pain*) *will soon ~ off*] **b)** avlöpa [*everything ~ed off very well*]; förlöpa **c)** [falskeligen] utge [*as sb* (*sth*) för (såsom) ngn (ngt)]; *he tried to ~ himself off as a count* äv. han försökte ge sig ut för att vara (han låtsades vara) greve **d)** slå bort [*he ~ed it off as a joke* (*with a laugh*)]
pass on a) låta gå vidare, vidarebefordra [*read this and ~ it on*] **b)** gå vidare, fortsätta, övergå [*~ on to* (till) *another subject*] **c)** byta ägare; övergå [*to* till] **d)** dö, gå bort
pass out a) vard. tuppa av, svimma **b)** dela ut **c)** spec. mil. gå igenom (sluta) en kurs
pass over a) bildl. förbigå [*~ it over in* (med) *silence*]; förbise; förbigå vid befordran [*he was ~ed over*] **b)** gå över, fara över; passera **c)** övergå [*to* till; *into the hands of sb* i ngns händer (ägo); *~ over into other hands*]
pass round skicka omkring (runt) [*the cakes were ~ed round*]; låta gå [laget] runt
pass through a) gå (passera osv.) igenom **b)** bildl. gå igenom, passera [*~ through several stages*]
IV *s* **1** passerande etc., jfr *pass I* o. *pass II*
2 a) passerkort, passersedel **b)** mil. permissionssedel; permission **c)** *free ~* el. *~* fribiljett, frikort **3** godkännande i examen; *~* el. *~ degree* lägre (mindre specialiserad) akademisk examen; *a ~* godkänt **4** sport. passning; tennis. passering **5 a)** fäktn. o.d. utfall, stöt **b)** bildl. vard. närmande; *make a ~ at sb* vard. vara närgången mot ngn **6** [bergs]pass; trång passage; väg, led **7** *things have come to a pretty* (*fine, sad*) *~ when...* iron. det är illa ställt om...; *things came to such a ~ that* det gick så långt att; *come to ~* ngt åld. ske **8** kortsp. pass, passande
passable [ˈpɑːsəbl] *adj* **1** hjälplig, skaplig, någorlunda **2** farbar, framkomlig, trafikabel
passably [ˈpɑːsəblɪ] *adv* hjälpligt, tämligen, rätt [så], någorlunda
passage [ˈpæsɪdʒ] *s* **1 a)** färd, resa med båt el. flyg, överfart, överresa **b)** passage, genomresa; övergång **c)** spridning, överföring [*the ~ of the infection is swift*]; *bird of ~* flyttfågel äv. bildl.; *book one's ~* beställa biljett, boka plats; *work one's ~* [*to America*] arbeta (jobba) sig över... **2** fri passage,

rätt att passera [*refuse ~ through a territory*] **3** konkr. **a)** passage, genomgång, väg; gång, korridor, ingång, utgång **b)** kanal, öppning **4** bildl. gång [*the ~ of time*]; lopp [*the ~ of years*]; övergång [*from* från; *to* till] **5** ställe, passage, passus i text o.d., avsnitt; episod **6** mus. passage **7** parl. o.d. antagande, godkännande [*~ of a bill*]
passbook [ˈpɑːsbʊk] *s* bankbok; noteringsbok, noteringshäfte
passé [ˈpɑːseɪ, ˈpæs-] (fem. *passée* samma utt.) *adj* fr. passé, föråldrad; bedagad
passenger [ˈpæsɪn(d)ʒə] *s* **1** passagerare, resande; trafikant **2** vard. oduglig (onyttig) medlem av lag o.d., blindpipa
passenger seat [ˈpæsɪn(d)ʒəˌsiːt] *s* bil. passagerarplats
passenger train [ˈpæsɪn(d)ʒətreɪn] *s* persontåg
passer-by [ˌpɑːsəˈbaɪ] (pl. *passers-by* [ˌpɑːsəzˈbaɪ]) *s* förbipasserande, förbigående
passing [ˈpɑːsɪŋ] **I** *s* **1** förbipasserande etc., jfr *pass I* o. *pass II*; passage; förbifart, genomfart; amer. omkörning; *the ~ of time* tidens gång (flykt); *in ~* i förbigående (förbifarten) **2** sport. passning **3** bortgång, död
II *adj* **1 a)** som går (gick) [förbi] [*a ~ youngster; each ~ day*]; förbipasserande, förbigående, förbifarande **b)** i förbigående [*a ~ remark*] **2** övergående; flyktig; *a ~ whim* en tillfällig nyck
passing lane [ˌpɑːsɪŋˈleɪn] *s* amer. omkörningsfil
Passion [ˈpæʃ(ə)n] *s*, *the ~* Passionen, Kristi lidande (pina), passionshistorien
passion [ˈpæʃ(ə)n] *s* **1** passion, lidelse, kärlek; hänförelse, glöd, patos; förkärlek; begär **2** häftigt utbrott; *in a ~* i förbittring; med hetta; *fly into a ~* bli ursinnig (rasande) [*about sth* över (för) ngt; *with sb* på (över) ngn]
passionate [ˈpæʃənət] *adj* **1** passionerad, lidelsefull [*a ~ lover*]; eldig [*a ~ nature*] **2** hetlevrad, hetsig, häftig [*a ~ man*] **3** våldsam, brännande, het [*a ~ desire*]
passionflower [ˈpæʃ(ə)nˌflaʊə] *s* bot. passionsblomma, kristikorsblomma
passion fruit [ˈpæʃ(ə)nfruːt] (pl. *passion fruit*) *s* passionsfrukt
passion play [ˈpæʃ(ə)npleɪ] *s* passionsspel
passive [ˈpæsɪv] **I** *adj* passiv äv. gram. el. kem. [*~ resisters*]; overksam, viljelös, undergiven [*~ obedience*]
II *s* gram., *the ~* passiv[um]
passive resistance [ˌpæsɪvrɪˈzɪst(ə)ns] *s* passivt motstånd
passive smoking [ˌpæsɪvˈsməʊkɪŋ] *s* passiv rökning
passive voice [ˌpæsɪvˈvɔɪs] *s* gram., *the ~* passiv form, passiv[um]
passivity [pæˈsɪvətɪ] *s* passivitet äv. kem., overksamhet; liknöjdhet
passkey [ˈpɑːskiː] *s* **1** huvudnyckel **2** portnyckel **3** egen nyckel **4** dyrk
Passover [ˈpɑːsˌəʊvə] *s* judarnas påskhögtid
passport [ˈpɑːspɔːt] *s* **1** pass **2** passersedel; bildl. början, nyckel, inkörsport [*a ~ to fame* (*success*)]
passport control [ˈpɑːspɔːtkənˌtrəʊl] *s* passkontroll
password [ˈpɑːswɜːd] *s* **1** data. lösenord **2** spec. mil. lösen[ord]

past [pɑːst] **I** *adj* [för]gången, förfluten, svunnen; förbi; *the danger is* ~ faran är över; ~ *generations* gångna generationer; *the* ~ *month* den gångna månaden; *I have been ill for the* ~ *few days* jag har varit sjuk de senaste dagarna; *for some years* (*time*) ~ sedan några år (någon tid) tillbaka
II *s* **1 a**) *the* ~ det förflutna (förgångna), forntiden, vad som varit **b**) föregående liv, förflutet; *in the* ~ tidigare, förr i världen; *in the distant* ~ i en avlägsen forntid; *it is a thing of the* ~ det tillhör det förflutna **2** gram., *the* ~ imperfekt, preteritum
III *prep* **1** förbi [*he ran* ~ *the house*]; [bort]om **2** bortom, utom, utanför, förbi; *it's* ~ *belief* det är alldeles (helt) otroligt; *she is* ~ *caring what happens* hon bryr sig inte längre om vad som händer; ~ *danger* utom [all] fara; *he's* ~ *it* vard. han orkar inte längre; *I would not put it* ~ *him* vard. det skulle jag gott kunna tro om honom, det vore just likt honom **3** om tid o.d. över, efter; *it's* ~ *two o'clock* hon (klockan) är över två; *at half* ~ *one* [klockan] halv två; *a quarter* ~ *two* en kvart över två
IV *adv* förbi [*go* ~; *run* ~; *hurry* ~]
pasta ['pæstə, amer. 'pɑːstə] *s* kok. pasta
paste [peɪst] **I** *s* **1** deg; pajdeg, smördeg; massa [*almond* ~] **2** pasta [*tomato* ~; *cement* ~]; [bredbar] pastej [*anchovy* ~] **3** klister; ~ *pot* klisterburk
II *vb tr* **1** ~ el. ~ *up* klistra, klistra upp (in); klistra över [~ [*up*] *sth with paper*] **2** data. klistra in
III *vb itr* klistra [in]
pasteboard ['peɪstbɔːd] *s* [limmad] papp, kartong; ~ *characters* bildl. schablonfigurer
pastel [pæ'stel, attr. ofta 'pæst(ə)l] *s* **1** pastellkrita, pastellfärg **2** pastell[färg] kulör **3** konst. pastellmålning
pasteurization [ˌpɑːstʃəraɪ'zeɪʃ(ə)n, ˌpæs-] *s* pastörisering
pasteurize ['pɑːstʃəraɪz, 'pæst-] *vb tr* pastörisera
pastiche [pæ'stiːʃ, 'pæstiːʃ] *s* **1** konst., litt. el. mus. pastisch **2** potpurri; mischmasch
pastille ['pæst(ə)l, pæ'stiːl] *s* pastill, tablett
pastime ['pɑːstaɪm] *s* tidsfördriv, förströelse
pasting ['peɪstɪŋ] *s* vard. stryk; *give sb a* ~ ge ngn stryk (en omgång), klå upp ngn
past master [ˌpɑːst'mɑːstə] *s* bildl. mästare [*of, in, at* i; *a* ~ *in the art of lying*; *a* ~ *at chess*]
pastor ['pɑːstə] *s* präst, pastor; herde, själasörjare
pastoral ['pɑːst(ə)r(ə)l, 'pæs-] *adj* herde- [~ *life*; ~ *poem*]; pastoral[-], idyllisk, lantlig; prästerlig
past participle [ˌpɑːst'pɑːtɪsɪpl] (förk. *pp*) *s* gram., *the* ~ a) perfekt particip b) supinum
past perfect [ˌpɑːst'pɜːfekt] *s* gram., *the* ~ pluskvamperfekt
pastrami [pə'strɑːmɪ] *s* kok. pastrami slags rökt nötkött
pastry ['peɪstrɪ] *s* **1** [finare] bakverk, bakelse[r], [konditori]kaka, kakor **2** smördeg; kakdeg; pajdeg
pastryboard ['peɪstrɪbɔːd] *s* bakbord
pastrycook ['peɪstrɪkʊk] *s* konditor, sockerbagare
pastry-cutter ['peɪstrɪˌkʌtə] *s* [deg]sporre
past tense [ˌpɑːst'tens] (förk. *pt*) *s* gram., *the* ~ imperfekt, preteritum
pasture ['pɑːstʃə, -tjʊə] *s* **1** bete gräs o.d.; *put sb out to* ~ släppa ut ngn på grönbete **2** betesmark
pasty [subst. 'pæstɪ, adj. 'peɪstɪ] **I** *s* pirog vanl. med

köttfyllning; *Cornish* ~ slags pirog med kött, potatis o. lök
II *adj* degig, degliknande; glåmig, blekfet
PA system ['piːeɪˌsɪstəm] förk. för *public-address system*
Pat [pæt] **I** kortform av *Patricia* o. *Patrick* **II** *s* vard. irländare
pat [pæt] **I** *s* **1** klapp, lätt slag **2** [platt] klick [~ *of butter*]; klimp **3** ljud trippande, tassande [*the* ~ *of bare feet*]
II *vb tr* klappa; ~ *sb on the back* bildl. ge ngn en klapp på axeln; ~ *oneself on the back* bildl. vara belåten med (lyckönska) sig själv
III *adv* o. *adj* **1** fix och färdig [*a* ~ *solution*]; [genast] till hands, parat [*have the story* ~]; omgående [*the story came* ~, *but wasn't convincing*]; *have* (*know*) *sth off* ~ kunna ngt som ett rinnande vatten, kunna ngt på sina fem fingrar **2** *stand* ~ vanl. amer. stå fast [vid sitt beslut], vara orubblig
patch [pætʃ] **I** *s* **1** fläck, ställe; bit, stycke; ~*es of fog* stråk av dimma; ~*es of blue sky* fläckar (bitar) av blått (blå himmel) [mellan molnen] **2 a**) lapp **b**) [skydds]lapp för öga **c**) plåster **d**) musch av tyg o.d.; *nicotine* ~ nikotinplåster; *he is not a* ~ *on you* vard. han går inte upp mot (kan inte jämföras med) dig **3** data. 'patch' mindre rättelse (uppdatering) av program **4** *go through* (*strike*) *a bad* ~ vard. ha en nedgångsperiod; *bright* ~*es* bildl. ljuspunkter
II *vb tr* lappa; laga, sätta en lapp (lappar) på; data. rätta till mindre programfel; ~ *a quilt* sy ett lapptäcke
III *vb tr* med adv.:
patch up a) lappa ihop äv. bildl., laga; jämka samman, ordna upp, bilägga [~ *up a quarrel* (tvist)] **b**) hafsa (sno, fuska, sätta) ihop
patch pocket [ˌpætʃ'pɒkɪt] *s* påsydd ficka
patch test ['pætʃtest] *s* med. lapprov, lapptest
patchwork ['pætʃwɜːk] *s* **1** lapptäcksarbete, lapptäcksteknik, 'patchwork'; ~ *quilt* vadderat lapptäcke **2** bildl. lappverk, fuskverk
patchy ['pætʃɪ] *adj* **1** lappad, hoplappad **2** vard. ojämn, växlande, spridd
pate [peɪt] *s* vard. el. skämts. skult, skalle
pâté ['pæteɪ, 'pɑː-, -tɪ] *s* fr. paté, pastej; ~ *de foie gras* [...dəˌfwɑː'grɑː] gåsleverpastej
patell|a [pə'tel|ə] (pl. -*ae* [-iː]) *s* lat. anat. knäskål, patella
patent ['peɪt(ə)nt, ofta i betydelserna II o. III el. amer. 'pæt(ə)nt] **I** *adj* **1** klar, tydlig, uppenbar **2** patenterad, patent- [~ *medicine*] **3** vard. originell, knepig, fiffig [*a* ~ *device*]
II *s* patent; patenträtt[ighet]; ~ el. *letters* ~ patentbrev; *grant a* ~ bevilja ett patent
III *vb tr* patentera; bevilja patent på; få patent på
patentee [ˌpeɪt(ə)n'tiː, ˌpæt-] *s* patentinnehavare
patent leather [ˌpeɪt(ə)nt'leðə] *s* lack[skinn]; i sammansättn. lack- [~ *shoes*]; pl. ~*s* lackskor
patently ['peɪt(ə)ntlɪ] *adv* klart etc., jfr *patent I*; uppenbarligen; rent ut sagt; *it's* ~ *absurd* det faller på sin egen orimlighet
patent pending [ˌpeɪt(ə)nt'pendɪŋ] *adj* patentsökt
paternal [pə'tɜːnl] *adj* **1** faderlig, faders- **2** på fädernet (fädernesidan); ~ *grandfather* farfar; ~ *grandmother* farmor; ~ *parent* far; *on the* ~ *side* på fädernet (fädernesidan) **3** fäderne-, fäderneärvd

paternalistic [pə‚tɜ:nə'lɪstɪk] *adj* förmyndaraktig; patriarkalisk
paternity [pə'tɜ:nətɪ] *s* faderskap
paternity leave [pə'tɜ:nətɪli:v] *s* pappaledighet; *be on* ~ vara pappaledig
paternity suit [pə'tɜ:nətɪsu:t] *s* jur. faderskapsmål
paternity test [pə'tɜ:nətɪtest] *s* faderskapsprov, faderskapsbestämning
paternoster [‚pætə'nɒstə] *s* **1** paternoster, fadervår **2** paternosterhiss [äv. ~ *lift*]
path [pɑ:θ, i pl. pɑ:ðz] *s* **1** stig, gångstig; gång [*garden* ~]; gångbana **2** bana, väg
pathetic [pə'θetɪk] *adj* patetisk, gripande, rörande; sorglig, beklämmande äv. iron.; ynklig
pathfinder ['pɑ:θ‚faɪndə] *s* **1** stigfinnare; pionjär **2** mil. **a)** vägledare flygplan el. person som markerar el. belyser mål vid anflygning **b)** radarsikte
pathogen ['pæθə(ʊ)dʒən] *s* patogen (sjukdomsalstrande) organism
pathological [‚pæθə'lɒdʒɪk(ə)l] *adj* patologisk, sjuklig
pathologist [pə'θɒlədʒɪst] *s* **1** patolog **2** obducent
pathology [pə'θɒlədʒɪ] *s* patologi
pathos ['peɪθɒs] *s* **1** hjärtknipande känslofullhet; patos **2** medlidande
pathway ['pɑ:θweɪ] *s* **1** stig, gångstig **2** väg ofta bildl., bana
patience ['peɪʃ(ə)ns] *s* **1 a)** tålamod, tålmodighet **b)** uthållighet **2** kortsp. patiens
patient ['peɪʃ(ə)nt] **I** *s* patient **II** *adj* tålig, tålmodig; fördragsam [*to, towards* mot]
patina ['pætɪnə] *s* **1** ärg **2** patina **3** bildl. prägel, anstrykning [*a* ~ *of success*]
patio ['pætɪəʊ, 'pɑ:tɪəʊ] (pl. ~s) *s* **1** patio, kringbyggd gård **2** uteplats vid villa
patisserie [pə'tɪs(ə)rɪ] *s* **1** konditori **2** bakelser
patriarch ['peɪtrɪɑ:k] *s* patriark
patriarchal [‚peɪtrɪ'ɑ:k(ə)l] *adj* patriarkalisk; patriark-
patriarchy ['peɪtrɪɑ:kɪ] *s* patriarkat
Patricia [pə'trɪʃə, -ʃɪə] kvinnonamn
patrician [pə'trɪʃ(ə)n] **I** *s* patricier; ädling **II** *adj* patricisk; adlig
patricide ['pætrɪsaɪd] *s* **1** fadermord **2** fadermördare person
Patrick ['pætrɪk] **1** mansnamn **2** St ~ Sankt Patrick Irlands skyddshelgon
patrimony ['pætrɪmənɪ] *s* **1** fädernearv, farsarv, arvegods **2** kyrkogods
patriot ['pætrɪət, 'peɪt-] *s* patriot, fosterlandsvän
patriotic [‚pætrɪ'ɒtɪk, ‚peɪt-] *adj* patriotisk
patriotism ['pætrɪətɪz(ə)m, 'peɪt-] *s* patriotism
patrol [pə'trəʊl] **I** *vb itr* patrullera, göra patrulltjänst **II** *vb tr* patrullera [på (i)], avpatrullera **III** *s* patrullering; patrull; *be on* ~ ha patrulltjänst, patrullera
patrol car [pə'trəʊlkɑ:] *s* polisbil, radiobil
patrol|man [pə'trəʊl|mæn] (pl. *-men* [-men]) *s* **1** amer. [patrullerande] polis **2** representant för motororganisation som hjälper bilister tillrätta
patrol wagon [pə'trəʊl‚wægən] *s* amer. transitbuss, piket[buss]

patron ['peɪtr(ə)n, 'pæt-] *s* **1** beskyddare, gynnare, mecenat **2** [stam]kund, stamgäst; gynnare
patronage ['pætrənɪdʒ, 'peɪt-] *s* **1** beskydd, beskyddarskap; stöd; ynnest **2** hand. **a)** kunders välvilja (förtroende, stöd) **b)** kundkrets, kunder; publik
patronize ['pætrənaɪz, amer. äv. 'peɪt-] *vb tr* **1** behandla nedlåtande **2** hand. vara kund (stamgäst) hos, handla hos **3** beskydda, gynna
patronizing ['pætrənaɪzɪŋ, amer. äv. 'peɪt-] *adj* nedlåtande, [överlägset] beskyddande; ~ *air* beskyddarmin
patron saint [‚peɪtr(ə)n'seɪnt] *s* skyddshelgon, skyddspatron
patsy ['pætsɪ] *s* vanl. amer. sl. **1** syndabock **2** lättlurad stackare, lätt byte
1 patter ['pætə] **I** *vb itr* **1** om regn o.d. smattra, trumma [*on mot*] **2** om fotsteg tassa, trippa **II** *s* **1** smattrande [ljud], smatter **2** trippande [ljud]
2 patter ['pætə] *s* svada
pattern ['pæt(ə)n] **I** *s* **1** mönster, förebild, föredöme [*a* ~ *of domestic virtues*]; exempel **2** modell, [tillklippnings]mönster [*cut a* ~ *for* (till) *a dress*] **3 a)** varuprov, prov av tyg, mynt m.m., provbit **b)** typ, modell [*a gun of another* ~] **c)** typiskt exempel **4** dekorativt mönster [*a* ~ *on a carpet*]; figurer **5** bildl. form, mönster; bild, struktur; förlopp, gång **6** amer. kupong av tyg lagom för kostym o.d. **II** *vb tr* **1** forma, efterbilda, kopiera [*on sth, after sth* efter ngt]; *he has ~ed himself on his brother* han har [tagit] sin bror till förebild **2** mönstra; teckna
patterned ['pætənd] *adj* mönstrad [~ *wallpaper*]; ~ *with roses* äv. rosenmönstrad
patty ['pætɪ] *s* **1** [liten] pastej; bouchée, krustad; ~ *case* el. ~ *shell* ofylld bouchée, krustad **2** vanl. amer. färsbiff av kött el. fisk
paucity ['pɔ:sətɪ] *s* **1** brist, knapphet [*of* på] **2** fåtalighet
Paul [pɔ:l] **1** mansnamn **2** St (Saint) ~ [the Apostle] [aposteln] Paulus; St ~ 's [Cathedral] kyrka i London
paunch [pɔ:n(t)ʃ] *s* **1** buk; vard. kula, ölmage, isterbuk; *get a* ~ få kula (mage) **2** zool. våm
paunchy ['pɔ:n(t)ʃɪ] *adj* vard. med kula ([tjock] mage); *be* ~ ha kula (mage)
pauper ['pɔ:pə] *s* åld. utfattig stackare, fattig; *a* ~ *'s burial* [en] fattigbegravning
pause [pɔ:z] **I** *s* **1** paus, avbrott, uppehåll; tvekan; ~ *button* el. ~ *control* pausknapp, momentanstopp på bandspelare, cd-spelare **2** mus. fermat **II** *vb itr* göra en paus (ett uppehåll), stanna [upp]; vard. pausa
pave [peɪv] *vb tr* stenlägga äv. bildl., stensätta, belägga [med sten m.m.], [be]kläda, täcka [*a path* ~*d with moss*]; ~ *the way for* bildl. bana väg (jämna vägen) för
pavement ['peɪvmənt] *s* **1** trottoar, gångbana **2 a)** [gatu-, väg-, golv]beläggning; stenläggning, stensättning **b)** amer. belagd (stenlagd) väg (körbana)
pavement artist ['peɪvmənt‚ɑ:tɪst] *s* trottoarmålare
pavement café ['peɪvmənt‚kæfeɪ] *s* trottoarkafé
pavilion [pə'vɪlɪən] *s* **1** sport., ung. klubbhus **2** paviljong; amer. sjukhuspaviljong **3** [stort] tält

paving ['peɪvɪŋ] s stenläggning, stensättning; gatubeläggning, stenbeläggning

paving stone ['peɪvɪŋstəʊn] s gatsten

pavlova [pæv'ləʊvə] s kok. marängtårta [med grädde i mitten och frukt ovanpå]

paw [pɔ:] **I** s **1** djurs tass **2** vard., persons labb, tass; *take your ~s off!* bort med tassarna! **II** vb tr **1** röra vid (krafsa på, slå på) med tassen (tassarna) **2** skrapa med hoven (hovarna) på (i), stampa på (i) **3** vard. tafsa på **III** vb itr **1** röra (krafsa, slå) med tassen (tassarna) [*at* vid, på, mot] **2** skrapa med hoven (hovarna), stampa

1 pawn [pɔ:n] s **1** schack. bonde **2** bildl. bricka; verktyg, redskap

2 pawn [pɔ:n] **I** s pant; *be in ~* vara pantsatt; *get a watch out of ~* lösa (få) ut en klocka från pantbanken **II** vb tr pantsätta, belåna; bildl. sätta i pant [*~ one's life*] **III** vb tr med adv.:
pawn off vard. pracka på
pawn sth (sb) off as vard. framställa ngt (ngn) som

pawnbroker ['pɔ:n,brəʊkə] s pantlånare; *~'s* [*shop*] se *pawnshop*

Pawnee [pɔ:'ni:] s pawnee indian

pawnshop ['pɔ:nʃɒp] s pantlånekontor, pantbank

pawpaw ['pɔ:pɔ:, pə'pɔ:] s bot., se *papaya*

pay [peɪ] **I** (*paid paid*) vb tr **1 a)** betala; erlägga; betala ut [*~ wages*] **b)** löna (betala) sig för **c)** ersätta, [be]löna, återgälda [*~ sb's kindness with ingratitude*]; straffa; *~ one's* [*own*] *way* betala (göra rätt) för sig; *put paid to sth* vard. sätta stopp (sätta p) för ngt, göra (få) slut på ngt **2** *~ attention* (*a visit*) m.fl., se resp. subst.
II (*paid paid*) vb itr **1** betala; [*it's always the woman*] *who ~s* ...som får sitta emellan, ...som det går ut över **2** löna sig, betala sig [ofta *~ off*; *honesty ~s*]; vara lönande; *the business doesn't ~* affären bär sig inte; *this policy has paid off* den här politiken har gett resultat **3** *~ for* a) betala [för] [*~ for the furniture*] b) bekosta [*my parents paid for my education*] c) [få] sota (plikta) för [*~ for sth with one's life*]; *you'll ~ for this!* det här ska du få sota för!
III (*paid paid*) vb tr med adv. el. prep., ofta med spec. översättningar:
pay back betala igen (tillbaka); bildl. ge igen, ge betalt
pay down betala (erlägga) kontant
pay off a) itr., se *pay II 2 b*) betala [till fullo] [*~ off a fine*]; betala färdigt [*~ off a house*] c) betala ut lönen till och avskeda
pay out a) betala ut; ge ut b) *I'll ~ you out for this!* det här ska du få igen (få betalt för)!
pay up tr. o. itr. betala
IV s betalning, avlöning; lön; *be in sb's ~* vara i ngns tjänst (sold)

payable ['peɪəbl] adj om växel o.d. betalbar, förfallen [till betalning], att betalas; *cheques should be made ~ to* checkar skall (torde) utställas på

pay-as-you-earn [,peɪəzjʊ'ɜ:n] s, *~* el. *~ tax* källskatt; *~ system* källbeskattning

pay-as-you-go [,peɪəzjʊ'gəʊ] s förbetalningssystem för mobiltelefoner o. Internet

payback ['peɪbæk] s avkastning, vinst

pay bed ['peɪbed] s avgiftsbelagd sjukhusplats

pay cheque o. amer. **paycheck** ['peɪtʃek] s **1** lönebesked **2** vanl. amer. lön

pay claim ['peɪkleɪm] s lönekrav

pay day ['peɪdeɪ] s avlöningsdag

pay dirt ['peɪdɜ:t] s vard., *hit ~* el. *strike ~* tjäna storkovan, göra jättesuccé

PAYE [,pi:eɪwaɪ'i:] förk. för *pay-as-you-earn*

payee [peɪ'i:] s hand. betalningsmottagare, remittent

paying ['peɪɪŋ] adj **1** lönande, som betalar sig **2** betalande

paying guest [,peɪɪŋ'gest] s paying guest betalande gäst i familj

paying-in slip [,peɪɪŋ'ɪnslɪp] s bank. inbetalningsavi

payload ['peɪləʊd] s **1** nyttolast **2** mil. last

paymaster ['peɪ,mɑ:stə] s kassör; mil. kassachef

payment ['peɪmənt] s betalning; inbetalning, utbetalning; inlösen; likvid; *down ~* kontantinsats; handpenning; *stop ~* el. *suspend ~* inställa betalningarna; *in ~ of* [*the bill*] till täckande av..., som täckning (likvid) för...; *on ~ of £50* mot betalning (erläggande) av 50 pund

payoff ['peɪɒf] s vard. **1** muta, mutor **2** avgångsvederlag **3** förtjänst, utbyte, utdelning **4** slutresultat

pay packet ['peɪ,pækɪt] s lönekuvert

pay-per-view [,peɪpɜ:'vju:] s TV. pay-per-view, system där man betalar per evenemang t.ex. en fotbollsmatch

payphone ['peɪfəʊn] s telefonautomat, telefonkiosk

pay rise ['peɪraɪz] s o. vanl. amer. **pay raise** ['peɪreɪz] s löneförhöjning

payroll ['peɪrəʊl] s **1 a)** avlöningslista, lönelista **b)** personal, personer på avlöningslistan **2** löner, lönesumma

payroll tax ['peɪrəʊltæks] s arbetsgivaravgift

pay settlement ['peɪ,setlmənt] s löneavtal

payslip ['peɪslɪp] s lönebesked

pay station ['peɪ,steɪʃ(ə)n] s amer. telefonkiosk, telefonhytt

paystub ['peɪstʌb] s amer. lönebesked

pay-TV ['peɪ,ti:vi:] s betal-tv

PB [,pi:'bi:] sport. (förk. för *personal best*) personbästa

PC [,pi:'si:] förk. för *Peace Corps, personal computer, Police Constable, politically correct*

pcm [,pi:si:'em] förk. för *per calendar month* [*£300 ~*]

pct amer. förk. för *per cent*

pd förk. för *paid*

PDA [,pi:di:'eɪ] s data. (förk. för *personal digital assistant*) slags handdator med t.ex. kalender och adressbok

PDF [,pi:di:'ef] s data. pdf dokumentformat, filformat

pdq [,pi:di:'kju:] adj sl. (förk. för *pretty damn quick*) fortare än kvickt, fort som fan

PDT [,pi:di:'ti:] (förk. för *Pacific Daylight Time*) sommartid i Stillahavstidszonen

PE [,pi:'i:] förk. för *physical education*

pea [pi:] s ärt[a]; *green ~s* gröna ärter; *as like as two ~s in a pod* lika som två bär

pea-brain ['pi:breɪn] s vard. ärthjärna, dumhuvud

peace [pi:s] s fred; fredsslut; frid, lugn, ro, lugn och ro, stillhet; *on a ~ footing* på fredsfot; *~ of mind* sinnesfrid; *break the ~* el. *disturb the ~* störa den allmänna ordningen; *find ~* finna sinnesro, [sinnes]frid; *keep the ~* inte störa (upprätthålla) den allmänna ordningen; *be bound [over] to keep the ~ for two years* åläggas att hålla sig till lag och ordning i två år, ung. få två år villkorligt; *make ~* el. *conclude a ~* sluta fred [*with* med]; *be at ~* leva i fred (frid, endräkt); *I want to have my meal in ~* jag vill äta i lugn och ro (i fred), jag vill ha matro; *leave in ~* lämna (låta vara) i fred; *may she rest in ~!* må hon vila i frid!; *breach of the ~* brott mot (störande av) den allmänna ordningen

peaceable ['pi:səbl] *adj* fredlig; fridsam [*~ disposition*]

Peace Corps ['pi:skɔ:] *s*, *the ~* (förk. *PC*) fredskår i USA

peace dividend ['pi:sˌdɪvɪdend] *s* fredsåterbäring

peaceful ['pi:sf(ʊ)l] *adj* fridfull, stilla [*~ death*; *~ evening*]; fredlig, freds- [*~ times*]; fredligt sinnad

peace-keeping ['pi:sˌki:pɪŋ] *s*, *~ force* fredsbevarande styrka, fredsstyrka

peace-loving ['pi:sˌlʌvɪŋ] *adj* fredsälskande

peacemaker ['pi:sˌmeɪkə] *s* fredsstiftare

peace negotiations ['pi:snɪˌɡəʊʃɪ'eɪʃ(ə)nz] *s pl* fredsförhandlingar

peace offering ['pi:sˌɒf(ə)rɪŋ] *s* försoningsoffer, försoningsgärd

peace process ['pi:sˌprəʊses] *s* fredsprocess

peacetime ['pi:staɪm] **I** *s* fredstid, fred **II** *adj* i fredstid, fredlig [*~ uses of...*]; *~ strength* fredsstyrka

peach [pi:tʃ] **I** *s* **1** persika; *~es and cream complexion* persikohy **2** persikoträd **3** åld. vard., *a ~ [of a girl]* en jättesöt tjej; *a ~ of a room* ett jättejusigt rum **4** persikofärg **II** *adj* persikofärgad

peaches-and-cream [ˌpi:tʃɪzən'kri:m] *adj*, *~ skin* persikohy

peach Melba [ˌpi:tʃ'melbə] *s* kok. Coupe Melba glass med persikor o. melbasås

Peach State [ˌpi:tʃ'steɪt], *the ~* beteckn. för staten *Georgia i USA*

peachy ['pi:tʃɪ] *adj* **1** persikoliknande, persiko- [*~ cheek*; *~ complexion*] **2** amer. vard. finfin, härlig

peacock ['pi:kɒk] *s* påfågel, påfågelstupp

peacock-blue [ˌpi:kɒk'blu:] *adj* grönblå, påfågelsblå

pea-green [ˌpi:'gri:n], attr. 'pi:gri:n] *adj* ärtgrön

peahen [ˌpi:'hen, attr. 'pi:hen] *s* påfågel[shöna]

peak [pi:k] **I** *s* **1** topp, höjdpunkt, toppunkt; maximum; *tourism reaches its ~ in August* turismen har sin höjdpunkt i augusti; *in the ~ of condition* i toppform **2** spets; bergstopp, bergsspets **3** mösskärm **II** *adj* topp-, hög-; [*unemployment reached*] *~ figures* ...toppsiffror; *at ~ hours [of traffic]* under högtrafik, vid rusningstid; *during ~ viewing hours* på bästa sändningstid [i tv]; *~ performance* toppprestation; *~ season* högsäsong **III** *vb itr* nå en topp (höjdpunkt) [*sales ~ in June*]

1 peaked [pi:kt] *adj* spetsig, toppig; konliknande; *~ cap* skärmmössa; *~ shoe* spetsig sko, näbbsko

2 peaked [pi:kt] *adj* amer. vard. avtärd, mager och spetsig

peak load ['pi:kləʊd] *s* toppbelastning

peak rate ['pi:kreɪt] *s* toppkurs

peaky ['pi:kɪ] *adj* vard. avtärd, mager och spetsig

peal [pi:l] **I** *s* **1** [stark] klockringning; klockklang **2** klockspel äv. konkr. **3** skräll, brak, dunder; [orgel]brus; *~ of applause* rungande applåd[er]; *~ of laughter* skallande (rungande) skratt, skrattsalva; *~ of thunder* åskdunder **II** *vb itr* ringa; brusa; skrälla, braka; skalla; runga

peanut ['pi:nʌt] *s* **1** jordnöt **2** vard., pl. *~s* 'småpotatis', en struntsumma

peanut butter ['pi:nʌtˌbʌtə] *s* jordnötssmör

peanut gallery ['pi:nʌtˌɡæləri] *s* amer. skämts., de billiga raderna längst bak på en teater el. bio

pear [peə] *s* **1** päron **2** päronträd

pearl [pɜ:l] *s* **1** pärla [*a necklace of ~s*; *she's a ~*]; *cast ~s before swine* kasta pärlor för svin **2** pärlemor **3** attr. pärl- [*~ necklace*]; pärlemor- [*~ button*]

pearl-diver ['pɜ:lˌdaɪvə] *s* pärlfiskare

pearly ['pɜ:li] *adj* pärlliknande, [genomskinlig] som en pärla; pärlglänsande; pärlformig

pearly gates [ˌpɜ:li'ɡeɪts] *s pl*, *the ~* pärleportarna, himmelens [tolv] portar

peasant ['pez(ə)nt] *s* **1** bonde spec. på den europeiska kontinenten, småbrukare, jordbruksarbetare; attr. jordbruks-, lant- [*~ labour*] **2** vard. lantis; bondtölp

peasantry ['pez(ə)ntri] *s* allmoge, [små]bönder

pease pudding [ˌpi:z'pʊdɪŋ] *s* rätt av mosade ärter, ägg o. smör

pea-shooter ['pi:ˌʃu:tə] *s* ärtbössa, ärtrör

pea soup [ˌpi:'su:p] *s* ärtsoppa

peat [pi:t] *s* **1** torv[strö] **2** [bränn]torv

peaty ['pi:ti] *adj* **1** torvartad; *~ smell* torvlukt **2** torvrik

pebble ['pebl] *s* kiselsten, småsten, klappersten; *you are not the only ~ on the beach* det finns andra än du här i världen

pebbledash ['pebldæʃ] *s* byggn. väggputs med småsten

pebbly ['peblɪ] *adj* full (täckt, bestående) av kiselstenar, stenig; *a ~ beach* äv. klapperstensstrand

pecan [pɪ'kæn, 'pi:kən] *s* **1** pekannöt, hickorynöt **2** bot. pekan[träd], hickory[träd]

peccadillo [ˌpekə'dɪləʊ] (pl. *~es* el. *~s*) *s* småsynd, bagatellartad förseelse

peccary ['pekərɪ] *s* zool. navelsvin, pekari[svin]

peck [pek] **I** *vb tr* **1** om fåglar picka (plocka) [upp], picka i sig [ofta *~ up*] **2** picka (hacka) på (i); hacka hål i [äv. *~ a hole in*] **3** vard. kyssa lätt (flyktigt) **II** *vb itr* picka, hacka; peta; *~ at* a) hacka (picka) på (i) b) vard. [bara] peta i [*~ at one's food*] **III** *s* **1** pickande, hackande **2** hack, märke **3** vard. lätt (flyktig) kyss

pecker ['pekə] *s* **1** *keep one's ~ up* hålla humöret uppe, inte tappa modet (sugen) **2** amer. vulg. kuk, pick

pecking order ['pekɪŋˌɔ:də] *s* hackordning, rangordning, [social] hierarki äv. psykol.; *be at the bottom of the ~* bildl. äv. vara allas hackkyckling

peckish ['pekɪʃ] *adj* vard. sugen, hungrig [*feel ~*]

pectin ['pektɪn] *s* kem. pektin[ämne]

pectoral ['pektər(ə)l] *adj* bröst- [*~ muscle*]

peculiar [pɪ'kju:lɪə] *adj* **1** egendomlig,

karakteristisk [*to* för; *an expression ~ to the North*] **2** märklig, besynnerlig, egendomlig, underlig, säregen, egenartad **3** särskild, speciell
peculiarity [pɪˌkjuːlɪˈærətɪ] *s* egenhet, egendomlighet; säregenhet; egenart
peculiarly [pɪˈkjuːlɪəlɪ] *adv* **1** särskilt, speciellt **2** särdeles, synnerligen; i synnerhet **3** besynnerligt [*dress ~*]; på ett besynnerligt sätt
pecuniary [pɪˈkjuːnɪərɪ] *adj* pekuniär, penning- [*~ difficulties*]
pedagogic [ˌpedəˈgɒdʒɪk] *adj* o. **pedagogical** [ˌpedəˈgɒdʒɪk(ə)l] *adj* pedagogisk
pedagogue [ˈpedəgɒg] *s* lärare, pedagog
pedagogy [ˈpedəgɒdʒɪ, -gɒgɪ] *s* **1** pedagogik **2** undervisning
pedal [ˈpedl] **I** *s* **1** pedal, trampa **2** vard., på piano o.d.: *the loud ~* högerpedalen, fortepedalen; *the soft ~* vänsterpedalen, sordinpedalen **3** vard., *take one's foot off the ~* slappna (spänna) av **II** *adj* pedal-; tramp- [*~ cycle*] **III** *vb itr* använda pedal[en] (pedalerna); trampa **IV** *vb tr* trampa [*~ a cycle*]
pedal bin [ˈpedlbɪn] *s* pedalhink, sophink [som öppnas med pedal]
pedalo [ˈpedələʊ] (pl. *~s* el. *~es*) *s* trampbåt, vattencykel
pedal pushers [ˈpedəlˌpʊʃəz] *s pl* knäbyxor, cykelbyxor
pedant [ˈped(ə)nt] *s* pedant; formalist
pedantic [pɪˈdæntɪk] *adj* pedantisk; formalistisk
pedantry [ˈped(ə)ntrɪ] *s* pedanteri; formalism
peddle [ˈpedl] **I** *vb itr* [gå omkring och] sälja på gatan (vid dörrarna), idka gårdfarihandel **II** *vb tr* gå omkring och sälja (bjuda ut); torgföra [*~ one's ideas*]; *~ narcotics* langa narkotika
peddler [ˈpedlə] *s* **1** langare; *drug ~* narkotikalangare **2** amer. gatuförsäljare, nasare, dörrknackare
pederast [ˈpedəræst] *s* pederast
pedestal [ˈpedɪstl] *s* **1** piedestal äv. bildl. [*put* (*place*) *on a ~*]; fotstycke, sockel, postament, bas **2** hurts
pedestrian [pəˈdestrɪən] **I** *s* fotgängare **II** *adj* **1** [som går] till fots; fot- [*~ tour* (vandring)]; gång- [*~ distances*] **2** avsedd för fotgängare; *~ street* gågata **3** prosaisk, alldaglig, trivial; torr, tråkig
pedestrian crossing [pəˌdestrɪənˈkrɒsɪŋ] *s* övergångsställe
pedestrianize [pəˈdestrɪənaɪz] *vb tr* göra till gågata; planera (bygga) för enbart gångtrafik
pedestrian precinct [pəˌdestrɪənˈpriːsɪŋ(k)t] *s* område med gågator, gågata
pediatric [ˌpiːdɪˈætrɪk] *adj* amer. pediatrisk
pediatrician [ˌpiːdɪəˈtrɪʃ(ə)n] *s* amer. pediatriker, barnläkare
pediatrics [ˌpiːdɪˈætrɪks] (med verb i sg.) *s* amer. pediatrik
pedicure [ˈpedɪkjʊə] *s* pedikyr, fotvård
pedigree [ˈpedɪgriː] **I** *s* stamträd, stamtavla, släkttavla; härkomst **II** *adj*, *~ cattle* stambokförd boskap; *~ dog* rashund, hund med stamtavla
pedigreed [ˈpedɪgriːd] *adj* stambokförd
pedlar [ˈpedlə] *s* gatuförsäljare, nasare, dörrknackare

pedophile [ˈpiːdə(ʊ)faɪl] *s* vanl. amer. pedofil
pee [piː] vard. **I** *s* kiss; *have a ~* el. *go for a ~* el. amer. *take a ~* kissa **II** *vb itr* kissa
peek [piːk] **I** *vb itr* kika, titta [*at* på] **II** *s* titt, [förstulen] blick; *have* (*take*) *a ~ at* ta en titt på
peekaboo [ˌpiːkəˈbuː] **I** *s* tittut lek **II** *interj* tittut!
peel [piːl] **I** *s* skal på frukt o.d. **II** *vb tr* skala frukt o.d., barka [av] träd; skala av (bort); *keep one's eyes ~ed* vard. ha ögonen med sig **III** *vb itr* **1** släppa skalet, fälla (släppa) barken **2** ramla (falla, flaga) av, flagna, fjälla **IV** *vb itr* o. *vb tr* med adv. el. prep.: *peel off* **a**) skala av (bort) **b**) ramla (falla, flaga) av, flagna, fjälla **c**) vard. ta (slänga) av sig kläderna, klä av sig
peel out amer. vard. köra (fara, åka) med tjutande däck
peelings [ˈpiːlɪŋz] *s pl* avskalade skal [*potato ~*]
1 peep [piːp] **I** *vb itr* **1** kika, titta [*at* på; *into* in i; *in* (*out*) *at the door* in (ut) genom dörren]; *~ through the keyhole* kika genom (i) nyckelhålet **2** börja bli synlig, titta (skymta, sticka) fram [ofta *~ out*] **II** *s* **1** titt, [förstulen] blick; *have* (*take*) *a ~ at* ta en titt på, titta (kika) på (in i) **2** första skymt (glimt) **3 a**) titthål **b**) sikte på gevär
2 peep [piːp] **I** *vb itr* **1** om fågelunge, råtta o.d. pipa **2** säga ett knyst [*he never dared to ~ again*] **II** *s* **1** pip, pipande **2** knyst; *don't let me hear another ~ out of you!* jag vill inte höra ett enda knyst till från dig!
peephole [ˈpiːphəʊl] *s* kikhål, titthål
Peeping Tom [ˌpiːpɪŋˈtɒm] *s* [fönster]tittare, smygtittare, voyeur; snokare
1 peer [pɪə] *s* **1** like, jämlike **2** pär medlem av högadeln i Storbritannien, ung. adelsman
2 peer [pɪə] *vb itr* kisa, plira, kika [nyfiket] [*at* på]
peerage [ˈpɪərɪdʒ] *s* **1** *the ~* pärerna, högadeln **2** pärsvärdighet, adelskap
peeress [ˈpɪərəs, -res] *s* **1** högadlig dam, adelsdam **2** maka till en pär
peer group [ˈpɪəgruːp] *s* kamratgrupp
peerless [ˈpɪələs] *adj* makalös, oförliknelig
peer pressure [ˈpɪəˌpreʃə] *s* kamrattryck, grupptryck
peeve [piːv] *vb tr* vard. irritera, förarga, reta
peeved [piːvd] *adj*, *~ at* irriterad (förargad) över (på), arg på
peevish [ˈpiːvɪʃ] *adj* retlig, vresig, knarrig; irriterad [*~ remark*]; gnällig, kinkig [*~ child*]
peewit [ˈpiːwɪt] *s* zool., se *lapwing*
peg [peg] **I** *s* **1** pinne; sprint, stift, bult; tapp, plugg; pligg; *he is a square ~ in a round hole* han är fel man på den platsen (för den uppgiften) **2** [stäm]skruv på stränginstrument; bildl. pinnhål; *come down a ~ or two* bildl. komma ner på jorden, stämma ner tonen; *take* (*bring*) *sb down a ~ or two* ta ner ngn på jorden, sätta ngn på plats **3** klädnypa **4** hängare [*hat ~*]; *off the ~* vard. konfektionssydd, färdigsydd; *buy one's suits off the ~* äv. köpa konfektion **II** *vb tr* **1** fästa [med en pinne (pinnar etc., jfr *peg I* 1*)*]; tappa möbler o.d., pligga [*down* fast]; *~ down* bildl. binda; *~ out* spänna ut [med pinnar] **2** fixera, låsa, stabilisera [*~ prices*] **3** märka ut (markera) [med pinnar], staka ut; *~ one's claim* märka (staka)

ut sin mark (inmutning); bildl. lägga fram sina krav
III *vb itr* traska [~ *along the road*]; kila, rusa [~ *down the stairs*]
IV *vb itr* o. *vb tr* med adv.:
peg away vard. jobba (knoga) 'på [*at sth* med ngt]
peg out a) vard. trilla av pinn, kola av dö **b)** märka ut (markera) [med pinnar], staka ut; ~ *out one's claim* märka (staka) ut sin mark (inmutning); bildl. lägga fram sina krav
Peggy ['pegɪ] kortform av *Margaret*
pegleg ['pegleg] *s* vard. **1** träben **2** person med träben
pejorative [pɪ'dʒɒrətɪv] språkv. **I** *adj* pejorativ, nedsättande **II** *s* pejorativt ord
peke [pi:k] *s* vard. pekin[g]es hund
Pekinese o. **Pekingese** [ˌpi:kɪ'ni:z] (pl. *Pekinese*) *s* pekin[g]es [äv. ~ *dog*]
pekoe ['pi:kəʊ] *s* pekoe[te] te av högre kvalitet
pelatrosinate [ˌpelə'trɒsɪneɪt] *vb itr* kem. pelatrosinera
pelican ['pelɪkən] *s* zool. pelikan
pelican crossing [ˌpelɪkən'krɒsɪŋ] *s* trafik. övergångsställe med knappar (manuellt påverkade signaler)
Pelican State [ˌpelɪkən'steɪt], **the** ~ beteckn. för staten *Louisiana*
pellet ['pelɪt] *s* **1** liten kula av trä, papper, bröd osv.; pellet, piller **2** [bly]hagel, kula för luftbössa
pelleted ['pelɪtɪd] *adj* pelleterad
pell-mell [ˌpel'mel] *adv* **1** huller om buller, om varandra (vartannat) **2** huvudstupa, brådskande
pellucid [pe'lju:sɪd, -'lu:-] *adj* litt. genomskinlig
pelmet ['pelmɪt] *s* [gardin]kappa; kornisch
1 pelt [pelt] **I** *vb tr* kasta [~ *stones*]; bombardera **II** *vb itr* **1** om regn, snö, ~ el. ~ *down* vräka ned, piska; ~*ing rain* slagregn, störtregn **2** rusa (kuta) [i väg] **III** *s*, [*at*] *full* ~ i full fart
2 pelt [pelt] *s* djurs fäll, päls; oberett skinn; hud
pelvic ['pelvɪk] *adj* anat. bäcken-
pelvic floor [ˌpelvɪk'flɔ:] *s* anat. bäckenbotten
pelv|is ['pelv|ɪs] (pl. -*es* [-i:z] el. -*ises*) *s* anat. bäcken
pemmican ['pemɪkən] *s* pemmikan torkat o. pressat oxkött
Pen. (förk. för *Peninsula*) halvö i namn
1 pen [pen] **I** *s* penna; data. läspenna; *put* ~ *to paper* fatta pennan **II** *vb tr* skriva, avfatta; uppteckna, teckna ned
2 pen [pen] **I** *s* **1** fålla, kätte; hönsbur; box i svinhus **2** [barn]hage **II** *vb tr* stänga in [i en fålla etc., jfr *2 pen I*], spärra in [ofta ~ *up* (*in*); ~*ned up in a house*]
3 pen [pen] *s* (amer. vard. kortform av *penitentiary*) fängelse; *the* ~ kåken
penal ['pi:nl] *adj* **1** straff-; fångvårds-; ~ *colony* straffkoloni; ~ *settlement* fångkoloni **2** straffbar [~ *act*]; kriminell
penal code [ˌpi:nl'kəʊd] *s* strafflag; brottsbalk
penal interest [ˌpi:nl'ɪntrəst] *s* straffränta
penalize ['pi:nəlaɪz] *vb tr* **1** belägga med straff; straffa, bestraffa **2** sport. **a)** straffa **b)** belasta med (ge) minushandicap
penal law [ˌpi:nl'lɔ:] *s* strafflag; brottsbalk
penalty ['penltɪ] *s* **1** [laga] straff, [brotts]påföljd; vite, bötesstraff, böter; skadestånd vid kontraktsbrott

o.d.; *on* ~ *of death* vid dödsstraff; *on* (*under*) ~ *of a fine* vid vite **2** sport. **a)** straff **b)** handikapp
penalty area ['penltɪˌeərɪə] *s* fotb. straffområde
penalty box ['penltɪbɒks] *s* **1** fotb. straffområde **2** ishockey. utvisningsbås
penalty clause ['penltɪklɔ:z] *s* hand. straffklausul
penalty kick ['penltɪkɪk] *s* fotb. straff[spark]
penalty point ['penltɪpɔɪnt] *s* bil. anmärkning i förares körkort
penalty shoot-out [ˌpenltɪ'ʃu:taʊt] *s* fotb. straffsparksläggning
penance ['penəns] *s* bot, botgöring, botövning, penitens; *do* ~ göra bot [*for* för]
pence [pens] *s* pl. av *penny*
penchant ['pɒnʃɒn, 'pɑ:ŋʃɑ:n, amer. vanl. 'pen(t)ʃənt] *s* böjelse, förkärlek [*for* för]
pencil ['pensl] **I** *s* **1** [blyerts]penna; ritstift **2** stift spec. med. [*styptic* ~]; penna [*eyebrow* ~] **3** strålknippe **II** *vb tr* **1** rita (skriva, notera) [med blyerts]; ~*led eyebrows* ögonbryn dragna med ögonbrynspenna; ~ *in* notera **2** med. pensla
pencil case ['penslkeɪs] *s* pennfodral för blyertspennor
pencil-pusher ['penslˌpʊʃə] *s* amer. vard. kontorsslav
pencil sharpener ['penslˌʃɑ:p(ə)nə] *s* pennvässare, pennformerare
pencil skirt ['penslskɜ:t] *s* snäv kjol
pencil-thin ['penslθɪn] *adj* smal (tunn) som ett streck; trådsmal
pen computer ['penkəmˌpju:tə] *s* data. penndator pennstyrd dator
pendant ['pendənt] *s* **1** hängsmycke, hänge; örhänge [äv. *ear* ~] **2** hänglampa, ljuskrona
pendent ['pendənt] *adj* **1** [ned]hängande **2** överhängande [~ *rocks*] **3** oavgjord; *the lawsuit remains* ~ målet är ännu inte avgjort
pending ['pendɪŋ] **I** *adj* **1** oavgjord; pågående; oavslutad [*matters* ~]; *the lawsuit was* ~ målet var inte avgjort; *patent*[*s*] ~ patentsökt **2** förestående, överhängande; *there was a by-election* ~ äv. det förestod ett fyllnadsval **II** *prep* **1** i avvaktan på [~ *her return*] **2** under [loppet av]; [*no action can be taken*] ~ *the trial* ...medan rättegången pågår
pendulous ['pendjʊləs] *adj* **1** [ned]hängande, fritt hängande **2** svängande, pendlande
pendulum ['pendjʊləm] *s* pendel; *the swing of the* ~ bildl. opinionens svängning[ar]
Penelope [pə'neləpɪ] kvinnonamn
penetrable ['penɪtrəbl] *adj* **1** genomtränglig **2** bildl. tillgänglig, mottaglig, känslig
penetrate ['penɪtreɪt] **I** *vb tr* **1** tränga igenom [~ *the darkness*]; bryta igenom [~ *the enemy's lines*]; sprida sig (slå igenom) i [*new ideas that* ~*d those countries*]; nästla sig in, bryta in på (i) [~ *the European market*] **2 a)** genomskåda [~ *a disguise*] **b)** tränga in i, penetrera [~ *sb's mind*] **II** *vb itr* tränga in äv. bildl., tränga fram, bana sig väg [*into* in i; *to* till, i, in i; *through* genom, [in] i], slå igenom [*new ideas* ~ *slowly*]
penetrating ['penɪtreɪtɪŋ] *adj* **1** genomträngande, skarp [~ *cold*; ~ *cry*; ~ *smell*] **2** inträngande, skarpsinnig [~ *analysis*]
penetration [ˌpenə'treɪʃ(ə)n] *s* **1** genomträngande,

inträngande äv. bildl., infiltration [*peaceful* ~] **2** mil.
a) genombrott **b**) projektils genomslag[sförmåga]
3 skarpsinne
pen friend ['penfrend] *s* brevvän
penguin ['peŋgwɪn] *s* zool. pingvin
penicillin [ˌpenə'sɪlɪn] *s* penicillin
peninsula [pə'nɪnsjʊlə, pe'n-] *s* halvö
peninsular [pə'nɪnsjʊlə, pe'n-] *adj* halvöliknande
Peninsular State [pəˌnɪnsjʊlə'steɪt], **the** ~ beteckn. för
staten *Florida*
pen|is ['pi:n|ɪs] (pl. *-ises* el. *-es* [-i:z]) *s* penis
penitence ['penɪt(ə)ns] *s* botfärdighet, ånger [*for*
över-]
penitent ['penɪt(ə)nt] **I** *adj* botfärdig, ångerfull **II** *s*
botgörare, botfärdig syndare
penitential [ˌpenɪ'tenʃ(ə)l] *adj* bot- [~ *psalm*]
penitentiary [ˌpenɪ'tenʃərɪ] *s* amer. straffanstalt,
fängelse
pen|knife ['pen|naɪf] (pl. *-knives* [-naɪvz]) *s*
pennkniv
penmanship ['penmənʃɪp] *s* skrivkonst, kalligrafi;
skrivning; skrivsätt; pennföring; [hand]stil
pen name ['penneɪm] *s* pseudonym
pennant ['penənt] *s* **1** vimpel, flagga **2** sjö. standert
penniless ['penɪləs] *adj* utan ett öre, utfattig
Pennine ['penaɪn] geogr., **the** ~ **Chain** el. **the** ~**s** pl.
Penninska bergen
Pennsylvania [ˌpens(ə)l'veɪnɪə] geogr.
penny ['penɪ] (pl.: när mynten avses *pennies*, när värdet
avses *pence*) *s* penny (britt. mynt = 1/100 pund, före 1971 =
1/12 shilling); amer. vard. encentmynt, encentare; **look
at every** ~ se på slantarna; **a pretty** ~ en nätt summa
(vacker slant); ~ **wise and pound foolish** se under
penny-wise; **a** ~ **for your thoughts** vad är det du
tänker du på?; [**at last**] **the** ~ **dropped** bildl. äntligen
fattade han (jag osv.) galoppen; **spend a** ~ vard. gå på
ett visst ställe, gå på toa; **turn** (**make, earn**) **an honest**
~ tjäna en slant; **in for a** ~, **in for a pound** har man
sagt A får man säga B; den som sig i leken ger, han
får leken tåla; **take care of the pence and the pounds
will take care of themselves** ung. den som inte tar
vara på öret får aldrig kronan
penny-ante ['penɪˌæntɪ] *adj* amer. vard. billig,
obetydlig
penny dreadful [ˌpenɪ'dredf(ʊ)l] *s* vard. åld. billig
deckare, skräpdeckare
penny-pinching ['penɪˌpɪntʃɪŋ] *adj* snål
penny whistle [ˌpenɪ'wɪsl] *s* leksaksflöjt
penny-wise ['penɪwaɪz, ˌ--'-] *adj* småsnål; **be** ~ **and
pound-foolish** låta snålheten bedra visheten
pennyworth ['penəθ, 'penɪwəθ] (pl. ~*s* el.
pennyworth) *s*, **buy a** ~ **of sweets** köpa för 1 penny
godis
pen pal ['penpæl] *s* brevvän
pen-pusher ['penˌpʊʃə] *s* vard. kontorsslav
1 pension ['penʃ(ə)n] **I** *s* pension; årligt underhåll
(understöd); ~ **contribution** pensionsbidrag,
pensionsinbetalning
II *vb tr* pensionera; ~ **off** avtalspensionera
2 pension ['pɑːŋsɪɔːŋ] *s* pensionat på kontinenten
pensionable ['penʃ(ə)nəbl] *adj* pensionsberättigad;
pensionsgrundande; pensions- [~ *age*];
pensionsmässig
pensioner ['penʃ(ə)nə] *s* pensionär

pension fund ['penʃ(ə)nfʌnd] *s* pensionsfond,
pensionskassa
pension plan ['penʃ(ə)nplæn] *s* o. **pension scheme**
['penʃ(ə)skiːm] *s* pensionsplan
pensive ['pensɪv] *adj* tankfull, fundersam
Pentagon ['pentəgən], **the** ~ Pentagon amerikanska
försvarshögkvarterets femkantiga byggnad nära Washington
pentagon ['pentəgən] *s* geom. femhörning, pentagon
pentagonal [pen'tægənl] *adj* geom. femhörnig,
femsidig
pentagram ['pentəgræm] *s* pentagram femuddig
stjärna; alfkors
Pentateuch ['pentətjuːk] *s*, **the** ~ pentateuken, de
fem moseböckerna
pentathlete [pen'tæθliːt] *s* sport. femkampare
pentathlon [pen'tæθlən] *s* sport. femkamp
Pentecost ['pentɪkɒst] *s* **1** pingst[dagen]
2 veckofesten judarnas pingsthögtid
penthouse ['penthaʊs] *s* [lyxig] takvåning
pent-up ['pentʌp, pred. ˌ-'-] *adj* undertryckt,
återhållen [~ *emotions*]; förträngd
penultimate [pə'nʌltɪmət, pe'n-] *adj* näst sista; ~
accent tryck på näst sista stavelsen
penurious [pɪ'njʊərɪəs] *adj* fattig; torftig
penury ['penjʊrɪ] *s* armod, fattigdom
peon ['piːən, 'piːɒn] *s* i spanskamerika peon, daglönare
peony ['pɪənɪ] *s* bot. pion
people ['piːpl] **I** (i betydelse *1* ibl. med verbi pl., i
betydelserna 2–6 alltid i pl.) *s* **1** folk [*the English* ~];
befolkning, nation, folkslag [*primitive* ~*s*] **2** folk;
menighet; **the** ~ el. **the broad mass of the** ~ de breda
lagren, den stora massan; ~'*s democracy*
folkdemokrati; ~'*s park* amer. folkpark; **the People's
Republic of China** folkrepubliken Kina **3** vard.
anhöriga, närmaste, familj; släkt[ingar]; **my** ~ äv. de
mina **4** människor[na], personer; folk; **Chinese** ~
[**in the USA**] kineser[na]...; **fifty** ~ 50 människor
(personer); **many** ~ mycket folk; **a great many** ~ en
massa folk; **old** ~ äv. gamlingar, åldringar; **young** ~
äv. ungdom[en], ungdomar **5** folk, man; ~ **say** folk
(man) säger, det sägs **6** amer. jur., **the People versus
Brown** staten mot Brown
II *vb tr* befolka, bebo, bildl. äv. fylla, uppfylla
people carrier ['piːplˌkærɪə] *s* o. **people mover**
['piːplˌmuːvə] *s* mindre minibuss
people person ['piːplˌpɜːsn] *s* social person
pep [pep] vard. **I** *s* fart, fräs, kläm **II** *vb tr*, ~ **up** pigga
upp, peppa upp, sätta fart på
pepper ['pepə] **I** *s* **1** peppar **2** paprika [*green* ~; *red*
~]
II *vb tr* **1** peppra, bildl. äv. krydda; peppra på
2 peppra [på], beskjuta; bombardera [~ *with
questions*] **3** ~ *sb with blows* puckla på ngn
III *vb itr* peppra
peppercorn ['pepəkɔːn] *s* pepparkorn
peppercorn rent [ˌpepəkɔːn'rent] *s* nominell
(symbolisk) hyra
pepper mill ['pepəmɪl] *s* pepparkvarn
peppermint ['pepəmənt, -mɪnt] *s* **1** bot.
pepparmynta **2** pepparmint
pepperoni [ˌpepə'rəʊnɪ] *s* kok. pepperoni kryddad
italiensk korv
pepper pot ['pepəpɒt] *s* pepparströare
pepper spray ['pepəˌspreɪ] *s* pepparsprej

peppery ['pepərɪ] *adj* **1** pepparliknande, peppar-; pepprig, [peppar]stark **2** bildl. hetsig, ettrig

pep pill ['peppɪl] *s* vard. uppiggande piller (tablett)

pep rally ['pep,rælɪ] *s* amer. vard. uppeppning före idrottstävling o.d.

pepsin ['pepsɪn] *s* kem. pepsin

pep talk ['peptɔːk] *s* vard. peptalk kort uppeldande tal före idrottstävling o.d.

peptic ulcer [,peptɪk'ʌlsə] *s* med. peptiskt magsår

per [pɜː, obeton. pə] *prep* lat. per, genom, med; **as ~** hand. enligt, efter; **as ~ usual** el. **as ~ normal** skämts. som vanligt

perambulate [pə'ræmbjʊleɪt] **I** *vb tr* vandra (resa, ströva) igenom (omkring i) **II** *vb itr* vandra (resa, ströva) omkring [*in i*]

perambulation [pə,ræmbjʊ'leɪʃ(ə)n] *s* vandring, strövtåg, promenad

perambulator [pə'ræmbjʊleɪtə] *s* åld., se *pram*

per annum [pər'ænəm] *adv* om året, per år, årligen

per capita [pə'kæpɪtə] *adv* per capita (man)

perceivable [pə'siːvəbl] *adj* märkbar, förnimbar

perceive [pə'siːv] *vb tr* **1** märka, se, varsebli **2** uppfatta, förnimma **3** fatta, inse

percent o. **per cent** [pə'sent] *s* o. *adv* procent

percentage [pə'sentɪdʒ] *s* procent; procenttal; procentsats; procenthalt; [an]del; **get a ~ on sth** få provision (procent) på ngt; **there's no ~ in it** vard. det vinner man inget på; det är ingen vits med det

percentage point [pə'sentɪdʒ,pɔɪnt] *s* procentenhet

perceptible [pə'septəbl] *adj* märkbar, uppfattbar, förnimbar [~ *to* (för) *the eye*]; fattbar

perception [pə'sepʃ(ə)n] *s* **1** iakttagelseförmåga [äv. *faculty of ~*]; uppfattning[sförmåga] **2** psykol. perception, varseblivning

perceptive [pə'septɪv] *adj* **1** insiktsfull, klarsynt; skarp [*a ~ eye*] **2** perceptiv

1 perch [pɜːtʃ] **I** *vb itr* [flyga upp och] sätta sig, slå sig ned, sitta [uppflugen] [*the birds ~ed on the television aerial*]; klättra upp och sätta sig; klänga sig fast; [sitta och] balansera
II *vb tr* sätta [upp], placera på pinne el. hög plats; **~ed [up]on a tree** uppflugen i ett träd
III *s* sittpinne, pinne för höns o.d.; bildl. upphöjd (säker) position, högt ställe; **come off your ~!** vard. kliv ner från dina höga hästar!

2 perch [pɜːtʃ] (pl. *perch* el. ibl. *~es*) *s* abborre

perchance [pə'tʃɑːns] *adv* litt. **1** måhända, kanske **2** till äventyrs

percipient [pə'sɪpɪənt] *adj* insiktsfull

percolate ['pɜːkəleɪt] **I** *vb itr* **1** sila (sippra, rinna) [igenom]; sprida sig **2** bryggas [färdig]
II *vb tr* filtrera, perkolera; sila; brygga [~ *coffee*]

percolator ['pɜːkəleɪtə] *s* kaffebryggare

percussion [pə'kʌʃ(ə)n] *s* slag, stöt; med. perkussion; **the ~** slaginstrumenten, slagverket i orkester, batteriet i jazzorkester o.d.

percussion cap [pə'kʌʃ(ə)nkæp] *s* tändhatt, knallhatt

percussion instruments [pə'kʌʃ(ə)n,ɪnstrʊmənts] *s pl* slagverk, slaginstrument

percussionist [pə'kʌʃ(ə)nɪst] *s* mus. slagverkare

Percy ['pɜːsɪ] mansnamn

per diem [pɜː'diːem, -'daɪem] *adv* om dagen, per dag, dagligen

perdition [pɜː'dɪʃ(ə)n] *s* fördärv, undergång

peregrination [,perɪɡrɪ'neɪʃ(ə)n] *s* vandring, färd, resa

peregrine ['perəɡrɪn, -griːn] *s* o. **peregrine falcon** [,perəɡrɪn'fɔːlkən] *s* zool. pilgrimsfalk

peremptory [pə'rem(p)t(ə)rɪ] *adj* myndig [~ *manner*]; diktatorisk [~ *command*]; befallande

perennial [pə'renɪəl] **I** *adj* **1** ständig, ständigt återkommande [~ *attacks of the disease*]; varaktig; evig, outslitlig [~ *joke*] **2** bot. perenn, flerårig
II *s* perenn (flerårig) växt, perenn

perfect [adj. o. subst. 'pɜːfekt, verb pə'fekt] **I** *adj* **1** perfekt [*in i*; *the ~ crime*]; fulländad [*a ~ gentleman*]; fullkomlig; **practice makes ~** övning ger färdighet **2** fullständig, full; ren; **~ circle** exakt cirkel **3** end. attr. fullkomlig, fullständig [~ *stranger*]; riktig, verklig [*he is a ~ nuisance* (plåga)]; **in ~ harmony** i fullkomlig (rörande) harmoni; **~ nonsense** rent nonsens **4** vard. underbar, utmärkt, perfekt, fantastisk, väldigt fin [*a ~ day*]
II *vb tr* göra perfekt etc., fullkomna, fullända, förfina, finslipa [~ *a method*]; förbättra [~ *an invention*]; **~ one's skill** träna upp sin skicklighet
III *s* gram., **the ~** el. **the present ~** perfekt[um]; **the past ~** pluskvamperfekt[um]

perfectible [pə'fektəbl] *adj* utvecklingsbar, utvecklingsduglig

perfection [pə'fekʃ(ə)n] *s* **1** fullkomnande etc., jfr *perfect II*, finslipning [~ *of details*] **2** fulländning, fullkomlighet, perfektion; höjd[punkt]; **to ~** perfekt, på ett fulländat sätt; **bring to ~** fullända

perfectionist [pə'fekʃənɪst] *s* perfektionist

perfect participle [,pɜːfekt'pɑːtɪsɪpl] *s* gram., se *past participle*

perfect pitch [,pɜːfekt'pɪtʃ] *s* absolut gehör

perfect tense [,pɜːfekt'tens] *s* gram., **the ~** perfekt

perfidious [pə'fɪdɪəs] *adj* trolös, svekfull, förrädisk [*to* mot]; gemen, perfid

perfidy ['pɜːfɪdɪ] *s* trolöshet, svek[fullhet], förräderi; gemenhet, perfiditet

perforate ['pɜːfəreɪt] *vb tr* perforera; borra (sticka) igenom

perforated ['pɜːfəreɪtɪd] *adj* perforerad; genomborrad; **~ ulcer** med. brustet magsår

perforation [,pɜːfə'reɪʃ(ə)n] *s* perforering; genomborrande; tandning, tand på frimärke; hål, öppning; med. el. tekn. perforation

perforce [pə'fɔːs] *adv* nödvändigt[vis], ovillkorligen, nödtvunget, av tvång

perform [pə'fɔːm] (se äv. *performing*) **I** *vb tr* **1** utföra [~ *a task*]; verkställa [~ *a command*]; uträtta [~ *an errand*]; förrätta [~ *a marriage ceremony* (en vigsel)]; fullgöra [~ *a contract*; ~ *a duty*] **2** framföra, spela, utföra [~ *a piece of music*]; uppföra, ge [~ *a play*]; **~ tricks** om djur göra konster
II *vb itr* **1** uppträda [~ *in the role of Hamlet*]; spela; sjunga; om djur göra konster **2** fungera, arbeta [effektivt]; tjänstgöra

performance [pə'fɔːməns] *s* **1** utförande, verkställande etc., jfr *perform* **2** föreställning [*give a ~*; *a theatrical ~*]; konsert, uppförande av pjäs o.d.; uppträdande; föredrag, framställning, spel; **first ~** urpremiär; premiär; **first night ~** premiär

3 prestation; verk **4** prestanda, prestationsförmåga

performance anxiety [pə'fɔ:mənsæŋ,zaɪətɪ] *s* psykol. prestationsångest

performance appraisal [pə'fɔ:mənsə,preɪz(ə)l] *s* medarbetarsamtal, utvecklingssamtal, personalsamtal

performance-related [pə'fɔ:mənsrɪ,leɪtɪd] *adj* prestationsbaserad; ~ *pay* prestationslön

performance review [pə'fɔ:mənsrɪ,vju:] *s* se *performance appraisal*

performer [pə'fɔ:mə] *s* uppträdande om person el. djur; spelande; spelare; artist, aktör, skådespelare

performing [pə'fɔ:mɪŋ] **I** *s* utförande etc., jfr *perform* **II** *adj* dresserad [*a ~ elephant*]; utövande [*a ~ artist*]; ~ **rights** uppföranderätt

performing arts [pə,fɔ:mɪŋ'ɑ:ts] *s pl*, **the** ~ konstarter som balett o. teater vilka utövas inför publik

perfume [subst. 'pɜ:fju:m, verb vanl. pə'fju:m] **I** *s* **1** doft, vällukt **2** parfym **II** *vb tr* parfymera, fylla med vällukt

perfumed ['pɜ:fju:md, pə'-] *adj* parfymerad

perfumer [pə'fju:mə] *s* parfymhandlare, parfymtillverkare

perfumery [pə'fju:mərɪ] *s* **1** parfymeri; parfymaffär **2** parfymer

perfunctory [pə'fʌŋ(k)t(ə)rɪ] *adj* slentrianmässig, rutinmässig, mekanisk; oengagerad

pergola ['pɜ:gələ] *s* pergola

perhaps [pə'hæps, præps] *adv* kanske, kanhända; möjligen; ~ *so* kanske det; *if*, ~, *you* [*should see him*] om du händelsevis...

peril ['per(ə)l, 'perɪl] *s* högtidl. fara, våda, farlighet; risk; *at the ~ of one's life* med fara för livet

perilous ['perələs] *adj* farlig, vådlig, riskabel, farofylld

perimeter [pə'rɪmɪtə] *s* omkrets, matem. äv. perimeter

perinatal [,perɪ'neɪt(ə)l] *s* med. perinatal; ~ *mortality rate* perinatal mortalitet (dödlighet)

period ['pɪərɪəd] *s* **1** period; tidsperiod, skede, tid[rymd], tidevarv; *the Elizabethan ~* den elisabetanska tiden (perioden); ~ *of rest* viloperiod; *at no ~* [*has there been so much prosperity*] aldrig [någon gång]...; *over a ~ of years* under en följd av år, i åratal **2** lektion; *free ~* håltimme; *20 ~s a week* äv. 20 veckotimmar **3 a**) amer. punkt spec. tecknet; slut **b**) paus; ~*!* punkt och slut!, och därmed basta! **4** menstruation, mens [äv. pl. ~*s*]

period furniture ['pɪərɪəd,fɜ:nɪtʃə] (utan pl.) *s* stilmöbler

periodic [,pɪərɪ'ɒdɪk] *adj* periodisk; periodiskt återkommande

periodical [,pɪərɪ'ɒdɪk(ə)l] *s* periodisk skrift, tidskrift; ~ *room* tidskriftsrum

period pain ['pɪərɪədpeɪn] *s* mensvärk

period piece ['pɪərɪədpi:s] *s* tidstypiskt verk (konstverk, musikstycke etc.)

peripatetic [,perɪpə'tetɪk] *adj* ambulerande

peripheral [pə'rɪfər(ə)l] **I** *adj* perifer[isk], yttre; ~ *equipment* data. kringutrustning **II** *s* data. kringutrustning

periphery [pə'rɪfərɪ] *s* periferi, omkrets

periphras|is [pə'rɪfrəs|ɪs] (pl. *-es* [-i:z]) *s* språkv.

omskrivning; *the 'do'-periphrasis* omskrivning[en] med *do*

periscope ['perɪskəʊp] *s* periskop

perish ['perɪʃ] (se äv. *perishing*) **I** *vb itr* **1** omkomma, förgås [~ *with* (av) *hunger*]; dö, gå under; ~ *the thought!* det skulle aldrig falla mig in!; *be ~ing with cold* hålla på att frysa ihjäl **2** gå förlorad; förstöras, fördärvas; avtyna, vissna bort **II** *vb tr* förstöra, fördärva

perishable ['perɪʃəbl] *adj* **1** förgänglig **2** lättförstörbar, ömtålig [~ *goods*]

perishables ['perɪʃəblz] *s pl* hand. färskvaror, lättförstörbara varor

perished ['perɪʃt] *adj*, *be ~ with cold* vara halvt ihjälfrusen

perisher ['perɪʃə] *s* sl. jäkel [*that ~!*]

perishing ['perɪʃɪŋ] **I** *adj* förfärlig, förödande; förbaskad **II** *adv* förfärligt, förbaskat

peritonitis [,perɪtə(ʊ)'naɪtɪs] *s* med. bukhinneinflammation, peritonit

1 periwinkle ['perɪ,wɪŋkl] *s* bot. vintergröna

2 periwinkle ['perɪ,wɪŋkl] *s* ätbar strandsnäcka

perjure ['pɜ:dʒə] *vb tr*, ~ *oneself* begå mened, svära falskt; vittna falskt

perjury ['pɜ:dʒ(ə)rɪ] *s* mened; *commit ~* begå mened

1 perk [pɜ:k] *s* (vard. kortform av *perquisite*, vanl. pl. ~*s* löneförmåner, fringisar; dricks

2 perk [pɜ:k] *vb itr*, ~ *up* a) piggna till, repa sig b) stiga, gå upp

3 perk [pɜ:k] *vb itr* o. *vb tr* vard., se *percolate*

perky ['pɜ:kɪ] *adj* **1** käck, ärtig [*a ~ hat*]; pigg **2** morsk, kavat; framfusig, näsvis

1 perm [pɜ:m] **I** *s* (kortform av *permanent wave*) **1** permanent; *have a ~* [låta] permanenta sig **2** permanentat hår **II** *vb tr* permanenta; ~ *one's hair* [låta] permanenta sig

2 perm [pɜ:m] *s* (kortform av *permutation*) vard. system vid tippning, systemtips

permafrost ['pɜ:məfrɒst] *s* permafrost, ständig tjäle

permanence ['pɜ:mənəns] *s* beständighet; varaktighet, oföränderlighet; permanens

permanent ['pɜ:mənənt] *adj* permanent, bestående [*of ~ value*]; ständig; varaktig, stadigvarande, ordinarie, fast [~ *address*]; *a ~ fixture* a) stamgäst; [gammalt] inventarium b) stamställe; ~ *job* fast anställning (arbete)

permanently ['pɜ:mənəntlɪ] *adv* permanent, varaktigt, beständigt, för framtiden; ständigt

permanent-press [,pɜ:mənənt'pres] *adj* amer. strykfri

permanent wave [,pɜ:mənənt'weɪv] *s* permanentning

permanent way [,pɜ:mənənt'weɪ] *s* järnv. bana

permanganate [pɜ:'mæŋgənət] *s* kem. permanganat

permeability [,pɜ:mɪə'bɪlətɪ] *s* genomtränglighet, permeabilitet

permeable ['pɜ:mɪəbl] *adj* genomtränglig, permeabel [*to*, *by* för]

permeate ['pɜ:mɪeɪt] **I** *vb tr* tränga igenom (in i, ner i); sprida (breda ut) sig i, bildl. äv. genomsyra **II** *vb itr* tränga igenom (in); sprida (breda ut) sig

permissible [pə'mɪsəbl] *adj* tillåtlig, tolererbar; *it is ~* äv. det är tillåtet

permission [pəˈmɪʃ(ə)n] *s* tillåtelse, tillstånd, lov; **by ~ of...** med tillstånd av...; **with your ~** äv. med förlov [sagt]; **~ to speak [, Mr Chairman]** jag begär ordet...

permissive [pəˈmɪsɪv] *adj* tolerant; släpphänt; frigjord; **the ~ society** det kravlösa samhället

permissiveness [pəˈmɪsɪvnəs] *s* tolerans; släpphänthet, låt gå-attityd; frigjordhet

permit [verb pəˈmɪt, subst. ˈpɜːmɪt] **I** *vb tr* tillåta, medge; **weather ~ting** om vädret tillåter; **be ~ted to** ha [fått] tillåtelse (tillstånd, lov) att
II *vb itr* tillåta
III *s* tillstånd; licens; passersedel; **fishing ~** fiskekort; **work ~** arbetstillstånd

permutation [ˌpɜːmjʊˈteɪʃ(ə)n] *s* **1** matem. permutation **2** systemtips

pernicious [pəˈnɪʃəs] *adj* [ytterst] skadlig [*to* för]; livsfarlig, elakartad [*~ disease*]

pernickety [pəˈnɪkətɪ] *adj* vard. [pet]noga, petig, pedantisk; fjäskig

peroration [ˌperəˈreɪʃ(ə)n] *s* **1** [sammanfattande] avslutning av ett tal **2** längre anförande, tal

peroxide [pəˈrɒksaɪd] **I** *s* kem. peroxid; **hydrogen ~** el. **~** väteperoxid, vätesuperoxid
II *adj* **1** peroxid- **2** blekt, blonderad

peroxide blonde [pəˌrɒksaɪdˈblɒnd] *s* platinablond kvinna

perpendicular [ˌpɜːp(ə)nˈdɪkjʊlə] **I** *adj* lodrät, vertikal; geom. vinkelrät; skämts., om person upprätt [*be* (stå) *~*]; stående rätt upp och ner, på stående fot
II *s* **1** geom. normal, perpendikel **2** lodrätt plan (läge); **a little out of the ~** inte riktigt lodrät

perpetrate [ˈpɜːpətreɪt] *vb tr* föröva, begå

perpetration [ˌpɜːpəˈtreɪʃ(ə)n] *s* förövande, begående

perpetrator [ˈpɜːpətreɪtə] *s* förövare, gärningsman

perpetual [pəˈpetʃʊəl, -tjʊəl] *adj* ständig, oavbruten [*~ chatter*]; evig [*~ nagging*]; **~ damnation**]; **~ calendar** evighetskalender

perpetuate [pəˈpetʃʊeɪt, -ˈpetjʊ-] *vb tr* föreviga; bevara för all framtid, vidmakthålla, låta bestå

perpetuity [ˌpɜːpəˈtjuːətɪ] *s* beständighet; evighet; **in ~** för evärdlig tid, för all framtid

perplex [pəˈpleks] *vb tr* förvirra, förbrylla

perplexed [pəˈplekst] *adj* **1** förvirrad, förbryllad, perplex, rådlös; desorienterad **2** invecklad, trasslig

perplexing [pəˈpleksɪŋ] *adj* invecklad, trasslig

perplexity [pəˈpleksətɪ] *s* **1** förvirring, rådlöshet, bryderi **2** trasslighet

perquisite [ˈpɜːkwɪzɪt] *s* extra förmån, naturaförmån, löneförmån

Perrier® [ˈperɪˌeɪ] *s* Perrier® mineralvatten

perry [ˈperɪ] *s* päronvin

per se [pɜːˈseɪ, -ˈsiː] *adv* per se, i och för sig, av sig själv

persecute [ˈpɜːsɪkjuːt] *vb tr* **1** förfölja [*the Christians were ~d*] **2** ansätta, plåga [*~ sb with questions*]

persecution [ˌpɜːsɪˈkjuːʃ(ə)n] *s* förföljelse

persecution complex [ˌpɜːsɪˈkjuːʃ(ə)nˌkɒmpleks] *s* förföljelsemani

persecutor [ˈpɜːsɪkjuːtə] *s* förföljare

perseverance [ˌpɜːsɪˈvɪər(ə)ns] *s* ihärdighet, uthållighet, ståndaktighet

persevere [ˌpɜːsɪˈvɪə] *vb itr* framhärda, hålla ut [*with, at, in* i, med], hålla fast [*in* vid]

persevering [ˌpɜːsɪˈvɪərɪŋ] *adj* ihärdig, uthållig

Persia [ˈpɜːʃə] geogr. el. hist. Persien

Persian [ˈpɜːʃ(ə)n] **I** *adj* persisk [*~ carpet* el. *~ rug*]
II *s* **1** perser; persiska kvinna **2** persiska [språket] **3** perserkatt

Persian blinds [ˌpɜːʃ(ə)nˈblaɪndz] *s pl* utvändiga persienner, spjälluckor

Persian cat [ˌpɜːʃ(ə)nˈkæt] *s* perserkatt

Persian Gulf [ˌpɜːʃ(ə)nˈgʌlf] *s* geogr., **the ~** Persiska viken

Persian lamb [ˌpɜːʃ(ə)nˈlæm] *s* persian skinn

persimmon [pɜːˈsɪmən] *s* bot. **1** persimon[frukt], kaki **2** persimonträd

persist [pəˈsɪst] *vb itr* **1** **~ in** framhärda i, hålla fast vid [*~ in one's opinion*] **2** envisas **3** fortsätta, hålla 'på, bestå, leva kvar; härda ut

persistence [pəˈsɪst(ə)ns] *s* **1** framhärdande, ståndaktighet; uthållighet, ihärdighet; envishet **2** fortlevande, fortbestånd

persistent [pəˈsɪst(ə)nt] *adj* ihärdig, uthållig; ståndaktig, envis, orubblig; efterhängsen; **~ vegetative state** permanent vegetativt tillstånd

person [ˈpɜːsn] *s* **1** person äv. gram. [*the first (second, third) ~*]; människa ofta neds. [*who is this ~?*]; **a ~** äv. någon; **in ~** personligen, själv; **in one's own ~** i egen hög person; **in the ~ of** personifierad (åskådliggjord) igenom; **without respect of ~s** utan anseende till person; **he had no money on his ~** han hade inga pengar på sig **2** litt. yttre; **she was always neat about her ~** hon var alltid noga med sitt yttre

persona [pɜːˈsəʊnə] *s* psykol. persona; friare image, profil

personable [ˈpɜːs(ə)nəbl] *adj* attraktiv, charmig

personage [ˈpɜːs(ə)nɪdʒ] *s* **1** [betydande] personlighet; person äv. skämts. **2** person, figur, gestalt i drama, roman o.d., karaktär, roll

personal [ˈpɜːsnl] **I** *adj* **1** personlig, privat; egen; **make a ~ call** a) göra ett personligt besök b) ringa ett personligt samtal; **from ~ experience** av egen erfarenhet; **~ life** privatliv; **a ~ matter** en privatsak **2** person- [*~ name*]; personlig [*~ pronoun*] **3** **be** (**become**) **~** gå (komma) in på personligheter **4** yttre, kroppslig; **~ hygiene** personlig hygien
II *s* **1** personnytt **2** ung. personligt som annonsrubrik

personal allowance [ˌpɜːsənəˈlaʊəns] *s* ung. grundavdrag

personal assistant [ˌpɜːsənlˈsɪstənt] (förk. *PA*) *s* privatsekreterare

personal best [ˌpɜːsənlˈbest] (förk. *PB*) *s* sport. personbästa

personal column [ˈpɜːsənlˌkɒləm] *s* i tidning personligt

personal computer [ˌpɜːsənlkəmˈpjuːtə] (förk. *PC*) *s* persondator, PC

personal identification number [ˌpɜːsənlaɪˌdentɪfɪˈkeɪʃ(ə)nˌnʌmbə] (förk. *PIN*) *s* personlig kod, pinkod

personal information manager [ˌpɜːsənlɪnfəˈmeɪʃ(ə)nˌmænɪdʒə] (förk. *PIM*) *s* data., vanl. [hand]datorbaserad personlig planerings- och bokningskalender

personality [ˌpɜːsəˈnælətɪ] *s* **1** psykol. personlighet,

individualitet; väsen, person; ~ *clash*
personkonflikt; ~ *disorder* personlighetsstörning;
have a dual (*split*) ~ vara en dubbelnatur
2 personlighet, personlig karaktär (utstrålning)
3 känd person[lighet], kändis; ~ *cult* personkult
4 mest pl. *personalities* personligheter [*indulge in* (gå
in på) *personalities*]
personalize ['pɜːsnəlaɪz] *vb tr* **1** personifiera **2** göra
personligt **3** märka [med monogram e.d.] [~*d*
shirts]; förse med namn (adress e.d.) [~*d stationery*]
personally ['pɜːsnəlɪ] *adv* **1** personligen, personligt;
i egen person **2** som människa (person) [*I dislike*
her ~, *but admire her ability*]
personal organizer [ˌpɜːsənlˈɔːgənaɪzə] *s*
planeringskalender
personal record [ˌpɜːsənlˈrekɔːd] *s* sport.
personbästa
personal stereo [ˌpɜːsənlˈsterɪəʊ] (pl. ~*s*) *s* freestyle
bärbar kassettspelare, bärbar cd-spelare
persona non grata [pɜːˌsəʊnənɒnˈgrɑːtə] (pl.
personae non gratae [pɜːˌsəʊniːnɒnˈgrɑːtiː]) *s* lat.
persona non grata
personhood ['pɜːsnhʊd] *s* **1** det att vara människa
2 identitet, personlighet
personification [pɜːˌsɒnɪfɪˈkeɪʃ(ə)n] *s*
personifikation; förkroppsligande
personify [pɜːˈsɒnɪfaɪ] *vb tr* personifiera;
förkroppsliga
personnel [ˌpɜːsəˈnel] *s* **1** personal
2 personalavdelningen
personnel carrier [ˌpɜːsəˈnelˌkærɪə] *s* mil.
trupptransportfordon
personnel manager [ˌpɜːsəˈnelˌmænɪdʒə] *s* o.
personnel officer [ˌpɜːsəˈnelˌɒfɪsə] *s* personalchef
person-to-person [ˌpɜːsntəˈpɜːsn] *adj* personlig,
direkt [~ *contact*]; ~ *call* personligt telefonsamtal
perspective [pəˈspektɪv] *s* **1** perspektiv äv. bildl., syn;
utsikt; *in* ~ i [rätt] perspektiv; perspektiviskt; *get*
(*keep*) *sth in* ~ få perspektiv på ngt; *put sth into* ~ ge
perspektiv på ngt; *out of* ~ i felaktigt perspektiv
2 a) perspektivritning **b**) perspektivlära [äv. *theory*
of ~]
Perspex® ['pɜːspeks] *s* plexiglas
perspicacious [ˌpɜːspɪˈkeɪʃəs] *adj* klarsynt;
skarpsinnig
perspicacity [ˌpɜːspɪˈkæsətɪ] *s* klarsynthet;
skarpsinne
perspicuity [ˌpɜːspɪˈkjuːətɪ] *s* klarhet, tydlighet,
åskådlighet
perspicuous [pəˈspɪkjʊəs] *adj* klar, tydlig, åskådlig
perspiration [ˌpɜːspəˈreɪʃ(ə)n] *s* **1** svettning,
transpiration, utdunstning **2** svett
perspire [pəˈspaɪə] *vb itr* svettas, transpirera
persuade [pəˈsweɪd] *vb tr* **1** övertyga [*that* om att;
of sth om ngt]; intala **2** övertala, förmå
persuasion [pəˈsweɪʒ(ə)n] *s* **1** övertalning;
övertygande **2** övertalningsförmåga [äv. *powers of*
~ el. *gift of* ~] **3** övertygelse äv. religiös
persuasive [pəˈsweɪsɪv] *adj* övertalande;
övertygande; bevekande
pert [pɜːt] *adj* **1** näsvis, näbbig, fräck **2** nätt
pertain [pɜːˈteɪn, pəˈt-] *vb itr*, ~ *to* a) tillhöra
 b) hänföra sig till; gälla
Perth [pɜːθ] geogr.

pertinacious [ˌpɜːtɪˈneɪʃəs] *adj* envis äv. om sjukdom,
ihållande; ståndaktig, orubblig
pertinacity [ˌpɜːtɪˈnæsətɪ] *s* envishet; ståndaktighet
pertinence ['pɜːtɪnəns] *s* relevans, samband [med
saken]; tillämplighet
pertinent ['pɜːtɪnənt] *adj* relevant [*to* för], som hör
till saken; tillämplig; träffande
perturb [pəˈtɜːb] *vb tr* oroa, förvirra, störa
perturbed [pəˈtɜːbd] *adj* störd, oroad, förvirrad
Peru [pəˈruː] geogr.
perusal [pəˈruːz(ə)l] *s* [genom]läsning
peruse [pəˈruːz] *vb tr* läsa igenom [noggrant], läsa
Peruvian [pəˈruːvɪən] **I** *adj* peruansk, Peru- **II** *s*
peruan; peruanska kvinna
Peruvian bark [pəˌruːvɪənˈbɑːk] *s* farmakol. kinabark
pervade [pəˈveɪd, pɜːˈv-] *vb tr* gå (tränga) igenom;
genomsyra; prägla
pervasive [pəˈveɪsɪv, pɜːˈv-] *adj* genomträngande [~
smell]; genomgripande
perverse [pəˈvɜːs] *adj* **1** motsträvig, vresig;
egensinnig; halsstarrig **2** pervers, avvikande,
förvänd
perversion [pəˈvɜːʃ(ə)n] *s* **1** perversitet; sexuell
perversion **2** förvrängning [*a* ~ *of facts*];
förvanskning **3** onaturlighet, abnorm förändring
perversity [pəˈvɜːsətɪ] *s* halsstarrighet; vresighet;
egensinne
pervert [verb pəˈvɜːt, subst. 'pɜːvɜːt] **I** *vb tr*
1 förvränga, förvanska [~ *the truth*] **2** fördärva,
förföra, förleda
II *s* pervers [individ]
perverted [pəˈvɜːtɪd] *perf p* o. *adj* **1** förvrängd,
förvanskad **2** pervers; abnorm, onaturlig
pesky ['peskɪ] *adj* vard. förbaskad, odräglig
peso ['peɪsəʊ] (pl. ~*s*) *s* peso myntenhet
pessary ['pesərɪ] *s* **1** pessar **2** farmakol. vagitorium
pessimism ['pesɪmɪz(ə)m] *s* pessimism
pessimist ['pesɪmɪst] *s* pessimist
pessimistic [ˌpesɪˈmɪstɪk] *adj* pessimistisk [*about*
beträffande, när det (vad) gäller]
pest [pest] *s* **1** skadedjur, skadeinsekt; skadeväxt
2 vard. pest, plåga, otyg, odjur äv. om person
pester ['pestə] *vb tr* **1** plåga, besvära, ansätta,
trakassera **2** vard. tjata på
pesticide ['pestɪsaɪd] *s* pesticid, bekämpningsmedel
mot skadeinsekter
pestilence ['pestɪləns] *s* pest, farsot, bildl. äv.
pestsmitta
pestilent ['pestɪlənt] *adj* **1** irriterande, odräglig,
besvärlig **2** dödsbringande; förpestad **3** fördärvlig
4 pestartad
pestle ['pesl, -stl] *s* mortelstöt
pet [pet] **I** *s* **1** sällskapsdjur **2** kelgris, gullgosse;
älskling, favorit; *you're a perfect* ~ du är en ängel
(raring)
II *adj* älsklings-, favorit- [~ *pupil*; ~ *phrase*];
sällskaps- [~ *dog*]; *my* ~ *aversion* det värsta jag vet,
min fasa; ~ *hate* el. amer. ~ *peeve* hatobjekt
III *vb tr* **1** kela med, smeka; hångla med **2** skämma
bort
IV *vb itr* pussas, kela; hångla
petal ['petl] *s* bot. kronblad, blomblad
petard [peˈtɑːd, pɪˈt-] *s* se *hoist I*

Pete [pi:t] (kortform av *Peter*); *for the love of ~!* el. *for ~'s sake!* för Guds skull!

Peter ['pi:tə] **1** mansnamn **2** bibl. Petrus; *St* ~ Sankte Per; *St* (*Saint*) ~ [*the Apostle*] aposteln Petrus **3** *rob ~ to pay Paul* ordspr. ta från en för att ge åt en annan, låna av en för att betala en annan

peter ['pi:tə] *vb itr* vard., *~ out* ebba ut, sina, ta slut

Peter Pan [‚pi:tə'pæn] *s* **1 a)** Peter Pan sagofigur **b)** bildl. pojke som aldrig blir vuxen **2** ~ *collar* slags krage

petit bourgeois [‚petɪ'buəʒwɑ:] (pl. *petits bourgeois* [‚petɪ'buəʒwɑ:z]) *s* småborgare

petite [pə'ti:t] *adj* liten och nätt om kvinna

petit four [petɪ'fuə, -'fɔ:] (pl. *petit four* el. *petits fours* [petɪ'fuəz el. -'fɔ:z]) *s* petit four, tebröd

petition [pə'tɪʃ(ə)n] **I** *s* **1** begäran, anhållan, bön **2** petition; ansökan; jur. [skriftlig] framställning, skrivelse till domstol, inlaga, hemställan; *file a ~* inkomma med (inlämna) en ansökan [*for* om]; *address* (*present*) *a ~ for* ingå med en petition om **II** *vb tr* **1** begära, anhålla om [*~ assistance*] **2** göra framställning (hemställa) hos, inlämna en petition till

petitioner [pə'tɪʃ(ə)nə] *s* **1** supplikant; petitionär **2** kärande i skilsmässoprocess

pet name ['petneɪm, ‚-'-] *s* smeknamn

petrel ['petr(ə)l] *s* zool. stormfågel; *storm ~* se *storm petrel*

Petri dish ['petrɪdɪʃ] *s* petriskål för bakterieodling

petrifaction [‚petrɪ'fækʃ(ə)n] *s* förstening äv. konkr.

petrified ['petrɪfaɪd] *adj* **1** vettskrämd; *~ with terror* förstenad (lamslagen) av skräck **2** förstenad, petrifierad

petrify ['petrɪfaɪ] *vb tr* förvandla till sten; förstena, petrifiera både äv. bildl.

petrochemical [‚petrə(u)'kemɪkl] *adj* petrokemisk

petrodollar ['petrə(u)‚dɒlə] *s* ekon. petrodollar

petrol ['petr(ə)l, -ɒl] *s* bensin

petrol bomb ['petr(ə)lbɒm] *s* bensinbomb

petrol can ['petr(ə)lkæn] *s* bensindunk

petroleum [pə'trəuliəm] *s* petroleum, bergolja

petroleum jelly [pə‚trəuliəm'dʒelɪ] *s* vaselin

petrology [pə'trɒlədʒɪ] *s* petrologi

petrol pump ['petr(ə)lpʌmp] *s* bensinpump

petrol station ['petr(ə)l‚steɪʃ(ə)n] *s* bensinstation, bensinmack

petrol tank ['petr(ə)ltæŋk] *s* bensintank

pet shop ['petʃɒp] *s* zoologisk affär, djuraffär

petticoat ['petɪkəut] *s* underkjol; pl. *~s* fruntimmer, kjoltyg

pettifogging ['petɪfɒgɪŋ] *adj* åld. **1** lagvrängande, lagvrängar- **2** småaktig [*~ critic*]; trivial

pettiness ['petɪnəs] *s* **1** småaktighet; futtighet, trivialitet **2** bagatell

petting ['petɪŋ] *s* vard. petting, hångel

petting zoo ['petɪŋzu:] *s* amer. djurpark för barn, minizoo

petty ['petɪ] *adj* **1** liten, obetydlig, ringa; trivial, futtig; strunt-; *~ crime* mindre förseelse; *~ crimes* äv. småbrottslighet **2** småsint, småskuren **3** lägre, i liten skala; små- [*~ kings*; *~ states*]

petty bourgeois [‚petɪ'buəʒwɑ:] *s* småborgare

petty cash [‚petɪ'kæʃ] *s* **1** handkassa **2** småposter

petty-minded [‚petɪ'maɪndɪd] *adj* småsint, småskuren

petty officer [‚petɪ'ɒfɪsə] (förk. *PO*) *s* sjö. sergeant; yngre överfurir

petulance ['petjuləns] *s* retlighet; grinighet

petulant ['petjulənt] *adj* retlig; grinig

petunia [pə'tju:nɪə] *s* bot. petunia

Peugeot ['pɜ:ʒəu, 'pju:-]

pew [pju:] *s* [fast] kyrkbänk; vard. sittplats, stol; *take a ~!* slå dig ner!

pewter ['pju:tə] *s* **1** tenn[legering]; attr. tenn- [*~ ware*] **2** tennkärl, tennsaker

PG [‚pi:'dʒi:] film. (förk. för *parental guidance*) tillåten för barn endast i vuxens sällskap

PG-13 [‚pi:‚dʒi:‚θɜ:'ti:n] amer. film. (förk. för *parental guidance under 13*) tillåten för barn under 13 endast i vuxens sällskap

PGP [‚pi:dʒi'pi:] data. (förk. för *pretty good privacy*) PGP metod för kryptering av t.ex. e-post

p & h [‚pi:ən'eɪtʃ] amer. förk. för *postage and handling*

pH [‚pi:'eɪtʃ] *s* kem. pH; *~ value* el. *index of* ~ pH-värde

phagocyte ['fægə(u)saɪt] *s* fysiol. fagocyt, ätcell

phalanx ['fælæŋks] *s* falang; [kompakt] massa, grupp

phallic ['fælɪk] *adj* fallos-

phallus ['fæləs] *s* fallos

phantasmagoria [‚fæntæzmə'gɔ:rɪə] *s* fantasmagori, bländverk, gyckelspel

phantasy ['fæntəzɪ] *s* se *fantasy*

phantom ['fæntəm] *s* **1** fantasifoster, inbillningsfoster; vision **2** spöke; vålnad

phantom pain [‚fæntəm'peɪn] *s* med. fantomsmärta

phantom pregnancy [‚fæntəm'pregnənsɪ] *s* med. skengraviditet

Pharaoh ['feərəu] *s* farao

Pharisee ['færɪsi:] *s* farisé

pharmaceutical [‚fɑ:mə'su:tɪk(ə)l, -'sju:-] *adj* farmaceutisk, attr. äv. apotekar- [*the Pharmaceutical Society*]; *~ chemist* [examinerad] apotekare, farmaceut; *the ~ industry* läkemedelsindustrin

pharmaceuticals [‚fɑ:mə'su:tɪk(ə)lz, -sju:-] *s pl* läkemedel

pharmacist ['fɑ:məsɪst] *s* apotekare, farmaceut

pharmacologist [‚fɑ:mə'kɒlədʒɪst] *s* farmakolog

pharmacology [‚fɑ:mə'kɒlədʒɪ] *s* farmakologi

pharmacopoeia [‚fɑ:məkə'pi:ə] *s* farmakopé; *British Pharmacopoeia* (förk. *BP*) britt. motsv. till Fass

pharmacy ['fɑ:məsɪ] *s* **1** apotek **2** farmaci

pharyngitis [‚færɪn'dʒaɪtɪs] *s* med. faryngit, svalginflammation, svalgkatarr

pharynx ['færɪŋks] (pl. *pharynges* [fæ'rɪndʒi:z] el. *~es*) *s* anat. svalg

phase [feɪz] **I** *s* fas äv. fys., tekn. el. astron. [*the ~s of the moon*]; skede [*the early ~s of the revolution*]; stadium; *in ~* äv. synkroniserad; *out of ~* äv. ej synkroniserad **II** *vb tr* **1** synkronisera; *~ out* gradvis (etappvis) avveckla (reducera), ta bort **2** planera

phased [feɪzd] *adj* [som sker] i faser (stadier, etapper); gradvis [*a ~ withdrawal*]; stegvis; elektr. synkroniserad, fasad

phase-out ['feɪzaut] *s* nedskärning (avveckling, reduktion) i etapper

PhD [ˌpiːeɪtʃ'diː] förk. för *Doctor of Philosophy*
pheasant ['feznt] *s* fasan; *hen* ~ fasanhöna
phenol ['fiːnɒl] *s* kem. fenol
phenomena [fə'nɒmɪnə] *s* pl. av *phenomenon*
phenomenal [fə'nɒmɪnl] *adj* fenomenal, enastående
phenomen|on [fə'nɒmɪn|ən] (pl. *-a* [-ə]) *s* fenomen; företeelse; *infant* ~ underbarn
phew [fjuː] *interj* uttr. otålighet, utmattning, besvikelse el. lättnad, ~*!* puh!; usch!, äsch!, äh!
phial ['faɪ(ə)l] *s* liten [medicin]flaska
Phi Beta Kappa [ˌfaɪbeɪtə'kæpə, -biː'tə-] akademikersällskap i USA vars medlemmar är framstående akademiker
Philadelphia [ˌfɪlə'delfɪə] geogr.
philander [fɪ'lændə] *vb itr* åld. flörta
philanderer [fɪ'lændərə] *s* åld. flört person, kurtisör
philanthropic [ˌfɪlən'θrɒpɪk] *adj* filantropisk, människovänlig
philanthropist [fɪ'lænθrəpɪst] *s* filantrop, människovän
philanthropy [fɪ'lænθrəpɪ] *s* filantropi, filantropisk verksamhet
philatelist [fɪ'lætəlɪst] *s* filatelist, frimärkssamlare; attr. filatelist-
philately [fɪ'lætəlɪ] *s* filateli
philharmonic [ˌfɪlɑː'mɒnɪk, -lhɑː'm-, ˌfɪlə'mɒnɪk] **I** *adj* filharmonisk; ~ *concert* vanl. symfonikonsert **II** *s* filharmoniker pl., filharmoniskt sällskap, orkesterförening
Philip ['fɪlɪp] **1** mansnamn **2** som kunganamn Filip
Philippian [fɪ'lɪpɪən] *s* invånare i Filippi, filipper; ~*s* el. *the Epistle to the* ~*s* (med verb i sg.) bibl. Filipperbrevet
Philippine ['fɪlɪpiːn] *adj* geogr., *the* ~ *Islands* Filippinerna
Philippines ['fɪlɪpiːnz] *s pl* geogr., *the* ~ Filippinerna
Philistine ['fɪlɪstaɪn] bibl. **I** *s* filisté **II** *adj* filisteisk
philistine ['fɪlɪstaɪn] **I** *s* bracka, kälkborgare **II** *adj* brackig, kälkborgerlig
Phillips screwdriver® [ˌfɪlɪps'skruːˌdraɪvə] *s* stjärnskruvmejsel
philological [ˌfɪlə'lɒdʒɪk(ə)l] *adj* filologisk, språkvetenskaplig
philology [fɪ'lɒlədʒɪ] *s* filologi, språkvetenskap
philosopher [fɪ'lɒsəfə] *s* filosof
philosophical [ˌfɪlə'sɒfɪk(ə)l] *adj* o. **philosophic** [ˌfɪlə'sɒfɪk] *adj* filosofisk; lugn; vis
philosophize [fɪ'lɒsəfaɪz] *vb itr* filosofera
philosophy [fɪ'lɒsəfɪ] *s* **1** filosofi **2** [livs]filosofi, livssyn, livsåskådning [*men of widely different philosophies*]
phishing ['fɪʃɪŋ] *s* data. nätfiske
phlebitis [flɪ'baɪtɪs, fle'b-] *s* med. flebit, åderinflammation
phlegm [flem] *s* **1** slem **2** flegma, tröghet
phlegmatic [fleg'mætɪk] *adj* flegmatisk, trög
phlox [flɒks] *s* bot. flox
phobia ['fəʊbɪə] *s* fobi, skräck
phobic ['fəʊbɪk] psykol. **I** *adj* fobisk **II** *s* fobiker
Phoenix ['fiːnɪks] geogr.
phoenix ['fiːnɪks] *s* mytol. fågel Fenix
phone [fəʊn] (för ex. se *telephone*) vard. **I** *s* **1** telefon; *be on the* ~ prata i telefon **2** telefonlur; *put the* ~ *down on sb* lägga på luren i örat på ngn

II *vb tr* o. *vb itr* ringa [till], telefonera [till]; ringa upp
III *vb tr* o. *vb itr* med adv.:
phone in a) ringa till arbetet; ~ *in sick* ringa och sjukanmäla sig **b)** ringa in till ett telefonväktarprogram
phone up ringa [till], telefonera [till]; ringa upp
phone book ['fəʊnbʊk] *s* telefonkatalog
phone booth ['fəʊnbuːð] *s* o. **phone box** ['fəʊnbɒks] *s* telefonkiosk, telefonhytt
phone call ['fəʊnkɔːl] *s* telefonsamtal; *make a* ~ ringa ett samtal
phone card ['fəʊnkɑːd] *s* telefonkort
phone-in ['fəʊnɪn] *s* radio. el. TV. telefonväktarprogram
phoneme ['fəʊniːm] *s* språkv. fonem
phone-tapping ['fəʊnˌtæpɪŋ] *s* telefonavlyssning
phonetic [fə(ʊ)'netɪk] *adj* fonetisk; ljud-; ljudenlig; ~ *transcription* fonetisk skrift (transkription), ljudskrift
phonetician [ˌfəʊnə'tɪʃ(ə)n, ˌfɒn-] *s* fonetiker
phonetics [fə(ʊ)'netɪks] (med verb i sg.) *s* fonetik, ljudlära
phoney ['fəʊnɪ] sl. **I** *adj* falsk, bluff-, humbug-; dum; misstänkt, skum; *he is* ~ han är en bluff (humbug) **II** *s* bluff, humbug; bluffmakare
phoney war [ˌfəʊnɪ'wɔː] *s*, *the* ~ låtsaskriget, skenkriget
phonology [fə(ʊ)'nɒlədʒɪ] *s* språkv. fonologi
phony ['fəʊnɪ] *adj* o. *s* sl., se *phoney*
phooey ['fuː] *interj* vard. fy!, usch!, dumheter!
phosphate ['fɒsfeɪt] *s* kem. fosfat
phosphorescence [ˌfɒsfə'resns] *s* fosforescens
phosphorescent [ˌfɒsfə'resnt] *adj* fosforescerande, självlysande
phosphorus ['fɒsf(ə)rəs] *s* kem. fosfor; ~ *chloride* fosforklorid
photo ['fəʊtəʊ] vard. **I** (pl. ~*s*) *s* foto, kort, bild **II** *vb tr* o. *vb itr* fota, fotografera, ta kort [av]
photo booth ['fəʊtəʊbuːð, -buːθ] *s* fotoautomat
photocall ['fəʊtəʊkɔːl] *s* se *photo opportunity*
photocell ['fəʊtə(ʊ)sel] *s* fotocell
photocopier ['fəʊtəʊˌkɒpɪə] *s* kopieringsapparat
photocopy ['fəʊtə(ʊ)ˌkɒpɪ] **I** *s* fotokopia **II** *vb tr* fotokopiera **III** *vb itr* göra fotokopior; ~ *well* (*badly*) synas bra (dåligt) på fotokopian (fotokopiorna)
photoelectric [ˌfəʊtə(ʊ)ɪ'lektrɪk] *adj* fotoelektrisk
photoelectric cell ['fəʊtə(ʊ)ɪˌlektrɪk'sel] *s* fotocell
photoelectric effect ['fəʊtə(ʊ)ɪˌlektrɪkɪ'fekt] *s* fys. fotoeffekt
photo finish [ˌfəʊtə(ʊ)'fɪnɪʃ] *s* sport. fotofinish, [avgörande genom] målfoto
Photofit® ['fəʊtəʊfɪt] *s* fantombild, konstruerad identifieringsbild används i polisarbete
photogenic [ˌfəʊtə(ʊ)'dʒenɪk] *adj* fotogenisk
photograph ['fəʊtəɡrɑːf, -ɡræf] **I** *s* fotografi, foto, kort; *take sb's* ~ fotografera (ta ett foto el. kort av) ngn; *have one's* ~ *taken* [låta] fotografera sig **II** *vb tr* o. *vb itr* fotografera; ~ *well* (*badly*) äv. bli bra (dålig) på kort
photographer [f(ə)'tɒɡrəfə] *s* fotograf
photographic [ˌfəʊtə'ɡræfɪk] *adj* fotografisk [~ *memory*]

photography [f(ə)'tɒgrəfɪ] *s* fotografering, fotografi som konst

photo opportunity ['fəʊtəʊ,ɒpə'tjuːnɪtɪ] *s* fotografering tillfälle då pressfotografer ges möjlighet att fotografera celebriteter

photosensitive [,fəʊtə(ʊ)'sensɪtɪv] *adj* ljuskänslig

photo session ['fəʊtəʊ,seʃən] *s* fotosession (fotografering) av modeller el. celebriteter

photosetting ['fəʊtəʊ,setɪŋ] *s* boktr. fotosättning

photo shoot ['fəʊtəʃuːt] *s* *photo session*

photostat ['fəʊtə(ʊ)stæt] *vb tr* o. *vb itr* [fotostat]kopiera

Photostat® ['fəʊtə(ʊ)stæt] *s* **1** fotostat kopieringsapparat **2** fotostatkopia

photosynthesis [,fəʊtə(ʊ)'sɪnθəsɪs] *s* bot. fotosyntes

phrasal ['freɪz(ə)l] *adj* fras-

phrasal verb [,freɪz(ə)l'vɜːb] *s* frasverb, partikelverb verbförbindelse med adverb eller preposition [t.ex. *sit down*, *turn up*]

phrase [freɪz] **I** *s* fras äv. mus., uttryck, [ord]vändning; uttryckssätt; *set ~* stående uttryck, talesätt **II** *vb tr* **1** uttrycka, ge uttryck åt, formulera; beteckna, benämna **2** mus. frasera

phrase book ['freɪzbʊk] *s* parlör

phraseology [,freɪzɪ'ɒlədʒɪ] *s* **1** fraseologi; uttryck, fraser **2** språkbruk

phrasing ['freɪzɪŋ] *s* **1** formulering **2** mus. frasering

phrenology [frɪ'nɒlədʒɪ, fre'n-] *s* frenologi

phut [fʌt] vard. **I** *adv*, *go* ~ gå sönder, paja; bildl. gå åt skogen, gå i stöpet, spricka **II** *s* paff, puff ljud

physalis [faɪ'seɪlɪs] *s* bot. physalis äv. frukt

physical ['fɪzɪk(ə)l] **I** *adj* **1** fysisk, materiell; konkret; yttre i mots. till själslig; *~ features* fysiska förhållanden, naturförhållanden; *~ violence* fysiskt (yttre) våld **2** fysisk, kroppslig [*~ beauty*; *~ love*]; kropps- [*~ exercise*; *~ strength*; *~ type*] **3** fysikalisk **II** *s* vard. läkarundersökning; hälsokontroll

physical culture [,fɪzɪk(ə)l'kʌltʃə] *s* kroppskultur

physical education [,fɪzɪk(ə)ledjʊ'keɪʃ(ə)n] (förk. *PE*) *s* idrott, gymnastik som skolämne

physical examination ['fɪzɪk(ə)lɪg,zæmɪ'neɪʃ(ə)n] *s* läkarundersökning; hälsokontroll

physical geography [,fɪzɪk(ə)ldʒɪ'ɒgrəfɪ] *s* fysisk geografi

physically challenged [,fɪzɪklɪ't ʃælən(d)ʒd] *adj* vanl. amer., se *challenged*

physical science [,fɪzɪk(ə)l'saɪəns] *s* naturvetenskap som fysik, kemi

physical therapy [,fɪzɪk(ə)l'θerəpɪ] *s* se *physiotherapy*

physical training [,fɪzɪk(ə)l'treɪnɪŋ] (förk. *PT*) *s* idrott, gymnastik

physical training instructor [,fɪzɪk(ə)l'treɪnɪŋɪn,strʌktə] *s* gymnastikdirektör, idrottslärare, gymnastiklärare

physician [fɪ'zɪʃ(ə)n] *s* läkare; medicinare

physicist ['fɪzɪsɪst] *s* fysiker

physics ['fɪzɪks] (med verb i sg.) *s* fysik som vetenskap

physio ['fɪzɪəʊ] vard. kortform av *physiotherapy* o. *physiotherapist*

physiognomy [,fɪzɪ'ɒnəmɪ] *s* fysionomi, ansiktstyp, utseende; ansiktsuttryck, uppsyn

physiological [,fɪzɪə'lɒdʒɪk(ə)l] *adj* fysiologisk

physiologist [,fɪzɪ'ɒlədʒɪst] *s* fysiolog

physiology [,fɪzɪ'ɒlədʒɪ] *s* fysiologi

physiotherapist [,fɪzɪə(ʊ)'θerəpɪst] *s* sjukgymnast

physiotherapy [,fɪzɪə(ʊ)'θerəpɪ] *s* sjukgymnastik, fysioterapi

physique [fɪ'ziːk] *s* fysik [*a man of* (med) *strong ~*]; kroppsbyggnad

pi [paɪ] *s* grekisk bokstav el. matem. pi

pianissimo [,pɪə'nɪsɪməʊ] *adv* o. *s* mus. (it.) pianissimo

pianist ['pɪənɪst] *s* pianist

piano [subst. pɪ'ænəʊ, adv. o. adj. 'pjɑːnəʊ] (pl. ~s) **I** *s* piano; *cottage ~* mindre piano; *grand ~* flygel; *upright ~* större piano; *play the ~* el. ibl. (vard.) *play ~* spela piano **II** *adv* o. *adj* mus. (it.) piano, tyst

piano accordion [pɪ,ænəʊ'kɔːdɪən] *s* pianodragspel

piano duet [,pɪænəʊdjuː'et] *s* fyrhändigt stycke för piano; *play a ~* spela fyrhändigt

pianoforte [pɪ,ænə(ʊ)'fɔːtɪ] *s* piano, pianoforte

piano-tuner [pɪ'ænəʊ,tjuːnə] *s* pianostämmare

piazza [pɪ'ætsə] *s* **1** piazza, torg i Italien **2** arkad, galleri

picaresque [,pɪkə'resk] *adj* litt. pikaresk-, skälm-; *~ novel* pikareskroman, skälmroman

picayune [pɪkə'juːn] *adj* amer. futtig, ringa, obetydlig; småaktig, småskuren

Piccadilly [,pɪkə'dɪlɪ]

Piccadilly Circus [,pɪkədɪlɪ'sɜːkəs] känd trafikkorsning och mötesplats i London

piccalilli [,pɪkə'lɪlɪ, '----] *s* slags stark pickels

piccolo ['pɪkələʊ] (pl. ~s) *s* piccolaflöjt

1 pick [pɪk] **I** *vb tr* o. *vb itr* **1** plocka [*~ flowers*] **2** peta [*~ one's teeth*]; pilla (peta) [på (i)]; *~ a bone* gnaga [av] ett ben; *have a bone to ~ with sb* bildl. ha en gås oplockad med ngn; *~ a lock* dyrka upp ett lås; *~ one's nose* peta sig i näsan **3** plocka sönder, riva [sönder] [äv. *~ apart*; *~ to pieces*]; *~ to pieces* bildl. göra ner, kritisera sönder **4** hacka (hugga) [upp] [*~ a hole in the ice*]; *~ holes in* hacka hål i (på); bildl. slå hål på, hitta fel hos; *they always ~ on him* vard. de hackar alltid på honom, han är deras hackkyckling **5** plocka; *~ [at] one's food* [sitta och] peta i maten **6** rensa, plocka [*~ a fowl*] **7** välja [ut], plocka ut [*~ the best*]; *~ and choose* välja och vraka; *~ a quarrel* söka (mucka) gräl; *~ sides* välja lag; *~ the winner* satsa (hålla) på rätt häst **8** stjäla ur, plundra; *~ sb's brains* se under *brain I 2*; *~ sb's pocket* stjäla ur (gå i) ngns ficka **9** i förbindelser med adv., ofta med spec. översättningar: **pick off** skjuta (slå) ner [en efter en] **pick out a)** välja [ut], plocka ut **b)** peka ut **c)** [kunna] urskilja [*~ out one's friends in a crowd*] **d)** ta ut [*~ out a tune on the piano*] **pick up a)** plocka upp, ta upp; lyfta [på] [*~ up the phone*]; hämta [*I'll ~ you up by car*] **b)** *~ up the bill* el. *~ up the tab* vard. betala, ta (stå för) notan **c)** komma över [*~ up sth cheap*]; hitta, få tag i; lägga sig till med [*~ up a bad habit*]; *~ up a girl* vard. ragga upp en tjej; *~ up [speed]* öka farten **d)** återfå, återvinna [*~ up strength*]; krya på sig, repa sig, komma på fötter [*his business is beginning to ~ up again*]; *~ up courage* repa mod **e)** this will *~ you up* det här kommer att pigga upp dig **f**) tillägna sig, lära sig [~ *up the correct intonation*] **g**) fånga upp, uppfatta; ta (få) in [~ *up a radio station*] **pick up on a**) följa upp **b**) reagera på

II *s* val något utvalt; *the* ~ det bästa, eliten, gräddan; *the* ~ *of the bunch* den (det, de) bästa i hela samlingen (av alla); *have one's* ~ få välja [efter behag]; *take your* ~ varsågod och välj, det är bara att välja

2 pick [pɪk] *s* **1** [spets]hacka, korp **2** mus. plektrum
pickaninny ['pɪkənɪnɪ] *s* neds. negerunge
pickaxe ['pɪkæks] *s* [spets]hacka, korp
picker ['pɪkə] *s* plockare [*cotton* ~; *fruit* ~]
picket ['pɪkɪt] **I** *s* **1** strejkvakt[er]
2 demonstrant[er] vid ambassad o.d. **3** mil. postering, utpost, förpost; vakt; piket **4** [spetsad] påle, stake **II** *vb tr* **1 a**) sätta ut strejkvakter vid [~ *a factory*] **b**) gå strejkvakt vid, bevaka **2** mil. **a**) sätta ut postering vid **b**) skicka ut på post
III *vb itr* vara (gå) strejkvakt
picketer ['pɪkɪtə] *s* **1** strejkande **2** demonstrant
picket fence ['pɪkɪtfens] *s* [spjäl]staket
picket line ['pɪkɪtlaɪn] *s* [linje av] strejkvakter (demonstranter); vaktlinje
pickings ['pɪkɪŋz] *s pl* vard. **1** rester, smulor äv. bildl. **2** biförtjänster genom fifflande o.d., utbyte
pickle ['pɪkl] **I** *s* **1** lag för inläggning, saltlake, ättikslag **2** vanl. pl. ~s koll. pickles; *onion* ~s syltlök **3** vard. åld., *be in a pretty* ~ sitta i en riktig knipa, sitta där vackert
II *vb tr* lägga in [i lag], förvara i lag; marinera; salta ned (in)
pickled ['pɪkld] *adj* **1** inlagd; marinerad; salt[ad], rimmad, sprängd; ~ *cucumber* saltgurka; *ättiksgurka*; ~ *herring* inlagd sill; kryddsill; ~ *onions* syltlök **2** vard. åld. dragen, på lyran berusad
pick-me-up ['pɪkmɪʌp] *s* vard. uppiggande dryck; drink [som piggar upp]; återställare
pickpocket ['pɪk,pɒkɪt] *s* ficktjuv
pickup ['pɪkʌp] *s* **1** liten, öppen varubil, pickup [äv. ~ *truck*] **2** vard. tillfällig bekantskap, person som man raggat upp **3** liftare [som man plockat upp]; om taxi o.d. körning, hämtning; passagerare; varor [som hämtas] **4** vard. uppgång, upphämtning [*a brisk business* ~] **5** på skivspelare pickup; ~ *arm* tonarm **6** amer. acceleration[sförmåga], ax
pickup truck ['pɪkʌptrʌk] *s* se *pickup 1*
picky ['pɪkɪ] *adj* vard. kinkig, kräsen; *be a* ~ *eater* vara kinkig i maten, vara kräsen
pick-your-own [,pɪkjɔːr'əʊn] (förk. *PYO*) *adj*, ~ [*strawberries*] ...för självplockning
picnic ['pɪknɪk] **I** *s* **1** picknick [*go for* (*on*) *a* ~]; utflykt [i det gröna]; ~ *hamper* picknickkorg, matsäckskorg **2** enkel sak; *it's no* ~ äv. det är inget nöje (ingen dans på rosor)
II (imperf. o. perf. p. ~*ked*) *vb itr* ha [en] picknick, picknicka
picnicker ['pɪknɪkə] *s* picknickdeltagare
pictorial [pɪk'tɔːrɪəl] *adj* illustrerad, bild-, i bildform
picture ['pɪktʃə] **I** *s* **1** bild, illustration; tavla, målning; porträtt [*old* ~*s of the family*]; kort, foto [*take a* ~ *of sb*] **2** TV. bild; bildruta, bildskärm [*a 21-inch* ~] **3** skildring [*a vivid* ~ *of that time*];

beskrivning, framställning **4** bild, situation, läge [*the political* ~]; *do you get the* ~? vard. har du bilden klar för dig?, fattar du [situationen]?; *put sb in the* ~ vard. sätta in ngn i saken, förklara situationen för ngn, informera ngn; *she is out of the* ~ vard. hon är borta ur bilden **5** avbild; *he is the* [*very*] ~ *of his father* äv. han är sin far upp i dagen; *be* (*look*) *the* ~ *of health* se ut som hälsan själv **6 a**) vanl. amer. film [äv. *motion* ~] **b**) åld., *the* ~*s* bio; *go to the* ~*s* gå på bio **7** *the girl looks* (*is*) *a* ~ flickan är vacker som en tavla
II *vb tr* **1** avbilda, måla, framställa i bild **2** ge en bild av, skildra, beskriva **3** föreställa sig [ofta ~ *to oneself*]
picture book ['pɪktʃəbʊk] *s* bilderbok; pekbok
picture card ['pɪktʃəkɑːd] *s* kortsp. klätt kort knekt, dam el. kung, målare
picture gallery ['pɪktʃə,gælərɪ] *s* konstgalleri
picturegoer ['pɪktʃə,gəʊə] *s* biobesökare
picture message [,pɪktʃə'mesɪdʒ] *s* tele. mms
picture messaging ['pɪktʃə,mesɪdʒɪŋ] *s* tele. mms, vard. mms:ande
picture-perfect [,pɪktʃə'pɜːfekt] *adj* vanl. amer. som hämtad från en tavla; om person bildskön
picture postcard [,pɪktʃə'pəʊs(t)kɑːd] *s* vykort
picture rail ['pɪktʃəreɪl] *s* tavellist
picturesque [,pɪktʃə'resk] *adj* **1** pittoresk, målerisk **2** målande, livfull
picture tube ['pɪktʃətjuːb] *s* TV. bildrör
picture window ['pɪktʃə,wɪndəʊ] *s* perspektivfönster
piddle ['pɪdl] **I** *vb itr* **1** ngt vulg. pinka **2** ~ *around* el. ~ *about* vard. gå och driva, slå dank
II *s* ngt vulg. pink
piddling ['pɪdlɪŋ] *adj* vard. obetydlig, futtig
pidgin ['pɪdʒɪn] *s*, ~ *English* pidginengelska starkt förenklat halvengelskt blandspråk
pie [paɪ] *s* **1** paj; pastej **2** bildl., *have a finger in the* ~ ha ett finger med i spelet; ~ *in the sky* tomma löften; ibl. valfläsk; *promise* ~ *in the sky* vard. lova guld och gröna skogar; *it's as easy as* ~ vard. det är lätt som en plätt **3** amer. tårta med flera bottnar
piebald ['paɪbɔːld] **I** *adj* **1** fläckig, [svart]skäckig häst **2** bildl. brokig, blandad
II *s* [svart]skäck häst
piece [piːs] **I** *s* **1** bit, stycke [*a* ~ *of bread*; *a* ~ *of chalk*; *a* ~ *of ground*]; del [*a dinner service of 60* ~*s*]; *a* ~ *of advice* ett råd; *she did a good* ~ *of business* hon gjorde en god affär; *a* ~ *of cake* vard. en enkel match; *a* ~ *of furniture* en enstaka möbel; *a* ~ *of information* en upplysning; *give sb a* ~ *of one's mind* se under *mind I 2*; *a* ~ *of news* en nyhet; *a* ~ *of paper* en papperslapp, ett papper; *pick up the* ~*s* börja om på nytt, börja bygga upp igen; *a* ~ el. *the* ~ el. *per* ~ per styck (exemplar), styck[et]; *all in one* ~ [allt] i ett stycke; vard. helskinnad, välbehållen; *in* ~*s* i bitar, i stycken, trasig; *of a* ~ av samma slag, i samma stil [*with* som]; helt i stil [*with* med]; alldeles lika; *it's all of a* ~ det är likadant helt igenom; *break to* ~*s* slå (bryta) sönder, slå i bitar; *come to* ~*s* gå sönder, gå i kras, falla i bitar; *fall* (*tear*) *to* ~*s* falla (slita) i stycken (i bitar, sönder); *go to* ~*s* **a**) se *come to pieces* under *piece I 1* ovan **b**) vard. bli alldeles uppriven (förstörd, knäckt) [*after his wife's death*

he went all to ~s] **2** stycke, verk; musikstycke, stycke musik [äv. ~ *of music*] **3** mynt [*a fifty-cent* ~; *a five-penny* ~] **4** ackord; **work by the** ~ arbeta på ackord; **payment by the** ~ ackordslön **5** pjäs i schackspel, bricka i brädspel o.d.
II *vb tr* **1** laga, lappa [äv. ~ *up*] **2** sy ihop [~ *a quilt*]; ~ **together** sy ihop; sätta ihop, lägga ihop [~ *together bits of information*]; skarva (lappa) ihop
piecemeal ['pi:smi:l] **I** *adj* gradvis; [gjord] bit för bit; lappverks-
II *adv* **1** stycke för stycke, styckevis, bit för bit **2** i stycken (bitar)
piece rate ['pi:sreɪt] *s* ackordssats, ackord
piece wages ['pi:s,weɪdʒɪz] *s pl* ackordslön
piecework ['pi:swɜ:k] *s* ackordsarbete; **do** ~ arbeta på ackord
pie chart ['paɪtʃɑ:t] *s* tårtdiagram, cirkeldiagram
piecrust ['paɪkrʌst] *s* pajlock
pied [paɪd] *adj* fläckig, skäckig [~ *horse*]; brokig
pied-à-terre [,pjeɪdɑ:'teə] (pl. *pied-à-terre*) *s* fr. pied-à-terre; tillfällig övernattningsbostad
pier [pɪə] *s* **1** pir, vågbrytare; [landnings]brygga **2** bropelare
pierce [pɪəs] *vb tr* **1** genomborra, sticka hål på, borra sig in i; tränga fram genom, tränga (skära) igenom [*a shriek* ~*d the air*] **2** borra hål i; **have one's ears** ~*d* låta ta hål i öronen för örhängen o.d.
piercing ['pɪəsɪŋ] **I** *adj* genomträngande [~ *cold* (*wind*); ~ *sound*] **II** *s* piercing
piety ['paɪətɪ] *s* **1** fromhet; from handling **2** pietet
piffle ['pɪfl] *s* vard. trams, strunt[prat], skräp
piffling ['pɪflɪŋ] *adj* vard. fjantig; värdelös, strunt- [*a* ~ *matter*]
pig [pɪg] **I** *s* **1** gris, svin; ~*s might fly!* och det vill du jag ska tro!; **buy a** ~ **in a poke** köpa grisen i säcken; **make a** ~*'s ear of sth* göra pannkaka av ngt **2** vard., om person [lort]gris; svin, äckel; matvrak; **make a** ~ **of oneself** äta (dricka) massor, glufsa i sig
II *vb tr* o. *vb itr* vard., ~ el. ~ *out* se *make a pig of oneself* under *pig I 2*
1 pigeon ['pɪdʒ(ə)n] *s* zool. duva; **wood** ~ ringduva
2 pigeon ['pɪdʒ(ə)n] *s*, **that's not my** ~ vard. det är inte mitt bord (min huvudvärk)
pigeon-chested ['pɪdʒ(ə)n,tʃestɪd] *adj* med. med hönsbröst (gåsbröst); **be** ~ ha hönsbröst
pigeonhole ['pɪdʒ(ə)nhəʊl] **I** *s* [post]fack i hylla, skrivbord o.d.
II *vb tr* **1** stoppa in i [ett] fack, sortera [i fack] **2** bildl. a) [tillsvidare] lägga undan b) ordna in, placera i rätt (ett) fack, kategorisera
pigeon-toed ['pɪdʒ(ə)ntəʊd] *adj* som går inåt med tårna
piggy ['pɪgɪ] **I** *s* vard. griskulting; liten gris äv. bildl.; barnspr. nasse
II *adj* **1** gris-, grisaktig **2** glupsk; girig; självisk
piggyback ['pɪgɪbæk] **I** *s* ridtur [på ryggen (axlarna)]; **give a child a** ~ låta ett barn rida på ryggen **II** *adv*, **ride** ~ rida på ryggen (axlarna) **III** *vb itr*, ~ **on** hänga på, dra nytta av
piggy bank ['pɪgɪbæŋk] *s* spargris
pigheaded [,pɪg'hedɪd, attr. '---] *adj* tjurskallig, envis; egensinnig
pig iron ['pɪg,aɪən] *s* tackjärn
piglet ['pɪglət] *s* liten gris; pl. ~*s* smågrisar

pigment ['pɪgmənt] *s* pigment, färgämne
pigmentation [,pɪgmən'teɪʃ(ə)n] *s* pigmentering; färg
pigmented [pɪg'mentɪd] *adj* pigmenterad
pigpen ['pɪgpen] *s* amer. svinstia äv. bildl.
pigskin ['pɪgskɪn] *s* svinläder
pigsty ['pɪgstaɪ] *s* svinstia äv. bildl.
pigtail ['pɪgteɪl] *s* råttsvans fläta
1 pike [paɪk] (pl. *pike* el. ibl. ~*s*) *s* zool. gädda
2 pike [paɪk] *s* **1** i Nordengland spetsig bergstopp, pik **2** mil. hist. pik, spjut
3 pike [paɪk] *s* amer. [avgiftsbelagd] motorväg
pike-perch ['paɪkpɜ:tʃ] *s* zool. gös
pikestaff ['paɪkstɑ:f] *s* pikskaft, spjutskaft; **as plain as a** ~ klart som korvspad, solklar
pilaf o. **pilaff** ['pɪlæf] *s* kok. pilaff
pilaster [pɪ'læstə] *s* arkit. pilaster, väggpelare
Pilate ['paɪlət] bibl. Pilatus
pilau [pɪ'laʊ] *s* kok. pilaff
pilchard ['pɪltʃəd] *s* större sardin, pilchard
1 pile [paɪl] **I** *s* **1** hög, stapel, trave [*a* ~ *of books* (*wood*)]; massa [*a* ~ *of work*] **2** vard., *a* ~ en massa pengar; **make a** ~ el. **make one's** ~ tjäna stora pengar **3** bål; **funeral** ~ likbål **4** elektr. element [*galvanic* ~]; batteri **5** fys. reaktor; **atomic** ~ atomreaktor, kärnreaktor
II *vb tr* [ofta ~ *up*] stapla [upp], trava [upp], lägga upp [i en hög], hopa, samla; lassa på, lasta [~ *a cart*]; ~ *it on* vard. bre (spä) på, överdriva; ~ **on the agony** vard. bre på; frossa i skakande detaljer
III *vb itr* **1** hopas, samla (hopa) sig, torna upp sig [äv. ~ *up*] **2** välla [*people* ~*d in*]; pressa sig; ~ **into a train** tränga sig på ett [överfullt] tåg
2 pile [paɪl] *s* **1** hår[beklädnad] på djur; fjun **2** lugg på tyg o.d., flor på sammet
pile-driver ['paɪl,draɪvə] *s* **1** pålkran, hejare **2** vard. våldsamt slag, stöt **3** fotb. rökare
piles [paɪlz] *s pl* med. hemorrojder
pile-up ['paɪlʌp] *s* trafik. seriekrock
pilfer ['pɪlfə] *vb tr* o. *vb itr* snatta
pilfering ['pɪlf(ə)rɪŋ] *s* snatteri
pilgrim ['pɪlgrɪm] *s* pilgrim, amer. äv. invandrare
pilgrimage ['pɪlgrɪmɪdʒ] *s* pilgrimsfärd, vallfart, vallfärd; **go on a** ~ göra en pilgrimsfärd, vallfärda
Pilgrim Fathers [,pɪlgrɪm'fɑ:ðəz] *s pl*, **the** ~ pilgrimsfäderna de första engelska kolonisterna i Massachusetts år 1620
pilgrim scallop [,pɪlgrɪm'skɒləp] *s* pilgrimsmussla
pill [pɪl] *s* **1** tablett, piller; **a bitter** ~ bildl. ett beskt (bittert) piller; **sugar (sweeten) the** ~ sockra det beska pillret; **take the** ~ el. **be on the** ~ el. **go on the** ~ äta p-piller; **come off the** ~ el. **go off the** ~ sluta äta p-piller **2** sl. boll, kula; pl. ~*s* äv. biljard
pillage ['pɪlɪdʒ] **I** *vb tr* **1** skövla, plundra **2** röva [bort]
II *s* **1** plundring, skövling **2** byte
pillar ['pɪlə] *s* **1** pelare; ~ *of fire* eldpelare **2** stolpe; **run from** ~ **to post** jaga hit och dit **3** bildl. stöttepelare [*the* ~*s of society*]; ~ *of strength* stöd, klippa, stöttepelare
pillar box ['pɪləbɒks] *s* [pelarformig] brevlåda
pillared ['pɪləd] *adj* uppburen av (vilande på) pelare, försedd med pelare

pillbox ['pɪlbɒks] *s* **1** pillerask, pillerburk äv. om huvudbonad **2** mil. sl. betongvärn, [rund] bunker

pillion ['pɪljən] *s* på motorcykel o.d. baksits, passagerarsadel, bönpall; *ride* ~ åka (rida) bakpå

pillock ['pɪlək] *s* sl. dumhuvud, knäppskalle

pillory ['pɪlərɪ] **I** *s* skampåle; bildl. schavottering
II *vb tr* ställa vid skampålen

pillow ['pɪləʊ] **I** *s* **1** [huvud]kudde **2** dyna
II *vb tr* **1** lägga (låta vila) på en kudde (kuddar)
2 tjänstgöra som (vara) kudde åt

pillowcase ['pɪləʊkeɪs] *s* örngott

pillow fight ['pɪləʊfaɪt] *s* kuddkrig

pillowslip ['pɪləʊslɪp] *s* örngott

pillow talk ['pɪləʊtɔ:k] *s* vard., ung. intim (förtrolig) konversation i sängen

pilot ['paɪlət] **I** *s* **1** pilot, flygare, flygförare; *automatic* ~ autopilot; *senior* ~ förste pilot **2** sjö. lots **3** TV. pilotprogram
II *vb tr* **1** lotsa, bildl. äv. leda [~ *the country through a crisis*] **2** flyga, vara pilot på flygplan

pilot boat ['paɪlətbəʊt] *s* lotsbåt

pilot lamp ['paɪlətlæmp] *s* kontrollampa, röd lampa

pilot light ['paɪlətlaɪt] *s* **1** tändlåga på gasspis o.d.
2 kontrollampa, röd lampa

pilot officer ['paɪlət,ɒfɪsə] *s* mil. fänrik inom flyget

pimento [pɪ'mentəʊ] (pl. ~s) *s* **1** kryddpeppar **2** se *pimiento*

pimiento [pɪmɪ'entəʊ] (pl. ~s) *s* paprika frukt, pimiento, spansk peppar

pimp [pɪmp] **I** *s* hallick, kopplare **II** *vb itr* [leva på att] vara hallick [*for* åt]

pimple ['pɪmpl] *s* finne

pimpled ['pɪmpld] *adj* o. **pimply** ['pɪmplɪ] *adj* finnig

PIN [pɪn] förk. för *personal identification number*

pin [pɪn] **I** *s* **1** knappnål; nål; brosch; [*it was so quiet*] *you could hear a* ~ *drop* …att man kunde höra en knappnål falla **2** bult, sprint; tapp; stift; pinne, [trä]plugg **3** sport. kägla; golf. flaggstång; ~ *alley* kägelbana; bowlinghall **4** vard. åld., pl. ~s ben, påkar
II *vb tr* **1** nåla fast, sätta fast, fästa [med knappnål (stift, sprint)] [*to* vid] **2** klämma (kila) fast [ofta ~ *down*; ~*ned down by a falling tree*]; stänga inne; ~ *sb's arm* hålla fast ngn i armen **3** spetsa på nål, sätta upp [på nål] **4** bildl., ~ *sb to* [*a definite statement*] tvinga ngn till…
III *vb tr* o. *vb itr* med adv. el. prep.:
pin sb down tvinga (få) ngn att ge klart besked
pin on a) ~ *one's faith on* el. ~ *one's hopes on* sätta sin lit till, tro (lita) blint på **b)** ~ *sth on sb* binda ngn vid ngt brott o.d., ge ngn skulden för ngt
pin up: ~ *a notice* sätta upp ett anslag

pina colada [,pi:nəkə'lɑ:də] *s* sp., drink pina colada

pinafore ['pɪnəfɔ:] *s* [skydds]förkläde

pinball ['pɪnbɔ:l] *s* flipper[spel]; ~ *machine* flipperautomat

pince-nez ['pænsneɪ] *s* pincené

pincer ['pɪnsə] *s* **1** pl. ~s kniptång, tång; *a pair of* ~s en kniptång; *large* ~s el. *heavy* ~s hovtång **2** klo på kräftdjur

pincer movement ['pɪnsə,mu:vmənt] *s* mil. kniptångsmanöver, dubbel omfattning

pinch [pɪn(t)ʃ] **I** *vb tr* **1** nypa, knipa [ihop]; klämma; *these shoes* ~ *my toes* de här skorna klämmer (är för trånga) i tårna **2** pina, plåga, hårt

ansätta [*be* ~*ed with poverty* (*cold, hunger*)]; härja, svida; ~*ed face* infallet (tärt) ansikte **3** tvinga att inskränka sig (spara) [*in sth, of sth, for sth* i fråga om ngt]; inskränka [på]; *be* ~*ed for money* vara i penningknipa, ha ont om pengar **4** vard. sno, knycka, stjäla **5** sl. åld. haffa arrestera
II *vb itr* **1** klämma äv. bildl. [*know where the shoe* ~*es*]; värka **2** ~ *and scrape* el. ~ *and save* snåla och spara, vända på slantarna
III *s* **1** nyp, nypning, klämning, knipning; *give a* ~ ge ett nyp, nypa till, knipa till (åt) **2** nypa äv. bildl. [*a* ~ *of salt*]; *a* ~ *of snuff* en pris snus **3** [svår] knipa, klämma; trångmål; *at a* ~ el. amer. *in a* ~ a) i nödfall, om det kniper (gäller) b) i knipa, i trångmål; *if it comes to the* ~ om det [verkligen] gäller **4** tryck [*feel the* ~ *of foreign competition*]; *feel the* ~ få känna av de svåra tiderna

pinched [pɪntʃt] *adj* tärd

pinch-hit [,pɪntʃ'hɪt] *vb itr* amer., i baseball vara ersättare (stand-in), bildl. äv. vikariera

pinch-hitter [,pɪntʃ'hɪtə] *s* amer., i baseball ersättare, stand-in, bildl. äv. vikarie

pincushion ['pɪn,kʊʃ(ə)n] *s* nåldyna

1 pine [paɪn] *s* **1** tall, fura; pinje [äv. ~ *tree*]
2 furu[trä]

2 pine [paɪn] *vb itr* **1** tyna av, tyna bort [ofta ~ *away*]; försmäkta **2** tråna, trängta [*for sth* efter ngt; *to do sth* efter att göra ngt]

pineal gland ['pɪnɪəlglænd] *s* anat. tallkottkörtel

pineapple ['paɪn,æpl] *s* ananas

pine cone ['paɪnkəʊn] *s* tallkotte; pinjekotte

pine marten ['paɪn,mɑ:tɪn] *s* zool. mård, skogsmård

pine nut ['paɪnnʌt] *s* pinjenöt

pine tree ['paɪntri:] *s* se *1 pine 1*

Pine Tree State ['paɪn,tri:'steɪt], *the* ~ beteckn. för staten *Maine*

pine wood ['paɪnwʊd] *s* **1** tallskog **2** furu[trä]

ping [pɪŋ] **I** *s* smäll av resår o.d.; vinande, visslande av gevärskula o.d.
II *vb itr* **1** smälla; vina, vissla **2** amer., om motor knacka

Ping-Pong® ['pɪŋpɒŋ] *s* pingis, pingpong bordtennis

pinhead ['pɪnhed] *s* **1** knappnålshuvud **2** vard. dumbom, idiot, fårskalle

1 pinion ['pɪnjən] *vb tr* bakbinda, hålla fast [i armarna]

2 pinion ['pɪnjən] *s* mek. drev, litet kugghjul

1 pink [pɪŋk] **I** *adj* **1** skär, rosaröd, ljusröd, om hy äv. rödlätt; *see* ~ *elephants* vard. se skära elefanter
2 vard. homo, blå **3** polit. vard. ljusröd, salongsradikal; *he is* ~ äv. han är vänstersympatisör **4** *strike me* ~! sl. det var som sjutton!
II *s* **1** mindre nejlika **2** skärt, rosarött, ljusrött; *rose* ~ ung. rosa **3** *the* ~ bildl. höjden [*the* ~ *of elegance* (*perfection*)]; *be in the* ~ [*of health*] vard. åld. vara vid bästa hälsa, vara frisk som en nötkärna

2 pink [pɪŋk] *vb itr* om motor knacka

pink-collar [,pɪŋk'kɒlə] *adj* vanl. amer., ~ *job* lågavlönat kvinnojobb, låglönejobb

pink gin [,pɪŋk'dʒɪn] *s* gin med angostura drink

pinkie ['pɪŋkɪ] *s* vard. lillfinger

pinking shears ['pɪŋkɪŋʃɪəz] *s pl* sömnad. sicksacksax [*a pair of* (en) ~]

pinkish ['pɪŋkɪʃ] *adj* rosaaktig

pinko ['pɪŋkəʊ] (pl. ~s) s **1** amer. neds.
vänsteranhängare, kommunist
2 vänstersympatisör, salongsradikal
pink slip [ˌpɪŋk'slɪp] s amer. vard. uppsägningsbrev
pinky ['pɪŋkɪ] s vard., se *pinkie*
pinmoney ['pɪnˌmʌnɪ] s vard. nålpengar; fickpengar
pinnacle ['pɪnəkl] s **1** bildl. höjd[punkt], tinnar, topp [~ *of fame*] **2** byggn. tinne, småtorn **3** spetsig bergstopp
pinny ['pɪnɪ] s (barnspr. för *pinafore*) förkläde
pinpoint ['pɪnpɔɪnt] **I** vb tr **1** precisera, noggrant ange, sätta fingret på [~ *the problem*]; slå fast **2** mil. precisionsbomba
II s **1** nålspets, knappnålsspets **2** mil. punktmål, mål för precisionsbombning [äv. ~ *target*]; ~ *bombing* precisionsbombning
pinprick ['pɪnprɪk] s nålstick, nålsting äv. bildl.; pl. ~s bildl. äv. trakasserier, småelakheter
pins and needles [ˌpɪnzən'niːdlz] s stickningar, stickande känsla efter domning o.d., myrkrypning; *be on* ~ bildl. sitta som på nålar
pinscher ['pɪnʃə] s pinscher hundras
pinstripe ['pɪnstraɪp] textil. **I** s kritstreck[srand]
II adj kritstrecksrandig [~ *suit*]
pint [paɪnt] s **1** ung. halvliter mått för våta varor = 1/8 *gallon* = 0,568 l, i USA = 0,473 l **2** vard. öl
pintable ['pɪnˌteɪbl] s flipperspel konkr.; ~ *machine* flipperautomat
pinto bean ['pɪntəʊbiːn] s pintoböna slags fläckig böna
pint-size ['paɪntsaɪz] adj o. **pint-sized** ['paɪntsaɪzd] adj vard. i miniatyrformat [*she was a* ~ *blonde*]; småväxt; pytteliten, i litet format
pin tuck ['pɪntʌk] s sömnad. stråveck
pin-up ['pɪnʌp] s vard. **1** bild av utvikningsbrud, herrtidningsbild **2** utvikningsbrud, pinuppa [äv. ~ *girl*] **3** attr. (amer.) vägg- [~ *lamp*]
pinworm ['pɪnwɜːm] s vanl. med. springmask
pioneer [ˌpaɪə'nɪə] **I** s pionjär, banbrytare
II vb tr **1** öppna [vägen till]; bana väg för, inleda, vara först med **2** gå före, leda
pioneering [ˌpaɪə'nɪərɪŋ] adj pionjär-, banbrytande
pious ['paɪəs] adj from, gudfruktig
1 pip [pɪp] s **1** kärna i apelsin, äpple o.d. **2** *squeeze sb until* (*till*) *the* ~s *squeak* klämma åt ngn ordentligt
2 pip [pɪp] s i tidssignal o.d. pip; *the* ~s radio. tidssignalen
3 pip [pɪp] **I** s **1** amer. prick på tärning, spelkort m.m. **2** mil. stjärna som gradbeteckning
II vb tr vard. slå, besegra; *be* ~ped *at the post* bli slagen på mållinjen äv. bildl.
4 pip [pɪp] s sl. åld.; *he has* [*got*] *the* ~ han deppar (tjurar); *he gives me the* ~ han går mig på nerverna
pipe [paɪp] **I** s **1** [lednings]rör, ledning [*water* ~; *gas* ~]; rörledning **2** [tobaks]pipa; ~ *of peace* fredspipa; *put that in your* ~ *and smoke it!* det får du finna dig i [vare sig du vill eller inte]! **3** mus. pipa; pl. ~s äv. säckpipa
II vb tr **1** lägga in rör i [~ *a house*]; leda i rör **2** kok. spritsa **3** spela (blåsa) [på pipa (flöjt, säckpipa)] [~ *a tune*]
III vb itr **1** blåsa (spela) på pipa (flöjt, säckpipa) **2** pipa, tala (skrika) gällt; ~ *down* sl. hålla käften; stämma ned tonen
pipe bowl ['paɪpbəʊl] s piphuvud

pipe-cleaner ['paɪpˌkliːnə] s piprensare
piped music [ˌpaɪpt'mjuːzɪk] s skvalmusik, bakgrundsmusik
pipe dream ['paɪpdriːm] s önskedröm
pipeline ['paɪplaɪn] s **1** rörledning; oljeledning; pipeline; bildl. kanal, direkt förbindelse; *in the* ~ under planering (utarbetande), på gång; om varor på väg, under leverans
piper ['paɪpə] s pipblåsare; spec. skotsk. säckpip[s]blåsare; *pay the* ~ betala kalaset, stå för fiolerna; *he who pays the* ~ *calls the tune* den som betalar bestämmer [hur det ska vara]
pipette [pɪ'pet] s pipett
pipework ['paɪpwɜːk] s ledningssystem
piping ['paɪpɪŋ] **I** s pipande etc., jfr *pipe II* o. *pipe III*
II adj pipande, pipig [*a* ~ *voice*]
III adv, ~ *hot* rykande varm, kokhet; bildl. rykande färsk
pipit ['pɪpɪt] s zool. piplärka
pipless ['pɪpləs] adj bot. kärnfri
pippin ['pɪpɪn] s pipping äppelsort
pipsqueak ['pɪpskwiːk] s åld. **1** om person fjant, skit **2** strunt; ynkedom; struntsak
piquancy ['piːkənsɪ] s pikant (skarp) smak
piquant ['piːkənt] adj pikant äv. bild. [~ *taste*; *a* ~ *face*]; om t.ex. intellekt skarp [*a* ~ *wit*]
pique [piːk] **I** s förtrytelse, sårad stolthet [*in a fit of* ~]; irritation
II vb tr **1** såra, kränka [~ *sb's pride*]; stöta **2** egga, väcka, kittla [*sb's curiosity*]
piqué ['piːkeɪ] s textil. piké
piqued [piːkt] adj sårad, kränkt, stött
piracy ['paɪərəsɪ] s **1** pirattryck, olagligt eftertryck; piratkopiering **2** sjöröveri
piranha [pə'rɑːnə, pɪ-, -jə] s zool. piraya
pirate ['paɪərət] **I** s **1** pirat, sjörövare **2** pirattryckare, piratförläggare; piratkopierare; radio. piratsändare, piratradio
II vb tr olovligt reproducera, tjuvtrycka; piratkopiera; ~d *edition* piratutgåva
pirouette [ˌpɪrʊ'et] **I** s piruett **II** vb itr piruettera
Pisa ['piːzə] geogr.
Pisces ['paɪsiːz, 'pɪsiːz, 'pɪskiːz] s o. adj astrol. Fiskarna; *he is a* ~ el. *he is* ~ han är fisk
piss [pɪs] vulg. **I** s piss; *take the* ~ *out of sb* driva (jävlas) med ngn; *be on the* ~ supa, kröka
II vb tr o. vb itr **1** pissa [~ *blood*] **2** pissa på, pissa ner (i) [~ *the bed*; ~ *oneself*] **3** ~ *oneself* [*laughing*] skratta på sig
III vb itr med adv. el. prep.:
piss about el. **piss around** tjafsa, drälla (larva) omkring
piss off! stick!, far åt helvete!
piss-ant ['pɪsænt] amer. sl. **I** adj skit- **II** s skit person
piss artist ['pɪsˌɑːtɪst] s vulg. fyllo
pissed [pɪst] adj vulg. **1** asfull, helpackad **2** vanl. amer. a) skitförbannad b) deppig, utled [på allting]
pissed-off [ˌpɪst'ɒf] adj vulg. vanl. amer., se *pissed 2*
pisser ['pɪsə] s vulg., *what a* ~! skit!, skitdåligt!; skitbra!; *a* ~ *of a film* en skitdålig film; *it was a* ~ *of a party!* det var en skitbra fest!
piss-up ['pɪsʌp] s vulg. supfest, krökarkväll
pissy ['pɪsɪ] adj vulg. **1** skit- **2** vanl. amer. skitsur, skitarg

pistachio [pɪˈstɑːʃɪəʊ] (pl. ~s) s **1** bot.
pistaschmandelträd **2** pistasch[mandel] [äv. ~ *nut*]
piste [piːst] s pist; [skid]spår
pistil [ˈpɪstɪl] s bot. pistill
pistol [ˈpɪstl] s pistol
pistol-whip [ˈpɪstlwɪp] *vb tr* amer. slå med pistolen
piston [ˈpɪstən] s mek. pistong äv. i blåsinstrument, kolv
piston ring [ˈpɪstənrɪŋ] s kolvring
piston rod [ˈpɪstənrɒd] s kolvstång
1 pit [pɪt] **I** s **1** a) grop, hål i marken **b)** fallgrop; *clay ~* lergrav; *the ~ of the stomach* maggropen **2** gruvhål, gruvschakt; [kol]gruva **3** *the ~ of hell* helvetet, avgrunden **4** rövarkula **5** teat., ~ el. *orchestra ~* orkesterdike **6** bil. a) *the ~s* depå vid racerbana **b)** smörjgrop vid bilverkstad **7** vard., *be the ~s* vara botten
II *vb tr* **1** lägga t.ex. potatis i en grop (grav) **2** göra gropig (full av hål) **3** *~ oneself against* el. *~ one's strength against* mäta sina krafter med; *~ one's brain against* mäta sig intellektuellt med
2 pit [pɪt] amer. **I** s [frukt]kärna **II** *vb tr* kärna ur
pita [ˈpiːtə, ˈpiːtə] s amer. pitabröd
pita bread [ˈpɪtəbred, ˈpiːtəbred] s amer. pitabröd
pit-a-pat [ˌpɪtəˈpæt] **I** *adv*, *it makes my heart go ~* det får mitt hjärta att slå fortare **II** s hjärtas dunkande; regns, hagels smatter
pit bull terrier [ˌpɪtbʊlˈterɪə] s pitbullterrier hundras
1 pitch [pɪtʃ] **I** s **1** [kricket]plan mellan grindarna; fotbollsplan; *grass ~* gräsplan; *gravel ~* grusplan **2** grad [*a high ~ of efficiency*]; höjd, höjdpunkt [*come to a ~*]; topp; *at its highest ~* på höjdpunkten; *at its lowest ~* på bottennivå; *he was roused to a ~ of frenzy* han blev utom sig av raseri **3** mus. el. fonet. tonhöjd, tonläge; tonfall [*falling ~*; *rising ~*]; *absolute ~* el. *perfect ~* absolut gehör; *standard ~* normalton; *at concert ~* konsertstämd något över normalton **4** vard., ~ el. *sales ~* försäljarjargong, försäljningsknep, säljsnack **5** kast; golf. pitch [äv. ~ *shot*] **6** torgplats, fast plats för gatuförsäljare, gatumusikant o.d.; *queer sb's ~* sl., se *queer III* **7** fartygs stampning; flygplans tippning, längdlutning **8** tältplats **9** tekn. lutning [*the ~ of a roof*]; lutningsgrad, lutningsvinkel
II *vb tr* **1** kasta, slänga; slunga; golf. pitcha; *~ hay* lassa hö med högaffel; *~ him out!* släng (kasta) ut honom! **2** mus. stämma [*~ed too high (low)*]; sätta i viss tonart; bildl. ansla, hålla en viss ton; anpassa, medvetet lägga på viss nivå **3** vard. puffa för, göra reklam för, sälja **4** *~ a yarn* vard. dra en historia; *~ it strong* vard. bre på överdriva **5** sätta (ställa) upp i fast läge; slå upp, resa [*~ a tent*]; *~ [one's] camp* slå läger
III *vb itr* **1** falla huvudstupa [*~ on one's head*]; störta, tumla **2** om fartyg stampa; om flygplan tippa, kränga i längdriktningen
IV *vb itr* med prep.:
pitch in vard. a) hugga in, hugga i **b)** vara med, bidra
pitch into vard. kasta sig över [*he ~ed into his supper*]; flyga på, gå lös på, skälla ut [*the teacher ~ed into the boy*]
2 pitch [pɪtʃ] s **1** beck; *black as ~* el. *dark as ~* kolsvart, becksvart, beckmörk **2** kåda
pitch-black [ˌpɪtʃˈblæk, attr. ˈ--] *adj* kolsvart, becksvart
pitchblende [ˈpɪtʃblend] s miner. pechblände

pitch-dark [ˌpɪtʃˈdɑːk, attr. ˈ--] *adj* kolmörk, beckmörk
pitched [pɪtʃt] *adj* **1** sluttande [*a ~ roof*] **2** kastad etc., se *1 pitch II* o. *1 pitch III*
pitched battle [ˌpɪtʃtˈbætl] s ordnad (regelrätt) batalj, fältslag; drabbning
1 pitcher [ˈpɪtʃə] s [hand]kanna, amer. äv. tillbringare; kruka, krus för vatten o.d.; *little ~s have long ears* ordspr. små grytor har också öron
2 pitcher [ˈpɪtʃə] s i baseball kastare
pitchfork [ˈpɪtʃfɔːk] **I** s högaffel, hötjuga **II** *vb tr* bildl. kasta [in] [*~ troops into a battle*]
piteous [ˈpɪtɪəs] *adj* ömklig, ömkansvärd
pitfall [ˈpɪtfɔːl] s fallgrop, bildl. äv. fälla
pith [pɪθ] s **1** bot. el. zool. märg **2** ryggmärg **3** bildl. a) *the ~ of* kärnan i, det väsentliga (viktigaste) i (av) [*the ~ of the speech*] **b)** märg, kraft [*the speech lacked ~*]
pithead [ˈpɪthed] s gruvöppning
pith helmet [ˈpɪθˌhelmɪt] s tropikhjälm
pithy [ˈpɪθɪ] *adj* bildl. märgfull, kärnfull
pitiable [ˈpɪtɪəbl] *adj* **1** ömklig, sorglig [*~ sight*]; beklagansvärd, som väcker medlidande **2** ynklig, erbarmlig; beklaglig [*a ~ lack of character*]
pitiful [ˈpɪtɪf(ʊ)l] *adj* **1** ömklig, sorglig, beklagansvärd; patetisk [*a ~ spectacle*] **2** ynklig, usel [*~ wages*]
pitiless [ˈpɪtɪləs] *adj* skoningslös, obarmhärtig
piton [ˈpiːtɒn] s bergbest. ringbult
pit pony [ˈpɪtˌpəʊnɪ] s gruvponny, gruvhäst
pit stop [ˈpɪtstɒp] s **1** depåstopp **2** amer. vard., *make a ~* rasta för att fylla på bensin, äta el. sträcka på benen under en lång bilfärd
pitta [ˈpɪtə, ˈpiːtə] s pitabröd
pitta bread [ˈpɪtəbred, ˈpiːtəbred] s pitabröd
pittance [ˈpɪt(ə)ns] s knapp (torftig) lön, ringa ersättning; ringa penning
pitted [ˈpɪtɪd] *adj* **1** gropig, full av hål **2** urkärnad [*~ olives*]
pitter-patter [ˌpɪtəˈpætə] **I** s smatter [*the ~ of the rain*]; tipp-tapp, trippande, tassande **II** *adv*, *go (run) ~* trippa, tassa
pituitary [pɪˈtjuːɪt(ə)rɪ] s o. **pituitary gland** [pɪˈtjuːɪt(ə)rɪglænd] s anat. hypofys
pity [ˈpɪtɪ] **I** s **1** medlidande, medömkan [*for med*]; *feel ~ for* tycka synd om, känna medlidande med; *have ~ on* el. *take ~ on* ha medlidande med, förbarma sig över; *for ~'s sake* för Guds skull; *out of ~* av medlidande **2** synd, skada; *what a ~!* så (vad) synd!, så tråkigt!; *more's the ~* sorgligt nog, tyvärr
II *vb tr* tycka synd om, ömka; *he is to be pitied* det är synd om honom, han är att beklaga
pitying [ˈpɪtɪɪŋ] *adj* medlidsam
pivot [ˈpɪvət] **I** s **1** a) pivåtapp, svängtapp, axeltapp **b)** spets; stift; *~ tooth* stifttand **2** bildl. medelpunkt [*the ~ of her life*]
II *vb tr* hänga på pivå etc.; förse med pivå etc.; *~ed* äv. svängbar [*~ed window*]
III *vb itr* svänga (vrida sig) kring en pivå etc., svänga [*on på*]; bildl. hänga, bero [*on på*]
pivotal [ˈpɪvətl] *adj* central, väsentlig, huvudsaklig; nyckel- [*~ industry*]
pixel [ˈpɪks(ə)l] s TV., foto. el. data. pixel, bildpunkt

pixie o. **pixy** ['pɪksɪ] s skälmskt naturväsen, odygdig tomtenisse

pizza ['pi:tsə] s kok. pizza [äv. ~ *pie*]

pizza parlor ['pi:tsə,pɑ:lə] s amer. pizzeria

pizzazz [pə'zæz] s vard. **1** fart, fräs, vitalitet; schvung, fräsighet **2** prål, grannlåt, ståt

pizzeria [,pi:tsə'ri:ə] s pizzeria

pizzicato [,pɪtsɪ'kɑ:təʊ] mus. **I** adv o. s pizzicato **II** adj pizzicato-

pj's o. **PJ's** [,pi:'dʒeɪz] vard. förk. för *pyjamas*

pkg. förk. för *package*[*s*]

pkt förk. för *packet*

pl förk. för *place*, *plate*[*s*], *plural*

placard ['plækɑ:d] s plakat, affisch, anslag; löpsedel

placate [plə'keɪt] vb tr blidka, försona, avväpna

placatory [plə'keɪt(ə)rɪ, 'plækət(ə)rɪ] adj blidkande, försonande; försonlig

place [pleɪs] **I** s **1 a)** ställe, plats **b)** [sitt]plats, utrymme; *there's a ~ for everything* var sak har sin plats; *my* (*your* etc.) *~* se under *place I 3*; *six ~s were laid* det var dukat för sex; *any* (*some*) *~* amer. någonstans; *about the ~* på stället, i huset; *be in ~* ligga på sin plats; bildl. vara på sin plats, vara lämplig; *hold in ~* hålla kvar (fast); *in the first* (*second*, *last*) *~* se under *first* osv.; *put yourself in my ~!* sätt dig i min situation!; *in ~ of* i stället för; *fall into ~* ordna [upp] sig i rätt ordning; *put sth into ~* sätta ngt på plats, sätta fast ngt; *out of ~* inte på sin plats; malplacerad, olämplig; *feel out of ~* känna sig bortkommen; *the chair looks out of ~ there* stolen passar inte där; *all over the ~* överallt, lite varstans, huller om buller, i oordning; *change ~s* byta plats; *I have lost the* (*my*) *~* jag har tappat bort var jag var [i boken o.d.]; *take ~* äga rum, hända; *take the ~ of sb* avlösa (ersätta) ngn, inta ngns plats **2 a)** ort, plats [*~ of birth*; *~ of work*] **b)** lokal, plats **c)** öppen plats; i namn -platsen [*St James's Place*]; -gatan; *~ of business* affärslokal; *go ~s* vard. gå långt [i livet] **3** vard. hus, bostad, ställe; *he was at my* (*your* etc.) *~* han var hemma hos mig (dig etc.); *come round* (*over*) *to my ~* kom över (hem) till mig **4** ställning, rang; position, plats; *have friends in high ~s* ha inflytelserika vänner; *keep* (*put*) *sb in his ~* teach *sb his ~* visa ngn hans rätta plats, sätta (hålla) ngn på plats **5** anställning, plats; *it's not my ~ to...* det är inte min sak att... **6** matem., *calculate to three ~s of decimals* el. *calculate to three decimal ~s* räkna med tre decimaler

II vb tr **1** placera, sätta, ställa [upp], lägga; *~ confidence in* el. *~ faith in* sätta sin tillit till **2** skaffa plats (anställning) åt **3** hand. placera [*~ an order with* (hos)] **4** placera, erinra sig [*~ a face*]; inrangera, identifiera **5** sport. placera spec. bedöma ordningen i mål

placebo [plə'si:bəʊ] (pl. vanl. *~s*) s med. placebo, blindtablett; *~ effect* placeboeffekt

place card ['pleɪskɑ:d] s placeringskort vid middag o.d.

placed [pleɪst] adj **1** placerad etc., se *place II* **2** sport., *be ~* bli placerad (placera sig) [bland de tre bästa] **3** vard., *how are you ~ for money?* hur har du det med pengar?, räcker pengarna?; *how are you ~ for Tuesday night?* kan du på tisdag kväll?

place mat ['pleɪsmæt] s [bords]tablett för dukning

placement ['pleɪsmənt] s placering äv. om arbete

place name ['pleɪsneɪm] s ortnamn

placenta [plə'sentə] s anat. moderkaka, placenta

place setting ['pleɪs,setɪŋ] s [bords]kuvert, kuvertuppsättning

placid ['plæsɪd] adj lugn, mild, blid; fridfull

placidity [plæ'sɪdətɪ, plə's-] s lugn, mildhet, blidhet; fridfullhet

plagiarism ['pleɪdʒərɪz(ə)m] s plagiering; plagiat

plagiarize ['pleɪdʒəraɪz] vb tr o. vb itr plagiera

plague [pleɪg] **I** s **1** pest; farsot; *bubonic ~* böldpest **2 a)** [lands]plåga, hemsökelse **b)** plåga, plågoris [*what a ~ that child is!*]; pest, otyg

II vb tr **1** plåga, pina, besvära **2** hemsöka, plåga

plaice [pleɪs] s zool. [röd]spätta, rödspotta

plaid [plæd] s **1** pläd, schal buren till skotsk dräkt **2** skotskrutigt [pläd]tyg (mönster), tartan[mönstrat tyg]

plain [pleɪn] **I** adj **1** klar, tydlig [*~ meaning*; *~ type* (stil)]; lättfattlig, enkel [*~ talk*]; *it's ~ sailing* bildl. det är ingen match, det går lekande lätt **2** ärlig, uppriktig [*with* mot; *a ~ answer*]; rättfram, oförbehållsam; *I told her in ~ English* (*in ~ language*) jag sa henne det rent ut (på ren svenska); *~ speaking* rent språk, ord och inga visor; *in ~ terms* klart och tydligt, rent ut **3** uppenbar, ren, enkel; riktig [*a ~ fool*]; *a ~ fact* ett enkelt (rent, uppenbart) faktum; *the ~ truth* [*of the matter*] den enkla sanningen **4** enkel, vardags- [*~ dress*; *~ dinner*]; slät, slätkammad [*~ hair*]; enfärgad [äv. *plain-coloured*]; omönstrad [*~ blue dress*]; *~ bread and butter* smörgås utan pålägg, smör och bröd **5** vanlig [enkel], enkel [och anspråkslös]; simpel **6** om utseende alldaglig, slätstruken; ibl. ful; *she is ~* hon ser [just] ingenting ut **7** slät, jämn, plan, flat, flack

II adv **1** tydligt, klart [*speak ~*; *see ~*] **2** rent ut sagt [*he is ~ stupid*]; helt enkelt

III s slätt; jämn mark

plain card ['pleɪnkɑ:d] s kortsp. hacka inte trumfkort eller klätt kort

plain chocolate [,pleɪn'tʃɒk(ə)lət] s mörk choklad

plain-clothes ['pleɪnkləʊðz] adj, *~ policeman* el. *~ officer* civilklädd polis, detektiv

plain clothes [,pleɪn'kləʊðz] s pl civila kläder

plain cooking [,pleɪn'kʊkɪŋ] s enklare matlagning; vardagsmat, husmanskost

plain flour [,pleɪn'flaʊə] s vanligt mjöl utan tillsats av jästpulver o.d.

plain knitting [,pleɪn'nɪtɪŋ] s **1** rätstickning **2** slätstickning

plain-looking ['pleɪn,lʊkɪŋ] adj, *it* (*she*) *is ~* det (hon) har ett alldagligt (slätstruket) utseende

plainness ['pleɪnnəs] s **1** jämnhet **2** tydlighet **3** enkelhet; konstlöshet; alldaglighet

plain omelette [,pleɪn'ɒmlət] s ofylld omelett

plain ring [,pleɪn'rɪŋ] s slät ring

plain-spoken [,pleɪn'spəʊk(ə)n] adj uppriktig, öppen, oförbehållsam, frispråkig

plain stitch [,pleɪn'stɪtʃ] s rät maska, räta

plain text ['pleɪntekst] s data. klartext

plaintiff ['pleɪntɪf] s jur. kärande i civilmål, målsägare, målsägande

plaintive ['pleɪntɪv] adj klagande, sorgsen

plait [plæt] **I** *s* fläta av hår m.m. **II** *vb tr* fläta
plan [plæn] **I** *s* **1** plan [*of*, *for* för, till; *for* till]; ~ *of campaign* bildl. krigsplan; *according to* ~ enligt planerna, planenlig[t], efter ritningarna **2** plan, karta, ritning [*of* över] **3** sätt, metod, system; *the best* (*better*) ~ *is to* det bästa [sättet] är att
II *vb tr* **1** planera, göra upp en plan (planer) till (för), planlägga [äv. ~ *out*] **2** ha för avsikt, planera; ~ *to* äv. ha planer på att
III *vb itr* planera; ~ *ahead* planera för framtiden (i förväg), tänka framåt; ~ *on going* [*to Europe*] ha planer på att resa...
1 plane [pleɪn] **I** *s* **1** (kortform av *aeroplane* o. *airplane*) [flyg]plan **2** plan yta, plan **3** bildl. nivå, plan
II *adj* plan, jämn, slät; ~ *geometry* plangeometri; ~ *sailing* a) sjö. segling efter platt kort b) bildl., se *plain I 1*
2 plane [pleɪn] **I** *s* hyvel **II** *vb tr* o. *vb itr* hyvla [av]
3 plane [pleɪn] *s* bot. platan
planet ['plænɪt] *s* astron. planet
planetari|um [ˌplænɪ'teərɪ|əm] (pl. *-ums* el. *-a* [-ə]) *s* planetarium
planetary ['plænət(ə)rɪ] *adj* planetarisk, planet- [~ *system*]
plank [plæŋk] **I** *s* **1** planka, [grövre] bräda; koll. plank; *walk the* ~ a) 'gå på plankan' av pirater tvingas överbord med förbundna ögon b) bildl. ung. bli avpolletterad (avsågad) **2** [politisk] programpunkt [*a* ~ *supporting civil rights*]
II *vb tr* **1** belägga (klä) med plankor **2** kok. banka ut kött; ~*ed steak* plankstek
plankton ['plæŋktən, -ɒn] *s* biol. plankton
planned economy [ˌplænd'kɒnəmɪ] *s* planhushållning
planned parenthood [ˌplænd'peər(ə)nthʊd] *s* familjeplanering
planner ['plænə] *s* **1** planerare [*town* ~]; planläggare; planekonom **2** planeringskalender
planning ['plænɪŋ] *s* planering; planläggning, planlösning
planning permission ['plænɪŋpəˌmɪʃ(ə)n] *s* byggnadslov
plant [plɑ:nt] **I** *s* **1** planta, växt; ört **2** a) verk [*lighting* ~]; anläggning; fabrik; *nuclear* ~ kärnkraftverk b) utrustning **3** sl. a) gömt tjuvgods (knark) b) falskt spår c) [polis]fälla d) spion; infiltratör
II *vb tr* **1** sätta, plantera, så [~ *wheat*]; plantera ut [~ *young fish*; ~ *oysters*] **2** placera [stadigt], sätta, ställa [~ *a kiss on sb's cheek*; ~ *one's feet on the carpet*]; fästa, anbringa **3** vard. a) gömma, dölja [~ *stolen goods*] b) placera (lägga) [ut] för att vilseleda [*they* ~*ed gold nuggets in the worthless mine*]; ~ *evidence on sb* i hemlighet stoppa på ngn bevismaterial c) placera, smuggla in [~ *a spy in the opposing camp*] d) plantera, sätta in [*he* ~*ed a blow on his opponent's chin*] **4** väcka [~ *ideas*; ~ *doubt*; ~ *suspicion*]
plantain ['plæntɪn, 'plɑ:n-] *s* bot. groblad
plantar wart ['plæntəwɔ:t] *s* med. fotvårta
plantation [plɑ:n'teɪʃ(ə)n, plæn-] *s* **1** plantage **2** plantering [*fir* ~]; odling
planter ['plɑ:ntə] *s* **1** blomlåda, blomkruka

2 plantageägare **3** odlare, planterare **4** planteringsmaskin
plant pot ['plɑ:ntpɒt] *s* blomkruka
plaque [plæk, plɑ:k] *s* **1** platta, [minnes]tavla, plåt **2** med. plack; ~ el. *dental* ~ tandläk. plack
plasma ['plæzmə] *s* fysiol. el. fys. plasma
plaster ['plɑ:stə] **I** *s* **1** murbruk, puts[bruk] **2** gips; ~ *impression* gipsavtryck; *she's in* ~ hon är (ligger) gipsad **3** plåster
II *vb tr* **1** smeta på (över), täcka, klistra (kleta) full [*the suitcase was* ~*ed with hotel labels*]; belamra; *his hair was* ~*ed down* han hade slickat hår **2** a) lägga gips (gipsbruk) på; ~*ed ceiling* gipstak b) med. gipsa **3** a) plåstra om, sätta plåster på b) bildl. lindra **4** putsa, rappa; kalkslå
plasterboard ['plɑ:stəbɔ:d] *s* byggn. gipsplatta
plaster cast ['plɑ:stəkɑ:st] *s* **1** gipsavgjutning **2** med. gipsförband
plastered ['plɑ:stəd] *adj* sl. packad berusad
plasterer ['plɑ:st(ə)rə] *s* murare för putsarbete; gipsarbetare
plaster of Paris [ˌplɑ:stərɒv'pærɪs] *s* gips
plastic ['plæstɪk] **I** *s* **1** plast **2** vard. plastkort kreditkort
II *adj* **1** plast-, av plast **2** plastisk, formbar äv. bildl., mjuk **3** bildl. plast- [*we live in the* ~ *age*]
plastic arts [ˌplæstɪk'ɑ:ts] *s pl* plastik, formbildande (plastisk) konst
plastic bomb [ˌplæstɪk'bɒm] *s* bomb med sprängdeg
plastic bullet [ˌplæstɪk'bʊlɪt] *s* plastkula
plastic-coated ['plæstɪkˌkəʊtɪd] *adj* plastbehandlad, inplastad
plastic explosive [ˌplæstɪkɪk'spləʊsɪv] *s* sprängdeg
Plasticine® ['plæstɪsi:n] *s* plasticine® slags modellera, modellermassa
plasticity [plæ'stɪsətɪ] *s* plasticitet, formbarhet; bildbarhet
plastic money [ˌplæstɪk'mʌnɪ] (utan pl.) *s* plastkort kreditkort; *pay with* ~ betala med kreditkort
plastics ['plæstɪks] *s* **1** (med verb i pl.) plast, plaster; *the* ~ *industry* plastindustrin **2** (med verb i sg. el. pl.) a) plastteknik b) med. plastikkirurgi
plastic surgeon [ˌplæstɪk'sɜ:dʒ(ə)n] *s* plastikkirurg
plastic surgery [ˌplæstɪk'sɜ:dʒərɪ] *s* plastikkirurgi
plastic wrap [ˌplæstɪk'ræp] *s* amer. plastfolie
plate [pleɪt] **I** *s* **1** tallrik, fat [*a* ~ *of* (med) *cakes*]; amer. kuvert; *side* ~ el. *small* ~ assiett; [*a wedding breakfast costing $30*] *a* ~ amer. ...kuvertet (per kuvert); *hand sb sth on a* ~ vard. ge ngn ngt alltför lätt (gratis), servera ngn ngt på en bricka; *have enough on one's* ~ vard. ha fullt upp, redan ha händerna fulla **2** platta av metall, trä, glas o.d., plåt [*steel* ~*s*]; lamell [*clutch* ~]; namnplåt, skylt **3** plåter; plätering **4** koll. [bords]silver; [ny]silversaker, [silver]servis **5** a) tryckplåt; kliché b) avtryck; plansch [*colour* ~]; kopparstick, stålstick, trägravyr **6** lösgom, [tand]protes [äv. *dental* ~] **7** i baseboll, *the home* ~ innemålet; *the pitcher's* ~ kastarens platta **8** kyrkl. kollekttallrik **9** kapplöpn. a) pris av silver el. guld, pokal b) priskapplöpning
II *vb tr* **1** klä över med plåt, plåtbeslå; bepansra **2** plätera; försilvra, förgylla

plateau ['plætəʊ, plæ'təʊ] (pl. ~s el. ~x [-z] **I** s platå, högslätt; bildl. konstant nivå, platå äv. psykol. **II** vb itr plana ut

plateful ['pleɪtfʊl] (pl. ~s el. platesful) s tallrik som mått

plate glass [,pleɪt'glɑːs] s spegelglas, slipat planglas

platelet ['pleɪtlət] s fysiol., ~ el. blood ~ blodplätt, trombocyt

plate rack ['pleɪtræk] s **1** tallrikshylla **2** diskställ, torkställ

platform ['plætfɔːm] s **1** plattform äv. på buss, järnvägsvagn o.d., perrong; ~ **2** spår 2; ~ **car** amer. öppen godsvagn utan sidor **2** estrad, podium, tribun; talarstol **3** ~ el. ~ **shoe** platåsko **4** polit. [parti]program; [ideologisk] plattform **5** data. plattform; ~ **game** plattformsspel

platform ticket ['plætfɔːm,tɪkɪt] s järnv. perrongbiljett

platinum ['plætɪnəm] s kem. platina

platinum blonde [,plætɪnəm'blɒnd] s platinablond [kvinna]

platitude ['plætɪtjuːd] s plattityd; platthet

platitudinous [,plætɪ'tjuːdɪnəs] adj platt, banal

Platonic [plə'tɒnɪk] adj platonisk [~ love]

platoon [plə'tuːn] s [infanteri]pluton

platter ['plætə] s amer. [stort] uppläggningsfat

platypus ['plætɪpəs] (pl. platypuses) s zool., ~ el. duck-billed ~ näbbdjur

plaudits ['plɔːdɪts] s pl **1** bifall, bifallsyttringar, applåd[er] **2** gillande; beröm; [the book] won the ~ of the critics äv. ...prisades av kritikerna

plausible ['plɔːzəbl] adj **1** plausibel, antaglig, rimlig [~ excuse]; ofta neds. bestickande [~ argument] **2** om person förledande, [som verkar] förtroendeingivande; a ~ rogue en riktig filur

play [pleɪ] **I** vb itr (se äv. play III) **1** leka [with med], roa sig; just what are you ~ing at? vard. vad [sjutton] håller du på med?; ~ fast and loose with se under 1 fast II 1; ~ on words leka med ord **2** spela i spel, äv. sport. el. bildl.; ~ false spela falskt [spel]; ~ safe ta det säkra för det osäkra; gardera sig; ~ for safety gardera sig; inte ta några risker; ~ for time försöka vinna tid; maska; ~ in goal stå i mål; ~ into sb's hands spela ngn i händerna **3** spela äv. bildl., musicera [to för]; ~ on sb's fears utnyttja ngns rädsla **4** spela äv. bildl., uppträda [they ~ed to a full house] **5 a)** fladdra; sväva, leka, spela, skimra [the lights ~ed over their faces] **b)** vara i gång, vara på, spela [the fountains ~ every Sunday]
II vb tr (se äv. play III) **1** leka [~ hide-and-seek] **2** spela spel, äv. sport. el. bildl. [~ a game]; ~ sb a) spela mot ngn [England ~ed Brazil] b) låta ngn spela i match o.d., sätta in (ställa upp) ngn [England ~ed Smith as goalkeeper]; ~ a joke (trick) on sb spela ngn ett spratt **3** spela äv. bildl. [~ the piano], framföra; ~ [it] by ear se under 1 ear 1 **4** spela äv. bildl. [~ a part (en roll)]; ~ truant (amer. vard. hookey) skolka [från skolan] **5** låta spela [on mot, över; ~ a hose on a fire]
III vb itr o. vb tr med adv., ofta med spec. översättningar:
play about springa omkring och leka; stop ~ing about! sluta larva dig (bråka)!, lägg av!; ~ about with leka med, fingra (pillra) på
play along vara (spela) 'med, ställa upp

play around a) ha [en massa] kärleksaffärer; ~ around with sb's affections leka med ngns känslor **b)** se play about under play III ovan

play back: ~ back a recorded tape spela av (spela upp) ett inspelat band

play down tona ner, avdramatisera; he ~ed down [his own part in the affair] han bagatelliserade (förringade)...

play off a) spela 'om; the match will be ~ed off next week matchen kommer att spelas om (det blir omspel) nästa vecka **b)** ~ one person off against another spela ut en person mot en annan

play out spela till slut; spela ut; the matter is ~ed out saken är utagerad

play up a) göra sitt bästa **b)** vard. bråka, ställa till besvär **c)** förstora upp, göra stora rubriker av; ~ up to sb fjäska för ngn [~ up to one's teachers]; [my bad leg] is ~ing up again ...gör sig påmint (krånglar) igen
IV s **1** lek; spel; no child's ~ ingen barnlek; ~ on words lek med ord; in ~ om boll i spel; out of ~ om boll död, ur spel, ute **2 a)** spel, framförande **b)** skådespel, teaterstycke, pjäs; let's go to a ~! vi går på teatern!; make a ~ for försöka ragga upp (ställa sig in hos) ngn; bearbeta ngt, försöka vinna (påverka) ngt; make great (much) ~ of göra stor affär (mycket väsen) av **3 a)** spel, spelande [the ~ of the muscles] **b)** gång, verksamhet, rörelse; ~ of colours färgspel; be at ~ vara i gång; be in full ~ vara i full gång; bring into ~ sätta i gång (i rörelse), sätta in; come (be brought) into ~ komma i gång, träda i funktion; göra sig gällande **4 a)** [fritt] spelrum, bildl. äv. rörelsefrihet **b)** glapprum; glappning; have free ~ el. have full ~ ha fritt spelrum

playable ['pleɪəbl] adj spelbar; som man kan (det går att) spela [på (med)]

play-act ['pleɪækt] vb itr spela [teater] mest bildl. (neds.), låtsas

playback ['pleɪbæk] s **1** playback; avspelning, uppspelning; ~ head avspelningshuvud på bandspelare **2** TV. repris [i slow-motion]

playbill ['pleɪbɪl] s teateraffisch

playboy ['pleɪbɔɪ] s playboy

play-by-play [,pleɪbaɪ'pleɪ] s amer. [direktsänt] sportreferat

played-out [,pleɪd'aʊt] adj som är slut [som skådespelare], som har sett sina bästa dagar [a ~ actor]; förlegad [~ ideas]; överspelad

player ['pleɪə] s **1** sport. o.d. spelare, spelande, lekande, deltagare [i spel (lek)]; [he outshone] the other ~s ...sina medspelare **2** aktör [a major ~ in (på) the market], åld. skådespelare **3 a)** musikant **b)** i sammansättn. -spelare [record-player]

playful ['pleɪf(ʊ)l] adj lekfull, skämtsam

playgoer ['pleɪ,ɡəʊə] s teaterbesökare, teaterhabitué

playground ['pleɪɡraʊnd] s **1** skolgård; lekplats **2** bildl. populärt tillhåll, semesterparadis

playgroup ['pleɪɡruːp] s förskola

playhouse ['pleɪhaʊs] s teater[byggnad]

playing card ['pleɪɪŋkɑːd] s spelkort

playing field ['pleɪɪŋfiːld] s idrottsplan, bollplan; lekplats

playmaker ['pleɪˌmeɪkə] *s* sport. spelupplägggare, 'playmaker'

playmate ['pleɪmeɪt] *s* lekkamrat

play-off ['pleɪɒf] *s* sport. **1** omspel; extra avgörande match **2** slutspel

playpen ['pleɪpen] *s* lekhage, barnhage

playroom ['pleɪruːm] *s* **1** lekrum **2** ung. gillesstuga

playschool ['pleɪskuːl] *s* se *playgroup*

playsuit ['pleɪsuːt, -sjuːt] *s* lekdräkt

plaything ['pleɪθɪŋ] *s* leksak, bildl. äv. lekboll

playtime ['pleɪtaɪm] *s* lektid, lekstund, rast, fritid

playwright ['pleɪraɪt] *s* dramatiker, skådespelsförfattare

plaza ['plɑːzə] *s* **1** torg, öppen plats **2** vanl. amer. affärscentrum, shoppingcentrum

plc o. **PLC** [ˌpiːelˈsiː] (förk. för *public limited company*) börsnoterat aktiebolag

plea [pliː] *s* **1** enträgen bön, vädjan [~ *for* (om) *mercy*] **2** jur. **a**) parts påstående, åberopande; svar; inlaga **b**) svaromål [*defendant's* ~]; ~ *of guilty* erkännande; ~ *of not guilty* nekande **3** försvar, ursäkt, rättfärdigande; förevändning; *on* (*under*) *the* ~ *that* med den motiveringen att, under förevändning (förebärande av) att

plea bargaining ['pliːˌbɑːɡɪnɪŋ] *s* förhandling om erkännande av mindre brott i utbyte mot lindrigare straff

plead [pliːd] (~*ed* ~*ed*; amer. äv. *pled* pled]) jur. el. allm. **I** *vb itr* **1 a**) be, vädja **b**) plädera, tala [inför rätta]; ~ *for* plädera (tala) för; be för [~ *for one's life*]; vädja (be) om, söka utverka [~ *for mercy*]; ~ *for sb* föra ngns talan [*with* hos] **2** genmäla [*to* mot]; ~ *guilty* erkänna [sig skyldig]; ~ *not guilty* neka

II *vb tr* **1** sköta, åta sig, ta sig an [~ *a cause*] **2** åberopa [sig på], hänvisa till, anföra som (till sitt) försvar [~ *one's youth*]

pleading ['pliːdɪŋ] *s* **1** plädering; försvar **2** yrkande, enträgen begäran; inlaga **3** bön, förbön [*for* om]

pleadingly ['pliːdɪŋlɪ] *adv* bönfallande, bedjande, bevekande

pleasant ['pleznt] *adj* behaglig, angenäm, tilltalande, trevlig, glad [*a ~ surprise*]; vänlig [*a ~ smile*]; [*a*] ~ *journey!* trevlig (lycklig) resa!

pleasantry ['plezntrɪ] *s* skämt, lustighet; *they exchanged pleasantries* de utbytte artigheter

please [pliːz] **I** *interj*, *coffee*, ~*!* kaffe, tack; ~ *daddy!* snälla pappa!; [*yes*] ~ **a**) ja tack **b**) ja, varsågod; *come in*, ~*!* var så god och stig (kom) in!; ~ *do!* javisst!, varsågod!, gör det [för all del]!; ~ *give it to me* var snäll (vänlig) och ge mig den

II *vb itr* **1** behaga; *as you* ~ som du vill (behagar); *take as many as you* ~ ta så många du vill; *cool as you* ~ vard. hur lugn som helst; *if you* ~ **a**) om du vill, var så god; som svar på fråga med erbjudande ja tack, ja jag tackar **b**) om du tillåter **c**) om jag får be **d**) iron. kan du tänka dig! [*he wanted me to work more for lower pay, if you ~!*] **2** behaga [*a desire to ~*]

III *vb tr* (se äv. *pleased*) behaga, tilltala, roa; glädja, göra glad [*I'll do it to ~ my mother*]; *do it just to ~ me!* gör det för min skull!; *hard to ~* svår att göra till lags; ~ *oneself* finna nöje [*in, with* i]; göra som det passar en [själv]; ~ *yourself!* [gör] som du vill!, gör som du har lust!

pleased [pliːzd] *adj* **1** nöjd, belåten, tillfreds,

tillfredsställd [*with* med], glad [*at, about* över, åt]; ~ *to meet you!* [det var] roligt (trevligt) att träffas!; angenämt!; goddag! **2** tilltalad, road [*with* av]

pleasing ['pliːzɪŋ] *adj* behaglig, angenäm, tilltalande [*to* för; *a ~ face*]; vinnande

pleasurable ['pleʒ(ə)rəbl] *adj* angenäm, behaglig, välgörande, lustbetonad, lust- [~ *sensation*]

pleasure ['pleʒə] *s* **1** nöje, glädje [*to* för]; välbehag, njutning, behag; lust; vällust; *give ~ to sb* glädja ngn, skänka ngn nöje (glädje); *derive ~ from* el. *find in* ha nöje av, finna nöje i; *do me the ~ of dining with me* gör mig den glädjen att äta middag med mig; [*oh do come –*] *it would give me such ~* ...det skulle verkligen glädja mig (vara en stor glädje för mig); *I have much ~ in awarding* [*the prize to*] jag har det stora nöjet att överlämna...; *I have the ~ of informing you* jag har nöjet att meddela er; *take ~ in* finna nöje i, ha (få) nöje av; *with ~* med nöje, gärna **2** önskan, vilja; *at ~* efter behag; *during His* (*Her*) *Majesty's ~* på obestämd tid; eg. så länge konungen (drottningen) finner för gott

pleasure ground ['pleʒəɡraʊnd] *s* nöjesfält

pleasure-seeking ['pleʒəˌsiːkɪŋ] *adj* nöjeslysten; njutningslysten

pleasure trip ['pleʒətrɪp] *s* nöjesresa

pleat [pliːt] *s* veck; plissé

pleated ['pliːtɪd] *adj* veckad, plisserad [*a ~ skirt*]

plebeian [pləˈbiːən] hist. el. bildl. **I** *adj* plebejisk; underklassig, simpel, tarvlig **II** *s* plebej; underklassare

plebiscite ['plebɪsaɪt, -sɪt] *s* [allmän] folkomröstning, plebiscit

plebs [plebz] (med verb i pl.) *s* lat., *the* ~ plebs, massorna, pöbeln

plectr|um ['plektr|əm] (pl. -*ums* el. -*a* [-ə]) *s* mus. plektrum

pled [pled] amer. el. skotsk., imperf. o. perf. p. av *plead*

pledge [pledʒ] **I** *s* **1** [högtidligt] löfte, utfästelse [~ *of* (om) *aid*]; *take the ~* el. *sign the ~* åld. avlägga nykterhetslöfte; *under ~ of secrecy* under tysthetslöfte **2** pant, underpant äv. bildl.; *in ~ of* som pant (säkerhet) för; *take sth out of* ~ lösa ut (in) ngt **II** *vb tr* **1** [högtidligt] lova, utlova, göra utfästelser om [*the country ~ed its support*] **2** förbinda, förplikta [*sb to sth* ngn till ngt]; *be ~d to secrecy* vara bunden av tysthetslöfte **3** sätta i pant, lämna som säkerhet, pantsätta; ~ *oneself for* gå i borgen för, ansvara för; ~ *one's word* [*of honour*] ge sitt hedersord [på]

plenary ['pliːnərɪ] *adj* **1** fulltalig, fullständig; ~ *meeting* plenarmöte, plenarförsamling, plenum **2** ~ *powers* oinskränkt fullmakt

plenipotentiary [ˌplenɪpə(ʊ)ˈtenʃ(ə)rɪ] **I** *s* person försedd med oinskränkt fullmakt; befullmäktigad ambassadör (envoyé, minister) [*to* hos] **II** *adj* med oinskränkt fullmakt, befullmäktigad

plenteous ['plentɪəs] *adj* mest poet. riklig, ymnig

plentiful ['plentɪf(ʊ)l] *adj* riklig, ymnig; talrik

plenty ['plentɪ] **I** *s* **1** [stor] mängd, massor; överflöd, ymnighet; ~ *of* gott om, massor av (med), massvis med; ~ *of things to be done* en mängd (en massa, ett otal) saker som måste göras; *we have* (*there's*) ~ *of time* vi har (det är) gott om tid (god tid); *I've got ~ to do* jag har massor (fullt upp, mer

än nog) att göra; **horn of** ~ ymnighetshorn
2 välstånd, rikedom
II *adj* vard., **six will be** ~ sex räcker (är mer än nog)
III *adv* **1** ~ **more** el. ~ **more of** gott om, massor av
(med), massvis med **2** *it's* ~ **big** (**long** etc.) **enough** den
är tillräckligt stor (lång etc.) **3** vanl. amer. vard. ganska
[så] [*he was* ~ *nervous*]
pleonastic [ˌpliəˈnæstɪk] *adj* språkv. pleonastisk
plethora [ˈpleθərə, pleˈθɔːrə] *s* bildl. övermått,
överflöd; övermättnad
pleurisy [ˈplʊərəsɪ] *s* med. lungsäcksinflammation,
pleurit
Plexiglas® [ˈpleksɪɡlɑːs] *s* amer. plexiglas®
plexus [ˈpleksəs] *s* anat. el. boxn., s *solar plexus*
pliable [ˈplaɪəbl] *adj* böjlig, smidig, mjuk, bildl. äv.
eftergiven, foglig, lättpåverkad
pliant [ˈplaɪənt] *adj* se *pliable*
pliers [ˈplaɪəz] *s* [med verb i sg. el. pl.] *s* tång, flacktång;
avbitare; **a pair of** ~ en tång osv.; **flat** ~ el. **flat-nosed** ~
plattång; **universal** ~ universaltång
plight [plaɪt] *s* tillstånd, [svår] belägenhet [*be in a
hopeless* (*miserable, sorry*) ~]; svår situation
Plimsoll line [ˈplɪms(ə)llaɪn] *s* o. **Plimsoll mark**
[ˈplɪms(ə)lmɑːk] *s* sjö. lastmärke, fribordsmärke
plimsolls [ˈplɪms(ə)lz, -sɒlz] *s pl* åld. gymnastikskor,
tennisskor
plinth [plɪnθ] *s* plint under pelare; fot, sockel
PLO [ˌpiːelˈəʊ] (förk. för *Palestine Liberation
Organization*), **the** ~ PLO palestinska befrielsefronten
plod [plɒd] **I** *vb itr* **1** lunka, knoga, traska [ofta ~ *on*,
~ *along*] **2** kämpa, slita, knoga; plugga; ~ *away*
kämpa (knoga) 'på [*at sth* med ngt]
II *vb tr*, ~ *one's way* lunka [sin väg] fram
plodder [ˈplɒdə] *s* vard. [plikttrogen] arbetsmyra,
oinspirerad knegare
plodding [ˈplɒdɪŋ] *adj* trög, tungfotad; knogande,
strävsam
1 plonk [plɒŋk] **I** *vb tr* ställa ner (lägga, släppa)
med en duns [*he* ~*ed the books* [*down*] *on the
table*]; ~ *oneself down* slänga sig ner [~ *oneself
down on the sofa*]
II *s* duns, plask, plums
2 plonk [plɒŋk] *s* vard. enklare vin
plop [plɒp] **I** *vb itr* **1** plumsa **2** pluppa
II *interj* o. *s* plums, plupp
plosive [ˈpləʊsɪv] *s* fonet. klusil, explosiva
1 plot [plɒt] **I** *s* **1** komplott, sammansvärjning
2 intrig, handling i roman o.d.; **loose the** ~ vard. tappa
greppet; **the** ~ **thickens** se under *thicken II 3*
II *vb itr* konspirera, sammansvärja sig [*against
mot*]
III *vb tr* **1** planera [~ *sb's ruin*]; förbereda, anstifta
[~ *mutiny*] **2** lägga upp intrigen (handlingen) i
2 plot [plɒt] **I** *s* **1** (liten) jordbit; [trädgårds]land,
täppa [*a* ~ *of vegetables*]; **building** ~ [byggnads]tomt
2 amer. plan[karta]
II *vb tr* **1** markera, pricka in, rita [in, (upp)], lägga
ut [~ *a ship's course*]; plotta [~ *aircraft movements
by radar*; ~ *a curve*]; rita (göra upp) ett diagram
över **2** kartlägga
Plough [plaʊ] *s*, **the** ~ astron. Karlavagnen
plough [plaʊ] **I** *s* **1** plog; **put** (**lay, set**) **one's hand to
the** ~ bildl. sätta handen till plogen, ta itu med
saken **2** plöjd mark

II *vb tr* plöja; snick. nota, sponta; bildl. fåra; ~ *a
lonely furrow* bildl. arbeta ensam, gå sin egen väg; ~
one's way bana sig väg, plöja sig fram; ~ *back
profits into the company* plöja ner (återinvestera)
vinsten i företaget
III *vb itr* **1** plöja; ~ *through* bildl. knoga [sig] (plöja)
igenom [~ *through a book*] **2** gå att plöja [*land that
~s easily*] **3** univ. sl. köra
plough|man [ˈplaʊ|mən] (pl. *-men* [-mən]) *s* **1** plöjare
2 bonde; dräng
ploughman's lunch [ˌplaʊmənzˈlʌn(t)ʃ] *s* ung.
lunchtallrik [med bröd, ost och pickles o.d.]
ploughshare [ˈplaʊʃeə] *s* plogbill
plover [ˈplʌvə, amer. ˈpləʊvə] *s* zool. pipare; **golden** ~
ljungpipare; **ringed** ~ större strandpipare; **little
ringed** ~ mindre strandpipare
plow [plaʊ] amer., se *plough* m.fl. ord
ploy [plɔɪ] *s* **1** trick, knep **2** grej [*golf is her latest* ~]
PLS i e-post el. textmeddelanden förk. för *please*
pluck [plʌk] **I** *vb tr* **1** plocka [~ *a flower*; ~ *a fruit*; ~
a chicken]; ~ *sth out of the air* gripa ngt ur luften; ~
up [*one's*] *courage* ta mod till sig, repa (hämta) mod
2 rycka, dra **3** knäppa på gitarr o.d. **4** plocka upp; ~
to safety föra i säkerhet
II *vb itr* rycka, dra [*at i*]
III *s* vard. [friskt] mod, kurage; styrka
plucky [ˈplʌkɪ] *adj* vard. modig, djärv
plug [plʌg] **I** *s* **1** elektr. o.d. stickpropp, stickkontakt;
vard. vägguttag, jackpropp **2** lovord; i radio m.m.
reklam[inslag], plugg **3** plugg av plast el. trä, propp,
tapp **4** knopp till spolningsanordning på wc **5** tändstift
6 vard., **pull the** ~ **on** stoppa **7 a)** tobaksstång pressad
tobak; **cut** ~ pressad och skuren tobak, cut plug
b) tobaksbuss
II *vb tr* **1** plugga igen, stoppa till [med en plugg
(propp)], sätta en plugg (propp) i [~ *a hole*; äv. ~
up]; plugga fast **2** sl. göra intensiv reklam (puffa
kraftigt) för, gå ut hårt med, sälja in [~ *a new song
on* (hos) *the audience*]
III *vb itr* o. *vb tr* med adv. el. prep.:
plug away at vard. knoga (jobba) 'på med [~ *away at
a piece of work*]
plug in elektr. ansluta, koppla in [~ *in the radio*]
plughole [ˈplʌɡhəʊl] *s* avloppshål i t.ex. badkar; **go
down the** ~ bildl. vara (bli) bortkastad
plum [plʌm] **I** *s* **1** plommon **2** plommonträd [äv. ~
tree] **3** russin i t.ex. **4** vard. läckerbit, godbit;
eftertraktad befattning (roll); **the best** ~**s** [*went to
her friends*] de bästa bitarna…, russinen i kakan…
II *adj* **1** plommonfärgad, plommonröd **2** önske-
plumage [ˈpluːmɪdʒ] *s* fjäderdräkt, fjädrar
plumb [plʌm] **I** *vb tr* **1** loda, sondera, pejla [djupet
av]; ~ *the depth of a mystery* gå till botten med ett
mysterium **2** ~ *sth in* ansluta ngt, koppla in ngt
II *adv* **1** lodrätt **2** vard. precis; rakt, pladask;
alldeles, fullkomligt [~ *crazy*]
III *adj* **1** lodrät **2** vanl. amer. vard. ren, fullkomlig [~
nonsense]
plumber [ˈplʌmə] *adj* **1** rörmokare, rörmontör
2 rörledningsentreprenör
plumbing [ˈplʌmɪŋ] *s* **1** rörsystem, sanitära
anläggningar i byggnad o.d. **2** rörarbete, rörmokeri
plumb line [ˈplʌmlaɪn] *s* lodlina, lodsnöre
plume [pluːm] **I** *s* stor fjäder, plym; fjäderbuske;

[**strut in**] *borrowed ~s* [lysa med] lånta fjädrar; *a ~ of smoke* en rökkvast
II *vb tr* **1** förse (pryda) med fjädrar (plymer) **2** om fågel putsa [*~ itself; ~ its feathers*] **3** bildl., *~ oneself* yvas, brösta sig [*on* över]

plummet ['plʌmɪt] **I** *vb itr* bildl. rasa, sjunka kraftigt [*share prices have ~ed*] **II** *s* tekn. sänklod, riktlod, [bly]lod

plummy ['plʌmɪ] *adj* vard. **1** finfin, toppen- [*a ~ job*]; läcker, härlig **2** fyllig, [affekterat] sonor [*a ~ voice*]

1 plump [plʌmp] **I** *adj* fyllig, knubbig, mullig, trind, rund [*~ cheeks*]; fet, välgödd [*a ~ chicken*] **II** *vb itr*, *~* el. *~ up* bli fyllig (rundare), lägga ut

2 plump [plʌmp] **I** *vb itr*, *~ down* dimpa ner [*~ down in a chair*]; plumsa [*~ down into the water*]
II *vb tr* låta dimpa ner (plumsa 'i), slänga; *~ down a heavy bag* släppa en tung väska i golvet
III *vb itr* med prep.:
plump for a) polit. ge alla sina röster åt, stödja [*~ for the Labour candidate*] **b**) rösta (hålla) på, bestämma sig (fastna) för [*~ for one alternative*]

plunder ['plʌndə] **I** *vb tr* o. *vb itr* plundra, skövla; röva
II *s* **1** plundring, skövling **2** byte, rov

plunge [plʌn(d)ʒ] **I** *vb itr* **1** störta sig, rusa [*~ into* (in i) *a room*]; kasta sig, dyka ner [*~ into* (i) *a swimming pool*]; *~ into* bildl. kasta sig in i, ge sig in på, fördjupa sig i [*~ into an argument*] **2** ekon. rasa
II *vb tr* störta, kasta, stöta [*into* i, in i, ner i], köra (sticka, doppa) ner [*into* i]; bildl. försätta, störta [*~ a country into war*]; *a room ~d in darkness* ett rum sänkt (höljt) i mörker
III *s* **1** språng, dykning, bildl. äv. djupdykning, störtande, sänkande; *take the ~* bildl. våga språnget, ta det avgörande steget **2** ekon. ras

plunger ['plʌn(d)ʒə] *s* tekn. **1** pistong, kolv, plunsch **2** vaskrensare sugklocka med skaft

plunging neckline [ˌplʌn(d)ʒɪŋ'neklaɪn] *s* djup urringning

plunk [plʌŋk] vanl. amer. **I** *s* **1** duns, plums **2** knäpp[ande], spel, klink [*the ~ of a banjo*]
II *vb tr* **1** se *1 plonk I* **2** knäppa (spela) på [*~ a banjo*]; klinka på
III *vb itr* **1** spela, klinka **2** *~ for* vard. rösta (heja) på [*~ for a candidate*]; rösta (gå in) för [*~ for an idea*]

pluperfect [ˌpluː'pɜːfɪkt] *s* gram., *the ~* pluskvamperfekt[um]

plural ['plʊər(ə)l] gram. **I** *adj* plural **II** *s* plural[form] [*Latin ~s*]; *the ~* äv. plural, flertal

pluralistic [ˌplʊərə'lɪstɪk] *adj* pluralistisk

plurality [plʊə'rælətɪ] *s* **1** mångfald, stor mängd **2** flertal, pluralitet, amer. äv. majoritet, röstövervikt [äv. *~ of votes*]

plus [plʌs] **I** (pl. *~es* el. *~ses*) *s* **1** matem. **a**) plus, plustecken **b**) positivt tal **2** plus; tillskott
II *adj* **1** matem. el. elektr. plus-, positiv; *~ quantity* positivt tal **2** extra, överskjutande; *he's 40 ~* han är drygt fyrtio
III *prep* plus [*one ~ one*]; samt, med [*carrying a case ~ books*]

plus fours [ˌplʌs'fɔːz] *s pl* plusfours, golfbyxor

plush [plʌʃ] **I** *adj* **1** vard. flott, vräkig, lyxig [*a ~ night club*] **2** plysch-, plyschaktig
II *s* plysch

plus sign ['plʌssaɪn] *s* plustecken

Pluto ['pluːtəʊ] mytol. el. astron. Pluto

plutocracy [pluː'tɒkrəsɪ] *s* plutokrati; penningvälde; penningaristokrati

plutocratic [ˌpluːtə(ʊ)'krætɪk] *adj* plutokratisk

plutonium [pluː'təʊnɪəm] *s* kem. plutonium

1 ply [plaɪ] **I** *vb itr* **1** göra regelbundna turer, gå [i trafik] mellan två platser **2** arbeta [träget] [*at sth* på ngt], vara i full gång [*at sth* med ngt]
II *vb tr* **1** trafikera, gå [i trafik] på (över)
2 använda (bruka) [flitigt], arbeta flitigt med; *~ the oars* ro med kraftiga tag **3** bedriva, utöva [*~ a trade*] **4** förse [*~ a fire with fuel*]; *~ sb with food and drink* bjuda ngn på rikligt med mat och dryck
5 ansätta, bearbeta, överhopa [*~ sb with questions*]

2 ply [plaɪ] *s* **1** veck **2** lager, skikt; tråd, enkelgarn; som efterled i sammansättn. -dubbel, -skikts, -skiktad [*three-ply serviettes; three-ply wood*]; -trådig [*three-ply wool*]

Plymouth ['plɪməθ] geogr.

plywood ['plaɪwʊd] *s* plywood, kryssfaner

PM [ˌpiː'em] förk. för *Prime Minister*

p.m. [ˌpiː'em] (förk. för *post meridiem* lat.) efter middagen, [på] eftermiddagen, e.m.

PMS [ˌpiːem'es] (förk. för *premenstrual syndrome*) PMS, premenstruellt syndrom

PMT [ˌpiːem'tiː] (förk. för *premenstrual tension*) PMS, premenstruell spänning

pneumatic [njʊ'mætɪk] **I** *adj* pneumatisk, tryckluffts- [*~ drill*]; luft-, luftfylld **II** *s* [inner]slang på cykel o.d, däck

pneumatic drill [njʊˌmætɪk'drɪl] *s* tryckluftsborr

pneumonia [njʊ'məʊnɪə] *s* med. lunginflammation, pneumoni

Pnom Penh [ˌpnɒm'pen] geogr.

PO [ˌpiː'əʊ] förk. för *Petty Officer, postal order, Post Office*

1 poach [pəʊtʃ] *vb tr* pochera; *~ed eggs* äv. förlorade ägg

2 poach [pəʊtʃ] **I** *vb itr* bedriva tjuvskytte (tjuvfiske), tjuvjaga, tjuvfiska; *~ for salmon* tjuvfiska lax; *~ on sb's territory* (*preserve*) bildl. komma (tränga) in p ngns område
II *vb tr* bedriva olaglig jakt (olagligt fiske) på; tjuvjaga, tjuvfiska [*~ hares; ~ salmon*]

1 poacher ['pəʊtʃə] *s* tjuvskytt; tjuvfiskare; *~ turned gamekeeper* person som har bytt sida

2 poacher ['pəʊtʃə] *s* äggförlorare kokkärl, pocheringspanna

poaching ['pəʊtʃɪŋ] *s* tjuvskytte; tjuvfiske

PO Box [ˌpiː'əʊbɒks] *s* post. box

pochette [pɒ'ʃet] *s* kuvertväska

pocked [pɒkt] *adj* koppärrig; *~ with* bildl. gropig av, [liksom] ärrig av [*the moon's surface is ~ with craters*]

pocket ['pɒkɪt] **I** *s* **1** ficka; fack, fodral; hål, fördjupning; attr. fick-, i fickformat; *be* (*live*) *in each other's ~s* leva för nära inpå varandra; *have sth in one's ~* bildl. ha ngt som i en liten ask; *I have got him* (*he is*) *in my ~* bildl. jag har honom helt i min hand, han går i mina ledband; *put sth in one's ~* bildl. stoppa ngt i egen ficka; *I'm £10 in ~* jag äger tio pund; jag har vunnit (tjänat) tio pund [*by, over*

på]; *I'm £10 out of* ~ el. *I'm out of* ~ *by £10* jag har lagt (gett) ut tio pund; jag har förlorat tio pund [*by, over* på] **2** bilj. hål; påse **3** mil. grupp, ficka; *~s of resistance* isolerade motståndsgrupper (motståndsfickor) **4** flyg. luftgrop [äv. *air* ~]
II *vb tr* **1** stoppa (sticka) i fickan, stoppa på sig; tjäna [*he* ~*ed a large sum*]; lägga sig till med, stoppa i egen ficka [*he* ~*ed the profits*]; ~ *a ball* bilj. göra (sänka) en boll **2** bildl. svälja [~ *one's pride*]; finna sig i [~ *an insult*]

pocketbook ['pɒkɪtbʊk] *s* **1** vanl. amer. plånbok **2** pocketbok **3** åld. anteckningsbok

pocket calculator [ˌpɒkɪt'kælkjəleɪtə] *s* miniräknare

pocketful ['pɒkɪtfʊl] (pl. ~*s* el. *pocketsful*) *s*, *a* ~ *of* en ficka (fickan) full med

pocket knife ['pɒkɪtnaɪf] *s* pennkniv, fickkniv

pocket money ['pɒkɪtˌmʌnɪ] *s* fickpengar, veckopeng[ar]; *£15* ~ 15 pund i veckopeng

pocket-size ['pɒkɪtsaɪz] *adj* o. **pocket-sized** ['pɒkɪtsaɪzd] *adj* i fickformat

pocket veto ['pɒkɪtˌviːtəʊ] *s* amer. [presidentens] veto (vetorätt) genom underlåtenhet att underteckna lagförslag inom tio dagar

pockmark ['pɒkmɑːk] *s* koppärr; bildl. grop
pockmarked ['pɒkmɑːkt] *adj* koppärrig

pod [pɒd] **I** *s* [frö]skida, balja, kapsel; *vanilla* ~ vaniljstång **II** *vb tr* sprita (rensa) ärter o.d.

podcast ['pɒdkɑːst] data. **I** *s* poddradio, poddsändning **II** *vb itr* podda

podgy ['pɒdʒɪ] *adj* vard. knubbig, rultig

podiatrist [pə'daɪətrɪst] *s* vanl. amer. fotvårdsspecialist

podiatry [pə'daɪətrɪ] *s* vanl. amer. fotvård

podi|um ['pəʊdɪəm] (pl. -*a* [-ə]) *s* podium

poem ['pəʊɪm, -em] *s* dikt, vers, poem

poet ['pəʊɪt, -et] *s* poet; diktare, skald

poetic [pəʊ'etɪk] *adj* o. **poetical** [ˌpəʊ'etɪk(ə)l] *adj* poetisk; diktar-, skalde- [~ *talent*]; versifierad [*a* ~ *version*]; *in poetic form* i versform, på vers; *poetical works* dikter, diktalster

poetic justice [pəʊˌetɪk'dʒʌstɪs] *s* poetisk (ideal) rättvisa där det goda får sin belöning och det onda sitt straff, rättvisans seger

poetic licence [pəʊˌetɪk'laɪs(ə)ns] *s* poetisk frihet, licentia poetica

Poet Laureate [ˌpəʊɪt'lɔːrɪət] (pl. *Poets Laureate*) *s* hovskald, poeta laureatus

poetry ['pəʊətrɪ] *s* poesi äv. bildl.; diktning, diktkonst, skaldekonst; *book of* ~ diktbok; *write* ~ skriva poesi (dikter, vers)

po-faced ['pəʊfeɪst] *adj* vard. tråkig; trångsynt, inskränkt

pogo stick ['pəʊgəʊstɪk] *s* kängurustylta

pogrom ['pɒgrəm, pə'grɒm] *s* pogrom

poignancy ['pɔɪnjənsɪ] *s* bitterhet; *the* ~ *of the situation* det gripande i situationen

poignant ['pɔɪnjənt] *adj* **1** stark, gripande [~ *scene*]; intensiv, djup, stor [~ *experience*; ~ *interest*] **2** bitter [~ *sorrow*]; bitande [~ *sarcasm*]

poignantly ['pɔɪnjəntlɪ] *adv* starkt etc., jfr *poignant*; innerligt

poinsettia [pɔɪn'setɪə] *s* bot. julstjärna, poinsettia

point [pɔɪnt] **I** *s* **1 a)** kärnpunkt, huvudsak;

slutkläm, poäng [*the* ~ *of the story*] **b)** syfte, mål; åsikt, ståndpunkt; *the* ~ *is that...* saken är den att...; *the* ~ *was to* huvudsaken var att; *that's just the* ~ det är det som är det fina med det; *that's not the* ~ det är inte det saken gäller; *my* ~ *is that...* vad jag menar är att...; *get the* ~ förstå vad saken gäller, fatta galoppen; *you have [got] a* ~ *there!* det ligger något i vad du säger; *make a* ~ *of* hålla [styvt] på, vara noga med; *make a* ~ *of getting up early* göra det till en regel att stiga upp tidigt; *make one's* ~ [lyckas] klargöra vad man menar; *you've made your* ~*!* du har sagt det!, jag hör vad du säger!; *miss the* ~ inte förstå (missa) poängen; *I take your* ~ jag förstår vad du menar (vill ha sagt); *it's quite beside the* ~ det har inget med saken att göra; *a case in* ~ ett bra (belysande) exempel; *in* ~ *of fact* i själva verket, faktiskt; *come to the* ~ komma till saken; *keep to the* ~ hålla sig till saken **2** mening, nytta; *there's no* ~ *in doing that* det är ingen mening med att göra det; *is there any* ~ *in it?* är det någon idé?; *what's the* ~*?* vad är det för mening med det?; *I can't see the* ~ *of it* (*of doing it*) jag kan inte se vitsen med det (med att göra det) **3** spets, udd; på horn tagg; *the* ~ *of the jaw* hakspetsen, hakan; *at the* ~ *of the bayonet* med bajonettanfall; *at the* ~ *of the sword* **a)** med kniven på strupen, under vapenhot **b)** med svärd i hand; *not to put too fine a* ~ *on it* för att tala rent ut (gå rakt på sak) **4** punkt, prick **5** punkt, moment, sak; *the fine[r]* ~*s of the game* spelets finesser; *at all* ~*s* på alla punkter, överallt; *up to a* ~ till en viss grad **6** punkt äv. geom.; *decimal* ~ [decimal]komma; *one* ~ *five* (*1.5, 1·5*) ett komma fem (1,5) **7** [tid]punkt, ögonblick; *I was on the* ~ *of leaving* jag skulle just gå, jag stod i begrepp att gå; *when it came to the* ~ när det kom till kritan **8** poäng i sport m.m. [*win by* (med) *ten* ~*s; win on* (på) ~*s*]; *match* ~ tennis. matchboll; *set* ~ tennis. setboll **9** udde, [land]tunga, [berg]spets **10** streck på kompass; *from all four* ~*s of the compass* från alla fyra väderstrecken **11 a)** grad; punkt [*boiling* ~] **b)** streck, enhet [*the cost of living went up several* ~*s*] **12** sida, egenskap; *she has her [good]* ~*s* hon har sina goda sidor; *that is not his strong* ~ det är inte hans starka sida **13** sydd[a] spets[ar], knypplad spets **14** elektr., ~ el. *power* ~ vägguttag
II *vb tr* **1** peka med [*at, towards* på, mot]; rikta, sikta (lägga an) med [*at, towards* på, mot; ~ *a gun at sb*]; rikta (ställa) in [~ *a telescope*] **2** vässa, formera [~ *a pencil*]
III *vb itr* peka [*at* mot; *to* på; *towards* [i riktning] mot]; vara noga (riktad) [*to, towards* mot]
IV *vb tr* o. *vb itr* med adv. el. prep.:
point out peka ut, peka på, bildl. äv. påpeka, poängtera [~ *out the defects*]
point to a) peka på **b)** vara vänd (riktad) mot **c)** peka (tyda) på
point up understryka, framhäva

point-blank [ˌpɔɪnt'blæŋk, attr. '--] **I** *adv* **1** bildl. direkt, rent ut, rakt på sak [*tell sb* ~]; utan vidare, på stället; *he refused* ~ han vägrade blankt **2** rakt [på målet]
II *adj* **1** om yttrande rakt på sak, direkt, rättfram; blank [~ *denial*; ~ *refusal*] **2** [riktad] rakt mot målet; ~ *fire* mil. eld på nära håll; ~ *range* mil.

kärnskotts avstånd skottvidd där banan är praktiskt taget rak; **at ~ range** äv. från (på) mycket nära håll

point duty ['pɔɪnt,dju:tɪ] *s* tjänstgöring som trafikpolis; **be on ~** ha trafiktjänst, dirigera trafiken

pointed ['pɔɪntɪd] *adj* **1** spetsig **2** bildl. spetsig, skarp [*a ~ reply*; *a ~ remark*]; tydligt riktad [*~ criticism*] **3** tydlig, avsiktlig [*~ allusion*]; markant, påfallande [*~ ignorance*]; uttrycklig **4** precis, exakt, klar, koncis, noggrann

pointer ['pɔɪntə] *s* **1** vard. vink, fingervisning, påpekande; tips, förslag **2** visare på klocka, våg o.d. **3** pekpinne **4** data. pekare **5** pointer, slags fågelhund

pointless ['pɔɪntləs] *adj* **1** meningslös; svag, tam, lam [*a ~ attempt*] **2** poänglös, utan poäng

point of contact [,pɔɪntəv'kɒntækt] (pl. *points of contact*) *s* beröringspunkt, tangeringspunkt

point of no return [,pɔɪntəvnəʊrɪ'tɜ:n] *s*, **we are at (have reached) the ~** det finns ingen återvändo [för oss]

point of order [,pɔɪntəv'ɔ:də] (pl. *points of order*) *s* procedurfråga

point of reference [,pɔɪntəv'ref(ə)r(ə)ns] (pl. *points of reference*) *s* referenspunkt

point of sale [,pɔɪntəv'seɪl] (förk. *POS*) *s* försäljningsställe; försäljningstillfälle

point of view [,pɔɪntəv'vju:] (pl. *points of view*) *s* synpunkt, synvinkel; ståndpunkt

poise [pɔɪz] **I** *s* **1** jämvikt, balans [äv. *equal (even) ~*]; svävande **2** sätt att föra sig, hållning; värdighet **II** *vb tr* (se äv. *poised*) bringa (hålla) i jämvikt, balansera **III** *vb itr* (se äv. *poised*) sväva

poised [pɔɪzd] *perf p* o. *adj* **1** samlad, värdig, säker, balanserad, i jämvikt; beredd **2** balanserande [*a ball ~ on the nose of a seal*]; lyft, lyftad; svävande

poison ['pɔɪzn] **I** *s* gift äv. bildl.; **hate like ~** avsky som pesten; **what's your ~?** el. **name your ~** vard. vad vill du ha [att dricka]? **II** *vb tr* förgifta äv. bildl.; **~ sb (sb's mind) against** göra ngn avogt inställd mot

poisoner ['pɔɪz(ə)nə] *s* giftblandare, giftmördare

poison fang [,pɔɪzn'fæŋ] *s* gifttand

poison gas [,pɔɪzn'gæs] *s* giftgas

poison ivy [,pɔɪzn'aɪvɪ] *s* bot. giftek, giftsumak

poisonous ['pɔɪz(ə)nəs] *adj* **1** giftig, gift- **2** skadlig, fördärvlig **3** illvillig, giftig [*a ~ tongue*]

poison-pen [,pɔɪzn'pen] *adj* [anonym] hat- [*a ~ letter*]; smutskastnings- [*a ~ campaign*]

1 poke [pəʊk] *s*, **buy a pig in a ~** vard. åld. köpa grisen i säcken

2 poke [pəʊk] **I** *vb tr* **1** stöta (knuffa, puffa) [till] med spetsigt föremål, finger o.d., peta [på]; **~ a hole in** peta hål på (i) **2** röra om [i] eld o.d.; **~ the fire [up]** röra om i brasan **3** sticka [fram (ut, in)]; **~ fun at** göra narr av, driva med; **~ one's nose into sth** sticka näsan (nosa) i ngt, lägga sig 'i ngt; **~ one's nose into other people's affairs (business)** äv. lägga näsan i blöt **4** **be ~d up** vara instängd (isolerad) **5** vulg. knulla **II** *vb itr* **1** peta [*at* på]; **~ with a stick in sth**] **2** snoka [*~ into sb's private affairs*]; **~ about** el. **~ around** [gå och] rota (snoka) [*~ about in the attic*]; hålla på och stöka (påta) [*~ about in the garden*]; **~ about in the dark** famla (treva) omkring i mörkret **3** **~** el. **~ out** sticka fram (ut) [*his head ~d through the door*]

III *s* stöt, knuff [*give sb a ~ in the ribs* (i sidan)]; **give the fire a ~** röra om lite i brasan

1 poker ['pəʊkə] *s* kortsp. poker

2 poker ['pəʊkə] *s* **1** eldgaffel **2** glödritningsstift

poker face ['pəʊkəfeɪs] *s* pokeransikte

poker-faced ['pəʊkəfeɪst] *adj* med pokeransikte

pokey o. **poky** ['pəʊkɪ] *adj* **1** trång, kyffig [*a ~ room*; *a ~ flat*]; torftig **2** amer. vard. långsam, trög [*~ traffic*]

Poland ['pəʊlənd] geogr. Polen

polar ['pəʊlə] *adj* polar, pol-; fackspr. el. bildl. polär

polar bear [,pəʊlə'beə] *s* isbjörn

polar circle [,pəʊlə'sɜ:kl] *s* polcirkel

polarity [pə(ʊ)'lærətɪ] *s* fackspr. el. bildl. polaritet

polarization [,pəʊləraɪ'zeɪʃ(ə)n, -rɪ'z-] *s* fys. el. TV. polarisation, polarisering äv. bildl.

polarize ['pəʊləraɪz] *vb tr* o. *vb itr* fys., TV. el. bildl. polarisera

Pole [pəʊl] *s* polack; polska kvinna

1 pole [pəʊl] *s* påle, stolpe, stång, stake, stör; sport. stav, amer. äv. [skid]stav; **up the ~** vard. a) galen, tokig, knasig b) på fel spår

2 pole [pəʊl] *s* pol [*the North Pole*]; **negative ~** elektr. minuspol, negativ pol (elektrod), katod; **positive ~** elektr. pluspol, positiv pol (elektrod), anod; **they are ~s apart** de står långt ifrån varandra; de är diametralt motsatta (himmelsvitt skilda)

poleaxed ['pəʊlækst] *adj* **1** omskakad, chockad **2** **as if she had been ~** som om hon hade fått ett klubbslag

polecat ['pəʊlkæt] *s* zool. **1** iller **2** amer. skunk

polemic [pə'lemɪk] *s* polemik; **~s** (med verb vanl. i sg.) spec. teol. polemik

polemical [pə'lemɪk(ə)l] *adj* polemisk

polenta [pə'lentə] *s* kok. polenta, majsgröt

pole position ['pəʊlpə,zɪʃ(ə)n] *s* **1** pole position startposition i första ledet och på innerbana i biltävling **2** bildl. fördelaktig position; tätposition [*the company retained a ~ in hormone research*]; ledande ställning

Pole Star ['pəʊlstɑ:] *s*, **the ~** Polstjärnan

pole vault ['pəʊlvɔ:lt] *s* sport., **the ~** stavhopp gren

pole-vaulter ['pəʊl,vɔ:ltə] *s* sport. stavhoppare

police [pə'li:s] **I** (med verb i pl.) *s* polis myndighet [*the ~ have caught him*]; poliser [*several hundred ~ were on duty*]; **~ raid** [polis]razzia; **chief of ~** polischef; som titel polismästare **II** *vb tr* behärska, bevaka, kontrollera; **UN forces ~d the area** FN-trupper övervakade (kontrollerade) området

police academy [pə'li:sə,kædəmɪ] *s* amer. polishögskola

police cell [pə'li:ssel] *s* arrest[lokal], cell

police college [pə'li:s,kɒlɪdʒ] *s* polisskola

police commissioner [pə'li:skə,mɪʃ(ə)nə] *s* polismästare, polischef

police constable [pə,li:s'kʌnstəbl] (förk. *PC*) *s* polis, polisman

police cordon [pə'li:s,kɔ:dn] *s* poliskedja, polisspärr

police court [pə'li:skɔ:t] *s* polisdomstol

police department [pə,li:sdɪ'pɑ:tmənt] *s* amer. **1** högsta statliga polismyndighet **2** se *police force*

police dog [pə'li:sdɒg] *s* **1** schäfer[hund] **2** polishund

police force [pə'li:sfɔ:s] *s* poliskår, polisstyrka
police inspector [pə'li:sɪn,spektə] *s* ung. polisinspektör
police magistrate [pə'li:s,mædʒɪstreɪt] *s* polisdomare
police|man [pə'li:s|mən] (pl. *-men* [-mən]) *s* polis, polisman; **~'s badge** polisbricka
police officer [pə'li:s,ɒfɪsə] *s* polis
police sergeant [pə'li:s,sɑ:dʒ(ə)nt] (förk. *PS*) *s* britt., ung. polisinspektör grad mellan *constable* och *inspector*; amer., ung. polisinspektör grad mellan *patrolman* och *lieutenant* el. *captain*
police state [pə'li:ssteɪt] *s* polisstat
police station [pə'li:s,steɪʃ(ə)n] *s* polisstation
police van [pə'li:svæn] *s* polispiket
police|woman [pə'li:s|wʊmən] (pl. *-women* [-wɪmɪn]) *s* kvinnlig polis
policing [pə'li:sɪŋ] *s* **1** polisbevakning; friare övervakning **2** polisarbete
1 policy ['pɒlɪsɪ] *s* **1** politik [*foreign* ~]; policy [*a new company* ~]; linje, hållning äv. polit.; **honesty is the best** ~ ordspr. ärlighet varar längst; **pursue a** ~ föra en politik **2** klok politik, klokhet, förnuftigt handlingssätt
2 policy ['pɒlɪsɪ] *s* försäkringsbrev [äv. *insurance* ~]
policyholder ['pɒlɪsɪ,həʊldə] *s* försäkringstagare, försäkringshavare; **the** ~ äv. den försäkrade
policymaker ['pɒlɪsɪ,meɪkə] *s* person som drar upp riktlinjerna för politiken (policyn), 'policymaker'; **the ~s** äv. de makthavande, de politiskt ansvariga
polio ['pəʊlɪəʊ] *s* med. vard. polio
poliomyelitis [,pəʊlɪə(ʊ)maɪə'laɪtɪs] *s* med. poliomyelit[is], polio
Polish ['pəʊlɪʃ] **I** *adj* polsk **II** *s* polska [språket]
polish ['pɒlɪʃ] **I** *s* **1** polermedel, putsmedel; polityr, polish [*furniture* ~]; **nail** ~ nagellack; **shoe** ~ skokräm; **silver** ~ silverputs[medel] **2** polering, putsning **3** glans, polityr, bildl. äv. förfining, stil; belevat sätt; polerad yta; **high** ~ högglans
II *vb tr* (se äv. *polished*) **1** polera [~ *brass*]; skura; bona [~ *floors*]; putsa, borsta [~ *shoes*] **2** bildl. slipa av, polera, putsa; fila på [~ *one's verses*]
III *vb tr* med adv. el. prep.:
polish off vard. **a)** snabbt klara av (få ur händerna) [~ *off a job*]; [snabbt] expediera [~ *off an opponent*] **b)** svepa, sätta i sig [~ *off a bottle of wine*]
polish up vard. bättra på [~ *up one's French*]
polished ['pɒlɪʃt] *adj* **1** polerad etc., jfr *polish II*; blank **2** bildl. förfinad, kultiverad, belevad
polisher ['pɒlɪʃə] *s* **1** polerare, putsare **2** poleringsverktyg; **floor** ~ golvbonare; **shoe** ~ skoborste, putsduk [för skor]
polite [pə'laɪt] *adj* artig, hövlig [*to, towards* mot]; belevad, bildad, kultiverad, fin, förfinad
politeness [pə'laɪtnəs] *s* artighet, hövlighet
politic ['pɒlɪtɪk] (adv. *politicly*) *adj* **1** klok, försiktig, diplomatisk [*a* ~ *retreat*] **2** **the body** ~ staten, statskroppen
political [pə'lɪtɪk(ə)l] *adj* politisk; stats-
political asylum [pə,lɪtɪk(ə)lə'saɪləm] *s* politisk asyl
political geography [pə,lɪtɪk(ə)ldʒɪ'ɒgrəfɪ] *s* politisk geografi

politically correct [pə,lɪtɪk(ə)lɪkə'rekt] (förk. *PC*) *adj* politiskt korrekt
politically incorrect [pə,lɪtɪk(ə)lɪɪnkə'rekt] *adj* politiskt inkorrekt
political prisoner [pə,lɪtɪk(ə)l'prɪznə] *s* politisk fånge
political science [pə,lɪtɪk(ə)l'saɪəns] *s* statsvetenskap; statskunskap
politician [,pɒlɪ'tɪʃ(ə)n] *s* **1** [parti]politiker, yrkespolitiker **2** statsman
politicize [pə'lɪtɪsaɪz] *vb itr* o. *vb tr* politisera, politiskt engagera
politicking [pə'lɪtɪkɪŋ] *s* politisk verksamhet; röstfiske
politico [pə'lɪtɪkəʊ] (pl. ~s el. ~es) *s* politiker ofta neds.
politics ['pɒlɪtɪks] (med verb i sg. el. pl.) *s* **1** politik; statskonst; **talk** ~ politisera, prata politik **2** politisk åsikt, politiska idéer [*I don't like his* ~]
polity ['pɒlətɪ] *s* **1** statsform, statsskick, styrelseform, författning **2** statsbildning, statlig organisation; stat, samhälle
polka ['pɒlkə] *s*, **the** ~ polka dans el. melodi
polka-dot ['pɒlkədɒt] *adj* storprickig
poll [pəʊl] **I** *s* **1 a)** röstning, val **b)** röstlängd **c)** röstetal, röstsiffror **d)** pl. **~s** vallokal; **heavy** ~ stort (högt) valdeltagande; **light** ~ litet (lågt, ringa) valdeltagande; **70% of the total** ~ 70 % av [de avgivna] rösterna; **declare the** ~ tillkännage valresultatet; **go to the ~s** gå till val (valurnorna) **2** undersökning; **[public] opinion** ~ opinionsundersökning
II *vb tr* **1 a)** få (samla) antal röster vid val [*he ~ed 3,000 votes*] **b)** registrera, räkna väljare, röster **2** intervjua, göra en [opinions]undersökning bland (inom)
pollard ['pɒləd] *vb tr* toppa träd, skära av grenarna på
pollen ['pɒlən] *s* bot. pollen, frömjöl
pollen count ['pɒlənkaʊnt] *s* [uppmätt] pollenhalt i luften, pollenrapport
pollinate ['pɒlɪneɪt] *vb tr* pollinera, föra frömjöl till
pollination [,pɒlɪ'neɪʃ(ə)n] *s* pollinering
polling booth ['pəʊlɪŋbu:ð, -bu:θ] *s* vallokal, valbås
polling day ['pəʊlɪŋdeɪ] *s* valdag; **on** ~ på valdagen
polling station ['pəʊlɪŋ,steɪʃ(ə)n] *s* vallokal
pollster ['pəʊlstə] *s* opinionsundersökare, intervjuare
poll tax ['pəʊltæks] *s* standardskatt per capita, kapitationsskatt
pollutant [pə'lu:tənt, -'lju:-] *s* förorening, förorenande (miljöfarligt) ämne
pollute [pə'lu:t, -'lju:t] *vb tr* **1** förorena, smutsa ned, förstöra **2** bildl. besudla, befläcka
pollution [pə'lu:ʃ(ə)n, -'lju:-] *s* **1** förorenande, miljöförstöring; **air** ~ luftförorening **2** bildl. besudlande, nedsmutsning
polo ['pəʊləʊ] *s* sport. polo[spel] [*water* ~]
polo neck ['pəʊləʊnek] *s* **1** polotröja, tröja med polokrage **2** polokrage
polo shirt ['pəʊləʊʃɜ:t] *s* tenniströja
polo sweater ['pəʊləʊ,swetə] *s* polotröja
poltergeist ['pɒltəgaɪst] *s* spirit. poltergeist
polyandry ['pɒlɪændrɪ, ,pɒlɪ'æ-] *s* polyandri äv. bot., månggifte med flera män

poly bag ['pɒlɪbæg] *s* vard. plastpåse, fryspåse
polyclinic [ˌpɒlɪ'klɪnɪk, '----] *s* allmänt sjukhus
polyester [ˌpɒlɪ'estə, 'pɒlɪˌestə] *s* polyester
polygamist [pə'lɪgəmɪst] *s* polygamist
polygamous [pə'lɪgəməs] *adj* polygam äv. bot.
polygamy [pə'lɪgəmɪ] *s* polygami, månggifte
polyglot ['pɒlɪglɒt] **I** *adj* flerspråkig **II** *s* polyglott, flerspråkig person (bok)
polygon ['pɒlɪgən] *s* geom. polygon, månghörning
polygraph ['pɒlɪgrɑːf] *s* polygraf, lögndetektor
polyhedr|on [ˌpɒlɪ'hedr|(ə)n, -'hiːd-] (pl. *-ons* el. *-a* [-ə]) *s* geom. polyeder
polymath ['pɒlɪmæθ] *s* polyhistor, mångkunnig person
polymer ['pɒlɪmə] *s* kem. **1** polymer, makromolekyl **2** polymerisat
Polynesia [ˌpɒlɪ'niːzɪə, -ʒə] geogr. Polynesien
Polynesian [ˌpɒlɪ'niːzɪən, -ʒ(ə)n] **I** *adj* polynesisk **II** *s* polynesier
polyp ['pɒlɪp] *s* zool. el. med. polyp
polyphony [pə'lɪfənɪ] *s* mus. el. språkv. polyfoni
polystyrene [ˌpɒlɪ'staɪriːn, -'stɪ-] *s* kem. polystyren, styrenplast
polysyllabic [ˌpɒlɪsɪ'læbɪk] *adj* flerstavig, mångstavig
polysyllable ['pɒlɪˌsɪləbl] *s* flerstavigt ord
polytechnic [ˌpɒlɪ'teknɪk] **I** *adj* polyteknisk **II** *s* hist., ung. högskola för teknisk yrkesutbildning
polytheism ['pɒlɪθiːɪz(ə)m] *s* polyteism
polytheistic [ˌpɒlɪθiː'ɪstɪk] *adj* polyteistisk
polythene ['pɒlɪθiːn] *s* kem. polyeten, etenplast; *~ bag* plastpåse
polyunsaturated [ˌpɒlɪʌn'sætʃʊreɪtɪd] *adj* fleromättad [*~ fats*]
polyvinyl chloride [pɒlɪˌvaɪn(ə)l'klɔːraɪd] (förk. *PVC*) *s* kem. polyvinylklorid, PVC
pom [pɒm] *s* austral. kortform av *pommy*
pomander [pə(ʊ)'mændə] *s* pomander, doftkula, kryddnejlikspäckad apelsin o.d. som julprydnad
pomegranate ['pɒmɪˌgrænɪt] *s* **1** granatäpple **2** bot. granatäppelträd
Pomeranian [ˌpɒmə'reɪnɪən] *s* dvärgspets hundras
pommel ['pʌml] **I** *s* **1** svärdsknapp **2** sadelknapp **II** *vb tr* se *pummel*
pommel horse ['pʌmlhɔːs, 'pɒml-] *s* gymn. bygelhäst
pommy o. **pommie** ['pɒmɪ] *s* austral. sl. [nyanländ] engelsk invandrare; engelsman
pomp [pɒmp] *s* pomp, ståt, prakt; *~ and circumstance* pomp och ståt
pompom ['pɒmpɒm] *s* rund tofs, boll, pompong
pomposity [pɒm'pɒsətɪ] *s* uppblåsthet etc., jfr *pompous*
pompous ['pɒmpəs] *adj* uppblåst; dryg; om språk el. stil pompös, högtravande, svulstig
ponce [pɒns] sl. **I** *s* **1** hallick **2** feminin typ, mes, vekling **3** bög, fikus
II *vb itr*, *~ about* el. *~ around* larva omkring
poncho ['pɒntʃəʊ] (pl. *~s*) *s* **1** poncho slags cape **2** regncape
pond [pɒnd] *s* damm; tjärn, liten sjö; *the ~* vard. pölen Atlanten
ponder ['pɒndə] **I** *vb tr* överväga; begrunda, fundera över (på) [*~ a problem*] **II** *vb itr* grubbla, fundera [*on, over* på, över]

ponderous ['pɒnd(ə)rəs] *adj* **1** tung, klumpig [*~ movements*] **2** bildl. tung, trög [*a ~ style*]
pone [pəʊn] *s*, *~* el. *corn ~* amer., slags majsbröd
pong [pɒŋ] sl. **I** *vb itr* stinka **II** *s* stank
pontiff ['pɒntɪf] *s* påve [äv. *sovereign ~*]
pontifical [pɒn'tɪfɪk(ə)l] **I** *adj* påvlig, påve- **II** *s*, pl. *~s* biskopsskrud, biskopsinsignier; mässkrud
pontificate [verb pɒn'tɪfɪkeɪt, subst. pɒn'tɪfɪkət] **I** *vb itr* uttala sig pompöst [*about, on* om] **II** *s* pontifikat, påvedöme, påvevärdighet; påves ämbetstid
1 pontoon [pɒn'tuːn] *s* ponton, flyg. äv. flottör
2 pontoon [pɒn'tuːn] *s* kortsp., ung. tjugoett
pontoon bridge [pɒn'tuːnbrɪdʒ] *s* pontonbro
pony ['pəʊnɪ] **I** *s* **1 a)** ponny; [liten] häst **b)** *play* (*bet on*) *the ponies* sl. spela på hästar **2** sl. 25 pund **3** amer. sl. fusklapp, lathund
II *vb itr* o. *vb tr* amer. sl., *~ up* betala; punga ut med
ponytail ['pəʊnɪteɪl] *s* hästsvans[frisyr]
pony-trekking ['pəʊnɪˌtrekɪŋ] *s* [ponny]ridning i naturen
poo [puː] barnspr. el. vard. **I** *s* bajs; *do a ~* bajsa **II** *vb itr* bajsa
poo bag ['puːbæg] *s* vard. bajspåse; *doggy ~* hundbajspåse
pooch [puːtʃ] *s* vard. jycke hund
poodle ['puːdl] *s* pudel
poof [pʊf, puːf] *s* o. **poofter** ['pʊftə, puː-] *s* sl. bög, fikus homosexuell
pooh [phuː] *interj* ngt åld., uttr. otålighet el. förakt äh!, asch!, pytt[san]!
pooh-pooh [ˌpuː'puː] *vb tr* rynka på näsan (fnysa) åt, bagatellisera [*he ~ed the idea*]
1 pool [puːl] *s* **1** pool, bassäng **2** pöl, göl, damm
2 pool [puːl] **I** *s* **1** pool slags biljard **2** *the ~s* ung. tipstjänst, tipsbolaget; *~s coupon* tipskupong; *do* (*play*) *the ~s* tippa; *win money on the ~s* vinna [pengar] på tips[et] **3 a)** central, grupp; *typing ~* åld. skrivcentral **b)** reserv, [gemensamt] förråd **4** spec. hand. pool, [monopol]sammanslutning för begränsning av inbördes konkurrens; trust
II *vb tr* slå samman, förena [*~ one's resources*]; dela [*~ profits; ~ losses*]
pool hall ['puːlhɔːl] *s* o. **poolroom** ['puːlruːm] *s* vanl. amer. biljardhall
1 poop [puːp] *s* sjö. akter
2 poop [puːp] *vb itr* amer. sl., *~ out* ta slut; ge upp
3 poop [puːp, pʊp] vanl. amer. **I** *s* **1** barnspr. bajs **2** sl. skit, smörja
II *vb itr* barnspr. bajsa
poop bag ['puːpbæg] *s* amer., se *poo bag*
pooped [puːpt] *adj* amer. sl. slut[körd], utmattad [äv. *~ out*]
pooper-scooper [ˌpuːpə'skuːpə] *s* spade att ta upp hundlort med
poor [pɔː, pʊə] *adj* **1** fattig [*in* på]; *the ~* de fattiga; *the* (*a*) *~ man's lawyer* ung. rättshjälpen **2** klen, mycket liten [*a ~ consolation; a ~ chance*]; skral, mager, torftig, dålig [*a ~ loser*]; ynklig, usel [*a ~ meal; a ~ salary*]; *he made a very ~ show* han gjorde en mycket slät figur; *be ~ at sth* vara svag i ngt **3** stackars, arm; *~ fellow!* stackars karl (han)!; *~ me!* stackars mig (jag)!; [*are you hungry,*] *~ thing*

...stackars liten **4** vard. (om avliden) salig; **my ~ father** min salig (gamle) far

poorly ['pɔːlɪ, 'pʊə-] **I** adj vard. klen till hälsan, dålig, krasslig, hängig [look ~] **II** adv fattigt, klent etc., jfr poor, illa; **be ~ off** ha det dåligt ställt

poor relation [ˌpɔːrɪˈleɪʃ(ə)n, ˌpʊə-] s dålig (sämre) kopia (variant)

pop. förk. för population

1 pop [pɒp] vard. **I** adj (kortform av popular) populär-, pop- [~ art; a ~ singer] **II** s pop

2 pop [pɒp] s vanl. amer. vard. kortform av poppa

3 pop [pɒp] **I** vb itr **1** smälla, knalla; knäppa **2** vard. skjuta [~ [away] at (på, efter) birds] **3** kila, rusa; **I'll ~ along now** nu kilar (sticker) jag; **I'll ~ along (round) to see you** jag tittar in till dig; **~ home** sticka (kila) hem; **~ in** titta in **4** brista (öppna sig) med en smäll **II** vb tr **1** smälla [~ a paper bag]; skjuta **2** stoppa (sticka, lägga, ställa) [undan] [she ~ped the gin bottle into the cupboard as the vicar entered]; **~ one's head out of the window** sticka ut huvudet genom fönstret; **~ on** slänga på sig **3** **~ down** skriva upp (ner), kasta ner **4** sl. käka, trycka i sig piller **5** **~ one's clogs** vard. kila vidare, trilla av pinn; **~ corn** göra popcorn, 'poppa' [majs] **6** **~ the question** ngt åld. vard. fria

III vb itr med adv. el. prep.:
pop off a) vard. kola [av], kila vidare dö b) kila (sticka) i väg
pop out titta fram (ut), dyka fram; **his eyes were ~ping out of his head** han höll på att stirra ögonen ur sig [av förvåning]
pop up: she's always ~ping up unexpectedly hon dyker (poppar) alltid upp helt oväntat
IV interj o. adv pang, paff, vips; **it went ~** det sa pang om den, den sa pang
V s **1** knall, smäll, puff **2** skott; **have a ~ at** skjuta efter; **take (have) a ~ at** bildl. göra ett försök med **3** vard. läsk, [kolsyrad] läskedryck

pop art ['pɒpɑːt] s popkonst[en]
popcorn ['pɒpkɔːn] s popcorn
Pope [pəʊp] s, **the ~** påven
popery ['pəʊpərɪ] s neds. papism, papisteri
pope's nose [ˌpəʊps'nəʊz] s amer. kok., **the ~** prästnäsan fågelgumpen
Popeye ['pɒpaɪ] egennamn, **~** el. **~ the Sailor** Karl Alfred seriefigur
popeyed ['pɒpaɪd] adj vard. glosögd, med utstående ögon; storögd mest bildl.
popgun ['pɒpgʌn] s barns luftbössa, korkbössa
popish ['pəʊpɪʃ] adj neds. papistisk
poplar ['pɒplə] s bot. poppel; **white ~** silverpoppel
poplin ['pɒplɪn] s poplin
poppa ['pɒpə] s amer. vard. pappa
poppadom o. **poppadum** ['pɒpədəm] s kok. poppadum slags indiskt tunnbröd
popper ['pɒpə] s vard. **1** tryckknapp **2** popcornapparat **3** pl. **~s** 'poppers' drog innehållande amylnitrat; slags sexdrog
poppet ['pɒpɪt] s om barn el. flicka el. i tilltal raring, sötnos
poppy ['pɒpɪ] s bot. vallmo
poppycock ['pɒpɪkɒk] s vard. strunt[prat]
Poppy Day ['pɒpɪdeɪ] s söndag närmast 11 nov. då konstgjorda vallmoblommor säljs till minne av de stupade under världskrigen

poppy seed ['pɒpɪsiːd] s bot. vallmofrö
pop quiz ['pɒpkwɪz] s amer., oförberett skriftligt prov, lappskrivning
Popsicle® ['pɒpsɪk(ə)l] s vanl. amer. isglass[pinne]; glasspinne
pop-top ['pɒptɒp] **I** adj [försedd] med rivöppnare [a ~ beer can] **II** s rivöppnare
populace ['pɒpjʊləs] s, **the ~** a) [den breda] massan; populasen, pöbeln b) befolkningen
popular ['pɒpjʊlə] adj **1** folk-, folkets [a ~ revolution]; allmän [~ discontent]; **~ belief** folktro; **contrary to ~ belief** äv. i motsats till vad folk i allmänhet tror; **~ opinion** den allmänna meningen, folkopinion[en]; **~ vote** folkomröstning **2** populär, omtyckt, populär- [a ~ concert; ~ science]; allmän, folklig, folk-; lättfattlig, enkel [in a ~ style]; **~ feature** glansnummer, publiknummer; **~ prices** låga priser
popularity [ˌpɒpjʊˈlærətɪ] s popularitet; folkgunst; **gain in ~** el. **win ~** vinna popularitet, bli populär
popularization [ˌpɒpjʊləraɪˈzeɪʃ(ə)n] s popularisering
popularize ['pɒpjʊləraɪz] vb tr popularisera; göra populär, göra allmänt omtyckt (känd)
popularly ['pɒpjʊləlɪ] adv **1** allmänt, i allmänhet, bland (av) folket, i folkmun **2** populärt; lättfattligt
populate ['pɒpjʊleɪt] vb tr befolka
population [ˌpɒpjʊˈleɪʃ(ə)n] s befolkning; folkmängd; statistik. population; attr. befolknings- [~ explosion, ~ pyramid]
populist ['pɒpjʊlɪst] polit. **I** s populist **II** adj populistisk
populous ['pɒpjʊləs] adj folkrik, tätbefolkad
pop-up ['pɒpʌp] adj **1** **~ toaster** automatisk brödrost där skivorna hoppar upp **2** **~ picture book** popupp-bok med rörliga delar som reser sig när boken öppnas **3** data., **~ menu** fönstermeny, rullgardinsmeny
porcelain ['pɔːs(ə)lɪn] s finare porslin
porch [pɔːtʃ] s **1** överbyggd entré, förstukvist, portal; amer. veranda **2** förhall, förstuga
porcupine ['pɔːkjʊpaɪn] s zool. piggsvin
1 pore [pɔː] s por
2 pore [pɔː] vb itr, **~ over** hänga (sitta) med näsan över [~ over one's books]; studera noga (flitigt) [~ over a map]
pork [pɔːk] s griskött, fläsk spec. osaltat
pork chop [ˌpɔːkˈtʃɒp] s fläskkotlett, griskotlett
porker ['pɔːkə] s gödsvin
pork pie [ˌpɔːkˈpaɪ] s kok. fläskpastej
pork scratchings [ˌpɔːkˈskrætʃɪŋz] s pl fläsksvål som stekts och äts kalla, slags snacks
porky ['pɔːkɪ] **I** adj vard. fläskig, fet **II** s sl. lögn
porky pie [ˌpɔːkɪˈpaɪ] s sl. lögn
porn [pɔːn] s o. **porno** ['pɔːnəʊ] s vard. porr
pornographic [ˌpɔːnə(ʊ)ˈgræfɪk] adj pornografisk
pornography [pɔːˈnɒgrəfɪ] s pornografi
porous ['pɔːrəs] adj porös, full av porer
porphyry ['pɔːfɪrɪ] s miner. porfyr
porpoise ['pɔːpəs] s zool. tumlare
porridge ['pɒrɪdʒ] s **1** [havre]gröt **2** sl. fängelse; **do ~** sitta på kåken, sitta inne
1 port [pɔːt] s hamn äv. bildl., hamnstad; hamnplats;

~ authority hamnmyndighet; **any ~ in a storm** ordst. i en nödsituation duger vad som helst; **~ of arrival** ankomsthamn; **~ of call** anlöpningshamn; vard. stopp, anhalt; **~ of destination** destination[shamn]; **~ of embarkation** (förk. *POE*) mil. embarkeringshamn; **~ of entry** (förk. *POE*) tullhamn; **free ~** frihamn

2 port [pɔ:t] *s* data. port, anslutning, ingång, utgång
3 port [pɔ:t] *s* portvin
4 port [pɔ:t] sjö. **I** *s* babord **II** *vb tr*, **~ the helm!** [lägg] rodret babord!, styrbord hän!
portability [,pɔ:tə'bɪlətɪ] *s* bärbarhet
portable ['pɔ:təbl] **I** *adj* bärbar, portabel; flyttbar, transportabel; lös; **~ radio** bärbar (portabel) radio **II** *s* bärbar (portabel) apparat (tv, dator etc.)
Portakabin® ['pɔ:tə,kæbɪn] *s* slags barack
portal ['pɔ:tl] *s* **1** portal, valvport **2** data. portal startsida på webben med tjänster el. många länkar
portend [pɔ:'tend] *vb tr* förebåda, varsla [om]
portent ['pɔ:tent, -t(ə)nt] *s* förebud spec. olyckligt, varsel; järtecken; omen
portentous [pɔ:'tentəs] *adj* **1** illavarslande, olycksbådande; hotande **2** vidunderlig; imponerande
1 porter ['pɔ:tə] *s* **1** bärare, stadsbud vid järnvägsstation o.d. **2** amer. sovvagnskonduktör
2 porter ['pɔ:tə] *s* **1** portvakt, dörrvakt, grindvakt **2** vaktmästare; [hotell]portier
porterhouse steak [,pɔ:təhaʊs'steɪk] *s* tjock skiva av rostbiffen närmast dubbelbiffen
portfolio [,pɔ:t'fəʊlɪəʊ] (pl. ~s) *s* **1** portfölj äv. ministers [*Minister without ~*]; ministerpost **2** aktieportfölj **3** konstnärs mapp; dokumentmapp **4** utbud [*a ~ of wines; a ~ of courses*]
porthole ['pɔ:thəʊl] *s* sjö. el. flyg. kabinfönster
portion ['pɔ:ʃ(ə)n] **I** *s* **1** del, stycke **2** andel, lott; arvedel, arvslott; bildl. lott, öde **3** [mat]portion [*a small ~*] **II** *vb tr*, **~** el. **~ out** dela, fördela, dela ut [*among bland; to till*]
portly ['pɔ:tlɪ] *adj* korpulent, fetlagd
portmanteau [pɔ:t'mæntəʊ] (pl. **~s** el. **~x** [-z]) *s* [stor] kappsäck
portmanteau word [pɔ:t'mæntəʊwɜ:d] *s* teleskopord sammandraget ord [t.ex. *motel* av *motorists' hotel*; *smog* av *smoke fog*]
Portobello Road [,pɔ:tə(ʊ)beləʊ'rəʊd] *s* gata i London med berömd marknad
portrait ['pɔ:trət, -treɪt] *s* **1** porträtt; **have one's ~ taken** a) låta måla sitt porträtt b) [låta] fotografera sig **2** bildl. bild, avbild
portrait mode ['pɔ:trətməʊd] *s* data. stående utskrift inställning på skrivare
portray [pɔ:'treɪ] *vb tr* **1** porträttera, avbilda, måla av **2** bildl. framställa (skildra, teckna) [livfullt]
portrayal [pɔ:'treɪəl] *s* **1** porträttmålning, porträttering **2** framställning, bild
Port Salut [,pɔ:sə'lu:] *s* port salut ost
Portugal ['pɔ:tjʊg(ə)l] geogr.
Portuguese [,pɔ:tjʊ'gi:z] **I** *adj* portugisisk **II** *s* **1** (pl. *Portuguese*) portugis; portugisiska kvinna **2** portugisiska [språket]
POS [,pi:əʊ'es] förk. för *point of sale*
pose [pəʊz] **I** *vb tr* **1** framställa, lägga fram [*~ a*

claim; *~ a question*]; **~ a problem** (**threat**) utgöra ett problem (hot) **2** placera [i önskad pose] **II** *vb itr* posera; inta en pose, göra sig till; **~ as** ge sig ut för att vara, uppträda som **III** *s* **1** pose, attityd äv. bildl.; [konstlad] ställning **2** posering, poserande
1 poser ['pəʊzə] *s* vard. posör; innemänniska
2 poser ['pəʊzə] *s* vard. knäckfråga, hård nöt att knäcka
poseur [pəʊ'zɜ:] *s* posör
posh [pɒʃ] *adj* vard. flott [*a ~ hotel*]; fin [*her ~ friends*]
position [pə'zɪʃ(ə)n] **I** *s* **1** position, ställning äv. bildl.; läge, plats; **~ finder** sjö. [radio]pejlapparat; mil. avståndsinstrument; **~ finding** mil. lägesbestämning; **they were manoeuvring for ~** de försökte skaffa sig en bra position (ett övertag); **in ~** på sin [rätta] plats, på plats; **be in a ~ to** vara i stånd (tillfälle) att; **move into ~** mil. gå i ställning; **out of ~** inte på [sin] plats, ur position **2** [social] position [*a ~ in society*]; samhällsställning **3** plats, anställning; befattning **4** ståndpunkt [*what's your ~ on* (i) *this controversy?*]; synpunkt **II** *vb tr* **1** placera, anbringa **2** lokalisera, ange platsen (positionen) för
positional [pə'zɪʃənl] *adj* spec. sport., **~ changes** positionsändringar; **~ play** positionsspel
position paper [pə'zɪʃ(ə)n'peɪpə] *s* informationsblad ang. ställningstagande i viss fråga, programförklaring
positive ['pɒzətɪv] **I** *adj* **1** allm. positiv äv. vetensk. [*a ~ photo; a ~ change*] **2 a)** uttrycklig, bestämd [*a ~ denial; ~ orders*]; absolut **b)** verklig **c)** jakande [*a ~ answer*] **3** säker [*of på*], övertygad [*of om*]; tvärsäker, påstridig **4** vard. riktig, verklig, ren [*a ~ lie*]; fullkomlig [*a ~ fool*] **II** *s* **1** gram., **the ~** positiv **2** foto. positiv [bild]
positive discrimination ['pɒzətɪvdɪ,skrɪmɪ'neɪʃ(ə)n] *s* positiv särbehandling (diskriminering)
positively ['pɒzətɪvlɪ] *adv* **1** positivt; uttryckligen, bestämt, direkt **2** säkert, med visshet, fullt och fast **3** absolut, i sig själv, i och för sig **4** verkligt, verkligen, faktiskt, rent av, formligen
positive sign ['pɒzətɪvsaɪn] *s*, **the ~** plustecknet
positive vetting [,pɒzətɪv'vetɪŋ] *s* säkerhetskontroll, [grundlig] prövning av sökande till tjänst
poss [pɒs] *adj* vard. förk. för *possible*
poss. förk. för *possessive*
posse ['pɒsɪ] *s* **1** vanl. amer. hist. polisstyrka, [polis]uppbåd **2** skara, hop
possess [pə'zes] *vb tr* (se äv. *possessed*) **1** äga, ha, besitta; inneha; sitta inne med [*~ information*]; **all I ~** allt jag äger [och har]; **~ great skill** vara mycket skicklig **2** bildl. **a)** om idé, känsla o.d. behärska, regera, fylla [*the joy that ~ed her*] **b)** vara förtrogen med, behärska ett språk o.d.; **what ~ed you to do that?** hur i all världen kunde du göra så?
possessed [pə'zest] *perf p* o. *adj* **1** besatt, behärskad etc., jfr *possess*; intagen; **~ by an idea** besatt (fylld) av en idé; **~ by** (**with**) **love** besatt (fylld) av kärlek; **like one ~** som en besatt **2 be ~ of** vara i besittning av, äga, ha [*be ~ of money; be ~ of good sense*]

possession [pə'zeʃ(ə)n] *s* **1** besittande, besittning, innehav[ande], ägande; ägo; ***get ~ of*** få tag i, komma över; ***keep*** (***retain***) ***~ of*** behålla, förbli i besittning av; mil. hålla besatt; ***take ~ of*** a) ta i besittning, komma i besittning (åtnjutande) av b) sätta sig i besittning av, bemäktiga sig, ta; mil. besätta; ***in my ~*** el. ***into my ~*** i min ägo; ***in ~ of one's senses*** vid sina sinnens fulla bruk, vid sina sinnen; ***be in ~*** sport. ha spelet (bollen); ***be in ~ of*** äga, besitta, [inne]ha; ***come into ~ of*** se *take possession of a*) under *possession 1* ovan **2** konkr. egendom, besittning; pl. ***~s*** äv. ägodelar, tillhörigheter **3** [politisk] besittning [*foreign ~s*]

possessive [pə'zesɪv] **I** *adj* **1** hagalen; härsklysten; dominerande; ***the ~ instinct*** habegäret; begäret att få behärska; ***my husband is very ~*** min man behandlar mig som om han ägde mig; ***some people are very ~*** somliga har ett stort habegär **2** gram. possessiv; ***the ~ case*** genitiv[en]; ***~ pronoun*** possessivpronomen **II** *s* gram. **1** possessivpronomen **2** ***the ~*** genitiv[en]

possessiveness [pə'zesɪvnəs] *s* habegär, ägandebegär; härsklystnad

possessor [pə'zesə] *s* ägare

possibility [ˌpɒsə'bɪlətɪ] *s* möjlighet [*of* av, till]; eventualitet; ***by any ~*** på något [möjligt] vis; ***within the bounds of ~*** inom det möjligas gräns ; ***not beyond the bounds of ~*** inte helt osannolikt

possible ['pɒsəbl, -sɪbl] **I** *adj* **1** möjlig [*for sb* för ngn; *to do sth* att göra ngt], tänkbar; eventuell [*for ~ emergencies*]; ***if ~*** om möjligt; ***as far as ~*** a) så vitt möjligt b) så långt som möjligt; ***by all means ~*** med alla möjliga (till buds stående) medel; ***the only thing ~*** det enda möjliga (tänkbara) **2** vettig, rimlig, acceptabel **II** *s* tänkbar kandidat (deltagare, spelare etc.); tänkbar vinnare

possibly ['pɒsəblɪ] *adv* **1** möjligt, möjligtvis, möjligen; eventuellt; ***not ~*** omöjligt, omöjligen, överhuvudtaget inte; ***I cannot ~ come*** äv. jag har ingen [som helst] möjlighet att komma **2** kanske, kanhända; [det är] mycket möjligt

possum ['pɒsəm] *s* zool. (vard. kortform av *opossum*) pungråtta; ***play ~*** vard. spela sjuk, simulera

1 post [pəʊst] **I** *s* **1** a) post brev o.d. [*we had a heavy* (mycket) *~ today*] b) [post]tur, utbärning [*how many ~s are there per day?*] **2** a) post[kontor], postexpedition, postanstalt b) post[befordran]; postverk, postväsen; ***catch the ~*** hinna posta före tömning av brevlådan; ***send it by*** (***per***) ***~*** skicka det med post[en]; ***reply by return of ~*** få med posten (per post) **II** *vb tr* **1** posta, skicka [med (på) posten] [*~ a letter*] **2** hand. a) föra in (över) en post, bokföra b) ***~ up*** föra à jour, avsluta, slutföra, jfr *1 post II 3* **3** bildl. informera, underrätta; ***keep sb ~ed*** hålla ngn à jour **4** data. lägga ut på Internet **5** ***just ~ the key through the door*** släng bara in nyckeln genom brevinkastet

2 post [pəʊst] **I** *s* **1** befattning, post, plats, tjänst **2** mil. post[ställe]; ***at one's ~*** på sin post äv. bildl. **3** mil. ställe (ställning) besatt av trupp; strategisk ställning

II *vb tr* spec. mil. postera, placera; förlägga [*be ~ed overseas*]; kommendera [*to* till]

3 post [pəʊst] **I** *s* **1** post vid dörr, fönster o.d., stolpe **2** kapplöpn. [mål]stolpe; ***the ~*** äv. målet; ***the finishing ~*** el. ***the winning ~*** mållinjen, målet, målstolpen; ***the starting ~*** startlinjen, startstolpen

II *vb tr* **1** ~ el. ***~ up*** sätta (klistra) upp, anslå [*~ a notice*; *~ a bill*]; ***no bills!*** affischering förbjuden! **2** ~ el. ***~ up*** offentliggöra, tillkännage [genom anslag]; ***~ed missing*** om fartyg anmält saknat **3** affischera på, sätta (klistra) upp affischer på

post- [pəʊst oftast med huvudtryck] *prefix* efter-, post- [*post-Victorian*]; senare än, efter; ***post-Beethoven*** [*period*] ...efter Beethoven

postage ['pəʊstɪdʒ] *s* porto, postbefordringsavgift; ***~ and handling*** (förk. *p & h*) amer. el. ***~ and packing*** (förk. *p & p*) porto och expeditionskostnader, frakt och emballage

postage meter ['pəʊstɪdʒˌmiːtə] *s* vanl. amer. frankostämplingsmaskin, frankeringsmaskin

postage stamp ['pəʊstɪdʒstæmp] *s* **1** frimärke **2** frankotecken

postal ['pəʊst(ə)l] *adj* **1** post-, postal; ***~ code*** se *postcode 2* amer. vard., ***go ~*** bli vansinnigt upprörd

postal ballot ['pəʊst(ə)lˌbælət] *s* poströstning

postal card ['pəʊst(ə)lkɑːd] *s* vanl. amer., frankerat postkort

postal order ['pəʊst(ə)lˌɔːdə] (förk. *PO*) *s* postanvisning

postal rate ['pəʊst(ə)lreɪt] *s* posttaxa, porto

Postal Service [ˌpəʊst(ə)l'sɜːvɪs] *s* amer., ***the ~*** Posten

postal vote ['pəʊst(ə)lvəʊt] *s* poströst

postbag ['pəʊs(t)bæg] *s* **1** postsäck; postväska **2** bildl., i tidskrift o.d. brevlåda

postbox ['pəʊs(t)bɒks] *s* brevlåda

postcard ['pəʊs(t)kɑːd] *s* vykort [äv. *picture ~*]

postcode ['pəʊs(t)kəʊd] *s* postnummer

postdate [ˌpəʊst'deɪt] *vb tr* postdatera, efterdatera

postdoc [ˌpəʊst'dɒk] *adj* vard. kortform av *postdoctoral*

postdoctoral [ˌpəʊst'dɒktərəl] *adj* postdoktoral, efter avlagd doktorsexamen [*~ studies*]

poster ['pəʊstə] *s* **1** anslag; [stor] affisch, poster; plakat; löpsedel; ***~ paint*** plakatfärg **2** affischör

poste restante [ˌpəʊst'restɒnt] **I** *s* **1** poste restante kvarliggande post **2** poste restante[avdelning] **II** *adv* poste restante

posterior [pɒ'stɪərɪə] **I** *adj* **1** senare, yngre [*to* än], efterföljande **2** bakre, bak- **II** *s* skämts. bak[del], rumpa

posterity [pɒ'sterətɪ] *s* **1** efterkommande ättlingar **2** eftervärld[en], kommande generationer

post-free [ˌpəʊst'friː] **I** *adj* portofri **II** *adv* portofritt, franko

postgraduate [ˌpəʊs(t)'grædjʊət] **I** *adj* efter avlagd (som avlagt) [första] examen vid universitet, i USA äv. vid *high school*; ung. doktorand- [*~ level*]; ***~ studies*** forskarutbildning, doktorandstudier **II** *s* forskarstuderande, doktorand

post-haste [ˌpəʊst'heɪst] *adv* i ilfart (sporrsträck)

posthumous ['pɒstjʊməs] *adj* postum, utgiven efter författarens död [*a ~ novel*]

postie ['pəʊstɪ] *s* vard., *postman*

postindustrial [ˌpəʊstɪn'dʌstrɪəl] *adj* postindustriell

posting ['pəʊstɪŋ] *s* **1** tjänst; placering [*an overseas ~*] **2** platsannons

Post-it® ['pəʊstɪt] *s* o. *adj*, *~* el. *~ note* post-it, klisterlapp

post|man ['pəʊs(t)|mən] (pl. *-men* [-mən]) *s* brevbärare

postman's knock [ˌpəʊs(t)mənz'nɒk] *s* lek, ung. ryska posten

postmark ['pəʊs(t)mɑːk] *s* poststämpel

postmaster ['pəʊs(t)ˌmɑːstə] *s* postmästare; postföreståndare

postmillennial [ˌpəʊstmɪ'lenɪəl] *adj* [som sker] efter millenieskiftet

postmistress ['pəʊs(t)ˌmɪstrəs] *s* åld. [kvinnlig] postmästare (postföreståndare); vard. postfröken

postmodern [ˌpəʊst'mɒd(ə)n] *adj* arkit., konst., litt. etc. postmodern

postmodernism [ˌpəʊst'mɒdənɪz(ə)m] *s* arkit., konst., litt. etc. postmodernism

postmortem [ˌpəʊs(t)'mɔːtəm] *s* **1** obduktion; *conduct* (*carry out*) *a ~ on* vanl. obducera **2** efterhandsundersökning, eftergranskning

postmortem examination [ˌpəʊs(t)'mɔːtəmɪgˌzæmɪ'neɪʃ(ə)n] *s* obduktion; *conduct* (*carry out*) *a ~ on* vanl. obducera

postmortem examiner [ˌpəʊs(t)'mɔːtəmɪgˌzæmɪnə] *s* obducent

postnatal [ˌpəʊs(t)'neɪtl] *adj* efter födelsen (födseln); postnatal; *~ excercises* mödragymnastik efter förlossningen

postnatal care [ˌpəʊs(t)neɪtl'keə] *s* mödravård efter förlossningen

postnatal depression [ˌpəʊs(t)'neɪtldɪˌpreʃ(ə)n] *s* med. postnatal depression

Post Office ['pəʊstˌɒfɪs] *s*, *the ~* Posten

post office ['pəʊstˌɒfɪs] *s* **1** post, postkontor **2** amer., lek, ung. ryska posten

post office box ['pəʊstˌɒfɪsbɒks] *s* postfack, postbox

post-op [ˌpəʊst'ɒp] *adj* med. vard., se *postoperative*

postoperative [ˌpəʊst'ɒpərətɪv] *adj* med. postoperativ

post-paid [ˌpəʊs(t)'peɪd] **I** *adj* portofri, frankerad, med betalt porto **II** *adv* franko, portofritt

postpone [pəʊs(t)'pəʊn, pəs'p-] *vb tr* **1** skjuta upp, bordlägga, senarelägga **2** sätta i andra rummet [*to* efter], låta stå tillbaka [*to* för]

postponement [pəʊs(t)'pəʊnmənt, pəs'p-] *s* **1** uppskjutande, bordläggning, uppskov, senareläggning **2** åsidosättande

postprandial [ˌpəʊst'prændɪəl] *adj* mest skämts. efter middagen [*~ eloquence*]

postscript ['pəʊsskrɪpt] (förk. *PS*) *s* postskriptum; efterskrift

post-traumatic [ˌpəʊsttrɔː'mætɪk] *adj* med., *~ stress disorder* (förk. *PTSD*) posttraumatiskt stressyndrom

postulate [verb 'pɒstjʊleɪt, subst. 'pɒstjʊlət, -leɪt] **I** *vb tr* **1** postulera, anta **2** begära, göra anspråk på **II** *s* postulat, [självklar] sats

posture ['pɒstʃə, -tjʊə] **I** *s* **1** [kropps]ställning, pose; hållning **2** attityd, inställning **II** *vb itr* posera äv. bildl.; *~ as* ge sig ut för att vara, uppträda som

postviral syndrome ['pəʊstˌvaɪr(ə)l'sɪndrəʊm] *s* med. kroniskt trötthetssyndrom, muskelsvaghet efter virussjukdom

post-war [ˌpəʊst'wɔː, attr. '--] *adj* efterkrigs-, efter kriget

post|woman ['pəʊs(t)|ˌwʊmən] (pl. *-women* [-ˌwɪmɪn]) *s* [kvinnlig] brevbärare

posy ['pəʊzɪ] *s* [liten] bukett äv. bildl.

pot [pɒt] **I** *s* **1 a)** burk [*a ~ of honey*; *a ~ of jam*]; kruka [*flowerpot*]; pyts [*paint ~*] **b)** gryta **c)** kanna [*a ~ of tea*]; mugg, stop [*a ~ of ale*] **d)** potta, nattkärl **e)** sport. vard. buckla; pris **f)** tina [*lobsterpot*]; *~ of gold* bildl., se *gold* 2; *the ~ is calling the kettle black* ung. du är inte bättre själv, de (ni) är lika goda kålsupare [båda två]; *keep the ~ boiling* bildl. hålla grytan kokande, hålla det hela i gång; *go to ~* vard. gå åt pipan, stryka med **2** bildl. **a)** vard. massa [*make a ~ of money*] **b)** vard., *~* el. *big ~* [stor]pamp **c)** kortsp. o.d. pott **d)** se *potbelly* 3 sl. hasch, brass

II *vb tr* **1 a)** lägga (förvara) i en kruka etc. **b)** lägga (salta) in, konservera [*~ted shrimps*; *~ted ham*] **2** *~ on* plantera om i en större kruka (i större krukor); *~* el. *~ up* plantera (sätta) i en kruka (krukor) **3** vard. sätta på pottan [*~ the baby*] **4** vard. knäppa skjuta [*~ a rabbit*] **5** bilj., *~ a ball* göra (sänka) en boll **6** förkorta [*a ~ted version*]

III *vb itr* vard., *~ at* skjuta på (efter) [*~ at a hare*]

potash ['pɒtæʃ] *s* kem. **1** pottaska **2** kali

potassium [pə'tæsɪəm] *s* kem. kalium

potato [pə'teɪtəʊ] (pl. *~es*) *s* potatis; *sweet ~* batat, sötpotatis

potato beetle [pə'teɪtəʊˌbiːtl] *s* coloradoskalbagge

potato chips [pə'teɪtəʊˌtʃɪps] *s pl* **1** pommes frites **2** amer. potatischips

potato crisps [pəˌteɪtəʊ'krɪsps] *s pl* potatischips

potato masher [pə'teɪtəˌmæʃə] *s* potatisstöt

potato pancake [pə'teɪtəʊˌpænkeɪk] *s* kok., ung. raggmunk

potato peeler [pə'teɪtəʊˌpiːlə] *s* potatisskalare

potato race [pə'teɪtəʊreɪs] *s* potatiskapplöpning med potatis i sked

potbellied ['pɒtˌbelɪd] *adj*, *be ~* ha stor mage

potbelly ['pɒtˌbelɪ] *s* kalaskula; isterbuk äv. om person

potboiler ['pɒtˌbɔɪlə] *s* vard. bok (konstverk o.d.) som kommit till endast för brödfödans skull

potency ['pəʊt(ə)nsɪ] *s* **1** styrka, kraft, makt **2** fysiol. potens

potent ['pəʊt(ə)nt] *adj* **1** stark [*~ reasons*]; kraftig[t verkande] [*a ~ remedy*]; mäktig, kraftig **2** fysiol. potent

potentate ['pəʊt(ə)nteɪt, -tət] *s* potentat

potential [pə(ʊ)'tenʃ(ə)l] **I** *adj* potentiell, eventuell [*a ~ enemy*] **II** *s* potential [*war ~*]; möjlighet[er]

potentiality [pə(ʊ)ˌtenʃɪ'ælətɪ] *s* **1** [slumrande] möjlighet, utvecklingsmöjlighet [*a country with great potentialities*]; potentialitet **2** makt

pothead ['pɒthed] *s* sl. pundare, cannabisrökare

pot herb ['pɒthɜːb] *s* köksväxt; pl. *~s* äv. sopprötter

pot holder ['pɒtˌhəʊldə] *s* grytlapp

pothole ['pɒthəʊl] *s* **1** i väg potthål, grop; tjälskott **2** geol. jättegryta

potholing ['pɒtˌhəʊlɪŋ] *s* grottforskning

potion ['pəʊʃ(ə)n] *s* dryck spec. med helande, giftiga el. magiska egenskaper [*love ~*]

pot luck [ˌpɒt'lʌk] *s* **1** ren tur; *take ~* a) chansa b) få ta det som finns **2** knytkalas [äv. *~ meal*, *~ dinner*, *~ supper*]

pot pie [ˌpɒt'paɪ] *s* kok. [kött]gryta under pajtäcke

pot plant ['pɒtplɑːnt] *s* krukväxt

potpourri [pəʊ'pʊrɪ, pɒt-, ˌ--'-] *s* potpurri

pot roast ['pɒtrəʊst] **I** *s* grytstek **II** *vb tr* bräsera

potshot [ˌpɒt'ʃɒt] *s* vard. slängskott; bildl. känga pik, gissning; *take a ~ at* a) slänga i väg ett skott efter b) bildl. ge ngn en känga; [försöka] gissa på

potted ['pɒtɪd] *perf p* o. *adj* **1** se *pot II* **2** sammandragen, koncentrerad, förkortad [*a ~ version of the film*] **3** amer. sl. full [som en alika]

potted plant [ˌpɒtɪd'plɑːnt] *s* krukväxt

1 potter ['pɒtə] *vb itr*, *~ el. ~ about* knåpa, pyssla, pilla [*at med*]; *~ about* [*in*] *the garden* [gå och] påta (pyssla) i trädgården

2 potter ['pɒtə] *s* krukmakare; keramiker; *~'s clay* el. *~'s earth* krukmakarlera

potter's wheel [ˌpɒtəz'wiːl] *s* drejskiva

pottery ['pɒtərɪ] *s* **1** porslin; keramik; lergods **2** porslinstillverkning; keramiktillverkning; krukmakeri **3** porslinsfabrik; keramikfabrik

potting compost ['pɒtɪŋˌkɒmpɒst] *s* blomjord

potting shed ['pɒtɪŋʃed] *s* trädgårdsskjul, trädgårdsbod

potting soil ['pɒtɪŋsɔɪl] *s* amer. blomjord

potty ['pɒtɪ] vard. **I** *adj* knasig; tokig [*about* i] **II** *s* barnspr. potta

potty-trained ['pɒtɪtreɪnd] *adj* pottränad

potty training ['pɒtɪˌtreɪnɪŋ] *s* potträning

pouch [paʊtʃ] *s* **1** pung [*tobacco ~*]; [liten] påse **2** biol.: t.ex. pungdjurs pung; pelikaners påse **3** *have ~es under the eyes* ha påsar under ögonen

pouf o. **pouffe** [puːf] *s* puff möbel

poultice ['pəʊltɪs] *s* grötomslag

poultry ['pəʊltrɪ] *s* fjäderfä[n], [tam]fågel, [tam]fåglar, höns; *~ breeding* fjäderfäavel, hönsavel

poultry farm ['pəʊltrɪfɑːm] *s* hönsfarm, hönseri

pounce [paʊns] *vb itr* **1** *~ on* (*upon*) slå ner på äv. bildl. [*~ on a mistake*], slå klorna (sina klor) i, kasta sig över äv. bildl. **2** rusa, störta [*he ~d into the room*]

1 pound [paʊnd] *s* **1** myntv. pund (= 100 pence, före 1971 = 20 shilling); *five ~s* (*£5*; ibl. *five ~*) 5 pund; *in the ~* per pund, på pundet **2** vikt [skål]pund (vanl. = 16 *ounces* 454 gram)

2 pound [paʊnd] *s* **1** uppställningsplats för felparkerade motorfordon **2** fålla, inhägnad spec. för bortsprungna husdjur

3 pound [paʊnd] **I** *vb itr* **1** dunka, banka, hamra, bulta [*at, on* på, i]; *~ away* dunka 'på; slamra 'på; *~ on the wall* bulta (dunka) i väggen **2** trampa tungt, klampa [*I could hear feet ~ing on* (i) *the stairs*]; klampa 'på (i väg) [*he ~ed along the road*]; om fartyg stampa **II** *vb tr* **1** dunka (banka, hamra) på [*~ the piano*]; hamra mot [*our guns ~ed the walls of the fort*]; puckla 'på, gå lös på [med knytnävarna] [*~ sb*]; bulta (slå) 'i [*~ spices in a mortar*]; **2** stöta 'i pulvrisera; krossa

pounder ['paʊndə] *s* som efterled i sammansättn.: -[skål]pundare; [*he caught only one fish*] *but it was* *an eight-pounder* …men den var på [bortåt] 4 kilo; *quarter ~* äv. 125 grams hamburgare

pounding ['paʊndɪŋ] *s* **1** dunkande, hamrande **2** attack **3** *take a ~* vard. ta stryk; bildl. få kritik

pound key ['paʊndkiː] *s* amer., se *pound sign 1*

pound sign ['paʊndsaɪn] *s* **1** amer.: a) data. brädgårdstecken b) tele. fyrkant **2** pundtecken

pound sterling [ˌpaʊnd'stɜːlɪŋ] *s* pound sterling brittisk valutaenhet, brittiskt pund

pour [pɔː] **I** *vb tr* **1** hälla, ösa, slå; gjuta [*~ oil on troubled waters* (vågorna)]; *~ out* a) slå (hälla) ut b) slå i, hälla i (upp), servera [*~* [*out*] *a cup of tea* (*some wine*)] **2** låta strömma ut, sända ut; *the factories ~ out* [*millions of cars every year*] fabrikerna spottar (vräker) ut… **3** avlossa [*they ~ed 30 bullets into* (mot) *the plane*] **4** *the river ~s itself into the sea* floden faller ut i havet **II** *vb itr* strömma, forsa, flöda, rinna; välla; ösa, österegna, hällregna; *the sweat was ~ing down his face* svetten strömmade (rann) nedför ansiktet på honom; [*letters*] *came ~ing in* …strömmade in; *it is ~ing* [*with rain*] el. *it is ~ing down* det (regnet) öser [ner]; *in ~ing rain* i hällande regn, i österegn

pout [paʊt] **I** *vb itr* truta (puta, pluta) med munnen; se sur[mulen] (trumpen) ut; tjura **II** *vb tr*, *~ one's lips* truta (puta, pluta) med munnen **III** *s* sur[mulen], (trumpen) uppsyn

poverty ['pɒvətɪ] *s* **1** fattigdom, armod **2** brist, knapp tillgång [*of, in* på]

poverty line ['pɒvətɪlaɪn] *s*, *the ~* existensminimum

poverty-stricken ['pɒvətɪˌstrɪkn] *adj* utfattig, utarmad äv. bildl.; torftig, eländig

poverty trap ['pɒvətɪtræp] *s* fattigdomsfälla

POW [ˌpiː.əʊ'dʌblju:] förk. för *prisoner of war*

pow [paʊ] *interj* pang, puff

powder ['paʊdə] **I** *s* **1** pulver äv. som läkemedel; stoft, mjöl, damm; *take a ~* vard. sticka, smita **2** puder äv. kosmetiskt **3** krut; *keep one's ~ dry* bildl. hålla krutet torrt **II** *vb tr* pudra; bepudra, beströ; *~ one's nose* vard. besöka damrummet

powder-blue ['paʊdəblu:] *adj* ung. duvblå

powder compact ['paʊdəˌkɒmpækt] *s* puderdosa

powdered ['paʊdəd] *adj* **1** pulvriserad, söndermald, söndersmulad; *~ egg* äggpulver; *~ milk* torrmjölk; *~ sugar* amer. pudersocker **2** pudrad; betäckt med damm (stoft) **3** utströdd

powder keg ['paʊdəkeg] *s* bildl. krutdurk

powder puff ['paʊdəpʌf] *s* pudervippa

powder room ['paʊdəru:m] *s* damrum, damtoalett

powdery ['paʊdərɪ] *adj* **1** puderfin, pulverfin **2** pudrad, pudrig; betäckt med damm (stoft)

power ['paʊə] **I** *s* **1** makt äv. konkr. [*of, over* över]; *the Great Powers* stormakterna; *naval ~* sjömakt; *the ~s of darkness* (*light*) mörkrets (ljusets) makter; *the ~ of life and death* makt[en] över liv och död; *he is a ~* [*in politics*] han är en maktfaktor…; *the ~s that be* el. *those in ~* de som har makten, makthavarna; *be in ~* vara (sitta) vid makten, ha makten [i sin hand]; *be in sb's ~* vara i ngns våld; *come* (*rise*) *to ~* komma till makten **2** maktbefogenhet **3** förmåga [*of doing* el. *to do* att göra]; pl. *~s* förmåga, begåvning, talang[er]; *~ of endurance* uthållighet; *~s of persuasion* övertalningsförmåga; *~ of speech*

talförmåga; *I will do everything in my* ~ jag ska göra allt som står i min makt **4** kraft [*the ~ of a blow*]; styrka [*the ~ of a lens*], fys. el. tekn. äv. effekt [*100-watt ~*]; kapacitet; ~ *of attraction* dragningskraft, attraktionsförmåga **5** vard., *it did me a ~ of good* det gjorde mig väldigt gott **6** matem. dignitet, potens; *3 to the ~ of 2* 3 upphöjt till 2, 3 i kvadrat
II *vb tr* **1** driva; *~ed* motordriven, motor- [*a ~ed lawnmower*]; *a new aircraft ~ed by* [*Rolls-Royce engines*] ett nytt flygplan [utrustat] med...; ~ *up* värma upp **2** kämpa sig till, med kraft slå (nicka)
III *vb itr* rusa, flänga, köra i vild fart etc.
power-assisted [,pauərə'sɪstɪd] *adj* servo- [~ *brakes*]
power base ['pauəbeɪs] *s* maktbas
power bloc ['pauəblɒk] *s* polit. maktblock
power boat ['pauəbəut] *s* snabb motorbåt
power brake ['pauəbreɪk] *s* servobroms
power broker ['pauə,brəukə] *s* politisk påtryckare, maktfaktor i internationell politik
power cut ['pauəkʌt] *s* elektr. strömavbrott, elavbrott; strömavstängning
power dressing ['pauə,dresɪŋ] *s* strikt och elegant klädstil avsedd att utstråla makt o. självförtroende
power drill ['pauədrɪl] *s* elektrisk borr[maskin]; motorborr
power failure ['pauə,feɪljə] *s* strömavbrott
powerful ['pauəf(u)l] *adj* mäktig [*a ~ nation*]; kraftfull [*a ~ ruler*]; kraftig [*a ~ blow*]; stark [*a ~ engine*]; kraftigt verkande [*a ~ remedy*]
powerhouse ['pauəhaus] *s* **1** kraftstation, kraftverk; elverk **2** vard. kraftkarl, energiknippe
powerless ['pauələs] *adj* maktlös, vanmäktig, kraftlös; ~ *to help* ur stånd att hjälpa
power line ['pauəlaɪn] *s* kraftledning, starkströmsledning
power mower ['pauə,məuə] *s* motorgräsklippare
power nap ['pauənæp] *s* liten sovstund, tupplur under jäktig arbetsdag
power of attorney [,pauərəvə'tɜ:nɪ] *s* fullmakt, befogenhet, bemyndigande
power-operated [,pauər'ɒpəreɪtɪd] *adj* motordriven; eldriven; servodriven
power pack ['pauəpæk] *s* nätdel, nätanslutningsaggregat, strömförsörjningsdel
power plant ['pauəplɑ:nt] *s* **1** kraftstation, kraftverk, kraftanläggning **2** amer. elverk
power point ['pauəpɔɪnt] *s* elektr. vägguttag
power politics ['pauə,pɒlɪtɪks] (med verb i sg. el. pl.) *s* maktpolitik
power saw ['pauəsɔ:] *s* motorsåg
power-sharing ['pauəʃeərɪŋ] *s* maktfördelning; medbestämmande
power station ['pauə,steɪʃ(ə)n] *s* **1** elverk **2** kraftanläggning, kraftstation, kraftverk
power steering ['pauə,stɪərɪŋ] *s* servostyrning
power walking ['pauə,wɔ:kɪŋ] *s* power walking långpromenad i rask takt ofta med hantlar
pow-wow ['pauwau] *s* **1** rådslag mellan eller med indianer **2** vard. möte; samtal, pratstund; rådslag
pox [pɒks] *s*, [*the*] ~ vard. syffe syfilis
poxy ['pɒksɪ] *adj* sl. sketen, värdelös
pp förk. för *past participle*

pp. förk. för *pages*
p & p [,pi:ən'pi:] förk. för *postage and packing*
PPS [,pi:pi:'es] (förk. för *post postscriptum*) P.P.S., post postskriptum
PR [,pi:'ɑ:] förk. för *proportional representation*, *public relations*
practicability [,præktɪkə'bɪlətɪ] *s* **1** görlighet, möjlighet, utförbarhet, genomförbarhet; användbarhet **2** farbarhet, framkomlighet
practicable ['præktɪkəbl] *adj* **1** görlig, möjlig, utförbar, [praktiskt] genomförbar; användbar [~ *methods*] **2** farbar, framkomlig
practical ['præktɪk(ə)l] *adj* **1** praktisk i olika betydelser, ändamålsenlig **2** [praktiskt] användbar (genomförbar) [*a ~ scheme*]
practicality [,præktɪ'kælətɪ] *s* praktiskhet; praktisk läggning; praktisk möjlighet; pl. *practicalities* praktiska saker (frågor, förhållanden)
practical joke [,præktɪk(ə)l'dʒəuk] *s* practical joke handgripligt skämt, spratt, skoj
practically [i betydelse 1 vanl. 'præktɪkəlɪ, i betydelse 2 vanl. 'præktɪklɪ] *adv* **1** rent praktiskt, på ett praktiskt sätt **2** praktiskt taget, så gott som
practice ['præktɪs] **I** *s* **1** praktik [*theory and ~*]; *in ~* i praktiken; *put sth into ~* tillämpa (genomföra) ngt i praktiken, sätta ngt i verket **2** praxis; bruk [*the ~ of closing* (att stänga) *shops on Sundays*]; sed[vänja], [sed]vana, kutym; *religious ~s* religiösa bruk; *it is the ~ to...* det är [allmän] praxis (brukligt) att...; *it is her ~ to...* hon har för vana att...; *as is my usual ~* som jag har för vana [att göra]; *we don't make a ~ of* [*doing*] *it* vi brukar inte göra så (det) **3** övning[ar], träning; ~ *makes perfect* övning ger färdighet; *be* (*keep*) *in ~* vara (hålla sig) i form genom övning (träning); *I am out of ~* jag är otränad, jag har legat av mig; *for want of ~* av brist på övning (träning) **4** läkares el. advokats praktik; *be in ~ as a doctor* praktisera som läkare **5** utövande [*the ~ of a profession*]; tillämpning
II *vb tr* o. *vb itr* amer., se *practise*
practise ['præktɪs] **I** *vb tr* **1** öva sig i [~ *English*]; öva [~ *music*; ~ *scales on the piano*]; ~ *the piano* öva [på] piano **2** praktisera, tillämpa [i praktiken], använda [~ *a method*]; ~ *what one preaches* leva som man lär **3** utöva [~ *a profession*]; idka; visa [~ *politeness*]; ~ *strict economy* iaktta den största sparsamhet; ~ *medicine* vara praktiserande läkare; ~ *law* el. ~ *the law* vara praktiserande jurist
II *vb itr* **1** öva sig [*in* i]; öva, träna; ~ *on* (*at*) *the piano* öva [på] piano **2** om läkare el. advokat praktisera
practised ['præktɪst] *adj* **1** om person [durk]driven, skicklig; erfaren, rutinerad **2** inövad, uppövad
practising ['præktɪsɪŋ] *adj* praktiserande; aktivt troende; ortodox [*a ~ Jew*]
practitioner [præk'tɪʃənə] *s* praktiker; praktiserande läkare; praktiserande jurist; jfr *general practitioner* o. *medical practitioner*
pragmatic [præg'mætɪk] *adj* pragmatisk, praktisk, saklig
pragmatism ['prægmətɪz(ə)m] *s* pragmatism
pragmatist ['prægmətɪst] *s* pragmatiker
Prague [prɑ:g] geogr. Prag
prairie ['preərɪ] *s* prärie
prairie dog ['preərɪdɒg] *s* präriehund

Prairie State ['preərɪsteɪt], *the* ~ beteckn. för staten *Illinois*

praise [preɪz] **I** *vb tr* berömma, prisa, lovorda, lovprisa; lova [~ *God*]; ~ *to the skies* höja till skyarna
II *s* beröm, pris, lovord; *sing sb's* ~*s* sjunga ngns lov, lovsjunga, prisa ngn; *speak in* ~ *of* [lov]prisa; *full of* ~ *for* full av lovord över

praiseworthy ['preɪz,wɜːðɪ] *adj* lovvärd, berömvärd, berömlig

praline ['prɑːliːn] *s* bränd mandel konfekt

pram [præm] *s* (vard. kortform av *perambulator*) barnvagn

prance [prɑːns] *vb itr* **1** om person kråma sig **2** om häst dansa på bakbenen

prang [præŋ] vard. **I** *s* krasch **II** *vb tr* krascha [med]

prank [præŋk] *s* upptåg, busstreck; *childish* (*boyish*) ~*s* pojkstreck; *play a* ~ (~*s*) *on sb* spela ngn ett spratt, skoja med ngn

prankster ['præŋkstə] *s* upptågsmakare

prat [præt] *s* sl. nolla, tönt, idiot; *you* ~*!* klantskalle!

prate [preɪt] *vb itr* prata, snacka, pladdra, svamla [*about* om]

pratfall ['prætfɔːl] *s* vard. **1** tabbe, fadäs **2** fall på ändan, rova

prattle ['prætl] **I** *vb itr* **1** snacka, pladdra **2** jollra **II** *s* **1** snack, pladder **2** joller

prawn [prɔːn] *s* räka; *Dublin Bay* ~ havskräfta

pray [preɪ] **I** *vb tr* högtidl. be, bönfalla [*for sth* om ngt; *I* ~ *you not to do so*]
II *vb itr* **1** be[dja] [*to* till; *for sb* för ngn; *for sth* om ngt]; ~ *to God for help* be [till] Gud om hjälp **2** ~ [*don't speak so loud!*] var vänlig [och]...; ~ *don't mention it!* å, för all del!

prayer [preə] *s* **1** bön [*to* till; *for sb* för ngn; *for sth* om ngt]; *morning* ~[*s*] morgonbön, morgonandakt; *evening* ~[*s*] aftonbön, kvällsandakt; *read* (*say*) *one's* ~*s* el. *be at* ~*s* läsa sina böner, be[dja], förrätta [sin] andakt; läsa [sin] aftonbön; *the Book of Common Prayer* el. *the Prayer Book* namn på engelska kyrkans bön- och ritualbok; *our* ~*s had been answered* vi hade blivit bönhörda **2** *not have a* ~ vard. inte ha en chans (suck)

prayer book ['preəbʊk] *s* bönbok

prayer mat ['preəmæt] *s* o. **prayer rug** ['preərʌg] *s* muslimsk bönematta

pre- [priː, ofta med huvudtryck, se för övrigt sammansättn. nedan) *prefix* för- [*pre-Victorian*]; pre- [*pre-existence*]; förut-, före-; före, i förväg [*prearrange*]

preach [priːtʃ] **I** *vb itr* predika, hålla predikan [*to* för; *on* över, om]; ~ *to the converted* el. ~ *to the choir* predika för de redan frälsta **II** *vb tr* predika äv. bildl. [~ *abstinence*]; förkunna [~ *the Gospel*]; ~ *a sermon* hålla en predikan, predika

preacher ['priːtʃə] *s* predikant, förkunnare, predikare

preadmission [ˌpriːəd'mɪʃ(ə)n] *s* förinskrivning på sjukhus, universitet o.d.; *a* ~ *physical examination* en förberedande läkarundersökning före t.ex. en operation

preamble [priː'æmbl] *s* inledning; företal; *without* ~ utan krusiduller (krumbukter)

prearranged [ˌpriːə'reɪn(d)ʒd] *adj*, *at a* ~ *signal* på en [på förhand] given signal

precarious [prɪ'keərɪəs] *adj* **1** osäker [*a* ~ *foothold*; *a* ~ *income*]; oviss; prekär [*the position of the Government is* ~]; ~ *health* vacklande hälsa **2** farlig, riskabel

precast ['priːkɑːst] *adj* färdiggjuten, fabrikstillverkad, förtillverkad

precaution [prɪ'kɔːʃ(ə)n] *s* **1** försiktighet, varsamhet; *by way of* ~ av försiktighetsskäl, för säkerhets skull, försiktigtvis **2** ~ el. *measure of* ~ försiktighetsåtgärd; *take* ~*s* vidta försiktighetsåtgärder; [*take an umbrella*] *as a* ~ ...för säkerhets skull

precautionary [prɪ'kɔːʃnərɪ] *adj* försiktighets-, säkerhets- [~ *measures* (åtgärder)]

precede [prɪ'siːd] *vb tr* **1** föregå; gå före [*such duties* ~ *all others*]; komma före, ligga före [*countries that* ~ *ours in wealth*]; stå över [*dukes* ~ *earls*] **2** låta föregås; inleda [*with*, *by* med]

precedence ['presɪd(ə)ns, 'priːs-] *s* företräde; försteg; ~ el. *right of* ~ företrädesrätt; *have* (*take*) ~ *over* gå (komma) före, ha företräde framför; ha högre rang än; *order of* ~ rangordning

precedent ['presɪd(ə)nt, 'priːs-] *s* precedensfall, tidigare [likartat] fall (exempel); spec. jur. prejudikat [*for* på]

preceding [prɪ'siːdɪŋ] *adj* föregående

precept ['priːsept] *s* regel; rättesnöre

precinct ['priːsɪŋ(k)t] *s* **1** [reserverat] område; *pedestrian* ~ område med gågator, gågata; *shopping* ~ shoppingcenter, galleria **2** amer. **a)** valdistrikt **b)** ~ el. *police* ~ polisdistrikt **3** [inhägnat] område [*the* ~ *of the cathedral* (*school*)] **4** vanl. pl. ~*s* **a)** omgivningar [*the* ~*s of the town*] **b)** gräns[er]; *within the city* ~*s* innanför stadsgränsen, inom stadens hank och stör

precious ['preʃəs] **I** *adj* **1 a)** dyrbar, kostbar, värdefull **b)** kär [~ *memories*] **2** affekterad **3** vard. iron. snygg, skön [*a* ~ *mess* (röra)] **II** *adv* vard. väldigt [*take* ~ *good care of it*]; fasligt, förbaskat [~ *little you care!*]

precious metals [ˌpreʃəs'metlz] *s pl* ädelmetaller

precious stone [ˌpreʃəs'stəʊn] *s* ädelsten

precipice ['presɪpɪs] *s* brant, stup, bråddjup; *be on* (*at*) *the edge of the* ~ stå vid avgrundens rand

precipitate [verb prɪ'sɪpɪteɪt, subst. o. adj. -ət] **I** *vb tr* **1** påskynda [*events that* ~*d his ruin*]; plötsligt framkalla [~ *a crisis*] **2** bildl. störta [~ *the country into war*] **3** kem. fälla ut
II *s* kem. [ut]fällning
III *adj* **1** brådstörtad [*a* ~ *flight*]; brådskande **2** överilad, förhastad [*a* ~ *marriage*]; besinningslös

precipitation [prɪˌsɪpɪ'teɪʃ(ə)n] *s* **1** meteor. nederbörd [*a heavy* (riklig) ~] **2** kem. [ut]fällning **3** [besinningslös] brådska; påskyndande; *with* ~ överilat, förhastat

précis ['preɪsiː] **I** (pl. *précis* [-z]) *s* sammandrag, resumé, sammanfattning **II** *vb tr* sammanfatta, resumera

precise [prɪ'saɪs] *adj* **1** exakt [*the* ~ *meaning of a word*]; precis; noggrann, fin [~ *measurements* (mätningar)] **2** överdrivet noggrann, pedantisk

precisely [prɪ'saɪslɪ] *adv* exakt, precis [*at 2 o'clock*

~]; noggrant; just, alldeles; egentligen [*what ~ does that mean?*]; **~!** just det [ja]!, precis [så]!

precision [prɪˈsɪʒ(ə)n] **I** *s* precision, noggrannhet **II** *adj* precisions- [~ *bombing*]; fin- [~ *mechanics*]

preclude [prɪˈkluːd] *vb tr* utesluta [~ *a possibility*]; undanröja [~ *all doubt*]; hindra [*from* från]

preclusion [prɪˈkluːʒ(ə)n] *s* uteslutande, undanröjande, hindrande

precocious [prɪˈkəʊʃəs] *adj* brådmogen [*a ~ child*]

precocity [prɪˈkɒsɪtɪ] *s* brådmogenhet

preconceived [ˌpriːkənˈsiːvd] *adj* förutfattad [~ *opinions*]

preconception [ˌpriːkənˈsepʃ(ə)n] *s* förutfattad mening; fördom

precondition [ˌpriːkənˈdɪʃ(ə)n] *s* nödvändig förutsättning, förhandsvillkor

precook [ˌpriːˈkʊk] *vb tr* 'förkoka; laga [till] i förväg

precooked [ˌpriːˈkʊkt] *adj* förkokt; tillagad i förväg; färdiglagad

precursor [prɪˈkɜːsə] *s* förelöpare, föregångare [*of* till]; förebud

predate [ˌpriːˈdeɪt] *vb tr* **1** fördatera, antedatera **2** föregå, vara före (äldre än)

predator [ˈpredətə] *s* **1** rovdjur, predator **2** bildl. rövare, rovgirig (rovlysten) person

predatory [ˈpredət(ə)rɪ] *adj* **1** rov- [~ *animals*]; rovdjurs- **2** rovgirig, rovlysten **3** plundrings-, plundrande; rövar- [~ *bands*]

predecease [ˌpriːdɪˈsiːs] *vb tr* jur. dö före [~ *one's wife*]

predecessor [ˈpriːdɪsesə, ˌpriːdɪˈs-, amer. ˈpred-, ˌpredəˈs-] *s* **1** företrädare, föregångare **2** förfader

predefined [ˌpriːdɪˈfaɪnd] *adj* tidigare (redan) bestämd (fastställd); fördefinierad, förinställd

predestination [prɪˌdestɪˈneɪʃ(ə)n] *s* predestination, förutbestämmelse; öde

predestined [prɪˈdestɪnd] *adj* predestinerad, förutbestämd

predetermination [ˈpriːdɪˌtɜːmɪˈneɪʃ(ə)n] *s* bestämmande (fastställande) i förväg; förutbestämmande

predetermine [ˌpriːdɪˈtɜːmɪn] *vb tr* bestämma (fastställa) i förväg; förutbestämma

predicament [prɪˈdɪkəmənt] *s* predikament, obehaglig (besvärlig) situation; belägenhet

predicate [subst. ˈpredɪkət, -eɪt, verb -eɪt] **I** *s* gram. predikat; satsens predikatsdel **II** *vb tr* **1** påstå, [ut]säga; förkunna, proklamera **2** grunda, basera; *be ~d on* äv. basera sig på, bygga på

predicative [prɪˈdɪkətɪv] *adj* predikativ, predikats-; utsägande

predict [prɪˈdɪkt] *vb tr* förutsäga, [förut]spå; profetera [*sth* om ngt]

predictable [prɪˈdɪktəbl] *adj* förutsägbar

predictably [prɪˈdɪktəblɪ] *adv* som kan (kunde) förutsägas (förutses); som man kan (kunde) tänka sig

prediction [prɪˈdɪkʃ(ə)n] *s* förutsägelse, spådom, profetia [*of* om]

predigested [ˌpriːdaɪˈdʒestɪd] *adj* lättsmält, lättillgänglig

predilection [ˌpriːdɪˈlekʃ(ə)n] *s* förkärlek [*for* för]

predispose [ˌpriːdɪˈspəʊz] *vb tr* göra [på förhand] mottaglig (benägen), predisponera [*to* för; *to* + inf. för att + inf.]; *be ~d to* vara mottaglig etc. för, ha anlag för (för att); *be ~d in sb's favour* vara på förhand gynnsamt inställd (stämd) mot ngn

predisposition [ˈpriːˌdɪspəˈzɪʃ(ə)n] *s* mottaglighet, känslighet, disposition, benägenhet, anlag [*to* för]

predominance [prɪˈdɒmɪnəns] *s* [över]makt, dominans, övervikt; övervägande del

predominant [prɪˈdɒmɪnənt] *adj* dominerande, [för]härskande, rådande

predominate [prɪˈdɒmɪneɪt] *vb itr* dominera, ha (få) överhanden, överväga; vara förhärskande; *workers ~* [*in the district*] det bor övervägande (huvudsakligen) arbetare...

preemie [ˈpriːmɪ] *s* vanl. amer. vard. för tidigt född [baby]

pre-eminence [prɪˈemɪnəns] *s* överlägsenhet [*over* över]; företräde [*to* framför]

pre-eminent [prɪˈemɪnənt] *adj* mest framstående (framträdande); överlägsen [*above sb* ngn]

pre-eminently [prɪˈemɪnəntlɪ] *adv* i allra högsta grad

pre-empt [prɪˈem(p)t] *vb tr* förekomma, förebygga; ersätta [*the programme was ~ed by a special coverage of the match*]

pre-emptive [prɪˈem(p)tɪv] *adj* **1** förebyggande; föregripande [*a ~ air strike* (flygräd)] **2** kortsp., *~ bid* spärrbud, stoppbud

preen [priːn] *vb tr* **1** om person, *~ oneself* a) snygga till sig b) kråma sig; berömma sig [*on* av], yvas, skryta [*on* över] **2** om fågel putsa [~ *its feathers*]

pre-exist [ˌpriːɪgˈzɪst] *vb tr* o. *vb itr* existera (finnas till) före (förut, tidigare)

prefab [ˈpriːfæb] *adj* vard., se *prefabricated*

prefabricated [ˌpriːˈfæbrɪkeɪtɪd] *adj* prefabricerad, monteringsfärdig; *~ house* monteringsfärdigt (prefabricerat) hus, elementhus

preface [ˈprefəs] **I** *s* förord, inledning [*a ~ to a speech*] **II** *vb tr* inleda

prefaded [ˌpriːˈfeɪdɪd] *adj* blekt [~ *denims*]

prefatory [ˈprefət(ə)rɪ] *adj* inlednings-, inledande

prefect [ˈpriːfekt] *s* **1** i vissa brittiska skolor, ung. ordningsman **2** i Frankrike, Italien o. antikens Rom prefekt

prefecture [ˈpriːfektjʊə] *s* prefektur

prefer [prɪˈfɜː] *vb tr* **1** föredra [*to* framför; *I ~ coffee to tea*]; tycka mest (bäst) om; helst (hellre) vilja göra (ha) [*which would (do) you ~, tea or coffee?*]; *would ~ you to stay* (amer. *for you to stay*) jag föredrar (vill helst, ser helst, skulle helst se) att du stannar [här] **2** lägga fram [~ *a bill*; ~ *a statement* (rapport)]; framställa [~ *a claim*] **3** jur., *~ charges against sb* se under *charge I 3*

preferable [ˈpref(ə)rəbl] *adj* som är att föredra [*to* framför]; *...is ~* ...är att föredra; ...är bättre [*to* än]

preferably [ˈpref(ə)rəblɪ] *adv* företrädesvis, helst [~ *today*]; *~ to all others* framför alla andra

preference [ˈpref(ə)r(ə)ns] *s* **1 a)** förkärlek [*have a ~ for French novels*] **b)** företräde [*over* framför]; *give the ~* [*to*] ge företräde [åt]; *for* ~ helst; *in ~ to* framför [*in ~ to all others*]; hellre än **2** preferens; *my ~* spec. det (den) jag föredrar (sätter högst) [*of*

the two this is my ~] **3 sexual** ~ sexuell läggning
4 spec. ekon. preferens, förmånsrätt
preference share ['pref(ə)r(ə)nsʃeə] *s*
preferensaktie
preference stock ['pref(ə)r(ə)nsstɒk] *s*
preferensaktier
preferential [ˌprefə'renʃ(ə)l] *adj* preferens-,
företrädes-, förmåns- [~ *right*]; förmånsberättigad,
med förmånsrätt, prioriterad; ~ **treatment**
preferensbehandling; **you are always getting** ~
treatment du blir alltid favoriserad
preferred share [prɪˌfɜ:d'ʃeə] *s* amer. preferensaktie
preferred stock [prɪˌfɜ:d'stɒk] *s* amer.
preferensaktier
prefigure [pri:'fɪgə] *vb tr* **1** förebåda; peka fram
mot **2** förutsäga
prefix [subst. 'pri:fɪks, verb vanl. -'-] **I** *s* språkv.
förstavelse, prefix **II** *vb tr*, ~ *sth to sth* lägga till ngt
i början av ngt spec. en bok o.d.
preggers ['pregəz] *adj* sl., *be* ~ vara på smällen
pregnancy ['pregnənsɪ] *s* graviditet, havandeskap;
hos djur dräktighet
pregnant ['pregnənt] *adj* **1** gravid, havande; om djur
dräktig; *become* (*get sb*) ~ äv. bli (göra ngn) med
barn **2 a**) om stil, ord pregnant, betydelsemättad
b) om handling, händelse betydelsefull; ödesdiger; *a* ~
silence en laddad (förtätad) tystnad **3** ~ *with* rik på,
fylld av
preheat [ˌpri:'hi:t] *vb tr* förvärma; *in a* ~*ed oven* äv. i
varm ugn
prehensile [prɪ'hensaɪl, amer. -sl] *adj* grip- [~ *claws*;
~ *tail*]; med gripförmåga
prehistoric [ˌpri:(h)ɪ'stɒrɪk] *adj* förhistorisk, urtids-
[~ *animals*]; vard. urgammal; ~ *times* förhistorisk
tid, forntid, urtid[en]
prehistory [ˌpri:'hɪst(ə)rɪ] *s* förhistoria
prejudge [ˌpri:'dʒʌdʒ] *vb tr* döma på förhand (i
förväg); avge ett för tidigt omdöme om
prejudice ['predʒʊdɪs] **I** *s* **1 a**) fördom[ar]; avoghet,
motvilja [*his* ~ *against foreigners*]; fördomsfullhet
b) förutfattad mening, förutfattade meningar
[*listen without* ~] **2** förfång, men, nackdel; *to the* ~
of el. *in* ~ *of* till förfång (men) för; *without* ~ jur. utan
bindande verkan
II *vb tr* **1** inge ngn fördomar, göra ngn partisk;
påverka [~ *a jury member*]; ~ *sb against* göra ngn
negativt inställd mot (till); ~ *sb in favour of* göra ngn
positivt inställd till **2** inverka menligt på; ~ *sb's*
case skada ngns sak
prejudiced ['predʒʊdɪst] *adj* fördomsfull, partisk;
be ~ äv. ha en förutfattad mening
prejudicial [ˌpredʒʊ'dɪʃ(ə)l] *adj* skadlig, menlig, till
skada (förfång) [*to* för]
prelate ['prelət] *s* prelat
preliminary [prɪ'lɪmɪnərɪ] **I** *adj* preliminär,
förhands-; förberedande [~ *negotiations*];
inledande [~ *remarks*]; ~ *examination* förtentamen;
inträdesprövning; ~ *exercise* förövning; ~ *heat*
försöksheat; ~ *investigation* förundersökning
II *s* **1** förberedande åtgärd; pl. *preliminaries* äv.
preludier, preliminärer; förberedelser
[*preliminaries to* (för) *negotiations*]; *peace*
preliminaries inledande fredsförhandlingar **2** se
preliminary examination under *preliminary I*

3 utslagningstävling, kvalificeringstävling;
försöksheat **4** amer. förmatch
prelude ['prelju:d] *s* förspel, upptakt, inledning,
preludium äv. mus. [*to, of* till]
premarital [prɪ'mærɪtl] *adj* föräktenskaplig [~
relations]
premature [ˌpremə'tjʊə, ˌpri:m-, 'premətjʊə, 'pri:m-]
adj **1** för tidig [~ *death*]; som inträffar [allt]för
tidigt (i förtid); för tidigt född, prematur [*a* ~
baby]; brådmogen **2** förhastad [*a* ~ *conclusion*]
prematurely [ˌpremə'tjʊəlɪ, ˌpri:m-, 'premətjʊəlɪ,
'pri:m-] *adv* **1** [allt]för tidigt, i förtid; i otid
2 förhastat, överilat
premedical [ˌpri:'medɪk(ə)l] *adj* **1** som hör till
(avser) förberedande kurs till läkarutbildning[en]
2 som går förberedande kurs till
läkarutbildning[en] [~ *student*]
premeditated [prɪ'medɪteɪtɪd] *adj* överlagd [~
murder]; avsiktlig, uppsåtlig
premeditation [prɪˌmedɪ'teɪʃ(ə)n] *s* [föregående]
överläggning; uppsåt, berått mod [*with* ~]
premenstrual [ˌpri:'menstrʊ(ə)l] *adj* premenstruell,
före menstruationen [~ *tension*]
premier ['premɪə] **I** *adj* första [~ *place*]; främsta,
förnämsta **II** *s* premiärminister; statsminister
premiere o. **première** ['premɪeə] **I** *s* premiär **II** *vb tr*
ha premiär på **III** *vb itr* få (ha) premiär
Premier League ['premɪəli:g] *s* fotb., *the* ~ Premier
League högsta divisionen i engelska fotbollsligan
Premiership ['premɪəʃɪp] *s* sport., *the* ~ elitserien i
fotboll i England
premiership ['premɪəʃɪp] *s* premiärministerpost;
statsministerpost
premise ['premɪs] **I** *s* antagande, förutsättning;
premiss
II *vb tr* **1** nämna först (inledningsvis) **2** inleda
[*with* med]
premised ['premɪst] *adj*, ~ *on* el. ~ *upon* baserad på
premises ['premɪsɪz] *s pl* **1** fastighet[er],
fastighetsområde; lokal[er]; *business* ~
affärslokal[er]; *on the* ~ inom fastigheten (lokalen);
på stället, på platsen [*to be consumed on the* ~]
2 pl. av *premise I*
premium ['pri:mɪəm] *s* **1** [försäkrings]premie
2 premie, pris, belöning; premium; ~ *bonds*
premieobligationer; *put* (*set*) *a* ~ *on* premiera, sätta
värde på **3** extra belopp, extrasumma utöver ordinarie
pris o.d. **4** hand. överkurs
premonition [ˌpri:mə'nɪʃ(ə)n] *s* **1** förvarning; varsel
2 förkänsla, föraning; *have a* ~ *of danger* ha en
förkänsla av annalkande fara
prenatal [ˌpri:'neɪtl] *adj* före födelsen (födseln);
mödravårds-
prenatal clinic [pri:ˌneɪtl'klɪnɪk] *s*
mödravårdscentral
prenuptial agreement [ˌpri:nʌpʃ(ə)lə'gri:mənt] *s*
äktenskapsförord
preoccupation [prɪˌɒkjʊ'peɪʃ(ə)n] *s* **1** främsta
intresse, [huvudsaklig] sysselsättning; sysslande
[*his constant* ~ *with lexicography*] **2** tankfullhet,
förströddhet, tankspriddhet
preoccupied [prɪ'ɒkjʊpaɪd] *adj* **1** helt upptagen
[*with* av], djupt försjunken [*with* i] **2** helt
upptagen av sina tankar, förströdd, tankspridd

preoccupy [prɪ'ɒkjʊpaɪ] *vb tr* helt sysselsätta
(uppta) [~ *sb's mind* (ngns tankar)]
preordained [ˌpriːɔ:'deɪnd] *adj* förutbestämd
prep [prep] vard. **I** *s* skol. (kortform av *preparation*)
läxläsning, [läx]plugg; *do* ~ göra läxorna, plugga
II *vb tr* amer. förbereda, preparera
prepackaged [ˌpriː'pækɪdʒd] *adj* o. **prepacked**
[ˌpriː'pækt] *adj* färdigförpackad,
konsumentförpackad
prepaid [ˌpriː'peɪd] **I** imperf. o. perf. p. av *prepay* **II** *adj*,
a ~ letter ett frankerat kuvert; *~ mobile phone* el. *~
phone* el. amer. *~ cellphone* kontantkortstelefon,
[mobil]telefon med kontantkort; *a ~ phone card*
kontantkort till mobiltelefon
preparation [ˌprepə'reɪʃ(ə)n] *s* **1 a)** förberedelse
[*make ~s for* (för)] **b)** tillagning, tillredning [~ *of
food*] **c)** framställning [*the ~ of a vaccine*]; *in ~*
under förberedelse (tillagning, utarbetande)
2 preparat [*pharmaceutical ~s*]
preparatory [prɪ'pærət(ə)rɪ] *adj* **1** förberedande;
för- [~ *work*] **2** *~ to* som en förberedelse för (till),
före, inför; *~ to leaving* [*he locked the safe*] innan
han gav sig i väg...
preparatory school [prɪ'pærət(ə)rɪskuːl] *s* **1** [privat]
förberedande skola för inträde i 'public school' **2** i USA
högre internatskola för inträde i college
prepare [prɪ'peə] **I** *vb tr* (jfr *prepared*)
1 a) förbereda; preparera, färdigställa; *~ oneself for*
göra sig beredd på; *~ the ground for* bearbeta (bildl.
bereda) marken för; *~ the way for* bildl. bereda
(bana) väg för, bereda marken för **b)** tillreda, laga
[till] [~ *food*]; bereda; *~d from* tillagad (beredd) av
c) framställa [~ *a vaccine*]; blanda till [~ *a
medicine*] **2** läsa [på], preparera [~ *one's
homework*] **3** tekn. preparera
II *vb itr* förbereda sig, göra sig redo, göra sig i
ordning [~ *for a journey*]; göra sig beredd, bereda
sig [~ *for* (på) *the worst*]; *~ for an exam* läsa på
(förbereda sig för) en examen
prepared [prɪ'peəd] *adj* **1** förberedd etc., jfr *prepare*
2 beredd, inställd [*for* på; *to do sth* på att göra
ngt]; i ordning, färdig; redo [*be ~!*]; benägen [*I'm ~
to believe*]; villig, hågad [*I'm not ~ to...*]
preparedness [prɪ'peədnəs, -'peərɪdnəs] *s* mil., *~* el.
military ~ [försvars]beredskap
prepay [ˌpriː'peɪ] *vb tr* betala i förväg (förskott)
preponderance [prɪ'pɒnd(ə)r(ə)ns] *s* övervikt,
överlägsenhet, övermakt; överskott [*of* på],
[övervägande] flertal
preponderant [prɪ'pɒnd(ə)r(ə)nt] *adj* övervägande,
förhärskande
preponderate [prɪ'pɒndəreɪt] *vb itr* väga mer, väga
tyngre [*over* än]; ha (få) övervikt[en] [*over* över];
vara (bli) förhärskande; dominera
preposition [ˌprepə'zɪʃ(ə)n] *s* gram. preposition
prepositional [ˌprepə'zɪʃənl] *adj* gram. prepositions-
[~ *phrase*]
prepossessing [ˌpriːpə'zesɪŋ] *adj* intagande,
vinnande, sympatisk [*not very ~*]
preposterous [prɪ'pɒst(ə)rəs] *adj* orimlig [*a ~
claim*]; befängd, omöjlig, löjlig [*a ~ idea*]; absurd
preppy ['prepɪ] vanl. amer. vard. **I** *adj* snobb-, snobbig,
typisk för överklassungdom **II** *s* överklassungdom
prep school ['prepskuːl] *s* vard., *preparatory school*

prepuce ['priːpjuːs] *s* anat. förhud
prequel ['priːkwəl] *s* uppföljare film, bok e.d. som
behandlar ett skeende som ligger före i tiden
prerecorded [ˌpriːrɪ'kɔ:dɪd] *adj* [färdig]inspelad,
bandad
prerequisite [ˌpriː'rekwɪzɪt] **I** *s* [nödvändig]
förutsättning [*of* för] **II** *adj* nödvändig
prerogative [prɪ'rɒɡətɪv] *s* prerogativ [*royal ~*];
privilegium, företrädesrätt
Pres. förk. för *President*
presage ['presɪdʒ] **I** *vb tr* **1** förebåda, varsla om
2 spå, förutsäga
II *s* **1** förebud, omen **2** föraning [*of* om]
Presbyterian [ˌprezbɪ'tɪərɪən] kyrkl. **I** *adj*
presbyteriansk; episkopal **II** *s* presbyterian
preschool ['priːskuːl] **I** *adj* förskole- [~ *age*; ~ *child*]
II *s* förskola
prescience ['presɪəns] *s* förutseende; vetskap på
förhand
prescient ['presɪənt] *adj* förutseende
prescribe [prɪ'skraɪb] *vb tr* **1** med. ordinera
2 föreskriva, bestämma, fastställa
prescript ['priːskrɪpt] *s* föreskrift, förordning
prescription [prɪ'skrɪpʃ(ə)n] *s* **1** med. **a)** recept [*make
up* (expediera) *a ~*]; *be* (*be placed*) *on ~* vara (bli)
receptbelagd **b)** ordination, föreskrift **c)** medicin
[*take this ~ three times a day*] **2** åläggande,
stadgande
prescription drug [prɪ'skrɪpʃ(ə)ndrʌg] *s*
receptbelagt läkemedel, receptbelagd apoteksvara
prescriptive [prɪ'skrɪptɪv] *adj* **1** med (som ger)
föreskrifter; normativ [*a ~ grammar*]
2 hävdvunnen [~ *right*]
presence ['prezns] *s* **1** närvaro; närhet; förekomst
[*the ~ of ore in the rock*]; *make one's ~ felt* dra
uppmärksamheten till sig **2** imponerande (ståtlig)
gestalt (person) **3** hållning, yttre [*a man of* [*a*]
noble ~]; pondus; personlig framtoning; *he has a
good ~* han är representativ, han har verklig
pondus
presence of mind [ˌpreznsəv'maɪnd] *s*
sinnesnärvaro
1 present ['preznt] **I** *adj* **1** nuvarande, innevarande
[*the ~ month*]; [nu] pågående, aktuell [*the ~
boom*]; nu levande [*the ~ generation*]; nu gällande
[*the ~ system*]; närvarande; *in the ~ circumstances*
under nuvarande förhållanden, som förhållandena
nu är; *the ~ day* el. *the ~ age* nutiden, vår tid; *at the ~
time* nuförtiden **2** föreliggande, ifrågavarande; *in
the ~ case* i föreliggande (detta) fall, i det [nu]
aktuella fallet; *the ~ writer* författaren till dessa
rader **3** närvarande [*at* vid; *in* i, på; *to* för tanken
o.d.]; *be ~ at* äv. övervara; *those ~* el. *the people ~* de
närvarande **4** gram. presens-
II *s* **1** *the ~* nuet [*we must live in the ~*]; *at ~* för
närvarande, just nu; *for the ~* för närvarande, tills
vidare, så länge [*that will do for the ~*]; *there is no
time like the ~* det är lika bra att göra det med en
gång, ju förr dess hellre **2** gram., *the ~* presens
2 present [subst. 'preznt, verb prɪ'zent] (mil. o.d. se **3**
present) **I** *s* present, gåva, skänk; *she gave it to me
as a ~* jag har fått den i present av henne
II *vb tr* **1** föreställa, introducera, presentera spec.
formellt [*to* för; *be ~ed at Court*] **2** förete, uppvisa

[*this case ~s some interesting features*] **3 a)** lägga fram [*~ a bill* (lagförslag); *~ a plan*]; presentera, komma in med, lämna in, överlämna, lämna fram [*~ a petition*] **b)** hand. o.d. presentera [*~ a cheque at the bank*] **4 a)** överlämna [*to* åt, till], överräcka [*~ prizes*]; räcka fram [*to* till]; framföra [*~ a message*]; sända **b)** skänka, donera; *~ sb with sth* el. *~ sth to sb* ge ngn ngt i present, överlämna (överräcka) ngt till (åt) ngn **c)** *he ~ed them with* [*an ultimatum*] han ställde dem inför... **5** teat. o.d. presentera, uppföra, framföra [*~ a new play*] **III** *vb rfl* **1** *~ oneself* om person a) presentera sig b) infinna (inställa) sig; visa sig **2** *~ oneself* om sak erbjuda sig [*a good opportunity ~ed itself*]; komma upp, visa sig

3 present [prɪ'zent] *vb tr* mil. o.d **1** *~ arms* skyldra gevär **2** lägga an med, rikta [*he ~ed a pistol at* (mot) *me*]

presentable [prɪ'zentəbl] *adj* **1** som kan läggas fram etc., möjlig att lägga fram etc., jfr **2** *present II 3* **2** presentabel

presentation [ˌprez(ə)n'teɪʃ(ə)n] *s* **1** presentation av ngn [*to* för] **2** överlämnande etc., jfr *2 present II 3*; framställning, skildring; utformning; presentation, företeende; *on ~ of* mot uppvisande av **3 a)** överlämnande etc., jfr *2 present II 4 b)* gåva **4** teat. presentation, uppförande, framförande [*the ~ of a new play*]; skådespel **5** med. fosterläge, fosterbjudning; *breech ~* sätesbjudning

presentation copy [ˌprez(ə)n'teɪʃ(ə)n,kɒpɪ] *s* gratisexemplar, friexemplar

present-day ['prezntdeɪ] *adj* nutidens, nutids-, modern

presenter [prɪ'zentə] *s* **1** radio. el. TV. presentatör **2** person som presenterar; prisutdelare

presentiment [prɪ'zentɪmənt] *s* förkänsla spec. av något ont, [för]aning

presently ['prezntlɪ] *adv* **1** snart, om en [liten] stund, inom kort; kort därefter **2** för närvarande, nu

present participle [ˌpreznt'pɑːtɪsɪpl] *s* gram., *the ~* presens particip

present perfect [ˌpreznt'pɜːfekt] *s* gram., *the ~* perfekt[um]

present tense [ˌpreznt'tens] *s* gram., *the ~* presens

preservation [ˌprezə'veɪʃ(ə)n] *s* (jfr *preserve I*) **1** bevarande, skydd[ande] **2** bevarande, bibehållande; *in a good state of ~* el. *in good ~* i gott tillstånd, i välbevarat skick **3** konservering **4** vård, fridlysning; *~ of game* viltvård

preservation order [ˌprezə'veɪʃ(ə)n,ɔːdə] *s* ung. k-märkning, förklaring av byggnad som kulturminne

preservative [prɪ'zɜːvətɪv] *s* **1** konserveringsmedel **2** preservativ, skyddsmedel [*against* mot]

preserve [prɪ'zɜːv] **I** *vb tr* **1** bevara, skydda **2** bibehålla [*she is well ~d*]; behålla [*~ one's eyesight*]; upprätthålla **3** konservera [*~ fruit*; *~ vegetables*]; lägga in, sylta [in], koka in; *~d foods* [livsmedels]konserver **4** vårda, freda, fridlysa; *game* bedriva [rationell] viltvård; *the fishing is strictly ~d* ung. fisket är strängt reglerat **II** *s* **1** bildl. privilegium; reservat **2** ofta pl. *~s* sylt; marmelad; konserverad frukt **3 a)** *~* el. *nature ~*

[natur]reservat, nationalpark **b)** *~* el. *game ~* viltreservat, jaktmarker **c)** fiskevatten [med reglerat fiske]

preserver [prɪ'zɜːvə] *s* **1** bevarare, räddare; vårdare [*game ~*] **2** skyddsmedel

preset [ˌpriː'set] **I** (*preset preset*) *vb tr* ställa in på förhand; göra upp i förväg **II** *adj* i förväg inställd, förinställd; uppgjord

preshrunk [ˌpriːʃrʌŋk, attr. '--] *adj* krympfri, krympt

preside [prɪ'zaɪd] *vb itr* presidera, sitta (fungera) som (vara) ordförande [*at, over* vid]

presidency ['prezɪd(ə)nsɪ] *s* **1** presidentskap; presidentpost, presidentämbete; presidentperiod; *candidate for the ~* presidentkandidat **2** ordförandeskap; ordförandepost; tid som ordförande; presidium; *hold the ~* EU. utöva ordförandeskapet **3** amer. befattning (tid) som verkställande direktör

president ['prezɪd(ə)nt] *s* **1 a)** president **b)** ordförande; preses **2** amer. verkställande direktör **3** rektor i Storbritannien vid vissa college, i USA vid ett universitet el. college

president-elect [ˌprezɪd(ə)ntɪ'lekt] (pl. *presidents-elect*) *s*, *the ~* den tillträdande presidenten

presidential [ˌprezɪ'denʃ(ə)l] *adj* president- [*~ election*]; ordförande-; *~ campaign* presidentvalskampanj; *~ primary* i USA primärval

presidi|um [prɪ'sɪdɪ|əm] (pl. *-ums* el. *-a* [-ə]) *s* presidium

1 press [pres] **I** *s* **1** [tidnings]press; *the book had a good ~* boken fick bra recensioner (god press); *a member of the ~* en representant för pressen **2** [tryck]press; *correct the ~* läsa korrektur; *freedom (liberty) of the ~* tryckfrihet; *go to ~* gå i tryck **3 a)** tryckeri[företag] **b)** förlag **4** press [*a hydraulic ~*] **5** pressande, pressning äv. av kläder; press[veck] **6** tryckning [*a ~ of* (med) *the thumb*; *a ~ of* (på) *the button*] **7** trängsel; folkmassa

II *vb tr* **1** pressa [*~ grapes*; *~ one's trousers*; *~ CDs*]; trycka [*~ sb's hand*]; tränga [*the policemen ~ed the crowd back*]; pressa (tränga) in [*~ sb into* (i) *a corner*]; krama, klämma; *~* [*down*] *the accelerator* trampa ner gaspedalen; *~ the button* trycka på knappen; *~ sail* sjö. sätta till alla segel; *~ the trigger of a gun* trycka av ett gevär (en pistol etc.) **2** truga; pressa, [försöka] tvinga [*~ sb to do sth*]; försöka övertala (förmå) [*~ sb to stay*] **3** ansätta [*~ the enemy*; *be hard ~ed*]; pressa [*~ one's opponent*]; ligga efter [*I ~ed him to do it* (för att få honom att göra det)]; hetsa **4** driva (skynda) på, forcera; *~ sth home* driva på (igenom) ngt, få igenom ngt, ta hem ngt; *~ charges against sb* se under *charge I 3*; *I did not ~ the point* jag framhärdade (envisades, insisterade) inte

III *vb itr* **1** pressa, trycka [*on, upon* på]; *~ upon sb* hårt ansätta ngn; *it ~es on my mind* det trycker (tynger) mig; *~ up to sb* el. *~ close against sb* trycka (pressa) sig intill ngn **2** trängas [*crowds ~ing round the visitors*] **3** brådska; *time ~es* det är bråttom, det brådskar **4** *~ forward* pressa på, pressa (tränga) sig fram, bana sig väg, skynda framåt (på), fortsätta

IV *vb itr* o. *vb tr* med adv.:

press for energiskt kräva, yrka på [~ *for higher wages*]; ivrigt sträva efter; *he ~ed me for the money* [*I owed him*] han krävde mig på (låg efter mig för att få) de pengar...

press on: a) ~ *sth on sb* truga (tvinga) 'på ngn ngt **b)** pressa på [*the English were ~ing on hard*]; pressa (tränga) sig fram, bana sig väg, skynda framåt (på), fortsätta; ~ *on with* [*a new scheme*] energiskt fortsätta med (arbeta på)...

2 press [pres] *vb tr* **1** rekvirera **2** friare, ~ *into service* beslagta, ta i bruk, rekvirera [*taxis were ~ed into service as troop transports*]

press agency ['pres,eɪdʒ(ə)nsɪ] *s* nyhetsbyrå

press agent ['pres,eɪdʒ(ə)nt] *s* presschef, informationschef, presskommissarie

Press Association ['presə,səʊsɪ'eɪʃ(ə)n] *s*, *The ~* namn på de brittiska tidningarnas telegrambyrå

press baron ['pres,bær(ə)n] *s* tidningskung, tidningsmagnat

press box ['presbɒks] *s* pressbås

press clipping ['pres,klɪpɪŋ] *s* [tidnings]urklipp, pressklipp

press conference ['pres,kɒnfərəns] *s* presskonferens

press cutting ['pres,kʌtɪŋ] *s* [tidnings]urklipp, pressklipp

pressed [prest] *adj*, *be ~ for* ha ont om (knappt med) [*be ~ for money (space)*]; *be ~ed for time* ha ont om tid, ha bråttom

press gallery ['pres,gælərɪ] *s* pressläktare

press-gang ['presgæŋ] *vb tr* vard., ~ *sb into doing sth* tvinga ngn att göra (ställa upp på) ngt

pressie ['prezɪ] *s* vard. present

pressing ['presɪŋ] **I** *adj* **1** tryckande **2** brådskande [~ *business*]; trängande [~ *need*] **3** enträgen [*a ~ invitation*]

II *s* **1** upplaga av en cd el. grammofonskiva **2** pressning

press|man ['pres|mən] (pl. -men [-mən]) *s* **1** tidningsman, pressman, journalist **2** tryckare

press office ['pres,ɒfɪs] *s* informationsavdelning; pressavdelning

press officer ['pres,ɒfɪsə] *s* pressekreterare

press pack ['prespæk] *s* pressutskick

press release ['presrɪ,liːs] *s* se *release* II 4

press secretary ['pres,sekrətrɪ] *s* pressekreterare

press stud ['prestʌd] *s* tryckknapp

press-up ['presʌp] *s* gymn. armhävning

pressure ['preʃə] **I** *s* **1** tryck äv. bildl., tryckning [~ *of the hand*]; tryckande; press [*he works under ~*]; pressning; ~ *of taxation* skattetryck; ~ *of work* arbetsbelastning; *high* ~ högtryck; *work at high* ~ arbeta för högtryck **2** påtryckning[ar]; *put* ~ *on sb* el. *put sb under* ~ utöva påtryckningar (tryck, press) på ngn **3** stress, påfrestning **4** trångmål, nöd; *be under financial* ~ ha ekonomiska svårigheter **5** jäkt[ande], tidspress

II *vb tr* pressa, sätta press på, tvinga

pressure cooker ['preʃə,kʊkə] *s* tryckkokare

pressured ['preʃəd] *adj* pressad, stressig, stressad

pressure gauge ['preʃəgeɪdʒ] *s* manometer, tryckmätare

pressure group ['preʃəgruːp] *s* påtryckningsgrupp

pressure point ['preʃəpɔɪnt] *s* **1** tryckpunkt på artär,

där blodflödet kan stillas **2** bildl. känslig situation, känsligt ämne

pressurize ['preʃəraɪz] *vb tr* **1** utöva påtryckningar på, sätta press på **2** vidmakthålla normalt lufttryck i

pressurized ['preʃəraɪzd] *adj* **1** ~ *cabin* tryckkabin; ~ *tennis ball* gasboll **2** pressad

prestige [pre'stiːʒ] *s* prestige, status; anseende

prestigious [pre'stɪdʒəs, amer. -'stiːdʒ-, -'stɪdʒ-] *adj* ansedd, prestigebetonad, prestigefylld

presto ['prestəʊ] **I** *adv* **1** mus. (it.) presto **2** hastigt, snabbt; *hey ~!* hokuspokus!, vips!

II (pl. ~s) *s* mus. (it.) presto

prestressed concrete [,priː'strest'kɒŋkriːt] *s* spännbetong

presumably [prɪ'zjuːməblɪ] *adv* antagligen, förmodligen, troligen

presume [prɪ'zjuːm] *vb tr* o. *vb itr* **1** anta, förmoda; förutsätta; ~ *sb innocent* el. ~ *that sb is innocent* utgå från (förutsätta) att ngn är oskyldig **2 a)** tillåta sig, drista sig, understå sig, ta sig friheten [*to att; may I ~ to advise you?*]; våga sig på **b)** vara förmäten, ta sig friheter

presumption [prɪ'zʌm(p)ʃ(ə)n] *s* **1 a)** antagande, förmodan; förutsättning **b)** sannolikhet **2** förmätenhet, övermod, arrogans

presumptive [prɪ'zʌm(p)tɪv] *adj* presumtiv; sannolik, grundad på sannolikhet[en], antaglig

presumptuous [prɪ'zʌm(p)tjʊəs] *adj* förmäten, djärv; [alltför] självsäker, övermodig, arrogant

presuppose [,priːsə'pəʊz] *vb tr* **1** anta [på förhand] **2** förutsätta

pre-tax ['priːtæks] *adj* före skatt [~ *earnings*]

preteen ['priːtiːn] **I** *s* barn som närmar sig tonåren (i förpuberteten), 10–12-åringar **II** *adj* för 10–12-åringar [~ *clothes*]

pretence [prɪ'tens] *s* **1** förevändning [*for* för; *of* av], svepskäl, undanflykt; förespegling; [falskt] sken [*a ~ of friendship*]; *by* (*on, under*) *false ~s* genom (under) falska förespeglingar; *on the slightest* ~ vid minsta förevändning **2** anspråk [*to, at* på; *without any ~ to wit or style*]; *I make no ~ to being* [*infallible*] jag gör inga anspråk på att vara... **3** anspråksfullhet, skrytsamt uppträdande, pretentioner; tomt prål

pretend [prɪ'tend] **I** *vb tr* **1** låtsas, leka [*let's ~ that we are pirates*] **2** göra anspråk på [*she did not ~ to know much about it*]; göra gällande, påstå [*I won't ~ that I know the answer*]

II *vb itr*, ~ *to* göra anspråk på [~ *to a title*]; göra anspråk på att ha (äga) [*few people ~ to an exact knowledge of the subject*]

III *adj* barnspr. låtsas- [~ *cake*]

pretender [prɪ'tendə] *s* pretendent; tronpretendent

pretense [prɪ'tens] *s* amer., se *pretence*

pretension [prɪ'tenʃ(ə)n] *s* anspråk [*to* på]; krav, yrkande; pretention [*without literary ~s*]

pretentious [prɪ'tenʃəs] *adj* anspråksfull, pretentiös

preternatural [,priːtə'nætʃrəl] *adj* onaturlig; övernaturlig

pretext ['priːtekst] *s* förevändning, svepskäl, ursäkt [*for* för]; *on the ~ of* under förevändning (förebärande, föregivande) av

Pretoria [prɪ'tɔːrɪə] geogr.

prettify ['prɪtɪfaɪ] *vb tr* piffa upp, snygga till
prettiness ['prɪtɪnəs] *s* söthet, näpenhet osv., jfr *pretty II*
pretty ['prɪtɪ] **I** *adv* vard. rätt, ganska, tämligen; ~ *much* nästan, ungefär, så gott som [~ *much the same*]; ~ *well* nästan, praktiskt taget [*we've* ~ *well finished*]; snart sagt; *be sitting* ~ a) ha det bra b) ha sitt på det torra c) ligga bra till
II *adj* **1** söt [*a* ~ *face*; *a* ~ *girl*]; näpen, gullig, nätt; snygg, vacker [~ *things*], om sak äv. trevlig, bra; utmärkt; ~ *as a picture* vacker som en dag **2** iron. skön, fin, snygg; *a* ~ *mess* en skön röra **3** betydande, vacker, nätt; *a* ~ *sum* el. *a* ~ *penny* en nätt summa, en vacker slant
pretty-pretty ['prɪtɪˌprɪtɪ, ˌ--'--] *adj* vard. tvålfager, snutfager, nuttig; alltför gullig; om färg söt[sliskig]
pretzel ['pretsl] *s* kok. [salt]kringla, salt pinne
prevail [prɪ'veɪl] *vb itr* **1** råda, vara rådande, vara utbredd [*the custom still* ~*s in the north*]; florera, grassera **2** segra [*truth will* ~]; få övertaget [*over* över], ha framgång; [*his ideas*] *have* ~*ed* äv. ...har stått sig, ...har trängt igenom **3** ~ *on* el. ~ *upon* förmå, övertala, beveka [~ *on* (*upon*) *sb to do sth*]
prevailing [prɪ'veɪlɪŋ] *adj* rådande [~ *winds*]; förhärskande, allmän [*the* ~ *opinion*]; aktuell [*the* ~ *situation*]; utbredd
prevalence ['prevələns] *s* allmän förekomst, allmänt bruk, utbredning
prevalent ['prevələnt] *adj* rådande, förhärskande, gängse, allmän [*the* ~ *opinion*]; utbredd, i allmänt bruk; *be* ~ äv. råda, florera, grassera [*drug-taking is* ~ *in the big cities*]
prevaricate [prɪ'værɪkeɪt] *vb itr* komma med (göra) undanflykter, slingra sig
prevarication [prɪˌværɪ'keɪʃ(ə)n] *s* undanflykt[er]; undvikande svar
prevent [prɪ'vent] *vb tr* hindra [*from* från], förhindra, förebygga, förekomma; *I* ~*ed him from doing it* el. *I* ~*ed his doing it* jag hindrade honom [från] att göra det
preventable [prɪ'ventəbl] *adj* som kan [för]hindras (förebyggas)
prevention [prɪ'venʃ(ə)n] *s* förhindrande, förebyggande, förekommande; med. profylax; ~ *is better than cure* bättre förekomma än förekommas; *the* ~ *of cruelty to animals* ung. djurskydd; *the* ~ *of cruelty to children* förhindrande av barnmisshandel
preventive [prɪ'ventɪv] *adj* preventiv, preventiv- [~ *war*]; hindrande, förebyggande [~ *measures*], med. äv. profylaktisk
preventive medicine [prɪˌventɪv'meds(ə)n] *s* profylax, förebyggande hälsovård
preview ['pri:vju:] **I** *s* förhandsvisning; visning av [film]trailer; *sneak* ~ förhandsvisning
II *vb tr* förhandsvisa; ge en snabbpresentation av, ge en förhandstitt på
previous ['pri:vɪəs] **I** *adj* **1** föregående, tidigare; ~ *knowledge* el. ~ *training* förkunskaper **2** vard. förhastad, för tidig
II *adv*, ~ *to* före; innan, förrän
previously ['pri:vɪəslɪ] *adv* förut, tidigare; i förväg, på förhand; ~ *to* se under *previous II*
pre-war [ˌpri:'wɔ:, attr. '--] *adj* förkrigs-, före kriget
prewash ['pri:wɒʃ] *s* förtvätt

prey [preɪ] **I** *s* rov, byte, bildl. äv. offer, villebråd; *be* (*fall*) ~ *to* vara (bli) ett rov för, vara ett (bli ett, falla) offer för; *beast of* ~ rovdjur; *bird of* ~ rovfågel
II *vb itr* med adv.:
prey on el. **prey upon a)** jaga, leva på [*hawks* ~*ing on small birds*] **b)** plundra **c)** tära (tynga) på, trycka [~ *on sb's mind* (ngn)]
price [praɪs] **I** *s* **1** pris, hand. äv. kurs; *fixed* ~ el. *set* ~ fast pris; [*you can get fresh asparagus*] *at a* ~ ...om man är villig (beredd) att betala; *cheap at the* ~ prisbillig, prisvärd; *at any* ~ a) till varje pris b) för allt i världen [*I wouldn't have missed it at any* ~]; *at reduced* ~*s* till nedsatta priser **2** odds; *starting* ~*s* odds omedelbart före loppet **3** vard., *what* ~ *democracy now?* iron. vad ger du för demokratin nu då?
II *vb tr* **1** prissätta, fastställa priset på **2** ~ *oneself out of the market* tappa marknad (marknadsandelar) genom att ta för höga priser; vard. prisa sig [ut] ur marknaden
price bracket ['praɪsˌbrækɪt] *s* prisklass
price ceiling ['praɪsˌsi:lɪŋ] *s* pristak
price control ['praɪskənˌtrəʊl] *s* o. **price curb** ['praɪskɜ:b] *s* priskontroll
price-fixing ['praɪsˌfɪksɪŋ] *s* prissättning, prisreglering
price freeze ['praɪsfri:z] *s* prisstopp
price index ['praɪsˌɪndeks] *s* prisindex; *retail* ~ el. amer. *consumer* ~ konsumentprisindex
priceless ['praɪsləs] *adj* **1** oskattbar, oersättlig [*a* ~ *painting*] **2** ovärderlig **3** vard. obetalbar
price level ['praɪsˌlevl] *s* prisnivå, prisläge
price list ['praɪslɪst] *s* prislista
price range ['praɪsreɪn(d)ʒ] *s* prisklass
price tag ['praɪstæg] *s* prislapp äv. bildl.
price war ['praɪswɔ:] *s* priskrig
pricey ['praɪsɪ] *adj* vard. dyrbar, dyr
prick [prɪk] **I** *vb tr* **1** sticka; sticka hål i (på) [~ *a balloon*]; ~ *one's finger* [*with* (*on*) *a needle*] sticka sig i fingret [på en nål] **2** stinga; *his conscience* ~*ed him* han kände ett styng i samvetet **3** pricka av (för) på en lista o.d. **4** ~ [*up*] *one's ears* spetsa öronen **5** trädg., ~ *out* plantera ut i små hål
II *s* **1** vulg. kuk, pitt **2** vulg., om person jävla idiot **3** stick, styng; sting; stickande; ~*s of conscience* samvetskval **4** *kick against the* ~*s* spjärna emot **5** tagg
prickle ['prɪkl] **I** *vb tr* o. *vb itr* sticka; stickas
II *s* **1** tagg; törntagg, törne **2** stickande [känsla]
prickly ['prɪklɪ] *adj* **1** taggig **2** stickande känsla
prickly heat [ˌprɪklɪ'hi:t] *s* med. värmeutslag
prickly pear [ˌprɪklɪ'peə] *s* bot. guldopuntia, fikonkaktus
pride [praɪd] **I** *s* **1** stolthet [*in* över]; självkänsla; högmod, övermod; *false* ~ ogrundad stolthet, högfärd; ~ *comes* (*goes*) *before a fall* högmod går före fall; *take* [*a*] ~ *in* a) vara stolt (känna stolthet) över b) sätta sin stolthet (ära) i; *that wounded* (*hurt*) *her* ~ det gick hennes ära för när, det sårade hennes stolthet **2** *the* ~ *of* blomman (de bästa) av; *this pup is the* ~ *of the litter* den här valpen är den finaste i kullen **3** *give* ~ *of place to* sätta främst (i första rummet) **4** flock [*a* ~ *of lions*]

II *vb rfl,* **~ oneself on** vara stolt över, berömma sig av

priest [pri:st] *s* **1** präst spec. katolsk el. icke-kristen **2** (spec.) officiell beteckning för präst inom anglikanska kyrkan med rang mellan biskop o. diakon

priestess [ˌpri:st'es, 'pri:stəs] *s* prästinna

priesthood ['pri:sthʊd] *s* **1** prästerlig värdighet, prästerligt ämbete **2** prästerskap; prästvälde

prig [prɪg] *s* självgod person (pedant)

priggish ['prɪgɪʃ] *adj* självgod, petig, pedantisk

prim [prɪm] *adj* **1** prudentlig, strikt; prydlig [*a ~ garden*]; sirlig **2** pryd, sipp

prima ballerina [ˌpri:məbælə'ri:nə] *s* prima ballerina

primacy ['praɪməsɪ] *s* **1** företräde, överlägsenhet **2** kyrkl. primat, ärkebiskopsvärdighet

prima donna [ˌpri:mə'dɒnə] *s* primadonna

primaeval [praɪ'mi:v(ə)l] *adj* se *primeval*

prima facie [ˌpraɪmə'feɪʃɪ] *adv* o. *adj* lat. vid första påseendet (anblicken), i första ögonblicket

primarily ['praɪm(ə)rəlɪ, ˌ-'---] *adv* **1** primärt, ursprungligen **2** huvudsakligen, först och främst, i första hand, i främsta rummet

primary ['praɪmərɪ] **I** *adj* **1** primär, första, ursprunglig, grund-, grundläggande, elementär; **~ education** grundläggande undervisning, lågstadieundervisning, jfr *primary school* **2** huvudsaklig, huvud-, förnämst, störst [*of ~ importance*]

II *s* i USA **1** primärval **2** förberedande valmöte spec. mellan valledarna, nomineringsmöte

primary care [ˌpraɪmərɪ'keə] *s* primärvård

primary colours [ˌpraɪmərɪ'kʌləz] *s pl* fys. grundfärger

primary election [ˌpraɪmərɪ'lekʃ(ə)n] *s* primärval i USA

primary health care [ˌpraɪmərɪ'helθkeə] *s* se *primary care*

primary rocks ['praɪmərɪrɒks] *s* geol. urberg

primary school ['praɪmərɪsku:l] *s* primärskola, lågstadieskola; britt. motsv. 6-årig grundskola för åldrarna 5–11; amer. motsv. 3-årig (4-årig) grundskola

primary stress [ˌpraɪmərɪ'stres] *s* huvudtryck, huvudaccent

primate [i betydelse *1* 'praɪmeɪt, i betydelse *2* 'praɪmət] *s* **1** (pl. *~s* ['praɪmeɪts el. praɪ'meɪti:z] zool. primat **2** kyrkl. primas; *the Primate of England* benämning på ärkebiskopen av York; *the Primate of all England* benämning på ärkebiskopen av Canterbury

prime [praɪm] **I** *adj* **1** främsta, viktigast, förnämst, huvud- **2** prima, förstklassig **3** primär, ursprunglig, tidig, första

II *s,* **in one's ~** el. **in the ~ of life** i sin krafts dagar, i sina bästa år; **he is past his ~** han har sina bästa år bakom sig; **it is past its ~** den har sett sina bästa dagar

III *vb tr* **1** instruera, preparera [*the witness had been ~d beforehand*] **2** tekn. o.d. flöda [*~ a carburettor*]; aptera [*~ a gun; ~ a charge* (sprängladdning)]; **~ the pump** bildl. satsa stimulanspengar, sätta in stimulansåtgärder **3** grunda, grundmåla

prime cost [ˌpraɪm'kɒst] *s* inköpspris, tillverkningspris, självkostnadspris

prime meridian [ˌpraɪmmə'rɪdɪən] *s* nollmeridian

prime minister [ˌpraɪm'mɪnɪstə] (förk. *PM*) *s* premiärminister; statsminister

prime mover [ˌpraɪm'mu:və] *s* **1** [primär] drivkraft, kraftkälla **2** primus motor, upphovsman, initiativtagare, drivande kraft

prime number [ˌpraɪm'nʌmbə] *s* matem. primtal

1 primer ['praɪmə] *s* grundfärg, 'primer'

2 primer ['praɪmə] *s* nybörjarbok; abc-bok

prime rate ['praɪmreɪt] *s* bank. lägsta [utlånings]ränta

prime time [ˌpraɪm'taɪm, ˌ-'-'] *s* bästa sändningstid i tv

primeval [praɪ'mi:v(ə)l] *adj* urtids-, ursprunglig, ur-, första; **~ forest** urskog

primitive ['prɪmɪtɪv] **I** *adj* **1** primitiv, ursprunglig, ur-, äldst; **in [the] ~ ages** i urtiden **2** enkel, gammaldags, primitiv [*~ weapons*]

II *s* **1** a) utövare av primitiv konst b) primitivt konstverk **2** åld. el. neds. urinnevånare

primogeniture [ˌpraɪməʊ'dʒenɪtʃə] *s* jur. förstfödslorätt [äv. *right of ~*]

primordial [praɪ'mɔ:dɪəl] *adj* primitiv, ursprunglig; **~ force** urkraft

primp [prɪmp] **I** *vb tr* fiffa upp, snygga till; **~ oneself** se under *primp II* **II** *vb itr* göra (klä) sig fin, göra sig vacker

primrose ['prɪmrəʊs] *s* bot. primula, viva; spec. jordviva

primula ['prɪmjʊlə] *s* bot. primula

Primus® ['praɪməs] *s,* **~** el. **~ stove** primus[kök]

prince [prɪns] *s* prins; furste

Prince Charming [ˌprɪns'tʃɑ:mɪŋ] *s* sagoprins[en], drömprins[en]; prinsen i sagor

prince consort [ˌprɪns'kɒnsɔ:t] *s* prinsgemål

princely ['prɪnslɪ] *adj* furstlig äv. bildl., furste-

Prince of Wales [ˌprɪnsɒv'weɪlz] *s,* **the ~** prinsen av Wales titel för den brittiske tronföljaren

Prince Regent [ˌprɪns'ri:dʒ(ə)nt] *s,* **the ~** britt. hist. prinsregenten den brittiske kungen George III:s son

Prince Royal [ˌprɪns'rɔɪ(ə)l] *s,* **the ~** monarkens äldste son

princess [prɪn'ses, 'prɪnses, attr. ofta '--] *s* prinsessa; furstinna

Princess Royal [ˌprɪnses'rɔɪ(ə)l] *s,* **the ~** monarkens äldsta dotter

Princeton ['prɪnstən] geogr., amerikansk universitetsstad

principal ['prɪnsəp(ə)l] **I** *adj* huvudsaklig, huvud-, främsta, förnämst, viktigast, väsentligast; i titlar första [*~ librarian*]; **~ actor** huvudrollsinnehavare; **~ clause** el. **~ sentence** gram. huvudsats; **~ town** huvudort

II *s* **1** chef, principal; skol. o.d. rektor, föreståndare **2** kapital på vilket ränta betalas **3** solist i orkesterstämma; teat. huvudperson **4** jur. el. hand. huvudman, uppdragsgivare

principal boy [ˌprɪnsəp(ə)l'bɔɪ] *s* i pantomim innehavare av den manliga huvudrollen som spelas av en kvinna

Principality [ˌprɪnsɪ'pælətɪ] *s,* **the ~** benämning på Wales

principality [ˌprɪnsɪ'pælətɪ] *s* furstendöme

principally ['prɪnsəp(ə)lɪ] *adv* huvudsakligen, väsentligen, i främsta rummet

principal parts [ˌprɪnsəp(ə)l'pɑ:ts] *s pl* gram. verbs tema[former]

principle ['prɪnsəpl] s **1** princip; grund; grundsats; *make it a ~* ha som (göra det till) princip; *in ~* i princip, principiell[t]; *a man of ~* en man med principer; *as a matter of ~* av princip; av principskäl; *question of ~* principfråga; *on ~* av princip, principiellt **2** princip [*Archimedes' ~*]; lag
principled ['prɪnsəpld] *adj* som efterled i sammansättn. med...principer; *high-principled* med höga principer
print [prɪnt] **I** s **1** boktr. tryck; stil; *large ~* stor stil; *small ~* liten (fin) stil; *the small ~* det finstilta; *be in ~* a) föreligga i tryck b) finnas [att få (tillgå)]; *out of ~* utgången på förlaget, utsåld [från förlaget] **2** avtryck [*~ of a finger*; *~ of a foot*]; intryck, märke, spår [*the ~s of a squirrel in the snow*] **3** *~* el. *cotton ~* tryckt bomullstyg, kattun; *a ~ dress* en klänning i tryckt bomullstyg **4** konst. o.d. tryck, gravyr [*old Japanese ~s*; *colour-print*]; stick; [tryckt] plansch; reproduktion **5** foto. kopia; kort **II** *vb tr* **1** trycka bok o.d., publicera **2** skriva med tryckstil (tryckbokstäver), texta [*please ~*] **3** a) märka genom påtryck; trycka 'på (in, av); bildl. inprägla [*the scene is ~ed in (on) my memory*] b) trycka [*~ a design*] **4** konst. o.d. ta (göra) [ett] avtryck av, trycka **5** foto. kopiera **III** *vb tr* med adv.:
print out data. skriva ut, göra utskrift av på skrivare
printable ['prɪntəbl] *adj* tryckbar
printed circuits [,prɪntɪd'sɜːkɪts] s *pl* elektr. tryckta kretsar
printed matter ['prɪntɪd,mætə] s trycksak[er]
printer ['prɪntə] s **1** data. skrivare, printer **2** [bok]tryckare, tryckeriarbetare; *~'s error* tryckfel; *~'s ink* trycksvärta
printhead ['prɪnthed] s data. skrivhuvud
printing ['prɪntɪŋ] s **1** a) tryckning [*second ~*]; tryck b) tryckeriverksamhet **2** *~* el. *art of ~* boktryckarkonst
printing house ['prɪntɪŋhaʊs] s större [bok]tryckeri
printing press ['prɪntɪŋpres] s tryckpress
printout ['prɪntaʊt] s data. utskrift
prior ['praɪə] **I** *adj* föregående; tidigare, äldre [*to* än]; förhands- [*~ right*]; i förväg; *have a ~ claim to* ha förhandsrätt till **II** *adv*, *~ to* före [*~ to his marriage*]; *~ to leaving* [*, he...*] innan han gav sig i väg... **III** s prior
prioress ['praɪərəs] s priorinna
prioritize [,praɪ'ɒrɪtaɪz] *vb tr* prioritera
priority [praɪ'ɒrɪtɪ] s prioritet, företräde[srätt], förtur[srätt] [*over* framför], förmånsrätt; *be a first* (*top*) *~* ha högsta prioritet, stå först på programmet; *priorities right* bestämma vad som är viktigast; *give ~ to* prioritera; *take ~ over* gå före
priory ['praɪərɪ] s priorskloster, priorinnekloster
prise [praɪz] *vb tr* **1** bända, baxa; *~ off* bända av (loss); *~ open* bända (bryta) upp **2** bildl., *~ a secret out of sb* lirka ur ngn en hemlighet
prism ['prɪz(ə)m] s prisma
prison ['prɪzn] s fängelse, kriminalvårdsanstalt; *in ~* i fängelse[t]; *be in ~* sitta i fängelse (häktad); *put in ~* el. *go to ~* sätta (bli satt) i fängelse; *take to ~* föra i fängelse, fängsla
prison camp ['prɪznkæmp] s fångläger, krigsfångeläger

prisoner ['prɪznə] s fånge; *the ~* äv. den häktade; *keep* (*hold*) *sb ~* hålla ngn fången äv. bildl.; *take sb ~* ta ngn till fånga, fånga in ngn
prisoner of conscience [,prɪznəəv'kɒnʃ(ə)ns] (pl. *prisoners of conscience*) s samvetsfånge
prisoner of war [,prɪznrəv'wɔː] (pl. *prisoners of war*) s krigsfånge
prissy ['prɪsɪ] *adj* vard. **1** pimpinett, prudentlig; sipp, pryd **2** feminin
pristine ['prɪstiːn, -taɪn] *adj* ofördärvad, ursprunglig [*~ freshness*]
privacy ['prɪvəsɪ, 'praɪv-] s avskildhet, ostördhet; privatliv; *in ~* a) i enrum b) i stillhet [*live in ~*]
private ['praɪvət] **I** *adj* **1** privat, personlig [*my ~ opinion*]; enskild; privat- [*~ secretary*]; *~ account* eget (privat) konto; *~ branch exchange*, se *exchange I 4*; *in her ~ capacity* [*she is...*] som privatperson...; *with ~ entrance* med egen ingång; *~ ward* el. *~ room* enskilt rum på sjukhus; *go ~* vard. gå till privatläkare **2** avskild; hemlig, privat, sluten [*a ~ meeting*]; dold; *~ and confidential* privat, [meddelad] i förtroende; *a ~ conversation* el. *a ~ interview* ett samtal mellan fyra ögon (på tu man hand); *keep ~* hemlighålla **II** s **1** mil. (förk. *Pvt.*) menig **2** *in ~* privat, enskilt, mellan fyra ögon, på tu man hand, i [all] tysthet, i hemlighet; i stillhet **3** pl. *~s* vard. könsdelar
private bar [,praɪvət'bɑː] s finare avdelning på en pub
private company [,praɪvət'kʌmp(ə)nɪ] s [ej börsnoterat] aktiebolag
private detective [,praɪvətdɪ'tektɪv] s privatdetektiv
private enterprise [,praɪvət'entəpraɪz] s fri företagsamhet
privateer [,praɪvə'tɪə] s **1** kapare, kaparfartyg **2** kaparkapten; kapare
private eye [,praɪvət'aɪ] s vard. privatdeckare
private income [,praɪvət'ɪnkʌm] s, *have a ~* se under *income*
private investigator [,praɪvətɪn'vestɪgeɪtə] s privatdetektiv
private law [,praɪvət'lɔː] s privaträtt
privately ['praɪvətlɪ] *adv* privat, personligt; enskilt
private medicine [,praɪvət'medɪsɪn] s privat vårdsystem
private member [,praɪvət'membə] s parlamentsmedlem som inte är minister
private member's bill [,praɪvət'membəzbɪl] s parl. motion
private number [,praɪvət'nʌmbə] s tele. hemligt nummer
private parts [,praɪvət'pɑːts] s *pl* könsdelar
private patient [,praɪvət'peɪʃ(ə)nt] s privatpatient
private practice [,praɪvət'præktɪs] s privatpraktik; *doctor in ~* privatpraktiserande läkare
private school ['praɪvətskuːl] s privatskola
private secretary [,praɪvət'sekrət(ə)rɪ] (förk. *PS*) s privatsekreterare, handsekreterare
private sector [,praɪvət'sektə] s, *the ~* den privata sektorn
private soldier [,praɪvət'səʊldʒə] s menig (vanlig) soldat
private view [,praɪvət'vjuː] s förhandsvisning för särskilt inbjudna

privation [praɪ'veɪʃ(ə)n] s umbärande[n], försakelse
privatization [ˌpraɪvətaɪ'zeɪʃ(ə)n] s privatisering
privatize ['praɪvətaɪz] vb tr privatisera
privet ['prɪvɪt] s bot. liguster
privilege ['prɪvəlɪdʒ] **I** s **1** privilegium; [ensam]rätt; rättighet; [särskild] förmån [I had the ~ of hearing her sing]; **it is my ~ to** [introduce...] det är en glädje och ära för mig att... **2** parl. immunitet
II vb tr privilegiera
privileged ['prɪvəlɪdʒd] adj **1** privilegierad [the ~ classes]; gynnad **2** konfidentiell, avgiven under tystnadsplikt [a ~ communication]
privy ['prɪvɪ] **I** adj, ~ **to** [hemligt] medveten om, invigd (delaktig, jur. medintresserad, berörd) i **II** s åld. toalett, [ute]dass
Privy Council [ˌprɪvɪ'kaʊnsl] s, **the** ~ ung. riksrådet med numera huvudsakligen formella funktioner
1 prize [praɪz] **I** s **1** pris; premie; premium; belöning, lön **2** [lotteri]vinst; **the first** ~ högsta vinsten
II adj pris- [~ competition (tävling)]; prisbelönt, premierad [~ cattle]; vard. värd ett pris, prima; ~ **idiot** jubelidiot
III vb tr värdera (skatta) [högt]
2 prize [praɪz] vb tr se prise
prize day ['praɪzdeɪ] s skol. avslutningsdag
prizefight ['praɪzfaɪt] s proffsboxningsmatch
prizefighter ['praɪzˌfaɪtə] s proffsboxare
prize-giving ['praɪzˌgɪvɪŋ] s premieutdelning; prisutdelning
prize money ['praɪzˌmʌnɪ] s prissumma, prispengar, prisbelopp
prizewinner ['praɪzˌwɪnə] s pristagare
prizewinning ['praɪzˌwɪnɪŋ] adj prisbelönt; ~ **ticket** vinstlott
pro- [prəʊ] prefix **1** pro-, -vän[lig] [pro-British, pro-Communist] **2** pro- [proconsul]; vice-
1 pro [prəʊ] (pl. ~s) s (kortform av professional) **1** vard. proffs [a golf ~] **2** sl. fnask
2 pro [prəʊ] (pl. ~s) s (ibl. adv), lat. skäl för; ~ **and con** för och emot; **the ~s and cons** skälen för och emot; **weigh the ~s and cons** äv. väga för- och nackdelar mot varandra
pro-am [ˌprəʊ'æm] **I** adj sport. med (för både) proffs och amatörer [~ tournament] **II** s sportevenemang med profss och amatörer
pro-American [ˌprəʊə'merɪkən] adj proamerikansk, USA-vänlig
probability [ˌprɒbə'bɪlətɪ] s sannolikhet, probabilitet båda äv. statistik [of för, av]; rimlighet; möjlighet; chans [what are the probabilities?]; **in all** ~ med all sannolikhet, antagligen
probable ['prɒb(ə)bl] **I** adj **1** sannolik, trolig [a ~ winner] **2** trovärdig [a ~ character in a book]
II s sannolik deltagare
probably ['prɒb(ə)blɪ] adv sannolikt, troligen, troligtvis, förmodligen; rimligtvis
probate ['prəʊbeɪt, -bət] **I** s jur. testamentsbevakning **II** vb tr amer. styrka [~ a will]
probation [prə'beɪʃ(ə)n] s **1** prov [two years on ~]; prövning **2** jur. skyddstillsyn; övervakning; villkorlig dom; **be put on** ~ dömas till skyddstillsyn, få villkorlig dom; **be released on** ~ bli villkorligt frigiven

probationer [prə'beɪʃnə] s **1** kandidat, elev, aspirant; novis; ~ el. ~ **nurse** sjuksköterskestudent, sjuksköterskestuderande **2** jur. person dömd till skyddstillsyn, villkorligt dömd [person]
probation officer [prə'beɪʃ(ə)n,ɒfɪsə] s jur. skyddskonsulent; övervakare
probe [prəʊb] **I** vb tr **1** sondera **2** undersöka grundligt, utforska, tränga in i; söka igenom
II vb itr **1** sondera **2** tränga in [into i]
III s **1** [offentlig] undersökning [into beträffande, av] **2** sond äv. för utforskning av rymden [a lunar ~]
probing ['prəʊbɪŋ] **I** adj **1** inträngande [~ questions] **2** sonderande, genomträngande
II s undersökning, sondering [into beträffande, av]
probity ['prəʊbɪtɪ, 'prɒb-] s redlighet, redbarhet
problem ['prɒbləm] s problem, fråga; uppgift; ~ **child** problembarn; bildl. sorgebarn; **no ~!** inga problem!, inga bekymmer!; **have you got a ~?** el. **what's your ~?** vard. vad tjafsar (bråkar) du om?, vad är det [med dig]?
problematic [ˌprɒblə'mætɪk] adj o. **problematical** [ˌprɒblə'mætɪk(ə)l] adj problematisk, tvivelaktig
problem page ['prɒbləm,peɪdʒ] s frågespalt i tidning
problem-ridden ['prɒbləm,rɪdn] adj problemfylld
problem-solving ['prɒbləm,sɒlvɪŋ] s problemlösning; problemlösande
proboscis [prə(ʊ)'bɒsɪs, -'bɒsk-] s snabel
pro-British [ˌprəʊ'brɪtɪʃ] adj engelskvänlig, proengelsk
procedural [prə'si:dʒər(ə)l] adj procedur-, procedurmässig
procedure [prə'si:dʒə, -djʊə] s procedur äv. jur., förfarande, förfaringssätt
proceed [prə'si:d] vb itr **1** fortsätta [sin väg], gå (köra o.d.) vidare (framåt); ~ **on one's journey (way)** fortsätta sin resa (sin väg, vägen framåt)
2 a) fortsätta [please ~ with your work]
b) fortskrida, fortgå, försiggå, pågå **3** övergå [from från; to till]; ~ **to take action** skrida till handling; **let's ~ to business** låt oss sätta i gång (börja arbeta) **4** ~ **to** + inf. börja + inf. [he ~ed to get angry]; övergå till att + inf., gripa sig an (ta itu) med att + inf. **5** gå till väga, förfara [in vid]; handla [~ on (efter) certain principles]; bära sig åt [with med]
proceedings [prə'si:dɪŋz] s pl **1** ~ el. **legal** ~ lagliga åtgärder, rättegång[sförfarande]; **institute (take, start) legal ~ against** vidta rättsliga åtgärder mot **2** förehavanden, handlingar **3** i domstol, sällskap o.d. förhandlingar; protokoll, [tryckta] handlingar, skrifter
proceeds ['prəʊsi:dz] s pl intäkter, inkomster
1 process ['prəʊses, amer. vanl. 'prɒs-] **I** s **1** gång, fortgång, förlopp; **in the** ~ samtidigt, på samma gång; **be in** ~ pågå, försiggå, vara i gång; **in** ~ **of construction** under byggnad (uppförande); **I was in the** ~ **of washing** [my car when...] jag höll just på med att tvätta... **2** process [chemical ~es], ofta tekn. äv. metod [the Bessemer ~]; procedur, förfaringssätt, förfarande; **manufacturing** ~ tillverkningsmetod, framställningssätt
II vb tr **1** tekn. o.d. behandla äv. data., preparera, bereda [~ leather]; ~**ed cheese** smältost; ~**ed milk** mejeribehandlad mjölk **2** reproducera på

fotomekanisk väg, framkalla [~ *a film*]
3 [rutin]behandla [*his application was quickly ~ed*]
2 process [prə'ses] *vb itr* vard. gå i procession
procession [prə'seʃ(ə)n] *s* procession, kortege, [fest]tåg
processor ['prəʊsesə, amer. vanl. 'prɒ-] *s* **1** data. processor, dator; centralenhet **2 food ~** matberedare
pro-choice [,prəʊ'tʃɔɪs, attr. '--] *adj* för fri abort, abortförespråkande
proclaim [prə'kleɪm] *vb tr* **1** proklamera, tillkännage, deklarera, kungöra, [offentligt] förkunna; påbjuda; utropa till [*he was ~ed king*] **2** avslöja ...såsom
proclamation [,prɒklə'meɪʃ(ə)n] *s* proklamation, tillkännagivande; *issue a ~* el. *make a ~* utfärda en proklamation (en kungörelse)
proclivity [prə(ʊ)'klɪvətɪ] *s* benägenhet, böjelse
procrastinate [prə'kræstɪneɪt] *vb itr* dra ut på (förhala) tiden, skjuta upp saker och ting
procrastination [prə,kræstɪ'neɪʃ(ə)n] *s* förhalande, förhalning
procreate ['prəʊkrɪeɪt] *vb tr* avla, alstra
procreation [,prəʊkrɪ'eɪʃ(ə)n] *s* avlande, alstrande, alstring; fortplantning
proctor ['prɒktə] *s* amer. examensövervakare, skrivvakt
procure [prə'kjʊə] **I** *vb tr* **1** skaffa, skaffa fram (in); [för]skaffa sig; utverka, lyckas uppnå **2** bedriva koppleri med
II *vb itr* bedriva koppleri
procurement [prə'kjʊəmənt] *s* anskaffande, anskaffning [*arms ~*]; utverkande; *public ~* offentlig upphandling
prod [prɒd] **I** *vb tr* **1** sticka [~ *sb with a bayonet*]; sticka till, stöta till, peta hårt på [~ *sb with a stick*]; stoppa [*into* in i] **2** bildl. sporra, egga, stimulera; ~ *sb's memory* ge ngns minne lite hjälp på traven
II *vb itr*, ~ *at* sticka [till], stöta till
III *s* **1** stöt, stick; *give sb a ~* a) stöta (sticka) till ngn, peta hårt på ngn b) påminna ngn, stöta 'på ngn **2** spets, spetsigt föremål; pik[stav]
prodigal ['prɒdɪg(ə)l] *adj* slösaktig [*of* med]; frikostig, rundhänt
prodigal son [,prɒdɪg(ə)l'sʌn] *s*, *the ~* bildl. den förlorade sonen
prodigious [prə'dɪdʒəs] *adj* **1** häpnadsväckande, vidunderlig, fantastisk **2** ofantlig, fenomenal
prodigy ['prɒdɪdʒɪ] *s*, *child ~* el. *infant ~* underbarn; *a musical ~* ett musikaliskt underbarn
produce [verb prə'dju:s, subst. 'prɒdju:s] **I** *vb tr*
1 a) producera, framställa, tillverka; skapa **b)** alstra, frambringa [~ *a sound*]; ge, bära [*the tree ~s fruit*]; avkasta **c)** åstadkomma, framkalla [~ *a reaction*]; vålla, väcka [*the film ~d a sensation*]; utlösa; leda till [~ *results*] **2** ta (plocka, dra, få) fram [~ *a paper from one's pocket*]; skaffa [fram] [~ *a witness*]; visa upp (fram) [~ *one's passport*] **3** film. producera, spela in [~ *a film*] **4** teat. regissera, iscensätta, sätta upp; framföra, uppföra **5** geom. förlänga, dra [ut]
II *s* **1** produkter av jordbruk o.d. [*dairy ~*; *garden ~*]; alster, varor; *farm ~* el. *agricultural ~* jordbruksprodukter **2** produktion

producer [prə'dju:sə] *s* **1** producent, fabrikant, tillverkare; ~ *goods* produktionsvaror, kapitalvaror **2** film., radio. el. TV. producent; *executive ~* produktionsledare **3** teat. regissör, amer. äv. teaterchef, teaterdirektör
product ['prɒdʌkt, -dəkt] *s* produkt i olika betydelser, vara, alster; bildl. frukt, foster
production [prə'dʌkʃ(ə)n] *s* **1 a)** produktion, framställning, tillverkning **b)** alstring, frambringande **2** produkt, alster; spec. litterärt el. konstnärligt verk **3** framskaffande; framläggande, företeende, uppvisande, jfr *produce I 2* **4** film. produktion, inspelning **5** teat. regi, iscensättning, uppsättning; framförande, uppförande
production line [prə'dʌkʃ(ə)nlaɪn] *s* monteringsband, löpande band
production number [prə'dʌkʃ(ə)n,nʌmbə] *s* musikalnummer med många medverkande
production platform [prə'dʌkʃ(ə)n,plætfɔ:m] *s* produktionsplattform för oljeutvinning
productive [prə'dʌktɪv] *adj* **1** produktiv, fruktbar [~ *work*]; bördig; rik [*of* på; *a ~ oilfield*] **2** produktions- [~ *capacity*; ~ *apparatus*]
productivity [,prɒdʌk'tɪvətɪ] *s* produktivitet [*increase ~*]; prestationsförmåga
product placement [prə'dʌkt,pleɪsmənt] *s* produktplacering
prof [prɒf] *s* vard. profet professor
profane [prə'feɪn] **I** *adj* **1** världslig, icke-kyrklig, profan [~ *literature*] **2** hädisk, gudlös; vanvördig; ~ *language* svordomar
II *vb tr* profanera, vanhelga
profanity [prə'fænətɪ] *s* **1** hädelse[r], svordom[ar] **2** gudlöshet, hädiskhet **3** världslighet
profess [prə'fes] *vb tr* **1** förklara [*they ~ed themselves content*]; tillkännage att man har [*he ~ed a great interest in my welfare*] **2** göra anspråk på, ge sig ut för [~ *to be an authority on...*]; låtsas **3** bekänna sig till [~ *Christianity*]; bekänna sin tro på
professed [prə'fest] *adj* **1** förklarad, avgjord, svuren [*a ~ enemy of reform*] **2 a)** *a ~ Christian* en bekännande kristen **3** föregiven
profession [prə'feʃ(ə)n] *s* **1** yrke spec. med högre utbildning, yrkesområde; *the learned ~s* ung. de akademiska yrkena; *the military ~* militäryrket, den militära banan; *by ~* till yrket (professionen) **2** yrkeskår **3** [högtidlig] förklaring [~s *of loyalty*]; försäkring, bedyrande **4** bekännelse; ~ *of faith* trosbekännelse
professional [prə'feʃ(ə)nl] **I** *adj* **1** yrkes- [*a ~ politician*]; förvärvs- [~ *life*]; yrkesutövande, yrkesmässig; professionell [~ *football*]; proffs-; proffsig **2** professionell, proffs-, för proffs, [avsedd] för yrkesmässigt bruk [*a ~ tape-recorder*]
II *s* yrkesman, fackman; professionell, proffs
professional foul [prə,feʃ(ə)nl'faʊl] *s* fotb. avsiktlig fällning
professionalism [prə'feʃ(ə)nəlɪz(ə)m] *s*
1 yrkesmässighet, yrkeskunnighet
2 professionalism
professionally [prə'feʃnəlɪ] *adv* yrkesmässigt, professionellt; som yrkesman (fackman); i yrket

professor [prə'fesə] *s* **1** univ. professor [~ *of* (i)
English at (*in*) *the university of O.*] **2** amer. lärare
professorship [prə'fesəʃɪp] *s* professur
proffer ['prɒfə] *vb tr* litt. räcka (sträcka) fram [~ *a
gift*]; erbjuda [~ *one's services*]
proficiency [prə'fɪʃ(ə)nsɪ] *s* färdighet, skicklighet,
kunnighet [*in sth, in doing sth* i [att göra] ngt],
[behöriga] kunskaper; *certificate of ~*
kompetensbevis
proficient [prə'fɪʃ(ə)nt] *adj* skicklig, kunnig, duktig
[*in sth, in doing sth* i [att göra] ngt]; *make oneself ~*
förkovra sig
profile ['prəʊfaɪl] **I** *s* **1** profil äv. fackspr. i div. betydelser,
[porträtt i] profil; *keep a low ~* ligga lågt, hålla en
låg profil **2** porträtt levnadsbeskrivning [*a ~ of the new
prime minister*]
II *vb tr* profilera äv. tekn., framställa (avbilda) i
profil
profiling ['prəʊfaɪlɪŋ] *s*, *DNA ~* DNA-analys; *offender
~* gärningsmannaprofilering
profit ['prɒfɪt] **I** *s* **1** vinst, förtjänst, profit; vinning,
utbyte; behållning, avkastning [äv. pl. ~*s*]; *~ and loss
account* vinst- och förlustkonto; *make a* [*clear*] *~ of*
[*£1000*] göra en [ren] förtjänst (vinst) på...; *make
a ~ on* (*by*) tjäna på **2** *derive ~ from* el. *gain ~ from* dra
(ha) nytta (fördel) av, ha utbyte (behållning) av
II *vb itr* med prep. el. adv.:
profit by el. **profit from** dra (ha) nytta (fördel) av;
tillgodogöra sig, utnyttja; vinna på, tjäna på [~ *by
a transaction*]; profitera på
profitable ['prɒfɪtəbl] *adj* **1** nyttig, givande,
fruktbar [~ *discussions*]; tacksam **2** vinstgivande,
förmånlig, lönande [~ *investments*]
profiteer [ˌprɒfɪ'tɪə] **I** *s* profitör, profithaj **II** *vb itr*
ockra; profitera
profiteering [ˌprɒfɪ'tɪərɪŋ] *s* svartabörsaffärer,
jobberi, ocker [med varor]
profiterole [prəfɪtə'rəʊl, -'---] *s* kok., slags fylld
petit-chou
profit margin ['prɒfɪtˌmɑːdʒɪn] *s* vinstmarginal
profit-sharing ['prɒfɪtˌʃeərɪŋ] *s* vinstdelning;
vinstandelssystem; *~ scheme* vinstandelsplan
profligacy ['prɒflɪgəsɪ] *s* **1** utsvävande (vilt) liv,
omoral, sedeslöshet **2** [hejdlöst] slöseri, överdåd
profligate ['prɒflɪgət] *adj* **1** utsvävande, omoralisk,
sedeslös **2** [hejdlöst] slösaktig [*of* med], överdådig
pro forma invoice [prəʊˌfɔːmə'ɪnvɔɪs] *s*
proformafaktura
profound [prə'faʊnd] *adj* **1** djup [~ *anxiety* (*interest,
silence, sleep*)] **2** djupsinnig **3** grundlig,
djupgående [~ *studies*]; mycket lärd (insiktsfull); *~
knowledge* grundliga kunskaper **4** outgrundlig [~
mysteries]; dunkel **5** med. djup[gående], allvarlig,
total
profoundly [prə'faʊndlɪ] *adv* **1** djupt etc., jfr
profound 1; innerligt [~ *grateful*]; ytterst [~ *silly*]; i
grunden [*the country changed ~*] **2** med. allvarligt,
totalt
profundity [prə'fʌndətɪ] *s* **1** djup **2** djupsinnighet
[*philosophical profundities*]; djupsinne;
grundlighet
profuse [prə'fjuːs] *adj* **1** översvallande [~
hospitality]; *offer ~ apologies* be tusen gånger om
ursäkt **2** ymnig, riklig

profusely [prə'fjuːslɪ] *adv* ymnigt, rikligt, våldsamt
[*sweat ~*]; *~ illustrated* rikt illustrerad
profusion [prə'fjuːʒ(ə)n] *s* **1** ymnighet; överflöd
[*roses grew there in ~*]; rikedom, [riklig] mängd
2 slöseri
prog [prɒg] *s* vard. kortform av *program I* o.
programme I
progenitor [prə(ʊ)'dʒenɪtə] *s* [stam]fader
progeny ['prɒdʒənɪ] *s* avkomma
prognos|is [prəg'nəʊs|ɪs] (pl. -*es* [-iːz]) *s* spec. med.
prognos
prognosticate [prəg'nɒstɪkeɪt] *vb itr* ställa en
prognos
prognostication [prəgˌnɒstɪ'keɪʃ(ə)n] *s* **1** prognos;
förutsägelse **2** förebud, varsel
program ['prəʊgræm] **I** *s* **1** data. program **2** vanl. amer.
a) se *programme I* **b)** dagordning
II *vb tr* **1** spec. data. programmera [~ *a computer*];
programstyra **2** vanl. amer., se *programme II*
programmable [prəʊ'græməbl] *adj* data.
programmerbar
programme ['prəʊgræm] **I** *s* program, skol. o.d. äv.
kurs, [läro]plan **II** *vb tr* göra upp program för,
planlägga; programmera
programmer ['prəʊgræmə] *s* data. programmerare
programming ['prəʊgræmɪŋ] *s* data. programmering
programming language ['prəʊgræmɪŋˌlæŋgwɪdʒ] *s*
data. programmeringsspråk
progress [subst. 'prəʊgres, amer. vanl. 'prɒg-, verb
prə'gres] **I** *s* **1 a)** framsteg, framåtskridande,
utveckling; utbredning [*the ~ of Fascism*]
b) förlopp, [fort]gång **c)** framryckning; *the ~ of
events* händelseutvecklingen, händelseförloppet;
make ~ göra framsteg, gå framåt; *in ~* [som är] på
(i) gång, [som är] under utförande; under arbete
(utarbetande); *be in ~* äv. pågå [*negotiations are in
~*]; försiggå **2** färd, resa
II *vb itr* göra framsteg, utvecklas; fortskrida
progression [prə'greʃ(ə)n] *s* **1** förflyttning framåt;
fortgång; *in ~* i följd, efter varandra **2** progression
progressive [prə'gresɪv] **I** *adj* **1** progressiv,
framstegsvänlig [~ *policy*]; reformvänlig;
framstegs- [~ *party*]; avancerad [~ *music*; ~ *views*];
modern **2** [gradvis] tilltagande [~ *deterioration*];
fortlöpande, successiv, fortskridande; *on a ~ scale* i
stigande skala; *~ taxation* progressiv beskattning
3 framåtgående, framåtskridande **4** språkv., *the ~
tense* progressiv (pågående) form
II *s* framstegsvän, framstegsman
progress report ['prəʊgresrɪˌpɔːt] *s* statusrapport,
lägesrapport
prohibit [prə'hɪbɪt] *vb tr* **1** förbjuda [~ *sb from
doing* (att göra) *sth*] **2** förhindra; hindra [~ *sb from
doing* ([från] att göra) *sth*]
prohibited area [prəˌhɪbɪtɪd'eərɪə] *s* mil.
skyddsområde, förbjudet område
prohibition [ˌprəʊ(h)ɪ'bɪʃ(ə)n] *s* förbud [*against, on*
mot]; rusdrycksförbud, spritförbud
prohibitionist [ˌprəʊ(h)ɪ'bɪʃənɪst] *s*
förbudsanhängare, förbudsvän, förbudsivrare
prohibitive [prə'hɪbɪtɪv] *adj* prohibitiv; *a ~ price* ett
oöverkomligt (prohibitivt) pris
prohibitory [prə'hɪbɪt(ə)rɪ] *adj* förbuds- [~ *law*]
project [verb prə'dʒekt, subst. 'prɒdʒekt] **I** *vb tr*

1 projektera [~ *a new dam*]; göra utkast (lägga
fram förslag) till, planera, planlägga **2** projicera äv.
psykol. [*she ~ed her own fears on to* (på) *her
husband*] **3** framhäva, låta framträda **4** slunga
(skjuta) [ut], kasta [ut] **5** kasta [~ *a shadow*]; rikta
[~ *a beam of light on to sth*]; **~ed shadow** slagskugga
II *vb itr* skjuta fram (ut), sticka fram; **~ing**
framskjutande, utstående; utbyggd [*~ing window*]
III *s* **1** projekt, företag, plan, uppslag **2** skol.
specialarbete, projekt
projected [ˌprə'dʒektɪd] *adj* påtänkt, tilltänkt;
planerad, planlagd
projectile [prə'dʒektaɪl, amer. -'dʒektl] **I** *s* projektil
II *adj* **1** framdrivande, driv- [~ *force*]; kast- **2** som
kan avskjutas [*a ~ missile*]
projection [prə'dʒekʃ(ə)n] *s* **1** projektering [*the ~ of
a new dam*]; planering, planläggning
2 a) projektion; projektionsritning
b) projektionsbild, filmbild **3** psykol. o.d. projektion;
projicering **4** utslungande, utskjutande,
utskjutning, utkastande **5** utstående del, utsprång
projector [prə'dʒektə] *s* projektor,
projektionsapparat; **film** ~ filmprojektor
prolapse ['prəʊlæps] *s* med. framfall, prolaps
prole [prəʊl] *s* vard. proletär
proletarian [ˌprəʊlɪ'teərɪən] **I** *s* proletär **II** *adj*
proletär-, proletär
proletariat [ˌprəʊlɪ'teərɪət, -iæt] *s* proletariat; **the
dictatorship of the** ~ proletariatets diktatur
pro-life [ˌprəʊ'laɪf] *adj* abortfientlig, mot abort
pro-lifer [ˌprəʊ'laɪfə] *s* abortmotståndare
proliferate [prə'lɪfəreɪt] *vb itr* bildl. snabbt föröka
sig; sprida sig
proliferation [prəˌlɪfə'reɪʃ(ə)n] *s* bildl. förökning,
mångfaldigande; spridning
prolific [prə'lɪfɪk] *adj* fruktsam, som förökar sig
snabbt; produktiv [*a ~ writer*]
prolix ['prəʊlɪks, -'-] *adj* långrandig, omständlig [*a ~
speech*; *a ~ writer*]
prolly (förk. för *probably*) i e-post o. sms
prologue ['prəʊlɒg] *s* prolog, bildl. äv. förspel
prolong [prə'lɒŋ] *vb tr* förlänga, dra ut, prolongera;
dra ut på, tänja ut
prolongation [ˌprəʊlɒŋ'geɪʃ(ə)n, ˌprɒl-] *s*
förlängning, prolongation
prolonged [prə'lɒŋd] *adj* lång[dragen], långvarig
[*after ~ed negotiations*]; ihållande [*~ed rain*]
prom [prɒm] *s* vard. **1** amer. studentbal, skolbal
2 promenadkonsert **3** [strand]promenad
promenade [ˌprɒmə'nɑːd, amer. vanl. -'neɪd, attr. '---]
I *s* **1** strandpromenad **2** promenad; tur
II *vb itr* promenera
promenade concert ['prɒmənɑːdˌkɒnsət] *s*
promenadkonsert
promenade deck ['prɒmənɑːddek] *s* promenaddäck
prominence ['prɒmɪnəns] *s* **1** framskjuten ställning,
framträdande plats; bemärkthet, prominens; **come
into** ~ träda i förgrunden **2** utsprång; upphöjning
[*a ~ in the middle of a plain*]
prominent ['prɒmɪnənt] *adj* **1** framstående,
prominent, bemärkt; framträdande [*play a ~ part
(role)*]; framskjuten, ledande [~ *position*]; ~ **figure**
förgrundsfigur **2** iögonenfallande, framträdande

[*in a ~ place*] **3** utstående [~ *eyes*]; utskjutande,
framskjutande
promiscuity [ˌprɒmɪ'skjuːətɪ] *s* promiskuitet
promiscuous [prə'mɪskjʊəs] *adj* **1** promiskuös,
lösaktig; ~ **sexual relations** äv. tillfälliga sexuella
förbindelser **2 a**) urskillningslös **b**) blandad,
brokig [*a ~ audience*]; oordnad [*a ~ mass*]
promise ['prɒmɪs] **I** *vb tr* o. *vb itr* **1** lova; utlova; *I ~*
jag lovar, det lovar jag; *I ~ you* vard. jag försäkrar
(lovar) [*I ~ you it won't be easy*]; ~ **the moon** [**and
the stars**] el. ~ **the earth** el. ~ **the pie in the sky** lova
guld och gröna skogar **2** förebåda [*the clouds ~
rain*]; *it ~s to be* [*a fine day*] det ser ut att bli...
II *s* löfte [*of* om; *a ~ of assistance*]; förespegling;
there was every ~ of... det fanns (var) alla utsikter
till...; *hold* ~ verka lovande, båda gott; *make a* ~ el.
give a ~ ge (avlägga) ett löfte; *show* ~ vara lovande,
se lovande ut; *of great* (*high*) ~ el. *full of* ~ löftesrik,
mycket lovande
Promised Land ['prɒmɪstlænd] *s*, **the** ~ bibl. el. bildl.
det förlovade landet
promising ['prɒmɪsɪŋ] *adj* lovande [*a ~ beginning*; *a
~ boy*]; löftesrik
promissory note ['prɒmɪsərɪnəʊt] *s* revers,
betalningsförbindelse, skuldsedel
promo ['prəʊməʊ] vard. **I** *adj* kortform av *promotional*
II (pl. ~s) *s* (kortform av *promotion*) reklamfilm,
trailer, reklaminslag o.d. [*they shot some ~s for her
TV show*]
promontory ['prɒməntrɪ] *s* hög udde
promote [prə'məʊt] *vb tr* **1** främja, gynna, verka för
2 puffa för, lansera [~ *certain products*]; ~ **sales**
öka försäljningen **3** befordra, upphöja; *be ~d* äv. få
befordran, avancera, gå vidare; ~ *sb* [*to be*] *captain*
befordra ngn till kapten **4** sport. flytta upp
5 grunda, stifta, [vara med om att] starta [~ *a new
business company*]
promoter [prə'məʊtə] *s* **1** promotor
2 initiativtagare, upphovsman [*of* till]; *company* ~
stiftare av [ett] aktiebolag **3** främjare, gynnare
promotion [prə'məʊʃ(ə)n] *s* **1** befordran,
avancemang; *be due for* ~ vänta på (ha utsikt till)
befordran **2** sport. uppflyttning **3** marknadsföring;
~ *campaign* säljkampanj **4** främjande [*the ~ of a
scheme*]; gynnande, befordrande **5** stiftande [~ *of a
company*]
promotional [prə'məʊʃənl] *adj* säljfrämjande,
reklam- [*everything the company does has ~
potential*]
prompt [prɒm(p)t] **I** *adj* snabb, snar, omgående,
omedelbar, skyndsam [~ *help*; *a ~ reply*]; kvick,
prompt; *take* ~ *action* vidta snabba åtgärder
II *vb tr* **1** driva [*he was ~ed by patriotism*]; förmå,
tvinga, mana; ~ *sb to* äv. få ngn att [*what ~ed him
to say that?*] **2** föranleda, ge anledning till, orsaka
[*what ~ed his resignation?*] **3 a**) teat. sufflera
b) mana på, uppmana; påverka [*don't ~ the
witness*]; hjälpa på traven
III *adv* precis, på slaget
IV *s* **1** teat. sufflering, viskning [från sufflören]
2 data. markör
prompter ['prɒm(p)tə] *s* teat. sufflör, sufflös; ~**'s box**
sufflörlucka

prompting ['prɒm(p)tɪŋ] s **1** uppmaning **2** *the ~s of conscience* samvetets röst

promulgate ['prɒm(ə)lgeɪt, amer. vanl. prə'mʌlgeɪt] *vb tr* **1** utfärda, kungöra, promulgera, offentliggöra [~ *a law*; ~ *a decree*] **2** förkunna [~ *a creed*]; sprida [~ *learning*]; föra fram [~ *a theory*]

promulgation [,prɒm(ə)l'geɪʃ(ə)n] s **1** utfärdande, promulgation etc., jfr *promulgate 1* **2** förkunnande etc., jfr *promulgate 2*

pron. förk. för *pronoun, pronunciation*

prone [prəʊn] *adj* **1** fallen, benägen; utsatt [*to* för], hemfallen [*to* åt]; *be ~ to* äv. ha anlag (benägenhet) för [*be ~ to idleness*]; *they are ~ to accidents* de råkar ofta ut för olyckor [i trafiken] **2** framstupa [*fall ~*; *lie ~*]; framåtlutad; *in a ~ position* [liggande] på magen **3** raklång, utsträckt

prong [prɒŋ] s på gaffel o.d. klo, spets, udd; på räfsa pinne

pronged [prɒŋd] *adj* som efterled i sms -kloig, -uddig [*a three-pronged fork*]; *a three-pronged attack* bildl. en attack från tre sidor

pronominal [prə(ʊ)'nɒmɪnl] *adj* gram. pronominell

pronoun ['prəʊnaʊn] s gram. pronomen

pronounce [prə'naʊns] **I** *vb tr* **1** uttala; *how do you ~ it?* hur uttalas det? **2** avkunna, uttala, fälla [~ *judgement*; ~ *sentence*] **3** förklara [*the judge ~d the man guilty*]; deklarera; *I now ~ you man and wife* jag förklarar er härmed för äkta makar
II *vb itr* **1** uttala sig [*on, upon* om; *for, in favour of* för; *against* mot] **2** ~ *badly* ha dåligt uttal

pronounced [prə'naʊnst] *adj* **1** uttalad **2** tydlig, avgjord [*a ~ difference*]; klar [*a ~ tendency*]; utpräglad, stark [~ *accent*]; [starkt] markerad [~ *features*]; uttalad [~ *symptoms*]; prononcerad

pronouncement [prə'naʊnsmənt] s proklamation, uttalande, förklaring

pronto ['prɒntəʊ] *adv* vard. på momangen

pronunciation [prə,nʌnsɪ'eɪʃ(ə)n] s uttal

proof [pruːf] **I** s **1** bevis [*of* på, för; *that* för (på) att; *to the contrary* på (för) motsatsen]; bevisföring; *give ~ of* a) bevisa b) vittna om, ge ett (visa) prov på **2** prov; *put sb* (*sth*) *to the ~* sätta ngn (ngt) på prov; *the ~ of the pudding is in the eating* först när man prövat en sak vet man vad den går för **3** boktr. korrektur **4** foto. provkort, råkopia **5** hos spritdrycker normalstyrka ung. 50 volymprocent alkohol; *86% ~* 43 % alkohol
II *adj* motståndskraftig [*against* mot], oemottaglig [~ *against* (för) *flattery*]
III *vb tr* göra vattentät, impregnera; preparera [*against* mot]

proofread ['pruːfriːd] (*proofread proofread*) *vb tr* o. *vb itr* korrekturläsa

proofreader ['pruːf,riːdə] s korrekturläsare

proof sheet ['pruːfʃiːt] s korrektur

proof spirit ['pruːf,spɪrɪt] s spritdryck med normalstyrka, jfr *proof I 5*

1 prop [prɒp] **I** s stötta, stöd, stöttepelare äv. bildl.
II *vb tr*, ~ el. ~ *up* stötta (palla) [upp (under)], sätta stöttor under, hålla uppe, bära upp, stödja äv. bildl.; luta, ställa

2 prop [prɒp] s sl. propeller

propaganda [,prɒpə'gændə] s propaganda; ~ *machine* propagandaapparat

propagandist [,prɒpə'gændɪst] s propagandist

propagandize [,prɒpə'gændaɪz] *vb itr* bedriva propaganda, propagera

propagate ['prɒpəgeɪt] **I** *vb tr* **1** biol. o.d. föröka, fortplanta **2** sprida [ut] [~ *rumours*]; utbreda [~ *beliefs*]; propagera [för]
II *vb itr* **1** föröka (fortplanta) sig **2** sprida (utbreda) sig

propagation [,prɒpə'geɪʃ(ə)n] s **1** biol. o.d. fortplantning, förökning **2** spridning, utbredning

propagator ['prɒpəgeɪtə] s **1** spridare [~ *of slander*]; propagandist **2** sålåda, drivbänk

propane ['prəʊpeɪn] s kem. propan

propel [prə'pel] *vb tr* [fram]driva [~*led by electricity*]

propellant [prə'pelənt] s **1** drivmedel, drivladdning, bränsle t.ex. för raketer **2** drivkraft

propeller [prə'pelə] s propeller

propelling pencil [prə'pelɪŋ,pensl] s stiftpenna, skruvpenna

propensity [prə'pensətɪ] s benägenhet, anlag

proper ['prɒpə] *adj* **1** rätt [*in the ~ way*]; riktig [*a ~ doctor*; *a ~ job*]; lämplig, passande; tillbörlig, vederbörlig, behörig; *in a ~ condition* i gott skick; *the ~ owner* rätt ägare, den rättmätige ägaren **2** anständig [~ *behaviour*]; passande, korrekt **3** särskild; därtill hörande; ~ *to* som [normalt] hör ihop med [*a game ~ to the winter*]; som passar för [*a hat ~ to the occasion*] **4** egentlig; *London ~* det egentliga London, själva London; *in a ~ sense* i egentlig mening (betydelse) **5** vard. riktig [*a ~ idiot*]; rejäl, ordentlig [*a ~ beating*; *a ~ row*]; verklig

proper fraction [,prɒpə'frækʃ(ə)n] s matem. egentligt bråk

properly ['prɒpəlɪ] *adv* **1** rätt, på rätt sätt [*the matter was not ~ handled* (skött)]; riktigt [*as you very ~ remark*]; ordentligt [*she likes to do a thing ~*]; väl [*behave ~*]; som sig bör, passande, lämpligt [~ *dressed*]; anständigt; vederbörligen; *he very ~ refused* han vägrade med rätta **2** ~ *speaking* i egentlig mening **3** vard. riktigt, ordentligt

proper noun [,prɒpə'naʊn] s gram. egennamn

propertied ['prɒpətɪd] *adj* besutten [*the ~ classes*]

property ['prɒpətɪ] s **1** egendom [*these books are my ~*]; ägodelar, förmögenhet; *personal ~* el. *movable ~* [personlig] lösegendom, lösöre; *stolen ~* stöldgods; *law of ~* förmögenhetsrätt **2** egendom[ar], fastighet[er] [äv. *house ~*]; ägor; ~ *speculator* fastighetsspekulant; markspekulant, tomtjobbare **3** egenskap [*the properties of iron*] **4** teat. o.d., mest pl. *properties* rekvisita

property developer ['prɒpətɪdɪ,veləpə] s byggherre [som bygger på ren spekulation]; markspekulant, tomtjobbare

property tax ['prɒpətɪtæks] s förmögenhetsskatt

prophecy ['prɒfəsɪ] s profetia; spådom, förutsägelse; *have the gift of ~* ha siargåva

prophesy ['prɒfəsaɪ] *vb tr* o. *vb itr* profetera, [före]spå, sia, förutsäga

prophet ['prɒfɪt] s profet; spåman, siare

prophetess ['prɒfɪtɪs] s spåkvinna, sierska

prophetic [prə'fetɪk] *adj* **1** profetisk [~ *inspiration*; ~ *writings*] **2** *be ~ of* förebåda

prophylactic [,prɒfɪ'læktɪk] med. **I** *adj* profylaktisk, förebyggande **II** _s_ profylaktiskt medel, skyddsmedel

prophylaxis [ˌprɒfɪˈlæksɪs] _s_ med. profylax

propitiate [prəˈpɪʃɪeɪt] _vb tr_ blidka

propitiation [prəˌpɪʃɪˈeɪʃ(ə)n] _s_ blidkande

propitiatory [prəˈpɪʃɪət(ə)rɪ] _adj_ försonande, blidkande

propitious [prəˈpɪʃəs] _adj_ **1** gynnsam [_to, for_ för; ~ _weather_; ~ _occasion_]; fördelaktig **2** nådig, välvillig

propjet [ˈprɒpdʒet] _adj_ turboprop- [~ _aircraft_; ~ _engine_]

proponent [prəˈpəʊnənt] _s_ förespråkare [_of_ för]

proportion [prəˈpɔːʃ(ə)n] **I** _s_ **1** proportion, [storleks]förhållande; _in_ ~ i proportion [därtill], proportionsvis, i motsvarande omfattning (mängd); _keep things in_ ~ se saker och ting i deras rätta ljus; _be in due_ ~ _to_ stå i rätt proportion (förhållande) till; _out of_ [_all_] ~ oproportionerlig[t]; _be out of_ [_all_] ~ _to_ el. _bear no_ ~ _to_ inte stå i [rimlig] proportion till **2** vanl. pl. _proportions_ **a)** harmoniska proportioner [_a room of_ (med) _beautiful ~s_]; _have a sense of_ ~ ha sinne för proportioner **b)** dimensioner, proportioner [_assume_ (anta) _alarming ~s_]; omfång, omfattning [_of considerable ~s_] **3** del [_a large ~ of the population_]; andel; _in equal ~s_ i lika delar **4** matem. **a)** analogi **b)** reguladetri
II _vb tr_ avpassa, anpassa, avväga, jämka, proportionera [_to_ efter]

proportional [prəˈpɔːʃənl] _adj_ proportionell [_to_ mot]; ~ _representation_ (förk. _PR_) proportionellt valsystem, proportionalism

proportionally [prəˈpɔːʃnəlɪ] _adv_ proportionellt; förhållandevis, i proportion därtill

proportionate [prəˈpɔːʃ(ə)nət] _adj_ proportionerlig, proportionell [_to_ mot, till]

proportionately [prəˈpɔːʃ(ə)nətlɪ] _adv_ se _proportionally_

proportioned [prəˈpɔːʃ(ə)nd] _adj_ proportionerad, avpassad [_to_ efter]; avvägd; _be well_ ~ vara välproportionerad (proportionerlig), ha vackra proportioner etc., jfr _well-proportioned_

proposal [prəˈpəʊz(ə)l] _s_ **1** förslag [_for_ om, till], uppslag **2** frieri, giftermålsanbud

propose [prəˈpəʊz] **I** _vb tr_ **1** föreslå **2** lägga fram [~ _a plan_]; framställa **3** ämna, tänka [_I_ ~ _to start early_; _I_ ~ _starting early_] **4** ~ _marriage_ fria [_to_ till]
II _vb itr_ **1** fria [_to_ till] **2** _Man ~s, God disposes_ människan spår, men Gud rår

proposer [prəˈpəʊzə] _s_, ~ [_of a motion_] förslagsställare, motionär

proposition [ˌprɒpəˈzɪʃ(ə)n] **I** _s_ **1** påstående; _as a general_ ~ [_it may be said that_] rent allmänt... **2** förslag **3** vard. **a)** affär [_a paying ~_]; historia, sak [_that's quite another ~_]; grej; företag; _it's a tempting_ ~ det (tanken) är verkligen frestande (lockande); _that was a tough_ ~ det var hårda bud (en svår match) **b)** _he is a tough_ ~ han är svår (inte god) att tas med **4** logik. el. matem. sats
II _vb tr_, ~ _sb_ vard. göra ngn ett skamligt förslag

propound [prəˈpaʊnd] _vb tr_ lägga fram, föreslå [~ _a scheme_]; framställa, uppställa [~ _a theory_]

proprietary [prəˈpraɪət(ə)rɪ] _adj_ ägande, ägar-; i enskild ägo, privatägd; ~ _articles_ märkesvaror; _the_

~ _classes_ de besuttna klasserna; ~ _medicine_ patentskyddad medicin; ~ _name_ varumärke

proprietor [prəˈpraɪətə] _s_ ägare, innehavare

proprietorial [prəˌpraɪəˈtɔːrɪəl] _adj_, _he put a_ ~ _arm around her_ han lade armen om henne ungefär som om han ägde henne

proprietress [prəˈpraɪətrəs] _s_ ngt åld. ägarinna, [kvinnlig] innehavare

propriet|y [prəˈpraɪətɪ] _s_ **1** anständighet, dekorum; konvenans; _overstep the bounds of_ ~ överskrida gränserna för det tillåtna; _sense of_ ~ känsla för det passande, anständighetskänsla **2** riktighet, lämplighet

props [prɒps] _s pl_ teat. (vard. kortform av _properties_) rekvisita

propulsion [prəˈpʌlʃ(ə)n] _s_ framdrivning; _jet_ ~ jetdrift

propulsive [prəˈpʌlsɪv] _adj_ framdrivande

prosaic [prəˈzeɪɪk] _adj_ prosaisk; enformig

proscenium [prəˈsiːnɪəm] _s_ teat. proscenium

prosciutto [prə(ʊ)ˈʃuːtəʊ] _s_ it. prosciutto, parmaskinka

proscribe [prəˈskraɪb] _vb tr_ förbjuda

prose [prəʊz] _s_ prosa

prosecute [ˈprɒsɪkjuːt] **I** _vb tr_ **1** jur. åtala; lagligen beivra [~ _a crime_]; _offenders will be ~d_ överträdelse beivras **2** fullfölja, [söka] slutföra (genomföra) [~ _an investigation_]
II _vb itr_ väcka åtal

prosecuting attorney [ˈprɒsɪkjuːtɪŋəˌtɜːnɪ] _s_ amer. allmän åklagare

prosecution [ˌprɒsɪˈkjuːʃ(ə)n] _s_ **1** jur. **a)** åtal; _director of public ~s_ (förk. _DPP_) riksåklagare **b)** _the_ ~ åklagarsidan; kärandesidan; _witness for the_ ~ åklagarvittne **2** fullföljande, slutförande **3** bedrivande, utövande, utförande [_in the_ ~ _of his duties_]

prosecutor [ˈprɒsɪkjuːtə] _s_ åklagare

proselytize [ˈprɒsəlɪtaɪz] **I** _vb itr_ [söka] värva (vinna) proselyter **II** _vb tr_ göra till proselyt; omvända

prosody [ˈprɒsədɪ] _s_ prosodi; metrik

prospect [subst. ˈprɒspekt, verb prəˈspekt, ˈprɒspekt] **I** _s_ **1** utsikt [_there is no_ ~ _of_ (till) _success_]; framtidsperspektiv [_it's not a very cheerful_ (roligt) ~]; förespegling [_of_ om]; pl. ~_s_ äv. framtidsutsikter, möjligheter [_a job offering good ~s_]; förhoppningar; ~_s in life_ framtidsutsikter; _hold out the ~s of sth to sb_ förespegla ngn ngt, ställa ngt i utsikt för ngn **2** [vidsträckt] utsikt (vy) **3** vard. [eventuell] kandidat [_for_ till]; _he is a good_ ~ han är ett framtidslöfte (en påläggskalv), han är någonting att satsa på **4** sceneri[er], landskap; ibl. vidd[er]
II _vb itr_ prospektera [_for_ efter], leta [_for oil_ [efter] olja]; söka, forska

prospective [prəˈspektɪv] _adj_ eventuell, framtida [~ _profits_]; motsedd; blivande [_your_ ~ _son-in-law_]; ~ _buyer_ eventuell (potentiell) köpare (kund), spekulant

prospector [prəˈspektə] _s_ prospektor, oljeletare, malmletare; spec. guldgrävare

prospectus [prəˈspektəs] _s_ prospekt, broschyr; [tryckt] program för kurs o.d.

prosper ['prɒspə] *vb itr* ha framgång, lyckas; blomstra [upp], gå bra

prosperity [prɒ'sperətɪ] *s* välstånd [*live in* ~]; välmåga; blomstring [*time of* ~]; lycka, välgång, medgång, framgång; högkonjunktur

prosperous ['prɒsp(ə)rəs] *adj* **1** [upp]blomstrande; välmående, välbärgad [*a* ~ *merchant*; *a* ~ *nation*]; lyckosam [*a* ~ *enterprise*]; lycklig; framgångsrik [*a* ~ *year*] **2** gynnsam [*a* ~ *moment*]

prostaglandin [,prɒstə'glændɪn] *s* fysiol. prostaglandin

prostate ['prɒsteɪt, -tɪt] *s* anat., ~ el. ~ *gland* prostata, blåshalskörtel; *he had a* ~ [*operation*] han opererades för prostata

prostatitis [,prɒstə'taɪtɪs] *s* med. prostatit

prosthes|is [,prɒs'θiːs|ɪs, 'prɒsθəs|ɪs] (pl. -*es* [-iːz]) *s* med. protes

prostitute ['prɒstɪtjuːt] **I** *s* prostituerad, fnask **II** *vb tr* prostituera; prisge, sälja [~ *one's honour*]; kasta bort [~ *one's talents*] **III** *vb rfl*, ~ *oneself* prostituera sig äv. bildl.; sälja sig

prostitution [,prɒstɪ'tjuːʃ(ə)n] *s* prostitution; prisgivande etc., jfr *prostitute II*

prostrate [adj. 'prɒstreɪt, -rɪt, verb prɒ'streɪt] **I** *adj* **1** framstupa [*fall* ~]; utsträckt [på magen] [*lie* ~] **2** bildl. slagen [till marken], besegrad, krossad; nedbruten

II *vb tr* **1** ~ *oneself* kasta sig (buga sig) till marken **2** utmatta; bryta ner [~*d with* (av) *grief*]

prostration [prɒ'streɪʃ(ə)n] *s* **1** **a)** nedfallande [till marken] **b)** bildl. ödmjukhet, undergivenhet; förnedring **2** fullständig utmattning; nedbrutenhet

protagonist [prə'tægənɪst] *s* **1** huvudperson i ett drama o.d., protagonist **2** förkämpe; förgrundsgestalt

protect [prə'tekt] *vb tr* skydda [*from, against* för, mot], beskydda, värna

protection [prə'tekʃ(ə)n] *s* **1** skydd [*from, against* för, mot], beskydd, protektion, hägn [*under* (i) *the* ~ *of the law*]; värn; *be under sb's* ~ stå under ngns beskydd; *write* ~ data. skrivskydd **2** lejd[ebrev] **3** ekon. tullskydd

protection factor [prə'tekʃ(ə)n,fæktə] *s* [sol]skyddsfaktor

protectionism [prə'tekʃənɪz(ə)m] *s* protektionism, tullskydd

protection money [prə'tekʃ(ə)n,mʌnɪ] (utan pl.) *s* vard. beskyddarpengar till beskyddarliga

protection racket [prə'tekʃ(ə)n,rækɪt] *s* vard., beskyddarligas beskyddarverksamhet

protective [prə'tektɪv] *adj* **1** skyddande, skydds- [~ *clothing*]; beskyddande [*towards* [gent]emot]; beskyddar- [~ *instincts*]

protective custody [prə,tektɪv'kʌstədɪ] *s* skyddshäkte

protector [prə'tektə] *s* beskyddare

protectorate [prə'tekt(ə)rət] *s* protektorat

protégé ['prəʊteʒeɪ, 'prɒt-] o. kvinna **protégée** ['prəʊteʒeɪ, 'prɒt-] *s* fr. skyddsling, protegé

protein ['prəʊtiːn] *s* kem. protein, äggviteämne

protest [subst. 'prəʊtest, verb prə(ʊ)'test] **I** *s* protest, gensaga; ~ *meeting* protestmöte; *enter* (*lodge, make, register*) *a* ~ inge (lägga in, avge) en protest; *under* ~ under protest[er]

II *vb itr* protestera, inlägga protest [*against* mot]; ~ *about* el. ~ *at* beklaga sig (klaga) över, reagera mot **III** *vb tr* **1** bedyra [~ *one's innocence*] **2** hand., ~ *a bill* [låta] protestera en växel **3** vanl. amer. protestera mot

Protestant ['prɒtɪst(ə)nt] **I** *s* protestant **II** *adj* protestantisk

Protestantism ['prɒtɪst(ə)ntɪz(ə)m] *s* protestantism[en]

protestation [,prəʊte'steɪʃ(ə)n] *s* **1** bedyrande, försäkran, försäkring [*of* om] **2** protest

protester [prə'testə] *s* person som protesterar, demonstrant

protocol ['prəʊtəkɒl] *s* **1** protokoll äv. data., utkast till fördrag **2** protokoll, [diplomatiska] etikettsregler

proton ['prəʊtɒn] *s* fys. proton

protoplasm ['prəʊtə(ʊ),plæz(ə)m] *s* biol. protoplasma

prototype ['prəʊtə(ʊ)taɪp] *s* prototyp; urtyp, urbild [*of* för], förebild [*of* för, till]

protozoan [,prəʊtə(ʊ)'zəʊən] zool. **I** *s* urdjur, protozo **II** *adj* urdjurs-, protozoisk

protracted [prə'træktɪd] *adj* utdragen, långdragen [~ *negotiations*]

protractor [prə'træktə] *s* gradskiva, [kart]vinkelmätare

protrude [prə'truːd] *vb itr* skjuta fram (ut), stå ut [*his ears* ~]

protruding [prə'truːdɪŋ] *adj* framskjutande, utskjutande, utstående [~ *ears*; ~ *eyes*]; ~ *jaw* äv. underbett; ~ *teeth* äv. överbett

protrusion [prə'truːʒ(ə)n] *s* **1** framstickande, framskjutande **2** framskjutande del, utsprång

protuberance [prə'tjuːb(ə)r(ə)ns] *s* utbuktning; protuberans, utsprång, utväxt; bula

protuberant [prə'tjuːb(ə)r(ə)nt] *adj* framskjutande, utskjutande, utstående

proud [praʊd] **I** *adj* **1** stolt [*of* över; *I'm* ~ *of knowing him*; *I'm* ~ *to know him*]; högmodig **2** ståtlig [*a* ~ *sight* (anblick)]; lysande, imponerande **3** uppsvälld [*a* ~ *stream*]; ~ *flesh* svallkött, dödkött

II *adv* vard., *do sb* ~ **a)** hedra ngn [*his conduct did him* ~] **b)** göra sig en massa besvär för ngns skull, slå på stort för ngn; *do oneself* ~ slå på stort

prove [pruːv] (*proved proved*; perf. p. äv. *proven*) **I** *vb tr* bevisa, styrka; visa [*experience* ~*s that…*]; ~ *oneself* visa vad man duger till (går för); *the exception* ~*s the rule* undantaget bekräftar regeln; ~ *sb* (*sth*) *to be* bevisa att ngn (ngt) är; *he* ~*d himself* [*to be*] *a brave man* han visade sig vara tapper **II** *vb itr*, ~ [*to be*] visa sig vara [*all* ~*d in vain*]

proven ['pruːv(ə)n] **I** *perf p* (av *prove*) **II** *adj* välkänd, erkänd, dokumenterad, beprövad [*a* ~ *method*]

provenance ['prɒvənəns] *s* ursprung [*antique furniture of doubtful* ~]; härkomst, ursprungsort; proveniens [*the* ~ *of a manuscript*]

Provence [prɒ'vɑːns] geogr.

proverb ['prɒvɜːb] *s* ordspråk; *Proverbs* el. *the Book of Proverbs* bibl. Ordspråksboken

proverbial [prə'vɜːbɪəl] *adj* ordspråksmässig, ordspråksartad; ordspråks-, i ordspråket [*like the*

~ *fox*]; allmänt känd, legendarisk, ökänd; ~ *saying* ordstäv; *become* ~ bli [till] ett ordspråk

proverbially [prə'vɜ:bɪəlɪ] *adv* ordspråksmässigt; *he is ~ stupid* han är känd för sin dumhet

Proverbs ['prɒvɜ:bz] *s* bibl. Ordspråksboken [äv. *the Book of ~*]

provide [prə'vaɪd] **I** *vb tr* **1** anskaffa, skaffa, sörja för, ordna med, stå för [*who'll ~ the food?*]; ~ *one's own food* ta med sig (hålla sig med) egen mat; *towels not ~d* handdukar tillhandahålls inte; ~ *oneself with* förse sig med, skaffa sig **2** ge, skänka [*the tree ~s shade*]; lämna; utgöra **3** om lag o.d. föreskriva, stadga [*the law ~s that* (att)…] **II** *vb itr* med prep.:
provide against a) vidta åtgärder [för att skydda sig] mot **b)** jur. förbjuda [*this clause ~s against the use of…*]
provide for a) vidta åtgärder för (med tanke på) **b)** försörja [~ *for a large family*]; sörja (ordna, svara) för [*he ~s for his son's education*]; tillgodose [~ *for one's needs*]; ~ *for oneself* försörja sig; *she is well ~d for* det är väl sörjt för henne **c)** jur. tillåta [*our statutes ~ for a certain flexibility*]

provided [prə'vaɪdɪd] *konj*, ~ el. ~ *that* förutsatt att, på villkor att, om [bara], såvida

providence o. **Providence** ['prɒvɪd(ə)ns] *s* försynen; *divine Providence* el. *the Providence of God* Guds försyn

provident ['prɒvɪd(ə)nt] *adj* **1** förutseende **2** sparsam **3** understöds- [~ *fund*]

providential [ˌprɒvɪ'denʃ(ə)l] *adj* bestämd av försynen; *he had a ~ escape* det var ett Herrans under att han klarade sig

provider [prə'vaɪdə] *s* **1** *Internet service ~* internetleverantör; *a major ~ of financial services* en av de största när det gäller finansiella tjänster; *your training ~* den som har hand om (står för) din träning **2** vard. familjeförsörjare

providing [prə'vaɪdɪŋ] *konj*, ~ el. ~ *that* se under *provided*

province ['prɒvɪns] *s* **1** provins; landskap **2** pl. *the ~s* landsorten, provinsen **3** [verksamhets]fält, område, fack; *it is not [within] my ~* det är inte mitt område (min sak)

provincial [prə'vɪnʃ(ə)l] **I** *adj* **1** regional; provins-; landskaps- **2** provinsiell, landsorts-, landsortsmässig, lantlig, småstadsaktig **II** *s* landsortsbo, småstadsbo

provincialism [prə'vɪnʃəlɪz(ə)m] *s* **1** provinsialism **2** lantlighet, småstadsaktighet

proving ground ['pru:'vɪŋgraʊnd] *s* **1** försöksanläggning, experimentverkstad äv. bildl., provningsanstalt; testbana **2** testplats, testtillfälle för nya metoder, teorier etc.

provision [prə'vɪʒ(ə)n] **I** *s* **1** **a)** anskaffande, ombesörjande, tillhandahållande **b)** försörjning, underhåll **c)** åtgärd, förberedelse **2** pl. *~s* livsmedel, matvaror, proviant; ~ *dealer* livsmedelshandlare, matvaruhandlare **3** bestämmelse, stadga[nde]; villkor **4** *~s for bad debts* hand. avskrivningar på osäkra fordringar **II** *vb tr* proviantera

provisional [prə'vɪʒənl] *adj* provisorisk, tillfällig, interimistisk; preliminär; ~ *arrangement* äv.

provisorium; ~ *government* provisorisk regering, interimsregering

provisional licence [prəˌvɪʒənl'laɪs(ə)ns] *s* körkortstillstånd

proviso [prə'vaɪzəʊ] (pl. ~s, ibl. ~es) *s* förbehåll, reservation; [förbehålls]klausul, bestämmelse

provocation [ˌprɒvə'keɪʃ(ə)n] *s* provokation, utmaning; incitament, impuls, anledning [*to* till]; *at the slightest ~* vid minsta anledning

provocative [prə'vɒkətɪv] *adj* utmanande [*a ~ dress*]; provokativ; provocerande [~ *language*]; provokatorisk

provoke [prə'vəʊk] *vb tr* **1** framkalla [~ *a storm*; ~ *a reaction*]; utlösa, provocera [fram] [~ *riots*]; väcka [~ *indignation*]; uppväcka, vålla **2** reta [upp], förarga **3** provocera, reta, förmå, sporra, driva [*to* till; *to do sth, into doing sth* att göra ngt]; *be easily ~d to anger* lätt bli arg

provoking [prə'vəʊkɪŋ] *adj* retsam, förarglig, irriterande; *how ~!* så förargligt!

prow [praʊ] *s* för[stäv], framstam; poet. skepp

prowess ['praʊɪs] *s* mest litt. **1** tapperhet, mannamod; bravur **2** skicklighet, framgång

prowl [praʊl] **I** *vb itr* stryka omkring spec. efter byte **II** *vb tr* stryka omkring i (på) [*gangs ~ the streets*] **III** *s* **1** *be (go) on the ~* vara ute (gå ut) på jakt, stryka omkring [*for* på jakt] efter] **2** ~ *car* amer. polisbil, radiobil

prowler ['praʊlə] *s* **1** person (djur) som stryker omkring **2** smygande tjuv

proximity [prɒk'sɪmətɪ] *s* närhet; *in close ~ to* i omedelbar närhet av

proxy ['prɒksɪ] *s* **1** fullmakt; ställföreträdare, fullmaktsinnehavare; *stand ~ for sb* företräda ngn [som ombud]; *by ~* genom fullmakt (ombud)

proxy server ['prɒksɪˌsɜ:və] *s* data. proxyserver för skydd av datanätverk

Prozac® ['prəʊzæk] *s* prozac® antidepressivt medel

prude [pru:d] *s* pryd (sipp) människa

prudence ['pru:d(ə)ns] *s* klokhet, försiktighet, förståndighet

prudent ['pru:d(ə)nt] *adj* klok, försiktig, förståndig; välbetänkt

prudery ['pru:dərɪ] *s* pryderi; prydhet, sipphet

prudish ['pru:dɪʃ] *adj* pryd, sipp, sedesam

1 prune [pru:n] *s* **1** sviskon; torkat katrinplommon; *full of ~s* amer. sl. **a)** dum, korkad, dum i bollen **b)** uppåt, livad **2** sl. tönt, dönick, knasboll

2 prune [pru:n] *vb tr* **1** beskära, kvista, tukta träd o.d., klippa [~ *a hedge*]; ~ el. ~ *back* skära av (bort) grenar o.d. **2** bildl. skära ner [~ *an essay*; ~ *staff numbers*]; rensa [*to* från]

pruners ['pru:nəz] *s pl* trädgårdssax; sekatör; *a pair of ~* en trädgårdssax (sekatör)

pruning shears ['pru:nɪŋˌʃɪəz] *s* se *pruners*

prurience ['prʊərɪəns] *s* lystnad, liderlighet

prurient ['prʊərɪənt] *adj* lysten, liderlig

Prussia ['prʌʃə] Preussen

Prussian ['prʌʃ(ə)n] **I** *adj* preussisk **II** *s* preussare

prussic acid [ˌprʌsɪk'æsɪd] *s* kem. åld. blåsyra

1 pry [praɪ] *vb itr* **1** snoka [*about* omkring, runt; *for* efter; ~ *into* (i) *sb's affairs*]; nosa [~ *into* (i) *everything*] **2** titta (kika) [nyfiket]

2 pry [praɪ] *vb tr* amer., se *prise*

PS [,piː'es] förk. för *police sergeant, postscript, private secretary*

psalm [sɑːm] *s* **1** psalm i Psaltaren; **Psalms** el. **the Book of Psalms** Psaltaren, Davids psalmer **2** psalm, andlig sång

psalmist ['sɑːmɪst] *s* psalmist, psalmförfattare

psalter ['sɔːltə] *s* psaltare

psephologist [se'fɒlədʒɪst] *s* polit. valanalytiker, valexpert

pseud [sjuːd] *s* vard. bluff, posör

pseudo ['sjuːdəʊ, 'suːdəʊ] *adj* vard., **he is very ~** han är en stor bluff (posör)

pseudo-event [,sjuːdəʊɪ'vent, ,suːdəʊ-] *s* pseudohändelse

pseudonym ['sjuːdənɪm, 'suː-] *s* pseudonym

pseudonymous [sjuː'dɒnɪməs, suː-] *adj* pseudonym; **~ name** pseudonym

psoriasis [sɒ'raɪəsɪs] *s* med. psoriasis

PST [,piːes'tiː] förk. för *Pacific Standard Time*

psych [saɪk] *vb tr* o. *vb itr* **1** psykoanalysera **2 ~ out** vard. psyka **3 ~ up** vard. peppa [upp]; **be ~ed up** ung. vara i högform, vara laddad

psyche ['saɪkɪ] *s* psyke; själsliv, själ

psychedelic [,saɪkə'delɪk] *adj* psykedelisk

psychiatric [,saɪkɪ'ætrɪk] *adj* psykiatrisk

psychiatrist [saɪ'kaɪətrɪst, sɪ'k-] *s* psykiater

psychiatry [saɪ'kaɪətrɪ, sɪ'k-] *s* psykiatri

psychic ['saɪkɪk] **I** *adj* **1** psykisk; själslig **2** parapsykisk [**~ research**]; övernaturlig, översinnlig [**~ forces**] **3** medial; medialt lagd; spiritistisk [*a* **~ medium**]; **be ~** vara synsk, ha medial förmåga **II** *s* person med medial förmåga

psycho ['saɪkəʊ] vard. **I** *s* **1** (pl. **~s**) psykopat **2** psykoanalys **II** *adj* psykopatisk

psychoanalyse [,saɪkəʊ'ænəlaɪz] *vb tr* psykoanalysera

psychoanalysis [,saɪkəʊə'næləsɪs] *s* psykoanalys

psychoanalyst [,saɪkəʊ'ænəlɪst] *s* psykoanalytiker

psychoanalytic ['saɪkəʊ,ænə'lɪtɪk] *adj* psykoanalytisk

psychological [,saɪkə'lɒdʒɪk(ə)l] *adj* psykologisk i olika betydelser [*a* **~ novel**; **~ moment**; **~ warfare**]

psychological block ['saɪkə,lɒdʒɪk(ə)l'blɒk] *s* psykol. mental blockering

psychologist [saɪ'kɒlədʒɪst] *s* psykolog

psychology [saɪ'kɒlədʒɪ] *s* psykologi

psychopath ['saɪkə(ʊ)pæθ] *s* psykopat

psychopathic [,saɪkə(ʊ)'pæθɪk] *adj* psykopatisk

psychopathology [,saɪkə(ʊ)pə'θɒlədʒɪ] *s* psykopatologi

psychosis [saɪ'kəʊsɪs] (pl. **-es** [-iːz]) *s* psykos

psychosomatic [,saɪkə(ʊ)sə(ʊ)'mætɪk] *adj* psykosomatisk

psychotherapist [,saɪkəʊ'θerəpɪst] *s* psykoterapeut; samtalsterapeut

psychotherapy [,saɪkə(ʊ)'θerəpɪ] *s* psykoterapi; samtalsterapi

psychotic [saɪ'kɒtɪk] **I** *adj* psykotisk, psykiskt störd **II** *s* psykotisk (psykiskt störd) människa

PT [,piː'tiː] förk. för *physical training*

pt o. **pt.** förk. för *payment, pint*

PTA [,piːtiː'eɪ] förk. för *Parent-Teacher Association*

ptarmigan ['tɑːmɪgən] *s* zool. fjällripa; **willow ~** amer. dalripa

pterodactyl [,(p)terə(ʊ)'dæktɪl] *s* zool. flygödla

PTO [,piːtiː'əʊ] (förk. för *please turn over*) [var god] vänd!, v.g.v.

Pty austral. el. sydafr. (förk. för *proprietary*) AB i namn på ej börsnoterat aktiebolag

pub [pʌb] *s* (vard. kortform av *public house*) pub; **~ grub** pubmat

pub-crawl ['pʌbkrɔːl] *s* pubrond, krogrunda [*go on* (göra) *a ~*]

puberty ['pjuːbətɪ] *s* pubertet; **reach the age of ~** komma i puberteten (pubertetsåldern)

1 pubes ['pjuːbiːz] *s* anat. **1** blygd **2** blygdhår

2 pubes ['pjuːbiːz] *s* pl. av *pubis*

pubescent [pjʊ'besnt] *adj* som är i puberteten, pubertets-

pub-goer ['pʌb,gəʊə] *s* pubbesökare

pubic ['pjuːbɪk] *adj* anat. **1** blygd- [**~ bone**]; **~ hair** blygdhår **2** blygdbens-

pubis ['pjuːbɪs] (pl. **-es** [-iːz]) *s* anat. blygdben

public ['pʌblɪk] **I** *adj* **1** offentlig [**~ building**]; allmän [**~ holiday**]; folk- [**~ library**]; statlig, stats- [**~ finances**]; **make ~** offentliggöra, tillkännage, göra allmänt bekant; **~ call box** telefonkiosk, telefonhytt; **~ figure** offentlig person; **it is a matter of ~ knowledge** det är offentligt (allmänt) bekant; **~ life** det offentliga (politiska) livet **2** ekon. börsnoterad [*a* **~ company**]; **go ~** a) bli börsnoterad (börsintroducerad) b) se **make public** under **public I 1** ovan **II** *s* allmänhet [*the general* (stora) **~**]; publik [*it reaches a large* **~**]; **the ~ are** (**is**) **not admitted** allmänheten äger icke tillträde; [*the book will appeal to*] *a large* **~** ...en stor läsekrets (publik); **in ~** offentligt, inför publik; **open to the ~** öppen för allmänheten

public-address system [,pʌblɪkə'dres,sɪst(ə)m] *s* högtalaranläggning, högtalare t.ex. på flygplats

public affairs [,pʌblɪkə'feəz] *s pl* offentliga angelägenheter; **a ~ programme on TV** ett samhällsprogram på tv

publican ['pʌblɪkən] *s* pubinnehavare; krogvärd

public assistance [,pʌblɪkə'sɪstəns] *s* socialbidrag

publication [,pʌblɪ'keɪʃ(ə)n] *s* **1** publicering, utgivning; **date** (**year**) **of ~** tryckår, utgivningsår; **place of ~** tryckort **2** publikation, tryckalster, skrift **3** offentliggörande; kungörande; **~ of the banns** lysning

public bar [,pʌblɪk'bɑː] *s* enklare avdelning på en pub

public bill [,pʌblɪk'bɪl] *s* parl. lagförslag avseende hela landet

public company [,pʌblɪk'kʌmp(ə)nɪ] *s* börsnoterat aktiebolag

public convenience [,pʌblɪkkən'viːnɪəns] *s* offentlig toalett

public corporation ['pʌblɪk,kɔːpə'reɪʃ(ə)n] *s* **1** amer. [börsnoterat] aktiebolag **2** affärsdrivande verk, statligt företag

public debt [,pʌblɪk'det] *s* statsskuld

public domain [,pʌblɪkdə(ʊ)'meɪn] *s* amer. statsägd jord; **be in ~** vara offentlig egendom ej skyddad av upphovsrätt

public-domain software

[ˌpʌblɪkdə(ʊ)'meɪnˌsɒftweə] *s* data. gratisprogram
där upphovsmannen avsagt sig upphovsrätten, får fritt kopieras
och distribueras, jfr *free software, freeware* o.
shareware

public enterprise [ˌpʌblɪk'entəpraɪz] *s* statligt
företag
public health [ˌpʌblɪk'helθ] *s* folkhälsa
public holiday [ˌpʌblɪk'hɒlədeɪ] *s* allmän helgdag
public house [ˌpʌblɪk'haʊs] *s* **1** pub **2** amer. litet
hotell, värdshus
public housing [ˌpʌblɪk'haʊzɪŋ] *s* amer. kommunala
bostäder
publicity [pʌb'lɪsətɪ] *s* publicitet, offentlighet [*avoid*
~]; reklam; **give sth** ~ ge ngt publicitet; göra reklam
(PR) för ngt; ~ **agent** manager för artist, PR-konsult;
~ **campaign** reklamkampanj; ~ **manager** reklamchef;
~ **stunt** reklamtrick, reklamjippo, PR-jippo
publicity-hunter [pʌb'lɪsətɪˌhʌntə] *s*
publicitetsjägare, publicitetshungrig person
publicize ['pʌblɪsaɪz] *vb tr* offentliggöra, ge
publicitet åt; göra reklam för; annonsera
public library [ˌpʌblɪk'laɪbr(ə)rɪ] *s* offentligt
bibliotek
public limited company [ˌpʌblɪk'lɪmɪtɪdˌkʌmp(ə)nɪ]
(förk. *plc* el. *PLC*) *s* [börsnoterat] aktiebolag
publicly ['pʌblɪklɪ] *adv* offentligt; av (inför)
allmänheten; statligt
public nuisance [ˌpʌblɪk'njuːsns] *s* **1** jur. olägenhet
för allmänheten, sanitär olägenhet **2** bildl. plåga för
omgivningen, allmänt oönskad person
public opinion [ˌpʌblɪkə'pɪnjən] *s* [den] allmänna
opinionen (meningen), folkopinionen
public opinion poll [ˌpʌblɪkə'pɪnjənpəʊl] *s*
opinionsundersökning
public procurement [ˌpʌblɪkprə'kjʊəmənt] *s* EU.
offentlig upphandling
public prosecutor [ˌpʌblɪk'prɒsɪkjuːtə] *s* allmän
åklagare
public relations [ˌpʌblɪkrɪ'leɪʃ(ə)nz] (förk. *PR*) *s pl*
PR, public relations
public school [ˌpʌblɪk'skuːl] *s* **1** britt. 'public school'
privatinternat **2** amer. allmän (kommunal) skola
public sector [ˌpʌblɪk'sektə] *s*, **the** ~ den offentliga
sektorn
public servant [ˌpʌblɪk'sɜːv(ə)nt] *s* man (kvinna) i
offentlig (allmän) tjänst, [stats]tjänsteman
public service [ˌpʌblɪk'sɜːvɪs] *s* **1** samhällsservice;
~**s** affärsdrivande verk, allmännyttiga företag
2 allmän (offentlig) tjänst, det allmännas tjänst [*he
spent 40 years in ~*]
public-spirited [ˌpʌblɪk'spɪrɪtɪd] *adj* socialt
ansvarskännande, med samhällsansvar
public transport [ˌpʌblɪk'trænspɔːt] *s* allmänna
kommunikationer, kollektivtrafik; **go by** ~ äv. åka
kollektivt
public transportation [ˌpʌblɪktrænspɔː'teɪʃ(ə)n] *s*
amer. allmänna kommunikationer, kollektivtrafik;
go by ~ äv. åka kollektivt
public utility [ˌpʌblɪkjuː'tɪlətɪ] *s* **1** affärsdrivande
verk, statligt (kommunalt) affärsverk,
allmännyttigt (samhällsnyttigt) företag
2 samhällsservice, allmän nyttighet
public works [ˌpʌblɪk'wɜːks] *s pl* offentliga
kommunala el. statliga arbeten, offentligt byggande

publish ['pʌblɪʃ] **I** *vb tr* **1** publicera, ta in; ge ut,
förlägga; **the book is** ~**ed by D.** boken är utgiven (har
kommit ut) på D.'s förlag **2** offentliggöra;
kungöra; utfärda; ~ **the banns** [*of marriage*] avkunna
lysning
II *vb itr* publicera sig; om tidning komma ut
publisher ['pʌblɪʃə] *s* [bok]förläggare; utgivare
[*newspaper* ~]; ~ el. ~**s** äv. förlag [*HarperCollins
Publishers*]; ~**'s catalogue** förlagskatalog
publishing ['pʌblɪʃɪŋ] *s* förlagsverksamhet;
förlagsbranschen; ~ **house** el. ~ **company** el. ~ **firm**
[bok]förlag
puce [pjuːs] **I** *s* rödbrunt **II** *adj* rödbrun
1 puck [pʌk] *s* ishockey. puck
2 puck [pʌk] *s* ung. tomte[nisse]
pucker ['pʌkə] **I** *vb tr* rynka, vecka; ~ el. ~ **up** rynka,
vecka, lägga i veck [~ [*up*] *one's brows*]; snörpa
ihop, spetsa [~ [*up*] *one's lips*]
II *vb itr*, ~ el. ~ **up** rynka (vecka) sig, lägga sig i veck
puckish ['pʌkɪʃ] *adj* skälmsk, okynnig; nyckfull;
småelak [~ *humour*]
pud [pʊd] *s* vard. kortform av *pudding*
pudding ['pʊdɪŋ] *s* **1 a)** pudding **b)** efterrätt; **black** ~
blodkorv, blodpudding; **rice** ~ risgrynsgröt;
risgrynskaka; **be in the** ~ **club** sl. vara på smällen
gravid **2** sjö. fender
pudding basin ['pʊdɪŋˌbeɪsn] *s* puddingskål; ~
haircut pottklippning, pottklippt hår; ~ **hairstyle**
pottfrisyr
puddle ['pʌdl] *s* pöl, [vatten]puss
pudgy ['pʌdʒɪ] *adj* vard., se *podgy*
puerile ['pjʊəraɪl, amer. -rl] *adj* barnslig, pueril
puerility [pjʊə'rɪlətɪ] *s* barnslighet, puerilitet
Puerto Rican [ˌpwɜːtə(ʊ)'riːkən] **I** *s* puertorican;
puertoricanska kvinna **II** *adj* puertoricansk
Puerto Rico [ˌpwɜːtə(ʊ)'riːkəʊ] geogr.
puff [pʌf] **I** *vb itr* **1** bolma [*smoke* ~*ed up from the
crater*]; ~ [*away*] **at a cigar** bolma (blossa) på en
cigarr **2** blåsa [i stötar] **3** pusta, flåsa, flämta
4 tuffa [*the engine* ~*ed out of the station*]; ånga **5** ~
el. ~ **up** svälla [upp], svullna
II *vb tr* **1** blossa (bolma) på [~ *a cigar*] **2** stöta
(pusta) ut [~ *smoke*] **3** blåsa [~ *out a candle*] **4** ~
out blåsa upp [~ *out one's cheeks*]; ~ **out one's chest
with pride** brösta sig (svälla) av stolthet
III *s* **1** pust; puff, [rök]moln; bloss [*have a ~ at a
pipe*]; ~ **of wind** vindpust, vindstöt; **be out of** ~ vard.
vara andfådd **2** kok. **a)** smördegskaka; **jam** ~
smörbakelse med sylt i **b)** ~ el. **cream** ~ petit-chou
3 puff, [svag] knall; **the** ~**s** [*from an engine*]
tuffandet… **4** [puder]vippa **5** [grov] reklam, puff
6 sömnad. puff [~ *sleeve*]; pl. ~**s** pösiga veck
puffball ['pʌfbɔːl] *s* bot. röksvamp
puffed [pʌft] *adj*, ~ el. ~ **out** andfådd
puffed up [ˌpʌft'ʌp] *adj* uppblåst äv. bildl., pösig,
svällande
puffed wheat [ˌpʌft'wiːt] *s* vetepuffar
puffin ['pʌfɪn] *s* zool. lunnefågel
puff pastry [ˌpʌf'peɪstrɪ] *s* kok. smördeg
puff sleeve [ˌpʌf'sliːv] *s* puffärm
puffy ['pʌfɪ] *adj* **1** uppsvälld, svullen; påsig [~ *under
the eyes*]; korpulent **2** pösande, pösig äv. bildl.
pug [pʌg] *s* mops hundras
pugilism ['pjuːdʒɪlɪz(ə)m] *s* pugilism, boxning

pugilist ['pju:dʒɪlɪst] s pugilist, [proffs]boxare
pugnacious [pʌg'neɪʃəs] adj stridslysten; stridbar
pugnacity [pʌg'næsətɪ] s stridslystnad
pug nose ['pʌgnəʊz] s trubbnäsa
puke [pju:k] **I** vb tr o. vb itr vard. spy, kräkas
II s **1** kräkning **2** kräkmedel
pukka ['pʌkə] adj spec. ind. vard. riktig, verklig; prima
Pulitzer Prize [ˌpʊlɪtsə'praɪz, 'pju:-] s, the ~
Pulitzerpriset pris i USA i litteratur, musik el. journalistik
pull [pʊl] **I** vb tr (se äv. pull III samt fraser med pull under
bl.a. face, leg, 1 punch, weight o. wire **1** dra, rycka;
hala; dra (rycka) i; dra ut [~ a tooth]; ~ sb's hair el.
~ sb by the hair dra ngn i håret; ~ to pieces el. ~ to
bits rycka (plocka) sönder, slita i stycken; bildl.
göra ned, kritisera sönder **2** dra för [~ the
curtains]; dra ned [~ the blind] **3** med. sträcka [~ a
muscle] **4** vard. göra, sätta i gång med [~ a raid]; he
~ed a fast one [on me] vard. han lurade mig, han
drog mig vid näsan; don't try to ~ that one on me! el.
don't try to ~ that [stuff] with me! vard. det köper jag
inte!
II vb itr (se äv. pull III) **1** dra, rycka, slita [at, on i],
hala **2** ro
III vb tr o. vb itr med adv., ofta med spec. översättningar:
pull ahead komma före; they've ~ed ahead de har
dragit ifrån
pull apart: rycka (plocka) isär (sönder); bildl. göra
ned, kritisera sönder
pull away om fordon köra ut från trottoarkanten
pull back a) dra sig tillbaka (ur spelet) b) sport.
förbättra [med]
pull down a) riva [ned] [~ down a house]; dra ned;
bildl. störta [~ down a government] b) pressa ned [~
down prices] c) sl. tjäna
pull in a) bromsa in; ~ in at stanna till i (hos) b) köra
in [the train ~ed in at the station]; svänga in [~ in to
the left] c) dra in, dra åt; hålla in [~ in a horse]
d) vard. håva in, ta (kamma) hem
pull off a) klara [av], greja, fixa [he'll ~ it off]; lägga
beslag på, lyckas få [~ off a job] b) köra av [~ off
the road] c) dra (ta) av [sig]
pull out a) dra ut (upp) [~ out a tooth]; dra (hala)
fram (upp) b) dra [sig] tillbaka [the troops ~ed out
of the country]; bildl. dra sig (backa) ur c) köra ut
[the train ~ed out of the station]; svänga ut [the car
~ed out from the kerb]
pull over köra in till trottoarkanten etc. [~ over
here]; svänga (köra) över [the car ~ed over to the
side]
pull through klara sig, gå igenom [krisen] [the
patient ~ed through]
pull together a) hjälpas åt, samarbeta b) ~ oneself
together ta sig samman; ta sig i kragen
pull up a) stanna [he ~ed up the car; the train ~ed
up] b) dra (rycka) upp
IV s **1** drag[ning], ryck[ning]; tag; give a strong ~ ta
ett kraftigt tag; give a ~ at dra ett tag i **2** [år]tag;
simtag **3** a) klunk b) drag, bloss; take a ~ at one's
pipe dra ett bloss på pipan **4** dragningskraft äv. bildl.
5 fördel; have a (the) ~ on sb ha övertag över ngn
6 vard. försänkningar, [goda] förbindelser,
relationer [he got the job through ~] **7** med.
sträckning

pull date ['pʊldeɪt] s amer. sista försäljningsdag på
matvaror, utgångsdatum
pull-down menu ['pʊldaʊnˌmenju:] s data.
rullgardinsmeny
pullet ['pʊlɪt] s unghöna, unghöns
pulley ['pʊlɪ] s **1** block[skiva], trissa; talja; ~ block
hissblock, talja **2** ~ el. belt ~ remskiva
pull-in ['pʊlɪn] s rastställe, [väg]kafé vid bilväg
pulling power ['pʊlɪŋˌpaʊə] s dragningskraft,
attraktionskraft
pull-out ['pʊlaʊt] **I** s **1** utvikningssida, utviksblad;
löstagbar bilaga **2** tillbakadragande [~ of troops]
II adj utdrags- [~ bed]; ~ supplement löstagbar
bilaga
pullover ['pʊlˌəʊvə] **I** s **1** pullover **2** amer.
utanpåskjorta
II adj pådrags-
pull-tab ['pʊltæb] s rivöppnare på burk
pull-up ['pʊlʌp] s **1** se pull-in **2** gymn. armhävning från
t.ex. trapets
pulmonary ['pʌlmənərɪ] adj lung- [~ diseases]
pulp [pʌlp] **I** s **1** mos, mjuk massa, gröt; beat sb to a ~
slå ngn sönder och samman **2** [frukt]kött;
innanmäte i frukt o.d.; märg i stam **3** [pappers]massa,
[trä]massa **4** anat. el. bot. pulpa
II adj, ~ magazine billig veckotidning; ~ literature
skräplitteratur
III vb tr **1** krossa till massa; mosa; ~ed copies
makulerade exemplar **2** ta ur [frukt]köttet ur
pulpit ['pʊlpɪt] s predikstol
pulpy ['pʌlpɪ] adj lös, mjuk; köttig; mosig
pulsar ['pʌlsɑ:] s astron. pulsar
pulsate [pʌl'seɪt, 'pʌlseɪt] vb itr pulsera äv. bildl., slå,
dunka; vibrera
pulsation [pʌl'seɪʃ(ə)n] s **1** pulserande, pulsering;
hjärtats klappande **2** pulsslag, hjärtslag
1 pulse [pʌls] **I** s **1** puls äv. bildl.; feel sb's ~ el. take
sb's ~ ta pulsen på ngn, bildl. äv. känna ngn på
pulsen **2** pulsslag **3** vibration[er], dunk [the ~ of an
engine] **4** elektr. el. radio. puls, puls- [~ modulation]
II vb itr pulsera äv. bildl., slå; vibrera
2 pulse [pʌls] s **1** koll. baljfrukter ärtor, bönor o.d.
2 baljfrukt
pulverize ['pʌlvəraɪz] vb tr pulvrisera, bildl. äv. smula
sönder, krossa
puma ['pju:mə] s zool. puma
pumice ['pʌmɪs] s o. **pumice stone** ['pʌmɪsstəʊn] s
pimpsten
pummel ['pʌml] vb tr puckla på, mörbulta
1 pump [pʌmp] **I** s pump
II vb tr **1** pumpa [~ water out; ~ air into a tyre]; ~
dry el. ~ empty länspumpa; ~ iron sl. lyfta skrot
styrketräna; ~ up pumpa upp [~ up a tyre]; have one's
stomach ~ed out bli magpumpad **2** pumpa, fråga ut
[~ a witness] **3** vard., be completely ~ed [out] vara
fullkomligt utpumpad (trötlkörd)
2 pump [pʌmp] s, pl. ~s a) ballerinaskor utan snörning
b) amer. [dam]pumps
pumpernickel ['pʌmpənɪkl, 'pʊmp-] s pumpernickel
pumpkin ['pʌm(p)kɪn] s bot. pumpa
pun [pʌn] **I** s ordlek, vits **II** vb itr göra en ordlek
(ordlekar), vitsa [[up]on på]
Punch [pʌn(t)ʃ] s teat., motsv. Kasper; ~ and Judy [show]
motsv. kasperteater; be as pleased as ~ vard. vara

helbelåten (stormförtjust); **be as proud as** ~ vard. vara jättestolt

1 punch [pʌn(t)ʃ] **I** s **1** knytnävsslag; kort slag; slagkraft äv. bildl.; **I gave him a ~ on the nose** jag klippte (slog) till honom; **he did not pull his ~es** el. **he pulled no ~es** bildl. han la inte fingrarna emellan, han gick rakt på sak **2** vard. snärt, sting; kraft **II** vb tr puckla på, klippa (slå) till; **I ~ed him on the nose** jag klippte (slog) till honom; [the goalkeeper] **~ed the ball away** ...boxade ut bollen

2 punch [pʌn(t)ʃ] **I** s **1** stans; hålslag; biljettång, tång; **hole** ~ el. **paper** ~ hålslag för papper **2** dorn **3** stämpel **4** klipp i biljett **II** vb tr stansa [~ holes]; slå hål i [~ paper]; klippa [~ tickets] **III** vb itr med adv.:
punch in stämpla in med stämpelur
punch out stämpla ut med stämpelur

3 punch [pʌn(t)ʃ] s bål; toddy; **hot rum** ~ romtoddy; **Swedish** ~ punsch

punchbag ['pʌn(t)ʃbæg] s **1** boxn. sandsäck **2** bildl. slagpåse, syndabock

punchball ['pʌn(t)ʃbɔ:l] s **1** boxn. boxboll **2** amer., slags baseball där bollen slås med knytnäven

punchbowl ['pʌn(t)ʃbəʊl] s bål[skål]

punchcard ['pʌn(t)ʃkɑ:d] s hålkort

punch-drunk [ˌpʌn(t)ʃ'drʌŋk] adj **1** boxn. punch-drunk, boxningsskadad; omtöcknad **2** vard. vimmelkantig, halvt bedövad

punching bag ['pʌn(t)ʃɪŋbæg] s amer. **1** boxn. sandsäck **2** bildl. slagpåse, syndabock

punch line ['pʌn(t)ʃlaɪn] s slutkläm, poäng i rolig historia

punch-up ['pʌn(t)ʃʌp] s sl. råkurr, slagsmål

punctilious [pʌŋ(k)'tɪlɪəs] adj etikettsbunden, formalistisk; pedantisk, petnoga

punctual ['pʌŋ(k)tjʊəl] adj punktlig

punctuality [ˌpʌŋ(k)tjʊ'ælətɪ] s punktlighet

punctuate ['pʌŋ(k)tjʊeɪt] vb tr **1** interpunktera, kommatera **2** [ideligen] avbryta [~ a speech with cheers]

punctuation [ˌpʌŋ(k)tjʊ'eɪʃ(ə)n] s interpunktion, kommatering

punctuation mark [ˌpʌŋ(k)tjʊ'eɪʃ(ə)nmɑ:k] s skiljetecken

puncture ['pʌŋ(k)tʃə] **I** s **1** punktering; stick **2** med. punktion **II** vb tr **1** punktera, sticka hål på (i) **2** få punktering på [she ~d her tyre] **3** bildl. slå hål på, gå illa åt [~ sb's self-esteem]; punktera **III** vb itr få punktering, punktera

pundit ['pʌndɪt] s skämts. förståsigpåare, orakel; expert

pungency ['pʌndʒ(ə)nsɪ] s **1** skarphet etc., jfr pungent **2** skarp smak (lukt)

pungent ['pʌndʒ(ə)nt] adj skarp, besk, frän [~ smell; ~ taste], bildl. äv. bitande, vass [~ remarks]; kärv; stickande [~ gas; ~ smoke]

punish ['pʌnɪʃ] vb tr **1** straffa [for för], bestraffa [by, with med]; ibl. tukta **2** vard. gå hårt (illa) åt; pressa, suga musten ur

punishable ['pʌnɪʃəbl] adj straffbar, straffvärd

punishing ['pʌnɪʃɪŋ] adj pressande, påfrestande [a ~ race]

punishment ['pʌnɪʃmənt] s **1** straff, bestraffning **2** vard. stryk, spö; **take a lot of** ~ a) få mycket stryk, få stryk efter noter b) tåla mycket stryk

punitive ['pju:nətɪv] adj straff-; ~ **expedition** straffexpedition

Punjab [pʌn'dʒɑ:b, '--] geogr., **the** ~ Punjab

Punjabi [pʌn'dʒɑ:bɪ] s punjabi språk

punk [pʌŋk] sl. **I** s **1** punk aggressiv ungdomsstil; ~ el. ~ **rocker** person punkare **2** skräp; skit äv. person **3** skurk **II** adj **1** punk- [~ rock]; punkig **2** urusel, dassig, vissen

punnet ['pʌnɪt] s spånkorg; liten [papp]kartong för bär, bärkartong

punster ['pʌnstə] s vitsare, vitsmakare

1 punt [pʌnt] **I** s punt, stakbåt **II** vb itr staka sig fram; [vara ute och] 'punta' **III** vb tr staka [fram], 'punta'

2 punt [pʌnt] rugby. fotb. **I** s lös droppspark **II** vb tr sparka fotboll som släpps från händerna och ej vidrör marken

punter ['pʌntə] s vard. **1** satsare, spelare i hasardspel **2** vadhållare på kapplöpning; [fotbolls]tippare **3** kund, klient

puny ['pju:nɪ] adj ynklig, liten, klen, svag äv. bildl.

pup [pʌp] s **1** [hund]valp **2** åld. snorvalp, spoling **3** vard., **sell sb a** ~ lura ngn [att göra ett dåligt köp]

pup|a ['pju:pə] (pl. -ae [-i:] el. -as) s zool. puppa

1 pupil ['pju:pl] s elev [of sb till ngn]; ~ **teacher** lärarkandidat

2 pupil ['pju:pl] s anat. pupill

puppet ['pʌpɪt] s **1** teat. docka, marionett; **glove** ~ handdocka **2** bildl. marionett; attr. marionett- [~ government] **3** liten docka

puppeteer [ˌpʌpɪ'tɪə] s teat. dockspelare, marionettspelare

puppet theatre ['pʌpɪtˌθɪətə] s dockteater, marionetteater

puppy ['pʌpɪ] s **1** [hund]valp **2** amer. grej, manick

puppy fat ['pʌpɪfæt] s vard. barnahull

puppy love ['pʌpɪlʌv] s vard. tonårsförälskelse

pup tent ['pʌptent] s litet tvåmanstält

purchase ['pɜ:tʃəs, -tʃɪs] **I** s **1** köp; inköp äv. konkr., uppköp; jur. förvärv; **make ~s** göra inköp **2** tag, grepp [get a ~ on sth]; [fot]fäste, stöd **II** vb tr köpa; jur. förvärva; bildl. köpa (tillkämpa) sig

purchase price ['pɜ:tʃəspraɪs] s inköpspris

purchaser ['pɜ:tʃəsə] s köpare, avnämare

purchasing manager ['pɜ:tʃəsɪŋˌmænɪdʒə] s inköpschef

purchasing power ['pɜ:tʃəsɪŋˌpaʊə] s köpkraft

purdah ['pɜ:də] s purdah, könssegregering

pure [pjʊə] adj **1** ren [~ air; ~ colours; ~ tones]; oblandad; äkta, gedigen; hel- [~ silk]; ~ **mathematics** teoretisk (ren) matematik; ~ **wool** ren ull, helylle **2** ren, idel, bara [it's ~ envy]; **the truth ~ and simple** rena [rama] sanningen

purebred ['pjʊəbred] adj renrasig, rasren

purée ['pjʊəreɪ] kok. **I** s puré; mos [fruit ~] **II** vb tr göra puré av

purely ['pjʊəlɪ] adv **1** rent etc., jfr pure **2** rent [a ~ formal request]; uteslutande, bara, enbart, helt och hållet; ~ **by accident** av en ren händelse

purgative ['pɜ:gətɪv] s med. laxermedel

Purgatory ['pɜ:gət(ə)rɪ] *s* relig. skärseld[en], purgatorium

purgatory ['pɜ:gət(ə)rɪ] *s* **1** skärseld, prövning, lidande **2** vard. pina, lidande

purge [pɜ:dʒ] **I** *vb tr* **1** polit. rensa [upp i], göra utrensningar i [*~ a party*] **2** rena [*of, from* från], luttra; *~ away* rensa bort **II** *vb itr* med. laxera **III** *s* **1** rening, renande **2** polit. utrensning

purification [,pjʊərɪfɪ'keɪʃ(ə)n] *s* **1** rening, renande, bildl. äv. luttring; *~ plant* reningsverk **2** relig. reningsceremoni

purify ['pjʊərɪfaɪ] **I** *vb tr* rena [*of, from* från], bildl. äv. luttra **II** *vb itr* renas

purist ['pjʊərɪst] *s* purist

puritan ['pjʊərɪt(ə)n] **I** *s* puritan **II** *adj* puritansk

puritanical [,pjʊərɪ'tænɪk(ə)l] *adj* puritansk

puritanism ['pjʊərɪtənɪz(ə)m] *s* puritanism

purity ['pjʊərətɪ] *s* renhet i olika betydelser

purl [pɜ:l] **I** *s* avig [maska] [äv. *~ stitch*] **II** *vb itr* sticka avigt

purloin [pɜ:'lɔɪn] *vb tr* ofta skämts. stjäla, sno

purple ['pɜ:pl] **I** *s* mörklila, purpur[färg] **II** *adj* mörklila; purpurfärgad, purpur-; purpurröd, mörkröd [*his face turned ~*]; blodröd [*a ~ sunset*]

Purple Heart [,pɜ:pl'hɑ:t] *s*, *the ~* Purpurhjärtat amerikansk krigsdekoration till soldat sårad i krig

purport [verb pə'pɔ:t, subst. 'pɜ:pɔ:t, 'pɜ:pət] **I** *vb itr* ge sig ut för, avse [*the book ~s to be...*]; påstå sig [*to be* vara] **II** *s* innebörd, innehåll, andemening [*the ~ of what he said*]

purported [pə'pɔ:tɪd] *adj* påstådd [*the ~ rapist*]

purpose ['pɜ:pəs] *s* **1** syfte, avsikt [*of* med; *in doing* med att göra], mening, föresats; ändamål; *answer* (*serve, suit*) *sb's ~* tjäna (passa) ngns syfte, täcka ngns behov; *it answers* (*serves, suits*) *its ~* den fyller sin funktion (sitt ändamål), den tjänar sitt syfte; *for* (*with*) *the ~ of buying...* i avsikt (syfte) att köpa..., för att köpa...; *for cooking ~s* till (för) matlagning; *for household ~s* för hemmabruk; *for peaceful ~s* för fredliga ändamål (fredsändamål); *for all practical ~s* i praktiken, i själva verket; *on ~* med avsikt (flit), avsiktligt; *be to the ~* a) ha med saken (ämnet) att göra b) vara ändamålsenlig, vara just det rätta; *to little ~* till föga nytta; *it's to no ~* det är till ingen nytta; *to what ~?* vad tjänar det till?, varför [det]? **2** mål [*have a definite ~ in life*]; uppgift; mening [*there is a ~ in the world* (tillvaron)]; *strength of ~* viljestyrka, beslutsamhet; *work with a ~* arbeta målmedvetet

purpose-built ['pɜ:pəsbɪlt] *adj* specialbyggd; gjord på beställning

purposeful ['pɜ:pəsf(ʊ)l] *adj* **1** målmedveten **2** meningsfull, betydelsefull

purposeless ['pɜ:pəsləs] *adj* meningslös, ändamålslös

purposely ['pɜ:p(ə)slɪ] *adv* **1** avsiktligt, med avsikt (flit) **2** *~ to* endast för att

purr [pɜ:] **I** *vb itr* spinna [*the cat* (*engine*) *~ed*] **II** *s* spinnande; spinnande ljud

purse [pɜ:s] **I** *s* **1** portmonnä, börs **2** amer. [dam]handväska **3** kassa, pengar [*out of my own ~*]; *the public ~* statskassan **4** [insamlad] penninggåva; [penning]pris, prissumma **II** *vb tr*, *~ one's* (*the*) *lips* snörpa på mun

purser ['pɜ:sə] *s* sjö. el. flyg. purser

purse strings ['pɜ:sstrɪŋz] *s pl* bildl., *hold* (*control*) *the ~* ha hand om (bestämma över) kassan; *tighten the ~* hålla igen på utgifterna

pursuance [pə'sju:əns] *s*, *in ~ of* a) vid (under) fullföljande av (etc., jfr *pursue*) b) i enlighet

pursue [pə'sju:] *vb tr* **1** förfölja, ansätta, jaga [*~ a thief; ~ a bear*] bildl. [för]följa [*bad luck ~d him*] **2** jaga efter [*~ pleasure*]; sträva efter, söka nå [*~ one's object*] **3** följa, gå efter [*~ a method*]; driva, föra [*~ a policy*] **4** a) fullfölja [*~ a plan*]; fortsätta [*~ a journey*]; gå vidare med [*~ an inquiry; ~ a subject*] b) ägna sig åt, utöva [*~ a profession*]

pursuer [pə'sju:ə] *s* förföljare

pursuit [pə'sju:t] *s* **1** förföljande, förföljelse [*of* av], jakt [*of* på]; bildl. jagande, jakt, strävan [*of* efter]; *~ race* cykelsport. tempolopp; *be in ~ of* förfölja, jaga, vara på jakt efter; *set out in ~ of* sätta efter, börja jaga; *with* [*the hounds*] *in hot ~* med...tätt i hälarna, tätt förföljd av... **2** bedrivande, utövande [*in* (under) *~ of*]; skötsel **3** sysselsättning [*a pleasant ~*]; syssla; *literary ~s* litterär verksamhet

purulence ['pjʊərʊləns] *s* med. varbildning; varighet

purulent ['pjʊərʊlənt] *adj* med. varig, full av var

purveyor [pɜ:'veɪə] *s* [livsmedels]leverantör; *Purveyor to His* (*Her*) *Majesty* [kunglig] hovleverantör

purview ['pɜ:vju:] *s* **1** [verknings]område, räckvidd, sfär **2** synvidd, synkrets

pus [pʌs] *s* med. var; *~ basin* rondskål

push [pʊʃ] **I** *vb tr* **1** a) skjuta, fösa; skjuta 'på [*~ a car*]; leda [*~ a bike*]; dra [*~ a pram*] b) knuffa, stöta; knuffa (stöta) till [*~ the enemy troops into the sea*] d) trycka på [*~ a button*]; *~ one's way* tränga (knuffa) sig fram **2** a) driva, pressa [*~ sb into doing sth; they ~ the boy too hard*] b) tvinga [*I have to ~ myself to do it*] c) driva 'på [*he'll do it if you ~ him*] **3** framhärda i, driva (få) igenom [*~ one's claims*]; påskynda, driva på, forcera [*~ the work*]; *don't ~ it!* el. *don't ~ your luck!* utmana inte ödet! **4** göra reklam (puffa) för [*~ goods*] **5** foto. pressa **6** sl. langa [*~ drugs*] **7** vard. närma sig [*she is ~ing eighty*] **II** *vb itr* a) tränga sig [fram], knuffa sig [*he ~ed past me*] b) knuffas [*don't ~!*] c) skjuta 'på **III** *vb itr* o. *vb tr* med adv.:

push ahead se *push on* under *push* III nedan

push along vard. kila [i väg], ge sig i väg

push sb around vard. hunsa (köra) med ngn

push for yrka på, kräva [*~ for higher wages*]; kämpa (verka) för

push forward tränga sig fram

push off a) lägga (skjuta) ut b) vard. ge sig av, sticka

push on tränga vidare (på); fortsätta, köra (gå) vidare [*to* till]; skynda på [*~ on with one's work*]

push over knuffa (stöta) omkull

IV *s* **1** knuff, puff, stöt; *give the car a ~* skjuta på bilen **2** [kraft]ansträngning **3** mil. framstöt **4** framåtanda **5** försäkningar [*use* (utnyttja) *~ to get a job*] **6** *at a ~* om det gäller (kniper); *when it comes to the ~* vard. när det verkligen gäller **7** sl., *get the ~*

få sparken; bli spolad; **give sb the ~** ge ngn sparken; spola ngn

pushbike ['puʃbaɪk] *s* vard. trampcykel, vanlig cykel

push-button ['puʃ‚bʌtn] *s* elektr. tryckknapp; attr. tryckknapps- [~ *tuning* (inställning)]; **~ phone** knapptelefon

pushcart ['puʃkɑ:t] *s* [hand]kärra

pushchair ['puʃ-tʃeə] *s* sittvagn, sulky för barn

pushed [puʃt] *adj*, **be ~** vara i trångmål (knipa); **be ~ for money** vara i penningknipa; **be ~ for time** ha ont om tid

pusher ['puʃə] *s* sl. [knark]langare [äv. *drug ~*; *dope ~*]

pushover ['puʃ‚əʊvə] *s* vard. **1** smal (enkel) sak, barnlek **2** lätt[fångat] byte; lätt motståndare

pushpin ['puʃpɪn] *s* amer. kartnål

push-start ['puʃstɑ:t] **I** *vb tr* putta i gång bil **II** *s* det att putta i gång en bil

push-up ['puʃʌp] *s* gymn. armhävning från golvet

pushy ['puʃɪ] *adj* vard. **1** driftig, framåtsträvande, företagsam **2** streberaktig, gåpåaraktig

pusillanimous [‚pju:sɪ'lænɪməs] *adj* försagd, klenmodig, räddhågad

1 puss [pus] *s* kisse; **~, ~!** kiss! kiss!

2 puss [pus] *s* vanl. amer. sl. nylle, tryne

Puss in Boots [‚pusɪn'bu:ts] Mästerkatten i stövlar

1 pussy ['pusɪ] *s* se *pussycat*

2 pussy ['pusɪ] *s* vulg. mus, fitta äv. kvinna som sexobjekt

pussycat ['pusɪkæt] *s* **1** kissekatt, kissemisse **2** bot. [vide]kisse **3** smeks., i tilltal gullunge, raring

pussyfoot ['pusɪfut] *vb itr* vard. **1** tassa, smyga **2** bildl. vara hal (undanglidande); **stop ~ing around!** sluta gå som katten kring het gröt!, kom till saken!

pussy willow ['pusɪ‚wɪləʊ] *s* bot. **1** sälg **2** [vide]kisse

pustule ['pʌstjuːl] *s* med. koppa, varblåsa; finne

put [put] (*put put*) **I** *vb tr* (se äv. *put III*; för *put* i spec. förbindelser som *put right* (*wise*), *put in mind* o. *put to shame* se under resp. huvudord) **1** lägga, sätta, ställa [*in, into* i; *on* på]; stoppa [~ *sth into one's pocket*]; hälla, slå [~ *milk in the tea*]; **stay ~** vard. stanna kvar där man är; **~ yourself in my place!** sätt dig in i min situation!; **~ sb into a rage** göra ngn rasande; **~ sb through sth** låta ngn gå igenom ngt [~ *sb through a test*]; **~ sb through it** vard. klämma åt ngn; **~ sb to** sätta, förorsaka (vålla) ngn [~ *sb to trouble*; ~ *sb to expense*]; **~ oneself to** göra (skaffa) sig, dra på sig [~ *oneself to a lot of trouble (expense)*]; **be ~ to a lot of expense** få en massa utgifter; **be hard ~ to it** ha det svårt **2** uppskatta, beräkna [*I ~ the value at* (till)...]; värdera [*at* till] **3** uttrycka, säga [*it can all be ~ in a few words*]; framställa [~ *the matter clearly*]; formulera; **to ~ it bluntly** för att tala rent ut, för att säga som det är; **to ~ it briefly** för att fatta mig kort **4** [fram]ställa, rikta [~ *a question to sb*]; **~ sth before (to) sb** förelägga (underställa) ngn ngt, lägga fram ngt för ngn; **I ~ it to you that** [*you were there*] jur. är det inte [faktiskt] så att...?, jag vill göra gällande att... **5** översätta [~ *into* (till) *English*] **6** satsa, hålla, sätta [~ *money on a horse*]; placera, lägga ner [~ *money into a business*] **7** sport. stöta; **~ the shot (weight)** stöta kula

II *vb itr* (se äv. *put III*) sjö. löpa, gå, styra [~ *into the harbour*]; **~ into port** söka hamn; **~ to sea** löpa ut; sticka till sjöss

III *vb tr* o. *vb itr* med adv. el. prep., ofta med spec. översättningar:

put about sprida [ut] [~ *about a rumour*]

put across vard. föra (få) fram [*she has plenty to say but she cannot ~ it across*]

put aside a) lägga (ställa, sätta) bort (ifrån sig) **b)** lägga undan, spara [~ *aside a bit of money*] **c)** slå bort; bortse från, glömma

put at uppskatta till [*the damage is ~ at over $1 million*]

put away a) lägga etc. undan (bort, ifrån sig); **~ the car away** ställa in (undan) bilen **b)** lägga undan, spara [~ *some money away*] **c)** vard. bura (sy) in **d)** vard. sätta (stoppa) i sig, lägga (lassa) in

put back a) lägga etc. tillbaka (på sin plats) **b)** vrida (ställa) tillbaka [~ *the clock back*] **c)** hålla tillbaka **d)** häva (hälla) i sig

put by a) lägga etc. undan (ifrån sig) **b)** lägga undan (av), spara [ihop] [~ *money by*]

put down a) lägga etc. ned (ifrån sig), släppa [~ *down a burden*]; sätta (släppa) av [~ *me down at the corner*] **b)** fälla ihop (ned) [~ *down one's umbrella*] **c)** vard. snäsa (snoppa) av [~ *sb down*] **d)** avliva spec. sjuka djur **e)** anteckna, skriva upp [~ *down the address*]; sätta (föra, ta) upp [~ *it down to* (på) *my account*] **f)** slå ned, kuva, undertrycka [~ *down a rebellion*]; sätta stopp för **g)** uppskatta [*at, as* till]; anse, betrakta [*as, for* som, för; *they ~ him down as a fool*] **h)** **~ down to** tillskriva; skylla på [*he ~s it down to nerves*]

put forth a) uppbjuda [~ *forth all one's strength*] **b)** framställa, framlägga [~ *forth a theory*] **c)** skjuta [~ *forth shoots*]; **~ forth** [*leaves*] slå (spricka) ut

put forward a) lägga fram, framställa [~ *forward a theory*] **b)** förorda, föreslå, nominera [~ *sb forward as a candidate*]; **~ oneself forward as a candidate** ställa upp som kandidat, kandidera **c)** vrida (ställa) fram [~ *the clock forward*]

put in a) lägga etc. in, dra in, installera [~ *in central heating*]; sticka in [*he ~ his head in at the window*]; lägga ner [~ *in a lot of work*]; **~ in a good word for** lägga ett gott ord för **b)** skjuta in [*...he ~ in*]; sticka emellan med [~ *in a word*] **c)** lämna (ge) in, komma in med; lämna, komma med [~ *in an offer*]; **~ in for** lägga in (ansöka) om, söka, anmäla sig [som sökande] till [*he ~ in for the job*] **d)** hinna med, avverka [~ *in an hour's work before breakfast*] **e)** sjö. löpa (gå) in [~ *in to* (i) *harbour*]; **~ in at** [*a harbour*] anlöpa (lägga till i)...

put inside sl. bura (spärra, sy) in

put off a) lägga bort (av); ta av [sig]; sätta (släppa) av [*he ~ me off at the station*] **b)** skjuta upp, vänta (dröja) med [*doing sth* att göra ngt] **c)** avfärda [~ *sb off with a lot of talk*]; avspisa; låta ngn vänta på svar o.d. [*I can't ~ her off any longer*] **d)** hindra, avråda [*from* från] **e)** vard. förvirra, göra konfys; distrahera [*the noise ~ me off*]; stöta [*his manners ~ me off*]; få att tappa lusten

put on a) lägga (sätta) på [~ *the lid on*]; sätta (ta) på [sig] [~ *one's coat*]; ta på sig [~ *on an air of innocence*]; anta, anlägga; [*her modesty is only*] **~ on** ...spelad (låtsad); **~ it on** vard. göra sig till (viktig); överdriva, bre på [~ *it on thick* (för mycket)]; lägga på [priserna] **b**) öka, sätta upp [~ *on speed*]; ~ *on weight* öka (gå upp) i vikt; ~ *on the clock* ställa (vrida) fram klockan **c**) sätta på [~ *on the radio*]; sätta i gång, släppa på; ~ *on the brakes* använda bromsen, bromsa; ~ *on the light* tända [ljuset] **d**) ta upp, ge, spela [~ *a play on*] **e**) ~ *sb on* driva med ngn **f**) ~ *on to* tele. koppla till; *please ~ me on to...* äv. kan jag få...

put out a) lägga etc. ut (fram); räcka (sträcka) fram [~ *out one's hand*]; räcka ut [~ *out one's tongue*]; hänga ut [~ *out flags*]; sätta upp; ~ *out leaves* slå (spricka) ut **b**) köra (kasta) ut; ~ *out of business* konkurrera ut; ~ *sb out of his misery* göra slut på ngns lidande; ~ *sb out of the way* röja ngn ur vägen **c**) släcka [~ *out the fire*]; ~ *out the light* släcka [ljuset] **d**) vrida (sträcka) ur led [~ *one's shoulder out*]; ~ *out of joint* dra (få) ur led **e**) göra stött; störa [*these interruptions ~ me out*]; *be ~ out about sth* ta illa vid sig över ngt **f**) vålla besvär, vara besvärlig för [*would it ~ you out to do it?*]; ~ *oneself out* göra sig besvär **g**) ta till, uppbjuda [~ *out all one's strength*] **h**) producera, framställa **i**) offentliggöra **j**) släppa ut; sätta (plantera) ut **k**) låna ut pengar [*at interest* mot ränta] **l**) sjö. sticka ut [*to sea* till sjöss]

put over vard. **a**) se *put across* under *put III* ovan **b**) ~ *it (one) over on sb* lura ngn

put through a) genomgå **b**) genomföra, slutföra **c**) tele. koppla [in] [*to* till]; *I'm ~ting you through* tele. påringt!, varsågod!

put together a) lägga ihop (samman); sätta ihop, montera [~ *together a machine*] **b**) samla ihop, ordna [~ *together one's thoughts*]

put under ~ *sb under* söva ngn

put up a) sätta upp i olika betydelser [~ *up a notice*; ~ *one's hair*]; uppföra, slå upp, resa [~ *up a tent*]; ställa upp [~ *up a team*] **b**) räcka (sträcka) upp [~ *up one's hand*]; spänna (fälla) upp [~ *up one's umbrella*]; hissa [~ *up a flag*] **c**) höja, driva upp [~ *up the price*] **d**) utbjuda [~ *up for* (till) *sale*] **e**) vard. prestera, göra [~ *up a good game*]; komma med [~ *up excuses*]; ~ *up a defence* försvara sig; ~ *up a fight* göra motstånd, kämpa emot; ~ *up a good show* göra bra ifrån sig, klara sig fint **f**) lägga (packa) in [~ *up sth in a parcel*] **g**) teat. iscensätta, sätta upp [~ *up a play*] **h**) föreslå [~ *up a candidate for* (vid) *an election*] **i**) hysa, ta emot [~ *sb up for the night*]; ~ *up at a hotel* ta in (bo) på ett hotell; ~ *up with sb* ta in (bo) hos ngn **j**) betala, stå för; ~ *up the money* skaffa [fram] pengarna **k**) ~ *sb up* sätta ngn in i; lära ngn [~ *sb up to a trick*]; förleda (lura) ngn till [*he ~ me up to doing* (att göra) *it*] **l**) ~ *up with* stå ut med; finna sig i, tåla, tolerera

put upon sb a) vålla ngn besvär (omak) **b**) trycka ner ngn

putative ['pju:tətɪv] *adj* förment, förmodad

put-down ['pʊtdaʊn] *s* vard. avsnäsning, avsnoppning

put-on ['pʊtɒn] *s* **1** vard. bluff, båg **2** affekterat sätt

put option ['pʊtˌɒpʃ(ə)n] *s* börs. säljoption

putrefaction [ˌpjuːtrɪ'fækʃ(ə)n] *s* **1** förruttnelse, röta **2** ruttenhet

putrefy ['pjuːtrɪfaɪ] *vb itr* bli rutten, ruttna

putrid ['pjuːtrɪd] *adj* **1** rutten äv. bildl. **2** vard. urusel, värdelös [~ *weather*; *a ~ film*]

putsch [pʊtʃ] *s* ty. [stats]kupp, uppror

putt [pʌt] golf. **I** *vb tr* o. *vb itr* putta **II** *s* putt

1 putter ['pʌtə] *s* golf. putter

2 putter ['pʌtə] *vb itr* amer. vard., se *1 potter*

putting green ['pʌtɪŋgriːn] *s* golf. **1** green **2** minigolfbana på gräs

putty ['pʌtɪ] **I** *s* **1** [glasmästar]kitt [äv. *glaziers' ~*] **2** spackel [äv. *plasterers' ~*] **3** *he's like ~ in her hands* han är som vax i hennes händer
II *vb tr* **1** kitta [*up* igen] **2** spackla [*up* igen]

put-up job ['pʊtʌpˌdʒɒb] *s* vard., *it's a ~* det är ett beställningsjobb; det var fixat i förväg

put-upon ['pʊtəpɒn] *adj* vard. utnyttjad

puzzle ['pʌzl] **I** *vb tr* **1** förbrylla, sätta myror i huvudet på; ~ *one's brain*[*s*] (*head*) *about* bry sin hjärna med, grubbla på **2** ~ *out* fundera (lura) ut
II *vb itr* bry sin hjärna [*over, about* med], grubbla [*over, about* över]
III *s* **1** bryderi, villrådighet **2** gåta [*it's a ~ to* (för) *me*]; problem, svår nöt [att knäcka] **3** pussel, läggspel

puzzled ['pʌzld] *adj* förbryllad, häpen, frågande, villrådig; *I am ~* [*as to*] *how to...* jag är villrådig om hur jag ska...; *look ~* se förbryllad (häpen, frågande) ut

puzzlement ['pʌzlmənt] *s* bryderi, förvirring

puzzler ['pʌzlə] *s* förbryllande person (sak), gåta; knepig fråga

puzzling ['pʌzlɪŋ] *adj* förbryllande, gåtfull

PVC [ˌpiːviː'siː] *s* kem. (förk. för *polyvinyl chloride*) PVC, polyvinylklorid

Pvt. förk. för *private II 1*

PW [ˌpiː'dʌblju:] förk. för *policewoman*

pw förk. för *per week*

PWA [ˌpiːdʌbljuː'eɪ] *s* (förk. för *person with Aids*) aidssjuk [person]

Pygmy ['pɪgmɪ] *s* pygmé folkslag

pygmy ['pɪgmɪ] *s* pygmé, dvärg, lilleputt; nolla

pyjama [pə'dʒɑːmə] *adj* pyjamas- [~ *jacket*]

pyjamas [pə'dʒɑːməz] *s pl* **1** pyjamas; *a pair of ~* en pyjamas **2** säckbyxor vida byxor som bärs av män el. kvinnor i t.ex. Indien

pylon ['paɪlən] *s* **1** [kraftlednings]stolpe; *radio ~* radiomast **2** flyg. pylon, motorfäste

PYO [ˌpiːwaɪ'əʊ] förk. för *pick-your-own*

pyramid ['pɪrəmɪd] *s* pyramid

pyramid selling ['pɪrəmɪdˌselɪŋ] *s* hand. pyramidförsäljning

pyre ['paɪə] *s* bål; *funeral ~* likbål

Pyrenees [ˌpɪrə'niːz] geogr., *the ~* Pyrenéerna

Pyrex® ['paɪreks] *s* Pyrex®, pyrexglas

pyrites [paɪ'raɪtiːz, pɪ'r-] (pl. *pyrites*) *s* miner. kis; *copper ~* kopparkis; *iron ~* svavelkis

pyromania [ˌpaɪrə(ʊ)'meɪnɪə] *s* pyromani

pyromaniac [ˌpaɪrə(ʊ)'meɪnɪæk] *s* pyroman

pyrotechnics [ˌpaɪrə(ʊ)'teknɪks] *s* **1** (med verb i sg.) fyrverkerikonst, pyroteknik **2** (med verb i sg. el. pl.) fyrverkeri äv. bildl.

Pyrrhic victory [ˌpɪrɪk'vɪkt(ə)rɪ] *s* pyrrhusseger

python ['paɪθ(ə)n] *s* zool. pytonorm

1 Q, q [kju:] (pl. *Q's* el. *q's* [kju:z]) *s* Q, q
2 Q [kju:] förk. för *Queen, Question*
q. förk. för *query, question*
Qatar [kæ'tɑ:, '--] geogr.
Qatari [kæ'tɑ:rɪ] **I** *s* qatarier; qatariska kvinna **II** *adj* qatarisk
QC [ˌkju:'si:] förk. för *Queen's Counsel*
QED [ˌkju:i:'di:] (förk. för *quod erat demonstrandum* lat. = *which was to be proved (demonstrated)*) matem. v.s.b., vilket skulle bevisas
qi gong ['tʃi:gɒŋ] *s* Qigong
qr. förk. för *quarter[s]*
qt o. **qt.** förk. för *quantity, quart[s]*
q.t. [ˌkju:'ti:] *s* (sl. för *quiet*), **on the ~** vard. i hemlighet, i smyg, i [all] tysthet
Q-tip® ['kju:tɪp] *s* amer. bomullspinne
1 quack [kwæk] *s* kvacksalvare, vard. kvackare; charlatan; **~ doctor** kvacksalvare; **~ remedies** kvacksalvarmediciner
2 quack [kwæk] **I** *vb itr* om ankor snattra, bildl. äv. tjattra **II** *s* snatter, bildl. äv. tjatter
quackery ['kwækərɪ] *s* kvacksalveri; charlataneri
quad [kwɒd] *s* **1** (vard. kortform av *quadrangle* 2) [fyrkantig kringbyggd] gård i college, palats o.d. **2** (vard. kortform av *quadruplet*) fyrling
quad bike ['kwɒdbaɪk] *s* fyrhjuling fyrhjulig terränggående motorcykel
quadrangle ['kwɒdræŋgl] *s* **1** geom. fyrhörning; fyrkant **2** [fyrkantig kringbyggd] gård i college, palats o.d.
quadrant ['kwɒdr(ə)nt] *s* geom., astron. m.m. kvadrant
quadratic [kwɒ'drætɪk, kwə'd-] *adj* kvadratisk
quadratic equation [kwɒˌdrætɪkɪ'kweɪʒ(ə)n] *s* kvadratisk ekvation, andragradsekvation
quadrennial [kwɒ'drenɪəl] *adj* **1** fyraårig, fyraårs- **2** som inträffar [en gång] vart fjärde år
quadrilateral [ˌkwɒdrɪ'læt(ə)r(ə)l] **I** *adj* fyrsidig **II** *s* fyrsiding
quadrille [kwɒ'drɪl, kwə-] *s* kadrilj
quadruped ['kwɒdruped] **I** *s* fyrfotadjur, fyrfoting **II** *adj* fyrfotad, fyrbent
quadruple ['kwɒdrʊpl, ˌkwɒ'dru:pl] **I** *vb tr* o. *vb itr* fyrdubbla[s] **II** *adj* **1** fyrdubbel, fyrfaldig; kvadrupel- **2** fyrparts- **3** mus., **~ time** el. **~ measure** fyrtakt
quadruplet ['kwɒdrʊplət, -plet] *s* fyrling
quaff [kwɒf, amer. vanl. kwɑ:f] *vb tr* o. *vb itr* litt. dricka i stora klunkar, stjälpa i sig
quagmire ['kwægmaɪə, 'kwɒg-] *s* gungfly, sörja äv. bildl.
1 quail [kweɪl] *s* zool. vaktel
2 quail [kweɪl] *vb itr* bäva, rygga tillbaka, tappa modet [*at, before* inför]; vika undan [*her eyes ~ed before his angry looks*]
quaint [kweɪnt] *adj* **1** lustig, pittoresk [*a ~ old house; a ~ old village*]; pikant; [gammaldags]

originell [*~ customs*] **2** märklig, kuriös, befängd [*a ~ idea*]
quake [kweɪk] **I** *vb itr* skaka, skälva, darra [*he ~d with* (av) *cold (fear)*]; bäva; gunga **II** *s* vard. [jord]skalv, jordbävning
Quaker ['kweɪkə] *s* kväkare
qualification [ˌkwɒlɪfɪ'keɪʃ(ə)n] *s* **1 a)** kvalifikation, merit; [lämplig] egenskap, förutsättning **b)** behörighet; utbildning, examen [*a university ~*]; **list of ~s** meritförteckning **2** villkor, krav [*~s for* (för [att få]) *membership*] **3** inskränkning, förbehåll, modifikation [*accept sth with certain ~s*]
qualified ['kwɒlɪfaɪd] *adj* **1** kvalificerad, kompetent, meriterad [*for* för]; utbildad [*a ~ nurse*]; behörig; berättigad; **be ~ to** äv. ha behörighet att; **he is a ~ doctor** han är utbildad (legitimerad) läkare **2** förbehållsam, reserverad [*~ praise*]; begränsad, inskränkt; blandad [*~ joy*]; **give sth one's ~ approval** godkänna ngt med vissa förbehåll
qualifier ['kwɒlɪfaɪə] *s* **1** kvalificerad [person] **2** kvalificeringsomgång, kvalificeringsheat **3** gram. bestämning, bestämningsord; **adjectival ~** adjektivattribut
qualify ['kwɒlɪfaɪ] **I** *vb tr* **1** kvalificera, meritera; **~ing match** sport. kvalmatch, kvalificeringsmatch; **~ing period** karenstid; **~ing round** sport. kvalomgång, kvalificeringsomgång **2** modifiera, begränsa, inskränka [*~ a statement*] **3** gram. bestämma, stå som bestämning till
II *vb itr* o. *vb rfl*, **~** el. **~ oneself** kvalificera sig äv. sport., meritera sig [*for* för]; **~ for** el. **~ to** + inf. uppfylla kraven (villkoren) för (för att [få]), vara berättigad till ([till] att) [*~ for membership; ~ to vote*]; **~ for** [**the world championship**] kvala in till...; **he qualified as a teacher last year** han tog sin lärarexamen (blev behörig lärare) förra året
qualitative ['kwɒlɪtətɪv, -teɪt-] *adj* kvalitativ
quality ['kwɒlətɪ] *s* **1** kvalitet; beskaffenhet; sort, slag; **have ~** ha kvalitet, vara utmärkt; **~ of life** livskvalitet; **~ goods** kvalitetsvaror **2** egenskap [*he has many good qualities*]; drag; **leadership qualities** ledaregenskaper; **in the ~ of** egenskap av **3** [naturlig] förmåga [*he has the ~ of inspiring confidence*]; talang; förtjänst [*moral -ies*]
quality assurance ['kwɒlətɪəˌʃʊər(ə)ns] *s* kvalitetssäkring
quality control ['kwɒlətɪkənˌtrəʊl] *s* **1** kvalitetsstyrning **2** kvalitetskontroll
quality time ['kwɒlətɪtaɪm] *s* kvalitetstid meningsfull o. engagerad samvaro spec. tillsammans med familjen
qualm [kwɑ:m, kwɔ:m] *s* **1** betänklighet, skrupel; **~s** [*of conscience*] samvetskval **2** farhåga, ond aning
quandary ['kwɒndərɪ] *s* bryderi, dilemma
quanta ['kwɒntə] *s* pl. av *quantum*
quantifiable [ˌkwɒntɪ'faɪəbl] *adj* kvantifierbar
quantifier ['kwɒntɪfaɪə] *s* myckenhetsord
quantify ['kwɒntɪfaɪ] *vb tr* kvantifiera, bestämma (ange) mängden av
quantitative ['kwɒntɪtətɪv, -teɪtɪv] *adj* kvantitativ
quantity ['kwɒntətɪ] *s* **1** kvantitet, mängd; kvantum, mått; hand. parti [*in ~*]; pl. **quantities** äv. [stora] mängder, massor **2 a)** matem. storhet; **unknown ~** obekant [storhet] **b)** bildl., **an unknown ~** ett oskrivet blad; en okänd faktor

quantity surveyor [ˈkwɒntətɪsə‚veɪə] *s*
byggnadskalkylator, byggnadsingenjör
quant|um [ˈkwɒnt|əm] (pl. *-a* [-ə]) *s* **1** kvantum,
mängd; del, lott **2** fys. kvant, kvantum; attr. kvant-
[~ *mechanics*; ~ *theory*]
quantum leap [ˈkwɒntəmliːp] *s* bildl. genombrott,
stort framsteg (steg framåt)
quantum mechanics [‚kwɒntəmməˈkænɪks] *s* (med
verb vanl. i sg.) fys. kvantmekanik
quantum theory [ˈkwɒntəm‚θɪərɪ] *s* fys. kvantteori
quarantine [ˈkwɒr(ə)ntiːn] **I** *s* karantän; *keep in* ~ äv.
hålla isolerad **II** *vb tr* lägga (sätta) i karantän
quark [kwɑːk, kwɔːk] *s* fys. kvark hypotetisk partikel
quarrel [ˈkwɒr(ə)l] **I** *s* **1** gräl, strid, träta, tvist; *we
had a* ~ vi grälade; *pick a* ~ söka (mucka) gräl
2 invändning [*with* mot]; orsak till missämja,
tvistefrö; *I have no* ~ *with him* a) jag har inget otalt
med honom b) jag har inget att invända mot
honom
II *vb itr* **1** gräla, strida, träta, tvista, kivas; råka i
gräl, bli ovänner (osams) **2** klaga, anmärka [*with*
på], ha något att invända [*with* mot]
quarrelsome [ˈkwɒr(ə)lsəm] *adj* grälsjuk
1 quarry [ˈkwɒrɪ] **I** *s* stenbrott; *slate* ~ skifferbrott
II *vb tr* bryta [~ *stone*]
III *vb itr* bryta sten
2 quarry [ˈkwɒrɪ] *s* [jagat] villebråd, [jakt]byte; bildl.
eftertraktat byte
quart [kwɔːt] (förk. *qt*) *s* quart rymdmått för våta varor =
2 *pints* = britt. 1,136 l, amer. = 0,946 l; *try to put a* ~ *into a
pint pot* försöka göra det omöjliga
quarter [ˈkwɔːtə] **I** *s* **1** fjärdedel; *a* ~ *of a* [*mile*] en
fjärdedels (kvarts)…; *a* ~ *of a century* ett kvartssekel
2 ~ el. ~ *of an hour* kvart; [*a*] ~ *past* (amer. *after*) ten
[en] kvart över tio; [*a*] ~ *to* (amer. *of*) ten [en] kvart i
tio; *the clock strikes the* ~s klockan slår kvartsslag
(kvarter) **3** kvartal; *by the* ~ kvartalsvis **4** kvarter [*a
slum* ~]; *this* ~ *of the town* denna stadsdel **5** håll äv.
bildl., sida [*the wind blows from all* ~s]; *at close* ~s
se under 2 *close* I 1; *from all* ~s (*every* ~) från alla håll
[och kanter]; [*hear sth*] *from a reliable* ~ …från
säkert håll; *in high* (*the highest*) ~s på högre
(högsta) ort **6** amer. 25 cent **7** pl. ~s logi, bostad;
spec. mil. kvarter, förläggning; *take up one's* ~s
inkvartera sig, ta in **8** som viktmått: **a)** 1/4
hundredweight britt. = 28 *pounds* = 12,7 kg; amer. =
25 *pounds* = 11,3 kg **b)** 1/4 *pound* = 112 g = ung. 1 hekto
[*a* ~ *of sweets*] **9** litt. pardon [*give no* ~]
II *vb tr* **1** dela i fyra delar, fyrdela **2** mil. inkvartera,
förlägga [*on sb, with sb* hos ngn]
quarterback [ˈkwɔːtəbæk] **I** *s* amer. **1** fotb.
kvartsback **2** *Monday-morning* ~ a) sport. åskådare
som agerar lagledare [och yttrar sig i efterhand]
b) vard. allvetare (efterklok person) som har facit
på hand
II *vb itr* amer. fotb. spela kvartsback
III *vb tr* leda; styra; organisera
quarter day [ˈkwɔːtədeɪ] *s* dag för
kvartalsinbetalning i England 25 mars, 24 juni, 29 sept., 25
dec.
quarterdeck [ˈkwɔːtədek] *s* sjö. **1** halvdäck,
akterdäck **2** officerare
quarter-final [‚kwɔːtəˈfaɪnl] *s* sport. kvartsfinal; *enter
the* ~s gå till kvartsfinal[en]

quarterly [ˈkwɔːtəlɪ] **I** *adj* kvartals-; [som
återkommer (utkommer)] en gång i kvartalet
II *adv* kvartalsvis; en gång i kvartalet, varje
kvartal
III *s* kvartalstidskrift
quartermaster [ˈkwɔːtə‚mɑːstə] *s* mil.
[regements]kvartermästare, intendent
quarter note [ˈkwɔːtənəʊt] *s* amer. mus. fjärdedelsnot
quarter sessions [‚kwɔːtəˈseʃ(ə)nz] (med verb i sg. el.
pl.) *s* grevskapsdomstol, kvartalsting
quartet [kwɔːˈtet] *s* kvartett mus. el. bildl.
quarto [ˈkwɔːtəʊ] (pl. ~s) *s* **1** kvart[s]format, kvarto
2 bok i kvart[s]format, bok i kvarto
quartz [kwɔːts] *s* miner. kvarts
quartz clock [ˈkwɔːtsklɒk] *s* kvartsur
quartz crystal [‚kwɔːtsˈkrɪstl] *s* kvartskristall
quartz watch [ˈkwɔːtswɒtʃ] *s* kvartsur
quasar [ˈkweɪzɑː] *s* astron. kvasar
quash [kwɒʃ] *vb tr* **1** jur. ogilla, ogiltigförklara
2 krossa, slå ned, kuva [~ *a rebellion*]
quasi [ˈkweɪzaɪ, ˈkwɑːzɪ] **I** *adv* liksom, på sätt och
vis [*a* ~ *humorous remark*] **II** *prefix* halv-
[*quasi-official*]; kvasi- [*quasi-scientific literature*]
quatrain [ˈkwɒtreɪn] *s* metrik. fyrradig strof
quaver [ˈkweɪvə] **I** *vb itr* spec. om röst darra, skälva
[*in* (med) *a* ~*ing voice*], vibrera
II *s* **1** mus. åtton[de]delsnot **2** skälvning; darrande
(skälvande) röst
quay [kiː] *s* kaj
quayside [ˈkiːsaɪd] *s* kaj[område]
queasy [ˈkwiːzɪ] *adj* **1** illamående **2** ömtålig,
känslig [*a* ~ *stomach* (*conscience*)] **3** kväljande [~
food]
Quebec [kwɪˈbek, kwəˈb-] geogr.
queen [kwiːn] **I** *s* **1** drottning [*the Queen of
England*; *beauty* ~] **2** zool. drottning **3** schack.
drottning, dam; ~*'s pawn* drottningbonde,
dambonde **4** kortsp. dam; ~ *of hearts* hjärterdam **5** sl.
bög
II *vb tr* **1** ~ *it* [*over*] spela översittare [mot] **2** schack.,
~ *a pawn* göra en bonde till drottning
Queen Anne's Lace [‚kwiːnˈænz‚leɪs] *s* bot.
vildmorot
queen bee [‚kwiːnˈbiː] *s* **1** bidrottning, vise **2** skämts.,
she is something of a ~ hon beter sig lite som en
drottning
queenly [ˈkwiːnlɪ] *adj* **1** drottninglik; majestätisk
2 drottning- [*her* ~ *duties*]
queen mother [‚kwiːnˈmʌðə] *s* änkedrottning,
kungamoder, drottningmoder
Queen's Counsel [‚kwiːnzˈkaʊns(ə)l] (förk. *QC*) *s* jur.
'kunglig advokat' titel som ges åt äldre, framstående
barrister när monarken är en drottning
Queen's English [‚kwiːnzˈɪŋglɪʃ] *s*, *the* ~ ung. riktig
(korrekt) engelska
Queen's evidence [‚kwiːnzˈevɪd(ə)ns] *s*, *turn* ~
uppträda som kronvittne mot medbrottslingar
queen-size [ˈkwiːnsaɪz] *adj* extra stor om säng: bredare
än en vanlig dubbelsäng men inte lika bred som en *king-size*
Queensland [ˈkwiːnzlənd] geogr.
queer [kwɪə] **I** *adj* **1** vanl. neds. homosexuell **2** ngt åld.
konstig, underlig; egendomlig, besynnerlig [*a* ~
story]; *a* ~ *fellow* (*fish*) en konstig typ (figur); *he's a
bit* ~ [*in the head*] han är lite konstig [i huvudet],

han är lite knäpp; **I feel** ~ jag känner mig konstig (illamående), det går runt för mig **3** ngt åld. misstänkt, skum, mystisk [a ~ *character* (figur)] **4** ngt åld., **in Queer Street** i [penning]knipa **II** s neds. bög, fikus

III vb tr sl., ~ **the pitch for sb** el. ~ **sb's pitch** [komma och] förstöra allting (det hela) för ngn

quell [kwel] vb tr poet. kuva [~ a *rebellion*]; undertrycka, kväva [~ *opposition*]; dämpa, stilla [~ *sb's fears* (*ardour*)]

quench [kwen(t)ʃ] vb tr **1** släcka [~ a *fire*]; ~ **one's thirst** släcka törsten **2** dämpa [~ *sb's enthusiasm*]; undertrycka, stilla, kväva [~ *an uprising*]

querulous ['kwerʊləs, -rjʊl-] adj grinig, gnällig, kverulantisk, knarrig [a ~ *old man*]; klagande

query ['kwɪərɪ] **I** s **1** fråga [*raise* (väcka) a ~]; förfrågan; fundering **2** frågetecken som sätts i marginal o.d.

II vb tr **1** ifrågasätta, betvivla **2** fråga om, ta reda på, undersöka, kolla; ~ **whether** (**if**) undra (ställa frågan) om **3** amer. fråga, förhöra sig hos [~ *sb on* (om)] **4** sätta frågetecken för

quest [kwest] **I** s sökande [*for* efter], strävan [*the ~ for* (efter) *power*]; **in** ~ **of** på spaning (jakt) efter **II** vb itr, ~ **for** söka (leta) efter [~ *for treasure*]; vara på jakt efter

question ['kwestʃ(ə)n] **I** s fråga i olika betydelser; spörsmål, problem; tvistefråga; sak, angelägenhet; parl. interpellation; **indirect** ~ el. **oblique** ~ gram. indirekt fråga (frågesats); ~ **paper** examensuppgift, [examens]skrivning; **when it is a** ~ **of...** när det gäller (är fråga om)...; **there is no** ~ **about it** det råder inget tvivel (ingen tvekan) om det, det är inte tu tal om det; **there has been some** ~ **of it** det har varit tal om det, det har varit på tal; **put the** ~ om ordförande föreslå omröstning; [fram]ställa proposition; **that is beside the** ~ det hör inte till ämnet (saken [i fråga]); **beyond** [**all**] ~ utom (höjd över) allt tvivel; **be in** ~ a) vara aktuell (i fråga) b) ha ifrågasatts, vara diskutabel (tvivelaktig); **the case in** ~ fallet i fråga, ifrågavarande fall, det aktuella fallet; **call into** ~ ifrågasätta, betvivla, bestrida; **come into** ~ komma på tal, komma upp [till diskussion], bli aktuell; [*whether this is possible*] **is open to** ~ ...är en öppen fråga, ...är diskutabelt; **it is out of the** ~ det kommer aldrig på (i) fråga, det kan inte bli tal (fråga) om det **II** vb tr **1** fråga, ställa frågor till [~ *sb on* (om) *his views*]; förhöra [*he was ~ed by the police*]; fråga ut **2** ifrågasätta

questionable ['kwestʃ(ə)nəbl] adj **1** tvivelaktig, diskutabel **2** tvivelaktig, misstänkt [~ *conduct*]

questioner ['kwestʃ(ə)nə] s frågare, frågeställare; parl. interpellant

questioning ['kwestʃ(ə)nɪŋ] **I** s förhör [*detain sb for ~*] **II** adj frågande [a ~ *look*]

question mark ['kwestʃ(ə)nmɑːk] s frågetecken äv. bildl. [*over, against* för]

question master ['kwestʃ(ə)n,mɑːstə] s **1** frågesportledare **2** utfrågare, frågeställare i paneldebatt

questionnaire [,kwestʃə'neə] s frågeformulär

question tag ['kwestʃ(ə)ntæg] s språkv. påhängsfråga, eller-hur-fråga [t.ex. *nice, isn't it?*]

question time ['kwestʃ(ə)ntaɪm] s parl. frågestund

queue [kjuː] **I** s kö äv. data.; **be in a** ~ el. **stand in a** ~ köa, stå i kö; **join a** ~ ställa sig i kö; **jump the** ~ vard. tränga sig (smita) före [i kön] **II** vb itr, ~ el. ~ **up** köa, ställa sig (stå) i kö

queue-jump ['kjuːdʒʌmp] vb itr tränga sig (smita) före [i kön]

queue number ['kjuː,nʌmbə] s köbricka, turnummer

quibble ['kwɪbl] **I** vb itr, ~ **about** el. ~ **over** käbbla om, munhuggas om

II s **1** spetsfundighet **2** liten anmärkning

quibbling ['kwɪblɪŋ] **I** adj spetsfundig **II** s spetsfundigheter, ordrytteri

quiche [kiːʃ] s kok. quiche slags ostpaj

quick [kwɪk] **I** adj **1** snabb [a ~ *train*]; hastig [a ~ *look*; a ~ *pulse*]; rask; rapp [a ~ *answer*]; kvick, livlig [~ *movements*]; flink; pigg [och vaken] [a ~ *child*]; **be** ~ [**about it**]! skynda (snabba) dig [på]!, raska på!; **be** ~ **to** vara snar till (att) [*be ~ to anger*; *be ~ to do sth*]; ha lätt för att [*be ~ to understand*]; **a** ~ **one** vard. en snabbis, spec. en drink i all hast **2** häftig, hetsig [a ~ *temper*]; lättretlig **II** adv vard. fort, kvickt [*come ~!*]; snabbt **III** s **1** nagelrot [*bite* (*cut*) *one's nails to* (ända in till) *the ~*]; ömt ställe spec. i sår o.d. **2** bildl. öm punkt; **it cuts me to the** ~ det skär mig i hjärtat (in i själen); **hurt sb to the** ~ såra ngn djupt (in i själen), träffa ngns ömmaste punkt

quick-change ['kwɪktʃeɪn(d)ʒ] adj teat., ~ **artist** förvandlingskonstnär; ~ **number** el. ~ **turn** förvandlingsnummer

quicken ['kwɪk(ə)n] **I** vb tr **1** påskynda [~ *one's steps*]; öka [~ *one's pace*; ~ *the pulse*] **2** stimulera, egga, sätta i rörelse [~ *the imagination*] **II** vb itr **1** bli hastigare, påskyndas, öka [*our pace ~ed*; *the pulse ~ed*] **2** stimuleras, eggas **3 a**) om havande kvinna känna de första fosterrörelserna **b**) om foster börja röra sig

quick-fire ['kwɪk,faɪə] adj, ~ **questions** skjutjärnsfrågor frågor som avfyras i snabb följd

quick-freeze [,kwɪk'friːz] (*quick-froze quick-frozen*) vb tr snabbfrysa, djupfrysa

quick-froze [,kwɪk'frəʊz] imperf. av *quick-freeze*

quick-frozen [,kwɪk'frəʊzn] perf. p. av *quick-freeze*

quickie ['kwɪkɪ] s vard. **1** snabbis **2** hastverk, hafsverk t.ex. om kortfilm, bok

quicklime ['kwɪklaɪm] s osläckt kalk

quickly ['kwɪklɪ] adv **1** snabbt, hastigt, fort, raskt, kvickt **2** inom kort

quick march [,kwɪk'mɑːtʃ] s mil. hastig marsch

quickness ['kwɪknəs] s snabbhet, raskhet [*of i*]

quicksand ['kwɪksænd] s kvicksand

quicksilver ['kwɪk,sɪlvə] s bildl., [*he is*] **like** ~ ...som ett kvicksilver

quickstep ['kwɪkstep] s snabb dans; spec. snabb foxtrot

quick-tempered [,kwɪk'tempəd, attr. '---] adj häftig, lättretad, hetlevrad

quick-witted [,kwɪk'wɪtɪd, attr. '---] adj kvicktänkt

1 quid [kwɪd] (pl. *quid*) s sl. pund [*it cost me ten ~*]

2 quid [kwɪd] s tuggbuss

quid pro quo [,kwɪdprəʊ'kwəʊ] (pl. *quid pro quos*) s lat. motprestation; vederlag

quiescence [kwɪ'esns, kwaɪ-] s ro, lugn, vila

quiescent [kwɪ'esnt, kwaɪ-] adj orörlig, overksam, vilande, slumrande; lugn, stilla

quiet ['kwaɪət] **I** adj **1** lugn, stilla [a ~ evening]; tyst [~ footsteps]; **be ~!** var stilla (lugn)!; var tyst!, tig!; **the room was** ~ det var tyst i rummet; **anything for a ~ life!** vad gör man inte för husfridens skull! **2** stillsam [~ children]; fridsam, tystlåten, tillbakadragen; lågmäld [a ~ voice] **3** stillsam, i stillhet, i lugn och ro [a ~ chat; a ~ cup of tea] **4** hemlig, dold [~ resentment]; **keep sth** ~ el. **keep ~ about sth** hålla tyst med (om) ngt, inte tala om ngt; **on the** ~ vard. i hemlighet, i smyg, i [all] tysthet **II** s stillhet, lugn, ro, frid; tystnad; **in peace and ~** i lugn och ro

quieten ['kwaɪətn] **I** vb tr lugna [~ a crying baby; ~ sb's fears]; stilla, få tyst på [äv. ~ down] **II** vb itr, ~ **down** lugna sig, bli lugn[are]

quietly ['kwaɪətlɪ] adv lugnt, stilla etc., jfr quiet I; [all] stillhet (tysthet); **come** ~ komma godvilligt

quietness ['kwaɪətnəs] s o. **quietude** ['kwaɪɪtjuːd] s lugn, ro, vila, stillhet, frid

quiff [kwɪf] s pannlock

quill [kwɪl] s **1** vingpenna, stjärtpenna **2** gåspenna [äv. ~ pen] **3** mus. plektrum **4** piggsvins pigg; igelkotts tagg

quill pen ['kwɪlpen] s gåspenna

quilt [kwɪlt] s [säng]täcke; ~ **cover** el. ~ **case** påslakan; [**down**] **continental** ~ [dun]täcke

quilted ['kwɪltɪd] adj vadderad; matelasserad, vaddstickad, kviltad; ~ **jacket** äv. täckjacka

quince [kwɪns] s bot. kvitten[frukt]; kvitten[träd]

quinine [kwɪ'niːn, '--] s kem. kinin, kina

quinoa [kɪn'wɑː, kɪ'nəʊə] s kok. quinoa sydamerikansk mjölväxt

quinsy ['kwɪnzɪ] s med. halsböld

quint [kwɪnt] s (amer. vard. kortform av quintuplet) femling

quintessence [kwɪn'tesns] s **1** kvintessens; **the** ~ äv. kärnan, det väsentliga (bästa) **2** inbegrepp [of av]; **the** ~ **of politeness** äv. hövligheten själv

quintet [kwɪn'tet] s kvintett mus. el. bildl.

quintuple ['kwɪntjʊpl] adj **1** femdubbel, femfaldig **2** mus., ~ **time** el. ~ **measure** femtakt

quintuplet ['kwɪntjʊplət, -plet] s femling

quip [kwɪp] **I** s gliring; kvickhet, vits **II** vb itr vara spydig (sarkastisk); skämta, vara lite fyndig

quirk [kwɜːk] s egendomlighet, besynnerlighet; tilltag, påhitt; **by a** ~ **of fate** genom en ödets nyck

quirky ['kwɜːkɪ] adj besynnerlig; spetsfundig; excentrisk, originell

quisling ['kwɪzlɪŋ] s quisling, landsförrädare

quit [kwɪt] (~ted ~ted el. quit quit) **I** vb tr **1** lämna [~ sb; ~ the country]; sluta [på] [~ one's job]; flytta från [~ one's house] **2** sluta (höra) upp med, lägga av [doing sth att göra ngt]; avstå från, ge upp [~ one's claim]; ~ **that!** sluta [upp] med det där!, lägg av! **II** vb itr **1** flytta om hyresgäst; sluta [~ because of poor pay]; ge sig i väg; vard. sticka; **give sb notice to** ~ säga upp ngn; **get notice to** ~ bli uppsagd **2** lägga av; ge upp, tröttna

quite [kwaɪt] adv **1 a)** alldeles, fullkomligt, helt [och hållet], absolut [~ impossible]; precis, exakt [is your watch ~ right?]; fullt [~ sufficient]; helt [she is ~ young]; mycket [~ possible]; riktigt, inte så litet [he was ~ angry] **b)** ganska [~ a nice party]; rätt, nog så [the situation is ~ critical] **c)** faktiskt, rent av [I'd ~ like it]; **I** ~ **agree** jag håller helt med dig etc.; **that I can** ~ **believe** det tror jag gärna (visst); **I don't** ~ **know** jag vet inte riktigt; **she** ~ **likes him** hon tycker rätt bra om honom; **I** ~ **understand** [how you feel] jag förstår så väl (precis)…; ~ **as much** [precis] lika mycket; ~ **six weeks** hela (drygt) sex veckor; **not** ~ [six weeks] knappt (inte fullt)…; ~ **another thing** el. ~ **a different thing** en helt annan sak; ~ **a beauty** en riktig (verklig) skönhet; **she is** ~ **a child** hon är bara barnet; **when** ~ **a child** redan som barn; [we walked] ~ **a distance** …en bra (ordentlig) sträcka; **he is** ~ **a man** han är en riktig karl; han är stora karlen; **it's** ~ **a problem** det är verkligen (faktiskt) ett problem; ~ **the best** det allra bästa; ~ **the contrary** el. ~ **the reverse** raka motsatsen, [precis] tvärtom; **he is** ~ **the gentleman** han är en verklig gentleman; **that's** ~ **something!** det var inte [så] illa! **2** ~! el. ~ **so!** just det, ja!, alldeles riktigt!

Quito ['kiːtəʊ] geogr.

quits [kwɪts] adj kvitt [we are ~ now]; **I'll be** ~ **with her yet** det här ska hon få igen; **we'll call it** ~ **now a)** vi säger att vi är kvitt nu **b)** nu slutar vi

quitter ['kwɪtə] s vard. person som lätt ger upp

1 quiver ['kwɪvə] **I** vb itr darra, skälva, skaka [with av]; dallra [a ~ing leaf]; fladdra **II** s darrning etc., jfr 1 quiver I; **there was a** ~ **in her voice** hon darrade (skälvde) på rösten

2 quiver ['kwɪvə] s [pil]koger

quixotic [kwɪk'sɒtɪk] adj donquijotisk, idealistisk; ridderlig

quiz [kwɪz] **I** s **1** frågesport, frågelek; ~ **programme** el. ~ **show** frågesportprogram **2** vanl. amer. skol. [muntligt] förhör; lappskrivning **II** vb tr **1** fråga ut, förhöra **2** vanl. amer. skol. hålla förhör med, ge lappskrivning [~ a class]

quizmaster ['kwɪz,mɑːstə] s frågesportledare

quizzical ['kwɪzɪk(ə)l] adj **1** frågande, undrande, häpen [a ~ look] **2** spefull, retsam [~ remarks]

quoit [kɔɪt, kwɔɪt] s sport. **1** ~**s** (med verb i sg) ringkastning, quoits **2** [kast]ring, [kast]skiva

quontosion [ˌkwɒn'təʊʒ(ə)n] s åld. kvontering

Quorn® [kwɔːn] s quorn® slags svamp som används som köttersättning i matlagning

quorum ['kwɔːrəm] s beslutsmässigt antal [närvarande ledamöter], kvorum

quota ['kwəʊtə] s kvot; fördelningskvot; andel; kontingent; tilldelning [bacon ~]

quotable ['kwəʊtəbl] adj värd att citera[s]

quotation [ˌkwə(ʊ)'teɪʃ(ə)n] s **1 a)** citat **b)** citerande, anförande **2** hand. **a)** kurs [for på]; notering [the latest ~s from the Stock Exchange] **b)** kostnadsförslag, prisuppgift, offert

quotation mark [ˌkwəʊ'teɪʃ(ə)nmɑːk] s citationstecken, anföringstecken

quote [kwəʊt] **I** vb tr **1** citera, anföra [~ a verse from (ur) the Bible]; **she is** ~**d as having said that…** hon uppges ha sagt att… **2** åberopa, uppge **3** nämna, ge exempel på; **can you** ~ [me] **an instance?** kan du ge [mig] ett exempel? **4** hand. **a)** notera [at till] **b)** offerera, lämna [~ a price]; ~**d**

on the Stock Exchange börsnoterad
II *vb itr* citera; ~ jag citerar, citat [*the leader of the rebels said, ~, We shall never give in, unquote*]; ~ *from sb* citera ngn
III *s* vard. **1** citat **2** ~*s* pl. anföringstecken, citationstecken **3** hand., se *quotation* 2
quotidian [kwəʊ'tɪdɪən, kwɒ't-] *adj* **1** daglig [~ *reports*]; som återkommer varje dag; ~ *fever* el. ~ *ague* med. varjedagsfeber, varjedagsfrossa **2** vardaglig, alldaglig
quotient ['kwəʊʃ(ə)nt] *s* kvot äv. matem.
Qur'an [kɔ:'rɑ:n] *s*, *the* ~ Koranen
q.v. [ˌkju:'vi:, ˌkwɒd'vɪdeɪ, ˌwɪtʃ'si:] (förk. för *quod vide* lat. = *which see*) se d.o., se detta [ord]
qwerty ['kwɜ:tɪ] *s* qwerty standard för alfabetiska tangenter på tangentbord och skrivmaskiner

1 R, r [ɑ:] (pl. *R's* el. *r's* [ɑ:z]) *s* R, r; *the three R's* = *reading, [w]riting and [a]rithmetic*, läsning, skrivning och räkning grundläggande skolämnen
2 R [ɑ:] **1** förk. för *Regina, Republican, Rex, River, Royal* **2** amer. (förk. för *restricted film*) ej tillåten för barn under 17 **3** i e-post el. textmeddelanden förk. för *are*
rabbi ['ræbaɪ] *s* **1** *Rabbi* i tilltal, som hederstitel rabbi **2** rabbin; judisk lärd
rabbinical [ræ'bɪnɪk(ə)l] *adj* rabbinsk
rabbit ['ræbɪt] **I** *s* **1** zool. kanin; hare; ~'*s foot* a) som lyckobringare hartass b) amer. bot. harklöver **2** kanin[skinn]; billigt pälsverk **3** amer. hare attrapp vid hundkapplöpning **4** *Welsh* ~ se *Welsh rabbit* **II** *vb itr* **1** jaga (fånga) kaniner (harar) **2** vard., ~ *on* babbla, tjata [*about* om]
rabbit hole ['ræbɪthəʊl] *s* kaninhål
rabbit hutch ['ræbɪthʌtʃ] *s* kaninbur
rabbit punch ['ræbɪtpʌntʃ] *s* boxn. nackslag
rabbit warren ['ræbɪtˌwɒrən] *s* **1** kaningård, kaninhus **2** område fullt av kaninhål
rabble ['ræbl] *s* larmande folkhop; pack, slödder; *the* ~ äv. pöbeln, patrasket
rabble-rouser ['ræblˌraʊzə] *s* folkuppviglare, demagog, rabulist
rabble-rousing ['ræblˌraʊzɪŋ] **I** *s* folkuppviglande, demagogi, rabulism **II** *adj* folkuppviglande, demagogisk, rabulistisk
rabid ['ræbɪd] *adj* rabiat, fanatisk [*a ~ nationalist*]; ursinnig
rabies ['reɪbi:z] *s* med. rabies
RAC [ˌɑ:reɪ'si:] (förk. för *Royal Automobile Club*) kungliga brittiska automobilklubben
raccoon [rə'ku:n] *s* zool. sjubb, tvättbjörn
1 race [reɪs] **I** *s* [kapp]löpning, lopp; kappkörning, kapprodd, kappsegling o.d.; *the* ~*s* kapplöpningarna; *flat* ~ slätlöpning, slätlopp; *a ~ against time* en kapplöpning med tiden; *run a* ~ springa (löpa) i kapp, tävla i löpning
II *vb itr* **1** springa (löpa, köra, rida, segla o.d.) i kapp, kappas; tävla i löpning; kappköra; kappsegla; ~ *against time* kämpa mot tiden **2** delta (vara med) i kapplöpningar **3** springa (löpa, köra, rida, segla o.d.) [snabbt], rusa (störta) [i väg] [~ *home*]; jaga; om motor, propeller o.d. rusa **4** skena; börja bulta, slå häftigt [*my heart* ~*d*]
III *vb tr* **1** springa (löpa, köra, rida, segla o.d.) i kapp med, kappas med [*I'll ~ you home*] **2** låta tävlingslöpa (tävla), tävla med [~ *a horse*] **3** köra i rasande fart [*she* ~*d me to the station*]; snabbtransportera; rusa [~ *an engine*]
2 race [reɪs] *s* **1** ras [*discrimination on grounds of* ~]; släkt, stam; ~ *hatred* rashat **2** släkte; *the human* ~ människosläktet
race car ['reɪskɑ:] *s* amer. racerbil
racecard ['reɪskɑ:d] *s* kapplöpningsprogram
racecourse ['reɪskɔ:s] *s* kapplöpningsbana

racegoer ['reɪsˌgəʊə] s, *he is a* ~ han går ofta på kapplöpningar; pl. **~s** kapplöpningspubliken

racehorse ['reɪshɔ:s] s kapplöpningshäst

raceme ['ræsi:m, 'reɪs-, ræ'si:m] s bot. [blom]klase

race meeting ['reɪsˌmi:tɪŋ] s kapplöpning

racer ['reɪsə] s **1** kapplöpningshäst; racerbil, racercykel, racerbåt **2** kapplöpningsdeltagare; kappseglare, kapproddare; tävlingscyklist

race relations [ˌreɪsrɪ'leɪʃ(ə)nz] s pl förhållandet mellan olika raser (etniska grupper), rasrelationer

race riot ['reɪsˌraɪət] s rasupplopp

racetrack ['reɪstræk] s **1** löparbana; racerbana **2** amer. vanl. [häst]kapplöpningsbana

Rachel ['reɪtʃ(ə)l] kvinnonamn

racial ['reɪʃ(ə)l] adj ras- [~ *discrimination*; ~ *hatred*; ~ *policy*]; folk-; ~ *disturbances* rasoroligheter; ~ *tension* rasmotsättningar

raciness ['reɪsɪnəs] s **1** kärnfullhet, livfullhet [the ~ *of the style*]; kraft, spänst **2** mustighet, pikanteri

racing ['reɪsɪŋ] s [häst]kapplöpning, [hastighets]tävling; attr. kapplöpnings- [a ~ *horse*]; tävlings-, racer- [a ~ *car*]

racing track ['reɪsɪŋtræk] s löparbana

racism ['reɪsɪz(ə)m] s rasism, rashat

racist ['reɪsɪst] s rasist

1 rack [ræk] **I** s **1** ställ [*pipe* ~]; ställning, räcke; lång klädhängare; hållare; hylla [*hatrack*]; bagagehylla; tidningshylla; galler [*oven* ~]; *clothes* ~ torkställning för kläder; *off the* ~ vard. konfektionssydd, färdigsydd **2** sträckbänk, bildl. äv. pina; *be* (*put, set*) *on the* ~ ligga på sträckbänken äv. bildl.; *put* (*set*) *on the* ~ lägga på sträckbänk[en] äv. bildl. **3** kok., ~ *of lamb* ung. lammsida **II** vb tr **1** bildl. hålla på sträckbänken, pina, plåga; ~ *one's brains* bråka (bry) sin hjärna; *~ed with pain* (*by remorse*) plågad av värk (av samvetskval) **2** vard., ~ *up* a) öka, öka på b) sport. samla, vinna, plocka poäng

2 rack [ræk] s, *go to* ~ *and ruin* falla sönder (samman); gå åt pipan (skogen); gå under

1 racket ['rækɪt] s vard. **1** oväsen, larm, stoj, ståhej; *what's the* ~? vad är det [som står på]?; *kick up* (*make*) *a* ~ föra ett förfärligt oväsen (liv) **2** a) knep; skoj, bluff, båg b) skojarverksamhet, skumraskaffär; utpressning; *it's a proper* ~ det är rena [rama] bluffen; *narcotics* ~ olaglig narkotikahandel; narkotikasmuggling; *run a* ~ driva organiserad utpressning; *work a* ~ fiffla, båga, bluffa; *be in on a* ~ vara med om en skum affär

2 racket ['rækɪt] s **1** sport. racket; vard. rack, spade; pl. **~s** rackets[spel] mot vägg, liknande squash; ~ *case* racketfodral **2** snösko

racketeer [ˌrækɪ'tɪə] s vard. svindlare, skojare

racketeering [ˌrækɪ'tɪərɪŋ] s vard. svindleri, skoj[eri], fiffel [och båg], bluff[ande]

racking ['rækɪŋ] adj, ~ *cough* ryslig [hack]hosta

raconteur [ˌrækɒn'tɜ:] s (om kvinna *raconteuse* [ˌrækɒn'tɜ:z]) s, *a* [*good*] ~ en god (skicklig) historieberättare

racoon [rə'ku:n] s zool., se *raccoon*

racquet ['rækɪt] s se *2 racket*

racquetball ['rækɪtbɔ:l] s vanl. amer. sport. racquetball med regler liknande dem för handboll

racy ['reɪsɪ] adj **1** kärnfull [a ~ *style*]; livfull **2** mustig, pikant, vågad [a ~ *story*]

radar ['reɪdɑ:, -də] s radar; radarsystem; attr. radar- [~ *impulse*; ~ *screen*; ~ *station*]

radar trap ['reɪdɑ:træp] s radarkontroll fartkontroll i trafiken

raddled ['rædld] adj härjad [a ~ *face*]; nersliten

radial ['reɪdɪəl] **I** adj radial; radiär, radierande; tekn. äv. radiell **II** s bil. radialdäck, gördeldäck

radial tyre o. amer. **radial tire** [ˌreɪdɪəl'taɪə] s bil. radialdäck, gördeldäck

radiance ['reɪdɪəns] s strålglans; *the* ~ *of her smile* hennes strålande leende

radiant ['reɪdɪənt] adj **1** utstrålande; strålande äv. bildl. [~ *beauty*; a ~ *smile*] **2** strål[nings]- [~ *heat*]; ~ *energy* strålningsenergi

radiate ['reɪdɪeɪt] **I** vb tr **1** utstråla äv. bildl. [~ *light*; ~ *warmth*]; radiera **2** bestråla **3** bildl. sprida [~ *joy*; ~ *love*] **4** radio. sända [ut], radiera **II** vb itr stråla ut, stråla äv. bildl. [*heat radiating from a stove*; *roads radiating from Oxford*]

radiation [ˌreɪdɪ'eɪʃ(ə)n] s **1** strålning; utstrålning, utstrålande **2** radioaktiv strålning

radiation sickness [ˌreɪdɪ'eɪʃ(ə)nˌsɪknəs] s med. strålsjuka, strålningssjuka

radiator ['reɪdɪeɪtə] s **1** värmeelement, radiator **2** kylare på bil, kyl[nings]apparat

radical ['rædɪk(ə)l] **I** adj radikal äv. polit. [a ~ *cure*; a ~ *measure*; a ~ *reform*]; grundlig, genomgripande [~ *changes*] **II** s **1** polit. radikal **2** matem. rot; rottecken

radicalism ['rædɪkəlɪz(ə)m] s radikalism

radically ['rædɪk(ə)lɪ] adv radikalt, grundligt; från grunden, helt och hållet [*revise sth* ~]

radicle ['rædɪkl] s bot. rotämne, rotanlag

radii ['reɪdɪaɪ] s pl. av *radius*

radio ['reɪdɪəʊ] **I** (pl. ~s) s radio; radioapparat, radiomottagare **II** vb itr o. vb tr sända radiomeddelande; sända [över radio], radiosända

radioactive [ˌreɪdɪəʊ'æktɪv] adj radioaktiv

radioactivity [ˌreɪdɪəʊæk'tɪvɪtɪ] s radioaktivitet

radio beacon ['reɪdɪəʊˌbi:k(ə)n] s flyg. radiofyr

radiocarbon dating [ˌreɪdɪəʊ'kɑ:bənˌdeɪtɪŋ] s fys. kol-14-datering, C-14-datering

radio-cassette player [ˌreɪdɪəʊkə'setpleɪə] s kassettradio

radio-controlled [ˌreɪdɪəʊkən'trəʊld] adj radiostyrd

radio engineer [ˌreɪdɪəʊen(d)ʒɪ'nɪə] s radiotekniker

radio frequency [ˌreɪdɪəʊ'fri:kwənsɪ] s radiofrekvens

radiographer [ˌreɪdɪ'ɒgrəfə] s röntgenassistent

radiography [ˌreɪdɪ'ɒgrəfɪ] s röntgenfotografering; radiografi

radio jamming ['reɪdɪəʊˌdʒæmɪŋ] s radiostörning

radio link ['reɪdɪəʊlɪŋk] s radioförbindelse; radiolänk[förbindelse]

radiologist [ˌreɪdɪ'ɒlədʒɪst] s radiolog, röntgenolog

radiology [ˌreɪdɪ'ɒlədʒɪ] s radiologi, röntgenologi

radio patrol car [ˌreɪdɪəʊpə'trəʊlkɑ:] s radiobil hos polisen

radiosonde ['reɪdɪəʊsɒnd] s fys. radiosond

radiotelephone [ˌreɪdɪəʊ'telɪfəʊn] s mobiltelefon; trådlös telefon

radio telescope [ˌreɪdɪəʊ'telɪskəʊp] s radioteleskop

radiotherapy [ˌreɪdɪəʊˈθerəpɪ] s radioterapi, strålbehandling

Radio Times [ˌreɪdɪəʊˈtaɪmz] s, **the** ~ brittisk radio- och tv-tidning

radish [ˈrædɪʃ] s rädisa; **black** ~ [svart] rättika europeisk rund typ; **white** ~ [vit] rättika japansk avlång typ

radium [ˈreɪdɪəm] s kem. radium

ra|dius [ˈreɪdɪəs] (pl. -*dii* [-dɪaɪ]) s **1** geom. radie; ~ *of action* aktionsradie **2** med. strålben, radius

radon [ˈreɪdɒn] s kem. radon

RAF [ˌɑːreɪˈef, vard. ræf] (förk. för *Royal Air Force*), **the** ~ brittiska flygvapnet

raffia [ˈræfɪə] s bot. **1** rafia[bast] **2** rafiapalm

raffish [ˈræfɪʃ] adj **1** prålig, skrikig [~ *clothes*]; vulgär; vräkig [*a* ~ *car*] **2** utsvävande

raffle [ˈræfl] **I** s tombola[lotteri] **II** vb tr lotta ut [genom tombola] [äv. ~ *off*]

1 raft [rɑːft] s flotte

2 raft [rɑːft] s vanl. amer. vard. massa, hop [*a* ~ *of old books*]

1 rafter [ˈrɑːftə] s taksparre

2 rafter [ˈrɑːftə] s flottare, flottkarl

rafting [ˈrɑːftɪŋ] s, **go** ~ göra en flottfärd; **white-water** ~ forsränning

1 rag [ræg] s **1** trasa äv. skämts. om flagga, näsduk o.d.; pl. ~**s** äv. lump; **red** ~ bildl., se *red rag*; **torn to** ~**s** utsliten, i trasor **2** vard. [kläd]trasa; pl. ~**s** äv. lump[or]; **glad** ~**s** åld. vard., se *glad 2*; **from** ~**s to riches** ung. från yttersta fattigdom till rikedom och välstånd **3** vard. [tidnings]blaska [*the local* ~]

2 rag [ræg] vb tr ngt åld. vard. reta; spec. univ. el. skol. skoja med, skända

3 rag [ræg] s ragtimelåt, ragtimemelodi

raga [ˈrɑːgə] s ind. mus. raga tema el. stycke

ragamuffin [ˈrægəˌmʌfɪn] s rännstensunge; trashank; slusk

ragbag [ˈrægbæg] s vard. **1** brokig samling; virrvarr **2** trashank

rag doll [ˈrægdɒl] s trasdocka

rage [reɪdʒ] **I** s **1** raseri, våldsam vrede (häftighet), ursinne; *in a* ~ i raseri; *be in a* ~ vara rasande; *fly into a* ~ bli rasande **2** *be all the* ~ vard. vara sista skriket **II** vb itr **1** rasa [*at sth*, *against sth* mot ngt], vara rasande [*against sb* på ngn, *at sth* över (på) ngt] **2** grassera, rasa

ragga [ˈrægə] s mus. ragga slags reggae med inslag av dans

ragged [ˈrægɪd] adj **1** trasig, söndrig [*a* ~ *coat*]; sönderriven, söndersliten [~ *clouds*]; [klädd] i trasor; **run** ~ köra slut på, slita ut **2** ruggig, raggig [*a dog with a* ~ *coat of hair*]; fransig [*a sleeve with* ~ *edges*]; ovårdad [*a* ~ *appearance*] **3** skrovlig, taggig [~ *rocks*] **4** ojämn äv. bildl. [*a* ~ *performance*]; ryckig [~ *rhythm*] **5** utmattad, sliten; skral; urvattnad

raging [ˈreɪdʒɪŋ] adj våldsam, rasande; **have a** ~ **toothache** ha [en] häftig (intensiv) tandvärk

raglan [ˈræglən] adj raglan- [~ *coat*; ~ *sleeve*]

ragout [ræˈguː, ˈræguː] s kok. ragu

rags-to-riches [ˌrægztəˈrɪtʃɪz] adj framgångs-

ragtime [ˈrægtaɪm] s ragtime[musik], ragtimemelodi, ragtimelåt; synkoperad takt (rytm)

rag trade [ˈrægtreɪd] s vard., **the** ~ klädbranschen, modebranschen

ragweed [ˈrægwiːd] s bot. ambrosia

ragwort [ˈrægwɜːt] s bot. korsört, stånds

raid [reɪd] **I** s **1** räd; plundringståg [*into* i, in i, till] **2** kupp [*on* mot] **3** [polis]razzia [*on* mot, i], husundersökning [*on* hos] **II** vb tr göra en räd (razzia) mot (i), göra husundersökning hos; plundra äv. bildl. **III** vb itr göra (deltaga i) en räd (räder); plundra

raider [ˈreɪdə] s **1** deltagare i räd (razzia); angripare **2** kommandosoldat; pl. ~**s** äv. anfallskommando

1 rail [reɪl] **I** s **1** [vågrät] stång i räcke o.d.; ledstång; ~[**s** pl.] räcke[n], [järn]staket; **altar** ~[**s**] altarskrank; **towel** ~ handduksstång, handdukshängare **2** sjö. reling **3** skena, räl[s]; järnväg; **travel** (**go**) **by** ~ resa med (åka) tåg, ta tåg[et]; [**send goods**] **by** ~ ...med (på) järnväg; **be** (**get**) **back on the** ~**s** vara (komma) tillbaka på spåret; **go off the** ~**s** bildl. a) spåra ur, komma på avvägar; komma i olag (oordning) b) vard. tappa jämvikten, bli nervös (tokig), få snurren **II** vb tr sätta upp räcke (staket) omkring, inhägna [äv. ~ *in*]

2 rail [reɪl] vb itr vara ovettig [*against*, *at* mot, på], rasa [*at* mot]

railcar [ˈreɪlkɑː] s järnv. motorvagn

railcard [ˈreɪlkɑːd] s rabattkort på tåg för pensionärer, studenter etc. i Storbritannien

railing [ˈreɪlɪŋ] s, ~ el. pl. ~**s** [järn]staket, räcke[n]

raillery [ˈreɪlərɪ] s raljeri, [godmodigt] skämt[ande], gyckel

railroad [ˈreɪlrəʊd] **I** s se *railway* **II** vb tr vard. forcera (trumfa) igenom [~ *a bill*]; ~ **sb into doing sth** tvinga (lura) ngn att snabbt göra ngt

railroad crossing [ˈreɪlrəʊdˌkrɒsɪŋ] s amer. plankorsning; järnvägskorsning [i plan]

railway [ˈreɪlweɪ] s järnväg; järnvägsanläggning; järnvägsbolag; attr., vanl. järnvägs- [~ *station*; ~ *bridge*; ~ *transport*]; [**send goods**] **by** ~ ...med (på) järnväg

rain [reɪn] **I** s regn; regnväder; **the** ~**s** regntiden i tropikerna; **a** ~ **of bullets** en skur av kulor, ett kulregn, en kulkärve; **the** ~ **was coming down in buckets** regnet stod som spön i backen; [**as**] **right as** ~ vard. frisk som en nötkärna, pigg och kry; helt okay **II** vb itr regna; hagla [*the blows* ~*ed* [*down*] [*up*]*on* (över) *him*]; **it never** ~**s but it pours** ordspr. en olycka kommer sällan ensam **III** vb tr låta regna, ösa, låta hagla [~ *blows on* (över) *sb*]; **it's** ~**ing buckets** el. **it's** ~**ing cats and dogs** vard. regnet står som spön i backen, det öser ner; ~ **gifts on sb** överösa ngn med gåvor; **be** ~**ed off** el. amer. **be** ~**ed out** inställas på grund av regn, regna inne

rain barrel [ˈreɪnˌbær(ə)l] s amer. regnvattentunna

rainbow [ˈreɪnbəʊ] s regnbåge; attr. regnbågs- [~ *colours*]; regnbågsfärgad; **be at the end of the** ~ bildl. vara skatten vid regnbågens slut, vara en ouppnåelig dröm [*for many Australia is at the end of the* ~]

rainbow trout [ˈreɪnbəʊtraʊt] s zool. regnbågsforell

rain check [ˈreɪntʃek] s vanl. amer. **1** ersättningsbiljett för evenemang som inställts på grund av regn, tillgodokvitto **2** vard., [*I don't want it now,*] **but I'll take a** ~ **on it** ...men jag kanske får ha den innestående (kan få återkomma); **let's take a ~ on it!** det får bli en annan gång!

raincoat ['reɪnkəʊt] *s* regnrock

raindrop ['reɪndrɒp] *s* regndroppe

rainfall ['reɪnfɔ:l] *s* **1** regn[skur] **2** regnmängd, nederbörd

rain forest ['reɪn‚fɒrɪst] *s* regnskog

rain gauge ['reɪngeɪdʒ] *s* regnmätare

rainproof ['reɪnpru:f] *adj* regntät, vattentät

rainstorm ['reɪnstɔ:m] *s* häftigt regn

rainwater ['reɪn‚wɔ:tə] *s* regnvatten

rainy ['reɪnɪ] *adj* regnig, regn- [~ *weather*; ~ *season*]; regnväders- [*a ~ day*]; regnförande [*a ~ wind*]; **save** (**provide, put away, keep**) **money for a ~ day** el. **provide against a ~ day** el. **put money by for a ~ day** rusta sig (spara) för sämre tider

raise [reɪz] **I** *vb tr* **1** resa [upp]; lyfta [upp], ta upp; hissa (dra) upp [~ *the curtain* (ridån)]; röra upp [~ *a cloud of dust*]; ~ *one's arm* (**hand**) räcka (sträcka) upp armen (handen); ~ *one's glass to sb* höja sitt glas för ngn, dricka ngn; ~ *one's hand against* (**to**) **sb** lyfta sin hand mot ngn hota ngn; ~ *the roof* vard., se *roof I* **2** höja [~ *prices*] **3** uppföra, resa [~ *a monument*] **4** samla [ihop], [lyckas] skaffa, skrapa ihop [~ *money*]; ta [upp] [~ *a loan*] **5** föda upp [~ *cattle*]; dra upp, odla [~ *vegetables*]; vanl. amer. äv. [upp]fostra [~ *children*]; ~ *a family* bilda (skaffa sig) familj, skaffa barn **6** befordra [~ *a captain to* [*the rank of*] (till) *major*]; ~ *sb to the peerage* upphöja ngn till pär, adla ngn **7** nå, få kontakt med på telefon, via radio **8** uppväcka [~ *from the dead*]; frammana [~ *spirits*]; ~ *sb's spirits* pigga (liva) upp ngn; ~ *hell* vard. leva rövare, röra upp himmel och jord, föra ett helvetes liv **9** [för]orsaka, väcka [~ *sb's hopes*]; ~ *the alarm* slå larm; ~ *a laugh* framkalla skratt **10** lägga (dra) fram, framställa [~ *a claim*]; väcka, ta upp [~ *a question*]; föra på tal; ~ *an objection* göra en invändning **11** häva [~ *an embargo*] **12** sjö. få i sikte, närma sig [~ *land*] **13** matem. upphöja

II *s* vanl. amer. [löne]förhöjning, lönelyft

raised [reɪzd] *perf p* o. *adj* [upp]rest etc., jfr *raise I*; upphöjd; uppstående [*a ~ edge*]; i relief; **with ~ hands** med uppsträckta händer; ~ *platform* upphöjd plattform, estrad

raisin ['reɪzn] *s* russin

1 rake [reɪk] **I** *s* räfsa, kratta; raka, skrapa; **thin as a ~** smal som en sticka

II *vb tr* **1** räfsa, kratta; raka, skrapa; ~ *in* [*a lot of money*] håva in (inkassera)...; ~ *together* el. ~ *up* räfsa ihop; skrapa ihop äv. bildl. [~ *together* (*up*) *a bit of cash*]; ~ [*up*] *the fire* täcka elden med aska; ~ *up* [*the past*] riva upp (rota fram)... **2** leta i **3** skrapa över, snudda vid; mil. bestryka, flankera; beskjuta långskepps [~ *a ship*]

III *vb itr* riva, rota, söka [*in* i; *for* efter]; ~ *about among* [*some old papers*] rota i...

2 rake [reɪk] *s* åld. rumlare, rucklare, vivör

3 rake [reɪk] *s* lutning [*the ~ of a mast*; *the ~ of the stage of a theatre*]; fall [*the ~ of a ship's bow*; *the ~ of a gable*]

raked [reɪkt] *adj* lutande, sluttande; akterstagad

rake-off ['reɪkɒf] *s* vard. [olaglig] vinstandel (profit); **get a ~** få [sin] del av bytet

1 rakish ['reɪkɪʃ] *adj* stilig, flott; snitsig; **set one's hat at a ~ angle** sätta hatten käckt på svaj

2 rakish ['reɪkɪʃ] *adj* åld. utsvävande; depraverad

1 rally ['rælɪ] **I** *s* **1** möte [*a peace ~*]; massmöte **2** rally [*the Monte Carlo Rally*] **3** återhämtning [~ *from an illness*]; uppgång [*a ~ in prices*] **4** tennis. o.d. [lång] slagväxling, lång boll (bollduell)

II *vb tr* [åter] samla, samla ihop [~ *troops*; ~ *one's strength*] bildl. äv. få att samla sig

III *vb itr* **1** [åter] samlas, samla sig [*round sb, to sb* kring ngn]; ~ *to sb's cause* sluta sig till ngns sak; ~ *to sb's defence* komma till ngns försvar (hjälp) **2** [åter]hämta sig [~ *from an illness*]; samla (få) nya krafter; ta sig upp; få nytt liv; **the market rallied** hand. marknaden återhämtade sig **3** tennis. o.d. ha en [lång] slagväxling, spela en lång boll

2 rally ['rælɪ] *vb tr* raljera (driva) med

rallying cry ['rælɪɪŋ‚kraɪ] *s* **1** krigsrop **2** flammande appell (uppmaning)

rallying point ['rælɪɪŋ‚pɔɪnt] *s* samlingspunkt

Ralph [reɪf, amer. rælf] mansnamn

RAM [ræm] data. (förk. för *random access memory*) RAM, RAM-minne

ram [ræm] **I** *vb tr* **1** slå (stöta, driva, pressa, stampa, bulta) ned (in, mot); ~ *sth down sb's throat* bildl. pracka (tvinga) på ngn ngt; köra ngt i halsen på ngn; ~ *it into sb that...* slå 'i ngn att...; ~ *sth home* klargöra (understryka) ngt med önskvärd tydlighet **2** vard. stoppa, proppa [~ *clothes into a bag*] **3** ramma [~ *a car*]

II *s* **1** bagge, gumse, vädur; bildl. bock [*he is an old ~*] **2** murbräcka [äv. *battering ~*] **3** tekn. hejare, fallvikt; [arbets]kolv, pistong **4** sjö. ramm

Ramadan [‚ræmə'dɑ:n, ‚rɑ:m-, -'dæn] *s* ramadan den muslimska fastemånaden

ramble ['ræmbl] **I** *vb itr* **1** ströva (vandra) omkring [*about* i, på], irra hit och dit; ~ el. ~ *on* prata (pladdra) på, svamla **2** växa åt alla håll

II *s* **1** [ströv]tur, strövtåg äv. bildl., vandring utan mål **2** svammel

rambler ['ræmblə] *s* **1** vandrare **2** klängros, klätterros [äv. ~ *rose*]; klängväxt **3** svamlare

rambling ['ræmblɪŋ] **I** *adj* **1** kringirrande, kringströvande **2** oredig, osammanhängande, virrig [*a ~ conversation*; ~ *thoughts*] **3** klängande, kläng-, klätter- [~ *rose*] **4** oregelbundet byggd, stor och oregelbunden [*a ~ house*]; oregelbundet planerad, utspridd [*a ~ town*]

II *s* **1** kringirrande, kringströvande **2** pl. ~*s* svammel, utläggningar

Rambo ['ræmbəʊ] machofigur i en serie filmer

Ramboesque [‚ræmbəʊ'esk] *adj* [som är] i Rambos stil, rambolik[nande], macho[-]

ramekin ['ræmkɪn] *s* litet fat för mat

ramification [‚ræmɪfɪ'keɪʃ(ə)n] *s* **1** förgrening, utlöpare äv. bildl. [*an organization with many ~s*] **2** följd, komplikation

ramify ['ræmɪfaɪ] *vb itr* förgrena (grena ut) sig

RAM-memory ['ræm‚memərɪ] *s* data. RAM-minne

ramp [ræmp] **I** *s* **1** [sluttande] ramp; uppfart[sväg], nerfart[sväg]; påfart[sväg], avfart[sväg] vid motorväg **2** amer. flyg., ~ el. **boarding** ~ flygplanstrappa; ~ el. **parking** ~ platta **3** böjt räcke i trappavsats o.d.

4 reparationsbrygga
II *vb tr*, ~ *up* öka
rampage ['ræmpeɪdʒ, -'-] **I** *s*, *be on the* ~ el. *go on the* ~ vara ute och härja (leva rövare) **II** *vb itr* härja (rusa) omkring
rampant ['ræmpənt] *adj* **1** vild; hejdlös, otyglad; grasserande, som tar överhand[en], som griper omkring sig; *be* ~ sprida sig, frodas; *crime is* ~ brottsligheten sprider sig (ökar); *the epidemic is becoming* ~ epidemin håller på att få (ta) överhand[en] **2** om växt alltför frodig (tät, tätvuxen)
rampart ['ræmpɑ:t, -pət] *s* [fästnings]vall; bildl. skydd[svärn], bålverk, försvar
ram-raiding ['ræm,reɪdɪŋ] *s* 'smash-and-grab-kupp' inbrott i en affär som görs genom att man kör en bil rakt igenom fönstret
ramrod ['ræmrɒd] *s* mil. laddstake; *stiff as a* ~ stel som en pinne
ramshackle ['ræm,ʃækl, ,-'--] *adj* fallfärdig [*a* ~ *house*]; rankig, skranglig, skraltig [*a* ~ *car*]
ran [ræn] imperf. av *run*
ranch [rɑ:n(t)ʃ, ræn(t)ʃ] *s* i Nordamerika **1** ranch, [boskaps]farm **2** [djur]farm [*mink* ~]
ranch dressing ['rɑ:n(t)ʃ,dresɪŋ] *s* kok. ranchdressing slags salladsdressing
rancher ['rɑ:ntʃə, 'ræn-] *s* ranchägare; ranchförvaltare; rancharbetare
rancid ['rænsɪd] *adj* **1** härsken [~ *butter*] **2** avskyvärd; stinkande
rancorous ['ræŋkərəs] *adj* hätsk, hatisk
rancour ['ræŋkə] *s* hätskhet, hat[iskhet]; agg
R & B [,ɑ:rənd'bi:] mus. förk. för *rhythm and blues*
R & D [,ɑ:rən'di:] (förk. för *Research and Development*) FoU, Forskning och Utveckling
random ['rændəm] **I** *s*, *at* ~ på måfå, på en höft **II** *adj* [gjord (som sker)] på måfå, slumpvis; förlupen [*a* ~ *bullet*]; lösryckt [*a* ~ *remark*]; slumpartad, slumpmässig [*a* ~ *choice*]; blandad; *a* ~ *guess* en lös gissning
random access memory ['rændəm,ækses'meməri] (förk. *RAM*) *s* data. direktminne, RAM-minne
randomly ['rændəmlɪ] *adv* på måfå
random sampling [,rændəm'sɑ:mplɪŋ] *s* statistik. slumpsampling
R & R [,ɑ:rən'ɑ:] vanl. amer. förk. för *rest and relaxation*
randy ['rændɪ] *adj* vard. kåt
rang [ræŋ] imperf. av *2 ring*
range [reɪn(d)ʒ] **I** *s* **1** rad [*a wide* (lång) ~ *of buildings* (*people*)]; räcka; ~ *of mountains* bergskedja **2** riktning; linje; *in* [*a*] ~ *with* i linje med **3** skjutbana [äv. *rifle* ~]; provningsbana för robot **4** räckvidd, spännvidd, utsträckning, omfång, aktionsradie; foto. el. radar. avstånd; distans; mil. skjutavstånd; *frequency* ~ frekvensområde; *at long* ~ på långt håll; *at short* ~ el. *at close* ~ på nära håll; *medium* ~ medeldistans; *price* ~ prisklass, prisskala; *out of* ~ *of* el. *beyond* ~ *of* utom skotthåll för; *within* ~ *of* inom skotthåll för; *a wide* ~ *of colours* en vidsträckt färgskala; ett stort urval av färger; *within* ~ *of hearing* inom hörhåll; *a wide* ~ *of topics* ett brett ämnesurval; *the* ~ *of her voice* hennes röstomfång (register) **5** hand. urval, sortiment; klass [*price* ~]; *a wide* ~ *of* ett stort sortiment **6** djurs,

växters utbredningsområde **7** amer. [vidsträckt] betesmark; öppet landområde, strövområde **8** [köks]spis
II *vb tr* **1** ställa [upp] i (på) rad; ~ *oneself* ställa sig, sluta upp [*on the side of sb* på ngns sida] **2** klassificera; inrangera, [in]ordna **3** ströva (vandra) i (igenom) [~ *the woods*]; fara [omkring] på [~ *the seas*]
III *vb itr* **1** sträcka sig, löpa, ligga, gå [*with* i samma riktning (plan) som, utmed]; ~ *over* bildl. sträcka sig över **2** ha sin plats, ligga [*with* bland, jämte], kunna inrangeras (inordnas) **3** variera inom vissa gränser; *children ranging in age from two to twelve* barn i [alla] åldrar mellan två och tolv **4** ströva (vandra) [omkring] [~ *over the hills*] **5** nå, ha en räckvidd av [*this gun* ~*s over ten kilometres*]
ranger ['reɪn(d)ʒə] *s* **1** kronojägare **2** amer. **a)** skogvaktare **b)** parkvakt i nationalpark i USA **c)** ridande polis i lantdistrikt
1 rank [ræŋk] **I** *s* **1** rang; [samhälls]klass, stånd; mil. grad [*military* ~*s*]; *hold the* ~ *of colonel* ha överstes grad (rang); *pull* ~ [*on sb*] vard. utnyttja sin ställning [för att kommendera ngn], spela översittare [mot ngn] **2** mil. el. bildl. led; *the* ~*s* el. *the* ~ *and file* **a)** mil. de meniga, manskapet **b)** bildl. gemene (menige) man, de djupa leden [*the* ~ *and file of* (inom) *the party*]; *front* ~ främre led; *rear* ~ bakre led; *other* ~*s* gruppbefäl och meniga (manskap); *break* ~*s* falla ur ledet, bryta rättningen (ordningen); råka i oordning; *close* ~*s* sluta leden vanl. bildl.; *rise from the* ~*s* mil. tjäna sig upp ur ledet; *rise through the* ~*s* arbeta sig upp; *reduce sb to the* ~*s* degradera ngn till menig **3** rad, räcka; *a* ~ *of taxis* (*cabs*) äv. en taxihållplats
II *vb tr* **1** ha en plats [*among, with* bland], ha rang [*as, with* som, av; *above* över; *next to* närmast efter]; räknas [*among, with* bland, till], anses vara [*among, with* bland]; vara likställd (jämställd) [*among, with* med], sport. rankas; *he* ~*s among the best* han räknas bland (hör till) de bästa; *he* ~*s third on the list* han står som (ligger) trea på listan **2** amer. vara högst i rang, ha högsta graden
III *vb tr* **1** ställa upp i (på) led (linje); ordna **2** placera, sätta, inrangera, rangordna, inordna [*among, with* bland, jämte]; räkna [~ *sb as a great poet*]; klassificera [~ *an act as a crime*]; sport. ranka **3** amer. ha högre grad (rang) än [*a colonel* ~*s a major*]
2 rank [ræŋk] *adj* **1** illaluktande, stinkande [~ *tobacco*] **2** fullkomlig [*a* ~ *outsider*]; ren [~ *lunacy*] **3** grov [~ *injustice*] **4** alltför yppig (frodig, tät[växande]) [~ *grass*] **5** överfet [~ *soil*]; övervuxen [~ *with thistles*]
ranking ['ræŋkɪŋ] **I** *s* rang, ställning; rangordning; *hold the number one* ~ vara rankad som etta; *in the* ~*s* på rankinglistan **II** *adj* vanl. amer. ledande [*a* ~ *columnist*]; framträdande, framstående [*a* ~ *diplomat*]
ranking list ['ræŋkɪŋlɪst] *s* ranglista, rankningslista; sport. rankinglista
rankle ['ræŋkl] **I** *vb itr* ligga och gnaga (värka) [i hjärtat (sinnet)] **II** *vb tr* gräma
ransack ['rænsæk] *vb tr* **1** söka (leta) igenom [~ *a drawer for* (för att finna) *sth*]; rannsaka [~ *one's*

conscience; ~ _one's heart_] **2** gå igenom (undersöka, studera) grundligt **3** plundra [_of sth_ på ngt]

ransom ['rænsəm] **I** _s_ lösen; lösesumma; _hold sb to_ ~ a) hålla ngn som gisslan [tills lösen betalts], kräva lösesumma för att frige ngn b) utöva utpressning mot ngn
II _vb tr_ **1** köpa fri, lösa ut **2** frige mot lösen

rant [rænt] _vb itr_ orera, tala högtravande; gorma; skräna; ~ _and rave_ gorma och skrika, skälla och gorma

ranter ['ræntə] _s_ högtravande talare (predikant); pratmakare; skränfock, gaphals

rap [ræp] **I** _s_ **1** rapp, smäll, slag; vard. tillrättavisning, skrapa; _give sb a ~ on_ (_over_) _the knuckles_ slå ngn (ge ngn smäll) på fingrarna; vard. ge ngn en skrapa, racka ner på ngn; _take the_ ~ vard. få skulden (bära hundhuvudet) **2** knackning; _there was a_ ~ _at the door_ det knackade på dörren **3** vanl. amer. sl., _a murder_ ~ en mordanklagelse; _a thirty-year_ ~ ett trettioårigt fängelsestraff; _beat the_ ~ klara sig undan (ur det hela); _take a bum_ ~ få orättvis kritik **4** mus. rap
II _vb tr_ **1** slå, smälla; knacka på [~ _at_ (_on_) _the door_] **2** ~ _out_ slunga ut [~ _out an oath_; ~ _out orders_] **3** vard. ge en skrapa, racka ner på, tillrättavisa; ~ _over the knuckles_ se _give sb a rap on_ (_over_) _the knuckles_ under _rap I 1_ ovan
III _vb itr_ mus. rappa

rapacious [rə'peɪʃəs] _adj_ **1** rovgirig; girig, glupsk **2** rov- [~ _birds_]

1 rape [reɪp] **I** _vb tr_ våldta **II** _s_ våldtäkt

2 rape [reɪp] _s_ bot. raps

rape oil ['reɪpɔɪl] _s_ rapsolja

rapid ['ræpɪd] _adj_ **1** hastig [_a ~ pulse_]; snabb, rask [_a ~ worker_]; strid [_a ~ stream_]; ~ _reading_ kursivläsning, extensivläsning **2** brant [_a ~ slope_]

rapid-fire ['ræpɪd‚faɪə, pred. ‚--'--] _adj_ mil. snabbelds- [~ _weapons_]; bildl. oerhört snabb, kulsprutesnabb [~ _talk_]; ~ _questions_ frågor i snabb följd, snabba frågor

rapidity [rə'pɪdətɪ] _s_ hastighet, snabbhet; hög fart

Rapid Reaction Force [‚ræpɪdrɪ'ækʃ(ə)n‚fɔ:s] _s_ mil. snabb insatsstyrka

rapids ['ræpɪdz] _s pl_ fors

rapid transit [‚ræpɪd'trænzɪt] o. **rapid transit system** [‚ræpɪd'trænzɪt‚sɪstəm] _s_ amer. tunnelbana

rapier ['reɪpɪə] _s_ [stick]värja; ~ _thrust_ värjstöt; ~ _wit_ bildl. kvick [och skarp] replik

rapist ['reɪpɪst] _s_ våldtäktsman

rap music ['ræp‚mju:zɪk] _s_ rap[musik]

rappel [ræ'pel] _vb itr_ amer. fira sig ner med rep vid bergsbestigning

rapper ['ræpə] _s_ mus. rappare

rapport [ræ'pɔ:] _s_ gott förhållande, god relation

rapporteur [‚ræpɔ:'tɜ:, -pɔ:r'tɜ:r] _s_ rapportör

rapprochement [ræ'prɒʃmɑ:ŋ] _s_ [förnyat] närmande

rapquadruped [ræp'kwɒdruped] _s_ zool. rappfoting

rap sheet ['ræpʃi:t] _s_ vanl. amer. sl. straffregister

rapt [ræpt] _adj_ **1** försjunken, fördjupad [~ _in_ (i) _a book_; ~ _upon_ (i tankar på) _sth_]; ~ _in thought_ försjunken i tankar **2** hänryckt, hänförd; _listen with ~ attention_ lyssna hänryckt

rapture ['ræptʃə] _s_ hänryckning, extas, förtjusning, begeistring; _be in ~s_ el. _go into ~s_ vara (bli) utom sig av glädje, falla (råka) i extas [_over sth_, _about sth_]

rapturous ['ræptʃ(ə)rəs] _adj_ **1** hänryckt, hänförd; begeistrad [~ _applause_] **2** hänryckande

1 rare [reə] **I** _adj_ **1** sällsynt [_a ~ stamp_]; ovanlig [_a ~ occurrence_]; osedvanlig; sällan förekommande, rar [~ _flowers_]; _at ~ intervals_ el. _on ~ occasions_ någon enstaka gång, högst sällan **2** enastående; _we had a ~ old time_ vi hade väldigt roligt **3** tunn; gles; _the ~ air of the mountains_ den tunna bergsluften
II _adv_ vard. sällsynt, enastående

2 rare [reə] _adj_ lätt stekt, blodig

rarebit ['reəbɪt] _s_, **Welsh** ~ se _Welsh rabbit_

rarefied ['reərɪfaɪd] _adj_ **1** ~ _air_ tunn luft **2** exklusiv, förfinad

rare gas [‚reə'gæs] _s_ kem. ädelgas

rarely ['reəlɪ] _adv_ **1** sällan **2** sällsynt, ovanligt **3** utmärkt, synnerligen

raring ['reərɪŋ] _adj_ vard., _they were ~ to go_ de kunde knappt vänta, de var heltända på att köra i gång

rarity ['reərətɪ] _s_ sällsynthet, raritet; sällsynt sak (händelse); _occur with great ~_ förekomma mycket sällan

rascal ['rɑ:sk(ə)l] _s_ lymmel, slyngel, skurk; skojare; skämts. rackare

rascally ['rɑ:sk(ə)lɪ] _adj_ lymmelaktig, slyngelaktig

1 rash [ræʃ] _s_ **1** med. [hud]utslag **2** bildl. epidemi, våg, ström [_a ~ of books about crime_]

2 rash [ræʃ] _adj_ överilad, obetänksam, förhastad

rasher ['ræʃə] _s_ [tunn] skinkskiva, baconskiva [äv. ~ _of bacon_]

rashness ['ræʃnəs] _s_ överilning, obetänksamhet

rasp [rɑ:sp] **I** _s_ **1** rasp, [grov] fil **2** raspande [ljud]
II _vb tr_ o. _vb itr_ **1** raspa, grovfila, grovputsa; slipa, riva, skrapa **2** skära, gnissla [i]; irritera, reta [~ _sb's feelings_; ~ _sb's nerves_]; _a ~ing sound_ ett skärande (skorrande) ljud; _a ~ing voice_ en skrovlig röst

raspberry ['rɑ:zb(ə)rɪ] _s_ **1** hallon; hallonbuske [äv. ~ _bush_] **2** sl. a) föraktfull fnysning (gest); buande; _blow sb a ~_ el. _give sb a_ (_the_) ~ vissla (bua) ut ngn b) fis, fjärt [_blow_ (släppa) _a ~_]

Rasta ['ræstə] _s_ vard., se _Rastafarian_

Rastafarian [‚ræstə'feərɪən] _s_ relig. el. polit. rastafari

Rasta|man ['ræstə|mæn] (pl. _-men_ [-mən]) _s_ relig. el. polit. vard. manlig rasta[fari]

rat [ræt] **I** _s_ **1** råtta; _he's a_ [_little_] ~ vard. han är en [riktig] skit[stövel]; _smell a ~_ vard. ana oråd (ugglor i mossen) **2** sl. a) överlöpare; förrädare; desertör b) tjallare angivare
II _vb itr_ med adv.:
rat on sl. a) tjalla skvallra b) ta tillbaka

ratable ['reɪtəbl] _adj_ se _rateable_

rat-arsed ['ræta:st] _adj_ sl. skitfull, döknall, dyngrak

ratatouille [‚rætə'twi:, -'tu:ɪ] _s_ kok. ratatouille

ratbag ['rætbæg] _s_ sl. knöl, skitstövel

rate [reɪt] **I** _s_ **1** a) hastighet[sgrad], fart, takt [~ _of increase_; ~ _of progress_]; _growth ~_ tillväxttakt; ~ _of climb_ flyg. stighastighet; _at a furious ~_ i rasande (vild) fart; _at a great_ (_high_) ~ i hög hastighet, i full fart; _at a snabb_ takt; _at the_ (_a_) ~ _of_ [_70 kilometres an hour_] med en hastighet av…; _at the ~ she goes on_ bildl. som hon håller på b) grad, mått; ~ _of return_ avkastningsgrad, räntabilitet; _at a certain ~_ i [en] viss grad, i visst mått, i viss mån; *at a great* ~ bildl. i hög grad; i stor skala **c)** *at any* ~ bildl. i alla fall (händelser), i varje fall, i vilket fall som helst; *at this* ~ vard. om det fortsätter så här, på det här viset **2** tal, frekvens; *marriage* ~ giftermålsfrekvens **3 a)** taxa, tariff **b)** sats; kurs [*at* (till) *a* ~ *of...*; ~ *of exchange*]; ~ el. ~ *of interest* räntefot, räntesats, ränta **4** pris, belopp; kostnad; värde; *at a cheap* ~ till (för) [ett] lågt pris, billigt; *at a high* ~ för (till) [ett] högt pris, dyrt; *at the* ~ *of* till (för, efter) ett pris av **5** pl. **~s** ung. kommunalskatt[er] [*taxes and* ~*s*] **6** klass, rang; *a*[*n*] *hotel of the first* ~ ett förstaklasshotell

II *vb tr* **1** uppskatta, värdera, taxera [*at* till]; åsätta ett värde (pris) [~ *sth high*] **2** räkna [*I* ~ *him among my friends*]; anse [*she is* ~*d* [*as*] *kind and hospitable*]; [upp]skatta, gilla **3** taxera för kommunal beskattning, beskatta kommunalt **4** klassificera, klassa; gradera **5** amer. vara berättigad till; förtjäna, vara värd

III *vb itr* räknas [*as* för, som], betraktas [*as* som]; betyda något, ha betydelse [*with* i jämförelse med]; *he doesn't* ~ äv. han är inget att räkna med

rateable ['reɪtəbl] *adj* kommunalt beskattningsbar, taxerbar [~ *income*; ~ *property*]

rateable value ['reɪtəbl,vælju:] *s* taxeringsvärde

ratepayer ['reɪt,peɪə] *s* hist. [kommunal]skattebetalare

ratfink ['rætfɪŋk] *s* sl. vanl. amer. **1** knöl, skitstövel **2** tjallare angivare

rather ['rɑ:ðə, i betydelse *3* äv. ˌrɑ:'ðɜ:] *adv* **1** hellre, helst; snarare, snarast, rättare sagt; *I would* ~ *you didn't* el. *I had* (*I'd*) ~ *you didn't* jag skulle hellre (helst) vilja (se) att du inte gjorde det; *I'd* ~ *not* [nej] helst inte, jag ser helst att jag slipper **2** rätt, ganska, något, tämligen, nog (väl) så [~ *good* (*well, pretty, ugly*)]; nästan, närmast, något av [*it was* ~ *a disappointment*]; *I* ~ *like it* jag tycker faktiskt rätt (ganska, riktigt) bra om det; *I* ~ *think that* jag tror nästan (skulle nästan tro) att **3** vard., som svar ja (jo) visst; alla gånger!; gärna!

ratification [ˌrætɪfɪ'keɪʃ(ə)n] *s* ratificering [~ *of a treaty*]; ratifikation, stadfästelse

ratify ['rætɪfaɪ] *vb tr* ratificera, stadfästa

rating ['reɪtɪŋ] *s* **1** uppskattning; värdering; **~s** lyssnarsiffror, tittarsiffror; *popularity* ~ el. *popularity* ~*s* popularitetssiffror **2** klassificering, sjö. el. mil. äv. klassning; klass **3** [tjänste]grad, rang, mil. äv. matros; pl. **~s** manskap, meniga [*officers and* ~*s*] **4** [relativ] ställning **5** tekn. prestationsförmåga; data; *octane* ~ oktantal

ratio ['reɪʃɪəʊ] (pl. **~s**) *s* förhållande, proportion; *the* ~ *of 1 to 5* förhållandet mellan 1 och 5; [*the population contained*] *a high* ~ *of old people* ...en förhållandevis stor del gamla människor

ration ['ræʃ(ə)n] **I** *s* ranson, tilldelning; portion; pl. **~s** äv. mat, livsmedel; *iron* ~ spec. mil. reservproviant, nödranson; *be on short* ~*s* vara satt på knapp ranson; *be put on short* ~*s* bli satt på knapp ranson **II** *vb tr* **1** ransonera [~ *sugar*]; ransonera (portionera) ut [äv. ~ *out*] **2** sätta på ranson[ering] **3** förse med ransoner (mat)

rational ['ræʃənl] *adj* rationell äv. matem. [*a* ~

method; *a* ~ *quantity* (storhet)]; förnuftig [*a* ~ *explanation*]; förståndig [*a* ~ *man*; ~ *conduct*]

rationalist ['ræʃnəlɪst] **I** *s* rationalist; förnuftsmänniska **II** *adj* rationalistisk, förståndsmässig

rationalistic [ˌræʃnə'lɪstɪk] *adj* rationalistisk, förståndsmässig

rationality [ˌræʃə'nælətɪ] *s* förnuft[ighet], förnuftsmässighet

rationalization [ˌræʃnəlaɪ'zeɪʃ(ə)n, -lɪ'z-] *s* **1** rationalisering **2** efterrationalisering; bortförklaring

rationalize ['ræʃnəlaɪz] *vb tr* rationalisera

rationing ['ræʃ(ə)nɪŋ] *s* ransonering

rat race ['rætreɪs] *s* vard. karriärjakt; vild jakt (tävlan); allas kamp mot alla

rattle ['rætl] **I** *vb itr* **1** skramla, slamra, skallra; rassla; smattra [*the gunfire* ~*d*] **2** rossla **3** pladdra; rabbla; ~ *on* vard. pladdra 'på; rabbla 'på **II** *vb tr* **1** skramla (slamra, rassla) med; få att skallra (skaka) **2** rabbla; ~ *off* rabbla [upp] **3** vard. irritera [*it* ~*s my nerves*]; göra nervös (förvirrad); perf. p. ~*d* skraj, nervös; ~ *sb's cage* skämts. reta upp ngn **III** *s* **1** skrammel, skallrande **2** rossling **3** skallra [*a baby's* ~; *a snake's* ~]; [har]skramla

rattlesnake ['rætlsneɪk] *s* zool. skallerorm

rattling ['rætlɪŋ] **I** *adj* skramlande etc., jfr *rattle I*; *a* ~ *cough* en skrällande hosta **II** *adv* ngt åld. rasande, fantastiskt, jätte- [*a* ~ *good dinner*]

rat trap ['ræt,træp] *s* **1** råttfälla **2** amer. bildl. råtthål

ratty ['rætɪ] *adj* vard. sur, irriterad, ilsken

raucous ['rɔ:kəs] *adj* hes, skrovlig [*a* ~ *voice*]

raunchy ['rɔ:ntʃɪ] *adj* vard. slipprig, oanständig; kåt, liderlig

ravage ['rævɪdʒ] *vb tr* härja [*his* ~*d face*]; ödelägga [*forest* ~*d by fire*]; föröda, hemsöka [*a country* ~*d by war*]; plundra

ravages ['rævɪdʒɪz, -əz] *s pl* härjning[ar], hemsökelse[r]; förödelse

rave [reɪv] **I** *vb itr* **1** yra, tala i yrsel (virrigt); fantisera [sjukligt] **2** rasa; ~ *at* [*the new policy*] rasa mot... **3** tala med hänförelse (lidelse) [*about, over* om]; ~ *about* äv. vara (bli) salig över; *he* ~*d about her beauty* äv. han var förhäxad av hennes skönhet **II** *s* **1** rave, raveparty **2** vanl. amer., *a* ~ en översvallande (hänförd) recension

ravel ['ræv(ə)l] *vb itr* **1** ~ el. ~ *out* rivas (repas) upp **2** trassla till (ihop) sig

raven ['reɪvn] **I** *s* zool. korp **II** *adj* korpsvart, svartglänsande [~ *looks*]

ravenous ['ræv(ə)nəs] *adj* vard. hungrig som en varg, döhungrig

raver ['reɪvə] *s* **1** hålligångare **2** vard. åld. rejvare

rave review [ˌreɪvrɪ'vju:] *s*, *a* ~ en översvallande (hänförd) recension

rave-up ['reɪvʌp] *s* vard. röjarskiva, hålligång

ravine [rə'vi:n] *s* ravin, bergsklyfta; hålväg

raving ['reɪvɪŋ] vard. **I** *adj* **1** yrande; [sjukligt] fantiserande, förvirrad [*a* ~ *lunatic*] **2** hänförande, strålande [*a* ~ *beauty*] **II** *adv* spritt [sprängande], komplett [~ *mad*]

ravings ['reɪvɪŋz] *s pl* yrande; [sjukliga] fantasier

ravioli [ˌrævɪ'əʊlɪ] *s* kok. ravioli

ravish ['rævɪʃ] *vb tr* litt. skända, våldta
ravishing ['rævɪʃɪŋ] *adj* hänförande, förtjusande
raw [rɔ:] **I** *adj* **1** rå; obearbetad; ~ *material* el. ~
product råmaterial, råvara **2** grön, otränad, oövad
[~ *recruits*] **3** hudlös; öm; oläkt, blodig [*a* ~
wound] **4** rå, råkall, ruskig, ruggig [~ *weather*]
5 vard. tarvlig, rå[barkad] [~ *humour*]; grov [*a* ~
joke]; ~ *deal* se under *1 deal I 3*
II *s*, *in the* ~ naket och osminkat; *touch* (*catch*) *sb on
the* ~ [råka] komma åt det ömma stället [hos ngn];
bildl. [råka] röra vid ngns ömma punkt
rawhide ['rɔ:haɪd] *s* ogarvat läder, råläder
raw silk [ˌrɔ:'sɪlk] *s* råsilke, råsiden
1 ray [reɪ] *s* stråle äv. bildl.; *a* ~ *of hope* en stråle
(strimma, gnista) av hopp; *a* ~ *of sunshine* en
solstråle äv. bildl.
2 ray [reɪ] *s* zool. rocka
ray gun ['reɪgʌn] *s* i science-fiction strålpistol
rayon ['reɪɒn] *s* textil. rayon[silke] [~ *shirts*]
raze [reɪz] *vb tr*, ~ el. ~ *to the ground* rasera, jämna
med marken; förstöra
razor ['reɪzə] *s* **1** rakkniv; rakhyvel; rakapparat **2** *be
on the* ~*'s edge* befinna sig (vara) i en prekär
(kritisk) situation
razorbill ['reɪzəbɪl] *s* zool. tordmule
razor blade ['reɪzəbleɪd] *s* rakblad
razor-sharp ['reɪzəʃɑ:p] *adj* knivskarp äv. bildl.
razor-thin ['reɪzəθɪn] *adj* knapp
razor wire ['reɪzəˌwaɪə] *s* skärtråd; slags taggtråd
razzle ['ræzl] *s* vard., *be* (*go*) *on the* ~ vara ute och (gå
ut och) rumla (festa) [om]
razzmatazz [ˌræzmə'tæz] *s* vard. **1** hålligång **2** snack;
skit
R & B [ˌɑ:rənd'bi:] mus. förk. för *rhythm and blues*
RC [ˌɑ:'si:] förk. för *Roman Catholic*
Rd förk. för *Road*
R & D [ˌɑ:rən'di:] (förk. för *Research and
Development*) FoU, Forskning och Utveckling
RDS [ˌɑ:di:'es] (förk. för *radio data system*) RDS,
radiodatasystem
RE [ˌɑ:r'i:] förk. för *Religious Education*
1 re [ri:] *prep* jur. el. hand. vard. rörande, beträffande,
avseende
2 re [reɪ, ri:] *s* mus. re
're [ə] = *are* [*they're*; *we're*]
reach [ri:tʃ] **I** *vb tr* **1** nå; nå upp till; komma
(anlända) till, komma (nå) fram till, hinna fram
till [*as soon as they had ~ed the station*]; ~ *a
decision* nå (träffa, komma till) ett avgörande
(beslut); ~ *the end* [*of the chapter*] komma till
slutet...; ~ *home* nå hemmet, komma hem; ~ *sb by
phone* få tag i ngn (nå ngn) på telefon **2** sträcka
3 räcka, ge [~ *me that book!*]
II *vb itr* **1** sträcka sig [*for, at* efter]; ~ *for the sky!*
vard. upp med händerna!; ~ *for the stars* sikta mot
stjärnorna **2** sträcka (breda ut) sig, nå [*the land ~es
as far as the river*] **3** räcka, nå; gå [*a curtain ~ing
from floor to ceiling*]
III *vb itr* o. *vb tr* med adv.:
  reach out a) itr. sträcka sig [*for, at* efter] **b)** tr., ~ *out
  one's hand for sth* sträcka (räcka) ut (fram) handen
  efter ngt
  reach out to nå fram till [*the churches are trying to ~
  out to young people*]

IV *s* **1** räckhåll; mil. skotthåll; t.ex. boxares räckvidd;
omfång, vidd, utsträckning; *out of* ~ utom räckhåll,
oåtkomlig, ouppnåelig [*of sb* för ngn]; *to be kept
out of children's* ~ (*the* ~ *of children*) förvaras
oåtkomligt (utom räckhåll) för barn; *within* ~ inom
räckhåll, åtkomlig, uppnåelig, tillgänglig [*of sb* för
ngn]; *within easy* ~ *of the station* i omedelbar närhet
av stationen, på bekvämt avstånd från (till)
stationen **2** räckande, gripande [*for* efter] **3** [rak]
sträcka [*the beautiful ~es of a river*]; sträckning
[~*es of forest and meadow*]; *the upper ~es of the
river* äv. flodens övre lopp; *in the upper* (*lower*) ~*es of
an organization* i toppskiktet (bottenskiktet) på en
organisation
reachable ['ri:tʃəbl] *adj* åtkomlig, tillgänglig,
uppnåelig
react [rɪ'ækt] *vb itr* **1** reagera [*to* för, på] **2** ~ *on*
[åter]verka på, påverka **3** reagera, göra motstånd,
opponera sig [*against* mot] **4** kem. reagera [*with*
med]
reaction [rɪ'ækʃ(ə)n] *s* **1** reaktion; bakslag; omslag;
~ *on* [åter]verkan på **2** motstånd, opposition,
reaktion [*against* mot] **3** reaktion [*to* för, på]; ~*s*
äv. reaktionsförmåga; ~ *time* reaktionstid
reactionary [rɪ'ækʃ(ə)nərɪ] **I** *adj* reaktionär,
bakåtsträvande **II** *s* reaktionär, bak[åt]strävare
reactivate [rɪ'æktɪveɪt] *vb tr* reaktivera, aktivera på
nytt
reactor [rɪ'æktə] *s* **1** reaktor; *nuclear* ~ kärnreaktor,
atomreaktor **2** kem. reagens
read [inf. o. subst. ri:d; imperf., perf. p. o. adj. red] **I** (*read
read*) *vb tr* **1** läsa, läsa upp, läsa högt [*to sb* för
ngn]; recitera; tolka [~ *a face* (uppsyn)]; tyda [~ *a
dream*]; ~ *the gas meter* läsa av gasmätaren; ~ *sb's
lips* läsa på ngns läppar; ~ *music* läsa noter; ~ *a
paper* a) läsa [i (igenom)] en tidning b) hålla [ett]
föredrag; ~ *a riddle* lösa en gåta; ~ *sb's thoughts* läsa
(tyda) ngns tankar; *take the minutes as* ~ godkänna
protokollet utan uppläsning; *take sth as* ~ bildl.
godta (acceptera) ngt utan ytterligare
undersökning; ~ *between the lines* läsa mellan
raderna **2** läsa, studera; ~ *law* läsa juridik
II (*read read*) *vb itr* **1** läsa [*in* i; *of, about* om], läsa
högt [*to* för; *from* ur, i]; studera; ~ *aloud* läsa högt
2 kunna läsas (tydas); stå [att läsa] **3** lyda, låta [~
like a threat]; *it* ~*s better now* det låter (gör sig)
bättre nu **4** visa [på] [*the thermometer* ~*s 10°*]
III (*read read*) *vb tr* o. *vb itr* med adv.:
  read for: ~ *for one's degree* åld. läsa på sin examen; ~
  for the church (*law*) åld. läsa till präst (jurist)
  read off läsa av instrument, resultat o.d.
  read out läsa upp; läsa högt; ~ *out aloud* läsa [upp]
  högt; ~ *out names* läsa (ropa) upp namn
  read over el. **read through** läsa igenom
  read up: ~ *up* [*on*] *a subject* sätta sig in i ett ämne;
  läsa upp sig i ett ämne
IV *adj* o. *perf p* (se äv. *read I*); *be well* ~ vara
[mycket] beläst
V *s* lässtund; *a good* ~ i reklam o.d. bra (trevlig)
läsning
readability [ˌri:də'bɪlətɪ] *s* **1** läsbarhet, läsvärdhet; ~
index läsbarhetsindex **2** läslighet, läsbarhet
readable ['ri:dəbl] *adj* **1** läsbar, läsvärd **2** läslig,
läsbar

readdress [ˌriːəˈdres] *vb tr* adressera om, ändra adressen på, eftersända [~ *a letter*]

reader [ˈriːdə] *s* **1** läsare, läsande; *be a great* ~ vara en ivrig (flitig) läsare, läsa mycket **2** data. el. tekn. läsare; *e-book* ~ läsplatta **3** läsebok, textbok **4** univ., ung. docent, högskolelektor **5** uppläsare, recitatör

Reader's Digest [ˌriːdəzˈdaɪdʒest] *s* amerikanska moderupplagan till Det Bästa

readership [ˈriːdəʃɪp] *s* **1** läsekrets **2** ung. [högskole]lektorstjänst, [högskole]lektorat, docentur

readily [ˈredəlɪ] *adv* **1** [bered]villigt, gärna **2** raskt, snabbt; lätt, med lätthet [~ *recognize sth*]

read-in [ˈriːdɪn] data. **I** *vb tr* läsa in **II** *s* inläsning

readiness [ˈredɪnəs] *s* **1** [bered]villighet [*to do sth* att göra ngt] **2** raskhet, snabbhet; lätthet; ~ *of wit* snarfyndighet, slagfärdighet **3** beredskap; *in* ~ i beredskap, redo, i ordning, färdig; ~ *for action* mil. stridsberedskap

Reading [ˈredɪŋ] geogr.

reading [ˈriːdɪŋ] **I** *s* **1** läsning, läsande **2** beläsenhet, belästhet; *a person of wide* (*vast*) ~ en mycket beläst person **3** lektyr [*good* ~; *dull* ~]; läsmaterial, läsbart stoff, läsning [*there is plenty of* ~ *in that magazine*]; *light* ~ lättare lektyr, lätt läsning **4** uppläsning [~*s from* (ur) *Shakespeare*]; recitation **5** avläsning på instrument; värde [*blood sugar* ~]; [avläst (utvisat)] gradtal; *barometer* ~ barometerstånd; [*the thermometer*] *has a* ~ *of 10°* …visar [på] 10° **6** uppfattning, tolkning [*the actor's* ~ *of the part*] **7** parl. läsning, behandling [*first* ~] **II** *adj* läsande, läs[e]-; intresserad av läsning

reading lamp [ˈriːdɪŋlæmp] *s* läslampa

reading list [ˈriːdɪŋˌlɪst] *s* litteraturlista

reading room [ˈriːdɪŋruːm] *s* läsesalrum, läsrum

readjust [ˌriːəˈdʒʌst] **I** *vb itr* återanpassa sig **II** *vb tr* **1** ~ *oneself to* återanpassa sig till **2** [åter] ordna, rätta (ordna) till [~ *one's dress*]; åter sätta (lägga) till rätta; ställa om [~ *one's watch*]; ändra [~ *prices*]

read-only memory [ˌriːdəʊnlɪˈmemərɪ] (förk. *ROM*) *s* data. läsminne

read-out [ˈriːdaʊt] *s*, *digital* ~ digital avläsning, sifferindikator

ready [ˈredɪ] **I** *adj* **1** färdig, klar, redo, i ordning [*for* för, till; *to do sth* att göra ngt], beredd [*for* på, för, till], till hands; [bered]villig [~ *to forgive*]; *he has always got a* ~ *excuse* (*answer*) han har alltid en ursäkt (ett svar) till hands; ~ *for action* (*battle*) stridsberedd, stridsfärdig, stridsklar äv. bildl.; ~ *for anything* redo till (beredd på, pigg på) vad som helst; ~ *for sea* el. ~ *to sail* segelklar; ~ *for use* färdig (klar) för användning (att använda[s]), bruksfärdig; *get* ~ el. *get* (*make*) *oneself* ~ göra sig i ordning (klar) [*for* för, till; *to do sth* att göra ngt]; bereda sig [*for* på, för]; *get* ~, *get set, go!* el. ~, *steady, go!* klara (på era platser), färdiga, gå! **2** snar, benägen, ivrig [*don't be so* ~ *to find fault*]; kvicktänkt; *a* ~ *memory* ett gott minne **3** lätt, bekväm; *a* ~ *example* ett exempel som ligger nära till hands; *a* ~ *pen* en lätt penna **II** *adv* färdig- [~ *cooked* (lagad)] **III** *s*, *the* ~ a) vard. kontanter[na] [*plank down the* ~]; reda pengar b) mil. färdigställning, i färdigställning, skjutklar äv. bildl. [*cameras at the* ~] **IV** *vb tr*, ~ *oneself* förbereda sig, göra sig klar (redo)

ready cash [ˌredɪˈkæʃ] *s* kontanter, reda pengar

ready-made [ˌredɪˈmeɪd, attr. '---] *adj* **1** färdiglagad [~ *pizza*] **2** färdig, färdiggjord [~ *ideas*] **3** färdigsydd, konfektionssydd

ready meal [ˌredɪˈmiːl] *s* färdiglagad måltid, färdigmat

ready-mix [ˌredɪˈmɪks] *s* **1** kok. [färdig] mix **2** färdigblandad betong

ready money [ˌredɪˈmʌnɪ] *s* reda pengar, kontanter

ready reckoner [ˌredɪˈrek(ə)nə] *s* snabbräknare, lathund, räknetabell

ready-to-wear [ˌredɪtʊˈweə, -tə-] *adj* åld. färdigsydd, konfektions- [~ *clothes*]

ready wit [ˌredɪˈwɪt] *s* slagfärdighet, [snar]fyndighet, kvicktänkthet; *he has a* ~ han är slagfärdig

reagent [rɪˈeɪdʒ(ə)nt] *s* kem. reagens

real [rɪəl, ˈriː(ə)l] **I** *adj* verklig, riktig, faktisk, reell, sak-; äkta [~ *gold*; ~ *pearls*]; ~ *action* jur. ägotvist; *the* ~ *thing* vard. äkta vara, den rätta grejen, just det rätta; *get* ~*!* vard. var inte dum!, lägg av!; *in* ~ *earnest* på fullt allvar **II** *adv* vard. riktigt, verkligt [*have a* ~ *good time*]; verkligen [*I'm* ~ *sorry*] **III** *s* vard., *for* ~ på riktigt [*they were fighting for* ~]; *are you for* ~*?* amer. menar du allvar?

real estate [ˌrɪəlˈsteɪt] *s* vanl. amer. jur. fast egendom

real estate agent [ˌrɪəlɪˈsteɪtˌeɪdʒənt] *s* vanl. amer. fastighetsmäklare

realign [ˌriːəˈlaɪn] *vb tr* **1** räta ut [~ *a road*] **2** omgruppera [~ *political parties*]; omstrukturera

realignment [ˌriːəˈlaɪnmənt] *s* **1** uträtning **2** omgruppering; omstrukturering

realise [ˈrɪəlaɪz] *vb tr* o. *vb itr* se *realize*

realism [ˈrɪəlɪz(ə)m] *s* realism

realist [ˈrɪəlɪst] *s* realist

realistic [rɪəˈlɪstɪk] *adj* realistisk; verklighetsbetonad, verklighetstrogen

reality [rɪˈælətɪ] *s* verklighet, realitet; realism, verklighetsprägel; *in* ~ i verkligheten (realiteten)

reality check [rɪˈælətɪˌtʃek] *s*, *it's time for a* ~ det är dags att se sanningen i vitögat

reality TV [rɪˌælətɪtiˈviː] *s* reality-tv

realizable [ˈrɪəlaɪzəbl] *adj* möjlig att förverkliga etc., jfr *realize* 2–4; realiserbar

realization [ˌrɪəlaɪˈzeɪʃ(ə)n, -lɪˈz-] *s* **1** förverkligande etc., jfr *realize* 2–4 **2** insikt

realize [ˈrɪəlaɪz] *vb tr* **1** inse, fatta **2** förverkliga, realisera; *his fondest dreams were* ~*d* hans vildaste drömmar gick i uppfyllelse; *her worst fears were* ~*d* hennes värsta farhågor besannades **3** realisera, avyttra, omsätta i pengar [~ *shares* (aktier)] **4** [för]tjäna, förvärva, vinna [~ *a profit*]; inbringa

real-life [ˌrɪəlˈlaɪf, attr. '--] *adj* verklig; sann; livslevande; verklighets-

real life [ˌrɪəlˈlaɪf] *s*, *in* ~ i verkliga livet, i verkligheten

reallocate [ˌriːˈæləʊkeɪt] *vb tr* omfördela äv. data.

really [ˈrɪəlɪ] *adv* **1** verkligen, faktiskt, sannerligen; ~*?* verkligen?, jaså [minsann]?, säger du det?;

[*need any help?*] – *not* ~! ... – inte direkt (precis)!
2 riktigt, verkligt [~ *bad*; ~ *good*]
realm [relm] *s* **1** bildl. sfär, värld, rike; *the* ~ *of the imagination* el. *the* ~*s of fancy* fantasins värld; *within the* ~[*s*] *of possibility* inom möjligheternas gräns[er] **2** litt. [konunga]rike
realpolitik [reɪˈɑːlpɒlɪtiːk, -,---'-] *s* realpolitik
real property [,rɪəlˈprɒpəti] *s* jur. fast egendom
real-time [ˈrɪəltaɪm] *adj* realtids-
real time [ˈrɪəltaɪm] *s* **1** data. etc. realtid **2** amer. radio. el. TV. direktsändning
ream [riːm] *s* **1** ris; *a* ~ *of paper* ett ris papper **2** pl. ~*s* vard. massa, massor
reap [riːp] *vb tr* **1** bärga, skörda, bildl. äv. inhösta, få, vinna **2** meja [av], skära [~ *the crop*]
Reaper [ˈriːpə] *s, the* ~ litt., se *Grim Reaper*
reappear [,riːəˈpɪə] *vb itr* åter visa sig, på nytt uppträda (framträda)
reappearance [,riːəˈpɪər(ə)ns] *s* förnyat framträdande, återuppträdande
reappraisal [,riːəˈpreɪz(ə)l] *s* omvärdering, omprövning
1 rear [rɪə] **I** *s* **1** bakre (bakersta, eftersta) del, bakdel; baksida [*the* ~ *of a house*], mil. el. bildl. eftertrupp; *bring up* (*close*) *the* ~ bilda eftertrupp[en]; *in* (*at*) *the* ~ *of* på baksidan av, bakom **2** vard. bak, rumpa
II *adj* bak- [~ *axle*]; bakre, bakersta
2 rear [rɪə] **I** *vb tr* **1 a)** föda upp [~ *poultry*; ~ *cattle*] **b)** fostra, uppfostra [~ *a child*] **c)** odla [~ *crops*]; ~ *a family* bilda (skaffa sig) familj **2** lyfta (höja) [på] [*the snake* ~*ed its head*] bildl. sticka fram
II *vb itr* o. *vb rfl*, ~ el. ~ *oneself* stegra sig, resa sig [äv. ~ *up*]
rear admiral [,rɪə(r)ˈædm(ə)r(ə)l] *s* sjö. konteramiral
rear-end [ˈrɪə(r)end] *vb tr* vard. vanl. amer. köra in i bakifrån
rearguard [ˈrɪəgɑːd] *s* mil. eftertrupp; ~ *action* reträttstrid äv. bildl., eftertruppsaktion
rearing [ˈrɪərɪŋ] *s* **1** uppfostran **2** uppfödning
rear lamp [ˈrɪəlæmp] *s* o. **rear light** [ˈrɪəlaɪt] *s* bil. baklykta
rearm [,riːˈɑːm] **I** *vb tr* [åter]upprusta, på nytt beväpna **II** *vb itr* [åter]upprusta
rearmament [rɪˈɑːməmənt] *s* [åter]upprustning
rearmost [ˈrɪəməʊst] *adj* bakerst, längst bak, efterst, sist; sjö. akterst
rearrange [,riːəˈreɪn(d)ʒ] *vb tr* arrangera (ordna, ställa, arbeta) om, bestämma ny tid för [~ *an appointment*]; ~ *the furniture* möblera om
rear reflector [,rɪərɪˈflektə] *s* reflex[anordning], på cykel äv. kattöga
rear-view mirror [,rɪəvjuːˈmɪrə] *s* backspegel
reason [ˈriːzn] **I** *s* **1** skäl, anledning, grund, orsak [*for* för, till]; hänsyn [*for political* ~*s*]; *all the more* ~ *why* så mycket större anledning [till] att; *by* ~ *of* på grund av; *for certain* ~*s* av vissa skäl (orsaker); *for a* [*very*] *good* ~ på [mycket] goda grunder, av giltig anledning; *for some unknown* ~ av någon okänd anledning; *without* ~ utan anledning (orsak) **2** förstånd, förnuft **3** förnuft, reson, skälighet, rimlighet, rätt, fog; *there is* [*some*] ~ *in that* det är [rim och] reson (förnuft) i det; *it stands to* ~ det är [själv]klart (uppenbart), det faller av (säger) sig

själv[t]; [*he complains,*] *and with* ~ ...och det med rätta (all rätt), ...och det på goda grunder; *prices are within* ~ priserna är rimliga
II *vb itr* **1** göra slutledningar, dra slutsatser, resonera **2** resonera, argumentera [*about, on* om; *with* med]
III *vb tr* **1** resonera [som så] [*he* ~*ed that...*]; ~ *away* resonera bort; ~ *things out* resonera igenom (diskutera) saker [och ting] (saken) **2** ~ *sb into sth* övertala ngn till ngt; ~ *sb into doing sth* övertala ngn till att göra ngt
reasonable [ˈriːz(ə)nəbl] *adj* **1** förnuftig, förståndig [*a* ~ *decision*]; resonlig, resonabel; *beyond* ~ *doubt* utom rimligt tvivel **2** rimlig, skälig [*a* ~ *price*]; hygglig [*a* ~ *salary*]
reasonably [ˈriːz(ə)nəblɪ] *adv* skäligt, skäligen; rimligt[vis]; förnuftigt; tämligen, någorlunda
reasoned [ˈriːznd] *adj* motiverad, genomtänkt
reasoning [ˈriːz(ə)nɪŋ] *s* resonerande, resonemang; tankegång, bevisföring; slutledning
reassemble [,riːəˈsembl] **I** *vb tr* **1** återsamla **2** sätta ihop igen
II *vb itr* åter samlas, åter sammanträda
reassert [,riːəˈsɜːt] *vb tr* åter hävda [~ *one's authority*]; göra förnyat anspråk på
reassess [,riːəˈses] *vb tr* omvärdera, ompröva; omtaxera
reassurance [,riːəˈʃʊər(ə)ns] *s* **1** uppmuntran [*in constant need of* ~]; nytt lugn, ny tillförsikt **2** förnyad försäkring, ny försäkran
reassure [,riːəˈʃʊə] *vb tr* **1** uppmuntra, inge ny tillförsikt; lugna **2** på nytt försäkra
reassuring [,riːəˈʃʊərɪŋ] *adj* lugnande
rebate [ˈriːbeɪt, rɪˈbeɪt] *s* **1** rabatt, avdrag **2** återbäring [*tax* ~]
rebel [subst. ˈrebl, verb rɪˈbel] **I** *s* rebell, upprorsman; attr. upprorisk, upprors-, rebell-, rebellisk [*the* ~ *forces*] **II** *vb itr* göra uppror, resa sig, rebellera, protestera [*against* mot]
rebellion [rɪˈbeljən] *s* uppror [*against* mot]; *rise in* ~ göra uppror, rebellera
rebellious [rɪˈbeljəs] *adj* upprorisk, rebellisk; motspänstig
rebirth [,riːˈbɜːθ] *s* pånyttfödelse
reboot [riːˈbuːt] data. **I** *vb tr* o. *vb itr* starta om **II** *s* omstart
reborn [,riːˈbɔːn] *adj* pånyttfödd
rebound [verb rɪˈbaʊnd, riːˈb-, subst. ˈriːbaʊnd] **I** *vb itr* [åter]studsa, studsa tillbaka; mil. rikoschettera; bildl. återfalla, falla tillbaka [*what you do may* ~ *on yourselves*]
II *s* återstuds; *on the* ~ sport. på studsen, på returen [*hit a ball* (*score*) *on the* ~]; bildl. omslag, bakslag; [*she didn't love him, she married him*] *on the* ~ ...som plåster på såren, ...i besvikelsen över förlusten av en annan
rebuff [rɪˈbʌf] **I** *s* [snäsigt] avslag, avvisande; avsnäsning; *meet with a* ~ el. *suffer a* ~ få avslag, bli avvisad; bli avsnäst **II** *vb tr* avvisa, tillbakavisa; snäsa av
rebuild [,riːˈbɪld] (*rebuilt rebuilt*) *vb tr* återuppbygga, återuppföra; bygga om
rebuilt [,riːˈbɪlt] imperf. o. perf. p. av *rebuild*

rebuke [rɪˈbjuːk] **I** *vb tr* [skarpt] tillrättavisa, ge en skrapa, banna **II** *s* [skarp] tillrättavisning
rebut [rɪˈbʌt] *vb tr* **1** vederlägga, motbevisa **2** avvisa [~ *an offer*]
recalcitrance [rɪˈkælsɪtr(ə)ns] *s* motspänstighet, motsträvighet
recalcitrant [rɪˈkælsɪtr(ə)nt] *adj* motspänstig, bångstyrig
recall [rɪˈkɔːl, sb äv. '--] **I** *vb tr* **1** kalla tillbaka [~ *troops from the front*]; kalla hem [~ *an ambassador*]; återkalla; teat. ropa in; mil. återinkalla **2** erinra (påminna) sig, minnas **3** återkalla, upphäva [~ *a decision*] **II** *s* **1** tillbakakallande, återkallande, hemkallande **2** återkallande, upphävande; *past ~* el. *beyond ~* oåterkallelig[t] **3** hågkomst, minne; *have total ~* ha perfekt minne
recant [rɪˈkænt] *vb tr* o. *vb itr* återkalla, ta tillbaka [~ *a statement*]; avsvärja [sig] [~ *one's faith*]; ta tillbaka [sina ord]
recantation [ˌriːkænˈteɪʃ(ə)n] *s* återkallelse, återtagande; avsvärjelse
recap [ˈriːkæp] *vb tr* o. *vb itr* o. *s* vard. kortform av *recapitulate* o. *recapitulation*
recapitulate [ˌriːkəˈpɪtjʊleɪt] *vb tr* o. *vb itr* rekapitulera, sammanfatta
recapitulation [ˈriːkəˌpɪtjʊˈleɪʃ(ə)n] *s* **1** rekapitulering, sammanfattning **2** mus. repris
recapture [ˌriːˈkæptʃə] **I** *vb tr* **1** återta, återerövra **2** dra sig till minnes, frambesvärja **II** *s* återtagande, återerövring
recd förk. för *received*
recede [rɪˈsiːd] *vb itr* **1** gå (träda, dra sig) tillbaka; *his hair is receding* han börjar bli tunnhårig framtill **2** gå tillbaka, falla, sjunka, vika
receipt [rɪˈsiːt] **I** *s* **1** kvitto [*for* på]; ~ el. *advice of ~* mottagningsbevis **2** mottagande, erhållande, uppbärande; *I am in ~ of your letter* hand. jag har mottagit (erhållit) ert brev; *on ~ of* vid (efter) mottagandet av **3** vanl. pl. *~s* intäkter, kassa [*daily ~s*] **II** *vb tr* kvittera [~ *a bill*]
receivables [rɪˈsiːvəblz] *s pl* fordringar
receive [rɪˈsiːv] **I** *vb tr* **1** ta emot, motta, erhålla, få, uppbära [~ *money*]; *~ stolen goods* ta emot stöldgods, göra sig skyldig till häleri; *orders will ~ prompt attention* order [kommer att] effektueras omgående; [*payment*] *~d* [betalt] kvitteras; *I'm always at the receiving end* det är alltid jag som får ta emot stötarna **2** ofta pass., *be ~d* bli upptagen [som medlem] [*be ~d into* (i) *the Church*] **II** *vb itr* **1** göra sig skyldig till häleri **2** ta emot, hålla (ha) mottagning [~ *on Sundays*]
received [rɪˈsiːvd] *adj* o. *perf p* mottagen etc., jfr *receive I*; vedertagen, [allmänt] erkänd, allmän [*the ~ opinion* (*view*)]
received pronunciation [rɪˈsiːvdprəˌnʌnsɪˈeɪʃ(ə)n] (förk. *RP*) *s* ung. vedertaget uttal av brittisk engelska
receiver [rɪˈsiːvə] *s* **1** TV. o.d. mottagare; [telefon]lur; tele. mikrofon; *put down the ~* lägga på [telefon]luren **2** jur. konkursförvaltare, god man [äv. *official ~*] **3** mottagare; uppbördsman; inkasserare **4** ~ [*of stolen goods*] hälare
recent [ˈriːsnt] *adj* ny; färsk [~ *news*; *a ~ wound*];

nyligen (senast) skedd (inträffad) [*a ~ event*]; nyare, senare; *a ~ book* en nyutkommen bok; *in ~ years* under senare år
recently [ˈriːsntlɪ] *adv* nyligen, på sista tiden; *~ acquired* nyförvärvad; *as ~ as* så sent som
receptacle [rɪˈseptəkl] *s* **1** [förvarings]kärl, behållare **2** bot. blomfäste
reception [rɪˈsepʃ(ə)n] *s* **1** mottagande, mottagning i olika betydelser; *~* el. *~ desk* reception, receptionsdisk på hotell; *get* (*meet with*) *a warm ~* få ett varmt mottagande (välkomnande) **2** upptagande [som medlem] **3** radio. mottagning[sförhållanden]
reception centre [rɪˈsepʃ(ə)nˌsentə] *s* mottagningscentral, uppsamlingscentral för flyktingar o.d.
reception class [rɪˈsepʃ(ə)nˌklɑːs] *s* skol. nybörjarklass, första årskursen i *infant school*
reception clerk [rɪˈsepʃ(ə)nklɑːk] *s* portier
receptionist [rɪˈsepʃ(ə)nɪst] *s* receptionist; [över]portier; kundmottagare
reception room [rɪˈsepʃ(ə)nruːm] *s* **1** mottagningsrum **2** sällskapsrum **3** *~s* festvåning, representationsvåning
receptive [rɪˈseptɪv] *adj* receptiv, mottaglig [*of, to* för]
recess [rɪˈses, subst. äv. ˈriːses] **I** *s* **1** spec. om parlamentet, kongressen el. domstolar uppehåll, avbrott, paus, ferier **2** amer. skol. rast **3** vrå, skrymsle, gömsle; *in the innermost ~es of the heart* i hjärtats djupaste vrår, innerst inne **4** nisch, alkov; fördjupning **II** *vb itr* amer. göra uppehåll, ta rast
recessed [rɪˈsest] *adj*, *a ~ bookshelf* en inbyggd bokhylla; *a ~ wall* en vägg med nisch (nischer)
recession [rɪˈseʃ(ə)n] *s* **1** ekon. konjunkturnedgång, konjunktursvacka **2** tillbakavikande, återgång; tillbakadragande
recharge [ˌriːˈtʃɑːdʒ] *vb tr* elektr. ladda om (upp) [~ *a battery*]; *~ one's batteries* bildl. ladda upp, ladda batterierna
rechargeable [ˌriːˈtʃɑːdʒəbl] *adj* uppladdningsbar
recidivist [rɪˈsɪdɪvɪst] *s* jur. recidivist, återfallsförbrytare
recipe [ˈresɪpɪ] *s* kok. recept äv. bildl. [*a ~ for* (på) *happiness*]
recipient [rɪˈsɪpɪənt] **I** *s* mottagare; *~ country* mottagarland **II** *adj* mottaglig, receptiv
reciprocal [rɪˈsɪprək(ə)l] *adj* **1** ömsesidig [~ *affection*]; till (i) gengäld, motsvarande, gen- [~ *services*] **2** gram. reciprok [~ *pronouns*]
reciprocate [rɪˈsɪprəkeɪt] **I** *vb itr* **1** göra en gentjänst, göra något i gengäld **2** mek. gå (röra sig) fram och tillbaka **II** *vb tr* [inbördes] utbyta, utväxla, ge och ta; gengälda, återgälda, besvara [~ *sb's affection*; ~ *sb's love*]
reciprocation [rɪˌsɪprəˈkeɪʃ(ə)n] *s* **1** utbyte, utväxling; gengäldande, återgäldande, besvarande **2** växelverkan
reciprocity [ˌresɪˈprɒsətɪ] *s* ömsesidighet
recital [rɪˈsaɪtl] *s* **1** recitation, uppläsning, deklamation **2** mus. [solist]uppförande, [solist]uppträdande, [solo]konsert **3** [detaljerad] redogörelse [*of* för], uppräkning

recitation [ˌresɪ'teɪʃ(ə)n] *s* **1** recitation, uppläsning, deklamation; reciterat stycke; recitationsstycke **2** uppräkning

recite [rɪ'saɪt] **I** *vb tr* **1** recitera, läsa upp, föredra, deklamera [~ *poems*] **2** redogöra för; räkna (rabbla) upp [~ *one's grievances*] **II** *vb itr* recitera, deklamera

reckless ['rekləs] *adj* **1** obekymrad [*of* för, om], likgiltig [*of* för]; ~ *of* äv. utan tanke på **2** hänsynslös; obetänksam [~ *conduct*]; vårdslös, lättsinnig [~ *extravagance*]; ~ *driving* vårdslöshet i trafik

reckon ['rek(ə)n] **I** *vb tr* **1** vard. anse, tycka, tro; [*he's pretty good,*] *I* ~ ...tycker jag **2** räkna med [*I* ~ *that she will come*]; anta, förmoda [*this was not meant for me, I* ~] **3** räkna, anse [*as* som; *for* för] **4** räkna ut [äv. ~ *out*; ~ *the cost*]; beräkna, uppskatta, bedöma **5** räkna **6** räkna [*among, with* bland, till; *we* ~ *him among our supporters*] **II** *vb itr* **1** räkna [*the child can't* ~ *yet*] **2** räkna, uppgå till **3** räknas [*he* ~*s among* (bland, till) *the best*]; gälla **III** *vb itr* med adv.:

reckon in räkna 'med (in), inberäkna, inkludera [~ *in the tip*]

reckon on räkna (lita) på; räkna med, ta med i beräkningen

reckon up a) räkna ihop (samman), summera [~ *up the bill*] b) räkna upp

reckon with a) bildl. göra upp [räkningen] med b) räkna med, ta med i beräkningen; *a man to be* ~*ed with* en man att räkna med

reckoning ['rek(ə)nɪŋ] *s* **1** [upp]räkning, beräkning etc., jfr *reckon*; *be out in one's* ~ ha räknat fel, bildl. äv. ha missräknat sig **2** räkenskap, vidräkning; *the day of* ~ räkenskapens dag

reclaim [rɪ'kleɪm] *vb tr* **1** återvinna, odla upp; ~*ed land* uppodlad (nyodlad) mark, nyodling **2** återvinna avfall m.m.

reclamation [ˌreklə'meɪʃ(ə)n] *s* **1** återvinning av mark, uppodling, nyodling **2** återvinning av avfall

reclassify [rɪ'klæsɪfaɪ] *vb tr* klassificera om, indela i nya klasser; ordna (gruppera) om

recline [rɪ'klaɪn] **I** *vb itr* luta (lägga) sig [tillbaka], vila, ligga (sitta) tillbakalutad [~ *on a couch*]; *reclining chair* el. *reclining seat* vilstol **II** *vb tr* vila, lägga [ned], luta [tillbaka]

recliner [rɪ'klaɪnə] *s* vilstol

recluse [rɪ'kluːs] *s* ensling, eremit

recognition [ˌrekəg'nɪʃ(ə)n] *s* **1** igenkännande; *aircraft* ~ flygplan[s]igenkänning; *beyond* ~ el. *out of* [*all*] ~ oigenkännlig, [ända] till oigenkännlighet **2** erkännande; *in* ~ *of* som ett erkännande av, som tack för; *receive due* ~ el. *meet with due* ~ röna vederbörligt erkännande

recognizable ['rekəgnaɪzəbl, ˌ--'---] *adj* igenkännlig [*by sth* på ngt]

recognize ['rekəgnaɪz] *vb tr* **1** känna igen [*by sth* på ngt] **2** erkänna [~ *sb as lawful heir*; ~ *a new government*]; kännas vid [*she no longer* ~*s me*]; vidkännas [~ *an obligation*]; *it's the* ~*d method* det är den [allmänt] vedertagna (den gängse) metoden **3** erkänna [för sig själv], inse [*he* ~*d the danger*]

4 ge ett erkännande, erkänna, värdesätta [*her services to the State were* ~*d*]

recoil [rɪ'kɔɪl, subst. äv. '--*] **I** *vb itr* **1** dra sig tillbaka **2** rygga, rygga (vika) tillbaka [*from* för; *at* vid] **3** studsa tillbaka, studsa; mil. rekylera; vard. stöta **II** *s* **1** återstuds[ning], studs; mil. rekyl; vard. stöt **2** tillbakaryggande

recollect [ˌrekə'lekt] *vb tr* o. *vb itr* erinra (påminna) sig, komma ihåg, minnas

recollection [ˌrekə'lekʃ(ə)n] *s* hågkomst, minne äv. som förmåga, erinring; pl. ~*s* minnen [~*s from a long life*]; *I have no* ~ *of it* jag har inget minne av det; *to the best of my* ~ såvitt jag kan erinra (påminna) mig

recommence [ˌriːkə'mens] **I** *vb itr* börja på nytt (om igen) **II** *vb tr* [på]börja på nytt

recommend [ˌrekə'mend] *vb tr* **1** rekommendera, förorda; ~*ed price* äv. cirkapris **2** [till]råda, tillstyrka **3** göra attraktiv (uppskattad), gagna [*behaviour of that kind will not* ~ *you*]; tala för; *the idea has little to* ~ *it* idén har föga som gör den attraktiv; *this plan has much to* ~ *itself* det är mycket som talar för denna plan; *the book will hardly* ~ *itself to laymen* boken kommer knappast att falla lekmän i smaken **4** anbefalla, anförtro [*to sb* ngn, åt ngn; *to sb's care* i ngns vård]

recommendation [ˌrekəmen'deɪʃ(ə)n] *s* rekommendation; förordande, anbefallande; ~ el. ~*s* förslag [*the* ~[*s*] *of the committee*]; *letter of* ~ rekommendationsbrev; *at his* ~ el. *on his* ~ på hans rekommendation (tillrådan, förslag)

recompense ['rekəmpens] **I** *s* ersättning, gottgörelse **II** *vb tr* gottgöra, ersätta, rekompensera [*for* för]

reconcilable [ˌrekən'saɪləbl, '-----] *adj* **1** försonlig **2** förenlig

reconcile ['rekənsaɪl] *vb tr* **1** förena, göra förenlig, få att stämma [överens] (gå ihop) **2** försona, förlika [*with* med]; *become* ~*d* försonas, förlikas, försona (förlika) sig [*with* med] **3** ~ *oneself to* el. *be* (*become*) ~*d to* förlika (försona) sig med, finna sig i

reconciliation [ˌrekənsɪlɪ'eɪʃ(ə)n] *s* **1** försoning, förlikning **2** biläggning, uppgörelse **3** förening, sammanjämkning; samklang, förenlighet

recondite [rɪ'kɒndaɪt, 'rekəndaɪt] *adj* svårfattlig

recondition [ˌriːkən'dɪʃ(ə)n] *vb tr* reparera (rusta) upp, renovera [upp]

reconnaissance [rɪ'kɒnɪs(ə)ns] *s* spec. mil. spaning, rekognoscering; ~ *aircraft* spaningsflygplan, rekognosceringsflygplan; ~ *party* spaningsavdelning, rekognosceringstrupp

reconnect [ˌriːkə'nekt] *vb tr* **1** åter förbinda (ansluta, förena) **2** elektr. o.d. koppla om

reconnection [ˌriːkə'nekʃ(ə)n] *s* **1** återförening, återanslutning, återanknytning **2** elektr. omkoppling

reconnoitre [ˌrekə'nɔɪtə] *vb tr* o. *vb itr* spec. mil. spana, rekognoscera, utforska; sondera

reconsider [ˌriːkən'sɪdə] *vb tr* ta i (under) förnyat övervägande, på nytt överväga, ompröva, ta under omprövning

reconsideration ['riːkənˌsɪdə'reɪʃ(ə)n] *s* förnyat (nytt) övervägande, omprövning

reconstitute [ˌriː'kɒnstɪtjuːt] *vb tr* rekonstruera; ombilda; återuppbygga

reconstruct [ˌriːkən'strʌkt] *vb tr* rekonstruera [~ *a crime*; ~ *a text*; ~ *a cathedral*]; återuppbygga; bygga om [~ *a ship*]; ombilda [~ *a cabinet*]

reconstruction [ˌriːkən'strʌkʃ(ə)n] *s* **1** rekonstruktion; återuppbyggande, återuppbyggnad **2** omläggning; ombildning

reconstructive [ˌriːkən'strʌktɪv] *adj*, ~ *surgery* plastikkirurgi

record [subst. 'rekɔːd, verb rɪ'kɔːd] **I** *s* **1** uppteckning, registrering; förteckning, register; protokoll äv jur.; redogörelse [*of* för]; urkund, dokument; vittnesbörd; pl. ~s äv. arkiv; *put (set) the ~ straight* sätta saker och ting tillrätta, få klarhet i (rätsida på) det hela; *for the ~* för att undvika missförstånd; *off the ~* a) utom protokollet b) på stående fot, improviserat; *this is strictly off the ~* detta är strängt inofficiellt (konfidentiellt), detta säger jag (är sagt) i all förtrolighet; *the greatest footballer on ~* den störste fotbollsspelare som funnits; *it is the worst on ~* det är det värsta (sämsta) som någonsin funnits, det sätter bottenrekord; *I don't want to go on ~ as saying...* jag vill inte att man ska kunna påstå om mig att jag sagt... **2** ngns förflutna, antecedentia [*his ~ is against him*]; vitsord, meritlista, meriter [*his ~ as a tennis player*]; rykte; *a clean ~* ett fläckfritt förflutet; *have a ~* el. *have a criminal ~* se under *criminal record* **3** spec. sport. rekord; attr. rekord- [~ *crop*; ~ *speed*]; *world ~* världsrekord; ~ *for speed* hastighetsrekord; *this was a ~* äv. detta var något enastående; *beat (break, cut) the ~* slå rekord[et]; *establish a ~* el. *make a ~* sätta [ett] rekord **4** [grammofon]skiva, [grammofon]platta **5** inspelning
II *vb tr* **1** protokollföra; föra protokoll vid sammanträde; [in]registrera, föra register över; notera, ta ned, bevara i skrift **2** spela (sjunga, tala) in **3** om termometer m.m. registrera, visa
III *adj* rekord-

record-breaker ['rekɔːdˌbreɪkə] *s* rekordslagare

record-breaking ['rekɔːdˌbreɪkɪŋ] *adj* som slår alla rekord

recorded delivery [rɪ'kɔːdɪdɪˌlɪv(ə)rɪ] *s* post., [*send a letter*] *by* ~ ung. ...med begäran om mottagningsbevis

recorder [rɪ'kɔːdə] *s* **1** inspelningsapparat **2** blockflöjt **3** jur. domare vid bl.a. *Crown Court*

record-holder ['rekɔːdˌhəʊldə] *s* rekordhållare

recording [rɪ'kɔːdɪŋ] *s* [in]registrering etc., jfr *record II*; radio., film. o.d. inspelning [*I have a good ~ of the opera*]; ~ *equipment* inspelningsutrustning; ~ *head* inspelningshuvud på bandspelare; ~ *studio* inspelningsstudio; [*mobile*] ~ *unit* inspelningsbuss, OB-buss

record library ['rekɔːdˌlaɪbr(ə)rɪ] *s* skivsamling, lånebibliotek för skivor

record locking ['rekɔːdˌlɒkɪŋ] *s* data. postlåsning i databas etc.

record player ['rekɔːdˌpleɪə] *s* skivspelare

record sleeve ['rekɔːdˌsliːv] *s* skivomslag, skivfodral

recount [rɪ'kaʊnt] *vb tr* berätta, relatera, förtälja

recoup [rɪ'kuːp] *vb tr* gottgöra, ersätta [~ *a loss*; ~ *sb for a loss*]; ~ *oneself* hålla sig [själv] skadeslös; ~

one's losses ta skadan igen, ta igen det man har förlorat

recourse [rɪ'kɔːs] *s* tillflykt; utväg; *have ~ to* ta sin tillflykt till, tillgripa; *without ~ to* utan att behöva tillgripa

recover [rɪ'kʌvə] **I** *vb tr* **1** återvinna, återfå, få tillbaka [~ *one's health*; ~ *one's voice*]; ~ *one's breath* [åter] hämta andan; ~ *lost ground* återvinna förlorad terräng äv. bildl., vinna tillbaka det förlorade; ~ *one's senses* el. ~ *one's consciousness* komma till sans igen, återfå medvetandet **2** hämta in, ta igen [~ *lost time*; ~ *a loss*]
II *vb itr* [åter]hämta (repa) sig [*from* från, efter]; tillfriskna [*from* från, efter]; återfå jämvikten; *he has completely ~ed* han är helt återställd, han har helt kommit över det

re-cover [ˌriː'kʌvə] *vb tr* **1** åter täcka, täcka över igen **2** klä om, förse med nytt överdrag

recoverable [rɪ'kʌv(ə)rəbl] *adj* möjlig att återvinna etc., jfr *recover I*

recovery [rɪ'kʌvərɪ] *s* **1** återställande, tillfrisknande, återhämtning, bättring [*from* från, efter]; ~ *program* amer. rehabiliteringsprogram för missbrukare; *make a quick* ~ [åter]hämta sig (tillfriskna) snabbt; *she is beyond (past)* ~ hon står (går) inte att rädda (bota), hon är hopplöst förlorad **2** återvinnande, återfående, återfinnande [*the ~ of a lost article*] **3** återvinning av avfall m.m. **4** uppvakningsrum, uppvakningsavdelning på sjukhus [äv. ~ *room*]; *your son is now in* ~ äv. er (din) son ligger nu på uppvakningen

re-create [ˌriːkrɪ'eɪt] *vb tr* skapa på nytt, nyskapa, omskapa; återupprätta

recreation [ˌrekrɪ'eɪʃ(ə)n] *s* rekreation, förströelse; nöje, tidsfördriv, fritidssysselsättning; sport

recreational [ˌrekrɪ'eɪʃənl] *adj* rekreations-, fritids-

recreational drug [rekrɪˌeɪʃ(ə)nl'drʌg] *s* partydrog, drog (narkotika) som tas för avkoppling ofta till fest av person som inte anser sig vara (eller som inte är) missbrukare

recreational vehicle [rekrɪˌeɪʃənl'viːɪkl] *s* amer., se *RV*

recreation centre [ˌrekrɪ'eɪʃ(ə)nˌsentə] *s* rekreationscenter, fritidscenter

recreation ground [ˌrekrɪ'eɪʃ(ə)ngraʊnd] *s* rekreationsområde, fritidsområde; lekplats; idrottsplats

recreation room [ˌrekrɪ'eɪʃ(ə)nruːm] *s* **1** sällskapsrum **2** amer. gillestuga; hobbyrum

recreative ['rekrɪeɪtɪv] *adj* roande, rekreerande, förströelse-, rekreations-

recrimination [rɪˌkrɪmɪ'neɪʃ(ə)n] *s* motbeskyllning, motanklagelse; pl. ~s äv. ömsesidiga beskyllningar

recriminatory [rɪ'krɪmɪnət(ə)rɪ] *adj* motbeskyllnings-, motanklagelse-

rec room ['rekruːm] *s* amer. vard. gillestuga; hobbyrum

recrudescence [ˌriːkruː'desns] *s* förnyat (nytt) utbrott, [åter]uppblossande

recrudescent [ˌriːkruː'desnt] *adj* åter utbrytande, [åter]uppblossande

recruit [rɪ'kruːt] **I** *vb tr* **1** rekrytera, värva äv. bildl. [~ *an army*; ~ *adherents*] **2** värva (anställa) som rekryt[er]
II *vb itr* göra rekryteringar; värva rekryter; ~*ing*

office värvningsbyrå; mönstringslokal; **~ing officer** rekryteringsofficer
III *s* rekryt äv. bildl., nyanställd; nykomling, ny medlem
recruitment [rɪ'kruːtmənt] *s* rekrytering, värvning
rectal ['rekt(ə)l] *adj* anat. ändtarms-, rektal
rectangle ['rektæŋgl] *s* rektangel
rectangular [rek'tæŋgjʊlə] *adj* rektangulär, rätvinklig
rectifiable ['rektɪfaɪəbl] *adj* som kan rättas [till] etc., jfr *rectify*; **be ~** vara lätt att rätta [till] etc.
rectification [ˌrektɪfɪ'keɪʃ(ə)n] *s* rättande, rättelse, korrigering [~ *of an error*]; beriktigande [~ *of a statement*]
rectify ['rektɪfaɪ] *vb tr* rätta [till] [~ *an error*]; korrigera [~ *a method*]; beriktiga [~ *a statement*]; reglera
rectilinear [ˌrektɪ'lɪnɪə] *adj* rätlin[j]ig
rectitude ['rektɪtjuːd] *s* rättskaffenhet
rector ['rektə] *s* **1** kyrkoherde **2** rektor vid vissa universitet, skolor o.d.
rectory ['rekt(ə)rɪ] *s* **1** prästgård **2** pastorat
rect|um ['rekt|əm] (pl. *-a* [-ə] el. *-ums*) *s* anat. ändtarm, rektum
recumbent [rɪ'kʌmbənt] *adj* tillbakalutad, lutande, [halv]liggande, vilande
recuperate [rɪ'kjuːp(ə)reɪt] **I** *vb itr* hämta sig, repa sig; återfå krafterna, rekreera sig [*go to the seaside to ~*]
II *vb tr*, **~ one's losses** ta skadan igen, ta igen det man förlorat
recuperation [rɪˌkjuːpə'reɪʃ(ə)n] *s* återhämtning, tillfrisknande, konvalescens; återvinnande
recuperative [rɪ'kjuːp(ə)rətɪv] *adj* stärkande, återställande
recur [rɪ'kɜː] *vb itr* återkomma, komma tillbaka (igen), dyka (komma) upp igen [*a problem which ~s periodically*]; upprepas [*this accident must never ~*]
recurrence [rɪ'kʌr(ə)ns] *s* återkommande, återkomst; återgång; upprepande, upprepning
recurrent [rɪ'kʌr(ə)nt] *adj* [regelbundet (ofta)] återkommande, periodisk; **~ expenses** [fasta] återkommande utgifter
recurring decimal [rɪˌkɜːrɪŋ'desɪm(ə)l] *s* periodiskt decimalbråk
recyclable [ˌriː'saɪkləbl] *adj* återanvändbar
recycle [ˌriː'saɪkl] *vb tr* återanvända [~ *scrap metal*]; återvinna; **~d paper** återvinningspapper
recycling [ˌriː'saɪklɪŋ] *s* återanvändning, återvinning; **~ glass** returglas; **~ paper** returpapper
red [red] **I** *adj* röd äv. polit.; **~ fir** gran; **as ~ as a beetroot** röd som en tomat; **as ~ as a lobster** röd som en kokt kräfta
II *s* **1** rött [*dressed in ~*]; röd färg; röd nyans **2** polit. röd **3** vard., **in the ~** med underskott (förlust); **be in (get into) the ~** vara (bli) skuldsatt, stå (komma) på minus; **be (get) out of the ~** vara (bli) skuldfri **4** rött, rödvin [*a bottle of ~*]
red alert [ˌredə'lɜːt] *s* högsta larmberedskap; **be on ~** vara (ligga) i högsta larmberedskap
red blood cell [ˌred'blʌdsel] *s* fysiol. röd blodkropp, erotrycyt

red-blooded [ˌred'blʌdɪd] *adj* vard. kraftig, kraftfull; varmblodig; stark
redbreast ['redbrest] *s* zool., **~** el. **robin ~** rödhake[sångare]
redbrick ['redbrɪk] *adj*, **~ university** nyare universitet i mots. till Oxford o. Cambridge
red card [ˌred'kɑːd] *s* fotb., **get the ~** få rött kort, bli utvisad
red carpet [ˌred'kɑːpɪt] *s* bildl., **the ~** röda mattan; **give sb a ~ reception** el. **give sb ~ treatment** rulla ut röda mattan för ngn
red cent [ˌred'sent] *s* amer. vard., **a ~** ett rött öre [*not worth a ~*]
red corpuscle [ˌred'kɔːpʌsl] *s* fysiol. röd blodkropp, erotrycyt
Red Crescent [ˌred'kreznt] *s*, **the ~** Röda halvmånen islamisk motsvarighet till Röda korset
Red Cross [ˌred'krɒs] *s*, **the ~** Röda korset
redcurrant [ˌred'kʌrənt] attr. '---] *s* rött vinbär; **~ jam** rödavinbärssylt, rödavinbärsmarmelad
redden ['redn] **I** *vb tr* färga röd **II** *vb itr* bli (färgas) röd; rodna
reddish ['redɪʃ] *adj* rödaktig
redecorate [ˌriː'dekəreɪt] *vb tr* o. *vb itr* måla och tapetsera om, reparera; nyinreda
redeem [rɪ'diːm] *vb tr* **1** gottgöra, sona [~ *an error*]; uppväga [*his faults are ~ed by…*]; kompensera, bilda motvikt mot; **a ~ing feature** ett försonande drag **2** lösa ut [~ *a pawned watch*]; lösa in [~ *a mortgage*; **~ a voucher**] **3** infria [~ *one's promise*; **~ one's engagement**] **4** friköpa [~ *a slave*]; lösa ut [~ *a prisoner*]; befria, rädda; spec. teol. återlösa, förlossa, frälsa
Redeemer [rɪ'diːmə] *s*, **the ~** Förlossaren, Frälsaren Kristus
redefine [ˌriːdɪ'faɪn] *vb tr* omdefiniera; begränsa (avgränsa) på nytt; omvärdera
redemption [rɪ'dem(p)ʃ(ə)n] *s* **1** teol. återlösning, förlossning, frälsning **2** sonande [*the ~ of a crime*] **3** friköp[ande], utlösande, befrielse, räddning; **beyond (past) ~** ohjälplig (hopplös, räddningslös); ohjälpligt (hopplöst, räddningslöst) förlorad
redeploy [ˌriːdɪ'plɔɪ] *vb tr* placera om, omplacera [~ *workers*]; mil. gruppera om
redeployment [ˌriːdɪ'plɔɪmənt] *s* omplacering; mil. omgruppering
redevelop [ˌriːdɪ'veləp] *vb tr* sanera [~ *slum areas*]
redevelopment [ˌriːdɪ'veləpmənt] *s* sanering
red-eye ['redaɪ] *s* **1** amer. vard. tidigt morgonflyg, sent nattflyg **2** röda ögon vid blixtfotografering
red-faced [ˌred'feɪst] *adj* röd i ansiktet; rödbrusig
red flag [ˌred'flæg] *s* **1** röd flagga spec. som varningssignal **2** upprorsfana, revolutionsflagga
red-handed [ˌred'hændɪd] *adj*, **catch (find) sb ~** ta (gripa) ngn på bar gärning
redhead ['redhed] *s* vard. rödhårig [person]
red-headed [ˌred'hedɪd] *adj* rödhårig
red herring [ˌred'herɪŋ] *s* **1** falskt spår, villospår, avledningsmanöver; **be a ~** äv. vara ovidkommande **2** rökt sill
red-hot [ˌred'hɒt] *adj* glödhet, rödglödgad; glödande äv. bildl. [~ *enthusiasm*]; intensiv; bildl. äv. het [*a ~ issue*]
redid [ˌriː'dɪd] imperf. av *redo*

Red Indian [ˌred'ɪndɪən] *s* åld. neds., se *American Indian*

redirect [ˌriːdɪ'rekt, -daɪ'r-] *vb tr* **1** åter leda (rikta, styra), leda i en ny riktning **2** eftersända, adressera om [~ *letters*; ~ *mail*]; dirigera om [~ *a cargo*; ~ *traffic*]

rediscover [ˌriːdɪ'skʌvə] *vb tr* återupptäcka

redistribute [ˌriːdɪ'strɪbjʊt] *vb tr* **1** omfördela **2** dela ut (distribuera) på nytt

red lead [ˌred'led] *s* mönja

red-letter day [ˌred'letədeɪ] *s* stor dag, högtidsdag, festdag

red light [ˌred'laɪt] *s* **1** trafik., *at the* ~[s] vid rött ljus; *go through a* ~ köra mot rött; *run a* ~ vanl. amer., se *1 light I 1* **2** bildl., *see the* ~ inse faran

red-light district [ˌred'laɪtˌdɪstrɪkt] *s* bordellkvarter, glädjekvarter

red meat [ˌred'miːt] *s* mörkt kött t.ex. oxkött, fårkött

redneck ['rednek] *s* amer. sl. bondlurk spec. om obildad, vit sydstatsfarmare

redness ['rednəs] *s* rödhet; rodnad; röd färg

redo [ˌriː'duː] (*redid redone*) *vb tr* göra om; tapetsera (måla) om [*have* (få) *the walls redone*]

redolence ['redə(ʊ)l(ə)ns] *s* vällukt, doft

redolent ['redə(ʊ)l(ə)nt] *adj* välluktande, doftande; stark [*a* ~ *odour*]; ~ *of* el. ~ *with* som påminner om

redone [ˌrɪ'dʌn] perf. p. av *redo*

redouble [rɪ'dʌbl] *vb tr* fördubbla [~ *one's efforts*]; öka [*she* ~*d her pace*]; intensifiera

redoubt [rɪ'daʊt] *s* bildl. fäste

redoubtable [rɪ'daʊtəbl] *adj* fruktansvärd, skräckinjagande

red pepper [ˌred'pepə] *s* **1** röd paprika **2** kajennpeppar; rödpeppar

red rag [ˌred'ræg] *s* bildl. rött skynke; *it's like a* ~ *to a bull to him* el. *it's like a* ~ *to him* det är (blir) som ett rött skynke på honom

redress [rɪ'dres] **I** *vb tr* **1** [åter] ställa till rätta; återställa [~ *the balance*]; avhjälpa [~ *an abuse* (*a grievance*)]; rätta till, råda bot på **2** gottgöra [~ *an injury*; ~ *a wrong*] **II** *s* **1** avhjälpande [~ *of a grievance*] **2** gottgörelse; upprättelse

Red Riding Hood [ˌred'raɪdɪŋhuːd] *s*, [*Little*] ~ Rödluvan

red route [ˌred'ruːt] *s* **1** väg med bussfil i London **2** genomfartsled i tätort, med dyra böter för felparkering

Red Sea [ˌred'siː] *s* geogr., *the* ~ Röda havet

redskin ['redskɪn] *s* åld. neds. rödskinn indian

red-tape [ˌred'teɪp] *adj* byråkratisk, pedantisk

red tape [ˌred'teɪp] *s* byråkrati, pedanteri, paragrafrytteri

reduce [rɪ'djuːs] **I** *vb tr* **1** reducera; skära ned, minska, inskränka, dra in på [~ *one's expenses*]; sätta (pressa) ned, sänka [~ *the price*]; försvaga [~*d health*]; förminska [~ *a reproduction*]; ~ *speed* minska (sänka) farten; ~ *one's weight* gå ned [i vikt], banta; *the whole thing* ~*s itself to* det hela inskränker sig till (går i korthet ut på); ~*d circumstances* knappa[re] omständigheter; *to be sold at* ~*d prices* till salu till nedsatta priser; *on a* ~*d scale* i förminskad skala; *in a very* ~*d state* i ett mycket försvagat (nedsatt) tillstånd **2** försätta [*to* i ett tillstånd]; bringa [*to* till]; förvandla [*to, into* till];

tvinga [*to do sth* [till] att göra ngt]; ~ *to ashes* lägga i (förvandla till) aska; *be* ~*d to beggary* el. *be* ~*d to begging* vara (bli, se sig) hänvisad till tiggeri; ~ *to despair* göra förtvivlad, driva till förtvivlan; ~ *to subjection* el. ~ *to submission* tvinga till underkastelse; ~ *sb to tears* få ngn att gråta (brista i gråt) **3** föra in [*to* (under) *a rule*]; hänföra [*to a class* till en klass]; ~ *sth to a system* inordna ngt i ett system **4** degradera, flytta ned; ~ *to the ranks* degradera till menig **5** matem. reducera; ~ *an equation* förenkla en ekvation; ~ *a fraction* förkorta ett bråk **6** besegra [~ *an enemy*]; lägga under sig, erövra [~ *a country*]

II *vb itr* **1** reduceras, minskas **2** banta, gå ned [i vikt]

reducible [rɪ'djuːsəbl] *adj* som kan reduceras etc., (jfr *reduce I*) reducerbar

reduction [rɪ'dʌkʃ(ə)n] *s* (jfr *reduce I*) **1** reduktion, reducering, minskning, inskränkning; förminskning; nedsättning, rabatt, avdrag; *sell at a* ~ sälja till nedsatt pris **2** försättande [*to* i ett tillstånd]; förvandling [*to, into* till] **3** införande etc. **4** degradering **5** matem. reduktion etc.

redundancy [rɪ'dʌndənsɪ] *s* **1** ekon. arbetslöshet [till följd av strukturrationalisering] **2** överflöd; överskott

redundancy pay [rɪ'dʌndənsɪˌpeɪ] *s* ung. avgångsvederlag

redundant [rɪ'dʌndənt] *adj* **1** överflödig, övertalig [~ *workers*]; friställd; ~ *manpower* överflödig (friställd) arbetskraft; *be made* ~ friställas, bli friställd **2** vidlyftig [*a* ~ *style*]

reduplicate [rɪ'djuːplɪkeɪt] *vb tr* fördubbla

reduplication [rɪˌdjuːplɪ'keɪʃ(ə)n] *s* fördubbling

red wine [ˌred'waɪn] *s* rödvin, rött vin

redwood ['redwʊd] *s* redwood[träd]

reed [riːd] *s* **1** bot. vasstrå, [vass]rör; vass; bibl. el. poet. rö; pl. ~*s* äv. [tak]halm; *a broken* ~ bildl. ett bräckligt rö, ett svagt käril **2** i blåsinstrument rörblad, tunga; *the* ~*s* äv. rörbladsinstrumenten; ~ *instrument* rörbladsinstrument

re-educate [ˌriː'edjʊkeɪt] *vb tr* omskola, skola om, lära upp (uppfostra) på nytt

reedy ['riːdɪ] *adj* **1** vassbevuxen **2** gäll, pipig [*a* ~ *voice*]

1 reef [riːf] *s* rev; *coral* ~ korallrev

2 reef [riːf] **I** *s* sjö. rev **II** *vb tr* reva

reefer ['riːfə] *s* o. **reefer jacket** ['riːfəˌdʒækɪt] *s* åtsittande skepparkavaj

reefknot ['riːfnɒt] *s* sjö. råbandsknop

reek [riːk] **I** *vb itr* **1** lukta (illa], stinka [*he* ~*s of whisky* (*garlic*)]; bildl. lukta lång väg [*the book* ~*s of predjudice*] **2** ånga [~ *with* (av) *sweat*]; ryka **II** *s* dålig lukt, stank [*the* ~ *of bad tobacco*]

reel [riːl] **I** *s* **1** rulle, spole [~ *of film*], vard. [film]rulle; ~ *of cotton* trådrulle **2** [nyst]vinda; härvel, haspel **3** skotsk. reel dans

II *vb tr* rulla (veva, spola) upp på rulle äv. ~ *up*; ~ *in*]; haspla; ~ *off* bildl. rabbla upp [~ *off a long list of names*]; haspla ur sig

III *vb itr* **1** virvla, snurra [runt]; *my brain* (*head*) ~*s* det går runt i huvudet på mig, det snurrar [runt] för mig **2** vackla [~ *under a burden*]; ragla [~ *like a*

drunken man]; *he ~ed under the blow* slaget fick
honom att vackla

re-elect [ˌriːɪˈlekt] *vb tr* välja om, återvälja

re-election [ˌriːɪˈlekʃ(ə)n] *s* omval, återval

re-engineer o. **reengineer** [ˌriːen(d)ʒɪˈnɪə] *vb tr*
1 omorganisera [*~ a department*] **2** bygga
(konstruera) om

re-enter [ˌriːˈentə] **I** *vb itr* gå (komma, träda, stiga)
in igen **II** *vb tr* åter gå (komma, träda, stiga) in i

re-entry [riːˈentrɪ] *s* **1** återkomst, rentré; återinresa;
~ visa återinresevisum **2 a)** återinträde **b)** om satellit
o.d. återinträde i [jord]atmosfären **3** ny anteckning;
återinförande

re-establish [ˌriːɪˈstæblɪʃ] *vb tr* återupprätta,
återinföra, återställa, återknyta; reetablera,
etablera på nytt

re-examine [ˌriːɪgˈzæmɪn] *vb tr* undersöka (pröva,
granska, förhöra, examinera) på nytt

re-export [ˌriːekˈspɔːt] *vb tr* reexportera, åter föra
ut ur landet

ref [ref] *s* sport. (vard. kortform av *referee*) domare;
överdomare

ref. förk. för *refer*, *reference*, *referred*

refashion [ˌriːˈfæʃ(ə)n] *vb tr* ombilda, omgestalta

refectory [rɪˈfekt(ə)rɪ] *s* refektorium; matsal i skola
o.d.

refer [rɪˈfɜː] **I** *vb tr* **1** hänskjuta, remittera [*~ a bill to
a committee* (utskott); *~ a patient*]; överlämna [*to*
till, åt] **2** underkänna i tentamen; *be ~red in one
subject* få rest i ett ämne
II *vb itr* o. *vb tr* med adv.:
refer to a) hänvisa till, referera till, åberopa [sig
på]; vädja till; vända sig till; *~ring to your letter*
åberopande ert brev; *~ sb to* hänvisa (remittera)
ngn till, råda ngn att vända sig till **b)** syfta på,
avse, ha avseende på, hänföra sig till **c)** åsyfta,
syfta på, anspela på, mena; *above ~red to*
ovannämnd **d)** bank., *~ to drawer* ung. bristande
täckning

referable [rɪˈfɜːrəbl, ˈref(ə)rəbl] *adj*, *~ to* som kan
hänföras till (tillskrivas)

referee [ˌrefəˈriː] **I** *s* **1** skiljedomare **2** sport. domare
t.ex. fotb.; boxn. [ring]domare; tennis. referee,
överdomare **3** referens person
II *vb itr* o. *vb tr* fungera som skiljedomare
(domare) [i]; döma [*~ a football match*]

reference [ˈref(ə)r(ə)ns] *s* **1** hänvisning,
hänskjutning, hänskjutande [*to* till]; åberopande;
avseende, syftning; *frame of ~* referensram; *terms of
~* se *terms of reference*; *have ~ to* ha avseende på,
avse, angå; *with ~ to* refererande till, åberopande;
med hänsyn till, med avseende på, i fråga om,
angående [äv. *in ~ to*] **2** anspelning, [hän]syftning,
omnämnande; *make ~ to* omnämna, åsyfta, beröra
3 hänvändelse [*to* till]; *make ~ to* vända sig till;
rådfråga; *works of ~* referenslitteratur **4** hänvisning
i bok [*to* till] **5** referens äv. person;
[tjänstgörings]betyg; *take up ~s* ta referenser

reference book [ˈref(ə)r(ə)nsbʊk] *s* **1** uppslagsbok,
uppslagsverk; handbok **2** referensexemplar; pl. *~s*
äv. referenslitteratur

reference library [ˈref(ə)r(ə)nsˌlaɪbr(ə)rɪ] *s*
referensbibliotek

referend|um [ˌrefəˈrend|əm] (pl. äv. *-a* [-ə]) *s*
referendum, folkomröstning

referral [rɪˈfɜːr(ə)l] *s* hänskjutande etc., jfr *refer I*;
remittering [*the ~ of the patient to a specialist*];
remiss

refill [verb ˌriːˈfɪl, subst. ˈriːfɪl] **I** *vb tr* åter fylla, fylla
på; tanka **II** *s* påfyllning; refill; patron till kulpenna
m.m.; *~ el.* blyertsstift till stiftpenna

refine [rɪˈfaɪn] **I** *vb tr* **1** förfina [*~ one's style*];
förädla; raffinera **2** raffinera [*~ sugar; ~ oil*];
förädla, rena
II *vb itr*, *~ el. ~ on* (*upon*) förfina [*~ upon one's
methods*]; förbättra

refined [rɪˈfaɪnd] *perf p* o. *adj* **1** raffinerad etc., jfr
refine I 2 **2** raffinerad, förfinad [*~ manners; ~ taste*]

refinement [rɪˈfaɪnmənt] *s* **1** förbättring
2 raffinemang, finess **3** förfining, elegans; *a man of
~* en förfinad man **4** raffinering, renande, rening

refinery [rɪˈfaɪnərɪ] *s* raffinaderi [*an oil ~*]

refit [ˌriːˈfɪt] **I** *vb tr* [åter] utrusta; rusta upp, sätta i
stånd, reparera [*~ a ship*]
II *vb itr* [åter] sättas i stånd, repareras
III *s* [ny] utrustning; reparation; iståndsättning

reflate [rɪˈfleɪt] *vb tr* ekon. åstadkomma
(genomföra) en reflation av (i) [*~ the economy*]

reflation [rɪˈfleɪʃ(ə)n] *s* ekon. reflation

reflationary [rɪˈfleɪʃn(ə)rɪ] *adj* ekon. reflations- [*~
measures*]

reflect [rɪˈflekt] **I** *vb tr* **1** reflektera, kasta tillbaka,
återkasta [*~ light, ~ heat*] **2** reflektera, [av]spegla,
återspegla äv. bildl. [*his face ~ed what was passing
through his mind*]; *~ed image* spegelbild **3** *~ credit
[up]on sb* hedra ngn **4** tänka på, betänka [*that* att,
how hur]
II *vb itr* **1** reflektera, fundera, tänka [tillbaka] [*on,
upon* på, över], tänka efter; *~ [up]on* äv. överväga,
tänka över, begrunda; *I want time to ~* jag vill ha
betänketid **2** *~ [up]on* kasta en skugga över, ställa i
en ofördelaktig dager; *~ favourably [up]on* ställa i en
fördelaktig dager **3** reflekteras; återkastas;
återspeglas

reflection [rɪˈflekʃ(ə)n] *s* **1** reflexion, återkastning
2 spegelbild, bild [*see one's ~ in a mirror*];
återsken, reflex **3** reflexion; eftertanke, begrundan;
betraktelse[r]; *~s on* äv. funderingar kring; *on ~* el.
on further ~ vid närmare eftertanke (betänkande,
övervägande) **4** kritik, klander, anmärkning [*on,
upon* mot]; fläck [*a ~ on sb's honour*]

reflective [rɪˈflektɪv] *adj* **1** reflekterande,
återspeglande, reflexions-; om ljus reflekterad
2 reflekterande, tänkande, tankfull, fundersam,
begrundande

reflector [rɪˈflektə] *s* reflektor i div. tekn. betydelser;
reflex[anordning]

reflector tape [rɪˈflektəteɪp] *s* reflexband

reflex [ˈriːfleks] **I** *s* **1** reflex, reflexrörelse **2** se
reflection 2
II *adj* reflekterad; reflex- [*~ action*]

reflexion [rɪˈflekʃ(ə)n] *s* se *reflection*

reflexive [rɪˈfleksɪv] gram. **I** *adj* reflexiv
II *s* **1** reflexiv[pronomen] **2** reflexivt verb

reforest [ˌriːəˈfɒrɪst] *vb tr* nyplantera med skog

reforestation [riːˈfɒrɪsteɪʃ(ə)n] *s* återplantering
(nyplantering) av skog

reform [rɪ'fɔ:m] **I** *vb tr* **1** reformera, [för]bättra, omdana **2** omvända [~ *a sinner*]
II *vb itr* bättra sig
III *s* reform, förbättring
re-form [ˌri:'fɔ:m] *vb tr* o. *vb itr* nybilda[s], nydana[s]; mil. åter formera [sig]
Reformation [ˌrefə'meɪʃ(ə)n] *s*, *the* ~ hist. reformationen
reformation [ˌrefə'meɪʃ(ə)n] *s* reformation; förbättring
reformatory [rɪ'fɔ:mət(ə)rɪ] *s* hist. ungdomsvårdsskola
reformer [rɪ'fɔ:mə] *s* reformator; reformvän, reformivrare
reformist [rɪ'fɔ:mɪst] **I** *adj* reformistisk, reformvänlig **II** *s* reformist, reformator, reformvän
reform school [rɪ'fɔ:msku:l] *s* hist. ungdomsvårdsskola
refract [rɪ'frækt] *vb tr* fys. bryta ljus; *~ing angle* brytande vinkel
refracting telescope [rɪ'fræktɪŋˌtelɪskəʊp] *s* refraktor teleskop med linser
refraction [rɪ'frækʃ(ə)n] *s* fys. refraktion, [ljus]brytning; *angle of* ~ brytningsvinkel
refractory [rɪ'frækt(ə)rɪ] *adj* motspänstig, oregerlig, trotsig [*a* ~ *child*]; envis [*a* ~ *disease*]
1 refrain [rɪ'freɪn] *vb itr* avhålla sig, avstå [~ *from hostile action*]; ~ *from sth* äv. låta bli ngt; ~ *doing sth* äv. låta bli att göra ngt; *please* ~ *from smoking* rökning undanbedes
2 refrain [rɪ'freɪn] *s* refräng; omkväde
refresh [rɪ'freʃ] *vb tr* **1** friska upp; liva (pigga) upp; *~ed* äv. utvilad; ~ *oneself* a) styrka sig, stärka sig, pigga upp sig [~ *oneself with a cup of tea*] b) läska sig [~ *oneself with a cool drink*]; ~ *one's memory* friska upp minnet **2** bättra på, snygga (piffa) upp [~ *the paintwork*]
refresher [rɪ'freʃə] *s* **1** vard. förfriskning, drink, styrketår **2** extraarvode åt advokat
refresher course [rɪ'freʃəkɔ:s] *s* repetitionskurs, fortbildningskurs
refreshing [rɪ'freʃɪŋ] *adj* **1** uppfriskande, styrkande, uppiggande [*a* ~ *sleep*]; läskande [*a* ~ *drink*] **2** välgörande [~ *simplicity*]; uppfriskande
refreshment [rɪ'freʃmənt] *s* **1** uppfriskning **2** vanl. pl. *~s* förfriskningar; ~ *car* byffévagn; ~ *room*[*s*] restaurang, servering, byffé på järnvägsstation; *take some ~*[*s*] inta förfriskningar
refrigerate [rɪ'frɪdʒəreɪt] *vb tr* **1** frysa [in] [~ *provisions*] **2** svalka; kyla [av]
refrigeration [rɪˌfrɪdʒə'reɪʃ(ə)n] *s* **1** [in]frysning **2** [av]kylning
refrigerator [rɪ'frɪdʒəreɪtə] *s* **1** kylskåp; kylrum; ~ *car* el. ~ *van* kylvagn **2** kylare kondensor; kylapparat
refrigerator-freezer [rɪˌfrɪdʒəreɪtə'fri:zə] *s* amer. kyl och frys
refuel [ˌri:'fjʊəl] *vb tr* o. *vb itr* tanka; fylla på [nytt bränsle]
refuge ['refju:dʒ] *s* **1** tillflykt, tillflyktsort, fristad [äv. *place of* ~]; *seek* ~ söka sin tillflykt, söka skydd [*from* undan, från; *in*, *at* i, på; *with* hos]; *take* ~ ta sin tillflykt [*in*, *at* till; *with* hos] **2** refug
refugee [ˌrefjʊ'dʒi:] *s* spec. polit. flykting; ~ *camp* flyktingläger

refund [verb ri:'fʌnd, subst. 'ri:fʌnd] **I** *vb tr* återbetala, återställa [~ *money*]; ersätta, gottgöra ngn för förlust m.m.
II *s* återbetalning, restitution; återbäring; ersättning, gottgörelse
refurbish [ˌri:'fɜ:bɪʃ] *vb tr* putsa (polera) upp; snygga upp; renovera
refusal [rɪ'fju:z(ə)l] *s* **1** vägran; avslag **2** *give sb* [*the*] *first* ~ *of* ge ngn förköpsrätt till
refuse [verb rɪ'fju:z, subst. 'refju:s] **I** *vb tr* **1** vägra, neka; förvägra **2** avslå [~ *a request*]; tillbakavisa, avvisa [~ *a candidate*]; refusera [~ *an offer*]; säga nej till [~ *an office*]; avböja, försmå; ge ngn korgen
II *vb itr* vägra, neka, säga nej
III *s* skräp, bråte, avfall, sopor, avskräde [äv. ~ *matter*]; drägg, avskum [*the* ~ *of society*]; ~ *separation* el. ~ *sorting* sopsortering
refuse chute ['refju:sʃu:t] *s* sopnedkast
refuse collection ['refju:skəˌlekʃ(ə)n] *s* sophämtning, renhållning
refuse collector ['refju:skəˌlektə] *s* sophämtare, renhållningsarbetare
refuse dump ['refju:sdʌmp] *s* soptipp, avskrädeshög
refutable [rɪ'fju:təbl, 'refjʊt-] *adj* som kan vederläggas, vederläglig
refutation [ˌrefjʊ'teɪʃ(ə)n] *s* vederläggning; motargument
refute [rɪ'fju:t] *vb tr* vederlägga, motbevisa
Reg [redʒ] kortform av *Reginald*
regain [rɪ'geɪn, ri:'g-] *vb tr* **1** återfå [~ *consciousness*]; återvinna; ~ *one's feet* (*footing*) komma på fötter igen; få fotfäste igen **2** åter uppnå
regal ['ri:g(ə)l] *adj* kunglig; majestätisk
regale [rɪ'geɪl] *vb tr* traktera, undfägna [*with* med], underhålla [~ *with stories*]
regalia [rɪ'geɪlɪə] *s pl* **1** regalier, [kungliga] insignier **2** full stass
regard [rɪ'gɑ:d] **I** *vb tr* **1** anse, betrakta [*I* ~ *him as the best*] **2** uppfatta, se på [*how is she ~ed locally?*]; betrakta [*I* ~ *him with suspicion* (misstro)] **3** angå, röra, beträffa; *as ~s* vad... beträffar, beträffande
II *s* **1** avseende, hänseende; *in this* ~ i detta hänseende (avseende); *with* ~ *to* med avseende på, med hänsyn till **2** hänsyn, uppmärksamhet; aktning; *I have* [*a*] *great* ~ *for him* jag hyser (har) stor aktning för honom; *she has little* ~ *for* hon tar föga hänsyn till; hon hyser föga aktning för; *pay* ~ *to* ta hänsyn till, fästa avseende vid, bry sig om; *out of* ~ *for* av hänsyn till, av aktning för; *without* ~ *to* utan hänsyn till **3** pl. *~s* hälsningar; *kind ~s to you all* hjärtliga hälsningar till er alla; *give her my* [*best*] *~s* hälsa henne [så mycket] från mig; *he sends his* [*best*] *~s* han hälsar [så mycket]
regarding [rɪ'gɑ:dɪŋ] *prep* beträffande, rörande, angående, med avseende på
regardless [rɪ'gɑ:dləs] **I** *adj* utan hänsyn [~ *of* (till) *expense*]; obekymrad [*of* om] **II** *adv* vard. under alla omständigheter, trots allt
regatta [rɪ'gætə] *s* sport. regatta, kappsegling
regency ['ri:dʒ(ə)nsɪ] *s* regentskap; tillförordnad regering; interimsregering; förmyndarregering

regenerate [rɪ'dʒenəreɪt] *vb tr* o. *vb itr* bildl.
pånyttföda[s], väcka[s] till nytt liv; förnya[s]; biol.
m.m. regenerera[s], återbilda[s]

regeneration [rɪˌdʒenə'reɪʃ(ə)n] *s* bildl.
pånyttfödelse; nyskapelse, nydaning; biol. m.m.
regeneration, regenerering, återbildning; teol.
nyfödelse

regenerative [rɪ'dʒenərətɪv] *adj* pånyttfödande,
förnyelse- [~ *work*]; regenerativ

regent ['ri:dʒ(ə)nt] *s* **1** regent, riksföreståndare
2 amer. medlem av styrelsen för delstatsuniversitet

reggae ['regeɪ] *s* reggae västindisk musikform

Reggie ['redʒɪ] kortform av *Reginald*

regicide ['redʒɪsaɪd] *s* **1** kungamördare
2 kungamord

regime [reɪ'ʒi:m, '--] *s* **1** regim, styrelse,
regeringsform **2** system, ordning **3** se *regimen*

regimen ['redʒɪmen] *s* kur; diet; levnadsregler,
regim; träningsprogram

regiment ['redʒɪmənt] *s* mil. regemente, bildl. äv.
armé [*a ~ of ants*]

regimental [ˌredʒɪ'mentl] *adj* regements-; ~ *band*
regementsorkester

regimentation [ˌredʒɪmen'teɪʃ(ə)n] *s* organisering,
gruppering; disciplin[ering]; likriktning

regimented ['redʒɪmentɪd] *adj* reglementsenlig;
överorganiserad; strikt

Regina [rɪ'dʒaɪnə] *s* lat. [regerande] drottning; ~
versus Smith jur. kronan (staten) mot Smith

Reginald ['redʒɪn(ə)ld] mansnamn

region ['ri:dʒ(ə)n] *s* **1** region, område, trakt, nejd,
bildl. äv. rymd, rike; *the abdominal ~* magtrakten;
something in the ~ of £1,000 någonting i
storleksordningen 1000 pund **2** pl. *the ~s*
landsorten

regional ['ri:dʒənl, -dʒnəl] *adj* **1** regional, regions-;
lokal, lokal- **2** regionalistisk

register ['redʒɪstə] **I** *vb tr* **1** [in]registrera;
anteckna, förteckna, föra in; skriva in; anmäla [~
the birth of a child]; protokollföra; ung.
mantalsskriva; ~ *oneself* skriva sig; registrera sig;
anmäla sig; ~ *a protest* inlägga (avge) protest; ~
one's vote avge sin röst **2** lägga på minnet;
registrera, lägga märke till **3** järnv. pollettera **4** post.
rekommendera **5** om instrument registrera, [ut]visa,
visa på **6** uttrycka [*her face ~ed surprise*]
II *vb itr* **1** skriva in sig [~ *at a hotel*]; anmäla sig [~
for (till) *a course*] **2** uppfatta
III *s* **1** register, förteckning, längd, rulla; liggare; ~
of voters röstlängd; *attendance* ~ skol. närvarolista;
class ~ skol. klassbok; *parish* ~ kyrkobok **2** mus.
a) register; tonläge b) [orgel]register **3** spjäll; tekn.
regulator; *hot-air* ~ värmeregulator
4 registreringsapparat; mätare; räkneverk; *cash* ~
kassaapparat

registered letter [ˌredʒɪtəd'letə] *s* post.
rekommenderat brev, rek

registered mail [ˌredʒɪstəd'meɪl] *s* amer. post.
rekommenderad post; rekommenderat brev
(paket)

registered nurse [ˌredʒɪstəd'nɜ:s] (förk. *RN*) *s*
legitimerad sjuksköterska

registered office [ˌredʃɪstəd'ɒfɪs] *s* postadress

registered post [ˌredʒɪstəd'pəʊst] *s* post., se
registered mail

registered trademark [ˌredʒɪstəd'treɪdmɑ:k] *s*
inregistrerat varumärke

register office ['redʃɪstər,ɒfɪs] *s* se *registry* 1

registrar [ˌredʒɪ'strɑ:, '---] *s* **1** registrator; *court* ~
ung. inskrivningsdomare; ~*'s office*
folkbokföringsmyndighet **2** borgerlig
vigselförrättare; *get married before the* ~ gifta sig
borgerligt **3** sjukhusläkare [*medical ~; surgical ~*]

registration [ˌredʒɪ'streɪʃ(ə)n] *s* **1** [in]registrering;
inskrivning; ung. folkbokföring, mantalsskrivning
2 post. rekommendation

registration document
[ˌredʒɪ'streɪʃ(ə)n,dɒkjʊmənt] *s* bil., ung.
besiktningsinstrument

registration number [ˌredʒɪ'streɪʃ(ə)n'nʌmbə] *s* bils
registreringsnummer

registration plate [ˌredʒɪ'streɪʃ(ə)npleɪt] *s* austral.
nummerplåt, registreringsskylt

registry ['redʒɪstrɪ] *s* **1** ~ el. ~ *office*
registreringskontor, inskrivningskontor; byrå för
borgerlig vigsel; *married at a* ~ [*office*] borgerligt gift
2 sjö. registrering; *port of* ~ registreringsort, hemort

regress [rɪ'gres] *vb itr* återgå, gå (vända) tillbaka

regression [rɪ'greʃ(ə)n] *s* regression, återgång,
tillbakagång, förfall

regressive [rɪ'gresɪv] *adj* regressiv

regret [rɪ'gret] **I** *vb tr* **1** beklaga; ångra; ~ *it* ångra
sig; *I ~ doing it* jag ångrar att jag gjorde det; *I ~ to
say* jag får tyvärr säga; *we ~ to inform you* vi måste
tyvärr meddela [Er]; *I ~ not having been able to come*
jag beklagar (är ledsen) att jag inte kunde komma;
it is to be ~ted det är beklagligt **2** sakna, känna
saknad efter
II *s* **1** ledsnad, sorg [*at* över], beklagande; ånger
[*at* över]; *I have no ~s* jag ångrar ingenting; [*she was
ill*] *and had to send her ~s* ...och beklagade att hon
inte kunde komma (delta), ...och kunde tyvärr
inte komma (delta); *it is a matter of* (*for*) *deep ~* det
är mycket att beklaga (beklagligt); *much to my ~* [*he
never came back*] till min stora sorg... **2** saknad
[*for* efter]

regretful [rɪ'gretf(ʊ)l] *adj* ångerfull, ångerköpt; full
av saknad; beklagande

regretfully [rɪ'gretf(ʊ)lɪ] *adv* **1** ångerfullt,
beklagande **2** se *regrettably*

regrettable [rɪ'gretəbl] *adj* beklaglig,
beklagansvärd

regrettably [rɪ'gretəblɪ] *adv* beklagligt nog, tyvärr

regroup [ˌri:'gru:p] *vb tr* o. *vb itr* omgruppera [sig]

regular ['regjʊlə] **I** *adj* **1** regelbunden, regelmässig,
reguljär; fast, stadig [~ *work*]; jämn [~ *breathing*];
vanlig [*the ~ route*]; ordentlig; ~ *visitor* flitig
besökare; *at ~ intervals* med jämna mellanrum
2 reglementarisk, regelrätt, stadgeenlig [*a ~
procedure*]; formlig, korrekt **3** vard. riktig [*a ~
hero*]; äkta, sannskyldig, veritabel [*a ~ rascal*];
rejäl; ~ *guy* hedersprick **4** normal; medelstor;
regular, 96-oktanig [~ *petrol*; ~ *gasoline*] **5** gram. el.
matem. regelbunden
II *s* **1** vard. stamkund, stadig (fast) kund; stamgäst
2 vanl. pl. ~*s* reguljära trupper; stamanställda (fast
anställda) [soldater]

regular army [ˌregjʊləˈɑːmɪ] s stående (reguljär) armé

regular customer [ˌregjʊləˈkʌstəmə] s stamkund, stadig (fast) kund

regularity [ˌregjʊˈlærətɪ] s regelbundenhet; ~ *of attendance* regelbunden närvaro

regularization [ˌregjʊləraɪˈzeɪʃ(ə)n] s reglering, normering

regularize [ˈregjʊləraɪz] vb tr göra regelbunden; reglera, normera [~ *the proceedings*]

regularly [ˈregjʊləlɪ] adv regelbundet etc., jfr *regular*; vard. riktigt, ordentligt

regulate [ˈregjʊleɪt] vb tr reglera; normera; styra; rucka [~ *a watch*]; justera, ställa in

regulation [ˌregjʊˈleɪʃ(ə)n] **I** s **1** reglering, reglerande etc., jfr *regulate* **2** regel, föreskrift, bestämmelse; pl. **~s** äv. [ordnings]stadga, reglemente, förordning [*traffic ~s*]; *King's ~s* el. *Queen's ~s* mil. reglemente **II** adj reglementsenlig [~ *uniform*]; föreskriven; sedvanlig

regulator [ˈregjʊleɪtə] s **1** tekn. reglage; regulator **2** reglerare, justerare

regurgitate [rɪˈgɜːdʒɪteɪt] vb tr **1** stöta upp [igen] spec. ur magen **2** bildl. rapa upp [~ *what other people have said*]

rehab [ˈriːhæb] s (vard. kortform av *rehabilitation*), *be in* ~ sitta på torken, vara på avgiftning; ~ *programme* rehabiliteringsprogram för missbrukare

rehabilitate [ˌriːəˈbɪlɪteɪt, ˌriːhə-] vb tr **1** rehabilitera äv. med., [åter]upprätta, ge upprättelse; återanpassa [till samhället] **2** återställa; restaurera

rehabilitation [ˈriːəˌbɪlɪˈteɪʃ(ə)n, ˈriːhə-] s **1** rehabilitering äv. med.; [åter]upprättelse; återanpassning [till samhället] **2** återställande; restauration

rehash [verb ˌriːˈhæʃ, subst. ˈriːhæʃ] **I** vb tr **1** kok. göra ett uppkok på, bildl. äv. stuva om, servera i ny form **2** amer. gå (snacka) igenom [efteråt] **II** s bildl. omstuvning; uppkok

rehearsal [rɪˈhɜːs(ə)l] s **1** teat. repetition, instudering, inövning; *dress* ~ generalrepetition, genrep **2** uppräkning; uppräkning, återgivande

rehearse [rɪˈhɜːs] **I** vb tr **1** repetera, studera in [~ *a part*; ~ *a play*]; öva in [~ *one's lines* (repliker)] **2** upprepa; räkna upp, gå igenom, återge **II** vb itr repetera, öva

reheat [ˌriːˈhiːt] vb tr värma upp igen

rehouse [ˌriːˈhaʊz] vb tr skaffa ny bostad åt, flytta till bättre (nyare) bostad

reign [reɪn] **I** s regering, välde; regeringstid **II** vb itr regera, härska [*over* över], råda äv. bildl. [*silence ~ed everywhere*]; ~ *supreme* härska enväldigt; vara allenarådande; vara helt suverän

reigning [ˈreɪnɪŋ] adj regerande; *she was the ~ beauty* hon var den mest firade skönheten; ~ *champion* regerande mästare

reign of terror [ˌreɪnəvˈterə] s skräckvälde, skräckregemente

reimburse [ˌriːɪmˈbɜːs] vb tr återbetala, ersätta, gottgöra [~ *sb* [*for*] *his costs*]; täcka

reimbursement [ˌriːɪmˈbɜːsmənt] s återbetalning, ersättning, gottgörelse; täckning

reimport [ˌriːɪmˈpɔːt] vb tr återimportera, återinföra

rein [reɪn] **I** s **1** tygel, töm; *draw* ~ hålla in häst; sakta farten; *give a horse the ~(s)* el. *give a horse a free ~* ge en häst lösa tyglar; *give* [*free*] ~ *to one's imagination* ge fria tyglar åt (släppa lös) sin fantasi; *hand* (*take*) *over the ~s* överlåta (överta) kontrollen (styret, ledningen); *hold the ~s* bildl. hålla i tyglarna; *hold* (*keep*) *a tight ~ on* hålla i strama tyglar, hålla kort **2** pl. *~s* sele för barn **II** vb tr tygla; ~ *in* bildl. lägga band på, hålla tillbaka

reincarnate [riːˈɪnkɑːneɪt] vb tr reinkarnera

reincarnation [ˌriːɪnkɑːˈneɪʃ(ə)n] s reinkarnation

reindeer [ˈreɪndɪə] (pl. *reindeer*) s zool. ren

reinforce [ˌriːɪnˈfɔːs] vb tr förstärka; bildl. underbygga

reinforced concrete [ˌriːɪnfɔːstˈkɒŋkriːt] s armerad betong

reinforcement [ˌriːɪnˈfɔːsmənt] s **1** förstärkning **2** tekn. armering

reinstate [ˌriːɪnˈsteɪt] vb tr återinsätta [*in* i ämbete m.m.; *to* i rättigheter]; återställa

reinstatement [ˌriːɪnˈsteɪtmənt] s återinsättande; återställande

reinterpret [ˌriːɪnˈtɜːprɪt] vb tr tolka om, ge ny tolkning [av (åt)]

reinterpretation [ˈriːɪnˌtɜːprɪˈteɪʃ(ə)n] s omtolkning; nytolkning

reintroduce [ˈriːˌɪntrəˈdjuːs] vb tr återinföra; presentera (introducera) på nytt; jfr vidare *introduce*

reintroduction [ˈriːˌɪntrəˈdʌkʃ(ə)n] s återinförande, återinföring

reinvent [riːɪnˈvent] vb tr **1** uppfinna på nytt; ~ *the wheel* uppfinna hjulet på nytt **2** hitta på (tänka ut) på nytt; dikta upp på nytt **3** ~ *oneself* ge sig själv en ny image, presentera sig själv i ny skepnad

reinvestment [ˌriːɪnˈvestmənt] s reinvestering, nyinvestering, omplacering

reissue [ˌriːˈɪʃuː, -ˈɪsjuː] **I** vb tr åter släppa ut; åter ge ut (publicera); åter utfärda **II** s nyutsläppande; nyutgivning; nytryck[ning]; utfärdande på nytt

reiterate [riːˈɪtəreɪt] vb tr upprepa [på nytt (gång på gång)]

reiteration [ˌriːɪtəˈreɪʃ(ə)n] s [ideligt] upprepande; upprepning

reject [verb rɪˈdʒekt, subst. ˈriːdʒekt] **I** vb tr **1** förkasta [~ *a scheme*]; avslå [~ *a proposal*; ~ *a request*]; tillbakavisa, avvisa [~ *an offer*]; refusera [~ *a book*]; kassera, rata, vraka; ogilla **2** med. avstöta, stöta bort transplantat **II** s **1** utskottsvara, defekt vara **2** utslagen [person]

rejection [rɪˈdʒekʃ(ə)n] s **1** förkastande, förkastelse, avvisande; refusering [*the ~ of a book*]; kassering; avslag **2** med. avstötning av transplantat

rejig [ˌriːˈdʒɪg] vb tr vard. ordna om; manipulera, piffa upp

rejoice [rɪˈdʒɔɪs] vb itr glädja sig, glädjas, fröjdas [*at, in, over* åt, över]

rejoicing [rɪˈdʒɔɪsɪŋ] s glädje, fröjd, jubel; pl. *~s* festligheter, [glädje]fest, jubel

rejoin [ˌriːˈdʒɔɪn, i betydelse 3 rɪˈdʒɔɪn] vb tr **1** återförena sig med, återvända till, åter sluta sig till (uppsöka) **2** åter sammanfoga **3** genmäla, svara, replikera

rejoinder [rɪˈdʒɔɪndə] s genmäle, svar, replik

rejuvenate [rɪˈdʒuːvəneɪt] vb tr föryngra; vitalisera

rejuvenation [rɪˌdʒuːvəˈneɪʃ(ə)n] *s* föryngring; vitalisering; ~ *treatment* föryngringskur

rekindle [ˌriːˈkɪndl] *vb tr* återuppväcka, tända på nytt

relapse [rɪˈlæps] **I** *vb itr* **1** återfalla [~ *into* (i, till) *crime* (brottslighet)]; åter försjunka [~ *into* (i) *silence*] **2** med. få återfall (recidiv) **II** *s* återfall

relate [rɪˈleɪt] **I** *vb tr* **1** berätta, skildra **2** sätta (ställa) i relation (samband) [*to* till; *with* med], relatera [*to* till] **II** *vb itr*, ~ *to* stå i relation till, stå i samband med, hänföra sig till; *relating to* angående, om, som avser

related [rɪˈleɪtɪd] *adj* besläktad, släkt [*to* med]; *closely* ~ nära släkt, närbesläktad; *be* ~ *to* stå i samband med

relation [rɪˈleɪʃ(ə)n] *s* **1** relation, förhållande; samband; *in* ~ *to* a) i förhållande (relation) till b) med hänsyn till, angående [äv. *with* ~ *to*] **2** vanl. pl. *relations* a) [inbördes] förhållande, relationer; *their* ~*s are rather strained* det råder ett ganska spänt förhållande mellan dem b) förbindelse[r]; *break off diplomatic* ~*s* avbryta de diplomatiska förbindelserna; *establish* ~*s with* knyta förbindelser med **3** släkting [*a* ~ *of mine*]

relational database [rɪˌleɪʃ(ə)nəlˈdeɪtəbeɪs] *s* data. relationsdatabas

relationship [rɪˈleɪʃ(ə)nʃɪp] *s* **1** förhållande [*the* ~ *between buyer and seller*]; relation[er], bekantskap [*to* med] **2** släktskap, släktskapsförhållande

relative [ˈrelətɪv] **I** *adj* **1** relativ [*everything is* ~]; *he did it with* ~ *ease* han gjorde det förhållandevis (relativt) lätt; *their* ~ *position* deras relativa (inbördes) läge **2** ~ *to* a) som hänför sig till, som har avseende på b) i förhållande (relation) till; *be* ~ *to* stå i relation till, motsvara **3** gram. relativ **II** *s* **1** släkting, anhörig; ~*s' room* på t.ex. sjukhus anhörigrum **2** gram. relativ[pronomen]

relative density [ˌrelətɪvˈdensətɪ] *s* densitet; förr specifik vikt

relatively [ˈrelətɪvlɪ] *adv* relativt, jämförelsevis, förhållandevis; ~ *speaking* relativt sett; ~ *to* i förhållande till

relativity [ˌreləˈtɪvətɪ] *s* vetensk. relativitet; *the theory of* ~ relativitetsteorin

relax [rɪˈlæks] **I** *vb itr* **1** koppla av [*let's* ~ *for an hour*]; slappna av [*learn to* ~]; lugna [ner] sig; ~*!* vard. spänn av!, lugna ner dig! **2** slappas, förslappas [*we must not* ~ *in our efforts*] **3** mildras; dämpas **II** *vb tr* **1** slappa på, låta slappna, slappna av i [~ *one's muscles*]; lossa [på] [~ *one's hold* (*grip*)]; verka avslappnande på; ~ *one's guard* ge en blotta på sig **2** släppa efter på [~ *discipline*]; mildra [~ *one's severity*]; lätta på [~ *restrictions*]; dämpa **3** minska [~ *one's efforts*]

relaxation [ˌriːlækˈseɪʃ(ə)n] *s* **1** avkoppling **2** avslappnande; avslappning, lindring; mildrande; ~ *of discipline* uppluckring av disciplinen; ~ *of tension* polit. avspänning

relaxed [rɪˈlækst] *adj* **1** avspänd, avslappnad **2** avkopplande [*a* ~ *atmosphere*]; ledig

relaxing [rɪˈlæksɪŋ] *adj* avslappnande, avkopplande; ~ *climate* klimat man kopplar av i

relay [ˈriːleɪ, verb äv. rɪˈleɪ] **I** *vb tr* **1** vidarebefordra **2** radio. el. TV. reläa, återutsända **II** *s* **1** skift [*work in* ~*s*]; arbetslag, omgång; ombyte **2** sport. **a)** se *relay race* **b)** sträcka i stafettlöpning osv. **3** fys. el. tekn. relä; radio. el. TV. återutsändning

relay race [ˈriːleɪˌreɪs] *s* stafett[löpning], stafettlopp; lagkapp[simning]

relearn [ˌriːˈlɜːn] *vb tr* lära om

release [rɪˈliːs] **I** *vb tr* **1** frige, släppa [lös], släppa fri, befria **2** släppa [~ *one's hold*]; lossa [på] [~ *the handbrake*]; frigöra, utlösa [~ *a parachute*] **3** befria, lösa [~ *sb from an obligation*]; frikalla, frigöra **4** släppa [ut] [~ *a film*]; [låta] publicera, [låta] offentliggöra [~ *news*] **II** *s* **1** frigivning, frisläppande, lössläppande, befrielse; ~ *on probation* jur. villkorlig frigivning **2** utsläpp, släppande, lossande; fällning, fällande [~ *of bombs*]; frigörande, utlösning äv. bildl.; utlösningsmekanism [äv. ~ *gear*] **3** befrielse, lösande, frikallelse, frigörelse [*from* från] **4** [ut]släppande [~ *of a film*]; publicering, offentliggörande; utgåva; *press* ~ pressrelease, pressmeddelande för publicering vid viss tidpunkt

relegate [ˈreləgeɪt] *vb tr* **1** hänskjuta, överlämna **2** degradera; sport. flytta ned

relegation [ˌreləˈgeɪʃ(ə)n] *s* **1** hänskjutande, överlämnande; delegering **2** förvisning; degradering; sport. nedflyttning

relent [rɪˈlent] *vb itr* vekna, mjukna, ge efter

relentless [rɪˈlentləs] *adj* obeveklig

relevance [ˈreləvəns] *s* relevans, betydelse, samband

relevant [ˈreləvənt] *adj* relevant [*to* för, i], av betydelse [*to* för], tillämplig [*to* på], som hör till saken, hithörande, dithörande; [*study the facts*] ~ *to the case* …som rör fallet

reliability [rɪˌlaɪəˈbɪlətɪ] *s* pålitlighet, tillförlitlighet, vederhäftighet; driftsäkerhet

reliable [rɪˈlaɪəbl] *adj* pålitlig, tillförlitlig

reliably [rɪˈlaɪəblɪ] *adv* pålitligt, tillförlitligt; *we are* ~ *informed that* från säker källa (tillförlitligt håll) rapporteras att

reliance [rɪˈlaɪəns] *s* tillit, förtröstan [*on* till, på]; *place* (*put*) ~ *on* (*upon*) hysa tillit till

reliant [rɪˈlaɪənt] *adj* **1** tillitsfull, förtröstansfull **2** beroende [*on* av]

relic [ˈrelɪk] *s* **1** relik **2** kvarleva, rest, lämning, minne [*of* från, av, efter]; minnesmärke; ~ *of the past* fornminne; kvarleva från det förgångna **3** pl. ~*s* kvarlevor, stoft

relief [rɪˈliːf] *s* **1** lättnad, lindring **2** understöd; bistånd, hjälp; amer. socialhjälp [äv. *public* ~]; ~ *measures* hjälpaktion, hjälpåtgärder; ~ *organization* hjälporganisation; *be on* ~ amer. få socialhjälp **3** avdrag; lättnad [*tax* ~] **4** undsättning [~ *of a besieged town*]; befrielse **5** avhjälpande [~ *of unemployment*]; avlastning, hjälp; avlösning; *run a* ~ *train* sätta in ett extratåg **6** omväxling; *by way of* ~ som omväxling; *by way of light* ~ som avkoppling **7** konst. el. boktr. relief äv. bildl.; *stand out in bold* (**sharp**) ~ **against** avteckna sig (framträda) skarpt mot; **bring** (**throw**) **into strong** ~ starkt framhäva

relief map [rɪˈliːfmæp] s reliefkarta

relief road [rɪˈliːfrəʊd] s avlastningsväg

relief work [rɪˈliːfwɜːk] s beredskapsarbete[n], nödhjälpsarbete[n]

relieve [rɪˈliːv] vb tr **1** lätta, lugna; lindra, avhjälpa [~ **distress**; ~ **suffering**]; mildra; ~ **one's feelings** ge luft (utlopp) åt sina känslor, avreagera sig; ~ **the pressure** minska (lätta på) trycket **2** understödja, bispringa, bistå, hjälpa **3** undsätta; befria **4** avlösa [~ **the guard**; ~ **a sentry**] **5** ge omväxling åt, variera; lätta upp **6** ~ **sb of sth** a) befria (frita, lösa) ngn från ngt [~ **sb of his duties** (**responsibility**)] b) frånta ngn ngt c) hjälpa ngn med ngt [**let me** ~ **you of your suitcase**] d) skämts. ta (knycka) ngt från ngn [~ **sb of his wallet**] **7** ~ **oneself** förrätta sina [natur]behov

religion [rɪˈlɪdʒ(ə)n] s religion; skol. religionskunskap; **minister of** ~ protestantisk präst; **golf is his** ~ han tänker inte på annat än golf; **get** ~ vard., skämts. bli religiös

religious [rɪˈlɪdʒəs] adj **1** religiös, religions-; gudfruktig, from; andlig **2** som hör till ett kloster, kloster- [~ **life**]; ~ **house** kloster

religious education [rɪˌlɪdʒəsedjʊˈkeɪʃ(ə)n] (förk. RE) s religionskunskap som skolämne, religionsundervisning

religiously [rɪˈlɪdʒəslɪ] adv **1** religiöst **2** samvetsgrant, plikttroget

relinquish [rɪˈlɪŋkwɪʃ] vb tr **1** lämna, avstå från [~ **a right**]; avträda, avsäga sig, överlåta, lämna ifrån sig; efterskänka; frångå, överge [~ **a plan**]; ge upp, låta fara [~ **a hope**; ~ **an idea**] **2** släppa [~ **one's hold**]

reliquary [ˈrelɪkwərɪ] s reliksskrin

relish [ˈrelɪʃ] **I** vb tr njuta av, uppskatta **II** s **1** [angenäm] smak, bildl. äv. krydda, piff **2** smak, tycke; aptit; [väl]behag, njutning; **with** ~ med förtjusning (nöje) **3** kok. a) smaktillsats, smakämne, krydda; kryddad sås b) slags pickles på t.ex. gurka o. majonnäs c) aptitretare

relive [ˌriːˈlɪv] vb tr leva om [~ **one's life**]; återuppleva [~ **sth in the memory**]

reload [ˌriːˈləʊd] vb tr **1** lasta (lassa) om **2** ladda om

relocate [ˌriːləˈ(ʊ)ˈkeɪt] vb tr o. vb itr omlokalisera[s], omflytta[s]; [tvångs]förflytta[s]

relocation [ˌriːləˈ(ʊ)ˈkeɪʃ(ə)n] s omlokalisering, omflyttning; [tvångs]förflyttning

reluctance [rɪˈlʌktəns] s motsträvighet, motvillighet

reluctant [rɪˈlʌktənt] adj motsträvig, motvillig; **he was** ~ **to do it** han gjorde det ogärna

rely [rɪˈlaɪ] vb itr, ~ **on** el. ~ **upon** a) lita på, förtrösta på b) vara beroende av, vara hänvisad till

remade [ˌriːˈmeɪd] imperf. o. perf. p. av **remake**

remain [rɪˈmeɪn] vb itr **1** återstå; finnas (vara, bli, leva) kvar; restera; **it ~s to be seen** det återstår att se **2** förbli, fortfara att vara **3** stanna [kvar], stå kvar; ~ **behind** stanna kvar som siste man

remainder [rɪˈmeɪndə] **I** s **1** återstod, rest **2** matem. rest **3** pl. ~**s** restexemplar, restupplaga

II vb tr sälja ut, realisera, slumpa bort restupplaga

remaining [rɪˈmeɪnɪŋ] adj återstående, resterande, kvarvarande

remains [rɪˈmeɪnz] s pl **1** återstod[er], lämningar, kvarlevor, rester, ruiner, minnen [**of** av, efter] **2** kvarlevor, stoft [**his mortal** ~]

remake [ˌriːˈmeɪk] **I** (**remade remade**) vb tr **1** a) göra om, skapa om b) sy om **2** göra en nyinspelning av [~ **a film**] **II** s nyinspelning av film

remand [rɪˈmɑːnd] **I** vb tr återsända; spec. jur. skicka tillbaka [i häkte]; ~ **in custody** häkta; ~ **on bail** frige mot borgen **II** s jur., **be held on** ~ sitta i rannsakningshäkte

remand centre [rɪˈmɑːndˌsentə] s ungdomshäkte

remark [rɪˈmɑːk] **I** s anmärkning, yttrande; **make a** ~ el. **make some** ~**s** fälla ett yttrande, yttra sig; **pass** ~**s about** göra anmärkningar rörande (med avseende på), kommentera

II vb tr anmärka, yttra, säga

III vb itr, ~ **on** el. ~ **upon** kommentera; anmärka på [~ [**up**]**on the faults of others**]

remarkable [rɪˈmɑːkəbl] adj anmärkningsvärd, märklig, märkvärdig, beaktansvärd, remarkabel; utomordentlig

remarkably [rɪˈmɑːkəblɪ] adv anmärkningsvärt etc., jfr **remarkable**; synnerligen

remarry [ˌriːˈmærɪ] vb tr o. vb itr gifta om sig [med]

remaster [riːˈmɑːstə] vb tr göra en ny inspelning av film el. musik med hjälp av förbättrad teknik

remediable [rɪˈmiːdɪəbl] adj botbar; avhjälpbar

remedial [rɪˈmiːdɪəl] adj läkande, bote-; [av]hjälpande; hjälp-, stöd- [~ **measures**]; ~ **class** specialklass; ~ **exercises** sjukgymnastik; ~ **teaching** el. ~ **instruction** specialundervisning, stödundervisning

remediation [rɪˌmiːdɪˈeɪʃən] s **1** behandling, terapi **2** sanering [**environmental** ~; **mould** ~]

remedy [ˈremɪdɪ] **I** s botemedel, läkemedel [**for** för, mot; **for**, **against** för, mot]; utväg; **household** ~ el. **home** ~ huskur; **beyond** ~ el. **past** ~ obotlig[t], ohjälplig[t], bortom all hjälp

II vb tr bota sjukdomar m.m.; råda bot på (för), avhjälpa [~ **a deficiency**]; rätta till, reparera

remember [rɪˈmembə] **I** vb tr minnas, komma ihåg; erinra sig, påminna sig; lägga på minnet; ha i åtanke; ~ **me to them** hälsa dem [så mycket] från mig; **he asks to be ~ed to you** han hälsar så mycket [till dig]

II vb itr minnas, komma ihåg; **not that I** ~ inte vad (såvitt) jag minns

remembrance [rɪˈmembr(ə)ns] s **1** minne, hågkomst; **in** ~ **of** till minne[t] av **2** minne, minnessak

Remembrance Day [rɪˈmembr(ə)nsdeɪ] s firas i november till minne av de stupade under världskrigen; se äv. **Poppy Day**

Remembrance Sunday [rɪˌmembr(ə)nsˈsʌndeɪ] s se **Remembrance Day**

remind [rɪˈmaɪnd] vb tr påminna, erinra [**of** om]; **which ~s me** [och] apropå det, förresten

reminder [rɪˈmaɪndə] s påminnelse, erinran, påstötning; kravbrev

reminisce [ˌremɪˈnɪs] vb itr minnas [gamla (gångna) tider]; gå upp i sina minnen; prata [gamla] minnen

reminiscence [ˌremɪ'nɪsns] s **1** minne, hågkomst; pl. ~s minnen [of från]; memoarer **2** reminiscens
reminiscent [ˌremɪ'nɪsnt] adj, ~ of som påminner (erinrar) om
remiss [rɪ'mɪs] adj försumlig, slarvig [in i]
remission [rɪ'mɪʃ(ə)n] s **1** avtagande, minskning, förbättring **2** förlåtelse [of för]; tillgift **3** efterskänkning, eftergift [~ of a debt]; ~ of a sentence strafeftergift; ~ for good conduct strafflindring för gott uppförande
remit [rɪ'mɪt] **I** vb tr **1** hand. remittera, översända [~ money]; tillställa **2** efterskänka [~ a debt] **3** remittera, hänskjuta, hänvisa; jur. återförvisa **II** s ansvarsområde, befogenheter [the committee has exceeded its ~]
remittance [rɪ'mɪt(ə)ns] s **1** remissa, penningförsändelse **2** remittering, översändande av pengar
remix [riː'mɪks] mus. **I** vb tr mixa om **II** s remix, ommixad version
remnant ['remnənt] s rest, återstod, lämning, kvarleva; hand. stuv[bit]
remodel [ˌriː'mɒdl] vb tr omforma, ombilda, omdana; arbeta om; göra om
remonstrance [rɪ'mɒnstr(ə)ns] s invändning, gensaga, protest [against mot]
remonstrate ['remənstreɪt, rɪ'mɒns-] vb itr protestera, göra invändningar [against mot]
remorse [rɪ'mɔːs] s samvetskval, ånger
remorseful [rɪ'mɔːsf(ʊ)l] adj ångerfull
remorseless [rɪ'mɔːsləs] adj samvetslös; hjärtlös, obarmhärtig; obeveklig [a ~ fate]
remote [rɪ'məʊt] **I** adj **1** avlägsen i tid, i rum el. bildl., fjärran; avsides [liggande (belägen)]; fjärr- [~ cameras]; a ~ possibility en ytterst liten möjlighet; I haven't got the ~st vard. jag har inte den blekaste aning [om det] **2** otillgänglig [his ~ manner] **II** s vard. fjärrkontroll
remote access [rɪˌməʊt'ækses] s data. fjärraccess, fjärråtkomst; fjärranslutning
remote control [rɪˌməʊtkən'trəʊl] s **1** för radio, tv etc. fjärrkontroll **2** fjärrstyrning, fjärrmanövrering, fjärrkontroll
remote-controlled [rɪˌməʊtkən'trəʊld] adj fjärrstyrd, fjärrmanövrerad [~ aircraft]
remotely [rɪ'məʊtlɪ] adv **1** avlägset, fjärran, på långt håll **2** inte tillnärmelsevis, inte det minsta
remoteness [rɪ'məʊtnəs] s avlägsenhet, [stort] avstånd, avlägset läge
remote sensing [rɪˌməʊt'sensɪŋ] s fjärranalys
remoulade sauce ['reməˌleɪd'sɔːs] s kok. remouladsås
remould [ˌriː'məʊld] vb tr stöpa om, omforma, omdana, omgestalta
remount [riː'maʊnt] **I** vb tr **1** stiga (gå, klättra, sitta) upp på (i) igen; gå uppför (bestiga) igen **2** montera om **II** vb itr stiga upp igen; gå uppför igen
removable [rɪ'muːvəbl] adj **1** urtagbar, löstagbar **2** flyttbar **3** avsättlig, avsättbar
removal [rɪ'muːv(ə)l] s **1** flyttning, flyttande; avflyttning; furniture ~ möbelflyttning **2** avlägsnande; bortförande; urtagning; bortskaffande **3** avsättning

removal van [rɪ'muːv(ə)lvæn] s flyttbil
remove [rɪ'muːv] **I** vb tr (se äv. removed) **1** flytta [bort (undan)]; förflytta; föra (forsla) bort; avlägsna, ta bort (ur) [~ stains]; ta av [~ one's coat]; skaffa undan (bort); röja undan [~ an obstacle; ~ the traces]; röja ur vägen; ~ furniture flytta möbler, utföra flyttningar; ~ mountains bibl. flytta (försätta) berg **2** avsätta, avskeda **II** vb itr flytta; avflytta; dra bort, försvinna **III** s grad, steg; only one (a) ~ from blott ett steg från
removed [rɪ'muːvd] adj avlägsen, fjärran, skild [from från]; first cousin once ~ kusinbarn
remover [rɪ'muːvə] s **1** remover; som efterled i sammansättn. -urtagningsmedel [stain ~], -borttagningsmedel [hair ~], -remover [nail-varnish ~] **2** [furniture] ~ flyttkarl
REM sleep ['remsliːp] s fysiol. REM-sömn, parasömn
remunerate [rɪ'mjuːnəreɪt] vb tr ersätta, gottgöra, belöna [she was ~d for her services]
remuneration [rɪˌmjuːnə'reɪʃ(ə)n] s ersättning, gottgörelse; lön, belöning
remunerative [rɪ'mjuːn(ə)rətɪv] adj lönande, lönsam; räntabel, vinstgivande; välbetald [a ~ post]; ~ salary rundlig lön
renaissance [rə'neɪs(ə)ns] s **1** renässans; the Renaissance hist. renässansen **2** pånyttfödelse
renal ['riːnl] adj njur-
renal pelv|is [ˌriːnl'pelv|ɪs] (pl. -es [-iːz] el. -ises) s med. njurbäcken
rename [ˌriː'neɪm] vb tr ge nytt namn, döpa om
rend [rend] (rent rent) vb tr litt. slita, splittra; riva [sönder]
render ['rendə] vb tr **1** ofta med pred. adj. göra [this ~s it probable; ~ superfluous]; ~ impossible omöjliggöra **2** återgälda; ~ thanks framföra tack, tacka **3** erlägga [~ tribute]; visa [~ honour; ~ obedience]; bevisa, ådagalägga; ~ assistance el. ~ help lämna (ge) hjälp **4** överlämna; avlämna, avge [~ an answer]; anföra [~ a reason]; ~ an account of a) lämna redovisning för, avlägga räkenskap för b) lämna (avge) redogörelse för **5** återge t.ex. roll, tolka, framställa; framföra [~ a piece of music] **6** återge [by sth med ngt; ~ in (på) another language]; översätta [~ into (till) Swedish] **7** tekn., el. ~ down smälta fett
rendering ['rend(ə)rɪŋ] s återgäldande; återgivande, tolkning; framförande; översättning
rendezvous ['rɒndɪvuː, -deɪ-] (pl. rendezvous [-z]) s rendez-vous, [avtalat] möte, träff; samlingsplats, mötesplats [äv. place of ~]
rendition [ren'dɪʃ(ə)n] s återgivande, tolkning; översättning; framförande
renegade ['renɪgeɪd] s renegat, överlöpare, avfälling; attr. avfällig
renege [rɪ'niːg, -'neɪg] vb itr **1** bryta ett löfte (löftet) [on doing sth att göra ngt] **2** kortsp. inte bekänna färg
renegotiate [ˌriːnɪ'gəʊʃɪeɪt] vb itr o. vb tr omförhandla, återuppta förhandlingar[na] [om]
renew [rɪ'njuː] vb tr **1** återuppliva, återuppväcka; förnya, göra ny igen; ~ed strength friska (nya, förnyade) krafter **2** ersätta, byta, förnya **3** förnya

[~ an attack; ~ a lease; ~ a passport; ~ a promise]; upprepa [~ an offer]; förlänga, prolongera

renewable [rɪ'njuːəbl] adj **1** som kan förnyas (förlängas), utbytbar **2** förnyelsebar, förnybar [~ energy]

renewal [rɪ'njuːəl] s **1** förnyande; förnyelse; byte; återupplivande; upprepning; återupptagande **2** förlängning, prolongation, omsättning av lån o.d.

rennet ['renɪt] s [kalv]löpe

Reno ['riːnəʊ] stad i USA med liberala lagar; ~ **divorce** snabbskilsmässa

renounce [rɪ'naʊns] vb tr **1** avsäga sig [~ a claim; ~ a right]; avstå från, ge upp [~ an attempt] **2** förneka, inte [vilja] kännas vid [~ a friend; ~ one's son] **3** kortsp. vara renons i

renovate ['renə(ʊ)veɪt] vb tr renovera; förnya

renovation [ˌrenə(ʊ)'veɪʃ(ə)n] s renovering; förnyelse, återställande; upprustning

renovator ['renə(ʊ)veɪtə] s person som renoverar; målare; förnyare

renown [rɪ'naʊn] s rykte, ryktbarhet

renowned [rɪ'naʊnd] adj ryktbar, [vida] berömd, namnkunnig, frejdad

1 rent [rent] **I** s hyra; arrende; jur. avgäld; **collect the ~[s]** inkassera hyran (hyrorna) **II** vb tr **1** hyra, arrendera [for för pris] **2** ~ el. ~ **out** hyra ut, arrendera ut [to sb till ngn; at, for för, till pris] **III** vb itr hyras ut, arrenderas ut [at, for för, till pris]

2 rent [rent] s spricka; reva; rämna; klyfta

3 rent [rent] imperf. o. perf. p. av rend

rental ['rentl] s **1** hyra; arrende[avgift]; attr. uthyrnings-; **telephone ~** telefonavgift, abonnemangsavgift **2** hyresintäkt, arrendeintäkt

rent boy ['rentbɔɪ] s vard. ung manlig prostituerad

rent-free [ˌrent'friː] **I** adj hyresfri, arrendefri **II** adv hyresfritt, arrendefritt

rent strike ['rentstraɪk] s hyresstrejk

renunciation [rɪˌnʌnsɪ'eɪʃ(ə)n] s **1** avsägelse, avstående, uppgivande; avsvärjelse **2** förnekande **3** försakelse **4** självförnekelse

reoccur [ˌriːə'kɜː] vb itr hända (inträffa) igen (på nytt)

reopen [ˌriː'əʊp(ə)n] vb tr o. vb itr **1** åter öppna[s], öppna igen **2** börja på nytt; återuppta[s]

reorganize [ˌriː'ɔːgənaɪz] vb tr omorganisera, reorganisera; lägga om; ombilda, rekonstruera; nydana; sanera [~ finances]

1 rep [rep] s (vard. kortform av representative) spec. hand. representant; säljare, handelsresande

2 rep [rep] s vard., se repertory company o. repertory theatre under repertory 1

3 rep [rep] s amer. vard., se reputation

4 rep [rep] s rips tygsort

Rep. förk. för Republican

repaid [riː'peɪd] se repay

repair [rɪ'peə] **I** vb tr **1** reparera, laga, sätta i stånd **2** bildl. reparera, rätta till, avhjälpa [~ an error]; gottgöra, ersätta [~ a loss] **II** s **1** reparation, lagning; återställande; läkning; **beyond ~** a) omöjlig att reparera, ohjälpligt förfallen b) bildl. oersättlig, irreparabel, obotlig; **it is under ~** den är under reparation (lagning)

2 [gott] skick (stånd); **keep in ~** hålla i [gott] skick; underhålla; **in good (bad) ~** el. **in a good (bad) state of ~** i gott (dåligt) skick, bra (illa) underhållen

repairable [rɪ'peərəbl] adj möjlig att reparera (laga), reparerbar

repair kit [rɪ'peəkɪt] s reparationslåda

repair|man [rɪ'peəmæn] (pl. -men [-mən]) s reparatör

repair outfit [rɪ'peərˌaʊtfɪt] s reparationslåda

repair shop [rɪ'peəʃɒp] s reparationsverkstad

reparable ['rep(ə)rəbl] adj **1** bildl. möjlig att reparera (avhjälpa); ersättlig [a ~ loss] **2** möjlig att reparera (laga)

reparation [ˌrepə'reɪʃ(ə)n] s **1** vanl. pl. ~s [krigs]skadestånd **2** gottgörelse, ersättning [for för]; upprättelse

repartee [ˌrepɑː'tiː] s kvickt (bitande) svar, [snabb] replik; slagfärdighet; **she is quick at ~** hon är snabb i repliken (slagfärdig)

repast [rɪ'pɑːst] s litt. måltid; **a good ~** ett gott mål [mat]

repatriate [riː'pætrɪeɪt] vb tr repatriera, sända hem

repatriation [ˌriːpætrɪ'eɪʃ(ə)n] s repatriering, hemsändning

repay [riː'peɪ, rɪ'p-] (repaid repaid) vb tr **1** återbetala, betala tillbaka (igen) [~ a loan] **2** återgälda, gengälda [~ a visit]; löna, ersätta, gottgöra [for för]

repayment [riː'peɪmənt, rɪ'p-] s **1** återbetalning **2** återgäldande; vedergällning; lön, ersättning

repeal [rɪ'piːl] **I** vb tr återkalla, upphäva, avskaffa [~ a law] **II** s återkallelse, upphävande, avskaffande

repeat [rɪ'piːt] **I** vb tr **1** repetera, upprepa; göra (säga m.m.) om, ta om äv. mus.; förnya **2** läsa upp [ur minnet], recitera **3** föra (bära) vidare, tala 'om; återge; **the story won't bear ~ing** historien lämpar sig inte för återgivning (att återges) **4** radio. el. TV. ge (sända) i repris, reprisera; **be ~ed** gå (ges) i repris **II** vb rfl, ~ **oneself** upprepa sig [själv] [history ~s itself]; återkomma **III** vb itr upprepas, återkomma, komma igen; **do you find that garlic ~s on you?** brukar du rapa av vitlök? **IV** s **1** repetition, upprepning **2** ~ el. ~ **order** efterbeställning, förnyad beställning; ~ **prescription** förnyat recept **3** radio. el. TV. repris [äv. ~ broadcast]; ~ **performance** repris[föreställning] **4** mus. repris[tecken]

repeatedly [rɪ'piːtɪdlɪ] adv upprepade gånger, gång på gång

repel [rɪ'pel] vb tr **1** driva tillbaka [~ an invader]; slå tillbaka, avvärja [~ an attack]; stå emot [~ temptation] **2** stå emot, avvisa [~ moisture] **3** avvisa, tillbakavisa [~ a suggestion] **4** verka frånstötande på [his beard ~led her]; stöta bort (ifrån sig) [he ~led her with his meanness]

repellent [rɪ'pelənt] **I** adj **1** tillbakadrivande; avvisande **2** frånstötande, motbjudande, avskräckande **II** s **1** insektsmedel **2** impregneringsmedel

repent [rɪ'pent] **I** vb tr ångra **II** vb itr ångra sig; ~ **of sth** ångra ngt

repentance [rɪˈpentəns] s ånger [*for, of* över],
ruelse
repentant [rɪˈpentənt] *adj* ångerfull, botfärdig
repercussion [ˌriːpəˈkʌʃ(ə)n] s, vanl. pl. **~s**
återverkningar; efterverkningar, efterdyningar;
have ~s on få återverkningar på, återverka på
repertoire [ˈrepətwɑː] s repertoar
repertory [ˈrepət(ə)rɪ] s **1** repertoar; **~ company**
ensemble vid [en] repertoarteater; **~ theatre**
repertoarteater **2** bildl. repertoar, register, förråd
repetition [ˌrepəˈtɪʃ(ə)n] s upprepning, repetition
repetitious [ˌrepəˈtɪʃəs] *adj* ständigt
återkommande; enformig, tjatig
repetitive [rɪˈpetətɪv] *adj* **1** upprepande,
repeterande **2** enformig, tjatig
repetitive strain injury [rɪˌpetətɪvˈstreɪn.ɪn(d)ʒ(ə)rɪ]
s med., se *RSI*
rephrase [ˌriːˈfreɪz] *vb tr* formulera om
repine [rɪˈpaɪn] *vb itr* gräma sig, knota, klaga [*at,
against* över]
replace [rɪˈpleɪs, riːˈp-] *vb tr* **1** sätta (ställa, lägga)
tillbaka (på plats); återinsätta; återställa,
återanskaffa, ersätta [*~ a broken cup*]; **~ the
receiver** lägga på [telefon]luren **2** avlösa; ersätta;
byta ut; **~ Brown by Smith** ersätta Brown med Smith
replaceable [rɪˈpleɪsəbl] *adj* ersättlig
replacement [rɪˈpleɪsmənt, riːˈp-] s
1 åter[in]sättande; återställande; ersättande;
ersättning; avlösning; utbyte [*the ~ of worn-out
parts*]; **~ part** reservdel; **hip ~ operation** el. **hip ~** med.
höftledsoperation; **hormone ~ therapy** (förk. *HRT*)
med. hormonbehandling i klimakteriet **2** ersättare;
pl. **~s** mil. reserver
replay [verb ˌriːˈpleɪ, subst. ˈriːpleɪ] **I** *vb tr* spela om
II s omspelning; sport. omspel; **action ~** el. vanl. amer.
instant ~ TV. repris [i slow-motion]
replenish [rɪˈplenɪʃ] *vb tr* åter fylla, fylla på
replenishment [rɪˈplenɪʃmənt] s påfyllning
replete [rɪˈpliːt] *adj* **1** fylld [*with* med, av]
2 [över]mätt **3** överfylld, proppfull
replica [ˈreplɪkə] s konst. replik; bildl. [exakt] kopia
replicate [ˈreplɪkeɪt] *vb tr* göra en replik av [*~ a
painting*]; kopiera, reproducera
reply [rɪˈplaɪ] **I** *vb tr* o. *vb itr* svara, genmäla,
replikera; **~ to** svara [på], besvara
II s svar, genmäle, replik; **in ~ to** som (till) svar på
reply coupon [rɪˈplaɪˌkuːpɒn] s svarskupong
reply-paid [rɪˌplaɪˈpeɪd, attr. ʹ---] *adj* med betalt svar
(svar betalt)
reply-paid envelope [rɪˌplaɪˈpeɪdˌenvələʊp] s
svarskuvert
report [rɪˈpɔːt] **I** *vb tr* **1** rapportera, avge rapport
(berättelse) om, anmäla [*to sb* för (till) ngn],
redogöra för; meddela, inrapportera; **~ oneself**
anmäla sig (sin närvaro), inställa sig [*to* för, hos]
2 berätta, förmäla, omtala; **it is ~ed that** det
berättas (heter) att, det går ett rykte att; **~ed
speech** indirekt tal (anföring) **3** referera, göra [ett]
referat (reportage) från **4** rapportera [*to* till],
anmäla [*to* för]; **~ sb sick** sjukanmäla ngn; **he was
~ed to the police** han blev polisanmäld
II *vb itr* **1** avge (avlägga) rapport, avge berättelse,
rapportera [*to* för, till; *on* om, över], redogöra [*on
sth* för ngt]; **~ back** [komma tillbaka och] avlägga

rapport **2** anmäla sig [*to* för, hos]; **~ sick**
sjukanmäla sig; **~ for duty** anmäla (inställa) sig till
tjänst[göring]
III s **1** rapport, redogörelse, [officiell] berättelse,
betänkande, utlåtande [*on, about* om, för, över];
anmälan [*of* om]; **progress ~** lägesrapport; **~ of the
proceedings** protokoll från domstolsförhandlingar m.m.;
make a ~ avge [en] rapport, avge redogörelse (ett
utlåtande) **2** referat, reportage [*on, of* av, över,
om]; meddelande **3** rykte; **according to ~s** efter
(enligt) vad ryktet säger **4** skol. betyg, terminsbetyg
5 knall, smäll [*the ~ of a gun*]
reportage [ˌrepɔːˈtɑːʒ] s **1** reportage **2** reportagestil
report card [rɪˈpɔːtkɑːd] s amer. skol. betyg,
terminsbetyg
reported speech [riːˌpɔːtɪdˈspiːtʃ] s gram. indirekt tal
reporter [rɪˈpɔːtə] s reporter, referent
1 repose [rɪˈpəʊz] **I** *vb itr* **1** vila [sig] [*from* efter]
2 bildl. vila, vara grundad [*on* på]
II s vila, ro, lugn
2 repose [rɪˈpəʊz] *vb tr*, **~ trust in** el. **~ confidence in**
sätta [sin] tillit till
repository [rɪˈpɒzɪt(ə)rɪ] s **1** förvaringsrum,
förvaringsplats, upplag[splats] [*the drawer is a ~
for useless papers*]; förråd **2** bildl. förråd, fond;
skattkammare
repossess [ˌriːpəˈzes] *vb tr* återta; ung. konfiskera
reprehensible [ˌreprɪˈhensəbl] *adj* klandervärd,
förkastlig
represent [ˌreprɪˈzent] *vb tr* **1** representera,
beteckna, stå för [*the symbols ~ sounds*]; om bild o.d.
föreställa; motsvara [*one centimetre ~s one
kilometre*]; utgöra **2** framställa i ord el. bild [*he ~ed
himself as an expert*] **3** framhålla, påpeka [*to sb* för
ngn] **4** representera, företräda
representation [ˌreprɪzenˈteɪʃ(ə)n] s
1 framställande; framställning, bild; symbol
2 [teater]föreställning **3** polit. representation [*no
taxation without ~*]; representantskap;
representantförsamling; **proportional ~**
proportionellt valsystem
representative [ˌreprɪˈzentətɪv] **I** *adj*
1 representativ **2** **~ of** representerande,
föreställande, framställande i bild o.d.
II s **1** representant, ställföreträdare, ombud
2 säljare, handelsresande **3** representant [*of* för],
typ[exempel] [*of* på] **4** polit., i USA representant [*the
House of Representatives*]
repress [rɪˈpres] *vb tr* **1** undertrycka [*~ a revolt*];
kväva [*~ a cough*]; kuva, dämpa; hejda [*~ an
impulse*] **2** psykol. förtränga
repressed [rɪˈprest] *adj* **1** tillbakahållen [*~ anger*]
2 hämmad [*a ~ man*]
repression [rɪˈpreʃ(ə)n] s **1** undertryckande;
förtryck, tvångsåtgärder **2** dämpande **3** psykol.
bortträngning, förträngning
repressive [rɪˈpresɪv] *adj* **1** repressiv;
undertryckande; förtryckar- [*~ regime*];
dämpande; hejdande **2** [utvecklings]hämmande
reprieve [rɪˈpriːv] **I** *vb tr* ge anstånd (en frist); ge
uppskov
II s **1** anstånd, frist; uppskov spec. med dödsdoms
verkställighet **2** benådning
reprimand [ˈreprɪmɑːnd, verb äv. ˌreprɪˈm-] **I** *vb tr*

[skarpt] tillrättavisa, ge en reprimand; ge en skrapa
II *s* tillrättavisning, reprimand; skrapa
reprint [verb ˌriːˈprɪnt, subst. ˈriːprɪnt] **I** *vb tr* trycka om; *the book is ~ing* boken är under omtryckning **II** *s* omtryck, nytryck
reprisal [rɪˈpraɪz(ə)l] *s* vedergällning; repressalieåtgärd; pl. *~s* repressalier; *as a ~ for* som repressalieåtgärd för
reprise [rɪˈpriːz] *s* mus. repris
reproach [rɪˈprəʊtʃ] **I** *s* **1** förebråelse; klander; *a look of ~* en förebrående blick **2** above *~* el. *beyond ~* klanderfri, oklanderlig
II *vb tr* förebrå [*for, with* för; *he ~ed her for being late*]
reproachful [rɪˈprəʊtʃf(ʊ)l] *adj* förebrående, klandrande
reprobate [ˈreprə(ʊ)beɪt] *s* fördärvad (förfallen) individ
reproduce [ˌriːprəˈdjuːs] **I** *vb tr* **1** reproducera [*~ a picture*]; återge [*~ a sound; ~ sb's features*]; avbilda **2** biol. förnya, regenerera; fortplanta; reproducera **II** *vb itr* fortplanta sig
reproduction [ˌriːprəˈdʌkʃ(ə)n] *s* **1** reproducering, återgivande; återgivning [*sound ~*]; avbildning; [konst]reproduktion; *~ furniture* nytillverkade stilmöbler **2** biol. fortplantning; reproduktion
reproductive [ˌriːprəˈdʌktɪv] *adj* reproducerande; fortplantnings- [*~ organs*]; fortplantningsduglig; biol. el. psykol. reproduktiv
reprogram [ˌriːˈprəʊgræm] *vb tr* omprogrammera
reproof [rɪˈpruːf] *s* tillrättavisning, förebråelse
reprove [rɪˈpruːv] *vb tr* tillrättavisa, förebrå
reproving [rɪˈpruːvɪŋ] *adj* förebrående
reptile [ˈreptaɪl] *s* **1** reptil, kräldjur **2** vard., om person reptil, 'orm'
reptilian [repˈtɪlɪən] *adj* reptilartad, reptilliknande, reptil-
republic [rɪˈpʌblɪk] *s* republik; fristat
Republican [rɪˈpʌblɪkən] *s* polit., i USA republikan
republican [rɪˈpʌblɪkən] **I** *adj* republikansk **II** *s* republikan
republicanism [rɪˈpʌblɪkənɪz(ə)m] *s* republikanism
Republican Party [rɪˌpʌblɪkənˈpɑːtɪ] *s, the ~* polit., i USA republikanska partiet
repudiate [rɪˈpjuːdɪeɪt] *vb tr* **1** förkasta, tillbakavisa **2** förneka; vägra att erkänna
repudiation [rɪˌpjuːdɪˈeɪʃ(ə)n] *s* **1** förkastande **2** förnekande
repugnance [rɪˈpʌgnəns] *s* motvilja, ovilja [*to, against* mot], avsky [*to, against* för], olust
repugnant [rɪˈpʌgnənt] *adj* motbjudande, stötande [*to sb* för ngn]; frånstötande
repulse [rɪˈpʌls] *vb tr* **1** slå tillbaka, avvärja [*~ an attack*]; driva tillbaka [*~ an enemy*] **2** avslå [*~ a request*]; avvisa, tillbakavisa
repulsion [rɪˈpʌlʃ(ə)n] *s* **1** avsky, äckel, motvilja **2** fys. repulsion
repulsive [rɪˈpʌlsɪv] *adj* **1** frånstötande; motbjudande **2** fys. repulsiv
reputable [ˈrepjʊtəbl] *adj* aktningsvärd, hedervärd, hederlig; aktad, ansedd [*a ~ firm*]
reputation [ˌrepjʊˈteɪʃ(ə)n] *s* [gott] rykte, [gott] anseende; [gott] namn, renommé; *have (earn) the ~*

of being... ha (få) rykte (ord) om sig att vara..., vara känd för att vara...; *make a ~ for oneself* el. *make one's ~* göra sig ett namn
repute [rɪˈpjuːt] *s* [gott] anseende, [gott] rykte, [gott] namn, renommé; *be held in high ~* åtnjuta högt (stort) anseende [*among* bland]; *of good ~* välrenommerad, väl ansedd, välkänd; *of international ~* med internationellt rykte, internationellt välkänd
reputed [rɪˈpjuːtɪd] *adj*, *be ~* anses; *she is ~ to be the best doctor* hon har rykte (namn) om sig att vara den bästa läkaren; *be well (ill) ~* ha gott (dåligt) anseende (rykte, renommé)
reputedly [rɪˈpjuːtɪdlɪ] *adv* enligt allmänna omdömet (meningen); *he is ~ the best doctor* han har rykte (namn) om sig att vara den bäste läkaren
request [rɪˈkwest] **I** *s* **1** anhållan, begäran; önskan, bön; önskemål; anmodan; *grant a ~* uppfylla en önskan (ett önskemål); *make a ~ to sb for sth* anhålla om ngt hos ngn; *by ~* el. *on ~* på begäran; *no flowers by ~* blommor undanbedes **2** efterfrågan; *be in great ~* vara mycket eftersökt (eftertraktad) **3** önskelåt
II *vb tr* **1** anhålla om [*from, of* hos; *to do sth* att få göra ngt]; begära [*from, of* av] **2** anmoda, be, uppmana
request programme [rɪˈkwestˌprəʊgræm] *s* önskeprogram
request stop [rɪˈkweststɒp] *s* hållplats [där bussen stannar på anmodan]
requiem [ˈrekwɪem] *s* rekviem, själamässa
require [rɪˈkwaɪə] *vb tr* **1** behöva, [er]fordra; perf. p. *~d* äv. erforderlig, nödvändig; *~ care* kräva omsorg; *as ~d* efter behov [*pepper as ~d*]; *delete as ~d* stryk vad (det) som ej önskas; *if ~d* vid behov, om det (så) behövs **2** begära, fordra, kräva [*of* av, från; *from* av, från; *sb to do sth* att ngn skall göra ngt]; *the books ~d* i brev de önskade (begärda) böckerna; *you are ~d to* [det krävs av dig att] du skall; *these books are ~d reading* dessa böcker är obligatoriska t.ex. för en examen
requirement [rɪˈkwaɪəmənt] *s* **1** behov [*for* av] **2** krav, anspråk, fordran; pl. *~s* äv. fordringar [*for* för]
requisite [ˈrekwɪzɪt] **I** *adj* erforderlig, nödvändig [*for, to* för]
II *s* behov, krav; förnödenhet; nödvändig (erforderlig) sak (attiralj); *toilet ~s* toalettartiklar
requisition [ˌrekwɪˈzɪʃ(ə)n] **I** *s* **1** [skriftlig] anhållan [*for om*], rekvisition [*for på*] **2** spec. mil. rekvisition, [tvångs]utskrivning; *put in ~* rekvirera; lägga beslag på, ta i anspråk
II *vb tr* **1** mil. rekvirera, [tvångs]utskriva **2** lägga beslag på, ta i anspråk
requite [rɪˈkwaɪt] *vb tr* löna [*with* med; *for* för]; återgälda, gengälda [*~ a service*]; vedergälla [*~ a wrong*]; gottgöra; besvara [*~ sb's love*]
reran [ˌriːˈræn] imperf. av *rerun*
reread [ˌriːˈriːd] (*reread reread*) *vb tr* läsa 'om (på nytt)
re-release [ˌriːrɪˈliːs] **I** *vb tr* släppa [ut] på nytt [*~ a film*] **II** *s* nyutsläppande
reroute [ˌriːˈruːt] *vb tr* dirigera om [*~ traffic*]
rerun [ˌriːˈrʌn] **I** (*reran rerun*) *vb tr* **1** visa om, ge i

repris **2** löpa om
II s **1** repris; omvisning **2** omlöpning
resale [ˌriːˈseɪl] s återförsäljning; **~ price maintenance** hand., ung riktprissystem, bruttoprissystem
reschedule [riːˈʃedjuːl] vb tr **1** fastställa ny tidpunkt (dag) för, flytta **2** lägga om avbetalningsplan
rescue [ˈreskjuː] **I** vb tr rädda [from från, ur, undan], undsätta, bärga, befria
II s räddning, undsättning, bärgning; befrielse; **come to sb's ~** komma till ngns undsättning (hjälp)
rescue operation [ˈreskjuːˌɒpəˈreɪʃ(ə)n] s räddningsaktion
rescue party [ˈreskjuːˌpɑːtɪ] s räddningsmanskap, räddningspatrull
research [rɪˈsɜːtʃ, ˈriːsɜːtʃ] **I** s **1** forskning, [vetenskaplig] undersökning; **do ~** el. **carry out ~** forska, bedriva forskning **2** [noggrant] sökande (letande), efterspaning [after, for efter]
II vb itr forska [~ into (i) the causes of cancer]
researcher [rɪˈsɜːtʃə] s **1** forskare **2** tidn., radio. el. TV. insamlare av bakgrundsfakta, researcher
research team [rɪˈsɜːtʃˌtiːm] s forskargrupp, forskarteam
research-worker [rɪˈsɜːtʃˌwɜːkə] s forskare
resell [ˌriːˈsel] (resold resold) vb tr **1** återförsälja **2** sälja igen (på nytt); sälja vidare
resemblance [rɪˈzembləns] s likhet [to med]; överensstämmelse [verbal ~]; **bear a close (strong) ~ to** påminna starkt om
resemble [rɪˈzembl] vb tr likna, vara lik, påminna om
resent [rɪˈzent] vb tr bli förbittrad (stött, förnärmad) över
resentful [rɪˈzentf(ʊ)l] adj harmsen, förtrytsam, förbittrad, stött [at över]
resentment [rɪˈzentmənt] s förtrytelse, harm, förbittring [at över]
reservation [ˌrezəˈveɪʃ(ə)n] s **1 a)** beställning, bokning **b)** reserverat rum; reserverad plats; **make ~s** äv. reservera (beställa, boka) plats (rum) **2** reservation, förbehåll; **mental ~** tyst förbehåll **3** reserverande; undantagande **4** i USA reservat
reserve [rɪˈzɜːv] **I** vb tr **1** reservera, [förhands]beställa, boka [~ seats on a train] **2** reservera, spara [på], lägga av (undan), hålla inne med [for, to åt, för, till]; förbehålla [~ sth for (to) oneself (sig ngt)]; **~ oneself for** spara sig för; **the management ~ the right to make alterations in the programme** ledningen förbehåller sig rätten till ändringar i programmet; **~ a seat for sb** hålla en plats åt ngn
II s **1** reserv; reservförråd, reservlager; reservfond; **have in ~** el. **hold in ~** ha i reserv **2** reservat; **game ~** viltreservat; **nature ~** naturreservat **3** tillbakadragenhet, försiktighet; **~** el. **~ of manner** reserverat sätt **4** reservation, förbehåll, inskränkning **5** sport. reserv[spelare]; **~ team** B-lag; **play a ~** sätta in en reserv **6** mil. reserv; reservare, reservofficer; pl. **~s** äv. reservtrupper; **the Reserve** reserven
reserved [rɪˈzɜːvd] perf p o. adj **1** reserverad, förbehållsam, tillbakadragen **2** reserverad [a ~ seat]

reserve price [rɪˈzɜːvpraɪs] s minimipris, utropspris vid auktion
reservist [rɪˈzɜːvɪst] s mil. reservare, reservofficer
reservoir [ˈrezəvwɑː] s reservoar; behållare
reset [ˌriːˈset] (reset reset) vb tr **1** ställa om klocka o.d. **2** lägga rätt [~ a broken bone]; dra i led igen **3** infatta på nytt [~ a diamond in a ring]
resettlement [ˌriːˈsetlmənt] s **1** omflyttning, omlokalisering [~ of people] **2** nybebyggelse, nykolonisation
reshuffle [ˌriːˈʃʌfl] polit. m.m. **I** vb tr möblera om [i], rekonstruera, ombilda
II s ommöblering, rekonstruktion, ombildning [a Cabinet ~]
reside [rɪˈzaɪd] vb itr **1** vistas, bo, residera, uppehålla sig **2** ~ **in** bildl. ligga hos, tillhöra, tillkomma [the supreme authority ~s in the President]
residence [ˈrezɪd(ə)ns] s **1** vistelse, uppehåll; **have one's ~** vara bosatt, residera; **take up ~ in a place** bosätta sig på en plats **2** ~ el. **place of ~** hemvist, vistelseort, uppehållsort **3** bostad, boning; residens; **official ~** ämbetsbostad, tjänstebostad
residence permit [ˈrezɪd(ə)nsˌpɜːmɪt] s uppehållstillstånd
residency [ˈrezɪd(ə)nsɪ] s **1** se residence **2** amer. med. specialistutbildning
resident [ˈrezɪd(ə)nt] **I** s **1** ~ el. **permanent ~** bofast [person], invånare [på orten]; **be a ~ of** vara bosatt i (på) **2** gäst på hotell
II adj bofast, bosatt [på platsen]
residential [ˌrezɪˈden(ʃ)l] adj **1** villa- [a ~ suburb]; bostads- [a ~ district] **2** ~ **qualification** vid t.ex. röstning bostadsband, bostadsstreck; valkretstillhörighet
residential care [ˌrezɪden(ʃ)l'keə] s ung. hemtjänst
residential university [ˌrezɪden(ʃ)lˌjuːnɪˈvɜːsətɪ] s ung. universitet där studenterna bor på college
resident physician [ˌrezɪdentfɪˈzɪʃ(ə)n] s läkare som bor på sjukhus och genomgår specialistutbildning där
residual [rɪˈzɪdjʊəl] adj vetensk. överbliven, övrig, resterande; residual-
residue [ˈrezɪdjuː] s återstod, rest, överskott
resign [rɪˈzaɪn] **I** vb itr avgå, ta avsked [from från]; träda tillbaka [from från]
II vb tr **1** avsäga sig, avstå från [~ a claim (right)]; lägga ned; ta avsked från, avgå från, sluta [~ an (one's) office (befattning)]; ~ **office** träda tillbaka, avgå, frånträda ämbetet **2** ~ **oneself to** finna (foga) sig i [~ oneself to one's fate]; resignera inför
resignation [ˌrezɪgˈneɪʃ(ə)n] s **1** avsägelse; avgång; avsked[stagande]; **send in (give in, tender) one's ~** lämna in sin avskedsansökan **2** resignation [to inför], undergivenhet, underkastelse [to under]
resigned [rɪˈzaɪnd] adj **1** resignerad, undergiven; **be ~ to** finna (foga) sig i; **feel ~ to** äv. ha funnit sig i, ha accepterat **2** avgången [ur tjänst]
resilience [rɪˈzɪlɪəns] s o. **resiliency** [rɪˈzɪlɪənsɪ] s **1** elasticitet, spänst[ighet] äv. bildl., fjädring **2** bildl. [snabb] återhämtningsförmåga
resilient [rɪˈzɪlɪənt] adj elastisk, spänstig äv. bildl., fjädrande; bildl. äv. [som har] lätt för att återhämta sig
resin [ˈrezɪn] s kåda, harts

resinous ['rezɪnəs] *adj* kådig, kådaktig, hartsig, hartsartad

resist [rɪ'zɪst] **I** *vb tr* stå (spjärna) emot, motstå; göra motstånd mot [~ *the enemy*]; motsätta sig [~ *arrest*]; motarbeta; vara motståndskraftig (beständig) mot, tåla [~ *heat*]
II *vb itr* göra motstånd [*to* mot]; stå emot, streta emot

Resistance [rɪ'zɪst(ə)ns] *s*, **the** ~ motståndsrörelsen

resistance [rɪ'zɪst(ə)ns] *s* motstånd äv. fackspr. el. konkr. [*to* mot]; motvärn [*to* mot]; motståndskraft, resistens; elektr. resistans; **take** (**choose, follow**) **the line** (**path**) **of least** ~ följa minsta motståndets lag

resistance coil [rɪ'zɪst(ə)nskɔɪl] *s* elektr. motståndsspole

resistant [rɪ'zɪst(ə)nt] *adj* motståndskraftig [*to* mot]

resistor [rɪ'zɪstə] *s* elektr. resistor, motstånd

resit [ˌriː'sɪt] **I** *vb tr* univ., ~ **an examination** tentera (göra) om en examen (ett prov) **II** *s* omtentamen

reskill [riː'skɪl] *vb itr* o. *vb tr* skola om [sig], omskola [sig]

resold [ˌriː'səʊld] imperf. o. perf. p. av *resell*

resolute ['rezəluːt, -zəljuːt] *adj* resolut, beslutsam

resolution [ˌrezə'luːʃ(ə)n, -zə'ljuː-] *s* **1** beslut; resolution, uttalande; föresats [*good ~s*]; **New Year's** ~ nyårslöfte; **pass a** ~ el. **adopt a** ~ anta en resolution **2** lösning [*the ~ of a problem*] **3** upplösning äv. fys., mus. m.m., sönderdelning [*into* i] **4** beslutsamhet, fasthet

resolve [rɪ'zɒlv] **I** *vb tr* **1** lösa [~ *a problem*]; skingra [~ *sb's doubts*] **2** besluta [sig för], föresätta sig [*to do sth* att göra ngt; *that* att]; resolvera; **~d, that...** i protokoll beslöts att... **3** lösa upp, upplösa, sönderdela [~ *sth into* (i) *its components*]; analysera; förvandla; med. resolvera, fördela
II *vb itr* **1** besluta sig [*on* för]; ~ **on** äv. föresätta sig **2** lösas upp, upplösas, sönderdelas [*it ~d into* (i) *its elements*]; förvandlas
III *s* beslut, föresats [*keep one's* ~]; beslutsamhet

resolved [rɪ'zɒlvd] *adj* **1** bestämd, [fast] besluten **2** beslutsam

resonance ['rez(ə)nəns] *s* resonans; genklang

resonant ['rez(ə)nənt] *adj* genljudande; resonansrik, klangfull; ljudlig; ekande

resonate ['rezəneɪt] *vb itr* genljuda, eka; ge resonans

resort [rɪ'zɔːt] **I** *s* **1** tillhåll [*a ~ of* (för) *thieves*]; tillflyktsort; rekreationsort; **health** ~ kurort, rekreationsort; **holiday** ~ semesterort; **seaside** ~ badort **2** tillflykt; tillgripande [*to* av]; utväg; **have ~ to** ta sin tillflykt till; tillgripa, ta till, bruka; **in the last** ~ el. **as a last** ~ som en sista utväg, i sista hand, i nödfall
II *vb itr* med adv.:
resort to a) ta sin tillflykt till **b**) tillgripa [~ *to force*]; anlita **c**) frekventera

resound [rɪ'zaʊnd] *vb itr* genljuda, återskalla, eka [*with* av], ge genljud, bildl. äv. ge eko [*through* i]

resounding [rɪ'zaʊndɪŋ] *adj* **1** ljudlig, rungande **2** dundrande, brak- [*a ~ success*; *a ~ victory*]

resource [rɪ'zɔːs, rɪ'sɔːs] *s* **1** vanl. pl. **~s** resurser, tillgångar; rikedomar, [penning]medel; **natural ~s** naturtillgångar; **make the most of one's ~s** använda

sina resurser på bästa möjliga sätt; **be at the end of one's ~s a**) ha uttömt alla resurser; stå på bar backe **b**) inte veta någon råd **2** utväg [*as a last* ~]; resurs; tillflykt **3** *be full of* ~ alltid finna en utväg; **leave sb to his own ~s** låta ngn ta vara på (sköta) sig själv

resourceful [rɪ'sɔːsf(ʊ)l] *adj* rådig, fyndig

resp. förk. för *respectively*

respect [rɪ'spekt] **I** *s* **1** respekt, aktning, vördnad [*for* för]; **be held in** ~ åtnjuta aktning (respekt) **2** hänsyn; **have** (**pay**) ~ **to** ta hänsyn till; **without** ~ **of persons** utan anseende till person, utan avseende på person; **without** ~ **to** utan hänsyn till (tanke på) **3** avseende, hänseende, hänsyn; **in all** (**many**) **~s** i alla (många) avseenden (hänseenden, stycken); **in** ~ **of** el. **with** ~ **to** med avseende på, med hänsyn till, beträffande **4** pl. **~s** hälsning[ar], vördnadsbetygelser; **my ~s to...** jag ber om en hälsning till...; **pay one's ~s to sb** betyga ngn sin aktning (vördnad)
II *vb tr* respektera; [hög]akta; ta hänsyn till

respectability [rɪˌspektə'bɪlətɪ] *s* anständighet, aktningsvärdhet

respectable [rɪ'spektəbl] *adj* **1** respektabel, aktningsvärd, aktad [*a ~ citizen*]; väl ansedd [*a ~ firm*]; 'bättre' folk; anständig [*a ~ girl*]; hederlig; prydlig, proper, städad; passande **2** ansenlig, aktningsvärd; hygglig, hyfsad [*a ~ income*]

respectful [rɪ'spektf(ʊ)l] *adj* aktningsfull, vördnadsfull, respektfull, vördsam

respectfully [rɪ'spektf(ʊ)lɪ] *adv* aktningsfullt etc., jfr *respectful*; **Yours** ~ i brevslut Vördsamt

respecting [rɪ'spektɪŋ] *prep* med hänsyn till, beträffande, avseende

respective [rɪ'spektɪv] *adj* respektive, var [och en] sin, särskild; **the ~ merits of the candidates** respektive kandidaters förtjänster

respectively [rɪ'spektɪvlɪ] *adv* respektive; var för sig; **they were given £5 and £10** ~ de fick 5 respektive 10 pund

respiration [ˌrespə'reɪʃ(ə)n] *s* **1** andning [*artificial* ~]; andhämtning, respiration **2** andedrag, andetag

respirator ['respəreɪtə] *s* **1** respirator; **be on a** ~ ligga (vårdas) i respirator; **be put on a** ~ lägga i respirator **2** gasmask

respiratory [rɪ'spɪrət(ə)rɪ, -'spaɪər-, 'respərət(ə)rɪ] *adj* andnings-, respiratorisk, respirations- [~ *organs*]

respire [rɪ'spaɪə] *vb itr* andas, respirera

respite ['respaɪt, -pɪt] *s* respit, uppskov, anstånd; frist; andrum [*from toil*]; ~ [**for payment**] betalningsanstånd

respite care ['respaɪtˌkeə] *s* avlastningsvård

resplendence [rɪ'splendəns] *s* prakt, glans, skimmer

resplendent [rɪ'splendənt] *adj* praktfull, glänsande, lysande, skimrande

respond [rɪ'spɒnd] *vb itr* **1** svara [*to* på]; ~ **to** äv. besvara **2** ~ **to** visa sig känslig för, svara på, reagera för, låta sig påverkas av [~ *to treatment*]

respondent [rɪ'spɒndənt] *s* jur. svarande spec. i skilsmässoprocess

response [rɪ'spɒns] *s* **1** svar i ord el. handling; genmäle; **he made no** ~ han svarade inte; **in** ~ **to** som (till) svar på **2** gensvar, genklang, respons; reaktion; **meet with** [a] ~ finna gensvar, få respons

responsibility [rɪsˌpɒnsəˈbɪlətɪ] s **1** ansvar [to inför; for för], ansvarighet; **assume** (**undertake**) **the ~ for** ta på sig ansvaret för; **nobody has claimed ~ for the bombing** ingen har tagit på sig ansvaret för bombattentatet; **on one's own ~** på eget ansvar **2** plikt, förpliktelse

responsible [rɪˈspɒnsəbl] adj **1** ansvarig [for för; to inför]; ansvarsfull; ansvarskännande; **~ government** polit. parlamentariskt styrelsesätt; **~ position** ansvarsfull (ansvarig) ställning; förtroendepost; **make oneself ~ for** ta på sig ansvaret för **2** vederhäftig; solid **3** tillräknelig [äv. ~ for one's conduct (actions)]

responsive [rɪˈspɒnsɪv] adj **1** svars-, som (till) svar [a ~ gesture] **2** mottaglig, tillgänglig, lyhörd [to för], lättpåverkad [to av]; förstående [~ sympathy]; engagerad, intresserad [a ~ audience]

1 rest [rest] **I** s **1 the ~** resten, återstoden [of av]; **the ~ of us** [have not been there] vi andra...; **as to the ~** el. **as for the ~** a) vad det övriga (de övriga) beträffar b) för (i) övrigt, eljest **2** reserv[fond] **II** vb itr förbli [it ~s a mystery]; **you may ~ assured that** du kan vara säker (lita) på att

2 rest [rest] **I** s **1** vila; lugn, ro, frid; sömn; vilopaus, rast; **day of ~** vilodag; **give it a ~!** vard. sluta [med det där]!, lägg av!, nu får det vara nog!; **have a ~** el. **take a ~** vila sig; **have** (**take**) **a good ~** vila ut (upp sig); **she had a good night's ~** hon sov gott hela natten; **at ~** i vila; lugn[ad], stilla; i viloläge (vilställning); **set sb's mind** (**fears**) **at ~** lugna ngn, lugna (stilla) ngns farhågor; **you can set your mind at ~** [on that score] du kan vara (känna dig) lugn [på den punkten]; **lie down for a ~** lägga sig och vila; [the ball] **came to ~** ...stannade; **go to ~** el. **be laid to ~** begravas, föras till den sista vilan; **without ~** utan rast eller ro, rastlöst **2** viloplats; hem [a sailors' ~] **3** mus. paus[tecken] **4** stöd [a ~ for the feet] **II** vb itr **1** vila [sig] [from efter]; slumra; ta igen sig; få lugn (ro, frid); **he will not ~** [until he knows the truth] han får (ger sig) ingen ro...; **let the matter ~** låta saken bero (vila); **you may ~ assured that** se under 1 rest II **2 ~ with** ligga hos ngn (i ngns händer), vila hos [the decision ~s with you]; bero på **3** vila [his glance ~ed on me]; stödja sig, ligga, vara stödd [on, upon på] **III** vb tr **1** låta vila, vila, ge vila åt; **~ oneself** vila sig, vila ut; **God ~ her soul!** må hon vila i frid!, Gud signe hans själ! **2** vila, luta, stödja, lägga [~ one's elbows on the table]

rest area [ˈresteərɪə] s vanl. amer. rastplats vid motorväg

restart [verb riːˈstɑːt, subst. ˈriːstɑːt] **I** vb tr o. vb itr starta om [~ the car]; börja om [på nytt] **II** s omstart, återgång till förvärvslivet

restate [ˌriːˈsteɪt] vb tr ge en ny version av [~ a case]; upprepa

restaurant [ˈrest(ə)rɒnt, -rənt, -rɑːnt] s restaurang

restaurant car [ˈrestrɒntkɑː] s restaurangvagn

restaurateur [ˌrestərəˈtɜː] s restauratör, restauranginnehavare, källarmästare

rest cure [ˈres(t)ˌkjʊə] s med. vilokur

rested [ˈrestɪd] adj utvilad

restful [ˈrestf(ʊ)l] adj lugn, vilsam, fridfull

rest home [ˈresthəʊm] s åld. ålderdomshem, vilohem

resting place [ˈrestɪŋpleɪs] s **1** rastplats, rastställe; viloplats **2** [last] ~ [sista] vilorum grav

restitution [ˌrestɪˈtjuːʃ(ə)n] s återställande, återlämnande [~ of property; ~ of rights]; restitution; [skade]ersättning, vederlag; upprättelse

restive [ˈrestɪv] adj **1** om person bångstyrig, oregerlig; otålig **2** om häst istadig, bångstyrig

restless [ˈrestləs] adj rastlös, orolig, nervös, otålig; **~ legs** ung. myrkrypningar i benen; **I had a ~ night** jag sov oroligt i natt

restock [ˌriːˈstɒk] vb tr fylla på (förnya) lagret (förrådet) av ngt i

Restoration [ˌrestəˈreɪʃ(ə)n, -tɔːˈr-] s, **the ~** britt. hist. restaurationen monarkins återupprättande 1660 med Karl II; **~ drama** restaurationstidens drama

restoration [ˌrestəˈreɪʃ(ə)n, -tɔːˈr-] s **1** restaurering, restauration, renovering **2** återställande; återupprättande; återlämnande; återinförande, återupplivande; återinsättande [to i]

restorative [rɪˈstɒrətɪv] **I** adj återställande, stärkande **II** s stärkande medel

restore [rɪˈstɔː] vb tr **1** återställa [~ order]; återlämna [~ stolen property]; återupprätta; rehabilitera; återuppliva, återinföra [~ old customs]; **~ finances to a sound basis** sanera finanserna; **~ a book to its place** ställa tillbaka en bok på dess plats; **he is ~d** [to health] han är återställd, han har återfått hälsan; **~ to life** återkalla till livet **2** restaurera, renovera, reparera, sätta i stånd [~ a church; ~ a picture] **3** rekonstruera [~ a text] **4** återinsätta [to i]; **~ sb to power** återföra ngn till makten, återge ngn makten; **they were ~d to the throne** de återinsattes på tronen

restorer [rɪˈstɔːrə] s konservator, restaurator av byggnader m.m.

restrain [rɪˈstreɪn] vb tr **1** hindra, avhålla [from från] **2** hålla tillbaka [~ one's tears]; lägga band på, tygla; **~ oneself** behärska (lägga band på) sig

restrained [rɪˈstreɪnd] adj återhållen, återhållsam; behärskad [~ tone]

restraint [rɪˈstreɪnt] s **1** återhållande, tyglande **2** tvång; band [on på]; hinder; inskränkning; **lay** (**put**) **a ~ on** lägga band (hämsko) på; **throw off all ~** kasta alla hämningar; **break loose from all ~**[s] bryta sig loss från alla band; **without ~** ohämmat, ohejdat, fritt **3 show ~** visa återhållsamhet **4** bundenhet, ofrihet

restrict [rɪˈstrɪkt] vb tr inskränka, begränsa [to till]; **we are ~ed to** [40 miles an hour in this area] det råder hastighetsbegränsning på...

restricted [rɪˈstrɪktɪd] adj begränsad, inskränkt; **~ area** mil. skyddsområde; **in a ~ sense** i inskränkt (snävare) bemärkelse; **a person of ~ growth** en småväxt person

restriction [rɪˈstrɪkʃ(ə)n] s **1** inskränkning, begränsning; restriktion; **place ~s on** göra inskränkningar i **2** förbehåll

restrictive [rɪˈstrɪktɪv] adj inskränkande, begränsande, restriktiv

restrictive practices [rɪˌstrɪktɪvˈpræktɪsɪz] s pl

konkurrensbegränsning; konkurrensbegränsande (restriktiva) metoder

restring [ˌriːˈstrɪŋ] *vb tr* stränga om

rest room [ˈrestruːm] *s* amer. toalett på arbetsplats o.d.

restructure [ˌriːˈstrʌktʃə] *vb tr* omstrukturera, strukturera om; ge ny struktur åt

rest stop [ˈreststɒp] *s* vanl. amer. rastplats vid motorväg

result [rɪˈzʌlt] **I** *s* resultat; följd, utgång; *as a ~ of* el. *as the ~ of* till följd av
II *vb itr* **1** vara (bli) resultatet (följden) [*from* av], härröra, härleda sig [*from* från]; *the ~ing war* det krig som blev följden **2** sluta [*their efforts ~ed badly*]; *~ in* resultera i, sluta med

resultant [rɪˈzʌlt(ə)nt] *adj* som blir (blev) följden; *~ from* härrörande från

resume [rɪˈzjuːm] **I** *vb tr* **1** återta, ta tillbaka [*~ a gift*]; *~ one's seat* återta sin plats, sätta sig igen **2** åter[upp]ta, ta upp igen, åter börja, fortsätta [*~ a conversation*; *~ work*]
II *vb itr* återuppptas; börja igen (på nytt), fortsätta [*the dancing is about to ~*]

résumé [ˈrezjʊmeɪ] *s* fr. **1** resumé, sammanfattning **2** amer. levnadsbeskrivning, meritförteckning

resumption [rɪˈzʌm(p)ʃ(ə)n] *s* **1** återtagande **2** åter[upp]tagande

resurface [ˌriːˈsɜːfɪs] **I** *vb tr* belägga om, förse med ny beläggning [*~ a road*]
II *vb itr* **1** om ubåt etc. gå (komma) upp till ytan igen **2** bildl. komma till ytan igen, dyka upp igen

resurgence [rɪˈsɜːdʒ(ə)ns] *s* återuppvaknande, återuppstående, återuppblomstring, förnyelse

resurgent [rɪˈsɜːdʒ(ə)nt] *adj* återuppvaknande, återuppstående, återuppblomstrande, förnyad

resurrect [ˌrezəˈrekt] *vb tr* **1** uppväcka från de döda, återkalla till livet; *be ~ed* äv. återuppstå **2** återuppliva, återuppta [*~ an old custom*]

resurrection [ˌrezəˈrekʃ(ə)n] *s* **1** [åter]uppståndelse från de döda **2** återupplivande, återupptagande

resuscitate [rɪˈsʌsɪteɪt] *vb tr* återuppväcka; åter få liv i, återuppliva

resuscitation [rɪˌsʌsɪˈteɪʃ(ə)n] *s* återuppväckande [till liv]; återupplivande

retail [subst., adj. o. adv. ˈriːteɪl, riːˈt-, verb riːˈteɪl] **I** *s* försäljning i minut; *by* (*in,* amer. *at*) *~* i minut
II *adj* detalj-, minut- [*~ business* (*trade*)]; detaljhandels-
III *adv,* *buy* (*sell*) *~* köpa (sälja) i minut
IV *vb tr* **1** sälja i minut; utminutera **2** berätta i detalj [*~ a story*]; återge; återupprepa; föra vidare, sprida [*~ gossip*]
V *vb itr* säljas i affär (minut) [*at* för]

retail dealer [ˈriːteɪlˌdiːlə] *s* o. **retailer** [ˈriːteɪlə] *s* detaljist, detaljhandlare, återförsäljare

retail park [ˈriːteɪlpɑːk] *s* köpcentrum, shoppingcenter utanför stad

retail price [ˈriːteɪlpraɪs] *s* detalj[handels]pris; *recommended ~* (förk. *RRP*) [rekommenderat] cirkapris

retail price index [ˌriːteɪlˈpraɪsˌɪndeks] (förk. *RPI*) *s* konsumentprisindex

retail shop [ˈriːteɪlʃɒp] *s* detalj[handels]affär, detalj[handels]butik, detaljist

retain [rɪˈteɪn] *vb tr* **1** hålla kvar [*~ servants*; *~ sth*

in its place]; behålla; hålla tillbaka [*~ the flood waters*] **2** [bi]behålla, ha i behåll (kvar); bevara

retainer [rɪˈteɪnə] *s* **1** engagemangsarvode åt spec. advokat **2** [reducerad] hyra för att reservera bostad under vistelse på annan ort **3** åld. trotjänare [*an old ~*] **4** vanl. amer. tandläk. tandställning

retaining fee [rɪˈteɪnɪŋfiː] *s* se *retainer 2*

retaining wall [rɪˈteɪnɪŋwɔːl] *s* stöd[je]mur

retake [verb ˌriːˈteɪk, subst. ˈriːteɪk] **I** (*retook retaken*) *vb tr* **1** återta, återerövra **2** ta om film **3** se *resit I*
II *s* **1** omtagning av film, omtagen scen i film **2** se *resit II*

retaken [ˌriːˈteɪkn] perf. p. av *retake*

retaliate [rɪˈtælieɪt] *vb itr* öva vedergällning, vidta motåtgärder [*against* mot], ge igen

retaliation [rɪˌtæliˈeɪʃ(ə)n] *s* vedergällning

retard [rɪˈtɑːd] *vb tr* **1** försena, fördröja; bromsa, hämma, uppehålla **2** *~ the ignition* tekn. sänka tändningen

retardation [ˌriːtɑːˈdeɪʃ(ə)n] *s* försening, fördröjning; dröjsmål; bildl. broms; retardering; *mental ~* [psykisk] utvecklingsstörning, begåvningshandikapp

retarded [rɪˈtɑːdɪd] *adj* åld. neds. efterbliven; *mentally ~* förståndshandikappad

retch [retʃ, riːtʃ] *vb itr* försöka kräkas

retell [ˌriːˈtel] (*retold retold*) *vb tr* berätta på nytt (om), återberätta

retention [rɪˈtenʃ(ə)n] *s* **1** kvarhållande, fasthållande **2** [bi]behållande, bevarande **3** *~ el. power of ~* minnesförmåga

retentive [rɪˈtentɪv] *adj* säker, fast [*a ~ grasp*]; *a ~ memory* gott minne

retentiveness [rɪˈtentɪvnəs] *s* kvarhållningsförmåga; *~ el. ~ of memory* minnesgodhet

rethink [ˌriːˈθɪŋk] **I** (*rethought rethought*) *vb tr* ompröva, ta under omprövning, överväga på nytt
II (*rethought rethought*) *vb itr* tänka om
III *s* nytänkande; omprövning; *have a ~* ta sig en ny funderare

rethought [ˌriːˈθɔːt] imperf. o. perf. p. av *rethink*

reticence [ˈretɪs(ə)ns] *s* tystlåtenhet, förtegenhet

reticent [ˈretɪs(ə)nt] *adj* tystlåten, förtegen

retin|a [ˈretɪnə] (pl. -*as* el. -*ae* [-iː]) *s* anat., ögats näthinna, retina

retinal scanner [ˌretɪnəlˈskænə] *s* data. ögonskanner

retinue [ˈretɪnjuː] *s* följe, svit

retire [rɪˈtaɪə] **I** *vb itr* **1** gå i pension, pensionera sig; avgå [*~ from office* (från tjänsten)]; *~ on a pension* avgå med pension **2** dra sig tillbaka (undan) [*to, into* till]; vika (träda, sjunka) tillbaka **3** mil. retirera **4** sport. ge upp, bryta **5** gå till sängs (vila) [äv. *~ to bed*; *~ to rest*]
II *vb tr, be ~d on a pension* få avsked med pension

retired [rɪˈtaɪəd] *adj* **1** som dragit sig tillbaka (avgått, tagit avsked), avgången, pensionerad, f.d. **2** tillbakadragen [*lead* (leva) *a ~ life*]

retired pay [rɪˈtaɪədpeɪ] *s* pension

retiree [rɪˌtaɪˈriː] *s* vanl. amer. pensionär

retirement [rɪˈtaɪəmənt] *s* tillbakaträdande, pension[ering], avgång [*~ from an office*]; avsked[stagande]; *early ~* förtidspension[ering]; *take early ~* förtidspensionera sig; *go into ~* gå i pension, dra sig tillbaka; *come out of* ~ spec. sport. göra comeback, komma tillbaka **2** tillbakadragenhet, avskildhet; *live in* ~ leva tillbakadraget, leva i stillhet

retirement age [rɪˈtaɪəmənteɪdʒ] *s* pensionsålder

retirement home [rɪˈtaɪəmənt,həʊm] *s* servicehus, äldreboende

retirement pension [rɪˈtaɪəmənt,penʃ(ə)n] *s* ålderspension

retiring [rɪˈtaɪərɪŋ] *adj* tillbakadragen, försynt, reserverad

retiring age [rɪˈtaɪərɪŋeɪdʒ] *s* pensionsålder

retold [,riːˈtəʊld] imperf. o. perf. p. av *retell*

retook [,riːˈtʊk] imperf. av *retake*

retool [,riːˈtuːl] *vb tr* **1** förse t.ex. fabrik med nya verktygsmaskiner (ny verktygsutrustning) **2** amer. vard. omorganisera

retort [rɪˈtɔːt] **I** *vb tr* genmäla, svara [skarpt], replikera; besvara
II *s* **1** [skarpt] svar, genmäle, svar på tal, replik; motbeskyllning **2** kem. retort

retouch [,riːˈtʌtʃ] *vb tr* retuschera äv. foto.

retrace [rɪˈtreɪs] *vb tr* följa tillbaka spår m.m.; spåra; ~ *one's steps* (*way*) gå samma väg tillbaka

retract [rɪˈtrækt] **I** *vb tr* **1** ta tillbaka, återkalla [~ *a statement*]; dementera **2** dra tillbaka, dra in [*the cat* ~*ed its claws*]; fälla in
II *vb itr* **1** ta tillbaka sina ord **2** dra sig tillbaka; dras in; fällas in

retractable [rɪˈtræktəbl] *adj* infällbar, indragbar

retrain [,riːˈtreɪn] **I** *vb tr* skola om, omskola **II** *vb itr* skola om sig [*as* till]

retread [verb ,riːˈtred, subst. ˈriːtred] bil. **I** *vb tr* regummera [~ *a tyre*] **II** *s* regummerat däck

retreat [rɪˈtriːt] **I** *vb itr* **1** retirera, slå till reträtt; dra sig tillbaka; vika [tillbaka el. undan]; [*we heard*] ~*ing footsteps* ...steg som avlägsnade sig **2** ekon. sjunka, falla
II *vb tr* ekon. sjunka (falla) med
III *s* **1** reträtt, återtåg; *beat a* [*hasty*] ~ [hastigt] slå till reträtt (ta till reträtten); *sound the* ~ blåsa till reträtt; *leave a line of* ~ *open for oneself* bildl. se till att man har reträtten (ryggen) fri; *be in full* ~ vara stadd på reträtt över hela linjen **2** tillflykt[sort], fristad, reträtt

retrench [rɪˈtren(t)ʃ] *vb itr* skära ned på kostnader, spara, dra in på staten

retrenchment [rɪˈtren(t)ʃmənt] *s* inskränkning, nedskärning, åtstramning, besparing

retrial [,riːˈtraɪ(ə)l] *s* jur. förnyad prövning (rättegång); förnyat förhör

retribution [,retrɪˈbjuːʃ(ə)n] *s* vedergällning; straff

retrievable [rɪˈtriːvəbl] *adj* som kan återvinnas; ersättlig

retrieval [rɪˈtriːv(ə)l] *s* **1** återvinnande, återfående **2** återupprättande, återställande [*the* ~ *of one's fortunes*]; räddning **3** *beyond* ~ el. *past* ~ ohjälplig[t], hopplös[t] **4** data. inhämtning; ~ *system* inhämtningssystem **5** tennis. o.d. räddning

retrieve [rɪˈtriːv] *vb tr* **1** återvinna, återfå, få tillbaka [~ *one's umbrella*]; återfinna; ta (plocka) upp igen **2** data. ta fram, hämta; öppna **3** rädda [*from*, *out of* från; ~ *the situation*]; återställa [~ *one's fortunes*] **4** tennis. o.d. hinna returnera, hinna

upp [~ *the ball*] **5** jakt., om hundar apportera **6** gottgöra, reparera [~ *an error*]; ersätta; få ersatt [~ *one's loss*]

retriever [rɪˈtriːvə] *s* **1** om hund apportör **2** retriever hundras

retro [ˈretrəʊ] *adj* vard. retro- [*a* ~ *film*]

retroactive [,retrəʊˈæktɪv] *adj* retroaktiv, tillbakaverkande

retrofit [ˈretrə(ʊ)fɪt] *vb tr* utrusta med nya delar efteråt

retrograde [ˈretrə(ʊ)greɪd] *adj* **1** tillbakagående, tillbakariktad, retrograd, i motsatt riktning; bakvänd, omvänd [~ *order*]; ~ *step* steg tillbaka äv. bildl., steg baklänges **2** bildl. **a)** bakåtsträvande, reaktionär **b)** tillbakagående

retrogress [,retrə(ʊ)ˈgres] *vb itr* gå tillbaka äv. bildl.; spec. biol. urarta

retrogression [,retrə(ʊ)ˈgreʃ(ə)n] *s* gående tillbaka, tillbakagång äv. bildl.; spec. biol. urartning

retrogressive [,retrə(ʊ)ˈgresɪv] *adj* tillbakagående, bakåtsträvande; regressiv

retrorocket [ˈretrəʊ,rɒkɪt] *s* bromsraket

retrospect [ˈretrə(ʊ)spekt] *s*, *in* ~ [, *the whole business seems ridiculous*] [så här] i efterhand..., när man ser tillbaka...

retrospection [,retrə(ʊ)ˈspekʃ(ə)n] *s* tillbakablickande; återblick

retrospective [,retrə(ʊ)ˈspektɪv] **I** *adj* **1** retrospektiv, tillbakablickande **2** retroaktiv
II *s* retrospektiv utställning

retry [,riːˈtraɪ] *vb tr* jur. underställa förnyad prövning [~ *a case*]

retsina [retˈsiːnə] *s* retsina[vin]

return [rɪˈtɜːn] **I** *vb itr* **1** återvända, återkomma, komma (vända) tillbaka (hem); återgå [~ *to work*] **2** återgå [~ *to the original owner*]
II *vb tr* **1** ställa (lägga, sätta, m.m) tillbaka [på sin plats] **2 a)** returnera **b)** återlämna, lämna igen (tillbaka); ~ *to* [*the*] *sender* på brev retur avsändaren, eftersändes ej **3** återbetala [~ *a loan*] **4** besvara, återgälda, gengälda, ~ *a blow* slå tillbaka; ~ *a favour* göra en gentjänst (motprestation) **5** genmäla, svara **6** om valkrets välja [till parlamentsledamot] **7** [in]rapportera, anmäla; officiellt förklara; ~ *a verdict* avkunna en dom **8** avge svar, redogörelse, inge, lämna in till myndighet [~ *a report*] **4** avkasta, inbringa [~ *a profit*]; ~ *interest* ge ränta
III *s* **1** återkomst, hemkomst, återvändande; återresa, återgång, återväg; attr., ofta retur-, åter-; *many happy* ~*s* [*of the day*] har den äran [att gratulera]; *we are at the point of no* ~ det finns ingen återvändo; *by* ~ [*of post*] [per] omgående **2** återsändande, återlämnande, återställande [~ *of a book*]; återbetalning [~ *of a loan*]; returnering **3** med. återfall [~ *of an illness*]; *have a* ~ få ett återfall **4** besvarande, gengäldande; lön; *in* ~ i (till) gengäld, som lön (motprestation) [*for* för], till svar **5** sport. retur[boll]; *play sb a* ~ äv. ge ngn revansch; ~ el. ~ *of service* serveretur **6** avkastning, utbyte, vinst [äv. pl. ~*s*]; pl. ~*s* äv. intäkter, omsättning; *the law of diminishing* ~*s* ekon. lagen om avtagande avkastning **7** officiell anmälan, rapport, berättelse; pl. ~*s* äv. statistiska uppgifter; resultat [*election* ~*s*]; ~ el. *income-tax* ~ [själv]deklaration; *make one's* ~ *of income* deklarera, göra sin

självdeklaration **8** val till parlamentet **9** data. returtangent **10** returbiljett

returnable [rɪ'tɜ:nəbl] *adj* som kan (ska) lämnas (skickas) tillbaka; retur- [~ *bottles*]

return fare [rɪˌtɜ:n'feə] *s* returbiljett[pris]

return game [rɪˌtɜ:n'geɪm] *s* sport. returmatch, revanschmatch, revanschparti

returning officer [rɪ'tɜ:nɪŋˌɒfɪsə] *s* ung. valförrättare

return key [rɪ'tɜ:nki:] *s* returtangent

return match [rɪˌtɜ:n'mætʃ] *s* sport. returmatch, revanschmatch, revanschparti

return postage [rɪˌtɜ:n'pəʊstɪdʒ] *s* svarsporto, returporto

return ticket [rɪˌtɜ:n'tɪkɪt] *s* [turoch]returbiljett

return visit [rɪˌtɜ:n'vɪzɪt] *s* återbesök; svarsvisit

Reuben sandwich [ˌru:bən'sændwɪdʃ] *s* amer. smörgås med salt kött, schweizerost och surkål

reunification [ˌri:ju:nɪfɪ'keɪʃ(ə)n] *s* återförening, återförenande [*the ~ of Germany*]

reunify [ri:'ju:nɪfaɪ] *vb tr* återförena, åter ena

reunion [ˌri:'ju:nɪən] *s* **1** återförening **2** sammankomst, samling, samkväm; möte; **family ~** äv. familjehögtid

reunite [ˌri:ju:'naɪt] *vb tr* o. *vb itr* återförena[s], åter ena[s]

reusable [ˌri:'ju:z(ə)bl] *adj* återanvändbar

reuse [ˌri:'ju:z] *vb tr* använda på nytt (igen)

Reuters ['rɔɪtəz] brittisk nyhetsbyrå

Rev. förk. för *Reverend*

rev [rev] vard. **I** *vb tr* o. *vb itr*, ~ el. ~ *up* om motor rusa **II** *s* varv

revaluation [ˌri:væljʊ'eɪʃ(ə)n, ri:ˌvæl-] *s* **1** revalvering, uppskrivning av valuta **2** omvärdering

revalue [ˌri:'vælju:] *vb tr* **1** omvärdera **2** revalvera, skriva upp valuta

revamp [ˌri:'væmp] *vb tr* vard. lappa ihop; göra (skriva) om, fräscha upp

rev counter ['revˌkaʊntə] *s* varvräknare

reveal [rɪ'vi:l] *vb tr* avslöja, röja, yppa, uppdaga [*to* för]; uppenbara; visa

revealing [rɪ'vi:lɪŋ] *adj* avslöjande

reveille [rɪ'vælɪ, -'vel-, amer. 'rev(ə)li:] *s* revelj; **sound the ~** blåsa revelj

revel ['revl] **I** *vb itr* festa [om], rumla [om], svira; frossa, kalasa; ~ *in* frossa i [~ *in luxury*] **II** *s*, ofta pl. ~*s* [uppsluppen] fest; firande, festande

revelation [ˌrevə'leɪʃ(ə)n] *s* **1** avslöjande; yppande, uppdagande, uppenbarande; **it was a ~ to me** det kom som en överraskning för mig **2** gudomlig uppenbarelse

revelatory [ˌrevə'leɪtərɪ] *adj* avslöjande

reveller ['revələ] *s* rumlare, hålligångare; frossare

revelry ['revlrɪ] *s* festande, rumlande

revenge [rɪ'ven(d)ʒ] **I** *s* hämnd [*on* på; *for* för], vedergällning; revansch äv. sport. el. kortsp.; **take ~ on sb** hämnas på ngn, ta revansch på ngn; **in ~** som hämnd, för att hämnas [*for* för] **II** *vb tr*, ~ **oneself on sb for sth** hämnas (ta revansch) på ngn för ngt

revengeful [rɪ'ven(d)ʒf(ʊ)l] *adj* hämndlysten

revenue ['revənju:] *s* statsinkomster [äv. *Public Revenue*[*s*]]; inkomst, avkastning av investering

Revenue and Customs [ˌrevənju:ən'kʌstəmz] *s*, **HM ~** brittiska skatte- och tullverket

reverberate [rɪ'vɜ:b(ə)reɪt] *vb itr* återkastas; om ljud äv. eka, genljuda

reverberation [rɪˌvɜ:bə'reɪʃ(ə)n] *s* genljudande; återkastande; genljud, eko

revere [rɪ'vɪə] *vb tr* vörda, hålla i ära

reverence ['rev(ə)r(ə)ns] *s* vördnad, aktning; **pay ~ to sb** betyga ngn sin vördnad

Reverend ['rev(ə)r(ə)nd] *s* i kyrkliga titlar (ofta förkortat *Rev.*): [*the*] ~ *J. Smith* pastor (kyrkoherde) J. Smith; **the Right ~ the Bishop of Barchester** Hans högvördighet biskopen av Barchester; **the ~ Father O'Higgins** fader O'Higgins

Reverend Mother [ˌrev(ə)r(ə)nd'mʌðə] *s* vid kloster moder, abbedissa

reverent ['rev(ə)r(ə)nt] *adj* vördnadsfull

reverential [ˌrevə'renʃ(ə)l] *adj* vördnadsfull; vördnadsbjudande

reverie ['revərɪ] *s* drömmeri; [dag]dröm; **be lost in [a] ~** vara försjunken i drömmerier (drömmar)

revers [rɪ'vɪə] (pl. *revers* [rɪ'vɪəz]) *s* slag på klädesplagg

reversal [rɪ'vɜ:s(ə)l] *s* omkastning, omsvängning [*a ~ of public opinion*]; omslag

reverse [rɪ'vɜ:s] **I** *vb tr* **1** vända på, vända om, vända upp och ned (ut och in) på; vända äv. bildl. [~ *the trend*]; kasta om, slå om; vrida tillbaka; upphäva, reparera [~ *the ill effects*]; backa [~ *one's car*]; ~ **the charges** tele. låta mottagaren betala samtalet; ~ **the engines** backa, slå back [i maskinen]; flyg. reversera motorerna **2** ändra [om], kasta om [~ *the order*]; ~ **one's policy** ändra sin politik, sadla om, göra en helomvändning; ~ **oneself** amer. ändra sig

II *vb itr* **1** vända, slå om [*the trend has ~d*] **2** backa **3** svänga motsols i dans, spec. vals

III *s* **1** motsats; **just the ~** el. **quite the ~** alldeles tvärtom; **the exact ~** el. **the very ~** raka motsatsen [*of* till, mot] **2** baksida, frånsida, avigsida; på mynt o.d. revers; mil. rygg; **in ~** i motsatt ordning **3** omkastning, [plötslig] växling; motgång, bakslag; nederlag; **suffer a ~** röna motgång; lida ett nederlag; [*after this success*] **she suffered a ~ of fortune** ...fick hon pröva på motgångar **4** tekn. omkastare; motor. back[växel]; **put the car in ~** lägga i backen

IV *adj* motsatt [~ *direction*]; omvänd, bakvänd [*in ~ order*]; omkastad; spegelvänd; **the ~ side of the cloth** tygets avigsida; **the ~ side of a coin** reversen (baksidan) av ett mynt; **the ~ side of the picture** bildl. medaljens baksida (frånsida)

reverse-charge call [rɪˌvɜ:stʃɑ:dʒ'kɔ:l] *s* tele. telefonsamtal som betalas av mottagaren

reverse discrimination [rɪˌvɜ:sdɪskrɪmɪ'neɪʃ(ə)n] *s* omvänd diskriminering, jfr *positive discrimination*

reverse gear [rɪˌvɜ:s'ɡɪə] *s* back[växel]; **go into ~** bildl. röna motgång, få svårigheter

reversible [rɪ'vɜ:səbl] *adj* omkastbar; vändbar [*a ~ coat*]; reversibel; ~ **material** genomvävt tyg

reversing light [rɪ'vɜ:sɪŋlaɪt] *s* backljus, backlykta

reversion [rɪ'vɜ:ʃ(ə)n] *s* **1** återgång; ~ **to type** biol. atavism **2** jur. återgång av egendom till överlåtare el. hans lagliga arvingar, hemfall; bakarv

revert [rɪ'vɜ:t] *vb itr* **1** återgå, gå tillbaka [~ *to an earlier stage*]; återkomma, återvända [*to* till], med.

återfalla; ~ *to sb* återgå i ngns ägo **2** jur. återgå, hemfalla [~ *to the State*]

review [rɪ'vjuː] **I** *s* **1** granskning, [förnyad] undersökning; genomgång; vanl. amer. skol. repetition; *pass in* ~ [låta] passera revy; se tillbaka på; mönstra; *in the period under* ~ under ifrågavarande period; *come under* ~ bli föremål för (tas upp till) granskning (omprövning) **2** recension, anmälan av bok m.m. **3** översikt, överblick [*of* över, av]; återblick [*of* på]; redogörelse, krönika **4** mil. mönstring, inspektion **5** tekn. snabbspolning av ljudband o.d.

II *vb tr* **1** granska (betrakta, undersöka) på nytt, gå igenom på nytt; vanl. amer. skol. repetera **2** ta en överblick över, överblicka **3** recensera, anmäla bok m.m. **4** mil. inspektera, mönstra [~ *the troops*] **5** jur. ompröva

reviewer [rɪ'vjuːə] *s* recensent, anmälare

revile [rɪ'vaɪl] *vb tr* smäda, skymfa, okväda

revise [rɪ'vaɪz] *vb tr* **1** revidera, ändra; se igenom (över), granska; omarbeta, bearbeta; ~ *one's opinion* revidera sin (ändra) åsikt **2** skol. repetera

revision [rɪ'vɪʒ(ə)n] *s* **1** revidering, revision; granskning; omarbetning, bearbetning **2** reviderad upplaga **3** skol. repetition; *do some* ~ repetera

revisionism [rɪ'vɪʒ(ə)nɪz(ə)m] *s* polit. revisionism

revisionist [rɪ'vɪʒ(ə)nɪst] **I** *s* polit. revisionist **II** *adj* revisionistisk

revisit [ˌriː'vɪzɪt] *vb tr* besöka igen (på nytt), återbesöka

revitalize [ˌriː'vaɪtəlaɪz] *vb tr* återuppliva; ge ny livskraft, vitalisera, liva upp

revival [rɪ'vaɪv(ə)l] *s* **1** återupplivande äv. bildl. [~ *of old customs*]; återuppvaknande till sans, liv; återhämtning; återinförande; förnyelse; renässans **2** repris, återupptagande [~ *of a play*]; nypremiär

revivalism [rɪ'vaɪvəlɪz(ə)m] *s* väckelse[rörelse]

revivalist [rɪ'vaɪvəlɪst] *s* väckelsepredikant, väckelseledare; ~ *hymns* väckelsesånger

revival meeting [rɪ'vaɪv(ə)lˌmiːtɪŋ] *s* väckelsemöte

revive [rɪ'vaɪv] **I** *vb tr* **1** återuppliva, åter få liv i, återkalla till sans **2** bildl. återuppliva, blåsa nytt liv i; återinföra [~ *a law*]; återupprätta; förnya; återuppväcka [~ *memories*]; ~ *sb's hopes* inge (ge) ngn nytt hopp **3** ta upp igen [~ *a play*]; ha nypremiär på

II *vb itr* **1** vakna till liv igen, återfå sansen, kvickna till **2** bildl. återupplivas, få nytt liv

revivify [rɪ'vɪvɪfaɪ] *vb tr* återuppliva, åter väcka till liv, ge nytt liv åt; ~*ing* uppfriskande, upplivande

revocation [ˌrevə'keɪʃ(ə)n] *s* återkallande, upphävande, annulering; indragning

revoke [rɪ'vəʊk] *vb tr* återkalla, annulera, upphäva [~ *a decree*]; dra in [~ *a driving licence*]; ta tillbaka [~ *an order*]

revolt [rɪ'vəʊlt] **I** *vb itr* **1** revoltera, göra uppror (revolt) **2** upproras, bli (vara) upprörd, känna avsky [*at* (*against, from*) över, vid, inför, mot] **II** *vb tr* uppröra, bjuda emot, väcka avsky hos; *be* ~*ed* bli (vara) upprörd, känna vämjelse (avsky) [*by* vid, inför, över]

III *s* **1** revolt, uppror, resning [*against* mot]; *rise in* ~ revoltera, göra uppror, resa sig **2** avfall [*from* från] **3** upprördhet

revolting [rɪ'vəʊltɪŋ] *adj* upprörande, motbjudande [*to* för; *a* ~ *sight*; *a* ~ *manner*]; äcklig

revolution [ˌrevə'luːʃ(ə)n, -'ljuː-] *s* **1** revolution [*the French Revolution*; *the Industrial Revolution*] **2** astron. omlopp, kretslopp **3** rotation, [kring]svängning kring en axel; varv; slag

revolutionary [ˌrevə'luːʃənərɪ, -'ljuː-] **I** *adj* revolutionär, revolutions-, [samhälls]omstörtande; revolutionerande [~ *ideas*] **II** *s* revolutionär, [samhälls]omstörtare

revolution counter [ˌrevə'luːʃ(ə)nˌkaʊntə] *s* varvräknare

revolutionize [ˌrevə'luːʃənaɪz, -'ljuː-] *vb tr* revolutionera

revolve [rɪ'vɒlv] **I** *vb itr* vrida (röra) sig, rotera, svänga [*about, round, on* [om]kring sin axel]; kretsa [*round, about* kring]; snurra [runt] **II** *vb tr* snurra [på] [~ *a wheel*]; låta rotera, sätta i rotation (svängning)

revolver [rɪ'vɒlvə] *s* revolver

revolving [rɪ'vɒlvɪŋ] *adj* roterande, kringsvängande; kretsande

revolving chair [rɪˌvɒlvɪŋ'tʃeə] *s* kontorsstol, svängstol, snurrstol

revolving door [rɪˌvɒlvɪŋ'dɔː] *s* [roterande] svängdörr

revolving light [rɪˌvɒlvɪŋ'laɪt] *s* blänkfyr

revolving stage [rɪˌvɒlvɪŋ'steɪdʒ] *s* vridscen

revue [rɪ'vjuː] *s* teat. revy

revulsion [rɪ'vʌlʃ(ə)n] *s* **1** omsvängning, omslag [*a* ~ *of* (i) *their feelings*] **2** motvilja [*against* mot]

reward [rɪ'wɔːd] **I** *s* belöning, lön; hittelön; ersättning; *the financial* ~*s* den ekonomiska behållningen; *offer a* ~ *of £100 for* utfästa en belöning på (om) hundra pund för **II** *vb tr* belöna; löna

rewarding [rɪ'wɔːdɪŋ] *adj* givande, tacksam, lönande

rewind [verb riː'waɪnd, adj. '--] **I** (*rewound rewound*) *vb tr* spola tillbaka film, band m.m. **II** *adj* återspolnings-, tillbakaspolnings- av film, band m.m. [*a* ~ *button*]

rewire [ˌriː'waɪə] *vb tr* elektr. dra (lägga in) nya ledningar i [~ *a house*]

reword [ˌriː'wɜːd] *vb tr* formulera om

rework [riː'wɜːk] *vb tr* **1** omarbeta **2** använda igen, återanvända

reworking [riː'wɜːkɪŋ] *s* omarbetning

rewound [ˌriː'waʊnd] imperf. o. perf. p. av *rewind*

rewrite [verb ˌriː'raɪt, subst. 'riːraɪt] **I** (*rewrote rewritten*) *vb tr* skriva om; arbeta om, redigera om **II** *s* omredigering

rewritten [ˌriː'rɪtn] perf. p. av *rewrite*

rewrote [ˌriː'rəʊt] imperf. av *rewrite*

Rex [reks] *s* lat. [regerande] konung; ~ *versus Smith* jur. kronan (staten) mot Smith

Reykjavik ['reɪkjəviːk] geogr.

Rh [ˌɑː(r)'eɪtʃ] förk. för *Rhesus factor* [~ *negative*; ~ *positive*]

rhapsodic [ræp'sɒdɪk] *adj* **1** rapsodisk **2** extatisk, hänförd, entusiastisk

rhapsodize ['ræpsədaɪz] *vb itr*, ~ *over* el. ~ *about* uttala sig entusiastiskt (i hänförda ordalag) om

rhapsody ['ræpsədɪ] *s* **1** rapsodi **2** extas; *go into rhapsodies over* råka i extas över

rhesus factor ['ri:səs,fæktə] *s* med., *the ~* rhesusfaktorn, Rh-faktorn

rhesus monkey ['ri:səs,mʌŋkɪ] *s* zool. rhesusapa

rhesus negative [,ri:səs'negətɪv] *s* med. Rh-negativ

rhesus positive [,ri:səs'pɒzətɪv] *s* med. Rh-positiv

rhetoric ['retərɪk] *s* retorik; vältalighet

rhetorical [rɪ'tɒrɪk(ə)l] *adj* retorisk; *~ pause* konstpaus; *~ question* retorisk fråga

rheumatic [ru'mætɪk] **I** *adj* reumatisk
II *s* **1** reumatiker **2** pl. *~s* vard. reumatism

rheumatism ['ru:mətɪz(ə)m] *s* reumatism

rheumatoid arthritis [,ru:mətɔɪdɑː'θraɪtɪs] *s* med. reumatoid artrit, [kronisk] ledgångsreumatism

Rh factor [,ɑː(r)'eɪtʃ,fæktə] *s* med., *the ~* Rh-faktorn

Rhine [raɪn] geogr., *the ~* floden Rhen

rhinestone ['raɪnstəʊn] *s* strass; similidiamant;

Rhine wine ['raɪnwaɪn] *s* rhenvin

rhino ['raɪnəʊ] (pl. *~s* el. koll. *rhino*) *s* vard. kortform av *rhinoceros*

rhinoceros [raɪ'nɒs(ə)rəs] (pl. *~es* el. koll. *rhinoceros*) *s* zool. noshörning

Rh negative [,ɑː(r)eɪtʃ'negətɪv] *s* med. Rh-negativ

Rhode Island [,rəʊd'aɪlənd] geogr.

Rhodes [rəʊdz] geogr. Rhodos

rhododendron [,rəʊdə'dendr(ə)n] *s* bot. rhododendron

rhomboid ['rɒmbɔɪd] *s* romboid

rhombus ['rɒmbəs] (pl. *~es* el. *rhombi* ['rɒmbaɪ]) *s* geom. romb

Rh positive [,ɑː(r)eɪtʃ'pɒzətɪv] *s* med. Rh-positiv

rhubarb ['ru:bɑːb] *s* **1** rabarber; *stewed ~* rabarberkompott **2** sl. nonsens, smörja

rhyme [raɪm] **I** *s* rim; rimord; [rimmad] vers; *nursery ~* barnramsa, barnkammarrim; *without ~ or reason* utan rim och reson
II *vb itr* rimma [*to* på, *with* med, på]
III *vb tr* rimma, låta rimma [*with* med, på]; sätta på (i) rim, sätta på vers; *~d verse* rimmad vers

rhyming dictionary [,raɪmɪŋ'dɪkʃ(ə)nrɪ] *s* rimlexikon

rhyming slang [,raɪmɪŋ'slæŋ] *s* 'rimslang' [t.ex. *Kate and Sidney* för *steak and kidney*]

rhythm ['rɪð(ə)m] *s* rytm, takt

rhythmic ['rɪðmɪk] *adj* o. **rhythmical** ['rɪðmɪk(ə)l] *adj* rytmisk; taktfast

rhythm section ['rɪð(ə)m,sekʃ(ə)n] *s* mus. rytmsektion

RI o. **R.I.** förk. för *Rhode Island*

RIB (förk. för *rigid inflatable boat*) ribbåt, RIB-båt

rib [rɪb] **I** *s* **1** anat. revben; slakt. högrev av nötkött, rygg av kalv, lamm; *~s of pork* kok. revbensspjäll; *poke* (*dig*) *sb in the ~s* puffa (stöta) till ngn i sidan **2** räffla, [upphöjd] rand; i ribbstickning ribba
II *vb tr* åld. vard. skoja (retas) med

ribald ['rɪb(ə)ld] *adj* oanständig, rått skämtsam

ribaldry ['rɪb(ə)ldrɪ] *s* oanständigheter; råa skämt

ribbed [rɪbd] *adj* ribbad [*~ cloth*; *~ stockings*]; ribbstickad, resårstickad; randig; *~ knitting* ribbstickning, resårstickning

ribbon ['rɪbən] *s* **1** band; ordensband **2** remsa, strimla; *torn to ~s* [riven] i trasor, sönderriven **3** färgband till skrivmaskiner o. vissa printrar

ribbon development [,rɪbəndɪ'veləpmənt] *s* bebyggelse längs utfartsväg från stad

rib cage ['rɪbkeɪdʒ] *s* anat. bröstkorg

riboflavin [,raɪbəʊ'fleɪvɪn] *s* riboflavin

rice [raɪs] **I** *s* bot. ris; risgryn; *brown ~* opolerat ris, råris; *polished ~* polerat ris **II** *vb tr* vanl. amer. pressa potatis

rice flour ['raɪsflaʊə] *s* rismjöl

rice paddy ['raɪs,pædɪ] *s* risfält

rice paper ['raɪs,peɪpə] *s* rispapper

rice pudding [,raɪs'pʊdɪŋ] *s* se *pudding 1*

rich [rɪtʃ] *adj* **1** rik [*in* på]; förmögen; *the ~* de rika; *~ in calories* kaloririk **2** riklig, stor [*~ vocabulary*]; rikhaltig [*~ supply* (förråd)]; rik [*~ harvest*; *~ vegetation*]; ymnig **3** bördig, fet [*~ soil*] **4** fet, kraftig [*~ food*]; mäktig [*~ cake*]; *~ mixture* fet blandning **5** fyllig [*~ tone*; *~ voice*]; varm, djup [*~ colour*]; mustig **6** vard., *that's pretty ~!* det var väl ändå att gå för långt!

Richard ['rɪtʃəd] **1** mansnamn **2** som kunganamn Rickard

riches ['rɪtʃɪz] *s pl* rikedom[ar]

richly ['rɪtʃlɪ] *adv* rikt; rikligt, rikligen etc., jfr *rich*; i rikt mått, till fullo [*he ~ deserved his punishment*]

richness ['rɪtʃnəs] *s* rikedom [*in* på]; riklighet, rikhaltighet etc., jfr *rich*

Richter scale ['rɪktəskeɪl] *s* i seismologi, *the ~* Richterskalan

1 rick [rɪk] *vb tr* vricka, stuka; sträcka

2 rick [rɪk] *s* stack av hö, halm o.d.

rickets ['rɪkɪts] (med verb i sg. el. pl.) *s* med. rakitis, engelska sjukan

rickety ['rɪkətɪ] *adj* rankig, skranglig, vinglig [*a ~ chair*]; skraltig; fallfärdig [*a ~ old house*]

rickshaw ['rɪkʃɔː] *s* riksha, rickshaw

ricochet ['rɪkəʃeɪ, -ʃet] **I** *vb itr* rikoschettera; studsa **II** *s* rikoschett; studsning

rid [rɪd] (*rid rid*, ibl. *~ded ~ded*) *vb tr* befria, göra fri, rensa [*of* från]; *~ the house of mice* få huset fritt från råttor; *~ oneself of* bli fri från, befria sig från, göra sig kvitt, göra sig av med; *be ~ of* vara av med, vara fri från, slippa; *be well ~ of* klara sig bättre utan; *get ~ of* a) bli av med, bli (göra sig) fri från, bli kvitt b) göra sig av med

riddance ['rɪd(ə)ns] *s* befrielse, befriande; [*a*] *good ~* [*to bad rubbish*]*!* skönt att bli av med (slippa) honom (dem, det etc.)!

ridden ['rɪdn] *perf p* (av *ride*) som efterled i sammansättn. -härjad [*crisis-ridden*]; ansatt (plågad, hemsökt) av [*fear-ridden*]; jfr *bedridden*

1 riddle ['rɪdl] *s* gåta äv. om person

2 riddle ['rɪdl] *vb tr* genomborra [med kulor], peppra [*~ sb with bullets*]; bombardera [*~ sb with questions*]

ride [raɪd] **I** (*rode ridden*) *vb itr* **1** rida [*~ on a horse*; *~ on sb's back*; *~ on sb's shoulders*]; sitta grensle, sitta, gunga [*~ on a seesaw* (gungbräda)]; *he is riding for a fall* bildl. det kommer att sluta illa för honom, det kommer att ta en ända med förskräckelse för honom **2** fara, åka [*~ in a bus*; *~ on a bicycle*]; köra [*~ on a motorcycle*]; gå [*the car ~s smoothly*] **3** om fartyg rida [*~ on the waves*]; *~ at anchor* rida för ankar (till ankars)
II (*rode ridden*; jfr *ridden*) *vb tr* **1** rida [på] [*~ a*

horse]; ~ **one's** (**the**) **high horse** vard. sätta sig på sina höga hästar; ~ **the storm** rida ut stormen äv. bildl. **2** åka; köra [~ *a motorcycle*]; ~ **a bicycle** åka cykel, cykla **3** låta rida [~ *a child on one's back*] **III** *s* ritt, [rid]tur; åktur, tur [*bus-ride*]; resa, färd; skjuts, lift [*can you give me a ~ into town?*]; **bicycle** ~ cykeltur; **take a** ~ el. **go for a** ~ el. **have a** ~ rida (åka) ut, göra en ridtur (åktur), ta sig en tur; **be** (**come, go**) **along for the** ~ vard. vara (komma) med för skojs skull; **take sb for a** ~ sl. a) föra bort (kidnappa) och mörda ngn b) föra ngn bakom ljuset, [försöka] blåsa ngn

rider ['raɪdə] *s* **1** ryttare, ryttarinna **2** ~ el. **bicycle** ~ cykelåkare, cyklist; **train** ~ tågpassagerare **3** tillägg till dokument o.d., tilläggsklausul, kodicill

ridge [rɪdʒ] *s* **1** rygg, kam [~ *of a wave*]; upphöjd rand (kant); ~ **of high pressure** meteor. högtrycksrygg; **teeth** ~ tandvall **2** ~ el. **mountain** ~ [bergs]rygg, [berg]ås, [bergs]kam

ridicule ['rɪdɪkjuːl] **I** *s* åtlöje, löje, spe; **hold up to** ~ förlöjliga, göra till ett åtlöje; [*if you continue like that*] **you will lay yourself open to** ~ ...så kommer du att bli utskrattad **II** *vb tr* förlöjliga, göra till ett åtlöje

ridiculous [rɪ'dɪkjʊləs] *adj* löjlig, fånig, skrattretande; absurd

riding ['raɪdɪŋ] *s* ridning; ridsport
riding boot ['raɪdɪŋbuːt] *s* ridstövel
riding breeches ['raɪdɪŋˌbrɪtʃɪz] *s pl* ridbyxor
riding crop ['raɪdɪŋˌkrɒp] *s* kort ridpiska med ögla
riding horse ['raɪdɪŋhɔːs] *s* ridhäst
riding school ['raɪdɪŋskuːl] *s* ridskola, ridhus
riding whip ['raɪdɪŋwɪp] *s* ridspö, ridpiska

rife [raɪf] *adj* mycket vanlig, utbredd, förhärskande; talrik; **be** ~ vara (komma) i svang (omlopp), grassera; ~ **with** uppfylld (full) av

riff [rɪf] *s* mus. riff

riffle ['rɪfl] *vb tr* [hastigt] bläddra igenom [äv. ~ *through*]

riff-raff ['rɪfræf] *s* slödder, pack, patrask

1 rifle ['raɪfl] *s* gevär, bössa; ~ **association** el. ~ **club** skytteförening

2 rifle ['raɪfl] *vb tr* rota igenom för att stjäla, plundra, länsa [*of* på ngt]

rifle|man ['raɪfl|mən] (pl. -**men** [-mən]) *s* **1** mil. [gevärs]skytt **2** skicklig [gevärs]skytt

rifle range ['raɪflreɪn(d)ʒ] *s* skjutbana

rift [rɪft] *s* spricka äv. bildl. [*a* ~ *in the ice*; *a* ~ *in the party*]; rämna, reva [*a* ~ *in the clouds*] bildl. äv. klyfta, brytning; **a** ~ **in the lute** en fnurra på tråden

rift valley ['rɪftˌvælɪ] *s* geol. sprickdal

1 rig [rɪg] *vb tr* lura, svindla; manipulera, fixa, göra upp på förhand; ~ **an** (**the**) **election** bedriva valfusk

2 rig [rɪg] **I** *vb tr* **1** sjö. rigga, tackla **2** ~ el. ~ **out** förse med kläder, utrusta, ekipera; vard. rigga [upp]; styra ut **3** ~ el. ~ **up** a) montera flygplan o.d. b) vard. rigga (till), rigga upp [~ *up a shelter*]; ~ **up** se *2 rig I 2 ovan*
II *s* **1** sjö. rigg **2** vard. rigg, stass

Riga ['riːgə, i limericken 'raɪgə] geogr.

rigatoni [ˌrɪgə'təʊnɪ] *s* kok. (it.) rigatoni slags pasta

rigging ['rɪgɪŋ] *s* **1** sjö. rigg[ning] **2** vard. rigg, stass

right [raɪt] **I** *adj* **1** rätt, riktig; rättmätig [*the* ~ *owner*]; **all** ~ se under *all III*; [*as*] ~ **as rain** o. [*as*] ~ **as**

a trivet vard., se under *rain I* o. *trivet*; [**isn't that**] ~? va?, eller hur?, inte sant?; **she made a** ~ **mess of it** hon gjorde en riktig soppa av det; **be on the** ~ **side of fifty** vara under femtio [år]; **get on the** ~ **side of sb** komma på god fot med ngn; **do the** ~ **thing by sb** handla rätt mot ngn; **is this** ~ **for** [**Highbury**]**?** är det här rätt väg till...?; **that's** ~! just det!, det var rätt!, det stämmer!; ~ **you are!** el. ~ **oh!** O.K.!, kör för det!; **you're** ~ [**there**]**!** det har du rätt i!; **put** ~ el. **set** ~ a) ställa till rätta b) ställa (göra) i ordning, ordna; sätta i stånd, reparera c) rätta till, avhjälpa fel; **put a watch** ~ ställa en klocka **2** höger, höger- äv. polit.; ~ **back** högerback; ~ **hand** höger hand (sida); bildl. högra hand [*he is my* ~ *hand*]; ~ **turn** högersväng **3** se *right angle*
II *adv* **1** rätt, rakt; ~ **ahead** rakt fram; sjö. rätt förut **2** just, precis [~ *here*]; genast, strax, med detsamma [*I'll be* ~ *back*]; ~ **then, let's do it** bra (okej), då gör vi det då; ~ **away** el. ~ **off** a) genast, strax, med detsamma b) utan vidare, direkt; ~ **now** just nu; omedelbart, ögonblickligen **3** alldeles, helt; ända [~ *to the bottom*] **4** rätt, riktigt; ~ **first time!** rätt gissat!; **act** ~ handla rätt; **judge** ~ döma rätt **5** till höger [*of* om], åt höger; ~ **and left** till höger och vänster, bildl. äv. från alla håll; ~ **turn!** mil. höger om!; **turn** ~ svänga (gå, köra) till höger, ta av åt höger **6** i titlar, **the Right Honourable** o. **the Right Reverend** se under *honourable 4* resp. *Reverend*
III *s* **1** rätt [~ *and wrong* (orätt)]; **by** ~**s** rätteligen, om rätt ska vara rätt **2** rättighet, rätt [*to* till]; **all** ~**s reserved** med ensamrätt; eftertryck förbjudes; **fishing** ~ el. **fishing** ~**s** fiskerätt; **human** ~**s** de mänskliga rättigheterna; **women's** ~**s** kvinnans rättigheter; **by** ~ **of** i kraft av, på grund av; **in one's own** ~ genom börd (arv); egen [*she has a fortune in her own* ~]; genom egna meriter; **stand on one's** ~**s** hålla på sin rätt; **he is quite within his** ~**s** han är i sin fulla rätt **3** **the** ~**s of the case** rätta förhållandet; **the** ~**s and wrongs of the case** de olika sidorna av saken **4** höger sida (hand), höger flygel; **the right** el. **the Right** polit. högern; **a straight** ~ boxn. en rak höger; **on your** ~ till höger om dig; **keep to your** ~ håll (kör) till höger; **in Sweden you keep to the** ~ det är högertrafik i Sverige
IV *vb tr* **1** räta upp [~ *a car*]; få på rätt köl [~ *a boat*] **2** gottgöra [~ *an injury*] **3** **things will** ~ **themselves** det kommer att rätta till sig

right-about ['raɪtəbaʊt] *adv*, ~ **turn!** el. ~ **face!** helt höger om!; **turn** ~ göra helt [höger] om

right angle ['raɪtˌæŋgl] *s* rät vinkel, 90-graders vinkel; **at** ~**s with** i rät vinkel mot

right-angled [ˌraɪt'æŋgld, attr. '-,--] *adj* rätvinklig [~ *triangle*]; **a** ~ **bend** en 90-graders kurva

right-click ['raɪtklɪk] *vb itr* data. högerklicka

righteous ['raɪtʃəs] *adj* **1** rättfärdig, rättskaffens **2** rättmätig [~ *indignation*]

righteousness ['raɪtʃəsnəs] *s* **1** rättfärdighet **2** rättmätighet **3** teol. rättfärdiggörelse

rightful ['raɪtf(ʊ)l] *adj* **1** rättmätig [~ *heir*]; rätt [~ *owner*] **2** rättfärdig

right-hand ['raɪthænd] *adj* höger, höger- [~ *side*; ~ *traffic*]; med höger hand [~ *blow*]

right-hand drive [ˌraɪthænd'draɪv] *adj* högerstyrd

right-handed [ˌraɪt'hændɪd] *adj* högerhänt

right-hander [,raɪt'hændə] *s* **1** högerhänt person; sport. högerhandsspelare **2** högerslag, högerstöt

right-hand man [,raɪthænd'mæn] *s, his* ~ hans högra hand

rightist ['raɪtɪst] **I** *s* högeranhängare **II** *adj* högerorienterad, höger- [~ *supporter*]

rightly ['raɪtlɪ] *adv* **1** rätt; riktigt [*I don't* ~ *know whether…*]; ~ *or wrongly* med rätt eller orätt; [*he came at 5 o'clock*] *if I remember* ~ …, vill jag minnas **2** med rätta [~ *proud of its ancient buildings*]; *and* ~ *so* och det med rätta

right-minded [,raɪt'maɪndɪd] *adj* rättsinnad, rättänkande

righto [,raɪt'əʊ] *interj* O.K.!, kör för det!, ja, då säger vi det då!, gärna [för mig]!

right of assembly [,raɪtəvə'semblɪ] *s* församlingsrätt

right-of-centre [,raɪtəv'sentə] *adj, a* ~ *newspaper* en tidning politiskt till höger om mitten

right of way [,raɪtəv'weɪ] *s* **1** förkörsrätt **2** [hävd]vunnen rätt att passera (att använda en väg som går) över annans mark, allemansrätt till väg; [*this path is*] *a* ~ …allmän väg

right-on ['raɪtɒn] *adj* **1** vard. inne, trendig, modern **2** amer. rätt, korrekt

Right Reverend [,raɪt'rev(ə)r(ə)nd] *adj Reverend*

rights issue ['raɪts,ɪʃu:] *s* nyemission

rightward ['raɪtwəd] **I** *adj* höger, höger- **II** *adv* se *rightwards*

rightwards ['raɪtwədz] *adv* till (åt) höger

right-wing [,raɪt'wɪŋ, attr. '--] *adj* polit. [som befinner sig] på högerkanten; högerorienterad, högervriden

right wing [,raɪt'wɪŋ] *s, the* ~ högra flygeln, högerflygeln, polit. äv. högern, de konservativa

right-winger [,raɪt'wɪŋə] *s* **1** högeranhängare **2** sport. högerytter

rigid ['rɪdʒɪd] **I** *adj* **1** styv, stel; rigid, stelbent äv. bildl. **2** sträng, rigorös, strikt
II *adv* vard., *it shook me* ~ jag blev helt paff

rigidity [rɪ'dʒɪdətɪ] *s* **1** styvhet, stelhet, oböjlighet äv. bildl., rigiditet, stelbenthet **2** stränghet

rigmarole ['rɪgm(ə)rəʊl] *s* **1** [omständlig] procedur [*the* ~ *of a formal dinner*] **2** svammel, tjafs; harang, tirad; långrandig skrivelse

rigor mortis [,rɪgə'mɔ:tɪs] *s* lat. likstelhet

rigorous ['rɪg(ə)rəs] *adj* **1** rigorös, sträng [~ *conditions*; ~ *discipline*]; hård **2** [ytterst] noggrann **3** bister, sträng, hård [~ *climate*; ~ *winter*]

rigour ['rɪgə] *s* **1** stränghet, hårdhet; pl. ~s hårda villkor, strapatser, vedermödor; *the utmost* ~ *of the law* lagens strängaste straff **2** *the* ~s *of winter* den stränga vintern

rig-out ['rɪgaʊt] *s* vard. åld. rigg, stass

rile [raɪl] *vb tr* vard. reta [upp], förarga

rim [rɪm] **I** *s* **1** kant, fals, rand; infattning **2** fälg, hjulring
II *vb tr* förse med kant etc., jfr *rim I*; kanta

rime [raɪm] *s* poet. rimfrost

rimless ['rɪmləs] *adj*, ~ *spectacles* glasögon utan bågar

rind [raɪnd] *s* **1** skal [~ *of a melon*]; svål [*bacon* ~]; kant, skalk [*cheese* ~]; ibl. skinn, hud **2** bark

1 ring [rɪŋ] **I** *s* **1** ring i div. betydelser; krans äv. bakverk; cirkel, krets[lopp]; ~s *of smoke* rökringar; *run* ~s

round (*around*) *sb* vard. slå (besegra) ngn hur lätt som helst, vara ngn vida överlägsen; *throw one's hat into the* ~ [förklara sig villig att] ställa upp (kandidera) [i tävlingen (striden)] **2** [rund] bana, arena, manege; utställningsplats för boskap o.d.; boxn. el. brottn. ring **3** liga [*spy* ~; *a* ~ *of smugglers*]; klick; hand. ring
II *vb tr* **1** göra (rita) en ring runt, ringmärka fåglar **2** ~ el. ~ *in* (*round, about*) ringa in, omge, innesluta

2 ring [rɪŋ] **I** (*rang rung*) *vb itr* ringa äv. tele.; klinga, ljuda, skalla; *the bell* (*the phone*) *is* ~*ing* äv. det ringer; *my ears are* ~*ing* det ringer i öronen på mig; ~ *false* bildl. klinga falskt; ~ *true* bildl. klinga äkta; [*his story*] ~s *true* …låter sann; ~ *for a taxi* ringa efter en taxi; ~ *for sb* ringa efter ngn (på ngn); ~ *out* ringa [ut], klinga, ljuda, skalla
II (*rang rung*) *vb tr* **1** ringa med (i, på) klocka o.d.; ringa (telefonera) [till], ringa upp **2** slå [*the bell* ~s *the hours*] **3** teat., ~ *up* (*down*) *the curtain* ge signal till att ridån ska gå upp (falla); ~ *up the curtain* bildl. börja föreställningen; ~ *up the curtain on* bildl. bilda upptakten till, inleda
III (*rang rung*) *vb itr* o. *vb tr* med adv. el. prep.:
ring back ringa upp igen
ring in a) ringa [in]; ~ *in sick* ringa [till sitt arbete] och sjukanmäla sig b) ringa in [~ *in the New Year*]
ring off tele. ringa av, lägga på [luren]
ring out ringa ut [~ *out the Old Year*]
ring up ringa (telefonera) [till], ringa upp
IV *s* **1** ringning, signal; klingande, klang [*an aristocratic* ~]; ton[fall]; *this story may have a familiar* ~ *to it* den här historien låter (känns) kanske bekant; *it has a* ~ *of sincerity* det känns (låter) äkta; *there's a* ~ [*at the bell* (*door, phone*)] det ringer [på klockan (på dörren, i telefonen)]; *give me a* ~ *sometime* slå en signal (ring [upp] mig) någon gång

ring binder ['rɪŋ,baɪndə] *s* ringpärm

ringed plover [,rɪŋd'plʌvə] *s* zool. större strandpipare; *little* ~ mindre strandpipare

ringer ['rɪŋə] *s* **1** ringare **2** vard. idrottsman (kapplöpningshäst etc.) som deltar i tävling under falska förutsättningar (under falsk identitet) **3** ringsignal

ring-fence ['rɪŋfens] *vb tr* öronmärka pengar

ring finger ['rɪŋ,fɪŋgə] *s* ringfinger

ringing ['rɪŋɪŋ] **I** *adj* ljudlig, klingande [~ *laugh*]; rungande [~ *cheers*] **II** *s* ringning, ringande, klingande, klang av mynt, metall

ringleader ['rɪŋ,li:də] *s* ledare, anstiftare av myteri o.d., upprorsledare

ringlet ['rɪŋlət] *s* hårlock

ringmaster ['rɪŋ,mɑ:stə] *s* cirkusdirektör

ring-opener ['rɪŋ,əʊp(ə)nə] *s* rivöppnare på burk

ring ouzel ['rɪŋ,u:zl] *s* zool. ringtrast

ring-pull ['rɪŋpʊl] *s* rivöppnare på burk

ring road ['rɪŋrəʊd] *s* kringfartsled, ringled

ringside ['rɪŋsaɪd] *s* boxn. ringside; *have a* ~ *seat* sitta vid ringside; vard. sitta på [första] parkett

ringtoss ['rɪŋtɒs] *s* amer. ringkastning på nöjesfält

ringworm ['rɪŋwɜ:m] *s* med. revorm

rink [rɪŋk] *s* **1** ring, isbana; bana för rullskridskoåkning, curling **2** ishall; hall för rullskridskoåkning, curling

rinky-dink ['rɪŋkɪdɪŋk] *adj* amer. vard. skräp-, skit-

rinse [rɪns] **I** *vb tr* skölja [~ *the clothes*]; skölja (spola) av; ~ el. ~ *out* skölja ur (ren); ~ *down* skölja ned [~ *it down with a glass of beer*]
II *s* **1** [av]sköljning; *give sth a* ~ skölja av ngt **2** toningsvätska [äv. *hair* ~] **3** sköljmedel
Rio de Janeiro [ˌriːəʊdədʒəˈnɪərəʊ, -ˈneərəʊ] geogr.
riot [ˈraɪət] **I** *s* **1** upplopp, tumult; rabalder, oväsen, bråk; pl. ~**s** äv. kravaller, [gatu]oroligheter; *read sb the ~ act* läsa lagen för (lusen av) ngn; *run ~* a) fara vilt (våldsamt) fram, härja [vilt]; bildl. skena i väg [*his imagination runs* ~] b) växa ohejdat **2** *a ~ of* en orgie i, ett överflöd (myller, hav) av **3** [våldsamt] utbrott; *a ~ of laughter* en våldsam skrattsalva **4** vard. knallsuccé, stormande succé; *he's a* ~ han är jätterolig (helfestlig)
II *vb itr* ställa till (delta i) upplopp (kravaller etc.); störa lugnet, bråka
riot barrier [ˈraɪətˌbærɪə] *s* kravallstaket
rioter [ˈraɪətə] *s* upprorsmakare, bråkmakare
riot gear [ˈraɪətgɪə] *s* kravallutrustning
riotous [ˈraɪətəs] *adj* **1** tumultartad; upprorisk [~ *mob*] **2** tygellös, utsvävande [~ *living*]
riotously [ˈraɪətəslɪ] *adv* tumultartat etc., jfr *riotous*; ~ *funny* hejdlöst rolig
riot police [ˈraɪətpəˌliːs] (med verb i pl.) *s* kravallpolis
riot shield [ˈraɪətʃiːld] *s* kravallsköld
RIP [ˌɑːraɪˈpiː] (förk. för *requiescat* el. *requiescant in pace* lat.) [må han (hon, de)] vila i frid
rip [rɪp] **I** *vb tr* riva, slita, fläka, skära [*open, up* upp; *off* av, lös, loss], skära; ~ [*the seams of*] *a garment* sprätta upp [sömmarna i] ett plagg
II *vb itr* **1** rivas sönder (isär) **2** klyvas, splittras **3** vard. skjuta fart; *let it* (*her*) ~! sätt full fart!, gasa på för fullt!; *let things* ~ låta sakerna ha sin gång; *let ~ at sb* skälla ut ngn efter noter
III *vb itr* o. *vb tr* med adv. el. prep.:
  rip into sb göra ner ngn
  rip off sl. a) skörta upp; blåsa b) sno, knycka; råna
IV *s* [lång] reva (rispa)
riparian [raɪˈpeərɪən] **I** *adj* strand-; ~ *rights* strandrätt **II** *s* strandägare
ripcord [ˈrɪpkɔːd] *s* utlösningslina på fallskärm
ripe [raɪp] *adj* mogen äv. bildl. [~ *beauty*; ~ *judgement*]; färdig; *die at a ~ age* dö vid framskriden ålder; ~ *cheese* mogen (lagrad) ost
ripen [ˈraɪp(ə)n] **I** *vb itr* mogna; ~ *into* äv. utvecklas (övergå) till **II** *vb tr* få att (låta) mogna
ripeness [ˈraɪpnəs] *s* mognad
rip-off [ˈrɪpɒf] *s* sl. **1** blåsning; *it's a* ~ det är rena rövarpriset **2** amer. stöt, stöld
riposte [rɪˈpɒst, -ˈpəʊst] **I** *s* ripost[ering] äv. fäktn. **II** *vb itr* ripostera äv. fäktn.
ripple [ˈrɪpl] **I** *s* **1** krusning på vattnet, vågrörelse; rand, räffla i sanden; ~ *of muscles* muskelspel **2** porlande; [våg]skvalp; *a ~ of laughter* a) ett porlande skratt b) en skrattsalva **3** kok., *chocolate* ~ chokladrippel
II *vb itr* **1** om vattenyta o.d. krusa sig **2** porla; skvalpa **III** *vb tr* krusa; bilda ränder (räfflor) i [*the tide* ~*d the sand*]
ripple effect [ˈrɪplɪˌfekt] *s* efterdyningar, efterverkningar
rip-roaring [ˈrɪpˌrɔːrɪŋ] vard. **I** *adj* **1** uppsluppen, vild, livad; *we had a* ~ [*good*] *time* vi hade hejdlöst

roligt **2** *a ~ success* en jättesuccé
II *adv*, ~ *drunk* jättefull, asberusad
ripsaw [ˈrɪpsɔː] *s* klyvsåg
rise [raɪz] **I** (*rose risen*; jfr *rising*) *vb itr* **1** resa sig, resa (ställa) sig upp; stiga upp, gå upp äv. om himlakroppar [*the sun* ~s *in the East*]; ~ *and shine!* upp och hoppa!, upp med dig (er)! **2** stiga, höja sig, höjas [*her voice rose in anger*]; *the glass is rising* barometern stiger; ~ *to the occasion* el. ~ *to the challenge* [visa sig] vara situationen vuxen **3** tillta, öka, ökas, stiga; *the wind is rising* vinden tilltar (ökar); *his colour rose* ansiktsfärgen steg på honom, han rodnade **4** resa sig, göra uppror **5** ~ *to the bait* nappa på kroken äv. bildl. **6** stiga [i graderna], avancera [~ *to be* (till) *a general*]; ~ *in the world* komma sig upp här i världen **7** uppkomma, uppstå [~ *from* av; *the quarrel rose from a mere trifle*]; om flod rinna upp [*the river* ~s *in the mountains*] **8** uppstå [~ *from the dead*]; *Christ is* ~*n* Kristus är uppstånden **9** *it made his gorge* (*stomach*) ~ det äcklade (kväljde) honom **10** kok. jäsa [upp] om bröd
II *s* **1** stigning [*a ~ in the ground*]; [upp]höjning, höjd, backe **2** stigande, tillväxt, tilltagande, höjning, stegring, ökning; [löne]förhöjning; börs. [kurs]uppgång, hausse **3** uppgång [*the ~ of the Roman Empire*]; uppkomst, upphov, upprinnelse; *give ~ to* ge upphov till; *have* (*take*) *its ~ in* om flod rinna upp i, ha sin källa i; bildl. ha sin upprinnelse (uppkomst) i; *the ~ of industrialism* industrialismens genombrott **4** *get a ~ out of* få napp; *take a ~ out of sb* retas (driva) med ngn
riser [ˈraɪzə] *s*, *be an early* ~ vara morgontidig [av sig]; *be a late* ~ ligga länge på morgnarna
risible [ˈrɪzəbl] *adj* löjlig
rising [ˈraɪzɪŋ] **I** *adj* stigande [~ *diphthongs*]; *the ~ generation* det uppväxande släktet; *a ~ young politician* en kommande ung politiker; *the Land of the Rising Sun* den uppgående solens land Japan
II *s* **1** resning, uppror **2** uppstigning, uppstigande **3** upphöjning, stigning, höjd, backe **4** solens o.d. uppgång
rising damp [ˌraɪzɪŋˈdæmp] *s* byggn. stigande fukt [i väggar (golv)]
risk [rɪsk] **I** *s* **1** risk, fara; *run a* ~ löpa en risk; *be at* ~ stå på spel; vara i farozonen; *at one's own* ~ el. *at owner's* ~ på egen (på ägarens) risk; *put at* ~ sätta på spel, riskera **2** försäkr. risk
II *vb tr* riskera [*losing her life*]; våga [~ *one's life*]; sätta på spel
risk-taking [ˈrɪskˌteɪkɪŋ] *s* risktagande
risky [ˈrɪskɪ] *adj* **1** riskabel **2** vågad [~ *story*]
risotto [rɪˈzɒtəʊ, rɪˈs-] (pl. ~s) *s* kok. risotto
risqué [ˈriːskeɪ, ˈrɪs-] *adj* vågad, ekivok
rissole [ˈrɪsəʊl] *s* kok. krokett; flottyrkokt risoll
rite [raɪt] *s* rit; kyrkobruk, ceremoni; *the last* ~s relig. sista smörjelsen; ~ *of passage* övergångsrit; *the Rites of Spring* mus. Våroffer
ritual [ˈrɪtʃʊəl] **I** *s* ritual; ritualbok **II** *adj* rituell
ritualistic [ˌrɪtʃʊəˈlɪstɪk] *adj* ritualistisk
ritzy [ˈrɪtsɪ] *adj* vard. flott, elegant, fashionabel
rival [ˈraɪv(ə)l] **I** *s* rival, konkurrent
II *adj* rivaliserande, konkurrerande [~ *companies*]
III *vb tr* tävla (rivalisera, konkurrera) med

rivalry ['raɪv(ə)lrɪ] s rivalitet, konkurrens, tävlan
riven ['rɪv(ə)n] adj splittrad, kluven, sönderskuren
river ['rɪvə] s flod, älv; ström [a ~ of lava]; [**small**] ~ äv. å; **~s of blood** strömmar av blod; **the River Thames** Themsen[floden]; **sell sb down the** ~ sl. förråda (offra) ngn
riverside ['rɪvəsaɪd] s flodstrand; **by the** ~ äv. vid [stranden av] floden; ~ **house** strandvilla vid flod
rivet ['rɪvɪt] **I** vb tr **1** nita; nita fast äv. bildl.; **she was ~ed on the spot** hon stod som fastnaglad [på stället]; **be ~ed to the TV** vara (sitta) som [fast]klistrad framför tv:n **2** fästa; ~ **one's eyes on** fästa blicken på; **keep one's eyes ~ed on** stirra [oavvänt] på **3** fånga, väcka, tilldra sig [the scene ~ed our attention]
II s tekn. nit
riveting ['rɪvɪtɪŋ] adj helfascinerande
Riviera [ˌrɪvɪ'eərə] geogr., **the** ~ Rivieran
rivulet ['rɪvjʊlət] s [liten] å, bäck; rännil
Riyadh [rɪ'jɑːd]
RN [ˌɑːr'en] **1** förk. för registered nurse **2** (förk. för Royal Navy), **the** ~ brittiska flottan
1 roach [rəʊtʃ] s amer. vard. kortform av cockroach
2 roach [rəʊtʃ] s zool. mört
road [rəʊd] s **1** väg äv. bildl., landsväg; körbana; **the** ~ [stora] landsvägen; ~ **fund licence** se vehicle licence under vehicle 1; i gatunamn -vägen, -gatan [Kelross Road]; **Road Up** på skylt vägarbete [pågår]; **travel (go) by** ~ fara landsvägen; **one for the** ~ vard. en färdknäpp, en avskedsdrink; **be on the** ~ vara på väg; teat. o.d. vara på turné, turnera; om handelsresande resa; **on the** [right] ~ **to being** på [god] väg att bli **2** amer. vard. järnväg
road accident ['rəʊdˌæksɪd(ə)nt] s vägolycka, trafikolycka
roadblock ['rəʊdblɒk] s **1** vägspärr **2** vard., bildl. hinder
roadcraft ['rəʊdkrɑːft] s körskicklighet, körförmåga; trafikvett
road hog ['rəʊdhɒg] s vard. bildrulle, fartdåre
roadholder ['rəʊdˌhəʊldə] s, **the car is a good** ~ bilen ligger bra på vägen (har goda vägegenskaper)
roadholding ['rəʊdˌhəʊldɪŋ] adj, ~ **ability** väghållning[sförmåga]; ~ **qualities** vägegenskaper
roadhouse ['rəʊdhaʊs] s amer. åld., finare värdshus (hotell) vid landsvägen
roadie ['rəʊdɪ] s vard. roadie, rodda
road kill ['rəʊdkɪl] s vanl. amer. överkört djur
road map ['rəʊdmæp] s **1** vägkarta **2** vanl. amer. plan
road metal ['rəʊdˌmetl] s krossten för vägbygge, makadam
road pricing ['rəʊdˌpraɪsɪŋ] s vägavgift
road rage ['rəʊdreɪdʒ] s aggressivt beteende hos bilförare som riktar sig mot annan bilförare
roadrunner ['rəʊdˌrʌnə] s zool. större tuppgök
road safety ['rəʊdˌseɪftɪ] s trafiksäkerhet
road-scraper ['rəʊdˌskreɪpə] s vägskrapa
road sense ['rəʊdsens] s vägvett
roadshow ['rəʊdʃəʊ] s **1** [underhållnings]program som sänds från olika platser **2** turnerande [musik]grupp
roadside ['rəʊdsaɪd] s **1** vägkant, vägens sida **2** attr. vid vägen [a ~ inn]; ~ **repairs** nödreparation vid vägkanten

road sign ['rəʊdsaɪn] s **1** vägmärke; trafikmärke, trafikskylt **2** vägvisare
roadster ['rəʊdstə] s **1** öppen tvåsitsig sportbil, roadster **2** standardcykel
road tax ['rəʊdtæks] s fordonsskatt
road test ['rəʊdtest] s provkörning på väg av bil o.d.
road trip ['rəʊdtrɪp] s amer. lång bilresa
road-user ['rəʊdˌjuːzə] s vägtrafikant
roadway ['rəʊdweɪ] s körbana; vägbana
roadworks ['rəʊdwɜːks] s pl vägarbete
roadworthy ['rəʊdˌwɜːðɪ] adj trafikduglig
roam [rəʊm] **I** vb itr ströva [omkring], flacka omkring; ~ **over** fara (glida) över
II vb tr ströva igenom [~ the country]
roan [rəʊn] s skimmel häst
roar [rɔː] **I** vb itr **1** ryta; vråla [~ with pain]; tjuta, skrika, gallskrika; ~ **with laughter** gapskratta, tjuta av skratt **2** dåna, larma, brusa; eka
II vb tr, ~ **one's head off** skratta sig fördärvad; ~ **out one's orders** ryta sina order
III s **1** rytande, vrål, tjut, gallskrik; ~ **of applause** bifallsstorm, stormande bifall; ~ **of laughter** [rungande] skrattsalva, skallande skratt, gapskratt; **set up a** ~ ge sig till att gallskrika (tjuta), börja tjuta (vråla) **2** dån, larm, brus [the ~ of the sea; the ~ of the traffic]
roaring ['rɔːrɪŋ] **I** adj rytande etc., jfr roar I; stormig; vard. strålande, hejdundrande; **do a** ~ **trade** göra glänsande (lysande) affärer; **a** ~ **success** en stormande succé
II adv, ~ **drunk** vard. döfull, stupfull
roast [rəʊst] **I** vb tr steka i ugn el. på spett [~ meat; ~ apples]; ugnsteka; rosta [~ chestnuts; ~ coffee]; ~ **oneself** steka sig vid elden, i solen
II vb itr stekas [~ in the oven]; **he was ~ing in the sun** han låg och stekte sig i solen
III s **1** stek **2** stekning **3** amer. grillparty utomhus
IV adj stekt; rostad; ~ **beef** rostbiff; oxstek; ~ **pork** grisstek, fläskstek; ~ **potatoes** ugnstekt potatis
roasting ['rəʊstɪŋ] **I** adj **1** stekande [a ~ sun]; stekhet; ~ **hot** stekhet **2** stek-
II s utskällning, överhalning
roasting pan ['rəʊstɪŋpæn] s långpanna
rob [rɒb] vb tr plundra, råna [of på]; beröva [sb of sth ngn ngt]
robber ['rɒbə] s rånare, rövare
robbery ['rɒbərɪ] s rån [jur. äv. ~ with violence]; röveri, plundring; **it's daylight** ~ vard., se daylight robbery
robe [rəʊb] **I** s **1** ~ el. pl. ~s ämbetsdräkt [judge's ~; the long ~]; skrud **2** galaklänning, robe **3** badkappa, badrock [vanl. bathrobe, beach ~]; amer. morgonrock, nattrock
II vb tr kläda, skruda [in i]
Robert ['rɒbət] mansnamn
robin ['rɒbɪn] s **1** zool. rödhake[sångare] [äv. ~ redbreast]; **American** ~ vandringstrast, rödtrast **2 round** ~ se round robin
Robin Hood [ˌrɒbɪn'hʊd]
robot ['rəʊbɒt] s robot; ~ **pilot** autopilot, automatisk styrinrättning
robotic [rəʊ'bɒtɪk] adj robotliknande
robotics [rəʊ'bɒtɪks] (med verb i sg.) s robotteknik
robust [rə(ʊ)'bʌst] adj **1** robust [a ~ man; ~ health;

~ *humour*]; kraftig, kraftfull, stark; handfast; stadig, bastant, grov[växt]; härdig [~ *plant*]; *a ~ appetite* frisk aptit **2** fysiskt krävande, hård [~ *exercise*]

1 rock [rɒk] *s* **1** klippa äv. bildl., skär; *as firm as* [*a*] ~ el. ~ *solid* klippfast, bergfast; pålitlig [som en klippa]; [*whisky*] *on the* ~**s** ...med is[bitar]; *be on the* ~**s** vard. vara pank (barskrapad), stå på bar backe; [*their marriage*] *went on the* ~**s** ...havererade (gick i kras) **2 a)** stenblock, klippblock, stor sten **b)** amer. sten i allm. [*throw* ~**s**] **3** berg, berggrund [*a house built upon* ~]; hälleberg; berghäll **4** bergart **5** ung. polkagris[stång], mandelstång; *peppermint* ~ ung. polkagris **6** sl. ädelsten; spec. diamant **7** sl., pl. ~**s** kulor, stålar; *pile up the* ~**s** tjäna [grova] pengar **8** vulg., pl. ~**s** ballar testiklar; *get one's* ~**s** *off* få sig ett skjut

2 rock [rɒk] **I** *vb tr* **1** vagga, [få att] gunga, vyssja [~ *a child to sleep*] **2** skaka [*the town was* ~*ed by an earthquake*]; chocka; ~ *the boat* **a)** vicka [på] båten **b)** bildl. trassla till (fördärva) det hela

II *vb itr* vagga, gunga, om fordon äv. kränga; ~ *with laughter* skaka av skratt

III *s* gungning etc., jfr *2 rock I*

3 rock [rɒk] mus. **I** *s* rock; rock'n'roll **II** *vb itr* rocka, dansa rock; spela rock

rock-and-roll [ˌrɒkn'rəʊl] *s* o. *vb itr* se *rock-'n'-roll*

rock-bottom [ˌrɒk'bɒtəm] *s* bildl. absoluta botten; ~ *prices* absoluta bottenpriser; *prices were* ~ det var bottenpriser

rock cake ['rɒkkeɪk] *s* kok., ung. hastbulle med russin m.m.

rock candy [ˌrɒk'kændɪ] *s* amer. **1** ung. polkagris **2** kandisocker

rock climbing ['rɒkˌklaɪmɪŋ] *s* bergbestigning, alpinism

rock crystal [ˌrɒk'krɪstl] *s* bergkristall

rocker ['rɒkə] *s* **1** med[e] på vagga, gungstol o.d. **2** vanl. amer. gungstol **3** tekn. balans, vippa; ventillyftare; ~ *arm* pendelarm, vipparm, avbrytarspak **4** sl., *off one's* ~ vrickad, knasig, knäpp **5** vard. rocksångare

rockery ['rɒkərɪ] *s* stenparti

1 rocket ['rɒkɪt] **I** *s* **1** raket äv. fyrverkeripjäs; *launch a* ~ skjuta (sända) upp en raket raketfarkost **2** vard. skrapa, avhyvling

II *vb itr* **1** flyga (fara [upp]) som en raket; fara med raketfart; bildl. skjuta i höjden [*prices* ~*ed after the war*]; ~ *into fame* bli berömd rekordsnabbt **2** flyga med en raket [~ *into outer space*]

2 rocket ['rɒkɪt] *s* kok. el. bot. rucolasallad

rocket-assisted ['rɒkɪtəˌsɪstɪd] *adj*, ~ *take-off* raketstart

rocket-launcher ['rɒkɪtˌlɔːntʃə] *s* **1** raketavfyringsramp **2** raketgevär

rocket missile ['rɒkɪtˌmɪsaɪl] *s* raketvapen, robot

rocket stage ['rɒkɪtsteɪdʒ] *s* raketsteg

rock face ['rɒkfeɪs] *s* klippvägg, bergvägg

rockfall ['rɒkfɔːl] *s* stenras

rock garden ['rɒkˌgɑːdn] *s* stenparti

rock-hard [ˌrɒk'hɑːd] *adj* stenhård

Rockies ['rɒkɪz] geogr. vard., *the* ~ pl. Klippiga bergen

rocking chair ['rɒkɪŋtʃeə] *s* gungstol

rocking horse ['rɒkɪŋhɔːs] *s* gunghäst

rock music ['rɒkmjuːzɪk] *s* rockmusik

rock-'n'-roll [ˌrɒkn'rəʊl] **I** *s* rock'n'roll, rock **II** *vb itr* rocka, dansa (spela) rock['n'roll]

rock plant ['rɒkplɑːnt] *s* stenpartiväxt

rock salmon [ˌrɒk'sæmən] *s* handelsnamn för olika fiskar som *catfish*, *dogfish*, se dessa ord

rock salt [ˌrɒk'sɔːlt] *s* bergsalt

rock-solid [ˌrɒk'sɒlɪd] *adj* okrossbar

rock-steady [ˌrɒk'stedɪ] *adj* mycket stark; stabil, stadig

rock wool [ˌrɒk'wʊl] *s* mineralull

rocky ['rɒkɪ] *adj* **1** klippig, klipp-, sten- **2** stenhård [~ *soil*]

Rocky Mountains [ˌrɒkɪ'maʊntɪnz] geogr., *the* ~ pl. Klippiga bergen

rococo [rə(ʊ)'kəʊkəʊ] **I** *s* rokoko **II** *adj* rokoko-

rod [rɒd] *s* **1** käpp; stång äv. av metall; *the rain came down in* ~**s** regnet stod som spön i backen **2** [met]spö **3** spö, ris; *make a* ~ *for one's own back* binda ris åt egen rygg; *spare the* ~ [*and spoil the child*] ung. spar på riset och du fördärvar barnet; den man älskar agar man; *I have a* ~ *in pickle for him* han ska få sina fiskar varma [vid lämpligt tillfälle] **4** [ämbets]stav, bildl. äv. spira; *rule with a* ~ *of iron* styra med järnhand **5** anat., pl. ~**s** stavar i ögat **6** tekn. vevstake **7** amer. sl., *hot* ~ hotrod upptrimmad äldre bil **8** sl. puffra revolver

rode [rəʊd] imperf. av *ride*

rodent ['rəʊd(ə)nt] **I** *s* zool. gnagare **II** *adj* gnagande, gnagar-

rodeo [rə(ʊ)'deɪəʊ, 'rəʊdɪəʊ] (pl. ~s) *s* amer. rodeo riduppvisning av cowboys

roe [rəʊ] *s* rom, fiskrom [äv. *hard* ~]; *soft* ~ mjölke

roebuck ['rəʊbʌk] *s* råbock

roe deer ['rəʊdɪə] (pl. *roe deer*) *s* rådjur

roger ['rɒdʒə] **I** *interj* sl., radio. o.d. uppfattat! **II** *vb tr* o. *vb itr* vulg. knulla

rogue [rəʊg] *s* **1** skämts. skälm, spjuver, kanalje **2** åld. bov, skurk; lymmel; skojare **3** vildsint djur som lever utanför flocken; ~ *elephant* vildsint ensam elefant

rogues' gallery [ˌrəʊgz'gælərɪ] *s* åld. el. skämts. förbrytarregister, förbrytargalleri

roguish ['rəʊgɪʃ] *adj* **1** bovaktig, skurkaktig **2** skälmsk [~ *eyes*]; skälmaktig, spjuveraktig

role [rəʊl] *s* roll äv. psykol., uppgift, funktion

role model ['rəʊlˌmɒdl] *s* psykol. förebild

role-play ['rəʊlpleɪ] *s* o. **role-playing** ['rəʊlpleɪɪŋ] *s* psykol. rollspel

roll [rəʊl] **I** *vb tr* **1** rulla [~ *a cigarette*]; ~ *one's eyes* rulla med ögonen; ~ *one's r's* rulla på r-en; [*all*] ~*ed into one* **a)** i en [och samma] person **b)** allt på en gång **2** kavla [ut], valsa [ut] [äv. ~ *out*]; välta åker, gräsplan

II *vb itr* **1** rulla; rulla sig, vältra sig; *heads will* ~ bildl., se under *head I 1 c*; ~ *in luxury* vard. vältra sig i lyx; *he's* ~*ing in money* el. *he's* ~*ing in it* vard. han har pengar som gräs; *he had them* ~*ing in the aisles* han fick dem att vrida sig av skratt i bänkarna; ~ *along* rulla [vägen] fram; vard. rulla på gå stadigt framåt; *the years* ~ *on* (*by*) åren rullar (går) vidare (förbi); ~ *on* [*my holiday*]*!* vard. å, vad jag längtar efter...! **2** om åska o.d. mullra **3** sjö. rulla **4** gå med rullande gång; vingla

III *vb tr* o. *vb itr* med adv. el. prep.:

roll back a) mil. driva (slå) tillbaka **b)** ekon. skära

ner; göra inskränkningar i
roll down veva ner; rulla (vika) ner
roll in rulla in; strömma in, strömma till
roll over a) ramla omkull **b)** rulla runt, vända sig; ~
over in bed vända sig i sängen;
roll up a) rulla ihop **b)** rulla ihop sig **c)** vard. dyka
upp, komma [an]tågande; *Roll up! Roll up!* på tivoli
o.d. välkomna hit [, mina damer och herrar]!
IV *s* **1** rulle **2** kok. **a)** småfranska, kuvertbröd
b) *Swiss* ~ se *Swiss roll* **c)** rulad [~ *of pork*] **d)** ung.
pirog [*meat* ~] **3** rulla, lista, förteckning, register; ~
of honour lista över stupade [hjältar]; *call the* ~
förrätta (hålla, anställa) [namn]upprop **4** rullande,
rullning [*the* ~ *of the ship*]; rullande gång; *be on a* ~
vard. ha flyt **5** muller, dunder, rullande [~ *of
thunder*]; ~ *of drums* äv. trumvirvlar **6** valk [~*s of
fat*]
rollback ['rəʊlbæk] *s* **1** officiell prissänkning,
lönesänkning **2** återgång till en tidigare nivå
roll call ['rəʊlkɔːl] *s* [namn]upprop; mil. appell
roll collar ['rəʊl,kɒlə] *s* rullkrage
rolled gold [,rəʊld'gəʊld] *s* gulddoublé
rolled oats [,rəʊld'əʊts] *s pl* [valsade] havregryn
roller ['rəʊlə] *s* **1** rulle; trissa **2** vals, rullvals; kavel,
kavle; lantbr. o.d. vält; mål. roller **3** [hår]spole
4 [lång] dyning, svallvåg
roller bandage ['rəʊlə,bændɪdʒ] *s* binda, bandage
Rollerblades® ['rəʊləbleɪdz] *s pl* Rollerblades®
roller blind ['rəʊləblaɪnd] *s* rullgardin
roller coaster ['rəʊlə,kəʊstə] *s* **1** berg- och dalbana
äv. bildl. **2** berg- och dalbanevagn[ar]
roller-skate ['rəʊləskeɪt] *vb itr* åka rullskridsko
roller skate ['rəʊləskeɪt] *s* rullskridsko
roller towel ['rəʊlə,taʊəl] *s* rullhandduk
rollicking ['rɒlɪkɪŋ] **I** *adj* uppsluppen, munter,
livad; *have a* ~ *time* ha jättekul **II** *s* vard. utskällning
rolling ['rəʊlɪŋ] **I** *adj* rullande etc., jfr *roll I* o. *roll II*;
som går i vågor, vågformig, vågig; rull- [*a* ~
collar]; ~ *country* ett böljande (kuperat) landskap
II *s* rullning, rullande
rolling mill ['rəʊlɪŋmɪl] *s* valsverk
rolling news ['rəʊlɪŋnjuːz] (med verb i sg.) *s* radio.
nyhetssändningar dygnet runt
rolling pin ['rəʊlɪŋpɪn] *s* brödkavel, brödkavle
rolling stock ['rəʊlɪŋstɒk] *s* rullande materiel;
vagnpark
rolling stone ['rəʊlɪŋstəʊn] *s* bildl. orolig ande; *a* ~
gathers no moss ordspr. på en rullande sten växer
ingen mossa
roll-neck ['rəʊlnek] *s* polo, polokrage, polotröja;
attr. polo- [~ *sweater*]
roll-on ['rəʊlɒn, ,rəʊl'ɒn] *s* roll-on[-flaska]
roll-on-roll-off [,rəʊlɒn'rəʊlɒf] *adj* roll-on-roll-off-,
ro-ro-
rollover ['rəʊləʊvə] *s* jackpot som förs över till
nästa spelomgång
Rolls [rəʊlz] vard. kortform av *Rolls-Royce®*
Rolls-Royce® [,rəʊlz'rɔɪs] *s* bilmärke
roll-top [,rəʊl'tɒp, attr. '--] *s* **1** rulljalusi
2 jalusiskrivbord [äv. ~ *desk*] **3** ~ *bath* frontlöst
badkar med rundad kant
roll-up ['rəʊlʌp] *s* vard. handrullad cigarett
roly-poly [,rəʊlɪ'pəʊlɪ] **I** *adj* knubbig, rultig

II *s* kok., ~ el. ~ *pudding* ångkokt el. gräddad rulle
(pudding) med syltfyllning
ROM [rɒm] data. (förk. för *read-only memory*) ROM,
läsminne
Roman ['rəʊmən] **I** *adj* romersk; romar- [*the* ~
Empire]; åld. romersk-katolsk; ~ *candle* romerskt
ljus fyrverkeripjäs
II *s* **1** romare; romarinna **2** bibl., ~*s* el. *the Epistle to
the* ~*s* (med verb i sg.) Romarbrevet **3** ibl. neds.
romersk katolik
Roman alphabet [,rəʊmən'ælfəbet] *s*, *the* ~ det
latinska alfabetet
Roman Catholic [,rəʊmən'kæθəlɪk] **I** *adj*
[romersk-]katolsk **II** *s* [romersk] katolik
Romance [rə(ʊ)'mæns] *adj* romansk [~ *languages*]
romance [rə(ʊ)'mæns] **I** *s* **1** romantik; *an air of* ~ en
romantisk stämning **2** romans kärlekshistoria;
romantisk upplevelse **3** äventyrsroman; romantisk
berättelse
II *vb itr* **1** fabulera, skarva, berätta rövarhistorier
2 åld. svärma, vara svärmisk
Romanesque [,rəʊmə'nesk] *adj* spec. arkit. romansk
[~ *architecture*; ~ *style*]; rundbåge-
Romania [rəʊ'meɪnɪə, ruː-] geogr. Rumänien
Romanian [rəʊ'meɪnɪən, ruː-] **I** *adj* rumänsk
II *s* **1** rumän; rumänska **2** rumänska [språket]
Roman law [,rəʊmən'lɔː] *s* romersk rätt
Roman letters [,rəʊmən'letəz] *s pl* typogr. antikva
Roman nose [,rəʊmən'nəʊz] *s* romersk näsa,
örnnäsa
Roman numerals [,rəʊmən'njuːm(ə)r(ə)lz] *s pl*
romerska siffror
romantic [rə(ʊ)'mæntɪk] **I** *adj* romantisk [*a* ~ *girl*; *a*
~ *old castle*]
II *s* **1** romantiker **2** pl. ~*s* romantiska känslor
(stämningar, idéer)
romanticism [rə(ʊ)'mæntɪsɪz(ə)m] *s* romantik
romanticize [rə(ʊ)'mæntɪsaɪz] **I** *vb tr* romantisera
II *vb itr* vara romantisk; svärma
Romany ['rɒmənɪ] **I** *s* **1** rom **2** romani
II *adj* romsk
Rome [rəʊm] geogr. Rom; *the Church of* ~
romersk-katolska kyrkan; ~ *was not built in a day*
Rom byggdes inte på en dag; *when in* ~ [*you must*]
do as the Romans do ung. man får ta seden dit man
kommer; *all roads lead to* ~ alla vägar bär till Rom
Romeo ['rəʊmɪəʊ] **I** mansnamn **II** (pl. ~*s*) *s* Romeo
romantisk älskare
romp [rɒmp] **I** *vb itr* **1** spec. om barn stoja, rasa, leka
vilt, tumla om **2** vard., ~ *in* el. ~ *home* spec. kapplöpn.
'flyga' fram till målet, vinna lätt (stort)
II *s* **1** lätt underhållning **2** tummel i sänghalmen
3 vild lek, stoj **4** spec. kapplöpn., *win in a* ~ vinna lätt
(stort)
romper ['rɒmpə] *s*, pl. ~*s* sparkbyxor, lekbyxor; ~
suit sparkdräkt, lekdräkt
rondo ['rɒndəʊ] (pl. ~*s*) *s* mus. rondo
rood [ruːd] *s* [triumf]krucifix i kyrka
rood screen ['ruːdskriːn] *s* korskrank
roof [ruːf] **I** *s* **1** tak äv. bildl., yttertak, hustak; *the* ~ *of
a car* ett biltak; *the* ~ *of the mouth* anat. [hårda]
gommen; *have a* ~ *over one's head* ha tak över
huvudet **2** vard., *go through the* ~ rusa i höjden om
priser, flyga (gå) i taket, bli rasande; *hit the* ~ flyga

(gå) i taket, bli rasande; *raise the* ~ a) leva rövare, röra upp himmel och jord; bli ursinnig b) få taket att lyfta sig av bifall
II *vb tr* **1** lägga tak på, taklägga, täcka [äv. ~ *in* (*over*); ~ [*in*] *a house*] **2** bilda tak över, täcka [äv. ~ *in*]

roof box ['ru:fbɒks] *s* takbox på bil
roof garden ['ru:f,gɑ:dn] *s* **1** takträdgård, takterrass **2** amer. takservering
roofing ['ru:fɪŋ] *s* **1** taktäckningsmaterial; ~ *felt* takpapp **2** takläggning, taktäckning **3** tak
roof rack ['ru:fræk] *s* takräcke på bil
rooftop ['ru:ftɒp] *s* hustak; *shout* (*cry, proclaim*) *sth from the* ~*s* basunera (skrika) ut ngt
1 rook [rʊk] **I** *s* **1** zool. råka **2** vard. falskspelare spec. i kortspel, lurendrejare
II *vb tr* vard. åld. plocka på pengar [genom falskspel]; skinna
2 rook [rʊk] *s* schack. torn
rookie ['rʊkɪ] *s* amer. vard. gröngöling, novis; mil. färsking; sport. nykomling, blåbär
room [ru:m, rʊm] **I** *s* **1** rum i hus; pl. ~*s* äv. hyresrum, [hyres]lägenhet, bostad; ~ *and board* vanl. amer. kost och logi, mat och husrum; *ladies'* ~ damrum, damtoalett; *men's* ~ herrtoalett; *set of* ~*s* våning **2** utan pl. plats, rum, utrymme; *standing* ~ ståplats[er]; *there's no* ~ *for* [*the table*] …får inte plats; *there's no* (*not enough*) ~ *to swing a cat* vard. det är trångt om saligheten; *there's plenty of* ~ det är gott om plats; *find* ~ *for* få rum (plats) med; *make* ~ göra (lämna) plats, maka på sig; *make* ~ *for* lämna (bereda) plats för äv. bildl.
II *vb itr* vanl. amer. hyra [rum], vara inneboende, bo; *they* ~ *together* de delar bostad (rum), de bor ihop
room clerk ['ru:mklɜ:k] *s* amer. receptionschef
roomful ['ru:mfʊl, 'rʊm-] *s* nog för att fylla ett rum; *a* ~ *of people* ett rum fullt (rummet fullt) med folk
rooming house ['ru:mɪŋhaʊs] *s* vanl. amer. hus med uthyrningsrum, [enklare] pensionat
roommate ['ru:mmeɪt, 'rʊm-] *s* **1** rumskamrat **2** amer. den (någon) man delar lägenhet med; *we're* ~*s* äv. vi delar lägenhet
room service ['ru:m,sɜ:vɪs] *s* rumservice
room temperature [,ru:m'temp(ə)rət] *s* rumstemperatur
roomy ['ru:mɪ, 'rʊmɪ] *adj* rymlig [*a* ~ *cabin*]
Roosevelt ['rəʊzəvelt, 'ru:z(ə)-, britt. ofta 'ru:svelt]
roost [ru:st] **I** *s* sittpinne; hönsstång, hönspinne; ibl. hönshus, hönsbur; *rule the* ~ vard. vara herre på täppan
II *vb itr* om fågel slå sig ner [för att sova]; *go to* ~ vard. krypa till kojs; *come home to* ~ falla tillbaka på ngn; *his chickens have come home to* ~ bildl. hans missdåd (missgärningar etc.) har fallit tillbaka på honom själv
rooster ['ru:stə] *s* tupp
1 root [ru:t] **I** *s* **1** rot, bildl. äv. upphov, grund; *the* ~ *cause* den grundläggande orsaken, grundorsaken; [*destroy sth*] ~ *and branch* …i grunden, …radikalt; ~ *of a tooth* tandrot; *the* ~ *of the trouble* orsaken till besvärligheterna; boven i dramat; *it has its* ~[*s*] *in* det har sin rot (grund) i; *put down new* ~*s* bildl. slå rot (rota sig) [på nytt]; *take* ~ slå rot, rota sig, få rotfäste äv. bildl.; *be at the* ~ *of* vara roten och

upphovet till; *strike at the* ~[*s*] *of the evil* angripa det onda vid roten, gå till roten med det onda; *pull* (*pluck, tear*) *up by the* ~*s* rycka upp med roten (rötterna) **2** planta **3** matem. rot; *cube* ~ kubikrot; *square* ~ kvadratrot **4** språkv. rot
II *vb itr* slå rot, rota sig, få rotfäste
III *vb tr* **1** låta slå rot, rotfästa **2** nagla fast [*fear* ~*ed her to the ground*] **3** ~ *out* utrota; ~ *up* rycka (dra) upp med rötterna
2 root [ru:t] **I** *vb itr* rota, böka [*for* efter]; ~ *about* (*around*) *among* [*one's papers*] rota om[kring] i…, rota igenom… **II** *vb tr*, ~ *out* rota (leta) fram
root beer [,ru:t'bɪə] *s* läskedryck smaksatt med växtextrakt
root crop ['ru:tkrɒp] *s* rotfrukter, rotfruktsskörd
root directory ['ru:tdɪ,rekt(ə)rɪ] *s* data. rotkatalog
rooted ['ru:tɪd] *adj* **1** [*deeply*] ~ djupt rotad; inrotad; fast förankrad; *be* ~ *in* ha sin grund (rot) i **2** *stand* ~ *to the spot* stå som fastnaglad (fastvuxen)
root filling [,ru:t'fɪlɪŋ] *s* tandläk. rotfyllning
root vegetable ['ru:t,vedʒ(ə)təbl] *s* rotfrukt
rope [rəʊp] **I** *s* **1** rep, lina, tåg; spec. sjö. tross, ända; amer. äv. lasso; ~ *of sand* bildl. löst (skört) band; *the* ~ bildl. galgen, repet hängning; *know the* ~*s* vard. känna till knepen, kunna tekniken; *walk the* ~ gå på lina; *give sb plenty of* ~ ge ngn fria (lösa) tyglar, ge ngn fritt spelrum; *give him enough* ~ [*to hang himself*]*!* låt honom hållas[, så kommer han att gräva sin egen grav]!; *be at the end of one's* ~ vanl. amer. vard. inte förmå (orka) mer; *be on the* ~*s* a) boxn. hänga på repen b) bildl. vara i knipa (illa ute, hårt trängd) **2** [hals]band, rad; fläta [~ *of garlic*]; ~ *of pearls* [långt] pärl[hals]band
II *vb tr* binda [ihop (fast)] med rep
III *vb tr* med adv.:
rope in vard.: ~ *sb in* a) förmå ngn att hjälpa till (vara med, medverka) b) dra in (lura in) ngn [*into* i]; fånga in ngn; ~ *in new customers* ragga upp nya kunder
rope off spärra av [med rep]
rope ladder ['rəʊp,lædə] *s* repstege
ropetrick ['rəʊptrɪk] *s* reptrick [*the Indian* ~]
rope-walker ['rəʊp,wɔ:kə] *s* lindansare, lindanserska
ropey ['rəʊpɪ] *adj* o. **ropy** ['rəʊpɪ] *adj* **1** sl. urusel **2** sl. slak **3** om vätska seg, klibbig, 'lång'; om kött trådig [~ *meat*]
Roquefort ['rɒkfɔ:] *s* roquefort[ost]
ro-ro ['rəʊrəʊ] *adj* se *roll-on-roll-off*
rosary ['rəʊzərɪ] *s* relig. radband, rosenkrans; bönbok
rosé ['rəʊzeɪ] *s* rosévin
1 rose [rəʊz] **I** *s* **1** bot. ros; *life is not a bed of* ~*s* (*not all* ~*s*) livet är ingen dans (inte bara en dans) på rosor; *everything is coming up* ~*s!* allt är (går) utmärkt!; *no* ~ *without a thorn* ingen ros utan törnen **2** stril på vattenkanna **3** rosa[färg], rosenrött
II *adj* **1** rosa, rosenröd **2** i sammansättn. ros-, rosen- [*rosebush*]
2 rose [rəʊz] imperf. av *rise*
rosebud ['rəʊzbʌd] *s* rosenknopp; ~ *mouth* rosenmun
rose bush ['rəʊzbʊʃ] *s* ros[en]buske
rose-coloured ['rəʊz,kʌləd] *adj* rosenfärgad,

rosenröd äv. bildl., rosig; *look at everything through ~ glasses* (*spectacles*) se allt i rosenrött
rose hip ['rəʊzhɪp] *s* nypon
rose mallow ['rəʊzˌmæləʊ] *s* bot. **1** hibiskus **2** amer. stockros
rosemary ['rəʊzm(ə)rɪ] *s* bot. el. krydda rosmarin
rosette [rə(ʊ)'zet] *s* rosett äv. bot. el. arkit.; bandros, bandrosett, kokard
rose water ['rəʊzˌwɔ:tə] *s* rosenvatten
rose window ['rəʊzˌwɪndəʊ] *s* arkit. rosettfönster
rosewood ['rəʊzwʊd] *s* rosenträ
rosin ['rɒzɪn] **I** *s* harts; spec. kolofonium **II** *vb tr* hartsa stråke o.d.
roster ['rɒstə] **I** *s* **1** tjänstgöringslista **2** lista, förteckning, register
  II *vb tr* sätta upp på [tjänstgörings]lista
rostr|um ['rɒstr|əm] (pl. *-a* [-ə] el. *-ums*) *s* **1** talarstol, kateder; tribun, estrad, podium, pult **2** prispall i olympiska spel
rosy ['rəʊzɪ] *adj* **1** rosig, rödblommig, rosenkindad **2** rosenfärgad, rosenröd äv. bildl.; ljus [*a ~ future*]; *take a ~ view* of se ngt i rosenrött, se ljust på; *paint everything in ~ colours* måla allt i rosenrött **3** i sammansättn. rosen-
rosy-cheeked ['rəʊzɪtʃiːkt] *adj* rosenkindad
rot [rɒt] **I** *vb itr*, *~* el. *~ away* ruttna, murkna
  II *vb tr* få att ruttna (murkna)
  III *s* **1** röta, ruttenhet; förruttnelse **2** vard. åld. dumheter, strunt, smörja
rota ['rəʊtə] *s* tjänstgöringsordning, tjänstgöringslista
rotary ['rəʊtərɪ] **I** *adj* roterande, rotations- **II** *s* amer. trafik. cirkulationsplats, rondell
Rotary Club ['rəʊtərɪklʌb] *s* rotaryklubb
rotate [rə(ʊ)'teɪt] **I** *vb itr* **1** rotera, svänga [*~ round* (kring) *an axis*] **2** växla [regelbundet]; gå runt
  II *vb tr* **1** bringa i rotation, låta rotera **2** låta växla [regelbundet]; låta cirkulera; byta successivt; *~ crops* bedriva växelbruk
rotation [rə(ʊ)'teɪʃ(ə)n] *s* **1** rotation; varv [*five ~s an hour*] **2** växelföljd, [regelbunden] växling [*the ~ of the seasons*]; turordning; [ömsesidig] avlösning i arbete; *in ~* i tur och ordning, växelvis, turvis **3** lantbr., *~ of crops* el. *crop ~* växelbruk, skiftesbruk; växtföljd
rote [rəʊt] *s*, *by ~* utantill [*learn sth by ~*]; av gammal vana, mekaniskt, utan att tänka [*do sth by ~*]
rotisserie [rəʊ'tɪsərɪ] *s* **1** [grill med] roterande stekspett **2** rotisseri stekrestaurang
rotor ['rəʊtə] *s* rotor
rotten ['rɒtn] **I** *adj* **1** rutten äv. bildl.; skämd; murken; *~ to the core* genomrutten **2** vard. urusel [*~ weather*]; urdålig, vissen [*feel ~*]; eländig; skamlig, taskig [*a ~ thing to have done that*] om sak äv. jäklig; *a ~ apple* ett rötägg; *~ luck!* en sån förbaskad otur!; *a ~* [*dirty*] *trick* ett mycket fult trick
  II *adv* vard., *fancy sb ~* vara dötänd på ngn; *spoil sb ~* skämma bort ngn till max
rottenness ['rɒtnnəs] *s* ruttenhet etc., jfr *rotten*
Rotten Row [ˌrɒtn'rəʊ] rid- o. körväg i Hyde Park
Rottweiler ['rɒtˌvaɪlə] *s* rottweiler hundras
rotund [rə(ʊ)'tʌnd] *adj* rund [*a ~ face; a ~ little man*]; trind, knubbig, rultig

rotundity [rə(ʊ)'tʌndətɪ] *s* rundhet etc., jfr *rotund*
rouble ['ru:bl] *s* rubel
rouge [ru:ʒ] **I** *s* rouge smink **II** *vb tr* lägga rouge på
rough [rʌf] **I** *adj* **1** grov, ojämn, skrovlig; sträv **2** svår[forcerad] [*~ country*] **3** svår, hård [*~ weather*]; gropig [*a ~ sea*] **4** hård[hänt], omild [*~ handling*]; rå, våldsam; ruffig; *it was ~ going* det var en svår pärs; *~ play* sport. ojust spel, ruff; *have a ~ time* [*of it*] vard. ha det svårt, slita ont; *it is ~ on her* vard. det är synd om henne **5** ohyfsad, råbarkad; *a ~ customer* en rå typ **6** *lead a ~ life* leva primitivt **7** obehandlad, obearbetad, rå, oslipad [*~ diamond*] **8** grov; *~ outline* skiss, utkast; *in ~ outlines* i grova drag; *a ~ sketch* en grov skiss **9** ungefärlig; *a ~ estimate* en ungefärlig beräkning; *at a ~ estimate* (*guess*) äv. uppskattningsvis; *a ~ guess* en vild gissning; *it is ~ justice* ung. allting jämnar ut sig, betalt kvitteras **10** *~ and ready* se *rough-and-ready*; *~ and tumble* se *rough-and-tumble*
  II *adv* grovt; rått, våldsamt; hårt; ojust; *cut up ~* börja bråka, ilskna till; *play ~* spela ojust, ruffa; *treat sb ~* behandla ngn kärvt (barskt)
  III *s* **1** *take the ~ with the smooth* bildl. ta det onda med det goda **2** *in the ~* i obearbetat tillstånd (skick) **3** buse, ligist
  IV *vb tr*, *~ it* vard. slita ont; leva primitivt
  V *vb tr* med adv.:
rough out teckna konturerna av
rough up vard. klå upp, misshandla
roughage ['rʌfɪdʒ] *s* **1** grovfoder, klifoder **2** fiberrik kost; växtfibrer, kostfibrer
rough-and-ready [ˌrʌfnd'redɪ] *adj* **1** grov, ungefärlig [*a ~ estimate*]; lättvindig **2** om person rättfram, otvungen
rough-and-tumble [ˌrʌfn'tʌmbl] **I** *s* nappatag; bråk; hårda tag äv. bildl. **II** *adj* oordnad [*lead a ~ life*]
roughcast ['rʌfkɑ:st] *s* byggn. grovputs, grovrappning; revetering
rough copy [ˌrʌf'kɒpɪ] *s* kladd, koncept
rough diamond [ˌrʌf'daɪəmənd] *s* **1** oslipad (rå) diamant **2** vard., bildl. ohyfsad (barsk) men godhjärtad människa [amer. vanl. *diamond in the rough*]
roughen ['rʌf(ə)n] *vb tr* o. *vb itr* göra (bli) grov (grövre) etc., jfr *rough I*
rough-hewn [ˌrʌf'hju:n] *adj* **1** grovhuggen **2** bildl. råbarkad, opolerad, okultiverad
rough luck [ˌrʌf'lʌk] *s* vard. otur
roughly ['rʌflɪ] *adv* **1** grovt etc., jfr *rough I*; *treat ~* behandla omilt (hårt, hårdhänt) **2** cirka, [på ett] ungefär; på en höft, grovt räknat; något så när; *~ speaking* i stort sett, på ett ungefär, i runt tal
roughneck ['rʌfnek] *s* vard. **1** ligist, hårding **2** grovjobbare vid oljeborrtorn
roughness ['rʌfnəs] *s* grovhet, strävhet etc., jfr *rough I*
roughshod ['rʌfʃɒd] *adj*, *ride ~ over* bildl. topprida, trampa på, behandla hänsynslöst
roulette [rʊ'let] *s* roulett[spel]
round [raʊnd] **I** *adj* **1** rund, cirkelrund, klotrund, [av]rundad **2** a) jämn, rund, avrundad [*a ~ sum*]; hel [*a ~ dozen*] b) ungefärlig [*a ~ estimate*]; *a good ~* [*sum*] en rundlig ...; *in ~ figures* el. *in ~ numbers* i

runda (avrundade) tal; *at a ~ guess* gissningsvis
3 *scold sb in good ~ terms* ge ngn en ordentlig (rejäl) utskällning
II *s* **1** ring, krets; rund; klot; *theatre in the ~* arenateater **2** skiva av bröd el. korv; *a ~ of beef* a) ett lårstycke av oxkött b) en [dubbel]smörgås med oxkött; *a ~ of toast* en skiva rostat bröd
3 kretslopp; rond, runda, tur; serie, rad; *the daily ~* de dagliga bestyren; *do a newspaper ~* bära ut tidningar; *the doctor's ~ of visits* läkarens besöksrond; *the milkman's ~* mjölkbudets runda; *the postman's ~* brevbärarens utbärningstur; *a ~ of pleasures* en enda lång rad av nöjen; *do the ~s* el. *make the ~s* bildl. gå runt, cirkulera [*the news went the ~s*]; *do* (*make*) *the ~ of* a) gå runt i, bildl. äv. cirkulera i b) gå laget runt bland; *make one's ~s* gå ronden på sjukhus **4** omgång, varv; *~ of ammunition* mil. a) [skott]salva b) skott [*he had only three ~s of ammunition left*]; *a ~ of applause* en applåd; *a ~ of cheers* leverop, hurrarop; *stand a ~ of drinks* bjuda på en omgång drinkar; *~ of negotiations* el. *~ of talks* förhandlingsomgång, diskussionsrunda **5** sport. o.d. rond, omgång; *a ~ of golf* en golfrunda **6** mus. kanon
III *adv* **1** runt [*show sb ~*]; [runt]omkring, runtom, i omkrets [*6 metres ~*]; om tillbaka [*don't turn ~!*]; *~ about* [runt]omkring, runtom; *all ~* a) runtom[kring] b) överallt c) överlag, laget runt; *taking it all ~* om man ser på saken ur alla synvinklar; *all the year ~* hela året [om], året runt (om); *go a long way ~* ta en lång omväg; *bring* (*come, go* m.fl.) *~* se under resp. verb **2** här [*when he was ~*]; hit, över [till mig (oss)] [*he came ~ one evening*]; *ask sb ~* be ngn hem till sig **3** ~ [*about*] [så där] omkring [*~ about*] *lunchtime*]
IV *prep* om[kring] [*she had a scarf ~ her neck*]; runt, [runt]omkring, kring [*sit ~ the table*]; runtom; omkring (runt) i (på) [*walk ~ the town*]; *~ the world* jorden runt
V *vb tr* **1** runda, svänga om (runt) [*~ a street corner*]; gå (fara, segla) runt, sjö. äv. dubblera [*~ a cape*] **2** göra rund; runda [*~ the lips*]; *~ed bosom* rund (fyllig) barm
VI *vb tr* o. *vb itr* med adv.:
round down: *~ down* [*the prices*] runda av... nedåt
round off a) runda [av] t.ex. hörn b) runda av summa c) avrunda, avsluta [*~ off an evening*]; fullborda [*~ off one's career*]
round on sb fara ut mot ngn
round up a) samla (driva) ihop; mobilisera, samla [*~ up volunteers*] b) *~ up* [*the prices*] runda av... uppåt

roundabout ['raʊndəbaʊt] **I** *s* **1** trafik. rondell, cirkulationsplats **2** karusell **3** omväg
II *adj* tillkrånglad, omständlig [*~ paragraphs*]; *use ~ methods* bildl. gå omvägar; *~ way* (*route*) omväg; *in a ~ way* indirekt, på omvägar; i förtäckta ordalag

round brackets [ˌraʊnd'brækɪts] *s pl* parentes[tecken]

rounders ['raʊndəz] (med verb i sg.) *s* rounders slags brännboll

round-eyed ['raʊndaɪd] *adj* storögd, rundögd

roundly ['raʊndlɪ] *adv* **1** [cirkel]runt etc., jfr *round I*
2 öppet [*his methods were ~ condemned*];

oförblommerat, rent ut [*I told her ~ that she was wrong*] **3** fullständigt, grundligt
round robin [ˌraʊnd'rɒbɪn] *s* **1** inlaga (protestskrivelse) med undertecknarnas namnteckningar i cirkel för att dölja ordningsföljden **2** tävling (turnering) där alla möter alla
round-shouldered [ˌraʊnd'ʃəʊldəd] *adj* kutryggig, rundryggad
round-table [ˌraʊnd'teɪbl] *adj* rundabords- [*~ conference*; *~ discussion*]
round-the-clock [ˌraʊndðə'klɒk, attr. '---] *adj* dygnslång [*a ~ attack*]; (som pågår (pågick)) hela dygnet [*~ meetings*]; [*they have*] *~ service* ...dygnetruntservice, ...öppet (jourtjänst) dygnet runt
round-trip ['raʊndtrɪp] *adj* amer. turochretur- [*a ~ ticket*]
round trip [ˌraʊnd'trɪp] *s* turochreturresa
round-up ['raʊndʌp] *s* **1** hopsamlande, hopdrivning **2** [*police*] ~ [polis]razzia [*of* bland]; *the police made a ~ of* [*suspects*] polisen gjorde en razzia och grep... **3** sammanfattning, sammandrag [*a news ~*]; översikt [*a sports ~*]; *Sports ~* radio. el. TV. sportextra
rouse [raʊz] *vb tr* **1** väcka [upp] **2** bildl. a) väcka, rycka upp [*from* ur]; sätta liv (fart) [*~ the imagination*]; egga, sporra [*~ sb to action*]; elda [upp] [*~ the masses*] b) reta [upp] [*~ sb to anger*]; *~ oneself* rycka upp sig, vakna upp; *~ sb's passions* väcka ngns lidelser; sätta ngns känslor i svallning
rousing ['raʊzɪŋ] *adj* **1** väckande, eldande; *a ~ appeal* en flammande appell; *a ~ tune* en medryckande melodi **2** översvallande [*a ~ welcome*]
roust [raʊst] *vb tr* få liv i, få att börja röra på sig; *~ out of* [*bed*] få upp ur...
roustabout ['raʊstəbaʊt] *s* vanl. amer.
1 hamnarbetare, sjåare **2** oljeplattformsarbetare **3** diversearbetare **4** cirkusarbetare
rout [raʊt] **I** *s* vild (oordnad) flykt, sammanbrott, [fullständigt] nederlag, sport. äv. skräll; *the army is in full ~* armén befinner sig i fullständig upplösning (är på vild flykt); *put to ~* driva (jaga, slå) på flykten
II *vb tr* driva (jaga, slå) på flykten; fullständigt besegra
route [ruːt, mil. o. ibl. amer. äv. raʊt] **I** *s* **1** rutt, route, [färd]väg, led; amer. huvudväg [*Route 22*]; sträcka, linje för trafik; [*the buses*] *on ~ number 50* ...på linje 50 **2** mil. marschrutt, marschruta
II *vb tr* sända viss väg [*all mail was ~d via the Cape*]; dirigera
route march ['ruːtmɑːtʃ, 'raʊt-] *s* mil. [tränings]marsch; marsch under formering till tåg
routine [ruː'tiːn] **I** *s* **1** rutin, praxis; *office ~* kontorsrutiner, rutinerna (arbetsgången) på ett kontor; *it's just a matter of ~* det är bara en rutinsak (formalitet) **2** slentrian **3** teat. nummer på repertoaren [*a dance ~*]
II *adj* **1** rutin- [*~ duties*]; rutinmässig; vanemässig; vanlig [*the ~ procedure*]; [*things like this*] *are ~ these days* ...hör till regeln (vanligheten) nu för tiden **2** slentrianmässig

roux [ru:] *s* kok. [grund]redning av smör och mjöl

rove [rəʊv] **I** *vb itr* ströva [omkring], vandra; flacka [omkring] [*~ from place to place*]; irra [*his eyes ~d from one place to another*] **II** *vb tr* genomströva, ströva omkring i [*~ the woods*]

rover ['rəʊvə] *s* vandrare; rastlös person

roving ['rəʊvɪŋ] *adj* kringströvande, [kring]irrande, [kring]flackande; *~ ambassador* [kring]resande ambassadör; *~ commission* rörligt uppdrag, uppdrag med stor rörelsefrihet rätt att resa så mycket som anses nödvändigt; *he has a ~ eye* åld. han tittar efter varenda flicka; *~ reporter* flygande reporter

1 row [rəʊ] *s* **1** rad, räcka, länga [*a ~ of houses*]; led; *in a ~* i rad, i följd; i sträck **2** bänk[rad] **3** i stickning varv **4** gata ofta i gatunamn

2 row [rəʊ] **I** *vb tr* **1** ro [*~ a boat*]; *~ a race* ro i kapp **2** ro mot, tävla med **II** *vb itr* ro; *the boat ~s easily* båten är lättrodd **III** *s* rodd[tur]; *be out for a ~* vara ute och ro; *go for a ~* ta en roddtur

3 row [raʊ] **I** *s* **1** oväsen, bråk, liv, stoj; [*the children*] *made (were kicking up) an awful ~* ...förde ett förskräckligt liv (oväsen), ...levde bus; *stop that ~!* för inte ett sånt liv! **2** gräl, bråk, slagsmål, gruff, uppträde, spektakel; strid; *have a ~* bråka, gräla; *what's the ~?* vad bråkar ni om?; *make (kick up) a ~* ställa till bråk, bråka, gruffa [*about* om] **II** *vb itr* **1** gräla, gruffa; *~ with sb* gräla med ngn **2** väsnas, bråka

rowan ['rəʊən, 'raʊ-] *s* rönn

rowanberry ['rəʊən,berɪ, 'raʊən-] *s* rönnbär

rowboat ['rəʊbəʊt] *s* vanl. amer. roddbåt

rowdy ['raʊdɪ] **I** *adj* bråkig, våldsam [*~ scenes*] **II** *s* åld. bråkmakare, bråkstake

rower ['rəʊə] *s* roddare

row house ['rəʊhaʊs] *s* amer. radhus

rowing boat ['rəʊɪŋbəʊt] *s* roddbåt

rowing machine ['rəʊɪŋməˌʃi:n] *s* roddapparat

rowlock ['rɒlək, 'rʌl-, ej bland sjöfolk 'rəʊlɒk] *s* årtull, årklyka

royal ['rɔɪ(ə)l] **I** *adj* **1** kunglig [*~ blood; His Royal Highness*]; kunga- [*~ power*]; *the ~ family* den kungliga familjen, de kungliga; kungahuset **2** bildl. kunglig, furstlig, storartad [*a ~ welcome*]; strålande [*in ~ spirits*]; *have a ~ time* roa sig kungligt, stornjuta **II** *s* vard. kunglig [person] [*a ~; the ~s*]

Royal Air Force [ˌrɔɪ(ə)l'eəfɔ:s], *the ~* (förk. *the RAF*) brittiska flygvapnet

royal blue [ˌrɔɪ(ə)l'blu:] *s* kungsblått

Royal Commission [ˌrɔɪ(ə)lkə'mɪʃ(ə)n] *s* statlig utredning på rekommendation av brittiske premiärministern

royal flush [ˌrɔɪ(ə)l'flʌʃ] *s* poker royal [straight] flush de fem högsta korten i svit i samma färg

royalism ['rɔɪəlɪz(ə)m] *s* rojalism

royalist ['rɔɪəlɪst] *s* rojalist

royalistic [ˌrɔɪə'lɪstɪk] *adj* rojalistisk

Royal Mail [ˌrɔɪ(ə)l'meɪl] *s*, *the ~* brittiska postverket

Royal Marines [ˌrɔɪ(ə)lmə'ri:nz] *s pl*, *the ~* brittiska marinsoldatkåren

Royal Navy [ˌrɔɪ(ə)l'neɪvɪ] *s*, *the ~* (förk. *RN*) brittiska flottan

royal prerogative [ˌrɔɪ(ə)lprɪ'rɒgətɪv] *s* kungligt prerogativ

Royal Society [ˌrɔɪ(ə)lsə'saɪətɪ] *s*, *the ~* brittiska vetenskapsakademien

royal speech [ˌrɔɪ(ə)l'spi:tʃ] *s*, *the ~* trontalet

royalty ['rɔɪ(ə)ltɪ] *s* **1** kunglighet, kungamakt, kungavärdighet **2** a) kunglig person b) kunglighet [*in the presence of ~*] **3** royalty

RP [ˌɑ:'pi:] förk. för *received pronounciation*

RPG [ˌɑ:pi:'dʒi:] **1** (förk. för *role-playing game*) rollspel **2** (förk. för *rocket-propelled grenade*) granatgevär **3** (förk. för *report program generator*) RPG programspråk för affärssystem

RPI [ˌɑ:pi:'aɪ] förk. för *retail price index*

rpm [ˌɑ:pi:'em] förk. för *revolutions (rounds) per minute*

R & R [ˌɑ:rən'ɑ:] förk. för *rest and recreation*

RRP [ˌɑ:rɑ:'pi:] förk. för *recommended retail price*

RSI [ˌɑ:res'aɪ] *s* med. (förk. för *repetitive strain injury*) belastningsskada i arm, hand el. handled

RSPCA [ˌɑ:respi:si:'eɪ] (förk. för *Royal Society for the Prevention of Cruelty to Animals*), *the ~* ung. brittiska djurskyddsföreningen

RSVP [ˌɑ:resvi:'pi:] (förk. för *répondez s'il vous plaît* fr.) på bjudningskort o.s.a, om svar anhålles

Rt Hon. förk. för *Right Honourable*

Rt Rev. förk. för *Right Reverend*

rub [rʌb] **I** *vb tr* (för förbindelser med adv. se *rub II*) gnida, gno, gnugga, skava; frottera; polera, putsa; *~ shoulders (elbows) with* umgås med, frottera (beblanda) sig med; *~ a tombstone* el. *~ a brass* göra frottage (en gnuggbild) av en gravsten (minnestavla); *~ sb [up] the wrong (right) way* bildl. stryka ngn mothårs (medhårs)
II *vb tr* o. *vb itr* i förbindelse med adv.:
rub along vard. klara sig [bra], dra (hanka) sig fram; *we manage to ~ along together* vi kommer [ganska] bra överens
rub down a) gnida (gnugga) ren; gnida slät, slipa av, putsa av; frottera; rykta
rub in gnida in; *don't ~ it in!* bildl. du behöver inte tjata om (påminna mig om) det!
rub off a) gnida (putsa, nöta) av (bort), sudda ut (bort); sudda rena b) gå att gnida av (bort) osv. c) nötas av (bort) d) *~ off on* [*to*] smitta av sig på [*her manners have ~bed off on her children*]
rub out a) sudda (stryka) ut (bort); gnida (putsa, nöta, skrapa) av (bort) b) gå att sudda ut (bort) [*~ out easily*]; gå att gnida bort c) amer. sl. fixa mörda
III *s* **1** gnidning, frottering **2** *there's the ~* det är där problemet ligger

1 rubber ['rʌbə] *s* **1** kautschuk, gummi [äv. *India ~*]; radergummi; pl. *~s* vanl. amer. vard. galoscher; *~ solution* gummilösning **2** person (sak) som gnider (gnor etc., jfr *rub I*); *board ~* tavelsudd **3** vanl. amer. sl. gummi kondom

2 rubber ['rʌbə] *s* kortsp. robbert; spel

rubber band [ˌrʌbə'bænd] *s* gummisnodd, gummiband

rubber boot ['rʌbəbu:t] *s* gummistövel

rubber dinghy [ˌrʌbə'dɪŋgɪ] *s* gummibåt

rubber glove ['rʌbəglʌv] *s* gummihandske; hushållshandske [äv. *household ~*]

rubberized ['rʌbəraɪzd] *adj* gummerad

rubberneck ['rʌbənek] *s* vard. nyfiken person; [nyfiken] turist

rubber stamp [ˌrʌbə'stæmp] **I** *s* **1** gummistämpel; *get the ~* bildl. få [ett] godkännande (ett ja) **2** bildl. a) klyscha b) nickedocka **II** *vb tr* stämpla; vard. skriva under [obesett], godkänna (anamma) utan vidare

rubbery ['rʌbəri] *adj* seg [som gummi], gummiartad

rubbing alcohol ['rʌbɪŋˌælkəhɔːl] *s* alsolsprit, desinfektionsvätska

rubbish ['rʌbɪʃ] **I** *s* **1** avfall; sopor; skräp; *~ chute* sopnedkast **2** bildl. a) skräp, strunt, smörja b) nonsens, goja, struntprat **II** *vb tr* racka ner på, göra ner **III** *interj* struntprat! **IV** *adj* vard. värdelös

rubbishy ['rʌbɪʃi] *adj* **1** skräp-, strunt- [*~ novel*; *~ film*]; futtig **2** skräpig

rubble ['rʌbl] *s* **1** stenskärv; packsten, stenflis, stenfyllnad **2** spillror, grus; *a heap of ~* en grushög; *reduce sth to ~* rasera (ödelägga) ngt

rub-down ['rʌbdaʊn] *s* [kraftig] gnidning (putsning); *a cold ~* en kall avrivning

rubella [rʊ'belə] *s* med. röda hund, rubella

rubicund ['ruːbɪkənd] *adj* rödblommig; rödbrusig

ruble ['ruːbl] *s* rubel myntenhet

rubric ['ruːbrɪk] *s* **1** rubrik, överskrift **2** anvisning, föreskrift vid t.ex. prov

ruby ['ruːbɪ] **I** *s* **1** rubin, i ur äv. sten **2** rubinrött **II** *adj* rubinröd, rubinfärgad, rubin-; *~ lips* purpurröda läppar

ruby wedding ['ruːbɪˌwedɪŋ] *s* o. **ruby anniversary** [ˌruːbɪænɪ'vɜːs(ə)rɪ] *s* rubinbröllop, 40-årig bröllopsdag

ruched [ruːʃt] *adj* om t.ex. tyg, kläder rynkad, veckad

1 ruck [rʌk] *s* hop, massa, mängd; *the ~* sport. klungan; bakre [delen av] fältet; *anxious to get out of the* [*common*] *~* angelägen att bryta av från mängden (bryta sig ut ur den stora grå massan); *leave the ~* sport. löpa (köra) ifrån det övriga fältet

2 ruck [rʌk] **I** *s* veck, rynka **II** *vb tr*, *~ el. ~ up* vecka [ihop], rynka, skrynkla [ned (till)]

rucksack ['rʌksæk, 'rʊk-] *s* ryggsäck

ruckus ['rʌkəs] *s* vanl. amer. vard. **1** bråk, gräl; ståhej **2** buller, larm

ructions ['rʌkʃ(ə)nz] *s pl*, *there will be ~* det kommer att bli bråk

rudder ['rʌdə] *s* roder; flyg. sidoroder

ruddy ['rʌdɪ] **I** *adj* **1** rödblommig [*a ~ complexion*; *a ~ face*] **2** röd, rödaktig; rödbrun **3** sl. (eufem. för *bloody*) förbenad, förbaskad, jäkla **II** *adv* sl. (eufem. för *bloody*) förbenat, förbaskat, jäkla

rude [ruːd] *adj* **1** ohövlig, ohyfsad, oförskämd, grov [*~ remarks*]; rå, ful [*~ words on the wall*] **2** våldsam, häftig [*a ~ reminder*; *a ~ shock*]; hård [*a ~ hand*; *~ realities*]; *he had a ~ awakening* bildl. det blev ett smärtsamt uppvaknande för honom

rudeness ['ruːdnəs] *s* ohövlighet, oförskämdhet

rudimentary [ˌruːdɪ'ment(ə)rɪ] *adj* **1** rudimentär, outvecklad, förkrympt; begynnelse- **2** elementär; *only a ~ knowledge of the language* endast elementära kunskaper i språket

rudiments ['ruːdɪmənts] *s pl* första grunder,

grund[drag], elementa; *learn the ~ of a language* lära sig de första grunderna i ett språk

rue [ruː] *vb tr* ångra; beklaga, sörja över; *~ the day* (*hour*) *when* ångra (sörja över) den dag (stund) då

rueful ['ruːf(ʊ)l] *adj* **1** bedrövlig, sorglig, beklaglig; *a ~ smile* ett beklagande leende **2** nedslagen, bedrövad

ruff [rʌf] *s* **1** zool. halskrage, fjäderprydnad **2** pipkrage; krås, krus

ruffian ['rʌfɪən] *s* åld. råskinn, buse, skurk, bandit

ruffianly ['rʌfɪənlɪ] *adj* åld. skurkaktig, rå

ruffle ['rʌfl] **I** *vb tr* **1** ~ el. ~ up rufsa till [~ *sb's hair*]; bringa i oordning; skrynkla; burra upp [*the bird ~d up its feathers*] **2** sätta i rörelse, röra upp, göra orolig, krusa [*a breeze ~d the surface of the lake*] **3** ~ *sb's feathers* vard. göra ngn upprörd och arg; *be ~d* bli stött **II** *s* krås, krus, rynkad remsa; volang; spetsmanschett

rug [rʌg] *s* **1** [liten] matta; *bedside ~* sängmatta **2** filt; vagnstäcke; [*travelling*] *~* [res]pläd **3** *pull the ~* [*out*] *from under sb* få ngn att tappa (förlora) fotfästet

Rugby ['rʌgbɪ] stad och berömd *Public School*

rugby ['rʌgbɪ] *s* rugby[fotboll] [[äv.] *~ football*]

Rugby League [ˌrʌgbɪ'liːg] *s* Rugby League professionell rugby med trettonmannalag

Rugby Union [ˌrʌgbɪ'juːnɪən] *s* Rugby Union amatörrugby med femtonmannalag

rugged ['rʌgɪd] *adj* **1** ojämn, knottrig, skrovlig [~ *bark*]; oländig, kuperad [~ *ground*; ~ *country*]; klippig [*a ~ coast*; ~ *mountains*] **2** fårad [*a ~ face*]; oregelbunden, grov[skuren], kraftigt markerad [~ *features*] **3** sträv, kärv, barsk, bister [*a ~ old peasant*]; kantig, oslipad, opolerad, ohyfsad [~ *manners*] **4** otymplig, knagglig [~ *verse*] **5** kraftfull, härdad [*the pioneers were ~ people*]; stark, kraftig, robust [~ *physique*]; *~ health* järnhälsa **6** bister, hård, svår [~ *times*; ~ *weather*]

rugger ['rʌgə] *s* vard. rugby[fotboll]

ruin ['ruːɪn] **I** *vb tr* **1** ödelägga, förstöra **2** ruinera, störta [i fördärvet], bringa på fall; krossa, grusa **3** fördärva, förstöra [~ *one's health*] **II** *s* **1** ruin[er]; spillror **2** bildl. ruin, undergång, fall, fördärv; förfall, förstörelse, ödeläggelse; *this will be the ~ of us* detta blir vårt fördärv (fall)

ruination [ˌruːɪ'neɪʃ(ə)n] *s* **1** ödeläggelse **2** ruin, fördärv

ruined ['ruːɪnd] *adj* **1** förfallen; i ruiner; *a ~ castle* äv. en slottsruin; *a ~ town* äv. en ruinstad **2** ruinerad **3** fördärvad, förstörd, ödelagd; *~ hopes* grusade förhoppningar

ruinous ['ruːɪnəs] *adj* **1** förödande, fördärvbringande **2** ruinerande **3** förfallen; i ruiner; *be in a ~ state* ligga i ruiner; vara alldeles förfallen

rule [ruːl] **I** *s* **1** regel äv. gram.; norm, rättesnöre; vana, sedvänja; *as a* [*general*] *~* som (i) regel, för det mesta, vanligen; *be the ~* vara [en] regel (det vanliga, vanlig); *the exception proves the ~* undantaget bekräftar regeln **2** regel, bestämmelse, föreskrift, stadgande; pl. *~s* äv. stadgar [*club ~s*]; reglemente; *hard and fast ~* sträng[a] föreskrift[er]; *standing ~* [officiellt] reglemente; *the ~[s] of the road*

trafikreglerna, körreglerna; **bend** (**stretch**) **according to** ~ enligt regeln (reglerna); regelrätt; **against** [**the**] **~s** el. **contrary to** [**the**] **~s** mot regeln (reglerna); **work to** ~ följa reglementet till punkt och pricka med sänkt arbetstakt som följd **3** styre, [herra]välde [*under British* ~]; styrelseskick, makt, myndighet [*over, of* över]; regering; *society founded on the* ~ *of law* rättssamhälle **4** tumstock, måttstock
II *vb tr* **1** regera [över], styra, leda, härska över; bildl. behärska; prägla; ~ *the roost* vard. vara herre på täppan **2** fastställa, förordna, stadga; avgöra, bestämma **3** linjera; ~ *a line* dra en linje med linjal
III *vb itr* **1** regera, härska [*over* över]; råda äv. bildl. [*silence* ~*d in the assembly*] **2** spec. jur. meddela utslag [*the court* ~*d on* (i) *the case*]
IV *vb tr* med adv.:
rule out utesluta, avfärda; ~ *sth out of order* förklara ngt strida[nde] mot ordningen
rule-book ['ruːlbʊk] *s*, **go by** (**follow**) **the** ~ vard. hålla sig till spelets regler, följa regelboken
ruled [ruːld] *adj* linjerad [~ *paper*]
rule of thumb [ˌruːləv'θʌm] *s* tumregel; **by** ~ efter ögonmått; godtyckligt; på ett ungefär (en höft)
ruler ['ruːlə] *s* **1** härskare, styresman [*over, of* över] **2** linjal
ruling ['ruːlɪŋ] **I** *adj* **1** regerande, härskande etc., jfr *rule II* o. *rule III*; ~ *prices* gällande priser (kurser); ibl. genomsnittspriser **2** dominerande, förhärskande; ~ *passion* stor passion, allt överskuggande lidelse
II *s* **1** spec. jur. utslag, avgörande **2** linjering; linjer
1 rum [rʌm] *s* rom dryck; amer. vard. sprit
2 rum [rʌm] *adj* ngt åld. vard. konstig, underlig, besynnerlig; *a* ~ *start* el. *a* ~ *go* en underlig (mystisk) historia tilldragelse
rumba ['rʌmbə] **I** *s* rumba **II** *vb itr* dansa rumba
rumble ['rʌmbl] **I** *vb itr* **1** mullra, dåna; dundra (skramla) [fram] **2** om mage kurra, knorra **3** ~ *on* mala (prata) på **4** amer. sl., om tonårsgäng råka i luven på varandra, drabba samman, fajtas
II *vb tr* sl. komma underfund med, genomskåda [*we have* ~*d their game*]
III *s* **1** mullrande, dån; radio. o.d. 'rumble', brummande lågfrekventa störningar **2** mummel, mumlande **3** amer. sl. [gatu]slagsmål, gängbråk, gängfajt
rumble seat ['rʌmblsiːt] *s* på bil reservsäte i baklucka
rumble strip ['rʌmblstrɪp] *s* trafik. skakräffla, bullerräffla
rumbling ['rʌmblɪŋ] *s* **1** mullrande, dån; *~s of discontent* bildl. yttringar av missnöje, knorrande **2** ~[s pl.] rykten [*a lot of* ~]; vaga rykten [*I've heard* ~*s that*...]
rumbustious [rʌm'bʌstʃəs] *adj* vard. larmande, skränig, bullrande, stojande; oregerlig
ruminant ['ruːmɪnənt] *s* idisslare
ruminate ['ruːmɪneɪt] *vb itr* **1** grubbla, fundera, älta, ruva [*about, over, upon* på, över] **2** idissla
rumination [ˌruːmɪ'neɪʃ(ə)n] *s* **1** grubbel, grubblande, ältande **2** idisslande
rummage ['rʌmɪdʒ] *vb itr* leta, snoka, gräva, rumstera, rota [*among* bland]; ~ *for* rota igenom på jakt efter

rummage sale ['rʌmɪdʒseɪl] *s* vanl. amer. loppmarknad på välgörenhetsbasar
rummy ['rʌmɪ] *s* rummy slags kortspel
rumour ['ruːmə] **I** *s* rykte [*a false* ~]; ~ *has it that* el. **there is a** ~ **that** se *it is rumoured that* under *rumour II* **II** *vb tr*, **it is ~ed that** det ryktas att, ryktet går (säger) att
rumour-monger ['ruːməˌmʌŋgə] *s* ryktesspridare, ryktessmidare
rump [rʌmp] *s* **1** bakdel, rumpa; gump på fågel **2** slakt. tjock fransyska
rumple ['rʌmpl] *vb tr* skrynkla ned [~ *one's collar*]; skrynkla till; rufsa (tufsa) till [~ *one's hair*]
rump steak [ˌrʌmp'steɪk, '--] *s* kok. rumpstek
rumpus ['rʌmpəs] *s* vard. bråk; gruff, uppträde; **kick up a** ~ el. **make a** ~ ställa till bråk etc.
rumpus room ['rʌmpəsruːm] *s* amer. gillestuga
run [rʌn] **I** (*ran run*) *vb itr* (se äv. *run III*) **1** springa, ränna, löpa; gå; skynda; rusa, störta sig [*at sb* mot (på) ngn] **2** fly [*from* från, för]; om tid äv. gå; *cut and* ~ vard., se under *cut II 3* **3** sport. o.d. löpa, springa; *Blue Peter also ran* dessutom deltog Blue Peter i loppet utan att placera sig; se äv. *also-ran 1* **4** vanl. amer. polit. m.m. ställa upp, kandidera [*for* till] **5** glida, löpa, rulla, köra; bildl. löpa, förlöpa [*his life has* ~ *smoothly* (lugnt)]; *the verses* ~ [*smoothly*] versen flyter bra **6** a) om maskin o.d. gå, vara i gång, vara på; *leave the engine* ~*ning* låta motorn gå [på tomgång] b) gå [i trafik], köra [*the buses* ~ *every five minutes*] c) sjö. länsa [undan], segla för akterlig vind d) data. köras [*the software will run on any PC*] **7** bildl. sprida sig [*the news ran like wildfire* (en löpeld)] **8** om färg o.d. fälla [*these colours won't* ~]; flyta [ut (ihop, omkring)] **9** rinna, droppa [*your nose is* ~*ing*]; flyta, flöda; om sår vätska (vara) sig **10** i vissa förbindelser med adj. el. adv. bli, tendera att bli (vara); ~ *foul* (*wild* m.fl.) se dessa ord; ~ *dry* torka [ut], sina; ~ *high* a) om tidvatten, pris m.m. stiga högt; om sjö gå hög[t] b) om känslor o.d. svalla [högt]; ~ *low* bildl. ta slut, tryta [*supplies are* ~*ning low*]; ~ *short* se under *short II 2* **11** om växt slingra sig, klättra **12** a) löpa, gälla om kontrakt o.d. b) pågå, gå; *the play ran* [*for*] *six months* pjäsen gick i sex månader **13** lyda, låta; *it* ~*s as follows* det lyder på följande sätt **14** *my stocking has* ~ det har gått en maska på min strumpa
II (*ran run*) *vb tr* (se äv. *run III*) **1** springa [~ *a race*]; löpa äv. bildl. [~ *a risk*]; ~ *errands* el. ~ *messages* springa ärenden [*for* åt, för]; *you're* ~*ing it fine* (*close*) du är sent ute, du tar till litet väl knappt med tid; ~ *the rapids* fara utför forsarna **2** springa efter; springa i kapp med [*I ran him to the corner*]; ~ *sb close* el. ~ *sb hard* a) följa ngn hack i häl b) kunna konkurrera med ngn **3** fly ur (från) [~ *the country*] **4** låta löpa, ställa upp med [~ *a horse in the Derby*] **5** driva [~ *a business*]; leda, styra; sköta, förestå; ~ *a course* ha (leda, hålla) en kurs **6** a) köra, skjutsa [*I'll* ~ *you home in my car*] b) låta glida (löpa), dra, köra [~ *one's fingers through one's hair*] c) köra [~ *a splinter into one's finger*]; ränna, sticka **7** a) köra [~ *a taxi*]; hålla (sätta) i gång; ~ *a computer program* köra ett dataprogram; ~ *a film* köra (visa) en film; ~ *a tape* spela ett band b) segla, föra c) köra [med]; sätta in

(i trafik) [~ *extra buses*] **8** driva på bete, låta beta **9** bryta [~ *a blockade*] **10 a**) låta rinna; tappa [~ *water into a bath-tub*] **b**) strömma (rinna, flöda) av; spruta [fram]; ~ ***blood*** blöda, drypa av blod **11** smuggla [in] [~ *arms*] **12** dra [~ *a telephone cable*] **13** ytterligare förbindelser: ***I cannot afford to ~ a car*** jag har inte råd att ha bil; ***a car that is expensive to ~*** en bil som är dyr i drift; ***~ a temperature*** el. ***~ a fever*** vard. ha feber

III (*ran run*) *vb itr* o. *vb tr* med adv. el. prep., ofta med spec. översättningar:

run across a) löpa (gå) tvärs över **b**) stöta (råka, springa, träffa) 'på

run against a) stöta (råka, träffa) 'på, stöta ihop med; rusa emot **b**) sport. o.d. tävla (springa) mot; vanl. amer. polit. m.m. ställa upp (kandidera) mot **c**) ~ ***one's head against the wall*** bildl. köra (ränna) huvudet i väggen

run aground gå (segla, ränna) på grund

run along! åld. vard. skynda dig (kila) i väg!

run around springa (löpa, fara) omkring; ~ ***around with*** vard. hänga ihop med

run away springa (rusa) i väg (bort); rymma

run away with a) rymma (sticka) med; stjäla **b**) vinna lätt, ta lätt [hem]; ***she ran away with the show*** hon stal hela föreställningen **c**) ***don't ~ away with the idea that*** gå nu inte omkring och tro att **d**) rusa i väg med [*his feelings ~ away with him*]

run down a) springa (löpa, fara, rinna) ner (nedför, nedåt); ***a cold shiver ran down my back*** det gick kalla kårar efter ryggen på mig **b**) om ur o.d. [hålla på att] stanna **c**) ***be ~ down*** el. ***feel ~ down*** vara (känna sig) trött och nere **d**) ta slut; köra slut på; ***the battery has (is) ~ down*** batteriet är slut (har laddat ur sig) **e**) förfalla, försämras **f**) minska, gå tillbaka **g**) fara (resa) ut från storstad [~ *down to the country*] **h**) köra över (ner), springa (köra) omkull **i**) tala illa om, racka ner på

run for a) springa till; springa efter **b**) ~ ***for it*** vard. skynda sig, springa fort (för livet); ~ ***for one's life*** springa för livet **c**) polit. m.m. ställa upp som (till, för, i); ~ ***for the Presidency*** [låta] kandidera till presidentposten o.d.; ***the play ran for 200 performances*** pjäsen gick (uppfördes) 200 gånger

run in a) rusa in **b**) ***it ~s in the family*** det ligger (går) i släkten; ***it keeps ~ning in my head*** om melodi, tanke o.d. jag har den ständigt i huvudet **c**) vard. åld. haffa, ta [*the police ran him in*] **d**) köra in [~ *in a new car*]; ~***ning in*** om bil under inkörning

run into a) köra (rusa) 'på ([in] i, emot), ränna in i (emot), kollidera med [~ *into a wall*] **b**) stöta (råka, träffa) 'på **c**) råka [in] i, stöta på; försätta i [~ *sb into difficulties*; ~ *sb into debt*] **d**) [upp]nå; [*a book that has*] ~ ***into six editions*** ...uppnått sex upplagor

run off a) springa [bort (sin väg)]; rymma **b**) kasta ned [~ *off an article*]; skriva ihop **c**) trycka [*the machine ~s off 500 copies a minute*]; köra, ta [~ *off ten copies of an agenda*] **d**) spela [upp], köra [~ *off a tape*] **e**) sport. avgöra [genom omtävling]; ~ ***off the preliminary heats*** avverka försöksheaten

run out a) springa (löpa, gå) ut; ~ ***out on*** vard. springa (löpa) ifrån [*time is ~ning out on me*]; sticka från, överge [~ *out on sb*]; lämna i sticket

b) löpa (gå) ut [*my subscription has ~ out*]; hålla på att ta slut, börja sina (tryta) [*our stores are ~ning out*]; rinna ut (ur); ***we are ~ning out of sugar*** vi har snart [gjort] slut på sockret, sockret håller på att ta slut **c**) jaga (köra) bort (ut) [~ *sb out of* (från, ur) *town*] **d**) sport., ~ ***out a winner*** utgå som segrare, vinna; ***be ~ out*** kricket., om slagman som inte nått grinden under en 'run' bli utslagen

run over a) kila (titta) över [på besök] **b**) rinna (flöda) över **c**) ~ ***over*** el. ~ ***one's eyes*** (***eye***) ***over*** titta (ögna) igenom, granska [*they ran over the report*] **d**) gå igenom på nytt **e**) köra (rida) över; ***he was ~ over*** han blev överkörd **f**) [*I'll ask John*] ***to ~ you over to my place*** ...köra (skjutsa) dig över till mig **g**) ~ ***over the time*** dra över [tiden]

run round a) löpa (gå) runt **b**) kila (titta, köra) över, titta in

run through a) ögna igenom; repetera **b**) gå (löpa) igenom; genomsyra **c**) genomborra **d**) göra slut på [~ *through one's fortune*]

run to a) skynda (ila) till [~ *to his help*] **b**) uppgå till, gå på [*that will ~ to a pretty sum*] **c**) omfatta [*the story ~s to 5,000 words*]; komma upp till (i) **d**) vard. ha råd med (till); ***my income doesn't ~ to it*** min inkomst räcker inte till det

run up a) springa (löpa) uppför **b**) sport. ta sats **c**) växa [upp], skjuta (ränna, rusa) i höjden, gå upp, öka [snabbt]; ~ ***up an account with*** skaffa sig konto hos; ~ ***up a debt*** dra på sig (skaffa sig) skulder **d**) om vikt, pris m.m., ~ ***up to*** ligga på, uppgå till, nå **e**) fara (resa) in [~ *up to town* (*London*)] **f**) ~ ***up against*** stöta på [~ *up against difficulties*; ~ *up against a friend*]; råka 'på (in i) **g**) smälla (smäcka) upp [~ *up a house*] **h**) summera, addera [~ *up a column of figures*]

IV *s* **1** löpning, lopp; språng; språngmarsch; ***have a ~*** [vara ute och] springa; ***have a ~ for one's money*** a) få valuta för pengarna b) få en hård match; ***at a*** (***the***) ***~*** i språngmarsch, springande; mil. med språng; ***on the ~*** vard. på flykt, på rymmen **2** ansats för hopp; ***take a ~*** ta sats **3** sport.: kricket. o.d. 'run', poäng **4** kort färd; resa, körning; ***trial ~*** se *trial run*; ***a ~ in the car*** en [liten] biltur (åktur) **5** rutt, väg, runda **6 a**) tendens [*the ~ of the market*] **b**) riktning; sträckning **c**) förlopp; gång, rytm; ***the daily ~ of affairs*** den dagliga rutinen; ***in the normal ~ of events*** under normala förhållanden **7** serie, följd, räcka [*a ~ of misfortunes*]; period [*a ~ of good weather*]; ***have a good ~*** ha framgång, gå bra; ***have a long ~*** a) vara på modet länge b) om pjäs el. film gå länge; ***a ~ of good*** (***bad***) ***luck*** ständig tur (otur); ***in the long ~*** i längden, i det långa loppet, på lång sikt **8** plötslig (stegrad) efterfrågan [*there was a ~ on* (på) *copper*]; rusning **9 the common** (***ordinary, general***) **~ of mankind** (***men***) vanligt folk, vanliga människor **10** inhägnad, rastgård för djur, jfr *chicken run* **11** vard. fritt tillträde, tillgång [*of* till] **12** [löp]maska på strumpa o.d.

runabout ['rʌnəbaʊt] *s* liten lätt bil (vagn)

runaround ['rʌnəraʊnd] *s* vard., [*I asked for a raise and*] ***she gave me the ~*** ...hon försökte bara att slingra sig [undan], ...hon kom med [en massa] undanflykter; ***give sb the ~*** äv. ställa till trassel för ngn

runaway ['rʌnəweɪ] **I** *adj* förrymd; bortsprungen; skenande [*a ~ horse*]; ~ **inflation** galopperande (skenande) inflation; ~ **victory** överlägsen seger
II *s* **1** flykting, rymmare, desertör **2** skenande häst
rundown ['rʌndaʊn] *s* vard. sammandrag [*on* av], rapport [*on* om]
run-down [,rʌn'daʊn] *adj* **1** slutkörd, överansträngd; nedgången; medtagen; trött och nere **2** nerkörd [*a ~ car*]; förfallen
rune [ru:n] *s* runa
1 rung [rʌŋ] perf. p. av *2 ring*
2 rung [rʌŋ] *s* **1** pinne på stege, steg; **start on the lowest ~** [*of the ladder*] bildl. starta från botten [av samhällsstegen] **2** tvärpinne mellan stolsben
run-in ['rʌnɪn] *s* **1** vard. kontrovers, fajt, bråk, gräl [*have a ~ with the boss*] **2** inflygning mot mål **3** inledning, upptakt **4** kapplöpn. o.d. upplopp, slut
runner ['rʌnə] *s* **1** sport. o.d. löpare; **do a ~** vard. smita **2 a)** sjö. snällseglare **b)** blockadbrytare **c)** smugglare ofta i sammansättn. **3** med på släde o.d.; [skridsko]skena **4** bot. **a)** reva, utlöpare, skott **b)** växt som förökar sig genom utlöpare **5** gångmatta; [**central**] ~ [bord]löpare **6** bud, budbärare; mil. ordonnans **7** agent; kundvärvare; inkasserare
runner bean ['rʌnəbi:n] *s* bot. rosenböna
runner-up [,rʌnər'ʌp] (pl. *runners-up* [,rʌnəz'ʌp]) *s*, **be ~** komma på andra plats, bli tvåa
running ['rʌnɪŋ] **I** *s* **1 a)** springande, löpande; lopp **b)** gång [*the smooth ~ of an engine*]; **make the ~** vid löpning bestämma farten, leda; bildl. ha initiativet, leda; ange tonen; **make all the ~** vard. hålla det hela i gång ensam, sköta hela ruljangsen själv; **take up the ~** ta ledningen äv. bildl.; **be in the ~** vara med i leken (tävlingen); **be in the ~ for** vara med i tävlingen (kapplöpningen) om, komma i fråga för; **be out of the ~** vara ur leken (spelet, räkningen), vara utan utsikt att vinna **2** kraft[er] att springa [i kapp] **3** körförhållanden, löpningsförhållanden o.d., bana [*the ~ is good*]; före
II *pres p* o. *adj* **1** löpande, springande; rinnande [~ *water*]; flytande etc., jfr *run I*; **in good ~ order** körklar och i gott skick, i god trim **2** [fort]löpande; i följd (rad, sträck) [*three times* (*days*) ~] **3** löpande, pågående; **the ~ month** äv. innevarande månad
running account [,rʌnɪŋə'kaʊnt] *s* löpande räkning
running commentary [,rʌnɪŋ'kɒmənt(ə)rɪ] *s* fortlöpande kommentar, direktreferat i radio el. tv; **keep up a ~ on** fortlöpande (hela tiden) kommentera
running costs [,rʌnɪŋ'kɒsts] *s pl* löpande utgifter, driftskostnader
running gag [,rʌnɪŋ'gæg] *s* sl., **a ~** ett stående skämt
running joke [,rʌnɪŋ'dʒəʊk] *s*, **a ~** ett stående skämt
running jump ['rʌnɪŋdʒʌmp] *s*, **take a ~** hoppa med [an]sats; **take a ~ at yourself** släng dig i väggen!; **tell him to take a ~** [*at himself*] vard. säg åt honom att dra åt skogen (gå och hänga sig)!
running mate ['rʌnɪŋmeɪt] *s* amer. parhäst, vicepresidentkandidat
running order ['rʌnɪŋ,ɔːdə] *s* körschema i t.ex. show, tv-program
running repairs [,rʌnɪŋrɪ'peəz] *s pl* löpande underhåll

running sore [,rʌnɪŋ'sɔː] *s* **1** varigt (vätskande) sår, sår som vätskar sig **2** bildl. blödande (öppet) sår
running start [,rʌnɪŋ'stɑːt] *s* sport. el. bildl. flygande start
running time ['rʌnɪŋtaɪm] *s* körtid; films speltid
runny ['rʌnɪ] *adj* vard. rinnande, droppande [*a ~ nose*]; lös, tunn, för litet kokt [*a ~ egg*]
run-off ['rʌnɒf] *s* **1** avrinning **2** sport. omtävling, omlöpning, omspel; slutspel **3** bildl. avgörande [omgång] **4** amer., ~ **primary** nytt primärval, omval
run-of-the-mill [,rʌnəvðə'mɪl] *adj* ordinär, medelmåttig, genomsnitts- [*a ~ performance*]
runt [rʌnt] *s* vard. el. neds. puttefnask, liten skit
run-through ['rʌnθru:] *s* [snabb] repetition; snabbgenomgång
run-up ['rʌnʌp] *s* **1** sport. sats, ansats **2** bildl. inledning, upptakt
runway ['rʌnweɪ] *s* **1** flyg. startbana, landningsbana **2** amer. catwalk podium vid modevisning o.d.
rupee [ru:'pi:, rʊ'p-] *s* rupie myntenhet
rupture ['rʌptʃə] **I** *s* **1 a)** bristning i jordytan m.m., ruptur, rämna, klyfta **b)** [sönder]brytande, bristning **2** bildl. brytning **3** med. ruptur, bristning; bråck
II *vb itr* brista
III *vb tr* spräcka, spränga
rural ['rʊər(ə)l] *adj* lantlig [~ *idyll*]; lant- [~ *postman*]; lands-; lantmanna-; lantbruks-; **the ~ population** folket på landsbygden, landsbygdsbefolkningen; ~ **schools** skolor på landet; **in ~ parts** el. **in ~ districts** på landsbygden
rural dean [,rʊər(ə)l'di:n] *s* kontraktsprost
rural life [,rʊər(ə)l'laɪf] *s* lantliv[et], liv[et] på landet
ruse [ru:z] *s* list, knep, fint
1 rush [rʌʃ] **I** *vb itr* **1** rusa, storma, störta, störta sig [*into* i i, i], bildl. äv. kasta sig [*into* in i], jäkta; ~ **at** rusa 'på (mot), störta sig över; storma fram mot **2** forsa, rusa, brusa [fram], välla, strömma [*a river ~es past*]
II *vb tr* **1** störta [~ *the nation into war*]; driva; rusa (jaga, störta) i väg med, föra i all hast (i ilfart) [*she was ~ed to hospital*]; forcera, driva (skynda, jäkta) 'på [äv. ~ *on* el. ~ *up*]; ~ **a bill through** trumfa igenom (forcera behandlingen av) ett lagförslag; ~ **an order through** snabbexpediera en beställning; ~ **sb off his feet a)** bringa ngn ur fattningen **b)** få ngn att springa benen av sig; **don't ~ me!** jäkta mig inte!; **don't try to ~ things** försök inte att skynda på (forcera) saken **2** mil. el. bildl. storma, välla in över (invadera) och ockupera [~ *a platform*]; kasta sig över, angripa, gå lös på **3** kasta (störta) sig över, forcera [~ *a fence*; ~ *a stream*]
III *s* **1** rusning, rush, tillströmning [*on, to, into* till]; anstormning, framstormande, framstörtande, anlopp, anfall [*at* mot]; **the Christmas ~** julrushen, julbrådskan; **gold ~** guldrush, guldfeber; **a ~ on the dollar** [en] livlig efterfrågan på dollarn, rusning efter dollarn; **make a ~ a)** rusa fram **b)** skynda sig **2** jäkt, jäktande [äv. ~ *and tear*]; brådska; **be in a ~** ha det jäktigt, ha bråttom; **it was a bit of a ~** det var lite jäktigt; **what's all the ~?** varför har ni så bråttom?, vad jäktar ni för? **3** [fram]brusande, framvällande, forsande; **there was a ~ of blood to his**

head blodet rusade åt huvudet på honom **4** film., pl.
~es arbetskopia, direktkopia
2 rush [rʌʃ] *s* bot. säv; tåg[växt]
rush hour ['rʌʃ,auə] *s*, ***the*** ~ rusningstid[en]; ***the***
five-o'clock ~ femrusningen; ~ ***traffic*** rusningstrafik
rush job [,rʌʃ'dʒɒb] *s* **1** brådskande jobb **2** hastverk
rusk [rʌsk] *s* skorpa bakverk
russet ['rʌsɪt] **I** *adj* rödbrun; gulbrun **II** *s* rödbrunt,
gulbrunt
Russia ['rʌʃə] geogr. Ryssland
Russian ['rʌʃ(ə)n] **I** *adj* rysk
   II *s* **1** ryss; ryska kvinna **2** ryska [språket]
Russian roulette [,rʌʃ(ə)nru'let] *s* rysk roulett
Russian salad [,rʌʃ(ə)n'sæləd] *s* legymsallad
Russo- ['rʌsəu] i sammansättn. rysk- [*Russo-Japanese*]
rust [rʌst] **I** *s* rost på metaller, växter
   II *vb itr* rosta, bli rostig; ~ ***away*** rosta sönder
   III *vb tr* göra rostig
rustic ['rʌstɪk] **I** *adj* lantlig, lant-, bonde-; rustik; ~
style allmogestil, rustik stil **II** *s* lantbo; neds. bonde,
bondtölp
rustle ['rʌsl] **I** *vb itr* **1** prassla, rassla **2** röra sig med
ett prasslande (rasslande, frasande) ljud [ofta ~
along] **3** vanl. amer. vard. stjäla boskap
   II *vb tr* **1** prassla (rassla, frasa) med **2** vanl. amer.
vard. stjäla [~ *cattle*] **3** vard., ~ ***up*** skaffa [fram],
ordna, fixa [~ *up some food*]
   III *s* prassel, rassel, fras[ande]; sus
rustler ['rʌslə] *s* vanl. amer. boskapstjuv
rustproof ['rʌstpru:f] *adj* rostbeständig, rostfri
rusty ['rʌstɪ] *adj* **1** rostig; rostfläckig **2** rostfärgad
3 a) om person stel, ur form, otränad [*a bit* ~ *at
tennis*]; ringrostig b) försummad, rostig; ***get*** ~ el.
grow ~ ligga av sig [*she has got* (*grown*) ~ *in Latin*];
komma ur form
1 rut [rʌt] *s* hjulspår äv. bildl.; slentrian; ***get*** (***fall***) ***into
a*** ~ fastna i slentrian, fastna (gå) i gamla hjulspår
(spår)
2 rut [rʌt] *s* brunst[tid]
rutabaga [,ru:tə'beɪgə] *s* amer. bot. kålrot
Ruth [ru:θ] kvinnonamn
ruthless ['ru:θləs] *adj* obarmhärtig, skoningslös,
hänsynslös [*to mot*], utan medömkan [*to med*]
rutted ['rʌtɪd] *adj* med [djupa] hjulspår [i],
sönderkörd, gropig [*a ~ road*]
rutting ['rʌtɪŋ] *adj* om hjort, get m.fl. brunstig; ~ ***season***
el. ~ ***time*** brunsttid
RV [,ɑ:'vi:] *s* amer. (förk. för *recreational vehicle*)
husbil, campingbil
Rx [,ɑ:r'eks] *s* amer. recept äv. bildl.
rye [raɪ] *s* **1** råg **2** i amer., ~ el. ~ ***whiskey*** whisky gjord
på råg **3** rågbröd [äv. ~ *bread*]
Ryvita® [raɪ'vi:tə] *s* ryvita® slags knäckebröd

1 S, s [es] (pl. *S's* el. *s's* ['esɪz]) *s* **1** S, s **2 *S*** s-formig
krök [*the river makes a great S*]
2 S [es] **1** förk. för *Saint, Saturday, Southern*
(postdistrikt i London), *south, southern, Sunday* **2** (förk.
för *Small*) S beteckning för storleken liten i klädesplagg
$ = *dollar* o. *dollars*
's [s, z] **1** = *has* [*what's he done?*] **2** = *is* [*it's, she's*]
3 = *does* [*what's he want?*] **4** = *us* [*let's see*]
s. förk. för *second*[s], *section, see, shilling*[s],
singular, substantive
SA 1 förk. för *Salvation Army, South Africa, South
America* **2** vard. förk. för *sex appeal*
Saar [sɑ:] geogr., ***the*** ~ a) Saar[området] b) Saar floden
Sabbath ['sæbəθ] *s*, ***the*** ~ sabbat[en]; vilodag[en]; ~
day sabbatsdag, vilodag
sabbatical [sə'bætɪk(ə)l] **I** *adj* sabbats-; ~ ***year*** el. ~
leave spec. univ. sabbatsår **II** *s* spec. univ. sabbatsår; ***be
on*** ~ ha sabbatsår
sable ['seɪbl] **I** *s* **1** zool. sobel **2** sobelskinn; sobelpäls
   II *adj* sobel-
sabotage ['sæbətɑ:ʒ] **I** *s* sabotage **II** *vb tr* sabotera
[~ *a meeting*]; utsätta för sabotage
saboteur [,sæbə'tɜ:] *s* sabotör
sabre ['seɪbə] *s* sabel
sabre-rattling ['seɪbə,rætlɪŋ] bildl. **I** *s* sabelskrammel
   II *adj* sabelskramlande
sac [sæk] *s* zool. el. bot. säck
saccharin ['sækərɪn, -ri:n] *s* kem. sackarin
saccharine ['sækəri:n] *adj* sackarin-, socker-; bildl.
sockersöt, sirapssöt, sirapss- [*a ~ smile*]
sachet ['sæʃeɪ] *s* **1** doftpåse **2** [plast]kudde med
schampo, badolja o.d. **3** [liten] påse, portionspåse för te,
kaffe m.m.
1 sack [sæk] **I** *s* **1** säck äv. som mått, amer. äv. påse,
plastkasse **2** vard., ***get the*** ~ få sparken, få avsked
på grått papper; ***give sb the*** ~ sparka ngn **3** åld. el.
vard., ***hit the*** ~ krypa till kojs, gå och knyta sig; ***get***
(***climb, jump***) ***into the*** ~ ***with sb*** vanl. amer. hoppa i
säng med ngn
   II *vb tr* vard. sparka, avskeda
   III *vb itr* amer. sl., ~ ***out*** gå och slagga, krypa till kojs
2 sack [sæk] **I** *s* plundring **II** *vb tr* plundra [och
härja i]
sackcloth ['sækklɒθ] *s* säckväv, säckduk; ***in*** ~ ***and
ashes*** i säck och aska
sackful ['sækfʊl] *s* som mått säck [*of* med]
sacking ['sækɪŋ] *s* **1** vard. avskedande **2** säckväv
sack race ['sækreɪs] *s* säcklöpning
sacrament ['sækrəmənt] *s* kyrkl. sakrament; ***the
Sacrament*** [den heliga] nattvarden [äv. *the Holy
Sacrament*; *the Blessed Sacrament*]
sacramental [,sækrə'mentl] *adj* sakramental,
sakraments-; nattvards- [~ *wine*]
sacred ['seɪkrɪd] *adj* **1** helgad, invigd [*to* åt, till]; ~
to äv. ägnad [åt]; förbehållen **2** helig [*to sb* för ngn;
a ~ book; *a ~ duty*]; okränkbar [~ *rights*] **3** religiös

[~ *poetry*]; andlig [~ *songs*]; kyrklig, kyrko-, sakral [~ *music*]; högtidlig

sacred cow [,seɪkrɪd'kaʊ] s vard. helig ko

sacrifice ['sækrɪfaɪs] **I** s **1** offer; offrande **2** uppoffring; uppoffrande; *at* (*by*) *the ~ of* på bekostnad av, med uppoffrande av **II** *vb tr* **1** offra [*to* åt] **2** uppoffra, offra [*for*, *to* för] **III** *vb itr* offra [*to* åt]

sacrificial [,sækrɪ'fɪʃ(ə)l] *adj* offer- [~ *animal*]

sacrilege ['sækrɪlɪdʒ] s ofta bildl. helgerån, vanhelgande

sacrilegious [,sækrɪ'lɪdʒəs] *adj* ofta bildl. som begår helgerån, vanhelgande, skändlig

sacristy ['sækrɪstɪ] s kyrkl. sakristia

sacrosanct ['sækrə(ʊ)sæŋ(k)t] *adj* sakrosankt, okränkbar, helig

sad [sæd] *adj* **1** ledsen, sorgsen; ~ *to say,...* tyvärr... **2** sorglig [*a ~ day*; *a ~ fate*]; tråkig **3** vard. bedrövlig [*in a ~ state*]; trist; *the ~ truth is that* [*we can't afford to help them*] den bistra sanningen är att...

sadden ['sædn] **I** *vb tr* göra ledsen (sorgsen) **II** *vb itr* bli ledsen (sorgsen)

saddle ['sædl] **I** s sadel; ~ *of mutton* kok. fårsadel; *be* (*sit*) *firmly in the ~* bildl. sitta säkert i sadeln; *get into the ~* stiga upp i sadeln, sitta upp **II** *vb tr* **1** sadla; ~ *up* sadla på **2** bildl. betunga, belasta [*with* med]; ~ *sth on sb a*) se *saddle sb with sth* under *saddle II 2* nedan b) skjuta (lägga) skulden för ngt på ngn; ~ *sb with sth* lägga (lasta) på ngn ngt

saddlebag ['sædlbæg] s **1** sadelficka, sadelpåse **2** verktygsväska på cykel; cykelväska, packväska

saddlecloth ['sædlklɒθ] s sadeltäcke, vojlock

saddler ['sædlə] s sadelmakare

saddlery ['sædlərɪ] s sadelmakeri

saddle shoe ['sædlʃuː] s amer. tvåfärgad sko där tå o. häl har en annan färg än resten av skon

saddle-sore ['sædlsɔː] *adj* som har ridsår; *get ~* få ridsår

Sadie ['seɪdɪ] smeknamn för *Sarah*

sadism ['seɪdɪz(ə)m] s sadism äv. psykol.

sadist ['seɪdɪst] s sadist

sadistic [sə'dɪstɪk] *adj* sadistisk äv. psykol.

sadly ['sædlɪ] *adv* **1** sorgset **2** ~, [*I must admit*] tråkigt nog...; *be ~ in need of* vara i stort behov av; [*if you think he's going to help you again,*] *you're ~ mistaken* ...så har du helt tagit fel

sadness ['sædnəs] s sorgsenhet

sadomasochism [,seɪdəʊ'mæzəkɪzm] s psykol. sado-masochism

sae [,eseɪ'iː] (förk. för *stamped addressed envelope*) frankerat svarskuvert

safari [sə'fɑːrɪ] s safari

safari jacket [sə'fɑːrɪ,dʒækɪt] s safarijacka

safari park [sə'fɑːrɪpɑːk] s safaripark

safe [seɪf] **I** *adj* **1 a**) säker, trygg [*from* för; *in a ~ place*; *feel ~*]; utom fara **b**) riskfri, ofarlig; *not ~* äv. inte [till]rådlig; *at a ~ distance* på behörigt (säkert) avstånd; *to be on the ~ side* för att vara på den säkra sidan, för säkerhets skull; [*they preferred*] *to be on the ~ side* ...att ta det säkra för det osäkra; *better* [*to be*] *~ than sorry* bäst att ta det säkra för det osäkra, bäst att inte ta onödiga risker; *it is ~ to say that...* man kan lugnt (tryggt) säga att...; *play ~*

el. *play it ~* ta det säkra för det osäkra; gardera sig **2** ~ el. ~ *and sound* (*well*) välbehållen, oskadd; *arrive ~* [*and sound*] anlända välbehållen (lyckligt [och väl]) **3** säker, pålitlig [*a ~ method*]; som man kan lita på; *as ~ as houses* se under *house I 1* **II** s **1** kassaskåp **2** amer. sl. kondom

safe-breaker ['seɪf,breɪkə] s kassaskåpstjuv

safe conduct [,seɪf'kɒndʌkt] s **1** [fri] lejd **2** lejdebrev, pass

safe-cracker ['seɪf,krækə] s kassaskåpstjuv

safe-deposit ['seɪfdɪ,pɒzɪt] s kassavalv, bankvalv

safe-deposit box ['seɪfdɪ,pɒzɪtbɒks] s bankfack

safeguard ['seɪfgɑːd] **I** *vb tr* garantera, säkra, trygga, skydda **II** s garanti, säkerhet, skydd; säkerhetsanordning

safe haven [,seɪf'heɪv(ə)n] s skyddad zon, skyddszon

safe house [,seɪf'haʊs] s gömställe för t.ex. flykting

safe-keeping [,seɪf'kiːpɪŋ] s förvar, förvaring; säkert förvar; *leave sth for ~* lämna ngt i förvar

safely ['seɪflɪ] *adv* säkert, tryggt, utan fara (risk); lyckligt och väl; i gott skick; *it may ~ be said that...* man kan lugnt (tryggt) säga att...

safe passage [,seɪf'pæsɪdʒ] s **1** [fri] lejd **2** lejdebrev, pass

safe period [,seɪf'pɪərɪəd] s säker period under menstruationscykeln

safe sex [,seɪf'seks] s säker sex med skyddsmedel mot sjukdomar

safety ['seɪftɪ] s säkerhet, trygghet; ofarlighet [*the ~ of an experiment*]; *Safety First* säkerheten framför allt; *there is ~ in numbers* ung. ju fler man är desto tryggare känner man sig; *for ~* el. *for ~'s sake* för säkerhets skull

safety belt ['seɪftɪbelt] s säkerhetsbälte, bilbälte

safety catch ['seɪftɪkætʃ] s säkring på vapen, [säkerhets]spärr; *release the ~* osäkra [vapnet (geväret o.d.)]

safety chain ['seɪftɪtʃeɪn] s säkerhetskedja

safety curtain ['seɪftɪ,kɜːtn] s teat. järnridå

safety-deposit ['seɪftɪdɪ,pɒzɪt] se *safe-deposit*

safety glass ['seɪftɪglɑːs] s splitterfritt glas

safety helmet ['seɪftɪ,helmɪt] s cykelhjälm

safety island ['seɪftɪ,aɪlənd] s amer. trafik. refug

safety jacket ['seɪftɪ,dʒækɪt] s flytväst

safety match ['seɪftɪmætʃ] s [säkerhets]tändsticka

safety net ['seɪftɪnet] s säkerhetsnät äv. bildl.

safety pin ['seɪftɪpɪn] s säkerhetsnål

safety razor ['seɪftɪ,reɪzə] s rakhyvel

safety valve ['seɪftɪvælv] s säkerhetsventil äv. bildl. [*for* för]; *sit on the ~* undertrycka oppositionen

saffron ['sæfr(ə)n] **I** s **1** saffran **2** saffransgult **II** *adj* saffransgult

sag [sæg] **I** *vb itr* **1** svikta, ge efter [*the plank ~ged under his weight*]; sjunka, sätta sig, bågna [*the roof has ~ged*] **2 a**) hänga [ojämnt] [*her skirt is ~ging*]; hänga slappt (löst); *~ging breasts* hängbröst **b**) slutta [*~ging shoulders*] **c**) vara (bli) påsig [*her cheeks are beginning to ~*] **3** bildl. sjunka, dala [*prices* (*our spirits*) *began to ~*]; mattas [*his novel ~s at the end*] **II** s **1** sjunkande, sättning; insjunkning; sänka; fördjupning, grop **2** bildl. nedgång, [pris]fall; avmattning

saga ['sɑ:gə] *s* **1** fornnordisk saga **2** släktkrönika, [historisk] krönika **3** vard. fantastisk historia [*of om*]

sagacious [sə'geɪʃəs] *adj* skarpsinnig, klok

sagacity [sə'gæsətɪ] *s* skarpsinne, klokhet

sag bag ['sægbæg] *s* stor sittsäck fylld med bönor

1 sage [seɪdʒ] *s* bot. el. kok. salvia

2 sage [seɪdʒ] **I** *adj* vis, klok, förståndig; iron. snusförnuftig **II** *s* vis man

sagebrush ['seɪdʒbrʌʃ] *s* amer., slags malört

Sagebrush State [ˌseɪdʒbrʌʃ'steɪt], **the** ~ beteckn. för staten *Nevada*

Sagittarius [ˌsædʒɪ'teərɪəs] *s* o. *adj* astrol. Skytten; **he is a** ~ el. **he's** ~ han är skytt

sago ['seɪɡəʊ] *s* sago; [äkta] sagogryn

Sahara [sə'hɑːrə] geogr., **the** ~ Sahara[öknen]

said [sed] **I** imperf. o. perf. p. av *say* **II** *adj* spec. jur. sagd, [förut] bemäld (nämnd) [*the* ~ *Mr Smith*]

sail [seɪl] **I** *vb itr* **1** segla; om fartyg äv. gå; **be out ~ing** vara ute och segla (ute på seglats); ~ **into harbour** segla i hamn; ~ **through sth** bildl. klara av ngt lekande lätt (som ingenting); ~ **home the winner** vard. komma in som etta, segra lätt **2** [av]segla; avgå [*for* till] **3** sväva, flyga, segla [~ *through the air*]; skrida; **she ~ed in** hon kom inseglande **II** *vb tr* **1** segla [~ *a boat*] **2** segla på, befara [~ *the seven seas*] **III** *s* **1** segel; **set** ~ hissa (sätta) segel; **set** ~ **for** avsegla (avgå) till; **strike** ~ hala segel; bildl. ge tappt; **take in** ~ bärga segel **2** seglats, segling [*two days'* ~]; segeltur, [segel]färd

sailboard ['seɪlbɔːd] *s* vindsurfingbräda

sailboarding ['seɪlˌbɔːdɪŋ] *s* vindsurfing

sailboat ['seɪlbəʊt] *s* amer. segelbåt

sailcloth ['seɪlklɒθ] *s* segelduk

sailer ['seɪlə] *s* om fartyg seglare [*a bad* ~]; segelfartyg; **fast** ~ snabbseglare; snällseglare; [*the yacht*] **is a good** ~ ...seglar bra (är en bra seglare)

sailing ['seɪlɪŋ] **I** *s* **1** segling **2** avgång, avsegling; **list of ~s** [båt]turlista **II** *adj* seglande; segel- [*a* ~ *canoe*]

sailing boat ['seɪlɪŋbəʊt] *s* segelbåt

sailing ship ['seɪlɪŋʃɪp] *s* o. **sailing vessel** ['seɪlɪŋˌvesl] *s* segelfartyg

sailor ['seɪlə] *s* sjöman; matros; ~**'s knot** råbandsknop, sjömansknop; **be a bad** ~ ha lätt för att bli sjösjuk; **be a good** ~ tåla sjön bra

sailor hat ['seɪləhæt] *s* matroshatt för barn el. dam

sailor|man ['seɪlə|mæn] (pl. *-men* [-men]) *s* vard. el. skämts. sjöman

sailor suit ['seɪləsuːt] *s* sjömanskostym för barn

sailplane ['seɪlpleɪn] *s* segelflygplan

Saint [seɪnt, obeton. sən(t), sn(t)] (förk. *StS*) *adj* framför namn Sankt[a], Helige, Heliga; se för övrigt under resp. namn el. under uppslagsord med *St*

saint [seɪnt, obeton. sən(t), sn(t)] *s* helgon äv. bildl.; **the ~s** äv. de saliga; bibl. de heliga

saintly ['seɪntlɪ] *adj* helgonlik, helig, from

saint's day ['seɪntsdeɪ] *s* kyrkl. helgondag, helgons namnsdag

1 sake [seɪk] *s*, **for sb's** (**sth's**) ~ för ngns (ngts) skull, av hänsyn till ngn (ngt); **for the** ~ **of argument** el. **for argument's** ~ för att få i gång diskussionen; **for conscience'** ~ av samvetsskäl, för sitt (mitt etc.) samvetes skull, för att lugna samvetet; **for old friendship's** (**times'**) ~ el. **for old ~'s** ~ för gammal vänskaps skull; **for goodness'** ~ el. **for heaven's** ~ o.d. ex., se resp. ord; **art for art's** ~ konst för konstens egen skull; **die for the** ~ **of one's country** dö för sitt fosterland; **talking for mere talking's** ~ prata för pratandets egen skull

2 sake o. **saké** ['sɑːkɪ] *s* saké japanskt risbrännvin

salable ['seɪləbl] *adj* säljbar, kurant; lättsåld

salacious [sə'leɪʃəs] *adj* **1** slipprig **2** liderlig

salad ['sæləd] *s* **1** [blandad] sallad som rätt; **fruit** ~ fruktsallad; **side** ~ salladstallrik serverad som tillbehör **2** [grön]sallad äv. växt

salad cream ['sælədkriːm] *s* salladssås

salad days ['sælədeɪz] *s pl*, **my** ~ min gröna ungdom

salad dressing ['sælədˌdresɪŋ] *s* salladsdressing

salad spinner ['sælədˌspɪnə] *s* salladsslunga

salamander ['sæləˌmændə] *s* zool. el. mytol. salamander, mytol. äv. eldande

salami [sə'lɑːmɪ] *s* **1** salami[korv] **2** polit., ~ **tactics** salamitaktik, osthyvelprincipen

sal ammoniac [ˌsælə'məʊnɪæk] *s* kem. ammoniumklorid, salmiak

salaried ['sælərɪd] *adj* [fast] avlönad; **the** ~ **classes** tjänstemannagruppen; ~ **employee** tjänsteman

salary ['sælərɪ] *s* [månads]lön; ~ **differential** löneskillnad; **earn** (**get, be on**) **a quite good** ~ ha en hyfsad lön

sale [seɪl] *s* **1** försäljning; avsättning; **conditions of** ~ försäljningsvillkor; **for** ~ till salu (försäljning); **put up for** ~ el. **offer for** ~ bjuda ut till försäljning, saluföra, salubjuda; **on** ~ a) till salu, att köpa [*on* ~ *in most shops*] b) amer. på rea (realisation); **on** ~ **or return** med returrätt **2** realisation, rea; **bargain** ~ utförsäljning till vrakpriser; **clearance** ~ utförsäljning, lagerrensning; utskottsförsäljning; [**buy sth**] **at the ~s** ...på realisation (rea) **3** auktion **4** pl. ~**s** a) försäljning[en], omsättning[en] b) attr. försäljnings- c) försäljningsavdelning[en]

saleable ['seɪləbl] *adj* se *salable*

Salem ['seɪləm, -em] geogr.

saleroom ['seɪlruːm] *s* se *salesroom*

sales assistant ['seɪlzəˌsɪstənt] *s* o. amer. **salesclerk** ['seɪlzklɜːk] *s* expedit, affärsbiträde

sales department ['seɪlzdɪˌpɑːtmənt] *s* försäljningsavdelning

salesgirl ['seɪlzgɜːl] *s* äld., se *saleswoman 2*

sales|man ['seɪlz|mən] (pl. *-men* [-mən]) *s* **1** representant, säljare för firma **2** expedit, affärsbiträde, försäljare

sales manager ['seɪlzˌmænɪdʒə] *s* försäljningschef

salesmanship ['seɪlzmənʃɪp] *s* försäljningsteknik; **the art of** ~ konsten att sälja

sales|person ['seɪlzˌpɜːsn] (pl. *-people* [-ˌpiːpl]) *s* **1** representant, säljare för firma **2** expedit, affärsbiträde

sales pitch ['seɪlzpɪtʃ] *s* säljsnack, försäljningsargument pl.

sales promotion ['seɪlzprəˌməʊʃ(ə)n] *s* sales promotion, säljfrämjande åtgärder, säljstöd

sales rep ['seɪlzrep] *s* vard. förk. för *sales representative*

sales representative ['seɪlz₁reprɪ'zentətɪv] s [för]säljare, representant

salesroom ['seɪlzruːm] s **1** auktionslokal **2** försäljningslokal

sales slip ['seɪlzslɪp] s amer. [kassa]kvitto

sales talk ['seɪlztɔːk] s säljsnack, försäljningsargument pl.

sales tax ['seɪlztæks] s allmän varuskatt; ung. omsättningsskatt

sales|woman ['seɪlz₁wʊmən] (pl. -women [-₁wɪmɪn]) s **1** [kvinnlig] representant (säljare) för firma **2** [kvinnlig] försäljare, expedit, affärsbiträde

salicylic acid ['sælɪ₁sɪlɪk'æsɪd] s kem. salicylsyra

salient ['seɪlɪənt] adj [starkt] framträdande [a ~ feature (point)]

saline ['seɪlaɪn] **I** s saltlösning **II** adj salt-; saltaktig, salthaltig

salinity [sə'lɪnətɪ] s salthalt, sälta

Salisbury ['sɔːlzb(ə)rɪ, 'sɒlz-] geogr.

saliva [sə'laɪvə] s saliv, spott

salivary ['sælɪvərɪ, sə'laɪvərɪ] adj saliv-, spott-

salivary glands ['sælɪvərɪglændz] s pl spottkörtlar

salivate ['sælɪveɪt] vb itr avsöndra saliv; bildl. dregla

1 sallow ['sæləʊ] adj spec. om hy gulblek

2 sallow ['sæləʊ] s bot. sälg

Sally ['sælɪ] smeknamn för Sarah

sally ['sælɪ] **I** s **1** infall, kvickhet **2** mil. utfall [make a ~]
II vb itr **1** ~ forth el. ~ out fara (bege sig) ut (i väg) **2** mil. göra utfall [ofta ~ out]

Sally Army [₁sælɪ'ɑːmɪ] s vard., the ~ frälsis Frälsningsarmén

salmon ['sæmən] (pl. salmon) s zool. lax

salmonella [₁sælmə'nelə] s med. salmonella

salmon-pink [₁sæmən'pɪŋk] adj laxrosa

salmon trout ['sæməntraʊt] (pl. salmon trout) s zool. laxöring

salon ['sælɒn] s salong [literary ~; beauty ~]; konstsalong

saloon [sə'luːn] s **1** bil. sedan **2** se saloon bar **3** salong [billiard (shaving) ~; sjö. dining ~]; sal i hotell o.d. **4** amer. saloon, krog

saloon bar [sə'luːnbɑː] s, the ~ i pub den 'finaste' avdelningen

saloon car [sə'luːnkɑː] s bil. sedan

Salop ['sæləp] geogr., se Shropshire

salsa ['sælsə] s mus. el. kok. salsa

salsify ['sælsɪfɪ] s bot. haverrot; black ~ svartrot

SALT [sɔːlt] (förk. för Strategic Arms Limitation Talks el. Treaty) SALT förhandlingar om begränsning av strategiska vapen

salt [sɔːlt, sɒlt] **I** s **1** salt äv. kem. el. bildl.; common ~ koksalt; be worth (not be worth) one's ~ göra skäl (inte göra skäl) för sin lön (för sig, för maten); rub ~ into sb's (into the) wounds strö salt i såren på ngn; the ~ of the earth bildl. jordens salt; take sth with a pinch (grain) of ~ ta ngt med en nypa salt **2** saltkar **3** pl. ~s a) vard., se smelling salts, bath salts b) med. [bitter]salt [Epsom ~s]
II adj salt, salt-; saltad
III vb tr **1 a)** salta, strö salt på (i) **b)** salta in (ned) [äv. ~ down]; ~ away [money] vard. lägga undan..., samla på hög... **2** vard. salta [~ a bill]

salt cellar ['sɔːlt₁selə] s saltkar; saltströare

saltpetre [₁sɔːlt'piːtə] s salpeter

salt shaker ['sɔːlt₁ʃeɪkə] s amer. saltkar, saltströare

salt tablet ['sɔːlt₁tæblət] s salttablett

salt truck ['sɔːlttrʌk] s amer. vard. sandbil

saltwater ['sɔːlt₁wɔːtə] adj saltvattens-, havs- [~ fish]; ~ bath med. saltbad

salty ['sɔːltɪ] adj salt, saltaktig, salthaltig

salubrious [sə'luːbrɪəs, sə'ljuː-] adj hälsosam

salutary ['sæljʊt(ə)rɪ] adj nyttig, hälsosam [~ exercise; a ~ lesson (läxa)]; välgörande [~ influence]

salutation [₁sæljʊ'teɪʃ(ə)n] s **1** hälsning [she raised her hand in (till) ~] **2** hälsningsfras i brev o.d.

salute [sə'luːt, sə'ljuːt] **I** vb tr **1** hälsa **2** mil. göra honnör för, hälsa **3** mil. salutera
II vb itr **1** hälsa **2** mil. göra honnör, hälsa; salutera
III s **1** hälsning med gest, mössa e.d. **2** mil. honnör, hälsning; take the ~ ta emot [den förbimarscherande] truppens hälsning **3** mil. salut; exchange ~s salutera varandra

salvage ['sælvɪdʒ] **I** s **1** bärgning, räddning från skeppsbrott o.d. **2** bärgat gods [äv. ~ goods] **3 a)** återanvändning, återvinning [collect old newspapers for ~] **b)** [insamling (tillvaratagande) av] avfall (skrot, lump o.d.)
II vb tr **1** bärga, rädda från skeppsbrott o.d.; ~ one's pride rädda (försvara) äran **2** samla in (ta tillvara) [för återanvändning (återvinning)]

salvation [sæl'veɪʃ(ə)n] s frälsning; friare äv. räddning [tourism was their economic ~]; find ~ bli frälst (omvänd)

Salvation Army ['sæl₁veɪʃ(ə)n'ɑːmɪ] (förk. SA) s, the ~ Frälsningsarmén

salve [sælv, sɑːv] **I** s **1** [sår]salva **2** bildl. balsam [to för]; botemedel [for mot]
II vb tr bildl. stilla, mildra, lindra; lugna [ner] [~ one's conscience]

salver ['sælvə] s [serverings]bricka; presenterbricka

salvo ['sælvəʊ] (pl. ~s el. ~es) s **1** mil. **a)** [salut]salva; skottsalva **b)** bombserie **2** bildl. salva, skur [a ~ of questions]; ~ of laughter skrattsalva

Sam [sæm] kortform för Samuel

Samaritan [sə'mærɪtn] s **1** bibl. el. bildl. samarit; the Good ~ den barmhärtige samariten **2** the ~s organisation av frivilliga för människor i behov av hjälp

samba ['sæmbə] **I** s mus. samba **II** vb itr dansa samba

same [seɪm] adj o. adv o. pron **1** the ~ samma; densamma [she is no longer the ~]; detsamma, desamma; samma sak [it is the ~ with me]; likadan [they all look the ~]; lika, likadant, på samma sätt [he treats everybody the ~]; [the] ~ again, please! en till [sådan här], tack!; [the] ~ here! jag med (också)!, samma här!; tack detsamma!; [the] ~ to you! [tack] detsamma!, iron. äv. det kan du vara själv!; he is the ~ as ever han är sig [precis] lik, han är densamme som förr; all the ~ a) i alla fall [thank you all the ~]; ändå, inte desto mindre b) på samma sätt, lika[dant] [he treats them all the ~]; it's all the ~ [to me] det gör [mig] detsamma, det kommer på ett ut; if it's all the ~ to you om du inte har något emot det; om det gör dig detsamma; the very ~ precis (exakt) samma, just den [the very ~

place] **2** *this ~ man* el. *that ~ man* samme man, just
den mannen **3** *~ as* vard. precis (likaväl) som [*he has
to do it ~ as everyone else*] **4** hand. el. jur., *~* el. *the ~*
densamme, denne; dito

sameness ['seɪmnəs] *s* **1** det att vara likadan
(identisk) **2** enformighet, monotoni, enahanda

same-sex ['seɪmseks] *adj* homo- [*~ marriages*; *~
couples*]

samey ['seɪmɪ] *adj* vard. enformig, enahanda;
likadan

Sami ['sɑːmɪ] (pl. *Sami*) *s* same

samosa [sə'məʊsə] (pl. *samosa* el. *~s*) *s* ind. kok.
samosa pirog med kött- el. grönsaksfyllning

samovar ['sæmə(ʊ)vɑː, ‚--'-] *s* samovar

sample ['sɑːmpl] **I** *s* prov; varuprov, provbit;
provexemplar; smakprov äv. bildl.; exempel [*of* på];
statistik. sampel; *take* (*obtain, collect*) *a ~ of* se under
sample II 1
II *vb tr* **1** ta prov (stickprov) på; statistik. sampla
2 smaka av, provsmaka **3** mus. sampla

sampler ['sɑːmplə] *s* **1** sömnad. märkduk
2 provtagare; provsmakare **3** mus. sampler

sampling ['sɑːmplɪŋ] *s* stickprovsundersökning;
sampling äv. elektr. el. mus.

Samuel ['sæmjʊəl, -mjʊl] **1** mansnamn **2** *the First Book
of ~* bibl. Första Samuelsboken

samurai ['sæmʊraɪ] (pl. *samurai*) *s* samuraj

sanatori|um [‚sænə'tɔːrɪ|əm] (pl. *-ums* el. *-a* [-ə]) *s*
1 konvalescenthem **2** sanatorium

sanctify ['sæŋ(k)tɪfaɪ] *vb tr* helga, förklara (göra,
hålla) helig; rättfärdiga

sanctimonious [‚sæŋ(k)tɪ'məʊnɪəs] *adj*
gudsnådelig, skenhelig

sanction ['sæŋ(k)ʃ(ə)n] **I** *s* **1** vanl. pl. *~s* sanktioner
[*economic ~s*] **2** bifall, godkännande, tillstånd av
myndighet o.d., sanktion **3** [moraliskt] stöd, gillande
II *vb tr* **1** bifalla, godkänna, sanktionera;
stadfästa, gilla; *~ed by usage* hävdvunnen **2** ge sitt
[moraliska] stöd åt

sanctity ['sæŋ(k)tətɪ] *s* **1** fromhet, renhet, helighet
2 okränkbarhet, helighet, helgd; *the ~ of private life*
privatlivets helgd

sanctuary ['sæŋ(k)tjʊərɪ] *s* **1** asyl, fristad; skydd,
asylrätt; *seek ~* söka asylrätt; *take ~* söka sin
tillflykt **2** [djur]reservat [*bird ~*]; *nature ~*
naturskyddsområde **3** helgedom, helig plats
4 kyrkl. det allra heligaste

sanctum ['sæŋ(k)təm] *s* lat. helgedom, heligt rum;
sb's ~ vard. ngns allra heligaste (inre rum)

sand [sænd] **I** *s* **1** sand; med. grus; *bury one's head in
the ~* sticka huvudet i busken **2** vanl. pl. *~s*
a) sandstrand, dyner, sandslätt b) sandbank,
sandrev **3** vanl. sg. *~s* sandkorn, sand; *the ~s are
running out* bildl. tiden är snart ute
II *vb tr* **1** *~* el. *~ down* slipa (putsa) med sandpapper
2 sanda, strö sand på [*~ a road*]

sandal ['sændl] *s* sandal, sandalett

sandalled ['sændld] *adj* klädd i sandaler
(sandaletter)

sandalwood ['sændlwʊd] *s* **1** sandelträd
2 sandelträ; sandel pulver

sandalwood oil ['sændlwʊdɔɪl] *s* sandelolja

sandbag ['sæn(d)bæg] **I** *s* sandsäck, sandpåse
II *vb tr* **1** barrikadera (stoppa till) med sandsäckar

2 slå till marken (drämma till) [liksom] med en
sandpåse **3** amer. vard. bombardera, överösa [*with*
med]

sandbank ['sæn(d)bæŋk] *s* sandbank

sandbar ['sæn(d)bɑː] *s* sandrev

sandbin ['sæn(d)bɪn] *s* sandlåda, sandlår

sandblast ['sæn(d)blɑːst] *vb tr* sandblästra

sandbox ['sæn(d)bɒks] *s* sandlåda för barn

sandcastle ['sæn(d)‚kɑːsl] *s* barns sandslott

sand dune ['sæn(d)djuːn] *s* sanddyn

sander ['sændə] *s* slipmaskin

sand fly ['sæn(d)flaɪ] *s* zool. sandfluga slags stickande
fjärilsmygga

Sandhurst ['sændhɜːst] *s* Storbritanniens förnämsta
krigsskola

sandman ['sæn(d)mæn] *s*, *the ~* ung. John Blund

sand-martin ['sænd‚mɑːtɪn] *s* backsvala

sandpaper ['sæn(d)‚peɪpə] **I** *s* sandpapper **II** *vb tr*
sandpappra, slipa (putsa) med sandpapper

sandpiper ['sæn(d)‚paɪpə] *s* zool. [små]snäppa;
common ~ drillsnäppa

sandpit ['sæn(d)pɪt] *s* sandlåda för barn

Sandra ['sændrə, 'sɑːn-] kvinnonamn

sandstone ['sæn(d)stəʊn] *s* sandsten

sand trap ['sæn(d)‚træp] *s* vanl. amer. golf. bunker

sandwich ['sænwɪdʒ, -wɪtʃ] **I** *s* sandwich, engelsk
lunchsmörgås; vard. sandvikare, dubbelmacka;
open ~ smörgås med pålägg; vard. macka
II *vb tr* skjuta (klämma) in, sticka emellan [med]
[*~ a word*; *~ an appointment between two
meetings*]

sandwich board ['sænwɪdʒbɔːd, -wɪtʃ-] *s*
dubbelplakat buret av sandwichman

sandwich course ['sænwɪdʒkɔːs] *s* univ. varvad kurs

sandwich man ['sænwɪdʒ‚mæn, -wɪtʃ-] (pl.
sandwich men [-men]) *s* sandwichman,
plakatbärare med plakat på bröst och rygg

Sandy ['sændɪ] smeknamn för *Alexander, Alexandra* o.
Sandra

sandy ['sændɪ] *adj* **1** sandig, sand-; lik (lös som)
sand; grynig **2** sandfärgad; om hår rödblond

sane [seɪn] *adj* **1** vid sina sinnens fulla bruk,
tillräknelig **2** sund, förnuftig [*~ views*; *a ~
proposal*]

San Francisco [‚sænfr(ə)n'sɪskəʊ] geogr.

sang [sæŋ] imperf. av *sing*

sang-froid [‚sɒŋ'frwɑː, ‚sæŋ-, ‚sɑːŋ-] *s* fr.
kallblodighet

sangria [sæŋ'griːə] *s* sangria slags vinbål

sanguinary ['sæŋgwɪnərɪ] *adj* litt. **1** blodig [*a ~
battle*; *a ~ war*]; blodrypande; blodfläckad; blod-
2 blodtörstig [*a ~ tyrant*]

sanguine ['sæŋgwɪn] *adj* **1** sangvinisk, optimistisk
2 rödblommig, blomstrande [*~ complexion*]

sanitari|um [‚sænɪ'teərɪəm] *s* (pl. *-ums* el. *-a* [-ə]) *s*
amer. konvalescenthem

sanitary ['sænɪt(ə)rɪ] *adj* sanitär [*~ conditions*];
hygienisk; attr. hälsovårds-, sanitets-; hygien- [*~
wrapper* (förpackning)]; renhållnings-

sanitary engineering ['sænɪt(ə)rɪ‚en(d)ʒɪ'nɪərɪŋ] *s*
sanitetsteknik

sanitary napkin [‚sænɪt(ə)rɪ'næpkɪn] *s* amer.
[sanitets]binda, dambinda

sanitary pad ['sænɪt(ə)rɪpæd] s o. **sanitary towel** [ˌsænɪt(ə)rɪ'tauəl] s [sanitets]binda, dambinda
sanitation [ˌsænɪ'teɪʃ(ə)n] s sanitär utrustning, sanitära anläggningar
sanitation worker [ˌsænɪ'teɪʃ(ə)n,wɜ:kə] s amer. renhållningsarbetare
sanity ['sænətɪ] s **1** [själslig] sundhet, mental hälsa **2** sunt förstånd (omdöme)
sank [sæŋk] imperf. av *sink*
San Marino [ˌsænmə'ri:nəu] geogr.
Sanskrit ['sænskrɪt] s sanskrit
Santa Claus ['sæntəklɔ:z, ˌ--'-] s jultomten
Santa Cruz [ˌsæntə'kru:z] geogr.
Santiago [ˌsæntɪ'ɑ:gəu] geogr.
1 sap [sæp] **I** s **1** sav, växtsaft **2** sl. åld. dumbom, nöt; *you poor ~!* ditt nöt! **II** *vb tr* tappa [sav (saven) ur], sava; torka
2 sap [sæp] *vb tr* bildl. **1** undergräva [*~ sb's faith*; *~ sb's confidence*] **2** tära på, försvaga [*~ sb's energy; ~ sb's health*]
sapient ['seɪpɪənt] *adj* litt. (ofta iron.) vis, förnumstig
sapling ['sæplɪŋ] s ungt träd, telning
sapper ['sæpə] s mil. ingenjörssoldat, pionjär
sapphire ['sæfaɪə] s **1** safir **2** safirblått
sappy ['sæpɪ] *adj* **1** amer. vard. fånig, sentimental **2** savfull, savfylld, saftig
Sarah ['seərə] **1** kvinnonamn **2** bibl. Sara
Sarajevo [ˌsærə'jeɪvəu] geogr.
Saran Wrap® [sə'rænræp] s amer. plastfolie
sarcasm ['sɑ:kæz(ə)m] s sarkasm, spydighet
sarcastic [sɑ:'kæstɪk] *adj* sarkastisk, spydig
sarcopha|gus [sɑ:'kɒfəgəs] (pl. *-gi* [-gaɪ el. -dʒaɪ] el. *-guses*) s sarkofag
sardelle [sɑ:'del] s zool. [äkta] sardell, äkta ansjovis
sardine [sɑ:'di:n] s zool. sardin; *be packed like ~s* stå (sitta) som packade sardiner (sillar)
Sardinia [sɑ:'dɪnɪə] geogr. Sardinien
Sardinian [sɑ:'dɪnɪən] **I** *adj* sardisk, sardin[i]sk **II** s **1** sard, sardinare; sardiska, sardinska **2** sardiska [språket]
sardonic [sɑ:'dɒnɪk] *adj* sardonisk, bitter, hånfull [*~ smile; ~ laughter*]
sarge [sɑ:dʒ] s vard., se *sergeant*
sari ['sɑ:rɪ] s sari indiskt plagg
Sark [sɑ:k] geogr.
sarky ['sɑ:kɪ] *adj* vard., se *sarcastic*
sarnie ['sɑ:nɪ] s vard. macka, smörgås
sarong [sə'rɒŋ, 'sɑ:r-, 'sær-] s sarong höftskynke
sartorial [sɑ:'tɔ:rɪəl] *adj* skräddar-; kläd-
SASE (förk. för *self-addressed stamped envelope*) amer. frankerat svarskuvert
1 sash [sæʃ] s skärp; gehäng
2 sash [sæʃ] s fönsterram, fönsterbåge; skjutfönster rörligt uppåt och nedåt [äv. *sliding ~*]; drivbänksfönster
sashay [sæ'ʃeɪ] *vb itr* vard. gå, slänta, [gå och] stoltsera; svassa [*the model ~ed down the catwalk*]
sash window ['sæʃˌwɪndəu] s skjutfönster rörligt uppåt och nedåt
Sask. förk. för *Saskatchewan*
Saskatchewan [sæ'skætʃəwən] geogr.
sass [sæs] s amer. vard., se *sauce 2*
Sassenach ['sæsənæk] skotsk. (ofta neds.) **I** s [typisk] engelsman **II** *adj* [typiskt] engelsk

sassy ['sæsɪ] *adj* vanl. amer. **1** näsvis, uppkäftig, kaxig **2** vard. åld. fräck, raffig
Sat. förk. för *Saturday*
sat [sæt] imperf. o. perf. p. av *sit*
Satan ['seɪt(ə)n] s satan
satanic [sə'tænɪk] *adj* **1** satanistisk **2** satanisk, djävulsk
Satanist ['seɪt(ə)nɪst] s satanist
satay ['sæteɪ] s kok. satay indonesiskt el. malaysiskt grillspett som serveras med jordnötssmörsås
satchel ['sætʃ(ə)l] s [axel]väska, skolväska vanl. med axelrem
sated ['seɪtɪd] *adj* övermätt, [propp]full [*with* på, med]
satellite ['sætəlaɪt] s **1** astron. satellit **2** [rymd]satellit [*communications ~*]; *by ~* via satellit
satellite broadcast [ˌsætəlaɪt'brɔ:dkɑ:st] s TV. satellitsändning
satellite channel ['sætəlaɪtˌtʃænl] s TV. satellitkanal
satellite dish ['sætəlaɪtdɪʃ] s TV. parabol[antenn]
satellite station [ˌsætəlaɪt'steɪʃ(ə)n] s **1** rymdstation **2** radio. el. TV. slavstation, slavsändare
satellite television ['sætəlaɪtˌtelɪvɪʒ(ə)n] s satellit-tv
satellite transmission ['sætəlaɪtˌtrænz'mɪʃ(ə)n] s TV. satellitsändning
satiate ['seɪʃɪeɪt] *vb tr* mätta, tillfredsställa [mer än nog]; *be ~d with* vara mätt (utled) på
satiation [ˌseɪʃɪ'eɪʃ(ə)n] s mättnad; mättande
satiety [sə'taɪətɪ, 'seɪʃɪətɪ] s övermättnad; leda
satin ['sætɪn] **I** s satäng, [atlas]siden **II** *adj* satäng-, siden-
satiny ['sætɪnɪ] *adj* satängliknande, sidenartad
satire ['sætaɪə] s satir [*on, over* över]
satirical [sə'tɪrɪk(ə)l] *adj* satirisk
satirist ['sætərɪst] s satiriker
satirize ['sætəraɪz] *vb tr* satirisera [över], förlöjliga
satisfaction [ˌsætɪs'fækʃ(ə)n] s **1** tillfredsställelse, belåtenhet [*at (with)* över, med]; *give ~* a) utfalla till (vara till, väcka) belåtenhet b) räcka till, vara tillräcklig; *if you can prove it to my ~* om du kan ge mig tillräckliga bevis på det **2** tillfredsställande [*the ~ of one's hunger*]; uppfyllande [*the ~ of sb's hopes*] **3** hand. el. jur. uppgörelse av skuld, gottgörelse, ersättning; *make ~* ge gottgörelse **4** upprättelse, revansch [*give sb ~*]
satisfactory [ˌsætɪs'fækt(ə)rɪ] *adj* tillfredsställande [*to* för], nöjaktig [*~ compromise; ~ result*]; fullt tillräcklig [*~ proof*]
satisfied ['sætɪsfaɪd] *adj* **1** tillfredsställd, tillfreds, nöjd, belåten [*with* med; *to hear* [med] att [få] höra]; mätt [*eat till one is ~*]; *be ~* vara (bli) nöjd (belåten, tillfreds) **2** övertygad [*about (as to, of)* om, angående; *that* om att]
satisfy ['sætɪsfaɪ] *vb tr* **1** tillfredsställa [*~ sb; ~ a demand (need)*]; tillgodose, göra till lags; gottgöra [*~ one's creditors*]; uppfylla [*~ a condition*]; mätta [*~ sb*]; stilla [*~ one's hunger; ~ one's curiosity*]; *~ one's thirst* släcka sin törst **2** övertyga [*of* om; *that* om att]
satisfying ['sætɪsfaɪŋ] *adj* tillfredsställande; tillräcklig

satsuma [sæt'suːmə, 'sætsʊmə] *s* bot. satsuma [äv. ~ *orange*]

saturate ['sætʃəreɪt] *vb tr* **1** [genom]dränka, göra genomblöt **2** mätta [~ *with moisture*]

saturated [ˌsætʃə'reɪtɪd] *adj* **1** genomdränkt, genomblöt; ~ **with** bildl. fylld (full, genomsyrad) av [~ *with learning*]; inpyrd med; **be ~ with sunshine** bada (dränkas) i sol **2** kem., bildl. etc. mättad [~ *fat*; ~ *fatty acid*; *a* ~ *solution*]; **the market is** ~ marknaden är mättad

saturation [ˌsætʃə'reɪʃ(ə)n] *s* mätthet, mättning; mättnad; kem. äv. saturering; ~ **bombing** [intensiv] ytbombning, ytanfall

saturation point [ˌsætʃə'reɪʃ(ə)npoɪnt] *s*, **the market has reached** ~ marknaden är mättad

Saturday ['sætədeɪ, attr. ofta -dɪ] *s* lördag; ~ **night special** vanl. amer. liten pistol; för ex. jfr vidare *Sunday*

Saturn ['sætən, -tɜːn] mytol. el. astron. Saturnus

saturnine ['sætənaɪn] *adj* tungsint, dyster, mörk, tystlåten

satyr ['sætə] *s* mytol. el. bildl. satyr

sauce [sɔːs] *s* **1** sås; amer. äv. mos, sylt [*cranberry* ~] bildl. krydda; **hunger is the best** ~ hungern är den bästa kryddan; [*what's*] ~ **for the goose is** ~ **for the gander** det som gäller för (duger åt) den ene gäller för (duger åt) den andre **2** vard. åld. uppkäftighet, näsvishet, kaxighet; **none of your ~!** var inte uppkäftig!

sauce boat ['sɔːsbəʊt] *s* smal såsskål, såssnipa

saucepan ['sɔːspən] *s* kastrull

saucer ['sɔːsə] *s* tefat; **flying** ~ flygande tefat

saucy ['sɔːsɪ] *adj* vard. **1** fräck, raffig **2** åld. näsvis, uppkäftig, kaxig

Saudi ['saʊdɪ, 'sɔːdɪ] **I** *adj* saudisk **II** *s* saudier; saudiska kvinna

Saudi Arabia [ˌsaʊdɪə'reɪbɪə, ˌsɔː-] geogr. Saudiarabien

Saudi Arabian [ˌsaʊdɪə'reɪbɪən, ˌsɔː-] **I** *adj* saudisk, saudiarabisk **II** *s* saudier, saudiarab; saudiska, saudiarabiska kvinna

sauerkraut ['saʊəkraʊt] *s* ty. surkål

sauna ['sɔːnə, 'saʊnə] *s* sauna, bastu

saunter ['sɔːntə] **I** *vb itr* flanera, spankulera; strosa, släntra **II** *s* **1** promenad **2** flanerande

sausage ['sɒsɪdʒ] *s* **1** korv **2** vard. åld., **not a** ~ inte ett enda dugg; **I haven't a** ~ **left** äv. jag har inte ett korvöre kvar **3** vard., till person, **you silly old** ~ dumming [där], din dumsnut; **sweet little** ~ till barn lilla gosingen

sausage dog ['sɒsɪdʒdɒg] *s* vard. tax

sausage meat ['sɒsɪdʒmiːt] *s* korvmassa, korvsmet; [malet] kött för korvstoppning

sausage roll [ˌsɒsɪdʒ'rəʊl] *s* slags korvpirog

sauté ['səʊteɪ] kok. (fr.) **I** *s* sauté **II** *vb tr* sautera, fräsa [upp] **III** *adj* sauterad, fräst

savage ['sævɪdʒ] **I** *adj* **1** vild [~ *beasts*; ~ *region*; ~ *tribes*]; barbarisk [~ *customs*] **2** grym [*a* ~ *blow*]; hänsynslös [*a* ~ *critic*; ~ *persecution*]; omänsklig [*a* ~ *ruler*]; våldsam, svidande; **a** ~ **dog** en bitsk (ilsken) hund; **a** ~ **sentence** en orimligt hård dom **II** *vb tr* **1** om hund o.d. anfalla, bita **2** nedgöra, hänsynslöst kritisera **III** *s* **1** vilde **2** åld. barbar, rå (grym) sälle

savagery ['sævɪdʒ(ə)rɪ] *s* **1** vildhet; barbari **2** råhet, grymhet, omänsklighet

savanna o. **savannah** [sə'vænə] *s* savann, grässlätt

savant ['sævənt] *s* litt. lärd, vetenskapsman

save [seɪv] **I** *vb tr* **1** rädda äv. sport. o.d. [*from* från], bärga; bevara, skydda; **God** ~ **the King!** Gud bevare konungen!; ~ **the day** el. ~ **the situation** rädda situationen; ~ **oneself** rädda sig, komma undan; **he couldn't sing to** ~ **his life** han skulle inte kunna sjunga ens om hans liv hängde på det; ~ **one's skin** rädda sitt eget skinn **2** relig. frälsa **3** spara [~ *a sum of money*]; lägga undan, spara ihop; hålla [~ *a seat for me*], amer. äv. reservera [*I asked her to* ~ *me a room*] **4** spara [på]; ~ **oneself** spara sig ([på] sina krafter); ~ **one's breath** se under *breath* 1; ~ **one's strength** spara på krafterna (sina krafter) **5** spara [in]; bespara [*we've been* ~*d a lot of expense*]; **you may** ~ **your pains** (**trouble**) du kan bespara dig besväret **6** data. spara, lagra **II** *vb itr* **1** spara [pengar] **2** sport. rädda, göra en räddning **3** data. spara, lagra **III** *vb tr* o. *vb itr* med adv.:

save on a) spara pengar på b) spara in på

save up spara [pengar]; ~ **up for** spara [ihop] till, lägga undan till, spara för **IV** *s* sport. räddning; **a great** ~ en paradräddning **V** *prep* o. *konj* litt. o. poet. utom, med undantag av, så när som på [*all* ~ *him* (*he*)]; om icke; ~ **for** utom, så när som på; ~ **that** konj. utom att [*I'm well* ~ *that I have a cold*]; om det inte vore så att

saveloy [ˌsævə'lɔɪ, 'sævəlɔɪ] *s* kok. cervelatkorv

saver ['seɪvə] *s* sparare; **small** ~ småsparare; [**some machines are**] ~**s of labour** ...arbetsbesparande

Savile Row [ˌsævɪl'rəʊ] gata i London känd för fina skrädderifirmor [~ *tailoring*]

saving ['seɪvɪŋ] **I** *adj* **1** sparsam, ekonomisk; som efterled -besparande [*labour-saving*] **2** räddande, frälsande; försonande **II** *s* **1** sparande; besparing; pl. ~**s** besparingar, sparmedel; ~**s and loan association** amer., slags kreditinstitut för bosparande **2** räddning, frälsning

saving clause ['seɪvɪŋklɔːz] *s* undantagsklausul, reservation, förbehåll

saving grace [ˌseɪvɪŋ'greɪs] *s* försonande drag

savings account ['seɪvɪŋzəˌkaʊnt] *s* sparkonto; sparkasseräkning

savings bank ['seɪvɪŋzbæŋk] *s* sparbank; **post-office** ~ postsparbank; ~ **book** sparbanksbok

savings bond ['seɪvɪŋzbɒnd] *s* sparobligation

Saviour ['seɪvjə] *s*, **the** ~ Frälsaren

saviour ['seɪvjə] *s* **1** frälsare **2** räddare

savoir-faire [ˌsævwɑː'feə] *s* fr. savoir-faire, [gott] handlag

1 savory ['seɪv(ə)rɪ] *adj* amer., se *savoury* I

2 savory ['seɪv(ə)rɪ] *s* bot. el. kok. kyndel

savour ['seɪvə] **I** *vb tr* litt. **1** njuta av **2** smaka (lukta) på äv. bildl. **II** *vb itr*, ~ **of** lukta, smaka, tyda på, vittna om [*it* ~*s of impudence*] **III** *s* [karakteristisk] smak; bildl. doft, atmosfär [*of av*], krydda

savoury ['seɪv(ə)rɪ] **I** *adj* **1** välsmakande, aptitlig; aromatisk, välluktande, doftande **2** behaglig **3** om

maträtt o.d. **kryddad, pikant, salt**
II *s* **aptitretare; entrérätt, smårätt**
savoy cabbage [sə,vɔɪ'kæbɪdʒ] *s* **savojkål**
savvy ['sævɪ] vard., vanl. amer. **I** *s* **vett, förstånd,**
huvud; *where's your ~?* fattar du inte?; *she's got a*
lot of ~ hon är riktigt klipsk (smart)
II *adj* **klipsk, smart, slug; kunnig**
1 saw [sɔ:] imperf. av *1 see*
2 saw [sɔ:] **I** *s* **såg II** (*~ed ~n*, vanl. amer. äv. *~ed ~ed*)
vb tr o. *vb itr* **såga;** *~ the air* [*with the arms*] vifta med
armarna; *~ off* el. *~ away* **såga av (bort);** *~ up* **såga**
upp; *~n timber* [upp]**sågat virke**
3 saw [sɔ:] *s* **ordstäv, talesätt, ord**
sawdust ['sɔ:dʌst] *s* **sågspån**
sawmill ['sɔ:mɪl] *s* **sågverk**
sawn [sɔ:n] perf. p. av *2 saw II*
sawn-off ['sɔ:nɒf] *adj,* *~ shotgun* **avsågat gevär**
sax [sæks] *s* vard. sax **saxofon**
saxifrage ['sæksɪfrɪdʒ] *s* bot. [sten]**bräcka**
Saxon ['sæksn] **I** *s* **1 saxare i England el.** Tyskland
2 anglosaxare, engelsman; i Skottland **lågländare;**
anglosaxiska kvinna **3** språkv. **saxiska**
II *adj* **1 saxisk 2 anglosaxisk, engelsk**
Saxony ['sæksənɪ] geogr. **Sachsen**
saxophone ['sæksəfəʊn] *s* mus. **saxofon**
saxophonist [sæk'sɒfənɪst, amer. 'sæksəfəʊnɪst] *s*
saxofonist
say [seɪ] **I** (*said said*) se äv. *said* o. *saying vb tr* o. *vb*
itr **1 säga, yttra;** *she is, ~, fifty* hon är sådär en (runt
de) femtio; *I ~* hör du, säg [mig] [*I ~, do you want*
one of these?]; uttr. överraskning jag måste [då] säga
att, vet du vad [*I ~, that's a pretty dress!*]; *I'll ~ he*
didn't like it vard. han tyckte inte om det, det kan du
skriva upp; *to ~ the least* minst talat, milt talat; *to ~*
nothing of… för att [nu] inte tala om…; *strange to ~*
egendomligt (konstigt) nog; *that is to ~* det vill
säga, alltså; *just as you ~* vard. som du vill; *and so ~*
all of us [och] det tycker vi allihop; *I should ~ so!* det
tror jag det!; *you don't ~* [*so*]*!* [nej], vad 'säger du!;
if I may ~ so el. *if you don't mind my ~ing so* om jag får
säga så, med förlov sagt; *what does the doggy ~?* till
barn vad (hur) säger vovven?; *it ~s in the paper* det
står i tidningen; *you can ~ that again!* det kan du
skriva upp!; *who shall I ~?* hur var namnet?, vem
får jag hälsa ifrån?; *just ~ the word!* säg bara till!; *he*
is said to be (*they ~ he is*) *the only one who…* han ska
(lär) vara den ende som…; *it is said* el. *they ~* de
(man) säger, det sägs (påstås); *I'll ~ this for her*
that… det måste jag säga till hennes fördel att…;
have you nothing to ~ for yourself? har du inget att
säga till ditt försvar?; *he has nothing to ~ for himself*
han säger aldrig någonting; *there is much to be said*
for both sides det är mycket som talar för båda
parter; *what do you ~ to…?* vad säger du om…?;
easier said than done lättare sagt än gjort; *no sooner*
said than done sagt och gjort; *when* (*after*) *all is said*
and done el. *all said and done* när allt kommer
omkring **2 läsa, be** [*~ a prayer*]
II *s,* *have* (*say*) *one's ~* säga sin mening (vad man
har på hjärtat), sjunga ut; *she has no ~* hon har
ingenting att säga till om; *she has a great deal of ~*
hon har en hel del att säga till om; *I want a ~ in the*
matter jag vill ha ett ord med i laget
Sayers ['seɪəz]

saying ['seɪɪŋ] *pres p* o. *s* **1** *~ that* el. *so ~* med dessa
ord; *that is ~ too much* det är för mycket sagt; *that is*
not ~ much det säger inte så mycket; *that is ~*
something det vill inte säga så litet; *that goes*
without ~ det säger sig självt, det är självklart
2 uttalande, yttrande 3 ordstäv, ordspråk,
tankespråk; *as the ~ is* el. *as the ~ goes* **som**
ordspråket säger
says [sez, obeton. səz] **3 person sg. pres. av** *say*
say-so ['seɪsəʊ] *s* vard. **1 tillåtelse 2 påstående,**
uttalande
sb förk. för *substantive*
S-bend ['esbend] *s* **1** trafik. **s-kurva 2 s-format rör**
sc. förk. för *science*
1 SC förk. för *Security Council, Special Constable*
2 SC o. **S.C.** förk. för *South Carolina*
scab [skæb] *s* **1** [sår]**skorpa 2 skabb** spec. hos får
3 vard. **a) strejkbrytare b) oorganiserad arbetare**
scabbard ['skæbəd] *s* **skida, slida för svärd** o.d.
scabby ['skæbɪ] *adj* **1** [full] **med sårskorpor**
2 skabbig spec. om får
scabies ['skeɪbiːz] *s* med. **skabb**
scabrous ['skeɪbrəs] *adj* **skabrös, oanständig**
scads [skædz] *s pl* sl. ngt åld. **massor** [*~ of money*; *~*
of work]
scaffold ['skæf(ə)ld] *s* **1** [byggnads]**ställning**
2 schavott 3 [åskådar]**läktare; estrad**
scaffolding ['skæf(ə)ldɪŋ] *s* [material för]
byggnadsställning; *tubular ~* **a) ställningsrör**
b) rörställning
scag [skæg] *s* sl. **heroin**
scalawag ['skæləwæg] *s* amer. **odåga, skojare,**
rackare
scald [skɔ:ld] **I** *vb tr* **1 skålla sig på** [*~ one's hand*];
bränna sig på 2 skålla [*~ tomatoes*]; **koka, skölja i**
kokande vatten 3 hetta upp [till nära kokpunkten]
[*~ milk*]
II *vb itr* **1 skållas 2 börja sjuda** [*heat the milk till it*
~s]
III *s* **skållning; *~s* el. *burns and ~s* brännskador**
scalding ['skɔ:ldɪŋ] **I** *adj* **1 skållhet 2** *~ tears* **heta**
(bittra) **tårar**
II *adv,* *~ hot* **skållhet**
1 scale [skeɪl] **I** *s* **1 skala; måttstock** äv. bildl.; *~ of*
pay **lönetariff;** *the ~ of F* mus. **F-skalan;** *practise ~s*
mus. **öva skalor;** *be high in the social ~* stå högt på
den sociala rangskalan; *sink in the social ~* sjunka
socialt; *on a large* (*small*) *~* i stor (liten) skala äv.
bildl.; *on the ~ of 1 to 50,000* i skala 1:50 000; *out of*
~ oproportionerlig; *to ~* skalenlig **2 omfattning,**
vidd; *the full* (*sheer*) *~ of the disaster* katastrofens
hela omfattning, hela omfattningen av katastrofen
II *vb tr* **1 klättra uppför (upp på), bestiga** [*~ a hill*];
klättra upp i; mil. **storma;** *~ new heights* bildl. **nå nya**
höjdpunkter (toppar) 2 avbilda (rita) skalenligt [*~*
a map]; **ordna efter** [viss] **skala, gradera** [*~ tests*]
III *vb tr* med adv.:
scale down a) [för]**minska skalenligt b)** bildl.
minska, trappa ner
scale up a) öka (förstora) skalenligt b) bildl. **öka,**
trappa upp
2 scale [skeɪl] *s* **vågskål;** *~* el. pl. *~s* **våg;** *a pair of ~s*
en våg; *turn* (*tip*) *the ~s* bildl. **fälla utslaget, vara**
tungan på vågen; *tip* (*turn*) *the ~s at* [*90 kg.*] väga…

3 scale [skeɪl] **I** s **1** zool., bot. o.d. fjäll **2** flaga, [tunn] skiva; blad av metall o.d.; tunt skal, beläggning **3** pannsten **II** vb tr **1** fjälla [~ fish] **2** skrapa bort [tandsten från]

scalene ['skeɪliːn] geom. **I** adj oliksidig [~ triangle]; sned [~ cone] **II** s oliksidig triangel

scallion ['skælɪən] s salladslök, knipplök

scallop ['skɒləp, 'skæl-] s **1** zool. el. kok. kammussla **2** ~ el. ~ shell portionsform använd i matlagning

scallywag ['skælɪwæg] s odåga, skojare, rackare

scalp [skælp] **I** s **1** hårbotten, huvudsvål **2** skalp **II** vb tr **1** skalpera; bildl. hudflänga, gå hårt åt **2** amer. vard. sälja svart [~ tickets]

scalpel ['skælp(ə)l] s kir. skalpell operationskniv

scalper ['skælpə] s amer. vard., se tout III 1

scam [skæm] s sl. svindel, skoj; konster

scamp [skæmp] s åld. rackarunge [you little ~!]

scamper ['skæmpə] vb itr kila (kuta) i väg; hoppa och skutta [omkring]

scampi ['skæmpi] s kok. (it.) havskräftsstjärtar, scampi [~ fritti ['frɪtɪ]]

scan [skæn] **I** vb tr **1** [noga] granska, studera [~ a face; ~ proposals]; spana ut över **2** ögna igenom, skumma [~ a newspaper] **3** tekn. etc. avsöka, skanna **II** vb itr om vers gå att skandera [this line does not ~]

scandal ['skændl] s **1** skandal [grave ~s]; cause a ~ göra skandal; create (raise) a ~ ställa till (väcka) skandal **2** skam[fläck], vanära **3** skvallerhistorier, skandalhistorier

scandalize ['skændəlaɪz] vb tr chockera, väcka anstöt hos; be ~d at bli chockerad (indignerad, upprörd) över

scandalmonger ['skændl,mʌŋgə] s skandalspridare; skvallerkärring

scandalous ['skændələs] adj **1** skandalös; skamlig **2** skandal- [~ story]

Scandinavia [,skændɪ'neɪvɪə] geogr. Skandinavien, Norden

Scandinavian [,skændɪ'neɪvɪən] **I** adj skandinavisk, nordisk; the ~ languages de nordiska språken **II** s skandinav; nordbo; skandinaviska kvinna

Scania ['skeɪnɪə] geogr. Skåne

scanner ['skænə] s tekn. scanner, bildläsare, inläsare, avsökare

scanning ['skænɪŋ] s tekn. avsökning, läsning, scanning; ~ device avsökningsanordning

scant [skænt] adj knapp [~ measure (mått)]; ringa [a ~ amount]; sparsam [~ vegetation]; knapphändig [~ in documentation]; minimal [a ~ chance]; pay ~ attention to ta föga notis om; ~ of breath andtäppt

scantily ['skæntəlɪ] adv knappt etc., jfr scanty; ~ clad el. ~ dressed lättklädd, minimalt påklädd

scantiness ['skæntɪnəs] s knapphet, brist, ringa tillgång [of på], otillräcklighet

scanty ['skæntɪ] adj knapp [~ supply]; knappt tillmätt [~ leisure]; ringa [~ ability]; inskränkt [~ knowledge]; mager, klen, torftig [~ fare]; sparsam; otillräcklig, snål; knapphändig; minimal [a ~ bikini]

scapegoat ['skeɪpgəʊt] s syndabock

scapul|a ['skæpjʊl|ə] (pl. -as el. -ae [-iː]) s anat. skulderblad

scar [skɑː] **I** s ärr äv. bildl. **II** vb tr **1** tillfoga ärr; bildl. efterlämna [ett] ärr (bestående men), märka [för livet] **2** märka, repa

scarab ['skærəb] s skarabé äv. zool.

Scarborough ['skɑːbrə] geogr.

scarce [skeəs] adj **1** otillräcklig, knapp; food (money) is ~ det är ont om mat (pengar); make oneself ~ vard. sticka, försvinna, dunsta [av]; hålla sig undan; make yourself ~! vard. stick! **2** sällsynt [a ~ book; such stamps are ~]

scarcely ['skeəslɪ] adv knappt [she is ~ twenty]; knappast; inte gärna, näppeligen; ~ anybody nästan ingen, knappt (knappast) någon; ~ ever nästan aldrig; ~ had he come when (before, ibl. than)... han hade knappt kommit förrän...

scarcity ['skeəsətɪ] s **1** brist, knapphet **2** sällsynthet

scare [skeə] **I** vb tr skrämma, skrämma bort; bildl. äv. avskräcka; ~ sb out of his wits skrämma ngn från vettet; ~ sb to death el. ~ the life (sl. hell el. vulg. shit) out of sb skrämma slag på (livet ur) ngn **II** vb itr bli skrämd (rädd); ~ easily vara lättskrämd **III** vb tr med adv.:
scare away el. **scare off** skrämma bort; bildl. äv. avskräcka
scare up amer. sl. fixa, skaffa fram
IV s skräck, skrämsel; panik; hot [bomb ~]; oro; attr. skräck- [~ story]; skrämsel- [~ tactics]; panik- [~ buying (köp)]; food ~ larmrapport om mat; get a ~ el. have a ~ bli [upp]skrämd (rädd); bildl. bli avskräckt; känna oro (panik); give a ~ skrämma [upp]; bildl. avskräcka; skapa oro (panik[stämning]); war ~ a) krigspanik b) krigshot

scarecrow ['skeəkrəʊ] s fågelskrämma äv. bildl.

scared [skeəd] adj **1** skrämd; panikslagen; rädd [of för]; ~ shitless vulg. skiträdd; ~ stiff el. ~ to death livrädd, dödsrädd, vettskrämd **2** orolig, rädd

scaremonger ['skeə,mʌŋgə] s panikspridare

1 scarf [skɑːf] (pl. ~s el. scarves) s **1** scarf, halsduk; sjal, sjalett **2** amer. långsmal duk, löpare

2 scarf [skɑːf] vb itr o. vb tr amer. vard., ~ el. ~ down sätta (glufsa) i sig

scarlet ['skɑːlət] **I** adj scharlakansröd; blush ~ bli högröd (blodröd) i ansiktet **II** s scharlakansrött

scarlet fever [,skɑːlət'fiːvə] s med. scharlakansfeber

scarlet runner [,skɑːlət'rʌnə] s o. **scarlet runner bean** [,skɑːlət'rʌnəbiːn] s bot. rosenböna

scarp [skɑːp] s brant, stup

scarper ['skɑːpə] vb itr sl. sticka [i väg]; sjappa

scarves [skɑːvz] s pl. av 1 scarf

scary ['skeərɪ] adj vard. hemsk, skrämmande, kuslig

scathing ['skeɪðɪŋ] adj skarp, dräpande [~ criticism; ~ remarks]; bitande, svidande, blodig [~ irony]

scatological [,skætə'lɒdʒɪk(ə)l] adj vetensk. skatologisk; friare obscen, exkremental

scatter ['skætə] **I** vb tr (se äv. scattered) **1** sprida [ut] [~ light; ~ one's troops]; strö ut [~ seeds; ~ hints]; strö omkring; stänka [~ mud; ~ water] **2** skingra [~ a crowd; ~ the clouds] **3** beströ [~ a road with gravel]; the floor was ~ed with books det låg böcker överallt (kringströdda) på golvet **II** vb itr skingras, skingra sig [the crowd ~ed]; fördela sig

scatterbrain ['skætəbreɪn] *s* virrig (tanklös) person
scatterbrained ['skætəbreɪnd] *adj* virrig, tanklös
scattered ['skætəd] *adj* spridd, strödd, sporadisk [~ *instances*]; ~ *clouds* meteor. halvklart; ~ *showers* meteor. spridda skurar
scattering ['skæt(ə)rɪŋ] *s*, *a* ~ *of* [*stars*] ett fåtal (några enstaka) [ut]spridda...
scattershot ['skætəʃɒt] *adj* vanl. amer. splittrad
scatty ['skætɪ] *adj* vard. knasig, tokig
scavenge ['skævɪn(d)ʒ] **I** *vb tr* **1** rota (söka) i avfall o.d. [*for* efter] **2** rengöra, spola, sopa [~ *the streets*]; rensa
II *vb itr* **1** ~ *for* rota efter **2** hålla rent
scavenger ['skævɪn(d)ʒə] *s* **1** person som letar (rotar) bland sopor **2** zool. asätare
SCE [ˌessiː'iː] (förk. för *Scottish Certificate of Education*) skotsk avgångsexamen i tre nivåer från *secondary school*
scenario [sɪ'nɑːrɪəʊ, sə'nɑː-] (pl. ~s) *s* teat., film. el. bildl. scenario; *a nightmare* ~ mardrömsscenario; *the worst-case* ~ det värsta tänkbara scenariot
scene [siːn] *s* **1** teat., film. o.d. scen [*Act II, Scene 1*; *a love* ~]; scen[bild] [*the* ~ *is* (föreställer) *a street*]; fond[kuliss] [*change* ~s]; *change of* ~ scenförändring; bildl. miljöombyte; *the* ~ *of the novel* (*film*) *is laid in London* romanen (filmen) utspelar sig i London; *behind the* ~s bakom kulisserna äv. bildl. **2** skådeplats [äv. ~ *of action*]; *leave the* ~ *of the accident* smita [från olycksplatsen]; *the* ~ *of the crime* platsen för brottet, brottsplatsen; *come on the* ~ bildl. dyka upp på scenen, komma in i bilden **3** scen, bild [*a domestic* ~]; anblick, syn, skådespel [*a lively* ~] **4** scen, uppträde; *make a* ~ el. *create a* ~ ställa till en scen (ett uppträde), ställa till skandal **5** vard. värld, kretsar [*the fashion* ~]; scen, skådebana [*the political* ~]; *it's not my* ~ det gillar jag inte, det är ingenting för mig
scenery ['siːnərɪ] *s* **1** teat. scenbild[er], dekorationer **2** [vacker] natur [*admire the* ~]; landskap; ~ el. *natural* ~ naturscen[eri]; *mountain* ~ bergslandskap
scenic ['siːnɪk] *adj* **1** naturskön; ~ *beauty* naturskönhet **2** teat. scenisk, teater- [~ *effects*]; dramatisk
scenic railway [ˌsiːnɪk'reɪlweɪ] *s* **1** lilleputtåg som går genom ett konstgjort landskap **2** berg- och dalbana
scent [sent] **I** *s* **1** doft, lukt **2** vittringsspår, spår äv. bildl.; *false* ~ villospår; *throw* (*put*) *sb off the* ~ el. *put sb on the wrong* ~ leda ngn på villospår, vilseleda ngn **3** parfym **4** väderkorn; *get* ~ *of* få väderkorn på, bildl. äv. få nys om
II *vb tr* **1** vädra äv. bildl. [~ *a hare*; ~ *trouble*], jakt. äv. spåra; ~ *sth out* bildl. lukta sig till ngt
2 a) parfymera **b)** sprida [sin] doft i [*roses that* ~ *the air*]
scented ['sentɪd] *adj* **1** parfymerad [~ *handkerchief*]; ~ *water* luktvatten **2** doftande, doft-
sceptic ['skeptɪk] *s* skeptiker äv. filos., tvivlare
sceptical ['skeptɪk(ə)l] *adj* skeptisk äv. filos., tvivlande; klentrogen; *be* ~ *of* tvivla på
scepticism ['skeptɪsɪz(ə)m] *s* skepsis, skepticism
sceptre ['septə] *s* spira härskarstav
schedule ['ʃedjuːl, 'sked-, -dʒ-, amer. 'skedʒ(ʊ)l] **I** *s*
1 a) [tids]schema, tidtabell; program, plan **b)** vanl.

amer. kommunikationstabell **c)** amer. [skol]schema; *according to* ~ enligt programmet; *be ahead of* ~ ha hunnit längre än beräknat, ligga före i tidsschemat; *be behind* ~ vara försenad; ligga (släpa) efter [i tid]; *the trains run to* ~ tågen går enligt (håller) tidtabellen **2** lista, förteckning, tabell; inventarieförteckning **3** tariff; ~ *of wages* lönetariff, löneskala
II *vb tr* **1 a)** fastställa tidpunkten för **b)** planera, göra upp program för **c)** sätta in [~ *a new train*]; *it is* ~*d for tomorrow* det ska enligt planerna ske i morgon; ~*d flights* reguljära flygturer **2** föra (ta) upp på en lista (förteckning o.d.), registrera
schematic [skɪ'mætɪk] *adj* schematisk
schematize ['skiːmətaɪz] *vb tr* schematisera
scheme [skiːm] **I** *s* **1** system, schema; ordning; *the* ~ *of things* tingens ordning, världsordningen **2** plan, förslag, projekt; utkast **3** intrig, listig plan; pl. ~s äv. ränker **4** schematisk (grafisk) framställning, översikt; diagram **5** horoskop
II *vb itr* **1** göra upp planer, planera [*for* för] **2** intrigera, stämpla, smida ränker
schemer ['skiːmə] *s* intrigmakare, ränksmidare
scheming ['skiːmɪŋ] **I** *adj* beräknande, intrigant **II** *s* **1** planerande **2** intrigerande
scherzo ['skeətsəʊ] (pl. ~s el. *scherzi*) *s* mus. scherzo
schism ['skɪz(ə)m, kyrkl. ofta 'sɪz-] *s* schism äv. kyrkl., söndring, splittring
schismatic [ˌskɪz'mætɪk, kyrkl. ofta ˌsɪz-] **I** *adj* schismatisk **II** *s* schismatiker
schizo ['skɪtsəʊ] vard. **I** (pl. ~s) *s* **1** schizofreni **2** schizofren [person], schizzig [person] **II** *adj* schizzig
schizoid ['skɪtsɔɪd] *adj* o. *s* psykol. schizoid [person]
schizophrenia [ˌskɪtsə(ʊ)'friːnɪə] *s* psykol. schizofreni
schizophrenic [ˌskɪtsə(ʊ)'frenɪk] *adj* o. *s* psykol. schizofren [person]
schlep o. **schlepp** [ʃlep] amer. vard. **I** *vb tr* kånka (släpa) på, släpa med sig [~ *a lot of books home*]
II *vb itr* släpa sig fram
III *s* **1** tönt, jobbig person **2** lång och jobbig resa
schlock [ʃlɒk] *s* vanl. amer. sl. skräp, smörja; billiga varor (prylar)
schmaltz [ʃmɔːlts, ʃmælts] *s* vard. något tårdrypande (sliskigt) spec. musik
schmaltzy ['ʃmɔːltsɪ, 'ʃmæltsɪ] *adj* vard. tårdrypande, sliskig
schmooze [ʃmuːz] *vb itr* sl. snacka, pladdra
schmuck [ʃmʌk] *s* vanl. amer. sl. klantskalle, tönt; tölp
schnapps [ʃnæps] *s* [okryddat] brännvin
schnitzel ['ʃnɪtsəl] *s* kok. schnitzel
schnozzle ['ʃnɒzl] *s* sl. kran, snok näsa
scholar ['skɒlə] *s* **1** lärd person, forskare [*a famous Shakespeare* ~] **2** stipendiat
scholarly ['skɒləlɪ] *adj* **1** akademisk, vetenskaplig; utförd med vetenskaplig noggrannhet [*a* ~ *translation*] **2** lärd [*a* ~ *woman*]; som vittnar om lärdom
scholarship ['skɒləʃɪp] *s* **1** skol. el. univ. stipendium; *travelling* ~ resestipendium **2** vetenskaplig noggrannhet **3** lärdom spec. humanistisk
scholastic [skə'læstɪk] *adj* **1** skol- [~ *attainments*]

(kunskaper)]; skolmässig; lärar- [*the ~ profession*]; pedagogisk; *~ year* skolår, läsår **2** skolastisk

1 school [sku:l] **I** *s* **1** skola äv. bildl. [*the hard ~ of life*]; institut [*correspondence ~*]; skolgång [*three years of ~*]; skoltid, skollektioner, skolundervisning; *elementary* (*secondary* etc.) *~* se *elementary school* etc.; *~ for girls* el. *girls' ~* skola för flickor; *~ of dentistry* tandläkarhögskola; *teach ~* amer. vara lärare [till yrket]; *be at ~ together* vara skolkamrater, gå i samma skola; *go to ~* a) gå till skolan b) gå i skola[n] **2** attr. skol- [*~ friend; ~ yard* (gård)]; *~ attendance* skolgång, deltagande i undervisning; *compulsory ~ attendance* skolplikt **3** univ. fakultet [*the Medical School*]; sektion [*the History ~*]; institution [*the School of* (för) *Oriental Studies*] **4** konst. el. friare skola [*the Frankfurt ~*]; strömning, [konst]riktning [*the Flemish ~*]; *~ of thought* meningsinriktning
II *vb tr* högtidl. skola [*~ one's voice*] häst äv. dressera; öva upp

2 school [sku:l] *s* stim, flock [*a ~ of dolphins*]
school-age ['sku:leɪdʒ] *adj*, *~ children* barn i skolåldern
schoolboy ['sku:lbɔɪ] *s* skolpojke
schoolchild ['sku:ltʃaɪld] (pl. *schoolchildren* [-tʃɪldrən]) *s* skolbarn
school crossing patrol [,sku:l'krɒsɪŋpə,trəʊl] *s* skolpolis koll.
schoolday ['sku:ldeɪ] *s* skoldag; pl. *~s* äv. skoltid
school dinner [,sku:l'dɪnə] *s* skollunch
school friend ['sku:l,frend] *s* skolkamrat
schoolgirl ['sku:lgɜ:l] *s* skolflicka
schoolhouse ['sku:lhaʊs] *s* skolhus, skolbyggnad
schooling ['sku:lɪŋ] *s* **1** bildning, skolunderbyggnad [*he had very little ~*] **2** skolundervisning; skolgång
schoolkid ['sku:lkɪd] *s* vard. skolunge
school-leaver ['sku:l,li:və] *s* elev i avgångsklass; person som just gått ut skolan
school-leaving ['sku:l,li:vɪŋ] *adj* avgångs- [*~ certificate; ~ examination*]; *~ age* ålder då skolplikten upphör
schoolmarm ['sku:lmɑ:m] *s* vard. [skol]fröken
schoolmaster ['sku:l,mɑ:stə] *s* ngt åld. [skol]lärare
schoolmate ['sku:lmeɪt] *s* skolkamrat
schoolmistress ['sku:l,mɪstrɪs] *s* ngt åld. [skol]lärarinna
school night ['sku:lnaɪt] *s*, [*you can't go to the cinema tonight –*] *it's a ~* ...det är skola i morgon
schoolroom ['sku:lru:m] *s* skolsal, lärosal
schoolteacher ['sku:l,ti:tʃə] *s* skollärare
schoolteaching ['sku:l,ti:tʃɪŋ] *s* [skol]undervisning; lärarverksamhet
schooltie [,sku:l'taɪ] *s* skolslips slips i skolans färger som bärs spec. av f.d. elever vid *public schools*
schoolwork ['sku:lwɜ:k] *s* [hem]läxor; skolarbete
schoolyard ['sku:ljɑ:d] *s* vanl. amer. skolgård; lekplats
schooner ['sku:nə] *s* sjö. skonert, skonare
sciatica [saɪ'ætɪkə] *s* med. ischias
sciatic nerve [saɪ,ætɪk'nɜ:v] *s* anat. ischiasnerv, sittbensnerv
science ['saɪəns] *s* **1 a)** vetenskap; lära, kunskap **b)** vetenskaplighet, vetenskapligt arbete, vetenskaplig forskning **c)** ~ el. *natural ~*

naturvetenskap; *Bachelor* (*Master*) *of ~* ung. filosofie kandidat vid naturvetenskaplig institution efter tre års studier (vid vissa universitet är Master of Arts en högre examen); *Doctor of Science* filosofie doktor vid naturvetenskaplig fakultet **2** teknik, skicklighet, kunnande; konst; *~ of fencing* fäktkonst
science fiction [,saɪəns'fɪkʃ(ə)n] (förk. *SF*) *s* litt. science fiction
science park ['saɪənspɑ:k] *s* forskningscenter, forskarby
scientific [,saɪən'tɪfɪk] *adj* **1 a)** vetenskaplig [*~ books; ~ methods*] **b)** naturvetenskaplig **2** metodisk; tekniskt skicklig, teknisk [*a ~ boxer*]
scientifically [,saɪən'tɪfɪk(ə)lɪ] *adv* **1** vetenskapligt, naturvetenskapligt **2** rationellt; metodiskt, efter alla konstens regler
scientist ['saɪəntɪst] *s* [natur]vetenskapsman; forskare
sci-fi [,saɪ'faɪ] *s* (vard. kortform av *science fiction*) sf
Scilly ['sɪlɪ] geogr., *the Scillies* el. *the ~ Isles* (*Islands*) Scillyöarna
scimitar ['sɪmɪtə] *s* kroksabel
scintilla [sɪn'tɪlə] *s* gnutta; *not a ~ of* inte ett spår (en gnutta) av, inte en tillstymmelse till
scintillating ['sɪntɪleɪtɪŋ] *adj* blixtrande, bländande [*a ~ speech*]
scion ['saɪən] *s* **1** avkomling, ättling, telning **2** ympkvist
scissors ['sɪzəz] *s* **1** (med verb vanl. i pl.) sax; *a pair of ~* (ibl. *a ~*) en sax **2** (med verb i sg.) **a)** brottn. sax[grepp] **b)** gymn. bensax; saxning
scissors kick ['sɪzəzkɪk] *s* fotb. bicicleta, bicicleta
scleros|is [sklə'rəʊs|ɪs] (pl. *-es* [-i:z]) *s* med. skleros, förhårdning i vävnader
1 scoff [skɒf] *vb itr* hånskratta
2 scoff [skɒf] *vb tr* sl. sätta (glufsa) i sig
scold [skəʊld] *vb tr* skälla på (ut); *be ~ed* el. *get ~ed* bli utskälld
scolding ['skəʊldɪŋ] *s* skäll, utskällning; *get a ~* få en utskällning
scone [skɒn, skəʊn] *s* kok. scones
scoop [sku:p] **I** *s* **1** skopa; glasskopa; skovel, skyffel [*coal ~; sand ~*]; sjö. öskar; med. slev; tekn. hålmejsel; *~* el. *measuring ~* mått, måttskopa; *~ of ice cream* glasskula **2** skoptag, skoveltag, östag **3** tidn. (vard.) scoop, pangnyhet; *pull off a ~* göra ett scoop, bli först med en toppnyhet
II *vb tr* **1** ösa, skopa [upp] [äv. *~ up*]; skyffla [*away* undan; *into* ned i; *out* bort]; skrapa, gröpa [*~ the centre out of a melon*] **2** *~ out* holka (gröpa) ur [*~ out a melon*]; gräva [*~ out a tunnel*] **3** tidn. (vard.) hinna före [med en stor nyhet], slå **4** vard. kapa åt sig; kamma (ta) hem [*~ the pool*]; *~ in* håva in, kamma hem [*~ in the profits*]
scoot [sku:t] *vb itr* vard. kila, kuta, sticka
scooter ['sku:tə] *s* **1** sparkcykel **2** skoter
scope [skəʊp] *s* **1** [räck]vidd, omfattning, omfång; ram; spännvidd; *it is beyond the ~ of a child's mind* (*understanding*) det går över ett barns horisont, det ligger utanför ett barns fattningsförmåga; *an enterprise of wide* (*vast*) *~* ett [vitt]omfattande företag; *within the ~ of possibility* inom möjligheternas gräns[er]; *within the ~ of my work*

inom mitt arbetsområde **2** spelrum, utrymme; **have
free ~** el. **have full ~** ha fritt spelrum

scorch [skɔ:tʃ] **I** *vb tr* sveda, bränna, förbränna;
kok. bränna vid
II *vb itr* **1** svedas, brännas; förtorkas; kok. brännas
vid **2** vard. vråköra, köra i vild fart; susa [*off* i väg]
III *s* **1** [ytlig] brännskada; svedd ([brun]bränd)
fläck **2** vard. vansinnesfärd

scorched earth policy [ˌskɔ:tʃt'ɜ:θˌpɒlɪsɪ] *s*, **the ~**
den brända jordens taktik (politik)

scorcher ['skɔ:tʃə] *s* vard. **1** stekhet dag; **yesterday
was a ~** i går var det jättevarmt (jättehett)
2 panggrej, toppengrej; baddare

scorching ['skɔ:tʃɪŋ] **I** *adj* **1** stekhet, brännhet [*a ~
day*]; **the sun is ~** solen steker **2** bitande, svidande
[*~ sarcasm*]
II *adv*, **~ hot** stekande het, stekhet

score [skɔ:] **I** *s* **1** sport. o.d. **a)** ställning, läge [*the ~ at
half-time was 2–1*]; **what is the ~?** hur är
ställningen (läget)?, vad står det?; **know the ~** vard.
veta vad det rör sig om; **the final ~** slutställningen,
slutresultatet **b)** [poäng]räkning; protokoll; **keep
the ~** räkna, sköta räkningen, föra protokoll
c) poängtal, målsiffra **2** skol. el. statistik. poäng;
poängvärde **3** mus. partitur **4** anledning, orsak [*on
(av) what ~?*]; **you may be easy on that ~** du kan vara
lugn på den punkten; **on the ~ of** [*ill health*] på
grund av... **5** tjog; **a ~ of people** ett tjugotal
människor; **three ~ and ten** sjuttio [år]; **~s of** tjogtals
(massvis) med **6** repa, skåra, märke; streck
7 räkning, skuld; konto; **settle old ~s** ge betalt för
gammal ost
II *vb itr* **1** sport. o.d. **a)** få (ta) poäng, göra mål
b) sköta räkningen, föra protokoll **2** vinna; vard.
göra lycka (succé); **that's where she ~s** det är det
hon vinner (tar hem poäng) på; **~ over** vinna över;
överträffa
III *vb tr* **1** vinna, [kunna] notera [*~ a success
(framgång)*]; få, göra [*~ five points*]; **~ a goal** göra
[ett] mål **2** föra räkning över; sport. o.d. äv. föra
protokoll, räkna poäng [ofta *~ up*]; **~ sth up against
(to) sb** sätta upp ngt på ngns räkning (nota)
3 **a)** göra repor (skåror, märken) i (på), repa
b) strecka (stryka) för; **~ out** stryka över [*two
words were ~d out*]; **~ under** stryka under **4** mus.
orkestrera, instrumentera **5** räknas som **6** vard., **~
off sb** sätta ngn på plats

scoreboard ['skɔ:bɔ:d] *s* sport. poängtavla,
resultattavla, matchtavla

scorecard ['skɔ:kɑ:d] *s* **1** golf. m.m. scorekort,
protokoll **2** sport. program

scorer ['skɔ:rə] *s* sport. **1** protokollförare
2 poängtagare; målgörare

scoresheet ['skɔ:ʃi:t] *s* sport. o.d. [spel]protokoll;
keep a clean ~ el. **keep a blank ~** hålla nollan

scorn [skɔ:n] **I** *s* **1** förakt; hån; hånfullhet,
spotskhet; **pour ~ on** el. **heap ~ on** förakta, se ner på,
håna, bli hånad, bli utsatt för förakt (hån)
2 föremål för förakt (hån)
II *vb tr* försmå [*he ~ed my advice*]; håna

scornful ['skɔ:nf(ʊ)l] *adj* föraktfull; hånfull, spotsk;
be ~ of vara full av förakt för, förakta

scornfully ['skɔ:nfʊlɪ] *adv* föraktfullt, med förakt;
hånfullt; **smile ~** äv. hånle

Scorpio ['skɔ:pɪəʊ] *s* o. *adj* astrol. el. astron.
Skorpionen; **he is a ~** el. **he is ~** han är skorpion

Scorpion ['skɔ:pɪən] *s* astron., **the ~** Skorpionen

scorpion ['skɔ:pɪən] *s* zool. skorpion

Scot [skɒt] *s* skotte; skotska kvinna; **the ~s** skottarna

Scot. förk. för *Scotch*, *Scotland*, *Scottish*

Scotch [skɒtʃ] **I** *adj* skotsk
II *s* skotsk whisky; **~ and soda** whisky och soda

scotch [skɒtʃ] *vb tr* **1** kväva, kuva [*~ a plot*]; sätta
stopp för, göra slut på [*~ rumours*] **2** såra [utan att
döda], oskadliggöra [*~ a snake*]

Scotch broth [ˌskɒtʃ'brɒθ] *s* ung. tisdagssoppa med
kött

Scotch egg [ˌskɒtʃ'eg] *s* kok. skotska ägg hårdkokt
ägg lindat i köttskiva och stekt

Scotch fir [ˌskɒtʃ'fɜ:] *s* tall

Scotch|man ['skɒtʃ|mən] (pl. *-men* [-mən]) *s* skotte

Scotch mist [ˌskɒtʃ'mɪst] *s* regndimma, regndis;
vard. duggregn

Scotch pancake [ˌskɒtʃ'pænkeɪk] *s* kok., se *drop
scone*

Scotch-tape® ['skɒtʃteɪp] *vb tr* vanl. amer., se
sellotape

Scotch tape® [ˌskɒtʃ'teɪp] *s* vanl. amer., se
Sellotape®

Scotch terrier [ˌskɒtʃ'terɪə] *s* skotsk terrier, skotte

Scotch|woman ['skɒtʃ|wʊmən] (pl. *-women*
[-ˌwɪmɪn]) *s* skotska kvinna

scot-free [ˌskɒt'fri:] *adj* oskadd; ostraffad; **get off
(away) ~** komma (slippa) undan oskadd
(ostraffad), gå skottfri

Scotland ['skɒtlənd] geogr. Skottland

Scotland Yard [ˌskɒtlənd'jɑ:d], **~** el. **New ~** Scotland
Yard Londonpolisens högkvarter

Scots [skɒts] **I** *adj* skotsk **II** *s* skotska [språket];
Lowland ~ låglandsskotsk dialekt

Scots|man ['skɒts|mən] (pl. *-men* [-mən]) *s* skotte

Scots|woman ['skɒts|wʊmən] (pl. *-women*
[-ˌwɪmɪn]) *s* skotska kvinna

Scotticism ['skɒtɪsɪz(ə)m] *s* skotskt ord (uttryck)

Scottish ['skɒtɪʃ] *adj* skotsk

Scottish terrier [ˌskɒtɪʃ'terɪə] *s* skotsk terrier,
skotte

scoundrel ['skaʊndr(ə)l] *s* skurk, bov, usling

1 scour ['skaʊə] *vb tr* **1** söka (leta) igenom, söka
(leta) överallt på (i) [*for* för att hitta (få tag på)]
2 genomströva [*~ the woods*]; dra fram genom
[*they ~ed the streets*]

2 scour ['skaʊə] *vb tr* **1** skura [*~ a floor*]; *~ a
saucepan*]; skrubba (gnugga) ren [*~ clothes*]; **~ out**
skura ur **2** spola ren, rensa [*~ a channel*] **3 ~** [*out*]
plöja [upp], gräva [sig] [*the torrent had ~ed* [*out*] *a
channel*]

scourer ['skaʊərə] *s* stålull, kökssvamp

scourge [skɜ:dʒ] **I** *s* gissel, hemsökelse, plågoris;
landsplåga **II** *vb tr* gissla, hemsöka; tukta;
hudflänga

Scouse [skaʊs] *s* liverpooldialekten

Scouser ['skaʊsə] *s* vard. liverpoolbo

scout [skaʊt] **I** *s* **1** mil. **a)** spanare, spejare,
observatör **b)** spaningsfartyg **c)** spanings[flyg]plan
2 spaning; **be on the ~ for** vara [ute] på spaning
(jakt) efter **3 ~** el. **talent ~** talangscout **4** motsv.
juniorscout 11–12 år, patrullscout 13–15 år; **cub ~**

miniorscout; tidigare benämning vargunge; [**girl**] ~ amer.
[flick]scout; **venture** ~ seniorscout 16–20 år
5 vägpatrullman [*AA* ~; *RAC* ~]
II *vb itr* spana, speja, rekognoscera; ~ **about for** el. ~
around for spana (söka, se sig om, vara på jakt)
efter
III *vb tr* **1** undersöka, skaffa sig kännedom om [~
the enemy's defence] **2** vard., ~ **out** a) skaffa sig,
ragga upp b) leta ut (upp)
scouter ['skaʊtə] *s* **1** spanare **2** scoutledare
scout leader ['skaʊt,li:də] *s* scoutledare
scowl [skaʊl] **I** *vb itr* rynka ögonbrynen; se bister
(hotfull) ut; ~ **at** blänga på **II** *s* bister (hotfull)
uppsyn (blick)
scrabble ['skræbl] *vb itr* krafsa, skrapa [~ *with
one's nails*]; ~ **about for** el. ~ **around for** rota [runt]
(leta) efter
Scrabble® ['skræbl] *s* Alfapet® slags bokstavsspel
scrag end ['skrægend] *s* slakt. halsstycke av får el. kalv
scraggy ['skrægɪ] *adj* **1** mager, tanig [*a* ~ *neck*];
skinntorr **2** skrovlig [~ *rocks*]; knagglig
scram [skræm] *vb itr* vard. sticka, smita; ~*!* stick!
scramble ['skræmbl] **I** *vb itr* **1** klättra, kravla [~ *up
a cliff*; ~ *over rocks*]; krångla (streta) sig fram
2 rusa [*they* ~*d for* (till) *the door*]; slåss, kivas,
nappas, kappas [*for* om; *to* om att] **3** hafsa; kasta
sig i väg; ~ **into one's clothes** kasta på sig (kasta sig
i) kläderna; ~ **through** [**one's work**] hafsa (slarva)
igenom…; ~ **to one's feet** resa sig hastigt, fara
(rusa) upp
II *vb tr* **1** blanda (röra) ihop [~ *names and faces*]
2 kok. göra äggröra på [~ *eggs*] **3** tele. o.d. förvränga
tal, slumpkoda [~ *a message*] **4** skicka i väg; ~ **away**
el. ~ **off** rafsa undan; ~ **up** el. ~ **together** rafsa ihop
III *s* **1** [mödosam] klättring; klättrande,
kravlande, stretande **2** rusning [*a* ~ *for* (till) *the
door*] **3** rusning, riv och slit [*for* efter, för att få]
4 slags motocross
scrambled eggs [,skræmbld'egz] *s pl* kok. äggröra
scrambler ['skræmblə] *s* **1** tele. o.d. talförvrängare,
slumpkodare, skramlare **2** slags motorcrosscykel
1 scrap [skræp] **I** *s* **1** bit, stycke, lapp; smula;
fragment, brottstycke [~*s of a letter*]; snutt; **not a** ~
inte ett dugg (uns), inte en gnutta; **a** ~ **of paper** en
papperslapp (pappersbit); iron., om traktat o.d. bara
en bit papper **2** pl. ~**s** a) [mat]rester, smulor
b) [små]plock, smått och gott **3** avfall, skräp
4 skrot [*sell one's car for* (till, som) ~]; attr. skrot- [~
value]
II *vb tr* **1** skrota [ned] [~ *a ship*]; utrangera **2** vard.
kassera; slopa, spola
2 scrap [skræp] vard. **I** *s* gräl, gruff; slagsmål **II** *vb
itr* gräla, gruffas; slåss
scrapbook ['skræpbʊk] *s* **1** [urklipps]album,
urklippsbok, bok för tidningsurklipp **2** återblickar
[~ *for* (på) *2010*]; minnesbilder; ~ **for** äv. kavalkad
(krönika) över
scrape [skreɪp] **I** *vb tr* **1** skrapa, krafsa; skrapa
(skava) av (bort) [~ *the rust off* (from) *sth*]; skrapa
av (ren), hyvla väg; sickla; skrapa på (i) [~ *the floor
with one's shoes*]; skrapa mot [*the ship* ~*d the
bottom*]; ~ **a living** skrapa ihop pengar till
brödfödan, hanka sig fram [*by* på]; ~ **off** el. ~ **away**
skrapa (skava) av (bort); ~ **out** a) skrapa ur (ren) [~

out a saucepan] b) skrapa ur (bort); ~ [**up**] **an
acquaintance with sb** försöka inleda bekantskap
med ngn **2** skrapa med [~ *one's feet*] **3** vard. gnida
[på], fila på [~ *a fiddle*]; ~ **out a tune** [**on the violin**]
gnida [fram] en melodi [på fiolen]
II *vb itr* **1** skrapa, krafsa; raspa **2** trassla (krångla)
sig [~ *home*] **3** vard. gnida, fila [~ *at a violin*]
4 skrapa med foten och buga sig; **bow and** ~ **to sb**
bildl. skrapa med foten för ngn **5** snåla, spara
III *vb tr* o. *vb itr* med adv.:
scrape by vard. hanka sig fram, klara sig någotsånär
[*on* på]
scrape through: ~ **through an exam** (**a test**) vard. klara
sig med nöd och näppe (någotsånär)
scrape together el. **scrape up** skrapa (samla) ihop [~
together a few pounds; ~ *up a team*]
IV *s* **1** skrapning, skrapande [ljud], raspande [ljud]
2 fotskrapning [*bows and* ~*s*] **3** skrapsår,
skrubbsår **4** vard., **bread and** ~ bröd med ett tunt
lager smör (margarin) **5** vard. knipa, klämma [*get
into a* ~]; gräl, bråk
scraper ['skreɪpə] *s* **1** skrapa, skrapverktyg,
putskniv, sickel **2** fotskrapa, skrapjärn
3 vägskrapa, väghyvel
scrap heap ['skræphi:p] *s* skrothög; **throw sth on the
** ~ bildl. kasta ngt på skrothögen (sophögen)
scraping ['skreɪpɪŋ] *s* **1** skrapning, skrapande;
sickling, skavning **2** pl. ~**s** a) [hop]skrap
b) avskrap, skrapavfall, rester
scrap metal ['skræp,metl] *s* metallskrot
scrap paper ['skræp,peɪpə] *s* kladdpapper
scrappy ['skræpɪ] *adj* hopplockad, hoprafsad,
plockig; osammanhängande, planlös
scrapyard ['skræpjɑ:d] *s* skrotupplag
scratch [skrætʃ] **I** *vb tr* **1** klösa, riva; rispa, repa,
göra repor i [~ *the paint*]; skrapa, krafsa; **the
surface** skrapa på ytan; bildl. äv. snudda vid ytan [*of*
av], ytligt beröra **2** klia [på], riva [på]; ~ **sb's back**
klia ngn på ryggen; bildl. stryka ngn medhårs; ~ **my
back and I'll** ~ **yours** ung. hjälper du mig så ska jag
hjälpa dig **3** rista i [~ *glass*]; rista in [~ *one's name
on glass*] **4** krafsa [upp] [~ *a hole*] **5** stryka,
utesluta; sport. stryka från anmälningslistan [~ *a
horse*]
II *vb itr* **1** klösas, rivas **2** klia sig, riva sig [*stop
* ~*ing*] **3** krafsa, skrapa [~ *at the door*]; raspa [*the
pen* ~*es*]
III *vb tr* o. *vb itr* med adv. el. prep.:
scratch around for rota omkring efter
scratch out a) stryka [~ *out a name from a list*];
stryka (radera) ut b) stryka över c) krafsa upp [~
out a hole] d) skrapa (krafsa) bort e) krafsa fram
f) ~ **sb's eyes out** klösa ut ögonen på ngn
scrape together skrapa ihop; skrapa åt sig
scrape up a) skrapa ihop; skrapa åt sig b) krafsa
upp (fram) [*the dog* ~*ed up a bone*]
IV *s* **1** skråma, rispa; repa; skrubbsår; **escape
without a** ~ äv. komma helskinnad undan **2** skrap,
skrapande [ljud], raspande [ljud] **3** klösning etc., jfr
scratch I; **give oneself a good** ~ klia sig ordentligt
4 sport. a) startlinje b) scratch, utan handikapp
(försprång) **5** bildl. scratch, nolläge; **start from** ~
börja från scratch, börja [om] från början, starta
från ingenting; **be up to** ~ el. **come up to** ~ hålla

måttet, [upp]fylla kraven, vara mogen sin uppgift; **bring sb up to** ~ a) få ngn att hålla måttet ([upp]fylla kraven) b) få ngn i trim (slag)
V adj **1** tillfälligt (provisoriskt) hopplockad [a ~ team]; slumpvis hopkommen **2** sport. utan handikapp

scratch card ['skrætʃkɑːd] s skraplott

scratch pad ['skrætʃpæd] s vanl. amer. **1** kladdblock, anteckningsblock **2** data. slaskarea

scratch test ['skrætʃtest] s med. pricktest allergitest

scratchy ['skrætʃɪ] adj **1** krafsig, klottrig [~ writing] **2** raspig [a ~ pen]

scrawl [skrɔːl] **I** vb tr klottra [ned], krafsa (rafsa) ned (ihop) [~ a few words] **II** s klotter, krafs

scrawny ['skrɔːnɪ] adj mager, tanig; skinntorr

scream [skriːm] **I** vb itr **1** skrika [~ with (av) pain]; skria **2** ~ el. **~ with laughter** tjuta av skratt **3** tjuta [the sirens (wind) ~ed]; vina
II vb tr skrika [ut]
III s **1** skrik [a ~ of pain]; skri; tjut [the ~ of (från) a siren]; **~s of laughter** tjut av skratt **2** vard., **be a ~** vara helfestlig (jätterolig)

screamingly ['skriːmɪŋlɪ] adv fenomenalt; ~ **funny** jätterolig, helfestlig

scree [skriː] s [bergssluttning täckt med] stenras

screech [skriːtʃ] **I** vb itr gallskrika; skrika, tjuta, gnissla [the brakes ~ed]; ~ **to a halt** bromsa in med skrikande däck
II vb tr, ~ el. **~ out** skrika [ut (fram)]

screech owl ['skriːtʃaʊl] s zool. tornuggla; hornuggla

screed [skriːd] s långt brev, epistel; lång uppsats (avhandling); harang, tirad

screen [skriːn] **I** s **1** skärm [radar ~; X-ray ~]; [film]duk [cinema ~; projection ~]; ~ el. **television** ~ bildruta; ~ el. **viewing** ~ bildskärm **2** film. a) **the** ~ filmen [go on (in vid) the ~]; **adapt for the** ~ filmatisera, bearbeta för film[en] b) attr. film- [~ actor] **3** a) skärm, skyddsskärm b) skiljevägg, mellanvägg; kyrkl. korskrank c) bildl. ridå [a ~ of fog; a ~ of trees]; mur [a ~ of secrecy]; fasad; mask [a ~ of indifference] **4** bil. vindruta **5** a) [grovt] såll, sikt, harpa b) filter
II vb tr **1** skydda, skyla, dölja [from för, mot]; bildl. äv. skyla (släta) över [~ sb's faults] **2** a) skärma [av] [~ a light]; bildl. kringgärda [~ed by regulations] b) förse med en skärm (skärmar); sätta nät för [~ a window]; ~ **off** skärma (skilja) av [~ off a corner of the room] **3** a) sikta, sålla; harpa [~ed coals] b) bildl. sålla bort (ut), gallra bort (ut) [äv. ~ out]; sålla fram **4** film. a) filma, spela in b) filmatisera

screen door ['skriːndɔː] s amer. ytterdörr med myggnät

screen dump ['skriːndʌmp] s data. skärmdump
ögonblicksbild av det som visas på bildskärmen

screening ['skriːnɪŋ] s **1** visning, körning **2** bildl. utgallring, sovring, [systematisk] undersökning [a thorough background ~ of new recruits]; kontroll [health ~]; avsökning **3** med. screening, massundersökning [breast ~]

screenplay ['skriːnpleɪ] s filmmanus, scenario

screen saver ['skriːnˌseɪvə] s data. skärmsläckare

screen-struck ['skriːnstrʌk] adj filmbiten

screen test ['skriːntest] **I** s provfilmning, provfotografering **II** vb tr låta provfilma

screen version ['skriːnˌvɜːʃ(ə)n] s filmversion, filmatisering

screenwriter ['skriːnˌraɪtə] s filmförfattare

screw [skruː] **I** s **1** skruv; **he has a ~ loose** el. **there is a ~ loose somewhere** bildl. han har en skruv lös, han är inte riktigt klok; **put the ~s on** el. **turn the** ~ bildl. dra åt tumskruvarna, öka pressen **2** sport. skruv **3** vulg. knull **4** vard. lön; **he's paid a good** ~ han får bra pröjs **5** sl. plit fångvaktare
II vb tr **1** a) skruva äv. sport. b) skruva fast (i) [on på (i); to vid] c) skruva till (åt); ~ **down** skruva igen (till, åt) [~ down a lid]; ~ **off** skruva av (loss); ~ **the lid off** (**on**) **a jar** skruva av (på) locket på en burk; **his head is ~ed on the right way** (**all right**) vard. han har huvudet på skaft **2** förvrida **3** pressa, klämma åt; ~ **money out of sb** pressa ngn på pengar **4** sl. förstöra, sabba [it ~ed up our plans]; trassla (röra, strula) till **5** vulg. knulla **6** ~ **you!** sl. dra åt helvete!
III vb itr skruvas [a lid which ~s on]
IV vb itr o. vb tr med adv.:
screw around sl. a) gå och driva, slå dank, strula [omkring] b) vänsterprassla; ligga med vem som helst
screw up a) skruva igen (till, åt) b) knyckla ihop c) skruva (skörta, trissa) upp [~ up prices] d) misslyckas, göra bort sig, klanta till det e) ~ **up** [one's] **courage** ta mod till sig, samla mod; ~ **up one's eyes** kisa med (knipa ihop) ögonen; ~ **up one's lips** snörpa på munnen; ~ **up the strings of a violin** stämma en fiol

screwball ['skruːbɔːl] s vanl. amer. **1** vard. knasboll, galning **2** sport. skruvboll

screwdriver ['skruːˌdraɪvə] s **1** skruvmejsel **2** vard., drink på vodka och apelsinjuice

screwed-up [ˌskruːd'ʌp, attr. '--] adj vard. **1** skärrad, på helspänn **2** virrig, rörig, tilltrasslad

screw-top ['skruːtɒp] adj, **a ~ jar** en burk med skruvlock

screw top ['skruːtɒp] s skruvlock, skruvkapsyl

screw-topped ['skruːtɒpt] adj, **this bottle is** ~ den här flaskan har skruvkapsyl (skruvlock)

screwy ['skruːɪ] adj sl. tokig, [hel]knäpp; mysko

scribble ['skrɪbl] **I** vb tr klottra; klottra (rafsa) ihop (ned) [~ a letter] **II** vb itr klottra, kladda **III** s klotter, kladd

scribbler ['skrɪblə] s **1** klottrare **2** mångskrivare; pennfäktare, struntförfattare

scribe [skraɪb] s skämts. skribent

scrimmage ['skrɪmɪdʒ] s **1** tumult, handgemäng, slagsmål **2** amer. fotb. närkamp om bollen då bollen sätts i spel

scrimp [skrɪmp] vb itr snåla, spara; ~ **and save** snåla (gnida) och spara

script [skrɪpt] **I** s **1** film., radio. o.d. manus, manuskript; ~ el. **film** ~ filmmanus **2** [hand]skrift [in (med) ~]; skrivtecken **3** boktr. skrivstil **4** skol. skrivning, [skriftligt] examensprov **5** data., kort kommandosekvens skript **6** jur. handskrift, originalhandling, urkund
II vb tr skriva [manuskript till]

scripted ['skrɪptɪd] adj med manuskript[underlag] [~ programme; ~ speech]

scriptgirl ['skrɪptgɜːl] s o. **script supervisor** ['skrɪptˌsuːpəvaɪzə] s film., se continuity clerk

scriptural [ˈskrɪptʃ(ə)r(ə)l] *adj* biblisk, bibel-
scripture [ˈskrɪptʃə] *s* **1** [*Holy*] *Scripture* el. *the* [*Holy*]
   Scriptures den heliga skrift, Skriften, Bibeln **2** helig
   skrift (bok) [*Buddhist ~*]
scriptwriter [ˈskrɪptˌraɪtə] *s* film., radio. o.d.
   manusförfattare
scrofula [ˈskrɒfjʊlə] *s* med. skrofler
scroll [skrəʊl] **I** *s* **1** [skrift]rulle **2 a**) slinga, snirkel;
   släng på namnteckning **b**) ofta herald. bandslinga [med
   devis] **c**) konst. snäcklinje, rullform; scrollornament
   II *vb tr* data. rulla
scrollable [ˈskrəʊləb(ə)l] *adj* data. rullningsbar
scroll bar [ˈskrəʊlbɑː] *s* data. rullningslist
Scrooge [skruːdʒ] **I** person i Dickens bok 'A Christmas
   Carol' **II** *s* girigbuk, snålvarg
scropter [ˈskrɒptə] *s* tekn. skropterare
scrot|um [ˈskrəʊt|əm] (pl. *-a* [-ə] el. *-ums*) *s* anat.
   [testikel]pung, skrotum
scrounge [skraʊn(d)ʒ] vard. **I** *vb tr* lura till sig; tigga
   till sig, bomma [*~ a cigarette from sb*]
   II *vb itr*, *~ around for* sno (snoka) omkring efter;
   tigga
   III *s*, *be on the* ~ sno omkring (leta) efter; tigga
scrounger [ˈskraʊn(d)ʒə] *s* vard. snyltare; tiggare
1 scrub [skrʌb] **I** *vb tr* **1** skura, skrubba [*~ the
   floor*]; *~ out* skura ur; skura (skrubba) bort **2** vard.
   slopa, spola, skippa [*~ your plans*]
   II *vb itr* **1** skura, skrubba **2** med., *~ up* tvätta sig före
   en operation
   III *s* skurning, skrubbning; *it needs a good* ~ den
   behöver skuras (skrubbas) ordentligt
2 scrub [skrʌb] *s* **1** buskskog, busksnår
   2 förkrympt buske (träd)
scrubbing brush [ˈskrʌbɪŋbrʌʃ] *s* o. amer. **scrub
   brush** [ˈskrʌbbrʌʃ] *s* skurborste
scrubby [ˈskrʌbɪ] *adj* **1** förkrympt; ynklig **2** risig,
   snårig, snårbevuxen **3** ovårdad, sjabbig
scruff [skrʌf] *s*, *take* (*grab*) *by the ~ of the neck* ta i
   nackskinnet (hampan)
scruffy [ˈskrʌfɪ] *adj* vard. sjaskig, sjabbig, sluskig
scrum [skrʌm] rugby. (kortform av *scrummage*) **I** *s*
   klunga; *~ half* klunghalva **II** *vb itr*, *~ down* bilda
   klunga
scrummage [ˈskrʌmɪdʒ] *s* o. *vb itr* rugby., se *scrum*
scrumptious [ˈskrʌm(p)ʃəs] *adj* vard. jättegod,
   smaskens; kalas-, toppen- [*~ food*]; härlig;
   jättesnygg
scrunch [skrʌn(t)ʃ] **I** *vb tr* **1** krossa, krasa (trycka)
   sönder **2** skrynkla (knyckla) ihop; knipa ihop
   II *vb itr* knastra, krasa
   III *s* knaster
scrunch-drying [ˈskrʌn(t)ʃˌdraɪɪŋ] *s* hårrotsföning
scruple [ˈskruːpl] **I** *s*, *~* el. pl. *~s* skrupler,
   samvetsbetänkligheter, samvete; tvivel, tvekan;
   have ~s about ha samvetsbetänkligheter mot
   (beträffande), dra sig för; *make no ~ to* inte dra
   (genera) sig för att
   II *vb itr* hysa samvetsbetänkligheter [*at* mot]; *not ~
   to* inte dra (genera) sig för att
scrupulous [ˈskruːpjʊləs] *adj* **1** nogräknad, noga
   [*about*, *as to* i fråga om], samvetsöm **2** [mycket]
   samvetsgrann, [ytterst] noggrann; sorgfällig;
   skrupulös [*~ cleanliness*]

scrutineer [ˌskruːtəˈnɪə] *s* granskare; spec.
   röstkontrollant vid val
scrutinize [ˈskruːtənaɪz] *vb tr* noga undersöka, syna
   [i sömmarna], [fin]granska, studera
scrutiny [ˈskruːtənɪ] *s* **1** noggrann undersökning,
   [fin]granskning **2** forskande blick
SCSI [ˈskʌzɪ] *s* data. (förk. för *Small Computer
   Systems Interface*) SCSI standard för anslutning av
   kringutrustning
scuba diving [ˈskuːbəˌdaɪvɪŋ, ˈskjuː-] *s*
   sportdykning med andningsapparat
scud [skʌd] *vb itr* jaga [*the clouds ~ded across the
   sky*]; ila, löpa, rusa [*along* fram]
scuff [skʌf] *vb tr* **1** nöta (slita) ned [*~ one's shoes*]
   2 *~ one's feet* släpa med fötterna, hasa sig fram
scuffed [skʌft] *adj* sliten, nött
scuffle [ˈskʌfl] **I** *s* slagsmål, handgemäng, tumult
   II *vb itr* **1** slåss; knuffas och bråka **2** hasa [sig
   fram], släpa med fötterna, sjava [omkring]
scuff marks [ˈskʌfmɑːks] *s pl* märken (repor) efter
   skor
scull [skʌl] **I** *s* **1** roddbåt för två åror **2** [mindre] åra
   3 vrickåra
   II *vb tr* o. *vb itr* ro; vricka båt
sculler [ˈskʌlə] *s* roddare
scullery [ˈskʌlərɪ] *s* diskrum
sculpt [skʌlpt] *vb tr* o. *vb itr* vard. skulptera
sculptor [ˈskʌlptə] *s* skulptör, bildhuggare
sculptress [ˈskʌlptrəs] *s* ngt åld. skulptris
sculptural [ˈskʌlptʃər(ə)l] *adj* skulptural,
   statyliknande; skulptur-, bildhuggar- [*the ~ arts*]
sculpture [ˈskʌlptʃə] *s* **1** skulptur **2** skulptur,
   bildhuggarkonst[en]
sculptured [ˈskʌlptʃəd] *adj* uthuggen, [ut]mejslad,
   formad, skulpterad
scum [skʌm] *s* **1** skum vid kokning el. jäsning
   2 [smuts]hinna på stillastående vatten **3** vard. avskum
   [*the ~ of the earth*]
scumbag [ˈskʌmbæg] *s* sl. knöl, skitstövel
scupper [ˈskʌpə] **I** *vb tr* **1** sänka [*~ a ship*] **2** vard.
   torpedera, stjälpa, kullkasta [*~ plans*]; *we're ~ed!*
   nu är det klippt!
   II *s* sjö. spygatt
scurf [skɜːf] *s* **1** skorv, mjäll[kaka] **2** flagor
scurrilous [ˈskʌrɪləs] *adj* plump, grov[kornig];
   ovettig
scurry [ˈskʌrɪ] **I** *vb itr* kila, rusa; bildl. jaga [*~
   through one's work*] **II** *s* rusning, bildl. äv. jäkt
S-curve [ˈeskɜːv] *s* amer. trafik. s-kurva
scurvy [ˈskɜːvɪ] *s* med. skörbjugg
1 scuttle [ˈskʌtl] *s* se *coalscuttle*
2 scuttle [ˈskʌtl] *vb itr* rusa, kila, skutta [*~ off*; *~
   away*]
3 scuttle [ˈskʌtl] **I** *vb tr* **1** sjö. borra i sank [*~ a ship*]
   2 torpedera, kullkasta [*~ plans*]
   II *s* glugg med lucka i tak o. vägg; lucka; sjö. ventil;
   [ventil]lucka
scuzzy [ˈskʌzɪ] *adj* vanl. amer. sl. snuskig, smutsig
scythe [saɪð] **I** *s* lie **II** *vb tr* slå med lie, meja
SD o. **S. Dak.** förk. för *South Dakota*
SE förk. för *South-Eastern* (postdistrikt i London),
   south-east[ern]
sea [siː] *s* **1** hav [*the Caspian Sea*]; sjö [*the North
   Sea*]; attr. havs- [*~ ice*]; sjö- [*~ scout*]; *at ~* till sjöss

(havs), på havet (sjön), i sjön; *I'm* [*all*] *at* ~ vard. jag förstår inte ett dugg [av det hela]; *beyond the* ~[*s*] bortom haven, på andra sidan havet; *by* ~ sjöledes, sjövägen [*go by* ~]; *by* ~ *and land* till lands och till sjöss; *on the* ~ på havet; vid havet (kusten) [*Brighton is* (ligger) *on the* ~]; *over the* ~ över havet; på andra sidan havet; *go to* ~ gå till sjöss, bli sjöman; *put to* ~ om fartyg löpa ut, avsegla **2 a**) sjö [*a choppy* el. *short* (krabb) ~]; sjögång **b**) [stört]sjö, våg; *there is a heavy* (*high*) ~ det är hög sjö, det är svår sjögång **3** bildl. hav [*a* ~ *of people*]; ström [~*s of blood*]; *a* ~ *of flame* ett eldhav

sea air [ˌsiːˈeə] *s* havsluft, sjöluft
sea anemone [ˈsiːəˌnemənɪ] *s* zool. havsanemon
seabathing [ˈsiːˌbeɪðɪŋ] *s* havsbad, salta bad
seabed [ˈsiːbed] *s* havsbotten
seabird [ˈsiːbɜːd] *s* sjöfågel
seaboard [ˈsiːbɔːd] *s* strandlinje; kust[sträcka]
seaborne [ˈsiːbɔːn] *adj* sjöburen [~ *goods*]
sea breeze [ˈsiːbriːz] *s* sjöbris; havsbris
sea change [ˈsiːtʃeɪn(d)ʒ] *s*, *suffer a* ~ undergå en metamorfos (fullständig förvandling)
sea cow [ˈsiːkaʊ] *s* zool. sirendjur, sjöko
sea dog [ˈsiːdɒg] *s* vard. sjöbjörn, sjöbuss
sea elephant [ˈsiːˌeləfənt] *s* zool. sjöelefant
seafarer [ˈsiːˌfeərə] *s* sjöfarare; pl. ~*s* äv. sjöfolk
seafaring [ˈsiːˌfeərɪŋ] *adj* sjöfarande, sjöfarar-; ~ *life* livet till sjöss (havs); ~ *man* sjöfarare, sjöman
sea fish [ˈsiːfɪʃ] *s* havsfisk i motsats till insjöfisk
seafloor [ˈsiːflɔː] *s* havsbotten
seafood [ˈsiːfuːd] *s* [fisk och] skaldjur, 'havets läckerheter'; ~ *restaurant* fiskrestaurang
seafront [ˈsiːfrʌnt] *s* sjösida av ort, strand[promenad]; ~ *hotel* strandhotell
seagoing [ˈsiːˌgəʊɪŋ] *adj* **1** sjögående [*a* ~ *vessel*] **2** sjöfarande; *without* ~ *experience* utan sjövana
seagull [ˈsiːgʌl] *s* zool. fiskmås
sea horse [ˈsiːhɔːs] *s* zool. **1** sjöhäst **2** valross
1 seal [siːl] *s* zool. säl; *ringed* ~ ringsäl, vikare
2 seal [siːl] **I** *s* **1** sigill; lack[sigill]; försegling, plombering, plomb; sigillstamp; *put the* ~ *of one's approval on sth* bildl. sanktionera ngt **2** beseglande [*a* ~ *of friendship*]; bekräftelse **3** prägel, stämpel [*have the* ~ *of genius*]; *set one's* ~ *to* sätta sin prägel (stämpel) på **4** tekn. **a**) vattenlås; spärrventil **b**) packning, tätning **c**) förslutning
II *vb tr* **1** sätta sigill på (under) [~ *a document*]; försegla, klistra igen [~ *a letter*] **2** besegla [~ *friendship with a kiss*; *his fate is* ~*ed*]; bekräfta; avgöra [*this* ~*ed his fate*]; bestämma **3** prägla, stämpla, sätta sin stämpel på **4** tillsluta [hermetiskt], försluta; täta, stoppa (täppa) till (igen) [~ *a leak*] **5** kok., [*fry the meat quickly*] *to* ~ *in the juices* ...för att inte köttsaften ska rinna ut, ...för att bevara smaken
III *vb tr* med adv. el. prep.:
  seal off spärra av
  seal up försegla, plombera
sea lane [ˈsiːleɪn] *s* farled, sjöväg
sealant [ˈsiːlənt] *s* tätningsmedel
sealed [siːld] *adj* sluten [~ *cooling system*]; lufttät [~ *cabins*]; hermetisk
sealed-beam [ˈsiːldbiːm] *adj*, ~ *headlight* bil. sealedbeam-strålkastare

sea legs [ˈsiːlegz] *s pl* vard., *find one's* ~ el. *get one's* ~ få sjöben, bli sjövan
sea level [ˈsiːˌlevl] *s* vattenstånd i havet; *mean* ~ medelvattenstånd; *above* ~ över havet (havsytan); *below* ~ under havet (havsytan)
sealing wax [ˈsiːlɪŋwæks] *s* sigillack, lack; buteljlack, buteljharts; *stick of* ~ lackstång
sea lion [ˈsiːˌlaɪən] *s* zool. sjölejon
sealskin [ˈsiːlskɪn] *s* **1** sälskinn **2** sälskinnsplagg
seam [siːm] *s* **1** söm; *be bursting at the* ~*s* bildl. vara sprickfärdig (fullproppad); *fall* (*come*) *apart at the* ~ **a**) spricka (gå upp) i sömmen **b**) bildl. spricka; bryta ihop **2** fog, skarv **3** geol. flöts; skikt, lager av kol o.d. **4** med. el. anat. sutur
sea|man [ˈsiː|mən] (pl. -*men* [-mən]) *s* sjöman
seamanship [ˈsiːmənʃɪp] *s* sjömanskap
seamed [siːmd] *adj* **1** med sömmar **2** fårad [*a face* ~ *with* (av) *care*]; ärrig
sea mile [ˈsiːmaɪl] *s* sjömil, nautisk mil
seamless [ˈsiːmləs] *adj* sömlös, utan söm[mar]
seamstress [ˈsemstrəs] *s* sömmerska
seamy [ˈsiːmɪ] *adj*, ~ *side* avigsida av plagg o.d., bildl. äv. frånsida, skuggsida [*the* ~ *side of life*]
Sean [ʃɔːn] mansnamn
seance [ˈseɪɑːns, -ɒns] *s* spirit. seans
sea nymph [ˈsiːnɪmf] *s* mytol. havsnymf
seaplane [ˈsiːpleɪn] *s* sjöflygplan, hydroplan
seaport [ˈsiːpɔːt] *s* hamnstad, sjöstad [äv. ~ *town*]
sea power [ˈsiːˌpaʊə] *s* sjömakt
sear [sɪə] *vb tr* **1** bränna äv. med.; sveda **2** kok. bryna
search [sɜːtʃ] **I** *s* **1** sökande, letande, forskande, spaning [*for*, *after* efter], efterforskning[ar], efterspaning[ar]; skallgång; undersökning, genomsökning; husrannsakan, husundersökning; visitation, visitering; *body* ~ kroppsvisitation; *right of* ~ jur. visiteringsrätt; *in* ~ *of* på spaning (jakt) efter, som söker (letar) efter **2** data. sökning [*do a* ~]
II *vb tr* söka (leta) igenom, undersöka [*for* för att hitta], leta (söka) i [*for* efter; ~ *one's memory*]; gå skallgång [*for* efter]; visitera [~ *a ship*]; kroppsvisitera; rannsaka; se forskande (prövande) på [~ *sb's face*]; ~ *one's heart* (*conscience*) rannsaka sitt hjärta (samvete); ~ *sb's house* göra husrannsakan hos ngn; ~ *me!* vard. inte vet jag!, ingen aning!; ~ *out* **a**) leta fram **b**) söka (leta) upp, ta kontakt med **c**) utforska, ta reda på
III *vb itr* söka, leta, forska, spana, speja [*for* efter]; göra efterforskningar, gå skallgång; ~ *after* söka [finna] [~ *after the truth*]; ~ *for sb* efterforska (efterspana) ngn
search engine [ˈsɜːtʃˌen(d)ʒɪn] *s* data. sökmotor
searching [ˈsɜːtʃɪŋ] *adj* **1** forskande, prövande, spanande [*a* ~ *look*] **2** grundlig, ingående [*a* ~ *test*] **3** genomträngande [*a* ~ *wind*]
searchlight [ˈsɜːtʃlaɪt] *s* strålkastarljus, sökarljus
search party [ˈsɜːtʃˌpɑːtɪ] *s* spaningspatrull, skallgångskedja
search warrant [ˈsɜːtʃˌwɒr(ə)nt] *s* husrannsakningsorder
searchword [ˈsɜːtʃwɜːd] *s* data. sökord
searing [ˈsɪərɪŋ] *adj* brinnande, glödande; svidande
sea route [ˈsiːruːt] *s* sjöväg
sea salt [ˈsiːsɔːlt] *s* havssalt

seascape ['si:skeɪp] s konst. havsbild, havsmålning
seashell ['si:ʃel] s snäckskal, musselskal
seashore ['si:ʃɔ:, ˌ-'-] s [havs]strand
seasick ['si:sɪk] adj sjösjuk
seasickness ['si:ˌsɪknəs] s sjösjuka
seaside ['si:saɪd] s **1** kust; attr. kust- [~ town];
strand-; [spend one's holidays] at the ~ ...vid kusten
(havet), ...på badort **2** sjösida av ort
seaside place ['si:saɪdpleɪs] s o. **seaside resort**
['si:saɪdrɪˌzɔ:t] s badort
season ['si:zn] **I** s **1** årstid [the four ~s]; **the rainy**
(dry) ~ regntiden (torrtiden) i tropikerna; at this ~ [of
the year] vid den här årstiden
2 säsong [the football ~]; tid [the mating ~]; **the**
close ~ förbjuden (olaga) tid för jakt o. fiske,
fridlysningstid; **the open** ~ lovlig (tillåten) tid för jakt
o. fiske
in season a) i rätt[an] tid [a word in ~]; in due ~ i
[rätt] tid, i sinom tid b) när det är säsong [I only
eat oysters in ~]; oysters are in ~ det är säsong för
ostron, det är ostrontid (ostronsäsong) c) jakt. el.
fiske. lovlig, tillåten [hares are in ~]
out of season a) i otid, olämplig[t], opassande
b) när det inte är säsong [plums are hard to get out
of ~]; oysters are out of ~ det är inte ostrontid
(ostronsäsong)
3 helg, tid, se äv. compliment I 2; **Christmas** ~
julhelgen, jultiden; ~'s greetings jul- och
nyårshälsningar
II vb tr **1** krydda äv. bildl. [~ food; ~ the
conversation with wit]; smaksätta, salta och
peppra **2** lagra [~ cheese; ~ cigars]; låta mogna;
torka [~ timber; ~ wood] **3** vänja [~ the soldiers to
(vid) the climate]; acklimatisera
seasonable ['si:z(ə)nəbl] adj **1** typisk för årstiden
[~ weather]; som passar för årstiden **2** läglig,
lämplig [at a ~ time]
seasonal ['si:z(ə)nl] adj **1** säsong- [~ article; ~
work]; säsongbetonad [~ trade]; säsongmässig,
säsongbetingad **2** årstidsmässig, årstidsbetingad
season creep ['si:znkri:p] s årstidsförskjutning
seasoned ['si:z(ə)nd] adj **1** van, härdad, garvad [~
soldiers; ~ veterans]; väderbiten; be a ~ traveller
vara resvan, har resvana **2** kryddad äv. bildl.; highly
~ starkt (väl) kryddad, kryddstark, pikant **3** lagrad
[~ cigars]; torkad, torr [~ timber; ~ wood]; a ~ pipe
en inrökt pipa
seasoning ['si:z(ə)nɪŋ] s **1** krydda äv. bildl.;
smaktillsats; add ~ to taste krydda efter smak
2 kryddning, smaksättning
season ticket ['si:zn,tɪkɪt] s [period]kort,
rabattkort, abonnemangskort; säsongbiljett; ~ for a
year årskort; monthly ~ månadskort, månadsbiljett
seat [si:t] **I** s **1** sittplats; stol, bänk, [sitt]pall; säte
[there are two ~s in the car]; plats [lose (bli av med)
one's ~]; biljett [book four ~s for (till) 'Hamlet'];
get a ~ få sittplats, få sitta; have a good ~ [at the
theatre] ha bra plats..., sitta bra...; keep one's ~
sitta kvar; take a ~ sätta sig, sitta ned, ta plats
[won't you take a ~?]; take one's ~ inta sin plats;
this ~ is taken den här platsen är upptagen, det är
upptaget här; take your ~s, please! el. ~s, please!
järnv. tag plats! **2** sits på möbel o.d. **3** bak[del], stuss,
anat. äv. säte; the ~ of one's trousers (pants)

byxbaken; do sth by the ~ of one's pants göra ngt på
känn (instinktivt, intuitivt) **4** plats, mandat [a ~ in
the House of Commons; the party gained 100 ~s];
säte; medlemskap; have a ~ on the board sitta med
(ha säte) i styrelsen; lose one's ~ förlora sitt
mandat, inte bli återvald **5** säte, centrum, härd [of
för]; ~ of learning lärdomssäte **6** ridn. sits; have a
good ~ ha bra sits, sitta väl [till häst]
II vb tr **1** sätta, placera, låta sitta (sätta sig), anvisa
(bereda) [sitt]plats åt [he ~ed us in the front row];
be ~ed; ta plats, sätta sig [please be ~ed!]; ha sitt
säte, ligga [in i] **2** installera; få in[vald] [~ a
candidate] **3** a) ha [sitt]plats för, rymma [the car
~s five] b) skaffa sittplats åt [we can't ~ them all]
seat belt ['si:tbelt] s bil. el. flyg. säkerhetsbälte
seat cushion ['si:t,kuʃ(ə)n] s sittdyna
seater ['si:tə] s som efterled i sammansättn. -sitsigt
fordon [two-seater]
seating ['si:tɪŋ] **I** s **1** a) placerande etc., jfr seat II
b) [bords]placering **2** sittplatser **3** tekn. underlag;
säte [valve ~]
II adj, ~ accommodation sittplatser, sittmöjligheter;
~ capacity se under capacity 1; ~ room sittplatser
seat reservation ['si:t,rezə'veɪʃ(ə)n] s
1 [sitt]platsbeställning **2** [sitt]platsbiljett
sea trout ['si:traut] (pl. sea trout) s zool. laxöring,
havsöring
Seattle [sɪ'ætl] geogr.
sea urchin ['si:ˌɜ:tʃɪn, ˌ-'--] s zool. sjöborre
sea wall [ˌsi:'wɔ:l] s skyddsmur mot havet
seaward ['si:wəd] **I** adj [vänd] mot havet; mot
sjösidan **II** adv mot (åt) havet **III** s sjösida
sea water ['si:ˌwɔ:tə] s havsvatten, sjövatten
seaway ['si:weɪ] s **1** sjöväg **2** inlandsled för
havsgående fartyg
seaweed ['si:wi:d] s bot. havsväxt[er]; sjögräs,
alg[er], tång
seaworthy ['si:ˌwɜ:ðɪ] adj sjöduglig, sjösäker
sebaceous gland [sɪ'beɪʃəsglænd] s fysiol. talgkörtel
sec [sek] s (vard. kortform av second) sekund,
ögonblick [wait a ~!]
sec. förk. för second[s], secretary
secateurs [ˌsekə'tɜ:z] s pl sekatör, trädgårdssax
secede [sɪ'si:d] vb itr utträda [~ from (ur) a
federation]
secession [sɪ'seʃ(ə)n] s utträde [~ from (ur) the
church]; utbrytning, secession
seclude [sɪ'klu:d] vb tr avstänga, isolera
secluded [sɪ'klu:dɪd] adj avskild, undangömd [a ~
spot]; tillbakadragen, isolerad [a ~ life]
seclusion [sɪ'klu:ʒ(ə)n] s avstängdhet, avskildhet,
tillbakadragenhet, ensamhet; live in ~ äv. leva
tillbakadraget
1 second ['sek(ə)nd] s **1** sekund; ögonblick [I'll be
back in (om) a ~]; för ex. jfr 1 minute; five metres per
~ sjö. fem meter i sekunden **2** sekund del av grad
2 second ['sek(ə)nd] (jfr fifth) **I** adj **1** (äv. räkn)
andra, andre; andra- [~ car; ~ tenor]; näst [the ~
largest]; i förbindelse med vissa subst. som childhood,
thought o. 1 wind se under dessa; a ~ a) en ny (annan)
[a ~ Hitler] b) ännu (ytterligare) en, en till [you
need a ~ bag]; give sth a ~ look titta på ngt igen (en
gång till); in the ~ place i andra rummet (hand), för
det andra **2** underlägsen [to sb ngn]; be ~ to none

inte vara sämre än någon annan, kunna mäta sig
med vem som helst, inte stå någon efter **3** spec. hand.
sekunda [~ *quality*]
II *adv* **1** näst **2** [i] andra klass [*travel ~*] **3** som
tvåa, som nummer två i ordningen [*he spoke ~*]; i
andra hand [*that will have to come ~*]; *come* ~ el.
come in ~ el. *finish* ~ komma [in som] (bli) tvåa,
komma på andra plats, få en andraplacering
III *s* **1** sport. **a)** tvåa, andra man; *he was an easy* ~
han kom som god tvåa **b)** andraplacering **2** univ.,
he got a ~ ung. han fick näst högsta betyget i
examen för *honours degree* (jfr *honour I 5*) **3** motor.
tvåans växel, tvåan; *put the car in* ~ lägga in tvåan
4 a) sekundant [~ *in a duel*] **b)** boxn. sekond **5** hand.,
pl. *~s* utskottsvaror, andrasortering [*these cups are
~s*] **6** pl. *~s* vard. påfyllning, en portion till,
påbackning
IV *vb tr* **1** understödja, biträda, ansluta sig till [~ *a
proposal* (*sb*)]; instämma i; instämma med,
sekundera [~ *sb*] **2** sekundera, vara sekundant
(boxn. sekond) åt
secondary ['sek(ə)nd(ə)rı] *adj* sekundär;
underordnad [*of* ~ *importance*]; andrahands- [~
source]; bi- [~ *accent*; ~ *meaning*]; *be* ~ *to* vara
mindre viktig (väsentlig) än [*reading fast is* ~ *to
reading well*]
secondary colours [ˌsek(ə)nd(ə)rı'kʌləz] *s pl*
sekundärfärger, blandfärger
secondary education [ˌsek(ə)nd(ə)rı edjʊ'keıʃ(ə)n] *s*
påbyggnadsundervisning, jfr *secondary school*
secondary school ['sek(ə)nd(ə)rısku:l] *s* skola för
elever mellan 11 och 16 (18) år
secondary stress [ˌsek(ə)nd(ə)rı'stres] *s* fonet. biton,
biaccent, bitryck
second-best [ˌsek(ə)n(d)'best, attr. '---] **I** *adj* näst
bäst [*my* ~ *suit*] **II** *adv* näst bäst; *come off* ~ bildl. dra
det kortaste strået, förlora
second-class [ˌsek(ə)n(d)'klɑ:s, attr. adj. '---] **I** *adj*
andraklass- [*a* ~ *ticket*]; andra klassens [*a* ~ *hotel*];
sekunda
II *adv* [i] andra klass [*travel second-class*]
second class [ˌsek(ə)nd'klɑ:s] *s* andra klass; *he got
a* ~ univ., ung. han fick näst högsta betyget i examen
för *honours degree* (jfr *honour I 5*)
second-class mail ['sek(ə)n(d)ˌklɑ:s'meıl] *s* **1** britt.
andraklasspost, B-post **2** amer. trycksaker som
tidningar
second cousin [ˌsek(ə)nd'kʌzn] *s* syssling
second-degree ['sek(ə)nddıˌgri:] *adj* **1** med., ~ *burn*
andra gradens brännskada **2** vanl. amer. jur., ~ *murder*
icke-överlagt mord
seconder ['sek(ə)ndə] *s*, *a* ~ *of...* en som instämmer
med (understöder)...
second floor [ˌsek(ə)nd'flɔ:] *s*, *the* ~ [våningen] två
trappor (amer. en trappa) upp
second-guess [ˌsek(ə)nd'ges] *vb tr* **1** förutse,
förutspå [~ *sb's moves*] **2** vanl. amer. komma med
kritik mot ngt i efterhand
second-hand [ˌsek(ə)nd'hænd, attr. '---] **I** *adj* [köpt]
begagnad, second hand [~ *clothes*; ~ *furniture*];
antikvarisk [~ *books*]; andrahands- [~
information; ~ *shop*]; lånad [~ *ideas*]
II *adv* i andra hand [*get news* ~]; begagnat, second
hand [*buy* ~]

second hand ['sek(ə)ndhænd] *s* sekundvisare
second-hand bookshop ['sek(ə)ndˌhænd'bʊkʃɒp] *s*
antikvariat
second-in-command [ˌsek(ə)ndınkə'mɑ:nd] *s*, *be* ~
ha näst högsta befälet
secondly ['sek(ə)ndlı] *adv* för det andra
second name ['sek(ə)ndneım] *s* efternamn
second nature [ˌsek(ə)nd'neıtʃə] *s*, [*wearing a tie*] *is*
~ *to him* ...är naturligt (normalt) för honom
second person [ˌsek(ə)nd'pɜ:sn] *s* gram. andra
person
second-rate [ˌsek(ə)n(d)'reıt, attr. '---] *adj* andra
klassens [*a* ~ *hotel*]; sekunda, andrarangs- [*a* ~
poet]; medelmåttig
second-rater [ˌsek(ə)n(d)'reıtə] *s* medelmåtta
second sight [ˌsek(ə)nd'saıt] *s* klärvoajans,
synskhet
second-string [ˌsek(ə)nd'strıŋ] *adj* **1** andrarangs- [~
journalist] **2** amer. sport. reserv-
second wind [ˌsek(ə)nd'wınd] *s*, *get one's* ~ bildl.
återvinna sina krafter, hämta sig; komma in i
andra andningen
secrecy ['si:krəsı] *s* tystlåtenhet, förtegenhet [*on
beträffande*]; sekretess
secret ['si:krət] **I** *adj* hemlig; sekret; lönn- [~ *door*];
avskild, undangömd, dold [*a* ~ *place*]; ~ *passage*
hemlig gång, lönngång; *keep sth* ~ *from sb* hålla ngt
hemligt (förtiga ngt) för ngn
II *s* hemlighet [*an open* (offentlig) ~]; *keep a* ~
bevara (hålla tyst med) en hemlighet; *keep sth a* ~
from sb hålla ngt hemligt för ngn; *let* (*take*) *sb into a*
~ inviga ngn i en hemlighet
secretarial [ˌsekrə'teərıəl] *adj* sekreterar- [~ *work*]
secretariat [ˌsekrə'teərıət] *s* **1** sekretariat, kansli
2 sekreterarskap
secretary ['sekrət(ə)rı] *s* **1** sekreterare **2** polit.
minister; *Secretary of State for Defence* el. *Defence
Secretary* i Storbritannien försvarsminister; *Secretary
of Defense* i USA försvarsminister
secretary-general [ˌsekrət(ə)rı'dʒen(ə)r(ə)l] (pl.
secretaries-general) *s* generalsekreterare
Secretary of State [ˌsekrət(ə)rıəv'steıt] *s* polit., i
Storbritannien departementschef, minister; i USA
utrikesminister
secrete [sı'kri:t] *vb tr* fysiol. avsöndra, utsöndra
secretion [sı'kri:ʃ(ə)n] *s* fysiol. avsöndring,
utsöndring, sekretion; sekret
secretive ['si:krətıv] *adj* hemlighetsfull, förtegen
secretly ['si:krıtlı] *adv* hemligt, i hemlighet, i [all]
tysthet, i lönndom; i sitt stilla sinne; innerst inne
secret police [ˌsi:krətpə'li:s] *s*, *the* ~ hemliga
polisen, säkerhetspolisen
secret service [ˌsi:krət'sɜ:vıs] *s* **1** polit.
underrättelsetjänst, säkerhetstjänst **2** i USA, *the
Secret Service* presidentens säkerhetstjänst
sect [sekt] *s* relig. m.m. sekt, polit. äv. falang, fraktion
sectarian [sek'teərıən] **I** *adj* sekteristisk **II** *s*
sekterist
sectarianism [sek'teərıənız(ə)m] *s* sekterism,
sektväsen; sektanda
section ['sekʃ(ə)n] **I** *s* **1 a)** del, avdelning; avsnitt;
paragraf **b)** [bestånds]del, sektion [*a bookcase in
five ~s*] **c)** stycke, bit [*a* ~ *of a cake*]; klyfta [*the ~s
of an orange*] **d)** [del]sträcka [*a* ~ *of a road*]; *the*

sports ~ [*of a newspaper*] sportsidorna... **2** område, sektor [*the industrial* ~ *of a country*] **3** mus. sektion, [instrument]grupp **4** [tvär]snitt, genomskärning **5** med. o.d. **a)** [in]snitt, sektion **b)** [mikroskop]preparat, snitt **II** *vb tr* **1** dela upp , indela i avdelningar (avsnitt etc., jfr *section I*) [äv. ~ *off*] **2** visa (framställa) i genomskärning

sectional ['sekʃ(ə)nl] *adj* sektions- [~ *sofa*]; isärtagbar, i delar [~ *fishing rod*]; tekn. profil- [~ *iron*; ~ *steel*]

sectional furniture [,sekʃ(ə)nl'fɜːnɪtʃə] *s* kombimöbler, sektionsmöbler

section mark ['sekʃ(ə)nmɑːk] *s* paragraftecken

sector ['sektə] *s* sektor äv. matem., område, mil. äv. [front]avsnitt; *the public* ~ den offentliga (statliga) sektorn

secular ['sekjʊlə] *adj* världslig [*the* ~ *power*]; profan [~ *art*; ~ *music*]; sekulariserad [~ *education*]; utomkyrklig, icke-kyrklig [~ *marriage*]

secularize ['sekjʊləraɪz] *vb tr* sekularisera

secure [sɪ'kjʊə] **I** *adj* **1** säker, trygg, skyddad [*from, against* för, emot]; tryggad, säkrad [*a* ~ *future*] **2** stadig, säker [*a* ~ *grasp*; *a* ~ *lock*]; stabil **3** i säkert förvar [*the papers are* ~; *the prisoner is* ~]; säker, i säkerhet **II** *vb tr* **1** befästa äv. bildl. [~ *a town with a wall*; ~ *one's position*]; säkra, säkerställa, trygga, skydda, ge skydd åt [*against, from* mot, för]; ~ *oneself against* skydda (gardera, trygga) sig mot **2** säkra, göra (haka) fast, låsa [~ *the doors*; ~ *the windows*]; binda [fast] [~ *a prisoner with ropes*]; fästa, sjö. surra **3** försäkra sig om, [lyckas] skaffa [sig] [~ *seats at a theatre*]; lyckas få, vinna, lägga beslag på [~ *a prize*]; belägga [*he* ~*d the second place*] **4** skaffa **5** spärra in, sätta i säkert förvar [~ *a prisoner*] **6** hand. ställa säkerhet för [~ *a loan*]

Securicor® [sɪ'kjʊərɪkɔː] *s* säkerhetstransportbolag; ~ *van* säkerhetsbil för värdetransporter

security [sɪ'kjʊərətɪ] *s* **1** trygghet [*the child lacks* ~; *job* ~]; trygghetskänsla; säkerhet, skydd [*from, against* mot]; *Organization for Security and Cooperation in Europe* (förk. OSCE) EU. Organisationen för säkerhet och samarbete i Europa (förk. OSSE) **2** säkerhetsåtgärd[er]; attr. säkerhets- [~ *guard*; ~ *risk*] **3** hand. **a)** säkerhet, borgen [*lend money on* (mot) ~]; garanti **b)** borgensman; *become* (*stand, go*) ~ *for sb* gå i borgen för ngn **4** *government* ~ statsobligation; pl. *securities* värdepapper

security blanket [sɪ'kjʊərətɪ,blæŋkɪt] *s* **1** gosefilt **2** tröst

security camera [sɪ'kjʊərətɪ,kæm(ə)rə] *s* övervakningskamera i butiker etc.

security clearance [sɪ,kjʊərətɪ'klɪər(ə)ns] *s* intyg om verkställd säkerhetskontroll

Security Council [sɪ'kjʊərətɪ,kaʊnsl] (förk. SC) *s, the* ~ säkerhetsrådet i FN

security guard [sɪ'kjʊərətɪgɑːd] *s* säkerhetsvakt

security light [sɪ'kjʊərətɪlaɪt] *s* rörelsevakt, belysning med rörelsedetektor, rörelsestyrd belysning

security precautions [sɪ,kjʊərətɪprɪ'kɔːʃ(ə)nz] *s pl* säkerhetsanordningar, säkerhetsåtgärder

security risk [sɪ'kjʊərətɪrɪsk] *s* säkerhetsrisk

security service [sɪ'kjʊərətɪ,sɜːvɪs] *s* säkerhetstjänst

sedan [sɪ'dæn] *s* amer. sedan bil

sedan chair [sɪ'dæntʃeə] *s* hist. bärstol

sedate [sɪ'deɪt] **I** *adj* stillsam, lugn, sansad **II** *vb tr* ge lugnande medel åt

sedation [sɪ'deɪʃ(ə)n] *s, be under* ~ **a)** ha fått lugnande medel **b)** vara nedsövd

sedative ['sedətɪv] **I** *s* [nerv]lugnande medel; med. sedativ **II** *adj* lugnande; med. sedativ

sedentary ['sednt(ə)rɪ] *adj* stillasittande [*a* ~ *life*; *a* ~ *occupation*]

sedge [sedʒ] *s* bot. starr[gräs]

sedge warbler ['sedʒ,wɔːblə] *s* zool. sävsångare

sediment ['sedɪmənt] *s* sediment, avlagring, fällning, bottensats

sedimentary [,sedɪ'ment(ə)rɪ] *adj* sedimentär [~ *rocks*]; bestående av (bildad genom) avlagring[ar]

sedition [sɪ'dɪʃ(ə)n] *s* **1** upproriskhet **2** uppvigling

seditious [sɪ'dɪʃəs] *adj* upprorisk, uppviglings- [~ *speeches*]

seduce [sɪ'djuːs] *vb tr* **1** förföra **2** förleda

seduction [sɪ'dʌkʃ(ə)n] *s* förförelse, lockelse

seductive [sɪ'dʌktɪv] *adj* förförisk [*a* ~ *smile*; *a* ~ *melody*]; lockande, frestande [*a* ~ *offer*]

sedulous ['sedjʊləs] *adj* trägen, oförtruten, flitig

1 see [siː] **I** (*saw seen*) *vb tr* o. *vb itr* **1** se; se (titta) på, bese [~ *the sights of London*]; se (titta) efter [*I'll* ~ *who it is*]; kolla; tänka sig [*I can't* ~ *him as a president*]; se till, ordna [*I'll* ~ *that it is done at once*]; *we'll* ~ vi får [väl] se; ~ *you don't fall!* se till (akta dig så) att du inte faller!; *what you* ~ *is what you get* vard. **a)** det blir inte bättre än så här, precis så här är (blir) det **b)** den levereras i exakt detta utförande **c)** data., se *WYSIWYG*; *nobody was to* (*could*) *be* ~*n* ingen syntes till; ~ *the world* se sig om[kring] i världen; *I'll* ~ *you* (*damned, hanged*) *first!* vard. aldrig i livet!, sällan!, [så] tusan heller! **2** förstå, begripa [*I* ~ *what you mean*]; inse, se [*I can't* ~ *the use of it*]; *oh, I* ~ å, jag förstår; *I was there, you* ~ jag var där förstår (ser) du **3** hälsa 'på, besöka; gå till, söka [*you must* ~ *a doctor about* (för) *it*]; *can I* ~ [*the manager*]*?* kan jag få tala med...?, träffas...?; *I'm* ~*ing her tonight* jag ska träffa henne i kväll; [*I'll*] *be* ~*ing you!* el. ~ *you!* el. ~ *you later* (*around*)*!* vard. vi ses [senare]!, hej så länge! **4** ta emot [*the manager can* ~ *you now*] **5** följa [*he saw me home; he saw me to the station*]; ~ *sb off* vinka av (följa) ngn; ~ *sb out* följa ngn ut (till dörren) **II** (*saw seen*) *vb tr* o. *vb itr* med prep. el. adv., ofta med spec. översättning:

see about sköta om, ta hand om [*he promised to* ~ *about the matter*]; sörja för, ordna [med]; *we'll* ~ *about that* **a)** det sköter vi om **b)** det ska vi fundera på **c)** det får vi allt se

see by se vid (i) [*can you* ~ *by this light?*]; *I can* ~ *by your face* (*looks*) *that...* jag ser på dig att...

see from se i (av, på) [*I* ~ *from the letter that...*]

see in: ~ *the New Year in* vaka in det nya året

see into titta närmare på, undersöka [*I'll* ~ *into the matter*]

see off se *1 see I 5* nedan

see over se på, inspektera
see through a) genomskåda [*we all saw through him*] **b)** slutföra, föra i hamn [*~ a task through*]; klara sig igenom **c)** hjälpa igenom [*~ sb through*]; *I'll ~ you through* jag ska ordna (reda upp) saken åt dig; *this will ~ you through* [*another week*] på det här klarar (reder) du dig…
see to a) ta hand om, se till (efter) **b)** sköta [om], ordna; *~ to it that…* se till att…, laga (ordna) [så] att…; *have one's car ~n to* lämna in bilen på kontroll
2 see [si:] *s* kyrkl. [biskops]stift [*the ~ of Canterbury*]; biskopssäte, biskopsstol, biskopsämbete
seed [si:d] **I** *s* **1** frö; *~* el. pl. *~s* koll. frö, utsäde, säd; *go to ~* el. *run to ~* a) gå i frö, fröa sig b) bildl. råka i förfall **2** kärna [*melon ~s; raisin ~s*] **3** bildl. frö; upprinnelse [*be the ~ of* (till)]; *sow the ~s of dissension* så split; *sow the ~s of hatred* så [ett] hat **4** sport. seedad spelare; *he is No. 1 ~* han är seedad som etta
II *vb tr* **1** [be]så [*~ a field with wheat*] **2** kärna ur [*~ raisins*] **3** sport. seeda
seedbed ['si:dbed] *s* **1** såbädd; [driv]bänk; plantsäng **2** bildl. grogrund, härd [*of* för]
seedcake ['si:dkeɪk] *s* kok. sockerkaka med kummin
seed capital ['si:d,kæpɪt(ə)l] *s* startkapital för företag
seed corn ['si:dkɔ:n] *s* utsäde[sfrö]
seedless ['si:dləs] *adj* kärnfri [*~ raisins*]
seedling ['si:dlɪŋ] **I** *s* [frö]planta, groddplanta; späd planta **II** *adj* uppdragen ur frö
seed money ['si:d,mʌnɪ] *s* startkapital för företag
seed pearl ['si:dpɜ:l] *s* sandpärla
seed potatoes [,si:dpə'teɪtəʊz] *s pl* sättpotatis
seedy ['si:dɪ] *adj* vard. **1** luggsliten, sjaskig [*~ clothes*]; avsigkommen **2** krasslig, vissen [*feel ~*]
seeing ['si:ɪŋ] **I** *s* **1** seende; *~ is believing* man tror det man ser [med egna ögon], att se är att tro **2** syn[förmåga]
II *adj* o. *pres p* seende; *worth ~* värd att se[s], sevärd **III** *konj*, *~* el. *~ that* eftersom, med tanke på att
Seeing Eye dog® [,si:ɪŋ'aɪdɒg] *s* amer. ledarhund, blindhund
seek [si:k] (*sought sought*) mest litt. **I** *vb tr* **1** söka [*~ one's fortune; ~ shelter from* (för) *the rain*]; sträva efter, eftersträva [*~ fame*]; *~* [*sb's*] *advice* söka råd [hos ngn], be [ngn] om råd; *~ out sb* söka upp (ta reda på) ngn, söka ngns sällskap; *~ through* söka (leta) igenom; [*the reason*] *is not far to ~* …ligger nära till hands, …är inte svår att finna **2** söka sig till, uppsöka [*~ the shade*] **3** *~ to do sth* [för]söka göra ngt
II *vb itr* söka; *be* [*much*] *sought after* vara [mycket] eftersökt
seeker ['si:kə] *s* **1** sökare, sökande människa; *a ~ after* (*for*) *the truth* en sanningssökare **2** mil. [mål]sökare på missil
seem [si:m] *vb itr* verka, tyckas, förefalla, se ut [*it isn't as easy as it ~s*]; verka (tyckas) vara, förefalla (se ut) att vara [*he ~ed an old man*]; *~ to* tyckas [*she ~s to know everybody*]; verka, förefalla, se ut att [*this ~s to be a good idea*]; *I ~ to remember that…* jag vill minnas att…; *it ~s that* el. *it ~s as if* det

verkar (tycks, förefaller) som om; *it would ~ that* det verkar (torde) vara så att; *that is how it ~s to me* så ser jag det; [*he can't,*] *it ~s* …tydligen, …efter vad det verkar (sägs); *so it ~s* det verkar så, det ser så ut; *it may ~ so* det kan verka (tyckas) så
seeming ['si:mɪŋ] *adj* skenbar, låtsad [*~ friendship*]
seemingly ['si:mɪŋlɪ] *adv* skenbart, till synes
seemly ['si:mlɪ] *adj* passande, tillbörlig
seen [si:n] perf. p. av *1 see*
seep [si:p] *vb itr* **1** sippra, droppa, läcka in **2** bildl. smyga sig [*into* in i (på)]; sprida sig så sakta
seepage ['si:pɪdʒ] *s* läckage; utsipprad vätska
seer ['si:ə] *s* siare, profet
seersucker ['sɪə,sʌkə] *s* seersucker kräppat bomullstyg
seesaw ['si:sɔ:, ,-'-] **I** *s* **1** a) gungbräde b) [gungbrädes]gungning **2** bildl. pendling, kast [*a ~ between the defensive and the offensive*]
II *vb itr* **1** gunga gungbräde; gunga upp och ned **2** bildl. svänga fram och tillbaka, pendla, vackla
seethe [si:ð] *vb itr* sjuda, koka äv. bildl. [*~ with* (av) *rage*]; myllra [*the streets ~d with* (av) *people*]
see-through ['si:θru:] *adj* genomskinlig [*a ~ blouse*]
segment ['segmənt] *s* **1** segment äv. geom. [*the ~ of a circle*]; del, avsnitt **2** klyfta [*orange ~*]
segregate ['segrɪgeɪt] *vb tr* segregera; avskilja, isolera; *~ the sexes* hålla könen åtskilda
segregated ['segrɪgeɪtɪd] *adj* segregerad; avskild, isolerad
segregation [,segrɪ'geɪʃ(ə)n] *s* segregation; avskiljande, isolering; *racial ~* [ras]segregation, rasåtskillnad
segregationist [,segrɪ'geɪʃ(ə)nɪst] *s* segregationist, anhängare av [ras]segregation
seismic ['saɪzmɪk] *adj* seismisk, jordbävnings-, jordskalvs-
seismograph ['saɪzməgrɑ:f, -græf] *s* seismograf
seismological [,saɪzmə'lɒdʒɪk(ə)l] *adj* seismologisk
seismology [saɪz'mɒlədʒɪ] *s* seismologi
seize [si:z] **I** *vb tr* **1** gripa [*~ sb by* (i) *the arm*]; fatta [*~ sb's hand*]; ta tag i, hugga [tag i]; rycka (slita) [till sig]; ta fast, fånga [in]; *~ the opportunity* (*occasion*) ta tillfället i akt, gripa (begagna, ta vara på) tillfället; *be ~d with apoplexy* drabbas av ett slaganfall **2** sätta sig i besittning av, bemäktiga sig [*~ the throne*] **3** spec. jur. ta i beslag, beslagta [*~ smuggled goods*]; konfiskera
II *vb itr* med adv.:
seize on el. **seize upon** [ivrigt] gripa tag i, rycka till sig, [med våld] tillägna sig; kasta sig över, hoppa 'på, nappa på [*~ [up]on an offer* (*a suggestion*)]
seize up om motor skära [ihop]; bildl. haka upp sig
seizure ['si:ʒə] *s* **1** gripande etc., jfr *seize I 1*; *~ of power* maktövertagande **2** jur. beslagtagande, konfiskering **3** besittningstagande, intagande, erövring **4** anfall [*epileptic ~*]; attack [*heart ~*]
seldom ['seldəm] *adv* sällan
select [sə'lekt] **I** *vb tr* **1** välja [ut], söka ut [åt sig], plocka ut; *a ~ed few* några få utvalda; *~ed poems* valda dikter, dikter i urval **2** välja, utse [*~ to* (till) *an office*]; *as* till] **3** data. välja, markera
II *adj* vald [*~ passages from Milton*]; utvald [*a ~ company* el. *group* (sällskap)]; utsökt, fin, exklusiv [*a ~ club*]; *~ bibliography* bibliografi i urval
select committee [sə,lektkə'mɪtɪ] *s* särskilt utskott

selection [sə'lekʃ(ə)n] *s* **1** [ut]väljande, val; spec. sport. uttagning **2** urval äv. biol. [*natural ~*]; selektion; sortiment **3** pl. *~s* valda stycken (texter); *~s from Shakespeare* Shakespeare i urval **4** data. val, markering

selection committee [sə'lekʃ(ə)nkə,mıtı] *s* **1** bedömningsnämnd; valkommitté **2** spec. sport. uttagningskommitté

selective [sə'lektıv] *adj* selektiv; *~ strike* punktstrejk

selector [sə'lektə] *s* **1** sport. medlem av en uttagningskommitté **2** elektr., *~ switch* omkopplare

selenium [sə'li:nıəm] *s* kem. selen; attr. selen-

self [self] (pl. *selves* [selvz]) *s* o. *pron* **1** jag [*he showed his true ~*]; person [*my humble* (ringa) *~*]; *she is not like her own ~* hon är sig inte riktigt lik **2** hand., [*pay*] *~* [betala till] mig själv; *cheque drawn to ~* check utställd på en själv

self-absorbed [,selfəb'sɔ:bd, -əb'zɔ:-] *adj* självupptagen, försjunken i sig själv, inåtvänd

self-acting [,self'æktıŋ] *adj* självverkande; automatisk

self-addressed [,selfə'drest] *adj*, *~ envelope* [adresserat] svarskuvert

self-adhesive [,selfəd'hi:sıv] *adj* självhäftande, häft-

self-appointed [,selfə'pɔıntıd] *adj* självutnämnd

self-assembly [,selfə'semblı] *adj*, *~ furniture* omonterade möbler

self-assertion [,selfə'sɜ:ʃ(ə)n] *s* självhävdelse

self-assertive [,selfə'sɜ:tıv] *adj*, *be ~* ha ett självhävdelsebehov

self-assurance [,selfə'ʃʊər(ə)ns] *s* självsäkerhet; säkerhet i uppträdandet

self-assured [,selfə'ʃʊəd] *adj* självsäker, självmedveten

self-awareness [,selfə'weənəs] *s* självkännedom

self-catering [,self'keıt(ə)rıŋ] *adj* med självhushåll [*~ holidays*]

self-centred [,self'sentəd] *adj* självupptagen

self-conceited [,selfkən'si:tıd] *adj* inbilsk, självgod

self-confessed [,selfkən'fest] *adj*, *he's a ~ liar* han erkänner att han är en lögnare, han säger själv att han är en lögnare

self-confidence [,self'kɒnfıdəns] *s* självförtroende, tillförsikt, självtillit

self-confident [,self'kɒnfıd(ə)nt] *adj* full av självförtroende; säker, obesvärad; självsäker

self-congratulation ['selfkən,grætjʊ'leıʃ(ə)n] *s* självbelåtenhet

self-conscious [,self'kɒnʃəs] *adj* förlägen, osäker, besvärad; utan självförtroende

self-consciousness [,self'kɒnʃəsnəs] *s* förlägenhet, osäkerhet

self-contained [,selfkən'teınd] *adj* som bildar en enhet (ett slutet helt), [i sig] komplett; självständig, oavhängig; *~ flat* lägenhet, våning komplett med eget kök, egen ingång m.m.

self-contradictory ['self,kɒntrə'dıkt(ə)rı] *adj* självmotsägande, motstridande

self-control [,selfkən'trəʊl] *s* [själv]behärskning, självkontroll

self-controlled [,selfkən'trəʊld] *adj* behärskad

self-criticism [,self'krıtısız(ə)m] *s* självkritik

self-deception [,selfdı'sepʃ(ə)n] *s* självbedrägeri

self-defeating [,selfdı'fi:tıŋ] *adj* självförgörande, kontraproduktiv, som motverkar sitt eget syfte

self-defence [,selfdı'fens] *s* självförsvar, nödvärn

self-denial [,selfdı'naı(ə)l] *s* självförnekelse, självförsakelse

self-deprecating [,self'deprıkeıtıŋ] *adj* självförringande, självunderskattande; urskuldande

self-destruct [,selfdı'strʌkt] *vb itr* förstöra sig själv, vara självförstörande

self-determination ['selfdı,tɜ:mı'neıʃ(ə)n] *s*, *~* el. *right of ~* självbestämmanderätt, självbestämmande

self-discipline [,self'dısıplın] *s* självdisciplin

self-drive [,self'draıv] *adj*, *~ car* hyrbil; *~ car hire* biluthyrning

self-educated [,self'edjʊkeıtıd] *adj* självlärd

self-effacing [,selfı'feısıŋ] *adj* självutplånande

self-employed [,selfım'plɔıd] *adj*, *be ~* vara sin egen, vara egen företagare

self-esteem [,selfı'sti:m] *s* **1** självaktning, självkänsla **2** egenkärlek; självöverskattning

self-evident [,self'evıd(ə)nt] *adj* självklar, självfallen

self-examination ['selfıg,zæmı'neıʃ(ə)n] *s* självprövning, självrannsakan; med. självundersökning

self-explanatory [,selfık'splænət(ə)rı] *adj* självförklarande, självklar

self-expression [,selfık'spreʃ(ə)n] *s* uttryckande av egna känslor (tankar) genom skapande verksamhet, självförverkligande

self-fulfilling ['self,fʊl'fılıŋ] *adj* självuppfyllande

self-fulfilment [,selffʊl'fılmənt] *s* självförverkligande

self-governing [,self'gʌv(ə)nıŋ] *adj* självstyrande, med självstyre

self-government [,self'gʌvnmənt, -vəmənt] *s* självstyre

self-harm [,self'hɑ:m] *s* självskadebeteende

self-help [,self'help] *s* självhjälp

self-image [,self'ımıdʒ] *s* självbild [*positive ~*]

self-important [,selfım'pɔ:t(ə)nt] *adj* självtillräcklig

self-imposed [,selfım'pəʊzd] *adj* självpåtagen [*a ~ penalty*; *a ~ task*]; självvald [*~ exile*]; självpålagd

self-improvement [,selfım'pru:vmənt] *s* egenutveckling

self-induced [,selfın'dju:st] *adj* självframkallad, självvorsakad

self-indulgent [,selfın'dʌldʒ(ə)nt] *adj* njutningslysten

self-inflicted [,selfın'flıktıd] *adj* självförvållad

self-interest [,self'ıntrəst, -t(ə)rest] *s* egennytta; eget intresse, egenintresse

self-interested [,self'ıntrəstıd, -t(ə)rest-] *adj* egennyttig; i eget intresse

selfish ['selfıʃ] *adj* självisk, egoistisk, egennyttig

selfishness ['selfıʃnəs] *s* själviskhet, egoism, egennytta

selfless ['selfləs] *adj* osjälvisk

self-made [,self'meıd, attr. '--] *adj* **1** selfmade, som själv har arbetat sig upp [*a ~ man*] **2** självgjord

self-mockery [,self'mɒkərı] *s* drift med sig själv

self-opinionated [ˌselfəˈpɪnjəneɪtɪd] *adj* självgod, inbilsk, egenkär

self-pity [ˌselfˈpɪtɪ] *s* självömkan

self-portrait [ˌselfˈpɔːtrət, -treɪt] *s* självporträtt

self-possessed [ˌselfpəˈzest] *adj* behärskad, lugn

self-preservation [ˈselfˌprezəˈveɪʃ(ə)n] *s* självbevarelse, självbevarelsedrift [äv. *instinct of ~*]

self-proclaimed [ˌselfprəˈkleɪmd] *adj* självutnämnd [*~ leader*]

self-raising flour [ˌselfreɪzɪŋˈflaʊə] *s* mjöl blandat med bakpulver

self-reliance [ˌselfrɪˈlaɪəns] *s* självförtroende, självtillit; självständighet

self-reliant [ˌselfrɪˈlaɪənt] *adj* full av självförtroende (självtillit); självständig

self-respect [ˌselfrɪˈspekt] *s* självaktning

self-respecting [ˈselfrɪˌspektɪŋ] *adj* med självaktning [*no ~ man*]

self-restraint [ˌselfrɪˈstreɪnt] *s* [själv]behärskning

Selfridges [ˈselfrɪdʒɪz] stort varuhus i London

self-righteous [ˌselfˈraɪtʃəs] *adj* självrättfärdig

self-rising flour [ˌselfraɪzɪŋˈflaʊə] *s* amer. mjöl blandat med bakpulver

self-rule [ˌselfˈruːl] *s* självstyre

self-sacrifice [ˌselfˈsækrɪfaɪs] *s* självuppoffring

self-sacrificing [ˌselfˈsækrɪfaɪsɪŋ] *adj* självuppoffrande

selfsame [ˈselfseɪm] *adj*, *the ~* precis samma

self-satisfied [ˌselfˈsætɪsfaɪd] *adj* självbelåten

self-seeking [ˌselfˈsiːkɪŋ] *adj* självisk, egennyttig

self-service [ˌselfˈsɜːvɪs] **I** *s* självbetjäning, självservering; snabbtank[ning] **II** *adj*, *~ restaurant* [restaurang med] självservering; *~ store* snabbköp, snabbköpsbutik

self-serving [ˌselfˈsɜːvɪŋ] *adj* se *self-interested*

self-starter [ˌselfˈstɑːtə] *s* självstart

self-styled [ˌselfˈstaɪld] *adj* föregiven; *that ~ expert* iron. denne självutnämnde expert

self-sufficient [ˌselfsəˈfɪʃ(ə)nt] *adj*
1 självförsörjande [*the nation is now ~ in* (med) *wheat*]; självständig **2** självtillräcklig; *be ~* äv. vara sig själv nog

self-supporting [ˌselfsəˈpɔːtɪŋ] *adj* självförsörjande; *a ~ enterprise* ett finansiellt självförsörjande företag

self-taught [ˌselfˈtɔːt] *adj* självlärd

self-willed [ˌselfˈwɪld] *adj* självrådig, egensinnig, självsvåldig

self-worth [ˌselfˈwɜːθ] *s* självkänsla, självförtroende

sell [sel] **I** (*sold sold*) *vb tr* (i förbindelse med adv., se *sell III*) **1 a)** sälja, avyttra [*at, for* för; *to* åt, till; *~ cheap* (*dear*) (billigt resp. dyrt); *~ by the dozen* (dussinvis)] **b)** sälja, handla med [*he ~s antiques*]; föra, ha [*this shop ~s my favourite brand*] **c)** leda till försäljning av, sälja; [*his name on the cover*] *~s the book* ...gör att boken säljs **d)** bildl. sälja [*~ oneself*; *~ one's country*] **e)** vard. sälja [in] [*~ oneself*]; popularisera, skapa intresse för [*~ an idea*]; *~ sb on* [*an idea*] få ngn med på...; *he was sold on* [*the idea*] han var helt med (helsåld, tänd) på... **2** sl. blåsa, lura, bedra; *~ sb down the river* förråda ngn

II (*sold sold*) *vb itr* (i förbindelse med adv., se *sell III*) sälja[s], gå [*at* (*for*) för]; *your car ought to ~ for* [*£500*] du borde kunna få...för din bil; *~ well*

sälja[s] (gå) bra, ha (finna) god avsättning, ha stor åtgång; *~ like hot cakes* gå åt som smör [i solsken]

III (*sold sold*) *vb tr* o. *vb itr* med adv.:

sell off realisera [bort], slumpa bort; sälja av

sell out a) sälja slut [på] **b)** sälja [alltsammans] **c)** utförsälja **d)** vard. förråda; bli förrädare, sälja sig

sell up sälja allt man äger

IV *s* vard. **1** besvikelse, fiasko **2** skoj

sell-by date [ˈselbaɪdeɪt] *s* sista försäljningsdag på matvaror, utgångsdatum

seller [ˈselə] *s* [för]säljare; som efterled i sammansättn. -handlare [*bookseller*] äv. radio.

seller's market [ˈseləzˌmɑːkɪt] *s* ekon. el. hand., se *market I 2*

selling point [ˈselɪŋpɔɪnt] *s* försäljningsargument, säljargument

selling price [ˈselɪŋpraɪs] *s* försäljningspris

sellotape [ˈseləteɪp] *vb tr* tejpa [*to* på]

Sellotape® [ˈseləteɪp] *s* tejp, klisterremsa

sell-out [ˈselaʊt] *s* **1** försäljningssuccé; utsålt hus **2** vard. förräderi, svek

seltzer [ˈseltsə] *s* seltersvatten [äv. *~ water*]

selves [selvz] *s* pl. av *self*

semantic [sɪˈmæntɪk] *adj* språkv. semantisk; *~ change* betydelseförändring

semaphore [ˈseməfɔː] *s* semafor

semblance [ˈsembləns] *s* skepnad; sken; *under the* (*a*) *~ of friendship* under sken av vänskap, under vänskapens täckmantel; [*he was convicted*] *without even the ~ of a trial* ...utan en tillstymmelse till rättegång

semen [ˈsiːmən] *s* sädesvätska, sperma, säd

semester [səˈmestə] *s* vanl. amer. univ. el. skol. termin

semi-automatic [ˈsemɪˌɔːtəˈmætɪk] *adj* halvautomatisk

semibreve [ˈsemɪbriːv] *s* mus. helnot

semicircle [ˈsemɪˌsɜːkl] *s* halvcirkel

semicircular [ˌsemɪˈsɜːkjʊlə] *adj* halvcirkelformig

semicolon [ˌsemɪˈkəʊlən] *s* semikolon

semiconductor [ˌsemɪkənˈdʌktə] *s* fys. halvledare

semi-conscious [ˌsemɪˈkɒnʃəs] *adj* halvt vid medvetande

semi-detached [ˌsemɪdɪˈtætʃt] *adj*, *a ~ house* [ena hälften av] ett parhus, en parvilla

semi-documentary [ˈsemɪˌdɒkjʊˈment(ə)rɪ] *adj* halvdokumentär

semi-final [ˌsemɪˈfaɪnl] *s* semifinal; *enter the ~s* gå till semifinal[en]

semi-finalist [ˌsemɪˈfaɪnəlɪst] *s* semifinalist

semimanufactures [ˈsemɪˌmænjʊˈfæktʃəz] *s pl* halvfabrikat

seminal [ˈseminl] *adj* **1** nyskapande, originell; betydelsefull, tongivande [*a ~ book*] **2** fysiol., *~ fluid* sädesvätska **3** biol. frö-; sädes-

seminar [ˈseminɑː] *s* seminarium; seminarieövning[ar]; examinatorium

seminary [ˈseminərɪ] *s* rom. katol. [präst]seminarium

semi-official [ˌsemɪəˈfɪʃ(ə)l] *adj* halvofficiell, officiös

semi-precious [ˌsemɪˈpreʃəs] *adj*, *~ stone* halvädelsten

semi-professional [ˌsemɪprəˈfeʃ(ə)nl] *adj* o. *s* halvprofessionell; halvproffs

semiquaver [ˈsemɪˌkweɪvə] *s* mus. sextondelsnot

semi-retirement [ˌsemɪrɪ'taɪəmənt] s amer., ung. delpension

semi-skilled [ˌsemɪ'skɪld, attr. '---] adj, ~ *worker* kvalificerad tempoarbetare

semi-skimmed [ˌsemɪ'skɪmd] **I** adj halvfet, mellanom mjölk **II** s mellanmjölk, halvfet mjölk

Semite ['siːmaɪt, 'sem-] **I** s semit **II** adj semitisk

Semitic [sə'mɪtɪk] adj semitisk

semitone ['semɪtəʊn] s mus. halvton, halvt tonsteg

semi-tropical [ˌsemɪ'trɒpɪk(ə)l] adj subtropisk

semi-vowel ['semɪˌvaʊ(ə)l] s halvvokal

semolina [ˌsemə'liːnə] s semolina[gryn]; mannagryn

Sen. o. **sen.** förk. för *senate, senator, senior*

senate ['senət] s senat; *the* ~ parl. senaten äv. hist.

senator ['senətə] s senator

senatorial [ˌsenə'tɔːrɪəl] adj senators-; senats-

send [send] (*sent sent*) **I** vb tr **1** sända, skicka; kasta, slunga; driva; ~ *word* skicka bud, låta meddela, lämna besked; *she ~s word that...* hon hälsar (låter hälsa) att...; ~ *sb to hospital* lägga in ngn på (remittera ngn till) sjukhus; *be sent to prison* bli satt (åka) i fängelse **2** bringa, sända **3** göra [~ *sb mad* (*crazy*)] **4** ~ *flying* el. ~ *packing* se under *1 fly I* 2 o. *1 pack I 4; the rain sent them hurrying home* regnet fick (tvingade) dem att skynda sig hem **5** sl. få att tända; *it ~s me* det tänder jag på

II vb tr med adv., ofta med spec. översättningar:

send away a) skicka (köra, driva) bort b) avvisa, avfärda; ~ *away for* skicka efter

send down a) pressa ner [~ *prices* (*the temperature*) *down*] b) vard. skicka i fängelse c) univ. åld. relegera [från universitetet]

send for skicka [bud] efter [~ *for a doctor*]; [låta] hämta, låta avhämta; rekvirera

send in sända (skicka, lämna) in [~ *in one's resignation* (avskedsansökan)]

send off a) avsända [~ *off a letter* (*parcel*)]; expediera b) sport. utvisa [~ *a player off*] c) avskjuta; slunga i väg d) se *send away* under *send II* ovan

send on sända vidare, eftersända, vidarebefordra

send out a) sända ut [~ *out steam*] b) skicka ut c) ~ *out for* beställa hem (hit)

send up a) sända (skicka) upp (ut) [~ *up a rocket*] b) driva (pressa) upp [~ *prices up*; ~ *the temperature up*] c) parodiera, karikera; förlöjliga

sender ['sendə] s avsändare

send-off ['sendɒf] s vard. **1** avsked[shälsning]; *they gave us a good* ~ [*at the station*] de tog ett hjärtligt farväl av oss...; *have a* ~ *party for* festa av, ha avskedsfest för **2** [god] start, igångsättande

send-up ['sendʌp] s vard. parodi; förlöjligande

Senegal [ˌsenɪ'gɔːl] geogr.

Senegalese [ˌsenɪgə'liːz] **I** adj senegalesisk **II** (pl. *Senegalese*) s senegales; senegalesiska kvinna

senescent [sɪ'nesnt] adj åldrande, till åren kommen

senile ['siːnaɪl] adj senil, ålderdomssvag, ålderdoms-

senile dementia [ˌsiːnaɪldɪ'menʃɪə] s med. senildemens

senility [sə'nɪlətɪ, se'n-] s senilitet, ålderdomssvaghet

senior ['siːnɪə] **I** adj **1** äldre äv. i tjänsten o.d. [*to* än]; den äldre, senior [*John Smith, Senior*]; senior- [~ *team*]; högre i rang, överordnad **2** äldre, av tidigare datum, tidigare

II s **1** [person som är] äldre i tjänsten o.d. [*the ~s*]; äldre medlem; *my ~s* de som är äldre än jag [i tjänsten], mina äldre kolleger; *he is six years my* ~ el. *he is my* ~ *by six years* han är sex år äldre än jag; *the village ~s* byns äldste **2** vanl. amer. pensionär **3** spec. sport. senior **4** fjärdeårsstudent vid amer. college

senior citizen [ˌsiːnɪə'sɪtɪzn] s pensionär

senior college [ˌsiːnɪə'kɒlɪdʒ] s amer. **1** college **2** högre college omfattande de två sista åren

senior high school [ˌsiːnɪə'haɪskuːl] s se *high school*

seniority [ˌsiːnɪ'ɒrətɪ] s anciennitet, tjänsteålder

senior partner [ˌsiːnɪə'pɑːtnə] s ung. delägare med fullt inflytande

senior pilot [ˌsiːnɪə'paɪlət] s flyg. förste pilot

senior service [ˌsiːnɪə'sɜːvɪs] s, *the* ~ flottan i mots. till armén

senna ['senə] s farmakol. senna[blad]

sensation [sen'seɪʃ(ə)n] s **1** förnimmelse, känsla [*a* ~ *of cold* (*pain, thirst*)]; sinnesförnimmelse; känsel [*lose all* ~ *in one's legs*] **2** sensation, uppseende; [*just*] *a cheap* ~ [bara] billigt sensationsmakeri; *make* (*cause, create*) *a great* ~ göra (vålla, skapa) stor sensation, väcka stort uppseende (stor uppståndelse)

sensational [sen'seɪʃ(ə)nl] adj **1** sensationell, uppseendeväckande; sensations- [*a* ~ *novel*] **2** sinnes-, känsel- **3** vard. fantastisk

sensationalism [sen'seɪʃ(ə)nəlɪz(ə)m] s sensationsmakeri, sensationslystnad

sensationalist [sen'seɪʃ(ə)nəlɪst] s sensationsmakare

sensationalize [sen'seɪʃ(ə)nəlaɪz] vb tr skapa sensation kring

sense [sens] **I** s **1** sinne [*the five ~s*]; *the* ~ *of hearing* hörselsinnet, hörseln; *a sixth* ~ ett sjätte sinne; *recover one's ~s* komma till sans [igen]; *no man in his ~s* ingen vettig människa, ingen som har förnuftet i behåll; *be in one's right ~s* vara vid sina sinnens fulla bruk; *are you out of your ~s?* är du från vettet?; *frighten sb out of his ~s* skrämma ngn från vettet; *bring sb to his ~s* få ngn att ta reson, tala ngn till rätta; *come to one's ~s* a) komma till besinning, sansa sig b) återfå sansen (medvetandet)

2 känsla [*of* av, för; *for* för], sinne [*of, for* för]; *ball* ~ bollsinne; ~ *of education* lokalsinne; ~ *of duty* pliktkänsla; [*he has*] *no* ~ *of humour* ...inget sinne för humor, ...ingen humor; ~ *of occasion* a) känsla för vad som passar sig [i viss situation] b) förmåga att ta tillfället i akt

3 vett, förstånd, förnuft, klokhet; *common* ~ vanligt sunt (enkelt) bondförstånd, sunt förnuft; *he has a good* (*great*) *deal of* ~ han är en förståndig karl, han har en god portion sunt förnuft; *there's a lot of* ~ *in what she says* det hon säger är ganska vettigt; *he had* ~ *enough not to say anything* el. *he had the* [*good*] ~ *not to say anything* han var klok nog att tiga; [*she ought to have had*] *more* ~ ...bättre förstånd (vett); *talk* ~ säga ngt vettigt (förnuftigt)

4 mening, anledning; *there is no* (*little*) ~ *in waiting* det är ingen mening att vänta

5 betydelse [*a word with several ~s*]; bemärkelse [*in what ~ are you using the word?*]; mening; **it makes ~** det är begripligt, det låter vettigt; **it makes no ~** el. **it does not make ~** a) det är obegripligt [för mig], jag fattar det inte b) jag blir inte klok på det, det stämmer inte; **in a broader** (**wider, larger**) **~** i vidare bemärkelse (mening); **in a legal ~** i juridisk mening; **in a literal ~** i bokstavlig mening **6** förhärskande mening, stämning; **take the ~ of the meeting** sondera (pejla) stämningen bland mötesdeltagarna **II** *vb tr* **1** känna, ha på känn, känna på sig, märka; uppfatta **2** data. känna av, mäta

senseless ['sensləs] *adj* **1** meningslös, sanslös [*a ~ war*]; vansinnig, vettlös [*~ killing*] **2** medvetslös; **become ~** förlora sansen (medvetandet)

sense organ ['sens,ɔ:gən] *s* sinnesorgan

sensibility [,sensə'bɪlətɪ] *s* mottaglighet, känslighet [*to* för], känsligt sinne, ömtålighet; pl. **sensibilities** känslor [*wound sb's sensibilities*]

sensible ['sensəbl] *adj* **1** förståndig, förnuftig, klok [*~ advice*; *a ~ man*]; vettig [*~ shoes*]; resonabel **2** medveten [*of* om; *that* om att]

sensitive ['sensətɪv] *adj* **1** känslig, mottaglig [*to* för]; ömtålig [*a ~ skin*]; sensitiv, sensibel, öm, uttrycksfull [*~ hands*]; **have a ~ ear** ha fint öra, vara lyhörd; **a ~ spot** en känslig (öm) punkt **2** om instrument o.d. känslig [*a ~ thermometer*]

sensitivity [,sensə'tɪvətɪ] *s* känslighet, sensibilitet äv. kem.; mottaglighet

sensitize ['sensətaɪz] *vb tr* foto. el. med. sensibilisera; **~d paper** ljuskänsligt papper

sensor ['sensə] *s* tekn. sensor, avkännare; detektor

sensory ['sensərɪ] *adj* fysiol. sensorisk, sinnes- [*~ cell*; *~ nerve*; *~ organ*]

sensual ['sensjʊəl, -nʃʊəl] *adj* sensuell [*~ lips*]; sinnlig, vällustig

sensuality [,sensjʊ'ælətɪ, -nʃʊ-] *s* sensualitet, sinnlighet

sensuous ['sensjʊəs, -nʃʊ-] *adj* sinnes- [*~ impressions*]; som påverkar (talar till) sinnena (känslan) [*~ poetry*]; känslig; skön

sent [sent] imperf. o. perf. p. av **send**

sentence ['sentəns] **I** *s* **1** jur. dom [*on* över], utslag spec. i brottmål; **pass ~ on** avkunna dom över; **serve one's ~** avtjäna sitt straff; **under ~ of death** dödsdömd **2** gram. mening; sats; spec. huvudsats **3** sentens, tänkespråk **II** *vb tr* döma [*to* till], avkunna dom över

sententious [sen'tenʃəs] *adj* **1** sententiös; kärnfull **2** docerande, moraliserande; snusförnuftig

sentient ['senʃ(ə)nt, -ʃɪənt] *adj* kännande, förnimmande; sinnes- [*~ nerve*]; känslo- [*~ life*]; **~ of** a) medveten om b) känslig för

sentiment ['sentɪmənt] *s* **1** ofta pl. **~s** stämning, uppfattning, mening; tankar, åsikter; **my ~s exactly** det är precis min uppfattning, det är precis vad jag tycker **2** känsligt sinne; känslosamhet, sentimentalitet; **a man of ~** en känslomänniska **3** [inre] mening, grundtanke, ledande idé

sentimental [,sentɪ'mentl] *adj* **1** sentimental, känslosam, gråtmild **2** känslo- [*~ reason*]; **~ value** affektionsvärde

sentimentalist [,sentɪ'mentəlɪst] *s* sentimental (gråtmild) människa, sentimentalist

sentimentality [,sentɪmen'tælətɪ] *s* sentimentalitet, känslosamhet, gråtmildhet

sentimentalize [,sentɪ'mentəlaɪz] **I** *vb itr* bli (vara) sentimental **II** *vb tr* sentimentalisera, romantisera

sentinel ['sentɪnl] *s* [vakt]post, [skilt]vakt; **stand ~** stå på vakt (post)

sentry ['sentrɪ] *s* [vakt]post, [skilt]vakt; **stand ~** el. **be on ~ duty** stå på (hålla) vakt

sentry box ['sentrɪbɒks] *s* [vakt]kur

Seoul [səʊl] geogr.

sepal ['sepəl, 'si:p-] *s* bot. foderblad

separable ['sep(ə)rəbl] *adj* **1** skiljbar **2** avtagbar

separate [adj. 'sep(ə)rət, verb 'sepəreɪt] **I** *adj* skild [*from* från], avskild, enskild, särskild [*each ~ case*]; separat; åtskild; **on three ~ occasions** vid tre skilda (olika) tillfällen; **they went their ~ ways** de gick åt var sitt håll **II** *vb tr* **1** skilja [*~ the sheep from the goats*]; avskilja, avsöndra, frånskilja [*~ the cream*]; särskilja; separera [*~ milk*]; sortera [*~ fruit; ~ refuse* (*waste*, vanl. amer. *garbage*)]; skilja [åt] [*~ two fighting boys*]; sära [på]; **only a few years ~d them** det var bara några år mellan dem **2** el. **~ up** dela [upp] **III** *vb itr* **1** skiljas [åt], skiljas från varandra, gå åt var sitt håll **2** separera; **she has ~d from her husband** äv. hon har flyttat ifrån sin man **3** dela [upp] sig; kok. skära sig

separately ['seprətlɪ, -pər-] *adv* separat; var för sig

separates ['sep(ə)rəts] *s pl* uddaplagg

separation [,sepə'reɪʃ(ə)n] *s* **1** [av]skiljande [*from* från], avsöndring, frånskiljande, särskiljande, separering; sortering [*refuse* (*waste*, vanl. amer. *garbage*) *~*] **2** skilsmässa [*after a ~ of five years*]; separation; **~** el. **judicial** (**legal**) **~** av domstol ådömd hemskillnad **3** avstånd, mellanrum

separatist ['sep(ə)rətɪst] **I** *s* separatist; **~ movement** separatiströrelse **II** *adj* separatistisk

separator ['sepəreɪtə] *s* tekn. separator

sepia ['si:pɪə] *s* sepia[brunt]

seps|is ['seps|ɪs] (pl. **-es** [-i:z]) *s* med. sepsis, sårinfektion, blodförgiftning

Sept. förk. för **September**

September [sep'tembə] *s* september

septet [sep'tet] *s* mus. septett

septic ['septɪk] *adj* septisk, infekterad [*~ wound*]

septicaemia o. amer. **septicemia** [,septɪ'si:mɪə] *s* med. septikemi, [allmän] blodförgiftning

septic tank [,septɪk'tæŋk] *s* septisk tank, septiktank

sepulchral [sɪ'pʌlkr(ə)l] *adj* grav-; begravnings- [*~ rites*; *~ looks* (min)]; gravlik [*in a ~ voice*]

sepulchre ['sep(ə)lkə] *s* litt. grift, grav spec. uppbyggd el. uthuggen; **the Holy Sepulchre** den heliga graven

sequel ['si:kw(ə)l] *s* **1** följd, resultat, utgång [*to, of* av] **2** fortsättning spec. på ett litterärt verk [*to, of* på]

sequence ['si:kwəns] *s* ordningsföljd, ordning, följd [*in rapid ~*]; räcka, rad, serie; spec. film., mus. el. data. sekvens; kortsp. svit [*a ~ of* (i) *hearts*]; **~ of events** händelseförlopp

sequential [sɪ'kwenʃ(ə)l] *adj* följande [*to* på]; sekventiell, i sekvens (följd); **~ computer** data.

sekventiell dator; ~ *search* data. sekventiell (seriell) sökning

sequester [sɪ'kwestə] *vb tr* jur., se *sequestrate*

sequestrate [sɪ'kwestreɪt] *vb tr* jur. **1** belägga med kvarstad, ta i beslag, beslagta **2** konfiskera

sequin ['si:kwɪn] *s* paljett

sequinned ['si:kwɪnd] *adj* med paljetter, paljetterad

sera ['sɪərə] *s* pl. av *serum*

seraph ['serəf] (pl. ~*s* el. ~*im* [-ɪm]) *s* seraf

Serb [sɜ:b] **I** *s* **1** serb; serbiska kvinna **2** serbiska [språket]
II *adj* serbisk

Serbia ['sɜ:bɪə] geogr. Serbien

Serbian ['sɜ:bɪən] *s* o. *adj* se *Serb*

Serbo-Croatian [,sɜ:bəʊkrəʊ'eɪʃ(ə)n] **I** *s* serbokroatiska [språket] **II** *adj* serbokroatisk

serenade [,serə'neɪd] **I** *s* serenad **II** *vb tr* ge [en] serenad för

serendipity [,serən'dɪpətɪ] *s* förmåga att av en ren slump göra en upptäckt (att ramla över lösningen på ett problem)

serene [sə'ri:n] *adj* **1** klar [~ *sky*]; stilla [~ *smile*]; lugn [~ *look*]; ogrumlad, fridfull [~ *life*]; rofylld, seren **2** *His* (*Her*) *Serene Highness* ung. Hans (Hennes) Höghet

serenity [sə'renətɪ] *s* klarhet, stillhet, lugn, frid[fullhet], ro[fylldhet], serenitet, jämnmod

serf [sɜ:f] *s* livegen, träl

serge [sɜ:dʒ] *s* cheviot [*a blue* ~ *suit*]; sars

sergeant ['sɑ:dʒ(ə)nt] *s* **1** mil. **a)** sergeant inom armén o. flyget **b)** amer. furir inom armén, korpral inom flyget; ~ *first class* amer. sergeant inom armén; ~ *major* (förk. *SM*) ung. fanjunkare, 'förvaltare'; *flight* ~ fanjunkare inom flyget; *senior master* ~ amer. fanjunkare inom flyget **2** [*police*] ~ a) britt., ung. polisinspektör grad mellan *constable* och *inspector* b) amer., ung. polisinspektör grad mellan *patrolman* och *lieutenant* el. *captain*

serial ['sɪərɪəl] **I** *adj* **1** serie-, i serie, periodisk **2 a)** serie- **b)** som publiceras häftesvis **II** *s* följetong; periodisk publikation; [avsnitt av en] serie i t.ex. radio

serialize ['sɪərɪəlaɪz] *vb tr* publicera som följetong (häftesvis); sända (ge) som serie i t.ex. radio

serial killer ['sɪərɪəl,kɪlə] *s* seriemördare förövare av en rad [likartade] mord

serial murder ['sɪərɪəl,mɜ:də] *s* seriemord

serial number ['sɪərɪəl,nʌmbə] *s* serienummer, löpnummer; mil. värnpliktsnummer, identitetsnummer

serial port ['sɪərɪəl,pɔ:t] *s* data. serieport

serial story ['sɪərɪəl,stɔ:rɪ] *s* följetong

series ['sɪəri:z, -rɪz] (pl. *series*) *s* serie äv. matem., rad, räcka, följd; *in* ~ i serie, serievis, i [ordnings]följd

serious ['sɪərɪəs] *adj* **1** allvarlig [*a* ~ *attempt*]; allvarsam; seriös [*a* ~ *interest*]; bildl. äv. viktig [*a* ~ *question*]; betydande; riktig, verklig, ivrig; betänklig; *are you* ~? är det ditt (menar du) allvar? **2** vard. i stor skala, stor [~ *money*; *a* ~ *drinker*]

seriously ['sɪərɪəslɪ] *adv* allvarligt etc., jfr *serious*; på allvar; ~? menar du (är det ditt) allvar?; *quite* ~ på fullt allvar; *take* ~ ta på allvar

seriousness ['sɪərɪəsnəs] *s* allvar [*the* ~ *of life; the* ~

of the situation]; allvarlighet, allvarsamhet; *in all* ~ på fullt (fullaste) allvar

sermon ['sɜ:mən] *s* **1** predikan [*on* över, om]; *the Sermon on the Mount* bergspredikan; *deliver* (*preach*) *a* ~ hålla en predikan, predika **2** straffpredikan, uppläxning

sermonize ['sɜ:mənaɪz] *vb itr* predika [*stop sermonizing!*]; *sermonizing tone* predikoton

serotonin [,sɪərə(ʊ)'təʊnɪn] *s* fysiol. serotonin

serpent ['sɜ:p(ə)nt] *s* litt. **1** [stor] orm **2** bibl. el. bildl. orm; *the old Serpent* den gamle ormen Satan

serpentine ['sɜ:p(ə)ntaɪn] *adj* ormlik[nande]; slingrande

serrated [se'reɪtɪd] *adj* **1** sågtandad **2** bot., om blad sågad

serried ['serɪd] *adj* litt. tätt sluten, hopträngd; *in* ~ *ranks* i slutna led

ser|um ['sɪər|əm] (pl. -*ums* el. -*a* [-ə]) *s* serum

servant ['sɜ:v(ə)nt] *s* **1** tjänare, betjänt; pl. ~*s* äv. tjänstefolk; *domestic* ~ hembiträde, hemhjälp **2** *civil* ~ statstjänsteman (eg. tjänsteman inom civilförvaltningen)

servant girl ['sɜ:v(ə)ntgɜ:l] *s* o. **servant maid** ['sɜ:v(ə)ntmeɪd] *s* tjänsteflicka, hembiträde

serve [sɜ:v] **I** *vb tr* **1** servera; sätta fram; *dinner is* ~*d* middagen är serverad; [*refreshments*] *were* ~*d* det bjöds på...; *are you being* ~*d, sir?* på restaurang är det beställt [här]? **2** expediera i butik; *are you being* ~*d, sir?* är (var) det tillsagt [här]? **3** förse, försörja **4** duga åt (för) [*it isn't very good but it will* ~ *me*]; duga till, passa [för]; *it* ~*s you right!* [det var] rätt åt dig!, där fick du!; ~ *sb's purpose* se under *purpose 1* **5** betjäna, sköta **6** stå till tjänst **7** fullgöra [~ *one's apprenticeship* (lärotid)]; ~ *one's sentence* el. ~ [*one's*] *time* avtjäna sitt straff, sitta i fängelse **8** sport. serva [~ *a ball*] **9** jur., ~ *sb with a writ* (*summons*) el. ~ *a writ* (*summons*) *on sb* delge ngn en stämning
II *vb itr* **1** tjänstgöra, tjäna, göra tjänst; ~ *on* [*a committee* (*jury*)] vara medlem i (av)..., sitta i... **2 a)** fungera, [få] duga, passa, tjäna [*as, for* som, till]; *it will* ~ det duger (får duga); ~ *as a warning* tjäna som (till) varning **b)** vara ägnad [*to* att], tjäna [*to* till att]; *an example will* ~ *to* [*illustrate the point*] ett exempel räcker för att... **3** ~ [*at table*] servera **4** expediera; vara expedit [*she* ~*s in a florist's shop*] **5** sport. serva
III *vb tr* med adv.:

serve out a) dela ut [~ *out rations*]; portionera ut **b)** ~ *out one's time* avtjäna sitt straff, sitta i fängelse
serve up servera; bjuda på
IV *s* sport. serve

server ['sɜ:və] *s* **1** data. server **2** sport. servare **3 a)** [serverings]bricka **b)** uppläggningssked **c)** pl. ~*s* bestick [*salad* ~*s*] **4** person som serverar t.ex. mat

service ['sɜ:vɪs] **I** *s* **1** ~ el. pl. ~*s* [samhälls]service, tjänst [*information* ~[*s*]]; [samhällets] hjälpverksamhet, vård [*dental* ~]; *health* ~ hälsovård; [*public*] *medical* ~ [allmän] sjukvård; *the postal* ~*s* postväsendet; *social* ~*s* socialvård[en] **2** ekon. tjänst [*goods and* ~*s*] **3** tjänst [*you have done me a* ~]; hjälp; nytta [*it may be of* (till) *great* ~ *to you*]; bruk [*still in* ~]; *can I be of* [*any*] ~ *to you?* kan jag hjälpa dig med något? **4** tjänst,

tjänstgöring; **do** ~ el. **render** ~ göra tjänst, tjänstgöra [*as, for* som]; **On His (Her) Majesty's Service** som påskrift tjänste[försändelse] **5** servering, betjäning, service [*the ~ was poor*] **6** mil. **a)** tjänst[göring]; **on active** ~ m.fl. ex., se *active service*; **military** ~ militärtjänst[göring]; **national** ~ allmän värnplikt; **fit for** ~ tjänstduglig **b)** ~ el. **fighting** ~ försvarsgren **7** trafik. förbindelse [*direct* ~]; turer [*regular* ~]; linje; trafik [*maintain* (upprätthålla) *the* ~ *between*]; **air** ~**s** trafikflyg; **postal** ~ postgång, postförbindelse; **summer** ~**s resume** [*next week*] sommartidtabellen träder åter i kraft...; **put into** ~ sätta i trafik; **out of** ~ ur trafik **8** regelbunden översyn, service [*take the car in for* ~] **9** kyrkl. **a)** gudstjänst, mässa [äv. *divine* ~] **b)** förrättning, akt **10** sport. serve **11** servis [*dinner* ~] **12** jur. delgivning [~ *of a writ* (stämning)]
II *vb tr* **1** ta in för service [~ *a car*]; serva **2** betala ränta på

serviceable ['sɜːvɪsəbl] *adj* **1** användbar, nyttig [*a ~ reminder* (påminnelse)] **2** slitstark, hållbar

service area ['sɜːvɪsˌeərɪə] *s* rastplats vid motorväg med bensinstation, restaurang m.m.

service bureau ['sɜːvɪsˌbjʊərəʊ] *s* data. snabbkopieringsfirma, snabbtryckeri företag som erbjuder sättning, kontorstryck, pre-presstjänster etc.

service charge ['sɜːvɪstʃɑːdʒ] *s* serveringsavgift, dricks; expeditionsavgift

service club ['sɜːvɪsklʌb] *s* ideell förening

service court ['sɜːvɪskɔːt] *s* sport. serveruta

service entrance ['sɜːvɪsˌentr(ə)ns] *s* personalingång; köksingång

service flat ['sɜːvɪsflæt] *s* lägenhet där städning m.m. ingår i hyran; **block of** ~**s** hyreshus med *service flats*

service industry ['sɜːvɪsˌɪndəstrɪ] *s* serviceindustri, servicebransch

service|man ['sɜːvɪs|mæn] (pl. -*men* [-men]) *s* **1** militär; **national** ~ värnpliktig **2** serviceman

service-minded ['sɜːvɪsˌmaɪndɪd] *adj* serviceinriktad, servicemedveten

service provider ['sɜːvɪsprəˌvaɪdə] *s* data. operatör

service road ['sɜːvɪsrəʊd] *s* ung. tillfartsväg, uppfart

service station ['sɜːvɪsˌsteɪʃ(ə)n] *s* bensinstation, servicestation

service|woman ['sɜːvɪsˌ|wʊmən] (pl. -*women* [-ˌwɪmɪn]) *s* kvinnlig militär

serviette [ˌsɜːvɪ'et] *s* servett

servile ['sɜːvaɪl, amer. äv. 'sɜːvl] *adj* **1** servil, devot, krypande **2** slavisk [~ *obedience*]

servility [sɜː'vɪlətɪ] *s* servilitet, kryperi

serving ['sɜːvɪŋ] *s* portion [*a large* ~ *of potatoes*]

servitude ['sɜːvɪtjuːd] *s* **1** träldom, slaveri **2** **penal** ~ straffarbete; fängelse

servo ['sɜːvəʊ] (pl. ~*s*) *s* tekn. vard. servo

servo-assisted [ˌsɜːvəʊə'sɪstɪd] *adj* tekn., ~ **brake** servobroms

sesame ['sesəmɪ] *s* **1** bot. sesam **2** **open** ~! sesam, öppna dig! magiskt lösenord; jfr vidare *open sesame*

session ['seʃ(ə)n] *s* **1** parl. el. jur. session, sammanträde; **extraordinary** ~ extra sammanträde, urtima möte; **full** ~ plenum; **petty** ~**s** (med verb i sg. el. pl.) distriktsdomstol, distriktsting för småförseelser (under ledning av fredsdomare); **go into secret** ~ börja

hemliga förhandlingar; **be in** ~ el. **hold** ~ sammanträda, vara samlad [*Congress (the court) was in* ~] **2** sammankomst; **recording** ~ inspelning, [inspelnings]session; **training** ~ träningspass

set [set] **I** (*set set*) *vb tr* (se äv. under *set III*; för *set* i spec. förbindelser som *set free, set right* o. *set a good example* se under resp. huvudord) **1** sätta, ställa, lägga; **she has** ~ **her mind on** [*having*] **a bicycle** hon har satt sig i sinnet att hon ska ha en cykel; ~ **one's hand to a document** skriva under ett dokument **2** ~ **the table** duka [bordet] **3** lägga håret **4** trädg. sätta [~ *potatoes*]; så **5** besätta [~ *with jewels*]; infatta [~ *in gold*] **6** ställa [~ *a watch by* (efter) *the time signal*]; ~ **the alarm clock** [*for six o'clock*] ställa väckarklockan... **7** bestämma, fastställa [~ *a time for the meeting*]; förelägga, ge [~ *sb a problem*; ~ *sb a task*]; ~ **an exam paper** sätta ihop en [examens]skrivning; ~ **the fashion** diktera modet; vara tongivande **8** teat. o.d., ~ **the scene** [*in France*] förlägga scenen...; **the scene** (**stage**) **is** ~ allt är klart på scenen; bildl. allt är klart (upplagt, bäddat) [*for* för] **9** mus., ~ **sth to music** sätta musik (melodi) till ngt, tonsätta ngt **10** boktr. sätta [upp] [~ *a page*] **11** med. återföra i rätt läge [~ *a broken bone*]
II (*set set*) *vb itr* (se äv. under *set III*) **1** om himlakropp gå ner [*the sun* ~*s at 8*] **2** stelna [*the jelly has not* ~ *yet*]; hårdna; stadga sig [*his character has* ~]
III (*set set*) *vb tr* o. *vb itr* med prep. el. adv., ofta med spec. översättningar:
set about a) ta itu med [~ *about a task*] **b)** vard. gå lös på
set against a) väga mot [*the advantages must be* ~ *against the disadvantages*] **b)** **everyone was** ~ **against him** alla var klart emot honom; ~ **oneself against** sätta sig emot
set apart se *apart 3*
set aside a) lägga undan, sätta av [~ *aside part of one's income*]; anslå [*for* till, för] **b)** bortse från; ~*ting aside...* bortsett från... **c)** avvisa, förkasta [~ *aside an offer*] **d)** jur. ogiltigförklara [~ *aside a will* (testamente)]
set back a) försena [*it* ~ *us back two hours*] **b)** vrida (ställa) tillbaka [~ *the clock back*] **c)** vard. kosta; **it** ~ **me back** [*£50*] äv. jag fick punga ut med...
set down a) sätta ner; sätta (släppa) av [*I'll* ~ *you down at the corner*] **b)** skriva upp (ner); sätta upp; ställa upp [~ *down rules*]; ~ **down in writing** skriva ner **c)** anse [*as* som]
set forth a) lägga fram [~ *forth a theory*] **b)** litt. ge sig i väg (ut) [~ *forth on a journey*]
set in börja [på allvar] [*the rainy season has* ~ *in*]; inträda, falla på [*darkness* ~ *in*]
set off a) ge sig i väg (ut) [~ *off on a journey*]; starta, [av]resa [*for* till]; sätta i väg [~ *off after sb*] **b)** framkalla [*the explosion was* ~ *off by...*] **c)** sätta i gång, starta, utlösa [~ *off a chain reaction*] **d)** framhäva [*the white dress* ~ *off her suntan*] **e)** uppväga; balansera [*against* mot, med]
set on a) överfalla, anfalla [*I was* ~ *on by a dog*] **b)** egga, hetsa, sporra [~ *on sb to sth*]
set out a) ge sig av (ut, i väg) [~ *out on a journey*]; starta, [av]resa [*for* till] **b)** lägga fram, framföra [~ *out one's reasons*]; framställa, lägga ut, skildra **c)** lägga (visa) fram, ställa ut [~ *out merchandise*]

d) börja [sin verksamhet]; **~ out in life** el. **~ out in the world** börja sin bana, gå ut i livet
set to åld. **a)** sätta i gång för fullt, hugga i; kasta sig över maten [*they were hungry and at once ~ to*]; **~ to work** sätta i gång **b)** sätta i gång att slåss (gräla)
set up a) upprätta [*~ up an institution*]; anlägga [*~ up a factory*]; grunda, inrätta; införa [*~ up a new system*]; tillsätta [*~ up a committee*]; **~ up house** o. **~ up shop** se under *house I 6* o. *shop I 1* **b)** etablera sig [*~ [oneself] up in business* (som affärsman)]; hjälpa att etablera sig **c)** sätta upp [*~ up a fence*]; ställa upp, resa [upp] [*~ up a ladder*]; slå upp [*~ up a tent*]; rigga upp, montera [upp]; **~ up a record** sätta rekord **d)** framkalla, vålla [*~ up an irritation*] **e)** **~ up a protest** protestera högljutt **f)** göra stark och kry **g)** **~ up to be** el. **~ oneself up as** göra anspråk på att vara, ge sig ut för **h)** vard. sätta dit, gillra en fälla för **i)** boktr. sätta [upp]
IV *perf p* o. *adj* (se äv. *set I–III*) **1** fast, fast[ställd] [*~ price*]; bestämd [*~ rules*]; **a ~ phrase** en stående fras, ett talesätt; **at a ~ time** vid en fastställd (bestämd) tidpunkt; **in [good] ~ terms** i klara termer (ord); otvetydigt **2** stel, orörlig; **he is very ~ in his ways** han har mycket bestämda vanor **3** belägen [*a town ~ on a hill*]; **with eyes deep ~** med djupt liggande ögon **4 be set on a)** vara fast besluten [*be ~ on doing it* (att göra det)]; **he is dead ~ on having [the job]** vard. han har gett sig katten på att han ska ha… **b)** ha slagit in på [*he is ~ on a dangerous course*] **5** vard. klar, färdig; **all ~** allt [är klappat och] klart; **are we all ~?** är vi färdiga?; **get ~!** sport. färdiga! [*on your marks! get ~! go!*]
V *s* **1** uppsättning [*a ~ of golf clubs*]; sats; uppsats, saker [*toilet ~*]; omgång, sätt [*a ~ of underwear*]; servis [*tea ~*]; serie [*~ of lectures*]; **a chess ~** ett schackspel; [*the encyclopedia costs £850*] **the ~** …komplett **2** umgängeskrets, grupp; krets, kotteri; **the jet ~** el. **the smart ~** se *jet set* o. *smart set*; **the literary ~** de litterärt intresserade [kretsarna] **3** apparat [*radio ~; TV ~*] **4 a)** [rörelse]riktning [*the ~ of the tide*] **b)** bildl. inriktning, tendens **5** passform, fall **6** tennis. o.d. set **7** stickling, sättplanta; [sätt]lök **8** teat. el. film. **a)** scenbild; kuliss[er], dekor **b)** scen, inspelningsplats **9** läggning av håret **10** matem. mängd; **theory of ~s** el. **~ of theory** mängdlära
set-aside ['setəsaɪd] *s* jord som ligger i träda av jordbrukspolitiska skäl
setback ['setbæk] *s* bakslag, motgång, avbräck
set books [ˌset'bʊks] *s pl* skol. el. univ. kursböcker, obligatorisk läsning (litteratur)
set piece [ˌset'piːs] *s* **1** konventionell roman (pjäs, musik etc.); **a ~ attack** ett anfall enligt klassiskt mönster **2** sport. fast situation
set point [ˌset'pɔɪnt] *s* setboll i tennis o.d.
set square ['setskweə] *s* vinkelhake för konstruktionsritning o.d.
settee [se'tiː] *s* **1** [mindre] soffa, kanapé **2** långbänk [med ryggstöd] **3 ~ bed** bäddsoffa
setter ['setə] *s* **1** person som sätter (ställer etc., jfr *set I*) [*of sth* ngt] **2** setter fågelhund
setting ['setɪŋ] *s* **1** allm. (abstr.) sättande, sättning etc., jfr *set I–III* **2 a)** teat. o.d. iscensättning; uppsättning; scenbild[er] **b)** bildl. ram, inramning

[*a beautiful ~ for the procession*]; bakgrund; miljö, omgivning; **the ~ is Naples** handlingen tilldrar sig i Neapel **3** inställning på maskin, kamera o.d. **4** kuvert vid dukning **5** infattning för ädelstenar o.d. **6** mus. tonsättning
setting lotion ['setɪŋˌləʊʃ(ə)n] *s* läggningsvätska
1 settle ['setl] **I** *vb tr* (se äv. *1 settle III*) **1** sätta (lägga) till rätta; **be ~d in a new house** ha kommit i ordning i ett nytt hus **2** betala, göra upp [*~ a bill*]; **~ accounts** el. **~ up accounts** göra upp **3** avgöra [*that ~s the matter*]; göra slut på; **~ a conflict** lösa en konflikt; **~ a dispute** avgöra (slita) en tvist; **~ a quarrel** äv. göra upp (bli sams) efter ett gräl; **that's ~d!** det är avgjort!, då säger vi det! **4** slå sig ner i; kolonisera [*they ~d parts of the South*] **5** lugna [*these pills will ~ your nerves*] **6** ordna, klara upp, klara [av]; **you must get it ~d** du måste få saken ordnad; **I'll ~ him!** jag ska fixa honom! **7 ~ oneself** slå sig ner, slå sig till ro [*she ~d herself in a sofa*] **8** fastställa, avtala, bestämma [*~ a date; ~ a day*] **9** hjälpa att etablera sig (sätta bo)
II *vb itr* (se äv. *1 settle III*) **1** bosätta sig, slå sig ner [*the Dutch ~d in South Africa*]; sätta bo **2** sätta sig till rätta, slå sig ner **3** om bevingade djur slå sig ner, sätta sig **4** utbreda (lägra) sig [*the fog ~d on (över) the town*]; lägga sig [*the dust ~d on the furniture*] **5** om väder stabilisera sig **6** om hus, grundval o.d. sätta sig [*the roadbed ~d*] **7** om vätskor klarna, sätta sig, stå och sjunka [*let the wine ~*] om grums o.d. i vätska sjunka till botten, avsätta sig; stå och sjunka **8** göra upp, betala [*will you ~ for all of us?*]; **~ with one's creditors** göra upp (komma till en uppgörelse) med sina fordringsägare
III *vb itr* o. *vb tr* med prep. el. adv., ofta med spec. översättningar:
settle down a) bosätta sig, slå sig ner [*~ down in New York*] **b)** slå sig till ro, stadga sig [*marry and ~ down*]; slå av på takten [*~ down after a hectic life*]; **~ down in life** äv. finna sig tillrätta i tillvaron **c)** sätta sig till rätta, slå sig ner [*they ~d down for a chat*] **d)** etablera (inrätta) sig [*~ down in business* (som affärsman)] **e)** stabilisera sig [*the financial situation had ~d down*]; lägga sig [*the excitement ~d down*]
settle for a) nöja sig med **b)** bestämma sig för [*we ~d for the leather sofa*]
settle in [flytta in och] komma i ordning [*you must come and see our new house when we've ~d in*]
settle on bestämma (besluta) sig för; **~ on a day for…** bestämma en dag för…
settle up göra upp [*~ up differences (mellanhavanden)*]; betala
2 settle ['setl] *s* högryggad träsoffa ofta med sofflock o. låda
settled ['setld] *adj* **1** avgjord, bestämd, uppgjord; på räkning betalt **2** trygg, väl till mods, nöjd och belåten; **feel ~** äv. känna sig hemma, trivas **3** fast, stadgad, stadig, ihållande; om väder lugn och vacker; [*a woman*] **of ~ convictions** …med fasta grundsatser; **he has no ~ home** han har ingen fast bostad **4 a)** bofast; fast bosatt **b)** bebodd, bebyggd [*a thinly* (glest) *~ area*]
settlement ['setlmənt] *s* **1** avgörande, uppgörelse; lösning av en konflikt; biläggande av en tvist, förlikning

2 fastställande; överenskommelse, avtal **3** hand. o.d. betalning, likvid, utjämnande [*in ~ of our account*] **4** jur. o.d., *marriage* ~ äktenskapsförord

5 a) bosättning, bebyggelse, kolonisering [*empty lands awaiting ~*] **b)** nybygge, koloni, settlement; *penal* ~ el. *convict* ~ straffkoloni **c)** boplats

settler ['setlə] *s* nybyggare, kolonist

set-to [‚set'tu:] *s* vard. slagsmål; gräl

set-top box ['settɒpbɒks] *s* TV. digitaldekoder, digitalbox

set-up ['setʌp] *s* **1** uppbyggnad, struktur [*the ~ of an organization*]; organisation [*the ~ of a company*]; planläggning; arrangemang **2** läge, situation; *in the present* ~ som läget nu är, som sakerna nu ligger till **3** vard. **a)** [på förhand] uppgjord match **b)** fälla där ngn försöker sätta dit ngn

seven ['sevn] (jfr *five* med ex. o. sammansättn.) **I** *räkn* sju **II** *s* sjua

seven-league ['sevnli:g] *adj* sjumila-; ~ *boots* sjumilastövlar

Seven Seas [‚sevn'si:z] *s*, *the ~* de sju världshaven

seventeen [‚sevn'ti:n, attr. '---] *räkn* o. *s* sjutton; jfr *fifteen* med sammansättn.

seventeenth [‚sevn'ti:nθ, attr. '---] *räkn* o. *s* sjuttonde; sjuttondel; jfr *fifth*

seventh ['sevnθ] (jfr *fifth*) *räkn* sjunde; *in ~ heaven* i sjunde himlen

seventhly ['sevnθlɪ] *adv* för det sjunde

seventieth ['sevntɪɪθ, -tɪəθ] *räkn* o. *s* sjuttionde; sjuttiondel

seventy ['sevntɪ] (jfr *fifty* med sammansättn.) **I** *räkn* sjutti[o] **II** *s* sjutti[o]; sjutti[o]tal

sever ['sevə] **I** *vb tr* skilja, avskilja; hugga av, klippa av, slita av [*a sudden jerk ~ed the rope*]; skära av [~ *the enemy's communications*]; rycka av (loss); [av]bryta [~ *all connections with sb*]; splittra [~ *an army*]; söndra, avsöndra; ~ *oneself from* [*one's party*] bryta med…, lösgöra sig från… **II** *vb itr* **1** brista [*the rope ~ed*] **2** skiljas [åt], gå isär; klippas (slitas) av

several ['sevr(ə)l] *adj* o. *pron* **1** flera, åtskilliga [~ *of them*] *failed*]; *a number running into ~ figures* ett flersiffrigt tal **2** enskild, särskild [*each ~ ship*]; skild, respektive

severally ['sevrəlɪ] *adv* var för sig, en och en

severance ['sevər(ə)ns] *s* avskiljande, avhuggande etc., jfr *sever I*; splittring; söndring

severance pay ['sevər(ə)nspeɪ] *s* avgångsvederlag

severe [sɪ'vɪə] *adj* **1** sträng [*a ~ look*; *a ~ teacher*]; *be ~ on sb* el. *be ~ with sb* vara sträng (hård) mot ngn **2** hård, skarp, svår [~ *competition*]; sträng [~ *punishment*]; kännbar; *a ~ reprimand* en skarp (allvarlig) tillrättavisning **3** om klimat o.d. sträng, bister [*a ~ climate*; *a ~ winter*]; hård, svår **4** om sjukdom o.d. svår [*a ~ illness*; *a ~ cold*]; häftig [~ *pain*] **5** om stil o.d. sträng [~ *beauty*]; stram [~ *architecture*]

severity [sə'verətɪ] *s* **1** stränghet, hårdhet, skärpa etc., jfr *severe*; allvar; *the ~ of the winter* [*in Canada*] den stränga (bistra) vintern… **2** pl. *severities* svåra påfrestningar [*the severities of the winter campaign*]

Seville [sə'vɪl, 'sevɪl] geogr. Sevilla

Seville orange [‚sev(ə)l'ɒrɪn(d)ʒ, -ɪl-] *s* pomerans

sew [səʊ] (imperf. *sewed*, perf. p. *sewn* el. *sewed*) **I** *vb tr* o. *vb itr* sy; sy i (fast) [~ *a button on* (i) *the coat*]; sy in [~ *money into* (i) *a bag*]; ~ *on* sy fast (i) [~ *on a button*]

II *vb tr* o. *vb itr* med adv.:

sew up a) sy till; sy ihop (igen) [~ *up a hole*] **b)** sy in [~ *up money in a bag*] **c)** kir. sy [ihop] [~ *up a wound*] **d)** vard. säkra, kamma ihop (in) [*he tried to ~ up as many votes as possible*] **e)** vard. greja, göra upp [~ *up a deal*]

sewage ['su:ɪdʒ, 'sju:-] *s* avloppsvatten, kloakvatten, kloakinnehåll; ~ *disposal* bortledande (rening) av avloppsvatten

sewage plant ['su:ɪdʒplɑ:nt] *s* amer. reningsverk

sewage works ['su:ɪdʒwɜ:ks, 'sju:-] (med verb i sg. el. pl.; pl. *sewage works*) *s* reningsverk

sewer ['su:ə, 'sju:ə] *s* kloak, avloppsledning, avloppsrör, avloppstrumma, avlopp

sewerage ['su:ərɪdʒ, 'sju:-] *s* **1** avloppsnät, kloaksystem; ~ *system* avloppsnät, kloaksystem **2** se *sewage*

sewing ['səʊɪŋ] *s* sömnad, sömnadsarbete, handarbete; ~ *materials* sybehör

sewing bee ['səʊɪŋbi:] *s* o. **sewing circle** ['səʊɪŋ‚sɜ:kl] *s* syjunta, syförening

sewing machine ['səʊɪŋmə‚ʃi:n] *s* symaskin

sewing needle ['səʊɪŋ‚ni:dl] *s* synål

sewn [səʊn] perf. p. av *sew*

sex [seks] **I** *s* **1 a)** sex, erotik [*a film with a lot of ~ in it*]; det sexuella; attr. sex- [~ *object*; ~ *life*]; sexual- [~ *education*] **b)** vard. sexuellt umgänge, samlag; *have* ~ ha sex, ligga med varandra **2** kön; attr. köns-; *the fair* (*gentle, weaker, softer*) ~ det täcka (svaga) könet; *the sterner* ~ det starka könet **II** *vb tr* **1** könsbestämma, fastställa könet på **2** vard., ~ *up* göra sexig

sex appeal ['seksə‚pi:l] *s* sex appeal

sex change ['sekstʃeɪn(d)ʒ] *s* könsbyte

sex-determination ['seksdɪ‚tɜ:mɪ'neɪʃ(ə)n] *s* könsbestämning, fastställande av kön

sex discrimination ['seksdɪ‚skrɪmɪ'neɪʃ(ə)n] *s* könsdiskriminering

sex drive ['seksdraɪv] *s* sexualdrift

sexed [sekst] *adj*, *highly* ~ översexuell

sex education ['seksedjʊ‚keɪʃ(ə)n] *s* sexualundervisning

sex equality ['seksɪ‚kwɒlətɪ] *s* jämställdhet mellan könen

sexiness ['seksɪnəs] *s* sexighet

sexism ['seksɪz(ə)m] *s* sexism, könsdiskriminering

sexist ['seksɪst] **I** *s* sexist **II** *adj* sexistisk, könsdiskriminerande

sex kitten ['seks‚kɪtn] *s* vard. sexbrud

sexless ['seksləs] *adj* könlös; ej sexuellt attraktiv

sex life ['sekslaɪf] *s* sexliv

sex maniac ['seks‚meɪnɪæk] *s* sexgalning, sexniding

sex object ['seks‚ɒbdʒɪkt] *s* könsobjekt, sexobjekt

sex offender ['seksə‚fendə] *s* jur. sexualförbrytare

sexology [sek'sɒlədʒɪ] *s* sexologi, sexualvetenskap

sex role ['seks‚rəʊl] *s* könsroll

sex-starved ['seksstɑ:vd] *adj* sexuellt utsvulten, sexhungrig

sex symbol ['seks‚sɪmb(ə)l] *s* sexsymbol

sextant ['sekst(ə)nt] *s* spec. sjö. sextant

sextet [seks'tet] *s* sextett mus. el. bildl.

sexton ['sekst(ə)n] *s* kyrkvaktmästare, kyrkvaktare; ringare; dödgrävare

sex tourism ['seks,tuərɪzm] *s* sexturism

sextuplet ['sekstjuplət, -plet] *s* sexling

sex-typing ['seks,taɪpɪŋ] *s* könsrollstänkande

sexual ['seksjuəl, -kʃuəl] *adj* sexuell, sexual-, köns-; erotisk; **~ attraction** erotisk dragningskraft; **~ reproduction** könslig fortplantning

sexual act [,seksjuəl'ækt] *s*, **the ~** könsakten

sexual drive [,seksjuəl'draɪv] *s* sexualdrift

sexual harassment [,seksjuəlhæ'rəsmənt, amer. -hə'ræsmənt] *s* sexuella trakasserier

sexual intercourse [,seksjuəl'ɪntəkɔːs] *s* samlag, sexuellt umgänge, könsumgänge

sexuality [,seksju'æləti, -kʃu-] *s* sexualitet

sexual organs [,seksjuəl'ɔːgənz] *s pl* könsorgan, sexualorgan

sexual orientation ['seksjuəl,ɔːrɪen'teɪʃ(ə)n] *s* sexuell läggning

sexy ['seksɪ] *adj* vard. sexig

Seychelles [seɪ'ʃelz] geogr., **the** [**Republic of**] **~** Seychellerna

SF [,es'ef] litt. (förk. för *science fiction*) sf, science fiction

SGML [,esdʒi:em'el] data. (förk. för *Standard General Markup Language*) SGML standard för dokumentutformning

Sgt förk. för *sergeant*

sh [ʃ:] *interj* sch!, hysch!

shabby ['ʃæbɪ] *adj* **1** sjabbig [*a ~ hotel*]; sjaskig, ruskig, sluskig; luggsliten **2** ynklig [*a ~ excuse*]; tarvlig [*~ behaviour*]; usel [*a ~ performance*]; **play a ~ trick on sb** spela ngn ett fult spratt

shabby-genteel [,ʃæbɪdʒen'ti:l] *adj* som försöker upprätthålla ett yttre sken av välstånd trots fattigdom

shack [ʃæk] **I** *s* timmerkoja, hydda; kåk **II** *vb itr* sl., **~ up with** a) bo (flytta) ihop med, sammanbo med b) prassla (ha ihop det) med

shackle ['ʃækl] *vb tr* **1** sätta bojor på, fjättra; bildl. klavbinda; **be ~d with** bildl. vara [upp]bunden av **2** fästa, koppla; sjö. schackla

shackles ['ʃæklz] *s pl* bojor, fjättrar äv. bildl. [*the ~ of convention*]

shad [ʃæd] *s* shad fisk av sillsläktet

shade [ʃeɪd] **I** *s* **1** skugga [*keep in the ~, it's cooler; 30° in the ~*]; **be in the ~** bildl. leva ett liv i skymundan (ett undanskymt liv); **throw** (**cast, put**) **in the ~** bildl. ställa i skuggan, ta loven av, överglänsa; **be thrown** (**put**) **into the ~** bildl. komma helt i skymundan **2** a) skärm [*lamp-shade*] b) [skydds]kupa **3** amer. rullgardin; **window ~** rullgardin **4** vard., pl. **~s** solbrillor **5** konst., **light and ~** skuggor och dagrar, ljus och skugga **6** nyans, skiftning, schattering; anstrykning, färgton; **~ of opinion** åsiktsriktning **7** aning, smula [*I am a ~ better today*]; skymt, hårsmån **8** litt., pl. **~s** skymning; **the ~s of night** nattens skuggor (mörker) **II** *vb tr* **1** skugga [för] [*she ~d her eyes with her hand*]; beskugga; skydda [*~ sth from* (mot) *the sun*]; bildl. fördunkla **2** skärma av, dämpa; **a ~d lamp** en lampa med skärm **3** skugga vid teckning,

schattera

III *vb itr*, **~ into** gradvis (omärkligt) gå över i

shadow ['ʃædəʊ] **I** *s* **1** skugga [*the ~ of a man against* (på) *the wall*] **2** skuggbild, skenbild; **she is only a ~ of her former self** hon är bara en skugga av sitt forna jag **3** skugga, ständig följeslagare **4** skymt, hårsmån; **without a ~ of doubt** el. **beyond a ~ of doubt** utan skuggan av ett tvivel, utan minsta spår av tvivel **II** *vb tr* skugga [*the detective ~ed him*]

shadow-boxing ['ʃædəʊ,bɒksɪŋ] *s* **1** skuggboxning **2** bildl. skenfäkteri, spegelfäkteri

shadowy ['ʃædəʊɪ] *adj* **1** skuggig **2** skugglik; **lead a ~ existence** föra ett skuggliv

shady ['ʃeɪdɪ] *adj* **1** skuggig; skuggande [*a ~ tree*]; skuggrik **2** skum [*~ dealings; a ~ customer* (figur)]; skumrask-, tvivelaktig, tvetydig, suspekt, ljusskygg; **the ~ side of politics** politikens skumraskspel

shaft [ʃɑːft] *s* **1** skaft på spjut, vissa verktyg m.m. **2** trumma [*lift ~*]; **ventilation ~** lufttrumma **3** schakt i gruva m.m. **4** litt. pil äv. bildl. [*~s of satire*]; spjut **5** skakel, skalm **6** mek. axel **7** litt. [ljus]stråle; **a ~ of sunlight** en solstråle

1 shag [ʃæg] vulg. **I** *vb itr* o. *vb tr* knulla [med] **II** *s* knull; sexorgie

2 shag [ʃæg] *s* **1** shag[tobak] **2** zool. toppskarv

shagged [ʃægd] *adj* o. **shagged out** [,ʃægd'aʊt] *adj* sl. utschasad, tröttkörd

shaggy ['ʃægɪ] *adj* **1** raggig, lurvig [*a ~ dog*]; luden; buskig [*~ eyebrows*] **2** snårbevuxen, skogbevuxen

shaggy dog story [,ʃægɪ'dɒg,stɔrɪ] *s* vard., **a ~** en [rolig] historia med västgötaklimax

shah [ʃɑː] *s* shah

shake [ʃeɪk] **I** (*shook shaken*) *vb tr* (se äv. *shake III* o. fraser med *shake* under *fist* o. *leg* m.fl.) **1** skaka [ur], ruska, rista; skaka (ruska) ner [*~ fruit from a tree*]; ruska (skaka) på [*I shook the door*]; **~ one's finger at sb** höta med fingret åt ngn; **~ hands** skaka hand, ta varandra i hand; **~ hands on sth** ta varandra i hand på ngt, tumma på ngt; **~ one's head** skaka (ruska) på huvudet [*over* (at) *åt*] **2** [upp]skaka, göra upprörd; **he was much ~n by the news** han blev mycket [upp]skakad av nyheten **3** skaka, komma att skaka [*the blast shook the building*]; komma att skälva (darra); komma att vackla (svikta), rubba, försvaga [*~ sb's alibi*]; störa [*~ sb's composure*]; **~ sb's faith** rubba ngn i hans tro **II** (*shook shaken*) *vb itr* (se äv. *shake III*) **1** skaka, skälva, darra, bäva [*with* av]; **~ all over** darra (skaka) i hela kroppen; **his hand is shaking** han darrar (är darrig) på handen **2** skaka hand **III** (*shook shaken*) *vb tr* o. *vb itr* i förbindelse med adv.: **shake down** a) vard. ordna en provisorisk bädd åt sig, kinesa; slå sig ner tillfälligt [*I'll ~ down in London*] b) vard. finna sig till rätta, sätta sig, stadga sig c) prova, testa d) amer. sl. pressa pengar av e) amer. sl. [kropps]visitera; göra en razzia i (hos) **shake off** skaka av [sig] [*~ off the dust; he could not ~ off the beggar*] **shake up** a) **~ up sb** rycka upp ngn [*from* ur]; ruska liv i ngn; ruska om ngn; **~ up things** skaka om [bland (i) ngt] b) polit. m.m. möblera om [i],

omorganisera, rekonstruera [*~ up the cabinet*]
IV *s* **1** skakning, ruskning; skälvning, darrning; *a ~ of the head* en skakning på huvudet, en huvudskakning; *give it a good ~!* skaka [av (om, på)] det ordentligt! **2** se *milkshake* **3** shake dans **4** vard., *in* [*half*] *a ~* på nolltid (ett litet kick) **5** vard., *fair ~* chans

shakedown [ˈʃeɪkdaʊn] *s* **1** provisorisk bädd **2** amer. sl. utpressning **3** amer. sl. razzia

shaken [ˈʃeɪk(ə)n] perf. p. av *shake*

shake-out [ˈʃeɪkaʊt] *s* vard. **1** nedskärning [av arbetsstyrka] **2** amer. utslagning, utmanövrering av konkurrenter **3** amer. börs. nedgång, [pris]fall

shaker [ˈʃeɪkə] *s* **1** shaker [*cocktail ~*]; [drink]blandare **2** relig. shaker, skakare

shakes [ʃeɪks] *s pl* vard. **1** *the ~* (med verb i sg.) frossa[n] **2** *no great ~* inte mycket att hurra för, inget vidare; *in two ~* el. *in two ~ of a lamb's tail* på nolltid, på ett litet kick; med detsamma

Shakespeare [ˈʃeɪkˌspɪə]

Shakespearian [ʃeɪkˈspɪərɪən] *adj* Shakespeare-; i Shakespeares stil

shake-up [ˈʃeɪkʌp] *s* vard. **1** omskakning, omvälvning **2** polit. m.m. ommöblering i t.ex. en regering, omorganisering, rekonstruktion

shaking [ˈʃeɪkɪŋ] *s* **1** skakning, ruskning; *get a ~* bli skakad; *give sth a good ~* skaka om ngt ordentligt **2** se *shake-up 1*

shaky [ˈʃeɪkɪ] *adj* **1** skakig, skakande, skälvande, darrande [*speak in a ~ voice*]; *his hands are ~* han är darrhänt **2** ostadig, skakig, rankig, ranglig [*a ~ old table*] **3** vacklande; osäker [*a ~ position*]; *a ~ government* en vacklande (svag) regering **4** darrig, skral, skraltig [*feel ~; look ~*]; svag [*~ in English grammar; a ~ argument*]

shale [ʃeɪl] *s* skifferlera; skiffer [*oil ~; ~ oil*]

shall [ʃæl, obeton. ʃəl, ʃl] (imperf. *should*, jfr detta ord) *hjälpvb* pres. ska, skall [*~ I come later?*]; *I ~ come tomorrow* jag kommer i morgon; *I ~ meet her tomorrow* jag träffar (kommer att träffa, ska träffa) henne i morgon; *what ~ it be?* vad får det lov att vara?, vad får jag bjuda på?

shallot [ʃəˈlɒt] *s* bot. schalottenlök

shallow [ˈʃæləʊ] *adj* **1** grund [*~ water*]; flat [*a ~ dish*] **2** ytlig [*a ~ argument; ~ talk*]; grund, flack

shallows [ˈʃæləʊz] (med verb i sg. el. pl.) *s pl* grund, grunt ställe

sham [ʃæm] **I** *s* **1** förställning, hyckleri [*his religion is all a* (bara) *~*]; spel, skoj, bluff, sken **2** imitation [*these pearls are all ~s*] **3** bluffmakare, skojare; hycklare; simulant **II** *adj* hycklad [*~ piety*]; låtsad, fingerad, sken- [*a ~ democracy*]; låtsas-; imiterad, oäkta, falsk [*~ pearls*]; *~ battle* bildl. skenfäktning, spegelfäkteri **III** *vb tr* simulera, hyckla, låtsas ha [*~* [*a*] *headache*]; *~ illness* spela sjuk, simulera [sjukdom] **IV** *vb itr* simulera, förställa sig, låtsas [*she's only ~ming*]; spela [*~ dead; ~ mad*]

shaman [ˈʃæmən, ˈʃeɪm-, ˈʃɑːm-] *s* relig. schaman

shamble [ˈʃæmbl] *vb itr* lufsa, sjava, hasa [sig]; *shambling gait* lufsande [gång], tunga (släpande, hasande) steg

shambles [ˈʃæmblz] (med verb i sg.) *s* vard. förödelse;

röra, soppa; *her room is a ~* hennes rum ser ut som ett slagfält

shame [ʃeɪm] **I** *s* skam, skamsenhet, blygsel; vanära, nesa; *~ on you!* fy skam!, fy skäms [på dig]!; *what a ~!* så (vad) tråkigt (synd, förargligt)!; så skamligt!; *it's a great* (*crying*) *~* det är stor (en evig) skam, det är synd och skam; *bring ~ on* dra vanära (skam) över; *he has no sense of ~* han har ingen skam i kroppen; *put sb to ~* a) skämma ut ngn, dra skam över ngn b) få ngn att känna sig underlägsen, ställa ngn i skuggan; *he is without ~* el. *he is lost to ~* el. *he is past ~* han har ingen skam (hut) i kroppen
II *vb tr* göra skamsen, få att skämmas (blygas); skämma ut, dra vanära (skam) över [*~ one's family*]

shamefaced [ˈʃeɪmfeɪst] *adj* **1** blyg, försagd, anspråkslös **2** skamsen [*a ~ air* (min)]

shameful [ˈʃeɪmf(ʊ)l] *adj* skamlig, neslig

shameless [ˈʃeɪmləs] *adj* skamlös, fräck, oblyg

shammy [ˈʃæmɪ] *s*, *~ leather* sämskskinn

shampoo [ʃæmˈpuː] **I** (pl. *~s*) *s* **1** schampo, hårschampo **2** schamponering; hårtvätt; *give sb a ~* schamponera (tvätta håret på) ngn; *a ~ and set* tvättning och läggning
II *vb tr* schamponera; tvätta håret

shamrock [ˈʃæmrɒk] *s* bot. treklöver, [tre]väppling äv. Irlands nationalemblem

shandy [ˈʃændɪ] *s* blandning av öl och sockerdricka (ibl. ingefärsdricka)

Shanghai [ˌʃæŋˈhaɪ] geogr.

shank [ʃæŋk] *s* **1** skaft på verktyg, pipa m.m.; [hög] fot på glas **2** kok. lägg **3** ngt åld. skenben, skank; *rest one's weary ~s* vard. vila sina trötta ben; *go on Shank's pony* använda apostlahästarna

shan't [ʃɑːnt] = *shall not*

1 shanty [ˈʃæntɪ] *s* skjul, kåk, hydda

2 shanty [ˈʃæntɪ] *s* shanty arbetssång för sjömän

shanty town [ˈʃæntɪtaʊn] *s* kåkstad, slumkvarter

SHAPE [ʃeɪp] (förk. för *Supreme Headquarters Allied Powers Europe*) SHAPE högkvarteret för NATO:s Europakommando

shape [ʃeɪp] **I** *s* **1** form, fason, gestalt[ning], utformning; *the ~ of the nose* formen på näsan, näsans form; *assume a more definite ~* ta fastare form; *give ~ to* a) ge [fast] form åt, utforma b) formulera [*give ~ to one's ideas*]; *lose* [*its*] *~* förlora formen (fasonen); *take ~* ta [fast] form; *take the ~ of* [an]ta formen av; [*spherical*] *in ~* ...till formen; *in any ~ or form* i någon [som helst] form, på något [som helst] sätt, av något [som helst] slag; *in the ~ of* i form av [*reward in the ~ of an extra holiday*]; *get out of ~* förlora formen (fasonen) **2** ordning, fason, hyfs; *get* (*put*) *sth into ~* få ordning (fason) på ngt; *knock into ~* o. *lick into ~* se resp. verb **3** tillstånd, skick [*the old house was in bad ~*]; *in ~* i bra kondition; *his finances are in good ~* hans ekonomi är bra; *she is in good ~* hon är i fin (god) form; *out of ~* i dålig kondition **4** skepnad, gestalt [*strange ~s in the fog*]; *in human ~* i människogestalt
II *vb tr* **1** forma [*~ clay into* (till) *an urn*]; staka ut [*~ one's future*]; skapa, gestalta, dana; tekn. profilera; *~d like a pear* päronformig **2** avpassa,

lämpa
III *vb itr* forma (gestalta) sig; formas, bildas
[*clouds shaping on the horizon*]; utveckla sig [*I
don't like the way events are shaping*]
IV *vb itr* med adv.:
shape up vard. **a)** ta form [*the plan is beginning to ~
up*] **b)** arta sig [bra] **c)** skärpa sig ta sig samman
shapeless ['ʃeɪpləs] *adj* formlös, oformlig
shapely ['ʃeɪplɪ] *adj* välformad, välskapad,
välbildad, välväxt, välsvarvad [*~ legs*]
shard [ʃɑːd] *s* skärva, bit
share [ʃeə] **I** *s* **1** del, andel [*~ of (in) the profit
(success)*]; lott; **do one's ~** göra sitt, dra sitt strå till
stacken; **do one's ~ towards solving** [**the problem**]
göra sin insats för (bidra till) att lösa...; **go ~s with
sb in sth** dela [på] kostnaderna för ngt med ngn,
dela ngt lika med ngn; **have a ~ in** a) vara
medansvarig i b) få del av; **everybody had his ~** var
och en fick sitt (sin del); **I've had my ~ of luck** jag har
haft en god portion tur **2** aktie; andel; **hold ~s** ha
aktier
II *vb tr* **1** dela [*with sb* med ngn]; ha del i, vara
delaktig av (i); ha gemensamt; **~ the responsibility**
dela ansvaret, vara medansvarig; **~ the same room**
[**with**] dela rum [med] **2** dela ut, fördela [*among*
bland]; **~ out** dela ut, fördela [*among* bland]
III *vb itr* **1** dela; **~ and ~ alike** dela broderligt (lika);
we must ~ alike el. **we must ~ even** vi måste dela
jämnt **2 ~ in** dela [*I will ~ in the cost with you*];
delta i [*he ~d in the planning of it*]; ha del i, vara
delaktig i, vara med i (om)
shareholder ['ʃeə,həʊldə] *s* aktieägare; **~s' meeting**
el. **meeting of ~s** bolagsstämma
share index ['ʃeərɪn,deks] *s* aktieindex, kursindex
share list ['ʃeəlɪst] *s* [lista över] fondnoteringar,
kurslista
share-out ['ʃeəraʊt] *s* utdelning, fördelning
shareware ['ʃeəweə] *s* data. 'shareware',
spridprogram
1 shark [ʃɑːk] *s* zool. haj
2 shark [ʃɑːk] *s* vard. [börs]haj, svindlare,
bondfångare
sharp [ʃɑːp] **I** *adj* **1** skarp, vass [*a ~ knife; a ~
tongue*]; spetsig [*a ~ pin; a ~ summit*]; mycket smal
[*a ~ ridge*] **2** skarp [*~ outlines*]; markant, klar [*a ~
difference*]; skarpskuren [*~ features*]; skarp [och
tydlig] [*a ~ photo*] **3** skarp, tvär [*a ~ curve; a ~
turn; a ~ transition*]; stark, brant [*a ~ rise*] **4** stark
[*a ~ taste*]; stickande [*a ~ pang*]; syrlig [*a ~ flavour*]
5 skarp [*~ eyes; ~ ears*]; lyhörd [äv. *with a ~ ear*];
intelligent, pigg [*a ~ child*]; kvick, fyndig; **be ~ at**
[**arithmetic**] vara bra (fin) på..., vara styv (slängd)
i... **6** smart [*a ~ lawyer*]; slipad, listig, knipslug; **~
practice** vard. fula knep (trick), ogenerade metoder
7 mus. **a)** höjd en halv ton; med ♯-förtecken; **A ~**
m.fl., se under resp. bokstav **b)** en halv ton för hög; [lite]
falsk; **the piano is ~** pianot är för högt stämt
II *s* mus. **1** kors, ♯-förtecken, ♯ **2** ton med förtecknet
♯ **3** halvt tonsteg uppåt **4 ~s and flats** svarta
tangenter på t.ex. piano
III *adv* **1** på slaget, på pricken, prick [*at six
[o'clock] ~*] **2** skarpt; tvärt [*turn* (ta av) *~ left*]; fort
[*~!*]; bums; **look ~!** sno (raska) på!
sharpen ['ʃɑːp(ə)n] **I** *vb tr* **1** göra skarp[are] etc., jfr

sharp I; skärpa äv. bildl. [*~ the tone*]; vässa, formera
[*~ a pencil*]; bryna; spetsa; [skarp]slipa **2** mus. höja
[ett halvt tonsteg]; sätta ♯ för
II *vb itr* bli skarp[are] etc., jfr *sharp I*; skärpas etc., jfr
sharpen I 1
sharpener ['ʃɑːpnə] *s* pennvässare; knivslipare
sharp-eyed ['ʃɑːpaɪd] *adj* skarpögd
sharpness ['ʃɑːpnəs] *s* skärpa
sharpshooter ['ʃɑːp,ʃuːtə] *s* prickskytt, skarpskytt
sharp-witted [,ʃɑːp'wɪtɪd, attr. '---] *adj* skarpsinnig;
bitande kvick
shat [ʃæt] imp. o. perf. p. av *shit*
shatter ['ʃætə] **I** *vb tr* **1** splittra, bryta sönder, slå
sönder [*ships ~ed by storms*]; spränga sönder,
krossa [*fifty windows were ~ed*]; ramponera
2 bryta ner, ödelägga, förstöra [*~ one's health*];
krossa [*~ sb's illusions (power)*]; tillintetgöra,
omintetgöra [*~ sb's hopes*]
II *vb itr* splittras, brytas sönder etc., jfr *shatter I*, gå
i kras
shattered ['ʃætəd] *adj* (jfr äv. *shatter*) **1** skakad
2 vard. slut[körd]
shattering ['ʃætərɪŋ] *adj* förödande, förkrossande
[*a ~ defeat*]; öronbedövande [*a ~ noise*]
shatterproof ['ʃætəpruːf] *adj* splitterfri
shave [ʃeɪv] **I** *vb tr* **1** raka [*~ one's beard; ~ sb*]; **be
~d** el. **get ~d** [låta] raka sig, bli rakad **2** skrapa,
skava [*~ hides*]; hyvla; **~ off** skrapa (skava, hyvla,
raka) av **3** [nästan] snudda (nudda) vid, [nästan]
tuscha
II *vb itr* **1** raka sig **2 ~ past** stryka förbi [*the bullet
~d past me*]
III *s* **1** rakning; [*a sharp razor*] **gives a good ~**
...rakar bra; **have (get) a ~** [låta] raka sig **2** vard.
snudd; **it was a close ~** det var nära ögat, det var på
håret
shaven ['ʃeɪvn] *adj* rakad [*clean-shaven*]
shaver ['ʃeɪvə] *s* rakapparat [*electric ~*]
shaving ['ʃeɪvɪŋ] *s* rakning; attr. rak- [*~ brush; ~
cream*]
shaving cream ['ʃeɪvɪŋkriːm] *s* o. **shaving foam**
['ʃeɪvɪŋfəʊm] *s* raklödder på burk
shavings ['ʃeɪvɪŋz] *s pl* [hyvel]spån
Shaw [ʃɔː]
shawl [ʃɔːl] *s* sjal, schal
she [ʃiː, obeton. ʃɪ] **I** (objektsform *her*) *pron* **1** person
hon; om tåg, bil, land m.m. den, det; **who is ~?** äv. vem
är det? **2** determ. den om kvinnliga personer i allm. betydelse
[*~ who listens learns*]
II (pl. ~s) *s* kvinna, flicka, tjej; hona; hon [*is the
child a he or a ~?*]
III *adj* som förled i sammansättn. vid djurnamn hon-,
-hona [*she-fox*]
sheaf [ʃiːf] (pl. *sheaves*) *s* **1** [sädes]kärve **2** bunt [*a ~
of papers*]; knippe [*a ~ of arrows*]
shear [ʃɪə] (imperf. *~ed*; perf. p. *shorn* el. *~ed*) *vb tr*
1 klippa [*~ sheep; ~ wool*]; klippa av; [över]skära
[*~ cloth* (kläde)] **2** bildl., **shorn of** berövad [*shorn of
her power*]
shearer ['ʃɪərə] *s* **1** fårklippare **2** klippmaskin
shearing ['ʃɪərɪŋ] *s* fårklippning
shears [ʃɪəz] *s pl* [större] sax ullsax, trädgårdssax o.d.; **a
pair of ~** en sax
sheatfish ['ʃiːtfɪʃ] *s* zool. mal

sheath [ʃi:θ, i pl. ʃi:ðz] *s* **1** fodral, slida, balja **2** bot. slida, balja **3** fodral klänning; ~ *skirt* snäv kjol **4** åld. kondom

sheathe [ʃi:ð] *vb tr* **1** litt. lägga i fodral[et], sticka i slida[n] **2** beklä, betäcka, överdra

sheath knife [ˈʃi:θnaɪf] *s* slidkniv

sheaves [ʃi:vz] *s* pl. av *sheaf*

shebang [ʃɪˈbæŋ] *s* sl., *the whole* ~ hela härligheten (rasket)

she'd [ʃi:d] = *she had* o. *she would*

1 shed [ʃed] *s* skjul, lider; bod [*tool* ~]; *engine* ~ lokstall

2 shed [ʃed] (*shed shed*) *vb tr* **1 a)** fälla [~ *feathers*; ~ *horns*; ~ *leaves*]; tappa, släppa; *the snake* ~*s its skin* ormen byter (ömsar) skinn **b)** ta (kasta) av sig [~ *one's clothes*] **c)** lägga bort [~ *a habit*] **2** litt. utgjuta [~ *blood*]; gjuta; *blood will be* ~ blod kommer att flyta; ~ *tears* fälla (gjuta) tårar **3** sprida [~ *love*; ~ *warmth*]; ge ifrån sig, sända ut; ~ *light on* ofta bildl. sprida ljus över, belysa

she-devil [ˈʃi:ˌdevl] *s* djävulsk kvinna, hondjävul

sheen [ʃi:n] *s* glans [*the* ~ *of silk*]; lyster

sheep [ʃi:p] (pl. *sheep*) *s* **1** får; jfr *black sheep* o. *wolf I 2*; *separate the* ~ *from the goats* bildl. skilja fåren från getterna; [*he thought*] *he might as well be hanged for a* ~ *as for a lamb* ung. ...om han nu ändå skulle åka dit kunde han åka dit ordentligt **2** fårskinn

sheep dip [ˈʃi:pdɪp] *s* **1** fårtvättning **2** tvättvätska för får

sheepdog [ˈʃi:pdɒg] *s* fårhund

sheepfaced [ˈʃi:pfeɪst] *adj* förlägen, generad

sheepfold [ˈʃi:pfəʊld] *s* fårfålla

sheepish [ˈʃi:pɪʃ] *adj* förlägen, generad; fåraktig

sheep-pen [ˈʃi:ppen] *s* fårfålla

sheepskin [ˈʃi:pskɪn] *s* fårskinn; fårhud

sheepskin coat [ˌʃi:pskɪnˈkəʊt] *s* fårskinnspäls

1 sheer [ʃɪə] **I** *adj* **1** ren [~ *force*; ~ *nonsense*; ~ *waste*]; idel [~ *envy*]; pur [~ *surprise*]; ~ *folly* el. ~ *madness* rena [rama] galenskapen (idiotin) **2** mycket tunn, [nästan] genomskinlig, skir [~ *material* (tyg)] **3** tvärbrant [*a* ~ *rock*]; lodrät [*a* ~ *drop* (fall) *of 100 metres*]; tvär **II** *adv* tvärbrant, lodrätt, rakt upp [*it rises* ~ *out of the sea*]

2 sheer [ʃɪə] **I** *vb itr* spec. sjö. gira; ~ *off* el. ~ *away* **a)** spec. sjö. gira (vika) av **b)** ge (laga, pallra) sig i väg; ~ *off* (*away*) *from sb* vard. undvika ngn **II** *s* sjö. gir

sheet [ʃi:t] *s* **1** lakan; *change the* ~*s* byta lakan **2** [tunn] plåt [~ *of metal*]; platta, [tunn] skiva [~ *of glass*] **3** ark, blad; *some* ~*s of paper* några papper (pappersark); *a blank* ~ ett rent (oskrivet) blad (ark); *a clean* ~ bildl. ett fläckfritt förflutet; *keep a clean* ~ sport. hålla nollan **4** vidsträckt yta, vidd, flak, lager, täcke; ~ *of flame* eldhav; *the rain was coming down in* ~*s* regnet stod som spön i backen **5** vard., *three* ~*s to the wind* stagad, packad berusad **6** sjö. skot

sheet anchor [ˈʃi:tˌæŋkə] *s* bildl. räddningsplanka, sista utväg

sheet feeder [ˈʃi:tˌfi:də] *s* data. arkmatare

sheeting [ˈʃi:tɪŋ] *s* lakansväv

sheet iron [ˈʃi:tˌaɪən] *s* bleck[plåt], valsat järn

sheet lightning [ˌʃi:tˈlaɪtnɪŋ] *s* kornblixt[ar]; *a flash of* ~ en kornblixt

sheet metal [ˈʃi:tˌmetl] *s* plåt

sheet music [ˈʃi:tˌmju:zɪk] *s* noter, notblad

Sheffield [ˈʃefi:ld] geogr.

Sheffield plate [ˌʃefi:ldˈpleɪt] *s* pläter silver på koppar

sheikh [ʃeɪk, ʃi:k] *s* schejk

Sheila [ˈʃi:lə] kvinnonamn

sheila [ˈʃi:lə] *s* austral. vard. kvinna, tjej

shelduck [ˈʃeldʌk] *s* zool. gravand; gravandshona

shelf [ʃelf] (pl. *shelves*) *s* **1** hylla; *take sth off the* ~ dra in ngt produkt från försäljning; [*laid*] *on the* ~ lagd på hyllan, skrinlagd, skjuten åt sidan; *she'll be left on the* ~ *if...* vard. hon kommer på överblivna kartan (hamnar på glasberget) om... **2** klipphylla, avsats; *the continental* ~ kontinentalhyllan

shelf life [ˈʃelflaɪf] *s* hållbarhetstid för färskvaror [*chocolate has a* ~ *of 8 months*]

shell [ʃel] **I** *s* **1** hårt skal; musselskal, mussla; snäckskal, snäcka; snigels hus **2** [ärt]skida, [ärt]balja; bot. hylsa **3** bildl. skal; yttre sken, yttre skal [*a mere* ~ *of religion*]; *withdraw* (*retreat*) *into one's* ~ dra (sluta) sig inom sitt skal; *come out of one's* ~ krypa ur sitt skal **4** [byggnads]stomme, skrov, skelett; *only the* ~ *of the building is left* äv. endast ytterväggarna av huset står kvar **5** mil. **a)** granat **b)** patron, patronhylsa **II** *vb tr* **1** skala, rensa [~ *shrimps*]; sprita [~ *peas*]; ta ut ur skalet [~ *mussels*] **2** mil. bombardera, beskjuta [med granater] **3** vard., ~ *out* punga ut med [~ *out money*] **III** *vb itr* **1** släppa skalet; ~ *easily* äv. vara lätt att skala etc., jfr *shell II* ovan **2** vard., ~ *out* punga ut med pengar

she'll [ʃi:l] = *she will* o. *she shall*

shellac [ʃəˈlæk, ˈʃelæk] *s* schellack

shellacking [ʃəˈlækɪŋ] *s* vanl. amer. vard. stryk, omgång

shell company [ˈʃelˌkʌmpənɪ] *s* ekon. skalbolag

Shelley [ˈʃelɪ]

shell fire [ˈʃelfaɪə] *s* mil. granateld

shellfish [ˈʃelfɪʃ] *s* skaldjur

shelling [ˈʃelɪŋ] *s* mil. granateld

shell shock [ˈʃelʃɒk] *s* krigsneuros

shell-shocked [ˈʃelʃɒkt] *adj*, *be* ~ **a)** lida av krigsneuros **b)** vara bestört

shell suit [ˈʃelsu:t] *s* regntät fodrad träningsoverall

shelter [ˈʃeltə] **I** *s* **1** skydd [*from* för, mot; *against* för, mot], skyddad plats; lä; tillflykt, tillflyktsort; tak över huvudet, logi, husrum [*food, clothing, and* ~] **2** regnskydd, vindskydd, skydd; härbärge [*Salvation Army* ~*s*]; *air-raid* ~ skyddsrum; *bus* ~ busskur **II** *vb tr* skydda, ge skydd [*from* för, mot]; ge logi (husrum, tak över huvudet), inkvartera; ~*ed from the wind* i skydd (i lä, skyddad) för vinden **III** *vb itr* **1** ta (finna, söka) skydd [*from* för, mot; ~ *under the trees*; ~ *in a barn*] **2** skydda [*trees that* ~ *from* (för) *the wind*]

sheltered [ˈʃeltəd] *adj* skyddad, lugn; *a* ~ *life* en skyddad tillvaro; *a* ~ *spot* en skyddad plats, en lugn vrå; ~ *trades* skyddade industrier utan konkurrens från utlandet

sheltered housing [ˈʃeltədˌhaʊzɪŋ] *s* särskilt

boende; ung. servicehus; gruppboende för
funktionshindrade o. äldre

sheltered-living apartments
[ˌʃeltədlıvıŋəˈpɑːtmənts] *s pl* amer., se *sheltered
housing*

1 shelve [ʃelv] *vb tr* **1** lägga på hyllan, skrinlägga
2 ställa upp på (sätta in i) hyllan (hyllorna) [~
books]

2 shelve [ʃelv] *vb itr* slutta [långsamt]

shelves [ʃelvz] *s* pl. av *shelf*

shenanigans [ʃıˈnænıgəns] *s pl* vard. **1** bus,
busstreck, rackartyg **2** fiffel, fuffens

shepherd [ˈʃepəd] **I** *s* herde äv. bildl., fåraherde
II *vb tr* **1** vakta, valla **2** driva som en fårskock,
fösa; ledsaga, leda

shepherdess [ˌʃepəˈdes, '---] *s* herdinna

shepherd's pie [ˌʃepədzˈpaı] *s* kok., slags
köttpudding [med potatismos]

sherbet [ˈʃɜːbət] *s* **1** tomtebrus **2** vanl. amer. sorbet,
vattenglass

sheriff [ˈʃerıf] *s* **1** britt. sheriff ämbetsman i ett grevskap
[äv. *High Sheriff*] **2** amer. sheriff polischef inom ett
förvaltningsområde

Sherlock [ˈʃɜːlɒk]

sherry [ˈʃerı] *s* sherry

Sherwood Forest [ˌʃɜːwʊdˈfɒrıst] Sherwoodskogen
skogsområde förknippat med berättelserna om Robin Hood

she's [ʃiːz, ʃız] = *she is* o. *she has*

Shetland [ˈʃetlənd] geogr., *the ~s* pl. el. *the ~ Islands*
(pl.) Shetlandsöarna

Shetland pony [ˌʃetləndˈpəʊnı] *s* shetlandsponny

Shiah [ˈʃiːə] *s* relig. shia

shiatsu [ˌʃiːˈætsuː] *s* shiatsu slags tryckmassage

shibboleth [ˈʃıbəleθ] *s*, *outworn ~* a) förlegad
doktrin (trossats) b) gammalt talesätt

shield [ʃiːld] **I** *s* **1** sköld i div. betydelser, bildl. äv.
[be]skydd, värn **2** herald. [vapen]sköld **3** på maskin
skyddsplåt, skärm **4** amer. [polis]bricka
II *vb tr* skydda [*from* mot, för]; ~ *the ball* sport.
täcka bollen; ~ *one's eyes with one's hand* skugga
[för] ögonen med handen

shift [ʃıft] **I** *vb tr* skifta [~ *wheels*]; flytta [om],
stuva om; flytta över; ~ *the blame onto sb* el. ~ *the
responsibility onto sb* skjuta (vältra) över skulden
(ansvaret) på ngn; ~ *the furniture* flytta [om]
möblerna, möblera om; ~ *gears* a) motor. växla
b) amer. byta ämne; ~ *one's ground* ändra
ståndpunkt (taktik)
II *vb itr* **1** skifta, växla [*the scene ~s; the weather
~s*]; ändra sig; ändra ställning [*he ~ed in his seat*];
flytta [på] sig; *she ~ed into second gear* hon lade in
tvåans växel; ~ *about* svänga hit och dit; flytta
omkring (runt); *he was ~ing about restlessly* han
vände och vred oroligt på sig **2** förskjuta sig [*the
cargo has ~ed*]; förskjutas **3** klara (reda) sig; *she
must ~ for herself* hon måste klara (reda) sig själv
(på egen hand)
III *s* **1** förändring, omsvängning, [om]byte, skifte;
växling; övergång [*the ~ from offensive to
defensive*]; omläggning [*a ~ of policy*]; *a ~ of
clothes* ett ombyte kläder; ~ *of crops* växelbruk; ~ *of
[the] wind* vindkantring **2** [arbets]skift [*work in
three ~s*] **3** växel[spak]; [ut]växling; *automatic ~*

automatväxel **4** skifttangent på tangentbord **5** rak,
tunn klänning

shift key [ˈʃıftkiː] *s* skifttangent på tangentbord

shiftless [ˈʃıftləs] *adj* hjälplös, opraktisk, oduglig

shift work [ˈʃıftwɜːk] *s* skiftarbete

shifty [ˈʃıftı] *adj* opålitlig, lömsk [*a ~ customer*
(figur)]; ~ *eyes* [en] ostadig blick

Shiite [ˈʃiːaıt] *s* relig. shiit, shiamuslim

shilling [ˈʃılıŋ] *s* hist. shilling eng. mynt = 1/20 pund

shilly-shally [ˈʃılıˌʃælı] *vb itr* vard. vela [hit och dit],
vackla, tveka

shimmer [ˈʃımə] **I** *vb itr* skimra, glimma **II** *s*
skimmer

shimmering [ˈʃımərıŋ] *adj* skimrande, glimmande;
~ *blue* blåskimrande

shin [ʃın] **I** *s* skenben, smalben **II** *vb itr* klättra; ~ *up*
[*a tree*] klättra upp i (uppför)…

shinbone [ˈʃınbəʊn] *s* skenben

shindig [ˈʃındıg] *s* vard. brakfest, jätteparty

shine [ʃaın] **I** (*shone shone*) *vb itr* skina [*the sun
was shining*]; lysa [*the moon shone bright*]; glänsa
äv. bildl., vara lysande [~ *at* (i) *tennis*]; stråla
II (*shone shone*, i betydelse 1 äv. ~*d* ~*d*) *vb tr* **1** vard.
putsa [~ *shoes*]; polera **2** lysa med; ~ *a torch in sb's
face* lysa ngn i ansiktet med en ficklampa
III *s* **1** glans, sken, blankhet; *give a good ~ to* el. *put a
good ~ on* putsa riktigt fin (blank); *take a ~ to* vard.
fatta tycke för; *take the ~ off* bildl., vard. förta
glansen av, ställa i skuggan, överglänsa **2** vard.
solsken

shiner [ˈʃaınə] *s* sl. blåtira

1 shingle [ˈʃıŋgl] *s* klappersten koll. på sjöstrand o.d.

2 shingle [ˈʃıŋgl] *s* **1** [tak]spån; [tak]platta **2** amer.
vard., *hang out one's ~* öppna praktik (eget)

shingled [ˈʃıŋgld] *adj*, ~ *roof* tak med plattor (spån)

shingles [ˈʃıŋglz] (med verb i sg.) *s* med. bältros

shin guard [ˈʃıŋgɑːd] *s* o. **shin pad** [ˈʃınpæd] *s* sport.
benskydd

shining [ˈʃaınıŋ] (jfr äv. *shine I* o. *shine II*) *adj*, *a ~
example* ett lysande exempel (föredöme)

shiny [ˈʃaını] *adj* **1** skinande, glänsande; skinande
blank, blankputsad [~ *shoes*]; *my nose is ~* jag är
blank om näsan **2** blanksliten

ship [ʃıp] **I** *s* **1** skepp, fartyg; *when my ~ comes in*
bildl. när jag kommer på grön kvist; *on board ~*
ombord på fartyget, ombord **2** vard. flygplan;
luftskepp; rymdskepp
II *vb tr* **1** skeppa in, ta (föra) ombord [~ *goods*; ~
passengers]; ta in; ~ [*the*] *oars* ta in årorna; ~ *a sea*
få en sjö över sig; ~ *water* ta in vatten **2** sända,
skicka, transportera [~ *goods by boat* (*rail, train*)];
avlasta, skeppa; ~ *off* vard. skicka i väg

ship biscuit [ˌʃıpˈbıskıt] *s* skeppsskorpa

shipbuilder [ˈʃıpˌbıldə] *s* skeppsbyggare

shipbuilding [ˈʃıpˌbıldıŋ] *s* skeppsbyggeri,
skeppsbyggnadskonst; ~ *industry* skeppsindustrin

shipload [ˈʃıpləʊd] *s* skeppslast, fartygslast

shipmate [ˈʃıpmeıt] *s* skeppskamrat;
medpassagerare

shipment [ˈʃıpmənt] *s* **1** sändning, transport,
avlastning, skeppning; [skepps]last **2** inskeppning

shipowner [ˈʃıpˌəʊnə] *s* [skepps]redare; ~*s* el. *firm of
~s* [skepps]rederi

shipper [ˈʃıpə] *s* avlastare, befraktare; speditör

shipping [ˈʃɪpɪŋ] s **1** sjöfart; skeppning, [av]sändande **2** tonnage
shipping agent [ˈʃɪpɪŋˌeɪdʒ(ə)nt] s skeppsklarerare
shipping company [ˈʃɪpɪŋˌkʌmp(ə)nɪ] s rederi
shipping forecast [ˈʃɪpɪŋˌfɔːkɑːst] s sjörapport på radio
shipping lane [ˈʃɪpɪŋleɪn] s farled för handelstrafik
shipping line [ˈʃɪpɪŋlaɪn] s linjerederi
shipping office [ˈʃɪpɪŋˌɒfɪs] s
1 skeppsklarerarkontor; rederikontor
2 sjömanshus
ship's biscuit [ˌʃɪpsˈbɪskɪt] s skeppsskorpa
shipshape [ˈʃɪpʃeɪp] adj o. adv i mönstergill (god) ordning [the room was snug and ~]; välordnad, välordnat; snygg[t] och prydlig[t]
ship-to-shore [ˌʃɪptəˈʃɔː] adj, ~ radio fartyg-till-land-radio
shipwreck [ˈʃɪprek] **I** s skeppsbrott, förlisning, haveri äv. bildl.
II vb tr, be ~ed lida skeppsbrott, förlisa, haverera äv. bildl.
shipwrecked [ˈʃɪprekt] adj skeppsbruten, förlist, förolyckad, havererad
shipwright [ˈʃɪpraɪt] s skeppsbyggare
shipyard [ˈʃɪpjɑːd] s varv, skeppsvarv
shire [ˈʃaɪə] s grevskap
shire horse [ˈʃaɪəhɔːs] s shirehäst
shirk [ʃɜːk] **I** vb tr [försöka] dra sig undan, smita från [~ hard work; ~ a duty] **II** vb itr [försöka] dra sig undan [sina skyldigheter], [försöka] smita
shirt [ʃɜːt] s **1** skjorta; sport. tröja; keep your ~ on! sl. ta't lugnt!; put one's ~ on [a horse] vard. sätta sitt sista öre på…; he would sell the [very] ~ off his back for her vard. han skulle sälja sin sista skjorta för henne **2** [skjort]blus
shirtfront [ˈʃɜːtfrʌnt] s skjortbröst
shirting [ˈʃɜːtɪŋ] s skjorttyg
shirtsleeve [ˈʃɜːtsliːv] s skjortärm; in one's ~s i [bara] skjortärmarna
shirtsleeved [ˈʃɜːtsliːvd] adj i [bara] skjortärmarna
shirt-tails [ˈʃɜːtteɪlz] s pl nederdel av skjorta (blus)
shirtwaist [ˈʃɜːtweɪst] s amer. [skjort]blus
shirty [ˈʃɜːtɪ] adj sl. förbannad; stött förnärmad
shish kebab [ˌʃɪʃkɪˈbæb, -kə-] s kok. shish kebab slags grillspett
shit [ʃɪt] vulg. **I** s skit äv. bildl. [it's just a lot of ~]; I don't give a ~! det skiter jag!, det ger jag fan i!; ~ happens det är sånt som händer, sånt händer; when the ~ hits the fan när det hettar till (brakar loss); beat (knock) the ~ out of sb slå ngn sönder och samman; scare the ~ out of sb göra ngn skiträdd **II** (shit shit; ibl. shat shat el. ~ted ~ted) vb itr skita **III** (shit shit; ibl. shat shat el. ~ted ~ted) vb tr, ~ oneself a) skita på sig b) vara skitskraj (skitnervös) **IV** interj shit, fan [också]!, skit [också]! **V** adj skit-; jävla; be up ~ creek ligga taskigt till vara illa ute
shit-faced [ˈʃɪtfeɪst] adj vulg. skitfull
shit-for-brains [ˌʃɪtfɔːˈbreɪnz] s vulg. pucko, dumskalle
shit-hot [ˌʃɪtˈhɒt] adj vulg. skitbra
shitless [ˈʃɪtləs] adj vulg., be scared ~ vara skiträdd (skitskraj)
shits [ʃɪts] (med verb i sg.) s vulg., the ~ rännskita

shit stirrer [ˈʃɪtˌstɜːrə] s vulg. strulputte, person som avsiktligt ställer till det för andra
shitty [ˈʃɪtɪ] s vulg. **1** skitig **2** kass, skit-, urusel
shiver [ˈʃɪvə] **I** vb itr darra, skälva, huttra, rysa
II s darrning, skälvning, rysning; a cold ~ ran down my back det gick kalla kårar efter ryggen på mig; it gives me the ~s vard. det får mig att rysa
shivery [ˈʃɪvərɪ] adj darrig; rysande
1 shoal [ʃəʊl] s **1** stim [a ~ of herring] **2** massa, mängd [~s of people]; in ~s i massor
2 shoal [ʃəʊl] s grund, [sand]rev
1 shock [ʃɒk] **I** s **1** chock äv. med.; in ~ i [ett] chocktillstånd **2** [våldsam] stöt, [kraftig] törn; earthquake ~ jordstöt **3** electric ~ [elektrisk] stöt
II vb tr **1** uppröra, chockera, chocka, stöta **2** med. ge en chock
2 shock [ʃɒk] s, a ~ of hair en massa hår, en [stor (tjock)] kalufs
shock absorber [ˈʃɒkəbˌsɔːbə, -əbˌz-] s stötdämpare
shocker [ˈʃɒkə] s vard. **1** sensationsroman, skräckroman, rysare; sensationell historia **2** he's a ~ han är ryslig; it's a ~ det är uruselt (upprörande)
shocking [ˈʃɒkɪŋ] adj upprörande, chockerande; vard. förskräcklig, förfärlig [a ~ blunder]
shocking pink [ˌʃɒkɪŋˈpɪŋk] s chockrosa
shockproof [ˈʃɒkpruːf] adj stötsäker [a ~ watch]
shock tactics [ˈʃɒkˌtæktɪks] s chocktaktik äv. friare
shock therapy [ˈʃɒkˌθerəpɪ] s o. **shock treatment** [ˈʃɒkˌtriːtmənt] s chockbehandling
shock troops [ˈʃɒktruːps] s pl stöttrupper, stormtrupper
shock wave [ˈʃɒkweɪv] s stötvåg, chockvåg, tryckvåg
shod [ʃɒd] imperf. o. perf. p. av shoe II
shoddy [ˈʃɒdɪ] adj **1** falsk; humbug- [~ methods] **2** tarvlig, lumpen [a ~ trick]; sjabbig, sjaskig [a ~ hotel]
shoe [ʃuː] **I** s **1** sko; spec. lågsko; amer. äv. känga; pl. ~s äv. skodon; if the ~ fits amer., se if the cap fits under 1 cap I 1; fill sb's ~s vard. fylla ngns plats; she's too big for her ~s vard. hon är [för] stöddig (mallig, styv i korken); I wouldn't be in your ~s [for a million pounds] vard. jag skulle inte vilja vara i dina skor (kläder)…; put yourself in my ~s! sätt dig in i min situation!; step into sb's ~s vard. axla ngns kappa, efterträda ngn **2** skoning; doppsko; beslag; bromsback
II (shod shod) vb tr sko [~ a horse]; sätta en sko (skor) på
shoebox [ˈʃuːbɒks] s **1** skokartong **2** vard. skokartong, minimalt utrymme
shoehorn [ˈʃuːhɔːn] s skohorn
shoelace [ˈʃuːleɪs] s skosnöre, skoband
shoemaker [ˈʃuːˌmeɪkə] s skomakare
shoepolish [ˈʃuːˌpɒlɪʃ] s skokräm
shoeshine [ˈʃuːʃaɪn] s amer. **1** skoputsning, skoborstning **2** ~ boy skoputsare
shoestring [ˈʃuːstrɪŋ] **I** s **1** amer. skosnöre **2** [start business] on a ~ …med små medel, …på lösa boliner; happily married on a ~ lyckligt men fattigt gift
II adj **1** med små (otillräckliga) medel **2** knapp, som hänger på ett hår [a ~ majority]
shoetree [ˈʃuːtriː] s skoblock, läst

shogun [ˈʃəʊguːn] *s* mil. hist. shogun japansk general
shone [ʃɒn, amer. vanl. ʃəʊn] imperf. o. perf. p. av *shine*
shoo [ʃuː] **I** *interj* schas! **II** *vb tr*, ~ *away* el. ~ *off* schasa bort
shoo-in [ˈʃuːɪn] *s* amer. vard. säker (given) vinnare, given sak
shook [ʃʊk] imperf. av *shake*
shoot [ʃuːt] **I** (*shot shot*) *vb itr* (se äv. *shoot III*)
1 skjuta [*at* på, mot, efter] **2** jaga; *be out ~ing* vara [ute] på jakt **3** [blixtsnabbt] fara [*she shot out of the door*]; rusa, störta, pila [~ *away*]; susa [*he shot past me on his bike*]; flyga, vina [*the arrow shot past him*]; skjuta [*the thought shot through her mind* (hjärna)]; *I have ~ing pains in my tooth* det ilar i tanden [på mig] **4** fotografera, filma, skjuta **5** sl. sila, skjuta injicera narkotika **6** ~*!* vard. ut med språket!, sätt i gång!
II (*shot shot*) *vb tr* **1** skjuta; arkebusera; skjuta av [~ *an arrow*; ~ *a pistol at* (mot) *sb*]; *you'll get shot if...* vard. du kommer att få på nöten om...; ~ *a line* sl. skryta, vilja imponera **2** kasta [~ *rays*; *the rider was shot over the horse's head*]; ~ *a hasty glance at sb* kasta en hastig blick på ngn **3** jaga [~ *hares*] **4** fotografera, filma, skjuta; spela in [~ *a film*]; ta [~ *a scene*] **5** sport. skjuta [~ *the ball against the bar*] **6** stjälpa av [~ *rubbish*]; vräka [ned] **7** ~ *the rapids* fara (driva, kasta sig) utför forsarna, göra en forsfärd; ~ *the traffic lights* vard. köra mot rött ljus **8** amer. vard. spela [~ *golf*] **9 a)** ge ngn en spruta **b)** ~ *dope* sl. sila injicera narkotika
III (*shot shot*) *vb tr* o. *vb itr* med prep. el. adv., ofta med spec. översättningar:
shoot down a) skjuta ned [~ *down sb*; ~ *down a plane*] **b)** bildl. göra (slå) ned, krossa, tillintetgöra [~ *down sb in an argument*]
shoot for vanl. amer. vard. sikta in sig på, försöka få till
shoot forth spira upp (fram)
shoot off vard. **a)** sticka **b)** vanl. amer., ~ *one's mouth off* el. ~ *off one's mouth* snacka för mycket, pladdra
shoot out vard., ~ *it out* göra upp med skjutvapen
shoot up skjuta (slå) upp [*flames were ~ing up*]; ränna i höjden (i vädret) [*the boy is ~ing up fast*]; rusa i höjden [*prices shot up*]; *the pain shot up her arm* det värkte till uppåt armen på henne
IV *s* **1** bot. skott **2** [timmer]ränna, rutschbana **3** fotografering [*fashion ~*]; filminspelning, skjutning **4** jaktsällskap; jakttur; jaktmark; jakt **5** vard., *the whole ~* hela klabbet; *go the whole ~* sätta allt på spel
shooter [ˈʃuːtə] *s* puffra skjutvapen; som efterled i sammansättn., se t.ex. *six-shooter*
shooting [ˈʃuːtɪŋ] *s* **1** skjutning, skjutande; attr. skjut- [~ *position*; ~ *practice*]; skjutskicklighet; ~ *incident* skott[lossnings]intermezzo **2** jakt; jakträtt; jaktmark; jaktsällskap [äv. ~ *party*] **3** fotografering, filminspelning, skjutning
shooting gallery [ˈʃuːtɪŋˌgæləri] *s* täckt skjutbana
shooting match [ˈʃuːtɪŋmætʃ] *s* **1** skyttetävling **2** vard., *the whole ~* hela rasket (klabbet), rubbet
shooting range [ˈʃuːtɪŋreɪn(d)ʒ] *s* skjutbana
shooting rights [ˈʃuːtɪŋraɪts] *s pl* jakträtt[igheter]
shooting season [ˈʃuːtɪŋˌsiːzn] *s* jakttid, jaktsäsong
shooting star [ˈʃuːtɪŋstɑː] *s* stjärnskott, stjärnfall

shoot-out [ˈʃuːtaʊt] *s* **1** [avgörande] eldstrid, väpnad uppgörelse **2** fotb., *penalty ~* straffsparksläggning
shop [ʃɒp] **I** *s* **1** affär, butik, [handels]bod, shop; *keep ~* sköta butiken; *keep a ~* ha [en] affär (en butik); *set up ~* öppna affär (butik, eget), starta eget; *set up ~ in* [*London*] vard. slå sig ner i...; *shut up ~* vard. slå igen butiken sluta; *it was all over the ~* vard. det var en enda röra; det låg saker överallt **2** verkstad, [mindre] fabrik **3** *talk ~* prata jobb
II *vb itr* **1** göra [sina] inköp, handla, shoppa; *go ~ping* gå [ut] och handla (shoppa), gå i affärer **2** sl., ~ *sb* ange ngn [*to* för]
III *vb itr* med adv.:
shop around se sig omkring före köpet; ~ *around for* leta efter, vara ute efter
shopaholic [ˌʃɒpəˈhɒlɪk] *s* person som är tokig i att handla, köpoman
shop assistant [ˈʃɒpəˌsɪstənt] *s* expedit, affärsanställd, affärsbiträde
shop-bought [ˈʃɒpbɔːt] *adj* **1** köpt i butik (affär) **2** bildl. färdigskräddad, gottköps- [~ *ideas* (*opinions*)]
shop fittings [ˈʃɒpˌfɪtɪŋz] *s pl* butiksinredning
shop floor [ˌʃɒpˈflɔː, '--] *s* verkstadsgolv [*on the ~*]; *the ~* äv. arbetarna på verkstadsgolvet
shop front [ˈʃɒpfrʌnt] *s* **1** skyltfönster **2** bildl. fasad
shopkeeper [ˈʃɒpˌkiːpə] *s* butiksinnehavare, affärsinnehavare; neds. krämare
shoplift [ˈʃɒplɪft] *vb itr* o. *vb tr* snatta i butik
shoplifter [ˈʃɒpˌlɪftə] *s* snattare, butiksråtta
shoplifting [ˈʃɒpˌlɪftɪŋ] *s* snatteri, butiksstölder
shopper [ˈʃɒpə] *s* shoppare
shopping [ˈʃɒpɪŋ] *s* inköp, shopping; [inhandlade] varor [*unpack the ~*]; *do some ~* göra några inköp, handla (shoppa) lite [grand]
shopping arcade [ˈʃɒpɪŋɑːˌkeɪd] *s* galleria
shopping bag [ˈʃɒpɪŋbæg] *s* **1** shoppingväska **2** amer. [bär]kasse
shopping cart [ˈʃɒpɪŋkɑːt] *s* shoppingvagn
shopping centre [ˈʃɒpɪŋˌsentə] *s* köpcentrum, affärscentrum, shoppingcenter
shopping list [ˈʃɒpɪŋlɪst] *s* inköpslista
shopping mall [ˈʃɒpɪŋmɔːl] *s* köpcentrum, galleria, shoppingcenter
shopping precinct [ˈʃɒpɪŋˌpriːsɪŋ(k)t] *s* område med gågator och affärer
shopping trolley [ˈʃɒpɪŋˌtrɒli] *s* shoppingvagn
shop-soiled [ˈʃɒpsɔɪld] *adj* butiksskadad, lagerskadad, skyltskadad
shop steward [ˌʃɒpˈstjʊəd, '-,-] *s* arbetares förtroendeman; fackföreningsrepresentant, fackligt ombud
shopwalker [ˈʃɒpˌwɔːkə] *s* avdelningschef på varuhus
shop window [ˌʃɒpˈwɪndəʊ] *s* skyltfönster, butiksfönster; *put all one's goods in the ~* bildl. försöka visa sig från sin bästa sida
shopworn [ˈʃɒpwɔːn] *adj* butiksskadad, lagerskadad, skyltskadad; bildl. nött, utsliten
1 shore [ʃɔː] *s* strand; kust [*a rocky ~*]
2 shore [ʃɔː] **I** *s* stötta **II** *vb tr* stötta [*up* upp]
shore dinner [ˈʃɔːˌdɪnə] *s* amer. middag (måltid) på fisk och skaldjur
shore leave [ˈʃɔːliːv] *s* sjö. landpermission

shoreline ['ʃɔːlaɪn] s kustlinje, strandlinje

shorn [ʃɔːn] perf. p. av *shear*

short [ʃɔːt] **I** adj **1** kort, kort[varig], kort[fattad] [a ~ speech]; liten till växten [a ~ man]; ~ for [en] förkortning för; a ~ memory [ett] dåligt minne; cut sb ~ avbryta ngn [tvärt]; cut sth ~ stoppa ([av]bryta) ngt; to cut it ~ el. to cut the story ~ el. to cut a long story ~ kort sagt, för att fatta mig kort; ~ and sweet kort [och bra] **2** knapp [a ~ allowance]; för kort [the coat was 10 centimetres ~]; we are £5 ~ det fattas 5 pund för oss; win by a ~ head vinna med en knapp huvudlängd; fuel is in ~ supply det är knapp tillgång på bränsle; give ~ weight väga knappt (snålt) **3** ~ of a) otillräckligt försedd med b) så när som på, utom [she will do everything ~ of that]; ~ of breath andfådd, andtäppt; [no improvement is possible] ~ of the abolition of the whole system …med mindre [än att] hela systemet avskaffas; little ~ of närapå, snudd på [it was little ~ of a scandal]; little ~ of a miracle can [save him] det behövs nära nog ett under för att… **4** be ~ of ha ont om [I am ~ of money]; ha brist på; it's a few minutes ~ of ten klockan fattas några minuter i tio; come (fall) ~ of resp. go (run) ~ se under short II 2 **5** be ~ on sakna, vara utan [be ~ on ideas] **6** kort, tvär, brysk [with mot]

II adv **1** tvärt, plötsligt; bring up ~ stoppa (hejda) tvärt; pull up ~ el. stop ~ tvärstanna **2** otillräckligt; come ~ of el. fall ~ of inte gå upp mot; understiga [fall ~ of demand by (med) 17 per cent]; inte motsvara, svika [fall ~ of sb's expectations]; go ~ bli utan [of sth ngt]; run ~ [börja] lida brist [of på]; [börja] ta slut **3** ~ of se under short I 3

III s **1** for ~ för kortheten (enkelhetens) skull; in ~ kort sagt, kort och gott; the long and [the] ~ of it summan av kardemumman **2** vard. kortfilm **3** vard. short liten stark drink **4** vard. kortslutning **5** kort [signal] i morsealfabetet

shortage ['ʃɔːtɪdʒ] s brist, knapphet; underskott [of på]; teacher ~ lärarbrist

shortbread ['ʃɔːtbred] s o. **shortcake** ['ʃɔːtkeɪk] s mördegskaka

shortchange ['ʃɔːttʃeɪn(d)ʒ] vb tr **1** ge för litet växel tillbaka **2** lura, bedra

short-circuit [ˌʃɔːt'sɜːkɪt] vb tr **1** elektr. orsaka kortslutning i, kortsluta **2** förkorta, förenkla **3** vanl. amer. hindra, lägga hinder i vägen för

short circuit [ˌʃɔːt'sɜːkɪt] s elektr. kortslutning

shortcoming [ˌʃɔːt'kʌmɪŋ] s brist, fel

shortcrust ['ʃɔːtkrʌst] s mördeg; mördegsbakelse [äv. ~ pastry]

short cut ['ʃɔːtkʌt, ˌ-'-] s genväg

short drink [ˌʃɔːt'drɪŋk] s short liten stark drink

shorten ['ʃɔːtn] **I** vb tr förkorta, göra kortare, minska, korta [av], ta av
II vb itr bli kortare [the days are beginning to ~]; förkortas, minska[s], avta

shortening ['ʃɔːtnɪŋ] s **1** förkortning **2** matfett (smör, margarin o.d.) till bakning

shortfall ['ʃɔːtfɔːl] s brist, underskott [a ~ of £50]; underproduktion [a ~ of coal]; nedgång

shorthand ['ʃɔːthænd] s stenografi, attr. äv. stenografisk [~ report]; write ~ stenografera; take sth down in ~ stenografera [ner] ngt

short-handed [ˌʃɔːt'hændɪd] adj, be ~ vara underbemannad, ha brist på (ont om) arbetskraft (personal)

shorthand typist [ˌʃɔːthænd'taɪpɪst] s stenograf och maskinskrivare

shorthand writer [ˌʃɔːthænd'raɪtə] s stenograf

short-haul ['ʃɔːthɔːl] adj, ~ flights kortdistansflygningar; ~ transport kort transport

shorthorn ['ʃɔːthɔːn] s korthornsboskap

short-list ['ʃɔːtlɪst] vb tr sätta upp (ta med) på slutlistan

short list ['ʃɔːtlɪst] s lista över dem som är kvar i slutomgången, slutlista

short-lived [ˌʃɔːt'lɪvd, attr. '--] adj kortlivad, kortvarig

shortly ['ʃɔːtlɪ] adv **1** kort [~ after]; strax [~ before noon]; inom kort [he is ~ to leave for Mexico] **2** kortfattat

shortness ['ʃɔːtnəs] s **1** korthet, kortvarighet [the ~ of life]; ringa längd [the ~ of (på) a skirt] **2** knapphet, otillräcklighet; ~ of breath andtäppa, andfåddhet

short-order ['ʃɔːtˌɔːdə] s vanl. amer. snabbmats- [a ~ restaurant]

short-range [ˌʃɔːt'reɪndʒ, attr. äv. '--] adj kortdistans- [~ missile]; korthålls- [~ shot]; kortsiktig [~ plans]

shorts [ʃɔːts] s pl **1** shorts äv. sport., kortbyxor **2** amer. boxershorts, kalsonger

short shrift [ˌʃɔːt'ʃrɪft] s, give sb ~ göra processen kort med ngn; [this kind of talk] gets ~ from me …har jag ingenting till övers för

short-sighted [ˌʃɔːt'saɪtɪd, attr. '-,--] adj **1** närsynt **2** bildl. kortsynt, korttänkt

short-sightedness [ˌʃɔːt'saɪtɪdnəs] s **1** närsynthet **2** bildl. kortsynthet

short-sleeved ['ʃɔːtsliːvd] adj kortärmad

short-staffed [ˌʃɔːt'stɑːft] adj, be ~ vara underbemannad, ha brist på (ont om) arbetskraft (personal)

shortstop ['ʃɔːrtstɒp] s i baseboll mellanbasman
innerspelare mellan 2:a och 3:e basen

short story [ˌʃɔːt'stɔːrɪ] s novell

short-tempered [ˌʃɔːt'tempəd, attr. äv. '-,--] adj obehärskad, häftig, lättretad; be ~ äv. ha kort stubin

short-term ['ʃɔːttɜːm] adj kortfristig [~ loan]; kortsiktig [~ policy]; korttids- [~ employment]

short-termism [ʃɔːt'tɜːmɪz(ə)m] s kortsiktighet

short-term memory [ˌʃɔːttɜːm'memərɪ] s korttidsminne

short-time ['ʃɔːttaɪm] adj korttids- [~ work]

short time ['ʃɔːttaɪm] s, work ~ ha korttidsarbete

short wave ['ʃɔːtweɪv] (förk. SW) s radio. kortvåg

short-winded [ˌʃɔːt'wɪndɪd] adj **1** [som lätt blir] andfådd **2** kortfattad, koncis

shorty ['ʃɔːtɪ] s vard. lillen, knatten, pysen [hallo, ~!]

1 shot [ʃɒt] s **1** skott [at mot, på, efter; hear ~s in the distance]; blank ~ löst skott; he was off like a ~ vard. han for i väg som ett skott (en pil); she did it like a ~ vard. hon gjorde det på fläcken (jättesnabbt) **2** (pl. shot) kula **3** skytt; he is a good (bad) ~ äv. han skjuter bra (dåligt) **4 a)** foto, kort [a nice ~ of my kids] **b)** tagning; scen [exterior ~s]; long ~ avståndsbild, helbild **5** vard. försök, gissning; a ~ in

the dark en lös gissning; **have a ~ at sth** försöka sig
på ngt; **a long ~** en lös gissning; en vild chansning;
not by a long ~ inte på långt när **6** sport. o.d. skott,
boll; **a ~ at goal** ett skott på mål **7** vard. dos[is];
spruta [*get a ~ of morphine*]; styrketår, glas [*a ~ of
whisky*]; sl. sil narkotikainjektion; **give industry a ~ in
the arm** stimulera (sätta fart på) industrin; **pay one's
~** betala sin andel **8 call the ~s** sl. vara den som
bestämmer, basa

2 shot [ʃɔt] **I** imperf. o. perf. p. av *shoot*
II *adj* **1** skiftande; vattrad [*~ silk*]; **~ with blue**
blåskiftande, skiftande i blått **2** vard., **get ~ of sth**
[kunna] spola (bli kvitt) ngt

shotgun [ˈʃɔtɡʌn] **I** *s* hagelgevär, hagelbössa
II *adj* tvångs-; **it was a ~ marriage (wedding)** de var
tvungna att gifta sig [därför att hon var med barn]

shot put [ˈʃɔtpʊt] *s* sport., **the ~** kulstötning

should [ʃʊd, obeton. äv. ʃəd] *hjälpvb* (imperf. av *shall*)
skulle; borde, bör [*you ~ see a doctor*]; torde; ska
[*it is surprising that he ~ be so foolish*]; **they ~ be
there by now, I think** jag skulle tro att de är där nu;
how ~ I know? hur ska (skulle) jag kunna veta det?;
I'm anxious that it ~ be done at once jag är angelägen
om att det blir gjort genast

shoulder [ˈʃəʊldə] **I** *s* **1** skuldra, axel [*ride on sb's
~s*]; på kreatur el. kok. bog[parti]; **~ of mutton** fårbog;
~ to ~ skuldra vid skuldra, sida vid sida äv. bildl.;
broad in the ~s bred över axlarna (skuldrorna),
bredaxlad, axelbred; **put one's ~ to the wheel** bildl.
lägga manken till; **speak straight from the ~** tala
(säga sin mening) rent ut, sjunga ut; **take sth on
one's ~s** bildl. ta ngt på sitt ansvar **2** trafik. **a)** amer.
vägkant, vägren **b) hard ~** vägren, vägkant; **soft ~**
lös (mjuk) vägren (vägkant) **3** på bildäck skuldra
II *vb tr* **1** lägga på (över) axeln [*~ a burden*]; axla;
~ arms! mil. på axel gevär! **2** knuffa [med axeln] [*~
one's way* (sig fram) *through a crowd*] **3** ta på sig
[*~ the blame; ~ the responsibility; ~ a debt; ~ a
task*]

shoulder bag [ˈʃəʊldəbæɡ] *s* axel[rems]väska
shoulder blade [ˈʃəʊldəbleɪd] *s* skulderblad
shoulder-high [ˌʃəʊldəˈhaɪ] *adj* som går till axlarna,
axelhög
shoulder-length [ˈʃəʊldəleŋθ] *adj* som når till
axlarna, axellång
shoulder pad [ˈʃəʊldəpæd] *s* axelvadd
shoulder strap [ˈʃəʊldəstræp] *s* **1** axelband på
damplagg **2** axelrem **3** mil. axelklaff
shouldn't [ˈʃʊdnt] = *should not*
shout [ʃaʊt] **I** *vb itr* o. *vb tr* skrika [*~ for* (av) *joy; ~
with* (av) *pain*]; ropa, hojta, gapa [och skrika] [*~
for* (efter) *more*]; ropa (skrika) ut [*~ one's
disapproval*]; **she ~ed with laughter** hon tjöt av
skratt; **~ at** skrika åt [*don't ~ at me!*]; **~ sb down**
överrösta ngn; bua ut ngn; **~ out** ropa (skrika)
högt; skrika (ropa) ut [*~ out one's orders*]
II *s* skrik, rop, hojtande; **~ of joy** glädjeskrik,
glädjerop; **give me a ~ when you're ready** vard. skrik
till när du är färdig; **be in with the ~ of winning the
League** ha en chans att vinna engelska ligan
shouting [ˈʃaʊtɪŋ] *s* skrik[ande]; **it's all over bar the ~**
vard. saken är klar (avgjord)
shove [ʃʌv] **I** *vb tr* **1** skuffa, skjuta, knuffa, fösa,
skjutsa **2** vard. stoppa [*~ it in the drawer*]; lägga; **~**

one's **clothes on** sätta på sig kläderna **3** sl., [*the boss
wants that report now*] – **tell him he can ~ it** …hälsa
honom att han kan stoppa den någonstans
II *vb itr* knuffas, skuffas; **~ along** maka på sig
III *vb itr* med adv.:
shove off a) stöta (lägga) ut [från land] [äv. ~ *out*]
b) vard. sticka [i väg]
shove over el. **shove up** maka på sig
IV *s* knuff, stöt, puff, skjuts [i väg]; **give sb a ~**
a) vard. knuffa till ngn **b)** ge ngn en skjuts (puff)
shovel [ˈʃʌvl] **I** *s* skovel; skyffel **II** *vb itr* o. *vb tr*
skovla, skyffla, skotta; **~ in (up) money** vard. kamma
(raka) in pengar

show [ʃəʊ] **I** (*showed shown*, ibl. *showed*) *vb tr* (se
äv. *show III*) **1** visa, visa fram, förete, visa upp [*~
one's passport*]; ställa ut [*~ pictures*]; se äv. fraser
under *face* o. *leg*; **time will ~** det får framtiden utvisa;
~ one's hand el. **~ one's cards** bildl. bekänna färg,
lägga korten på bordet; **that just ~s you!** vard. där
ser du!; **that'll ~ them!** vard. då ska dom få se!, det
ska bli dom en läxa!; **we had nothing to ~ for our
pains (efforts)** våra ansträngningar ledde inte till
något resultat; **I had something to ~ for my money** jag
fick verkligen någonting för pengarna **2** ange, visa
[*a barometer ~s the air pressure*] **3** visa [vägen];
följa, ledsaga [*~ sb to the door*]; **~ sb the door** visa
ngn på dörren **4** påvisa, bevisa [*we have ~n that
the story is false*]; **it goes to ~ that…** det visar bara
att…
II (*showed shown*, ibl. *showed*) *vb itr* (se äv. *show
III*) **1** visa sig, synas, vara (bli) synlig; **it doesn't ~**
det syns (märks) inte; **your slip is ~ing** din underkjol
syns; **~ to advantage** visa sig från sin bästa sida
2 visas, spelas, gå [*the film is ~ing at the Grand*]
III (*showed shown*, ibl. *showed*) *vb tr* o. *vb itr* med
adv. el. prep., ofta med spec. översättningar:
show in visa (föra) in, be ngn stiga in [*~ him in!*]
show off a) visa upp [*~ off one's children*]
b) [försöka] briljera, [vilja] glänsa (skylta, skryta)
[med] [*~ off one's knowledge*]; visa sig på styva
linan, göra sig till, stila **c)** visa, framhäva [*the tight
dress ~ed off her figure*] **d) ~ oneself off** se *show off*
b) under *show III* ovan
show out a) följa (ledsaga) ngn ut **b)** visa på dörren
show over se *show III* nedan
show round: he ~ed us round (over) the house han
visade oss omkring (runt) i huset
show up a) vard. visa sig, dyka upp, komma [*she
never ~ed up at the party*] **b)** avslöja [*~ up a fraud*]
c) visa upp **d)** synas tydligt [*her wrinkles ~ed up in
the sunlight*]; framträda **e) ~ sb (sth) up to ridicule**
förlöjliga ngn
IV *s* **1** utställning [*flower ~*]; uppvisning [*air ~*];
[teater]föreställning, revy, show; **good ~!** ngt
åld. vard. bravo!, fint!; **put up a good ~** göra mycket
bra ifrån sig; **be on ~** vara utställd, kunna beses
2 a) anblick, skådespel, syn [*it was a beautiful ~*]
b) yttre glans, ståt, prål [*empty ~*] **c)** sken [*a ~ of
truth*] **d)** skymt [*there is a ~ of reason in it*]; [yttre]
tecken; **he made a poor ~** han gjorde en slät figur; **it
would be a poor ~** [*if we didn't manage*] det vore väl
strunt…; **make a ~ of** [vilja] lysa (briljera) med;
make a ~ of being [rich] ge sken av att vara…; **make
a ~ of oneself** göra sig löjlig, göra bort sig; **he didn't**

offer even a ~ of resistance han gjorde inte ens min av att vilja göra motstånd; **it's all over the ~** det är en enda röra **3 ~ of force** el. **~ of strength** styrkedemonstration **4** vard. affär, historia; **give the [whole] ~ away** avslöja alltihop; **run the ~** basa för det hela, sköta ruljangsen

show biz ['ʃəʊbɪz] *s* vard. kortform av *show business*

showboat ['ʃəʊbəʊt] *s* teaterbåt

show business ['ʃəʊˌbɪznəs] *s* showbusiness, showbiz, nöjesbranschen, nöjesvärlden

showcase ['ʃəʊkeɪs] **I** *s* **1** monter; utställningsskåp, skyltskåp **2** PR-nummer, reklamjippo **II** *vb tr* göra reklam (PR) för

showdown ['ʃəʊdaʊn] *s* **1** uppgörelse; kraftmätning; **there was a ~** det kom till en kraftmätning [mellan dem], de lade korten på bordet **2** i poker uppläggning av korten på bordet

shower ['ʃaʊə] **I** *s* **1** dusch; **take (have) a ~** ta en dusch, duscha **2** skur [*a ~ of hail; a ~ of stones*] bildl. äv. ström, regn [*a ~ of gifts*] **3** amer. lysningsmottagning, lysningskalas; möhippa **II** *vb itr* **1** duscha **2** falla i skurar, strömma ned [ofta *~ down*] bildl. äv. hagla [*on* över] **III** *vb tr* **1** låta regna ned; bildl. överhopa, överösa; **~ abuse on sb** överösa ngn med ovett **2** duscha [över]

shower cubicle ['ʃaʊəˌkjuːbɪkl] *s* duschkabin, duschhytt

shower curtain ['ʃaʊəˌkɜːtn] *s* duschdraperi

showerproof ['ʃaʊəpruːf] *adj* regntät, vattentät

shower room ['ʃaʊəruːm] *s* duschrum

showery ['ʃaʊərɪ] *adj* regnig, regn-; **~ rain** regnskurar; **~ season** regnig årstid, regntid

showgirl ['ʃəʊɡɜːl] *s* balettflicka; [kvinnlig] nattklubbsartist (revyartist)

showground ['ʃəʊɡraʊnd] *s* utställningsområde, utställningsmark

show house ['ʃəʊhaʊs] *s* visningshus

showiness ['ʃəʊɪnəs] *s* ståt, prål[ighet]; skryt[samhet]

showing ['ʃəʊɪŋ] *s* **1** [före]visning [*the ~ of a film*]; utställning [*a ~ of flowers*] **2** [*the accounts*] **make a good ~** ...ser bra ut **3** **on your own ~** som du själv har påpekat (visat)

show-jumper ['ʃəʊˌdʒʌmpə] *s* ridn. häst (ryttare) i hinderhoppning

show-jumping ['ʃəʊˌdʒʌmpɪŋ] *s* ridn. hinderhoppning

show|man ['ʃəʊ|mən] (pl. *-men* [-mən]) *s* **1** cirkusdirektör **2** teaterdirektör, revyskådespelare; showman

showmanship ['ʃəʊmənʃɪp] *s* **1** artisteri **2** sinne för PR

shown [ʃəʊn] perf. p. av *show*

show-off ['ʃəʊɒf] *s* vard. skrytmåns, skrävlare; **he's a ~** äv. han vill alltid visa sig på styva linan

show of hands [ˌʃəʊəv'hændz] (med verb i sg.) *s* handuppräckning vid votering

showpiece ['ʃəʊpiːs] *s* **1** utställningsföremål; turistattraktion **2** paradnummer

showplace ['ʃəʊpleɪs] *s* sevärdhet, turistattraktion

showroom ['ʃəʊruːm] *s* utställningslokal, demonstrationslokal, visningssal

show-stopping ['ʃəʊˌstɒpɪŋ] *adj* som drar ned

applådåskor [*~ song*]; effektfull, uppseendeväckande

show trial ['ʃəʊˌtraɪ(ə)l] *s* skådeprocess, skenrättegång

showy ['ʃəʊɪ] *adj* grann, prålig; flärdfull

shrank [ʃræŋk] imperf. av *shrink*

shrapnel ['ʃræpn(ə)l] *s* mil. **1** granatsplitter **2** granatkartesch [äv. ~ *shell*]

shred [ʃred] **I** *s* remsa, strimla, trasa, lapp, stycke, bit, stump; **without a ~ of clothing on him (her** etc.**)** utan en tråd på kroppen; **not a ~ of evidence** inte en tillstymmelse till (skymt av) bevis; **in ~s** i trasor, söndertrasad **II** *vb tr* skära (klippa, riva) i remsor (strimlor etc., jfr *shred I*), strimla; riva (slita, trasa) sönder

shredded tobacco [ˌʃredɪdə'bækəʊ] *s* finskuren tobak

shredded wheat [ˌʃredɪd'wiːt] *s* slags vetekuddar som äts med mjölk som frukost

shredder ['ʃredə] *s* **1** dokumentförstörare **2** grovt rivjärn, råkostkvarn

shrew [ʃruː] *s* **1** zool. näbbmus **2** åld. argbigga, ragata

shrewd [ʃruːd] *adj* skarp[sinnig], klipsk, klyftig [*a ~ remark*]; knipslug, listig [*a ~ old man*]; slug, smart [*a ~ businessman*]

shrewdness ['ʃruːdnəs] *s* skarpsinne, klipskhet etc., jfr *shrewd*

shrewish ['ʃruːɪʃ] *adj* åld. argsint, grälsjuk, trätgirig

shriek [ʃriːk] **I** *vb itr* [gall]skrika; tjuta [*~ with* (av) *laughter*] **II** *vb tr* skrika **III** *s* [gällt] skrik, gallskrik; tjut [*~s of laughter*]

shrift [ʃrɪft] *s* se *short shrift*

shrike [ʃraɪk] *s* zool. törnskata

shrill [ʃrɪl] *adj* gäll, genomträngande

shrimp [ʃrɪmp] *s* **1** [liten] räka, tångräka; amer. stor räka **2** om person puttefnask, plutt; kryp

shrimping ['ʃrɪmpɪŋ] *s* räkfiske

shrine [ʃraɪn] *s* **1** helgedom **2** relikskrin, helgonskrin; helgongrav; helgonaltare

shrink [ʃrɪŋk] **I** (imperf. *shrank*; amer. vanl. *shrunk*; perf. p. *shrunk*) *vb itr* **1** krympa [*the shirt does (will) not ~ in the wash*]; krympa (krypa) ihop; bildl. äv. minska; sjunka ihop; skrumpna; bli mycket rynkig; **warranted not to ~** hand. garanterat krympfri **2** **~ back** rygga [tillbaka], skygga [*at* vid, för; *from* för]; **~ from doing sth** dra (gruva) sig för att göra ngt **II** (för tema se *shrink I*) *vb tr* [få att] krympa [*hot water ~s woollen clothes*] **III** *s* sl. hjärnskrynklare psykiater

shrinkage ['ʃrɪŋkɪdʒ] *s* krympning, bildl. äv. minskning [*the ~ in our export trade is serious*]; **allowance for ~** krympmån

shrinking violet [ˌʃrɪŋkɪŋ'vaɪələt] *s* vard., **a ~** en blyg viol, en mycket skygg (blyg) person

shrinkproof ['ʃrɪŋkpruːf] *adj* o. **shrink-resistant** ['ʃrɪŋkrɪˌzɪst(ə)nt] *adj* krympfri

shrink-wrapped ['ʃrɪŋkræpt] *adj* krympplastad, plastförpackad

shrivel ['ʃrɪvl] *vb itr* o. *vb tr* **1** **~ up** [få att] skrumpna [skrynkla ihop sig], bli (göra) rynkig **2** bildl. [få att] förtorka (vissna bort)

Shropshire ['ʃrɒpʃɪə, -ʃə] geogr.

shroud [ʃraʊd] **I** s **1** [lik]svepning **2** bildl. hölje, slöja [a ~ of mystery] **3** sjö. vant
II vb tr **1** hölja, dölja [~ed in fog]; **~ed in mystery** höljd i dunkel **2** svepa lik
Shrove Tuesday [ˌʃrəʊvˈtjuːzdeɪ] s fettisdag[en]
shrub [ʃrʌb] s buske
shrubbery [ˈʃrʌbərɪ] s buskage
shrug [ʃrʌg] **I** vb tr, **~ one's shoulders** rycka på axlarna [at åt]; **~ off** skaka av sig, avfärda med en axelryckning, strunta i **II** s, **~ of the shoulders** axelryckning; **give a ~** rycka på axlarna
shrunk [ʃrʌŋk] perf. p. o. ibl. imperf. av shrink
shrunken [ˈʃrʌŋk(ə)n] adj hopfallen, insjunken [~ cheeks; a ~ chest]; skrumpen [a ~ apple; a ~ face]
shtick [ʃtɪk] s amer. sl. **1** varieténummer; gag **2** värld, område [the whole female ~]; **it's not my ~** det är inte min stil (likör)
shuck [ʃʌk] vb tr vanl. amer. skala [~ peanuts]; ta ut ur skalet [~ oysters]; sprita [~ peas]; **~ off** vard. skala (kasta) av sig [~ off one's clothes]
shudder [ˈʃʌdə] **I** vb itr rysa, bäva [~ with (av) horror]; skaka, skälva, huttra [~ with (av) cold]; **I ~ to think** jag ryser när jag tänker på det **II** s rysning; skakning, skälvning; **give a ~** rysa till; **it gives me the ~s** vard. det kommer (får) mig att rysa
shuffle [ˈʃʌfl] **I** vb itr **1** gå släpande (släpigt), hasa, sjava, lunka, lufsa; dansa släpigt **2** kortsp. blanda **3** bildl. slingra sig, göra undanflykter; smussla, fiffla; **~ out of** krångla sig ifrån (ur)
II vb tr **1** hasa med; **~ one's feet** släpa (skrapa) med fötterna **2 a)** blanda [~ cards] **b)** bildl. flytta om [war has ~d the population]; möblera om bland (i) [~ the Cabinet] **3** skjuta ifrån sig (över) [~ off the responsibility upon others]; **~ through** rota igenom
III s **1** släpande rörelse (sätt att röra sig); hasande; släpig dans **2 a)** kortsp. blandande; **it's your ~** det är din tur att blanda **b)** bildl. omflyttning; ommöblering [a Cabinet ~]
shun [ʃʌn] vb tr [försöka] undvika, fly, dra sig för, hålla sig undan från [~ publicity]; sky [~ sb like the plague]
shunt [ʃʌnt] **I** vb tr **1** fösa (skyffla) omkring **2** järnv. växla [~ a train on to (över på) a sidetrack]; rangera [~ railway cars] **3** med. el. elektr. shunta **II** s **1** med. el. elektr. shunt **2** kollision, krock
shunting [ˈʃʌntɪŋ] s **1** järnv. växling, rangering **2** elektr. shuntning
shunting engine [ˈʃʌntɪŋˌen(d)ʒɪn] s järnv. växellok
shunting yard [ˈʃʌntɪŋjɑːd] s järnv. rangerbangård
shush [ʃəʃ, ʃʊʃ, ʃʌʃ, interj. vanl. ʃ:] **I** vb tr hyssja ner, tysta [ner]
II vb itr **1** hyssja [to sb åt ngn] **2** tystna
III interj sch!, [var] tyst!, hyssj!
shut [ʃʌt] **I** (shut shut) vb tr **1** stänga [~ a door (window)]; stänga av; stänga in [~ the dog in the kitchen]; fälla ned (igen) [~ a lid]; slå ihop (igen) [~ a book]; **~ one's ears to** bildl. sluta till sina öron för; **~ one's eyes** blunda; **~ one's eyes to** bildl. blunda för; **~ your mouth!** el. **~ your face!** sl. håll käft! **2** klämma, få i kläm [~ one's finger in a door]
II (shut shut) vb itr stänga[s], slutas till, gå igen; gå att stänga [till] [the door ~s easily]
III (shut shut) vb tr o. vb itr med adv. el. prep., ofta med

spec. översättningar:
shut away isolera, stänga in [~ oneself away]
shut down a) slå igen, stänga [~ down a lid] bildl. äv. lägga[s] ned [~ down a factory; the factory has ~ down] **b)** stänga[s] av
shut in stänga inne; innesluta, omge [a plain ~ in by hills]; **~ oneself in** stänga (låsa) in sig
shut off a) stänga av **b)** bildl. utestänga, stänga ute [from från], utesluta [from ur]
shut out stänga ute, hålla utestängd äv. bildl. [from, of från]; utesluta [from ur]; [the trees] **~ out the view** ...skymmer (skymde) utsikten
shut to stänga till [~ a door to]
shut up a) tystna; tiga, hålla mun, hålla käft[en] [he ~ up about (med) it; ~ up!]; **~ sb up** tysta ned ngn; få ngn att hålla mun (käft) **b)** låsa in [~ up one's valuables] **c)** stänga (bomma) till (igen) [~ up a house]; **~ up shop** vard. slå igen butiken sluta
IV perf p o. adj stängd etc., jfr shut I; **keep one's eyes ~** blunda
shutdown [ˈʃʌtdaʊn] s **1** stängning [the temporary ~ of a factory (frontier)]; nedläggning **2** avstängning
shut-eye [ˈʃʌtaɪ] s vard. sömn; **let's get some ~** nu ska vi sussa
shut-in [ˈʃʌtɪn] s amer. innepatient, patient som måste hålla sig inne (i sängen)
shut-out [ˈʃʌtaʊt] s amer. sport. mållös (poänglös) match för det förlorande laget
shutter [ˈʃʌtə] s **1** [fönster]lucka; **put up the ~s** stänga (slå igen) fönsterluckorna; vard. slå igen butiken sluta **2** foto. slutare; **~ release** utlösare
shuttered [ˈʃʌtəd] adj igenbommad, försedd med fönsterluckor, med stängda fönsterluckor
shuttle [ˈʃʌtl] **I** s **1** pendelbuss, pendelplan, pendelbåt, pendeltåg; matarbuss **2** se space shuttle **3** skyttel, vävn. äv. skottspole
II vb itr o. vb tr **1** skicka (fara, springa) fram och tillbaka (som en skottspole) **2** transportera (fara, gå) i skytteltrafik; gå i pendeltrafik **3** pendla
shuttlecock [ˈʃʌtlkɒk] s badmintonboll; fjäderboll
shuttle diplomacy [ˌʃʌtlɪˈpləʊməsɪ] s skytteldiplomati
shuttle service [ˈʃʌtlˌsɜːvɪs] s skytteltrafik, pendeltrafik
shy [ʃaɪ] **I** adj blyg, skygg [of för; a ~ look]; **fight ~ of** [söka] undvika, dra sig för [fight ~ of making a decision]; gå ur vägen för [fight ~ of sb]
II vb itr skygga [at för]; **~ away** dra sig undan; **~ away from doing sth** dra sig för att göra ngt
shyly [ˈʃaɪlɪ] adv blygt, skyggt etc., jfr shy I
shyness [ˈʃaɪnəs] s blyghet, skygghet etc., jfr shy I
shyster [ˈʃaɪstə] s vanl. amer. vard. lurendrejare, ful fisk
SI [ˌesˈaɪ] (förk. för Système International) SI-systemet; **~ unit** SI-enhet
Siamese cat [ˌsaɪəmiːzˈkæt] s siameskatt
Siamese twins [ˌsaɪəmiːzˈtwɪnz] s pl siamesiska tvillingar
Siberia [saɪˈbɪərɪə] geogr. Sibirien
Siberian [saɪˈbɪərɪən] **I** adj sibirisk; **~ crab** el. **~ crab apple** paradisäpple **II** s sibirier
sibilant [ˈsɪbɪlənt] s väsljud
sibling [ˈsɪblɪŋ] s syskon; halvsyskon
sic [sɪk] adv lat. sic så står det verkligen

Sicilian [sɪˈsɪlɪən] **I** *adj* siciliansk **II** *s* sicilianare; siciliansk kvinna
Sicily [ˈsɪsəlɪ] geogr. Sicilien
sick [sɪk] **I** *adj* **1 a)** vanl. attr., amer. äv. pred. sjuk [*her ~ husband*; *he has been ~ for a week* amer.]; *a ~ man* en sjuk [man]; *call in ~* el. *report ~* sjukanmäla sig; *the ~* de sjuka **b)** illamående [*become ~*]; *be ~* vara (bli) illamående, må illa, ha (få) kväljningar; kräkas, spy [*he was ~ three times*]; *be ~ to one's stomach* må illa, ha (få) kväljningar; *be off ~* el. amer. *be out ~* vara sjuk och hemma från arbetet; *feel ~* känna sig illamående, må illa, ha kväljningar; *you make me ~* jag mår illa bara jag ser dig; *it's enough to make one ~* det är så man kan må illa [åt det]; *he was* [*as*] *~ as a dog* vard. han spydde som en räv (kalv, gris) **2** sjuklig, morbid [*~ thoughts*]; vard. sjuk [*a ~ joke*; *~ humour*] **3** *~ and tired of* grundligt led (less) på, innerligt trött på; *I am ~ to death of it* jag är utled på det, det står mig upp i halsen
II *vb tr* o. *vb itr* med adv.:
sick up vard. spy [upp]
sick bag [ˈsɪkbæɡ] *s* spypåse på t.ex. flyg
sickbay [ˈsɪkbeɪ] *s* sjuk[vårds]avdelning; läkarmottagning; *the ~* äv. sjukan
sickbed [ˈsɪkbed] *s* sjuksäng, sjukbädd, sjukläger
sick building [ˌsɪkˈbɪldɪŋ] *s* sjukt hus t.ex. p.g.a. dålig ventilation; *the ~ syndrome* sjuka hus-syndromet besvär som huvudvärk, ögonirritationer p.g.a sjuka hus
sicken [ˈsɪk(ə)n] **I** *vb itr* **1** [in]sjukna, [börja] bli sjuk [*the child is ~ing for* (i) *something*] **2** äcklas [*at* vid, över]
II *vb tr* göra illamående; äckla; *it ~s me to think of it* jag mår illa när jag tänker på det
sickening [ˈsɪk(ə)nɪŋ] *adj* **1** vämjelig, vidrig, vedervärdig, beklämmande [*a ~ sight*]; äcklig; *it's ~* det är så man kan må illa, det är hopplöst **2** vard. irriterande, retsam [*a ~ mistake*]
sickie [ˈsɪkɪ] *s* vard. bondpermis
sickle [ˈsɪkl] *s* skära skörderedskap
sick leave [ˈsɪkliːv] *s* sjukledighet; *be on ~* vara sjukledig (sjukskriven)
sickly [ˈsɪklɪ] **I** *adv* sjukligt
II *adj* **1** sjuklig [*a ~ child*] **2** svag, matt, blek [*~ colours*; *a ~ smile*] **3** äcklig, vämjelig [*a ~ taste*]; kväljande, kvalmig [*a ~ smell*]; sötsliskig [*~ sentimentality*]
sickly-sweet [ˌsɪklɪˈswiːt] *adj* sliskigt söt, [söt]sliskig, sötaktig
sickness [ˈsɪknəs] *s* **1** sjukdom; som efterled i sammansättn. -sjuka [*mountain ~*]; *there is a great deal of ~* [*in the town*] det är många sjuka... **2** kväljningar, illamående; kräkningar
sickness benefit [ˈsɪknəsˌbenɪfɪt] *s* sjukpenning, sjukersättning
sick note [ˈsɪknəʊt] *s* sjukintyg
sicko [ˈsɪkəʊ] (pl. *~s*) *s* vard. sjuk (vriden) typ
sickout [ˈsɪkaʊt] *s* amer. strejk genom massjukskrivning
sick pay [ˈsɪkpeɪ] *s* sjuklön
sickroom [ˈsɪkruːm] *s* sjukrum
side [saɪd] **I** *s* **1 a)** sida, bildl. äv. part [*hear both ~s*] **b)** håll, kant **c)** sport. lag [*choose ~s*] **d)** attr. sido- [*a ~ door*]; sid-; *this ~ up* denna sida upp!; *there are two ~s to the matter* saken har (kan ses från) två

sidor; *let the ~ down* vard. svika laget (gänget); *pick ~s* välja lag; *split* (*burst*) *one's ~s laughing* skaka (kikna) av skratt; *take ~s* ta parti (ställning) [*with sb* för ngn]
at: *at the ~ of* bredvid, vid sidan av; *at sb's ~* vid ngns sida äv. bildl.
by: *~ by ~* sida vid sida äv. bildl., bredvid varandra; *by sb's ~* vid ngns sida äv. bildl.
from: *from all ~s* el. *from every ~* från alla sidor, från alla håll [och kanter], ur alla synpunkter [*consider sth from all ~s*]
on: *on all ~s* el. *on every ~* på (från) alla sidor, på alla håll [och kanter]; *it was agreed on all ~s that...* samtliga enades om att...; *on the father's* (*mother's*) *~* på faderns (moderns) sida, på fädernet (mödernet); *on one ~* a) på en sida, på ena sidan b) avsides [*take sb on one ~*] c) på sned [*put one's head on one ~*]; snett; *put on one ~* lägga åt sidan; *on the ~* vid sidan 'om [*earn money on the ~*]; *look on the bright ~ of life* se livet från den ljusa sidan; *on the large* (*small*) *~* i största (minsta) laget; stort (smått) tilltagen; *business is on the quiet ~* affärerna står i stort sett stilla
to: [*put sth*] *to one ~* ...åt sidan (ifrån sig, undan) **2** som efterled i sammansättn. a) sluttning [*mountainside*] b) strand [*riverside*]
II *vb itr*, *~ against sb* ta parti mot ngn; *~ with sb* ta parti för ngn
side bar [ˈsaɪdbɑː] *s* amer. faktaruta i anslutning till längre tidningsartikel
sideboard [ˈsaɪdbɔːd] *s* **1** serveringsbord, byffé, skänk, sideboard **2** pl. *~s* vard. polisonger
sideburns [ˈsaɪdbɜːnz] *s pl* polisonger
sidecar [ˈsaɪdkɑː] *s* sidvagn till motorcykel
side dish [ˈsaɪddɪʃ] *s* **1** tillbehör [till huvudrätten]; [*steak*] *with peas as a ~* ...med ärtor till **2** assiett
side-door [ˈsaɪddɔː] *s* **1** sidodörr **2** bildl. bakväg
side effect [ˈsaɪdɪˌfekt] *s* **1** med. biverkan **2** bildl. biverkan, sidoeffekt
side glance [ˈsaɪdglɑːns] *s* sidoblick
side issue [ˈsaɪdˌɪʃuː, -ˌɪsjuː] *s* bisak, underordnat spörsmål (problem)
sidekick [ˈsaɪdkɪk] *s* vard. **1** kompis **2** högra hand
sidelight [ˈsaɪdlaɪt] *s* **1** sidoljus, sidobelysning **2 a)** sjö. sidolanterna **b)** bil. sidomarkeringsljus **3** bildl. sidobelysning; vinkling, aspekt
sideline [ˈsaɪdlaɪn] **I** *s* **1** bisyssla; *a job as a ~* ett jobb vid sidan 'om, ett extraknäck **2** sport. sidlinje; pl. *~s* äv. åskådarplats; *from the ~s* a) från åskådarplats b) bildl. utifrån [sett]; *on the ~s* sport. på reservbänken; bildl. som åskådare, passivt
II *vb tr* **1** sport. ta ur spel (av banan) **2** bildl. hindra från att deltaga
sidelong [ˈsaɪdlɒŋ] **I** *adj* från sidan, sned; sido- [*a ~ glance*] **II** *adv* från (på) sidan, på sned
side-on [ˈsaɪdɒn] **I** *adj* bil., *~ collision* sidokollision, krock från sidan **II** *adv* från sidan
side order [ˈsaɪdˌɔːdə] *s* sidorätt, tillbehör
side road [ˈsaɪdrəʊd] *s* sidoväg
side-saddle [ˈsaɪdˌsædl] **I** *s* damsadel **II** *adv* i damsadel [*ride ~*]
side salad [ˈsaɪdˌsæləd] *s* salladstallrik serverad som tillbehör

sideshow ['saɪdʃəʊ] *s* **1** mindre attraktion (utställning) **2** stånd, bod på nöjesfält o.d.
side split ['saɪdsplɪt] *s* sidosprund
side-splitting ['saɪd,splɪtɪŋ] *adj* hejdlöst rolig [*a ~ farce*]; hejdlös [*~ laughter*]
sidestep ['saɪdstep] **I** *vb itr* ta ett steg åt sidan; boxn. sidsteppa
II *vb tr* undvika genom [att ta] ett steg åt sidan; boxn. sidsteppa för [*~ a blow*]; bildl. förbigå, sidsteppa [*~ sb*]; undvika, kringgå [*~ a question*]
side street ['saɪdstriːt] *s* sidogata
sideswipe ['saɪdswaɪp] **I** *s* **1** amer. smäll [mot sidan] **2** bildl. sidohugg, gliring; *take a ~ at sb* ge ngn ett sidohugg (en gliring)
II *vb tr* amer. skrapa (smälla) emot [sidan av], tuscha [*~ a parked car*]
sidetrack ['saɪdtræk] *vb tr* bildl. **1** leda in på ett sidospår **2** skjuta åt sidan, bordlägga [*~ a proposal*]
sidewalk ['saɪdwɔːk] *s* amer. trottoar, gångbana; attr. trottoar- [*~ café*]
sidewalk artist ['saɪdwɔːk,ɑːtɪst] *s* amer. trottoarmålare
sideward ['saɪdwəd] **I** *adj* [som riktar sig] åt sidan [*a ~ movement*] **II** *adv* se *sidewards*
sidewards ['saɪdwədz] *adv* åt sidan [*move ~*]
sideways ['saɪdweɪz] **I** *adv* från sidan [*viewed ~*]; åt sidan, sidledes, i sidled [*jump ~*]; på snedden (tvären) [*carry sth ~ through a door*]; på sidan [*lie ~*] **II** *adj* [som riktar sig] åt sidan [*a ~ movement*]; sido- [*a ~ glance*]
side-wheeler ['saɪd,wiːlə] *s* hjulångare
side whiskers ['saɪd,wɪskəz] *s pl* polisonger
siding ['saɪdɪŋ] *s* **1** järnv. sidospår; stickspår **2** amer. ytterbeklädnad, fasad
sidle ['saɪdl] *vb itr* smyga sig [*~ away from sb*]; *~ up to sb* smyga (komma smygande) fram till ngn
Sidney ['sɪdnɪ] geogr. egennamn el. mansnamn
SIDS [,esaɪdiː'es] (förk. för *sudden infant death syndrome*) SIDS, plötslig spädbarnsdöd
siege [siːdʒ] *s* belägring; *lay ~ to* [börja] belägra; *raise the ~ of* upphäva belägringen av; *state of ~* belägringstillstånd; *under ~* belägrad äv. bildl.
sienna [sɪ'enə] *s* sienajord; siena[färg]
Sierra Leone [sɪ,erəlɪ'əʊn, -'əʊnɪ] geogr.
siesta [sɪ'estə] *s* siesta, middagsvila; *take a ~* ta siesta, sova middag
sieve [sɪv] **I** *s* såll, sikt; bildl. lösmynt person, sladdrare; *he has a memory like a ~* vard. han har ett hönsminne, hans minne är [som] ett såll **II** *vb tr* sålla äv. bildl., sikta
sift [sɪft] **I** *vb tr* **1** sålla; sikta [*~ flour*]; skilja [ifrån]; *~ sugar* [*on to a cake*] strö socker...; *~ out* sålla bort, skilja ifrån; *~* [*out*] *the wheat from the chaff* skilja agnarna från vetet **2** bildl. sålla, sovra; noga pröva, granska [*~ the evidence*]; noga undersöka [*~ facts*]; skilja [*~ propaganda from facts*]
II *vb itr* sila [*the sunlight ~ed through the curtains*]; sippra
sifter ['sɪftə] *s* sikt [*flour ~*]; ströare [*sugar ~*]
sig [sɪg] *s* data. (kortform av *signature*) signatur standardtext som automatiskt läggs till i e-postmeddelanden
sigh [saɪ] **I** *vb itr* **1** sucka [*~ with* (av) *disappointment*]; susa [*trees ~ing in the wind*]

2 tråna, längta, sucka, sukta [*for efter*]
II *s* suck; pl. *~s* äv. suckan; *breathe* (*fetch, heave*) *a ~ of relief* dra en suck av lättnad
sight [saɪt] **I** *s* **1** syn[förmåga]; *second ~* se *second sight* **2** åsyn, anblick; *I'm sick of the ~ of him* jag är utled på att se honom; *catch ~ of* el. *get ~ of* få syn på, få se; *lose ~ of* förlora ur sikte; *lose ~ of the fact that...* glömma [bort] (bortse från) att...; *at ~* el. *on ~* på fläcken [*shoot sb on ~*]; *payable at* (*on*) *~* hand. betalbar vid sikt (vid uppvisandet, a vista); *at first ~* vid första anblicken (påseendet); *love at first ~* kärlek vid första ögonkastet; *I only know her by ~* jag känner henne bara till utseendet **3** synhåll; sikte; *be within* (*in*) *~ of sth* ha ngt i sikte (inom synhåll), sikta ngt [*we were within* (*in*) *~ of land*]; [*freedom*] *is within* (*in*) *~* ...är nära (inom räckhåll); [*the end of the war*] *was in ~* man började skönja...; *come into* (*in*) *~* komma inom synhåll, bli synlig [*of sb* för ngn], komma i sikte; *be out of ~* vara utom synhåll [*of sb* för ngn], vara ur sikte; *out of ~, out of mind* ur syn ur sinn; [*get*] *out of my ~!* försvinn!; *go out of ~* försvinna ur sikte; *keep out of ~* hålla sig gömd, inte visa sig; *don't let him out of your ~* släpp honom inte ur sikte **4 a)** sevärdhet [*see the ~s of the town*]; [*our garden*] *is a wonderful ~* ...är underbar att se (en fröjd för ögat) **b)** syn [*a sad ~*]; *a ~ for sore eyes* en fröjd för ögat **c)** vard., *you look a proper ~* du ser [alldeles] gräslig (förfärlig) ut **5** sikte på t.ex. vapen; pl. *~s* riktmedel [*the ~s of a rifle*] **6 a)** sikte, siktning; observation; *take ~ at* sikta (ta sikte) på **b)** bildl., *raise one's ~s* sikta högre (mot högre mål) **7** vard. massa, mängd; *a damned ~ better* bra mycket bättre
II *vb tr* **1** spec. sjö. sikta [*~ land*] **2** bli sedd; [*the missing woman*] *has been ~ed* ...har setts **3** rikta in [*~ a gun at* (mot)]
sighted ['saɪtɪd] *adj* som efterled i sammansättn. -synt [*near-sighted*]; *partially ~* synskadad, synsvag; *the ~* de seende
sight-read ['saɪtriːd] (*sight-read* [-red] *sight-read* [-red]) *vb tr* o. *vb itr* spela (sjunga, läsa) från bladet
sightseeing ['saɪt,siːɪŋ] **I** *pres p*, *go ~* gå (åka) på sightseeing **II** *s* sightseeing; attr. sightseeing-, rundturs- [*a ~ bus* (*flight*)]; *a ~ tour* en sightseeing[tur], en rundtur
sightseer ['saɪt,siːə] *s* person [som går (är)] på sightseeing, turist
sign [saɪn] **I** *s* **1** tecken [*of* för, till, på]; märke; spår; symbol; *there is every ~ that* el. *all the ~s are that* allt tyder på att; *bear ~s of* bära spår av (märken efter); *make the ~ of the cross* göra korstecknet; *make no ~* inte ge något tecken ifrån sig; *make a ~* (*~s*) *to sb to...* göra [ett] tecken till ngn att..., ge ngn tecken att... **2** skylt [*street ~s*]; trafik. äv. märke [*warning ~s*]; *electric ~* ljusskylt; *traffic ~s* vägmärken, trafikmärken
II *vb tr* (se äv. *sign IV*) **1** underteckna [*~ a letter*]; skriva under (på) [*~ a petition*]; signera [*~ a picture*]; skriva in sig i [*~ the hotel register*]; skriva, signera med [*~ your initials here*]; *~ed, sealed and delivered* bildl. klappad och klar, fix och färdig **2** engagera, värva [*~ a new football player*] **3 a)** visa med [ett] tecken **b)** teckna (ge tecken) åt [*~ sb to stop*]

III *vb itr* (se äv. *sign IV*) **1** skriva sitt namn, skriva under [*~ here!*] **2** ge tecken, teckna, vinka [*she ~ed to* (åt) *me to come*]
IV *vb tr* o. *vb itr* med adv., ofta med spec. översättningar:
sign for kvittera ut [*~ for a parcel*]
sign in skriva upp (anmäla) sin ankomst[tid]
sign off a) radio. el. TV. sluta sändningen **b)** sluta, avsluta **c)** data. logga ut **d)** amer. vard., *~ off on* godkänna, sanktionera
sign on a) data. logga på **b)** tr. anställa [*~ on workers*]; engagera [*~ on actors*]; värva äv. mil.; sjö. mönstra på; itr. ta anställning; ta engagemang [*~ on with a theatre company*]; mil. ta värvning
sign up anmäla sig [*~ up for* (till) *a course*]; skriva in (upp) sig
signal ['sɪgn(ə)l] **I** *s* signal [*for sth* till ngt; *to do sth* till att göra ngt; *radio ~s*; *traffic ~s*]; tecken [*policeman's ~s*]; *danger ~* varningssignal; *at a given ~* på ett givet tecken
II *vb tr* o. *vb itr* signalera; ge signal (tecken) till [*~ the advance*]; *~ the car to stop* göra tecken att bilen ska stanna; *~ sb* el. *~ to sb* signalera till ngn, ge tecken (teckna) åt ngn; vinka på [*~* [*to*] *the waiter*]
III *adj* märklig, märkvärdig [*a ~ achievement*]; framstående [*~ service for the country*]; kapital, fullständig [*a ~ failure*]
signal box ['sɪgn(ə)lbɒks] *s* järnv. ställverk
signal|man ['sɪgn(ə)l|mən] (pl. -*men* [-mən]) *s* **1** järnv. ställverksskötare **2** signalist
signal tower ['sɪgn(ə)l,taʊə] *s* amer. järnv. ställverk
signatory ['sɪgnət(ə)rɪ] *s* undertecknare [*~ to* (av) *a treaty*]; signatärmakt
signature ['sɪgnətʃə] *s* **1** signatur, namnteckning; underskrift **2** mus., *key ~* förtecken; *time ~* taktbeteckning
signature tune ['sɪgnətʃətjuːn] *s* signaturmelodi
signboard ['saɪnbɔːd] *s* skylt; anslagstavla
signet ['sɪgnɪt] *s* signet; privat (ofta kungligt) sigill
signet ring ['sɪgnɪtrɪŋ] *s* signetring, klackring
significance [sɪg'nɪfɪkəns] *s* **1** betydelse, mening, innebörd **2** vikt, betydelse
significant [sɪg'nɪfɪkənt] *adj* **1** betydelsefull, viktig [*a ~ speech*]; betydande [*a ~ event*] **2** meningsfull [*~ words*]; menande, talande [*a ~ look*] **3** *~ of* betecknande för **4** markant [*a ~ improvement*]; signifikant
significantly [sɪg'nɪfɪkəntlɪ] *adv* **1** betydligt, påtagligt, markant **2** betecknande nog, vad som är betecknande [*and ~, she refused to answer*]
significant other [sɪg,nɪfɪkənt'ʌðə] *s* partner
signify ['sɪgnɪfaɪ] **I** *vb tr* **1** innebära, beteckna; tyda på, vara ett tecken på **2** uttrycka, ge uttryck för [*~ one's agreement*] **3** betyda [*what does this phrase ~?*]
II *vb itr* vara av betydelse (vikt)
sign language ['saɪn,læŋgwɪdʒ] *s* teckenspråk
signpost ['saɪnpəʊst] **I** *s* **1** vägvisare, [väg]skylt **2** bildl. vägledning
II *vb tr* **1** förse med vägskyltar; *the roads are well ~ed* vägarna är väl skyltade **2** bildl. tydligt visa, staka ut
Sikh [siːk] **I** *s* ind. relig. sikh **II** *adj* sikhisk
silage ['saɪlɪdʒ] *s* lantbr. ensilage, pressfoder
silence ['saɪləns] **I** *s* tystnad, tysthet; tystlåtenhet

[*on sth* [i fråga] om ngt]; *~!* tystnad!, [var] tyst[a]!; *there was a dead ~* det blev dödstyst; *~ gives consent* den som tiger han samtycker; *break ~* el. *break one's ~* bryta tystnaden
II *vb tr* tysta [ned] [*~ an objection*]; få (komma) att tystna; få tyst på [*~ the noise*]; *~ one's critics* äv. få sina kritiker att förstummas
silencer ['saɪlənsə] *s* tekn. ljuddämpare
silent ['saɪlənt] *adj* tyst [*~ footsteps*; *a ~ prayer*]; tystlåten [*she is a ~ child*]; tystgående [*a ~ car*]; *be ~* äv. tiga; *become ~* äv. tystna; *keep* (*be, remain*) *~ about sth* tiga (hålla tyst) med (angående) ngt
silent film ['saɪləntfɪlm] *s* stumfilm
silently ['saɪləntlɪ] *adv* tyst; under tystnad, [stilla]tigande; stilla; i [all] tysthet, i stillhet
silent partner [,saɪlənt'pɑːtnə] *s* vanl. amer. hand. passiv delägare
silhouette [,sɪlʊ'et] *s* silhuett, [skugg]profil, skuggbild
silhouetted [,sɪlʊ'etɪd] *adj*, *be ~ against the sky* avteckna sig [i silhuett] mot himlen
silica ['sɪlɪkə] *s* kem. kiseldioxid, kiselsyra
silicate ['sɪlɪkət, -eɪt] *s* kem. silikat
silicon ['sɪlɪkən] *s* kem. kisel, silicium
silicon chip [,sɪlɪkən'tʃɪp] *s* data. chip
silicone ['sɪlɪkəʊn] *s* kem. silikon
silicone implant [,sɪlɪkən'ɪmplɑːnt] *s* silikoninlägg
Silicon Valley [,sɪlɪkən'vælɪ] *s* informationsteknologiskt center i södra Kalifornien
silicosis [,sɪlɪ'kəʊsɪs] *s* med. silikos, stendammslunga
silk [sɪlk] *s* silke; siden, sidentyg; *artificial ~* konstsilke; konstsiden; *pure ~* helsilke, natursilke; helsiden
silken ['sɪlk(ə)n] *adj* silkeslen äv. bildl. [*a ~ voice*]; silkesfin, silkesmjuk [*~ hair*]; [fin] som silke
silkiness ['sɪlkɪnəs] *s* silkeslenhet
silkworm ['sɪlkwɜːm] *s* zool. silkesmask
silky ['sɪlkɪ] *adj* **1** silkeslen, silkesmjuk [*~ hair*; *~ skin*]; sidenglänsande, silkesaktig, silkig [*a ~ surface*]; silkes- [*~ hair*] **2** bildl. [silkes]len [*a ~ voice*]
sill [sɪl] *s* **1** fönsterbräda [äv. *windowsill*] **2** byggn. syll, bottenbjälke **3** tröskel t.ex. i bil
silly ['sɪlɪ] **I** *adj* **1** dum [*a ~ remark*; *don't be ~!*]; enfaldig, tokig, idiotisk [*a ~ idea*] **2** vard. medvetslös [*beat* (*knock*) *sb ~*]; *laugh oneself ~* skratta sig fördärvad
II *s* vard. dumbom, dummerjöns, dumsnut
silly billy [,sɪlɪ'bɪlɪ] *s* vard. dumsnut, dummerjöns, idiot
silly season ['sɪlɪ,siːs(ə)n] *s*, *the ~* dödsäsongen för tidningar under semestertider
silo ['saɪləʊ] (pl. *~s*) *s* lantbr. el. mil. silo
silt [sɪlt] **I** *s* [botten]slam, dy, mudder **II** *vb tr*, *~ up* slamma igen
silver ['sɪlvə] **I** *s* silver [*a ~ cup*; *~ hair*]; silver[mynt], silverpengar [*£5 in ~*]; bordssilver
II *vb tr* försilvra äv. bildl.; göra [silver]vit [*the years had ~ed her hair*]
silver anniversary [,sɪlvəræni'vɜːs(ə)rɪ] *s* vanl. amer. silverbröllop
silver birch [,sɪlvə'bɜːtʃ] *s* vårtbjörk, masurbjörk
silver fir [,sɪlvə'fɜː] *s* silvergran

silverfish ['sɪlvəfɪʃ] *s* zool. silverfisk, nattsmyg insekt
silver foil [ˌsɪlvə'fɔɪl] *s* silverfolie, bladsilver; metallfolie
silver jubilee [ˌsɪlvə'dʒu:bɪli:] *s* 25-årsjubileum
silver lining [ˌsɪlvə'laɪnɪŋ] *s* ljuspunkt; *every cloud has a ~* ingenting ont som inte har något gott med sig, efter regn kommer solsken
silver medal [ˌsɪlvə'medl] *s* silvermedalj
silver medallist [ˌsɪlvə'med(ə)lɪst] *s* silvermedaljör
silver paper [ˌsɪlvə'peɪpə] *s* **1** stanniolpapper **2** silkespapper för silver
silver plate [ˌsɪlvə'pleɪt] *s* **1** nysilver, [silver]pläter **2** bordssilver
silver-plated [ˌsɪlvə'pleɪtɪd, attr. '--ˌ--] *adj* försilvrad, pläterad; *~ set* pläterservis
silver screen [ˌsɪlvə'skri:n] *s* bioduk; *the ~* äv. vita duken
silversmith ['sɪlvəsmɪθ] *s* silversmed
Silver State [ˌsɪlvə'steɪt], *the ~* beteckn. för staten *Nevada*
silverware ['sɪlvəweə] *s* silversaker, silvervaror, silver
silver wedding [ˌsɪlvə'wedɪŋ] *s* silverbröllop
silvery ['sɪlv(ə)rɪ] *adj* **1** silverliknande, silverglänsande, silver- [*~hair*] **2** silverklar [*a ~ voice*]
SIM card ['sɪmkɑ:d] *s* (förk. för *subscriber identity mobile card*) SIM-kort för mobiltelefoner
simian ['sɪmɪən] *adj* ap-; [människo]apliknande
similar ['sɪmɪlə] *adj* lik [*to sb* ngn; *to sth* ngt], lika [*to* med], liknande, likartad; likadan, nästan samma [*to* som]; dylik
similarity [ˌsɪmɪ'lærətɪ] *s* likhet [*between* mellan; *of* i]; *points of ~* likheter
similarly ['sɪmɪləlɪ] *adv* på liknande (lika[dant]) sätt, likadant, likaledes, sammaledes
simile ['sɪmɪlɪ] *s* liknelse; liknelser [*his style is rich in* (på) *~*]
simmer ['sɪmə] **I** *vb itr* småkoka, puttra; sjuda äv. bildl. [*~ with* (av) *anger*], bildl. äv. gro; *~ down* vard. lägga sig, lugna ner sig
II *vb tr* [låta] småkoka (sjuda), låta puttra
III *s*, *bring the vegetables to a ~* koka upp grönsakerna och låt dem sjuda
simper ['sɪmpə] **I** *vb itr* le tillgjort (fånigt) **II** *s* tillgjort (fånigt) leende
simple ['sɪmpl] *adj* **1** enkel, osammansatt [*a ~ substance*]; okomplicerad [*a ~ machine*] **2** enkel, konstlös [*~ style*] **3** enkel, anspråkslös [*~ food; a ~ life*]; simpel [*a ~ soldier*] **4** enfaldig, godtrogen, beskedlig **5** a) enkel, lätt [*a ~ problem*] b) tydlig, klar [*a ~ statement*]; självklar **6** ren [*~ madness*]; *fraud pure and ~* rent bedrägeri, rena [rama] bedrägeriet
simple equation [ˌsɪmplɪ'kweɪʒ(ə)n] *s* matem. förstagradsekvation
simple fraction [ˌsɪmpl'frækʃ(ə)n] *s* matem. bråk
simple fracture [ˌsɪmpl'fræktʃə] *s* med. sluten fraktur, okomplicerad fraktur
simple interest [ˌsɪmpl'ɪntrəst] *s* ekon. enkel ränta
simple majority [ˌsɪmplmə'dʒɒrətɪ] *s* enkel majoritet
simple-minded [ˌsɪmpl'maɪndɪd] *adj* godtrogen, enfaldig, naiv

simpleton ['sɪmplt(ə)n] *s* dummerjöns; tok[stolle]
simplicity [sɪm'plɪsətɪ] *s* **1** enkelhet, anspråkslöshet [*~ in (of) dress*] **2** lätthet, enkelhet [*the ~ of a problem*]; lättfattlighet; *it's ~ itself* vard. det är jättelätt (jätteenkelt)
simplification [ˌsɪmplɪfɪ'keɪʃ(ə)n] *s* förenkling, simplifiering
simplify ['sɪmplɪfaɪ] *vb tr* förenkla, simplifiera
simplistic [ˌsɪm'plɪstɪk] *adj* [alltför] förenklad; naiv
simply ['sɪmplɪ] *adv* **1** enkelt etc., jfr *simple 1* **2** helt enkelt (simpelt), rent av [*~ awful; ~ impossible*]; rätt och slätt, bara [*he is ~ a workman*]
simulate ['sɪmjʊleɪt] *vb tr* **1** simulera, hyckla, låtsas ha (känna) [*~ enthusiasm*] **2** härma [efter], [efter]likna, imitera
simulated ['sɪmjʊleɪtɪd] *adj* **1** imiterad [*~ pearls*]; fusk- [*~ fur*] **2** simulerad, hycklad, låtsad
simulation [ˌsɪmjʊ'leɪʃ(ə)n] *s* **1** simulation, simulering, hycklande **2** förfalskning
simulator ['sɪmjʊleɪtə] *s* vetensk. simulator [*flight ~*]
simulcast ['sɪm(ə)lkɑ:st] *s* samsändning i radio el. tv
simultaneous [ˌsɪm(ə)l'teɪnɪəs, amer. vanl. ˌsaɪm-] *adj* samtidig, simultan [*~ movements*]
1 sin [sɪn] **I** *s* synd, försyndelse; *~ of omission* underlåtenhetssynd; *the seven deadly ~s* de sju dödssynderna; *it is a ~* [*to stay indoors on such a fine day*] vard. det är synd...; *ugly as ~* ful som synden (stryk)
II *vb itr* synda, försynda sig
2 sin [saɪn] *s* matem., se *sine*
Sinai ['saɪnaɪ, -nɪaɪ] geogr., *Mount ~* berget Sinai; *the Peninsula of ~* el. *the ~ Peninsula* Sinaihalvön
sin bin ['sɪnbɪn] *s* sport. (vard.) syndabås
since [sɪns] **I** *adv* **1** sedan dess [*I have not been there ~*]; *ever ~* alltsedan dess [*she has lived there ever ~*] **2** sedan [*how long ~ is it?*]; för...sedan; *long ~* äv. för länge sedan; sedan länge (långt tillbaka); *many years ~* för många år sedan
II *prep* [allt]sedan, [allt]ifrån; *~ a child* alltsedan barndomen; *~ when have you had...?* hur länge har du haft...?, när fick du...?
III *konj* **1** sedan; *ever ~* alltsedan, ända sedan [*ever ~ I left*]; så långt [*ever ~ I can remember*] **2** eftersom, då [ju] [*~ you are here*]; emedan
sincere [sɪn'sɪə] *adj* uppriktig, ärlig [*a ~ wish*]; sann
sincerely [sɪn'sɪəlɪ] *adv* uppriktigt, verkligt, i sanning [*~ grateful*]; *Yours ~* i brevslut Din (Er) tillgivne, med vänlig hälsning
sincerity [sɪn'serətɪ] *s* uppriktighet, ärlighet; *in all ~* uppriktigt sagt
sine [saɪn] *s* matem. sinus
sinecure ['sɪnɪkjʊə, 'saɪn-] *s* sinekur
sinew ['sɪnju:] *s* **1** sena; pl. *~s* äv. muskler **2** ofta pl. *~s* styrka, kraft
sinewy ['sɪnjʊɪ] *adj* **1** senig [*~ arms; ~ meat*] **2** bildl. kraftig; kraftfull, kärnfull [*~ prose*]
sinful ['sɪnf(ʊ)l] *adj* syndfull, syndig; upprörande
sing [sɪŋ] (*sang sung*) **I** *vb itr* **1** sjunga; *~ for one's supper* göra skäl för sig **2** susa, sjunga, vina, vissla [*a bullet sang past* (förbi) *his ear*]
II *vb tr* sjunga; *~ sb's praises* sjunga ngns lov; *~ the New Year in* sjunga (ringa) in det nya året; *~ the Old Year out* sjunga (ringa) ut det gamla året

III *vb itr* o. *vb tr* med adv.:
sing out a) ropa (skrika) ut [~ *out an order*] **b)** ropa, hojta [*for* efter] **c)** sjunga ut, säga ifrån (till)
sing up sjunga högre (ut)
sing. förk. för *singular*
singalong ['sɪŋəlɒŋ] *s*, **have a** ~ ha (sjunga) allsång
Singapore [ˌsɪŋgə'pɔː] geogr.
singe [sɪn(d)ʒ] **I** *vb tr* sveda [~ *hair*; ~ *a chicken*]; bränna [~ *cloth with an iron* (strykjärn)]
II *vb itr* svedas
III *s* lätt brännskada, svett märke
singer ['sɪŋə] *s* sångare, vokalist; sångerska
singing ['sɪŋɪŋ] **I** *adj* sjungande **II** *s* sjungande; attr. sång- [~ *lessons*]; **teach** ~ undervisa i sång
single ['sɪŋgl] **I** *adj* **1** enda [*not a* ~ *man*]; enstaka [*in* ~ *places*]; enskild [*the* ~ *biggest problem*]
2 enkel, odelad; enhetlig [*a* ~ *rule*] **3** ensam [*in* ~ *majesty*] **4** ogift [*a* ~ *man*; *a* ~ *woman*]; ensamstående [~ *parent*] **5** ärlig, uppriktig [~ *devotion*] **6**
II *s* **1** mus. singel[platta] **2** tennis. o.d.: **~s** (med verb i sg.) singel, singelmatch; **men's ~s** (pl. *men's single*) herrsingel; **women's ~s** (pl. *women's single*) damsingel; **play ~s** spela singel; **win the ~s** vinna singelturneringen **3** enkelrum; enkelsäng **4 ~s** singlar ensamstående, attr. singel- [*a* ~*s bar*] **5** enkel [biljett]
III *vb tr*, ~ **out** välja (ta, peka) ut; skilja ut
single bed ['sɪŋglbed] *s* enkelsäng, enmanssäng
single-breasted [ˌsɪŋgl'brestɪd, attr. '--,--] *adj* om plagg enkelknäppt
single combat [ˌsɪŋgl'kɒmbæt] *s* envig, tvekamp
single cream [ˌsɪŋgl'kriːm] *s* tunn grädde, kaffegrädde
single currency [ˌsɪŋgl'kʌr(ə)nsɪ] *s* gemensam valuta
single-decker [ˌsɪŋgl'dekə, attr. '--,--] *s* endäckare; attr. endäckad, envånings- [~ *bus*]
single-engine ['sɪŋgl,en(d)ʒɪn] *adj* o. **single-engined** ['sɪŋgl,en(d)ʒɪnd] *adj* enmotorig [~ *aircraft*]
single figures [ˌsɪŋgl'fɪgəz] *s pl* ensiffriga tal
single file [ˌsɪŋgl'faɪl] *s*, **in** ~ i gåsmarsch, på ett led
single-handed [ˌsɪŋgl'hændɪd] **I** *adj* **1** enhänt
2 enhands- [*a* ~ *fishing rod*]
II *adv* på egen hand, ensam
single market [ˌsɪŋgl'mɑːkɪt] *s* ekon. inre marknad
single-minded [ˌsɪŋgl'maɪndɪd, attr. '--,--] *adj* målmedveten; ensidig
single parent [ˌsɪŋgl'peər(ə)nt] *s* ensamstående förälder
single-parent family [ˌsɪŋglpeər(ə)nt'fæmɪlɪ] *s* vanl. amer. enföräldersfamilj
single room ['sɪŋglruːm] *s* enkelrum
single-spacing [ˌsɪŋgl'speɪsɪŋ] *s* enkelt radavstånd
singlet ['sɪŋglət] *s* [sport]tröja; undertröja
single-track road [ˌsɪŋltræk'rəʊd] *s* smal väg med ett körfält
singly ['sɪŋglɪ] *adv* **1** en åt gången, en och en, var för sig [*arrive* ~] **2** på egen hand, ensam
singsong ['sɪŋsɒŋ] **I** *s* **1** **have a** ~ ha (sjunga) allsång **2** *in a* ~ i en entonig ton
II *adj* halvsjungande [*in a* (med) ~ *voice*]
singular ['sɪŋgjʊlə] **I** *adj* **1** gram. singular, entals-; **be** ~ äv. stå i singular[is]; **the** ~ **number** singular[is]

2 ovanlig, säregen, enastående [~ *courage*]; märklig, utmärkt **3** egendomlig, [sär]egen; besynnerlig **4** ensam [i sitt slag]; enstaka **5** jur., **all and** ~ alla och envar, varje [enskild]
II *s* gram. singular[form]; **the** ~ äv. singular, ental
singularity [ˌsɪŋgjʊ'lærətɪ] *s* **1** säregenhet, singularitet, ovanlighet **2** egendomlighet, egenhet
Sinhalese [ˌsɪnhə'liːz, ˌsɪŋ-] **I** *s* **1** (pl. *Sinhalese*) singales; singalesiska kvinna **2** singalesiska [språket]
II *adj* singalesisk, från (på) Sri Lanka
sinister ['sɪnɪstə] *adj* **1** olycksbådande, ödesdiger [*a* ~ *beginning*] **2** illvillig, elak; lömsk, ondskefull [*a* ~ *glance*; *a* ~ *plot*] **3** ond, fördärvlig [~ *influence*]
4 ohygglig [*a* ~ *accident*]
sink [sɪŋk] **I** (*sank sunk*; se äv. *sunk*) *vb itr* **1** sjunka; sänka sig [ned], gå ned [*the sun was* ~*ing in the west*]; sätta sig [*the foundations have sunk*]; **it's a case of** ~ **or swim** det må bära eller brista; **it hasn't sunk in** vard. han (hon etc.) har inte riktigt fattat det; **the lesson hasn't sunk in** läxan har inte gått in (fastnat) [hos honom etc.]; ~ **into a deep sleep** falla i djup sömn; ~ **on one's knees** sjunka [ned] på knä **2** avta, minska[s]; sjunka, falla, dala [*the prices have sunk*] **3** slutta [*the ground* ~*s to* ([ned] mot) *the sea*] **4** sjunka [~ *into* (ned i) *poverty*]; förfalla
II (*sank sunk*; se äv. *sunk*) *vb tr* **1** sänka [~ *a ship*; ~ *one's voice*]; få att sjunka; låta sjunka [~ *one's head on* (ned mot) *one's chest*]; borra (segla, skjuta) i sank; **let us** ~ **our differences** låt oss glömma (bilägga) våra tvister **2** gräva ned [~ *a post into the ground*]; lägga ned [~ *a drainpipe*]
3 sänka, få (förmå) att sjunka, minska [~ *prices*]; amortera [på], betala av [~ *a debt*] **4 a)** låsa fast, plöja ner [~ *money into a firm*] **b)** förlora [~ *money in an unfortunate enterprise*]
III *s* **1** slask, vask; diskho; amer. äv. handfat
2 a) avloppsrör, slaskrör **b)** avloppsbrunn, kloak; bildl. dypöl
sinker ['sɪŋkə] *s* sänke på metrev; lod
sinking ['sɪŋkɪŋ] *adj* o. *pres p* sjunkande, sänkande etc., jfr *sink I* o. *sink II*; ~ **feeling** sugande känsla i magen, obehaglig känsla
sinking fund ['sɪŋkɪŋfʌnd] *s* amorteringsfond
sink tidy ['sɪŋk,taɪdɪ] *s* sophink, avfallskorg
sink unit ['sɪŋk,juːnɪt] *s* diskbänk
sinner ['sɪnə] *s* syndare
Sinn Fein [ˌʃɪn'feɪn, ˌsɪn-] Sinn Fein irländsk frihetsrörelse
Sino- ['saɪnəʊ] som förled i sammansättn. kines-, kinesisk- [*Sino-Japanese*]
sinuous ['sɪnjʊəs] *adj* **1** slingrande, krokig, kurvig [*a* ~ *road*] **2** smidig, mjuk, vig [~ *dancers*]
sinus ['saɪnəs] *s* anat. bihåla
sinusitis [ˌsaɪnə'saɪtɪs] *s* med. sinuit, sinusit, bihåleinflammation
Sioux [suː] **I** (pl. *Sioux* [suːz]) *s* sioux[indian] **II** *adj* siouxindiansk, sioux- [*a* ~ *Indian*]
Sioux State [ˌsuː'steɪt], **the** ~ beteckn. för staten *North Dakota*
sip [sɪp] **I** *vb tr* läppja (smutta) på **II** *vb itr* läppja, smutta [*at* på] **III** *s* smutt; **take a** ~ äv. smutta
siphon ['saɪf(ə)n] **I** *s* **1** hävert **2** *soda* ~ sifon
II *vb tr*, ~ **off** suga upp, tappa upp; bildl. tanka över
sir [sɜː, obeton. sə] **I** *s* **1** i tilltal: ~ el. *Sir* a) herrn, sir;

skol. magistern; ofta utan motsv. i sv. [*yes, ~!*] b) iron.
gunstig herrn, min bäste herre [*no, ~, I won't put
up with it!*]; [**Sergeant Jones! –**] **Sir?** mil. ...ja,
kapten (överste o.d.)!; **can I help you, ~?** kan jag
hjälpa er (till)?; **Dear Sir** el. **Dear Sirs** inledning i formella
brev: utan motsv. i sv. **2 Sir** före förnamnet som titel åt
baronet el. *knight*, sir [*Sir John [Moore]*]
II *vb tr* tilltala med *sir*, säga *sir* till [*don't ~ me!*]

sire ['saɪə] **I** s om djur, spec. hästar fader **II** *vb tr*, **be ~d
by** vara fallen efter

siren ['saɪərən] s **1** siren signalapparat; **air-raid ~**
flyglarmssiren **2** mytol. el. bildl. siren

sirloin ['sɜːlɔɪn] s kok. ländstycke; **~ of beef**
dubbelbiff; rostbiff; **~ steak** utskuren biff

sirocco [sɪ'rɒkəʊ] (pl. ~s) s meteor. sirocko sydostvind i
Italien

sirup ['sɪrəp] s amer., se *syrup*

sis [sɪs] s (vard. kortform av *sister*) syrra[n]

sisal ['saɪs(ə)l] s **1** bot. sisalhampa **2** sisal,
sisalhampa, sisalfiber

sissy ['sɪsɪ] vard. **I** s feminin typ; vekling, morsgris,
mes **II** *adj* pjoskig, klemig; fjompig

sister ['sɪstə] s **1** syster, bildl. äv. medsyster; attr.
syster- [*a ~ ship*]; **they are brother[s] and ~[s]** de är
syskon **2** syster sjuksköterska el. nunna;
avdelningssköterska **3** vanl. amer. vard. (i tilltal) tjejen,
du vanl. utan motsv. i sv.

sister city ['sɪstə,sɪtɪ] s vänort

sisterhood ['sɪstəhʊd] s systerskap äv. bildl.;
systerförbund, systerorden

sister-in-law ['sɪst(ə)rɪnlɔː] (pl. *sisters-in-law*
['sɪstəzɪnlɔː]) s svägerska

sisterly ['sɪstəlɪ] *adj* systerlig

sit [sɪt] (*sat sat*) **I** *vb itr* (jfr *sit III*) **1** sitta; sätta sig; **~
talking** sitta och prata; **be ~ting pretty** se under *pretty
I*; **~ tight** vard. stanna kvar, hålla sig avvaktande; **~
at table** sitta till bords; **~ for a constituency**
representera en valkrets; **~ for an exam** göra (ha) en
tenta (ett prov) **2** parl. el. om domstol o.d. hålla (ha)
sammanträde, sammanträda [*Parliament is ~ting*]
II *vb tr* (jfr *sit III*); **~ an exam** göra (ha) en tenta (ett
prov)
III *vb itr* o. *vb tr* med prep. el. adv., ofta med spec.
översättningar:
sit back a) sätta sig till rätta b) vila sig, koppla av
c) bildl. sitta med armarna i kors
sit by sitta passiv
sit down sätta sig [ned], slå sig ned; **~ down to dinner**
sätta sig till bords [för att äta middag]
sit in a) närvara [*on* vid], deltaga [*~ in on* (i, vid) *a
meeting*] b) sittstrejka c) **~ in for** hoppa in [som
vikarie] för
sit on a) vard. sitta (ligga) på, förhala [*~ on bad
news*] b) mest jur. sitta i, tillhöra [*~ on the board; ~
on a jury*]; **~ on the bench** sitta som (vara) domare;
~ on a case undersöka (behandla) ett fall c) **~ on
eggs** om fåglar ligga på ägg, ruva
sit out a) sitta över [*~ out a dance*] b) sitta kvar
(stanna) till slutet [av] [*~ it out; ~ a play out*]
c) stanna längre än [*~ out the other guests*]; vänta
ut [*~ out one's rival*]
sit through sitta (stanna) kvar [till slutet]
sit up a) sitta upprätt (rak), sätta sig (sitta) upp [*~
up in bed*] om hund sitta [vackert]; **~ sb up** hjälpa

ngn att sitta upp, resa upp ngn b) sitta uppe [*~ up
late*] c) **make sb ~ up and take notice** sätta fart på
ngn; **that'll make them ~ up!** det ska nog få dem att
reagera!

sitar ['sɪtɑː] s mus. sitar indiskt stränginstrument

sitcom ['sɪtkɒm] s TV. vard. komediserie, sitcom

sit-down ['sɪtdaʊn] **I** s **1** sittstrejk **2** vard., **have a
pleasant ~** [**by the fire**] ha en trevlig stund…, sitta
en stund och ha det trevligt…
II *adj* **1** **~ strike** sittstrejk **2** sittande [*a ~ meal*]; sitt-
[*a ~ bath*]

site [saɪt] s **1** tomt; byggplats [äv. *building ~*]
2 plats; **the ~ of the murder** mordplatsen; **a web ~**
data. en webbplats **3** läge [*the ~ of a city; the ~ of a
house*] **4** mil. ställning

sit-in ['sɪtɪn] s sittstrejk; ockupation

sitter ['sɪtə] s **1** vard. barnvakt **2** modell, person
som sitter (poserar) spec. för porträtt **3** bildl. lätt byte
(sak, uppgift); jättechans [*he missed a ~*]
4 ligghöna [*a good (bad) ~*]

sitting ['sɪtɪŋ] **I** s **1** sittande; sittning, posering [*~
for a painter*] **2** sammanträde [*a ~ of Parliament*];
session, sittning [*a long ~*] **3 at one ~** el. **in one ~** i ett
sträck (tag, svep) [*read a book at (in) one ~*]; på en
gång, vid en sittning [*100 people can be served at
one ~*]
II *adj* **1** sittande äv. bildl. [*the ~ government*];
tjänsteförrättande [*a ~ magistrate*] **2** ruvande [*a ~
bird*]

sitting duck [,sɪtɪŋ'dʌk] s se *sitting target*

sitting member [,sɪtɪŋ'membə] s britt. parl. sittande
(nuvarande) parlamentsledamot

sitting room ['sɪtɪŋruːm] s **1** vardagsrum
2 sittplats[er], sittutrymme

sitting target [,sɪtɪŋ'tɑːgɪt] s tacksamt offer, lätt
offer (byte)

sitting tenant [,sɪtɪŋ'tenənt] s hyresgäst som har
besittning till en lägenhet i en fastighet vid dess
överlåtelse; **the ~** äv. den nuvarande hyresgästen

situate ['sɪtjʊeɪt, 'sɪtʃ-] *vb tr* placera, lägga, sätta,
ställa

situated ['sɪtjʊeɪtɪd, 'sɪtʃ-] *adj* **1** belägen
2 situerad; **comfortably ~** välsituerad

situation [,sɪtjʊ'eɪʃ(ə)n, ,sɪtʃ-] s **1** läge, belägenhet
2 bildl. situation, läge [*the political ~*]; belägenhet
[*an awkward ~*]; förhållande[n], omständighet[er]
3 plats, anställning, arbete; **~s vacant** som rubrik
lediga platser; **~s wanted** som rubrik platssökande

situation comedy [,sɪtjʊeɪʃ(ə)n'kɒmədɪ, ,sɪtʃ-] s teat.
situationskomedi

sit-up ['sɪtʌp] s gymn. sit-up

sitz bath ['sɪtsbɑːθ] s amer. sittbadkar; sittbad

six [sɪks] (jfr *five* med ex. o. sammansättn.) **I** *räkn* sex; **~
months** äv. ett halvår; **it is ~ of one and half a dozen of
the other** det är hugget som stucket
II s **1** sexa; **at ~es and sevens** a) huller om buller
b) villrådig **2** kricket. 'sexa' sex lopp på ett slag; **knock
for ~** bildl. a) förbluffa, göra paff b) kullkasta,
stjälpa

six-cylinder ['sɪks,sɪlɪndə] *adj* sexcylindrig

sixfold ['sɪksfəʊld] **I** *adj* sexdubbel, sexfaldig **II** *adv*
sexdubbelt, sexfaldigt, sexfalt, sex gånger så
mycket

six-footer [ˌsɪks'fʊtə] s vard. sex fot (=183 cm) lång person (sak)

six-gun ['sɪksgʌn] s six-shooter

six-pack ['sɪkspæk] s vard. sexpack öl etc., äv. om muskler

sixpence ['sɪkspəns] s åld. sex pence; sexpence[mynt]

six-shooter [ˌsɪks'ʃuːtə] s sexpiping, sexpipig revolver

sixteen [ˌsɪks'tiːn, attr. '--] räkn o. s sexton; jfr fifteen med sammansättn.

sixteenth [ˌsɪks'tiːnθ, attr. '--] räkn o. s sextonde; sextondel; jfr fifth

sixteenth note [ˌsɪks'tiːnθnəʊt] s amer. mus. sextondelsnot

sixth [sɪksθ] (jfr fifth) **I** räkn sjätte

II s **1** sjättedel **2** mus. sext-; major ~ stor sext; minor ~ liten sext

sixth form ['sɪksθfɔːm] s ung. avgångsklass (sista år) i gymnasieskola

sixth-form college [ˌsɪksθfɔːm'kɒlɪdʒ] s skola för elever i sixth form

sixthly ['sɪksθlɪ] adv för det sjätte

sixth sense [ˌsɪksθ'sens] s, a ~ ett sjätte sinne

sixtieth ['sɪkstɪɪθ, -tɪəθ] räkn o. s **1** sextionde **2** sextion[de]del

sixty ['sɪkstɪ] (jfr fifty med sammansättn.) **I** räkn sexti[o] **II** s sexti[o]; sexti[o]tal

sizable ['saɪzəbl] adj rätt (ganska) stor, ansenlig [a ~ park; a ~ fortune]; av betydande storlek

1 size [saɪz] **I** s storlek, mått, format; nummer, storlek; that's about the ~ of it vard. [ungefär] så ligger det till; be just the right ~ vara lagom stor; what ~ is it? hur stor är den?, vad är det för nummer (storlek)?; cut sb down to ~ sätta ngn på plats, ta ner ngn på jorden; take ~ 7 in gloves ha nummer (storlek) 7 i handskar; take the ~ of ta mått på, mäta; what ~ shoes do you take? vad har du för storlek i skor?

II vb tr **1** ordna (sortera) efter storlek **2** tillverka i en bestämd storlek **3** ~ up mäta värdera [~ sb (sth) up with a look]; bedöma [~ up one's chances; ~ up the situation]

2 size [saɪz] s lim för papper, väv o.d., limvatten

sizeable ['saɪzəbl] adj se sizable

sizzle ['sɪzl] **I** vb itr fräsa [sausages sizzling in the pan] **II** s fräsande

sizzler ['sɪzlə] s vard. **1** sport. fräsare, rökare hård boll **2** stekhet dag [what a ~!]

skag [skæg] s sl. heroin

1 skate [skeɪt] **I** s skridsko; rullskridsko; get one's ~s on vard. lägga på en rem

II vb itr åka skridsko[r]; åka rullskridsko[r]; ~ on thin ice bildl. vara ute (ge sig ut) på hal is; ~ over (round) [a delicate problem] bildl. endast snudda vid...; ~ through bildl. klara sig galant [i] [~ through an exam]

2 skate [skeɪt] s zool. [slät]rocka

skateboard ['skeɪtbɔːd] s skateboard, rullbräda

skater ['skeɪtə] s skridskoåkare, skrinnare; rullskridskoåkare

skating ['skeɪtɪŋ] s skridskoåkning; rullskridskoåkning; attr. skridsko-, rullskridsko- [~ competition]

skating rink ['skeɪtɪŋrɪŋk] s skridskobana; rullskridskobana

skedaddle [skɪ'dædl] vb itr vard. dra, ge sig av, sjappa

skeet shooting ['skiːtˌʃuːtɪŋ] s amer. sport. lerduveskytte

skein [skeɪn] s härva [a ~ of wool]; garndocka

skeletal ['skelɪtl] adj skelett-; ~ structure benbyggnad, benstomme

skeleton ['skelɪtn] s **1** skelett; benstomme, benbyggnad; have a ~ in the cupboard (amer. vanl. closet) ha ett lik i garderoben **2** vard. benrangel; levande lik; reduced (worn) to a ~ alldeles utmärglad **3** bildl. skelett: a) stomme, ställning b) utkast, plan; ~ crew el. ~ staff minimistyrka; ~ service minimiservice

skeleton key ['skelɪtnkiː] s huvudnyckel; dyrk

skeptic ['skeptɪk] o. **skeptical** ['skeptɪk(ə)l] amer., se sceptic o. sceptical m.fl. ord

sketch [sketʃ] **I** s **1** skiss [of över]; utkast [of till] **2** teat. sketch

II vb tr skissera, göra [ett] utkast till [äv. ~ out]

III vb itr göra en skiss (skisser)

sketchbook ['sketʃbʊk] s o. **sketchpad** ['sketʃpæd] s skissblock

sketchy ['sketʃɪ] adj **1** skissartad; löst planerad **2** lös, knapp[händig], ytlig [~ knowledge]

skew [skjuː] **I** vb tr vinkla, bildl. äv. förvränga [~ the results of the survey] **II** vb itr gira, svänga

skewed [skjuːd] adj **1** vinklad, bildl. äv. förvrängd **2** sned, skev

skewer [skjuːə] **I** s steknål; stekspett, grillspett **II** vb tr fästa med steknål etc.; trä upp på spett

skew-whiff [ˌskjuː'wɪf] adj o. adv vard. skev[t], på sned

ski [skiː] **I** s skida **II** vb itr åka skidor

ski boot ['skiːbuːt] s skidpjäxa

skid [skɪd] **I** s **1** broms[kloss], hämsko **2** slirning, sladd[ning]; the motorbike went into a ~ motorcykeln fick sladd **3** bildl. i div. uttr.: put the ~s under sl. a) sätta p för, sabba b) sätta fart på; on the ~s vard. på väg utför [their marriage is on the ~s]; på fallrepet (glid)

II vb itr slira, sladda, kana

skid marks ['skɪdmɑːks] s pl sladdmärken, sladdspår, bromsspår

skidpan ['skɪdpæn] s halkbana för träningskörning

skidproof ['skɪdpruːf] adj slirsäker, slirfri, sladdfri

skid row [ˌskɪd'rəʊ] s vard. slumkvarter, ghetto; be on ~ vara på dekis

skier ['skiːə] s skidåkare, skidlöpare

skiff [skɪf] s eka; jolle; poet. farkost

skiing ['skiːɪŋ] s skidåkning, skidlöpning, skidsport

skijoring ['skiːˌdʒɔːrɪŋ] s skidtolkning [efter häst (fordon)]

ski jump ['skiːdʒʌmp] s **1** hoppbacke **2** backhoppning

ski jumping ['skiːˌdʒʌmpɪŋ] s backhoppning

skilful ['skɪlf(ʊ)l] adj skicklig, duktig [at, in i]

skilift ['skiːlɪft] s skidlift

skill [skɪl] s skicklighet [at, in i], händighet; färdighet [~s in English]; teknik; ~s shortage brist på yrkesutbildad (yrkeskunnig) personal

skilled [skɪld] adj **1** skicklig, duktig [at, in i],

händig **2** yrkesskicklig, yrkesutbildad, [yrkes]kunnig; rutinerad [*a ~ typist*]

skilled labour [ˌskɪldˈleɪbə] *s* **1** [kvalificerat] yrkesarbete **2** yrkesskickliga arbetare **3** yrkesarbetare, skolad arbetskraft

skilled worker [ˌskɪldˈwɜːkə] *s* yrkesarbetare

skillet [ˈskɪlɪt] *s* amer. stekpanna

skim [skɪm] **I** *vb tr* **1** skumma [*~ milk*]; skumma av; *~ off* skumma av; bildl. kapa (sno) åt sig **2** stryka (glida, fara) fram över [*~ the ice*] **3** [flyktigt] ögna (titta) igenom, skumma [*~ a book*] **4** singla, kasta i glidflykt; *~ a flat stone [across the pond]* kasta smörgås [med en flat sten]…
II *vb itr* **1** *~ over* täckas av skum (ett tunt lager is o.d.) **2** stryka (glida, fara) fram [*~ along (over) the ice*] **3** läsa flyktigt, ögna igenom, skumma

skimmed milk [ˌskɪmdˈmɪlk] *s* skummjölk; lättmjölk

skimming [ˈskɪmɪŋ] *s* skimming smygkopiering av kontokortsinformation

skimp [skɪmp] *vb tr* snåla (vara snål) med, knappa in på

skimpy [ˈskɪmpɪ] *adj* **1** för liten (trång) **2** knapp, torftig **3** snål

skin [skɪn] **I** *s* **1** hud; skinn; pl. *~s* äv. skinnvaror; *~ specialist* hudspecialist, hudläkare; *be mere (only) ~ and bone* vara bara skinn och ben; *change one's ~* ömsa skinn, förvandlas; *have a thick ~* ha tjock hud, vara tjockhudad (bildl. äv. okänslig); *by (with) the ~ of one's teeth* med knapp nöd, med nöd och näppe; *fear for one's ~* vara rädd om sitt [eget] skinn; *next to the ~* närmast kroppen; *wet to the ~* våt inpå bara kroppen, genomvåt; *get under sb's ~* gå ngn på nerverna; *get sb under one's ~* vard. bli besatt av ngn **2** skal [*banana ~*]; skinn [*the ~ of* (på) *a peach*; *sausage ~*]; bark; *potatoes in their ~s* skalpotatis **3** hinna på vätska; skinn; *there's a ~ on the milk* det är skinn på mjölken **4** sl. skin skinhead
II *vb tr* **1 a)** flå, dra av huden (skinnet) på [*~ a rabbit*] **b)** skrapa [av huden på] [*fall and ~ one's knee*] **c)** skala [*~ a banana*]; *keep one's eyes ~ned* vard. hålla ögonen öppna; *~ alive* flå levande äv. bildl. **2** vard. skinna, klå [*~ sb of* (på) *all his money*]; lura; *~ned* äv. pank, utblottad

skin-deep [ˌskɪnˈdiːp, attr. '--] *adj* ytlig äv. bildl.

skindiver [ˈskɪnˌdaɪvə] *s* sportdykare

skindiving [ˈskɪnˌdaɪvɪŋ] *s* sportdykning

skinflick [ˈskɪnflɪk] *s* sl. porrfilm, sexfilm

skinflint [ˈskɪnflɪnt] *s* gnidare, snåljåp

skinful [ˈskɪnfʊl] *s*, *have a ~* få (ha fått) lite för mycket [att dricka]

skin graft [ˈskɪngrɑːft] *s* med. **1** hudtransplantat **2** hudtransplantation

skinhead [ˈskɪnhed] *s* vard. skinhead, skinnhuvud

skin-lotion [ˈskɪnˌləʊʃ(ə)n] *s* ansiktsvatten

skinny [ˈskɪnɪ] *adj* skinntorr [*a ~ old spinster*]; utmärglad [*a ~ horse*]; [av] bara skinn och ben

skinny-dip [ˈskɪnɪdɪp] *vb itr* vard. bada näck

skinny-dipping [ˈskɪnɪˌdɪpɪŋ] *s* vard. nakenbad; *go ~* bada näck

skint [skɪnt] *adj* vard. ren, barskrapad, pank

skin test [ˈskɪntest] *s* med. hudtest

skintight [ˌskɪnˈtaɪt, attr. '--] *adj* [tätt] åtsittande

1 skip [skɪp] **I** *vb itr* **1** hoppa äv. bildl. [*~ from one*

subject to another]; skutta; *~ about* hoppa (skutta) omkring; *~ off* el. *~ out* sticka, smita; *~ out on sb* amer. sticka från ngn, överge ngn; *~ through a book* ögna (bläddra) igenom en bok **2** hoppa rep
II *vb tr* **1** *~* el. *~ over* hoppa (skutta) över [*~ [over] a brook*] **2** bildl. hoppa över, skippa [*~ the dull parts of a book*]; *~ a school class* amer. skolka från en lektion; *~ it!* vard. strunt i det!, det gör detsamma! **3** *~ stones across (on) the water* kasta smörgås
III *s* **1** hopp, skutt **2** överhoppning vid läsning

2 skip [skɪp] *s* byggn. [avfalls]container

ski pants [ˈskiːpænts] *s pl* ski-pants

ski pole [ˈskiːpəʊl] *s* skidstav

skipper [ˈskɪpə] **I** *s* **1** skeppare; befälhavare; flygkapten **2** sport. [lag]kapten; lagledare
II *vb tr* **1** vara skeppare etc. på [*~ a boat*] **2** vara [lag]kapten för [*~ a team*]

skipping rope [ˈskɪpɪŋrəʊp] *s* hopprep

ski resort [ˈskiːrɪˌzɔːt] *s* skidort

skirl [skɜːl] **I** *s* gällt ljud [*the ~ of the bagpipes*]; säckpipljud **II** *vb itr* ljuda (skrika) gällt

skirmish [ˈskɜːmɪʃ] **I** *s* skärmytsling **II** *vb itr* drabba samman, skärmytsla

skirt [skɜːt] **I** *s* **1** kjol **2** vard. kjoltyg, fruntimmer [*run after ~s*] **3** skört [*the ~s of a coat*] **4** pl. *~s* kant; utkant [*on* (i) *the ~s of the town*]
II *vb tr* **1** kanta; gå (löpa) längs ([ut]efter, utmed) [*our road ~s the forest*]; ligga utmed [*the town ~s the river*]; passera (gå) i utkanten av (runtom, förbi) [*the traffic ~s the town*] **2** bildl. kringgå, undvika

skirting board [ˈskɜːtɪŋbɔːd] *s* byggn. golvlist

ski run [ˈskiːrʌn] *s* skidpist

ski slope [ˈskiːsləʊp] *s* skidbacke

skit [skɪt] *s* sketch; satir, parodi; burlesk

ski tow [ˈskiːtəʊ] *s* släplift

skitter [ˈskɪtə] *vb itr* **1** stryka (glida, fara) fram [*~ along (over) the water*] **2** kila, skutta [*the rabbit ~ed off into the wood*]

skittish [ˈskɪtɪʃ] *adj* **1** skygg, lättskrämd; nervös [*a ~ horse*] **2** lekfull, sprallig, uppsluppen **3** ombytlig, nyckfull, oberäknelig

skittle [ˈskɪtl] *s* **1** kägla **2** *~s* (med verb i sg.) kägelspel; *life (it) isn't all beer and ~s* bildl. livet är inte bara en dans på rosor; *play ~s* spela kägel[spel], slå käglor

skittle alley [ˈskɪtlˌælɪ] *s* kägelbana

skive [skaɪv] **I** *vb itr* vard. skolka; *~ off* **II** *vb tr* skolka från

skivvy [ˈskɪvɪ] vard. neds. **I** *s* piga **II** *vb itr* slava, gno

Skopje [ˈskɒpjɪ, -jeɪ] geogr.

skua [ˈskjuːə] *s* zool. labb [äv. *arctic ~*]

skulduggery [skʌlˈdʌgərɪ] *s* skurkstreck

skulk [skʌlk] *vb itr* **1** smyga [omkring (i, bland)]; *~ away* smyga sig i väg **2** stå (ligga) på lur; gömma sig, hålla sig undan

skull [skʌl] *s* skalle, kranium; huvudskål; *have a thick ~* vard. vara tjockskallig (dum i huvudet)

skull and crossbones [ˌskʌlænˈkrɒsbəʊnz] (med verb i sg.) *s* dödskalle med [två] korslagda benknotor dödssymbol

skullcap [ˈskʌlkæp] *s* kalott

skunk [skʌŋk] *s* **1** zool. skunk **2** vard. kräk, skitstövel

sky [skaɪ] **I** *s* **1** himmel; *skies* pl. himmel [*a clear ~*; *clear skies*]; poet. sky; *the ~'s the limit* vard. det finns

ingen gräns, hur mycket som helst; *in the* ~ på himlen, i skyn; *cry to the skies* skrika i högan sky; *praise to the skies* höja till skyarna; *under the open* ~ under bar himmel **2** vanl. pl. *skies* väder [*cloudy skies*]
II *vb tr* vard. slå högt [upp i luften] [~ *a ball*]

sky-blue [ˌskaɪˈbluː] *adj* himmelsblå

skycap [ˈskaɪkæp] *s* amer. vard. bärare på flygplats

skydiver [ˈskaɪˌdaɪvə] *s* fallskärmshoppare, jfr *skydiving*

skydiving [ˈskaɪˌdaɪvɪŋ] *s* fallskärmshoppning där vissa konster utförs innan fallskärmen utlöses för landning

sky-high [ˌskaɪˈhaɪ] **I** *adj* skyhög [~ *prices*] **II** *adv* skyhögt [*prices went* ~]; himmelshögt; *blow sth* ~ få ngt att flyga i luften (explodera); bildl. fullständigt rasera (förinta)

skyjack [ˈskaɪdʒæk] *vb tr* vard. kapa flygplan

skylark [ˈskaɪlɑːk] *s* zool. [sång]lärka

skylight [ˈskaɪlaɪt] *s* takfönster; sjö. skylight

skyline [ˈskaɪlaɪn] *s* **1** horisont; himlarand **2** kontur, silhuett [*the* ~ *of New York*]

Skype [skaɪp] tele. **I** *s* ® Skype system för mjukvarutelefoni
II *vb tr* skajpa [*I ~d my sister last night*]

skyrocket [ˈskaɪˌrɒkɪt] *vb itr* stiga (gå upp) våldsamt (brant), skjuta (gå) i höjden [*prices are ~ing*]

skyscraper [ˈskaɪˌskreɪpə] *s* skyskrapa

skywards [ˈskaɪwədz] *adv* mot himlen, upp i luften, uppåt

slab [slæb] *s* **1** platta [~ *of stone*]; häll **2** tjock skiva [~ *of cheese*]; kaka **3** obduktionsbord

slack [slæk] **I** *adj* **1** slö, slapp, loj, trög **2** slapp [~ *control*; ~ *discipline*]; slak; sjö. slack, slabb [~ *rope*] **3** stilla, död [~ *season*]; trög [*trade is* ~]; ~ *demand* svag efterfrågan
II *s* **1** slak del (ända o.d.); slakhet; *take up the* ~ a) strama till (styvhala) repet o.d. b) bildl. strama åt **2** spelrum
III *vb itr*, ~ *off* slappna [av], slöa [till], bli slöare (trögare)

slacken [ˈslæk(ə)n] **I** *vb itr* **1** ~ el. ~ *off* slappna av, slöa till [~ *at* (*in*) *one's work*]; bli slapp (loj, trög); gå trögt **2** slakna, bli slak[are] **3** minska [*the speed ~ed*]; avta
II *vb tr* **1** minska [~ *one's efforts*]; sakta [~ *the speed*]; slappa **2** släppa (lossa) på

slacker [ˈslækə] *s* vard. slöfock, latmask; skolkare

slacks [ˈslæks] *s pl* slacks, bekväma långbyxor, fritidsbyxor

slack water [ˌslækˈwɔːtə] *s* stillvatten mellan ebb o. flod

slag [slæg] **I** *s* **1** slagg **2** sl. neds. slampa
II *vb tr* sl., ~ el. ~ *off* snacka skit om, göra ned

slag heap [ˈslæghiːp] *s* slagghög

slain [sleɪn] perf. p. av *slay*

slake [sleɪk] *vb tr* släcka [~ *lime*; ~ *one's thirst*]

slalom [ˈslɑːləm] *s* sport. slalom[åkning]; *giant* ~ storslalom; ~ *proper* specialslalom

slam [slæm] **I** *vb tr* **1** slå (smälla, dänga, slänga) igen [äv. ~ *to*; ~ *down*]; slå, smälla, dänga, slänga; ~ *the window shut* smälla igen fönstret; ~ *the brakes on* tvärbromsa, ställa sig på bromsen; ~ *the door on* [*a proposal*] förkasta...; ~ *the door on sb* el. ~ *the door in sb's face* slå igen dörren mitt framför [näsan på]

ngn **2** sl. göra ner, skälla ut
II *vb itr* slå[s] igen, smälla[s] igen [äv. ~ *to*]
III *s* **1** smäll, skräll **2** kortsp. slam; *grand* ~ storslam; *little* ~ lillslam

slam dunk [ˈslæmdʌŋk] *s* i basket läggning, placering av bollen i korgen

slammer [ˈslæmə] *s* sl., *the* ~ kåken, finkan fängelse

slander [ˈslɑːndə] **I** *s* förtal, baktal[eri] **II** *vb tr* förtala, baktala

slanderer [ˈslɑːnd(ə)rə] *s* förtalare, baktalare

slanderous [ˈslɑːnd(ə)rəs] *adj* förtals-, ärekränkande; ~ *tongue* skvalleraktig (ond) tunga

slang [slæŋ] **I** *s* språkv. slang[språk]; ~ *word* slangord
II *vb tr* skälla ut, skälla på

slanging match [ˈslæŋɪŋmætʃ] *s* praktgräl, ömsesidig utskällning

slangy [ˈslæŋɪ] *adj* slangtalande; slangartad, full av slang

slant [slɑːnt] **I** *vb itr* slutta, luta
II *vb tr* **1** göra lutande (sned), luta **2** vinkla [~ *the news*]
III *s* **1** lutning, sluttning; sned riktning; *on the* (*a*) ~ på sned, på tvären, på snedden **2** vinkling; synvinkel; *get a new* ~ *on sth* få en ny syn på ngt, se ngt ur en ny synvinkel

slanted [ˈslɑːntɪd] *adj* **1** sluttande, lutande; sned **2** bildl. vinklad

slap [slæp] **I** *vb tr* **1** smälla (slå, daska, dänga) [*till*]; ~ *sb on the back* dunka ngn i ryggen; ~ *sb's face* el. ~ *sb on the face* slå ngn i ansiktet **2** kleta 'på, lägga 'på
II *vb tr* med adv.:
slap down a) slå ner [~ *sb down*] b) sätta på plats, stuka, kritisera skarpt c) slänga [ner] [*he ~ped the book down on the table*]
III *s* smäll, slag; *a* ~ *on the back* en dunk i ryggen; *a* ~ *in the face* ett slag i ansiktet; *a* ~ *on the wrist* [en] smäll på fingrarna; *have a* ~ *at* vard. a) göra ett försök med b) göra ner
IV *adv* vard., se *slap-bang*

slap-bang [ˌslæpˈbæŋ] *adv* vard. **1** handlöst, huvudstupa **2** rakt, rätt [~ *in the middle*]; pang [på]

slapdash [ˈslæpdæʃ] vard. **I** *adv* hafsigt, vårdslöst, på en höft **II** *adj* hafsig, vårdslös

slaphappy [ˌslæpˈhæpɪ, attr. ˈ---] *adj* vard. **1** uppåt, sprallig, uppsluppen; tokig **2** groggy

slapper [ˈslæpə] *s* sl. slampa

slapshot [ˈslæpʃɒt] *s* ishockey. slagskott

slapstick [ˈslæpstɪk] **I** *s* **1** buskis, filmfars, slapstick **2** film. [synkron]klappa
II *adj* farsartad, tokrolig, stojig; ~ *comedy* se under *slapstick I 1*

slap-up [ˈslæpʌp] *adj* vard. flott [~ *dinner*]; pampig

slash [slæʃ] **I** *vb tr* **1** rista (fläka) upp, skära (hugga) sönder (upp) **2** slitsa upp [~*ed sleeves*] **3** piska ['på], slå (snärta) ['till] **4** göra (sabla) ner [fullständigt] **5** vard. sänka (skära ner) kraftigt, reducera starkt [~ *prices* (*salaries*)]
II *vb itr*, ~ *at* a) slå (piska) på (mot); hugga in på b) vard. göra ner
III *s* **1** [snabbt och våldsamt] hugg, slag; rapp **2** djup skåra, djupt hack **3** typogr. snedstreck

slasher ['slæʃə] *s, ~ film* el. *~ movie* slags skräckfilm
ofta innehållande blodiga mord
slash mark ['slæʃmɑ:k] *s* typogr. snedstreck
slat [slæt] *s* **1** spjäla, lamell i persienn o.d. **2** tvärpinne
på stol, [tvär]slå, latta
slate [sleɪt] **I** *s* **1** skiffer **2** skifferplatta, takskiffer;
have a ~ loose vard. ha en skruv lös **3** amer.
preliminär kandidatlista för ett val; program
4 griffeltavla; *start with a clean ~* bildl. [dra ett streck
över det förflutna och] börja ett nytt liv; *wipe the ~
clean* bildl. dra ett streck över det förflutna; *put it on
the ~* åld. vard. skriv upp det [på mitt konto]
II *vb tr* **1** vard. göra (sabla) ner **2** vanl. amer.
a) planera [in], avtala, [ut]sätta [*~ a meeting for*
(till) *Monday*] b) föreslå [som kandidat]; sätta upp
på förslagslistan (programmet)
slather ['slæðə] *vb tr* vard. slösa med, bre på tjockt
med; *~ the car with paint* smeta på tjocka lager av
färg på bilen
slating ['sleɪtɪŋ] *s* vard. nedgörande kritik,
uppläxning [*give* (*get*) *a severe ~*]
slattern ['slætən, -tɜ:n] *s* åld. neds. **1** slarva **2** slampa
slaughter ['slɔ:tə] **I** *s* slakt[ande]; blodbad [*of* på
(bland)], massaker
II *vb tr* slakta äv. kritisera; massakrera
slaughterhouse ['slɔ:təhaʊs] *s* slakteri, slakthus
Slav [slɑ:v] **I** *s* slav medlem av ett folkslag **II** *adj* slavisk
slave [sleɪv] **I** *s* slav, slavinna, träl
II *vb itr* slava, träla [*at* med (på)]; *~ away* slita och
slava [*at* med], stå och slava [*at, over* vid]
slave driver ['sleɪv,draɪvə] *s* slavdrivare
slave labour ['sleɪv,leɪbə] *s* slavarbete
1 slaver ['slævə] *vb itr* dregla
2 slaver ['sleɪvə] *s* **1** slavhandlare **2** slavskepp
slavery ['sleɪvəri] *s* **1** slaveri **2** slavgöra
slave trade ['sleɪvtreɪd] *s* slavhandel
Slavic ['slɑ:vɪk] *adj* o. *s* se *Slavonic*
slavish ['sleɪvɪʃ] *adj* slavisk äv. bildl. [*a ~ imitation*]
Slavonic [slə'vɒnɪk] **I** *adj* slavisk **II** *s* slaviska språk
slaw [slɔ:] *s* vanl. amer. vard. vitkålsallad
slay [sleɪ] (*slew slain*) *vb tr* **1** litt. dräpa, slå ihjäl
2 vanl. amer. mörda
slayer ['sleɪə] *s* vard. mördare, baneman
sleaze [sli:z] *s* vard. äckel, äcklig (sliskig) typ, skit
sleazebag ['sli:zbæg] *s* o. **sleazeball** ['sli:z,bɔ:l] *s*
vard., se *sleaze*
sleazy ['sli:zɪ] *adj* **1** sjabbig, sjaskig [*~ coat; ~
houses*]; sliskig, sladdrig **2** bildl. taskig, gemen; *a ~
excuse* en dålig ursäkt
sled [sled] *s* o. *vb itr* o. *vb tr* se *sledge*
sledge [sledʒ] **I** *s* släde; kälke **II** *vb itr* åka släde
(kälke)
sledge hammer ['sledʒ,hæmə] *s* [smed]slägga
sleek [sli:k] **I** *adj* **1** om hår el. skinn slät, glatt,
[skinande] blank; slätkammad **2** fin, elegant,
snygg [*a ~ car*] **3** hal, sliskig [*a ~ salesman*]
II *vb tr* göra slät (glatt, [skinande] blank)
sleep [sli:p] **I** (*slept slept*) *vb itr* sova [*~ well; ~
badly*]; ligga 'över; bildl. [sitta (stå) och] sova, dåsa
II (*slept slept*) *vb tr* **1** sova **2** ha (ordna) liggplats
åt, ge nattlogi åt, lägga [*I can ~ two of you in the
living room*]; *the hotel can ~ 300 people* äv. hotellet
har 300 bäddar
III (*slept slept*) *vb itr* o. *vb tr* med adv.:

sleep around vard. hoppa i säng med vem som helst
sleep away sova bort [*~ away the time*]
sleep in a) försova sig b) sova länge [på morgonen]
sleep off: *~ off a headache* sova bort huvudvärk
sleep with vard. hoppa i säng (ligga) med ha samlag
med
IV *s* sömn; *try to get a ~* försöka sova litet; *I have a
little* (*short*) *~ every afternoon* jag sover en liten
stund (tar mig en liten lur) varje eftermiddag; *she
had a good night's ~* hon sov gott hela natten; *I won't
lose any ~ over that* jag kommer inte att ligga
sömnlös för det; *walk in one's ~* tala (gå) i sömnen;
lack of ~ sömnbrist, sömnlöshet; *drop off to ~* somna
(lura) 'till; *I couldn't get to ~* jag kunde inte somna;
go to ~ somna; *put to ~* a) söva; få att somna
[*reading in bed always puts* (*sends*) *me to ~*]
b) avliva; *put a child to ~* få ett barn att somna,
lägga ett barn [att sova]; *read oneself to ~* läsa sig
till sömns
sleep deprivation ['sli:p,deprɪ'veɪʃ(ə)n] *s* sömnbrist
sleeper ['sli:pə] *s* **1** *the ~* den sovande; *be a good ~* el.
be a sound ~ ha god sömn, sova bra; *a great ~* en
sjusovare, en sömntuta; *be a heavy ~* sova hårt
(tungt); *be a light ~* sova lätt **2** järnv. sovvagn;
sovplats **3** järnv. sliper, syll **4** vanl. amer. plötslig
[och] oväntad succé **5** läkring som används vid
håltagning i öronen
sleeperette [,sli:pə'ret] *s* sittplats med nedfällbart
ryggstöd på tåg, flyg o.d., sovfåtölj
sleeping ['sli:pɪŋ] *pres p* o. *adj* sovande, sov-,
sömn-, säng-; *~ accommodation* sovplats[er],
sängplats[er]; nattlogi; *let ~ dogs lie* se under *dog I 1*
sleeping bag ['sli:pɪŋbæg] *s* **1** sovsäck; *sheet ~*
reselakan, lakanspåse **2** sovpåse; åkpåse
Sleeping Beauty [,sli:pɪŋ'bju:tɪ] *s, the ~* Törnrosa
sleeping car ['sli:pɪŋkɑ:] *s* järnv. sovvagn
sleeping compartment ['sli:pɪŋkəm,pɑ:tmənt] *s*
järnv. sovkupé
sleeping partner [,sli:pɪŋ'pɑ:tnə] *s* hand. passiv
delägare
sleeping pill ['sli:pɪŋpɪl] *s* sömntablett, sömnpiller
sleeping policeman [,sli:pɪŋpə'li:smən] *s* trafik. vard.
farthinder, fartgupp
sleeping sickness [,sli:pɪŋ'sɪknəs] *s* med. sömnsjuka
sleeping tablet ['sli:pɪŋ,tæblət] *s* sömntablett,
sömnpiller
sleepless ['sli:pləs] *adj* sömnlös, vaken
sleep mode ['sli:pməʊd] *s* data. viloläge strömsnålt
vänteläge särsk. för bärbara datorer
sleepover ['sli:p,əʊvə] *s* fest med övernattning för
barn o. ungdomar
sleepwalk ['sli:p,wɔ:k] *vb itr* gå i sömnen
sleepwalker ['sli:p,wɔ:kə] *s* sömngångare
sleepy ['sli:pɪ] *adj* **1** sömnig; sömnaktig; sövande
2 bildl. död; sömnig
sleepyhead ['sli:pɪhed] *s* vard. sömntuta, sjusovare;
slöfock
sleet [sli:t] **I** *s* snöblandat regn, snöglopp, snöslask;
regn och hagel **II** *vb itr, it's ~ing* det är snöglopp
etc., jfr *sleet I*
sleety ['sli:tɪ] *adj* med snöblandat regn (regn och
hagel) [*a cold ~ wind*]; slaskig
sleeve [sli:v] *s* **1** ärm; *laugh up one's ~* skratta i
mjugg; *have sth up one's ~* ha ngt i bakfickan (på

lut) **2** [skiv]fodral, [skiv]omslag **3** tekn. muff; foder; hylsa

sleeveless ['sli:vləs] *adj* ärmlös

sleeve notes ['sli:vnəʊts] *s pl* omslagstext på skiva

sleigh [sleɪ] *s* släde; kälke

sleight of hand [ˌslaɪtəv'hænd] *s* **1** fingerfärdighet **2** taskspelarkonst, trick

slender ['slendə] *adj* **1** smärt, smal, slank [~ *waist*]; smäcker [~ *stem*]; spenslig, späd **2** bildl. klen, skral, ringa [~ *hopes*]; knapp, mager [~ *income*]

slept [slept] imperf. o. perf. p. av *sleep*

sleuth [slu:θ] *s* åld. deckare, blodhund, snok

1 slew [slu:] imperf. av *slay*

2 slew [slu:] *vb tr* o. *vb itr*, ~ [*round*] svänga [runt (om)], vrida

3 slew [slu:] *s* vanl. amer. vard. massa [*a* ~ *of people*]

slice [slaɪs] **I** *s* **1** skiva [*a* ~ *of bread*; *a* ~ *of meat*]; ~ *of bread and butter* smörgås **2** del, andel [*a* ~ *of the profits*]; stycke, bit, smula; ~ *of apple* äppelbit, äppelklyfta; *a* ~ *of life* ett stycke verklighet (ur levande livet); *that was a* ~ *of luck!* vilken tur! **3** stekspade; fiskspade; tårtspade **4** sport. 'slice', skruv, sned boll **II** *vb tr* **1** skära upp [i skivor], skiva [äv. ~ *up*]; ~ *off* skära av **2** skära, bildl. äv. kapa **3** sport., ~ *a ball* 'slica' (skruva) en boll, slå en boll snett

sliced [slaɪst] *adj* i skivor; ~ *bread* skivat bröd

slicer ['slaɪsə] *s* kniv; förskärare; skärmaskin; *bread* ~ brödkniv, brödsåg; *cheese* ~ ostkniv, osthyvel

slick [slɪk] **I** *adj* **1** a) glättad, driven [~ *style*] b) lättköpt [~ *solution*] **2** smart [~ *business deal*; ~ *salesman*]; förbindlig **II** *s* **1** oljebälte, oljefläck, slät (hal) fläck **2** amer. elegant magasin (tidskrift, veckotidning) tryckt på högglättat papper **III** *vb tr*, ~ *back* stryka bakåt; ~ *down* släta till

slicker ['slɪkə] *s* **1** amer. regnrock; lång oljerock **2** vard., se *city slicker*

slid [slɪd] imperf. o. perf. p. av *slide*

slide [slaɪd] **I** (*slid slid*) *vb itr* glida; halka; slinka, smyga; rutscha, kana, åka (slå) kana; *let things* ~ bildl. strunta i allting **II** (*slid slid*) *vb tr* **1** låta glida, skjuta [fram (in osv.)] **2** sticka, smussla [*he slid a coin into my hand*] **III** *s* **1** rutschbana, rutschkana **2** glidning; glidande; *be on the* ~ vara på glid; *go into a* ~ få sladd **3** isbana, kana, kälkbacke **4** skred [*mud* ~] **5** diapositiv, dia[bild]; ~ *projector* diaprojektor, diabildsprojektor; *colour* ~ färgdia **6** objektglas **7** hårspänne

slide calliper ['slaɪdˌkælɪpə] *s* skjutmått

slide phone ['slaɪdfəʊn] *s* slide-telefon, slider-telefon

slide rule ['slaɪdru:l] *s* räknesticka

sliding ['slaɪdɪŋ] *adj* glidande, skjutbar; glid- [~ *surface*]; skjut- [~ *door*; ~ *lid*]

sliding roof [ˌslaɪdɪŋ'ru:f] *s* soltak, skjutbart tak

sliding scale [ˌslaɪdɪŋ'skeɪl] *s* glidande (rörlig) skala för priser o.d.; glidande löneskala

sliding tackle [ˌslaɪdɪŋ'tækl] *s* fotb. glidtackling

slight [slaɪt] **I** *adj* **1** lätt [~ *cold*]; obetydlig, ringa, liten [~ *possibility*]; *not the ~est doubt* inte det minsta tvivel; *not in the ~est* inte på minsta sätt, inte alls **2** spenslig, spensligt byggd, späd[lemmad]

[~ *figure*] **3** klen, svag, bräcklig [~ *foundation*] **II** *vb tr* ringakta, ignorera; skymfa, förolämpa; *she felt ~ed* hon kände sig förbisedd **III** *s* skymf, förolämpning, gliring

slightly ['slaɪtlɪ] *adv* lätt [~ *wounded*; *touch sth* ~]; lindrigt, svagt, obetydligt, något [~ *better*]

slim [slɪm] **I** *adj* **1** [lång och] smal, slank, smärt, spenslig **2** vard. klen; svag, liten [~ *possibility*] **II** *vb itr*, ~ el. ~ *down* banta, [försöka att] magra

slime [slaɪm] *s* slam, dy äv. bildl., gyttja

slimline ['slɪmlaɪn] *adj* **1** kalorifattig [~ *drink*] **2** strömlinjeformad, kompakt

slimmer ['slɪmə] *s* bantare

slimming ['slɪmɪŋ] **I** *s* bantning; *do some* ~ banta litet **II** *adj*, ~ *exercises* bantningsgymnastik; ~ *treatment* en avmagringskur

slimy ['slaɪmɪ] *adj* **1** gyttjig, dyig **2** slemmig **3** vard. äcklig, slemmig, inställsam; hal

sling [slɪŋ] **I** (*slung slung*) *vb tr* **1** slunga, slänga, kasta [~ *stones at* (på) *sb*]; ~ *one's hook* vard., se *hook I 1* **2** hänga upp [med rep o.d.], hissa (lyfta, fira) i repslinga; *with his rifle slung* [*over his shoulder*] med geväret [hängande (i en rem)] över axeln **3** amer. sl., ~ *hash* servera på en sylta (ett billigt lunchställe) **II** *s* **1** a) slunga b) slangbella c) kast [med slunga] **2** [axel]rem; gevärsrem **3** med. mitella; *carry* (*have*) *one's arm in a* ~ äv. ha armen i band

slingback ['slɪŋbæk] *s* slingback, sko med hälrem

sling bag ['slɪŋbæg] *s* axelremsväska

slink [slɪŋk] (*slunk slunk*) *vb itr* smyga [sig], slinka [~ *away* (*off, in, out, by* etc.)]

slinky ['slɪŋkɪ] *adj* åtsmitande [~ *dress*]

slip [slɪp] **I** *vb itr* **1** glida; halka [omkull]; *the ladder ~ped* stegen gled; *let* ~ se under *1 let III 2*; ~ *up* halka; *the name has ~ped from my mind* jag har tappat bort namnet; ~ *into a dress* slänga (dra) på sig en klänning; *the opportunity ~ped through my fingers* tillfället gled (gick) mig ur händerna **2** smyga [sig], slinka [~ *away* (*out*, *past*)]; ~ *along* (*across, round, over*) *to* vard. kila i väg (över) till **3** göra fel; ~ *up* vard. dabba sig, göra en tabbe **4** tappa stilen (greppet) [*he has been ~ping lately*] **II** *vb tr* **1** låta glida, smyga, sätta [~ *a ring on to a finger*]; sticka [~ *a coin into sb's hand*]; ~ *one's clothes off* (*on*) slänga (dra) av (på) sig kläderna **2** släppa [i väg (lös)]; sjö. fira loss [~ *anchor*] **3** undkomma, undslippa [~ *one's captors*]; *the name has ~ped my mind* namnet har fallit mig ur minnet **4** med., ~ *a disc* (amer. *disk*) få diskbråck **III** *s* **1** remsa, bit, stycke; ~ *of paper* papperslapp **2** [litet] fel, lapsus [*make a* ~]; misstag, felsteg; ~ *of the pen* skrivfel; ~ *of the tongue* felsägning **3** glidning; halkning, slintning; *there's many a* ~ *'twixt* [*the*] *cup and* [*the*] *lip* ung. man ska inte ropa hej förrän man är över bäcken; *give sb the* ~ vard. smyga sig (lyckas smita) ifrån ngn **4** underklänning; underkjol **5** örngott, örngottsvar **6** trädg. stickling **7** åld., *a* [*mere*] ~ *of a boy* en liten grabb; *a* [*mere*] ~ *of a girl* ett litet flickebarn

slipcase ['slɪpkeɪs] *s* skyddskassett för bok

slipcover ['slɪpˌkʌvə] *s* **1** [möbel]överdrag **2** amer. skyddsomslag till bok

slipknot ['slɪpnɒt] *s* löpknut

slip-on ['slɪpɒn] s vard. sko (plagg) som man kan dra på (slinka i)

slippage ['slɪpɪdʒ] s **1** gradvis tillbakagång, avmattning **2** misslyckat försök [att nå det uppställda målet]

slipped disc [,slɪpt'dɪsk] s, **have a ~** (amer. **slipped disk**) ha diskbråck

slipper ['slɪpə] s **1** toffel, slipper **2** lätt aftonsko, ballerinasko

slippered ['slɪpəd] adj klädd i tofflor

slippery ['slɪpərɪ] adj **1** hal [as ~ as an eel]; glatt **2** opålitlig, hal

slippy ['slɪpɪ] adj vard. hal

slip road ['slɪprəʊd] s **1** påfartsväg, avfartsväg till motorväg **2** mindre förbifartsled

slipshod ['slɪpʃɒd] adj slarvig, vårdslös, hafsig

slipstream ['slɪpstriːm] s flyg. propellerström, jetström; slipström

slip-up ['slɪpʌp] s vard. tabbe, fel

slipway ['slɪpweɪ] s sjö. slip, stapelbädd

slit [slɪt] **I** (slit slit el. slitted slitted) vb tr skära (sprätta, klippa) upp, fläka upp, klyva
II s **1** reva, rämna, skåra, snitt **2** sprund **3** springa, öppning

slither ['slɪðə] vb itr hasa [sig fram], halka; slingra sig

slithery ['slɪð(ə)rɪ] adj hal äv. bildl.

sliver ['slɪvə, 'slaɪvə] s spjäla, spån, flisa, sticka; tunn skiva; strimla

Sloane [sləʊn] s o. **Sloane Ranger** [,sləʊn'reɪn(d)ʒə] s konventionell överklassungdom i London (från ~ Square där många sådana ungdomar finns)

slob [slɒb] sl. **I** s tölp, latmask **II** vb itr, **~ around** dega omkring

slobber ['slɒbə] vb itr dregla; **~ over sb** vard. pjollra (kladda) med ngn

sloe [sləʊ] s bot. slån[buske]; slånbär

sloe gin [,sləʊ'dʒɪn] s slånbärslikör

slog [slɒg] **I** vb itr **1** traska [mödosamt]; knoga; knega; **~ away** [at one's work] knoga 'på (knega vidare) [med sitt arbete] **2** sport. slugga; dänga (drämma) 'till
II vb tr dänga (drämma) 'till [~ a man over the head]; **~ it out** vard. göra upp
III s **1** hård marsch; slit **2** hårt slag

slogan ['sləʊgən] s slogan, slagord; paroll

sloop [sluːp] s sjö. slup enmastat segelfartyg

slop [slɒp] **I** s **1** pl. **~s** a) slaskvatten, diskvatten; tvättvatten b) bottensats, teblad i tekopp; **empty the ~s** tömma toaletthinken; tömma ut slaskvattnet **2** vanl. pl. **~s** a) flytande föda spec. för sjuk b) om mat o. dryck tunt blask, 'diskvatten' c) svinmat, skulor d) mäsk
II vb itr **1** spillas ut, skvalpa (skvimpa) över [äv. ~ over (out)] **2** plaska; **~ about** el. **~ around** a) plaska [omkring], slabba b) driva (dra) omkring
III vb tr spilla [ut]

slope [sləʊp] **I** s **1** lutning; **on the ~** sluttande, lutande, på sned **2** sluttning; backe
II vb itr **1** slutta, luta **2** vard., **~ off** smita, drypa av

sloppy ['slɒpɪ] adj **1** hafsig [a ~ piece of work]; slarvig, lös, slapp [~ style]; slafsig **2** sladdrig, säckig [~ trousers] **3** vard. sentimental, pjollrig **4** om mat el. dryck blaskig, vattnig

sloppy joe [,slɒpɪ'dʒəʊ] s **1** amer. macka med köttfärssås **2** vard. säckig tröja

slosh [slɒʃ] **I** vb itr **1** skvalpa, plaska **2** vada, plaska, klafsa [~ about in the water (mud)]
II vb tr **1** skvalpa omkring med **2** kladda 'på, bre på tjockt med [~ paint]; skvätta

sloshed [slɒʃt] adj sl. packad, stagad berusad

slot [slɒt] **I** s **1** springa, [smal] öppning, slits; myntinkast; brevinkast **2** vard. nich, lucka [find a ~ for an item in a programme]
II vb tr **1** placera, stoppa in [~ a recital into a radio programme] **2** klämma in

sloth [sləʊθ] s **1** tröghet, slöhet, lättja **2** zool. sengångare

slothful ['sləʊθf(ʊ)l] adj trög, lat, lättjefull

slot machine ['slɒtmə,ʃiːn] s **1** enarmad bandit **2** spelautomat **3** [varu]automat

slotted spatula [,slɒtɪd'spætjʊlə] s stekspade med genombrutet blad

slotted spoon [,slɒtɪd'spuːn] s hålslev

slotted turner [,slɒtɪd'tɜːnə] s stekspade med genombrutet blad

slouch [slaʊtʃ] **I** vb itr **1** gå (stå, sitta) hopsjunken; **~ about** stå (sitta) och hänga **2** sloka om hattbrätte; hänga
II s **1** hopsjunken (slapp) hållning (gång); lutande; slokande; **walk with a ~** hasa sig fram **2** sl., **he's no ~ at** han är inte bortkommen i (i fråga om)

slouch hat [,slaʊtʃ'hæt] s slokhatt

1 slough [slʌf] vb tr kasta av, fälla; byta; kortsp. kasta, göra sig av med; **~ off** bildl. lägga bort [~ off old habits]

2 slough [slaʊ] s träsk, moras, bildl. äv. dy, avgrund

Slovak ['sləʊvæk] **I** adj slovakisk; **the ~ Republic** Slovakiska republiken
II s **1** slovak; slovakiska kvinna **2** slovakiska [språket]

Slovakia [slə(ʊ)'vækɪə] geogr. Slovakien

Slovakian [slə(ʊ)'vækɪən] adj slovakisk

Slovene ['sləʊviːn, slə(ʊ)'viːn] s sloven; slovenska kvinna

Slovenia [slə(ʊ)'viːnɪə] geogr. Slovenien

Slovenian [slə(ʊ)'viːnɪən] **I** adj slovensk **II** s slovenska [språket]

slovenly ['slʌvnlɪ] adj **1** ovårdad, slarvigt klädd, sjabbig, sjaskig **2** slarvig, hafsig [~ fellow; ~ work]

slow [sləʊ] **I** adj **1** långsam, sakta [~ speed]; trög, senfärdig; **~ but sure** el. **~ and sure** långsam men säker; **~ to take offence** inte lättstött **2** som går för sakta [a ~ clock]; **be ~** gå efter (för sakta) [be ten minutes ~]; **you are two minutes ~** din [klocka] går två minuter efter
II adv långsamt, sakta [read (speak) ~]; **go ~** a) gå (springa, köra) sakta (långsamt), sakta farten b) maska vid arbetskonflikt c) ta det lugnt, slå av på takten i arbete o.d. d) om klocka gå efter
III vb itr o. vb tr med adv.:
slow down el. **slow up** a) itr. sakta in, sakta farten b) itr. sänka (slå av på) takten c) tr. sakta [in] [~ a car down] d) tr. fördröja, försena; hejda, hålla tillbaka

slow burn [,sləʊ'bɜːn] s amer. vard., **do a ~** långsamt ilskna till

slowcoach ['sləʊkəʊtʃ] s vard. slöfock, sölkorv

slowdown ['sləʊdaʊn] *s* **1** hand. nedgång, nedgångsperiod **2** dämpning av takten **3** amer. maskning, maskningsaktion

slow handclap [ˌsləʊ'hæn(d)klæp] *s* avmätt handklappning spec. från publik som vill visa sitt missnöje

slow lane ['sləʊleɪn] *s* trafik. krypfil äv. bildl.

slowly ['sləʊlɪ] *adv* långsamt, sakta [~ *but surely*]

slow-motion [ˌsləʊ'məʊʃ(ə)n] *adj*, **a ~ film** en film i slow motion (ultrarapid)

slow motion [ˌsləʊ'məʊʃ(ə)n] *s* slow motion, ultrarapid [*in ~*]

slowpoke ['sləʊpəʊk] *s* amer. vard. slöfock, sölkorv

slow-witted ['sləʊˌwɪtɪd, ˌ-'--] *adj* trögtänkt

slow-worm ['sləʊwɜ:m] *s* zool. ormslå, kopparorm

sludge [slʌdʒ] *s* **1** dy, gyttja **2** slam; rötslam; bottensats **3** snösörja, snöslask; issörja

1 slug [slʌg] *s* zool. [skallös] snigel

2 slug [slʌg] *s* **1** kula spec. för luftbössa **2** [spel]pollett; [falskt] mynt **3** vard. slurk, tår, klunk

3 slug [slʌg] **I** *vb tr* vard. dänga (drämma) 'till; damma (puckla) 'på; **~ it out** göra upp **II** *vb itr* sport. slugga

sluggard ['slʌgəd] *s* latmask, drönare, slöfock

slugger ['slʌgə] *s* sport. slugger

sluggish ['slʌgɪʃ] *adj* **1** lat, långsam [~ *worker*]; trög [~ *digestion*; ~ *temperament*] **2** trög [~ *market*]

sluice [slu:s] **I** *s* **1** sluss; slussport, slusslucka **2** ränna, kvarnränna, vaskningsränna, flottningsränna
II *vb tr* släppa ut (spola) vatten över (genom); skölja, spola [~ *the decks*]
III *vb itr*, ~ el. **~ out** strömma [ut], flöda

slum [slʌm] **I** *s* **1** slumkvarter, fattigkvarter; **~ landlord** slumhusägare; **turn into a ~** el. **become a ~** förslummas **2** **the ~s** (med verb i pl.) slummen
II *vb itr* vard. leva spartanskt; **~ it** leva fattigmansliv

slumber ['slʌmbə] litt. el. poet. **I** *vb itr* slumra, vila **II** *s* slummer; **~s** pl. slummer

slumber party ['slʌmbəˌpɑ:tɪ] *s* amer. vard., *sleepover*

slummy ['slʌmɪ] *adj* förslummad, slum-

slump [slʌmp] **I** *s* **1** hand. [plötsligt] prisfall, depression, lågkonjunktur **2** bildl. [kraftig] nedgång (tillbakagång); nedgångsperiod
II *vb itr* **1** rasa, falla plötsligt [*prices ~ed*]; sjunka (gå ner) plötsligt [*sales ~ed*] **2** sjunka ner (ihop)

slumped [slʌmpt] *adj*, **she sat ~ over her desk** hon satt hopsjunken över skrivbordet

slung [slʌŋ] imperf. o. perf. p. av *sling*

slunk [slʌŋk] imperf. o. perf. p. av *slink*

slur [slɜ:] **I** *vb tr* **1** uttala (skriva) otydligt (suddigt); **~ one's words** sluddra **2** **~ over** a) halka över, beröra flyktigt, bagatellisera b) slarva igenom **3** tala nedsättande om, förtala, svärta ner
II *vb itr* tala (skriva, sjunga) fort och slarvigt
III *s* **1** a) nedsättande anmärkning b) [skam]fläck [*a ~ on sb's good name*]; **cast a ~ on sb** förtala (svärta ner) ngn **2** mus. legatobåge

slurp [slɜ:p] **I** *vb tr* sörpla (smaska) i sig
II *vb itr* sörpla, smaska
III *s* **1** sörplande, smaskande **2** klunk

slurry ['slʌrɪ] *s* slam, sörja

slush [slʌʃ] *s* **1** snösörja, snöslask; issörja **2** gyttja,

dy **3** vard. sentimentalt dravel; strunt[prat] **4** vanl. amer., slags isdryck

slush fund ['slʌʃfʌnd] *s* ekon. (vard.) mutfond

slushy ['slʌʃɪ] *adj* **1** slaskig, sörjig; smutsig; smörjig **2** vard. sentimental

slut [slʌt] *s* **1** slarva, subba **2** slampa

sluttish ['slʌtɪʃ] *adj* **1** slarvig, sjaskig **2** slampig

sly [slaɪ] *adj* [knip]slug, listig, illmarig; **a ~ dog** vard. en lurifax, en filur; **on the ~** i smyg (hemlighet), förstulet

slyly ['slaɪlɪ] *adv* slugt etc., jfr *sly*

1 smack [smæk] **I** *vb tr* **1** smälla [till], daska [till] [~ *a naughty child*]; slå; klatscha med [~ *a whip*] **2** smacka med; **~ one's lips** smacka med läpparna; slicka sig om munnen
II *s* **1** smäll, slag, dask, klatsch [~ *of the whip*]; **a ~ in the eye (face)** vard. ett slag i ansiktet; **have a ~ at** vard. försöka sig på **2** vard. smällkyss
III *adv* vard. rakt, rätt [~ *in the middle*]; tvärt; bums; pladask

2 smack [smæk] *s* sl. heroin

3 smack [smæk] *vb itr*, **~ of** smaka, bildl. äv. ha en anstrykning av

4 smack [smæk] *s* sjö. [fiske]smack

smacker ['smækə] *s* vard. **1** smällkyss **2** pund; dollar [*fifty ~s*]

small [smɔ:l] **I** *adj* **1** liten; pl. små; små-; obetydlig, ringa; **be on the ~ side** vara tämligen liten, höra till de mindre; **in a ~ way** i liten skala, i smått; **feel ~** känna sig liten (obetydlig); **he made me look ~** [*in front of everyone*] han fick mig att känna mig liten... **2** tunn, svag [~ *voice*]; fin [~ *rain*] **3** småsint, småskuren
II *s*, **the ~** den smala (tunna) delen; **the ~ of the back** korsryggen
III *adv* smått, i små bitar [*cut it ~*]

small ads [ˌsmɔ:'lædz] *s* småannonser

small-arms ['smɔ:lɑ:mz] *s pl* mil. handeldvapen; **~ factory** gevärsfabrik, gevärsfaktori

small beer [ˌsmɔ:l'bɪə] *s* vard. småpotatis, struntsaker; **he is very ~** han är en stor nolla

small change [ˌsmɔ:l'tʃeɪn(d)ʒ] *s* **1** småpengar, växel[pengar] **2** triviala anmärkningar; alldagligt prat; vardagsmat

small claims court [ˌsmɔ:lkleɪms'kɔ:t] *s* domstol som handlägger tvistemål om mindre värden

small fry [ˌsmɔ:l'fraɪ] *s* vard. småglin, småungar; obetydligt folk

smallholder ['smɔ:lˌhəʊldə] *s* småbrukare

smallholding ['smɔ:lˌhəʊldɪŋ] *s* småbruk

small hours [ˌsmɔ:l'aʊəz] *s pl*, **the ~** småtimmarna

small intestine [ˌsmɔ:lɪn'testɪn] *s* anat., **the ~** tunntarmen

smallish ['smɔ:lɪʃ] *adj* ganska (rätt så) liten

small-minded [ˌsmɔ:l'maɪndɪd] *adj* småaktig, småsint

small potatoes [ˌsmɔ:lpə'teɪtəʊz] (med verb i sg. el. pl.) *s* vanl. amer. vard. småpotatis, jfr *small beer*; småpengar

smallpox ['smɔ:lpɒks] *s* [smitt]koppor

small print [ˌsmɔ:l'prɪnt] *s* liten (fin) stil; **the ~** det finstilta

smalls [smɔ:lz] *s pl* ngt åld. vard. **1** underkläder, småplagg **2** småtvätt

small-scale ['smɔ:lskeɪl] *adj* i liten skala, småskalig

small screen [ˌsmɔ:l'skri:n] *s* vard., *the* ~ tv

small talk ['smɔ:ltɔ:k] *s* småprat, kallprat

small-time ['smɔ:ltaɪm] *adj* vard. obetydlig, andra klassens [~ *tennis pro*]; amatör- [~ *criminal*]

small-town ['smɔ:ltaʊn] *adj* småstads-; småstadsaktig

smarmy ['smɑ:mɪ] *adj* vard. [obehagligt] inställsam, smååcklig, sliskig; ~ *type* äv. smilfink

smart [smɑ:t] **I** *adj* **1** stilig, flott, tuff [~ *clothes*]; snygg **2** skicklig, smart [~ *politician*]; slipad [*a ~ businessman*]; finurlig **3** skärpt, duktig, vaken [*a ~ lad*]; *a ~ piece of work* ett gott arbete **4** fyndig, kvick [*a ~ answer*]; fiffig, smart **5** fashionabel, fin **6** rask, snabb [*at a ~ pace*]; *look ~* [*about it*]! raska på! **7** skarp, svidande [~ *blow*] **II** *vb itr* **1** göra ont, svida **2** plågas; ~ *under* lida (plågas) av [*she ~ed under their criticism*]

smart alec o. amer. äv. **smart aleck** ['smɑ:tˌælɪk, ˌ-'--] *s* vard. viktigpetter, stropp, besserwisser

smart arse ['smɑ:tɑ:s] *s* sl., se *smart alec*

smart ass ['smɑ:tæs] *s* amer. sl., se *smart alec*

smart card ['smɑ:tkɑ:d] *s* smartcard

smarten ['smɑ:tn] **I** *vb tr* snygga (piffa, snofsa) upp [äv. ~ *up*; ~ *oneself up*] **II** *vb itr*, ~ *up* göra sig fin (snygg), piffa (snofsa) upp sig

smart set ['smɑ:tset] *s*, *the* ~ fint folk, innefolket

smarty pants ['smɑ:tɪpænts] *s* sl., se *smart alec*

smash [smæʃ] **I** *vb tr* (se äv. *smashing*) **1** slå sönder (i kras), krossa [äv. ~ *up*; ~ *an egg*]; krascha; spränga [~ *an atom*]; ~ *in* (*down*) *a door* el. ~ *a door open* slå in (spränga) en dörr; ~ *up a car* kvadda en bil **2** tennis. o.d. smasha **3** bildl. a) krossa, slå ner [~ *all resistance*]; tillintetgöra, mosa b) ruinera **II** *vb itr* **1** gå sönder (i kras, i bitar), krossas [äv. ~ *to pieces*]; krascha, flyg. äv. störta **2** ~ *into* rusa (köra, smälla) emot [*the car ~ed into the wall*] **3** tennis. o.d. smasha **III** *s* **1** slag, smäll [*a ~ on the jaw*] **2** brak, skräll [*fall with a ~*] **3** a) krock, kollision, sammanstötning; haveri, störtning, krasch b) konkurs, krasch c) katastrof, sammanbrott; vard. stor skräll **4** tennis. o.d. smash **5** vard. jättesuccé; succémelodi, hit **IV** *adv* vard. med ett brak; rakt; *run ~ into* rusa rakt (rätt) på (in i); *go ~* bildl. gå i konkurs; klappa ihop

smash-and-grab [ˌsmæʃ(ə)n'græb] *adj*, ~ *raid* smash-and-grab[kupp]

smashed [smæʃt] *adj* vard. dragen, stagad berusad

smasher ['smæʃə] *s* vard. åld. **1** panggrej, toppgrunka, jättefin sak **2** toppenmänniska; snygging; toppenkille; toppentjej

smash hit ['smæʃhɪt] *s* vard. jättesuccé, dundersuccé; succémelodi, hit

smashing ['smæʃɪŋ] *adj* vard. åld. jättefin, fantastisk [~ *dinner*]; toppen[-], kalas[-], pang- [~ *girl*]

smattering ['smæt(ə)rɪŋ] *s* ytlig kännedom [*of* om], ytliga kunskaper [*of* i]

smear [smɪə] **I** *vb tr* **1** smeta (smutsa) [ner]; fläcka; bildl. äv. smutskasta, svärta ner [~ *sb's reputation*] **2** smörja [in] [~ *one's hands with grease*]; breda [på] **3** sudda till [~ *a word*] **II** *vb itr* **1** smeta [ifrån (av) sig] **2** sudda, bli suddig (fläckig)

III *s* **1** fläck, fettfläck, smutsfläck **2** smutskastning **3** med. cytologprov (cellprov) från livmoderhalsen [äv. *cervical ~*]

smear campaign ['smɪəkæmˌpeɪn] *s* nedsvärtningskampanj, förtalskampanj

smear test ['smɪətest] *s* med. cytologprov (cellprov) från livmoderhalsen

smeary ['smɪərɪ] *adj* **1** fläckig, nedsmord; suddig **2** smetig, kladdig, smörjig, flottig

smell [smel] **I** (*smelt smelt* el. *~ed ~ed*) *vb tr* **1** känna lukten av, vädra, bildl. äv. misstänka, ana [~ *treason*]; ~ *a rat* vard. ana oråd (ugglor i mossen); *I can ~ something burning* jag känner lukten av något bränt, det luktar bränt; *I can ~ that you* [*have eaten garlic*] jag känner på lukten att du... **2** lukta på [~ *a rose*] **II** (för tema se *smell I*) *vb itr* **1** lukta [*at* på; ~ *at a flower*] **2** lukta, dofta; stinka; ~ *good* lukta gott; ~ *bad* lukta illa; ~ *of* lukta [~ *of brandy*; ~ *of tobacco*], bildl. äv. ha en anstrykning av, tyda på, verka; vard. vara snudd på [~ *of heresy*]; *come up ~ing of roses* klara sig med äran i behåll **III** *s* lukt; luktsinne; *there's a ~ of cooking* det luktar mat; *I noticed a ~ of gas* jag kände gaslukt[en]

smelling salts ['smelɪŋsɔ:lts] *s pl* luktsalt

smelly ['smelɪ] *adj* vard. illaluktande, stinkande

1 smelt [smelt] *vb tr* **1** smälta malm **2** utvinna metall

2 smelt [smelt] imperf. o. perf. p. av *smell*

3 smelt [smelt] *s* zool. nors

smelting works ['smeltɪŋwɜ:ks] (med verb vanl. i sg.; pl. *smelting works*) *s* smältverk; hytta, järnbruk

smile [smaɪl] **I** *vb itr* le, småle [*at* åt; *on* mot]; ~! se glad ut!; ~ *on* bildl. le mot, gynna **II** *vb tr* ge uttryck åt (visa) genom ett leende **III** *s* leende, småleende; *he was all ~s* han log med hela ansiktet, han var idel solsken

smiley ['smaɪlɪ] *s* data. 'smiley' teckengrupp som bildar en symbol, används bl.a. för att ange ton- el. känsloläge i elektroniska meddelanden, se äv. *emoticon*

smiling ['smaɪlɪŋ] *adj* leende äv. bildl. [~ *landscape*]; *come up ~* bildl. ta det med ett leende, se glad ut [trots allt]; *keep ~!* var glad!, lev livet leende!

smirk [smɜ:k] **I** *vb itr* [hån]flina, smila **II** *s* flin, smil

smite [smaɪt] (*smote smitten*) *vb tr* (se äv. *smitten*) åld. el. litt. el. skämts. **1** slå [~ *sb on the head*]; *he smote his breast* han slog sig för sitt bröst; *my conscience smote me* samvetet slog mig, jag fick samvetskval **2** slå ned, förgöra, dräpa

smith [smɪθ] *s* smed

smithereens [ˌsmɪðə'ri:nz] *s pl* vard. småbitar, flisor; *break* (*smash*) *to* ~ slå i tusen bitar

smithy ['smɪðɪ, 'smɪθɪ] *s* smedja

smitten ['smɪtn] *perf p* o. *adj* slagen; ~ *with* (*by*) *sb* (*sb's charms*) förälskad i ngn; ~ *with the plague* drabbad av pest[en], pestsmittad

smock [smɒk] *s* skyddsrock, arbetsrock

smog [smɒg] *s* smog rökblandad dimma

smoke [sməʊk] **I** *s* **1** rök; *the Smoke* vard. ngt åld. beteckn. för London el. någon annan storstad; *no ~ without fire* el. amer. *where there's ~ there's fire* ingen rök utan eld **2** vard. rök, bloss [*long for a ~*]; *have a ~* el. *take a ~* ta sig en rök (ett bloss) **3** vard. röka, rökverk, tobak [äv. pl. ~*s*] **II** *vb itr* **1** ryka [*the chimney ~s*]; osa [*the lamp ~s*];

ånga; ryka in **2** röka [*may I ~?*]; vard. röka [marijuana (hasch)] **III** *vb tr* röka [~ *bacon;* ~ *tobacco*]; ~ **out** a) röka ut [~ *out rats*] b) bildl. tvinga fram, avslöja

smoke alarm ['sməʊkə‚lɑ:m] *s* rökdetektor

smoke bomb ['sməʊkbɒm] *s* mil. rökbomb

smoked glass [‚sməʊkt'glɑ:s] *s* rökfärgat glas

smoked ham [‚sməʊkt'hæm] *s* rökt skinka

smoke-free ['sməʊkfri:] *adj,* ~ **area** el. ~ **zone** rökfri zon på arbetsplats, restauranger

smokeless zone [‚sməʊkləs'zəʊn] *s* område där endast rökfria bränslen får användas

smoker ['sməʊkə] *s* **1** rökare; *a heavy* ~ en storrökare; ~*'s cough* rökhosta **2** vard. rökkupé; vagn för rökare

smokescreen ['sməʊkskri:n] *s* rökridå, dimridå; mil. rökslöja

smokestack ['sməʊkstæk] *s* fartygsskorsten; fabriksskorsten

smokestack industry ['sməʊkstæk‚ɪndəstrɪ] *s* tung industri

smoking ['sməʊkɪŋ] **I** *adj* rökande; rykande; rök- **II** *s* **1** rökning, rökande; *no* ~ el. *no* ~ *allowed* rökning förbjuden; *she's trying to give up* ~ hon försöker att sluta röka **2** avdelning för rökare på flyg o. tåg [*a seat in* ~]

smoking compartment ['sməʊkɪŋkəm‚pɑ:tmənt] *s* rökkupé

smoking gun [‚sməʊkɪŋ'gʌn] *s* vard. slående (övertygande) bevis

smoking jacket ['sməʊkɪŋ‚dʒækɪt] *s* rökrock

smoking room ['sməʊkɪŋru:m] *s* rökrum

smoky ['sməʊkɪ] *adj* **1** rykande [~ *chimney*]; osande **2** rökig [~ *room*]; rökfylld, full av rök **3** röklik, rökaktig, rök- [~ *taste*]; rökfärgad

smolder ['sməʊldə] *vb itr* o. *s* amer. [ligga och] ryka; pyra, glöda under askan äv. bildl.

smooch [smu:tʃ] *vb itr* vard. **1** pussas **2** småhångla

smoochy ['smu:tʃɪ] *adj* vard. sentimental [*a* ~ *song*]

smooth [smu:ð] **I** *adj* **1** slät, jämn [~ *road;* ~ *surface*]; glatt [~ *muscle*]; blank [~ *paper*]; blanksliten [~ *tyre*]; *make things* ~ *for sb* bildl. jämna vägen för ngn **2** len, fin, slät [~ *skin*] **3** lugn, stilla [~ *sea;* ~ *crossing*]; jämn [~ *flight*] **4** välblandad, slät, jämn [~ *paste;* ~ *consistency*] **5** bildl. [jämn]flytande, jämn, lätt[flytande], ledig [~ *motion;* ~ *style*]; lugn, friktionsfri **6** mild, mjuk [~ *wine;* ~ *voice;* ~ *music*] **7** a) lugn, jämn, vänlig [~ *temper*]; artig, smidig [~ *manners*] b) inställsam, hal [~ *manner*]; silkeslen [~ *tongue*] **II** *adv* jämnt [*run* ~]; *things have gone* ~ *with me* allt har gått bra (smidigt) [för mig] **III** *vb tr* **1** göra jämn (slät), jämna av äv. bildl. [~ *sb's path*]; släta 'till **2** ~ *down* a) släta 'till [~ *down one's dress* (*hair*)] b) jämna ut, mildra [~ *down differences*]; bilägga [~ *down a quarrel*] **3** ~ *out* a) släta ut [~ *out creases;* ~ *out a sheet*]; jämna ut b) släta över [~ *out faults*] **4** ~ *over* släta över

smoothie ['smu:ðɪ] *s* **1** vard. hal (inställsam, sliskig) individ **2** vanl. amer. smoothie slags fruktdrink

smoothly ['smu:ðlɪ] *adv* jämnt etc., jfr *smooth I; a* ~ *running engine* en motor med jämn gång

smorgasbord ['smɔ:gəsbɔ:d, 'smɜ:-] *s* smörgåsbord

smote [sməʊt] imperf. av *smite*

smother ['smʌðə] *vb tr* **1** kväva äv. bildl. [~ *a yawn;* ~ *one's anger*] **2** täcka, 'begrava'; [*the meat*] *was* ~*ed with sauce* ...var dränkt i sås **3** [över]hölja [~ *with caresses* (*gifts, dust*)]

smoulder ['sməʊldə] *vb itr* [ligga och] ryka; pyra, glöda under askan äv. bildl.

SMS [‚esem'es] *s* (förk. för *Short Message Services*) sms; *send an* ~ *message* sms:a, skicka [ett] sms

smudge [smʌdʒ] **I** *s* [smuts]fläck, suddigt märke **II** *vb tr* sudda (kludda, kladda) ner (till); bildl. fläcka; ~ *out* sudda ut **III** *vb itr* bli suddig, sudda; smeta

smudgy ['smʌdʒɪ] *adj* fläckig; suddig; mus. oren, oskarp

smug [smʌg] *adj* självbelåten; trångsynt

smuggle ['smʌgl] *vb tr* o. *vb itr* smuggla äv. bildl.

smuggler ['smʌglə] *s* smugglare

smuggling ['smʌglɪŋ] *s* smuggling

smut [smʌt] *s* **1** bildl. oanständighet[er] **2** sotflaga; sotfläck, smuts **3** rost på säd

smutty ['smʌtɪ] *adj* **1** oanständig, snuskig [~ *stories*]; smuts- **2** sotig, nersotad, nersmutsad **3** om säd angripen av rost

snack [snæk] **I** *s* matbit, lätt [mellan]mål; munsbit; ~*s* äv. tilltugg, snacks [~*s with the drinks*] **II** *vb itr* mumsa [*on* på]; småäta

snack bar ['snækbɑ:] *s* snackbar, [lunch]bar, barservering

snaffle ['snæfl] *vb tr* vard. knycka, sno

snafu [snæ'fu:] *s* kaos, röra, virrvarr

snag [snæg] **I** *s* **1** vard., *there's* (*that's*) *the* ~*!* det är det som är kruxet (stötestenen)!; *there's a* ~ *in it somewhere* det finns en hake någonstans **2** avbruten (utstående) grenstump; knagg **3** a) uppriven tråd (maska) b) reva **II** *vb tr* **1** riva (slita) sönder **2** amer. vard. lyckas fånga (snappa åt sig)

snail [sneɪl] *s* snigel med skal, om person äv. sölkorv; *at a* ~*'s pace* med snigelfart

snail mail ['sneɪlmeɪl] *s* vard. snigelpost vanlig postgång till skillnad från e-post

snake [sneɪk] **I** *s* orm äv. bildl.; ~ *in the grass* a) oanad (dold) fara b) orm i paradiset, falsk vän; ~*s and ladders* slags sällskapsspel med tärningar och brickor **II** *vb itr* slingra sig; ringla

snakebite ['sneɪkbaɪt] *s* ormbett

snake charmer ['sneɪk‚tʃɑ:mə] *s* ormtjusare

snake pit ['sneɪkpɪt] *s* **1** ormgrop **2** bildl. häxkittel; helvete

snakeskin ['sneɪkskɪn] *s* ormskinn i väskor etc.

snap [snæp] **I** *vb itr* **1** nafsa, snappa, hugga [*at* efter] **2** fräsa, fara ut [äv. ~ *out; she* ~*ped at* (åt, mot) *him*] **3** gå av (itu), brytas av (itu), knäckas [äv. ~ *off; the branch* ~*ped*]; *his nerves* ~*ped* hans nerver sviktade (klickade, höll inte) **4** knäppa [till]; *the lid* ~*ped shut* locket smällde igen **5** vard., ~ *to it* raskt ta itu med saken, sätta i gång omedelbart; *try to* ~ *out of it!* försök att komma över det!, ryck upp dig! **II** *vb tr* **1** ~ *up* nafsa (nappa) åt sig, snappa upp **2** ~ *sb's head off* bita (snäsa) av ngn **3** bryta av (itu) [äv. ~ *off*]; slita av [~ *a thread*] **4** knäppa med [~ *one's fingers*]; smälla med [~ *a whip*]; ~ *one's fingers at sb* bildl. strunta i ngn; visa förakt för ngn **5** knäppa

igen [~ *a clasp*]; ~ *the lid shut* smälla (slå) igen
locket **6** knäppa, fotografera
III *s* **1** nafsande **2 a**) knäpp, knäppande [*a ~ with
one's fingers*] **b**) knäck; smäll [*the oar broke with a
~*] **3** foto. vard., *a ~* se *snapshot 1* **4** amer.
[tryck]knäppe, lås [*the ~ of a bracelet*]; tryckknapp
5 slags kortspel för barn **6** amer. vard. lätt sak, bagatell
7 slags småkaka; *ginger ~s* ung. [hårda] pepparkakor
IV *adj* **1** snabb, snabb-, på stående fot [*a ~
decision*] **2** parl. plötslig, överrumplings- [~ *division*
(*vote*) (votering)]
V *adv*, *go ~* gå av med en smäll
snapdragon ['snæp,dræg(ə)n] *s* bot. lejongap
snap fastener ['snæp,fɑ:snə] *s* tryckknapp
snapper ['snæpə] *s* **1** zool., namn på flera rovfiskar, bl.a.
blåfisk **2** vard. kändisfotograf
snappy ['snæpɪ] *adj* **1** kvick; *make it ~!* vard. raska
(sno) på!, lägg på en rem! **2** snäsig, argsint
3 knäppande, smällande, knastrande [~ *sound*]
snapshot ['snæpʃɒt] *s* **1** foto. kort, snapshot
2 ögonblicksbild
snare [sneə] **I** *s* snara, bildl. äv. försåt; *lay ~s for* lägga
ut snaror för **II** *vb tr* snara, snärja
snarf [snɑ:f] *vb tr* vard. **1** sno (kapa) åt sig **2** kasta
(slafsa) i sig, sluka [äv. ~ *down*] **3** *she said
something hilarious and I totally ~ed coffee all over the
place* hon sade något vansinnigt roligt så att jag
skrattande sprutade kaffe ur både näsa och mun
1 snarl [snɑ:l] **I** *vb itr* morra [*at* åt]; om person
brumma ilsket [*at* åt, över] **II** *s* morrande;
brummande
2 snarl [snɑ:l] **I** *s* trassel, tova, fnurra, knut; härva
[*traffic ~*] bildl. äv. förveckling
II *vb tr* trassla till (in, ihop); *be ~ed up* vard. vara
tilltrasslad (kaotisk), ha kört ihop sig
snarl-up ['snɑ:lʌp] *s* trassel, röra, kaos;
trafiksammanbrott, trafikkaos [äv. *traffic ~*]
snatch [snætʃ] **I** *vb tr* **1** rycka till sig, rafsa (nappa)
åt sig [äv. ~ *up*]; gripa (hugga) [tag i]; ~ *away* rycka
bort (undan); ~ *off* rycka (slita) av [sig] **2** stjäla [sig
till] [~ *a kiss*; ~ *a nap*] **3** kidnappa **4** sno, stjäla
5 haffa; *be ~ed* torska, åka dit
II *vb itr*, ~ *at* gripa efter
III *s* **1** kort period (stund) **2** [brott]stycke; stump;
bit **3** stöld **4** kidnappning **5** gripande [av
brottsling] **6** vulg. fitta **7** i tyngdlyftning ryck
snatcher ['snætʃə] *s*, *a handbag ~* el. amer. *a purse ~* en
väskryckare
snatch squad ['snætʃskwɒd] *s* specialtränad grupp
poliser (soldater) som skingrar demonstranter genom att
snabbt plocka ut och arrestera upprorsledarna
snazzy ['snæzɪ] *adj* vard. flott, läcker; prålig
sneak [sni:k] **I** (imperf. o. perf. p. *~ed*, vanl. amer. äv.
snuck snuck) *vb itr* **1** smyga [sig]; ~ *away* smyga sig
i väg, lomma av; ~ *up on sb* smyga sig på ngn,
smyga sig fram till ngn **2** vard. skvallra, tjalla
II *vb tr* smyga (smussla, smuggla) in (ut) [~ *a gun
into one's pocket*]
III *s* vard. skvallerbytta
IV *adj* överrasknings- [~ *raid*]; smyg-
sneakers ['sni:kəz] *s pl* amer. vard. gympadojor,
gymnastikskor, sportskor
sneaking ['sni:kɪŋ] *adj* **1** hemlig, outtalad, dold [~

sympathy] **2** smygande; dunkel [~ *suspicion*];
lömsk
sneak preview [,sni:k'pri:vju:] *s* film.
förhandsvisning, försöksvisning
sneak thief ['sni:kθi:f] *s* småtjuv, ficktjuv
sneer [snɪə] **I** *vb itr* **1** hånle [*at* åt], hånflina **2** ~ *at*
håna, driva med, pika
II *s* hånleende, hånflin
sneeze [sni:z] **I** *vb itr* **1** nysa **2** vard., ~ *at* fnysa åt,
strunta i; *it's not to be ~d at* det är inte att förakta
(inga dåliga grejor)
II *s* nysning
snick [snɪk] **I** *vb tr* göra en lätt skåra (inskärning) i
II *s* [lätt] skåra
snicker ['snɪkə] vanl. amer. **I** *vb itr* se *snigger I* **II** *s* se
snigger II
snide [snaɪd] *adj* vard. spydig [~ *remarks*]
sniff [snɪf] **I** *vb itr* **1 a**) vädra, dra in luften genom
näsan, lukta (nosa) [*at* på], snusa, sniffa **b**) snörvla
2 fnysa, rynka på näsan [*at* åt]
II *vb tr* **1** andas in, insupa; snusa (sniffa) [på];
lukta (nosa) på; ~ *up* dra upp (in) [genom näsan]
2 känna lukten av **3** bildl. vädra [~ *a scandal*]
III *vb tr* med adv.:
sniff around a) snoka runt **b**) ~ *around sb* ha ögonen
på ngn
sniff out a) nosa upp **b**) vard. snoka upp
sniff round a) snoka runt **b**) ~ *round sb* ha ögonen på
ngn
IV *s* **1** inandning, snusande; snörvling; fnysning
2 andetag; sniff; doft [~ *of perfume*] **3** *she didn't
even get a ~ at a medal* hon kom inte ens i närheten
av medalj, hon fick inte ens nosa på medalj
sniffer ['snɪfə] *s* vard. sniffare
sniffer dog ['snɪfədɒg] *s* narkotikahund;
bombhund, räddningshund
sniffle ['snɪfl] *vb itr* o. *s* se *snuffle*
sniffy ['snɪfɪ] *adj* vard. överlägsen, viktig, föraktfull
snifter ['snɪftə] *s* **1** aromglas, konjakskupa
2 vard. åld. sup, hutt
snigger ['snɪgə] **I** *vb itr* fnissa, flina [*at*, *over* åt] **II** *s*
fnissande, flinande; flin
snip [snɪp] **I** *vb tr* klippa (nypa) ['av], knipsa 'av [äv.
~ *off*]
II *s* **1** klipp; klippande **2 a**) avklippt bit, remsa
b) liten bit **3** vard. kap, fynd [till vrakpris]
snipe [snaɪp] **I** *s* zool. beckasin; snäppa
II *vb itr* **1** mil. skjuta från bakhåll [*at* på] **2** vard.,
at slå ned på, hacka på
sniper ['snaɪpə] *s* krypskytt
snippet ['snɪpɪt] *s* **1** avklippt bit, remsa,
[tidnings]urklipp **2** pl. *~s* bildl. lösryckta stycken,
fragment, stumpar, småbitar, småplock
snit [snɪt] *s* amer. vard., *be in a ~* vara rasande
snitch [snɪtʃ] vard. **I** *s* **1** skvallerbytta **2** åld. kran,
snok näsa
II *vb itr* skvallra, tjalla [*on* på], uppträda som
angivare [*on* mot]
III *vb tr* knycka, sno
snivel ['snɪvl] *vb itr* **1** gnälla, lipa, snyfta **2** snörvla
snivelling ['snɪv(ə)lɪŋ] *adj* **1** gnällig **2** snorig
snob [snɒb] *s* snobb; *intellectual ~* intelligenssnobb
snobbery ['snɒbərɪ] *s* snobberi, högfärd
snobbish ['snɒbɪʃ] *adj* snobbig, snobb-

snog [snɒg] *vb itr* vard. hångla, kela

snook [snu:k, snʊk] *s* vard., *cock a ~ at* räcka lång näsa åt; ge blanka den i; *~s!* bää!, blää!

snooker ['snu:kə] **I** *s* snooker slags biljard **II** *vb tr* vard., *be ~ed* bli (vara) ställd, vara körd

snoop [snu:p] vard. **I** *vb itr* [gå och] snoka, spionera [äv. ~ *around*] **II** *s* snok, spion; *she had a ~ around the office* hon snokade runt lite på kontoret

snooper ['snu:pə] *s* vard. snok, spion

snooty ['snu:tɪ] *adj* vard. snorkig, mallig; vresig

snooze [snu:z] vard. **I** *vb itr* ta sig en lur **II** *s* [tupp]lur

snore [snɔ:] **I** *vb itr* snarka **II** *s* snarkning

snorkel ['snɔ:k(ə)l] **I** *s* snorkel **II** *vb itr* snorkla

snorkelling ['snɔ:kəlɪŋ] *s* snorkling

snort [snɔ:t] **I** *vb itr* fnysa; frusta **II** *vb tr* **1** fnysa, frusta [*out* fram] **2** snorta, sniffa [*~ cocaine*] **III** *s* **1** fnysning; frustande **2** sl. sniff dos kokain

snot [snɒt] *s* sl. snor

snot-nosed ['snɒtnəʊzd] *adj* amer. vard., se *snotty-nosed*

snotty ['snɒtɪ] *adj* vard. **1** snorkig **2** snorig

snotty-nosed ['snɒtɪnəʊzd] *adj* vard., *~ kid* snorunge

snout [snaʊt] *s* **1** nos, tryne vard. äv. om näsa **2** pip, tut; utsprång **3** sl. cigg cigarett

snow [snəʊ] **I** *s* **1** snö; snöfall; pl. *~s* a) snödrivor, snömassor b) snöfall c) snövidder; *~ clearance* snöröjning, snöskottning **2** sl. snö kokain **II** *vb itr* snöa äv. bildl.; *~ in* bildl. strömma in **III** *vb tr, be ~ed in (up)* bli (vara) insnöad; *be ~ed up* äv. vara igensnöad; *be ~ed under with letters* hålla på att drunkna i brev

snowball ['snəʊbɔ:l] **I** *s* snöboll äv. bildl.; *~ effect* vard. snöbollseffekt; *he hasn't a ~'s chance in hell* [*of passing the exam*] han har inte skuggan av en chans... **II** *vb itr* bildl. växa (tillta) i allt snabbare takt [*opposition to the war ~ed*] **III** *vb tr* kasta snöboll på

snow-blind ['snəʊblaɪnd] *adj* snöblind

snowblower ['snəʊˌbləʊə] *s* snöslunga

snowboard ['snəʊbɔ:d] *s* sport. snowboard

snowboarder ['snəʊˌbɔ:də] *s* sport. snowboardåkare

snowboarding ['snəʊˌbɔ:dɪŋ] *s* sport. snowboardåkning

snowbound ['snəʊbaʊnd] *adj* insnöad

snow-capped ['snəʊkæpt] *adj* snötäckt, snöklädd

snow chains ['snəʊtʃeɪnz] *s pl* bil. snökedjor

snow-covered ['snəʊˌkʌvəd] *adj* snötäckt, snöklädd

Snowdon ['snəʊdn] geogr.

snowdrift ['snəʊdrɪft] *s* snödriva

snowdrop ['snəʊdrɒp] *s* bot. snödroppe

snowfall ['snəʊfɔ:l] *s* **1** snöfall **2** snömängd

snowfield ['snəʊfi:ld] *s* snövidd, snöområde

snowflake ['snəʊfleɪk] *s* snöflinga

snow job ['snəʊdʒɒb] *s* amer. vard. snack, blaj; snömos

snowline ['snəʊlaɪn] *s* snögräns

snow|man ['snəʊ|mæn] (pl. *-men* [-men]) *s* snögubbe

snowmobile ['snəʊməbi:l] *s* snöskoter

snow pea ['snəʊpi:] *s* amer. sockerärt

snowplough ['snəʊplaʊ] **I** *s* **1** snöplog **2** sport. plogsväng **II** *vb itr* sport. ploga; göra en plogsväng

snowplough turn [ˌsnəʊplaʊ'tɜ:n] *s* sport. plogsväng

snowshoe ['snəʊʃu:] *s* snösko

snowstorm ['snəʊstɔ:m] *s* snöstorm, snöoväder

snowsuit ['snəʊsu:t] *s* vinteroverall för småbarn

snow tyre ['snəʊˌtaɪə] *s* vinterdäck, snödäck

Snow White ['snəʊwaɪt] Snövit i sagan

snowy ['snəʊɪ] *adj* **1** snöig, snötäckt; snö- [*~ weather*] **2** snövit

Snr o. **snr** ['si:nɪə] förk. för *senior*

snub [snʌb] **I** *vb tr* snäsa [av], snoppa av; stuka **II** *s* avsnäsning, avsnoppning **III** *adj, ~ nose* uppnäsa

snub-nosed ['snʌbnəʊzd] *adj* uppnäst

snuck [snʌk] vanl. amer., imperf. o. perf. p. av *sneak*

1 snuff [snʌf] **I** *vb tr* andas in, vädra; snusa [*~ tobacco*] **II** *s* [torrt] snus, luktsnus; *take ~* snusa

2 snuff [snʌf] *vb tr* **1** snoppa, putsa, snyta [*~ a candle*]; *~ out* släcka med ljussläckare o.d. **2** bildl. kväva, undertrycka [äv. *~ out*; *~* [*out*] *hopes*; *~* [*out*] *a rebellion*] **3** vard., *~ it* lämna in, kola dö

snuffbox ['snʌfbɒks] *s* snusdosa

snuffle ['snʌfl] **I** *vb itr* snörvla, tala i näsan **II** *s* snörvling; näston; *have the ~s* vara täppt i näsan

snuff movie [ˌsnʌf'mu:vɪ] *s* våldsporrfilm där verkligt mord begås under filmens gång

snug [snʌg] **I** *adj* **1** varm och skön, väl skyddad, ombonad; trygg, lugn; *be ~ in bed* ha det varmt och skönt i sängen; *be as ~ as a bug in a rug* ha det härligt (varmt och skönt) **2** snygg, prydlig **3** åtsittande [*a ~ jacket*]; stram; tättslutande; *fit ~ around the waist* sitta tätt kring midjan **II** *s* på värdshus enskilt rum, ostört bås

snuggle ['snʌgl] *vb itr* **1** sätta (lägga) sig bekvämt till rätta, ordna det skönt för sig, krypa ihop; *~ down* kura ihop, krypa ner **2** *~ up to* trycka (smyga) sig intill

1 so [səʊ] **I** *adv* **1** så; [så] till den grad; *it's ~ kind of you* det är mycket vänligt av dig; *be ~ fortunate as to get away* ha turen att komma undan **2** så, sålunda, på detta sätt, på så sätt; *~ and ~* se *so-and-so*; *rather ~ ~* vard. si och så, något så när, så där; *is that ~?* jaså?, säger du det? **3** spec. förbindelser: *~ as to* för att [*he hit the snake on the head ~ as to stun it*]; *~ far* se under *far II 1*; *~ help me God* så sant mig Gud hjälpe; *~ long* se under *1 long IV 2*; *and ~ on* el. *and ~ forth* och så vidare; *and ~ on and ~ forth* och så vidare i all oändlighet; *~ to speak* så att säga; *~ that* a) för att [*she died ~ that we might live*] b) så att [*he tied me up ~ that I couldn't move*]; *if ~* i så fall, om så är (vore); *just ~* precis så, just det! **4** *I'm afraid ~* jag är rädd för det; *I hope ~* jag hoppas det; *~ saying* med dessa ord; *I told you ~!* ord var [ju] det jag sa! **5** därför, följaktligen [*she is ill, and ~ cannot come to the party*] **6** som svar: [*It was cold yesterday.*] *– So it was ...* – Ja, det var det **7** *he is old and ~ am 'I* han är gammal och det är 'jag också

II *konj* **1** a) så [att] [*check carefully ~ any mistake will be found*] b) så, och därför, varför [*she asked me to go, ~ I went*] **2** i utrop så, jaså, alltså [*~ you're back again!*]; *~ there!* så är det!; *~ what?* än sen då?

2 so [səʊ] *s* mus. sol

soak [səʊk] **I** *vb tr* **1** blöta, lägga i blöt, låta ligga i blöt **2** göra genomvåt, [genom]dränka äv. bildl.; *~ed through* genomvåt, genomblöt, genomsur **3** vard. skinna, köra upp [*~ the tourists*]; pressa pengar av;

~ *the rich* låta de rika betala
II *vb itr* ligga i blöt, blötas; ~ *in a warm bath* ligga
länge i ett varmt bad
III *vb tr* o. *vb itr* med adv. el. prep.:
soak in a) sugas (tränga) in **b)** vard. insupa, suga i
sig (upp, åt sig) [~ *in the atmosphere*]; absorbera
soak up suga upp (åt sig) [~ *up information*];
absorbera
IV *s* **1** [genom]blötning, urblötning; blötläggning;
give a ~ el. *put in ~* lägga i blöt; *there is nothing like a
good long ~ in the bath* ingenting går upp mot en
lång skön stund i badet **2** vard. fylltratt, fyllkaja
soaking ['səʊkɪŋ] **I** *s* [upp]blötning, urblötning;
blötläggning **II** *adj* genomvåt, genomblöt,
genomsur **III** *adv*, ~ *wet* genomvåt, genomblöt,
genomsur
so-and-so ['səʊənsəʊ] (pl. ~s) *s* **1** den och den, det
eller det; *Mr So-and-so* äv. herr N.N. **2** neds. (ung.)
typ, jäkel, fårskalle [*that old ~*]
soap [səʊp] **I** *s* **1** tvål; såpa; *a ~* en tvål[sort]; *a cake
(piece, tablet) of ~* en tvål; *soft ~* a) såpa b) vard.
smicker **2** vard. såpa tv- el. radioserie
II *vb tr* såpa [in]; såptvätta
soapbox ['səʊpbɒks] *s* **1** tvålask **2** tvållåda;
improviserad talarstol; ~ *orator* folktalare; *get on
one's ~* vard. ställa sig upp och säga sin mening
soapflakes ['səʊpfleɪks] *s pl* tvålflingor
soap opera ['səʊpˌɒpərə] *s* tvålopera, vard. såpa
soap powder ['səʊpˌpaʊdə] *s* tvåltvättmedel
soapstone ['səʊpstəʊn] *s* täljsten; steatit,
späcksten; talk
soapsuds ['səʊpsʌdz] *s pl* tvållödder, såplödder;
tvålvatten, såpvatten
soapy ['səʊpɪ] *adj* **1** tvålig, tvål-, tvålaktig; såpig
2 bildl. inställsam
soar [sɔː] *vb itr* **1** flyga (sväva) högt, stiga, höja sig
2 bildl. **a)** svinga sig upp till (sväva i) högre rymder
b) stiga (stegras) våldsamt, skjuta i höjden [*prices
are ~ing*]
sob [sɒb] **I** *vb itr* snyfta
II *vb tr*, ~ *out* snyfta fram; ~ *one's heart out* snyfta
så att hjärtat kan brista
III *s* snyftning, snyftande
s.o.b. [ˌesəʊˈbiː] förk. för *son of a bitch*
sober ['səʊbə] **I** *adj* **1** nykter; måttlig; *as ~ as a judge*
vard. spik nykter; *become ~* el. *become ~ again* nyktra
till **2 a)** måttfull, sansad [~ *judgement*]; behärskad,
besinningsfull, lugn; *on ~ reflection* el. *on a more ~
note* vid närmare eftertanke **b)** nykter, klar, enkel
[~ *facts*] **c)** allvarsam, saklig **3** sober, dämpad,
diskret [~ *colours*]
II *vb tr* få (göra) nykter [äv. ~ *up*]
III *vb itr* nyktra till, bli nykter [vanl. ~ *up*]
sobriety [sə(ʊ)ˈbraɪətɪ] *s* **1** nykterhet; måttlighet
2 måttfullhet, sans, besinning
sobriquet ['səʊbrɪkeɪ] *s* **1** öknamn **2** antaget namn
sob sister ['sɒbˌsɪstə] *s* vard. snyftjournalist;
redaktör för hjärtespalt
sob story ['sɒbˌstɔːrɪ] *s* vard. **1** snyfthistoria
2 snyftvals ursäkt, undanflykt
sob stuff ['sɒbstʌf] *s* vard. sentimentalt larv
Soc. förk. för *Socialist, Society*
so-called [ˌsəʊˈkɔːld, attr. '--] *adj* mest neds. s.k., så
kallad

soccer ['sɒkə] *s* (vard. kortform av *Association
football*) fotboll i motsats till rugby el. amerikansk fotboll
sociability [ˌsəʊʃəˈbɪlətɪ] *s* sällskaplighet
sociable ['səʊʃəbl] *adj* sällskaplig; ~ *person*
sällskapsmänniska
social ['səʊʃ(ə)l] **I** *adj* **1** social, social-; samhällelig,
samhälls-; ~ *standing* el. ~ *position* socialt anseende,
social ställning **2** zool. samhällsbildande
3 sällskaplig; sällskaps- [~ *talents*]; umgänges-
II *s* **1** ngt åld. samkväm, tillställning, bjudning **2** *the*
~ sl. socialbidraget
social care [ˌsəʊʃ(ə)lˈkeə] *s* samhällsvård
social climber [ˌsəʊʃ(ə)lˈklaɪmə] *s* streber,
samhällsklättrare
social climbing [ˌsəʊʃ(ə)lˈklaɪmɪŋ] *s* klättring på
samhällsstegen
Social Democrat [ˌsəʊʃ(ə)lˈdeməkræt] *s*
socialdemokrat
social disease [ˌsəʊʃ(ə)ldɪˈziːz] *s* eufem.
könssjukdom
social drugs [ˌsəʊʃ(ə)lˈdrʌgz] *s pl* partydroger
socialism ['səʊʃəlɪz(ə)m] *s* socialism
socialist ['səʊʃəlɪst] **I** *s* socialist; ibland
socialdemokrat **II** *adj* socialistisk, socialist-; ibland
socialdemokratisk [*the ~ party*]
socialite ['səʊʃəlaɪt] *s* vard. societetslejon, kändis
socialize ['səʊʃəlaɪz] **I** *vb tr* psykol. göra social
(socialt anpassad)
II *vb itr* **1** ~ *with* umgås med **2** delta i sällskapslivet
socialized medicine [ˌsəʊʃəlaɪzdˈmedɪsɪn] *s* amer. fri
sjukvård genom samhällets försorg
social ladder [ˌsəʊʃ(ə)lˈlædə] *s, the* ~ samhällsstegen
socially ['səʊʃ(ə)lɪ] *adv* **1** socialt, samhälleligt **2** på
det sociala planet; *I have known her ~* [*for the last six
years*] äv. jag har varit bekant med henne...
social order [ˌsəʊʃ(ə)lˈɔːdə] *s* samhällsordning,
social struktur; socialt nätverk
social science [ˌsəʊʃ(ə)lˈsaɪəns] *s*
samhällsvetenskap[erna]
social scientist [ˌsəʊʃ(ə)lˈsaɪəntɪst] *s*
samhällsvetare
social security [ˌsəʊʃ(ə)lsɪˈkjʊərətɪ] *s*
1 socialförsäkring inklusive pension; *be on* ~ amer. ha
(få) socialbidrag, leva på det sociala **2** social
trygghet
social security number [ˌsəʊʃ(ə)lsɪˈkjʊərətɪˌnʌmbə]
s amer., ung. personnummer
social services [ˌsəʊʃ(ə)lˈsɜːvɪsɪz] *s pl* sociala
förmåner; socialvård[en], socialtjänst[en]
social studies [ˌsəʊʃ(ə)lˈstʌdɪz] *s pl*
samhällsorienterande ämnen, samhällsvetenskap
social welfare [ˌsəʊʃ(ə)lˈwelfeə] *s* socialvård
social welfare office [ˌsəʊʃ(ə)lˈwelfeəˌɒfɪs] *s*
socialbyrå
social work ['səʊʃ(ə)lwɜːk] *s* socialt arbete,
socialvård
social worker ['səʊʃ(ə)lˌwɜːkə] *s* socialarbetare,
socialvårdare
societal [səˈsaɪətl] *adj* samhällelig, samhälls- [~
attitudes]
society [səˈsaɪətɪ] *s* **1** samhälle[t] **2** samfund,
sällskap, förening; *charitable* ~
välgörenhetsförening; *learned* ~ lärt (vetenskapligt)
samfund **3 a)** sällskap [*feminine ~*] **b)** krets[ar]

[*musical* ~; *literary* ~]; vänkrets, umgängeskrets
4 ~ el. **high** ~ societet[en], sällskapslivet, de högre
[sällskaps]kretsarna [ofta *Society*]; **fashionable** ~ de
högre kretsarna, överklassen; *in polite* ~ i bildat
(fint) sällskap, i bildade (kultiverade) kretsar
[*move* (röra sig) *in polite* ~]
sociocultural [ˌsəʊsɪəʊˈkʌltʃər(ə)l, ˌsəʊʃɪəʊ-] *adj*
sociokulturell, social och kulturell
socioeconomic [ˈsəʊʃɪəʊˌiːkəˈnɒmɪk] *adj* sociol.
socioekonomisk
sociolinguistics [ˌsəʊʃɪəʊlɪŋˈgwɪstɪks] (med verb i sg.)
s sociolingvistik, språksociologi
sociological [ˌsəʊʃɪəʊˈlɒdʒɪk(ə)l] *adj* sociologisk
sociologist [ˌsəʊʃɪˈɒlədʒɪst] *s* sociolog
sociology [ˌsəʊʃɪˈɒlədʒɪ] *s* sociologi
1 sock [sɒk] *s* [kort]strumpa, socka; *pull one's ~s up*
vard., ung. skärpa (rycka upp) sig, ta nya tag (ett
krafttag); *put a ~ in it!* sl. håll käften!, lägg av!; *work
one's ~s off* vard. arbeta ihjäl sig
2 sock [sɒk] sl. **I** *s* slag, smäll; *a ~ on the jaw* ett slag
på käften, en snyting
II *vb tr* slå, dänga [till], slänga; *~ it to sb* ge ngn på
käften, ge ngn så han (hon) tiger; *~ it to 'em!* ge
järnet!, ge dom vad dom tål!
socket [ˈsɒkɪt] *s* **1** hålighet, håla; urtag; ledskål;
eye ~ ögonhåla **2** hållare, sockel, fattning [*lamp* ~];
uttag, *wall* ~ vägguttag **3** mek. hylsa, hållare
socket outlet [ˈsɒkɪtˌaʊtlet] *s* [el]uttag
socket wrench [ˈsɒkɪtren(t)ʃ] *s* hylsnyckel
socking [ˈsɒkɪŋ] *adj* vard. jäkla [*a ~ big hole*]
1 sod [sɒd] vulg. **I** *s* jävel, knöl, kräk [*you cheeky
~!*]; *poor ~!* stackars jävel (kräk)! **II** *vb tr, ~ it!* fan!;
~ that! det skiter jag (ger jag fan) i! **III** *vb itr, ~ off!*
stick [din jävel]!
2 sod [sɒd] *s* vanl. litt. **1** gräsmatta, gräsmark,
grästorv **2** grästorva
soda [ˈsəʊdə] *s* **1** sodavatten **2** amer. ice-cream soda;
läsk **3** soda; kem. natriumkarbonat **4** kaustik soda
5 bikarbonat [äv. *bicarbonate of* ~]; kem.
natriumvätekarbonat **6** natriumoxid
soda bread [ˈsəʊdəˌbred] *s* bröd bakat med
bikarbonat som jäsmedel
soda fountain [ˈsəʊdəˌfaʊntən] *s* **1** ung. glassbar;
läskedrycksbar **2** läskedrycksautomat
sod all [ˌsɒdˈɔːl] *s* sl., *she's done* ~ hon har inte gjort
ett skit
soda water [ˈsəʊdəˌwɔːtə] *s* sodavatten
sodden [ˈsɒdn] *adj* **1** genomblöt, genomdränkt **2** om
bröd o.d. degig, kladdig **3** svampig
sodding [ˈsɒdɪŋ] *adj* vulg. jävla
sodium [ˈsəʊdɪəm] *s* kem. natrium
sodium bicarbonate [ˌsəʊdɪəmbaɪˈkɑːbənət] *s* kem.
natriumvätekarbonat, bikarbonat
sodium carbonate [ˌsəʊdɪəmˈkɑːbənət] *s* kem.
natriumkarbonat: **a)** kalcinerad soda
b) kristallsoda
sodium chloride [ˌsəʊdɪəmˈklɔːraɪd] *s* kem.
natriumklorid, koksalt
sodomize [ˈsɒdəmaɪz] *vb tr* ha analt samlag med;
utsätta för anal våldtäkt
sodomy [ˈsɒdəmɪ] *s* sodomi: **a)** analt samlag i allm.
b) tidelag
Sod's law [ˈsɒdzlɔː] *s* vard. lagen om alltings
djävlighet

sofa [ˈsəʊfə] *s* soffa; *on the* ~ i (på) soffan
sofa bed [ˈsəʊfəbed] *s* bäddsoffa
Sofia [ˈsəʊfɪə, sə(ʊ)ˈfiːə] geogr.
soft [sɒft] *adj* **1** mjuk [~ *pillow*]; lös **2** dämpad, soft
[~ *colour*; ~ *light*; ~ *music*]; mjuk [~ *outline*
(kontur)] **3** mild [~ *breeze*; ~ *climate*; ~ *words*; ~
eyes]; blid [~ *day*; ~ *winter*]; god [~ *heart*] **4** lätt,
lindrig [~ *job*] **5** vek[lig], pjoskig, beskedlig; *go ~*
vard. bli blödig, tappa stinget **6** vard. tokig, fånig; *be
~ on* (*about*) *sb* vara småkär i (svärma för) ngn; *you
have gone a bit ~ in the head!* du måste ha blivit
[alldeles] snurrig!
softball [ˈsɒftbɔːl] *s* amer. softball slags baseboll
soft-boiled [ˌsɒftˈbɔɪld, attr. ˈ--] *adj* löskokt [~ *eggs*]
soft-centred [ˌsɒftˈsentəd] *adj* **1** om sötsak fylld
2 bildl. blödig, ömsint
soft copy [ˌsɒftˈkɒpɪ] *s* data. skärmutskrift
soft-core [ˈsɒftkɔː] *adj*, ~ *pornography* mjukporr
soft currency [ˌsɒftˈkʌr(ə)nsɪ] *s* mjukvaluta
soft drink [ˌsɒftˈdrɪŋk] *s* alkoholfri dryck,
läskedryck
soft drugs [ˌsɒftˈdrʌgz] *s pl* lätt hasch, marijuana o.d.
narkotika
soften [ˈsɒfn] **I** *vb tr* **1** mjuka upp, göra mjuk [bildl.
ofta ~ *up*] **2** dämpa, mildra, lindra [äv. ~ *down*];
bildl. försvaga, förslappa [~*ed by luxury*] **3** stämma
mildare; ~ *sb's heart* få ngns hjärta att vekna
II *vb itr* mjukna, bli mildare, mildras; vekna alla äv.
bildl.
softener [ˈsɒfnə] *s* mjuk[nings]medel,
mjukgöringsmedel
soft focus [ˌsɒftˈfəʊkəs] *s* foto. softfokusbild
soft fruit [ˌsɒftˈfruːt] *s* [trädgårds]bär
soft furnishings [ˌsɒftˈfɜːnɪʃɪŋz] *s*
inredningstextilier, hemtextilier
soft-hearted [ˌsɒftˈhɑːtɪd] *adj* godhjärtad, ömsint,
deltagande
softie [ˈsɒftɪ] *s* se *softy*
soft landing [ˌsɒftˈlændɪŋ] *s* flyg. mjuklandning äv.
bildl.
softly-softly [ˌsɒftlɪˈsɒftlɪ] *adj* mjuk, försiktig [*a ~
approach*]
soft-pedal [ˌsɒftˈpedl] *vb tr* vard. dämpa (tona) ner
soft pedal [ˌsɒftˈpedl] *s* vard. **1** mus., *the ~*
vänsterpedalen, sordinpedalen på piano o.d. **2** bildl.
sordin, hämsko
soft porn [ˌsɒftˈpɔːn] *s* vard. mjukporr
soft sell [ˌsɒftˈsel] *s* mjuk försäljningsteknik
soft shoulder [ˌsɒftˈʃəʊldə] *s* trafik. lös (mjuk)
vägkant (vägren)
soft-soap [ˌsɒftˈsəʊp] *vb tr* vard. smickra
soft-spoken [ˈsɒftˌspəʊk(ə)n, ˌ-ˈ--] *adj*, *be ~* a) tala
med mild (vänlig) röst b) vara vänlig (älskvärd)
soft top [ˌsɒftˈtɒp] *s* bil. **1** cabriolet **2** sufflet
soft touch [ˌsɒftˈtʌtʃ] *s* vard. **1** lätt[lurat] offer,
person som är lätt att klå på pengar **2** lätt (snabb)
affär **3** person som är lätt att rå på; lätt match
soft toy [ˌsɒftˈtɔɪ] *s* mjukisdjur
software [ˈsɒftweə] *s* data. programvara, mjukvara
software engineer [ˈsɒftweəˌen(d)ʒɪˈnɪə] *s* data.
programmerare
software house [ˈsɒftweəhaʊs] *s* data.
programvaruhus

software package ['sɒftweə,pækɪdʒ] *s*
programpaket
software piracy [,sɒf(t)weə'paɪərəsɪ] *s* data.
piratkopiering av program
softwood ['sɒftwʊd] *s* mjukt träslag, trä av
barrträd, furu; ~ *tree* barrträd
softy ['sɒftɪ] *s* **1** ynkrygg, mes, mammas gosse; våp
2 enfaldig stackare, fåne, tok, toka
soggy ['sɒgɪ] *adj* **1** blöt; om mark äv. uppblött,
sumpig **2** om bröd degig, tung **3** trög, tung
soh [səʊ] *s* mus. sol
SOHO o. **SoHo** ['səʊhəʊ, ,esəʊ'eɪtʃəʊ] (förk. för *small
office, home office*) hemmakontor, fåmanskontor
uttr. används särsk. om kontorsprodukter för denna marknad
Soho ['səʊhəʊ, sə(ʊ)'həʊ] distrikt i London med utländska
restauranger, nattklubbar o. affärer
1 soil [sɔɪl] *s* **1** jord, jordmån [*rich* ~; *poor* ~]; mull,
mylla; grogrund äv. bildl. **2** mark, botten [*on foreign*
~]
2 soil [sɔɪl] **I** *vb tr* smutsa [ner], solka [ner] [~ *one's
hands*; ~ *one's clothes*]; ~*ed linen* smutskläder,
smutstvätt **II** *vb itr* smutsas, bli smutsig [*material
that* ~*s easily*]
soirée ['swɑːreɪ] *s* fr. soaré
sojourn ['sɒdʒɜːn] litt. **I** *vb itr* vistas, uppehålla sig
[*with* hos; *at* vid; *in* i] **II** *s* vistelse
sol [sɒl] *s* mus. sol
solace ['sɒləs] **I** *s* tröst, lindring **II** *vb tr* trösta; ~
oneself trösta sig
solar ['səʊlə] *adj* sol- [~ *ray*; ~ *battery*; ~
microscope]; solar- [~ *constant*]
solar cell [,səʊlə'sell] *s* solcell
solar day [,səʊlə'deɪ] *s* soldygn
solar energy [,səʊlə'enədʒɪ] *s* solenergi
solari|um [sə(ʊ)'leərɪ|əm] (pl. -*ums* el. -*a* [-ə]) *s*
solarium
solar panel [,səʊlə'pænl] *s* solpanel
solar plexus [,səʊlə'pleksəs] *s* anat. el. boxn.
solarplexus, vard. äv. maggrop[en]
solar system ['səʊlə,sɪstəm] *s* solsystem
solar year [,səʊlə'jɪə] *s* solår
sold [səʊld] imperf. o. perf. p. av *sell*
solder ['sɒldə, 'səʊldə] **I** *s* lod, lödmetall **II** *vb tr*
löda [ihop (fast)]
soldering iron ['sɒld(ə)rɪŋ,aɪən, 'səʊld-] *s* lödkolv
soldier ['səʊldʒə] **I** *s* soldat; *common* ~ el. *private* ~
menig; *old* ~ a) gammal soldat, veteran b) gammal
och erfaren man; *come the old* ~ *over sb* vard.
[försöka] trycka ner ngn åberopande sin långa erfarenhet;
tin ~ el. *toy* ~ tennsoldat
II *vb itr*, ~ *on* kämpa 'på, hålla stånd (ut)
1 sole [səʊl] **I** *s* **1** [sko]sula; fotsula **2** zool.
[sjö]tunga; *Dover* ~ äkta sjötunga
II *vb tr* [halv]sula
2 sole [səʊl] *adj* enda; ensam i sitt slag; *in* ~
possession of i okvald besittning av
sole agent [,səʊl'eɪdʒ(ə)nt] *s* ensamförsäljare,
ensamagent
solecism ['sɒlɪsɪz(ə)m] *s* språkfel
sole distributor [,səʊldɪ'strɪbjʊtə] *s*
ensamförsäljare, ensamagent
sole heir [,səʊl'eə] *s* universalarvinge
solely ['səʊllɪ] *adv* **1** ensam [~ *responsible*]
2 endast, uteslutande, blott [och bart], allenast

solemn ['sɒləm] *adj* högtidlig, allvarlig
solemnity [sə'lemnətɪ] *s* högtidlighet
solemnize ['sɒləmnaɪz] *vb tr*, ~ *a marriage* förrätta
en vigsel
sole right [,səʊl'raɪt] *s* ensamrätt
solicit [sə'lɪsɪt] **I** *vb tr* **1** [enträget] be, hemställa
hos, anropa [~ *sb for* (om) *sth*; ~ *sb to* ([om] att) *do
sth*] **2** [enträget] be om, utbe sig, hemställa om [~ *a
favour from sb* (av ngn)]; ~ *votes* [försöka] värva
röster **3** om prostituerad bjuda ut sig åt, antasta
II *vb itr* **1** tigga, be **2** om prostituerad bjuda ut sig,
antasta (ofreda) presumtiva kunder
solicitor [sə'lɪsɪtə] *s* **1** i England advokat som förbereder
mål för *barrister*, underrättsadvokat; jurist,
juridiskt ombud **2** i USA stadsjurist; juridisk
rådgivare **3** amer. [röst]värvare; ackvisitör,
insamlare [av bidrag]; bettlare
Solicitor-General [sə,lɪsɪtə'dʒen(ə)r(ə)l] (pl.
Solicitors-General el. *Solicitor-Generals*) *s* **1** i
England: kronjurist; motsv. ung. biträdande (vice)
justitiekansler **2** i USA: ung. biträdande
justitieminister; i vissa delstater statsjurist
solicitous [sə'lɪsɪtəs] *adj* ivrig, angelägen [*for, of*
om; *to do* [om] att göra]
solicitude [sə'lɪsɪtjuːd] *s* **1** [överdriven] omsorg
2 oro, ängslan [*for* för]; bekymmer
solid ['sɒlɪd] **I** *adj* **1** fast äv. bildl. [~ *bodies*]; i fast
form; ~ *food* fast föda; *it had become* ~ den hade
antagit fast form; *it was frozen* ~ den var hårdfrusen
(bottenfrusen); *packed* ~ fullproppad **2** massiv [*a* ~
ball; *a* ~ *tyre*]; solid, gedigen; ~ *chocolate* ren
(ofylld) choklad; ~ *gold* massivt (gediget) guld
3 bastant, stadig, mastig [*a* ~ *meal*; *a* ~ *pudding*]; ~
ground stadig (fast) grund; ~ *flesh* fast hull
4 pålitlig, rejäl, vederhäftig [*a* ~ *man*]; säker, solid
[~ *business*; *a* ~ *firm*]; hållbar [~ *arguments*]
5 enhällig, enig; ~ *majority* kompakt (säker)
majoritet **6** obruten, sammanhängande [*a* ~ *row of
buildings*]; heldragen [~ *line*; ~ *wire*]; *for two* ~
hours el. *for two hours* ~ två timmar i sträck, i två
hela timmar; *a* ~ *day's work* en hel dags arbete
7 kubik-; rymd-
II *adv* enhälligt [*vote* ~]
III *s* **1** fys. fast kropp **2** geom. solid (tredimensionell)
figur, kropp **3** pl. ~*s* a) fasta ämnen
(beståndsdelar); torrsubstans b) fast föda
solidarity [,sɒlɪ'dærətɪ] *s* solidaritet,
samhörighetskänsla
solid fuel [,sɒlɪd'fjʊəl] *s* fast bränsle
solid geometry [,sɒlɪddʒɪ'ɒmətrɪ] *s* rymdgeometri
solidify [sə'lɪdɪfaɪ] **I** *vb tr* överföra till fast form;
göra fast (solid); konsolidera **II** *vb itr* övergå till
fast form; bli fast (solid), stelna
solidity [sə'lɪdətɪ] *s* fasthet; soliditet etc., jfr *solid I*
Solid South [,sɒlɪd'saʊθ] *s*, *the* ~ den massivt
demokratiska Södern de sydstater i USA som av tradition
stöder demokratiska partiet
soliloquy [sə'lɪləkwɪ] *s* samtal med sig själv; spec.
teat. monolog
solitaire [,sɒlɪ'teə] *s* **1** solitär diamant o.d.; smycke
med en solitär **2** vanl. amer. kortsp. patiens
solitary [sɒlɪt(ə)rɪ] **I** *adj* **1** ensam [*a* ~ *traveller*];
som lever (bor) för sig själv **2** enda [*not a* ~
instance]; enstaka [*a* ~ *exception*] **3** enslig, avskild,

undangömd [*a ~ village*]; ödslig
II *s* **1** vard., se *solitary confinement* **2** ensling; eremit
solitary confinement [ˌsɒlɪt(ə)rɪkən'faɪnm(ə)nt] *s*
[placering i] ensamcell (isoleringscell)
solitude ['sɒlɪtjuːd] *s* **1** ensamhet, avskildhet
2 enslighet, ödslighet
sol|o ['səʊl|əʊ] **I** (pl. *-os*, mus. äv. *-i* [-iː]) *s* **1 a)** mus.
solo **b)** solouppträdande, solonummer m.m.
2 kortsp. solo
II *adj* solo-, ensam- [*~ flight*]; **~ whist**
tvåmanswhist
III *adv* solo, ensam [*fly ~*]; **go ~** bli sin egen
soloist ['səʊləʊɪst] *s* solist
so-long [ˌsəʊ'lɒŋ] *interj* vard. hej [så länge]!
solstice ['sɒlstɪs] *s* solstånd [*summer ~*; *winter ~*]
solubility [ˌsɒljʊ'bɪlətɪ] *s* [upp]lösbarhet, löslighet
soluble ['sɒljʊbl] *adj* **1** [upp]lösbar, löslig [*~ in water*] **2** lösbar, som kan lösas [*a ~ problem*]
solution [sə'luːʃ(ə)n, sə'ljuː-] *s* **1** lösande, lösning [*the ~ of* (av) *an equation*; *the ~ of* el. *to* (på) *a problem* (*sb's troubles*)] **2** kem. lösning
solvable ['sɒlvəbl] *adj* lösbar; tydbar
solve [sɒlv] *vb tr* lösa [*~ a problem*; *~ a riddle*]; klara upp, tyda
solvency ['sɒlv(ə)nsɪ] *s* hand. solvens, betalningsförmåga
solvent ['sɒlv(ə)nt] **I** *adj* **1** kem. [upp]lösande [*~ liquid*]; lösnings- **2** hand. solvent, vederhäftig
II *s* **1** kem. lösningsmedel **2** bildl. lösning [*for* på]
solvent abuse ['sɒlv(ə)ntəˌbjuːs] *s* sniffning av lim etc.
solver ['sɒlvə] *s*, **crossword ~** korsordslösare; **problem ~** problemlösare
Som förk. för *Somerset*
Somali [sə(ʊ)'mɑːlɪ] **I** *adj* somalisk; **the ~ Republic** Somalia
II *s* **1** (pl. *~[s]*) somalier **2** somali[språket]
Somalia [sə(ʊ)'mɑːlɪə] geogr.
Somalian [sə(ʊ)'mɑːlɪən] **I** *s* somalier **II** *adj* somalisk
sombre ['sɒmbə] *adj* mörk, dyster
sombrero [sɒm'breərəʊ] (pl. *~s*) *s* sombrero slags hatt
some [sʌm, obeton. səm] **I** *fören* o. *självst indef pron*
1 någon, något, några [*~ person might have seen it*; *I bought ~ stamps*]; en [*there is ~ man at the door*]; [*I have read it*] *in ~ book or other* ...i någon bok [någonstans]; *~ fool or other* [*has opened it*] någon dåre vem det nu är...; *~ other time* en (någon) annan gång **2** viss [*it is open on ~ days*]; en viss [*there is ~ truth in what you say*] **3** en del [*~ [of it] was spoilt*]; somlig [*~ work is pleasant*] **4** litet [*~ bread*; *~ money*; *would you like ~ more?*]
5 åtskillig, en hel del, inte så lite [*that will take ~ courage*]; [*I shall be away*] *for ~ time* ...en längre (någon) tid; *for ~ time yet* än på ett [bra] tag **6** vard. något till [en], som heter duga; *that was ~ party!* det var en riktig fest, det!
II *adv* **1** framför räkneord o.d. ungefär, omkring, en [*~ twenty minutes*]; *~ dozen people* ett dussintal människor **2** vard. rätt, ganska [så], något till [*she seemed annoyed ~*]; *that's going ~!* vilken fart!
somebody ['sʌmbədɪ, -ˌbɒdɪ] **I** *självst indef pron* någon; *~ or other* någon [vem det nu är (var)]; en eller annan; *or ~* eller någon [annan]

II *s* betydande (framstående) person, någon; *she thinks she is ~* hon tror att hon 'är något
somehow ['sʌmhaʊ] *adv* på något (ett eller annat) sätt [äv. *~ or other*]; i alla fall [*I managed it ~*]; så gott du (han osv.) kan (kunde) [*well, do it ~!*]; hur som helst [*~, I feel sure that...*]; av någon anledning, vad det nu beror på [*she never liked me, ~*]
someone ['sʌmwʌn] *självst indef pron* någon; jfr *somebody* I
someplace ['sʌmpleɪs] *adv* amer. någonstans
somersault ['sʌməsɔːlt, -sɒlt] **I** *s* kullerbytta, volt, bildl. äv. helomvändning; *do a ~* el. *turn a ~* se *somersault* II
II *vb itr* slå en kullerbytta
Somerset ['sʌməset] geogr.
something ['sʌmθɪŋ] **I** *självst indef pron* o. *s* något, någonting; *a certain ~* något visst; *~ or other* någonting [vad det nu är (var)]; ett eller annat; *or ~* vard. eller något sådant (ditåt, i den stilen) [*he was a painter or ~*]; *~ of the kind* (*sort*) el. *~ to that effect* någonting ditåt (åt det hållet), någonting i den stilen (vägen); *a new book aimed at thirty-somethings* en ny bok som riktar sig till gruppen 30-någonting; *she is ~ in the Customs* hon är något vid tullen; *that's ~!* det är saker, det!; *there is ~ in that* det ligger något i det, det är något att ta fasta på; *you've got ~ there!* där sa du någonting!; *tell me ~* a) berätta [något] för mig b) säg mig [en sak]; *he thinks himself ~* el. *he thinks he is ~* han tror att han 'är något
II *adv* **1** *~ like* se under *1 like* II 3 **2** a) något, litet [*~ over forty*] b) vard. något [så], rent [*he swears ~ awful* (förfärligt)]; [*she treated me*] *~ shocking* ...på ett upprörande sätt
sometime ['sʌmtaɪm] **I** *adv* någon gång; *we will do it ~ or other* vi ska göra det någon gång [i framtiden]
II *adj* **1** förra, förutvarande [*~ sheriff* el. *the ~ sheriff*] **2** amer., *a ~ contributor to this project* en som tidvis (emellanåt) brukar bidra till projektet
sometimes ['sʌmtaɪmz] *adv* ibland, emellanåt, då och då, stundom
somewhat ['sʌmwɒt] **I** *adv* något, rätt, ganska, tämligen [*it is ~ complicated*]; *~ to her astonishment* [*they left the room*] det förvånade henne något att...; *more than ~* vard. inte så lite [*he was more than ~ perplexed*]
II *självst indef pron* o. *s* litt. något, en del, litet; *he is ~ of a liar* han är en riktig (verklig) lögnare
somewhere ['sʌmweə] *adv* någonstans, någonstädes; *~ else* någon annanstans, annorstädes; *~ or other* någonstans [varsomhelst]; *~ about* (*round*) *Christmas* vid jultiden, kring jul; *~ about* (*round*) *ten pounds* ungefär (så där omkring) 10 pund; *get ~* bildl. komma någonvart [i livet], slå sig fram; *I've got to go ~* vard. jag måste gå nånstans (gå på ett visst ställe)
somnambulism [sɒm'næmbjʊlɪz(ə)m] *s* somnambulism, sömngång
somnambulist [sɒm'næmbjʊlɪst] *s* sömngångare, somnambul
somnolence ['sɒmnələns] *s* sömnighet, dåsighet
somnolent ['sɒmnələnt] *adj* **1** sömnig, dåsig **2** sövande

son [sʌn] *s* **1** son; *~ and heir* son och arvinge, 'arvprins' **2** i tilltal [min] gosse, min pojke

sonar ['səʊnɑː] *s* (fork. för *sound navigation and ranging*) ekolod; hydrofon; sonar

sonata [sə'nɑːtə] *s* mus. sonat; sonat- [*~ form*]

son et lumière [ˌsɒneɪ'luːmɪeə] *s* fr. ljud- och ljusspel

song [sɒŋ] *s* sång; visa; *the Song of Songs* el. *the Song of Solomon* bibl. Höga Visan; *book of ~s* sångbok, visbok; *give a ~* sjunga en visa; *nothing to make a ~ and dance about* vard. ingenting att göra [någon stor] affär av; *buy (sell) sth for a ~* köpa (sälja) ngt för en spottstyver; *be on ~* vard. vara i toppform; fungera perfekt

songbird ['sɒŋbɜːd] *s* sångfågel

songbook ['sɒŋbʊk] *s* sångbok, visbok

songster ['sɒŋstə] *s* sångare äv. om fågel el. poet.

songwriter ['sɒŋˌraɪtə] *s* sångtextförfattare, låtskrivare, visdiktare

sonic ['sɒnɪk] *adj* ljud-, sonisk

sonic barrier [ˌsɒnɪk'bærɪə] *s, the ~* ljudvallen

sonic boom [ˌsɒnɪk'buːm] *s* [ljud]bang överljudsknall

son-in-law ['sʌnɪnlɔː] (pl. *sons-in-law* ['sʌnzɪnlɔː]) *s* svärson, måg

sonnet ['sɒnɪt] *s* sonett

sonny ['sʌnɪ] *s* åld., som tilltal [min] lille gosse (vän); gosse lilla [äv. *~ boy*]

son of a bitch o. **sonofabitch** [ˌsʌnəvə'bɪtʃ] (pl. vanl. *sons of bitches*) *s* vanl. amer. sl. jävel, jävla knöl

son of a gun [ˌsʌnəvə'gʌn] (pl. vanl. *sons of guns*) *s* vard. skojare; *hello, you ~!* hej din rackare!, tjänamors!

Son of Man [ˌsʌnəv'mæn] *s, the ~* bibl. Människosonen

sonority [sə'nɒrətɪ] *s* mus. o.d. sonoritet, klangfullhet, fulltonighet

sonorous ['sɒnərəs, sə'nɔːrəs] *adj* **1** ljudande, ljudlig **2** sonor, klangfull, fyllig, fulltonig

soon [suːn] *adv* **1** snart, strax; tidigt [*spring came ~ this year*]; *as ~ as* el. *so ~ as* så snart (fort) [som]; *so ~ as* äv. så tidigt som; *too ~* för tidigt; *none too ~* inte [en minut] för tidigt, på tiden; *~ after* a) kort därefter b) kort efter att; *he arrived ~ after three* han kom strax efter tre **2** *just as ~* el. *as ~* lika gärna; *I would just as ~ not go there* jag skulle helst vilja slippa gå dit

sooner ['suːnə] *adv* **1** förr, tidigare; *~ or later* förr eller senare; *the ~ the better* ju förr dess bättre; *no ~ did we sit down than...* vi hade knappt satt oss förrän...; *no ~ said than done* sagt och gjort **2** hellre, snarare; *I would ~ stay where I am than...* jag vill hellre stanna (jag stannar hellre) där jag är än...

soot [sʊt] *s* sot

soothe [suːð] *vb tr* **1** lugna [*~ a crying baby*; *~ sb's nerves*] **2** lindra, stilla [*~ pains*] **3** blidka, lirka med **4** *~ away* undanröja, avhjälpa

soothing ['suːðɪŋ] *adj* lugnande, lindrande

soothsayer ['suːθˌseɪə, 'suːð-] *s* åld. siare, sierska, spåman, spåkvinna

sooty ['sʊtɪ] *adj* sotig, sot-; sotsvart

sop [sɒp] **I** *s* mutor för att tysta el. lugna ngn, uppmuntran, tröst **II** *vb tr*, *~ up* suga upp, torka upp [*~ up the water with a towel*]

Sophia [sə(ʊ)'faɪə, -'fiːə] kvinnonamn

Sophie ['səʊfɪ] kvinnonamn

sophisticate [sə'fɪstɪkət] *s* sofistikerad (raffinerad) person

sophisticated [sə'fɪstɪkeɪtɪd] *adj* **1** sofistikerad, raffinerad, sinnrik, avancerad, komplicerad [*a ~ system*] **2** spetsfundig

sophistication [səˌfɪstɪ'keɪʃ(ə)n] *s* raffinemang; förfining, finesser; subtiliteter

sophistry ['sɒfɪstrɪ] *s* sofisteri[er], spetsfundighet[er], ordklyveri

sophomore ['sɒfəmɔː] *s* amer. univ. o.d. andraårsstuderande

soporific [ˌsɒpə'rɪfɪk] *adj* sömngivande, sömn-, sövande

sopping ['sɒpɪŋ] *adj* o. **sopping wet** [ˌsɒpɪŋ'wet] *adj* genomblöt, genomvåt

soppy ['sɒpɪ] *adj* vard. fånig; blödig, sentimental

soprano [sə'prɑːnəʊ] mus. **I** (pl. *-os* el. *-i* [-iː]) *s* sopran **II** *adj* sopran-

sorbet ['sɔːbeɪ, -bət] *s* sorbet; vattenglass

sorcerer ['sɔːs(ə)rə] *s* trollkarl, svartkonstnär, häxmästare

sorceress ['sɔːs(ə)rəs] *s* trollkvinna, häxa

sorcery ['sɔːs(ə)rɪ] *s* trolldom, svartkonst, häxeri

sordid ['sɔːdɪd] *adj* **1** lumpen, simpel, tarvlig, låg, oren **2** smutsig, eländig

sore [sɔː] **I** *adj* **1** öm [*~ feet*]; mörbultad; *a sight for ~ eyes* se under *sight I* 4; *be like a bear with a ~ head* bildl. vara vresig (irriterad, butter); *a ~ spot* ett ont (ömt) ställe; *have a ~ throat* ha ont i halsen; *it sticks out like a ~ thumb* vard., se *1 stick III* **2** bildl. känslig, ömtålig, öm; *a ~ point* en öm (känslig) punkt [*with hos*] **3** vanl. amer. vard. sur, på dåligt humör, förbannad [*at, about, over* över] **II** *s* ont (ömt) ställe; [var]sår, varböld äv. bildl.

sorely ['sɔːlɪ] *adv* litt. **1** svårt [*~ afflicted*] **2** högeligen, i högsta grad, mycket [*~ wanted*; *~ against my will*]; ytterst

sorghum ['sɔːgəm] *s* bot. **1** durra **2** sockerdurra [äv. *sweet ~*]

sorority [sə'rɒrətɪ] *s* **1** amer. kvinnoförening vid college el. universitet **2** nunneorden

sorrel ['sɒr(ə)l] *s* bot. **1** syra, rumexart **2** harsyra [äv. *wood-sorrel*]; *garden ~* ängssyra; *sheep ~* bergssyra

sorrow ['sɒrəʊ] **I** *s* sorg, bedrövelse [*at, for, over* över]; [*he said it*] *more in ~ than in anger* ...mera ledsen än ond **II** *vb itr* litt. sörja [*at, for, over* över]; *~ for sb* sörja ngn

sorrowful ['sɒrəf(ʊ)l] *adj* litt. **1** sorgsen, bedrövad **2** sorglig, bedrövlig

sorry ['sɒrɪ] *adj* **1** ledsen, bedrövad; [*so*] *~!* el. *I'm* [*so*] *~!* förlåt!, ursäkta [mig]!; *~, but I can't come* jag är ledsen (jag beklagar) men jag kan inte komma, tyvärr kan jag inte komma; *I'm* [*very*] *~ that this should have happened* jag beklagar (är mycket ledsen över) att detta skulle hända; *I'm very ~ to hear it* det var tråkigt att höra; *I'm ~ to say that...* tyvärr [måste jag säga att]..., jag beklagar, men...; *I'm ~ about (for)* [*what I said*] jag är ledsen över (för)..., jag beklagar (ångrar)...; *I'm ~ for you* el. *I feel ~ for you* jag tycker [det är] synd om dig, det gör mig ont om dig; *you'll be ~ for this!* det här kommer du att få ångra! **2** sorglig [*a ~ end; a ~ truth*] **3** ynklig [*a ~ sight*]; jämmerlig, eländig [*a ~*

performance]; dålig, klen [*a ~ excuse*]; **in a ~ state** i ett bedrövligt (sorgligt) tillstånd

sort [sɔ:t] **I** *s* sort, slag; typ; **it takes all ~s** [*to make a world*] alla [människor] kan inte vara lika; **he is a good** (**decent**) **~** vard. han är bussig; **she is not the ~ to complain** hon är inte den [typ] som klagar; **~ of** vard. liksom, på något vis (sätt), på sätt och vis [*I feel ~ of funny*; *he is very nice, ~ of*]; **it is a nice ~ of place** det är en [ganska] trevlig plats; **all ~s of things** alla möjliga saker; **that ~ of thing** sådant där; **these** (**this**) **~ of people** sådana (den sortens, detta slags) människor, sånt folk; **what ~ of** vad [för] slags (sorts); hurdan; **after a ~** på sätt och vis; **nothing of the ~** inte alls så; som svar visst inte!, inte alls!; **something of the ~** något sådant; **of a ~** el. **of ~s** vard. någon sorts, ett slags; **out of ~s** a) krasslig, vissen b) inte i humör, ur gängorna, nere
II *vb tr* sortera, ordna; vard. fixa
III *vb tr* med adv. el. prep.:
sort out a) sortera [upp], ordna [upp] b) sortera (gallra) ut (bort) c) vard. ordna (reda) upp [*~ out one's problems*]; **things will ~ themselves out** det ordnar [upp] sig; **get oneself ~ed out** komma i ordning d) vard. ge på huden [*I'll ~ you out!*]
sort through gå igenom, leta igenom
sorter ['sɔ:tə] *s* spec. post. sorterare
sortie ['sɔ:ti:] *s* **1** flyg. flygning, uppstigning; mil. utfall; utbrytningsförsök **2** vard. utflykt
SOS [,esəʊ'es] *s* **1** SOS; **~ signal** nödsignal **2** radio. personligt meddelande
so-so ['səʊsəʊ] **I** *adj* dräglig, skaplig **II** *adv* drägligt, skapligt; inget vidare, si och så
Sotheby ['sʌðəbi] berömd auktionsfirma i London
soufflé ['su:fleɪ, amer. äv. su:'fleɪ] *s* kok. sufflé
sought [sɔ:t] imperf. o. perf. p. av *seek*
sought-after ['sɔ:t,ɑ:ftə] *adj* eftersökt
soul [səʊl] *s* **1** själ äv. friare [*the ship sank with 300 ~s on board*]; **an honest** (**a good**) **~** vard. en hederlig (hygglig) själ; **poor ~** stackars människa, stackare; stackarn; **he has no ~** han har ingen medkänsla; **he is the very ~ of honour** han är hederligheten själv (förkroppsligad); **with my whole ~** av hela mitt hjärta, innerligt **2** soul[musik]
soul-destroying ['səʊldɪ,strɔɪɪŋ] *adj* själsdödande [*~ work*]
soul food ['səʊlfu:d] *s* amer. vard. traditionell mat hos afroamerikaner i södern
soulful ['səʊlf(ʊ)l] *adj* själfull
soulless ['səʊlləs] *adj* andefattig, själlös
soul mate ['səʊlmeɪt] *s* själsfrände
soul music ['səʊl,mju:zɪk] *s* soulmusik
soul-searching ['səʊl,sɜ:tʃɪŋ] *s* självrannsakan
Sound [saʊnd] *s*, **the ~** geogr. Sundet, Öresund
1 sound [saʊnd] **I** *s* **1** ljud, fys. äv. ljudet; **~ reproduction** ljudåtergivning; **the ~s of speech** språkljuden; **make a ~** ge [ett] ljud ifrån sig; **don't make a ~!** tyst!; [*the hall*] **is good for ~** ...har bra akustik (goda akustiska förhållanden); **within ~** inom hörhåll [*of* för]; **out of ~** utom hörhåll [*of* för] **2** ton, klang; skall; **give a hollow ~** låta ihålig; **I don't like the ~ of it** det låter inte bra, det låter (verkar) oroande
II *vb itr* **1** ljuda [*the trumpet ~ed*]; tona, klinga, skalla; ge ljud **2** låta [*the music ~s beautiful*]; **it ~s**

to me as if jag tycker det låter som om **3 ~ off** a) säga ifrån, sjunga ut b) skrika, skryta [*about* om]
III *vb tr* **1** a) låta ljuda, blåsa [i] [*~ a trumpet*]; ringa med (på, i) [*~ a bell*]; slå på [*~ a gong*] b) slå an [*~ a note* (ton)]; stämma upp; spela c) uttala, ljuda [*~ each letter*]; **~ the alarm** trycka på alarmknappen, låta larmet gå, slå larm; **~ the all-clear** ge 'faran över' **2** spec. mil. blåsa till, beordra; **~ an** (**the**) **alarm** slå (blåsa) alarm
2 sound [saʊnd] **I** *vb tr* **1** sjö. pejla, loda [*~ the depth*] **2** med. sondera, undersöka med sond **3** bildl. sondera, pejla, söka utröna [*~ sb's views*]; **~ sb out** [*about sth*] söka utröna (ta reda på) hur ngn ställer sig [till ngt]
II *vb itr* **1** sjö. loda **2** bildl. sondera terrängen **3** sjunka; om val dyka
III *s* med. sond
3 sound [saʊnd] *s* sund
4 sound [saʊnd] **I** *adj* **1** frisk [*~ teeth*]; sund; **as ~ as a bell** vard. frisk som en nötkärna **2** felfri [*~ fruit*]; oskadad, fullgod **3** välgrundad, hållbar, klok [*~ advice*; *a ~ argument* (*opinion, policy*)]; sund, riktig [*a ~ principle*] **4** säker, solid, bra [*a ~ investment*; *a ~ position*; *a ~ ship*] **5** grundlig, ordentlig; **~ sleep** djup (god) sömn; **a ~ thrashing** ett ordentligt kok stryk
II *adv* sunt [*sound-thinking citizens*]; **be ~ asleep** sova djupt (gott)
sound barrier ['saʊn(d),bæriə] *s*, **the ~** ljudvallen
sound bite ['saʊn(d)baɪt] *s* [ljud]klipp, kort utdrag ur intervju o.d. som sänds (återges) gång på gång
sound board ['saʊn(d)bɔ:d] *s* mus. resonansbotten, resonanslåda, resonanskropp
sound card ['saʊn(d)kɑ:d] *s* data. ljudkort
sound check ['saʊnd,tʃek] *s* mus. soundcheck
sound effects ['saʊndɪ,fekts] *s pl* ljudeffekter, radio. äv. ljudkuliss
sound engineer [,saʊndendʒɪ'nɪə] *s* ljudtekniker
1 sounding ['saʊndɪŋ] *adj* ljudande, klingande
2 sounding ['saʊndɪŋ] *s* **1** sondering **2** sjö. pejling, lodning; **take ~s** a) loda b) bildl. känna sig för, sondera terrängen
sounding board ['saʊndɪŋbɔ:d] *s* bildl. bollplank; språkrör; opinionsspridare
sounding line ['saʊndɪŋlaɪn] *s* sjö. lodlina
soundless ['saʊn(d)ləs] *adj* ljudlös
sound mixer ['saʊnd,mɪksə] *s* mixerbord, konsolbord
soundproof ['saʊn(d)pru:f] **I** *adj* ljudtät, ljudisolerande **II** *vb tr* ljudisolera
sound system ['saʊn(d),sɪstəm] *s* ljudsystem
soundtrack ['saʊn(d)træk] *s* film. **1** [inspelad] filmmusik [*a ~ album*] **2** ljudspår, ljudband
soundwave ['saʊn(d)weɪv] *s* ljudvåg
soup [su:p] **I** *s* kok. soppa; **clear ~** [klar] buljong, klar soppa; **thick ~** redd soppa; **be in the ~** vard. ha råkat (sitta) i klistret (knipa), sitta illa till; **everything from ~ to nuts** amer. vard. allt (alla doningar) som behövs (hör till)
II *vb tr* vard., **~ up** a) trimma motor o.d. b) skruva upp tempot på; liva upp, ge en kraftinjektion
souped-up ['su:ptʌp] *adj* vard. **1** trimmad [*a ~ mini*

(minibil)] **2** uppskruvad, dramatiserad, mera slagkraftig; flott, vräkig, påkostad

soup kitchen ['su:p,kɪtʃɪn] *s* soppkök; utspisningsställe för t.ex. katastrofoffer

soup plate ['su:ppleɪt] *s* sopptallrik, djup tallrik

sour ['saʊə] **I** *adj* **1** sur, syrlig; surnad; dålig, unken [~ *odour*]; *go* ~ surna **2** bildl. sur, vresig, butter; bitter; *go* ~ el. *turn* ~ a) bli sur [*on* på] b) tappa tron, bli besviken, tröttna [*on* på] c) misslyckas, gå galet, gå snett [*on* för]
II *vb tr* **1** göra sur; syra; bleka **2** bildl. göra bitter, förarga, förbittra, förstöra
III *vb itr* **1** surna, bli sur **2** bildl. bli sur (bitter); tröttna [*on* på], få nog

source [sɔ:s] **I** *s* källa, bildl. äv. upphov, upprinnelse, ursprung; ~ *of energy* energikälla; ~ *of information* bildl. källa, informationskälla; ~ *of light* ljuskälla; *from a reliable* ~ från säker källa, från tillförlitligt håll
II *vb tr* hämta från en viss källa (ett visst håll), ange som källa

source code ['sɔ:skəʊd] *s* data. källkod

sour cream [,saʊə'kri:m] *s* **1** sur grädde **2** gräddfil, crème fraiche

sourdough ['saʊədəʊ] *s* surdeg

sour mash [,saʊə'mæʃ] *s* blandad (syrad) mäsk vid whiskytillverkning

sourpuss ['saʊəpʊs] *s* vard. surpuppa, surkart

souse [saʊs] *vb tr* **1** lägga i saltlake (marinad), marinera **2** doppa [~ *sb in a pond*]; ösa; hälla vatten på, dränka med vatten; blöta; dränka [*he ~s everything he eats in tomato ketchup*]

soused [saʊst] *adj* **1** ~ *herring* ung. inkokt sill (strömming) kokt i ättika o. vatten **2** vard. ngt åld. berusad, mosig

south [saʊθ] **I** *s* **1** söder, syd; för ex. jfr *east I* **2** *the* ~ (*South*) södern, sydliga länder; södra delen; södra halvklotet; *the South* i USA Södern, sydstaterna
II *adj* sydlig, södra, syd- [*on the* ~ *coast*]; söder-, sunnan-
III *adv* mot (åt) söder, söderut, sydvart; söder, syd, sydligt; för ex. jfr *east III*; *go* ~ amer. vard. gå utför, sjunka, förfalla
IV *vb itr* segla (stäva) mot söder; om solen o. månen passera meridianen

South Africa [,saʊθ'æfrɪkə] geogr. Sydafrika

South America [,saʊθə'merɪkə] geogr. Sydamerika

Southampton [saʊθ'(h)æm(p)tən] geogr.

southbound ['saʊθbaʊnd] *adj* sydgående, destinerad söderut

South Carolina [,saʊθkærə'laɪnə] geogr.

South Country [,saʊθ'kʌntrɪ] geogr., *the* ~ södra England, Sydengland

South Dakota [,saʊθdə'kəʊtə] geogr.

South Downs [,saʊθ'daʊnz] *s pl* geogr., *the* ~ South Downs kritkullarna i Sussex o. Hampshire

south-east [,saʊθ'i:st] (för ex. jfr *east*) **I** *s* sydost, sydöst **II** *adj* sydostlig, sydöstlig, sydöstra **III** *adv* mot (i) sydost (sydöst); ~ *of* sydost om

South-East Asia [,saʊθi:st'eɪʃə] geogr. Sydostasien

south-easter [,saʊθ'i:stə] *s* sydost vind

south-easterly [,saʊθ'i:stəlɪ] **I** *adj* sydostlig, sydöstlig, sydöstra **II** *adv* mot sydost (sydöst); från sydost

south-eastern [,saʊθ'i:stən] *adj* sydostlig, sydöstlig, sydöstra

southerly ['sʌðəlɪ] *adj* o. *adv* o. *s* sydlig; mot söder, från söder; sydlig vind; jfr vidare *easterly*

southern ['sʌðən] *adj* **1** sydlig; södra; söder-, syd-; för ex. jfr *eastern*; *the* ~ *hemisphere* södra halvklotet **2** sydländsk

southerner ['sʌðənə] *s* **1** person från södra delen av landet (södra England); i USA sydstatsbo **2** sydlänning

southern lights [,sʌðən'laɪts] *s pl* sydsken

southernmost ['sʌðənməʊst] *adj* sydligast

Southern States [,sʌðən'steɪts] *s pl* geogr., *the* ~ sydstaterna i USA

South Korea [,saʊθkə'rɪə] geogr. Sydkorea

South Korean [,saʊθkə'rɪən] **I** *adj* sydkoreansk **II** *s* sydkorean; sydkoreanska kvinna

southpaw ['saʊθpɔ:] *s* vard. **1** vänsterhänt person **2** boxn. southpaw, vänsterhandsboxare

South Pole [,saʊθ'pəʊl] geogr., *the* ~ sydpolen

southward ['saʊθwəd] **I** *adj* sydlig etc., jfr *eastward I* **II** *adv* mot (åt) söder, söderut; sjö. sydvart; ~ *of* syd om

southwards ['saʊθwədz] *adv* se *southward II*

south-west [,saʊθ'west] (för ex. jfr *east*) **I** *s* sydväst väderstreck **II** *adj* sydvästlig, sydvästra **III** *adv* mot (i) sydväst; ~ *of* sydväst om

south-westerly [,saʊθ'westəlɪ] **I** *adj* sydvästlig, sydvästra **II** *adv* mot sydväst; från sydväst

south-western [,saʊθ'westən] *adj* sydvästlig, sydvästra

south wind [,saʊθ'wɪnd] *s* sydlig vind, sunnan[vind]

souvenir [,su:v(ə)'nɪə, '---] *s* souvenir, minne

souvlaki [su:'vlækɪ] (pl. ~*a* [-ə]) *s* kok. souvlaki grekisk rätt

sou'-wester [saʊ'westə] *s* sjö. **1** sydväst vind **2** sydväst huvudbonad

sovereign ['sɒvrən] **I** *s* **1** monark, regent **2** sovereign gammalt eng. guldmynt = £1
II *adj* **1** högst, högsta [~ *power*] **2** suverän [*a* ~ *state*]; enväldig, oinskränkt, regerande [~ *prince*] **3** ofelbar, effektiv [*a* ~ *remedy*]

sovereignty ['sɒvr(ə)ntɪ] *s* **1** suveränitet, högsta makt **2** överhöghet

Soviet ['səʊvɪət, 'sɒv-, -vjet] hist. **I** *s*, *the Supreme* ~ Högsta Sovjet
II *adj* sovjet-; Sovjet-; sovjetisk; *the* ~ *Union* el. *the Union of* ~ *Socialist Republics* Sovjetunionen, Sovjet

soviet ['səʊvɪət, 'sɒv-, -vjet] *s* hist. sovjet, arbetarråd i Ryssland

1 sow [səʊ] (imperf. *sowed*; perf. p. *sown* el. *sowed*)
I *vb tr* så äv. bildl. [~ *seeds*; ~ *the seeds of hatred*]; [be]så [~ *a field*]; ~ *one's wild oats* så sin vildhavre, rasa ut
II *vb itr* så; *as a man ~s, so shall he reap* ordspr. som man sår får man skörda

2 sow [saʊ] *s* sugga, so

sower ['səʊə] *s* person som sår, såningsman; såningsmaskin

sown [səʊn] *adj* o. *perf p* **1** se 1 *sow* **2** bildl. översållad, tätt besatt [~ *with pearls*]

soy [sɔɪ] *s* o. **soya** ['sɔɪə] *s* **1** se *soya bean*, *soybean* **2** se *soya sauce*, *soy sauce*

soya bean ['sɔɪəbiːn] *s* sojaböna; ~ *oil* soja[böns] olja

soya sauce ['sɔɪəsɔːs] *s* se *soy sauce*

soybean ['sɔɪbiːn] *s* amer. sojaböna; ~ *oil* soja[böns]olja

soy sauce ['sɔːɪsɔːs] *s* soja[sås]

sozzled ['sɒzld] *adj* sl. stupfull, knall

spa [spɑː] *s* **1** brunnsort **2** hälsobrunn

space [speɪs] **I** *s* **1** fys., filos. o.d. rymd[en], rum; världsrymden; attr. rymd- [~ *research*; ~ *rocket*]; **time and** ~ tid och rum; **outer** ~ yttre rymden; **stare into** ~ el. **gaze into** ~ stirra ut i tomma intet **2** utrymme, plats; svängrum; avstånd, mellanrum, vidd, sträcka; areal; **blank** ~ tomrum, lucka; **living** ~ livsrum; **the wide open** ~**s** de stora vidderna; **vacant** ~ ledigt (tomt) utrymme, ledig plats; tomrum; **it takes up too much** ~ det tar för mycket (stor) plats **3** tidrymd [äv. ~ *of time*]; period; **for** (**in**) **the** ~ *of a month* [under] en månad (en månads tid), under loppet av en månad; **within the** ~ *of* inom [loppet av], innan…förflutit **II** *vb tr* **1** ordna (ställa upp) med mellanrum (luckor, intervaller); göra mellanrum mellan; ~ *out* placera ut; sprida [ut], fördela **2** boktr. o.d. göra mellanslag mellan; ~ *out* spärra

space-age ['speɪseɪdʒ] *adj* ultramodern, tillhörande rymdåldern

space bar ['speɪsbɑː] *s* mellanslagstangent, framstegare på tangentbord

spacecraft ['speɪskrɑːft] (pl. *spacecraft*) *s* rymdfarkost, rymdskepp

spaced-out ['speɪstaʊt, pred. ˌ-'-] *adj* **1** sl. påtänd, hög **2** distré

space flight ['speɪsflaɪt] *s* rymdfärd, rymdresa

space heater ['speɪsˌhiːtə] *s* rumsuppvärmare, luftuppvärmare

space|man ['speɪsˌmæn] (pl. *-men* [-mən]) *s* rymdfarare, astronaut, kosmonaut

space probe ['speɪsprəʊb] *s* rymdsond

space-saving ['speɪsˌseɪvɪŋ] *adj* utrymmesbesparande, utrymmessnål

spaceship ['speɪsʃɪp, 'speɪʃʃɪp] *s* rymdskepp

space shuttle ['speɪsˌʃʌtl] *s* rymdfärja

space station ['speɪsˌsteɪʃ(ə)n] *s* rymdstation

spacesuit ['speɪssuːt, -sjuːt] *s* rymddräkt

space travel ['speɪsˌtrævl] *s* rymdfärder, rymdfart

spacewalk ['speɪswɔːk] *s* rymdpromenad

space|woman ['speɪsˌwʊmən] (pl. *-women* [-ˌwɪmɪn]) *s* rymdkvinna, kvinnlig astronaut (kosmonaut)

spacey ['speɪsɪ] *adj* vard. borta, i det blå, flummig

spacing ['speɪsɪŋ] *s* **1** spridning; fördelning, placering; boktr. spärrning, utslutning **2** mellanrum, [inbördes] avstånd; radavstånd; mellanslag

spacious ['speɪʃəs] *adj* **1** rymlig, vidsträckt; spatiös **2** bildl. omfattande, mångsidig

Spackle® ['spækl] *s* amer. spackel[färg]

1 spade [speɪd] *s* **1** kortsp. spaderkort; pl. ~**s** spader; *a* ~ äv. en spader; **the ten of** ~**s** spadertian **2** amer. vard., **in** ~**s** ordentligt, rejält, i stora mängder

2 spade [speɪd] *s* spade; **call a** ~ *a* ~ nämna en sak vid dess rätta namn, tala rent ut

spadeful ['speɪdfʊl] *s* spade som mått; *a* ~ *of earth* en spade jord

spadework ['speɪdwɜːk] *s* förarbete, grovarbete [*he did all the* ~ *for our new society*]; pionjärarbete

spaghetti [spə'getɪ] *s* spaghetti, spagetti

spaghetti bolognese [spəˌgetɪbɒlə'neɪz] *s* kok.(it.) spaghetti (spagetti) bolognese

spaghetti junction [spəˌgetɪ'dʒʌŋ(k)ʃ(ə)n] *s* mot., motorvägskorsning i flera plan

spaghetti western [spəˌgetɪ'westən] *s* film. spagettiwestern

Spain [speɪn] geogr. Spanien

spam [spæm] data. **I** *s* spam, elektronisk skräppost, oönskat e-postmeddelande **II** *vb tr* o. *vb itr* spamma, skicka skräppost [till]

Spam® [spæm] *s* slags köttkonserv

spammer ['spæmə] *s* data. spammare, person som ägnar sig åt att skicka elektronisk skräppost

span [spæn] **I** *s* **1** avstånd mellan tumme och lillfinger utspärrade; spann (ca 9 tum el. 23 cm) **2** [bro]spann, valv **3** spännvidd, räckvidd, omfång; **memory** ~ minnesvidd, minnesomfång **4** tid[rymd]; levnadslopp, utmätt [livs]tid [*man's* ~ *is short*]; **for a short** ~ *of time* under en kort tidrymd **5** flyg. vingbredd, spännvid **II** *vb tr* **1** om bro o.d. spänna (leda) över [~ *a river*]; bildl. omspänna, spänna (sträcka sig) över [*his life* ~*ned almost a century*; ~ *three octaves*]; **the Thames is** ~*ned by many bridges* Temsen korsas av många broar **2** slå [en] bro över; bildl. äv. överbrygga [~ *a gap*] **3** ta sig över, korsa [~ *a bay*]

spangle ['spæŋgl] **I** *s* paljett; glittrande ting; pl. ~**s** äv. glitter **II** *vb tr* paljettera, besätta (pryda) med paljetter (glitter); ~*d with stars* stjärnbeströdd

Spanglish ['spæŋglɪʃ] *s* vanl. amer. spengelska, spansk-engelska

Spaniard ['spænjəd] *s* spanjor; spanjorska

spaniel ['spænjəl] *s* spaniel hundras

Spanish ['spænɪʃ] **I** *adj* spansk **II** *s* **1** spanska [språket] **2** *the* ~ spanjorerna **3** vard. lakrits

Spanish America [ˌspænɪʃə'merɪkə] geogr. Spanskamerika

Spanish-American [ˌspænɪʃə'merɪk(ə)n] **I** *adj* spanskamerikansk **II** *s* spanskamerikan; spanskamerikanska kvinna

Spanish chestnut [ˌspænɪʃ'tʃesnʌt] *s* äkta (ätlig) kastanj

Spanish cloak [ˌspænɪʃ'kləʊk] *s* slängkappa

Spanish fly [ˌspænɪʃ'flaɪ] *s* farmakol. el. zool. spansk fluga

Spanish guitar ['spænɪʃgɪ'tɑː] *s* klassisk gitarr, [spansk] gitarr

Spanish omelette [ˌspænɪʃ'ɒmlət] *s* kok. spansk omelett, tortilla

Spanish onion [ˌspænɪʃ'ʌnjən] *s* stor gul [stek]lök, spansk lök

spank [spæŋk] *vb tr* ge smäll (smisk); daska (slå) till; **be** ~**ed** få smäll (smisk)

1 spanking ['spæŋkɪŋ] *s* smäll, dask; **give sb a** ~ ge ngn smäll (dask)

2 spanking ['spæŋkɪŋ] **I** *adv* vard. väldigt; ~ *new* splitterny **II** *adj* ngt åld. rask, snabb [~ *trot*]

spanner ['spænə] s skruvnyckel; **adjustable ~** skiftnyckel; **throw a ~ into the works** bildl. sabotera det hela, sätta en käpp i hjulet

1 spar [spɑ:] vb itr **1** sparra [with sb mot ngn]; träningsboxas **2** munhuggas

2 spar [spɑ:] s sjö. mast, bom, spira

3 spar [spɑ:] s miner. spat

spare [speə] **I** adj **1** ledig; extra[-], reserv- [a ~ key; a ~ wheel]; överlopps-, till övers, i reserv **2** mager [a ~ man; a ~ diet]; knapp; klen

II vb tr **1** avvara, undvara [can you ~ a pound?]; **can you ~ me a few minutes?** har du några minuter över [för mig]?; **enough and to ~** nog och övernog, så det räcker och blir över; [I have a few cigarettes] **to ~** ...som jag kan avvara, ...över (till övers); [she caught the train] **with a few minutes to ~** ...med några minuter till godo, ...med några minuters marginal; **I have little time to ~** jag har ont om tid; jag har inte mycket tid över [för (till) det] **2 a)** skona [~ sb's life; ~ sb's feelings] **b)** bespara [sb sth ngn ngt], förskona [sb sth ngn från (för) ngt]; **~ oneself the trouble to** bespara sig besväret att, inte göra sig besvär att **3** spara på, hushålla med; använda sparsamt; **~ no expense** inte sky (spara) några kostnader **4** reservera, sätta (lägga) åt sidan

III s reservdel, lös del; **I've got a ~** äv. jag har ett [däck (batteri o.d.)] i reserv

spare bed [,speə'bed] s extrasäng, reservbädd

spare bedroom [,speə'bedru:m] s gästrum

spare cash [,speə'kæʃ] s pengar [som blir] över; kontanter (pengar) i reserv

spare parts [,speə'pɑ:ts] s pl reservdelar; **~ kit** reservdelslåda

spare-part surgery [,speəpɑ:t's3:dʒərɪ] s med. vard. reservdelsoperation

spare ribs ['speərɪbz, -'-] s pl kok. revbensspjäll

spare room [,speə'ru:m] s gästrum

spare time [,speə'taɪm] s fritid, lediga stunder

spare tyre o. amer. **spare tire** [,speə'taɪə] s **1** reservdäck **2** vard. bilring fettvalk

sparing ['speərɪŋ] adj måttlig, sparsam, njugg [of med, på; in med]

sparingly ['speərɪŋlɪ] adv sparsamt, med måtta

1 spark [spɑ:k] s, **a bright ~** ofta iron. a) ett ljushuvud b) en lustigkurre, en glad lax

2 spark [spɑ:k] **I** s gnista äv. bildl. [a ~ of hope]; **not a ~ of interest** inte ett spår av (en gnutta) intresse **II** vb itr **1** gnistra **2** tända om motor **III** vb tr, ~ el. **~ off** utlösa, sätta i gång, vara den tändande gnistan till

sparking plug ['spɑ:kɪŋplʌg] s tändstift

sparkle ['spɑ:kl] **I** vb itr gnistra, spraka, tindra, glittra, lysa; bildl. spritta, sprudla; briljera, vara briljant **II** s gnistrande, tindrande; glitter; glans; bildl. briljans

sparkler ['spɑ:klə] s **1** tomtebloss **2** sl., pl. **~s** glitter diamanter

sparkling ['spɑ:klɪŋ] adj **1** gnistrande etc., jfr sparkle **2** om vin mousserande; pärlande

sparkling water ['spɑ:klɪŋ,wɔ:tə] s kolsyrat mineralvatten, sodavatten

spark plug ['spɑ:kplʌg] s tändstift

sparky ['spɑ:kɪ] adj livlig, klämmig; entusiastisk; sprudlande

sparring partner ['spɑ:rɪŋ,pɑ:tnə] s sparring[partner], bildl. äv. trätobroder

sparrow ['spærəʊ] s zool. sparv; **house ~** gråsparv

sparrowhawk ['spærəʊhɔ:k] s zool. sparvhök

sparse [spɑ:s] adj gles [~ hair; a ~ population]

sparsely ['spɑ:slɪ] adv glest [~ populated]; sparsamt [~ furnished]

sparseness ['spɑ:snəs] s gleshet, tunnsåddhet, knapphet

Spartan ['spɑ:t(ə)n] adj spartansk äv. bildl.

spasm ['spæz(ə)m] s **1** spasm, kramp, [kramp]ryckning, krampanfall **2** anfall [a ~ of coughing] bildl. äv. ryck

spasmodic [spæz'mɒdɪk] adj **1** spasmodisk, krampaktig, krampartad **2** bildl. stötvis, ryckvis

spastic ['spæstɪk] adj neds. **1** spastisk **2** spattig

1 spat [spæt] imperf. o. perf. p. av 1 spit

2 spat [spæt] s, vanl. pl. **~s** korta damasker för herrar

spate [speɪt] s **1** översvämning av flod, högvatten; **the river is in ~** vattenståndet i floden är högt **2** bildl. ström, flöde [a ~ of words]; [stört]flod, skur

spatial ['speɪʃ(ə)l] adj rumslig, rums-, spatial

spatter ['spætə] **I** vb tr stänka ned; stänka **II** vb itr stänka, droppa, skvätta; spruta **III** s stänkande; stänk; skur [a ~ of rain; a ~ of bullets]

spatula ['spætjʊlə] s **1** kok. stekspade; slickepott, degskrapa **2** spatel; spackel, palettkniv

spawn [spɔ:n] **I** vb tr **1** lägga rom, ägg (om t.ex. fiskar, skaldjur) **2** producera i massor, spotta ut (fram) **II** vb itr **1** yngla, leka, lägga rom **2** yngla av sig **III** s **1** rom; ägg **2** bildl. avföda, yngel

spay [speɪ] vb tr sterilisera t.ex. tik, sugga

SPCC [,espi:si:'si:] (förk. för Society for the Prevention of Cruelty to Children), **the ~** ung. föreningen mot barnmisshandel

speak [spi:k] (imperf. spoke; perf. p. spoken; se äv. speaking) **I** vb itr **1** tala [she was ~ing about (om) politics]; **actions ~ louder than words** gärningar säger mer än ord; **so to ~** så att säga; **~ing!** i telefon [ja] det är jag som talar!; **Smith ~ing!** i telefon [det här är] Smith!; **relatively ~ing** relativt sett; **seriously ~ing** allvarligt talat; **strictly ~ing** strängt taget, egentligen, noga räknat; **it ~s for itself** saken talar för sig själv; **~ for yourself!** tala för dig själv!; **~ing of** på tal om, apropå; **not to ~ of** för att nu inte tala om (nämna); **nothing to ~ of** inget att tala om, inget nämnvärt **2** tala, hålla tal [~ in public; ~ at a meeting; on om, över]; uttala sig, yttra sig [against mot; ~ on (i) a question]

II vb tr **1** tala [~ a language; ~ English] **2** säga, yttra, uttala; **~ the truth** säga sanningen; tala sanning

III vb itr med adv. el. prep.:

speak of tala om; vittna om

speak out tala ut, sjunga ut, säga sin mening rent ut

speak up a) tala högre, tala ur skägget **b)** tala ut

speak up for höja sin röst (uppträda) till försvar för, ta i försvar

speakeasy ['spi:k,i:zɪ] s amer. sl. (hist.) lönnkrog

Speaker ['spi:kə] s parl. talman

speaker ['spi:kə] s **1** talare [he is no ~; he is a fine ~]; speaker; **the ~** äv. den talande **2** högtalare

speakerphone ['spi:kəfəʊn] *s* högtalartelefon

speaking ['spi:kɪŋ] **I** *adj* o. *pres p* talande; tal- [*a ~ part* (roll); *a ~ choir*]; **they are not on ~ terms** de talar inte [längre] med varandra, de är osams **II** *s* tal, talande; **plain ~** rent språk, ord och inga visor

Speaking Clock [ˌspiːkɪŋ'klɒk] *s,* **the ~** tele. Fröken Ur

spear [spɪə] **I** *s* spjut; ljuster **II** *vb tr* spetsa, genomborra [med spjut]; ljustra

spearhead ['spɪəhed] **I** *s* **1** spjutspets **2** förtrupp äv. bildl.; ledare **II** *vb tr* bilda förtrupp för; gå i spetsen för

spearmint ['spɪəmɪnt] *s* **1** bot. grönmynta **2** tuggummi med mintsmak

1 spec [spek] *s* (vard. kortform av *speculation*) spekulation; **on ~** på spekulation, i spekulationssyfte; **I went there on ~** jag chansade och gick dit

2 spec [spek] kortform av *specification 2*

special ['speʃ(ə)l] **I** *adj* speciell, särskild [*~ reasons*]; alldeles extra; special-, extra- **II** *s* **1** extrapolis som kallas in vid speciella tillfällen; pl. **~s** äv. extrafolk, extramanskap, extrapersonal **2** extrupplaga, extranummer; extrainsatt program **3** *today's ~* dagens rätt på matsedel **4** *on ~* till extrapris; [*lamb*] **is on ~** det är extrapris på...

special agent [ˌspeʃ(ə)l'eɪdʒ(ə)nt] *s* vanl. amer. [hemlig] agent

Special Branch [ˌspeʃ(ə)l'brɑːn(t)ʃ] *s* säkerhetspolisen i Storbritannien

special constable [ˌspeʃ(ə)l'kʌnstəbl] *s constable*

special correspondent [ˌspeʃ(ə)lkɒrɪ'spɒndənt] *s* [speciellt] utsänd korrespondent (medarbetare)

special delivery [ˌspeʃ(ə)ldɪ'lɪv(ə)rɪ] *s* express[befordran]

special edition [ˌspeʃ(ə)lɪ'dɪʃ(ə)n] *s* extrupplaga, extranummer

special education ['speʃ(ə)lˌedjʊ'keɪʃ(ə)n] *s* skol. specialundervisning

special effects [ˌspeʃ(ə)lɪ'fekts] *s pl* film. el. TV. specialeffekter

special interest [ˌspeʃ(ə)l'ɪntrəst] *s* vanl. amer. särintresse, intresseorganisation

special issue [ˌspeʃ(ə)l'ɪʃuː] *s* extrupplaga, extranummer

specialist ['speʃəlɪst] *s* specialist [*in, on* på, inom], fackman; **~ knowledge** specialkunskaper, fackkunskaper; **~ literature** facklitteratur

speciality [ˌspeʃɪ'ælətɪ] *s* **1** specialitet; specialtillverkning **2** utmärkande drag

specialization [ˌspeʃəlaɪ'zeɪʃ(ə)n, -ʃəlɪ'z-] *s* specialisering

specialize ['speʃəlaɪz] **I** *vb tr* specialisera **II** *vb itr* specialisera sig [*in, on* på, inom]

specialized ['speʃ(ə)laɪzd] *adj* specialiserad; special-, fack-; **~ agency** fackorgan inom FN; **~ knowledge** fackkunskaper, specialkunskaper

special licence [ˌspeʃ(ə)l'laɪs(ə)ns] *s* speciellt utfärdad äktenskapslicens, dispens från lysning o.d.

specially ['speʃ(ə)lɪ] *adv* särskilt, speciellt, enkom

special offer [ˌspeʃ(ə)l'ɒfə] *s* extraerbjudande

special school ['speʃ(ə)lskuːl] *s* **1** specialskola för t.ex. synskadade **2** särskola

special train [ˌspeʃ(ə)l'treɪn] *s* extratåg

species ['spiːʃiːz] (pl. *species*) *s* **1** art, species; **the ~** el. **the human ~** människosläktet, mänskligheten; **the origin of ~** arternas uppkomst **2** slag, sort, typ

specific [spə'sɪfɪk] *adj* **1** uttrycklig [*a ~ aim; a ~ promise; a ~ statement*]; bestämd, noggrann, [tydligt] angiven, specificerad, särskild, speciell [*a ~ purpose*]; **could you be a little more ~?** kan du (ni) precisera dig (er) närmare? **2** specifik, speciell, säregen, utmärkande [*to* för]; art- [*~ name*] **3** fys. specifik

specifically [spə'sɪfɪklɪ] *adv* uttryckligen, bestämt etc., jfr *specific*

specification [ˌspesɪfɪ'keɪʃ(ə)n] *s* **1** specificerande, specificering **2** **~s** specifikation, detaljerad beskrivning

specific gravity [spəˌsɪfɪk'grævɪtɪ] *s* åld., *relative density*

specifics [spə'sɪfɪks] *s pl* närmare detaljer [*let's get down to* (gå in på) *~*]

specify ['spesɪfaɪ] *vb tr* specificera [*the sum specified*]; [i detalj] ange, räkna upp, noga uppge

specimen ['spesɪmən] *s* **1** prov, provexemplar, provbit [*of* på, av]; exemplar, specimen; preparat för mikroskopering; **~ of urine** urinprov **2** vard., om person original, typ [*what a ~!*]

specimen copy [ˌspesɪmən'kɒpɪ] *s* provnummer; provexemplar av bok

specious ['spiːʃəs] *adj* skenbar, skenbart riktig, bestickande; **~ arguments** skenargument

speck [spek] *s* **1** [liten] fläck äv. på frukt, prick äv. bildl. [*the ship was a ~ on the horizon*] **2** korn [*a ~ of dust*]; gnutta

speckle ['spekl] *s* [liten] fläck spec. av annan färg, stänk

speckled ['spekld] *adj* fläckig, spräcklig; prickig

1 specs [speks] *s pl* (vard. kortform av *spectacles*) brillor

2 specs [speks] *s pl* vard. kortform av *specifications*

spectacle ['spektəkl] *s* **1** bildl. skådespel **2** syn, anblick [*a charming ~; a sad ~*]; **make a ~ of oneself** göra sig löjlig (till ett spektakel) **3** pl. **~s** glasögon [*a pair of ~s*]

spectacled ['spektəkld] *adj* med glasögon, glasögonprydd

spectacled cobra [ˌspektəkld'kəʊbrə] *s* zool. glasögonorm

spectacular [spek'tækjʊlə] **I** *adj* effektfull, imponerande; praktfull; spektakulär **II** *s* imponerande föreställning

spectate [spek'teɪt] *vb itr* vara åskådare, titta på

spectator [spek'teɪtə] *s* åskådare

spectator sport [spek'teɪtəspɔːt] *s* publiksport, publikdragande sport

spectra ['spektrə] *s* pl. av *spectrum*

spectral ['spektr(ə)l] *adj* **1** spöklik, spök- **2** fys. spektral- [*~ analysis; ~ colours*]

spectre ['spektə] *s* spöke äv. bildl., gengångare

spectroscope ['spektrəskəʊp] *s* fys. spektroskop

spectr|um ['spektr|əm] (pl. *-a* [-ə] el. *-ums*) *s* **1** bildl. spektrum, skala **2** fys. spektrum; **in all the colours of the ~** i alla regnbågens färger

spectrum analysis [ˌspektrəmə'næləsɪs] *s* spektralanalys

speculate ['spekjʊleɪt] *vb itr* **1** spekulera [*on, about* över], fundera, ha [en del] funderingar **2** hand. spekulera [*in* i; *on* på]

speculation [ˌspekjʊ'leɪʃ(ə)n] *s* **1** spekulation; spekulerande **2** hand. spekulation

speculative ['spekjʊlətɪv] *adj* **1** spekulativ, begrundande **2** hand. spekulations-, på spekulation [*~ purchases*]

speculator ['spekjʊleɪtə] *s* hand. spekulant

sped [sped] imperf. o. perf. p. av *speed*

speech [spiːtʃ] *s* **1** tal, talande; talförmåga; muntlig framställning; talarkonst; *freedom of ~* yttrandefrihet; *power of ~* målföre, talförmåga; *free ~* el. *right of free ~* yttranderätt **2** språk; mål; sätt att tala (uttrycka sig) [*know sb by his ~*] **3** tal; anförande; yttrande; *the King's (Queen's) Speech* el. *the Speech from the throne* trontalet; *after-dinner ~* middagstal; *make a ~* el. *deliver a ~* el. *give a ~* hålla [ett] tal (ett anförande) [*on, about* om, över] **4** teat. replik

speech balloon ['spiːtʃbəˌluːn] *s* o. **speech bubble** ['spiːtʃbʌbl] *s* pratbubbla

speech day ['spiːtʃdeɪ] *s* skol. avslutningsdag

speechify ['spiːtʃɪfaɪ] *vb itr* skämts. vard. orera, hålla [långa] tal, predika

speech impediment ['spiːtʃɪmˌpedɪmənt] *s* talfel

speechless ['spiːtʃləs] *adj* mållös, stum, förstummad [*~ with indignation*]

speech marks ['spiːtʃmɑːks] *s pl* anföringstecken

speech synthesis ['spiːtʃˌsɪnθəsɪs] *s* talsyntes

speech therapist ['spiːtʃˌθerəpɪst] *s* talterapeut, logoped

speech therapy ['spiːtʃˌθerəpɪ] *s* talterapi, logopedisk behandling

speed [spiːd] **I** *s* **1** fart, hastighet, tempo; snabbhet, skyndsamhet; hastighetsgrad; *~ restrictions* hastighetsbegränsningar; *increase the ~* öka farten; *at a ~ of...* med en fart av...; *at full ~* el. *at top ~* i (med) full fart **2** tekn. växel **3** sl. tjack amfetamin **II** (*sped sped*, i betydelse *2 ~ed ~ed*) *vb itr* **1** rusa [i väg], ila, hasta, löpa, jaga [*on, along* fram, framåt], skjuta i väg **2** köra för fort; överskrida fartgränsen **III** (*~ed ~ed*) *vb tr* skynda på, driva på, sätta fart på **IV** (*~ed ~ed*) *vb itr* o. *vb tr* med adv.:
speed up **a)** skynda på, driva på, sätta fart på [*~ up production*] **b)** öka farten (takten), sätta full fräs **c)** öka farten (hastigheten) på (hos), accelerera, sätta full fräs på

speedboat ['spiːdbəʊt] *s* snabb motorbåt, racer[båt]

speed bump ['spiːdbʌmp] *s* trafik. fartgupp, farthinder

speed camera ['spiːdˌkæm(ə)rə] *s* trafikövervakningskamera

speed-dial ['spiːddaɪ(ə)l] tele. **I** *vb itr* o. *vb itr* slå kortnummer [till] **II** *adj*, *~ number* kortnummer

speed dial ['spiːddaɪ(ə)l] *s* tele. kortnummerfunktion

speeding ['spiːdɪŋ] *s* fortkörning

speed limit ['spiːdˌlɪmɪt] *s* fartgräns, maximihastighet; hastighetsbegränsning

speed merchant ['spiːdˌmɜːtʃ(ə)nt] *s* sl. fartdåre

speedometer [spɪ'dɒmɪtə, spiː'd-] *s* hastighetsmätare

speed skating ['spiːdˌskeɪtɪŋ] *s* sport. hastighetsåkning på skridsko

speedster ['spiːdstə] *s* vard. **1** fartdåre **2** snabb bil (motorcykel)

speed trap ['spiːdtræp] *s* hastighetskontroll, fartkontroll

speedway ['spiːdweɪ] *s* **1** speedwaybana, motorbana **2** speedway **3** amer. motorväg

speedwell ['spiːdwel] *s* bot. veronika; spec. ärenpris

speedy ['spiːdɪ] *adj* hastig; snabb, rask [*a ~ answer; a ~ worker*]; skyndsam; snar [*a ~ recovery*]

speed zone ['spiːdzəʊn] *s* amer. vägsträcka med hastighetsbegränsning på 50 el. 70 km/tim

1 spell [spel] (*~ed ~ed* el. vanl. britt. *spelt spelt*) **I** *vb tr* **1** stava, stava till; bokstavera **2** bli, 'säga' [*c-a-t ~s cat*] **3** innebära, medföra, betyda [*it ~s ruin*]; vålla **II** *vb itr* stava, stava rätt [*he cannot ~*] **III** *vb tr* med adv.:
spell out **a)** förklara bokstav för bokstav; redogöra detaljerat för; säga rent ut (klart och tydligt) **b)** förstå, [ut]tyda [*~ out sb's meaning*]

2 spell [spel] **I** *s* **1** [kort] period (tid) [*a cold ~; a warm ~*]; *breathing ~* andrum; *for a ~* ett tag, en stund [*sleep (wait) for a ~*] **2** skift [*~ of work*]; omgång, tur; sjö. törn; *take ~s at the wheel* turas om att köra **II** *vb tr* vanl. amer. avlösa

3 spell [spel] *s* **1** trollformel **2** förtrollning, trollkraft, förhäxning; *break the ~* bryta förtrollningen; *cast a ~ on sb* el. *put a ~ on sb* förtrolla ngn; *be under a ~* vara trollbunden

spellbinding ['spelˌbaɪndɪŋ] *adj* fängslande, fascinerande

spellbound ['spelbaʊnd] *adj* trollbunden

spell-check ['speltʃek] *vb tr* data. kontrollera stavningen i (hos) t.ex. ett ordbehandlingsdokument

spellchecker ['spelˌtʃekə] *s* data. stavningskontroll[program]

speller ['spelə] *s*, *she is a good (bad) ~* hon stavar bra (dåligt)

spelling ['spelɪŋ] *s* **1** stavning; bokstavering **2** rättskrivning, rättstavning

spelling bee ['spelɪŋbiː] *s* stavningslek, stavningstävling

1 spelt [spelt] vanl. britt., imperf. o. perf. p. av *1 spell*

2 spelt [spelt] *s* bot. spelt[vete], dinkel

spend [spend] (*spent spent;* se äv. *spent*) **I** *vb tr* **1 a)** ge (lägga) ut pengar, göra av med, lägga ned, offra, använda, spendera [*on* på], ge [*he spent £150 on (för) the coat*]; förbruka, göra slut på; slösa [bort]; *~ a penny* vard., se under *penny* **b)** använda tid, krafter m.m., lägga ned, offra [*on, in* på]; förbruka, uttömma [*~ one's strength*]; ödsla bort, slösa [bort]; *~ oneself* mattas, rasa ut [*the storm has spent itself*] **2** tillbringa, fördriva; *~ a whole evening over* [*a job*] tillbringa (hålla på) en hel kväll med..., använda en hel kväll till...; *~ the night with sb* **a)** sova över hos ngn **b)** ha sex med ngn **II** *vb itr* göra av med pengar; slösa; *~ freely* strö pengar omkring sig

spendaholic [ˌspendə'hɒlɪk] *s* vard. köpgalen person;
  he's a ~ han är köpgalen
spender ['spendə] *s* slösare; [stor]förbrukare
spending ['spendɪŋ] *s* utgift[er]; ~ *cuts* nedskärning
  av utgifter[na]
spending money ['spendɪŋˌmʌnɪ] *s* fickpengar
spending power ['spendɪŋˌpaʊə] *s* köpkraft
spendthrift ['spen(d)θrɪft] **I** *s* slösare **II** *adj* slösaktig
spent [spent] **I** imperf. av *spend* **II** *perf p* o. *adj*
  utmattad [*a ~ horse*]; uttömd, förbrukad; förbi,
  slut; ~ *cartridge* använd patron; *be a ~ force* vara en
  förbrukad kraft; ~ *nuclear fuel* utbränt kärnbränsle;
  time well ~ väl använd tid
sperm [spɜːm] *s* **1** sperma, sädesvätska; attr.
  sperma- [~ *bank*] **2** spermie, sädescell
spermatoz|oon [ˌspɜːmətə(ʊ)'zəʊɒn] (pl. -*oa* [-əʊə])
  s spermie, sädescell, spermatozo
sperm bank ['spɜːmbæŋk] *s* spermabank
sperm count ['spɜːmkaʊnt] *s* med. spermieräkning
spermicidal [ˌspɜːmɪ'saɪd(ə)l] *adj* med. spermicid,
  spermiedödande
spermicide ['spɜːmɪsaɪd] *s* med. spermiedödande
  medel, spermicid
sperm whale ['spɜːmweɪl] *s* zool. spermacetival,
  kaskelot
spew [spjuː] **I** *vb itr* spy **II** *vb tr* spy [upp], spy ut
SPF [ˌespiː'ef] förk. för *sun protection factor*
sphagnum ['sfægnəm] *s* bot. vitmossa
sphere [sfɪə] *s* **1** sfär, klot; glob, kula **2** bildl. sfär;
  område, gebit, fält, fack; [umgänges]krets, klass; ~
  of activity el. ~ *of activities* verksamhetsområde,
  verksamhetsfält; ~ *of influence* intressesfär
spherical ['sferɪk(ə)l] *adj* sfärisk; klotrund
spheroid ['sfɪərɔɪd] *s* geom. sfäroid
sphincter ['sfɪŋ(k)tə] *s* anat. ringmuskel, slutmuskel,
  sfinkter
sphinx [sfɪŋks] *s* sfinx äv. bildl.
spic [spɪk] *s* amer. sl. (neds.) spagge spansktalande person,
  t.ex. mexikan, puertorican
spice [spaɪs] **I** *s* **1** krydda; koll. kryddor **2** bildl.
  krydda; *variety is the ~ of life* ombyte förnöjer
  II *vb tr*, ~ el. ~ *up* krydda äv. bildl.; ge krydda åt
spick [spɪk] *s se spic*
spick-and-span [ˌspɪkən'spæn] *adj* **1** [putsad och]
  fin, prydlig, skinande ren **2** splitter ny
spicy ['spaɪsɪ] *adj* **1** kryddad, aromatisk **2** bildl.
  pikant, mustig [*a ~ story*]; rafflande; vågad
spider ['spaɪdə] *s* zool. spindel äv. data.; ~*'s web*
  spindelväv, spindelnät
spider plant ['spaɪdəˌplɑːnt] *s* bot. ampellilja
spiderweb ['spaɪdəweb] *s* spindelväv, spindelnät
spidery ['spaɪdərɪ] *adj* **1** spretig om handstil
  2 spindelliknande, spindel-
spiel [ʃpiːl, spiːl] *s* vard. [övertalnings]snack, svada
spiffy ['spɪfɪ] *adj* vanl. amer. vard. flott, stilig; smart
spigot ['spɪgət] *s* **1** svicka, sprundtapp **2** kran
spike [spaɪk] **I** *s* **1** pigg, spets, tagg t.ex. på staket;
  spik, brodd under sko, dubb **2** grov spik, nagel;
  rälsspik **3** pl. ~*s* spikskor **4** vard. ökning, höjning
  5 bot. ax
  II *vb tr* **1** förse med en pigg (piggar) etc.; brodda
  2 spika [fast]; genomborra [med en spik (spikar)];
  spetsa [*with* på] **3** vard. spetsa, hälla sprit i
  4 stoppa; ~ *sb's guns* omintetgöra (sätta stopp för)
  ngns planer
  III *vb itr* vard. öka (stiga) plötsligt
spiked ['spaɪkt] *adj*, ~ *hair* spretigt hår; ~ *helmet*
  pickelhuva; ~ *shoes* spikskor
spike heel [ˌspaɪk'hiːl] *s* stilettklack
spiky ['spaɪkɪ] *adj* **1** full av piggar etc., jfr *spike I*;
  piggig, taggig; spretig **2** spetsig, vass; styv
1 spill [spɪl] **I** (*spilt spilt* el. ~*ed* ~*ed*) *vb tr* spilla [ut],
  hälla [ut], stjälpa ut [~ *gravy on the tablecloth*];
  utgjuta [~ *blood*]; låta flyta (strömma ut, rinna
  över); släppa ut; ~ *the beans* vard. prata bredvid
  mun[nen], skvallra, tjalla; ~ *one's guts* amer. vard.
  vika ut sig själsligt, blotta sig
  II (för tema se *1 spill I*) *vb itr* **1** spilla **2** rinna över,
  spillas ut; ~ *out* a) strömma ut b) ösa ur sig; ~ *over*
  breda ut sig, sprida sig, flyta ut, svämma över;
  flöda
  III *s* **1** spill; utsläpp **2** fall till marken från häst m.m.
2 spill [spɪl] *s* tunn trästicka, hoprullad
  pappersremsa att tända med
spillage ['spɪlɪdʒ] *s* spill; utsläpp
spillikin ['spɪlɪkɪn] *s* **1** sticka i plockepinn **2** ~*s* (med
  verb i sg.) plockepinn spel
spillover ['spɪlˌəʊvə] *s* överskott; attr. överskotts-
spilt [spɪlt] imperf. o. perf. p. av *1 spill*
spin [spɪn] **I** (*spun spun*) *vb itr* **1** snurra [runt],
  svänga runt; råka i spinn; *my head is* ~*ning* det
  (allting) snurrar [runt] för mig, det går runt för
  mig **2** spinna **3** ~ [*along*] glida (flyta, susa) [fram]
  II (för tema se *spin I*) *vb tr* **1** spinna **2** bildl., ~ *a yarn*
  vard. dra en historia; ~ *off* a) ge upphov till, föra
  med sig b) vara (bli) avläggare (biprodukt) [*from*
  till]; ~ *out* dra ut på [~ *out a discussion*]; spinna på;
  få att räcka [länge] **3** snurra [runt], sätta i
  snurrning (snurr på), snurra (leka) med [~ *a top*];
  skruva boll; centrifugera tvätt; ~ *a coin* singla slant
  4 vard. vinkla
  III *s* **1** snurrande, kringsvängning; skruv på boll;
  centrifugering av tvätt; *give* [*a*] ~ *to a ball* skruva en
  boll; *be in* (*get into*) *a flat* ~ vard. vara bli alldeles
  konfys (tokig, hispig), vara (bli) alldeles ifrån sig
  2 vard. liten [åk]tur **3** flyg. spinn; *flat* ~ flatspinn
  4 vard. vinkling
spinach ['spɪnɪdʒ, -ɪtʃ] *s* spenat
spinach beet ['spɪnɪdʒbiːt] *s* mangold
spinal ['spaɪnl] *adj* ryggrads-; ryggmärgs- [~
  anaesthesia]
spinal column [ˌspaɪnl'kɒləm] *s* anat. ryggrad
spinal cord [ˌspaɪnl'kɔːd] *s* anat. ryggmärg
spinal tap [ˌspaɪnl'tæp] *s* amer. med., se *lumbar*
  puncture
spindle ['spɪndl] *s* **1** tekn. spindel, axel; axeltapp
  2 textil.: a) spindel b) rulle, spole
spindly ['spɪndlɪ] *adj* spinkig; skranglig
spin doctor ['spɪnˌdɒktə] *s* vard. 'nyhetsfrisör' person
  som skriver fördelaktigt om t.ex. mindre populära politiska
  beslut etc.
spin-drier ['spɪnˌdraɪə, ˌ-'--] *s* se *spin-dryer*
spin-dry [ˌspɪn'draɪ] *vb tr* centrifugera tvätt
spin-dryer ['spɪnˌdraɪə, ˌ-'--] *s* centrifug för tvätt
spine [spaɪn] *s* **1** anat. ryggrad äv. bildl. **2** tagg; pigg;
  torn **3** bokrygg
spine-chiller ['spaɪnˌtʃɪlə] *s* rysare

spine-chilling ['spaɪn,tʃɪlɪŋ] *adj* skräck- [~ *story*]; ryslig, som ger kalla kårar

spineless ['spaɪnləs] *adj* **1** ryggradslös **2** bildl. ryggradslös, karaktärslös

spine-tingling ['spaɪn,tɪŋglɪŋ] *adj* nervpirrande, nervkittlande

spinney ['spɪnɪ] *s* skogssnår, småskog

spinning ['spɪnɪŋ] **I** *adj* spinnande, spinn-; spånads- **II** *s* spinnande; spånad

spinning wheel ['spɪnɪŋwi:l] *s* spinnrock

spin-off ['spɪnɒf] *s* spin-off, biprodukt; avläggare

spinster ['spɪnstə] *s* åld. neds. [gammal] fröken (ungmö); *old* ~ äv. nucka

spiny ['spaɪnɪ] *adj* **1** taggig, piggig **2** taggliknande, smal och spetsig

spiral ['spaɪər(ə)l] **I** *s* **1** spiral; snäcklinje; vindel; spiralfjäder **2** ekon. spiral [*inflationary* ~] **II** *adj* spiralformig, snäckformig, spiral- [~ *spring*]; vindel- **III** *vb itr* röra sig i (gå i, bilda) en spiral

spiral staircase [,spaɪər(ə)l'steəkeɪs] *s* spiraltrappa, vindeltrappa

spire ['spaɪə] *s* tornspira; spira, spets, topp

spirit ['spɪrɪt] **I** *s* **1** ande äv. om person [*one of the greatest* ~*s of his day*]; själ, kraft [*the leading* ~*s*]; *the* ~ *indeed is willing but the flesh is weak* anden är villig, men köttet är svagt **2** ande; spöke [*see a* ~] **3** anda, stämning; sinnelag; *community* ~ samhällsanda; ~ *of contradiction* oppositionslusta; *that's the* ~*!* så ska det låta!; *when the* ~ *moves him* när andan faller på [honom] **4** ~*s* pl. humör, lynne, [sinnes]stämning; *good* ~*s* gott humör (lynne, mod); *high* ~*s* gott humör, hög (glad, uppsluppen) stämning, uppsluppenhet; *keep up one's* ~*s* hålla modet (humöret) uppe; *recover one's* ~*s* känna sig bättre till mods, bli på bättre humör **5** kraft, liv; fart, energi; gnista; *recover one's* ~ repa mod; *put a little more* ~ *into it!* sätt litet [mera] fart på det hela! **6** andemening, anda; *the* ~ *of the law* lagens anda; *enter into the* ~ *of* fatta innebörden av, leva (sätta) sig in i **7** kem. sprit [*wood* ~]; alkohol; *white* ~ lacknafta **8** pl. ~*s* sprit[drycker], spritvaror, spirituosa **II** *vb tr*, ~ *away* el. ~ *off* smussla bort, trolla bort, snappa bort

spirited ['spɪrɪtɪd] *adj* livlig, livfull [*a* ~ *dialogue*]; kraftfull; modig [*a* ~ *attack*; *a* ~ *attempt*; *a* ~ *girl*]; käck; pigg, kvick [*a* ~ *reply*]; eldig [*a* ~ *horse*]

spirit lamp ['spɪrɪtlæmp] *s* spritlampa

spiritless ['spɪrɪtləs] *adj* **1** mesig; kraftlös; initiativlös, slö, utan energi (gnista, fart); likgiltig **2** modfälld, nedstämd **3** själlös, livlös

spirit level ['spɪrɪt,levl] *s* tekn. [rör]vattenpass

spiritual ['spɪrɪtjʊəl] **I** *adj* **1** andlig: a) själslig, själs-, ande- [~ *life*]; själa- b) religiös [~ *songs*]; ~ *leader* andlig ledare **2** förandligad **II** *s* mus. negro spiritual [äv. *Negro* ~]

spiritualism ['spɪrɪtjʊəlɪz(ə)m] *s* spiritualism äv. filos., spiritism

spirituality [,spɪrɪtjʊ'ælətɪ] *s* andlighet

spirituous ['spɪrɪtjʊəs] *adj* spirituös, sprithaltig; ~ *liquors* spritdrycker

1 spit [spɪt] **I** (*spat spat*) *vb itr* **1** spotta [~ *on the floor*] **2** spotta och fräsa [*the engine was* ~*ting*];

[stänka och] fräsa i stekpannan **3** vard. stänka, småregna **II** (*spat spat*) *vb tr* **1** spotta ut **2** sprätta; ~ *fire* spruta eld **3** *within* ~*ting distance of* vard. ett stenkast ifrån **III** (*spat spat*) *vb itr* o. *vb tr* med prep. el. adv.: *spit at* spotta på *spit out* spotta ut; ~ *it out!* [kläm] fram med det!, ut med språket! *spit up* amer. vard. a) itr. kräkas b) tr. kräkas upp **IV** *s* **1** spottning **2** spott; ~ *curl* slickad lock, tjusarlock; ~ *and polish* vard. puts, putsning, polering **3** *he's the* ~ *of his dad* el. *he's the dead* ~ *of his dad* han är sin pappa upp i dagen

2 spit [spɪt] **I** *s* [grill]spett; stekspett **II** *vb tr* sätta på spett

spitball ['spɪtbɔ:l] *s* amer. tuggad papperskula som används som projektil

spite [spaɪt] **I** *s* ondska, illvilja, elakhet; motvilja, agg, groll; *in* ~ *of* trots, oaktat, i trots av; *in* ~ *of myself* mot min [egen] vilja, motvilligt; *from* ~ el. *out of* ~ av illvilja, av elakhet **II** *vb tr* förarga, reta, ställa till förtret för; *she is cutting off her nose to* ~ *her face* äv. det går bara ut över henne själv

spiteful ['spaɪtf(ʊ)l] *adj* ondskefull, illvillig, elak

spitting image [,spɪtɪŋ'ɪmɪdʒ] *s* vard., *he's the* ~ *of his dad* han är sin pappa upp i dagen

spittle ['spɪtl] *s* spott, saliv

spittoon [spɪ'tu:n] *s* spottkopp

spiv [spɪv] *s* åld. sl. **1** småskojare **2** dagdrivare; parasit

splash [splæʃ] **I** *vb tr* **1** stänka ned [~ *sb with mud*]; slaska ned; stänka, skvätta [~ *paint all over one's clothes*]; slaska, klatscha på; skvätta ut **2** plaska med [~ *one's toes*] **3** ~ *one's money about* vard. strö pengar omkring sig **4** vard. slå upp, göra feta rubriker av nyheter i tidning **II** *vb itr* **1** plaska, plumsa; skvalpa; stänka, skvätta **2** vard., ~ *out* kasta ut pengar [*on* på] **III** *s* **1** plaskande, skvalpande; plask, plums; skvalp; *make a* ~ vard. väcka uppseende (sensation) **2** skvätt, stänk **3** [färg]stänk; ~ *of colour* bildl. färgklick **4** vard. skvätt soda från sifon [*a whisky and* ~] **IV** *adv* pladask **V** *interj* plask!, plums!

splashback ['splæʃbæk] *s* stänkskydd bakom tvättställ, vattentålig väggbeklädnad

splashdown ['splæʃdaʊn] *s* rymd. landning i havet; landningsplats i havet

splashy ['splæʃɪ] *adj* **1** plaskande, skvalpande; plask- **2** plaskig, som man kan plaska i, sörjig **3** fläckig, nerstänkt **4** sensationell; prålig

splat [splæt] *s* klatsch, smäll; smask

splatter ['splætə] **I** *vb itr* plaska; stänka, spruta **II** *vb tr* **1** stänka ned, plaska ned **2** stänka, plaska

splay [spleɪ] *vb tr* breda ut; spreta [ut] med [äv. ~ *out*]

spleen [spli:n] *s* **1** anat. mjälte **2** bildl. dåligt humör [*a fit of* ~]; *vent one's* ~ *on* utgjuta sin galla över

splendid ['splendɪd] *adj* **1** ståtlig, glänsande, lysande, storartad, praktfull, härlig, präktig **2** vard. finfin, utmärkt [*a* ~ *idea*]

splendiferous [splen'dɪfərəs] *adj* vard. finfin
splendour ['splendə] *s* glans, prakt, ståt
splice [splaɪs] **I** *vb tr* **1** splitsa rep; laska timmer; skarva [ihop] film, band m.m., foga ihop **2** ngt åld. sl., *get ~d* gänga sig gifta sig **II** *s* splits; lask; skarv
spliff [splɪf] *s* sl. joint marijuanacigarett
spline [splaɪn] *s* tekn. krysskil; räffla, spårning, splinefunktion
splint [splɪnt] **I** *s* kir. spjäla, skena; *put a bone in ~s* spjäla (spjälka) ett ben **II** *vb tr* spjäla, spjälka
splinter ['splɪntə] **I** *vb tr* splittra **II** *vb itr*, ~ el. ~ *off* splittras; skärva (flisa) sig **III** *s* flisa, skärva [~ *of glass*]; sticka; splitter
splinter group ['splɪntəgru:p] *s* utbrytargrupp, oppositionell grupp
splinterproof ['splɪntəpru:f] *adj* splitterfri
split [splɪt] **I** (*split split*) *vb tr* **1** splittra äv. bildl., klyva [~ *the atom*]; spränga [sönder]; ~ *hairs* ägna sig åt hårklyverier; ~ *one's sides laughing* se under *side I 1*; ~ *the vote* orsaka splittring i väljarkåren; ~ *one's vote* rösta på kandidater från andra partier [vid flera samtidigt genomförda val]; *the country is ~ on (over) the matter* landet är splittrat (delat) i frågan **2** dela upp, dela [på] [~ *a bottle of wine*; ~ *the expenses*; ~ *profits*; ofta ~ *up*]; halvera; ~ *the difference* bildl. mötas på halva vägen
II (*split split*) *vb itr* **1** splittras, klyvas [*into* i], rämna, springa sönder, spricka [upp], gå sönder, brista, bildl. äv. sprängas, dela [upp] sig [*into* i]; *my head is ~ting* det sprängvärker i huvudet på mig; ~ *open* gå upp, brista [*the seam has ~ open*]; spricka **2** dela [*with* med; ~ *equal*], vard. dela på bytet (vinsten)
III (*split split*) *vb itr* o. *vb tr* med adv. el. prep.:
split off avskiljas
split on vard. skvallra på, tjalla på kamrat o.d.
split up a) klyva sig, dela [upp] sig **b)** vard. skiljas, separera; bryta upp **c)** klyva sönder; sönderdela
IV *s* **1** splittring, klyvning etc., jfr *split I 2* bildl. splittring, spricka [*a ~ in the party*] **3** spricka, rämna, reva **4** *do the ~s* gå ned i spagat
V *perf p* o. *adj* splittrad etc., jfr *split I*
split ends [,splɪt'endz] *s pl* kluvna toppar i hår
split infinitive [,splɪtɪn'fɪnɪtɪv] *s* gram. 'kluven infinitiv' med ett ord inskjutet mellan infinitivmärket och den följande infinitiven
split-level [,splɪt'levl, attr. '-,--] *adj* byggn. med förskjutet (förskjutna) [vånings]plan; i annat plan; ~ *house* äv. sluttningshus, souterränghus
split personality ['splɪt,pɜ:sə'nælətɪ] *s* psykol., *have a ~* vara en dubbelnatur; lida av personlighetsklyvning
split screen [,splɪt'skri:n] *s* data. delad skärm; TV. delad bildruta
split-second ['splɪtsek(ə)nd] *adj* på sekunden [~ *timing*]; blixtsnabb
split second [,splɪt'sek(ə)nd] *s* [bråk]del av en sekund
split shift [,splɪt'ʃɪft] *s* delat [arbets]skift
split ticket ['splɪt,tɪkɪt] *s* amer., *vote a ~* rösta på kandidater från andra partier [vid flera samtidigt genomförda val]

splitting ['splɪtɪŋ] *adj*, *a ~ headache* en blixtrande huvudvärk
splodge [splɒdʒ] *s* se *splotch*
splosh [splɒʃ] **I** *s* **1** se *splash* **2** sl. stålar pengar
II *vb tr* o. *interj* o. *adv* se *splash*
splotch [splɒtʃ] *s* fläck, stänk
splurge [splɜ:dʒ] vard. **I** *s* **1** frossande, orgie **2** köpfest, köporgie **II** *vb itr* vräka sig, lyxa till sig **III** *vb tr* vräka ut pengar
splutter ['splʌtə] **I** *vb itr* **1** sluddra [på målet]; snubbla på (över) orden **2** [spotta och] fräsa **II** *s* **1** sludder **2** spottande; stänkande; fräsande
spoil [spɔɪl] **I** (*spoilt spoilt* el. *~ed ~ed* [spɔɪlt el. spɔɪld]) *vb tr* **1** förstöra, fördärva [~ *sb's pleasure*; ~ *sb's appetite*]; spoliera, skämma; *she ~t it all* hon förstörde alltsammans **2** skämma bort, klema bort [~ *a child*]
II (för tema se *spoil I*) *vb itr* **1** om frukt, fisk m.m. bli förstörd (oduglig, skämd) **2** *be ~ing for a fight* vara stridslysten, mucka gräl
spoilage ['spɔɪlɪdʒ] *s* förruttnelse, förstöring spec. av livsmedel genom bakterieangrepp
spoiler ['spɔɪlə] *s* bil. el. flyg. spoiler
spoils [spɔɪlz] *s pl* litt. rov, byte äv. bildl.; ~ *of war* krigsbyte
spoilsport ['spɔɪlspɔ:t] *s* vard. glädjedödare
spoilt [spɔɪlt] imperf. o. perf. p. av *spoil*
1 spoke [spəʊk] imperf. av *speak*
2 spoke [spəʊk] *s* **1** eker i hjul **2** stegpinne **3** bildl., *put a ~ in sb's wheel* sätta en käpp i hjulet för ngn
spoken ['spəʊk(ə)n] **I** perf. p. av *speak* **II** *adj* talad; muntlig [*a ~ message*]; *he was pleasantly ~* a) han hade en trevlig (behaglig) röst b) han var trevlig att tala med; *be ~ for* vara reserverad (upptagen)
spokes|man ['spəʊks|mən] (pl. *-men* [-mən]) *s* o.
spokes|woman (pl. *-women* [-wɪmɪn]) *s* talesman, språkrör [*of, for* för]; förespråkare [*for* för]
spokes|person ['spəʊks|,pɜ:sn] (pl. *-people* [-,pi:pl]) *s* talesman, språkrör [*of, for* för]
sponge [spʌn(d)ʒ] **I** *s* **1** [tvätt]svamp; svampig massa; *throw in the ~* vard. kasta yxan i sjön, kasta in handduken, ge upp **2** kok. a) uppjäst deg b) se *sponge cake* **3** vard., se *sponger*
II *vb itr* vard. snylta, parasitera [*on sb, off sb* på ngn; *for sth* för att få ngt]
III *vb tr* tvätta (torka) [av] med [en] svamp [äv. ~ *down*; ~ *over*]; ~ *up* suga upp med [en] svamp
sponge bag ['spʌn(d)ʒbæg] *s* necessär, toalettväska
sponge bath ['spʌn(d)ʒbɑ:θ] *s* tvättning av kroppen med hjälp av tvättlapp el. tvättsvamp när det inte finns tillgång till badkar el. dusch
sponge cake ['spʌn(d)ʒkeɪk] *s* kok. lätt sockerkaka utan fett
sponge pudding [,spʌn(d)ʒ'pʊdɪŋ] *s* kok. ångkokt pudding av sockerkakstyp
sponger ['spʌn(d)ʒə] *s* vard. snyltgäst, parasit
spongy ['spʌn(d)ʒɪ] *adj* **1** svampig; svampaktig, svampliknande; porös **2** om mark sumpig; blöt
sponsor ['spɒnsə] **I** *s* **1** sponsor; gynnare; garant **2** radio. el. TV. sponsor, finansiär, annonsör **3** fadder vid dop
II *vb tr* **1** vara sponsor (garant) för; stå bakom; stå

för; gynna, verka för **2** stå fadder åt **3** TV. el. sport. sponsra, finansiera

sponsorship ['spɒnsəʃɪp] *s* **1** sponsorskap, stöd **2** fadderskap

spontaneity [ˌspɒntə'niːətɪ] *s* spontanitet

spontaneous [spɒn'teɪnɪəs] *adj* spontan; frivillig; ~ *abortion* med. missfall, spontan abort

spontaneous combustion [spɒnˌteɪnɪəskəm'bʌstʃ(ə)n] *s* självantändning, självförbränning

spoof [spuːf] **I** *vb itr* skoja; luras, narras **II** *vb tr* driva (skoja) med; lura, narra **III** *s* drift, parodi

spook [spuːk] **I** *s* **1** vard. spöke **2** amer. sl. spion **II** *vb tr* vard. skrämma

spooky ['spuːkɪ] *adj* vard. spöklik, kuslig; spök-

spool [spuːl] **I** *s* spole; [film]rulle; ~ *of thread* amer. trådrulle **II** *vb tr* **1** spola **2** data. föra över

spoon [spuːn] **I** *s* **1** sked; skopa **2** fiske. skeddrag **II** *vb tr* ösa (äta) med sked [vanl. ~ *up*]; ~ *out* ösa upp [med sked], servera **III** *vb itr* fiska med skeddrag

spoon-fed ['spuːnfed] imperf. o. perf. p. av *spoon-feed*

spoon-feed ['spuːnfiːd] (*spoon-fed spoon-fed*) *vb tr* **1** mata med sked **2** dalta (pjoska) med, klema bort **3** bildl. servera färdiga lösningar åt [~ *students*]

spoonful ['spuːnfʊl] (pl. ~*s* el. *spoonsful*) *s* sked[blad] som mått; *a* ~ *of* en sked [med]

spoor [spʊə] *s* jakt. spår efter villebråd

sporadic [spə'rædɪk] *adj* sporadisk, spridd

spore [spɔː] *s* bot. spor

sporran ['spɒr(ə)n] *s* [skinn]pung buren till skotsk kilt

sport [spɔːt] **I** *s* **1** sport; idrott, idrottsgren; pl. ~*s* äv. a) koll. sport; idrott b) idrottstävling[ar] [*school* ~*s*]; *athletic* ~*s* friidrott, [allmän] idrott; friidrottstävling[ar] **2** lek; tidsfördriv, avkoppling **3** skämt, skoj; *in* ~ på skoj (skämt); *make* ~ *of* skämta (skoja, driva) med **4** vard. bra (reko) kille (karl); god förlorare; *a good* ~ en trevlig (bussig) kamrat; *she's a real* ~ hon är en verkligt bussig tjej (kamrat) **II** *vb tr* vard. ståta med, skylta med [~ *a rose in one's buttonhole*] **III** *vb itr* leka, roa sig; ~ *with* bildl. leka med

sporting ['spɔːtɪŋ] *adj* **1** a) sportande; sportälskande, sportig; sportslig; sport-, idrotts- [*a* ~ *event*] b) jakt-; jaktälskande **2** sportsmannamässig **3** *a* ~ *chance* en sportslig (rimlig, ärlig) chans (möjlighet)

sporting gun ['spɔːtɪŋgʌn] *s* jaktbössa, jaktgevär

sportive ['spɔːtɪv] *adj* lekfull; uppsluppen

sports bar ['spɔːtsbɑː] *s* amer. bar som kontinuerligt visar idrottssändningar på tv

sports car ['spɔːtskɑː] *s* sportbil, sportvagn

sportscast ['spɔːtskɑːst] *s* radio. el. TV. sport[nyheter]

sports centre ['spɔːtsˌsentə] *s* sportcenter

sports day ['spɔːtsdeɪ] *s* idrottsdag, friluftsdag

sports desk ['spɔːtsdesk] *s* sportredaktion

sports ground ['spɔːtsgraʊnd] *s* idrottsplats

sports jacket ['spɔːtsˌdʒækɪt] *s* blazer, [sport]kavaj; sportjacka

sports|man ['spɔːts|mən] (pl. -*men* [-mən]) *s* **1** idrottsman; sportsman **2** renhårig (hygglig) person; god förlorare, sportsman **3** jägare, fiskare

sportsmanlike ['spɔːtsmənlaɪk] *adj* sportsmannamässig

sportsmanship ['spɔːtsmənʃɪp] *s* sportsmannaanda; renhårighet

sports master ['spɔːtsˌmɑːstə] *s* idrottslärare

sports medicine ['spɔːtsˌmeds(ə)n] *s* idrottsmedicin

sports meeting ['spɔːtsˌmiːtɪŋ] *s* idrottstävling

sportswear ['spɔːtsweə] *s* sportkläder, idrottskläder

sports|woman ['spɔːts|wʊmən] (pl. -*women* [-ˌwɪmɪn]) *s* idrottskvinna

sports writer ['spɔːtsˌraɪtə] *s* sportjournalist

sport utility vehicle [ˌspɔːtjuːˈtɪlətɪˌviːɪkl, -ˌvɪəkl] *s* vanl. amer., se *SUV*

sporty ['spɔːtɪ] *adj* vard. **1** sportig; hurtig; sportsmannamässig **2** grann, prålig

spot [spɒt] **I** *s* **1** fläck äv. bildl. [*without a* ~ *on her reputation*]; prick **2** plats, ställe [*a lovely* ~]; punkt [*the highest* ~ *of the mountain*]; position, ställning; *bright* ~ vard., bildl. ljuspunkt; *have a soft* ~ *for* vara svag för; *tender* ~ öm punkt, ömtåligt ämne; *weak* ~ svaghet, svag sida hos ngn; *hit sb's weak* ~ hitta (sätta fingret på) ngns svaga punkt; *change one's* ~*s* ändra livsstil, bryta en ovana; *hit the* ~ vard. träffa (ha) rätt, slå huvudet på spiken; vara pricken över i, göra susen; *knock* ~*s off* utklassa, slå med hästlängder; *be in a* ~ el. *be in a tight* ~ vard. vara i klämma (knipa, trubbel), ligga illa till; *in* ~*s* fläckvis, punktvis; då och då; *on the* ~ a) på platsen (stället, ort och ställe) b) på stället (fläcken), genast [*act on the* ~]; *put sb on the* ~ försätta ngn i knipa, sätta ngn på det hala **3** [hud]utslag; finne, blema; *come out in* ~*s* få finnar (utslag) **4** droppe, stänk [~*s of rain*]; vard. skvätt [~ *of whisky*]; tår; smula; *a* ~ *of bother* lite trassel; *a* ~ *of lunch* lite lunch **II** *vb tr* **1** fläcka ned [~ *one's fingers with ink*]; sätta prickar på; bildl. befläcka **2** få syn på, se; känna igen; lägga märke till [~ *mistakes*]; upptäcka [~ *talent*]; ~ *the winner* tippa vem som vinner

spot check [ˌspɒt'tʃek] **I** *s* stickprov; flygande kontroll **II** *vb tr* göra ett (ta) stickprov bland (på)

spot fine [ˌspɒt'faɪn] *s* ung. ordningsbot

spotless ['spɒtləs] *adj* skinande ren, fläckfri

spotlight ['spɒtlaɪt] **I** *s* **1** spotlight; strålkastare; sökarljus på bil **2** strålkastarljus äv. bildl.; *be in the* ~ stå i rampljuset **II** *vb tr* **1** belysa med strålkastare **2** bildl. ställa i strålkastarljuset (rampljuset)

spot market [ˌspɒt'mɑːkɪt] *s* hand. spotmarknad

spot-on [ˌspɒt'ɒn, '--] *adj* vard. perfekt, på pricken, helt rätt

spotted ['spɒtɪd] *adj* **1** fläckig, prickig; ~ *red* rödprickig **2** [ned]smutsad, bildl. äv. fläckad

spotted dick [ˌspɒtɪd'dɪk] *s* kok., slags kokt pudding med torkad frukt

spotter ['spɒtə] *s* **1** observatör **2** mil. a) eldobservatör b) målspanare c) flygspanare äv. civil; spaningsflygplan **3** *talent* ~ talangscout

spotting ['spɒtɪŋ] *s* vard., lättare mellanblödning[ar]

spotty ['spɒtɪ] *adj* **1** fläckig, prickig **2** finnig; med utslag **3** ojämn [*a ~ performance*]; sporadisk; fläckvis förekommande

spouse [spaʊs, spaʊz] *s* jur. el. litt. [äkta] make (maka)

spout [spaʊt] **I** *vb itr* **1** spruta [ut] **2** vard., *~ on* el. *~ off* orera, låta munnen gå [*about* om]
II *vb tr* **1** spruta [ut]; spy ut **2** vard. nysta (haspla) ur sig, deklamera [*~ verses*]
III *s* **1** pip [*~ of a teapot*] **2** byggn. stupränna, stuprör **3** häftig stråle av vatten, ånga m.m.; vattenpelare **4** *up the ~* ruinerad, slut, helt borta; åt pipan [*the deal went down the ~*]

sprain [spreɪn] **I** *vb tr* vricka, stuka; sträcka **II** *s* vrickning, stukning; sträckning

sprang [spræŋ] imperf. av *spring*

sprat [spræt] *s* zool. skarpsill, vassbuk, brissling; *tinned ~s* ansjovis i burk

sprawl [sprɔːl] **I** *vb itr* **1** sträcka (breda) ut sig, [ligga (sitta) och] vräka sig, ligga utslängd; [ligga och] krävla; krypa omkring; spreta [utåt] [*the puppy's legs ~ed in all directions*]; *send sb ~ing* vräka omkull ngn **2** breda ut sig, sprida ut sig; om handstil m.m. spreta åt alla håll
II *vb tr* spreta [utåt]; (skreva) med [äv. *~ out*; *~ one's legs*]; sträcka ut
III *s* **1** utbredning; *the urban ~* tätorternas ohämmade tillväxt **2** spretande; vräkig (nonchalant) ställning

1 spray [spreɪ] **I** *s* **1** stänk [*the ~ of a waterfall*] yrande skum [*sea ~*]; stråle, dusch **2** sprej; besprutningsvätska, besprutningsmedel **3** sprej[flaska]; rafräschissör; spruta, spridare
II *vb tr* spreja, spruta [*sb with sth* ngt på ngn]; bespruta; peppra
III *vb itr* **1** stänka [omkring], yra; skumma **2** spreja, spruta [ut]

2 spray [spreɪ] *s* blomklase; liten bukett

spray can ['spreɪkæn] *s* sprejburk

spray gun ['spreɪɡʌn] *s* sprutpistol, tryckluftspistol

spray-paint ['spreɪpeɪnt] *vb tr* sprutmåla, sprutlackera

spread [spred] **I** (*spread spread*) *vb tr* **1** breda ut [*~ [out] a carpet*; *~ [out] a map*]; sprida [ut] [*~ [out] manure*]; lägga ut; spänna ut [*the bird ~ its wings*]; sträcka ut [*~ [out] one's arms*]; veckla ut [*~ a flag*]; *~ a cloth on* (*over*) *the table* lägga [på] en duk på bordet; *~ oneself* vard. a) bre ut sig b) bildl. bre ut sig, tala (skriva) vitt och brett [*on* om, över] **2** stryka, breda [*on* på]; täcka [*with* med] **3** bildl. sprida [*~ disease*; *~ knowledge*; *~ news*]; sprida ut, föra vidare; *~ one's net* lägga ut sina krokar
II (*spread spread*) *vb itr* **1** breda ut sig [äv. *~ out*]; sprida sig; gripa omkring sig; sträcka sig [*a desert ~ing for hundreds of miles*] **2** vara (gå) lätt att breda [på] [*butter ~s easily*]
III *s* **1** utbredande, utbredning, spridande, spridning [*the ~ of disease; the ~ of education*] **2** utsträckning, sträcka; vidd, omfång [*the ~ of an arch*]; *the ~ of a bird's wings* en fågels vingbredd **3** vard. kalas[måltid] **4** bredbart pålägg; *cheese ~* mjukost **5** flyg. vingbredd **6** uppslag [*picture ~s*]; tvåsidesannons, tvåsidesartikel, tvåsidesbild [äv. *double-page ~*]

spreadeagled ['spred,iːɡld] *adj* utsträckt, med armar och ben utbredda

spreadsheet ['spredʃiːt] *s* data. kalkylprogram

spree [spriː] *s* vard. **1 a)** glad skiva; fylleskiva; krogrond **b)** festande; *go out on the ~* gå ut och festa, gå krogrond **2** frossande; *go on a buying ~* gripas av köpraseri; *spending ~* köporgie; *go on a spending ~* [vara ute och] sätta sprätt på pengar

sprig [sprɪɡ] *s* [liten] kvist [*a ~ of parsley*]; skott

sprigged [sprɪɡd] *adj* mönstrad med kvistar; *~ muslin* blommig muslin

sprightly ['spraɪtlɪ] *adj* livlig, pigg, glad

spring [sprɪŋ] **I** *s* **1** vår äv. bildl. [*the ~ of life*]; attr. vår-, för ex. jfr *summer* **2** språng, hopp **3** källa [*hot* (*mineral*) *~*]; *medicinal ~* hälsobrunn **4** fjäder [*the ~ of a carriage; the ~ of a watch*]; resår; pl. *~s* äv. fjädring **5** bildl. drivfjäder
II (*sprang sprung*) *vb itr* **1** hoppa [*~ out of bed*; *~ over a gate*]; rusa [*at* (*on*) *sb* på ngn], fara, flyga [*~ up from one's chair*]; *the doors sprang open* dörrarna flög upp; *~ into existence* få liv, uppstå; *~ into* (*to*) *life* sätta igång, starta; *~ to one's feet* rusa (fara) upp **2** rinna, spruta; *tears sprang to her eyes* hennes ögon fylldes av tårar **3** *~ up* a) om växter spira, skjuta upp b) bildl. dyka upp; *industries sprang up* [*in the suburbs*] industrier växte upp... **4** uppstå, uppkomma [*from, out of* av, ur]
III (*sprang sprung*) *vb tr* **1** få att plötsligt öppna sig; spränga [*~ a mine*]; utlösa; *~ a trap* få en fälla att smälla (slå) igen [*upon* om] **2** [plötsligt] komma med [*~ a surprise on* (åt) *sb*]; *~ sth on sb* överraska ngn med ngt **3** spräcka; *~ a leak* sjö. springa läck

spring balance [ˌsprɪŋ'bæləns] *s* fjädervåg

spring bed [ˌsprɪŋ'bed] *s* resårmadrass

springboard ['sprɪŋbɔːd] *s* **1** språngbräda äv. bildl. **2** trampolin, svikt

springbok ['sprɪŋbɒk] *s* zool. springbock

spring chicken [ˌsprɪŋ'tʃɪkɪn] *s* gödkyckling; unghöns; *she's no ~* hon är ingen ungdom längre

spring-clean [i betydelse *I* vanl. ˌsprɪŋ'kliːn, i betydelse *II* vanl. '--] **I** *vb tr* vårstäda, göra vårrengöring i, storstäda **II** *s*, *a ~* en vårstädning (storstädning)

spring cleaning ['sprɪŋˌkliːnɪŋ] *s* vårrengöring, vårstädning, storstädning

spring mattress [ˌsprɪŋ'mætrəs] *s* resårmadrass

spring onion [ˌsprɪŋ'ʌnjən] *s* bot. el. kok. salladslök, knipplök

spring roll [ˌsprɪŋ'rəʊl] *s* kok. vårrulle

spring tide [ˌsprɪŋ'taɪd] *s* springflod

springtime ['sprɪŋtaɪm] *s* vår äv. bildl. [*in the ~ of life*]; vårtid; *in ~* el. *in the ~* på (under) våren (vårarna)

springy ['sprɪŋɪ] *adj* fjädrande, elastisk; spänstig

sprinkle ['sprɪŋkl] **I** *vb tr* **1** strö [ut], stänka **2** beströ, bestänka, bespruta [*with* med], strila; fukta; stänka kläder; *~ sth with sth* äv. strö (stänka) ngt på ngt
II *s* **1** stänk [*~ of rain*]; gnutta **2** amer. kok., *~s* pl. strössel

sprinkler ['sprɪŋklə] *s* **1** [vatten]spridare; sprinkler; stril; stänkflaska; *~ system* el. pl. *~s* sprinkleranläggning **2** vattenvagn **3** *holy-water ~* vigvattenskvast

sprinkling ['sprɪŋklɪŋ] *s* **1** bildl. **a**) stänk; smula, gnutta; *a ~ of [pepper]* en aning...; *a ~ of grey hairs* stänk av gråa hår; *a ~ of snow* ett lätt snöfall **b**) [mindre] inslag [*a ~ of Irishmen among them*]; fåtal, litet antal **2** [be]stänkande, utströende, besprutande

sprint [sprɪnt] sport. **I** *vb itr* sprinta, spurta **II** *s* **1** sprinterlopp **2** spurt, slutspurt

sprite [spraɪt] *s* **1** data. 'docka' objekt som rör sig i datorgrafik **2** vattennymf, älva

spritz [sprɪts] *vb tr* vard. spreja

spritzer ['sprɪtsə] *s* vitt vin med sodavatten

sprocket ['sprɒkɪt] *s* tand, kugge på kedjekrans o.d.

sprog [sprɒg] *s* sl., *the ~s* ungarna barnen

sprout [spraʊt] **I** *vb itr* gro, spira [upp (fram)], skjuta skott, skjuta upp **II** *vb tr* **1** få att gro (skjuta skott) **2** få [*~ horns; ~ leaves*] **III** *s* bot. **1** skott; grodd **2** kok. **a**) se *Brussels sprouts* **b**) pl. *~s* amer. böngroddar

1 spruce [spru:s] *s* bot. gran [äv. *~ fir*; *Norway ~*]

2 spruce [spru:s] **I** *adj* prydlig, fin, nätt; piffig; sprättig **II** *vb tr* o. *vb itr*, *~ up* piffa upp [sig]

spruce cone ['spru:skəʊn] *s* grankotte

sprung [sprʌŋ] **I** perf. p. av *spring* **II** *adj* resår-

sprung bed [ˌsprʌŋ'bed] *s* resårsäng

spry [spraɪ] *adj* rask, flink; hurtig; pigg

spud [spʌd] *s* vard. plugg potatis

spume [spju:m] *s* litt. skum, fradga

spun [spʌn] **I** imperf. o. perf. p. av *spin* **II** *adj* spunnen

spun glass [ˌspʌn'glɑ:s] *s* glasfibrer

spunk [spʌŋk] *s* **1** vard. mod; fart, liv, gnista; hetsighet **2** vulg. sats sädesvätska

spunky ['spʌŋkɪ] *adj* vard. modig; livlig, fartig; hetsig

spun sugar [ˌspʌn'ʃʊgə] *s* spunnet socker

spur [spɜ:] **I** *s* **1** sporre äv. bot. el. zool.; *win one's ~s* bildl. vinna sina sporrar **2** bildl. sporre, eggelse, incitament, impuls, stimulans; *on the ~ of the moment* utan närmare eftertanke, spontant; oförberett, på rak arm **II** *vb tr*, *~* el. *~ on* sporra äv. bildl., egga [*into, to* till], driva på

spurious ['spjʊərɪəs] *adj* falsk, förfalskad

spurn [spɜ:n] *vb tr* avvisa, undanbe sig; *a ~ed lover* en försmådd beundrare

Spurs [spɜ:z] (kortform av *Tottenham Hotspurs*) engelskt fotbollslag

1 spurt [spɜ:t] **I** *vb itr* spurta äv. bildl. **II** *s* spurt, slutspurt; *put on a ~* lägga på en rem

2 spurt [spɜ:t] **I** *vb itr* spruta [ut (fram)], rusa [ut (fram)]; sprätta om penna **II** *vb tr* spruta [ut] **III** *s* [utsprutande] stråle

sputter ['spʌtə] *vb itr* o. *s* se *splutter*

spy [spaɪ] **I** *vb itr* spionera [*on* på; *for* åt]; *~ into* snoka i **II** *vb tr* **1** få syn på, varsebli, se; *~ out the land* rekognoscera [terrängen]; bildl. sondera terrängen **2** iaktta spec. med kikare **3** spionera på **III** *s* spion; spejare

spyglass ['spaɪglɑ:s] *s* **1** ngt åld. [liten] kikare **2** dörrkik

spyhole ['spaɪhəʊl] *s* titthål, kikhål

spy ring ['spaɪrɪŋ] *s* spionliga

spyware ['spaɪweə] *s* data. spionprogram

sq. förk. för *square*

sq. ft. förk. för *square foot, square feet*

sq. in. förk. för *square inch[es]*

SQL ['si:kw(ə)l] data. (förk. för *structured query language*) SQL fråge- och kommandospråk för hantering av databaser

sq. m. förk. för *square metre[s], square mile[s]*

squabble ['skwɒbl] **I** *s* käbbel, kiv, bjäbb **II** *vb itr* käbbla, kivas, bjäbba [*about* om]

squad [skwɒd] *s* **1** [speciellt avdelad] grupp (styrka) [*anti-terrorist ~*]; patrull, kommission; vanl. i sammansättn. -rotel [*fraud ~*] **2** sport. trupp; *the England ~* engelska landslagstruppen **3** mil. grupp

squad car ['skwɒdkɑ:] *s* polisbil [från spaningsroteln]

squaddie ['skwɒdɪ] *s* mil. vard. basse, menig

squadron ['skwɒdr(ə)n] *s* mil. eskader inom flottan; division inom flyget

squadron leader ['skwɒdr(ə)n,li:də] *s* mil. major vid flyget

squalid ['skwɒlɪd] *adj* snuskig, eländig, smutsig

squall [skwɔ:l] **I** *s* **1** skrik, vrål, tjut **2** by ofta av regn el. snö, kastby, stormby **II** *vb itr* skrika, gasta

squally ['skwɔ:lɪ] *adj* byig

squalor ['skwɒlə] *s* snusk, snuskighet, smuts, smutsighet; elände

squander ['skwɒndə] *vb tr* slösa [bort], förslösa, ödsla (kasta) bort [*~ money; ~ time*; äv. *~ away*]

square [skweə] **I** *s* **1 a**) geom. kvadrat **b**) fyrkant, ruta; *we are back to (at) ~ one* vi är tillbaka till ruta ett, vi är tillbaka där vi började **2** torg; fyrkantig [öppen] plats; kvarter; *barrack ~* mil. kaserngård **3** matem. kvadrat[tal] **4** vinkelhake, vinkellinjal, vinkel **5** vard. insnöad person **II** *adj* **1** kvadratisk, fyrkantig; *a room four metres ~* ett rum [som mäter] fyra meter i kvadrat **2** rätvinklig, vinkelrät [*to, with* mot] **3** satt, undersätsig, fyrkantig **4** reglerad, balanserad [*a ~ account*; *get one's accounts ~*]; uppgjord; jämn, kvitt; *get ~ with* vard. göra upp med [*get ~ with one's creditors*]; *get things ~* vard. ordna upp det hela **5** renhårig, ärlig; *give sb a ~ deal* behandla ngn rättvist **6** vard. bastant, stadig, rejäl [*a ~ meal*] **7** vard. insnöad, mossig **III** *vb tr* **1** göra kvadratisk (fyrkantig); ruta, dela upp i kvadrater (fyrkanter) [äv. *~ off*]; *~d paper* rutpapper **2** matem. upphöja i kvadrat, kvadrera [*~ a number*] **3** reglera, utjämna, avsluta, göra upp, betala; *~ one's conscience* freda (stilla) sitt samvete **4** avpassa, rätta, lämpa [*with, to, by* efter] **IV** *vb itr* **1** passa ihop, stämma [överens] [*with* med] **2** bilda en rät vinkel **V** *vb itr* o. *vb tr* med adv.: *square off* **a**) göra kvadratisk (fyrkantig); ruta, dela upp i kvadrater (fyrkanter) **b**) vanl. amer. gör sig beredd att slåss *square up* **a**) göra sig beredd att slåss, inta gard[ställning] [*to* mot] **b**) reglera, utjämna, avsluta, göra upp [*it's time I ~d up with you*]; betala **VI** *adv* **1** i rät vinkel, vinkelrätt [*to* mot] **2** rakt, rätt **3** vard. renhårigt, schyst

square-bashing [ˈskweəˌbæʃɪŋ] s mil. vard. drill[ande]

square bracket [ˌskweəˈbrækɪt] s hakparentes

square dance [ˈskweədɑ:ns] s kontradans, square dance med 4 par

square foot [ˌskweəˈfʊt] (förk. *sq. ft.*) s kvadratfot

square knot [ˈskweənɒt] s amer. (sjö.), se *reefknot*

squarely [ˈskweəlɪ] adv **1** i rät vinkel, vinkelrätt **2** rakt, rätt [~ *between the eyes*] **3** renhårigt, ärligt, schyst; *fairly and* ~ öppet och ärligt **4** rakt på sak

square measure [ˌskweəˈmeʒə] s ytmått

square root [ˌskweəˈru:t] s matem. kvadratrot

1 squash [skwɒʃ] **I** vb tr **1** krama (klämma, pressa, mosa) sönder, krossa till mos, slå sönder; platta till [*sit on a hat and* ~ *it flat*]; ~ *one's finger* [*in a door*] klämma fingret... **2** klämma in, pressa in [*into, in* i] **3** vard. krossa, kväsa, slå ner [~ *a rebellion*; ~ *a riot*] **4** vard. platta till, stuka [till], snäsa av **II** vb itr **1** kramas (klämmas, pressas) sönder, mosas, mosa sig [*tomatoes* ~ *easily*] **2** trängas; ~ *into* el. ~ *through* tränga (klämma, pressa) sig in i (in genom); ~ *up* tränga ihop sig **III** s **1** [folk]trängsel [*there was an awful* ~ *at the gate*] **2** mosande; mos **3** saft, lemonad [*lemon* ~] **4** sport. squash

2 squash [skwɒʃ] (pl. *squash* el. ~*es*) s bot. squash

squash court [ˈskwɒʃkɔ:t] s sport. squashbana

squash rackets [ˌskwɒʃˈrækɪts] (med verb i sg.) s sport. squash

squashy [ˈskwɒʃɪ] adj mosig, mjuk, lös

squat [skwɒt] **I** vb itr **1** sitta på huk; sätta sig på huk, huka sig [ned] [äv. ~ *down*]; vard. sitta **2** trycka om djur **3** ockupera ett hus som står tomt; bosätta sig på allmän mark utan tillstånd **II** s **1** ockuperat hus, ockuperad mark **2** vard., *she had a job that paid her* ~ hon hade ett jobb som inte gav ett dugg ekonomiskt **III** adj kort och tjock, satt

squatter [ˈskwɒtə] s husockupant, markockupant

squaw [skwɔ:] s neds. squaw indiankvinna

squawk [skwɔ:k] **I** vb itr **1** spec. om fåglar skria, skrika [gällt] **2** vard. klaga [högljutt], protestera **3** sl. tjalla **II** s **1** skri, skriande, [gällt] skrik **2** vard. högljudd protest

squeak [skwi:k] **I** vb itr **1** pipa om t.ex. råttor; skrika [gällt]; gnissla, gnälla om t.ex. gångjärn, knarra om t.ex. skor **2** ~ *by* el. ~ *through* lyckas (vinna) med ett nödrop, klara sig [igenom] med nöd och näppe **II** vb tr pipa fram [äv. ~ *out*] **III** s **1** pip; [gällt] skrik; gnissel, gnisslande, gnäll[ande], knarr[ande] **2** vard., *it was a narrow* ~ det var nära ögat (på håret)

squeaky [ˈskwi:kɪ] adj pipig, gäll; gnisslig, gnällig; knarrig

squeaky clean [ˌskwi:kɪˈkli:n] adj vard. **1** skinande [blank och] ren **2** bildl. oantastlig, med fläckfritt rykte

squeal [skwi:l] **I** vb itr **1** skrika gällt o. utdraget, skria; ~ *like a pig* skrika som en stucken gris **2** vard. tjalla **II** s skrik, skri; gnissel

squealer [ˈskwi:lə] s vard. tjallare

squeamish [ˈskwi:mɪʃ] adj **1** ömtålig, blödig; pryd, sipp **2** kräsen, granntyckt

squeegee [ˈskwi:dʒi:] s **1** gummiskrapa, raka med gummikant **2** foto. gummivals

squeeze [skwi:z] **I** vb tr **1 a)** krama, klämma [på], pressa, trycka [hårt] [~ *sb's hand*]; ~ *into a ball* pressa ihop till en boll **b)** krama ur [~ *a sponge*] **c)** pressa (klämma) fram [~ *a tear*] **2** klämma in (ned), pressa in (ned) [~ *things into a box*] **3** bildl. pressa, [hårt] ansätta; suga ut; ~ *sth from sb* pressa (klämma) ngn på ngt [~ *money from sb*] **4** krama, omfamna **II** vb itr **1** tränga (pressa) sig [fram] [*through* genom; *into* in i]; *she managed to* ~ *through* [*the exam*] hon lyckades klara sig med nöd och näppe i... **2** gå att klämma ihop (krama ur) **III** vb tr o. vb itr med adv. el. prep.: **squeeze in:** *I can* ~ *you in tomorrow* jag kan klämma in (avsätta) en tid åt dig i morgon; *can you* ~ *in* [*a meeting tomorrow*]? kan du klämma in [en tid för]...? **squeeze out a)** krama ur [~ *out a sponge*] **b)** pressa (klämma) fram [~ *out a tear*] **c)** bildl., ~ *sth out of sb* pressa (klämma) ngn på ngt [~ *money out of sb*] **IV** s **1** kramning, [hård] tryckning [*a* ~ *of the hand*]; tryck, press; hopklämning, hopknipning; urkramning **2** trängsel; *it was a tight* ~ a) det var väldigt trångt b) vard. det var nära ögat **3** droppe, skvätt [*a* ~ *of lemon*] **4** press, påtryckning; utpressning; *put the* ~ *on sb* sätta press på ngn, öka trycket på ngn **5 a)** ekon. åtstramning [*credit* ~] **b)** svår brist [*housing* ~] **6** kram, omfamning **7** amer. vard. flickvän, pojkvän

squeeze bottle [ˈskwi:zˌbɒtl] s klämflaska

squeezer [ˈskwi:zə] s [frukt]press

squelch [skwel(t)ʃ] **I** vb itr klafsa, slafsa; skvätta ut **II** vb tr **1** krossa, klämma sönder **2** vard. snäsa av, huta åt; tysta ner **III** s klafs, smask

squib [skwɪb] s **1** pyrotekn. svärmare **2** smädeskrift, nidskrift; gliring **3** *damp* ~ fiasko

squid [skwɪd] s zool. tioarmad bläckfisk

squidgy [ˈskwɪdʒɪ] adj vard. kladdig, kletig, geggig

squiffy [ˈskwɪfɪ] adj vard. åld. dragen, på örat berusad

squiggle [ˈskwɪgl] s krumelur, släng, snirkel

squiggly [ˈskwɪglɪ] adj snirklig

squint [skwɪnt] **I** vb itr **1** kika [*at* på]; kisa [*into, against* mot] **2** vara vindögd, skela **II** s **1** vindögdhet, skelögdhet; *have a* ~ vara vindögd, skela **2** vard., *have a* ~ *at* ta en titt på, kika på

squire [ˈskwaɪə] s **1** godsägare; *country* ~ äv. lantjunkare **2** vard. åld. (i tilltal) min bäste herre; ofta utan motsv. i sv. [*what can I do for you,* ~?]

squirm [skwɜ:m] vb itr vrida sig, skruva [på] sig; bildl. våndas, pinas; gruva sig

squirrel [ˈskwɪr(ə)l] s ekorre; *flying* ~ flygekorre

squirt [skwɜ:t] **I** vb tr o. vb itr spruta [ut] med tunn stråle; spruta på **II** s **1** [tunn] stråle [~ *of water*] **2** vard. puttefnask; nolla

squirt gun [ˈskwɜ:tgʌn] s amer. vattenpistol

squishy [ˈskwɪʃɪ] adj vard. kladdig, kletig, geggig

sq. yd. förk. för *square yard*[s]

Sr förk. för *senior*

Sri Lanka [ˌsrɪˈlæŋkə] geogr.

Sri Lankan [ˌsrɪ'læŋkən] **I** *adj* srilankesisk **II** *s* srilankes

SS [ˌes'es] förk. för *steamship* [*~ Britannia*]

SSE (förk. för *south-south-east*) sydsydost

SSW (förk. för *south-south-west*) sydsydväst

st o. **st.** förk. för *stone*, se *stone I 4*

1 St [sən(t), sɪn(t), sn(t)] förk. för *saint*

2 St förk. för *Strait, Street*

stab [stæb] **I** *vb tr* **1** genomborra, sticka [*~ sb with sth*]; sticka ned, knivhugga; *~ to death* knivmörda, knivhugga till döds **2** sticka, stöta, köra [*~ a weapon into*]; spetsa [*~ a piece of meat on the fork*] **3** bildl., *~ sb in the back* falla ngn i ryggen **II** *vb itr* **1** stöta, måtta (rikta) en stöt [*at* mot] **2** sticka 'till, värka 'till **III** *s* **1** stick, sting, stöt [*a ~ in the breast*]; knivhugg äv. bildl.; *a ~ in the back* bildl. en dolkstöt i ryggen **2** [plötslig] smärta, sting [*a ~ of pain*]; stark känsla **3** vard. försök; *a ~ in the dark* en vild gissning

stabbing ['stæbɪŋ] **I** *s* **1** genomborrning etc., jfr *stab I 2* knivslagsmål, knivmord **II** *adj* stickande, stingande [*~ pain*]

stability [stə'bɪlətɪ] *s* stabilitet, stadga; *the ~ pact* EU. stabilitetspakten

stabilization [ˌsteɪbɪlaɪ'zeɪʃ(ə)n] *s* stabilisering

stabilize ['steɪbɪlaɪz] *vb tr* stabilisera; göra stabil etc., jfr *1 stable*

stabilizer ['steɪbɪlaɪzə] *s* **1** flyg. el. sjö. stabilisator **2** *~s* stödhjul spec. på barncykel **3** kok. konsistensgivare

1 stable ['steɪbl] *adj* stabil [*~ currency*]; fast [*~ prices*]; stadig, säker; värdebeständig; varaktig

2 stable ['steɪbl] *s* **1** [häst]stall äv. om uppsättning hästar, stallbyggnad; pl. *~s* stall, stallbyggnad **2** vard. stall grupp racerförare, tennisspelare o.d. med gemensam manager

stableboy ['steɪblbɔɪ] *s* hästskötare, stallpojke

stablegirl ['steɪblgɜːl] *s* hästskötare, stallflicka

stable|man ['steɪbl|mən] (pl. *-men* [-mən]) *s* hästskötare

stabling ['steɪblɪŋ] *s* **1** stallutrymme **2** stallbyggnad[er]

staccato [stə'kɑːtəʊ] **I** *adv* stackato äv. mus., stötvis **II** (pl. *~s*) *s* mus. stackato

stack [stæk] **I** *s* **1** trave [*a ~ of wood; a ~ of books*]; stapel [*a ~ of boards*]; ordnad hög [*a ~ of papers*]; vard. massa, hög [*a ~ of things; ~s of work*] **2** stack av hö o.d. **3** skorstensgrupp av sammanbyggda pipor; skorsten på ångbåt, ånglok m.m. **4** data. stack **II** *vb tr* **1** stacka; trava [upp], stapla [upp] [äv. *~ up*]; *~ing chairs* stapelbara stolar **2** *~ the cards* fiffla med korten (kortleken); *the cards were ~ed against him* bildl. han hade alla odds mot sig **III** *vb itr* flyg., *~* el. *~ up* stacka låta kretsa på olika höjd i väntan på klarsignal till landning

stacked [stækt] *adj* vard. välpumpad, välsvarvad, sexig om kvinna

stadium ['steɪdjəm] *s* stadion, idrottsarena

staff [stɑːf] **I** (pl. *~s*; i betydelse *5* alltid *staves*) *s* **1** personal [*office ~*]; stab; *editorial ~* redaktion, redaktionspersonal; *teaching ~* lärarkår; *temporary ~* extrapersonal; *be on the ~* höra till personalen (staben, kollegiet); vara fast anställd (ordinarie); *teacher on the permanent ~* ordinarie lärare; *be on*

the ~ of a newspaper vara medarbetare i en tidning **2** mil. stab; *General Staff* generalstab **3** stav; bildl. stöd; *the ~ of life* brödet **4** [flagg]stång; långt skaft **5** mus. notplan, notsystem **II** *vb tr* bemanna, skaffa (anställa) personal till, förse med personal

staff nurse ['stɑːfnɜːs] *s* sjuksköterska

staff officer ['stɑːfˌɒfɪsə] *s* mil. [general]stabsofficer

Staffordshire ['stæfədʃɪə, -ʃə] geogr.

staff room ['stɑːfruːm] *s* lärarrum; personalrum

Staffs [stæfs] förk. för *Staffordshire*

stag [stæg] *s* **1** zool. kronhjort hanne, ofta i o. efter femte året **2** sl. börsjobbare

stag beetle ['stægˌbiːtl] *s* zool. ekoxe

stage [steɪdʒ] **I** *s* **1** stadium, skede [*at an early ~*]; steg **2** etapp; avstånd mellan två hållplatser; skjutshåll; *by easy ~s* i [korta] etapper; bildl. i små portioner, lite i taget **3** teat. scen, bildl. äv. skådeplats [*quit the political ~*]; estrad; teater [*the French ~; the comic ~*]; *hold the ~* dominera (vara centrum i) sällskapet; *on ~* på scen[en]; *go on the ~* gå in vid teatern, bli skådespelare **II** *vb tr* **1** sätta upp, iscensätta [*~ a play*]; uppföra **2** iscensätta, arrangera, organisera; *~ a comeback* göra comeback

stagecoach ['steɪdʒkəʊtʃ] *s* hist. diligens, postvagn

stage design ['steɪdʒdɪˌzaɪn] *s* scenografi

stage designer ['steɪdʒdɪˌzaɪnə] *s* scenograf, scendekoratör

stage direction ['steɪdʒdɪˌrekʃ(ə)n] *s* scenanvisning

stage door [ˌsteɪdʒ'dɔː, '--] *s* sceningång

stage fright ['steɪdʒfraɪt] *s* rampfeber

stage hand ['steɪdʒhænd] *s* scenarbetare

stage lighting ['steɪdʒˌlaɪtɪŋ] *s* scenbelysning

stage-manage ['steɪdʒˌmænɪdʒ, ˌ-'--] *vb tr* **1** vara inspicient (regiassistent, studioman) vid **2** iscensätta, arrangera **3** dirigera, leda

stage management ['steɪdʒˌmænɪdʒmənt] *s* regi

stage manager [ˌsteɪdʒ'mænɪdʒə, '-ˌ---] *s* inspicient, regiassistent; TV. studioman

stage name ['steɪdʒneɪm] *s* artistnamn

stage play ['steɪdʒpleɪ] *s* teaterpjäs, teaterstycke

stagestruck ['steɪdʒstrʌk] *adj* teaterbiten

stage version ['steɪdʒˌvɜːʃ(ə)n] *s* scenbearbetning

stage whisper [ˌsteɪdʒ'wɪspə] *s* teaterviskning

stagflation [ˌstæg'fleɪʃ(ə)n] *s* ekon. (av *stagnation* o. *inflation*) stagflation

stagger ['stægə] **I** *vb itr* vackla, ragla, stappla, vingla; *~ to one's feet* resa sig på vacklande ben **II** *vb tr* **1** få att vackla äv. bildl. **2** sprida [*~ lunch hours*] **III** *s* vacklande etc.; vacklande (raglande) gång

staggered ['stægəd] *adj*, *be ~ by the news* bli [upp]skakad av nyheterna

staggered crossing [ˌstægəd'krɒsɪŋ] *s* trafik. övergångsställe med refug

staggered hours [ˌstægəd'aʊəz] *s pl* flextid; skift

staggered junction [ˌstægəd'dʒʌŋ(k)ʃ(ə)n] *s* trafik. flervägskorsning

staggering ['stægərɪŋ] *adj* **1** häpnadsväckande, förbluffande **2** *a ~ blow* ett dråpslag äv. bildl. **3** vacklande, raglande, vinglig, ostadig [*a ~ gait*]

staginess ['steɪdʒɪnəs] *s* [teatralisk] förkonstling, effektsökeri

staging ['steɪdʒɪŋ] s **1** teat. iscensättning, uppsättning; uppförande **2** byggnadsställning; plattform på byggnadsställning

staging area ['steɪdʒɪŋ,eərɪə] s mil. [trupp]samlingsplats

staging post ['steɪdʒɪŋpəʊst] s anhalt, stopp; flyg. mellanlandning[splats]

stagnant ['stægnənt] adj **1** stillastående [~ water]; skämd, osund **2** bildl. stagnerande, stillastående

stagnate [stæg'neɪt, '--] vb itr **1** stå stilla, stagnera **2** bildl. stagnera, stanna av

stagnation [stæg'neɪʃ(ə)n] s stagnation; stillastående; stockning

stag night ['stægnaɪt] s o. **stag party** ['stæg,pɑːtɪ] s vard. svensexa; kväll med grabbarna, herrmiddag

stagy ['steɪdʒɪ] adj teatralisk, uppstyltad, konstlad

staid [steɪd] adj stadig, lugn, stadgad om person

stain [steɪn] **I** vb tr **1** fläcka [ned], smutsa [ned] [~ one's fingers; ~ the cloth]; missfärga **2** färga [~ cloth]; betsa [~ wood]
II vb itr **1** få fläckar; missfärgas **2** fläcka ifrån sig, sätta en fläck (fläckar), färga av (ifrån) sig
III s **1** fläck äv. bildl. [without a ~ on one's character] **2** färgämne; bets

stained [steɪnd] adj nedfläckad, fläckig, smutsig; missfärgad

stained glass [,steɪnd'glɑːs] s målat glas med inbrända färger

stainless ['steɪnləs] adj **1** fläckfri, obefläckad [a ~ reputation] **2** rostfri [~ steel]

stain remover ['steɪnrɪ,muːvə] s fläckborttagningsmedel

stair [steə] s **1** vanl. ~s (med verb i sg. el. pl.) trappa spec. inomhus [winding ~s]; trappuppgång; **a flight of ~s** en trappa; **the foot of the ~s** foten av trappan; **the head of the ~s** översta delen av trappan; **on the ~s** i trappan, i trappuppgången **2** trappsteg **3** [fisk]trappa

staircase ['steəkeɪs] s trappa; trappuppgång; **corkscrew** ~ el. **spiral** ~ spiraltrappa

stairway ['steəweɪ] s se staircase

stairwell ['steəwel] s trapphus

stake [steɪk] **I** s **1** intresse, del, andel [have a ~ in an undertaking] **2** vanl. pl. ~s insats vid vad o.d., pott; **my honour is at** ~ min heder står på spel, det gäller min heder; **play for high ~s** spela högt **3** stake, [gärdsgårds]stör, [liten] påle **4** hist. påle vid vilken den som dömts till bålet bands; **be burnt at the** ~ el. **go to the** ~ brännas på bål[et], dö på bålet; **go to the** ~ **over (for)** sth bildl. göra vad som helst för att försvara (skydda) ngt **5** pl. ~s a) pris[pengar] vid hästkapplöpningar m.m. b) [pris]lopp
II vb tr **1** fästa vid (stödja med) en stake etc., jfr stake I 3 **2** - **a claim** resa anspråk; specificera ett krav **3** inhägna (stänga av) med störar (pålar, stolpar) **4** våga, sätta på spel, riskera [~ one's future]; on på], satsa [~ a fortune]; on på]
III vb tr med adv.:
stake out a) staka ut [~ out an area] b) sätta av; reservera

stakeholder ['steɪk,həʊldə] s **1** intressent **2** ung. vadförmedlare, vadinsamlare

stakeout ['steɪkaʊt] s vard. polisbevakning, span[ing]; spanare

stalactite ['stæləktaɪt] s stalaktit; hängande droppsten

stalagmite ['stæləgmaɪt] s stalagmit; stående droppsten

stale [steɪl] adj **1** gammal [~ bread]; unken [~ air]; avslagen [~ beer]; instängd [~ tobacco smoke] **2** förlegad, gammal [~ news]; nött, [ut]sliten [~ jokes] **3** övertränad, överansträngd

stalemate ['steɪlmeɪt] s **1** dödläge, stockning, död punkt **2** schack. pattställning

Stalinism ['stɑːlɪnɪzm] s hist. polit. stalinism[en]

1 stalk [stɔːk] s **1** bot. stjälk; stängel, skaft **2** [hög] skorsten **3** hög fot på vinglas; skaft **4** bil. spak på rattstång (reglage för vindrutetorkare m.m.)

2 stalk [stɔːk] **I** vb itr **1** gå med stolta steg, skrida [fram] **2** gå sakta och försiktigt, smyga sig; sprida sig långsamt [famine ~ed through the country]
II vb tr **1** smyga sig på (efter) [~ game; ~ an enemy]; förfölja och trakassera [~ a person]; sprida sig långsamt genom **2** skrida fram genom (på) [~ the streets]

stalker ['stɔːkə] s **1** person som förföljer en annan människa (en kändis) **2** [gång]skytt, smygjägare

stalking ['stɔːkɪŋ] s förföljelse och trakassering av en annan människa (en kändis)

stalking horse ['stɔːkɪŋhɔːs] s **1** förevändning, täckmantel **2** spec. polit. skenkandidat, bulvan

1 stall [stɔːl] **I** s **1** [salu]stånd; kiosk, bod; bord, disk för varor **2** spilta, bås **3** teat. parkettplats; **orchestra** ~s främre parkett; **in the** ~s på parkett **4** kyrkl. korstol **5** [finger]tuta **6** motor. tjuvstopp **7** flyg. överstegring, stall
II vb tr **1** motor. få tjuvstopp i [~ the engine] **2** flyg. överstegra
III vb itr **1** om motor o.d. tjuvstanna **2** flyg. överstegra

2 stall [stɔːl] vard. **I** vb itr slingra sig, komma med undanflykter; ~ el. ~ **for time** försöka vinna tid, maska; **quit ~ing!** inga fler undanflykter! **II** vb tr uppehålla [~ one's creditors]

stallholder ['stɔːl,həʊldə] s ståndinnehavare på marknad

stallion ['stæljən] s [avels]hingst

stalwart ['stɔːlwət] **I** adj **1** stor och stark, handfast, duktig **2** ståndaktig, trogen [a ~ supporter]
II s spec. polit. ståndaktig (trogen) anhängare

stamen ['steɪmen] s bot. ståndare

stamina ['stæmɪnə] s uthållighet, kondition, [motstånds]kraft, styrka

stammer ['stæmə] **I** vb itr stamma **II** vb tr, ~ **out** stamma fram **III** s stamning, stammande

stamp [stæmp] **I** s **1** frimärke; **book of ~s** frimärkshäfte **2** stämpel verktyg; stamp äv. i stampverk, stans; stämpeljärn **3** stämpel; stämpling; prägel på mynt **4** bildl. prägel, stämpel, kännemärke, kännetecken **5** slag, sort, kaliber [men of his (that) ~] **6** stampning, stampande, stamp
II vb itr stampa [~ on the floor; ~ with (av) rage]; trampa, klampa [~ upstairs]
III vb tr **1** stampa med [~ one's foot]; stampa på (i) [~ the floor]; ~ **the mud off one's feet** stampa av sig smutsen **2** trampa på, trampa ned [ofta ~ down] **3** stämpla äv. bildl. [~ sb as a liar]; with med], stämpla på; trycka [~ patterns on cloth]; **she ~ed his personality on…** hon satte sin personliga prägel

på... **4** frankera, sätta frimärke på [~ *a letter*]
5 bildl. prägla, inprägla [~ *on* (i) *one's memory* (*mind*)]
IV *vb tr* med adv.:
stamp out a) trampa ut [~ *out a fire*] **b**) utrota [~ *out a disease*] **c**) krossa, slå ned, undertrycka [~ *out a rebellion*] **d**) göra (få) slut på
stamp album ['stæmp,ælbəm] *s* frimärksalbum
stamp collection ['stæmpkə,lekʃ(ə)n] *s* frimärkssamling
stamp collector ['stæmpkə,lektə] *s* frimärkssamlare
stamp dealer ['stæmp,di:lə] *s* frimärkshandlare
stamp duty ['stæmp,dju:tɪ] *s* stämpelavgift
stampede [stæm'pi:d] **I** *s* **1** vild (panikartad) flykt; rusning [*for* efter]; panik **2** massrörelse
II *vb itr* **1** råka i vild flykt, fly i panik **2** störta, rusa
III *vb tr* **1** skrämma på flykten, försätta i panik
2 hetsa [~ *sb into sth*; ~ *sb into doing sth*]
stamping ground ['stæmpɪŋgraʊnd] *s* vard. tillhåll, ställe [*my favourite* ~]
stamp pad ['stæmppæd] *s* stämpeldyna
Stan [stæn] kortform av *Stanley*
stance [stæns, stɑ:ns] *s* **1** stance, slagställning i golf m.m. **2** ställning; *he took his* ~ *by the exit* han fattade posto vid utgången **3** inställning, attityd
stanch [stɑ:n(t)ʃ] *vb tr* se 1 *staunch*
stanchion ['stɑ:nʃ(ə)n] *s* stötta, stolpe; sjö. däcksstötta
stand [stænd] **I** (*stood stood*) *vb itr* (se äv. *stand III*)
1 stå; ~ *condemned* vara dömd, ha dömts [*for* för]; ~ *to lose* riskera att (kunna) förlora; ~ *to win* el. ~ *to gain* ha utsikt att (kunna) vinna; *as it now ~s, the text is* [*unclear*] som texten nu lyder (ser ut) är den...; *I want to know where I* ~ äv. jag vill ha klart besked **2** stiga (stå) upp, ställa sig upp [*we stood, to see better*] **3** ligga, vara belägen [*the house ~s by* (vid) *a river*; *London ~s on* (vid) *the Thames*]
4 a) stå kvar, stå fast, stå [*let the word* ~] **b**) hålla, stå sig [*the theory ~s*]; [fortfarande] gälla **5** stå, förhålla sig; *as affairs now* ~ el. *as matters now* ~ som saken (det) nu förhåller sig **6** mäta, vara [*he ~s six feet in his socks*]
II (*stood stood*) *vb tr* (se äv. *stand III*) **1** ställa [upp], resa [upp] [~ *a ladder against a wall*] **2** tåla [*I cannot* ~ *that fellow*]; stå ut med, uthärda; ~ *one's ground* se under 2 *ground I 2*; ~ *the test* bestå provet; [*the material*] *will* ~ *washing* ...tål att tvättas **3** ~ *trial for murder* stå inför rätta anklagad för mord **4** bjuda på [~ [*sb*] *a dinner*]; ~ *treat* betala (bjuda på) kalaset, bjuda
III (*stood stood*) *vb tr o. vb tr* med adv. el. prep., ofta med spec. översättningar:
stand about stå och hänga
stand again polit. ställa upp för omval
stand apart a) stå en bit bort; hålla sig på avstånd **b**) stå utanför **c**) stå i en klass för sig
stand around stå och hänga
stand aside a) [bara] stå och se på, förhålla sig passiv **b**) stiga (träda) åt sidan
stand at uppgå till [*the number ~s at 170*]
stand back a) dra sig bakåt, stiga tillbaka (bakåt)
b) *the house ~s back from the road* huset ligger en bit från vägen **c**) förhålla sig passiv

stand by a) stå bredvid, bara stå och se på [*how can you* ~ *by and let him ruin himself?*] **b**) hålla sig i närheten, stå redo; ligga i beredskap; ~ *by for further news* avvakta ytterligare nyheter **c**) bistå, bispringa [~ *by one's friends*]; stödja; ~ *by sb* äv. stå vid ngns sida **d**) stå [fast] vid [~ *by one's promise*]; stå för [*I* ~ *by what I said*]
stand down a) träda tillbaka [~ *down in favour of a better candidate*] **b**) träda ned från vittnesbåset
stand for a) stå för [*what do these initials* ~ *for?*]; betyda **b**) kämpa för [~ *for liberty*] **c**) stå som (vara) sökande till [~ *for an office*]; kandidera för, ställa upp som kandidat till **d**) vard. finna sig i [*I won't* ~ *for that*]
stand on hålla på [~ *on one's dignity* (*rights*)]
stand in vara stand-in; ersätta, vikariera [*will you* ~ *in for me tomorrow?*]
stand out a) stiga (träda) fram **b**) stå ut, skjuta fram **c**) framträda, avteckna sig, sticka av [*against, from* mot]; *it ~s out a mile* det syns (märks) lång väg; ~ *out in a crowd* skilja sig från mängden; *make a melody* ~ *out* framhäva en melodi **d**) utmärka sig [*his work ~s out from* (framför) *that of others*]; vara framstående
stand over hålla efter, hålla reda på [*unless I* ~ *over him, he will make mistakes*]
stand up a) stiga (stå) upp, ställa sig upp; ~ *up against* sätta sig emot; ~ *up for* försvara [~ *up for one's rights*]; hålla på; ta parti för; *he can* ~ *up for himself* han är karl för sin hatt; ~ *up for yourself!* stå 'på dig!; ~ *up to* trotsa, sätta sig upp mot **b**) stå [upprätt], stå (hålla sig) på benen **c**) hålla, stå sig; ~ *up to* stå emot, tåla, stå pall för **d**) vard., ~ *sb up* låta ngn vänta förgäves vid ett avtalat möte; *I've been stood up* jag fick vänta förgäves
stand with ligga till hos [*how do you* ~ *with your boss?*]; ~ *well with sb* el. ~ *high with sb* ligga väl till hos ngn
IV *s* **1** stannande, halt; *bring to a* ~ stanna, stoppa, hejda; *come to a* ~ stanna [av] **2** [försök till] motstånd [*his last* ~]; försvar; *make a* ~ hålla stånd; *make a* ~ *for one's principles* kämpa för (försvara) sina principer **3** plats; ställning; bildl. äv. ståndpunkt; *take* [*up*] *a* ~ ta ställning, fatta ståndpunkt [*on* i]; *take one's* ~ **a**) ställa sig [*take one's* ~ *on the platform*]; fatta posto **b**) ta ställning **4** ställ, ställning; fot; hållare; stativ; jfr *hatstand* **5** stånd; kiosk; bord, disk; utställningsmonter **6** station [*a taxi* ~] **7** [åskådar]läktare, estrad, tribun; *winners'* ~ prispall vid tävling **8** vard. uppträdande, spelning under turné; *one-night* ~ vard., se *one-night stand* **9** amer. vittnesbås; *take the* ~ avlägga vittnesmål

stand-alone [,stændə'ləʊn] *adj* fristående äv. data.
standard ['stændəd] **I** *s* **1 a**) norm [*conform to the ~s of society*]; mått[stock], mönster **b**) standard, nivå; kvalitet; *be a* ~ *for* vara normgivande för; *below* [*the*] ~ under det normala, undermålig; *by Swedish ~s* efter svenska mått; [*measured*] *by our ~s* med våra mått mätt; *come* (*be*) *up to* ~ hålla måttet, vara fullgod **2** likare, standardmått; standard[typ] **3** standar [*the royal* ~]; fana **4** myntfot [*gold* ~]; *monetary* ~ myntfot **5** stolpe, stötta; hög fot **6** schlager

II *adj* **1** standard-, normal- [~ *measures*; ~ *weights*]; normal, fastställd som norm [*the ~ yard*]; norm-, mönster-; fullgod, fullvärdig; [helt] vanlig [*a ~ pencil*] **2** allmänt erkänd, klassisk; ~ **work** standardverk, klassiskt verk

standard-bearer ['stændəd,beərə] *s* fanbärare, banerförare äv. bildl.

standard deduction [,stændəddɪ'dʌkʃ(ə)n] *s* ekon. schablonavdrag

standard deviation [,stændəddi:vɪ'eɪʃ(ə)n] *s* statistik. standardavvikelse

Standard English [,stændəd'ɪŋglɪʃ] *s* engelskt riksspråk, det engelska riksspråket

standard gauge [,stændəd'geɪdʒ] *s* järnv. normal spårvidd

standardization [,stændədaɪ'zeɪʃ(ə)n] *s* standardisering; normalisering; likriktning; *European Committee for Standardization* (förk. *CEN*) EU. Europeiska standardiseringskommittén

standardize ['stændədaɪz] *vb tr* standardisera; normalisera; likrikta

standard lamp ['stændədlæmp] *s* golvlampa

standard of living [,stændədəv'lɪvɪŋ] *s* levnadsstandard

standard pitch [,stændəd'pɪtʃ] *s* mus. normalton

standard price [,stændəd'praɪs] *s* normalpris; enhetspris; cirkapris

standard rate [,stændəd'reɪt] *s* grundtaxa; enhetstaxa; normaltaxa; ~ *of taxation* normal skattesats

standard time [,stændəd'taɪm] *s* normaltid, vintertid

standby ['stæn(d)baɪ] **I** *adj* reserv- [~ *power unit*]; flyg. standby- [~ *ticket*]; ~ **duty** bakjour
II *s* **1** *be on* ~ vara beredd [att snabbt sättas (kallas) in] **2** reserv, ersättare; springvikarie; ersättning **3** stöd, pålitlig vän, tillflykt; säkert kort

stand-in ['stændɪn, ,-'-] *s* stand-in; ersättare, vikarie

standing ['stændɪŋ] **I** *adj* **1** stående; upprättstående; stillastående **2** bildl. stående [*a ~ army*; *a ~ dish*; *a ~ rule*]; ständig, permanent, fast; ständigt återkommande; *a ~ joke* ett stående skämt
II *s* **1** ställning, status, position, anseende; *a man of* [*high*] ~ en ansedd man **2** *of long* ~ gammal, av gammalt datum; långvarig

standing committee [,stændɪŋkə'mɪtɪ] *s* parl. ständigt utskott

standing jump [,stændɪŋ'dʒʌmp] *s* sport. stående hopp, hopp utan ansats

standing orders [,stændɪŋ'ɔ:dəz] *s pl* **1** parl. ordningsstadga **2** ekon. stående betalningsuppdrag **3** gällande föreskrifter, reglemente

standing room ['stændɪŋru:m] *s* ståplats[er], utrymme för stående

stand-off ['stændɒf] *s* dödläge, återvändsgränd, stillestånd

stand-offish [,stænd'ɒfɪʃ] *adj* reserverad, högdragen, snörpig, avvisande

standout ['stændaʊt] *s* vanl. amer. vard., *be a* ~ vara enastående

standpipe ['stæn(d)paɪp] *s* **1** ståndrör, lodrätt rör **2** vattentorn

standpoint ['stæn(d)pɔɪnt] *s* ståndpunkt, ställningstagande, synpunkt

standstill ['stæn(d)stɪl] *s* stillastående, stopp, stockning; *be at a* ~ stå stilla, ha stannat av, ligga nere; *bring to a* ~ [få att] stanna, hejda, stoppa; *come to a* ~ stanna [av], stoppa, bli stående; köra fast

stand-up ['stændʌp] *adj* **1** ståupp- [~ *comedy*] **2** uppstående; *a ~ collar* äv. ståndkrage **3** ordentlig, regelrätt [*a ~ fight*] **4** [som ätes (utförs, görs)] på stående fot [*a ~ meal*]

stand-up comedian [,stændʌpkə'mi:dɪən] *s* ståuppkomiker

Stanford ['stænfəd] *s*, ~ *University* i Kalifornien USA

stank [stæŋk] imperf. av *stink*

Stanley ['stænlɪ] mansnamn

stanza ['stænzə] *s* metrik. strof

1 staple ['steɪpl] **I** *s* **1** krampa, märla **2** häftklammer
II *vb tr* **1** fästa (sätta fast) med krampa (märla) **2** häfta [samman]

2 staple ['steɪpl] **I** *s* **1** stapelvara, basvara, huvudprodukt **2** huvudbeståndsdel; stomme, kärna **3** råvara, råämne
II *adj* **1** stapel-, huvud- [~ *article*; ~ *product*]; ~ *commodity* stapelvara, basvara **2** huvudsaklig, bas- [~ *food*]

staple gun ['steɪplgʌn] *s* häftpistol

stapler ['steɪplə] *s* häftapparat; bokb. häftmaskin

star [stɑ:] **I** *s* **1** stjärna; *see ~s* bildl. se [solar och] stjärnor; *thank one's lucky ~s that* tacka sin lyckliga stjärna [för] att; *reach for the ~s* bildl. sikta mot stjärnorna **2** film., sport. m.m. stjärna **3** tele., ~ *button* stjärna; *press the ~ button* tryck stjärna **4** astrol., pl. *~s* stjärnhoroskop
II *vb tr* **1** pryda (märka) med stjärna (stjärnor); beströ med stjärnor **2** teat. o.d. presentera i huvudrollen; *be ~red* [*in a new film*] ha (få) huvudrollen..., vara (bli) stjärna...; *a film ~ring...* en film med...i huvudrollen
III *vb itr* teat. o.d. spela (ha) huvudrollen, uppträda som stjärna (gäst)

star attraction [,stɑ:rə'trækʃ(ə)n] *s* huvudattraktion

starboard ['stɑ:bəd, -bɔ:d] *s* sjö. styrbord; *put the helm to* ~ lägga rodret styrbord

starch [stɑ:tʃ] **I** *s* stärkelse **II** *vb tr* stärka med stärkelse

starchy ['stɑ:tʃɪ] *adj* **1** stärkelsehaltig **2** bildl. stel, formell

star-crossed ['stɑ:krɒst] *adj* ödesförföljd, olycklig [~ *lovers*]

stardom ['stɑ:dəm] *s* film. o.d. **1** stjärnvärlden; berömdheter **2** stjärnstatus, berömmelse; *her rise to* ~ hennes upphöjelse till stjärna

stardust ['stɑ:dʌst] *s* **1** stjärnstoft **2** romantik, [ett] förtrollat skimmer **3** amer. sl. kokain

stare [steə] **I** *vb itr* stirra [*at* på; *out at* emot]; glo **II** *vb tr* stirra på; glo på; *it ~d us in the face* a) det stirrade (grinade) emot oss, vi stod ansikte mot ansikte med det b) vi hade det mitt framför ögonen (näsan) [på oss]; det var alldeles solklart; ~ *sb down* tvinga ngn att slå ner ögonen (vända bort blicken) **III** *s* [stirrande (stel)] blick; stirrande, gloende; *give sb a rude* ~ stirra ohövligt på ngn

starfish ['stɑːfɪʃ] (pl. *starfish*) s zool. sjöstjärna
star fruit ['stɑːfruːt] s bot. carambola, stjärnfrukt
stargazer ['stɑːˌgeɪzə] s skämts. **1** stjärnkikare astronom **2** [dag]drömmare; tankspridd person
stark [stɑːk] **I** adj **1** styv, stel spec. av dödsstelhet [~ *and cold*] **2** ren, fullständig [~ *nonsense*] **3** naken, bar [~ *rocks*] **4** skarp [~ *outlines*]; markerad **II** adv fullständigt, alldeles; ~ *staring mad* spritt [språngande] galen, helgalen; ~ *naked* spritt naken
starkers ['stɑːkəz] adj sl. **1** helnäck, spritt naken **2** skvatt galen, helgalen, flängd
starless ['stɑːləs] adj stjärnlös, utan stjärnor
starlet ['stɑːlət] s film. o.d. ung (blivande) stjärna
starlight ['stɑːlaɪt] s stjärnljus [*walk home by* (i) ~]
starling ['stɑːlɪŋ] s zool. stare
starlit ['stɑːlɪt] adj stjärnbelyst, stjärnljus
Star of David [ˌstɑːrəv'deɪvɪd] (pl. *Stars of David*) s davidstjärna
starry ['stɑːrɪ] adj **1** stjärnbeströdd, stjärnklar **2** glänsande som stjärnor, tindrande [~ *eyes*]
starry-eyed ['stɑːrɪaɪd] adj vard. **1** romantisk **2** verklighetsfrämmande, världsfrämmande, blåögd [*a* ~ *idealist*]
Stars and Stripes [ˌstɑːzən'straɪps] s pl, *the* ~ stjärnbaneret USA:s flagga
star sign ['stɑːsaɪn] s astrol. stjärntecken; *what* ~ *are you?* vilket är ditt stjärntecken?
star-spangled ['stɑːˌspæŋgld] adj stjärnbeströdd
Star-Spangled Banner [ˌstɑːspæŋgld'bænə] s, *the* ~ stjärnbaneret USA:s flagga o. nationalsång
star-studded ['stɑːˌstʌdɪd] adj teat. o.d. stjärnspäckad, med idel stjärnor [*a* ~ *cast*]
star system ['stɑːˌsɪstəm] s **1** astron. stjärnsystem **2** film. stjärnkult
start [stɑːt] **I** vb itr **1** börja, starta; *don't* ~! börja inte [nu]!, sätt inte i gång!; ~ *afresh* el. ~ *again* börja på nytt, börja om; ~ *in business* börja som affärsman; ~ *on one's own* börja på egen hand; *to* ~ *with* a) för det första b) till att börja med, till en början; ~*ing May 10…* med början den 10 maj… **2** starta, ge sig i väg; sätta [sig] i gång, [av]gå, [av]resa, bege sig [*for till; from* från]; ~ *on a journey* ge sig ut på en resa **3** rycka till [~ *at* (vid) *the shot*; ~ *with* (av) *horror*]; haja till **4** plötsligt tränga (rusa); *the tears* ~*ed to* (*in*) *her eyes* hon fick tårar i ögonen; *his eyes were* ~*ing out of his head* el. *his eyes were* ~*ing* [*out*] *from their sockets* ögonen höll på att tränga ut ur sina hålor [på honom] **II** vb tr **1** börja, påbörja [~ *a meal*]; ~ *a book* börja på en bok **2** starta [~ *a car*]; sätta i gång [med]; ~ *a business* starta en affär; *let's get* ~*ed!* nu sätter vi i gång!; *I can't get the engine* ~*ed* jag kan inte få i gång (starta) motorn; ~ *a fire* tända [en] eld; ~ *a fund* starta en insamling till en fond **3** hjälpa på traven; ~ *sb in life* hjälpa fram ngn **4** ~ *sb* (*sth*) *doing sth* få (komma) ngn (ngt) att [börja] göra ngt [*that* ~*ed us laughing*] **III** vb itr o. vb tr med adv.: **start back** rygga tillbaka [*at* för, vid] **start in** vard. börja 'på, sätta i gång **start off** a) börja, inleda b) sätta i väg av **start out** vard. börja, börja 'på **start up** starta [~ *up a car*] **IV** s **1** början, start; avfärd; *make a fresh* ~ börja

om från början; *at the* ~ i början; *for a* ~ vard. för det första; *line up for the* ~ ställa upp till start[en] (på startlinjen); *from* ~ *to finish* från början till slut; från start till mål **2** försprång [*a few metres'* ~]; *get* (*have*) *the* ~ *of* komma i väg före; få försprång framför **3** startplats, start **4** ryck, sprittning; *give a* ~ rycka (haja) till; *by fits and* ~*s* ryckvis, stötvis
starter ['stɑːtə] s **1** starter startledare; *be under* ~*'s orders* [vara] klar till start; bildl. ligga i startgroparna **2** startande, tävlingsdeltagare **3** startkontakt; startknapp, [själv]start, startmotor [äv. ~ *motor*] **4** förrätt; *as a* ~ till förrätt; *for* ~*s* vard. till att börja med, som en början (inledning); för det första [*well, for* ~*s he's not a good choice*]
starter motor ['stɑːtəˌməʊtə] s startmotor
starter pack ['stɑːtəpæk] s startpaket
starting blocks ['stɑːtɪŋblɒks] s pl startblock
starting line ['stɑːtɪŋlaɪn] s sport. startlinje
starting pistol ['stɑːtɪŋˌpɪstl] s startpistol
starting point ['stɑːtɪŋpɔɪnt] s utgångspunkt äv. bildl., startpunkt
starting post ['stɑːtɪŋpəʊst] s kapplöpn. startstolpe; startlinje
starting price ['stɑːtɪŋpraɪs] s **1** utgångspris **2** kapplöpn. odds omedelbart före loppet
startle ['stɑːtl] vb tr **1** skrämma, göra bestört, överraska; *be* ~*d* bli förskräckt (bestört, häpen), baxna [*by* över] **2** skrämma upp [~ *a herd of deer*]
startling ['stɑːtlɪŋ] adj **1** häpnadsväckande, uppseendeväckande, alarmerande [*a* ~ *discovery*; ~ *news*] **2** om färg knall- [~ *blue eyes*]
start page ['stɑːtpeɪdʒ] s data. startsida som webbläsaren är inställd att visa vid start
start-up ['stɑːtʌp] **I** s **1** nyetablering, igångsättning **2** nyetablerat företag **II** adj start-, igångsättnings-, initial- [~ *costs*; ~ *problems*]
star turn [ˌstɑː'tɜːn] s teat. huvudnummer, paradnummer
starvation [stɑː'veɪʃ(ə)n] s svält; uthungring, utsvältning
starvation diet [ˌstɑː'veɪʃ(ə)ndaɪət] s svältkost; svältkur
starvation wages [stɑː'veɪʃ(ə)nˌweɪdʒɪz] s pl svältlön
starve [stɑːv] **I** vb itr svälta, hungra, [vara nära att] dö av svält; ~ *to death* svälta ihjäl; *I'm starving* vard. jag håller på att dö av hunger, jag är utsvulten (jättehungrig) **II** vb tr låta svälta [~ *sb to death* (ihjäl)]; låta förgås av hunger
starved [stɑːvd] adj utsvulten; ~ *to death* ihjälsvulten; *be* ~ *of* vara svältfödd på
stash [stæʃ] **I** vb tr vard., ~ *away* gömma (stoppa, stuva) undan **II** s **1** gömställe, gömma **2** undangömd sak, undangömt förråd
state [steɪt] **I** s **1** tillstånd; skick [*in a bad* ~]; situation; ~ *of alarm* a) larmberedskap b) oro, ängslan; ~ *of affairs* förhållandena, förhållandet; ~ *of health* hälsotillstånd, hälsa, befinnande; ~ *of mind* sinnestillstånd, mentalt (psykiskt) tillstånd, sinnesstämning; *the* ~ *of play* läget i en konflikt o.d.; sport. ställningar; *in the present* ~ *of things* under

nuvarande förhållanden; **State of the Union message** i USA budskap om tillståndet i unionen presidentens tal vid kongressens öppnande; **~ of war** krigstillstånd; **what a ~ you are in!** vard. vad (så) du ser ut!; **she was in quite a ~ about it** vard. hon var mycket upprörd över (alldeles ifrån sig för) det; **get into a ~** vard. hetsa upp sig **2** stat, i USA m.fl. äv. delstat; attr. stats- [~ *secret*]; delstats-, statlig; statsägd [~ *forests*]; **the State** staten; **the States** Staterna Förenta staterna; **the welfare ~** välfärdssamhället, välfärdsstaten; **Secretary of State** polit., se under *secretary* 2 **3** stånd, ställning; [hög] rang, värdighet; **married ~** gift stånd; **unmarried (single)** ~ ogift stånd; **~ of life** [samhälls]ställning **4** ståt, prakt, gala, stass; **lie in ~** ligga på lit de parade

II *vb tr* **1** uppge, påstå; förklara, anföra, säga, berätta [*to* för]; upplysa om; ange; **it is ~d that** det uppges att **2** framlägga [~ *one's case*]; framföra [~ *one's opinion*]; framställa, redogöra för, klarlägga [~ *one's position*]; meddela [~ *one's terms*] **3** konstatera, fastslå; fastställa, bestämma

state-aided ['steɪtˌeɪdɪd] *adj* statsunderstödd

state apartment ['steɪtəˌpɑːtmənt] *s* representationsvåning, paradvåning

state attorney ['steɪtəˌtɜːnɪ] *s* amer. statsåklagare

state benefit [ˌsteɪt'benɪfɪt] *s* ung. socialbidrag

state coach [ˌsteɪt'kəʊtʃ] *s* galavagn

State Department ['steɪtdɪˌpɑːtmənt] *s*, **the ~** utrikesdepartementet i USA

State Enrolled Nurse ['steɪtɪnˌrəʊld'nɜːs] (förk. *SEN*) *s* ung. undersköterska

statehood ['steɪthʊd] *s* [status som] självständig stat

statehouse ['steɪthaʊs] *s* delstatsparlament[sbyggnad] i USA

stateless ['steɪtləs] *adj* statslös

stately ['steɪtlɪ] *adj* ståtlig, storslagen; pompös; värdig

stately home [ˌsteɪtlɪ'həʊm] *s* herresäte, herrgård

statement ['steɪtmənt] *s* **1** uttalande; framställning, utsaga; uppgift; påstående; **make a ~** göra ett uttalande, uttala sig, lämna ett meddelande; **on his own ~** jur. enligt [hans] egen utsago **2** rapport, redovisning, tablå, översikt, exposé; **~ of account[s]** redovisning [av räkenskaper] **3** framställning, uttryckssätt, formulering

state of emergency [steɪtəvɪ'mɜːdʒ(ə)nsɪ] *s* se under *emergency*

state-of-the-art [ˌsteɪtəvðiː'ɑːt] *adj* toppmodern, [som är] på aktuell teknisk nivå

State Registered Nurse ['steɪtˌredʒɪstəd'nɜːs] (förk. *SRN*) *s* legitimerad sjuksköterska

stateroom ['steɪtruːm] *s* sjö. privat hytt, lyxhytt

state school ['steɪtskuːl] *s* statlig skola

stateside ['steɪtsaɪd] *adj* amer. amerikansk, i (till, från) USA; **when were you last ~?** när var du senast i USA?

states|man ['steɪtsˌmən] (pl. *-men* [-mən]) *s* statsman

statesmanlike ['steɪtsmənlaɪk] *adj* statsmanna- [~ *qualities*]

statesmanship ['steɪtsmənʃɪp] *s* stats[manna]konst; statsmannaegenskaper

stateswoman ['steɪtsˌwʊmən] (pl. *stateswomen* [-ˌwɪmɪn]) *s* kvinnlig statsman

state university ['steɪtˌjuːnɪ'vɜːsətɪ] *s* delstatsuniversitet i USA

statewide ['steɪtwaɪd] *adj* landsomfattande, över hela [del]staten

static ['stætɪk] **I** *adj* **1** fys. statisk [~ *electricity*] **2** stillastående, statisk, stagnerad **II** *s* **1** atmosfäriska störningar **2** statisk elektricitet **3** amer. vard. kvirr[ande]

station ['steɪʃ(ə)n] **I** *s* **1** station **2** [samhälls]ställning, stånd, rang; **all ~s of life** alla samhällsklasser **3** [anvisad] plats, post; **take up one's ~** inta sin plats äv. bildl., fatta posto **4** mil. bas; **naval ~** flottbas, örlogsstation **5** stor nötkreatursfarm (fårfarm) i Australien **II** *vb tr* **1** ofta mil. stationera, förlägga [~ *a regiment*]; placera ut, postera [~ *a guard*] **2 ~ oneself** placera sig [~ *oneself at the window*]

stationary ['steɪʃn(ə)rɪ] *adj* **1** stillastående [~ *train*]; orörlig **2** stationär [~ *troops*]

station break ['steɪʃ(ə)nbreɪk] *s* amer. radio. el. TV. avbrott i sändning för att ange stations namn

stationer ['steɪʃ(ə)nə] *s* pappershandlare; **~'s** el. **~'s shop** pappershandel

stationery ['steɪʃn(ə)rɪ] *s* skrivmateriel, kontorsmateriel, pappersvaror; skrivpapper, brevpapper [och kuvert]

station house ['steɪʃ(ə)nhaʊs] *s* vanl. amer. stationshus; polisstation; brandstation

station master ['steɪʃ(ə)nˌmɑːstə] *s* stationsinspektor, stationsföreståndare, stins

station wagon ['steɪʃ(ə)nˌwægən] *s* amer. herrgårdsvagn, kombivagn

statistic [stə'tɪstɪk] *s* statistisk uppgift

statistical [stə'tɪstɪk(ə)l] *adj* statistisk

statistician [ˌstætɪ'stɪʃ(ə)n] *s* statistiker

statistics [stə'tɪstɪks] (med verb i pl.; i betydelsen 'statistisk vetenskap' som sg.) *s* statistik[en]

stats [stæts] *s pl* vard. kortform av *statistics*

statue ['stætʃuː, -tjuː] *s* staty, bildstod

Statue of Liberty [ˌstætʃuːəv'lɪbətɪ] *s*, **the ~** frihetsgudinnan i New Yorks hamn

statuesque [ˌstætjʊ'esk] *adj* statylik, statuarisk; ståtlig

statuette [ˌstætjʊ'et] *s* statyett

stature ['stætʃə] *s* **1** växt, kroppsstorlek, längd; gestalt; **short in ~** el. **short of ~** liten (kort) till växten, småvuxen; **tall in ~** el. **tall of ~** stor till växten, storväxt, högväxt **2** bildl. växt [*add something to* one's ~]; mått, format [*a man of* ~]

status ['steɪtəs, amer. äv. 'stætəs] *s* **1** [social (medborgerlig)] ställning, [hög] status, position, rang; **civil ~** civilstånd **2** ställning, status

status bar ['steɪtəsˌbɑː] *s* data. statusrad, statusfält

status quo [ˌsteɪtəs'kwəʊ] *s* lat., **the ~** status quo

status symbol ['steɪtəsˌsɪmb(ə)l] *s* statussymbol

statute ['stætjuːt] *s* [skriven] lag stiftad av parlament; författning; **by ~** el. **under ~** el. **under a ~** enligt lag

statute book ['stætjuːtbʊk] *s* lagbok; författningssamling

statute law ['stætjuːtlɔː] *s* skriven lag stiftad av parlament

statutory ['stætjʊt(ə)rɪ] *adj* **1** lagstadgad, lagfäst, lagenlig; författningsenlig **2** stadgeenlig, reglementerad

statutory offense [ˌstætjʊt(ə)rɪə'fens] *s* amer. straffbart brott

statutory rape [ˌstætjʊt(ə)rɪ'reɪp] *s* amer. samlag med minderårig

1 staunch [stɑːn(t)ʃ] *vb tr* stilla, hämma, stoppa [~ *the bleeding*]; ~ *a wound* stilla blodflödet från ett sår

2 staunch [stɔːn(t)ʃ, amer. äv. stɑːn(t)ʃ] *adj* trofast, pålitlig [~ *ally*; ~ *supporter*]; ståndaktig

stave [steɪv] **I** *s* **1** stav i laggkärl, tunnstav
2 stegpinne **3** mus. notplan, notsystem
II *vb tr* o. *vb itr* med adv.:
stave in a) slå in (sönder), slå hål på [~ *in a barrel*]
b) gå sönder, tryckas in, krossas [*the boat* ~*d in when it struck the rock*]
stave off avvärja [~ *off defeat (ruin)*]; uppehålla, hålla borta [~ *off creditors*]; uppskjuta

1 stay [steɪ] **I** *vb itr* **1** stanna, stanna kvar; *it has come to* ~ el. *it is here to* ~ vard. det har kommit för att stanna, det kommer att stå (hålla i) sig; ~ *the night* stanna (ligga) kvar över natten, övernatta; ~ *for dinner* el. ~ *dinner* stanna [kvar] till middagen (över middagen, på middag); ~ *in bed* stanna (ligga kvar, hålla sig) i sängen, ligga till sängs; ~ *to dinner* el. ~ *to dine* se *stay for dinner* under *1 stay I 1* ovan **2** tillfälligt vistas, bo [~ *at a hotel*; ~ *with* (hos) *a friend*]; stanna, uppehålla sig; *where are you* ~*ing?* var bor du?, var har du tagit in?; *I don't live here, I am only* ~*ing* jag bor inte här utan är här bara tillfälligt **3** fortsätta att vara, förbli, hålla sig [~ *calm*; ~ *young*]; *if the weather* ~*s fine* om det vackra vädret håller i sig (står sig)
II *vb tr* **1** hejda [~ *the progress of a disease*]; hindra, hålla tillbaka; ~ *one's hunger* stilla den värsta hungern **2** jur. uppskjuta [~ *a decision*; ~ *the proceedings*]; inställa, inhibera
III *vb itr* med adv.:
stay away stanna borta, utebli, hålla sig borta (undan), vara frånvarande [*from* från]
stay in stanna (hålla sig) inne (hemma)
stay on a) stanna kvar, bli kvar **b)** stå på, vara påkopplad
stay out stanna ute (utomhus); stanna utanför
stay together hålla ihop [äktenskapet (som ett par)]
stay up stanna (vara, sitta) uppe inte lägga sig
IV *s* **1** uppehåll; vistelse; besök [*at the end of her* ~] **2** jur. uppskov, anstånd [*of* med], uppskjutande, inställande [*of* av]; ~ *of execution* uppskov med verkställigheten [av domen] **3** ~ *the course* se under *course 10*

2 stay [steɪ] *s* stöd, stötta

3 stay [steɪ] *s* sjö. stag

stay-at-home ['steɪəthəʊm] *adj* **1** hemmasittande, hemkär **2** amer., ~ *dad* hemmapappa; ~ *mom* hemmamamma

staycation [steɪ'keɪʃ(ə)n] *s* hemester

stayer ['steɪə] *s* vard. uthållig löpare (cyklist, häst), långdistansare

staying power ['steɪɪŋˌpaʊə] *s* uthållighet

stay-ups ['steɪʌps] *s pl* stay-upstrumpor, stay-ups damstrumpor

St Bernard [s(ə)n(t)'bɜːnəd, amer. ˌseɪntbə'nɑːd] *s* o.

St Bernard dog [s(ə)n(t)ˌbɜːnəd'dɒg, amer. ˌseɪntbə'nɑːˌddɒg] *s* sanktbernhardshund

STD [ˌestiː'diː] *s* (förk. för *sexually-transmitted disease*) sexuellt överförd sjukdom, könssjukdom

stead [sted] *s*, *in my* ~ i mitt ställe, i stället för mig; *stand sb in good* ~ vara ngn till nytta (god hjälp), komma [ngn] väl till pass

steadfast ['stedfəst, -fɑːst] *adj* stadig [~ *gaze*]; fast, orubblig [~ *faith*]; ståndaktig

steady ['stedɪ] **I** *adj* **1** stadig [*a* ~ *table*]; fast, solid, stabil [~ *foundation*]; *hold the camera* ~ hålla kameran stadigt (stilla) **2** jämn [*a* ~ *climate*; *a* ~ *speed*]; stadig [*a* ~ *wind*; [*a*] ~ *improvement*; *a* ~ *customer*]; ständig [*a* ~ *fight against corruption*]; oavbruten; *a* ~ *downpour* ihållande regn **3** lugn [*a* ~ *temper*; *a* ~ *horse*]; stadgad [*a* ~ *young man*]; stadig [*a* ~ *character*]; stabil [*a* ~ *man*]; ~ *nerves* starka nerver
II *adv* stadigt [*stand* ~]; *go* ~ vard. (ngt åld.) ha sällskap, kila stadigt
III *interj*, ~ *on!* sakta i backarna!, ta det lugnt!
IV *vb tr* **1** göra stadig; stödja; ge stadga åt **2** lugna [~ *one's nerves*]; hålla stilla; stabilisera [~ *the prices*]
V *vb itr* **1** bli stadig (stadgad) **2** lugna sig, bli stilla, stanna, stabiliseras

steak [steɪk] *s* biff, skiva [kött (fisk) för stekning]; stekt köttskiva (fiskskiva)

steakhouse ['steɪkhaʊs] *s* stekhus restaurang

steak tartar [ˌsteɪk'tɑːtə] *s* o. **steak tartare** [ˌsteɪktɑː'tɑː] *s* ung. råbiff

steal [stiːl] (*stole stolen*) **I** *vb tr* **1** stjäla [~ *a watch*]; stjäla sig till; ~ *a glance at* el. ~ *a look at* kasta en förstulen blick på; ~ *a march on* bildl. [obemärkt] skaffa sig ett försprång (en fördel) framför; ~ *the show* stjäla föreställningen **2** smuggla, smussla [~ *sth into a room*]
II *vb itr* **1** stjäla **2** smyga [sig], slinka [*away* undan, bort; ~ *in*; ~ *out*; ~ *after sb*]; ~ *up on sb* smyga sig på (över, inpå) ngn

stealth [stelθ] *s*, *by* ~ i smyg (hemlighet), i det tysta; på smygvägar; oförmärkt, förstulet

stealth virus ['stelθˌvaɪrəs] *s* data., slags datavirus

stealthy ['stelθɪ] *adj* förstulen [~ *glance*]; oförmärkt; smygande [~ *footsteps*]; lömsk; skygg [~ *owl*]

steam [stiːm] **I** *s* **1** ånga; *full* ~ *ahead!* full fart framåt!; *under one's own* ~ för egen maskin (kraft); *get up* ~ få upp ångan äv. bildl.; vard. bli upphetsad; *let off* ~ släppa ut ånga; vard. avreagera sig, lätta på trycket; *he ran out of* ~ han tappade orken (farten), luften gick ur honom; *work off* ~ få utlopp för sin energi, avreagera sig **2** imma [~ *on the windows*]
II *vb itr* **1** ånga [*with* av; ~ *down the river*; ~ *into the station*]; ~ *along* el. ~ *ahead* el. ~ *away* ånga i väg, bildl. äv. hålla god fart, gå raskt framåt **2** bildl. koka [~ *with* (av) *indignation*]; osa
III *vb tr* **1** behandla med ånga, ånga; ångkoka; *open a letter* ånga upp ett brev **2** bildl., *she gets* ~*ed up about nothing* hon jagar (hetsar) upp sig för ingenting

steamboat ['stiːmbəʊt] *s* ångbåt, ångfartyg

steam-boiler ['stiːmˌbɔɪlə] *s* ångpanna

steam engine ['sti:m,en(d)ʒɪn] *s* **1** ångmaskin
2 ånglok
steamer ['sti:mə] *s* **1** ångare, ångfartyg
2 ångkokare
steamer chair ['sti:mətʃeə] *s* däcksstol
steaming ['sti:mɪŋ] *adj* **1** ångande het **2** ångande av
ilska
steam iron ['sti:m,aɪən] *s* ångstrykjärn
steampower ['sti:m,pauə] *s* ångkraft
steamroller ['sti:m,rəulə] **I** *s* ångvält äv. bildl.
II *vb tr* **1** mosa (mala) sönder, krossa [~ *all
opposition*] **2** pressa, tvinga
steamship ['sti:mʃɪp] (förk. *SS*) *s* ångfartyg
steam turbine ['sti:m,tɜ:baɪn, -bɪn] *s* tekn. ångturbin
steam whistle ['sti:m,wɪsl] *s* ångvissla
steamy ['sti:mɪ] *adj* **1** ångande, ång- **2** immig
3 vard. sexig, erotisk; het [~ *nights*]
steed [sti:d] *s* poet. el. skämts. springare, gångare
steel [sti:l] **I** *s* **1** stål äv. bildl. [*muscles of ~*] **2** vapen,
klinga, stål; *cold ~* blanka vapen; kallt stål
3 knivblad **4** brynstål **5** eldstål
II *vb tr* bildl. härda, stålsätta [~ *oneself against fear*]
steel band [,sti:l'bænd] *s* steel band som nyttjar oljefat
o.d. som slaginstrument
steel guitar [,sti:lgɪ'tɑ:] *s* hawaiigitarr
steelwool ['sti:lwʊl] *s* stålull
steel-worker ['sti:l,wɜ:kə] *s* stålverksarbetare
steelworks ['sti:lwɜ:ks] (med verb vanl. i sg.; pl.
steelworks) *s* stålverk
steely ['sti:lɪ] *adj* stål-, av stål; stålartad; bildl. äv.
obeveklig, hård som flinta, hårdsint
1 steep [sti:p] *adj* **1** brant [~ *hill*; ~ *roof*] bildl. äv.
våldsam, snabb [~ *increase*] **2** vard. barock, otrolig
[~ *price*; ~ *story*]; *a bit ~* äv. väl magstark (grov)
2 steep [sti:p] *vb tr* **1** lägga i blöt; låta [stå och] dra
[~ *tea*]; dränka in, genomdränka; vattna ur; ~ *in
vinegar* lägga i ättika **2** bildl. dränka, genomsyra; ~
oneself in a subject fördjupa sig (försjunka) i ett
ämne
steepen ['sti:p(ə)n] **I** *vb itr* bli brant[are] **II** *vb tr*
göra brant[are]
steeple ['sti:pl] *s* [spetsigt] kyrktorn; tornspira
steeplechase ['sti:pltʃeɪs] *s* sport. **1** steeplechase
2 hinderlöpning
steeplechaser ['sti:pl,tʃeɪsə] *s* sport. **1** deltagare i en
steeplechase **2** hinderlöpare
steeplejack ['sti:pldʒæk] *s* person som reparerar
kyrktorn (höga skorstenar)
1 steer [stɪə] **I** *vb tr* styra [~ *a car*]; manövrera [~ *a
ship*] bildl. lotsa [~ *a bill through Parliament*]; ~ *a
course* a) välja en väg b) ta till en metod; ~ *a course
for* styra kosan (sin kosa) mot
II *vb itr* **1** styra [*for* till, mot]; ~ *clear of* bildl.
undvika, hålla undan för, gå runt [om], hålla sig
ifrån **2** [*a boat that*] ~*s well* (*easily*) ...är
lättmanövrerad (lättstyrd)
2 steer [stɪə] *s* stut, ungtjur
steerage ['stɪərɪdʒ] *s* sjö. **1** styrning **2** mellandäck,
tredje klass [~ *passenger*]
steering ['stɪərɪŋ] *s* styrning, styrande
steering column ['stɪərɪŋ,kɒləm] *s* rattstång;
styrkolonn; ~ *gear-change* el. ~ *gearshift* rattväxel; ~
lever el. ~ *gear-lever* rattväxelspak

steering committee ['stɪərɪŋkə,mɪtɪ] *s*
ledningsgrupp
steering lock ['stɪərɪŋlɒk] *s* bil. rattlås
steering wheel ['stɪərɪŋwi:l] *s* ratt
stellar ['stelə] *adj* stjärn- [~ *light*]; stellar-
1 stem [stem] **I** *s* **1** stam; stängel, stjälk **2** skaft äv.
på pipa; fot på svamp m.m., [hög] fot på glas; mus.
[not]skaft **3** stapel på bokstav **4** språkv. [ord]stam
5 sjö. a) stäv, för, förstäv b) framstam
II *vb itr*, ~ *from* stamma (härröra) från, bottna i
2 stem [stem] *vb tr* stämma, stoppa, hejda, hämma
[~ *the flow of blood*]; dämma upp (för) [~ *a river*];
sträva emot äv. bildl.
stem cell ['stemsel] *s* biol. stamcell
stench [sten(t)ʃ] *s* stank
stencil ['stensl, -sɪl] *s* [genombruten] schablon
steno ['stenəu] (pl. ~s) *s* amer. vard. stenograf; ~ *pad*
stenogramblock
stenographer [ste'nɒgrəfə] *s* vanl. amer. [stenograf
och] maskinskrivare
stenography [ste'nɒgrɪfɪ] *s* stenografi,
stenografering
stentorian [sten'tɔ:rɪən] *adj* stentors- [~ *voice*]
step [step] **I** *s* **1** steg [*walk with slow ~s*]; [ljudet av]
steg, fotsteg; [dans]steg; *keep ~* hålla takten, gå i
takt; *keep ~ with* hålla jämna steg
(gå i takt) med; *watch one's ~* el. *mind one's ~* gå
försiktigt, se sig för; bildl. se sig noga för, se upp; ~
by ~ el. *by ~s* steg för steg, gradvis; *in ~* i takt; *out of
~* i otakt, ur takt[en] **2** gång, sätt att gå; *go with a
heavy ~* gå med tunga steg; *quick ~* snabb takt
(marsch) **3** se *footstep* **2 4** åtgärd; *take ~s* vidta
åtgärder (mått och steg), göra något [åt saken] [*to
för att*]; *what's the next ~?* vad ska ske (vi göra)
nu? **5** a) trappsteg; trappa b) stegpinne c) fotsteg
6 pl. ~*s* a) [ytter]trappa b) [trapp]stege; *a flight of ~s*
en trappa **7** steg, grad, pinnhål [*he rose several ~s
in my opinion*] **8** mus. tonsteg [*a whole ~*]; steg
II *vb itr* stiga, kliva [~ *across a stream*]; gå; träda;
trampa [~ *on the brake*]; ~ *this way!* var så god,
[kom med] den här vägen!; ~ *into a car* kliva (stiga)
in i en bil; ~ *on it* vard. ge mera gas, gasa på
III *vb itr* o. *vb tr* med adv. el. prep.:
step aside stiga (kliva) åt sidan äv. bildl., gå ur vägen
step down a) stiga (kliva) ner b) bildl. träda (dra sig)
tillbaka c) gradvis minska, sänka [~ *down
production*]
step forward stiga (träda) fram
step in a) stiga in (på), gå in b) ingripa, träda
emellan
step inside stiga (kliva, gå) in
step out a) vanl. amer. gå ut b) stega upp (ut)
step up driva upp, öka [~ *up production*];
intensifiera [~ *up the campaign*]
step aerobics [,stepeə'rəubɪks] *s* step aerobics slags
lågintensiv träning där man kliver upp på och ned från en bräda
stepbrother ['step,brʌðə] *s* styvbror
step-by-step [,stepbaɪ'step] *adj* steg-för-steg[-],
steg-, stegvis, gradvis; tekn. äv. direktstyrd, fjärr-
step|child ['steptʃaɪld] (pl. *-children* [-,tʃɪldr(ə)n]) *s*
styvbarn
step dance ['stepdɑ:ns] *s* stepp, steppdans
stepdaughter ['step,dɔ:tə] *s* styvdotter
stepfather ['step,fɑ:ðə] *s* styvfar

Stephen ['sti:vn] **1** mansnamn **2** kunganamn, helgonnamn
Stefan **3** *even* ~ se under *even* I 1

step-in ['stepɪn] *adj* **1** ofta pl. **~s** om klädesplagg som
man kliver i utan knappar etc.; spec. trosor,
underkläder **2** om skidbindning step-in-

stepladder ['step,lædə] *s* trappstege

step machine ['stepmə,ʃi:n] *s* gymn. trappmaskin

stepmother ['step,mʌðə] *s* styvmor

stepparent ['step,peərənt] *s* styvfar; styvmor

steppe [step] *s* stäpp, grässlätt

stepping stone ['stepɪŋstəʊn] *s* **1** bildl. trappsteg,
språngbräde [~ *to fame*; ~ *promotion*] **2** klivsten
över vatten o.d., sten att kliva på

stepsister ['step,sɪstə] *s* styvsyster

stepson ['stepsʌn] *s* styvson

stereo ['sterɪəʊ, ibl. 'stɪər-] **I** *adj* stereo-,
stereofonisk; stereoskopisk **II** (pl. ~s) *s*
stereo[anläggning]; stereo[foniskt ljud] [*listen to a
concert in ~*]

stereophonic [,sterɪə'fɒnɪk, ,stɪər-] *adj*
stereofonisk, stereo- [~ *reproduction*]

stereoscopic [,sterɪə'skɒpɪk, ,stɪər-] *adj*
stereoskopisk

stereotype ['sterɪətaɪp, 'stɪər-] **I** *s* sociol. o.d.
stereotyp **II** *vb tr* göra stereotyp (klichéartad)

stereotyped ['sterɪətaɪpt, 'stɪər-] *adj* stereotyp,
klichéartad [~ *characters in a soap opera*]; stel,
stereotypisk [~ *behaviour*]; ~ *phrase* kliché, sliten
fras

sterile ['steraɪl, amer. 'ster(ə)l] *adj* steril, ofruktbar,
ofruktsam

sterility [ste'rɪlətɪ] *s* sterilitet; ofruktbarhet,
ofruktsamhet; andefattigdom

sterilization [,sterəlaɪ'zeɪʃ(ə)n, -lɪ'z-] *s* sterilisering

sterilize ['sterəlaɪz] *vb tr* sterilisera

sterling ['stɜ:lɪŋ] **I** *s* sterling benämning på brittisk valuta
[*five pounds* ~]; *payable in* ~ betalbar i brittisk
valuta (pund sterling)
II *adj* **1** sterling- [~ *silver*]; fullödig **2** bildl. äkta,
gedigen

1 stern [stɜ:n] *adj* **1** sträng [~ *father*; ~ *look*]; bister
[~ *manner*]; *take a* ~ *view of sth* se ngt med oblida
ögon **2** hård [~ *discipline*]; *be made of ~er stuff* bildl.
vara av ett annat virke

2 stern [stɜ:n] *s* sjö. akter, akterspegel, akterskepp,
häck

steroid ['sterɔɪd, 'stɪər-] *s* kem. el. fysiol. steroid

stethoscope ['steθəskəʊp] med. **I** *s* stetoskop **II** *vb tr*
undersöka med stetoskop, stetoskopera

stetson® ['stetsn] *s* stetsonhatt; ung. cowboyhatt

Steve [sti:v] kortform av *Stephen*

stevedore ['sti:vədɔ:] *s* sjö. stuvare, stuveriarbetare,
hamnarbetare

Stevenson ['sti:vnsn]

stew [stju:] **I** *s* **1** ragu, gryta [äv. *mixed* ~]; stuvning;
Irish ~ se *Irish stew* **2** vard., *be in a* ~ el. *get into a* ~
vara (bli) utom sig (ifrån sig)
II *vb tr* (se äv. *stewed*) låta småkoka (sjuda,
långkoka) i kort spad
III *vb itr* (se äv. *stewed*) småkoka; *let him* ~ *in his own
juice* vard., ung. som man bäddar får man ligga

steward ['stjʊəd] *s* **1** sjö., flyg. m.m. steward,
uppassare **2** hovmästare i finare hus, på restaurang o.d.;
intendent, skattmästare vid klubb, college o.d.;

klubbmästare **3** marskalk vid fest o.d.; funktionär vid
tävling, utställning o.d. **4** [gods]förvaltare, inspektor
5 se *shop steward*

stewardess [,stjʊə'des, 'stjʊədəs] *s* sjö., flyg. m.m. (ngt
åld.) kvinnlig steward, stewardess; flygvärdinna osv.

stewed [stju:d] *adj* **1** sl. packad berusad **2** *the tea is* ~
teet är beskt (har dragit för länge) **3** kokt; ~ *beef*
ung. köttgryta; kalops

stewing steak ['stju:ɪŋsteɪk] *s* grytbitar

STI [,esti:'aɪ] *s* (förk. för *sexually transmitted
infection*) sexuellt överförd infektion

1 stick [stɪk] (*stuck stuck*) **I** *vb tr* **1** sticka, köra [~ *a
fork into a potato*] **2** vard. sticka [~ *one's head out
of the window*]; stoppa [~ *one's hands into one's
pockets*]; sätta, ställa, lägga [*you can* ~ *it anywhere
you like*] **3** klistra; fästa, sätta (limma) fast; klistra
(sätta) upp [~ *bills on a wall*]; ~ *no bills!* affischering
förbjuden!; ~ *a stamp on a letter* sätta [ett] frimärke
på ett brev **4** vard. stå ut med, uthärda, tåla [*I can't
~ her new boyfriend*]; *I can't* ~ *it* jag står inte ut
5 *be stuck* a) ha fastnat [*the lift was stuck*]; ha
hakat upp sig [*the door was stuck*] b) ha kört fast
[*when you are stuck, ask for help*]; *get stuck* fastna;
köra fast, gå bet på, inte komma någon vart; data.
hänga sig **6** vard. sätta (skriva) upp [~ *it on the bill*]
7 sl. dra åt helvete med [*you can ~ your job*]
II *vb itr* **1** vara (sitta) instucken [*in in*] **2** klibba
(hänga, sitta) fast [*the stamp stuck to* (vid, på) *my
fingers*]; klibba (sitta) ihop [äv. ~ *together*]; häfta
[*to* vid] **3** a) fastna [*the key stuck in the lock*]; haka
upp sig [*the door has stuck*]; kärva; bli sittande
(stående, hängande) b) vard. komma av sig; ~ *fast*
sitta fast; *the nickname stuck* [*to him*] öknamnet
hängde kvar (fick han behålla) **4** vard. stanna, hålla
sig [~ *at home*]; stanna [kvar], hålla sig [kvar] [~
where you are]
III *vb itr* o. *vb tr* med adv. el. prep., ofta med spec.
översättningar:
stick about el. **stick around** vard. hålla sig (stanna) i
närheten, stanna kvar
stick at a) hålla på med, ligga i med [~ *at one's
work ten hours a day*] b) hänga upp sig på, fästa
sig vid, fastna på [~ *at trifles*] c) vard., ~ *at nothing*
inte vika (väja) för någonting, inte sky några
medel
stick by vard. a) vara (förbli) lojal mot (solidarisk
med), hålla fast vid b) *I'm stuck by* [*this problem*] jag
går bet på..., jag kan inte klara av...
stick down vard. skriva ner
stick for vard.: *be stuck for* bli (vara) förbryllad
(ställd); sakna, plötsligt stå där utan; *be stuck for
an answer* vara (bli) svarslös, inte ha något svar att
komma med
stick in a) sätta (skjuta, stoppa) in [~ *in a few
commas*] b) vard., *be stuck in* sitta fast i, inte kunna
lämna [*he is stuck in Paris*]; *get stuck in* [*a job*] sätta
igång [på allvar] med... c) ~ *in sb's mind* fastna
(fästa sig, stanna) i ngns minne; ~ *in the mud* sitta
fast (fastna) i dyn, bildl. äv. sitta fast i det
förgångna; stå och stampa på samma fläck d) ~
one's heels in bildl. sätta sig på tvären, spjärna emot
stick into se *get stuck in* under *stick in* ovan
stick on a) ~ *on one's spectacles* sätta (ta) på [sig]
glasögonen b) vard., *be stuck on* [*a girl*] ha kärat ner

sig i…, vara tänd på…

stick out a) räcka ut [~ *out one's tongue*]; sticka (stå, skjuta) ut (fram); puta ut [med]; **~ *one's neck out*** vard., se under *neck I 1* **b)** falla i ögonen, vara påfallande; vara tydlig; ***it ~s out a mile*** el. ***it ~s out like a sore thumb*** vard. det syns (märks) lång väg, det kan man inte ta fel (miste) på **c)** vard. hålla (härda) ut; **~ *it out!*** håll ut! **d)** ~ *out for* [***higher wages***] envist hålla (stå) fast vid sina krav på…, yrka på…

stick to a) hålla sig till [~ *to the point*; ~ *to the truth*]; hålla (stå) fast vid [~ *to one's word*; ~ *to one's promise*]; vara trogen [~ *to one's ideals*]; fortsätta med, stanna [kvar] på [~ *to one's work*; ~ *to one's post*]; **~ *to it!*** fortsätt med det!, släpp inte taget!, stå på dig!; **~ *to one's guns*** vard., se under *gun I 5*; **~ *to one's last*** se under *3 last I* **b)** **~ *to sb*** hålla fast vid ngn, förbli ngn trogen, troget följa ngn

stick together a) vard. hålla ihop [som ler och långhalm] **b)** klistra (limma) ihop; klibba ihop

stick up a) sticka (skjuta) upp, stå på ända **b)** sätta upp [~ *up a poster*] **c)** vard., **~ *up for*** försvara [~ *up for one's rights*]; ta i försvar, stödja [~ *up for a friend*]; **~ *up for oneself*** stå 'på sig, hävda sig (sina rättigheter) **d)** sl. råna [under vapenhot] [~ *up sb*; ~ *up a bank*]; **~ '*em up!*** el. **~ *your hands up!*** upp med händerna!

stick with a) vard. hålla ihop (vara tillsammans) med [*you need not ~ with me all the time*]; hålla sig till, hålla fast vid **b)** vard., **~ *sb with sth*** betunga ngn med ngt, tvinga på ngn ngt; ***be stuck with*** få på halsen, åka på, få dras med

2 stick [stɪk] *s* **1** pinne, kvist [*gather dry ~s to make a fire*]; sticka; blompinne, käpp, stör [*cut ~s to support the beans*]; *a few ~s of furniture* några få enkla möbler **2** käpp [*walk with a* (med) *~*]; stav [*ski ~*]; klubba [*hockey ~*] i sammansättn. -skaft [*broomstick*]; ***get hold of the wrong end of the ~*** vard. få alltsammans om bakfoten; ***get a lot of ~*** få en massa stryk; få på huden; ***give sb ~*** ge ngn stryk; ge ngn på huden; ***carry the big ~*** bildl. visa sin makt, sätta makt bakom orden **3** stång, bit; i sammansättn. -stift [*lipstick*]; **~ *of celery*** selleristjälk; ***a ~ of chalk*** en krita; ***a ~ of chewing gum*** ett tuggummi **4** mus. **a)** taktpinne **b)** trumpinne **5** flyg. vard. [styr]spak **6** vard., ***a dry old ~*** en riktig torrboll **7** mil. bombsalva, bombserie

sticker [ˈstɪkə] *s* gummerad (självhäftande) etikett, klistermärke, dekal; amer. äv. plakat, affisch

stick figure [ˈstɪkˌfɪɡə] *s* streckgubbe

sticking plaster [ˈstɪkɪŋˌplɑːstə] *s* häftplåster

sticking point [ˈstɪkɪŋpɔɪnt] *s* **1** omständighet som kan förorsaka dödläge, hake, hinder **2** punkt där man (förhandlingarna) kört fast; ***when it comes to the ~*** när det kommer till kritan

stick insect [ˈstɪkˌɪnsekt] *s* zool. vandrande pinne

stick-in-the-mud [ˈstɪkɪnðəmʌd] vard. **I** *adj* trög, fantasilös **II** *s* stofil, reaktionär [*old ~*]

stickleback [ˈstɪklbæk] *s* zool. spigg

stickler [ˈstɪklə] *s* pedant [äv. ~ *for order*]; *be a ~ for* [*details*] vara kinkig (noga) med…

stick-on [ˈstɪkɒn] *adj* gummerad, självhäftande, klister-; **~ *labels*** självhäftande etiketter

sticks [stɪks] *s pl* vard., **the ~** bondvischan [*live out in the ~*]

stick shift [ˈstɪkʃɪft] *s* amer. motor. växelspak

stick-up [ˈstɪkʌp] *s* sl. väpnat rån

sticky [ˈstɪkɪ] **I** *adj* **1** klibbig, kladdig [~ *fingers*; ~ *toffee*]; seg; lerig, moddig [*a ~ road*; ~ *soil*]; ***be on a ~ wicket*** bildl. vara illa ute **2** om väder tryckande, varm och fuktig, klibbig **3** besvärlig, kinkig [*a ~ problem*] **4** vard. **a)** ovillig, omedgörlig, avvisande [*I tried to pump her, but she was rather ~*] **b)** nogräknad, kinkig **5** vard. obehaglig, pinsam [*a ~ past*]; ***he'll come to a ~ end*** det kommer att gå illa för honom

II *s* post-it, duttlapp

sticky tape [ˌstɪkɪˈteɪp] *s* tejp

stiff [stɪf] **I** *adj* **1** stel [~ *legs*]; styv [~ *collar*]; oböjlig, stram [*straight and ~*]; fast, hård [*a ~ mixture*; ~ *clay*]; trög [*a ~ lock*]; ***have a ~ neck*** vara stel i nacken; ***be ~*** vara stel [i lederna]; ha träningsvärk; ***beat the egg whites until ~*** vispa äggvitorna till hårt skum **2** stram, stel, formell [*a ~ bow* (bugning); *a ~ manner*]; kylig [*a ~ reception*]; tvungen, onaturlig; ***keep a ~ upper lip*** vara [likgiltig och] oberörd, inte förändra en min **3** styv [*a ~ breeze*]; kraftig [*a ~ current*] **4** stark [*a ~ drink*]; ***a ~ whisky*** en stor (stadig) whisky **5** hård [~ *competition*; ~ *terms*]; kraftig, saftig, hutlös [*a ~ price*]; **~ *demands*** hårda krav (bud); ***put up a ~ fight*** kämpa hårt (hårdnackat)

II *adv*, ***bore sb ~*** tråka ut (ihjäl) ngn; ***be bored ~*** ledas ihjäl, ha dödstråkigt; ***be frozen ~*** vara ihjälfrusen; ***be scared ~*** vara (bli) livrädd (dödsrädd, vettskrämd)

III *s* sl. **1** döing lik **2** *you big ~!* din fårskalle!

stiffen [ˈstɪfn] **I** *vb tr* **1** göra styv (stel); stärka kläder **2** stärka [~ *one's position*] **3** bildl. skärpa [~ *one's demands* (krav)]

II *vb itr* **1 a)** styvna, stelna, hårdna **b)** om person bli spänd **2** bli hårdare (besvärligare); om vind friska i **3** bildl. bli fastare, stärkas [*his resolution ~ed*]; skärpas; stramas åt [*prices ~ed*]

stiff-necked [ˌstɪfˈnekt, attr. ˈ--] *adj* bildl. nackstyv, styvsint; hårdnackad, halsstarrig

stifle [ˈstaɪfl] **I** *vb tr* **1** kväva [~ *a fire*]; ***we were ~d by the heat*** vi höll på att kvävas av hettan **2** bildl. kväva, undertrycka

II *vb itr* kvävas

stifling [ˈstaɪflɪŋ] *adj* kvävande [~ *heat*]

stigma [ˈstɪɡmə] *s* **1** bildl. stigma, stämpel **2** bot. märke på pistill

stigmatize [ˈstɪɡmətaɪz] *vb tr* bildl. brännmärka, stigmatisera, stämpla [~ *sb as a traitor*]

stile [staɪl] *s* [kliv]stätta

stiletto [stɪˈletəʊ] (pl. ~*s*) *s* **1** sko med stilettklack **2** stilett

stiletto heels [stɪˌletəʊˈhiːlz] *s pl* stilettklackar

1 still [stɪl] **I** *adj* **1** stilla [*a ~ lake*; *a ~ night*]; tyst; dämpad; sakta; ***~ waters run deep*** i det lugnaste vattnet går de största fiskarna; ***a ~ small voice*** **a)** [ljudet av] en stilla susning **b)** samvetets röst; ***keep ~*** hålla sig stilla **2** icke kolsyrad, utan kolsyra [~ *lemonade*]; **~ *wines*** icke mousserande viner

II *adv* **1** tyst och stilla [*he is ~ busy*]; alltjämt, fortfarande, alltjämt [*he is ~ busy*]; ***when ~ a child*** el. ***while ~ a child*** redan som barn **3 a)** vid komp. ännu [~ *better* el. *better ~*] **b)** **~ *another*** ännu (ytterligare) en

III *konj* likväl, ändå, dock [*to be rich and ~ crave more*]; men ändå [*it was futile, ~ they fought*]; ***~, she is your sister*** hon är i alla fall (trots allt) din syster

IV *s* **1** stillbild, filmbild, reklambild ur film **2** poet. stillhet

V *vb tr* **1** stilla [*~ sb's appetite*] **2** lugna, tysta [*~ one's conscience*]

2 still [stɪl] *s* destillationsapparat

stillbirth ['stɪlbɜ:θ] *s* **1** dödfödsel **2** dödfött barn

stillborn ['stɪlbɔ:n] *adj* dödfödd äv. bildl.

still life [ˌstɪl'laɪf, '--] (pl. *~s*) *s* stilleben

stilt [stɪlt] *s* stylta

stilted ['stɪltɪd] *adj* om stil o.d. uppstyltad, bombastisk, svulstig

Stilton ['stɪltn] *s* stilton[ost] [äv. *~ cheese*]

stimulant ['stɪmjʊlənt] *s* **1** stimulerande (uppiggande) medel; njutningsmedel; pl. *~s* äv. stimulantia **2** stimulans [*to* för]

stimulate ['stɪmjʊleɪt] *vb tr* stimulera, pigga upp

stimulating ['stɪmjʊleɪtɪŋ] *adj* stimulerande, uppfriskande, eggande; stärkande

stimulation [ˌstɪmjʊ'leɪʃ(ə)n] *s* stimulering, stimulation; retning

stimul|us ['stɪmjʊləs] (pl. *-i* [-aɪ el. -i:]) *s* stimulans, bildl. äv. eggelse, sporre, drivfjäder [*to* till]

sting [stɪŋ] **I** (*stung stung*) *vb tr* **1** sticka, stinga [*stung by a bee*]; svida i [*the blow stung his fingers*]; om nässla bränna; ***the smoke began to ~ her eyes*** röken började sticka (svida) i ögonen [på henne]; ***I was stung by a nettle*** jag brände mig på en nässla **2** bildl. **a)** såra, reta; plåga [*his conscience stung him*]; ***be stung by remorse*** plågas (lida) av dåligt samvete **b)** *~ into* driva till [*his anger stung him into action*]; reta upp till [att] **3** sl. blåsa, klå [*I was stung for* (på) *£5*]; skinna

II (*stung stung*) *vb itr* **1** om växter, insekter m.m. stickas; brännas **2** svida [*his face stung in the wind*]

III *s* **1** gadd; brännhår hos nässla **2 a)** stick, sting, styng, bett av insekt o.d. **b)** stickande, sveda, svidande smärta [*the ~ of a whip*] **3** bildl. skärpa, sting, udd; ***take the ~ out of*** bryta (ta) udden av **4** sl. blåsning

stinging nettle ['stɪŋɪŋˌnetl] *s* bot. brännässla

stingray ['stɪŋreɪ] *s* zool. stingrocka

stingy ['stɪn(d)ʒɪ] *adj* vard. **1** snål, knusslig **2** njugg; ynklig

stink [stɪŋk] **I** (imperf. *stank* el. ibl. *stunk*; perf. p. *stunk*) *vb itr* **1** stinka, lukta illa; *~ of* stinka av, lukta [*~ of garlic*] **2** vard. **a)** vara botten (rena pesten) [*this town ~s*] **b)** stinka [*the whole affair ~s*]; ha dålig klang, vara okänd **3** sl., *~ with* el. *~ of* vara nerlusad med [*~ with* (of) *money*]

II (för tema se *stink* I) *vb tr* med adv.:
stink out förpesta [luften i] [*you will ~ the place out with your cheap cigars*]

III *s* **1** stank, dålig lukt **2** vard. ramaskri; ***kick up*** (***make***) ***a ~*** [***about sth***] höja ett ramaskri [över ngt], ställa till rabalder [om ngt] **3** skol. sl., pl. *~s* (med verb i sg.) kemi

stink bomb ['stɪŋkbɒm] *s* stinkbomb

stinker ['stɪŋkə] *s* vard. **1** lortgris, äckel; kräk, potta **2 a)** hård nöt att knäcka; [***the exam***] ***was a ~*** ...var ursvår **b)** ***come a ~*** misslyckas, göra fiasko

stinking ['stɪŋkɪŋ] **I** *adj* **1** stinkande **2** vard. jäkla, himla
II *adv* sl. ur-, as-; *~ drunk* dödfull, asfull; *~ rich* stormrik

stint [stɪnt] **I** *s* **1** [bestämd] uppgift, [portion] arbete, pensum [*do one's daily ~*]; andel **2** [arbets]period
II *vb tr* **1** *~ on* spara på, knussla (snåla) med [*~ on food*] **2** *~ oneself* snåla; *~ oneself of sth* neka sig (inte unna sig, snåla med) ngt

stipend ['staɪpend] *s* fast lön, fast arvode spec. till präst

stipendiary [staɪ'pendɪərɪ] *adj* avlönad; *~ magistrate* polisdomare i större stad, utnämnd och avlönad av staten

stipple ['stɪpl] *vb tr* **1** konst. punktera, pricka **2** mål. stöppla, marmorera

stipulate ['stɪpjʊleɪt] *vb tr* stipulera, bestämma, fastställa [*~ a price*]; föreskriva; avtala

stipulation [ˌstɪpjʊ'leɪʃ(ə)n] *s* stipulation, stipulering, bestämmelse, avtal i kontrakt o.d.

stir [stɜ:] **I** *vb tr* **1** röra, sätta i rörelse, bildl. äv. väcka [*~ a controversy*]; ***he didn't ~ a finger*** [***to help me***] han rörde inte ett finger (en fena)...; [***a breeze***] ***~red the lake*** ...krusade sjön; ***a faint smile ~red her lips*** ett svagt leende lekte kring hennes läppar; *~ oneself* sätta i gång, rycka upp sig **2** röra, vispa [*~ an omelette*]; röra i, röra om i [*~ the fire; ~ the porridge*]; röra ned (i) [*~ milk into a cake mixture*]
II *vb itr* röra sig [*not a leaf ~red*]; [börja] röra på sig; vakna; ***be ~ring*** vara i rörelse (farten); vara på benen; ***he never ~red out of the house*** han gick aldrig ut

III *vb tr* med adv.:
stir up a) hetsa upp, egga upp, få att resa sig [*~ up the people*]; väcka [*~ up curiosity; ~ up interest*]; [***be quiet!***] ***you're ~ring up the whole house*** ...du väcker hela huset
b) anstifta, sätta i gång, få att blossa upp [*~ up a revolt*]; ställa till [*~ up trouble* (bråk)] **c)** röra upp, virvla upp [*~ up dust*]; röra om väl

IV *s* **1** omrör[n]ing; omskakning; ***give the fire a ~!*** rör om i elden ett tag! **2** rörelse; liv och rörelse **3** uppståndelse; ***make a great ~*** ställa till stor uppståndelse

stir-crazy ['stɜːˌkreɪzɪ] *adj* vard. sinnesrubbad, knäpp; *be ~* känna sig nervös och instängd; *go ~* bli tokig

stir-fry ['stɜːfraɪ] **I** *vb tr* kok. snabbt fräsa [upp]; spec. woka **II** *s* snabbfräst (spec. wokad) mat (rätt)

stirrer ['stɜːrə] *s* **1** vard. orosstiftare **2** omrörare; mixersked

stirring ['stɜːrɪŋ] **I** *s*, ***she noticed a ~ interest*** hon såg ett spirande intresse
II *adj* **1** rörande, gripande, upplivande [*a ~ speech*]; spännande, upphetsande [*~ events*] **2** rörlig, livlig [*a ~ scene*]

stirrup ['stɪrəp] *s* stigbygel äv. anat.

stirrup pants ['stɪrəppænts] *s pl* vanl. amer. [lång]byxor med hälla under foten

stitch [stɪtʃ] **I** *s* **1 a)** sömnad. el. med. stygn **b)** söm sömnad [*satin ~*]; ***a ~ in time saves nine*** ung. en enkel åtgärd i tid kan spara mycket arbete senare; bättre stämma i bäcken än i ån; ***the wound needed five ~es*** såret måste sys med fem stygn **2** maska i stickning o.d. [*drop* (tappa) *a* ~]; slag i knyppling **3** vard. 'tråd', minsta bit (gnutta); *he did not have* (*had not*) *a* ~ *on* el. *he was without a* ~ *of clothing* han hade inte (var utan) en tråd på kroppen **4** håll [i sidan]; *keep sb in ~es* få ngn att vrida sig av skratt; *I was in ~es* jag skrattade så jag höll på att dö (kikna)

II *vb tr* o. *vb itr* sy, sticka söm; brodera; ~ *on* sy (sticka, nästa) fast (på); ~ *together* sy ihop, fästa ihop [med några stygn]; ~ *up* a) sy ihop äv. bildl., laga [~ *up a rip*] b) med. sy [ihop]

stitching ['stɪtʃɪŋ] *s* söm; *the* ~ *has come undone* sömmen har gått upp

St Louis [s(ə)nt'luːɪs] geogr.

stoat [stəʊt] *s* zool. **1** hermelin (lekatt) i sommardräkt **2** vessla

stock [stɒk] **I** *s* **1** lager [~ *of butter*]; förråd äv. bildl.; *take* ~ a) inventera [lagret], göra en inventering b) bildl. granska läget; göra bokslut; *take* ~ *of* bildl. granska noga, överblicka, värdera; *have in* ~ el. *keep in* ~ lagerföra, ha (föra) på (i) lager, ha inne; *be out of* ~ om vara vara slut [på lagret], vara slutsåld **2** ekon. a) statslån; statsobligation[er] b) aktiekapital [äv. *capital* ~]; grundfond; aktier äv. bildl. [*her* ~ *was* (stod) *not high*]; värdepapper; ~*s* [*and shares*] äv. börspapper, fondpapper **3** a) härstamning, familj, släkt [*of Dutch* ~] b) ras c) språkfamilj, språkgrupp; *he comes of Irish* ~ han härstammar från en irländsk familj; *horses of good* ~ hästar av god ras (avel) **4** a) [kreaturs]besättning, kreatursbestånd b) inventarier på gård [*dead* ~]; redskap c) materiel [*rolling* ~] **5** kok. buljong, spad **6** gevärsstock; i sammansättn. -skaft [*whipstock*] **7** bot. lövkoja **8** skeppsbygg., pl. ~*s* stapel; *on the* ~*s* på stapelbädden, under byggnad; bildl. under arbete **9** hist., pl. ~*s* stock som straffredskap [*sit* (*put*) *in the* ~*s*] **II** *vb tr* **1** fylla [med lager] [~ *the shelves*]; förse [~ *a shop with goods*]; skaffa [kreaturs]besättning till [~ *a farm*]; ~ *a pond with fish* plantera in fisk i en damm; *well* ~*ed with* välförsedd med, välsorterad i (med) **2** [lager]föra, ha på (i) lager; lagra **III** *vb tr* o. *vb itr* med adv.:

stock up a) tr. förnya (fylla på) lagret av b) itr. fylla på lagret; lägga upp ett förråd (lager) [*with av*]

IV *adj* **1** stereotyp, klichéartad [~ *situations*]; ~ *example* standardexempel, typexempel; ~ *jokes* utnötta vitsar; ~ *phrase* stående uttryck, talesätt; ~ *sizes* standardstorlekar, standardnummer **2** som alltid finns på lager [~ *articles*]; lager- **3** lantbr. avels- [~ *bull*]

stockade [stɒ'keɪd] *s* palissad, pålverk

stockbreeder ['stɒk,briːdə] *s* kreatursuppfödare, avelsdjursuppfödare

stockbroker ['stɒk,brəʊkə] *s* ekon. fondmäklare, börsmäklare, fondkommissionär

stock car ['stɒkkɑː] *s* **1** skrotfärdig [standard]bil **2** ~ *racing* stock-car, skrotbilstävling

stock certificate [,stɒksə'tɪfɪkət] *s* amer. ekon. aktiebrev

stock company [,stɒk'kʌmpəni] *s* amer. **1** aktiebolag **2** teat. fast ensemble

stock cube ['stɒkkjuːb] *s* buljongtärning

stock exchange ['stɒkɪks,tʃeɪn(d)ʒ] *s* ekon. **1** börs,

fondbörs **2** *the* ~ a) aktiemarknaden b) börskursen c) börshandeln

stockholder ['stɒk,həʊldə] *s* vanl. amer. ekon. aktieägare; ~*s' meeting* el. *meeting of* ~*s* bolagsstämma

Stockholm ['stɒkhəʊm] geogr.

stockily ['stɒkəli] *adv*, ~ *built* kraftigt byggd, undersätsig

stock index ['stɒk,ɪndeks] *s* vanl. amer. aktieindex, kursindex

stocking ['stɒkɪŋ] *s* [lång] strumpa; *a pair of* ~*s* ett par strumpor; *stand 180 cm. in one's* ~ vara 180 cm i strumplästen

stocking cap [,stɒkɪŋ'kæp] *s* toppluva

stockinged ['stɒkɪŋd] *adj* i (med) strumpor, strumpklädd; *in one's* ~ *feet* i strumplästen

stocking filler ['stɒkɪŋ,fɪlə] *s* julklapp som ryms i ett barns julklappstrumpa

stocking mask [,stɒkɪŋ'mɑːsk] *s* strumpa dragen över huvudet [*four men wearing* ~]

stock-in-trade [,stɒkɪn'treɪd] *s* varumärke, yrkesknep, försäljningsargument [*a friendly smile is the salesman's* ~]; repertoar [*an actor's* ~ *on the stage*]

stockist ['stɒkɪst] *s* återförsäljare; leverantör

stock|man ['stɒk|mən, -mæn] (pl. *-men* [-mən]) *s* **1** boskapsskötare på gård **2** boskapsuppfödare

stock market ['stɒk,mɑːkɪt] *s* ekon., se *stock exchange*

stockpile ['stɒkpaɪl] **I** *s* förråd, upplag; reserv[lager]; beredskapslager; en stats vapenarsenal **II** *vb tr* lagra, lägga upp lager av; hamstra

stockroom ['stɒkruːm] *s* förråd[srum], lager[lokal]

stock-still [,stɒk'stɪl] *adv* alldeles stilla (orörlig)

stocktaking ['stɒk,teɪkɪŋ] *s* **1** hand. m.m. [lager]inventering **2** bildl. inventering, överblick

stocky ['stɒki] *adj* undersätsig, satt

stockyard ['stɒkjɑːd] *s* kreaturinhägnad

stodge [stɒdʒ] *s* sl. bastant (tung) mat, bukfylla

stodgy ['stɒdʒi] *adj* **1** om mat tung, stabbig, mastig [*a* ~ *pudding*] **2** tung, livlös, tråkig; trögläst

stoic ['stəʊɪk] **I** *s* stoiker **II** *adj* stoisk

stoical ['stəʊɪk(ə)l] *adj* se *stoic II*

stoke [stəʊk] **I** *vb tr* **1** förse med bränsle, fylla på bränsle på (i); lägga på ved [~ *a fire*; ~ *the fire*] **2** underblåsa [~ *a conflict*]; ge näring åt **II** *vb tr* o. *vb itr* med adv.:

stoke up a) förse med bränsle, fylla på bränsle på (i); lägga på ved [~ *up a fire*; ~ *up the fire*] b) underblåsa [~ *up a conflict*]; ge näring åt c) vard. ladda upp [*on, with* med]

stoker ['stəʊkə] *s* eldare

1 stole [stəʊl] *s* [päls]stola; [lång] sjal

2 stole [stəʊl] imperf. av *steal*

stolen ['stəʊl(ə)n] perf. p. av *steal*

stolid ['stɒlɪd] *adj* trög, slö, likgiltig; dum, envis [~ *resistance*]

stomach ['stʌmək] **I** *s* **1** mage; buk; magsäck; *weak* ~ klen mage; *on an empty* ~ på fastande (med tom) mage; *upset* ~ magbesvär; *have a strong* ~ ha starka nerver; *turn sb's* ~ a) vända sig i magen på ngn, kvälja ngn b) bildl. äckla ngn, bära ngn emot; *it sticks in my* ~ det grämer mig; *be sick to one's* ~ vara (bli) illamående, må illa, ha (få) kväljningar

2 matlust; aptit; bildl. äv. lust; **have no ~ for** bildl. inte ha lust för (med), inte känna för
II *vb tr* **1** kunna äta (få ner), tåla, fördra **2** bildl. tåla, smälta, finna sig i [*~ an insult; he cannot ~ it*]; fördra

stomach ache ['stʌməkeɪk] *s* ont i magen, magknip, magont; **I have got** [*a*] ~ jag har ont i magen

stomach pump ['stʌməkpʌmp] *s* med. magpump

stomp [stɒmp] *vb itr* vard. stampa

stomping ground ['stɒmpɪŋɡraʊnd] *s* vanl. amer. vard. tillhåll, ställe [*my favourite ~*]

stone [stəʊn] **I** *s* **1** sten äv. bildl. [*built of ~; a heart of ~*] attr. äv. grå, gråstensfärgad [*~ paint*]; **rolling ~** bildl., se under *rolling I*; **a ~'s throw from** el. **within a ~'s throw of** ett stenkast från; **leave no ~ unturned** pröva alla medel (sätt, vägar), inte lämna något ogjort [*to* för att] **2** ädelsten [äv. *precious ~*] **3** kärna i stenfrukt **4** (pl. vanl. *stone*) viktenhet **a**) = 14 *pounds* (6,36 kg) [*two ~ of flour; he weighs 11 ~[s]*] **b**) som köttvikt = 8 *pounds* (3,63 kg)
II *vb tr* **1** stena; kasta sten på; **~ the crows!** el. **~ me!** jösses!, det må jag säga! **2** kärna ur stenfrukt

Stone Age ['stəʊneɪdʒ] *s*, **the ~** stenåldern

stone-cold [ˌstəʊn'kəʊld] *adv* helt; **~ sober** äv. spik nykter

stone cold [ˌstəʊn'kəʊld] *adj* iskall

stoned [stəʊnd] *adj* **1** sl. stenad, hög narkotikapåverkad, packad berusad **2** urkärnad, kärnfri

stone dead [ˌstəʊn'ded] *adj* stendöd

stone deaf [ˌstəʊn'def] *adj* stendöv

stone-ground ['stəʊnɡraʊnd] *adj* stenmalen

stonemason ['stəʊnˌmeɪsn] *s* stenmurare; stenhuggare

stonewall [ˌstəʊn'wɔ:l] *vb itr* parl. obstruera, maratontala

stoneware ['stəʊnweə] *s* stengods

stonewashed ['stəʊnwɒʃt] *adj* stentvättad [*~ denims*]

stonkered ['stɒŋkəd] *adj* sl. färdig, slut, lack

stonking ['stɒŋkɪŋ] *adj* vard. alla tiders, jättebra

stony ['stəʊnɪ] *adj* **1** stenig [*~ road*] **2** stenhård, stel [*~ stare*]; iskall, isande [*~ silence*]; känslolös **3** **his joke fell on ~ ground** hans skämt föll inte i god jord

stony broke [ˌstəʊnɪ'brəʊk] *adj* vard. luspank, renrakad

stood [stʊd] imperf. o. perf. p. av *stand*

stooge [stu:dʒ] *s* **1** ung. driftkucku, 'skottavla' hjälpaktör till komiker **2** vard. underhuggare, springpojke, hejduk; lakej, nickedocka

stool [stu:l] *s* **1** stol utan ryggstöd, taburett, barstol, pall; säte, tron[stol]; **fall between two ~s** bildl. **a**) sätta sig mellan två stolar **b**) falla (hamna) mellan stolarna **2** med. avföring

stool pigeon ['stu:lˌpɪdʒən] *s* **1** lockfågel äv. vard. **2** vard. tjallare, angivare

1 stoop [stu:p] **I** *vb itr* **1** luta (böja) sig [ner] [ofta ~ *down*] **2** gå (sitta) framåtböjd (krokig, [framåt]lutad) **3** bildl. nedlåta sig, sänka sig [*to* [*do*] *sth* till [att göra] ngt]
II *s* lutning, böjning; kutryggighet; **walk with a ~** gå framåtlutad (framåtböjd)

2 stoop [stu:p] *s* amer. [öppen] veranda; förstukvist; yttertrappa

stop [stɒp] **I** *vb tr* **1** stoppa, stanna, hejda, hindra; uppehålla; **~ thief!** ta fast tjuven! **2** sluta [med] [*~ that nonsense!; ~ talking* ([att] prata)]; låta bli [*~ that!*]; inställa [*~ payment* (betalningarna)]; dra in, hålla inne [*~ sb's wages*]; **~ it!** sluta!, låt bli!; **~ work** sluta arbeta; lägga ner arbetet **3** stoppa (proppa, fylla) igen, täppa till (igen) [ofta ~ *up*; *~ a leak*]; hämma (stoppa) blödningen från [*~ a wound*]; **~ one's ears** hålla för öronen; bildl. slå dövörat till; **~ one's nose** hålla för näsan; **my nose is ~ped up** jag är täppt i näsan; **the pipe is ~ped up** röret är igentäppt **4** mus. **a**) trycka ner sträng; trycka till hål på flöjt o.d. **b**) registrera orgel
II *vb itr* **1** stanna, stoppa; **~!** stopp!, håll!, halt!; **~ dead** el. **~ short** tvärstanna; **~ short of** inte gå så långt som till att [*she stopped short of calling him a lier*]; **~ at nothing** inte sky några medel **2** om ljud, naturföreteelse m.m. sluta, upphöra, avstanna **3** vard. **a**) stanna [*~ at home*]; bo [*~ at a hotel*]; **~ for** stanna och vänta på, stanna kvar till [*won't you ~ for dinner?*]; **she is ~ping here for a week** hon bor här en vecka; **~ up late** stanna uppe länge (till sent) **b**) **~ the night** stanna över, ligga över
III *vb tr* med adv.:
stop in: ~ in on sb titta in hos ngn
stop off: ~ off at sb's place titta in hos ngn
stop over göra ett [kort] uppehåll, stanna till [under vägen] [*at, in* i]
IV *s* **1** stopp; uppehåll, avbrott; **be at a ~** ha stannat; **bring to a ~** hejda; **come to a** [*full*] **~** stanna (avstanna) helt; göra halt; **put a ~ to** sätta stopp (p) för; **without a ~** om tåg o.d. utan [något] uppehåll **2** hållplats [*bus ~*] **3** mus. **a**) grepp **b**) tvärband på greppbräda **c**) hål, klaff på flöjt o.d. **d**) register; registerandrag, registertangent; [orgel]stämma; **pull out all the ~s** bildl. sätta till alla klutar **4** skiljetecken; **full ~** punkt

stopcock ['stɒpkɒk] *s* [avstängnings]kran

stopgap ['stɒpɡæp] **I** *s* **1 a**) tillfällig ersättning (utfyllnad, åtgärd); spaltfyllnad **b**) mellanspel; **emergency ~** nödfallsutväg **2** ersättare; vikarie
II *adj* tillfällig, övergångs-, interims-

stop-go [ˌstɒp'ɡəʊ] *adj*, **~ economy** ung. ekonomisk växelpolitik som växelvis bromsar o. stimulerar

stoplight ['stɒplaɪt] *s* trafik. **1** amer. trafikljus, trafiksignal **2** stoppljus, rött ljus **3** bromsljus

stop-over ['stɒpˌəʊvə] *s* avbrott, uppehåll

stoppage ['stɒpɪdʒ] *s* **1 a**) arbetsnedläggelse; **~ of payment** betalningsinställelse **b**) avbrytande; spärrning; stopp; stockning **c**) avbrott, uppehåll **d**) driftstörning, driftstopp **2** tilltäppning

stoppage time ['stɒpɪdʒtaɪm] *s* sport. extratid, tilläggstid

stopper ['stɒpə] **I** *s* **1** propp i flaska o.d., kork, plugg; spärr; **put a ~ on** el. **put the ~ on** vard. sätta stopp (p) för **2** fotb. stopper defensiv mittfältare
II *vb tr* proppa igen (till), korka igen

stop press ['stɒppres] *s* presstopp-nyheter, pressläggningsnytt

stopwatch ['stɒpwɒtʃ] *s* stoppur, tidtagarur

storage ['stɔ:rɪdʒ] *s* **1** lagring, magasinering; **put furniture in ~** magasinera möbler, lämna möbler till förvaring **2** magasinsutrymme, lagerutrymme; [lagrings]kapacitet **3** data. lagring; minne

storage battery ['stɔːrɪdʒ,bætərɪ] s o. **storage cell** ['stɔːrɪdʒsel] s elektr. ackumulator; batteri
storage device ['stɔːrɪdʒdɪ,vaɪs] s data. minnesenhet; lagringsenhet
storage heater ['stɔːrɪdʒ,hiːtə] s elektr. ackumulerande elkamin
store [stɔː] **I** s **1** varuhus [vanl. *department* ~], vanl. amer. butik, affär; *general* ~s pl. (med verb i sg. el. ibl. pl.) lanthandel, diversehandel **2** förråd, lager äv. bildl.; pl. ~s förråd [*military* ~s]; förnödenheter, proviant [*ship's* ~s]; *cold* ~ kylhus; *a* ~ *of information* en rik informationskälla; *a* ~ *of knowledge* en fond av vetande; *in* ~ i förråd (reserv), på lager, i beredskap; *be in* ~ *for sb* förestå (vänta) ngn; *that's a treat in* ~ det är något [trevligt] att se fram emot; *what has the future in* ~ *for us?* el. *what will the future hold in* ~ *for us?* vad bär framtiden i sitt sköte?, vad har framtiden i beredskap åt oss?; *lay in* ~s *for the winter* lägga upp vinterförråd **3** magasin, förrådshus **4** *set* (*lay*) *great* (*little*) ~ *by* a) sätta stort (föga) värde på b) lägga stor (ringa) vikt vid **II** vb tr **1** lägga upp [lager av], samla [på lager (hög)], lagra [ofta ~ *away* el. ~ *up*]; förvara, magasinera [~ *furniture*]; elektr. o.d. ackumulera **2** ha utrymme (kapacitet) för, [kunna] rymma **3** data. lagra, spara **4** utrusta [med proviant] [~ *a ship*]; förse
store-bought ['stɔːbɔːt] adj amer. butiksköpt
store-brand ['stɔːbrænd] adj amer. egen, av eget märke, av egen tillverkning
store card ['stɔːkɑːd] s kontokort som gäller i en viss affär el. i ett visst varuhus
store detective ['stɔːdɪ,tektɪv] s varuhusdetektiv
storefront ['stɔːfrʌnt] s amer. **1** skyltfönster **2** attr. [som ligger] i gatuplan [*a* ~ *church*; *a* ~ *school*]
storehouse ['stɔːhaʊs] s **1** åld. magasin, lager[byggnad], förrådshus **2** bildl., *he is a* ~ *of information* han är en riktig guldgruva (en rik informationskälla)
storekeeper ['stɔː,kiːpə] s **1** spec. mil. förrådsförvaltare **2** amer. ngt åld. butiksinnehavare
storeroom ['stɔːruːm] s **1** förrådsrum; skräpkammare; vindskontor **2** lagerlokal
storey ['stɔːrɪ] s våning, våningsplan, etage; *on the first* ~ en trappa upp, amer. på nedre botten
storeyed ['stɔːrɪd] adj som efterled i sammansättn. med...våningar, -vånings- [*a three-storeyed house*]
1 storied ['stɔːrɪd] adj se *storeyed*
2 storied ['stɔːrɪd] adj sägenomspunnen, minnesrik [*a* ~ *past*]; mycket omtalad i historien (sägnerna), mångomtalad [*a* ~ *family*]
stork [stɔːk] s zool. stork
storm [stɔːm] **I** s **1** oväder, [svår] storm äv. bildl. [*political* ~s]; *a* ~ *of applause* stormande applåder, ett orkanartat bifall; *a* ~ *of protest* en proteststorm, en storm av protester; *a* ~ *in a teacup* en storm i ett vattenglas; *go down a* ~ bli en stormande framgång **2** störtskur, skur äv. bildl. [*a* ~ *of rain*; *a* ~ *of arrows*]; *a* ~ *of abuse* en skur av ovett **3** spec. mil. stormning; *take by* ~ storma, ta med storm äv. bildl. **II** vb itr **1** bildl. rasa [*at* över, mot], vara ursinnig [*at* över, på] **2** a) spec. mil. storma [~ *into a fort*] b) bildl. rusa häftigt (i raseri), storma [~ *out of a room*]

III vb tr storma [~ [*one's way into*] *a fort*]; gå till storms mot
storm cellar ['stɔːm,selə] s amer. skyddsrum
storm centre ['stɔːm,sentə] s oväderscentrum, stormcentrum, bildl. äv. oroshärd
storm cloud ['stɔːmklaʊd] s ovädersmoln, stormmoln äv. bildl.
storm door ['stɔːmdɔː] s extra ytterdörr
storm petrel ['stɔːm,petr(ə)l] s zool. stormsvala
storm-swept ['stɔːmswept] adj stormpinad
stormy ['stɔːmɪ] adj **1** oväders- [*a* ~ *day*]; stormig, hemsökt av oväder (stormar) [*a* ~ *region*] **2** bildl. stormig [*a* ~ *debate*; ~ *scenes*]; våldsam [*a* ~ *temper*]
stormy petrel [,stɔːmɪ'petr(ə)l] s orosstiftare, oroselement
1 story ['stɔːrɪ] s **1** a) historia, berättelse, saga, sägen [*stories of* (från) *old Greece*] b) anekdot, historia [*a good* ~; *a funny* ~] c) bakgrund, historia [*get the whole* ~ *before commenting*]; *that's another* ~ det är en helt annan historia; *it's the same old* ~ det är samma visa; *that's not the whole* ~ det är inte hela sanningen; *it is* [*quite*] *another* ~ *now* det är helt andra tider nu **2** *the* ~ *goes that...* det berättas (ryktas) att... **3** *short* ~ novell **4** handling i bok, film o.d., story **5** nyhetsstoff, story; nyhetsartikel [äv. *news* ~] **6** vard. osanning, påhitt spec. barns; *tell a* ~ el. *tell stories* narras, tala osanning
2 story ['stɔːrɪ] s vanl. amer., se *storey*
storybook ['stɔːrɪbʊk] s sagobok; novellsamling
storyteller ['stɔːrɪ,telə] s **1** historieberättare; novellförfattare; sagoberättare **2** vard. lögnare
stoup [stuːp] s stop, dryckeskanna
stout [staʊt] **I** adj **1** stark, kraftig, bastant [*a* ~ *rope* (*stick*)]; robust, hållbar, solid **2** modig; ståndaktig, hårdnackad [~ *resistance*]; duktig **3** om person kraftigt byggd, stadig, bastant, tjock, fet[lagd]
II s ung. porter
stoutly ['staʊtlɪ] adv starkt etc., jfr *stout I*; ~ *deny* förneka fullständigt
stove [staʊv] s **1** spis **2** kamin [*iron* ~]; [bränn]ugn; *tiled* ~ kakelugn
stow [staʊ] **I** vb tr **1** a) stuva [in] [äv. ~ *in*]; packa [~ *clothes into a trunk*]; ~ *cargo in* [*a ship's holds*] lasta..., ta in last i... b) packa [full] [~ *a trunk with clothes*] c) rymma [*the packing case* ~s *nearly a cubic metre*] **2** sl., ~ *it!* håll käften!
II vb itr rymmas [*the box* ~s *easily on the rack*]
III vb tr o. vb itr med adv.:
stow away a) stuva undan; gömma b) gömma sig ombord o.d., fara som fripassagerare
stowage ['staʊɪdʒ] s **1** lastning, stuvning **2** stuvningsutrymme; lagringskapacitet **3** gods
stowaway ['staʊəweɪ] s fripassagerare
St Pancras [s(ə)n(t)'pæŋkrəs] en av Londons viktigaste järnvägsstationer
St Patrick [s(ə)n(t)'pætrɪk] se *Patrick 2*
St Paul [s(ə)n(t)'pɔːl] se *Paul 2*
St Peter [s(ə)n(t)'piːtə] se *Peter 2*
straddle ['strædl] vb tr **1** stå (ställa sig) grensle över [~ *a ditch*]; sitta (sätta sig) grensle på (över), grensla [~ *a horse*] **2** skreva med, spärra ut [~ *one's legs*] **3** bildl. inte ta parti (ställning) **4** bre ut sig på båda sidor av **5** omspänna

strafe [strɑːf, streɪf] *vb tr* mil. beskjuta; bomba; bestryka [med eld]

straggle ['strægl] *vb itr* **1** komma bort från vägen (de andra); sacka (bli) efter; mil. äv. lämna ledet; hålla sig undan, avvika **2** ströva omkring i spridda grupper; ~ *off* troppa av, vandra i väg i spridda grupper **3** vara (ligga, stå) [ut]spridd [*houses that ~ round the lake*]; förekomma sporadiskt **4** grena (bre) ut sig [*vines straggling over the fences*]; hänga i stripor [*hair straggling over one's collar*]; spreta

straggler ['stræglə] *s* eftersläntrare, person som kommit bort från de andra

straight [streɪt] **I** *adj* (se äv. ex. under *2 die 1*, *face I 1*, *4 flush*) **1** rak [*~ hair*; *a ~ line*]; rät; stram; *as ~ as an arrow* snörrät, spikrak; *keep to the ~ and narrow path* bildl. vandra den smala (rätta) vägen; *put ~* rätta till, lägga rakt **2** i följd, rak [*ten ~ wins*] **3** i ordning; *get ~* el. *put ~* a) få ordning (rätsida) på, ordna upp [*get one's affairs ~*]; reda upp b) städa, göra i ordning på (i) [*put a desk ~*; *put a room ~*]; ordna; *I'll put you ~!* jag ska lära dig, jag!; *now get this ~!* det här måste du ha klart för dig! **4** uppriktig, ärlig, öppenhjärtig [*a ~ answer*]; *a ~ fight* en ärlig strid; en tvekamp **5** ärlig, hederlig, rätlinjig, rättskaffens [*a ~ businessman*]; *keep ~* föra ett hederligt liv, sköta sig **6** vard. pålitlig, tillförlitlig; *a ~ tip* ett förstahandstips (stalltips) **7** a) oblandad, ren [*~ whisky*] b) amer. genomgående [*~ A's*] **8** teat. realistisk, naturalistisk [*a ~ performance*]; *a ~ comedy* ett rent lustspel **II** *adv* **1** a) rakt, rätt [*~ up*; *~ through*]; mitt, tvärs [*~ across the street*]; rak[t], upprätt [*sit ~*; *stand ~*; *walk ~*]; *~ on* rakt fram; *sit up ~* sitta rak b) rätt, riktigt, korrekt; logiskt [*think ~*] **2** direkt, raka vägen [*go ~ to London*]; rakt [*she went ~ into…*]; genast [*I went ~ home after…*]; *come ~ to the point* bildl. komma till saken utan omsvep **3** uppträtt hederligt [*live ~*]; *go ~* vard. bli hederlig, börja föra ett skötsamt (hederligt) liv **4** ~ *away* el. ~ *off* med detsamma, genast, på ögonblicket; tvärt; [*I can't tell you*] ~ *off* …på rak arm (stående fot) **5** ~ *out* direkt, rent ut [*I told him ~ out that…*] **III** *s* **1** rak (rät) linje; raksträcka, sport. äv. upplopp[ssida]; *keep to the ~ and narrow* vandra den smala (rätta) vägen **2** vard. hetro hetrosexuell

straight arrow [ˌstreɪt'ærəʊ] *s* amer. vard. reko typ, helylletyp

straightaway ['streɪtəweɪ, ˌ--'-] **I** *adv* genast, omedelbart
II *adj* amer. **1** rak, direkt **2** omedelbar

straighten ['streɪtn] **I** *vb tr* räta [ut], tekn. äv. rikta; räta på [*~ one's back*]; rätta till [*~ one's tie*]; släta ut [*~ the bedclothes*]
II *vb itr* räta ut sig, rakna
III *vb tr* o. *vb itr* med adv.:
straighten out a) räta ut, sträcka ut [*~ oneself out on a bed*]; räta upp [*~ out a car*] b) ordna, reda upp c) få att bättra sig [*~ sb out*]; *it will ~ itself out* det ordnar (reder upp) sig d) itr. ordna (reda) upp sig [*things will ~ out*]
straighten up a) städa (ordna) upp i [*~ up a room*] b) bildl. få ordning på (i) [*~ up the finances*] c) ~ *oneself up* räta (sträcka) på sig, räta upp sig

straight-faced [ˌstreɪt'feɪst, attr. '--] *adj* med orörligt ansikte, utan att röra en min

straight fight ['streɪtfaɪt] *s* tvekamp, kamp mellan två kandidater t.ex. i val

straightforward [ˌstreɪt'fɔːwəd] *adj* **1** enkel, okomplicerad [*a ~ problem*]; lättfattlig [*in ~ language*] **2** vanlig, normal **3** uppriktig, ärlig [*a ~ answer*; *a ~ person*]; rättfram; direkt [*a ~ question*]

straight man ['streɪtmæn] *s* ung. driftkucku, 'skottavla' hjälpaktör till komiker

straight-shooter ['streɪtˌʃuːtə] *s* vard. reko kille

1 strain [streɪn] **I** *vb tr* (se äv. *strained*) **1** spänna, sträcka **2** a) anstränga, slita (fresta) på b) överanstränga, överbelasta; ~ *one's ears* lyssna spänt, skärpa hörseln; ~ *every nerve* anstränga sig till det yttersta; ~ *oneself* överanstränga sig **3** med. sträcka [*~ a muscle*] **4** fresta, pröva [*~ sb's patience*] **5** hårdra, pressa [*~ the meaning of a word*] **6** sila, filtrera; passera
II *vb itr* **1** anstränga (spänna) sig; streta, slita; sträva [*plants ~ing upwards*]; krysta vid avföring; ~ *at* a) streta (slita) med [*~ at the oars*] b) slita [och dra] i [*~ at a chain*] **2** a) silas, filtreras b) sila, sippra c) ~ *at a gnat and swallow a camel* bildl. sila mygg och svälja kameler
III *s* **1** spänning, töjning, tekn. äv. påkänning, påfrestning, tryck **2** a) ansträngning, påfrestning [*on* för]; press, stress [*the ~ of modern life*]; *mental ~* psykisk påfrestning; *nervous ~* nervpress, stress; *it's a ~ on the eyes* det är ansträngande för ögonen; *it's a ~ on my nerves* det sliter på nerverna; *put a great ~ on* ta hårt på, hårt anstränga; *stand the ~* stå rycken, stå pall; *be under severe ~* vara utsatt för hårda påfrestningar b) utmattning, överansträngning **3** med. sträckning **4** vanl. pl. ~*s* toner, musik

2 strain [streɪn] *s* **1** [släkt]drag, inslag [*a ~ of insanity in the family*] **2** biol. stam [*a ~ of bacteria*]; ras; sort, art [*a new ~ of wheat*]

strained [streɪnd] *adj* **1** spänd etc., jfr *1 strain I* **2** bildl. a) spänd [*~ attention*]; ~ *relations* spänt förhållande, spänning b) ansträngd, tvungen, forcerad [*~ laughter*] c) skruvad, sökt [*~ interpretation*]

strainer ['streɪnə] *s* sil; filter

strait [streɪt] *s* **1** ~ el. ~*s* (med verb i sg.) sund; *the Strait[s] of Gibraltar* Gibraltar sund **2** ~*s* pl. trångmål, knipa, klämma [*be in great ~s*]; *in financial ~s* el. *in ~s for money* i penningknipa; *be in dire ~s* se *dire 2*

straitened ['streɪtnd] *adj*, *in ~ circumstances* i knappa omständigheter

straitjacket ['streɪtˌdʒækɪt] *s* tvångströja äv. bildl.

straitlaced [ˌstreɪt'leɪst, attr. '--] *adj* moraliskt sträng, bigott; pryd

Strand [strænd], *the ~* berömd gata i centrala London

1 strand [strænd] *s* **1** a) [rep]sträng b) tråd, fiber **2** rep, tåg **3** [hår]slinga **4** pärlband **5** bildl. a) tråd, linje [*the ~s of a plot*] b) slinga, räcka [*~s of melody*]

2 strand [strænd] *s* poet. strand

stranded ['strændɪd] *adj* grundstött; *be ~* stranda, sitta (köra) fast, fastna; *be left ~* bildl. vara (bli) strandsatt; vara (bli) övergiven

strange [streɪn(d)ʒ] *adj* **1** främmande, obekant, ny [*to sb* för ngn] **2** egendomlig, märkvärdig, märklig, underlig, konstig; *~ to say* egendomligt (märkvärdigt etc.) nog; *fact* (*truth*) *is ~r than fiction* verkligheten är underbarare än dikten **3** *be ~ to* inte känna till [*he is ~ to the district*]

stranger ['streɪn(d)ʒə] *s* **1** främling; pl. *~s* äv. främmande människor, obekanta; utomstående; *hallo ~!* vard. det var längesen!; *feel a ~* känna sig främmande (som en främling); *say, ~!* [*can you...*] amer. vard. hör du... **2** *be a ~ to* bildl. vara obekant med, vara (stå) främmande för

strangle ['stræŋgl] *vb tr* **1** strypa **2** kväva, undertrycka [*~ an oath*; *~ a sob*] **3** strypa åt [*~ trade*]; förkväva, hämma

strangled ['stræŋgld] *adj* **1** strypt **2** kvävd [*a ~ whisper*]; undertryckt **3** hämmad

stranglehold ['stræŋglhəʊld] *s* **1** sport. strupgrepp, struptag **2** bildl. järngrepp [*be held in a ~*]; *put a ~ on* strypa åt

strangler ['stræŋglə] *s* strypmördare

strangulated ['stræŋgjʊleɪtɪd] *adj* **1** med. tillsnörd [*~ vein*]; inklämd [*~ hernia*] **2** kvävd

strangulation [ˌstræŋgjʊ'leɪʃ(ə)n] *s* strypning, kvävning

strap [stræp] **I** *s* **1** rem; [sko]slejf; band; packrem; armband [*watch ~*] **2** stropp **3** [byx]hälla **4** strigel **II** *vb tr* **1** fästa (spänna fast) med rem[mar]; *~ down* el. *~ in* spänna fast; *~ on* spänna (sätta) på sig; *~ up* a) spänna igen (ihop) b) bunta ihop [med en rem] **2** prygla [med rem] **3** strigla

straphanger ['stræpˌhæŋə] *s* vard. **1** ståpassagerare [som får hålla fast sig i stroppen] i tunnelbana o.d. **2** kollektivresenär

straphanging ['stræpˌhæŋɪŋ] *s* vard. **1** resande som ståpassagerare **2** kollektivåkande

strapless ['stræpləs] *adj* axelbandslös, utan axelband [*a ~ dress*]

strapped [stræpt] *adj* vard., *be ~* el. *be ~ for cash* ha ont om pengar

strapping ['stræpɪŋ] *adj* vard. stor och kraftig

strata ['strɑːtə, 'streɪ-] *s* pl. av *stratum*

stratagem ['strætədʒəm] *s* krigslist; fint, knep

strategic [strə'tiːdʒɪk] *adj* o. **strategical** [strə'tiːdʒɪk(ə)l] *adj* strategisk

strategist ['strætədʒɪst] *s* strateg

strategy ['strætədʒɪ] *s* strategi, bildl. äv. taktik, taktiskt grepp, manöver

Stratford-on-Avon [ˌstrætfədɒn'eɪv(ə)n] o. **Stratford-upon-Avon** [ˌstrætfədəpɒn'eɪv(ə)n] Shakespeares födelsestad

stratification [ˌstrætɪfɪ'keɪʃ(ə)n] *s* **1** sociol. skiktindelning, stratifiering **2** geol. skiktning, [av]lagring, varvning; lagerföljd

stratified ['strætɪfaɪd] *adj* **1** sociol. stratifierad [*~ sampling*]; skiktad [*a ~ society*] **2** geol. skiktad, lagrad, varvig

stratify ['strætɪfaɪ] **I** *vb tr* **1** geol. skikta, lagra **2** sociol. dela upp i skikt (strata) **II** *vb itr* geol. [av]lagra sig

stratosphere ['strætə(ʊ)sfɪə] *s* meteor. stratosfär

strat|um ['strɑːt|əm, 'streɪt-] (pl. *-a* [-ə]) *s* geol., sociol. el. bildl. stratum, skikt, lager, samhällsskikt

straw [strɔː] **I** *s* **1** strå, halmstrå; rö; *it was the last ~* el. *it was the ~ that broke the camel's back* bildl. det [var droppen som] kom bägaren att rinna över, det rågade måttet; *not a ~* bildl. inte ett dugg [*it doesn't matter a ~*]; *I don't care a ~* (*two ~s*) det bryr jag mig inte det minsta om; *clutch* (*grasp*) *at ~s* bildl. gripa efter ett halmstrå **2** halm; strå; *man of ~* el. vanl. amer. äv. *~ man* a) halmdocka b) fingerad motståndare; skenargument c) fingerad person **3** sugrör **II** *adj* **1** halm-, strå- [*~ hat*; *~ mattress*] **2** halmfärgad, halmgul [*~ hair*]

strawberry ['strɔːb(ə)rɪ] *s* jordgubbe; *wild ~* [skogs]smultron

strawberry bed ['strɔːb(ə)rɪbed] *s* jordgubbsland

strawberry blonde [ˌstrɔːb(ə)rɪ'blɒnd] *s* kvinna med rödblont hår

strawberry mark ['strɔːb(ə)rɪmɑːk] *s* rödaktigt födelsemärke

strawberry tomato [ˌstrɔːb(ə)rɪtə'mɑːtəʊ, amer. vanl. -'meɪ-] (pl. *~es*) *s* bot. physalis

straw poll [ˌstrɔː'pəʊl] *s* provomröstning, opinionspejling

straw vote [ˌstrɔː'vəʊt] *s* vanl. amer. provomröstning, opinionspejling

stray [streɪ] **I** *vb itr* **1** ströva; bildl. irra hit och dit; förirra sig, gå vilse; *~ from the point* bildl. avvika från ämnet **2** glida, vandra [*his hand ~ed towards his pocket*] **3** vara otrogen **II** *s* vilsekommet (kringirrande) djur **III** *adj* **1** kringdrivande, vilsekommen [*~ cattle*]; bortsprungen, herrelös [*a ~ cat* (*dog*)] **2** tillfällig, strö- [*a ~ customer*]; strödd, spridd [*~ remarks*]; sporadisk, enstaka [*~ shots*]; förlupen [*a ~ bullet*]; *a few ~ hairs* några hårstrån

streak [striːk] **I** *s* **1** strimma, rand; streck äv. miner.; ådring; *~ of lightning* blixt; *like a ~ of lightning* bildl. som en oljad blixt **2** drag, inslag [*a ~ of cruelty*; *a ~ of humour*]; anstrykning; *I've got a very stubborn ~* jag kan vara mycket bestämd och envis **3** ryck; period, serie; *she was on a winning* (*losing*) *~* hon hade tur (otur) ett tag **II** *vb tr* **1** göra strimmig, randa; tekn. ådra **2** göra slingor i håret **III** *vb itr* **1** vard. susa, svepa [*the car ~ed along*]; rusa, kila [*~ off*] **2** vard. streaka, springa näck på offentliga platser för att väcka uppseende

streaker ['striːkə] *s* vard. person som springer näck offentligt för att väcka uppseende

streaky ['striːkɪ] *adj* strimmig, randig [*~ bacon*]; ådrig; melerad

stream [striːm] **I** *s* **1** ström äv. bildl. [*a ~ of blood* (*gas, lava*); *~s of people*]; vattendrag, å, flod, bäck; *a constant ~* el. *a continuous ~* bildl. en jämn ström; *go with the ~* bildl. följa med strömmen; *go against the ~* bildl. gå emot strömmen **2** stråle [*a ~ of water*]; flöde **3** bildl. riktning, strömning[ar] [*~ of opinion*; *~ of thought*] **4** *on ~* i produktion; i bruk **II** *vb itr* **1** strömma äv. bildl. [*people began to ~ in again*]; rinna, flöda [*sweat was ~ing down his face*] **2** rinna [*~ing cold* (snuva)]; *~ with* rinna (drypa) av [*his face was ~ing with sweat*] **3** fladdra [*the flag ~ed in* (för) *the wind*]; vaja; veckla (bre) ut sig; sträckas ut **III** *vb tr* **1** spruta [ut] [*~ blood*] **2** ped. nivågruppera

streamer ['stri:mə] _s_ **1** vimpel, banderoll
2 serpentin; remsa, steamer reklamremsa **3** flerspaltig
rubrik, jätterubrik [äv. ~ _headline_]
streaming ['stri:mɪŋ] _s_ **1** data. direktuppspelning
2 ped. nivågruppering
streamline ['stri:mlaɪn] _vb tr_ strömlinjeforma, bildl.
äv. rationalisera, effektivera, strama upp
street [stri:t] _s_ gata; **in** (amer. **on**) **the** ~ på gatan; börs.
[som företas] efter stängningsdags (på
efterbörsen); **they are not in the same** ~ **as** (**with**) vard.
de står inte i samma klass som, de kan inte
jämföras med; **walk** (**be, go**) **on the** ~**s** el. **walk the** ~**s**
om prostituerad gå på gatan; **it's just** (**right**) **up my** ~
vard. det passar mig precis, här är jag på min
mammas gata; **be** ~**s ahead** [**of sb**] vard. ligga långt
före [ngn], vara [ngn] helt överlägsen
streetcar ['stri:tkɑ:] _s_ amer. spårvagn; trådbuss
street cred ['stri:tkred] _s_ vard., se _street credibility_
street credibility ['stri:t‚kredə'bɪlətɪ] _s_, **he's got** ~
han är äkta enligt de normer och värderingar som gäller på
gatan
street furniture ['stri:t‚fɜ:nɪtʃə] (utan pl.) _s_ tillbehör
till gatan (vägen) som trafikskyltar, gatubelysning o.d.
street lamp ['stri:tlæmp] _s_ o. **streetlight** ['stri:tlaɪt]
_s_ gatlykta
street lighting ['stri:t‚laɪtɪŋ] _s_ gatubelysning
street people ['stri:tpi:pl] (med verb i pl.) _s_ hemlösa
street-smart ['stri:tsmɑ:t] _adj_ amer. gatusmart, som
kan konsten att överleva på gatan (i
storstadsdjungeln)
street smarts ['stri:tsmɑ:ts] _s pl_ amer., **the** ~ de
gatusmarta
street sweeper ['stri:t‚swi:pə] _s_ **1** gatsopare,
renhållningsarbetare **2** sopmaskin
street value ['stri:t‚vælju:] _s_ värde på gatan
streetwalker ['stri:t‚wɔ:kə] _s_ gatflicka
streetwise ['stri:twaɪz] _adj_ gatusmart, som kan
konsten att överleva på gatan (i storstadsdjungeln)
strength [streŋθ] _s_ **1** styrka äv. bildl. [_his_ ~ _lay in..._];
kraft, krafter [_it has weakened_ (satt ner) _her_ ~];
bildl. stark sida [_one of her_ ~_s is..._]; ~ **of mind** andlig
styrka; **feat of** ~ kraftprov; **try one's** ~ **at** pröva sina
krafter på; **go from** ~ **to** ~ gå från klarhet till
klarhet, bli bättre och bättre; gå stadigt framåt;
[_negotiate_] **from a position of** ~ ...i en stark position
2 styrka, styrkegrad [_the_ ~ _of alcohol_] **3** styrka,
hållfasthet, hållbarhet, fasthet **4** styrka, numerär
[_the_ ~ _of the enemy_]; **be below** ~ vara
underbemannad; **in** ~ i stort antal; **be at full** ~ el. **be**
up to ~ vara fulltalig
strengthen ['streŋθ(ə)n] **I** _vb tr_ stärka, styrka;
förstärka; ~ **sb's hand** styrka ngn, inge ngn mod
II _vb itr_ bli starkare; förstärkas, växa i styrka
strenuous ['strenjʊəs] _adj_ **1** ansträngande,
krävande, påfrestande **2** energisk, nitisk [_a_ ~
worker]; ihärdig [_make_ ~ _efforts_]
strep [strep] _s_ vard., se _streptococcus_; ~ **throat** väldigt
ont i halsen
streptococc|us [‚streptə(ʊ)'kɒk|əs] (pl. _-i_ [-aɪ]) _s_
med. streptokock
stress [stres] **I** _s_ **1** tryck [_under the_ ~ _of_
circumstances (_poverty_)]; påfrestning; psykol. stress;
the ~**es and strains of everyday life** vardagslivets
stress (påfrestningar); **be suffering from** ~ vara

stressad; **put sb under** ~ vara stressande för ngn,
stressa ngn **2** vikt, eftertryck; **lay** ~ **on** framhålla,
betona, poängtera, ge eftertryck åt **3** fonet.
betoning, tonvikt, tryck [_the_ ~ _is on the first_
syllable]; **even** ~ jämn betoning **4** mek. spänning;
tryck, påfrestning, påkänning, belastning
II _vb tr_ (se äv. _stressed_) **1** betona, framhålla,
poängtera, understryka; ~ **the point that...** betona
etc. att... **2** fonet. betona **3** psykol., ~ **out sb** stressa
ngn
stressed [strest] _adj_ **1** psykol. stressad [äv. ~ _out_]
2 fonet. betonad, tryckstark **3** mek. belastad
stressful ['stresf(ʊ)l] _adj_ stressande [~ _days_]
stress management ['stres‚mænɪdʒmənt] _s_
stresshantering
stress mark ['stresmɑ:k] _s_ fonet. accenttecken
stretch [stretʃ] **I** _vb tr_ **1** spänna [~ _the strings of a_
violin]; sträcka; tänja (töja) ut [~ _a jacket at the_
elbows]; sträcka (bre) ut [_over_ över]; sträcka på [~
one's neck]; ~ **one's legs** sträcka på benen; röra på
sig **2** bildl. a) tänja på, tumma på [~ _the law_];
släppa efter på; utvidga, bredda [~ _the meaning of_
a word]; ~ **a point** göra ett undantag **b**) anstränga;
~ **oneself** (**one's powers**) el. **be fully** ~**ed** anstränga sig
till det yttersta **3** med. sträcka [~ _a muscle_]
II _vb itr_ **1** sträcka [på] sig [_he_ ~_ed and yawned_];
sträcka på benen **2** sträcka sig [_the wood_ ~_es for_
miles]; bre ut sig **3** a) tänja sig, töja [ut] sig [_the_
cardigan has ~_ed_] **b**) gå att sträcka (spänna, töja
ut) [_rubber_ ~_es easily_]
III _vb itr_ med adv.:
stretch out sträcka ut [~ _out one's arm for_ (efter)];
räcka fram; ~ **oneself out** sträcka ut sig [raklång];
be ~**ed out** [**on the sofa**] ligga raklång...
IV _s_ **1** a) sträckning, spänning; töjning, tänjning
b) elasticitet, töjbarhet **c**) sport. stretching; **be at full**
~ arbeta för fullt (med fullt pådrag)
2 överskridande [_a_ ~ _of authority_]; **not by any** ~ **of**
the imagination [_could she..._] inte [ens] i sin vildaste
fantasi... **3** sträcka; trakt, område [_a_ ~ _of_
meadow]; **a** ~ **of road** en vägsträcka; **a** ~ **of water** en
vattenyta (vattenvidd) **4** period, tid [_for long_ ~_es_
she forgot it]; avsnitt, stycke [_for long_ ~_es the story_
is dull] **5 at a** ~ i ett sträck [_ten miles at a_ ~] **6** sport.
raksträcka; **home** ~ upplopp, upploppssträcka **7** sl.
vända [på kåken]; **do a** [**five-year**] ~ sitta [fem år] på
kåken, sitta inne [fem år]
stretcher ['stretʃə] **I** _s_ [sjuk]bår **II** _vb tr_ bära på bår
stretcher-bearer ['stretʃə‚beərə] _s_ bårbärare
stretching ['stretʃɪŋ] _s_ stretching; **do** ~ **exercises**
stretcha
stretch limo ['stretʃ‚lɪməʊ] (pl. ~s) _s_ vard., _stretch_
limousine
stretch limousine ['stretʃlɪmə‚zi:n] _s_ extralång
limousine
stretchmarks ['stretʃmɑ:ks] _s pl_
graviditetsstrimmor, bristningar [i huden] efter
graviditet
stretch pants ['stretʃpænts] _s pl_ stretchbyxor
stretchy ['stretʃɪ] _adj_ vard. töjbar, tänjbar, elastisk
strew [stru:] (~_ed_ ~_ed_ el. ~_ed_ ~_n_) _vb tr_ **1** strö [ut] [~
flowers over a path] **2** beströ; översålla
stricken ['strɪk(ə)n] _adj_ **1** a) [olycks]drabbad;
bedrövad; ~ **in years** ålderstigen, till åren kommen;

~ with panic gripen av panik, panikslagen **b**) som efterled i sammansättn. -slagen [*panic-stricken*]; -drabbad, -härjad [*plague-stricken*] **2** sårad; slagen

strict [strɪkt] *adj* sträng [*with* mot; *a ~ father*; *~ accuracy*]; hård [*~ but fair*]; noggrann, noga, rigorös [*about* med]; strikt; absolut, exakt [*the ~ truth*]; **in the ~est confidence** med största diskretion; **in a ~ sense** i egentlig mening

strictly ['strɪktlɪ] *adv* strängt [*~ forbidden*]; noggrant, noga etc., jfr *strict*; i egentlig mening; *~ speaking* strängt taget, egentligen, noga räknat

strictness ['strɪktnəs] *s* stränghet; noggrannhet; bestämdhet, fasthet

stricture ['strɪktʃə] *s* **1** restriktion, inskränkning **2** vanl. pl. *~s* anmärkningar, kritik [*on* mot, över] **3** med. förträngning, striktur

stride [straɪd] **I** (*strode stridden*) *vb itr* gå med långa (beslutsamma) steg [*~ off*; *~ away*]; skrida [*along the road* vägen fram], stega, kliva **II** (*strode stridden*) *vb tr* **1** kliva över (ta) med ett steg [*~ a ditch*] **2** mäta med långa steg [*~ the deck*] **3** se *bestride* **III** *s* [långt] steg, kliv; gång [*with a vigorous* (energisk) *~*]; *make great* (*rapid*) *~s* bildl. göra stora (snabba) framsteg, gå framåt [med stormsteg]; *get into one's ~* el. *hit one's ~* börja komma i gång (i tagen); *take sth in one's ~* (amer. *in ~*) klara ngt [utan svårighet], ta ngt med fattning; *put sb off his ~* få ngn att förlora fattningen (tappa koncepterna, komma av sig)

stridency ['straɪd(ə)nsɪ] *s* skärande ljud; grällhet, skrikighet

strident ['straɪd(ə)nt] *adj* **1** skärande, genomträngande [*a ~ sound*]; gäll [*a ~ voice*]; gnisslande, knarrande [*~ hinges*]; gräll, skrikig [*~ colours*] **2** högröstad

strife [straɪf] *s* **1** stridighet, missämja, tvist, split; strid, kamp [*armed ~*]; *industrial ~* ung. konflikter på arbetsmarknaden **2** tävlan, rivalitet

strike [straɪk] **I** (*struck struck*; se äv. *struck*) *vb tr* (se äv. *strike III* o. fraser med *strike* under *balance I 5*, *home III 3, oil I 1* o. *1 root I 1* m.fl.) **1** slå; slå till; slå på; *~ sb a blow* ge ngn ett slag, slå till ngn; *who struck the first blow?* vem slog [till] först?; *~ dumb* göra stum, förstumma; *~ me dead* (*dumb, pink, up a gum-tree*)*!* vard. det var som sjutton!, jösses! **2 a**) träffa [*the blow struck him on the chin*] **b**) drabba [*be struck with* (av) *cholera*]; hemsöka **3 a**) slå (stöta, törna, köra) emot [*the car struck a tree*]; sjö. gå (ränna, stöta) på [*the ship struck a mine*]; *~ bottom* få bottenkänning **b**) bildl. stöta på [*they struck various difficulties*] **4 a**) träffa på, finna, upptäcka [*~ gold*]; *~ lucky* el. *it lucky* ha tur **b**) stöta (träffa) på; nå [fram till], komma fram till [*~ the main road*]; finna, komma på [*~ the track*] **5 a**) stöta [*he struck his stick on* (i) *the floor*]; sticka, hugga [*~ one's dagger into* (i) *sb*] **b**) om orm hugga **6 a**) slå, frappera [*what struck me was...*] **b**) förefalla, tyckas [*it ~s me as being the best*] **c**) slå, komma för [*the thought struck me that...*]; *it* (*the idea*) *struck me* jag kom att tänka på det, det föll mig in; *he ~s me as* [*being*]... jag tycker han verkar [vara]...; *the plan ~s me favourably* planen tilltalar mig; *be struck all of a heap* vard. stå som

fallen från skyarna, bli alldeles paff **7 a**) nå [*the sound struck my ear*] **b**) fånga, fängsla [*it ~s the imagination*] **8 a**) slå, fylla [*the sight struck them with terror*] **b**) injaga [*~ fear into* (i, hos)] **9** prägla, slå [*~ a coin*; *~ a medal*] **10** mus. slå an [*~ a chord*; *~ note*]; *~ a discordant* (*false*) *note* bildl., se under *discordant 2* resp. *note I 7* **11** *~ a light* el. *~ a match* tända (stryka eld på) en tändsticka **12** stryka [*~ a name from the list*; *~ sb off* (från, ur) *the register*] **13** sjö. stryka [*~ sail*]; *~ the* (*one's*) *flag* el. *~ one's colours* stryka flagg, bildl. äv. kapitulera [*to* för] **14** ta ned [*~ a tent*]; *~ tents* el. *~ camp* bryta förläggningen **15** avsluta, göra upp, träffa [*~ a bargain with sb*]

II (för tema o. vidare hänvisningar se *strike I*) *vb itr* (se äv. *strike III*) **1** slå, stöta [*against sth* emot ngt]; slå ned [*the lightning struck*]; *~ at* a) slå (hugga) efter b) bildl. angripa; *~ at the foundation of sth* el. *~ at the root*[*s*] *of sth* hota att undergräva ngt; *~ lucky* ha tur **2** om klocka slå [*the clock struck*]; *his hour has struck* hans timme har slagit, hans stund har kommit **3 a**) mil. gå till anfall [*at* mot], anfalla **b**) slå till, sätta in [*when the epidemic struck*] **4** strejka **5** gå, ta vägen [*they struck across the field*]; bege sig, styra kosan [*for* till; *~ north*] **6** sjö. gå på grund, gå på

III (för tema o. vidare hänvisningar se *strike I*) *vb tr* o. *vb itr* med adv., ofta med spec. översättningar:
strike back slå igen (tillbaka)
strike down slå ned, fälla; knäcka, bryta ned [*apoplexy struck him down*]; *be struck down by* (*with*) *disease* drabbas av sjukdom, ryckas bort genom sjukdom
strike off a) hugga (slå) av **b**) stryka [*~ off a name from the list*]
strike out a) slå [fram] [*~ out sparks*] **b**) stryka [ut (över)] [*~ out a name*; *~ out a word*] **c**) bryta [*~ out new paths*]; *~ out on one's own* gå sin egen väg (sina egna vägar), slå sig fram på egen hand **d**) slå omkring sig [*he began to ~ out wildly*] **e**) sätta i väg [*the boys struck out across the field*]
strike up a) inleda, knyta [*~ up a friendship*]; *~ up an acquaintance with* råka bli bekant med; *~ up a conversation with* inleda samtal med **b**) stämma (spela) upp [*the band struck up* [*a waltz*]]; *~ up the band!* spela upp!, musik! **c**) slå upp [*~ up a tent*]
IV *s* **1** strejk; *general ~* storstrejk, generalstrejk, allmän strejk; *sympathetic ~* sympatistrejk; *call a ~* utlysa strejk; *be on* el. *be out on ~* strejka; *go on* el. *come* (*turn*) *out on ~* gå i strejk, lägga ner arbetet **2** mil. el. spec. flyg. räd; *air ~* flygangrepp, luftangrepp; *nuclear ~* kärnvapenanfall **3** fynd [av olja (malm)]
strike benefit ['straɪk,benɪfɪt] *s* strejkunderstöd
strikebound ['straɪkbaʊnd] *adj* strejkdrabbad, lamslagen av strejk
strikebreaker ['straɪk,breɪkə] *s* strejkbrytare
strike force ['straɪkfɔːs] *s* mil. anfallsstyrka
strike notice ['straɪk,nəʊtɪs] *s* strejkvarsel
strike pay ['straɪkpeɪ] *s* strejkunderstöd
striker ['straɪkə] *s* **1** *the ~* den som slår **2** fotb. anfallsspelare **3** strejkare, strejkande
striking ['straɪkɪŋ] **I** *adj* **1** slående, påfallande, frapperande, markant [*a ~ likeness*]; frappant [*a ~ beauty*]; särdeles; särpräglad [*a ~ personality*];

effektfull, imponerande; anslående **2 *within ~ distance*** inom skotthåll; bildl. inom räckhåll [*of* för] **3** strejkande
II s slående; klockas slag
strikingly ['straɪkɪŋlɪ] *adv* slående, påfallande [~ *beautiful*]; frappant; markant etc., jfr *striking I 1*; på ett slående (träffande) sätt
striking power ['straɪkɪŋ,paʊə] *s* mil. slagkraft
string [strɪŋ] **I** s **1** snöre; band, snodd; ***piece of ~*** snöre, snörstump **2 a)** sträng [*the ~s of a violin*]; sena [*the ~s of a tennis racket*] **b)** pl. **~s** stråkinstrument, stråkar **c)** attr. stråk- [~ *orchestra*; ~ *quartet*]; sträng- [~ *instruments*] **d)** bildl., ***have more than one ~ to one's bow*** ha flera (många) strängar till sin båge (på sin lyra); ***touch a ~*** röra vid en [känslo]sträng; ***second ~*** andrahandsval **3** bildl., ***pull the ~s*** hålla (dra) i trådarna, dirigera det hela; ***pull ~s*** använda sitt inflytande, mygla; ***have (keep) sb on a ~*** hålla ngn i ledband; [*he lent me £100*] ***with no ~s attached*** vard. ...utan några förbehåll (villkor) **4 ~ *of pearls*** pärl[hals]band; ***a ~ of garlic*** en vitlöksfläta **5** [lång] rad, fil [*a ~ of cars*]; serie, följd [*a ~ of events*]; kedja [*a ~ of hotels*] **6** se *G-string 1*
II (*strung strung*) *vb tr* **1 a)** sätta sträng[ar] på, stränga [~ *a racket*; ~ *a bow*; ~ *a violin*] **b)** spänna [~ *a bow*]; stämma [~ *a violin*] **2** behänga [*a room strung with festoons* (girlander)] **3** trä upp [på band (snöre)] [~ *pearls*] **4** placera (ordna) i en lång rad, rada upp **5** rensa, sprita [~ *beans*]
III (*strung strung*) *vb tr* o. *vb itr* med adv.:
string along with vard. hålla ihop med
string out a) tr. sprida ut **b)** itr. sprida ut sig (vara utspridd) i en lång rad
string together a) tr. sätta (foga, länka) ihop [~ *words together*] **b)** itr. hänga ihop
string up a) vard. hänga döda **b) ~ *up a parcel*** slå ett snöre om ett paket **c)** hänga upp [på snöre o.d.]
string bean [,strɪŋ'biːn, '--] *s* skärböna
stringed instrument [,strɪŋd'ɪnstrʊmənt] *s* stränginstrument
stringency ['strɪn(d)ʒ(ə)nsɪ] *s* **1** stränghet, skärpa; eftertryck **2** logisk skärpa, stringens
stringent ['strɪn(d)ʒ(ə)nt] *adj* **1** sträng [~ *laws*; ~ *rules*]; eftertrycklig; drastisk [*take ~ measures against*] **2 a)** strängt logisk, stringent [~ *thinking*] **b)** övertygande, slagkraftig [~ *arguments*]; bindande **3** tvingande, ofrånkomlig [~ *necessity*] **4** ekon. stram, tryckt; kärv [~ *money policy*]
stringer ['strɪŋə] *s* tidn. frilansreporter som har betalt per rad
string tie ['strɪŋtaɪ] *s* smal slips, slipssnöre
string vest [,strɪŋ'vest] *s* nätundertröja
stringy ['strɪŋɪ] *adj* trådig, senig, seg [~ *meat*]
1 strip [strɪp] **I** *vb tr* **1 a)** skrapa (riva, dra, skala) av (bort) [*from, off* från]; ~ *off* ta (dra) av [sig] [~ *off one's shirt*]; repa av **b)** klä av; skrapa (skala, plocka) ren [*of* från, på]; ~ *of* äv. plundra (tömma) på; ~ *sb of sth* beröva (ta ifrån) ngn ngt [~ *sb of all illusions*; ~ *sb of all possessions*]; plocka ngn på ngt, avhända ngn ngt; ~ *sb naked* el. ~ *sb bare* klä av ngn inpå bara kroppen; ~*ped to the waist* naken till midjan, med bar överkropp **2** sjö. rigga av [~ *a mast*] **3 a)** ~ el. ~ *down* ta (plocka) isär [~ *a car*];

slakta; ~ *down* [*an engine*] demontera... **b)** ~ *sth down to its essentials* skala av alla detaljer
II *vb itr* klä av sig; strippa
III *s* striptease, avklädningsscen; *do a ~* strippa
2 strip [strɪp] *s* **1** remsa [*a ~ of cloth*; *a ~ of land*]; list, skena [*a ~ of metal*; *a ~ of wood*]; *tear a ~ off sb* el. *tear sb off a ~* sl. skälla ut ngn **2** serie; *comic ~* skämtserie, tecknad serie; *film ~* bildband **3** sport. vard. [lag]dräkt
strip artist ['strɪp,ɑːtɪst] *s* stripteasedansös
strip cartoon [,strɪpkaː'tuːn] *s* tecknad serie
strip club ['strɪpklʌb] *s* stripteaseklubb
stripe [straɪp] **I** *s* **1** rand; strimma; linje **2** randning, randmönster [äv. ~ *design*]; randigt tyg; ~ *pattern* randigt mönster, randmönster **3** mil. galon; streck i gradbeteckning; *lose one's ~s* bli degraderad **4** typ, slag [*a man of a different ~*]; inriktning
II *vb tr* randa, göra randig
striped [straɪpt] *adj* randig; strimmig
strip-light ['strɪplaɪt] *s* **1** lysrör; rörformad (långsmal) lampa **2** teat. ljusramp
strip-lighting ['strɪp,laɪtɪŋ] *s* **1** lysrörsbelysning **2** ljus från lysrör
stripling ['strɪplɪŋ] *s* pojkvasker; spoling
strip-mining ['strɪp,maɪnɪŋ] *s* vanl. amer. dagbrytning
stripped [strɪpt] *adj* **1** avklädd **2** avlutad
stripped-down [,strɪpt'daʊn] *adj* förenklad
stripper ['strɪpə] *s* vard. stripteasedansös, strippa; *male ~* striptör, manlig strippa
strip poker [,strɪp'pəʊkə] *s* klädpoker
strip search ['strɪpsɜːtʃ] *s* kroppsvisitering, kroppsvisitation vid vilken den kroppsvisiterade först måste ta av sig kläderna
striptease ['strɪptiːz] **I** *s* striptease[nummer] **II** *vb itr* dansa (göra) striptease, strippa
stripy ['straɪpɪ] *adj* randig, strimmig
strive [straɪv] (*strove striven*) *vb itr* **1** sträva [*to do* efter att göra; *for, after* efter], bemöda (vinnlägga) sig [*to do* om att göra; *for, after* om] **2** litt. kämpa, strida [*against* mot; *with* med; *for* för, om], tävla
strobe ['strəʊb] *s* o. **strobe light** ['strəʊblaɪt] *s* stroboskop på diskotek o.d.
stroboscope ['strəʊbəskəʊp, 'strɒb-] *s* fys. stroboskop
strode [strəʊd] imperf. av *stride*
1 stroke [strəʊk] *s* **1** slag [*the ~ of a hammer*]; hugg [*the ~ of an axe*]; stöt; rapp **2** [klock]slag; *on the ~* [*of two*] på slaget [två] **3** med. stroke, slag[anfall] [äv. *apoplectic ~*]; *paralytic ~* slaganfall med förlamning **4** tekn. **a)** [kolv]slag **b)** slaglängd **c)** takt [*four-stroke engine*] **5** i bollspel slag, i tennis äv. boll; bilj. stöt **6** simn. **a)** [sim]tag **b)** simsätt [*the crawl is a fast ~*]; *do the butterfly* simma fjärilsim **7** rodd. **a)** [år]tag **b)** rodd, roddsätt [*a fast (slow) ~*] **c)** takt [*set* (bestämma) *the ~*]; *keep ~* ro i takt; *put sb off his ~* bildl. störa (distrahera) ngn **d)** akterroddare, stroke **8** streck [*thin ~s*]; bråkstreck, snedstreck; drag [*a ~ of the brush*]; *with a ~ of the pen* med ett penndrag **9** bildl. drag, grepp [*a clever (masterly) ~*]; schackdrag [*a diplomatic ~*]; steg [*that was a bold ~ on her part*]; handling; *that was a ~ of genius* det var ett snilledrag; *what a ~ of luck!* en sådan tur!, vilken lyckträff!; *she doesn't do a ~* [*of work*] hon

gör inte ett handtag; *at a* ~ el. *at one* ~ i (med) ett slag

2 stroke [strəʊk] **I** *vb tr* **1** stryka, smeka [~ *a cat*]; ~ *one's beard* stryka sig om skägget; ~ *sb the wrong way* bildl. stryka ngn mothårs **2** släta [till (ut)], glätta
II *s* strykning [med handen]; smekning

stroll [strəʊl] **I** *vb itr* promenera, ströva, vandra, flanera **II** *s* promenad [*go for a* ~; *take a* ~]

stroller ['strəʊlə] *s* **1** promenerande, flanör **2** vanl. amer. sittvagn, sulky[vagn]; paraplyvagn för barn

strong [strɒŋ] **I** *adj* (se äv. *breeze, drink* o. *language* m.fl. subst.) **1** stark; kraftig, energisk [~ *efforts*]; kraftfull; stor [*there is a* ~ *likelihood that…*]; fast [~ *character*]; orubblig [~ *conviction*]; strong **2** frisk och stark, återställd **3** stabil, solid [*a* ~ *economy*] **4** [numerärt] stark; som efterled i sammansättn. äv. -manna- [*a 10-strong orchestra*]; ~ *in numbers* manstark **5** bestämd, utpräglad [~ *views*] **6** skarp, stark, frän [*a* ~ *odour*] **7** gram. stark [*a* ~ *verb*]
II *adv* starkt, kraftigt [*smell* ~]; *come on* ~ a) ge järnet, ge sitt yttersta b) sport. pressa, trycka på; *be still going* ~ vard. ännu vara i sin fulla kraft; vara i full gång

strong-arm ['strɒŋɑːm] **I** *adj* hårdhänt, vålds- [~ *methods*] **II** *vb tr* tvinga med våld

strongbox ['strɒŋbɒks] *s* kassaskrin, kassaskåp; bankfack

strong drink [ˌstrɒŋ'drɪŋk] *s* alkoholdryck, spritdryck

stronger ['strɒŋɡə] *adj* komp. av *strong*

strongest ['strɒŋɡɪst] *adj* superl. av *strong*

stronghold ['strɒŋhəʊld] *s* **1** fäste, borg **2** bildl. högborg, fäste

strongly ['strɒŋlɪ] *adv* starkt, kraftigt etc., jfr *strong* I; på det bestämdaste, absolut [*I* ~ *advise you to go*]

strongman ['strɒŋ|mæn] (pl. *strongmen* [-men]) *s* **1** [cirkus]atlet **2** kraftkarl, kraftnatur

strong-minded [ˌstrɒŋ'maɪndɪd, attr. '-ˌ--] *adj* **1** karaktärsfast **2** viljestark, energisk

strongroom ['strɒŋruːm] *s* kassavalv, bankvalv

strong-willed [ˌstrɒŋ'wɪld, attr. '--] *adj* viljestark, viljekraftig, bestämd [av sig], orubblig

strontium ['strɒntɪəm, -ʃɪəm] *s* kem. strontium

strop [strɒp] *s* vard., *be in a* ~ vara förbannad

strove [strəʊv] imperf. av *strive*

struck [strʌk] **I** imperf. o. perf. p. av *strike*
II *adj* **1** a) ~ *on* el. ~ *with* vard. förtjust (kär) i b) som efterled i sammansättn. -biten [*filmstruck*] **2** amer. jur., ~ *jury* specialjury [som godkänts av båda parterna]

structural ['strʌktʃər(ə)l] *adj* strukturell, strukural [~ *grammar*]; struktur- [~ *analysis*; ~ *formula*]; konstruktions- [~ *part*]; byggnads- [~ *material*]; biol. äv. organisk [~ *disease*]; ~ *alterations* ändring[ar] av byggnad; ombyggnad

structural engineer [ˌstrʌktʃər(ə)len(d)ʒɪ'nɪə] *s* väg- och vattenbyggnadsingenjör

structural engineering ['strʌktʃər(ə)l,en(d)ʒɪ'nɪərɪŋ] *s* väg- och vattenbyggnadsteknik

structurally ['strʌktʃ(ə)rəlɪ] *adv* strukturellt, i strukturellt hänseende; byggnadsmässigt, konstruktionsmässigt

structure ['strʌktʃə] **I** *s* **1** struktur, [upp]byggnad; konstruktion; sammansättning **2** byggnadsverk
II *vb tr* strukturera

structured query language [ˌstrʌktʃəd'kwɪərɪˌlæŋgwɪdʒ] *s* data., se *SQL*

struggle ['strʌgl] **I** *vb itr* **1** kämpa, strida, brottas äv. bildl. [~ *against* (*with*) *difficulties*; ~ *to* (för att) *get sth*]; anstränga sig [~ *to be polite*]; ~ *for breath* kippa efter andan; ~ *on* kämpa vidare **2** streta, sprattla, kämpa [~ *to get free*]; vrida (slingra) sig **3** streta, knoga [~ *up a hill*; ~ *with heavy boxes*]; kämpa (arbeta, knaggla) sig [~ *through a book*; ~ *to the end of a book*]; ~ *along* knaggla (dra) sig fram; ~ *on* streta (knoga) på
II *vb tr*, ~ *one's way* kämpa sig fram, bana sig väg **III** *s* **1** kamp, strid äv. bildl.; *the* ~ *for existence* el. *the* ~ *for life* kampen för tillvaron; ~ *for power* maktkamp; *they put up a* ~ de gjorde motstånd **2** ansträngning, kämpande

strum [strʌm] **I** *vb itr* klinka [~ *on the piano*]; knäppa [~ *on the banjo*]; trumma
II *vb tr* klinka på [~ *the piano*]; knäppa på [~ *the banjo*]; trumma med [~ *one's fingers on the table*]

strumpet ['strʌmpɪt] *s* åld. sköka

strung [strʌŋ] **I** imperf. o. perf. p. av *string* **II** *adj*, *highly* ~ se *highly-strung*

strung-out [ˌstrʌŋ'aʊt] *adj* vard. **1** påtänd, hög [*be* ~ *on crack*] **2** beroende av narkotika

strung up [ˌstrʌŋ'ʌp] *adj* vard. skärrad, på helspänn

1 strut [strʌt] **I** *vb itr* svassa [~ *about*; ~ *in*; ~ *out*]; [gå och] stoltsera; kråma sig; ~ *one's stuff* vard. a) ha uppvisning på dansgolvet b) visa vad man går för **II** *s* svassande [gång]

2 strut [strʌt] *s* byggn. stötta, sträva, stag, tvärbjälke, tvärslå; [bro]balk

strychnine ['strɪkniːn] *s* kem. stryknin

stub [stʌb] **I** *s* **1** stump; cigar~ cigarrstump, cigarrfimp **2** stubbe **3** a) grov nubb; nabb; spikstump b) trubbigt [penn]stift **4** a) talong, stam på biljetthäfte, checkhäfte o.d. b) kontramärke del av biljett
II *vb tr* **1** ~ *one's toe* stöta tån [*against* mot] **2** ~ *out* släcka, döda, fimpa [~ *out a cigarette*]

stubble ['stʌbl] *s* **1** stubb **2** skäggstubb

stubbly ['stʌblɪ] *adj* stubbig [*a* ~ *field*]; sträv, borstig [*a* ~ *beard*]

stubborn ['stʌbən] *adj* **1** envis äv. bildl. [*a* ~ *illness*; *a* ~ *stain*]; hårdnackad [~ *resistance*] **2** besvärlig, krånglig

stubby ['stʌbɪ] *adj* **1** stubbig **2** kort och bred; knubbig [~ *fingers*]; satt

stucco ['stʌkəʊ] (pl. ~*es* el. ~*s*) *s* **1** stuck; gipsmurbruk **2** ~ *work* stuckatur, stuckarbete

stuck [stʌk] imperf. o. perf. p. av *1 stick*

stuck-up [ˌstʌk'ʌp] *adj* vard. mallig, uppblåst

1 stud [stʌd] *s* **1** örhängen för hål i öronen **2** a) stift b) dubb, nit **3** lös [krag]knapp; [*shirt* (*dress*)] ~ skjortknapp, bröstknapp

2 stud [stʌd] *s* **1** stall uppsättning hästar [*racing* ~] **2** stuteri **3** avelshingst; avelsdjur **4** sl. hingst sexig viril man

studded ['stʌdɪd] *adj* **1** a) nitad b) dubbad [~ *tyres*]

2 bildl. översållad, beströdd [~ *with stars*]; späckad [~ *with quotations*]

student ['stjuːd(ə)nt] *s* studerande [*medical ~*]; student [*university ~s*]; elev [*the ~s of* (vid) *the Royal Academy*], amer. äv. [skol]elev; attr. student-, elev- [~ *council*]; **the ~ body** studenterna, studentkåren, eleverna, elevkåren; ~ **nurse** sjuksköterskestudent, sjuksköterskestuderande; ~ **teacher** lärarkandidat

students' union [ˌstjuːd(ə)nts'juːnɪən] *s* o. **student union** [ˌstjuːd(ə)nt'juːnɪən] *s* **1** studentkår; kårhus **2** studentförening

studfarm ['stʌdfɑːm] *s* stuteri

studied ['stʌdɪd] *adj* medveten, överlagd, avsiktlig [~ *insult*]; utstuderad, raffinerad

studio ['stjuːdɪəʊ] (pl. ~s) *s* **1** ateljé; studio; pl. **~s** filmstad; **film ~** filmateljé, filmstudio **2** attr. ateljé-; studio- [~ *camera; ~ audience*] **3** enrumslägenhet [äv. ~ *flat*; amer. vanl. ~ *apartment*]

studio apartment ['stjuːdɪəʊəˌpɑːtmənt] *s* vanl. amer. enrumslägenhet

studio flat ['stjuːdɪəʊflæt] *s* etta, enrummare

studious ['stjuːdɪəs] *adj* **1** flitig [i sina studier] **2** lärd, boklig **3** medveten, avsiktlig [~ *efforts*]

studiously ['stjuːdɪəslɪ] *adv* **1** omsorgsfullt, noggrant, minutiöst **2** avsiktligt, med flit

study ['stʌdɪ] **I** *s* **1** studier [*fond of ~*]; studerande; studium, undersökning, granskning, utforskning; analys [*word ~*]; **home ~ course** korrespondenskurs; **private ~** självstudium, studier på egen hand; **make a ~ of sth** studera ngt, göra en undersökning (analys) av ngt **2 a)** studieobjekt, föremål för studium **b)** [studie]ämne **3** studie [*a ~ for* (till) *a portrait; Iago is a ~ of* (i) *evil*]; [*publish*] **a ~ of** ...en studie över **4** arbetsrum, läsrum; **headmaster's ~** rektorsexpedition **5** mus. etyd **6 in a brown ~** försjunken i grubbel (funderingar, drömmerier) **II** *vb tr* (se äv. *studied*) **1** studera, läsa [~ *medicine*]; lära sig [~ *keyboarding*]; studera (lära) in [~ *a part*]; läsa på (över); ~ **up** vard. läsa (lära, plugga) in **2** studera [~ *the map*]; undersöka, försöka sätta sig in i [~ *a problem*]; ta del av, granska, utforska **III** *vb itr* studera, bedriva studier; ~ **for the medical profession** el. ~ **to be a doctor** studera till läkare; ~ **with sb** el. ~ **under sb** studera för ngn

stuff [stʌf] **I** *s* **1** vard. **a)** saker, prylar, grejor [*I've packed my ~*] **b)** sätt, fasoner; grej; **kid ~** se under 1 **kid** 1; **no rough ~!** inga hårda tag!; **do your ~!** visa vad du kan!; **that's the ~!** så ska det vara!, det är grejor det!; **he knows his ~** han kan sin sak **2** material, ämne; materia **3** bildl. stoff [*the ~ that dreams are made of*]; innehåll, väsen [*the ~ of freedom*]; [*we must find out*] **what ~ she is made of** ...vad hon går för; **he is not the ~ heroes are made of** han är inte skapt till hjälte precis **4** material [*the cushion was filled with some soft ~*]; gods; **drink some of this ~** drick lite av det här; **light ~** bildl. lätt gods; **the same old ~** det gamla vanliga; **it's poor ~** det är smörja, det är ingenting att ha; **some sticky ~** något klibbigt **5** [ylle]tyg; ~ **gown** yngre jurists ylletalar **6** smörja, strunt; ~ **and nonsense** struntprat **II** *vb tr* (se äv. *stuffed*) **1** stoppa [~ *a cushion with feathers*]; stoppa (proppa) full [*with* med]; ~

oneself (*sb*) **with food** proppa i sig (ngn) mat **2** packa, proppa in [*into* i]; ~ **away** stoppa undan **3** stoppa upp [~ *a bird*] **4** kok. fylla, färsera **5** sl., **tell him to** [**go and**] ~ **himself!** säg åt honom att han kan dra åt helvete!; **you can ~** [*that present*]**!** du kan dra åt helvete med...! **6** vulg. knulla **III** *vb itr* proppa i sig mat, föräta sig

stuffed [stʌft] *adj* **1** stoppad; fullstoppad; fullproppad etc., jfr *stuff II*; ~ **with facts** fullproppad med fakta; faktaspäckad **2** kok. fylld [~ *turkey*]; färserad; späckad; ~ **cabbage rolls** kåldolmar **3** uppstoppad [~ *birds*] **4** sl., **get ~!** dra åt helvete!, stick!

stuffed animal [ˌstʌft'ænəm(ə)l, -nɪm-] *s* **1** uppstoppat djur **2** amer. mjukisdjur

stuffed shirt [ˌstʌft'ʃɜːt] *s* sl. stropp, uppblåst stofil

stuffed-up [ˌstʌft'ʌp] *adj*, **I have a ~ nose** jag är täppt i näsan, jag har näståppa

stuffing ['stʌfɪŋ] *s* **1** kok. fyllning [*turkey ~*]; färs; inkråm **2** stoppning; uppstoppning; stoppningsmaterial **3 knock** (**beat**) **the ~ out of sb** a) göra mos av ngn b) ta knäcken på ngn

stuffy ['stʌfɪ] *adj* **1** instängd, kvav, kvalmig [~ *air*; ~ *room*] **2** täppt [~ *nose*]; tjock [~ *throat*] **3** vard. långtråkig, träig **4** vard. förstockad, inskränkt

stultifying ['stʌltɪfaɪɪŋ] *adj* försoffande, förslöande; förlamande

stumble ['stʌmbl] **I** *vb itr* **1** snava, snubbla [*against* mot; *at* på; *over* över, på]; stappla; ~ **across** el. ~ **on** el. ~ **upon** stöta (råka) på, av en slump komma på (över), ramla över; ~ **against a problem** stöta på ett problem **2** staka sig, stappla; stamma, hacka; ~ **over one's words** staka sig på orden, snubbla över orden **II** *s* **1** snavande, snubblande, snubbling **2** fel[steg]; misstag

stumbling block ['stʌmblɪŋblɒk] *s* stötesten [*to sb* för ngn]

stump [stʌmp] **I** *s* **1** stubbe; rot **2** [avskalad] stam (stjälk); stock [*cabbage ~*] **3** stump [*pencil ~*] **4** kricket. grindpinne **5** vanl. amer., **go on the ~** el. **take the ~** vard. ge sig ut på valturné **II** *vb tr* **1** vard. förbrylla, göra ställd; sätta på det hala; **I'm ~ed** [*for an answer*] jag vet faktiskt inte [vad jag ska svara]; **the question ~ed him** han gick bet på frågan, han gav upp inför frågan **2** kricket. slå ut slagman genom att slå ned en grindpinne [äv. ~ *out*] **3** vanl. amer. hålla valtal i, agitera i [~ *a district*] **III** *vb itr* **1** stulta, linka, stövla [~ *about*] **2** vanl. amer. hålla valtal, agitera **IV** *vb tr* o. *vb itr* med adv.: **stump up** vard. **a)** tr. punga ut med, pröjsa, hosta upp **b)** itr. punga ut med pengar[na], pröjsa [*for* för]

stumpy ['stʌmpɪ] *adj* kort och tjock, satt, knubbig; stubbig [~ *grass; ~ hair*]

stun [stʌn] *vb tr* **1** bedöva [~ *sb with a blow*]; göra döv **2** överväldiga, förbluffa; chocka [*the news ~ned him*]

stung [stʌŋ] imperf. o. perf. p. av *sting*

stun gun ['stʌngʌn] *s* chockpistol

stunk [stʌŋk] imperf. o. perf. p. av *stink*

stunner ['stʌnə] *s* vard. **1** jättetjusig sak; verklig

snygging; **she is a** ~ äv. hon är jättesnygg
2 jättesensation, jätteöverraskning
stunning ['stʌnɪŋ] *adj* **1** bedövande [*a* ~ *blow*]
2 chockande **3** vard. fantastisk, överdådig [*a* ~
performance]; jättesnygg, raffig
1 stunt [stʌnt] *s* vard. **1** konst[nummer] [*do* ~*s on
horseback*]; trick; konststycke; **acrobatic** ~**s**
akrobatkonster **2** jippo; trick; **advertising** ~ el.
publicity ~ reklamtrick, reklamjippo, PR-grej
2 stunt [stʌnt] *vb tr* (se äv. *stunted*) hämma [~ *sb's
personality*]; hämma i växten (utvecklingen)
stunted ['stʌntɪd] *adj* förkrympt, dvärgliknande,
dvärg- [~ *trees*]; outvecklad [*a* ~ *mind*]; **be** ~ äv.
vara hämmad (ha stannat) i växten (utvecklingen)
stunt flying ['stʌnt,flaɪɪŋ] *s* konstflygning
stunt man ['stʌnt|mən] (pl. *stunt men* [-mən]) *s* film.
stuntman ersättare i farliga scener
stunt woman ['stʌnt|wʊmən] (pl. *stunt women*
[-wɪmɪn]) *s* film. kvinnlig stuntman ersättare i farliga
scener
stupefaction [,stjuː pɪˈfækʃ(ə)n] *s* **1** bedövning;
bedövat tillstånd **2** häpnad
stupefied ['stjuː pɪfaɪd] *adj* **1** omtöcknad [~ *with*
(av) *drink*] **2** häpen, bestört, mållös, [som]
bedövad [~ *by what happened*]; ~ **with amazement**
förstummad av häpnad, högst förbluffad
stupefying ['stjuː pɪfaɪɪŋ] *adj* bedövande;
förbluffande, häpnadsväckande
stupendous [stjʊˈpendəs] *adj* häpnadsväckande,
otrolig [*a* ~ *achievement*; *a* ~ *error*]; förbluffande;
kolossal, enorm [*a* ~ *mass*]
stupid ['stjuː pɪd] **I** *adj* **1** dum, enfaldig **2** tråkig [*a* ~
party] **3** vard. jäkla, himla [*I can't open this* ~ *bag*]
II *s* vard. dumbom, dumsnut [~*!*]
stupidity [stjʊˈpɪdətɪ] *s* dumhet, enfald
stupor ['stjuː pə] *s* dvala, omtöcknat tillstånd
sturdiness ['stɜːdɪnəs] *s* robusthet, kraftighet,
kraftig byggnad; styrka, stabilitet etc., jfr *sturdy*
sturdy ['stɜːdɪ] *adj* **1** robust, kraftig, kraftigt byggd
[*a* ~ *child*]; handfast; stark, stabil, bastant [~
walls]; rejäl **2** fast, orubblig [~ *resistance*]
sturgeon ['stɜːdʒ(ə)n] *s* zool. stör
stutter ['stʌtə] **I** *vb itr* **1** stamma **2** hacka
II *vb tr*, ~ [*out*] stamma [fram]
III *s* stamning
1 sty [staɪ] *s* [svin]stia, svinhus äv. bildl.
2 sty o. **stye** [staɪ] *s* med. vagel
style [staɪl] **I** *s* **1 a)** stil [*she has* ~]; stilart; språk
[*written in* (på) *a delightful* ~]; språkbehandling;
framställningssätt, maner; teknik **b)** sätt [*he has a
patronizing* ~] **c)** typ, sort, modell, utförande,
fason [*made in all sizes and* ~*s*]; mönster, utseende
d) mode [*dressed in* (efter) *the latest* ~]; **hair** ~ frisyr;
that's just my ~ det är precis min melodi (vad jag
gillar); ~ **of life** livsform, livsstil; **in** ~ elegant, flott,
modernt [*dressed in* ~]; i stor stil, vräkigt;
ståndsmässigt; **do things (it) in** ~ slå på stort; **live in** ~
el. **live in great (grand)** ~ leva på stor fot, leva flott
2 titel; **assume the** ~ **of** [*Colonel*] anta titeln…, låta
titulera sig…; **the correct** ~ **of (for) addressing sb**
rätta sättet att titulera ngn
II *vb tr* **1** utforma [*carefully* ~*d prose*]; forma;
formge, rita, designa [~ *cars*; ~ *dresses*] **2** styla,

göra moderiktig **3** titulera [*he is* ~*d 'Colonel'*]; ~
oneself titulera (kalla) sig
style sheet ['staɪlʃiːt] *s* data. formatmall
styli ['staɪlaɪ] *s* pl. av *stylus*
styling ['staɪlɪŋ] *s* **1** ~ **gel** frisyrgelé **2** styling, design,
formgivning
styling brush ['staɪlɪŋbrʌʃ] *s* lockborste
stylish ['staɪlɪʃ] *adj* **1** stilfull, stilig, flott, elegant;
snitsig **2** modern; moderiktig
stylist ['staɪlɪst] *s* **1** stylist, formgivare;
modeskapare **2 a)** [fin] stilist, språkkonstnär
b) tekniskt driven konstnär, mästare **c)** sport.
[driven] tekniker; **hair** ~ hårstylist
stylistic [staɪˈlɪstɪk] *adj* stilistisk, stilmässig
stylized ['staɪlaɪzd] *adj* stiliserad [*in* ~ *form*]
stylus ['staɪləs] (pl. -*i* [-aɪ] el. -*uses*) *s* [pickup]nål
stymie ['staɪmɪ] *vb tr* **1** vard. hindra, stäcka [~ *sb's
plans*]; **be** ~**d** äv. vara i knipa **2** med golfboll blockera
vägen fram till hålet för
styptic ['stɪptɪk] **I** *adj* blodstillande; ~ **pencil**
alunstift **II** *s* blodstillande medel
Styrofoam® ['staɪrəʊfəʊm] *s* vanl. amer. polystyren,
styrenplast
suave [swɑːv, ibl. sweɪv] *adj* förbindlig, älskvärd,
[mjuk och] behaglig [*a* ~ *person*]; ~ **manners**
förbindligt (smidigt) sätt
sub [sʌb] vard. **I** *s* **1** kortform av *sublieutenant,
submarine, subscription, substitute* o. *subway*
2 amer. (förk. för *submarine sandwich*)
II *vb itr* (kortform av *substitute*) vicka, vikariera [*for*
för]
sub- [sʌb-, jfr för övrigt sammansättn. nedan) *prefix* under-
[*subagent*]; sub- [*subtropical*]; del-, halvt, delvis
[*subaquatic*]
subaltern ['sʌblt(ə)n, amer. sʌbˈɔːltən] **I** *adj*
underordnad **II** *s* underordnad [tjänsteman]; mil.
subaltern[officer]
subaqua [,sʌbˈækwə] *adj* sport. undervattens-
subcommittee ['sʌbkə,mɪtɪ] *s* underutskott,
underkommitté, subkommitté
subcompact [,sʌbˈkɒmpækt] amer. **I** *s* småbil **II** *adj*,
~ **car** småbil
subconscious [,sʌbˈkɒnʃəs] **I** *adj* undermedveten,
omedveten **II** *s* omedvetande; **the** ~ äv. det
omedvetna (undermedvetna)
subcontinent [,sʌbˈkɒntɪnənt] *s* geogr. subkontinent
[*the Indian* ~]
subcontract [subst. ,sʌbˈkɒntrækt, verb
,sʌbkənˈtrækt] **I** *s* underleverantörskontrakt;
legotillverkningskontrakt **II** *vb tr* lägga ut [på
underleverantörer], lämna ut till legotillverkning
[~ *work*]
subcontractor [,sʌbkənˈtræktə] *s* underleverantör
subculture ['sʌb,kʌltʃə] *s* subkultur
subcutaneous [,sʌbkjʊˈteɪnɪəs] *adj* med. subkutan
[~ *injection*]; underhuds- [~ *fat*]
subdivide [,sʌbdɪˈvaɪd] *vb tr* dela in (upp) i
underavdelningar; dela in [i ännu mindre enheter]
subdivision ['sʌbdɪ,vɪʒ(ə)n] *s* **1** indelning
(uppdelning) i underavdelningar etc., jfr *subdivide*
2 underavdelning **3** amer. tomtområde
subdue [səbˈdjuː] *vb tr* (se äv. *subdued*)
1 underkuva, besegra, lägga under sig [~ *a*

country]; undertrycka, kuva **2** dämpa [~ *the light*; ~ *the colours*]

subdued [səb'dju:d] *adj* **1** underkuvad etc., jfr *subdue 1* **2** dämpad [~ *light*; ~ *voice*]; lågmäld [~ *whisper*]; diskret [~ *colours*]

subedit [ˌsʌb'edɪt] *vb tr* tidn. redigera [texten till]

subeditor [ˌsʌb'edɪtə] *s* tidn. redaktör, textredigerare; **chief ~** ung. redaktionssekreterare

subgroup ['sʌbgru:p] *s* undergrupp äv. matem.

subheading ['sʌb,hedɪŋ] *s* **1** underrubrik **2** bibliot. undertitel

subhuman [ˌsʌb'hju:mən] *adj* omänsklig, icke människovärdig [~ *conditions*]

subject [subst., adj. o. adv. 'sʌbdʒekt, -dʒɪkt, verb səb'dʒekt] **I** *s* **1** undersåte; **he is a British ~** han är engelsk medborgare **2** ämne i skola, för samtal o.d.; **change the ~** byta [samtals]ämne, tala om något annat; **wander from the ~** gå (komma bort) ifrån ämnet; **the ~ of the conversation** samtalsämnet; [**have you anything to say**] **on the ~?** ...i ämnet (frågan, saken)?; **on the ~ of** angående, om **3** konst. el. litt. motiv, ämne [*of* i, till] **4** mus. tema; motiv **5** ~ **of** el. ~ **for** föremål för **6** gram., psykol. el. filos. subjekt **7** försöksobjekt, försöksperson

II *adj* **1** underlydande [~ *nations*]; underkuvad; lyd- [*a* ~ *state*]

2 subject to a) lydande (som lyder) under [~ *to the Crown*] **b**) underkastad [~ *to changes*; ~ *to customs duty*]; **be ~ to** äv. utsättas för **c**) med anlag för; **be ~ to** ha anlag för, lida av [*be* ~ *to headaches*] **d**) beroende (avhängig) av; **be ~ to** äv. bero av (på); **be ~ to duty** vara tullpliktig (tullbelagd); **it is ~ to certain restrictions** det gäller med vissa inskränkningar

III *adv* **subject to** under förutsättning av [~ *to your approval* (godkännande)]; med förbehåll (reservation) för [~ *to alterations*]; ~ **to certain restrictions** med vissa inskränkningar

IV *vb tr* **1** underkuva; tvinga till underkastelse [*to* under]; ~ **oneself** [*to sb*] underkasta sig [ngn] **2** utsätta [*to* för]; göra till föremål för; belägga med [~ *to a fine*]; **be ~ed to** äv. vara föremål för, utsättas för, drabbas av

subject catalogue ['sʌbjekt,kætəlɒg] *s* ämneskatalog

subject index ['sʌbdʒekt,ɪndeks] *s* sakregister

subjection [səb'dʒekʃ(ə)n] *s* underkuvande; underkastelse [*to* under]; **keep in ~** el. **hold in ~** behärska, bestämma över

subjective [səb'dʒektɪv, sʌb-] *adj* subjektiv

subject line ['sʌbdʒekt,laɪn] *s* data. ärenderad i ett e-brev

subject matter ['sʌbdʒekt,mætə] *s* innehåll, stoff [*the* ~ *of the book*]; ämne

sub judice [ˌsʌb'dʒu:dɪsɪ] *adv* jur. (lat.), **be ~** ligga (vara uppe [till behandling]) i rätten, vara under rättslig prövning

subjugate ['sʌbdʒʊgeɪt] *vb tr* **1** underkuva, lägga under sig [~ *a country*] **2** bildl. betvinga [~ *one's feelings*]; tygla, tämja

subjugation [ˌsʌbdʒʊ'geɪʃ(ə)n] *s* **1** underkuvande **2** bildl. betvingande, tyglande, tämjande

subjunctive [səb'dʒʌŋ(k)tɪv] gram. **I** *adj* konjunktiv-;

the ~ mood konjunktiv[en]

II *s* **1 the ~** konjunktiv[en] **2** konjunktivform

sublease [ˌsʌb'li:s] *vb tr* **1** hyra (arrendera) ut i andra hand **2** hyra (arrendera) i andra hand

sublet [ˌsʌb'let] (*sublet sublet*) *vb tr* hyra (arrendera) ut i andra hand

sublieutenant [ˌsʌblef'tenənt, amer. -lu:-] *s* löjtnant inom flottan; **acting ~** fänrik inom flottan

sublimate ['sʌblɪmeɪt] **I** *vb tr* kem. el. psykol. sublimera **II** *vb itr* sublimeras

sublimation [ˌsʌblɪ'meɪʃ(ə)n] *s* kem. el. psykol. sublimering

sublime [sə'blaɪm] *adj* storslagen [~ *scenery*]; sublim

sublimely [sə'blaɪmlɪ] *adv* **1** storslaget, sublimt **2** fullständigt, totalt [~ *unconscious of...*]

subliminal [ˌsʌb'lɪmɪnl] *adj* psykol. subliminal; ~ **advertising** subliminal reklam

sublimity [sə'blɪmətɪ] *s* sublimitet, storslagenhet; **the ~ of** äv. det sublima i

submachine gun [ˌsʌbmə'ʃi:ngʌn] *s* kulsprutepistol, kpist

submarine [ˌsʌbmə'ri:n, 'sʌbməri:n] **I** *s* ubåt, undervattensbåt; attr. ubåts- [~ *warfare*] **II** *adj* undervattens- [~ *cables*]; submarin

submarine sandwich [ˌsʌbməri:n'sænwɪdʒ] *s* amer. lång dubbelmacka med kött, ost och tomat

submerge [səb'mɜ:dʒ] **I** *vb tr* (se äv. *submerged*) **1** doppa (sänka) ner [i vatten] **2** översvämma; dränka äv. bildl.

II *vb itr* dyka; om ubåt äv. gå ner [under vatten]

submerged [səb'mɜ:dʒd] *adj* **1** undervattens- [~ *rocks*]; **be ~** vara (stå) under vatten; **be ~ in debt** drunkna i skulder **2** dold, okänd [~ *facts*]

submersible [səb'mɜ:səbl] **I** *adj* **1** sänkbar **2** undervattens- [~ *camera*] **II** *s* slags ubåt

submersion [səb'mɜ:ʃ(ə)n] *s* nedsänkning [i vatten]; översvämning

submission [səb'mɪʃ(ə)n] *s* **1** underkastelse [*to* under]; resignation [*to* inför] **2** underdånighet, undergivenhet **3** framläggande, föredragning etc., jfr *submit I 2*; presentation; föreläggande

submissive [səb'mɪsɪv] *adj* undergiven, ödmjuk [*a* ~ *reply*]; lydig, foglig [~ *servants*]; eftergiven

submit [səb'mɪt] **I** *vb tr* **1** ~ **to** utsätta för [~ *metal to heat*]; ~ **oneself to** underkasta (underordna) sig [~ *oneself to discipline*] **2** framlägga, föredra, presentera [~ *one's plans to* (för) *a council*]; framställa, väcka [~ *a proposal*]; lämna in, inkomma med, avge [~ *a report to sb*]

II *vb itr* ge efter, ge vika, falla till föga [*to* för]

subnormal [ˌsʌb'nɔ:m(ə)l] *adj* [som är] under det normala [~ *temperatures*]

subordinate [adj. o. subst. sə'bɔ:dənət, verb sə'bɔ:dɪneɪt] **I** *adj* **1** underordnad [*a* ~ *position*]; lägre [*a* ~ *officer*]; underlydande; bi- [*a* ~ *role*; *a* ~ *character*] **2** gram. underordnad

II *s* underordnad, underlydande [*her* ~*s*]

III *vb tr* underordna [*to* under], låta stå tillbaka [*to* för]; sätta (låta komma) i andra hand [~ *one's private interests*]; **be ~d to sth** vara underordnad ngt

subordinate clause [sə,bɔ:dənət'klɔ:z] *s* gram. bisats

subordination [sə,bɔːdɪ'neɪʃ(ə)n] *s*
1 underordnande, underkastelse, lydnad [*to*
under*]* **2** underordnad (lägre) ställning
suborn [sʌ'bɔːn, sə'b-] *vb tr* **1** besticka, muta, köpa
[med mutor] **2** jur. tubba till mened
subplot ['sʌbplɒt] *s* sidohandling i roman o.d.
subpoena [səb'piːnə, sə'p-] jur. **I** *s* stämning [vid
vite]; *serve sb with a ~* delge ngn en stämning
II *vb tr* delge en stämning; instämma, kalla inför
rätta [*be ~ed as a witness*]
subscribe [səb'skraɪb] **I** *vb tr* **1 a)** teckna [sig för],
bidra med, skänka **b)** teckna [*~ shares*] **2** betala i
medlemsavgift [*~ £5 to a club*] **3** skriva under (på),
underteckna [*~ a document*]
II *vb itr* **1** prenumerera, abonnera [*~ to* (på) *a
newspaper*] **2** ge (teckna) bidrag, skänka [*he ~s
liberally to charity*]
III *vb itr* med adv.:
subscribe for a) teckna sig för, skriva på [*~ for a
large sum*] **b)** teckna [*~ for shares*]
subscribe to a) skriva under [*~ to an agreement*]
b) bildl. ansluta sig till, dela [*~ to sb's opinion*; *~ to
sb's views*]
subscriber [səb'skraɪbə] *s* **1** prenumerant [*~ to* (på)
a newspaper]; [telefon]abonnent
2 a) bidragsgivare **b)** anhängare, stödjare [*to* av]
c) [aktie]tecknare
subscription [səb'skrɪpʃ(ə)n] *s* **1 a)** prenumeration
[*to* på]; subskription [*~ for* (på) *a book*];
abonnemang; *take out a ~ for* [*a year*] prenumerera
(teckna prenumeration) för...
b) prenumerationsavgift; medlemsavgift [*~ to* (i) *a
club*] **2 a)** teckning [*~ for* (av) *shares*]; insamling
[*to* till]; *start* (*raise*) *a ~* sätta i gång en insamling
b) bidrag; insamlat belopp **3 a)** undertecknande
b) underskrift
subscription concert [səb'skrɪpʃ(ə)n,kɒnsət] *s*
abonnemangskonsert
subscription dinner [səb'skrɪpʃ(ə)n,dɪnə] *s*
subskriberad middag
subsection ['sʌb,sekʃ(ə)n] *s* underavdelning; i
lagparagraf äv. moment, stycke
subsequent ['sʌbsɪkwənt] *adj* följande,
efterföljande, påföljande
subsequently ['sʌbsɪkwəntlɪ] *adv* därefter, sedan,
efteråt, senare; *~ to* efter
subservience [səb'sɜːvɪəns] *s* undergivenhet,
servilitet [*to* mot, inför]; underkastelse [*to* under*]*
subservient [səb'sɜːvɪənt] *adj* **1** undergiven, servil
2 underordnad [*to sb* ngn]; *be ~ to sb's needs* svara
mot ngns behov
subside [səb'saɪd] *vb itr* **1** sjunka [undan] [*the flood
has ~d*] **2** sjunka, sätta sig [*the ground will ~*; *the
house will ~*]; geol. sänka sig **3** avta, lägga sig, dö
bort [*the wind* (*his anger*) *began to ~*]; lugna sig; om
feber gå ned
subsidence [səb'saɪd(ə)ns, 'sʌbsɪd-] *s* sjunkande;
sättning; geol. [land]sänkning
subsidiary [səb'sɪdɪərɪ] **I** *s* dotterbolag
II *adj* **1** biträdande; understöds- [*~ fund*]; hjälp- [*~
troops*]; stöd- [*~ farming*]; bi- [*~ roads*; *~ stream*];
sido- [*~ theme*]; extra- [*~ details*] **2** underordnad
[*to sth* ngt]

subsidiary company [səb,sɪdɪərɪ'kʌmp(ə)nɪ] *s*
dotterbolag
subsidiary plot [səb,sɪdɪərɪ'plɒt] *s* sidohandling i
roman o.d.
subsidiary subject [səb,sɪdɪərɪ'sʌbdʒekt] *s* skol.
tillvalsämne
subsidize ['sʌbsɪdaɪz] *vb tr* subventionera, ge
[stats]understöd till, understödja; perf. p. *~d*
subventionerad [*~ lunches*]; statsunderstödd
subsidy ['sʌbsɪdɪ] *s* subvention, [stats]understöd,
bidrag, anslag; subsidier; *~ policy* stödpolitik,
subsidiepolitik
subsist [səb'sɪst] *vb itr* **1** livnära sig, leva [*~ on a
vegetable diet*]; existera [*on* på]; förtjäna sitt
uppehälle, dra sig fram [*~ by* (genom, på) *work*]
2 [fortfara att] existera, gälla
subsistence [səb'sɪst(ə)ns] *s* **1** existens, tillvaro
2 underhåll, försörjning **3** uppehälle, utkomst,
levebröd
subsistence allowance [səb'sɪst(ə)nsə,lauəns] *s*
traktamente
subsistence crops [səb'sɪst(ə)nskrɒps] *s pl*
husbehovsgröda, produkter [odlade] till husbehov
subsistence level [səb'sɪst(ə)ns,levl] *s*, *on a ~* på
existensminimum
subsoil ['sʌbsɔɪl] *s* lantbr. alv
subsonic [sʌb'sɒnɪk, '---] *adj* subsonisk, underljuds-
[*~ speed*]
substance ['sʌbst(ə)ns] *s* **1** ämne, materia, stoff;
substans [*a chalky ~*]; massa **2 a)** substans,
[verklighets]underlag **b)** innehåll [*~ and form*];
huvudinnehåll, innebörd, andemening [*give the ~
of a speech in one's own words*]; *in ~* i huvudsak, i
allt väsentligt **c)** tyngd, kraft [*give ~ to one's
objection*]; vikt, betydelse [*matters of ~*] **3** fasthet,
stadga äv. bildl. [*the material has some ~*; *there is no
~ in him*]
substance abuse [,sʌbst(ə)nsə'bjuːs] *s* missbruk av
narkotika, alkohol, läkemedel, steroider el. andra skadliga
ämnen
substandard [,sʌb'stændəd] *adj* **1** undermålig [*~
literature*] **2** språkv. ovårdad, obildad [*~ English*; *~
pronunciation*]
substantial [səb'stænʃ(ə)l] *adj* **1** verklig, reell,
påtaglig **2** väsentlig, avsevärd, betydande,
substantiell [*~ improvement*; *~ contribution*];
ansenlig [*a ~ sum of money*]; stor [*a ~ audience*; *a ~
loan*] **3 a)** stabil, solid, gedigen [*a ~ house*]; stark,
kraftig [*a ~ physique*]; fast, hållbar, slitstark,
stadig [*~ cloth*] **b)** stadig, bastant, rejäl [*a ~ meal*]
4 solid, väletablerad [*a ~ business firm*]
5 vederhäftig, saklig [*a ~ argument*]; grundad [*a ~
claim*] **6** i huvudsak riktig
substantially [səb'stænʃəlɪ] *adv* **1** stabilt, kraftigt
[*~ built*] **2** väsentligen, huvudsakligen; i allt
väsentligt [*we ~ agree*]; väsentligt, avsevärt [*~
contribute to*] **3** i påtaglig form, kroppsligen
substantiate [səb'stænʃɪeɪt] *vb tr* bestyrka,
underbygga, bevisa, dokumentera; bekräfta
substantiation [səb,stænʃɪ'eɪʃ(ə)n] *s* bestyrkande,
bevis; bekräftelse
substantive ['sʌbst(ə)ntɪv] **I** *adj* verklig, faktisk,
väsentlig **II** *s* gram. substantiv; substantiverat ord

substantivize ['sʌbst(ə)ntɪvaɪz, -stæn-] *vb tr* gram.
substantivera [~*d adjective*; ~ *an adjective*]
substation ['sʌbsteɪʃ(ə)n] *s* elektr.
transformatorstation
substitute ['sʌbstɪtjuːt] **I** *s* **1** ställföreträdare,
ersättare, vikarie; suppleant; sport. reserv, avbytare;
act as a ~ äv. vikariera; *the ~'s* (*~s'*) *bench* sport.
avbytarbänken **2** ersättning, ersättningsmedel,
surrogat, substitut [*for* för]
II *vb tr* **1** ~ *for* använda (ta) i stället för [~
saccharine for sugar] **2** byta ut [~ *a player*]; ersätta,
vikariera för **3** ~ *by* el. ~ *with* ersätta med
III *vb itr* vikariera, vara suppleant (ersättare, sport.
avbytare) [*for* för]
substitution [,sʌbstɪ'tjuːʃ(ə)n] *s* ersättande, utbyte;
ersättning; sport. [spelar]byte
substrat|um [,sʌb'strɑːt|əm] (pl. *-a* [-ə]) *s*
1 underliggande (undre) lager (skikt) [*a* ~ *of rock*];
underlag **2** bildl. underlag, grundval
subtenant [,sʌb'tenənt] *s* hyresgäst i andra hand;
be a ~ hyra i andra hand
subterfuge ['sʌbtəfjuːdʒ] *s* undanflykt[er],
förevändning[ar], svepskäl
subterranean [,sʌbtə'reɪnɪən] *adj* underjordisk
subtext ['sʌbtekst] *s* undermening
subtitle ['sʌb,taɪtl] **I** *s* **1** film., pl. *~s* text [*an English
film with Swedish ~s*] **2** undertitel
II *vb tr* **1** film. texta **2** förse med en undertitel
subtle ['sʌtl] *adj* **1** subtil, hårfin [*a* ~ *difference*];
obestämbar [*a* ~ *charm*]; svag [*a* ~ *flavour*]; diskret
[*a* ~ *perfume*]; underfundig [~ *humour*; *a* ~ *smile*]
2 utstuderad, raffinerad [~ *methods*]; påhittig [*a* ~
device]; spetsfundig [*a* ~ *argument*]
subtlety ['sʌtltɪ] *s* **1** subtilitet, hårfinhet etc., jfr
subtle; skärpa, skarpsinne **2** hårklyveri,
ordklyveri; spetsfundighet, finess, subtilitet
subtly ['sʌtlɪ] *adv* subtilt, hårfint etc., jfr *subtle*
subtotal ['sʌbtəʊtl] *s* delsumma
subtract [səb'trækt] *vb tr* matem. subtrahera, dra
ifrån [~ *6 from 9*]; dra av
subtraction [səb'trækʃ(ə)n] *s* matem. subtraktion [*a
simple ~*]; fråndragning
subtraction sign [səb'trækʃ(ə)nsaɪn] *s* matem.
minustecken
subtropical [,sʌb'trɒpɪk(ə)l] *adj* subtropisk
suburb ['sʌbɜːb, -bəb] *s* förort, förstad; *garden* ~
villaförort, villastad
suburban [sə'bɜːb(ə)n] *adj* **1** förorts-, förstads-, i
(till) ytterområdena [~ *shops*; ~ *buses*]; *~ area*
ytterområde **2** neds. småstadsaktig; småborgerlig
suburbanite [sə'bɜːbənaɪt] *s* förortsbo, förstadsbo
suburbia [sə'bɜːbɪə] *s* **1** förorterna; förortsborna
2 förortsmentalitet; förortsliv
subvention [səb'venʃ(ə)n] *s* subvention,
[stats]understöd, statsbidrag, statsanslag
subversion [səb'vɜːʃ(ə)n] *s* omstörtning;
nedbrytning, underminering
subversive [səb'vɜːsɪv] **I** *adj* omstörtande,
subversiv [~ *activity* (verksamhet)]
II *s* samhällsomstörtare
subway ['sʌbweɪ] *s* **1 a)** [gång]tunnel
b) underjordisk ledning, ledningstunnel **2** amer.
tunnelbana, t-bana
sub-zero [,sʌb'zɪərəʊ] *adj* under noll [grader]

succeed [sək'siːd] **I** *vb itr* **1** lyckas [*the attack ~ed*];
ha framgång; gå bra, slå väl ut; *not* ~ äv.
misslyckas; *nothing ~s like success* den ena
framgången drar den andra med sig, framgång
föder framgång **2** följa [*to* på, efter; *a long peace
~ed*]; ~ *to* äv. överta, ärva; ~ *to the throne* överta
tronen, ärva kronan
II *vb tr* efterträda, komma efter [*who ~ed her as
Prime Minister?*]
succeeding [sək'siːdɪŋ] *pres p* o. *adj* (jfr äv. *succeed*)
följande, kommande
success [s(ə)k'ses] *s* framgång, lycka [*with varying
~*]; medgång; succé; *be* (*prove, turn out*) *a* ~ göra
lycka (succé), vara (bli) lyckad; *make a ~ of* ha
framgång med, lyckas med; *meet with* ~ ha
framgång, göra succé; *with no great* ~ utan större
framgång
successful [s(ə)k'sesf(ʊ)l] *adj* framgångsrik [*in* i],
lyckosam, lycklig; lyckad [~ *experiments*]; succé-
[~ *play*]; som klarat sig (provet), godkänd [~
candidates]; *be* ~ äv. ha framgång, göra lycka [*in* i],
lyckas [*in doing* i (med) [att] göra], gå bra
successfully [s(ə)k'sesfʊlɪ] *adv* framgångsrikt, med
framgång
succession [s(ə)k'seʃ(ə)n] *s* **1** följd [*a* ~ *of years*];
serie, rad; ordning, ordningsföljd; växling [*the* ~ *of
the seasons*]; *in* ~ i följd (rad), efter varandra [*three
years in ~*]; *in rapid* ~ el. *in quick* ~ i rask följd, slag i
slag **2** succession; arvföljd; tronföljd **3** arvsrätt
successive [s(ə)k'sesɪv] *adj* på varandra följande;
successiv [~ *changes*]; som följer (följde) på
varandra [*the* ~ *governments*]; *three* ~ *days* tre
dagar efter varandra (i rad, i följd)
successively [s(ə)k'sesɪvlɪ] *adv* **1** i [oavbruten)
följd, efter varandra **2** undan för undan, efter
hand [*he became* ~ *better*]; successivt, i omgångar
successor [sək'sesə] *s* **1** efterträdare, efterföljare
[*to sb* till ngn]; ~ *to the throne* tronföljare **2** arvinge,
arvtagare
success story [s(ə)k'ses,stɔːrɪ] *s* framgångssaga
succinct [sək'sɪŋ(k)t] *adj* koncis, kort[fattad]
succotash ['sʌkətæʃ] *s* amer. kok. majs och
limabönor
succour ['sʌkə] litt. **I** *vb tr* bispringa, undsätta, bistå
II *s* undsättning, bistånd
succulence ['sʌkjʊləns] *s* saftighet
succulent ['sʌkjʊlənt] *adj* saftig [~ *meat*], bot. äv.
köttig, suckulent
succumb [sə'kʌm] *vb itr* duka under [*to* för], ge
efter, falla [till föga] [~ *to* (för) *flattery*]; digna
[*under* under]; ~ *to* äv. dö av [*she ~ed to her
injuries*]
such [sʌtʃ] *adj* o. *pron* **1 a)** sådan [~ *books*]; dylik;
liknande [*tea, coffee and* ~ *drinks*] **b)** så [~ *big
books*; ~ *long hair*] **c)** så stor [~ *was his joy that...*]
d) det [~ *was not my intention*]; [*it was not*] *the first
~ case* ...det första fallet av det slaget; *we had* ~ *fun*
vi hade verkligen kul; ~ *a* [*book*] en sådan...; ~ *a*
[*big book*] en så...; *there is* ~ *a draught* det drar så
[förfärligt]; *I've never heard of* ~ *a thing!* jag har väl
aldrig hört på maken!; *I shall do no* ~ *thing* det gör
jag definitivt inte; *some* ~ *thing* något sådant
(liknande); ~ *and* ~ den och den, det och det; *as* ~
som sådan, i sig [*I like the work as* ~]; i den

egenskapen [*she is my trainer and as ~ can tell me what to do*]
2 such as a) sådan som; de som [*~ as are poor*]; som [t.ex.], såsom [*vehicles ~ as cars*]; **~ books as these** sådana här böcker; **have you ~ a thing as a stamp?** har du möjligen ett frimärke?; **there is ~ a thing as loyalty** det finns något som heter lojalitet; **there are no ~ things as ghosts** det finns inga spöken; **be ~ as to cause alarm** vara ägnad att väcka oro; **how can you be ~ a fool as to do it?** hur kan du vara så dum att du gör det? **b**) [allt] vad, det lilla [som] [*I'll give you ~ as I have*]; **~ as it is** sådan den nu är; **the crowd, ~ as it was** [*, soon dispersed*] folksamlingen, liten som den var...

suchlike ['sʌtʃlaɪk] *adj* o. *pron* sådan, liknande, dylik [*tennis, squash, and ~ games*]; **and ~** [**things**] med mera, och dylikt, o.d.; **or ~** [**things**] eller dylikt, e.d.

suck [sʌk] **I** *vb tr* (se äv. ex. under *1 egg*) **1 a**) suga [*~ the juice from* (ur) *an orange*]; suga i sig, suga upp; insupa [*~ air*] **b**) suga ur [*~ an orange*] bildl. suga ut **c**) suga på [*~ a sweet*]; **~ in** suga in, suga i sig, bildl. äv. insupa [*~ in knowledge*]; **~ out** suga ut [*from, of* ur]; **~ up** suga upp (åt sig) [*a sponge ~s up water*]; suga in (i sig) **2 ~** [**down**] suga (dra) ned **3** vard., **~ it and see** prova (testa) ett tag
II *vb itr* **1** suga [*~ at* (på) *one's pipe*] **2** dia **3** vanl. amer. sl. vara botten (rena pesten) [*the film ~s*]
III *vb tr* o. *vb itr* med adv.:
suck in el. **suck into** dra (blanda) in (in i); **get ~ed into sth** bli indragen (inblandad) i ngt
suck off sb vulg. suga av ngn
suck up to vard. ställa sig in hos, fjäska för
IV *s* **1** sugning, sug [*at* på]; **give sth a ~** el. **have** (**take**) **a ~ at sth** suga fundera [ett tag] på ngt **2** sugljud

sucker ['sʌkə] *s* **1** vard. tönt, fårskalle; **be a ~ for** vara svag för, falla för **2** sugapparat, suganordning, sugfot; zool. äv. sugorgan, sugskiva

sucking pig ['sʌkɪŋpɪg] *s* spädgris, digris
suckle ['sʌkl] ngt åld. **I** *vb tr* **1** dia; ge di **2** amma
II *vb itr* **1** dias **2** ammas
suckling ['sʌklɪŋ] *s* dibarn; **babes and ~s** barn och spenabarn
suckling pig ['sʌklɪŋpɪg] *s* spädgris, digris
suction ['sʌkʃ(ə)n] *s* [in]sugning; sug; attr. sug- [*~ filter; ~ system*]; **~ fan** utsugsfläkt, utsugningsfläkt
suction cap ['sʌkʃ(ə)nkæp] *s* o. amer. **suction cup** ['sʌkʃ(ə)nkʌp] *s* sugkopp
suction pump ['sʌkʃ(ə)npʌmp] *s* sugpump
suction valve ['sʌkʃ(ə)nvælv] *s* sugventil, sugklaff
Sudan [sʊ'dɑ:n, -'dæn] geogr., **the ~** Sudan
Sudanese [ˌsu:də'ni:z] **I** (pl. *Sudanese*) *s* sudanes; sudanesiska kvinna **II** *adj* sudanesisk
sudden ['sʌdn] **I** *adj* plötslig [*a ~ shower*]; oväntad, överraskande; bråd [*~ death*]; hastig, häftig [*a ~ movement*]; tvär [*a ~ turn in the road*]
II *s*, **all of a ~** helt plötsligt (hastigt), rätt som det är (var), med ens
sudden death [ˌsʌdn'deθ] *s* sport. sudden death i oavgjord match beslut om att nästa mål o.d. avgör matchen
suddenly ['sʌdnlɪ] *adv* plötsligt, med ens
suddenness ['sʌdnnəs] *s* plötslighet, hastighet etc., jfr *sudden I*; **the ~ of** det plötsliga (oväntade etc.) i

suds [sʌdz] (med verb i sg. el. pl.) *s* såplödder, tvållödder; såpvatten, tvålvatten
sue [sju:, su:] **I** *vb tr* **1** jur. stämma, åtala [äv. *~ at law*]; lagsöka [*~ sb for debt* (gäld)]; **~ sb for damages** begära skadestånd av ngn **2** be [*~ the enemy for* (om) *peace*]
II *vb itr* **1** jur. inleda process, processa [*for* om, angående, för att få (vinna)]; väcka åtal [*threaten to ~*]; **~ for damages** begära skadestånd, väcka skadeståndstalan; **~ for a divorce** begära skilsmässa **2 ~ for** be om [*~ for peace*]
suede [sweɪd] *s* **1** mocka[skinn]; **~ gloves** mockahandskar **2 ~ cloth** mockatyg
suet ['sʊɪt, 'sjʊɪt] *s* [njur]talg
Suez ['su:ɪz, 'sju:ɪz] geogr.
Suez Canal [ˌsu:ɪz'kə'næl] geogr., **the ~** Suezkanalen
Suff förk. för *Suffolk*
suffer ['sʌfə] **I** *vb tr* **1 a**) lida [*~ wrong* (orätt)]; [få] utstå [*~ punishment*]; genomlida, få tåla, uthärda; drabbas av, få vidkännas [*~ loss*] **b**) undergå, genomgå [*~ change*]; **~ great pain** lida (plågas) mycket, ha svåra smärtor **2** tåla, finna sig i [*~ insolence*]; **I can't ~ him** jag tål honom inte; **I don't ~ fools gladly** jag kan inte med (har svårt att fördra) dumma människor
II *vb itr* lida [*from* av; *under* under, av], plågas, ha ont [*the patient still ~s*]; ta (lida) skada, fara illa [*from* av], bli lidande [*by* på], lida avbräck (förluster); **~ heavily** lida stora förluster; **~ for** [få] umgälla, få plikta (sota) för [*you'll ~ for your insolence*]; lida för [*Christ ~ed for sinners*]; **~ from headaches** lida av huvudvärk
sufferance ['sʌf(ə)r(ə)ns] *s*, **on ~** på nåder [*be admitted on ~*]
sufferer ['sʌf(ə)rə] *s* lidande [person]; **hay-fever ~s** de som lider av hösnuva; **be the ~ by** bli lidande på, lida (förlora) på; **he will be the ~** det blir han som blir lidande
suffering ['sʌf(ə)rɪŋ] **I** *s* lidande [*the ~s of Christ*]; nöd, kval **II** *adj* lidande
suffice [sə'faɪs] **I** *vb itr* vara nog, räcka [till], förslå; **~ it to say that** det räcker med att säga att...
II *vb tr* vara tillräcklig för [*one meal a day won't ~ a growing boy*]; tillfredsställa
sufficiency [sə'fɪʃ(ə)nsɪ] *s* tillräcklig mängd [*of* av]; tillräcklighet
sufficient [sə'fɪʃ(ə)nt] **I** *adj* tillräcklig [*for* för; *to do sth* för att göra ngt]; **be ~** äv. räcka [*for* till, för], vara nog, räcka till
II *s*, **she ate till she had ~** hon åt tills hon hade fått nog (var mätt); **be ~ of an expert to...** vara tillräckligt mycket expert för att...
sufficiently [sə'fɪʃ(ə)ntlɪ] *adv* tillräckligt, nog
suffix ['sʌfɪks] *s* språkv. suffix, ändelse
suffocate ['sʌfəkeɪt] **I** *vb tr* kväva äv. bildl. **II** *vb itr* kvävas; storkna [*~ with* (av) *rage*]
suffocating ['sʌfəkeɪtɪŋ] *adj* kvävande, kvalmig, kvav
suffocation [ˌsʌfə'keɪʃ(ə)n] *s* kvävning; **I have a feeling of ~** det känns som om jag skulle kvävas
Suffolk ['sʌfək] geogr.
suffrage ['sʌfrɪdʒ] *s* rösträtt [*universal* (allmän) *~*]; **woman ~** el. **women's ~** el. **female ~** kvinnlig rösträtt

suffragette [ˌsʌfrə'dʒet] s hist. rösträttskvinna, suffragett

suffuse [sə'fju:z] vb tr sprida sig över [a blush ~d her face]; fylla [with med]

sugar ['ʃʊgə] **I** s **1** a) socker b) sockerbit; **soft** ~ strösocker; **brown** ~ se brown sugar **2** vard. (i tilltal) sötnos, älskling **II** vb tr sockra äv. bildl., sockra i (på), söta [med socker]; ~ **the pill** bildl. sockra det beska pillret; ~**ed almonds** dragerade mandlar

sugar basin ['ʃʊgəˌbeɪsn] s sockerskål

sugar beet ['ʃʊgəbi:t] s sockerbeta

sugar bowl ['ʃʊgəbəʊl] s sockerskål

sugar candy ['ʃʊgəˌkændɪ] s kandisocker

sugar cane ['ʃʊgəkeɪn] s sockerrör

sugar-coated [ˌʃʊgə'kəʊtɪd] adj **1** dragerad, överdragen med socker[glasyr] **2** bildl. sockrad, inlindad

sugar content ['ʃʊgəˌkɒntent] s sockerhalt

sugar cube ['ʃʊgəkju:b] s sockerbit

sugar daddy ['ʃʊgəˌdædɪ] s vard. äldre rik beundrare (älskare) till ung flicka

sugar-free ['ʃʊgəfri:] adj sockerfri [~ chewing gum]

sugariness ['ʃʊgərɪnəs] s **1** söthet, sockrighet; sockerhalt **2** bildl. sötsliskighet; sötaktighet

sugar lump ['ʃʊgəlʌmp] s sockerbit

sugar maple ['ʃʊgəˌmeɪpl] s bot. sockerlönn

sugar pea ['ʃʊgəpi:] s sockerärt

sugar tongs ['ʃʊgətɒŋz] s pl sockertång; **a pair of** ~ en sockertång

sugary ['ʃʊgərɪ] adj **1** sockrad, söt, sockrig; sockerhaltig **2** bildl. sötaktig, sötsliskig [~ music]

suggest [sə'dʒest, amer. səg'dʒ-] vb tr **1** föreslå [~ sb for (till) a post]; framkasta, hemställa; ~ **sth to sb** föreslå ngn ngt, framkasta [ett förslag om] ngt för ngn **2** antyda, låta förstå **3** tyda på, tala för; antyda [as the name ~s] **4** påminna om, väcka tanken av; väcka associationer till; låta ana; **what does it ~ to you?** vad påminner det dig om? **5** a) inspirera [a drama ~ed by an actual incident] b) väcka [that ~ed the idea] **6** påstå, mena [do you ~ (vill du påstå) that I'm lying?]

suggestible [sə'dʒestəbl, amer. səg'dʒ-] adj lättpåverkad; lättsuggererad, suggestibel

suggestion [sə'dʒestʃ(ə)n, amer. səg'dʒ-] s **1** förslag [~s for (till) improvement]; råd; **at the ~ of** el. **on the ~ of** på förslag (inrådan) av **2** antydan, vink **3** uppslag, impuls; idé, föreställning; påminnelse [of om] **4** associering; [idé]association **5** anstrykning, nyans [a ~ of mockery in her tone]; antydan, tillstymmelse [of till] **6** suggestion

suggestive [sə'dʒestɪv, amer. səg'dʒ-] adj **1** tankeväckande, uppslagsrik; suggestiv; talande; stimulerande; **be ~ of** a) väcka tanken på; låta ana b) tyda på, vittna om **2** sexuellt vågad, fräck

suicidal [su:ɪ'saɪdl, sju:ɪ's-] adj självmords- [a ~ attempt]; bildl. vansinnig, halsbrytande [~ speed]; livsfarlig [~ policy]

suicide ['su:ɪsaɪd, 'sju:ɪ-] s **1** självmord [commit (begå) ~; political ~] **2** självmördare

suicide bomber ['su:ɪsaɪdˌbɒmə] s självmordsbombare

suicide note ['su:ɪsaɪdnəʊt] s avskedsbrev vid självmord

suicide pact ['su:ɪsaɪdpækt] s självmordspakt

suit [su:t, sju:t] **I** s **1** dräkt [spacesuit]; [man's] ~ [herr]kostym; [woman's] ~ [dam]dräkt; **a ~ of armour** en rustning; **a ~ of clothes** en [hel] kostym; **dress** ~ högtidsdräkt, frack; **trouser** ~ byxdräkt, byxdress; **two-piece** ~ a) herrkostym [utan väst] b) tvådelad dräkt **2** jur. rättegång, process [äv. ~ at law]; **divorce** ~ skilsmässoprocess; **bring a ~ against** el. **file a ~ against** börja process mot, inleda rättegång mot **3** kortsp. färg; **follow** ~ bekänna (följa) färg; bildl. följa exemplet, göra likadant; ~ **of clubs** klöverfärg; **his strong** ~ bildl. hans starka sida **II** vb tr (se äv. **suited**) **1** a) passa [which day ~s you best?] b) klä [white ~s her] c) tillfredsställa [we try to ~ our customers]; vara (göra) till lags [you can't ~ everybody] d) passa (lämpa sig) för [a climate that ~s apples] e) passa in i, passa (gå) ihop med [that will ~ my plans]; passa till; **will tomorrow ~ you?** passar det [dig] i morgon?, går det bra [för din del] i morgon?; **that would ~ me fine** det skulle passa mig utmärkt; [I can come] **when it ~s your convenience** ...när det passar dig, ...när det är lämpligast för dig; ~ **yourself!** gör som du [själv] vill!; välj vad du vill! **2** anpassa, avpassa, lämpa [to efter; ~ the punishment to the crime]; ~ **the action to the word** omsätta ord i handling **III** vb itr passa, stämma överens, gå i stil [with med]; **will tomorrow ~?** passar det (går det bra) i morgon?

suitability [ˌsu:tə'bɪlətɪ, ˌsju:-] s lämplighet [to, for för], ändamålsenlighet

suitable ['su:təbl, 'sju:-] adj passande, lämplig [to, for för, till]; ändamålsenlig; **be ~** äv. passa, duga, lämpa sig

suitably ['su:təblɪ, 'sju:-] adv lämpligt, passande, som sig bör; riktigt, rätt

suitcase ['su:tkeɪs, 'sju:t-] s resväska, kappsäck

suite [swi:t] s **1** uppsättning, omgång; serie; räcka **2** svit [a ~ at a hotel]; lägenhet, våning [a ~ of offices] **3** a) **a ~** [of furniture] ett möblemang, en möbel; **a bedroom** ~ en sovrumsmöbel b) [soff]grupp; **a three-piece** ~ en soffgrupp [i tre delar] **4** mus. svit **5** svit, följe, uppvaktning **6** data., ~ **of programs** a) programgrupp, programföljd b) programuppsättning, programkonfiguration

suited ['su:tɪd, 'sju:-] adj **1** lämplig, passande, ägnad, lämpad [for, to för]; anpassad, avpassad [to efter]; **be ~ for (to)** äv. passa (lämpa sig) för; **they are well ~ to each other** de passar bra ihop (för varandra); **she is not ~ for teaching** el. **she is not ~ to be a teacher** hon är inte lämpad för läraryrket, hon passar inte till (att vara) lärare **2** vanl. som efterled i sammansättn. -klädd [grey-suited]

suitor ['su:tə, 'sju:-] s **1** friare **2** supplikant, petitionär, ansökande **3** jur. kärande[part]

sukiyaki [ˌsu:kɪ'jɑːkɪ] s kok. (jap.) sukiyaki

sulfate ['sʌlfeɪt, -fət] s amer. kem. sulfat

sulfide ['sʌlfaɪd] s amer. kem. sulfid

sulfur ['sʌlfə] s amer. kem. svavel

sulfur dioxide [ˌsʌlfədaɪ'ɒksaɪd] s amer. kem. svaveldioxid

sulfuric acid [sʌlˌfjʊərɪk'æsɪd] s amer. kem. svavelsyra

sulfurous ['sʌlfərəs, -fjʊr-] *adj* amer. kem. svavelhaltig; svavel- [~ *smell*]

sulk [sʌlk] **I** *vb itr* [gå (sitta) och] tjura, sura; vara sur **II** *s* surmulenhet; *be in the ~s* el. *be in a ~* tjura, vara sur (tjurig, butter); *have the ~s* vara (bli) sur

sulky ['sʌlkɪ] **I** *adj* sur [och trumpen], tjurig, butter **II** *s* sport. sulky

sullen ['sʌlən] *adj* surmulen, vresig; butter

Sullivan ['sʌlɪvən]

sully ['sʌlɪ] *vb tr* litt., vanl. bildl. fläcka, smutsa [~ *sb's reputation*]; besudla

sulpha drug ['sʌlfədrʌg] *s* med. sulfa[preparat]

sulphate ['sʌlfeɪt, -fət] *s* kem. sulfat

sulphide ['sʌlfaɪd] *s* kem. sulfid

sulphur ['sʌlfə] *s* kem. svavel

sulphur dioxide [,sʌlfədaɪ'ɒksaɪd] *s* kem. svaveldioxid

sulphuric acid [sʌl,fjʊərɪk'æsɪd] *s* kem. svavelsyra

sulphurous ['sʌlfərəs, -fjʊr-] *adj* kem. svavelhaltig; svavel- [~ *smell*]

sultan ['sʌlt(ə)n] *s* sultan

sultana [sʌl'tɑ:nə, i betydelse 2 vanl. s(ə)l'tɑ:nə] *s* **1** sultans hustru **2** sultanrussin

sultanate ['sʌltənət, -neɪt] *s* sultanat

sultriness ['sʌltrɪnəs] *s* kvavhet, kvalmighet, tryck; gassande

sultry ['sʌltrɪ] *adj* kvav, kvalmig, tung, tryckande [~ *air*]; gassig, brännande [~ *sun*]

sum [sʌm] **I** *s* **1** summa äv. bildl. [*the ~ of human knowledge*]; *in ~* kort sagt, med ett ord **2** [penning]summa, belopp; *~ of money* penningsumma, summa pengar; *pay in one ~* betala på en gång (en engångssumma) **3** matematikexempel, matematikuppgift; pl. *~s* äv. matematik; *do ~s* räkna; *get one's ~s right* räkna rätt; *be good at ~s* vara bra (duktig) i matematik **II** *vb tr* summera, addera [*up* ihop] **III** *vb itr* räkna **IV** *vb tr* o. *vb itr* med adv.: **sum up a)** summera, addera **b)** sammanfatta, göra en sammanfattning (resumé) av, resumera; *to ~ it all up* kort sagt, med ett ord, sammanfattningsvis **c)** bedöma, bilda sig en uppfattning om [*she ~med up the situation at a glance*]; *that ~s him up* vard. det säger allt om honom **d)** itr. göra en sammanfattning; *to ~ up* sammanfattningsvis

Sumatra [sʊ'mɑ:trə, sjʊ-] geogr.

summa cum laude [,sʊmɑ:kʊm'laʊdeɪ] *adj* o. *adv* vanl. amer. (lat.) [med] högsta betyg av tre betygsgrader över godkänd

summarily ['sʌmərəlɪ] *adv* **1** i korthet, i sammandrag, summariskt **2** utan vidare [*this theory can't be dispatched ~*]; summariskt; kort och gott; *deal ~ with* göra processen kort med

summarize ['sʌməraɪz] *vb tr* sammanfatta, resumera, göra en sammanfattning (resumé) av

summary ['sʌmərɪ] **I** *adj* **1** kortfattad, summarisk [*a ~ report*]; sammanfattande; *~ view* kort översikt **2** spec. jur. summarisk, förenklad [~ *justice* (rättsförfarande)]; snabb, snabbt verkställd [*a ~ sentence* (dom)]; förenklad, enkel [~ *methods*]; *~ conviction* fällande dom utan jury; *~ court-martial* amer. mil. krigsrätt för disciplinmål **II** *s* sammanfattning, sammandrag, resumé, [kort]

referat, översikt; summering; *in ~* kortfattat, förenklat

summer ['sʌmə] *s* sommar äv. bildl. [*the ~ of life*] attr. sommar-; *last ~* förra sommaren, i somras; *this ~* den här sommaren, [nu] i sommar; *in ~* el. *in the ~* på (om) sommaren (somrarna); *in the ~ of 2010* [på] sommaren 2010; *in the early ~* el. *in early ~* på försommaren, tidigt på sommaren; *in the late ~* el. *in late ~* på sensommaren, sent på sommaren; *on a ~ day* el. *on a ~'s day* [på] en sommardag

summer camp ['sʌməkæmp] *s* barnkoloni; sommarläger

summer holidays [,sʌmə'hɒlɪdeɪz] *s pl* sommarlov

summerhouse ['sʌməhaʊs] *s* **1** lusthus, paviljong **2** sommarhus, sommarvilla, sommarställe

summer pudding [,sʌmə'pʊdɪŋ] *s* kok., ung. fruktsavaräng

summer school ['sʌməsku:l] *s* **1** sommarkurs **2** ferieskola

summer solstice [,sʌmə'sɒlstɪs] *s* sommarsolstånd

summertime ['sʌmətaɪm] *s* sommar äv. bildl. [*the ~ of life*]; sommartid; *in ~* el. *in the ~* på (under) sommaren (somrarna), sommartid[en]

summer time ['sʌmətaɪm] *s* sommartid framflyttad tid

summer vacation [,sʌməvə'keɪʃ(ə)n] *s* vanl. amer. sommarlov

summery ['sʌmərɪ] *adj* sommarlik; sommar- [~ *dress*]

summing-up [,sʌmɪŋ'ʌp] (pl. *summings-up* [,sʌmɪŋz'ʌp]) *s* spec. jur. sammanfattning [av mål], rekapitulation; ung. uppföljning

summit ['sʌmɪt] *s* **1 a)** toppkonferens, toppmöte **b)** attr. topp- [~ *conference*; ~ *meeting*] **2** topp, spets [*the ~ of a mountain*] bildl. höjd, höjdpunkt [*be at the ~ of one's power*]

summon ['sʌmən] *vb tr* **1** kalla [på], tillkalla; kalla [samman] [~ *people to a meeting*]; kalla in [~ *Parliament*]; *~ a meeting* sammankalla (kalla till) ett möte **2** jur. [in]stämma, kalla [in] [~ *sb as a witness*]; *~ sb* [*before the court*] [in]stämma (kalla) ngn inför rätta **3** uppmana, uppfordra **4** ~ el. *~ up* **a)** samla, uppbjuda, uppbringa [~ [*up*] *one's courage*; ~ [*up*] *one's energy*] **b)** framkalla, frammana, få fram

summons ['sʌmənz] **I** (pl. *~es* [-ɪz]) *s* **1** kallelse, inkallelse; kallelsemeddelande; jur. stämning; mil. inkallelseorder; *writ of ~* jur. åld., se *claim form*; *serve a ~ on sb* el. *serve sb a ~* delge ngn stämning, [in]stämma ngn **2** uppfordran, maning, signal **II** *vb tr* jur. [in]stämma

sumo ['su:məʊ] *s* o. **sumo wrestling** [,su:məʊ'reslɪŋ] *s* sport. sumobrottning

sump [sʌmp] *s* **1** avloppsbrunn **2** motor. oljetråg, oljesump **3** [pump]grop, sump

sumptuous ['sʌm(p)tjʊəs] *adj* överdådig, luxuös, storslagen [*a ~ feast*]; praktfull, kostbar

sum total [,sʌm'təʊtl] *s, the ~* **a)** slutsumman, totalsumman **b)** bildl. allt, totalen

Sun. förk. för *Sunday*

sun [sʌn] **I** *s* sol; solsken; *everything under the ~* allt mellan himmel och jord; *get a touch of the ~* få solsting; *take the ~* sola sig **II** *vb tr* sola; *~ oneself* sola sig **III** *vb itr* sola sig

sunbaked ['sʌnbeɪkt] *adj* **1** solhet, solstekt
2 soltorkad [~ *bricks*]; förbränd, förtorkad [~
fields]
sunbathe ['sʌnbeɪð] *vb itr* solbada
sunbeam ['sʌnbi:m] *s* solstråle äv. bildl.
sunbed ['sʌnbed] *s* **1** solarium anordning **2** tältsäng
Sunbelt ['sʌnbelt] *s*, **the ~** solbältet de södra staterna i
USA
sunblind ['sʌnblaɪnd] **I** *s* markis; jalusi **II** *adj*
solblind
sunblock ['sʌnblɒk] *s* solskyddsmedel, solkräm
sunburn ['sʌnbɜ:n] *s* **1** svidande solbränna,
solsveda, solskador **2** se *suntan*
sunburned ['sʌnbɜ:nd] *adj* o. **sunburnt** ['sʌnbɜ:nt]
adj solbränd; bränd (svedd) av solen
sun cream ['sʌnkri:m] *s* solkräm
sundae ['sʌndeɪ, -dɪ] *s* kok. sundae slags glasscoupe
Sunday ['sʌndeɪ, attr. ofta -dɪ] *s* **1** söndag; **last ~** el. **on
~ last** i söndags, förra söndagen; **next ~** el. **on ~ next**
nästa söndag, [nu] på söndag; **on ~** på (om)
söndag; **on ~s** på (om) söndagarna; **a month of ~s**
vard., se ex. under *month*; **last ~ week** m.fl. ex., se under
week **2** attr. söndags- [~ *supplement* (bilaga)]; fin-
[*her ~ shoes*]; **dressed in one's ~ best** åld. finklädd
Sunday school ['sʌndeɪsku:l] *s* söndagsskola
sundial ['sʌndaɪ(ə)l] *s* solur, solvisare
sundown ['sʌndaʊn] *s* se *sunset*
sundress ['sʌndres] *s* solklänning
sun-dried ['sʌndraɪd] *adj* soltorkad [~ *tomatoes*]
sundry ['sʌndrɪ] *adj* flerfaldiga, åtskilliga, flera [*on
~ occasions*]; diverse [~ *items*]; alla möjliga [*talk
about ~ matters*]; **all and ~** alla och envar
sunfactor ['sʌn,fæktə] *s* solskyddsfaktor
sunflower ['sʌn,flaʊə] *s* bot. solros
Sunflower State ['sʌn,flaʊə'steɪt], **the ~** beteckn. för
staten *Kansas*
sung [sʌŋ] perf. p. av *sing*
sunglasses ['sʌn,glɑ:sɪz] *s pl* solglasögon
sun hat ['sʌnhæt] *s* solhatt
sun helmet ['sʌn,helmɪt] *s* tropikhjälm
sunk [sʌŋk] *adj* o. *perf p* (av *sink*) [ned]sänkt;
sjunken; **~ in** försjunken i [~ *in thought*];
nedsjunken i [~ *in despair*]; **we are ~** [*if that
happens*] vard. vi är sålda...
sunken ['sʌŋk(ə)n] *adj* **1** sjunken [~ *ships*]; som har
sjunkit (satt sig) [~ *walls*]; nedsänkt **2** infallen [~
cheeks]; avtärd [~ *features*]
sun-kissed ['sʌnkɪst] *adj* **1** soldränkt **2** solbränd;
solblekt
sunlamp ['sʌnlæmp] *s* sollampa, kvartslampa
sunless ['sʌnləs] *adj* sollös, mörk, dyster [*a ~
room*]
sunlight ['sʌnlaɪt] *s* solljus
sunlit ['sʌnlɪt] *adj* solbelyst; solig
sun lounge ['sʌnlaʊn(d)ʒ] *s* glasveranda; glastäckt
uterum
sun lounger ['sʌn,laʊn(d)ʒə] *s* solstol
sunny ['sʌnɪ] *adj* solig; sol- [~ *beam*; ~ *day*]; solljus,
solbelyst; **look on the ~ side** [*of things*] se allt från
den ljusa sidan, ha en ljus syn på tingen; **the ~ side
of life** livets solsida
sunny-side up [,sʌnɪsaɪd'ʌp] *adj* amer., **~ egg**
enkelstekt (ej vändstekt) ägg, stekt ägg med hel
gula

sun parlor ['sʌn,pɑ:lə] *s* o. **sunporch** ['sʌnpɔ:tʃ] *s*
amer. glasveranda; glastäckt uterum
sunproof ['sʌnpru:f] *adj* **1** ogenomtränglig för
solstrålar **2** soläkta
sun protection factor [,sʌnprə'tekʃ(ə)n,fæktə] (förk.
SPF) *s* solskyddsfaktor
sunrise ['sʌnraɪz] *s* soluppgång; **at ~** i (vid)
soluppgången
sunrise industry ['sʌnraɪz,ɪndəstrɪ] *s* nyetablerad
snabbväxande industri, framtidsbransch
sunroof ['sʌnru:f] *s* soltak på bil
sunscreen ['sʌnskri:n] *s* **1** solskyddskräm
2 solskydd i bil
sunset ['sʌnset] *s* solnedgång; **at ~** i (vid)
solnedgången; **~ glow** aftonrodnad
Sunset State [,sʌnset'steɪt], **the ~** beteckn. för staten
Oregon
sunshade ['sʌnʃeɪd] *s* **1** parasoll **2** [fönster]markis
3 solskärm
sunshine ['sʌnʃaɪn] *s* solsken äv. bildl.; **a ray of ~** vard.,
bildl. en solstråle
Sunshine State [,sʌnʃaɪn'steɪt], **the ~** beteckn. för
staterna *Florida, New Mexico* o. *South Dakota*
sunspot ['sʌnspɒt] *s* astron. solfläck
sunstroke ['sʌnstrəʊk] *s* solsting
suntan ['sʌntæn] *s* solbränna
suntan lotion ['sʌntæn,ləʊʃ(ə)n] *s* solkräm
suntan oil ['sʌntænɔɪl] *s* sololja
suntrap ['sʌntræp] *s* solfång, mycket solig plats
sun-up ['sʌnʌp] *s* åld. soluppgång
sun visor ['sʌn,vaɪzə] *s* solskydd i bil
sun-worshipper ['sʌn,wɜ:ʃɪpə] *s* soldyrkare
super ['su:pə, 'sju:-] *adj* vard. toppen[fin]; jättekul
superabundance [,su:p(ə)rə'bʌndəns, ,sju:-] *s*
överflöd, riklighet, [stort] överskott [*of* på, av],
ymnighet
superabundant [,su:p(ə)rə'bʌndənt, ,sju:-] *adj*
överflödande, ymnig, riklig; överflödig, onödig[t
stor (riklig)]; överdriven
superannuated [,su:pər'ænjʊ,eɪtɪd, ,sju:-] *adj*
1 pensionerad; avskedad, avpolleterad; avdankad;
överårig [*a ~ captain*] **2** utrangerad, uttjänt;
oduglig, omodern, gammalmodig [*a ~ car*]
superannuation ['su:pər,ænjʊ'eɪʃ(ə)n, 'sju:-] *s*
pension[ering]; överårighet; **~ fund** pensionskassa
superb [sʊ'pɜ:b, sjʊ-] *adj* storartad, storslagen,
enastående [*a ~ view*]; ypperlig, utmärkt,
överdådig [*a ~ actress*]; superb
superbug ['su:pəbʌg, 'sju:-] *s* resistent bakterie,
mördarbakterie
supercharged ['su:pətʃɑ:dʒd, 'sju:-] *adj* **1** tekn.
tryckladdad; förkomprimerad **2** bildl. starkt laddad
[*in a ~ political atmosphere*]
supercharger ['su:pə,tʃɑ:dʒə, 'sju:-] *s* tekn.
[laddnings]kompressor
supercilious [,su:pə'sɪlɪəs, ,sju:-] *adj* högdragen,
överlägsen, övermodig, dryg
superciliousness [,su:pə'sɪlɪəsnəs, ,sju:-] *s*
högdragenhet etc., jfr *supercilious*
supercomputer [,su:pəkəm'pju:tə, ,sju:-] *s*
superdator
superconductivity ['su:pə,kɒndʌk'tɪvətɪ, 'sju:-] *s* fys.
supraledning

superconductor [ˌsuːpəkənˈdʌktə, ˌsjuː-] s fys. supraledare

superduper [ˌsuːpəˈduːpə, ˌsjuː-] adj sl. toppen, jätteball, superbra; jättestor

superego [ˌsuːpərˈiːgəʊ, ˌsjuː-, -ˈegəʊ] (pl. ~s) s psykol. överjag, superego

superfatted [ˌsuːpəˈfætɪd, ˌsjuː-] adj överfettad [~ soap]

superficial [ˌsuːpəˈfɪʃ(ə)l, ˌsjuː-] adj ytlig äv. bildl. [a ~ book; a ~ person]; på ytan [liggande]; yt-

superficiality [ˈsuːpəˌfɪʃɪˈælətɪ, ˌsjuː-] s ytlighet äv. bildl.; ytlig beskaffenhet

superfluity [ˌsuːpəˈfluːətɪ, ˌsjuː-] s 1 överflöd, övermått 2 överflödsartikel, lyxartikel

superfluous [sʊˈpɜːfluəs, sjʊ-] adj överflödig, onödig; ~ hair el. ~ hairs generande hårväxt

Super-G [ˈsuːpədʒiː] s sport. (förk. för super giant slalom) Super-G slags storslalom

superhighway [ˈsuːpəˌhaɪweɪ, ˈsjuː-] s 1 amer. motorväg 2 data., the information ~ se information superhighway

superhuman [ˌsuːpəˈhjuːmən, ˌsjuː-] adj övermänsklig

superimpose [ˌsuːp(ə)rɪmˈpəʊz, ˌsjuː-] vb tr 1 lägga ovanpå (över) 2 foto. kopiera in

superintend [ˌsuːp(ə)rɪnˈtend, ˌsjuː-] vb tr övervaka, tillse, ha (hålla) uppsikt över, kontrollera; förvalta [~ an office]; leda [~ a firm]

superintendence [ˌsuːp(ə)rɪnˈtendəns, ˌsjuː-] s överinseende, övervakning, kontroll, inspektion; ledning [under the personal ~ of the manager]

superintendent [ˌsuːp(ə)rɪnˈtendənt, ˌsjuː-] s 1 a) [polis]kommissarie b) amer. ung. chef för en rotel 2 [över]uppsyningsman; [över]intendent; ledare, chef, direktör för ämbetsverk; [skol]inspektör; inspektor 3 amer. vicevärd

superior [sʊˈpɪərɪə, sjʊ-] I adj 1 högre i rang o.d. [to än]; överlägsen [to sb ngn]; bättre, större [to än] 2 utmärkt, förstklassig, förträfflig [~ quality] 3 överlägsen, högdragen [a ~ air; a ~ attitude] II s 1 överordnad [my ~s in rank]; förman; bildl. överman [Napoleon had no ~ as a general] 2 abbot [äv. Father Superior]

superior court [sʊˈpɪərɪəkɔːt, sjuː-] s överdomstol, högre domstol

superiority [sʊˌpɪərɪˈɒrətɪ, sjʊ-] s överlägsenhet [in, of i; to, over, above över]; förträfflighet; his ~ in rank hans överordnade (högre) ställning

superiority complex [sʊˌpɪərɪˈɒrətɪˌkɒmpleks, sjuː-] s vard. känsla av överlägsenhet, arrogans

superior numbers [sʊˌpɪərɪəˈnʌmbəz, sjuː-] s pl större antal; övermakten [we were overcome by ~]

superlative [sʊˈpɜːlətɪv, sjʊ-] I adj 1 ypperlig, överlägsen, framstående, förträfflig; enastående [a man of (med) ~ wisdom]; superlativ, översvallande [~ praise] 2 gram. superlativ II s superlativ äv. gram.

Superman [ˈsuːpəmæn, ˈsjuː-] s Stålmannen seriefigur

super|man [ˈsuːpə|mæn, ˈsjuː-] (pl. -men [-men]) s övermänniska

supermarket [ˈsuːpəˌmɑːkɪt, ˈsjuː-] s [stort] snabbköp

supermodel [ˈsuːpəmɒdl] s supermodell fotomodell

supernatural [ˌsuːpəˈnætʃr(ə)l, ˌsjuː-] adj övernaturlig

supernov|a [ˌsuːpəˈnəʊv|ə, ˌsjuː-] (pl. -ae [-iː] el. -as) s astron. supernova

supernumerary [ˌsuːpəˈnjuːm(ə)rərɪ, ˌsjuː-] I adj övertalig, extra[-], reserv-; överflödig II s 1 övertalig (överflödig) person (sak); extraarbetare; reserv 2 teat. statist

superpower [ˈsuːpəˌpaʊə, ˈsjuː-, ˌ--ˈ-] s supermakt

superscript [ˈsuːpəskrɪpt, ˈsjuː-] adj skriven (tryckt) ovanför (över); typogr. upphöjd

supersede [ˌsuːpəˈsiːd, ˌsjuː-] vb tr 1 ersätta [CDs have ~d gramophone records]; slå ut, tränga undan (ut) 2 efterträda [~ sb as chairman]

supersensitive [ˌsuːpəˈsensətɪv, ˌsjuː-] adj överkänslig

supersonic [ˌsuːpəˈsɒnɪk, ˌsjuː-] adj överljuds- [~ aircraft; ~ bang; ~ speed]; supersonisk

superstar [ˈsuːpəstɑː, ˈsjuː-] s världsstjärna, superstjärna

superstate [ˈsuːpəsteɪt, ˈsjuː-] s 1 överordnad stat; supermakt 2 överstatlig regering

superstition [ˌsuːpəˈstɪʃ(ə)n, ˌsjuː-] s vidskepelse, vidskeplighet, skrock[fullhet]

superstitious [ˌsuːpəˈstɪʃəs, ˌsjuː-] adj vidskeplig, skrockfull

superstore [ˈsuːpəstɔː, ˈsjuː-] s stormarknad

superstructure [ˈsuːpəˌstrʌktʃə, ˈsjuː-] s överbyggnad äv. bildl.

supertanker [ˈsuːpəˌtæŋkə, ˈsjuː-] s sjö. supertanker

superunleaded [ˌsuːpərʌnˈledɪd, ˌsjuː-] I adj blyfri med tillsatser som ger högre oktantal II s blyfri bensin med tillsatser som ger högre oktantal

supervene [ˌsuːpəˈviːn, ˌsjuː-] vb itr [oförmodat] inträffa, uppkomma, uppstå [a new difficulty ~d]; komma emellan; inträda [death ~d immediately]

supervention [ˌsuːpəˈvenʃ(ə)n, ˌsjuː-] s [plötsligt] inträdande, uppkomst; framträdande

supervise [ˈsuːpəvaɪz, ˈsjuː-, ˌ--ˈ-] vb tr övervaka, tillse, ha tillsyn över

supervision [ˌsuːpəˈvɪʒ(ə)n, ˌsjuː-] s överinseende, övervakning, tillsyn, kontroll, uppsikt; police ~ polisbevakning, polisuppsikt

supervisor [ˈsuːpəvaɪzə, ˈsjuː-] s 1 övervakare; uppsyningsman, förman; föreståndare i varuhus o.d.; kontrollant, inspektör 2 skol. handledare, studieledare, amer. äv. tillsynslärare

supervisory [ˌsuːpəˈvaɪz(ə)rɪ, ˌsjuː-] adj övervakande, övervaknings- [~ duties]; kontrollerande, tillsyns- [~ authority]; handlednings-

super|woman [ˈsuːpə|ˌwʊmən] (pl. -women [-ˌwɪmɪn]) s superkvinna

supine [suːˈpaɪn, sjuː-] adj 1 liggande; ~ position ryggläge 2 loj, slö, slapp, trög

supper [ˈsʌpə] s kvällsmat [have cold meat for (till) ~]; kvällsvard, kvällsmål[tid]; supé [a good ~]

supplant [səˈplɑːnt] vb tr ersätta [gramophone records have been ~ed by CDs]; tränga undan (ut)

supple [ˈsʌpl] adj böjlig, mjuk, smidig, spänstig äv. bildl. [a ~ mind]; elastisk

supplement [subst. ˈsʌplɪmənt, verb ˈsʌplɪment, ˌ--ˈ-] I s supplement, tillägg; bilaga [The Times Literary Supplement]; bihang

II *vb tr* öka [ut] [*~ one's income*]; fylla ut; göra tillägg till, supplera; komplettera [*~ one's stock (lager)*]; tillägga

supplementary [ˌsʌplɪˈment(ə)rɪ] *adj* tillagd; supplement- [*~ volume; ~ angle*]; tilläggs- [*~ budget*]; fyllnads- [*~ grant*]; supplementär, extra; kompletterande

supplementary benefit [ˌsʌplɪˈment(ə)rɪˌbenɪfɪt] *s* [statligt] socialbidrag

supplicate [ˈsʌplɪkeɪt] *vb tr* bönfalla [*~ sb for (om) sth*]

supplication [ˌsʌplɪˈkeɪʃ(ə)n] *s* **1** [ödmjuk] bön [*for sth* om ngt] **2** relig. förbön; åkallan

supplier [səˈplaɪə] *s* leverantör

supply [səˈplaɪ] **I** *vb tr* **1** skaffa [*~ proof*]; anskaffa, tillhandahålla; erbjuda, lämna, ge [*the trees ~ shade*]; komma med [*~ an explanation*]; spec. hand. leverera; *~ sth to sb* el. *~ sb with sth* förse (hålla, utrusta) ngn med ngt, leverera ngt till ngn **2** fylla [ut], täcka [*~ a want; ~ a need*]; ersätta [*~ a deficiency*]; fylla i, sätta in vad som fattas; *~ a demand* tillfredsställa (tillgodose, fylla) ett behov; tillmötesgå ett krav

II *s* tillförsel, anskaffning [*~ of necessaries*]; leverans [*~ of goods*]; tillgång [*~ of (på) food*]; förråd, lager [*a large ~ of shoes*]; fyllande, täckning av behov; pl. *supplies* mil. proviant, krigsförråd; *~ and demand* ekon. tillgång och efterfrågan; *food ~* livsmedel[stillgång], livsmedelsförsörjning; *medical supplies* medicinska förnödenheter; *fish are in good ~* det är god tillgång på fisk, tillgången på fisk är god

supply chain [səˈplaɪˌtʃeɪn] *s* distributionskedja

supply route [səˈplaɪruːt] *s* mil. proviantled

supply-side [səˈplaɪsaɪd] *adj*, *~ economics* utbudsekonomi

supply teacher [səˈplaɪˌtiːtʃə] *s* [lärar]vikarie

support [səˈpɔːt] **I** *vb tr* **1** stötta, stödja, bära [upp] [*posts ~ the roof*]; uppehålla [*too little food to ~ life*]; [*the bridge is not strong enough to*] *~ heavy vehicles* ...bära tung trafik; *~ oneself* stödja sig, stödja, ta stöd [*he could not ~ himself on his foot*]; hålla sig uppe (upprätt) **2** stödja äv. bildl. [*a theory ~ed by facts; ~ a claim*]; gynna; hålla (heja) på [*~ Arsenal*]; underbygga, bekräfta, bestyrka [*~ a statement*]; biträda [*~ a proposal*]; upprätthålla, bevara [*~ one's reputation*] **3** försörja, underhålla [*can he ~ a family?*]; *~ oneself* försörja (livnära) sig, hålla sig uppe **4** bära, bestrida, stå för [*~ the costs*] **5** data. ge support till

II *s* **1** stöd; stötta, underlag, ställning; *arch ~* hålfotsinlägg **2** [under]stöd, hjälp äv. ekonomisk; medverkan; *give ~ to* ge sitt stöd åt, stödja; *in ~ of* till (som) stöd för **3** underhåll, försörjning, uppehälle, utkomst; *means of ~* utkomstmöjlighet **4** [familje]försörjare **5** data., *technical ~* teknisk support

supporter [səˈpɔːtə] *s* **1 a)** anhängare, supporter; *~s' club* supporterklubb **b)** [under]stödjare, gynnare, försvarare **2** försörjare

support group [səˈpɔːtˌgruːp] *s* stödgrupp

supporting [səˈpɔːtɪŋ] *adj* stödjande etc., jfr *support I*, understöds-, stöd-

supporting actor [səˌpɔːtɪŋˈæktə] *s* biroll

supporting film [səˌpɔːtɪŋˈfɪlm] *s* extrafilm som fyller ut bioprogrammet

supporting part [səˌpɔːtɪŋˈpɑːt] *s* biroll

supporting programme [səˌpɔːtɪŋˈprəʊgræm] *s* på bioaffisch o.d. [långfilm med] kortfilm[er] (förspel)

supporting role [səˌpɔːtɪŋˈrəʊl] *s* biroll

supportive [səˈpɔːtɪv] *adj* stödjande, stöd-; *he has been very ~* han har gett mig mycket stöd, han har ställt upp mycket

suppose [səˈpəʊz] *vb tr* anta, ponera; förmoda [*I ~ you know it*]; tro, inbilla (föreställa, tänka) sig [*she ~d it would be easy*]; förutsätta [*creation ~s a creator; heat ~s cold*]; *~ he comes (should come)!* tänk om han kommer (skulle komma)!; *~ we [join the others]* ska vi inte (om vi skulle) ta och...?; *I ~ so* jag förmodar (antar) det, förmodligen (antagligen) [är det så]; *I ~ not* el. *I don't ~ so* jag tror inte det, förmodligen (antagligen) inte; *I ~ I'd better do it* det är nog (väl) bäst att jag gör det; *I ~ you couldn't [come on Saturday instead?]* du skulle väl inte kunna...; *she is ill, I ~* hon är sjuk, antar (förmodar) jag; hon är förmodligen (nog, väl) sjuk; *am I ~d to [do all this?]* är det min sak att..., ska jag...; *is this ~d to be me?* skall detta vara jag (föreställa mig)?

supposed [səˈpəʊzd] *adj* förmodad, förment; inbillad, skenbar

supposedly [səˈpəʊzɪdlɪ] *adv* förmodligen, antagligen; förment

supposing [səˈpəʊzɪŋ] *konj* antag[et] att, om [nu]; *~ she should be out* om hon [nu] skulle vara ute, antag att (tänk om) hon skulle vara (är) ute; *~ it rains* [tänk] om det skulle regna (regnar)

supposition [ˌsʌpəˈzɪʃ(ə)n] *s* antagande; förmodan, tro; förutsättning, hypotes; *on the ~ that* under förutsättning att; utgående från att, i tron att

suppository [səˈpɒzɪt(ə)rɪ] *s* med. stolpiller, suppositorium

suppress [səˈpres] *vb tr* **1** undertrycka, kuva, slå ned, kväva [*~ an insurrection; ~ a rebellion*]; stävja; tysta [ned] [*~ criticism*]; dämpa [*~ one's anger*]; perf. p. *~ed* äv. återhållen [*with ~ed anger*] **2** dra in [*~ a publication*]; förbjuda, bannlysa [*~ a party*] **3** hemlighålla, förtiga [*~ the truth*], psykol. [medvetet (avsiktligt)] förtränga, undertrycka

suppression [səˈpreʃ(ə)n] *s* **1** undertryckande etc., jfr *suppress 1* **2** indragning av tidning o.d.; förbjudande, bannlysning av parti o.d. **3** hemlighållande, förtigande; psykol. bortträngning

suppurate [ˈsʌpjʊ(ə)reɪt] *vb itr* med. suppurera, vara [sig]

supranational [ˌsuːprəˈnæʃənl, ˌsjuː-] *adj* överstatlig, övernationell

supremacist [sʊˈpreməsɪst] *s* person som tror på nödvändigheten av en [grupps] överhöghet

supremacy [sʊˈpreməsɪ, sjʊ-] *s* **1** överhöghet, supremati **2** ledarställning; överlägsenhet

supreme [sʊˈpriːm, sjʊ-] *adj* **1** högst; över-; suverän, allenarådande; *reign (rule, be) ~* vara allenarådande, vara suverän, dominera, härska **2** enastående [*a ~ artist*]; oerhörd, enorm [*~ courage*]

Supreme Being [sʊˌpriːmˈbiːɪŋ] *s*, *the ~* det högsta väsendet, den Högste, Gud

supreme command [sʊˌpriːmkəˈmɑːnd] *s* högsta kommando (befäl), överbefäl, överkommando

supreme commander [sʊˌpriːmkəˈmɑːndə] *s* överbefälhavare

Supreme Court [sʊˌpriːmˈkɔːt] *s* **1** *the ~ of Judicature* i Storbritannien ung. högsta domstolen **2** i USA högsta domstolen på federal o. delstatlig nivå

Supreme Headquarters [sʊˌpriːmhedˈkwɔːtəz] *s pl* högkvarter[et]

supremely [sʊˈpriːmlɪ, sjʊ-] *adv* i högsta grad, högst, ytterst [~ *happy*]; suveränt [~ *indifferent*]

Supt förk. för *Superintendent*

surcharge [ˈsɜːtʃɑːdʒ] *s* tilläggsavgift, extraavgift, extradebitering, överdebitering; post. lösen

sure [ʃʊə, ʃɔː] **I** *adj* **1** pred. säker [*of, about* på, om]; viss, förvissad, övertygad [*of, about* om]; *be ~ of sth* el. *feel ~ of sth* vara (känna sig) säker på (övertygad om) ngt, lita på ngt; *be ~ of oneself* el. *feel ~ of oneself* vara självsäker; *be ~ of foot* vara säker på foten; *he is ~ to succeed* han kommer säkert att lyckas; *be ~ to* (*be ~ you*) *call me in good time* se till att du ringer mig i god tid; *be ~ to* (vard. *and*) *do it!* glöm [för all del] inte bort det!; *to be ~* naturligtvis, sannerligen, mycket riktigt [*so it is, to be ~*]; visserligen, nog [*to be ~ she is clever, but…*]; *well, to be ~!* well, *I'm ~!* kors [i alla mina dar]!, [jaså] minsann!; *I'm ~ I don't know* el. *I don't know, I'm ~* det vet jag verkligen (faktiskt) inte; [*he will succeed,*] *you may be ~* …det kan du vara säker på (lita på), …var så säker; [*he won't do it again,*] *you may be ~* …det kan du vara lugn för; *make ~* förvissa (övertyga, försäkra) sig [själv] [*of* om; *that* om att], se till, kontrollera; *to make ~* för säkerhets skull; *for ~* [helt] säker [*one thing was for ~*]; *know for ~* vard. veta säkert (bestämt), veta med säkerhet **2** attr. **a)** säker [*a ~ method*]; pålitlig, tillförlitlig **b)** vanl. amer. vard., *~ thing!* [ja] visst!, naturligtvis!, absolut!; *it's a ~ thing that…* det är bergsäkert att… **II** *adv* **1** *~ enough* alldeles säkert, bergsäkert, absolut; mycket riktigt [*~ enough, there he was*] **2** *as ~ as* så säkert som; *as ~ as eggs is eggs* el. *as ~ as fate* vard., se under *1 egg* resp. *fate 1*; *as ~ as my name is Bob* så sant jag heter Bob **3** vanl. amer. vard. säkert [*she will ~ fail*]; verkligen, minsann [*he can play football*]; *~!* [ja] visst!, naturligtvis!, absolut!; säkert!

sure-fire [ˈʃʊəˌfaɪə, pred. ˌ-ˈ-] *adj* vard. bergsäker, bombsäker [*a ~ winner*]

sure-footed [ˌʃʊəˈfʊtɪd] *adj* **1** säker på foten, stadig **2** bildl. säker, pålitlig

surely [ˈʃʊəlɪ, ˈʃɔːlɪ] *adv* **1** väl, nog; *~ you don't mean to go out now?* du tänker väl aldrig gå ut nu?; *you didn't want to hurt her feelings, ~!* det var väl [ändå] inte din mening att såra henne! **2** sannerligen, verkligen, minsann [*you are ~ right*] **3** säkert [*slowly but ~*]; säkerligen, helt visst [*he will ~ fail*] **4** vanl. amer. åld., *~!* [ja (jo)] visst!, självklart!

sureness [ˈʃʊənəs, ˈʃɔːnəs] *s* säkerhet, visshet

surety [ˈʃʊərətɪ, ˈʃɔːrətɪ] *s* **1** säkerhet, borgen **2** borgensman, borgen

surf [sɜːf] **I** *s* bränning[ar], [våg]svall; baksjö **II** *vb itr* sport. el. data. surfa **III** *vb tr* data. surfa på; *~ the Internet* (*Net*) surfa på Internet (nätet)

surface [ˈsɜːfɪs] **I** *s* yta äv. geom. el. bildl. [*glass has a smooth ~*]; utsida, ytskikt; sida [*a cube has six ~s*]; *striking ~* [tändsticks]plån; *judge by the ~ of things* döma efter det yttre; *on the ~* på ytan, bildl. äv. ytligt sett, till det yttre, skenbart; *rise to the ~* stiga (gå, dyka) upp till ytan; flyta upp **II** *vb tr* **1** ytbehandla; slätputsa, polera **2** belägga, täcka **III** *vb itr* **1** stiga (gå, dyka) upp till ytan **2** bildl. dyka upp; uppdagas **IV** *adj* yt- [*~ soil; ~ water; ~ treatment*]; mark-; dag- [*~ mining*]; ytlig [*~ knowledge; ~ likeness*]; *~ politeness* ytlig artighet, polityr

surface mail [ˈsɜːfɪsmeɪl] *s* post. ytpost

surface tension [ˌsɜːfɪsˈtenʃ(ə)n] *s* fys. ytspänning

surface-to-air missile [ˌsɜːfɪstʊˈeəˌmɪsaɪl] *s* mil. luftvärnsrobot

surface-to-surface missile [ˌsɜːfɪstʊˈsɜːfɪsˌmɪsaɪl] *s* mil. markrobot, sjörobot, kustrobot

surfboard [ˈsɜːfbɔːd] *s* sport. surfingbräda

surfeit [ˈsɜːfɪt] *s* övermått, överflöd [*of* på]

surfer [ˈsɜːfə] *s* sport. surfare

surfing [ˈsɜːfɪŋ] *s* **1** sport. surfing **2** data. surfande [*channel-surfing; net-surfing*]

surfriding [ˈsɜːfˌraɪdɪŋ] *s* sport. surfing

surge [sɜːdʒ] **I** *vb itr* **1** svalla, bölja, gå högt, rulla [*the waves ~d against the shore*]; forsa [*the water ~d into the boat*]; strömma [till], välla [fram] [*the crowds ~d out of the stadium*]; trycka på; skjuta fart [*~ forward*]; *a surging crowd* en böljande [människo]massa, ett människohav **2** elektr. plötsligt öka **II** *s* **1** brottsjö, svallvåg; [våg]svall, bränningar; bildl. våg [*a ~ of anger; a ~ of pity*]; svall [*a ~ of words*]; tillströmning; plötslig ökning, uppsving **2** elektr. strömsprång, strömökning

surgeon [ˈsɜːdʒ(ə)n] *s* **1** kirurg; *dental ~* tandläkare, tandkirurg **2** [militär]läkare; *army ~* regementsläkare, fältläkare

surgery [ˈsɜːdʒ(ə)rɪ] *s* **1** kirurgi; *it will need ~* det behöver opereras **2 a)** [patient]mottagning, mottagningsrum **b)** mottagning, mottagningstid; *~ hours* mottagningstid **3** operation **4** amer. operationssal

surgical [ˈsɜːdʒɪk(ə)l] *adj* kirurgisk

surgical appliances [ˌsɜːdʒɪk(ə)ləˈplaɪənsɪz] *s pl* **1** kirurgiska instrument, operationsinstrument **2** stödbandage

surgical boot [ˌsɜːdʒɪk(ə)lˈbuːt] *s* ortopedisk sko

surgical spirit [ˌsɜːdʒɪk(ə)lˈspɪrɪt] *s* alsosprit, desinfektionsvätska

surgical strike [ˌsɜːdʒɪk(ə)lˈstraɪk] *s* mil. precisionsattack

Surinam [ˌsʊərɪˈnæm] geogr.

surliness [ˈsɜːlɪnəs] *s* butterhet, vresighet, surhet, surmulenhet

surly [ˈsɜːlɪ] *adj* butter, vresig, sur, surmulen

surmise [verb sɜːˈmaɪz, ˈ--, səˈmaɪz, subst. ˈsɜːmaɪz, -ˈ-] **I** *vb tr* o. *vb itr* gissa, förmoda, anta, ana **II** *s* gissning, förmodan, antagande, aning

surmount [səˈmaʊnt] *vb tr* **1** övervinna [*~ a difficulty*] **2** bestiga [*~ a hill*] **3** kröna, höja sig över; *~ed by* krönt med, täckt av (med)

surmountable [sə'maʊntəbl] *adj* överstiglig [~ *obstacles*]; övervinnlig, överkomlig [~ *difficulties*]

surname ['sɜ:neɪm] *s* efternamn, släktnamn, familjenamn; tillnamn

surpass [sə'pɑ:s] *vb tr* överträffa [~ *sb in strength*; *it ~ed my expectations*]; överstiga, övergå [*it ~ed her skill*]; ~ **all description** trotsa all beskrivning, vara obeskrivlig

surplice ['sɜ:pləs, -plɪs] *s* kyrkl., slags mässkjorta

surplus ['sɜ:pləs] **I** *s* **1** överskott; behållning; ~ **of exports** exportöverskott **2** överskottslager [*Army ~*]
II *adj* överskotts-, överskjutande, övertalig, överflödig; ~ **population** befolkningsöverskott; ~ **stock** överskottslager, restlager; **they decided she was ~ to requirements** de beslutade att hon inte behövdes (att det inte fanns behov av henne)

surprise [sə'praɪz] **I** *s* överraskning [*what a ~!*]; förvåning [*at* över]; överrumpling; **give sb a ~** överraska ngn; **by ~** genom överrumpling; **take by ~** överrumpla, överraska; ta på bar gärning; [*he looked up*] **in ~** ...förvånad (förvånat); **much to my ~** till min stora förvåning
II *vb tr* **1** överraska [~ *sb with a gift*]; förvåna [*you ~ me!*]; överrumpla [~ *the enemy*]; komma på, ertappa [~ *sb in the act of stealing* (med att stjäla)]; **be ~d at** vara förvånad (förvånas, förvåna sig) över; **I am ~d at you** äv. du (ditt beteende) förvånar mig [verkligen]; **I should not be ~d if...** det skulle inte förvåna mig om... **2** genom överrumpling få (förmå), locka, förleda [~ *sb into doing* ([till] att göra) *sth*]

surprising [sə'praɪzɪŋ] *adj* överraskande, förvånansvärd; **there is nothing ~ about that** det är ingenting att förvåna sig över

surreal [sə'ri:əl] *adj* surrealistisk, overklig

surrealism [sə'rɪəlɪz(ə)m] *s* konst. el. litt. surrealism[en]

surrealistic [sə,rɪə'lɪstɪk] *adj* konst. el. litt. surrealistisk

surrender [sə'rendə] **I** *vb tr* överlämna [~ *a town to* (åt) *the enemy*]; ge upp [~ *a fortress*]; avträda [~ *a territory*]; utlämna [~ *a prisoner*]; avstå [från], lämna (ge) ifrån sig; ~ **oneself** ge sig, överlämna sig [*they ~ed themselves to* (åt) *the police*]; kapitulera
II *vb itr* **1** ge sig, överlämna sig [~ *to* (åt) *the enemy* (*police*)]; kapitulera [*to* för, inför] **2** bildl. hänge sig, överlämna sig [*to* åt; ~ *to despair*]
III *s* överlämnande etc., jfr *surrender I*; kapitulation

surreptitious [,sʌrəp'tɪʃəs] *adj* **1** hemlig, förstulen, i smyg [*a ~ glance*]; smyg- [~ *business*] **2** falsk, oäkta

Surrey ['sʌrɪ] geogr.

surrogacy ['sʌrəgəsɪ] *s* surrogatgraviditet

surrogate ['sʌrəgət, -geɪt] *s* surrogat, ersättning

surrogate mother [,sʌrəgət'mʌðə] *s* surrogatmamma

surround [sə'raʊnd] **I** *vb tr* omge, innesluta, omsluta; omringa [*the troops were ~ed*]; omgärda; ~**ed by** el. ~**ed with** omgiven av; kringgärdad av
II *s* [golv]kant kring mjuk matta; infattning

surrounding [sə'raʊndɪŋ] *adj* omgivande, kringliggande; ~ **country** el. ~ **countryside** äv. omnejd

surroundings [sə'raʊndɪŋz] *s pl* omgivning[ar]; miljö

surtax ['sɜ:tæks] *s* tilläggsskatt, extraskatt på höga inkomster

surveillance [sə'veɪləns] *s* bevakning, kontroll [*of* över, av], uppsikt [*of* över], övervakning [*police ~*]

surveillance camera [sə'veɪləns,kæm(ə)rə] *s* amer. övervakningskamera i butiker etc.

survey [subst. 'sɜ:veɪ, verb sə'veɪ] **I** *s* **1** undersökning [*a statistical ~*]; utfrågning, intervjuundersökning, enkät **2** överblick [*of* över], översikt [*of* över, av] **3** granskning, mönstring, inspektion, besiktning **4** [upp]mätning, kartläggning
II *vb tr* **1** överblicka, se ut över [~ *the countryside*]; ge (lämna) en översikt över (av) [*she ~ed the political situation*] **2** granska, mönstra, inspektera, syna, besiktiga [~ *the house*] **3** mäta [upp] [~ *a railway*]; kartlägga

surveyor [sə'veɪə] *s* **1** lantmätare; ~**'s map** lantmäterikarta **2** besiktningsman, inspektör; kontrollör

survival [sə'vaɪv(ə)l] *s* **1 a)** överlevande; [*the doctrine of*] **the ~ of the fittest** ...de mest livsdugligas överlevnad (fortbestånd) **b)** attr. överlevnads- [~ *possibilities*] **2** kvarleva, rest, lämning, relikt

survival kit [sə'vaɪv(ə)lkɪt] *s* räddningsutrustning, nödutrustning

survive [sə'vaɪv] **I** *vb tr* överleva [~ *an earthquake* (*operation*); ~ *one's children*]; **it (he) has ~d its (his) usefulness** den (han) har överlevt sig själv
II *vb itr* överleva, leva vidare; leva (finnas) kvar [ännu]

survivor [sə'vaɪvə] *s* överlevande [person] [*the sole ~ of* (från) *the shipwreck*], spec. jur. efterlevande

sus [sʌs] vard. **I** *adj* misstänkt, skum
II *s* **1** misstänkt [person], skummis **2** misstanke
III *vb tr* se *suss*

Susan ['su:zn] **I** kvinnonamn **II** *s*, **lazy ~** snurrbart kryddställ; snurrfat för kakor m.m.

susceptibility [sə,septə'bɪlətɪ] *s* **1** känslighet, mottaglighet [~ *to* (för) *hay fever*]; ömtålighet **2** pl. **suspectibilities** känsliga (ömtåliga) punkter, känslor [*wound sb's suspectibilities*]

susceptible [sə'septəbl] *adj* känslig, mottaglig [~ *to* (för) *flattery* (*colds*)]; ömtålig; **be ~ of pity** kunna känna medlidande; **be ~ of (to) various interpretations** [kunna] medge olika tolkningar

sushi ['su:ʃɪ] *s* kok. sushi japansk fiskrätt

suspect [verb sə'spekt, subst. o. adj. 'sʌspekt] **I** *vb tr* misstänka [*of* för]; misstro, betvivla [~ *the truth of an account*]; ana [~ *mischief*]; **I ~ed as much** jag anade (misstänkte) [just] det
II *s* misstänkt [person]
III *adj* misstänkt [*of* för]; tvivelaktig, tvetydig, suspekt [*his statements are ~*]

suspected [sə'spektɪd] *adj* misstänkt äv. med. [*a ~ terrorist*]

suspend [sə'spend] *vb tr* (se äv. *suspended*) **1** hänga [upp] [~ *sth by* (i, på) *a thread*; ~ *sth from* (i, från) *the ceiling*]; **be ~ed a)** hänga [ned], vara upphängd **b)** sväva, hänga; [*lamps*] **~ed from the ceiling** ...upphängda i taket, ...som hänger (hängde) i taket **2** spänna [~ *a rope between two posts*] **3** suspendera [~ *an official*]; [tills vidare] avstänga

[~ *a football player*]; utesluta [~ *a member from* (ur) *a club*] **4** [tills vidare] upphäva (avskaffa); ~ *a law* el. ~ *a rule* **5** [tillfälligt] dra in [~ *a bus service*]; inställa; skjuta upp, låta anstå, vänta (dröja, hålla inne) med; ~ *sb's driving licence* dra in ngns körkort [tills vidare]; ~ *hostilities* inställa fientligheterna; ~ *payment* inställa betalningarna

suspended [sə'spendɪd] *adj* **1** upphängd, hängande; svävande **2** suspenderad etc., jfr *suspend 3–5*; uppskjuten; oavgjord

suspended animation [sə,spendɪdænɪ'meɪʃ(ə)n] *s* skendöd

suspended sentence [sə,spendɪd'sentəns] *s* villkorlig dom

suspender [sə'spendə] *s* **1** strumpeband **2** pl. **~s** amer. hängslen [*a pair of ~s*]

suspender belt [sə'spendəbelt] *s* strumpebandshållare

suspense [sə'spens] *s* ovisshet, spänning, [spänd] väntan [*keep sb in ~*]

suspension [sə'spenʃ(ə)n] *s* **1** upphängning äv. tekn. **2** suspension, suspendering, [tillfällig] avstängning från tjänstgöring o.d., äv. sport.; uteslutning **3** [tillfälligt] upphävande (avskaffande); indragning; inställande; uppskov, anstånd; uppskjutande; jfr *suspend 3–5*; ~ *of hostilities* inställande av fientligheterna; ~ *of payment* betalningsinställelse

suspension bridge [sə'spenʃ(ə)nbrɪdʒ] *s* hängbro

suspicion [sə'spɪʃ(ə)n] *s* **1** misstanke [*of sth, about sth* om ngt; *of sb, about sb* mot ngn]; misstro [*of till, mot*], misstänksamhet [*he was looked upon with ~*]; aning [*of sth, about sth* om ngt]; *arouse* (*create*) ~ [*in sb's mind*] väcka misstankar [hos ngn]; *be above* ~ vara höjd över alla misstankar; *be* (*come*) *under* ~ *of* misstänkas för, vara (bli) misstänkt för; *look at sb with* ~ titta misstänksamt (misstroget) på ngn; *she was arrested on* ~ *of murder* hon anhölls misstänkt för mord **2** aning, antydan, skymt [*there was a ~ of irony* (*truth*) *in it*]; tillstymmelse [*not a* (*the*) ~ *of* (till) *a smile*]

suspicious [sə'spɪʃəs] *adj* **1** misstänksam, misstrogen [*of sb* mot ngn; *a ~ look* (blick)]; *be ~ of* äv. misstänka **2** misstänkt, tvivelaktig, suspekt [*he has a ~ character*]; skum [*a ~ affair*]; ~ *circumstances* mystiska (märkliga, oklara) omständigheter

suspiciously [sə'spɪʃəslɪ] *adv* **1** misstänksamt **2** misstänkt, betänkligt

suss [sʌs] *vb tr* vard., ~ el. ~ *out* komma underfund med, undersöka; kolla in

sussed [sʌst] *adj* vard. med på noterna, välinformerad

Sussex ['sʌsɪks] geogr.

sustain [sə'steɪn] *vb tr* **1 a)** tåla [belastningen (påfrestningen) av] **b)** bära [upp], hålla upp [*these two posts ~ the whole roof*] **2** jur. godta, godkänna, acceptera [~ *a claim; objection ~ed!*] **3** hålla uppe, hålla vid mod [*hope ~ed him*] **4** hålla i gång [~ *a conversation*]; hålla vid liv [~ *sb's interest*] **5** underhålla, försörja [~ *an army*]; ~ *life* el. ~ *oneself* uppehålla livet **6** uthärda, fördra, stå ut med; tåla **7** utstå, lida [~ *a defeat*]; ådra sig [~ *severe injuries*]

sustainable [sə'steɪnəbl] *adj* hållbar [~

development]; godtagbar [*a ~ explanation*]; bärkraftig

sustained [sə'steɪnd] *adj* **1** ihållande, oavbruten [~ *applause*]; oförminskad [~ *energy*]; konsekvent, sammanhängande [*a ~ argument*]; ständig [~ *irony*] **2** mus. uthållen [*a ~ note*]

sustenance ['sʌstənəns] *s* **1** näring [*there's more ~ in cocoa than in tea*]; föda **2** uppehälle, levebröd, utkomst; *the ~ of life* livsuppehället **3** bildl. stöd; styrka, fasthet

suture ['su:tʃə] **I** *s* anat. el. kir. sutur, söm, kir. äv. suturtråd **II** *vb tr* sy [ihop] [~ *a wound*]

SUV [,esju:'vi:] *s* vanl. amer. (förk. för *sport utility vehicle*) stadsjeep

suzerainty ['su:zəreɪntɪ, 'sju:-] *s* suzeränitet utrikespolitisk bestämmanderätt över en annan stat

svelte [svelt] *adj* slank, smärt; smidig, mjuk

SW förk. för *short wave* (radio.), *South-Western* (postdistrikt i London), *south-west[ern]*

swab [swɒb] **I** *s* med. **1** bomullstopp; tampongpinne [med bomullstopp] **2** [sekret]prov taget med vaddpensel

II *vb tr* **1** svabba, våttorka; ~ *down* svabba (tvätta) [av]; ~ *up* torka upp **2** med. pensla, rengöra [~ *a wound*]; badda

swaddle ['swɒdl] *vb tr* linda (svepa) in; linda om

swag [swæg] *s* **1** sl. åld. tjuvgods; byte **2** austral. knyte, bylte

swagger ['swægə] **I** *vb itr* [gå och] stoltsera, kråma (fjädra) sig, svassa [omkring] **II** *s* stoltserande [gång]; självsäkerhet; dryghet, mallighet

Swahili [swə'hi:lɪ, swɑ:'h-] *s* **1** swahili språket **2** (pl. *Swahili* el. ~*s*) swahili person

1 swallow ['swɒləʊ] **I** *vb tr* **1** svälja äv. bildl. [~ *one's pride; ~ an insult*]; tro på, gå 'på [*he will ~ anything you tell him*]; godta [*she couldn't ~ the idea*]; *he won't ~ that* äv. det går han inte på; ~ *down* svälja ner **2 a)** svälja, äta upp, sätta i sig **b)** sluka, äta upp **c)** uppsluka **3** ~ *one's words* ta tillbaka vad man har sagt **4** fatta, begripa, smälta

II *vb itr* svälja [*she ~ed hard*]

III *vb tr* med adv.:

swallow up **a)** svälja, äta upp, sätta i sig **b)** sluka, äta upp [*the expenses ~ up the earnings*] **c)** uppsluka [*as if ~ed up by the earth*]

IV *s* **1** svalg, strupe **2** sväljning; klunk; [*empty a glass*] *at one* ~ ...i en enda klunk (i ett drag)

2 swallow ['swɒləʊ] *s* svala; spec. ladusvala

swallow dive ['swɒləʊdaɪv] *s* simn. svanhopp

swam [swæm] imperf. av *swim*

swamp [swɒmp] **I** *s* träsk, kärr, sumpmark **II** *vb tr* **1 a)** översvämma, sätta under vatten; [genom]dränka **b)** fylla med vatten, sänka [*a wave ~ed the boat*]; *be ~ed* äv. sjunka **2** bildl. **a)** översvämma [*foreign goods ~ the market*]; belägra, överfylla [*the place was ~ed by jazz fans*] **b)** överhopa [*with* med] **c)** ställa i skuggan, undantränga **d)** slå ned, överrösta [~ *the opposition*]

swampy ['swɒmpɪ] *adj* sumpig, träskartad

swan [swɒn] **I** *s* zool. svan; *mute* ~ knölsvan **II** *vb itr* vard., ~ *about* segla (sväva) omkring; flaxa (sno) omkring; ~ *off* sticka [i väg]

swan dive ['swɒndaɪv] *s* amer. simn. svanhopp

swank [swæŋk] *adj* vanl. amer., se *swanky*

swanky ['swæŋkɪ] *adj* vard. **1** mallig, pösig, viktig, stroppig **2** flott, vräkig, snofsig [*a ~ car*]

swansong ['swɒnsɒŋ] *s* svanesång

swap [swɒp] vard. **I** *vb tr* byta [*for* mot; *~ stamps*]; utbyta [*~ ideas*]; *~ blows* puckla på varandra; *~ places* [*with sb*] byta plats [med ngn]; *~ yarns* berätta historier för varandra
II *vb itr* byta [*will you ~?*]
III *s* byte [*for* mot]; bytesaffär

swarm [swɔ:m] **I** *s* svärm, friare äv. myller, vimmel, skara, skock, hop; hord; *~ of bees* bisvärm
II *vb itr* svärma, friare äv. skocka sig, trängas [*they ~ed round him*]; kretsa; strömma [i skaror], välla [*people ~ed into the cinema*]; myllra, vimla [*~ with* (av) *people*]

swarthy ['swɔ:ðɪ] *adj* svartaktig, mörk [*a ~ complexion*]; svartmuskig, mörkhyad

swashbuckling ['swɒʃˌbʌklɪŋ] *adj* skrytsam; skrävlande, skroderande; äventyrlig

swastika ['swɒstɪkə] *s* hakkors, svastika

swat [swɒt] **I** *vb tr* smälla [till] [*~ flies*]
II *s* **1** smäll, dask **2** flugsmälla

swatch [swɒtʃ] *s* prov[bit]; provkarta

swath [swɔ:θ] *s* **1** slåttersträng, hösträng, liesträng **2** [avmejat] stråk (område); öppen gata

1 swathe [sweɪð] *s* se *swath*

2 swathe [sweɪð] *vb tr* **1** binda om, linda om **2** svepa [in], hölja [in] äv. bildl. [*~d in furs; ~d in fog*]

SWAT team ['swɒtti:m] *s* amer. (förk. för *special weapons and tactics team*) terroristbekämpningsstyrka

swatter ['swɒtə] *s* flugsmälla [äv. *fly-swatter*]

sway [sweɪ] **I** *vb itr* **1** svänga [*~ to and fro*]; svaja, vagga, gunga, vaja; kränga [*the ship was ~ing*]; vackla till; luta, hänga över [*~ to the left*] **2** bildl. vackla, svänga [*~ in one's opinion*] **3** styra, härska
II *vb tr* **1** svänga, gunga; få att svänga (gunga), sätta i svängning (gungning), komma att svaja (vaja) [*the wind ~ed the tops of the trees*]; böja [ned]; komma att luta; *~ one's hips* vicka på (vagga med) höfterna **2** bildl. komma att vackla, få att svänga, påverka, inverka på [*a speech that ~ed the voters*] **3** ha makt (inflytande) över, behärska, dominera, styra; bestämma [utgången av] [*~ the battle*]; *be ~ed* [*by one's feelings*] låta sig ledas (behärskas)…
III *s* **1** svängning, gungning, rörelse [*a ~ to and fro*]; krängning **2** inflytande, makt, [herra]välde [*of* över]; *hold ~* ha [högsta] makten, härska

sway-backed ['sweɪbækt] *adj* svankryggig

Swaziland ['swɑːzɪlænd] *geogr.*

swear [sweə] **I** (*swore sworn*; jfr *sworn II*) *vb tr* **1** svära [*~ to* ([på] att) *do sth*]; svära (gå ed) på; bedyra [*he swore that he was innocent*]; försäkra **2** *~ sb to secrecy* låta ngn avlägga tysthetslöfte
II (*swore sworn*; jfr *sworn II*) *vb itr* **1** svära [*to* på], avlägga (gå) ed; *~ on the Bible* svära [med handen] på bibeln **2** svära begagna svordomar [*at* över, åt]; *~ like a trooper* svära som en borstbindare; *curse and ~* svära och domdera
III (*swore sworn*; jfr *sworn II*) *vb tr* o. *vb itr* med adv.:
swear by vard. tro blint på [*he ~s by that medicine*];

hålla på
swear in a) låta avlägga ed [*~ in a witness*] b) låta avlägga ämbetseden [*~ in the president*] c) låta svära trohetsed
swear to a) svära [på] att b) bedyra [*~ to one's innocence*]; *I can't ~ to it* jag kan inte svära på det (på att det är så)
IV *s* svärande; svordomar, eder

swearing ['sweərɪŋ] *s* **1** svärande, edgång; *false ~* mened **2** svärande; svordomar

swearing-in [ˌsweərɪŋˈɪn] *s* avläggande av ämbetsed[en], installerande, installation

swearword ['sweəwɜ:d] *s* svärord, svordom

sweat [swet] **I** *s* **1** svett [*dripping with* (av) *~*] bildl. [svett och] möda, slit, besvär, slitgöra; *by the ~ of one's brow* i sitt anletes svett; *it was a bit of a ~* det var svettigt **2** svettning, svettbad, svettkur [*a good ~ may cure a cold*]; *no ~!* sl. inga problem!, ingen fara!; *be* (*get*) *in a ~* bildl. vara (bli) mycket nervös [*about* över]; *be in a cold ~* kallsvettas
II *vb itr* **1** svettas [*~ at* (vid) *the thought of…*] bildl. äv. arbeta [hårt], slita [hund] **2** tekn. o.d. svettas äv. kok., fukta
III *vb tr* **1** svettas [ut]; utdunsta, utsöndra [äv. *~ out*]; *~ blood* bildl. a) slita hund (ont) b) svettas av nervositet (ängslan) **2** låta (få att) svettas äv.; kok., bringa (få) i svettning; bildl. exploatera, suga ut [*~ workers*] **3** vard., *~ it out* härda ut till slutet

sweatband ['swetbænd] *s* **1** svettband, pannband för t.ex. tennisspelare **2** svettrem i hatt

sweated labour [ˌswetɪdˈleɪbə] *s* [hårt] arbete till svältlöner

sweater ['swetə] *s* sweater, ylletröja

sweatgland ['swetglænd] *s* svettkörtel

sweatpants ['swetpænts] *s pl* långa träningsbyxor, joggingbyxor

sweatshirt ['swetʃɜ:t] *s* träningströja; sweatshirt

sweatshop ['swetʃɒp] *s* arbetsplats med svältlöner [och dålig miljö]

sweatsuit ['swetsu:t, -sju:t] *s* amer. träningsoverall

sweaty ['swetɪ] *adj* **1** svettig; svett- [*~ odour*] **2** mödosam, knogig, hård, jobbig

Swede [swi:d] *s* svensk; svenska kvinna

swede [swi:d] *s* kålrot

Sweden ['swi:dn] *geogr.* Sverige

Swedish ['swi:dɪʃ] **I** *adj* svensk; *~ punch* punsch; *~ turnip* kålrot **II** *s* svenska [språket]

sweep [swi:p] **I** (*swept swept*) *vb itr* **1** sopa; feja **2** svepa, fara, dra, susa, komma susande (farande), rusa, flyga [*along* fram, fram över; *by, past* förbi; *on* bort, i väg; *over* fram över, över] **3** om kust o.d. sträcka (utbreda) sig; spec. böja av, svänga [av] **4** dragga [*for* efter]; *~ for mines* mil. svepa [efter] minor
II (*swept swept*) *vb tr* **1** sopa; feja; *~ clean* sopa [ren]; *~ the chimney* sota [skorstenen] **2** sopa [undan (med sig)] **3** bildl. sopa ren, rensa [*~ a country of* (från) *enemies*] **4** svepa (dra) fram över [*the wind swept the coast; a wave of indignation swept the country*]; glida över [*an epidemic swept the country*] **5** härja [*an epidemic swept the country*] **6** vinna [alla grenar (klasser) vid]; ta hem, håva in; *~ the board* el. *~ the stakes* ta hem hela vinsten (potten) **7 a)** dragga **b)** dragga

(fiska) upp, dra upp; ~ *the river* dragga [i] floden, dragga; ~ *the waters for mines* mil. [min]svepa farvattnen

III (*swept swept*) *vb tr* med adv.:
sweep along rycka med sig
sweep aside fösa (dra) åt sidan
sweep away el. **sweep off** sopa bort, driva [undan (bort)]; bildl. äv. avskaffa, röja undan; *be swept off one's feet* a) bildl. ryckas med, bli hänförd; tas med storm b) kastas omkull
sweep out sopa [rent i (på)]; sopa ut
IV *s* **1 a)** [ren]sopning, bortsopande **b)** sotning; *give the room a good* ~ sopa rummet ordentligt; *make a clean* ~ bildl. göra rent hus [*of* med]
2 svepande rörelse; svep, drag, tag [*a* ~ *of* (med) *a brush*]; om vind el. vågor [fram]svepande, framfart, bildl. äv. [lång] våg; ~ *of the oar* årtag; *at one* ~ el. *in one* [*clean*] ~ i ett [enda] svep (drag) **3** krök, kurva, båge, sväng **4** [lång] sträcka, brett område; lång sluttning i terrängen **5** räckhåll, räckvidd; omfång, vidd, krets; bildl. äv. spännvidd **6** vard., se *sweepstake* **7** sotare **8** ~ *second-hand* centrumsekundvisare på ur
sweeper ['swiːpə] *s* **1** sopare person [*street* ~*s*] **2** sotare **3** sopmaskin; mattsopare **4** fotb. sopkvast
sweeping ['swiːpɪŋ] **I** *adj* **1** bildl. [vitt]omfattande, vittgående, genomgripande, radikal [~ *changes*; ~ *reforms*]; kraftig [~ *reductions in prices*]; svepande, [alltför] förhastad [~ *generalizations*]; överväldigande, förkrossande [*a* ~ *majority*; *a* ~ *victory*]; ~ *statements* generaliseringar **2** svepande [*a* ~ *gesture*]; elegant svepande [*the* ~ *lines of a car*]; [vackert] böjd [*a* ~ *surface*]
II *s* **1** sopning, sopande **2** sotning **3** svepande rörelse, svep[ande] **4** draggning; mil. [min]svepning
sweepstake ['swiːpsteɪk] *s* o. **sweepstakes** ['swiːpsteɪks] *s pl* spec. kapplöpn. **1 a)** sweepstake[s], priskapplöpning **b)** pris i sweepstake[s] **2 a)** sweepstake[lotteri] **b)** sweepstakevinst
sweet [swiːt] **I** *adj* **1** söt [~ *wine*; *it tastes* ~] **2** färsk, frisk; ~ *water* färskvatten, sötvatten; *keep* ~ hålla sig [färsk] **3** ren, frisk [~ *air*] **4** snygg, fin, fräsch, proper; ~ *and clean* ren och snygg **5** behaglig, ljuvlig, härlig; mild [~ *smell*]; [väl]doftande **6** välljudande, melodisk, ljuv [*a* ~ *tune*]; vacker [*a* ~ *voice*] **7 a)** söt [*a* ~ *dress*]; näpen [*a* ~ *baby*]; gullig **b)** rar, älskvärd, älsklig, intagande, vänlig, behaglig; *she has a* ~ *nature* äv. hon är söt och rar [av sig]; ~ *temper* älskvärt (vänligt, behagligt) sätt; *it was* ~ *of you to come* det var väldigt snällt (rart) av dig att komma **8** ljuv [*home*, ~ *home*]; kär, dyr, älskad [*my* ~ *mother*]; *revenge is* ~ hämnden är ljuv **9** åld., *be* ~ *on* vara kär (förälskad, förtjust) i
II *adv* sött [*sleep* ~]; ljuvligt, härligt, underbart, vackert [*sing* ~]
III *s* **1** karamell, sötsak; pl. ~*s* äv. snask, godis **2** [söt] efterrätt, dessert **3** pl. ~*s* poet. sötma, ljuvhet, behag [*taste the* ~*s of success*]; välukt **4** *my* ~*!* åld. [min] älskling!, sötnos! **5** sött [~ *and sour*]
sweet-and-sour [ˌswiːtən'saʊə] *adj* kok. sötsur [~ *sauce*]
sweetbread ['swiːtbred] *s* kok. kalvbräss; lammbräss
sweet chestnut [ˌswiːt'tʃesnʌt] *s* bot. äkta kastanj

sweetcorn [ˌswiːt'kɔːn, '--] *s* bot. sockermajs
sweeten ['swiːtn] *vb tr* **1** göra söt, söta; sockra **2** förljuva [~ *sb's life*]; mildra, lätta **3** vard., ~ el. ~ *up* blidka; muta
sweetener ['swiːtnə] *s* **1** sötningsmedel **2** tröst, mildrande faktor; tröstare **3** sl. muta
sweetheart ['swiːthɑːt] *s* **1** älskling, käresta; ~*!* älskling!, sötnos! **2** åld. fästmö, fästman; flickvän, pojkvän **3** åld. raring, rar person
sweetheart agreement ['swiːthɑːtəˌɡriːmənt] *s* vard. ensidig överenskommelse spec. mellan arbetsgivare o. fack över huvudet på de anställda
sweetie ['swiːtɪ] *s* vard. **1** karamell, sötsak; pl. ~*s* äv. karameller, godis, snask **2** sötnos, älskling
sweetmeat ['swiːtmiːt] *s* sötsak, godsak; karamell; pl. ~*s* äv. konfekt, snask, godis
sweet milk [ˌswiːt'mɪlk] *s* färsk (söt) mjölk
sweetness ['swiːtnəs] *s* **1** söthet, sötma, söt smak (lukt) **2** vänlighet, älskvärdhet, charm, behagligt sätt
sweet pea [ˌswiːt'piː] *s* bot. luktärt
sweet pepper [ˌswiːt'pepə] *s* paprika
sweet potato [ˌswiːtpə'teɪtəʊ] (pl. ~*es*) *s* sötpotatis, batat
sweet shop ['swiːtʃɒp] *s* godisaffär, gottaffär
sweet-talk [ˌswiːt'tɔːk] *vb tr* vard. smickra; lirka med, använda lämpor
sweet talk ['swiːttɔːk] *s* vard. smicker; lämpor
sweet-tempered ['swiːtˌtempəd, pred. ofta ˌ-'--] *adj* älskvärd, behaglig, vänlig, godmodig, blid
sweet tooth [ˌswiːt'tuːθ] *s*, *have a* ~ vara en gottgris
sweet william [ˌswiːt'wɪliəm] *s* bot. borstnejlika
swell [swel] **I** (~*ed swollen*, ibl. ~*ed*) *vb itr* **1** svälla; svullna [upp], bulna; pösa upp (fram) **2** bildl. svälla [*his heart* ~*ed with* (av) *pride*] **3** bildl. stegras, öka
II (~*ed swollen*, ibl. ~*ed*) *vb tr* (se äv. *swollen*) **1** få (komma) att svälla etc., jfr *swell I 1*; utvidga, blåsa upp; fylla [*the wind* ~*ed the sails*] **2** bildl. få att svälla (växa); göra mallig (uppblåst) **3** bildl. öka [~ *the ranks* (skaran) *of applicants*; ~ *the total*]; stegra
III *s* **1 a)** svällande; ansvällning, uppsvälldhet **b)** utbuktning, rundning; konkr. äv. utväxt, knöl **2** [våg]svall, svallvågor, dyning; *there is a heavy* ~ det går hög dyning **3** ökning, stegring **4** mus. crescendo, [tilltagande] brus [*the* ~ *of an organ*]
IV *adj* vanl. amer. (åld.) alla tiders, toppen
swelling ['swelɪŋ] **I** *s* svällande, svullnande, ansvällning, uppsvällning, konkr. äv. svullnad, svulst, bula
II *adj* **1** svällande [~ *sails*] **2** [sakta] stigande [~ *ground*; ~ *tide*]
swelter ['sweltə] *vb itr* försmäkta (förgås) [av värme]
sweltering ['swelt(ə)rɪŋ] *adj* tryckande, kvävande, olidlig [~ *heat*]; brännhet, stekhet [*a* ~ *day*]
Swenglish ['swɪŋɡlɪʃ] *s* svengelska blandning av svenska o. engelska
swept [swept] imperf. o. perf. p. av *sweep*
swept-back [ˌswept'bæk] *adj* om hår bakåtkammad
swerve [swɜːv] **I** *vb itr* vika (böja) av [från sin kurs], gira, svänga [åt sidan]; bildl. avvika [~ *from one's duty*]; *the car* ~*ed into the ditch* bilen körde i diket

II *vb tr* komma (få) att vika av, svänga (föra) åt sidan

III *s* vridning, sväng (kast) åt sidan, sidorörelse

swift [swɪft] **I** *adj* **1** snabb, hastig [*a ~ glance*]; rask, flink [*with ~ hands*]; strid **2** snar [*a ~ revenge*; *~ to anger*]
II *s* tornsvala

swiftness ['swɪftnəs] *s* [stor] snabbhet, hastighet

swig [swɪg] vard. **I** *vb tr* o. *vb itr* stjälpa (bälga) i sig, halsa [*~ beer*]; supa, grogga [*sit ~ging*]
II *s* stor klunk, slurk [*take a ~ at* (ur) *a bottle*]

swill [swɪl] **I** *vb tr* **1** skölja (spola) [ur (av, över)]; *~ down the food* [*with beer*] skölja ned maten... **2** vard. stjälpa (bälga) i sig [*~ tea*] **3** skvalpa med [*she ~ed the water around in her glass*]
II *vb itr* skvalpa
III *s* **1** svinmat, skulor **2** spolning, sköljning

swim [swɪm] **I** (*swam swum*) *vb itr* **1** simma, bildl. äv. hålla sig uppe, reda (klara) sig; [*they had to*] *~ for it* ...rädda sig [i land] simmande; *~ with the tide* bildl. följa (driva) med strömmen; *go ~ming* gå och bada, ta [sig] en simtur (ett bad) **2** flyta [*the boat won't ~*]; *sink or ~* det må bära eller brista
3 översvämmas, svämma över, fyllas; bildl. äv. bada [*~ming in blood*] **4** gå runt, snurra, gunga; *everything swam before her eyes* allt gick runt för henne
II (*swam swum*) *vb tr* **1** simma; simma över [*~ the English Channel*]; *~ sb 100 metres* simma i kapp med ngn 100 meter; *~ a race* simma i kapp, tävla i simning; simma ett lopp **2** låta simma [*~ one's horse across a river*]
III *s* **1** simning; simtur, bad; *go for a ~* gå (åka) och bada; *have a ~* ta [sig] en simtur **2** bildl., *be in the ~* vara (hänga) med [där det händer], vara med i svängen

swimmer ['swɪmə] *s* simmare

swimming ['swɪmɪŋ] **I** *s* simning **II** *adj* simmande; sim-

swimming bath ['swɪmɪŋbɑːθ] *s* ngt åld. simbassäng; pl. *~s* äv. simhall, simbad

swimming cap ['swɪmɪŋkæp] *s* badmössa

swimming costume ['swɪmɪŋˌkɒstjuːm] *s* baddräkt, simdräkt spec. för kvinnor

swimmingly ['swɪmɪŋlɪ] *adv* vard. åld. lekande lätt, fint, galant, som smort [*everything went ~*]

swimming pool ['swɪmɪŋpuːl] *s* simbassäng, swimmingpool

swimming trunks ['swɪmɪŋtrʌŋks] *s* badbyxor

swimsuit ['swɪmsuːt, -sjuːt] *s* baddräkt, simdräkt för kvinnor

swimwear ['swɪmweə] *s* badkläder

swindle ['swɪndl] **I** *vb tr* **1** bedra, lura [*~ sb out of* (på) *his money*]; *be easily ~d* vara lättlurad **2** lura [till sig] [*~ money out of* (av) *sb*]
II *s* svindel, bedrägeri, skoj, bluff

swindler ['swɪndlə] *s* svindlare, bedragare, skojare, bluff[are]; falskspelare

swine [swaɪn] (pl. *swine*) *s* svin äv. bildl.

swine flu ['swaɪnfluː] *s* vard. svininfluensa

swing [swɪŋ] **I** (*swung swung*) *vb itr* **1** svänga [*~ to and fro*; *the car swung round* (om, runt) *the corner*]; pendla; vagga, vicka, vippa; gunga [fram]; svaja; *~ open* om dörr slå[s] (gå) upp; *~ to* el. *~ shut* om

dörr slå[s] (gå) igen; *~ both ways* vard. vara bisexuell; *~ into action* komma i gång, komma upp i varv **2** hänga [*the lamp ~s from* (i) *the ceiling*]; dingla **3** vard. bli hängd, [få] dingla i galgen [*he will ~ for it*] **4** mus. vard. swinga, spela (dansa) swing
II (*swung swung*) *vb tr* **1** svänga [om (runt)]; få att svänga, sätta i svängning; gunga (slänga) med [*she was ~ing her arms*]; gunga [*~ sb in a hammock*]; svinga [*~ a golf club*]; *~ one's hips* vagga med (vicka på) höfterna; *~ sb round to* bildl. få ngn att svänga [om] till **2** mus. vard. spela med swing; *~ it* spela [med] swing **3** sl., *~ it on sb* blåsa ngn, lura ngn
III *s* **1** svängning, sväng; sving; gungning; omsvängning, omställning; *the ~ of the pendulum* bildl., se under *pendulum* **2** fart; rytm; *be in full ~* vara i full gång (fart); *get into the ~ of things* komma in i det hela (i gång); *get into full ~* komma riktigt i gång (farten); *go with a ~* om musik el. vers ha [en fin] rytm; *it's going with a ~* a) det går med full fart b) det går som en dans **3** gunga; *make up on the ~s what is lost* (*one loses*) *on the roundabouts* bildl. ta igen på gungorna vad man förlorar på karusellen **4** mus. swing **5** boxn. el. golf. sving [*a left ~*]

swing bridge ['swɪŋbrɪdʒ] *s* svängbro

swing door ['swɪŋdɔː] *s* svängdörr

swingeing ['swɪn(d)ʒɪŋ] *adj* **1** väldig, skyhög [*~ taxation*] **2** kännbar, svidande [*~ comments*]

swinger ['swɪŋə] *s* sl. person som är med i svängen, hålligångare

swinging ['swɪŋɪŋ] **I** *s* svängande, svängning etc., jfr *swing I* o. *swing II*
II *adj* **1** svängande etc., jfr *swing I*; gung- **2** bildl. svepande, hastig, energisk; svängig [*a ~ tune*]; svajig [*a ~ pace*]

swing shift ['swɪŋʃɪft] *s* amer. kvällsskift äv. om arbetsstyrkan

swing voter ['swɪŋˌvəʊtə] *s* amer. marginalväljare, osäker väljare (röst)

swipe [swaɪp] **I** *vb itr*, *~ at* slå (klippa, drämma) till [*~ at a ball*]
II *vb tr* **1** slå (klippa, drämma) till **2** sl. sno stjäla **3** dra ett kreditkort genom en kortläsare
III *s* vard. hårt slag, rökare; bildl. [verbalt] angrepp; *take a ~ at* a) försöka slå (klippa, drämma) till b) bildl. slå ned på, gå till storms mot

swipe card ['swaɪpkɑːd] *s* **1** kreditkort (bankkort) med magnetremsa **2** passerkort (nyckelkort) med magnetremsa

swirl [swɜːl] **I** *vb itr* virvla (snurra) runt (omkring); virvla upp
II *vb tr* virvla (snurra) runt, snurra på
III *s* virvel [*a ~ of dust*; *a ~ of water*]; virvlande

1 swish [swɪʃ] **I** *vb tr* **1** slå (klippa) till; piska **2** vifta (svänga, slå) [till] med [*the horse ~ed its tail*]; snärta till med [*she ~ed her whip*]; slänga [*he ~ed it away*]
II *vb itr* svepa (susa) fram; svischa, susa, vina [*the bullet* (*car*) *~ed past him*]; frasa [*her dress ~ed*]
III *s* svep; sus, vinande; fras[ande] [*the ~ of silk*]; prassel [*the ~ of dry leaves*]; skvalp

2 swish [swɪʃ] *adj* vard. åld. snofsig, flott

Swiss [swɪs] **I** *adj* schweizisk; schweizer- [*~ cheese*]
II (pl. *Swiss*) *s* schweizare; schweiziska

Swiss chard [ˌswɪs'tʃɑːd] *s* bot. mangold
Swiss roll [ˌswɪs'rəʊl] *s*, *chocolate* ~ drömtårta; *jam* ~ rulltårta
switch [swɪtʃ] **I** *s* **1** strömbrytare, kontakt, knapp; omkopplare **2** omställning, övergång; omsvängning; byte **3** järnv. växel **4** spö [*riding* ~]; [smal] käpp; vidja, [böjlig] kvist **5** lösfläta
II *vb tr* **1** koppla **2** ändra [~ *methods*]; byta [*they* ~*ed husbands*]; leda (föra) över [~ *the talk to another subject*] **3** järnv. växla [över] [~ *a train into a siding*] **4** piska [upp], slå (piska) till **5** svänga (vifta, slå) med [*he* ~*ed his cane*; *the cow* ~*ed her tail*]; vrida, rycka [till sig]
III *vb itr* **1** gå över, byta **2** kortsp. byta färg **3** piska, slå
IV *vb tr* o. *vb itr* med adv. el. prep.:
switch around flytta omkring
switch off a) tr. koppla av (ur), bryta [~ *off the current*]; knäppa av, släcka [~ *off the light*]; stänga (slå) av [~ *off the radio*]; slå ifrån [~ *off an engine*] **b)** itr. koppla (stänga) av, bryta strömmen; släcka [ljuset]
switch on a) tr. koppla (släppa) på, koppla in [~ *on the current*]; knäppa på, tända [~ *on the light*]; sätta (slå) på [~ *on the radio*; ~ *on an engine*] **b)** vard. (tr.) pigga upp; *it* ~*es me on* äv. det tänder jag på **c)** itr. slå på strömmen, tända [ljuset]
switch over a) ställa om [~ *over production to the manufacture of cars*] **b)** gå över, byta; *he* ~*ed over to teaching* han sadlade om (gick över) till lärarbanan **c)** ~ *over to another station* radio. ta in en annan station; ~ *over to another channel* TV. byta kanal
switch round a) flytta omkring [~ *the furniture round*] **b)** bildl. slå (kasta) om
Switch® [swɪtʃ] *s* betalkort [äv. ~ *card*]
switchback ['swɪtʃbæk] *s* serpentinväg; järnv. sicksackbana bergbana
switchblade ['swɪtʃbleɪd] *s* vanl. amer. stilett, springkniv
switchboard ['swɪtʃbɔːd] *s* **1** tele. växel[bord] **2** elektr. instrumenttavla
switchboard operator ['swɪtʃbɔːd,ɒpəreɪtə] *s* växeltelefonist
Switzerland ['swɪts(ə)lənd] geogr. Schweiz
swivel ['swɪvl] **I** *s* tekn. el. sjö. lekare, svivel; pivå, [sväng]tapp **II** *vb tr* o. *vb itr* svänga [runt] [som] på en tapp, snurra [på]
swivel chair ['swɪvltʃeə] *s* snurrstol, svängbar skrivbordsstol (kontorsstol)
swiz o. **swizz** [swɪz] *s* sl. båg, bluff; fubb fusk
swizzle stick ['swɪzlstɪk] *s* cocktailpinne
swollen ['swəʊl(ə)n] **I** perf. p. av *swell*
II *adj* **1** uppsvälld, svullen [*a* ~ *ankle*] **2** *this stream is* ~ det är höga flöden i det här vattendraget; vard. uppblåst, övermodig [*with* av]; *he has a* ~ *head* han är uppblåst, han är mallig [av sig]
swoon [swuːn] **I** *vb itr* **1** litt. svimma [~ *for* (av) *joy*; ~ *with* (av) *pain*]; ~ *away* svimma av, dåna **2** vara i extas, svärma [*over* över, kring]
II *s* litt. svimning[sanfall]; *fall into a* ~ svimma av
swoop [swuːp] **I** *vb itr* slå ned [äv. ~ *down*]; överfalla [*the soldiers* ~*ed down on the bandits*]
II *s* rovfågels nedslag; spec. mil. [plötsligt] angrepp

(anfall), överfall, blixtanfall, raid; *at* (*in*) *one fell* ~ i ett slag (svep), på en gång
swop [swɒp] *vb tr* o. *vb itr* o. *s* se *swap*
sword [sɔːd] *s* svärd äv. bildl.; *cavalry* ~ sabel; *straight* ~ värja; *cross* ~*s with* bildl. ha en dust med; *draw one's* ~ dra blankt [*on sb* mot ngn]
sword-dance ['sɔːddɑːns] *s* svärdsdans
swordfish ['sɔːdfɪʃ] *s* zool. svärdfisk
swordhilt ['sɔːdhɪlt] *s* svärdsfäste, sabelfäste, värjfäste
swordplay ['sɔːdpleɪ] *s* svärdslek; fäktning
swords|man ['sɔːdz|mən] (pl. *-men* [-mən]) *s* **1** fäktare, fäktmästare **2** soldat, krigare
sword-swallower ['sɔːd,swɒləʊə] *s* svärdsslukare
swore [swɔː] imperf. av *swear*
sworn [swɔːn] **I** perf. p. av *swear* **II** *adj* svuren äv. bildl. [*a* ~ *enemy*]; edsvuren [*a* ~ *jury*]; edlig, beedigad, edligen bestyrkt [~ *evidence*]; *be* ~ gå ed; avlägga ed[en]
swot [swɒt] skol. vard. **I** *vb itr* o. *vb tr* plugga, pluggläsa; ~ *up* plugga in, slå i sig
II *s* **1** plugghäst **2** plugg
swum [swʌm] perf. p. av *swim*
swung [swʌŋ] imperf. o. perf. p. av *swing*
swung dash [ˌswʌŋ'dæʃ] *s* typogr. krok, släng, tilde (~)
sycamore ['sɪkəmɔː] *s* bot. **1** tysk lönn, sykomorlönn **2** amer. platan
sycophant ['sɪkəfənt, 'saɪk-] *s* smickrare, lismare
sycophantic [ˌsɪkə'fæntɪk, 'saɪk-] *adj* krypande, smickrande, lismande
Sydney ['sɪdnɪ] mansnamn el. geogr. el. egennamn
syllabic [sɪ'læbɪk] *adj* stavelsebildande [~ *sounds*]; syllabisk; stavelse- [~ *accent*]
syllabication [sɪˌlæbɪ'keɪʃ(ə)n] *s* stavelsedelning, avstavning
syllable ['sɪləbl] *s* stavelse; *not a* ~ äv. inte ett ljud (knyst, ord)
syllabub ['sɪləbʌb] *s* slags dessert av vispad grädde el. mjölk o. vin
syllab|us ['sɪləb|əs] (pl. *-uses* el. *-i* [-aɪ]) *s* kursplan för visst ämne, studieplan; examensfordringar
sylph [sɪlf] *s* sylf; sylfid äv. bildl.
sylphlike ['sɪlflaɪk] *adj* sylfidisk, gracil, eterisk
sylvan ['sɪlvən] *adj* skogig, skogklädd [~ *hills*]; skogs-, i skogen [*a* ~ *cottage*]
symbios|is [ˌsɪmbɪ'əʊs|ɪs] (pl. *-es* [-iːz]) *s* biol. symbios
symbol ['sɪmb(ə)l] *s* symbol [*of* för], tecken [*of* för, på], sinnebild [*of* för, av]
symbolic [sɪm'bɒlɪk] *adj* symbolisk, betecknande [*of* för]; symbol- [~ *language*]
symbolism ['sɪmbəlɪz(ə)m] *s* **1** litt. el. konst. symbolism **2** symbolik
symbolize ['sɪmbəlaɪz] *vb tr* symbolisera, beteckna
symmetric [sɪ'metrɪk] *adj* o. **symmetrical** [sɪ'metrɪk(ə)l] *adj* symmetrisk
symmetry ['sɪmətrɪ] *s* symmetri; harmoni
sympathetic [ˌsɪmpə'θetɪk] *adj* **1** full av medkänsla (förståelse) [*to, towards* för], förstående, välvillig, deltagande [~ *words*]; välvilligt (positivt) inställd; *she was happy to lend a* ~ *ear to their requests* hon var villig att lyssna på deras krav **2** sympatisk [*a* ~ *face*]; tilltalande [*to* för]

sympathize ['sɪmpəθaɪz] *vb itr* sympatisera [*with* med], hysa (ha) medkänsla [*with* med, för], ömma [*with* för], hysa (ha) [full] förståelse [*with* för], känna [*with* med, för]; deltaga [~ *in* (i) *sb's affliction*; ~ *with sb in his afflictions*]; vara välvilligt (positivt) inställd [~ *with* (till) *a proposal*]

sympathizer ['sɪmpəθaɪzə] *s* sympatisör, själsfrände [*with* till], anhängare [*with* till, av]

sympathy ['sɪmpəθɪ] *s* **1** sympati [*for, with* för], medkänsla, medlidande [*for, with* med], förståelse [*for, with* för], deltagande [*for, with* med, för]; attr. sympati- [~ *strike*]; **you have my** ~ jag förstår hur du känner det; **strike in** ~ **with** sympatistrejka med; **letter of** ~ kondoleansbrev; [**the proposal**] **met with** ~ ...vann gehör **2** överensstämmelse, harmoni; samhörighet [*feel* ~ *with*]

sympathy action ['sɪmpəθɪˌækʃ(ə)n] *s* sympatistrejk

sympathy card ['sɪmpəθɪˌkɑːd] *s* kondoleanskort

sympathy strike ['sɪmpəθɪˌstraɪk] *s* sympatistrejk

symphonic [sɪm'fɒnɪk] *adj* symfonisk

symphony ['sɪmfənɪ] *s* **1** symfoni; attr. symfoni- [~ *orchestra*] **2** amer. symfoniorkester

symposi|um [sɪm'pəʊzj|əm] (pl. *-ums* el. *-a* [*-ə*]) *s* **1** symposium, [vetenskaplig] konferens **2** samling artiklar [och diskussionsinlägg]

symptom ['sɪm(p)təm] *s* symtom [*of* på]; tecken [*of* på, till], spår [*of* av]

symptomatic [ˌsɪm(p)tə'mætɪk] *adj* symtomatisk [*of* för]; kännetecknande, karakteristisk [*of* för]; **be** ~ **of** äv. vara [ett] symtom på

synagogue ['sɪnəgɒg] *s* synagoga

sync o. **synch** [sɪŋk] vard. **I** *s* synkning synkronisering; **in** ~ (**out of** ~) **with** synkroniserad (inte synkroniserad) med
II *vb tr* synka synkronisera [äv. ~ *sth up*]

synchroflash ['sɪŋkrə(ʊ)flæʃ] *s* foto. synkronblixt

synchromesh ['sɪŋkrə(ʊ)meʃ] *s* synkroniserad växel[låda], synkronisering

synchronization [ˌsɪŋkrənaɪ'zeɪʃ(ə)n] *s* synkronisering

synchronize ['sɪŋkrənaɪz] **I** *vb tr* synkronisera [~ *clocks*]; samordna [~ *movements*]; ~**d swimming** konstsim
II *vb itr* vara samtidig, inträffa (uppträda) samtidigt

synchronous ['sɪŋkrənəs] *adj* spec. vetensk. synkron, samtidig [*with* med]; synkron- [~ *clocks*]

syncopated ['sɪŋkə(ʊ)peɪtɪd] *adj* mus. synkoperad [~ *rhythm*]

syncopation [ˌsɪŋkə(ʊ)'peɪʃ(ə)n] *s* mus. el. språkv. synkopering

syndicalism ['sɪndɪkəlɪz(ə)m] *s* syndikalism[en]

syndicalist ['sɪndɪkəlɪst] **I** *s* syndikalist **II** *adj* syndikalistisk

syndicate [subst. 'sɪndɪkət, verb 'sɪndɪkeɪt] **I** *s* **1** syndikat; konsortium, kartell **2** nyhetsbyrå
II *vb tr* kontrollera genom ett syndikat (konsortium); ombilda till ett syndikat (konsortium)

syndrome ['sɪndrəʊm, -drəmɪ] *s* **1** med. syndrom, symtomkomplex **2** karakteristiskt beteendemönster, syndrom

syne [saɪn] *adv* skotsk., se *since*

synergy ['sɪnədʒɪ] *s* **1** med. synergism, samverkan

mellan olika kroppsorgan el. läkemedel **2** ekon. el. friare synergi

synfuel ['sɪnˌfjuːəl] *s* vard., se *synthetic fuel*

synod ['sɪnəd] *s* synod, kyrkomöte

synonym ['sɪnənɪm] *s* synonym

synonymous [sɪ'nɒnɪməs] *adj* synonym, liktydig

synops|is [sɪ'nɒps|ɪs] (pl. *-es* [*-iːz*]) *s* synops[is], sammanfattning, resumé

synovial fluid [sɪˌnəʊvɪəl'fluːɪd] *s* anat. ledvätska, synovia

syntactic [sɪn'tæktɪk] *adj* språkv. syntaktisk

syntax ['sɪntæks] *s* språkv. syntax, satslära

synth [sɪnθ] *s* mus. vard. synt

synthes|is ['sɪnθəs|ɪs] (pl. *-es* [*-iːz*]) *s* syntes äv. kem. el. filos., sammanställning, sammanfattning

synthesize ['sɪnθəsaɪz] *vb tr* syntetisera, kem. äv. framställa på syntetisk väg

synthesizer ['sɪnθəsaɪzə] *s* **1** mus. synthesizer **2** syntetiker

synthetic [sɪn'θetɪk] **I** *adj* syntetisk [~ *detergents* (tvättmedel); *a* ~ *language*] bildl. äv. konstlad
II *s* syntetmaterial; ~**s** pl. syntetfibrer

synthetic fibre [sɪnˌθetɪk'faɪbə] *s* syntetfiber, konstfiber

synthetic fuel [sɪnˌθetɪk'fjʊəl] *s* syntetbränsle

syphilis ['sɪfɪlɪs] *s* med. syfilis

syphilitic [ˌsɪfɪ'lɪtɪk] **I** *adj* syfilitisk **II** *s* syfilitiker

syphon ['saɪf(ə)n] *s* o. *vb tr* se *siphon*

Syria ['sɪrɪə] geogr. Syrien

Syrian ['sɪrɪən] **I** *adj* syrisk **II** *s* syrier; syriska kvinna

syringe ['sɪrɪn(d)ʒ, -'-] **I** *s* spruta; injektionsspruta
II *vb tr* spruta in [*into* i], bespruta [~ *plants*]; spola ren [~ *wounds*]

syrup ['sɪrəp, amer. 'sɪr-, 'sɜːr-] *s* **1** sockerlag; saft kokt med socker; farmakol. sirap; **cough** ~ hostmedicin **2** sirap

syrupy ['sɪrəpɪ] *adj* sirapslik, sirapsaktig, siraps- [~ *colour*]; bildl. sockersöt, sirapslen, [söt]sliskig

sysop ['sɪsɒp] *s* vard. data. (kortform av *system operator*) systemadministratör

system ['sɪstəm] *s* **1** system äv. data.; **the** ~ äv. kroppen, organismen [*harmful to* (för) *the* ~]; **the digestive** ~ matsmältningsapparaten; **the nervous** ~ nervsystemet; **postal** ~ postväsen; **prison** ~ fängelseväsen; **solar** ~ solsystem; **it is all** ~**s go** det är bara att ge full gas (att trampa gasen i botten); **make a** ~ **of** sätta i system; **get sth out of one's** ~ vard. bildl. komma över [verkningarna av] ngt, bli fri från ngt; **reduce to a** ~ systematisera **2** metod, plan[mässighet], system; ordning [*the old* ~; *the present* ~ *can't go on*]

systematic [ˌsɪstə'mætɪk] *adj* systematisk, planmässig, metodisk

systematization [ˌsɪstəmətaɪ'zeɪʃ(ə)n] *s* systematisering

systematize ['sɪstəmətaɪz] *vb tr* systematisera

system operator [ˌsɪstəm'ɒpəreɪtə] *s* data. systemadministratör

systems analyst ['sɪstəmzˌænəlɪst] *s* systemanalytiker; data. systemerare

systolic [sɪ'stɒlɪk] *adj* fysiol. systolisk; ~ *pressure* systoliskt blodtryck

T t

T, t [tiː] (pl. *T's* el. *t's* [tiːz]) *s* T, t; *to a T* alldeles precis, utmärkt [*that would suit me to a T*]; på pricken

TA [ˌtiːˈeɪ] (förk. för *Territorial Army*), **the ~** se *Territorial Army*

ta [tɑː] *interj* vard. tack!

1 tab [tæb] **I** *s* **1 a)** lapp, flik; tabb **b)** slejf; hank, rockhängare; stropp **c)** rivöppnare på burk **2 a)** etikett, [liten] skylt, lapp **b)** [kort]flik; [kort]ryttare **c)** rockmärke, rockkvitto **3** *keep ~s on* vard. hålla ögonen på, kolla **4** vard. räkning, nota; kostnad; *pick up the ~* betala notan (kalaset) **II** *vb tr* **1** sätta lapp etc. på **2** vanl. amer. utse [*~ sb to do sth*]; anslå, bestämma [*~ a sum for aid*]

2 tab [tæb] **I** *s* tabbtangent [äv. *~ key*] **II** *vb itr* tabba, trycka på tabbtangenten

3 tab [tæb] *s* sl. (kortform för *tablet*) [narkotika]tablett

Tabasco® [təˈbæskəʊ] *s* tabasco® [äv. *~ sauce*]

tabbouleh [təˈbuːlɪ, -lɪ] *s* kok. tabouleh

tabby [ˈtæbɪ] **I** *s* spräcklig (strimmig) katt **II** *adj* spräcklig, strimmig [*a ~ cat*]

tabernacle [ˈtæbənækl] *s* tabernakel

tabianos|is [ˌtæbɪəˈnəʊs|ɪs] (pl. *-es* [-iːz]) *s* med. tabianos

tab key [ˈtæbkiː] *s* tabbtangent

table [ˈteɪbl] **I** *s* **1 a)** bord; taffel; *clear the ~* duka av [bordet]; *cold ~* kallskänk; *lay the ~* el. *set the ~* duka [bordet]; *at ~* vid [mat]bordet; *wait at ~ (on ~s)* el. amer. *wait ~s* servera, passa upp [vid bordet]; *lay on the ~* lägga fram; bordlägga; *drink sb under the ~* vard. dricka ngn under bordet; *he was under the ~* vard. han var plakat **b)** attr. bords-, bord- [*~ lamp*; *~ wine*] **2** bord[ssällskap] [*jokes that amused the whole ~*] **3** skiva, platta, underlag **4** tavla [*a stone ~*] **5** tabell [*multiplication ~*]; förteckning, register; *~ of contents* innehållsförteckning **6** [hög]platå **7** pl. *tables*: *turn the ~s [on sb]* få övertaget igen [över ngn]; *the ~s are turned* rollerna är ombytta **II** *vb tr* **1** parl. **a)** lägga fram [*~ a motion*] **b)** vanl. amer. bordlägga **2** ställa upp i tabellform

tableau [ˈtæbləʊ] (pl. *~x* [-z] el. *~s*) *s* tablå äv. bildl.

tablecloth [ˈteɪblklɒθ] *s* [bord]duk

table d'hôte [ˌtɑːblˈdəʊt] *s* fr. table d'hôte, dagens meny; *have a ~ lunch* äta lunch table d'hôte, äta dagens lunch

tableknife [ˈteɪblnaɪf] *s* bordskniv, matkniv

tableland [ˈteɪblænd] *s* [hög]platå, högslätt

table-lifting [ˈteɪblˌlɪftɪŋ] *s* spirit. borddans

table linen [ˈteɪblˌlɪnɪn] *s* bordslinne, dukar och servetter

table manners [ˈteɪblˌmænəz] *s pl* bordsskick

table mat [ˈteɪblmæt] *s* tablett; liten duk; [karott]underlägg

table napkin [ˈteɪblˌnæpkɪn] *s* servett

table-rapping [ˈteɪblˌræpɪŋ] *s* spirit. bordknackning

tablespoon [ˈteɪblspuːn] *s* **1** uppläggningssked **2** matsked äv. som mått

tablespoonful [ˈteɪblspuːnfʊl] (pl. *~s* el. *tablespoonsful*) *s* matsked som mått; *two ~s of sugar* två matskedar [med] socker

tablet [ˈtæblət] *s* **1** tablett [*throat ~s*] **2** [minnes]tavla **3** liten platta, skiva **4** kaka [*a ~ of chocolate*]; *a ~ of soap* en tvål

table tennis [ˈteɪblˌtenɪs] *s* bordtennis

table top [ˈteɪbltɒp] *s* bordsskiva; [avställnings]skiva på t.ex. kylskåp

tablet PC [ˌtæblətpiːˈsiː] *s* data. surfplatta

tableware [ˈteɪblweə] *s* bordsservis; glas, porslin och bestick

table wine [ˈteɪblwaɪn] *s* bordsvin

tabloid [ˈtæblɔɪd] *s* tabloid, tabloidtidning [i litet format] ofta kvällspress

tabloid TV [ˌtæblɔɪdtiːˈviː] *s* tabloid-tv

taboo [təˈbuː] **I** (pl. *~s*) *s* tabu; tabubegrepp, friare äv. förbud, bannlysning **II** *adj* tabu [*such words were once ~*]; tabuförklarad, friare äv. förbjuden, bannlyst

tab stop [ˈtæbstɒp] *s* tabbstopp

tabular [ˈtæbjʊlə] *adj* tabellarisk, [uppställd] i tabellform [*~ statistics*]; *in ~ form* i tabellform

tabulate [ˈtæbjʊleɪt] *vb tr* ordna (ställa upp) i tabellform; göra upp en tabell över

tabulation [ˌtæbjʊˈleɪʃ(ə)n] *s* tabelluppställning, tabellering, tabulering

tabulator [ˈtæbjʊleɪtə] *s* tabulator

tachograph [ˈtækəɡrɑːf] *s* bil. färdskrivare

tachometer [tæˈkɒmɪtə, təˈk-] *s* takometer; varvräknare

tacit [ˈtæsɪt] *adj* underförstådd; *~ consent* tyst medgivande

tacit knowledge [ˌtæsɪtˈnɒlɪdʒ] (utan pl.) *s* tyst kunskap

tacitly [ˈtæsɪtlɪ] *adv* tyst, stillatigande

taciturn [ˈtæsɪtɜːn] *adj* tystlåten, fåordig, ordkarg

taciturnity [ˌtæsɪˈtɜːnətɪ] *s* tystlåtenhet, fåordighet, ordkarghet

1 tack [tæk] **I** *s* **1** nubb, stift, spik; jfr *brass 1*; *carpet ~* mattspik **2** kurs, riktning; metoder, taktik, tillvägagångssätt [*we must change our ~*]; *be on the right (wrong) ~* vara inne på rätt (fel) spår **3 a)** tråckelstygn **b)** tråckling **4** sjö. hals; *be on the port (starboard) ~* ligga för babords (styrbords) halsar **5** ridutrustning t.ex. sadel, remtyg **II** *vb tr* **1** spika, nubba, fästa med stift; *~ sth to* sätta (spika, nubba) fast ngt på (i, vid) **2** tråckla; nästa; *~ sth to* **a)** tråckla (nästa) fast ngt vid **b)** bildl. lägga till (tillfoga, bifoga) ngt till **III** *vb tr* med adv.:

tack down spika på (fast) [*~ down a carpet*]

tack sth on to a) bildl. lägga till (tillfoga, bifoga) ngt till; *she ~ed herself on to the queue* hon hakade på kön **b)** sätta (spika, nubba) fast ngt på (i, vid) **c)** tråckla (nästa) fast ngt vid

2 tack [tæk] *s* sl. skräp, smörja, fuskverk

tackle [ˈtækl] **I** *vb tr* **1 a)** gripa sig an, angripa, ge sig på, ta itu med, tackla [*~ a problem*]; ge sig i kast med [*~ an opponent*] **b)** klara av, gå i land med [*I can't ~ it*] **c)** sätta åt, klämma, tala ut med [*~ sb about* el. *on* el. *over* (angående, om) *sth*] **2** sport.

tackla
II *vb itr* sport. tackla
III *s* **1** sport. tackling **2** redskap, grejer, don; *shaving* ~ rakgrejer, rakdon **3** sjö. tackel, talja; tackling
tack room ['tækru:m] *s* sadelkammare
1 tacky ['tækɪ] *adj* vard. smaklös; sjabbig; prålig
2 tacky ['tækɪ] *adj* klibbig [*the paint is still* ~]
taco ['tækəʊ, 'tɑːkəʊ] (pl. ~s) *s* kok. taco
tact [tækt] *s* takt[fullhet], finkänslighet
tactful ['tæktf(ʊ)l] *adj* taktfull, finkänslig
tactic ['tæktɪk] *s* **1** taktiskt grepp, manöver, knep; metod [*a new* ~] **2** pl. ~s se *tactics*
tactical ['tæktɪk(ə)l] *adj* mil. el. bildl. taktisk; ~ *exercise* taktisk övning, stridsövning
tactical voting [ˌtæktɪk(ə)l'vəʊtɪŋ] *s* taktikröstning
tactician [tæk'tɪʃ(ə)n] *s* mil. el. bildl. taktiker
tactics ['tæktɪks] *s* **1** (med verb i sg.) taktik del av krigskonsten **2** (med verb i pl.) taktik metoder, manövrer
tactile ['tæktaɪl, amer. 'tæktl] *adj* känsel- [~ *organ*]; taktil, förnimbar med känseln
tactless ['tæktləs] *adj* taktlös, ofinkänslig
tad [tæd] *s* vard. en bit, en smula, något [*a* ~ *short*]
tadpole ['tædpəʊl] *s* grodlarv, grodyngel
taffeta ['tæfɪtə] *s* taft
taffrail ['tæfreɪl] *s* sjö. **1** akterreling **2** hackbräde
Taffy ['tæfɪ] *s* neds. walesare ofta i tilltal
taffy ['tæfɪ] *s* amer., slags kola
1 tag [tæg] **I** *s* **1** lapp, märke äv. data.; etikett äv. data.; adresslapp; *electronic* ~ *electronic tag*; *price* ~ prislapp; *key* ~ nyckelbricka **2** remsa, flik, stump, tamp **3** stropp; hank, hängare **4** bihang, påhäng; *question* ~ el. ~ *question* språkv. påhängsfråga, eller-hur-fråga [t.ex. *it's nice, isn't it?*] **5** beteckning, [ök]namn **6** vard. tag, klottrares signatur
II *vb tr* **1** sätta lapp (märke etc., jfr *1 tag I 1*) på, märka, etikettera **2** vard. måla graffiti på, klottra på; tagga, förse med tag klottrares signatur **3** ~ *sth to* fästa ngt vid (i), lägga till (tillfoga) ngt till
III *vb itr* vard. följa (hänga) med
IV *vb itr* o. *vb tr* med adv.:
tag along after sb vard. följa ngn i hälarna
tag sth on to fästa ngt vid (i), lägga till (tillfoga) ngt till
2 tag [tæg] *s* tafatt, sistan, kull [*play* ~]
tagetes [tæ'dʒiːtiːz, tə'd-] *s* bot. tagetes, sammetsblomster
tagine [tæ'ʒiːn] *s* kok., se *tajine*
tagliatelle [ˌtæljə'telɪ] *s* kok. (it.) tagliatelle, bandspaghetti
tag line ['tæglaɪn] *s* vanl. amer. **1** slogan **2** slutkläm, poäng i rolig historia
Tahoe ['tɑːhəʊ, 'teɪ-] geogr.
t'ai chi [ˌtaɪ'dʒiː] *s* filos. el. gymn. tai (t'ai) chi
tail [teɪl] **I** *s* **1** svans, stjärt; slut, sista del [*the* ~ *of a procession*]; ända, bakre del [*the* ~ *of a cart*]; *turn* ~ a) vända sig bort, vända ryggen till b) ta till flykten; *twist sb's* ~ förarga ngn; *twist the lion's* ~ pröva [det brittiska] lejonets tålamod; *he was on my* ~ han var tätt i hälarna på mig; *run away with one's* ~ *between one's legs* fly med svansen mellan benen **2** skört [*the* ~ *of a coat*]; pl. ~s vard. frack; *in* ~s vard. [klädd] i frack **3** baksida av mynt; se ex. under *head I 4 c* **4** tunga på flagga **5** fläta; stångpiska **6** a) släng, understapel på bokstav b) mus. [not]fana

7 vard. deckare, spårhund; *put a* ~ *on sb* låta skugga ngn
II *vb itr* följa efter [i en lång rad]
III *vb tr* **1** skära av nederdelen (roten) på [~ *turnips*]; [*top and*] ~ snoppa bär **2** a) hänga i hälarna på b) skugga [~ *a suspect*] **3** avsluta, komma sist i [~ *a procession*]
IV *vb itr* med adv.:
tail after sb följa ngn i hälarna, följa tätt efter ngn
tail away el. **tail off** a) avta, försvagas, dö bort [*her voice* ~*ed away*]; smalna av b) sacka efter, förirra sig
tailback ['teɪlbæk] *s* [lång] bilkö
tailboard ['teɪlbɔːd] *s* se *tailgate*
tailbone ['teɪlbəʊn] *s* anat. svansben
tailcoat [ˌteɪl'kəʊt] *s* **1** frack **2** jackett
tailed [teɪld] *adj* vanl. som efterled i sammansättn. med...svans, -svansad [*long-tailed*]; med...stjärt
tail end [ˌteɪl'end] *s* slut, sista del [*the* ~ *of a speech*]; sluttamp; [slut]ända
tailgate ['teɪlgeɪt] **I** *s* **1** bakläm på lastvagn **2** bil. bakdörr på halvkombi; baklucka
II *vb itr* o. *vb tr* köra för nära [framförvarande fordon], inte hålla tillräckligt avstånd [till]
tailgate party ['teɪlgeɪtˌpɑːtɪ] *s* amer. vard. fest på en parkeringsplats före fotbollsmatch
tailless ['teɪlləs] *adj* svanslös, stjärtlös
tail light ['teɪllaɪt] *s* baklykta; flyg. stjärtlanterna
tailor ['teɪlə] **I** *s* skräddare; *ladies'* ~ damskräddare
II *vb tr* **1** [skräddar]sy **2** bildl. anpassa, tillrättalägga [*to* efter], skräddarsy **3** sy [kläder] åt
tailored ['teɪləd] *adj* sydd [*a hand-tailored shirt*]; skräddarsydd äv. bildl., välsittande, med god passform; strikt
tailoring ['teɪlərɪŋ] *s* **1** skrädderi; skräddaryrke **2** skräddararbete
tailor-made ['teɪləmeɪd] **I** *adj* skräddarsydd äv. bildl.; ~ *costume* skräddarsydd promenaddräkt
II *s* skräddarsydd promenaddräkt, tailor-made
tailor's dummy [ˌteɪləz'dʌmɪ] *s* **1** provdocka **2** [kläd]snobb
tailpiece ['teɪlpiːs] *s* slutstycke; avslutning, slut
tailpipe ['teɪlpaɪp] *s* bils avgasrör
tailplane ['teɪlpleɪn] *s* flyg. stabilisator
tailspin ['teɪlspɪn] *s* **1** flyg. spinn **2** vard. panik
tailwind ['teɪlwɪnd] *s* medvind
taint [teɪnt] **I** *vb tr* **1** fläcka, besudla [~ *sb's name*] **2** göra skämd, skämma, angripa; ~*ed meat* skämt (ankommet) kött **3** smitta; förorena, förpesta [~ *the air*]; bildl. fördärva
II *s* **1** skamfläck, moralisk brist [*a* ~ *in her character*] **2** smitta, smittämne [*the meat is free from* ~]; förorening; *there is a* ~ *of insanity in the family* det finns tecken på sinnessjukdom i familjen
Taiwan [taɪ'wɑːn, -'wæn] geogr.
Taiwanese [ˌtaɪwə'niːz] **I** *adj* taiwanesisk **II** (pl. *Taiwanese*) *s* taiwanes
tajine [tæ'ʒiːn] *s* kok. **1** maträtt gryta gjord på kött, frukt och grönsaker **2** kärl lergryta med koniskt lock
Taj Mahal [ˌtɑːdʒmə'hɑːl]
take [teɪk] **I** (*took taken*) *vb tr* (se äv. *take III*; se äv. fraser med *take* under *aback, oath, order* o. *seat* m.fl.) **1** ta; fatta, gripa; ta tag i, hålla sig i; ~ *sb's arm* ta

ngn under armen; **~ sb's hand** ta (hålla) ngn i handen
2 ta [med sig]; bära, flytta
3 föra [*he was ~n to the Tower*]; leda; **these stairs will ~ you to…** den här trappan leder till…
4 a) ta sig [*~ a liberty*]; **~ a bath** ta [sig] ett bad **b)** göra sig [*~ a lot of trouble* (besvär)]
5 a) göra [*~ a trip*]; vidta [*~ measures*]; **~ notes** föra (göra) anteckningar **b)** **~ a decision** fatta (ta) ett beslut **c)** avlägga [*~ a vow*]
6 a) ta, lägga beslag på; **this seat is ~n** den här platsen är upptagen **b)** gripa [*he was ~n by the police*] **c)** inta [*~ a fortress*]
7 a) inta [*~ one's place*] **b)** söka, ta [*~ cover; ~ shelter*]
8 dra, ta [*~ two from six*]
9 anteckna, skriva upp [*~ sb's name*]
10 a) inta [*~ one's meals*]; dricka [*~ wine*]; **~ snuff** snusa **b)** **~ the sun** sola [sig]
11 använda, ta [*~ sugar with* (i) *one's tea*]; ha, dra [*I ~ sevens* (nummer sju) *in gloves*]
12 ta, åka med [*~ the bus*]; **~ a taxi** ta (åka) taxi
13 ta, resa, åka, slå in på [*~ another road*]; **~ the road to the right** gå (köra) åt höger
14 a) ta emot [*~ a gift*]; **~ that!** där fick du [så du teg]!; **I'm not taking any of that** vard. sånt går inte med mig **b)** anta [*~ a bet*]
15 a) hyra [*~ a house*] **b)** prenumerera på [*~ two newspapers*]
16 behövas, fordras, krävas; dra [*the car ~s a lot of petrol*]; **he had already ~n six years over it** han hade redan lagt ner sex år på det; **it ~s so little to make her happy** det behövs så lite för att hon ska bli glad; **it ~s a lot to make her cry** det ska mycket till för att hon ska gråta; **it will ~ some doing** det är inte gjort utan vidare; **it took some finding** den var svår att hitta; **she has [got] what it ~s** vard. hon har allt som behövs
17 ta på sig [*~ the blame*]; överta, åta sig [*~ the responsibility*]; **~ it upon oneself to a)** åta sig att **b)** tillåta sig att, ta sig för att
18 **be ~n ill** bli sjuk, insjukna; **be ~n with** få, drabbas av
19 uppta, ta [*~ sth well*]; **he knows how to ~ people** han kan verkligen ta folk; **~ it or leave it!** om du inte vill ha det så får det vara!, passar det inte så låt bli!
20 tåla; **I can't ~ it any more** jag orkar inte med det längre; **he can't ~ a joke** han tål (förstår) inte skämt; **I will ~ no nonsense** jag vill inte veta av några dumheter
21 a) uppfatta, förstå [*he took the hint*]; **this must be ~n to mean that** det måste uppfattas så att **b)** följa, ta [*~ my advice*]
22 a) tro, anse; **I ~ it that** jag antar (förmodar) att; **what (who) do you ~ me for?** vem tar du mig för?; **do you ~ me for a fool?** tror du jag är [en] idiot? **b)** **you may ~ my word for it that** el. **you may ~ it from me that** du kan tro mig på mitt ord när jag säger att; **you may ~ his word for it** du kan tro honom på hans ord
23 fånga äv. bildl. [*it took my eye*]; fängsla; **be ~n with** bli intagen av (förtjust i)
24 hämta, ta [*the quotation is ~n from Shakespeare*]

25 a) vinna, ta [*he took the first set 6–3*] **b)** kortsp. få, ta [hem]; schack. ta, slå [*~ the queen*] **c)** sport. ta, klara hinder
26 anta, [börja] få [*the word has ~n a new meaning*]
27 fatta, få [*~ a liking to*]; finna, ha [*~ a pleasure in*]
28 ertappa, komma på; **~ sb unawares** överrumpla ngn
29 a) läsa, lära sig [*~ English at the university*]; gå på [*~ a course*] **b)** undervisa i [*~ a class*] **c)** gå upp i [*~ one's exam*]
30 gram. styra, konstrueras med
II (*took taken*) *vb itr* (se äv. take III) **1** ta [*the vaccination didn't ~*] **2** fastna, fästa, bot. slå rot, ta sig **3** ta [av] [*~ to the right*]
III (*took taken*) *vb tr* o. *vb itr* med adv. el. prep., ofta med spec. översättningar:
take after bras på, likna [*he ~s after his father*]
take against [börja] få någonting emot [*you've ~n against me*]
take along ta med [sig]
take apart a) ta isär [*~ a watch apart*] **b)** vard. slå, klå [*the team were ~n apart*] **c)** göra ner [fullständigt]
take away a) ta bort (undan); föra bort [*be ~n away to prison*] **b)** dra ifrån [*~ away six from nine*] **c)** **~ meals away** köpa hem färdiglagade måltider
take back a) ta (ge, lämna) tillbaka, återta; **I ~ back what I said** jag tar tillbaka vad jag sa **b)** föra (förflytta) tillbaka [i tiden] [*the stories took him back to his childhood*]
take down a) ta ned **b)** riva [ned] [*~ down a house*]; **~ down one's hair** lösa [upp] (slå ut) håret **c)** skriva ned (upp), anteckna; göra ett referat av [*~ down a speech*]; ta [diktamen på] [*~ down a letter*] **d)** **~ sb down** [*a peg or two*] sätta ngn på plats
take in a) ta in; ta (skaffa) in (hem) varor **b)** föra in; **~ a lady in to dinner** föra en dam till bordet **c)** ta emot, ha [*~ in boarders*] **d)** prenumerera på **e)** omfatta [*the map ~s in the whole of London*]; inkludera **f)** vard. besöka, gå på; **~ in a cinema** gå på bio **g)** förstå, fatta [*I didn't ~ in a word*]; överblicka [*~ in the situation*]; registrera [*she took in every detail*] **h)** **he ~s it all in** han går på allting, han är så lättlurad; **be ~n in** låta lura sig **i)** vard. ta till polisstationen
take off a) tr. ta bort (loss); ta av [sig] [*~ off one's shoes*]; itr. vara löstagbar, kunna tas av (loss) **b)** föra bort [*be ~n off to prison*]; köra i väg med; ta (hämta) upp från, rädda från **c)** avföra från [*~ an item off the agenda*]; **~ sugar off the ration** slopa ransoneringen av socker **d)** [be]ge sig i väg; flyg. starta, lyfta, lätta **e)** **~ a day off** ta [sig] ledigt en dag **f)** dra in [*~ off two trains*]; lägga ned [*~ off a play*] **g)** dra (slå) av, pruta [*~ £10 off*] **h)** imitera; parodiera **i)** komma i ropet, bli populär, göra sig gällande
take on a) åta sig, ta på sig [*~ on extra work*] **b)** ta in, anställa [*~ on new workers*] **c)** anta, [börja] få [*~ on a new meaning*] **d)** ställa upp mot, ta sig an [*~ sb on at* (i) *golf*]; fotb. äv. utmana [*~ on opponents*] **e)** slå igenom [*that fashion hasn't ~n on*] **f)** vard. bli upprörd; **she took on something**

dreadful hon förde ett himla liv

take out a) ta fram (upp, ut) [*from, of* ur]; ta ur (bort) [~ *out a stain*]; dra ut tand **b**) ta ut, skaffa sig [~ *out a licence*]; ta, teckna [~ *out an insurance policy*] **c**) ta [med] ut, bjuda ut [~ *sb out to* (på) *dinner*] **d**) *this ~s it out of me* det här suger musten ur mig **e**) [*when he is annoyed,*] *he ~s it out on her* …låter han det gå ut över henne

take over a) tr. överta [~ *over business*]; tillträda [~ *over a new job*] itr. ta över, överta ledningen (makten, ansvaret); ~ *over from* avlösa **b**) föra (köra) över; *we are now taking you over to…* radio. och nu över till… **c**) lägga sig till med

take to a) [börja] ägna sig åt, slå sig på [~ *to gardening*]; sätta sig in i, lära sig; hemfalla åt; ~ *to doing sth* lägga sig till med [vanan] att göra ngt; ~ *to drink* el. ~ *to drinking* börja dricka **b**) bli förtjust i, [börja] tycka om [*the children took to her at once*]; [börja] trivas med; dras till **c**) fly, ta sin tillflykt; ~ *to flight* ta till flykten; ~ *to the lifeboats* gå i livbåtarna

take up a) ta upp (fram); ta med [~ *up passengers*]; lyfta [på] [~ *up the telephone receiver*]; riva upp gata; ~ *up arms* ta till vapen **b**) suga (ta) åt sig **c**) sömnad. ta (lägga) upp **d**) ta upp [~ *up for* (till) *discussion*]; föra på tal **e**) ta [upp] [*it ~s up too much room*]; fylla [upp] [*it ~s up the whole page*]; uppta, ta i anspråk, lägga beslag på [~ *up sb's time*]; *he is ~n up with it* han är helt sysselsatt med det, han är engagerad i det **f**) inta [~ *up an attitude*] **g**) anta [~ *up a challenge*]; gå med på; ta sig an, åta sig [~ *up sb's cause*] **h**) [börja] ägna sig åt, slå sig på [~ *up gardening*]; börja läsa (lära sig); välja [~ *up a career*]; ~ *up golf* börja spela golf **i**) avbryta, rätta [~ *up a speaker*]; tillrättavisa **j**) *I'll ~ you up on that* det säger jag ja till, gärna; det [du säger] vill jag bestrida **k**) arrestera **l**) tillträda [~ *up one's post*] **m**) ~ *up with sb* börja umgås med ngn

IV *s* **1** tagande; jfr *give* IV **2** fångst [*the daily ~ of fish*]; [jakt]byte **3** intäkter, inkomst[er]; förtjänst **4 a**) film. tagning **b**) inspelning **5** ~ *on sth* vard. version av ngt; syn på ngt **6** sl., *be on the* ~ gärna ta emot mutor, gärna låta sig köpas

takeaway ['teɪkəweɪ] *s* **1** restaurang (butik) med mat för avhämtning [äv. ~ *restaurant* (*shop*)] **2** måltid för avhämtning [äv. ~ *meal*]; hämtmat [äv. ~ *food*]

take-home pay ['teɪkhəʊm,peɪ] *adj* vard. lön efter [avdrag för] skatt, nettolön

taken ['teɪk(ə)n] perf. p. av *take*

take-off ['teɪkɒf] *s* **1 a**) flyg. start [*a smooth ~*]; startplats **b**) sport. avstamp **2** härmning; karikatyr, parodi

takeover ['teɪk,əʊvə] *s* **1** övertagande, makttillträde, maktövertagande **2** hand. [företags]uppköp, övertagande av aktiemajoriteten i ett företag; *a hostile* ~ ett fientligt övertagande; *State* ~ statligt övertagande, förstatligande

takeover bid ['teɪk,əʊvəbɪd] *s* anbud att överta aktiemajoriteten i ett företag, uppköpsbud

taker ['teɪkə] *s* **1** tagare etc., jfr *take* I; *the ~ of sth* den som tar etc. ngt **2** hand. avnämare, köpare

3 vadhållare vid hästtävling; *there were no ~s* det gjordes inga insatser

take-up ['teɪkʌp] *s* utnyttjande; köp [~ *of shares*]; ~ *rate* utnyttjandeandel, andel personer som utnyttjar

taking ['teɪkɪŋ] **I** *s* **1** tagande etc., jfr *take* I; *it's all for the* ~ det är bara att ta för sig; *it's yours for the* ~ den är din bara du ber om den **2** fångst **3** pl. *~s* intäkter, inkomst[er]; förtjänst
II *adj* intagande, tilldragande; fängslande

talc [tælk] **I** *s* vard. talkpuder **II** *vb tr* talka

talcum powder ['tælkəm,paʊdə] *s* talkpuder

tale [teɪl] *s* **1** berättelse, historia, saga; *nursery ~* [barn]saga; amsaga; *old wives' ~s* käringprat, käringsnack, amsagor, skrock; ~ *of woe* se under *woe*; *tell a different ~* berätta något [helt] annat; bildl. peka i en annan riktning; *it tells its own ~* den talar för sig själv; *you won't be alive to tell the ~* du kommer inte att överleva för att kunna berätta om det, då är du redan död **2** lögn[historia] [*it's just a ~*]; *tell the ~* vard. duka upp en fantastisk (rörande) historia, dra gråtvalsen **3** skvallerhistoria; pl. *~s* äv. skvaller, prat, elakt tal; *tell ~s* vard. skvallra

talebearer ['teɪl,beərə] *s* skvallerbytta

talent ['tælənt] *s* **1** talang, begåvning [*a woman of* (med) *great ~*]; fallenhet, anlag; förmåga [*for doing sth* att göra ngt]; bibl. pund; *have a ~ for music* vara musikbegåvad, ha fallenhet för musik **2** talang, talangfull person, begåvning, förmåga [*young ~s*] **3** [konstnärliga] alster [*an exhibition of local ~*] **4** vard. åld. (koll.) sexig snygging

talented ['tæləntɪd] *adj* talangfull, begåvad

talent scout ['tæləntskaʊt] *s* o. **talent spotter** ['tælənt,spɒtə] *s* talangscout

Taliban ['tælɪbæn] *s* taliban

talisman ['tælɪzmən, -ɪsm-] *s* talisman; amulett

talk [tɔːk] **I** *vb itr* (se äv. *talk* III) **1** tala, prata; vard. snacka; *you're the one to ~!* el. *you can ~!* el. *you can't ~!* och det ska du säga!; *that's no way to ~* så säger man inte, så får man inte tala; *now you're ~ing!* vard. så ska det låta!, det där låter vettigt!; ~ *big* vard. vara stor i orden (mun) **2** kåsera, hålla föredrag **3** skvallra [*he won't ~*]
II *vb tr* (se äv. *talk* III) tala, prata; vard. snacka; ~ *scandal* skvallra, springa med skvaller; ~ *shop* prata jobb (om jobbet)
III *vb tr* o. *vb itr* med prep. el. adv., ofta med spec. översättningar:

talk about tala (prata) om

talk at tala till utan att bry sig om svar [*I don't like people who ~ at me instead of with me*]; *she ~ed to him but at me* hon talade till honom, men det hon sa var menat som en pik åt mig

talk back säga (käfta) emot, svara uppkäftigt [*to sb* ngn]

talk down a) prata omkull **b**) ~ *down* [*to*] använda en nedlåtande ton [till]

talk into: ~ *sb into doing sth* övertala ngn [till] (få ngn med på) att göra ngt

talk of tala (prata) om [*he ~s of going to London*]; *~ing of* på tal om, apropå

talk on tala (hålla föredrag, kåsera) om (över)

talk out: ~ *sb out of doing sth* övertala ngn att låta bli att göra ngt

talk over a) tala om (över), behandla [~ *over a subject*] **b)** diskutera, resonera (talas vid) om [*let's ~ the matter over*]
talk round övertala, få att ändra sig
talk through a) tala (prata) igenom **b)** ~ *sb through sth* gå igenom ngt med ngn
talk to a) tala (prata) med; tala till **b)** tala [allvar] med, säga till [på skarpen]
talk with tala med; prata (samtala) med
IV *s* **1** samtal; pratstund; pl. **~s** äv. förhandlingar [*peace* ~*s*]; överläggningar; **small** ~ småprat, kallprat **2 a)** prat [*we want action, not* ~]; vard. snack **b)** tal [*there can be no* ~ *of* (om) *that*] **c)** rykten [*hear* ~ *of war*]; ~ *is cheap* vard. det kostar inget att snacka; **there has been** ~ *of that* det har varit tal om det; **the** ~ *of the town* det allmänna samtalsämnet; en visa i hela stan **3** föredrag; *give a* ~ *on sth* hålla ett föredrag **4** språk [*baby* ~]
talkative ['tɔ:kətɪv] *adj* talför, språksam, pratsam, pratsjuk
talker ['tɔ:kə] *s* vard. person som talar (pratar); pratmakare [*what a* ~ *she is!*]; **smooth** ~ person som pratar omkull folk
talkie ['tɔ:kɪ] *s* vard. (hist.) talfilm; **the ~s a)** talfilmen **b)** bio
talking ['tɔ:kɪŋ] **I** *s* prat [*no* ~!]; **do the** ~ föra ordet; **I'll do all the** ~ [*when they arrive*] låt mig tala (föra ordet)...; **he did all the** ~ det var han som pratade (höll låda); **there was very little** ~ det sas (pratades) mycket lite
II *adj* talande etc., jfr *talk I*
talking book [,tɔ:kɪŋ'bʊk] *s* talbok
talking film [,tɔ:kɪŋ'fɪlm] *s* hist. talfilm
talking head [,tɔ:kɪŋ'hed] *s* TV. el. film. talking head ansiktsbild av en talande person
talking picture [,tɔ:kɪŋ'pɪktʃə] *s* hist. talfilm
talking point ['tɔ:kɪŋpɔɪnt] *s* diskussionsämne
talking-to ['tɔ:kɪŋtu:] *s* vard. åthutning, utskällning [*get a* ~]; **give sb a good** ~ äv. läsa lusen av ngn
talk show ['tɔ:kʃəʊ] *s* radio. el. TV. pratshow, intervjuprogram med kändisar, soffprogram
talk therapy ['tɔ:k,θerəpɪ] *s* psykol. samtalsterapi
tall [tɔ:l] *adj* **1** lång [*he is six foot* ~; *a* ~ *woman*]; stor[växt], reslig, högväxt; hög [*a* ~ *building*; *a* ~ *mast*]; ~ *drink* långdrink [i högt glas] **2** vard., ~ *order* se under *order I 3 a*; *a* ~ *price* ett saftigt pris; *a* ~ *story* en rövarhistoria
tallboy ['tɔ:lbɔɪ] *s* hög byrå
Tallinn ['tælɪn] geogr.
tallness ['tɔ:lnəs] *s* längd, reslighet; höjd
tallow ['tæləʊ] *s* talg
tally ['tælɪ] **I** *s* **1 a)** [kontroll]räkning, poängberäkning **b)** poängsumma, poängställning; **keep** ~ *of* hålla räkning på, föra räkning över **2** [kontroll]märke, etikett
II *vb tr* [kontroll]räkna; ~ *up* räkna ihop
III *vb itr* stämma överens [*the lists* ~]; stämma, klaffa
Talmud ['tælmʊd] *s*, **the** ~ talmud judisk skriftsamling
talon ['tælən] *s* **1** [rovfågels]klo **2** hand. talong på kupongark **3** kortsp. talong
tamarind ['tæmərɪnd] *s* bot. tamarind[frukt]
tambourine [,tæmbə'ri:n] *s* mus. tamburin

tame [teɪm] **I** *adj* tam **II** *vb tr* tämja; t.ex. djur domptera; kuva
tameable ['teɪməbl] *adj* tämjbar
tameness ['teɪmnəs] *s* tamhet
tamer ['teɪmə] *s* [djur]tämjare, domptör
Tamil ['tæmɪl, -ml] *s* **1** tamil medlem av ett sydindiskt och srilankesiskt folkslag **2** tamil[språket]
tamp [tæmp] *vb tr* **1** packa (trycka) till [~ *the earth round a plant*] **2** stoppa, fylla [~ *one's pipe*]
Tampax® ['tæmpæks] *s* Tampax® slags tampong
tamper ['tæmpə] *vb itr*, ~ *with* **a)** fingra (peta) på, mixtra (konstra) med; manipulera (fiffla) med **b)** tubba, [försöka] muta [~ *with a witness*]
tamper-proof ['tæmpər,pru:f] *adj* **1** med garantiförsegling, garantiförseglad [*a* ~ *package*] **2** data. intrångsskyddad, skyddad mot intrång (obehörig användning)
tamper-resistant ['tæmpərɪ,zɪst(ə)nt] *adj* amer., se *tamper-proof*
tampon ['tæmpən, -ɒn] *s* tampong
tan [tæn] **I** *vb tr* **1** göra brunbränd; ~*ned* solbränd, brun[bränd] **2** garva, barka **3** vard., ~ *sb* el. ~ *sb's hide* ge ngn på huden, klå upp ngn
II *vb itr* bli solbränd, bli brun[bränd]
III *s* **1** solbränna **2** [mellan]brunt, barkbrunt
tandem ['tændəm, -dem] *s* **1** tandem[cykel] **2** *in* ~ **a)** i rad [efter varandra] [*swim in* ~] **b)** bildl. gemensamt, sida vid sida **c)** samtidigt
tandoor [tændʊə] *s* ind. kok. lerugn
tandoori [tæn'dʊərɪ] *s* ind. kok. tandoori [~ *chicken*]
tang [tæŋ] *s* **1** skarp smak (lukt) **2** bismak; eftersmak **3** anstrykning, prägel
tanga ['tæŋgə] *s* tanga, tangatrosa
tangent ['tæn(d)ʒ(ə)nt] **I** *s* geom. tangent; **go off at a** ~ el. **go off on a** ~ vard., bildl. plötsligt avvika från ämnet, göra ett hopp [i tankegången]
II *adj* tangerande; tangerings-, berörings-; **be** ~ *to* tangera
tangerine [,tæn(d)ʒə'ri:n] **I** *s* tangerin frukt
II *adj* orangeröd
tangibility [,tæn(d)ʒə'bɪlətɪ] *s* påtaglighet, gripbarhet etc., jfr *tangible*
tangible ['tæn(d)ʒəbl] *adj* **1** påtaglig [~ *proofs*]; gripbar, handgriplig; verklig, faktisk **2** materiell, real-; ~ *assets* materiella tillgångar, realtillgångar
tangle ['tæŋgl] **I** *vb tr* trassla till, göra trasslig; **get** ~*d* [*up*] trassla (tova) ihop sig
II *vb itr* **1** bli tilltrasslad, trassla sig; bli insnärjd **2** vard. gräla, tampas [*with* med]
III *s* **1** trassel, oreda; röra, virrvarr, bråte; härva [*a* ~ *of lies*]; snårskog [*a* ~ *of undergrowth*]; **be in a** ~ vara tilltrasslad, vara ett enda virrvarr; vara förvirrad **2** vard. gräl, bråk, konflikt
tangled ['tæŋgld] *adj* tilltrasslad, trasslig; tovig
tango ['tæŋgəʊ] **I** (pl. ~*s*) *s* tango **II** *vb itr* dansa tango
tangy ['tæŋɪ] *adj* skarp om smak o.d.; väldoftande
tank [tæŋk] **I** *s* **1 a)** tank; cistern, behållare **b)** reservoar [*rain-water* ~]; damm; amer. bassäng **2** akvarium; **community** ~ sällskapsakvarium; **species** ~ artakvarium **3** mil. stridsvagn, tanks; ~ *regiment* pansarregemente
II *vb itr*, ~ *up* vanl. amer. tanka fullt (full tank)
tankard ['tæŋkəd] *s* [dryckes]kanna, stop; sejdel

tanked [tæŋkt] *adj* o. **tanked-up** [ˌtæŋkt'ʌp] *adj* sl. packad berusad

tanker ['tæŋkə] *s* tanker, tankfartyg; tankbil

tank suit ['tæŋksuːt, -sjuːt] *s* vanl. amer. hel baddräkt [med axelband]

tank top ['tæŋktɒp] *s* ärmlös tröja, [brottar]linne

tanner ['tænə] *s* garvare

tannery ['tænərɪ] *s* **1** garveri **2** garvning

tannic acid [ˌtænɪk'æsɪd] *s* garvsyra

tannin ['tænɪn] *s* **1** tannin garvämne **2** garvsyra

Tannoy® ['tænɔɪ] *s* högtalaranläggning t.ex. på flygplats; högtalare [*on* (i) *the ~*]

tantalize ['tæntəlaɪz] *vb tr* locka, fresta; reta; gäcka

tantalizing ['tæntəlaɪzɪŋ] *adj* lockande, frestande; retsam, gäckande

tantamount ['tæntəmaʊnt] *adj*, **be ~ to** vara liktydig med, vara detsamma som, innebära

tantrum ['tæntrəm] *s* raserianfall; **have a ~** el. **throw a ~** få ett raserianfall

Tanzania [ˌtænzə'niːə, tæn'zeɪnɪə] geogr.

Tanzanian [ˌtænzə'niːən, tæn'zeɪnɪən] **I** *adj* tanzanisk **II** *s* tanzanier

Taoiseach ['tiːʃək, -əx] *s*, **the ~** premiärministern i Irländska republiken

Taoism ['taʊɪz(ə)m, 'daʊ-] *s* relig. taoism

1 tap [tæp] **I** *s* **1** kran på ledningsrör, tappkran; **on ~** a) om öl o.d. på fat [*have beer on ~*]; klar för tappning b) bildl. till hands, redo, till ngns förfogande [*he always expects me to be on ~*] **2** plugg, tapp i tunna **II** *vb tr* **1** a) tappa [*~ a rubber tree*]; tappa ur [*~ a cask*]; bildl. tappa av, åderlåta b) tappa av [äv. *~ off*; *~ a liquor*] **2** a) utnyttja, exploatera [*~ sources of energy*]; öppna [*~ a new market*] b) hämta [*material ~ped from new sources*] c) pumpa, mjölka [*~ sb for* (på) *information*]; **~ sb for money** vigga (tigga) pengar av ngn **3** tele. avlyssna [*~ a telephone conversation*]; **~ the wires** göra telefonavlyssning

2 tap [tæp] **I** *vb tr* **1** knacka i (på), trumma i (på) [*~ the table*] **2** trumma med [*~ one's fingers*]; knacka (slå) med **3** slå (klappa) lätt [*~ sb on the shoulder*] **II** *vb itr* **1** knacka [*~ at* (on) *the door*]; slå lätt; **~ away at** (**on**) **one's computer** knacka (skriva) på datorn **2** trumma [*~ with one's fingers*] **3** klappra, gå med klapprande steg **III** *vb tr* med adv.: **tap out** a) på dator skriva, skriva in b) på telefon trycka, knappa **IV** *s* knackning, lätt slag; **there was a ~ at the door** det knackade på dörren

tapas ['tæpəs] *s* kok. tapas spanskt tilltugg

tap dance ['tæpdɑːns] **I** *s* step[p], step[p]dans **II** *vb itr* steppa

tap dancing ['tæpˌdɑːnsɪŋ] *s* step[p], steppning; **do ~** steppa

tape [teɪp] **I** *s* **1** a) [ljud-, video]band; **magnetic ~** magnetband; inspelningsband; **record on ~** spela in (ta upp) på band, banda b) vard. [band]inspelning **2** tejp, klisterremsa [äv. *adhesive ~* el. *sticky ~*]; **insulating ~** isoleringsband **3** band [*cotton ~*; *name ~*] **4** sport. målsnöre; **breast the ~** spränga målsnöret **5** måttband; lantmät. mätband **II** *vb tr* **1** spela in (ta upp) på band, banda **2** linda med tejp (isoleringsband); **~** el. **~ up** tejpa ihop **3** binda (knyta) om (fast) med band **4** mäta [med måttband] **5** vard. bedöma, taxera; **I've got him ~d** jag vet vad han går för

tape cartridge ['teɪpˌkɑːtrɪdʒ] *s* data. bandkassett

tape deck ['teɪpdek] *s* bandspelardäck

tape drive ['teɪpdraɪv] *s* data. bandstation

tape head ['teɪphed] *s* tonhuvud på bandspelare

tape measure ['teɪpˌmeʒə] *s* måttband

taper ['teɪpə] **I** *vb itr*, **~** el. **~ off** smalna [av] [*~ off to a point*]; bildl. gradvis minska, avta **II** *vb tr*, **~** el. **~ off** göra spetsigare (smalare); bildl. gradvis minska, skära ned **III** *s* **1** smalt [vax]ljus, spira **2** avsmalning **3** avsmalnande; bildl. gradvis minskning, avtagande

tape record ['teɪprɪˌkɔːd] *vb tr* spela in (ta upp) på band, banda

tape recorder ['teɪprɪˌkɔːdə] *s* bandspelare

tape recording ['teɪprɪˌkɔːdɪŋ] *s* bandinspelning, bandupptagning, bandning

tapering ['teɪpərɪŋ] *adj* spetsig, som löper ut i en spets; avsmalnande; [lång]smal [*~ fingers*]

tapestry ['tæpəstrɪ] *s* gobeläng[er]; bildvävnad, [vävd] tapet

tapeworm ['teɪpwɜːm] *s* zool. binnikemask, bandmask

tapioca [ˌtæpɪ'əʊkə] *s* bot. el. kok. tapioka

tapir ['teɪpə, -pɪə] *s* zool. tapir

tappet ['tæpɪt] *s* tekn. lyftarm, lyftkam, nock; ventillyftare

tap water ['tæpˌwɔːtə] *s* vattenledningsvatten, kranvatten

tar [tɑː] **I** *s* tjära; asfalt **II** *vb tr* tjära; asfaltera; **~ and feather** tjära och fjädra som bestraffningsform; **they are ~red with the same brush** de är lika goda kålsupare

taramasalata [ˌtærəməsə'lɑːtə] *s* kok. taramasalata grekisk rätt

tarantella [ˌtær(ə)n'telə] *s* it. tarantella dans el. mus.

tarantula [tə'ræntjʊlə] *s* zool. tarantel giftig spindel

tardiness ['tɑːdɪnəs] *s* långsamhet, senfärdighet, tröghet; dröjsmål

tardy ['tɑːdɪ] **I** *adj* långsam, senfärdig, trög [*in doing sth* med att göra ngt], sen, senkommen [*a ~ apology*]; motsträvig [*a ~ reply*] **II** *s* amer. skol. **1** sen ankomst **2** anmärkning för sen ankomst

target ['tɑːgɪt] **I** *s* **1** måltavla, skottavla; mål; spec. flyg. operationsmål **2** mål[sättning]; **be on ~** vara på väg att nå sitt mål; **be off ~** missa målet; **meet the ~** nå målet (målsättningen), uppfylla kravet **3** bildl. skottavla; **be a ~ for criticism** el. **be the ~ of criticism** vara skottavla (föremål) för kritik **4** attr. mål- [*~ analysis*; *~ area*; *~ language*] **II** *vb tr* **1** göra till mål[tavla]; använda som (utse till) mål **2** uppsätta (uppställa) som mål **3** skjuta in vapen **4** rikta in (programmera) robot mot mål

target date ['tɑːgɪtdeɪt] *s* beräknad (utsatt) tid[punkt]; **our ~ is next July** vi siktar på juli [månad]

target group ['tɑːgɪtgruːp] *s* målgrupp

target practice ['tɑːgɪtˌpræktɪs] *s* målskjutning; skjutövning

Tarheel State ['tɑːhiːlsteɪt], **the** ~ beteckn. för *North Carolina*

tariff ['tærɪf] *s* **1 a)** tulltaxa, tulltariff **b)** tull, tullar **c)** tullsystem **d)** attr. tull- [~ *policy*; ~ *union*] **2** taxa, tariff; prislista

tariff barrier ['tærɪf,bærɪə] *s* tullmur

tariff rate ['tærɪfreɪt] *s* tullsats

tariff wall ['tærɪfwɔːl] *s* tullmur

tarmac ['tɑːmæk] **I** *s* **1** *tarmac®* grov asfaltbeläggning **2** flyg., **the** ~ plattan **II** *vb tr* asfaltera

tarn [tɑːn] *s* tjärn, bergssjö, fjällsjö

tarnish ['tɑːnɪʃ] **I** *vb tr* **1** göra matt (glanslös), missfärga **2** bildl. skamfila [*his reputation is* ~*ed*]; fläcka, vanära; grumla **II** *vb itr* bli matt (glanslös), mista sin glans; anlöpa[s], bli anlupen [*silver* ~*es quickly*] **III** *s* glanslöshet, matthet; missfärgning; anlöpning

tarot ['tærəʊ] *s* **1** tarot kortlek med 78 kort **2** tarotkort [äv. ~ *card*]

tarpaulin [tɑː'pɔːlɪn] *s* presenning

tarragon ['tærəgən] *s* bot. dragon[ört]; ~ *vinegar* dragonättika

1 tarry ['tɑːrɪ] *adj* tjärig, nedtjärad; tjärartad

2 tarry ['tærɪ] *vb itr* litt. stanna [kvar], dröja [kvar]

1 tart [tɑːt] **I** *s* **1** mördegstårta [med frukt], tartelett; mördegsform, mördegsbakelse; [frukt]paj; *jam* ~ mördegsform med sylt **2** sl. fnask prostituerad **II** *vb tr* vard., ~ *up* piffa till, sminka; kluta (styra) ut

2 tart [tɑːt] *adj* **1** syrlig [~ *apples*]; sträv, besk [*a* ~ *flavour*] **2** bildl. skarp, besk [*a* ~ *answer*]

tartan ['tɑːt(ə)n] **I** *s* **1** tartan, skotskrutigt tyg (mönster) **2** pläd, [skotsk] schal **II** *adj* skotskrutig; tartan-

Tartar ['tɑːtə] *s* tatar folkgrupp

1 tartar ['tɑːtə] *s* **1** tandsten **2** kem. vinsten; *cream of* ~ renad vinsten, cremor tartari

2 tartar ['tɑːtə] *s* vard. tyrann, buse; ragata

tartare sauce [,tɑːtɑː'sɔːs] *s* kok. tartarsås

tartare steak [,tɑːtɑː'steɪk] *s* kok., ung. råbiff

tartaric acid [tɑː,tærɪk'æsɪd] *s* kem. vinsyra

taser ['teɪzə] *s* elchockpistol

task [tɑːsk] *s* [arbets]uppgift, uppdrag; läxa; *set sb a* ~ förelägga (ge) ngn en uppgift; *take sb to* ~ läxa upp ngn, ställa ngn till svars

taskbar ['tɑːskbɑː] *s* data. aktivitetsfält

task force ['tɑːskfɔːs] *s* mil. specialtrupp, operationsstyrka, stridsgrupp

task lighting ['tɑːsk,laɪtɪŋ] *s* arbetsbelysning

taskmaster ['tɑːsk,mɑːstə] *s* [krävande] uppdragsgivare, hård lärare, slavdrivare; bildl. tuktomästare [ofta *hard* ~]

Tasmania [tæz'meɪnɪə] geogr. Tasmanien

tassel ['tæs(ə)l] *s* tofs

tasselled ['tæs(ə)ld] *adj* tofs-, tofsprydd

taste [teɪst] **I** *s* **1 a)** smak, smaksinne [äv. *sense of* ~] **b)** smak; bismak [*the milk has a certain* ~]; försmak [*of* av.]; *it leaves a bad* ~ *in the mouth* det ger dålig smak i munnen, det lämnar (har) en dålig (obehaglig) eftersmak äv. bildl. **2** bildl. **a)** smak [*for* för] **b)** smakriktning, mode; pl. ~*s* äv. smak, intressen; tycke och smak; *it is a matter of* ~ det är en smaksak, det beror på tycke och smak; *it would be bad* ~ *to refuse* det skulle vara ofint att tacka nej; *acquire a* ~ *for* få smak för (på); *have a* ~ *for* äv. vara intresserad av; *there is no accounting for* ~*s* om tycke och smak ska man inte diskutera; *in bad* ~ smaklös[t]; taktlös[t]; omdömeslös[t]; *a joke in bad* ~ ett osmakligt (dåligt) skämt; *in good* ~ smakfull[t]; taktfull[t]; *each to his* ~ el. *everyone to his* ~ var och en har sin smak; *it is not to my* ~ det är inte i min smak, det faller mig inte i smaken; *add sugar to* ~ socker tillsättes efter smak (behag) **3** smakprov, smakbit; klunk, droppe, skvätt **II** *vb tr* **1** smaka; smaka 'av, smaka (smutta) på, provsmaka; känna smak[en] av **2** få smaka ['på], få pröva 'på, erfara; få smak på **III** *vb itr* smaka [~ *bitter*]; ~ *good* smaka bra, ha god smak; *it* ~*s mild* den är mild i smaken

taste bud ['teɪs(t)bʌd] *s* anat. smaklök

tasteful ['teɪstf(ʊ)l] *adj* smakfull

tasteless ['teɪstləs] *adj* smaklös; osmaklig

taster ['teɪstə] *s* **1** avsmakare, provsmakare; i sammansättn. -provare [*wine-taster*] **2** vard. smakbit, smakprov

tasty ['teɪstɪ] *adj* **1** välsmakande, smaklig, pikant **2** vard. sexig om kvinna

1 tat [tæt] *s* se *3 tit*

2 tat [tæt] *s* sl. skräp, smörja

tata o. **ta-ta** [,tæ'tɑː] *interj* vard. barnspr. ajö, ajö!; hej, hej!

tater ['teɪtə] *s* dial. el. sl. för *potato*

tattered ['tætəd] *adj* trasig [*a* ~ *flag*; ~ *clouds*]; söndersliten, fransig; i trasor (paltor) [*a* ~ *old man*]

tatters ['tætəz] *s pl* trasor; paltor, lumpor [*rags and* ~]; *in* ~ bildl. i spillror; *tear to* ~ el. *leave in* ~ bildl. helt trasa sönder; slå hål på; kritisera sönder

tatting ['tætɪŋ] *s* frivoliteter slags spets; frivolitetsarbete

tattle ['tætl] **I** *vb itr* skvallra, tissla och tassla; tjattra, prata **II** *s* skvaller; tjatter, prat

tattler ['tætlə] *s* pratmakare; skvallerbytta

tattletale ['tætlteɪl] *s* vanl. amer. vard. skvallerbytta

1 tattoo [tə'tuː, tæt-] **I** *vb tr* tatuera **II** (pl. ~*s*) *s* tatuering

2 tattoo [tə'tuː, tæt-] (pl. ~*s*) *s* **1** mil. tapto; *beat the* ~ el. *sound the* ~ blåsa tapto **2** militärparad, militäruppvisning

tatty ['tætɪ] *adj* vard. **1** sjabbig **2** billig

taught [tɔːt] imperf. o. perf. p. av *teach*

taunt [tɔːnt] **I** *vb tr* håna, pika, smäda [*with* för] **II** *s* glåpord, gliring, pik, speglosa

taupe [təʊp] *s* mullvadsgrått, brungrått

Taurus ['tɔːrəs] *s* o. *adj* astrol. Oxen; *she is a* ~ el. *she is* ~ hon är oxe

taut [tɔːt] *adj* **1** spänd [~ *muscles*; ~ *nerves*]; stram äv. bildl. **2** fast, vältrimmad [*a* ~ *figure*]

tauten ['tɔːtn] **I** *vb tr* spänna, sträcka **II** *vb itr* spännas, sträckas, bli styv

tautological [,tɔːtə'lɒdʒɪk(ə)l] *adj* tautologisk, onödigt upprepande

tautology [tɔː'tɒlədʒɪ] *s* tautologi

tavern ['tævən] *s* värdshus; [öl]krog

taverna [tə'vɜːnə] *s* taverna

tawdriness ['tɔːdrɪnəs] *s* prål, glitter, billig lyx; prålighet

tawdry ['tɔːdrɪ] *adj* grann, prålig, billig [~ *jewellery*]

tawny ['tɔ:nɪ] *adj* gulbrun, läderfärgad; solbränd

tawny owl [,tɔ:nɪ'aʊl] *s* zool. kattuggla

tawny port [,tɔ:nɪ'pɔ:t] *s* 'tawny', läderfärgat (gulbrunt) portvin

tax [tæks] **I** *s* **1** [statlig] skatt; pålaga **2** bildl. börda, press, påfrestning [~ *on sb's health*] **II** *vb tr* **1** beskatta; taxera [*at* till; *by* efter] **2** bildl. anstränga, fresta [på], betunga, sätta på [hårt] prov, ta i anspråk **3** beskylla, anklaga [*with* för]

taxable ['tæksəbl] *adj* beskattningsbar, skattepliktig [~ *income*]

tax allowance ['tæksə,laʊəns] *s* grundavdrag

tax arrears ['tæksə,rɪəz] *s pl* kvarskatt

taxation [tæk'seɪʃ(ə)n] *s* **1** beskattning; taxering **2** skatter [*reduce* ~]

tax avoidance ['tæksə,vɔɪd(ə)ns] *s* skattesmitning, skatteplanering

tax bracket ['tæks,brækɪt] *s* skatteskikt

tax break ['tæksbreɪk] *s* skattelättnad

tax collector ['tæksə,lektə] *s* [skatte]uppbördsman

tax-deductible ['tæksdɪ,dʌktəbl] *adj* avdragsgill

tax disc ['tæksdɪsk] *s* [bil]skattemärke, kontrollmärke

tax dodger ['tæks,dɒdʒə] *s* skattesmitare, skattefuskare

tax dodging ['tæks,dɒdʒɪŋ] *s* skattesmitning, skattefusk

tax evader ['tæksɪ,veɪdə] *s* skattesmitare, skattefuskare

tax evasion ['tæksɪ,veɪʒ(ə)n] *s* skattesmitning, skattefusk

tax-exempt ['tæksɪg,zem(p)t] *adj* skattebefriad

tax exemption ['tæksɪg,zem(p)ʃ(ə)n] *s* skattebefrielse

tax exile ['tæks,eksaɪl] *s* skatteflykting, emigrant av skattetekniska skäl

tax-free [,tæks'fri:, attr. '--] *adj* skattefri, befriad från skatt

tax-free shop ['tæks,fri:'ʃɒp] *s* tax-free-shop t.ex. på båt, flygplats

tax haven ['tæks,heɪvn] *s* skatteparadis lågskatteland

taxi ['tæksɪ] **I** *s* taxi, bil; *air* ~ taxiflyg **II** *vb itr* flyg. taxa, köra på marken (vattnet) t.ex. före start

taxidermist ['tæksɪdɜ:mɪst, ,tæksɪ'dɜ:m-, tæk'sɪdəmɪst] *s* [djur]konservator, uppstoppare

taxidermy ['tæksɪdɜ:mɪ] *s* uppstoppning av djur

taxi-driver ['tæksɪ,draɪvə] *s* taxichaufför

taximeter ['tæksɪ,mi:tə] *s* taxameter

tax incentive ['tæksɪn,sentɪv] *s* stimulansåtgärd i form av skattesänkning

taxing ['tæksɪŋ] *adj* ansträngande, påfrestande, betungande

tax inspector ['tæksɪn,spektə] *s* ung. taxeringsinspektör

taxi rank ['tæksɪræŋk] *s* taxihållplats; rad väntande taxi[bilar]

taxiway ['tæksɪweɪ] *s* flyg. taxibana

tax|man ['tæks|mæn] (pl. *-men* [-mən]) *s* [skatte]uppbördsman; *the* ~ vard. skattmasen

taxpayer ['tæks,peɪə] *s* skattebetalare

taxpayer financed ['tækspeɪə,faɪnænst] *adj* finansierad av skattebetalarna

tax rebate [,tæks'ri:beɪt] *s* o. **tax refund** [,tæks'ri:fʌnd] *s* skatteåterbäring

tax relief [,tæksrɪ'li:f] *s* skattelättnad

tax return ['tæksrɪ,tɜ:n] *s* självdeklaration

tax shelter ['tæks,ʃeltə] *s* ung. skatteplanering

tax year ['tæksjɪə] *s* beskattningsår

1 TB [,ti:'bi:] *s* (vard. för *tuberculosis*) tbc

2 TB [,ti:'bi:] data. förk. för *terabyte*

TBA [,ti:bi:'eɪ] förk. för *to be announced*

T-ball® ['ti:bɔ:l] *s* amer., enklare baseboll för barn

T-bar ['ti:bɑ:] *s* skidsport. bygellift, ankarlift [äv. ~ *lift*]

TBD [,ti:bi:'di:] förk. för *to be decided* i protokoll o.d.

T-bone steak [,ti:bəʊn'steɪk] *s* kok. T-benstek

tbs o. **tbsp** (förk. för *tablespoon*[*ful*]) msk, matsked

TD [,ti:'di:] **1** irl. (förk. för *Teachta Dála*) medlem av Dáil parlamentets andra kammare **2** amer. (förk. för *Treasury Department*) finansdepartementet

te [ti:] *s* mus. si

tea [ti:] *s* te dryck, måltid; te[sort] [*our ~s are carefully blended*]; teblad; tebjudning; ~ *and sympathy* tröst och stöd; *early morning* ~ morgonte; *high* ~ lätt kvällsmåltid med te, tidig tesupé vanl. vid 6-tiden; *have* ~ dricka te; *come to* ~ komma på te; *not for all the ~ in China* ung. inte för allt smör i Småland; *it's not my cup of* ~ vard. det är inte min grej

tea bag ['ti:bæg] *s* tepåse

tea break ['ti:breɪk] *s* tepaus

tea caddy ['ti:,kædɪ] *s* teburk

teacake ['ti:keɪk] *s* slags platt bulle med russin som äts varm med smör

tea canister ['ti:,kænɪstə] *s* teburk

tea cart ['ti:kɑ:t] *s* amer. tevagn, rullbord

teach [ti:tʃ] (*taught taught*) **I** *vb tr* undervisa [~ *children*]; undervisa i [~ *the violin* (fiolspelning)]; lära [*he ~es us French*]; ge undervisning i, ge (hålla) lektioner i; ~ *sb* [*how*] *to drive* lära ngn köra; *he taught us how to do it* han lärde oss hur vi skulle göra; *I'll ~ you to lie!* jag ska [minsann] lära dig att ljuga, jag!; ~ *school* amer. undervisa, vara lärare **II** *vb itr* undervisa, vara lärare

teachable ['ti:tʃəbl] *adj* **1** läraktig **2** meddelbar, som kan läras [ut] [~ *knowledge*]

teacher ['ti:tʃə] *s* lärare; ~[*s'*] *training college* se *college of education* under *college 2*

tea chest ['ti:tʃest] *s* telåda för transport av te

teach-in ['ti:tʃɪn] *s* **1** teach-in, debattdag[ar] **2** univ., informellt seminarium

teaching ['ti:tʃɪŋ] **I** *s* **1** undervisning; *go into* ~ ägna sig åt (slå sig på) lärarbanan **2** vanl. pl. ~*s* lära, läror [*the ~s of the Church*] **II** *adj* undervisnings- [*a ~ hospital*]; lärar- [*the ~ profession*]

teaching aid ['ti:tʃɪŋeɪd] *s* hjälpmedel i undervisningen

teaching assistant ['ti:tʃɪŋə,sɪstənt] *s* univ., ung amanuens

tea cloth ['ti:klɒθ] *s* torkhandduk, diskhandduk, kökshandduk

tea cosy ['ti:,kəʊzɪ] *s* tehuv, tevärmare

teacup ['ti:kʌp] *s* tekopp; *a storm in a* ~ en storm i ett vattenglas

teak [ti:k] *s* **1** teak[trä] **2** teakträd

teal [ti:l] *s* zool. kricka, krickand

tea leaf ['ti:li:f] (pl. *tea leaves*) *s* teblad

tealight ['tiːlaɪt] s värmeljus

team [tiːm] **I** s **1** team, gäng, lag [~ of workmen; football ~]; grupp; trupp; first ~ sport. A-lag; second ~ el. reserve ~ el. B ~ sport. B-lag **2 a)** spann, par av dragare **b)** amer. förspänt fordon; [häst och] vagn **II** vb itr **1** ~ up vard. slå sig ihop, arbeta i team (lag), bilda ett team (lag) [with med] **2** ~ with bildl. passa ihop med

team-mate ['tiːmmeɪt] s lagkamrat, lagkompis

team spirit ['tiːmˌspɪrɪt, ˌ-'--] s laganda

teamster ['tiːmstə] s **1** amer. lastbilschaufför, långtradarchaufför **2** kusk som kör spann

team-teaching ['tiːmˌtiːtʃɪŋ] s skol. undervisning i lärarlag

teamwork ['tiːmwɜːk] s teamwork, lagarbete, grupparbete

tea party ['tiːˌpɑːtɪ] s tebjudning

tea plantation ['tiːplɑːnˌteɪʃ(ə)n, -plæn-] s teplantage, teodling

teapot ['tiːpɒt] s tekanna; a tempest in a ~ amer. en storm i ett vattenglas

1 tear [tɪə] s **1** tår [flood of ~s]; shed ~s fälla tårar; in ~s gråtande, i tårar; all in ~s upplöst i tårar; burst into ~s brista i gråt; be easily moved to ~s ha lätt för att börja gråta; French without ~s som boktitel o.d. ung. Franska på lätt sätt **2** droppe

2 tear [teə] **I** (tore torn) vb tr (se äv. 2 tear III) **1** slita, riva, rycka; slita (riva, rycka) sönder (av); sarga, riva upp; ~ open slita (riva) upp [~ open a letter]; rispa upp; ~ to pieces slita (riva, rycka) sönder (i bitar, i stycken); fullständigt sabla (göra) ned; that's torn it vard. nu är det klippt (färdigt) **2** bildl. **a)** splittra, slita sönder [a country torn by civil war] **b)** plåga [a heart torn by anguish] **II** (tore torn) vb itr (se äv. 2 tear III) **1** slita, riva [och slita] [at i] **2** slitas sönder [~ easily] **3** rusa, flänga [~ down the road; ~ into a room] **4** vard., ~ into kasta sig över **III** (tore torn) vb tr o. vb itr med adv., ofta med spec. översättningar:
tear away slita (riva, rycka) bort; rusa i väg (bort); ~ oneself away slita sig [lös] [I can't ~ myself away from this book]
tear down riva (slita) ned
tear off a) slita bort, riva av (lös, loss); slita av sig [~ off one's clothes] **b)** rusa i väg (bort) **c)** vard. kasta ned, rafsa ihop [~ off a letter] **d)** ~ sb off a strip sl., se 2 strip 1
tear out a) riva (rycka) ut [~ out a page] **b)** rusa ut
tear up rycka upp [~ up a tree]; slita (riva) sönder; riva upp äv. bildl. [~ up a contract]
IV s reva; rivet hål

tearaway ['teərəweɪ] **I** s vard. bråkmakare, bråkstake **II** adj våldsam, rasande, häftig

teardrop ['tɪədrɒp] s tår

tear duct ['tɪədʌkt] s anat. tårkanal

tearful ['tɪəf(ʊ)l] adj **1** tårfylld, tårdränkt **2** gråtmild; gråtfärdig

tear gas ['tɪəgæs] s tårgas

tearing ['teərɪŋ] adj våldsam, häftig [a ~ rage]; rasande [a ~ pace]

tearjerker ['tɪəˌdʒɜːkə] s vard. tårdrypande bok (film, pjäs m.m.), snyftare

tear-off ['teərɒf] adj, ~ calendar blockalmanacka, avrivningskalender

tea room ['tiːruːm] s teservering, tesalong, konditori

tease [tiːz] **I** vb tr **1** reta, retas med, förarga **2** karda ull o.d. **3** amer. tupera hår **II** vb itr retas **III** s retsticka

teaser ['tiːzə] s vard. hård nöt [att knäcka], kuggfråga

tea service ['tiːˌsɜːvɪs] s o. **tea set** ['tiːset] s teservis

teashop ['tiːʃɒp] s **1** se tea room **2** tehandel

teaspoon ['tiːspuːn] s tesked äv. som mått

teaspoonful ['tiːspuːnfʊl] (pl. ~s el. teaspoonsful) s tesked som mått; two ~s of två teskedar [med]

tea-strainer ['tiːˌstreɪnə] s tesil

teat [tiːt] s **1** spene **2** napp på flaska

teatime ['tiːtaɪm] s tedags

tea towel ['tiːˌtaʊ(ə)l] s torkhandduk, diskhandduk

tea tray ['tiːtreɪ] s tebricka

tea tree ['tiːtriː] s bot. teträd

tea trolley ['tiːˌtrɒlɪ] s tevagn, rullbord

tec [tek] s (sl. kortform av detective) krimmare

tech [tek] s vard. för technical college, technician o. technology

techie ['tekɪ] s (vard. kortform av technician) tekniker, datortekniker

technical ['teknɪk(ə)l] adj **1** teknisk; fack-, yrkesinriktad [a ~ school]; yrkes- [~ skill]; facklig, fackmässig; ~ expression fackuttryck **2** formell, saklig [for (av, på) ~ reasons], jur. äv. laglig, rättsteknisk

technical college [ˌteknɪk(ə)l'kɒlɪdʒ] s ung. yrkesinriktat gymnasium

technical drawing [ˌteknɪk(ə)l'drɔːɪŋ] s konstruktionsritning

technical hitch [ˌteknɪk(ə)l'hɪtʃ] s tekniskt fel (missöde)

technicality [ˌteknɪ'kælətɪ] s **1** formalitet, teknisk detalj [it's just a ~]; teknikalitet **2** teknisk term, fackuttryck **3** teknisk sida; teknik

technical knock-out [ˌteknɪk(ə)l'nɒkaʊt] s boxn. teknisk knockout

technical support [ˌteknɪk(ə)lsə'pɔːt] s data. **1** [teknisk] support **2** IT-avdelning på ett företag

technician [tek'nɪʃ(ə)n] s tekniker; [teknisk] expert

Technicolor® ['teknɪˌkʌlə] s technicolor® slags färgfilm[steknik]

technique [tek'niːk] s teknik; teknisk färdighet; [teknisk] metod

techno ['teknəʊ] mus. **I** s, ~ [music] tecno[musik] **II** adj techno-

technobabble ['teknəʊˌbæb(ə)l] s data. teknisk jargong, tekniskt fikonspråk

technocracy [tek'nɒkrəsɪ] s teknokrati, teknokratvälde

technocrat ['teknə(ʊ)kræt] s teknokrat

technofreak ['teknə(ʊ)friːk] s vard. teknisk fantast, teknikfreak

technojunkie ['teknəʊˌdʒʌŋkɪ] s teknikentusiast som är överdrivet förtjust i tekniska prylar; vard. prylbög

technological [ˌteknə'lɒdʒɪk(ə)l] adj teknologisk

technologist [tek'nɒlədʒɪst] s specialist (expert) på teknologi

technology [tek'nɒlədʒɪ] *s* teknologi, teknik[en]; *information* ~ informationsteknik

technophile ['teknəfaɪl] *s* data. teknikfantast, teknikvänlig person som med förtjusning anammar ny teknik

technophobe ['teknə(ʊ)fəʊb] *s* data. teknikhatare, person som är rädd för den tekniska utvecklingen spec. datoriseringen

technostress ['teknəʊstres] *s* teknostress, stress i samband med arbete vid maskiner spec. datorer

tech support [ˌteksə'pɔːt] *s* vard., se *technical support*

teddy ['tedɪ] *s* **1** se *teddy bear* **2** teddy damunderplagg

teddy bear ['tedɪbeə] *s* nalle[björn], teddybjörn äv. om person

teddy boy ['tedɪbɔɪ] *s* manlig medlem av 1950-talsgäng med speciell klädstil

tedious ['tiːdɪəs] *adj* [lång]tråkig, ledsam

tediousness ['tiːdɪəsnəs] *s* [lång]tråkighet, leda

tedium ['tiːdɪəm] *s* [lång]tråkighet, ledsamhet; leda

tee [tiː] golf. **I** *s* **1** utslagsplats, tee **2** 'peg' pinne på vilken bollen placeras vid slag **II** *vb tr* lägga [upp] boll på utslagsplatsen [äv. ~ *up*] **III** *vb itr*, ~ *off* slå ut från tee; bildl. börja; ~ *up* lägga [upp] bollen på utslagsplatsen

tee-ball ['tiːbɔːl] *s* amer., se *T-ball*®

teed off [ˌtiːd'ɒf] *adj* amer. vard. förbannad, utled [*with* på]

1 teem [tiːm] *vb itr* vimla, myllra, krylla, överflöda [*with* av]

2 teem [tiːm] *vb itr* ösa [ned]; *it was ~ing* [*with rain*] el. *the rain came ~ing down* regnet vräkte (det öste) ned, det ösregnade

teeming ['tiːmɪŋ] *adj* myllrande

teenage ['tiːneɪdʒ] **I** *s* tonår [äv. *teen age*] **II** *adj* tonårs- [~ *fashions*]

teenaged ['tiːneɪdʒd] *adj* tonårs-, i tonåren [*a* ~ *niece*]

teenager ['tiːnˌeɪdʒə] *s* tonåring

teens [tiːnz] *s pl* tonår

teeny ['tiːnɪ] *adj* vard. mycket liten, pytteliten

teeny-bopper ['tiːnɪˌbɒpə] *s* vard. ngt åld. poptjej, innetjej i yngre tonåren som hänger med i kläd- och musikmodet

teeny-weeny [ˌtiːnɪ'wiːnɪ] *adj* vard., se *teeny*

teeter ['tiːtə] **I** *vb itr* **1** vackla, vingla **2** bildl. vackla, tveka, ge vika; ~ *on the brink of* el. ~ *on the edge of* stå (vara) på gränsen till **II** *s* amer. gungbräde [äv. *teeter-totter*]

teeter-totter ['tiːtəˌtɒtə] *s* amer. gungbräde

teeth [tiːθ] *s pl* av *tooth*

teethe [tiːð] *vb itr* få tänder

teething ['tiːðɪŋ] *s* tandsprickning

teething problems ['tiːðɪŋˌprɒbləmz] *s pl* **1** tandsprickningsbesvär **2** bildl. barnsjukdomar, initialsvårigheter

teething ring ['tiːðɪŋrɪŋ] *s* bitring

teething troubles ['tiːðɪŋˌtrʌblz] *s pl* barnsjukdomar, initialsvårigheter

teetotal [tiː'təʊtl] *adj* **1** nykterhets- [*a* ~ *meeting* (*pledge*)] **2** amer. vard. fullständig, total

teetotaller [tiː'təʊt(ə)lə] *s* [hel]nykterist, absolutist

TEFL ['tefl] förk. för [*the*] *Teaching of English as a Foreign Language*

Teflon® ['teflɒn] *s* teflon®

Teheran [ˌteə'rɑːn, ˌtehə'r-] geogr.

tel. förk. för *telephone number*

telebanking ['telɪˌbæŋkɪŋ] *s* [systemet med] banktransaktioner utförda via telefon (dator)

telecast ['telɪkaːst] **I** (*telecast telecast* el. ~*ed* ~*ed*) *vb tr* sända (visa) i tv, televisera **II** *s* tv-[ut]sändning

telecom ['telɪkɒm] *s* (förk. för *telecommunications*)

telecommunications ['telɪkəˌmjuːnɪ'keɪʃ(ə)nz] (med verb i sg.) *s* teleteknik; telekommunikationer; telekommunikations-

telecommuter [ˌtelɪkə'mjuːtə] *s* data. telependlare, distansarbetare

telecommuting [ˌtelɪkə'mjuːtɪŋ] *s* telependling, distansarbete

teleconference ['telɪˌkɒnf(ə)r(ə)ns] *s* telekonferens

telecottage ['telɪˌkɒtɪdʒ] *s* datacenter

tele-education [ˌtelɪedjʊ'keɪʃ(ə)n] *s* data., slags distansutbildning baserad på telekommunikation som kontaktmetod

telegenic [ˌtelɪ'dʒenɪk] *adj* som gör sig [bra] i tv (tv-rutan); tv-mässig

telegram ['telɪgræm] *s* telegram

telegraph ['telɪɡrɑːf, -græf] **I** *s* telegraf; telegram; *by* ~ telegrafiskt **II** *vb tr* o. *vb itr* telegrafera [till] [*for* efter]

telegraphese [ˌtelɪɡrɑː'fiːz, -græ'f-, -grə'f-] *s* vard. telegramspråk, telegramstil

telegraphic [ˌtelɪ'græfɪk] *adj* telegrafisk, telegraf-, telegram-; ~ *address* telegramadress

telegraphist [tə'legrəfɪst] *s* o. **telegraph-operator** ['telɪɡrɑːfˌɒpəreɪtə, -græf-] *s* telegrafist

telegraph pole ['telɪɡrɑːfpəʊl, -græf-] *s* telefonstolpe

telegraphy [tə'legrəfɪ] *s* telegrafi; telegrafering

telemarketing [ˌtelɪ'mɑːkɪtɪŋ] *s* försäljning per telefon, telefonförsäljning

telepathic [ˌtelɪ'pæθɪk] *adj* telepatisk

telepathy [tə'lepəθɪ] *s* telepati, tankeöverföring

telephone ['telɪfəʊn] **I** *s* telefon; *by* ~ el. *over the* ~ per telefon, telefonledes; *be on the* ~ a) vara (sitta) i telefon b) ha inneha telefon; *speak to sb over* (*on*) *the* ~ tala med ngn i telefon **II** *vb tr* telefonera till, ringa [till], ringa upp; ringa in [*you can* ~ *your order*] **III** *vb itr* telefonera, ringa [*for* efter]; ringa upp

telephone answering machine [ˌtelɪfəʊn'ɑːnsərɪŋməˌʃiːn] *s* telefonsvarare

telephone book ['telɪfəʊnbʊk] *s* telefonkatalog

telephone booth ['telɪfəʊnbuːð] *s* o. **telephone box** ['telɪfəʊnbɒks] *s* telefonkiosk, telefonhytt

telephone call ['telɪfəʊnkɔːl] *s* telefonsamtal; *have* (*receive, get*) *a* ~ få ett telefonsamtal; *make a* ~ ringa ett telefonsamtal

telephone directory ['telɪfəʊndɪˌrekt(ə)rɪ] *s* telefonkatalog

telephone exchange ['telɪfəʊnɪksˌtʃeɪn(d)ʒ] *s* **1** telefonväxel **2** telefonstation

telephone kiosk ['telɪfəʊnˌkiːɒsk] *s* åld. telefonkiosk, telefonhytt

telephone number ['telɪfəʊnˌnʌmbə] *s* (förk. *tel.*) telefonnummer

telephone operator ['telɪfəʊnˌɒpəreɪtə] *s* telefonist

telephone pole ['telɪfəʊnpəʊl] s amer. telefonstolpe
telephonic [ˌtelɪ'fɒnɪk] adj telefon- [~ communication]
telephonist [tə'lefənɪst] s telefonist
telephony [tə'lefənɪ] s telefoni; telefonering; telefonväsen
telephotography [ˌtelɪfə'tɒɡrəfɪ] s foto. telefoto[grafering]
telephoto lens [ˌtelɪfəʊtəʊ'lenz] s foto. teleobjektiv
teleportation [ˌtelɪpɔ:'teɪʃn] s tekn. teleportering
teleprinter ['telɪˌprɪntə] s teleprinter
telerecording ['telɪrɪˌkɔ:dɪŋ] s tv-inspelning
telesales ['telɪseɪlz] s pl försäljning per telefon, telefonförsäljning
telescope ['telɪskəʊp] **I** s teleskop; [tub]kikare **II** vb tr **1** skjuta (klämma) ihop, skjuta (pressa) in [i varandra] **2** bildl. korta av, förkorta; pressa in (samman)
telescopic [ˌtelɪ'skɒpɪk] adj **1** teleskopisk; teleskop- **2** teleskopisk, hopskjutbar, utdragbar; ~ aerial el. ~ antenna teleskopantenn; ~ umbrella hopfällbart paraply
telescopic lens [telɪˌskɒpɪk'lenz] s teleobjektiv
telescopic sight [telɪˌskɒpɪk'saɪt] s kikarsikte
telescreen ['telɪskri:n] s tv-ruta, bildruta
teleshopping ['telɪˌʃɒpɪŋ] s teleshopping, tv-shopping; inköp med hjälp av en dator
telesurgery [ˌtelɪ's3:dʒərɪ] s tekn. el. med. telekirurgi operationer utförda via fjärrstyrda instrument
teletext ['telɪtekst] s TV. text-tv
telethon ['teləθɒn] s TV. lång välgörenhetsföreställning
teletypewriter [ˌtelɪ'taɪpˌraɪtə] s vanl. amer. teleprinter
televangelist [ˌtelɪ'væn(d)ʒəlɪst] s amer. tv-predikant
televiewer ['telɪvju:ə] s tv-tittare
televise ['telɪvaɪz] vb tr sända (visa) i tv, televisera; a ~d debate en tv-debatt, en tv-sänd debatt
television ['telɪˌvɪʒ(ə)n, ˌ--'--] s television, tv; watch (look at) ~ titta (se) på tv; on ~ på tv, i tv
television broadcast ['telɪvɪʒ(ə)nˌbrɔ:dkɑ:st] s tv-[ut]sändning
television licence ['telɪvɪʒ(ə)nˌlaɪs(ə)ns] s tv-avgift
television screen ['telɪvɪʒ(ə)nskri:n] s tv-ruta
television series ['telɪvɪʒ(ə)nˌsɪəri:z, -rɪz] (pl. television series) s tv-serie
television set ['telɪvɪʒ(ə)nset] s tv-apparat
television transmitter ['telɪvɪʒ(ə)nˌtrænz'mɪtə] s tv-sändare
television viewer ['telɪvɪʒ(ə)nˌvju:ə] s tv-tittare
teleworker ['telɪˌwɜ:kə] s distansarbetare, person som arbetar på distans
telex ['teleks] s telex
tell [tel] **I** (told told) vb tr (se äv. telling o. ex. under 2 lie, tale o. time m.fl.) **1** tala 'om, berätta [sb sth, sth to sb ngt för ngn], säga [sb sth, sth to sb ngt till (åt) ngn, ngn ngt]; ~ sb about sth berätta om ngt för ngn; something ~s me [he is not coming] jag känner på mig..., något säger mig...; you're ~ing me! vard. som om jag inte skulle veta det!; det kan du skriva upp!; I told you so! el. what did I ~ you? vad var det jag sa?, var det inte det jag sa?; I ~ you what... el. I'll ~ you what... vard. vet du vad...; let me ~ you det ska

jag säga dig
2 säga 'till ('åt), be [~ her to sit down]; do as you are told gör som man säger (som du blivit tillsagd) **3** skilja [from från]; känna igen [by på], urskilja; veta [how do you ~ which button to press?]; avgöra, säga [it's hard to ~ if he means it]; I can't ~ them apart jag kan inte skilja dem åt; ~ the difference between skilja mellan (på); who can ~? vem vet?; you never can ~ man kan aldrig [så noga] veta **4** räkna [ihop] spec. röster i underhuset [äv. ~ over]; all told inalles, allt som allt, sammanlagt; på det hela taget; ~ one's beads läsa sina böner **II** (told told) vb itr (se äv. telling) **1** tala, berätta [of om]; vittna [of om]; ~ in sb's favour bildl. tala till ngns fördel **2** skvallra [on på] **3** göra verkan, ta skruv; every word told varje ord träffade [rätt] **III** (told told) vb tr o. vb itr med adv.:
tell off a) avdela [for för], välja (ta, se) ut [sb to do sth ngn att göra ngt] b) vard. läxa upp, skälla ut; be told off el. get told off bli utskälld, få på pälsen
tell on ta (fresta, slita) på [it ~s on my nerves]; bli kännbar för
teller ['telə] s **1** kassör i bank **2** rösträknare **3** berättare
telling ['telɪŋ] **I** adj **1** träffande, dräpande [a ~ remark] **2** talande **II** pres p o. s berättande etc., jfr tell; there's no ~ man vet aldrig, det är omöjligt att säga
telling-off [ˌtelɪŋ'ɒf] s utskällning, skrapa
telltale ['telteɪl] **I** adj **1** skvalleraktig, skvaller-; ~ tit! skvallerbytta bingbong! **2** bildl. avslöjande, skvallrande [a ~ blush] **3** kontroll-, varnings- [~ lamp] **II** s skvallerbytta
telly ['telɪ] s vard., the ~ tv, dumburken; watch ~ el. watch the ~ se på tv (burken); on ~ el. on the ~ på tv (burken)
temerity [tə'merətɪ] s litt. dumdristighet; he had the ~ to... han var dumdristig nog att...
temp [temp] vard. **I** s tillfälligt anställd [person], vikarie **II** vb itr arbeta tillfälligt (som vikarie), vara tillfälligt anställd
temp. [temp] förk. för temperature, temporary
temper ['tempə] **I** s **1** humör, lynne [be in (på, vid) a good (bad) ~]; [sinnes]stämning; sinnelag, natur, temperament **2** [sinnes]lugn, fattning; control one's ~ el. keep one's ~ bibehålla sitt lugn; lose one's ~ tappa humöret (besinningen) **3** dåligt lynne, retlighet; häftighet; in a ~ a) på dåligt humör b) i ett anfall av vrede; fly into a ~ bli arg (förbannad); have a ~ ha humör, vara häftig **4** härdning[sgrad], hårdhetsgrad [~ of steel] **II** vb tr **1** mildra, dämpa, modifiera; temperera äv. mus. **2** härda stål, glas; anlöpa
tempera ['tempərə] s **1** tempera[måleri] **2** temperamålning **3** tempera[färg]
temperament ['temp(ə)rəmənt] s temperament, sinnelag, humör [a cheerful ~]; läggning
temperamental [ˌtemp(ə)rə'mentl] adj temperamentsfull; lynnig, nyckfull
temperamentally [ˌtemp(ə)rə'mentəlɪ] adv till temperamentet; av naturen

temperance ['temp(ə)r(ə)ns] *s* **1** måttlighet, måttfullhet, återhållsamhet **2** helnykterhet

temperate ['temp(ə)rət] *adj* **1** måttlig, måttfull, återhållsam, nykter **2** helnykter **3** tempererad [*a ~ climate*]

temperature ['temp(ə)rətʃə] *s* temperatur; feber; *have a ~* el. *be running a ~* ha feber

tempest ['tempɪst] *s* **1** storm, oväder; *The Tempest* Stormen av Shakespeare; *a ~ in a teapot* amer. en storm i ett vattenglas **2** uppror, tumult

tempestuous [tem'pestjʊəs] *adj* stormig, våldsam

tempi ['tempiː] *s* pl. av *tempo*

template ['templeɪt, -ət] *s* tekn. schablon, mall, mönster; formbräde

1 temple ['templ] *s* tempel; helgedom; amer. äv. synagoga; mormonkyrka

2 temple ['templ] *s* anat. tinning

tempo ['tempəʊ] (pl. *~s*, i betydelse *1* vanl. *tempi* ['tempiː]) *s* **1** mus. tempo **2** tempo, fart, takt

temporal ['temp(ə)r(ə)l] *adj* **1** temporal, tids- båda äv. gram. **2** världslig; jordisk **3** tidsbestämd

temporarily ['temp(ə)rərəlɪ] *adv* temporärt, tillfälligt; kortvarigt, tills vidare; för tillfället

temporary ['temp(ə)rərɪ] *adj* **1** temporär, tillfällig; kortvarig **2** tillförordnad, extra[ordinarie]

temporize ['tempəraɪz] *vb itr* försöka vinna tid

tempt [tem(p)t] *vb tr* **1** fresta, förleda, [försöka] locka **2** *~ fate* el. *~ providence* utmana ödet

temptation [tem(p)'teɪʃ(ə)n] *s* frestelse; lockelse; *lead us not into ~* bibl. inled oss icke i frestelse; *yield to ~* el. *give in* (*way*) *to ~* falla för en frestelse (frestelser)

tempter ['tem(p)tə] *s* frestare

ten [ten] (jfr *five* med ex. o. sammansättn.) **I** *räkn* tio; *~ to one he'll forget it* tio mot ett (jag slår vad om) att han glömmer det; *get ~ out of ~ for sth* få högsta (full) poäng för ngt **II** *s* tia; tiotal

tenability [ˌtenə'bɪlətɪ, ˌtiːnə-] *s* **1** hållbarhet, försvarbarhet **2** period [av innehav]

tenable ['tenəbl, 'tiːn-] *adj* **1** hållbar [*a ~ theory*]; försvarbar; som kan försvaras [*a ~ fortress*] **2** om ämbete, stipendium o.d. som kan innehas (åtnjutas)

tenacious [tə'neɪʃəs] *adj* **1** fasthållande; fast [*a ~ grip*]; säker; sammanhållande; *a ~ memory* ett gott (säkert) minne **2** fast, orubblig, ihärdig

tenacity [tə'næsətɪ] *s* [segt] fasthållande [*of* vid]; seghet äv. bildl.; orubblighet; fasthet; *~ of purpose* målmedvetenhet; ihärdighet

tenancy ['tenənsɪ] *s* **1** förhyrning, hyrande; arrende **2** hyrestid; arrendetid

tenant ['tenənt] *s* **1** hyresgäst; arrendator [äv. *~ farmer*] **2** [besittningsrätts]innehavare

tench [ten(t)ʃ] *s* sutare fisk

1 tend [tend] *vb itr* tendera, visa en tendens, ha en benägenhet (tendens) [*to do sth*]; *~ to* el. *~ towards* tendera mot (åt, till)

2 tend [tend] **I** *vb tr* vårda, sköta [*~ the wounded*]; se till, passa [*~ a machine*]; vakta, valla [*~ sheep*]; *~ store* amer. stå i affär **II** *vb itr*, *~ to* passa, se till

tendency ['tendənsɪ] *s* tendens [*to, towards* mot], riktning; benägenhet, böjelse, anlag [*to, towards* för]; utveckling, strävan [*to, towards* mot]; *she has*

a ~ to exaggerate hon har en benägenhet att överdriva

tendentious [ten'denʃəs] *adj* tendentiös

1 tender ['tendə] *adj* **1** mjuk [*a ~ pear*]; mör [*a ~ steak*]; mjäll; spröd, ömtålig [*a ~ plant*]; öm [*a ~ spot*]; ömmande; *a ~ subject* ett ömtåligt (känsligt) ämne; *cook the meat till* [*it is*] *~* koka köttet tills det känns mört (mjukt) **2** öm, kärleksfull [*to, with* mot; *~ care*]; ömsint; kär [*~ memories*]; *~ loving care* (förk. *TLC*) öm och kärleksfull omvårdnad **3** *~ age* späd ålder

2 tender ['tendə] **I** *vb tr* erbjuda [*~ one's services*]; lämna in [*~ one's resignation*]; lämna [fram]; lägga fram [*~ evidence*] **II** *vb itr* lämna offert [*for* på] **III** *s* **1** anbud, entreprenadanbud; offert; *invite ~s for* el. *put out to ~* infordra anbud på, utbjuda på entreprenad **2** *legal ~* lagligt betalningsmedel

3 tender ['tendə] *s* **1** skötare; ofta som efterled i sammansättn. -skötare [*a machine-tender*] **2** sjö. tender; proviantbåt **3** järnv. tender

tender|foot ['tendə|fʊt] (pl. -*foots* el. -*feet* [-fiːt]) *s* amer. vard. gröngöling; novis

tender-hearted [ˌtendə'hɑːtɪd] *adj* ömsint, vek, vekhjärtad

tendering procedure ['tendərɪŋprəˌsiːdʒə] *s* EU. anbudsförfarande

tenderize ['tendəraɪz] *vb tr* möra kött

tenderizer ['tendəraɪzə] *s* mörningsmedel för kött

tenderloin ['tendələɪn] *s* kok. filé

tendinitis [ˌtendɪ'naɪtɪs] *s* med. tendinit, seninflammation

tendon ['tendən] *s* anat. sena; *the Achilles ~* hälsenan, akillessenan

tendril ['tendrəl] *s* bot. klänge, ranka

tenement ['tenəmənt] *s* hyreshus, flerfamiljshus

tenet ['tenet, 'tiːn-] *s* grundsats; lära, lärosats; *religious ~* trossats

tenfold ['tenfəʊld] **I** *adj* tiofaldig, tiodubbel **II** *adv* tiofaldigt, tiofalt, tiodubbelt, tio gånger så mycket

ten-gallon hat [ˌtengælən'hæt] *s* vard. [stor] cowboyhatt

Tenn. förk. för *Tennessee*

tenner ['tenə] *s* vard. tiopundssedel; amer. tiodollarssedel; *a ~* äv. tio pund (dollar) [*it cost a ~*]

Tennessee [ˌtenə'siː] geogr.

tennis ['tenɪs] *s* tennis

tennis court ['tenɪskɔːt] *s* tennisbana

tennis elbow ['tenɪsˌelbəʊ] *s* tennisarm

tennis racket ['tenɪsˌrækɪt] *s* tennisracket

Tennyson ['tenɪsn]

tenon ['tenən] *s* snick. [fog]tapp

tenor ['tenə] **I** *s* **1** innehåll, [orda]lydelse, innebörd **2** mus. tenor; tenorstämma **II** *adj* mus. tenor-; *~ sax*[*ophone*] tenorsax[ofon]

tenpence ['tenpəns] *s* tio pence

tenpin ['tenpɪn] *s* kägla

tenpin bowling [ˌtenpɪn'bəʊlɪŋ] *s* kägelspel

tenpins ['tenpɪnz] (med verb i sg.) *s* amer. kägelspel

1 tense [tens] **I** *adj* **1** spänd äv. bildl., stram **2** spännande [*a ~ game*] **II** *vb tr* o. *vb itr* spänna[s], strama[s] åt, sträcka[s] [äv. *~ up*]

2 tense [tens] *s* gram. tempus, tidsform

tensed up [ˌtenstˈʌp] *adj* vard., *be* (*get*) ~ vara (bli) spänd (nervös)

tenside ['tensaɪd] *s* kem. tensid

tensile ['tensaɪl, amer. 'tensl] *adj* tänjbar, sträckbar

tensile strength [ˌtensaɪl'strenθ] *s* fys. [drag]brottgräns, draghållfasthet

tension ['tenʃ(ə)n] *s* spänning i olika betydelser, äv. elektr. [*high* ~; *low* ~]; sträckning; anspänning; spändhet; *relaxation of* ~ polit. avspänning; *nervous* ~ nervspänning; *racial* ~[s] spänning[en] mellan raserna

tent [tent] *s* tält; *pitch one's* ~ a) slå upp sitt (ett) tält b) bildl. slå ned sina bopålar

tentacle ['tentəkl] *s* **1** zool. tentakel, känselspröt, trevare, fångstarm; *the ~s of the law* bildl. lagens långa arm **2** bot. körtelhår

tentative ['tentətɪv] *adj* försöks-, experimentell, på försök; preliminär, provisorisk

tentatively ['tentətɪvlɪ] *adv* försöksvis, experimentellt etc., jfr *tentative*

tentativeness ['tentətɪvnəs] *s* tveksamhet, försiktighet

tenterhooks ['tentəhʊks] *s pl* bildl., *be on* ~ sitta som på nålar, sitta på helspänn; *keep on* ~ hålla på helspänn (halster, sträckbänken)

tenth [tenθ] *räkn* o. *s* tionde; tiondel; jfr äv. *fifth*

tent peg ['tentpeg] *s* tältpinne

tent pole ['tentpəʊl] *s* tältstång

tenuous ['tenjʊəs] *adj* **1** tunn, fin [*the* ~ *web of a spider*]; smal **2** bildl. a) fin [*a* ~ *distinction*]; subtil b) tunn, torftig c) svag[t underbyggd] [*a* ~ *claim*]

tenure ['tenjə, -jʊə] *s* **1** besittning[srätt]; innehav[ande] **2** arrende[innehav] **3** a) ämbetstid, ämbetsperiod [äv. ~ *of office*] b) arrendetid; arrendevillkor c) fast anställning

tenured ['tenjəd, -jʊəd] *adj* vanl. amer. om jobb fast; om person fast anställd

tepee ['tiːpiː] *s* 'tepee', indianhydda

tepid ['tepɪd] *adj* ljum äv. bildl. [~ *water*; ~ *praise*]

tequila [tɪ'kiːlə] *s* **1** tequila **2** bot. agaveart

terabyte ['terəbaɪt] (förk. *TB*) *s* data. terabyte

tercentenary [ˌtɜːsen'tiːnərɪ, -'ten-] **I** *s* trehundraårsdag, trehundraårsfest, trehundraårsjubileum **II** *adj* trehundraårig, trehundraårs-

Terence ['ter(ə)ns] mansnamn

term [tɜːm] **I** *s* **1 a)** tid, period [*a* ~ *of five years*] **b)** skol. el. univ. termin **c)** betalningstid, betalningstermin, förfallodag; ~ *of office* ämbetstid, ämbetsperiod, mandat[tid] **2** pl. ~**s** a) villkor [~*s of surrender*]; bestämmelse[r] b) betalningsvillkor; pris, priser c) överenskommelse; ~*s of reference* se *terms of reference*; *on easy* ~**s** på (med) förmånliga villkor, på avbetalning; *come to* ~**s** [*with sb*] träffa en uppgörelse [med ngn], komma överens [med ngn]; *come to* ~**s with sth** finna sig i (acceptera) ngt **3** pl. ~**s** förhållande; *be on good* ~**s with** stå på god fot med; *be on bad* ~**s with** vara ovän med; *meet on equal* (*level*) ~**s** mötas som jämlikar; *we parted on the best of* ~**s** vi skildes i bästa samförstånd **4 a)** term [*a scientific* ~]; uttryck **b)** pl. ~**s** ord, ordalag [*in general* ~*s*]; vändningar, uttryckssätt; *he only thinks in* ~**s of...** han tänker bara på...

5 matem. el. logik. term; led
II *vb tr* benämna, kalla

termagant ['tɜːməgənt] *s* argbigga, ragata

terminal ['tɜːmɪnl] **I** *adj* **1** dödlig, obotlig [~ *cancer*] om person dödssjuk, döende **2** slut-, änd- [~ *station*]; avslutande, sist; gräns-; terminal **3** skol., ~ *examinations* examina i slutet av terminen
II *s* **1** terminal; slutstation, ändstation **2** data. terminal **3** elektr. a) klämma, kabelfäste b) pol [*battery* ~*s*]

terminal care [ˌtɜːmɪnl'keə] *s* terminalvård, vård i livets slutskede

terminally ['tɜːmɪn(ə)lɪ] *adv* **1** vid periodens (betalningsterminens) slut **2** ~ *ill* obotligt sjuk

terminate ['tɜːmɪneɪt] **I** *vb tr* **1** avsluta, få att upphöra, göra (få) slut på, avbryta [~ *a pregnancy*]; säga upp [~ *an agreement*] **2** avsluta, bilda avslutning på
II *vb itr* **1** sluta [*the word* ~*s in* (på) *a vowel*]; ändas; upphöra, löpa ut **2** ha som slutstation [*the train* ~*s in M.*]

termination [ˌtɜːmɪ'neɪʃ(ə)n] *s* **1** slut, avslutning; utgång; upphörande; avbrytande; ~ *of pregnancy* abort **2** uppsägning [~ *of an agreement*]

termini ['tɜːmɪnaɪ] *s* pl. av *terminus*

terminology [ˌtɜːmɪ'nɒlədʒɪ] *s* terminologi

termin|us ['tɜːmɪn|əs] (pl. -*i* [-aɪ] el. -*uses*) *s* slutstation, ändstation; terminal

termite ['tɜːmaɪt] *s* termit, vit myra

termly ['tɜːmlɪ] *adj* som sker varje termin [~ *exams*]

term paper ['tɜːmˌpeɪpə] *s* amer. skol. el. univ. terminsuppsats, självständigt arbete i visst ämne

terms of reference [ˌtɜːmzəv'ref(ə)r(ə)ns] *s pl* **1** direktiv **2** kompetensområde **3** bildl. givna ramar

term-time ['tɜːmtaɪm] **I** *s* termin **II** *adj*, [*please state your*] ~ *address* ...adress under terminen (terminerna)

tern [tɜːn] *s* zool. tärna; *common* ~ fisktärna

terrace ['terəs, -rɪs] **I** *s* **1** husrad; ofta i gatunamn [*Olympic Terrace*] **2** terrass; avsats; platt tak; takterrass; uteplats **3** *the* ~*s* ståplatsläktare; ståplatspublik
II *vb tr* terrassera

terraced ['terəst] *adj* terrasserad, terrassformig

terraced house [ˌterəst'haʊs] *s* radhus; ~*s* äv. huslänga av småhus

terraced roof [ˌterəst'ruːf] *s* byggn. takterrass

terrace house [ˌterəs'haʊs] *s* radhus; ~*s* äv. huslänga av småhus

terracing ['terəsɪŋ] *s* **1** terrassformad läktare vid t.ex. en fotbollsplan **2** terrasserad sluttning

terracotta [ˌterə'kɒtə] *s* terrakotta

terra firma [ˌterə'fɜːmə] *s* lat. terra firma, fast land (mark)

terrain [tə'reɪn, te-, 'tereɪn] *s* terräng

terrapin ['terəpɪn] *s* zool. sumpsköldpadda; spec. diamantsköldpadda, terrapin [äv. *diamond-back* ~]

terrari|um [tə'reərɪ|əm] (pl. -*ums* el. -*a* [-ə]) *s* terrarium

terrestrial [tə'restrɪəl] **I** *adj* **1** jordisk, jord- [~ *globe*; ~ *magnetism*] **2** land- [~ *animals*] **3** radio. el. TV., ~ *interference* markstörningar; ~ *TV channel* markbunden tv-kanal
II *s* **1** jordinvånare, jordbo **2** pl. ~*s* landdjur

terrible ['terəbl] *adj* förfärlig, förskräcklig, fruktansvärd, ryslig, hemsk samtl. äv. vard. som förstärkning [*a ~ accident*; *~ clothes*; *a ~ nuisance*]

terrier ['terɪə] *s* terrier hundras

terrific [tə'rɪfɪk] *adj* **1** jättebra, fantastisk [*the film was ~*] **2** enorm, oerhörd [*~ speed*] **3** fruktansvärd, förfärlig, förskräcklig

terrified ['terɪfaɪd] *adj* livrädd, förskräckt [*of* för; *at* inför], skräckslagen [*a ~ animal*]

terrify ['terɪfaɪ] *vb tr* förskräcka, förfära; skrämma [*sb into sth, sb into doing sth* ngn till att göra ngt]

terrifying ['terɪfaɪɪŋ] *adj* förskräcklig, hemsk, skräckinjagande

terrine [tə'riːn, 'teriːn] *s* **1** lergryta, lerkruka; gryta äv. som maträtt **2** terrin

territorial [ˌterɪ'tɔːrɪəl] **I** *adj* territorial-, territoriell, territorie-; land-, jord- [*~ claims*]; lokal, regional **II** *s* soldat i brittiska arméreserven

Territorial Army [terɪˌtɔːrɪəl'ɑːmɪ] (förk. *TA*) *s*, **the ~** brittiska arméreserven

territorial waters [terɪˌtɔːrɪəl'wɔːtəz] *s pl* territorialvatten, sjöterritorium

territory ['terɪt(ə)rɪ] *s* **1** territorium; [land]område, land; mark **2** besittning [*overseas territories*] **3** bildl. [fack]område; gebit **4** distrikt för t.ex. försäljare **5** sport. planhalva **6** zool. revir

terror ['terə] *s* **1** skräck, fasa; **strike ~ into** sätta skräck i, injaga skräck hos; **be in ~ of one's life** frukta för sitt liv; **heights hold no ~s for her** hon lider inte av höjdskräck **2** vard., om person skräck, plåga, satunge [*the boy is a real ~*] **3** terror, skräckvälde [äv. *reign of ~*]; **the** [**Reign of**] **Terror** fr. hist. skräckväldet

terror balance ['terəˌbæləns] *s* polit. terrorbalans

terrorism ['terərɪz(ə)m] *s* terrorism; skräckvälde, skräckregemente

terrorist ['terərɪst] *s* terrorist [*~ attack*; *~ group*]

terrorize ['terəraɪz] *vb tr* terrorisera

terror-stricken ['terəˌstrɪk(ə)n] *adj* o. **terror-struck** ['terəstrʌk] *adj* skräckslagen

terry ['terɪ] *s* frotté [äv. *~ cloth*]

terry towel ['terɪˌtaʊəl] *s* frottéhandduk

terse [tɜːs] *adj* **1** om t.ex. språk el. stil [kort och] koncis, kortfattad, kärnfull **2** brysk

tertiary ['tɜːʃərɪ] *adj* som kommer i tredje rummet (hand), tertiär

tertiary college [ˌtɜːʃərɪ'kɒlɪdʒ] *s* skol. yrkesskola för högre yrkesutbildning

tertiary education [ˌtɜːʃərɪedjʊ'keɪʃ(ə)n] *s* högre utbildning

tertiary industry [ˌtɜːʃərɪ'ɪndəstrɪ] *s* servicenäring

tertiary sector [ˌtɜːʃərɪ'sektə] *s* servicesektor, tjänstesektor

Terylene® ['terəliːn, -rɪ-] *s* textil. terylen®

TESL ['tesl] förk. för [*the*] *Teaching* [*of*] *English as a Second Language*

tesla ['teslə] *s* fys. tesla enhet för magnetisk flödestäthet

TESOL ['tesɒl] förk. för *Teaching English to Speakers of other Languages*

test [test] **I** *s* **1 a)** prov, provning, prövning, undersökning, försök; test äv. psykol., förhör [*an oral ~*] **b)** bedömningsgrund, kriterium [*the ~ of a good society is…*]; **driving ~** kör[korts]prov; **nuclear ~** el. **atomic ~** kärnvapenprov; **written ~**

[prov]skrivning, skriftligt prov; **conduct a ~** el. **perform a ~** göra (genomföra) en undersökning, testa; **run a ~** med. ta prov; **put to the ~** sätta på prov, pröva; **stand the ~** bestå provet; **stand the ~ of time** stå sig genom tiderna **2** kem. reagens **II** *vb tr* prova, pröva, undersöka; sätta på prov; vara ett prov på; testa äv. psykol.; förhöra [*will you ~ me on my homework?*]; prova av; prova ut, utpröva [äv. *~ out*]; kontrollera; **~ a car** provköra en bil; **have one's eyesight ~ed** [låta] kontrollera synen; **~ ore for gold** undersöka förekomsten av guld i malm

testament ['testəmənt] *s* **1** testamente **2** litt., se *testimony 2*

testamentary [ˌtestə'ment(ə)rɪ] *adj* jur. **1** testamentarisk; testaments- **2** testamenterad

test ban ['testbæn] *s* polit. provstopp

test card ['testkɑːd] *s* TV. testbild

test case ['testkeɪs] *s* jur. prejudicerande rättsfall, prejudikat

test-drive ['testdraɪv] (*test-drove test-driven*) *vb tr* provköra

test-driven ['testdrɪvn] perf. p. av *test-drive*

test-drove ['testdrəʊv] imperf. av *test-drive*

tester ['testə] *s* **1** [av]provare; testare; proberare **2** provapparat **3** tester öppnad förpackning för prov, provflaska med t.ex. parfym

testes ['testiːz] *s* pl. av *testis*

testicle ['testɪkl] *s* anat. testikel

testify ['testɪfaɪ] **I** *vb itr* vittna [*to* om; *against* mot], avlägga vittnesmål (vittnesbörd) **II** *vb tr* intyga, betyga; vittna om

testimonial [ˌtestɪ'məʊnɪəl] *s* **1** [skriftligt] bevis, [tjänstgörings]betyg, intyg, vitsord **2** rekommendation[sbrev] **3** [kollektiv] hedersgåva (minnesgåva)

testimony ['testɪmənɪ] *s* **1** vittnesmål, vittnesbörd äv. relig. [*to, of* om]; uppgift, utsago **2** bevis [*of, to* på]; bevismaterial; **bear ~ to** vittna om, intyga, betyga

testing ['testɪŋ] *adj* prövo-, svår

testing ground ['testɪŋɡraʊnd] *s* **1** försöksområde, testbana **2** ställe (situation) för utprövning av nya metoder etc.

test|is ['test|ɪs] (pl. -*es* [-iːz]) *s* anat. testikel

test match ['testmætʃ] *s* landskamp spec. i kricket

testosterone [te'stɒstərəʊn] *s* fysiol. testosteron manligt könshormon

test paper ['testˌpeɪpə] *s* **1** kem. reagenspapper, indikatorpapper **2** [prov]skrivning

test pattern ['testˌpætən] *s* amer. TV. testbild

test pilot ['testˌpaɪlət] *s* testflygare, provflygare

test run ['testrʌn] *s* provkörning

test tube ['tes(t)tjuːb] *s* provrör

test-tube baby ['testtjuːbˌbeɪbɪ] *s* provrörsbarn

testy ['testɪ] *adj* lättretlig, lättstött, snarstucken

tetanus ['tetənəs] *s* med. stelkramp, tetanus

tetchy ['tetʃɪ] *adj* åld. grinig, kinkig, retlig, knarrig

tête-à-tête [ˌteɪtɑː'teɪt] **I** *adv* o. *adj* mellan fyra ögon, på tu man hand **II** *s* tätatät, samtal mellan fyra ögon, möte på tu man hand

tether ['teðə] **I** *s* tjuder; **be at the end of one's ~** bildl. inte förmå (orka) mer **II** *vb tr* tjudra; bildl. binda, klavbinda

Tex. förk. för *Texas*
Texan ['teks(ə)n] **I** *adj* Texas-, från (i) Texas **II** *s* texasbo, person från Texas
Texas ['teksəs, -sæs] geogr.
Tex-Mex ['teks,meks] *adj* vard. tex-mex [~ *food*]
text [tekst] **I** *s* **1** text; ord[alydelse]; version **2** ämne, tema **3 a**) [bibel]text **b**) bibelord, bibelspråk, bibelställe **4** tele. sms, [text]meddelande; vard. mess **II** *vb itr* o. *vb itr* tele. sms:a, skriva [ett] textmeddelande [till]; vard. messa
textbook ['teks(t)bʊk] **I** *s* lärobok, skolbok; handbok; textbok **II** *adj* mönstergill; ~ *case* typiskt fall, typfall; ~ *example* skolexempel
textile ['tekstaɪl, amer. äv. 'tekstl] **I** *adj* textil, textil- [~ *art*; ~ *industry*]; vävnads-; vävd **II** *s* vävnad; textilmaterial, vävnadsmaterial; pl. **~s** äv. textilier
texting ['tekstɪŋ] *s* tele. sms, vard. messande
text message ['teks(t),mesɪdʒ] *s* tele. sms, [text]meddelande; *send a* ~ sms:a, skicka [ett] sms
text messaging ['tekst,mesɪdʒɪŋ] *s* tele., se *texting*
text processing ['tekst,prəʊsesɪŋ] *s* data. textbehandling, ordbehandling
textual ['tekstjʊəl] *adj* text- [~ *criticism*]; ~ *errors* fel i texten
texture ['tekstʃə] *s* **1** textur, struktur; väv, vävnad [*coarse* (*fine*) ~]; konsistens **2** bildl. struktur, sammansättning, [upp]byggnad, beskaffenhet
textured ['tekstʃəd] *adj* som efterled i sammansättn. -texturerad, -strukturerad [*coarse-textured*]; -vävd
textured vegetable protein ['tekstʃəd,vedʒ(ə)təbl'prəʊtiːn] *s* se *TVP*
TGIF i e-post el. textmeddelanden förk. för *thank God it's Friday*
Thai [taɪ] **I** *adj* thailändsk, thai- **II** *s* **1** thailändare; thailändska kvinna **2** thailändska [språket]
Thailand ['taɪlænd, -lənd] geogr.
thalidomide® [θə'lɪdə(ʊ)maɪd] *s* farmakol. neurosedyn®; ~ *baby* el. ~ *child* neurosedynbarn
Thames [temz, flod i USA θeɪmz] geogr., *the* ~ Themsen; *she will never set the* ~ *on fire* ung. hon kommer aldrig att uträtta några stordåd
than [ðæn, obeton. ðən, ðn] *konj* **1 a**) (äv. prep.) än [*he is several years older* ~ *me* (*I*)]; *nothing else* ~ ingenting annat än, bara, endast; *it was no other* ~ [*Mr Smith*] det var ingen annan än..., det var självaste...; *sooner* ~ se under *sooner* **b**) än [vad] som [*more* ~ *is good for him*] **2** förrän; *no sooner* (*hardly, scarcely*) *had we sat down* ~... knappt hade vi satt oss förrän...
thank [θæŋk] *vb tr* tacka [*sb for sth* [ngn] för ngt]; ~ *goodness!* el. ~ *God!* gudskelov!; ~ *Heaven!* Gud vare tack [och lov]!; ~ *you for nothing!* iron. tack så mycket!, tack för hjälpen (vänligheten)!; *I'll* ~ *you to leave my affairs alone* jag vore tacksam om du inte blandar dig i mina affärer
thankful ['θæŋkf(ʊ)l] *adj* [mycket] tacksam [*for* för, *over*; *to* mot]
thankfully ['θæŋkf(ʊ)lɪ] *adv* **1** tacksamt **2** tack och lov, som tur är (var)
thankless ['θæŋkləs] *adj* otacksam [*a* ~ *task*]
thanks [θæŋks] **I** *interj*, ~ *awfully!* el. ~ *a lot!* vard. tack

så väldigt mycket!; [*many*] ~! tack [så mycket]! **II** *s pl* tack, tacksägelse[r] [*for* för]; *letter of* ~ tackbrev; *speech of* ~ tacktal; [*received*] *with* ~ på kvitto vilket tacksamt erkännes; ~ *to* prep. tack vare; *it is no* ~ *to her that...* det är inte hennes förtjänst att...; *I won, but small* ~ *to you!* iron. jag vann, men det var knappast din förtjänst!
thanksgiving ['θæŋks,gɪvɪŋ] *s* kyrkl. tacksägelse
Thanksgiving Day ['θæŋks,gɪvɪŋdeɪ] *s* tacksägelsedag[en] allmän helgdag 4:e torsdagen i november i USA; 2:a måndagen i oktober i Kanada
thank-you ['θæŋkjʊ] **I** *s* tack **II** *adj* tack- [*a* ~ *letter*]
that [ðæt, obeton. ðət] **I** (pl. *those*) *demonstr pron* **1 a**) sg. den där, det där; denne [~ *so-called general*]; denna, detta; den, det [~ *happened a long time ago*]; de där [*where's* ~ *five pounds?*]; så [~ *is not the case*] **b**) *those* pl. de där, dessa; de; detta, det, det där [*those are my colleagues*] **2** spec. översättningar: ~ *is* el. ~ *is to say* det vill säga, dvs., alltså; rättare sagt; *and* ~*'s* ~*!* och därmed jämnt (basta)!; och hör sen!; så var det med den saken!; [*carry this for me*] ~*'s a dear* (*a good boy, a good girl*) vard. ...så är du snäll; *he is not so stupid as all* ~ så dum är han inte; *what of* ~? än sen då?; *at* ~ *time* el. *in those days* dåförtiden, på den tiden
II (pl. *those*) *determ pron* **1 a**) sg. den, det [*this bread is better than* ~ [*which*] *we get in town*] **b**) *those* (pl.) de [*those who agree are in the majority*]; dem [*throw away all those* [*which are*] *unfit for use*] **2** [*the speed of light is greater*] *than* ~ *of sound* ...än ljudets; *my car and* ~ *of my friend*[*'s*] min [bil] och min väns bil; [*he has one merit,*] ~ *of being honest* ...[den] att vara ärlig **3** något visst (speciellt) [*there was* ~ *about her which pleased me*] **4** så mycket, så stor; *he has* ~ *confidence in her that...* äv. han litar så [mycket] på henne att...
III (pl. *that*) *rel pron* **1** som [*the only thing* (*person*) ~ *I can see*]; vilken, vilket, vilka; *all* ~ *I heard* allt [vad] (allt det, allt som) jag hörde **2** vard. som...i, som...med etc., ibl. som [*he will not see things in the light* ~ *I see them*] **3** såvitt, vad [*he has never been here* ~ *I know of*]
IV *konj* **1 a**) att [*she said* ~ *she would come*] **b**) litt. för att [*she did it that he might be saved*]; så att [*bring it nearer* ~ *I may see it better*] **c**) but (*not* m.fl.) ~ se under *but* o. *not* m.fl. **2 a**) som [*it was there* ~ *I first saw him*] **b**) när, då [*now* ~ *I think of it he was there*] **3** eftersom [*what have I done* ~ *he should insult me?*] **4** om; *I don't know* ~ *I do* jag vet inte om jag gör det **5** högtidl., i utrop att [~ *it should come to this* (gå så långt)*!*]; om [bara] [*oh,* ~ *she were here!*]
V *adv* vard. så [pass] [~ *far*; ~ *high*; ~ *much*]; *he's not* [*all*] ~ *good* a) så bra är han inte b) han är inte så värst bra
thatch [θætʃ] **I** *s* halmtak, vasstak, tak av palmblad o.d. **II** *vb tr* täcka med halm (vass, palmblad o.d.), halmtäcka; täcka; *a* ~*ed cottage* en stuga med halmtak
thatcher ['θætʃə] *s* taktäckare
thaw [θɔː] **I** *vb itr* töa [*it is* ~*ing*]; ~ el. ~ *out* tina [upp] äv. bildl. **II** *vb tr*, ~ el. ~ *out* tina [upp] äv. bildl.; ~ *out the refrigerator* frosta av kylskåpet

III s tö[väder], upptinande äv. bildl.; polit. töväder, islossning; *a ~ has set in* det är (har blivit) töväder

the [obeton. ðə el. ð framför konsonantljud, ðɪ framför vokalljud; beton. ðiː (så alltid i betydelse *the I 5*)] **I** best art **1 a)** motsvaras av best. slutartikel, t.ex.: *~ book* boken; *~ egg* ägget; *~ eggs* äggen **b)** motsvaras av fristående artikel o. slutartikel, t.ex.: *~ old man* den gamle mannen **c)** motsvaras av fristående artikel, t.ex.: *~ deceased* den avlidna (avlidne); *~ beautiful* det vackra; *~ blind* de blinda **2** utan motsvarighet, t.ex. **a)** ibl. framför huvudord följt av 'of'-konstr.: *he is ~ captain of a ship* han är kapten på en båt; *~ London of our days* våra dagars London **b)** ibl. framför adj. följt av subst.: *~ following story* följande historia; *on ~ left hand* på vänster hand; *~ same room* samma rum **c)** i vissa fall vid superl.: *which river is ~ deepest?* vilken flod är djupast?; *I don't know which of them I like ~ most* jag vet inte vilka av dem jag tycker mest om **d)** i vissa uttryck: *go to ~ cinema* gå på bio; *have ~ courage to* ha mod[et] att; *play ~ piano* (*~ guitar*) spela piano (gitarr); *listen to ~ radio* höra på radio; *speak ~ truth* tala sanning **e)** vid vissa egennamn: *~ Balkans* Balkan; *~ Hague* Haag; [*on board*] *~ Queen Elizabeth* ...Queen Elizabeth; *~ Rhine* Rhen; *The Times* tidningen Times; *~ Waldorf Astoria* hotellet Waldorf Astoria; *~ Beatles* popgruppen Beatles; [*I'm going to*] *~ Dixons* ...Dixons (familjen Dixon) **3** en, ett; *to ~ amount of* till ett belopp av; *at ~ price of* till ett pris av **4** per; [*£10*] *~ piece* ...per styck, ...stycket **5** emfatiskt: *is he ~ Dr Smith?* är han den kände (berömde) dr Smith?; *to him she was ~ woman* hon var kvinnan i hans liv **6** determ. den [*~ sum she paid*]; det, de; *it's dreadful, ~ bills I've had to pay* vard. det är förskräckligt såna räkningar jag har måst betala **7** demonstr. den, det, de; *~ wretch!* den uslingen!; *~ idiots!* vilka (såna) idioter!

II adv, *~...~* ju...desto (dess, ju); *~ sooner ~ better* ju förr desto bättre

theater ['θɪətə] s amer. **1** se *theatre* **2** se *cinema*

theatre ['θɪətə] s **1** teater [*go to* (på) *the ~; be at* (på) *the ~*]; *the ~* äv. scenen **2** teaterkonst; dramatik **3** [amfiteatralisk] hörsal (sal) **4** operationssal [med åskådarplatser] **5** bildl. skådeplats; *~ of operations* mil. operationsområde; *~ of war* mil. krigsskådeplats

theatregoer ['θɪətəˌɡəʊə] s teaterbesökare; [*great*] *~* teaterhabitué; pl. *~s* äv. teaterpubliken

theatrical [θɪ'ætrɪk(ə)l] adj **1** teater-; *~ company* teatersällskap, teatertrupp **2** teatralisk [*~ gestures*]

theatricals [θɪ'ætrɪklz] s pl teaterföreställningar [*they forbade ~ in churches*]; *amateur ~* el. *private ~* amatörteater; *have ~* el. *take part in ~* spela teater

thee [ðiː] pers pron (objektsform av *thou*) **1** åld. el. bibl. dig **2** dial. du [*where has ~ come from?*]

theft [θeft] s stöld

theft-proof ['θeftpruːf] adj stöldsäker

their [ðeə] fören poss pron (jfr *my I*) deras [*it is ~ car*]; dess [*the Government and ~ remedy for unemployment*]; sin [*they sold ~ car*]; *they came in ~ thousands* de kom i tusental

theirs [ðeəz] självst poss pron (jfr *1 mine*) deras [*is that house ~?*]; sin [*they* (*each*) *must take ~*]; *a friend of ~* en vän till dem

theism ['θiːɪz(ə)m] s teism

them [ðem, obeton. ðəm, ðm] **I** pers pron (objektsform

av *they*) **1 a)** dem **b)** den [*I approached the Government and asked ~ if...*]; honom [eller henne] [*if anybody calls while I'm out, tell ~ I shall...*] **2** vard. de, dom [*it wasn't ~*] **3** sig [*they took it with ~*]

II fören demonstr pron vard. dom [där] [*I think ~ books are no good*]

theme [θiːm] s **1** tema, ämne, grundtanke **2** mus. tema, [led]motiv **3** amer. åld. uppsats i skolan

theme music ['θiːmˌmjuːzɪk] s se *theme song*

theme park ['θiːmpɑːk] s temapark fritidsanläggning

theme party ['θiːmˌpɑːtɪ] s temafest, fest kring ett visst tema deltagarna klär sig t.ex. i fyrtiotalskläder eller cowboykläder

theme song ['θiːmsɒŋ] s o. **theme tune** ['θiːmtjuːn] s signaturmelodi; [huvud]refräng; *that's your theme song* vard. det där kör du alltid med

themselves [ð(ə)m'selvz] rfl pron o. pers pron (jfr *myself*) sig [*they amused ~*]; sig själva [*they can take care of ~*]; varandra [*they took counsel* (rådgjorde) *with ~*]; de själva [*everybody but ~*]; själva [*they made that mistake ~*]; själv [*the police ~ were...*]

then [ðen] **I** adv **1 a)** då [*I was still unmarried ~*]; på den tiden, den gången **b)** då [*I'll see you later and will ~ tell you the facts*] **c)** sedan, så [*~ came the war*]; därpå; *there and ~* el. *~ and there* på fläcken, på stående fot **2** så, sedan; dessutom [*and ~ there's the question of...*]; but *~* men så...också [*but ~ she is rich*]; men...ju, men å andra sidan (i gengäld, i stället) **3** alltså [*the journey, ~, could begin*]; då, i så fall [*~ it is no use*]; *that's settled, ~!* el. *all right, ~!* då säger vi det då!; *what ~?* och sen då?; nå, än sen då?

II s, *before ~* innan dess, dessförinnan, förut; *by ~* vid det laget [*by ~ they were gone*]; [senast] då, till (innan) dess [*by ~ I shall be back*]; *from ~ onwards* från och med då; *since ~* sedan dess; *until* (*till*) *~* till dess

III adj dåvarande [*the ~ prime minister*]

thence [ðens] adv litt. el. jur. **1** därifrån **2** därav; på grund därav, följaktligen

thenceforth [ˌðens'fɔːθ] adv litt., se *thenceforward*

thenceforward [ˌðens'fɔːwəd] adv litt. [allti]från den tiden [ibl. *from ~*]; från och med då; *~ and for ever* för all framtid

theocracy [θɪ'ɒkrəsɪ] s teokrati

theocratic [θɪə'krætɪk] adj teokratisk

theologian [θɪə'ləʊdʒɪən, -dʒ(ə)n] s teolog

theological [θɪə'lɒdʒɪk(ə)l] adj teologisk

theologist [θɪ'ɒlədʒɪst] s teolog

theology [θɪ'ɒlədʒɪ] s teologi

theorem ['θɪərəm, -rem] s teorem; sats

theoretical [ˌθɪə'retɪk(ə)l] adj teoretisk

theorist ['θɪərɪst] s teoretiker

theorize ['θɪəraɪz] vb itr teoretisera [*about, on* över]

theory ['θɪərɪ] s teori; lära; *in ~* i teorin; teoretiskt [sett]; *~ of sets* el. *set ~* matem. mängdlära

theosophist [θɪ'ɒsəfɪst] s teosof

theosophy [θɪ'ɒsəfɪ] s teosofi

therapeutic [ˌθerə'pjuːtɪk] adj terapeutisk

therapeutics [ˌθerə'pjuːtɪks] (med verb i sg.) s terapi vetenskapsgren

therapist ['θerəpɪst] s terapeut

therapy ['θerəpɪ] s terapi behandling; **be in** ~ gå i terapi

there [ðeə, obeton. ðə] **I** adv **1** (se äv. ex. under *here*) där [~ *she comes*]; framme [*we'll soon be* ~]; dit [*I hope to go* ~ *next year*]; fram [*we'll soon get* ~]; ~ **and then** se under *then I 1*; **near** ~ där i närheten (trakten); **still** ~ kvar [*he was still* ~ *when I left*]; ~ **it is!** a) där är den (det)! b) så är det [nu bara]!; ~ **you are!** där (här) har du!, var så god!; jaså, där kommer (är) du [äntligen]!; där ser du!, där kan du se själv!, vad var det jag sa?; där har vi det!; [**hallo Tom,**] **is your mother** ~? på telefon ...är [din] mamma hemma (där)?; [**you fit this into that**] **and** ~ **you are!** ...och saken är klar!; ~ **you go!** nu börjar du (börjas det) igen!; [**carry this for me**] ~**'s a dear** (**a good boy, a good girl**) vard. ...så är du snäll (bussig) **2** det som formellt subjekt [~ *were* (var, fanns) *only two left*; ~ *seems to be a mistake*]; ~ **is...** vid uppräkning vi har...; [**who shall we have** (ta)? –] **now,** ~**'s John** ...vi har ju John till exempel; ~**'s the bell** [**ringing**] nu ringer det; **what is** ~ **criminal about that?** vad är det för brottsligt i det? **3** i det [avseendet], i det fallet, på den punkten, där[i] [~ *you are mistaken*] **II** interj så där! [~, *that will do*]; så där ja!, titta vad du gjort! [~! *you've smashed it*]; ~, ~! lugnande el. tröstande såja!, seså! [~]; ~ **now!** a) så [där] ja! nu är det klart (uttryckande lättnad) b) vad var det (var det inte det) jag sa?, där ser du!

thereabouts ['ðeərəbauts, ˌðeərə'b-] adv **1** där i trakten, [i trakten] däromkring [*in Rye or* ~] **2** däromkring, så [ungefär] [*ten pounds or* ~; *three o'clock or* ~]

thereafter [ˌðeər'ɑːftə] adv litt. därefter

thereby [ˌðeə'baɪ, '--] adv litt. därvid, därigenom

therefore ['ðeəfɔː] adv därför, således, följaktligen; **and** ~ äv. varför

therefrom [ˌðeə'frɒm] adv litt. därifrån

therein [ˌðeər'ɪn] adv litt. däri; i det [avseendet (fallet)]

thereof [ˌðeər'ɒv] adv litt. därav, därom m.fl., jfr *of*

there's [ðeəz] = *there is* o. *there has*

Theresa [tɪ'riːzə, tə'r-, -'reɪz-] **1** kvinnonamn **2** som helgonnamn Teresa

thereto [ˌðeə'tuː] adv litt. därtill

thereupon [ˌðeərə'pɒn] adv **1** därpå spec. om tid **2** litt. härom, därom [*there is much to be said* ~]

therm [θɜːm] s värmeenhet motsv. 100 000 *British thermal units* 1,055056 · 10⁸ joule, jfr *British thermal unit* under *thermal unit*

thermal ['θɜːm(ə)l] adj värme-, termisk [~ *energy*; ~ *reactor*]; varm [~ *springs*]; termal; termo- [~ *underwear*]

thermal capacity [ˌθɜːm(ə)lkə'pæsətɪ] s fys. värmekapacitet

thermal conductivity ['θɜːm(ə)lˌkɒndʌk'tɪvətɪ] s värmekonduktivitet, värmeledningsförmåga

thermal imaging [ˌθɜːm(ə)l'ɪmɪdʒɪŋ] s med. termografi, värmefotografering

thermal reactor [ˌθɜːm(ə)lrɪ'æktə] s fys. värmereaktor

thermal springs [ˌθɜːm(ə)l'sprɪŋz] s pl varma källor, termalkällor

thermal underwear [ˌθɜːm(ə)l'ʌndəweə] s termounderkläder

thermal unit [ˌθɜːm(ə)l'juːnɪt] s energienhet värmevärde; **British** ~ British thermal unit 252 kalorier = 1055 joule

thermodynamics [ˌθɜːmə(ʊ)daɪ'næmɪks, -dɪ'n-] (med verb i sg.) s fys. termodynamik

thermometer [θə'mɒmɪtə] s termometer

thermonuclear [ˌθɜːmə(ʊ)'njuːklɪə] adj fys. termonukleär; ~ **bomb** vätebomb

thermoplastic [ˌθɜːmə(ʊ)'plæstɪk] **I** adj termoplastisk, inte härdbar **II** s termoplast

Thermos® ['θɜːmɒs, -məs] s termos[flaska] [äv. ~ *flask* el. ibl. ~ *bottle*]

thermosetting ['θɜːmə(ʊ)ˌsetɪŋ] adj om plast härdbar, härdad; ~ **plastics** duroplaster, härdplaster

thermostat ['θɜːmə(ʊ)stæt] s fys. termostat

thermostatic [ˌθɜːmə(ʊ)'stætɪk] adj fys. termostatisk, termostat- [~ *control*]

thesaur|us [θɪ'sɔːrəs] (pl. -*i* [-aɪ] el. -*uses*) s synonymordbok; uppslagsbok, lexikon; tesaurus

these [ðiːz] demonstr pron se *this*

theses ['θiːsiːz] s pl. av *thesis*

thes|is ['θiːsɪs] (pl. -*es* [-iːz]) s **1** tes, sats; teori **2** [doktors]avhandling; **defend one's** ~ försvara sin avhandling, disputera

they [ðeɪ] (objektsform *them*) pron **1** pers. a) de [~ *are here*] b) den, det [*the Government (Cabinet) declared that* ~ (ofta man) *had...*]; han [eller hon] [*if anybody moves* ~ *will be shot*] c) man; ~ **say** [*that she is rich*] man säger..., det sägs... **2** determ. litt. de [*blessed are* ~ *that mourn*]

they'd [ðeɪd] = *they had* o. *they would*

they'll [ðeɪl] = *they will* o. *they shall*

they're [ðeə, 'ðeɪə] = *they are*

they've [ðeɪv] = *they have*

thick [θɪk] **I** adj **1** tjock [*a* ~ *book*]; grov [*a* ~ *log*]; **have a** ~ **head** vara tung i huvudet; **he got a** ~ **lip** han fick fläskläpp **2** a) tät [*a* ~ *forest*]; tjock, yvig [~ *hair*] b) talrik, ymnigt förekommande **3** a) om vätskor tjock[flytande]; kok. [av]redd b) om luft o.d. tät [*a* ~ *fog*] c) om röst o.d. grötig, tjock, stark, kraftig [*a* ~ *German accent*]; sluddrig, otydlig **4** tjockskallig, dum, trög **5** vard. bundis [*be* ~ *with sb*]; **they're very** ~ **together** de är väldigt bundis; **they're** [**as**] ~ **as thieves** de håller ihop som ler och långhalm, de är såta vänner **6** vard., **a bit** ~ el. **a bit too** ~ lite väl mycket (magstarkt) [*three weeks of rain is a bit* ~]; **this** (**that**) **is a bit** [**too**] ~! äv. nu går det för långt! **II** adv tjockt [*you spread the butter too* ~]; tätt [*the corn stands* ~]; rikligt, ymnigt [*the snow fell* ~]; ~ **and fast** tätt [efter (på) varandra], slag i slag **III** s **1 in the** ~ **of the crowd** mitt i trängseln, där trängseln är (var) som störst; **in the** ~ **of the fight** (**battle**) mitt [uppe] i striden, där striden står (stod) som hetast; **come right into the very** ~ **of it** (**of things**) hamna mitt i smeten, komma i händelsernas centrum **2 stick together through** ~ **and thin** hålla ihop i vått och torrt (som ler och långhalm)

thicken ['θɪk(ə)n] **I** vb tr **1** göra tjock[are], göra tät[are]; kok. reda [av] [~ *a sauce*] **2** göra sluddrig **II** vb itr **1** tjockna, tätna [*the fog has* ~*ed*]; mörkna **2** bli sluddrig **3 the plot** ~**s** intrigen blir allt mer komplicerad; friare mystiken tätnar

thickener ['θɪk(ə)nə] *s* **1** förtjockningsmedel **2** kok. redning

thickening ['θɪk(ə)nɪŋ] *s* **1** förtjockning **2** kok. redning

thicket ['θɪkɪt] *s* busksnår, [skogs]snår, buskage

thick-headed [ˌθɪk'hedɪd] *adj* vard. tjockskallig

thickness ['θɪknəs] *s* tjocklek, grovlek etc., jfr *thick I*

thicko ['θɪkəʊ] (pl. ~s el. ~es) *s* vard. pucko, tjockskalle

thickset [ˌθɪk'set, attr. '--] *adj* undersätsig, satt

thick-skinned [ˌθɪk'skɪnd, attr. '--] *adj* tjockhudad äv. bildl.

thief [θi:f] (pl. *thieves*) *s* tjuv; *set a ~ to catch a ~* ung. gammal tjuv blir bra polis; *stop ~!* ta fast tjuven!

thieve [θi:v] *vb itr* o. *vb tr* stjäla

thieves [θi:vz] *s* pl. av *thief*

thievish ['θi:vɪʃ] *adj* **1** tjuvaktig **2** smygande; förstulen

thigh [θaɪ] *s* anat. lår

thigh-bone ['θaɪbəʊn] *s* lårben

thimble ['θɪmbl] *s* fingerborg

thimbleful ['θɪmblfʊl] *s* **1** fingerborg som mått **2** vard. liten slurk

thin [θɪn] **I** *adj* **1** tunn [*a ~ slice of bread*] **2** mager [*rather ~ in the face*]; tunn; *he has grown ~* han har magrat **3 a)** tunnflytande, tunn [*~ gruel* (välling)] **b)** lätt [*~ mist*] **4** gles, tunn [*~ hair*]; fåtalig [*a ~ audience*]; tunnsådd **5** bildl. klen [*a ~ excuse*]; tunn [*a ~ plot* (intrig)]; mager [*~ evidence* (bevismaterial)]
II *adv* tunt [*spread the butter* [*on*] *~*]
III *vb tr*, *~* el. *~ down* göra tunn[are], förtunna [*~ down paint*]; tunna [av (ut)], späda [ut]
IV *vb itr*, *~* el. *~ out* bli tunn[are], förtunnas, tunna[s] av (ut) [*the audience was ~ning out*]; bli gles[are], glesna; magra; *his hair is ~ning* hans hår börjar glesna (bli tunnare)
V *s*, *through thick and ~* se under *thick III 2*

thine [ðaɪn] *självst poss pron* (före vokalljud el. 'h' äv. fören.) åld. el. bibl. din, ditt, dina

thing [θɪŋ] *s* **1** sak, ting, grej, grunka, pryl; pl. *~s* äv. saker och ting [*you take ~s too seriously*]; *these ~s happen* sånt händer; *it's just one of those ~s* sånt händer [tyvärr]
2 ofta vard. varelse [*a sweet little ~*]; *hello, old ~!* hej du (gamle vän)!; *poor little ~!* stackars liten!; *you poor ~!* stackars du (dig)!
3 som fyllnadsord vid adj. o.d. (jfr äv. resp. adj.); *the chief ~* det viktigaste, huvudsaken; *this is a fine ~!* jo, det var just snyggt!; *the great ~ about it* det fina med (i) det; [*the*] *last ~* vard., adv. sist av allt, allra sist [*last ~ at night*]; *the latest* (*last*) *~ in shoes* det [allra] senaste (nyaste) i skoväg; *the only ~ you can do* det enda du kan göra; *it is a strange ~ that...* det är egendomligt att...; *what a stupid ~ to do!* så dumt [gjort]!
4 pl. *things* i spec. betydelser **a)** tillhörigheter, saker; bagage; [ytter]kläder [*take off your ~s!*] **b)** redskap, grejer, saker **c)** saker att äta o.d.; *be fond of good ~s* tycka om att äta gott; *the good ~s in life* livets goda **d)** det, saken, läget, ställningen, förhållandena; *~s are in a bad way* det går dåligt; *~s aren't what they used to be* det är inte som förr i tiden; *as ~s are* el. *the way ~s are* som det nu är, som

saken ligger till; *how are ~s?* el. vard. *how's ~s?* hur går det?; vard. hur är läget?; *that is how ~s are* så ligger det till; *you know how ~s are* du vet hur läget (det) är; *~s look bad for him* det ser illa ut för honom **e)** [*this climate*] *does ~s to me* ...gör underverk med mig, ...får mig att leva upp **f)** följt av adj., *~s English* engelska förhållanden (realia)
5 särskilda uttryck **a)** vard., *do one's own ~* köra sin specialgrej **b)** *have a ~ about* vara tokig i; fasa för **c)** *know a ~ or two* se under *know I 1* **d)** *make a ~ of* göra affär av **e)** *taking one ~ with another* när allt kommer omkring **f)** *the ~ is* saken är den; *the ~ to do is to...* vad man ska göra är att...; *the ~* el. *quite the ~* [det] passande, det korrekta, god ton; inne, på modet; [just] det rätta; *that's just the ~ for you* det är precis vad du behöver **g)** *for one ~* för det första

thingamabob ['θɪŋ(ə)mɪbɒb] *s* o. **thingamajig** ['θɪŋ(ə)mɪdʒɪg] *s* o. **thingy** ['θɪŋɪ] *s* samtl. vard. grej (grunka, pryl resp. karl, kvinna, människa) [vad den (resp. han, hon) nu heter igen]; *where's that ~?* äv. var är den där grejen etc. du vet?

think [θɪŋk] **I** (*thought thought*) *vb tr* o. *vb itr* **1** tänka; tänka sig för; tänka [efter] [*let me ~ a moment*]; betänka; fundera på **2** tro [*do you ~ it will rain?*]; tycka [*do you ~ we should go on?*]; anse [*do you ~ it likely?*]; *~ fit* el. *~ proper* anse lämpligt; *I should ~ not* [det tror (tycker) jag] visst inte; *I should ~ so!* jo, det vill jag lova!, jo, jag menar det!; *I should jolly* (*bloody* el. *damn*) *well ~ so!* tacka sjutton (fan) för det!; *you are very tactful, I don't ~* iron. du är inte taktfull så det stör precis; [*he's a bit lazy,*] *don't you ~?* ...eller vad tycker du?, ...eller hur? **3** tänka (föreställa) sig; ana, tro; fatta, förstå; *to ~ that she* [*is so rich*] tänk att hon...; *I thought as much* se under *much II 2*; *who the hell do you ~ you are?* vem [fan] tror du att du är egentligen? **4** *~ to* + inf. a) tänka [*I thought to go and see her*] b) vänta [sig] att [*I did not ~ to find you here*]
II (*thought thought*) *vb tr* o. *vb itr* med prep. el. adv., ofta med spec. översättningar:
think about a) fundera på, tänka på **b)** *what do you ~ about...?* vad tycker du om...?
think ahead tänka framåt
think of a) tänka på [*you must ~ of the future*]; fundera på **b)** drömma om; [*surrender is not to*] *be thought of* ...tänka på; *I couldn't ~ of such a thing* det skulle aldrig falla mig in **c)** komma på [*can you ~ of his name?*]; *come to ~ of it* nu när jag kommer att tänka på det **d)** tänka sig, föreställa sig [*few people ~ of London as a clean town*]; *just ~ of that* (*of it*)*!* tänk bara!, kan du tänka dig! **e)** *what do you ~ of...?* vad tycker (säger, anser) du om...? **f)** *~ better* (*highly, ill, much, the world*) *of* se under *1 better I*, *highly* etc.; *~ little of* el. *~ nothing of* ha en låg tanke om, sätta föga värde på; *I ~ little* (*nothing*) *of walking* [*10 kilometres*] det är ingen konst för mig att gå...; *~ a lot of* sätta stort värde på, sätta högt; *she ~s a lot of herself* hon har höga tankar om sig själv; *~ well of everybody* tro alla människor om gott
think out tänka (fundera) ut [*~ out a new method*]
think over tänka igenom, tänka över; *~ the matter over* äv. fundera (ta sig en funderare) på saken
think up tänka ut, hitta på

III s vard. funderare; **have a ~ about it** ta sig en funderare på saken; [**if that's what you want**] **you've got another ~ coming** ...så får du allt tänka om

thinkable ['θɪŋkəbl] adj tänkbar

thinker ['θɪŋkə] s tänkare; **he is a slow** (**loose**) **~** han tänker långsamt (osammanhängande, ologiskt)

thinking ['θɪŋkɪŋ] **I** s tänkande; tänkesätt; åsikt, uppfattning; pl. **~s** tankar; **somebody has got to do the ~** någon måste göra tankearbetet; **to my way of ~** enligt min åsikt (uppfattning), efter mina begrepp **II** adj tänkande [a ~ being]; **the ~ man's** (**woman's, person's**)... äv. den intelligenta (medvetna) människans (mannens resp. kvinnans)...

thinking cap ['θɪŋkɪŋkæp] s vard., **put on one's ~** ta sig en ordentlig funderare på saken, [börja] tänka efter riktigt

think tank ['θɪŋktæŋk] s vard. **1** hjärntrust, idébank, expertgrupp **2** expertmöte för att lösa problem

thinner ['θɪnə] s thinner

thin-skinned [,θɪn'skɪnd, attr. '--] adj **1** tunnhudad, tunnskalig [a ~ orange] **2** bildl. hudlös, [över]känslig, ömtålig

thin-wale [,θɪn'weɪl, attr. '--] adj textil. smalspårig [~ corduroy]

third [θɜːd] (jfr **fifth**) **I** räkn tredje **II** adv **1 the ~ largest town** den tredje staden i storlek **2** [i] tredje klass [travel ~ class] **3** som trea, som nummer tre i ordningen [he spoke ~]; **come in ~** el. **finish ~** komma [in som] (sluta som) trea **III** s **1** tredjedel **2** sport. **a)** trea, tredje man **b)** tredjeplacering **3** mus. ters; **major ~** stor ters; **minor ~** liten ters **4** univ., **he got a ~** ung. han fick lägsta betyget i examen för honours degree (jfr honour I 5) **5** motor. treans växel, trean; **put the car in ~** lägga in trean

third-class [,θɜːd'klɑːs, attr. adj. '--] **I** adj **1** tredjeklass-; tredje klassens [a ~ hotel] **2** amer., **~ mail** trycksaker **II** adv [i] tredje klass [travel ~]

third class [,θɜːd'klɑːs] s tredje klass; **he got a ~** univ., ung. han fick lägsta betyget i examen för honours degree (jfr honour I 5)

third degree [,θɜːd'dɪgriː] s, **the ~** tredje graden hänsynslös förhörsmetod

third-degree burn [,θɜːdɪgri:'bɜːn] s tredje gradens brännskada

third floor [,θɜːd'flɔː] s, **the ~** [våningen] tre (amer. två) trappor upp

thirdly ['θɜːdlɪ] adv för det tredje

third-party ['θɜːdpɑːtɪ] adj, **~ liability insurance** el. **~ insurance** ansvarsförsäkring, drulleförsäkring; **~ motor insurance** el. **~ insurance** ung. trafikförsäkring; **be insured against ~ risks** vara försäkrad mot skada å tredje man eller tredje mans egendom

third party [,θɜːd'pɑːtɪ] s tredje man, opartisk person

third person [,θɜːd'pɜːsn] s, **the ~ a)** tredje man, opartisk person **b)** gram. tredje person

third-rate [,θɜːd'reɪt, attr. '--] adj tredje klassens, av tredje klass, [rätt] undermålig

Third World [,θɜːd'wɜːld] s, **the ~** polit. [den] tredje världen

thirst [θɜːst] **I** s törst, bildl. äv. längtan [for efter]; **~ for knowledge** kunskapstörst; [**that kind of work**]

gives me a ~ ...gör mig törstig **II** vb itr litt. törsta [for efter]

thirsty ['θɜːstɪ] adj törstig; **tennis is a ~ game** man blir törstig av att spela tennis

thirteen [,θɜː'tiːn, attr. '--] räkn o. s tretton; jfr **fifteen** med sammansättn.

thirteenth [,θɜː'tiːnθ, attr. '--] räkn o. s trettonde; trettondel; jfr **fifth**

thirtieth ['θɜːtɪɪθ, -tɪəθ] räkn o. s trettionde; trettiondel

thirty ['θɜːtɪ] (jfr **fifty** med sammansättn.) **I** räkn tretti[o] **II** s tretti[o]; tretti[o]tal

thirtysomething ['θɜːtɪ,sʌmθɪŋ] s vard. trettionågonting, 30-plusare välutbildad person i trettioårsåldern med god ekonomi

thirty-two-bit o. **32-bit** ['θə:tɪ'tuːbɪt] adj data., om processors databuss 32-bitars, trettiotvåbitars

Thirty Years' War [,θɜːtɪjɪəz'wɔː] s hist., **the ~** trettioåriga kriget

this [ðɪs] **I** (pl. these) demonstr pron **1** den här [~ way, please]; det här [~ is my brother, that (det där) is a cousin of mine]; denne, denna, detta [at ~ moment]; det [they had ~ in common, that they...]; **these** de här [look at these fellows]; dessa; detta, det här [these are my colleagues]; **in ~ country** här i landet, i vårt land; **~ afternoon** adv. i eftermiddag[s]; **~ day last year** adv. i dag för ett år sedan; **these days** el. **in these days** nuförtiden; **to ~ day** hittills; till den dag som i dag är; se äv. fraser under day; **~ coming May** el. **~ May** adv. nu i maj [månad]; [**I have been waiting**] **these** (**~**) **three weeks** ...nu i tre veckor; **~ is it** vard. **a)** nu gäller det **b)** som bekräftande replik precis, exakt, det var just det; **~ is to inform you that...** i brev härmed får vi meddela att...; **what's all ~?** vard. vad ska det här betyda (föreställa)?; [**he went to**] **~ doctor and that** ...den ena doktorn efter den andra; **~ way and that** åt alla håll; **~ that and the other** en hel massa olika saker; **and ~ that and the other** ...och det ena med det andra **2** vard. (i berättande framställning) en; [**I was standing there.**] **Then ~ little fellow came up to me** ...och då kom en liten kille fram till mig [du vet]; **I was talking to ~ nurse...** jag stod och pratade med den där sjuksköterskan, du vet... **II** adv så [här] [not ~ late; ~ much]; **it is seldom ~ warm** det är sällan så här [pass] varmt

thistle ['θɪsl] s bot. tistel äv. Skottlands nationalemblem

thistledown ['θɪsldaʊn] s tistelfjun

thither ['ðɪðə] adv litt. dit

THNQ i e-post el. textmeddelanden förk. för thank you

tho' o. **tho** [ðəʊ] konj o. adv se though

Thomas ['tɒməs] mansnamn

thong [θɒŋ] s **1** stringtrosa **2** läderrem; pisksnärt **3** amer., pl. **~s** flip-flops, slags sandaler med rem mellan tårna, ofta av gummi

thorax ['θɔːræks] (pl. **~es** el. thoraces [θɒ'reɪsiːz]) s **1** anat. bröstkorg, thorax **2** hos insekter mellankropp, thorax

thorn [θɔːn] s **1** [törn]tagg, törne, torn; **a ~ in one's flesh** el. **a ~ in one's side** en nagel i ögat **2** törnbuske; hagtorn; slån

thorny ['θɔːnɪ] adj **1** törnig, taggig **2** bildl. kvistig, invecklad, tvistig [a ~ problem]

thorough ['θʌrə] adj grundlig, ingående,

genomgripande, fullständig; omsorgsfull, ordentlig; riktig [a ~ nuisance (plåga)]; fullkomlig, fulländad [a ~ gentleman]; fullfjädrad

thoroughbred ['θʌrəbred] **I** adj **1** fullblods-, rasren [a ~ horse] **2** bildl. fullblods-, fulländad
II s **1** fullblod, rasdjur; fullblodshäst, rashäst **2** 'fullblod' förstklassig bil o.d.

thoroughfare ['θʌrəfeə] s **1** genomfart; No Thoroughfare trafik. Genomfart förbjuden, Gatan avstängd, Förbjuden väg **2** genomfartsgata, genomfartsväg, huvudgata, huvudväg **3** farled

thoroughgoing ['θʌrə͵gəʊɪŋ] adj **1** grundlig [he is ~]; genomgripande, omfattande [~ reforms] **2** tvättäkta, övertygad [a ~ democrat]; fullfjädrad

thoroughly ['θʌrəlɪ] adv grundligt etc., jfr thorough; i grund och botten; helt, alldeles; genom- [~ bad (warm)]; väldigt mycket [I ~ enjoyed it]

thoroughness ['θʌrənəs] s grundlighet

Thorshavn ['tɔːrshaʊn] geogr. Tórshavn

those [ðəʊz] demonstr pron o. determ pron se that I o. that II

thou [ðaʊ] pers pron åld., bibl. el. dial. du

though [ðəʊ] **I** konj **1** fast, fastän, ehuru, trots att; ~ el. even ~ även om, om också, om än; some improvement ~ slight en om också liten förbättring **2** men, fast [he will probably agree, ~ you never know] **3** as ~ som [om] [he looks as ~ he were ill]; it's not as ~ [I wanted to win the match at their expense] det är inte så att...
II adv ändå; verkligen [did she ~!]; [I don't mind playing ~] I'm not much good, ~ ...fast jag är inget vidare

thought [θɔːt] **I** s **1** tanke [of på]; tankar [of om]; åsikt [on om], synpunkt [on på]; tankearbete; idé, ingivelse [a happy ~]; infall; pl. ~s äv. funderingar, planer; freedom of ~ tankefrihet; train of ~ el. line of ~ tankegång; give a ~ to ägna en tanke åt, tänka på; he did not give it any further ~ han tänkte inte mer (vidare) på det; I didn't give it a second ~ jag tänkte inte närmare (särskilt) på det; let one's ~s go back to tänka tillbaka på; nothing can be farther from my ~s ingenting är mig mera främmande; in ~ i tankarna, i tanken; försjunken i tankar [she spends hours in ~]; lost (deep) in ~ [försjunken] i sina tankar (i funderingar, i penséer) **2** tänkande [modern ~]; tankar, tankegång, tänkesätt **3** eftertanke; övervägande; after much (mature, serious) ~ efter grundligt (moget, allvarligt) övervägande; on second ~s [I will...] vid närmare eftertanke (övervägande)... **4** omtanke [the nurse was full of ~ for (om) her patient]
II imperf. o. perf. p. av think

thoughtful ['θɔːtf(ʊ)l] adj **1** tankfull, fundersam, eftertänksam **2** hänsynsfull [of mot], omtänksam

thoughtless ['θɔːtləs] adj tanklös, obetänksam; oförsiktig, lättsinnig

thought-out [͵θɔːt'aʊt] adj genomtänkt, uttänkt

thought-provoking ['θɔːtprə͵vəʊkɪŋ] adj tankeväckande

thousand ['θaʊz(ə)nd] räkn o. s tusen; tusental, tusende [in ~s]; a (one) ~ [ett] tusen; a ~ to one el. a ~ to one chance en chans på tusen; one in a ~ en på tusen, en sällsynthet; ~s of people tusentals människor; by the ~ el. by ~s el. in their ~s i tusental

Thousand Island dressing [͵θaʊz(ə)ndaɪlənd'dresɪŋ] s kok. Thousandislandsås slags dressing

thousandth ['θaʊz(ə)n(t)θ] **I** räkn tusende; ~ part tusendel **II** s tusendel

thrash [θræʃ] **I** vb tr **1 a)** slå, prygla, ge stryk (smörj), klå upp **b)** vard. klå, besegra; be ~ed få stryk (smörj) **2** piska [the whale ~ed the water with its tail]
II vb itr piska, slå [the branches ~ed against the windows]
III vb itr o. vb tr med adv. el. prep.:
thrash about a) slå [vilt] omkring sig **b)** plaska [vilt] **c)** kasta sig av och an
thrash out diskutera (tröska) igenom [~ out a problem]; klara av; ~ sth out [with sb] tala ut [med ngn] om ngt

thrashing ['θræʃɪŋ] s smörj, [kok] stryk; get a ~ få [ordentligt med] smörj (stryk)

thread [θred] **I** s **1** tråd; garn; fiber; sträng; he has not a dry ~ on him han har inte en torr tråd på kroppen (på sig); [his life] hangs by (on) a single ~ ...hänger på en skör tråd **2** smal (tunn) strimma [a ~ of light]; [färg]strimma, streck; rännil **3** bildl. tråd [lose the ~ of (i)]; the main ~ den röda tråden; gather up the ~s [of a story] samla (binda) ihop trådarna [i en berättelse]; pick up the ~[s] ta upp tråden igen, återuppta berättelsen **4** [skruv]gänga
II vb tr **1** trä [på (upp)]; ~ a needle trä på en nål; ~ beads el. ~ pearls trä [upp] pärlor **2** ~ one's way through slingra (sno, leta, söka) sig fram genom (längs), bana sig väg genom [she ~ed her way through the crowd] **3** gänga, förse med gängor
III vb itr leta sig fram, slingra sig [fram]

threadbare ['θredbeə] adj **1** luggsliten, trådsliten, [tunn]sliten **2** bildl. utnött, [ut]sliten [~ jokes]; torftig [~ arguments]

threadworm ['θredwɜːm] s zool. springmask

threat [θret] s hot, hotelse [to mot], [överhängande] fara [to för]; make ~s against sb hota ngn; be under the ~ of hotas av

threaten ['θretn] vb tr o. vb itr hota [danger ~ed; ~ sb with punishment; ~ to do sth]; se hotande (hotfull) ut [the weather ~s]; hota med [~ revenge]; förebåda

threatening ['θretnɪŋ] adj hotande, hotfull; a ~ letter ett hotelsebrev (hotbrev); a conflict is ~ äv. en konflikt är under uppsegling

three [θriː] (jfr five med ex. o. sammansättn.) **I** räkn tre; ~ times ~ tre gånger tre; ~ times ~ cheers for se three cheers for under cheer I 1
II s trea

three-base hit [͵θriːbeɪs'hɪt] s i baseball slag genom vilket en spelare når tredje basen

three-D [͵θriː'diː] adj (kortform av three-dimensional) 3-D

three-day event [͵θriːdeɪɪ'vent] s ridn. fälttävlan

three-dimensional [͵θriːdaɪ'menʃənl, -dɪ'm-] adj tredimensionell [~ film]

three-engined [͵θriː'endʒɪnd] adj tremotorig

threefold ['θriːfəʊld] **I** adj trefaldig, tredubbel
II adv trefaldigt, trefalt, tredubbelt, tre gånger så mycket

three-four [͵θriː'fɔː] s trefjärdedelstakt

three-legged race [ˌθriːˈlegɪdreɪs] s trebenslöpning kapplöpning mellan par, vilkas inre ben är sammanbundna

three-line whip [ˌθriːlaɪnˈwɪp] s parl. en kallelse till en viktig votering (debatt) kallelsen understruken med tre streck

three-piece [ˈθriːpiːs] **I** adj tredelad, i tre delar **II** s se three-piece suit resp. three-piece suite

three-piece suit [ˌθriːpiːsˈsuːt] s **1** kostym med väst **2** tredelad dräkt

three-piece suite [ˌθriːpiːsˈswiːt] s soffgrupp [i tre delar]

three-ply [ˈθriːplaɪ, ˌ-ˈ-] **I** adj **1** om garn m.m. tretrådig, tredubbel [~ thread] **2** om trä m.m. i tre skikt **II** s tredubbel plywood, tredubbelt kryssfaner

three-point turn [ˌθriːpɔɪntˈtɜːn] s vändningsmanöver i tre steg vändning på litet utrymme genom att köra framåt, bakåt, framåt

three-quarter [ˌθriːˈkwɔːtə, attr. ˈ-ˌ--] **I** adj trefjärdedels-, trekvarts- [~ stocking]; ~ **back** rugby., se three-quarter II; ~ **length sleeve** trekvartslång ärm; **a ~ portrait** ett porträtt i trekvartsfigur **II** s rugby. trekvartare

three-ring circus [ˌθriːrɪŋˈsɜːkəs] s vanl. amer. **1** cirkus med tre maneger **2** bildl. kalabalik

threesome [ˈθriːsəm] **I** adj trefaldig; tremans- **II** s **1** tremannagrupp, trio; golf. trespel, tremansgolf **2** trekant samlag mellan tre personer

three-star [ˈθriːstɑː] adj trestjärnig [a ~ hotel]

thresh [θreʃ] vb tr o. vb itr tröska

thresher [ˈθreʃə] s **1** tröskare **2** tröskverk, tröskmaskin, tröska

threshing machine [ˈθreʃɪŋməˌʃiːn] s tröskverk, tröskmaskin, tröska

threshold [ˈθreʃ(h)əʊld] s **1** [dörr]tröskel **2** bildl. tröskel [on the ~ of a revolution]; början [she was on (vid) the ~ of her career] **3** fysiol. el. psykol. tröskel [the ~ of consciousness]; **pain ~** smärtgräns

threw [θruː] imperf. av throw

thrice [θraɪs] adv litt. tre gånger, trefalt

thrift [θrɪft] s **1** sparsamhet, [god] hushållning; ~ **institution** amer., slags kreditinstitut för bosparande **2** bot. trift; spec. strandtrift

thriftiness [ˈθrɪftɪnəs] s sparsamhet

thrift shop [ˈθrɪftʃɒp] s vanl. amer. affär för begagnade varor (kläder), second hand-affär i välgörenhetssyfte

thrifty [ˈθrɪftɪ] adj **1** sparsam, ekonomisk [of med] **2** amer. blomstrande, framgångsrik, välbärgad

thrill [θrɪl] **I** vb tr komma (få) att rysa av spänning, hänföra **II** vb itr rysa [~ with (av) delight (horror)] **III** s **1** ilning, rysning [~ of pleasure (välbehag)]; skälvning **2** spänning; spännande upplevelse; **what a ~!** vad (så) spännande!; **it gave me a ~** jag tyckte det var spännande

thrilled [θrɪld] adj överlycklig [about, at, with över]; ~ **to bits** stormförtjust; **be ~ with** rysa av

thriller [ˈθrɪlə] s rysare, spännande (rafflande) bok (film, pjäs), thriller

thrilling [ˈθrɪlɪŋ] adj spännande, nervkittlande, rafflande, skakande; gripande

thrive [θraɪv] (~d ~d, ibl. throve thriven) vb itr **1** om växter el. djur [växa och] frodas, trivas, må bra; om

barn [växa och] bli frisk och stark [children ~ on (av) milk] **2** blomstra, ha framgång, lyckas [bra]

thriven [ˈθrɪvn] perf. p. av thrive

thriving [ˈθraɪvɪŋ] adj **1** om växter el. djur som frodas **2** blomstrande [a ~ business]; framgångsrik

throat [θrəʊt] s strupe, hals; svalg; matstrupe, luftstrupe; **clear one's ~** klara strupen, harkla sig; **cut one's own ~** bildl. skada sig själv, förstöra för sig själv; **have a sore ~** el. vard. **have a ~** ha ont i halsen; **be at each other's ~s** råka i luven (gå löst) på varandra, ryka ihop; **take (seize) sb by the ~** ta struptag (strupgrepp) på ngn; **jump down sb's ~** vard. fara ut mot ngn, kasta sig över ngn; **thrust (ram, force) sth down sb's ~** vard. pracka (tvinga) på ngn ngt

throaty [ˈθrəʊtɪ] adj djup, hes, sträv [a ~ voice]

throb [θrɒb] **I** vb itr **1** banka, bulta, slå [häftigt], klappa [hårt] [my heart is ~bing]; dunka [the ~bing sound of machinery]; **my head is ~bing** det bultar (dunkar) i huvudet på mig **2** skälva, darra [~ with (av) excitement]; vibrera; pulsera, sjuda [a town ~bing with (av) activity] **II** s bankande, [bultande] slag, dunk[ande]

throes [θrəʊz] s pl **1** a) plågor, kval, ångest, vånda b) ~ **of death** dödskamp **2** vard., **be in the ~ of** stå (vara) mitt uppe i

thrombosis [θrɒmˈbəʊsɪs] (pl. thromboses [θrɒmˈbəʊsiːz]) s med. blodpropp, trombos

throne [θrəʊn] s tron; [biskops]stol; **come to the ~** komma på tronen

throng [θrɒŋ] **I** s **1** trängsel, [folk]vimmel, myller **2** massa, [väldig] mängd **II** vb itr trängas, skockas; strömma [till] i stora skaror **III** vb tr fylla till trängsel, skocka sig på (i), trängas på (i) [people ~ed the streets (shops)]

throttle [ˈθrɒtl] **I** s [gas]spjäll, trottel; strypventil; **at full ~** a) med öppet spjäll b) med gasen i botten **II** vb tr **1** strypa, kväva; bildl. förkväva, undertrycka **2** reglera, strypa, minska [på] gastillförseln o.d.; minska ngts fart **III** vb itr **1** hålla på (vara nära) att kvävas **2** ~ **down** el. ~ **back** lätta på gasen

through [θruː] **I** prep (se äv. resp. huvudord) **1** genom, igenom; in (ut) genom [climb ~ a window]; över [there is a path ~ the fields]; **he drove ~ a red light** han körde mot rött [ljus]; **talk ~ one's nose** tala i näsan; **she has been ~ a good deal** hon har varit med om en hel del **2** genom, på grund av [absent ~ illness]; tack vare; **it is [all] ~ him that...** det är [helt och hållet] hans fel (ibl. hans förtjänst) att... **3** om tid: [he worked] all ~ the night ...hela natten igenom; [he won't live] ~ the night ...natten ut; **all ~ his life** [under] hela sitt liv **4** amer. till och med [Monday ~ Friday]

II adv (se äv. resp. huvudord) **1** igenom; genom- [wet ~]; till slut[et] [he heard the speech ~]; ~ **and ~** a) alltigenom b) igenom gång på gång [I read the book ~ and ~]; **wet ~ and ~** våt helt igenom; **all ~** hela tiden [I knew that all ~] **2** om tåg o.d. direkt [the train goes ~ to Boston] **3** tele., **be ~** ha kommit fram; **get ~** komma fram; **put ~** släppa fram, koppla; **you're ~ to Rome** klart Rom **4** **be through** vard., i spec. betydelser: **a)** vara klar (färdig) [he is ~ with his *studies*]; *are you ~?* äv. har du slutat?; *they are ~ to the finals* de har gått till finalen **b**) vara slut [*he is ~ as a tennis player*] **c**) ha fått nog [*with* av; *I'm ~ with this job*]; *we are ~* det är slut mellan oss **d**) tele., se *through II 3* ovan

III *adj* genomgående, direkt [*a ~ train*]; **~ ball** el. **~ pass** sport. genomskärare; **~ ticket** direkt biljett; **~ traffic** genomgående trafik, genomfartstrafik; **No Through Traffic** Genomfart förbjuden

throughout [θru'aʊt] **I** *adv* **1** alltigenom, helt igenom, genom- [*rotten ~*]; genomgående [*worse ~*]; helt och hållet, fullständigt; överallt **2** hela tiden, från början till slut

II *prep* **1** överallt (runtom) i, genom hela, över hela [*~ the U.S.*] **2** om tid: **~ the year** [under] hela året

throughput ['θru:pʊt] *s* **1** produktion [*the ~ of crude oil*]; kapacitet **2** data. systemkapacitet

throve [θrəʊv] imperf. av *thrive*

throw [θrəʊ] **I** (*threw thrown*) *vb tr* (se äv. *throw III*) **1** kasta, slunga, slänga; störta [*~ oneself into*]; kasta av [*the horse threw its rider*]; kasta omkull [*he threw his opponent*]; kasta till [*~ me that rope*]; slunga (skjuta) ut [*a satellite was ~n into orbit*]; fiske. kasta med [*~ a fly*]; **~ open** kasta (slå, rycka) upp [*the doors were ~n open*]; **~ the book at sb** se under *book I 1*; **~ oneself at a man** kasta sig i armarna på (lägga an på) en man; **~ sth into sb's face** kasta (slunga) ngt i ansiktet på ngn; **~ oneself into sth** kasta sig in i (över) ngt, ge sig i kast med ngt; **~ oneself on** (**upon**) **sb** kasta sig över ngn; **~ one's arms round sb** slå armarna om ngn; **~ a kiss to sb** ge ngn en slängkyss, kasta en slängkyss till ngn **2** försätta [*into* i]; försänka [*it threw him into a deep sleep*] **3** ställa [*~ into the shade*]; lägga [*~ obstacles into the way of* (för)] **4** bygga, slå [*~ a bridge across a river*] **5** fälla fjädrar, hår o.d.; ömsa [*the snake has ~n its skin*] **6** mek. koppla in (till), slå till [*~ a lever* (spak)] **7** vard. **a**) ställa till [med], ha [*~ a party* (*a dinner*) *for sb*] **b**) **~ a fit** få ett raseriutbrott, bli rasande **8** ge upp, skänka bort, avsiktligt förlora, släppa [*~ a game*]

II (*threw thrown*) *vb itr* (se äv. *throw III*) kasta

III (*threw thrown*) *vb tr* o. *vb itr* med adv., ofta med spec. översättningar:

throw about a) kasta (slänga) omkring **b**) **~ one's money about** strö pengar omkring sig

throw away kasta (hälla) bort; *it is labour ~n away* det är bortkastad (förspilld) möda

throw in a) kasta in **b**) *you get that ~n in* man får det på köpet **c**) **~ in one's lot with** se under *lot 6* **d**) fotb. göra [ett] inkast

throw off a) kasta av (bort); kasta av sig [*he threw off his coat*] **b**) bli av med, bli kvitt [*I can't ~ off this cold*]; skaka av sig [*~ off one's pursuers*] **c**) skaka fram, svänga ihop [*~ off a poem*]

throw out a) kasta ut; köra ut (bort); **~ out of gear** bildl., se under *gear I 1*; **~ sb out of work** göra ngn arbetslös **b**) sända ut [*~ out light*]; utstråla [*~ out heat*] **c**) kasta fram, komma med [*~ out a remark*]; **~ out a feeler** göra (skicka ut) en trevare **d**) förkasta [*~ out a bill in Parliament*]

throw together a) smälla ihop; rafsa ihop **b**) föra samman [*chance had ~n us together*]

throw up a) vard. kräkas (kasta) upp; kräkas **b**) kasta (slänga) upp **c**) lyfta, höja [*she threw up her head*] **d**) kasta upp [*~ up barricades*]; smälla (smäcka) upp (ihop) [*~ up houses*] **e**) vard. ge upp, sluta [*~ up one's job*]

IV *s* **1** kast äv. brottn.; **stake everything on one ~** sätta allt på ett kort (bräde); **stone's ~** se under *stone I 1* **2** tärningskast [äv. *~ of the dice*]; **it's your ~** det är din tur att slå **3** skynke, överkast, pläd

throwaway ['θrəʊəweɪ] **I** *adj* **1** engångs- [*~ container*]; slit-och-släng-; **at ~ prices** till vrakpriser **2** framkastad i förbigående, helt apropå [*~ remarks*]

II *s* vanl. amer. reklamlapp; **~ leaflet** flygblad

throwback ['θrəʊbæk] *s* **1** bakslag **2** biol. atavism; bildl. återgång [*a ~ to the earlier drama*]

throw-in ['θrəʊɪn] *s* fotb. inkast

thrown [θrəʊn] perf. p. av *throw*

thru [θru:] *prep* o. *adv* o. *adj* amer. vard., se *through*

1 thrush [θrʌʃ] *s* zool. trast

2 thrush [θrʌʃ] *s* **1** med. torsk **2** vet.med. strålröta

thrush nightingale [ˌθrʌʃ'naɪtɪŋgeɪl] *s* zool. näktergal

thrust [θrʌst] **I** (*thrust thrust*) *vb tr* **1** sticka, stoppa [*he ~ his hands into his pockets*]; köra, stöta [*she ~ a dagger into his back*]; **he ~ his fist into my face** han hötte åt mig med näven **2** tvinga [*they were ~ into a civil war*]; tränga [*the policemen ~ the crowd back*]; **~ one's way through the crowd** tränga sig fram genom folkmassan **3** knuffa, skjuta [*~ aside*]; köra driva, driva [*~ out*]; stöta [*~ away*; *~ off*; *~ down*]

II (*thrust thrust*) *vb itr* **1** tränga (tvinga) sig [*he ~ past me*]; tränga [sig] fram [*they ~ through the crowd*] **2** skjuta ut (upp) [*a rock that ~s 200 feet above the water*] **3** göra ett utfall, gå till anfall (angrepp) äv. bildl. [*at mot*]; sticka [*at efter*] **4** fäktn. stöta

III (*thrust thrust*) *vb tr* med adv.:

thrust aside a) knuffa (skjuta) åt sidan (undan) **b**) åsidosätta

thrust out köra (driva) ut [*~ out*]; **~ out one's tongue** räcka ut tungan

thrust upon: ~ sth upon sb tvinga (pracka, truga) på ngn ngt; **~ oneself upon sb** tvinga (tränga) sig på ngn

IV *s* **1** stöt, knuff **2** framstöt; utfall, anfall, angrepp äv. bildl. [*at mot*] **3** huvudinriktning, syfte **4** fäktn. stöt

thud [θʌd] **I** *s* duns [*it fell with a ~*]; dovt ljud (slag) **II** *vb itr* dunsa [ner]; dunka; **the bullet ~ded into the wall** kulan träffade väggen med en duns (ett dovt ljud)

thug [θʌg] *s* huligan, ligist

thuggery ['θʌgəri] *s* ligistfasoner; busliv

thumb [θʌm] **I** *s* tumme, se äv. *rule of thumb* o. ex. under *finger I 1* o. *twiddle I 2*; **have sb under one's ~** hålla ngn i ledband; hålla tummen i ögat på ngn; **stick out like a sore ~** vard. synas (märkas) lång väg; **she turned her ~ down to the plan** hon gjorde tummen ner för planen; **~s down** (**up**) tummen ner (upp); **~s up!** vard. äv. fint!, bravo!

II *vb tr* **1** tumma [på], sätta [solkiga] märken i (på), använda flitigt [*this dictionary will be much ~ed*] **2** **~ a lift** el. **~ a ride** vard. [försöka] få lift, lifta

3 ~ *one's nose at* räcka lång näsa åt
III *vb itr* lifta
IV *vb tr* med adv.:
thumb through bläddra igenom
thumb index [ˈθʌmˌɪndeks] *s* tumindex, tumgrepp
thumbnail [ˈθʌmneɪl] *s* **1** tumnagel **2** data. minibild, indexbild
thumbnail sketch [ˌθʌmneɪlˈsketʃ] *s* **1** miniatyrskiss **2** snabbskiss
thumbscrew [ˈθʌmskruː] *s* **1** vingskruv **2** tumskruv
thumbtack [ˈθʌmtæk] *s* amer. häftstift
thump [θʌmp] **I** *vb tr* dunka [~ *sb on* (i) *the back*]; dunka (hamra) på [~ *the piano*]; bulta (banka) på [*she ~ed the door*]; slå på [~ *a drum*] **II** *vb itr* dunka, bulta [*his heart ~ed in his chest*]; hamra, banka, slå [*at, on* på]; klampa, klappra **III** *s* dunk [*a friendly ~ on the back*]; smäll, duns
thumping [ˈθʌmpɪŋ] vard. **I** *adj* hejdundrande, kolossal; grov [*a ~ lie*] **II** *adv* väldigt, kolossalt, jätte- [*a ~ good dinner*]
thunder [ˈθʌndə] **I** *s* åska [*there's ~ in the air*]; dunder, dån [*the ~ of horses' hoofs*]; brak; *a crash* (*clap, peal*) *of* ~ en åskskräll; *have a face like* ~ el. *look like* ~ se ut som ett åskmoln (åskväder); *steal sb's* ~ stjäla ngns idéer; ta ordet ur munnen på ngn **II** *vb itr* **1** åska [*it was ~ing and lightening*]; dundra, dåna, braka; [*the train*] *~ed past* …dundrade förbi **2** bildl. dundra [*he ~ed against the new law*]; ~ *against* äv. fara ut mot **III** *vb tr* dundra, ryta; utslunga t.ex. hotelser; ~ *out* skrika ut, ryta [~ *out commands*]
thunderbolt [ˈθʌndəbəʊlt] *s* blixt; *like a* ~ som ett åskslag; *the news was* (*came*) *like a* ~ nyheten slog ner som en blixt från klar himmel; *she dropped a* ~ *on us* [*when she told us they were getting a divorce*] bildl. hon släppte en bomb…
thunderclap [ˈθʌndəklæp] *s* åskskräll, åskknall; bildl. åskslag
thundercloud [ˈθʌndəklaʊd] *s* åskmoln
thundering [ˈθʌnd(ə)rɪŋ] **I** *adj* **1** dundrande **2** vard. väldig, förfärlig, fantastisk [*a ~ amount of work*]; grov [*a ~ lie*] **II** *adv* vard. väldigt, förfärligt
thunderous [ˈθʌnd(ə)rəs] *adj* **1** åsk-, åskig **2** dånande, rungande [~ *applause*]
thunderstorm [ˈθʌndəstɔːm] *s* åskväder, åska
thunderstruck [ˈθʌndəstrʌk] *adj* som träffad av blixten, förstenad, förstummad av häpnad
thundery [ˈθʌndərɪ] *adj* åsk- [~ *rain*]; åskig
Thurs. förk. för *Thursday*
Thursday [ˈθɜːzdeɪ, attr. ofta -dɪ] *s* torsdag; för ex. jfr *Sunday*
thus [ðʌs] *adv* **1** sålunda, så, så här [*do it ~*] **2** alltså, således, följaktligen, därför [*he was not there and ~ you could not have seen him*] **3** ~ *far* så långt, hittills; ~ *much* så mycket [~ *much is certain that…*]
thwack [θwæk] **I** *vb tr* slå, banka; klappa (smälla) till, klå upp **II** *s* [kraftigt] slag, smäll
thwart [θwɔːt] *vb tr* korsa, gäcka, stäcka, omintetgöra [~ *sb's plans*]; ~ *sb* hindra ngn att få sin vilja fram
thy [ðaɪ] *fören poss pron* åld. el. bibl. din
thyme [taɪm] *s* bot. timjan

thyroid [ˈθaɪrɔɪd] anat. **I** *adj* sköld-; sköldkörtel- **II** *s* sköldkörtel
thyroid gland [ˌθaɪrɔɪdˈglænd] *s* anat. sköldkörtel
ti [tiː] *s* mus. si
TIA i e-post el. textmeddelanden förk. för *thanks in advance*
tiara [tɪˈɑːrə] *s* tiara äv. påvekrona; diadem
Tibet [tɪˈbet] geogr.
Tibetan [tɪˈbet(ə)n] **I** *adj* tibetansk **II** *s* **1** tibetanska [språket] **2** tibetan
tibi|a [ˈtɪbɪə, ˈtaɪb-] (pl. *-ae* [-iː] el. *-as*) *s* anat. tibia, skenben
tic [tɪk] *s* med. tic; *he has a* ~ han har nervösa ryckningar
1 tick [tɪk] **I** *vb itr* **1** ticka **2** vard. funka; *what makes her ~?* hur är hon funtad? **II** *vb tr* med adv.:
tick away el. **tick by** ticka fram
tick off a) pricka (bocka) av; markera, notera, kolla **b**) vard. läxa upp, ge en uppsträckning; *be* (*get*) *~ed off* äv. få påskrivet **c**) amer., *be ~ed off* bli förbannad (arg)
tick over gå på tomgång
III *s* **1** tickande, tickning [*the ~ of a clock*]; *in two ~s* vard. ögonaböj, på momangen; *half a ~!* vard. ett ögonblick! **2** bock, kråka märke; *put a ~ against* pricka (bocka) för
2 tick [tɪk] *s* zool. fästing
3 tick [tɪk] *s* vard., *on* ~ på kredit (krita)
tick-borne [ˈtɪkbɔːn] *adj* med. fästingburen [~ *disease*]
ticker [ˈtɪkə] *s* **1** vard. åld. hjärta **2** vanl. amer. [börs]telegraf
ticker-tape [ˈtɪkəteɪp] *s* telegrafremsa, telegrafremsor; *get a ~ reception* (*welcome*) ung. få ett storslaget (hejdundrande) mottagande markerat med utkastning av telegrafremsor o. konfetti från husfönstren
ticket [ˈtɪkɪt] **I** *s* **1** biljett [*buy ~s for* (till) *Paris* (*the opera*)], vard. plåt **2** lapp [*price ~*]; parkeringslapp [*parking ~*]; lapp på rutan [*get a ~*]; kvitto, sedel [*pawn ~*]; etikett; *library ~* lånekort på bibliotek; *lottery ~* lott[sedel]; *meal ~* a) matkupong b) vard. födkrok; försörjare **3** vard. (ngt åld.), *the ~* det [enda] riktiga (rätta) [*a holiday in Spain is the ~*]; *that's the ~* äv. det är så det ska vara, det är modellen; *he's not quite the ~* han passar (är) då inget vidare **4** amer. polit. a) kandidatlista, röstsedel b) [parti]program **II** *vb tr* **1** förse med prislapp etc., jfr *ticket I 2*; etikettera **2** vard. öronmärka
ticket agency [ˈtɪkɪtˌeɪdʒ(ə)nsɪ] *s* biljettkontor
ticket barrier [ˈtɪkɪtˌbærɪə] *s* järnv. o.d. [biljett]spärr
ticket collector [ˈtɪkɪtkəˌlektə] *s* biljettmottagare; järnv. o.d. spärrvakt; konduktör på buss o.d.
ticket inspector [ˈtɪkɪtɪnˌspektə] *s* järnv. etc. biljettkontollör
ticket machine [ˈtɪkɪtməˌʃiːn] *s* biljettautomat
ticket office [ˈtɪkɪtˌɒfɪs] *s* biljettagentur, förköpsställe
ticking [ˈtɪkɪŋ] *s* bolstervarstyg, kuddvarstyg
ticking-off [ˌtɪkɪŋˈɒf] *s* vard. läxa, uppsträckning, skrapa [*give sb a good ~*]
tickle [ˈtɪkl] **I** *vb tr* **1** kittla, killa [~ *sb with a feather*]; ~ *the ivories* vard. åld. klinka lite på pianot; ~ *sb's ribs* bildl. få ngn att skratta **2** roa [*the story ~d*

me]; glädja [*the news will ~ you*]; tilltala [*~ sb's taste*]; smickra, kittla [*~ sb's vanity*]; **be ~d to death** el. **be ~d pink** el. **be ~d no end** vard. [hålla på att] skratta ihjäl sig [*at, by* åt]; bli (vara) överförtjust [*at, by* över]

II *vb itr* **1** klia, kittla; **my nose ~s** det kittlar i näsan [på mig] **2** kittlas

III *s* kittling; **he gave my foot a ~** han kittlade mig under (på) foten

ticklish ['tɪklɪʃ] *adj* **1** kittlig **2** kinkig, kvistig, knepig [*a ~ problem*]; känslig, kritisk [*a ~ situation*]

tick-tack [ˌtɪk'tæk, '--] *s* ticktack, tickande; klapprande, klapper, smällande [*the ~ of heels*]

tick-tack-toe ['tɪkˌtæk'təʊ] *s* amer., slags luffarschack

tick-tock ['tɪktɒk, -'-] **I** *s* ticktack, tickande [*the ~ of the old clock*] **II** *adv* o. *interj* ticktack

ticky-tacky [ˌtɪkɪ'tækɪ] *s* amer. vard. fuskmaterial

tic-tac-toe ['tɪkˌtæk'təʊ] *s* amer., slags luffarschack

tidal ['taɪdl] *adj* tidvattens- [*~ river*]

tidal wave [ˌtaɪdl'weɪv] *s* **1** tidvattensvåg, flodvåg, jättevåg **2** bildl. [stark] våg [*a ~ wave of enthusiasm*]

tidbit ['tɪdbɪt] *s* vanl. amer. godbit äv. bildl., läckerbit, aptitbit

tiddler ['tɪdlə] *s* vard. liten fisk; spec. spigg

tiddley ['tɪdlɪ] *adj* vard. **1** full, plakat berusad **2** liten; futtig, ynklig

tiddlywinks ['tɪdlɪwɪŋks] (med verb i sg.) *s* loppspel

tide [taɪd] **I** *s* **1** tidvatten, ebb och flod [äv. pl. *~s*]; flod[tid]; **high ~** högvatten, flod [*at* (vid) *high ~*]; **low ~** lågvatten, ebb [*at* (vid) *low ~*]; **the ~ is in** el. **the ~ is up** det är flod (högvatten); **the ~ is out** el. **the ~ is down** det är ebb (lågvatten); **the ~ is falling** el. **the ~ is going out** el. **the ~ is ebbing** floden faller (avtar), ebben börjar **2** bildl. ström, strömning, tendens; **the ~ of events** händelsernas förlopp; **the rising ~ of public opinion against...** den växande allmänna opinionen mot...; **the ~ has turned** vinden har vänt, det har skett en omsvängning; **stem the ~** gå mot strömmen; **go with the ~** el. **swim with the ~** följa (driva) med strömmen **3** högtidl. tid [*Christmas-tide*]; stund; **time and ~ wait for no man** tiden går obevekligt sin gång

II *vb itr* föra (dra) med sig som tidvattnet

III *vb tr* med adv.:

tide over hjälpa (klara) ngn över (igenom) [*~ sb over a crisis*]; [*this little loan will*] **~ me over till next week** ...hålla mig flytande till nästa vecka

tidemark ['taɪdmɑːk] *s* **1** tidvattensmärke, vattenståndsmärke **2** vard. smutsrand i t.ex. badkar

tidily ['taɪdəlɪ] *adv* snyggt etc., jfr *tidy I*

tidiness ['taɪdɪnəs] *s* snygghet etc., jfr *tidy I*; [god] ordning

tidings ['taɪdɪŋz] (med verb vanl. i pl.) *s* litt. el. skämts. tidender, budskap; **glad ~** glädjebudskap

tidy ['taɪdɪ] **I** *adj* **1** snygg, [väl]vårdad; städad [*a ~ room*]; ordentlig, prydlig, proper; **keep Britain ~** håll Storbritannien rent; **make oneself look ~** snygga till (upp) sig **2** vard. nätt, vacker, rundlig [*a ~ sum*]

II *s* förvaringslåda [med fack], verktygslåda o.d., etui; **sink ~** avfallskorg för vask

III *vb tr* städa, städa (snygga) upp [i (på)]

IV *vb itr* städa [upp], snygga upp, göra i ordning

V *vb tr* o. *vb itr* med adv.:

tidy away städa undan; ta reda på

tidy up a) tr. städa, städa (snygga) upp [i (på)] **b)** itr. städa [upp], snygga upp, göra i ordning

tie [taɪ] **I** *vb tr* **1 a)** binda [fast] [*~ a horse to* (vid) *a tree*]; knyta fast, förtöja [*to* vid]; **~ sb hand and foot** binda ngn till händer och fötter äv. bildl. **b)** knyta [*~ one's shoelaces*] **2** med. underbinda [*~ a vein*] **3** bildl. binda, hålla bunden [*my work ~s me to* (vid) *the office for most of the day*]; klavbinda, hämma; **~ the knot** vard. knyta hymens band, gifta sig; **~ oneself [up] in knots** se under *knot I 4*

II *vb itr* **1** knytas [*the sash ~s in front*]; knytas fast (ihop) **2** sport. stå (komma) på samma poäng, få (nå) samma placering [*with* som]; spela oavgjort; **~ for first place** dela förstaplatsen, komma på delad förstaplats

III *vb tr* o. *vb itr* med adv. el. prep., ofta med spec. översättningar:

tie down binda äv. bildl. [*to* vid, till; *~ sb down to a contract*]; binda fast; **be ~d down by children** (**one's job**) vara bunden av barn (sitt arbete)

tie in bildl. förbinda, förena [*with, to* med], samordna [*~ in your holiday plans with theirs*]

tie on binda på, knyta (binda) fast [*~ on a label*]

tie up a) binda upp; binda [fast]; binda ihop (samman); binda om [*~ up a parcel*]; med. underbinda **b)** bildl. binda [*I am too ~d up with* (av) *other things*]; låsa [fast] [*~ up one's capital*]; **~d up** äv. upptagen

IV *s* **1** slips; fluga, kravatt, rosett; **black ~** se *black tie*; **white ~** se under *white I* **2** bildl. band, länk; bindning, hämsko; **~s of blood** blodsband; **business ~** affärsförbindelse **3** band, snöre **4** sport. **a)** lika poängtal; oavgjort resultat; **it ended in a ~** det slutade oavgjort, det blev dött lopp **b)** cupmatch; **play off a ~** spela (skjuta) 'om för att avgöra en tävling **5** polit. lika röstetal **6** mus. [binde]båge **7** amer. järnv. sliper

tiebreak ['taɪbreɪk] *s* o. **tiebreaker** ['taɪˌbreɪkə] *s* tennis. tie-break

tied cottage [ˌtaɪd'kɒtɪdʒ] *s* [lant]arbetarbostad som upplåts av markägaren

tied house [ˌtaɪd'haʊs] *s* krog (pub) som ägs av (har kontrakt med) visst bryggeri

tie-dye ['taɪdaɪ] *s* textil. knytbatik

tie-in ['taɪɪn] *s* bok (skiva, leksak o.d.) som lanseras i samband med film (musikal o.d.)

tie-on ['taɪɒn] *adj* som går att binda på (knyta fast)

tie pants ['taɪpænts] *s pl* snibb blöja

tiepin ['taɪpɪn] *s* kråsnål, kravattnål

tier [tɪə] *s* **1** rad; **arranged in ~s** ordnade i rader ovanför varandra, trappstegsvis ordnade [*seats arranged in ~s*] **2** varv, lager, skikt

tie-up ['taɪʌp] *s* **1** sammanslagning, fusion; kompanjonskap **2** vanl. amer. stillestånd, stagnation, stopp; dödläge; arbetsnedläggelse

tiff [tɪf] *s* vard. [litet] gräl, gruff, gnabb

tiger ['taɪgə] *s* tiger; **paper ~** bildl. papperstiger

tiger cub ['taɪgəkʌb] *s* tigerunge

tigerish ['taɪgərɪʃ] *adj* tigerlik[nande], tigeraktig

tiger lily ['taɪgəˌlɪlɪ] *s* tigerlilja

tiger moth ['taɪgəmɒθ] *s* zool. björnspinnare

tight [taɪt] **I** *adj* **1** åtsittande, åtsmitande, tajt, snäv [*~ trousers*]; trång [*~ shoes*]; spänd [*a ~ rope*];

stram; sjö. styvhalad; **be** ~ äv. strama, trycka, sitta
åt [*my collar is* ~]; **find oneself in a ~ corner** (**spot**)
ligga illa till, vara i knipa **2** fast, hård [*a ~ knot*];
sträng [~ *control*]; **a ~ drawer** en låda som kärvar; **a
~ hold** ett fast (hårt) grepp äv. bildl.; **keep a ~ hand**
(**hold**) **over sb** hålla ngn kort (i schack) **3** tät
[*airtight, watertight; a ~ boat*] **4** snål, njugg
5 knapp; tryckt, stram [*a ~ money market*] **6** vard.
packad berusad
　II *adv* tätt, fast, hårt [*hug* (krama) *sb* ~]; **sleep ~!**
vard. sov gott!
tighten ['taɪtn] **I** *vb tr* **1** spänna, sträcka [~ *a rope*];
dra åt, snöra åt; ~ **one's belt** bildl. dra åt
svångremmen **2** dra åt [~ *the screws*]; skärpa,
effektivisera
　II *vb itr* **1** spännas, sträckas **2** dras åt; skärpas,
effektiveras
　III *vb tr* o. *vb itr* med adv.:
　tighten up a) tr. dra åt [~ *up the screws*]; skärpa [~
up the regulations]; effektivisera b) dras åt;
skärpas [*the regulations have been ~ed up*];
effektiveras; [**we'll have to**] ~ **up on crime**
…intensifiera kampen mot brottsligheten
tight-fisted [ˌtaɪtˈfɪstɪd] *adj* snål, knusslig
tight-fitting [ˌtaɪtˈfɪtɪŋ] *adj* åtsittande [~ *clothes*]
tight-knit [ˌtaɪtˈnɪt] *adj* se *close-knit*
tight-lipped [ˌtaɪtˈlɪpt] *adj* **1** med hopknipna
läppar; bister **2** fåordig, tystlåten, förtegen
tightrope ['taɪtrəʊp] *s* [spänd] lina; **walk on the** (**a**) ~
gå (dansa) på lina; **walk a ~** bildl. gå balansgång
tightrope dancer ['taɪtrəʊpˌdɑːnsə] *s* o. **tightrope
walker** ['taɪtrəʊpˌwɔːkə] *s* lindansare
tights [taɪts] *s pl* **1** strumpbyxor **2** trikåer artistplagg,
trikåbyxor
tightwad ['taɪtwɒd] *s* vanl. amer. vard. girigbuk,
snåljåp, gnidare
tigress ['taɪɡrəs] *s* tigrinna, tigerhona
Tigris ['taɪɡrɪs] geogr., **the** ~ Tigris
tike [taɪk] *s* vard., se *tyke*
tikka ['tiːkə] *s* kok. (ind.) tikka köttbitar el. grönsaker i
kryddig sås
tilde ['tɪldə] *s* **1** tilde muljerings- el. nasaleringstecken
2 typogr. krok, släng, tilde
tile [taɪl] **I** *s* tegelpanna, tegelplatta; tegel; platta;
kakel[platta]; **have a ~ loose** vard. ha en skruv lös; **be**
[**out**] **on the ~s** vard. vara ute och svira (sudda, slå
runt)
　II *vb tr* **1** täcka (belägga) med tegel, tegeltäcka; klä
med kakel[plattor] **2** data. lägga sida vid sida placera
fönster etc.
1 till [tɪl] **I** *prep* [ända] till, [ända] tills [*work from
morning ~ night; wait ~ Thursday* (*tomorrow*)]; ~
now [ända] tills nu, hitintills; ~ **then** till dess,
dittills; **not ~** inte förrän, först; **not ~ then did she
understand** först (inte förrän) då förstod hon; ~ **that
day I had never seen…** före den dagen hade jag
aldrig sett…
　II *konj* [ända] till, [ända] tills, till dess att [*wait ~
the rain stops*]; **not ~** [*he got home did he understand*]
först när (då)…, inte förrän…
2 till [tɪl] *s* kassa[låda], kassaapparat
3 till [tɪl] *vb tr* åld. odla [upp], bruka [~ *the soil*]; ~**ed
land** odlad jord (mark), åker[jord]
tillage ['tɪlɪdʒ] *s* åld. **1** [jord]bearbetning [*the ~ of*

soil]; odling **2** odlad mark, brukad jord **3** skörd;
gröda
tiller ['tɪlə] *s* sjö. rorpinne, rorkult
tilt [tɪlt] **I** *vb tr* luta, vippa (vicka) på [*she ~ed her
chair back*]; fälla [~ *back* (upp) *a seat*]
　II *vb itr* **1** luta, vippa, vicka; tippa; sjö. ha slagsida;
~ **over** välta (vicka) omkull, tippa över [ända] **2** gå
till angrepp (storms) [~ *at* (mot) *gambling*];
kämpa, strida; tävla
　III *s* **1** lutning, lutande ställning; vippande,
vickande **2** bildl. dust, ordväxling [*have a ~ with
sb*]; **have a ~ at** vard. ge sig på, gå illa åt **3** *full* ~ el. *at
full* ~ i (med) full fart; **run full ~ against sb** rusa emot
ngn med full fart
timber ['tɪmbə] **I** *s* **1** timmer, trä, virke
2 timmerstock, bjälke
　II *interj* se upp! fallande träd!
timbered ['tɪmbəd] *adj* **1** timrad, gjord (byggd) av
timmer, timmer- [*a ~ house*] **2** som efterled i
sammansättn. -timrad, -konstruerad, -byggd
[*well-timbered*]
timberline ['tɪmbəlaɪn] *s* trädgräns
timberyard ['tɪmbəjɑːd] *s* brädgård
timbre ['tæmbə, 'tɪmbə] *s* fr. timbre, klang[färg]
time [taɪm] **I** *s* **1** tid; tiden [~ *will show who is
right*]; pl. ~**s** tider [*hard* ~*s*]; tid [*the good old*
(gamla goda) ~*s*]; ~**!** tiden är ute!; [det är]
stängningsdags! [t.ex. på en pub: ~ *gentlemen, please!*]
2 tid- [~ *wages*]; tids-
3 i förbindelse med *day*: **pass the ~ of day** utbyta
hälsningar; **at this ~ of day** vid denna tid (så här
dags) på dagen; nu för tiden; så här sent [*we can't
do anything at this ~ of day*]
4 i förbindelse med *long*: **a long ~ ago** för länge (lång
tid) sedan; **what a long ~ you have been!** så (vad)
länge du har varit (dröjt)!; **it will be a long ~
before…** det dröjer länge innan…; [*I have not been
there*] **for a long ~** …på länge; **for a long ~ past** sedan
länge
5 i förbindelse med vissa pron.: [*they were laughing*] **all the
~** …hela tiden; **at all ~s** alltid; **for all ~** för all
framtid; [*the best tennis player*] **of all ~** …genom
tiderna; **any ~** när som helst; vard. utan tvekan, alla
gånger; **any ~!** vard. äv. gärna [det]!; **every ~!** vard. så
(det är) klart!, det vill jag lova!; alla gånger!; **it was
no ~ before she was back** hon var tillbaka på nolltid;
I've got no ~ for vard. jag har ingenting till övers för;
at no ~ ingen (inte någon) gång; **in no ~** el. **in less
than no ~** på nolltid, i en handvändning; **at the same
~** vid samma tid[punkt], samtidigt; å andra sidan,
samtidigt [*at the same ~ one must admit that she is
competent*]; [**I shall be away**] **for some ~** …en längre
(någon) tid; **for some ~ yet** än på ett [bra] tag; **by
that ~** vid det laget, då; till dess; **this ~ last year** i fjol
vid den här tiden; **by this ~** vid det här laget, nu;
what ~ is it? vad (hur mycket) är klockan?
6 i förbindelse med verb: ~**'s up!** tiden är ute!; **it's ~ for
lunch** el. **it's lunch ~** det är lunchdags; **there is a ~ and
place for everything** allting har sin tid; **there are ~s
when I wonder** ibland undrar jag; **what's the ~?** vad
(hur mycket) är klockan?; **do** ~ vard. sitta inne; **do
one's ~** vard. sitta av sin [straff]tid; **find** (**get**) ~ **to do
sth** hinna med [att göra] ngt; **have ~** el. **have the ~** ha
tid, hinna; **have a good** (**nice**) ~ **of it** ha roligt, ha det

trevligt; *have ~ on one's hands* ha gott om tid; *keep ~* hålla tider[na] (tiden), vara punktlig; ta tid med stoppur; mus., se *time I 9* nedan; *keep ~* el. *keep good ~* gå rätt om ur; *keep bad ~* gå fel om ur; *take ~* ta tid; *take one's ~* ta [god] tid på sig [*about* (*over*) *sth* till (för) ngt]; *take your ~!* ta [god] tid på dig!, ingen brådska!; iron. förta dig [för all del] inte!; *tell the ~* kunna klockan; *can you tell me the* [*right*] *~?* kan du säga mig vad klockan är?; *you don't waste much ~, do you?* du är snabb, du!

7 i förbindelse med prep. el. adv.: *about ~ too!* det var [minsann] på tiden!; *against ~* i kapp med tiden; *a race against ~* en kapplöpning med tiden; *ahead of ~* i god tid, före den avtalade tiden; *be ahead of one's ~* vara före sin tid; *at one ~* a) en gång [i tiden] b) på en (samma) gång; *at the best of ~s* under alla förhållanden; *at the ~* vid det tillfället, på den tiden [*he was only a boy at the ~*]; *at ~s* tidvis, emellanåt; *at my* (*your*) *~ of life* vid min (din) ålder; *at different ~s* vid olika tidpunkter; *before ~* el. *before one's ~* för tidigt; *be born before one's ~* bildl. vara före sin tid; *old before one's ~* gammal i förtid; *between ~s* dessemellan; emellanåt; *by the ~* när [...väl], då, vid den tid [då]; *for the ~ being* för närvarande; tills vidare; *from ~ to ~* då och då; [allt] emellanåt; *in ~* el. *in the course of ~* med tiden, tids nog [*in ~ he'll understand*]; *in ~* el. *just in ~* [precis] lagom, [precis] i tid [*come in ~ for dinner*]; *he came in ~* han kom i [rätt] tid; *in ancient ~s* i gamla tider; *in due ~* i [rätt] tid; *all in good ~!* se under *good I 11*; *in a week's ~* om en vecka; *all of the ~* hela tiden; *for the sake of old ~s* för gammal vänskaps skull; *the literature of the ~* dåtidens litteratur; *~ off* fritid; ledigt; *on ~* i [rätt] tid, precis, punktlig[t]; *once upon a ~ there was...* det var en gång...

8 gång; *~ after ~* el. *~ and again* gång på gång; *five ~s the size of* fem gånger så stor som; *many a ~* mången gång, många gånger; *one more ~* vard. en gång till; *two or three ~s* ett par [tre] (några) gånger; *one at a ~* en åt gången, en i sänder (taget)

9 mus. takt, tempo; taktart; *beat ~* slå takt[en]; *beat ~ with one's foot* (*feet*) stampa takten; *keep ~* hålla takt[en]

II *vb tr* **1** välja (beräkna) tiden (tidpunkten) för, tajma, avpassa [*he ~d his journey so that he arrived before dark*]; *~ well* välja den rätta tidpunkten för [*they ~d their visit well*] **2** ta tid på [*~ a runner*]; ta tid vid, tajma

time and motion study [ˌtaɪmənˈməʊʃ(ə)nˌstʌdɪ] *s* [arbets]tidsstudier; *~ man* [arbets]tidsstudieman, arbetsstudieman

time bomb ['taɪmbɒm] *s* tidsinställd bomb, tidsbomb

time-bound ['taɪmbaʊnd] *adj* tidsbunden

time capsule ['taɪmˌkæpsjuːl] *s* tidskapsel, behållare med dokument etc. bevarat för framtiden

time card ['taɪmkɑːd] *s* tidkort över antal arbetstimmar, stämpelkort

time clock ['taɪmklɒk] *s* stämpelur, stämpelklocka

time-consuming ['taɪmkənˌsjuːmɪŋ] *adj* tidsödande, tidskrävande

time-honoured ['taɪmˌɒnəd] *adj* [gammal och] ärevördig, hävdvunnen [*~ customs*]; traditionell

timekeeper ['taɪmˌkiːpə] *s* **1** tidmätare; *this is a good*

(*bad*) *~* den här klockan går bra (dåligt) **2** tidkontrollör, tidkontrollant; tidtagare; tidskrivare

timekeeping ['taɪmˌkiːpɪŋ] *s* tidtagning; tidkontroll på arbetsplats

time-killer ['taɪmˌkɪlə] *s* vard. tidsfördriv

time lag ['taɪmlæg] *s* mellantid, [tids]intervall; tidsfördröjning [*catch up on* (ta igen) *the ~*]

timeless ['taɪmləs] *adj* litt. tidlös, oändlig; evig

time limit ['taɪmˌlɪmɪt] *s* tidsgräns; tidsbegränsning; [tids]frist [*exceed the ~*]; hand. tidslimit; *impose a ~ on* tidsbegränsa

timely ['taɪmlɪ] *adj* läglig, lämplig; i rätt[an] tid

time-off [ˌtaɪmˈɒf] *s* giltig frånvaro från arbete, skola; *get ~* få ledigt; *have ~* vara ledig; *take ~* ta ledigt

time-out [ˌtaɪmˈaʊt] *s* **1** paus, rast i arbete; *take ~* sig ledigt ett slag **2** sport. spelavbrott, time out

timepiece ['taɪmpiːs] *s* ur, tidmätare; kronometer; pendyl

timer ['taɪmə] *s* **1** spec. sport. tidtagare **2** tidtagarur, stoppur **3** tidur, signalur; timer

timesaver ['taɪmˌseɪvə] *s*, *it's a ~* den spar tid

timesaving ['taɪmˌseɪvɪŋ] *adj* tidsbesparande [*a ~ device*]

time scale ['taɪmskeɪl] *s* tidsschema, tidsplan

timeserver ['taɪmˌsɜːvə] *s* **1** opportunist, anpassling; *be a ~* vända kappan efter vinden **2** ögontjänare, en som maskar

timeshare ['taɪmʃeə] **I** *s* andelslägenhet, andelshus **II** *adj* andels- [*~ villas*]

time-sharing ['taɪmˌʃeərɪŋ] *s* **1** data. tidsdelning, time-sharing **2** andelssystem för fritidslägenheter, time-sharing

time sheet ['taɪmʃiːt] *s* arbetssedel, arbets[tids]schema

time signal ['taɪmˌsɪgn(ə)l] *s* tidssignal

time signature ['taɪmˌsɪgnətʃə] *s* mus. taktbeteckning

time span ['taɪmspæn] *s* tid[rymd]

Times Square [ˌtaɪmzˈskweə] öppen plats i New York

times table [ˌtaɪmzˈteɪbl] *s* vard. [gånger]tabell

time switch ['taɪmswɪtʃ] *s* elektr. tidbrytare

timetable ['taɪmˌteɪbl] **I** *s* **1** [tåg]tidtabell; tidsschema **2** schema, skol. äv. timplan **II** *vb tr* planera; sätta in; *it is ~d for tomorrow* det ska enligt planerna ske i morgon

time warp ['taɪmwɔːp] *s* **1** spec. i science fiction tidsförvrängning, tidsförskjutning **2** vard., *be stuck in a ~* sitta fast i det förgångna; *live in a ~* inte följa med sin tid

timewasting ['taɪmˌweɪstɪŋ] **I** *s* slöseri med tid [*a lot of ~*]; maskning **II** *adj* tidsödande

time-worn ['taɪmwɔːn] *adj* **1** illa medfaren, nedsliten, förfallen **2** a) urgammal b) förlegad

time zone ['taɪmzəʊn] *s* tidszon

timid ['tɪmɪd] *adj* försagd, skygg; blyg, timid

timidity [tɪˈmɪdətɪ] *s* försagdhet etc., jfr *timid*

timing ['taɪmɪŋ] *s* **1** val av tidpunkt [*the President's ~ was excellent*]; tajming, timing [*his ~ is perfect*]; *the ~ was perfect* a) tidpunkten var utmärkt vald b) allting klaffade perfekt **2** tidtagning; tidmätning

timorous ['tɪmərəs] *adj* rädd[hågad], lättskrämd; ängslig, försagd, skygg

timothy ['tɪməθɪ] *s* bot. timotej [äv. *~ grass*]

timpani ['tɪmpənɪ] (it. pl., med verb ofta i sg.) *s* mus. pukor; *play the* ~ spela puka
timpanist ['tɪmpənɪst] *s* mus. pukslagare
tin [tɪn] **I** *s* **1** tenn **2** bleck; plåt, plåt- [~ *roof*] **3** konservburk, burk [*a* ~ *of peaches*]; bleckburk, plåtburk, [bleck]dosa, bleckkärl; [plåt]dunk **4** form, plåt för bakning
II *adj* tenn-, plåt; *have a* ~ *ear* vanl. amer. vard. vara tondöv
III *vb tr* (se äv. *tinned*) **1** förtenna **2** lägga in, konservera
tincture ['tɪŋ(k)tʃə] *s* kem. el. med. tinktur; ~ *of iodine* jodsprit
tinder ['tɪndə] *s* fnöske
tinderbox ['tɪndəbɒks] *s* elddon
tine [taɪn] *s* spets, udd [*the* ~*s of* (på) *a fork*]; tand [*the* ~*s of a comb*]; klo; tagg, gren på t.ex. horn
tinfoil [,tɪn'fɔɪl, '--] *s* aluminiumfolie; tennfolie; foliepapper, silverpapper
tinge [tɪn(d)ʒ] **I** *vb tr* **1** ge en viss färg[ton] (skiftning, nyans) åt, färga [lätt]; prägla; *be* ~*d with red* skifta i rött **2** ge en bismak åt
II *s* [lätt] skiftning, nyans, [färg]ton; bismak, tillsats; blandning; bildl. äv. anstrykning, spår, antydan [*there was a* ~ *of sadness in her voice*]
tingle ['tɪŋgl] **I** *vb itr* **1** sticka, svida, hetta, bränna, krypa, klia; *the children were tingling with excitement* barnen darrade av spänning **2** ringa [*the threat was tingling in my ears*]; *my ears are tingling* det susar i öronen [på mig]
II *s* stickande [känsla], stickning, sveda
tin god [,tɪn'gɒd] *s* vard. (iron.) **1** struntviktig person, småpåve, högfärdig nolla **2** helig ko
tinker ['tɪŋkə] **I** *s* **1** åld. kittelflickare; *not worth a* ~*'s damn* (*cuss*) vard. åld. inte värd ett jäkla dugg; *I don't care* (*give*) *a* ~*'s damn* (*cuss*) vard. åld. det ger jag sjutton i, det struntar jag blankt i **2** neds., ung. tattare
II *vb itr* fuska, knåpa, plottra, pillra, pilla, mixtra, joxa, meka [*at, with* med]
tinkle ['tɪŋkl] **I** *vb itr* klinga, pingla, plinga; klirra; klinka [~ *on the piano*]
II *vb tr* ringa (pingla) med [~ *a bell*]; klinka på [~ *the keys of a piano*]
III *s* **1** pinglande, pling[ande] [*the* ~ *of tiny bells*]; klirr[ande]; skrammel; klink[ande] på piano; *I'll give you a* ~ vard. åld. jag slår en signal [till dig] på telefon **2** vard., *have a* ~ slå en drill, kissa
tin lizzie [,tɪn'lɪzɪ] *s* bilskrälle, rishög
tinloaf [,tɪn'ləʊf] (pl. *tinloaves*) *s* formbröd
tinned [tɪnd] *adj* konserverad [~ *beef*; ~ *fruit*]; på burk [~ *peas*]; ~ *food* burkmat; ~ *goods* konserver; ~ *meat* konserverat kött, köttkonserv[er]; ~ *music* vard. burkad inspelad musik
tinnitus [tɪ'naɪtəs] *s* med. tinnitus
tinny ['tɪnɪ] *adj* **1** metallisk, skrällig; *a* ~ *piano* ett piano med spröd (tunn) klang **2** bleckartad, bleck-; plåt-; som smakar bleck [~ *fish*]; *it tastes* ~ den smakar bleck
tin opener ['tɪn,əʊp(ə)nə] *s* konservöppnare, burköppnare
tinplate ['tɪnpleɪt, ,-'-] *s* **1** bleck[plåt]; plåt **2** tennplåt
tinplated ['tɪn,pleɪtɪd] *adj* förtennad

tinpot ['tɪnpɒt] *adj* vard. pluttig, ynka liten
tinsel ['tɪns(ə)l] *s* **1** glitter [*a Christmas tree with* ~]; paljetter [*a dress with* ~] **2** bildl. glitter, grannlåt
Tinseltown ['tɪns(ə)ltaʊn] skämts. för Hollywood
tinsmith ['tɪnsmɪθ] *s* **1** förtennare **2** bleckslagare, plåtslagare; bleckvarufabrikör, plåtvarufabrikör
tint [tɪnt] **I** *s* **1** [färg]ton, skiftning [~*s of green*]; nyans, bildl. äv. anstrykning; *autumn* ~*s* höstfärger **2** toningsvätska
II *vb tr* färga [lätt], tona [~ *one's hair*]; skattera
tintack ['tɪntæk] *s* [förtent] nubb, stift
T-intersection [,ti:ɪntə'sekʃ(ə)n] *s* amer. T-korsning, trevägskorsning, T-knut[punkt]
tin whistle [,tɪn'wɪsl] *s* slags plåtflöjt med 6 hål som ofta spelas på Irland
tiny ['taɪnɪ] *adj* [mycket] liten, liten och späd; spenslig; ~ *little* pytteliten
tiny tot [,taɪnɪ'tɒt] *s* [litet] pyre, [liten] pys; ~*s* äv. småttingar, småungar
1 tip [tɪp] **I** *s* **1** spets, tipp, topp, snibb; ända; *the* ~ *of one's nose* nästippen; *the* ~ *of one's tongue* tungspetsen; *have sth on the* ~ *of one's tongue* bildl. ha ngt på tungan **2** tå[hätta]; klackjärn; doppsko [*the* ~ *of a stick*]; skoning, beslag **3** munstycke på cigarett **4** bladknopp på tebuske
II *vb tr* förse (pryda) med en spets (etc., jfr *1 tip I 1–3*) sätta en spets etc. på; beslå, sko; ~*ped cigarette* filtercigarett
2 tip [tɪp] **I** *vb tr* **1** tippa [på]; tippa (stjälpa, välta) [omkull] [~ *up*]; ~ *the balance* (*scales*) bildl., se *turn* (*tip*) *the scales* under *2 scale* **2** ~ *one's hat* lyfta på hatten [*to* för] **3** stjälpa av (ur), tömma [ut], lasta av (ur)
II *vb itr* vippa, stjälpa (välta, tippa) [över ända], vicka omkull, kantra
III *vb tr* o. *vb itr* med adv.:
tip out stjälpa av (ur), tömma [ut], lasta av (ur)
tip over tippa [på]; tippa (stjälpa, välta) [omkull]; vicka omkull, kantra
tip up a) tippa [på]; tippa (stjälpa, välta) [omkull] **b)** fälla upp [~ *up the seat*] **c)** vara uppfällbar [*the seat* ~*s up*]
IV *s* tipp, avstjälpningsplats
3 tip [tɪp] **I** *vb tr* **1** ge dricks[pengar] till; *I* ~*ped him a pound* jag gav honom ett pund i dricks **2** tippa [~ [*sb as*] *the winner*] **3** ge en vink, varsko, tipsa; ~ *sb off* varna ngn [i förväg]; ge ngn en vink, tipsa ngn
II *vb itr* ge dricks[pengar]
III *s* **1** dricks[pengar]; *give sb a* ~ ge ngn dricks; *no* ~*s!* ingen dricks! **2** vink; tips [*a straight* (säkert) ~]; *a* ~ *from the horse's mouth* ett stalltips; *take my* ~*!* el. *take a* ~ *from me!* lyd mitt råd!
tipcart ['tɪpkɑ:t] *s* tippkärra, tippvagn
tip-off ['tɪpɒf] *s* vard. tips, vink, [för]varning
Tipperary [,tɪpə'reərɪ] geogr.
tippex ['tɪpeks] *vb tr*, ~ el. ~ *out* tippexa, rätta (korrigera) med Tipp-Ex
Tipp-Ex® ['tɪpeks] *s* Tipp-Ex®
tipping ['tɪpɪŋ] *s* **1** ~ [*has been abolished*] [systemet att ge] dricks... **2** tippning gissning **3** tipsning
tipple ['tɪpl] vard. **I** *vb itr* [små]pimpla, småsupa **II** *vb tr* pimpla i sig **III** *s* sprit[dryck]; skämts. dryck
tippler ['tɪplə] *s* småsupare

tipster ['tɪpstə] *s* vard. sport. yrkestippare som ger råd åt el. säljer tips till vadhållare, [professionell] tipsare

tipsy ['tɪpsɪ] *adj* [lätt] berusad

tiptoe ['tɪptəʊ] **I** *s*, **walk on ~** el. **walk on ~s** gå på tå[spetsarna]; **on ~** i spänd förväntan; **on ~ with excitement** i ett tillstånd av stark spänning **II** *adv* på tå[spetsarna] **III** *vb itr* gå på tå[spetsarna], tassa

tip-top [ˌtɪp'tɒp, '--] *adj* o. *adv* perfekt, prima, av högsta klass [*a ~ hotel*]; tiptop

tip-up ['tɪpʌp] *adj* uppfällbar [*~ seat*]; tippbar

tirade [taɪ'reɪd, tɪ'reɪd] *s* tirad, [lång] harang

tiramisu [ˌtiːrəmɪ'suː] *s* kok. tiramisu efterrätt

Tirana [tɪ'rɑːnə] geogr.

1 tire ['taɪə] **I** *vb tr* trötta; **~ out** trötta ut, utmatta **II** *vb itr* tröttna; ledsna, bli trött (led) [*of* på]

2 tire ['taɪə] *s* amer. däck, ring till bil, cykel o.d.; sl. bilring kring magen

tired ['taɪəd] *adj* trött [*of* på; *with* av]; led, utledsen [*of* på]; **~ out** uttröttad, utmattad, utpumpad, tagen, tröttkörd; utled[sen]; **~ to death** dödstrött

tiredness ['taɪədnəs] *s* trötthet

tireless ['taɪələs] *adj* outtröttlig [*a ~ worker*]

tiresome ['taɪəsəm] *adj* **1** tröttsam; [lång]tråkig; enformig, trist **2** förarglig, besvärlig

tiring ['taɪərɪŋ] *adj* tröttande, tröttsam

'tis [tɪz] poet. = *it is*

tissue ['tɪʃuː, 'tɪsjuː] *s* **1** vävnad äv. biol. el. anat. [*muscular ~*]; väv; fint tyg, flor **2** bildl. väv, vävnad, nät, härva [*a ~ of lies*] **3** mjukt papper; cellstoff; **face ~** ansiktsservett; **toilet ~** [mjukt] toalettpapper

tissue paper ['tɪʃuːˌpeɪpə, 'tɪsjuː-] *s* silkespapper

1 tit [tɪt] *s* **1** vard. bröstvårta **2** sl., **~s** tuttar bröst

2 tit [tɪt] *s* zool. mes; **blue ~** blåmes; **coal ~** svartmes; **crested ~** tofsmes; **great ~** talgoxe; **willow ~** talltita

3 tit [tɪt] *s*, **~ for tat** lika för lika, betalt kvitteras; **give ~ for tat**; ge svar på tal

titanic [taɪ'tænɪk, tɪ't-] *adj* titanisk; jättelik

titanium [taɪ'teɪnjəm, tɪ't-] *s* kem. titan

titbit ['tɪtbɪt] *s* godbit äv. bildl., läckerbit, aptitbit

titch [tɪtʃ] *s* vard. puttefnask

titchy ['tɪtʃɪ] *adj* vard. pytteliten

tit-for-tat [ˌtɪtfə'tæt] *adj* vard., **~ raid** vedergällningsräd

titillate ['tɪtɪleɪt] *vb tr* kittla, reta äv. bildl. [*~ the fancy*; *~ sb's palate*]; locka, egga

titillating ['tɪtɪleɪtɪŋ] *adj* lockande, eggande, upphetsande

titillation [ˌtɪtɪ'leɪʃ(ə)n] *s* kittling, [angenäm] retning äv. bildl.

titivate ['tɪtɪveɪt] vard. **I** *vb tr* piffa upp, snygga till; **~ oneself** se under *titivate II* **II** *vb itr* piffa (snygga) till sig

title ['taɪtl] **I** *s* **1** titel **2** jur. rätt, befogenhet [*to sth* till ngt; *to do sth* att göra ngt], [rätts]anspråk [*to sth* på ngt; *to get sth* på att få ngt], äganderätt [*to* till] **II** *vb tr* **1** betitla; benämna **2** titulera, kalla

title bar ['taɪtlbɑː] *s* data. titelrad

titled ['taɪtld] *adj* betitlad; adlig [*a ~ lady*]

title deed ['taɪtldiːd] *s* [åtkomst]handling, äganderättshandling; dokument; lagfartsbevis

titleholder ['taɪtlˌhəʊldə] *s* sport. titelhållare, titelinnehavare

title page ['taɪtlpeɪdʒ] *s* titelsida, titelblad

title role ['taɪtlrəʊl] *s* titelroll

tit|mouse ['tɪt|maʊs] (pl. *-mice* [-maɪs]) *s* zool. mes; **blue ~** m.fl., se *blue tit* m.fl. under *2 tit*

titter ['tɪtə] **I** *vb itr* fnittra, fnissa **II** *s* fnitter, fniss

tittle-tattle ['tɪtlˌtætl] **I** *s* skvaller, tissel och tassel **II** *vb itr* skvallra, tissla och tassla

titty ['tɪtɪ] *s* **1** sl. bröstvårta; **~ bottle** barnspr. nappflaska **2** sl. el. barnspr. tutte bröst

titular ['tɪtjʊlə] *adj* titulär- [*~ bishop*]; formell, blott till titeln (namnet); titel- [*~ character* (roll)]

tizz [tɪz] *s* o. **tizzy** ['tɪzɪ] *s* sl., **get into a ~** få stora skälvan (frossan) bli nervös

T-junction ['tiːˌdʒʌŋ(k)ʃ(ə)n] *s* T-korsning, trevägskorsning, T-knut[punkt]

TLC [ˌtiːel'siː] (förk. för *tender loving care*) se *1 tender* 2

TM förk. för *trademark*

TMI i e-post el. textmeddelanden förk. för *too much information*

TN förk. för *Tennessee*

TNT [ˌtiːen'tiː] förk. för *trinitrotoluene*

to [beton. tuː, före vokal tʊ, obeton. tʊ, före konsonant tə, t] **I** *prep* (se vidare under huvudorden) **1** till uttr. riktning (äv. friare) [*walk ~ school*] **2** till, åt uttr. dativ [*~ whom did you give it?*] **3** för [*read ~ sb*; *known ~ sb*; *useful ~ sb*]; **open ~ the public** öppen för allmänheten; **a toast ~ the President!** el. **~ the President!** [en] skål för presidenten!; **~ me it was...** för mig var det...; **what is that ~ you?** vad betyder det för dig?; vad angår det dig?; [*we had the compartment*] **all ~ ourselves** ...helt för oss själva **4** i: a) uttr. riktning [*a visit ~ England*; *go ~ church*] b) andra fall: **a quarter ~ six** kvart i sex; **tear ~ pieces** slita i stycken (sönder) **5** på: a) uttr. riktning [*go ~ a concert*]; **this airline runs services ~ London** det här flygbolaget flyger på London b) andra fall: [*there were no windows*] **~ the hut** ...på stugan; **a year ~ the day** ett år på dagen **6** mot, emot: a) uttr. riktning el. placering mot [*with his back ~ the fire*]; **hold sth** [*up*] **~ the light** hålla [upp] ngt mot ljuset b) efter ord uttr. bemötande o.d. [*good ~ sb*; *grateful ~ sb*; *polite ~ sb*] c) i jämförelse med, vid sidan av [*you are but a child ~ him*]; **she made three jumps ~ his two** hon hoppade tre gånger mot hans två; **ten ~ one he will do it** [jag håller] tio mot ett på att han gör det; [*he's quite rich now*] **~ what he used to be** ...mot (jämfört med) vad han varit förut **7** mot, åt uttr. riktning [*the balcony looks ~ the south*] **8** med [*likeness ~*]; **engaged ~** förlovad med; **married ~** gift med **9** vid: a) **accustom ~** vänja vid; **not used ~** ovan vid b) efter ord uttr. fästande, fasthållande o.d. [*tie sth ~*] c) knuten till: **secretary ~** [*the British legation*] sekreterare vid... **10** hos: a) anställd hos: **secretary ~ the minister** sekreterare hos (till) ministern, ministerns sekreterare b) hemma hos: **I have been ~ his house** jag har varit hemma hos (hem till) honom; **be on a visit ~ sb** vara på besök hos ngn **11** enligt, efter [*~ my thinking*] **12** om; **testify ~** vittna om; bära vittnesbörd om; **what do you say ~ a nice beefsteak?** vad säger du om en god biff?

13 betecknande viss proportionalitet: *thirteen ~ a dozen* tretton på dussinet; [*his pulse was 140*] ~ *the minute* …i minuten

14 ex. på andra motsvarigheter: *freeze ~ death* frysa ihjäl; *tell sb sth ~ his face* säga ngn ngt mitt upp (rakt) i ansiktet; [*here's*] ~ *you!* skål!

II *infinitivmärke* **1** att **2** fristående med syftning på en föreg. inf.: [*we didn't want to go*], *but we had ~* …men vi måste [göra det] **3** för att [*he struggled ~ get free*]; ~ *say nothing of all the other things* el. *not ~ speak of all the other things* för att inte tala om allt annat; *in order ~* för att **4** att, för (om, över m.fl.) att [*inclined* (böjd) ~ *think; anxious* (angelägen) ~ *try*] **5** i satsförkortningar: **a)** *he wants us ~ try* han vill att vi ska försöka; *I'm waiting for Bob ~ come* jag väntar på att Bob ska komma **b)** *he was the last ~ arrive* han var den siste som kom; [*generations*] ~ *come* …som kommer, kommande (framtida)… **c)** *you would be a fool ~ believe him* du vore dum om du trodde honom, det vore dumt av dig att tro honom **d)** *we don't know what ~ do* vi vet inte vad vi ska göra **e)** ~ *hear him speak you would believe that…* när man hör honom [tala] skulle man tro att… **f)** *he lived ~ be ninety* han levde tills han blev nittio

III *adv* **1** igen, till [*push the door ~*]; *the door is ~* dörren är stängd **2** ~ *and fro* fram och tillbaka, av och an, hit och dit

toad [təʊd] *s* padda

toad-in-the-hole [ˌtəʊdɪnðəˈhəʊl] *s* slags ugnspannkaka med korv

toadstool [ˈtəʊdstuːl] *s* oätlig svamp; spec. giftsvamp

toady [ˈtəʊdɪ] **I** *s* inställsam parasit, tallriksslickare, smilfink **II** *vb itr* krypa, fjäska [*to* för]

to-and-fro [ˌtuːən(d)ˈfrəʊ] *adj* [som sker (går)] fram och tillbaka (av och an, hit och dit) [~ *movement; ~ motion*]

to and fro [ˌtuːən(d)ˈfrəʊ] **I** *s* vard. spring fram och tillbaka (hit och dit) [*the busy ~ of passengers at the airport*] **II** *adv* fram och tillbaka, av och an, hit och dit

toast [təʊst] **I** *s* **1** rostat bröd; *a slice of ~* el. *a piece of ~* en rostad brödskiva; *as warm as ~* varm och skön **2** skål; *drink a ~ to the bride and bridegroom* skåla för brudparet; *propose a ~* föreslå (utbringa) en skål [*to* för] **3** person som det skålas för, festföremål; *she was the ~ of the town* hon var stadens mest firade person (skönhet) **4** vard., *be ~* vara illa ute

II *vb tr* **1** rosta [~ *bread; ~ chestnuts*] **2** utbringa (dricka) en skål för [~ *the flag; ~ the bride and bridegroom*]; skåla med **3** värma [~ *one's feet at the fire*]; hetta upp

toaster [ˈtəʊstə] *s* [bröd]rost

toastie [ˈtəʊstɪ] *s* rostad smörgås (macka) [med pålägg]

toasting fork [ˈtəʊstɪŋfɔːk] *s* grillgaffel, rostningsgaffel

toastmaster [ˈtəʊstˌmɑːstə] *s* toastmaster, ceremonimästare vid större middag

toastmistress [ˈtəʊstˌmɪstrəs] *s* [kvinnlig] toastmaster, toastmadam, ceremonimästarinna vid större middag

toast rack [ˈtəʊstræk] *s* ställ för rostat bröd

toasty [ˈtəʊstɪ] *adj* vard. varm och skön

tobacco [təˈbækəʊ] (pl. ~s el. ibl. ~es) *s* tobak; tobakssort; ~ *teabag* snus i portionspåse

tobacco jar [təˈbækəʊdʒɑː] *s* tobaksburk

tobacconist [təˈbækənɪst] *s* tobakshandlare, tobakist; ~*'s* el. ~*'s shop* tobaksaffär

to-be [təˈbiː] **I** *adj* **1** blivande; *his bride ~* äv. hans tillkommande, hans fästmö **2** framtida, kommande

II *s* framtid

toboggan [təˈbɒɡ(ə)n] **I** *s* toboggan, [medlös] kälke, pulka; ~ *slide* el. ~ *chute* tobogganbacke **II** *vb itr* åka kälke (pulka)

toby jug [ˈtəʊbɪdʒʌɡ] *s* [öl]krus format som en tjock gubbe med trekantig hatt

toccata [təˈkɑːtə] *s* mus. toccata

tocsin [ˈtɒksɪn] *s* litt. **1** ofta bildl. stormklocka **2** varningssignal **3** klämtande (ringande) i stormklockan

tod [tɒd] *s* sl., *on one's ~* ensam, solo, på egen hand

today [təˈdeɪ] **I** *adv* **1** i dag; ~ *week* el. *a week ~* i dag om en vecka; *a week ago ~* i dag för en vecka sedan **2** nu för tiden

II *s* dagen, denna dag; ~ *is Monday* i dag är det måndag, det är måndag i dag; *the England of ~* dagens England

to-do [təˈduː, tʊ-] (pl. ~s) *s* vard. bråk, väsen, ståhej, uppståndelse [*about* om, för, kring]

toddle [ˈtɒdl] **I** *vb itr* **1** tulta [omkring], stulta **2** vard. gå, släntra, traska

II *vb itr* med adv.:

toddle along a) tulta (stulta) omkring **b)** vard. ge (pallra) sig i väg, knalla [i väg], sticka

toddle off ge (pallra) sig i väg, knalla [i väg], sticka

toddle round tulta (stulta) omkring

toddler [ˈtɒdlə] *s* litet barn, liten knatte (tulta)

toddy [ˈtɒdɪ] *s* [whisky]toddy

toe [təʊ] **I** *s* tå; *dig one's ~s in* vard. göra motstånd, spjärna emot; *dip a ~ into sth* el. *dip one's ~ into sth* bildl. nosa på ngt; *on one's ~s* på sin vakt (alerten), på språng, beredd; *keep sb on his ~s* se till att ngn sköter sig (inte slöar); *make sb's ~s curl* få någon att känna sig olustig (besvärad); *step* (*tread, tramp*) *on sb's ~s* trampa ngn på tårna äv. bildl.

II *vb tr* **1** ~ *the line* el. ~ *the mark* bildl. följa partilinjerna; lyda order; hålla sig på mattan **2** sport. sparka med tån

toecap [ˈtəʊkæp] *s* tåhätta

toe-curling [ˈtəʊˌkɜːlɪŋ] *adj* pinsam

toehold [ˈtəʊhəʊld] *s* fotfäste

toenail [ˈtəʊneɪl] *s* tånagel

toerag [ˈtəʊræɡ] *s* neds. knöl; äckel

toff [tɒf] *s* ngt åld. vard. fin person; sprätt, snobb

toffee [ˈtɒfɪ] *s* knäck, [hård] kola, kolakaramell; *he can't play* (*paint*) *for ~* ngt åld. vard. han kan inte spela (måla) för fem öre

toffee apple [ˈtɒfɪˌæpl] *s* äppelklubba äpple överdraget med knäck

toffee-nosed [ˈtɒfɪnəʊzd] *adj* vard. mallig, snorkig

tofu [ˈtəʊfuː] *s* kok. tofu, sojabönost

tog [tɒɡ] vard. **I** *vb tr*, *all ~ged up* (*out*) uppriggad, uppsnofsad **II** *s* se *togs*

toga [ˈtəʊɡə] *s* rom. antik. toga

together [təˈɡeðə, tʊˈɡ-] *adv* **1** tillsammans;

tillhopa; ihop; samman; gemensamt; **be at school ~** vara skolkamrater; **we're in this** ~ vi sitter i samma båt **2** efter varandra, i sträck (rad); **for days** ~ flera dagar i sträck, dag efter dag; **for hours** ~ i timmar (timtal)

togetherness [tə'geðənəs, tʊ'g-] s samhörighet

toggle ['tɒgl] **I** s **1** avlång knapp, pinne för agraffknäppning på duffel o.d. **2** se *toggle switch*
II vb itr data. växla, skifta
III vb tr data. växla (skifta) mellan (till)

toggle switch ['tɒglswɪtʃ] s vippströmbrytare, vippkontakt

togs [tɒgz] s pl ngt åld. vard. kläder, rigg, stass

toil [tɔɪl] **I** vb itr litt. **1** arbeta [hårt], slita [ont], släpa ut sig; ~ **away** knoga 'på; ~ **at sth** knoga (slita) med ngt **2** släpa sig [fram (upp o.d.)]; ~ **along** släpa sig fram
II s [hårt] arbete, slit, släp, möda

toilet ['tɔɪlət] s **1** toalett[rum], wc **2** ngt åld. toalett tvättning, påklädning o.d.

toilet bag ['tɔɪlətbæg] s necessär, toalettväska

toilet paper ['tɔɪlət,peɪpə] s toalettpapper

toiletries ['tɔɪlətrɪz] s pl toalettsaker, toalettartiklar

toilet roll ['tɔɪlətrəʊl] s rulle toalettpapper, toalettpappersrulle

toiletry kit ['tɔɪlətrɪkɪt] s amer. necessär

toilet training ['tɔɪlət,treɪnɪŋ] s barns potträning, toalettträning

toilet water ['tɔɪlət,wɔːtə] s eau-de-toilette

toing and froing [,tuː'ɪŋən'frəʊɪŋ] s, **there was a lot of** ~ det var en massa spring fram och tillbaka (hit och dit)

token ['təʊk(ə)n] **I** s **1** tecken, bevis [of på]; kännetecken, kännemärke; symbol [of för] **2** book ~ presentkort på böcker; **gift** ~ presentkort **3** pollett [bus ~]; jetong **4** minne [of av, från], minnesgåva **5** **by the same** ~ a) av samma skäl b) på samma sätt; på samma gång c) likaså, dessutom; så t.ex.; för resten
II adj symbolisk [~ payment; ~ strike]; halvhjärtad

tokenism ['təʊkənɪzm] s symboliska åtgärder, åtgärder som bara är på ytan [there was no real democracy, only ~]

Tokyo ['təʊkɪəʊ] geogr.

told [təʊld] imperf. o. perf. p. av *tell*

tolerable ['tɒlərəbl] adj **1** uthärdlig **2** skaplig, hygglig

tolerably ['tɒlərəblɪ] adv någorlunda, tämligen

tolerance ['tɒlər(ə)ns] s tolerans äv. fackspr.

tolerant ['tɒlər(ə)nt] adj tolerant

tolerate ['tɒləreɪt] vb tr **1** tolerera, tillåta, tåla **2** vara tolerant mot, tolerera, fördra, stå ut med

toleration [,tɒlə'reɪʃ(ə)n] s tolerans; fördragsamhet; motståndskraft

1 toll [təʊl] s **1** avgift, tull **2** bildl. andel, tribut; **the death** ~ antalet dödsoffer, dödssiffran; **take** ~ **of** bildl. utkräva sin tribut av **3** amer. avgift (taxa) för fjärrsamtal

2 toll [təʊl] **I** vb tr **1** ringa [långsamt] i, klämta i **2** om kyrkklockor ringa ut, förkunna [the bells ~ed his death] **3** slå klockslag [Big Ben ~ed five]
II vb itr **1** ringa [med långsamma slag], klämta, ljuda; ~ **in** ringa samman till gudstjänst **2** slå om klocka

tollbooth ['tɒlbuːθ, -buːð] s kur vid vägtull, betalstation

toll bridge ['təʊlbrɪdʒ] s avgiftsbelagd bro

toll call ['təʊlkɔːl] s amer. tele. fjärrsamtal

toll-free [,təʊl'friː] adj amer. tele. avgiftsfri om telefonsamtal

tollgate ['təʊlgeɪt] s vägtullbom

toll road ['təʊlrəʊd] s avgiftsbelagd väg

Tom [tɒm] **I** kortform av *Thomas* **II** s se *Uncle Tom*; **every (any)** ~, **Dick, and Harry** kreti och pleti, vemsomhelst

tom [tɒm] s **1** han[n]e av vissa djur **2** hankatt

tomahawk ['tɒməhɔːk] s tomahawk

tomato [tə'mɑːtəʊ, amer. vanl. -'meɪ-] (pl. ~es) s tomat

tomb [tuːm] s gravvalv; grav

tombola [tɒm'bəʊlə, 'tɒmbələ] s **1** slags bingo **2** tombola

tomboy ['tɒmbɔɪ] s pojkflicka

tombstone ['tuːmstəʊn] s gravsten, gravvård

tomcat ['tɒmkæt] s hankatt

tome [təʊm] s litt. [stor] bok, lunta, volym

tomfoolery [tɒm'fuːlərɪ] s ngt åld. dårskap; tokighet[er]; skoj, dumt skämt

tommy gun ['tɒmɪgʌn] s ngt åld. kulsprutepistol, kpist

tommyrot ['tɒmɪrɒt] s ngt åld. vard. dumheter, smörja

tomorrow [tə'mɒrəʊ] **I** adv i morgon; ~ **night** i morgon kväll (natt); ~ **week** en vecka i morgon, i morgon [om] åtta dagar
II s morgondagen [~'s paper; think of (på) ~]; ~ **is another day** det är en dag i morgon också; **do sth like there is no** ~ el. **do sth as if there is no** ~ vard. göra ngt som om det var sista chansen; **the day after** ~ i övermorgon

tomtit ['tɒmtɪt, ,tɒm'tɪt] s zool. mes; spec. blåmes

tomtom ['tɒmtɒm] s tamtam[trumma]

ton [tʌn] s **1** ton: a) britt., **long** ~ = 2 240 *lbs.* = 1016 kg b) amer., **short** ~ = 2000 *lbs.* = 907,2 kg c) **metric** ~ ton 1000 kg **2** **register** ~ registerton = 100 *cubic feet* = 2,83 m³; **gross [register]** ~ brutto[register]ton **3** vard., ~**s of** massor (mängder) av (med), tonvis med [~s of money]; **like a** ~ **of bricks** med förkrossande tyngd **4** sl., **a** ~ el. **the** ~ 100 'miles' i timmen, 100 knutar

tonal ['təʊnl] adj tonal, ton-, klang-

tonality [,tə(ʊ)'nælətɪ] s **1** mus. tonalitet **2** mål. färgskala, färgschema; färgton

tone [təʊn] **I** s **1** ton, tonfall [speak in (med) an angry ~]; röst [in a low ~ [of voice]]; klang [the ~ of a piano]; **set the** ~ bildl. ange tonen **2** mus. helton; **a whole** ~ ett helt tonsteg **3** tele. o.d. ton, signal; **I keep getting the engaged** ~ det är fortfarande upptaget **4** fonet. intonation; tonfall; ton; **rising** ~ stigton; **falling** ~ fallton **5** mål., foto. o.d. [färg]ton, nyans, dager **6** anda, karaktär, stil, atmosfär, ton **7** [god] kondition, spänst, form
II vb tr ge den rätta tonen åt; tona
III vb tr o. vb itr med adv.:

tone down tona ner, dämpa, moderera äv. bildl.; stämma ner [~ down the pitch]

tone in gå ton i ton, harmoniera [with med], stå bra [with mot]

tone up a) skärpa, förstärka, tona upp [~ up the colours] **b)** stämma upp (högre) **c)** stärka [exercise ~s up the muscles]

tone-deaf [ˌtəʊnˈdef] *adj* tondöv
tone dialling [ˈtəʊnˌdaɪəlɪŋ] *s*, ~ *phone*
tonvalstelefon
toneless [ˈtəʊnləs] *adj* **1** klanglös; entonig
2 kraftlös, matt
tone poem [ˈtəʊnˌpəʊɪm] *s* mus. tondikt
toner [ˈtəʊnə] *s* **1** kosmetika toner; för hår
toningsvätska **2** för kopiator, laserskrivare toner patron
[äv. ~ *cartridge*] material kolpulver **3** foto.
toningslösning, toningsvätska
toner cartridge [ˈtəʊnəˌkɑːtrɪdʒ] *s* för kopiator eller
laserskrivare tonerkassett, tonerpatron
tongs [tɒŋz] *s pl* tång; *a pair of* ~ en tång; *I wouldn't
touch him with a pair of* ~ jag skulle inte vilja ta i
honom med tång
tongue [tʌŋ] **I** *s* **1** tunga [*slanderous* ~s; *ox* ~]; mål,
målföre; *be on everybody's* ~ vara i var mans mun
(på allas läppar); *find one's* ~ få mål i mun [igen];
he had difficulty getting his ~ *around the name* han
hade svårt att uttala namnet; *has the cat got your* ~?
vard. har du tappat talförmågan?; *hold one's* ~ hålla
mun, tiga [*about sth* med ngt]; *keep a civil* ~ *in one's
head* välja sina ord; *have lost one's* ~ ha tappat
talförmågan (målföret); vara (stå) mållös; *stick
(thrust, put) one's* ~ *out* räcka ut tungan; [*she said*]
with his ~ *in his cheek* ...roat, ...smått ironiskt,
...med glimten i ögat **2** språk; dialekt; tungomål;
mother ~ a) modersmål b) moderspråk,
grundspråk; *confusion of* ~s språkförbistring **3** sätt
att tala, tal [*a soft* ~] **4** ~ *of land* landtunga
5 [sko]plös
II *vb tr* **1** mus. (i flöjtspel o.d.) spela med tungstöt
2 slicka
tongue-in-cheek [ˌtʌŋɪnˈtʃiːk] **I** *adj* roande, smått
ironisk **II** *adv* roat, smått ironiskt, med glimten i
ögat
tongue-lashing [ˈtʌŋˌlæʃɪŋ] *s* åthutning, utskällning
tongue-tied [ˈtʌŋtaɪd] *adj* med (som lider av)
tunghäfta äv. med., stum, mållös
tongue twister [ˈtʌŋˌtwɪstə] *s*
tungvrickningsövning
tonic [ˈtɒnɪk] **I** *s* **1 a)** tonic [*a gin and* ~] **b)** *skin* ~
ansiktsvatten **2** med. tonikum, stärkande medel
(medicin) **3** mus. tonika, grundton
II *adj* **1** stärkande, uppfriskande [~ *air*; ~ *therapy*]
2 mus. tonisk, ton-, klang-
tonic chord [ˌtɒnɪkˈkɔːd] *s* mus. grundackord
tonic water [ˈtɒnɪkˌwɔːtə] *s* tonic
tonight [təˈnaɪt] **I** *adv* i kväll; i natt **II** *s* denna
kväll, kvällen; denna natt, natten [~'s
entertainment]
tonnage [ˈtʌnɪdʒ] *s* **1** tonnage i olika betydelser;
dräktighet **2** tonnageavgift **3** transport i ton
räknat
tonne [tʌn] *s* [metriskt] ton
tonsil [ˈtɒnsl, -sɪl] *s* anat. [hals]mandel, tonsill
tonsillitis [ˌtɒnsɪˈlaɪtɪs] *s* med. inflammation i
[hals]mandlarna (tonsillerna), tonsillit, halsfluss
tonsure [ˈtɒnʃə] *s* tonsur, munkklippning
tonsured [ˈtɒnʃəd] *adj* med tonsur, med rakad
hjässa
ton-up [ˈtʌnʌp] *adj* sl. **1** som gör mer än 100 'miles'
i timmen, 100-knutars- **2** ~ *boy* (*motorcyclist*)
motorcyklist som gillar att köra fort

too [tuː] *adv* **1** alltför, för; *that's* ~ *bad!* vad tråkigt
(synd)!; *you're* ~ *kind* det är (var) verkligen snällt av
dig; ~ *true!* el. ~ *right!* vard. det kan du skriva upp!,
just det!; *all* ~ el. *only* ~ alldeles för [*the party ended
all* (*only*) ~ *soon*]; [bara] alltför [*I know it all* (*only*)
~ *well*]; *I'm none* (*not*) ~ *good at it* jag är inte så värst
(inget vidare) bra på det (sånt); *they arrived none* ~
soon el. *they didn't arrive any* ~ *soon* de kom minsann
inte [en minut] för tidigt **2** också, med [*I'm going.
– Me* ~*!*]; även; dessutom, därjämte, och därtill;
[och] till på köpet [*he is a fool, and a great one,* ~];
about time ~*!* det var [minsann] på tiden!; *you did* ~*!*
det gjorde du visst! **3** vard. (skämts. el. tillgjort), ~ ~
alldeles för, i allra högsta grad
took [tʊk] imperf. av *take*
tool [tuːl] **I** *s* **1** verktyg, [arbets]redskap,
instrument; *down* ~s bildl. lägga ner arbetet **2** bildl.
instrument, [hjälp]medel; om person redskap,
verktyg, hantlangare; *he was a* ~ *in their hands* han
var ett lydigt redskap i deras händer **3** vulg.
apparat, kuk penis
II *vb tr* **1** bearbeta [med verktyg], [ut]forma;
hugga jämn [~ *a stone*] **2** ~ *up* förse (utrusta) med
verktyg
toolbag [ˈtuːlbæg] *s* verktygsväska på cykel
toolbar [ˈtuːlbɑː] *s* data. verktygsrad
toolbox [ˈtuːlbɒks] *s* **1** verktygslåda **2** data., del av
grafiskt gränssnitt verktygslåda
tool chest [ˈtuːltʃest] *s* verktygslåda
tooled up [ˌtuːldˈʌp] *adj* sl. beväpnad
toolkit [ˈtuːlkɪt] *s* **1** verktygslåda **2** data.
verktygsuppsättning för att underlätta t.ex.
programmering
toolset [ˈtuːlset] *s* data. verktygsuppsättning för att
underlätta t.ex. programmering
toolshed [ˈtuːlʃed] *s* redskapsbod
toot [tuːt] **I** *vb tr* tuta på [~ *a cyclist*]; signalera
med, trycka på [~ *the horn*] **II** *vb itr* signalera, tuta
III *s* tutning, signal
tooth [tuːθ] (pl. *teeth* [tiːθ]) *s* **1** tand [*armed to the
teeth*; *the teeth of* (på) *a comb* (*saw*)]; *false teeth*
löständer; *a set of false teeth* löständer, tandprotes;
cut one's teeth få tänder; *escape by* (*with*) *the skin of
one's teeth* komma undan med nöd och näppe;
fight ~ *and nail* kämpa med näbbar och klor; *get
one's teeth into* bildl. sätta tänderna i, bita i; *have a* ~
out el. amer. *have a* ~ *pulled* [låta] dra ut en tand; *it
sets my teeth on edge* se under *edge I 2*; *show one's
teeth* visa tänderna äv. bildl.; *in the teeth of* a) rakt
emot [*in the teeth of the wind*] b) bildl. stick i stäv
mot, i strid mot [*in the teeth of public opinion*];
trots [*in the teeth of opposition*]; *she is long in the
tooth* hon är ingen duvunge längre; *lie through one's
teeth* ljuga grovt (fräckt) **2** udd, spets, tagg; kugge;
[gaffel]klo; [harv]pinne **3** smak, aptit; *have a sweet*
~ vara en gottgris
toothache [ˈtuːθeɪk] *s* tandvärk; *have* ~ el. *have a* ~
ha tandvärk
toothbrush [ˈtuːθbrʌʃ] *s* tandborste; ~ *moustache*
tandborstmustasch liten stubbig mustasch
toothed [tuːθt] *adj* tandad, försedd med tänder; ~
wheel kugghjul
toothed whale [ˌtuːθˈweɪl] *s* zool. tandval
toothless [ˈtuːθləs] *adj* tandlös äv. bildl. [~ *laws*]

toothpaste ['tu:θpeɪst] *s* tandkräm
toothpick ['tu:θpɪk] *s* tandpetare
toothsome ['tu:θsəm] *adj* läcker, aptitlig; angenäm
toothy ['tu:θɪ] *adj* med stora (utstående, en massa) tänder; *a ~ smile* ett stomatolleende
tootle ['tu:tl] *vb itr* **1** tuta; drilla [på flöjt] **2** släntra, glida; åka långsamt
1 tootsy ['tʊtsɪ] *s* vanl. amer. vard. sötnos, raring
2 tootsy ['tʊtsɪ] *s* vard. barnspr., se *tootsy-wootsy*
tootsy-wootsy [ˌtʊtsɪ'wʊtsɪ] *s* vard. barnspr. fossing fot
1 top [tɒp] *s* snurra; *sleep like a ~* sova som en stock; *his mind is spinning like a ~* det går runt i huvudet på honom
2 top [tɒp] **I** *s* **1** topp, spets; övre del; krön; *blow one's ~* sl. explodera [av ilska]; *at the ~* överst, högst (längst) upp, ovanpå; *at the ~ of one's voice* så högt man kan, högljutt; av (för) full hals; *from ~ to bottom* uppifrån och ner; bildl. alltigenom; *on ~* ovanpå, på toppen; *be on ~* ha övertaget; *come out on ~* bli etta, vara bäst; *on ~ of* äv. a) utöver [*she gets a commission on ~ of her salary*] b) ovanpå, omedelbart på (efter); *on ~ of that* (*this*) el. *on ~ of it all* ovanpå det, dessutom; till råga på allt; *I feel on ~ of the world* jag känner mig i absolut toppform; *get on ~ of* ta överhanden över [*don't let the work get on ~ of you*]; *get to the ~* bildl. komma på toppen **2** top[p] klädesplagg, överdel **3** [bord]skiva; yta **4** bil. högsta växel; *in ~* på högsta växeln **5** bot., vanl. pl. *~s* blast [*turnip ~s*]
II *adj* **1** översta, högsta, över- [*the ~ floor*]; topp- [*~ prices*]; *~ C* mus. höga C; *the ~ drawer* a) översta lådan b) vard. de fina kretsarna, överklassen; *in ~ gear* på högsta växeln **2** främsta, bästa, topp-
III *vb tr* **1** vara högre än, höja sig över; bildl. överträffa, slå [*he ~s them all at the game*]; nå över, överskrida; *to ~ it all* till råga på allt **2** vara (stå, ligga) överst på; toppa [*~ the list*]; *~ the bill* vara den främsta attraktionen **3** sätta topp på; täcka **4** *~ and tail gooseberries* snoppa krusbär **5** sl., *~ oneself* ta livet av sig
IV *vb tr* med adv.:
  top off avsluta, avrunda [*~ off the evening with a drink*]
  top up fylla till brädden, fylla på [*~ up a car battery; let me ~ up your glass*]
topaz ['təʊpæz] *s* miner. topas
top banana [ˌtɒpbə'nɑ:nə] *s* vard. högsta hönset
topboot [ˌtɒp'bu:t] *s* kragstövel
top brass [ˌtɒp'brɑ:s] (med verb i pl.) *s* vard., *the ~* höjdarna
top-class [ˌtɒp'klɑ:s] *adj*, *~ player* elitspelare
topcoat [ˌtɒp'kəʊt] *s* **1** ytlager med färg **2** åld. överrock
top dog [ˌtɒp'dɒg] *s* vard., se *dog I 1*
top-down [ˌtɒp'daʊn] *adj* **1** hierarkisk **2** som går från det generella till det specifika
top-drawer ['tɒpdrɔə, pred. ˌ-'-] *adj* vard. i (ur, från) de fina kretsarna, i (från) överklassen; *be ~* tillhöra överklassen
top-dress [ˌtɒp'dres] *vb tr* toppdressa; gödsla över
topee ['təʊpi] *s* tropikhjälm
top-end [ˌtɒp'end] *adj* exklusiv, dyrbar [*~ goods*]

top-flight ['tɒpflaɪt] *adj* i toppklass, förstklassig, topp- [*~ author*]
top-grossing ['tɒpˌgrəʊsɪŋ] *adj*, *a ~ film* en film som är en kassasuccé
top hat [ˌtɒp'hæt] *s* hög hatt, cylinder
top-heavy [ˌtɒp'hevɪ] *adj* för tung upptill
topi ['təʊpɪ] *s* se *topee*
topic ['tɒpɪk] *s* [samtals]ämne [äv. *~ of conversation*]; tema
topical ['tɒpɪk(ə)l] *adj* aktuell; *~ allusion* anspelning på dagshändelserna (samtida händelser); *make ~* aktualisera
topicality [ˌtɒpɪ'kælətɪ] *s* aktualitet
topknot ['tɒpnɒt] *s* hårknut på hjässan, håruppsättning
topless ['tɒpləs] **I** *adj* utan överdel, topless [*a ~ swimsuit*] om kvinna äv. barbröstad **II** *adv* topless [*sunbathe ~*]
top-level ['tɒpˌlevl] *adj*, *~ conference* toppkonferens, konferens på toppnivå
topmast ['tɒpmɑ:st] *s* sjö. märsstång
topmost ['tɒpməʊst] *adj* överst, högst
top-notch [ˌtɒp'nɒtʃ, attr. '--] *adj* vard. i toppklass, förstklassig, jättebra [*it's ~; a ~ job*]; prima
top-of-the-range [ˌtɒpəvðə'reɪndʒ] *adj* o. amer.
  top-of-the-line [ˌtɒpəvðə'laɪn] *adj* topp-, värsting-
topography [tə'pɒgrəfɪ] *s* topografi
topper ['tɒpə] *s* vard. ngt åld., se *top hat*
topping ['tɒpɪŋ] *s* kok. o.d. garnering, topplager; sås, fyllning; *a ~ of ice cream on the pie* [ett lager av] glass ovanpå pajen
topple ['tɒpl] **I** *vb itr* falla [över ända], ramla [äv. *~ over* el. *~ down; the books ~d over* (*down*)]; störtas **II** *vb tr* stjälpa; störta [*the revolution ~d the president*]
top-ranking ['tɒpˌræŋkɪŋ] *adj* topprankad; förnämst, topp- [*~ star*]
top-rated [ˌtɒp'reɪtɪd] *adj* populär, omtyckt
tops [tɒps] sl. **I** *adj* toppen [*the car is ~*] **II** *s*, *the ~* toppen [*it's the ~*]
top-secret [ˌtɒp'si:krɪt, '-ˌ--] *adj* hemligstämplad; topphemlig
top secret [ˌtɒp'si:krət] *s* topphemlighet
topside ['tɒpsaɪd] **I** *s* slakt. innanlår **II** *adv* sjö. på däck; upp på däck [*go ~*]
topsoil ['tɒpsɔɪl] *s* matjord, matjordsskikt
topspin ['tɒpspɪn] *s* tennis. o.d. överskruv, topspin
topsy-turvy [ˌtɒpsɪ'tɜ:vɪ] **I** *adv* upp och ner; huller om buller **II** *adj* uppochnervänd; bakvänd; rörig, förvirrad
top-up ['tɒpʌp] *s* **1** påfyllning [*your glass is empty – Would you like a ~?*] **2** utfyllnad; attr. utfyllnads- [*a ~ loan*]
torch [tɔ:tʃ] *s* **1** ficklampa **2** amer. blåslampa **3** bloss; fackla; *carry a ~ for sb* vara olyckligt kär i ngn; *pass* [*on*] *the ~ to sb* föra traditionen vidare **4** skärbrännare; svetsbrännare
torchlight ['tɔ:tʃlaɪt] *s* **1** ficklampssken **2** fackelsken
torchlight procession [ˌtɔ:tʃlaɪtprə'seʃ(ə)n] *s* fackeltåg
torch song ['tɔ:tʃsɒŋ] *s* sentimental [kärleks]sång
tore [tɔ:] imperf. av *2 tear*
toreador ['tɒrɪədɔ:] *s* toreador, tjurfäktare

torment [subst. 'tɔ:ment, -mənt, verb tɔ:'ment] **I** *s* plåga, pina, kval, tortyr; *be in* ~ lida kval; *suffer* ~ el. *suffer* ~*s* ha svåra plågor
II *vb tr* plåga, pina
tormentor [tɔ:'mentə] *s* plågoande
torn [tɔ:n] perf. p. av *2 tear*
tornado [tɔ:'neidəʊ] (pl. ~*es*) *s* tornado, tromb, virvelstorm
Toronto [tə'rɒntəʊ] geogr.
torpedo [tɔ:'pi:dəʊ] **I** (pl. ~*es*) *s* torped **II** *vb tr* torpedera
torpedo boat [tɔ:'pi:dəʊbəʊt] *s* torpedbåt
torpid ['tɔ:pɪd] *adj* **1** stel, domnad; [liggande] i dvala **2** slö, overksam; loj
torpor ['tɔ:pə] *s* **1** dvala, dvalliknande tillstånd **2** slöhetstillstånd
Torquay [ˌtɔ:'ki:] geogr.
torrent ['tɒr(ə)nt] *s* **1** [strid] ström, fors, störtflod äv. bildl. [*a* ~ *of abuse*]; regnflod **2** störtregn, skyfall
torrential [tə'renʃ(ə)l] *adj* **1** strid, forsande, brusande; ~ *rain* skyfall, skyfallsliknande regn **2** flödande, ymnig **3** våldsam, häftig
torrid ['tɒrɪd] *adj* **1** glödande, passionerad, lidelsefull **2** litt. förtorkad, torr; [för]bränd; solstekt; het [*the* ~ *zone*] **3** *have a* ~ *time* ha det hett om öronen; *give sb a* ~ *time* göra det tufft (svårt) för ngn
torsion ['tɔ:ʃ(ə)n] *s* vridning; fys., med. m.m. torsion
torso ['tɔ:səʊ] (pl. ~*s*) *s* torso; bål
tortellini [ˌtɔ:tə'li:nɪ] *s* kok. (it.) tortellini
tortilla [tɔ:'ti:ljə] *s* kok. (sp.) tortilla: **a)** tunt, ojäst [majs]bröd **b)** [spansk] potatisomelett
tortoise ['tɔ:təs] *s* [land]sköldpadda; *slow as a* ~ [långsam] som en snigel
tortoiseshell ['tɔ:təsʃel] *s* sköldpaddskal
tortuous ['tɔ:tjʊəs] *adj* **1** krokig, slingrig, slingrande [~ *path*] **2** bildl. tillkrånglad, invecklad [~ *negotiations*]; slingrande
torture ['tɔ:tʃə] **I** *s* tortyr; kval, pina; smärtor; pl. ~*s* äv. tortyrmetoder
II *vb tr* tortera; pina, plåga, misshandla
tortured ['tɔ:tʃəd] *adj* plågad; plågsam, smärtfylld
torturer ['tɔ:tʃ(ə)rə] *s* bödel; plågoande
Tory ['tɔ:rɪ] **I** *s* tory, konservativ, högerman **II** *adj* tory- [*the* ~ *Party*]; konservativ, höger-
toss [tɒs] **I** *vb tr* **1** kasta, slänga; kasta upp (av); kasta hit och dit [*the waves* ~*ed the boat*]; ~ *hay* vända hö; ~ *a pancake* vända en pannkaka i luften; ~ *the salad* vända (blanda) salladen [med dressing]; ~*ed salad* [grön]sallad med dressing **2** singla [slant med]; ~ *a coin* singla slant; ~ *sb for sth* singla slant med ngn om ngt
II *vb itr* **1** om fartyg o.d. rulla, gunga, kastas (slungas) [hit och dit] **2** ~ *and turn* vrida och vända sig **3** singla slant; ~ *up* el. ~ *for it* singla slant [om det (saken)]
III *vb tr* o. *vb itr* med adv.:
toss off a) kasta (slänga) bort; kasta av sig **b)** kasta (stjälpa) i sig [~ *off a few drinks*] **c)** klara av [som ingenting], svänga (sno) ihop [~ *off a letter*] **d)** vulg., itr. runka onanera; ~ *oneself off* tr. runka onanera
toss up a) tr. kasta (slänga) upp; ~ *up a coin* singla slant **b)** itr., se *toss up* under *toss II 3*
IV *s* **1** kastande; kast; stöt; *a* ~ *of the head* ett kast

med huvudet **2** slantsingling [*lose (win) the* ~];
argue the ~ vard. diskutera i det oändliga **3** sl., *not give a* ~ *about sth* (*sb*) inte bry sig ett skit om ngt (ngn)
tosser ['tɒsə] *s* sl. kräk, nolla, idiot
toss-up ['tɒsʌp] *s* vard. **1** slantsingling; lottning; *decide sth by* ~ singla slant om ngt **2** *it is a* ~ det är rena lotteriet
1 tot [tɒt] *s* **1** vard. [liten] pys (tös), unge [*a tiny* ~] **2** [litet] glas konjak o.d.
2 tot [tɒt] (kortform av *total*) *vb tr* vard., ~ *up* addera, summera, lägga ihop, räkna ihop (ut)
total ['təʊtl] **I** *adj* fullständig, total, total-, hel, sammanlagd, slut- [*the* ~ *amount*]; fullkomlig [*he is a* ~ *stranger to me*]; ~ *abstainer* absolutist, helnykterist; ~ *eclipse* astron. totalförmörkelse
II *s* slutsumma, totalsumma; *a* ~ *of* [£100] äv. sammanlagt...
III *vb tr* **1** räkna samman, lägga (räkna) ihop [äv. ~ *up*] **2** belöpa sig (uppgå) [sammanlagt] till
totalitarian [ˌtəʊtælɪ'teərɪən] *adj* polit. totalitär, diktatur-; diktatorisk
totalitarianism [ˌtəʊtælɪ'teərɪənɪz(ə)m] *s* polit. totalitarism; diktatur
1 tote [təʊt] *s*, *the* ~ toto
2 tote [təʊt] *vb tr* vanl. amer. vard. bära [på] [~ *a gun*]
tote bag ['təʊtbæg] *s* vanl. amer., stor [bär]kasse (väska)
totem ['təʊtəm] *s* totem indianstams skyddsande o.d.; symbol
totem pole ['təʊtəmpəʊl] *s* totempåle
Tottenham ['tɒtnəm] **1** geogr. egennamn **2** ~ *Hotspurs* fotbollslag i London
totter ['tɒtə] *vb itr* vackla äv. bildl.; stappla, ragla, svikta äv. bildl.
touch [tʌtʃ] **I** *vb tr* (se äv. *touched*) **1** röra [vid], vidröra, beröra, snudda vid, toucha, tuscha; nudda; ta i (på); ~ *the button* trycka på knappen **2** gränsa till, stöta intill [*the two estates* ~ *each other*]; matem. tangera **3** nå, nå fram (upp, ner) till; stiga (sjunka) till [*the temperature* ~*ed 35°*]; ~ *base* stämma av, kolla [*with sb*]; ~ *bottom* a) nå botten, bottna; bildl. komma till botten b) sjö. få bottenkänning c) bildl. nå botten, sätta bottenrekord; ~ *land* nå land, landa **4** mest i nekande sats, vard. mäta sig med, gå upp mot; *there's no one to* ~ *him* det finns ingen som kan mäta sig med (som går upp mot) honom **5** mest i nekande sats smaka [*he never* ~*es wine*]; röra [*she didn't even* ~ *the food*] **6** [djupt] röra, beröra, göra ett djupt intryck på; *it* ~*ed me to the heart* det rörde (grep) mig ända in i själen **7** a) ha något att göra med [*I refuse to* ~ *that business*] b) beröra [*it* ~*ed his interests*] **8** angripa (skada) lätt [~*ed with frost*] **9** sjö. angöra, anlöpa; ~ *shore* angöra (lägga i) land **10** ge en lätt touche (aning) [*with* av]; blanda (färga) lätt; lätta (friska) upp [*with* med] **11** vard. låna, vigga; *he* ~*ed me for £5* han lånade 5 pund av mig
II *vb itr* **1** röra; *don't* ~! [föremålen] får ej vidröras! **2** röra (snudda) vid varandra; stöta ihop **3** gränsa till varandra; matem. tangera varandra
III *vb tr* o. *vb itr* med prep. el. adv.:
touch at sjö. angöra, anlöpa

touch down a) flyg. ta mark, gå ner, [mellan]landa **b)** rugby.: tr. marksätta en boll bakom mållinjen; itr. marksätta bollen bakom mållinjen
touch off a) avlossa, avfyra [~ *off a cannon*] **b)** bildl. utlösa [~ *off an international crisis*]
touch on a) [flyktigt] beröra, komma in på [~ *on a subject*] **b)** närma sig, gränsa till
touch up a) retuschera, bättra på [~ *up a painting*]; snygga till; finputsa, hyfsa till [~ *up an article before publication*] **b)** vulg. kåta upp
touch upon se *touch on* under *touch III*
IV *s* **1** beröring, vidröring, snudd[ning]; lätt stöt **2** kontakt; spec. mil. känning; **keep ~ with** hålla kontakten med; **lose ~ with** tappa (förlora) kontakten med; **be in ~ with** el. **keep in ~ with** hålla (vara i, stå i) kontakt med; **keep in ~, will you!** glöm inte att höra av dig!; **get in ~ with** el. **get into ~ with** få (komma i) kontakt med; sätta sig i förbindelse med; **put in ~ with** sammanföra med, sätta i förbindelse med **3** känsel[sinne], beröringssinne [äv. *sense of* ~]; **sensation of ~** känselförnimmelse; **it is cold to the ~** det känns kallt; **you can tell it's silk by the ~** det känns att det är silke [när man tar på det] **4** penseldrag, penndrag **5** drag, detalj; touche; **give the finishing ~** se under *finishing I* **6** aning, antydan, spår; stänk [*a ~ of irony*; *a ~ of bitterness*]; släng [*a ~ of flu*]; **a ~ of salt** en aning (en nypa) salt; **a ~ of the sun** lätt (lindrigt) solsting **7** [karakteristiskt] drag, prägel, anstrykning **8** mus. el. på tangentbord o.d. **a)** anslag; touche **b)** [finger]grepp; **have a light ~** ha ett lätt anslag; om piano o.d. vara lättspelad; om tangentbord vara lättskrivet; **the ~ method** el. **the ~ system** touchmetoden, kännmetoden **9** grepp; hand, handlag; manér, stil; **the common ~** se under *common I 1*; **with a light ~** med lätt hand; **the ~ of a master** en mästares hand, en mästarhand; **she has a very sure ~** hon har ett mycket säkert handlag; **lose one's ~** tappa (förlora) greppet **10** [fin] uppfattning; handlag **11** sport. **a)** fotb. område utanför sidlinjen; **be in ~** vara utanför sidlinjen, vara död **b)** rugby. touchelinje; område utanför touchelinjen
touch-and-go [ˌtʌtʃən(d)ˈgəʊ] *adj* osäker, farlig, riskabel; vågad; prekär; **it was ~** äv. det hängde på ett hår
touchdown [ˈtʌtʃdaʊn] *s* **1** flyg. landning; landningsögonblick **2** rugby. marksatt boll, marksättning på el. innanför den egna mållinjen; amer. fotb. **a)** marksättning **b)** poäng för marksättning
touché [ˈtuːʃeɪ, tuːˈʃeɪ] *interj* fr. **1** bildl. (ung.) ett noll till dig! **2** fäktn. touché!
touched [tʌtʃt] *adj* **1** rörd, gripen **2** åld. vard. vrickad, rubbad
touch football [ˈtʌtʃˌfʊtbɔːl] *s* slags fotboll där varje beröring räknas som en tackling
touchiness [ˈtʌtʃɪnəs] *s* [lätt]retlighet
touching [ˈtʌtʃɪŋ] **I** *adj* rörande, gripande; bevekande **II** *prep* rörande, angående
touch judge [ˈtʌtʃdʒʌdʒ] *s* rugby. linjedomare
touchline [ˈtʌtʃlaɪn] *s* fotb. sidlinje; rugby. touchelinje
touchpad [ˈtʌtʃpæd] *s* data. styrplatta, pekplatta
touch screen [ˈtʌtʃskriːn] *s* data. pekskärm
touchstone [ˈtʌtʃstəʊn] *s* probersten, bildl. äv. prövosten; kriterium

touch-tone phone [ˈtʌtʃtəʊnfəʊn] *s* tonvalstelefon
touch-type [ˈtʌtʃtaɪp] *vb itr* skriva [på tangentbord] enligt touchmetoden
touchy [ˈtʌtʃɪ] *adj* [lätt]retlig, snarstucken
touchy-feely [ˌtʌtʃɪˈfiːlɪ] *adj* vard. neds. flummig, kramig och känslomässig
tough [tʌf] **I** *adj* **1** svår, besvärlig, hård, jobbig, dryg, styv, kämpig, slitig [*a ~ job*]; **~ luck** vard. osis, otur; **that's ~** vard. det var osis (otur) **2** hård, hårdhudad, hårdför, rå, tuff; kallhamrad; ruffig; **a ~ guy** el. **a ~ customer** vard. en hårding, en tuffing **3** envis, orubblig [*a ~ defence*]; **get ~ with** ta i med hårdhandskarna mot, inta en tuff attityd mot; **he was just as ~** han satte hårt mot hårt **4** härdad, härdig [*a ~ people*]; tålig **5** seg [~ *meat*]; träig [~ *vegetables*]
II *s* hård typ; buse; bov, råskinn
III *vb itr* o. *vb tr* med adv.:
tough out klara sig igenom [~ *out the crisis*]; **~ it out** hålla (härda) ut, stå rycken
toughen [ˈtʌfn] *vb tr* o. *vb itr* göra (bli) svår[are] etc., jfr *tough I*
toughness [ˈtʌfnəs] *s* hårdhet, hårdförhet; seghet etc., jfr *tough I*
toupee [ˈtuːpeɪ, amer. -ˈ-] *s* tupé
tour [tʊə] **I** *s* **1** [rund]resa; [rund]tur; färd; rundvandring [*a ~ of* (genom, i) *the building*]; besök **2** teat. o.d. turné [*on* ~] **3** **~ of inspection** inspektionsresa; inspektionsrunda **4** **conducted** ~ el. **guided** ~ sällskapsresa; rundtur med guide, guidad tur, visning **5** ofta mil. **~ of duty** tjänstgöringsperiod, tjänstgöring [utomlands]
II *vb itr* göra en rundresa etc., jfr *tour I 1*; turista, resa [*through*, *about* genom, i]; turnera
III *vb tr* **1** resa [runt (omkring)] i, turista i, besöka [~ *a country*]; gå runt i, gå en runda genom **2** visa runt (omkring) **3** teat. o.d. **a)** turnera med [~ *a play*] **b)** turnera i [~ *the provinces*]
tour de force [ˌtʊədəˈfɔːs] (pl. *tours de force* utt. som sg.) *s* fr. kraftprov, [verklig] prestation, konststycke
touring [ˈtʊərɪŋ] **I** *adj* rundturs-, turist-; rese-, resande
II *s* **1** resande, resor **2** turistväsen, turistresor
touring car [ˈtʊərɪŋkɑː] *s* öppen bil; sportbil
tourism [ˈtʊərɪz(ə)m] *s* turism, turistväsen; turistliv
tourist [ˈtʊərɪst] *s* turist
tourist agency [ˈtʊərɪstˌeɪdʒ(ə)nsɪ] *s* resebyrå, turistbyrå
tourist class [ˈtʊərɪstklɑːs] *s* turistklass
tourist information office [ˈtʊərɪstˌɪnfəˈmeɪʃ(ə)n,ɒfɪs] *s* turistinformation lokal, turistbyrå
tourist office [ˈtʊərɪst,ɒfɪs] *s* se *tourist information office*
tourist ticket [ˈtʊərɪstˌtɪkɪt] *s* rundresebiljett
tourist trade [ˈtʊərɪsttreɪd] *s*, **the ~** turistnäringen, turismen
tourist trap [ˈtʊərɪsttræp] *s* turistfälla
tourist visa [ˈtʊərɪst,viːzə] *s* turistvisum
touristy [ˈtʊərɪstɪ] *adj* vard. turist-, turistig; kryllande av (nedlusad med) turister
tour leader [ˈtʊə,liːdə] *s* reseledare, färdledare
tournament [ˈtʊənəmənt, ˈtɔː-, ˈtɜː-] *s* sport. turnering, tävlingar

tournedos ['tʊənədəʊ, 'tɔ:-] (pl. *tournedos*) s kok. tournedos

tourniquet ['tʊənɪkeɪ, 'tɔ:n-, 'tɜ:n-] s med. stasbinda, stasslang, kompressor

tour operator [,tʊər'ɒpəreɪtə] s researrangör

tousle ['taʊzl] *vb tr* slita (rycka) i; rufsa (tufsa) till

tout [taʊt] vard. **I** *vb tr* **1** skrika (basunera) ut, framhålla vitt och brett **2** bjuda ut, försöka pracka på folk; sälja svart [~ *tickets for the match*] **3** amer. sälja stalltips om

II *vb itr* **1** försöka pracka på folk sina tjänster; försöka skaffa (värva) kunder [*for* åt] **2** amer. sälja stalltips

III s **1** person som säljer biljetter svart [äv. *ticket* ~] **2** [kund]värvare, kundfiskare, agent **3** amer. person som säljer stalltips

1 tow [təʊ] **I** *vb tr* bogsera; släpa; bärga bil; *ask for the car to be ~ed* begära bärgning av bilen

II s bogsering; [*can we*] *give you a ~?* ...ta dig på släp?; *take in* ~ a) ta på släp, bogsera b) ta under sitt beskydd; *in* ~ vard. i släptåg; *on* ~ på släp

2 tow [təʊ] s blånor, drev

towards [tə'wɔ:dz, tɔ:dz] *prep* **1** mot, i riktning mot; åt...till [~ *the village*]; till [*he felt drawn ~ her*]; [vänd] mot (åt) [*with his back ~ the window*]; *somewhere ~ the top* någonstans i närheten av toppen **2** gentemot, mot [*his feelings ~ us*] **3** med tanke på, för [*they are working ~ peace*]; till [*save money ~ a new house*]; *that won't go far ~ paying his debts* det räcker inte långt för (när det gäller) att täcka hans skulder **4** om tid mot [~ *evening*]; framåt, framemot [*there was a storm ~ evening*]

towaway ['təʊə,weɪ] s bortbogsering (bortforsling) av felparkerad bil

towbar ['təʊbɑ:] s släpvagnskoppling

towel ['taʊəl, taʊl] **I** s handduk; *sanitary ~* sanitetsbinda, dambinda; *Turkish ~* frottéhandduk; *throw in the ~* boxn. kasta in handduken, bildl. äv. ge upp, kasta yxan i sjön

II *vb tr* torka, gnida (gnugga) [med handduk]

towelette [,taʊə'let] s vanl. amer. våtservett

towel horse ['taʊ(ə)lhɔ:s] s torkställning [för handdukar]

towelling ['taʊ(ə)lɪŋ] s frotté; handduksväv

towel rack ['taʊ(ə)lræk] s se *towel rail*

towel rail ['taʊ(ə)lreɪl] s handduksstång, handdukshängare; *heated ~* handdukstork

tower ['taʊə] **I** s **1** torn **2** borg; fästning; fängelsetorn; *the Tower* [*of London*] Towern [i London] **3** bildl., ~ *of strength* stöttepelare, klippa, kraftkälla

II *vb itr* torna upp sig, höja (resa) sig äv. bildl.; ~ *above* el. ~ *over* höja sig över, stå högt över

tower block ['taʊəblɒk] s punkthus, höghus

towering ['taʊərɪŋ] *adj* **1** jättehög, reslig **2** bildl. högtflygande, omåttlig **3** våldsam [*a ~ rage*]

Tower of London [,taʊərəv'lʌndən], *the ~* Towern [i London]

towline ['təʊlaɪn] s bogserlina, draglina

town [taʊn] s **1** stad; *the talk of the ~* det allmänna samtalsämnet; in *en visa i hela stan* **2** utan artikel el vissa talesätt staden, stan [*be in ~*; *go into* (ut på) ~] i England ofta London; *leave ~* resa [bort] från stan, lämna stan; *he is not in ~* el. *he is out of ~* han är

bortrest, han är inte i stan; *go to ~* el. *go up to ~* åka (fara, köra) [in] till stan; *go to ~* sl. a) överträffa sig själv, lägga ner sin själ b) lyckas helt c) frossa, slå över d) [gå ut och] slå runt, festa om **3** attr. stads- [~ *hall*] **4** amer. kommun, samhälle mindre stad; *live on the ~* leva på kommunen (socialbidrag, det sociala)

town centre [,taʊn'sentə] s [stads] centrum, stadskärna

town clerk [,taʊn'klɑ:k] s ung. stadsjurist

town council [,taʊn'kaʊnsl] s ung. kommunfullmäktige

town crier [,taʊn'kraɪə] s hist. offentlig utropare

townee ['taʊnɪ] s neds. vard., se *townie*

town hall [,taʊn'hɔ:l] s stadshus, rådhus

town house ['taʊnhaʊs] s hus (bostad) i staden; amer. radhus

townie ['taʊnɪ] s neds. vard. **1** stadsmänniska, stadsbo **2** enbart invånare icke-student i en universitetsstad

town planning [,taʊn'plænɪŋ] s stadsplanering; *town and country planning* riksplanering

townsfolk ['taʊnzfəʊk] (med verb i pl.) s stadsbor

township ['taʊnʃɪp] s **1** liten stad **2** sydafr. förstad (bosättningsområde) för svarta **3** i USA el. Kanada (ung.) kommun

townspeople ['taʊnz,pi:pl] (med verb i pl.) s stadsbor

towrope ['təʊrəʊp] s bogserlina, draglina

tow truck ['təʊtrʌk] s amer. bärgningsbil

toxaemia o. **toxemia** [tɒk'si:mɪə] s med. toxemi, toxikemi, blodförgiftning

toxic ['tɒksɪk] *adj* med. toxisk, giftig, förgiftnings- [~ *symptoms*]

toxic emission [,tɒksɪ'mɪʃ(ə)n] s giftutsläpp

toxicity [tɒk'sɪsətɪ] s toxicitet, giftighet

toxic shock syndrome [,tɒksɪk'ʃɒk,sɪndrəʊm] s med. toxinchocksyndrom, tampongsjuka

toxic substance ['tɒksɪk,sʌbstəns] s miljögift

toxic waste [,tɒksɪk'weɪst] s giftutsläpp

toxin ['tɒksɪn] s toxin giftämne

toy [tɔɪ] **I** s leksak; attr. leksaks- [~ *trumpet*; ~ *train*]

II *vb itr* [sitta och] leka [*he was ~ing with a pencil*]; ~ *with one's food* [sitta och] peta i (leka med) maten

toy boy ['tɔɪbɔɪ] s vard. ung älskare till äldre kvinna el. till äldre homosexuell

toyshop ['tɔɪʃɒp] s leksaksaffär

tr. förk. för *transitive, translation*

1 trace [treɪs] **I** *vb tr* **1** spåra [*the criminal was ~d to London*]; följa [spåren av]; spåra upp; upptäcka, finna [spår av] [*I can't ~ the letter you sent me*]; påvisa (konstatera) [förekomsten av] [*no poison could be ~d*]; ~ *to* spåra (föra) tillbaka till, följa [ända] till [*his descent can be ~d to...*]; hänföra till **2** dra upp [konturerna till], göra ett utkast till [~ *the plan of a new city*] **3** kalkera

II *vb tr* med adv.:

trace back to spåra (föra) tillbaka till, följa [ända] till [*his descent can be ~d back to...*]; hänföra till

trace out dra upp [konturerna till], göra ett utkast till [~ *out the plan of a new city*]

III s **1** spår; märke; *without a ~* el. *without leaving a ~* äv. spårlöst; *a ~ of garlic in the food* en liten aning vitlök i maten **2** skiss; plan; ritning

2 trace [treɪs] s **1** draglina, dragrem för vagn; *in the ~s* i selen äv. bildl. **2** fiske. tafs

traceable ['treɪsəbl] *adj* **1** som kan spåras (upptäckas), möjlig att spåra (upptäcka) **2** *be ~ to* kunna spåras till

trace element ['treɪs,elɪmənt] *s* biol. spårelement, mikroelement, spårämne

tracer ['treɪsə] *s* **1** mil. spårljusprojektil [äv. ~ *bullet*]; spårljusgranat [äv. ~ *shell*] **2** fys. spårämne [äv. ~ *element*]

tracery ['treɪs(ə)rɪ] *s* **1** byggn. masverk, spröjsverk, rosverk **2** flätverk, nätverk som ornament

trachea [trə'kiːə] (pl. *tracheae* [trə'kiːiː el. -'kiːaɪ] el. ~s) *s* **1** anat. trachea, trakea luftstrupe **2** zool., hos bl.a. insekter traké

tracheotomy [,trækɪ'ɒtəmɪ] *s* med. trakeotomi

tracheotomy tube [,trækɪ'ɒtəmɪtjuːb] *s* med. trakeotomirör

tracing paper ['treɪsɪŋ,peɪpə] *s* kalkerpapper

track [træk] **I** *s* **1** spår äv. bildl., fotspår; [järnvägs]spår, bana; *double ~* el. *twin ~* dubbelspår; *width of ~* spårvidd; *cover* [*up*] *one's ~s* sopa igen spåren efter sig; *keep ~ of* bildl. hålla reda på; hålla kontakten med; *lose ~ of* bildl. tappa kontakten med; tappa bort, tappa räkningen på [*I have lost ~ of how many there are*]; *make ~s for home* vard. kila (störta) hem; *in one's ~s* vard. på fläcken (stället) [*he fell dead in his ~s*]; genast; *follow in sb's ~s* bildl. följa i ngns fotspår; *throw sb off the ~* leda ngn på villospår (fel spår), vilseleda ngn; *be on ~* ligga bra till, gå enligt planerna (beräkningarna); *be on the right ~* vara [inne] på rätt spår; *put sb on the right ~* hjälpa ngn på traven, hjälpa ngn [in] på rätt spår **2** stig, väg äv. bildl.; kurs äv. bildl.; bana [*the ~ of a comet (spacecraft)*] **3** sport. [löpar]bana [äv. *running ~*] **4** på skiva, magnetband spår; låt [*title ~*] **5** [driv]band, larvband **II** *vb tr* spåra äv. bildl., följa spåren av; följa spår m.m.; *~ down* [försöka] spåra [upp], förfölja; ta fast, fånga in

track-and-field [,trækən(d)'fiːld] *adj* vanl. amer., *~ sports* friidrott

trackball ['trækbɔːl] *s* data. styrkula

tracker ['trækə] *s* [upp]spårare, spanare

tracker dog ['trækədɒg] *s* spårhund

track event ['trækiː,vent] *s* sport. **1** tävling på löparbana **2** löpgren

tracking station ['trækɪŋ,steɪʃ(ə)n] *s* rymd. radiostation [och kontrollcentral]

track meet ['trækmiːt] *s* amer. friidrottstävling

track record [,træk'rekɔːd] *s* **1** sport. banrekord **2** bildl. [tidigare] meriter

trackshoe ['trækʃuː] *s* spiksko

tracksuit ['træksuːt, -sjuːt] *s* träningsoverall

1 tract [trækt] *s* **1** område, sträcka; pl. *~s* äv. vidder **2** anat. system, apparat; *the respiratory ~* respirationsapparaten, andningsorganen

2 tract [trækt] *s* religiös el. politisk skrift, traktat

tractable ['træktəbl] *adj* medgörlig, foglig, spak; lätthanterlig; lättarbetad

traction ['trækʃ(ə)n] *s* **1** dragning; dragkraft **2** med. dragning, sträck, traktion

traction engine ['trækʃ(ə)n,en(d)ʒɪn] *s* lokomobil; landsvägslokomotiv; traktor

tractor ['træktə] *s* **1** traktor **2** vanl. amer. dragbil del av långtradare

tractor-trailer ['træktə,treɪlə] *s* amer. långtradare med släp

trad [træd] *s* (vard. kortform av *traditional*) trad traditionell jazz [äv. ~ *jazz*]

trade [treɪd] **I** *s* **1 a)** handel, affärer [*in sth* med ngt], kommers; [handels]utbyte **b)** affärsgren, bransch [*in the book ~*]; *domestic ~* el. *home ~* inrikeshandel[n]; *foreign ~* utrikeshandel[n]; *do a roaring ~* göra glänsande (lysande) affärer; *the Department of Trade and Industry* (förk. *the DTI*) i Storbritannien, ung. näringsdepartementet **2** yrke, hantverk, fack; hantering; *~ dispute* arbetstvist, arbetskonflikt; *~ term* fackterm, fackuttryck; *be a tailor by ~* vara skräddare till yrket **3** *the ~* fackfolket, skrået, branschfolket; återförsäljarna [*we sell only to the ~*] **4** pl. *~s* se *trade wind* **II** *vb itr* **1** handla, driva handel [*in sth* med ngt; *with sb* med ngn] **2** schackra, driva geschäft [*in sth* med ngt]; spekulera [*in sth* med (i) ngt] **3** om fartyg gå, segla, gå i fraktfart **4** vanl. amer. vard. handla [*at* hos] **III** *vb tr* handla med ngt; byta, byta ut (bort) [*for* mot] **IV** *vb itr* o. *vb tr* med adv.:

trade down byta ner sig

trade in sth for a) ta ngt i inbyte mot **b)** lämna ngt i utbyte mot (som dellikvid för) [*she ~d in her old car for a new model*]

trade off byta

trade on utnyttja, ockra på [*~ on sb's sympathy*]

trade up byta upp sig

trade cycle ['treɪd,saɪkl] *s* konjunkturcykel, affärscykel

trade deficit [,treɪd'defɪsɪt] *s* importöverskott, negativ handelsbalans

trade discount [,treɪd'dɪskaʊnt] *s* handelsrabatt, varurabatt

trade fair [,treɪd'feə] *s* branschmässa

trade gap ['treɪdgæp] *s* se *trade deficit*

trade-in ['treɪdɪn] *s* inbyte, inbytesvara; dellikvid; *~ car* inbytesbil

trademark ['treɪdmɑːk] *s* **1** (förk. *TM*) varumärke, firmamärke **2** vard. visitkort [*the dog has left its ~ on the mat*]; signatur [*it bears his ~*]

trade name ['treɪdneɪm] *s* **1** handelsnamn, handelsbeteckning **2** firmanamn, firmabeteckning

trade-off ['treɪdɒf] *s* byte; kohandel; kompromiss

trade plate ['treɪdpleɪt] *s* tillfällig nummerplåt på oregistrerad bil

trade price ['treɪdpraɪs] *s* pris för återförsäljare, partipris

trader ['treɪdə] *s* **1** affärsman, köpman **2** börs. handlare

trade school ['treɪdskuːl] *s* yrkesskola

trade secret [,treɪd'siːkrət] *s* yrkeshemlighet, fabrikationshemlighet

trades|man ['treɪdz|mən] (pl. *-men* [-mən]) *s* **1** [detalj]handlare **2** *tradesmen's entrance* köksingång

tradespeople ['treɪdz,piːpl] (med verb i pl.) *s* åld. handelsmän

trades union [,treɪdz'juːnɪən] *s* **1** se *trade union* **2** *The Trades Union Congress* (förk. *TUC*) brittiska Landsorganisationen

trade surplus ['treɪdˌsɜːpləs] s handelsöverskott, positiv handelsbalans

trade union [ˌtreɪd'juːnɪən] s fackförening; **belong to a** ~ tillhöra en fackförening (facket), vara [fackligt] organiserad

trade-unionism [ˌtreɪd'juːnɪənɪz(ə)m] s fackföreningsrörelsen

trade-unionist [ˌtreɪd'juːnɪənɪst] s fackföreningsmedlem; fackföreningsman

trade wind ['treɪdwɪnd] s passadvind

trading ['treɪdɪŋ] s **1** handel, köpenskap, handlande; byteshandel **2** amer. polit. kohandel **3** attr. handels- [~ *company*; ~ *vessel*]; drift[s]- [~ *capital*]

trading card ['treɪdɪŋkɑːd] s amer. samlarbild

trading estate ['treɪdɪŋɪˌsteɪt] s industriområde

trading post ['treɪdɪŋpəʊst] s handelsplats, handelsstation i avlägset land

trading stamp ['treɪdɪŋstæmp] s rabattkupong, rabattmärke

tradition [trə'dɪʃ(ə)n] s tradition; hävd; **be in the** ~ **of** följa traditionen från

traditional [trə'dɪʃənl] adj traditionell; traditionsenlig; nedärvd, hävdvunnen

traditionalist [trə'dɪʃ(ə)nəlɪst] s traditionalist

traduce [trə'djuːs] vb tr förtala, tala illa om, smäda

Trafalgar [trə'fælgə] **1** geogr. egennamn **2** ~ **Square** öppen plats i London

traffic ['træfɪk] **I** s **1** trafik; samfärdsel; **one-way** ~ enkelriktad trafik **2** handel; geschäft, trafik [~ *in* (med) *narcotics*] **3** [handels]förbindelse; utbyte **II** vb itr driva olaga handel [*in sth* med ngt]

traffic calming ['træfɪkˌkɑːmɪŋ] s, ~ **measures** trafikdämpande åtgärder t.ex. farthinder

traffic circle ['træfɪkˌsɜːkl] s amer. cirkulationsplats, rondell

traffic cone ['træfɪkkəʊn] s trafikkon

traffic cop ['træfɪkkɒp] s vard. trafikpolis

traffic island ['træfɪkˌaɪlənd] s refug; trafikdelare

traffic jam ['træfɪkdʒæm] s trafikstockning

trafficker ['træfɪkə] s illegal handlare; **drug** ~ narkotikahaj, narkotikalangare

trafficking ['træfɪkɪŋ] s olaga handel, langning; **human** ~ människohandel

traffic lane ['træfɪkleɪn] s körfält, fil

traffic light ['træfɪklaɪt] s trafikljus, trafiksignal [ofta pl. ~s]

traffic offender ['træfɪkəˌfendə] s trafiksyndare

traffic regulations ['træfɪkˌregjʊ'leɪʃ(ə)nz] s pl trafikförordning

traffic sign ['træfɪksaɪn] s vägmärke, trafikmärke

traffic warden ['træfɪkˌwɔːdn] s trafikvakt, kvinnl. äv. lapplisa

tragedian [trə'dʒiːdɪən] s **1** tragediförfattare, tragiker, tragöd **2** tragisk skådespelare

tragedy ['trædʒədɪ] s tragedi äv. bildl.

tragic ['trædʒɪk] adj tragisk

tragicomedy [ˌtrædʒɪ'kɒmədɪ] s tragikomedi

tragicomic [ˌtrædʒɪ'kɒmɪk] adj tragikomisk, sorglustig

trail [treɪl] **I** s **1** strimma, slinga [*the engine left a* ~ *of smoke behind it*]; ~ **of dust** dammoln **2** spår äv. bildl.; **a** ~ **of blood** [ett] blodspår; [*the storm*] **had left behind it a** ~ **of destruction** ...hade lämnat ett band

av förödelse efter sig; **be hot on the** ~ **of sb** vara tätt i hälarna (hack i häl) på ngn **3** [upptrampad] stig, väg **4** *election* ~ valturné; **a town on the tourist** ~ en stad i turiststråket

II vb tr **1** släpa [i marken], dra efter sig **2** spåra [upp] [~ *animals*; ~ *criminals*]; följa [efter], skugga **3** vard. komma (sacka) efter

III vb itr **1** släpa [i marken] [*her dress* ~*ed across the floor*]; släpa sig [fram], traska, dra benen efter sig [äv. ~ *along*]; driva [långsamt] [*smoke was* ~*ing from the chimneys*] **2** vard. komma (sacka) efter, komma på efterkälken [äv. ~ *behind*]; ~ **in popularity** sjunka i popularitet; **be** ~*ing by one goal* sport. ligga under med ett mål

IV vb itr med adv.:

trail away el. **trail off** bildl. [sakta] försvinna, bli svagare, dö bort; förlora sig [~ *away* (*off*) *into absurdities*]

trail bike ['treɪlbaɪk] s terrängmotorcykel

trailblazer ['treɪlˌbleɪzə] s banbrytare

trailblazing ['treɪlˌbleɪzɪŋ] **I** s banbrytande arbete **II** adj banbrytande [~ *efforts*; ~ *work*]

trailer ['treɪlə] s **1** släpvagn, släp, trailer; amer. husvagn; **caravan** ~ bil med husvagn **2** krypväxt, slingerväxt **3** film. trailer

trailer park ['treɪləpɑːk] s amer. uppställningsplats för husvagnar som används som bostäder

train [treɪn] **I** s **1** järnv. tåg [*for, to* till], tågsätt; **fast** ~ snabbtåg; **special** ~ extratåg; **change** ~s byta tåg; **go by** ~ åka tåg, ta tåget; **we've missed the** ~ tåget har gått, vi har missat tåget **2** följe, svit; tåg, procession, karavan [*a long* ~ *of camels*]; rad, räcka, följd [*a whole* ~ *of events*]; kedja, serie; svans [*a whole* ~ *of admirers*]; ~ **of thought** tankegång; **bring in one's** ~ a) ha i sitt följe b) ha i släptåg, medföra **3** [klännings]släp **4** tekn. hjulverk, löpverk [äv. ~ *of gears* el. ~ *of wheels*] **5** **set in** ~ sätta i gång

II vb tr **1** öva, öva in (upp), träna upp; utbilda, lära upp, skola; dressera [~ [*up*] *animals*]; sport. träna [*to do sth* i att göra ngt; *in* (*to*) *sth* i ngt; *for sth* till (för) ngt]; mil. exercera [med], drilla; ~ **oneself to become a nurse** utbilda sig till sjuksköterska; ~ **one's memory** öva (träna) upp minnet **2** trädg. forma, tukta, binda upp, spaljera **3** rikta [in] pistol, kikare m.m. [*on, upon* på, mot]

III vb itr **1** utbilda sig; sport. träna [sig] [*to do sth* i att göra ngt; *in* (*to*) *sth* i ngt; *for sth* till (för) ngt]; mil. exercera; ~ **as** (**to be, to become**) **a nurse** utbilda sig till sjuksköterska **2** vard. åka tåg, ta tåg[et]

trained [treɪnd] adj tränad, övad; van; utbildad, utexaminerad [a ~ *nurse*]; skolad; dresserad

trainee [ˌtreɪ'niː] s **1** praktikant, lärling, elev, aspirant; ~ **solicitor** praktikant juris studerande [på advokatkontor]; ~ **teacher** lärarkandidat **2** mil. rekryt

trainer ['treɪnə] s **1** tränare; instruktör; lagledare; handledare **2** dressör **3** pl. ~s gympaskor, träningsskor

training ['treɪnɪŋ] s [ut]bildning; träning, övning; fostran, skolning; dressyr; mil. exercis, drill; **in** ~ i god kondition, [väl]tränad; **be out of** ~ ha dålig kondition, vara otränad; **go into** ~ lägga sig i träning

training camp ['treɪnɪŋkæmp] *s* träningsläger
training college ['treɪnɪŋ͵kɒlɪdʒ] *s* se *college of education* under *college*
training cycle ['treɪnɪŋ͵saɪkl] *s* motionscykel
training shoes ['treɪnɪŋʃuːz] *s pl* gympaskor, träningsskor
training wheels ['treɪnɪŋwiːlz] *s pl* amer. stödhjul spec. på barncykel
train set ['treɪnset] *s* elektriskt tåg leksak
trainspotter ['treɪn͵spɒtə] *s* tågräknare person som räknar o. registrerar tåg (loktyper) som hobby
train station ['treɪn͵steɪʃ(ə)n] *s* järnvägsstation
traipse [treɪps] *vb itr* traska [~ *up the stairs*]
trait [treɪ, treɪt] *s* [karakteristiskt (kännetecknande)] drag; karaktärsdrag, egenskap
traitor ['treɪtə] *s* förrädare [*to* mot]
traitorous ['treɪt(ə)rəs] *adj* förrädisk; trolös
trajectory [trə'dʒektərɪ] *s* bildl., projektils, rakets m.m. bana; rymdfarkosts kurs
tram [træm] *s* **1** spårvagn; *go by* ~ åka spårvagn, ta spårvagn[en] **2** amer. linbana
tramcar ['træmkɑː] *s* åld. spårvagn
tramlines ['træmlaɪnz] *s* **1** spårvägsskenor, spårvagnsspår **2** tennis. (vard.) korridor som används i dubbelspel
trammel ['træm(ə)l] *vb tr* bildl. hindra, hämma, fjättra
trammels ['træm(ə)lz] *s pl* bildl. hinder, bojor, band, tvångströja [*the* ~ *of etiquette*]
tramp [træmp] **I** *s* **1** luffare, vagabond; landstrykare **2** [fot]vandring, strövtåg **3** tramp, trampande **4** vanl. amer. (ngt åld.) slampa, slinka, fnask **II** *vb itr* **1** trampa; klampa; stampa **2** traska, ströva [omkring]; luffa omkring **III** *vb tr* **1** trampa [på] **2** ströva igenom (omkring i), vandra (luffa) omkring i, traska på
trample ['træmpl] **I** *vb tr* trampa [ned], trampa på; ~ *to death* trampa ihjäl **II** *vb itr* trampa [*on* på, i]; ~ *about* trampa (klampa) omkring; ~ *on* el. ~ *over* bildl. förtrampa, trampa under fötterna, undertrycka
trampoline ['træmpəliːn] *s* studsmatta, trampolin
tramway ['træmweɪ] *s* spårväg
trance [trɑːns] *s* **1** trans, trance; *fall* (*go*) *into a* ~ falla i trans **2** dvala **3** mus. trance genre inom techno
tranquil ['træŋkwɪl] *adj* lugn, stilla, stillsam
tranquillity [træŋ'kwɪlətɪ] *s* lugn, ro, stillhet
tranquillize ['træŋkwəlaɪz] *vb tr* lugna, stilla; *tranquillizing drug* lugnande medel
tranquillizer ['træŋkwəlaɪzə] *s* lugnande medel; *he is on* ~*s* han går på lugnande medel
trans. förk. för *transaction, transfer, transitive, translation, transport*[*ation*]
transact [træn'zækt, trɑːn-, -n'sækt] *vb tr* bedriva [~ *business*]; föra [~ *negotiations*]; göra upp, avtala; slutföra, avsluta; verkställa, förrätta
transaction [træn'zækʃ(ə)n, trɑːn-, -'sæk-] *s* **1** transaktion, affär [*the* ~*s of a firm*]; [affärs]uppgörelse; pl. ~*s* börs. transaktioner, omsättning **2** bedrivande etc., jfr *transact*
transatlantic [͵trænzət'læntɪk, ͵trɑːnz-] *adj* transatlantisk; atlant- [*a* ~ *steamer*]
transceiver [træn'siːvə, trɑːn-] *s* sändtagare, kombinerad sändare och mottagare

transcend [træn'send, trɑː-] *vb tr* **1** överstiga, överskrida [~ *a limit*]; övergå, gå utöver [~ *the ordinary experience of Man*] **2** överträffa, överglänsa [~ *sb in talent*]
transcendence [træn'sendəns, trɑː-] *s* **1** överlägsenhet; förträfflighet **2** teol. el. filos. transcendens
transcendent [træn'sendənt, trɑː-] *adj* **1** överlägsen, enastående [*a man of* ~ *genius*]; utomordentlig **2** teol. el. filos. transcendent, översinnlig
transcendental [͵trænsen'dentl, ͵trɑː-] *adj* **1** upphöjd, sublim, enastående **2** filos. el. teol. transcendent; transcendental [~ *meditation*]
transcendentalism [͵trænsen'dentəlɪz(ə)m, ͵trɑː-] *s* **1** transcendentalfilosofi; transcendentalism **2** [svårfattlig] djupsinnighet
transcode [͵træns'kəʊd] *vb tr* koda om
transcontinental ['trænz͵kɒntɪ'nentl, 'trɑːnz-] *adj* transkontinental
transcribe [træn'skraɪb, trɑː-] *vb tr* **1** skriva av, kopiera **2** transkribera äv. mus.
transcript ['trænskrɪpt, 'trɑː-] *s* **1** avskrift, kopia; utskrift **2** amer. betyg från *college*
transcription [træn'skrɪpʃ(ə)n, trɑː-] *s* **1** avskrivning **2** avskrift, kopia; utskrift **3** transkription, transkribering båda äv. mus.
transept ['trænsept, 'trɑː-] *s* tvärskepp, transept i kyrka
trans-fats ['trænzfæts] *s pl* skadliga omättade fetter
transfer [verb træns'fɜː, trɑːns-, subst. 'trænsfə, 'trɑː-] **I** *vb tr* **1** flytta, förflytta; flytta över, föra över; placera om; transportera; *in a* ~*red sense* i överförd bemärkelse **2** överlåta, transportera [*to sb* på ngn] **3** överföra bilder m.m., kalkera **4** girera; ekon. transferera, överföra [~ *to the reserve fund*] **5** sport. sälja, transferera spelare **II** *vb itr* **1** flytta; flyttas, förflyttas **2** byta buss m.m. **III** *s* **1** flyttning, förflyttning; överflyttning; omplacering; transfer **2 a)** överlåtelse, transport **b)** överlåtelsehandling **3** övergång; övergångsbiljett [äv. ~ *ticket*]; ~ *station* anslutningsstation **4** girering; ekon. transferering, transfer, överföring **5** kalkering [av]tryck av mönster m.m.; kopia; dekal, överföringsbild, gnuggbild [äv. ~ *picture*]
transferable [træns'fɜːrəbl, trɑːns-] *adj* överflyttbar, överförbar; överlåtbar, överlåtlig [*to* på]; *not* ~ får ej överlåtas om biljett m.m.
transference ['trænsf(ə)r(ə)ns, 'trɑːns-] *s* förflyttning; överföring; omplacering; överlåtelse [*to* på]
transfer fee ['trænsfəfiː] *s* sport. transfersumma, övergångssumma för spelare
transfer list ['trænsfəlɪst] *s* sport. transferlista [*put sb on the* ~]
transfiguration [͵trænsfɪgjʊ'reɪʃ(ə)n, ͵trɑːns-] *s* omgestaltning, metamorfos
transfigure [træns'fɪgə, trɑːns-] *vb tr* **1** förändra, förvandla **2** relig. el. bildl. förklara [*her face was as if* ~*d*]; förhärliga; förandliga
transfixed [træns'fɪkst] *adj* fastnaglad, förstenad; lamslagen, stel [~ *with* (av) *terror*]
transform [træns'fɔːm, trɑːns-] *vb tr* förvandla;

omvandla; omgestalta; [helt] förändra;
transformera äv. språkv. el. matem.

transformation [ˌtrænsfə'meɪʃ(ə)n, ˌtrɑːns-] s
förvandling; omvandling; omgestaltning; [total]
förändring; transformation äv. språkv. el. matem.

transformer [træns'fɔːmə, trɑːns-] s elektr.
transformator

transfusion [træns'fjuːʒ(ə)n, trɑːns-] s
1 transfusion, blodöverföring **2** bildl. överföring,
överflyttning

transgenic [trænz'dʒenɪk, trɑːnz-] adj biol.
genmodifierad

transgress [træns'gres, trɑːns-] **I** vb tr överträda lag
m.m., överskrida [~ the bounds of decency] **II** vb itr
överträda en förordning (lag m.m.), bryta mot
lagen; synda, fela

transgression [træns'greʃ(ə)n, trɑːns-] s
överträdelse av lag; ohörsamhet; synd, försyndelse

transgressor [træns'gresə, trɑːns-] s överträdare,
lagbrytare; syndare

transience ['trænzɪəns, 'trɑːn-] s kortvarighet,
förgänglighet; flyktighet, obeständighet

transient ['trænzɪənt, 'trɑːn-] **I** adj kortvarig,
förgänglig; flyktig, obeständig **II** s amer. tillfällig
gäst på hotell o.d.

transistor [træn'zɪstə, trɑːn-, -'sɪ-] s **1** transistor
2 vard. transistor[radio] **3** attr. transistor-

transit ['trænzɪt, 'trɑːn-, -sɪt] s **1** genomresa,
överresa, färd; **in** ~ på genomresa **2** spec. hand.
transport, befordran av varor, passagerare; transit[o];
transitering; [**goods lost**] **in** ~ ...under transporten
3 amer. allmänna kommunikationsmedel;
kollektivtrafik

transit camp ['trænzɪtkæmp] s genomgångsläger

transition [træn'zɪʃ(ə)n, -'sɪʃ(ə)n, -'sɪʒ(ə)n] s
övergång; ~ **period** el. **period of** ~ övergångsperiod,
övergångstid, övergång

transitional [træn'zɪʒənl, trɑːn-, -'sɪʃənl] adj
övergångs-, mellan- [a ~ period]

transitive ['trænsətɪv, 'trɑːns-] gram. **I** adj transitiv
II s transitivt verb

transit lounge ['trænzɪtˌlaʊn(d)ʒ] s transithall på
flygplats

transitory ['trænsət(ə)rɪ, 'trɑːn-] adj övergående,
kortvarig; obeständig, flyktig; förgänglig

transit visa ['trænzɪtˌviːzə] s transitvisum,
genomresevisum

translate [træns'leɪt, trɑːns-, -nz'l-] **I** vb tr
1 a) översätta [into till; by med], tolka **b)** överföra,
flytta över, skriva om **2** förvandla, omvandla [into
till]; omsätta [~ into (i) action]
II vb itr **1** kunna översättas, lämpa sig för
översättning **2** vara översättare; översätta

translation [træns'leɪʃ(ə)n, trɑːns-, -nz'l-] s
översättning [into till; do (make) a ~]; tolkning

translator [træns'leɪtə, trɑːns-, -nz'l-] s översättare,
translator

transliterate [træns'lɪtəreɪt, trɑːns-, -nz'l-] vb tr
translitterera, transkribera, skriva om [into till]

transliteration [trænsˌlɪtə'reɪʃ(ə)n, trɑːn-, -nzl-] s
translitteration, transkription, omskrivning

translucence [træns'luːsns, trɑːns-, -nz'l-, -'ljuː-] s
[halv]genomskinlighet

translucent [træns'luːsnt, trɑːns-, -nz'l-, -'ljuː-] adj
[halv]genomskinlig, translucent; bildl. kristallklar

transmigration [ˌtrænzmaɪ'greɪʃ(ə)n, ˌtrɑːnz-,
-nsm-] s själavandring [äv. ~ of souls]

transmission [trænz'mɪʃ(ə)n, trɑːnz-, -ns'm-] s
1 vidarebefordran; översändande, överlämnande;
överlåtelse [to till, på]; spridning, överföring [~ of
disease] **2** fortplantning, överföring av egenskaper
m.m., nedärvning **3** mek. transmission äv. data.,
kraftöverföring [äv. ~ of power]; växellåda; ~ **belt**
drivrem, transmissionsrem **4** fys. genomsläppande,
genomsläppning av ljus m.m. **5** radio. el. TV. sändning,
utsändning

transmit [trænz'mɪt, trɑːnz-, -ns'm-] vb tr
1 vidarebefordra [~ a document; ~ news]; sända
över, befordra; överlämna, överlåta [to till, på];
överföra, sprida; ~ **a disease** överföra en sjukdom
2 fortplanta, överföra, lämna i arv [~
characteristics] **3 a)** mek. överföra, transmittera
b) fys. släppa igenom ljus m.m. **4** radio. el. TV. sända
[ut], överföra

transmitter [trænz'mɪtə, trɑːnz-, -ns'm-] s
1 [radio]sändare; transmitter **2** vidarebefordrare,
överlämnare, överförare, överlåtare, spridare

transmitting station [trænz'mɪtɪŋˌsteɪʃ(ə)n] s radio.
el. TV. sändarstation

transmogrify [trænz'mɒɡrɪfaɪ, trɑːnz-, -ns'm-] vb tr
skämts. [helt] förvandla, förändra, förvanska,
förvränga

transmute [trænz'mjuːt, trɑːnz-, -ns'm-] vb tr
1 förvandla **2** kem. transmutera, omvandla

transnational [ˌtrænz'næʃ(ə)nl] adj transnationell,
multinationell

transom ['trænsəm] s **1** övre dörrpost; horisontell
fönsterpost, spröjs; tvärpost; horisontell tvärbjälke
2 amer. fönster över dörr el. större fönster

transparency [træns'pær(ə)nsɪ, trɑːn-, -nz'p-,
-'peər-] s **1** genomsynlighet etc., jfr transparent
2 transparang; diapositiv, diabild, ljusbild

transparent [træns'pær(ə)nt, trɑːn-, -nz'p-, -'peər-]
adj **1** genomsynlig; genomskinlig äv. bildl. [a ~
excuse]; transparent **2** klar, tydlig

transpiration [ˌtrænspɪ'reɪʃ(ə)n, ˌtrɑːns-] s
utdunstning, transpiration; avsöndring

transpire [træn'spaɪə, trɑːn-] vb itr **1** bildl. läcka ut,
sippra ut, komma ut; komma fram **2** hända,
inträffa **3** avdunsta, utdunsta, transpirera; avgå,
avsöndras

transplant [verb træns'plɑːnt, trɑːn-, subst. '--] **I** vb tr
1 plantera om [~ trees]; skola **2** förflytta, flytta
över, plantera om [into, to till]; plantera in [into,
to i] **3** kir. transplantera
II s kir. **1** transplantation [a heart ~] **2** transplantat

transplantation [ˌtrænsplɑːn'teɪʃ(ə)n, ˌtrɑːns-] s
1 omplantering, skolning **2** förflyttning,
överflyttning, omplantering **3** kir. transplantation
[heart ~]

transponder [ˌtræn'spɒndə, ˌtrɑːn-] s TV.
transponder

transport [verb træns'pɔːt, trɑːn-, subst. '--] **I** vb tr
1 transportera, förflytta, befordra, frakta [to till]
2 be ~ed bli (vara) hänryckt (hänförd), ryckas med;
~ed with joy vild (utom sig) av glädje
II s **1** transport, förflyttning, befordran, frakt [to

till] **2** transportmedel; **means of** ~ el. ~ **facilities** transportmedel, samfärdsmedel; **public** ~ allmänna kommunikationer, kollektivtrafik; **the Department for Transport** (förk. *DfT*) i Storbritannien, ung. kommunikationsdepartementet **3** transportfartyg, transportflygplan, transportfordon; ~ **ship** el. ~ **vessel** transportfartyg **4** hänförelse, extas; anfall, utbrott [*in a* ~ *of rage*]; **be in ~s of joy** vara vild (utom sig) av glädje

transportable [træns'pɔ:təbl, trɑ:n-] *adj* transportabel, [för]flyttbar

transportation [ˌtrænspɔ:'teɪʃ(ə)n, ˌtrɑ:n-] *s* **1** transport, transportering, förflyttning [*to* till] **2** vanl. amer. **a)** transportmedel **b)** transportväsen, [allmänna] kommunikationer; **the Department of Transportation** (förk. *DOT*) i USA kommunikationsdepartementet

transport café ['trænspɔ:t|ˌkæfeɪ, -kæˌfeɪ] *s* långtradarfik

transpose [træns'pəʊz, trɑ:n-] *vb tr* **1** flytta om, kasta om ordning, ord m.m., låta byta plats **2** mus. transponera [*into* i, till]

transposition [ˌtrænspə'zɪʃ(ə)n, ˌtrɑ:n-] *s* **1** omkastning, omflyttning **2** mus. transponering

transsexual [træn'seksjʊəl] *adj* transsexuell

Trans-Siberian [ˌtræn(z)saɪ'bɪərɪən, ˌtrɑ:n-] *adj* transsibirisk

transubstantiation ['trænsəbˌstænʃɪ'eɪʃ(ə)n, 'trɑ:ns-] *s* förvandling; teol. transsubstantiation

transverse ['trænzvɜ:s, 'trɑ:n-, ˌ-'-] *adj* tvärgående, tvärställd [~ *engine*]

transversely [trænz'vɜ:slɪ, trɑ:n-] *adv* på tvären, korsvis

transverse section [ˌtrænzvɜ:s'sekʃ(ə)n] *s* tvärsnitt

transvestism [trænz'vestɪz(ə)m, trɑ:nz-] *s* transvestism

transvestite [trænz'vestaɪt, trɑ:n-] *s* transvestit

Transylvania [ˌtrænsɪl'veɪnɪə, ˌtrɑ:n-] geogr. Transsylvanien

trap [træp] **I** *s* **1** fälla, snara äv. bildl.; [räv]sax; ryssja; **fall into the** ~ gå i fällan; **set** (**lay**) **a** ~ **for** sätta ut en fälla (snara) för, gillra en fälla för; **set a** ~ **for oneself** gå i sin egen fälla; **walk straight into the** ~ gå rakt i fällan **2** tekn. vattenlås **3** fallucka, falldörr, lucka i golvet el. taket **4** sl. käft, mun; **keep your** ~ **shut!** el. **shut your** ~**!** håll käften!, håll klaffen! **5** golf. hinder

II *vb tr* **1** fånga [i en fälla], snärja, bildl. äv. ertappa; ~**ped** [*in a burning building*] instängd...; ~ **sb into doing sth** lura ngn att göra ngt **2** sätta ut fällor (snaror) för **3** klämma [*the baby* ~*ped her fingers in the door*]; ~ **a ball** fotb. dämpa en boll

trapdoor [ˌtræp'dɔ:] *s* falllucka, falldörr, lucka i golvet el. taket

trapeze [trə'pi:z] *s* gymn. trapets

trapezium [trə'pi:zjəm] *s* o. vanl. amer. **trapezoid** ['træpɪzɔɪd] *s* geom. trapets, parallelltrapets

trapper ['træpə] *s* pälsjägare, trapper

trappings ['træpɪŋz] *s pl* tillbehör, symboler, yttre tecken [*the* ~ *of power*]; [grann] utstyrsel; glitter, prål

traps [træps] *s pl* vard. pinaler, pick och pack, grejor, bagage [*pack up one's* ~]

trash [træʃ] **I** *s* **1** vard. skräp, smörja, krafs; bildl. äv.

struntprat **2** amer. avfall, skräp, sopor **3** vanl. amer. neds. slödder, pack; stackare; **white** ~ neds., se *white trash*

II *vb tr* vard. **1** vandalisera, förstöra **2** vanl. amer. göra (sabla) ner **3** amer. kassera

trash can ['træʃkæn] *s* amer. soptunna

trashed [træʃt] *adj* vanl. amer. sl. stupfull

trash heap ['træʃhi:p] *s* amer. soptipp, avskrädeshög

trashy ['træʃɪ] *adj* värdelös, skräp- [~ *novels*]; strunt-

trattoria [ˌtrætə'ri:ə] *s* enkel italiensk restaurang

trauma ['trɔ:mə, 'traʊmə] (pl. ~*ta* [-tə] el. ~*s*) *s* trauma; skada, sår; chock

traumatic [trɔ:'mætɪk, traʊ-] *adj* traumatisk; chockartad

traumatize ['trɔ:mətaɪz, 'traʊ-] *vb tr* chocka; skada

travel ['trævl] **I** *vb itr* **1** resa [~ *all over the world*; ~ *for several weeks*]; färdas, åka, fara; ~ **well** tåla transport [*that cheese doesn't* ~ *well*] **2** resa, vara handelsresande [~ *for a company*; ~ *in cosmetics*] **3** om t.ex. ljus, ljud röra sig [*light* ~*s faster than sound*] **4** vard. susa fram, hålla hög fart, röra sig snabbt; **that car certainly** ~**!** ung. den där bilen är ett riktigt krutpaket! **5** vard., ~ **in** (**with**) umgås i (med), röra sig i [~ *in wealthy circles*]

II *vb tr* **1** resa igenom, resa runt i, fara (resa) i (över) **2** tillryggalägga [~ *great distances*]; **the car has** ~**led** [**10,000 miles**] bilen har gått...

III *s* **1** resande, att resa, resor [*enrich one's mind by* ~]; amer. äv. trafik [~ *is heavy on holidays*]; attr. rese-, res-; pl. ~**s a)** resor [*in* (*during*) *my* ~*s*] **b)** reseskildring[ar]; ~ **document** färdhandling **2** tekn. o.d. rörelse, gång, bana; [kolv]slag; slaglängd; takt

travel agency ['trævlˌeɪdʒənsɪ] *s* resebyrå

travel agent ['trævlˌeɪdʒənt] *s* resebyrå[tjänste]man; ~**'s** resebyrå

travel bureau ['trævlˌbjʊərəʊ] *s* resebyrå

travel card ['trævlkɑ:d] *s* ung. månadskort, säsongskort gällande inom visst trafikområde för obegränsat antal resor

travelled ['trævld] *adj* **1** [vitt]berest [*a* ~ *person*] **2** trafikerad [*a* ~ *route*]

traveller ['træv(ə)lə] *s* **1** resande, resenär; passagerare; **commercial** ~ handelsresande **2** vanl. pl. ~**s** kringvandrande människor (människogrupp); ofta romer

traveller's cheque ['træv(ə)ləztʃek] *s* resecheck

traveller's joy [ˌtræv(ə)ləz'dʒɔɪ] *s* bot. skogsklematis

travelling ['træv(ə)lɪŋ] **I** *s* resande, att resa, resor **II** *adj* **1** resande, kringresande [~ *circus*] **2** rese-, res-

travelling companion ['træv(ə)lɪŋkəmˌpænjən] *s* reskamrat

travelling expenses ['træv(ə)lɪŋɪkˌspensɪz] *s pl* resekostnader

travelling library [ˌtræv(ə)lɪŋ'laɪbr(ə)rɪ] *s* **1** vandringsbibliotek **2** bokbuss

travelling sales|man [ˌtræv(ə)lɪŋ'seɪlz|mən] (pl. -*men* [-mən]) *s* ngt åld. handelsresande, representant

travelogue ['trævəlɒg] *s* reseskildring, reseföredrag [med diabilder o.d.]; dokumentärfilm

travel-sick ['trævlsɪk] *adj* åksjuk

travel sickness ['trævlˌsɪknəs] *s* åksjuka

traverse ['trævəs, trə'vɜːs] **I** vb tr **1** korsa [ships ~ the ocean]; fara över (genom), färdas över (genom); genomkorsa **2** korsa, skära [the railway line ~d the road]
II adj tvärgående, tvär-
III s bergbest. travers
travesty ['trævəstɪ] **I** s travesti [of av, på]; **a ~ of justice** en ren parodi på rättvisa **II** vb tr travestera, parodiera
trawl [trɔːl] **I** vb itr **1** leta [noga] **2** tråla, fiska med trål
II vb tr **1** söka igenom, finkamma **2** tråla **3** släpa [~ a net]
III s **1** bildl. finkamning **2** trål, släpnät **3** vanl. amer. långrev, backa
trawler ['trɔːlə] s **1** trålare **2** trålfiskare
tray [treɪ] s **1** [serverings]bricka; [penn]fat; [brev]korg, låda **2** löst [låd]fack i koffert, skrivbord m.m.
treacherous ['tretʃ(ə)rəs] adj förrädisk [the ice is ~]; bedräglig [a ~ action]; opålitlig [~ weather; my memory is ~]; falsk, svekfull
treachery ['tretʃ(ə)rɪ] s förräderi; svek; trolöshet
treacle ['triːkl] s sirap; melass
tread [tred] **I** (trod trodden el. ibl. trod) vb itr trampa [on på, i], träda, stiga; gå; **I felt I was ~ing on air** jag svävade på små moln; **~ on sb's corns** bildl. trampa ngn på tårna; **~ on sb's heels** trampa (följa, hänga) ngn i hälarna
II (trod trodden el. ibl. trod, i betydelse 3 ~ed ~ed) vb tr **1** trampa, trampa sönder [~ grapes]; trampa på; trampa (stampa) till; trampa upp; **~ water** trampa vatten; **~ down** trampa ner (till); bildl. förtrampa; **~ down shoes at the heels** trampa ner hälarna (bakkapporna) på skor; **shoes trodden down at the heels** äv. nedkippade skor; **~ under foot** bildl. förtrampa, undertrycka **2** gå [~ a path]; vandra på (i, genom, över), bildl. äv. beträda [~ a dangerous path] **3** förse med slitbana, lägga slitbana på [~ tyres]
III s **1** steg; gång; tramp **2** trampyta på fot el. sko **3** slitbana; slitbanemönster, däckmönster [äv. ~ pattern]
treadle ['tredl] s trampa, pedal
treadmill ['tredmɪl] s **1** trampkvarn, bildl. äv. ekorrhjul, grottekvarn **2** sport. löpband
treason ['triːzn] s [hög]förräderi; landsförräderi; **high ~** högförräderi; **an act of ~** ett förräderi
treasonable ['triːz(ə)nəbl] adj förrädisk; landsförrädisk, högförrädisk
treasure ['treʒə] **I** s skatt, klenod, bildl. äv. pärla [she's a ~]; koll. skatter, klenoder, dyrbarheter [all kinds of ~]
II vb tr **1** vårda, bevara [~ the memory of her] **2** [upp]skatta, värdera [högt]
treasure hunt ['treʒəhʌnt] s **1** lek skattjakt **2** skattsökning, skattgrävning
Treasure Island ['treʒə‚aɪlənd] s Skattkammarön roman av R.L. Stevenson
treasurer ['treʒ(ə)rə] s kassör i förening o.d.; skattmästare, räntmästare; i kommun (ung.) finanssekreterare, finanschef
Treasure State ['treʒəsteɪt], **the ~** beteckn. för staten Montana

treasure trove ['treʒətrəʊv] s **1** bildl. guldgruva, fynd **2** skatt [funnen i jorden], skattfynd
Treasury ['treʒ(ə)rɪ] s, **the ~** a) finansdepartementet b) statskassan; **the ~ Bench** regeringsbänken i underhuset; **Secretary of the ~** i USA finansminister
treasury ['treʒ(ə)rɪ] s skattkammare äv. bildl. [the ~ of literature] bildl. äv. guldgruva
treat [triːt] **I** vb tr **1** behandla; **how is the world ~ing you?** hur lever världen med dig?, hur har du det [nuförtiden]? **2** ta, betrakta, anse [he ~s it as a joke] **3** bjuda [to på], traktera [to med]; **~ oneself to sth** kosta på sig ngt, unna sig ngt
II s **1** [barn]kalas, bjudning; fest, utflykt; **it's my ~** det är min tur att bjuda, jag bjuder **2** nöje, njutning, glädje, upplevelse [it was a real ~]; begivenhet; något extra gott [you'll get pineapple as a ~]; **you look a ~** [in that dress] vard. du är ursnygg…; **it worked a ~** vard. det var (gick) jättebra
treatise ['triːtɪz, -tɪs] s avhandling [on om]
treatment ['triːtmənt] s behandling, med. äv. kur
treaty ['triːtɪ] s fördrag, avtal [commercial ~; peace ~]; överenskommelse, traktat, pakt; **the Treaty of Rome** Romfördraget; **conclude a ~** el. **sign a ~** sluta (ingå) ett fördrag
treble ['trebl] **I** adj **1** tredubbel, trefaldig; **he earns ~ my salary** han tjänar tre gånger så mycket som jag **2** mus. diskant- [~ clef]; sopran-
II s mus. diskant, sopran
III vb tr tredubbla [she has ~d her earnings]
IV vb itr tredubblas
treble chance [‚trebl'tʃɑːns] s poängtips
tree [triː] s **1** träd; **Christmas ~** julgran **2** [sko]block, läst
tree house ['triːhaʊs] s trädkoja
tree hugger ['triː‚hʌgə] s vard. trädkramare miljöaktivist
treeless ['triːləs] adj trädlös, skoglös
treeline ['triːlaɪn] s, **the ~** trädgränsen
tree of life [‚triːəv'laɪf] s bibl., **the ~** livets träd
tree surgery ['triː‚sɜːdʒ(ə)rɪ] s trädvård
treetop ['triːtɒp] s trädtopp
tree trunk ['triːtrʌŋk] s trädstam
trefoil ['trefɔɪl, 'triːf-] s **1** bot. klöver **2** klöverblad som ornament; arkit. trepass
trek [trek] **I** vb itr resa, vandra; dra ut (i väg)
II vb tr tillryggalägga, åka [~ a long distance]; **go ~king** vandra
III s **1** lång och mödosam resa **2** vard. lång väg att gå **3** vandring
Trekkie ['trekɪ] s vard. trekkie beundrare till tv-programmet Star Trek
trellis ['trelɪs] s spaljé; galler[verk]
tremble ['trembl] **I** vb itr **1** darra, skaka [he ~d at (vid) the sound; ~ with (av) anger]; skälva, dallra; **~ in the balance** bildl. hänga på en tråd, stå och väga **2** bäva, ängslas, vara orolig [at vid, över]; **with a trembling heart** med bävande hjärta
II s skakning, skälvning, darrning, darr; **be all of a ~** el. **be all in a ~** vard. skaka (darra) i hela kroppen
trembly ['tremblɪ] adj vard. skakis, skraj; darrig
tremendous [trə'mendəs, trɪ'm-] adj **1** kolossal, enorm, jättestor [a ~ house]; våldsam [a ~ explosion] **2** fantastisk, väldig, oerhörd
tremolo ['tremələʊ] (pl. ~s) s mus. tremolo

tremor ['tremə] *s* **1** jordskalv [äv. *earth* ~]
2 skälvning, skakning, darrning; rysning
tremulous ['tremjʊləs] *adj* litt. **1** darrig, darrande, skälvande [*in a* (med) ~ *voice*; *with a* ~ *hand*]; vibrerande **2** ängslig, blyg
trench [tren(t)ʃ] **I** *s* **1** dike; dräneringsdike; grävd ränna; fåra **2** mil. skyttegrav, löpgrav
II *vb tr* dika [ut]
trenchant ['tren(t)ʃ(ə)nt] *adj* bitande, skarp
trench coat ['tren(t)ʃkəʊt] *s* trenchcoat; mil. fältkappa
trench warfare ['tren(t)ʃ,wɔːfeə] *s* skyttegravskrig, ställningskrig
trend [trend] *s* [in]riktning, trend; tendens; utveckling; strömning; *set the* ~ skapa (diktera) ett mode (en trend)
trendsetter ['trend,setə] *s* trendsättare, mönstergivare, idégivare
trendsetting ['trend,setɪŋ] *s* trendsättning, mönsterskapande; modeskapande
trendspotter ['trend,spɒtə] *s* trendspanare
trendy ['trendɪ] vard. **I** *adj* trendig, modern; inne-
II *s* trendig person
trepidation [,trepɪ'deɪʃ(ə)n] *s* [nervös] oro, ångest, bävan
trespass ['trespəs] **I** *vb itr* **1** inkräkta, göra intrång [~ *on sb's private property*] **2** bibl. el. åld. synda, försynda sig, fela, bryta [*against* mot]; *...as we forgive them that ~ against us* bibl. ...såsom ock vi förlåta dem oss skyldiga äro
II *vb itr* med prep.:
trespass on bildl. inkräkta på, göra intrång i [~ *on sb's rights*]; ta ngt alltför mycket i anspråk
III *s* **1** [lag]överträdelse; intrång; åverkan **2** bibl. el. åld. synd, fel; skuld [*forgive us our ~es*]
trespasser ['trespəsə] *s* **1** inkräktare **2** lagbrytare, lagöverträdare; *~s will be prosecuted* tillträde vid vite förbjudet, överträdelse beivras
trespassing ['trespəsɪŋ] *s* intrång, inkräktande; *no ~!* förbjudet område!, tillträde förbjudet!
tresses [tresɪz] *s pl* poet. lockar; hår [*her beautiful golden ~*]
trestle ['tresl] *s* [trä]bock som stöd
trestle table ['tresl,teɪbl] *s* bord med lösa benbockar, bockbord
triad ['traɪəd, -æd] *s* **1** tretal, trefald, treenighet; triad **2** mus. treklang
trial ['traɪ(ə)l] *s* **1** prov, försök, experiment; provning, provkörning; provtur; *~ trip* provtur, provfärd; *~ of strength* kraftprov; *give sb a ~* sätta ngn på prov, låta ngn visa vad han kan (duger till); *give sth a ~* pröva ngt [och se vad det duger till]; *stand the ~* bestå provet; *by ~ and error* genom att pröva sig fram, genom erfarenhet; *by way of ~* försöksvis, på försök; *on ~* a) på prov [*buy sth on ~*] b) efter prov (en prövotid) **2** jur. rättslig behandling (prövning) [*undergo a ~*]; rättegång; process; mål; *stand ~* el. *go on ~* stå (vara ställd) inför rätta, vara åtalad [*for* för]; *be on ~* vara åtalad, stå inför rätta; *put sb on ~* el. *bring sb to ~* el. *bring sb up for ~* ställa (dra) ngn inför rätta **3** prövning; hemsökelse, vedermöda **4** sport. försök; i motorsport el. kapplöpn. vanl. trial; *~ heat* försöksheat; *~ match* ung. testmatch

trial flight [,traɪ(ə)l'flaɪt] *s* provflygning
trial offer [,traɪ(ə)l'ɒfə] *s* hand. introduktionserbjudande
trial period [,traɪ(ə)l'pɪərɪəd] *s* provperiod, försöksperiod
trial run [,traɪ(ə)l'rʌn] *s* provkörning av bil m.m., provtur
triangle ['traɪæŋgl] *s* triangel
triangular [traɪ'æŋgjʊlə] *adj* triangulär, triangelformig, triangel-
triathlon [traɪ'æθlən] *s* sport. triathlon
tribal ['traɪb(ə)l] *adj* stam- [~ *feuds*]; släkt-
tribalism ['traɪbəlɪz(ə)m] *s* stamorganisation, stamsystem
tribe [traɪb] *s* **1** [folk]stam [*the Indian ~s of America*]; släkt **2** ofta neds. följe, skara, samling [*a ~ of parasites*]; skämts. klan, släkt
tribulation [,trɪbjʊ'leɪʃ(ə)n] *s* bedrövelse, vedermöda, prövning[ar], motgång[ar]
tribunal [traɪ'bjuːnl, trɪ'b-] *s* **1** domstol, rätt, tribunal; *industrial ~* arbetsdomstol; *rent ~* hyresnämnd **2** domarsäte; [domar]tribun
tribune ['trɪbjuːn] *s* tribun, talarstol, estrad; [biskops]tron i basilika
tributary ['trɪbjʊt(ə)rɪ] **I** *s* tillflöde, biflod [*to* till]
II *adj* bi- [*a ~ river*]
tribute ['trɪbjuːt] *s* **1** bildl. bevis, gärd [*a ~ of gratitude*; *a ~ of respect*]; hyllning, tribut [*a ~ to his bravery*]; *floral ~s* blomsterhyllning[ar]; *pay ~ to sb* hylla ngn; ge ett erkännande åt ngn **2 a)** tribut, skatt [*pay ~ to a conqueror*] **b)** skattskyldighet
tribute band ['trɪbjuːtbænd] *s* mus. hyllningsband popgrupp
trice [traɪs] *s*, *in a ~* i en handvändning (blink), innan man vet (visste) ordet av
triceps ['traɪseps] *s* anat. triceps
trick [trɪk] **I** *s* **1 a)** knep, list **b)** påhitt, spratt, streck **c)** konst[er], konstgrepp; trick[s]; *the ~s of the trade* yrkesknepen; hemligheten [med det hela]; *a dirty (mean, cruel) ~* ett fult (nedrigt) spratt; *~ or treat* vard., ung. bus eller godis dörrknackning när barn går runt och tigger godis under hot om att annars ställa till ofog under 'Halloween'; *how's ~s?* vard. hur är läget?; hur går det?; *that will do* (amer. *turn*) *the ~* vard. det kommer att göra susen; *I know a ~ worth two of that* jag vet ett mycket bättre (dubbelt så bra) knep (sätt); *she never misses a ~* vard. hon har ögonen med sig, hon kan alla knep; *play a ~ on sb* el. *play ~s on sb* spela ngn ett spratt; *he has been at his old ~s again* nu har han varit i farten (framme) igen; *the whole bag of ~s* vard. hela klabbet (rasket); *box of ~s* trollerilåda; trollerigrejor; *be up to every ~* kunna alla knep (tricks); *she's up to some ~[s]* hon har något tuffens för sig **2** egenhet, ovana, [otrevlig] benägenhet [*he has a ~ of repeating himself*] **3** kortsp. trick, stick, spel [*win (take) the ~*]
II *vb tr* lura [~ *sb into doing* ([till] att göra) *sth*]
III *vb tr* med adv.:
trick out a) styra ut; spöka ut **b)** *~ sb out of sth* lura av ngn ngt
trick up styra ut; spöka ut
trickery ['trɪkərɪ] *s* knep; bedrägeri; humbug, bluff
trickiness ['trɪkɪnəs] *s* **1** bedräglighet

2 krånglighet; *the ~ of the situation* det krångliga (knepiga) i situationen

trickle ['trɪkl] **I** *vb itr* rinna sakta, tillra, trilla [*the tears ~d down her cheeks*]; droppa, drypa [*with av*], sippra [*blood ~d from the wound*]
II *vb itr* med adv.:
trickle down bildl. sprida sig som ringar på vattnet
trickle out bildl. **a)** sippra ut [*the news ~d out*] **b)** droppa ut (av) [*people began to ~ out of* (från) *the theatre*]
III *s* droppande, dropp; droppe, rännil; bildl. äv. obetydlighet, bråkdel; *there was a ~ of blood from the wound* det droppade (sipprade) lite blod från såret

trickle-down effect [ˌtrɪkl'daʊnɪˌfekt] *s* ringar-på-vattnet-effekt

trick question ['trɪkˌkwestʃ(ə)n] *s* kuggfråga

trickster ['trɪkstə] *s* skojare, bedragare, bluffmakare

tricky ['trɪkɪ] *adj* **1** bedräglig, listig, slug, slipad [*a ~ politician*] **2** kinkig, kvistig [*a ~ problem*]

tricolour ['trɪkələ, 'traɪˌkʌlə] *s* trikolor, trefärgad flagga

tricycle ['traɪsɪkl] *s* trehjulig cykel, trehjuling

trident ['traɪd(ə)nt] *s* treudd, trident Neptunus' attribut

tried [traɪd] *adj* beprövad [*a ~ remedy*]

triennial [traɪ'enɪəl] *adj* **1** treårig, treårs- **2** som inträffar [en gång] vart tredje år

trier ['traɪə] *s* person som alltid försöker göra sitt bästa (som alltid bjuder till)

trifle ['traɪfl] **I** *s* **1** 'trifle' slags dessert med lager av sockerkaka, frukt, sylt m.m. o. täckt med vaniljkräm el. vispgrädde **2** *a ~* som adv. en smula (aning) [*this dress is a ~ too short*] **3** ngt åld. bagatell, småsak [*stick at ~s*]; obetydlighet; strunt[sak]
II *vb itr* **1** *~ with* leka (skämta) med **2** [sitta och] leka [*with* med], peta [*~ with* (i) *the food*]; fingra [*with* på]

trifling ['traɪflɪŋ] *adj* **1** obetydlig [*a ~ error*]; ringa [*of ~ value*]; oväsentlig; lumpen, futtig, ynklig, värdelös [*a ~ gift*]; *it's no ~ matter* det är ingen bagatell, det är inget att leka med **2** lättsinnig, ytlig, tanklös [*~ talk*]

trigger ['trɪgə] **I** *s* avtryckare på skjutvapen; bildl. utlösare; *cock the ~* spänna hanen, osäkra vapnet (geväret m.m.); *pull the ~* el. *squeeze the ~* trycka av; *quick on the ~* skjutsnabb; bildl. snabb i vändningarna
II *vb tr, ~ off* el. *~* starta, utlösa, sätta i gång

trigger food ['trɪgəfuːd] *s* **1** mat som kan utlösa en allergisk reaktion **2** triggermat mat som kan utlösa hetsätning

trigger-happy ['trɪgəˌhæpɪ] *adj* vard. skjutglad

trigonometry [ˌtrɪgə'nɒmətrɪ] *s* geom. trigonometri

trike [traɪk] *s* vard. kortform av *tricycle*

trilateral [ˌtraɪ'læt(ə)r(ə)l] *adj* tresidig, trilateral

trilby ['trɪlbɪ] *s* vard. trilbyhatt mjuk filthatt [äv. *~ hat*]

trill [trɪl] **I** *s* drill äv. mus. **II** *vb tr* o. *vb itr* drilla äv. mus., slå [sina] drillar; tremulera; fonet. rulla [på] [*~ one's r's*]; *~ed r* rullande r

trillion ['trɪljən] *s* biljon efterföljt av 12 nollor

trilogy ['trɪlədʒɪ] *s* trilogi

trim [trɪm] **I** *vb tr* **1** klippa, jämna till, putsa, tukta [*~ a hedge*; *~ one's beard*]; skära ner [*~ the budget*];

~ one's nails klippa (putsa) naglarna; *~ a tree* beskära (tukta) ett träd **2** dekorera, smycka [ut], pynta; *~ the Christmas tree* klä julgranen; *~ a dress with ribbons* garnera (kanta) en klänning med band **3** sjö. trimma [*~ the sails,* jfr **5** nedan] **4** bildl. anpassa, rätta [*~ one's opinions* [*according*] *to* (efter)…]; *~ one's sails to the* (*every*) *wind* vända kappan efter vinden **5** vard. klå örfila, besegra
II *vb tr* med adv.:
trim away: *~ away the edges of the lawn* jämna (skära) kanterna på gräsmattan
trim down banta ned; banta ned sig
trim off: *~ off the edges of the lawn* jämna (skära) kanterna på gräsmattan
III *s* **1** skick, ordning, tillstånd, form, trim [*be in good ~*]; *get into ~* a) sätta i [gott] skick, trimma b) sport. få (komma) i form **2** sjö. **a)** trimning **b)** trim, jämviktsläge; segelfärdigt skick **3** klippning, putsning [*the ~ of one's beard* (*hair*); *the ~ of a hedge*]; trimning [*the ~ of a dog*]; *the barber gave me a ~* frisören putsade håret på mig **4 a)** utstyrsel, klädsel **b)** lister; inredning [*the ~ inside a car*]; skyltning; *the chrome ~ of a car* kromlisterna (kromdetaljerna, kromet) på en bil
IV *adj* **1** välordnad, välskött, i [fullgott] skick; välutrustad **2** snygg, nätt, prydlig, vårdad [*~ clothes*]; välbehållen [*a ~ figure*]

trimester [traɪ'mestə] *s* **1** [period på] tre månader **2** termin på skolor där läsåret är indelat i tre terminer

trimmer ['trɪmə] *s* **1** klippningsmaskin, skärmaskin; trimningsmaskin; trimningssax, trimkam; *nail ~* nagelklippare **2** bildl., vard. vindflöjel, opportunist

trimmings ['trɪmɪŋz] *s pl* **1** vanl. kok. [extra] tillbehör, garnityr **2** [bortskurna] kanter, rester, rens, spill, avfall **3** dekoration[er], pynt; utsmyckning[ar], bildl. äv. tillägg, tillbehör **4** galoner, beslag

Trinidad ['trɪnɪdæd, ˌ--'-] geogr.

Trinidad and Tobago [ˌtrɪnɪdædəntə(ʊ)'beɪgəʊ] geogr. Trinidad och Tobago

trinitrotoluene ['traɪˌnaɪtrə(ʊ)'tɒljuːiːn] (förk. *TNT*) *s* kem. trinitrotoluen, trotyl

Trinity ['trɪnətɪ] *s, the ~* teol. treenigheten

trinity ['trɪnətɪ] *s* trefald; trefaldighet

trinket ['trɪŋkɪt] *s* [billigt] smycke; [billig] prydnadssak; pl. *~s* äv. grannlåt, nipper

trio ['triːəʊ] (pl. *~s*) *s* **1** mus. trio **2** trio, treklöver [*they formed an inseparable ~*]

trip [trɪp] **I** *s* **1** tripp, resa [*a ~ to Paris*]; tur, utflykt [*a ~ to the seaside*] **2** snubblande, snavande **3** krokben, brottn. äv. grepp, tag **4** sl. tripp LSD o.d. samt rus; *bad ~* snedtändning
II *vb itr* **1 a)** snubbla äv. bildl. [*over* på, över], snava, tappa fotfästet **b)** göra (ta) fel, göra ett misstag **c)** försäga sig **2** litt. trippa [lätt], gå (springa, dansa) med lätta steg **3** sl. tända på, trippa ta LSD o.d.
III *vb tr* [råka] komma åt (sätta på) [*~ a switch*]
IV *vb itr* o. *vb tr* med adv.:
trip out sl. tända på, trippa ta LSD o.d.
trip up a) få att snubbla, sätta krokben för, fälla; vippa (stjälpa) omkull; tr. snubbla **b)** snärja, överlista, ertappa, avslöja

tripartite [ˌtraɪˈpɑːtaɪt] *adj* **1** tredelad; trefaldig **2** tresidig, treparts- [*a ~ agreement*]

trip computer [ˈtrɪpkəmˌpjuːtə] *s* färddator

tripe [traɪp] *s* **1** kok. komage **2** sl. skit, smörja [*talk ~*]

triple [ˈtrɪpl] **I** *adj* trefaldig, tredubbel, tredelad; trippel- [*~ alliance*]; tre- [*triple-headed*] **II** *vb tr* tredubbla [*he ~d his income*] **III** *vb itr* tredubblas

triple-glazed [ˌtrɪplˈɡleɪzd, attr. '---] *adj*, *~ window* treglasfönster

triple-glazing [ˌtrɪplˈɡleɪzɪŋ] *s* koll. treglasfönster, tredubbla fönster

triple jump [ˈtrɪpldʒʌmp] *s* sport., *the ~* tresteg

triple jumper [ˈtrɪplˌdʒʌmpə] *s* sport. trestegshoppare

triple measure [ˌtrɪplˈmeʒə] *s* mus. tretakt

triplet [ˈtrɪplət] *s* **1** trilling **2** mus. triol

triple time [ˌtrɪplˈtaɪm] *s* mus. tretakt

triplicate [ˈtrɪplɪkət] *s*, *in ~* i tre exemplar

trip meter [ˈtrɪpˌmiːtə] *s* bil. trippmätare

tripod [ˈtraɪpɒd] *s* **1** trefot; tripod äv. grek. mytol. **2** [trebens]stativ

Tripoli [ˈtrɪpəlɪ] geogr.

tripper [ˈtrɪpə] *s* **1** nöjesresenär, turist; person på utflykt, söndagsfirare [på utflykt] **2** tekn. utlösare

trippy [ˈtrɪpɪ] *adj* sl. psykedelisk

trip recorder [ˈtrɪprɪˌkɔːdə] *s* bil. trippmätare

triptych [ˈtrɪptɪk] *s* konst. el. kyrkl. triptyk

tripwire [ˈtrɪpˌwaɪə] *s* mil. snubbeltråd

trite [traɪt] *adj* sliten, [ut]nött, banal, trivial

triumph [ˈtraɪəmf] **I** *s* triumf [*return home in ~*]; segerglädje, segerjubel; seger [*win a ~*]; *in ~* äv. triumferande, jublande **II** *vb itr* triumfera; segra; jubla; *~ over* äv. besegra

triumphal [traɪˈʌmf(ə)l] *adj* triumf- [*~ arch*]; *~ car* triumfvagn; *~ procession* triumftåg

triumphant [traɪˈʌmfənt] *adj* triumferande; segerrik [*~ armies*]; segerstolt; [seger]jublande; *be ~* vara segerrik, triumfera, segra

triumvirate [traɪˈʌmvɪrət] *s* triumvirat

trivet [ˈtrɪvɪt] *s* trefot; [kokkärls]ställ att hakas på spisgallret; karottunderlägg; [*as*] *right as a ~* vard. pigg som en mört; prima, helt i sin ordning

trivial [ˈtrɪvɪəl] *adj* obetydlig [*a ~ detail*; *a ~ loss*]; ringa [*of ~ importance*]; betydelselös [*~ circumstances*]; futtig, enkel [*a ~ gift*]; trivial, banal [*~ jokes*]; *~ matters* bagateller, struntsaker

triviality [ˌtrɪvɪˈælətɪ] *s* **1** obetydlighet; bagatell, struntsak [*a mere ~*]; strunt **2** banalitet, trivialitet

trivialize [ˈtrɪvɪəlaɪz] *vb tr* bagatellisera; banalisera

trod [trɒd] imperf. o. ibl. perf. p. av *tread*

trodden [ˈtrɒdn] perf. p. av *tread*

troglodyte [ˈtrɒɡlə(ʊ)daɪt] *s* troglodyt, grottmänniska

troika [ˈtrɔɪkə] *s* trojka trespann el. triumvirat

Trojan [ˈtrəʊdʒ(ə)n] **I** *adj* trojansk [*the ~ war*; *~ Horse*] **II** *s* **1** trojan **2** vard. hjälte; bjässe; *work like a ~* ngt åld. arbeta som en slav

1 troll [trɒl, trəʊl] *s* **1** mytol. **a)** jätte **b)** troll **c)** tomte **2** data. [internet]troll person som skriver kontroversiellt inlägg i syfte att locka till hetsig diskussion, spec. i diskussionsgrupp på Internet

2 troll [trɒl, trəʊl] **I** *vb itr* **1** fiske. slanta; dörja; fiska med (ro) drag; *~ for pike* slanta [efter] gäddor, ro

gäddrag **2** vard. släntra, knalla **II** *vb tr*, *~ [sth] for sth* kolla runt [på (i) ngt] efter ngt

trolley [ˈtrɒlɪ] *s* **1** kundvagn på snabbköp **2** rullbord, tevagn; serveringsvagn, matvagn **3** [drag]kärra, pirra **4** lastvagn, truck; tralla; järnv. äv. dressin **5** amer. spårvagn

trolleybus [ˈtrɒlɪbʌs] *s* trådbuss, trolleybuss

trolley car [ˈtrɒlɪkɑː] *s* amer. spårvagn

trollop [ˈtrɒləp] *s* åld. [gat]slinka, slampa

trombone [trɒmˈbəʊn, '--] *s* trombon, [drag]basun; *slide ~* dragbasun; *valve ~* ventilbasun

trombonist [trɒmˈbəʊnɪst] *s* trombonist, basunist

troop [truːp] **I** *s* **1** mil. trupp **2** skara, skock, hop; mängd [*he has ~s of friends*] **3** [scout]avdelning **II** *vb itr* **1** gå (komma) i skaror (skockvis, flockvis); *~ in* myllra (strömma) in; *~ out* myllra (strömma) ut; *~ off* el. *~ away* vard. troppa av, ge sig i väg, försvinna **2** marschera, tåga

troop carrier [ˈtruːpˌkærɪə] *s* mil. trupptransportplan, trupptransportfartyg, trupptransportfordon

trooper [ˈtruːpə] *s* **1** [menig] kavallerist; *swear like a ~* svära som en borstbindare **2** amer. **a)** ridande polis[man] **b)** radiopolis[man]

troopship [ˈtruːpʃɪp] *s* trupptransportfartyg

trophy [ˈtrəʊfɪ] *s* **1** trofé, [seger]byte **2** segertecken; sport. pris, trofé

trophy wife [ˈtrəʊfɪwaɪf] *s* vard. en ung hustru att visa upp, statushustru

tropic [ˈtrɒpɪk] **I** *s* **1** tropik, vändkrets [*the Tropic of Cancer*; *the Tropic of Capricorn*] **2** *the ~s* el. *the Tropics* tropikerna **II** *adj* tropisk [*the ~ zone*]

tropical [ˈtrɒpɪk(ə)l] *adj* tropisk [*~ climate*]

trot [trɒt] **I** *vb itr* **1** trava, gå i trav; rida i trav **2** lunka, trava, knalla; jogga **II** *vb tr* sätta i trav, låta trava [*~ a horse*]; köra [*~ a racehorse*] **III** *vb itr* o. *vb tr* med adv.:

trot along a) trava på (i väg) **b)** lunka (trava, knalla, jogga) på (i väg); *you ~ along!* kila i väg [nu]!; *I must be ~ting along* jag måste ge mig av, jag måste kila **trot off: I must be ~ting off** jag måste ge mig av, jag måste kila

trot out vard. **a)** komma dragande med, briljera (skryta) med [*~ out one's knowledge*]; köra med [*~ out the same old jokes*] **b)** rida fram [med], låta paradera [*~ out a horse*]

IV *s* trav; lunk[ande], travande; sport. joggning; *at a steady ~* i lugnt (jämnt) trav; i jämn fart; *on the ~* vard. i rad [*three wins on the ~*]; *be on the ~* vard. vara i farten (i gång); *keep sb on the ~* vard. hålla ngn i gång (sysselsatt)

trotter [ˈtrɒtə] *s* **1** travare, travhäst **2** kok., *pig's ~s* el. *pigs' ~s* grisfötter

troubadour [ˈtruːbəˌdʊə, -dɔː] *s* trubadur

trouble [ˈtrʌbl] **I** *s* **1 a)** oro, bekymmer **b)** besvär, möda, omak [*take* (göra sig) *the ~ to write*] **c)** svårighet[er], knipa [*financial ~*]; trassel, bråk [*family ~[s]*] **d)** motgång, besvärlighet[er], sorg [*life is full of ~s*]; *~s never come singly* en olycka kommer sällan ensam; *the ~ is that...* svårigheten (problemet, felet) är att...; *what's the ~?* hur är det

fatt?; vad gäller saken?; *no ~ at all!* ingen orsak [alls]!; *it's no ~* det är (var) inget besvär [alls]; *give sb ~* ge ngn problem; besvära ngn; *my car has been giving me ~ lately* min bil har krånglat på sista tiden; *make ~* ställa till bråk; *ask for ~* vard. ställa till trassel för sig [själv], utmana ödet; tigga stryk, ställa till bråk; *look for ~* vard., se *ask for trouble* under *trouble I 1* ovan; oroa sig i onödan; *be in ~* vara i knipa (illa ute); vard. vara i klammeri med polisen (rättvisan); *get into ~* a) råka i knipa b) vard. råka i klammeri med polisen (rättvisan); *I've gone to a lot of ~ to* [*please him*] jag har ansträngt mig mycket för att…; *I don't want to put you to any ~* jag vill inte ställa till besvär för dig **2** åkomma, sjukdom, ont, besvär [*stomach ~*; *stomach ~s*]; *my stomach has been giving me ~ lately* min mage har krånglat på sista tiden **3** oro [*political ~*]; vanl. pl. *~s* oroligheter [*~s in Southern Africa*]; förvecklingar, konflikter [*labour ~s*] **4** tekn. fel, krångel [*engine ~*]
II *vb tr* **1** oroa [*be ~d by bad news*]; bekymra [*what ~s me is that…*]; plåga, besvära; *~ oneself* a) oroa (bekymra) sig b) göra sig besvär; *~ one's head about sth* bry sin hjärna med ngt **2** besvära; *sorry to ~ you!* förlåt att jag besvärar!; *may I ~ you for* [*the mustard*]*?* el. *may I ~ you to pass* [*the mustard*]*?* skulle ni vilja skicka…?; *I'll ~ you to mind your own business!* iron. var snäll och sköt ditt!
III *vb itr* **1** besvära sig [*about sth* med ngt] **2** oroa sig [*about sth, over sth* för ngt]
troubled ['trʌbld] *adj* **1** orolig, bekymrad, bedrövad [*about* över, för] **2** upprörd [*a ~ sea*]; orolig [*a ~ period*]; *fish in ~ waters* fiska i grumligt vatten
troublemaker ['trʌbl‚meɪkə] *s* orosstiftare, oroselement, bråkmakare, bråkstake
troubleshooter ['trʌbl‚ʃuːtə] *s* **1** medlare, problemlösare, konfliktlösare [*a diplomatic ~*] **2** tekn. felsökare, reparatör
troublesome ['trʌblsəm] *adj* besvärlig [*a ~ headache*]; bråkig [*a ~ child*]; mödosam, ansträngande, svår [*a ~ task*]; krånglig
trouble spot ['trʌblspɒt] *s* oroscentrum plats där bråk ofta förekommer
trough [trɒf] *s* **1** tråg, ho; kar; matskål för husdjur **2** baktråg **3** fördjupning; [dal]sänka; vågdal äv. bildl. **4** meteor. lågtrycksområde [äv. *~ of low pressure*]
trounce [traʊns] *vb tr* slå äv. sport. o.d., klå upp
trouncing ['traʊnsɪŋ] *s* **1** smörj, [grund]stryk **2** hård kritik
troupe [truːp] *s* [skådespelar]trupp, teatersällskap; cirkustrupp
trouser press ['traʊzəpres] *s* byxpress
trousers ['traʊzəz] *s pl* [lång]byxor [*a pair of ~*]; *wear the ~* vard. vara herre i huset, bestämma var skåpet ska stå
trouser suit ['traʊzəsuːt, -sjuːt] *s* byxdress
trousseau ['truːsəʊ] (pl. *~s* el. *~x* [-z]) *s* [brud]utstyrsel; brudkista
trout [traʊt] *s* **1** (pl. *trout*) zool. forell; *salmon ~* el. *~ laxöring* **2** sl., *old ~* [gammal] käring (skräcködla)
trowel ['traʊ(ə)l] *s* **1** murslev; *lay it on with a ~* bildl. bre på [tjockt], smickra grovt **2** trädg. planteringsspade
truancy ['truːənsɪ] *s* skolk [från skolan]

truant ['truːənt] *s* skolkare; dagdrivare; *play ~* skolka [från skolan]
truce [truːs] *s* [vapen]stillestånd, vapenvila; *party ~* polit. borgfred; *flag of ~* mil. parlamentärflagg[a]
1 truck [trʌk] *s* **1** vanl. amer. lastbil; *long distance ~* långtradare **2** [öppen] godsvagn **3** a) truck b) transportvagn; dragkärra, handkärra [äv. *hand ~*]; bagagevagn, bagagekärra c) amer. rullbord
2 truck [trʌk] *s* **1** byteshandel, [ut]byte; köp; affär **2** vard. affärer; samröre, mellanhavanden; *I'll have no ~ with him* jag vill inte ha [något] med honom att göra
truck driver ['trʌk‚draɪvə] *s* o. amer. vanl. **trucker** ['trʌkə] *s* lastbilschaufför
truck farm ['trʌkfɑːm] *s* amer. handelsträdgård, grönsaksodling
truckload ['trʌkləʊd] *s* lass [*~ of* (med) *coal*]
truck stop ['trʌkstɒp] *s* amer. långtradarkafé
truculence ['trʌkjʊləns] *s* stridslystnad, aggressivitet
truculent ['trʌkjʊlənt] *adj* stridslysten
trudge [trʌdʒ] **I** *vb itr* traska (lunka, kliva) [mödosamt], gå tungt, släpa sig fram
II *vb tr* traska (lunka, släpa sig) fram på
III *s* [mödosamt] traskande
true [truː] **I** *adj* **1** a) sann, sannfärdig, sanningsenlig b) riktig, rätt, precis, exakt c) egentlig [*the frog is not a ~ reptile*]; äkta [*a ~ diamond*]; verklig, uppriktig, sann [*a ~ friend; ~ love*]; *how ~!* el. *quite ~!* alldeles riktigt!, det är så sant som det är sagt!; *it is ~* el. *~* medgivande det är sant, visserligen [*he is rich, it is ~, but…*]; *that's ~!* äv. där sa du ett sant ord!; *come ~* el. *prove ~* bli verklighet, slå in, besannas [*his words came ~*]; *his dream came ~* äv. hans dröm gick i uppfyllelse; *hold ~* el. *be ~* hålla streck, gälla, vara giltig, äga giltighet [*of* i fråga om, beträffande, för] **2** trogen, trofast, lojal [*to* mot]; *be ~ to sb* (*sth*) äv. vara ngn (ngt) trogen, vara trogen ngn (ngt); *be ~ to form* vara typisk (karakteristisk, normal); *~ to life* verklighetstrogen; *~ to nature* naturtrogen; *~ to oneself* trogen sin övertygelse; karaktärsfast **3** spec. tekn. rät, grad; rätt (noga) avpassad (inpassad) **4** sjö. rättvisande [*~ north*; *~ course*]; *~ north* äv. rakt norrut **5** mus. ren [*~ pitch*]
II *adv* **1** sant **2** fullkomligt; precis, exakt; rätt [*aim ~*]
true-blue [‚truː'bluː, attr. '--] **I** *adj* **1** äktblå **2** bildl. [tvätt]äkta [*a ~ Conservative*]; trofast
II *s*, *he is a ~* polit. han är mörkblå
true-life ['truːlaɪf] *adj* sann, verklighetstrogen
truffle ['trʌfl] *s* kok. tryffel
truism ['truːɪz(ə)m] *s* truism, plattityd
truly ['truːlɪ] *adv* **1** sant [*~ human*]; verkligt [*a ~ beautiful picture*]; riktigt [*~ good*]; uppriktigt [*~ grateful*]; verkligen [*~, she is beautiful*]; *really and ~* verkligen, faktiskt, sannerligen **2** riktigt, exakt, precis [*~ correct*] **3** i brev, *Yours ~* Högaktningsfullt; *Yours very ~* Med utmärkt högaktning; *that won't do for yours ~* skämts. det gillar inte undertecknad, det duger (räcker) inte åt en annan **4** litt. i sanning, sannerligen
trump [trʌmp] **I** *s* kortsp. trumf äv. bildl.; trumfkort; trumffärg; *~ card* trumf[kort] äv. bildl.; *no ~s* sang;

hearts are ~s hjärter är trumf; **hold ~s** ha (sitta med) trumf på hand äv. bildl.; **play ~s** spela trumf; **come up ~s** el. **turn up ~s** a) slå väl ut, lyckas [bättre än väntat] b) ha tur c) ställa upp, ge ett handtag [*turn up ~s in a crisis*]; **ace of ~s** trumfess äv. bildl.
II *vb tr* **1** kortsp. trumfa över **2** bildl., **~ up** duka upp, koka ihop [*~ up a story*]; konstruera [*~ up evidence*]
trumped-up [ˌtrʌmpt'ʌp] *adj* vard. konstruerad, falsk [*a ~ charge* (anklagelse)]
trumpery ['trʌmpərɪ] *s* krimskrams
trumpet ['trʌmpɪt] **I** *s* **1** trumpet; signalhorn; **blow** (**play**) **the ~** blåsa (spela) trumpet; **blow one's own ~** bildl., se *1 blow I 1* **2** hörlur för lomhörd **3** [tal]tratt, megafon **4** trumpet[are] i orkester
II *vb tr* trumpeta [ut]; ofta bildl. basunera ut, förkunna [äv. *~ forth*]
III *vb itr* trumpeta
trumpeter ['trʌmpɪtə] *s* trumpetare
truncate [trʌŋ'keɪt] *vb tr* stympa äv. geom., skära (hugga, klippa) av (bort), korta av äv. bildl.; stubba
truncheon ['trʌn(t)ʃ(ə)n] *s* batong
trundle ['trʌndl] *vb tr* o. *vb itr* rulla långsamt; skjuta (dra) långsamt
trunk [trʌŋk] *s* **1** [träd]stam **2** bål kroppsdel **3** koffert, trunk, amer. äv. bagageutrymme, bagagelucka i bil; **~ murder** koffertmord **4** a) zool. snabel b) sl. kran, snok näsa
trunk call ['trʌŋkkɔ:l] *s* tele. hist. rikssamtal
trunk road ['trʌŋkrəʊd] *s* riksväg, huvudväg
trunks [trʌŋks] *s pl* **1** a) badbyxor b) idrottsbyxor, shorts **2** pl. av *trunk*
truss [trʌs] **I** *s* **1** med. bråckband [äv. *hernial ~*] **2** byggn. fackverk; taklag, takstol; stötta, konsol
II *vb tr*, **~ up** el. **~** a) binda [*~ hay*; *~ up sb with rope*] b) kok. binda upp före tillredning [*~ up a chicken*]
trust [trʌst] **I** *s* **1** förtroende [*in* för], förtröstan [*in* på], tillit [*in* till], tilltro, tro [*in* till, på]; **put** (**place**) **one's ~ in** sätta sin lit till; **position of ~** ansvarsfull ställning; **on ~** i god tro; **take sth on ~** godta (acceptera) ngt utan vidare **2** ansvar; omvårdnad, vård; jur. el. hand. förvaltning; förvaltarskap; **hold sth in ~** [*for sb*] förvalta ngt [åt ngn (för ngns räkning)]; **be held in ~** el. **be under ~** stå under förvaltning, förvaltas **3** a) hand. trust [*steel ~*] b) sammanslutning; stiftelse **4** hand. kredit [*obtain goods on* (på) *~*] **5** jur. anförtrott gods, deposition; fideikommiss
II *vb tr* **1** a) lita på, hysa (ha) förtroende för b) sätta tro till, tro på **2** a) tro [fullt och fast] [*sb to do sth* att ngn gör ngt*] b) hoppas [uppriktigt (innerligt)] [*I ~ you're well*]; **~ me to do that!** jag lovar att jag gör det!; **~ him to [forget her birthday]!** iron. [det är] typiskt honom att...! **3 ~ sb with sth** anförtro ngn ngt (ngt åt ngn); **~ sb to do sth** överlåta åt ngn att göra ngt; **I couldn't ~ myself to do it** jag skulle aldrig våga göra det **4** hand., **~ sb [for sth]** ge (lämna) ngn kredit [på ngt]
III *vb itr* lita, förlita sig, tro [*in, to* på], sätta sin lit [*in, to* till]; **~ in God** förtrösta på Gud; **~ to luck** lita på turen
trust company ['trʌstˌkʌmp(ə)nɪ] *s* förvaltningsbolag, investeringsbolag
trustee [ˌtrʌ'sti:] *s* **1** jur. förtroendeman; förvaltare;

god man, förmyndare **2** styrelsemedlem; pl. **~s** äv. styrelse **3** polit. förvaltande myndighet (stat) under FN:s förvaltarskapsråd
trusteeship [ˌtrʌ'sti:ʃɪp] *s* **1** förvaltarskap äv. polit.; förmynderskap **2** förvaltarskapsområde
trustful ['trʌstf(ʊ)l] *adj* förtroendefull, förtröstansfull, tillitsfull
trust fund ['trʌstfʌnd] *s* anförtrodda (bundna) medel; omyndigs förmyndarmedel
trust hospital ['trʌstˌhɒspɪtl] *s* sjukhus som utgör (ingår i) självstyrande enhet med egen budget och administration
trusting ['trʌstɪŋ] *adj* tillitsfull, förtroendefull; godtrogen
trustworthy ['trʌstˌwɜ:ðɪ] *adj* pålitlig, trovärdig [*a ~ person*]; tillförlitlig [*a ~ dictionary*]; vederhäftig
trusty ['trʌstɪ] *adj* åld. el. skämts. trogen, pålitlig, trofast
truth [tru:θ, i pl. tru:ðz, tru:θs] *s* **1** sanning; sannfärdighet, sanningsenlighet, riktighet, sanningshalt; verklighet, faktum; **~ is stranger than fiction** verkligheten överträffar dikten; **the ~ of the matter** det verkliga förhållandet, sanningen; **~ will out** åld. förr eller senare kommer sanningen fram; **tell (speak, say) the ~** säga sanningen, tala sanning; **to tell the ~** [*, I forgot all about it*] sanningen att säga..., ärligt talat..., uppriktigt sagt...; **tell sb some home ~s** säga ngn några beska sanningar (några sanningens ord); [*there's not*] **a word of ~ in it** ...ett sant ord i det **2** riktighet, noggrannhet, exakthet; spec. tekn. precision **3** verklighetstrohet, realism hos konstverk o.d.
truth drug ['tru:θdrʌg] *s* vard. sanningsserum
truthful ['tru:θf(ʊ)l] *adj* **1** sannfärdig, sanningsälskande, uppriktig [*a ~ person*] **2** sann, sanningsenlig [*a ~ statement*]; riktig **3** om konst o.d. verklighetstrogen, realistisk
truth serum ['tru:θˌsɪərəm] *s* vard. sanningsserum
try [traɪ] **I** *vb tr* **1** försöka **2** a) försöka med [*~ knocking* (att knacka) *at the door*]; prova, pröva [*have you tried this new recipe?*]; pröva 'på b) göra försök med, prova; **she tried her best [to beat me]** hon gjorde sitt bästa...; **~ one's hand at sth** försöka (ge) sig på ngt; **~ sth for size** prova ngt för att se om storleken passar **3** sätta på prov [*~ sb's patience*]; pröva; anstränga, fresta [på] [*bad light tries the eyes*] **4** jur. a) behandla, handlägga; döma i [*which judge will ~ the case?*] b) anklaga, åtala [*be tried for murder*]; ställa inför rätta
II *vb itr* försöka [*at* med], försöka sig [*at* på]; **~ as I would** el. **~ as I might** hur jag än försökte
III *vb tr* med adv.:
try for a) försöka [upp]nå b) söka [*~ for a position*]; ansöka om
try on a) prova [*~ on a new suit*] b) vard., **don't ~ it on with me!** försök inte [några knep] med mig!
try out [grundligt] pröva ([ut]prova)
try out for amer.: **~ out for the team** försöka komma med i (kvalificera sig till) laget
try over dra (gå, sjunga, spela) igenom
IV *s* **1** försök; **have a ~** [*at sth*] göra ett försök [med ngt], pröva [ngt]; **give it a ~!** testa (prova) det! **2** rugby. försök, try tre poäng
trying ['traɪɪŋ] *adj* ansträngande, påfrestande,

krävande, pressande [to för; a ~ day; a ~ journey; ~ work]; besvärlig [a ~ boy]

try-on ['traɪɒn] s **1** provning av kläder o.d. **2** vard. försök[sballong], trevare; chansning; bluff; **it was just a ~** äv. han (de etc.) försökte bara

try-out ['traɪaʊt] s **1** [ut]provning, prov; undersökning, försök; **give sth a ~** pröva ngt [grundligt] **2** spec. sport. uttagningsprov

tsar [zɑ:, tsɑ:] s o. **tsarina** [zɑ:'ri:nə, tsɑ:-] s se *czar* resp. *czarina*

tsetse ['tetsɪ, 'tsetsɪ] s o. **tsetse-fly** ['tetsɪflaɪ, 'tset-] s zool. tsetsefluga

T-shirt ['ti:ʃɜ:t] s T-shirt, T-tröja

tsp (förk. för *teaspoon[ful]*) tsk, tesked

T-square ['ti:skweə] s vinkellinjal

tsunami [tsʊ'nɑ:mɪ] s tsunami

TTYL i e-post el. textmeddelanden förk. för *talk to you later*

tub [tʌb] s **1** balja, bytta [a ~ of butter]; tunna [a rain-water ~]; [stor] kruka; som mått äv. fat, kagge **2** vard. [bad]kar **3** [glass]bägare

tuba ['tju:bə] s mus. tuba

tubby ['tʌbɪ] adj rund[lagd], trind, knubbig

tube [tju:b] s **1** rör [steel ~], tekn. äv. tub; slang [rubber ~]; **inner ~** innerslang; **toilet paper ~** [tom] toalettpappersrulle; **go down the ~** el. **go down the ~s** vard. gå åt pipan (skogen) **2** tub [a ~ of toothpaste; a ~ of paint] **3** anat. el. biol. rör, kanal, gång, bot. äv. pip **4 a)** vard. t-bana, tunnelbana [take the ~; go by ~] **b)** tunnel för t-bana; **~ train** t-banetåg **5** radio., TV. m.m. **a)** vanl. amer. vard., **the ~** burken, tv **b)** rör **c)** **picture ~** bildrör

tubeless ['tju:bləs] adj slanglös [a ~ tyre]

tuber ['tju:bə] s bot. knöl; rotknöl, stamknöl

tubercular [tjʊ'bɜ:kjʊlə] adj med. tuberkulös

tuberculosis [tjʊ,bɜ:kjʊ'ləʊsɪs] (förk. TB) s med. tuberkulos

tube sock ['tju:bsɒk] s tubsocka, tubstrumpa

tube top ['tu:btɒp] s amer. vard., åtsittande top för kvinnor

tubing ['tju:bɪŋ] s rör [a piece of copper ~]; slang [a piece of rubber ~]

tub-thumper ['tʌb,θʌmpə] s vard. svavelpredikant; skränfock

tubular ['tju:bjʊlə] adj rörformig, tubformig, rör- [~ skate]; tub-; **~ bridge** rörbro; **~ steel furniture** stålrörsmöbler

TUC [,ti:ju:'si:] s (förk. för *Trades Union Congress*), **the ~** brittiska LO (Landsorganisationen)

tuck [tʌk] **I** vb tr **1** stoppa [in (ner)] [~ the money into your wallet]; sticka, gömma [the bird ~ed its head under its wing] **2** kavla (vika) upp, fästa (dra) upp **3** sömnad. rynka, vecka **4** med. vard. plastikoperera, skönhetsoperera

II vb tr o. vb itr med adv.:

tuck away stoppa (gömma) undan

tuck in a) stoppa in (ner) [~ in your shirt]; vika in **b)** **~ the children in** stoppa om barnen **c)** vard. hugga för sig [av maten], lägga in

tuck into vard. hugga in på, gå lös på [he ~ed into the cold ham]

tuck up a) kavla (vika) upp, fästa (dra) upp [she ~ed up her skirt] **b)** **~ the children up** stoppa om barnen; **she ~ed herself up in bed** hon drog (svepte) täcket om sig **c)** sömnad. lägga upp

III s **1** sömnad. o.d. veck, invikning, uppläggning, uppslag **2** med. vard. plastikoperation, skönhetsoperation; **a tummy ~** bukplastik **3** skol. vard. kakor och godis

tuck shop ['tʌkʃɒp] s vard. kondis, godisaffär i el. nära en skola

Tues. förk. för *Tuesday*

Tuesday ['tju:zdeɪ, attr. ofta -dɪ, amer. äv. 'tu:-] s tisdag; för ex. jfr *Sunday*

tuft [tʌft] s **1** tofs; tott, test; **~ of wool** ulltapp, ulltott **2** tuva [a ~ of grass]

tufted ['tʌftɪd] adj **1** tofsprydd, tofsförsedd **2** buskig, lummig; tuvig

tufted duck [,tʌftɪd'dʌk] s zool. vigg

tug [tʌg] **I** vb tr **1** dra, streta med; släpa [på], hala; rycka (slita) i **2** bogsera **II** vb itr dra, streta [och dra], rycka, slita [the dog ~ged at the leash (i kopplet)] **III** s **1** ryck, ryckning, tag, drag; **give a ~ at sth** el. **give sth a ~** dra (rycka) kraftigt i ngt **2** bogserbåt, bogserare [äv. ~ boat]

tug boat ['tʌgbəʊt] s bogserbåt, bogserare

tug-of-love [,tʌgəv'lʌv] adj, **~ child** barn som kommer i kläm i vårdnadstvist

tug-of-war [,tʌgə(v)'wɔ:] s dragkamp; bildl. kraftmätning

tuition [tjʊ'ɪʃ(ə)n] s **1** undervisning [private ~]; handledning **2** undervisningsarvode; undervisningsavgift

tulip ['tju:lɪp] s tulpan

tulle [tju:l] s tyll

tumble ['tʌmbl] **I** vb itr **1 a)** ramla, falla, trilla, störta; **~ down** el. **~ over** ramla etc. ner (omkull), tumla omkull; **~ into the water** trilla i vattnet; **~ over sth** snava (snubbla) över ngt **b)** om byggnad o.d., **~ down** el. **~ over** störta samman, rasa **c)** om priser o.d. rasa **d)** om makthavare o.d. falla, störtas **2** tumla [the boys ~d out of the classroom]; ramla; rulla [the coins ~d out on the table]; **~ into bed** stupa (ramla) i säng **3 a)** **~** el. **~ about** tumla runt [they ~d in the grass]; bildl. virvla (snurra) runt **b)** om vågor vältra sig, vräka [sig], rulla **4** göra akrobatkonster (volter), slå kullerbyttor **5** bildl., **~ on** (**across**) **sb** [oförmodat] stöta ihop med ngn; **~ to sth** vard. komma på (komma underfund med) ngt **II** s **1** fall äv. bildl., störtning, [ned]störtande; om priser äv. ras; **he had a nasty ~** han ramlade omkull och slog sig illa; **take a ~** a) ramla omkull b) bildl. falla, störtas [the great man finally took a ~] **2** kullerbytta, volt **3** röra, villervalla, oreda

tumbledown ['tʌmbldaʊn] adj fallfärdig, förfallen, ruckligt; **a ~ old building** äv. ett gammalt ruckel

tumble-drier ['tʌmbl,draɪə] s se *tumble-dryer*

tumble-dry ['tʌmbldraɪ] vb tr [tork]tumla, torka i torktumlare

tumble-dryer ['tʌmbl,draɪə] s torktumlare

tumbler ['tʌmblə] s **1** [dricks]glas utan fot, tumlare **2** åld. [golv]akrobat

tumbleweed ['tʌmblwi:d] s bot. marklöpare, stäpplöpare

tumescence [tju:'mesns] s ansvällning, svullnande; svullnad

tumescent [tju:'mesnt] adj svullnande; svullen

tumid ['tju:mɪd] adj svullen, uppsvälld

tummy ['tʌmɪ] s vard., mest barnspr. mage
tummy-button ['tʌmɪˌbʌtn] s vard., mest barnspr. navel
tumour ['tjuːmə] s tumör, svulst, växt
tumult ['tjuːmʌlt] s **1** tumult, upplopp; kalabalik **2** bildl. utbrott [~ *of joy*]; upprördhet; förvirring; *be in a ~* vara i uppror
tumultuous [tjʊˈmʌltjʊəs] *adj* **1** tumultartad [*a ~ reception*]; stormande [~ *applause*]; bråkig, stormig [*a ~ political meeting*] **2** våldsam, häftig
tumul|us ['tjuːmjʊl|əs] (pl. *-i* [-aɪ] el. *-uses*) s gravhög, gravkulle, gravkummel
tuna ['tjuːnə, 'tuːnə] s zool. [stor] tonfisk, tuna [äv. ~ *fish*]
tundra ['tʌndrə] s tundra
tune [tjuːn, tʃuːn] **I** s **1** melodi; låt; *call the ~* bildl. ange tonen, bestämma; *change one's ~* el. *sing a different ~* bildl. ändra ton, stämma ner tonen; [*when she heard that,*] *she changed her ~* äv. …blev det ett annat ljud i skällan; *dance to sb's ~* bildl. dansa efter ngns pipa **2** [riktig] stämning hos instrument; [*the piano*] *is in ~* (*out of ~*) …är stämt (ostämt); *keep in ~* hålla stämningen; hålla tonen, sjunga rent; *sing* (*play*) *in ~* sjunga (spela) rent; *sing* (*play*) *out of ~* sjunga (spela) falskt **3** bildl. harmoni, samklang; *be in ~ with* stå i samklang med, hålla med om [*be in ~ with current ideas*]; *be out of ~ with* inte stå i samklang med, inte hålla med om [*be out of ~ with current ideas*] **4** *to the ~ of* till ett belopp av [inte mindre än]
II *vb tr* **1** stämma [~ *a piano*] **2** radio. avstämma; ställa in; *stay ~d* uppmaning i radio fortsätt lyssna (TV. titta) på den här stationen (det här programmet) **3** bildl. avstämma, avpassa [*to* efter]; *be ~d to* passa ihop med, harmoniera med
III *vb tr* o. *vb itr* med adv. el. prep.:
tune in a) ställa in [radion, tv:n] [~ *in to* (på) *the BBC*]; ~ *in another station* tr. ta in en annan station; ~ *in to another station* itr. ta in en annan station; *the radio is not properly ~d in* radion är inte riktigt inställd b) bildl., *be ~d in to* vara lyhörd (mottaglig) för [*she is well ~d in to her surroundings*]
tune up a) finjustera, trimma motor o.d. b) stämma [instrumenten] c) stämma upp, börja spela (sjunga)
tuneful ['tjuːnf(ʊ)l] *adj* melodisk, melodiös
tuneless ['tjuːnləs] *adj* omelodisk
tuner ['tjuːnə] s **1** radio. o.d. tuner mottagare utan effektförstärkare **2** stämmare [*piano-tuner*]
tungsten ['tʌŋstən, -sten] s kem. volfram
tunic ['tjuːnɪk] s **1** tunika äv. antik.; tunik **2** vapenrock; för t.ex. polis uniformskavaj
tuning fork ['tjuːnɪŋfɔːk] s mus. stämgaffel
Tunis ['tjuːnɪs] geogr.
Tunisia [tjʊˈnɪzɪə, -ɪsɪə] geogr. Tunisien
Tunisian [tjʊˈnɪzɪən, -ɪsɪən] **I** *adj* tunisisk **II** s tunisier
tunnel ['tʌnl] **I** s tunnel; underjordisk gång; *see the light at the end of the ~* bildl. se ljuset vid tunnelns slut
II *vb tr* **1** bygga (gräva, spränga) en tunnel genom (under) [~ *a mountain*]; bygga (gräva, spränga) i form av en tunnel [~ *a passage under a river*] **2** *the river ~led its way* [*through the mountain*] floden flöt [som] i en tunnel… **3** borra igenom; underminera

III *vb itr* bygga (gräva, spränga) en tunnel (tunnlar) [~ *through the Alps*]
tunnel vision ['tʌnlˌvɪʒ(ə)n] s **1** spec. psykol. tunnelseende **2** bildl. trångsynthet
tunny ['tʌnɪ] s o. **tunny fish** ['tʌnɪfɪʃ] s zool. tonfisk
tuppence ['tʌp(ə)ns] s vard., se *twopence*; *not worth ~* inte värd ett rött öre, inte värd någonting; *not care* (*give*) ~ *for* inte bry sig ett dugg om, strunta i
tuppenny ['tʌp(ə)nɪ] *adj* o. s vard., se *twopenny*
turban ['tɜːbən] s turban
turbaned ['tɜːbənd] *adj* iförd (med) turban, turbanklädd
turbid ['tɜːbɪd] *adj* grumlig [~ *water*]; oklar; tjock, tät [~ *smoke*]
turbine ['tɜːbaɪn, -bɪn] s turbin [*steam ~*]
turbo-jet ['tɜːbəʊdʒet] **I** s **1** turbojetmotor **2** turbojetplan
II *adj* turbojet- [~ *engine*]
turbo-prop ['tɜːbəʊprɒp] **I** s **1** turbopropmotor **2** turbopropplan
II *adj* turboprop- [~ *engine*]
turbot ['tɜːbət] s zool. piggvar
turbulence ['tɜːbjʊləns] s oro, upprördhet
turbulent ['tɜːbjʊlənt] *adj* orolig, stormig [*the ~ years of the revolutionary period*]; upprörd [~ *waves*; ~ *feelings*]; häftig, våldsam
turd [tɜːd] s vulg. skit äv. om person, bajskorv, lort
tureen [təˈriːn, tʊˈr-, tjʊˈr-] s soppskål, terrin
turf [tɜːf] **I** (pl. *turfs* el. *turves*) s **1 a)** [gräs]torv **b)** [gräs]torva **2** kapplöpn., *the ~* **a)** kapplöpningsbanan, turfen **b)** hästsporten, hästkapplöpningarna, turfen
II *vb tr* **1** torvtäcka, täcka med torv **2** ~ *out* sl. slänga (kasta) ut; sparka [*he was ~ed out of the club*]
turf accountant ['tɜːfəˌkaʊntənt] s bookmaker
turgid ['tɜːdʒɪd] *adj* **1** svulstig, bombastisk **2** svullen, uppsvälld
Turk [tɜːk] s turk; *the ~* äv. koll. turken, turkarna
Turkey ['tɜːkɪ] geogr. Turkiet; attr. turkisk; ~ *carpet* turkisk matta
turkey ['tɜːkɪ] s **1** kalkon **2** vanl. amer. vard., *talk ~* tala allvar, komma till saken **3** vanl. amer. sl. fiasko, flopp; urusel pjäs; kalkonfilm **4** vanl. amer. sl. nolla; dumbom
turkey buzzard ['tɜːkɪˌbʌzəd] s zool. hönsgam, kalkongam
Turkish ['tɜːkɪʃ] **I** *adj* turkisk **II** s turkiska [språket]
Turkish bath [ˌtɜːkɪʃˈbɑːθ] s turkiskt bad, turk; *it's like a ~ in here* det är [hett] som i en bastu här inne
Turkish coffee [ˌtɜːkɪʃˈkɒfɪ] s starkt och sött kaffe
Turkish delight [ˌtɜːkɪʃdɪˈlaɪt] s slags konfekt marmeladtärning med pudersocker
Turkmenistan [ˌtɜːkmenɪˈstɑːn] geogr.
turmeric ['tɜːmərɪk] s bot., farmakol. el. kok. gurkmeja
turmoil ['tɜːmɔɪl] s vild oordning [*the town was in a ~*]; kaos, tumult; villervalla, virrvarr, röra; förvirring [*mental ~*]; oro, jäsning
turn [tɜːn] s (se äv. fraser med *turn* under t.ex. *corner, deaf, nose, somersault* o. *table*) **I** *vb tr* (se äv. *turn III*) **1** vända, vända (vrida) på [~ *one's head*]; ~ *one's back on sb* bildl. vända ngn ryggen; ~ *the other cheek* vända andra kinden till; ~ *a* (*one's*) *hand to* ta itu med, ägna sig åt [*he ~ed his hand successfully to*

gardening]; [*the very thought of food*] *~s my stomach*
…får det att vända sig i magen på mig
2 a) vrida [på], vrida om [*~ the key in the lock*];
skruva [på], snurra [på], sno, veva, svänga [på
(runt)]; ***turn sb's head*** stiga ngn åt huvudet [*success
had not ~ed his head*] **b)** svarva [till]; dreja
c) formulera [*neatly* (*elegant*) *~ed compliments*]
3 vika (vända) om, svänga runt [*~ a corner*]
4 rikta, vända [*~ the hose on* (mot) *the fire*]
5 a) göra [*~ grey*]; ***it is enough to ~ my hair grey*** det
ger mig gråa hår **b)** komma att surna [*hot weather
may ~ milk*] **c)** *~ into* göra till, förvandla (göra om)
till [*~ a bedroom into a study*]
6 fylla år; ***she has (is) ~ed fifty*** hon har fyllt femtio
7 ***it has (is) just ~ed three*** [*o'clock*] klockan är lite
över tre
8 skicka [bort]; visa (köra) bort [*~ sb from one's
door*]; *~ **loose*** släppa [*he was ~ed loose after
interrogation*]; släppa ut
II *vb itr* (se äv. *turn III*) **1** vända [om], vända sig
om, vända sig [*~ to* (mot) *the wall*; *~ on one's side*];
it makes my stomach ~ [det är så att] det vänder sig
i magen på mig; *left* (*right*) *~!* vänster (höger) om!;
~ to the left (*right*) göra vänster (höger) om; ***not
know where to ~*** el. ***not know which way to ~*** inte veta
vad man ska ta sig till, inte veta vart man ska
vända sig
2 a) svänga [runt], snurra [runt], vrida sig [runt],
rotera; *~ **on one's heel** [s]* vända på klacken
b) svarva; dreja
3 vika av, ta av, böja av, svänga; *~ **right*** el. *~ **to the
right*** ta (vika) av till höger, svänga [av] åt höger
4 a) bli [*~ pale*; *~ sour*; *~ Catholic*; *~ traitor*]; *~ **pale
(sour)*** äv. blekna (surna) **b)** bli sur, surna [*the milk
has ~ed*] **c)** *~ **into*** el. *~ **to*** bli till [*the water had ~ed
[in]to ice*]; förvandlas till [*the prince ~ed into a
frog*]; övergå till (i)
III *vb tr* o. *vb itr* med adv. el. prep., ofta i fastare förbindelser
med spec. översättningar:
turn about vända [med]; [vrida och] vända på;
vända sig om; *about ~!* helt om!; *right* (*left*) *about ~!*
[helt] höger (vänster) om!
turn against vända sig mot
turn around a) vända [med]; vända (vrida) på [*~
one's head around*]; vända sig om, vända på sig
b) svänga (snurra, vrida [sig]) runt; ***his head ~ed
around*** det snurrade i huvudet på honom
turn away a) vända sig bort; vända (vrida) bort [*~
one's head away*] **b)** köra bort; avvisa
turn back a) driva (slå) tillbaka [*~ back the enemy*];
avvisa **b)** vända [och gå] tillbaka, vända [om],
återvända, komma tillbaka; ***there is no ~ing back***
det finns ingen återvändo **c)** vika undan (tillbaka)
[*~ back the coverlet* (täcket)]
turn down a) avvisa, förkasta [*~ down an offer*];
avslå [*his request was ~ed down*]; ***he was ~ed down***
han fick avslag (korgen); ***have sth ~ed down*** få
avslag på ngt **b)** skruva ner [*~ down the gas*]; *~
down the volume* skruva ner volymen (ljudet)
c) vika (slå, fälla) ner **d)** *~ **down*** el. *~ **down into***
svänga (vika) in på
turn in a) ange [*somebody had ~ed him in*]; *~ **oneself
in*** anmäla sig; *~ **sb in to the police*** överlämna ngn
till polisen **b)** lämna (skicka) in (tillbaka) [*he ~ed

in his membership card]; *~ **in one's car for a new one***
byta till en ny bil **c)** åstadkomma, komma med [*~
in a bad piece of work*] **d)** vika (vända, böja,
kröka) [sig] inåt, vara vänd (etc.) inåt
turn into a) svänga (vika, slå) in på **b)** göra till etc., se
turn I 5 c; bli till etc., se *turn II 4 c*
turn off a) vrida (skruva, stänga) av [*~ off the water
(radio)*]; *~ **off the light*** äv. släcka [ljuset] **b)** vika
(svänga, ta) av [*~ off to the left*] **c)** vard. stöta,
beröra illa [*his manner ~s me off*]; avskräcka; *~ **sb
off sth*** få ngn att tappa lusten för ngt
turn on a) vrida (skruva, sätta) på [*~ on the radio*; *~
on the water*]; *~ **on the electricity*** släppa på
strömmen; *~ **on the light*** tända [ljuset] **b)** röra sig
om (kring) [*the conversation ~ed on politics*]
c) bero (hänga) på [*everything ~s on your answer*]
d) vända sig mot, gå lös på [*the dog ~ed on his
master*]; ge sig på **e)** vard., ***it (he) ~s me on*** jag tänder
på det (honom)
turn out a) utfalla, avlöpa, sluta [*I don't know how
it will ~ out*]; gå, bli; *~ **out well (badly)*** äv. slå väl
(illa) ut; ***everything ~s out for the best in the end*** allt
ordnar sig till sist **b)** arta sig till, bli [*she has ~ed
out a pretty girl*]; ***he ~ed out to be*** el. ***it ~ed out that he
was*** han visade sig vara, det visade sig att han var
c) vika (vända, böja, kröka) [sig] utåt, vara vänd
(etc.) utåt **d)** släcka [*~ out the light*] **e)** producera,
framställa, tillverka [*the factory ~s out 5,000 cars a
week*] **f)** om skola o.d. utbilda [*~ out pupils*; *~ out
trained nurses*]; släppa ut **g)** köra (kasta) ut; köra
bort [*~ sb out of* (från) *his job*]; utesluta [*~ sb out
of* (ur) *a club*]; *~ **sb out*** köra ngn på porten; *~ **out a
tenant*** vräka en hyresgäst **h)** möta (ställa) upp, gå
(rycka) ut [*everybody ~ed out to greet him*]; *~ **out
to a man*** gå man ur huse **i)** röja ur, tömma [*~ out
the drawers in one's desk*]; *~ **out one's pockets***
vända ut och in på (tömma) fickorna **j)** kok. stjälpa
upp
turn over a) överlåta [*the job was ~ed over to* (till,
på) *another man*]; överlämna [*~ sb over to the
police*] **b)** *~ **over the page*** vända på bladet, vända
blad; ***please ~ over!*** (förk. *PTO*) [var god] vänd!
c) välta (stjälpa) [omkull], kasta (få) omkull
d) vända [på], vända upp och ner på; vända [sig
på] **e)** hand. omsätta [*they ~ over £10,000 a week*]
f) *~ **a problem over** [in one's mind]* vända och vrida
på ett problem **g)** vard. råna, göra inbrott i **h)** bildl.,
get ~ed over få stryk [*get ~ed over by* (med) *3–1*]
turn round se *turn around* under *turn III* ovan
turn to a) vända sig [om] mot; vända sig till [*~ to sb
for* (för att få) *help*]; hänvända sig till, anlita; gå
till, slå upp i [*please ~ to the list at the end of the
book*]; *~ **to page 10*** slå upp sidan 10 **b)** övergå till
[*the speaker now ~ed to the 19th century*]; ***the
conversation ~ed to politics*** samtalet kom in på
politik
turn up a) skruva upp [*~ up the gas*]; tända [*~ up the
lights*]; *~ **up the volume*** skruva upp volymen
(ljudet) **b)** dyka upp [*he has not ~ed up yet*; *I expect
something to ~ up*]; komma till rätta, infinna sig;
yppa sig [*an opportunity will ~ up*]; uppstå [*if any
difficulties should ~ up*] **c)** sömnad. lägga upp
d) vika (slå, fälla) upp [*~ up one's collar*]; kavla
upp; vika (vända, böja) sig uppåt, vara uppåtvänd

(etc.) **e)** slå upp [~ *up sth in a book*] **f)** lägga ett spelkort med framsidan uppåt, vända upp
IV *s* **1** vändning, vridning; svängning, sväng [*left ~*]; varv, omgång, slag; ~ *of the screw* skärpning, intensifiering, se äv. ex. under *screw I 1*; *to a ~* på pricken; perfekt, utmärkt; *done to a ~* lagom stekt (kokt)
2 tur; *it's my ~* det är min tur; *take ~s in doing sth* el. *take it in* (*by*) *~s to do sth* turas om att göra ngt; *by ~s* i tur och ordning; i omgångar; växelvis; *he spoke* [*English and Swedish*] *by ~s* han talade omväxlande...; *she laughed and cried by ~s* hon skrattade och grät om vartannat; *in ~* a) i tur och ordning [*we were examined in ~*]; växelvis b) i sin tur, åter[igen] [*and this, in ~, means...*]; *speak out of* [*one's*] *~* tala när man inte står i tur; uttala sig taktlöst; *take a ~ at* hjälpa till ett tag vid (med)
3 [väg]krök, sväng [*the road takes* (gör) *a sudden ~ to the left*]; krok; *at every ~* vid varje steg, vart man vänder sig
4 a) [om]svängning, förändring; *a ~ for the worse* (*better*) en vändning till det sämre (bättre); [*his health*] *took a ~ for the worse* ...försämrades; *the ~s of fortune* ödets växlingar; *~ of the tide* tidvattensskifte; bildl. strömkantring, omsvängning **b)** *the ~ of the century* sekelskiftet
5 tjänst; *one good ~ deserves another* den ena tjänsten är den andra värd; *do sb a good ~* göra ngn en stor tjänst; *a bad ~* en otjänst, en björntjänst
6 a) läggning; *~ of mind* sinnelag; tänkesätt **b)** *~ of speed* snabbhet
7 ngt åld. liten tur; *take a ~* [*round the garden*] gå en sväng (ett varv)..., göra en vända...
8 nummer på varieté o.d.; *star ~* se *star turn*
9 vard. ngt åld. chock; *it gave me a terrible ~* äv. jag blev alldeles förskräckt
10 formulering [*the ~ of a phrase*]
11 form [*the ~ of an ankle*]
turnabout ['tɜ:nəbaʊt] *s* vändning, helomvändning
turnaround ['tɜ:nəraʊnd] *s* **1** bildl. helomvändning **2** [tid för] expediering av fartyg o.d. **3** vändplats
turncoat ['tɜ:nkəʊt] *s* överlöpare, avhoppare; *be a ~* vända kappan efter vinden
turned-up nose [ˌtɜ:ndʌp'nəʊz] *s* uppnäsa
turner ['tɜ:nə] *s* svarvare
turning ['tɜ:nɪŋ] **I** *s* **1** vändning; vridning etc., jfr *turn I* o. *turn II* **2 a)** kurva, sväng **b)** avtagsväg, tvärgata [*stop at the next ~; take the first ~ to* (*on*) *the right*] **3** bildl. helomvändning; omslag; vändpunkt **4** svarvning
II *adj* roterande; svängande etc., jfr *turn I* o. *turn II*; slingrande [*a ~ path*]
turning circle ['tɜ:nɪŋˌsɜ:kl] *s* vändradie
turning point ['tɜ:nɪŋpɔɪnt] *s* vändpunkt, kritisk punkt
turning ra|dius ['tɜ:nɪŋˌreɪ|dɪəs] (pl. *-dii* [-dɪaɪ]) *s* amer. vändradie
turning space ['tɜ:nɪŋspeɪs] *s* vändplats
turnip ['tɜ:nɪp] *s* bot. rova; *Swedish ~* kålrot
turnkey ['tɜ:nki:] *adj* **1** ~ *project* byggnadsprojekt på totalentreprenad **2** data., ~ *system* körklart (nyckelfärdigt) datasystem
turn-off ['tɜ:nɒf] *s* **1 a)** avfart[sväg] från motorväg

b) vägskäl äv. bildl. **2** vard., [*the film*] *is a ~* ...är osmaklig (motbjudande)
turn-on ['tɜ:nɒn] *s* vard., [*the film*] *is a ~* ...är helt fantastisk (en sån som man tänder på)
turnout ['tɜ:naʊt] *s* **1** anslutning [*they had a large ~ at the meeting*]; deltagande, tillströmning; samling, uppbåd **2** parl. valdeltagande, röstningsprocent **3** produktion[smängd], tillverkning[smängd]
turnover ['tɜ:n,əʊvə] *s* **1** hand. o.d. omsättning **2** omorganisering, omgruppering [*a ~ of the staff*] **3** kok. risoll; *apple ~* ung. äppelknyte
turnpike ['tɜ:npaɪk] *s* amer. [avgiftsbelagd] motorväg, expressväg
turn signal ['tɜ:nˌsɪgnl] *s* amer. bil. körriktningsvisare, blinker
turnstile ['tɜ:nstaɪl] *s* vändkors; spärr i t.ex. t-banestation; *~ guard* spärrvakt
turntable ['tɜ:n,teɪbl] *s* **1** skivtallrik på skivspelare **2** järnv. vändskiva
turn-up ['tɜ:nʌp] *s* **1** slag på t.ex. byxa, uppvikt kant på kläder **2** vard. skräll; *what a ~ for the book!* vilken sensation (skräll)!
turpentine ['tɜ:p(ə)ntaɪn] *s* terpentin; *oil of ~* el. *spirits of ~* el. *~ oil* terpentinolja
turpitude ['tɜ:pɪtju:d] *s* uselhet, skändlighet; *moral ~* moraliskt fördärv
turps [tɜ:ps] (med verb i sg.) *s* vard. terpentin[olja]
turquoise ['tɜ:kwɔɪz, -kwɑ:z] **I** *s* **1** miner. turkos **2** färg turkos
II *adj* turkos[färgad]
turret ['tʌrət] *s* **1** [litet] torn; *ridge ~* takryttare **2** stridstorn, manövertorn på krigsfartyg, torn på stridsvagn
turreted ['tʌrətɪd] *adj* **1** försedd med [små] torn, tornprydd **2** tornliknande
turtle ['tɜ:tl] *s* **1** [havs]sköldpadda, amer. äv. landsköldpadda, sötvattenssköldpadda **2** *turn ~* sjö. kapsejsa, kantra **3** *Turtle* serie- el. tv-figur [*Teenage Mutant Ninja* ['nɪn(d)ʒə] (britt. *Hero*) *Turtle*]
turtle dove ['tɜ:tldʌv] *s* turturduva äv. bildl.
turtle neck ['tɜ:tlnek] *s* **1** tröja med turtleneck, halvpolotröja; amer. polotröja [äv. *~ sweater*] **2** turtleneck, halvpolokrage; amer. polokrage
turves [tɜ:vz] *s* pl. av *turf*
Tuscan ['tʌskən] **I** *adj* toskansk **II** *s* toskanare
Tuscany ['tʌskənɪ] geogr. Toscana
tusk [tʌsk] *s* bete, huggtand; *elephant's ~* elefantbete
Tussaud [tə'sɔ:d, tʊ's-, -'səʊd] **1** egennamn **2** *Madame ~'s* Madame Tussauds vaxkabinett i London
tussle ['tʌsl] **I** *s* strid, kamp, nappatag, slagsmål, dust äv. bildl. [*with* med, *for* om] **II** *vb itr* strida, kämpa, slåss äv. bildl. [*with* med, *for* om]
tussock ['tʌsək] *s* [gräs]tuva; rugge
tut [tʌt] *interj* o. **tut-tut** [ˌtʌt'tʌt] *interj* usch!, fy!, äsch!
tutelage ['tju:təlɪdʒ] *s* **1** förmynderskap äv. bildl.; *be in ~* el. *be put under ~* stå (ställa) under förmyndare **2 a)** [hand]ledning, undervisning **b)** inflytande, påverkan
tutor ['tju:tə] **I** *s* **1** univ. **a)** [personlig] handledare **b)** amer., ung. biträdande lärare **2** privatlärare, informator [äv. *private ~; to* åt, för]

II *vb tr* ge privatlektioner, undervisa [*~ a boy in French*]; handleda (vägleda) [i studierna]

tutorial [tjʊ'tɔ:rɪəl] **I** *adj* [privat]lärar-, informators-; univ. handledar- [*the ~ system*]
II *s* lektion, handledning; möte (samtal) med en (sin) handledare [*attend* (ha) *a ~*]

tutti frutti [ˌtʊtɪ'frʊtɪ] *s* glass med [kanderad] frukt

tutu ['tu:tu:] *s* tutu, ballerinakjol

tuxedo [tʌk'si:dəʊ] (pl. *~s*) *s* vanl. amer.
1 smokingkavaj **2** smoking

TV [ˌti:'vi:] *s* tv, teve; för ex. se *television*

TV dinner [ˌti:vi:'dɪnə] *s* vanl. amer. färdiglagad måltid, färdigmat

TVP [ˌti:vi:'pi:] (förk. för *textured vegetable protein*) sojaprotein, vegetabiliskt protein

twaddle ['twɒdl] *s* svammel, smörja, trams

Twain [tweɪn]

twang [twæŋ] **I** *s* **1** sjungande (dallrande) ton; knäpp; klang, ton, ljud **2** *nasal ~* näston; *have a nasal ~* tala i näsan
II *vb itr* **1** om sträng o.d. sjunga, dallra; *the bow ~ed* det sjöng i bågen **2** knäppa [*~ at a banjo*] **3** tala i näsan
III *vb tr* knäppa på [*~ a banjo*]

twat [twɒt] *s* vulg. fitta

tweak [twi:k] **I** *vb tr* **1** nypa; vrida [om]; rycka (dra) i; *~ sb by the ear* el. *~ sb's ear* dra ngn i örat **2** vard. finjustera
II *s* **1** nyp; vridning; ryck **2** vard. finjustering

twee [twi:] *adj* tillgjord; pimpinett

tweed [twi:d] *s* tweed; pl. *~s* tweed[kläder], tweedkostym, tweeddräkt

tweedy ['twi:dɪ] *adj* **1** klädd i tweed; tweed-, tweedaktig **2** vard. med lantadelsstuk, med godsägarstuk

tweet [twi:t] **I** *s* kvitter; pip **II** *vb itr* kvittra; pipa

tweeter ['twi:tə] *s* diskanthögtalare

tweezers ['twi:zəz] *s pl* pincett; *a pair of ~* en pincett

twelfth [twelfθ] *räkn* o. *s* tolfte; tolftedel; jfr *fifth*

Twelfth Day [ˌtwelfθ'deɪ] *s* trettondagen

twelfth man [ˌtwelfθ'mæn] *s* kricket. reservspelare

Twelfth Night [ˌtwelfθ'naɪt] *s* trettondagsafton

twelve [twelv] (jfr *fifteen* med ex. o. sammansättn.) **I** *räkn* tolv **II** *s* tolv, tolva

twelvemonth ['twelvmʌnθ] *s* åld., *a ~* ett år[s tid]

twentieth ['twentɪɪθ, -tɪəθ] *räkn* o. *s* tjugonde; tjugon[de]del

twenty ['twentɪ] **I** *räkn* tjugo, tjugu **II** *s* tjugo, tjugu; tjugotal, tjugutal; jfr *fifty* med sammansättn.

twenty-twenty [ˌtwentɪ'twentɪ] *adj* med. med normal syn; *have ~ vision* el. *have 20/20 vision* ha normal syn

twerp [twɜ:p] *s* sl. fåntratt, tönt; nolla

twice [twaɪs] *adv* två gånger [*~ 3 is 6*]; *~ a day* (*week*) två gånger om dagen (i veckan); *~ as many* el. *~ the number* dubbelt så många, [det] dubbla antalet; *think ~ about* (*before*) *doing sth* tänka sig för [två gånger] innan man gör ngt; [*normally*] *I wouldn't have thought ~ about it* ...skulle jag inte ha tvekat [om det]

twiddle ['twɪdl] **I** *vb tr* **1** sno [mellan fingrarna], fingra (snurra, vrida) på, leka med **2** *~ one's thumbs* a) [sitta och] rulla tummarna b) sitta med armarna (händerna) i kors

II *s* **1** snurrande, vridning **2** släng, snirkel, krumelur i skrift o.d.

twiddly ['twɪdlɪ] *adj* vard. krånglig, snirklig; utsirad; *a ~ bit* äv. en trudelutt

1 twig [twɪg] *s* kvist, liten gren

2 twig [twɪg] vard. **I** *vb tr* fatta, haja, förstå **II** *vb itr* haja, fatta galoppen

twilight ['twaɪlaɪt] **I** *s* skymning, mörkning; ibl. gryning; halvdager, halvmörker; bildl. äv. dunkel
II *adj* skymnings-; *the ~ hour* skymningen, blå timmen; [*she needed a bit of company*] *in her ~ years* ...i (mot) slutet av sitt liv

twilight zone ['twaɪlaɪtzəʊn] *s* **1** ingenmansland; bildl. gränsland, skymningsland **2** förslummat område

twilit ['twaɪlɪt] *adj* skymnings-; halvmörk, dunkel

twill [twɪl] *s* vävn. **1** kypert, kypertbindning [äv. *~ weave*] **2** twill[s], tvills

twin [twɪn] **I** *s* **1** tvilling; tvillingsyskon, tvillingbror, tvillingsyster **2** pendang, motstycke, make [*of* till]
II *adj* tvilling- [*~ brother*; *~ sister*]; dubbel-; exakt likadan
III *vb tr* para ihop, koppla samman

twin bedroom [ˌtwɪn'bedru:m] *s* rum med två enkelsängar på hotell

twin beds [ˌtwɪn'bedz] *s pl* två [likadana] enmanssängar

twine [twaɪn] **I** *s* segelgarn; [tvinnad] tråd; snöre; garn
II *vb tr* **1** tvinna [ihop]; spinna ihop; fläta (väva) samman äv. bildl. **2** a) linda, vira, sno, fläta, knyta [*about*, [*a*]*round* om, kring, runt] b) vira (linda) 'om [*with* med]; *~ a cord round sth* slå (knyta) ett snöre om ngt, linda om ngt med ett snöre

twin-engine ['twɪnˌen(d)ʒɪn] *adj* o. **twin-engined** ['twɪnˌen(d)ʒɪnd] *adj* tvåmotorig [*~ aircraft*]

twinge [twɪn(d)ʒ] *s* stickande smärta, anfall [av smärta], hugg, stick, sting, styng; *a ~ of conscience* samvetskval

twinkle ['twɪŋkl] **I** *vb itr* **1** tindra, blinka [*stars that ~ in the sky*]; blänka; gnistra; *~ ~ little star* sång blinka lilla stjärna där; *her eyes ~d with mischief* hennes ögon glittrade av odygd **2** röra sig [blixt]snabbt; fladdra
II *s* tindrande [*the ~ of the stars*]; blinkande, blinkning, blänk; glimt [i ögat] [*with a humorous ~ in her eye*]; *in a ~* el. *in the ~ of an eye* i en handvändning, på ett litet kick

twinkling ['twɪŋklɪŋ] *s*, *in a ~* el. *in the ~ of an eye* i en handvändning, på ett litet kick

twinset [ˌtwɪn'set] *s* jumperset

Twin Towers [ˌtwɪn'taʊəz] *s pl*, *the ~* tvillingtornen World Trade Center i New York, som raserades vid attacken den 11 september 2001

twin town [ˌtwɪn'taʊn] *s* vänort

twirl [twɜ:l] **I** *vb itr* snurra [runt], svänga (virvla) omkring **II** *vb tr* snurra, sno [*~ one's moustaches*]; vrida; svänga [med] **III** *s* snurr[ande], snurrning, vridning; piruett

twist [twɪst] **I** *vb tr* **1** a) sno, vrida; vrida ur [*~ a wet cloth*]; vrida till; *~ sb's arm* vrida om armen på ngn; bildl. utöva påtryckningar på ngn; *~ and turn* vrida och vända på b) tvinna [ihop], fläta [ihop

(samman)] [*into* till]; sno ihop [*she ~ed her hair into a knot*]; ~ **tobacco** spinna tobak **c**) vira, linda [*round* kring] **2** vrida ur led, vricka; *I have ~ed my ankle* jag har vrickat foten **3** förvrida [*his features were ~ed with* (av) *pain*] **4** förvränga [betydelsen av], vränga [till], förvanska, vantolka, snedvrida
II *vb itr* **1** sno (slingra) sig, ringla sig, vrida sig [*he ~ed* [*round*] *in his chair*]; ~ *and turn* slingra sig [fram] **2** twista, dansa twist
III *s* **1** vridning; tvinning; [samman]flätning; *he gave my arm a ~* han vred om armen på mig **2 a**) [tvinnad] tråd **b**) snodd [vete]längd, fläta [äv. *bread ~*] **c**) rulltobak, flättobak [äv. *~ tobacco*]; *a ~ of chewing tobacco* en rulle (fläta) tuggtobak **d**) strut [*a ~ of paper*] **3** [tvär] krök [*a ~ in the road*]; sväng; *~s and turns* krökar och svängar, krokvägar **4** [led]vrickning **5** förvrängning, förvanskning **6** oväntat vändning; *a ~ of fate* en ödets nyck **7** twist dans **8** sport. skruv
twisted ['twɪstɪd] *adj* snodd; vriden [*a ~ column*]; tvinnad; snedvriden; stukad [*a ~ ankle*]; invecklad, tilltrasslad, tillkrånglad, svårtydbar; *get ~* äv. sno sig, trassla ihop sig; *he has a ~ mind* vard. han är lite vriden
twister ['twɪstə] *s* **1** sport. skruvad boll, skruvboll **2** vard. bedragare, svindlare; ordvrängare **3** vanl. amer. vard. tromb, tornado
twit [twɪt] *s* sl. dumskalle
twitch [twɪtʃ] **I** *vb tr* **1** ha (få) [kramp]ryckningar i; knipa ihop; *~ one's ears* om djur klippa med öronen; *~ one's eyelids* (*mouth*) ha ryckningar i ögonlocken (kring munnen) **2** rycka (dra) i [*the rider ~ed the reins*]
II *vb itr* **1** rycka till; [krampaktigt] dras ihop; *his face ~es* han har ryckningar i ansiktet **2** rycka, dra, nypa
III *s* **1** [kramp]ryckning, [muskel]sammandragning; *there was a ~ round the corners of her mouth* det ryckte i mungiporna på henne **2** ryck [*I felt a ~ at my sleeve*]; nyp
twitchy ['twɪtʃi] *adj* vard. nervös, orolig, otålig
twitter ['twɪtə] **I** *vb itr* **1** kvittra **2** pladdra **3** fnittra nervöst **4** data. tvittra, mikroblogga
II *s* **1** kvitter **2** snatter **3** vard., *be in a ~* el. *be all of a ~* ha stora skälvan, vara hispig **4** data. tvitter, mikroblogg
twittery ['twɪtəri] *adj* vard. hispig, nervös
two [tu:] (jfr *five* med ex. o. sammansättn.) **I** *räkn* två; båda, bägge; *the first ~ days* de båda (bägge, två) första dagarna; *a day or ~* ett par dagar; *~ or three days* ett par tre dagar; *~'s company three's a crowd* tre är en för mycket; *put ~ and ~ together* bildl. lägga ihop två och två, dra sina slutsatser; [*break*] *in ~* …[mitt] itu, …i två delar, …sönder (av); *I know ~ of that* vard. jag vet bättre; *that makes ~ of us* vard. då är vi lika [du och jag], det är likadant (samma sak) med mig, jag med; *the ~ of you* ni båda (bägge, två), båda två
II *s* tvåa; *by ~s* el. *in ~s* två och två, två i taget, parvis; på två led
two-bit ['tu:bɪt] *adj* amer. sl. billig; dålig, dussin- [*a ~ actor*]
two-dimensional [ˌtu:daɪ'menʃənl, -dɪ'm-] *adj* **1** tvådimensionell **2** bildl. ytlig, schematisk

two-edged [ˌtu:'edʒd, attr. '--] *adj* tveeggad äv. bildl.
two-faced [ˌtu:'feɪst, attr. '--] *adj* **1** med två ansikten **2** bildl. falsk, hycklande
twofold ['tu:fəʊld] **I** *adj* dubbel, tvåfaldig **II** *adv* dubbelt, tvåfaldigt, dubbelt så mycket
twopence ['tʌp(ə)ns, i nuvarande myntsystem vanl. ˌtu:'pens] *s* **1** hist. två pence **2** vard., *not care* (*give*) *~ for* inte bry sig ett dugg om, strunta i
twopenny [i betydelse 2 vanl. 'tʌp(ə)nɪ, i nuvarande myntsystem vanl. ˌtu:'penɪ, '-,--] *adj* **1** hist. tvåpence- [*~ stamp*] **2** bildl. billig, strunt-, futtig; *I don't care a ~ damn if...* vard. jag bryr mig inte ett jäkla (förbaskat) dugg om ifall…
two-piece ['tu:pi:s] **I** *adj* tudelad; tvådelad [*a ~ bathing suit*]; i två delar
II *s* **1** se *two-piece suit* **2** tvådelad baddräkt
two-piece suit [ˌtu:pi:s'su:t] *s* **1** kostym [utan väst] **2** tvådelad dräkt
two-ply ['tu:plaɪ] *adj* **1** om garn m.m. dubbel, tvåtrådig [*~ thread*] **2** om trä m.m. i två skikt
two-seater [ˌtu:'si:tə] *s* tvåsitsig bil; tvåsitsigt flygplan; attr. tvåsitsig [*a ~ car*]
two-sided [ˌtu:'saɪdɪd] *adj* tvåsidig, dubbelsidig
twosome ['tu:səm] **I** *adj* utförd av två, för två, tvåmans-; par- [*~ dance*] **II** *s* spel (parti) där två spelar mot varandra; pardans; golf. tvåspel
two-time ['tu:taɪm] *vb tr* sl. bedra, vara otrogen mot
two-timer ['tu:ˌtaɪmə] *s* sl. vänsterprasslare
two-tone ['tu:təʊn] *adj* **1** ngt åld. med (i) två färger [*~ shoes*] **2** tvåtons- [*a ~ signal*]
two-way ['tu:weɪ] *adj* **1** tvåvägs- [*a ~ tap*]; ~ *switch* tvåvägsströmbrytare **2** dubbelriktad [*~ traffic*]
two-way mirror [ˌtu:weɪ'mɪrə] *s* detektivglas
two-way street [ˌtu:weɪ'stri:t] *s* gata med dubbelriktad trafik
TX förk. för *Texas*
tycoon [taɪ'ku:n] *s* magnat [*oil ~s*]; [stor]pamp, kung [*newspaper ~*]
tying ['taɪɪŋ] pres. p. av *tie*
tyke [taɪk] *s* vard. rackarunge
tympanic membrane [tɪmˌpænɪk'membreɪn] *s* anat. trumhinna
Tyne and Wear [ˌtaɪnən(d)'wɪə] geogr.
Tyneside ['taɪnsaɪd] stadsområde vid floden Tyne i Nordengland
type [taɪp] **I** *s* **1 a**) typ, art, slag, sort **b**) som efterled i sammansättn. av…-typ, -liknande [*Cheddar-type cheese*] **2** vard. individ, typ [*that awful ~*] **3** boktr. typ; stil[sort], tryck; typer, sats; *bold ~* halvfet [stil]; *printed in large* (*small*) *~* tryckt med stor (liten, fin) stil
II *vb tr* **1** skriva på dator; förr skriva på maskin, skriva [på dator, förr på maskin], skriva in [på dator]; *a ~d letter* ett maskinskrivet brev **2** typbestämma; *~ sb's blood* göra en blodgruppsbestämning på ngn
III *vb itr* skriva på dator; förr skriva [på] maskin
IV *vb tr* med adv.:
type in skriva [på dator, förr på maskin], skriva in [på dator]
type out skriva ut [på dator, förr på maskin]
type up renskriva [på dator, förr på maskin]
typecast ['taɪpkɑ:st] (*typecast typecast*) *vb tr* teat., ~ [*an actor*] **a**) ge…en roll som passar hans typ

b) alltid ge…samma typ av roller; allm. placera i
viss kategori

typeface ['taɪpfeɪs] s boktr. typsnitt, teckensnitt

typescript ['taɪpskrɪpt] s maskinskrivet manuskript

typeset ['taɪpset] vb tr boktr. sätta

typesetter ['taɪpˌsetə] s boktr. **1** sättare
2 sättmaskin

typesetting ['taɪpˌsetɪŋ] s boktr. sättning

typesetting machine ['taɪpˌsetɪŋməˈʃiːn] s boktr.
sättmaskin

typewriter ['taɪpˌraɪtə] s skrivmaskin

typewritten ['taɪprɪt(ə)n] adj, **a ~ letter** ett
maskinskrivet brev

typhoid ['taɪfɔɪd] s med. tyfus, tyfoidfeber, nervfeber

typhoon [taɪˈfuːn] s meteor. tyfon

typhus ['taɪfəs] s med. fläckfeber, fläcktyfus

typical ['tɪpɪk(ə)l] adj **1** typisk, karakteristisk,
representativ, betecknande [of för] **2** symbolisk [of
för]; **be ~ of** äv. symbolisera, representera

typically ['tɪpɪk(ə)lɪ] adv typiskt etc., jfr typical;
typiskt nog

typify ['tɪpɪfaɪ] vb tr vara ett typiskt exempel på,
exemplifiera

typing ['taɪpɪŋ] s maskinskrivning; data. o.d.
skrivning på tangentbord; **~ bureau** skrivbyrå

typing error ['taɪpɪŋˌerə] s skrivfel i utskrift

typist ['taɪpɪst] s person som skriver på dator spec.
som yrke; förr maskinskrivare

typographer [taɪˈpɒɡrəfə] s typograf

typographic [ˌtaɪpəˈɡræfɪk] adj o. **typographical**
[ˌtaɪpəˈɡræfɪk(ə)l] adj typografisk; tryck- [a ~
error]

typography [taɪˈpɒɡrəfɪ] s **1** typografi; typografisk
utformning **2** boktryckarkonsten

tyrannical [tɪˈrænɪk(ə)l] adj tyrannisk

tyrannize ['tɪrənaɪz] **I** vb itr regera tyranniskt; **~
over** tyrannisera, förtrycka **II** vb tr tyrannisera,
förtrycka

tyrannosaurus [tɪˌrænəˈsɔːrəs] s tyrannosaurus

tyrannous ['tɪrənəs] adj tyrannisk, despotisk

tyranny ['tɪrənɪ] s tyranni, despoti, förtryck

tyrant ['taɪər(ə)nt] s tyrann, despot, förtryckare

tyre ['taɪə] s däck, ring till bil, cykel o.d.; sl. bilring kring
magen

tyre chain ['taɪətʃeɪn] s snökedja

tyre cover ['taɪəˌkʌvə] s däckskydd

tyre gauge ['taɪəɡeɪdʒ] s däcktrycksmätare

tyre lever ['taɪəˌliːvə] s bil. ringjärn

tyre pressure ['taɪəˌpreʃə] s ringtryck

tyro ['taɪərəʊ] (pl. ~s) s nybörjare, novis

Tyrol [tɪˈrəʊl, 'tɪr(ə)l] geogr. Tyrolen [äv. the ~]

Tyrolean [ˌtɪrəˈliːən, tɪˈrəʊlɪən] adj o. s, **~ hat**
tyrolerhat, se äv. Tyrolese

Tyrolese [ˌtɪrəˈliːz] **I** adj tyrolsk, tyroler- [~ hat]
II (pl. Tyrolese) s tyrolare

Tyrrhenian Sea [tɪˌriːnɪənˈsiː] geogr., **the ~** Tyrrenska
havet

tzar [zɑː, tsɑː] s o. **tzarina** [zɑːˈriːnə, tsɑː-] s se czar
resp. czarina

tzatziki [ˌtsætˈsɪkɪ] s kok. (grek.) tzatziki

1 U, u [juː] (pl. U's el. u's [juːz]) s U, u

2 U [juː] adj o. s (förk. för universal) barntillåten
[film]

3 U [juː] i e-post el. textmeddelanden förk. för you [C U
(see you)]

UAE [ˌjuːeɪˈiː] (förk. för United Arab Emirates), **the ~**
se United Arab Emirates

uber- ['uːbə] prefix super-, ultra-, över-

ubiquitous [jʊˈbɪkwɪtəs] adj allestädes närvarande;
överallt förekommande, allmänt utbredd

ubiquity [jʊˈbɪkwɪtɪ] s allestädesnärvaro

U-boat ['juːbəʊt] s [tysk] ubåt

UCLA [ˌjuːsiːelˈeɪ] förk. för University of California,
Los Angeles

udder ['ʌdə] s juver

UEFA [jʊˈeɪfə, -'iːfə, 'juːfə] (förk. för Union of
European Football Associations) Europeiska
fotbollsförbundet

UFO o. **ufo** ['juːfəʊ] (pl. ~s) s (förk. för unidentified
flying object) ufo, oidentifierat flygande föremål

Uganda [jʊˈɡændə] geogr.

Ugandan [jʊˈɡændən] **I** adj ugandisk **II** s ugandier;
ugandiska kvinna

ugh [ʊh, uːx] interj hu!, usch!, fy!

ugli ['ʌɡlɪ] s bot. ugli [äv. ~ fruit]

ugliness ['ʌɡlɪnəs] s fulhet, oskönhet etc., jfr ugly

ugly ['ʌɡlɪ] adj **1** ful äv. bildl. [an ~ person; an ~
trick]; oskön; otäck, ruskig [an ~ crime; ~
weather]; elakartad [an ~ wound]; elak [an ~
rumour]; **an ~ customer** vard. en otrevlig typ
2 otrevlig, besvärlig [an ~ situation]; oroväckande
[~ news]; hotande **3** vard. sur, härsken [an ~ mood]

ugly duckling [ˌʌɡlɪˈdʌklɪŋ] s, **the ~** den fula
ankungen

UHF [ˌjuːeɪtʃˈef] förk. för ultrahigh frequency

uh-huh [əˈhʌ, 'ʌhə] interj jakande läte ja!, just det!, jo!

uh-oh ['ʌəʊ] interj oh nej!

UHT [ˌjuːeɪtʃˈtiː] förk. för ultra heat treated, ultra
high temperature

UHT milk [ˌjuːeɪtʃˈtiːmɪlk] s H-mjölk UHT-pastöriserad
mjölk för extra lång hållbarhet

uh-uh ['ʌʌ] interj nej!

UI [ˌjuːˈaɪ] förk. för user interface

UK [ˌjuːˈkeɪ] s (förk. för United Kingdom), **the ~**
Förenade kungariket Storbritannien och Nordirland

Ukraine [jʊˈkreɪn, -'kraɪn] geogr., **the ~** Ukraina

Ukrainian [jʊˈkreɪnɪən] **I** s ukrainare; ukrainska
kvinna **II** adj ukrainsk

ukulele [ˌjuːkəˈleɪlɪ] s ukulele stränginstrument

ulcer ['ʌlsə] s med. sår; **gastric ~** magsår

ulcerate ['ʌlsəreɪt] vb itr bli sårig, få sår

ulceration [ˌʌlsəˈreɪʃ(ə)n] s sårbildning

ulcerous ['ʌls(ə)rəs] adj med. ulcerös, sårig; varig;
sårartad, sår-

uln|a ['ʌln|ə] (pl. -ae [-iː]) s anat. armbågsben

Ulster ['ʌlstə] geogr. egennamn Ulster; vard. Nordirland

ulster ['ʌlstə] s ulster kappa el. rock

ulterior [ʌl'tɪərɪə] *adj* hemlig, dold [~ *plans*; ~ *motives*]; *without an ~ motive* utan någon baktanke

ultimate ['ʌltɪmət] **I** *adj* **1** slutlig, slut- [*the ~ aim*; *the ~ result*]; sista; yttersta [*the ~ consequences*] **2** slutgiltig, avgörande [*the ~ weapon*]; definitiv, ultimat **3** grundläggande, grund- [~ *principles*; ~ *truth*]; ursprunglig; yttersta [*the ~ cause*] **II** *s* höjd[punkt], högsta grad; *the ~ in luxury* höjden av lyx

ultimately ['ʌltɪmətlɪ] *adv* till sist (slut), slutligen

ultimat|um [ˌʌltɪ'meɪt|əm] (pl. *-ums* el. *-a* [-ə]) *s* ultimatum

ultramarine [ˌʌltrəmə'riːn] **I** *s* ultramarin; ~ *blue* ultramarinblått **II** *adj* ultramarin[färgad]

ultramodern [ˌʌltrə'mɒd(ə)n] *adj* ultramodern, toppmodern, hypermodern

ultrasonic [ˌʌltrə'sɒnɪk] *adj* ultraljud[s]- [~ *waves*]; ~ *sound* ultraljud

ultrasound ['ʌltrəsaʊnd] *s* ultraljud

ultraviolet [ˌʌltrə'vaɪələt] *adj* ultraviolett [~ *rays*]

ultraviolet lamp [ˌʌltrə'vaɪələtlæmp] *s* ultraviolett lampa, kvartslampa

Ulysses ['juːlɪsiːz, jʊ'lɪsiːz] som namn på grekisk hjälte el. Joyces roman (i sv. översättning) Odysseus

um [ʌm, əm, m] *interj* hm!

umber ['ʌmbə] **I** *s* umbra **II** *adj* umbrabrun, umbrafärgad

umbilical [ʌm'bɪlɪk(ə)l] *s* rymd. 'navelsträng' mellan rymdskepp o. astronaut på rymdpromenad

umbilical cord [ʌmˌbɪlɪk(ə)l'kɔːd] *s* navelsträng äv. rymd., jfr *umbilical*

umbrage ['ʌmbrɪdʒ] *s* missnöje, ovilja; *give ~* väcka anstöt (ont blod) [*to hos, bland*]; *take ~ at* bli kränkt (sårad) över (av), ta anstöt av

umbrella [ʌm'brelə] **I** *s* **1** paraply; parasoll **2** bildl. beskydd, skydd, hägn **II** *adj* sammanfattande [~ *term*]; över-, övergripande, tak-, paraply- [~ *organization*]

umbrella case [ʌm'breləkeɪs] *s* paraplyfodral

umbrella stand [ʌm'breləstænd] *s* paraplyställ

umpire ['ʌmpaɪə] **I** *s* **1** sport. domare i t.ex. baseboll, kricket el. tennis **2** [skilje]domare; förlikningsman **II** *vb tr* **1** sport. döma [~ *a cricket match*] **2** avgöra [genom skiljedom] **III** *vb itr* **1** sport. vara domare, döma **2** döma [~ *in a dispute*]; fungera som skiljedomare

umpteen ['ʌm(p)tiːn] *adj* vard. femtielva, hur många som helst

umpteenth ['ʌm(p)tiːnθ] *adj* vard. femtielfte [*for the ~ time*]

UN [ˌjuː'en] *s* (förk. för *United Nations*); *the ~* FN Förenta nationerna

'un [ən] *pron* vard. = *one* [*a little ~*]

unabashed [ˌʌnə'bæʃt] *adj* ogenerad; oförskräckt

unabated [ˌʌnə'beɪtɪd] *adj* oförminskad [*it continued ~*]; oförsvagad [~ *energy*; ~ *interest*]

unable [ʌn'eɪbl] *adj*, *be ~ to do sth* inte kunna (lyckas) göra ngt

unabridged [ˌʌnə'brɪdʒd] *adj* oförkortad, fullständig [~ *edition*]

unacceptable [ˌʌnək'septəbl] *adj* oacceptabel

unaccommodating [ˌʌnə'kɒmədeɪtɪŋ] *adj* omedgörlig, motspänstig; obändig

unaccompanied [ˌʌnə'kʌmp(ə)nɪd] *adj* **1** ensam,

utan sällskap; ~ *by* utan **2** mus. oackompanjerad, solo- **3** ~ *luggage* obeledsagat bagage; ~ *minor* obeledsagat barn

unaccomplished [ˌʌnə'kʌmplɪʃt, -'kɒm-] *adj* **1** ofullbordad, oavslutad **2** talanglös, obegåvad [*an ~ musician*]; okultiverad, obildad

unaccountable [ˌʌnə'kaʊntəbl] *adj* **1** oförklarlig [*to* för; *for* (av); *some ~ reason*] **2** oansvarig

unaccounted-for [ˌʌnə'kaʊntɪdfɔː] *adj* **1** oförklarad, outredd **2** oredovisad

unaccustomed [ˌʌnə'kʌstəmd] *adj* **1** ovan [*to* vid] **2** ovanlig [*his ~ silence*]; osedvanlig

unachievable [ˌʌnə'tʃiːvəbl] *adj* **1** ouppnåelig **2** outförbar

unacknowledged [ˌʌnək'nɒlɪdʒd] *adj* inte (ej) erkänd, bortglömd

unacquainted [ˌʌnə'kweɪntɪd] *adj* obekant [*with* med]; ovan [*with* vid]; *be ~ with* äv. vara okunnig om, inte känna till, inte vara insatt i

unadorned [ˌʌnə'dɔːnd] *adj* osmyckad, enkel

unadulterated [ˌʌnə'dʌltəreɪtɪd] *adj* oförfalskad [~ *beauty*]; oblandad, äkta, ren [~ *water*]

unadventurous [ˌʌnəd'ventʃərəs] *adj* som inte är ute efter några äventyr (upplevelser); tråkig; slätstruken

1 unaffected [ˌʌnə'fektɪd] *adj* **1** opåverkad, oberörd [*by* av] **2** med. inte angripen

2 unaffected [ˌʌnə'fektɪd] *adj* okonstlad, otvungen, naturlig [~ *manners*; ~ *style*]

unafraid [ˌʌnə'freɪd] *adj* orädd; inte rädd [*of* för]

unaided [ˌʌn'eɪdɪd] *adj* utan hjälp [*by* av]; ensam, på egen hand [*he did it ~*]

unalloyed [ˌʌnə'lɔɪd] *adj* oblandad, oförfalskad, ren [~ *delight*]

unalterable [ˌʌn'ɔːlt(ə)rəbl] *adj* oföränderlig, som inte går att ändra

unambiguous [ˌʌnæm'bɪgjʊəs] *adj* entydig, otvetydig

unambitious [ˌʌnæm'bɪʃəs] *adj* **1** utan äregirighet, oambitiös **2** anspråkslös, opretentiös

un-American [ˌʌnə'merɪkən] *adj* oamerikansk [~ *activities*]

unanimity [ˌjuːnə'nɪmətɪ] *s* enhällighet, enstämmighet, samstämmighet, enighet

unanimous [jʊ'nænɪməs] *adj* enhällig, enstämmig, samstämmig, enig [*a ~ opinion*]; enhälligt antagen [*a ~ report*]; *be elected by a ~ vote* bli enhälligt vald

unanimously [jʊ'nænɪməslɪ] *adv* enhälligt etc., jfr *unanimous*; [*the resolution*] *was carried ~* ...blev enhälligt antagen

unannounced [ˌʌnə'naʊnst] *adj* oanmäld [*he walked in ~*]

unanswerable [ˌʌn'ɑːns(ə)rəbl] *adj* **1** obesvarbar, [som är] omöjlig att besvara [*an ~ question*] **2** oemotsäglig, ovedersäglig [*an ~ argument*]

unanswered [ˌʌn'ɑːnsəd] *adj* obesvarad [~ *letters*; ~ *love*]

unanticipated [ˌʌnæn'tɪsɪpeɪtɪd] *adj* oförutsedd, oanad, oväntad

unapologetic [ˌʌnəpɒlə'dʒetɪk] *adj* som inte ursäktar sig, som inte ber om ursäkt; *be ~* inte ursäkta sig, inte be om ursäkt

unappealing [ˌʌnə'piːlɪŋ] *adj* föga tilltalande, oattraktiv, motbjudande

unappetizing [ˌʌnˈæpətaɪzɪŋ] *adj* oaptitlig, osmaklig; bildl. smaklös, charmlös

unappreciated [ˌʌnəˈpriːʃɪeɪtɪd] *adj* föga uppskattad; misskänd, oförstådd [*an ~ poet*]

unapproachable [ˌʌnəˈprəʊtʃəbl] *adj* otillgänglig, oåtkomlig, bildl. äv. reserverad

unarguable [ˌʌnˈɑːgjʊəb(ə)l] *adj* oomtvistad, odiskutabel

unarm [ˌʌnˈɑːm] *vb tr* avväpna

unarmed [ˌʌnˈɑːmd] *adj* obeväpnad; vapenlös, utan vapen; *~ combat* mil. handgemäng

unashamed [ˌʌnəˈʃeɪmd] *adj* **1** ogenerad, ohöljd, öppen **2** skamlös

unasked [ˌʌnˈɑːskt] *adj* **1** oombedd, utan att ha blivit ombedd **2** otillfrågad, utan att vara tillfrågad **3** objuden

unassailable [ˌʌnəˈseɪləbl] *adj* oangripbar, oangriplig, bildl. äv. oantastlig [*an ~ reputation*]; obestridlig

unassisted [ˌʌnəˈsɪstɪd] *adj* utan hjälp (bistånd) [*by av*]; på egen hand

unassuming [ˌʌnəˈsjuːmɪŋ, -ˈsuːm-] *adj* anspråkslös, blygsam; försynt [*a quiet, ~ person*]

unattached [ˌʌnəˈtætʃt] *adj* **1** lös, inte fastsittande **2** fri, oberoende, obunden

unattainable [ˌʌnəˈteɪnəbl] *adj* ouppnåelig, utom räckhåll

unattended [ˌʌnəˈtendɪd] *adj* **1 a)** utan tillsyn [*leave children ~*]; obevakad, utan uppsikt [*leave a vehicle ~*] **b)** inte [ordentligt] skött, försummad, vanskött [äv. *~ to*] **2** obesökt, utan deltagare [*an ~ meeting*] **3** utan uppvaktning (sällskap), ensam **4** bildl., *~ by* el. *~ with* inte förenad (förknippad) med, utan

unattractive [ˌʌnəˈtræktɪv] *adj* charmlös, oattraktiv, föga tilldragande; osympatisk

unauthorized [ˌʌnˈɔːθəraɪzd] *adj* inte auktoriserad, obemyndigad; obehörig

unavailable [ˌʌnəˈveɪləbl] *adj* **1** inte tillgänglig **2** oanträffbar, inte anträffbar

unavailing [ˌʌnəˈveɪlɪŋ] *adj* fåfäng, fruktlös, resultatlös [*~ efforts*]

unavoidable [ˌʌnəˈvɔɪdəbl] *adj* oundviklig; *an ~ accident* en olyckshändelse som ingen rår för

unavoidably [ˌʌnəˈvɔɪdəblɪ] *adv* oundvikligen; *be ~ absent* el. *be ~ detained* vara förhindrad [att komma]

unaware [ˌʌnəˈweə] *adj* omedveten, ovetande, okunnig [*of* om; *that* om att]

unawares [ˌʌnəˈweəz] *adv* **1 a)** omedvetet, utan att veta om det **b)** oavsiktligt, av misstag, utan att vilja det **2** oväntat, oförhappandes; *take sb ~* el. *catch sb ~* överrumpla (överraska) ngn

unbalance [ˌʌnˈbæləns] *vb tr* bringa ur balans (jämvikt) äv. bildl., rubba balansen i

unbalanced [ˌʌnˈbælənst] *adj* **1 a)** obalanserad, överspänd **b)** sinnesförvirrad, otillräknelig; *have an ~ mind* el. *be ~ in mind* vara sinnesförvirrad (psykiskt rubbad) **2** som inte befinner sig i balans (jämvikt), ostadig; ojämn; *an ~ diet* en ensidig kost **3** hand. inte balanserad [*an ~ budget*]

unbearable [ˌʌnˈbeərəbl] *adj* outhärdlig, odräglig

unbeatable [ˌʌnˈbiːtəbl] *adj* oslagbar [*an ~ team*]; överlägsen

unbeaten [ˌʌnˈbiːtn] *adj* obesegrad [*an ~ team*]; oslagen [*an ~ record*]; oöverträffad

unbecoming [ˌʌnbɪˈkʌmɪŋ] *adj* missklädsam [*she was wearing an ~ shade of green*]; opassande [*an ~ joke*]; *be ~ to sb* missklä ngn äv. bildl.

unbeknown [ˌʌnbɪˈnəʊn] o. **unbeknownst** [ˌʌnbɪˈnəʊnst] vard. **I** *adj* okänd [*to* för] **II** *adv*, [*he did it*] *~ to me* ...utan min vetskap, ...mig ovetande

unbelief [ˌʌnbəˈliːf] *s* spec. relig. otro, vantro

unbelievable [ˌʌnbəˈliːvəbl] *adj* otrolig

unbeliever [ˌʌnbəˈliːvə] *s* **1** relig. icke troende [person]; *the ~s* äv. de otrogna **2** tvivlare, skeptiker

unbelieving [ˌʌnbəˈliːvɪŋ] *adj* **1** relig. icke troende; otrogen, vantrogen **2** tvivlande, skeptisk, klentrogen

unbend [ˌʌnˈbend] (*unbent unbent*) *vb itr* slappna av, öppna sig, tina upp; släppa loss

unbending [ˌʌnˈbendɪŋ] *adj* obeveklig, omedgörlig [*an ~ attitude*]; hårdnackad

unbent [ˌʌnˈbent] imperf. o. perf. p. av *unbend*

unbiased [ˌʌnˈbaɪəst] *adj* fördomsfri; förutsättningslös; opartisk, objektiv, ojävig

unbidden [ˌʌnˈbɪdn] *adj* **1** objuden [*~ guests*] **2** oombedd; [*she did it*] *~* äv. ...självmant

unbleached [ˌʌnˈbliːtʃt] *adj* oblekt [*~ cloth*]

unblemished [ˌʌnˈblemɪʃt] *adj* oförvitlig, fläckfri [*an ~ character*]

unblinking [ˌʌnˈblɪŋkɪŋ] *adj* osviklig, fast, orubblig [*~ faith*]

unblushing [ˌʌnˈblʌʃɪŋ] *adj* oblyg, skamlös

unborn [ˌʌnˈbɔːn] *adj* ofödd; kommande, framtida [*~ generations*]

unbosom [ˌʌnˈbʊzəm] *vb itr* o. *vb rfl*, *~* [*oneself*] lätta sitt hjärta [*to* för], anförtro sig [*to* åt]

unbounded [ˌʌnˈbaʊndɪd] *adj* obegränsad, bildl. äv. oinskränkt [*~ confidence*]; gränslös [*~ admiration*]; ohämmad [*~ optimism*]; hejdlös

unbreakable [ˌʌnˈbreɪkəbl] *adj* okrossbar, oförstörbar; obrytbar

unbridgeable [ˌʌnˈbrɪdʒəbl] *adj* oöverbryggbar, oöverstiglig [*an ~ gap* (klyfta)]

unbridled [ˌʌnˈbraɪdld] *adj* bildl. otyglad, lössläppt [*~ passion*; *~ imagination*]; ohämmad [*~ insolence*]

unbroken [ˌʌnˈbrəʊk(ə)n] *adj* **1** obruten äv. bildl.; hel [*~ dishes*]; fullständig [*~ control*]; *~ line* heldragen linje **2** oavbruten [*~ silence*]; ostörd [*~ sleep*] **3** oöverträffad [*an ~ record*] **4** otämjd, om häst äv. oinriden

unbuckle [ˌʌnˈbʌkl] *vb tr* **1** spänna (knäppa) upp **2** spänna av sig [*~ one's skis*]

unburden [ˌʌnˈbɜːdn] *vb tr* **1** lätta [*~ one's conscience*]; befria [*of* från], avbörda, avlasta; *~ oneself* el. *~ one's mind* lätta sitt hjärta [*to sb* för ngn] **2** avbörda sig, lasta av sig, erkänna

unbusinesslike [ˌʌnˈbɪznɪslaɪk] *adj* föga (allt annat än) affärsmässig, oproffsig; osystematisk

unbutton [ˌʌnˈbʌtn] *vb tr* knäppa upp; *come ~ed* gå upp

uncalled-for [ˌʌnˈkɔːldfɔː] *adj* **1** opåkallad, omotiverad, onödig [*~ measures*]; obefogad **2** malplacerad, taktlös [*an ~ remark*]; oförskämd

uncanny [ˌʌnˈkænɪ] *adj* **1** kuslig, hemsk, mystisk, spöklik [*~ sounds*; *~ shapes*] **2** förunderlig [*an ~ power*]; otrolig, häpnadsväckande [*~ skill*]

uncared-for [ˌʌnˈkeədfɔ:] *adj* vanvårdad, vanskött, försummad [~ *children*]; som ingen bryr sig om

uncaring [ˌʌnˈkeərɪŋ] *adj* likgiltig, som inte bryr sig

unceasing [ˌʌnˈsi:sɪŋ] *adj* oavbruten, oupphörlig

uncensored [ʌnˈsensəd] *adj* ocensurerad

unceremonious [ˈʌnˌserɪˈməʊnɪəs] *adj* brysk, ohövlig; hänsynslös

uncertain [ʌnˈsɜ:tn] *adj* **1** osäker, inte säker [*of*, *about* på], oviss [*of*, *about* om]; otrygg; oklar **2** ostadig, nyckfull [~ *weather*; *an* ~ *temper*] **3** svävande, obestämd [*an* ~ *answer*]; **in no ~ terms** i otvetydiga ordalag

uncertainty [ʌnˈsɜ:tntɪ] *s* **1** osäkerhet etc., jfr *uncertain* **2** *the* ~ *of* det osäkra (ovissa) i

unchallenged [ˌʌnˈtʃælən(d)ʒd] *adj* obestridd, oemotsagd; **allow sth to pass** ~ låta ngt ske utan protester; **she walked into the building** ~ hon gick in i huset utan att bli stoppad

unchangeable [ˌʌnˈtʃeɪn(d)ʒəbl] *adj* **1** oföränderlig **2** som inte kan ändras (bytas)

unchanging [ˌʌnˈtʃeɪn(d)ʒɪŋ] *adj* oföränderlig, konstant

uncharacteristic [ˈʌnˌkærəktəˈrɪstɪk] *adj* okaraktäristisk, ej typisk (utmärkande)

uncharitable [ʌnˈtʃærɪtəbl] *adj* elak, obarmhärtig, hård [*to* mot]

uncharted [ʌnˈtʃɑ:tɪd] *adj* **1** som inte är utsatt på kartan (sjökortet) [*an* ~ *island*] **2** som inte är kartlagd [*an* ~ *sea*]

unchecked [ʌnˈtʃekt] *adj* okontrollerad [~ *figures*; ~ *anger*]; ohämmad, bildl. äv. otyglad [~ *anger*]

unchristian [ʌnˈkrɪstjən] *adj* inte kristen; okristlig äv. bildl. [*at this* ~ *hour*]

uncivil [ˌʌnˈsɪvl] *adj* ohövlig, oartig

uncivilized [ʌnˈsɪvəlaɪzd] *adj* ociviliserad, barbarisk; okultiverad

unclaimed [ʌnˈkleɪmd] *adj* som ingen gjort anspråk på; inte avhämtad, kvarliggande [~ *goods*]

unclassified [ʌnˈklæsɪfaɪd] *adj* **1** oklassificerad; ~ **football results** fotbollsresultat ej ordnade i divisioner, tabeller o.d. **2** inte [längre] hemligstämplad

uncle [ˈʌŋkl] *s* farbror äv. om barns tilltal till vän till familjen o.d., morbror; onkel

unclean [ˌʌnˈkli:n] *adj* smutsig, oren

uncleanly [adj. ˌʌnˈklenlɪ, adv. ˌʌnˈkli:nlɪ] **I** *adj* osnygg, orenlig [av sig]; smutsig äv. bildl. [~ *thoughts*] **II** *adv* smutsigt, orent

unclear [ʌnˈklɪə] *adj* oklar, svårförståelig; **I'm ~ about** [*what you mean*] jag är osäker på (förstår inte riktigt)…

Uncle Sam [ˌʌŋklˈsæm] (förk. *US*) *s* Onkel Sam personifikation av USA

Uncle Tom [ˌʌŋklˈtɒm] *s* neds. svart person som anses vara alltför underdånig mot de vita

unclothed [ʌnˈkləʊðd] *adj* **1** avklädd **2** oklädd, naken

uncluttered [ʌnˈklʌtəd] *adj* **1** [stil]ren, enkel [~ *prose*]; strikt, sober [*an* ~ *design*] **2** obelamrad, fri

uncoil [ˌʌnˈkɔɪl] **I** *vb tr* rulla upp (ut) [~ *a rope*]; rulla (vira) av **II** *vb itr* rulla upp (ut) sig; räta ut sig

uncomfortable [ˌʌnˈkʌmf(ə)təbl] *adj* **1 a)** obekväm

b) obehaglig, otrevlig **2** obehaglig (illa) till mods, olustig [*feel* ~]; osäker, besvärad

uncommitted [ˌʌnkəˈmɪtɪd] *adj* **a)** oengagerad [~ *writers*; ~ *literature*] **b)** alliansfri, neutral [*the* ~ *countries*] **c)** opartisk, objektiv

uncommon [ˌʌnˈkɒmən] *adj* ovanlig, sällsynt

uncommonly [ˌʌnˈkɒmənlɪ] *adv* **1** ovanligt, sällsynt [*an* ~ *intelligent boy*] **2** *not* ~ inte sällan

uncommunicative [ˌʌnkəˈmju:nɪkətɪv] *adj* **1** tystlåten, föga meddelsam **2** inbunden, sluten

uncompetitive [ˌʌnkəmˈpetətɪv] *adj* inte konkurrenskraftig [~ *prices*]

uncomplaining [ˌʌnkəmˈpleɪnɪŋ] *adj* tålig, som inte beklagar sig

uncompleted [ˌʌnkəmˈpli:tɪd] *adj* oavslutad, ofullbordad

uncomplicated [ˌʌnˈkɒmplɪkeɪtɪd] *adj* okomplicerad

uncomprehending [ʌnˌkɒmprɪˈhendɪŋ] *adj* oförstående

uncompromising [ˌʌnˈkɒmprəmaɪzɪŋ] *adj* obeveklig, orubblig, ståndaktig, oböjlig; kompromisslös

unconcealed [ˌʌnkənˈsi:ld] *adj* ohöljd, öppen [~ *contempt*]

unconcern [ˌʌnkənˈsɜ:n] *s* likgiltighet, ointresse

unconcerned [ˌʌnkənˈsɜ:nd] *adj* obekymrad [~ *about* (om) *the future*]; likgiltig [*about*, *with* för], oberörd [*about* inför]

unconditional [ˌʌnkənˈdɪʃ(ə)nl] *adj* **1** villkorslös, ovillkorlig, utan villkor; ~ **surrender** kapitulation utan villkor **2** obetingad; absolut

unconditionally [ˌʌnkənˈdɪʃ(ə)nlɪ] *adv* villkorslöst etc., jfr *unconditional*; utan villkor [*surrender* ~]; utan förbehåll (reservation)

unconditioned [ˌʌnkənˈdɪʃ(ə)nd] *adj* psykol. obetingad [~ *reflex*]

unconfirmed [ˌʌnkənˈfɜ:md] *adj* obekräftad, obestyrkt

uncongenial [ˌʌnkənˈdʒi:nɪəl] *adj* **1** osympatisk, motbjudande [*to* för] **2** olämplig [*to* för]; **it is ~ to him** äv. det passar honom inte, det är inte i hans smak

unconnected [ˌʌnkəˈnektɪd] *adj* **1** osammanhörande; utan samband (förbindelse) [*with* med]; lös [*an* ~ *wire*] **2** osammanhängande [~ *phrases*]; löslig

unconquerable [ˌʌnˈkɒŋk(ə)rəbl] *adj* oövervinnlig, obetvinglig; okuvlig [*his* ~ *will*]

unconscionable [ˌʌnˈkɒnʃnəbl] *adj* orimlig, omåttlig; oskälig [~ *profit*]; orimligt etc. stor [*an* ~ *amount*]; orimligt etc. lång [*take an* ~ *time*]

unconscious [ˌʌnˈkɒnʃəs] **I** *adj* **1** medvetslös **2** omedveten [~ *humour*]; **be ~ of** vara omedveten (okunnig, ovetande) om **3** psykol. undermedveten **II** *s* psykol., *the* ~ det undermedvetna

unconsciousness [ˌʌnˈkɒnʃəsnəs] *s* **1** medvetslöshet **2** omedvetenhet [*of* om]

unconsidered [ˌʌnkənˈsɪdəd] *adj* **1** oöverlagd, oövertänkt [~ *words*] **2** obeaktad, förbisedd

unconstitutional [ˈʌnˌkɒnstɪˈtju:ʃnl] *adj* grundlagsstridig, författningsstridig

uncontaminated [ˌʌnkənˈtæmɪneɪtɪd] *adj*

oförorenad, ej nedsmutsad (kontaminerad); bildl. obesmittad

uncontested [ˌʌnkən'testɪd] *adj* **1** obestridd, oomtvistad **2** polit., ~ *election* val utan motkandidater; amer. äv. val vars giltighet inte bestrids av den förlorande kandidaten

uncontrollable [ˌʌnkən'trəʊləbl] *adj* okontrollerbar, omöjlig att kontrollera, bildl. äv. våldsam [~ *rage*]; obetvinglig, oemotståndlig [~ *desire*]

uncontrolled [ˌʌnkən'trəʊld] *adj* **1** okontrollerad, bildl. äv. obehärskad, otyglad; obetvingad **2** som man inte fått bukt med [~ *problems*] **3** oinskränkt, fri

uncontroversial [ʌnˌkɒntrə'vɜ:ʃ(ə)l] *adj* okontroversiell, oomtvistad, obestridd

unconventional [ˌʌnkən'venʃ(ə)nl] *adj* okonventionell; originell

unconvincing [ˌʌnkən'vɪnsɪŋ] *adj* föga övertygande; osannolik [*an* ~ *explanation*]

uncooked [ˌʌn'kʊkt] *adj* inte färdigkokt; okokt, ostekt, rå

uncool [ˌʌn'ku:l] *adj* vard. ocool, töntig

uncooperative [ˌʌnkəʊ'ɒp(ə)rətɪv] *adj* samarbetsovillig; föga tillmötesgående

uncoordinated [ˌʌnkəʊ'ɔ:dɪneɪtɪd] *adj* inte samordnad (koordinerad); splittrad

uncork [ˌʌn'kɔ:k] *vb tr* korka upp, dra korken ur [~ *a bottle*]

uncorroborated [ˌʌnkə'rɒbəreɪtɪd] *adj* obekräftad, obestyrkt

uncountable [ˌʌn'kaʊntəbl] **I** *adj* **1** oräknelig, otalig **2** som inte kan räknas, oräknebar; gram. äv. inte pluralbildande
II *s* gram. oräknebart (inte pluralbildande) substantiv

uncouple [ˌʌn'kʌpl] *vb tr* koppla av (från) [~ *the locomotive*]; koppla lös, släppa [~ *a dog*]

uncouth [ˌʌn'ku:θ] *adj* **1** okultiverad, ohyfsad [~ *behaviour*; *an* ~ *young man*]; rå [~ *laughter*]; grov, ofin **2** klumpig, otymplig [~ *appearance*]

uncover [ˌʌn'kʌvə] *vb tr* **1** täcka av, avtäcka; blotta [~ *one's head*]; frilägga; ta av täcket (höljet, locket etc., jfr *cover III*) på (från) **2** bildl. avslöja [~ *a plot*]

uncritical [ˌʌn'krɪtɪk(ə)l] *adj* okritisk [*an* ~ *reader*; *an* ~ *estimate*]

uncrowned [ˌʌn'kraʊnd] *adj* **1** inte krönt; okrönt äv. bildl. [*their* ~ *ruler*] **2** utan krona

unction [ˈʌŋ(k)ʃ(ə)n] *s* relig. smörjelse

unctuous [ˈʌŋ(k)tjʊəs] *adj* salvelsefull; inställsam

uncultivated [ˌʌn'kʌltɪveɪtɪd] *adj* **1** ouppodlad [~ *land*] **2** okultiverad, obildad

uncut [ˌʌn'kʌt] *adj* **1** oklippt om t.ex. hår, film **2** om bok **a)** oskuren, utan skärning **b)** ouppskuren **3** om ädelsten oslipad [*an* ~ *diamond*]

undamaged [ˌʌn'dæmɪdʒd] *adj* oskadad, oskadd

undated [ˌʌn'deɪtɪd] *adj* odaterad

undaunted [ˌʌn'dɔ:ntɪd] *adj* oförfärad, oförskräckt, modig

undecided [ˌʌndɪ'saɪdɪd] *adj* **1** oavgjord, obestämd, inte bestämd **2** obeslutsam, tveksam; vet ej vid opinionsundersökning

undeclared [ˌʌndɪ'kleəd] *adj* **1** inte deklarerad (uppvisad) [i tullen] [~ *goods*] **2** inte tillkännagiven; ~ *war* krig utan krigsförklaring

undefeated [ˌʌndɪ'fi:tɪd] *adj* obesegrad

undefended [ˌʌndɪ'fendɪd] *adj* **1** oförsvarad; oskyddad **2** jur., ~ *lawsuit* a) mål där den tilltalade uppträder utan [försvars]advokat b) mål där den tilltalade inte bestrider käromålet

undefined [ˌʌndɪ'faɪnd] *adj* obestämd, vag [*an* ~ *feeling*]; odefinierad, oklar [~ *terms*]

undelete [ˌʌndɪ'li:t] *vb tr* data. återta raderad text

undelivered [ˌʌndɪ'lɪvəd] *adj* inte avlämnad (utlämnad), olevererad; kvarliggande

undemanding [ˌʌndɪ'mɑ:ndɪŋ] *adj* om arbete lätt; om person anspråkslös, förnöjsam

undemocratic [ˌʌndemə'krætɪk] *adj* odemokratisk

undemonstrative [ˌʌndɪ'mɒnstrətɪv] *adj* reserverad, behärskad

undeniable [ˌʌndɪ'naɪəbl] *adj* obestridlig, oförneklig, oneklig

undeniably [ˌʌndɪ'naɪəblɪ] *adv* obestridligen, onekligen

undependable [ˌʌndɪ'pendəbl] *adj* opålitlig

under [ˈʌndə] **I** *prep* **1 a)** under **b)** mindre än [*I can do it in* ~ *a week*]; ~ *Queen Victoria* under drottning Victorias regering **2** nedanför, vid foten av [*the village lies* ~ *the hill*]; i skydd av **3** enligt, i enlighet med [~ *the terms of the treaty*] **4** (motsvaras i sv. av annan prep. el. annan konstr.; se äv. under resp. huvudord, t.ex. *age* o. *breath*); **the question ~ *debate was*** frågan som diskuterades var; **be ~ *the delusion that…*** sväva i den villfarelsen att…; **the matter is ~ *examination*** saken hålls på att undersökas; **given ~ *his hand*** egenhändigt undertecknad av honom; **be ~ *an illusion*** bedra (missta) sig; **~ *sb's very nose*** (**eyes**) mitt framför näsan (ögonen) på ngn; **study ~ *sb*** studera för ngn; **~ *sentence of death*** dödsdömd; **~ *one's own steam*** för egen maskin
II *adv* **1 a)** under, nedanför; därunder [*children of seven and* ~]; längre ned, nedan [*as* ~] **b)** under vatten [*he stayed* ~ *for two minutes*] **2** under; nere; se vidare under *go* o. *keep* m.fl. verb
III *adj* under- [*the* ~ *surface of a leaf*]; lägre

underachieve [ˌʌnd(ə)rə'tʃi:v] *vb itr* vara lågpresterande, underprestera

underachiever [ˌʌnd(ə)rə'tʃi:və] *s* lågpresterande (underpresterande) elev (person)

underage [ˌʌndər'eɪdʒ] *adj* omyndig, minderårig; underårig, inte gammal nog

underarm [adj. o. subst. 'ʌndərɑ:m, adv. --'-] **I** *adj* sport. underhands- [*an* ~ *ball*]
II *adv* sport. underifrån [*serve* ~]
III *s* armhåla

underbading ['ʌndəˌbeɪdɪŋ] *s* textil. underbastning

underbelly ['ʌndəˌbelɪ] *s* bildl. sårbar (oskyddad) punkt (del, sida) [*the* ~ *of Europe*]

underbid [ˌʌndə'bɪd] (*underbid underbid*) *vb tr* o. *vb itr* bjuda under; ~ *one's hand* kortsp. bjuda för lågt [på sina kort]

underbrush ['ʌndəbrʌʃ] *s* vanl. amer. underskog, snårskog; undervegetation

undercarriage ['ʌndəˌkærɪdʒ] *s* **1** flyg. landningsställ **2** underrede på fordon

undercart ['ʌndəkɑ:t] *s* flyg. åld. landningsställ

undercharge [ˌʌndə'tʃɑ:dʒ] **I** *vb tr* debitera för lågt, ta för lite betalt av [~ *sb*]; begära för lite [*they ~d several pounds for it*]

II *s* **1** för låg debitering; för lågt pris **2** otillräcklig (för svag) laddning

underclass ['ʌndəklɑ:s] *s* underklass

underclothes ['ʌndəkləʊðz] *s pl* o. **underclothing** ['ʌndə‚kləʊðɪŋ] *s* underkläder

undercoat ['ʌndəkəʊt] *s* mål. **1** mellanstrykning **2** mellanstrykningsfärg

undercook [‚ʌndə'kʊk] *vb tr* koka för litet; *~ed* äv. inte färdigkokt, inte färdig

undercover ['ʌndə‚kʌvə] *adj* hemlig [*~ operations*]; under täckmantel

undercover agent ['ʌndəkʌvə‚eɪdʒ(ə)nt] *s* polis (agent) som jobbar under täckmantel; infiltratör

undercurrent ['ʌndə‚kʌr(ə)nt] *s* underström äv. bildl.

undercut [‚ʌndə'kʌt] (*undercut undercut*) *vb tr* **1** hand. **a)** bjuda under, sälja till (arbeta för) lägre pris än [*~ one's competitors*] **b)** sälja billigare än konkurrenterna [*~ goods*] **2** sport., *~ a ball* skära en boll, slå en underskruv **3** bildl. underminera

underdeveloped [‚ʌndədɪ'veləpt] *adj* underutvecklad [*~ countries*; *~ muscles*]

underdog ['ʌndədɒg] *s*, **the ~** den svagare [parten], den som är i underläge [*side with the ~*]

underdone [‚ʌndə'dʌn], attr. '---] *adj* kok. för lite stekt (kokt); lättstekt, blodig

underemployed [‚ʌndərɪm'plɔɪd] *adj* inte fullt sysselsatt, undersysselsatt

underemployment [‚ʌndərɪm'plɔɪmənt] *s* undersysselsättning

underestimate [verb ‚ʌndər'estɪmeɪt, subst. -mət] **I** *vb tr* underskatta, undervärdera; beräkna för lågt **II** *s* underskattning, undervärdering

underexpose [‚ʌnd(ə)rɪk'spəʊz] *vb tr* foto. underexponera

underexposure [‚ʌnd(ə)rɪk'spəʊʒə] *s* foto. underexponering

underfed [‚ʌndə'fed] *adj* undernärd, svältfödd

underfelt ['ʌndəfelt] *s* underlagsfilt [för mattor]

underfloor ['ʌndəflɔ:] *adj*, *~ heating* golvvärme

underfoot [‚ʌndə'fʊt] **I** *adv* under fötterna (foten); undertill; på marken; *it is dry ~* det är torrt på marken (torrt väglag); *trample sth ~* trampa på ngt; krossa ngt **II** *adj* **1** som är (finns) under fötterna (på marken) **2** som ligger i vägen (framför fötterna [på en])

underfunded [‚ʌndə'fʌndɪd] *adj* med otillräckliga anslag, utan tillräckliga resurser

undergarment ['ʌndə‚gɑ:mənt] *s* underplagg

undergo [‚ʌndə'gəʊ] (*underwent undergone*) *vb tr* **1** genomgå, undergå [*~ a change*]; gå igenom, underkastas **2** [få] utstå, lida [*~ hardships*]

undergone [‚ʌndə'gɒn] perf. p. av *undergo*

undergraduate [‚ʌndə'grædjʊət] *s* univ. student, studerande; *~ studies* universitetsstudier [för grundexamen]

underground [adv. ‚ʌndə'graʊnd, adj. o. subst. 'ʌndəgraʊnd] **I** *adv* under jorden äv. bildl. [*go ~*] **II** *adj* **1** underjordisk, underjords-; som ligger under markytan **2** tunnelbane- [*~ station*]; *~ railway* tunnelbana **3** bildl. underjordisk, hemlig, illegal; underground- kulturradikal [*~ literature*]; *~ movement* polit. underjordisk [motstånds]rörelse **III** *s* **1** tunnelbana **2** bildl. underjordisk grupp; polit.

underjordisk [motstånds]rörelse; underground kulturradikal rörelse

undergrowth ['ʌndəgrəʊθ] *s* undervegetation; småskog, underskog

underhand [adj. 'ʌndəhænd, adv. ʌndə'hænd] **I** *adj* **1 a)** lömsk, bakslug; bedräglig [*~ methods*] **b)** hemlig, under bordet [*an ~ deal*]; *use ~ means* el. *use ~ methods* gå smygvägar (bakvägar) **2** i kricket el. baseball underhands- [*an ~ ball*] **II** *adv* **1 a)** lömskt, bakslugt; bedrägligt **b)** i hemlighet, i smyg **2** i kricket el. baseball underifrån [*serve ~*]

underlain [‚ʌndə'leɪn] perf. p. av *underlie*

1 underlay ['ʌndəleɪ] *s* underlag; *~ felt* underlagsfilt

2 underlay [‚ʌndə'leɪ] imperf. av *underlie*

underlie [‚ʌndə'laɪ] (*underlay underlain*) *vb tr* **1** ligga under, bilda underlaget till **2** bildl. bära upp, vara (utgöra) grundvalen till; ligga bakom (under)

underline [‚ʌndə'laɪn] *vb tr* **1** stryka under **2** bildl. understryka, betona; framhäva, tydligt visa

underling ['ʌndəlɪŋ] *s* hantlangare, lakej, underhuggare

underlying [‚ʌndə'laɪɪŋ] *adj* **1** underliggande, som ligger under **2** bildl. **a)** bakomliggande, som ligger bakom [*the ~ causes*; *the ~ ideas*]; djupare [liggande] [*the ~ principles*] **b)** grundläggande, bärande [*the ~ principles*]

undermanned [‚ʌndə'mænd] *adj* underbemannad

undermine [‚ʌndə'maɪn] *vb tr* underminera, bildl. äv. urholka, undergräva [*~ sb's authority*; *~ one's health*]

underneath [‚ʌndə'ni:θ] **I** *prep* under, inunder; nedanför; på undersidan av **II** *adv* under, inunder [*wear wool ~*]; undertill, nertill; på undersidan; bildl. under ytan **III** *adj* undre; lägre **IV** *s* undersida; underdel

undernourished [‚ʌndə'nʌrɪʃt] *adj* undernärd, svältfödd

undernourishment [‚ʌndə'nʌrɪʃmənt] *s* undernäring

underpaid [‚ʌndə'peɪd] **I** imperf. av *underpay* **II** *adj* o. perf p (av *underpay*) underbetald

underpants ['ʌndəpænts] *s pl* kalsonger, amer. äv. underbyxor

underpass ['ʌndəpɑ:s] *s* **1** planskild korsning; vägtunnel **2** [gång]tunnel

underpay [‚ʌndə'peɪ] (*underpaid underpaid*) *vb tr* **1** underbetala [*~ sb*] **2** betala för litet på [*~ a bill*]

underpin [‚ʌndə'pɪn] *vb tr* **1** stötta [under], bygga under, förstärka **2** bildl. stödja, styrka, bekräfta

underplay [‚ʌndə'pleɪ] *vb tr* bagatellisera

underprice [‚ʌndə'praɪs] *vb tr* sätta underpris på

underprivileged [‚ʌndə'prɪvɪlɪdʒd] *adj* missgynnad, sämre lottad, underprivilegierad [*~ classes*]

underrate [‚ʌndə'reɪt] *vb tr* undervärdera, underskatta; värdera (beräkna) för lågt

underrepresented ['ʌndə‚reprɪ'zentɪd] *adj* underrepresenterad

underscore [‚ʌndə'skɔ:] *vb tr* **1** stryka under **2** bildl. understryka, betona; framhäva, tydligt visa

undersea ['ʌndəsi:] *adj* undervattens- [*~ cable*]; under vattnet [*~ life*]

underseal ['ʌndəsi:l] bil. m.m. **I** *vb tr*

underredsbehandla
II *s* underredsbehandling
undersecretary [ˌʌndəˈsekrət(ə)rɪ] *s* **1** polit.,
Undersecretary el. *Undersecretary of State* motsv. ung.
statssekreterare; *Parliamentary Undersecretary* el.
Parliamentary Undersecretary of State biträdande
minister i vissa regeringsdepartement där departementschefen
har titeln 'Secretary of State' **2** biträdande sekreterare,
andresekreterare
undersell [ˌʌndəˈsel] (*undersold undersold*) *vb tr*
1 sälja billigare än, underbjuda [~ *sb*] **2** sälja till
underpris, slumpa bort
undersexed [ˌʌndəˈsekst] *adj* med (som har)
[ovanligt] låg sexualdrift
undershirt [ˈʌndəʃɜːt] *s* vanl. amer. undertröja
underside [ˈʌndəsaɪd] *s* undersida
undersigned [ˈʌndəsaɪnd] (pl. *undersigned*) *s*
undertecknad; *we, the ~, hereby certify*
undertecknade intygar härmed
undersize [ˈʌndəsaɪz] *adj* o. **undersized** [ˈʌndəsaɪzd]
adj [som är] under medelstorlek (medellängd);
undersätsig; underdimensionerad
underskirt [ˈʌndəskɜːt] *s* underkjol
undersold [ˌʌndəˈsəʊld] imperf. o. perf. p. av *undersell*
understaffed [ˌʌndəˈstɑːft] *adj* underbemannad; *be
~* äv. ha för liten personal, ha ont om folk
understand [ˌʌndəˈstænd] (*understood understood*)
I *vb tr* (se äv. *understood*) **1** förstå, begripa; fatta,
inse; *she must be made to ~ that...* man måste få
henne att inse att..., hon måste få klart för sig
att... **2** ha förståelse för, förstå [*I quite ~ your
difficulties*] **3** a) förstå sig på [~ *children*]; vara
insatt i, kunna, förstå [*he ~s his job*] b) veta, vara
medveten om [~ *one's duties*] **4** ha hört; *he is, I ~,
not alone* såvitt jag har hört (förstått) är han inte
ensam **5** a) fatta [saken så], få för sig [*I
understood that she didn't want to come*]
b) [upp]fatta, tolka; *I understood that...* äv. jag hade
fått den uppfattningen att...; *I ~ him to be... I ~
that he is...* som jag fattar det är han..., han är
tydligen..., han måste vara...; *give sb to ~ that...*
låta ngn förstå att..., antyda för ngn att... **6** a) *~
by* förstå (mena) med; *what do you ~ by that word?* äv.
vad lägger du in [för betydelse] i det ordet? b) *~
from* förstå (fatta, läsa ut) av [*I ~ from his letter
that...*]; förstå på [*I understood from him that...*]
II *vb itr* **1** förstå, begripa, fatta; *I quite ~* jag förstår
precis **2** *~ about* förstå sig på
understandable [ˌʌndəˈstændəbl] *adj* förståelig,
begriplig
understandably [ˌʌndəˈstændəblɪ] *adv* förståeligt
(begripligt) [nog]
understanding [ˌʌndəˈstændɪŋ] **I** *s* **1** förstånd;
fattningsförmåga; klokhet, [gott] omdöme **2** insikt
[*of i*], kännedom, kunskap [*of om*], förståelse [*of
av*] **3** uppfattning, tolkning [*of av*] **4** förståelse
[*the ~ between the nations*]; förstående inställning
5 överenskommelse [*a tacit ~*]; avtal; samförstånd;
come to an ~ el. *reach an ~* nå samförstånd, komma
överens; *on the ~ that* på det villkoret att, under
förutsättning att
II *adj* **1** förstående [*an ~ smile*]; *be ~* äv. ha
förståelse **2** förståndig

understate [ˌʌndəˈsteɪt] *vb tr* underskatta,
bagatellisera, förringa [~ *problems*]
understatement [ˌʌndəˈsteɪtmənt] *s*
1 understatement, underdrift **2** underskattning
understood [ˌʌndəˈstʊd] **I** imperf. av *understand*
II *adj* o. *perf p* (av *understand*) **1** förstådd; [*is that*]
~? [är det] uppfattat? **2** överenskommen; självklar,
given; *it is ~ that* man räknar med att, det tas för
givet att; det är överenskommet att; *it must be ~
[that we will have to do it]* vi måste ha klart för
oss...; [*the police*] *are ~ to have......* har enligt
uppgift... **3** underförstådd; *the verb is* [*to be*] *~*
verbet är underförstått
understudy [subst. ˈʌndəˌstʌdɪ, verb ˌ--ˈ--] **I** *s* teat.
[roll]ersättare, inhoppare
II *vb tr* teat., *~ a part* lära in en roll för att kunna
hoppa in som ersättare; *~ an actor* fungera som
ersättare för en skådespelare
III *vb itr* teat. fungera som [roll]ersättare
(inhoppare)
undertake [ˌʌndəˈteɪk] (*undertook undertaken*) *vb
tr* **1** företa [~ *a journey*]; sätta i gång med **2** a) åta
sig [~ *a task*; *~ to do sth*]; förbinda sig [~ *to do sth*];
ta sig an [~ *a cause*]; ta på sig [~ *a responsibility*]
b) garantera
undertaken [ˌʌndəˈteɪkən] perf. p. av *undertake*
undertaker [ˈʌndəˌteɪkə] *s* begravningsentreprenör
undertaking [ˌʌndəˈteɪkɪŋ] *s* **1** företag; arbete
2 åtagande; förbindelse, förpliktelse **3** garanti,
löfte; *on an* (*the*) *~ that* mot löfte att
under-the-counter [ˌʌndəðəˈkaʊntə] *adj* vard. som
säljs under disken (svart) [~ *goods*]; svart [~
petrol]
under-the-table [ˌʌndəðəˈteɪbl] *adj* vard. under
bordet, i smyg; svart [~ *dealings*]
underthings [ˈʌndəθɪŋz] *s pl* vard. underkläder
undertone [ˈʌndətəʊn] *s* **1** *in an ~* el. *in ~s* med
dämpad (halvhög) röst, lågmält **2** bildl. underton
undertook [ˌʌndəˈtʊk] imperf. av *undertake*
undertow [ˈʌndətəʊ] *s* bakström, motström
underused [ˌʌndəˈjuːzd] *adj* underutnyttjad
undervalue [ˌʌndəˈvæljuː] *vb tr* undervärdera; bildl.
äv. underskatta; värdera för lågt
underwater [adj. ˈʌndəwɔːtə, adv. ˌ--ˈ--] **I** *adj*
1 undervattens- [~ *explosion*] **2** [som är] under
vattenlinjen på en båt
II *adv* under vattnet
underwear [ˈʌndəweə] *s* underkläder
underweight [ˈʌndəweɪt, pred. adj. ˌ--ˈ-] **I** *s* undervikt
II *adj* underviktig, under normalvikt
underwent [ˌʌndəˈwent] imperf. av *undergo*
underwhelmed [ˌʌndəˈwelmd] *adj* vard. skämts., *she
was distinctly ~ by his singing* hon var inte direkt
överväldigad av hans sång
underwired bra [ˌʌndəwaɪədˈbrɑː] *s* bygelbehå
underworld [ˈʌndəwɜːld] *s* **1** undre värld
2 dödsrike; *the ~* äv. underjorden
underwrite [ˌʌndəˈraɪt] (*underwrote underwritten*)
vb tr **1** a) skriva under äv. bildl.; garantera b) skriva
på [~ *a loan*] **2** hand. a) [förbinda sig att] överta
obligationslån o.d.; teckna sig för [~ *1,000 shares*]
b) åta sig att betala [~ *the cost*]; åta sig att
finansiera [~ *a business venture*] **3** försäkr.

a) försäkra, teckna [sjö]försäkring av [~ *a ship*]
b) teckna [~ *an insurance policy*]
underwriter ['ʌndəˌraɪtə] *s* **1** försäkr.
försäkringsgivare **2** hand. garant
underwritten [ˌʌndə'rɪtn] perf. p. av *underwrite*
underwrote [ˌʌndə'rəʊt] imperf. av *underwrite*
undeserved [ˌʌndɪ'zɜːvd] *adj* oförtjänt, oförskylld
undeserving [ˌʌndɪ'zɜːvɪŋ] *adj* ovärdig; som inte
förtjänar beaktande; *be ~ of* inte förtjäna
undesirable [ˌʌndɪ'zaɪərəbl] **I** *adj* icke önskvärd [~
effects; ~ *persons*]; misshaglig; ovälkommen [~
visitors]
II *s* icke önskvärd person
undetected [ˌʌndɪ'tektɪd] *adj* oupptäckt
undeterred [ˌʌndɪ'tɜːd] *adj* inte avskräckt; ~ *by* utan
att låta sig avskräckas (hindras) av
undeveloped [ˌʌndɪ'veləpt] *adj* **1** outvecklad;
outnyttjad [~ *natural resources*]; oexploaterad
2 foto. oframkallad
undid [ˌʌn'dɪd] imperf. av *undo*
undies ['ʌndɪz] *s pl* vard. [dam]underkläder
undignified [ˌʌn'dɪgnɪfaɪd] *adj* föga värdig [*in an ~
manner*]; opassande, ovärdig
undiluted [ˌʌndaɪ'ljuːtɪd, -dɪ'l-] *adj* outspädd;
oblandad äv. bildl. [~ *pleasure*]
undiminished [ˌʌndɪ'mɪnɪʃt] *adj* oförminskad,
oförsvagad [~ *energy*; ~ *interest*]
undiplomatic ['ʌnˌdɪplə'mætɪk] *adj* odiplomatisk
undiscerning [ˌʌndɪ'sɜːnɪŋ, -'zɜː-] *adj* omdömeslös,
okritisk
undischarged [ˌʌndɪs'tʃɑːdʒd] *adj* **1** obetald [~
debts] **2** jur., ~ *bankrupt* konkursgäldenär vars
konkurs inte avslutats
undisciplined [ˌʌn'dɪsɪplɪnd] *adj* odisciplinerad;
självsvåldig [*his ~ behaviour*]
undisclosed [ˌʌndɪs'kləʊzd] *adj* okänd [*an ~ sum of
money*]; inte avslöjad
undiscovered [ˌʌndɪ'skʌvəd] *adj* oupptäckt,
outforskad
undiscriminating [ˌʌndɪ'skrɪmɪneɪtɪŋ] *adj*
urskillningslös, okritisk
undisguis|ed [ˌʌndɪs'gaɪz|d] (adv. -*edly* [-ɪdlɪ]) *adj*
oförställd [~ *admiration*]; ohöljd, öppen [~
contempt]
undisputed [ˌʌndɪ'spjuːtɪd] *adj* obestridd
undistinguished [ˌʌndɪ'stɪŋgwɪʃt] *adj* slätstruken
[*an ~ performance*]; ointressant; som saknar
karaktär (särprägel) [~ *style*]
undisturb|ed [ˌʌndɪ'stɜːb|d] (adv. -*edly* [-ɪdlɪ]) *adj*
1 ostörd, lugn **2** orörd **3** oberörd, opåverkad
undivided [ˌʌndɪ'vaɪdɪd] *adj* **1** odelad [~ *attention*];
full och hel **2** enad, obruten [~ *front*]
undo [ˌʌn'duː] (*undid undone*) *vb tr* (se äv. *undone*)
1 knäppa upp [~ *the buttons*; ~ *one's coat*]; knyta
upp [~ *a knot*]; få upp; repa upp [~ *one's knitting*];
lossa [på], lösa [~ *the bands*]; spänna loss [~
straps]; ta (veckla) av [~ *the wrapping*]; ta (packa,
veckla) upp, öppna [~ *a parcel*]; *come undone* gå
upp [*my shoelace has come undone*]; lossna
2 a) göra ogjord **b)** göra om intet, förstöra, rasera
c) gottgöra, reparera **3** data. ångra
undoing [ˌʌn'duːɪŋ] *s* fördärv, olycka, undergång
undone [ˌʌn'dʌn] **I** perf. p. av *undo*

II *adj* **1 a)** uppknäppt, upplöst etc., jfr *undo 1*
b) oknäppt, oknuten **2** ogjord
undoubted [ˌʌn'daʊtɪd] *adj* otvivelaktig,
obestridlig; avgjord, klar [*an ~ victory*]
undoubtedly [ˌʌn'daʊtɪdlɪ] *adv* otvivelaktigt, utan
tvivel
undramatic [ˌʌndrə'mætɪk] *adj* odramatisk
undreamed-of o. **undreamt-of** [ˌʌn'dremtɒv] *adj*
oanad [~ *happiness*]; fantastisk, som man inte
kunnat drömma om [~ *wealth*]
undress [ˌʌn'dres] **I** *vb tr* **1** klä av **2** ta bort
förbandet från [~ *a wound*]
II *vb itr* klä av sig
III *s* lätt klädsel; *in a state of* ~ halvklädd
undressed [ˌʌn'drest] *adj* **1** avklädd; oklädd; *get ~*
klä av sig **2** obehandlad, obearbetad [~ *leather*; ~
stones] **3** kok. utan dressing (salladssås)
undrinkable [ˌʌn'drɪŋkəbl] *adj* odrickbar
undue [ˌʌn'djuː] *adj* **1** otillbörlig; orättmätig;
obehörig [~ *use of authority*] **2** onödig [~ *haste*; ~
risks]; opåkallad; överdriven
undulate ['ʌndjʊleɪt] *vb itr* gå i vågor, bölja; om ljud
äv. stiga och falla; *undulating landscape* böljande
(kuperat) landskap
undulation [ˌʌndjʊ'leɪʃ(ə)n] *s* **1** vågrörelse;
böljegång, vågsvall **2** vågformighet, vågighet
unduly [ˌʌn'djuːlɪ] *adv* **1** onödigt, i onödan;
överdrivet **2** otillbörligt
undying [ˌʌn'daɪɪŋ] *adj* odödlig; evig; oförgänglig;
som aldrig dör [~ *hatred*]
unearned [ˌʌn'ɜːnd] *adj* oförtjänt [~ *praise*]
unearned income [ʌnˌɜːnd'ɪnkʌm] *s* arbetsfri
inkomst, inkomst av kapital
unearth [ˌʌn'ɜːθ] *vb tr* **1** gräva upp (fram), bildl. äv.
upptäcka, avslöja, bringa i dagen **2** jakt. driva ut ur
grytet [~ *a fox*]
unearthly [ˌʌn'ɜːθlɪ] *adj* **1** överjordisk, ojordisk,
himmelsk **2** övernaturlig; mystisk; hemsk, kuslig
3 vard. orimlig; *at an ~ hour* okristligt tidigt (sent)
unease [ˌʌn'iːz] *s* se *uneasiness*
uneasiness [ˌʌn'iːzɪnəs] *s* oro, ängslan [*about* för];
[känsla av] obehag, olust
uneasy [ˌʌn'iːzɪ] *adj* orolig, ängslig [*about* för];
olustig, illa till mods; *he had an ~ conscience* han
hade lite dåligt samvete
uneatable [ˌʌn'iːtəbl] *adj* oätbar, oätlig
uneaten [ˌʌn'iːtn] *adj* inte uppäten; orörd
uneconomic [ˌʌniːkə'nɒmɪk] *adj* olönsam;
oekonomisk
uneconomical ['ʌnˌiːkə'nɒmɪk(ə)l] *adj* slösaktig,
oekonomisk; odryg
uneducated [ˌʌn'edjʊkeɪtɪd] *adj* obildad;
okultiverad
unemotional [ˌʌnɪ'məʊʃənl] *adj* oberörd,
behärskad; likgiltig, känslolös
unemployable [ˌʌnɪm'plɔɪəbl] *adj* som inte kan
beredas sysselsättning; inte arbetsför;
[arbets]oduglig
unemployed [ˌʌnɪm'plɔɪd] *adj* **1** arbetslös; *the ~* de
arbetslösa **2** outnyttjad, oanvänd; ~ *capital* ledigt
kapital
unemployment [ˌʌnɪm'plɔɪmənt] *s* arbetslöshet
unemployment benefit [ˌʌnɪm'plɔɪməntˌbenɪfɪt] *s*
hist., se *Jobseeker's Allowance*

unemployment compensation
[ˌʌnɪm'plɔɪmənt̩ˌkɒmpen'seɪʃ(ə)n] *s* amer.
arbetslöshetsunderstöd

unemployment insurance
[ˌʌnɪm'plɔɪməntɪnˌʃʊər(ə)ns] *s*
arbetslöshetsförsäkring

unemployment pay [ˌʌnɪm'plɔɪməntpeɪ] *s*
arbetslöshetsunderstöd

unending [ʌn'endɪŋ] *adj* **1** ändlös, oändlig **2** vard.
evig, evinnerlig

unendurable [ˌʌnɪn'djʊərəbl] *adj* outhärdlig, olidlig

un-English [ˌʌn'ɪŋglɪʃ] *adj* oengelsk

unenviable [ˌʌn'enviəbl] *adj* föga (inte) avundsvärd
[*an ~ task*]

unequal [ˌʌn'iːkw(ə)l] *adj* **1** ojämlik, orättvis; inte
jämställd **2** olika, olika stor (lång o.d.); inte
likvärdig; omaka **3** ojämn äv. bildl. [*an ~ contest*];
oenhetlig, oregelbunden **4** udda [*~ number*] **5** be ~
to inte motsvara [*the supply is ~ to the demand*]; **be
~ to the task** inte vara vuxen (kunna klara)
uppgiften

unequalled [ˌʌn'iːkw(ə)ld] *adj* oöverträffad, utan
motstycke (like), makalös

unequivocal [ˌʌnɪ'kwɪvək(ə)l] *adj* otvetydig

unerring [ˌʌn'ɜːrɪŋ] *adj* ofelbar, osviklig, säker; **an ~
eye for** en säker blick för

UNESCO o. **Unesco** [jʊ'neskəʊ] (förk. för *United
Nations Educational, Scientific & Cultural
Organization*) UNESCO

unethical [ˌʌn'eθɪk(ə)l] *adj* oetisk

uneven [ˌʌn'iːv(ə)n] *adj* **1** ojämn äv. bildl. [*~ road; ~
performance*]; skrovlig, knagglig; om mark kuperad
2 udda [*~ number*] **3** olika, olika lång; inte
parallell

uneventful [ˌʌnɪ'ventf(ʊ)l] *adj* händelsefattig,
händelselös; enformig; **the journey was ~** det hände
inte särskilt mycket på resan

unexceptionable [ˌʌnɪk'sepʃnəbl] *adj* oklanderlig,
oantastlig; mästerlig

unexceptional [ˌʌnɪk'sepʃənl] *adj* inte ovanlig,
tämligen vanlig

unexciting [ˌʌnɪk'saɪtɪŋ] *adj* föga spännande, utan
spänning, sensationslös

unexpected [ˌʌnɪk'spektɪd] *adj* oväntad, oanad,
oförutsedd

unexpectedly [ˌʌnɪk'spektɪdlɪ] *adv* oväntat

unexpired [ˌʌnɪk'spaɪəd] *adj* inte utlupen [*~ term*];
inte förfallen [*~ rent*]

unexplained [ˌʌnɪk'spleɪnd] *adj* oförklarad,
ouppklarad, outredd

unexploded [ˌʌnɪk'spləʊdɪd] *adj* som inte
exploderat, outlöst [*~ bomb*]

unexplored [ˌʌnɪk'splɔːd] *adj* outforskad

unexposed [ˌʌnɪk'spəʊzd] *adj* **1** oavslöjad, fördold;
inte uppdagad **2** inte utsatt [*to* för] **3** foto.
oexponerad

unexpressed [ˌʌnɪk'sprest] *adj* outtalad, som inte
kommer till uttryck

unfailing [ˌʌn'feɪlɪŋ] *adj* **1** aldrig svikande, osviklig
[*~ accuracy*]; ofelbar [*an ~ remedy*]; säker
2 outtömlig, outsinlig **3** ständig

unfair [ˌʌn'feə] *adj* orättvis; ojust, ofin, ohederlig;
otillåten; **take ~ advantage of sb** skaffa sig fördelar
på ngns bekostnad; **~ competition** illojal

konkurrens; **~ dismissal** uppsägning utan giltigt
skäl

unfairly [ˌʌn'feəlɪ] *adv* orättvist etc., jfr *unfair*; med
orätt

unfairness [ˌʌn'feənəs] *s* orättvisa etc., jfr *unfair*

unfaithful [ˌʌn'feɪθf(ʊ)l] *adj* otrogen [*to* mot], trolös

unfamiliar [ˌʌnfə'mɪliə] *adj* **1** obekant, inte
förtrogen [*with* med], ovan [*with* vid], främmande
[*with* för] **2** okänd, obekant, främmande [*to sb* för
ngn]; ovan, ovanlig [*an ~ sight*]

unfamiliarity ['ʌnfəˌmɪlɪ'ærətɪ] *s* bristande
förtrogenhet [*with* med], ovana [*with* vid]

unfashionable [ˌʌn'fæʃ(ə)nəbl] *adj* omodern

unfasten [ˌʌn'fɑːsn] *vb tr* lossa, lösgöra; lösa
(knyta) upp; låsa upp, öppna; knäppa upp

unfathomable [ˌʌn'fæðəməbl] *adj* outgrundlig,
ofattbar [*~ mystery*]

unfavourable [ˌʌn'feɪv(ə)rəbl] *adj* ogynnsam,
ofördelaktig [*to, for* för]

unfazed [ˌʌn'feɪzd] *adj* vard. oberörd, lugn

unfeasible [ˌʌn'fiːzəbl] *adj* ogörlig, omöjlig,
ogenomförbar [*~ plan*]

unfeeling [ˌʌn'fiːlɪŋ] *adj* okänslig [*to* för];
känslolös; hjärtlös

unfeigned [ˌʌn'feɪnd] *adj* oförställd [*~ joy*]; äkta [*~
interest*]; uppriktig [*~ satisfaction*]

unfettered [ˌʌn'fetəd] *adj* fri [från bojor]; obunden
[*by* av]; ohämmad

unfinished [ˌʌn'fɪnɪʃt] *adj* oavslutad, ofullbordad,
inte färdig

unfit [ˌʌn'fɪt] *adj* olämplig, otjänlig, oduglig [*for* till
(som); *to* [till] att], oförmögen [*for* till; *to* att];
ovärdig [*for sth* ngt]; i dålig kondition; **medically ~**
mil. inte vapenför; **~ for human consumption** otjänlig
som människoföda

unfitted [ˌʌn'fɪtɪd] *adj* olämplig, oduglig [*for* till
(som); *to* [till] att]

unflagging [ˌʌn'flægɪŋ] *adj* outtröttlig, aldrig
sviktande (svikande) [*~ energy*]

unflappable [ˌʌn'flæpəbl] *adj* vard. orubbligt lugn,
lugn som en filbunke

unflattering [ˌʌn'flæt(ə)rɪŋ] *adj* föga smickrande [*~
description*]

unflinching [ˌʌn'flɪn(t)ʃɪŋ] *adj* ståndaktig, orubblig,
oböjlig, hårdnackad

unfocused [ˌʌn'fəʊkəst] *adj* **1** ofokuserad, diffus,
oklar **2** foto. oskarp

unfold [ˌʌn'fəʊld] **I** *vb tr* **1** veckla ut (upp) [*~ a
newspaper*]; vika ut (upp); breda ut [*~ one's arms*]
2 utveckla, framställa, lägga fram, uppenbara,
avslöja [*she ~ed her plans*]
II *vb itr* **1** veckla ut sig, breda ut sig; öppna sig
2 utveckla sig, utvecklas, uppenbaras, rullas upp
[*the story ~s*]; avslöjas

unforced [ˌʌn'fɔːst] *adj* **1** otvungen; naturlig, ledig
2 inte framtvingad, utan tvång, frivillig [*~
confession*]

unforeseeable [ˌʌnfɔː'siːəbl] *adj* oförutsebar,
omöjlig att förutse, oviss

unforeseen [ˌʌnfɔː'siːn] *adj* oförutsedd

unforgettable [ˌʌnfə'getəbl] *adj* oförglömlig

unforgivable [ˌʌnfə'gɪvəbl] *adj* oförlåtlig

unforgiving [ˌʌnfə'gɪvɪŋ] *adj* oförsonlig

unformed [ˌʌn'fɔːmd] *adj* **1** outvecklad, omogen

[*still ~ in* (till) *body and mind*]; oslipad, obildad **2** ännu inte utformad; formlös, oformlig, oregelbunden

unforthcoming [ˌʌnfɔːˈθkʌmɪŋ] *adj* inte särskilt tillmötesgående (meddelsam)

unfortunate [ˌʌnˈfɔːtʃ(ə)nət] **I** *adj* **1** olyckligt lottad; *be ~* äv. ha otur **2** olycksalig, beklaglig, olycklig [*an ~ development*] **II** *s* olycksfågel; olyckligt (sämst) lottad person

unfortunately [ˌʌnˈfɔːtʃ(ə)nətlɪ] *adv* **1** tyvärr, olyckligtvis, dessvärre **2** olyckligt

unfounded [ˌʌnˈfaʊndɪd] *adj* ofta bildl. ogrundad [*~ suspicion*]; grundlös [*~ rumour*]

unfreeze [ˌʌnˈfriːz] (*unfroze unfrozen*) *vb tr* **1** tina upp, smälta **2** bildl. upphäva [*~ prices* (prisstoppet)]; ta bort taket på

unfrequented [ˌʌnfrɪˈkwentɪd] *adj* lite (sällan) besökt (frekventerad); enslig, övergiven

unfriendly [ˌʌnˈfrendlɪ] *adj* **1** ovänlig, ovänskaplig [*to* mot] **2** som efterled i sammansättn. -farlig, skadlig för [*environment-unfriendly*]

unfrock [ˌʌnˈfrɒk] *vb tr* avsätta [från ämbetet] [*~ a priest*]

unfroze [ˌʌnˈfrəʊz] imperf. av *unfreeze*

unfrozen [ˌʌnˈfrəʊzn] perf. p. av *unfreeze*

unfulfilled [ˌʌnfʊlˈfɪld] *adj* ouppfylld, inte uppfylld (fullgjord); ofullbordad

unfunny [ˌʌnˈfʌnɪ] *adj* inte särskilt rolig (lustig)

unfurl [ˌʌnˈfɜːl] **I** *vb tr* veckla ut [*~ a flag*]; sjö. göra loss [*~ a sail*]; *~ed flags* flygande fanor **II** *vb itr* om flagga o.d. veckla (breda) ut sig

unfurnished [ˌʌnˈfɜːnɪʃt] *adj* omöblerad

ungainly [ˌʌnˈgeɪnlɪ] *adj* klumpig, otymplig

ungentlemanlike [ˌʌnˈdʒentlmənlaɪk] *adj* o.

ungentlemanly [ˌʌnˈdʒentlmənlɪ] *adj* föga gentlemannamässig, okultiverad, ofin, ojust

ungodly [ˌʌnˈgɒdlɪ] *adj* gudlös, ogudaktig; *at an ~ hour* okristligt tidigt

ungovernable [ˌʌnˈgʌv(ə)nəbl] *adj* omöjlig att styra (tygla); obändig [*~ temper*]; oregerlig

ungracious [ˌʌnˈgreɪʃəs] *adj* **1** ohövlig, ovänlig **2** otrevlig, otacksam [*~ task*]

ungrateful [ˌʌnˈgreɪtf(ʊ)l] *adj* otacksam [*to* mot; *an ~ task*]

unguarded [ˌʌnˈgɑːdɪd] *adj* **1** obevakad; utan skydd **2** ovarsam, oförsiktig, tanklös

unhappily [ˌʌnˈhæpəlɪ] *adv* **1** olyckligt **2** olyckligtvis

unhappiness [ˌʌnˈhæpɪnəs] *s* olycka, bedrövelse, sorgsenhet; elände

unhappy [ˌʌnˈhæpɪ] *adj* olycklig: olycksalig; misslyckad, mindre lycklig, olämplig [*~ choice of words* (ordval)]; *be ~ about* äv. inte vara nöjd med

unharmed [ˌʌnˈhɑːmd] *adj* oskadd

UNHCR [ˌjuːeneɪtʃsiːˈɑː] förk. för *United Nations High Commissioner for Refugees*

unhealthy [ˌʌnˈhelθɪ] *adj* ohälsosam, osund, farlig, skadlig [*~ ideas*]

unheard [ˌʌnˈhɜːd] *adj* **1** ohörd; *go ~* bildl. förklinga ohörd **2** *~ of* [förut] okänd **3** *~ of* exempellös, oerhörd, utan motstycke

unheard-of [ˌʌnˈhɜːdɒv] *adj* **1** [förut] okänd **2** exempellös, oerhörd, utan motstycke

unheated [ʌnˈhiːtɪd] *adj* ouppvärmd, oeldad

unheeded [ˌʌnˈhiːdɪd] *adj* obeaktad, ouppmärksammad

unhelpful [ˌʌnˈhelpf(ʊ)l] *adj* **1** ohjälpsam, föga hjälpsam; negativt inställd [*he was ~ about* (till) *the proposal*] **2** onyttig, till föga hjälp, gagnlös

unhesitating [ˌʌnˈhezɪteɪtɪŋ] *adj* beslutsam; oförbehållsam; beredvillig, tveklös

unhindered [ʌnˈhɪndəd] *adj* obehindrad, fri

unhinge [ˌʌnˈhɪn(d)ʒ] *vb tr* **1** förrycka, rubba; bringa ur fattningen (gängorna); riva upp [*his nerves were ~d*]; *mentally ~d* sinnesrubbad **2** haka (lyfta) av [*~ a door*]; få (dra) ur led

unhitch [ˌʌnˈhɪtʃ] *vb tr* **1** haka (häkta) av; koppla ifrån (av) [*~ a trailer*] **2** spänna ifrån [*~ a horse*]

unholy [ˌʌnˈhəʊlɪ] *adj* **1** ohelig; syndig, ond **2** vard. förfärlig, oherrans

unhook [ˌʌnˈhʊk] *vb tr* häkta (haka, kroka) av; knäppa upp; koppla loss

unhurried [ˌʌnˈhʌrɪd] *adj* lugn, maklig; utan brådska (jäkt)

unhurt [ˌʌnˈhɜːt] *adj* oskadad, oskadd, helskinnad

unhygienic [ˌʌnhaɪˈdʒiːnɪk] *adj* ohygienisk

uni [ˈjuːnɪ] *s* vard., se *university*

uni- [ˈjuːnɪ] *prefix* vanl. en-

UNICEF [ˈjuːnɪsef] (förk. för *United Nations Children's Fund*) UNICEF FN:s barnfond

Unicode [ˈjuːnɪkəʊd] *s* data. Unicode teckentabellsstandard

unicorn [ˈjuːnɪkɔːn] *s* enhörning

unidentified [ˌʌnaɪˈdentɪfaɪd] *adj* oidentifierad [*~ flying object*]; icke identifierad

unification [ˌjuːnɪfɪˈkeɪʃ(ə)n] *s* enande, sammanslagning, förening

uniform [ˈjuːnɪfɔːm] **I** *s* uniform; *in ~* i uniform, uniformsklädd; *out of ~* civilklädd **II** *adj* **1** likformig, lika; enhetlig; enformig; *planks of ~ length* lika långa plankor; *~ price* enhetspris **2** jämn, konstant [*~ speed*; *~ temperature*]; oförändrad

uniformity [ˌjuːnɪˈfɔːmətɪ] *s* **1** likformighet; enhetlighet; enformighet **2** jämnhet, konstans; oföränderlighet

unify [ˈjuːnɪfaɪ] *vb tr* ena, förena, föra (sluta, slå) samman [*in* till; *to* (*with*) *sth* med ngt]

unilateral [ˌjuːnɪˈlæt(ə)r(ə)l] *adj* ensidig, unilateral

unimaginable [ˌʌnɪˈmædʒɪnəbl] *adj* otänkbar; ofattbar

unimaginative [ˌʌnɪˈmædʒɪnətɪv] *adj* fantasilös

unimpaired [ˌʌnɪmˈpeəd] *adj* oförminskad, oförsvagad, obruten [*~ health*]; ofördärvad

unimpeachable [ˌʌnɪmˈpiːtʃəbl] *adj* oantastlig, oangriplig, oförvitlig [*~ reputation*]; vederhäftig [*~ source*]; obestridlig; jur. ojävig

unimportant [ˌʌnɪmˈpɔːt(ə)nt] *adj* oviktig, obetydlig

unimpressed [ˌʌnɪmˈprest] *adj* oberörd; inte imponerad

unimpressive [ˌʌnɪmˈpresɪv] *adj* föga imponerande, oansenlig

uninformed [ˌʌnɪnˈfɔːmd] *adj* inte underrättad (informerad), okunnig [*of, on, as to* om]; ovederhäftig [*~ criticism*]

uninhabitable [ˌʌnɪnˈhæbɪtəbl] *adj* obeboelig

uninhabited [ˌʌnɪnˈhæbɪtɪd] *adj* obebodd

uninhibited [ˌʌnɪn'hɪbɪtɪd] *adj* hämningslös, ohämmad; lössläppt

uninitiated [ˌʌnɪ'nɪʃɪeɪtɪd] *adj* oinvigd [*in* i], inte initierad

uninjured [ˌʌn'ɪn(d)ʒəd] *adj* oskadad, oskadd

uninspired [ˌʌnɪn'spaɪəd] *adj* oinspirerad, andefattig

uninspiring [ˌʌnɪn'spaɪərɪŋ] *adj* oinspirerande, ointressant

uninstall [ˌʌnɪn'stɔ:l] *vb* data. avinstallera

unintelligent [ˌʌnɪn'telɪdʒ(ə)nt] *adj* ointelligent, obegåvad

unintelligible [ˌʌnɪn'telɪdʒəbl] *adj* obegriplig, oförståelig

unintentional [ˌʌnɪn'tenʃənl] *adj* oavsiktlig, ofrivillig

uninterested [ˌʌn'ɪntrəstɪd, -t(ə)res-] *adj* ointresserad [*in* av]

uninteresting [ˌʌn'ɪntrəstɪŋ, -t(ə)rest-] *adj* ointressant, tråkig

uninterrupted ['ʌnˌɪntə'rʌptɪd] *adj* oavbruten, ostörd

uninvited [ˌʌnɪn'vaɪtɪd] *adj* objuden; oombedd, obedd

uninviting [ˌʌnɪn'vaɪtɪŋ] *adj* föga inbjudande (attraktiv); ogemytlig

union ['ju:nɪən] *s* **1** förening, enande, sammanslutning, sammanförande, sammansmältning **2** union [*customs* ~; *postal* ~]; förbund, förening; **students'** ~ studentkår **3** fackförening [äv. *trade* ~ el. *trades* ~]; **national** ~ el. **national trade** ~ fackförbund **4** [äktenskaplig] förbindelse, förening; äktenskap [*a happy* ~] **5** enighet, endräkt, harmoni; ~ **is strength** enighet ger styrka **6** unionsmärke i flagga

Union citizenship ['ju:nɪənˌsɪtɪznʃɪp] *s* EU. unionsmedborgarskap

union dues ['ju:nɪəndju:z] *s pl* fackföreningsavgifter

unionize ['ju:nɪənaɪz] *vb tr* bygga upp en fackföreningsverksamhet på (i); ~**d labour** fackligt organiserad arbetskraft

Union Jack [ˌju:nɪən'dʒæk] *s*, **the** ~ Union Jack
Storbritanniens flagga

union suit ['ju:nɪənsu:t] *s* amer. combination
underplagg

unique [ju:'ni:k] *adj* unik, ensam i sitt slag

unisex ['ju:nɪseks] *adj* unisex- [~ *fashions*]

unison ['ju:nɪsn, -ɪzn] *s* **1** mus. samklang, harmoni; **in** ~ unisont; bildl. i fullkomlig harmoni (samklang) [*with* med] **2** endräkt, enighet, samförstånd [*we acted in perfect* ~]

unit ['ju:nɪt] *s* **1** enhet [*form a* ~; *monetary* ~]; ~ **furniture** kombimöbler **2** avdelning, enhet [*production* ~], mil. äv. förband; grupp, lag **3** apparat; inredning[sdetalj], enhet, [bygg]element; aggregat [*heating* ~]

unitard ['ju:nɪtɑ:d] *s* o. **unitards** ['ju:nɪtɑ:dz] *s pl* helkroppsstrikå med långa ben, träningsdräkt

unitary ['ju:nɪt(ə)rɪ] *adj* enhetlig; enhets-; enkel, odelad; ~ **tendency** polit. enhetssträvan

unite [ju:'naɪt] **I** *vb tr* förena, föra (slå, smälta, knyta) samman [*in* i; *into* till; *with*, *to* med], samla [*in* i; *into* till], ena

II *vb itr* förena sig, förenas, samla sig, samlas, slå sig samman

united [ju:'naɪtɪd] *adj* förenad; gemensam, samlad [~ *action*], bildl. äv. enig, enad [*present a* ~ *front*]; ~ **we stand, divided we fall** enade vi stå, söndrade vi falla

United Arab Emirates [ju:'naɪtɪdˌærəb'em(ə)rəts] (förk. *UAE*) *s pl* geogr., **the** ~ Förenade Arabemiraten

United Kingdom [ju:ˌnaɪtɪd'kɪŋdəm] geogr., **the** ~ [*of Great Britain and Northern Ireland*] Förenade kungariket [Storbritannien och Nordirland]

United Nations [ju:ˌnaɪtɪd'neɪʃ(ə)nz] *s pl*, **the** ~ (förk. *UN*) el. **the** ~ **Organization** (förk. *UNO*) Förenta nationerna

United States [ju:ˌnaɪtɪd'steɪts] (förk. *US*) (med verb i sg. el. pl.) *s* geogr., **the** ~ Förenta staterna; **the** ~ **Army** (förk. *USA*) Förenta staternas armé, den amerikanska armén

United States of America
[ju:'naɪtɪdˌsteɪtsəvə'merɪkə] (förk. *USA*) (med verb i sg. el. pl.) *s* geogr., **the** ~ Förenta staterna

unit price ['ju:nɪtpraɪs] *s* styckpris

unit trust ['ju:nɪttrʌst] *s* aktiefond

unity ['ju:nətɪ] *s* **1** enhet **2** helhet, helhetsintryck **3** endräkt, harmoni, enighet, sammanhållning; ~ **is strength** enighet ger styrka

Univ. förk. för *University*

universal [ˌju:nɪ'vɜ:s(ə)l] *adj* **1** allmän, allmänt utbredd [~ *belief*; ~ *opinion*]; allomfattande, allsidig; allmängiltig [*the rule is not* ~]; universell; världs-; **the** ~ **church** katolska kyrkan; **the Universal Postal Union** Världspostunionen **2** om film barntillåten; ~ **certificate** tillstånd att visas för alla åldrar, ung. barntillåten

universal joint [ˌju:nɪvɜ:s(ə)l'dʒɔɪnt] *s* tekn. universalknut, universalkoppling; kardanknut

universally [ˌju:nɪ'vɜ:səlɪ] *adv* allmänt, universellt, överallt

universal pliers [ˌju:nɪvɜ:s(ə)l'plaɪəz] *s pl* universaltång, polygrip [*a pair of* (en) ~]

Universal Postal Union
[ˌju:nɪvɜ:s(ə)l'pəʊst(ə)lˌju:nɪən] (förk. *UPU*) *s*, **the** ~ Världspostunionen

universal suffrage ['ju:nɪˌvɜ:s(ə)l'sʌfrɪdʒ] *s* allmän rösträtt

universal time [ˌju:nɪvɜ:s(ə)l'taɪm] (förk. *UT*) *s* universaltid Greenwichtid

universe ['ju:nɪvɜ:s] *s*, **the** ~ universum, världsalltet

university [ˌju:nɪ'vɜ:sətɪ] *s* universitet, högskola; ~ **education** akademisk [ut]bildning; ~ **extension courses** se under *extension* 6; **be at** [**the**] ~ el. **go to** [**the**] ~ gå på (studera vid) universitetet

university college [ju:nɪˌvɜ:sətɪ'kɒlɪdʒ] *s* ung. universitetsfilial, högskolefilial; amer. college [med anknytning till universitet] utbildningsanstalt för *Bachelor's degree*

Unix® ['ju:nɪks] *s* data. Unix® operativsystem

unjust [ˌʌn'dʒʌst] *adj* orättfärdig, orättvis [*to* mot]

unjustifiable ['ʌnˌdʒʌstɪ'faɪəbl] *adj* oförsvarlig, oursäktlig; otillbörlig

unjustified [ˌʌn'dʒʌstɪfaɪd] *adj* oberättigad, obefogad, oförsvarlig, omotiverad

unjustly [ˌʌn'dʒʌstlɪ] *adv* orättfärdigt, orättvist

unkempt [ˌʌnˈkem(p)t] *adj* **1** okammad **2** ovårdad, vanskött

unkind [ˌʌnˈkaɪnd] *adj* ovänlig; hård, omild, inte skonsam [~ *to* (mot) *the skin*]

unkindly [ˌʌnˈkaɪndlɪ] **I** *adj* ovänlig **II** *adv* ovänligt etc., jfr *unkind*; **don't take it ~ if…** ta inte illa upp om…

unknown [ˌʌnˈnəʊn] **I** *adj* okänd, obekant [*to* för, i, bland]
II *adv*, **~ to us** oss ovetande, utan vår vetskap, utan att vi visste om det [*he did it ~ to us*]
III *s* **1** *the ~* det okända, den okända faktorn **2** okänd [*person*] **3** matem. obekant

unlace [ˌʌnˈleɪs] *vb tr* snöra upp, snöra av sig [~ *one's shoes*]

unladen weight [ʌnˌleɪdnˈweɪt] *s* egenvikt

unlawful [ˌʌnˈlɔːf(ʊ)l] *adj* olaglig; orättmätig; olovlig, otillåten

unleaded [ˌʌnˈledɪd] *adj* blyfri [~ *fuel*]

unlearn [ˌʌnˈlɜːn] (~*ed* ~*ed* el. ~*t* ~*t*) *vb tr* **1** glömma [bort] vad man lärt sig **2** lägga bort, göra sig kvitt [~ *a habit*]

unleash [ˌʌnˈliːʃ] *vb tr* koppla lös (loss), släppa lös (loss) [~ *a dog*; *she ~ed her fury*]; utlösa [~ *protests*]

unleavened [ˌʌnˈlevnd] *adj* osyrad [~ *bread*]

unless [ənˈles, ʌn-] *konj* om inte, såvida inte; utan att

unlicensed [ˌʌnˈlaɪs(ə)nst] *adj* inte auktoriserad, utan (som saknar) licens (tillstånd, rättighet[er])

unlikable [ˌʌnˈlaɪkəbl] *adj* osympatisk, otrevlig

unlike [ˌʌnˈlaɪk] **I** *prep* olikt; olika mot; i olikhet med, till skillnad från, i motsats till [~ *most other people, she is…*]; **this is ~ you** det är [så] olikt dig **II** *adj* olik [*he is ~ his brothers*]

unlikelihood [ˌʌnˈlaɪklɪhʊd] *s* o. **unlikeliness** [ˌʌnˈlaɪklɪnəs] *s* osannolikhet, orimlighet

unlikely [ˌʌnˈlaɪklɪ] *adj* osannolik, otrolig, orimlig; föga lovande [*it looked so ~ at first glance*]; **in the ~ event of her coming** om det osannolika skulle inträffa att hon kommer; **he is ~ to come** han kommer troligen inte

unlimited [ˌʌnˈlɪmɪtɪd] *adj* **1** obegränsad, obetingad [~ *confidence*]; oinskränkt [~ *power*] **2** gränslös, oändlig

unlimited company [ʌnˌlɪmɪtɪdˈkʌmp(ə)nɪ] *s* handelsbolag med obegränsat personligt ansvar

unlined [ˌʌnˈlaɪnd] *adj* **1** olinjerad [~ *paper*] **2** slät [~ *skin*] **3** ofodrad [*his jacket was ~*]

unlisted [ˌʌnˈlɪstɪd] *adj* **1** ~ *securities* onoterade värdepapper **2** vanl. amer., ~ *telephone number* hemligt telefonnummer

unlivable [ˌʌnˈlɪvəbl] *adj* **1** omöjlig, odräglig, outhärdlig [*make sb's life ~*] **2** ~ *in* obeboelig

unload [ˌʌnˈləʊd] **I** *vb tr* **1** lasta av, lossa [~ *a cargo*; ~ *a truck*] **2** befria, frigöra [*of* från]; **~ one's heart** lätta sitt hjärta **3** ta ut patronen (ammunitionen) ur [~ *the gun*]; plocka ur [~ *the dishwasher*] **4** vard. göra sig av med **II** *vb itr* lossa[s] [*the ship is ~ing*]

unlock [ˌʌnˈlɒk] **I** *vb tr* låsa upp **II** *vb itr* låsas upp

unlocked [ˌʌnˈlɒkt] *adj* **1** upplåst **2** olåst

unlooked-for [ˌʌnˈlʊktfɔː] *adj* oväntad, oförutsedd

unloose [ˌʌnˈluːs] *vb tr* o. **unloosen** [ˌʌnˈluːsn] *vb tr* lossa, lösa; släppa [lös]; befria; knyta upp

unlovely [ˌʌnˈlʌvlɪ] *adj* föga tilldragande (tilltalande); föga älskvärd; osympatisk; obehaglig

unluckily [ˌʌnˈlʌkəlɪ] *adv* **1** olyckligtvis **2** olyckligt

unlucky [ˌʌnˈlʌkɪ] *adj* oturlig, otursförföljd; olycksbringande; olycks-; **be ~** ha otur [*at i*]; **be ~ to do sth** betyda otur att göra ngt; **~ at cards, lucky in love** otur i spel, tur i kärlek

unmade [ˌʌnˈmeɪd] *adj* inte gjord, ogjord; obäddad [*an ~ bed*]

unmanageable [ˌʌnˈmænɪdʒəbl] *adj* ohanterlig, svårhanterlig; oregerlig

unmanly [ˌʌnˈmænlɪ] *adj* omanlig, ovärdig en man

unmanned [ˌʌnˈmænd] *adj* obemannad

unmannerly [ˌʌnˈmænəlɪ] *adj* obelevad, okultiverad, ohyfsad

unmarked [ˌʌnˈmɑːkt] *adj* **1** omärkt; omarkerad; utan märken; orättad [~ *papers*]; **~ police car** civil polisbil **2** obemärkt

unmarried [ˌʌnˈmærɪd] *adj* ogift

unmask [ˌʌnˈmɑːsk] **I** *vb tr* demaskera, bildl. äv. avslöja [~ *a traitor*] **II** *vb itr* demaskera sig

unmatched [ˌʌnˈmætʃt] *adj* **1** oöverträffad, oupphunnad, makalös **2** omaka, udda

unmentionable [ˌʌnˈmenʃnəbl] *adj* onämnbar; opassande

unmerciful [ˌʌnˈmɜːsɪf(ʊ)l] *adj* obarmhärtig

unmistakable [ˌʌnmɪˈsteɪkəbl] *adj* omisskännlig, tydlig [*an ~ hint*]; otvetydig, ofelbar [*an ~ sign*]

unmitigated [ˌʌnˈmɪtɪɡeɪtɪd] *adj* **1** onyanserad; oförminskad; **~ by** utan några förmildrande (försonande) drag (inslag) av **2** oblandad; renodlad, ren, äkta; **an ~ scoundrel** en ärkeskurk

unmoved [ˌʌnˈmuːvd] *adj* **1** oberörd, lugn, kall **2** orörd; orörlig

unmusical [ˌʌnˈmjuːzɪk(ə)l] *adj* **1** omusikalisk **2** omelodisk, missljudande

unnamed [ˌʌnˈneɪmd] *adj* **1** onämnd, inte namngiven **2** namnlös

unnatural [ˌʌnˈnætʃr(ə)l] *adj* onaturlig

unnaturally [ˌʌnˈnætʃrəlɪ] *adv* onaturligt; **not ~** naturligt nog, helt naturligt

unnecessarily [ˌʌnˈnesəs(ə)rəlɪ] *adv* **1** onödigt **2** onödigtvis, i onödan

unnecessary [ˌʌnˈnesəs(ə)rɪ] *adj* onödig, obehövlig

unnerve [ˌʌnˈnɜːv] *vb tr* få att tappa koncepterna, göra nervös

unnerving [ʌnˈnɜːvɪŋ] *adj* omskakande, upprivande, oroande

unnoticed [ˌʌnˈnəʊtɪst] *adj* obemärkt

unnumbered [ˌʌnˈnʌmbəd] *adj* **1** oräknelig, otalig, tallös **2** onumrerad [~ *seats*]; opaginerad [~ *pages*] **3** oräknad, inte räknad

UNO [ˈjuːnəʊ] (förk. för *United Nations Organization*) FN Förenta nationerna

unobservant [ˌʌnəbˈzɜːv(ə)nt] *adj* ouppmärksam; inte observant; **you are so ~** du ser aldrig (lägger aldrig märke till) något

unobserved [ˌʌnəbˈzɜːvd] *adj* obemärkt, obeaktad; osedd, ouppтäckt

unobtainable [ˌʌnəbˈteɪnəbl] *adj* oåtkomlig, oanskaffbar, oöverkomlig

unobtrusive [ˌʌnəbˈtruːsɪv] *adj* tillbakadragen, inte påträngande (påflugen), försynt, diskret

unoccupied [ˌʌnˈɒkjʊpaɪd] *adj* **1** ledig [~ *flat*; ~

seat]; inte upptagen, obesatt **2** obebodd [~ *territory*] **3** inte ockuperad **4** sysslolös [~ *person*]

unofficial [ˌʌnəˈfɪʃ(ə)l] *adj* inofficiell [~ *statement*]; inte officiell; ~ **strike** vild strejk

unopposed [ˌʌnəˈpəʊzd] *adj* obehindrad; obestridd; utan [att möta] motstånd [*by* av, från]; parl. utan motkandidat

unorganized [ˌʌnˈɔːɡənaɪzd] *adj* **1** oorganiserad [~ *work*]; illa upplagd [*an* ~ *essay*] **2** inte fackligt organiserad, oorganiserad [~ *workers*]

unorthodox [ˌʌnˈɔːθədɒks] *adj* oortodox, inte renlärig; okonventionell, inte vedertagen

unpack [ˌʌnˈpæk] *vb tr* o. *vb itr* packa upp (ur)

unpacked [ˌʌnˈpækt] *adj* **1** uppackad, urpackad **2** opackad; oförpackad, opaketerad

unpaid [ˌʌnˈpeɪd] *adj* obetald; ofrankerad [~ *letter*]; oavlönad, utan lön [~ *position*]

unpalatable [ˌʌnˈpælətəbl] *adj* oaptitlig; bildl. obehaglig [~ *truth*]; motbjudande

unparalleled [ˌʌnˈpærəleld, -ləld] *adj* makalös, exempellös, enastående, utan like (motstycke)

unpardonable [ˌʌnˈpɑːdnəbl] *adj* oförlåtlig, oursäktlig

unparliamentary [ˈʌnˌpɑːləˈment(ə)rɪ] *adj* oparlamentarisk

unpatriotic [ˈʌnˌpætrɪˈɒtɪk, -ˌpeɪt-] *adj* opatriotisk

unperson [ˈʌnˌpɜːsn] *s* icke-person, politiskt (socialt) död person

unperturbed [ˌʌnpəˈtɜːbd] *adj* oberörd, ostörd, lugn; orubblig; orubbad

unpick [ˌʌnˈpɪk] *vb tr* sprätta upp [~ *stitches*; ~ *a seam*]; ta upp

unplaced [ˌʌnˈpleɪst] *adj* **1** utan plats **2** sport. oplacerad

unplanned [ˌʌnˈplænd] *adj* **1** inte planerad (planlagd); oväntad **2** illa planerad [~ *economy*]

unplayable [ˌʌnˈpleɪəbl] *adj* ospelbar [~ *tape*; ~ *football pitch*] om boll o.d. äv. omöjlig, otagbar

unpleasant [ˌʌnˈpleznt] *adj* otrevlig [~ *situation*]; olustig; obehaglig [~ *taste*; ~ *truth*]; oangenäm; osympatisk [*an* ~ *fellow*]

unpleasantness [ˌʌnˈplezntnəs] *s* obehag; otrevlighet[er], besvärlighet[er]; tråkighet[er]; misshällighet[er], bråk [*try to avoid* ~]

unplug [ˌʌnˈplʌɡ] *vb tr* **1** dra ur [sladden till] [~ *the refrigerator*]; ~ *the telephone* dra ur [telefon]jacket **2** rensa igensatt rör o.d.

unplumbed [ˌʌnˈplʌmd] *adj* inte lodad, opejlad; bildl. outforskad; ~ *depths* a) opejlade djup b) avgrunder [~ *depths of ignorance*]; *a variety of* ~ *possibilities* en mängd oanade möjligheter

unpolished [ˌʌnˈpɒlɪʃt] *adj* opolerad [~ *rice*; ~ *manners*]; oputsad, oborstad [~ *shoes*]; oslipad [~ *diamond*; ~ *style*] bildl. obildad, okultiverad

unpolluted [ˌʌnpəˈluːtɪd, -ˈljuː-] *adj* **1** ren, inte förorenad (nersmutsad) **2** bildl. obesudlad, obesmittad

unpopular [ˌʌnˈpɒpjʊlə] *adj* impopulär, illa (inte) omtyckt

unpopularity [ˈʌnˌpɒpjʊˈlærətɪ] *s* impopularitet

unpractised [ˌʌnˈpræktɪst] *adj* **1** oövad, oerfaren, orutinerad [*in* i] **2** inte praktiserad

unprecedented [ʌnˈpresɪd(ə)ntɪd] *adj* exempellös, utan motstycke, oöverträffad, makalös

unpredictable [ˌʌnprɪˈdɪktəbl] *adj* **1** oförutsägbar **2** oberäknelig, opålitlig, nyckfull

unprejudiced [ˌʌnˈpredʒʊdɪst] *adj* fördomsfri, opartisk

unpremeditated [ˌʌnprɪˈmedɪteɪtɪd] *adj* oöverlagd, oavsiktlig; inte planlagd [~ *crime*]

unprepared [ˌʌnprɪˈpeəd] *adj* oförberedd, inte beredd [*for* på; *to do* [på] att göra]; *catch sb* ~ överraska ngn

unprepossessing [ˈʌnˌpriːpəˈzesɪŋ] *adj* föga intagande, osympatisk

unpretentious [ˌʌnprɪˈtenʃəs] *adj* anspråkslös, blygsam, opretentiös

unprincipled [ˌʌnˈprɪnsəpld] *adj* principlös, utan principer, karaktärslös; omoralisk, samvetslös

unprintable [ˌʌnˈprɪntəbl] *adj* otryckbar, som inte kan återges i tryck

unproductive [ˌʌnprəˈdʌktɪv] *adj* improduktiv; ofruktbar; föga lönande

unprofessional [ˌʌnprəˈfeʃənl] *adj* **1** inte professionell, oprofessionell [~ *work*]; icke-fackmannamässig **2** ovärdig yrkeskåren (en yrkesman) [~ *conduct*]

unprofitable [ˌʌnˈprɒfɪtəbl] *adj* **1** olönsam, föga vinstgivande (lönande) **2** onyttig, föga givande, ofruktbar [~ *discussions*]

unpromising [ˌʌnˈprɒmɪsɪŋ] *adj* föga lovande, ogynnsam

unprompted [ˌʌnˈprɒm(p)tɪd] *adj* spontan, frivillig; på eget initiativ

unpronounceable [ˌʌnprəˈnaʊnsəbl] *adj* omöjlig (svår) att uttala, outtalbar, svåruttalad

unprotected [ˌʌnprəˈtektɪd] *adj* oskyddad; värnlös

unprovided [ˌʌnprəˈvaɪdɪd] *adj* **1** inte försedd (utrustad) [*with* med] **2** oförsörjd; *leave one's family* ~ *for* ställa familjen på bar backe **3** oförberedd [*against* på]

unprovoked [ˌʌnprəˈvəʊkt] *adj* **1** oprovocerad [~ *attack*] **2** opåkallad, omotiverad

unpunished [ˌʌnˈpʌnɪʃt] *adj* ostraffad, straffri; *let sb go* ~ underlåta att straffa ngn; *let sth go* ~ låta ngt passera ostraffat

unqualified [ˌʌnˈkwɒlɪfaɪd] *adj* **1** okvalificerad, inkompetent, oduglig [*as* som; *for* till, för]; inte behörig, utan kompetens, omeriterad **2** oförbehållsam, oreserverad, odelad [~ *approval*]; oblandad [~ *joy*]

unquestionable [ˌʌnˈkwestʃənəbl] *adj* obestridlig, odiskutabel

unquestioned [ˌʌnˈkwestʃ(ə)nd] *adj* obestridd; oemotsagd

unquestioning [ˌʌnˈkwestʃənɪŋ] *adj* obetingad, blind [~ *obedience*]

unquote [ˌʌnˈkwəʊt] *vb itr*, [*she said, quote, we shall never give in*] ~ ...slut på citatet, ...slut citat, jfr *quote II*

unravel [ˌʌnˈræv(ə)l] **I** *vb tr* **1** bildl. reda ut (upp), nysta upp, lösa [~ *a mystery*] **2** riva upp, repa upp [*she* ~*led her knitting*]; reda ut, trassla upp, dela på [~ *a rope*]
II *vb itr* **1** bildl. raseras, spolieras, omintetgöras **2** repa upp sig, trassla upp sig

unread [ˌʌnˈred] *adj* **1** oläst **2** föga (dåligt) beläst, okunnig

unreadable [,ʌn'ri:dəbl] *adj* **1** oläsbar [*an ~ book*]; svår[läst] **2** oläslig, oläsbar [*~ handwriting*]

unreal [,ʌn'rɪəl] *adj* overklig; inbillad

unrealistic [ʌnrɪə'lɪstɪk] *adj* orealistisk; verklighetsfrämmande; världsfrämmande

unreality [,ʌnrɪ'ælətɪ] *s* overklighet; chimär

unreasonable [,ʌn'ri:z(ə)nəbl] *adj* **1** oförnuftig, oresonlig; oefterrättlig, omedgörlig **2** orimlig

unreasoning [,ʌn'ri:z(ə)nɪŋ] *adj* oförnuftig, absurd, tanklös; okritisk; oreflekterad

unrecognizable [,ʌn'rekəgnaɪzəbl, '-,--'---] *adj* oigenkännlig

unreconstructed ['ʌn,ri:kən'strʌktɪd] *adj* reaktionär, ärke-

unrelated [,ʌnrɪ'leɪtɪd] *adj* obesläktad äv. bildl. [*to* med], inte relaterad [*to* till]; utan samband med varandra [*~ crimes*]

unrelenting [,ʌnrɪ'lentɪŋ] *adj* **1** oböjlig; obeveklig **2** ständig, oavbruten [*~ progress; ~ pressure*]

unreliable [,ʌnrɪ'laɪəbl] *adj* opålitlig [*an ~ witness*]; ovederhäftig, otillförlitlig [*~ information*]

unremitting [,ʌnrɪ'mɪtɪŋ] *adj* outtröttlig, oförtruten, aldrig sviktande; odelad [*~ attention*]

unrepeatable [,ʌnrɪ'pi:təbl] *adj* **1** som inte kan återges (upprepas) [*~ remarks*] **2** unik; som inte återkommer [*an ~ offer* (erbjudande)]

unrepentant [,ʌnrɪ'pentənt] *adj* obotfärdig, förhärdad; **be ~ about sth** inte ångra ngt

unrepresentative ['ʌn,reprɪ'zentətɪv] *adj* inte representativ (typisk) [*of* för]

unrequited [,ʌnrɪ'kwaɪtɪd] *adj* obesvarad [*~ love*]

unreserved [,ʌnrɪ'z3:vd] *adj* **1** oförbehållsam, öppenhjärtig, oreserverad, frimodig **2** inte reserverad [*~ seats*]

unreservedly [,ʌnrɪ'z3:vɪdlɪ] *adv* oförbehållsamt etc., jfr *unreserved 1*; utan förbehåll

unresolved [,ʌnrɪ'zɒlvd] *adj* olöst [*~ problem; ~ conflict*]

unresponsive [,ʌnrɪ'spɒnsɪv] *adj* oemottaglig, inte lyhörd [*to* för]; **~ attitude** avvisande hållning; **be ~** inte ge respons

unrest [,ʌn'rest] *s* oro, jäsning; **street ~** gatuoroligheter

unrestrained [,ʌnrɪ'streɪnd] *adj* **1** ohämmad, hämningslös, otyglad; obehärskad **2** otvungen, fri, obunden

unrestricted [,ʌnrɪ'strɪktɪd] *adj* oinskränkt [*~ power*]

unrewarding [,ʌnrɪ'wɔ:dɪŋ] *adj* föga givande, som inte lönar sig, bortkastad [*~ labour*]; otacksam [*an ~ part* (roll)]

unripe [,ʌn'raɪp] *adj* omogen äv. bildl.

unrivalled [,ʌn'raɪv(ə)ld] *adj* makalös, oöverträffad, som saknar motstycke, utan like

unroll [,ʌn'rəʊl] **I** *vb tr* rulla (veckla) upp; rulla ut **II** *vb itr* rulla (veckla) upp sig, rullas upp

unruffled [,ʌn'rʌfld] *adj* **1** oberörd, lugn [och fattad]; ostörd **2** stilla [*an ~ lake*]; orörlig; slät [*an ~ brow*]; jämn **3** okrusad, oveckad

unruly [,ʌn'ru:lɪ] *adj* ostyrig, besvärlig [*~ children; ~ locks of hair*]; oregerlig, bångstyrig

unsaddle [,ʌn'sædl] *vb tr* **1** sadla av [*~ a horse*] **2** kasta av (ur sadeln) [*~ a rider*]

unsafe [,ʌn'seɪf] *adj* osäker [*~ sex*]; inte säker; farlig

unsaid [,ʌn'sed] *adj* osagd

unsatisfactory [ʌn,sætɪs'fækt(ə)rɪ] *adj* otillfredsställande; otillräcklig [*~ proof*]

unsaturated [,ʌn'sætʃəreɪtɪd] *adj* omättad

unsavoury [,ʌn'seɪv(ə)rɪ] *adj* **1** smaklös [*an ~ meal*]; fadd; oaptitlig **2** motbjudande, obehaglig, osmaklig [*an ~ affair*]

unscathed [,ʌn'skeɪðd] *adj* oskadd; helskinnad

unscholarly [,ʌn'skɒləlɪ] *adj* **1** ovetenskaplig **2** olärd

unscientific ['ʌn,saɪən'tɪfɪk] *adj* **1** ovetenskaplig **2** orationell, ometodisk

unscramble [,ʌn'skræmbl] *vb tr* **1** tele. o.d. återställa förvrängt tal o.d. [*i begripligt skick*] **2** bringa reda i, ordna [upp]

unscrew [,ʌn'skru:] **I** *vb tr* skruva av (loss, upp); ta bort skruvarna ur **II** *vb itr* skruvas av (loss, upp); skruva upp sig, lossna

unscripted [,ʌn'skrɪptɪd] *adj* radio. o.d. utan manuskript, spontan, direkt-

unscrupulous [,ʌn'skru:pjʊləs] *adj* samvetslös, föga nogräknad, skrupelfri, hänsynslös

unseasonable [,ʌn'si:z(ə)nəbl] *adj* ovanlig för årstiden, onormal [*~ weather*]; ogynnsam; **oysters are ~ now** det är inte säsong för ostron nu

unseat [,ʌn'si:t] *vb tr* **1** kasta av (ur sadeln) **2** avsätta, avskeda [från ämbetet]; störta [*~ the Government*]; beröva (fränta) mandatet

unseeded [,ʌn'si:dɪd] *adj* sport. oseedad

unseeing [,ʌn'si:ɪŋ] *adj* tom [*~ eyes*]

unseemly [,ʌn'si:mlɪ] *adj* opassande, otillständig, otillbörlig

unseen [,ʌn'si:n] *adj* **1** osynlig, dold [*~ danger; ~ forces*]; osedd **2** okänd, förut oläst; **~ translation** översättning av okänd text

unselfish [,ʌn'selfɪʃ] *adj* osjälvisk, oegennyttig

unserviceable [,ʌn's3:vɪsəbl] *adj* oanvändbar, obrukbar, otjänlig; onyttig, oduglig

unsettle [,ʌn'setl] *vb tr* **1** komma att vackla, bringa ur balans, skaka [*strikes ~d the economy of the country*]; förrycka **2** göra osäker (nervös), oroa, förvirra

unsettled [,ʌn'setld] *adj* **1** a) orolig [*~ times*]; osäker, ostadig [*~ weather*]; instabil [*an ~ market*] b) ur balans, obalanserad **2** kringflackande [*an ~ life*]; hemlös, som inte stadgat sig (slagit sig ner för gott); **be ~** [*in one's new home*] inte ha kommit i ordning... **3** inte avgjord [*an ~ case*]; ouppklarad, olöst, oavgjord [*~ questions*]; inte uppordnad (avklarad) [*an ~ matter*]; oordnad **4** obetald, inte avvecklad [*~ debts*]

unsettling [,ʌn'setlɪŋ] *adj* skakande; oroande

unshakable [,ʌn'ʃeɪkəbl] *adj* orubblig [*~ faith*]

unshaken [,ʌn'ʃeɪk(ə)n] *adj* orubbad; orubblig

unshaved [,ʌn'ʃeɪvd] *adj* o. **unshaven** [,ʌn'ʃeɪvn] *adj* orakad

unsightly [,ʌn'saɪtlɪ] *adj* ful, gräslig, anskrämlig

unskilled [,ʌn'skɪld] *adj* oerfaren, okunnig, obevandrad [*in* i]; outbildad, utan yrkesutbildning; **~ labour** a) outbildad arbetskraft b) grovarbete; **~ labourer** grovarbetare; **~ worker** el. **~**

workman arbetare utan yrkesutbildning; tempoarbetare

unsmiling [ˌʌnˈsmaɪlɪŋ] *adj* allvarlig, allvarsam [~ *faces*; ~ *people*]

unsociable [ˌʌnˈsəʊʃəbl] *adj* osällskaplig

unsocial [ˌʌnˈsəʊʃ(ə)l] *adj* **1** se *unsociable* **2** asocial **3** ~ *hours* obekväm arbetstid

unsolicited [ˌʌnsəˈlɪsɪtɪd] *adj* oombedd, obedd

unsolved [ˌʌnˈsɒlvd] *adj* olöst, ouppklarad

unsophisticated [ˌʌnsəˈfɪstɪkeɪtɪd] *adj* osofistikerad, naturlig, okonstlad, enkel, naiv

unsought-for [ˌʌnˈsɔːfɔː] *adj* osökt; oväntad; [*she gave me a lot of*] ~ *advice* ...råd som jag inte bett om

unsound [ˌʌnˈsaʊnd] *adj* **1** inte frisk, sjuk, sjuklig; dålig [~ *teeth*]; *of* ~ *mind* sinnesförvirrad, otillräknelig **2 a)** svag, skör **b)** murken [~ *wood*]; skadad, rutten [~ *fruit*] **3** osund [~ *principles*] **4** oriktig, felaktig, ohållbar [*an* ~ *argument*]; oklok [~ *advice*]; ~ *doctrine* falsk lära, villolära **5** orolig [~ *sleep*] **6** [ekonomiskt] osäker, riskabel, riskfylld

unsparing [ˌʌnˈspeərɪŋ] *adj* **1** skoningslös, sträng **2** slösande, frikostig, rundhänt [*of*, *in* med]; outtröttlig [*with* ~ *energy*]; *be* ~ *in one's efforts* inte spara (sky) någon möda

unspeakable [ˌʌnˈspiːkəbl] *adj* **1** outsäglig [~ *joy*]; namnlös [~ *sorrow*], obeskrivlig [~ *wickedness*] **2** avskyvärd, obeskrivlig

unspoiled [ˌʌnˈspɔɪlt, -ld] *adj* o. **unspoilt** [ˌʌnˈspɔɪlt] *adj* ofördärvad, oförstörd äv. bildl.; inte bortskämd

unspoken [ˌʌnˈspəʊk(ə)n] *adj* outtalad; osagd

unsporting [ˌʌnˈspɔːtɪŋ] *adj* o. **unsportsmanlike** [ˌʌnˈspɔːtsmənlaɪk] *adj* osportslig, inte (föga) sports[manna]mässig, ojust; okamratlig

unstable [ˌʌnˈsteɪbl] *adj* instabil, ostadig, osäker, vacklande [*an* ~ *foundation*]; labil; oregelbunden [*an* ~ *heartbeat*]

unstamped [ˌʌnˈstæm(p)t] *adj* **1** ostämplad **2** ofrankerad, utan frimärke

unsteady [ˌʌnˈstedɪ] *adj* **1** ostadig, osäker, vacklande [*an* ~ *walk*]; darrig **2** ombytlig; skiftande; oberäknelig **3** oregelbunden [~ *habits*; *an* ~ *pulse*]; ojämn [*an* ~ *climate*]

unstinting [ˌʌnˈstɪntɪŋ] *adj* frikostig; oförbehållsam, oreserverad [~ *praise*]; obegränsad [~ *generosity*]

unstoppable [ˌʌnˈstɒpəbl] *adj* omöjlig (som inte går) att stanna (hejda, hindra, stoppa)

unstressed [ˌʌnˈstrest] *adj* **1** språkv. obetonad [*an* ~ *syllable*] **2** lugn, ostressad

unstuck [ˌʌnˈstʌk] *adj*, *come* ~ **a)** lossna, gå upp [i fogen (limningen)] **b)** vard. gå i stöpet, slå fel; falla sönder; råka illa ut [*he'll come* ~ *one day*]

unsuccessful [ˌʌnsəkˈsesf(ʊ)l] *adj* misslyckad; *be* ~ äv. misslyckas, inte ha någon framgång

unsuitable [ˌʌnˈsjuːtəbl] *adj* olämplig, oduglig, inte passande [*for*, *to* för, till]

unsuited [ˌʌnˈsuːtɪd, -ˈsjuː-] *adj* olämplig, inte passande (ägnad, lämpad) [*for*, *to* för, till]; opassande [*to* för]

unsupported [ˌʌnsəˈpɔːtɪd] *adj* **1** utan stöd, inte stödd, inte understödd [*by* av] **2** ogrundad, ohållbar

unsure [ˌʌnˈʃʊə] *adj* osäker [*of*, *about* på, om, beträffande]; otrygg; oviss, tveksam [*of* om]

unsurpassed [ˌʌnsəˈpɑːst] *adj* oöverträffad

unsuspecting [ˌʌnsəˈspektɪŋ] *adj* omisstänksam, godtrogen; intet ont anande

unsustainable [ˌʌnsəˈsteɪnəbl] *adj* ohållbar

unsweetened [ˌʌnˈswiːtnd] *adj* osötad, utan socker

unswerving [ˌʌnˈswɜːvɪŋ] *adj* orubblig [~ *fidelity*]; osviklig; rak, utan avvikelser

unsympathetic [ˈʌnˌsɪmpəˈθetɪk] *adj* **1** oförstående, likgiltig, känslolös; avvisande **2** osympatisk, motbjudande

untainted [ˌʌnˈteɪntɪd] *adj* obesmittad [*by*, *with* av]; ofördärvad, fräsch, färsk [~ *meat*]; ren [~ *air*]

untamed [ˌʌnˈteɪmd] *adj* otämd, okuvad, vild

untangle [ˌʌnˈtæŋgl] *vb tr* reda upp (ut); klara upp [~ *a problem*]; göra loss (fri)

untapped [ˌʌnˈtæpt] *adj* outnyttjad [~ *reserves*]

untarnished [ˌʌnˈtɑːnɪʃt] *adj* **1** fläckfri, obesudlad [*an* ~ *reputation*]; ren **2** glänsande, blank [~ *silver*]

untenable [ˌʌnˈtenəbl, -ˈtiːn-] *adj* ohållbar, oförsvarbar

untested [ˌʌnˈtestɪd] *adj* inte testad, oprövad [*an* ~ *method*]

unthinkable [ˌʌnˈθɪŋkəbl] *adj* otänkbar; inte att tänka på [*such a suggestion is* ~]

unthinking [ˌʌnˈθɪŋkɪŋ] *adj* tanklös, obetänksam; okritisk; sorglös; *in an* ~ *moment* i ett ögonblick av obetänksamhet

untidy [ˌʌnˈtaɪdɪ] *adj* stökig, ostädad; risig; ovårdad

untie [ˌʌnˈtaɪ] *vb tr* knyta upp, lösa upp, få upp; lossa; öppna; släppa lös; *come* ~d el. *get* ~d gå upp; lossna

until [ənˈtɪl, ʌnˈtɪl] *prep* o. *konj* [ända] till, [ända] tills etc., se *1 till*

untimely [ˌʌnˈtaɪmlɪ] *adj* **1** oläglig, opassande **2** för tidig [*an* ~ *death*]

untiring [ˌʌnˈtaɪərɪŋ] *adj* outtröttlig [~ *energy*]; oförtruten [~ *efforts*]

untitled [ˌʌnˈtaɪtld] *adj* utan titel [*an* ~ *book*]

unto [ˈʌntʊ, -tuː, -tə] *prep* litt., se *to I*

untold [ˌʌnˈtəʊld] *adj* omätlig [~ *wealth*]; oändlig, gränslös, outsäglig [~ *joy* (*suffering*)]

untouchable [ˌʌnˈtʌtʃəbl] **I** *adj* **1** oangriplig **2** kastlös, oberörbar
II *s* kastlös [person], oberörbar

untouched [ˌʌnˈtʌtʃt] *adj* orörd; oskadad; bildl. oberörd

untoward [ˌʌntəˈwɔːd] *adj* olycklig, ogynnsam [~ *conditions*]; olämplig

untrained [ˌʌnˈtreɪnd] *adj* oövad, otränad; ovan; outbildad, oskolad [*an* ~ *voice*]; odresserad

untrammelled [ˌʌnˈtræm(ə)ld] *adj* obehindrad, ohämmad, fri, obunden; oinskränkt [~ *power*]

untranslatable [ˌʌntrænsˈleɪtəbl, -trɑːns-, -nzˈl-] *adj* oöversättlig; oöverförbar

untreated [ˌʌnˈtriːtɪd] *adj* obehandlad [*an* ~ *illness*; ~ *wood*]; ~ *sewage* äv. orenat avloppsvatten

untried [ˌʌnˈtraɪd] *adj* **1** oprövad, obeprövad **2** jur. orannsakad, ohörd **3** oerfaren

untrue [ˌʌnˈtruː] *adj* **1** osann, falsk, oriktig **2** trolös, falsk [*to* mot]; orättvis; illojal **3** felaktig; sned, vind

untrustworthy [ˌʌn'trʌstˌwɜːðɪ] *adj* opålitlig [*an ~ man*]; otillförlitlig [*~ information*]

untruth [ˌʌn'truːθ, i pl. ˌʌn'truːðz, -truːθs] *s* osanning, lögn; *tell an ~* tala osanning

untruthful [ˌʌn'truːθf(ʊ)l] *adj* osann, osannfärdig, falsk; lögnaktig

untutored [ˌʌn'tjuːtəd] *adj* obildad, okunnig; otränad [*an ~ ear*]

unusable [ˌʌn'juːzəbl] *adj* oanvändbar, obrukbar, oduglig

unused [ˌʌn'juːzd, i betydelse 2 ˌʌn'juːst] *adj* **1** oanvänd, obegagnad, outnyttjad; *~ stamp* ostämplat frimärke **2** ovan [*he is ~ to* (vid) *city life*]

unusual [ˌʌn'juːʒʊəl] *adj* ovanlig; sällsynt; osedvanlig

unutterable [ˌʌn'ʌt(ə)rəbl] *adj* outsäglig; obeskrivlig

unvarnished [ˌʌn'vɑːnɪʃt] *adj* **1** osminkad [*the ~ truth*]; oförblommerad, enkel **2** ofernissad, olackerad, obehandlad

unveil [ˌʌn'veɪl] *vb tr* **1** ta slöjan från [*~ one's face*]; avtäcka, låta täckelset falla från [*~ a statue*] **2** bildl. avslöja, röja [*~ a secret*]; blotta, visa

unvoiced [ˌʌn'vɔɪst] *adj* **1** outtalad [*~ opinion*]; tyst **2** fonet. tonlös

unwaged [ˌʌn'weɪdʒd] *adj* arbetslös, utan lön; om arbete obetald

unwanted [ˌʌn'wɒntɪd] *adj* oönskad, inte önskad (önskvärd), ovälkommen

unwarranted [ˌʌn'wɒr(ə)ntɪd] *adj* obefogad, oberättigad; omotiverad; oförsvarlig

unwary [ˌʌn'weərɪ] *adj* oförsiktig, obetänksam

unwashed [ˌʌn'wɒʃt] *adj* otvättad; odiskad; smutsig

unwavering [ˌʌn'weɪv(ə)rɪŋ] *adj* orubblig, aldrig sviktande [*~ loyalty*]; fast

unwelcoming [ʌn'welkəmɪŋ] *adj* otrevlig; ogästvänlig

unwell [ˌʌn'wel] *adj* dålig, sjuk, krasslig, opasslig; *be taken ~* bli dålig (sjuk)

unwieldy [ˌʌn'wiːldɪ] *adj* klumpig, otymplig, åbäkig; svårhanterlig, tungrodd [*~ organization*]

unwilling [ˌʌn'wɪlɪŋ] *adj* **1** ovillig; motvillig; *he was an ~ witness* [*to the scene*] han var (blev) ofrivilligt (mot sin vilja) vittne… **2** motspänstig

unwillingly [ˌʌn'wɪlɪŋlɪ] *adv* ogärna, motvilligt, mot sin vilja

unwind [ˌʌn'waɪnd] (*unwound unwound*) **I** *vb tr* nysta (linda, rulla, veckla) upp; veckla (rulla) ut; lösgöra, frigöra
II *vb itr* **1** nystas upp, nysta upp sig etc., jfr *unwind I 2* koppla av, ta det lugnt

unwise [ˌʌn'waɪz] *adj* oklok, oförståndig

unwitting [ˌʌn'wɪtɪŋ] *adj* **1** oavsiktlig, omedveten, ofrivillig **2** omedveten [*of* om], ovetande, utan att veta [om] [*~ that he had hurt her*]; aningslös

unwittingly [ˌʌn'wɪtɪŋlɪ] *adv* **1** oavsiktligt, omedvetet, ofrivilligt **2** ovetande[s]; aningslöst

unwonted [ˌʌn'wəʊntɪd] *adj* litt. ovanlig, sällsynt

unworkable [ˌʌn'wɜːkəbl] *adj* **1** outförbar, ogenomförbar [*an ~ plan*] **2** ohanterlig, svårskött; motspänstig, svårarbetad [*~ material*]

unworldly [ˌʌn'wɜːldlɪ] *adj* ovärldslig; världsfrånvänd

unworthy [ˌʌn'wɜːðɪ] *adj* ovärdig [*an ~ successor*]; oförtjänt, oberättigad; [*behaviour*] *~ of a gentleman* …ovärdigt en gentleman

unwound [ˌʌn'waʊnd] **I** imperf. o. perf. p. av *unwind*
II *adj* ouppdragen [*an ~ clock*]

unwrap [ˌʌn'ræp] *vb tr* veckla upp (ut); öppna, ta upp, packa upp [*~ a parcel*]; bildl. avslöja

unwritten [ˌʌn'rɪtn] *adj* oskriven [*an ~ page*]; *an ~ law* en oskriven lag

unyielding [ˌʌn'jiːldɪŋ] *adj* oböjlig, fast, hård

unzip [ˌʌn'zɪp] **I** *vb tr* **1** dra ner (öppna) [blixtlåset på]; *can you ~ me?* kan du hjälpa mig med [att öppna] blixtlåset? **2** data. zippa upp
II *vb itr* öppnas med blixtlås

up [ʌp] **I** *adv* o. *pred adj* **1 a)** upp; uppåt **b)** fram [*he came ~ to me*] **c)** upp, in, ned norrut el. i förhållande till storstad [*~ to London*]; uppåt (inåt) [landet] i förhållande till kusten [*travel ~ from the coast*]; *hands ~!* upp med händerna!; *~ the Arsenal!* heja Arsenal!; *~ the Republic!* leve republiken!; *~ and down* fram och tillbaka, av och an [*walk ~ and down*]; upp och ner [*jump ~ and down*]; på alla håll [och kanter], överallt [*look for sth ~ and down*]; uppifrån och ned [*look sb ~ and down*]; *~ north* norröver, norrut, uppåt norr; *~ there* dit upp; *~ to town* [in (upp, ned)] till stan (London); *from* [*one's*] *youth ~* ända från (alltifrån) ungdomen; *children from six years ~* barn från sex år och uppåt

2 a) uppe [*stay ~ all night*] **b)** uppe, inne, nere norrut el. i förhållande till storstad [*~ in London*]; uppåt (inåt) [landet] i förhållande till kusten [*two miles ~ from the coast*]; *be ~ and about* vara uppe [och i full gång], vara på benen; *be ~ and doing* vara i full gång, vara i farten; *~ north* norröver, norrut, uppe i norr; *~ there* däruppe; *relatives ~ from the country* släktingar på besök från landet

3 a) över, slut [*my leave was nearly ~*] **b)** bildl. ute, slut, förbi; *the game is ~* spelet är förlorat; *time's ~* tiden är ute!; *it's all ~ with me* det är ute med mig

4 sport. o.d. plus; *be one ~* el. *be one goal ~* leda med ett mål; *she's always trying to be one ~* [*on you*] hon ska alltid vara värst

5 *be ~* a) vara uppe (uppstigen), ha gått upp [*he is not ~ yet*] b) vara uppfälld [*his collar was ~*]; vara uppdragen [*the blinds were ~*] c) ha stigit (gått upp) [*the price of meat is ~*] d) sitta till häst e) vara [uppe] i luften; flyga på viss höjd [*the plane is five thousand feet ~*] f) vara uppriven (uppgrävd) [*the street is ~*]

6 i specialbetydelser med verb (se äv. under verb som *bring, catch, come, get* o. *set* m.fl.): **a)** ihop [*add ~*; *fold ~*]; igen, till [*shut ~ a house*] **b)** fast [*chain ~*]; in [*lock sth ~*] **c)** sönder [*tear ~*] **d)** *hurry ~!* skynda på!, skynda dig! **e)** *what's ~?* vad står på?; *there's something ~* det är något på gång

7 specialbetydelser med prep.:
be up against stå (ställas) inför, kämpa med (mot); *be ~ against it* vara illa ute, ligga illa till
be up before vara uppe [till behandling] i [*be ~ before Congress*]; vara kallad till [*be ~ before the magistrate*]
be up for vara uppe till [*be ~ for debate*]; ställa upp till [*be ~ for re-election*]
be well up in: *be well ~ in* [*business*] vard. vara väl

insatt i...
be well up on: **be well ~ on** [*a subject*] vara insatt i...
up to a) [ända] upp till [*count from one ~ to ten*];
[ända] fram till, [ända] tills; **~ to now** [ända] tills
nu, hittills **b**) i nivå med, jämförbar med [*this book
isn't ~ to his last*]; **he isn't ~ to much** det är inte
mycket bevänt med honom **c**) **he isn't ~ to** [**the job**]
han duger inte till...; **she is ~ to every trick** hon kan
alla knep; **I don't feel ~ to working** el. **I don't feel ~ to
work** jag känner inte för att arbeta; **I don't feel ~ to it**
el. **I'm not ~ to it** jag känner mig inte i form, jag har
ingen lust **d**) efter, i enlighet med [*act ~ to one's
principles*] **e**) **be ~ to sb** vara ngns sak; **it's ~ to you**
äv. det får du bestämma, det är upp till dig **f**) **be ~
to something** ha något [fuffens] för sig; **what is she ~
to?** vad har hon för sig?, vad håller hon på med?
II *prep* uppför [*~ the hill*]; uppe på (i) [*~ the tree*];
uppåt; [upp] längs [med] [*~ the street*]; **walk ~ the
street** äv. gå gatan fram[åt]; **~ and down the street**
fram och tillbaka på gatan; **travel ~ and down the
country** resa kors och tvärs i landet; **~ your arse**
(amer. **ass**)**!** el. **~ yours!** vulg. ta dig i arslet!, dra åt
helvete!
III *s*, **~s and downs** upp- och nedgångar, växlingar,
svängningar [*the ~s and downs of the market*];
med- och motgång; **he has his ~s and downs** det går
upp och ned för honom
up-and-coming [ˌʌpənˈkʌmɪŋ] *adj* lovande [*an ~
author*]; uppåtgående; **an ~ man** äv. en påläggskalv
up-and-up [ˌʌpənˈʌp] *s* vard., **be on the ~ a**) gå
[stadigt] framåt, vara på frammarsch **b**) vanl. amer.
vara schyst (renhårig, reko)
upbeat [ˈʌpbiːt] **I** *adj* vard. optimistisk, utåtriktad;
glad [*an ~ mood*]; uppåt
II *s* **1** mus. upptakt; uppslag **2** vard. optimistisk
(glad) stämning
upbraid [ʌpˈbreɪd] *vb tr* förebrå, klandra,
tillrättavisa, läxa upp [*with, for* för]
upbringing [ˈʌpˌbrɪŋɪŋ] *s* uppfostran
upcountry [ʌpˈkʌntrɪ] **I** *adv* uppåt (inåt) landet
II *adj* [belägen] uppe (inne) i landet, inlands-; i
(från) det inre av landet, i (från) inlandet
update [verb ʌpˈdeɪt, subst. ˈ--] **I** *vb tr* uppdatera,
göra aktuell; modernisera
II *s* uppdatering
upend [ʌpˈend] *vb tr* välta [omkull] [*~ the table*];
vända upp och ned på
upfront [ˌʌpˈfrʌnt, attr. ˈ--] vard. **I** *adj* **1** uppriktig,
öppen, rättfram, reko **2** [som betalas] i förskott; **~
payment** förskottsbetalning
II *adv* i förskott
upgrade [verb ʌpˈgreɪd, subst. ˈ--] **I** *vb tr* **1** data.
uppgradera **2** befordra [*~ to a higher position*]
3 förbättra; höja värdet (kvaliteten) på;
uppvärdera
II *s* **1** data. uppgradering **2** stigning; **be on the ~** bildl.
stiga, öka, gå uppåt; vara på uppåtgående **3** amer.
uppförsbacke
upheaval [ʌpˈhiːv(ə)l] *s* **1** geol. höjdförskjutning,
nivåförskjutning **2** bildl. omvälvning [*social ~s;
political ~s*]; omstörtning; kaos
upheld [ʌpˈheld] imperf. o. perf. p. av *uphold*
uphill [adv. ˌʌpˈhɪl, adj. ˈ--] **I** *adv* uppåt, uppför
[backen]

II *adj* stigande, brant; uppförs- [*an ~ slope*]; **it's ~
all the time a**) det är uppförsbacke hela vägen
(tiden) **b**) det är motigt (är tungt, tar emot) hela
tiden
uphill slope [ˌʌphɪlˈsləʊp] *s* [uppförs]backe
uphold [ʌpˈhəʊld] (*upheld upheld*) *vb tr*
1 upprätthålla, vidmakthålla [*~ discipline*]; hävda;
~ old traditions hålla fast vid (värna om) gamla
traditioner **2** godkänna, gilla [*~ a verdict*]
upholder [ʌpˈhəʊldə] *s* upprätthållare, försvarare
upholster [ʌpˈhəʊlstə] *vb tr* **1** stoppa, polstra; klä
[*~ a sofa*]; madrassera **2** inreda rum med textilier som
gardiner **3** vard., **well ~ed** fyllig, rund, mullig
upholsterer [ʌpˈhəʊlst(ə)rə] *s* tapetserare
upholstery [ʌpˈhəʊlst(ə)rɪ] *s* **1** [möbel]stoppning;
heminredning med textilier **2 a**) hemtextil, möbeltyg,
gardintyg, draperityg[er] **b**) stoppning konkr.;
klädsel **c**) [stoppade] möbler **3** tapetseraryrke[t],
tapetserararbete
upkeep [ˈʌpkiːp] *s* underhåll; underhållskostnad[er]
upland [ˈʌplənd] *adj* höglänt; höglands-
uplands [ˈʌpləndz] *s pl* högland
uplift [verb ʌpˈlɪft, subst. o. adj. ˈ--] **I** *vb tr* lyfta [upp],
höja, bildl. äv. verka upplyftande (uppbyggande) på
II *s* **1** höjning, höjande **2** vard. **a**) uppryckning;
uppmuntran **b**) uppiggande verkan
III *adj*, **~ bra** stödbehå
uplifted [ˌʌpˈlɪftɪd] *adj* **1** uppiggad, uppmuntrad
2 upplyft, höjd
uplifting [ʌpˈlɪftɪŋ] *adj* upplyftande, uppmuntrande
upload [ʌpˈləʊd] *vb tr* o. *vb itr* data. ladda upp överföra
till annan dator t.ex. webbserver
upmarket [ˈʌpˌmɑːkɪt] *adj* exklusiv, dyr, lyx-
upon [əˈpɒn] *prep* på (etc., jfr *on* I); **once ~ a time
there was** det var en gång; [*he piled*] **book ~ book**
...bok på bok; [*the forest stretched*] **for mile ~ mile**
...mile efter mile; **thousands ~ thousands** tusen och
åter tusen
upper [ˈʌpə] **I** *adj* övre [*the ~ limit; ~ Manhattan*];
högre; över- [*the ~ jaw; the ~ lip*]; överst
II *s* **1** vanl. pl. **~s** ovanläder **2** vard. stimulerande
medel; uppåttjack **3** **be on one's ~s** vard. vara helt
pank
upper-case [ˈʌpəkeɪs] *adj* typogr., **~ letter** versal, stor
bokstav
upper case [ˌʌpəˈkeɪs] *s* typogr. versal, stor bokstav
upper-class [ˌʌpəˈklɑːs, attr. ˈ---] *adj* överklass-;
överklassig; **be ~** vara överklass
upper class [ˌʌpəˈklɑːs] *s*, **the ~** el. **the ~es**
överklassen
upper-crust [ˌʌpəˈkrʌst] *adj* vard. överklass-;
överklassig
upper crust [ˌʌpəˈkrʌst] *s*, **the ~ a**) överskorpan på
bröd **b**) vard. gräddan, överklassen
uppercut [ˈʌpəkʌt] *s* boxn. uppercut
upper deck [ˌʌpəˈdek] *s* sjö. övre däck, överdäck
upper house [ˌʌpəˈhaʊs] *s*, **the ~** första kammaren; i
Storbritannien överhuset
uppermost [ˈʌpəməʊst] **I** *adj* [allra] överst; [allra]
högst; främst; mest framträdande; närmast
[liggande]; **be ~** äv. ha överhand (övertaget); **that is
~ in her mind** det är vad hon mest har i tankarna
II *adv* [allra] överst; [allra] högst

upper school [ˈʌpəskuːl] *s*, **the** ~ de högre
årskurserna i *secondary school*
uppish [ˈʌpɪʃ] *adj* vard. mallig, snorkig; **don't get** ~
malla dig inte
upright [ˈʌpraɪt] **I** *adj* **1** upprätt, [upprätt]stående,
upprest, lodrät, rak; **put** ~ el. **set** ~ resa (räta) upp,
ställa [rakt] upp (på ända); **stand** ~ stå rak
(upprätt); komma på benen **2** hederlig, rättrådig,
rättskaffens
II *s* **1** stolpe, stötta, pelare, post; pl. **~s** äv.
målstolpar **2** se *upright piano*
III *adv* upprätt, rakt [upp], lodrätt
upright piano [ˌʌpraɪtpɪˈænəʊ] (pl. ~s) *s* piano
uprising [ˈʌpˌraɪzɪŋ, ˌ-ˈ--] *s* resning, uppror
uproar [ˈʌprɔː] *s* tumult, kalabalik [*the meeting
ended in* [*an*] ~]; förvirring; rabalder, liv, oväsen;
the town is in an ~ staden är i uppror
uproarious [ʌpˈrɔːrɪəs] *adj* **1** tumultartad
2 larmande; överväldigande [*an* ~ *welcome*];
stormande [~ *applause*]; skallande [~ *laughter*]
3 vard. helfestlig, jättekul [*an* ~ *comedy*]
uproot [ʌpˈruːt] *vb tr* **1** rycka (dra) upp med
rötterna (roten), bildl. äv. göra rotlös **2** utrota
upsadaisy [ˈʌpsəˌdeɪzɪ] *interj* vard., se *upsydaisy*
upscale [ˈʌpskeɪl] *adj* exklusiv, dyr, lyx-
upset [verb o. adj. ʌpˈset, subst. ˈʌpset] **I** (*upset upset*)
vb tr **1** stjälpa [omkull], välta [omkull] [~ *a table*];
stjälpa (välta) ut [~ *a glass of milk*]; få att kantra [~
the boat] **2** bringa oordning i, ställa till [oreda i] [~
a room] **3** kullkasta, rubba [~ *sb's plans*] **4** göra
upprörd (uppskakad, uppbragt, bestört, illa
berörd) [*the incident* ~ *her*] **5** störa, rubba, oroa
spec. matsmältningen; göra illamående; ~ **sb's nerves**
göra ngn uppriven (nervös); [**the food**] ~ **his
stomach** han fick ont i magen av…, han tålde
inte…
II *s* **1** fysisk el. psykisk rubbning, störning; chock [*she
had a terrible* ~]; depression; **have a stomach** ~ ha
krångel med magen, ha magbesvär **2** oreda,
oordning, röra **3** sport. skräll, oväntad seger,
oväntat nederlag
III *perf p* o. *adj* (jfr äv. *upset I*) upprörd etc.,
uppriven, skärrad; **be** ~ **that…** vara (bli) upprörd
över att…; **be emotionally** ~ vara (bli) upprörd
(gripen, djupt skakad); **his nerves are** ~ hans nerver
är upprivna (i olag); **my stomach is** ~ min mage
krånglar (är i olag)
upsetting [ʌpˈsetɪŋ] *adj* upprörande,
[upp]skakande; förarglig
upshot [ˈʌpʃɒt] *s* **1** resultat, utgång; slut; **the** ~ **of the
matter was…** det hela slutade med…, summan av
kardemumman var (blev)… **2** slutsats
upside [ˈʌpsaɪd] *s* **1** översida **2** **the** ~ fördelen, den
positiva sidan
upside-down [ˌʌpsaɪ(d)ˈdaʊn] **I** *adv* upp och ned;
huller om buller; bildl. äv. bakvänt; **turn** ~ vända upp
och ned [på] **II** *adj* uppochnedvänd; bildl. äv.
bakvänd; ~ **cake** upp-och-ner-kaka
upstage [ʌpˈsteɪdʒ] **I** *adv* i (mot) bakgrunden, i
fonden, längst bort på scenen
II *adj* bakgrunds-, fond-, i bakgrunden (fonden)
III *vb tr* dra uppmärksamheten från, stjäla
föreställningen från
upstairs [ˌʌpˈsteəz] *adv* uppför trappan

(trapporna), upp [*go* ~]; i övervåningen, [upp
(uppe)] i övre våningen, en trappa upp, ovanpå
upstanding [ʌpˈstændɪŋ] *adj* **1** hederlig, rakryggad
2 uppstående [*an* ~ *collar*] **3** välväxt [*a fine* ~ *boy*]
upstart [ˈʌpstɑːt] *s* uppkomling
upstate [ˈʌpsteɪt] amer. **I** *adj* i (från) norra (övre)
[delen av] staten, i (från) norr, spec. i (från) norra
(övre) [delen av staten] New York
II *s* norra (övre) [delen av] staten, spec. norra (övre)
[delen av staten] New York
upstream [ˌʌpˈstriːm, attr. '--] *adv* o. *adj* [som går]
mot strömmen, uppströms; uppåt floden
upsurge [ˈʌpsɜːdʒ] *s* **1** [snabb] ökning, höjning [*an*
~ *of wage claims*]; uppsving **2** våg [*an* ~ *of
indignation*]
upswing [ˈʌpswɪŋ] *s* uppsving; uppåtgående trend;
be on the ~ vara på uppåtgående
upsydaisy [ˈʌpsɪˌdeɪzɪ] *interj* vard. hoppsan!
uptake [ˈʌpteɪk] *s*, **be quick** (**slow**) **on the** ~ ha lätt
(svårt) för att fatta, fatta snabbt (långsamt)
up-tempo [ˌʌpˈtempəʊ] *adj* snabb, med högt tempo
[*music with an* ~ *beat*]
uptick [ˈʌptɪk] *s* ökning, uppgång
uptight [ˈʌptaɪt] *adj* vard. **1** spänd, knuten; nervös
[*about* för], skärrad [*about* inför] **2** uppsträckt;
stel
up to date [ˌʌptəˈdeɪt] (attr. *up-to-date*) *adj* à jour,
fullt modern, med sin tid, aktuell [*an up-to-date
magazine*]; **bring** ~ göra aktuell, uppdatera,
modernisera
up-to-the-minute [ˌʌptəðəˈmɪnɪt] *adj* se *up to the
minute* under *1 minute 1*
uptown [adv. ˌʌpˈtaʊn, adj. '--] *adv* o. *adj* vanl. amer. till
(uppåt, i, från) norra (övre) delen av stan; till (i,
från) stans utkant[er] (bostadskvarter)
upturn [ˈʌptɜːn] *s* uppåtgående trend, uppgång,
uppsving
upturned [ˌʌpˈtɜːnd, '--] *adj* **1** uppåtvänd,
uppåtriktad; uppåtböjd; ~ **nose** uppnäsa
2 uppochnedvänd
upward [ˈʌpwəd] **I** *adj* uppåtriktad, uppåtvänd [*an*
~ *glance*]; uppåtgående, stigande [*prices show an* ~
tendency] **II** *adv* se *upwards*
upwardly mobile [ˌʌpwədlɪˈməʊbaɪl] *adj*
uppåtsträvande socialt o. yrkesmässigt; **he's** ~ äv. han är
klassresenär
upwards [ˈʌpwədz] *adv* uppåt, upp; uppför; uppför
strömmen; **from childhood** ~ alltifrån (ända från)
barndomen; **from the waist** ~ från midjan och
uppåt; **and** ~ och mer, och därutöver [*£100 and* ~];
~ **of** mer än, över [~ *of ten people*]
uranium [jʊˈreɪnɪəm] *s* kem. uran
Uranus [jʊ(ə)ˈreɪnəs, ˈjʊərənəs] astron. Uranus
urban [ˈɜːbən] *adj* stads- [~ *population*]; tätorts-;
urban; urbaniserad
urban area [ˌɜːbənˈeərɪə] *s* tätort
urbane [ɜːˈbeɪn] *adj* belevad, världsvan, urban
urbanite [ˈɜːbənaɪt] *s* stadsbo
urbanity [ɜːˈbænətɪ] *s* **1** belevenhet, världsvana,
artighet, urbanitet **2** stadsprägel, stadskaraktär
urbanization [ˌɜːbənaɪˈzeɪʃ(ə)n] *s* urbanisering
urbanize [ˈɜːbənaɪz] *vb tr* urbanisera
urban jungle [ˌɜːbənˈdʒʌŋgl] *s* storstadsdjungel
urban renewal [ˌɜːbənrɪˈnjuːəl] *s* stadsförnyelse

urban sprawl [ˌɜːbənˈsprɔːl] *s*, *the* ~ tätorternas ohämmade tillväxt; ful ytterstadsbebyggelse

urban tourism [ˌɜːbənˈtʊərɪzm] *s* [stor]stadsturism

urchin [ˈɜːtʃɪn] *s* buspojke, rackarunge; *street* ~ gatpojke, gatunge, rännstensunge

Urdu [ˈʊədu:, ˈɜːd-] *s* urdu språk

urethritis [ˌjʊərəˈθraɪtɪs] *s* med. uretrit, urinrörsinflammation

urge [ɜːdʒ] **I** *vb tr* **1** försöka övertala, [enträget] be, uppmana [*he ~d me to come*] **2** yrka på, kräva, ivra (tala) för, tillråda [~ *a measure*]; framhålla, understryka, betona **3 a**) ~ *on* (*onward, forward, along*) driva på, mana på [*she ~d her horse on* (*onward*)]; skynda på, påskynda **b**) pressa, driva, sporra [~ *sb to action*] **II** *vb itr* **1** yrka [*for* på], ivra [*for* för] **2** sträva, skynda [*on, onward, forward, along* fram, framåt] **III** *s* stark längtan; impuls; drift [*sexual* ~]

urgency [ˈɜːdʒ(ə)nsɪ] *s* **1** vikt, angelägenhet; *be a matter of* ~ vara [mycket] brådskande, vara [mycket] angeläget; *the* ~ *of the situation* det allvarliga i situationen **2** enträgenhet, ihärdighet, envishet, allvar; enträgen bön

urgent [ˈɜːdʒ(ə)nt] *adj* **1 a**) brådskande, angelägen, överhängande, trängande; allvarlig [*an* ~ *situation*] **b**) påskrift på brev m.m. angeläget, brådskande; *the matter is* ~ äv. saken brådskar; *be in* ~ *need of* vara i starkt behov av **2** enträgen, ivrig, angelägen, envis

urgently [ˈɜːdʒ(ə)ntlɪ] *adv* **1** [*supplies*] *are* ~ *needed* det finns ett trängande behov av... **2** enträget, ivrigt

urgicenter [ˌɜːdʒɪˈsentə] *s* amer., ung. cityakut, läkarhus akutmottagning i stadskärna

Uriah [jʊəˈraɪə] **1** mansnamn **2** bibl. Uria

urinal [ˌjʊəˈraɪnl, ˈjʊərɪnl, amer. ˈjʊrənl] *s* urinoar, pissoar

urinary [ˈjʊərɪnərɪ] *adj* urin-; ~ *infection* urinvägsinfektion; *the* ~ *tract* urinvägarna

urinate [ˈjʊərɪneɪt] *vb itr* urinera, kasta vatten

urine [ˈjʊərɪn] *s* urin

URL [ˌjuːɑːrˈel] data. (förk. för *uniform resource locator*) URL adresstandard för resurser på Internet

urn [ɜːn] *s* **1** urna; gravurna; poet. grav **2 a**) tekök, tekokare **b**) kaffekokare, kaffebryggare

urologist [jʊˈrɒlədʒɪst] *s* urolog

urology [jʊˈrɒlədʒɪ] *s* urologi

Uruguay [ˈjʊərəgwaɪ, ˈʊr-] geogr.

Uruguayan [ˌjʊərəˈgwaɪən, ˌʊr-] **I** *adj* uruguaysk **II** *s* uruguayare; uruguayanska kvinna

US [ˌjuːˈes] **I** *s* (förk. för *United States*) **1** *the* ~ USA **2** attr. Förenta Staternas, USA:s, amerikansk **II** förk. för *Uncle Sam*

us [ʌs, obeton. əs, s] *pers pron* (objektsform av *we*) **1** oss **2** vard. vi [*it wasn't* ~] **3** vi, oss [*they are younger than* ~] **4** vard. för *our*; *she likes* ~ *singing* [*her to sleep*] hon tycker om att vi sjunger... **5** vard. mig [*give* ~ *a piece*]

USA [ˌjuːesˈeɪ] **I** *s* (förk. för *United States of America*); *the* ~ USA **II** förk. för *United States Army*

usable [ˈjuːzəbl] *adj* användbar, brukbar

USAF [ˌjuːeseɪˈef] förk. för *United States Air Force*

usage [ˈjuːsɪdʒ, ˈjuːzɪdʒ] *s* **1** behandling, hantering [*hard* ~] **2** språkbruk [*Modern English Usage*]; bruk **3** [vedertaget] bruk, sed, kutym, vana

USB [ˌjuːesˈbiː] *s* data. (förk. för *universal serial bus*) USB standard för anslutning av seriell kringutrustning

USB flash drive [ˈjuːesˌbiːˈflæʃdraɪv] *s* o. **USB memory** [ˈjuːesˌbiːˈmemərɪ] *s* data. usb-minne

USB port [ˌjuːesˈbiːˌpɔːt] *s* data. usb-port

use [subst. juːs; verb: i betydelse *II* juːz, i betydelse *III* juːs] **I** *s* **1** användning, begagnande, bruk; *make* ~ *of* göra bruk av, använda, utnyttja; ta till vara; *directions for* ~ bruksanvisning; *be in* ~ vara i bruk, användas; *come into* ~ komma i bruk, börja användas; *be out of* ~ vara (komma) ur bruk, inte användas; *go out of* ~ komma ur bruk **2** användning, nytta; funktion; *peaceful* ~*s of nuclear power* fredligt utnyttjande av atomkraft[en]; *have no* ~ *for* a) inte ha någon nytta av (användning för) b) inte ge mycket för, inte gilla **3** nytta, gagn, fördel; användbarhet; *what's the* ~? vad tjänar det till?, vad ska det tjäna till?; *be of* ~ vara (komma) till nytta (användning), vara användbar [*to sb* för ngn; *for sth* till ngt]; *be no* ~ el. *be of no* ~ inte gå att använda, vara till ingen nytta [*the information was* [*of*] *no* ~]; *he is no* ~ han duger ingenting till, han är värdelös; *it is no* ~ *trying* el. *there is no* ~ *in trying* el. *trying is no* ~ det tjänar ingenting till (det är ingen idé) att försöka **4 a**) *lose the* ~ *of one eye* bli blind på ena ögat; *lose the* ~ *of one's legs* förlora rörelseförmågan i benen **b**) *room with* ~ *of kitchen* rum med tillgång till (del i) kök **5** bruk, sed, praxis
II *vb tr* **1** använda, begagna, bruka, nyttja, anlita [*as* som; *for* till, för, som, i stället för; *to* + inf. till (för) att + inf.]; utnyttja [*she* ~*s people*]; ~ *force* bruka våld; *may I* ~ *your phone?* får jag låna din telefon?; *I could* ~ *a drink* jag skulle inte ha något emot en drink **2** ~ *up* förbruka, göra slut på, uttömma **3** visa [~ *discretion* (*tact*)]
III *vb itr* **1** *used to* [ˈjuːstə, -tʊ] (end. i imp.) brukade; *there* ~*d to be*... förr fanns det...; [*she does not come as often*] *as she* ~*d to* ...som han brukade; *he* ~*d to smoke a pipe* han brukade röka pipa, förr rökte han pipa; *things are not what they* ~*d to be* det är inte längre som förr [i världen] **2** i nekande satser el. frågande satser, *he* ~*d not* (~*dn't*, ~*n't*, *didn't* ~) *to be like that* han brukade inte vara sådan; *did you* ~ *to work here?* arbetade du här tidigare?

used [i betydelse *I 1* juːzd, i betydelserna *I 2* o. *II* juːst] **I** *adj* o. *perf p* **1** använd, begagnad [~ *cars*]; *hardly* ~ nästan [som] ny, nästan oanvänd **2** ~ *to* van vid; *you'll soon be* (*get*) ~ *to it* du blir snart van vid det **II** *imperf*. *used to*, se *use III*

usedn't [ˈjuːsn(t)] = *used not*, se *use III 2*

useful [ˈjuːsf(ʊ)l] *adj* **1** användbar, lämplig, bra [*to sb* för ngn; *for sth* till ngt]; ~ *article* nyttoföremål; *make oneself* ~ hjälpa till, göra sig nyttig; *it would be* ~ *to try* det kan (kunde) inte skada att försöka; *this is not very* ~ detta är inte till mycket nytta, detta hjälper inte mycket; *she's a* ~ *person to know* hon är en bra (nyttig) person att känna; *come in* ~ komma väl (bra) till pass **2** vard. rätt bra, skaplig

usefully [ˈjuːsf(ʊ)lɪ] *adv* med fördel, lämpligen

usefulness [ˈjuːsf(ʊ)lnəs] *s* nytta; användbarhet, lämplighet

useless ['ju:sləs] *adj* **1** oduglig; oanvändbar, obrukbar; värdelös **2** lönlös, meningslös **3** vard. värdelös, usel [*I'm feeling ~*]

uselessly ['ju:sləslı] *adv* till ingen nytta; förgäves

uselessness ['ju:sləsnəs] *s* oduglighet etc., jfr *useless*; *the ~ of* äv. det lönlösa (fåfänga) i

Usenet ['ju:znet] *s* data. Usenet nätverk av diskussionsgrupper på Internet

usen't ['ju:sn(t)] = *used not*, se *use III 2*

user ['ju:zə] *s* **1** användare, förbrukare, konsument; *road ~* vägtrafikant **2** sl. knarkare

user-friendly ['ju:zə,frendlı] *adj* användarvänlig

user group ['ju:zəgru:p] *s* användargrupp

user interface [,ju:zə'ıntəfeıs] (förk. *UI*) *s* data. användargränssnitt

user program [,ju:zə'prəʊgræm] *s* data. användarprogram

usher ['ʌʃə] **I** *s* **1** vaktmästare, plats[an]visare på bio, teater o.d.; rättstjänare i rättslokal **2** marskalk vid fest o.d.
II *vb tr* föra, ledsaga, visa [*in; into, to*]; *I was ~ed into her presence* jag visades in till henne
III *vb tr* med adv.:
usher in a) bildl. inleda, inviga [*the play ~ed in the new season*]; bebåda **b)** föra (ledsaga, visa) in; anmäla

usherette [,ʌʃə'ret] *s* [kvinnlig] vaktmästare, plats[an]viserska på bio, teater o.d.

USN [,ju:es'en] förk. för *United States Navy*

USS [,ju:es'es] förk. för *United States Ship*

USSR [,ju:eses'ɑ:] geogr. el. hist. (förk. för *Union of Soviet Socialist Republics*), *the ~* Sovjet[unionen]

usual ['ju:ʒʊəl] *adj* vanlig, bruklig, gängse; [*he came late,*] *as ~* ...som vanligt; *as is ~* [*in our family*] som det brukar vara...; [*Stockholm is*] *its ~ self* ...sig likt; *you look different from your ~ self* du är dig inte lik; [*can I have*] *a glass of the ~?* ...ett glas av det vanliga (det jag brukar dricka)?

usually ['ju:ʒʊəlı] *adv* vanligtvis, vanligen; vanligt; *more than ~ hot* varmare än vanligt

usurer ['ju:ʒ(ə)rə] *s* ockrare, procentare

usurp [ju:'zɜ:p] *vb tr* tillskansa sig, bemäktiga sig, tillvälla sig [*~ power*]

usurpation [,ju:zɜ:'peıʃ(ə)n] *s* besittningstagande, usurpering [*of av*]; inkräktande, intrång [*on på*]

usurper [ju:'zɜ:pə] *s* usurpator; troninkräktare; inkräktare

usury ['ju:ʒərı] *s* **1** ocker; *practise ~* bedriva ocker, ockra **2** ockerränta

UT o. **Ut.** förk. för *Utah*

Utah ['ju:tɑ:, amer. äv. -tɔ:] geogr.

utensil [ju:'tensl] *s* redskap, verktyg; pl. *~s* äv. utensilier; *cooking ~s* kokkärl; *kitchen ~s* hushållsredskap, köksredskap, husgeråd

uterine ['ju:təraın] *adj* anat. livmoder-

uter|us ['ju:tər|əs] (pl. *-i* [-aı]) *s* anat. livmoder, uterus

utilitarian [,ju:tılı'teərıən] *adj* **1** nytto- [*~ morality*]; nyttighets-; filos. utilitaristisk, utilistisk **2** ändamålsenlig, praktisk

utility [ju:'tılətı] *s* **1** [praktisk] nytta, användbarhet **2** *public ~* affärsdrivande verk, statligt (kommunalt) affärsverk, allmännyttigt företag; samhällsservice; *utilities* vanl. amer. a) gas, vatten, el b) teletjänster c) kommunikationer, kommunikationsväsende; *public ~ company* allmännyttigt (samhällsnyttigt) företag **3** data. hjälpprogram **4** attr. nytto-, bruks-; nyttig, praktisk, funktionell; universal-, som kan användas till mycket [*a ~ vehicle*]; nyttobetonad

utility plant [,ju:'tılətıplɑ:nt] *s* nyttoväxt

utility player [,ju:'tılətı,pleıə] *s* sport. allroundspelare inom viss sport

utility room [,ju:'tılətıru:m] *s* ung. grovkök

utilization [,ju:tılaı'zeıʃ(ə)n] *s* utnyttjande; tillvaratagande

utilize ['ju:tılaız] *vb tr* utnyttja, dra nytta av; använda, tillvarata

utmost ['ʌtməʊst, -məst] **I** *adj* **1** ytterst [*the ~ limits*] **2** bildl. ytterst, störst [*with the ~ care*]; högst, synnerlig
II *s*, *the ~* det yttersta, det allra mesta (bästa), det bästa möjliga; *do one's ~* göra sitt bästa (yttersta), göra allt; *try one's ~* göra sitt yttersta; *at the ~* högst, på sin höjd, i bästa fall; *to the ~* till det yttersta; [*he tried*] *to the ~ of his ability* ...efter allra bästa förmåga

Utopia [ju:'təʊpıə] *s* **1** Utopien, Utopia efter Thomas Mores bok 'Utopia'; idealstat **2** utopi [äv. *utopia*]

utopian [ju:'təʊpıən] *adj* utopisk, verklighetsfrämmande; *it is ~* [*to think that...*] äv. det är en utopi...

1 utter ['ʌtə] *adj* fullständig [*an ~ denial*]; fullkomlig, absolut, total [*~ darkness*]; ytttersta [*~ misery*]; komplett, hel- [*an ~ fool*]

2 utter ['ʌtə] *vb tr* **1** ge ifrån sig, låta höra [*~ a sigh*]; ge upp, utstöta [*~ a cry*]; få fram; uttala, artikulera [*~ sounds*] **2** yttra, uttala [*the last words he ~ed*]

utterance ['ʌt(ə)r(ə)ns] *s* **1** uttalande, yttrande; uttryck **2** *give ~ to* ge uttryck åt, uttrycka **3** artikulering; tal

utterly ['ʌtəlı] *adv* fullständigt etc., jfr *1 utter*; ytterst, ytterligt, i högsta grad

uttermost ['ʌtəməʊst] *adj* o. *s* se *utmost*

U-turn ['ju:tɜ:n] *s* **1** U-sväng; *no ~s* U-sväng förbjuden **2** bildl. helomvändning, kovändning

UV [,ju:'vi:] förk. för *ultraviolet*

uvul|a ['ju:vjʊl|ə] (pl. *-ae* [-i:]) *s* anat. gomspene, tungspene, uvula

Uzbekistan [ʊz,bekı'stɑ:n] geogr. Uzbekistan

Vv

1 V, v [viː] (pl. *V's* el. *v's* [viːz]) *s* V, v
2 V [viː] förk. för *volt*[*s*] se *1 volt*
v. 1 förk. för *verb*, *very* **2** [viː, ˈvɜːsəs] förk. för *versus*
VA o. **Va.** förk. för *Virginia*
vac [væk] *s* vard. kortform av *vacation I*
vacancy [ˈveɪk(ə)nsɪ] *s* **1** tomrum **2 a)** vakans; ledig plats **b)** ledigt rum, ledig lokal o.d.; *vacancies* rum ledigt på hotell; *no vacancies* fullbelagt **3** tomhet, uttryckslöshet
vacant [ˈveɪk(ə)nt] *adj* **1** tom [~ *seat*]; ledig [~ *room*; ~ *situation* (plats)]; *apply for a ~ post* söka en ledig tjänst; *fall ~* el. *become ~* om tjänst bli ledig (vakant) **2** tom [*a ~ expression on her face*]; innehållslös; frånvarande, uttryckslös [*a ~ smile*]
vacant lot [ˌveɪk(ə)ntˈlɒt] *s* vanl. amer. obebyggd tomt
vacantly [ˈveɪk(ə)ntlɪ] *adv*, *stare ~* stirra frånvarande [framför sig]
vacant possession [ˌveɪk(ə)ntpəˈzeʃ(ə)n] *s* i husannons, ung. tillträde omedelbart, klar för inflyttning
vacate [vəˈkeɪt, veɪˈk-, amer. ˈveɪkeɪt] **I** *vb tr* **1** flytta ifrån (ur), utrymma, lämna [~ *a house*]; överge, tömma **2** avgå ifrån, frånträda [~ *an office* (ämbete)]
II *vb itr* **1** flytta från bostad o.d. **2** sluta sin plats, lämna sin tjänst **3** amer. vard. ta semester
vacation [vəˈkeɪʃ(ə)n, veɪˈk-] **I** *s* **1** lov, ferier [*the Christmas ~*]; vanl. amer. semester; *the long ~* el. *the summer ~* sommarlovet; *~ school* ferieskola; *be on ~* ha lov; vanl. amer. ha semester **2** utrymning, övergivande av bostad o.d., utflyttning **3** frånträdande av tjänst o.d., avgång
II *vb itr* amer. **1** semestra [*in, at* i, på] **2** ta semester
vacationer [vəˈkeɪʃ(ə)nə, veɪˈk-] *s* amer. semesterfirare
vacationland [vəˈkeɪʃ(ə)nlænd, veɪˈk-] *s* amer. turistanläggning; semesterparadis
vaccinate [ˈvæksɪneɪt, -s(ə)n-] *vb tr* vaccinera
vaccination [ˌvæksɪˈneɪʃ(ə)n, -s(ə)ˈneɪ-] *s* vaccinering, vaccination
vaccine [ˈvæksiːn, -sɪn, amer. vækˈsiːn] **I** *s* med. vaccin
II *adj* **1** vaccin-, vaccinations- **2** ko-, kokoppe-
vacillate [ˈvæsɪleɪt] *vb itr* vackla, tveka, vara vankelmodig; svänga, oscillera
vacillation [ˌvæsɪˈleɪʃ(ə)n] *s* vacklan, vacklande etc., jfr *vacillate*; tvekan, vankelmod
vacuity [væˈkjuːətɪ, vəˈk-] *s* bildl. uttryckslöshet; innehållslöshet; tomhet
vacuous [ˈvækjʊəs] *adj* **1** tom; uttryckslös, innehållslös, andefattig, fånig **2** enfaldig, fånig
vacuum [ˈvækjʊ(ə)m] **I** *s* **1** vakuum, tomrum **2** dammsugare
II *vb tr* o. *vb itr* dammsuga
vacuum bottle [ˈvækjʊ(ə)mˌbɒtl] *s* amer. termosflaska

vacuum brake [ˈvækjʊ(ə)mbreɪk] *s* vakuumbroms
vacuum-clean [ˈvækjʊəmkliːn] *vb tr* o. *vb itr* dammsuga
vacuum cleaner [ˈvækjʊ(ə)mˌkliːnə] *s* dammsugare
vacuum flask [ˈvækjʊ(ə)mflɑːsk] *s* termosflaska
vacuum jug [ˈvækjʊ(ə)mdʒʌg] *s* termoskanna
vacuum-packed [ˈvækjʊəmpækt] *adj* vakuumförpackad
vacuum pump [ˈvækjʊ(ə)mpʌmp] *s* vakuumpump
Vaduz [vɑːˈduːts] geogr.
vagabond [ˈvægəbɒnd, -bənd] **I** *s* vagabond; landstrykare, lösdrivare
II *adj* kringflackande, vagabonderande [~ *life*]; vagabond-
vagaries [ˈveɪgərɪz] *s pl* nycker, infall, påfund; *the ~ of fashion* modets nycker (nyckfullhet)
vagina [vəˈdʒaɪnə] *s* anat. slida, vagina
vaginal [vəˈdʒaɪn(ə)l] *adj* anat. slid-; vaginal-
vagrancy [ˈveɪgr(ə)nsɪ] *s* åld. jur. lösdriveri
vagrant [ˈveɪgr(ə)nt] **I** *s* vagabond; hemlös; åld. jur. lösdrivare **II** *adj* kringflackande, kringströvande, vandrande [*a ~ musician*]
vague [veɪg] *adj* vag, oklar, obestämd, svag [~ *outlines*]; *I haven't the ~st* el. *I haven't the ~st idea* jag har inte den blekaste aning; *a ~ recollection* ett dunkelt (svagt) minne; *a ~ rumour* ett löst rykte; *be ~ about sth* uttrycka sig oklart (vagt) om ngt
vaguely [ˈveɪglɪ] *adv* vagt etc., jfr *vague*; *the name is ~ familiar* namnet låter [lite] bekant
vagueness [ˈveɪgnəs] *s* vaghet, oklarhet, obestämdhet
vain [veɪn] *adj* **1** fåfäng, egenkär **2** fåfäng, gagnlös; *in ~* förgäves; *take the name of God in ~* missbruka Guds namn; *take sb's name in ~* tala respektlöst om ngn spec. om ej närvarande
vainglorious [ˌveɪnˈglɔːrɪəs] *adj* inbilsk, högfärdig, skrytsam
vainly [ˈveɪnlɪ] *adv* **1** förgäves **2** fåfängt
valance [ˈvæləns] *s* **1** sängkappa **2** vanl. amer. [gardin]kappa; kornisch
valediction [ˌvælɪˈdɪkʃ(ə)n] *s* avskedstagande; farväl, avskedsord
valedictorian [ˌvælɪdɪkˈtɔːrɪən] amer. **I** *s* **1** avslutningstalare [vid examen] vanl. den student i avgångsklassen med högst betyg **2** ung. klassetta den student i avgångsklassen med högst betyg
II *adj* avskeds- [~ *speech*]
valedictory [ˌvælɪˈdɪktərɪ] *adj* avskeds- [~ *speech*]
1 valence [ˈvæləns] *s* se *valance*
2 valence [ˈveɪləns] *s* kem. el. språkv., se *valency*
valency [ˈveɪlənsɪ] *s* kem. el. språkv. valens, kem. äv. atomvärde, bindning
valentine [ˈvæləntaɪn] *s* valentinkort; valentingåva; *Be my Valentine* text på valentinkort ung. vill du vara min vän?
Valentine's Day [ˌvæləntaɪnzˈdeɪ] Valentindagen 14 febr., Alla hjärtans dag [äv. *St ~*; *Saint ~*]
valerian [vəˈlɪərɪən] *s* bot. el. farmakol. valeriana; vände[l]rot
valet [ˈvælɪt, -leɪ] **I** *s* **1** betjänt, kammartjänare **2** hotellvaktmästare som ansvarar för tvätt, bilparkering m.m. åt gästerna
II *vb tr* **1** tvätta bil **2** passa upp **3** sköta om [kläderna åt]

valet parking [ˌvæleɪˈpɑːkɪŋ] *s* på hotell, restaurang parkeringsservice, jfr *valet I 2*

valet service [ˈvæleɪˌsɜːvɪs] *s* tvätt och invändig rengöring av bil

valet stand [ˈvæleɪstænd] *s* herrbetjänt möbel

valiant [ˈvæliənt] *adj* tapper, modig

valid [ˈvælɪd] *adj* **1** jur. giltig, lagenlig, gällande; ~ *period* giltighetstid; *be* ~ vara giltig, gälla, äga laga kraft; *become* ~ vinna laga kraft **2** giltig [~ *evidence*; ~ *excuse*]; stark, bindande, [väl]grundad, meningsfull, [tungt] vägande [~ *reasons*]

validate [ˈvælɪdeɪt] *vb tr* bekräfta; godkänna; förklara giltig

validation [ˌvælɪˈdeɪʃ(ə)n] *s* bekräftande; godkännande; giltigförklarande

validity [vəˈlɪdəti] *s* **1** giltighet, jur. äv. laga kraft; bildl. värde, kraft **2** validitet äv. psykol., säkerhet [~ *check*]

valise [vəˈliːz, -iːs] *s* **1** [liten] resväska, kappsäck **2** mil. packning; ränsel

Valium® [ˈvæliəm] *s* farmakol. Valium®

Valletta [vəˈletə] geogr.

valley [ˈvæli] *s* dal, dalgång

valour [ˈvælə] *s* litt. tapperhet, dristighet, mod

valuable [ˈvæljʊb(ə)l] *adj* värdefull, dyrbar [*to* för]; värde- [~ *paper*]; inbringande; bildl. högt skattad, värderad [*a* ~ *friend*]

valuables [ˈvæljʊb(ə)lz] *s pl* värdesaker, dyrbarheter

valuation [ˌvæljʊˈeɪʃ(ə)n] *s* **1** värdering [~ *of a property*]; uppskattning **2** värde, värderingsbelopp; *put a* ~ *on* värdera; värdesätta

value [ˈvæljuː] **I** *s* **1** värde [*the* ~ *of the pound*]; valör; *have a sentimental* ~ ha affektionsvärde; *learn the* ~ *of* lära sig att uppskatta [värdet av]; *place (put, set) a high* ~ *on sth* sätta stort värde på ngt; *at its full* ~ till sitt (dess) fulla värde; *of* ~ av värde, värdefull; *of no* ~ utan värde, värdelös **2** valuta; utdelning; *it is bad* ~ den ger dålig valuta för pengarna, den är inte prisvärd; *good* ~ full valuta [*for* för]; *it is good* ~ el. *it is good* ~ *for money* den är prisvärd, den ger god valuta för pengarna **3** valör, [exakt] innebörd [*the* ~ *of a word*] **4** mus., ~ *of a note* [not]värde, [nots] tidsvärde **5** pl. ~*s* sociol. o.d. normer, värderingar [*moral* ~*s*; *ethical* ~*s*] **6** matem. värde [*the* ~ *of x*]
II *vb tr* värdera, uppskatta [värdet av], taxera [*at* till]; bildl. äv. sätta värde på, värdesätta; ~ *highly* el. ~ *dearly* sätta stort värde på, skatta högt; högakta

value-added tax [ˌvæljʊædɪdˈtæks] (förk. *VAT*) *s* mervärdesskatt, moms

valued [ˈvæljuːd] *adj* värderad, [högt] skattad, ärad

value judgement amer. **value judgment** [ˈvæljʊˌdʒʌdʒmənt] *s* värdeomdöme

valueless [ˈvæljʊləs] *adj* värdelös

valuer [ˈvæljʊə] *s* värderare, värderingsman

valve [vælv] *s* **1** tekn. ventil, klaff äv. mus.; *overhead* ~ toppventil; ~ *clearance* el. ~ *tappet clearance* ventilspel[rum] **2** anat. klaff, hjärtklaff, valvel

valvular [ˈvælvjʊlə] *adj* spec. med. valvulär; klaff-, valvel-

vamoose [vəˈmuːs] *vb itr* o. *vb tr* vanl. amer. vard. sticka [från], smita [från], dra

1 vamp [væmp] vard. **I** *s* vamp **II** *vb itr* spela vamp **III** *vb tr*, ~ *up* bättra på, piffa upp [~ *up a story*]

2 vamp [væmp] mus. **I** *s* improviserat ackompanjemang, improvisation
II *vb tr* improvisera [~ *an accompaniment*]
III *vb itr* improvisera ett ackompanjemang

vampire [ˈvæmpaɪə] *s* **1** vampyr, blodsugare **2** zool. vampyr slags fladdermus [äv. ~ *bat*]

vampire bat [ˈvæmpaɪəbæt] *s* zool., se *vampire 2*

1 van [væn] *s* **1** skåpbil, [täckt] transportbil, varubil; flyttbil; *delivery* ~ varubil; *furniture* ~ flyttbil; *police* ~ [polis]piket; *recording* ~ film. el. TV. inspelningsbuss; radio. reportagebuss **2** vanl. amer. van, minibuss **3** järnv. ~ el. *luggage* ~ godsvagn

2 van [væn] *s* tennis. (vard. kortform av *advantage*) fördel; ~ *in* fördel in, fördel servaren; ~ *out* fördel ut, fördel mottagaren

Vancouver [vænˈkuːvə] geogr.

vandal [ˈvænd(ə)l] *s* vandal

vandalism [ˈvændəlɪz(ə)m] *s* vandalism

vandalize [ˈvændəlaɪz] *vb tr* vandalisera

vane [veɪn] *s* **1** vindflöjel **2** [kvarn]vinge; styrvinge på robot o.d.; styrfjäder på pil

vanguard [ˈvængɑːd] *s* **1** mil. förtrupp, tät **2** främsta led, avantgarde; *be in the* ~ *of* gå i spetsen (täten) för

vanilla [vəˈnɪlə] **I** *s* bot. el. kok. vanilj
II *adj* **1** vanilj-, med vaniljsmak **2** ~ el. *plain* ~ vanlig, slätstruken, intetsägande

vanilla bean [vəˈnɪləbiːn] *s* amer. vaniljstång

vanilla custard [vəˌnɪləˈkʌstəd] *s* vaniljkräm; vaniljsås

vanilla essence [vəˈnɪləˌesns] *s* o. amer. **vanilla extract** [vəˈnɪləɪkˌstrækt] *s* vaniljextrakt, vaniljessens

vanilla ice [vəˌnɪləˈaɪs] *s* o. **vanilla ice cream** [vəˌnɪləˈaɪskriːm] *s* vaniljglass

vanilla pod [vəˈnɪləpɒd] *s* vaniljstång

vanish [ˈvænɪʃ] *vb itr* försvinna [*into* i]; dö (blekna) bort; ~ *from sb's sight* el. ~ *out of sb's view* försvinna ur ngns åsyn (synhåll); ~ *without trace* försvinna spårlöst

vanishing [ˈvænɪʃɪŋ] *s* försvinnande; bortdöende, förbleknande

vanishing act [ˈvænɪʃɪŋækt] *s* borttrollningsnummer; *do a* ~ plötsligt försvinna

vanishing cream [ˈvænɪʃɪŋkriːm] *s* dagkräm, puderunderlag

vanishing point [ˈvænɪʃɪŋpɔɪnt] *s* i perspektiv ögonpunkt; gränspunkt

vanishing trick [ˈvænɪʃɪŋtrɪk] *s* borttrollningstrick

vanity [ˈvænɪti] *s* **1** fåfänga; *injure sb's* ~ el. *wound sb's* ~ såra ngns fåfänga **2** fåfänglighet, intighet, fåfänga; meningslöshet; ~ *of vanities* fåfängligheters fåfänglighet

vanity case [ˈvænɪtikeɪs] *s* **1** sminkväska, liten necessär **2** aftonväska

vanity plate [ˈvænɪtipleɪt] *s* bil. vard. personlig registreringsskylt

vanity table [ˈvænɪtiˌteɪbl] *s* amer. toalettbord

vanquish [ˈvæŋkwɪʃ] *vb tr* litt. övervinna, besegra

vantage [ˈvɑːntɪdʒ] *s* **1** *point of* ~ el. ~ *point* fördelaktig (strategisk) ställning; [fördelaktig] utkiksplats **2** *from the ~ point of sb* ur ngns synvinkel (perspektiv) **3** tennis. fördel

vapid ['væpɪd] *adj* fadd, smaklös; avslagen [*~ beer*]; bildl. andefattig, platt [*a ~ conversation*]; innehållslös, intetsägande [*~ speeches*]

vapidity [və'pɪdətɪ] *s* **1** faddhet; bildl. andefattighet, innehållslöshet **2** platthet, tom fras

vaporization [ˌveɪpəraɪ'zeɪʃ(ə)n] *s* avdunstning, förångning, förvandling till ånga

vaporize ['veɪpəraɪz] **I** *vb tr* förvandla till ånga, förånga; vaporisera **II** *vb itr* avdunsta, förångas

vaporizer ['veɪpəraɪzə] *s* avdunstningsapparat; sprej apparat; spridare

vapour ['veɪpə] *s* ånga; dimma; imma; utdunstning

vapour trail ['veɪpətreɪl] *s* kondensstrimma från flygplan

VAR [vɑ:] *s* data. el. hand. (förk. för *value-added reseller*) återförsäljare som bidrar med mervärde, t.ex. genom service, utbildning etc.

variability [ˌveərɪə'bɪlətɪ] *s* föränderlighet; ombytlighet, ostadighet; växlingar [*the ~ of the winds*]; *~ of standards* olikhet i standard

variable ['veərɪəbl] **I** *adj* varierande [*~ standards*]; föränderlig, variabel, växlande [*~ winds*]; avvikande; ombytlig [*~ mood*]; ostadig [*~ weather*] **II** *s* matem., statistik. el. astron. variabel

variance ['veərɪəns] *s* **1** skillnad, variation, växling [*~s in temperature*] **2** *be at variance* **a)** om åsikter o.d. motsäga varandra, gå isär; vara oförenliga; *be at ~ with* vara oense med; gå stick i stäv mot, strida mot **b)** om personer vara oense, vara oeniga, bekämpa varandra

variant ['veərɪənt] **I** *s* variant, variantform **II** *adj* **1** variant-, olika; avvikande; *~ pronunciation* uttalsvariant, varianttuttal **2** föränderlig; varierande

variation [ˌveərɪ'eɪʃ(ə)n] *s* **1** variation, förändring, [om]växling; avvikelse **2** variant, annan form [*of* el. *on av*]; *~s on a theme* varianter på samma tema **3** mus. variation; *~ on a theme* variation över ett tema

varicose veins [ˌværɪkəus'veɪnz] *s pl* åderbråck

varied ['veərɪd] *adj* [om]växlande, varierande, [mång]skiftande; olikartad

variegated ['veərɪəgeɪtɪd] *adj* **1** brokig, mångfärgad, spräcklig [*~ flowers*] **2** omväxlande, skiftande, brokig

variegation [ˌveərɪə'geɪʃ(ə)n] *s* brokighet; spräcklighet; färgrikedom, färgskiftning

variety [və'raɪətɪ] *s* **1** variation, omväxling, ombyte; *~ is the spice of life* ombyte förnöjer; *as a ~* el. *by way of ~* som (till) omväxling **2** mängd, mångfald, variationsrikedom; *for a ~ of reasons* av en mängd olika skäl **3** varietet, variant; sort, slag, typ **4** hand. [stor] sortering, [stort] urval; *a wide ~ of* ett stort urval av, mängder av **5** ~ el. *~ show* varieté[underhållning], varietéföreställning

variety store [və'raɪətɪstɔ:] *s* amer. billighetsaffär, basar

variety theatre [və'raɪətɪˌθɪətə] *s* varieté[teater]

variety turn [və'raɪətɪtɜ:n] *s* varieténummer

various ['veərɪəs] *adj* **1** olika [*~ types*]; olikartad[e], olika slags; [om]växlande, skiftande **2** åtskilliga,

diverse, flera [olika], flerfaldiga; *for ~ reasons* av olika skäl

variously ['veərɪəslɪ] *adv* olika, på olika (mångahanda) sätt, omväxlande

varnish ['vɑ:nɪʃ] **I** *s* fernissa; lack [*nail ~*]; lackering; glans **II** *vb tr* **1** fernissa; lacka, lackera [*~ one's nails*] **2** bildl. skyla över, bättra på, försköna

varsity ['vɑ:sətɪ] *s* sport. **1** attr. universitets- [*~ match*] **2** amer. universitetslag, collegelag

vary ['veərɪ] **I** *vb itr* **1** variera, växla, skifta [*his mood varies from day to day*]; ändra sig, ändras **2** vara olik [*from sth* ngt]; skilja sig, avvika [*from* från; *in* i, i fråga om]; *~ in size* ha olika storlek **II** *vb tr* **1** variera, ändra, anpassa, byta om **2** mus. variera [*~ a theme*]

varying ['veərɪɪŋ] *adj* växlande, varierande, skiftande, olika

vascular ['væskjʊlə] *adj* kärl- [*~ system*]; vaskulär, åder-; kärlrik

vase [vɑ:z, amer. veɪs, veɪz] *s* vas

vasectomy [væ'sektəmɪ] *s* med. vasektomi [sterilisering genom] ituskärning av sädesledaren

Vaseline® ['væsəli:n, ˌ--'-] *s* vaselin®

vassal ['væs(ə)l] *s* hist. vasall

vast [vɑ:st] *adj* vidsträckt [*~ plains*]; omfattande, väldig, ofantlig, oerhörd, [oerhört] stor [*a ~ depth*; *a ~ height*]; *the ~ majority* det stora flertalet, de allra flesta

vastly ['vɑ:stlɪ] *adv* oerhört, ytterst; kolossalt, väldigt; *be ~ superior to* vara långt (oerhört mycket) bättre än, stå skyhögt över

vastness ['vɑ:stnəs] *s* vidsträckthet, väldighet, vidd, [stort] omfång, omätlighet, [stor] omfattning; omätlig rymd (vidd)

VAT [ˌvi:eɪ'ti:, væt] *s* (förk. för *value-added tax*) moms

vat [væt] *s* [stort] fat [*a wine ~*]; kar [*a ~ for brewing beer*; *a tan ~*]; behållare; [lager]tank

Vatican ['vætɪkən] *s*, *the ~* Vatikanen

Vatican City [ˌvætɪkən'sɪtɪ] *s*, *the ~* Vatikanstaten

vaudeville ['vɔːdəvɪl] *s* hist. vanl. amer. varieté, varietéföreställning, revy

1 vault [vɔːlt] *s* **1** valv; källarvalv, källare; kassavalv **2** gravvalv, grav; *family ~* familjegrav **3** håla, grotta

2 vault [vɔːlt] **I** *vb itr* **1** hoppa [upp], svinga sig [upp]; *~ into the saddle* svinga sig upp i sadeln **2** sport. hoppa stav **II** *vb tr*, *~* el. *~ over* hoppa (svinga sig) över **III** *s* **1** språng, hopp **2** sport. stavhopp

vaulted ['vɔːltɪd] *adj* välvd [*a ~ roof*]; med välvt tak [*a ~ chamber*]

vaulting ['vɔːltɪŋ] *s* **1** välvning; valvkonstruktion; valvbyggande **2** valv

vaulting horse ['vɔːltɪŋhɔːs] *s* gymn. häst, bygelhäst

vaulting pole ['vɔːltɪŋpəʊl] *s* stav till stavhopp

vaunted ['vɔːntɪd, amer. äv. 'vɑːntɪd] *adj* mångomtalad, prisad, rosad

vb förk. för *verb*

VC [ˌvi:'si:] förk. för *Vice-Chairman*, *Vice-Chancellor*, *Victoria Cross*

V-chip ['vi:tʃɪp] *s* (kortform av *violence chip*)

datachips i tv-apparat som kan blockera vålds- och sexprogram som anses olämpliga för barn

VCR [ˌviːsiːˈɑː] (förk. för *videocassette recorder*) video

VD [ˌviːˈdiː] (förk. för *venereal disease*) könssjukdom, venerisk sjukdom (förk. VS)

VDU [ˌviːdiːˈjuː] data. förk. för *visual-display unit*

've [v] = *have* [*I've, they've, we've, you've*]

veal [viːl] *s* kalvkött; *prime* ~ gödkalv; *roast* ~ kalvstek

veal cutlet [ˈviːlˌkʌtlət] *s* kalvschnitzel; kalvkotlett

vector [ˈvektə] *s* matem. el. flyg. vektor

veejay [ˈviːdʒeɪ] *s* video jockey

veep [viːp] *s* o. **veepee** [ˌviːˈpiː] *s* amer. vard. för *vice-president*

veer [vɪə] **I** *vb itr* **1** ~ el. ~ *round* om vind ändra riktning, vända, svänga (slå) om spec. medsols **2** om fartyg ändra kurs, gira; kovända **3** svänga, vika [av] [~ *aside*] **4** bildl. svänga, slå om; ~ el. ~ *round* ändra mening, ändra ståndpunkt (taktik)
II *vb tr* vända [~ *a ship*]; ändra [~ *the direction*]

veg [vedʒ] vard. **I** (pl. *veg*) *s* kortform av *vegetable I*
II *vb itr* (kortform av *vegetate 1*) vard., ~ el. ~ *out* sitta och slöa, slappa, softa

vegan [ˈviːgən] **I** *s* vegan **II** *adj* vegan-

vegeburger [ˈvedʒɪˌbɜːgə] *s* vegoburgare, vegetarisk hamburger

vegetable [ˈvedʒ(ə)təbl] **I** *s* **1** grönsak; pl. **~s** grönsaker, vegetabilier **2** vard. a) slö och oföretagsam person b) [hjälplöst] kolli, paket
II *adj* **1** vegetabilisk [~ *food*]; grönsaks- [*a ~ diet*]; växtartad; som tillhör växtriket; växt- [~ *fibre*; ~ *poison*] **2** vegeterande, trög, slö; händelselös

vegetable garden [ˈvedʒ(ə)təblˌgɑːdn] *s* köksträdgård

vegetable kingdom [ˈvedʒ(ə)təblˌkɪŋdəm] *s*, *the* ~ växtriket

vegetable marrow [ˈvedʒ(ə)təblˌmærəʊ] *s* märgpumpa; olika sorters squash

vegetable mould [ˈvedʒ(ə)təblməʊld] *s* matjord

vegetable oil [ˈvedʒ(ə)təblɔɪl] *s* vegetabilisk olja

vegetable patch [ˈvedʒ(ə)təblpætʃ] *s* o. **vegetable plot** [ˈvedʒ(ə)təblplɒt] *s* grönsaksland

vegetable stock [ˈvedʒ(ə)təblstɒk] *s* grönsaksbuljong

vegetarian [ˌvedʒɪˈteərɪən] **I** *s* **1** vegetarian **2** zool. växtätare
II *adj* vegetarisk; *go* ~ bli vegetarian

vegetarianism [ˌvedʒɪˈteərɪənɪz(ə)m] *s* vegetarianism, vegetarism

vegetate [ˈvedʒɪteɪt] *vb itr* **1** vegetera, göra ingenting **2** om växt växa, utveckla sig, vegetera

vegetated [ˈvedʒɪteɪtɪd] *adj* bevuxen

vegetation [ˌvedʒɪˈteɪʃ(ə)n] *s* **1** vegetation; växtliv, växtlighet **2** vegeterande; vegeterande tillvaro

veggie [ˈvedʒɪ] *s* vard. **1** (kortform av *vegetarian*) vegetarian **2** (kortform av *vegetable*) grönsak

vehemence [ˈviːəməns] *s* häftighet, våldsamhet

vehement [ˈviːəmənt] *adj* om person, känslor m.m. häftig, våldsam [~ *passions*]

vehicle [ˈviːɪkl, ˈvɪək-] *s* **1** fordon; vagn; fortskaffningsmedel; farkost [*space ~*]; ~ *licence* el. ~ *excise licence* ung. motsv. fordonsskatt; bilskattekvitto **2** bildl. medel, uttrycksmedel [*for, of*

för]; förmedlare, bärare [*for, of* av]; medium, språkrör [*for, of* för]; *a ~ for propaganda* el. *a ~ of propaganda* ett propagandamedel

vehicular [vɪˈhɪkjʊlə] *adj* fordons-, kör-, transport-; trafik- [~ *tunnel*]; ~ *traffic* fordonstrafik

veil [veɪl] **I** *s* **1** slöja, flor; *draw a ~ over* bildl. dra en slöja över, förbigå med tystnad **2** dok, nunnedok; *take the* ~ ta doket, bli nunna **3** bildl. täckmantel [*under the ~ of religion*]
II *vb tr* beslöja, skyla, dölja, bildl. överskyla

veiled [veɪld] *adj* beslöjad, dold, bildl. förtäckt; *a ~ threat* ett förtäckt hot

vein [veɪn] **I** *s* **1** anat. ven, åder, blodåder **2** åder, ådra äv. bildl.; geol. malmgång; malmåder **3** nerv i blad o.d. **4** ådra i trä, sten o.d., strimma **5** stämning, humör; läggning; *be in the* ~ el. *be in the right* ~ vara upplagd, vara i den rätta stämningen; *in a humorous* ~ a) på skämthumör b) på skämt **6** drag, inslag, anstrykning, underström [*a ~ of melancholy*] **7** stil, genre [*all his remarks were in the same ~*]
II *vb tr* tekn. ådra, marmorera

veined [veɪnd] *adj* ådrad, ådrig; strimmig

veiny [ˈveɪnɪ] *adj* ådrad; ådrig, bot. ådrad, nervig

Velcro® [ˈvelkrəʊ] *s* kardborrband, kardborreknäppning

vellum [ˈveləm] *s* veläng[pergament]

velocity [vəˈlɒsətɪ] *s* hastighet [*a ~ of one metre per second*]; *the ~ of light* ljusets hastighet

velodrome [ˈvelədrəʊm] *s* velodrom, cykelstadion

velour o. **velours** [vəˈlʊə] *s* velour; plysch; ~ *robe* velourmorgonrock, morgonrock i velour

velvet [ˈvelvət] **I** *s* **1** sammet **2** [sammets]mjukhet, lenhet
II *adj* sammets-; sammetslen

velveteen [ˌvelvəˈtiːn] *s* velvetin, bomullssammet; pl. ~s velvetinbyxor

velvet glove [ˌvelvətˈglʌv] *s*, ~s bildl. silkesvantar; *an iron hand in a* ~ el. *an iron fist in a* ~ en järnhand under silkesvanten

velvet pile [ˌvelvətˈpaɪl] *s* schagg; plysch

velvety [ˈvelvətɪ] *adj* sammetslen, sammetsmjuk

venal [ˈviːnl] *adj* neds. korrumperad, besticklig, mutbar

venality [viːˈnælətɪ] *s* korruption, besticklighet

vend [vend] *vb tr* mest jur. [för]sälja; salubjuda, bjuda ut

vendetta [venˈdetə] *s* vendetta, blodshämnd

vending machine [ˈvendɪŋməˌʃiːn] *s* [varu]automat; *coffee* ~ kaffeautomat; *reverse* ~ burkautomat för returförpackningar, flaskautomat för returglas

vendor [ˈvendə] *s* **1** gatuförsäljare [*ice-cream ~*] **2** spec. jur. säljare

veneer [vəˈnɪə] *s* **1** snick. faner; fanerskiva **2** bildl. fasad, [yttre] fernissa; yta, yttre sken

veneered [vəˈnɪəd] *adj* snick. fanerad

Venerable [ˈven(ə)rəbl] *adj*, *the* ~ om ärkediakon i anglikanska kyrkan högvördig

venerable [ˈven(ə)rəbl] *adj* vördnadsvärd, ärevördig

venerate [ˈvenəreɪt] *vb tr* ära, vörda, hysa stor vördnad för

veneration [ˌvenəˈreɪʃ(ə)n] *s* vördande [*of* av];

vördnad [*of* för]; **hold in** ~ el. **have in** ~ hålla i ära, vörda

venereal ['vɪ'nɪərɪəl] *adj* **1** venerisk, köns-; ~ **disease** (förk. *VD*) könssjukdom **2** sexuell [~ *desire*]

Venetian [və'ni:ʃ(ə)n] **I** *adj* venetiansk [~ *glass*] **II** *s* venetianare; venetianska

venetian blind o. **Venetian blind** [və,ni:ʃ(ə)n'blaɪnd] *s* persienn

Venetian door [və,ni:ʃ(ə)n'dɔ:] *s* glasdörr [med sidofönster]

Venetian window [və,ni:ʃ(ə)n'wɪndəʊ] *s* tredelat fönster

Venezuela [,vene'zweɪlə, ,venɪ'z-] geogr.

Venezuelan [,vene'zweɪlən, ,venɪ'z-] **I** *adj* venezuelansk **II** *s* venezuelan; venezuelanska

vengeance ['ven(d)ʒ(ə)ns] *s* **1** hämnd [*on sb* el. *upon sb* på ngn; *for sth* för ngt]; **swear ~ against** (*on*) **sb** svära att hämnas på ngn **2** vard., **with a ~** så det förslår (förslog), riktigt ordentligt; i allra högsta grad

vengeful ['ven(d)ʒf(ʊ)l] *adj* hämndlysten; hämnande

venial ['vi:nɪəl] *adj* förlåtlig [~ *sin*]; ursäktlig [~ *crime*]

Venice ['venɪs] geogr. Venedig

venison ['venɪsn, -ɪzn, 'venzn] *s* kok. rådjurskött, hjortkött; rådjursstek, hjortstek

venom ['venəm] *s* **1** gift spec. av djur **2** bitterhet, ondska

venomous ['venəməs] *adj* giftig [*a* ~ *snake*; ~ *criticism*]

venous ['vi:nəs] *adj* **1** anat. venös; ven-; åder- **2** ådrig; nervig

1 vent [vent] **I** *s* **1 a)** lufthål, draghål, [ventilations]springa **b)** öppning, avloppshål **c)** rökgång **2** bildl. utlopp, uttryck [*give* ~ *to one's feelings*] **3** zool. analöppning **II** *vb tr* ge utlopp åt [~ *one's bad temper*]; ~ **one's anger on sb** låta sin ilska gå ut över ngn

2 vent [vent] *s* slits, sprund på plagg

ventilate ['ventɪleɪt] *vb tr* **1** ventilera, lufta, lufta ut (genom), vädra **2** ventilera, avhandla, dryfta, diskutera [~ *a matter*] **3** ge uttryck (luft) åt, lufta [~ *one's feelings*]

ventilating ['ventɪleɪtɪŋ] *adj* ventilations-

ventilating shaft ['ventɪleɪtɪŋʃɑ:ft] *s* ventilationstrumma, luftschakt

ventilation [,ventɪ'leɪʃ(ə)n] *s* **1** ventilation, luftväxling **2** bildl. ventilering, dryftande

ventilator ['ventɪleɪtə] *s* **1** ventil, rumsventil **2** ventilationsanordning, fläkt **3** respirator; **be on a** ~ ligga i respirator

ventral ['ventr(ə)l] *adj* anat. el. zool. buk-; ~ **fin** bukfena

ventricle ['ventrɪkl] *s* anat. ventrikel; kammare, hjärtkammare

ventricular fibrillation [ven'trɪkjʊlə,faɪbrɪ'leɪʃ(ə)n] *s* med. ventrikelflimmer, kammarflimmer

ventriloquism [ven'trɪləkwɪz(ə)m] *s* buktaleri, buktalarkonst

ventriloquist [ven'trɪləkwɪst] *s* buktalare; ~'s **dummy** buktalardocka

venture ['ventʃə] **I** *s* **1** [nytt] företag, bolag; projekt **2** risktagande, [djärv] satsning

II *vb tr* **1** våga, satsa, riskera, sätta på spel; **nothing ~ed, nothing gained** friskt vågat är hälften vunnet **2** våga [sig på], försöka [sig på] [~ *a guess*; ~ *a remark*] **3** ~ **to** våga, drista sig att, ta sig friheten att, tillåta sig att

III *vb itr* våga, försöka; ta en risk, ta risker; våga sig; ~ **at** försöka med, försöka sig på; gissa på

venture capital ['ventʃə,kæpɪtl] *s* riskkapital

venturesome ['ventʃəsəm] *adj* **1** djärv, våghalsig, dumdristig **2** riskabel, äventyrlig, djärv

venue ['venju:] *s* plats, ställe för konferens, konsert o.d.; sport. tävlingsplats; fotb. o.d. matcharena, spelplats

Venus ['vi:nəs] *s* **1** mytol. el. astron. Venus **2** anat., **the Mount of** ~ venusberget

veracious [və'reɪʃəs] *adj* sannfärdig, sanningsenlig; sann; trovärdig

veracity [və'ræsətɪ] *s* sannfärdighet; sanningsenlighet, sanning; trovärdighet

veranda o. **verandah** [və'rændə] *s* veranda

verb [vɜ:b] *s* verb

verbal ['vɜ:b(ə)l] *adj* **1** ord-; [uttryckt] i ord; verbal [~ *ability*] **2** muntlig [*a* ~ *agreement*] **3** ordagrann, verbal [*a* ~ *translation*] **4** gram. verbal, verbal-, verb-

verbally ['vɜ:bəlɪ] *adv* **1** muntligt **2** ordagrant

verbal noun [,vɜ:b(ə)l'naʊn] *s* gram. verbalsubstantiv

verbatim [vɜ:'beɪtɪm] lat. **I** *adj* ordagrann [*a* ~ *report*] **II** *adv* ord för ord, ordagrant

verbena [vɜ:'bi:nə] *s* bot. **1** järnört, läkeverbena **2** [trädgårds]verbena

verbiage ['vɜ:bɪɪdʒ] *s* ordflöde, svada

verbose [vɜ:'bəʊs] *adj* mångordig, ordrik, svamlig

verbosity [vɜ:'bɒsətɪ] *s* mångordighet, svammel

verdant ['vɜ:d(ə)nt] *adj* litt. grönskande, grön

verdict ['vɜ:dɪkt] *s* **1** jurys utslag; ~ **of acquittal** frikännande, friande dom; **return a** ~ el. **give a** ~ el. **bring in a** ~ fälla utslag, avge dom; **the jury brought in a** ~ **of guilty** el. **the jury reached a** ~ **of guilty** juryns utslag lydde på skyldig **2** bildl. dom [*the* ~ *of posterity*]; omdöme, mening; utlåtande

verdigris ['vɜ:dɪgri:, -gri:s] *s* ärg

verdure ['vɜ:dʒə] *s* poet. grönska

verge [vɜ:dʒ] **I** *s* **1** kant, rand [*the* ~ *of a cliff*] **2** vägren; [skogs]bryn; gräns **3** bildl. brant [*on the* ~ *of ruin*]; rand, gräns; **be on the** ~ **of** vara (stå) på gränsen till, vara mycket nära; **be on the** ~ **of doing sth** vara på vippen (nära) att göra ngt; stå i begrepp att göra ngt; **on the** ~ **of tears** gråtfärdig; **bring sb to the** ~ **of** driva ngn till gränsen av, driva ngn ända till gränsen av

II *vb itr*, ~ **on** el. ~ **upon** gränsa till, vara (stå) på gränsen till

verger ['vɜ:dʒə] *s* kyrkvaktmästare; kyrkotjänare

verifiable [,verɪ'faɪəbl] *adj* bevislig, som kan bevisas; möjlig att verifiera; kontrollerbar

verification [,verɪfɪ'keɪʃ(ə)n] *s* **1** bekräftande, bestyrkande, verifikation; besannande; bekräftelse [*of* av], bevis [*of* på] **2** verifiering, kontroll[ering]

verify ['verɪfaɪ] *vb tr* **1** bekräfta, bestyrka, bevisa [riktigheten av], verifiera **2** verifiera, kontrollera [~ *a statement*]

verisimilitude [,verɪsɪ'mɪlɪtju:d] *s* sannolikhet; prägel (sken) av sanning

veritable ['verɪtəbl] *adj* **1** formlig, veritabel, ren, riktig, sannskyldig [*a ~ rascal*] **2** verklig, äkta

verity ['verɪtɪ] *s* sanning [*the eternal verities*]

vermicelli [ˌvɜːmɪ'selɪ] *s* kok. (it.) vermicelli

vermiform ['vɜːmɪfɔːm] *adj* maskformig

vermilion [və'mɪlɪən, vɜː'm-] **I** *s* **1** [syntetisk] cinnober **2** cinnober[färg], högröd färg **II** *adj* cinnoberröd, högröd

vermin ['vɜːmɪn] (med verb vanl. i pl.; pl. *vermin*) *s* **1** ohyra, skadedjur, parasit[er] **2** bildl. ohyra, pack, drägg

vermination [ˌvɜːmɪ'neɪʃ(ə)n] *s* **1** spridning av ohyra (skadedjur) **2** skadedjursangrepp

verminous ['vɜːmɪnəs] *adj* **1** skadedjurs-; ohyre- **2** full av ohyra, skadedjur

Vermont [vɜː'mɒnt] geogr.

vermouth ['vɜːməθ] *s* vermouth, vermut

vernacular [və'nækjʊlə] **I** *s* **1** [lokal] dialekt, folkmål; *in the ~* på vanligt vardagsspråk **2** jargong, yrkesjargong **II** *adj* inhemsk, lokal[-]; folklig [*a ~ expression*]

vernal ['vɜːnl] *adj* litt. vårlig, vår-

vernal equinox [ˌvɜːnl'iːkwɪnɒks] *s* vårdagjämning

verru|ca [və'ruː|kə] (pl. *-cae* [-siː]) *s* med. (lat.) fotvårta

versatile ['vɜːsətaɪl, amer. -tl] *adj* **1** mångsidig [*a ~ writer*]; mångkunnig, allsidig **2** med många användningsområden [*a ~ tool*]

versatility [ˌvɜːsə'tɪlətɪ] *s* **1** mångsidighet, mångkunnighet, allsidighet **2** stor (mångsidig) användbarhet

verse [vɜːs] *s* **1** vers, poesi [*prose and ~*]; *in ~* på vers **2** strof, vers [*a poem of five ~s*] **3** vers[rad] **4** [bibel]vers

versed [vɜːst] *adj, ~ in* bevandrad i, hemma[stadd] i, förfaren i, förtrogen med; *be well ~ in* vara mycket bevandrad i, vara väl förtrogen med

versification [ˌvɜːsɪfɪ'keɪʃ(ə)n] *s* **1** versifikation, versbyggnad **2** versmått, meter **3** verskonst, metrik

versify ['vɜːsɪfaɪ] **I** *vb tr* versifiera, sätta på vers, göra vers av **II** *vb itr* skriva vers (poesi), dikta

version ['vɜːʃ(ə)n] *s* **1** version, variant [*a modern ~ of the car*]; *a film ~ of a novel* en filmatisering av en roman; *stage ~* scenbearbetning **2** översättning [*an English ~ of a tragedy by Voltaire*]

versus ['vɜːsəs] *prep* lat. **1** sport. mot [*Arsenal ~ Spurs* el. *Arsenal v. Spurs*] **2** jur. kontra, mot [*Jones ~ Smith* el. *Jones v. Smith*] **3** jämfört med

vertebr|a ['vɜːtɪbr|ə] (pl. *-ae* [-iː, -eɪ el. -aɪ]) *s* anat. (lat.) ryggkota; pl. **vertebrae** ryggkotor; ryggrad

vertebral ['vɜːtɪbr(ə)l] *adj* anat. vertebral, ryggrads-; *~ animal* ryggradsdjur

vertebral column ['vɜːtɪbr(ə)lˌkɒləm] *s* kotpelare, ryggrad

vertebrate ['vɜːtɪbrət, -breɪt] anat. **I** *s* ryggradsdjur, vertebrat **II** *adj* vertebrerad, ryggrads-

vert|ex ['vɜːt|eks] (pl. *-ices* [-ɪsiːz] el. *-exes*) *s* lat. **1** spets, topp, högsta punkt **2** matem. spets; hörn [*a cube has eight -ices*]; toppunkt

vertical ['vɜːtɪk(ə)l] **I** *adj* vertikal äv. ekon., vertikal- [*~ angle*]; lodrät **II** *s* lodlinje, lodrät (vertikal) linje; *out of the ~* inte [helt] vertikal, inte [helt] lodrät

vertiginous [vɜː'tɪdʒɪnəs] *adj* **1** yr, yr i huvudet; *~ feeling* yrselkänsla **2** svindlande [*~ heights*]

vertigo ['vɜːtɪgəʊ] (pl. *~es* el. *vertigines* ['vɜːtɪdʒɪniːz]) *s* med. svindel, yrsel

verve [vɜːv, veəv] *s* liv, livfullhet; kraft, fart, kläm

very ['verɪ] **I** *adv* **1** mycket [*~ interesting*]; riktigt [*~ tired*]; *not ~* inte så, inte så värst, inte [så] vidare, inte särskilt [*not ~ interesting*]; *something ~ different* något helt annat; *~ good* mycket bra, utmärkt **2** *the ~ next day* redan nästa dag, redan dagen därpå; *the ~ same place* precis (exakt) samma plats, just den platsen; *it is my ~ own* den är helt min egen; *I want to have it for my ~ own* jag vill ha den helt (alldeles) för mig själv **3** framför superl. allra [*the ~ first day*]; *at the ~ least* allra minst; åtminstone
II *adj* **1** efter *the* (*this, that, his* osv.) *very* a) själva, själv [*the ~ king*]; blotta [*the ~ name is odious*]; *in the ~ centre* i själva centrum; *the ~ idea!* vilken idé!; *the ~ idea of it* el. *the ~ thought of it* bara tanken på det; *he is the ~ picture of his father* el. *he is the ~ image of his father* han är sin far upp i dagen b) *before our ~ eyes* mitt för ögonen på oss; *the ~ opposite* raka (precis) motsatsen; *the ~ spot where we saw it* just den plats där vi såg det; *that is the ~ thing* det är precis vad som behövs, det är det rätta; det är det som är knuten c) *this ~ day* redan i dag, just (redan) denna dag; *this ~ minute* på minuten, genast, ögonblickligen d) *at the ~ beginning* redan i början; *at that ~ moment* just i det ögonblicket; *from the ~ beginning* ända från början; *to the ~ last* in i det sista **2** ren [och skär]; allra [*I did my ~ utmost*]; *for ~ pity* av rent och skärt medlidande; *the ~ truth* rena rama sanningen

Very light ['vɪərɪlaɪt] *s* mil. signalljus; signalpatron, lyspatron

Very pistol ['vɪərɪˌpɪstl] *s* mil. signalpistol, lyspistol

vesicle ['vesɪkl] *s* anat. el. biol. [liten] blåsa, med. äv. blåsa, vesikel

vespers ['vespəz] *s pl* aftonsång[en], aftongudstjänst[en]

vessel ['vesl] *s* **1** fartyg, skepp, [större] båt, farkost **2** kärl äv. anat.; *blood ~* blodkärl; *empty ~s make the greatest noise* el. *empty ~s make the most sound* ordspr. tomma tunnor skramlar mest

vest [vest] **I** *s* **1** undertröja **2** amer. väst; *a bullet-proof ~* en skottsäker väst
II *vb tr* (se äv. *vested interest*) **1** bekläda, utrusta, förse [*with* med]; *~ sb with authority* ge (förläna) ngn myndighet **2** överlåta; *the rights are ~ed in him* rättigheterna har överlåtits på honom **3** *be ~ed in* ligga (finnas) hos, utövas av [*power is ~ed in the people*]

vestal virgin [ˌvestl'vɜːdʒɪn] *s* rom. antik. vestal

vested interest [ˌvestɪd'ɪntrəst] *s* **1** egenintresse, [starkt] intresse [*in* i] **2** intressegrupp

vestibule ['vestɪbjuːl] *s* **1** vestibul, farstu, hall, entré, tambur **2** amer., inbyggd plattform på järnvägsvagn, vestibul

vestige ['vestɪdʒ] *s* spår [*no ~s of* (av, efter) *an earlier civilization*]

vestigial [ves'tɪdʒɪəl] *adj* rudimentär [*~ organ*]

vestment ['ves(t)mənt] *s* kyrkl. skrud; mässhake

vestry ['vestrɪ] *s* **1** sakristia **2** kyrksal i t.ex. frikyrka

vest top ['vesttɒp] *s* linne

1 vet [vet] vard. **I** *s* kortform av *veterinary* el.

veterinary surgeon o. amer. *veterinarian*
II *vb tr* **1** undersöka [*~ a patient*]; behandla [*~ the cow*] **2** kontrollera t.ex. persons bakgrund, undersöka, [kritiskt] granska, [grundligt] pröva
2 vet [vet] *s* (vanl. amer. vard. kortform av *veteran*) veteran [*a Vietnam ~*]
vetch [vetʃ] *s* bot. vicker
veteran ['vet(ə)r(ə)n] **I** *s* veteran; *~s of* veteraner från; *war* ~ krigsveteran
II *adj* [gammal och] erfaren [*a ~ teacher; a ~ warrior*]; grånad [i tjänsten]
veteran car [ˌvet(ə)r(ə)n'kɑ:] *s* veteranbil
veteran officer [ˌvet(ə)r(ə)n'ɒfɪsə] *s* veteran officer
Veterans Day o. **Veterans' Day** ['vet(ə)r(ə)nzdeɪ] *s* Veteranernas dag, Veterandagen firas 11 nov. i USA o. Kanada till minnet av fientligheternas upphörande efter första o. andra världskriget
veteran soldier [ˌvet(ə)r(ə)n'səʊldʒə] *s* veteran
veterinarian [ˌvet(ə)rɪ'neərɪən] *s* amer. veterinär
veterinary ['vet(ə)rɪn(ə)rɪ, 'vetnrɪ] **I** *adj* veterinär- [*~ science*] **II** *s* veterinär
veterinary college [ˌvetnrɪ'kɒlɪdʒ] *s* veterinärhögskola
veterinary surgeon [ˌvetnrɪ'sɜːdʒ(ə)n] *s* veterinär
veto ['vi:təʊ] **I** *vb tr* inlägga [sitt] veto mot; förbjuda **II** (pl. *~es*) *s* veto; förbud; *~* el. *right of ~* vetorätt; *exercise one's ~* el. *use one's ~* använda sin vetorätt
vetrostatic [ˌvetrə(ʊ)'stætɪk] *adj* vetrostatisk
vex [veks] *vb tr* (se äv. *vexed*) åld. förarga; reta; besvära, irritera, plåga [*the noise ~es me*]
vexation [vek'seɪʃ(ə)n] *s* förargelse, irritation; förtret, förtretlighet
vexatious [vek'seɪʃəs] *adj* åld., se *vexing*
vexed [vekst] *adj* **1** svår, problematisk; omtvistad, omstridd [*a ~ question*] **2** förargad, förtretad, arg, irriterad [*at* över, på; *with* på; *that* över (på, för) att]
vexing ['veksɪŋ] *adj* förarglig, förtretlig; besvärlig, irriterande
vg förk. för *very good*
VHF [ˌvi:eɪtʃ'ef] (förk. för *very high frequency*) mycket höga frekvenser, ultrakortvåg, UKV, VHF
via ['vaɪə, 'vi:ə] *prep* lat. via, över [*travel ~ Dover*]; genom [*~ the Panama Canal; ~ the back door*]
viability [ˌvaɪə'bɪlətɪ] *s* **1** genomförbarhet **2** livsduglighet, livskraft
viable ['vaɪəbl] *adj* **1** genomförbar [*a ~ plan*] **2** livsduglig, livskraftig; i stånd att klara sig [på egen hand]
viaduct ['vaɪədʌkt, -dəkt] *s* viadukt
Viagra® [vaɪ'ægrə] Viagra® potenshöjande medel
vial ['vaɪəl] *s* liten [medicin]flaska
1 vibes [vaɪbz] *s pl* (vard. kortform av *vibrations*) vibbar, vibrationer, atmosfär, stämning [*bad ~; good ~*]
2 vibes [vaɪbz] (med verb vanl. i sg.; pl. *vibes*) *s* mus. (vard. kortform av *vibraphone*) vibrafon
vibrant ['vaɪbr(ə)nt] *adj* **1** pulserande, sjudande; livfull [*a ~ personality*]; *cities ~ with life* städer som sjuder av liv **2** vibrerande, dallrande [*~ tones; ~ strings*]
vibraphone ['vaɪbrəfəʊn] *s* mus. vibrafon
vibrate [vaɪ'breɪt] *vb itr* **1** vibrera, dallra; darra,

skälva [*~ with* (av) *anger*]; skaka [*the house ~s whenever a truck passes*]; spec. fys. svänga **2** om pendel svänga, pendla
vibration [vaɪ'breɪʃ(ə)n] *s* **1** vibration, dallring etc., jfr *vibrate 1* **2** pendels svängning, pendling **3** ~[s] vard., se *1 vibes*
vibrato [vɪ'brɑːtəʊ] (pl. *~s*) *s* mus. vibrato
vibrator [vaɪ'breɪtə] *s* massageapparat, vibrator
vibratory [vaɪ'breɪt(ə)rɪ, 'vaɪbrət(ə)rɪ] *adj* spec. fys. svängnings-, vibrations-, svängande
Vic [vɪk] kortform av *Victor* o. *Victoria*
vicar ['vɪkə] *s* **1** kyrkoherde **2** katol. kyrkl. ställföreträdare
vicarage ['vɪkərɪdʒ] *s* **1** prästgård, kyrkoherdeboställe **2** kyrkoherdebefattning, pastorat
vicarious [vɪ'keərɪəs, vaɪ'k-] *adj* ställföreträdande [*~ suffering*]; delegerad [*~ authority*]; *the ~ joy of parents* den glädje föräldrar känner på sina barns vägnar; *~ punishment* straff man avtjänar för någon annans räkning
vice- [vaɪs] *prefix* vice-, vice
1 vice [vaɪs] *s* last [*virtues and ~s*]; synd, syndigt leverne; *given to ~* hemfallen åt laster, lastbar
2 vice [vaɪs] *s* skruvstäd
3 vice ['vaɪsɪ] *prep* lat. i stället för, efter [*he has been appointed chairman ~ Mr Brown*]
4 vice [vaɪs] *s* vard. vice ordförande o.d., vicepresident
vice-chair|man [ˌvaɪs'tʃeə|mən] (pl. *-men* [-mən]) *s* vice ordförande
vice-chancellor [ˌvaɪs'tʃɑːns(ə)lə] *s* universitetsrektor, rector magnificus
vicelike ['vaɪslaɪk] *adj*, *a ~ grip* ett skruvstädsgrepp
vice-president [ˌvaɪs'prezɪd(ə)nt] *s* **1 a)** vicepresident **b)** vice ordförande **2** amer. vice verkställande direktör
viceroy ['vaɪsrɔɪ] *s* hist. vicekonung [*the Viceroy of India*]
vice squad ['vaɪsskwɒd] *s* sedlighetsrotel
vice versa [ˌvaɪsɪ'vɜːsə] *adv* lat. vice versa; *and ~* och vice versa, och omvänt (tvärtom)
vicinity [vɪ'sɪnətɪ] *s* närhet [*the ~ to the capital*]; grannskap, omgivning, trakt [*there isn't a school in the ~*]; *in the ~ of* i närheten av, i trakten av
vicious ['vɪʃəs] *adj* **1** illvillig [*~ gossip*]; elak, ond, arg; brutal [*a ~ blow*]; *launch a ~ attack on sb* attackera ngn våldsamt, göra ett våldsamt utfall mot ngn **2** ilsken [*a ~ temper*]; folkilsken, argsint [*a ~ dog*] **3** hemsk [*a ~ headache*]
vicious circle [ˌvɪʃəs'sɜːkl] *s* o. **vicious cycle** [ˌvɪʃəs'saɪkl] *s* **1** ond cirkel **2** logik. cirkelbevis
viciousness ['vɪʃəsnəs] *s* illvilja etc., jfr *vicious*
vicissitudes [vɪ'sɪsɪtjuːdz, vaɪ's-] *s pl* växling[ar], förändring[ar]; *the ~ of life* livets skiften, livets olika skeden; *many ~ of fortune* många växlande öden
victim ['vɪktɪm] *s* **1** offer, brottsoffer; *be a ~ of* (*to*) el. *be the ~ of* el. *fall ~ to* vara (falla) offer för, vara (bli) utsatt för, utsättas för **2** drabbad [person], sjuk [person] [*cancer ~; AIDS ~*] **3** slaktoffer, offerdjur; offerlamm äv. bildl.
victimization [ˌvɪktɪmaɪ'zeɪʃ(ə)n] *s* **1** trakasserande; mobbning **2** bestraffning; diskriminering **3** offrande

victimize ['vɪktɪmaɪz] *vb tr* **1** plåga, besvära; trakassera; mobba **2** klämma åt, bestraffa; sätta i strykklass **3** göra till [sitt] offer, offra

Victor ['vɪktə] mansnamn

victor ['vɪktə] *s* segrare, segerherre; *come off* ~ el. *come off* ~*s* avgå med seger[n]

Victoria [vɪk'tɔ:rɪə] **1** kvinnonamn **2** som drottningnamn Viktoria, Victoria **3** en av Londons viktigaste järnvägsstationer [äv. ~ *station*]

Victoria Cross [vɪk,tɔ:rɪə'krɒs] *s*, *the* ~ (förk. *VC*) viktoriakorset orden för tapperhet i fält

Victorian [vɪk'tɔ:rɪən] **I** *adj* **1** viktoriansk från (karakteristisk för) drottning Viktorias tid 1837–1901 [*the* ~ *age*; *the* ~ *period*] **2** neds. pryd; sträng **II** *s* viktorian

victorious [vɪk'tɔ:rɪəs] *adj* segrande, segerrik; seger-; *be* ~ segra; *come off* ~ avgå med seger[n]

victory ['vɪkt(ə)rɪ] *s* seger; *win a* ~ *over* el. *score a* ~ *over* el. *gain a* ~ *over* segra över

victory lap ['vɪkt(ə)rɪlæp] *s* sport. ärevarv

victuals ['vɪtlz] *s pl* åld. el. skämts. livsmedel, matvaror, föda, proviant

video ['vɪdɪəʊ] **I** (pl. ~s) *s* **1** video apparat, system o. band; *a blank* ~ ett tomt (oinspelat) videoband **2** amer. vard. tv, television **II** *adj* **1** video-, se sammansättn. nedan **2** amer. vard. tv- [*a* ~ *star*]; televisions- [~ *transmission*] **III** *vb tr* spela in på video, banda

video arcade ['vɪdɪəʊɑ:,keɪd] *s* vanl. amer. spelhall med video- och datorspel

video camera ['vɪdɪəʊ,kæmərə] *s* videokamera

videocassette [,vɪdɪəʊkə'set] *s* videokassett

videocassette recorder [,vɪdɪəʊkə'setrɪ,kɔ:də] (förk. *VCR*) *s* videobandspelare

video conferencing [,vɪdɪəʊ'kɒnfərənsɪŋ] *s* videokonferenser, system med videokonferenser

videodisc ['vɪdɪəʊdɪsk] *s* videoskiva, videoplatta

video game ['vɪdɪəʊgeɪm] *s* tv-spel

video jockey ['vɪdɪəʊ,dʒɒkɪ] (förk. *VJ*) *s* videojockey, VJ diskjockey som använder musikvideos i sina presentationer

video nasty ['vɪdɪəʊ,nɑ:stɪ] *s* vard., ung. våldsvideo, videovåldsfilm

video-on-demand [,vɪdɪəʊɒndɪ'mɑ:nd] *s* video-on-demand interaktiv digital tv genom kabelnätverk

videophone ['vɪdɪəʊfəʊn] *s* bildtelefon, videotelefon

videorecorder ['vɪdɪəʊrɪ,kɔ:də] *s* videobandspelare

videotape ['vɪdɪəʊteɪp] **I** *s* videoband **II** *vb tr* spela in på video, videobanda

videotape recorder ['vɪdɪəʊteɪprɪ,kɔ:də] (förk. *VTR*) *s* videobandspelare

vie [vaɪ] *vb itr* litt. tävla, kämpa [*with* med; *for* om]

Vienna [vɪ'enə] **I** geogr. egennamn Wien **II** *adj* wien[er]-

Viennese [,vɪə'ni:z] **I** *adj* wiensk, wien- **II** (pl. *Viennese*) *s* wienare; wienska kvinna från Wien

Viennese waltz [,vɪəni:z'wɔ:ls] *s* wienervals

Vietnam [,vjet'næm, -'nɑ:m] geogr.

Vietnamese [,vjetnə'mi:z] **I** *adj* vietnamesisk **II** *s* **1** (pl. *Vietnamese*) vietnames; vietnamesiska **2** vietnamesiska [språket]

view [vju:] **I** *s* **1** **a)** åsikt, uppfattning [*on* el. *of* om]; synpunkt [*on* el. *of* på], syn, sätt att se [*on* el. *of* på]; *take a very dim* ~ *of sth* el. *take a very poor* ~ *of sth* vard. starkt ogilla ngt; *take the* ~ *that* hysa den åsikten att, ha den uppfattningen att **b)** *point of* ~ synpunkt, synvinkel; ståndpunkt; *from my point of* ~ ur min synvinkel, som jag ser det **2** syn, anblick; synhåll; sikte; sikt [*block* (skymma) *the* ~]; *get a closer* ~ *of sth* betrakta ngt på närmare håll, titta lite närmare på ngt; *have a clear* ~ *of* a) ha fri sikt över b) ha en klar bild av; *take a long* ~ *of the matter* betrakta saken på lång sikt, se på (bedöma) saken på längre sikt; *take the long* ~ vara förutseende, se framåt; *taking a long* ~ adv. på lång sikt; *taking a short* ~ adv. på kort sikt **3** **a)** utsikt [*of* över], vy **b)** bild, foto[grafi], kort; *aerial* ~ flygfoto **4** översikt [*a* ~ *of* (över, av) *the world crisis*]; överblick **5** [förhands]visning vid auktion o.d. [*private* ~] **6** efter prep.:

in: *in* ~ i sikte; *in my* ~ enligt min uppfattning (mening); *in* ~ *of* med tanke på, med hänsyn till, i betraktande av, med anledning av [*in* ~ *of the financial situation*]; *in full* ~ *of* fullt synlig för, mitt framför [ögonen på]

into: *come into* ~ komma inom synhåll, komma i sikte

of: *point of* ~ se *view I 1 b* ovan

on: *be on* ~ vara utställd, visas, finnas till beskådande; *on a long* ~ el. *on the long* ~ på lång (längre) sikt; *on a short* ~ el. *on the short* ~ på kort[are] sikt

out of: *out of* ~ utom synhåll, ur sikte

with: *a room with a* ~ ett rum med utsikt; *with a* ~ *to* med tanke (sikte) på, med...i sikte; *with a* ~ *to doing sth* el. *with the* (*a*) ~ *of doing sth* i avsikt (syfte) att göra ngt, för att göra ngt

II *vb tr* bese; betrakta, se på, se [~ *the matter in the right light*]; anse, uppfatta [~ *sth as a menace*]; ~ *TV* se (titta) på tv

viewdata ['vju:,deɪtə] *s* tele., brittisk form av videotex

viewer ['vju:ə] *s* **1** betraktare, åskådare; [tv-]tittare **2** foto. betraktningsapparat spec. för diabilder

viewfinder ['vju:,faɪndə] *s* foto. sökare

viewing ['vju:ɪŋ] *s* **1** betraktande, tittande; tv-tittande; ~ *hours* el. ~ *time* TV. sändningstid; ~ *screen* TV. bildruta, bildskärm **2** granskning **3** visning av t.ex. lägenhet, utställning

viewpoint ['vju:pɔɪnt] *s* **1** synpunkt; synvinkel; ståndpunkt; *from this* ~ ur den här synvinkeln; *take up a* ~ inta en ståndpunkt **2** utsiktspunkt

vigil ['vɪdʒɪl, -dʒ(ə)l] *s* vaka; *keep a* ~ *over a sick child* vaka hos ett sjukt barn

vigilance ['vɪdʒɪləns] *s* vaksamhet; försiktighet

vigilant ['vɪdʒɪlənt] *adj* vaksam; försiktig

vigilante [,vɪdʒɪ'læntɪ] *s* spec. i USA medlem av ett olagligt medborgargarde

vignette [vɪ'njet] *s* **1** vinjett [*the* ~ *of a title-page*] **2** karaktärsteckning, kort [karaktärs]skildring

vigorous ['vɪg(ə)rəs] *adj* kraftig, kraftfull; spänstig; energisk; livskraftig; *make a* ~ *effort* göra en kraftansträngning, ta ett krafttag

vigour ['vɪgə] *s* kraft, styrka, kraftfullhet; spänst, spänstighet, vigör; energi

Viking ['vaɪkɪŋ] *s* viking; attr. vikinga-

vile [vaɪl] *adj* usel, eländig [*a ~ novel; a ~ performance*]; avskyvärd, lumpen, nedrig [*~ slander*]; vidrig; vard. hemsk
vileness ['vaɪlnəs] *s* uselhet etc., jfr *vile*
vilification [ˌvɪlɪfɪ'keɪʃ(ə)n] *s* förtal; nedsvärtning; smädande, smädelse
vilify ['vɪlɪfaɪ] *vb tr* förtala, baktala, tala illa om; svärta ned; smäda
villa ['vɪlə] *s* stor villa spec. i förort el. på kontinenten;
  holiday ~ semesterhus som hyrs
village ['vɪlɪdʒ] *s* by; attr. by- [*~ school*]; **the global** ~ det globala samhället
village green [ˌvɪlɪdʒ'griːn] *s* byallmänning gräsplan mitt i byn
village idiot [ˌvɪlɪdʒ'ɪdɪət] *s* byfåne
villager ['vɪlɪdʒə] *s* bybo, byinvånare
villain ['vɪlən] *s* **1** bov, skurk äv. teat. [*play the ~'s part*]; usling; **the ~ of the piece** bildl. boven i dramat, den skyldige **2** vard. rackare, busunge
villainous ['vɪlənəs] *adj* skurkaktig, bovaktig; ondskefull [*a ~ look*]
villainy ['vɪlənɪ] *s* skurkaktighet; ondskefullhet, ondska
Vilnius ['vɪlnɪʊs] geogr.
vinaigrette [ˌvɪneɪ'gret] *s*, ~ el. ~ **sauce** vinägrettsås
vindicate ['vɪndɪkeɪt] *vb tr* **1** rättfärdiga [*~ sb's belief in sth*]; försvara [*~ sb's conduct*]; bevisa riktigheten av [*subsequent events ~d his policy*] **2** fria [*~ sb from a charge*] **3** hävda, förfäkta [*~ a right*]
vindication [ˌvɪndɪ'keɪʃ(ə)n] *s* rättfärdigande, försvar etc., jfr *vindicate*
vindictive [vɪn'dɪktɪv] *adj* hämndlysten
vindictiveness [vɪn'dɪktɪvnəs] *s* hämndlystnad
vine [vaɪn] *s* **1** vin växt; vinranka, vinstock **2** ranka [*hop ~*]; reva; slingerväxt, klängväxt, klätterväxt;
  clinging ~ bildl. (om person) klängranka
vinegar ['vɪnɪgə] *s* ättika; attr. ättik[s]-; **aromatic** ~ kryddvinäger; **wine** ~ vinäger, vinättika
vinegary ['vɪnɪgərɪ] *adj* **1** ättikssur, sur som ättika; **a ~ wine** ett vin som smakar ättika **2** om person sur som ättika, [mycket] vresig
vineyard ['vɪnjəd, -jɑːd] *s* vingård äv. bildl. el. bibl., vinodling, vinberg
viniculture ['vɪnɪkʌltʃə] *s* vinodling
vino ['viːnəʊ] (pl. ~s) *s* vard. enklare (billigt) vin
vinous ['vaɪnəs] *adj* **1** vinlik[nande], vinartad, vin- [*a ~ taste*]; vinröd [*a ~ colour*] **2** vinälskande; vinpåverkad [*in a ~ state*]; inspirerad av vin[et] [*~ eloquence*]
vintage ['vɪntɪdʒ] **I** *adj* **1** av [gammal] fin (god) årgång, gammal fin [*~ brandy*]; **~ wine** årgångsvin; **~ year** a) bra vinår b) toppenår då ngt mycket bra gjordes; **~ rock-'n'-roll** musik från rockens guldålder **2** veteran- [*~ motorbikes*]
  II *s* **1** vinskörd, druvskörd **2** [god] årgång av vin el. om ngt som har högsta kvalitet
vintage car ['vɪntɪdʒkɑː] *s* veteranbil
vintner ['vɪntnə] *s* vinhandlare
vinyl ['vaɪnɪl] *s* **1** kem. vinyl; vinylplast **2** vinyl skiva, i motsats till cd-skiva; **on** ~ på vinylskiva
Viola ['vaɪə(ʊ)lə, -'--] kvinnonamn
1 viola [vɪ'əʊlə, vaɪ-] *s* mus. altfiol, viola
2 viola ['vaɪə(ʊ)lə, -'--] *s* odlad viol

violate ['vaɪəleɪt] *vb tr* **1** bryta mot [*~ a principle*]; överträda [*~ the law*]; kränka [*~ a treaty*]; **~ a promise** bryta ett löfte, inte uppfylla ett löfte **2** störa, inkräkta på [*~ sb's privacy*] **3** vanhelga, skända [*~ a grave*] **4** litt. våldta
violation [ˌvaɪə'leɪʃ(ə)n] *s* **1** brott [*of* mot], överträdelse, kränkning [*the ~ of the treaty*]; **in ~ of** i strid mot **2** störande intrång [*~ of* (i) *sb's privacy*] **3** vanhelgande, skändning **4** litt. våldtäkt
violator ['vaɪəleɪtə] *s* kränkare; **~ of the law** lagöverträdare, lagbrytare
violence ['vaɪələns] *s* **1** våld [*I had to use ~*]; yttre våld [*no marks* (spår) *of ~*]; våldsamheter, oroligheter; **domestic** ~ se under *domestic I 1*; **honour-based** ~ el. **honour** ~ hedersvåld; **physical** ~ se under *physical I 1*; **do ~ to** förgripa sig på, våldföra sig på; göra våld på; **act of** ~ våldsdåd, våldsgärning, våldshandling; **crimes of** ~ våldsbrott; **robbery with** ~ ung. grovt rån **2** våldsamhet, häftighet [*the ~ of the storm*]; våldsam kraft
violent ['vaɪələnt] *adj* våldsam, häftig [*a ~ storm; a ~ attack; ~ passions*]; stark, svår [*a ~ headache*]; **have a ~ temper** ha ett häftigt temperament (humör)
violently ['vaɪələntlɪ] *adv* våldsamt etc., jfr *violent*; med våld; **~ resist** göra våldsamt motstånd mot
Violet ['vaɪələt] kvinnonamn
violet ['vaɪələt] **I** *s* **1** bot. viol; **African** ~ saintpaulia **2** violett [*dressed in ~*]
  II *adj* violett
violin [ˌvaɪə'lɪn] *s* fiol, violin; violinist; **play the** ~ spela fiol (violin)
violinist [ˌvaɪə'lɪnɪst, '----] *s* violinist, fiolspelare
violoncellist [ˌvaɪələn'tʃelɪst] *s* violoncellist
violoncello [ˌvaɪələn'tʃeləʊ] (pl. ~s) *s* violoncell
VIP [ˌviːaɪ'piː, vɪp] *s* vard. (förk. för *Very Important Person*) VIP, mycket betydande person, höjdare, högdjur
viper ['vaɪpə] *s* **1** huggorm; **common** ~ vanlig huggorm **2** bildl. om falsk, opålitlig person orm
virago [vɪ'rɑːgəʊ, -'reɪg-] (pl. ~s el. ~es) *s* argbigga, ragata, satkäring
viral ['vaɪər(ə)l] *adj* med. virus- [*~ infection*]
Virgin ['vɜːdʒɪn] *s*, **the** ~ el. **the ~ Mary** jungfru Maria
virgin ['vɜːdʒɪn] **I** *s* oskuld, jungfru
  II *adj* jungfrulig äv. bildl.; jungfru-; ren, som är oskuld; orörd, obeträdd; outforskad; ny; **~ speech** jungfrutal
virginal ['vɜːdʒɪnl] *adj* jungfrulig, jungfru-
virgin birth [ˌvɜːdʒɪn'bɜːθ] *s* jungfrufödsel
virgin earth [ˌvɜːdʒɪn'ɜːθ] *s* jungfrulig mark (jord), orörd (obrukad) mark
Virginia [və'dʒɪnɪə] **I** kvinnonamn el. geogr. egennamn **II** *s* virginia tobak; attr. virginia- [*~ cigarettes; ~ tobacco*]
Virginia creeper [vəˌdʒɪnɪə'kriːpə] *s* bot. vildvin
Virgin Islands ['vɜːdʒɪnˌaɪləndz] *s pl* geogr., **the** ~ Virgin Islands, Jungfruöarna
virginity [və'dʒɪnətɪ] *s* oskuld, mödom; jungfrulighet, jungfrudom
Virgin Queen [ˌvɜːdʒɪn'kwiːn] *s*, **the** ~ jungfrudrottningen Elisabet I
virgin snow [ˌvɜːdʒɪn'snəʊ] *s* nyfallen snö
virgin soil [ˌvɜːdʒɪn'sɔɪl] *s* jungfrulig mark (jord), orörd (obrukad) mark

Virgo ['vɜːɡəʊ] s o. adj astrol. Virgo, Jungfrun; **he is a ~** el. **he is ~** han är jungfru

virile ['vɪraɪl, amer. 'vɪr(ə)l] adj viril, manlig, kraftfull

virility [vɪ'rɪlətɪ] s virilitet, manlighet; kraftfullhet

virtual ['vɜːtʃʊəl, -tjʊ-] adj **1** **it was a ~ defeat** det var i själva verket (i realiteten) ett nederlag; **this is a ~ necessity** det är praktiskt taget nödvändigt; **you may take it as a ~ promise** du kan ta det som nära nog ett löfte; **he is the ~ ruler of the country** han är i praktiken landets ledare; **they are ~ slaves** de är så gott som slavar **2** data. virtuell

virtually ['vɜːtʃʊəlɪ, -tjʊ-] adv faktiskt, i realiteten; praktiskt taget, så gott som [he is ~ unknown]

virtual memory [ˌvɜːtʃʊəl'memərɪ] s data. virtuellt minne

virtual reality [ˌvɜːtʃʊəlrɪ'ælətɪ] s data. virtuell verklighet

virtue ['vɜːtjuː, -tʃuː] s **1** dygd; **make a ~ of necessity** göra en dygd av nödvändigheten **2** fördel; **the ~ of** fördelen med; **the scheme has the ~ of simplicity** planen har den fördelen att den är enkel **3** [inneboende] kraft, förmåga [the healing ~ of a medicine]; verkan, effekt; **by ~ of** el. **in ~ of** i kraft av, på grund av; **by ~ of one's office** el. **in ~ of one's office** på ämbetets (tjänstens) vägnar

virtuosi [ˌvɜːtjʊ'əʊziː] s pl. av virtuoso

virtuosity [ˌvɜːtjʊ'ɒsətɪ] s virtuositet

virtuos|o [ˌvɜːtjʊ'əʊz|əʊ] (pl. -os el. -i [-iː]) s it. virtuos

virtuous ['vɜːtʃʊəs, -tjʊ-] adj dygdig

virulence ['vɪrʊləns, -rjʊ-] s giftighet; styrka, kraft

virulent ['vɪrʊlənt, -rjʊ-] adj **1** giftig; stark, kraftig [~ poison]; elakartad [a ~ disease] **2** giftig, elak, hätsk [~ criticism]

virus ['vaɪrəs] s **1** med. virus; virussjukdom [recover from a ~] **2** data. [data]virus

virus scanner ['vaɪrəsˌskænə] s data., slags antivirusprogram som skannar datorns primär- och sekundärminne

visa ['viːzə, amer. äv. 'viːsə] s visum; **entrance ~** el. **entry ~** inresevisum; **exit ~** utresevisum

visage ['vɪzɪdʒ] s litt. ansikte

vis-à-vis [ˌviːzɑː'viː] prep **1** a) visavi, gentemot [her feelings ~ her husband] b) mittemot, mittför, mitt framför [be ~ sth; stand ~ sth] **2** i jämförelse med, i förhållande till

viscera ['vɪsərə] s pl anat. inre organ; inälvor, viscera

visceral ['vɪsər(ə)l] adj **1** anat. som hör till de inre organen, invärtes; inälvs-, visceral **2** rent fysisk [~ sensation] **3** irrationell, instinktiv, intuitiv, känslomässig

viscosity [vɪ'skɒsətɪ] s **1** viskositet **2** klibbighet

viscount ['vaɪkaʊnt] s viscount näst lägsta rangen inom engelska högadeln

viscountcy ['vaɪkaʊntsɪ] s viscountvärdighet, viscounts rang, jfr viscount

viscountess [ˌvaɪkaʊn'tes, 'vaɪkaʊntɪs] s viscountess [innehavare av] kvinnlig titel motsv. viscount

viscous ['vɪskəs] adj viskös, tjockflytande, trögflytande

vise [vaɪs] s o. vb tr amer. skruvstäd

visibility [ˌvɪzɪ'bɪlətɪ] s **1** meteor. sikt; **poor ~** dålig sikt; **improved ~** siktförbättring; **reduced ~** siktförsämring **2** synlighet, synbarhet

visible ['vɪzəbl] adj **1** synlig, märkbar [to sb för ngn]; **~ horizon** synrand, horisont **2** tydlig, påtaglig

vision ['vɪʒ(ə)n] s **1** syn [it has impaired her ~]; seende; **~** el. **faculty of ~** synförmåga, synsinne; **defect of ~** synfel; **field of ~** synfält; **range of ~** synkrets, synvidd; synhåll; **beyond range of ~** utom synhåll **2** syn, vision, dröm, drömsyn, fantasi[bild]; **have ~s** se syner, ha visioner; drömma, fantisera [of om]; **have ~s of sth** se ngt framför sig **3** tv-bild[en]; **sound and ~** ljud och bild **4** framsynthet; **~** el. **clarity of ~** klarsyn, klarsynthet; **~** el. **breadth of ~** vidsynthet; **a man of ~** en man med visioner, en klarsynt man

visionary ['vɪʒ(ə)nərɪ] **I** adj **1** visionär, klarsynt [a ~ leader; a ~ statesman] **2** orealistisk, ogenomförbar [~ plans; ~ schemes] **3** drömmande, svärmisk; inbillad [~ scenes]
II s visionär; drömmare, svärmare

visit ['vɪzɪt] **I** vb tr **1** besöka; hälsa 'på, göra (vara på) besök hos; vara på besök i (på), komma till, resa till, gästa, vara gäst hos **2** a) gå till, söka, konsultera [~ a doctor; ~ a solicitor] b) [besöka och] se 'till, göra [sjuk]besök hos [the doctor ~s his patients] **3** hemsöka [the plague ~ed London in 1665]; [be]straffa
II vb itr vara på besök [she was ~ing in Paris]
III s **1** besök, visit, vistelse [to sb hos ngn; to a town i en stad; to an island på en ö]; **pay a ~ to** el. **make a ~ to** besöka, göra ett besök hos (i, på); **I paid him a ~** jag besökte honom; **be on a ~** vara på besök [to sb hos ngn; to Italy i Italien]; **go on a ~ to the seaside** åka till kusten, åka till en badort **2** läkares [sjuk]besök **3** visitation, inspektion, undersökning

visitation [ˌvɪzɪ'teɪʃ(ə)n] s **1** visitation; undersökning **2** amer. jur. umgängesrätt

visiting card ['vɪzɪtɪŋkɑːd] s visitkort

visiting fire|man [ˌvɪzɪtɪŋ'faɪə|mən] (pl. -men [-mən]) s amer. vard. främling, celeber gäst som sprider glans och spänning omkring sig

visiting hours [ˌvɪzɪtɪŋ'aʊəz] s pl besökstid

visiting lecturer [ˌvɪzɪtɪŋ'lektʃ(ə)rə] s gästföreläsare

visiting nurse [ˌvɪzɪtɪŋ'nɜːs] s distriktssköterska

visiting professor [ˌvɪzɪtɪŋprə'fesə] s gästprofessor

visiting team ['vɪzɪtɪŋtiːm] s sport. gästande lag, bortalag

visitor ['vɪzɪtə] s **1** besökare, besökande; gäst [summer ~s]; **have ~s** ha gäster, ha främmande **2** inspektör

visitors' book ['vɪzɪtəzbʊk] s gästbok; hotelliggare

visor ['vaɪzə] s **1** skärm på mössa o.d.; visir, ögonskydd på motorcykelhjälm o.d. **2** solskydd i bil **3** hist. [hjälm]visir, hjälmgaller

vista ['vɪstə] s **1** utsikt, fri sikt, vy genom trädallé, korridor, från höjd o.d., panorama, perspektiv **2** [framtids]perspektiv [a discovery that opens up new ~s]; utsikt

Vistula ['vɪstjʊlə] geogr., **the ~** Weichsel

visual ['vɪzjʊəl, -ʒj-] adj syn- [the ~ nerve]; visuell [~ aids in teaching]; **~ impression** synintryck, visuellt intryck; **~ inspection** el. **~ examination** okulärbesiktning; **~ memory** visuellt minne, synminne; **~ power** synförmåga

visual aid [ˌvɪzjʊəl'eɪd] *s* visuellt hjälpmedel
visual angle [ˌvɪzjʊəl'æŋgl] *s* synvinkel
visual arts [ˌvɪzjʊəl'ɑːts] *s pl*, *the* ~ bildkonsten
visual-display unit [ˌvɪzjʊəldɪs'pleɪˌjuːnɪt] (förk. *VDU*) *s* bildskärmsterminal
visual field [ˌvɪzjʊəl'fiːld] *s* synfält
visualization [ˌvɪzjʊəlaɪ'zeɪʃ(ə)n, -ɪʒ-] *s* åskådliggörande, levandegörande, visualisering
visualize ['vɪzjʊəlaɪz, -ɪʒ-] *vb tr* åskådliggöra [~ *a scheme*]; frammana [en klar bild av] [~ *a scene*]; levandegöra [~ *a picture*]; visualisera; [tydligt] föreställa sig
visually ['vɪzjʊəlɪ] *adv* visuellt, bildmässigt; *be ~ impaired* el. *be ~ handicapped* vara synskadad, ha nedsatt syn
visual nerve [ˌvɪzjʊəl'nɜːv] *s*, *the* ~ synnerven
vital ['vaɪtl] *adj* **1** mycket viktig, absolut nödvändig, livsviktig, avgörande [*secrecy is ~ to* (för) *the success of the scheme*]; vital, central **2** livs- [*the ~ process*]; livsnödvändig, livsviktig, vital [~ *organs*]; livskraftig; ~ *force* livkraft
vitality [vaɪ'tælətɪ] *s* vitalitet, livskraft, liv
vitalize ['vaɪtəlaɪz] *vb tr* **1** vitalisera, ge liv åt, liva upp **2** levandegöra [~ *a subject*]
vital statistics [ˌvaɪtlstə'tɪstɪks] (med verb i pl.) *s* **1** vitalstatistik, befolkningsstatistik **2** vard. (skämts.) byst-, midje- och höftmått på skönhetsdrottning o.d., former
vitamin ['vɪtəmɪn, 'vaɪt-] *s* vitamin; ~ *A* A-vitamin
vitamin deficiency [ˌvɪtəmɪndɪ'fɪʃ(ə)nsɪ] *s* vitaminbrist
vitaminize ['vɪtəmɪnaɪz, 'vaɪt-] *vb tr* vitaminera, vitaminisera
vitiate ['vɪʃɪeɪt] *vb tr* **1** fördärva, förorena [~*d air*]; skämma; förvanska, förvränga [~ *a text*] **2** demoralisera, fördärva
vitiation [ˌvɪʃɪ'eɪʃ(ə)n] *s* fördärvande etc., jfr *vitiate 1*
viticulture ['vɪtɪkʌltʃə, 'vaɪt-] *s* vinodling
vitreous ['vɪtrɪəs] *adj* glasaktig, glasartad
vitriol ['vɪtrɪəl] *s* **1** kem. vitriol **2** bildl. fränhet, giftighet, vitriol
vitriolic [ˌvɪtrɪ'ɒlɪk] *adj* **1** kem. vitriol- **2** mycket skarp, frän [*a ~ attack*]; bitande, giftig [~ *remarks*]
vituperate [vaɪ'tjuːpəreɪt, vɪ't-] *vb tr* smäda, skymfa; skälla ut
vituperation [vaɪˌtjuːpə'reɪʃ(ə)n, vɪˌt-] *s* smädande, smädelse; skymfande, skymford
vituperative [vaɪ'tjuːp(ə)rətɪv, vɪ't-, -pəreɪt-] *adj* smädande, skymfande; smäde-, skymf-, skälls-
viva ['vaɪvə] *s* univ. vard. (lat.) munta muntlig tentamen (prövning)
vivacious [vɪ'veɪʃəs, vaɪ'v-] *adj* livlig, livfull
vivacity [vɪ'væsətɪ, vaɪ'v-] *s* livlighet, livfullhet
viva voce [ˌvaɪvə'vəʊsɪ] *s* univ. (lat.) muntlig tentamen (prövning)
vivid ['vɪvɪd] *adj* livlig [*a ~ imagination*; *a ~ impression*]; levande, livfull [*a ~ description*; *a ~ personality*]; om färg äv. ljus, glad, klar
vividness ['vɪvɪdnəs] *s* livlighet, liv
viviparous [vɪ'vɪpərəs, vaɪ'v-] *adj* zool. som föder levande ungar, vivipar
vivisect ['vɪvɪsekt, ˌ--'-] *vb tr* utföra vivisektion på
vivisection [ˌvɪvɪ'sekʃ(ə)n] *s* **1** vivisektion **2** bildl. dissekering, minutiös analys

vivisectionist [ˌvɪvɪ'sekʃ(ə)nɪst] *s* **1** vivisektör **2** anhängare av vivisektion
vixen ['vɪksn] *s* **1** rävhona **2** litt. ragata, argbigga
viz [vɪz, 'neɪmlɪ, vɪ'diːlɪset] (förk. för *videlicet*) lat., = *namely adv* nämligen, dvs.
vizier [vɪ'zɪə, '-,-] *s* hist. vesir österländsk ämbetsman; *grand* ~ storvesir
VJ [ˌviː'dʒeɪ] förk. för *video jockey*
VLF [ˌviːel'ef] förk. för *very low frequency*
V-neck ['viːnek] *s* v-ringning, v-skärning på klädesplagg; ~ *sweater* v-ringad tröja
V-necked ['viːnekt] *adj* v-ringad
vocab ['vəʊkæb] *s* vard. kortform av *vocabulary*
vocabulary [və(ʊ)'kæbjʊlərɪ] *s* **1** vokabulär [*the scientific ~*]; ordförråd **2** ordlista; vokabelsamling; vokabulär; ~ el. ~ *notebook* glosbok att skriva i
vocal ['vəʊkl] **I** *adj* **1** röst- [*the ~ apparatus*]; stäm- [~ *cords*]; sång- [~ *exercise*]; mus. vokal, vokal- [~ *music*]; ~ *organ* röstorgan, talorgan; ~ *part* mus. sångstämma, sångparti **2** högljudd [~ *protests*] **3** muntlig [~ *communication*]; uttalad **II** *s*, ~*s* mus. sång på skiva o.d.
vocal cords o. **vocal chords** [ˌvəʊkl'kɔːdz] *s pl* stämband, stämläppar
vocalist ['vəʊkəlɪst] *s* vokalist
vocalize ['vəʊkəlaɪz] **I** *vb tr* artikulera, uttala; sjunga **II** *vb itr* artikulera; sjunga; gnola
vocally ['vəʊkəlɪ] *adv* **1** med rösten, med sång[en]; mus. vokalt **2** högröstat, högljutt, ljudligt
vocation [və(ʊ)'keɪʃ(ə)n] *s* **1** kallelse [*follow one's ~*]; håg, böjelse, fallenhet; *have a ~ for* ha fallenhet för **2** kall; yrke, profession, sysselsättning
vocational [və(ʊ)'keɪʃ(ə)nl] *adj* yrkesmässig; yrkes- [*a ~ school*]; ~ *education* el. ~ *training* yrkesutbildning; ~ *guidance* yrkesvägledning; ~ *school* el. ~ *training school* yrkesförberedande skola
vocative ['vɒkətɪv] *adj* o. *s* gram. vokativ[-]; *the* ~ el. *the* ~ *case* vokativ[en]
vociferate [və(ʊ)'sɪfəreɪt] *vb tr* o. *vb itr* [högljutt] ropa, skrika, skråla, skräna; dundra [*against* mot]
vociferous [və(ʊ)'sɪf(ə)rəs] *adj* högljudd
vodka ['vɒdkə] *s* vodka
vogue [vəʊg] *s* mode; *be the* ~ el. *be in* ~ vara modern, vara inne; *come into* ~ bli modern; *go out of* ~ bli omodern
vogue word ['vəʊgwɜːd] *s* modeord
voice [vɔɪs] **I** *s* **1** röst [*the ~ of conscience*; *an angry ~*; *I did not recognize his ~*]; stämma; sångröst [*she has a sweet ~*]; talförmåga; ~ *production* ung. talteknik; *give ~ to* ge uttryck åt, göra sig till tolk för; *keep your ~ down!* tyst!, tala inte så högt!; *raise one's* ~ a) höja rösten (tonen), bli högröstad b) häva upp sin röst, börja tala; *raise one's ~ against* protestera mot **2** talan, [med]bestämmanderätt; *have a ~ in the matter* ha något att säga till om, ha (få) ett ord med i laget; *in a loud* ~ med hög röst, högt; *in a low* ~ med låg röst, tyst **3** mus. stämma [*a song for three ~s*] **4** gram., *in the active* ~ i aktiv form; *in the passive* ~ i passiv form
II *vb tr* uttala; uttrycka, ge uttryck åt [*he seemed to ~ the general sentiment*]; göra sig till tolk (talesman) för
voice-activated ['vɔɪsˌæktɪveɪtɪd] *adj* data. röststyrd

voice box ['vɔɪsbɒks] *s* **1** vard. struphuvud **2** mus. voice-box, röstlåda

voiced [vɔɪst] *adj* **1** fonet. tonande [~ *consonants*] **2** som efterled i sammansättn. -röstad [*loud-voiced*]; med…röst

voiceless ['vɔɪsləs] *adj* fonet. tonlös [~ *consonants*]

voice mail ['vɔɪsmeɪl] *s* talsvar, röstmeddelande

voice mail box ['vɔɪsmeɪlbɒks] *s* röstbrevlåda

voice-over ['vɔɪs,əʊvə] *s* film. el. TV., osynlig kommentatorröst, berättarröst

voice print ['vɔɪsprɪnt] *s* röstspektrogram, talavtryck

void [vɔɪd] **I** *s* tomrum äv. bildl.; vakuum; [tom] rymd, [gapande] hål; lucka i ett sammanhang
II *adj* **1** tom; ~ *space* tomrum **2** ~ *of* i avsaknad av, utan [~ *of interest*]; fri från [*his style is* ~ *of affectation*] **3** ledig, vakant; *fall* ~ bli ledig, bli vakant **4** spec. jur. ogiltig, utan laga kraft
III *vb tr* **1** spec. jur. göra (förklara) ogiltig, annullera, upphäva **2** tömma [ut], avföra, utsöndra ur kroppen

voile [vɔɪl] *s* textil. voile

VoIP [vɔɪp] *s* data. (förk. för *Voice over Internet Protocol*) ip-telefoni, bredbandstelefoni

vol. förk. för *volume*

volatile ['vɒlətaɪl, amer. -tl] *adj* **1** fys. flyktig [~ *oil*]; ~ *salt* luktsalt; kem. ammoniumkarbonat **2** labil, instabil [*a* ~ *situation; the market is* ~] **3** flyktig, ombytlig [*a* ~ *woman*]; livlig [*a* ~ *temper*]; impulsiv, lättrörlig

volatility [,vɒlə'tɪlətɪ] *s* flyktighet etc., jfr *volatile*

vol-au-vent [,vɒlə(ʊ)'vɑ̃, -vɒŋ] *s* kok. (fr.) volauvent

volcanic [vɒl'kænɪk] *adj* **1** vulkanisk, vulkan- **2** litt. våldsam[t uppbrusande], häftig [*a* ~ *temper*]

volcano [vɒl'keɪnəʊ] (pl. ~*es* el. ~*s*) *s* vulkan

vole [vəʊl] *s* zool. sork; åkersork

volition [və(ʊ)'lɪʃ(ə)n] *s* **1** spec. filos. vilja; viljekraft; *of one's own* ~ av [egen] fri vilja, frivilligt **2** gram. vilja [*verbs expressing* ~]

Volkswagen ['vɒlks,wægn, 'fɒlks,vɑ:gən]

volley ['vɒlɪ] **I** *s* **1** mil. el. bildl. salva [*fire a* ~]; skur [*a* ~ *of arrows; a* ~ *of questions*]; *a* ~ *of applause* en applådåska, stormande applåder **2** sport. volley; volleyretur
II *vb tr* **1** sport. spela volley [på], ta på volley, slå [till] på volley [~ *a ball*] **2** avlossa en salva (skur) av; bildl. avfyra, utslunga, utstöta, vräka ur sig
III *vb itr* **1** sport. spela volley **2** avlossas i en salva (salvor); avfyra en salva (salvor)

volleyball ['vɒlɪbɔ:l] *s* volleyboll

1 volt [vəʊlt] *s* elektr. volt

2 volt [vɒlt] *s* **1** fäktn. sidosprång **2** ridn. volt

voltage ['vəʊltɪdʒ] *s* elektr. spänning i volt

volte-face [,vɒlt'fɑ:s] *s* helomvändning, kovändning

voltmeter ['vəʊlt,mi:tə] *s* elektr. voltmeter

volubility [,vɒljʊ'bɪlətɪ] *s* svada, talförhet, ordflöde, ordsvall

voluble ['vɒljʊbl] *adj* talför, pratsjuk; mångordig, flödande; vältalig

volubly ['vɒljʊblɪ] *adv* mångordigt, med rapp tunga, vältaligt; högljutt

volume ['vɒlju:m, -ljʊm] *s* **1** volym, band, del [*a work in five* ~*s*]; *speak* ~*s* el. *express* ~*s* bildl. tala sitt tydliga språk, säga en hel del **2** volym; kubikinnehåll; omfång; mängd; ~ *of orders* orderstock; pl. ~*s* kolossalt [mycket], massor **3** radio. el. mus. volym, ljudstyrka

volume control ['vɒlju:mkən,trəʊl] *s* radio. el. TV. volymkontroll

voluminous [və'lju:mɪnəs, -'lu:-] *adj* omfångsrik, väldig, tjock [*a* ~ *bundle of papers*]; voluminös, diger, [mycket] vid [~ *skirts*]; omfattande

voluntarily ['vɒlənt(ə)rəlɪ] *adv* frivilligt, av fri vilja; självmant

voluntary ['vɒlənt(ə)rɪ] *adj* **1** frivillig [*a* ~ *army; a* ~ *contribution*; ~ *workers*]; ~ *organization* frivilligorganisation **2** finansierad genom frivilliga bidrag; ~ *hospital* privatsjukhus; ~ *school* enskild skola [utan statsunderstöd], privatskola [utan statsunderstöd]; ~ *worker* volontär

Voluntary Service Overseas ['vɒlənt(ə)rɪ,sɜ:'vɪs'əʊvəsi:z] (förk. *VSO*) *s* brittisk frivilligkår för u-landshjälp

volunteer [,vɒlən'tɪə] **I** *s* frivillig [*an army of* ~*s*]; volontär
II *adj* frivillig [~ *fire brigades*]; volontär-
III *vb itr* **1** anmäla sig frivilligt, erbjuda sig frivilligt [*for* till] **2** gå med (anmäla sig) som frivillig
IV *vb tr* frivilligt erbjuda [~ *one's services*]; frivilligt ge (lämna) [~ *contributions*; ~ *information*]; frivilligt (självmant) åta sig [*he* ~*ed to help*]

Volunteer State [,vɒlən'tɪəsteɪt], *the* ~ beteckn. för staten *Tennessee*

voluptuary [və'lʌptjʊərɪ] **I** *adj* vällustig **II** *s* vällusting

voluptuous [və'lʌptjʊəs] *adj* **1** vällustig, sinnlig [*a* ~ *life; a* ~ *person*] **2** yppig, fyllig [*a* ~ *figure*]; ~ *curves* yppiga former **3** härlig, överdådig

voluptuousness [və'lʌptjʊəsnəs] *s* **1** vällust, sinnlighet **2** yppighet, fyllighet **3** överdåd

Volvo ['vɒlvəʊ]

vomit ['vɒmɪt] **I** *vb itr* kräkas, kasta upp, få (ha) uppkastningar; om rök o.d. spys ut
II *vb tr*, ~ el. ~ *forth* el. ~ *out* el. ~ *up* kräkas upp, kasta upp, spy; om vulkan, skorsten o.d. spy [ut]
III *s* **1** kräkning, kräkningsanfall **2** uppkastning[ar], spyor

voodoo ['vu:du:] *s* voodoo, voodooism

voracious [və'reɪʃəs] *adj* glupsk [*for, of* efter, på], rovgirig, omättlig, omättlig; *a* ~ *appetite* en glupande aptit

vortex ['vɔ:teks] (pl. -*ices* [-ɪsi:z] el. -*exes*) *s* virvel, virvelrörelse; strömvirvel, virvelström

votary ['vəʊtərɪ] *s* **1** relig. trogen tjänare, trogen lärjunge, tillbedjare, dyrkare **2** bildl. [hängiven] anhängare [*of* av]; entusiastisk utövare [*of* av]; *a* ~ *of peace* en förkämpe för fred

vote [vəʊt] **I** *s* **1** röst vid votering o.d.; *cast one's* ~ avge sin röst, rösta; *casting* ~ utslagsröst; *the number of* ~*s cast* el. *the number of* ~*s recorded* antalet avgivna röster; *majority of* ~*s* röstövervikt, majoritet **2** röster [*the young people's* ~ *was decisive*] **3** röstetal, röstsiffra, antal röster; *the* ~ antalet avgivna röster; *the total* ~ alla [avgivna] röster **4** omröstning, votering, röstning; *popular* ~

folkomröstning; **come to the** ~ el. **come to a** ~
a) komma till (under) omröstning b) gå (skrida)
till votering; **have a** ~ **on** el. **take a** ~ **on** ha
omröstning om; **put sth to the** ~ rösta om ngt,
votera om ngt, låta ngt gå till votering **5 the** ~ el.
right of ~ rösträtt; **have the** ~ ha rösträtt, vara
röstberättigad **6** beslut efter omröstning [*the* ~ *was
unanimous*]; **pass a** ~ el. **carry a** ~ fatta ett beslut
[efter votering] **7** anslag [*a* ~ *of £500,000 for a new
building was passed* (beviljades)]; bevillning
8 röstsedel, valsedel

II *vb itr* rösta [*old enough to* ~]; votera; **have the
right to** ~ ha rösträtt; **qualified to** ~ röstberättigad; ~
against rösta mot; ~ **for** rösta för, rösta på; ~ **on sth**
rösta om ngt, votera om ngt; ~ **with a party** rösta
med (på) ett parti

III *vb tr* **1** rösta för, votera för, besluta
[*Parliament* ~*d to impose a tax on…*]; anta
2 bevilja [~ *sb a sum of money*]; anslå, anvisa [~ *an
amount for* (för, till) *sth*]; votera; ~ **a grant** bevilja
ett anslag **3** ~ **Liberal** (**Republican** etc.) rösta på
liberalerna (republikanerna etc.), rösta liberalt
(republikanskt etc.) **4** vard. välja till, utse till [*she
was* ~*d singer of the year*] **5** vard. allmänt anse som,
allmänt anse vara [*the new boss was* ~*d a decent
sort*] **6** vard. föreslå, rösta för [*I* ~ *we go to bed*] **7** ~
down rösta ned, rösta omkull
vote-catching ['vəʊt‚kætʃɪŋ] *s* röstfiske
vote of censure [‚vəʊtəv'senʃə] *s*
misstroendevotum [*on* mot]; **pass a** ~ el. **move a** ~
ställa misstroendevotum
vote of confidence [‚vəʊtəv'kɒnfɪd(ə)ns] *s*
förtroendevotum
vote of no confidence [‚vəʊtəvnəʊ'kɒnfɪd(ə)ns] *s*
misstroendevotum [*on* mot]
vote of thanks [‚vəʊtəv'θæŋks] *s*, **she proposed a** ~
to… hon höll ett tacktal till…, hon föreslog att
man skulle uttala sitt tack till…
voter ['vəʊtə] *s* röstande, röstberättigad; väljare
voting ['vəʊtɪŋ] *adj*, ~ **member** röstberättigad
medlem
voting age ['vəʊtɪŋeɪdʒ] *s* rösträttsålder
voting booth ['vəʊtɪŋbu:ð] *s* amer. valbås
voting machine ['vəʊtɪŋmə‚ʃi:n] *s*
voteringsanläggning, voteringsapparat,
voteringsmaskin
voting paper ['vəʊtɪŋ‚peɪpə] *s* valsedel, röstsedel
voting station ['vəʊtɪŋ‚steɪʃ(ə)n] *s* vallokal
votive ['vəʊtɪv] *adj* votiv- [~ *gift*]; löftes-, offer-
votive offering [‚vəʊtɪv'ɒfərɪŋ] *s* offergåva
vouch [vaʊtʃ] *vb itr*, ~ **for** garantera, svara för,
ansvara för, gå i god för, gå i borgen för
voucher ['vaʊtʃə] *s* kupong [*luncheon* ~; *meal* ~];
voucher [*hotel* ~]; rabattkupong; ~ el. **gift** ~
presentkort
vouchsafe [vaʊtʃ'seɪf] *vb tr* litt. **1** bevärdiga med,
värdigas ge, nedlåta sig att ge **2** förunna
3 garantera
vow [vaʊ] **I** *s* [högtidligt] löfte; ~ **of chastity**
kyskhetslöfte; **make a** ~ avlägga ett löfte; lova
högtidligt; **take** ~**s** el. **take the** ~**s** avlägga
klosterlöfte[t], gå i kloster
II *vb tr* lova [högtidligt], svära [på], utlova; lova
att göra (ta etc.)

vowel ['vaʊ(ə)l] *s* vokal
vox pop [‚vɒks'pɒp] *s* vard. uttalande av mannen på
gatan för radio el. tv
voyage ['vɔɪɪdʒ] **I** *s* [sjö]resa; färd i rymden [*a* ~ *to the
moon*] **II** *vb itr* litt. resa till sjöss, färdas i rymden o.d.
voyager ['vɔɪədʒə] *s* litt. resande till sjöss, sjöfarare
voyeur [vwɑː'jɜ:] *s* voyeur, [smyg]tittare
voyeurism [‚vwaɪ'ɜ:rɪz(ə)m] *s* voyeurism,
[smyg]tittande
voyeuristic [‚vwaɪɜ:'rɪstɪk] *adj* voyeuristisk,
voyeur-, smygtittar-
VP [‚vi:'pi:] förk. för *Vice-President*
vs förk. för *versus*
V-sign ['vi:saɪn] *s* **1** (förk. för *victory-sign*) v-tecken,
segertecken med pekfinger och långfinger bildande ett V och
handflatan riktad från kroppen **2** vulg. tecken med pekfinger
och långfinger bildande ett V och handflatan riktad mot kroppen
uttryckande förakt och trots
VSO [‚vi:es'əʊ] **1** (förk. för *Very Superior Old*) VSO
beteckning på konjak etc. som lagrats 12–17 år **2** förk. för
Voluntary Service Overseas
VSOP [‚vi:esəʊ'pi:] (förk. för *Very Superior Old Pale*)
VSOP beteckning för konjak
Vt. o. **VT** förk. för *Vermont*
VTOL ['vi:tɒl, ‚vi:ti:əʊ'el] *s* flyg. (förk. för *vertical
take-off and landing*) VTOL-plan, vertikalstartare
VTR [‚vi:ti:'ɑ:] förk. för *videotape recorder*
vulcanite ['vʌlkənaɪt] *s* ebonit
vulcanization [‚vʌlkənaɪ'zeɪʃ(ə)n] *s* vulkanisering
vulcanize ['vʌlkənaɪz] *vb tr* vulkanisera, vulka
vulgar ['vʌlgə] *adj* **1** vulgär [*a* ~ *expression*]; tarvlig,
grov [~ *features*]; rå; obildad, ohyfsad; grovt
oanständig [*a* ~ *gesture*] **2** vanlig, allmän[t
utbredd]; folklig, folk-, enkel **3** på folkspråket [*a* ~
translation of the Bible]
vulgar fraction [‚vʌlgə'frækʃ(ə)n] *s* matem. bråk
vulgarism ['vʌlgərɪz(ə)m] *s* vulgärt ord (uttryck),
vulgarism
vulgarity [vʌl'gærətɪ] *s* vulgaritet
vulgarize ['vʌlgəraɪz] *vb tr* vulgarisera, förgrova,
förråa; banalisera
vulnerability [‚vʌln(ə)rə'bɪlətɪ] *s* sårbarhet,
ömtålighet, känslighet; utsatthet
vulnerable ['vʌln(ə)rəbl] *adj* sårbar, ömtålig,
känslig; utsatt [*the city has a very* ~ *position*]; **a** ~
spot en svag punkt, en känslig punkt; ~ **to criticism**
känslig för kritik
vulture ['vʌltʃə] *s* **1** zool. gam **2** bildl. hyena,
blodsugare
vulva ['vʌlvə] *s* anat. vulva, blygd
vying ['vaɪɪŋ] pres. p. av *vie*

1 W, w [ˈdʌblju:] (pl. *W's* el. *w's* [ˈdʌblju:z]) *s* W, w
2 W förk. för *Watt, Western* (postdistrikt i London), *west, western*
WA förk. för *Washington*
wacko [ˈwækəʊ] sl. **I** *adj* knasig, knäpp **II** (pl. *~s*) *s* knasboll, tokstolle
wacky [ˈwækɪ] *adj* sl. knasig, knäpp
wad [wɒd] **I** *s* **1** bunt, packe **2** massa, mängd **3** sedelbunt [äv. *~ of banknotes*] **4** tuss [*a ~ of paper*]; vaddtuss, sudd, propp
II *vb tr* **1** pressa ihop till en tuss (till tussar), amer. äv. rulla (knöla) ihop [äv. *~ up*] **2** vaddera, stoppa; *~ded quilt* vadderat täcke
wadding [ˈwɒdɪŋ] *s* **1** vaddering, vaddstoppning; förpackningsmaterial **2** vadd; cellstoff
waddle [ˈwɒdl] **I** *vb itr* gå och vagga [fram som en anka], rulta **II** *s* vaggande gång, vaggande
wade [weɪd] **I** *vb itr* **1** vada; pulsa (traska, sträva) [fram] **2** vard., *~ into* ta itu med, ge sig i kast med, hugga i med [*~ into the morning's mail*]; gå lös på, kasta sig över [*~ into one's opponent*]
II *vb itr* med adv.:
wade in vard. **a)** sätta i gång [*she got the tools and ~d in*]; hugga i **b)** ingripa, gå emellan [*he ~d in and stopped the fighting*]
wade through vard. kämpa sig (plöja) igenom
wader [ˈweɪdə] *s* zool. vadare, vadarfågel
waders [ˈweɪdəz] *s pl* **1** [långskaftade] sjöstövlar **2** zool., pl. av *wader*
wading bird [ˈweɪdɪŋbɜ:d] *s* zool. vadarfågel, vadare
wading pool [ˈweɪdɪŋpu:l] *s* plaskdamm
wafer [ˈweɪfə] *s* **1** rån, wafer; *thin as a ~* tunn som papper, lövtunn **2** oblat, hostia
wafer-thin [ˈweɪfəθɪn] *adj* **1** lövtunn **2** ytterst knapp
1 waffle [ˈwɒfl] *s* våffla
2 waffle [ˈwɒfl] vard. **I** *vb itr* svamla, dilla [äv. *~ on*] **II** *s* svammel, dillande, flum
waffle iron [ˈwɒflˌaɪən] *s* våffeljärn
waft [wɑ:ft, wɒft] **I** *vb tr* **1** om vind el. vågor föra, bära **2** sända genom luften; *~ kisses to* kasta slängkyssar till
II *vb itr* föras (bäras) [av vinden], sväva, komma svävande [*the music ~ed across the lake*]
III *s* **1** vindfläkt, vindpust **2** doft
wag [wæg] **I** *vb tr* vifta på (med) [*the dog ~ged its tail*]; vippa på (med) [*the bird ~ged its tail*]; vicka på (med) [*~ one's foot*]; vagga med, skaka på, ruska på [*~ one's head*]; höta med [*~ one's finger at* (åt) *sb*]; *the tail is ~ging the dog* bildl. det är svansen som styr det är de underordnade som bestämmer
II *vb itr* vifta [*the dog's tail ~ged*]; svänga [hit och dit], vippa, vicka, vagga; *let one's tongue ~* bildl. **a)** prata strunt **b)** vara lösmynt; *set tongues ~ging* bildl. sätta fart på skvallret (pratet)
III *s* **1** viftning [*a ~ of* (på) *the tail*]; vippande, vickning, vaggande, svängning, skakning, ruskning **2** åld. skämtare, rolighetsminister, spjuver

wage [weɪdʒ] **I** *s* **1** vanl. pl. *~s* lön, avlöning spec. veckolön för arbetare; sjö. hyra; *weekly ~s* veckolön **2** *~s* (med verb vanl. i pl.) ekon. löner[na] [*when ~s are high, prices are high*] **3** attr. löne-, avlönings-
II *vb tr* utkämpa [*~ a battle; against* (on) mot; *with* med]; driva [*~ a campaign*]; *~ war* föra krig
wage bracket [ˈweɪdʒˌbrækɪt] *s* lönegrupp, löneklass
waged [weɪdʒd] *adj* avlönad
wage demand [ˈweɪdʒdɪˌmɑ:nd] *s* lönekrav
wage dispute [ˈweɪdʒdɪˌspju:t] *s* lönekonflikt, lönestrid
wage drift [ˈweɪdʒdrɪft] *s* löneglidning
wage earner [ˈweɪdʒˌɜ:nə] *s* löntagare; familjeförsörjare
wage freeze [ˈweɪdʒfri:z] *s* lönestopp
wage packet [ˈweɪdʒˌpækɪt] *s* lönekuvert
wage-price [ˈweɪdʒˌpraɪs] *adj*, *~ spiral* ekon. löne-pris-spiral
wager [ˈweɪdʒə] **I** *s* vad; insats
II *vb tr* slå (hålla) vad om; satsa, sätta [*~ a pound on a horse*]; våga; riskera
wage restraint [ˈweɪdʒrɪˌstreɪnt] *s* återhållsamhet då det gäller löner (lönekrav)
wage sheet [ˈweɪdʒʃi:t] *s* lönelista
wage talks [ˈweɪdʒtɔ:ks] *s pl* löneförhandlingar
wage worker [ˈweɪdʒˌwɜ:kə] *s* amer. löntagare, familjeförsörjare
waggle [ˈwægl] **I** *vb tr* vifta (vippa, vicka) på (med), vagga med, skaka (ruska) på, höta med; jfr *wag I*
II *vb itr* svänga, vagga, gunga
III *s* viftning, viftande, vippande, vickande [*with a ~ of the hips*]
wagon [ˈwægən] *s* **1** vagn; lastvagn, transportvagn; [hö]skrinda; järnv. [öppen] godsvagn; *covered ~* **a)** täckt godsvagn **b)** prärievagn **2** amer. vard. polispiket; *the ~* äv. Svarta Maja fångtransportvagn **3** vard., *be on the ~* vara torr[lagd], ha slutat dricka alkohol; *go on the ~* sluta dricka, spola kröken
wagoner [ˈwægənə] *s* åkare; utkörare; kusk
wagon-lit [ˌvægɒŋˈli:] (pl. *wagons-lit* utt. som sing. el. *~s* [-z]) *s* fr. sovvagn; sovkupé
wagon train [ˈwægəntreɪn] *s* **1** mil. tross **2** vagnskolonn
wagtail [ˈwægteɪl] *s* zool. [sädes]ärla
waif [weɪf] *s* föräldralöst (hemlöst) barn; *~s and strays* föräldralösa (hemlösa, kringdrivande) barn
wail [weɪl] **I** *vb itr* **1** klaga [högljutt (bittert)], jämra sig [*over, at* över]; kvida, skrika, tjuta [*~ with* (av) *pain*] **2** om vind o.d. tjuta [*the sirens were ~ing*]; vina
II *vb tr* klaga [högljutt (bittert)] över
III *s* [högljudd (bitter) klagan, jämmer[skri]
Wailing Wall [ˌweɪlɪŋˈwɔ:l] *s*, *the ~* klagomuren i Jerusalem
wainscot [ˈweɪnskət, -skɒt] *s* panel[ning], boasering; brädfodring
waist [weɪst] *s* **1** midja, liv; *stripped to the ~* naken till midjan, med bar överkropp **2 a)** [skjort]blus **b)** klänningsliv **c)** livstycke för barn
waistband [ˈweɪs(t)bænd] *s* **1** linning; kjollinning, byxlinning; midjeband **2** gördel, skärp
waistcoat [ˈweɪs(t)kəʊt, amer. ˈwes-, ˈweɪs-] *s* väst
waist-deep [ˌweɪstˈdi:p] *adj* o. *adv* midjedjup, [nedsjunken] till midjan, upp (ända) till midjan [*he*

stood ~ in the water]; **the water was ~** vattnet gick (nådde upp) till midjan

waist-high [ˌweɪstˈhaɪ] *adj* o. *adv* [som når upp] till midjan [~ *waves*]; jfr *waist-deep*

waistline [ˈweɪs(t)laɪn] *s* midja; midjelinje; midjevidd; **keep one's ~ down** hålla sig slank

wait [weɪt] **I** *vb itr* **1** vänta; dröja; stanna [kvar]; *you ~!* vänta [du] bara! som hotelse; **~ and see** vänta och se, avvakta, se tiden an (jfr *wait-and-see*); **keep sb ~ing** el. **make sb ~** låta ngn vänta; **everything comes to those who ~** ung. den som väntar på något gott väntar aldrig för länge; **that can ~** det är inte så bråttom med det; **~ to** + inf. a) vänta för att [*we ~ed to see what would happen*] b) vänta på att [*they were ~ing to be served*]; **I can't ~!** jag längtar verkligen!; **she couldn't ~ to get there** hon kunde inte komma dit snabbt nog **2** passa upp, servera **II** *vb tr* **1** vänta på; **~ one's opportunity** avvakta (vänta på, invänta) ett lämpligt tillfälle; **you must ~ your turn** du får vänta tills det blir din tur **2** amer. vänta med; **don't ~ dinner for me** vänta inte på mig med middagen **3** amer., **~ table** passa upp vid bordet, servera **III** *vb itr* med adv. el. prep.:

wait at table passa upp vid bordet, servera

wait behind stanna kvar

wait for a) vänta på, avvakta b) lura på [~ *for an opportunity*] c) ~ *for it!* vard. hör och häpna!

wait on a) passa upp [på], servera; betjäna, expediera [~ *on a customer*] b) uppvakta, göra sin uppvaktning hos

wait up a) stanna uppe [*he ~ed up to see a late show on television*]; **~ up for sb** sitta (stanna) uppe och vänta på ngn b) **~ up!** amer. vänta, jag vill prata (ha sällskap) med dig!

IV *s* **1** väntan [*for* på], väntetid, paus; **we had a long ~ for the bus** vi fick vänta länge på bussen **2** **lie in ~ for** ligga i bakhåll för, ligga och [lur]passa på

wait-and-see [ˌweɪt(ə)nˈsiː] *adj* avvaktande, försiktig; **pursue a ~ policy** inta en avvaktande hållning

waiter [ˈweɪtə] *s* kypare, vaktmästare, uppassare, servitör; **~!** hovmästarn!

waiting [ˈweɪtɪŋ] *s* **1** väntan **2** trafik., **No Waiting!** Förbud att stanna fordon stoppförbud

waiting game [ˈweɪtɪŋgeɪm] *s*, **play a ~** el. **play the ~** inta en avvaktande hållning, vänta och se tiden an

waiting list [ˈweɪtɪŋlɪst] *s* väntelista

waiting period [ˈweɪtɪŋˌpɪərɪəd] *s* försäkr. karenstid

waiting room [ˈweɪtɪŋruːm, -rʊm] *s* väntrum, väntsal

waiting staff [ˈweɪtɪŋˌstɑːf] *s* serveringspersonal

wait list [ˈweɪtlɪst] amer. **I** *vb tr* sätta upp på väntelista **II** *s* väntelista

waitress [ˈweɪtrəs] *s* servitris; **~!** fröken!

waitstaff [ˈweɪtstɑːf] *s* amer. serveringspersonal

waive [weɪv] *vb tr* **1** avstå från [~ *one's right*]; ge upp [~ *one's claim*] **2 a)** lägga åt sidan, bortse från [*let's ~ this matter for the present*] **b)** sätta sig över [~ *formalities*]; nonchalera, åsidosätta

1 wake [weɪk] **I** (*woke woken*) *vb itr* vakna [*what time do you usually ~?*]; vakna upp; bildl. vakna [upp] [~ *from one's daydreams*]; **~ to** bildl. få upp ögonen för

II (*woke woken*) *vb tr* väcka [*the noise woke me*]; väcka upp; bildl. väcka [upp], sätta liv i; **~ to life** väcka till liv, återuppliva; **~ to** väcka till medvetande (insikt) om

III (*woke woken*) *vb itr* o. *vb tr* med adv.:

wake up a) itr. vakna [*what time do you usually ~ up?*]; vakna upp; bildl. vakna [upp]; **~ up and smell the coffee** amer. vard. se verkligheten som den är b) tr. väcka [*the noise woke me up*]; väcka upp; bildl. väcka [upp], sätta liv i [*she needs someone (something) to ~ her up*]

wake up to bildl. a) itr. få upp ögonen för b) tr. väcka till medvetande (insikt) om

IV *s* [lik]vaka; minnesstund

2 wake [weɪk] *s* **1** sjö. kölvatten [*in the ~ of a ship*] **2** bildl., **in the ~ of sb** el. **in sb's ~** i ngns kölvatten (släptåg, spår); **have (bring) in one's ~** medföra, dra med sig, ha i släptåg

wakeboarding [ˈweɪkˌbɔːdɪŋ] *s* sport. wakeboardsåkning, att åka wakeboard

wakeful [ˈweɪkf(ʊ)l] *adj* **1** vaken; sömnlös; genomvakad; **~ night** äv. vaknatt **2** vaksam, vaken

waken [ˈweɪk(ə)n] litt. **I** *vb tr* väcka äv. bildl. [äv. ~ *up*]; **~ up to** el. **~ to** bildl. väcka till medvetande (insikt) om **II** *vb itr* vakna [äv. ~ *up*]; **~ up to** el. **~ to** bildl. få upp ögonen för

wake-up call [ˈweɪkʌpkɔːl] *s* amer. **1** telefonväckning **2** bildl. väckarklocka, tankeställare

wakey-wakey [ˌweɪkɪˈweɪkɪ] *interj* vard. vakna!, upp och hoppa!

waking [ˈweɪkɪŋ] **I** *s* vaket tillstånd **II** *adj* vaken; vakande; vaksam

Waldorf salad [ˈwɔːldɔːfˌsæləd] *s* kok. Waldorfsallad med äpple, rotselleri, valnötter o. majonnäs

wale [weɪl] *s* rand i tyg; ribba i stickat plagg

Wales [weɪlz] **1** geogr. egennamn **2 the Prince of ~** prinsen av Wales titel för den brittiske tronföljaren

walk [wɔːk] **I** *vb itr* (se äv. *walk III*) **1** gå [till fots]; promenera, vandra, flanera; **~ on all fours** gå på alla fyra **2** om spöken o.d. gå igen, visa sig, spöka

II *vb tr* (se äv. *walk III*) **1** gå (promenera, vandra, flanera, spatsera, [gå och] driva) på (i); vandra (ströva) igenom; gå etc. av och an (fram och tillbaka) i (på) [~ *the deck*]; gå igenom (över); **~ it** a) vard. gå [till fots], traska [och gå] [*he had to ~ it*] b) sl. vinna en promenadseger; **~ the plank** se under *plank I 1*; **~ the streets** gå (promenera etc.) på gatorna; åld., om prostituerad gå på gatan **2** vard. följa, gå med [~ *a girl home*] **3** hjälpa att gå, leda; **~ the dog** gå ut med (rasta) hunden

III *vb itr* o. *vb tr* med prep. el. adv., ofta med spec. översättningar:

walk about gå (promenera etc.) omkring [i (på)]

walk away a) gå [sin väg] b) **~ away with** vard. knycka [*someone has ~ed away with the silver*]; [med lätthet] vinna (ta hem) [*he ~ed away with the first prize*]

walk in a) gå (träda) in, stiga in (på) b) **~ in on sb** komma in oanmäld till ngn

walk into a) gå etc. in (ner, upp) i b) vard. gå lös på, klå upp

walk off a) gå [sin väg]; **~ off with** se *walk away with* under *walk away* b) ovan b) föra bort, dra i väg med

walk on a) gå 'på, gå (vandra) vidare b) teat. spela

en statistroll, uppträda som statist **c**) *I felt I was
~ing on air* det kändes som om jag vandrade på små
moln
walk out a) gå ut; gå ut och gå **b**) gå i strejk **c**) *~ out
on* vard. gå ifrån, lämna [*they ~ed out on the
meeting*]; överge [*he has ~ed out on his girlfriend*];
lämna i sticket
walk over a) föra (visa) omkring på (i) **b**) bildl., *~ all
over* topprida, trampa på, hunsa [*don't let him ~ all
over you*] **c**) sport. vinna på walk-over [över]; vinna
en promenadseger [över]
walk up a) gå (stiga) upp (uppför) **b**) gå (stiga) fram
[*to till*]
IV *s* **1** promenad; [fot]vandring; *it is only ten
minutes' ~* det tar bara tio minuter att gå; *go [out]
for a ~* el. *take a ~* gå ut och gå (promenera); *take the
dog for a ~* gå ut [och gå] med hunden, rasta
hunden **2** promenadväg, [gång]väg, allé **3** sport.
gångtävling; *20 km. ~* 20 km gång **4** [*I know her*] *by
her ~* ...på hennes sätt att gå **5** promenadtakt; *at a
~* i skritt; gående; [*after running for two miles*] *he
dropped into a ~* ...började han gå **6** bildl. område
[*other ~s of science*]; gebit, fack **7** *~ of life*
a) samhällsställning, samhällsgrupp, samhällsklass
[*men from all ~s of life*] b) yrke[sområde]
walkabout ['wɔ:kəbaʊt] *s* vard. [informell
(improviserad)] promenad bland allmänheten (av
offentlig person)
walkaway ['wɔ:kəweɪ] *s* amer. sport. promenadseger
walker ['wɔ:kə] *s* **1** [fot]vandrare; fotgängare;
flanör; *he is a fast ~* han går fort **2** sport. gångare
3 amer. gåstol [äv. *baby ~*] **4** amer. gåbock för
funktionshindrade
walkies ['wɔ:kɪz] *s* vard., *let's go ~!* till hund kom, så
går vi ut och går
walkie-talkie [ˌwɔ:kɪ'tɔ:kɪ] *s* walkie-talkie, bärbar
kommunikationsradio
walk-in ['wɔ:kɪn] *adj* **1** stor nog att gå in i; *a ~ closet*
en klädkammare **2** drop in-
walking ['wɔ:kɪŋ] **I** *s* **1** gående; gång, sätt att gå;
fotvandring[ar], promenad[er]; *~ is good exercise*
att gå är bra motion; *within ~ distance* på
gångavstånd, gångväg; *at a ~ pace* i skritt; gående
2 sport. gång[sport]; *~ race* gångtävling **3** väglag; *it
is bad ~* äv. det är tungt att gå
II *adj* gående, gång-; promenerande, vandrande; *a
~ dictionary (encyclopedia)* ett levande lexikon
walking frame ['wɔ:kɪŋfreɪm] *s* gåbock för
rörelsehindrad
walking papers ['wɔ:kɪŋˌpeɪpəz] *s pl* vanl. amer. vard.
respass, avsked på grått papper [*they gave him his
~*]
walking shoe ['wɔ:kɪŋʃu:] *s* promenadsko
walking stick ['wɔ:kɪŋstɪk] *s* **1** promenadkäpp
2 vanl. amer. zool. vandrande pinne insekt
walking tour ['wɔ:kɪŋtʊə] *s* fotvandring
Walkman® ['wɔ:kmən] (pl. *~s*) *s* freestyle
kassettbandspelare i fickformat
walk-on part ['wɔ:kɒnpɑ:t] *s* film. el. teat. statistroll
walkout ['wɔ:kaʊt] *s* **1** strejk **2** uttåg i protest
(demonstrativ frånvaro) från sammanträde o.d.
walkover ['wɔ:kˌəʊvə] *s* **1** sport. **a**) walkover
b) promenadseger **2** bildl. enkel match (sak)

walk-up ['wɔ:kʌp] amer. vard. **I** *s* [hyres]hus utan hiss
II *adj* [uppe i ett hus] utan hiss [*a ~ apartment*]
walkway ['wɔ:kweɪ] *s* **1** täckt gångbro mellan
byggnader **2** gång, trädgårdsgång, uppfartsväg
wall [wɔ:l] **I** *s* mur äv. bildl.; vägg; befästningsmur;
[skydds]vall, fördämning, barriär; spaljévägg; *~s
have ears* väggarna har öron; *be up the ~* sl. vara
utom (ifrån) sig, vara alldeles vild; *come (be) up
against a ~* bildl. köra (ha kört) fast; *drive (send) up
the ~* sl. driva till vansinne, göra galen; *have one's
back to the ~* bildl. vara ställd mot väggen, vara i en
omöjlig situation; *put (stand) sb up against a ~* bildl.
ställa ngn mot väggen; *bang (run, knock) one's head
against a ~* bildl. köra huvudet i väggen; *it is like
talking to a brick ~* det är som att tala till en vägg
II *vb tr* med adv.:
wall in omge (förse) med en mur (murar etc., jfr *wall
I*), [låta] bygga en mur etc. kring
wall off dela av [med en vägg]; avskilja äv. bildl.
wall up a) mura igen [*~ a window*] **b**) mura in;
stänga (spärra) in
wallaby ['wɒləbɪ] *s* zool. vallaby kängurusläkte
Wallace ['wɒlɪs, -ləs] mansnamn
wallah ['wɒlə] *s* vard. karl, kille vanl. som efterled i
sammansättn.; *the ambulance ~s* ambulanskillarna,
killarna som kör ambulansen
wall bars ['wɔ:lbɑ:z] *s pl* gymn. ribbstol
wall chart ['wɔ:ltʃɑ:t] *s* väggplansch
wallet ['wɒlɪt] *s* plånbok
walleyed ['wɔ:laɪd] *adj* **1** *be ~* skela **2** vilt stirrande,
storögd
wallflower ['wɔ:lˌflaʊə] *s* **1** vard. panelhöna,
panelhöns **2** bot. lackviol
walling ['wɔ:lɪŋ] *s* **1** kringbyggande etc., jfr *wall II*;
murande, murning **2** murverk, murar, väggar
wall map ['wɔ:lmæp] *s* väggkarta
wall-mounted ['wɔ:lˌmaʊntɪd] *adj* vägg-
wall newspaper [ˌwɔ:l'nju:sˌpeɪpə] *s* väggtidning
Walloon [wɒ'lu:n, wə'l-] **I** *s* **1** vallon; vallonska
kvinna **2** vallonska [dialekten]
II *adj* vallonsk
wallop ['wɒləp] vard. **I** *vb tr* klå [upp], ge stryk; sport.
klå, sopa banan med
II *s* **1** slag, råsop, smocka; duns [*with a ~*]
2 slagkraft; genomslagskraft; *he packs a ~* han har
krut i näven; *that ad packs a ~* den där annonsen är
en verklig panggrej
walloping ['wɒləpɪŋ] vard. **I** *s* stryk, smörj äv. sport.;
get a ~ få stryk (smörj) **II** *adj* väldig,
hejdundrande; *a ~ lie* en grov lögn
wallow ['wɒləʊ] *vb itr* **1** bildl., *~ in* vältra (vräka) sig i
[*~ in luxury*]; vada (simma) i [*~ in money*]; frossa i
[*some newspapers ~ in scandal*] **2** vältra (rulla) sig
[*pigs ~ing in the mire*] om t.ex. skepp rulla
wall painting ['wɔ:lˌpeɪntɪŋ] *s* väggmålning, fresk
wallpaper ['wɔ:lˌpeɪpə] **I** *s* tapet[er]; *~ music*
skvalmusik, bakgrundsmusik **II** *vb tr* tapetsera
wall plug ['wɔ:lplʌg] *s* elektr. stickpropp
Wall Street ['wɔ:lstri:t] **I** gata i New York, där börsen o.
ett antal banker är belägna; *the ~ Crash* börskraschen
1929; *on ~* äv. på den amerikanska börsen **II** *s* bildl.
den amerikanska storfinansen
wall-to-wall [ˌwɔ:ltʊ'wɔ:l] *adj* **1** *~ carpet*

heltäckningsmatta **2** vard., **~ *sales*** total utförsäljning

wally ['wɔːlɪ] *s* vard. dumskalle, fåntratt

Wal-Mart® ['wɔːlmɑːt] stor affärskedja i USA

walnut ['wɔːlnʌt, -nət] *s* bot. valnöt; valnötsträ; valnötsträd

walrus ['wɔːlrəs, -rʌs] *s* zool. valross

waltz [wɔːls, wɒls, wɔːlts, wɒlts] **I** *s* vals dans; vals[melodi]
II *vb itr* **1** dansa vals, valsa **2** vard. ranta, ränna [*I don't like strangers ~ing about here*]; dansa [*she ~ed into the room and out again*]; segla; **he ~ed off with the first prize** han promenerade hem (tog lätt hem) första priset
III *vb tr* **1** dansa vals (valsa) med **2** vard. lotsa [kvickt] [*he ~ed us right into the governor's office*]

wan [wɒn] *adj* **1** glåmig [*pale and ~*]; [sjukligt] blek **2** matt, lam [*~ attempts*]; **a ~ smile** ett blekt (svagt) småleende

wand [wɒnd] *s* **1** trollstav, trollspö [äv. *magic ~*] **2** data. läspenna, ljuspenna **3** *mascara* ~ mascara i hylsa, i motsats till kakmascara

wander ['wɒndə] **I** *vb itr* **1** eg., ~ *about* vandra (irra, ströva) omkring [*we ~ed for miles and miles in the mist*]; vanka omkring; föra ett kringflackande liv; **~ up and down the road** vanka fram och tillbaka på vägen **2** om blick, hand, penna o.d. glida, fara, gå [*over* över]; **his attention ~ed** hans tankar började vandra; **his mind (thoughts) ~ed back to the past** han tänkte tillbaka på (återvände i tankarna till) det som varit **3** ~ el. **~ away** el. **~ off** gå vilse, komma bort; avvika [*from* från]; förirra sig [*into* in i]; komma på villovägar; **~ from the subject (point)** gå (komma) ifrån ämnet
II *vb tr* vandra (ströva, vanka) omkring på (i) [*~ the streets (the town)*]

wanderer ['wɒndərə] *s* vandrare, vandringsman

wandering ['wɒnd(ə)rɪŋ] *adj* **1** [kring]vandrande, [kring]irrande, kringresande [*~ tourists*]; kringflackande [*lead a ~ life*]; vandrings-, nomadisk [*~ tribes*] **2** vilsekommen, vilsegången, vilsen; förlupen [*a ~ bullet*]

Wandering Jew [ˌwɒnd(ə)rɪŋˈdʒuː] *s*, **the ~** den vandrande juden

wandering kidney [ˌwɒnd(ə)rɪŋˈkɪdnɪ] *s* vandrande njure

wanderings ['wɒnd(ə)rɪŋz] *s pl* **1** vandringar, långa resor, irrfärder; kringflackande **2** avvikande, avvikelse [*from* från]

wanderlust ['wɒndəlʌst, 'vɑːndəlʊst] *s* ty. reslust, vandringslust

wane [weɪn] **I** *vb itr* **1** avta [*his strength is waning*]; minska[s], försvagas **2** om månen o.d. avta, vara i avtagande
II *s* **1 on the ~** i avtagande, på retur, på tillbakagång; på upphällningen **2 the moon is on the ~** månen är i nedan (i avtagande)

wangle ['wæŋgl] vard. **I** *vb tr* fiffla med [*~ the accounts*]; mygla till sig [*~ an invitation to a party*]
II *vb itr* fiffla, tricksa; mygla

wank [wæŋk] sl. **I** *vb itr* runka onanera [äv. *~ off*] **II** *s* runk onanerande

wanker ['wæŋkə] *s* sl. kräk, nolla, idiot

wanna ['wɒnə] vard., se *want to*

wannabe ['wɒnəbɪ] *s* vard. (förvanskning av *want to be*) 'wannabe' någon som vill efterlikna en känd person [*a Madonna ~*]

wanness ['wɒnnəs] *s* glåmighet, [sjuklig] blekhet

want [wɒnt] **I** *vb tr* **1** vilja; vilja ha [*do you ~ some bread?*]; önska [sig] [*what do you ~ for Christmas?*]; begära; söka [*we ~ information*]; **~ed** i annons önskas hyra [*furnished room ~ed*]; önskas köpa, köpes [*bungalow ~ed*]; sökes [*cook ~ed*]; **much ~ed** efterlängtad [*a much ~ed baby*]; **I don't ~ it said that…** jag vill inte att man ska säga att…; **how much do you ~ for…?** hur mycket begär du för…?; **what do you ~ from (of) me?** vad begär du av mig?, vad vill du mig? **2** behöva; **it ~s doing** det behöver göras; **it ~s some doing** det är (blir) ingen lätt sak; **it ~s to be done [with great care]** det måste (bör) göras… **3** sakna, inte ha; **he ~s the will to do it** han saknar viljan att göra det **4** opers.: **it ~s very little** det fattas mycket litet **5** vilja tala med; **you are ~ed on the phone** det är telefon till dig; **~ed [by the police]** efterlyst [av polisen]; **he is ~ed by the police** han är efterspanad av polisen; **much ~ed** mycket eftersökt (efterfrågad)
II *vb itr* **1** vilja [*we can stay at home if you ~*] **2** lida nöd **3** saknas, fattas [*all that ~s is her signature*]
III *vb itr* med adv. el. prep.:
want for: *he ~ed for nothing* han saknade ingenting, han hade allt han behövde
want in vard. vilja in, vilja gå (komma) in
want out vard. vilja ut, vilja gå (komma) ut [*the cat ~s out*]
IV *s* **1** vanl. pl.: **~s** behov; önskningar; **supply (meet) a long-felt ~** fylla ett länge känt behov **2** brist, avsaknad; **~ of** brist på, bristande [*~ of attention*]; **it wasn't for ~ of trying that…** det var inte så att han inte försökte, men… **3** nöd [*freedom from ~*]; armod; **be in ~** lida nöd

want ad ['wɒntæd] *s* vanl. amer. vard. annons under rubriken 'Köpes' ('Sökes', 'Önskas')

wanting ['wɒntɪŋ] **I** *adj* o. pres p saknande, som saknar; **be ~** saknas, fattas, vara borta [*a few pages of this book are ~*]; felas; **be found ~** visa sig inte vara bra nog (bristfällig); **be ~ in** sakna [*he is ~ in intelligence*]; brista i [*he is ~ in respect*]
II *prep* utan; i avsaknad av

wanton ['wɒntən] *adj* **1** godtycklig, omotiverad, meningslös [*~ destruction*]; hänsynslös [*a ~ attack*] **2** lättfärdig [*a ~ woman*]; lättsinnig, liderlig [*~ thoughts*]

wantonly ['wɒntənlɪ] *adv* godtyckligt; lättfärdigt etc., jfr *wanton*; av okynne

WAP [wæp, wɒp] data. el. tele. (förk. för *wireless application protocol*) WAP

wapiti ['wɒpɪtɪ] *s* zool. vapiti, nordamerikansk kronhjort

war [wɔː] *s* krig, bildl. äv. kamp [*the ~ against disease*]; strid [*~ to (på) the knife*]; **civil ~** inbördeskrig; **the cold ~** det kalla kriget; **on a ~ footing** på krigsfot; **declare ~** förklara krig [*on, against* mot]; **make ~** el. **wage ~** föra krig [*on* mot]; **be at ~** vara (ligga) i krig (fejd) [*with* med]; **be away at the ~s** vara ute i krig; **he has been in the ~s** vard. han har råkat ut för en hel del [olyckor], han har blivit illa tilltygad; **go to** ~ börja krig [*against*, *with* mot, med], bryta freden

warble ['wɔːbl] **I** *vb tr* o. *vb itr* spec. om fåglar sjunga, kvittra, drilla, slå, slå en drill ([sina] drillar) **II** *s* fågels sång, kvitter, drill; trastens slag

warbler ['wɔːblə] *s* zool. sångare; **willow** ~ lövsångare

war chest ['wɔːtʃest] *s* kampanjfond för t.ex. valkampanj

war correspondent ['wɔːˌkɒrɪ'spɒndənt] *s* krigskorrespondent

war council ['wɔːkaunsl] *s* amer. krigsråd

war crime ['wɔːkraɪm] *s* krigsförbrytelse; **~s tribunal** krigsförbrytartribunal

war criminal ['wɔːˌkrɪmɪnl] *s* krigsförbrytare

war cry ['wɔːkraɪ] *s* **1** stridsrop, härskri **2** bildl. [politiskt] slagord, paroll, lösen

ward [wɔːd] **I** *s* **1** avdelning, sal, rum på sjukhus o.d.; **casualty** ~ se *casualty ward*; **maternity** ~ BB-avdelning, förlossningsavdelning; **private** ~ enskilt rum **2** administrativt [stads]distrikt; **electoral** ~ valdistrikt **3** spec. jur. förmynderskap; ~ [**of court**] myndling, omyndig [person]
II *vb tr*, ~ **off** avvärja, parera [~ *off a blow*]; avvända [~ *off a danger*]; avstyra; hålla på avstånd (ifrån sig)

war dance ['wɔːdɑːns] *s* krigsdans

warden ['wɔːdn] *s* **1** föreståndare [*the* ~ *of a youth hostel*] **2** rektor vid vissa eng. colleges [*the Warden of Merton College, Oxford*] **3** uppsyningsman; **air-raid** ~ ung. ordningsman vid civilförsvaret; **forest** ~ skogvaktare; **traffic** ~ trafikvakt, kvinnl. äv. lapplisa **4** se *churchwarden 1* **5** vanl. amer. fängelsedirektör

warder ['wɔːdə] *s* åld. **1** fångvaktare **2** vakt

ward heeler ['wɔːdˌhiːlə] *s* amer. vard. hantlangare åt politiker; underhuggare

wardrobe ['wɔːdrəub] *s* **1** garderob [äv. *built-in* ~]; klädkammare; klädskåp **2** koll. garderob [*renew one's* ~]; kläder **3** teat. kostymatelijé

wardrobe master ['wɔːdrəubˌmɑːstə] *s* o. **wardrobe mistress** ['wɔːdrəubˌmɪstrəs] *s* garderobsförvaltare vid teater

wardroom ['wɔːdruːm] *s* sjö. mil. officersmäss

wardship ['wɔːdʃɪp] *s* **1** förmynderskap **2** beskydd; förvar **3** omyndighet, myndlingskap

ward sister ['wɔːdˌsɪstə] *s* avdelningsföreståndare på sjukhus

ware [weə] *s* koll. (som efterled i sammansättn.) -varor [*ironware*]; -gods [*stoneware*]; -artiklar, -saker [*silverware*]

warehouse [subst. 'weəhaus, verb 'weəhauz] **I** *s* **1** lager[lokal], [varu]upplag, magasin, nederlag; [tull]packhus; ~ **party** jätteparty i lagerlokal o.d., raveparty; **bonded** ~ tullnederlag; **data** ~ datalager **2** möbelmagasin [äv. *furniture* ~]
II *vb tr* hand. magasinera, lagra

warehouse club ['weəhausklʌb] *s* slags stormarknad, köplada för personer med medlemskort

warehousing ['weəˌhauzɪŋ] *s* magasinering, lagring; **data** ~ datalagerhantering

wareroom ['weəruːm] *s* amer. butik, affär, magasin

wares [weəz] *s pl* ngt åld. varor [*advertise one's* ~]; småartiklar

warez [weəz] (variantstavning av *wares*) *s pl* data.

piratkopierade programvaror spec. sådana där kopieringsskyddet forcerats

warfare ['wɔːfeə] *s* **1** krig, krigföring; stridsmetoder; **chemical** ~ kemisk krigföring **2** krig, krigstillstånd; kamp, strid; **act of** ~ krigshandling

war game ['wɔːgeɪm] *s* krigsspel

warhead ['wɔːhed] *s* mil. stridsdel, stridsspets i robot [*nuclear* ~]; stridskon [*the* ~ *of a torpedo*]; stridsladdning

warhorse ['wɔːhɔːs] *s* vard. [gammal] veteran (kämpe)

warily ['weərəlɪ] *adv* varsamt, försiktigt

wariness ['weərɪnəs] *s* varsamhet, försiktighet

warlike ['wɔːlaɪk] *adj* **1** krigisk, stridslysten, stridbar **2** krigs- [~ *preparations*]

warlock ['wɔːlɒk] *s* trollkarl

warlord ['wɔːlɔːd] *s* litt. fältherre, krigsherre

warm [wɔːm] **I** *adj* **1** varm, värmande [*a* ~ *fire*]; ljum; **keep a seat (place)** ~ **for me** [*till I come*] håll en plats åt mig... **2** bildl. **a)** varm [*a* ~ *admirer*]; hjärtlig [*a* ~ *reception (welcome)*], jfr äv. *warm 3* nedan]; innerlig, varmhjärtad; ivrig, entusiastisk [*a* ~ *supporter*] **b)** hetsig, het, häftig [*a* ~ *protest*]; våldsam, lidelsefull **c)** varmblodig, sinnlig **3** bildl. obehaglig, otrevlig; besvärlig; **give sb a** ~ **reception (welcome)** äv. ge ngn ett varmt (hett) mottagande, ta emot ngn med varma servetter; **make things (it)** ~ **for sb** göra livet surt för ngn; **it's** ~ **work** vard. det är väldigt jobbigt **4** bildl., i lek, **you're getting** ~ det bränns
II *vb tr* värma äv. bildl. [*it* ~*ed my heart*]; värma upp [~ *the milk*]
III *vb itr* bli varm[are]; värmas [upp]; värma sig
IV *vb tr* o. *vb itr* med adv. el. prep.:
warm over amer. värma upp [~ *over cold coffee*]
warm to a) ~ **to sb** tycka mer och mer om ngn, bli vänligare stämd mot ngn **b)** ~ **to one's subject** gå upp i sitt ämne, tala sig varm [för sin sak] **c)** ~ **to one's work (task)** bli varm i kläderna, komma in i arbetet
warm up a) värmas upp, bli varm (uppvärmd) [*the engine is* ~*ing up*] **b)** bildl. bli varm i kläderna, komma i gång; tala sig varm [*she* ~*ed up as she went on with her speech*]; tina upp **c)** sport. värma upp sig **d)** tr. värma upp äv. sport.
V *s* uppvärmning; värme; **give one's hands a** ~ värma händerna [ett tag]; **have (get) a** ~ värma sig [litet]

warm-blooded [ˌwɔːm'blʌdɪd, attr. äv. '-,--] *adj* varmblodig äv. bildl.

warmed-over [ˌwɔːmd'əuvə] *adj* amer. **1** uppvärmd [~ *coffee*] **2** bildl. **a)** omstuvad [*a* ~ *version of an old show*] **b)** avslagen, nattstånden

warmed-up [ˌwɔːmd'ʌp] *adj* uppvärmd

war memorial ['wɔːmɪˌmɔːrɪəl] *s* krigsmonument, monument över stupade soldater

warm front [ˌwɔːm'frʌnt] *s* meteor. varmfront

warm-hearted [ˌwɔːm'hɑːtɪd, attr. äv. '-,--] *adj* varmhjärtad

warming ['wɔːmɪŋ] **I** *s* uppvärmning **II** *adj* värmande

warming pan ['wɔːmɪŋpæn] *s* värmekrus, sängvärmare

warmonger ['wɔː,mʌŋgə] s krigshetsare, krigsivrare, vapenskramlare

warmth [wɔːmθ] s **1** värme **2** bildl. **a)** värme, hjärtlighet, innerlighet; iver, entusiasm **b)** hetta, hetsighet, häftighet, irritation; [*she answered*] *with some* ~ ...med en viss hetta (irritation), ...något hetsigt (irriterat)

warm-up ['wɔːmʌp] s **1** sport. el. bildl. uppvärmning **2** mus., ~ *band* förband **3** amer., pl. ~s träningsoverall

warn [wɔːn] **I** vb tr **1** varna [*sb of sth* el. *sb about sth* ngn för ngt; *sb against sb* (*sth*) ngn för ngn (ngt)]; avråda [*sb against sth* ngn från ngt]; *he ~ed me against going* el. *he ~ed me not to go* han varnade mig för (avrådde mig från) att gå **2** varsla, varsko, förvarna, [i förväg] underrätta [*of* om; *that* om att] **3** påminna om, göra uppmärksam på [*of sth* ngt; *that* att] **4** [upp]mana [*she ~ed us to be on time*]; förmana
II vb itr, ~ *against* el. ~ *about* el. ~ *of* varna för, slå larm om
III vb tr med adv.:
warn sb off [**sth**] **a)** avvisa ngn [från ngt] [*they were ~ed off the premises*] **b)** uppmana ngn att hålla sig undan [från ngt]

warning ['wɔːnɪŋ] s **1** varning; varnande (avskräckande) exempel [*as a* ~ *to* (för) *others*]; varnagel; *gale* ~ stormvarning; *let this be a* ~ *to you* låt detta bli dig en varning (ett varnande exempel för dig); *take* ~ låta varna sig, ta varning [*from* av]; *a word of* ~ ett varningens ord, ett varningsord **2** förvarning, varsel, [förhands]meddelande [*of* om]; *be a* ~ *of* äv. varsla om, tyda på; *give sb a fair* ~ varna (varsko, förvarna) ngn i tid

warning sign ['wɔːnɪŋsaɪn] s **1** trafik. varningsmärke, varningsskylt **2** bildl. varningssignal [*early ~s of an illness*]

warning triangle [,wɔːnɪŋtraɪ'æŋgl] s trafik. varningstriangel

war of attrition [,wɔːrəvə'trɪʃ(ə)n] s utmattningskrig, utnötningskrig

war of nerves [,wɔːrəv'nɜːvz] s nervkrig

war of words [,wɔːrəv'wɜːdz] s ordstrid, strid om ord

warp [wɔːp] **I** vb tr (se äv. *warped*) **1** göra skev (vind, buktig) **2** bildl. **a)** snedvrida, förvränga, förvanska [~ *a report*] **b)** förvända, förvilla; påverka [~ *sb's judgement*]
II vb itr **1** bli skev (vind, buktig), slå sig [*the door has ~ed*] **2** bildl. förvanskas
III s vävn. varp, ränning

war paint ['wɔːpeɪnt] s krigsmålning äv. bildl.

warpath ['wɔːpɑːθ] s, *on the* ~ på krigsstigen, på stridshumör

warped [wɔːpt] adj **1** skev, vind, buktig, som har slagit sig **2** bildl. skev, snedvriden, förvanskad; förvänd, depraverad [*he has got a ~ mind*]

warrant ['wɒr(ə)nt] **I** s **1** spec. jur. **a)** fullmakt, befogenhet, bemyndigande, tillstånd **b)** skriven order; ~ *of arrest* häktningsorder, häktningsbeslut **2** moralisk rätt, grund [*he had no* ~ *for saying so*]; stöd; berättigande **3** garanti, säkerhet [*of* för]; bevis [*of* på]
II vb tr **1 a)** berättiga, rättfärdiga [*nothing can* ~ *such insolence*]; motivera, försvara **b)** sanktionera

[*the law ~s this procedure*]; *be ~ed to* ha [full] rätt att **2** garantera [*I* ~ *it to be* (att det är) *true*; ~*ed 22 carat gold*]; ansvara (stå) för, gå i god för; försäkra; *I ~!* el. *I'll ~!* åld. det kan jag försäkra!

warrant card ['wɒr(ə)ntkɑːd] s tjänstekort för polisman, polislegitimation

warrant officer ['wɒr(ə)nt,ɒfɪsə] s mil. förvaltare; amer. fanjunkare

warranty ['wɒr(ə)ntɪ] s garanti, säkerhet; *the car is still under* ~ garantin på bilen gäller fortfarande (har inte gått ut ännu)

warren ['wɒr(ə)n] s **1 a)** kaningård; förr hargård **b)** kaninrikt område **2** bildl. tättbebyggt bostadsområde, myllrande kvarter

warring ['wɔːrɪŋ] adj krigande, stridande; kämpande

warrior ['wɒrɪə] s litt. krigare, krigsman, stridsman; attr. krigisk, krigar- [*a* ~ *nation*]

Warsaw ['wɔːsɔː] geogr. Warszawa

warship ['wɔːʃɪp] s krigsfartyg, örlogsfartyg

wart [wɔːt] s vårta; utväxt; ~*s and all* bildl. med alla fel och brister, utan försköning

wart hog ['wɔːthɒg] s zool. vårtsvin

wartime ['wɔːtaɪm] **I** s krigstid **II** adj, *in* ~ *Britain* i krigets Storbritannien; *a* ~ *record* en skiva från kriget

war-torn ['wɔːtɔːn] adj krigshärjad

war-weary ['wɔː,wɪərɪ] adj krigstrött

Warwick ['wɒrɪk] geogr.

Warwickshire ['wɒrɪkʃɪə, -ʃə] geogr.

wary ['weərɪ] adj varsam, försiktig [*of* med]; på sin vakt [*of* mot]; vaksam; *be* ~ *of* äv. akta sig för

was [wɒz, obeton. wəz, wz] imperf. (1 o. 3 person) av *be*

wasabi [wə'sɑːbɪ] s kok. (jap.) wasabi, japansk pepparrot

Wash [wɒʃ] geogr., *the* ~ vik på Englands ostkust

Wash. förk. för *Washington*

wash [wɒʃ] **I** vb tr (jfr äv. *wash III*) **1** tvätta; skölja, spola; diska [vanl. ~ *up*]; vaska; ~ *the dishes* diska; ~ *oneself* tvätta sig; ~ *one's hands* tvätta [sig om] händerna; eufem. gå på toaletten; ~ *one's hands of* bildl. ta sin hand ifrån, inte vilja ha något att göra med; *I* ~ *my hands of it* bildl. jag tvår mina händer; ~ *one's dirty linen in public* bildl. tvätta sin smutsiga byk offentligt **2** om vågor o.d. **a)** skölja [mot], slå upp över, spola [in] över **b)** spola, kasta, skölja [~ *overboard*]
II vb itr (jfr äv. *wash III*) **1** tvätta sig; tvätta av sig **2** tvätta; skölja, spola **3** om tyg o.d. gå att tvätta, tåla tvätt; *guaranteed to* ~ garanterat tvättäkta **4** vard., *it won't* ~ det håller inte; den gubben går inte **5** om vatten m.m. skölja, forsa, strömma
III vb tr o. vb itr i spec. förbindelser med adv. el. prep.:
wash ashore spola (spolas) i land
wash away a) tvätta (spola, skölja) bort **b)** urholka, urgröpa
wash down a) tvätta [av], spola av [~ *down a car*] **b)** skölja ned [~ *down the food with beer*]
wash off a) tvätta bort (av) [~ *off stains*] **b)** gå bort i tvätten **c)** sköljas (spolas) bort
wash out a) tvätta (skölja) ur; tvätta (skölja) upp [~ *out clothes*]; ~*ed out* urtvättad; *feel ~ed out* vard. känna sig urlakad **b)** [*our match*] *was ~ed out* ...regnade bort **c)** vard. stryka [ett streck över] [~

out sb's debts]; utesluta, bortse från
wash up a) diska [upp], tr. äv. diska av **b)** amer. tvätta [av] sig **c)** om vågor skölja (spola, kasta) upp **d)** vard., **~ed up** slut, färdig [*he was ~ed up as a boxer*]; **we're ~ed up** det är slut mellan oss
IV *s* **1** tvättning; **give the car a** [*good*] ~ tvätta (spola) av bilen [ordentligt]; **have a** ~ tvätta [av] sig; **have a ~ and brush up** snygga till sig
2 a) tvätt[ning] av kläder **b)** tvätt[kläder]
c) tvätt[inrättning]; **it will come out in the** ~ det går bort i tvätten; bildl. det kommer att ordna upp sig
3 svall[våg] spec. efter båt, skvalp; kölvatten äv. bildl.
4 farmakol. o.d. lotion; spec. som efterled i sammansättn. -vatten [*mouthwash*]; -bad [*eyewash*] **5** mål. [färg]beläggning, [tunt] överdrag (lager)
washable ['wɒʃəbl] *adj* tvättbar, tvättäkta
washbag ['wɒʃbæg] *s* necessär, toalettväska
washbasin ['wɒʃ,beɪsn] *s* handfat, tvättställ
washboard ['wɒʃbɔ:d] *s* tvättbräde
washcloth ['wɒʃklɒθ] *s* amer. tvättlapp
washdown ['wɒʃdaʊn] *s* **1** översköljning, avtvättning, avspolning; **give the car a ~** tvätta (spola) av bilen **2** [kall] avrivning
washed-out ['wɒʃtaʊt] *adj* se *wash out* under *wash III*
washed-up ['wɒʃtʌp] *adj* se *wash up* under *wash III*
washer ['wɒʃə] *s* **1** tekn. **a)** packning till kran o.d. **b)** [underläggs]bricka, mellanläggsskiva **2** vard. tvättmaskin; diskmaskin [äv. *dishwasher*]
washer-dryer o. **washer-drier** [,wɒʃə'draɪə] *s* tvätt- och torkmaskin
wash-house ['wɒʃhaʊs] *s* tvättstuga uthus, brygghus
washing ['wɒʃɪŋ] *s* **1** tvätt[ning]; sköljning, spolning; diskning etc., jfr *wash I* o. *wash II*; **do the ~** tvätta **2** tvätt[kläder]
washing line ['wɒʃɪŋlaɪn] *s* tvättlina
washing liquid ['wɒʃɪŋ,lɪkwɪd] *s* [flytande] tvättmedel
washing machine ['wɒʃɪŋmə,ʃi:n] *s* tvättmaskin
washing powder ['wɒʃɪŋ,paʊdə] *s* tvättmedel, tvättpulver
washing soda ['wɒʃɪŋ,səʊdə] *s* kristallsoda
Washington ['wɒʃɪŋtən] geogr. el. egennamn el. egennamn
washing-up [,wɒʃɪŋ'ʌp] *s* disk, diskning; rengöring; **do the ~** diska
washing-up bowl [,wɒʃɪŋ'ʌpbəʊl] *s* diskbalja
washing-up brush [,wɒʃɪŋ'ʌpbrʌʃ] *s* diskborste
washing-up liquid [,wɒʃɪŋ'ʌp,lɪkwɪd] *s* [flytande] diskmedel
washing-up powder [,wɒʃɪŋ'ʌp,paʊdə] *s* diskpulver
washing-up sink [,wɒʃɪŋ'ʌpsɪŋk] *s* disko
wash leather ['wɒʃ,leðə] *s* tvättskinn, sämskskinn
washout ['wɒʃaʊt] *s* **1** spolning **2** vard. fiasko; om person odugling, nolla
washrag ['wɒʃræg] *s* amer. tvättlapp
washroom ['wɒʃru:m, -rʊm] *s* vanl. amer. toalett
washstand ['wɒʃstænd] *s* tvättställ; kommod, lavoar
washtub ['wɒʃtʌb] *s* tvättbalja
washy ['wɒʃɪ] *adj* vattnig, utspädd, tunn, blaskig [*~ tea*]; bildl. äv. urvattnad, fadd, blek, svag
wasn't ['wɒznt] = *was not*
WASP [wɒsp] *s* amer. (förk. för *White Anglo-Saxon Protestant*) person som tillhör etablissemanget

medlem av den mest inflytelserika gruppen i USA (vit och protestant); ofta neds. borgarbracka
wasp [wɒsp] *s* geting; **~'s nest** getingbo
waspish ['wɒspɪʃ] *adj* retlig, argsint; giftig, stickig, från
wastage ['weɪstɪdʒ] *s* **1** slöseri, slösande [*of* med] **2** spill, svinn; bortfall; förlust av vikt o.d.; **natural ~** naturlig avgång
waste [weɪst] **I** *vb tr* **1 a)** slösa [bort], kasta (öda, ödsla) bort, förslösa, förstöra, [för]spilla [*in sth* på (med) ngt; *over sth* på (med) ngt; *on sb* (*sth*) på ngn (ngt); *in doing sth* på (med) att göra ngt] **b)** slösa (misshushålla) med, låta förfaras (gå till spillo); **~ one's breath** tala för döva öron (förgäves); **~ one's words on** spilla ord på; **~ time** spec. sport. maska; **we ~ed no time** vi lät ingen tid gå förlorad; **~ sb's time** uppta ngns tid **2** försumma, försitta [*~ an opportunity*] **3** ödelägga, föröda, förhärja, skövla äv. bildl. **4** amer. sl. röja ur vägen, expediera, knäppa döda
II *vb itr* **1** förslösas, gå till spillo, förstöras, förfaras **2** slösa; **~ not, want not** ordspr. den som spar han har
III *vb itr* med adv.:
waste away om person tyna av, avtäras; magra
IV *s* **1** slöseri, slösande, misshushållning [*of* med]; **it's a ~ of breath** det är att tala för döva öron; **what a ~ of money!** vilket slöseri [med pengar]!; **be a ~ of space** vard., om person vara värdelös (oduglig); **a ~ of time** bortkastad tid, slöseri med tid, tidsspillan; **go to ~** gå till spillo, förslösas, förfaras **2** avfall; sopor, skräp, rester; utskott; **~ separation** el. **~ sorting** sopsortering; **cotton ~** trassel; **toxic ~** giftutsläpp **3** vanl. pl. **~s** ödemark, vildmark; ödejord; [öde] vidd (sträcka, rymd)
V *adj* **1** öde, ödslig; ödelagd; ofruktbar, ouppodlad; **lay ~** ödelägga, förhärja, skövla; **lie ~** ligga öde (i lägervall) **2** avfalls- [*~ products*]; spill- [*~ oil; ~ water*]; förlorad [*~ energy*]; förspilld
wastebasket ['weɪs(t),bæskɪt] *s* amer. papperskorg
waste bin ['weɪstbɪn] *s* soplår, soptunna
wasted ['weɪstɪd] *adj* **1** bortkastad [*a ~ trip*] **2** [*a body*] **~ by disease** ...tärd (härjad, utmärglad) av sjukdom **3** sl. utslagen
waste disposal ['weɪstdɪs,pəʊz(ə)l] *s* o. **waste disposal unit** ['weɪstdɪs,pəʊz(ə)l'ju:nɪt] *s* **1** avfallskvarn **2** amer. avfallshantering
waste-disposer ['weɪs(t)dɪs,pəʊzə] *s* avfallskvarn
wasteful ['weɪstf(ʊ)l] *adj* **1** slösaktig [*of, with* med; *~ habits*]; oekonomisk [*~ methods*]; **be ~ with** äv. slösa (ödsla) med **2** ödeläggande, förhärjande
waste gas ['weɪstgæs] *s* avgas, avfallsgas
wasteland ['weɪstlænd] *s* ödejord; ofruktbar (ouppodlad) mark, ödemark; öken äv. bildl.
waste material [,weɪstmə'tɪərɪəl] *s* avfall
waste metal [,weɪst'metl] *s* metallskrot
waste paper [,weɪst'peɪpə] *s* pappersavfall, pappersskräp; makulatur, avfallspapper
waste-paper basket [,weɪst'peɪpə,bɑ:skɪt] *s* papperskorg
waste pipe ['weɪstpaɪp] *s* avloppsrör
waste products [,weɪst'prɒdʌkts] *s pl* avfallsprodukter, spill
waster ['weɪstə] *s* **1** slösare [*of* med] **2** vard. odåga

wasting ['weɪstɪŋ] *adj* **1** tärande [*a ~ disease*] **2** krympande [*a ~ fortune*]; förtvinande [*a ~ muscle*]

wastrel ['weɪstr(ə)l] *s* litt. **1** odåga **2** slösare

watch [wɒtʃ] **I** *vb tr* **1** se på, titta på [*~ television*]; hålla ögonen på, iaktta, betrakta; vara noga (se upp) med [*~ one's diet (weight)*]; *~ it!* el. *~ yourself!* se upp!, akta dig!; hotfullt passa dig [noga]!; *~ what you do!* ge akt (tänk) på vad du gör!; *he had been ~ed by detectives* han hade skuggats av detektiver **2** bevaka [*~ one's interests*]; vaka över, hålla ett öga på, passa, vakta, valla [*~ one's sheep*] **II** *vb itr* **1** se 'på, titta 'på, titta; se upp [*~ when you cross the street*] **2** vakta, hålla vakt, stå (gå) på vakt **3** vaka [*over* över; *by sb* el. *with sb* hos ngn] **III** *vb itr* med adv.:

watch for a) hålla utkik (spana) efter; vänta (vakta) på [*~ for a signal*] b) avvakta, passa [på] [*~ for an opportunity*]

watch out se upp [*~ out when you cross the road*]

watch out for a) se upp för b) hålla utkik efter c) ge akt på

watch over vakta, ha uppsikt över; vaka över

IV *s* **1** klocka, ur, fickur, armbandsur; *set one's ~* ställa klockan (sin klocka) [*by* efter] **2** vakt, vakthållning, bevakning; uppsikt; utkik; *keep [a] ~ for* hålla utkik efter; *keep [a] ~ on (over)* hålla uppsikt (vakt) över **3** om person vakt, utkik; koll. [natt]vakt **4** sjö. vakt: a) vaktmanskap b) vakthållning c) vaktpass, törn

watchable ['wɒtʃəbl] *adj* värd att se, sevärd [*a ~ programme*]

watchband ['wɒtʃbænd] *s* amer. klockarmband

watch bracelet ['wɒtʃ,breɪslət] *s* klockarmband av metall

watchdog ['wɒtʃdɒg] *s* **1** vakthund **2** övervakare; övervakningsmyndighet, kontrollorgan

watcher ['wɒtʃə] *s* bevakare, observatör; iakttagare; *bird ~* fågelskådare

watchful ['wɒtʃf(ʊ)l] *adj* vaksam, på sin vakt [*against, of* mot], uppmärksam [*for* på], påpasslig, alert; *keep a ~ eye on* hålla ett vakande (vaksamt) öga på

watchfulness ['wɒtʃf(ʊ)lnəs] *s* vaksamhet etc., jfr *watchful*

watchmaker ['wɒtʃ,meɪkə] *s* urmakare; klocktillverkare

watch|man ['wɒtʃ|mən] (pl. *-men* [-mən]) *s* nattvakt, väktare

watchstrap ['wɒtʃstræp] *s* klockarmband

watchtower ['wɒtʃ,taʊə] *s* vakttorn, utkikstorn

watchword ['wɒtʃwɜːd] *s* paroll, slagord, lösen, motto

water ['wɔːtə] **I** *s* (för uttr. som *deep water* m.fl., se under resp. adj.) **1** vatten; vattendjup; pl. *~s* a) vatten, vattenmassor; böljor b) farvatten [*in British ~s*] c) se *water I 2* nedan; *body of ~* vattenmassa; *table ~* bordsvatten; *~ on the brain* med. vattenskalle; *~ on the knee* med. vatten i knät; *spend money like ~* ösa ut pengar, låta pengarna rinna mellan fingrarna; *hold ~* se under *1 hold I 3*; *keep out the ~* hålla ute vattnet; sjö. hålla läns; *pass ~* kasta vatten, urinera; *take [in] ~* ta in vatten, läcka; *keep one's head (oneself) above ~* bildl. hålla sig flytande; *it's all ~*

under the bridge now det är glömt (gammalt) nu **2** *the ~s* pl. fostervatten; *the ~s broke* vattnet gick **II** *vb tr* **1** vattna [*~ the horses*]; fukta (blöta) [med vatten]; bevattna **2** tanka (fylla på) med vatten; förse med vatten **3** vattra [*~ed silk*] **III** *vb itr* **1** vattna sig, vattnas; *his mouth ~ed* el. *it made his mouth ~* det vattnades i munnen på honom **2** rinna, tåras [*the smoke made my eyes ~*] **IV** *vb tr* med adv.:

water down a) späd, späd ut [med vatten] b) göra urvattnad (färglös), få att blekna, mildra, jfr *watered-down*

waterbed ['wɔːtəbed] *s* vattensäng

water birth ['wɔːtəbɜːθ] *s* med. vattenförlossning

water biscuit ['wɔːtə,bɪskɪt] *s* osötat [smörgås]kex på vatten o. mjöl

waterboarding ['wɔːtə,bɔːdɪŋ] *s* skendränkning

waterborne ['wɔːtəbɔːn] *adj* **1** som överföres med (genom) vatten [*~ diseases*] **2** som transporteras sjövägen (med båt) [*~ goods*]; *~ traffic* sjöfart; *~ transport* transport sjövägen

water buffalo ['wɔːtə,bʌfələʊ] (pl. *~es* el. *water buffalo*) *s* zool. vattenbuffel, indisk buffel

water butt ['wɔːtəbʌt] *s* regnvattentunna

water cannon ['wɔːtə,kænən] *s* vattenkanon

water chestnut ['wɔːtə,tʃesnʌt] *s* bot. el. kok. vattenkastanj

waterchute ['wɔːtəʃuːt] *s* vattenrutschbana

water closet ['wɔːtə,klɒzɪt] (förk. *WC*) *s* vattenklosett, wc

watercolour ['wɔːtə,kʌlə] *s* **1** vattenfärg, akvarellfärg; *in ~s* i akvarell **2** akvarell[målning], målning i vattenfärg

water-cooled ['wɔːtəkuːld] *adj* vattenkyld

watercourse ['wɔːtəkɔːs] *s* **1** vattendrag **2** flodbädd; strömfåra **3** kanal

watercress ['wɔːtəkres] *s* bot. källkrasse, källfräne, vattenkrasse

watered-down [,wɔːtəd'daʊn] *adj* **1** bildl. urvattnad, färglös, blek **2** utspädd [med vatten]

waterfall ['wɔːtəfɔːl] *s* vattenfall

water fountain ['wɔːtə,faʊntən] *s* dricksfontän

waterfowl ['wɔːtəfaʊl] *s* vanl. koll. vattenfågel, sjöfågel

waterfront ['wɔːtəfrʌnt] *s* strand; sjösida av stad, hamnområde; *along the ~* längs (vid) vattnet (stranden)

Watergate ['wɔːtəgeɪt] **I** demokratiska partiets högkvarter i Washington **II** *s* Watergate[skandal], stor politisk skandal

water hazard [,wɔːtə'hæzɑːd] *s* golf. vattenhinder

water-heater ['wɔːtə,hiːtə] *s* varmvattenberedare

waterhole ['wɔːtəhəʊl] *s* vattenhål

water ice ['wɔːtəraɪs] *s* åld. sorbet

watering can ['wɔːt(ə)rɪŋkæn] *s* vattenkanna

watering cart ['wɔːt(ə)rɪŋkɑːt] *s* vattenvagn, bevattningsvagn

watering hole ['wɔːt(ə)rɪŋhəʊl] *s* vattenhål, vard. äv. pub

watering place ['wɔːt(ə)rɪŋpleɪs] *s* **1** vattningsställe **2** hälsobrunn, brunnsort **3** badort, havsbad

water jug ['wɔːtədʒʌg] *s* vattentillbringare

water jump ['wɔːtədʒʌmp] *s* sport. vattengrav

water level ['wɔːtə‚levl] s **1** vattenstånd,
vattennivå, vattenhöjd **2** sjö. vattenlinje
water lily ['wɔːtə‚lılı] s bot. näckros
waterline ['wɔːtəlaın] s **1** sjö. vattenlinje; vattengång
2 vattenlinje i papper
waterlogged ['wɔːtəlɒgd] adj **1** sjö. vattenfylld, full
av vatten **2** vattensjuk, vattendränkt, sur;
vattenmättad
Waterloo [‚wɔːtəˈluː:, attr. '---] **1** geogr. egennamn **2** en av
Londons viktigaste järnvägsstationer [äv. ~ *station*] **3** *meet
one's* ~ möta (finna) sitt Waterloo
water main ['wɔːtəmeın] s huvud[vatten]ledning
watermark ['wɔːtəmɑːk] s **1** vattenmärke;
vattenstämpel **2** vattenståndsmärke,
vattenståndslinje
watermelon ['wɔːtə‚melən] s vattenmelon
water meter ['wɔːtə‚miːtə] s tekn. vattenmätare
watermill ['wɔːtəmıl] s vattenkvarn
water pipe ['wɔːtəpaıp] s **1** vattenledning[srör]
2 vattenpipa
water pistol ['wɔːtə‚pıstl] s vattenpistol
water polo ['wɔːtə‚pəʊləʊ] s vattenpolo
water power ['wɔːtə‚paʊə] s vattenkraft
waterproof ['wɔːtəpruːf] **I** adj vattentät;
impregnerad [~ *material*]; ~ *hat* regnhatt,
regnmössa
II s regnrock, regnkappa, regnplagg; vattentätt
(impregnerat) tyg
III vb tr göra vattentät; impregnera
water rat ['wɔːtəræt] s zool. **1** [västlig] vattensork,
vattenråtta **2** bisamråtta
water rate ['wɔːtəreıt] s hist. vattenavgift,
vattentaxa
water-repellent [‚wɔːtərıˈpelənt] adj
vattenavstötande, vattenavvisande
water-resistant [‚wɔːtərıˈzıst(ə)nt] adj
vattenbeständig; vattentät
watershed ['wɔːtəʃed] s **1** bildl. vattendelare; *the*
[*9.00 o'clock*] ~ tidpunkt på kvällen efter vilken tv
får visa program olämpliga för barn
2 vattendelare **3** avrinningsområde, flodområde
waterside ['wɔːtəsaıd] s strand, strandkant,
strandbrädd
water-ski ['wɔːtəskiː] **I** vb itr åka vattenskidor **II** s
vattenskida
water-skier ['wɔːtə‚skiːə] s vattenskidåkare
water-skiing ['wɔːtə‚skiːıŋ] s vattenskidåkning
water-softener ['wɔːtə‚sɒfnə] s avhärdningsmedel;
vattenavhärdare
water-soluble ['wɔːtə‚sɒljʊbl] adj vattenlöslig
water sports ['wɔːtəspɔːts] s pl vattenidrotter
waterspout ['wɔːtəspaʊt] s **1** meteor. **a)** skydrag
tromb **b)** störtregn **2** stuprör
water supply ['wɔːtə‚plaı] s **1** vattenförsörjning;
vattentillförsel **2** vattentillgång, vattentäkt,
vattenförråd
water table ['wɔːtə‚teıbl] s grundvattennivå
water tank ['wɔːtətæŋk] s vattentank,
vattencistern, vattenbehållare
water tap ['wɔːtətæp] s vattenkran
watertight ['wɔːtətaıt] adj vattentät [~
compartments; *a* ~ *alibi*]; tät; bildl. äv. hållbar
water tower ['wɔːtə‚taʊə] s vattentorn

water trap ['wɔːtətræp] s **1** vattenlås **2** golf.
vattenhinder
water vapour ['wɔːtə‚veıpə] s vattenånga
water vole ['wɔːtəvəʊl] s zool. [västlig] vattensork,
vattenråtta
waterway ['wɔːtəweı] s **1** farled, segelled, farvatten;
[segel]ränna; [hamn]inlopp; kanal **2** vattenväg,
vattenled
water wheel ['wɔːtəwiːl] s **1** vattenhjul, kvarnhjul
2 åld. skovelhjul på hjulångare
waterwings ['wɔːtəwıŋz] s pl armkuddar slags
simdynor
waterworks ['wɔːtəwɜːks] (med verb i sg. el. pl.; pl.
waterworks) s **1** vatten[lednings]verk **2** vard., *turn
on the* ~ ta till lipen, börja tjuta (lipa)
watery ['wɔːtərı] adj **1** vattnig, sur, blöt; vattenrik,
vattenfylld; regnrik [~ *summer*]; vattenhaltig;
vatten- [~ *vapour*]; vattenaktig **2** vattnig [~ *soup*; ~
colours]; tunn; utspädd; urvattnad äv. bildl. [~
style]; fadd **3** vattnig, tårfylld [~ *eyes*]
watt [wɒt] s elektr. watt
wattage ['wɒtıdʒ] s elektr. wattal; wattförbrukning
1 wattle [wɒtl] s [ris]flätverk, risflätning; ~[s pl.]
ribbor, störar, kvistar, ris till flätning
2 wattle [wɒtl] s zool. slör
wave [weıv] **I** s **1** våg i olika betydelser [*high* ~s; *a* ~ *of
disgust*; *crime* ~; *long* (*medium*, *short*) ~]; bölja,
bränning; *heat* ~ värmebölja; *make* ~s vard. ställa
till med ngt, sätta i gång ngt; ~ *of strikes* strejkvåg
2 vågighet, våglinje; böljande form; vattring,
flammighet på tyg **3** vinkning; vink; viftning,
svängning **4** våg i hår; *permanent* ~ permanent[ning]
[*cold* ~]; *she has a natural* ~ *in her hair* hon har
självfall
II vb itr **1** vinka [*to* till] **2** bölja, gå i vågor
(böljor); vaja, vagga; fladdra **3** vara vågigt, våga
sig [*her hair* ~s *naturally*]
III vb tr vinka med [~ *one's hand*]; vifta med [*he
~d his handkerchief*]; vifta, vinka [~ *goodbye*];
svänga [med]; få att vaja (vagga, fladdra)
IV vb tr med adv.:
wave aside el. **wave away** vinka bort, vifta bort
wave down stoppa t.ex. bilist genom att vinka med
handen, göra tecken åt t.ex. bilist att stanna
wave sb off vinka av ngn
waveband ['weıvbænd] s radio. våglängdsområde
wavelength ['weıvleŋθ] s radio. våglängd äv. bildl.
wavelet ['weıvlət] s liten våg, krusning
waver ['weıvə] vb itr **1** fladdra, flämta [*the candle
~ed*]; skälva [*her voice ~ed*]; irra [*his glance ~ed*];
sväva, svänga [av och an] **2** vackla [*his courage
~ed*]; [börja] ge vika **3** växla, skifta, pendla,
vackla [~ *between two opinions*]; tveka, vara (bli)
obeslutsam
wavy ['weıvı] adj vågig, vågformig, våg-; böljande;
slingrig
1 wax [wæks] **I** s **1** vax; bivax; öronvax; attr. vax-; ~
model vaxdocka, modelldocka; *be* ~ *in sb's hands*
vara som vax i ngns händer **2** [skid]valla
II vb tr **1** vaxa; bona [~ *floors*]; polera [~
furniture]; ~*ed paper* smörpapper, smörgåspapper
2 valla skidor
2 wax [wæks] vb itr spec. om månen tillta, växa; ~ *and*

wane bildl. tillta och avta [i styrka], växa och krympa, växla, skifta

wax bean ['wæksbi:n] *s* bot. vaxböna

waxen ['wæks(ə)n] *adj* **1** [gjord] av vax, vax- [~ *image*] **2** vaxlik, vaxartad; vaxblek

wax paper ['wæks‚peɪpə] *s* vaxpapper, smörpapper, smörgåspapper

wax-polish ['wæks‚pɒlɪʃ] *s* bonvax

waxwork ['wækswɜ:k] *s* **1** a) vaxfigur b) vaxarbeten, vaxfigurer **2** ~**s** (med verb vanl. i sg.; pl. ~s) vaxkabinett

waxy ['wæksɪ] *adj* **1** vaxartad, vaxlik, vaxliknande, vax-; vaxig; mjuk som vax **2** vaxblek

way [weɪ] **I** *s* (för div. fraser se *way I 7*) **1** väg i abstr. betydelse [*they went the same ~*]; håll, riktning; [väg]sträcka, stycke, bit [*I can only run a little* (kort) ~]

2 konkr. väg, stig [*a ~ across the field*]; gång

3 utväg, möjlighet

4 sätt [*the right ~ of doing sth* el. *the right ~ to do sth*]; vis

5 sätt, avseende [*in several ~s*]

6 a) ~ el. pl. ~**s** sätt [*it's only his ~*]; beteende b) vana; egenhet [*he has his little ~s*]

7 i förbindelse med annat subst.: ~**s and means** a) [tillgängliga] medel, resurser; möjligheter, utvägar; metoder b) parl. anskaffning av erforderliga medel åt statskassan genom skatter o.d.; ~ *of life* livsföring, livsstil

8 i förbindelse med 'the' med mer el. mindre spec. översättningar: *that is always the* ~ så är det alltid; *that's the* ~ *it is* så är det [nu en gång], sånt är livet; *that's the* ~ *to do it* så ska det göras (gå till)

9 i förbindelse med pron. (se äv. ex. under *way I 10, way I 11* o. *way I 12* nedan): *I'm with you all the* ~ jag håller med dig helt; jag är helt och hållet på din sida; *all the* ~ *from* (*to*) hela vägen från (till), ända från (till); *go all the* ~ a) gå hela vägen, löpa linan ut, ta steget fullt ut b) samtycka helt och hållet (till fullo); *any* ~ vilken väg som helst, [åt] vilket håll som helst; *do it any* ~ *you like* gör precis som du själv vill; *you can't have it both* ~**s** man kan inte både äta kakan och ha den kvar, man kan inte få bådadera; *each* ~ varje väg; i vardera riktningen; [*the carpet is ten feet*] *each* ~ …på vardera ledden; [*it was wrong*] *either* ~ hur man än såg på saken, …i alla fall; *it is not his* ~ *to be mean* snålhet ligger inte för honom; *no* ~! vard. aldrig i livet!, sällan!, inte en chans!; [*there are*] *no two* ~**s about it** [det råder] intet tvivel om den saken; *it looks that* ~ det ser så ut; *I'm just made that* ~ jag bara är sådan; *this* ~ *and that* hit och dit, åt alla håll

10 i förbindelse med verb (se äv. under resp. verb):
ask: *ask the* ~ el. *ask one's* ~ fråga efter vägen
clear: *clear the* ~ bana väg; gå ur vägen
come: *come a long* ~ nå långt äv. bildl.
feel: *feel one's* ~ känna sig fram; bildl. känna sig för
go: *go one's* ~ litt. gå sin väg, ge sig i väg; *are you going my* ~? ska du åt mitt håll?; *everything was going my* ~ allt gick vägen (lyckades) för mig; *go all the* ~ se under *way I 9* ovan; *go a long* ~ gå långt; räcka långt, vara dryg; *this will go a long* ~ *in overcoming* [*the difficulty*] detta blir till god hjälp för att övervinna…; *go a long* (*great*) ~ *to* (*towards*) bidra

starkt till; *go the right* ~ *about it* angripa det från rätt sida, börja i rätt ända; *go the wrong* ~ o. likn. ex. se under *wrong I 2*

have: *have* [*it all*] *one's own* ~ få sin vilja fram; *have it your own* ~! [gör] som du vill!; *let sb have his own* ~ låta ngn få som han vill; *if I had my* ~… om jag fick bestämma…; *he has a* ~ *with him* äv. han har sitt speciella sätt; *she has a* ~ *with children* hon har god hand med barn; *he has a* ~ *with women* han vet hur kvinnor ska tas, han har kvinnotycke

know: *know the* ~ el. *know one's* ~ hitta, känna till vägen; *know one's* ~ *about* a) hitta här (där) känna till en viss plats b) ha reda på saker och ting

lead: *lead the* ~ gå före (först); bildl. gå i spetsen, visa vägen

lose: *lose one's* ~ el. *lose the* ~ komma (gå, köra, råka o.d.) vilse

make: *make* ~ ge plats [*for* åt, för], lämna rum, gå undan (ur vägen) [*for* för]; lämna vägen öppen [*for* för]; flytta [på] sig; *make one's* ~ ta sig fram; *make one's* ~ *in the world* bildl. arbeta sig upp, slå sig fram

pay: *pay one's* [*own*] ~ a) betala för sig [själv] b) vara lönande, bära sig

see: *I don't* (*can't*) *see my* ~ [*clear*] *to doing it* a) jag ser (har) ingen möjlighet att göra det b) jag kan inte tänka mig att göra det

11 i förbindelse med prep.:
across: *across the* ~ på andra sidan vägen (gatan)
by: *by the* ~, *do you know*…? förresten (apropå det), vet du…?; *not by a long* ~ inte på långa vägar, inte på långt när; *by* ~ *of* a) via, över [*by* ~ *of London*] b) som [*by* ~ *of an explanation*]; till [*she nodded by* ~ *of an answer*]; *by* ~ *of introduction* inledningsvis
down (**up**): *down* (*up*) *our* ~ vard. nere (uppe) hos oss, i våra trakter
in: *in a* ~ på sätt och vis; *he is in a bad* ~ det står illa till med honom, han är illa däran; *in a small* ~ i liten skala, i smått; *in the* ~ i vägen [*of* för]; *in the* ~ *of* bildl. i fråga om, vad beträffar; i form av; [*everything there was*] *in the* ~ *of food* …i matväg; *stand in sb's* ~ stå i vägen för ngn äv. bildl.; *in any* ~ på något sätt; på vilket sätt som helst; *in no* ~ på intet sätt, ingalunda [*in no - inferior*]
on: *on the* (*his*) ~ *to* på väg[en] till; *be on the* ~ vara på väg; *be well on one's* ~ ha kommit en bra (god) bit på väg; bildl. vara på god väg; *see sb on his* ~ följa ngn [på vägen]
out of: *out of the* ~ a) ur vägen [*be out of the* ~]; undan, borta b) avsides [belägen], avlägsen c) ovanlig, originell; *get sb out of the* ~ bli kvitt ngn, göra sig av med ngn; *get out of sb's* ~ gå ur vägen för ngn; *go out of one's* ~ göra sig extra besvär [*she went out of her* ~ *to help me*]; lägga an på [*he went out of his* ~ *to be rude*]; *put sb out of the* ~ röja ngn ur vägen; få ngn ur vägen
under: *be under* ~ ha kommit i gång; vara under uppsegling; sjö. ha [god] fart, vara under gång; *get under* ~ komma i gång; få i gång; sjö. lätta, avsegla, avgå
up: se *down* (*up*) under *way I 11* ovan

12 i förbindelse med adv.:
way around se *way round* under *way I 12* nedan
way in ingång, väg in, infart

way off: *a long ~ off* långt (lång väg) härifrån (därifrån), långt borta

way out utgång, väg ut, utfart; utväg; äv. bildl. utväg

way round omväg [*go* (göra, ta) *a long ~ round*]; *the other ~ round* tvärtom, omvänt
II *adv* **1** vard. långt, högt; *your demands are ~ above* [*what I can accept*] dina krav ligger skyhögt över...; *this was ~ back* det var länge sedan; *~ back in the eighties* redan på 80-talet; *it's ~ over my head* det går långt över min horisont **2** sl. jätte-, verkligen [*she's ~ annoyed*]; *~ cool!* jättehäftig!

wayfarer ['weɪ,feərə] *s* vägfarande, vandrare

wayfaring ['weɪ,feərɪŋ] *adj* vägfarande, vandrande

waylaid [weɪ'leɪd] imperf. o. perf. p. av *waylay*

waylay [weɪ'leɪ] (*waylaid waylaid*) *vb tr* ligga (lägga sig) i bakhåll för, lura på, lurpassa på

way-out [ˌweɪ'aʊt] *adj* vard. extrem; excentrisk, exotisk

wayside ['weɪsaɪd] *s* vägkant; *~ inn* värdshus vid (efter) vägen; *by the ~* vid vägen; *fall by the ~* slås ut

way station ['weɪ,steɪʃ(ə)n] *s* amer. järnv. **1** liten station **2** mellanstopp

wayward ['weɪwəd] *adj* **1** egensinnig, trilsk **2** nyckfull, oberäknelig [*a ~ impulse*]

wazoo [wə'zu:] (pl. *~s*) *s* amer. vard. stjärt, rumpa

WC [ˌdʌblju:'si:] **1** (förk. för *water closet*) wc **2** förk. för *West Central* (postdistrikt i London)

we [wi:, obeton. wɪ] (objektsform *us*) *pers pron* **1** vi **2** man [*~ usually say 'please' in English*] **3** vard., *how are ~ feeling today?* hur mås det i dag?, hur mår vi (man) i dag?

weak [wi:k] *adj* **1** svag [*a ~ character (rope, sight, team)*; *~ resistance*]; klen, vek, kraftlös, bräcklig, skör; dålig; matt; *the ~[er] sex* det svaga[re] könet; *have a ~ stomach* ha dålig mage; *~ in the head* dum i huvudet **2** svag, tunn [*~ coffee*] **3** gram. svag [*a ~ verb*]

weaken ['wi:k(ə)n] *vb tr* o. *vb itr* försvaga[s], göra (bli) svagare

weak-kneed [ˌwi:k'ni:d, attr. '--] *adj* **1** knäsvag **2** vek, eftergiven, velig; karaktärslös

weakling ['wi:klɪŋ] *s* vekling, stackare

weakly ['wi:klɪ] **I** *adj* svag, klen [*a ~ child*] **II** *adv* svagt etc., jfr *weak*

weak-minded [ˌwi:k'maɪndɪd, attr. '-,--] *adj* **1** obeslutsam, viljelös **2** dum, enfaldig

weakness ['wi:knəs] *s* svaghet [*of, in* i; *for* för]; klenhet etc., jfr *weak 1*; svag sida, brist; *have a ~ for* vara svag för [*she has a ~ for chocolate*]; *in a moment of ~* i ett svagt ögonblick

weak-willed [ˌwi:k'wɪld, attr. '--] *adj* viljelös, viljesvag

weal [wi:l] *s* strimma, rand märke på huden efter slag

wealth [welθ] *s* **1** rikedom[ar], förmögenhet; välstånd; ekon. äv. tillgångar **2** bildl., *a ~ of* en rikedom på, överflöd på [*a ~ of fruit*]; en stor mängd [av] [*a ~ of examples*]; en uppsjö [av]; *~ of colour* färgrikedom

wealth tax ['welθtæks] *s* förmögenhetsskatt

wealthy ['welθɪ] *adj* **1** rik, förmögen, välmående [*a ~ country*; *a ~ person*] **2** bildl., *~ in* rik på

wean [wi:n] *vb tr* **1** avvänja [*~ a baby*] **2** *~ sb off* (*from*) vänja ngn av med **3** *be ~ed on* uppfostras

med [*be ~ed on the classics at school*]; matas med [*be ~ed on TV*]

weapon ['wepən] *s* vapen; tillhygge; stridsmedel [*biological ~*; *conventional ~*]; *~s of mass destruction* (förk. *WMD*) massförstörelsevapen

weaponry ['wepənrɪ] *s* vapen koll. [*nuclear ~*]

wear [weə] **I** (*wore worn*; se äv. *worn*) *vb tr* (se äv. *wear III*) **1** ha på sig, vara klädd i, ha, bära [*~ a ring on one's finger*]; klä sig i, gå [klädd] i [*she always ~s blue*]; använda [*~ spectacles*]; gå med; *~ a beard* ha skägg; *she wore a sad expression* hon hade ett sorgset uttryck, hon såg sorgsen ut; *~ one's hair long* (*short*) ha långt (kort) hår; *~ lipstick* använda läppstift; *~ one's years well* bära sina år med heder; *~ the trousers* el. amer. *~ the pants* vard. vara herre i huset, bestämma var skåpet ska stå; [*this coat*] *has not been worn* ...är inte använd **2 a)** nöta (slita) [på] [*hard use has worn the gloves*] bildl. äv. tära på, trötta **b)** nöta (trampa, köra) upp [*~ a path across the field*]; gräva [sig] [*the water had worn a channel in the rock*]; *~ a hole in* el. *~ holes in* nöta (slita) hål på (i); *~ oneself to death* slita ihjäl (ut) sig **3** vard. finna sig i, gå med på; *he told me a lie but I wouldn't ~ it* han ljög för mig men det gick jag inte på

II (*wore worn*; se äv. *worn*) *vb itr* (se äv. *wear III*) **1** nötas, slitas, bli nött (sliten) [*a cheap coat will ~ soon*]; *~ thin* bli tunnsliten, bildl. [börja] bli genomskinlig [*his excuses are ~ing thin*]; [börja] ta slut [*my patience wore thin*] **2** *~ on sb* gå ngn på nerverna, irritera ngn **3** hålla [att slita på] [*this material will ~ for years*]; stå sig; *~ well* **a)** hålla bra, vara hållbar (slitstark) **b)** vara väl bibehållen [*she ~s well*] **4** vard. hålla [streck]; [*the argument*] *won't ~* ...håller inte

III (*wore worn*; se äv. *worn*) *vb tr* o. *vb itr* med adv., ofta med spec. översättningar:
wear away a) nöta bort (ut) **b)** försvinna, ge med sig [*the pain wore away*]
wear down a) nöta (slita) ned (ut); *worn down* [ned]sliten, [ut]nött **b)** trötta ut [*he ~s me down*]; slita ned **c)** bryta ned, övervinna [*~ down the enemy's resistance*]; brytas ned
wear off a) nöta av (bort); nötas av (bort) **b)** gå över (bort) [*his fatigue had worn off*]; minska, avta
wear on om tid o.d. lida, framskrida
wear out a) slita (nöta) ut; göra slut på; urholka [*~ out a stone*]; slitas (nötas) ut, förslitas; ta slut **b)** trötta ut [*he ~s me out*]; utmatta; *be worn out* vara utarbetad (slut[körd])

IV *s* **1** användning, bruk [*clothes for everyday ~*] **2** kläder [*travel ~*]; klädsel, klädstil [*casual ~*]; spec. i sammansättn. -beklädnad [*footwear*]; *men's ~* herrkläder, herrkonfektion **3** nötning, slitning; *~ and tear* slitage, förslitning; bildl. påfrestning[ar]; *fair ~ and tear* normalt slitage; *show signs of ~* börja se sliten ut; *stand any amount of ~* tåla omild behandling; *be the worse for ~* vara sliten (illa medfaren)

wearable ['weərəbl] *adj* om kläder o.d. användbar

wearer ['weərə] *s* bärare av kläder o.d.; *the ~ of...* äv. den som bär (har, är klädd i)...

wearisome ['wɪərɪs(ə)m] *adj* **1** tröttsam,

[lång]tråkig **2** tröttande, besvärlig, ansträngande [*a ~ march*]

weary ['wɪərɪ] **I** *adj* **1** trött, uttröttad [*with* av; *a ~ brain*] **2** tröttsam, mödosam [*a ~ journey*]; trist, [lång]tråkig [*a ~ wait*]
II *vb tr* trötta [ut], bildl. äv. besvära, plåga [*with* med], tråka ut
III *vb itr* tröttna [*of* på]; *~ of* äv. ledsna på, bli trött på

weasel ['wi:zl] **I** *s* **1** zool. vessla **2** vard. filur, hal typ **3** vanl. amer. vessla motorfordon
II *vb itr* vard., *~ out of* slingra sig ifrån (undan)

weasel words ['wi:zlwɜ:dz] *s pl* vard. omskrivningar, inlindade ord; undanflykter

weather ['weðə] **I** *s* **1** väder, väderlek; *fine ~* vackert (fint) väder; *rough ~* hårt väder; ruskväder, regn och rusk; *wet ~* regnväder; fuktig väderlek; *what awful ~!* vilket gräsligt väder!; *~ permitting* (förk. *WP*) om vädret tillåter [det]; *make heavy ~ of* [*the simplest task*] bildl. göra mycket väsen av...; *change of ~* el. *change in the ~* omslag i vädret, väderomslag; *in all ~s* el. *in any ~* i alla väder, i ur och skur; *under the ~* vard. a) vissen, krasslig b) amer. äv. bakfull; onykter **2** attr. väder- [*a ~ satellite*]; se äv. sammansättn. nedan **3** radio., TV. etc., *the ~* vard. vädret väderprognos
II *vb tr* **1 a)** [luft]torka [*~ wood*]; utsätta för väder och vind **b)** få att vittra [sönder]; perf. p. *~ed* förvittrad, [sönder]vittrad [*~ed limestone*]; som har vittrat (nötts) **2** sjö. el. bildl. rida ut [*~ a storm*] bildl. äv. klara [sig igenom], komma igenom, överleva [*~ a crisis*]
III *vb itr* **1** vittra [sönder]; nötas av väder och vind, bli medfaren (skamfilad) av väder och vind **2** stå (bibehålla) sig, stå emot [*~ better; ~ well*]

weather-beaten ['weðə,bi:tn] *adj* väderbiten, barkad [*a ~ face*]; härjad av väder och vind

weatherboard ['weðəbɔ:d] *s* byggn. fjällpanelbräda; pl. *~s* äv. fjällpanel

weatherbound ['weðəbaʊnd] *adj* uppehållen (hindrad, försenad) på grund av vädret

weather bulletin ['weðə,bʊlətɪn] *s* väderrapport

weather centre ['weðə,sentə] *s* vädertjänst

weathercock ['weðəkɒk] *s* vindflöjel, väderflöjel; i form av tupp kyrktupp

weather forecast ['weðə,fɔ:kɑ:st] *s* väderrapport, väderutsikter, väderprognos

weather forecaster ['weðə,fɔ:kɑ:stə] *s* meteorolog

weathergirl ['weðəgɜ:l] *s* vard. [kvinnlig] meteorolog

weatherize ['weðəraɪz] *vb tr* amer. impregnera, göra väderbeständig

weather|man ['weðə|mæn] (pl. *-men* [-men]) *s* vard. [manlig] meteorolog

weatherperson ['weðə,pɜ:sn] *s* meteorolog

weatherproof ['weðəpru:f] **I** *adj* väderbeständig, som tål (står emot) väder och vind; *~ jacket* vindtygsjacka
II *vb tr* göra väderbeständig, impregnera

weather-strip ['weðəstrɪp] *s* tätningslist för fönster o.d.

weathervane ['weðəveɪn] *s* vindflöjel, väderflöjel

1 weave [wi:v] **I** (imperf. *wove*; perf. p. *woven*; jfr *wove* o. *woven*) *vb tr* **1** väva, väva av [*~ wool*]; *~ wool into cloth* väva tyg av ull; *~ in* väva in [*~ a*

pattern into (i) *sth*] **2** fläta [*~ a basket*]; binda [*~ a garland of flowers; ~ flowers into* (till) *a garland*]; fläta in [*into* i] **3** bildl. väva (sätta) ihop [*~ a plot; ~ a story*]; spinna, dikta [*~ a romance around an event*]
II (*wove woven*) *vb itr* **1** väva **2** gå att väva av
III *s* väv, vävning

2 weave [wi:v] *vb itr* slingra sig, gå i sicksack [*the road ~s through the valley*]; åla [sig], kryssa [*he ~d through the traffic*]; flyg. flyga i sicksack, göra undanmanövrer

weaver ['wi:və] *s* vävare, väverska

Web [web] *s* data., *the ~* se *World Wide Web*

web [web] *s* **1** väv **2** spindelväv, spindelnät [äv. *spider's ~*] **3** bildl. väv, nät; nätverk; *a ~ of deceit* (*lies*) en härva av bedrägerier (lögner) **4** zool. simhud

webbed [webd] *adj* zool. [försedd] med simhud; *~ feet* simfötter

webbing ['webɪŋ] *s* sadelgjordsväv; sadelgjord

web browser ['web,braʊzə] *s* data. webbläsare

web-footed ['web,fʊtɪd] *adj* zool. [försedd] med simfötter

webinar ['webɪnɑ:] *s* data. (av *web* o. *seminar*) webbkonferens

webmaster ['web,mɑ:stə] *s* data. webbansvarig, webbadministratör

web page ['webpeɪdʒ] *s* data. webbsida

web site ['websaɪt] *s* data. webbplats

webzine ['webzi:n] *s* data. webbtidning, webbmagasin

Wed. förk. för *Wednesday*

wed [wed] (*wedded wedded* el. *wed wed*) **I** *vb tr* (se äv. *wedded*) **1** äkta, gifta sig med **2** gifta [bort]; viga
II *vb itr* gifta sig

we'd [wi:d] = *we had, we would* o. *we should*

wedded ['wedɪd] *adj* o. *perf p* **1** gift [*to* med] äv. bildl., vigd [*to* vid]; äkta [*the ~ couple*]; *his lawful ~ wife* hans äkta (lagvigda) maka **2** *~ life* äktenskap, äktenskapligt samliv **3** bildl., *be ~ by* [*common interests*] vara [intimt] förenade av (genom)...; *~ to* förenad (parad) med, i förening med [*simplicity ~ to beauty*]

wedding ['wedɪŋ] *s* **1** bröllop; vigsel[akt] **2** attr. bröllops- [*~ day; ~ march*]; brud- [*~ dress*]

wedding anniversary ['wedɪŋænɪ,vɜ:sərɪ] *s* bröllopsdag årsdag

wedding band ['wedɪŋbænd] *s* vigselring

wedding breakfast ['wedɪŋ,brekfəst] *s* bröllopslunch

wedding cake ['wedɪŋkeɪk] *s* bröllopstårta fruktkaka i våningar täckt med marsipan och glasyr

wedding ring ['wedɪŋrɪŋ] *s* vigselring

wedge [wedʒ] **I** *s* **1** kil **2** [trekantig] bit [*a ~ of cake*] **3** golf. wedge
II *vb tr* **1** kila; kila fast [äv. *~ up*] **2** kila (driva, klämma) in [äv. *~ in*]; *into* i]; *be ~d* [*in*] vara (sitta) inkilad (inklämd, fastklämd); *~ open* (*shut*) hålla öppen (stängd) med hjälp av en kil; *~ together* tränga (klämma) ihop

wedge heel [,wedʒ'hi:l] *s* kilklack

wedlock ['wedlɒk] *s* litt. el. jur. äktenskap; *born in* [*lawful*] ~ född inom äktenskapet; *born out of* ~ född utom äktenskapet

Wednesday ['wenzdeɪ, attr. ofta -dɪ] *s* onsdag; för ex. jfr *Sunday*

1 wee [wi:] *adj* spel. skotsk. mycket liten, liten liten [*just a ~ drop*]; ~ *little* pytteliten, jätteliten; *a ~ bit* en liten aning (smula); *the ~ small hours* el. *the ~ hours* småtimmarna

2 wee [wi:] *s* o. *vb itr* barnspr., se *wee-wee*

weed [wi:d] *I s* **1** ogräs[planta]; bildl. ogräs; pl. *~s* ogräs **2** vard. spinkig person; vekling, ynklig stackare **3** ngt åld. vard. gräs, marijuana
II *vb tr* **1** rensa [från ogräs], rensa i [*~ the garden*]; bildl. gallra [i] [*~ a collection*] **2** ~ *out* bildl. rensa ut, gallra bort (ut), avlägsna [*from* från]
III *vb itr* rensa [ogräs]

weed-killer ['wi:d,kɪlə] *s* ogräsmedel, bekämpningsmedel mot ogräs

weeds [wi:dz] *s pl*, ~ el. *widow's* ~ änkedräkt, [änkas] sorgdräkt

weedy ['wi:dɪ] *adj* **1** vard. [lång och] spinkig, gänglig [*a ~ young man*] **2** full (övervuxen) av ogräs

week [wi:k] *s* vecka; *the working* ~ arbetsveckan; *last* ~ [i] förra veckan; *last Sunday* ~ i söndags för en vecka sedan; *this* ~ [nu] i veckan, [i] den här veckan; *this day* [*next*] ~ el. *today* [*next*] ~ el. *a ~ today* el. *a ~ from now* i dag om en vecka; *this day last* ~ el. *a ~ ago today* i dag för en vecka sedan; [*this*] *Sunday* ~ el. *a ~ on Sunday* på söndag om en vecka; *yesterday* ~ i går för en vecka sedan; *by the* ~ per vecka, veckovis; ~ *by* ~ vecka för vecka; *be paid by the* ~ få betalt per vecka, ha veckolön; [*it went on*] *for ~s* ...i veckor; *not know what day of the* ~ *it is* inte veta vilken [vecko]dag det är; bildl. veta varken ut eller in

weekday ['wi:kdeɪ] *s* **1** vardag, veckodag, helgfri dag **2** attr. [som äger rum] på vardagarna [*~ services in the church*]

weekend [,wi:k'end, attr. ofta '--] *I s* **1** helg, veckoslut, weekend; *over the* ~ äv. över lördag och söndag; *at* (amer. on) *the ~s* på helgerna **2** attr. veckohelgs-, helg- [*~ traffic*]; veckosluts- [*a ~ ticket*]; weekend- [*a ~ visit*]; söndags- [*~ motorists*] **II** *vb itr* tillbringa (fira) [vecko]helgen (weekenden) [*~ at Brighton*]

weekender [,wi:k'endə] *s* **1** helgfirare, weekendfirare **2** weekendgäst

weekly ['wi:klɪ] *I adj* vecko- [*a ~ publication*]; [återkommande] varje vecka [*~ visits*]; *a ~ wage of* [*£650*] en veckolön på...
II *adv* en gång i veckan; varje vecka; per vecka
III *s* veckotidning, veckotidskrift; *the weeklies* äv. veckopressen

1 weeny ['wi:nɪ] *adj* vard. pytteliten

2 weeny ['wi:nɪ] *s* amer. vard. wienerkorv

weep [wi:p] *I* (*wept wept*) *vb itr* **1** gråta [*~ for* (av) *joy*; ~ *with* (av) *rage*]; ~ *for sb* a) gråta över (sörja) ngn b) gråta för ngns skull, gråta av medlidande med ngn **2** om sår vätska sig
II (*wept wept*) *vb tr* gråta; ~ *bitter tears* äv. fälla bittra tårar [*~ bitter tears*]; ~ *one's eyes out* gråta ögonen ur sig; ~ *one's heart out* gråta så hjärtat kan brista
III *s* gråtanfall; *have a good* ~ gråta ut [ordentligt]

weeping ['wi:pɪŋ] *adj* **1** gråtande; tårdränkt [*~ eyes*] **2** droppande, drypande; vätskande

weeping willow [,wi:pɪŋ'wɪləʊ] *s* bot. tårpil

weepy ['wi:pɪ] vard. *I adj* tårdrypande; gråtmild **II** *s* snyftare, tårdrypande film (pjäs, bok o.d.)

weevil ['wi:vɪl] *s* zool. vivel

wee-wee ['wi:wi:] vard. (mest barnspr.) *I s* kiss; *do a* ~ kissa **II** *vb itr* kissa

weft [weft] *s* **1** vävn. inslag, väft **2** väv

weigh [weɪ] *I vb tr* (se äv. *weigh III*) **1** väga [*~ the luggage*; ~ *oneself*] bildl. äv. överväga [*~ a proposal*]; ~ *the chances* väga möjligheterna för och emot; ~ *one's words* väga sina ord **2** förse med en tyngd (tyngder); göra tyngre **3** sjö., ~ *anchor* lätta (lyfta) ankar
II *vb itr* (se äv. *weigh III*) väga [*it ~s nothing*; *it ~s a ton*]; bildl. vara viktig (av vikt), spela en roll, ha betydelse, vara utslagsgivande [*the point that ~s with* (för) *me*]; ~ *against* a) motväga, uppväga b) tala (vittna) mot, vara till nackdel för [*those pieces of evidence will ~ against her*]; ~ *on* bildl. trycka, tynga [på], kännas tryckande (svår) för; *it ~s on me* (*my mind*) det plågar mig, det tynger mitt sinne; *don't let that ~ on you* (*your mind*) ta inte det så hårt; ~ *heavy* väga mycket, vara tung; tynga; ~ *heavily* [*with*] bildl. väga tungt [hos], betyda mycket [för], spela en avgörande roll [för]; *it ~ed lightly upon her* (*her mind*) hon tog det ganska lätt
III *vb tr* o. *vb itr* med adv.:
weigh down a) tynga (trycka) ned äv. bildl.; *~ed down with* [*cares*] [ned]tyngd av... b) väga ned [*~ down the scale*]
weigh in a) sport. väga[s] in om boxare före match, om jockey efter lopp b) vard. hoppa in, ingripa, blanda sig i leken; ställa upp
weigh out a) väga upp [*~ out butter*] b) sport. väga[s] ut om jockey före lopp
weigh together bildl. väga mot varandra, jämföra
weigh up a) bedöma [*~ up one's chances*]; beräkna, avväga; överväga [*whether* om, huruvida]; ~ *sb up* försöka uppskatta vad ngn går för b) uppväga äv. bildl.

weighbridge ['weɪbrɪdʒ] *s* fordonsvåg; järnv. vagnvåg

weigh-in ['weɪɪn] *s* sport. invägning

weighing machine ['weɪɪŋmə,ʃi:n] *s* större våg, industrivåg; personvåg

weight [weɪt] *I s* **1** vikt äv. konkr. [*net ~*; *a kilo ~*]; tyngd [*the pillars support the ~ of the roof*]; *~s and measures* mått och vikt; *loss of* ~ viktförlust; *unit of* ~ viktenhet; *he is twice my* ~ han väger dubbelt så mycket som jag; *be worth one's* ~ *in gold* bildl. vara värd sin vikt i guld; *lose* ~ gå ned [i vikt], magra; *pull one's* ~ a) ro av alla krafter b) göra sin del (insats); *put on* ~ gå upp (öka) [i vikt]; [*sell sth*] *by* ~ ...efter vikt; ...i lös vikt; *be over* ~ o. *be under* ~ se under *overweight II* resp. *underweight II* **2** börda [*a heavy ~ to carry*]; [*she is not allowed to*] *lift ~s* ...lyfta tunga saker **3** [klock]lod **4** brevpress [*paperweight*] **5** bildl. tyngd, börda; tryck [*a ~ on* (över) *the chest*]; *it is a ~ on* [*my conscience*] det tynger hårt på..., det vilar tungt på...; *a ~ was lifted from my mind* (*heart*) el. *that was a ~ off my mind* (*heart*) en sten föll från mitt bröst; [*knowing that*

you are safe] is a great ~ off my mind …är (känns
som) en stor lättnad för mig **6** bildl. vikt, betydelse
[*a matter of ~*]; inflytande [*he has great ~ with* (hos)
the people]; auktoritet; **arguments of great** ~tungt
vägande argument; **attach** (**give**) **~ to** el. **put ~ on**
fästa (lägga) vikt vid; [**considerations that will**] **carry**
(**have**) **great ~** …väga tungt, …ha stor inverkan
[*with* på]; [**his words**] **carry no ~** …har ingen
inverkan; **lend ~ to** [*one's words*] ge eftertryck
(kraft, tyngd) åt…; **throw one's ~ about** (**around**) vard.
göra sig märkvärdig (bred), flyta ovanpå; styra
och ställa, tyngdpunkt, huvudpart; **by sheer ~ of**
numbers endast på grund av numerär
överlägsenhet **7** sport. **a)** kula; **put the ~** stöta kula;
putting the ~ kulstötning **b)** boxn. viktklass
c) kapplöpn. handikappvikt
II *vb tr* **1** göra tyngre, förse med en tyngd
(tyngder) **2** [be]lasta; tynga [ned] äv. bildl.; **~ down**
överlasta **3** bildl. vinkla [*~ an argument*]

weighted ['weɪtɪd] *adj*, **the circumstances are ~ in her**
favour omständigheterna gynnar henne; **it's ~**
against smaller countries det missgynnar små länder
weighting ['weɪtɪŋ] *s* **1** dyrortstillägg **2** vikt, tyngd
3 belastning etc., jfr *weight II*
weightless ['weɪtləs] *adj* tyngdlös, viktlös
weightlifter ['weɪt,lɪftə] *s* sport. tyngdlyftare
weightlifting ['weɪt,lɪftɪŋ] *s* sport. tyngdlyftning
weight-training ['weɪt,treɪnɪŋ] *s* styrketräning med
vikter
weightwatcher ['weɪt,wɒtʃə] *s* viktväktare
weighty ['weɪtɪ] *adj* **1** tung, bildl. äv. tyngande [*~*
cares] **2** viktig, betydelsefull [*~ negotiations*]
weir [wɪə] *s* damm[byggnad], fördämning
weird [wɪəd] *adj* **1** vard. konstig, underlig, knäpp
2 spöklik, kuslig [*~ sounds*]; trolsk, mystisk,
övernaturlig
weirdo ['wɪədəʊ] (pl. *~s*) *s* konstig typ, knasboll,
knäppskalle
welcome ['welkəm] **I** (*~d ~d*) *vb tr* välkomna [*~ sb;*
~ a change]; hälsa (önska) välkommen [*~ sb back;*
~ a friend to one's home]; ta gästfritt emot [*~*
students into one's home]; hälsa med glädje [*~ the*
return of sb]; hälsa, vara tacksam för (glad över),
gärna ta emot
II *adj* **1** välkommen [*a ~ guest; a ~ opportunity*];
uppskattad; glädjande [*a ~ sign*]; **make sb ~** få ngn
att känna sig välkommen **2** **you're ~!** svar på tack
ingen orsak!, för all del!, det var så lite så!; **you are**
~ to it! håll till godo!, väl bekomme! äv. iron.; **anyone**
is ~ to my share den som vill kan [gärna] få min del;
[*if you think you can do it better*] **you are ~ to try** …så
försök själv får du se
III *s* **1** välkomnande, mottagande [*we received a*
hearty ~]; välkomsthälsning; **give sb a hearty ~**
önska ngn hjärtligt välkommen, ta hjärtligt emot
ngn; **give sb a warm ~** önska ngn varmt välkommen,
ge ngn ett varmt mottagande; **outstay one's ~** el.
overstay one's ~ stanna kvar för länge (längre än
värdfolket tänkt sig); **toast of ~** välkomstskål **2** attr.
välkomst- [*a ~ party*]
IV *interj*, **Welcome to** [**Cornwall**]**!** Välkommen
till…!
welcome mat ['welkəmmæt] *s* dörrmatta; [*roll out*]
the ~ vard. …röda mattan

welcome wagon ['welkəm,wægən] *s* amer. vard.
mottagningskommitté
weld [weld] **I** *vb tr* svetsa, välla; svetsa fast; svetsa
ihop (samman) äv. bildl. [*into* till]; **~ together** svetsa
ihop
II *vb itr* **1** gå att svetsa, kunna svetsas **2** svetsas
[ihop]
III *s* svets[ning]; svetsfog, svetsställe
welder ['weldə] *s* svetsare
welfare ['welfeə] *s* **1** välfärd, väl [*the ~ of the*
nation]; välgång; **the public ~** den allmänna
välfärden, samhällsnyttan **2** socialarbete
[*interested in the local ~*]; socialvård [äv. *social ~*];
child ~ barnomsorg; **industrial ~** arbetarskydd;
maternity ~ mödravård **3** attr. social-, socialvårds-
[äv. *social ~*]; **~ office** el. **social ~ office** socialbyrå; **~**
officer a) [social]kurator; socialvårdstjänsteman
[äv. *social ~ officer*] b) personalvårdare; mil.
personalvårdsofficer; **~ work** el. **social ~ work** socialt
arbete, socialvård; **~ worker** el. **social ~ worker**
socialarbetare, socialvårdare **4** amer., **be on ~** leva
på understöd (det sociala); **~ mother** ensamstående
mor med socialunderstöd
welfare state [,welfeə'steɪt] *s*, **the ~** välfärdsstaten,
välfärdssamhället
we'll [wi:l] = *we will* o. *we shall*
1 well [wel] **I** (*better best*) *adv* (se äv. under resp.
huvudord som *2 do* o. *3 found*) **1 a)** väl, bra, gott;
lyckligt och väl [*it all went ~*] **b)** noga, noggrant
c) mycket väl, gott, med rätta [*it may ~ be said*
that…]; **~ and truly** ordentligt, med besked [*he was*
~ and truly beaten]; **not very ~** inte så bra; **you can**
very ~ do that det kan du gott (mycket väl) göra; **he**
couldn't very ~ refuse han kunde inte gärna vägra
(säga nej); **it may ~ be that…** det kan mycket väl
hända att…; **carry one's years ~** el. **wear one's years ~**
bära sina år med heder; **come off ~** lyckas [bra], gå
bra; **think ~ of** ha höga tankar om, tro om gott; **be ~**
off ha det bra [ställt]; **he doesn't know when he's ~ off**
han vet inte hur bra han har det; **I'm very ~ off for**
clothes jag har gott om kläder; **you're ~ out of it** du
kan vara glad att du slipper det; [**she looked**
surprised,] **as ~ she might** …vilket hon gott kunde
göra (inte var så konstigt) **2** betydligt, ett bra
(gott) stycke, en bra bit; **~ away** på god väg; **~ on in**
years el. **~ advanced in years** el. **~ on in life** till åren
[kommen]; **~ on into the small hours** långt fram (in)
på småtimmarna; **~ past sixty** el. **~ over sixty** en bra
bit över (gott och väl) sextio [år] **3** **as ~** a) också,
dessutom [*he gave me clothes as ~*] b) [lika] gärna,
lika[så]väl [*you might as ~ stay*]; **just as ~** lika
gärna, lika[så]väl, se äv. *1 well II 2 a* **4 as ~ as**
a) såväl…som, både…och [*he gave me clothes as ~*
as food] b) lika bra som [*he plays as ~ as I (me)*]; **as**
~ as I can så gott (mycket) jag kan
II (*better best*) *adj* **1** a) frisk, kry, bra b) ibl. attr.
frisk [*a ~ man*]; **I don't feel quite ~ today** jag mår inte
riktigt bra i dag **2** a) bra, gott, väl [*all is ~ with us*];
lämpligt, klokt; **all's ~** mil. el. sjö. allt väl; **all's ~ that**
ends slutet gott, allting gott; **that's all very ~** för all
del; **it's all very ~ but…** det är gott och väl men…;
it's all very ~ for you to say det är lätt för dig att säga
b) om person: **he is all very ~ in his way but…** han kan
nog vara bra på sitt sätt men…; **be ~ in with** ligga

bra till hos

III *s* väl; *leave ~ alone* el. amer. *leave ~ enough alone* el.
let ~ alone låt det vara som det är

IV *interj* nå!, nåväl!, nåja!; seså!; så!, så där [ja]!
[~, *here we are at last!*]; nja!, tjaa!, jaa! [~, *you may
be right!*]; ~ *I never!* jag har aldrig hört (sett) [på]
maken!; ~, *really!* det må jag [då] säga!, jag säger
då det!; ~ *then!* nå!, alltså!; *very ~!* ja [då]!, jo!,
gärna!; *very ~ then!* nåväl!, låt gå då!, som du vill
[då]!; ~, *who would have thought it?* vem kunde väl
ha trott det?

2 well [wel] **I** *s* **1 a)** brunn [*drive* (borra) *a ~*]
b) [borrad] källa [*oil-well*] **2** mineralkälla; pl. **~s**
[hälso]brunn [ofta i ortnamn: *Tunbridge Wells*]
3 trapphus, trapprum; hisschakt, hisstrumma;
lufttrumma

II *vb itr* välla (strömma, rinna) [fram] [äv. ~ *out* el.
~ *up*; *from* ur, från]; ~ *out* äv. välla (strömma,
rinna) ut [*from, of* ur, från]; ~ *over* välla (rinna)
över; [*strong feelings*] *~ed up in him* ...vällde upp
inom honom; *tears ~ed up in her eyes* hennes ögon
tårades (fylldes av tårar)

well-adjusted [ˌweləˈdʒʌstɪd] *adj* välanpassad

well-advised [ˌweləd'vaɪzd] *adj* välbetänkt, klok [*a
~ step*]; *he would be ~ to...* det vore klokt av honom
att...

well-aimed [wel'eɪmd, attr. '--] *adj* välriktad [*a ~
blow*]

well-appointed [ˌweləˈpɔɪntɪd] *adj* välutrustad [*a ~
expedition*]; välförsedd, välinredd [*a ~ home*]

well-assorted [ˌweləˈsɔːtɪd] *adj* välsorterad [*a ~
shop*]

well-attended [ˌweləˈtendɪd] *adj* välbesökt [*a ~
meeting*]

well-balanced [wel'bælənst] *adj* **1** välbalanserad,
sansad **2** [väl] balanserad [*a ~ economy*]; väl
avvägd; allsidig [*a ~ diet* (kost)]

well-behaved [ˌwelbɪˈheɪvd] *adj* väluppfostrad,
välartad, ordentlig

well-being [ˌwel'biːɪŋ] *s* välbefinnande; väl [*the ~ of
the nation*]; välfärd; trevnad; *sense of ~* [känsla av]
välbefinnande

well-born [ˌwel'bɔːn, attr. '--] *adj* av god (fin, hög)
börd, av fin (god) familj

well-bred [ˌwel'bred, attr. '--] *adj* **1** åld.
väluppfostrad, belevad [*a ~ man; a ~ woman*] **2** av
god (fin) ras [*a ~ animal*]; ädel

well-built [ˌwel'bɪlt, attr. '--] *adj* välbyggd

well-chosen [ˌwel'tʃəʊzn] *adj* väl vald, träffande [*a
few ~ words*]

well-conceived [ˌwelkən'siːvd] *adj* bra uttänkt,
genomtänkt

well-connected [ˌwelkə'nektɪd] *adj* med goda
(inflytelserika) kontakter; med inflytelserika
släktingar

well-cooked [ˌwel'kʊkt, attr. '--] *adj* välkokt,
välstekt, vällagad

well-cut [ˌwel'kʌt, attr. '--] *adj* välskuren, välsittande
[*a ~ suit*]

well-defined [ˌweldɪ'faɪnd] *adj* väldefinierad, tydligt
avgränsad [*~ spheres*]; skarp [*~ limits*]; markant,
klar [*a ~ difference*]

well-developed [ˌweldɪ'veləpt] *adj* välutvecklad

well-disposed [ˌweldɪ'spəʊzd] *adj* **1** välvilligt

inställd, välvillig, vänligt sinnad [*towards, to* mot]
2 väldisponerad

well-documented [ˌwel'dɒkjʊmentɪd] *adj*
väldokumenterad

well-done [ˌwel'dʌn, attr. '--] *adj* **1** välgjord
2 genomstekt [*a ~ steak*]; genomkokt

well-dressed [ˌwel'drest, attr. '--] *adj* välklädd

well-drill [ˈweldrɪl] *s* brunnsborr

well-earned [ˌwel'ɜːnd, attr. '--] *adj* välförtjänt [*a ~
holiday*]

well-endowed [ˌwelɪn'daʊd] *adj* **1** vard. el. skämts.
a) välutrustad med stor penis **b)** bystig med stora bröst
2 välutrustad, välförsedd; rik

well-equipped [ˌwelɪ'kwɪpt] *adj* välutrustad,
välförsedd; bildl. väl rustad

well-established [ˌwelɪ'stæblɪʃt] *adj* väletablerad [*a
~ system*]; väl inarbetad [*a ~ business*]; solid [*a ~
position*]; grundmurad, orubblig [*a ~ habit*]; *~ art*
erkänd (etablerad) konst

well-favoured [ˌwel'feɪvəd] *adj* litt. med fördelaktigt
utseende, skön, fager

well-fed [ˌwel'fed, attr. '--] *adj* välfödd, välgödd

well-fitting [ˌwel'fɪtɪŋ] *adj* välsittande; *be ~* sitta
(passa) bra

well-founded [ˌwel'faʊndɪd] *adj* välgrundad,
berättigad [*~ suspicions*]; väl underbyggd

well-groomed [ˌwel'gruːmd, attr. '--] *adj* [väl]vårdad,
välskött [*~ nails; a ~ lawn*]; välfriserad;
vältrimmad, välansad

well-grounded [ˌwel'graʊndɪd] *adj* **1** se *well-founded*
2 a) med goda grunder (kunskaper) [*~ in
mathematics*] **b)** grundlig [*~ knowledge*]

well-heeled [ˌwel'hiːld, attr. '--] *adj* vard. tät, rik

well-hung [ˌwel'hʌŋ, attr. '--] *adj* **1** vard. skämts., om
man välutrustad med stor penis **2** kok. välhängd

wellies [ˈweliz] *s pl* (vard. kortform av *wellingtons* se
wellington) gummistövlar

well-informed [ˌwelɪn'fɔːmd] *adj* **1** kunnig,
[allmän]bildad **2** välinformerad, välunderrättad

Wellington [ˈwelɪŋtən] egennamn

wellington [ˈwelɪŋtən] *s* [gummi]stövel [äv. ~ *boot*]

well-intentioned [ˌwelɪn'tenʃ(ə)nd] *adj*
1 välmenande **2** välment

well-judged [ˌwel'dʒʌdʒd, attr. '--] *adj* **1** välbetänkt,
klok, förståndig [*a ~ measure*]; omdömesgill
2 välriktad [*a ~ blow*]

well-kept [ˌwel'kept, attr. '--] *adj* **1** välskött,
välvårdad **2** väl bevarad [*a ~ secret*]

well-known [ˌwel'nəʊn, attr. '--] *adj* [väl] känd,
välkänd, välbekant [*the place is ~*]

well-lined [ˌwel'laɪnd, attr. '--] *adj* vard. späckad, fet
[*a ~ wallet*]

well-looked-after [ˌwelʊkt'ɑːftə] *adj* välskött,
välvårdad

well-made [ˌwel'meɪd, attr. '--] *adj* **1** välgjord,
välkonstruerad; väl uppbyggd **2** välskapad,
välväxt

well-mannered [ˌwel'mænəd] *adj* väluppfostrad,
artig

well-matched [ˌwel'mætʃt, attr. '--] *adj* **1** jämställd,
lika bra (god, stark) [*a ~ competitor*] **2 a)** *~ couple*
ett par som passar bra ihop (för varandra)

well-meaning [ˌwel'miːnɪŋ] *adj* **1** välmenande; *she* *was* ~ *but tactless* hon menade väl men var taktlös **2** välment

well-meant [ˌwelˈment, attr. '--] *adj* välment

wellness [ˈwelnəs] vanl. amer. **I** *s* friskvård; hälsa, välbefinnande **II** *adj* friskvårds-, hälso- [~ *program*]

well-nigh [ˈwelnaɪ] *adv* nära nog, nästan, hart när

well-off [ˌwelˈɒf, attr. '--] *adj* välbärgad, välsituerad; se äv. *well off* under *1 well I 1*

well-oiled [ˌwelˈɔɪld, attr. '--] *adj* **1** väloljad, smidig, välsmord, effektiv [*a* ~ *department*] **2** vard. dragen berusad

well-paid [ˌwelˈpeɪd, attr. '--] *adj* välbetald, välavlönad

well-preserved [ˌwelprɪˈzɜːvd] *adj* väl bevarad [*a* ~ *manuscript*]; väl bibehållen [*a* ~ *woman*]

well-proportioned [ˌwelprəˈpɔːʃ(ə)nd] *adj* välproportionerad; regelbunden; proportionerlig, välväxt; väl avvägd

well-read [ˌwelˈred, attr. '--] *adj* beläst [*in* i], allmänbildad

well-rounded [ˌwelˈraʊndɪd] *adj* **1** mångsidig, allsidig **2** väl avvägd **3** om kvinna kurvig, välsvarvad

well-run [ˌwelˈrʌn] *adj* välskött [*a* ~ *business*]

well-situated [ˌwelˈsɪtjʊeɪtɪd] *adj* välbelägen, med bra läge

well-spoken [ˌwelˈspəʊk(ə)n] *adj* vältalig; kultiverad, belevad

well-stocked [ˌwelˈstɒkt, attr. '--] *adj* välutrustad, välförsedd, välsorterad, välfylld [*a* ~ *cupboard*]

well-tempered [ˌwelˈtempəd] *adj* **1** godlynt, godmodig **2** välarbetad, välblandad [~ *clay*] **3** väl härdad [~ *metal*]

well-tended [ˌwelˈtendɪd] *adj* välskött, välvårdad [*a* ~ *garden*]

well-thought-of [ˌwelˈθɔːtɒv] *adj* väl ansedd; mycket omtyckt

well-timed [ˌwelˈtaɪmd] *adj* läglig, lämplig, [gjord] i rätt[a] ögonblick[et]; väl beräknad

well-to-do [ˌweltəˈduː] *adj* välbärgad, välsituerad, välbeställd, förmögen

well-tried [ˌwelˈtraɪd, attr. '--] *adj* [väl]beprövad [*a* ~ *method*]; väl utprövad

well-trodden [ˌwelˈtrɒdn] *adj* vältrampad, väl upptrampad

well-turned [ˌwelˈtɜːnd, attr. '--] *adj* välformulerad [*a* ~ *phrase*]

well-versed [ˌwelˈvɜːst] *adj* välbevandrad [*in* i]

well-wisher [ˈwelˌwɪʃə, ˌ-ˈ--] *s* vän [*to, of* av], sympatisör; välgångsönskande [person]

well-worn [ˌwelˈwɔːn, attr. '--] *adj* [ut]sliten, [ut]nött, bildl. äv. banal

welly [ˈwelɪ] *s* vard., se *wellies*

Welsh [welʃ] **I** *adj* walesisk, från Wales; i Wales **II** *s* **1** *the* ~ walesarna **2** walesiska [språket]

welsh [welʃ] vard. **I** *vb tr* vanl. om bookmaker lura, snuva [på pengar] **II** *vb itr* **1** vanl. om bookmaker smita, dunsta, sticka [med pengarna] **2** ~ *on* a) se *welsh I* ovan b) smita från [~ *on a promise*]

Welsh corgi [ˌwelʃˈkɔːgɪ] *s* welsh corgi hundras

Welsh dresser [ˌwelʃˈdresə] *s* hyllskänk

Welsh|man [ˈwelʃ|mən] (pl. *-men* [-mən]) *s* walesare

Welsh rabbit [ˌwelʃˈræbɪt] *s* o. **Welsh rarebit** [ˌwelʃˈreəbɪt] *s* rostat bröd med smält ost

Welsh terrier [ˌwelʃˈterɪə] *s* welsh terrier hundras

Welsh|woman [ˈwelʃ|wʊmən] (pl. *-women* [-ˌwɪmɪn]) *s* walesiska

welt [welt] *s* strimma, rand märke på huden efter slag

welter [ˈweltə] *s* virrvarr, villervalla, röra

welterweight [ˈweltəweɪt] *s* sport. **1** weltervikt **2** welterviktare

Wembley [ˈwemblɪ] **1** geogr. egennamn **2** ~ *Stadium* berömd arena för fotbollsmatcher

wench [wen(t)ʃ] *s* **1** vard. (skämts.) tjej, brud **2** vard. el. dial. tös, jänta

wend [wend] (~*ed* ~*ed*) *vb tr* poet., ~ *one's way* styra sina steg (kosan), bege sig [*to* mot, till]

Wendy [ˈwendɪ] kvinnonamn

Wendy house [ˈwendɪhaʊs] *s* lekstuga

went [went] imperf. av *go*

wept [wept] imperf. o. perf. p. av *weep*

were [wɜː, weə, obeton. wə] imperf. ind. (2 person sg. samt pl.) o. imperf. konjv. av *be*; *if I* ~ *you I should...* [om jag vore] i ditt ställe skulle jag...

we're [wɪə] = *we are*

weren't [wɜːnt, weənt] = *were not*

werewol|f [ˈweəwʊlf, ˈwɪə-] (pl. *-ves*) *s* mytol. varulv

West [west] **I** *s, the* ~ a) Västerlandet b) i USA Västern, väststaterna c) västra delen av landet **II** *adv, go* ~ resa (fara) västerut spec. till (i) USA; *out* ~ el. *way out* ~ borta i Västern i USA

west [west] **I** *s* **1** väster [*the sun sets in the* ~]; väst; för ex. jfr *east I* **2** västan[vind] **II** *adj* västlig, västra, väst- [*on the* ~ *coast*]; väster- **III** *adv* mot (åt) väster, västerut; sjö. västvart; väst, väster; för ex. jfr *east III*; *go* ~ vard. a) kola [av] b) gå åt helsike

West Bank [ˌwestˈbæŋk] geogr., *the* ~ Västbanken

westbound [ˈwestbaʊnd] *adj* västgående, destinerad västerut

West Country [ˈwestˌkʌntrɪ] *the* ~ sydvästra England

West End [ˌwestˈend] *s, the* ~ West End den fashionabla västra delen av London

West Ender [ˌwestˈendə(r)] *s* invånare i West End

westerly [ˈwestəlɪ] *adj* o. *adv* o. *s* västlig; mot väster, från väster; västlig vind; jfr vidare *easterly*

Western [ˈwestən] **I** *adj* västerländsk **II** *s* västern, vildavästernfilm, vildavästernroman

western [ˈwestən] *adj* västlig, västra, väst- [*the* ~ *coast*]; ~ *Europe* Västeuropa

Western Australia [ˌwestɒˈstreɪlɪə] geogr. Västaustralien

westerner [ˈwestənə] *s* västerlänning; person från västra delen av landet; i USA väststatsbo

westernmost [ˈwestənməʊst] *adj* västligast

Western Powers [ˌwestənˈpaʊəz] *s pl, the* ~ västmakterna

West Germany [ˌwestˈdʒɜːmənɪ] *s* hist. Västtyskland

West Indian [ˌwestˈɪndɪən] **I** *s* västindier **II** *adj* västindisk

West Indies [ˌwestˈɪndɪz] *s pl* geogr., *the* ~ Västindien

Westminster [ˈwes(t)mɪnstə, pred. -ˈ--] **I** geogr. egennamn **II** *s* benämning på brittiska parlamentet

Westminster Abbey [ˌwes(t)mɪnstər'æbɪ] *s* kyrka i centrala London där de flesta monarker krönts

Westminster Cathedral [ˌwes(t)mɪnstəkə'θiːdr(ə)l] *s* romersk-katolsk huvudkyrka i London

West Saxon [ˌwest'sæksn] **I** *s* eng. hist. västsaxare; västsaxiska kvinna, västsaxiska [språket] **II** *adj* västsaxisk

West Side ['westsaɪd] *s*, **the ~** västra delen av Manhattan i New York

West Virginia [ˌwestvə'dʒɪnɪə] geogr.

westward ['westwəd] **I** *adj* västlig etc., jfr *eastward I* **II** *adv* mot (åt) väster, västerut; sjö. västvart; **~ of** väster om

westwards ['westwədz] *adv* se *westward II*

west wind [ˌwest'wɪnd] *s* västlig vind, västvind, västan[vind]

wet [wet] **I** *adj* **1** våt, blöt, fuktig [*with* av], sur; regnig [*a ~ day*]; **get ~ feet** el. **get one's feet ~** bli våt (blöta ner sig) om fötterna; **Wet Paint!** Nymålat!; **~ snow** blötsnö; **~ behind the ears** vard. inte torr bakom öronen; **~ from the press** alldeles nyutkommen; **~ through** genomvåt, dyblöt, genomsur; **~ to the skin** våt in på bara kroppen (skinnet); **get ~** bli våt (blöt); blöta ner sig; **get oneself ~** blöta ner sig; **make ~** blöta ner **2** vard. mesig, töntig; fjantig **II** *s* **1 a)** regn [*don't go out in the ~*]; regnväder, nederbörd **b)** väta, fukt; blöta **2** vard. mes, fjant, tönt **III** (*wet wet* el. *~ted ~ted*) *vb tr* **1** väta, fukta [*~ one's lips*]; blöta [ner]; **~ one's whistle** fukta strupen, ta sig ett glas; **~ through** göra genomblöt **2** kissa i (på) [*~ the bed*]; **~ one's pants** kissa i byxorna (på sig); **~ oneself** kissa på sig

wet blanket [ˌwet'blæŋkɪt] *s* vard. glädjedödare, glädjeförstörare; kalldusch

wet dream [ˌwet'driːm] *s* vard. våt dröm, erotisk dröm med sädesuttömning

wet look [ˌwet'lʊk] *s* våt look klädmode

wetness ['wetnəs] *s* väta, fuktighet

wet-nurse ['wetnɜːs] **I** *s* amma **II** *vb tr* **1** amma **2** dalta med, klema med (bort)

wet suit ['wetsuːt] *s* våtdräkt

wet wipe ['wetwaɪp] *s* våtservett

we've [wiːv] = *we have*

whack [wæk] vard. **I** *vb tr* dunka på (i), smälla (slå) på (i), dänga i **II** *vb itr*, **~ off** sl. runka onanera **III** *s* **1** slag, smäll; hurril **2** försök; **have a ~ at** el. **take a ~ at** försöka (ge) sig på **3** del, andel, portion, [stor] bit

whacked [wækt] *adj* vard. **1** slutkörd, utpumpad **2 ~ out** spec. amer. påtänd, hög narkotikapåverkad, packad berusad

whacking ['wækɪŋ] **I** *s* kok stryk **II** *adj* vard. väldig, kolossal; **a ~ lie** en grov lögn **III** *adv* vard. väldigt, jätte- [*~ big; ~ great*]

whacky ['wækɪ] *adj* sl. knasig, knäpp

whale [weɪl] *s* **1** zool. val, valfisk; **~ factory ship** valkokeri; **bull ~** valhane; **cow ~** valhona; **Greenland right ~** el. **bowhead ~** grönlandsval **2** vard., **have a ~ of a** [*good*] **time** ha jättekul

whalebone ['weɪlbəʊn] *s* [val]bard, [val]fiskben

whalebone whale ['weɪlbəʊnweɪl] *s* bardval

whale-fishing ['weɪlˌfɪʃɪŋ] *s* valfångst

whaler ['weɪlə] *s* **1** valfångare **2** valfångstfartyg; val[fångst]båt

whaling ['weɪlɪŋ] *s* valfångst, valjakt

wham [wæm] *interj* pang!, smack!

whammy ['wæmɪ] *s* sl. **1** put the **~ on** dra olycka över; sätta krokben för **2** dråpslag, knockout; **double ~** dubbel olycka (otur)

wharf [wɔːf] (pl. *~s* el. *wharves*) *s* kaj, lastkaj, hamnplats, båtbrygga, lastbrygga

wharves [wɔːvz] *s* pl. av *wharf*

what [wɒt] **I** *interr pron* **1** självst. vad [*~ do you mean?*]; vilken, vilket, vilka [*~ is your reason (are your reasons)?*]; vad som [*she asked me ~ happened*]; **~ ever can it mean?** vard. vad i all världen kan det betyda?; **~ for?** varför?; vad då till?; **~ did you do that for?** varför gjorde du det (så)?, vad gjorde du det för?; **~ do you take me for?** vem tar du mig för?; **I gave her ~ for** vard. jag gav henne så hon teg; **~ if...?** tänk om...?, vad händer om...?; **~ of it?** än sen då?, vad gör det?; **~ then?** el. **and then ~?** och sen då?; **~'s his name?** vad heter han?; **~'s that to you?** vad har det med dig att göra?; **~'s yours?** vad vill du ha [att dricka]?, vad får jag bjuda dig på?; **~'s up?** vad står på?; **and ~ not** el. **and ~ have you** efter uppräkning och jag vet inte vad [allt]; **so ~?** än sen då?; **do you know ~?** vet du vad?; **know ~'s ~** vard. ha [väl] reda på sig; **I'll show you ~'s ~!** vard. jag ska minsann visa dig!; **~ do you think I am?** vem tar du mig för?

2 fören. **a)** vilken, vilket, vilka [*~ country do you come from?*]; vad för en (någon, något, några), vad för [slags] [*~ tobacco do you smoke?*]; hur stor [*~ salary do you get?*]; vilken etc. som [*I don't know ~ people live here*]; **~ age is he?** hur gammal är han?; **~ good is it?** el. **~ use is it?** vad tjänar det till?; **~ name shall I say, please?** vem får jag hälsa från?; **~ sort (kind) of a person is he?** vad är han för slags person?; **at ~ time?** el. **~ time?** hur dags? **b)** i utrop vilken, vilket, vilka, [en] sådan, sådana [*~ weather!; ~ fools!*]; så [*~ beautiful weather!*]; **~ a** el. **~ an** vilken, en sådan [*~ a fool!*]; det var då också en [*~ a question!*]; **~ a pity!** så synd!, vad tråkigt! **II** *rel pron* **1** självst. vad, det [*I'll do ~ I can*]; vad som, det som [*~ followed was unpleasant*]; **~ is interesting about this is...** det intressanta med det här är...; **and ~ is more** och dessutom, och vad mer är; **come ~ may** hända vad som hända vill; **the food, ~ there was of it** [, *was rotten*] den lilla mat som fanns [kvar]...

2 fören. [all] den...[som] [*I will give you ~ help I can*]; [wear] **~ clothes you like!** ...vilka kläder du vill! **III** *adv* **1** vad, i vad mån **2 ~ with...and** el. **~ with...and ~ with** dels på grund av...och dels på grund av [*~ with drink and* [*~ with*] *tiredness, he could not...*]; **~ with one thing and another I was obliged to...** och det ena med det andra gjorde att jag måste...

whatchamacallit ['wɒtʃəməˌkɔːlɪt] *s* vard. vad är den (det) heter nu igen, vad den (det) nu kallas

whate'er [wɒt'eə] *rel pron* poet., se *whatever I*

whatever [wɒt'evə] **I** *rel pron* **1** självst. vad...än [*~ you do, do not forget...*]; vad som ...än; allt som [*do ~ is necessary*]; vilken…än [*~ his lot may be*]; hurdan…än, hur stor (liten); **~ her faults** [, *she is honest*] vilka (hur stora) fel hon än må ha…; *come, ~ you do* vad du än gör så kom!, kom för all del!; *~ you like* el. *~ you say* som du (ni) vill; *do ~ you like* gör som (vad) du vill, gör vad som helst; *or ~* vard. eller vad det nu kan vara, eller nåt sånt **2** fören. vilken…än, vilka…än [*~ steps she may take*]; hurdan…än, hur stor (liten)…än; i nekande sammanhang alls, överhuvudtaget, som helst; *no doubt ~* inte något som helst tvivel, inget tvivel alls; *without any knowledge ~* el. *with no knowledge ~* utan några som helst kunskaper **3** vard. visst, okej **II** *interr pron* se *what ever* under *what I 1*

whatnot ['wɒtnɒt] *s* vard. allt möjligt, jag vet inte vad

what's-her-name ['wɒtsəneɪm] *s* vard. vad är det hon heter [nu igen], vad hon nu heter

what's-his-name ['wɒtsɪzneɪm] *s* vard. vad är det han heter [nu igen], vad han nu heter; *Mr What's-his-name* Herr den och den

whatsit ['wɒtsɪt] *s* vard. manick, [grej] vad den nu heter [*give me that ~!*]

what's-its-name ['wɒtsɪtsneɪm] *s* vard. vad är det den (det) heter [nu igen], vad den (det) nu heter

whatsoever [ˌwɒtsəʊ'evə] *pron* se *whatever I*

wheat [wiːt] *s* vete

wheatear ['wiːtɪə] *s* zool. stenskvätta

wheaten ['wiːtn] *adj* av vete, vete- [*~ bread*]

wheat germ ['wiːtdʒɜːm] *s* vetegrodd

wheatmeal ['wiːtmiːl] *s* grahamsmjöl

whee [wiː] *interj* joho! uttryckande glädje

wheedle ['wiːdl] *vb tr* lirka med; *~ sb into doing sth* lirka (tala snällt) med ngn för att få honom att göra ngt; *~ sth out of sb* el. *~ sb out of sth* lirka (locka, lura) av ngn ngt

wheel [wiːl] **I** *s* **1** hjul äv. bildl. [*Fortune's ~*; *the ~s of social progress have turned slowly*]; *free ~* frihjul; *set the ~s of industry in motion* bildl. få hjulen att snurra; *~s within ~s* bildl. ett komplicerat maskineri, komplicerade förhållanden **2** ratt, styrratt; *take the ~* ta över [ratten]; *be at the ~* sitta vid (bakom) ratten; bildl. vara den som styr (sitter vid rodret) **3** skiva, trissa **4** gymn. varv i hjulning; *turn ~s* hjula **II** *vb tr* **1** rulla, köra, skjuta, dra [*~ a child in a pram*]; *~ a cycle* leda (dra) en cykel **2** svänga [runt], snurra [på], vrida [runt], låta (få att) rotera **III** *vb itr* **1** *~* [*round*] svänga [runt], snurra [runt], gå runt, rotera; [plötsligt] vända sig om; om t.ex. fåglar kretsa, cirkla [runt] **2** bildl., *~ out* köra fram (med) [*~ out the same old arguments (dishes)*] **3** vard., *~ and deal* fixa, mygla, tricksa

wheel alignment ['wiːləˌlaɪnmənt] *s* bil. hjulinställning

wheelbarrow ['wiːlˌbærəʊ] *s* skottkärra

wheelbase ['wiːlbeɪs] *s* hjulbas, axelavstånd

wheel brace ['wiːlbreɪs] *s* fälgkors

wheelchair ['wiːltʃeə] *s* rullstol

wheelchair user ['wiːltʃeəˌjuːzə] *s* rullstolsburen (rullstolsbunden) [person]

wheel clamp ['wiːlklæmp] *s* bil. hjullås som sätts fast på felparkerade bilar

wheeled [wiːld] *adj* försedd med hjul; på hjul; hjul-; som efterled i sammansättn. -hjulig [*three-wheeled*]

wheeler-dealer [ˌwiːlə'diːlə] *s* vard. fixare, myglare; smart affärsman (politiker)

wheel glove ['wiːlɡlʌv] *s* rattmuff

wheelhouse ['wiːlhaʊs] *s* sjö. styrhytt

wheelie ['wiːlɪ] *s* motorcykels stegring

wheelie bin ['wiːlɪbɪn] *s* soptunna med hjul

wheeling ['wiːlɪŋ] *s*, *~ and dealing* mygel

wheel of Fortune [ˌwiːləv'fɔːtʃuːn] *s* lyckans hjul

wheelwright ['wiːlraɪt] *s* hjulmakare, vagnmakare

wheeze [wiːz] **I** *vb itr* andas med ett pipande (väsande, rosslande) ljud; pipa, väsa, rossla **II** *s* **1** pipande, väsande, rosslande, pipljud, väsljud, rossel, rossling **2** vard. trick, knep; skämt, lustighet

wheezy ['wiːzɪ] *adj* pipande, väsande, rosslig

whelk [welk] *s* zool. valthornssnäcka

whelp [welp] **I** *s* valp **II** *vb itr* valpa; föda ungar **III** *vb tr* föda

when [wen] **I** *interr adv* när [*~ did it happen?*]; hur dags; *~ ever?* vard. när i all världen?; *say ~!* säg stopp! spec. vid påfyllning av glas; *from ~* el. *~…from* från vilken tid [*from ~ does it date?*; *~ does it date from?*]; *since ~* sedan när [*since ~ is that allowed?*]; [sedan] hur länge [*since ~ has she been missing?*] **II** *konj* o. *rel adv* då, när; varvid, och då [*the Queen will visit the town, ~ she will open the new hospital*]; som [*~ young*]; *~ she had left* då (när, sedan) hon hade rest; *it was only ~ I had seen it that…* det var först sedan (när) jag hade sett den som…; *~ there, I found…* när (då) jag kom dit (fram) fann jag… **III** *s* tid[punkt]; *know the ~ and* [*the*] *where* veta när och var

whence [wens] *adv* åld. el. litt. varifrån [*do you know ~ she comes?*]; varav, hur [*~ comes it (kommer det sig) that…?*]; varför; [och] därav [*~ his surprise*]; *return ~ you came* återvänd dit varifrån du kommit; *~ it follows that…* varav följer att…; *from ~* varifrån

whene'er [wen'eə] *konj* poet., se *whenever I*

whenever [wen'evə] **I** *konj* när…än, närhelst, [alltid] när, varje gång, så ofta [*~ I see him*]; *~ you like* när du vill, när som helst; *or ~* vard. eller när som helst [*on Monday, or Friday, or ~*] **II** *interr adv* se *when ever* under *when I*

whensoever [ˌwensəʊ'evə] *konj* litt. närhelst, när…än

where [weə] **I** *interr adv* **1** var [*~ is he?*]; i vilket avseende, på vilket sätt [*~ does this affect us?*]; *~ ever?* var i all världen?; *~ would* (*should*) *we be, if…?* hur skulle det gå (bli) med oss om…?; *~…to?* vart? **2** vart [*~ are you going?*]; *~ ever?* vard. vart i all världen? **II** *rel adv* **1** där [*~ it never snows, skiers must go abroad*]; [den plats] där [*two miles left to ~ I live*]; dit (till någon plats) där [*send him ~ he will be taken care of*]; var [*sit ~ you like*]; då, när [*they are rude ~ they should be polite*] **2** dit [*the place ~ I went next was Highbury*]; vart [*go ~ you like*] **III** *s* [skåde]plats; jfr *when III*

whereabouts [adv. ˌweərə'baʊts, subst. '---] **I** *adv* var ungefär, var någonstans

II (med verb i sg. el. pl.) *s* vistelseort, tillhåll; [*nobody knows*] *his ~* …var han befinner sig (håller hus)

whereas [weər'æz] *konj* **1** medan [däremot] **2** jur. enär, eftersom

whereby [weə'baɪ] *rel adv* varigenom [*the means ~ such a purpose is effected*]; varmed, med vars hjälp

where'er [weər'eə] *adv* poet., se *wherever 1*

wherefore ['weəfɔ:] **I** *adv* åld. el. litt. varför; och därför **II** *s* orsak, skäl; jfr *why II*

wherein [weər'ɪn] *rel adv* litt. vari, där

wheresoever [ˌweəsəʊ'evə] *adv* litt. varhelst, var...än; varthelst, vart...än

whereupon [ˌweərə'pɒn] *rel adv* varpå

wherever [weər'evə] *adv* **1** varhelst, var [...än]; varthelst, vart [...än]; överallt där; överallt dit; *~ he comes from* varifrån han än kommer **2** se *where ever* under *where I 1* o. *where I 2*

wherewithal ['weəwɪðɔ:l] *s*, *the ~* medel, möjlighet[er], [ekonomiska] resurser [*he has not the ~*]

whet [wet] *vb tr* **1** bildl. skärpa, öka, stimulera, reta [*~ one's curiosity*] **2** bryna, slipa, vässa

whether ['weðə] *konj* **1** om [*I don't know ~ she is here or not*]; huruvida; *the question ~...* frågan om..., frågan [om] huruvida...; *I doubt ~ he will come* jag tvivlar på att han kommer **2** *~...or* antingen (vare sig)...eller; *you must, ~ you want to or not* (*no*) du måste, antingen du vill eller inte

whetstone ['wetstəʊn] *s* bryne, brynsten

whew [hju:] *interj* puh! [*~, it's hot in here!*]; usch! [*~, what an idiot!*]

whey [weɪ] *s* vassla; *curds and ~* ung. vasslig filbunke

which [wɪtʃ] **I** *interr pron* vilken, vilket, vilka [*~ boy is it?*; *~ of the boys is it?*]; vem [*~ of you did it?*]; vilkendera; vilken (vilket, vilka, vem) som [*I don't know ~ of them came first*]; *~ one?* vilken [då]?, vilkendera?; *~ is ~?* vilken är vilken?, vem är vem? [*those two boys are John and William, but ~ is ~?*]; *~ way* [*shall we do it?*] på vilket sätt..., hur... **II** (gen. *whose*, se *whose II*) *rel pron* som, vilken, vilka; något som, vilket [*he is very old, ~ ought to be remembered*]; och det [*I lost my way, ~ delayed me considerably*]; men det [*he said he was there, ~ was a lie*]; [*she told me to leave,*] *~ I did* ...vilket jag också gjorde, ...och det gjorde jag också; *Our Father ~ art in Heaven* bibl. Fader vår som är i himlen; *in ~ case he had to...* i vilket fall han måste..., och i så fall måste han...; *about ~* [*we spoke yesterday*] om vilken..., som...om; *the house, the roof of ~* [*could be seen above the trees*] huset vars tak...; *these books, all of ~ are...* dessa böcker vilka alla är...; *added to ~ he is...* vartill (och därtill) kommer att han är...

whichever [wɪtʃ'evə] *rel pron* vilken...än [*~ road you take, you will go wrong*]; vilken [*take ~ road you like*]; vilken (vilket)...som än; den [som] [*take ~ you like best*]; hur... än [*~ way you look at it*]

whiff [wɪf] *s* **1** pust [*~ of wind*]; fläkt, puff; *a ~ of fresh air* bildl. en frisk fläkt **2** lukt, doft; stank

whiffleball ['wɪflbɔ:l] *s* golf. m.m. träningsboll med hål i

Whig [wɪg] hist. **I** *s* **1** whig; gammalliberal **2** amer. whig **a)** anhängare av den amerikanska revolutionen **b)** medlem av ett politiskt parti som existerade 1834–1861 **II** *adj* whig-

while [waɪl] **I** *s* **1** stund [*a short ~*; *a short ~ ago*]; tid; *it will be a long ~ before...* det kommer att dröja

[rätt] länge (ett bra slag) innan...; *the ~* **a)** adv. under tiden, så länge [*I shall stay here the ~*]; därvid **b)** konj., poet. medan; *all the ~* [under] hela tiden; *after a ~* efter en stund, efter en (någon) tid; *for a ~* en stund, en tid, ett slag (tag) [*I shall go away for a ~*]; på (för) en stund (tid); [*I have not seen him*] *for a long ~* ...på länge, ...på ett bra tag (slag); *in a little ~* om en liten stund, om ett litet tag, inom kort; *once in a ~* någon gång, då och då; *quite a ~* ganska länge, ett bra slag (tag) **2** *worth ~* el. *worth one's ~* mödan värt; *it is not worth ~* det är inte värt besväret, det lönar sig inte; *I will make it worth your ~* jag ska se till att det blir (är) värt besväret (att det lönar sig) för dig; jfr äv. *worthwhile* **II** *konj* **1** medan; så länge [*I shall stay ~ my money lasts*]; *~ there is life there is hope* så länge det finns liv, finns det hopp; [*we lost it*] *~ we were moving* ...under flyttningen; *sit down ~ you are waiting* sitt ner så länge; *~ speaking* [*she wrote...*] medan hon talade... **2** medan [däremot] [*Jane was dressed in brown, ~ Mary was dressed in blue*]; på samma gång (samtidigt) som [*~ I admit his good points, I can see his bad*] **III** *vb tr*, *~ away* fördriva; *~ away the time* fördriva tiden [*with* med], få tiden att gå

whilst [waɪlst] *konj* se *while II* spec. *while II 2*

whim [wɪm] *s* nyck, infall, hugskott; idé; *~ of fashion* modenyck; *he hires and fires people at ~* han anställer och avskedar folk som det passar honom; *purely on a ~ she took up aerobics* hon fick bara ett infall och började på aerobics

whimper ['wɪmpə] **I** *vb itr* gnälla, gny, kvida, pipa **II** *s* gnäll[ande], gny[ende], kvidande, pip

whimsical ['wɪmzɪk(ə)l] *adj* **1** sär[egen], bisarr, excentrisk **2** nyckfull, lynnig; oberäknelig

whimsy ['wɪmzɪ] *s* **1** bisarr humor; stollighet[er]; griller, fantasier **2** nyck, infall

whinchat ['wɪn-tʃæt] *s* zool. buskskvätta

whine [waɪn] **I** *vb itr* gnälla, jämra sig, kinka; pipa; yla; vina [*the bullets ~d through the air*] **II** *s* gnäll[ande], jämmer, kink[ande]; pip[ande]; ylande; vinande

whinge [wɪndʒ] vard. **I** *vb itr* gnälla, klaga, knorra **II** *s* gnäll, knorr

whinny ['wɪnɪ] **I** *vb itr* gnägga **II** *s* gnäggning, gnäggande

whip [wɪp] **I** *s* **1 a)** piska; gissel; *have the ~ hand* se under *whip-hand* **b)** piskrapp, pisksnärt **2** kok., slags mousse **3** parl. **a)** inpiskare **b)** meddelande om (kallelse till) votering (debatt) **II** *vb tr* (se äv. *whip IV* o. *whipped*) **1** piska [*~ a horse*]; spöa [upp], ge stryk **2** vispa [*~ cream*] **3** vard. slå ut, utklassa **4** vard. sno, knycka **III** *vb itr* (se äv. *whip IV*) rusa, kila [*she ~ped upstairs*] **IV** *vb tr* o. *vb itr* med adv. el. prep. (ofta i speciella, vard. betydelser):

whip back rusa (kila) tillbaka

whip down rusa (kila) ner (nedför)

whip in a) rusa (kila) in **b)** slänga (stoppa) in

whip into a) rusa (kila) in i [*he ~ped into the shop*] **b)** kasta på sig, hoppa i [*she ~ped into her clothes*] **c)** slänga (kasta, köra) in (ner) i [*he ~ped the packet into the drawer*] **d)** *~ into shape* få fason (hyfs) på

whip off a) rusa bort, sticka i väg [*they ~ped off on a holiday*] **b)** plötsligt dra i väg med [*he ~ped her off to France*] **c)** *he ~ed off his coat* han kastade (slet) av sig rocken; *the thief ~ped the ring off the table* tjuven slet (ryckte) till sig ringen från bordet

whip out a) rusa (störta, kila) ut (fram); *~ out of one's bed* rusa upp ur sängen **b)** blixtsnabbt rycka (dra) upp [*the policeman ~ped out his notebook*]

whip round a) sticka (kila) runt [*he ~ped round the corner*]; [blixtsnabbt] vända sig om [*he ~ped round*] **b)** *~ round to sb's place* kila över (hem) till ngn

whip through rusa (hasta, raska, blåsa) igenom

whip up a) rusa (flänga) upp (uppför) **b)** kvickt rycka upp, rafsa till (åt) sig **c)** vispa upp **d)** kvickt samla [ihop] [*~ up one's friends*]; fixa till [*~ up a meal*] **e)** piska upp, väcka [*~ up enthusiasm*]

whip-hand [ˌwɪpˈhænd] *s,* **have the ~** ha övertaget (makt) [*over (of) sb* över ngn]

whiplash [ˈwɪplæʃ] *s* **1** pisksnärt **2** med. pisksnärtskada

whiplash injury [ˌwɪplæʃˈɪn(d)ʒ(ə)rɪ] *s* med. pisksnärtskada

whipped [wɪpt] *adj* **1** piskad, pryglad; kuvad **2** [upp]vispad; *~ cream* [ˌ-ˈ-] vispgrädde vispad

whippersnapper [ˈwɪpəˌsnæpə] *s* åld. spoling, snorvalp; viktigpetter

whippet [ˈwɪpɪt] *s* whippet hundras

whipping [ˈwɪpɪŋ] *s* **1 a)** piskning, piskande **b)** *a ~* [ett kok] stryk **2** vispning, vispande

whipping boy [ˈwɪpɪŋbɔɪ] *s* strykpojke, syndabock

whipping cream [ˈwɪpɪŋkriːm] *s* vispgrädde ovispad

whipping top [ˈwɪpɪŋtɒp] *s* pisksnurra

whippoorwill [ˈwɪpʊəˌwɪl] *s* zool. [nordamerikansk] nattskärra

whip-round [ˈwɪpraʊnd] *s* vard. insamling

Whipsnade [ˈwɪpsneɪd] djurpark i Bedfordshire i södra England

whipstitch [ˈwɪpstɪtʃ] *s* sömnad. kaststygn, kaststöm

whir [wɜː] *vb itr* o. *s* se **whirr**

whirl [wɜːl] **I** *vb itr* **1** virvla [*the leaves ~ed in the air*]; snurra; svänga runt [*he ~ed and faced his pursuers*]; *~ round* el. *~ about* virvla (snurra) omkring (runt), virvla runt i [*the dancers ~ed round the room*] **2** rusa, susa, virvla [*she came ~ing into the room*] **3** *his head ~ed* det gick runt för honom, han blev yr i huvudet

II *vb tr* **1** komma att virvla, virvla upp; svänga; *they were ~ed away in the car* bilen susade i väg med dem; *~ round* svänga runt med; *~ up* virvla upp [*the wind ~ed up the sand*] **2** slunga, slänga, kasta

III *s* **1** virvel [*a ~ of water*]; virvlande; snurr[ande] [*a ~ of the wheel*]; rotation; *a ~ of dust* ett virvlande dammoln; *his brain was in a ~* det gick runt för honom, han var yr i huvudet; *give it a ~!* vard. gör ett försök!, ge det en chans! **2** bildl. virvel [*a ~ of meetings and conferences*]; *the social ~* nöjessvängen

whirligig [ˈwɜːlɪgɪg] *s* **1** snurra **2** karusell, slänggunga **3** bildl. virvel, karusell

whirlpool [ˈwɜːlpuːl] *s* strömvirvel, malström äv. bildl.

whirlpool bath [ˈwɜːlpuːlbɑːθ] *s* bubbelpool

whirlwind [ˈwɜːlwɪnd] *s* **1** virvelvind; bildl. virvel [*a ~*

of meetings and conferences] **2** attr. blixtsnabb [*a ~ tour*]

whirlybird [ˈwɜːlɪbɜːd] *s* sl. helikopter

whirr [wɜː] *vb itr* surra, vina, susa

whisk [wɪsk] **I** *s* **1** visp [*balloon ~*] **2** fly ~ flugsmälla **II** *vb tr* **1** vispa [*~ eggs*] **2** föra i flygande fläng [*they ~ed me off to London*]; *he was ~ed off to bed* han åkte (kördes) i säng illa kvickt; *~ round* svänga (snurra) runt [med]; *~ up* skjuta (slänga) upp **3** svänga (vifta, piska) med [*the cow ~ed her tail*] **4** vifta [*~ the flies away*]; borsta (sopa) [bort] [*~ crumbs from the table*]

whisker [ˈwɪskə] *s* **1** morrhår **2** vanl. pl. *~s* polisonger; *by a ~* på ett hår; *she came within a ~ of doing it* el. *she was only a ~ away from doing it* hon var en hårsmån från att göra det

whiskey [ˈwɪskɪ] *s* amer. el. irl., se *whisky*

whisky [ˈwɪskɪ] *s* skotsk whisky; *~ and soda* whisky och soda; *~ sour* whisky sour drink

whisper [ˈwɪspə] **I** *vb itr* **1** viska [*to till, åt; about om*]; tissla och tassla [*about om*] **2** susa [*the wind was ~ing in the pines*]; viska

II *vb tr* viska [*~ sth to sb; ~ sth in sb's ear*]; *~ abroad* sprida rykte

III *s* **1** viskning; rykte; *talk in a ~* el. *talk in ~s* tala i viskande ton, tala viskande, viska; *there were ~s that...* det viskades (glunkades) om att..., det var prat om att... **2** sus [*the ~ of the wind*]; viskning

whispering [ˈwɪsp(ə)rɪŋ] **I** *s* viskande; tissel och tassel **II** *adj* viskande

whispering campaign [ˈwɪsp(ə)rɪŋkæmˌpeɪn] *s* [tyst] förtalskampanj, ryktesspridning

whist [wɪst] *s* kortsp. whist; *a game of ~* ett parti whist

whist drive [ˈwɪstdraɪv] *s* kortsp. whistturnering

whistle [ˈwɪsl] **I** *vb itr* vissla [*for på, efter; to på*], vina, susa [*the wind ~d through the trees*]; pipa; om ångbåt o.d. blåsa; *the referee ~d* domaren blåste i visselpipan; *the bullets ~d past their ears* kulorna visslade (ven) om öronen på dem; *~ in the dark* försöka spela modig; *you can ~ for it* vard. det får du titta i månen efter, det kan du nog glömma

II *vb tr* vissla [*~ a tune*]; vissla på (till)

III *s* **1** [vissel]pipa; vissla [*factory ~; steam ~*]; *tin ~* leksaksflöjt; *as clean as a ~* glänsande ren; utan ett spår av bevis; *blow the ~ for offside* sport. blåsa [av] för offside; *blow the ~ on* vard. a) sätta p (stopp) för b) slå larm om **2** vissling, vinande, pip[ande], sus[ande], susning, [vissel]signal, jfr *whistle I*; *give a ~* vissla, vissla till **3** *wet one's ~* vard. fukta strupen, ta sig ett glas

whistle-blower [ˈwɪslˌbləʊə] *s* vard. väckarklocka bildl., en som sätter p (stopp) för ngt

whistle-stop tour [ˌwɪslstɒpˈtʊə] *s* vanl. amer. vard. valturné med korta uppehåll, snabbturné, blixtturné

Whit [wɪt] *adj* se *Whit Monday* o. *Whit Sunday*

whit [wɪt] *s* uns, dugg, dyft

Whitaker [ˈwɪtəkə] egennamn

white [waɪt] **I** *adj* vit; vitblek, blek; *turn a whiter shade of pale* vard. bli likblek

II *s* **1** vitt, vit färg; vithet **2** vita kläder, vitt [*dressed in ~*]; vitt tyg; pl. *~s* vit dräkt, vita byxor **3** vit; *the ~s* de vita, den vita rasen **4** vitt [vin]

5 schack. o.d. vit **6** vita: **a)** *~ of egg* äggvita [*there is too much ~ of egg in this mixture*]; *the ~ of an egg* en äggvita; *the ~s of two eggs* två äggvitor **b)** *the ~ of the eye* ögonvitan; *the ~s of the eyes* ögonvitorna **7** pl. *~s* vittvätt

white ant [ˌwaɪtˈænt] *s* vit myra, termit

whitebait ['waɪtbeɪt] *s* zool. småsill, skarpsill

white blood cell [ˌwaɪtˈblʌdsel] *s* fysiol. vit blodkropp, leukocyt

whiteboard ['waɪtbɔːd] *s* whiteboardtavla skrivtavla

white-bread ['waɪtbred] *adj* amer. vard. ordinär, konventionell; *a ~ family* helt vanlig [amerikansk] familj

whitecaps ['waɪtkæps] *s pl* vita gäss på sjön

white coffee [ˌwaɪtˈkɒfɪ] *s* kaffe med mjölk (grädde)

white-collar ['waɪtˌkɒlə] *adj*, *~ job* manschettyrke; *~ worker* kontorsarbetare, tjänsteman

white corpuscle [ˌwaɪtˈkɔːpʌsl] *s* fysiol. leukocyt, vit blodkropp

white dwarf [ˌwaɪtˈdwɔːf] *s* astron. vit dvärg[stjärna]

white elephant [ˌwaɪtˈeləfənt] *s* vard. dyrbar lyx, ekonomisk belastning; [*this big flat*] *will be a ~* äv. …kommer att kosta mer än den smakar

whitefish ['waɪtfɪʃ] *s* zool. **1** sik **2** fisk med vitt kött t.ex. torsk, kolja, vitling

white flag [ˌwaɪtˈflæg] *s* vit flagga, parlamentärflagg[a]

white frost [ˌwaɪtˈfrɒst] *s* rimfrost

white gold [ˌwaɪtˈgəʊld] *s* vitt guld, vitguld

white goods ['waɪtgʊdz] *s pl* hand. vitvaror hushållsmaskiner

Whitehall ['waɪthɔːl] **I** egennamn **1** gata i London med flera departement **2** förr: kungligt slott vid Themsen **II** *s* bildl. brittiska regeringen [och dess politik]

white heat [ˌwaɪtˈhiːt] *s*, *her anger was at ~* hon var vit (kokade) av vrede

white hope [ˌwaɪtˈhəʊp] *s*, *he is our ~* han är vårt stora hopp

white horses [ˌwaɪtˈhɔːsɪz] *s pl* vita gäss på sjön

white-hot [ˌwaɪtˈhɒt, attr. '--] *adj* **1** vitglödgad **2** bildl. glödande

White House [ˌwaɪtˈhaʊs] *s*, *the ~* Vita huset den amerikanske presidentens residens i Washington

white knight [ˌwaɪtˈnaɪt] *s* vit riddare, person (företag) som räddar ett företag från ett icke önskat uppköp

white-knuckle [ˌwaɪtˈnʌkl] *adj* rysar- [*~ ride*]

white lead [ˌwaɪtˈled] *s* blyvitt

white lie [ˌwaɪtˈlaɪ] *s* vit lögn, nödlögn

white light [ˌwaɪtˈlaɪt] *s* vitt ljus

white lightning [ˌwaɪtˈlaɪtnɪŋ] *s* amer. sl., se *moonshine 2*

white magic [ˌwaɪtˈmædʒɪk] *s* vit magi

white meat [ˌwaɪtˈmiːt] *s* vitt (ljust) kött som kalvkött

whiten ['waɪtn] **I** *vb tr* göra vit, vitfärga; bleka **II** *vb itr* bli vit, vitna, bli blek, blekna [*with* av]

whitener ['waɪtnə] *s* vitmedel; blekmedel

whiteness ['waɪtnəs] *s* vithet, vit färg; blekhet

white noise [ˌwaɪtˈnɔɪz] *s* elektr. vitt brus

white-out ['waɪtaʊt] *s* **1** *there is a ~* det är snö och dimma (snörök) **2** amer. Tipp-Ex®

White Pages [ˌwaɪtˈpeɪdʒɪs] *s pl*, *the ~* vita sidorna i telefonkatalog i USA med namn och adress på telefonabonnenterna

white paper [ˌwaɪtˈpeɪpə] *s* polit. vitbok

white pepper [ˌwaɪtˈpepə] *s* vitpeppar

white sale [ˌwaɪtˈseɪl] *s* vard. rea på hushållstextilier

white sauce ['waɪtsɔːs] *s* kok. vit sås

white-slave [ˌwaɪtˈsleɪv] *adj* vit slav-; *~ traffic* el. *~ trade* vit slavhandel

white slavery [ˌwaɪtˈsleɪvərɪ] *s* vit slavhandel, [den] vita slavhandeln

white space [ˌwaɪtˈspeɪs] *s* amer. vard. fritid ej inbokad (planerad) tid

white spirit [ˌwaɪtˈspɪrɪt] *s* lacknafta

white supremacy [ˌwaɪtsʊˈpreməsɪ] *s* den vita rasens [påstådda] överlägsenhet

white-tie [ˌwaɪtˈtaɪ] *adj* frack- [*~ dinner*]; *~ affair* el. *~ occasion* fracktillställning

white tie [ˌwaɪtˈtaɪ] *s* **1** vit fluga **2** frack [*come in a ~*]

white trash [ˌwaɪtˈtræʃ] *s* neds., i USA den vita underklassen, de fattiga vita i Södern

whitewash ['waɪtwɒʃ] **I** *s* **1** limfärg, kalkfärg **2** bildl. skönmålning, överslätande; bortförklaringar **3** vard. utklassning **II** *vb tr* **1** limstryka, vitlimma, vitmena, kalka **2** bildl. rentvå [*~ sb*; *~ sb's reputation*]; skönmåla, släta över, bortförklara **3** vard. sopa banan (mattan) med, utklassa

white water [ˌwaɪtˈwɔːtə] *s* **1** skummande vatten **2** ljust vatten [över ett grund], fors; attr. fors-

white wedding [ˌwaɪtˈwedɪŋ] *s* bröllop där bruden bär lång, vit klänning

white wine [ˌwaɪtˈwaɪn] *s* vitt vin, vitvin

whitewood ['waɪtwʊd] *s* ljust träslag

Whitey o. **whitey** ['waɪtɪ] *s* neds. **1** vit [man] **2** de vita, den vite mannen

whither ['wɪðə] litt. **I** *interr adv* varthän, vart **II** *rel adv* dit; vart [än] [*they might go ~ they pleased*]

whiting ['waɪtɪŋ] *s* **1** [slammad] krita; kritpulver **2** zool. vitling; i amer. fiskevatten: slags kummel

whitish ['waɪtɪʃ] *adj* vitaktig, blek; vit-

Whit Monday [ˌwɪtˈmʌndɪ] *s* annandag pingst

Whitsun ['wɪtsn] **I** *adj* pingst- [*~ week*] **II** *s* pingst[en]

Whit Sunday o. **Whitsunday** [ˌwɪtˈsʌndɪ] *s* pingstdag[en]

Whitsuntide ['wɪtsntaɪd] *s* pingst[en], pingsthelg[en]

whittle ['wɪtl] *vb tr* **1** tälja (karva) på [*~ a stick*]; spetsa, vässa; tälja [till], skära till [*~ a whip-handle*] **2** *~ away at* gradvis reducera, minska; *~ down* reducera, skära ner [*~ down expenses*]

whiz [wɪz] **I** *vb itr* vina, vissla, svischa [*the bullet ~zed past him*]; susa [*he ~zed downhill on his bike*]; surra **II** (pl. *~zes*) *s* **1** vinande, visslande, svischande, sus[ande]; surr **2** vard. snille, geni; expert; *computer ~* datorsnille

whiz-kid ['wɪzkɪd] *s* vard. underbarn, snille, geni; expert

WHO [ˌdʌb(ə)ljuːeɪtʃˈəʊ] förk. för *World Health Organization*

who [huː, obeton. hʊ] (gen. *whose* se detta ord; objektsform *whom*, informellt *who*) **I** *interr pron* **1** vem, vilka [*~*

is he?; *~ are they?*]; **you saw ~?** vem var det du såg[, sa du]?; **~ but he** vem om inte han, vilken annan än han; **~ ever?** vard. vem i all världen, se äv. *whoever*; **who's who** vem som är vem och vem som gör vad inom t.ex. ett företag, en organisation **2** i indirekt fråga vem som, vilka som [*he wondered ~ came; he asked me ~ did it; I know ~ did it*]
II *rel pron* **1** som; vilken, vilka [*the man (the men) ~ wanted to see you*; objektsform: *the man whom we met*, informellt *the man ~ we met*]; **all of whom** vilka alla; **many of whom** av vilka många **2** spec. litt. den [som]; **let ~ will come** låt vem som vill komma
whoa [wəʊ] *interj* ptro!, sakta i backarna!
who'd [hu:d] = *who had* o. *who would*
who-does-what [ˌhu:dʌz'wɒt] *adj* vard. arbetsfördelnings-
whodunit o. **whodunnit** [ˌhu:'dʌnɪt] *s* (av *who* [*has*] *done it?*) vard. deckare detektivroman o.d.
whoe'er [hu:'eə] *rel pron* poet., se *whoever I*
whoever [hu:'evə] **I** *rel pron* vem som än [*~ did it, I didn't* (så inte var det jag)]; vem (vilka) …än [*~ he (they) may be*]; vem (vilka) som helst som, var och en som, den som [*~ says that is wrong*]; alla (de) som [*~ does that will be punished*]; vem [*she can choose ~ she wants*]; [*give it to*] *~ you like* …vem du vill, …vem som helst
II *interr pron* se *who ever* under *who I*
whole [həʊl] **I** *adj* (jfr *hog*, *length* o. *show*) hel [*a ~ half-hour; the ~ truth; he swallowed the plum[s] ~*]; [*it went on*] *for five ~ days* …[i] fem hela dagar, …fem dagar i sträck; **the ~ five** alla fem; **the ~ thing** hela saken, det hela, hela alltet, alltsammans, alltihop [*I'm fed up with the ~ thing*]
II *s* helhet; **a ~** ett helt, en helhet [*form a ~*]; det hela [*a ~ is greater than any of its parts*]; en hel [*four quarters make a ~*]; **see sth as part of a ~** se ngt [som ett led] i ett större sammanhang; **the ~ of** hela [*the ~ of Europe; the ~ of that year*]; alla, samtliga [*the ~ of the apples*]; **the ~ of his income** hela hans inkomst, alla hans inkomster; **the ~ of it** det hela; **taken as a ~** el. **as a ~** som helhet betraktad, i sin helhet; **in ~ or in part** helt eller delvis; **on the ~** på det hela taget, i det stora hela, allt som allt
wholefood [ˈhəʊlfuːd] *s* hälsokost som oraffinerat socker, fullkornsbröd o.d.
wholegrain [ˈhəʊlɡreɪn] *adj* fullkorns- [*~ bread*]
whole-hearted [ˌhəʊl'hɑːtɪd] *adj* helhjärtad [*~ support*]; oförbehållsam, obetingad
wholemeal [ˈhəʊlmiːl] **I** *s* fullkornsmjöl; grahamsmjöl **II** *adj* fullkorns- [*~ bread*]; grahams-
whole milk [ˌhəʊl'mɪlk] *s* helmjölk, oskummad mjölk
whole note [ˈhəʊlnəʊt] *s* amer. mus. helnot; **double ~** brevis
whole numbers [ˌhəʊl'nʌmbəz] *s pl* hela tal
wholesale [ˈhəʊlseɪl] **I** *adj* **1** grossist-, parti- [*~ price*]; **~ dealer** el. **~ merchant** el. **~ supplier** grossist **2** bildl. mass- [*~ arrests*]
II *adv* **1** i parti [*sell ~*] **2** bildl. i klump, i massor; i stor skala; utan åtskillnad, över en kam
wholesaler [ˈhəʊlˌseɪlə] *s* grosshandlare, grossist
wholesome [ˈhəʊls(ə)m] *adj* hälsosam [*~ food*; *~*

air]; sund; nyttig [*~ exercise*]; välgörande [*~ effect*]; frisk [*a ~ appearance*]
wholesomeness [ˈhəʊls(ə)mnəs] *s* hälsosamhet; nytta
wholewheat [ˈhəʊlwiːt] *s* o. *adj* se *wholemeal*
wholly [ˈhəʊllɪ, ˈhəʊlɪ] *adv* helt och hållet, helt [*I ~ agree with you*]; fullt; fullständigt; helt igenom; alldeles
whom [huːm, obeton. hʊm] *pron* objektsform av *who*
whoop [huːp, wuːp] **I** *vb itr* **1** ropa, tjuta, skrika [*~ with* (av) *joy*]; hojta, heja **2** kikna vid kikhosta
II *vb tr* amer., **~ up** haussa upp, höja, trissa upp; **~ it up** vard. a) festa, ha kul b) slå på stora trumman [*for* för]
III *s* **1** rop, tjut, skrik [*~s of joy*]; hojtande **2** kikningsanfall
IV *interj* hej!, hejsan!
whoopee [ˈwʊpiː, interj. äv. wʊ'piː] **I** *s* åld. vard., **make ~** festa [om], slå runt; hoppa i säng ha sex **II** *interj* hurra!, heja!
whoopee cushion [ˈwʊpiːˌkʊʃ(ə)n] *s* pruttkudde
whooping cough [ˈhuːpɪŋkɒf] *s* kikhosta
whoops [huːps] *interj* hoppsan!
whoopsadaisy [ˈhuːpsəˌdeɪzɪ, ˈwuː-] *interj* hoppsan!
whop [wɒp] *vb tr* vard. klå upp, ge stryk; besegra äv. klå; dänga till
whopper [ˈwɒpə] *s* vard. **1** baddare, bjässe, hejare **2** jättelögn
whopping [ˈwɒpɪŋ] vard. **I** *adj* jättestor, jätte-, väldig; **a ~ lie** en jättelögn, lögn och förbannad dikt
II *adv* jätte- [*a ~ big fish*]
whore [hɔː] **I** *s* hora **II** *vb itr* hora
whorehouse [ˈhɔːhaʊs] *s* bordell, horhus
whorl [wɜːl] *s* **1** vindling i t.ex. snäcka; virvel äv. i fingeravtryck; spiral **2** bot. krans
whortleberry [ˈwɜːtlˌberɪ, -lb(ə)rɪ] *s* blåbär; **red ~** lingon
who's [huːz] = *who is* o. *who has*
whose [huːz] (gen. av *who* o. *which II*) **I** *interr pron* vems [*~ book is it?*]; vilkens, vilkas
II *rel pron* vars [*is that the boy ~ father died?; the house ~ roof had been repaired*]; vilkens, vilkets, vilkas
whosever [huːz'evə] *pron* (gen. av *whoever I*) vems (vilkas)…än
whosoever [ˌhuːsəʊ'evə] *rel pron* litt., se *whoever I*
whup [wʌp] *vb tr* vanl. amer. vard. klå, slå, besegra
why [waɪ] **I** *adv* **1** frågande varför; **~ don't you come over?** ska (kan) du inte komma över hit?; **~ ever…?** varför i all världen…?; **~ is it that…?** hur kommer det sig att…? **2** rel. varför [*~ I mention this is because…*]; därför [som] [*that is ~ I like her*]; till att, varför [*the reason ~ he did it*]; **so that is ~** jaså, det är därför
II (pl. *~s*) *s* skäl, orsak [*explaining the ~s and wherefores*]
III *interj* **1** förvånat, indignerat, protesterande o.d. men…ju [*don't you know? ~, it's in today's paper*]; nej men [*~, I believe I've been asleep*]; ja men [*~, it's quite easy* (lätt gjort)]; **~, a child knows that!** det vet ju minsta barn!; **~, what's the harm?** vad gör det då?, vad är det för ont i det då? **2** tvekande jaa; [*is it true?*] **– ~, yes, I think so** … – jaa, det tror jag **3** bedyrande, bekräftande o.d. ja, jo [*~, of course!*]; **~, no!**

nej då!, nej visst inte!; **~, yes!** el. **~, sure!** oh ja!, ja
(jo) visst! **4** inledande eftersats ja då [...naturligtvis] [*if
that won't do, ~ then, we must try something else*]

WI förk. för *Wisconsin*

wick [wɪk] *s* **1** veke **2** vard., **it** (**he**) **gets on my ~** det
(han) går mig på nerverna

wicked ['wɪkɪd] *adj* **1** ond [*~ thoughts*]; elak [*a ~
tongue*]; ondskefull; syndig [*lead a ~ life*]; skändlig
[*a ~ deed*]; illvillig [*~ gossip*]; **no peace** (**rest**) **for the
~** skämts. aldrig får man någon ro, det har man fått
för sina synder **2** vard. elak, stygg [*it was ~ of you to
torment the poor cat*] **3** retsam; busig **4** vard. otäck,
hemsk [*the weather is ~*] **5** vard. häftig, cool

wickedness ['wɪkɪdnəs] *s* **1** ondska, elakhet,
ondskefullhet, synd[fullhet] etc., jfr *wicked 1* **2** vard.
elakhet etc., jfr *wicked 2* **3** vard. hemskhet, vidrighet

wicker ['wɪkə] *adj* korg- [*~ chair*]; vide- [*~ basket*];
~ bottle korgflätad flaska

wickerwork ['wɪkəwɜːk] *s* korgarbete, flätverk; attr.
korg- [*~ furniture*]

wicket ['wɪkɪt] *s* **1** kricket. a) grind b) plan mellan
grindarna [*a soft ~ helps the bowler*]; **keep ~** vara
grindvakt; **five ~s fell** fem spelare blev utslagna;
take a ~ slå ut en slagman **2** [sido]grind; liten
[sido]dörr **3** amer. lucka t.ex. över bankdisk

wicketkeeper ['wɪkɪtˌkiːpə] *s* kricket. grindvakt

wide [waɪd] **I** *adj* **1** vid [*a ~ skirt*]; vidsträckt [*~
plains; ~ influence*]; stor [*~ experience; a ~
difference*]; rik, omfattande [*a ~ selection of new
books*]; **at ~ intervals** med långa mellanrum; **~
screen** vidfilmsduk; **in a ~ sense** i vidsträckt
bemärkelse; **the ~ world** [den] stora vida världen
2 bred [*a ~ river; 5 metres long by* (och) *2 metres ~*]
3 långt ifrån målet; felriktad; **~ of the mark** alldeles
fel, alldeles uppåt väggarna [*your answer was ~ of
the mark*]; **be ~ of the mark** äv. skjuta över målet [*his
criticism was ~ of the mark*]; gissa alldeles galet
II *adv* vida omkring; vitt; långt [*of från*]; långt
bredvid (förbi) [målet]; **fall** (**go**) **~** [**of the target**]
falla [ned] (gå) långt vid sidan [av målet], gå fel,
missa [*the shot went ~*]; vara (bli) ett slag i luften;
~ apart vitt skilda, långt ifrån varandra [*arms ~
apart*]; **~ awake** klarvaken, jfr *wide-awake*;
~ open a) vidöppen, på vid gavel [*the door was*
(stod) *~ open*]; uppspärrad [*with eyes ~ open*]
b) om t.ex. val kunna få vilken utgång som helst; **you
will be ~ open to criticism** du kommer att bli utsatt
för kritik; **he left himself ~ open** han blottställde sig;
open ~ öppna[s] på vid gavel; spärra[s] upp; **open
one's mouth ~** gapa [stort]; **shoot ~** skjuta bom,
bomma
III *s* kricket. sned boll som slagmannen inte kan nå

wide-angle lens [ˌwaɪdæŋgl'lenz] *s* foto.
vidvinkelobjektiv

wideawake ['waɪdəweɪk] *s* låg bredskyggig slokhatt
[äv. *~ hat*]

wide-awake [ˌwaɪdə'weɪk] *adj* vaken, skärpt, på
alerten; jfr *wide awake* under *wide II*

wide boy ['waɪdbɔɪ] *s* vard. fräck typ, småskojare

wide-eyed ['waɪdaɪd] *adj* med uppspärrade (stora)
ögon; **in ~ wonder** med storögd förvåning

widely ['waɪdlɪ] *adv* vitt [*~ different*]; vida; vitt och
brett; vitt omkring [*~ scattered*]; allmänt [*~ used*]; i
vida kretsar; i stor utsträckning, avsevärt [*differ*

~]; **~ known** allmänt känd, känd i vida kretsar,
vittbekant; **she is ~ read** a) hon är mycket beläst
b) hon har en stor läsekrets; **he is ~ travelled** han är
mycket berest

widen ['waɪdn] **I** *vb tr* [ut]vidga, bredda [*~ the
road*]; göra vidare (bredare); **~ the gap** el. **~ the gulf**
bildl. vidga klyftan
II *vb itr* [ut]vidgas, [ut]vidga sig, bli vidare
(bredare)

wideness ['waɪdnəs] *s* vidd, bredd, utsträckning,
omfattning, omfång, räckvidd

wide-ranging ['waɪdˌreɪn(d)ʒɪŋ] *adj*
[vitt]omfattande, vittomspännande

wide-screen ['waɪdskriːn] *adj* vidfilms-; **~ film**
vidfilm; **~ TV** bredbilds-tv

widespread [ˌwaɪd'spred, attr. '--] *adj* omfattande [*~
search*]; [allmänt (vitt)] utbredd, allmänt spridd,
allmän [*~ dissatisfaction; ~ opinion*]

wide-wale [ˌwaɪd'weɪl] *adj* textil. bredspårig [*~
corduroy*]

widget ['wɪdʒət] *s* vard. [liten] grej, manick

widow ['wɪdəʊ] *s* **1** änka [*of efter*]; **golf ~** golfänka;
~'s weeds änkedräkt, änkas sorgdräkt; **she was left
a ~** hon blev änka **2** boktr. horunge

widowed ['wɪdəʊd] *adj*, **they stayed with her ~ mother**
de bodde hos hennes mamma som blivit änka; **he
was ~ at 48** han blev änkling när han var 48

widower ['wɪdəʊə] *s* änkling, änkeman

width [wɪdθ, wɪtθ] *s* **1** bredd [*a ~ of 10 metres;
curtain material of various ~s*]; vidd [*~ round the
waist*] **2** våd; **~ of cloth** tygvåd **3** vidd, bredd [*the ~
and depth of sb's knowledge*]; spännvidd,
räckvidd; omfattning; **~ of views** vidsyn
4 [bassäng]längd

widthways ['wɪdθweɪz, wɪtθ-] *adv* på brädden
(tvären), tvärsöver

wield [wiːld] *vb tr* **1** [ut]öva [*~ control; ~ great
influence over*]; **~ power** utöva makt **2** hantera [*~
an axe*]; sköta, använda, bruka, svinga [*~ a
weapon*]; **~ the pen** föra pennan; **~ the sword** svinga
svärdet

wiener ['wiːnə] *s* amer. wienerkorv

wienie ['wiːniː] *s* amer. vard., se *wiener*

wife [waɪf] (pl. *wives*) *s* fru, hustru [*husband and ~*];
maka; **the ~** vard. min fru, frugan

wife-battering ['waɪfˌbætərɪŋ] *s* o. **wife-beating**
['waɪfˌbiːtɪŋ] *s* hustrumisshandel

Wi-Fi ['waɪfaɪ] ® data. (förk. för *wireless fidelity*) teknik
för användning av trådlösa nätverk

wig [wɪg] *s* peruk

wiggle ['wɪgl] **I** *vb itr* vrida sig [*~ like a worm*];
slingra (åla) sig [fram] [*~ through a crowd*]; vicka
[fram]; krumbukta
II *vb tr* vicka med [*~ one's toes*]; vifta med [*~ one's
ears*]
III *s* vridning; vickning; vickande [rörelse]

wiggly ['wɪglɪ] *adj* slingrande; vågformig; **~ line**
våglinje

wigwam ['wɪgwæm] *s* wigwam indianhydda

wild [waɪld] **I** *adj* (se äv. *wild II*) **1** vild [*~ animals;
~ flowers; ~ tribes*]; vild- [*~ honey*]; förvildad; **~
horses could** (**would**) **not drag me there** vilda hästar
skulle inte kunna få mig dit **2** vild [*~ mountainous
areas*]; öde [*~ land*] **3** stormig, oväders- [*a ~ night*];

~ *weather* våldsamt (häftigt) oväder **4** ursinnig, rasande, ilsken, arg [*at sth* på ngt; *with sb* på ngn]; uppjagad [*about* för] **5** vild [*av sig*] [*he was a bit ~ when he was young*]; **lead a ~ life** föra ett vilt liv **6** bråkig [*bars full of ~ youths*]; uppsluppen, vild [*a ~ party*]; oregerlig, upprorisk [*a ~ crew*] **7** oordnad, vild; [*a room*] **in ~ disorder** ...i vild oordning **8** befängd, vanvettig, orimlig [*a ~ idea*]; fantastisk [*a ~ project*]; vild [*~ schemes; ~ rumours*]; **in my ~est dreams** i mina vildaste (djärvaste) drömmar **9** vard. [alldeles] galen (tokig) [*about* i; *the girls are ~ about him*]; vild, utom sig [*with* av; *~ with joy; ~ with rage*] **10** olaglig, vild [*a ~ strike*]

II *adv* o. *adj* i förbindelse med vissa verb vilt [*grow ~*]; **go ~** a) bli ursinnig (etc., jfr *wild I 4*) bli alldeles ifrån (utom) sig, tappa besinningen b) bli vild (tokig) [*with* av]; **run ~** växa vilt (ohejdat); leva (springa omkring) fritt, springa omkring vind för våg [*the children are allowed to run ~*]; **talk ~** fantisera, yra

III *s*, **in the ~** i naturen, i vilt tillstånd; pl. **~s** vildmark, obygd[er]; **out in the ~s** skämts. bortom all ära och redlighet, på vischan

wild boar [ˌwaɪldˈbɔ:] *s* vildsvin

wild card [ˈwaɪldˌkɑ:d] *s* **1** tennis. wild card **2** data. jokertecken, ersättningstecken **3** oskrivet kort om person

wildcat [ˈwaɪldkæt] **I** *adj* vard. **1** *a ~ strike* en vild (olaglig) strejk **2** riskabel **3** skum, skojar-
II *vb itr* provborra, göra provborrning efter olja el. gas
III *s* **1** zool. vildkatt **2** bildl. vildkatt[a]

wild duck [ˌwaɪldˈdʌk] *s* vildand; gräsand

wildebeest [ˈwɪldɪbi:st, ˈvɪldəb-] *s* zool. gnu[antilop]

wilderness [ˈwɪldənəs] *s* **1** vildmark, ödemark; ödslig trakt, ödsliga vidder; öken; **stone ~** stenöken om stad; **the garden has become a ~** trädgården är helt förvildad (rena djungeln); **the Liberals' long period in the ~** polit. liberalernas långa ökenvandring (politiska vanmakt) **2** virrvarr, gytter [*from her window she could see a ~ of roofs*]

wildfire [ˈwaɪldˌfaɪə] *s* löpeld; **spread like ~** sprida sig som en löpeld

wildfowl [ˈwaɪldfaʊl] *s* jakt., vanl. koll. [vild]fågel spec. gäss o. änder

wild goose [ˈwaɪldgu:s] (pl. *wild geese* [ˈwaɪldgi:s]) *s* vildgås: spec. **a)** grågås **b)** kanadagås

wild-goose chase [ˌwaɪldˈgu:stʃeɪs] *s*, *a ~* ett lönlöst (hopplöst) företag, förspilld möda; **go on a ~** gå förgäves (i onödan); **be sent on a ~** skickas förgäves (i onödan)

wildlife [ˈwaɪldlaɪf] *s* vilda djur [och växter]; naturliv, naturens liv, djurliv[et]

wildly [ˈwaɪldlɪ] *adv* vilt etc., jfr *wild I*; **talk ~** fantisera, yra, prata i nattmössan

wild oats [ˌwaɪldˈəʊts] *s pl* flyghavre, vildhavre; **sow one's ~** så sin vildhavre

wild pansy [ˌwaɪldˈpænzɪ] *s* bot. styvmorsviol

wild rice [ˌwaɪldˈraɪs] *s* vildris

wild rose [ˌwaɪldˈrəʊz] *s* vildros

Wild West [ˌwaɪldˈwest] *s*, **the ~** Vilda västern

wiles [waɪlz] *s pl* list [*the ~ of the Devil*]; knep

wilful [ˈwɪlf(ʊ)l] *adj* **1** egensinnig, oresonlig, envis

2 avsiktlig, uppsåtlig, överlagd [*~ murder*]; medveten

wilfully [ˈwɪlfʊlɪ] *adv* egensinnigt etc., jfr *wilful*; med berått mod, med vilja, med flit

wilfulness [ˈwɪlf(ʊ)lnəs] *s* egensinne, egensinnighet etc., jfr *wilful*

wiliness [ˈwaɪlɪnəs] *s* illistighet etc., jfr *wily*

will [wɪl, hjälpverb obeton. l, wəl, əl] **I** (imperf. *would*, se detta ord) *hjälpvb* pres. (ofta hopdraget till *'ll*; nekande äv. *won't*) **1** kommer att [*you ~ never manage it*]; **she ~ be eighteen** [*next week*] hon fyller (blir) 18 år ...; **if that ~ suit you** el. **if that ~ be convenient** om det passar; **you ~ write, won't you?** du skriver väl? **2** ska, skall ämnar o.d. [*I'll do it at once*]; **~ do** vard. det ska jag göra; **I'll soon be back** jag är snart tillbaka **3** vill [*he ~ not* (*won't*) *do as he is told*]; **won't you sit down?** var så god och sitt!; **the door won't shut** dörren går inte att stänga (vill inte gå igen); **shut that door, ~ you?** [ta och] stäng dörren är du snäll! **4** ska, skall (vill) [absolut]; **she ~ have her own way** hon ska nödvändigt ha sin vilja fram; **such things ~ happen** sånt händer, det är sånt som händer **5** brukar, kan [*she ~ sit for hours doing nothing*]; **meat won't keep** [*in hot weather*] kött brukar inte hålla sig... **6** torde [*you ~ understand that...*]; **this'll be the book** [*you are looking for*] det är nog den här boken...; **~ do** det får räcka (duga) **7** uttr. order, direktiv: **you ~ do as I say!** nu gör du som jag säger!; **that'll do!** nu räcker det!; **the class ~ come at 9 o'clock sharp** klassen ska (måste) komma prick kl. 9

II *vb tr* **1** vilja; **God ~ing** om Gud vill **2** förmå (få) [genom en viljeansträngning] **3** testamentera [*~ sth to sb; ~ sb sth*]; **~ away** testamentera bort

III *s* **1** vilja; **good ~** god vilja, välvilja etc., jfr *goodwill 2*; **ill ~** illvilja, agg etc., jfr *ill will*; **popular ~** folkvilja[n]; **thy ~ be done** bibl. ske din vilja; **where there's a ~ there's a way** ordspr. man kan om (bara) man vill; **have one's ~** el. **get one's ~** få sin vilja fram; **at ~** efter behag, fritt; [*you may come and go*] **at ~** ...som du vill, ...som det passar dig; **of one's own free ~** el. **of one's own ~** frivilligt, av [egen] fri vilja **2** testamente; **my last ~ and testament** min sista vilja, mitt testamente

willful [ˈwɪlf(ʊ)l] o. **willfully** [ˈwɪlfʊlɪ] *adj* amer., se *wilful* o. *wilfully* m.fl. ord

William [ˈwɪljəm] **1** mansnamn **2** som kunganamn Vilhelm

Willie [ˈwɪlɪ] *s* vard. el. barnspr., se *willy*

willies [ˈwɪlɪz] *s pl* sl., **it gives me the ~** det ger mig stora skälvan, det gör mig nervös

willing [ˈwɪlɪŋ] *adj* **1** villig; beredvillig, tjänstvillig; **I am quite ~** det vill (gör) jag gärna; **be ~ to do sth** vara villig (vara beredd, gå med på) att göra ngt; gärna göra ngt; **be ~ to make sacrifices** vara beredd till uppoffringar; **~ or not** el. **~ or unwilling** med eller mot sin vilja **2** frivillig [*~ exile*]

willingly [ˈwɪlɪŋlɪ] *adv* **1** gärna, villigt, beredvilligt, med nöje (glädje) **2** frivilligt

willingness [ˈwɪlɪŋnəs] *s* **1** villighet, beredvillighet, tjänstvillighet **2** frivillighet

will-o'-the-wisp [ˌwɪlədəˈwɪsp, ˈ----] *s* **1** chimär, ren orimlighet **2** spelevink; hoppetossa

willow ['wɪləʊ] *s* **1** bot. pil, vide; *weeping* ~ tårpil **2** vard. slagträ i kricket, vanl. gjort av piltä

willow pattern ['wɪləʊˌpætən] *s* tårpilsmotiv på porslin

willowy ['wɪləʊɪ] *adj* **1** bevuxen (kantad) med pilar (vide) **2** smärt, slank; *she has a ~ figure* hon är smal som en vidja

willpower ['wɪlˌpaʊə] *s* viljekraft, viljestyrka

willy ['wɪlɪ] *s* vard. el. barnspr. [pille]snopp, Petter Niklas penis

willy-nilly [ˌwɪlɪˈnɪlɪ] *adv* **1** med eller mot sin vilja, nolens volens; [*he must go*] ~ ...vare sig (antingen) han vill eller inte **2** hur som helst, huller om buller

wilt [wɪlt] **I** *vb itr* **1** vissna, torka [bort], [börja] sloka **2** börja mattas, slappna, svikta; tyna bort **II** *vb tr* **1** komma att vissna **2** komma att svikta (försvagas), försvaga

Wilton ['wɪlt(ə)n] *s*, ~ *carpet* el. ~ *rug* wiltonmatta

Wiltshire ['wɪlt-ʃɪə, -ʃə] geogr.

wily ['waɪlɪ] *adj* illistig, knipslug, bakslug, lömsk; förslagen, finurlig; *he is a ~ bird* han har en räv bakom örat

Wimbledon ['wɪmbld(ə)n] statsdel i sydvästra London där den årliga internationella tennisturneringen spelas

WIMP [wɪmp] data. (förk. för *windows, icons, mouse and pointer*) WIMP används om grafiska gränssnitt

wimp [wɪmp] **I** *s* vard. mes, fjant, tönt **II** *vb itr*, ~ *out* backa ur

Wimpy® ['wɪmpɪ] *s* slags hamburgare och kedja av hamburgerrestauranger

win [wɪn] **I** (*won won*) *vb tr* **1** vinna [~ *a bet*; ~ *a prize*; ~ *a victory*]; vinna i (vid) [~ *the election*]; ta [hem] äv. kortsp. [~ *a contract*; ~ *a trick*]; skaffa sig, förvärva; tillvinna sig, erövra; ~ *a prize in a lottery* vinna [en vinst] på [ett] lotteri; ~ *one's way* lyckas kämpa sig fram, slå sig fram; nå sitt mål; klara sig fint; *you can't ~ them all* man kan inte vinna alla gånger (ha framgång jämt); ~ *a reputation for oneself* göra sig ett namn **2** utvinna [~ *metal from* (ur) *ore*]; bryta [~ *coal*] **3** ~ *sb sth* få ngn att vinna ngt, göra att ngn vinner ngt; *he won us* [*the game*] det var han som gjorde (det var hans förtjänst) att vi vann...

II (*won won*) *vb itr* **1** vinna, segra [~ *by* (med) *3–1*]; *you ~!* äv. jag ger mig! **2** lyckas komma (ta sig) [~ *across*]

III (*won won*) *vb tr* o. *vb itr* med adv. el. prep.:

win out a) lyckas komma (ta sig) ut b) vard. segra [till sist] [*his finer nature won out*] c) klara sig, lyckas

win sb over vinna ngn för sin sak, få ngn med sig [*he soon won the audience over*]; [lyckas] övertala ngn; ~ *sb over to* få ngn [att gå] över till [*she won them over to her own standpoint*]; vinna ngn för [*he won them over to the idea*]; ~ *sb over* [*to one's side*] få ngn över på sin sida

win sb round se *win sb over* under *win III* ovan

win through lyckas komma (ta sig) igenom äv. bildl. [~ *through difficulties*]; vard. klara sig, lyckas; slå igenom

IV *s* vard. **1** sport. seger [*our team has had* (vunnit) *three ~s this summer*] **2** vinst [*a big ~ on the pools*]

wince [wɪns] **I** *vb itr* rycka till, grimasera; rysa till [~ *at* (vid) *the memory*]; *without wincing* utan att

darra (röra en min)

II *s* grimas; rysning; *without a ~* utan att darra (röra en min)

winch [wɪn(t)ʃ] **I** *s* **1** vinsch, vindspel **2** vev, vevsläng **II** *vb tr* vinscha [upp]

Winchester ['wɪn(t)ʃɪstə] geogr.

Winchester College [ˌwɪn(t)ʃɪstəˈkɒlɪdʒ] känd *public school*

1 wind [wɪnd, i poesi äv. waɪnd] **I** *s* **1** vind [*warm ~s*]; blåst; *gust of* ~ kastby, vindstöt; *there is a strong ~* det blåser hårt (hård vind); [*we will have to see*] *which way the ~ blows* bildl. ...vad det blåser för vind, ...vart (hur) vinden blåser; *take the ~ out of sb's sails* bildl. ta loven av ngn; förekomma ngn; *sail close to the ~* el. *sail near the ~* a) segla dikt bidevind, hålla upp i vinden b) vard. tangera gränsen för det otillåtna (oanständiga); *there is something in the ~* bildl. det är något under uppsegling; *be scattered to the* [*four*] *~s* skingras för alla vindar (åt alla håll); *throw to the ~s* bildl. kasta överbord **2** andning [*smoking affected his ~*]; *break the ~ of a horse* spränga en häst; *get one's second ~* bildl., se under *second wind* **3** väderkorn; *get ~ of* få väderkorn på, vädra, bildl. äv. få nys om, få korn på **4** gas[er] från magen; *break ~* släppa sig; *bring up the ~* vard. bli (vara) skraj [*about för*]; *put the ~ up sb* vard. göra ngn skraj **5** munväder, [tomt] prat (snack) **6** mus., *the ~* blåsinstrumenten, blåsarna i orkester

II *vb tr* **1** göra andfådd; *be* (*get*) *~ed* vara (bli) andfådd **2** [få att] rapa [~ *a baby*]

2 wind [waɪnd] **I** (*wound wound;* se äv. *2 wind III*) *vb tr* **1** linda, vira, slå [~ *a rope round a package*] **2** nysta [~ *yarn*]; spola; ~ *wool into a ball* nysta [upp] garn till ett nystan **3** a) veva [~ *down* (*up*) *a window*]; veva (vrida) på [~ *a handle* (vev)] b) vinda (veva, hissa) upp **4** vrida (dra) upp [äv. ~ *up*; ~ [*up*] *a watch*] **5** ~ *one's way* slingra sig [fram]

II (*wound wound*) se äv. *2 wind III* *vb itr* **1** slingra [sig] [*the path ~s up the hill*]; ringla sig **2** vridas (dras) upp [*the toy ~s at the back*]

III (*wound wound*) *vb tr* o. *vb itr* med adv. i bildl. betydelser:

wind up a) sluta [*he wound up by saying*]; avsluta [~ *up a meeting*]; hamna [till slut] [~ *up in hospital*]; *to ~ up* [*the dinner*] som avslutning på...; *she will ~ up being* [*the boss*] hon kommer att sluta som... b) hand. avveckla [~ *up a company*]; ~ *up an estate* jur. utreda ett dödsbo, bodela c) skruva (driva) upp [~ *up expectations*]

windbag ['wɪndbæg] *s* vard. pratmakare, pratkvarn

windblown ['wɪndbləʊn] *adj* **1** vindpinad **2** tillrufsad av vinden [~ *hair*]

windbreak ['wɪndbreɪk] *s* vindskydd t.ex. häck

windbreaker® ['wɪndˌbreɪkə] *s* amer. vind[tygs]jacka

windcheater ['wɪndˌtʃiːtə] *s* vind[tygs]jacka

wind-chill factor ['wɪndtʃɪlˌfæktə] *s* meteor. kyleffekt

wind chimes ['wɪndtʃaɪmz] *s pl* vindspel

winder ['waɪndə] *s* **1** haspel, härvel; spole; nystvinda **2** nyckel till ur; uppdragskrona på ur **3** vinsch; vindspel; vev; gruv. uppfordringsanordning

windfall ['wɪndfɔ:l] *s* **1** bildl. oväntade pengar, [glad] överraskning **2** fallfrukt

wind farm ['wɪndfɑ:m] *s* vindkraftpark

wind force ['wɪndfɔ:s] *s* vindstyrka

wind gauge ['wɪndgeɪdʒ] *s* meteor. vindmätare

winding ['waɪndɪŋ] *adj* slingrande, slingrig, krokig [*a ~ path*]

winding sheet ['waɪndɪŋʃi:t] *s* [lik]svepning, sveplakan

wind instrument ['wɪnd,ɪnstrʊmənt] *s* blåsinstrument

windlass ['wɪndləs] *s* tekn. vindspel, vinsch; sjö. ankarspel

windless ['wɪndləs] *adj* vindlös, vindstilla, kav lugn

windmill ['wɪn(d)mɪl] *s* **1** väderkvarn; *tilt at ~s* bildl. slåss mot väderkvarnar **2** vindsnurra leksak

window ['wɪndəʊ] *s* **1** fönster äv. data. el. på kuvert; skyltfönster; *a ~ on the world* bildl. ett fönster mot världen; [*sit*] *at the ~* ...vid (i) fönstret; *by the ~* a) vid fönstret b) genom fönstret, fönstervägen [*escape by the ~*]; *in the* [*shop*] *~* i [skylt]fönstret; *go out the ~* el. *go out of the ~* vard. försvinna, sluta existera; *look out of the ~* titta ut genom fönstret **2** [biljett]lucka **3** lämplig tidpunkt (period); *~ of opportunity* gyllene tillfälle

window box ['wɪndəʊbɒks] *s* fönsterlåda, balkonglåda för växter

window-cleaner ['wɪndəʊ,kli:nə] *s* fönsterputsare

window display ['wɪndəʊdɪ,spleɪ] *s* [fönster]skyltning

window-dressing ['wɪndəʊ,dresɪŋ] *s* **1** [fönster]skyltning **2** bildl. skyltande, uppvisning; [tom] fasad

window frame ['wɪndəʊfreɪm] *s* fönsterkarm

window ledge ['wɪndəʊledʒ] *s* fönsterbräda; fönsterbleck

windowpane ['wɪndəʊpeɪn] *s* fönsterruta

window sash ['wɪndəʊsæʃ] *s* fönsterbåge, fönsterram i skjutfönster

window seat ['wɪndəʊsi:t] *s* **1** fönsterplats **2** fönsterbänk, fönstersoffa

window shade ['wɪndəʊʃeɪd] *s* amer. rullgardin

window-shop ['wɪndəʊʃɒp] *vb itr* [gå och] titta i skyltfönster, fönstershoppa [*go ~ping*]

windowsill ['wɪndəʊsɪl] *s* fönsterbräda; fönsterbleck

windpipe ['wɪndpaɪp] *s* anat. luftstrupe; vard. luftrör

windproof ['wɪndpru:f] *adj* vindtät

windscreen ['wɪndskri:n] *s* vindruta på bil

windscreen washer ['wɪndskri:n,wɒʃə] *s* vindrutespolare

windscreen wiper ['wɪndskri:n,waɪpə] *s* vindrutetorkare

windshield ['wɪndʃi:ld] *s* **1** amer., se *windscreen* m.fl. ord **2** vindskydd

Windsor ['wɪnzə] geogr. egennamn

Windsor chair [,wɪnzə'tʃeə] *s* windsorstol slags pinnstol

windsurfer ['wɪnd,sɜ:fə] *s* sport. vindsurfare

windsurfing ['wɪnd,sɜ:fɪŋ] *s* sport. vindsurfing; *go ~* vindsurfa

windswept ['wɪndswept] *adj* vindpinad, blåsig

wind tunnel ['wɪn(d),tʌnl] *s* flyg. vindtunnel

windward ['wɪndwəd] sjö. **I** *adv* [i] lovart, mot

vinden **II** *adj* lovarts-; [som går] mot vinden **III** *s* lovart[s]sida; *to ~* mot vinden, i lovart

windy ['wɪndɪ] *adj* **1** blåsig, utsatt för vinden (väder och vind), vindpinad [*a ~ hilltop*]; *~ weather* blåsigt väder, blåsväder **2** högtravande [*~ after-dinner speeches*]; mångordig [*a ~ speaker*]

Windy City [,wɪndɪ'sɪtɪ], *the ~* beteckn. för *Chicago*

wine [waɪn] **I** *s* **1** vin [*a bottle of ~*; *French ~s*]; *take ~* [*with one's meals*] dricka vin… **2** vinröd färg, vinrött

II *vb itr* vard., *~ and dine* äta och dricka, festa

III *vb tr* vard., *~ and dine sb* bjuda ngn på en god middag (goda middagar) [med goda viner]

wine bar ['waɪnbɑ:] *s* vinbar, bistro

wine barrel ['waɪn,bær(ə)l] *s* vinfat

wine bottle ['waɪn,bɒtl] *s* vinbutelj, vinflaska

wine card ['waɪnkɑ:d] *s* vinlista

wine cask ['waɪnkɑ:sk] *s* vinfat

wine cellar ['waɪn,selə] *s* vinkällare

wine-cooler ['waɪn,ku:lə] *s* **1** vinkylare **2** slags kall drink på vin, juice och kolsyrat vatten

wineglass ['waɪnglɑ:s] *s* vinglas äv. som mått

wine-grower ['waɪn,grəʊə] *s* vinodlare

winelist ['waɪnlɪst] *s* vinlista

winerack ['waɪnræk] *s* vinställ

winery ['waɪnərɪ] *s* spec. i USA vinproducerande fabrik; vinodling

wine-tasting ['waɪn,teɪstɪŋ] *s* vinprovning

wine vinegar ['waɪn,vɪnɪgə] *s* vinättika, vinäger

wing [wɪŋ] **I** *s* **1** vinge, flyg. äv. bärplan; *clip sb's ~s* bildl. vingklippa ngn; *spread one's ~s* el. *try one's ~s* bildl. pröva vingarna; *take ~* a) flyga [upp], lyfta b) bildl. ge sig av; flyga sin kos; *on the ~* i flykten [*shoot a bird on the ~*]; flygande; *take sb under one's ~s* bildl. ta ngn under sina vingars skugga **2** flygel äv. på bil, sidodel, sidostycke, sidoutsprång; [hus]länga **3** polit. flygel, falang **4** sport. ytterkant; *play on the ~* spela ytter (på ytterkanten) **5** teat., vanl. pl. *~s* kulisser; *have sth in the ~s* vard. ha ngt i bakfickan; *be waiting in the ~s* vänta i kulisserna; bildl. vara redo (beredd) **6** flyg. flygemblem på uniform; *get one's ~s* vard. få sina [pilot]vingar, bli pilot

II *vb tr* **1** vingskjuta [*~ a bird*]; skjuta ned **2** poet., *~ one's way* flyga (sväva) [fram (bort)] **3** vard., *~ it* improvisera

wing chair ['wɪŋtʃeə] *s* öronlappsfåtölj

wing commander ['wɪŋkə,mɑ:ndə] *s* mil. överstelöjtnant vid flygvapnet

winged [wɪŋd] *adj* bevingad äv. bildl., försedd med vingar; [ving]snabb

winger ['wɪŋə] *s* sport. ytter

wingless ['wɪŋləs] *adj* vinglös [*~ insects*]; inte flygfärdig [*a ~ bird*]

wing mirror ['wɪŋ,mɪrə] *s* bil. [yttre] backspegel

wing nut ['wɪŋnʌt] *s* vingmutter

wingspan ['wɪŋspæn] *s* flyg. el. zool. vingbredd

wing tip ['wɪŋtɪp] *s* vingspets; *~ flare* flyg. vingljus

wink [wɪŋk] **I** *vb itr* **1** blinka; *~ at sb* blinka åt ngn; *~ at sth* bildl. blunda för ngt, se genom fingrarna med ngt; *before you could ~* innan man hann blinka (visste ordet av) **2** blinka [*a lighthouse was ~ing in the far distance*]; blänka 'till [*a light suddenly ~ed*]

II *vb tr* blinka med

III *s* **1** blink; blinkning; *in a* ~ på ett ögonblick, i en handvändning, i ett huj **2** blund; *I couldn't get a ~ of sleep* jag fick inte en blund i ögonen; *forty ~s* vard. en liten [tupp]lur **3** bildl., *tip sb the ~* vard. tipsa ngn, ge ngn ett tips

winkle ['wɪŋkl] **I** *s* ätbar strandsnäcka **II** *vb tr*, ~ *out* tvinga ut; pilla (peta) fram (ut)

winner ['wɪnə] *s* **1** vinnare, segrare; ~*'s stand* sport. prispall, segerpall; *come out* ~ utgå som segrare, vinna **2** vard. [pang]succé, fullträff; [*this idea*] *is a real* ~ ...kommer att bli en verklig fullträff

Winnie-the-Pooh [,wɪnɪðə'puː] Nalle Puh i A. A. Milnes böcker

winning ['wɪnɪŋ] *adj* **1** vinnande [*the* ~ *horse*]; segrande; vinnar- [*she is a* ~ *type*]; seger- [~ *time*]; vinst- [*a* ~ *number*] **2** bildl. vinnande [*a* ~ *smile*]; intagande, förtjusande [*a* ~ *child*]; *he has very* ~ *ways with him* han har ett mycket vinnande sätt

winning post ['wɪnɪŋpəʊst] *s* kapplöpn. målstolpe, mållinje, mål

winnings ['wɪnɪŋz] *s pl* vinst[er] [*many big* ~ *in a lottery*]

winnow ['wɪnəʊ] *vb tr* **1** lantbr. fläkta, rensa [~ *wheat*]; ~ *the chaff from the grain* skilja agnarna från vetet **2** sålla [fram]

wino ['waɪnəʊ] *s* (pl. ~s) sl. alkis, fyllo

winsome ['wɪnsəm] *adj* behaglig, vinnande, sympatisk, trevlig, intagande

winter ['wɪntə] **I** *s* vinter äv. bildl.; attr. vinter- [~ *sports*]; *last* ~ förra vintern, i vintras; *this* ~ den här vintern, [nu] i vinter; *in* el. *in the* ~ på (om) vintern (vintrarna); *in the* ~ *of 2010* [på] vintern 2010; *in the early* ~ el. *in early* ~ på förvintern, tidigt på vintern; *in late* ~ el. *in the late* ~ senvintern, sent på vintern; *in the dead of* ~ mitt i [smällkalla] vintern; *on a* ~ *day* el. *on a* ~*'s day* [på] en vinterdag **II** *vb itr* övervintra; tillbringa vintern [~ *in the south*]; [*this plant*] *will* ~ *outdoors* ...kan stå ute hela vintern

winter garden ['wɪntə,gɑːdn] *s* vinterträdgård

winter hance ['wɪntəhæns] *s* bot. sippmara

winter solstice [,wɪntə'sɒlstɪs] *s* vintersolstånd

wintertime ['wɪntətaɪm] *s* vinter äv. bildl., vintertid; *in* ~ el. *in the* ~ på (under) vintern (vintrarna), vintertid[en]

wintry ['wɪntrɪ] *adj* vinterlik, vinter- [*a* ~ *landscape*]; bildl. kall, kylig, frostig

wipe [waɪp] **I** *vb tr* (se äv. *wipe III*) **1** torka [av]; torka (stryka) bort, sudda ut; ~ *one's eyes* torka tårarna; ~ *one's feet* torka [sig om] fötterna; ~ *the floor with sb* vard. sopa golvet (banan) med ngn; ~ *one's shoes* torka av skorna, torka av sig om fötterna; ~ *the slate clean* bildl., se under *slate I 3* **2** torka med [~ *a cloth over the table*] **3** bildl. sudda ut [~ *a memory from one's mind*] **4** radera [~ *a tape*] **II** *vb itr* (se äv. *wipe III*) torka; gnida **III** *vb tr* o. *vb itr* med adv. el. prep.:

wipe away torka bort

wipe down torka ren (av)

wipe off a) torka bort; torka av; stryka (sudda) ut b) utplåna; ~ *off a debt* göra sig kvitt en skuld; ~ *that grin* (*smile*) *off your face!* vard. lägg av med det där flinet!; ~ *sth off the face of the earth* el. ~ *sth off the map* totalförstöra ngt, radera ut ngt

wipe out a) torka ur; torka bort, gnida ur [~ *out a stain*]; stryka (sudda) ut b) utplåna, rentvå sig från [~ *out an insult*]; ~ *out a debt* göra sig kvitt en skuld c) förinta [*the whole army was* ~*d out*]; utplåna, utrota [~ *out crime*] d) göra helt slut (utmattad)

wipe up torka upp [~ *up spilt milk*]; torka [~ *up the dishes*]

IV *s* **1** [av]torkning; *give sth a* ~ torka av ngt **2** tork[lapp], våtservett

wipe-clean [,waɪp'kliːn] *adj* avtorkbar [*a* ~ *surface*]

wiper ['waɪpə] *s* **1** torkare [*windscreen* ~] **2** torktrasa **3** tekn. lyftarm, lyftkam

wire ['waɪə] **I** *s* **1** tråd av metall [*copper* ~; *telegraph* ~]; ledningstråd, ledning; [tunn] kabel; lina; [tunn] vajer (wire); *barbed* ~ taggtråd; *steel* ~ ståltråd; *live* ~ se *live wire*; *get one's* ~*s crossed* vard. missförstå varandra; *pull* ~*s* vanl. amer. använda sitt inflytande, mygla; *be on the* ~ amer. vard. vara på tråden (i telefon[en]) **2** kapplöpn. målsnöre; *go* (*come*) *down to the* ~ vard. avgöras (visa sig) i sista ögonblicket, avgöras (visa sig) in i det sista; *under the* ~ vard. i sista stund, i grevens tid, nätt och jämnt **3** stängsel **4** amer. åld. vard. telegram **5** mus. [metall]sträng **II** *vb tr* **1** dra in ledningar i; ansluta [äv. ~ *up*]; ~ *a house* [*for electricity*] installera (dra in) elektricitet i ett hus **2** linda om (fästa, binda, förstärka) med ståltråd; ~ [*in*] inhägna med taggtråd (ståltråd); ~ [*off*] spärra av med taggtråd (ståltråd) **3** överföra på elektronisk väg [~ *money*] **4** vanl. åld. vanl. amer. skicka telegram till **5** bugga med avlyssningsutrustning

wirebrush ['waɪəbrʌʃ] *s* stålborste

wire-cutters ['waɪə,kʌtəz] *s pl* slags avbitartång

wired ['waɪəd] *adj* **1** data. vard. ansluten till Internet etc. **2** vanl. amer. sl. speedad **3** data. vard., ung. uppkopplad om person som är väl insatt i webbens funktioner, system och kulturyttringar **4** buggad med avlyssningsutrustning [äv. ~ *up*]

wire-haired ['waɪəheəd] *adj* strävhårig [*a* ~ *terrier*]

wireless ['waɪələs] *s* åld. radio[apparat]; attr. radio- [*a* ~ *receiver*; *a* ~ *set*]

wire netting [,waɪə'netɪŋ] *s* ståltrådsnät, [stormaskigt] trådnät; ståltrådsstängsel

wirepulling ['waɪə,pʊlɪŋ] *s* vanl. amer. [hemlig] dirigering, spel bakom kulisserna; intrigerande, intrigspel; mygel

wiretap ['waɪətæp] *vb tr* avlyssna telefon

wiretapping ['waɪə,tæpɪŋ] *s* telefonavlyssning

wire wool ['waɪəwʊl] *s* stålull för rengöring

wiring ['waɪərɪŋ] *s* **1** ledningar, elsystem **2** ledningsdragning, elinstallation; överföring; omlindning

wiry ['waɪərɪ] *adj* **1** seg; uthållig; senig; fast [~ *muscles*] **2** gänglig, mager **3** borstig, spretig [~ *hair*]

WIS o. **Wis.** förk. för *Wisconsin*

Wisconsin [wɪ'skɒnsɪn] geogr.

wisdom ['wɪzd(ə)m] *s* visdom, vishet, klokhet; förstånd; *question the* ~ *of* ifrågasätta det kloka i; *conventional* ~ el. *received* ~ allmänna (vanliga) uppfattningen, en vanlig (allmän) uppfattning

wisdom tooth ['wɪzdəmtuːθ] (pl. *wisdom teeth* ['wɪzdəmtiːθ]) *s* visdomstand

wise [waɪz] **I** *adj* vis, klok, förståndig; förtänksam, försiktig, förutseende; *be ~ after the event* vara efterklok; [*if you take it*] *nobody will be any the ~r* …kommer ingen att märka något; *we were none the ~r* [*for it*] vi blev inte ett dugg klokare [för det]; *get ~ to sth* vard. komma på det klara med ngt, få nys om ngt; *put sb ~ to sth* vard. göra ngt klart för ngn, öppna ngns ögon för ngt; sätta ngn in i ngt **II** *vb itr* vard., *~ up* öppna förstå

wisecrack ['waɪzkræk] vard. **I** *s* kvickhet; spydighet **II** *vb itr* komma med träffande anmärkningar, vara kvick; vara spydig

wise guy ['waɪzgaɪ] *s* amer. vard. **1** stöddig (kaxig) kille **2** förståsigpåare, besserwisser

wisely ['waɪzlɪ] *adv* **1** vist, klokt, förståndigt [*act ~*]; *you did ~ to* [*keep silent*] du gjorde klokt i att…, det var klokt av dig att… **2** visligen, klokt (förståndigt) nog [*he ~ preferred to stay*]

wisenheimer ['waɪz(ə)n,haɪmə] *s* amer. vard. besserwisser, förståsigpåare

wish [wɪʃ] **I** *vb tr* **1** önska [*I ~ it were (was) true*]; vilja ha; *I ~ to* [*say a few words*] jag skulle vilja…; *I ~ I could* om jag bara kunde [det]; *I ~ you would be quiet* om du ändå ville vara tyst; *I ~ to goodness* se under *goodness* 4; *I ~ to God* (*Heaven*) *that…* jag önskar vid Gud att…, Gud vad jag önskar att… **2** tillönska, önska [*~ sb a pleasant journey*; *~ sb a good morning*; *~ sb a Happy New Year*]; *~ sb joy* lyckönska ngn; *I ~ you well!* lycka till! **3** vard., *I wouldn't ~it on my worst enemy* det skulle jag inte önska min värsta fiende
II *vb itr* önska, önska [sig] något [*close your eyes and ~!*]; *as you ~* som du vill
III *vb itr* med adv.:
wish for önska [sig] [*she has everything a woman can ~ for*]; längta efter
IV *s* önskan, önskemål [*for om*]; längtan [*for efter, till*], lust [*for till*], vilja [*for till*]; pl. *~es* a) önskningar, önskemål [*for om*] b) hälsningar [*best ~es from Mary*]; *my best ~es* el. *my good ~es* mina varmaste lyckönskningar; *I have no ~ to* [*hurt you*] jag har ingen önskan att…; *make a ~* önska, önska [sig] något; *against* (*contrary to*) *sb's ~es* [tvärt]emot (mot) ngns önskan (vilja)

wishbone ['wɪʃbəʊn] *s* gaffelben på fågel, önskeben ben i form av en klyka som dras itu av två personer varvid den som fått den längsta delen får önska sig något

wishful ['wɪʃf(ʊ)l] *adj* längtansfull [*a ~ glance*]; längtande; ivrig, angelägen [*to do sth*]

wishful thinker [,wɪʃf(ʊ)l'θɪŋkə] *s* människa som hänger sig åt önsketänkande

wishful thinking [,wɪʃf(ʊ)l'θɪŋkɪŋ] *s* önsketänkande

wishing well ['wɪʃɪŋwel] *s* önskebrunn

wish list ['wɪʃlɪst] *s* önskelista

wishy-washy ['wɪʃɪ,wɒʃɪ] *adj* **1** velig, flummig [*a ~ person*] **2** svamlig [*~ talk*]; urvattnad, matt, blek [*a ~ description*] **3** blaskig [*~ soup*; *~ tea*; *~ colours*]; lankig, vattnig

wisp [wɪsp] *s* strimma, slinga; [litet] stycke, bit; *~ of hair* hårslinga, hårtest; *~ of smoke* rökslinga, rökstrimma; *a ~ of a fellow* en [liten] knatte

wispy ['wɪspɪ] *adj* **1** tovig [*a ~ beard*]; stripig [*~ hair*] **2** liten, tunn, spenslig, spinkig

wistaria [wɪ'steərɪə] *s* o. **wisteria** [wɪ'stɪərɪə] *s* bot. blåregn

wistful ['wɪstf(ʊ)l] *adj* längtande, längtansfull, trånande, trånsjuk; tankfull

wistfulness ['wɪstf(ʊ)lnəs] *s* längtan, trånad; tankfullhet

wit [wɪt] *s* **1** vett, förstånd, klokhet, intelligens [äv. pl. *~s*]; pl. *~s* äv. själsförmögenheter; *quick ~* el. *nimble ~* snabb uppfattning[sförmåga], rörligt intellekt; slagfärdighet; *have a ready ~* vara slagfärdig (kvicktänkt); *slow ~* el. *dull ~* trög fattningsförmåga; *collect one's ~s* samla (sansa) sig; *she has got her ~s about her* hon har huvudet på skaft; *have the ~ to do sth* ha förstånd nog (vett) att göra ngt; *he kept his ~s about him* han höll huvudet kallt; *lose one's ~s* tappa huvudet (besinningen); *I am at my ~s' end* jag vet varken ut eller in; *live by one's ~s* leva på sin intelligens och fiffighet och inte på ngt vanligt arbete; *in possession of one's five ~s* vid sina sinnens fulla bruk; *be out of one's ~s* vara från vettet; *frighten sb out of his ~s* skrämma ngn från vettet; *frightened out of one's ~s* vettskrämd **2** kvickhet; espri, spiritualitet [*his conversation is full of ~*] **3** kvickhuvud; spirituell (humoristisk) människa

witch [wɪtʃ] *s* **1** häxa; trollkäring, trollpacka; *~es' brew* häxbrygd; *~es' broom* bot. häxkvast, trollkvast slags grengyttring på träd; *~es' sabbath* häxsabbat äv. bildl.; *white ~* välvillig (hjälpsam) trollgumma **2** vard. häxa, [gammal] käring [*she is a real old ~*] **3** förtrollande kvinna [*she is a pretty little ~*] **4** zool. rödtunga, mareflundra

witchcraft ['wɪtʃkrɑːft] *s* trolldom, häxeri, trolltyg, magi; trolleri, trollkonster

witch-doctor ['wɪtʃ,dɒktə] *s* medicinman, trollkarl

witch hazel ['wɪtʃ,heɪzl] *s* **1** bot. trollhassel **2** farmakol. hamamelis[extrakt]

witch-hunt ['wɪtʃhʌnt] *s* häxjakt, bildl. äv. klappjakt [*~ for* (på, efter) *political opponents*]

witching ['wɪtʃɪŋ] *adj* förhäxande, troll-, häx-; spök-; *the ~ hour* spöktimmen

with [wɪð, framför tonlös konsonant äv. wɪθ] *prep* (se äv. resp. verb o. substantiviska huvudord) **1** uttr. medel, innehav, sätt o.d. med [*cut ~ a knife*; *a girl ~ blue eyes*]; med hjälp av; för [*I bought it ~ my own money*]; [*sleep*] *~ the window open* …för öppet fönster **2** uttr. samhörighet, samtidighet o.d. [tillsammans (i sällskap)] med [*come ~ us!*]; tillsammans med, till, i [*take sugar ~ one's coffee*]; *go ~* gå (passa) till [*the jumper goes well ~ the skirt*]; *be ~ it* vard. a) vara inne modern, hänga med, vara med i svängen b) vara med på noterna; hänga med; se äv. *with-it* **3** uttr. närvaro o.d. hos [*he is staying* (bor) *~ the Browns*]; där hos; bland [*popular ~*]; *have a job ~* ha arbete hos (vid, på); *I'll be ~ you in a moment* jag kommer (är klar) om ett ögonblick; *the fault lay ~ him* felet låg hos honom, det var hans fel (skuld) **4** uttr. samtycke, medhåll o.d.: *I'm quite ~ you there* det håller jag helt med dig om **5** uttr. orsak o.d. av [*stiff ~ cold*; *tremble ~ fear*]; *be laid up ~ flu* el. *be down ~ flu* ligga till sängs i influensa **6** uttr. strid, kontrast o.d. mot; ibl. äv. med [*fight ~*; *contrast ~*] **7** uttr. attityd, bemötande o.d. **a)** mot [*be frank ~ sb*; *be friendly ~ sb*; *be honest ~ sb*] **b)** på [*be angry ~ sb*] **8** uttr. i vilket avseende något gäller: *what's ~ him* (*her*)?

vard. vad är det med honom (henne)?; **what does he want ~ me?** vad vill han mig?; **you can never tell ~ him** när det gäller honom (med honom) kan man aldrig [så noga] veta; **it's OK ~ me** vard. det går bra för mig (för min del)

9 uttr. motsats trots, med [*I like him, ~ all his faults*]

withdraw [wɪð'drɔ:, wɪθ'd-] (*withdrew withdrawn*) **I** *vb tr* **1** dra tillbaka [~ *troops from a position*]; dra bort (undan, ifrån) [~ *the curtains*]; dra till sig [~ *one's hand*] **2** avlägsna, ta bort [*from* från, ur]; dra in [~ *dirty banknotes*]; **~ one's name from a list** stryka sitt namn på (från) en lista **3** upphäva [~ *a prohibition*]; återkalla [~ *an order*]; återta, ta tillbaka [~ *a statement*] **4** ta ut [~ *money from* (från, på) *the bank*]

II *vb itr* dra sig tillbaka äv. bildl. [*our troops had to ~; ~ to one's room*]; avlägsna (isolera) sig, gå avsides; dra sig undan äv. bildl.; dra sig ur [det] [*you cannot ~ now*]; ta tillbaka det (vad man sagt) [*he refused to ~*]

withdrawal [wɪð'drɔ:(ə)l, wɪθ'd-] *s* **1** [penning]uttag från bank **2** tillbakadragande, avlägsnande etc., jfr *withdraw I 1* **3** upphävande, återkallande etc., jfr *withdraw I 3* **4** utträde, utträdande [~ *from* (ur) *an association*]; tillbakaträdande, avgång; försvinnande [~ *from public* (*social*) *life*]; mil. återtåg **5** med. abstinens, avvänjning

withdrawal symptoms [wɪð'drɔ:(ə)l,sɪm(p)təmz] *s pl* med. abstinensbesvär

withdrawn [wɪð'drɔ:n, wɪθ'd-] **I** perf. p. av *withdraw* **II** *adj* bildl. tillbakadragen, inåtvänd, reserverad [*a ~ manner; a ~ person*]; isolerad, avskild [*a ~ community*]; **a ~ life** ett tillbakadraget (isolerat) liv

withdrew [wɪð'dru:] imperf. av *withdraw*

wither ['wɪðə] **I** *vb tr* **1** förtorka, förbränna, göra vissen, få att vissna [äv. ~ *up; the hot summer ~ed* [*up*] *the grass*] **2** bildl. förinta, tillintetgöra [~ *sb with a scornful look*]; förlama
II *vb itr*, ~ [*away*] vissna [bort] äv. bildl. [*her beauty ~ed* [*away*]]; förtorka, tyna bort, förtvina, skrumpna

withering ['wɪð(ə)rɪŋ] *adj* **1** vissnande etc., jfr *wither II*; bildl. äv. avtagande, sjunkande [~ *courage*] **2** bildl. förintande, tillintetgörande [*a ~ glance*]; mördande; isande

withers ['wɪðəz] *s pl* manke på häst

withheld [wɪð'held] imperf. o. perf. p. av *withhold*

withhold [wɪð'həʊld, wɪθ'h-] (*withheld withheld*) *vb tr* **1** hålla inne [~ *sb's wages*]; hålla inne med [~ *one's opinion*]; vägra att ge [~ *one's consent*]; **~ sth from sb** undanhålla ngn ngt; **number withheld** tele. skyddat nummer **2 ~ sb from doing sth** hindra (avhålla) ngn från att göra ngt; **~ oneself from sth** stå emot ngt

withholding tax [wɪð'həʊldɪŋtæks] *s* **1** vanl. EU. uppbörd som omfattas av dubbelbeskattningsregler **2** amer. källskatt

within [wɪ'ðɪn, wɪð'ɪn] **I** *prep* (se äv. under resp. huvudord) **1** i rumsuttr. el. bildl. inom, inuti, inne i, i [~ *the house; ~ the room*]; innanför; på...när [*exactly weighed ~ a gramme*]; **be ~ doors** vara inomhus (inne); **~ closed doors** inom (bakom) lyckta dörrar; **~ easy distance of** o. **~ walking distance** se under *distance I 1*; **~ a kilometre** på [mindre än] en

kilometers avstånd, inom en kilometers omkrets [*of* från]; **~ the law** inom lagen[s gränser (råmärken)]; **~ oneself** a) inom sig, i sitt inre, inombords; i sitt stilla sinne b) utan att överanstränga (förta, ta ut) sig **2** i tidsuttr.: **~ the last half hour** för mindre än en halvtimme sedan; **well ~ a year** inom (på) långt mindre än ett år
II *adv* mest litt. **1** inuti, innanför, invändigt, på insidan; därinne; [*house to let,*] **inquire ~** ...förfrågningar inne i fastigheten **2** bildl. inom sig, i sitt inre

with-it ['wɪðɪt] *adj* vard. inne- modern [~ *clothes*]; se äv. *with 2*

without [wɪð'aʊt] **I** *prep* (se äv. under resp. huvudord) **1** utan; **~ cause** utan orsak; i onödan; **~ a home** utan [ett] hem, hemlös; [*he came*] **~ my seeing him** ...utan att jag såg honom **2** mest litt. utanför [~ *the gates*]; utom
II *adv* **1** [*there's no bread*] **so you'll have to do ~** ...så du får klara dig utan; [*if you don't like the bread,*] **you'll have to go ~** ...så får du vara utan **2** mest litt. utanför, på utsidan, utanpå, [där]ute; utomhus, utifrån

withstand [wɪð'stænd, wɪθ's-] (*withstood withstood*) *vb tr* motstå, stå emot [~ *an attack; ~ temptation*]; tåla [~ *hard wear*]; uthärda [~ *heat; ~ pain*]; trotsa [~ *danger; ~ the storm*]; göra motstånd, spjärna emot

withstood [wɪð'stʊd] imperf. o. perf. p. av *withstand*

witless ['wɪtləs] *adj* **1** enfaldig, obegåvad **2** oförståndig, tanklös [*a ~ prank*] **3** vard., **be scared ~** el. **be frightened ~** vara (bli) vettskrämd

witness ['wɪtnəs] **I** *s* **1** vittne äv. jur.; **be ~ of** (**to**) el. **be a ~ of** (**to**) vara vittne till, bevittna; **call sb as a ~** kalla ngn som vittne; **hear ~es** [för]höra vittnen; **before ~es** inför vittnen, i vittnens närvaro **2** bevittnare [~ *of a signature; ~ of a document*] **3 a**) vittnesbörd äv. relig., vittnesmål **b**) tecken, bevis; **be a ~ to** äv. vittna om, bära vittne om, [be]visa; **bear ~ to** (**of**) bära vittne[sbörd] om, vittna om, [be]visa [*the tests bear ~ to the quality of this new car*]; **give ~** vittna
II *vb tr* **1** vara (bli) vittne till, bevittna [~ *an accident*]; uppleva [*the town has ~ed many important events*]; vara med om, se, beskåda; **he did not live to ~...** han fick aldrig uppleva (vara med om)... **2** bevittna [~ *a document; ~ a signature*] **3** bära vittne[sbörd] om, vittna om
III *vb itr* **1** vittna, vara vittne [*against* mot; *for* för; *to sth* om ngt] **2 ~ my hand and seal** av mig underskrivet och med sigill bekräftat

witness box ['wɪtnəsbɒks] *s* vittnesbås, vittnesbänk; **be in the ~** befinna sig i vittnesbåset, höras som vittne; **put sb in the ~** placera ngn i vittnesbåset, höra ngn som vittne

witness stand ['wɪtnəsstænd] *s* amer. vittnesbås; **take the ~** ta plats (sätta sig) i vittnesbåset

witticism ['wɪtɪsɪz(ə)m] *s* kvickhet

wittiness ['wɪtɪnəs] *s* kvickhet, slagfärdighet, espri, spiritualitet; vitsighet

wittingly ['wɪtɪŋlɪ] *adv* med avsikt, med berått mod

witty ['wɪtɪ] *adj* kvick, slagfärdig, spirituell; vitsig

wives [waɪvz] *s* pl. av *wife*

wizard ['wɪzəd] *s* **1** trollkarl; häxmästare;

medicinman **2** vard. mästare, överdängare [*at* på], [riktig] trollkarl [*a financial ~*]; snille, geni

wizardry ['wɪzədrɪ] *s* **1** trolldom **2** otrolig skicklighet; genialitet **3** koll. finesser, smarta lösningar

wizened ['wɪznd] *adj* [hop]skrumpen [*~ apples*]; skrynklig, rynkig [*a ~ face*]

wk förk. för *week, work*

WLTM i annonser, e-post el. textmeddelanden (förk. för *would like to meet*) söker [*woman, 55, ~ man with interest in music*]

WMD förk. för *weapons of mass destruction*

WNW (förk. för *west-north-west*) västnordväst

w.o. förk. för *walkover*

wobble ['wɒbl] **I** *vb itr* **1** vackla, kränga (vingla) ['till] [*the bicycle ~d*]; gunga, vagga, vicka [*the table ~s*] **2** bildl. vackla, tveka, vara osäker **II** *vb tr* få att vackla etc., jfr *wobble I 1*; gunga (vagga) [på], vicka på [*don't ~ the table!*]; svänga [på] **III** *s* krängning, vinglande; gungning, vaggning; slingring, gir; skakning, darr[ning]

wobbly ['wɒblɪ] **I** *adj* vinglig [*a ~ table*]; ostadig [*~ on her legs after the illness*]; vacklande; **I felt ~ at the knees** jag kände mig darrig (svag) i knäna (knäsvag) **II** *s* vard., **throw a ~** bli jättearg (rasande)

Wodehouse ['wʊdhaʊs]

wodge [wɒdʒ] *s* vard. **1** bunt **2** klump

woe [wəʊ] *s* poet. el. skämts. ve, sorg, bedrövelse, elände; olycka, lidande [*poverty, illness and other ~s*]; **~ betide you!** ve dig!, gud nåde dig [om du gör det]!; **tale of ~** a) tragisk berättelse (historia), lidandeshistoria b) klagolåt, klagovisa [*the old tale of ~*]

woebegone ['wəʊbɪ‚gɒn] *adj* olycklig, bedrövad, förtvivlad, dyster [*a ~ expression on his face*]

woeful ['wəʊf(ʊ)l] *adj* **1** bedrövad, sorgsen, olycklig **2** dyster, trist, eländig [*a ~ day; a ~ place*] **3** bedrövlig

wog [wɒg] *s* sl. (neds.) svartskalle

wok [wɒk] **I** *s* wok **II** *vb tr* o. *vb itr* woka, laga i wok

woke [wəʊk] imperf. o. perf. p. av *1 wake*

woken ['wəʊk(ə)n] perf. p. av *1 wake*

wolf [wʊlf] **I** (pl. *wolves*) *s* **1** varg, ulv **2** i bildl. uttr.: **a ~ in sheep's clothing** en ulv i fårakläder; **a lone ~** en ensamvarg; **keep the ~ from the door** hålla nöden (svälten) från dörren (på avstånd); **who is afraid of the big bad ~?** ingen rädd[er] för vargen här!; **throw (cast) to the wolves** kasta åt vargarna, offra, prisge, utlämna **II** *vb tr* sluka, glupa (glufsa) i sig [äv. *~ down*]

wolf cub ['wʊlfkʌb] *s* vargunge

wolf hound ['wʊlfhaʊnd] *s* varghund

wolfish ['wʊlfɪʃ] *adj* varglik, varg-; bildl. glupsk, glupande [*a ~ appetite*]

wolfram ['wʊlfrəm] *s* kem. el. miner. wolfram

wolf-whistle ['wʊlf‚wɪsl] **I** *s* gillande [bus]vissling **II** *vb itr* [bus]vissla gillande [*at* efter, åt]

Wolverine State [‚wʊlvəri:'n'steɪt], **the ~** beteckn. för staten *Michigan*

Wolves [wʊlvz] kortform av *Wolverhampton Wanderers* fotbollslag

wolves [wʊlvz] *s* pl. av *wolf*

woman ['wʊmən] (pl. *women* ['wɪmɪn]) *s* **1** kvinna;

an English ~ en engelsk kvinna, en engelska; *the little ~* skämts. frugan; *old ~* gammal kvinna, [gammal] gumma; [gammal] käring; *my (the) old ~* vard., om hustru frugan, gumman, tanten; *be one's own ~* stå på egna ben, rå sig själv; *a ~ of the world* se under *world 1*; *emancipation of women* kvinnoemancipation

2 i allm. betydelse kvinnan [*~ is often braver than man*]; kvinnor, kvinnosläktet

3 attr., ofta framför yrkesbeteckning kvinnlig; *~ author* el. *~ writer* kvinnlig författare, författarinna, *~ doctor* kvinnlig läkare; *~ friend* kvinnlig vän, väninna vanl. till kvinna; *~ suffrage* kvinnlig rösträtt

4 *~'s* el. *women's* ofta kvinno-, kvinnlig; *women's clinic* kvinnoklinik; *women's doubles* damdubbel i tennis o.d.; *women's lib* ngt åld. kvinnorörelsen, kvinnokampen; *women's movement* kvinnorörelsen; *~'s man* kvinnokarl, fruntimmerskarl; *~'s page* damsida i tidning; *women's magazine* damtidning; *women's refuge* kvinnojour; *~'s rights* el. *women's rights* kvinnans rättigheter (likaberättigande); kvinnosaken; *women's studies* kvinnovetenskap; *women's suffrage* kvinnlig rösträtt

woman-chaser ['wʊmən‚tʃeɪsə] *s* kvinnojägare

womanhood ['wʊmənhʊd] *s* **1** kvinnlighet, att vara kvinna **2** kvinnor[na], kvinnosläktet **3** vuxen (mogen) ålder [*reach ~*]

womanish ['wʊmənɪʃ] *adj* neds., om man käringaktig, omanlig

womanizer ['wʊmənaɪzə] *s* kvinnojägare; kvinnotjusare, fruntimmerskarl

womankind [‚wʊmən'kaɪnd, '---] *s* kvinnosläktet, kvinnor[na]

womanliness ['wʊmənlɪnəs] *s* kvinnlighet

womanly ['wʊmənlɪ] *adj* kvinnlig [*~ modesty*]

womb [wu:m] *s* anat. livmoder; moderliv; ofta bildl. sköte; *from ~ to tomb* bildl. från vaggan till graven

women ['wɪmɪn] *s* pl. av *woman*

womenfolk ['wɪmɪnfəʊk] (med verb i pl.) *s* åld. kvinnfolk, kvinnor

won [wʌn] imperf. o. perf. p. av *win*

wonder ['wʌndə] **I** *vb itr* o. *vb tr* **1** förundra (förvåna) sig, förvånas, vara (bli) förvånad, häpna [*at* (*over*) över]; *I shouldn't ~ if he were late* el. *he will be late, I shouldn't ~* det skulle inte förvåna mig om han kom för sent; *can you ~ at it?* det är väl inte så konstigt; *it is not to be ~ed at that...* det är inte att undra på att...; *I ~ at you* du förvånar mig [verkligen], du gör mig förvånad **2** undra [*I was just ~ing*]; *I ~!* det undrar jag!, det tror jag knappast!; *~ about sth* undra (fundera) över ngt [*~ about the origin of the universe*]; *I ~ if (how, why)...* jag undrar om (hur, vad, varför)...; *I ~ if I could speak to...* äv. skulle jag kunna få (jag skulle vilja) tala med...

II *s* **1** under, underverk [*the seven ~s of the world*]; underbar händelse (sak, syn, bragd), om person äv. fenomen [*he is a veritable ~*]; underbarn [äv. *~ child*]; *~ drug* undermedel, undermedicin, undergörande medel (medicin); *the ~ of* det underbara (tjusningen) i (hos); *~ of ~s!* under över alla under!; *is it any ~ that...?* är det [så] underligt att...?, är det att undra på att...?; [*it is*] *no (little,* *small*) ~ det är inte [så] underligt (konstigt), det är inte att undra på [*he refused, and no* ~]; **~s will never cease** ofta iron., ung. undrens tid är [ännu] inte förbi; **do ~s** el. **work ~s** göra (utföra) under[verk] **2** [för]undran, häpnad [*at* över; *that* över att]; **look at sb in** (**with**) ~ se undrande (med förundran) på ngn

wonderful ['wʌndəf(ʊ)l] *adj* **1** underbar [~ *weather*]; fantastisk, strålande **2** förunderlig, märkvärdig, märklig

wonderland ['wʌndəlænd] *s* underland, sagoland; underbart (fantastiskt) land, eldorado; *Wonderland* underlandet ['*Alice's Adventures in Wonderland*']

wonderment ['wʌndəmənt] *s* litt. **1** [för]undran **2** under[verk]

wondrous ['wʌndrəs] *adj* litt. underbar, beundransvärd, förunderlig

wonk [wɒŋk] *s* amer. vard. strebertyp, byråkrat [*foreign policy* ~]

wonky ['wɒŋkɪ] *adj* vard. ostadig [~ *on one's legs*]; vinglig, ranglig, skranglig [*a* ~ *chair*]; sned

wont [wəʊnt, amer. äv. wɒnt] *adj* van; **he was ~ to say** han brukade säga, han hade för vana att säga

won't [wəʊnt] = *will not*

woo [wuː] *vb tr* litt. **1** fria till; uppvakta **2 a)** söka vinna, sträva efter [~ *fame*; ~ *fortune*; ~ *success*] **b)** bildl. fria till, [söka] ställa sig in hos [*an author trying to* ~ *his readers*]

wood [wʊd] *s* **1** trä; ved äv. bot.; virke, timmer; träslag [*teak is a hard* ~]; attr. trä- [~ *industry*; ~ *tar*]; ~ *chips* träflisor; *log of* ~ vedträ; trästock, timmerstock; *piece of* ~ träbit, trästycke; *touch* ~*!* el. amer. *knock* [*on*] ~*!* ta i trä!; peppar, peppar! **2** ~ el. pl. **~s** [liten] skog; *one* (*you*) *cannot see the* ~ *for the trees* man ser inte skogen för bara träd; *be out of the* ~ el. *be out of the* **~s** bildl. vara utom fara (ur knipan, i säkerhet), ha klarat krisen; *take to the* **~s** bege sig (rymma) till skogs; bildl. smita [från ansvaret] **3** mus., *the* ~ träblåsinstrumenten, träblåsarna i en orkester **4** golf. trä[klubba]

wood anemone [ˌwʊdə'nemənɪ] *s* bot. vitsippa

wood ant ['wʊdænt] *s* zool. skogsmyra

woodbine ['wʊdbaɪn] *s* bot. **1** vildkaprifol[ium] **2** amer. vildvin

wood block ['wʊdblɒk] *s* **1** träkloss, träskiva, [trä]stock för träsnitt **2** träsnitt

wood burner ['wʊdˌbɜːnə] *s* braskamin

wood-carver ['wʊdˌkɑːvə] *s* träsnidare

wood-carving ['wʊdˌkɑːvɪŋ] *s* träsnideri; träskulptur, träsnideriarbete

woodchuck ['wʊdʃʌk] *s* zool. skogsmurmeldjur

woodcock ['wʊdkɒk] *s* zool. morkulla

woodcut ['wʊdkʌt] *s* träsnitt

wood-cutter ['wʊdˌkʌtə] *s* **1** skogshuggare, timmerhuggare; vedhuggare **2** graf. träsnittare, trägravör

wooded ['wʊdɪd] *adj* skogig, skogrik [*a* ~ *country*; *a* ~ *landscape*]; skogbevuxen, skogbeväxt; ~ *district* skogsbygd; ~ *hillside* skogsbacke

wooden ['wʊdn] *adj* **1** av trä, trä- [*a* ~ *house*; *a* ~ *leg*] **2** bildl. **a)** träaktig [~ *manners*]; träig; stel, uttryckslös **b)** torr, andefattig

wooden spoon [ˌwʊdn'spuːn] *s* **1** träslev **2** *the* ~ jumbopriset

wood grouse ['wʊdgraʊs] *s* zool. tjäder

woodland ['wʊdlənd] *s* skogsbygd, skogsland, skogsmark, skogstrakt; attr. skogs- [~ *air*; ~ *birds*; *a* ~ *path*]; ~ *scenery* skogsnatur, skogslandskap; *piece of* ~ skogsparti

wood louse ['wʊdlaʊs] (pl. *wood lice* ['wʊdlaɪs]) *s* zool. gråsugga

wood|mouse ['wʊdmaʊs] (pl. *-mice* [-maɪs]) *s* zool. skogsmus

wood-oven ['wʊdʌvn] *adj* spec. amer., ~ *pizza* pizza gräddad i vedeldad ugn

wood oven ['wʊdʌvn] *s* spec. amer. vedeldad ugn

woodpecker ['wʊdˌpekə] *s* zool. hackspett

wood pigeon ['wʊdˌpɪdʒən] *s* zool. skogsduva; ringduva

wood pulp ['wʊdpʌlp] *s* trä-, [trä]pappersmassa

woodshed ['wʊdʃed] *s* vedbod, vedskjul

woodwind ['wʊdwɪnd] *s*, *the* ~ el. *the* **~s** träblåsinstrumenten, träblåsarna i en orkester

woodwind instrument ['wʊdwɪndˌɪnstrʊmənt] *s* träblåsinstrument

woodwind player ['wʊdwɪndˌpleɪə] *s* träblåsare

woodwork ['wʊdwɜːk] *s* **1 a)** byggn. träverk, timmerverk **b)** snickerier [*paint the* ~ *in a kitchen*]; träarbeten **2** snickeri; spec. skol. träslöjd **3** bildl.: *come* (*crawl*) *out of the* ~ komma fram, dyka upp; *fade* (*disappear*) *into the* ~ bli osynlig

woodworm ['wʊdwɜːm] *s* **1** zool. trämask **2** trämaskskada, trämaskskadegörelse

woody ['wʊdɪ] *adj* **1** skogrik, skogig; skogbevuxen; skogs- [*a* ~ *path*] **2** träaktig, träig; träartad, vedartad

Woody Woodpecker [ˌwʊdɪ'wʊdˌpekə] Hacke Hackspett seriefigur

1 woof [wuːf] *interj* vov! [~, ~!]

2 woof [wuːf] *s* **1** vävn. väft; inslag **2** väv

woofer ['wuːfə] *s* bashögtalare

wool [wʊl] *s* **1** ull; ullgarn; *pull the* ~ *over sb's eyes* vard. slå blå dunster i ögonen på ngn; *dyed in the* ~ bildl. tvättäkta, fullfjädrad; *ball of* ~ ullgarnsnystan **2** ylle [*wear* ~ *next to the skin*]; ylletyg, yllekläder; *all* ~ el. *pure* ~ helylle

woollen ['wʊlən] *adj* **1** ull- [~ *yarn*]; av ull **2** ylle- [*a* ~ *blanket*]; av ylle; ~ *goods* yllevaror

woollens ['wʊlənz] *s pl* ylletyger, yllevaror; ylle[tyg]; yllekläder, ylleplagg

woolliness ['wʊlɪnəs] *s* ullighet

woolly ['wʊlɪ] **I** *adj* **1** ullig; ullbeklädd; ulliknande; dunig; ullhårig; ~ *hair* ulligt (krulligt) hår, ullhår **2** ylle- [~ *clothes*; *a* ~ *coat*]; av ylle **3** bildl. oklar, otydlig [*a* ~ *voice*]; vag [~ *ideas*]; luddig **4** vard., *wild and* ~ vild och galen, laglös **II** *s* vard. ylleplagg; ylletröja, olle

Woolworth ['wʊlwəθ, -wɜːθ] **1** egennamn **2** ~*'s* varuhuskedja med lågpriser (i bl.a. USA o. Storbritannien) **3** attr., vard. (ung.) skräp-, epa-

woozy ['wuːzɪ] *adj* vard. **1** snurrig, virrig **2** på snusen, lummig halvfull

wop [wɒp] *s* sl. el. neds. dego, spagge spec. italienare

Worcester ['wʊstə] geogr.

Worcester sauce [ˌwʊstə'sɔːs] *s* worcester[shire]sås

Worcestershire ['wʊstəʃɪə, -ʃə] geogr.

Worcs förk. för *Worcestershire*

word [wɜːd] **I** *s* (efter prep. se *word* I 7) **1** ord; pl. **~s** äv.

a) ordalag [*in well chosen ~s*]; ordalydelse, formulering b) yttrande, uttalande [*the Prime Minister's ~s on TV*]; *a ~ of advice* ett [litet] råd; *~ of honour* hedersord; *put in a* [*good*] *~ for sb* lägga ett gott ord för ngn; *it's the last ~* det är det allra senaste (sista skriket) [*in* i, i fråga om]; *have the last ~* ha (få) sista ordet; ha avgörandet i sin hand; *~s fail me!* jag saknar ord [för det]!, det var det värsta [jag hört]!; *have a ~ in the matter* ha (få) ett ord med i laget; *have a ~ with sb* tala (växla) ett par ord med ngn; *have ~s* vard. gräla; *I'd like a ~ with you* jag skulle vilja tala med dig ett ögonblick; jag har ett par [sanningens] ord att säga dig; *take the ~s right out of sb's mouth* ta ordet ur mun[nen] på ngn **2** pl. *~s* [text]ord, text, sångtext

3 lösenord [*give the ~*]; paroll, motto; *money is the ~* pengar är tidens lösen; *sharp's the ~!* sno (snabba) på!

4 [heders]ord, löfte [*break one's ~; keep one's ~*]; *my ~!* åld. vard., se *upon my word* under *word I 7* nedan; *take my ~ for it!* tro mig [på mitt ord]!, det kan du lita på!, sanna mina ord!; *be as good as one's ~* [kunna] stå vid sitt ord, hålla vad man lovar

5 bud, underrättelse, meddelande, besked; *~ came of* (*that*)... det kom ett bud etc. om ([om] att)...; *the ~ got* (*went*) *round that...* ryktet gick (det ryktades) att...; *have ~* el. *get ~* el. *receive ~* få bud (meddelande) [*that* att, om att], få veta [*that* att]; *send ~* [*that...*] se under *send I 1*

6 spec. mil. befallning, order [*for* om]; signal [*for* till], kommando; *give the ~ to do sth* ge order om att göra ngt; *pass the ~* ge order, säga 'till; *say the ~* säga 'till [*just say the ~ and I'll do it*]

7 efter prep.:
at: *at a* (*one*) *~* genast; *at the* [*given*] *~* på [givet] kommando; *take sb at his ~* a) ta ngn på orden b) ta ngns ord för gott
beyond: *beyond ~s* mer än ord kan uttrycka, obeskrivligt [*miserable beyond ~s*]
by: *by ~ of mouth* muntligen; från mun till mun; *stand by one's ~* stå vid sitt ord
for: *~ for ~* ord för ord, ordagrant; *it's too funny for ~s* det är så roligt så man kan dö (skratta ihjäl sig); *he is too stupid for ~s* han är otroligt dum
in: *in ~ and deed* se under *deed 1*; *in a* (*one*) *~* med ett ord, kort sagt; *in other ~s* med andra ord; *in so many ~s* klart och tydligt, rent ut
into: *put into ~s* uttrycka [i ord]
of: *a man of few ~s* en fåordig man
on: *on the ~* genast, strax [därpå], direkt; *go back on one's ~* ta tillbaka sitt ord, bryta sitt löfte; *play on ~s* a) leka med ord, göra ordlekar, vitsa b) lek med ord, ordlek
to: *come to ~s* komma (råka) i dispyt (gräl)
upon: *upon my ~!* vard. åld. minsann!, ser man på!; *play upon ~s* se *play on words* ovan

II *vb tr* uttrycka [i ord], formulera [*a sharply ~ed protest*]; avfatta [*a carefully ~ed letter*]

word-blind ['wɜːdblaɪnd] *adj* ordblind

word-blindness ['wɜːd,blaɪndnəs] *s* ordblindhet

word break ['wɜːdbreɪk] *s* o. **word division** ['wɜːddɪ,vɪʒ(ə)n] *s* avstavning

word-for-word [,wɜːdfə'wɜːd] *adj* ordagrann [*a ~ translation*]

wordiness ['wɜːdɪnəs] *s* ordrikedom; mångordighet, vidlyftighet [i ord (tal, skrift)]

wording ['wɜːdɪŋ] *s* **1** formulering; [orda]lydelse **2** form, uttryckssätt, stil; ordval

wordless ['wɜːdləs] *adj* mållös, stum [*~ amazement*] bildl. äv. namnlös [*~ grief*]; outsäglig [*~ happiness*]

word-perfect [,wɜːd'pɜːfɪkt] *adj*, *be ~ in sth* vara [absolut] säker på (i) ngt, kunna ngt perfekt (utantill) [*she is ~ in her role*]

wordplay ['wɜːdpleɪ] *s* ordlek, lek med ord, vits

word processing ['wɜːd,prəʊsesɪŋ] (förk. *WP*) *s* data. ordbehandling

word processor ['wɜːd,prəʊsesə] (förk. *WP*) *s* data. ordbehandlare

Wordsworth ['wɜːdzwəθ]

wordy ['wɜːdɪ] *adj* ordrik, mångordig; långrandig [*a ~ speech*]

wore [wɔː] imperf. av *wear*

work [wɜːk] **I** *s* **1** arbete, jobb, gärning, insats[er] [*her scientific ~*]; uppgift [*that is his life's ~*]; verk; pl. *~s* relig. o.d. gärningar [*faith without ~s is dead*]; *good ~!* el. *nice ~!* el. *smart ~!* fint!, bra gjort!; *it was hard ~ getting there* det var ansträngande (jobbigt) att ta sig dit; *that was quick ~* det gick undan, det var snart gjort; *a job of ~* ett arbete [*he always does a fine job of ~*]; *a piece of ~* ett arbete, en prestation; *he is a nasty piece of ~* vard. han är en ful fisk; *cease ~* lägga ner arbetet; *I had my ~ cut out to* [*keep the place in order*] jag hade fullt sjå med att...; *he has done great ~ for* [*his country*] han har gjort stora insatser för...; *many hands make light ~* ju fler som hjälper till, dess lättare går det; *make quick ~ of* klara av kvickt, fort bli färdig med; *make short ~ of* göra processen kort med; göra (äta upp) på nolltid; *stop ~* sluta arbeta; lägga ner arbetet; *at ~* a) på arbetet (jobbet) [*don't phone him at ~*] b) i arbete, i verksamhet, i drift, i gång [*we saw the machine at ~*]; *be at ~ on* arbeta på, hålla på (vara sysselsatt) med; *it's all in the day's ~* vard., se under *day 1*; *off ~* inte i arbete, ledig; *out of ~* utan arbete (anställning), arbetslös, sysslolös; *be thrown out of ~* bli arbetslös; *go to ~* gå till verket; börja arbeta; *set* (*get*) *to ~ at* (*on*) *sth* ta itu (sätta i gång) med ngt; *set* (*get*) *to ~ to do sth* ta itu (sätta i gång) med att göra ngt **2** i Storbritannien, *the Department for Work and Pensions* (förk. *DWP*) ung. arbetsmarknadsdepartementet **3** verk [*the ~s of Shakespeare; Shakespeare's ~s*]; arbete [*a new ~ on* (om) *modern art*]; opus, alster; arbeten [*the villagers sell their ~ to tourists*]; [hand]arbete **4** *~s* (med verb vanl. i sg.; pl. *~s*) fabrik [*a new ~s*]; bruk, verk; *public ~s* el. *public works* **5** pl. *~s* verk [*the ~s of a clock*]; mekanism **6** vard., *the ~s* rubbet, hela klabbet; *give sb the ~s* misshandla ngn **7** mil., vanl. pl. *~s* befästningar, [be]fästningsverk; *defensive ~*[*s*] försvarsverk

II (*~ed ~ed*; åld. el. i spec. fall – oftast i betydelserna *work II 5* samt *work III 1, 4, 7 – wrought wrought*) *vb itr* (se äv. *work IV*) **1** arbeta, jobba, ha arbete, verka, vara verksam [*he ~s as a teacher*] **2** fungera, funka [*the pump ~s*]; arbeta, gå [*it ~s smoothly*]; drivas *[this machine ~s by electricity]*; vara i funktion, vara i drift, vara i gång **3** göra verkan, verka *[the drug ~ed]*; lyckas, fungera *[will this new plan ~?]*; klaffa, funka **4** om anletsdrag o.d. förvridas, spännas **5** arbeta i silver, trä o.d. **6** med adj.: **~ free** slita sig loss, lossna; **~ loose** lossna, släppa *[the screw (tooth) has ~ed loose]*

III (för tema se *work II*) *vb tr* (se äv. *work IV*)
1 a) bearbeta *[~ silver]*; förarbeta, förädla; bereda, behandla; forma **b)** bearbeta *[~ a mine]*; bryta *[~ coal]*; **~ the soil** bruka jorden **2** sköta, använda *[~ a machine]*; manövrera, hantera; driva *[this machine is ~ed by electricity]*; utnyttja *[~ the system]* **3** låta arbeta, driva *[he ~ed his boys hard]*; **~ sb to death** låta ngn arbeta ihjäl sig; **~ oneself to death** slita ihjäl sig **4** åstadkomma *[time had wrought great changes]*; vålla, orsaka; vard. ordna, fixa *[how did you ~ it?]*; **~ havoc** o. **~ miracles** o. **~ wonders** se resp. subst. **5** flytta *[på]*, skjuta *[in]* *[~ a rock into (på) place]* **6** leda, böja *[på]* *[~ one's arm backwards and forwards]* **7** sy, brodera *[she ~ed (wrought) her initials on the blankets]* **8** arbeta (verka) i, bearbeta *[the insurance agent ~s the North Wales area]* **9** betala med sitt arbete; **~ one's passage** *[to America]* arbeta (jobba) sig över... **10 ~ one's way** arbeta sig fram; **~ one's way up** bildl. arbeta sig upp **11** med adj.: **~ loose** lossa *[på]*, få loss (lös) *[he tried to ~ the screw loose]*; lösgöra

IV (för tema se *work II*) *vb itr* o. *vb tr* med prep. el. adv., ofta med spec. översättningar:
work against arbeta emot, motarbeta, motsätta sig; **we are ~ing against time** det är en kapplöpning med tiden *[för oss]*
work at arbeta på (med)
work away arbeta vidare *[at, on på]*, arbeta (jobba) undan (på)
work for arbeta för (åt) *[~ for sb]*; **~ for one's exam** arbeta på sin examen
work into a) arbeta sig (tränga) in i **b)** arbeta (foga, stoppa) in i *[can you ~ a few jokes into your speech?]* **c)** lirka in i *[~ a key into a lock]* **d)** **~ oneself into a rage** bli argare och argare, bli rasande
work off a) lossna, glida av **b)** arbeta bort, bli av med; arbeta av *[he ~ed off his debt by doing odd jobs]*; arbeta (jobba, få) undan
work on a) arbeta på (med) **b)** *[försöka]* påverka; bearbeta, spela på *[~ on sb's feelings]*
work out a) utarbeta, utforma; arbeta fram, utveckla *[~ out a theory]* **b)** räkna ut (fram), beräkna; få ut, lösa *[~ out a problem]*; tyda **c)** utfalla *[if the plan ~s out satisfactorily]*; avlöpa; utvecklas, gå *[let us see how it ~s out]*; lyckas *[he hoped the plan would ~ out]*; **it may ~ out all right** det kommer nog att gå bra; det kanske stämmer till sist; **these things ~ themselves out** sånt här brukar ordna sig **d)** **~ out at** el. **~ out to** uppgå till, gå på *[the total ~s out at (to) £10]*
work through arbeta sig igenom, avverka
work to hålla sig till, följa *[~ to schedule]*; **~ to rule** se under *rule I 2*
work together arbeta tillsammans, samarbeta
work towards arbeta för [att nå] *[~ towards a peaceful settlement]*
work up a) arbeta (driva) upp *[~ up a business]*; *[he*

went for a walk] **to ~ up an appetite** ...för att få aptit **b)** bearbeta, förädla; arbeta upp **c)** driva (arbeta) upp, uppbringa *[I can't ~ up sufficient interest in...]*; stegra, höja *[~ up excitement]* **d)** egga (hetsa) upp *[~ up people]*; driva, sporra *[~ up sb to do sth]*; **~ oneself up** hetsa (jaga) upp sig **e)** arbeta sig upp äv. bildl.

workable ['wɜːkəbl] *adj* **1** [som är] möjlig att genomföra (utföra, förverkliga) *[a ~ plan]* **2** [som är] möjlig (lätt, värd) att bearbeta; förädlingsbar *[~ timber]*; formbar, smidig *[~ plastic (clay)]*; brukbar *[~ soil]*; brytvärd *[~ coal]*
workaday ['wɜːkədeɪ] *adj* **1** arbets-, vardags- *[~ clothes]* **2** alldaglig, prosaisk, trist; arbetsfylld
workaholic [ˌwɜːkə'hɒlɪk] *s* vard. arbetsnarkoman
work basket ['wɜːkˌbɑːskɪt] *s* sykorg
workbench ['wɜːkben(t)ʃ] *s* arbetsbänk; hyvelbänk
workbook ['wɜːkbʊk] *s* skol. o.d. arbetsbok
workday ['wɜːkdeɪ] *s* arbetsdag *[a seven-hour ~]*; vardag
worked up [ˌwɜːkt'ʌp] *adj* upphetsad, upprörd, uppjagad, uppriven *[about över, för]*; **get ~ over nothing** hetsa upp sig för ingenting
worker ['wɜːkə] *s* **1** arbetare, jobbare; arbetstagare; **child-care ~** barnvårdare; **fellow ~** arbetskamrat; **office ~** kontorsarbetare; **a part-time ~** en deltidsanställd, en deltidsarbetande; **~s of the world, unite!** proletärer i alla länder, förenen eder!; **he is a hard ~** han arbetar hårt (flitigt), han är en riktig arbetsmyra **2** zool. **a)** arbetare, arbetsbi *[äv. ~ bee]* **b)** arbetare, arbetsmyra *[äv. ~ ant]*
work ethic ['wɜːkˌeθɪk] *s* arbetsmoral
work experience ['wɜːkɪkˌspɪərɪəns] *s* **1** arbetslivserfarenhet **2** träning för arbetslivet, praktik
workfare ['wɜːkfeə] *s* system som kräver att arbetslösa gör samhällstjänst eller tar en praktikplats innan de får bidrag till mat, hyra etc. från staten
workforce ['wɜːkfɔːs] *s* arbetsstyrka, arbetskraft
workhorse ['wɜːkhɔːs] *s* arbetshäst; bildl. äv. arbetsmyra, slitvarg
workhouse ['wɜːkhaʊs] *s* hist. fattighus, fattiggård
working ['wɜːkɪŋ] **I** *adj* **1** arbetande *[the ~ masses]*; arbetar-; arbets- *[~ conditions are not too good here]*; drifts-; **~ clothes** arbetskläder; **~ member** arbetande ledamot, aktiv medlem; **~ model** [arbets]modell; **the ~ population** den arbetsföra befolkningen; **~ wives** yrkesarbetande gifta kvinnor **2** funktionsduglig, användbar; praktisk; provisorisk, preliminär *[a ~ draft was submitted for discussion]*; **he has a ~ knowledge of French** han kan franska till husbehov
II *s* **1** arbete *[laws to prevent ~ on Sundays]*; verksamhet; pl. **~s** verk *[the ~s of Providence]*; **the ~s of sb's mind** vad som rör sig inom ngn *[I can never understand the ~s of his mind]* **2** funktion[ssätt]; gång *[the smooth ~ of the machine]* **3** bearbetande, bearbetning; exploatering, drift *[the ~ of a mine]*; skötsel, manövrering; **continuous ~** kontinuerlig drift
working capital [ˌwɜːkɪŋ'kæpɪtl] *s* rörelsekapital, driftskapital; omsättningstillgångar
working-class [ˌwɜːkɪŋ'klɑːs, attr. '---] *adj* arbetar-

[~ *family*; ~ *population*]; *he is* ~ han tillhör
arbetarklassen

working class [ˌwɜːkɪŋ'klɑːs] *s* arbetarklass; *the ~es*
arbetarklassen

working day [ˌwɜːkɪŋ'deɪ] *s* arbetsdag; vardag

working expenses [ˌwɜːkɪŋɪk'spensɪz] *s pl*
driftskostnad[er]

working group ['wɜːkɪŋgruːp] *s* **1** arbetsgrupp;
arbetslag **2** arbetsutskott

working hours ['wɜːkɪŋˌaʊəz] *s pl* arbetstid

working hypothesis [ˌwɜːkɪŋhaɪ'pɒθəsɪs] *s pl*
arbetshypotes

working instructions [ˌwɜːkɪŋɪn'strʌkʃ(ə)nz] *s pl*
driftsanvisningar; arbetsföreskrifter

working life [ˌwɜːkɪŋ'laɪf] *s* arbetsliv

working lunch [ˌwɜːkɪŋ'lʌn(t)ʃ] *s* arbetslunch

working majority [ˌwɜːkɪŋmə'dʒɒrətɪ] *s* parl. en
regeringsduglig (arbetsduglig) majoritet

working order ['wɜːkɪŋˌɔːdə] *s*, *be in* ~ vara i
användbart (gott) skick, vara funktionsduglig

working paper ['wɜːkɪŋˌpeɪpə] *s* **1** arbetspapper som
underlag för diskussion **2** pl. *~s* i USA officiellt
arbetstillstånd som krävs för ungdomar under 16 år och för
dem födda utanför USA

working party ['wɜːkɪŋˌpɑːtɪ] *s* **1** arbetsgrupp;
arbetslag **2** arbetsutskott

working practices ['wɜːkɪŋˌpræktɪsɪz] *s pl*
arbetsrutiner

working title [ˌwɜːkɪŋ'taɪtl] *s* arbetstitel,
arbetsnamn

working week [ˌwɜːkɪŋ'wiːk] *s* arbetsvecka

workload ['wɜːkləʊd] *s* arbetsbörda

work|man ['wɜːk|mən] (pl. *-men* [-mən]) *s* arbetare;
hantverkare

workmanlike ['wɜːkmənlaɪk] *adj* väl utförd,
gedigen; habilt gjord; skicklig, kunnig

workmanship ['wɜːkmənʃɪp] *s* **1** yrkesskicklighet,
kunnande **2** utförande [*articles of* (i) *excellent ~*];
arbete

workmate ['wɜːkmeɪt] *s* arbetskamrat

work of art [ˌwɜːkəv'ɑːt] *s* konstverk

workout ['wɜːkaʊt] *s* träningspass; workout[pass];
she went there for a ~ hon gick dit för att träna (för
ett workout-pass)

work permit ['wɜːkˌpɜːmɪt] *s* arbetstillstånd

workplace ['wɜːkpleɪs] *s* arbetsplats

workroom ['wɜːkruːm] *s* arbetslokal, arbetsplats;
arbetsrum; [sy]ateljé

works council ['wɜːksˌkaʊnsl] *s* **1** företagsnämnd
2 förhandlingsgrupp av arbetare

worksheet ['wɜːkʃiːt] *s* arbetssedel

workshop ['wɜːkʃɒp] *s* **1** verkstad **2** studiegrupp,
arbetsgrupp; studiecirkel, seminarium, workshop

workshy ['wɜːkʃaɪ] *adj* arbetsskygg

workstation ['wɜːkˌsteɪʃ(ə)n] *s* **1** arbetsplats i t.ex. ett
kontorslandskap **2** data. arbetsstation

worktop ['wɜːktɒp] *s* arbetsbänk, arbetsyta i kök

work-to-rule [ˌwɜːktə'ruːl] *s* organiserad maskning
metod att minska arbetsprestationen genom att följa reglementet
till punkt och pricka

workweek ['wɜːkwiːk] *s* amer. arbetsvecka

world [wɜːld] *s* **1** värld; jord [*go on a journey round
the ~*]; *~'s fair* världsutställning; *a man of the ~* en
världsman, en man av värld; *that's the way of the ~*

så går det till [här i världen], det är världens gång;
a woman of the ~ en världsdam, en dam av värld;
you are all the ~ to me du betyder allt för mig; *the
animal ~* djurens värld, djurriket; *what's the ~
coming to?* såna tider vi lever i!; *the ~ to come* el. *the
~ to be* livet efter detta; *how goes the ~?* el. *how is the
~ using you?* vard. hur lever världen (hur står det till)
med dig?; *it's a small ~!* [vad] världen är liten!; *I
would give the ~ to know* jag skulle ge vad som helst
för att få veta; *see the ~* se sig om[kring] i världen;
not for the ~ inte för allt (något) i världen; *for all the
~ as if* precis som om; *for all the ~ like* på pricken lik,
precis som; *how* (*what, where*) *in the ~?* hur (vad,
var) i all världen?; *all the difference in the ~* en
himmelsvid skillnad; *come up in the ~* el. *go up in the
~* komma upp sig; *they have come down in the ~* det
har gått utför med dem, de har sett bättre dagar;
he has not got a penny in the ~ han äger inte ett rött
öre; *bring a child into the ~* sätta ett barn till världen;
make the best of both ~s a) förena världsliga och
andliga intressen b) finna en kompromiss; [*the
food*] *is out of this ~* vard. ...är inte av denna
världen; *all over the ~* el. *the ~ over* över (i) hela
världen, världen över; *sail round the ~* segla jorden
runt; *dead to the ~* död för världen
2 massa, mängd; *a ~ of* en [oändlig] massa
(mängd); *there is a ~ of difference between...* det är
en himmelsvid skillnad mellan...; *it will do you a
(the) ~ of good* det kommer att göra dig oändligt
gott; [*the two books*] *are ~s apart* det är en enorm
(himmelsvid) skillnad mellan...; *think the ~ of sb*
uppskatta ngn enormt; avguda ngn

World Bank [ˌwɜːld'bæŋk] *s*, *the ~* Världsbanken

world-beater ['wɜːldˌbiːtə] *s*, *be a ~* vara världsbäst

world-beating ['wɜːldˌbiːtɪŋ] *adj* överlägsen, helt i
en klass för sig själv

world champion [ˌwɜːld'tʃæmpjən] *s* världsmästare

world-class [ˌwɜːld'klɑːs] *adj*, *a ~ swimmer* en
simmare i världsklass

World Cup [ˌwɜːld'kʌp] *s* sport. världsmästerskap

world-famous [ˌwɜːld'feɪməs] *adj* världsberömd; *~
artist* världsartist

World Health Organization
[ˌwɜːld'helθˌɔːgənaɪ'zeɪʃ(ə)n] (förk. *WHO*) *s*, *the ~*
världshälsoorganisationen

worldliness ['wɜːldlɪnəs] *s* världslighet; världsligt
sinnelag

worldly ['wɜːldlɪ] *adj* världslig [*~ matters*; ~
pleasures]; jordisk, timlig; världsligt sinnad; *~
goods* världsliga ägodelar, denna världens goda

world music [ˌwɜːld'mjuːzɪk] *s* world music
samlingsbeteckning för musik med rötter i olika regionala
musikkulturer

world power [ˌwɜːld'paʊə] *s* världsmakt

world première [ˌwɜːld'premɪeə] *s* världspremiär

world-shaking ['wɜːldˌʃeɪkɪŋ] *adj* som skakar
(skakade) hela världen, världsomskakande [*a ~
crisis*]

world war [ˌwɜːld'wɔː] *s* världskrig; *World War I* el.
the First World War första världskriget; *World War II*
el. *the Second World War* andra världskriget

world-weary ['wɜːldˌwɪərɪ] *adj* trött på allt
världsligt; levnadstrött

worldwide [ˌwɜːld'waɪd] **I** *adj* världsomfattande,

världsomspännande, global; ~ *fame* världsrykte
II *adv* över hela världen [*be famous* ~]
World Wide Fund for Nature
['wɜːldwaɪdˌfʌndfə'neɪtʃə] (förk. *WWF*) *s*
Världsnaturfonden
World Wide Web [ˌwɜːldwaɪd'web] (förk. *WWW*) *s*
data., *the* ~ webben
World Wildlife Fund [ˌwɜːld'waɪldlaɪfˌfʌnd] *s* se
World Wide Fund for Nature
worm [wɜːm] **I** *s* **1** mask; [små]kryp; bildl. stackare,
[människo]kryp; *can of* ~s bildl. trasslig härva; *even
a* ~ *will turn* ung. det finns gränser för tålamodet
2 [inälvs]mask; *have* ~s ha mask [i magen] **3** tekn.
o.d. **a)** gänga **b)** snäcka; ändlös skruv,
evighetsskruv **4** data., slags datavirus
II *vb tr* **1** ~ *oneself* (~ *one's way*) *in* (*into, through*)
orma (åla, slingra, smyga) sig in (in i, genom); ~
oneself into sb's confidence nästla sig in i ngns
förtroende; ~ *oneself into sb's favour* nästla (ställa)
sig in hos ngn; ~ *one's way round sb* ställa sig in hos
(fjäska för) ngn; ~ *sth out of sb* locka (lura, lirka) ur
ngn ngt **2** avmaska [*the dog has been* ~*ed*] **3** rensa
växter från mask, ta (plocka) bort mask från
worm-eaten ['wɜːmˌiːtn] *adj* maskäten,
maskstungen
wormhole ['wɜːmhəʊl] *s* maskhål
wormwood ['wɜːmwʊd] *s* bot. el. bildl. malört
wormy ['wɜːmɪ] *adj* full av mask; maskäten
worn [wɔːn] *adj* o. *perf p* (av *wear*) nött, sliten; bildl.
äv. tärd, medtagen, trött [*with* av]; avlagd,
begagnad [~ *clothes*]; *look* ~ *and haggard* se härjad
(tärd) ut; ~ *with age* gammal och sliten; ~ *with care*
el. ~ *with anxiety* tärd av bekymmer
worn-out ['wɔːnaʊt] *adj* utsliten etc., jfr *wear out*
under *wear III*
worried ['wʌrɪd] *adj* **1** orolig [*his* ~ *parents called
the police*]; ängslig, bekymrad [*about, over* för,
över; *at* över]; *be* ~ [*about sb*] vara orolig; *be* ~ *to
death* [*about sb*] el. *be* ~ *sick* [*about sb*] vara förfärligt
orolig [för ngn]; *you had me* ~ *there for a while* vard.
du gjorde mig orolig (nervös) ett tag **2** plågad,
besvärad [*with* av]
worrier ['wʌrɪə] *s*, *he is a* ~ han oroar sig alltid, han
kan inte låta bli att oroa sig
worrisome ['wʌrɪsəm] *adj* **1** besvärlig [*a* ~
problem]; irriterande, plågsam [*a* ~ *cough*]
2 orolig, ängslig, nervös
worry ['wʌrɪ] **I** *vb tr* **1** oroa, bekymra, göra orolig
(ängslig, bekymrad), plåga [*it is* ~*ing me to see...*; *I
have a bad tooth that is* ~*ing me*]; pina; ~ *the life out
of sb* el. ~ *sb to death* el. ~ *sb sick* plåga (pina) livet ur
ngn; göra ngn mycket nervös; ~ *oneself* oroa
(bekymra) sig, vara orolig (ängslig, bekymrad,
nervös) [*about* för, över]; ~ *oneself unnecessarily*
oroa sig i onödan; *what's* ~*ing you?* vad är det som
bekymrar dig?, vad är du ledsen för?; *don't let it* ~
you oroa dig inte för det **2** besvära [~ *sb with
foolish questions*]; trakassera; tjata på [~ *sb for*
(om, för att få) *sth*] **3** ständigt attackera, oroa,
störa [~ *the enemy*]; förfölja, jaga; hemsöka **4** om
djur bita tag i; attackera; förfölja, hetsa
II *vb itr* **1** oroa (bekymra) sig, ängslas, vara orolig
(bekymrad, ängslig, nervös), göra sig bekymmer
[*about, over* över, för]; grubbla [*about, over* över,

på]; ~ *about* äv. bry sig om [*don't* ~ *about it if you
are busy*]; hänga upp sig på [*it's nothing to* ~
about]; *I should* ~*!* vard. det struntar jag blankt i, det
rör mig inte i ryggen; *I'll* (*we'll*) ~ *when the time
comes* den tiden, den sorgen; *don't* ~*!* el. *don't you* ~*!*
oroa dig inte!, var inte orolig (ängslig)!, ta det
lugnt!; *don't* ~ *if you are late* det gör inget om du
kommer för sent; *not to* ~*!* vard. ingenting att oroa
(bekymra) sig för!, ingenting att bry sig om!, ta det
lugnt! **2** bita, riva och slita [med tänderna] [*at* i]
III *s* oro, bekymmer [*financial worries, that's the
least of my worries*]; ängslan, sorg; plåga [*what a* ~
that child is!]; besvär[lighet]; huvudbry [*it causes
her* ~]; *the cares and worries of life* livets sorger och
bekymmer
worry beads ['wʌrɪbiːdz] *s pl* stresskulor slags radband
man fingrar på mot nervositet
worryguts ['wʌrɪɡʌts] *s* vard., *he is a* ~ han kan inte
låta bli att oroa sig
worrying ['wʌrɪɪŋ] *adj* oroande, bekymmersam,
oroväckande
worrywart ['wʌrɪwɔːt] *s* vard. amer. vard., *he is a* ~ han
kan inte låta bli att oroa sig
worse [wɜːs] **I** *adj* o. *adv* (komp. av *bad, badly, ill*),
värre, sämre; mer [*she hates me* ~ *than before*]; ~
luck se under *luck I*; *be* ~ *off* ha det sämre [ställt]
(svårare), vara sämre [däran]; *and, what's* ~ och,
vad värre är; *get* ~ el. *grow* ~ el. *become* ~ bli värre
(sämre), förvärras, försämras; *to make matters* ~ till
råga på allt, för att göra saken ännu värre; *so much
the* ~ *for him* desto (så mycket) värre för honom; [*I
stayed up all night*] *without being the* ~ *for it* ...utan
att må illa (ta någon skada) av det; *be the* ~ *for
drink* vard. vara berusad (full); *he is none the* ~ *for it*
han har inte tagit skada av (farit illa av, blivit
lidande på) det; *I like her none the* ~ *for it* jag tycker
lika bra (inte sämre) om henne för det; *he is none
the* ~ *for the accident* han har inte fått några men av
olyckan; *his coat would be none the* ~ *for a brushing*
hans rock behöver borstas av
II *s* värre saker, något [ännu] värre [*I have* ~ *to
tell*]; *or* ~ eller något ännu (ändå) värre; ~ *was to
come* el. ~ *was to follow* det skulle bli ännu (ändå)
värre, det var inte det värsta
worsen ['wɜːsn] **I** *vb tr* förvärra, försämra **II** *vb itr*
förvärras; försämras; om pris, kurs o.d. falla
worship ['wɜːʃɪp] **I** *s* **1** dyrkan, tillbedjan;
gudstjänst; andakt[sövning]; *public* ~ allmän
gudstjänst, den allmänna gudstjänsten; *religious* ~
religionsutövning; *freedom of* ~ el. *liberty of* ~ fri
religionsutövning; *hour of* ~ andaktsstund; *hours of
public* ~ gudstjänsttider; *place of* ~ gudstjänstlokal
[*churches and other places of* ~] **2** *Your Worship* Ers
nåd, herr domare; *His Worship* Hans nåd [*His
Worship the Mayor of Chester*]; domaren
II *vb tr* dyrka, tillbe, bildl. äv. avguda [*she simply
* ~*ped him*]
III *vb itr* delta i gudstjänsten, gå i kyrkan; förrätta
sin andakt; tillbe [Gud]
worshipful ['wɜːʃɪpf(ʊ)l] *adj* **1** vördnadsfull [*of*
mot], andäktig **2** i titlar o.d. vördig; *Right* (*Very*)
Worshipful högvördig
worshipper ['wɜːʃɪpə] *s* **1** dyrkare, tillbedjare, bildl.

äv. beundrare [*of* av] **2** gudstjänstdeltagare, kyrkobesökare; **the ~s** äv. kyrkfolket, menigheten

worst [wɜ:st] **I** *adj* o. *adv* (superl. av *bad, badly, ill*), värst, sämst; **be ~ off** ha det sämst [ställt] (svårast); **come off** ~ klara sig sämst, dra det kortaste strået **II** *s*, **the ~** den värsta, de värsta; det värsta [*the ~ is yet to come* (återstår)]; den (det, de) sämsta; **the ~ of it is that...** det värsta (sämsta) [av allt] är att...; **that's the ~ of being alone** det är det värsta med att vara ensam; **do one's** (**the**) ~ göra det värsta (göra all den skada) man kan; **get the ~ of the bargain** förlora på affären; **get the ~ of it** dra det kortaste strået; råka värst ut; komma i underläge; **I want to know the ~** jag vill veta sanningen [även om den är obehaglig]; **think the ~ of sb** ha en mycket låg tanke om ngn, tro ngn om det värsta; **at ~** el. **at the ~** i värsta (sämsta) fall; **when things are at their** (**the**) ~ när det är som värst (sämst); [*you have seen London*] **at its ~** ...från dess sämsta sida; **if the ~ comes to the ~** i värsta (sämsta) fall, om det värsta skulle hända **III** *vb tr* besegra, övervinna

worsted [wʊstɪd] **I** *s* **1** kamgarn **2** kamgarnstyg **II** *adj* kamgarns- [~ *suit*]

worsted yarn [ˌwʊstɪdˈjɑːn] *s* kamgarn

worth [wɜ:θ] **I** *adj* värd [*it's ~ £50; it is ~ the trouble; well ~ a visit*]; ~ **little** inte mycket värd, föga värd; ~ **much** mycket värd, värd mycket; ~ **while** se under *while* I 2 o. *worthwhile*; **property ~ millions of** [**dollars**] äv. värden för miljontals...; **he died ~** [*a million pounds*] han efterlämnade vid sin död [tillgångar på]...; **she is ~** [*£20,000 a year*] hon tjänar (har en inkomst på)...; **that's all he is ~** han är inte bättre värd; **what's the dollar ~?** vad står dollarn i?, vad är dollarn värd?; [*this job*] **is ~ a lot of money to him** ...inbringar (ger) honom en massa pengar; **it costs more than it is ~** det kostar mer än det smakar; **it is as much as his life is ~** det kan kosta honom livet; **show what one is ~** visa vad man duger till (går för); **be ~ one's salt** se under *salt* I 1; ~ **doing** värd att göra[s]; **if a thing is ~ doing, it is ~ doing well** om något är värt att göra, är det värt att göras väl, om man ändå gör något kan man lika gärna göra det ordentligt; ~ **reading** värd att läsa[s], läsvärd; **it is ~ remembering that...** äv. man ska komma ihåg att...; **be well ~ seeing** vara väl värd att se[s]; **for all one is ~** av alla krafter, så mycket (allt vad) man orkar (kan); [*I'll give you a tip*] **for what it is ~** ...vad det nu kan vara värt **II** *s* **1** värde; **know one's ~** känna sitt eget värde; **she is not appreciated at her true ~** hon uppskattas inte efter förtjänst; **the interview enabled them to prove their ~** i intervjun fick de möjlighet att visa vad de går för **2** **a dollar's ~ of stamps** frimärken för en dollar; **a hundred pounds' ~ of goods** varor för hundra pund; **three days' ~ of food** mat för tre dagar; **get** (**have**) **one's money's ~** få valuta för pengarna (sina pengar) **3** förmögenhet, tillgångar

worthily [wɜ:ðəlɪ] *adv* **1** värdigt **2** efter förtjänst; med all rätt [*he had ~ deserved it*]

worthiness [wɜ:ðɪnəs] *s* värdighet, [inre] värde, förtjänst, förträfflighet

worthless [wɜ:θləs] *adj* **1** värdelös [*a ~ contract*]; oanvändbar; meningslös **2** dålig [*a ~ detective*]

worthlessness [wɜ:θləsnəs] *s* värdelöshet etc., jfr *worthless*

worthwhile [wɜ:θwaɪl] *adj* som är värd att göra [*a ~ experiment*]; värd besväret; givande, värdefull [~ *discussions*]; lönande; **a ~ book** en läsvärd bok; jfr *worth while* under *while* I 2

worthy [wɜ:ðɪ] **I** *adj* **1** värdig [*a ~ successor*] **2** aktningsvärd, hedervärd, hederlig **3** värd; **be ~ to** äv. förtjäna att; ~ **of** värd [*an attempt ~ of a better fate*]; [som är] värd [*an opponent ~ of him*]; förtjänt av, som förtjänar [*a cause* (sak) ~ *of support*]; **a ~ cause** ett behjärtansvärt ändamål; **be ~ of** vara värd, förtjäna; ~ **of cultivation** värd att odla; **nothing ~ of mention** ingenting att tala om; ~ **of respect** aktningsvärd; **I am not ~ of her** jag är henne inte värdig **II** *s* **1** storman, storhet [*an Elizabethan ~*]; i antiken hjälte; skämts. pamp [*gamblers, racketeers, and other worthies*] **2** skämts. el. iron. hedersman

would [wʊd, obeton. wəd, əd, d] *hjälpvb* (imperf. av *will*) **1** skulle [*I* (*you, he*) ~ *do it if I* (*you, he*) *could; he was afraid something ~ happen*]; **that ~ have been** [*marvellous*] äv. det hade varit...; **that ~ be nice** äv. det vore trevligt; ~ **you believe it?** kan man tänka sig!; **I ~n't know** inte vet jag; **how ~ I know?** hur skulle jag kunna veta det?; **if that ~ suit you** om det passar **2** ville [*she ~n't do it; I could if I ~*]; **I wish you ~ stay** jag önskar du ville stanna, jag skulle vilja att du stannade; **if it ~ only stop raining** om det bara ville sluta regna **3** skulle [absolut] [*he dropped the cup –*] **of course he ~** ...typiskt för honom!; **of course it ~ rain** [*on the day we chose for a picnic*] naturligtvis måste (skulle) det regna... **4** skulle vilja [~ *you do me a favour?*]; **we ~ further point out** högtidl. vi skulle vilja påpeka, vi vill vidare påpeka; **shut the door, ~ you?** [ta och] stäng dörren är du snäll!; [*would you like to go to the Zoo?*] – ~**n't I just!** ... – om!; **I ~ I were dead** jag önskar (skulle önska) att jag var död; ~ **to God it were** (**was**) **true** Gud give att det vore (var) sant; **turn where she ~** vart hon än vände sig **5** brukade, kunde [*he ~ sit for hours doing nothing*] **6** torde; **he ~ be your uncle, I suppose** han är väl din farbror?; **it ~ be about four o'clock** klockan var väl (torde ha varit) ungefär fyra; **it ~ seem that...** el. **it ~ appear that...** det kan synas som om..., det kan tyckas att...

would-be [wʊdbiː] *adj* **1** tilltänkt [*the ~ victim*]; blivande [~ *parents*]; in spe [~ *authors*]; ~ **buyers** eventuella köpare, spekulanter **2** så kallad, s.k. [*this ~ pianist; a ~ philosopher*]; påstådd, förment, föregiven

wouldn't [wʊdnt] = *would not*

1 wound [waʊnd] imperf. o. perf. p. av 2 *wind*

2 wound [wu:nd] **I** *s* sår, på t.ex. trädstam äv. skada, bildl. äv. kränkning; **a bullet ~** en skottskada; **it was a ~ to her vanity** (**pride**) det sårade hennes fåfänga (stolthet); **inflict a ~ upon sb** tillfoga ngn ett sår, såra ngn; **lick one's ~s** slicka sina sår äv. bildl.; **reopen old ~s** bildl. riva upp gamla sår **II** *vb tr* såra, på t.ex. trädstam äv. skada, bildl. äv. kränka; skadskjuta; **badly ~ed** svårt sårad (skadad); **mortally ~ed** el. **fatally ~ed** sårad till döds

wove [wəʊv] imperf. o. ibl. (tekn.) perf. p. av 1 *weave*

woven ['wəʊv(ə)n] perf. p. av 1 *weave*; ~ *fabric* vävt tyg, väv, vävnad; ~ *over* överspunnen [*with* med]

1 wow [waʊ] vard. **I** *interj* [va'] häftigt!, schyst!; ~! *what a dress!* vilken häftig klänning!

II *s* braksuccé, dundersuccé; *it was a* ~ äv. det var kanon (toppen)

III *vb tr* göra succé hos, imponera på [*it ~ed everyone who saw it*]

2 wow [waʊ] *s* långsamt svaj i ljudåtergivningen på ett tonband

wowser ['waʊzə] *s* vard. pryd människa; sträng puritan; glädjedödare

WP förk. för *weather permitting, word processing, word processor*

WPC [ˌdʌblju:pi:'si:] förk. för *woman police constable*

wpm förk. för *words per minute*

wrack [ræk] *s* **1** sjögräs, tång som kastats upp på stranden **2** se *2 rack*

wraith [reɪθ] *s* **1** vålnad, gengångare, ande; bildl. skugga **2** tunn rökspiral

wrangle ['ræŋgl] **I** *vb itr* gräla, käbbla, käfta, munhuggas, kivas, gnabbas [*about, over* om; *with* med]

II *s* gräl, käbbel, kiv, gnabb

wrangler ['ræŋglə] *s* amer. vard. boskapsskötare, cowboy

wrap [ræp] **I** *vb tr* **1** svepa, svepa in [*in* i], svepa om [*in* med]; linda (veckla, vira) in, slå in, packa in [*in* i]; hölja [in], täcka; ~ *a parcel* slå in ett paket **2** bildl. dölja, hölja, linda in, svepa in [äv. ~ *up*]; ~*ped in mystery* höljd i dunkel

II *vb tr* med adv.:

wrap sth about el. **wrap sth around** el. **wrap sth round** svepa (linda, vira) ngt kring (runt, om), slå ngt kring (runt, om) [~ *paper round it*]

wrap up a) svepa, svepa in [*in* i], svepa om [*in* med]; linda (veckla, vira) in, slå in, packa in [*in* i]; hölja [in], täcka; ~ *up a parcel* slå in ett paket; ~*ped up in* bildl. a) fördjupad i, helt uppslukad av [~*ped up in one's work*] b) nära (intimt) förknippad med c) vard. inblandad i, insyltad i; *be* ~*ped up in oneself* bildl. vara självupptagen; ~*ped up in mystery* bildl. höljd i dunkel **b)** ~ *oneself up* klä på sig ordentligt, pälsa (palta) på sig **c)** vard. avsluta; greja, fixa; *they had the match ~ped up* de hade matchen helt i sin hand; ~ *it up!* lägg av!, sluta!

III *s* **1** *gift* ~ presentpapper; *plastic* ~ vanl. amer. plastfolie **2** sjal; [res]filt **3** *keep under* ~*s* hålla hemlig **4** 'wrap' slags tunnbröd med fyllning

wraparound skirt ['ræpəˌraʊnd'skɜːt] *s* omlottkjol

wrapper ['ræpə] *s* **1** omslag, hölje; skyddsomslag på bok; [tidnings]banderoll; konvolut **2** täckblad på cigarr **3** lätt morgonrock, negligé

wrapping ['ræpɪŋ] *s* **1** ofta pl. ~*s* a) omslag, hölje; emballage, förpackning; kapsel b) kläder; svepning **2** [omslags]papper

wrapping paper ['ræpɪŋˌpeɪpə] *s* omslagspapper

wrap-up ['ræpʌp] *s* amer. vard. sammanfattning [*here is a* ~ *of the news*]

wrath [rɒθ, amer. ræθ] *s* spec. poet. vrede [*the* ~ *of God; the day of* ~], bildl. äv. raseri [*the* ~ *of the waves*]; *in* ~ i vredesmod

wrathful ['rɒθf(ʊ)l, amer. 'ræθ-] *adj* spec. poet. vredgad, vred, rasande, förbittrad

wreak [ri:k] *vb tr* **1** utkräva, ta [~ *vengeance on sb*] **2** tillfoga, vålla, anställa; ~ *havoc on* (*with*) anställa förödelse på, förstöra

wreath [ri:θ, i pl. ri:ðz, -θs] *s* **1** krans av blommor m.m., girland **2** vindling, virvel, slinga [*a* ~ *of smoke*]; ring, snirkel, spiral; pl. ~*s* äv. ringlar

wreathe [ri:ð] **I** *vb tr* **1** pryda (smycka) [med en krans (kransar)], omge, bilda en krans omkring; *be* ~*d in* bekransas (omges) av **2** vira, linda, fläta, binda [*round, about* kring, omkring, runt]; ~ *oneself* linda sig, ringla sig, slingra sig [*the snake* ~*d itself round the branch*] **3** binda [ihop], fläta (vira) samman, sno ihop [*into* till]; bildl. väva samman

II *vb itr* ringla sig, slingra sig; virvla; kröka sig

wreck [rek] **I** *s* **1** vrak; skeppsvrak; bilvrak; flygplansvrak **2** vard. rishög gammal bil **3** [hus]ruin **4** pl. ~*s* vrakspillror, vrakdelar [*the shores were strewn with* ~*s*] **5** bildl. vrak, ruin; spillra; *a nervous* ~ ett nervvrak **6** skeppsbrott, förlisning, strandning; haveri **7** amer. olycka; *car* ~ bilolycka

II *vb tr* **1** förstöra, fördärva, undergräva [*his health was* ~*ed*]; spoliera, omintetgöra; amer. skrota [ned], riva [~ *houses*] **2** komma att förlisa (stranda, haverera); göra till [ett] vrak; krascha [med], kvadda; *be* ~*ed* lida skeppsbrott, stranda, haverera äv. bildl., förlisa [*the ship was* ~*ed*]; totalförstöras [*the train was* ~*ed*]; bli kvaddad

wreckage ['rekɪdʒ] *s* **1** vrakspillror, vrakdelar; vrakgods **2** ruin[er] **3** bildl. spillror, rester

wrecked [rekt] *adj* ödelagd, förstörd; skeppsbruten, förolyckad etc., jfr *wreck II*; ~ *goods* vrakgods, strandgods, [människo]vrak

wrecker ['rekə] *s* **1** förstörare, skadegörare, sabotör **2** amer. bärgningsbil **3** vrakplundrare; strandtjuv

wren [ren] *s* zool. gärdsmyg [vard. äv. *jenny* ~]; *golden-crested* ~ kungsfågel

wrench [ren(t)ʃ] **I** *vb tr* **1** [häftigt] rycka [loss (av)] [~ *a gun* (*knife*) *from sb*]; slita [loss (av)] [~ *the door off* (från) *its hinges*]; vrida, bända, bryta; ~ *oneself from...* slita (vrida) sig ur...; ~ *off* rycka (slita, vrida) av (loss), bända loss; ~ *a door open* rycka (slita, bända) upp en dörr **2** vricka, stuka [~ *one's ankle* (foten)]; sträcka

II *s* **1** [häftigt] ryck, vridning, bändning; *give a* ~ *at* vrida om (till) **2** vrickning, stukning, sträckning **3** bildl. [hårt] slag, [svår] förlust [*her death was a great* ~ *to him*]; smärta [*the* ~ *of parting is over*] **4** skiftnyckel i allm. [äv. *monkey* ~], amer. vanl. skruvnyckel

wrest [rest] *vb tr* [häftigt] vrida, rycka, slita [*from* från; *out of sb's hands* ur händerna på ngn]; ~ *sth from sb* bildl. pressa (tvinga) fram ngt ur ngn, pressa ur ngn ngt; ~ *away* rycka bort; ~ *off* vrida (rycka) av

wrestle ['resl] **I** *vb itr* brottas, kämpa äv. bildl. [*with* med; *against* mot; *for* för, om]

II *vb tr* **1** brottas med **2** ~ *down* fälla, besegra i brottning; ~ *to the ground* brotta ned

III *s* **1** brottning; brottningsmatch **2** bildl. kamp

wrestler ['reslə] *s* brottare

wrestling ['reslɪŋ] *s* brottning

wretch [retʃ] *s* **1** stackare, eländig varelse **2** usling, kräk, skurk **3** skämts. skojare, spjuver; [liten] stackare

wretched ['retʃɪd] *adj* **1** [djupt] olycklig, förtvivlad, stackars [*the ~ woman*] **2** lumpen, usel **3** bedrövlig, jämmerlig, eländig [*a ~ house*]; usel, urusel [*a ~ job*; *~ weather*] **4** vard. förbaskad, jäkla [*a ~ cold*]

wretchedness ['retʃɪdnəs] *s* **1** olycka, förtvivlan; elände, misär **2** lumpenhet, uselhet **3** uselt (uruselt) skick; uselhet, undermålighet

wriggle ['rɪgl] **I** *vb itr* **1** slingra sig, vrida sig, sno sig, skruva sig, åla sig; vicka; *the boy kept wriggling in his chair* pojken satt inte stilla ett ögonblick i stolen; *~ out of* åla sig ur; slingra sig ur (från) äv. bildl. [*he tried to ~ out of his promise*] **2** skruva [på] sig, känna sig obehaglig till mods [*my criticism made her ~*]
II *vb tr* vrida på, skruva på, vicka på [*~ one's hips*]; *~ oneself* slingra sig, vrida sig, sno sig, skruva sig; *~ oneself free* vrida sig loss, frigöra sig; *~ one's way* slingra sig [fram], åla sig; *~ oneself into sb's favour* nästla (ställa) sig in hos ngn
III *s* **1** slingrande (ålande) rörelse, slingring, vridning; vickning; svängande; *give a little ~* vrida [på] sig lite **2** sväng, snirkel; krök [*of* på]

wring [rɪŋ] (*wrung wrung*) *vb tr* **1 a)** vrida [*~ one's hands in despair*] **b)** vrida (krama) ur [*~ wet clothes*] **c)** krama, pressa, trycka [*he wrung my hand hard*]; *~ sb's neck* vrida nacken av ngn; *~ sth out of (from) sb* tvinga av ngn ngt, pressa ngn på ngt, pressa ur ngn ngt; *~ out* vrida (krama) ur; bildl. tvinga fram **2** pina, plåga; *it ~s my heart to hear...* det är hjärtskärande (beklämmande) att höra...

wringer ['rɪŋə] *s* **1** liten mangel, vridmaskin **2** vard. pärs, eldprov; *put sb through the ~* sätta ngn på prov, utsätta ngn för en prövning; vara en svår pärs för ngn

wringing wet [,rɪŋɪŋ'wet] *adj* drypande våt, dyblöt, [alldeles] genomsur (genomvåt)

wrinkle ['rɪŋkl] **I** *s* **1** rynka, skrynkla, veck; rynkning [*a ~ of* (på) *the nose*] **2** vard. litet problem
II *vb tr* rynka, rynka på [*she ~d her nose*]; skrynkla, skrynkla till, göra rynkig (skrynklig), vecka [äv. *~ up*; *he ~d* [*up*] *his forehead*]
III *vb itr* bli rynkig (skrynklig), rynka sig, skrynklas, skrynkla sig

wrinkled ['rɪŋkld] *adj* rynkig, skrynklig, fårad [*~ with* (av) *age*]

wrinkly ['rɪŋklɪ] *adj* rynkig, skrynklig, veckig

wrist [rɪst] *s* **1** handled, handlov **2** manschett[del] på klädesplagg; krage på handske

wristband ['rɪstbænd] *s* **1** svettband för handleden **2** band runt handleden **3** handlinning, manschett

wristwatch ['rɪstwɒtʃ] *s* armbandsur, armbandsklocka

1 writ [rɪt] *s* jur. skrivelse, handling, dokument; [kungligt] beslut, förordning; dekret, kungörelse; [skriftlig] kallelse, stämning; *serve a ~ on sb* delge ngn stämning

2 writ [rɪt] *perf p* (av *write*) litt. bildl., *~ large* i större format (skala), förstorad; *be ~ large* framträda tydligt, stå tydligt skriven

write [raɪt] (*wrote written* se äv. *written*) **I** *vb tr* **1** (se äv. *write III*) skriva, skriva ner (ut), författa; vanl. amer. skriva till [*I wrote her last week*] **2** data. skriva, skriva in [*to, onto* i]
II *vb itr* (se äv. *write III*) **1** skriva; *~ for* a) skriva för (i) [*~ for a newspaper*] b) skriva efter, rekvirera; *~ for a living* leva (försörja sig) på att skriva; *~ in ink* skriva med bläck; *~ in pencil* skriva med blyerts; *~ on a subject* skriva om ett ämne; *~ home about* se under *home III 1* **2** skriva; vara författare **3** gå [att skriva med]; *the pen won't ~* äv. pennan fungerar inte
III *vb tr* o. *vb itr* med adv., ofta med spec. översättningar:
write back svara med brev el. mejl
write down a) skriva upp (ner), anteckna [*~ it down*]; nedteckna b) hand. skriva ner [*~ down capital; ~ down an asset*] c) *~ down to the public* skriva alltför publikfriande
write in a) skriva in (till), tillfoga [*~ in an amendment to the law*] b) amer. polit. skriva till namn på röstsedel c) skriva till organisation el. företag, skicka in [*~ in one's requests*]; *~ in for* skriva efter, beställa, rekvirera [*~ in for our catalogue*]; *~ in to complain* skriva och klaga
write off a) avskriva äv. bildl. [*~ off a debt*]; avfärda [*it was written off as a failure*] b) *~ off for* skriva efter, rekvirera, beställa; *~ off to* skriva [brev] till
write out skriva (ställa) ut [*~ out a cheque*];
write up a) uppdatera, komplettera [*~ up a diary*] b) utarbeta, skriva ihop (ner) [*~ up a report*] c) slå upp [stort], uppförstora [*an affair written up by the press*] d) lovorda, ge en fin recension, ge fin kritik [*the critics wrote up the play*] e) hand. skriva upp f) *~ up about sth* skriva en insändare om ngt
write-down ['raɪtdaʊn] *s* hand. nedskrivning
write-in ['raɪtɪn] *s* amer. tillagt namn [på röstsedel], extrakandidat
write-off ['raɪtɒf] *s* vard. **1** avskrivning [som förlust] **2** värdelös tillgång, förlust; förlustkonto **3** flopp, misslyckande
write-once ['raɪtwʌns] *adj* data. engångs- anv. om medium som kan skrivas men ej ändras
write-protected [,raɪtprə'tektɪd] *adj* data. skrivskyddad
write protection [,raɪtprə'tekʃ(ə)n] *s* data. skrivskydd
writer ['raɪtə] *s* **1** författare, skribent, skriftställare **2** skrivare, skrivande [person]; *the* [*present*] *~* undertecknad, författaren till dessa rader
writer's cramp [,raɪtəz'kræmp] *s* skrivkramp
write-up ['raɪtʌp] *s* vard. [utförlig] redogörelse, rapport; [fin] recension; *a bad ~* en dålig recension, dålig kritik
writhe [raɪð] *vb itr* vrida sig [*~ with* el. *under* (av) *pain*; *~ in* (i) *agony*]; slingra sig [*the snake ~d up the tree*]; bildl. våndas, pinas
writing ['raɪtɪŋ] **I** *s* **1** skrift; *in ~* äv. skriftlig; skriftligt, skriftligen; *put down in ~* el. *take down in ~* skriva ner, avfatta skriftligt **2** skrivande, skrivning; komponerande; skrivkonst **3** författarverksamhet, författarskap, skriftställeri; skriveri [*on* om]; *he turned to ~* [*at an early age*] han började skriva (författa)... **4** [hand]stil; *it is not my ~* äv. det är inte jag som har skrivit det **5** inskrift, inskription; skrift; *the ~ is on the wall* det är ett

dåligt omen **6** stil [*narrative ~*]; språk **7** skrift, arbete, verk [*his collected ~s*]; **a fine piece of ~** ett utmärkt arbete (stycke litteratur), en utmärkt bok **8** jur. dokument, handling, skrivelse **9** text, ord **10** [minnes]anteckning

II *adj* skriv-; **~ materials** skrivmateriel, skrivdon

writing desk ['raɪtɪŋdesk] *s* skrivbord

writing pad ['raɪtɪŋpæd] *s* **1** skrivunderlägg **2** skrivblock

writing paper ['raɪtɪŋˌpeɪpə] *s* skrivpapper, brevpapper

written ['rɪtn] *adj* o. *perf p* (av *write*) skriven; skriftlig; **~ language** skriftspråk; **~ test** skriftligt prov

wrong [rɒŋ] **I** *adj* **1** fel, orätt [*it is ~ to steal*]; orättfärdig; orättvis; vrång **2** fel [*he got into the* (kom på) *~ train*]; felaktig, galen, orätt, oriktig; **sorry, ~ number!** förlåt, jag (ni) har slagit fel nummer (kommit fel)!; **be on the ~ road** ha råkat på avvägar; **be on the ~ side of fifty** vara över femtio [år]; **get on the ~ side of sb** ta ngn på fel sätt; komma på kant med ngn; **get out of bed on the ~ side** el. **get up on the ~ side** vard. vakna på fel sida; **the ~ way round** bakvänd; bakvänt, bakfram; **go the ~ way** gå vilse, komma fel (galet); **go the ~ way about it** börja i galen (fel) ända; **go the ~ way to work** gå felaktigt till väga; **the food went [down] the ~ way** maten fastnade i vrångstrupen (kom i fel strupe); **rub sb [up] the ~ way** bildl., se under *rub I*; **be ~** ha fel, ta fel (miste); **you're ~ there!** där tar (har) du fel!; **be ~ in the (one's) head** vard. vara dum [i huvudet], vara knäpp; **it's all ~** det är uppåt väggarna (alldeles fel); **there is nothing ~ in asking** ung. det gör väl inget om man frågar, man kan väl få fråga; **my watch is ~** min klocka går fel; **what's ~ with...?** a) vad är det för fel med (på)...? b) vad har du emot...? c) hur skulle det vara med...?, varför inte [ta]...? [*what's ~ with plain bread and butter?*]

II *adv* fel, orätt, oriktigt [*act ~*]; fel, galet [*guess ~*]; vilse; **do ~** handla (göra) orätt (fel); **you've got it all ~** du har helt missuppfattat det, du har fått alltsammans om bakfoten; **don't get me ~!** missförstå mig inte!, förstå mig rätt!; **go ~** a) gå (komma) fel (vilse); komma på villovägar; göra fel b) misslyckas [*our marriage went ~*]; gå snett c) vard. gå sönder, paja

III *s* orätt [*right and ~*]; orättfärdighet; oförrätt, orättvisa, ont; missförhållande; **two ~s do not make a right** man kan inte utplåna en orätt genom att begå en ny; **do sb ~** göra orätt mot ngn, göra ngn ont; förorätta ngn; bedöma ngn orätt; **he can do no ~** han är ofelbar; **I had done no ~** jag hade inget ont gjort; **be in the ~** ha fel; vara skyldig; **put sb in the ~** lägga skulden på ngn

IV *vb tr* **1** förorätta, förfördela, kränka **2** vara orättvis mot

wrongdoer ['rɒŋˌduə, ˌ-'--] *s* ogärningsman, missdådare, lagbrytare

wrongdoing ['rɒŋˌduːɪŋ, ˌ-'--] *s* ond gärning, missgärning; oförrätt; synd, förseelse

wrong-foot ['rɒŋfʊt] *vb tr* överrumpla, få ur balans

wrongful ['rɒŋf(ʊ)l] *adj* **1** orättvis, orättfärdig, orättrådig, kränkande **2** olaglig, orättmätig; **~ dismissal** uppsägning utan saklig grund

wrong-headed [ˌrɒŋ'hedɪd] *adj* **1** halsstarrig, vrång, tjurskallig; förstockad **2** befängd, tokig [*a ~ idea*]; förvänd

wrongly ['rɒŋlɪ] *adv* **1** fel, felaktigt, fel- [*~ spelt*]; orätt, oriktigt **2** orättvist [*~ accused*]; med orätt

wrote [rəʊt] imperf. av *write*

wrought [rɔːt] **I** imperf. o. perf. p. av *work*, se *work II* **II** *adj* **1** formad, arbetad, förarbetad, bearbetad, [färdig]behandlad, putsad; smidd, hamrad [*made of ~ copper*]; [jämn]huggen [*~ beams of oak*]; spunnen [*~ silk*] **2** prydd, dekorerad, utsirad, broderad

wrought iron [ˌrɔːt'aɪən] *s* smidesjärn

wrought work ['rɔːtwɜːk] *s* smidesarbete, smide

wrung [rʌŋ] imperf. o. perf. p. av *wring*

wry [raɪ] (adv. *wryly*) *adj* ironisk, spydig; **pull a ~ face** göra en [ful] grimas (en sur min); **~ humour** torr (besk) humor; **~ smile** ironiskt (snett) leende

WSW (förk. för *west-south-west*) västsydväst

wt förk. för *weight*

WTO [ˌdʌbljuːtiː'əʊ] hand. (förk. för *World Trade Organization*), **the ~** WTO världshandelsorganisation som 1995 ersatte GATT

wuss [wʌs] *s* amer. sl. mes

WV o. **W.Va** förk. för *West Virginia*

WWF [ˌdʌbljuːdʌbljuː'ef] förk. för *Worldwide Fund for Nature*

WWW [ˌdʌbljuːdʌbljuː'dʌblju] data. förk. för *World Wide Web*

WY o. **Wy.** förk. för *Wyoming*

wych elm ['wɪtʃelm] *s* bot. [skogs]alm

Wyo. förk. för *Wyoming*

Wyoming [waɪ'əʊmɪŋ] geogr.

WYSIWYG ['wɪzɪwɪg] *s* o. *adj* data. (förk. för *what you see is what you get*) skärmen visar samma sak som en utskrift

1 X, x [eks] **I** (pl. *X's* el. *x's* ['eksız]) *s* **1** X, x **2** matem.
o.d. X, x beteckning för okänd faktor, person m.m. [*x* = *y*;
Mr X]; **X number of** ett okänt antal **3** kryss
4 a) markering för felaktigt svar **b**) symbol för kyss i brev
o.d.
II *vb tr* amer., **~ out** kryssa över
2 X [eks] förk. för *Christ*
3 X [eks] *adj* o. *s* (förr) barnförbjuden [film], [film]
förbjuden för personer under 18 år
x-ax|is ['eks,æks|ıs] (pl. *-es* [-i:z]) *s* matem. x-axel
X-certificate [,eksə'tıfıkət] *adj* se *X-rated*
X-chromosome ['eks,krəuməsəum] *s* X-kromosom
xenon ['zenɒn] *s* kem. xenon
xenophobe ['zenə(u)fəub] *s* person som lider av
främlingshat, främlingshatare
xenophobia [,zenə(u)'fəubıə] *s* främlingshat,
xenofobi
xeroderma [,zıərəu'dɜ:mə] *s* **1** abnorm skinntorrhet
2 iktyos fiskfjällssjuka
Xerox® ['zıərɒks] *s* **1** Xerox[system];
Xeroxapparat kopiator **2** Xeroxkopia, fotokopia
xerox ['zıərɒks] *vb tr* o. *vb itr* xeroxkopiera,
[foto]kopiera
XL (förk. för *extra large*) XL beteckning för storleken extra
stor i klädesplagg
Xmas ['krısməs, 'eksməs] *s* kortform av *Christmas*
XML [,eksem'el] *s* data. (förk. för *Exstensible Markup
Language*) XML standard för strukturmärkning av
textbaserade elektroniska dokument
X-rated ['eks,reıtıd] *adj* ej lämplig för barn; brutal,
hårresande, vidrig; pornografisk
X-ray ['eksreı] **I** *s* **1** röntgenstråle; **~** el. pl. **~s** röntgen
2 attr. röntgen- [*~ examination*; *~ photograph*]; **~
machine** el. **~ unit** röntgenapparat; **~ therapy**
röntgenbehandling **3** röntgenundersökning
4 röntgenbild, röntgenplåt
II *vb tr* **1** röntga, röntgenfotografera
2 röntgenbehandla
XS (förk. för *extra small*) XS beteckning för storleken extra
liten i klädesplagg
xylophone ['zaıləfəun, 'zıl-] *s* mus. xylofon

1 Y, y [waı] (pl. *Y's* el. *y's* [waız]) *s* **1** Y, y **2** matem. Y,
y beteckning för bl.a. okänd faktor
2 Y [waı] amer. **1** (kortform av *YMCA*) KFUM
2 (kortform av *YWCA*) KFUK
yacht [jɒt] *s* sjö. [lust]jakt, yacht, segelbåt;
[motor]kryssare; kappseglingsbåt
yacht club ['jɒtklʌb] *s* segelsällskap, yachtklubb,
kryssarklubb
yachting ['jɒtıŋ] *s* **1** segling, segelsport, båtsport
2 attr. [lust]jakt-, segel-, båt- [*~ tour*]
yachts|man ['jɒts|mən] (pl. *-men* [-mən]) *s* seglare,
kappseglare; yachtägare
yachts|woman ['jɒts|,wumən] (pl. *-women*
[-,wımın]) *s* [kvinnlig] seglare (kappseglare),
[kvinnlig] yachtägare
yadda ['jædə] *adv* amer. vard., vanl. i formen **yadda,
yadda, yadda** och så vidare, bla-bla-bla [*he would
make it up to me – yadda, yadda, yadda – you
know, the usual excuses*]
Yahoo [jɑ:'hu:, jə-] (pl. *~s*) *s* yahoo motbjudande
människoliknande varelse i Swifts 'Gullivers resor'
yahoo [jɑ:'hu:, jə-] (pl. *~s*) *s* tölp; grobian; huligan
yak [jæk] *s* zool. jak
Yale [jeıl] **1** geogr. egennamn **2** i New Haven, Connecticut,
USA:s näst äldsta universitet [äv. *~ University*]
yale lock® ['jeıllɒk] *s* yalelås, patentlås
y'all [jɔ:l] kortform av *you-all*
yam [jæm] *s* **1** jams[rot] **2** amer. dial. sötpotatis
3 skotsk. potatis
yammer ['jæmə] *vb itr* vard. bluddra, gnälla
Yank [jæŋk] *s* o. *adj* ofta neds. för *Yankee I 1* o. *Yankee
II 1*
yank [jæŋk] vard. **I** *vb tr* o. *vb itr* rycka [i], dra [i],
hugga tag [i]; **they ~ed me off** de drog i väg med mig
II *s* ryck, knyck
Yankee ['jæŋkı] **I** *s* **1** ofta neds. yankee, jänkare
2 a) nordstatsamerikan, nordstatsbo **b**) New
Englandsbo **c**) hist. nordstatssoldat
II *adj* **1** ofta neds. yankee-, [äkta] amerikansk
2 nordstats-, New Englands-
yap [jæp] **I** *vb itr* **1** gläfsa, skälla **2** sl. snacka; tjafsa;
käfta emot, bjäbba emot
II *s* **1** gläfs[ande], skällande **2** sl. snack; tjafs
Yard [jɑ:d] *s*, **the ~** vard. för *Scotland Yard* o. *New
Scotland Yard*
1 yard [jɑ:d] *s* **1** yard (= 3 *feet* = 0,9144 m) [*a ~ and a
half of cloth*]; **by the ~** a) yardvis b) bildl. i långa
banor, i det oändliga **2** sjö. rå
2 yard [jɑ:d] *s* **1 a**) [inhägnad] gård, gårdsplan
b) amer. trädgård **2** område, inhägnad;
upplagsplats; som efterled i sammansättn. ofta -gård
[*timberyard*] **3** [skepps]varv **4** stationsplan,
stationsområde; **~** el. **railway ~** bangård
yardage ['jɑ:dıdʒ] *s* längd (yta, volym) mätt i
'yards'
yardarm ['jɑ:dɑ:m] *s* sjö. rånock

yardbird ['jɑ:dbɜ:d] *s* amer. sl. **1** mil. malaj, basse
  2 kåkfarare

yard sale ['jɑ:dseɪl] *s* amer., se *garage sale*

yardstick ['jɑ:dstɪk] *s* **1** yardmått[stock], tumstock
  2 bildl. måttstock, mått

yarmulke ['jɑ:məlkə, -mʊl-] *s* jud. kalott

yarn [jɑ:n] *s* **1** garn; tråd; sjö. kabelgarn **2** vard.
  [skeppar]historia, skröna; *spin a* ~ berätta (dra) en
  [skeppar]historia

yarrow ['jærəʊ] *s* bot. rölleka

yaw [jɔ:] *s* sjö. el. flyg. *I vb itr* gira [ur kurs] *II s* gir

yawl [jɔ:l] *s* sjö. **1** yawl slags segelbåt **2** [liten] fiskebåt
  3 liten skeppsbåt, jolle

yawn [jɔ:n] *I vb itr* **1** gäspa **2** gapa, öppna sig [*an
  abyss ~ed before her eyes*]; stå öppen
  II vb tr gäspa [fram] [*he ~ed goodnight*]; ~ *one's
  head off* gäspa käkarna ur led
  III s **1** gäspning **2** vard., *the movie was one big* ~
  filmen var urtråkig

yawning ['jɔ:nɪŋ] *adj* **1** gäspande [*a ~ audience*]
  2 gapande [*a ~ abyss*]

yaws [jɔ:z] *s pl* med. framboesi, yaws

y-ax|is ['waɪˌæks|ɪs] (pl. -*es* [i:z]) *s* matem. y-axel

Y-chromosome ['waɪˌkrəʊməsəʊm] *s* Y-kromosom

yd o. **yd.** förk. för *yard* se 1 *yard*

1 ye [ji:] åld. skrivning för *the* [*Ye Olde Tea Shoppe*]

2 ye [ji:, obeton. jɪ] *pers pron* **1** vard. el. dial. för *you* i
  vissa fraser [*how d'ye do?*; *thank* ~; *I tell* ~] **2** åld. (eg.
  pl. av *thou*) I; Eder

yea [jeɪ] åld. el. dial. *I s* litt. el. högtidl. ja, jaröst;
  jaröster; ~*s and nays* ja och nej, ja- och nejröster;
  omröstning *II interj* ja, sannerligen!

yeah [jeə, je] *adv* vard. ja; *oh* ~? jaså?, säger du det?,
  verkligen?

year [jɪə, ibl. jɜ:] *s* år; årtal; årgång [*wine of a good
  ~*]; skol. o.d. årskull; ~ *of birth* födelseår; ~*s and* ~*s*
  många herrans år; *he looks older than his* ~*s* han ser
  äldre ut än han är; *last* ~ i fjol, förra året; *this* ~ i
  år; *this day* ~ i dag om ett år; *it will be* ~*s before...*
  det kommer att dröja år (åratal) innan...; *she has
  been dead these two* ~*s* hon har varit död nu i två
  år; *take* ~*s off sb* få ngn att känna sig yngre (se
  yngre ut); *a* ~ *or two ago* för ett par år sedan,
  häromåret; ~*s ago* för flera (många) år sedan;
  donkey's ~*s* se under *donkey*; ~ *by* el. ~ *after* ~ år för
  (efter) år; *by next* ~ till (senast) nästa år; *for* ~*s* el.
  vanl. amer. *in* ~*s* på åratal (många år); *for* ~*s to come*
  under (i) kommande år; *in the* ~ *2011* år 2011; *ten
  days in the* ~ tio dagar på (om) året; *in two* ~*s* på
  (om) två år; *he is getting on in* ~*s* han börjar bli till
  åren (bli gammal)

yearbook ['jɪəbʊk] *s* årsbok; årskalender

yearling ['jɪəlɪŋ] *s* årsgammal unge, fjolårsunge,
  fjolårsföl o.d., ettåring

yearlong ['jɪəlɒŋ] *adj* årslång

yearly ['jɪəlɪ] *I adj* årlig, års- [~ *income*; ~ *meeting*]
  II adv årligen, en gång om året, varje år, år från år

yearn [jɜ:n] *vb itr* längta, trängta, tråna; ~ *for sth* el.
  ~ *after sth* längta efter ngt; åtrå ngt; ~ *to do sth*
  längta efter att göra ngt; *his heart* ~*ed towards her*
  han brann av längtan efter henne

yearning ['jɜ:nɪŋ] *I s* [stark] längtan, åtrå, trängtan,
  trånad *II adj* längtansfull, längtande

year-round [ˌjɪə'raʊnd, attr. '--] *adj* åretrunt-, som
  används (sker etc.) året runt

yeast [ji:st] *s* **1** jäst **2** fradga, skum

yeast infection ['ji:stɪnˌfekʃ(ə)n] *s* amer. vet. med.
  strålröta

yeasty ['ji:stɪ] *adj* **1** jästlik; jästblandad **2** jäsande

Yeats [poeten jeɪts]

yell [jel] *I vb itr* **1** [gall]skrika, tjuta, vråla; skräna,
  gasta **2** amer. skol. heja
  II vb tr skrika [ut]; ~ *out* skrika [ut]
  III s **1** skrik, tjut, vrål **2** amer. skol. hejaramsa,
  hejarop

yellow ['jeləʊ] *I adj* **1** gul **2** vard. feg, skraj; *he has a
  ~ streak in him* han är lite feg av sig
  II s gult; gul färg
  III vb itr gulna
  IV vb tr färga gul

yellow card ['jeləʊkɑ:d] *s* fotb., *get the* ~ få gult kort

yellow fever [ˌjeləʊ'fi:və] *s* gula febern

yellowish ['jeləʊɪʃ] *adj* gulaktig; i sammansättn. gul-
  [*yellowish-green*]

yellow journalism [ˌjeləʊ'dʒɜ:nəlɪz(ə)m] *s*
  sensationsjournalistik, skandaljournalistik

yellow line [ˌjeləʊ'laɪn] *s* trafik. gul linje längs
  trottoarkant markerande parkeringsförbud; *double* ~ dubbel
  gul linje längs trottoarkant markerande stoppförbud

yellowness ['jeləʊnəs] *s* gulhet, gul färg

yellow ochre [ˌjeləʊ'əʊkə] *s* **1** miner. [gul]ockra **2** färg
  ljus ockra, guldockra

yellow pages [ˌjeləʊ'peɪdʒɪz] *s pl*, *the* ~ gula sidorna
  i telefonkatalog

yellow press [ˌjeləʊ'pres] *s*, *the* ~ sensationspressen,
  skvallertidningarna

Yellow Sea [ˌjeləʊ'si:] *s* geogr., *the* ~ Gula havet

yellow spot [ˌjeləʊ'spɒt] *s* gula fläcken i ögat

Yellowstone ['jeləʊstəʊn, -stən] **1** geogr. egennamn **2** ~
  National Park nationalpark i Klippiga bergen i USA

yelp [jelp] *I vb itr* gläfsa, skälla, tjuta; skrika *II s*
  gläfs, [skarpt] skall, tjut; skrik

Yemen ['jemən] geogr. Jemen

1 yen [jen] (pl. vanl. *yen*) *s* yen japanskt mynt

2 yen [jen] *s* het längtan, begär; lust; *have a* ~ *for
  [apple-pie]* vara jättesugen på..., längta så man kan
  dö efter...

yeo|man ['jəʊ|mən] (pl. -*men* [-mən]) *s* **1** hist.
  [självägande] bonde, hemmansägare, odalbonde
  2 i USA **a)** ung. expeditionsofficer på fartyg
  b) skrivbiträde

yep [jep] *interj* vard. japp!, ja [då]!

yer [jɜ:, obeton. jə] *pron* dial. för *you* o. *your*

yes [jes, vard. jeə, je] *I adv* ja; jo; ~? verkligen?, och
  sedan?; ~, *sir!* vard. jajamen!, jadå!, jodå! *II s* ja; *say*
  ~ säga ja, samtycka

yes-man ['jesˌmæn] (pl. *yes-men* [-men]) *s* jasägare,
  eftersägare, medlöpare

yesterday ['jestədɪ, -deɪ] *I adv* i går; *I was not born* ~
  jag är inte född i går *II s* gårdagen; ~*'s paper*
  gårdagstidningen; *be* ~*'s news* äv. vara passerat
  (inaktuellt); ~ *morning* (*evening*) i går morse (kväll);
  gårdagens morgon (kväll), morgonen (kvällen) i
  går; ~ *night* i går kväll; i natt; gårdagskvällen;
  natten till i dag; *the day before* ~ i förrgår; dagen
  före gårdagen

yes-woman ['jes,wʊmən] (pl. *yes-women* [-,wɪmɪn]) *s* jasägare, nickedocka kvinna

yet [jet] **I** *adv* (se äv. *yet II*) **1** temporalt ännu, än; nu [*you needn't do it just ~*]; redan nu [*need you go ~?*]; till sist, förr eller senare [*the thief will be caught ~*]; ~ el. *as* ~ än så länge, hittills [*his as ~ unfinished task*]; *never* ~ ännu aldrig; *not just* ~ inte riktigt än; *the most serious incident* ~ den hittills allvarligaste incidenten; *while there is* ~ *time* medan det ännu är tid, innan det blir för sent; *have you done ~?* är du klar än!, har du slutat nu?; *I have ~ to see* [*the man who can beat him*] ännu har jag inte sett...; *you ain't seen nothing* ~ vard. det här är bara början **2** förstärkande, spec. vid komp. ännu [*more important ~*]; ytterligare [*~ others*]; ~ *again* el. ~ *once* el. ~ *once more* ännu en gång, en gång till, återigen; ~ *another* ännu (ytterligare) en; ~ *awhile* ännu en stund; fortfarande

II *adv* o. *konj* ändå, likväl, dock [*strange and ~ true*]; i alla fall; men (och) ändå, men (och) likväl; men [*a kind ~ demanding teacher*]

yew [juː] *s* **1** bot. idegran **2** idegran[strä]

yew-tree ['juːtriː] *s* bot. idegran

Y-fronts® ['waɪfrʌnts] *s pl* kalsonger med Y-front

YHA [,waɪeɪtʃ'eɪ] (förk. för *Youth Hostels Association*), *the* ~ en vandrarhemsorganisation

yid [jɪd] *s* sl. (neds.) jude

Yiddish ['jɪdɪʃ] **I** *s* jiddisch **II** *adj* jiddisch-

yield [jiːld] **I** *vb tr* **1** ge [*~ good crops*; *~ a good profit*]; ge i avkastning (vinst) [*investments ~ing 10 per cent*]; inbringa; producera, frambringa **2** lämna ifrån sig, överlämna, avstå [från], överge; ~ *ground* falla undan [*to* för]; ~ *oneself up* hänge sig, ägna sig, hemfalla [*to* åt] **3** mest litt. ge, skänka, bevilja

II *vb itr* **1** ge avkastning **2** ge efter, ge vika [*to* för; ~ *to threats*; *the door ~ed to the pressure*]; ge sig, böja sig; svikta; bildl. ge med sig, ge upp, kapitulera [*~ to force*]; ~ *to* a) ge sig för, böja sig för b) vara underlägsen, ligga under, stå 'efter [*~ to nobody in* (i, i fråga om) *courage*]; ~ *to despair* hemfalla åt förtvivlan; ~ *to temptation* falla för frestelsen; *the disease ~ed to treatment* sjukdomen övervanns genom behandlingen **3** ~ *to* lämna plats för (åt), efterträdas av **4** lämna företräde i trafiken [*to* åt]

III *vb tr* med adv.:

yield up a) uppenbara, avslöja [*the caves ~ed up their secrets*]

b) lämna ifrån sig

IV *s* **1** ekon. el. allm. avkastning; utbyte; behållning, vinst; produktion **2** lantbr. skörd, avkastning, produktion

yielding ['jiːldɪŋ] *adj* **1** foglig, eftergiven, undfallande [*a ~ person*] **2** böjlig, mjuk **3** *high ~ crops* skördar med hög avkastning, skördar som ger mycket

yippee [jɪ'piː] *interj* hurra!, jippi!

YMCA [,waɪem,siː'eɪ] (förk. för *Young Men's Christian Association*), *the* ~ KFUM, Kristliga föreningen för unga män

yob [jɒb] *s* o. **yobbo** ['jɒbəʊ] (pl. ~s) *s* sl. drummel, slyngel; buse, huligan

yodel ['jəʊdl, 'jɒdl] **I** *vb tr* o. *vb itr* joddla **II** *s* joddlande, joddling

yoga ['jəʊgə] *s* yoga

yoghurt o. **yogurt** ['jɒgət, amer. 'jəʊg-] *s* yoghurt

yoke [jəʊk] **I** *s* ok äv. bildl.; *shake off the* ~ el. *throw off the* ~ kasta av oket

II *vb tr* **1** oka, lägga ok[et] på; spänna [~ *oxen to* (för) *a plough*]; spänna för [~ *a wagon*] **2** ~ el. ~ *together* bildl. koppla samman, förena, para [*to*, *with* med]

yokel ['jəʊk(ə)l] *s* [enfaldig] lantis, tölp, bondlurk

yolk [jəʊk] *s* äggula, gula; *the ~s of three eggs* tre äggulor

Yom Kippur [,jɒm'kɪpə, ,jɒmkɪ'pʊə] *s* jom kippur judisk försoningsfest

yon [jɒn] *pron* o. *adv* litt. el. dial., se *yonder*

yonder ['jɒndə] litt. el. dial. **I** *pron* den där; ~ *group of trees* trädgruppen där borta; *on the* ~ *side* på andra sidan **II** *adv* där borta; dit bort

yonks [jɒŋks] *s* vard., *for* ~ på evigheter [*I haven't seen her for ~*]

yore [jɔː] *s* litt., *of* ~ fordom, förr, förr i världen; *in days of* ~ el. *in times of* ~ i forna tider, fordom[dags]

Yorks [jɔːks] förk. för *Yorkshire*

Yorkshire ['jɔːkʃə, -ʃɪə] geogr.

Yorkshire Dales [,jɔːkʃə'deɪlz] *s pl* geogr., *the* ~ dalarna i *Yorkshire*

Yorkshire pudding [,jɔːkʃə'pʊdɪŋ] *s* yorkshirepudding slags ugnspannkaka som vanligen äts till rostbiff

Yorkshire relish [,jɔːkʃə'relɪʃ] *s* slags pikant [biffsteks]sås

Yorkshire terrier [,jɔːkʃə'terɪə] *s* yorkshireterrier

you [juː; obeton. jʊ, ibl. jə] *pers pron* **1** a) du; ni; som obj. o.d. dig; er; *fool that* ~ *are!* el. ~ *fool!* din dumbom! b) man; spec. som obj. en; reflexivt sig; [*looking to the left*] ~ *have the castle in front of* ~ ...har man slottet framför sig **2** utan motsv. i sv.: *don't* ~ *do that again!* gör inte om det!; *there's a fine apple for ~!* vard. titta vilket fint äpple!; *there's friendship for ~!* vard. det kan man kalla vänskap!; iron. och det ska kallas vänskap!

you-all ['juːɔːl] *pron* amer. **1** vard. ni [alla] [*~ come back now, hear?*] **2** sl. du

you'd [juːd] = *you had* o. *you would*

youdeller ['jəʊd(ə)lə] *s* joddlare

you'll [juːl] = *you will* o. *you shall*

young [jʌŋ] **I** *adj* **1** ung, liten [*a ~ child*]; späd [*~ shoots*]; ny, oerfaren [*~ to* (i) *the business*]; färsk, grön; *my ~ brother* min lillebror; *in my ~ days* i [mina] unga dagar, i yngre år; ~ *fellow* yngling; ung man; ~ *Jones* [den] unge Jones, Jones junior; ~ *lady!* [min] unga dam!, min [unga] fröken!; ~ *moon* nymåne; ~ *ones* ungar; ~ *people* el. ~ *folks* unga människor, ungdom[ar], de unga; *you* ~ *rascal!* din lilla rackarunge!; ~ *thing* a) ung [oerfaren] varelse; flickebarn b) ungdjur, unge; ~ *'un* vard. unge; grabb; *when* ~ som ung; *I am not so* ~ *as I used to be* jag är inte så ung (någon ungdom) längre; *the evening is still* ~ el. *the night is still* ~ kvällen har bara (just) börjat; ~ *and old* unga och gamla, gammal och ung; *the* ~ de unga, ungdom[en]; barnen; *books for the* ~ ungdomsböcker **2** ungdomlig [*a ~ voice*; *a ~ style*; ~ *for one's age*]; ~ *at heart* ung till sinnet

II *s pl* djurs ungar; *bring forth* ~ få (föda) ungar; *with* ~ dräktig

youngish ['jʌnɪʃ, 'jʌŋgɪʃ] *adj* rätt så ung, yngre

young marrieds [ˌjʌŋ'mærɪdz] *s pl* amer. nygift[a] par

young offender [ˌjʌŋə'fendə] *s* ungdomsbrottsling

youngster ['jʌŋstə] *s* unge, barnunge; ungdom, ung person, tonåring; yngling

your [jɔ:, obeton. äv. jə] *fören poss pron* **1** (jfr *my I*) **a)** din; er, Eder; *Your Excellency* Ers Excellens; *Your Majesty* Ers Majestät **b)** sin [*you* (man) *cannot alter ~ nature*]; ens [*~ own ideas aren't always the best*] **2** neds. den här (där) [s.k.], din (er) s.k., en sån där [s.k.] [*he was one of ~ 'experts'*] **3** vard., *~ average reader* [*probably wouldn't understand*] den genomsnittlige läsaren...; *take ~ factory-worker for instance* ta t.ex. en [vanlig] fabriksarbetare

you're [jɔ:, jʊə] = *you are*; *~ another!* det är du också (med)!, det kan du vara själv!

yours [jɔ:z, jʊəz] *självst poss pron* **1** (jfr *1 mine*) din; er; *~ is a difficult situation* det är en besvärlig situation du befinner dig i; *what's ~?* vard. vad vill du ha [att dricka]? **2** hand. Ert brev, Er skrivelse [*~ of the 11th inst.*] **3** i brevslut, *Yours faithfully* (*truly* m.fl.) se under *faithfully* m.fl.

yoursel|f [jɔ:'sel|f, jʊə's-, jə's-] (pl. -*ves* [-vz]) *rfl pron* o. *pers pron* dig, er, sig [*you* (du, ni, man) *may hurt ~*]; dig (er, sig) själv [*you are not ~ today*]; en själv; du (ni, man) själv [*nobody but ~*]; själv [*you ~ said so; you said so ~; do it ~*]; jfr *myself*; *your father and ~* din (er) far och du (ni) [själv]; *how's ~?* vard. **a)** hur mås?, hur har du det? **b)** hur mår du själv?

youth [ju:θ, i pl. ju:ðz] *s* **1** ungdom[en], ungdomstid[en] [*~ is a happy age*]; *from ~ onwards* el. *from ~ upwards* alltifrån ungdomen **2** (med verbet vanl. i pl.) ungdom[en] [*the ~ of the nation are* el. *is...*; *for ~ nothing is impossible*]; de unga, det unga släktet **3** yngling, ung man; *as a ~* som yngling, som ung **4** ungdomlighet **5** barndom, begynnelse [*even in its ~ the business was...*]

youth centre ['ju:θˌsentə] *s* o. **youth club** ['ju:θklʌb] *s* ung. fritidsgård

youth court ['ju:θˌkɔ:t] *s* ungdomsdomstol

youth culture ['ju:θˌkʌltʃə] *s* ungdomskultur[en]

youthful ['ju:θf(ʊ)l] *adj* **1** ungdomlig, ung **2** ungdoms- [*~ days*]

youthfulness ['ju:θf(ʊ)lnəs] *s* ungdomlighet

youth hostel ['ju:θˌhɒst(ə)l] *s* vandrarhem

youth hostelling ['ju:θˌhɒst(ə)lɪŋ] *s* boende på vandrarhem; *go ~* resa runt och bo på vandrarhem

you've [ju:v, obeton. äv. jʊv, jəv] = *you have*

yowl [jaʊl] **I** *vb itr* tjuta, yla, jama, gnälla **II** *s* tjut, ylande, jamande, gnällande

yo-yo ['jəʊjəʊ] (pl. ~s) **I** *s* **1** jojo leksak **2** sl. dumskalle **II** *adj* jojo- [*a ~ effect*]; hastigt svängande **III** *vb itr* åka jojo, åka upp och ner, pendla; vackla

yr förk. för *year, your*

yrs förk. för *years, yours*

yuan ['jʊ:æn] *s* yuan myntenhet i Kina

yucca ['jʌkə] *s* bot. yucca, palmlilja

yuck [jʌk] sl. **I** *s* [äcklig] smörja, gegga **II** *interj* usch!, blä!, vad äckligt!

yucky ['jʌkɪ] *adj* sl. äcklig; sliskig

Yugoslav [ˌju:gə(ʊ)'slɑ:v] hist. **I** *s* jugoslav; jugoslaviska kvinna **II** *adj* jugoslavisk

Yugoslavia [ˌju:gə(ʊ)'slɑ:vɪə] geogr. hist. Jugoslavien

yuk [jʌk] *s* o. *interj* o. *adj* sl., se *yuck*

yukky ['jʌkɪ] *adj* sl., se *yucky*

Yukon ['ju:kɒn] geogr.

Yule [ju:l] *s* dial. el. litt. jul[en]; *at ~* vid julen, i juletid

Yuletide ['ju:ltaɪd] *s* poet. julen, jultiden

yummy ['jʌmɪ] *adj* vard. jättegod, smaskens, mumsig

yum-yum [ˌjʌm'jʌm] vard. **I** *interj* mums!, smaskens!, namnam! **II** *adj* mumsig; mums[mums]; härlig

yuppie ['jʌpɪ] *s* vard. (förk. för *young urban professional*) yuppie, finansvalp

yuppiedom ['jʌpɪdəm] *s* vard. **1** yuppievärlden **2** det att vara yuppie

yuppie flu [ˌjʌpɪ'flu:] *s* med. vard. yuppiesjuka

YWCA [ˌwaɪ'dʌblju:ˌsi:'eɪ] (förk. för *Young Women's Christian Association*), *the ~* KFUK, Kristliga föreningen för unga kvinnor

Z z

Z, z [zed, amer. vanl. ziː] (pl. *Z's* el. *z's* [zedz, amer. vanl. ziːz]) *s* Z, z
Zagreb ['zɑːgǀreb, 'zæg-] geogr.
Zambia ['zæmbɪə] geogr.
Zambian ['zæmbɪən] **I** *adj* zambisk **II** *s* zambier; zambiska kvinna
zany ['zeɪnɪ] *adj* galen, stollig, knasig
Zanzibar [ˌzænzɪ'bɑː] geogr.
Zanzibari [ˌzænzɪ'bɑːrɪ] *s* person från Zanzibar
zap [zæp] sl. **I** *vb tr* **1** knäppa, skjuta; pricka, träffa **2** göra slut på, ta bort **3** knäcka [*feel ~ped*] **4** mikra i mikrovågsugn **5** skjuta i väg **6** TV. zappa (bläddra) mellan **7** data. radera
II *vb itr* **1** ~ *off* susa i väg **2** TV. zappa, bläddra
III *s* kraft, energi; fart
IV *interj* svisch!, pang!
zapper ['zæpə] *s* vard. **1** fjärrkontroll **2** ~ el. *bug ~* elektrisk insektsdödare
zeal [ziːl] *s* iver, nit, entusiasm; glöd, patos [*revolutionary ~*]; *misguided ~* missriktat nit
zealot ['zelət] *s* **1** fanatiker; trosivrare **2** nitisk person
zealotry ['zelətrɪ] *s* överdrivet (blint) nit, brinnande iver, fanatism
zealous ['zeləs] *adj* ivrig, nitisk; full av brinnande iver (nit), brinnande, glödande
zebra ['zebrə, ibl. 'ziːb-, amer. 'ziːb-] **I** *s* zool. zebra, sebra **II** *adj* randig, zebrarandig
zebra crossing ['zebrəˌkrɒsɪŋ] *s* trafik. övergångsställe med vita streck
zed [zed] *s* bokstaven z
zee [ziː] *s* amer., bokstaven z
Zen [zen] *s* o. **Zen Buddhism** [ˌzen'bʊdɪz(ə)m, amer. -'buː-] *s* zen, zenbuddhism[en]
zenith ['zenɪθ, 'ziːn-] *s* **1** astron. zenit; *at the ~* i zenit **2** höjdpunkt [*at the ~ of one's career*]
Zeppelin o. **zeppelin** ['zepəlɪn] *s* flyg. (hist.) zeppelinare
zero ['zɪərəʊ] **I** (pl. *~s* el. *~es*) *s* **1** noll **2** nollpunkt; fryspunkt; *absolute ~* absoluta nollpunkten; *be at ~* stå på noll[punkten]; *10 degrees below ~* 10 grader under noll, 10 minusgrader; *it is below ~* det är under noll, det är minusgrader
II *vb itr*, ~ *in on* a) ta sikte på, rikta elden mot; omringa b) bildl. inrikta sig på, skjuta in sig på
zero-emission ['zɪərəʊˌmɪʃ(ə)n] *s* nollutsläpp, nollgräns för utsläpp
zero-emission vehicle [ˌzɪərəʊ'mɪʃ(ə)nˌviːɪkl] *s* avgasfritt fordon bil (buss etc.) som inte ger ifrån sig avgaser
zero growth [ˌzɪərəʊ'grəʊθ] *s* nolltillväxt
zero hour [ˌzɪərəʊ'aʊə] *s* mil. timmen T, klockan K tidpunkt för igångsättande av militär operation; vard. avgörande (kritiskt) ögonblick; *it is* ~ nu är det dags, nu börjas det
zero option ['zɪərəʊˌɒpʃ(ə)n] *s* nollösning

zero-rated ['zɪərəʊˌreɪtɪd] *adj* momsbefriad, befriad från moms
zero-sum game [ˌzɪərəʊ'sʌmgeɪm] *s* nollsummespel spelteori
zero tolerance ['zɪərəʊˌtɒlərəns] *s* nolltolerans
zest [zest] *s* **1** iver, entusiasm [*with ~*]; aptit [*for på*], smak [*for för*]; *~ for life* aptit på livet, livsglädje, livslust **2** [extra] krydda, tillsats, inslag; pikant smak, piff; *add* [*a*] *~ to* el. *give* [*a*] *~ to* ge en extra krydda åt, sätta piff på **3** citronskal, apelsinskal krydda i matlagning
zestful ['zestf(ʊ)l] *adj* välkryddad, pikant, aptitlig; njutningsrik, lustfylld
zigzag ['zɪgzæg] **I** *adj* sicksackformig, [som går (löper)] i sicksack, sicksack- [*a ~ line*]
II *s* sicksack äv. på symaskin, sicksacklinje, sicksackkurs; sicksackkurva; sicksackväg
III *adv* i sicksack
IV *vb itr* **1** gå (löpa) i sicksack, följa en sicksacklinje, sicksacka; slinga sig **2** bildl. svänga, pendla
zilch [zɪltʃ] *s* sl. **1** noll, ingenting **2** nolla; torrboll, torris
zillion ['zɪljən] *s* vard. ohygglig massa; *a ~* miljoner och åter miljoner, biljoner triljoner
Zimbabwe [zɪm'bɑːbwɪ]
Zimbabwean [zɪm'bɑːbwɪən] **I** *adj* zimbabwisk **II** *s* zimbabwier; zimbabwiska kvinna
Zimmer frame® ['zɪməfreɪm] *s* gåbock för funktionshindrade
zinc [zɪŋk] **I** *s* miner. zink **II** (imperf. o. perf. p. äv. *zinked* el. *zincked*) *vb tr* förzinka, överdra (belägga) med zink
zinc ointment ['zɪŋkˌɔɪntmənt] *s* zinksalva
zinc oxide [ˌzɪŋk'ɒksaɪd] *s* zinkoxid; zinkvitt
zine o. **'zine** [ziːn] *s* vard. zine tidning i pappersform el. på nätet skriven av icke-yrkesskribenter
zing [zɪŋ] vard. **I** *s* **1** skarpt vinande ljud; vissling; gnisslande **2** energi, vitalitet; stuns, fart
II *vb itr* vina, susa [*the cars ~ed down the road*]
zingy ['zɪŋɪ] *adj* vard. stunsig; häftig, snärtig, fräsig
Zion ['zaɪən] Sion
Zionism ['zaɪənɪz(ə)m] *s* sionism
Zionist ['zaɪənɪst] *s* sionist
zip [zɪp] **I** *s* **1** blixtlås **2** vinande, visslande [*the ~ of a bullet*]; ritsch[ljud] **3** vard. kraft, fart, energi [*full of ~*] **4** vanl. amer. vard. noll, inget; *he didn't say ~* han sa inte ett knäpp **5** amer. postnummer [äv. *~ code*]
II *vb tr* **1** a) ~ el. *~ shut* dra igen blixtlåset på, stänga [med blixtlås] b) *~ open* öppna [blixtlåset] på [*she ~ped her bag open*]; *~ me out of my dress* [hjälp mig att] dra ner blixtlåset på min klänning **2** vard. skjutsa, köra [*I'll ~ you to town in no time*] **3** data. zippa, komprimera
III *vb itr* **1** vara försedd med (ha) blixtlås, stängas (öppnas) med blixtlås **2** a) stänga blixtlåset (ett blixtlås) b) öppna blixtlåset (ett blixtlås) **3** ~ *it!* el. ~ *your lip!* amer. vard. håll käften (klaffen)! **4** vina, susa, vissla **5** vard. kila [*~ upstairs*]; susa; sno på
IV *vb tr* med adv.:
zip up dra igen blixtlåset på, stänga [med blixtlås]; *will you ~ me up?* el. *will you ~ up my dress?* vill du dra igen (upp) blixtlåset på min klänning?
zip bag ['zɪpbæg] *s* väska med blixtlås

zip code [ˈzɪpkəʊd] *s* amer. postnummer
zip fastener [ˈzɪpˌfɑːsnə] *s* blixtlås
zip file [ˈzɪpfaɪl] *s* data. komprimerad fil, zippad fil
Ziploc® [ˈzɪplɒk] *s* zippåse plastpåse med zipförslutning
zipper [ˈzɪpə] vanl. amer. **I** *s* blixtlås **II** *vb tr* dra igen blixtlåset på, stänga [med blixtlås]
zipper bag [ˈzɪpəbæg] *s* väska med blixtlås
zippo [ˈzɪpəʊ] *s* amer. vard. noll, ingenting
zippy [ˈzɪpɪ] *adj* vard. **1** fartig, energisk **2** pigg, klatschig; *a ~ tune* en klatschig (käck) melodi
zip suit [ˈzɪpsuːt] *s* overall med blixtlås för småbarn
zip-up [ˈzɪpʌp] *adj* blixtlåsförsedd, med blixtlås
zircon [ˈzɜːkɒn, -kən] *s* miner. zirkon
zit [zɪt] *s* sl. finne, kvissla
zither [ˈzɪðə] *s* mus. cittra
zodiac [ˈzəʊdɪæk] *s* **1** astron., *the ~* zodiaken; *the signs of the ~* stjärntecknen, djurkretsen **2** bildl. kretslopp
zombi o. **zombie** [ˈzɒmbɪ] *s* zombie, levande död äv. vard. om person
zonal [ˈzəʊnl] *adj* zon-; zonal; indelad i zoner; zonformad; *~ boundary* zongräns
Zone [zəʊn] *s, the ~* astron. Orions bälte
zone [zəʊn] **I** *s* zon [*neutral ~; the puck was in his own defensive ~*], amer. äv. taxezon; bälte, område spec. biogeografiskt [*the alpine ~; the forest ~*]; *the danger ~* riskzonen, farozonen; *the frigid ~s* [de] kalla zonerna (bältena); *parking ~* el. *parking-meter ~* parkeringsområde [med parkeringsautomater]; *~* el. *postal delivery ~* amer. postdistrikt; *the temperate ~s* [de] tempererade zonerna; *the torrid ~* [den] tropiska (heta) zonen, [det] heta bältet **II** *vb tr* **1** indela [i zoner] **2** zonplanera, stadsplanera; lokalisera
zoned [zəʊnd] *adj* amer., *be ~* el. *be ~ out* vara alldeles borta, vara omtöcknad; *I'm ~ out* jag är så trött att jag inte kan tänka
zone therapist [ˌzəʊnˈθerəpɪst] *s* zonterapeut
zone therapy [ˌzəʊnˈθerəpɪ] *s* zonterapi
zoning [ˈzəʊnɪŋ] *s* **1** [zon]indelning **2** zonplanering, stadsplanering; lokalisering
zonked [zɒŋkt] *adj* sl. **1** packad berusad; hög, påtänd narkotikapåverkad **2** dödstrött, helt slut [äv. *~ out*]
zonked out [ˌzɒŋktˈaʊt] *adj* sl., se *zonked 2*
zoo [zuː] (pl. *~s*) *s* zoo
zoo-keeper [ˌzuːˈkiːpə] *s* djurskötare i djurpark
zoolatry [zəʊˈɒlətrɪ] *s* **1** relig. djurdyrkan **2** överdriven tillgivenhet mot djur särsk. mot husdjur
zoological [ˌzəʊəˈlɒdʒɪk(ə)l] *adj* zoologisk, djur-
zoological garden [ˈzəʊəˌlɒdʒɪk(ə)lˈgɑːdn] *s* zoologisk trädgård, djurpark
zoologist [zəʊˈɒlədʒɪst, zʊˈɒ-] *s* zoolog
zoology [zəʊˈɒlədʒɪ, zʊˈɒ-] *s* zoologi
zoom [zuːm] **I** *vb itr* **1** brumma, surra, vina; *he ~ed along in his new car* han susade fram i sin nya bil **2** film. el. TV. zooma [*~ in; ~ out*]; om bildmotiv zoomas in (ut) **3** bildl. stiga hastigt, skjuta i höjden [*prices ~ed*] **II** *s* **1** a) flyg. brant stigning b) bildl. brant (stark, hastig) uppgång **2** brummande, surrande, vinande
zoom lens [ˈzuːmlenz] *s* zoomobjektiv, zoomlins
zoonosis [zəʊˈɒnəsɪs] *s* zoonos smitta som naturligt kan spridas från djur till människa

zucchini [tsʊˈkiːnɪ] (pl. *zucchini* el. *~s*) *s* bot. el. kok. zucchini, courgette, squash
Zulu [ˈzuːluː] **I** *s* **1** zulu; zulukvinna **2** zuluspråket **II** *adj* zulu- [*the ~ language*]
Zurich o. **Zürich** [ˈzjʊərɪk, ˈzʊə-] geogr. Zürich
zzz [zː] *interj* zzz, rrr beteckning för sömn el. snarkning i pratbubbla o.d.

NE:s
stora engelska ordbok

SVENSK-ENGELSK

Översikt
SVENSK–ENGELSK

Uppställning av NE:s stora svensk–engelska ordbok

alibi *s* (*~t, ~n*) alibi; *ha ~* have an alibi
① **②** **③**

alternativ I *s* (*~et, =*) alternative **II** *adj*
④
(*~t*) alternative; *~ energi* alternative
energy

anpassning *s* (*~en, ~ar*) adaption,
adjustment [*efter, till* to]
⑤

aluminium *s* (*~et* el. *aluminiet* el. *=*)
⑥
aluminium; amer. aluminum

banjo *s* (*~n, ~r*) banjo (pl. -s el. -es)
⑥

byta ... **II** med. beton. part. **byta av** relieve
⑦

1 bråk *s* (*~et, =*) matem. fraction
⑧

chokladask *s* (*~en, ~ar*) med praliner box
⑨
of chocolates; tom chocolate box

klädnypa *s* (*~n, -nypor*) clothes peg;
amer. clothespin
⑩

koffeinfri *adj* (*-fritt*) caffeine-free; *~tt*
kaffe decaffeinated coffee; vard. decaf
⑪

allihop o. **allihopa** *pron* se *allesammans*
⑫

alternativ I *s* (*~et, =*) alternative **II** *adj*
⑬ **⑬**
(*~t*) alternative; *~ energi* alternative
energy

al *s* **1** (*~en, ~ar*) träd alder[-tree] **2** (*~en*)
⑭ **⑭**
virke alder[wood]

1 förband *s* (*~et, =*) **1** med. bandage ...
⑮
2 mil. unit; flyg. formation

2 förband *s* (*~et, =*) mus. opening
⑮
(supporting) act

GRAMMATIK O.D.

1. uppslagsord
2. översättning
3. fras, språkexempel
4. ordklass
5. konstruktionsuppgift
6. böjningsuppgift
7. verbfras (partikelverb)

ETIKETTER O.D.

8. ämnesområde
9. svensk förklaring,
   precisering
10. amerikansk engelska
11. stilnivå
12. hänvisning

SIFFROR

13. romerska siffror
    (indelning i ordklasser)
14. arabiska siffror
    (indelning i delbetydelser)
15. homografsiffror

A a

a *s* **1** (a:et, a:n el. a) bokstav a [utt. eɪ]; *~ och o* bibl. Alpha and Omega, allm. äv. the be-all and end-all; *har man sagt ~, får man* [*också*] *säga b* ung. in for a penny, in for a pound **2** (a:et, a:n el. a) mus. A **3** *A* (förk. för *ampere*) A

@ snabel-a [commercial] at sign

à *prep* **1** at; *2 biljetter ~ 100 kronor* 2 tickets at 100 kronor; *10 paket ~ 200 gram* 10 parcels of 200 grammes [each] **2** or; *5 ~ 6 gånger* 5 or 6 times

AB bolagsbeteckning ung. Ltd; amer. Inc., Corp.; jfr *aktiebolag*

abbedissa *s* (~n, abbedissor) abbess

abborre *s* (~n, abborrar) perch (pl. lika el. ibland -es)

abbot *s* (~en, ~ar) abbot

abc *s* (abc:et, abc:n el. =) ABC

abc-bok *s* (~en, -böcker) alphabet-book

ABC-stridsmedel *s pl* mil. NBC (nuclear, biological and chemical) weapons

abdikation *s* (~en, ~er) abdication

abdikera *vb itr* (~de, ~t) abdicate

aber *s* (oböjl., ett) but; *ett ~* a snag (catch)

abessinier *s* (~n, =) Abyssinian äv. kattras

abnorm *adj* (~t) abnormal

abnormitet *s* (~en, ~er) abnormality

abonnemang *s* (~et, =) subscription [*på* to, for]; *ha ~ på operan* have a season ticket for the Opera

abonnemangsavgift *s* (~en, ~er) subscription (subscriber's) charges pl.

abonnent *s* (~en, ~er) subscriber; teat. season-ticket holder

abonnera *vb itr* o. *vb tr* (~de, ~t) subscribe [*på* to, for]; *~d buss* hired coach, amer. chartered bus

aborigin *s* (~en, ~er) Aborigine, Aboriginal

abort *s* (~en, ~er) abortion; *göra ~* have an abortion

abortera *vb itr* (~de, ~t) med., framkalla missfall abort; få missfall have a miscarriage

abortmotståndare *s* (~n, =) anti-abortionist, pro-lifeactivist

abortpiller *s* (-pillret, =) med. abortion pill

abortrådgivning *s* (~en, ~ar) abortion counselling

abrakadabra *s* (~t) **1** trollformel abracadabra **2** nonsens mumbo jumbo

abrupt *adj* (=) abrupt

ABS-bromsar *s pl* ABS brakes (förk. för anti-lock braking system)

absolut I *adj* (=) absolute, definite; [*en*] *~ majoritet* äv. a clear majority; *i ~a tal* in absolute terms **II** *adv* absolutely; helt säkert certainly, definitely; helt och hållet utterly; obetingat unconditionally; speciellt amer. vard. sure thing; *~ inte* certainly not, under no circumstances

absolution *s* (~en, ~er) relig. absolution

absolutism *s* (~en) helnykterhet teetotalism, total abstinence

absolutist *s* (~en, ~er) helnykterist teetotaller, total abstainer, non-drinker

absorbera *vb tr* (~de, ~t) absorb

absorption *s* (~en) absorption

absorptionsförmåga *s* (~n) tekn. power of absorption, absorption capacity (capability)

abstinensbesvär *s* (~et, =) med. withdrawal symptoms pl.

abstrahera *vb tr* (~de, ~t) abstract

abstrakt I *adj* (=) abstract **II** *adv* abstractly, in the abstract

abstraktion *s* (~en, ~er) abstraction

absurd *adj* (absurt) absurd, preposterous

absurditet *s* (~en, ~er) absurdity

a cappella *adv* mus. a cappella

acceleration *s* (~en, ~er) acceleration

accelerera *vb tr* o. *vb itr* (~de, ~t) accelerate; *~nde hastighet* increasing speed

accent *s* (~en, ~er) accent; tonvikt stress

accenttecken *s* (-tecknet, =) accent, stress mark

accentuera *vb tr* (~de, ~t) accentuate, stress

accept *s* (~en el. ~et) hand. acceptance

acceptabel *adj* (~t, acceptabla) acceptable; nöjaktig passable

acceptera *vb tr* (~de, ~t) accept

access *s* (~en, ~er) data. access

accessoarer *s pl* accessories

accesspunkt *s* (~en, ~er) data. access point

accesstid *s* (~en, ~er) data. access time

accis *s* (~en, ~er) excise [duty]; *~ på bilar* purchase tax on cars

acetat *s* (~et, = el. ~er) kem. el. textil. acetate

aceton *s* (~en el. ~et) kem. acetone

acetylen *s* (~en el. ~et) kem. acetylene

acetylsalicylsyra *s* (~n, -syror) kem. acetylsalicylic acid

ack *interj* alas, oh; *~ om jag vore...!* äv. if only I were...!

ackja *s* (~n, ackjor) 'ackja', Laplander's sledge

acklamation *s* (~en, ~er), vald *med ~* ...by (with) acclamation

acklimatisera I *vb tr* (~de, ~t) acclimatize; amer. äv. acclimate **II** *vb rfl* (~de, ~t), *~ sig* acclimatize oneself; friare get to feel at home

acklimatisering *s* (~en, ~ar) acclimatization

ackommodationsförmåga *s* (~n) optik. power of accommodation

ackompanjatris *s* (~en, ~er) accompanist

ackompanjatör *s* (~en, ~er) accompanist

ackompanjemang *s* (~et, =) accompaniment; *till ~ av* en känd pianist accompanied by..., with...at the piano

ackompanjera *vb tr* (~de, ~t) accompany

ackord *s* (~et, =) **1** mus. chord **2** *arbeta på ~* do piecework **3** överenskommelse med kreditorer composition

ackordera *vb itr* (~de, ~t) allm. negotiate [*om ngt* about sth]; bargain [*om* for, about]

ackordsarbete *s* (~t, ~n) piecework sg.

ackordslön *s* (~en, ~er) piece wages pl., piece rate

ackreditera *vb tr* (~de, ~t) accredit äv. dipl.; *vara ~d i Stockholm* be accredited to Stockholm

ackumulator *s* (~n, ~er) accumulator; amer. storage battery (cell)

ackumulera *vb tr* (~de, ~t) accumulate

ackusativ *s* (~en, ~er) gram., *~[en]* the accusative; *stå i ~* be in the accusative

ackusativobjekt *s* (~et, =) gram. accusative (direct) object

ackvisition *s* (~en, ~er) anskaffning canvassing; förvärv acquisition [*för* for, to]; försäkr. [the] acquisition of new business

a conto *adv* hand. on account

ad acta *adv*, **lägga...~** put...aside [for future reference]

adagio I *s* (~t, ~n) mus. adagio it. **II** *adv* mus. adagio it.

adamsäpple *s* (~t, ~n) anat. Adam's apple

adapter *s* (~n, adaptrar) adaptor, adapter

adaptera *vb tr* (~de, ~t) adapt

ADB data. (förk. för *automatisk databehandling*) ADP (förk. för automatic data processing)

addera *vb tr* (~de, ~t) add; lägga ihop add up, add...together

addition *s* (~en, ~er) addition

adekvat I *adj* (=) adequate; träffande apt, exact; **ett ~ uttryck på svenska** äv. a Swedish equivalent **II** *adv*, uttrycka sig ~ ...adequately

adel *s* (~n), **~n** klass the nobility; i Storbr. äv.: högadeln the peerage; lågadeln the gentry pl.; **vara av gammal ~** belong to the old nobility

adelsdam *s* (~en, ~er) noblewoman

adelskalender *s* (~n, -kalendrar) directory of noble families; **~n** i Storbr. The Peerage

adelsman *s* (~nen, -män) nobleman

adelssläkt *s* (~en, ~er) noble family

adept *s* (~en, ~er) anhängare follower, disciple; sport. protégé

aderton *räkn* eighteen; **en av de ~** [*i Svenska Akademien*] one of the [eighteen] members of the Swedish Academy; jfr *fem, femton* o. *nitton* med sammansättn.

adhd *s* (oböjl., en) med. ADHD (förk. för Attention Deficit Hyperactivity Disorder)

adjektiv *s* (~et, =) adjective

adjektivisk *adj* (~t) adjectival

adjungera *vb tr* (~de, ~t) call in; **~d ledamot** additional (co-opted) member

adjunkt *s* (~en, ~er) **1** skol. ung. secondary-school teacher **2** pastors~ curate

adjutant *s* (~en, ~er) aide, aide-de-camp (pl. aides[-de-camp]), ADC (pl. ADC's) [*hos* to]

adjö I *interj* goodbye!; i högre stil farewell!, adieu!; **~ så länge!** goodbye for now!, so long! **II** *s* (oböjl., ett) goodbye; i högre stil farewell, adieu; **säga ~ till ngn** say goodbye to sb

ADL (förk. för *aktiviteter i det dagliga livet*) ADL (förk. för activities of daily living)

adla *vb tr* (~de, ~t) **1** bli **~d** be knighted; be raised to the nobility (peerage) **2** bildl. ennoble

adlig *adj* (~t) noble; av adlig börd ...of noble birth; **~t namn** aristocratic (noble) name

administration *s* (~en, ~er) administration, management

administrativ *adj* (~t) administrative

administratör *s* (~en, ~er) administrator

administrera *vb tr* (~de, ~t) administer, manage

adoptera *vb tr* (~de, ~t) adopt; **hon ~de bort barnet** she had the child adopted

adoption *s* (~en, ~er) adoption

adoptivbarn *s* (~et, =) adopted child

adoptivföräldrar *s pl* adoptive parents

adrenalin *s* (~et) fysiol. adrenalin, adrenaline; amer. vanl. epinephrine; **~et steg i mig** my adrenalin level started rising

adrenalinkick *s* (~en, ~ar), **jag fick en ~** I got a rush of adrenalin

adress *s* (~en, ~er) address äv. data. o. hyllnings~ o.d.; **...med [direkt] ~ till oss** bildl. ...[obviously] aimed (directed) at us

adressat *s* (~en, ~er) addressee

adressera I *vb tr* (~de, ~t) address äv. data. **II** *vb rfl* (~de, ~t), **~ sig till ngn** address oneself to sb

adresskalender *s* (~n, -kalendrar) administrator, street directory, vard. A to Z [guide]

adresslapp *s* (~en, ~ar) address label, luggage label; som knyts fast tag

adressort *s* (~en, ~er) [place of] destination

adressändring *s* (~en, ~ar) change of address; **meddela ~** notify a change of address

Adriatiska havet the Adriatic [Sea]

adstringerande *adj* (oböjl.) astringent; **~ medel** astringent

A-dur *s* (oböjl.) mus. A major

advent *s* (~et) Advent; **första [söndagen i] ~** Advent Sunday; **andra** (**tredje, fjärde**) [**söndagen i**] **~** the second (third, fourth) Sunday in Advent

adventist *s* (~en, ~er) relig. Adventist

adventskalender *s* (~n, -kalendrar) Advent calendar

adverb *s* (~et, =) adverb

adverbial *s* (~et, =) adverbial [modifier]

advokat *s* (~en, ~er) allm. lawyer, amer. äv. attorney, counsel, amer., vid rättegång counselor; britt., juridiskt ombud (utan rätt att föra talan vid högre domstol) solicitor, rättegångsadvokat barrister

advokatbyrå *s* (~n, ~er) kontor solicitor's (lawyer's etc.) office, jfr *advokat*

advokatsamfund *s* (~et, =) bar association; **~et** i Storbr. the Bar Council

aerobics *s* (oböjl.) aerobics sg.

aerodynamisk *adj* (~t) aerodynamic

aerogram *s* (~met, =) aerogram, air letter

aerosolförpackning *s* (~en, ~ar) aerosol container (burk can)

afasi *s* (~n) med. aphasia

affekt *s* (~en, ~er) [strong] emotion, passion; psykol. affect; **råka i ~** get emotional (angry, upset); **handla i ~** act in the heat of the moment

affekterad *adj* (affekterat, ~e) affected

affektfri *adj* (-fritt) unemotional

affektion *s* (~en, ~er) affection

affektionsvärde *s* (~t, ~n) sentimental value

affisch *s* (~en, ~er) poster; för reklam o.d. bill, placard; mindre flyer; **sätta upp en ~** put (stick) up (post) a bill (placard)

affischera I *vb tr* (~de, ~t) placard; friare advertise **II** *vb itr* (~de, ~t) post bills (resp. a bill)

affischering *s* (~en, ~ar) placarding, bill-posting, bill-sticking; **~ förbjuden!** post (stick) no bills!

affischpelare *s* (~n, =) advertising (advertisement) pillar

affär *s* (~en, ~er) **1** butik vanl. shop, speciellt amer. store; **ha** (**äga**) **en ~** own (keep, run) a shop; **gå i ~er** look round the shops, go shopping; amer. vard. cruise the malls; **jobba i ~** work in a shop **2** hand., allm. business; affärsrörelse äv. concern; transaktion [business] transaction, bargain, vard. deal; **~er[na]** affärsverksamhet[en], o.d. business, ibland trade; **hur går**

~erna [*för dig*]? how's business [with you]?; *göra ~er* do (transact, carry on) business; *göra stora ~er med* do a lot of business with; *göra upp en ~* settle a transaction, strike a bargain; *prata ~er* talk business (vard. shop); *slutföra en ~* close (settle) a deal **3** *~er* ekonomisk ställning o.d. affairs **4** angelägenhet affair; av allvarligare art concern; sak, historia, händelse äv. business; *sköt du dina [egna] ~er!* mind your own business! **5** kärleksaffär affair; *ha en ~ med ngn* have an affair with sb **6** väsen, *göra stor ~ av ngt* make a big deal out of (a great fuss about) sth **7** jur. el. polit. case, affair; *~en Dreyfus* the Dreyfus affair

affärsanställd *s* (en ~, pl. ~a) expedit shop assistant; amer. salesclerk, salesperson

affärsbank *s* (~en, ~er) commercial bank

affärsbrev *s* (~et, =) business (commercial) letter

affärscentrum *s* (~et, = el. -centra) business centre; butikscentrum shopping centre

affärsdrivande *adj* (oböjl.), *statens ~ verk* pl. public utilities

affärsförbindelse *s* (~n, ~r) business connection; *stå i ~ med* have business connections with

affärsgata *s* (~n, -gator) shopping street

affärshandling *s* (~en, ~ar) business (commercial) document

affärshemlighet *s* (~en, ~er) trade secret

affärsidé *s* (~n, ~er) business concept

affärsinnehavare *s* (~n, =) shopkeeper; amer. storekeeper; vard. [shop (amer. store)] owner

affärskedja *s* (~n, -kedjor) multiple (chain) stores pl.

affärskorrespondens *s* (~en, ~er) business (commercial) correspondence

affärskvinna *s* (~n, -kvinnor) businesswoman

affärsliv *s* (~et, =) business, business (commercial) life

affärslokal *s* (~en, ~er) business premises pl.

affärslunch *s* (~en, ~er) business lunch

affärsläge *s* (~t, ~n) **1** lokalt business location **2** ekon. state of business, market conditions pl.

affärsman *s* (~nen, -män) businessman

affärsmoral *s* (~en) business code (ethics sg. el. pl.)

affärsmässig *adj* (~t) businesslike

affärsresa *s* (~n, -resor) business trip (journey); *på ~* [out travelling] on business

affärsrörelse *s* (~n, ~r) business; *driva en ~* konkr. run a business

affärsspråk *s* (~et, =) business language

affärstid *s* (~en, ~er), *~[er]* business (opening) hours pl.

affärstransaktion *s* (~en, ~er) o. **affärsuppgörelse** *s* (~n, ~r) business deal (transaction)

affärsvana *s* (~n, -vanor) business experience

affärsverksamhet *s* (~en, ~er) business activity

affärsvärld *s* (~en), *~en* the business (commercial) world

Afghanistan Afghanistan

afghansk *adj* (~t) Afghan

aforism *s* (~en, ~er) aphorism

Afrika Africa

afrikan *s* (~en, ~er) African

afrikansk *adj* (~t) African

afroasiatisk *adj* (~t) Afro-Asian

afrodisiakum *s* (~et, afrodisiaka) aphrodisiac

afrofrisyr *s* (~en, ~er) Afro hairdo

aftershave *s* (~n, =) aftershave [lotion]

afton *s* (~en, aftnar) **1** evening äv. bildl.; senare night; *god ~!* good evening (vid avsked äv. night)!; se vidare *kväll* **2** före helgdag e.d. eve

aftonbön *s* (~en, ~er) evening prayers pl.; *läsa ~* äv. say one's prayers [at bedtime]

aftondräkt *s* (~en, ~er) evening dress

aftonklänning *s* (~en, ~ar) evening gown (dress)

aftonrodnad *s* (~en, ~er) twilight (sunset) glow

aftonstjärna *s* (~n, -stjärnor) astron. evening star

aftonsång *s* (~en, ~er) evensong, evening service (prayer), vespers pl.

aga I *s* (~n) corporal punishment **II** *vb tr* (~de, ~t) administer corporal punishment (a beating) to; *den man älskar den ~r man* ålderdomligt talesätt, ung. spare the rod and spoil the child

agat *s* (~en, ~er) miner. agate

agave *s* (~n, ~r) bot. agave, American aloe

agenda *s* (~n, agendor) dagordning agenda

agent *s* (~en, ~er) agent äv. polit. el. gram.; hand. äv. representative

agentfilm *s* (~en, ~er) spy film (movie)

agentur *s* (~en, ~er) agency

agera *vb tr* o. *vb itr* (~de, ~t) act; *~ [som]* fungera som act (serve) as; *de ~nde* teat. the actors, the performers; friare the main figures, those involved

agerande *s* (~t, ~n), *hans ~ i frågan* verkar något underligt his actions pl. in the matter...

agg *s* (~et) grudge, rancour; *hysa ~ mot* (*till*) *ngn* bear a grudge against sb

aggregat *s* (~et, =) aggregate; tekn. vanl. unit, set

aggregationstillstånd *s* (~et, =) state of aggregation

aggression *s* (~en, ~er) aggression

aggressiv *adj* (~t) aggressive

aggressivitet *s* (~en) aggressiveness; vard. aggro

agitation *s* (~en, ~er) agitation, campaign; propaganda propaganda; vid val canvassing

agitator *s* (~n, ~er) agitator; propagandist propagandist; vid val canvasser

agitatorisk *adj* (~t) agitatorial; propagandistisk propagandistic

agitera *vb itr* (~de, ~t) agitate; propagera do (carry on) propaganda work; vid val canvass

1 agn *s* (~en, ~ar), *~ar* tröskavfall husks, chaff sg.; *skilja ~arna från vetet* bildl. separate (sort out, sift) the wheat from the chaff

2 agn *s* (~et, =) vid fiske bait

agna *vb tr* (~de, ~t) bait; *~ på* bait

agnostiker *s* (~n, =) filos. agnostic

agraff *s* (~en, ~er) **1** spänne clasp, buckle **2** med. [surgical] clip

agrar *adj* (~t) agrarian

agrikultur *s* (~en) agriculture

agronom *s* (~en, ~er) agricultural-college graduate, agronomist

agronomi *s* (~n) lantbr. agronomics sg., agronomy

ah *interj* oh!, ah!

aha *interj* aha!; ha, ha!; oho!

aha-upplevelse *s* (~n, ~r) ung. aha experience; *jag fick en ~* I experienced a moment of clarity

aids *s* (oböjl., en) med. Aids, AIDS (förk. för acquired immune deficiency syndrome)

aidssjuk I *adj* (~t) Aids-infected, ...infected with Aids **II** *s* (en ~, pl. ~a), *en ~* an Aids sufferer (victim)

aidssmittad I *adj* (-smittat, ~e) Aids-infected,

...infected with Aids **II** *s* (en ~, pl. ~e), **en** ~ an Aids sufferer (victim)

aioli *s* (~n) kok. aioli

airbag *s* (~en, ~ar) bil. airbag

aiss *s* (~et, =) mus. A sharp

aj *interj* oh!, ow!, ouch!; **~, ~!** varnande now! now!

ajour *adj* (oböjl.) o. **à jour** *adj* (oböjl.), **hålla sig ~ med** keep up [to date] with, keep abreast of (with); **hålla ngn ~** keep sb informed (posted, up to date)

ajournera *vb tr* o. *vb rfl* (~de, ~t), **~ sig** adjourn

ajournering *s* (~en, ~ar) adjournment

akacia *s* (~n, akacior) bot. acacia

akademi *s* (~n el. ~en, ~er) academy; **Svenska Akademien** the Swedish Academy

akademiker *s* (~n, =) med examen [university] graduate; **vara ~** akademiskt bildad have a university degree (education); universitetslärare university teacher, academic

akademiledamot *s* (~en, -ledamöter) member (fellow) of an academy, academician

akademisk *adj* (~t) academic; **~ examen** (**grad**) university (academic) degree

A-kassa *s* (~n, -kassor) (förk. för *arbetslöshetskassa*) unemployment benefit fund (society); kontor unemployment benefit office; ersättning unemployment benefit, vard. dole; **sänkt ~** reduced unemployment benefit

akilleshäl *s* (~en, ~ar) Achilles' heel

akleja *s* (~n, aklejor) bot., [**vanlig**] ~ columbine

akne *s* (~n) med. acne

akrobat *s* (~en, ~er) acrobat

akrobatik *s* (~en) acrobatics pl.

akrobatisk *adj* (~t) acrobatic

akryl *s* (~en) acrylic

akrylamid *s* (~en) kem. acrylamide

akrylfiber *s* (~n, -fibrer) kem. acrylic fibre

akrylfärg *s* (~en, ~er) acrylic paint

1 akt *s* (~en, ~er) **1** handling act **2** urkund document, deed **3** högtidlig förrättning ceremony **4** teat. act **5** nakenstudie nude

2 akt *s* (oböjl.) uppmärksamhet o.d., **giv ~!** attention!, jfr *givakt;* **ge ~ på** a) observera, lägga märke till o.d. observe, watch, notice, see b) hålla ögonen på keep an eye on; **ta sig i ~** [**för**] be on one's guard [against]; **ta tillfället i ~** seize (take) the opportunity

akta I *vb tr* (~de, ~t) **1** vara aktsam om be careful with; ta vård om take care of; skydda guard, protect [*för* from]; **~ huvudet!** mind your head!; **~s för stötar!** på etikett Handle with care!, Fragile; **~s för väta!** Keep dry! **2** värdera esteem; respektera respect; jfr *aktad* **II** *vb rfl* (~de, ~t), **~ sig** take care [*för att göra det* not to do that]; vara på sin vakt be on one's guard [*för* against]; se upp look out [*för* for]; **~ dig!** take care!, look out!

aktad *adj* (aktat, ~e) respected, esteemed

akter sjö. **I** *adv*, **~ ifrån** from the stern; **~ om** astern of, abaft; **~ ut** astern, aft, by the stern; **~ över** astern, by the stern **II** *s* (~n, aktrar) stern; **från fören till ~n** from stem to stern

akterdäck *s* (~et, =) sjö. afterdeck; halvdäck quarterdeck; upphöjt poop

akterhytt *s* (~en, ~er) sjö. aftercabin

akterlanterna *s* (~n, -lanternor) sjö. stern light; flyg. tail light

akterlig *adj* (~t), **för** (**med**) ~ **vind** with a following wind

akterseglad *adj* (-seglat, ~e), **han blev ~** blev kvarlämnad he was left astern (behind); hann inte med he missed his ship

akterskepp *s* (~et, =) sjö. stern

aktersnurra *s* (~n, -snurror) outboard motor; båt outboard motorboat

akterspegel *s* (~n, -speglar) sjö. stern

aktie *s* (~n, ~r) share; amer. stock; **~r** koll. stock sg.; **bunden** (**fri**) ~ restricted (unrestricted) share; **ha** (**äga**) **~r i** hold shares in; **teckna ~r** subscribe [for] (apply for) shares

aktiebolag *s* (~et, =) joint-stock company; amer. corporation; med begränsad ansvarighet limited [liability] company; börsnoterat public limited company (förk. PLC), inte börsnoterat private limited company; **~et** (förk. *AB*) **Investia** Investia PLC, Investia Ltd (förk. för Limited), amer. Investia Inc. (förk. för Incorporated)

aktiebrev *s* (~et, =) share certificate; amer. stock certificate

aktiefond *s* (~en, ~er) unit trust; amer. mutual fund

aktieinnehav *s* (~et, =) share (amer. stock) holding

aktiekapital *s* (~et, =) share capital, [joint] stock; amer. capital stock

aktiekurs *s* (~en, ~er) stock-exchange rate, share price (quotation), price of shares

aktiemajoritet *s* (~en, ~er) share majority; friare controlling interest

aktiemarknad *s* (~en, ~er) stock market

aktieportfölj *s* (~en, ~er) ekon. portfolio (pl. ~s), shareholdings pl.

aktiepost *s* (~en, ~er) block of shares, [share]holding

aktiesparande *s* (~t) investing (saving) in stocks [and shares]

aktiesparare *s* (~n, =) share investor

aktiesparklubb *s* (~en, ~ar) investors' club

aktiestock *s* (~en, ~ar) share capital, capital stock

aktieägare *s* (~n, =) shareholder; speciellt amer. stockholder

aktion *s* (~en, ~er) action äv. mil.; för insamling m.m. drive

aktionsgrupp *s* (~en, ~er) action group

aktionsradie *s* (~n, ~r) sjö. radius of action; sjö. el. flyg. range

aktiv I *adj* (~t) active; **~t kol** activated carbon (charcoal) **II** *s* (~et, ~er) språkv. the active [voice]

aktivera *vb tr* (~de, ~t) make...active, activate; data. enable

aktivist *s* (~en, ~er) activist

aktivitet *s* (~en, ~er) activity

aktivitetsfält *s* (~et, =) data. taskbar

aktning *s* (~en) respect, esteem [*för* for]; deference [*för* to]; **hysa ~ för ngn** feel respect for sb, respect sb; **stiga i ngns ~** rise in sb's esteem

aktningsfull *adj* (~t) respectful

aktningsvärd *adj* (-värt) ...worthy of respect; betydlig considerable; **ett aktningsvärt försök** a creditable attempt

aktre *adj* (oböjl.) sjö. after, aft

aktsam *adj* (~t, ~ma) careful; försiktig prudent; **vara ~ om sitt rykte** (**sina kläder**) take care of (be careful with) one's reputation (clothes)

aktsamhet *s* (~en) care, prudence

aktstycke *s* (~t, ~n) [officiellt official] document

aktualisera *vb tr* (~de, ~t) göra aktuell, t.ex. genom något inträffat bring...to the fore, make...topical; uppdatera update; *frågan har ~ts* the question has arisen (come up)

aktualitet *s* (~en, ~er) intresse just nu current interest, topicality; starkare urgency; tidsenlighet up-to-dateness

aktuarie *s* (~n, ~r) ung. registrar, recording clerk; vid försäkringsbolag actuary

aktuell *adj* (~t) av intresse för dagen ...of immediate (current) interest, topical, ...of immediate (vital) importance; ifrågavarande ...in question; på modet in fashion (vogue); *det ~a fallet* the case in point (question); *det ~a läget* the present position; *bli ~* vanl. arise, come up; komma i fråga come into question; tas under övervägande be considered; *jag har inte siffran ~ just nu* I don't have the exact figures just now; *hålla ~* keep up to date

aktör *s* (~en, ~er) skådespelare actor; person som agerar player, person involved; t.ex. på börsen operator

akupunktur *s* (~en) med. acupuncture

akupunktör *s* (~en, ~er) med. acupuncturist

akustik *s* (~en) acoustics pl.; läran om ljudet acoustics sg.

akustisk *adj* (~t) acoustic

akut I *adj* (=) acute II *s* (~en, ~er) se *akuten*

akuten *s* (best. sing.) vard., akutmottagning emergency; amer. äv. trauma center; *han blev tvungen att åka in till ~* he had to go to the hospital

akutfall *s* (~et, =) emergency case, case of emergency

akutmottagning *s* (~en, ~ar) på sjukhus emergency (casualty) ward (department); amer. emergency room, trauma center

akutsjukvård *s* (~en) o. **akutvård** *s* (~en) emergency treatment

akvamarin *s* (~en, ~er) aquamarine

akvarell *s* (~en, ~er) teknik o. tavla watercolour

akvarellfärg *s* (~en, ~er) watercolour

akvarium *s* (akvariet, akvarier) aquari|um (pl. -ums el. -a)

akvavit *s* (~en, ~er) aquavit, snaps, schnapps (pl. lika)

akvedukt *s* (~en, ~er) aqueduct

al *s* **1** (~en, ~ar) träd alder[-tree] **2** (~en) virke alder[wood]; *...av ~* äv. alder[wood]...; för sammansättn. jfr *björk-*

alabaster *s* (~n) alabaster

à la carte *adv* à la carte

aladåb *s* (~en, ~er) aspic; *~ på lax* salmon in aspic

A-lag *s* (~et, =) **1** sport. first team, A-team **2** *~et* alkoholister, ung. the [local] winos, the local drunks (båda pl.)

alarm *s* (~et, =) **1** signal alarm; *falskt ~* false alarm **2** uppståndelse commotion

alarmberedskap *s* (~en) state of emergency

alarmera *vb tr* (~de, ~t) alarm; skrämma upp äv. frighten; *~nde nyheter* alarming news

alban *s* (~en, ~er) Albanian

Albanien Albania

albansk *adj* (~t) Albanian

albanska *s* **1** (~n, albanskor) kvinna Albanian woman **2** (~n) språk Albanian

albatross *s* (~en, ~er) zool. albatross

albino *s* (~n, albiner) albino (pl. -s)

album *s* (~et, =) album; urklipps~ scrapbook

aldrig *adv* **1** om tid never; *~ mer* never again (any more), no more; *~ mer krig!* no more war!; *~ någonsin* allm. förstärkande never [in my (your osv.) life], never ever; *nästan ~* hardly (scarcely) ever; speciellt amer. almost never; *ännu ~* never yet; *man ska ~ säga ~* never say never **2** förstärkt negation never; *~ i livet!* kommer inte på fråga! not on your life!; *det kan jag ~ tro!* that I can't believe!, it can't be possible! **3** hur lite etc. som helst, *~ så lite* the least little bit; *de må vara ~ så vänliga* however kind they may be

alert I *adj* (=) alert, watchful II *s* (~en), *vara på ~en* be alert

alf *s* (~en, ~er) elf (pl. elves)

alfabet *s* (~et, =) alphabet

alfabetisk *adj* (~t) alphabetical

alfapartikel *s* (~n, -partiklar) fys. alpha particle

Alfapet® slags bokstavsspel Scrabble®

alfresko *adv* in fresco

alg *s* (~en, ~er) alga (pl. algae)

algblomning *s* (~en, ~ar) algal bloom

algebra *s* (~n) algebra

Alger Algiers

algerier *s* (~n, =) Algerian

Algeriet Algeria

algerisk *adj* (~t) Algerian

algeriska *s* (~n, algeriskor) kvinna Algerian woman

algoritm *s* (~en, ~er) matem. el. data. algorithm

alias *adv* alias, also known as (förk. aka)

alibi *s* (~t, ~n) alibi; *ha ~* have an alibi

alkali *s* (~t, ~er) kem. alkali (pl. -s el. -es)

alkalisk *adj* (~t) alkaline

alkaloid *s* (~en, ~er) kem. alkaloid

alkemi *s* (~n) alchemy

alkemist *s* (~en, ~er) alchemist

alkis *s* (~en, ~ar) wino (pl. -s), boozer, drunk, drunkard

alkohol *s* (~en, ~er) alcohol

alkoholfri *adj* (-fritt) non-alcoholic; *~ dryck* non-alcoholic drink

alkoholförgiftning *s* (~en, ~ar) alcoholic poisoning

alkoholhalt *s* (~en, ~er) alcoholic content; procentdel percentage of alcohol

alkoholhaltig *adj* (~t) alcoholic; *~a drycker* äv. spirituous (amer. hard) liquors (drinks)

alkoholiserad *adj* (alkoholiserat, ~e), *vara ~* be an alcoholic

alkoholism *s* (~en) alcoholism

alkoholist *s* (~en, ~er) alcoholic, habitual drunkard, inebriate

alkoholmissbruk *s* (~et, =) alcohol addiction (abuse)

alkoholproblem *s* (~et, =) alcohol problem; *han har ~* he has a drink problem

alkoholpåverkad *adj* (-påverkat, ~e) drunken, intoxicated, ...under the influence of drink

alkoholskadad *adj* (-skadat, ~e) ...suffering from the effects of alcoholism

alkolås *s* (~et, =) i bil [alcohol safety] interlock device

alkotest *s* (~et el. ~en, ~er el. =) vard. breath test, breathalyser test

alkov *s* (~en, ~er) alcove, recess

all I *pron* (allt, alla) **1** med följande subst. ord all; varje every; *med ~ aktning* with all [due] respect; *ha ~ anledning att* (*till*) have every reason to (for); *~t annat än* anything but; *~a böckerna* all the books; *~a dagar* (*somrar*) every day (summer); *i ~a fall* in any case, anyhow; *~a människor säger detsamma* everybody says the same; *~t möjligt* all sorts of things; *på ~a sätt* in every way **2** fristående, se *alla 2* o. *allt II 2; det är icke ~om givet* it is not everybody's lot (good fortune) **II** *adj* (oböjl.) slut over; *så är den sagan ~* bildl. that's the end of that [story]

alla *pron* **1** med följande subst. ord, se *all I 1* **2** fristående all; varenda en everybody, everyone; om djur och saker all of them; *~ är av* samma åsikt everyone is (all are) of...; *så säger ~* that's what they all say; *en gång för ~* once and for all; *för ~s vår* osv. *skull* for all our osv. sakes

Alla helgons dag the Saturday between 31st October and 6th November

Alla hjärtans dag St. Valentine's Day 14 februari

allaredan *adv* already

Alla själars dag katol. All Souls' Day

allbekant *adj* (=) well-known (pred. well known), familiar

alldaglig *adj* (~t) everyday vanl. attr.; vanlig ordinary; om utseende plain, amer. äv. homely

alldeles *adv* allm. quite, altogether; starkare: absolut absolutely; fullkomligt perfectly; fullständigt completely, all; helt och hållet entirely; totalt totally; *~ blöt* completely (soaking) wet; *~ ensam* all (quite) alone; *~ för många* far too many; *det är ~ för sent* it is much too late; *det är ~ för tidigt* it is much too early (soon); *~ nyss* just (amer. right) now, only a moment ago; *~ rätt* perfectly right; *det här är något ~ särskilt* ...something quite (very) special

alldenstund *konj* inasmuch as

allé *s* (~n, ~er) avenue

allegat *s* (~et, =) hand. voucher

allegori *s* (~n, ~er) litt.vet. allegory

allegorisk *adj* (~t) allegorical

allegro mus. **I** *s* (~t, ~n) allegro (pl. -s) it. **II** *adv* allegro it.

allehanda *adj* (oböjl.) all sorts (kinds) of, a variety of, miscellaneous, ...of all sorts (kinds)

allemansrätt *s* (~en) ung. right of access to private land (open country)

allena I *adj* (oböjl.) alone **II** *adv* alone

allenarådande *adj* (oböjl.) ...in sole control; friare, om smakriktning o.d. universally prevailing

allenast *adv* only; *endast och ~* [only and] solely

allergen med. **I** *s* (~et, ~er el. =) allergen **II** *adj* (~t) allergenic

allergi *s* (~n, ~er) allergy

allergichock *s* (~en, ~er) anaphylactic shock

allergiframkallande *adj* (oböjl.) allergenic, allergy-forming; *~ ämne* med. allergen

allergiker *s* (~n, =) allergy sufferer

allergisanering *s* (~en, ~ar) decontamination for allergy sufferers

allergisk *adj* (~t) allergic [*mot* to]

allesammans *pron* all of us (you etc.), [one and] all; *adjö ~!* goodbye everybody!

allestädes *adv* everywhere; *~ närvarande* omnipresent, ubiquitous

allfarväg *s* (~en, ~ar), *vid sidan om ~en* off the beaten track

allhelgonadag *s* (~en, ~ar), *~[en]* All Saints' Day, 1st November

allians *s* (~en, ~er) alliance

alliansfri *adj* (-fritt) non-aligned; *~ politik* policy of non-alignment

alliansfrihet *s* (~en) [policy of] non-alignment

alliansring *s* (~en, ~ar) eternity ring

alliera *vb rfl* (~de, ~t), *~ sig* ally oneself [*med* to, with]

allierad I *adj* (allierat, ~e) allied [*med* to, with] **II** *s* (en ~, pl. ~e) ally; friare confederate; *de ~e* the allies

alligator *s* (~n, ~er) zool. alligator

allihop o. **allihopa** *pron* se *allesammans*

allitteration *s* (~en, ~er) litt.vet. alliteration

allmakt *s* (~en) omnipotence; all-vanquishing power

allmoge *s* (~n) country people (folk) pl.; i icke-engelsktalande länder äv. peasantry

allmogedräkt *s* (~en, ~er) country dress, peasant costume

allmogestil *s* (~en, ~ar) ung. rustic (rural, peasant) style

allmosa *s* (~n, allmosor) alms (pl. lika); *allmosor* äv. charity sg.; *leva på allmosor* live on alms (charity)

allmän I *adj* (~t, ~na) vanligt förekommande common; gällande för de flesta el. alla general; för alla utan undantag universal; gängse current; offentlig, tillhörande samhället public; *~na avdrag* general deductions; *på ~ bekostnad* at [the] public expense; *i ~t bruk* in general use; *~ helgdag* public holiday, i Storbr. äv. bank holiday; *~ idrott* athletics; *~na kommunikationsmedel* public services; *[den] ~na meningen* a) allm. public opinion b) bland de närvarande e.d. the general opinion; *i ~na ordalag* in general terms; *~ rösträtt* universal suffrage; *~na val* polit. a general election; *~ åklagare* public prosecutor **II** *s*, *det ~na* the community [at large]; *i det ~nas tjänst* in the public service

allmänbelysning *s* (~en, ~ar) main lighting

allmänbildad *adj* (-bildat, ~e) well-informed; *vara ~* be well-informed, have a good all-round (general) education, have a good general knowledge

allmänbildande *adj* (oböjl.) educative, informative; attr. äv. ...broadening to the mind; *boken är ~* ...broadens the mind

allmänbildning *s* (~en) comprehensive (general) education; general knowledge

allmänfarlig *adj* (~t), *~ brottsling* dangerous criminal; *~ vårdslöshet* negligence constituting a public danger

allmängiltig *adj* (~t) generally (universally) applicable, universal

allmängiltighet *s* (~en) universal applicability, universality

allmänhet *s* **1** (oböjl.), *i ~* in general, generally [speaking], as a rule **2** (~en) publik, *~en* the public; *den stora ~en* the general public

allmänmänsklig *adj* (~t) common to all mankind, human; friare universal

allmänning *s* (~en, ~ar) common land, common

allmännyttan *s* (best. sing.) **1** the public interest **2** bostäder the public housing sector

allmännyttig *adj* (~t) ...for the benefit of everyone;

~a företag public utilities, public utility undertakings (services)

allmänpraktiker s (~n, =) general practitioner

allmänpraktiserande adj (oböjl.), **~ läkare** general practitioner (förk. GP)

allmänt adv commonly; som gäller för alla generally; **man tror ~ att...** it is commonly (generally) believed that...; **~ känd** widely (generally) known; **~ utbredd** widespread

allmäntillstånd s (~et, =) general [state of] health

allmäntjänstgörande adj (oböjl.), **~ läkare** se AT-läkare

allo s (oböjl.), **i ~** in all respects; **hans allt i ~** his right-hand man, his sidekick

allokering s (~en, ~ar) allocation

allra adv av allt (alla) of all; förstärkande äv. very; **den ~ bästa [eleven]** the very best [pupil]; **de ~ flesta människor** the great (vast) majority of people; **i ~ högsta grad** to (in) the highest possible degree; **~ mest (minst)** most (least) of all; **~ tidigast** at the very earliest

allraheligast adj (superlativ), **det ~e** bibl. el. friare the Holy of Holies

allriskförsäkring s (~en, ~ar) comprehensive (all-risks) insurance

allrådande adj (oböjl.) omnipotent, all-powerful, almighty

alls adv, **inte ~** not at all, by no means; vard. not a bit; **inget besvär ~** no trouble at all

allseende adj (oböjl.) all-seeing

allsidig adj (~t) all-round; omfattande comprehensive; speciellt om pers. versatile; **en ~ idrottare (utbildning)** an all-round sportsman (education); **[en] ~ kost** a balanced diet

allsköns adj (oböjl.) **1** allehanda all manner (kinds, sorts) of **2** **i ~ ro** in peace and quiet

allsmäktig adj (~t) almighty, omnipotent; **den Allsmäktige** God Almighty, the Almighty

allsmäktighet s (~en) omnipotence

allström s (~men, ~mar) elektr. AC/DC current, all-mains

allsvensk I adj (~t), **den ~a fotbollsserien** the Premier Division of the Swedish Football League **II** s (~an), **~an** se allsvensk I

allsång s (~en, ~er) community singing

allt I s (~et) **1** **~et** världsalltet the universe, the world **2** **hela ~et** vard. the whole lot
II pron **1** med följande subst. ord, se all I 1 **2** fristående all; everything; **~ eller inget** all or nothing; **när ~ kommer omkring** after all, when all is said and done; **~ det enda som jag har att säga** all [that] I have got to say; **spring ~ vad du kan** run as fast as you can; **av (efter) ~ att döma** by the look of things, as far as can be judged; **framför ~** above all, especially, first and foremost
III adv **1** framför komp., **~ bättre** better and better; **~ intressantare** more and more interesting; **i ~ större utsträckning** to an ever increasing extent; **~ sämre** worse and worse **2** i andra förb., **~ efter, ~ emellanåt, ~ för** m.fl., se alltefter osv. **3** nog, **det vore ~ bra om...** it would certainly be good (a good thing)...; **han är ~ bra dum** he must be rather stupid; **det vore ~ roligt att resa** it would really be fun...; **du hade ~ rätt ändå** you were right after all; **det får du ~ lov att ändra** you'll just have to change it, that's all

alltefter prep [all] according to

allteftersom konj efter hand som as; beroende på om (hur) according as

alltemellanåt adv from time to time, [every] now and then

alltför adv [far] too; **jag känner honom ~ väl** I know him only (all) too well; **~ ambitiös** äv. over-ambitious

alltiallo s (oböjl., en el. ett), **hans ~** his right-hand man, his sidekick

alltid adv **1** ständigt always; högtidl. ever; **för ~** for ever, for good **2** i alla fall anyway; **du kan ~ försöka** you can always try; **det är ~ något** it's (that's) something anyway

alltiettpris s (~et, = el. ~er) all-in price

alltifrån prep alltsedan ever since; **~ den dagen** from that very day

alltigenom adv ...through and through, ...throughout; **~ hederlig** thoroughly honest

alltihop pron se alltsammans

allting pron everything

alltjämt adv fortfarande still; ständigt constantly

alltmer adv more and more, increasingly

alltsammans pron all [of it (resp.them)], the whole lot; **det bästa av ~ var...** the best thing of all...; **jag är trött på ~** I am fed up with the whole thing

alltsedan prep o. adv o. konj ever since; **~ dess** ever since that (then), from then on

alltsomoftast adv pretty (fairly) often

alltså adv följaktligen accordingly, consequently, thus; det vill säga in other words; vard., i slutet av en mening see!, you know!; **du kommer hit i morgon ~?** so you'll be coming tomorrow [then]?; **hon vill ~** som sagt **inte gå med på det** as I was saying, she will not agree to it

alludera vb itr (~de, ~t) allude [på to]

allusion s (~en, ~er) allusion

allvar s (~et) som motsats till skämt, sorglöshet seriousness; starkare gravity; **situationens ~** the seriousness (gravity) of the situation; **mena ~** be serious; vard. mean business; **tala ~ med ngn** have a serious talk with (to) sb; **på [fullt (blodigt)] ~** in [real (dead)] earnest; **vintern har kommit på ~** winter has come with a vengeance

allvarlig adj (~t) serious, grave; earnest; jfr allvar; **i ~ fara** in serious trouble, in grave danger; **en ~** farlig **sjukdom** a serious illness; **hålla sig ~** keep (be) serious, keep a straight face

allvarligt adv seriously; **~ talat** seriously [speaking], joking apart

allvarsam adj (~t, ~ma) se allvarlig

allvarsamhet s (~en) seriousness, gravity

allvarsord s (~et, =), **säga ngn ett (några) ~** have a serious word with sb

allvetande adj (oböjl.) omniscient, all-knowing

allvetare s (~n, =) ung. walking encyclopedia

allvishet s (~en) infinite (supreme) wisdom

allätande adj (oböjl.) zool. omnivorous

allätare s (~n, =) zool. omnivore äv. bildl. om person

alm s **1** (~en, ~ar) träd elm[-tree] **2** (~en) virke elm[wood]; **...av** äv. elmwood...; för sammansättn. jfr björk-

almanacka s (~n, almanackor) almanac; vägg~ o.d. calendar; fick~ o.d. diary

aln s (~en, ~ar) ung. ell; bibl. cubit

aloe *s* (~n, ~r) bot. aloe
alp *s* (~en, ~er) alp
alpacka *s* **1** (~n, alpackor) får el. tyg alpaca **2** (~n) nysilver nickel silver, electroplate
Alperna *s pl* the Alps
alphydda *s* (~n, -hyddor) [alpine] chalet
alpin *adj* (~t) alpine; ~ **kombination** skidsport. Alpine combination
alpinism *s* (~en) alpinism, mountaineering
alpinist *s* (~en, ~er) alpinist, mountaineer
alpjägare *s* (~n, =) alpine rifleman
alpros *s* (~en, ~or) bot. rhododendron
alpviol *s* (~en, ~er) bot. sowbread
alruna *s* (~n, alrunor) bot. el. mytol. mandrake
alsikeklöver *s* (~n, =) alsike [clover]
alster *s* (alstret, =) product; konstnärligt etc. work, [artistic etc.] creation
alstra *vb tr* (~de, ~t) produce, generate, procreate; t.ex. hat engender, breed
alstring *s* (~en, ~ar) production, generation, procreation
alt *s* (~en, ~ar) mus. alto (pl. -s); kvinnl. contralto (pl. -s)
altan *s* (~en, ~er) terrace; på tak roof terrace; balkong balcony
altarbord *s* (~et, =) communion table
altarduk *s* (~en, ~ar) altar cloth, antependium
altare *s* (~t, ~n el. =) altar äv. bildl.; ~ts sakrament the Eucharist
altarskåp *s* (~et, =) altar screen; triptyk triptych; altarskärm reredos
altartavla *s* (~n, -tavlor) altarpiece
alternativ **I** *s* (~et, =) alternative **II** *adj* (~t) alternative; ~ energi alternative energy; ~ medicin alternative medicine
alternativmedicin *s* (~en) läkekonst alternative medicine
alternativodling *s* (~en, ~ar) alternative cultivation (food growing)
alternera *vb itr* (~de, ~t) alternate [med with]
altfiol *s* (~en, ~er) mus. viola
altitud *s* (~en, ~er) altitude
altruism *s* (~en) altruism
altruistisk *adj* (~t) altruistic
altsax *s* (~en, ~ar) mus. vard. alto sax, alto
altsaxofon *s* (~en, ~er) alto saxophone
altstämma *s* (~n, -stämmor) mus. alto (kvinnl. contralto) [voice]; altparti alto (kvinnl. contralto) [part]
aluminium *s* (~et el. aluminiet el. =) aluminium; amer. aluminum
aluminiumfolie *s* (~n, ~r) aluminium (amer. aluminum) foil, tinfoil
aluminiumfälgar *s pl* bil. alloy wheels, aluminium (amer. aluminum) rims
alun *s* (~en el. ~et) kem. alum
alunskiffer *s* (~n, -skiffrar) alum shale
alv *s* (~en) lantbr. subsoil, pan
Alzheimer, ~s sjukdom med. Alzheimer's disease
amalgam *s* (~et, = el. ~er) tandläk. amalgam
amalgamera *vb tr* (~de, ~t) amalgamate
amanuens *s* (~en, ~er) univ., ung. [research] assistant, assistant lecturer; biblioteks~ assistant librarian
amaryllis *s* (~en, = el. ~ar) bot. amaryllis
amason *s* (~en, ~er) Amazon; manhaftig kvinna amazon

amatör *s* (~en, ~er) amateur [på of]; neds. dabbler
amatörbestämmelser *s pl* sport. amateur rules
amatörfilm *s* (~en, ~er) amateur film; videofilm amateur (home) video
amatörfotograf *s* (~en, ~er) amateur photographer
amatöridrott *s* (~en, ~er) amateur athletics sg.
amatörmässig *adj* (~t) amateurish, unprofessional
amatörteater *s* (~n, -teatrar) som verksamhet amateur dramatics pl.
Amazonfloden the [River] Amazon
ambassad *s* (~en, ~er) embassy
ambassadris *s* (~en, ~er) ambassadress
ambassadråd *s* (~et, =) counsellor [of embassy]
ambassadsekreterare *s* (~n, =) secretary of (at) an (resp. the) embassy
ambassadör *s* (~en, ~er) ambassador; kvinnl. äv. ambassadress
ambition *s* (~en, ~er) framåtanda ambition; pliktkänsla conscientiousness; han har stora (höga) ~er he has high (great) ambitions
ambitionsnivå *s* (~n, ~er) level of ambition
ambitiös *adj* (~t) 'framåt' ambitious; plikttrogen conscientious; flitig diligent; ett ~t projekt an ambitious project
ambivalens *s* (~en) psykol. ambivalence
ambivalent *adj* (=) psykol. ambivalent
ambra *s* (~n) ambergris
ambrosia *s* (~n) **1** mytol. ambrosia **2** bot. ragweed
ambulans *s* (~en, ~er) ambulance äv. mil.
ambulera *vb itr* (~de, ~t) move from place to place, ambulate
ambulerande *adj* (oböjl.), ~ cirkus travelling circus
amen *interj* ofta använt som subst. amen; säga ja och ~ till allt agree to everything; så säkert som ~ i kyrkan as sure as eggs [is eggs]
Amerika America; ~s förenta stater the United States of America sg., vard. the States pl., the US pl.
amerikan *s* (~en, ~er) American
amerikanare *s* (~n, =) **1** person American **2** bil American car
amerikanisera *vb tr* (~de, ~t) Americanize
amerikanism *s* (~en, ~er) Americanism
amerikansk *adj* (~t) American; USA~ äv. US attr.; för sammansättn., jfr svensk-
amerikanska *s* **1** (~n, amerikanskor) kvinna American woman **2** (~n) språkform American
ametist *s* (~en, ~er) miner. amethyst
amfetamin *s* (~et el. ~en, ~er) amphetamine
amfibie *s* (~n, ~r) amphibian
amfibieplan *s* (~et, =) amphibious plane
amfiteater *s* (~n, -teatrar) amphitheatre
aminosyra *s* (~n, -syror) kem. amino-acid
amiral *s* (~en, ~er) admiral
amiralitet *s* (~et) **1** samtliga amiraler body of admirals **2** hist., ~et i Storbr. the Admiralty
amma **I** *s* (~n, ammor) wet-nurse **II** *vb tr* (~de, ~t) breast-feed, nurse [...at the breast]
ammoniak *s* (~en) kem. ammonia
ammunition *s* (~en) ammunition
amnesti *s* (~n, ~er) amnesty; bevilja ngn ~ el. ge ~ åt ngn grant...an amnesty, amnesty; få ~ obtain an amnesty
amning *s* (~en, ~ar) breastfeeding, nursing
amnings-bh *s* (-bh:n, -bh:ar) nursing bra
amningskupor *s pl* nursing pads

amok *s* (oböjl.), *löpa* ~ run amok (riot)

a-moll *s* (oböjl.) mus. A minor

Amor mytol. Cupid

amoralisk *adj* (~t) amoral, non-moral

amorbåge *s* (~n, -bågar) Cupid's bow

amorf *adj* (~t) amorphous äv. kem.

amorin *s* (~en, ~er) cupid

amortera *vb tr* (~de, ~t) lån, kreditköp pay off [...by instalments]; statsskuld amortize

amortering *s* (~en, ~ar) amorterande repayment by instalments; av statsskuld amortization; *göra en* ~ ung. make a part-payment

amorteringsfri *adj* (-fritt), *~tt lån* loan payable in full at maturity, loan exempt from amortization; ~ *period* period of exemption from amortization

amorteringsplan *s* (~en, ~er) ekon. instalment plan, repayment plan

ampel *s* (~n, amplar) **1** för växter hanging flowerpot **2** hänglampa hanging lamp

amper *adj* (~t, ampra) pungent, sharp

ampere *s* (~n, =) ampere

amperemeter *s* (~n, -metrar) o. **amperemätare** *s* (~n, =) ammeter

amplitud *s* (~en, ~er) fys. amplitude

ampull *s* (~en, ~er) ampoule; liten flaska phial

amputation *s* (~en, ~er) amputation

amputera *vb tr* (~de, ~t) amputate

amsaga *s* (~n, -sagor) old wives' tale; friare urban myth

AMU förk., se *arbetsmarknadsutbildning*

amulett *s* (~en, ~er) amulet, talisman

amöba *s* (~n, amöbor) amoeba (pl. amoebas el. amoebae)

an *adv*, *av och* ~ to and fro, up and down; *gå* (*slå* osv.) ~ se under *gå*, *2 slå* osv.

ana *vb tr* (~de, ~t) ha en förkänsla have a feeling (premonition osv.), jfr *aning*) [*att* that]; misstänka suspect; förutse anticipate; ~ *oråd* suspect mischief; vard. smell a rat; *jag ~de det* el. *det ante mig* I suspected (thought) as much; *vem kunde ~ det?* who could (would) have thought (suspected) it?; *du kan inte* ~ vad... you have no idea...; ~ *sig till* divine, guess

anabol *adj* (~t) med., *~a steroider* anabolic steroids

anagram *s* (~met, =) anagram

anakronism *s* (~en, ~er) anachronism

anakronistisk *adj* (~t) anachronistic

analfabet *s* (~en, ~er), *vara* ~ be illiterate (an illiterate)

analfabetism *s* (~en) illiteracy

analfena *s* (~n, -fenor) zool. anal fin

analog *adj* (~t) **1** likartad analogous [*med* to] **2** data. o.d. analog

analogi *s* (~n, ~er) analogy; *i* ~ *med* on the analogy of, by analogy with

analogisk *adj* (~t) analogical

analsex *s* (~et) anal sex

analys *s* (~en, ~er) analysis (pl. analyses); speciellt statistisk breakdown

analysera *vb tr* (~de, ~t) analyse; amer. analyze

analytiker *s* (~n, =) analyst, analyser; amer. analyzer

analytisk *adj* (~t) analytical; ~ *förmåga* analytical (analytic) ability; ~ *kemi* analytical chemistry

analöppning *s* (~en, ~ar) anat. anus, anal opening

anamma *vb tr* (~de, ~t) mottaga receive; upptaga, godtaga accept; tillägna sig, t.ex. seder adopt, take over; *djävlar* (*fan*) ~! damn it!, hell!

anamnes *s* (~en, ~er) med. anamnes|is (pl. -es)

ananas *s* (~en, = el. ~er) pineapple

anarki *s* (~n) anarchy

anarkist *s* (~en, ~er) anarchist

anarkistisk *adj* (~t) anarchic

anatom *s* (~en, ~er) anatomist

anatomi *s* (~n) anatomy

anatomisk *adj* (~t) anatomical

anbefalla *vb tr* (-befallde, -befallt) **1** ålägga enjoin [*ngn ngt* sth upon sb], charge [*ngn att* + inf. sb to + inf.]; *han anbefalldes vila* he was ordered rest **2** rekommendera recommend **3** relig., ~ *sin själ åt Gud* commend one's soul to God

anbelanga *vb tr* (~de, ~t), *vad...~r* se *beträffa*

anblick *s* (~en, ~ar) sight; *vid blotta ~en* at the mere sight; *vid första ~en* at first sight

anbringa *vb tr* (~de el. -bragte, ~t el. -bragt) allm., fästa fix, affix; applicera apply; passa in fit; sätta upp put up; placera place

anbud *s* (~et, =) offer, bid; leveransanbud äv. tender; prisuppgift quotation; *få* ~ have an offer [*på* att köpa of, att sälja for]; *ta in* ~ *på* arbete (leverans) invite tenders for...; *lämna in* ~ tender [for a contract]

anciennitet *s* (~en) seniority; *efter* ~ by seniority

and *s* (~en, änder) [wild] duck

anda *s* (~n) **1** andedräkt, andetag breath; *dra efter ~n* draw (gasp for) breath; *ge upp ~n* expire, give up the ghost; *hålla ~n* hold one's breath; *hämta ~n* catch (recover) one's breath; *tappa ~n* lose one's breath; han kom springande *med andan i halsen* ...all out of breath **2** stämning, kynne, andemening vanl. spirit, jfr ex.; *en* ~ *av samförstånd* a spirit of understanding; *~n i laget är god* the team spirit is good; *de är samma ~s barn* ung. they are kindred spirits **3** *när ~n faller på* when the spirit moves me; friare when I am in the mood

andakt *s* (~en, ~er) devotion; friare, aktning reverence; andaktsövning devotions pl.; *åt den med ~!* enjoy it – it's something special!

andaktsfull *adj* (~t) devotional; andäktig devout, reverential

andaktsstund *s* (~en, ~er) hour of devotion (worship)

andas *vb tr* o. *vb itr dep* (andades, andats) breathe äv. bildl.; ~ *djupt* breathe deeply (deep); dra ett djupt andetag take a deep breath; ~ *in* breathe in; ~ *ut* eg. breathe out; känna sig lättad breathe freely

ande *s* (~n, andar) **1** själ spirit; tanke[liv] äv. mind, intellect; ~ *och materia* mind and matter; *~n är villig, men köttet är svagt* the spirit is willing, but the flesh is weak **2** okroppsligt väsen spirit, ghost; skyddande genius (pl. geniuses el. genii); sagoväsen genie (pl. genii); *de dödas andar* the spirits (ghosts) of the dead; *den Helige Ande* the Holy Ghost (Spirit)

andebesvärjare *s* (~n, =) utdrivare exorcist

andedrag *s* (~et, =) breath; *i samma* ~ in the same breath; *dra sitt sista* ~ breathe one's last

andedräkt *s* (~en) breath; *dålig* ~ bad breath; med. halitosis

andefattig *adj* (~t) dull, soulless, insipid

andel *s* (~en, ~ar) share; ~ *i vinsten* (*framgången*) share of (in) the profit (success)

andelsbevis *s* (~et, =) share certificate, scrip

andelsförening s (~en, ~ar) cooperative society

andelsföretag s (~et, =) cooperative undertaking

andelshus s (~et, =) fritidshus i vilket man äger andelar time-share [holiday home]

andelslägenhet s (~en, ~er) ung. condominium; vard. condo

andelsägare s (~n, =) joint (part) owner; kompanjon partner; aktieägare shareholder, stockholder

andemening s (~en, ~ar) spirit, [inward] sense, essence

Anderna s pl the Andes

andeskådare s (~n, =) seer of visions

andetag s (~et, =) breath; för ex. jfr andedrag

andeväsen s (~det, =) spirit, spiritual being

andfådd adj (-fått) breathless; pred. äv. out (short) of breath; vard. puffed

andfåddhet s (~en) breathlessness, shortness of breath

andhämtning s (~en) breathing, respiration

andjakt s (~en, ~er) jagande duck-shooting; amer. duck-hunting; enstaka duck-shooting (amer. duck-hunting) expedition

andlig adj (~t) **1** i motsats till kroppslig: **a)** själslig spiritual; *hans ~e fader* his spiritual father **b)** intellektuell mental, intellectual; *~ hälsa* mental health **2** i motsats till världslig: **a)** spiritual; *~ ledare (makt)* spiritual leader (power) **b)** from, religiös religious; *~a sånger* religious (sacred) songs, spirituals **c)** kyrklig ecclesiastical; prästerlig clerical

andlös adj (~t) breathless; *~ tystnad* dead silence

andmat s (~en) bot. duckweed

andning s (~en, ~ar) breathing; *konstgjord ~* artificial respiration; *komma in i andra ~en* get one's second wind

andningsorgan s (~et, =) anat. respiratory organ

andningspaus s (~en, ~er) pause for breath; efter ansträngning äv. breather; bildl. breathing-space

andningsstillestånd s (~et, =) respiratory arrest; med. apnoea

andnöd s (~en) difficulty in breathing; med. dyspnoea

Andorra Andorra

1 andra I räkn (mask. andre) second (förk. 2nd); i titlar äv. assistant; *den (det) ~ från slutet* the last but one; *för det ~* in the second place, vid uppräkning secondly; *ha information (upplysningar) i ~ hand* have second-hand information; *hyra ut i ~ hand* sublet; *hans ~ jag* his second self, his alter ego lat.; *~ klassens medborgare* second-class...; *~ rangens författare* second-rate...; *komma på ~ plats* come second, be runner-up; jfr femte **II** pron se annan

2 andra vb tr (-drog, -dragit) se andraga

andrabas s (~en, ~ar) mus. second bass äv. stämma

andrabil s (~en, ~ar) second car

andraga vb tr (-drog, -dragit) set forth, present; t.ex. skäl advance, put forward; jfr vidare anföra 2

andragradsekvation s (~en, ~er) matem. equation of the second (2nd) degree

andrahandskontrakt s (~et, =) sublease

andrahandslägenhet s (~en, ~er) sublet flat (speciellt amer. apartment)

andrahandsuppgift s (~en, ~er), ~[er] second-hand information sg. [om, på about, on]

andrahandsuthyrning s (~en, ~ar) subletting

andrahandsvärde s (~t, ~n) second-hand (inbytesvaras trade-in) value

andraklassbiljett s (~en, ~er) second-class ticket

andrasortering s (~en), *de här varorna är ~* these are seconds

andratenor s (~en, ~er) second tenor

andraåk s (~et, =) sport. second run

andre I räkn se 1 andra **II** pron se 3 en III 1

andremaskinist s (~en, ~er) sjö. deputy boiler-man, second engineer

androgyn adj (~t) dubbelkönad androgynous

andrum s (~met) frist breathing-space

andtruten adj (-trutet, -trutna) se andfådd

andtäppa s (~n) shortness of breath

andtäppt adj (=) ...short of breath; vard. short-winded

andäktig adj (~t) devout; uppmärksam [extremely] attentive

andäktigt adv devoutly; uppmärksamt attentively; *vi lyssnade ~ på henne* we listened with undivided attention, we hung on her every word

anekdot s (~en, ~er) anecdote

anekdotisk adj (~t) anecdotal

anemi s (~n) med. anaemia; amer. anemia

anemisk adj (~t) anaemic; amer. anemic

anemon s (~en, ~er) bot. anemone

anestesi s (~n, ~er) anaesthesia; amer. anesthesia

aneurysm s (~en) med. aneurysm

anfall s (~et, =) allm. attack äv. sport. [mot against, on]; mil. o.d. äv. assault [mot on], charge; av sjukdom o.d. äv. fit, bout; *ett hysteriskt ~* a fit of hysterics; *ett ~ av givmildhet* a fit (bout) of generosity; *gå till ~ [mot ngn]* attack [sb]

anfalla vb tr (-föll, -fallit) allm. attack; framför allt bildl. äv. assail; assault, fall [up]on, set [up]on

anfallskrig s (~et, =) war of aggression, aggressive war (krigföring warfare)

anfallsspelare s (~n, =) sport. forward, striker

anfallsvapen s (-vapnet, =) offensive weapon

anfallsvinkel s (~n, -vinklar) flyg. el. optik. angle of incidence

anfordran s (=, en), *att betalas vid ~* ...on demand; *leverans vid ~* delivery on request

anfrätt adj (=) corroded, eroded; bildl. corrupt

anfäkta vb tr (-de, ~t) plåga harass; ansätta assail; *~s av tvivel* be assailed by (with) doubts

anfäktelse s (~n, ~r) [trials and] tribulations pl.; frestelse temptation

anföra vb tr (-förde, -fört) **1** föra befäl över be in command of, command; leda lead; mus. conduct **2** yttra, andraga state, say; t.ex. som ursäkt allege; t.ex. skäl give; *~ till sitt försvar* plead in [one's] defence **3** citera quote, cite

anförande s (~t, ~n) **1** befäl, ledning commanding osv., jfr anföra 1; leadership; lead, command; mus. conductorship **2** andragande stating osv., jfr anföra 2; tal speech, address

anföring s (~en, ~ar) språkv. quotation; *direkt ~* direct speech; *indirekt ~* indirect (reported) speech

anföringstecken s (-tecknet, =) quotation mark; i pl. äv. inverted commas, quotes

anförtro I vb tr (~dde, ~tt) **1** överlämna, *~ ngn ngt (ngt åt ngn)* entrust sth to sb, entrust sb with sth; i ngns vård äv. commit sth to sb's keeping (charge) **2** delge, *~ ngn en hemlighet* confide a secret to sb; *han ~dde* *mig att...* he confided to me that... **II** *vb rfl* (~dde, ~tt), *~ sig åt* a) överlämna entrust (commit) oneself to b) ge sitt förtroende confide in

anförvant *s* (~en, ~er) relation; *~er* äv. kinsfolk koll.

ang. förk., se *angående*

ange *vb tr* (-gav, -gett el. -givit) **1** uppge state, give; utvisa indicate; utsätta note; på karta mark; *närmare ~* specify **2** anmäla, *~ ngn* report (inform against) sb, lay information against sb; *~ ett brott* report a crime **3** anslå, *~ takten* mus. mark time; *~ tonen* bildl. set the tone

angelägen *adj* (angeläget, angelägna) **1** om sak: brådskande urgent, pressing; viktig important **2** om person, *~ om ngt* anxious (eager) for sth; *~ [om] att* + inf. anxious (eager) to + inf.; *jag är ~ [om] att han ska få höra det* I am anxious for him to (anxious that he should) hear it

angelägenhet *s* (~en, ~er) **1** ärende affair, concern; sak matter, question; *inre ~er* internal affairs **2** vikt urgency, importance

angenäm *adj* (~t) pleasant, agreeable; *en ~ känsla* a pleasurable sensation

angina *s* (~n, anginor) med., halsfluss inflammation of the throat; *~ [pectoris]* hjärtkramp angina [pectoris]

angiva *vb tr* (-gav, -gett el. -givit) se *ange*

angivare *s* (~n, =) informer [*av* against]

angivelse *s* (~n, ~r) **1** anmälan denunciation, accusation **2** uppgift information (endast sg.)

angiveri *s* (~et, ~er) informing

anglicism *s* (~en, ~er) Anglicism

anglikansk *adj* (~t) Anglican

anglisera *vb tr* (~de, ~t) anglicize

angloamerikan *s* (~en, ~er) Anglo-American

anglofil *s* (~en, ~er) Anglophile

anglosaxisk *adj* (~t) Anglo-Saxon

anglosaxiska *s* (~n) språk Anglo-Saxon

Angola Angola

angolansk *adj* (~t) Angolan

angoragarn *s* (~et, = el. ~er) angora; av get äv. mohair

angorakatt *s* (~en, ~er) Angora [cat]

angoraull *s* (~en) Angora wool

angrepp *s* (~et, =) attack [*mot (på)* on]; *gå till ~ [mot ngn]* attack [sb]

angreppspunkt *s* (~en, ~er) point of attack

angripa *vb tr* (-grep, -gripit) allm. attack; anfalla äv. assault; inverka skadligt på äv. affect; ta itu med äv. tackle; *~ ett problem* tackle (attack) a problem

angripare *s* (~n, =) attacker, assailant; t.ex. polit. el. mil. aggressor, invader

angripen *adj* (-gripet, -gripna) skadad, sjuk affected; om tänder decayed; ankommen tainted; *stålet är angripet av rost* ...has got (gone) rusty

angränsande *adj* (oböjl.) adjacent [*till* to], adjoining

angå *vb tr* (-gick, -gått) concern; avse have reference to; *det ~r dig inte* it's none of your business, it doesn't concern you; *vad mig (den saken) ~r* as far as I am (that matter) is concerned

angående *prep* concerning, respecting, regarding, with reference (respect) to; *ang.* förk. re

angöra *vb tr* (-gjorde, -gjort) sjö. **1** anlöpa: hamn touch (call) at; kaj approach; *~ land* ta landkänning med make land **2** fastgöra make...fast

angöringshamn *s* (~en, ~ar) port of call

anhalt *s* (~en, ~er) halt

anhang *s* (~et, =) following; *A. och hans ~* vard. A. and his crew (mob, lot)

anhopa I *vb tr* (~de, ~t) pile up, amass, accumulate **II** *vb rfl* (~de, ~t), *~ sig* accumulate

anhopning *s* (~en, ~ar) piling up osv., jfr *anhopa*; accumulation äv. konkr.

anhålla I *vb tr* (-höll, -hållit) ta i fängsligt förvar take...into custody; arrestera arrest; gripa apprehend; amer. vard. book **II** *vb itr* (-höll, -hållit) begära ask [*om ngt [hos ngn] [sb]* for sth]; *~ hos styrelsen om ngt (om att få* + inf.) apply to the board for sth (for permission to + inf.); *om svar anhålles (o.s.a.)* please reply, RSVP (förk. för répondez s'il vous plaît fr.)

anhållan *s* (=, en, ~den) begäran request, application [*om* for]; *enträgen ~* entreaty

anhållande *s* (~t, ~n) arresting osv., jfr *anhålla I*; arrest, apprehension; göra motstånd *vid ~t* ...when (on being) arrested

anhängare *s* (~n, =) supporter, follower

anhörig *s* (en ~, pl. ~a) relative, relation; *närmaste ~* (resp. *~a*) next of kin (sg. resp. pl.)

anhörigrum *s* (~met, =) på t.ex. sjukhus relatives' room

anilin *s* (~en el. ~et) kem. aniline

anilinpenna *s* (~n, -pennor) indelible pencil

animal *adj* (~t) animal

animalisk *adj* (~t) animal

animera *vb tr* (~de, ~t) animate; uppmuntra encourage, urge [*ngn till [att göra] ngt* sb to do sth]

animerad *adj* (animerat, ~e) **1** *en ~ diskussion* a heated (an animated) discussion **2** *~ film* animated cartoon

animering *s* (~en, ~ar) animation

animositet *s* (~en) animosity

aning *s* (~en, ~ar) **1** förkänsla feeling, idea; spec. av ngt ont premonition, foreboding; misstanke suspicion; vard. hunch [*om att* i samtliga fall that]; intuition divination; *onda ~ar* bad feelings **2** begrepp, föreställning idea, notion, conception [*om* of; *om att* that]; *det har jag ingen (inte den blekaste) ~ om!* I have no (not the slightest) idea!; vard. I haven't a clue! **3** smula, stänk, *en ~ parfym* a suspicion (trace) of scent; *en ~ vitlök* a touch of garlic; *en ~ trött* a bit (slightly) tired

aningslös *adj* (~t) unsuspecting; naiv naive, ingenuous

anis *s* (~en) anise; krydda aniseed

anisett *s* (~en, ~er) likör anisette

anka *s* (~n, ankor) **1** zool. [tame] duck **2** tidnings~ hoax, false report

ankar *s* (~et, ~e el. ~en) sjö. anchor; *kasta ~* drop (cast) anchor, anchor; *lyfta (lätta) ~* weigh anchor; *ligga för ~* sjö. ride (lie) at anchor; vara sjuk be ill in bed

ankarboj *s* (~en, ~ar) [anchor] buoy

ankare *s* (~t, = el. ~n) **1** sjö. anchor äv. bildl.; på mina sinker; *fälla ~t* drop (let go) the anchor **2** byggn. brace, tie, cramp **3** sport. anchorman

ankarkätting *s* (~en, ~ar) anchor chain (cable)

ankarlift *s* (~en, ~ar) skidsport. T-bar [lift]

ankarplats *s* (~en, ~er) berth, anchorage

ankarspel *s* (~et, =) windlass, capstan

ankartross *s* (~en, ~ar) mooring (anchor) cable

ankdamm *s* (~en, ~ar) **1** duck-pond **2** bildl. backwater

ankel *s* (~n, anklar) ankle, ankle-bone

ankelled s (~en, ~er) ankle-joint
ankellång adj (~t) ankle-length...
ankelsocka s (~n, -sockor) ankle sock; amer. anklet
anklaga vb tr (~de, ~t) accuse [för of]; ~ **ngn för** äv. charge sb with; **den ~de** the accused
anklagare s (~n, =) accuser
anklagelse s (~n, ~r) accusation, charge [för of]; ~akt indictment; **rikta en ~ mot ngn för...** accuse sb of..., charge sb with...
anklang s (oböjl., en) bifall approval
anknyta I vb tr (-knöt, -knutit) attach, unite [till to]; connect [till with, on to] II vb itr (-knöt, -knutit), ~ **till** link up with, connect on to; referera till comment on, refer to
anknytning s (~en, ~ar) connection, attachment, junction; konkr. connecting link; tele. extension; **ha nära ~ till** be closely connected (linked) to
ankomma vb itr (-kom, -kommit) **1** anlända arrive; vara bestämd att komma be due [till at, i vissa fall in] **2** ~ **på** bero depend on **3** **det ankommer på honom** det är hans sak it's his business, it's up to him
ankommande adj (oböjl.) arriving; om post, trafik incoming; ~ **gods** incoming goods; ~ [**passagerare**] arrivals, passengers arriving; ~ **tåg** (**flyg**) incoming trains (flights), train (flight) arrivals
ankomst s (~en, ~er) arrival [till at, i vissa fall in]; **vårens ~** äv. the coming (advent) of spring
ankomstdag s (~en, ~ar) day of arrival
ankomsthall s (~en, ~ar) t.ex. på flygplats arrival hall (lounge)
ankomsttid s (~en, ~er) time of arrival; **beräknad ~** estimated time of arrival (förk. ETA)
ankra vb itr (~de, ~t) anchor, drop anchor
ankring s (~en, ~ar) anchoring
ankringsplats s (~en, ~er) anchorage, berth
ankunge s (~n, -ungar) duckling; **ful ~** ugly duckling
anlag s (~et, =) **1** medfött, ärftligt natural ability, aptitude; begåvning gift, talent [för for]; **ärftliga ~** hereditary disposition sg.; **ha ~ för fetma** have a tendency to put on weight **2** biol. rudiment, germ [till of], embryo (pl. -s)
anlagd adj (-lagt) built, erected osv., jfr anlägga; **branden var ~** the fire was the work of an incendiary; jur. arson had been committed
anlagsbärare s (~n, =) biol. carrier
anlagsprövning s (~en, ~ar) o. **anlagstest** s (~et, =) ped. aptitude test
anledning s (~en, ~ar) skäl reason; orsak cause; spec. yttre el. tillfällig occasion; ~ **till ngt** reason osv. for sth; **ge ~ till** give occasion to, give cause for; förorsaka cause; medföra lead to; **av vilken ~ ?** for what reason?; **med ~ av** on account of; med hänsyn till in view of; **med ~ av detta** a) in that (this) connection b) därför therefore; **med ~ av Ert brev** with reference (referring) to your letter; **utan [någon som helst] ~** without any reason [whatever]; **vid minsta ~** on the slightest provocation
anlete s (~t, ~n) visage, countenance; **i sitt ~s svett** by the sweat of one's brow
anletsdrag s pl facial features; **ordna ~en** compose one's features
anlita vb tr (~de, ~t) **1** ~ **ngn** vända sig till turn (apply) to sb [för att få... for...]; engagera engage (tillkalla call in) sb; **mycket ~d** ...in great demand, ...very

much in demand; ~ [**en**] **advokat** engage (consult) a lawyer **2** tillgripa resort to; använda make use of
anlopp s (~et, =) **1** ansats run-up **2** anfall assault, attack [mot upon]
anlupen adj (-lupet, -lupna) om metall oxidized; ~ **av** tarnished by
anlägga vb tr (-lade, -lagt) **1** uppföra build, erect; bygga construct; grunda found, establish **2** iordningställa, anordna, ~ **en trädgård** lay out a garden; ~ **mordbrand** commit arson; jur. arson had been committed **3** planera, uppgöra plan, design; **det hela var anlagt på...** (**på att** + inf.) the idea of it all was... (was to + inf.) **4** börja bära, lägga sig till med begin to wear; sorg put on; ~ **skägg** grow a beard
anläggning s (~en, ~ar) **1** konkr.: allm. establishment; byggnad structure; fabrik o.d. works (pl. lika); maskin~ plant; t.ex. värme~ installation **2** abstr. **a)** anläggande erection, construction; foundation; design, designing; jfr anlägga 1–3 **b)** uppläggning, disposition design, disposition
anlända vb itr (-lände, -länt) arrive [till at, in]; ~ **till** komma fram till äv. reach
anlöpa I vb tr (-löpte, -löpt) **1** sjö. call (touch, put in) at **2** tekn.: stål temper, anneal II vb itr (-löpte, -löpt) om metall oxidize, tarnish, be (get) tarnished
anmana vb tr (~de, ~t) request, urge
anmoda vb tr (~de, ~t) request, call upon; ombedja invite; ge i uppdrag åt commission; beordra instruct
anmodan s (=, en, ~den) request, invitation; **på ~ av mig** at my request
anmäla I vb tr (-mälde, -mält) **1** tillkännage announce; rapportera: allm. report; sjukdomsfall o.d. äv. notify; ~ **en besökare** announce a visitor **2** recensera review II vb rfl (-mälde, -mält), ~ **sig** report [för (hos) to]; ~ ange **sig själv** give oneself up; ~ **sig som medlem** apply for membership [i of]; ~ **sig till en kurs** register for a course
anmälan s (=, en, anmälningar) **1** rapport report; meddelande om flyttning etc. notification, notice [om of]; **göra en ~ om saken** t.ex. till polisen report the matter **2** till kurs o.d. application; till tävling o.d. entry [till for] **3** recension review
anmälare s (~n, =) recensent reviewer
anmälning s (~en, ~ar) announcement, report; application; review osv., se anmälan
anmälningsavgift s (~en, ~er) entry (application) fee
anmälningsblankett s (~en, ~er) application form
anmälningsdag s (~en, ~ar), **första** (**sista**) ~ opening (closing) date for entries
anmälningstid s (~en, ~er), **~en utgår** den 15 juni the last day for entries (applications) is...
anmärka I vb tr (-märkte, -märkt) påpeka, yttra remark, observe II vb itr (-märkte, -märkt) kritisera m.m. criticize [på ngn el. ngt sb el. sth]; find fault [på with]; **det finns ingenting att ~ på** äv. there is nothing to object to
anmärkning s (~en, ~ar) påpekande, yttrande remark, observation; förklaring note, comment; klagomål complaint; skol. hist. bad mark, reprimand [for poor behavior]; **göra ~ar mot** find fault with, criticize
anmärkningsvärd adj (-värt) märklig remarkable; beaktansvärd notable; noteworthy
annaler s pl annals, records
annalkande I s (oböjl.), **vara i ~** be approaching (at

hand) **II** *adj* (oböjl.) approaching; *den ~ stormen* the gathering (impending) storm

annan *pron* (annat, andra) **1** allm. other, jfr *3 en III 1; en ~* a) another; självst. another [one]; någon annan äv. somebody (osv., jfr *annan 2*) else b) vard., jag a guy (resp.girl); *annat* självst. other things pl.; något annat something (resp.anything) else, jfr *annan 2; andra* självst. others; utan syftning vanl. other people; *andras* others' resp. other people's; *en (någon) ~ gång* another time; avseende framtid some other time; *i annat fall* otherwise osv., jfr *annars; komma på andra tankar* change one's mind, have second thoughts; *jag kunde inte göra annat* handla annorlunda I could not have done otherwise; *såvida inte annat överenskommits* unless otherwise agreed upon; *nu ska du få se på annat!* I'll soon put you straight! **2** spec. efter vissa indef. o. interr. självst. pron. else; gen. else's; jfr dock *annan 3; någon ~* om person somebody (someone) else resp. anybody (anyone) else; *allt annat* everything else; *alla andra* all the others; om person vanl. everybody (everyone) else; *på alla andra ställen* everywhere else **3** *~ än* but, other but, other than; *någon ~ än* fören. some other…than (besides) resp. any other…but; självst. somebody (someone) other than resp. anybody (anyone) but; *ingen ~ än* fören. no other…than (but); självst. nobody (no one) [else] but; *annat än* utom except; *allt annat än* frisk anything but… **4** 'helt annan', 'inte lik' different; *det är en [helt] ~ sak* that's [quite] another matter **5** vard., 'riktig', 'vanlig' common; *som en ~ dåre* like a proper idiot; *som en ~ tjuv* just like a common thief

annandag *s* (~en, ~ar), *~ jul* the day after Christmas Day; i Storbr. vanl. Boxing Day (utom om dagen är en söndag); *~ pingst (påsk)* Whit (Easter) Monday

annanstans *adv*, *någon ~* elsewhere, somewhere (resp.anywhere) else; på annat ställe äv. in some (resp.any) other place; på andra ställen äv. in other places; *någon ~ än [här]* in other places than [this]; *ingen (inte någon) ~* nowhere (not anywhere) else

annars *adv* **1** i annat fall otherwise; för annars, annars så or [else], else; efter frågeord else; *inte (aldrig) ~* not (never) under other circumstances; *~ är det nog inget* att berätta I don't think there is anything else… **2** för övrigt, i förbigående sagt by the way, incidentally

annat *pron* se *annan*

annektera *vb tr* (~de, ~t) annex

annektering *s* (~en, ~ar) o. **annektion** *s* (~en, ~er) annexation

annex *s* (~et, =) annexe; sidobyggnad äv. wing

anno *s* (oböjl.), *~ 1786* in [the year] 1786; *den är från ~ dazumal* …as old as the hills

annons *s* (~en, ~er) advertisement (förk. advt.); vard. ad, advert [*efter* for; *om* about]; födelseannons, dödsannons o.d. announcement, notice [*om* of]

annonsbilaga *s* (~n, -bilagor) i tidning advertisement supplement

annonsbyrå *s* (~n, ~er) advertising agency

annonsera *vb itr* o. *vb tr* (~de, ~t) i tidning advertise [*efter* for]; på förhand meddela announce; *~ om ngt* till salu advertise sth

annonsering *s* (~en, ~ar) advertising

annonskampanj *s* (~en, ~er) advertising (publicity) campaign (drive)

annonskostnad *s* (~en, ~er) advertising cost (expenses pl.)

annonsorgan *s* (~et, =) advertising medium (pl. media)

annonspelare *s* (~n, =) advertising pillar

annonsör *s* (~en, ~er) advertiser

annorlunda I *adv* otherwise; [*helt*] *~* [*än*] [quite] differently [from] **II** *adj* (oböjl.) different [*än* from]

annotation *s* (~en, ~er) note

annotera *vb tr* (~de, ~t) note down

annuell *adj* (~t) annual

annuitet *s* (~en, ~er) fixed annual instalment; livränta life annuity

annuitetslån *s* (~et, =) ekon. loan repayable in fixed annual instalments

annullera *vb tr* (~de, ~t) annul, cancel, nullify

annullering *s* (~en, ~ar) annulment, cancellation, nullification

anod *s* (~en, ~er) elektr. anode

anomali *s* (~n, ~er) anomaly

anonym *adj* (~t) anonymous; *ett ~t telefonsamtal* an anonymous phone call; *givaren vill vara ~* the donor wishes to be (remain) anonymous

anonymitet *s* (~en) anonymity

anor *s pl* ancestry sg., ancestors; *ha fina ~* be of high lineage (birth); *ha gamla ~* bildl. have a long history, go back to ancient times

anorak *s* (~en, ~er) anorak

anordna *vb tr* (~de, ~t) **1** ställa till med get (set) up; organisera organize, arrange **2** placera, ordna arrange

anordning *s* (~en, ~ar) arrangement; mekanism äv. contrivance, device, appliance

anorektiker *s* (~n, =) anorexic, anorectic

anorexi *s* (~n) med. anorexia [nervosa]

anpassa I *vb tr* (~de, ~t) suit, adapt, adjust [*efter, för, till* to]; *~d studiegång* skol. reduced course of studies **II** *vb rfl* (~de, ~t), *~ sig* suit (adjust, adapt) oneself [*efter* to]

anpassbar *adj* (~t) o. **anpasslig** *adj* (~t) adaptable, adjustable

anpassning *s* (~en, ~ar) adaptation, adjustment [*efter, till* to]

anpassningsförmåga *s* (~n) adaptability, ability to adapt oneself

anpassningssvårighet *s* (~en, ~er), *ha ~er* have difficulty in adapting (adjusting) oneself

anrik *adj* (~t) attr. …with its (resp. their) fine old traditions

anrika *vb tr* (~de, ~t) enrich; tekn. äv. concentrate, dress; *~t uran* enriched uranium

anrikning *s* (~en, ~ar) enrichment; tekn. äv. dressing, concentration

anropa *vb tr* (~de, ~t) **1** call; tele. call up; mil. challenge; sjö. hail **2** bönfalla, *~ Gud om hjälp* invoke the help of God

anrätta *vb tr* (~de, ~t) prepare; t.ex. sallad äv. dress; laga cook

anrättning *s* (~en, ~ar) **1** tillredning preparation; av t.ex. sallad äv. dressing; lagning cooking **2** maträtt dish; *göra heder åt ~arna* do justice to the meal

ansa *vb tr* (~de, ~t) tend, see to; grönsaker clean; jord dress; träd prune; skägg trim

ansamling *s* (~en, ~ar) accumulation

ansats *s* (~en, ~er) **1** sport. run-up; mil. advance; *hopp med* (*utan*) ~ running (standing) jump **2** försök, ansträngning attempt, effort [*till* at]; anfall, ryck impulse, prompting [*till* of]; början start, beginning; tecken sign [*till* of]; *hon gjorde en ~ att resa sig* she made an effort to rise **3** tekn. projection, shoulder, lug

ansatt *adj* (=) se under *ansätta*

anse *vb tr* (-såg, -sett) **1** mena, tycka think, consider, feel; *vad ~r du om saken?* what do you think (how do you feel) about it?, what is your opinion? **2** betrakta som, hålla för consider, regard, look upon [*som*, *för* as]; *jag ~r det* [*vara*] *bäst* I consider it [to be] best; *~ det som sin plikt* consider (think) it one's duty

ansedd *adj* (-sett) aktad respected, esteemed; eminent; distinguished; *en ~ familj* a respected family; *en ~ firma* (*tidning*) a respectable (reputable) firm (paper)

anseende *s* (~t) **1** rykte reputation, good name; status standing **2** *utan ~ till person* without respect of persons

ansenlig *adj* (~t) considerable; stor äv. good-sized, fair-sized, large, largish; *ett ~t antal* äv. a goodly number

ansikte *s* (~t, ~n) face äv. min; högtidl. countenance; *kända ~n* personer well-known personalities; *förlora ~t* lose face; *rädda ~t* save one's face; *bli lång i ~t* pull a long face; *bli röd i ~t* go red in the face; *skratta ngn rakt upp i ~t* laugh in sb's face; *tvätta sig i ~t* wash one's face; *stå ~ mot ~ med* stand face to face with, face

ansiktsbehandling *s* (~en, ~ar) facial treatment; vard. facial

ansiktsdrag *s pl* features, lineaments

ansiktsform *s* (~en, ~er) face, shape of face

ansiktsfärg *s* (~en, ~er) complexion

ansiktskräm *s* (~en, ~er) face cream

ansiktslyftning *s* (~en, ~ar) face lift äv. bildl.; *genomgå* (*göra*) *en ~* have a face-lift äv. bildl.; vard. have a facial

ansiktsmask *s* (~en, ~er) mask; kosmetisk äv. face pack

ansiktsservett *s* (~en, ~er) face (facial) tissue

ansiktsskydd *s* (~et, =) allm. face protection; sport. face guard; tekn. face shield; mot damm dust mask

ansiktstvätt *s* (~en, ~ar) tekn. face wash

ansiktsuttryck *s* (~et, =) [facial] expression

ansiktsvatten *s* (-vattnet, =) face lotion, skin lotion

ansjovis *s* (~en, ~ar) fiskart anchovy; konserverad skarpsill, ung. tinned (canned) sprats pl.

ansjovisburk *s* (~en, ~ar) burk ansjovis tin (can) of sprats

anskaffa *vb tr* (~de, ~t) **1** skaffa sig obtain, acquire, procure **2** tillhandahålla provide, supply, furnish [*ngt åt ngn* sb with sth]

anskaffning *s* (~en, ~ar) anskaffande obtaining osv., jfr *anskaffa*; acquisition; provision, supply; *dyr i ~* expensive [to obtain]

anskriven *adj* (-skrivet, -skrivna), *vara väl* (*illa*) *~ hos ngn* be in sb's good (bad) books

anskrämlig *adj* (~t) ugly, hideous; *den ser ~ ut* äv. it looks a perfect fright

anslag *s* (~et, =) **1** kungörelse notice; affisch äv. bill, placard **2** penningmedel grant, subvention,

allowance; understöd subsidy; *bevilja ngn ett ~* make sb a grant **3** på tangent touch **4** tekn., projektils impact **5** intriger plot [*mot* against] **6** kok. light sponge cake [as a base for gateaux etc.]

anslagstavla *s* (~n, -tavlor) noticeboard; amer. äv. bulletin board; *elektronisk ~* data. bulletin board

ansluta I *vb tr* (-slöt, -slutit) connect [*till* with, [on] to] **II** *vb rfl* (-slöt, -slutit) *~ sig till* a) personer join, attach oneself to; särsk. i åsikt äv. side (concur) with b) en åsikt (riktning) adopt; ett uttalande äv. agree with c) t.ex. tullunion enter; t.ex. fördrag enter into; *~ sig till EU* (*EMU*) join the EU (EMU)

ansluten *adj* (-slutet, -slutna) connected, associated [*till* with]; affiliated [*till* to]

anslutning *s* (~en, ~ar) **1** förbindelse connection; associering association [*till* with]; *färjorna har ~ till* tågen the ferry-boats run in connection with...; *i ~ till detta* i samband med detta, in connection with this **2** understöd, samtycke adherence [*till* to], support [*till* of]; *dålig ~ till ett förslag* poor support (lack of enthusiasm) for a proposal; mötet inställdes på grund av *dålig ~* ...on account of poor attendance

anslutningsflyg *s* (~et, =) connecting flight

anslå *vb tr* (-slog, -slagit) **1** anvisa allow, allot, earmark, set aside (apart); medel, om riksdagen äv. vote, grant, appropriate [*till* i samtliga fall for] **2** bildl., *~ den rätta tonen* strike the right note **3** spika upp, *~ en kungörelse* post (put up) a notice

anslående *adj* (oböjl.) tilltalande pleasing, attractive; gripande impressive

anspela *vb itr* (~de, ~t) allude [*på* to], hint [*på* at]

anspelning *s* (~en, ~ar) allusion [*på* to]

anspråk *s* (~et, =) **1** allm. claim; fordran demand; i pl. äv. pretensions [*på* to]; förväntningar expectations; *~ på ett arv* claim to an inheritance; *göra ~ på ngt* lay claim to sth, claim (demand) sth; *göra ~ på att* + inf. claim to + inf. **2** *ta i ~* a) erfordra require; viss tid take b) lägga beslag på requisition c) begagna make use of, use d) uppta, t.ex. ngns tid make demands on

anspråksfull *adj* (~t) pretentious, assuming; krävande demanding, exacting

anspråksfullhet *s* (~en) pretentiousness; kravfullhet exactingness

anspråkslös *adj* (~t) unpretentious, modest; om måltid o.d. simple; i sina priser, fordringar moderate

anspråkslöshet *s* (~en) unpretentiousness; blygsamhet modesty; enkelhet simplicity; *roa sig i all ~* ...in a very modest way

anspänning *s* (~en, ~ar) tension

anstalt *s* (~en, ~er) **1** institution institution, establishment **2** åtgärd arrangement, preparation; *göra* (*vidta*) *~er för* make arrangements (preparations) for, take measures for

anstifta *vb tr* (~de, ~t) cause, provoke, instigate, incite, raise; t.ex. myteri stir up; *~ mordbrand* commit arson

anstiftan *s* (=, en), *på ~ av* at the instigation of

anstiftare *s* (~n, =) instigator, originator [*av* of]; av myteri o.d. ringleader

anstormning *s* (~en, ~ar) assault, onset, onrush [*mot* i samtliga fall on]; *en ~ av besökare* a rush of visitors; *en ~ av turister* an invasion of tourists

anstrykning *s* (~en, ~ar) **1** färgnyans tinge, shade **2** antydan, prägel touch, trace, suggestion; *en ironisk ~* a touch (trace) of irony

anstränga I *vb tr* (-strängde, -strängt) allm. strain; trötta, t.ex. ögonen tire; uppbjuda, t.ex. sina krafter exert; sätta på prov tax, try; **~ sin hjärna** rack one's brains; **~ sina resurser** tax one's resources **II** *vb rfl* (-strängde, -strängt), **~ sig** exert oneself; **~ sig till det yttersta** exert oneself to the utmost

ansträngande *adj* (oböjl.) strenuous, taxing, trying, hard; om marsch o.d. stiff; **ett ~ träningspass** a strenuous training session; **det är ~ för ögonen** it is a strain on the eyes

ansträngd *adj* (ansträngt) strained; om stil laboured; om leende, sätt forced; **landets ~a ekonomi** the country's stretched economy; **personalen är hårt ~** the staff is (are) overworked

ansträngning *s* (~en, ~ar) effort; exertion; påfrestning strain; **med gemensamma ~ar** by united efforts; **utan minsta ~** without the least effort

ansträngt *adv* in a forced manner; **le ~** give a forced smile

anstå *vb itr* (-stod, -stått) **1** uppskjutas wait, be deferred; **det får ~** it will have to wait; **låta saken ~** let the matter wait **2** passa become, befit, be becoming (proper) for

anstånd *s* (~et, =) respite, grace; **få ~ med betalningen** be allowed a respite for the payment

anställa *vb tr* (-ställde, -ställt) **1** i sin tjänst employ, engage, take on; amer. äv. hire; utnämna appoint **2** göra, sätta i gång [med] make, institute; t.ex. undersökning äv. hold; börja äv. start **3** åstadkomma bring about; **~ skada på** cause (do) damage to

anställd (jfr *anställa* 1) **I** *adj* (-ställt), **bli (vara) ~** become (be) employed [*hos ngn* by sb; *vid* at, in], vard. get (have) a job [*vid* with, at, in]; **fast ~ vid företaget** on the permanent staff of... **II** *s* (en ~, pl. ~a) employee

anställning *s* (~en, ~ar) anställande, förhållandet att vara anställd employment; befattning appointment, post, position; enklare situation; tillfällig engagement; **ha fast ~** have a permanent job; **utan ~** out of work, without employment

anställningsavtal *s* (~et, =) employment agreement, contract of employment

anställningsförhållanden *s pl* terms of employment, conditions of tenure

anställningsförmån *s* (~en, ~er) emolument; extraförmån perquisite, vard. perk, fringe benefit

anställningsintervju *s* (~n, ~er) interview, employment (job) interview

anställningsintyg *s* (~et, =) certificate of employment

anställningskontrakt *s* (~et, =) contract of employment, service contract

anställningsstopp *s* (~et, =) employment (job) freeze

anställningstrygghet *s* (~en) employment (job) security

anställningsvillkor *s pl* terms (conditions) of employment

anständig *adj* (~t) hygglig el. i motsats till opassande decent; aktningsvärd respectable; korrekt, om t.ex. uppförande äv. decorous, seemly; passande äv. proper

anständighet *s* (~en) decency; respectability; propriety, decorum; jfr *anständig*; **för ~ens skull** for decency's sake

anständighetskänsla *s* (~n) sense of decency (decorum, propriety)

anstöt *s* (~en) offence; **ta ~ av** take offence at, take exception to; **väcka ~** cause (give) offence, offend

anstötlig *adj* (~t) offensive [*för* to]; svagare objectionable; oanständig indecent

ansvar *s* (~et) **1** allm. responsibility; ansvarsskyldighet liability; **bära (ha) ~et för** be responsible for; **lägga ~et på** put the responsibility on; **ta på sig ~et för** take on (shoulder, assume) the responsibility for; **ställa ngn till ~** hold sb responsible, call sb to account [*för* i samtliga fall for]; **på eget ~** on one's own responsibility **2** jur., straff[påföljd] penalty

ansvara *vb itr* (~de, ~t) be responsible (answerable, accountable, för skuld o.d. liable), answer [*för* i samtliga fall for]; **för ytterkläder ~s ej** coats and hats etc. left at owner's risk

ansvarig *adj* (~t) allm. responsible [*inför* to]; som kan ställas till ansvar äv. answerable, accountable [*inför* to]; för skuld o.d. liable; **göra ngn ~** make (hold) sb responsible

ansvarighet *s* (~en) responsibility

ansvarsfrihet *s* (~en) freedom from responsibility (liability); **bevilja ~** grant discharge; **bevilja styrelsen ~** adopt the report [and accounts]

ansvarsfull *adj* (~t) responsible; attr. äv. ...of (involving) great responsibility

ansvarsförsäkring *s* (~en, ~ar) third party [liability] insurance

ansvarskännande *adj* (oböjl.) ...conscious of one's responsibility (responsibilities); **ingen ~ människa skulle kunna** göra något sådant no responsible person could...

ansvarskänsla *s* (~n) sense of responsibility

ansvarslös *adj* (~t) irresponsible

ansvarslöshet *s* (~en) irresponsibility; bristande ansvarskänsla lack of responsibility

ansätta *vb tr* (-satte, -satt) sätta åt beset, attack; besvära, plåga, äv. med frågor harass, worry, ply; **~s av hunger** be beset by hunger; **hårt ansatt** pred. hard pressed; i knipa in a tight corner

ansöka *vb itr* (-sökte, -sökt), **~ om** apply for

ansökan *s* (=, en, ansökningar) application [*om* for]; **~ om nåd** petition for mercy; **lämna in en ~** hand (send) in an application; **muntlig ~** application in person; **skriftlig ~** written application

ansökningsblankett *s* (~en, ~er) application form

ansökningshandlingar *s pl* application papers

ansökningstid *s* (~en, ~er) period of application; **~en utgår den 15 juni** applications must be [sent] in by (before) the 15th June

anta *vb tr* (-tog, -tagit) **1** ta emot, t.ex. plats take; säga ja till, t.ex. erbjudande, inbjudan, kallelse accept **2** acceptera som elev o.d. admit, accept; mil. o.d. enrol; godkänna approve, pass; **de som antagits till vidareutbildning** those accepted for further education (training) **3** gå med på, godkänna accept; t.ex. förslag äv. agree to, approve; lagförslag pass **4** förutsätta assume; formellare presume; förmoda suppose; vard. expect; **antag nu att...** now supposing (suppose now) that...; **jag antar det** I suppose (expect) so **5** göra till sin, tillägna sig, t.ex. idé adopt; lära äv. embrace; **~ namnet...** take (assume) the name of...; **under antaget namn** under an assumed name **6** få assume; **~ fast konsistens** set,

hårdna harden; ~ *oroväckande proportioner* assume
alarming proportions

antagande *s* (~t, ~n) **1** mottagande osv. (jfr *anta*);
taking osv.; godkännande av t.ex. förslag acceptance,
adoption, approval, passing; som t.ex. elev admission
2 förmodan o.d. assumption, presumption,
supposition; förutsättning premise; *lösa ~n* vague
suppositions (conjectures)

antaglig *adj* (~t) sannolik probable, likely

antagligen *adv* förmodligen presumably; sannolikt
probably, very (most) likely

antagning *s* (~en, ~ar) admission

antagningspoäng *s* (~en, =) [minimum] points pl.
required for admission

antagonism *s* (~en) antagonism [*mot* to, against]

antagonist *s* (~en, ~er) antagonist, adversary

antal *s* (~et, =) number; *ett* visst (ansenligt) ~ äv. a
quantity; *ett stort ~ människor var där* a large (great)
number of people were there; *minsta ~et fel* äv. the
fewest mistakes; *tio till ~et* ten in number

Antarktis the Antarctic

antarktisk *adj* (~t) Antarctic

antasta *vb tr* (~de, ~t) ofreda, t.ex. kvinnor el. om tiggare
accost; handgripligen molest

anteckna I *vb tr* (~de, ~t) note (take, write, put)
down; införa, t.ex. beställning, i bok o.d. enter, book;
uppteckna record **II** *vb rfl* (~de, ~t), ~ *sig* put one's
name down [*för* for; *som* as]

anteckning *s* (~en, ~ar) note, memorandum (pl.
memorandums el. memoranda), memo (pl. memos)

anteckningsblock *s* (~et, =) [note (scribbling)] pad;
amer. äv. scratch pad

anteckningsbok *s* (~en, -böcker) notebook

antedatera *vb tr* (~de, ~t) predate, antedate

antenn *s* (~en, ~er) **1** radio. aerial; speciellt amer.
antenn|a (pl. -as); radar scanner **2** zool. antenn|a (pl.
-ae), feeler

antibiotika *s pl* med. antibiotics

antibiotisk *adj* (~t) med. antibiotic; *~t medel*
antibiotic

antidepressiv *adj* (~t) med., *~t medel* antidepressant

antifeministisk *adj* (~t) anti-feminist

antigen *s* (~en, ~er) med. antigen

antihistamin *s* (~et, ~er) med. antihistamine

antik I *adj* (~t) antique, ancient; gammalmodig
old-fashioned; *ett ~t föremål* an antique, a curio **II** *s*
(~en), *~en* [classical] antiquity

antikaffär *s* (~en, ~er) se *antikvitetsaffär*

antikbehandla *vb tr* (~de, ~t) give an 'antique'
finish to

antiklimax *s* (~en, ~ar) anticlimax

antikommunistisk *adj* (~t) anti-Communist

antikropp *s* (~en, ~ar) fysiol. antibody

antikva *s* (~n) typogr. Roman type (letters pl.)

antikvariat *s* (~et, =) second-hand (finare
antiquarian) bookshop

antikvarie *s* (~n, ~r) tjänsteman inom kulturminnesvården
curator

antikvarisk *adj* (~t) antiquarian; om böcker
second-hand

antikvariskt *adv*, *köpa* böcker ~ buy second-hand

antikverad *adj* (antikverat, ~e) outmoded,
antiquated

antikvitet *s* (~en, ~er) antikt föremål antique, curio (pl.
-s)

antikvitetsaffär *s* (~en, ~er) antique shop

antikvitetshandlare *s* (~n, =) antique dealer

antikvitetssamlare *s* (~n, =) collector of antiques

antikvitetsvärde *s* (~t) o. **antikvärde** *s* (~t) antique
value

Antillerna *s pl* the Antilles; *Stora* (*Små*) ~ the
Greater (Lesser) Antilles

antilop *s* (~en, ~er) zool. antelope

antimilitarism *s* (~en) anti-militarism

antingen *konj* **1** either; ~ *du eller jag* either you or I
(vard. me) **2** vare sig whether; ~ *du vill eller inte*
whether you like it (want to) or not

antioxidant *s* (~en, ~er) antioxidant

antipati *s* (~n, ~er) antipathy; *känna* (*hysa*) ~ feel an
antipathy [*för* towards; *mot* to]

antipatisk *adj* (~t) antipathetic, repellent

antipod *s* (~en, ~er) plats antipodes (pl. lika); person
person living on the opposite side of the earth

antirasism *s* (~en) antiracism

antirobotvapen *s* (-vapnet, =) antimissile weapon
(koll., pl. weaponry sg.)

antisemitisk *adj* (~t) anti-Semitic

antisemitism *s* (~en) anti-Semitism

antiseptisk *adj* (~t) antiseptic; *~t medel* antiseptic

antistatbehandla *vb tr* (~de, ~t) treat with an
antistatic agent (fluid)

antistatisk *adj* (~t) antistatic

antistatmedel *s* (-medlet, =) antistatic agent (fluid)

antiterroristlag *s* (~en, ~ar) antiterrorist law

antites *s* (~en, ~er) antithes|is (pl. -es)

antivirusprogram *s* (~met, =) data. antivirus software
(program)

antologi *s* (~n, ~er) anthology

antracit *s* (~en) anthracite

antropolog *s* (~en, ~er) anthropologist spec.
kulturantropolog

antropologi *s* (~n) anthropology spec. kulturantropologi

antroposof *s* (~en, ~er) anthroposophist

anträda *vb tr* (-trädde, -trätt) set out [up]on, start off
[up]on

anträffa *vb tr* (~de, ~t) find, meet with

anträffbar *adj* (~t) available; *han var inte ~ på telefon*
he could not be reached by phone

antyda *vb tr* (-tydde, -tytt) **1** låta påskina (förstå) hint,
intimate [*för* to]; *vad är det du antyder?* what are
you inferring?; *han antydde* [*för mig*] lät [mig] tydligt
förstå att *att...* he gave me to understand that... **2** [i
förbigående] beröra touch [up]on; förebåda foreshadow;
svagt antydd svagt markerad ...faintly outlined
(suggested) **3** tyda på indicate, suggest; *som namnet
antyder* as the name implies (suggests)

antydan *s* (=, en, antydningar) fingervisning, vink hint,
intimation [*om* of]; tecken äv. indication [*om* of];
ansats, skymt suggestion, suspicion; spår trace [*till* i
samtliga fall of]

antydning *s* (~en, ~ar) förtäckt anspelning insinuation,
innuendo; jfr *antydan*

antågande *s* (~t), *vara i ~* be approaching (on the
way); om t.ex. oväder el. obehag be brewing; *vintern är i
~* äv. winter is coming on

antända *vb tr* (-tände, -tänt) set fire to; t.ex. laddning,
bensin ignite; *~s* äv. catch fire

antändbar *adj* (~t) inflammable

antändning *s* (~en, ~ar) ignition

anvisa *vb tr* (~de, ~t) **1** tilldela o.d. allot, assign; ~ *ngn* ge ngn anvisning om **arbete** (**sovplats**) find sb work (somewhere to sleep); ~ **ngn** visa ngn till **en sittplats** show sb to a seat; **få sig ~d** have...assigned to one **2** anslå, bevilja, t.ex. penningmedel allow, allot, earmark; parl. vote, appropriate

anvisning s (~en, ~ar), ~[**ar**] upplysning, föreskrift directions pl., instructions pl.; vink tip sg.; ~ **hur man ska komma dit** directions as to how to get there

använda vb tr (-vände, -vänt) **1** allm. use [till (för) for]; högtidl. el. i betydelsen 'anlita' employ; bära, t.ex. kläder, glasögon wear; käpp o.d. carry; ta, t.ex. medicin, socker i te take; ~ **sig av** make use of, utilize; ~ **tiden** (**sin tid**) **väl** make good use of one's time; ~ **bättre** put to a better use; **färdig att ~s** äv. ready for use; **något använd** somewhat used **2** tillämpa, t.ex. regel apply; metod adopt; sin auktoritet, intelligens exercise; ~ **felaktigt** misapply **3** lägga ned, t.ex. tid, pengar spend [på on, in]; **han använder all sin tid till att läsa** he devotes all his time to reading; **det var väl ~ pengar** it was well worth the money **4** förbruka use up [till on]

användare s (~n, =) user

användargrupp s (~en, ~er) user group

användargränssnitt s (~et, =) data. user interface; **grafiskt ~** graphical user interface (förk. GUI)

användarnamn s (~et, =) data. user name

användarrättighet s (~en, ~er) data. user rights (privileges) pl., access rights (privileges) pl.

användarvänlig adj (~t) user-friendly

användbar adj (~t) allm. usable, ...of use; i motsats till: oanvändbar ...fit for use; nyttig useful, ...of use [till for]; om t.ex. metod practicable; tillämplig applicable [för to]; **föga ~** ...of little use; **metoden är ganska ~** the method works quite well; **i ~t skick** in working order

användning s (~en, ~ar) use; av person, högtidl. employment; behandling, hantering usage; tillämpning application; **jag skulle ha stor ~ för...** I would have great use of...; äv. ...would be of great use to me; **jag har ingen ~ för det** I have no use (can find no use) for it; **komma till ~** be (prove) useful; användas be used [såsom as; till for]; om t.ex. metod be applicable

användningsområde s (~t, ~n) field (range) of application; **ett stort ~** a wide field of application (t.ex om verktyg range of uses)

användningssätt s (~et, =) method of application

aorta s (~n el. =) anat. aorta

apa I s (~n, apor) **1** zool. monkey; speciellt utan svans ape **2** neds., om kvinna bitch, cow; **det luktar ~** vard. it stinks like hell **II** vb tr o. vb itr (~de, ~t), ~ **efter ngn** ape (mimic, imitate, copy) sb

apanage s (~t, =) appanage; kungligt ~ i Storbr. äv. civil list

apartheidpolitik s (~en) apartheid policy

apati s (~n) apathy, listlessness

apatisk adj (~t) apathetic, listless

apel s (~n, aplar) apple-tree

apelkastad adj (-kastat, ~e) om häst dapple-grey; amer. dapple-gray

apelsin s (~en, ~er) orange

apelsinjuice s (~n, ~r) orange juice

apelsinklyfta s (~n, -klyftor) orange segment; i dagligt tal piece of orange

apelsinmarmelad s (~en, ~er) [orange] marmalade

apelsinsaft s (~en, ~er) orange juice; sockrad, för spädning orange squash

apelsinskal s (~et, =) orange peel äv. koll.

Apenninerna s pl the Apennines

aperitif s (~en, ~er) aperitif

aphus s (~et, =) monkey-house, ape-house

apokalyps s (~en, ~er) apocalypse

apokalyptisk adj (~t) apocalyptic

apokryfisk adj (~t) apocryphal; **de ~a böckerna** the Apocrypha (sg. el. pl.)

apollofjäril s (~en, ~ar) apollo [butterfly]

A-post s (~en) first-class mail

apostel s (~n, apostlar) apostle

Apostlagärningarna s pl the Acts [of the Apostles]

apostlahästar s pl, **använda ~na** go on Shanks's pony (mare)

apostrof s (~en, ~er) apostrophe

apotek s (~et, =) pharmacy; i Storbr. äv. chemist's [shop]; amer. äv. drugstore

apotekare s (~n, =) pharmacist; i Storbr. dispensing (pharmaceutical) chemist; amer. äv. druggist

apoteksvara s (~n, -varor) chemist's licensed article, medical drug

app s (~en, ~ar) data. app

apparat s (~en, ~er) **1** instrument apparatus [för for]; anordning device, appliance, gadget; radio- el. tv-apparat set; t.ex. bandspelare machine; elektrisk ~ appliance; **två ~er** äv. two pieces of apparatus **2** utrustning apparatus, equipment **3** bildl., resurser resources pl.; maskineri machinery; **dra i gång en stor ~** vard. make great (extensive) preparations; göra stor affär av make a big business [out] of

apparatur s (~en, ~er) equipment (endast sg.); apparatus

appell s (~en, ~er) **1** jur. el. allm. appeal; **rikta en ~ till** make an appeal to, appeal to **2** mil. call

appellationsdomstol s (~en, ~ar) court of appeal, appellate court

appellera vb itr (~de, ~t) jur. appeal

appendicit s (~en, ~er) med. appendicitis

applicera vb tr (~de, ~t) apply [på to]

applikation s (~en, ~er) **1** tillämpning application äv. data. **2** sömnad. appliqué

applåd s (~en, ~er), ~[**er**] applause sg.; handklappning[ar] clapping sg.; **stormande ~er** tremendous applause; **en stark ~** loud applause; **riva ned ~er** bring down the house

applådera vb tr o. vb itr (~de, ~t) applaud, clap

applådåska s (~n, -åskor) storm (volley) of applause

apportera vb tr (~de, ~t) fetch; jakt. retrieve

apposition s (~en, ~er) gram. apposition, appositional phrase (word)

approximativ adj (~t) approximate

aprikos s (~en, ~er) apricot

april s (oböjl., en) April (förk. Apr.); ~, ~! April fool!; **i ~ [månad]** in [the month of] April; **första ~** äv. April Fools' Day; **den sista ~** [som adverbial on] the last day of April; **i början av ~** at the beginning of April; **i mitten** (**slutet**) **av ~** in the middle of (at the end of) April; se äv. ex under **femte**

aprilskämt s (~et, =), **ett ~** an April fools' joke (trick)

aprilväder s (-vädret) April weather

apropå I prep apropos [of]; ~ **det** äv. talking of that, by the way (by); ~ **ingenting** changing the subject [for a moment] **II** *adv* by the way, by the by; [*helt*] ~ incidentally, casually; *alldeles* ~ oväntat [quite] unexpectedly

aptera *vb tr* (~de, ~t) adapt; anpassa adjust; mil. prime

aptit *s* (~en) appetite [*på* for] äv. bildl.; **ta en promenad för att få** ~ ...to work up an appetite; **förstöra ~en för ngn** take away sb's appetite; **ha dålig** ~ have a poor appetite; **inte ha någon** ~ have no appetite, be off one's food (feed); **tappa** (*återfå*) **~en** lose (regain) one's appetite; **äta med god** ~ äv. eat with great relish; **~en växer medan man äter** eating whets the appetite

aptitlig *adj* (~t) appetizing, savoury; lockande inviting, enticing

aptitlös *adj* (~t), **vara** ~ have no appetite

aptitlöshet *s* (~en) loss (brist på aptit lack) of appetite

aptitretande I *adj* (oböjl.) appetizing **II** *adv*, **verka** (*vara*) ~ whet the appetite

aptitretare *s* (~n, =) appetizer

ar *s* (~et el. ~en, =) are fr.; **ett** ~ eng. motsv. 100 square metres el. 119.6 square yards

arab *s* (~en, ~er) Arab, Arabian

arabesk *s* (~en, ~er) arabesque

Arabförbundet the Arab League

Arabien Arabia

arabisk *adj* (~t) Arab, Arabian, Arabic; ~ **arkitektur** Arabian architecture; **ett ~t barn** an Arab child; **~a siffror** Arabic numerals; **Arabiska öknen** the Arabian desert

arabiska *s* **1** (~n, arabiskor) kvinna Arab woman **2** (~n) språk Arabic

arabstaterna *s pl* the Arab states

arabvärlden *s* (best. sing.) the Arab world

arameiska *s* (~n) språk Aramaic

arbeta I *vb itr* o. *vb tr* (~de, ~t) allm. work; mödosamt el. tungt äv. labour (amer. labor), toil; ~ **degen** work the dough; ~ **bra** (*hårt*) äv. do good (hard) work; ~ **efter en plan** work according to a plan; ~ **fort** (*långsamt*) äv. be a quick (slow) worker; ~ **med barn** inom barnomsorgen work with children; ~ **med reklam** i reklambranschen work (be) in advertising (the advertising business); ~ **på ett broderi** work at a piece of embroidery; ~ **med** (*på*) **ett problem** work at (on) a problem; ~ **för** (*på*) **att** + inf. work (friare strive) to + inf.; ~ **hårt på** (*med*) **att förbättra** äv. try hard to improve; ~ **sig trött** work till one is tired **II** med beton. part.

arbeta av work off

arbeta bort get rid of; stamning o.d. äv. [gradually] get the better of; [*lyckas*] ~ **bort** manage to eliminate (work off)

arbeta ihjäl sig work oneself to death

arbeta ihop a) tr.: ~ **ihop pengar till ngt** work to get money for sth **b)** itr. work together

arbeta in (...**i**) t.ex. en hudkräm i huden work in (...into); ~ **in** en vara på marknaden create (work up) a market for...; ~ **in extra ledighet** i förväg work overtime in order to get some days (resp. hours) off

arbeta om bok o.d. revise; helt och hållet rewrite; för scenen, filmen adapt

arbeta upp allm. work (build) up; jord cultivate; utveckla develop; förbättra improve

arbeta ut a) se *utarbeta* **b)** ~ **ut sig** wear oneself out [with hard work]

arbeta över övertid work (put in) overtime, work late

arbetarbakgrund *s* (~en) working-class background

arbetare *s* (~n, =) allm.: worker; kropps~ manual worker, workman; spec. hantverkare working man; **de organiserade arbetarna** organized labour (amer. labor) sg.

arbetarfamilj *s* (~en, ~er) working-class family

arbetarklass *s* (~en, ~er) working class; **~en** vanl. the working classes pl.

arbetarkvarter *s* (~et, =), **~en** the working-class district (quarter)

arbetarparti *s* (~et, ~er) worker's party; **~et** i Storbr. the Labour Party, Labour

arbetarrörelse *s* (~n, ~r) working-class movement; **~n** äv. the Labour (amer. Labor) Movement

arbetarskydd *s* (~et) mot yrkesskador industrial welfare (safety)

arbete *s* (~t, ~n) allm. work; abstr. el. spec. i högre stil äv. labour (amer. labor); möda toil; anställning employment; plats job

ett ~ **a)** a piece of work, a job **b)** konkr.: speciellt konstnärligt el. litterärt a work; handarbete, slöjd o.d. a piece of work; **~t med** (*på*) **huset** the work on...; **det var bortkastat** ~ it was a waste of energy; **ha fast** ~ have a permanent job, be regularly employed; **att gräva diken är ett hårt** (*tungt*) ~ digging ditches is hard work; **tillfälliga ~n** odd jobs; **lägga ned ~t** stop (cease) work; strejka go on strike; **lägga ner mycket** ~ **på...** put in a great deal (lot) of work on...; **söka** ~ look for a job (for work)

han fick i ~ **att göra ren...** he was given the task (job) of cleaning...; **vara i** ~ sysselsatt be at work; **hon har gått till ~t** she has gone to work; **gå** (*vara*) **utan** ~ be out of work (a job), be jobless

arbetsam *adj* (~t, ~ma) **1** mödosam laborious **2** flitig hard-working, industrious

arbetsbeskrivning *s* (~en, ~ar) job description; föreskrifter working (operational) instructions pl.; instruktioner, bruksanvisning instructions pl.

arbetsbesparande *adj* (oböjl.) labour-saving; amer. labor-saving

arbetsbi *s* (~et, ~n) zool. worker-bee

arbetsbord *s* (~et, =) worktable; skrivbord [writing-]desk, writing-table

arbetsbrist *s* (~en) scarcity (shortage) of work

arbetsbänk *s* (~en, ~ar) workbench; i t.ex. kök worktop, work surface, amer. counter

arbetsbörda *s* (~n) workload; **hans** ~ the [amount of] work he has to do

arbetsdag *s* (~en, ~ar) working day; **åtta timmars** ~ eight-hour [working] day; **kortare** ~ shorter hours pl.

arbetsdelning *s* (~en, ~ar) job sharing

arbetsdomstol *s* (~en, ~ar) labour (amer. labor) court, work tribunal; **Arbetsdomstolen** (förk. *AD*) the [Swedish] Labour Court

arbetsduglig *adj* (~t) ...capable of [doing] work, ...fit for work

arbetsfred *s* (~en) industrial peace

arbetsfri *adj* (-fritt), ~ **dag** non-working day, day free from work; ~ **inkomst** unearned income

arbetsför *adj* (~t) ...fit for work, able-bodied; **den ~a befolkningen** the working population; **vara i ~ ålder** be of working age

arbetsfördelning *s* (~en, ~ar), **~en** the distribution of

[the] work; ekon. [the] division of labour (amer. labor)

arbetsförhållanden *s pl* working (labour) conditions

arbetsförmedling *s* (~en, ~ar) kontor employment office (agency); i Storbr. äv. jobcentre

arbetsförmåga *s* (~n) working capacity, capacity for work

arbetsförtjänst *s* (~en) earnings pl.; *ersättning för förlorad* ~ compensation for loss of earnings

arbetsgivaravgift *s* (~en, ~er) payroll tax

arbetsgivare *s* (~n, =) employer

arbetsgivarförening *s* (~en, ~ar) employers' association

Arbetsgivarverket the Swedish Agency for Government Employers

arbetsglädje *s* (~n) job satisfaction; *hans* ~ the pleasure he takes in his work; *det förstör (förtar) ~n [för mig]* it takes all the pleasure out of my work

arbetsgrupp *s* (~en, ~er) working team (party); kommitté working party

arbetsgång *s* (~en) uppläggning planning (organization) of the work, procedure; rutin routine; tekn. sequence (cycle) of operations

arbetshypotes *s* (~en, ~er) working hypothes|is (pl. -es)

arbetsinkomst *s* (~en, ~er), ~*[er]* income from work sg., wage earnings pl.

arbetsinsats *s* (~en, ~er), *det kräver en större* ~ *från alla* it demands a greater effort…

arbetsinställelse *s* (~n, ~r) stoppage (cessation) of work; strejk strike

arbetskamrat *s* (~en, ~er) workmate; kollega colleague

arbetskläder *s pl* work-clothes

arbetskonflikt *s* (~en, ~er) labour (amer. labor) dispute, industrial dispute (action)

arbetskostnad *s* (~en, ~er) labour (amer. labor) costs pl.

arbetskraft *s* (~en) labour (amer. labor), manpower

arbetskraftsinvandring *s* (~en) immigrant labour (amer. labor)

arbetslag *s* (~et, =) grupp working party, team [of workmen]; skift shift

arbetslagstiftning *s* (~en, ~ar) labour (amer. labor) legislation

arbetsledare *s* (~n, =) på fabrik o.d. foreman, works manager; övervakare supervisor; *han är en bra* ~ allm. he is a good organizer

arbetsliv *s* (~et) working life; *komma (gå) ut i arbetslivet* go out to work

arbetslivserfarenhet *s* (~en, ~er) work (job) experience

arbetslivsorientering *s* (~en), *praktisk* ~ (förk. *PRAO*) skol. practical occupational experience, work (job) experience

arbetslokal *s* (~en, ~er) workroom, workshop; fabrikslokal factory premises pl.

arbetslust *s* (~en), *jag har ingen* ~ I don't feel like working, I'm not in the mood for work

arbetsläger *s* (-lägret, =) work camp; tvångs~ labour (amer. labor) camp

arbetslös I *adj* (~t) unemployed, jobless, …out of work **II** *s* (en ~, pl. ~a) person who is out of work (unemployed); *de ~a* the unemployed, the jobless

arbetslöshet *s* (~en) unemployment; *stor* ~ massive (large-scale) unemployment

arbetslöshetsersättning *s* (~en, ~ar) unemployment benefit; i Storbr. äv. jobseeker's allowance; *få uppbära* ~ vard. be on the dole; amer. be on unemployment

arbetslöshetsförsäkring *s* (~en, ~ar) unemployment insurance

arbetslöshetskassa *s* (~n, -kassor) unemployment benefit fund (society); kontor unemployment benefit office

arbetsmarknad *s* (~en, ~er) labour (amer. labor) market

Arbetsmarknadsdepartementet i Sverige Ministry of Employment

arbetsmarknadsminister *s* (~n, -ministrar) i Sverige Minister for Employment

arbetsmarknadspolitik *s* (~en) labour-market (employment) policy

arbetsmarknadsutbildning *s* (~en, ~ar) (förk. *AMU*) vocational (employment) training courses pl. [for the unemployed and handicapped]

arbetsmetod *s* (~en, ~er) working method

arbetsmiljö *s* (~n, ~er) work (working) environment

arbetsmiljölag *s* (~en, ~ar), ~*en* the Work Environment Act; i Storbr. the Occupational Safety and Health Act

Arbetsmiljöverket the Swedish Work Environment Authority

arbetsminne *s* (~t, ~n) data. primary (internal) memory

arbetsmyra *s* (~n, -myror) worker-ant; bildl. busy bee; *en* ~ äv. an eager beaver

arbetsmänniska *s* (~n, -människor) hard worker

arbetsnamn *s* (~et, =) på roman, film osv. under arbete working (provisional) title

arbetsnarkoman *s* (~en, ~er) vard. workaholic, work addict

arbetsnedläggelse *s* (~n, ~r) stoppage (cessation) of work; strejk strike

arbetsoförmåga *s* (~n) inability to work; funktionshindrades incapacity for work, disablement, amer. disability

arbetsoförmögen *adj* (-oförmöget, -oförmögna) incapacitated, unable to (unfit for) work

arbetsplats *s* (~en, ~er) allm. place of work; bygg~ o.d. [working] site; kontor o.d. office, workroom

arbetsprojektor *s* (~n, ~er) overhead projector

arbetsro *s* (~n), *vi behöver* ~ …peace and quiet [so that we can work]

arbetsrock *s* (~en, ~ar) [work] overall

arbetsrum *s* (~met, =) i bostad study; på kontor office

arbetsrätt *s* (~en) jur. labour (amer. labor) legislation (laws pl.)

arbetsskada *s* (~n, -skador) industrial (occupational) injury

arbetsskygg *adj* (~t) workshy, lazy

arbetsstudier *s pl* work (time and motion) study sg.; methods engineering sg.

arbetsstyrka *s* (~n) labour (amer. labor) force, work force, working staff; på fabrik o.d. number of hands

arbetssätt *s* (~et, =) way (method) of working

arbetssökande I *adj* (oböjl.) …in search of work **II** *s* (~n, =), *[de]* ~ the jobseekers, the applicants for a job (post)

arbetstagare s (~n, =) employee, worker

arbetstakt s (~en) workrate; arbetstempo working pace

arbetsterapeut s (~en, ~er) occupational therapist

arbetsterapi s (~n) occupational therapy

arbetstid s (~en, ~er) working hours pl.; hours [of work] pl.; **efter ~ens slut** after working hours

arbetstidsförkortning s (~en, ~ar) shorter [working] hours pl.

arbetstillfälle s (~t, ~n) job opportunity

arbetstillstånd s (~et, =) labour (amer. labor) permit, work permit

arbetsuppgift s (~en, ~er) task, assignment

arbetsutskott s (~et, =) working (executive) committee

arbetsvecka s (~n, -veckor) working week; amer. äv. work week

arbetsvillig adj (~t) ...willing (ready) to work

arbetsvillkor s (~et, =) working conditions pl.

arbetsvård s (~en) rehabilitation treatment

arbetsyta s (~n, -ytor) working area; i t.ex. kök worktop, amer. counter

arbitrage s (~t) ekon., valuta~ foreign exchange dealings, arbitrage operations (båda pl.)

ardennerhäst s (~en, ~ar) Ardennes [draft-horse]

Ardennerna s pl the Ardennes

area s (~n, areor) area

areal s (~en, ~er) area; jordegendoms acreage

arena s (~n, arenor) arena äv. bildl.; **den politiska ~n** äv. the political scene

arg adj (~t) **1** angry; vard. el. amer. mad; förargad äv. cross; rasande furious; **bli ~ på ngt** get angry (mad) at sth; **bli ~ på ngn** get angry (cross) with sb **2** ~**a fiender** bitter enemies; ~**a konkurrenter** fierce (starkare cutthroat) competitors

argbigga s (~n, -biggor) shrew, vixen

Argentina Argentina; **Republiken ~** the Argentine Republic

argentinare s (~n, =) Argentinian, Argentine

argentinsk adj (~t) Argentinian, Argentine

argentinska s (~n, argentinskor) kvinna Argentinian woman

argsint adj (=) ill-tempered, irascible

argument s (~et, =) argument; **anföra som ~ att** argue that, bring forward the argument that

argumentera vb itr (~de, ~t) argue [för in favour of]

argumentering s (~en) argumentation; argumenterande arguing

aria s (~n, arior) mus. aria

arier s (~n, =) Aryan

arisk adj (~t) Aryan

aristokrat s (~en, ~er) aristocrat

aristokrati s (~n, ~er) aristocracy

aristokratisk adj (~t) aristocratic

aritmetik s (~en) arithmetic

1 ark s (~en, ~ar) ark; **förbundets ~** the Ark of the Covenant; **Noaks ~** Noah's Ark

2 ark s (~et, =) pappers~ el. typogr. sheet

arkad s (~en, ~er) arcade

arkadisk adj (~t) Arcadian

arkaisk adj (~t) archaic

arkaism s (~en, ~er) archaism

arkebusera vb tr (~de, ~t) shoot, execute...by [a] firing squad

arkebusering s (~en, ~ar) execution by [a] firing squad

arkeolog s (~en, ~er) archaeologist

arkeologi s (~n) archaeology

arkeologisk adj (~t) archaeological

arketyp s (~en, ~er) litt.vet. archetype

arketypisk adj (~t) archetypal

arkipelag s (~en, ~er) archipelago (pl. -s)

arkitekt s (~en, ~er) architect

arkitektbyrå s (~n, ~er) o. **arkitektkontor** s (~et, =) architect's office

arkitektonisk adj (~t) architectural, architectonic

arkitektur s (~en, ~er) [style of] architecture

arkiv s (~et, =) allm. archives pl.; lokal record office; dokumentsamling äv. records pl., files pl.; bild~, film~ library

arkivarie s (~n, ~r) archivist, keeper of the archives

arkivera vb tr (~de, ~t) file

arkivexemplar s (~et, =) library (file) copy; lagstadgat deposit copy

arkmatare s (~n, =) data. etc. [cut-]sheet feeder, sheet feed [attachment]

Arktis the Arctic

arktisk adj (~t) Arctic

arla I adj (oböjl.) early; **i ~ morgonstund** early in the morning **II** adv early, betimes

1 arm adj (~t) stackars, fattig poor; eländig wretched, miserable

2 arm s (~en, ~ar) arm; av flod, ljusstake m.m. branch; **lagens ~** the arm of the law; **slå ~arna om** put one's arms around; **springa rakt i ~arna på ngn** run straight into sb's arms; råka träffa bump into; **[gå] ~ i ~** [walk] arm-in-arm; **med ~arna i kors (korslagda ~ar)** äv. bildl. with one's arms folded; **med öppna ~ar** with open arms; **på rak ~** bildl. offhand, straight off; **ta ngn under ~en** hold (take) sb's arm

armada s (~n, armador) armada

armatur s (~en, ~er) belysnings~ electric fittings pl.

armband s (~et, =) bracelet; på t.ex. armbandsur watchstrap, amer. watchband

armbandsklocka s (~n, -klockor) o. **armbandsur** s (~et, =) wristwatch

armbindel s (~n, -bindlar) som igenkänningstecken e.d. armlet, armband

armborst s (~et, =) mil. hist. crossbow, arbalest

armbrott s (~et, =) fractured (broken) arm

armbrytning s (~en, ~ar) arm (Indian) wrestling

armbåga vb rfl (~de, ~t), ~ **sig** elbow one's way (oneself) [fram along]

armbåge s (~n, -bågar) elbow

armbågsled s (~en, ~er) elbow joint

armbågsrum s (~met) elbow room

armé s (~n, ~er) army äv. bildl.

armékår s (~en, ~er) army corps

Armenien Armenia

armenisk adj (~t) Armenian

armera vb tr (~de, ~t) **1** mil. arm **2** reinforce; ~**d betong** reinforced concrete; **en ~d kabel** an armoured cable

armering s (~en, ~ar) **1** mil. armament **2** reinforcement[s pl.]; armouring

arméstab s (~en, ~er) army staff

armgång s (~en) gymn. travelling on the [horizontal] bar; **gå ~** go hand over hand

armhåla s (~n, -hålor) armpit

armhävning *s* (~en, ~ar) från golvet press-up, amer. push-up; från t.ex. trapets pull-up

armkrok *s* (~en, ~ar), *gå [i]* ~ walk arm-in-arm

armlängd *s* (~en, ~er) arm's length; *på ~s avstånd* at arm's length

armod *s* (~et) poverty, destitution

armring *s* (~en, ~ar) enklare bangle; finare bracelet

armstyrka *s* (~n) strength of [one's] arm

armstöd *s* (~et, =) armrest

armsvett *s* (~en) perspiration of the armpit, body odour

armtag *s* (~et, =) simn. stroke; brottn. arm lock

armveck *s* (~et, =) bend (crook) of the arm

arom *s* (~en, ~er) aroma

aromaterapi *s* (~n) aroma therapy

aromatisk *adj* (~t) aromatic

aromglas *s* (~et, =) balloon [glass], snifter

aromsmör *s* (~et) kok. savoury butter

aromämne *s* (~t, ~n) flavouring; amer. flavoring

arrak *s* (~en) arrack

arrangemang *s* (~et, =) arrangement äv. mus.; tillställning function; *~en* the organization sg.

arrangera *vb tr* (~de, ~t) arrange äv. mus.; organisera t.ex. tillställning organize

arrangör *s* (~en, ~er) arranger äv. mus.; organisatör organizer

arrendator *s* (~n, ~er) leaseholder, tenant [farmer]; speciellt jur. lessee

arrende *s* (~t, ~n) tenancy, leasehold; arrendering leasing; kontrakt lease; avgift rent; *betala...i* ~ pay a rent of... (...in rent)

arrendegård *s* (~en, ~ar) tenant farm (holding), leasehold property

arrendekontrakt *s* (~et, =) lease

arrendera *vb tr* (~de, ~t) lease, rent; ~ *ut* lease [out], let out...on a lease

arrest *s* (~en, ~er) custody, confinement; mil. arrest, detention; lokal cell; *skärpt (sträng)* ~ close arrest; *sitta (hålla) i* ~ be (detain...) in custody; *sätta i* ~ place...under arrest, lock...up

arrestera *vb tr* (~de, ~t) (ej jur. i sv.; se vidare *anhålla I, gripa* o. *häkta II 2*); arrest, take...into custody, place (put)...under arrest; *hålla ~d* detain...in custody; *vara ~d* be under arrest

arrestering *s* (~en, ~ar) arrest (jfr *arrestera*)

arresteringsorder *s* (~n, =) se *häktningsorder*

arrogans *s* (~en) arrogance, haughtiness

arrogant I *adj* (=) arrogant, haughty **II** *adv* arrogantly, haughtily

arsenal *s* (~en, ~er) arsenal äv. bildl., armoury

arsenik *s* (~en) kem. arsenic

arsenikförgiftning *s* (~en, ~ar) arsenic poisoning

arsle *s* (~t, arslen) vulg. arse, amer. ass; som skällsord arsehole, amer. asshole; *kyss mig i ~t!* kiss my arse (amer. ass)!, up yours!

art *s* (~en, ~er) **1** slag kind, description; typ type; natur nature, character **2** vetensk. species (pl. lika); *rik (fattig) på ~er* with many (few) species

arta *vb rfl* (~de, ~t), ~ *sig* shape; utvecklas turn out, develop; *hon (sakerna) ~r sig bra* she is (things are) shaping up well; *det ~r sig med vädret* the weather is looking up

artbestämning *s* (~en, ~ar) determination of species

artefakt *s* (~en, ~er) artefact äv. arkeol., tekn. el. med.

artegen *adj* (-eget, -egna) ...characteristic of the species

arteriell *adj* (~t) med. arterial

arterioskleros *s* (~en) med. arteriosclerosis (endast sg.)

artfattig *adj* (~t) ...with few species

artfrämmande *adj* (oböjl.) ...foreign to the species

artificiell *adj* (~t) artificial; falsk, fingerad äv. sham, false; ~ *intelligens* artificial intelligence (förk. AI)

artig *adj* (~t) polite; förekommande courteous; hövlig civil; uppmärksam attentive [*mot* i samtliga fall to]

artighet *s* (~en, ~er) (jfr *artig*); politeness, courtesy, civility; attention; *en* ~ an act of politeness (courtesy); *~er* compliments

artighetsbetygelse *s* (~n, ~r) mark of courtesy; *under ömsesidiga ~r* with an exchange of courtesies

artighetsvisit *s* (~en, ~er) courtesy call, formal visit

artikel *s* (~n, artiklar) article äv. gram.; handelsvara äv. commodity, item

artikulation *s* (~en, ~er) fonet. el. mus. articulation

artikulera *vb tr* (~de, ~t) fonet. el. mus. articulate

artilleri *s* (~et) artillery; sjö. el. som vetenskap gunnery; *grovt* ~ heavy artillery äv. bildl.

artillerield *s* (~en) artillery fire, gunfire

artillerist *s* (~en, ~er) artilleryman; gunner äv. sjö.

artist *s* (~en, ~er) teat. el. friare vanl. artiste; bildkonstnär artist

artistisk *adj* (~t) artistic

artistnamn *s* (~et, =) stage name

artnamn *s* (~et, =) naturv. specific name, name of the (resp. a) species

arton *räkn* eighteen; jfr *fem, femton* o. *nitton* med sammansättn.

artonde *räkn* eighteenth; jfr *femte*

artonhundratalet *s* (best. sing.) the nineteenth century, jfr *femtonhundratalet*

artrik *adj* (~t) ...rich in species, ...with many species

artär *s* (~en, ~er) anat. artery

arv *s* (~et, =) inheritance äv. biol.; framför allt andligt heritage; legat legacy; ~ *och miljö* biol. heredity and environment; *få ett [litet]* ~ äv. come into (be left) a bit of money; *vårt nationella* ~ our national heritage; *få i* ~ inherit [*efter* from]; *gå i* ~ a) om egendom be handed down, be passed on b) vara ärftlig be hereditary

arvegods *s* (~et) arv inheritance; ärvt föremål heirloom; jordegendom hereditary estate

arvfiende *s* (~n, ~r) sworn (traditional) enemy (foe)

arvfurste *s* (~n, -furstar) hereditary prince

arvinge *s* (~n, arvingar) heir; kvinnl. heiress; *utan arvingar* äv. ...without issue, heirless; ~ *till egendomen* heir to...

arvlös *adj* (~t) disinherited; *göra ngn* ~ disinherit sb, cut sb out of one's will

arvode *s* (~t, ~n) remuneration [*åt, för* for]; läkares o.d. fee

arvodera *vb tr* (~de, ~t) pay a fee (resp. fees) to

arvprins *s* (~en, ~ar) hereditary prince

arvrike *s* (~t, ~n) hereditary kingdom

arvsanlag *s* (~et, =) allm. hereditary character (disposition); gen. gene

arvsanspråk *s* (~et, =) claim to an (resp.the) inheritance (om tronföljd o.d. the succession)

arvsberättigad *adj* (-berättigat, ~e) ...entitled to [a share of] the inheritance; om tronföljd o.d. …in the line of succession

arvsfond s (~en, ~er), *Allmänna ~en* the [Swedish] State Inheritance Fund

arvskifte s (~t, ~n) distribution (division) of an (resp.the) estate

arvslott s (~en, ~er) part (share, portion) of an (resp.the) inheritance

arvsmassa s (~n) biol. gene pool, genetic make-up

arvsrätt s (~en) **1** right of inheritance; *ha ~* be entitled to [a share of] the inheritance; om tronföljd o.d. be in the line of succession **2** lag law of inheritance

arvsskatt s (~en, ~er) inheritance tax, death duty

arvstvist s (~en, ~er) dispute about an inheritance

arvsynd s (~en, ~er) original sin

arvtagare s (~n, =) heir, inheritor [*till* of]

arvtagerska s (~n, -tagerskor) heiress

as s (~et, =) **1** kadaver [animal] carcass, carrion; *leva på ~* feed on carrion **2** skällsord skunk, swine

asaläran s (best. sing.) mytol. the Æsir cult

asbest s (~en) asbestos

asbestsanering s (~en, ~ar) asbestos removal

ascendent s (~en, ~er) astrol. ascendant

asch interj oh!, pooh!; strunt i det don't bother, never mind

aseptisk adj (~t) aseptic; *~t medel* aseptic

asfalt s (~en, ~er) asphalt

asfaltera vb tr (~de, ~t) asphalt

asfull adj (~t) sl. pissed, plastered, dead drunk

asgam s (~en, ~ar) Egyptian vulture

asiat s **1** (~en, ~er) person Asian, Asiatic **2** *~en* vard., influensa Asian flu

asiatisk adj (~t) Asian, Asiatic

Asien Asia; *Mindre ~* Asia Minor

1 ask s **1** (~en, ~ar) träd ash[-tree] **2** (~en) virke ash[wood]; *…av ~* äv. ash[wood]…, för sammansättn. jfr *björk-*

2 ask s (~en, ~ar) box; *en ~ tändstickor* a box of matches; *jag* (*du* osv.) *har det som i en liten ~* it's in the bag

aska I s (~n) ashes pl.; cigarett~ o.d. ash; *lägga…i ~* lay…in (reduce…to) ashes; *komma* (*råka*) *ur ~n i elden* jump (go) out of the frying-pan into the fire **II** vb tr o. vb itr (~de, ~t), *~* [*av*] vid rökning knock the ash off

A-skatt s (~en, ~er) tax deducted from income at source

askblond adj (-blont) ash-blond; om kvinna ash-blonde

askes s (~en) asceticism

asket s (~en, ~er) ascetic

asketisk adj (~t) ascetic

askfat s (~et, =) ashtray

askgrå adj (-grått) ash-grey; om ansikte ashen

askkopp s (~en, ~ar) ashtray

askonsdag s (~en, ~ar) **1** Ash Wednesday **2** i påskveckan *~[en]* Wednesday in Holy Week

Askungen sagofigur Cinderella

asocial adj (~t) antisocial

1 asp s **1** (~en, ~ar) träd aspen **2** (~en) virke aspen wood; *…av ~* äv. aspen[wood]…, för sammansättn. jfr *björk-*

2 asp s (~en, ~ar) fisk asp

aspekt s (~en, ~er) aspect äv. astron. o. språkv.

aspirant s (~en, ~er) sökande applicant [*till* for], candidate [*vid* for entrance el. admission to]; under utbildning learner, trainee

aspirera vb itr (~de, ~t), *~ på* aspire to, aim at; göra anspråk på pretend to

aspirin s (~et) farmakol. aspirin

asplöv s (~et, =) *darra som ett ~* tremble (quiver, shake) like an aspen leaf

A-språk s (~et, =) skol. first foreign language

1 ass s (~et, =) assurerat brev insured letter; paket insured parcel

2 ass s (~et, =) mus. A flat

Ass-dur s (oböjl.) mus. A flat major

assessor s (~n, ~er) vid domstol deputy judge

assiett s (~en, ~er) tallrik side (small) plate; maträtt hors-d'oeuvre fr.

assimilation s (~en, ~er) assimilation äv. språkv.

assimilera vb tr (~de, ~t) assimilate äv. språkv.

assistans s (~en, ~er) assistance

assistent s (~en, ~er) allm. assistant; forskar~ demonstrator

assistera I vb itr (~de, ~t) assist [*vid* in], act as [an] assistant [*vid* at] **II** vb tr (~de, ~t) assist; *~ ngn* äv. go (come) to sb's assistance

association s (~en, ~er) idé~ el. sammanslutning association; *väcka ~er* arouse (awake) associations

associera I vb tr (~de, ~t) associate [*ngn* (*ngt*) *med ngt* sb (sth) with sth]; *~ sig med…* associate (hand. enter into partnership) with…; *~d medlem* associate member **II** vb itr (~de, ~t), *~ till* komma att tänka på form associations with

assonans s (~en, ~er) metrik. assonance

assurera vb tr (~de, ~t) insure; sjö. underwrite; *~s för…* som påskrift to be insured for…

Assyrien Assyria

assyrisk adj (~t) Assyrian

aster s (~n, astrar) bot. aster

asterisk s (~en, ~er) asterisk

astigmatisk adj (~t) astigmatic

astma s (~n) asthma; *ha* (*lida av*) *~* äv. be asthmatic

astmatiker s (~n, =) asthmatic

astmatisk adj (~t) asthmatic

astralkropp s (~en, ~ar) astron. astral body

astrolog s (~en, ~er) astrologer

astrologi s (~n) astrology

astrologisk adj (~t) astrological

astronaut s (~en, ~er) astronaut

astronom s (~en, ~er) astronomer

astronomi s (~n) astronomy

astronomisk adj (~t) astronomical äv. bildl. om t.ex. siffror; *~ navigering* sjö. el. flyg. celestial navigation, astronavigation

asyl s (~en, ~er) asylum; fristad äv. sanctuary; *begära politisk ~* seek (ask for) political asylum

asylansökan s (=, en, -ansökningar) application for asylum

asylrätt s (~en) right of asylum

asylsökande s (~n, =) asylum seeker

asymmetrisk adj (~t) asymmetrical

atavistisk adj (~t) atavistic äv. biol.

ateism s (~en) atheism

ateist s (~en, ~er) atheist

ateistisk adj (~t) atheistic

ateljé s (~n, ~er) studio; sy~ o.d. workroom

Aten Athens

atenare *s* (~n, =) Athenian
atjoo *interj* achoo!, atishoo!
Atlanten the Atlantic [Ocean]
atlantisk *adj* (~t) Atlantic
Atlantpakten the North Atlantic Treaty, the
Atlantic Pact; atlantpaktsorganisationen the North
Atlantic Treaty Organization (förk. NATO)
atlantångare *s* (~n, =) transatlantic liner
atlas *s* (~en, ~er) kartbok atlas [*över* of]
atletisk *adj* (~t) om kroppsbyggnad o.d. athletic; om
person athletic-looking
AT-läkare *s* (~n, =) house officer, houseman; amer.
intern
atmosfär *s* (~en, ~er) atmosphere äv. bildl.
atmosfärisk *adj* (~t) atmospheric; **~a störningar** radio.
el. TV. atmospherics pl.
atoll *s* (~en, ~er) geogr. atoll
atom *s* (~en, ~er) atom, för sammansättn. jfr äv. *kärn-*
atombomb *s* (~en, ~er) atom bomb
atomdriven *adj* (-drivet, -drivna) nuclear-powered,
atomic-powered
atomenergi *s* (~n) atomic (nuclear) energy
atomfysik *s* (~en) atomic (nuclear) physics sg.
atomkärna *s* (~n, -kärnor) nucleus of an (resp.the)
atom, atomic nucleus
atomubåt *s* (~en, ~ar) nuclear-powered submarine
atomvapen *s* (-vapnet, =) nuclear (atomic) weapon
(koll. weaponry)
atomvikt *s* (~en, ~er) atomic weight
atomåldern *s* (best. sing.) the Atomic Age
atonal *adj* (~t) mus. atonal
ATP förk., se under *tilläggspension*
ATP-poäng *s* (~en, =) ung. pension points
att I *infinitivmärke*
1 to; *det fanns ingenting för honom ~ göra* there was
nothing for him to do; *det var ingenting ~ göra åt det*
there was nothing to be done [about it]
2 utan motsvarighet i eng., *allt du behöver göra är ~
komma hit* all you have to do is [to] come here; *jag
måste få henne ~ göra det* I must make her do that;
hellre än ~ göra det tog han... rather than do that he
took...
3 *att* + inf. motsvaras av: **a**) ing-form el. ibland av to + inf.; **~**
se är ~ tro seeing is believing, to see is to believe; **~**
skriva en bok är svårt writing (to write) a book is a
difficult job; *undvika ~ göra ngt* avoid doing sth;
boken är värd ~ läsa[s] the book is worth reading;
efter ~ ha ätit frukost gick han after having (having
had) breakfast he left
b) of + ing-form; *konsten ~ sjunga* the art of singing;
jag var rädd ~ störa henne I was afraid of disturbing
her
II *konj* se äv. *därför att* under *därför 2*, *utom att* under
utom 1 och andra förbindelser
1 that; **~** *jag kunde vara så dum!* to think that I could
be (have been) so foolish (stupid)!; *han visste ~ jag
var här* he knew [that] I was here
2 it (det faktum the fact) that; *frånsett ~ hon...*
disregarding (apart from) the fact that she...; *man
kan inte förneka ~ han...* there is no denying [the
fact] that he...; *du kan lita på ~ jag gör det* you may
depend on me to do it (on my doing it, on it that I
will do it)
3 *att* + sats motsvaras av: **a**) infinitiv-konstruktion, *jag bad
honom ~ han skulle komma* I asked him to come; *vad

vill du ~ jag ska göra? what do you want me to do?
b) ing-konstruktion (spec. efter preposition), *ursäkta ~ jag
stör Er!* excuse my (vard. me) disturbing you!; *jag
gjorde det utan ~ veta om det* I did it without
knowing it
c) annan konstruktion, **~** *du inte skäms!* you ought to be
ashamed of yourself!; **~** *jag inte tänkte på det!* why
didn't I think of that (it)!
attaché *s* (~n, ~er) attaché
attachéväska *s* (~n, -väskor) attaché case
attack *s* (~en, ~er) attack [*mot, på* on]; jfr *anfall*
attackera *vb tr* (~de, ~t) attack
attackplan *s* (~et, =) flyg. fighter-bomber
attentat *s* (~et, =) attack [*mot* on]; mordförsök
attempted assassination [*mot* of]; illdåd [attempted]
outrage [*mot* against]; *göra ett ~ mot ngn* äv. make
an attempt on sb's life
attentatsman *s* (~nen, -män) perpetrator of the (resp.
an) outrage; mördare assassin, killer
attest *s* (~en, ~er) bemyndigande authorization; intyg
certificate; *utfärda en ~* issue a certificate
attestera *vb tr* (~de, ~t) belopp authorize...for
payment; handling certify, attest
attiralj *s* (~en, ~er) thing, gadget; **~er** utrustning
equipment; don kit, tackle, gear (samtliga sg.)
attityd *s* (~en, ~er) attitude mest bildl.; kroppsställning
posture; pose pose
attitydförändring *s* (~en, ~ar) change of attitude
attrahera *vb tr* (~de, ~t) attract; *känna sig ~d av* feel
attracted to
attraktion *s* (~en, ~er) attraction
attraktionsförmåga *s* (~n) power of attraction,
attractive force; bildl. attraction
attraktiv *adj* (~t) attractive
attrapp *s* (~en, ~er) dummy
attribut *s* (~et, =) attribute äv. gram.
aubergine *s* (~n, ~r) bot. aubergine, egg plant
audiens *s* (~en, ~er) audience; *få (söka) ~ hos ngn*
obtain (seek) an audience with sb
audiovisuell *adj* (~t) se *audivisuell*
auditorium *s* (auditoriet, auditorier) åhörare audience
audivisuell *adj* (~t) audiovisual; **~a (AV-)hjälpmedel**
el. **~t (AV-)material** audiovisual (AV) aids pl.
augusti *s* (oböjl., en) August (förk. Aug.); för ex. jfr
april o. *femte*
auktion *s* (~en, ~er) auction, sale [by auction],
public sale [*på* of]; *köpa ngt på ~* buy sth at an
auction
auktionera *vb tr* (~de, ~t), **~ bort** auction [off]
auktionsförrättare *s* (~n, =) auctioneer
auktionskammare *s* (~n, -kamrar el. =) auctioneer's
office; auktionslokal auction rooms pl.
auktorisera *vb tr* (~de, ~t) authorize, license
auktoriserad *adj* (auktoriserat, ~e), **~ revisor**
chartered (certified) accountant; **~ translator**
authorized translator; **~ översättning** authorized
translation
auktoritativ *adj* (~t) authoritative; *på ~t håll* in
authoritative circles
auktoritet *s* (~en, ~er) authority
auktoritetstro *s* (~n) belief in authority
auktoritär *adj* (~t) authoritarian
aula *s* (~n, aulor) assembly hall, [great] hall; i
universitet lecture hall
au pair *s* (~en, ~er), *en ~* an au pair [girl resp. boy]

aura *s* (~n, auror) strålglans aura (pl. auras el. aurae) äv. med.

auskultant *s* (~en, ~er) skol., ung. student (trainee) teacher visiting classes

auskultation *s* (~en, ~er) **1** skol. visiting classes as a student (trainee) teacher, classroom observation [visit] **2** med. auscultation

auskultera *vb tr* o. *vb itr* (~de, ~t) **1** skol., ~ *[hos ngn]* visit [sb's] classes as a student (trainee) teacher **2** med. auscultate

auspicier *s pl* auspices

Australien Australia

australiensare *s* (~n, =) Australian, vard. Aussie

australiensisk *adj* (~t) Australian

australiensiska *s* (~n, australiensiskor) kvinna Australian woman

australier *s* (~n, =) Australian

australisk *adj* (~t) Australian

autenticitet *s* (~en) authenticity, genuineness

autentisk *adj* (~t) authentic, genuine

autistisk *adj* (~t) psykol. autistic

autodidakt *s* (~en, ~er) autodidact, self-taught person

autodidaktisk *adj* (~t) autodidactic, self-taught

autogiro *s* (~t, ~n) **1** betalningssystem direct debit system; *betala via* ~ pay by direct debit **2** flyg. autogiro (pl. -s), gyroplane

autograf *s* (~en, ~er) autograph

autografjägare *s* (~n, =) autograph hunter

autokratisk *adj* (~t) autocratic

automat *s* (~en, ~er) automatic machine; med myntinkast [slot] machine, vending machine; telefon payphone; *lägga* en krona *i* ~*en* place…in the slot

automatgevär *s* (~et, =) automatic rifle

automatik *s* (~en) automatic system (function); tekn. automatic control devices pl.

automation *s* (~en) automation

automatisera *vb tr* (~de, ~t) automate, automatize

automatisering *s* (~en, ~ar) automation, automatization

automatisk *adj* (~t) automatic

automatlåda *s* (~n, -lådor) bil. automatic gearbox

automatvapen *s* (-vapnet, =) automatic weapon

automatväxlad *adj* (-växlat, ~e) om fordon …with automatic transmission, …with an automatic gear change; *en* ~ *bil* äv. an automatic

automobilklubb *s* (~en, ~ar) automobile club

autonom *adj* (~t) autonomous

autopilot *s* (~en, ~er) autopilot

autostrada *s* (~n, -strador) motorway

autotypi *s* (~n, ~er) typogr., konkr. halftone block (cut)

av

av delas in i ordklasserna
I preposition
II adverb

I *prep*
Prepositionen *av* motsvaras vanligen av *of* i uttryck som *några av böckerna = some of the books*, *kungen av Sverige = the king of Sweden* och *gjord av ek = made of oak*. För att ange satsdelen agent i passiva satser används *by*, t.ex. *boken skrevs av John Adams = the book was written by John Adams.*
av används i många uttryck som står under andra

uppslagsord. Exempelvis finns uttrycket *njuta av ngt* under uppslagsordet *njuta*, uttrycket *vara beroende av* under uppslagsordet *beroende* osv.

av översätts vanligen med *of* i betydelse 1–6

1 anger en del av ngt, *en del* ~ *tiden* part of the time; *några* ~ *böckerna* some of the books; *du har inte ätit något* ~ *maten* you haven't eaten any of the food
2 anger materialet ngt är gjort av [out] of; i uttryck som anger ursprung, härkomst vanligen of; *ett bord* ~ *ek* a table of oak, an oak table; *ett hus [byggt]* ~ *trä* a house [built] of wood, a wooden house; *gjord* ~ *ull* made [out] of wool; *en bild* ~ föreställande **Picasso** a picture of Picasso; *ett foto* ~ *min mamma* a photo of my mother; ~ *god familj* of good family; *göra ost* ~ *getmjölk* make cheese out of goat's milk
3 i prepositionsfraser som uttrycker bl.a. tillhörighet, ofta utbytbara mot genitivkonstruktion, t.ex. *kungen av Sverige* = *Sveriges kung*, *kungen* ~ *Sverige* the king of Sweden; *i slutet* ~ *boken* at the end of the book
4 för att uttrycka vad man tycker om någon, *det var snällt* ~ *dig* that's (that was) kind of you
5 i en del uttryck med adjektiv + substantiv för att precisera t.ex. egenskap el. innebörd of; ~ *stor vikt* of great importance; *vara* ~ *samma åsikt* be of the same opinion
6 i vissa måttsuttryck och specificerande uttryck, *ett avstånd* ~ *tio meter* a distance of ten metres; ~ *medellängd* of medium height

av översätts vanligen med *by* i betydelse 7 och 8

7 satsdelen agent i passiva satser, *huset är byggt* ~ *A.* the house was built by A.; *ett tal hållet* ~ *statsministern* a speech made by the Prime minister
8 person som är skapare, upphovsman eller upphovskvinna, *en roman* ~ *Jane Austen* a novel by Jane Austen

av i uttryck för orsak, betydelse 9–11

9 orsaken till en mer el. mindre frivillig handling out of; *han handlade så inte* ~ *hat utan* ~ *kärlek* he acted like this not out of hatred, but out of love; *han gjorde det* ~ *nyfikenhet (tacksamhet)* he did it out of curiousity (gratitude)
10 orsaken till en ofrivillig handling with; ibland for; *skratta (skrika)* ~ *förtjusning* laugh (scream) with delight; *vara utom sig* ~ *glädje* be beside oneself with joy; *bli röd* ~ *ilska* turn red with anger; *gråta (ropa)* ~ *glädje* cry (shout) for joy
11 orsaken till ett tillstånd with; *utsliten* ~ *arbete* worn out with work; *trädet är vitt (översållat)* ~ *blommor* the tree is white (covered) with blossoms

Andra fall

12 med verb som *ta* och *få* i betydelsen 'från' from; *jag fick en bok* ~ *mamma* I got a book from mother; *köpa (låna) ngt* ~ *ngn* buy (borrow) sth from sb; *jag har hört det* ~ *honom* I've heard it from him
13 anger antal gånger av något out of; *nio gånger* ~ *tio* nine times out of ten; *i fyra fall* ~ *fem* in four cases out of five
14 tillsammans med verb i betydelsen "bort från, ned från" off; *gnaga köttet* ~ *benen* gnaw the meat off the bones; *falla (hoppa)* ~ *tåget* fall (jump) off the train; *stiga* ~ *bussen* get off the bus
15 grund för slutsats o.d. from; ~ *hans utseende är det*

uppenbart att... from his appearance it is evident that...; ***dra slutsatser ~ ngt*** draw conclusions from sth; ***~ det slöt jag mig till (förstod jag) att...*** from this I gathered that...

16 i många uttryck har **av** ingen motsvarande preposition i engelskan, utan en annan konstruktion används, ***vara ~ samma färg*** be the same colour; ***ett hotell ~ högsta klass*** a first-rate hotel

17 ***~ sig själv: han gjorde det ~ sig själv*** he did it by himself (självmant of his own accord); ***såret läktes ~ sig självt*** the wound healed itself; ***det går ~ sig själv*** it runs by (of) itself, it works by (of) itself; ***det följer ~ sig själv*** it follows as a matter of course

18 ***vara...~ sig*** för att beskriva en persons karaktärsdrag; ' *av sig*' saknar motsvarighet i engelskan, men ibland används en omskrivning, ***vara rädd ~ sig*** be timid, be inclined to be timid; ***hon är gladlynt ~ sig*** she is cheerful, she is a cheerful person, she is of a cheerful nature; ***vara sur ~ sig*** have a sour temper

II *adv* **1** (se också betonad partikel under respektive verb, t.ex. *bryta av* under *bryta IV*) **a)** 'bort[a]', 'i väg', 'ned [från]', 'åt sidan' m.m.: vanl. off; ***borsta ~ smutsen*** brush off the dirt (jfr *d*); ***ge sig ~*** start off; ***lämna ~ ett paket*** deliver a parcel; ***ramla ~ [cykeln]*** fall off [the cycle]; ***runda ~*** round off; ***stiga ~ tåget*** get out of (get off) the train; ***sätta ~ pengar*** lay by money; ***ta ~ till höger*** turn off to the right; ***locket är ~*** the lid is off (not on) **b)** ***svimma ~*** faint [away] **c)** ***klä ~*** ngn undress...; ***lasta ~*** unload **d)** ***borsta ~ en rock*** brush [down] a coat, give a coat a brush; ***damma ~ i ett rum*** dust a room; ***diska ~ (slicka ~) tallriken*** wash up (lick) the plate; ***rita ~*** copy, make a drawing of; ***skriva ~*** copy [out], transcribe **e)** 'itu' in two; '[av]bruten' broken; ***repet gick [mitt] ~*** the rope snapped in two; ***hans ben är ~*** his leg is broken; ***en sena är ~*** a sinew is (has been) severed

2 ***~ och an [på golvet]*** to and fro [on the floor], up and down [the floor]; ***~ och till*** då och då off and on; ***~ med mössan!*** off with (take off) your cap!; ***~ med mössorna!*** äv. caps off!; ***rent ~*** se *rentav*

avancemang *s* (~et, =) promotion

avancera *vb itr* (~de, ~t) advance; i tjänst äv. rise, be promoted, win promotion

avancerad *adj* (avancerat, ~e) advanced äv. i betydelsen 'vågad'; ***~ flygning*** aerobatics sg.

avans *s* (~en, ~er) hand. profit

avantgarde *s* (~t) konst. o.d. avant-garde

avantscen *s* (~en, ~er) forestage, proscenium

avart *s* (~en, ~er) variety; variant (försämrad degenerate) species (pl. lika); ***byråkratins ~er*** the negative side of bureaucracy

avatar *s* (~en, ~er) data. el. relig. avatar

avbalkning *s* (~en, ~ar) partition

avbeställa *vb tr* (-ställde, -ställt) cancel; ***~ en biljett (ett hotellrum)*** cancel a booking (reservation)

avbeställning *s* (~en, ~ar) cancellation

avbetala *vb tr* (~de, ~t el. -betalt) se *betala av* under *betala III*

avbetalning *s* (~en, ~ar) **1** belopp instalment (amer. installment); ***göra en ~*** pay an instalment [*på* bilen on...; *på* 5000 kronor of...] **2** system the hire purchase (instalment) system (plan), amer. the installment plan; skämts. the never-never system; ***köpa (ta) på ~*** purchase by instalments

avbetalningskontrakt *s* (~et, =) hire purchase contract (agreement)

avbetalningsköp *s* (~et, =) koll. hire purchase, amer. installment buying; ***ett ~*** a purchase on the instalment (amer. installment) plan

avbetalningsvillkor *s* (~et, =) hire purchase (amer. installment) terms

avbild *s* (~en, ~er) representation; ***sin fars ~*** the very image of his (her osv.) father; ***Gud skapade människan till sin ~*** ...in His own image

avbilda *vb tr* (~de, ~t) reproduce, depict; rita draw; måla paint

avbildning *s* (~en, ~ar) depiction, portrayal; konkr. reproduction, picture

avbitartång *s* (~en, -tänger) cutting nippers (pliers) pl.

avblåsa *vb tr* (-blåste, -blåst) se *blåsa av* under *2 blåsa II*

avblåsning *s* (~en, ~ar) sport. calling off; spelavbrott stoppage; slutsignal final whistle

avbländare *s* (~n, =) bil. dipswitch, amer. dimmer, dimswitch

avbländning *s* (~en, ~ar) **1** bil. dipping (amer. dimming) the headlights **2** foto. stopping down the lens

avboka *vb tr* (~de, ~t) cancel

avbokning *s* (~en, ~ar) cancellation

avbrott *s* (~et, =) **1** uppehåll: störning interruption; kontinuitetsbrott break; paus pause; ***ett ~ i förhandlingarna*** a suspension of [the] negotiations; ***ett ~ i sändningen*** TV. el. radio. a breakdown in transmission; ***utan ~*** without stopping (a break, any interruption, intermission), continuously **2** kontrast contrast [*mot* to]; ***ett angenämt ~ mot...*** äv. a pleasant change from...; ***ett ~ i enformigheten*** a break in the monotony

avbryta I *vb tr* (-bröt, -brutit) **1** se *bryta av* under *bryta IV* **2** göra avbrott i (slut på) break off; förorsaka avbrott i interrupt; störa break; resa break; avsiktligt upphöra med discontinue; t.v. inställa, t.ex. betalningar, fientligheter suspend; ***~ en graviditet*** terminate a pregnancy; ***~ ngn*** interrupt sb; ***vi blev avbrutna*** el. ***vårt samtal blev avbrutet*** our conversation was interrupted; om telefonsamtal äv. we were cut off **II** *vb rfl* (-bröt, -brutit), ***~ sig*** i sitt tal break off, stop speaking

avbräck *s* (~et, =) motgång, bakslag setback; ekonomisk [financial] loss; ***lida ~*** suffer a setback (a loss); ***vålla...~*** be detrimental to...

avbränning *s* (~en, ~ar) omkostnad, förlust deduction [from profits]; ***~ar*** äv. overheads, incidental expenses

avbytarbänken *s* (best. sing.) the substitutes' (vard. subs') bench

avbytare *s* (~n, =) substitute; vard. sub båda äv. sport., reserve; för chaufför driver's mate, vid tävlingar co-driver

avböja *vb tr* (-böjde, -böjt) avvisa decline, refuse

avböjande I *adj* (oböjl.), ***ett ~ svar*** a refusal, a negative answer [*på* to] **II** *adv*, ***svara ~*** answer in the negative

avbön *s* (~en, ~er) [humble] apology [*för* for]; ***göra ~*** äv. apologize

avbörda *vb rfl* (~de, ~t), ***~ sig*** free (relieve) oneself of, unburden oneself from

avdankad *adj* (-dankat, ~e) uttjänt superannuated; *en ~ teori* a discarded theory

avdela *vb tr* (~de, ~t) **1** se *dela av* under *dela III* **2** mil. tell off, detail

avdelning *s* (~en, ~ar) **1** avdelande dividing, division **2** i ämbetsverk department, division; på företag el. på varuhus department; på sjukhus vanl. ward; avsnitt, 'sida' i tidning section; mil. detachment, unit; *~ halt!* halt!

avdelningschef *s* (~en, ~er) i ämbetsverk deputy director-general, head of a (resp.the) department (division); på företag el. på varuhus departmental head (manager)

avdelningsföreståndare *s* (~n, =) **1** head of a (resp. the) department **2** på sjukhus, kvinnl. ward sister; amer. head nurse

avdelningskontor *s* (~et, =) branch [office]

avdelningsläkare *s* (~n, =) ward physician

avdelningsskärm *s* (~en, ~ar) screen

avdelningssköterska *s* (~n, -sköterskor) ward sister; amer. head nurse

avdrag *s* (~et, =) allm. deduction; rabatt äv. reduction, discount; beviljat allowance; *göra [ett] ~* äv. vid deklaration make a deduction [*för* for]; *~ för kostnader för intäkternas förvärvande* deduction (deductions) for professional expenses; *yrka ~ med* visst belopp claim a deduction of…

avdragsgill *adj* (~t) [tax] deductible; *~t belopp* allowable deduction, permissible allowance

avdramatisera *vb tr* (~de, ~t) play down; *~ situationen* äv. defuse the issue (situation)

avdrift *s* (~en) sjö. el. flyg. drift, leeway; mil., projektils deviation, deflection; *göra ~* drift, make leeway

avdukning *s* (~en, ~ar) clearing [the table]

avdunsta *vb itr* o. *vb tr* (~de, ~t) se *dunsta av* under *dunsta*

avdunstning *s* (~en, ~ar) evaporation, vaporization (båda endast sg.)

avdöma *vb tr* (-dömde, -dömt) decide, determine; t.ex. rättsfall judge, try, hear; *målet är avdömt* judgement has been passed on the case

avec *s* (~en, ~er), *kaffe [med] ~* coffee with brandy (cognac, liqueur etc.)

avel *s* (~n) **1** uppfödning breeding, rearing **2** ras stock, breed

avelsdjur *s* (~et, =) breeder, breeding animal; spec. om häst stud; koll. breeding-stock

avelsduglig *adj* (~t) …fit for breeding purposes

avelshingst *s* (~en, ~ar) studhorse, stallion

avelssto *s* (~et, ~n) brood-mare

avelstjur *s* (~en, ~ar) bull [kept] for breeding

avenbok *s* (~en, ~ar) bot. hornbeam

aveny *s* (~n, ~er) avenue

aversion *s* (~en, ~er) aversion (endast sg.) [*mot* to]

avfall *s* (~et, =) **1** sopor: allm. refuse, rubbish, waste; amer. garbage, trash; köks~ o.d garbage; slakt. offal; *radioaktivt ~* radioactive waste **2** från parti o.d. defection, desertion; från religion apostasy

avfalla *vb itr* (-föll, -fallit) defect, turn deserter (från religion apostate)

avfallen *adj* (-fallet, -fallna) mager thin, worn, tärd haggard

avfallsförvaring *s* (~en) waste storage

avfallshantering *s* (~en) waste disposal (management)

avfallskvarn *s* (~en, ~ar) waste disposal [unit], amer. garbage disposal

avfallsprodukt *s* (~en, ~er) waste product

avfart *s* (~en, ~er) trafik. exit, turnoff

avfasning *s* (~en, ~ar) snick. m.m. bevelling

avfatta *vb tr* (~de, ~t) brev o.d. word, pen; avtal draw up; regler frame; lagförslag draft; *kort ~d* briefly worded, brief

avfattning *s* (~en, ~ar) wording äv. i betydelsen 'ordalag'

avflytta *vb itr* (~de, ~t) move away; *han är ~d från staden* äv. he has left town

avflyttning *s* (~en, ~ar) removal

avflöde *s* (~t, ~n) outflow

avfolka *vb tr* (~de, ~t) depopulate

avfolkning *s* (~en, ~ar) depopulation; *landsbygdens ~* the depopulation of the countryside

avfrosta *vb tr* (~de, ~t) defrost

avfrostning *s* (~en, ~ar) defrosting

avfyra *vb tr* (~de, ~t) fire, let off, discharge; *~ en missil* launch a missile

avfyring *s* (~en, ~ar) firing [off], letting off, discharge

avfyringsramp *s* (~en, ~er) launching pad (platform)

avfälling *s* (~en, ~ar) renegade; polit. defector; från religion apostate

avfärd *s* (~en, ~er) departure, going away

avfärda *vb tr* (~de, ~t) **1** avvisa, fråga el. person dismiss, brush aside; *jag låter mig inte ~s på det viset* I am not going to be put (vard. fobbed) off like that **2** klara av t.ex. ärende finish, get through, dispose of

avföda *s* (~n), *I huggormars ~!* bibl. O generation of vipers!

avföra *vb tr* (-förde, -fört) **1** föra bort remove, carry…off **2** stryka cancel, cross out [ur räkningen in (from) the bill]; *~ från dagordningen* remove from the agenda

avföring *s* (~en, ~ar) exkrementer excrement, faeces pl.; *ha ~* pass a motion

avföringsmedel *s* (-medlet, =) laxative

avgas *s* (~en, ~er) exhaust [gas sg.], exhaust fumes

avgasrenare *s* (~n, =) bil. exhaust emission control device

avgasrening *s* (~en) bil. exhaust emission control

avgasrör *s* (~et, =) exhaust, exhaust pipe

avgasutsläpp *s* (~et, =) bil. exhaust emission (emissions pl.)

avgasventil *s* (~en, ~er) exhaust valve

avge *vb* (-gav, -gett el. -givit) **1** avsöndra emit, give off **2** ge, avlåta: t.ex. svar give; löfte give, make; om sakkunnig, myndighet o.d.: inkomma med, t.ex. förslag bring in; anbud hand in; *~ en bekännelse* make a confession; *~ sin röst* give (cast) one's vote, vote; *~ utlåtande över* give (deliver, pronounce) an opinion on; *~ vittnesmål* give evidence, testify

avgift *s* (~en, ~er) allm. charge; t.ex. anmälnings~, inträdes~, parkerings~ fee; färd~, taxa fare; porto~ postage; tull~ duty [av (på, om) 1000 kronor i samtliga fall of…]; *extra ~* extra (additional) charge, surcharge; *reducerad (nedsatt) ~* reduced charge; *utan ~* free of charge

avgifta *vb tr* (~de, ~t) detoxify

avgiftning *s* (~en, ~ar) detoxification

avgiftsbelagd *adj* (-belagt) …subject (liable) to a charge (resp.to a fee, to duty, jfr *avgift*); *~ bro* tollbridge; *~ väg* tollroad

avgiftsfri *adj* (-fritt) free, …free of charge (resp.duty), duty-free

avgiftsfritt *adv* free [of charge], without charge (fee)

avgjord *adj* (-gjort) decided; avslutad settled; tydlig, tydligt märkbar distinct; **en ~ förbättring** a marked (decided) improvement; **därmed var saken ~** that settled the matter; **avgjort!** done!, it's a bargain!

avgjort *adv* decidedly, distinctly, definitely

avgjutning *s* (~en, ~ar) casting; konkr. cast

avgrund *s* (~en, ~er) allm. abyss, precipice; **stå vid ~ens rand** bildl. be on the edge of the precipice; starkare be on the brink of disaster; **en ~ av okunnighet** abysmal ignorance

avgrundsdjup *adj* (~t) abysmal, unfathomable

avgränsa *vb tr* (~de, ~t) demarcate, delimit, mark off; **skarpt ~d** clearly-defined, well-defined; **landet ~s i norr av en bergskedja** the country is bounded to the north by a mountain range

avgränsning *s* (~en, ~ar) demarcation, delimitation, definition

avgud *s* (~en, ~ar) idol, god båda äv. bildl.

avguda *vb tr* (~de, ~t) idolize, adore

avgudabild *s* (~en, ~er) idol

avgudadyrkan *s* (=, en) idolatry

avgudatempel *s* (-templet, =) heathen temple

avgå *vb itr* (-gick, -gått) **1** eg., om tåg etc. leave, start, depart; om fartyg äv. sail [*till* i samtliga fall for]; **~ från S.** leave (depart osv. from) S. **2** bildl.: dra sig tillbaka retire, withdraw; ta avsked resign; **~ från sin befattning** resign one's office; **~ med pension** retire with (on) a pension; **~ med segern** come off (be) victorious, be the winner **3** hand., dras av be deducted; **50 kronor ~r för…** äv. less 50 kronor for…

avgående *adj* (oböjl.) leaving osv., jfr *avgå*; om tjänsteman, medlem retiring, …about (due) to retire; om tåg, fartyg, post, regering outgoing; **~ tåg (flyg)** departing trains (flights), train (flight) departures; **plattform för ~ tåg** departure platform

avgång *s* (~en, ~ar) **1** eg. departure; fartygs äv. sailing [*till* for, to]; **klar för ~** ready to leave osv. (till sjöss äv. to put to sea) **2** pensionering retirement [*från* from]; plötslig resignation [*från* of]; **genom naturlig ~ av** arbetskraft through natural wastage, through attrition

avgångsbetyg *s* (~et, =) **1** [school-]leaving certificate; amer. high-school diploma **2** akademiskt diplom diploma

avgångsbidrag *s* (~et, =) severance (terminal) payment (grant)

avgångsexamen *s* (=, en, -examina) final (school-leaving) examination; vard. finals pl.

avgångshall *s* (~en, ~ar) t.ex. på flygplats departure hall (lounge)

avgångsklass *s* (~en, ~er) last (final) year, last class, top form

avgångssignal *s* (~en, ~er) järnv. departure signal

avgångstid *s* (~en, ~er) departure time

avgångsvederlag *s* (~et, =) redundancy (terminal) payment, severance pay (payment); vard., större ~ golden handshake

avgöra *vb tr* (-gjorde, -gjort) allm. decide; slutgiltigt ordna äv. settle, conclude; vara avgörande för, bestämma äv. determine

avgörande I *adj* (oböjl.) om t.ex. steg, seger, skede

decisive; om t.ex. skäl conclusive; om fråga, punkt, prov crucial; **en fråga (sak) av ~ betydelse** a question of vital (decisive) importance; **~ faktor** determining factor; **i det ~ ögonblicket** at the crucial (critical) moment **II** *s* (~t, ~n) beslut decision; fastställelse, lösning av t.ex. fråga settlement; **föra till ett ~** bring to a conclusion (an issue); **i ~ts stund** at the crucial (critical) moment

avhandla *vb tr* o. *vb itr* (~de, ~t) **1** ~ [*om*] förhandla om discuss, go into **2** utreda, behandla deal with, treat [of]

avhandling *s* (~en, ~ar) skrift treatise; akademisk thes|is (pl. -es), dissertation; friare essay, paper [*över* i samtliga fall on]

avhjälpa *vb tr* (-hjälpte, -hjälpt) t.ex. fel, missbruk, brist remedy, rectify; en skada repair; oförrätt redress; t.ex. nöd relieve; **felet kan lätt ~s** the error (defect) can easily be put right

AV-hjälpmedel *s* (-medlet, =) se under *audiovisuell*

avhopp *s* (~et, =) polit. defection

avhoppare *s* (~n, =) polit. defector, person seeking political asylum; t.ex. från studier dropout

avhysa *vb tr* (-hyste, -hyst) evict, eject

avhysning *s* (~en, ~ar) eviction, ejection

avhyvling *s* (~en, ~ar) **1** snick. planing off (down, smooth) **2** bildl., **ge ngn en ~** give sb a talking-to (dressing-down)

avhålla I *vb tr* (-höll, -hållit) **1** hindra keep, stop, restrain **2** möte, tävling, auktion hold **II** *vb rfl* (-höll, -hållit), **~ sig från** refrain from

avhållen *adj* (-hållet, -hållna) beloved, dear; cherished äv. om sak [*av* with; *bland* among]

avhållsam *adj* (~t, ~ma) i fråga om mat, dryck, sex etc. abstinent, abstemious

avhållsamhet *s* (~en) abstinence äv. helnykterhet, abstemiousness

avhämtning *s* (~en, ~ar) fetching, calling for, collecting, collection; **till ~** att avhämtas to be called for; att medtagas to take away; **mat för ~** takeaway (amer. takeout) food, food to go

avhända I *vb tr* (-hände, -hänt), **~ ngn ngt** deprive (dispossess, strip) sb of sth **II** *vb rfl* (-hände, -hänt), **~ sig** deprive oneself of, part with, dispose of; **~ sig rätten till ngt** waive the right to sth

avhängig *adj* (~t) dependent [*av* on]; **vara ~ av** äv. depend on

avhängighet *s* (~en) dependence

avhärdningsmedel *s* (-medlet, =) [water] softener

avi *s* (~n, ~er) advice, notice, notification; **~ om försändelse** dispatch note

avig *adj* (~t) **1** felaktig wrong **2** i stickbeskrivning, **2 ~a** 2 purl, purl 2; **sticka ~a och räta** knit purl and plain **3** tafatt awkward **4** vard., ovänlig unfriendly

aviga *s* (~n) wrong side osv., jfr *avigsida*

avigsida *s* (~n, -sidor) **1** insida wrong side, reverse **2** bildl.: allm. unpleasant side; nackdel disadvantage, drawback, downside; **fotbollens avigsidor** the unpleasant sides of football

avigt *adv* **1** ta på en strumpa ~ …inside out **2** sticka ~ och rätt knit purl and plain **3** bära sig ~ åt tafatt behave awkwardly (clumsily)

avindustrialisera *vb tr* (~de, ~t) deindustrialize

avinstallera *vb tr* (~de, ~t) data. uninstall

avisera *vb tr* (~de, ~t) announce, notify, advise; **~ sin ankomst** announce (give notice of) one's arrival

avisering *s* (~en, ~ar) announcement, advising, notification; avi advice

avisning *s* (~en, ~ar) deicing

avista *adv* bank. at sight, on demand

avistaväxel *s* (~n, -växlar) bank. sight bill, bill payable at sight, sight draft

A-vitamin *s* (~et el. ~en, ~er) vitamin A

avitamin *s* (~et el. ~en, ~er) vitamin

avkall *s* (oböjl.), *göra ~ på* t.ex. rättigheter renounce; t.ex. krav waive; *ge (göra) ~ på kvaliteten* lower one's standards of quality

avkasta *vb tr* (~de, ~t) **1** ge i inkomst yield, bring in; om jord produce, bear **2** ridn., *bli ~d* be thrown off

avkastning *s* (~en, ~ar) yield, proceeds pl.; årlig return[s pl.]; behållning äv. takings pl., earnings pl.; vinst profit; utdelning dividend[s pl.]; *ge god (dålig) ~* yield a good (bad) return

avklädd *adj* (-klätt), *helt ~* fully undressed, quite naked

avklädning *s* (~en, ~ar) undressing, stripping

avkoda *vb tr* (~de, ~t) data. o.d. decode

avkodare *s* (~n, =) data. o.d. decoder

avkok *s* (~et, =) decoction [*på* of]

avkomling *s* (~en, ~ar) descendant; child (pl. children) [*till* i båda fallen of]

avkomma *s* (~n, -kommor) offspring; speciellt jur. issue

avkoppling *s* (~en, ~ar) **1** vila relaxation; i hårt arbete letup **2** tekn. uncoupling, disconnection

avkorta *vb tr* (~de, ~t) se *korta av* under *korta*

avkortning *s* (~en, ~ar) **1** se *förkortning* **2** minskning, avdrag reduction; på lön o.d. cut

avkristna *vb tr* (~de, ~t) dechristianize

avkrok *s* (~en, ~ar) out-of-the-way spot

avkräva *vb tr* (-krävde, -krävt), *~ngn ngt* demand sth from sb, call upon sb for sth

avkunna *vb tr* (~de, ~t) jur., *~ dom* pronounce (pass) sentence, deliver judgement

avkylning *s* (~en, ~ar) cooling; tekn. refrigeration; *ställa på ~* allow to cool, put in a cold place

avkönad *adj* (-könat, ~e) emasculated äv. bildl.

avla *vb tr* (~de, ~t) beget; bildl. breed, engender; *~ barn* get (högtidl. beget) children

avlagd *adj* (-lagt), *~a kläder* cast-offs, hand-me-downs, cast-off (discarded) clothes

avlagra I *vb tr* (~de, ~t) deposit **II** *vb rfl* (~de, ~t), *~ sig* se *lagra II*

avlagring *s* (~en, ~ar) deposit; geol. strat|um (pl. -a)

avlasta *vb tr* (~de, ~t) bildl., minska belastningen på relieve (off-load) the pressure on; se vidare *lasta av* under 1 *lasta II*

avlastning *s* (~en, ~ar) **1** bildl. relief **2** urlastning unloading, discharge

avlat *s* (~en) kyrkl., hist. indulgence

avlatsbrev *s* (~et, =) kyrkl., hist. letter of indulgence

avleda *vb tr* (-ledde, -lett) leda bort, t.ex. misstankar, uppmärksamhet divert; vatten äv. draw (drain) off; elektricitet äv. conduct...away

avledare *s* (~n, =) diversion, distraction; tekn. conductor

avlelse *s* (~n) relig. conception; *den obefläckade ~n* the Immaculate Conception

avlida *vb itr* (-led, -lidit) die, pass away

avliden *adj* (-lidet, -lidna) deceased; *den avlidne* the deceased; *[den numera] avlidne...* the late...; *de avlidna* the deceased persons; i allm. betydelse the dead

avliva *vb tr* (~de, ~t) put...to death; sjuka djur destroy, put down; lögn, rykte o.d. put an end to

avlocka *vb tr* (~de, ~t), *~ ngn* en bekännelse draw...from sb; en hemlighet worm...out of sb; svar, upplysningar elicit (upplysningar äv. extract)...from sb; löfte, pengar extract...from sb; *~ ngn ett skratt* make sb laugh

avlopp *s* (~et, =) ränna etc. drain; t.ex. i badkar o. handfat plughole; avrinning etc. drainage

avloppsdike *s* (~t, ~n) drainage ditch

avloppsledning *s* (~en, ~ar) kloak sewer

avloppsrör *s* (~et, =) sewage pipe, ledning sewer; för ånga m.m. exhaust pipe

avloppssystem *s* (~et, =) sewage [disposal] system, sewerage

avloppstrumma *s* (~n, -trummor) ledning, kloak sewer; dräneringsrör drain

avloppsvatten *s* (-vattnet) sewage; hushållsspillvatten soil water; industriellt waste water

avloppsventil *s* (~en, ~er) tekn. escape (exhaust) valve

avlossa *vb tr* (~de, ~t) avskjuta fire [off], discharge

avlusa *vb tr* (~de, ~t) delouse

avlutad *adj* (-lutat, ~e), *~ stol* chair with the paint removed (stripped) [using lye]

avlysa *vb tr* (-lyste, -lyst) ställa in, t.ex. fest call off, cancel; upphäva, t.ex. påbud suspend, revoke, cancel

avlyssna *vb tr* (~de, ~t) höra på listen to; t.ex. radiomeddelande monitor; *~ ett meddelande* i spanings- el. spioneringssyfte intercept a message; *~ ett telefonsamtal* tap a telephone conversation; *råka ~* overhear

avlyssning *s* (~en, ~ar) lyssnande listening in to; av t.ex. radiomeddelande monitoring, interception; av t.ex. telefon wiretapping, bugging

avlång *adj* (~t) om fyrkantiga föremål oblong, rectangular; oval oval, elliptical

avlägga *vb tr* (-lade, -lagt) bekännelse make; ed äv. swear; vittnesmål give; *~ besök hos ngn* pay sb a visit, call upon sb; *~ examen* pass an (one's) examination; akademisk take a [university] degree, graduate; *~ rapport om* report (give a report) on; *~ räkenskap för* render an account of

avläggare *s* (~n, =) **1** bot. layer, slip **2** bildl. offshoot

avlägsen *adj* (-lägset, -lägsna) belägen långt borta distant äv. bildl.; avsides belägen äv. remote, out-of-the-way; litt., fjärran far-off, far-away; *i en ~ framtid* in the distant (remote) future; *en ~ släkting* a distant relative

avlägset *adv* distantly, remotely; *~ belägen* remotely situated, out-of-the-way

avlägsna I *vb tr* (~de, ~t) remove; avvärja äv. avert; utesluta, t.ex. tanke banish, exclude **II** *vb rfl* (~de, ~t), *~ sig* go away, leave; dra sig tillbaka withdraw, retire; speciellt synbart recede; *~ sig från platsen* leave the spot

avlämna *vb tr* (~de, ~t) lämna in, t.ex. rapport hand in, present; se vidare *lämna av* under *lämna II*

avläsa *vb tr* (-läste, -läst) mätare o.d. read; *~ ngt i ngns ansikte* read sth in sb's face

avläsning *s* (~en, ~ar) av mätare o.d. reading

avlöna *vb tr* (~de, ~t) pay

avlönad *adj* (-lönat, ~e) paid, salaried

avlöning *s* (~en, ~ar) allm. pay; tjänstemans månadslön salary; kroppsarbetares veckolön wages pl.

avlöningsdag *s* (~en, ~ar) payday

avlöpa *vb itr* (-löpte, -löpt) försiggå pass off; sluta end; utfalla turn out; ***allt avlöpte lyckligt*** everything went [off] well, it all ended happily

avlösa *vb tr* (-löste, -löst) **1** vakt, i arbete relieve, take over from; ersätta replace, succeed; uttränga supersede; ***det ena problemet avlöste det andra*** there was one problem after the other; **~** ***varandra vid ratten*** take turns at the wheel (at driving) **2** teol. absolve [*från* from]

avlösning *s* (~en, ~ar) **1** relieving osv., jfr *avlösa 1*; mil. relief äv. person **2** teol. absolution

avlöva *vb tr* (~de, ~t) defoliate; **~d** äv. leafless

avlövning *s* (~en, ~ar) defoliation

avmagring *s* (~en, ~ar) growing thin; viktförlust loss of weight, emaciation

avmallinera *vb tr* (~de, ~t) demallinate

avmarsch *s* (~en, ~er) march off; friare start, departure

avmaska *vb tr* (~de, ~t) med. deworm

1 avmaskning *s* (~en, ~ar) med. deworming

2 avmaskning *s* (~en, ~ar) i stickning casting off

avmattning *s* (~en, ~ar) flagging; t.ex. på börsen äv. weakening [trend]

avmåla I *vb tr* (~de, ~t) se *måla av* under *måla I* **II** *vb rfl* (~de, ~t), ***skräcken ~de sig i hans ansikte*** he looked the very picture of terror

avmätt *adj* (=) measured; försiktig deliberate; om hållning, ton äv. reserved, guarded

avmönstring *s* (~en, ~ar) sjö. paying-off

avnjuta *vb tr* (-njöt, -njutit) enjoy

avnämare *s* (~n, =) köpare buyer, purchaser; konsument consumer; mottagare, äv. om t.ex. arbetsgivare receiver

avocado *s* (~n, ~r el. ~er) avocado [pear]

avoghet *s* (~en) averseness [*mot* to]; aversion [*mot* to, from]; antipathy [*mot* to, against]

avogt *adv* unkindly; ***vara ~ inställd mot*** be unfavourably disposed towards…, have an aversion to (a prejudice against)…

avokado *s* (~n, ~r el. ~er) avocado [pear]

avpassa *vb tr* (~de, ~t) fit, match, adapt, adjust, suit [*efter* to]; **~** ***utgifterna efter inkomsterna*** suit one's expenditure to one's income

avpatrullera *vb tr* (~de, ~t) patrol

avpolitisera *vb tr* (~de, ~t) depoliticize, make…non-political (unpolitical)

avpollettera *vb tr* (~de, ~t) dismiss, get rid of

avprickad *adj* (-prickat, ~e), ***bli ~d*** be ticked (checked) off

avprogrammera *vb tr* (~de, ~t) deprogramme, amer. deprogram

av/på-knapp *s* (~en, ~ar) power button, on/off button

avreagera *vb rfl* (~de, ~t) psykol., **~** ***sig*** relieve (give vent to) one's feelings, work off one's anger (annoyance); vard. let off steam; **~** ***sig på ngn*** take it out on sb

avreda *vb tr* (-redde, -rett) kok. thicken

avredning *s* (~en, ~ar) kok. thickening

avregistrera *vb tr* (~de, ~t) cross…off a (resp. the) register; bil. deregister

avregistrering *s* (~en, ~ar) crossing off a (resp. the) register; bil. deregistration

avreglera *vb tr* (~de, ~t) deregulate

avreglering *s* (~en, ~ar) deregulation

avresa I *s* (~n, -resor) departure, leaving, going away **II** *vb itr* (-reste, -rest) depart, start, leave, set off (out) [*till* for]

avresedag *s* (~en, ~ar) day of departure

avrinning *s* (~en, ~ar) flowing off osv., jfr *rinna av* under *rinna II*; konkr. outflow [of water], run off, drainage

avrivning *s* (~en, ~ar), ***en kall ~*** a cold rubdown, sponging with cold water

avrop *s* (~et, =) hand. suborder, specification; ***på ~*** on (at) call

avrunda *vb tr* (~de, ~t) **1 ~** ***nedåt*** (***uppåt***) round down (up); **~d siffra** (***summa***) round figure (sum) **2** avsluta round off, wind up

avrundning *s* (~en, ~ar) **1** avrundande rounding **2** avrundad del rounded (rounded-off) part **3** avslutning windup; ***som ~*** avslutning ***på talet*** (***kvällen***) to round off (wind up)…

avrusta I *vb tr* (~de, ~t) mil. demobilize; sjö. dismantle, lay…up **II** *vb itr* (~de, ~t) mil. demobilize, reduce [one's] armaments; sjö. be dismantled and laid up

avrustning *s* (~en, ~ar) demobilizing osv., jfr *avrusta*; demobilization; avväpning disarmament

avråda *vb tr* (-rådde, -rått), **~** ***ngn från ngt*** advise (warn) sb against sth; ***han avråder alla från att använda…*** he advises (recommends) people not to use…

avrådan *s* (=, en, ~den) dissuasion; ***mot min ~*** against my advice [to the contrary]

avräkning *s* (~en, ~ar) **1** avdrag deduction, reduction, allowance **2** hand., avslutning settlement [of accounts]; ***i ~ mot*** in settlement (adjustment) of

avrätta *vb tr* (~de, ~t) execute, put…to death [*genom* by]; bildl. assassinate

avrättning *s* (~en, ~ar) execution; bildl. assassination

avsaknad *s* (~en) loss, want; saknad regret; ***vara i ~ av*** be without, lack

avsalta *vb tr* (~de, ~t) desalinate, desalt

avsaltning *s* (~en) desalination, desalting

avsats *s* (~en, ~er) på mur, klippa ledge, shelf (pl. shelves); i trappa landing; terrass platform; geogr. terrace, större plateau (pl. plateaus el. plateaux)

avse *vb tr* (-såg, -sett) **1** ha avseende på, syfta på concern, have (bear) reference to, refer to **2** ha i sikte, åsyfta have…in view, aim at, be directed towards; ***arbetet ~r uppförandet av*** tre byggnader the work contemplated involves the erection of… **3** vara avsedd be intended (designed); ***valet ~r tre år*** the election is for three years **4** ha för avsikt, ämna mean, intend, have in mind

avsedd *adj* (avsett) intended, designed [*för* for]; ***ha ~ effekt*** have the desired effect

avseende *s* (~t, ~n) **1** syftning reference; ***ha ~ på*** have (bear) reference to, relate (refer) to **2** hänsyn, hänseende respect, regard; beaktande o.d. consideration; ***fästa ~ vid*** take notice of, take…into account, pay attention to; ***inte fästa ~ vid*** pay no regard to, not mind about; ***i detta*** (***ett***) **~** in this (one) respect; ***i alla ~n*** in all respects, in every respect (way); ***i politiskt ~*** from a political point of view, politically; ***utan ~ på person*** without respect of persons; ***lämna ngt utan ~*** leave sth out of account, disregard sth

avsegla *vb itr* (~de, ~t) set sail, sail [*till* for]; put to sea; **~ från Malmö** leave Malmö; **~ till Malmö** leave for Malmö

avsevärd *adj* (-värt) considerable; appreciable; **~ förbättring** äv. decided improvement; **en ~ rabatt** a substantial discount

avsides I *adv* aside; **ligga ~** lie apart; **~ liggande** (**belägen**) secluded, remote, out-of-the-way **II** *adj* (oböjl.) distant, remote

avsigkommen *adj* (-kommet, -komna) förfallen broken-down, run-down, shabby-looking

avsikt *s* (~en, ~er) allm. intention; syfte, ändamål purpose, aim; mål äv. object; plan, uppsåt design [*mot* on]; motiv motive; jur., ofta intent; **ha för ~ att gå** have the intention of going; **i ~ att gå** with a view to going; **med de [allra] bästa ~er** with the best possible intentions; **med ~** on purpose, deliberately; **med ~ att döda** with intent to kill; göra ngt **utan ~** …unintentionally, …unpremeditatedly

avsiktlig *adj* (~t) intentional; överlagd äv. deliberate

avsiktligen *adv* o. **avsiktligt** *adv* intentionally; överlagt äv. deliberately, on purpose, by design

avskaffa *vb tr* (~de, ~t) abolish, do away with

avskaffande *s* (~t) abolition, abolishing, doing away with; **förkämpe för dödsstraffets ~** champion of the abolition of the death penalty

avsked *s* (~et, =) **1** från tjänst dismissal, discharge; [anmälan om] tillbakaträdande resignation, retirement; **begära (lämna in ansökan om) ~** hand (give, send) in one's resignation; **bevilja ~** allow (grant permission) to resign; **få ~** bli avskedad be dismissed (discharged); beviljas ~ be granted leave to retire **2** farväl parting; **ta ~** say goodbye (i högre stil farewell) [*av* to], take leave [*av* of]; räcka fram handen **till ~** …in farewell; **vid ~et** on parting

avskeda *vb tr* (~de, ~t) dismiss, discharge; vard. fire, give…the sack, sack

avskedande *s* (~t, ~n) dismissal, discharge; vard. sacking, firing

avskedsansökan *s* (=, en, -ansökningar) begära resignation; **lämna in sin ~** hand (give, send) in one's resignation

avskedsbesök *s* (~et, =), komma **på ~** …to pay a farewell visit (call)

avskedsfest *s* (~en, ~er) farewell party, send-off

avskedshälsning *s* (~en, ~ar) farewell greeting

avskedsord *s* (~et, =) parting word (words pl.)

avskedspresent *s* (~en, ~er) parting (farewell) gift; från t.ex. företag leaving present

avskild *adj* (-skilt) secluded; isolerad isolated; **leva ~ från…** live apart from…; **leva ~ från världen** live a secluded (retired) life

avskildhet *s* (~en) retirement, seclusion; isolering isolation

avskilja *vb tr* (-skilde el. -skiljde, -skilt el. -skiljt) separate; lösgöra detach; hugga av sever; avdela: t.ex. rum partition [off]; t.ex. mark partition, parcel off; avgränsa delimit; isolera segregate; **~s** äv. be kept separate

avskjutning *s* (~en, ~ar) **1** av raket o.d. launching **2** jakt. culling, shooting [in order to reduce the numbers]

avskjutningsramp *s* (~en, ~er) för raketer launch (launching) pad (platform)

avskrap *s* (~et) avfall scrapings pl., refuse; bildl.: slödder, avskum dregs pl., scum

avskrift *s* (~en, ~er) copy; speciellt jur. transcript; **~ens överensstämmelse med originalet intygas** I (resp.we) hereby certify this to be a true copy; **bevittnad ~** attested (certified) copy

avskriva *vb tr* (-skrev, -skrivit) **1** hand., förlust write off, cancel **2** jur., **~ ett mål** remove a cause from the cause list

avskriven *adj* (-skrivet, -skrivna) **1** om t.ex. skuld depreciated, …that has been written off **2** rätt **avskrivet intygas** [*av*] true copy certified [by]

avskrivning *s* (~en, ~ar) **1** hand. writing off; enskild post sum (amount, item) written off; för värdeminskning depreciation; **stora ~ar** äv. large write-offs **2** jur. removal from the cause list **3** avskrivande transcription, copying

avskräcka *vb tr* (-skräckte, -skräckt) deter, put off [*från att gå* from going], scare; svagare dishearten, discourage; **regnet avskräckte många** äv. the rain kept many away; **han låter sig inte ~s** he is not to be intimidated

avskräckande I *adj* (oböjl.) om t.ex. verkan deterrent; om t.ex. straff exemplary; **som ~ exempel** as a warning (deterrent) **II** *adv*, **verka ~** act as a deterrent, have a deterrent effect

avskräde *s* (~t, ~n) refuse; efter slakt o.d. offal; friare rubbish

avskrädeshög *s* (~en, ~ar) refuse heap, rubbish heap; soptipp dump

avskum *s* (~met), **samhällets ~** the dregs pl. (scum) of society

avskuren *adj* (-skuret, -skurna) cut off äv. bildl.

avsky I *vb tr* (~dde, ~tt) loathe, detest, abhor **II** *s* (~n) loathing [*för* for], detestation, abhorrence [*för* of]; vedervilja disgust [*för* at]; [ngns] fasa abomination, horror; **känna ~ för** feel a loathing for, loathe etc., jfr *avsky I*; **väcka ~ hos ngn för ngt** fill sb with loathing for sth; vända sig bort **i ~** …in disgust

avskyvärd *adj* (-värt) detestable, loathsome; om brott el. förbrytare heinous

avskärma *vb tr* (~de, ~t) screen [off], shield; **~d kabel** screened cable; **~ sig från yttervärlden** shut oneself off

avsköljning *s* (~en, ~ar) rinsing, washing, rinse

avslag *s* (~et, =) **1** på förslag rejection [*på* of], rebuff; avvisande svar refusal; **hon fick ~ på sin ansökan** her suggestion was turned down; **yrka ~ [på förslaget]** move the rejection of the proposal **2** vard., **~ på priset** reduction of the price **3** med., flytning discharge

avslagen *adj* (-slaget, -slagna) **1** om dryck flat, stale **2** bildl. ointressant flat; **avslagna idéer** stale ideas; **en ~ fest** a tame (lifeless) party, a party that never got going

avslappnad *adj* (-slappnat, ~e) relaxed

avslappning *s* (~en, ~ar) relaxation

avslappningsövning *s* (~en, ~ar) relaxation exercise

avslut *s* (~et, =) hand. contract [entered into], sale [effected], deal; bokslut balancing [of one's books]

avsluta *vb tr* (~de, ~t) **1** slutföra, fullborda finish [off], complete, finalize; göra slut på end, terminate, close; bilda avslutning på conclude, finish (end) off, terminate; **~s** come to an end, end, finish up (off); **den ~nde debatten** the concluding debate; **den ~nde tävlingen** the closing competition **2** göra upp, t.ex. köp, fördrag, fred conclude; avtal enter into; affär close; räkenskaper close, balance

avslutad *adj* (-slutat, ~e) finished osv., jfr *avsluta*; done, over; *förklara* sammanträdet *avslutat* declare...closed; *efter ~e studier reste han...* on completing (having completed) his studies he went...

avslutning *s* (~en, ~ar) **1** avslutande finishing off, completion; av köp o.d. concluding, conclusion **2** avslutande del conclusion, finish; slut end, termination; *som* [*en*] ~ *på festen* to wind up the party **3** tillfälle som markerar avslutning: riksdagens prorogation; *~en äger rum 6 juni* skol. school breaks up (amer. lets out) on June 6th

avslutningsvis *adv* in (by way of) conclusion, to conclude

avslå *vb tr* (-slog, -slagit) vägra att anta, t.ex. begäran, förslag refuse, decline; lagförslag o.d. reject; ibland defeat; *han fick sin begäran avslagen* his request was rejected (turned down)

avslöja I *vb tr* (~de, ~t) bildl. expose, unmask, show up; vard. debunk; yppa disclose, reveal, uncover; hemlighet, handling give away **II** *vb rfl* (~de, ~t), *~ sig* [*som*] reveal oneself [as]

avslöjande I *s* (~t, ~n) bildl., det att avslöja exposure, unmasking, showing up; yppande disclosing, revelation; *många ~n* many disclosures (revelations) **II** *adj* (oböjl.) revealing; *en ~* urringad *klänning* a revealing dress

avsmak *s* (~en) dislike; distaste [*för* for]; starkare aversion [*för* to]; disgust [*för* with]; *få ~ för* take a dislike to; *känna ~* feel disgusted; *väcka* (*inge*) ~ arouse (call forth) disgust [*hos* in]

avsmaka *vb tr* (~de, ~t) taste; prova sample

avsmakning *s* (~en, ~ar) tasting; provning sampling

avsmalnande *adj* (oböjl.) narrowing osv., jfr *smalna av* under *smalna*; *~ väg* som vägmärke road narrows

avsminkning *s* (~en, ~ar), *~en tog tid* the removal of the (my etc.) make-up...

avsnitt *s* (~et, =) sector äv. mil.; av bok o.d. part, portion; av t.ex. följetong instalment (amer. installment); av t.ex. tv-serie episode

avsnoppning *s* (~en, ~ar) o. **avsnäsning** *s* (~en, ~ar) snubbing; *en ~* a snub (rebuff)

avsomna *vb itr* (~de, ~t) dö depart this life, pass away; *de* [*saligen*] *~de* the [dear] departed

avspark *s* (~en, ~ar) sport. kick-off

avspegla I *vb tr* (~de, ~t) reflect, mirror **II** *vb rfl* (~de, ~t), *~ sig* be reflected (mirrored)

avspisa *vb tr* (~de, ~t) put (vard. fob)...off

avspänd *adj* (-spänt) bildl. relaxed

avspänning *s* (~en, ~ar) **1** avslappning relaxation **2** polit. détente fr., easing (relaxation) of tension

avspärra *vb tr* (~de, ~t) se *spärra av* under *spärra II*

avspärrning *s* (~en, ~ar) avspärrande closing, blocking osv., jfr *spärra av* under *spärra II*; avspärrat område roped-off area; spärr barrier; polis~ cordon; blockad blockade

avstamp *s* (~et, =) sport. takeoff; bildl. start, starting point

avstanna *vb itr* (~de, ~t) stop, cease osv., se *stanna av* under *stanna III*

avstava *vb tr* (~de, ~t) divide [...into syllables]; vid radslut divide [...at the end of the line], syllabify

avstavning *s* (~en, ~ar) division [into syllables], syllabification

avsteg *s* (~et, =) departure; från t.ex. regel deviation; från t.ex. det rätta lapse

avstickare *s* (~n, =) utflykt detour; från ämnet digression; *göra en ~ till...* make a little detour to (run round by)...

avstigning *s* (~en, ~ar) trafik. alighting, getting off (out); *endast ~* alighting only

avstjälpningsplats *s* (~en, ~er) tip, dump

avstressad *adj* (-stressat, ~e) relaxed

avstycka *vb tr* (~de, ~t) tomt partition, divide

avstyckning *s* (~en, ~ar) av tomt partition, division

avstyra *vb tr* (-styrde, -styrt) förhindra, förebygga prevent; t.ex. olycka avert, ward off; t.ex. planer put a stop to

avstyrka *vb tr* (-styrkte, -styrkt), *~ ngt* [strongly] object to (oppose) sth, recommend the rejection of sth; *kommittén avstyrkte förslaget* the committee recommended the rejection of the proposal; *avstyrkes* som påskrift o.d. authority withheld, application refused

avstyrkande *s* (~t, ~n) objection [to a proposal o.d.], rejection [of osv.]

avstå I *vb itr* (-stod, -stått), *~ från* allm. give up [*att gå* going]; ge upp abandon, relinquish; försaka forgo, deny oneself; avsäga sig renounce; speciellt jur. waive; *~ från att rösta* abstain from voting **II** *vb tr* (-stod, -stått) lämna, överlåta give up, hand over; relinquish

avstånd *s* (~et, =) allm. distance; mellanrum space (interval) [between]; vid målskjutning el. för radar range; *hålla rätt ~* keep the right distance; *ta ~ från* allm. dissociate oneself from; avvisa repudiate; frisäga sig från disclaim; ogilla take exception to, deprecate; *på ~* at a distance; i fjärran in the distance; från långt håll from a distance; *på ett ~ av...* at (resp.from) a distance of...; *släkt på långt ~* [*med ngn*] distantly (remotely) related [to sb]; *hålla sig på ~* keep at a distance (keep away) samtliga äv. bildl.; *håll dig på ~!* keep your distance!

avståndsbedömning *s* (~en, ~ar) judgement (estimate) of distance

avståndsmätare *s* (~n, =) foto. el. mil. range-finder; tekn. telemeter

avståndstagande *s* (~t, ~n) dissociation [*från* from]; avvisande repudiation; ogillande deprecation [*från* i båda fallen of]

avställa *vb tr* (-ställde, -ställt) maskin put...temporarily out of operation; *~ bilen* deregister the car (put the car away) temporarily (på vintern during the winter)

avställning *s* (~en, ~ar) av bil temporary deregistration

avstämpla *vb tr* (~de, ~t) brev o.d. postmark

avstämplingsdag *s* (~en, ~ar) date of postmark

avstänga *vb tr* (-stängde, -stängt) från tjänst suspend, från tävling bar; se vidare *stänga av* under *stänga II*

avstängd *adj* (-stängt), *gatan* [*är*] *~!* street closed [to traffic]!, no thoroughfare!; *avstängt!* no admission!; se äv. *stänga av* under *stänga II*

avstängning *s* (~en, ~ar) allm. shutting off osv., jfr *stänga av* under *stänga II*; från tjänst el. sport. suspension; av t.ex. reaktor shutdown; inhägnad enclosure

avstörning *s* (~en, ~ar) radio. noise (interference) suppression

avstöta *vb tr* (-stötte, -stött) med., vid transplantation reject

avstötning *s* (~en, ~ar) med., vid transplantation rejection

avsvimmad *adj* (-svimmat, ~e) unconscious; *falla ~ till marken* fall fainting to the ground

avsvära *vb rfl* (-svor, -svurit), *~ sig* t.ex. tro abjure, forswear; t.ex. ovana renounce

avsyna *vb tr* (~de, ~t) inspect [and certify]

avsyning *s* (~en, ~ar) official inspection

avsäga *vb rfl* (-sade, -sagt), *~ sig* t.ex. befattning, uppdrag resign, give up; avböja decline; t.ex. ansvar disclaim; t.ex. anspråk relinquish, renounce; *~ sig kronan* (*tronen*) abdicate

avsändare *s* (~n, =) person sender; hand., av gods consignor, forwarder, shipper; av postanvisning remitter; på brevs baksida (förk. *avs.*) from, sender

avsätta I *vb tr* (-satte, -satt) **1** ämbetsman remove [...from office], dismiss; konung dethrone; ledare depose **2** avyttra sell, dispose of **3** kem. el. tekn. precipitate; deposit **4** *~ märken* (*spår*) leave marks (traces) **5** se *sätta av* under *sätta IV* II *vb rfl* (-satte, -satt), *~ sig* be deposited, leave marks (traces) (jfr *avsätta I 3* o. *avsätta I 4*); kem. el. tekn. äv. form as a deposit, settle

avsättning *s* (~en, ~ar) **1** ämbetsmans removal [from office]; konungs dethronement; ledares deposition **2** av varor sale, marketing; *finna ~ för* find a market (an outlet) for, dispose of; *ha god ~* sell well

avsättningsområde *s* (~t, ~n) hand. market (trading) area, market, outlet

avsöka *vb tr* (-sökte, -sökt) TV. search, scan äv. radar.

avsökning *s* (~en, ~ar) TV. searching, scanning äv. radar.

avsöndra I *vb tr* (~de, ~t) avskilja separate, sever, detach; fysiol., t.ex. vätska secrete; kem. el. geol. segregate; isolera isolate II *vb rfl* (~de, ~t), *~ sig* se *avsöndras*

avsöndras *vb itr dep* (-söndrades, -söndrats) separate off; be secreted (segregated, isolated); jfr *avsöndra I*

avsöndring *s* (~en, ~ar) separation, severance, detachment; fysiol. secretion äv. konkr.; kem. el. geol. segregation; isolering isolation

avta *vb itr* (-tog, -tagit) minska decrease, grow less, diminish; om månen wane äv. allm.; om storm o.d. äv. abate, subside; om hälsa, anseende decline, fail, fall off

avtacka *vb tr* (~de, ~t) tacka, *~ ngn* thank sb for his (resp. her) services

avtacklad *adj* (-tacklat, ~e), *se ganska ~ ut* look rather a wreck

avtaga *vb itr* (-tog, -tagit) se *avta*

avtagande (jfr *avta* o. *ta av* under *ta III*) I *s* (~t) decrease, decline, abatement; *vara i ~* be on the decrease (decline, speciellt om månen wane) II *adj* (oböjl.) decreasing osv.; *~ syn* failing eyesight

avtagbar *adj* (~t) removable, detachable, dismountable

avtagsväg *s* (~en, ~ar) turning; sidoväg side road

avtal *s* (~et, =) agreement, settlement, understanding; kontrakt contract; fördrag treaty; t.ex. polit. convention; *bindande ~* binding agreement;

muntligt (*skriftligt*) *~* verbal (written) agreement; *sluta ett ~* conclude an agreement

avtala I *vb itr* (~de, ~t) agree, come to an agreement [*om* about, as to] II *vb tr* (~de, ~t) agree on, settle; *ett ~t möte* an arranged meeting; *på ~d plats* at the place agreed on (upon), at the appointed place; *vid den ~de tiden* at the appointed (fixed) time

avtalsbrott *s* (~et, =) breach of [an] agreement ([a] contract)

avtalsenlig *adj* (~t) ...as stipulated (agreed upon), contractual, ...according to the agreement (the contract)

avtalsperiod *s* (~en, ~er) period of agreement (kontraktsperiod contract)

avtalsrörelse *s* (~n, ~r) förhandlingar wage negotiations pl., pay talks pl.

avtalsstridig *adj* (~t) ...contrary to (in breach of) contract

avteckna *vb rfl* (~de, ~t), *~ sig* [*skarpt*] *mot* stand out [in bold relief] against, be [sharply] outlined against

avtjäna *vb tr* (~de, ~t), *~ ett straff* serve a sentence, serve (do) time

avtryck *s* (~et, =) **1** avformning imprint, impression; avgjutning cast; *ta* (*göra*) *ett ~ av* take an impression of **2** omtryck reprint; avdrag proof, impression, print

avtryckare *s* (~n, =) på gevär trigger; på kamera shutter release

avträda I *vb itr* (-trädde, -trätt) withdraw, retire [*från* from]; *~ från* äv. leave; befattning äv. resign II *vb tr* (-trädde, -trätt) give up, give up possession of; t.ex. landområde cede, surrender

avträde *s* (~t, ~n) torrklosett earth closet; på landet äv. privy

avträdelse *s* (~n, ~r) surrender, cession

avtvinga *vb tr* (~de, ~t), *~ ngn ngt* t.ex. pengar, löfte, bekännelse extort (wring, exact) sth from sb

avtynande I *s* (~t) decline II *adj* (oböjl.) languishing

avtåg *s* (~et, =) departure, marching off (away)

avtåga *vb itr* (~de, ~t) march off (out)

avtäcka *vb tr* (-täckte, -täckt) uncover; konstverk o.d. unveil

avtäckning *s* (~en, ~ar) **1** uncovering; av konstverk o.d. unveiling **2** ceremoni unveiling ceremony

avtärd *adj* (-tärt) wasted, emaciated, haggard

avund *s* (~en) envy; ibland jealousy; *grön av ~ över ngt* green with envy at sth; *hysa avund mot...* feel envious of...

avundas *vb tr dep* (avundades, avundats), *~ ngn ngt* envy sb sth

avundsjuk *adj* (~t) envious, jealous [*på, över* of]

avundsjuka *s* (~n) enviousness, envy, jealousy; *spricka av ~* burst with envy

avundsvärd *adj* (-värt) enviable

avvakta *vb tr* (~de, ~t) ankomst, svar await; händelsernas gång wait and see; vänta (lura på) wait (watch) for; *~ ytterligare order* stand by for further orders

avvaktan *s* (=, en), *i ~ på* while awaiting (waiting for); t.ex. ngns (ngts) ankomst pending

avvaktande *adj* (oböjl.) expectant; *inta en ~ hållning* el. *ställa sig ~* play a waiting game, adopt (pursue) a wait-and-see policy; vard. sit on the fence

avvara *vb tr* (~de, ~t) spare, manage without

avveckla *vb tr* (~de, ~t) speciellt affärsrörelse wind up, liquidate; gradvis phase out; **~ kärnkraften** phase out nuclear power (energy)

avveckling s (~en, ~ar) speciellt av affärsrörelse winding up, liquidation; **~ av kärnkraften** nuclear phase-out; **firman är under ~** the firm is being wound up

avverka vb tr (~de, ~t) **1** träd fell, cut down, log, lumber; skog clear…of trees **2** tillryggalägga cover, do [på in] **3** förbruka use [up]

avverkning s (~en, ~ar) felling, cutting osv., jfr avverka 1

avvika vb itr (-vek, -vikit) **1** inte överensstämma diverge; skilja sig differ; från t.ex. ämne digress, turn aside; **~ ur kursen** om fartyg deviate from its course **2** rymma abscond, run away

avvikande adj (oböjl.) (jfr avvika); divergent; differing; deviating; speciellt naturv. aberrant; **~ beteende** deviant (abnormal) behaviour; **en ~ [person]** a deviant; **sexuellt ~** pl. sexual deviants

avvikelse s (~n, ~r) divergence, deviation; från åsikt el. rådande bruk äv. departure; från ämnet digression; olikhet discrepancy

avvisa vb tr (~de, ~t) **1** ngn turn away, send…away [empty-handed]; utvisa order…to leave the country; **han lät sig inte ~[s]** he would not take no for an answer, he was not to be rebuffed (put off) **2** ngt: t.ex. förslag, anbud reject, refuse, turn down; t.ex. anfall repel, repulse; speciellt jur., ngt som obefogat dismiss

avvisande I s (~t, ~n) turning away osv., jfr avvisa; rejection; repudiation; repulse; dismissal **II** adj (oböjl.) negative; unsympathetic, discouraging; **ställa sig ~ till ngt** adopt a negative attitude towards sth **III** adv negatively osv., jfr avvisande II; **svara ~ på ngt** reject (turn down, refuse) sth, answer sth in the negative

avvittring s (~en) geol. erosion

avväg s (~en, ~ar) bildl., **föra (leda) på ~ar** lead astray; **han har råkat (kommit) på ~ar** he has gone astray, he is on the wrong road

avväga vb tr (-vägde, -vägt) **1** avpassa adjust [efter to]; **väl avvägd** attr. om t.ex. yttrande, svar well-balanced, well-poised; om t.ex. slag well-timed, well-judged **2** lantmät. level, take the level (gradient) of

avvägning s (~en, ~ar) avpassning adjusting, adjustment; lantmät. levelling

avvägningsfråga s (~n, -frågor), **det är en ~** it is a question which needs careful consideration, the pros and cons will have to be weighed up carefully

avvända vb tr (-vände, -vänt) leda bort divert

avvänja vb tr (-vande, -vant) spädbarn wean, vetensk. ablactate; t.ex. rökare cure; **~ ngn från en ovana** cure sb of (wean sb from) a [bad] habit

avvänjning s (~en) av spädbarn weaning, ablactation; av t.ex. rökare curing

avvänjningskur s (~en, ~er) cure, aversion (withdrawal) treatment endast sg. [mot for]; **han genomgick en ~** he underwent aversion treatment

avväpna vb tr (~de, ~t) disarm äv. bildl.

avväpnande I adj (oböjl.) disarming; **ett ~ leende** a disarming (reassuring) smile **II** s (~t, ~n) disarming

avvärja vb tr (-värjde, -värjt) **1** t.ex. slag ward (fend) off, parry **2** t.ex. fara avert, ward (stave) off

avyttra vb tr (~de, ~t) dispose of, sell, part with

avyttring s (~en, ~ar) disposal, sale

aväta vb tr (-åt, -ätit) consume; **~ en finare middag** partake of a splendid dinner

ax s (~et, =) **1** bot., blomställning spike; sädesax ear; **gå i (skjuta) ~** form (set) ears; **stå i ~** be in the ear **2** på nyckel key-bit, web

axa vb itr (~de, ~t) vard., om bil accelerate; om förare äv. step on the gas

1 axel s (~n, axlar) geom., geogr. el. polit. axis (pl. axes); hjulaxel axle, ibland axletree; maskinaxel shaft, arbor; mindre spindle

2 axel s (~n, axlar) skuldra shoulder; **bära ngt på ~n** carry sth on one's shoulder; **svepa en sjal om axlarna** wrap a shawl around one's shoulders; **rycka på axlarna** shrug [one's shoulders] [åt ngt at sth]; **se ngn över ~n** look down on sb; **bred över axlarna** broad across the shoulders; **en klapp på ~n** bildl. a pat on the back

axelband s (~et, =) på damkläder [shoulder] strap

axelbred adj (-brett) broad-shouldered

axelbrott s (~et, =) tekn. axle fracture, broken axle

axelklaff s (~en, ~ar) mil. epaulette

axelmakterna s pl hist. the Axis Powers, the Axis sg.

axelrem s (~men, ~mar) shoulder strap

axelremsväska s (~n, -väskor) damväska shoulder bag; för proviant e.dyl. haversack

axelryckning s (~en, ~ar) shrug [of the shoulders]

axeltryck s (~et, =) tekn. axle load (pressure)

axelvadd s (~en, ~ar) shoulder pad

axial adj (~t) tekn. axial

axiom s (~et, =) axiom

axiomatisk adj (~t) axiomatic

axla vb tr (~de, ~t) put on; t.ex. ränsel shoulder äv. bildl.; **~ en börda** bildl. shoulder a (burden); **~ ngns mantel** step into sb's shoes

axplock s (~et, =) bildl., **ett litet ~ [från]** a small selection [from]

azalea s (~n, azaleor) bot. azalea

Azerbajdzjan Azerbaijan

azerbajdzjansk adj (~t) Azerbaijani

azerisk adj (~t) Azeri

Azorerna s pl the Azores

Azovska sjön the Sea of Azov

aztek s (~en, ~er) Aztec

aztekisk adj (~t) Aztecan

azur s (~n) azure

azurblå adj (-blått) azure blue

b *s* (b:et, b:n el. b) **1** bokstav b [utt. bi:] **2** mus. **a)** ton B flat **b)** sänkningstecken flat

babbel *s* (babblet) vard. babble; babblande babbling

babbla *vb itr* (~de, ~t) vard. babble

Babels torn bibl. the Tower of Babel

babian *s* (~en, ~er) zool. baboon äv. neds., om person

babord sjö. **I** *s* (oböjl.) port; **på ~s bog** on the port bow **II** *adv* aport; [dikt] **~ med rodret!** helm [hard] aport!

baby *s* (~n, bebisar) baby

babyboom *s* (~en, ~er) vard. baby boom

babylift *s* (~en, ~ar) carrycot

babylonisk *adj* (~t) Babylonian; **den ~a fångenskapen** the Babylonian captivity; **~ förbistring** babel, confusion of tongues

babysim *s* (~met) baby swim

babysitter *s* (~n, = el. -sittrar) stol bouncing cradle; amer. bouncy chair

babysäng *s* (~en, ~ar) spjälsäng cot; amer. crib

babyutstyrsel *s* (~n, -utstyrslar) layette, set of baby clothes

bacill *s* (~en, ~er) germ; vard. bug; vetensk. bacillus (pl. bacilli)

bacillbärare *s* (~n, =) germ-carrier

bacillskräck *s* (~en), **ha ~** have a phobia about (be afraid of) germs (catching diseases)

1 back *s* (~en, ~ar) **1** slags flat låda tray; tråg hod; öl- o.d. crate **2** sjö., del av fördäck forecastle, fo'c's'le

2 back I *s* (~en, ~ar) **1** sport. back **2** ~växel reverse [gear] **II** *adv* **1** back; **gå ~** vard., gå med förlust run at a loss **2** sjö. astern; om segel aback; **gå ~** go astern; **slå ~** [i maskin] reverse the engines

3 back *s* (~en, ~ar) broms~ [brake] shoe

backa I *vb tr* (~de, ~t) back äv. sjö., reverse; **~ en bil** reverse a car **II** *vb itr* (~de, ~t) back, reverse; sjö. go astern; på tangentbord backspace **III** med beton. part.

backa in *en bil* back a car in

backa upp understödja back [up]

backa ur bildl. back out [ngt of sth]

backa ut: **~ ut en bil** back a car out

backe *s* (~n, backar) **1** höjd hill; sluttning hillside, slope; uppförs~ uphill slope, rise; nedförs~ downhill slope, descent; skid~, se *skidbacke*; **nedför ~n** down the hill, downhill; **uppför ~n** up the hill, uphill; **sakta i backarna!** ta det lugnt take it (go) easy!; vänta lite wait a moment! **2** mark ground; **regnet står som spön i ~n** it's pouring down; **stå på bar ~** be [left] penniless; vard. be on the rocks

backhand *s* (~en, =) tennis. o.d. backhand; slag äv. backhand stroke, backhander

backhoppare *s* (~n, =) skijumper

backhoppning *s* (~en) ski jumping

backig *adj* (~t) hilly

backkrön *s* (~et, =) brow (top) of a (resp.the) hill

backljus *s* (~et, =) bil. reversing (amer. backup) light

backsippa *s* (~n, -sippor) bot. pasqueflower

backsluttning *s* (~en, ~ar) hillside, slope

backspegel *s* (~n, -speglar) inre rear-view mirror, yttre wing (amer. side) mirror

backsvala *s* (~n, -svalor) sand-martin; amer. bank swallow

backtagningsförmåga *s* (~n) bil. hill-climbing capacity (ability)

backup *s* (~en, ~er) data., säkerhetskopia backup [copy]

backväxel *s* (~n) reverse gear

bacon *s* (~en el. ~et) bacon

baconskiva *s* (~n, -skivor) slice of bacon, rasher [of bacon]

bad *s* (~et, =) **1** badning: kar~ bath äv. med. el. kem.; ute~ swim; **ta [sig] ett ~** have a bath (resp.a swim) **2** se *badhus, badrum* o. *badställe*

bada I *vb tr* (~de, ~t) bath, give...a bath; speciellt bildl. el. amer. bathe **II** *vb itr* (~de, ~t) ute [have a] swim; i badkar have (take) a bath; **~ varmbad** have a hot bath; **gå och ~** go for a swim; staden **~de i sol** ...was bathed in sunshine; **~nde i sol** (**svett**) bathed in sunshine (perspiration)

badboll *s* (~en, ~ar) beach ball

badborste *s* (~n, -borstar) bath brush

badbyxor *s pl* swimming trunks

badda *vb tr* (~de, ~t) fukta bathe, dab; med svamp äv. sponge

baddare *s* (~n el. baddarn, =) vard. **1** stort exemplar **2** överdängare ace, wizard

baddräkt *s* (~en, ~er) swimsuit; åld. el. amer. bathing suit

badförbud *s* (~et, =) bathing ban; **Badförbud** som skylt Bathing Prohibited!

badhanddyk *s* (~en, ~ar) bath towel; för strand bathing (beach) towel

badhus *s* (~et, =) public baths (pl. lika); strand~ bathing hut

badhytt *s* (~en, ~er) vid strand bathing hut; inomhus [bathing] cubicle

badkappa *s* (~n, -kappor) bathrobe; för strand bathing wrap

badkar *s* (~et, =) bath, [bath]tub

badkläder *s pl* beachwear sg.

badlakan *s* (~et, =) large bath towel; för strand beach towel

badminton *s* (oböjl., en) badminton

badmintonboll *s* (~en, ~ar) shuttlecock

badmössa *s* (~n, -mössor) swimming cap; åld. el. amer. bathing cap

badort *s* (~en, ~er) seaside resort (town)

badrock *s* (~en, ~ar) bathrobe

badrum *s* (~met, =) bathroom

badrumsskåp *s* (~et, =) bathroom cabinet (cupboard)

badrumsvåg *s* (~en, ~ar) bathroom scale[s pl.]

badsalt *s* (~et, ~er) bath salts pl.

badsemester *s* (~n, -semestrar) seaside holiday

badstrand *s* (~en, -stränder) [bathing] beach

badställe *s* (~t, ~n) bathing place; strand [bathing] beach

badsäsong *s* (~en, ~er) bathing season

badtvål *s* (~en, ~ar) bath soap

badvakt *s* (~en, ~er) swimming-pool attendant; på badstrand lifeguard

badvatten *s* (-vattnet) bathwater; **kasta ut barnet med badvattnet** throw the baby out with the bathwater

bag *s* (~en, ~ar) bag

bagage *s* (~t) luggage, baggage
bagagehylla *s* (~n, -hyllor) luggage (baggage) rack
bagageinlämning *s* (~en, ~ar) lokal left-luggage office, amer. checkroom
bagagekärra *s* (~n, -kärror) luggage (baggage) trolley
bagagelucka *s* (~n, -luckor) utrymme i bil boot; amer. trunk
bagageutlämning *s* (~en, ~ar) flyg. baggage claim area, baggage reclaim
bagageutrymme *s* (~t, ~n) i bil boot; amer. trunk
bagare *s* (~n, =) baker
bagatell *s* (~en, ~er) trifle; **en ren ~** a mere trifle (detail)
bagatellartad *adj* (-artat, ~e) trifling, trivial, petty
bagatellisera *vb tr* (~de, ~t) make light of, minimize
Bagdad Baghdad
bageri *s* (~et, ~er) bakery; butik äv. baker's [shop]
bagge *s* (~n, baggar) zool. ram
baguette *s* (~n, ~r) bröd baguette, French stick [loaf]; amer. loaf of French bread
Bahamas *s pl* the Bahamas
Bahrain Bahrain
baisse *s* (~n, ~r) ekon. decline, fall in prices, slump, bear market; **spekulera i ~** bear, speculate for a fall
bajonett *s* (~en, ~er) bayonet
bajonettfattning *s* (~en, ~ar) tekn. bayonet joint (fitting, hylsa socket, elektr. holder, foto. mount)
bajs *s* (~et) barnspr. poo, poo-poo
bajsa *vb itr* (~de, ~t) barnspr. do a poo-poo, do [a] number two
1 bak *s* (~et, =) bakning baking; sats bakat bröd batch
2 bak I *s* (~en, ~ar) **1** vard., säte behind, bottom, backside; byx~ seat; **få eld i ~en** step on it; **bred om ~en** broad in the beam **2** sport., **2–0 i ~en** 2–0 down **II** *adv* behind, at the back; **~ i** boken at the back of ...; **längst ~ i salen** at the very back of the hall; **~ och fram** se *bakochfram*
baka *vb tr* o. *vb itr* (~de, ~t) bake; **~ bröd** bake (make) bread; **~ in** bildl. include; **~ ut** degen mould... [*till* into]; **~d potatis** baked potatoes
bakaxel *s* (~n, -axlar) tekn. rear axle
bakben *s* (~et, =) djurs hind leg; **sitta på ~en** sit on one's haunches
bakbinda *vb tr* (-band, -bundit) pinion
bakbord *s* (~et, =) pastry (baking) board
bakdantare *s* (~n, =) se *baktalare*
bakdel *s* (~en, ~ar) människas buttocks pl.; vard. behind, bottom; djurs hind quarters pl., rump; på ett föremål back [part], rear
bakdäck *s* (~et, =) bil. back tyre (amer. tire)
bakdörr *s* (~en, ~ar) back (på bil rear) door; baklucka på halvkombi tailgate
bakefter *adv* o. *prep* behind
bakelit® *s* (~en) Bakelite
bakelse *s* (~n, ~r) [piece of] pastry, [fancy] cake; med frukt, sylt tart; **~r** äv. pastry sg.
bakerst *adv* furthest back, at the [very] back
bakersta *adj* (superlativ) rear, rearmost, hindmost; **de ~** those at the back
bakficka *s* (~n, -fickor) **1** på byxor hip pocket; **ha ngt i ~n** bildl. have sth up one's sleeve **2** restaurant restaurant annexe [with a cheaper menu]
bakfot *s* (~en) hind foot; **få ngt om ~en** get hold of the wrong end of the stick

bakfram *adv* back to front, the wrong way round (about)
bakfull *adj* (~t) vard., **vara ~** have a hangover, be hungover
bakgata *s* (~n, -gator) back street
bakgrund *s* (~en, ~er) background äv. bildl.; miljö setting; **i ~en** i fjärran in the distance; **hålla sig i ~en** bildl. keep (stay) in the background; vard. take a back seat; **mot ~en av dessa fakta...** in the light of these facts
bakgrundsmusik *s* (~en) background music
bakgrundsstrålning *s* (~en) fys. background radiation
bakgård *s* (~en, ~ar) backyard
bakhal *adj* (~t), **skidorna är ~a** the skis keep slipping (sliding) backwards
bakhjul *s* (~et, =) rear wheel
bakhjulsdriven *adj* (-drivet, -drivna) bil. rear-wheel driven
bakhuvud *s* (~et, ~en el. =) back of the (one's) head; vetensk. occiput
bakhåll *s* (~et, =) ambush; **ligga (lägga sig) i ~ för ngn** lie (wait) in ambush for sb, waylay sb
bakifrån *adv* from behind; **börja ~** begin at the back (end)
bakis *adj* (oböjl.) vard., **vara ~** have a hangover, be hungover
bakjour *s* (~en, ~er), **ha ~** om läkare be on call (on standby duty)
bakkant *s* (~en, ~er) rear edge
bakkappa *s* (~n, -kappor) på sko heel; fackspr. counter
bakkropp *s* (~en, ~ar) insekts abdomen
bakljus *s* (~et, =) rear (tail) light (lamp)
baklucka *s* (~n, -luckor) se *bagagelucka*
baklykta *s* (~n, -lyktor) se *bakljus*
baklås *s* (oböjl.), **dörren har gått i ~** the lock has jammed; **hela saken har gått i ~** the whole affair has reached a deadlock
baklänges *adv* backward[s]; **åka ~** på tåg ride (sit) with one's back to the engine; **köra** t.ex. bil, film **~** back, reverse
bakläxa *s* (~n, -läxor) **1 få ~** [**på geografin**] be told to do one's [geography] homework again **2** bildl. rebuff; **få ~** be rebuffed
bakochfram *adv* back to front, the wrong way round (about)
bakom *prep* o. *adv* behind; i rum äv.: **a)** prep. at the back (rear) of; amer. [in] back of **b)** adv. at (in) the rear; jag undrar **vem som ligger ~ det här** ...who's behind this; **det ligger mycket arbete ~** a lot of work went into this; **titta fram ~ dörren** ...from behind the door; **~ knuten** round the corner; **ha ngn ~ sig** ha stöd av ngn have someone behind one; **gå ~ ryggen på ngn** go behind sb's back
bakomliggande *adj* (oböjl.), **~ orsaker** underlying causes
bakomvarande *adj* (oböjl.), **~ fordon** the vehicle (vehicles) behind [one]
bakplåt *s* (~en, ~ar) baking tray, baking sheet
bakplåtspapper *s* (~et el. -papper, =) oven paper
bakpotatis *s* (~en, ~ar) baking potato
bakpulver *s* (~pulvret, =) baking powder
bakpå *prep* t.ex. vagnen at the back of; t.ex. kuvertet on the back of; **sitta ~** [**cykeln**] sit at the back (on the

carrier) [of the bike]; **sitta ~** [**motorcykeln**] ride pillion

bakre *adj* (oböjl.) t.ex. bänk back; t.ex. ben hind; **~ del** back part, rear; **~ vokal** back vowel

bakrus *s* (~et, =) hangover

bakruta *s* (~n, -rutor) bil. rear window

bakrutetorkare *s* (~n, =) bil. rear-window wiper

baksida *s* (~n, -sidor) back, downside; på mynt o.d. reverse; jfr *avigsida*; **medaljens ~** bildl. the reverse of the medal; **åt ~n** to the back

bakslag *s* (~et, =) **1** tillbakagång, motgång reverse, setback; personligt äv. rebuff **2** biol. reversion, throwback, atavism **3** i motor backfire

bakslug *adj* (~t) underhand, sly, crafty

baksmälla *s* (~n, -smällor) **1** vard., bakrus hangover; **ha** (**få**) **~** have (get) a hangover **2** bildl. unpleasant shock (surprise), setback

bakstycke *s* (~t, ~n) på skjorta, jacka o.d. back; på t.ex. byxor, kamera back [piece]; på vapen breech

baksäte *s* (~t, ~n) back (rear) seat

baktala *vb tr* (~de, ~t) slander, backbite

baktalare *s* (~n, =) slanderer, backbiter

baktanke *s* (~n, -tankar) ulterior (secret) motive

bakterie *s* (~n, ~r) bacteri|um (pl. -a); friare germ, microbe

bakteriedödande *adj* (oböjl.) germicidal, bactericidal

bakterieflora *s* (~n, -floror) bacterial flora

bakteriolog *s* (~en, ~er) bacteriologist

bakteriologisk *adj* (~t) bacteriological; **~ krigföring** bacteriological warfare

baktill *adv* behind, at the back

baktrappa *s* (~n, -trappor) backstairs pl.

baktråg *s* (~et, =) kneading-trough, mixing-trough

baktung *adj* (~t) ...heavy at the back; flyg. tail-heavy

bakugn *s* (~en, ~ar) [baking-]oven

bakut *adv* backward[s]; **slå** (**sparka**) **~** kick [out behind], lash out

bakvagn *s* (~en, ~ar) bil. rear of a (resp. the) car

bakvatten *s* (-vattnet) backwater, eddy

bakverk *s* (~et, =) ofta pastry; jfr *bakelse* o. *kaka*

bakväg *s* (~en, ~ar) back way; bakdörr back door, back (rear) entrance; **han kom ~en** he came the back way (by the back door)

bakvänd *adj* (-vänt) eg. ...the wrong (other) way round; galen preposterous, absurd; **i ~ ordning** in reverse order

bakvänt *adv* the wrong way round, awkwardly osv., se *bakvänd* o. *bakfram*; **bära sig ~ åt** be clumsy (awkward); **han resonerar helt ~** his reasoning is quite upside-down

bakåt *adv* backward[s], to the rear; tillbaka back; **luta sig ~** lean back; **det går ~ för honom** he is losing ground

bakåtböjd *adj* (-böjt) ...bent back

bakåtlutad *adj* (-lutat, ~e) om person ...leaning back, reclining

bakåtlutande *adj* (oböjl.) om sak ...sloping backward[s]; **~ handstil** äv. backhanded writing

bakåtsträvande *adj* (oböjl.) reactionary

bakåtsträvare *s* (~n, =) reactionary

bakända *s* (~n, ~r) på ett föremål back [part], rear

1 bal *s* (~en, ~er) dans ball; mindre dance

2 bal *s* (~en, ~ar) packe bale, package, bundle [alla med of framför följande ord]

balalajka *s* (~n, balalajkor) mus. balalaika

balans *s* (~en, ~er) **1** jämvikt balance, equilibrium; **hålla** (**tappa**) **~en** keep (lose) one's balance; **få ngn ur ~** throw sb off [his] balance; **vara ur ~** psykologiskt be unbalanced **2** tekn. balance [beam], beam; i ur balance **3** hand., saldo balance (jfr *saldo*)

balansera *vb tr* o. *vb itr* (~de, ~t) **1** hjul balance, poise **2** hand. balance; överföra carry over

balanserad *adj* (balanserat, ~e) harmonisk balanced; sansad äv. sober; **~ budget** balanced budget

balansgång *s* (~en) balancing; **gå ~** balance [oneself]; bildl. walk a tightrope, [try to] strike a balance

balanshjul *s* (~et, =) tekn. balance wheel, flywheel

balanskonto *s* (~t, ~n) hand. balance account

balansrubbning *s* (~en, ~ar) med. disturbance of balance

balansräkning *s* (~en, ~ar) hand. balance sheet

balanssinne *s* (~t) sense of balance

baldakin *s* (~en, ~er) canopy, baldachin

baldersbrå *s* (~n el. ~et, ~r el. ~n) bot. scentless (corn) mayweed

Balearerna *s pl* the Balearic Islands

balett *s* (~en, ~er) ballet; **dansa ~** vara balett|dansör, -dansös be a ballet-dancer; ta balettlektioner go to ballet classes; **hela ~en** vard. the whole lot, the full monty

balettdansör *s* (~en, ~er) o. **balettdansös** *s* (~en, ~er) ballet-dancer

balettflicka *s* (~n, -flickor) chorus girl

1 balja *s* (~n, baljor) kärl tub; mindre bowl

2 balja *s* (~n, baljor) bot. pod; fodral sheath, scabbard

baljväxt *s* (~en, ~er) leguminous plant

balk *s* (~en, ~ar) **1** bjälke: trä~ beam; järn~ o.d. girder **2** jur. section, code, act

balka *vb tr* (~de, ~t), **~ av** partition (box) off

Balkan halvön the Balkan Peninsula; länderna the Balkans pl.

balkong *s* (~en, ~er) balcony äv. på bio

balkongdörr *s* (~en, ~ar) balcony door

balkonglåda *s* (~n, -lådor) flower box, window box

balkongräcke *s* (~t, ~n) balcony parapet

ball *adj* (~t) vard. super, cool, great

ballad *s* (~en, ~er) visa ballad, lay; poem el. musikstycke ballade

ballast *s* (~en, ~er) se *barlast*

ballistik *s* (~en) ballistics sg.

ballong *s* (~en, ~er) balloon; sjö., segel balloon sail

ballongdäck *s* (~et, =) balloon tyre (amer. tire)

balsal *s* (~en, ~ar) ballroom

balsam *s* **1** (~en, ~er) balsam; speciellt bildl. balm (endast sg.) **2** (~et, =) hårbalsam [hair] conditioner

balsamera *vb tr* (~de, ~t) embalm

balsamering *s* (~en, ~ar) embalming

balsamvinäger *s* (~n) kok. balsamic vinegar

balsaträ *s* (~et) balsa wood

balt *s* (~en, ~er) Balt

Baltikum the Baltic States pl.

baltisk *adj* (~t) Baltic

balustrad *s* (~en, ~er) balustrade, parapet

bambu *s* (~n) bamboo

bamburör *s* (~et, =) bamboo (pl. -s)

bamsing *s* (~en, ~ar) vard. whopper, corker

bana I s (~n, banor) **1** väg path, way, track; lopp course; omlopps~, t.ex. planets, satellits orbit; projektils trajectory; levnads~ career, course; **tänka i nya banor** think on new lines entirely **2** sport.: löpar~, cykel~ o.d. track; galopp~ racecourse; skridsko~ rink; tennis~ court; **3** järnv. line **4** tekn.: pappers~ roll; **...i långa banor** bildl. lots (no end, great quantities) of... **II** vb tr (~de, ~t), **~ väg** eg. clear the way [för for]; **~ sig väg** make (med våld force) one's way

banal adj (~t) commonplace, banal; om ord el. fras hackneyed, trite

banalisera vb tr (~de, ~t) render...commonplace, make...banal

banalitet s (~en, ~er) egenskap triteness, banality; banalt ord e.d. commonplace, platitude

banan s (~en, ~er) banana

banankontakt s (~en, ~er) elektr. banana plug

bananskal s (~et, =) banana skin (amer. peel)

banbrytande adj (oböjl.) vägröjande pioneer[ing]; epokgörande epoch-making, trailblazing; **~ arbete** pioneer[ing] work

banbrytare s (~n, =) pioneer [för of]; trailblazer

band s (~et, =) **1** konkr.: allm. band, snöre string; t.ex. för hopfästning o. i bandspelare tape; prydnads~, hår~ ribbon; **löpande ~** conveyor belt, assembly (production) line; **romaner på löpande ~** one novel after the other; **spela in på ~** record [...on tape], tape, tape-record **2** abstr. el. bildl.: förenande el. hämmande tie; bond vanl. starkare; tvång äv. restraint, constraint; **äktenskapets ~** the marriage bond (tie); **fri från alla ~** free from all ties (restraints); **lägga ~ på sig** check (restrain) oneself, keep one's temper **3** bok~ binding; volym volume; **en roman i tre ~** a three-volume novel, a novel in three volumes **4** trupp, följe band, gang; jazz~ o.d. band

banda vb tr (~de, ~t) ta upp på band record [...on tape], tape

bandage s (~t, =) bandage; **det blev hårda ~** vard., ung. we (they osv.) had a tough struggle

banderoll s (~en, ~er) banderol[e], streamer; pappersremsa kring förpackning eller bok wrapper, [advertising] strip, [book] band

bandhund s (~en, ~ar) watchdog; **skälla som en ~** vard. curse and swear

bandinspelning s (~en, ~ar) tape-recording

bandit s (~en, ~er) bandit, gangster gangster; som skällsord ruffian, hoodlum

bandmask s (~en, ~ar) med. tapeworm

bandspaghetti s (~n) koll. tagliatelle

bandspelare s (~n, =) tape-recorder

bandsåg s (~en, ~ar) bandsaw

bandtraktor s (~n, ~er) caterpillar (crawler) [tractor]

bandupptagning s (~en, ~ar) på bandspelare tape-recording

bandvagn s (~en, ~ar) tracked (tracklaying) vehicle

bandy s (~n) bandy

bandyklubba s (~n, -klubbor) bandy stick

bandyrör s (~et, =) skridsko bandy [tubular] skate

baneman s (~nen, -män) slayer, assassin

baner s (~et, =) banner, standard

bang s (~en, ~ar) överljudsknall sonic boom

Bangladesh Bangladesh

bangladeshisk adj (~t) Bangladeshi

bangolf s (~en) mini golf

bangård s (~en, ~ar) [railway (amer. railroad)] yard; amer. äv. depot, freight yard

banjo s (~n, ~r) banjo (pl. -s el. -es)

1 bank s (~en, ~ar) **1** vall embankment **2** grund, sandbank sandbank, bar

2 bank s (~en, ~er) penning~ bank äv. spel~; **gå på ~en** go to the bank; **ha pengar på ~en** ...in (at) the bank; **ha konto hos en ~** ...at a bank; **spränga ~en** break the bank

banka vb itr (~de, ~t) bulta knock [loudly], bang [på at, on]; **hjärtat ~r [på mig]** my heart is pounding (throbbing)

bankaffär s (~en, ~er) banking transaction

bankautomat s (~en, ~er) se bankomat®

bankbok s (~en, -böcker) bankbook, passbook

bankbud s (~et, =) bank messenger

bankdirektör s (~en, ~er) bank director; amer. vice-president [of a (resp. the) bank]; vid filial bank manager

bankett s (~en, ~er) fest banquet

bankfack s (~et, =) safe-deposit box

bankgiro s (~t, ~n) bank giro [service]; konto bank giro [account]

Bankinspektionen hist. the [Swedish] Bank Inspection Board

bankir s (~en, ~er) [private] banker

bankkamrer s (~en, ~er) vid bankfilial bank manager; vid bankavdelning bank accountant

bankkassör s (~en, ~er) o. **bankkassörska** s (~n, -kassörskor) [bank] cashier (amer. clerk), teller

bankkonto s (~t, ~n) bank account

bankkontor s (~et, =) bank; filial branch office [of a (resp.the) bank]

bankkort s (~et, =) debit card

banklån s (~et, =) bank loan

bankman s (~nen, -män) banktjänsteman bank official; bankir banker

bankomat® s (~en, ~er) cashpoint, cash machine; amer. ATM (förk. för automated teller machine)

bankrutt I s (~en, ~er) bankruptcy, [bank] failure; **göra ~** become (go) bankrupt, fail **II** adj (=) vanl. bankrupt; ruinerad ruined

bankrån s (~et, =) bank robbery

bankränta s (~n, -räntor) inlåningsränta interest on deposits; diskonto bank (interest) rate

banktid s (~en, ~er) banking-hours pl.

banktillgodohavande s (~t, ~n) bank balance

banktjänsteman s (~nen, -män) bank clerk (employee)

bankvalv s (~et, =) strong room, vault

banna vb tr (~de, ~t) **1** gräla på scold **2** banne mig! damn it!

bannbulla s (~n, -bullor) kyrkl. bull of excommunication

bannlysa vb tr (-lyste, -lyst) **1** kyrkl. excommunicate, put...under a ban **2** bildl. ban, prohibit; svordomar är bannlysta äv. ...are taboo

bannlysning s (~en, ~ar) **1** kyrkl. excommunication, anathema **2** bildl. banning, prohibition

bannor s pl, **få ~** get a scolding, be scolded

banrekord s (~et, =) sport. track record

banta vb itr (~de, ~t) reduce, slim, go on a diet; **~ bort (ned sig)** flera kilo [manage to] go down...in weight; **~ ned** utgifterna reduce (cut down, cut back)...

bantamvikt *s* (~en) sport. bantam weight
bantning *s* (~en, ~ar) reducing, slimming; av t.ex.
utgifter reduction, cutting down (back)
bantningskur *s* (~en, ~er) slimming cure (diet)
bantningsmedel *s* (-medlet, =) slimming (reducing)
preparation
bantningspiller *s pl* slimming pills; amer. diet pills
banvakt *s* (~en, ~er) hist. lengthman; amer.
trackwalker
banvall *s* (~en, ~ar) [railway] embankment, roadbed
baptism *s* (~en), ~[en] relig. the Baptist faith
baptist *s* (~en, ~er) relig. Baptist
baptistisk *adj* (~t) relig. Baptist
1 bar *adj* (~t) bare; naked äv. om t.ex. kvist; **~a ben** bare
legs; **bli tagen på ~ gärning** be caught red-handed (in
the [very] act); **under ~ himmel** under the open sky,
in the open; **sova under ~ himmel** sleep out; **på sina
~a knän** bildl. on one's bended knees; **inpå ~a
kroppen** to the [very] skin
2 bar *s* (~en, ~er) cocktail~ o.d. bar; matställe snack bar,
cafeteria
3 bar *s* (~en, ~er) meteor., måttenhet bar
bara I *adv* only; merely; just; han är ~ **barnet** ...a
mere (just a) child; han sprang **som ~ den** vard. ...like
anything; **det är ~ dumheter** it's just [stuff and]
nonsense; ~ **förtal** nothing but slander; han stod där **i
~ skjortan** ...with nothing but his shirt on; ~ **på skoj**
just for fun; **det var ~ det** jag ville säga that's all...;
han är trevlig, det är ~ det att han är så blyg! he's nice,
only he's so shy!; hur mår du? – Tack, **[det är] ~ bra**
...pretty well, ...I'm all right; **klockan är ~ sju** it is
only (not more than) seven o'clock; **om han ~ ville
göra det!** if he would only do it!; **du skulle ~ våga!**
do it, if you dare!, you just try!; **han skulle ~ våga!**
I'd just like to see him try!, he wouldn't dare!;
vänta ~! just you wait! **II** *konj* om blott if only; såvida
provided, as long as; ~ **jag tänker på det blir jag glad**
just thinking (the mere thought) of it makes me
happy; **jag blir hungrig ~ jag ser mat** the mere sight of
food makes me hungry
barack *s* (~en, ~er) barracks (pl. lika)
bararmad *adj* (-armat, ~e) bare-armed
baraxlad *adj* (-axlat, ~e) bare-shouldered
barbacka *adv* bareback
Barbados Barbados
barbar *s* (~en, ~er) barbarian
barbari *s* (~et) barbarism
barbarisk *adj* (~t) ociviliserad, grym el. om smak
barbarous; i bet. ociviliserad äv. barbarian; om t.ex. smak
äv. barbaric
barbent *adj* (=) barelegged
barberare *s* (~n, =) barber, hairdresser
Barbiedocka *s* (~n, -dockor) Barbie® doll
barbröstad *adj* (-bröstat, ~e) bare-chested; om kvinna
äv. bare-breasted
bardisk *s* (~en, ~ar) bar [counter]
bardval *s* (~en, ~ar) zool. whalebone whale
barett *s* (~en, ~er) dam- toque; av baskertyp beret
barfota I *adj* (oböjl.) barefoot **II** *adv* barefoot
barfrost *s* (~en) black frost
barhuvad *adj* (-huvat, ~e) bareheaded, hatless
barista *s* (~n, baristor) barista
barium *s* (~et el. bariet el. =) kem. barium
1 bark *s* (~en, ~er el. ~ar) sjö. bark, barque

2 bark *s* (~en) bot. bark (endast sg.); vetensk. cort|ex (pl.
-ices)
1 barka *vb tr* (~de, ~t), ~ **[av]** träd bark, strip;
decorticate
2 barka *vb itr* (~de, ~t), **det ~r åt skogen** it is going to
pot (to the dogs, to rack and ruin)
barkass *s* (~en, ~er) sjö. launch, longboat
barkbåt *s* (~en, ~ar) bark boat
barkök *s* (~et, =) ung. open plan kitchen
barlast *s* (~en, ~er) ballast (endast sg.); äv. bildl.
barm *s* (~en, ~ar) bosom, breast; **nära en orm vid sin ~**
nourish (cherish) a viper in one's bosom
barmark *s* (~en, ~er), **det är ~** there is no snow on
the ground
barmhärtig *adj* (~t) nådig merciful; medlidsam
compassionate; välgörande charitable [*mot* to]; **den
~e samariten** the Good Samaritan
barmhärtighet *s* (~en) mercy; compassion; charity;
jfr *barmhärtig*
barn *s* (~et, =) child (pl. children); vard. kid; spädbarn
baby, infant; poet. babe; **~en A.** the A. children;
hustru och ~ äv. wife and family; **Barnens Dag**
Children's Day; **bränt ~ skyr elden** ordspr. once
bitten, twice shy; **kärt ~ har många namn** ung. we
have many names for the things we love; **lika ~ leka
bäst** ordspr. birds of a feather flock together; **få ~**
have children (resp. a child, a baby) [*med* by];
skaffa ~ raise a family, have children; **sätta ~ till
världen** bring children into the world; **vänta ~** be
expecting [a baby]; **han är bara ~et** he is a mere
child; han är **ett ~ av sin tid** ...a child (product) of his
time (age); **klockan är bara ~et** it's early yet, the
night is young; **bli med ~** become (get) pregnant;
vara med ~ be pregnant, be going to have a baby
barnadödlighet *s* (~en) infant mortality [rate]
barnamord *s* (~et, =) infanticide (endast sg.),
child-murder
barnarbete *s* (~t) child labour; jur. employment of
children [and young persons]
barnarov *s* (~et, =) kidnapping; bildl. baby-snatching
barnasinne *s* (~t, ~n) childlike mind; **han har ~t kvar**
he is still a child at heart
barnatro *s* (~n) childhood (barnslig childlike) faith
barnavårdscentral *s* (~en, ~er) children's clinic
barnbadkar *s* (~et, =) bathinette
barnbarn *s* (~et, =) grandchild
barnbarnsbarn *s* (~et, =) great grandchild
barnbegränsning *s* (~en, ~ar) birth control, family
planning
barnbidrag *s* (~et, =) child benefit
barnbiljett *s* (~en, ~er) child's (half) ticket (fare);
resa på ~ travel half-fare
barnbilstol *s* (~en, ~ar) car [safety] seat
barnbok *s* (~en, -böcker) children's book
barndaghem *s* (~met, =) daycare centre, day
nursery, crèche
barndom *s* (~en), ~[en] childhood; späd infancy,
babyhood; minnen **från ~en** ...of one's childhood; **gå
i ~** be in one's second childhood; det var så **i filmens ~**
...when the cinema was in its infancy
barndomshem *s* (~met, =), **~met** mitt ~ my home as a
child, the home of my childhood
barndomsvän *s* (~nen, ~ner) friend of (from) one's
childhood; **vi är ~ner** we were childhood friends

barndop s (~et, =) christening; som mots. till vuxendop infant baptism

barnfamilj s (~en, ~er) family [with children]

barnflicka s (~n, -flickor) nursemaid

barnförbjuden adj (-förbjudet, -förbjudna) om film unsuitable for children

barnhem s (~met, =) children's home; för föräldralösa orphanage

barnkalas s (~et, =) children's party; vard. bun fight

barnkammare s (~n, -kamrar el. =) nursery

barnkläder s pl children's clothes (clothing sg.); children's wear sg.

barnkoloni s (~n, ~er) [children's] holiday camp, summer camp

barnkonvention s (~en, ~er), **FN:s** ~ the United Nations children's convention, the Convention on the Rights of Children

barnkunskap s (~en) child study

barnkär adj (~t) ...fond of children

barnledig adj (~t), **hon** (**han**) **är** ~ she (resp. he) has maternity (resp. paternity) leave

barnledighet s (~en) mammaledighet maternity leave; pappaledighet paternity leave

barnlek s (~en, ~ar), **det är en** ~ it is child's play

barnläkare s (~n, =) specialist in children's diseases, paediatrician (amer. pediatrician)

barnlös adj (~t) childless, ...without a family

barnlöshet s (~en) childlessness

barnmat s (~en) baby food

barnmeny s (~n, ~er) children's menu

barnmisshandel s (~n) child abuse (battering)

barnmorska s (~n, -morskor) midwife

barn- och äldreminister s (~n, -ministrar) i Sverige Minister for Children and the Elderly

barnomsorg s (~en) child care [system]

barnparkering s (~en, ~ar) vard., på varuhus children's playroom [at a store]

barnportion s (~en, ~er) small portion, portion for children

barnprogram s (~met, =) TV. el. radio. children's programme

barnpsykolog s (~en, ~er) child psychologist

barnrik adj (~t), ~ **familj** large family

barnsben s pl, **från** ~ from childhood

barnsbörd s (~en, ~er) childbirth; vetensk. parturition

barnsits s (~en, ~ar) på cykel child's seat [on a (resp.the) bicycle]; bälteskudde [car] booster seat (cushion)

barnsjukdom s (~en, ~ar) children's disease; bildl. teething problems (troubles) pl.

barnsjukhus s (~et, =) children's hospital

barnsko s (~n, ~r) child's shoe (pl. children's shoes); **han har inte trampat ut** (**ur**) ~**rna än** ung. he is still a baby

barnskrik s (~et, =) koll. the sound of a child (resp. children) crying

barnskötare s (~n, =) child minder

barnsköterska s (~n, -sköterskor) children's nurse

barnslig adj (~t) childlike; neds. childish, infantile, puerile; ~**t ansikte** childish (baby) face; **var inte så** ~ **!** don't be so childish!, don't be such a baby!

barnslighet s (~en, ~er) childishness (endast sg.), puerility; **vilka** ~**er!** what childishness!

barnspråk s (~et) children's language

barnstol s (~en, ~ar) high chair; i bil car [safety] seat

barnsäker adj (~t, -säkra) childproof; ~**t lås** childproof lock

barnsäng s (~en, ~ar) **1** säng för barn cot; amer. crib **2** med. childbed, childbirth, confinement; **dö i** ~ die in childbirth

barnteater s (~n, -teatrar) children's theatre

barntillsyn s (~en) childcare, looking after children, childminding; **ha** ~**en ordnad** have one's childcare (speciellt amer. day care) arranged

barntillåten adj (-tillåtet, -tillåtna) om film universal...; i annons o.d. for universal showing, [cert.] U; ~ **film** universal (förk. U) movie; amer. general (förk. G) movie; **den här filmen är** ~ this is a U (amer. G) film

barnunge s (~n, -ungar) child, kid; neds. brat; **jag är ingen** ~ [**längre**]**!** I'm not a child (kid) anymore!

barnuppfostran s (=, en) [the] bringing up (education) of children

barnvagn s (~en, ~ar) pram; amer. baby carriage; sittvagn pushchair, buggy, stroller

barnvakt s (~en, ~er) babysitter, sitter-in; **sitta** ~ babysit, sit in

barnvisa s (~n, -visor) children's song; barnkammarrim nursery rhyme

barnvårdare s (~n, =) child-care worker

barnvänlig adj (~t) child-friendly, ...suitable for children

barock I adj (~t) **1** konst. baroque **2** befängd absurd, odd, grotesque **II** s (~en) baroque

barometer s (~n, barometrar) barometer äv. bildl.; vard. glass

baron s (~en, ~er) baron; som eng. titel äv. Lord...

baronessa s (~n, baronessor) baroness; som eng. titel äv. Lady...

1 barr s (~en, ~er) **1** gymn. parallel bars pl. **2** guld- el. silvertacka bar

2 barr s (~et, =) bot. pine-needle; **mycket** ~ a lot of needles; **det doftar** ~ there is a smell of pines

barra vb itr (~de, ~t), granen ~**r** ...is shedding its needles

barrikad s (~en, ~er) barricade

barrikadera vb tr (~de, ~t) barricade

barriär s (~en, ~er) barrier äv. bildl.

barrskog s (~en, ~ar) pine-forest, fir-forest; vetensk. coniferous forest

barrskogsbälte s (~t, ~n) geogr. conifer belt

barrträd s (~et, =) coniferous tree, conifer

barservering s (~en, ~ar) lokal snack bar, cafeteria

barsk adj (~t) harsh, stern, rough; om stämma gruff; om leende, lynne grim

barskrapad adj (-skrapat, ~e) destitute; vard. broke, ...on the rocks

barskåp s (~et, =) cocktail cabinet

barstol s (~en, ~ar) bar stool

bartender s (~n, -tendrar) bartender, barman

barvinter s (~n, -vintrar) snowless winter

baryton s (~en, ~er) mus. baritone

barägare s (~n, =) barkeeper

1 bas s (~en, ~er) grund[val] base äv. mil., kem. el. matem.; bildl. vanl. basis (pl. bases), foundation

2 bas s (~en, ~ar) mus.: person, röst el. stämma bass

3 bas s (~en, ~ar) förman foreman; vard. boss

basa vb itr (~de, ~t) vard., vara förman be the boss; ~ **över ngn** be sb's boss; ~ **över ngt** ha hand om be in charge of sth; vara bas be the boss of sth

basar s (~en, ~er) bazaar

basbelopp *s* (~et, =) statistik. o.d. basic amount [geared to the price index]

baseboll *s* (~en) baseball

basebollträ *s* (~et, ~n) baseball bat

Basel Basel, Basle

basera *vb tr* (~de, ~t) base äv. mil., found; **~ sig på** med personsubj. base (found) one's statements (arguments etc.) [up]on; förslaget **~r sig** (**är ~t**) **på** ...is based (founded) [up]on

basfiol *s* (~en, ~er) double bass

basgarderob *s* (~en, ~er) basic wardrobe

basgång *s* (~en, ~ar) mus. bass line

bashyra *s* (~n, -hyror) basic rent

bashögtalare *s* (~n, =) woofer

basilika *s* (~n, basilikor) **1** bot. [sweet] basil **2** kyrka basilica

basilisk *s* (~en, ~er) zool. el. mytol. basilisk; mytol. äv. cockatrice

basis *s* (oböjl., en) basis (pl. bases); **på ~ av** detta fördrag on the basis (strength) of...; **på bred ~** on a broad basis

basisk *adj* (~t) kem. el. miner. basic

basist *s* (~en, ~er) bassist, bass player; på kontrabas double bass player

bask *s* (~en, ~er) folk Basque

basker *s* (~n, baskrar) beret

basket *s* (~en) o. **basketboll** *s* (~en) lagspel basketball

basketspelare *s* (~n, =) basketball player

Baskien the Basque Provinces pl., the Basque country

baskisk *adj* (~t) Basque

baskiska *s* **1** (~n, baskiskor) kvinna Basque **2** (~n) språk Basque

basklav *s* (~en, ~er) mus. bass clef

baskunskaper *s pl* basic knowledge

baslinje *s* (~n, ~r) baseline äv. tennis el. lantmät.

baslivsmedel *s pl* staple food sg.

basmatiris *s* (~et) kok. basmati rice

basröst *s* (~en, ~er) mus. el. friare bass [voice]

basstämma *s* (~n, -stämmor) mus. bass [voice]; parti bass [part]

bassäng *s* (~en, ~er) basin äv. geol.; sim~ swimming-pool

1 bast *s* (~et) bast, bass; rafia~ raffia

2 bast *s pl* vard., **han är femtio ~** he's fifty

1 basta *adv*, **och därmed ~!** and that's that (flat)!, and that's enough!

2 basta *vb itr* (~de, ~t) vard., bada bastu take a sauna

bastant *adj* (=) stadig substantial, solid; tjock, stark stout; **ett ~ mål** a solid (hearty, vard. square) meal

bastard *s* (~en, ~er) biol. hybrid; neds. mongrel, bastard

Bastiljen hist. the Bastille

bastion *s* (~en, ~er) bastion

bastmatta *s* (~n, -mattor) bast-mat

bastrumma *s* (~n, -trummor) bass drum

bastu *s* (~n, ~r) finsk sauna; **bada ~** take a sauna; **hett som i en ~** as hot as an oven

bastuba *s* (~n, -tubor) mus. bass tuba

basun *s* (~en, ~er) mus., dragbasun trombone; friare trumpet

basunera *vb itr* (~de, ~t), **måste du ~ ut att...** must you advertise (broadcast) the fact that...

batalj *s* (~en, ~er) battle

bataljon *s* (~en, ~er) mil. battalion

batat *s* (~en, ~er) bot. sweet potato, batata

batik *s* (~en) metod el. tyg batik

batist *s* (~en, ~er) tyg batiste, cambric, lawn

batong *s* (~en, ~er) truncheon, [police] baton; amer. club, billy, nightstick

batteri *s* (~et, ~er) **1** mil. el. elektr. battery äv. bildl.; **ett ~ av åtgärder** a whole battery of measures **2** i jazzorkester o.d. rhythm section, drums pl.

batteridriven *adj* (-drivet, -drivna) battery-operated, battery-powered

batteriladdare *s* (~n, =) [battery] charger

batterist *s* (~en, ~er) mus. drummer

bautasten *s* (~en, ~ar) arkeol. bauta; friare memorial stone

baxa *vb tr* (~de, ~t), **~ undan ngt** prise [out] sth and move it away

baxna *vb itr* (~de, ~t) be dumbfounded, be taken aback; **det är så man ~r** it is enough to take your (one's) breath away

Bayern Bavaria

bayersk *adj* (~t) Bavarian

bayrare *s* (~n, =) Bavarian

BB *s* (BB:t, BB:n) maternity hospital (avdelning ward)

B-dur *s* (oböjl.) mus. B flat major

be *vb tr* o. *vb itr* (bad, bett) **1** anhålla, uppmana: **a)** ask; enträget beg; hövligt request; bönfalla entreat, beseech, implore; **~** [**ngn**] **om** (**att få**) **ngt** ask [sb] for sth; **~** [**ngn**] **om lov att få göra ngt** ask [sb's] permission (leave) to do a th.; **~ ngn om en tjänst** ask sb [for] a favour (amer. favor); **~ om ursäkt** apologize; **~ för sitt liv** plead for one's life **b)** i hövlighetsfraser, **jag ~r att få meddela Er** I would (should) like to inform you; **får jag ~ om...?** el. **jag ska ~ att få...** can (could) I have..., please!; **får jag ~ om notan?** [may I have] the bill (amer. check), please! **2** relig. pray [för ngn for sb]; **~ en bön** say a prayer; **~** [**till**] **Gud om hjälp** pray to God for help

beakta *vb tr* (~de, ~t) uppmärksamma pay attention to, observe, notice; fästa avseende vid pay regard to, heed; ta i beräkning take...into consideration (account)

beaktande *s* (~t) consideration

beaktansvärd *adj* (-värt) värd att beakta ...worth (worthy of) attention (notice, consideration), noteworthy; avsevärd considerable

bearbeta *vb tr* (~de, ~t) **1** mera eg.: **a)** upparbeta: t.ex. gruva work; jord cultivate; deg work, knead **b)** förarbeta: råvaror work [up], dress; med verktyg äv. tool **2** friare: **a)** genomarbeta, t.ex. vetenskapligt material work up, treat, arrange **b)** försöka inverka på try to influence, work [up]on **c)** omarbeta: teat. el. radio. adapt [för for]; bok o.d. äv. work over, revise, recast; mus. arrange [för for] **d)** data. process **e)** **~ en marknad** work up a market

bearbetning *s* (~en, ~ar) bearbetande working osv., jfr *bearbeta*; adaptation, arrangement; revision; utgåva revised edition (version); data. processing; **kemisk ~** chemical treatment; **i ~ för radio** (**teater**) adapted for the radio (theatre)

bearnaisesås *s* (~en, ~er) kok. Béarnaise sauce

beblanda *vb rfl* (~de, ~t), **~ sig med** umgås med mix with

bebo *vb tr* (~dde, ~tt) inhabit; hus vanl. occupy, live in; **~dda trakter** inhabited areas; **huset ser inte ~tt ut** the house doesn't look occupied

beboelig *adj* (~t) habitable, inhabitable, ...fit to live in

bebygga *vb tr* (-byggde, -byggt) med hus build [up]on; *bebyggt område* built-up area; *tomten är bebyggd* the site is occupied [by buildings]

bebyggelse *s* (~n, ~r) bosättning settlement; konkr. äv. houses pl., buildings pl.

bebådelse *s* (~n, ~r) announcement; [*Jungfru*] *Marie* ~ the Annunciation [of the Virgin Mary]

beck *s* (~et) pitch; skom. [cobbler's] wax

beckasin *s* (~en, ~er) zool. snipe

beckmörk *adj* (~t) pitch-dark

becksvart *adj* (=) pitch-black

becquerel *s* (en, pl. =) fys. becquerel

bedagad *adj* (-dagat, ~e) ...past one's prime; *en ~ skönhet* a faded beauty

bedarra *vb itr* (~de, ~t) calm (die) down, lull; *vinden ~r* äv. the wind is abating

bedja *vb tr* o. *vb itr* (bad, bett) se *be* 2

bedjande *adj* (oböjl.) **1** om t.ex. blick imploring; om t.ex. röst pleading, beseeching, entreating; om t.ex. gest suppliant **2** relig. praying

bedra I *vb tr* (-drog, -dragit) allm. deceive; svika play...false; på pengar o.d. defraud [*ngn på ngt* sb of a th], cheat, swindle [*ngn på ngt* sb out of sth]; vara otrogen mot be unfaithful to, cheat on; *skenet ~r* appearances are deceptive; *en ~gen äkta man* a man whose wife has been unfaithful to him **II** *vb rfl* (-drog, -dragit), *~ sig* be mistaken [*på ngn* in sb; *på ngt* about sth.]

bedragare *s* (~n, =) o. **bedragerska** *s* (~n, bedragerskor) deceiver, impostor, fraudster, swindler; jfr *bedra*

bedrift *s* (~en, ~er) bragd exploit, feat; prestation achievement

bedriva *vb tr* (-drev, -drivit) carry on, prosecute; t.ex. studier pursue; *~ forskning* do (carry on) research

bedrägeri *s* (~et, ~er) deceit, cheating; brott [wilful] deception, fraud, imposture; skoj swindle

bedräglig *adj* (~t) allm. fraudulent; oärlig, spec. om person deceitful, devious, false; vilseledande: om t.ex. sken deceptive; om t.ex. hopp illusory; *~t beteende* fraudulent conduct

bedröva *vb tr* (~de, ~t) distress, grieve; *det ~r mig att höra att...* I am very distressed to hear that...

bedrövad *adj* (-drövat, ~e) distressed, grieved [*över* about, at]

bedrövelse *s* (~n, ~r) distress, grief

bedrövlig *adj* (~t) deplorable, lamentable; usel miserable, wretched, awful; *det är för ~t* it is really too bad; *ett ~t väder* miserable (awful) weather

beduin *s* (~en, ~er) Bedouin (pl. ofta lika)

bedyra *vb tr* (~de, ~t) protest [*inför* to], asseverate, aver; *han ~de att...* äv. he swore that...

bedyrande *s* (~t, ~n) protestation [*om* of], asseveration; *under ~ av sin oskuld* protesting his (her osv.) innocence

bedårande *adj* (oböjl.) enchanting, captivating, charming; *alldeles ~* simply delightful

bedöma *vb tr* (-dömde, -dömt) judge [*efter* by]; bilda sig en uppfattning om form an opinion of; vard. size up; uppskatta assess, estimate; betygsätta mark, amer. grade; *~ värdet av* judge the worth of, appraise; *den saken kan jag inte ~* I am no judge of that

bedömande *s* (~t, ~n) (se äv. *bedömning*), *vid ~t av...* when judging...

bedömare *s* (~n, =) (jfr *bedöma*); judge; betygsättare marker, amer. grader; *politisk ~* political commentator (analyst)

bedömning *s* (~en, ~ar) (jfr *bedöma*); judgement; assessment, estimate, evaluation; betygsättning marking, amer. grading; vid tävling classification; *han är försiktig i ~en* ...in forming his judgement (opinion)

bedömningsfråga *s* (~n, -frågor) matter (question) of judgement

bedömningskriterier *s pl* criteria for judgement

bedöva *vb tr* (~de, ~t) **1** med. give...an anaesthetic (amer. anesthetic), anaesthetize (amer. anesthetize); med bedövningsvätska give an injection to; genom frysning freeze; *~nde* [*medel*] anaesthetic **2** allm. make (render)...unconscious, numb, stun; med narkotika äv. drug; vard. dope

bedövning *s* (~en, ~ar) **1** med. anaesthesia; amer. anesthesia; *få ~* vanl. have (be given) an anaesthetic (amer. anesthetic); med spruta have (be given) an injection; *under ~* under an anaesthetic (anesthetic) **2** allm. unconsciousness, insensibility

bedövningsmedel *s* (-medlet, =) med. anaesthetic; amer. anesthetic

befalla *vb tr* (-fallde, -fallt) allm. order; starkare command [*att ngt ska göras* sth to be done]; *jag gjorde som jag blev befalld* I did as I was ordered [to]

befallande *adj* (oböjl.) commanding, imperative

befallning *s* (~en, ~ar) order, command; *ge ~ om att ngt ska göras* give orders for sth to be done; *på ~ av* by order (the orders) of

befara *vb tr* (~de, ~t) frukta fear; *man kan ~* el. *det kan ~s* it is to be feared; *mannen ~s ha drunknat* the man is feared to have drowned

befaren *adj* (befaret, befarna) sjö. experienced

befatta *vb rfl* (~de, ~t), *~ sig med* concern oneself with; *det är bäst att inte ~ sig med...* it is better not to meddle (have anything to do) with...; *det ~r jag mig inte med* that is no concern of mine

befattning *s* (~en, ~ar) syssla post, position, appointment; ämbete office

befattningshavare *s* (~n, =) employee; ämbetsman official

befinna I *vb tr* (-fann, -funnit), *~s vara* turn out (prove) [to be], be found to be **II** *vb rfl* (-fann, -funnit), *~ sig* vara be; känna sig äv. feel; upptäcka sig vara find oneself; *mor och barn befinner sig väl* ...are doing well

befintlig *adj* (~t) existing; tillgänglig available; *i ~t skick* in its (resp. their) existing (present) condition

befintlighet *s* (~en) existence, presence

befläcka *vb tr* (~de, ~t) stain; bildl. äv. defile, sully

befogad *adj* (-fogat, ~e) om sak justified, legitimate, just

befogenhet *s* (~en, ~er) persons authority (endast sg.), right, powers pl.; behörighet competence; jur. title, warrant; *ha ~ att* + inf. have authority to + inf.; *överskrida* (*överträda*) *sina ~er* exceed one's authority (powers), vard. overstep the mark

befolka *vb tr* (~de, ~t) populate, people; bebo inhabit; *glest ~d* sparsely populated; *~de trakter* inhabited regions

befolkning *s* (~en, ~ar) population; *~en* invånarna äv. the inhabitants (people) pl. [*i* of]

befolkningsexplosion *s* (~en, ~er) population explosion

befolkningstillväxt *s* (~en) population increase, population growth

befolkningstäthet *s* (~en) population density

befolkningsöverskott *s* (~et, =) population surplus, overspill [of] population

befordra *vb tr* (~de, ~t) **1** skicka forward, send, dispatch; transportera convey; gods äv. transport **2** upphöja promote [*ngn till kapten* sb [to be a] captain]; raise [*till* to]

befordran *s* (=, en, befordringar) **1** forwarding osv., jfr *befordra 1*; conveyance, transport, transmission; *för vidare ~* (*f.v.b.*) to be forwarded (sent on) **2** avancemang promotion, advancement; *få ~* äv. be promoted

befraktning *s* (~en, ~ar) hand. affreightment, freighting, chartering

befria I *vb tr* (~de, ~t) göra fri set...free, liberate, free; t.ex. fånge äv. release; rädda deliver, rescue [*ur* out of; *från* i samtliga fall from]; *~ från* äv.: lösa från, t.ex. löfte release from; avbörda relieve of; låta slippa, t.ex. militärtjänst exempt from **II** *vb rfl* (~de, ~t), *~ sig från* göra sig kvitt relieve (rid, divest) oneself of, get rid of

befriare *s* (~n, =) liberator; deliverer äv. om t.ex. döden; räddare rescuer

befrielse *s* (~n, ~r) (jfr *befria I*); liberation, release; deliverance; lättnad relief; frikallelse exemption; befriande freeing osv.; *det kändes som en ~* it [was] felt as a relief; *en känsla av ~* a feeling (sense) of relief

befrielsekamp *s* (~en, ~er) struggle for liberation

befrielsekrig *s* (~et, =) war of liberation

befrielserörelse *s* (~n, ~r) liberation movement

befrukta *vb tr* (~de, ~t) fertilize, fecundate; bildl. inspire, stimulate

befruktning *s* (~en, ~ar) fertilization, fecundation; avlelse conception; *konstgjord ~* artificial insemination

befrämja *vb tr* (~de, ~t) med avledningar, se *främja* etc.

befullmäktiga *vb tr* (~de, ~t) authorize, empower; depute; *~t ombud* deputy, proxy, authorized representative

befäl *s* (~et, =) **1** kommando command; *ha ~[et] över* be in command of, command; *under ~ av* under the command (orders) of **2** person officer in command; koll. [commissioned and non-commissioned] officers pl.

befälhavare *s* (~n, =) **1** mil. commander [*över* of]; *högste ~* commander-in-chief (pl. commanders-in-chief) **2** sjö. master, captain [*över* of]

befängd *adj* (-fängt) absurd, ridiculous, preposterous

befästa *vb tr* (-fäste, -fäst) fortify, secure; bildl. strengthen, confirm, secure; t.ex. vänskap äv. bond, cement, consolidate

befästning *s* (~en, ~ar) fortification

begagna I *vb tr* (~de, ~t) allm. use; se vidare *använda* **II** *vb rfl* (~de, ~t), *~ sig av* a) använda make use of b) dra nytta av profit (benefit) by, take advantage of; *~ sig av sin rätt* exercise one's right

begagnad *adj* (-gagnat, ~e) used; 'inte ny' vanl. second-hand; *~e kläder* second-hand clothes; *något ~* somewhat used, not quite new

begagnande *s* (~t) use, employment, usage, application, jfr *användning*; *efter ~t* after use

bege *vb rfl* (-gav, -gett el. -givit) *~ sig* a) go, proceed, make one's way [*till* i samtliga fall to]; *~ sig till* äv. make for; *~ sig [ut] på resa* set out on a journey b) opers., *det begav sig inte bättre än att han...* as ill-luck would have it he...; *på den tiden då det begav sig* in the good old days

begeistrad *adj* (-geistrat, ~e) enthusiastic; *vara (bli) ~* be enthusiastic [*över* about]

begeistring *s* (~en, ~ar) enthusiasm, rapture

begiven *adj* (-givet, -givna), *~ på* addicted (given) to; svagare fond of, keen on

begivenhet *s* (~en, ~er) **1** böjelse addictedness [*på* to]; förkärlek fondness [*på* for] **2** stor händelse event

begonia *s* (~n, begonior) bot. begonia

begrava *vb tr* (-gravde el. -grov, -gravt) bury äv. bildl.; *~ i glömska* consign to (bury in) oblivion; *bli levande begravd* (*begraven*) be buried alive

begravning *s* (~en, ~ar) burial; sorgehögtid funeral; *gå på ~* go to (attend) a funeral

begravningsakt *s* (~en, ~er) funeral ceremony

begravningsbyrå *s* (~n, ~er) undertakers pl., firm of undertakers; amer. äv. morticians pl.; lokal funeral parlour, amer. funeral home (parlor)

begravningsentreprenör *s* (~en, ~er) undertaker, funeral director; amer. äv. mortician

begravningsplats *s* (~en, ~er) graveyard, burial ground; större cemetery; gravplats burial place

begravningståg *s* (~et, =) funeral procession (train), cortege

begrepp *s* (~et, =) **1** föreställning m.m. conception, idea, notion [*om* of]; t.ex. filos. concept; *~et skönhet* the conception (filos. concept) of beauty; *det har blivit ett ~* it has become a household word (an institution); *bilda (göra) sig ett ~ om* form an idea of; *reda ut ~en* straighten things out **2** *stå (vara) i ~ att* be about (just going) to

begreppsförvirring *s* (~en, ~ar) confusion of ideas

begripa I *vb tr* (-grep, -gripit) understand, comprehend; fatta äv. grasp, catch; vard. get; inse see; *begriper du?* [do you] see?; *jag begrep inte riktigt* I didn't quite get it (catch on); jfr vidare under *förstå I* **II** *vb rfl* (-grep, -gripit), *~ sig på* se *förstå II*

begriplig *adj* (~t) intelligible, comprehensible, understandable [*för* to]; *göra ngt ~t [för ngn]* friare äv. make sth clear [to sb]; *av ~a skäl* for obvious reasons

begriplighet *s* (~en) intelligibility

begrunda *vb tr* (~de, ~t) ponder over ([up]on), meditate (reflect) [up]on, think over

begrundan *s* (=, en) meditation, reflection

begråta *vb tr* (-grät, -gråtit) mourn; eg. äv. weep for

begränsa I *vb tr* (~de, ~t) **1** eg.: allm. bound; matem. enclose; minska, t.ex. utsikt shut in, block **2** bildl.: avgränsa define; inskränka limit, restrict; hejda spridningen av t.ex. eld check, keep...within bounds; sätta en gräns för set limits to; hålla inom viss gräns confine [*till* to], keep down; *~ till ett minimum* confine (reduce) to... **II** *vb rfl* (~de, ~t), *~ sig* inskränka sig limit (restrict) oneself [*till* to]; koncentrera sig keep within reasonable bounds; *~ sig* koncentrera *sig till* confine oneself to

begränsad *adj* (-gränsat, ~e) limited; *en ~ horisont* bildl. a narrow outlook; *~ kredit* restricted credit; *~e*

resurser limited resources; **~e tillgångar** straitened means

begränsning *s* (~en, ~ar) limitation, restriction; begränsad omfattning limited scope; koncentrering keeping within reasonable bounds, restraint; *det* (*han*) *har sina ~ar* it has its (he has his) limitations; *inse sin ~* know one's own limitations

begynna *vb tr* o. *vb itr* (begynte, begynt) begin; jfr vidare *börja*

begynnande *adj* (oböjl.) om t.ex. sjukdom incipient; *~ vokal* initial vowel; *~ håravfall* (*flint*) incipient hair loss (baldness), the beginnings of hair loss (baldness)

begynnelse *s* (~n, ~r) beginning; första skede äv. infancy, initial stages pl.

begynnelsebokstav *s* (~en, -bokstäver) initial [letter]; *liten ~* small initial letter; *stor ~* initial capital [letter]

begynnelselön *s* (~en, ~er) commencing salary, starting pay (endast sg.)

begå *vb tr* (-gick, -gått) **1** föröva: t.ex. ett mord commit; andra brott äv. perpetrate; t.ex. ett felsteg äv. be guilty of; t.ex. ett misstag make; *~ en orättvisa mot* commit an [act of] injustice to (towards); *~ en synd* commit a sin **2** fira solemnize, celebrate; *~ nattvarden* partake of the communion

begåvad *adj* (-gåvat, ~e) gifted, talented, clever; *vara språkligt ~* have a gift for languages

begåvning *s* (~en, ~ar) **1** talent[s pl.], gift[s pl.]; anlag äv. aptitude [*för* for]; *ha ~ för* have a gift (talent) for; *en författare med stor ~* a writer of great talent **2** person gifted (talented) person

begär *s* (~et, =) allm. desire; starkare craving, longing; åtrå lust [*efter* i samtliga fall for]; *ett omättligt ~* an insatiable desire; *ett sjukligt ~* a morbid craving; *ha* (*hysa*) *~ till* t.ex. bibl. covet

begära *vb tr* (-gärde, -gärt) allm. ask, ask for jfr ex.; ansöka om äv. apply for; nåd, skadestånd, skilsmässa sue for; fordra require; starkare demand; *~ hjälp av ngn* ask sb's (sb for) help; *~ att få se...* want (ask) to see...; *jag begär inget annat än...* all I want is...; *begärt pris* [the] asking price; *är det för mycket begärt?* is it too much to expect (ask)?

begäran *s* (=, en) anhållan request; mera formellt petition; ansökan application; fordran demand [*om* i samtliga fall for; *om att få* + inf., i samtliga fall to be allowed to + inf.]; *prov skickas på ~* hand. ...will be sent on request (application); *på* [*allmän*] *~* by [general] request; *på egen ~* at his (her etc.) own request; *på ngns ~* at the desire (request) of sb

begärlig *adj* (~t) eftersökt ...much sought after; desirable; tilltalande attractive [*för* to]

behag *s* (~et, =) **1** välbehag pleasure, delight; tillfredsställelse satisfaction; *finna ~ i* take pleasure ([a] delight) in, delight in **2** gottfinnande, *efter ~* at pleasure; som man vill at will (discretion), ad lib; alltefter smak [according] to taste **3** tjusning charm; behagfullhet äv. grace; *ha nyhetens ~* have the charm of novelty **4** konkr., *kvinnliga ~* feminine charms

behaga *vb tr* (~de, ~t) **1** tilltala please, appeal to; verka tilldragande på attract **2** önska like, choose, wish, think fit; *gör som ni ~r* do just as you wish (please, see fit), please (suit) yourself **3** värdigas, iron. condescend

behagfull *adj* (~t) graceful; intagande charming

behaglig *adj* (~t) angenäm pleasant, agreeable; tilltalande pleasing, attractive; starkare delightful; *mjuk och ~* om sak nice and soft; *~t sätt* engaging manners

behagsjuk *adj* (~t) anxious to please; kokett coquettish

behandla *vb tr* (~de, ~t) allm. treat; om läkare äv. attend; förfara med, avhandla äv. deal with; hantera, äv. t.ex. språk handle; dryfta discuss; ansökan o.d. consider; jur. hear, try; parl. read; *~ ngn för en sjukdom* treat sb for...; *bli* (*vara*) *orättvist ~d* be unjustly treated, be unfairly done by

behandling *s* (~en, ~ar) (jfr *behandla*); treatment; handling, discussion, consideration; jur. hearing, trial; parl. reading; *hans ~ av ämnet* his handling of (way of dealing with) the subject; maskinen tål inte sådan ~ ...treatment (usage); *ta upp ngt till ~* bring sth up for discussion; frågan *är under ~* ...is under discussion (consideration), ...is being dealt with

behandlingsmetod *s* (~en, ~er) method (mode) of treatment, procedure

behjälplig *adj* (~t), *vara ngn ~* assist sb [*med att skriva* to write el. in writing]

behjärtansvärd *adj* (-värt) värd hjälp deserving

behov *s* (~et, =) **1** need; brist want; nödvändighet necessity; vad som behövs requirements pl. [*av* for]; *ett stort* (*växande, ökande*) *~ av* a great (growing, increasing) demand for; *ha små ~* have few wants; *ha ~ av* be in need of, need; *för att täcka ~et av* to meet the demand for; *efter ~* as (when) required; according to requirements (need); *för framtida ~* for future needs; *vara i ~ av...* be (stand) in need of..., have need of...; *vid ~* when necessary, if required **2** naturbehov, *förrätta sina ~* relieve oneself

behovsprövning *s* (~en, ~ar) means test

behå *s* (~n, ~ar) bra

behåll *s* (oböjl., ett), *ha ngt i ~* have [got] sth left; *ha förnuftet i ~* be in possession of one's senses; *undkomma med livet i ~* escape with one's life intact, escape alive

behålla *vb tr* (-höll, -hållit) allm. keep; bibehålla, kvarhålla äv. retain; olovandes stick to; *~ för sig själv* tiga med keep to oneself, keep quiet about; för egen del keep for oneself; *låta ngn ~ ngt* let sb keep sth, leave sb in possession of sth

behållare *s* (~n, =) container, receptacle, holder; vätske~ reservoir; större tank; för t.ex. gas receiver

behållning *s* (~en, ~ar) **1** återstod remainder, surplus; saldo balance [in hand]; förråd store, supply; *~ i dödsbo* jur. residue; *kontant ~* cash [in hand] **2** vinst, utbyte profit; intäkter av t.ex. konsert proceeds pl. [*av* of]; avkastning yield; *ge...i ren ~* yield...clear profit (...net); *ha ~ av* utbyte *ngt* profit (benefit) by sth

behäftad *adj* (-häftat, ~e), *vara ~ med* t.ex. fel suffer from, be marred (impaired) by; t.ex. skulder be burdened (encumbered) with

behändig *adj* (~t) bekväm handy, convenient; flink deft, dexterous; smånäpen natty; *ett ~t sätt att* + inf. äv. a clever way of + ing-form

behärska I *vb tr* (~de, ~t) **1** råda över control, rule; bildl. äv. govern; vara herre över be in command of; t.ex. mil. command; dominera dominate; *~ situationen* have the situation under control (well in hand) **2** kunna master; be master (kvinna mistress) of; *~ engelska bra* (*fullständigt*) have a good command (a complete mastery) of English; **~ ämnet** have a good grasp of the subject **II** *vb rfl* (~de, ~t), **~ sig** control (restrain) oneself, keep one's temper, keep oneself in check

behärskad *adj* (-härskat, ~e) self-controlled, restrained; måttfull moderate; sansad self-restrained, self-contained, self-possessed; **~ optimism** guarded (cautious) optimism

behärskning *s* (~en) control; själv~ self-control; **visa ~** show [self-]restraint

behörig *adj* (~t) **1** vederbörlig due; lämplig proper, fitting; **på ~t avstånd** at a safe distance; **i ~ ordning** (**tid**) in due order (course) **2** kompetent qualified, competent; om t.ex. lärare certificated; **icke ~** not qualified (competent); om t.ex. lärare non-certificated

behörighet *s* (~en, ~er) kompetens qualification, competence; myndighet authority; data., användarbehörighet access rights (privileges); **han har ~ att** är kvalificerad att he is qualified to

behöva *vb tr* (-hövde, -hövt) ha behov av need, want, require; vara tvungen need (jfr ex.), have [got] to; **~ ngt mycket väl** want (need) sth badly, be in great need of sth; **jag behöver den inte längre** äv. I have no more use for it; **det behöver inte innebära** it does not necessarily mean; **man behöver inte vara något geni för att** + inf. it doesn't take a genius to + inf.; **jag har aldrig behövt ångra det** I have never had occasion to regret it; **det hade inte behövt göras** it need not have been done

behövande *adj* (oböjl.) [poor and] needy, ...in great need

behövas *vb itr dep* (-hövdes, -hövts) be needed (wanted, required); **det behövs** det är nödvändigt it is necessary; det fordras it takes (needs); jfr ex., **det behövs lärare** ...are needed (wanted, required), there is a need for...; **det behövs pengar** (**tid**) **för att göra det** it needs (takes) money (takes time) to do that; **om det** (**så**) **behövs** if it is (should it be) necessary, if need be

behövlig *adj* (~t) necessary, ...needed

beige *s* (oböjl.) o. *adj* (= el. ~t, = el. ~a) beige; för sammansättn. jfr *blå-*

Beirut Beirut

beivra *vb tr* (~de, ~t), **[lagligen] ~** take [legal] measures against; **överträdelse ~s** på anslag o.d. offenders (vid förbud att beträda område trespassers) will be prosecuted

bejaka *vb tr* (~de, ~t) erkänna förekomsten av accept, recognize; **~ livet** have a positive outlook on life

bejublad *adj* (-jublat, ~e), **en ~ föreställning** a much-acclaimed (very successful) performance

bekant I *adj* (=) **1** känd **a)** som man vet om known [*för ngn* to sb]; **som ~** as we (you) [all] know, as everyone knows, as is well known **b)** välkänd, attr. well-known (pred. well known), omtalad noted; beryktad notorious [*för ngt* i samtliga fall for sth]; välbekant familiar [*för ngn* to sb]; **det känns** (**verkar**) **~** it seems familiar to me **2 bli ~ med ngn** get to know (become acquainted with) sb, make sb's acquaintance, meet sb **II** *s* (en ~, pl. ~a) acquaintance; ofta friend; **en ~ till mig** a friend (an acquaintance) of mine, someone (a fellow etc.) I know; **~as ~a** till mig friends of friends of mine; **vi är gamla ~a** vanl. we have known each other for a long time

bekanta *vb rfl* (~de, ~t), **~ sig med ngt** acquaint oneself with sth; **~ sig med varandra** get to know each other

bekantskap *s* (~en, ~er) acquaintance [*med* with]; kännedom knowledge [*med* of]; **stifta ~ med** become (get) acquainted with, get to know; person äv. make the acquaintance of; **säga upp ~en med ngn** break off relations (one's friendship) with sb

bekantskapskrets *s* (~en, ~ar) circle (set) of acquaintances; **i min ~** among my acquaintances

beklaga I *vb tr* (~de, ~t) **1** ngn: tycka synd om be (feel) sorry for; ömka pity **2** ngt: vara ledsen över regret, be sorry about; sörja feel sorry about; ogilla deprecate; **jag ~r att...** I regret (am sorry) that...; **jag ~r att jag inte kan...** I regret being unable to (that I cannot)...; **vi ~r ljudkvalitén** i denna sändning we wish to apologize for the sound quality...; **jag ~r sorgen** may I express (please accept) my condolences (sympathy) **II** *vb rfl* (~de, ~t), **~ sig** complain [*över* about; *för, hos* to]

beklagande *s* (~t, ~n) [expression of] regret (sorrow); **uttrycka sitt ~** express one's regret [*över att* that; *över ngt* at sth]; **det är med ~ jag måste meddela** I regret to inform you

beklagansvärd *adj* (-värt) om person ...to be pitied, pitiable, pitiful; stackars poor; om sak, se *beklaglig*

beklaglig *adj* (~t) regrettable, unfortunate; sorglig deplorable; **en ~ brist på** a deplorable lack of; **det är ~t** it is to be regretted

beklagligtvis *adv* unfortunately; to my (his etc.) regret

beklädnad *s* (~en) klädsel clothing, wear, attire; överdrag cover[ing]; fackspr. äv. case, casing; utvändig facing

beklädnadsindustri *s* (~n, ~er) clothing industry

beklämd *adj* (-klämt) depressed, distressed [*över* at]; oppressed; **göra ~** äv. depress; **känna sig ~** feel heavy at heart

beklämmande *adj* (oböjl.) depressing, distressing; sorglig deplorable, sickening; **det är ~** äv. it makes you sick

beklämning *s* (~en) depression, oppression, heaviness of heart; **djup ~** anguish

bekomma *vb itr* (-kom, -kommit) **1 ~ ngn väl** (**illa**) göra ngn gott (skada) do sb good (harm); om t.ex. mat agree (disagree) with sb; **väl bekomme!** varsågod you are welcome [to it]! äv. iron. **2** röra, **det bekommer mig ingenting** it has no effect upon me, it doesn't worry (bother) me

bekosta *vb tr* (~de, ~t) pay for, defray [the expense (cost) of]

bekostnad *s* (oböjl., en), **på ngns ~** at sb's expense äv. bildl.; **på egen ~** at one's own expense; **på ~ av** at the expense (cost, sacrifice) of

bekransa *vb tr* (~de, ~t) wreathe, garland; omge äv. encircle

bekräfta *vb tr* (~de, ~t) allm. confirm; bestyrka äv. corroborate, substantiate, affirm; erkänna acknowledge; attestera certify; **~ mottagandet av** acknowledge [the] receipt of; **bli ~d** be confirmed, prove [to be] true; om person be acknowledge

bekräftelse *s* (~n, ~r) (jfr *bekräfta*); confirmation, corroboration; acknowledgement [*på* i samtliga fall of]

bekväm *adj* (~t) **1** comfortable; vard. comfy; praktisk, bra convenient, handy; lätt easy; **gör det ~t åt dig!** make yourself comfortable! **2** om person, ~ **[av sig]** easy-going, lazy, indolent; **vara ~ [av sig]** äv. be fond of taking things easy

bekväma vb rfl (~de, ~t), **han har inte ens ~t sig till att** + inf. he hasn't even taken the trouble to + inf.

bekvämlighet s (~en, ~er) **1** convenience; trevnad comfort; lätthet ease; **alla moderna ~er** every modern convenience sg., all the latest conveniences; vard. all the mod cons **2** maklighet easy-goingness, laziness

bekvämlighetsflagg s (~en) sjö. flag of convenience

bekvämlighetsinrättning s (~en, ~ar) åld. public convenience

bekvämlighetsskäl s (oböjl.), **av ~** for the sake of convenience

bekvämt adv **1** comfortably; conveniently; **ha det ~** be comfortable; **sätta sig ~** make oneself comfortable [in a chair] **2** utan svårighet easily, [quite] comfortably

bekymmer s (bekymret, =) worry, trouble; starkare anxiety, concern; omsorg care; **ekonomiska ~** financial worries; **ha ~** vanl. be in trouble; **inte ha några ~** have no worries, be free from care; **det är inte mitt ~** that's not my concern (problem)

bekymmersam adj (~t, ~ma) brydsam distressing; mödosam ...full of care; **det ser ~t ut för honom** things look bad for him

bekymmerslös adj (~t) carefree; sorglös om person äv. light-hearted, unconcerned, happy-go-lucky; **en ~ tillvaro** a carefree existence, a life of ease

bekymra I vb tr (~de, ~t) trouble, worry; oroa äv. distress, cause...anxiety **II** vb rfl (~de, ~t), **~ sig** trouble (worry) [oneself] [för, över, om about]; **~ sig för (över)** äv. distress oneself (be anxious) about; **~ sig om** äv. care about, concern oneself about (with)

bekymrad adj (-kymrat, ~e) distressed, concerned, troubled, worried, anxious [för, över i samtliga fall about]

bekämpa vb tr (~de, ~t) fight [against], combat

bekämpning s (~en, ~ar) combating, control [av of]; fight [av against]

bekämpningsmedel s (-medlet, =) biocide; mot skadeinsekter o.d. insecticide, pesticide; mot ogräs weed-killer; **~ mot...** means of combating (controlling)...

bekänna I vb tr (-kände, -känt) erkänna confess; öppet tillstå avow; förklara sin tro på profess; **~ [sin skuld]** confess; jur. äv. plead guilty; **~ färg (kort)** kortsp. follow suit; bildl. show one's hand; **jag måste ~** tillstå **att...** I must confess that... **II** vb rfl (-kände, -känt), **~ sig till** t.ex. en religion profess; t.ex. ett parti profess oneself an adherent of

bekännare s (~n, =) confessor

bekännelse s (~n, ~r) allm. confession; tros~ äv. profession; troslära creed; **avlägga en ~** make a confession

belackare s (~n, =) slanderer, backbiter

belag s (~et, =) på t.ex. skidor running surface

belamra vb tr (~de, ~t) clutter up; minnet äv. encumber [med with]

belasta vb tr (~de, ~t) **1** load; betunga: t.ex. med skatt burden; t.ex. med inteckning encumber; bildl. saddle; anstränga overload [med i samtliga fall with]; **~ minnet**

med burden (load) one's memory with **2** hand. charge, debit **3** sport. weight, handicap

belastning s (~en, ~ar) load[ing], weight, stress; bildl. disadvantage, drawback, encumbrance; **hans förflutna är en stor ~ för honom** his past is a great handicap (encumbrance) to him; **beräkna ~en på bron** calculate the strains and stresses of the bridge; **~en på maskinen blev för stor** the strain on the machine was too great

belastningsregister s (-registret, =) criminal records pl. (register); **han finns i belastningsregistret** vanl. he has a criminal record

belastningsskador s pl med. strain injuries; av monotont arbete repetitive strain injury sg. (förk. RSI)

beledsaga vb tr (~de, ~t) accompany äv. mus.; uppvakta attend; följa follow

belevad adj (-levat, ~e) well-bred, well-mannered; artig courteous; världsvan urbane

belevenhet s (~en) good breeding, polish; polished manners pl.

belgare s (~n, =) Belgian

Belgien Belgium

belgier s (~n, =) Belgian

belgisk adj (~t) Belgian

belgiska s (~n, belgiskor) kvinna Belgian woman

Belgrad Belgrade

Belize Belize

belladonna s (~n) bot. el. med. belladonna; bot. äv. deadly nightshade

belopp s (~et, =) amount, sum; **hela ~et** the total (whole) amount

belysa vb tr (-lyste, -lyst) t.ex. en gata light [up]; allm. illuminate; bildl. äv. throw (shed) light upon, illustrate; klarlägga elucidate; **detta exempel belyser riskerna** this example illustrates the risks

belysande adj (oböjl.) åskådlig illuminating; betecknande illustrative, characteristic [för of]; klarläggande elucidatory, elucidative; **ett ~ exempel** an illustrative example

belysning s (~en, ~ar) allm. lighting, illumination; dager light äv. bildl.; **dämpad ~** subdued (soft) light; **elektrisk ~** electric lighting; **indirekt ~** indirect lighting; **i historisk ~** in the light of history

belåna vb tr (~de, ~t) inteckna mortgage; låna pengar på raise money (a loan) on, borrow [money] on; pantsätta pledge, pawn; **huset är högt ~t** the house is heavily mortgaged

belåning s (~en, ~ar) inteckning[ar], hus **med hög ~** ...with high mortgage loans

belåten adj (-låtet, -låtna) satisfied, pleased [med i båda fallen with], happy [med about]; förnöjd contented; **vara ~ med** trivas med like, be pleased with; **se ~ ut** look pleased (happy)

belåtenhet s (~en) satisfaction [över at]; contentment; **vara till allmän ~** be to everyone's satisfaction; **utfalla till ~** turn out well, prove satisfactory

belägen adj (-läget, -lägna) liggande situated; placerad located; **vara ~** äv.: om t.ex. stad lie, be; om t.ex. hus stand; **vara ~ vid** en flod, vattnet be situated by, foten av ett berg be situated at

belägenhet s (~en, ~er) läge, placering situation, position; plats location; bildl. situation, state

belägg s (~et, =) bevis evidence, proof [för of]; **ge ~ för** t.ex. teori äv. confirm, bear out, support

belägga *vb tr* (-lade, -lagt) **1** betäcka cover; överdra äv. coat [*med* with]; ~ *med gatsten* (*stenplattor*) pave (resp. flag) **2** ~sjukhus *med patienter* admit patients to…, fill…with patients **3** pålägga, ~ *ngt med* t.ex. straff, skatt impose…on sth **4** bevisa medelst exempel support (bear out, substantiate)…with examples **5** sjö. belay, bitt

beläggning *s* (~en, ~ar) **1** covering, coating; konkr. cover, coat; lager layer; gatu~ paving, pavement; på tunga fur, coating; på tänder film **2** *sjukhusets* ~ the number of occupied beds (of patients) in the hospital; *hotellet har full* ~ the hotel is fully booked up

belägra *vb tr* (~de, ~t) besiege, beleaguer båda äv. bildl., invest; *de ~de* the besieged

belägring *s* (~en, ~ar) siege, investment; *upphäva ~en* raise the siege

belägringstillstånd *s* (~et, =) state of siege

beläsenhet *s* (~en) [wide] reading; *ha stor ~ i* be widely read in

beläst *adj* (=) well-read; *en mycket ~ kvinna* äv. a woman of extensive (wide) reading

beläte *s* (~t, ~n) avbild image, likeness; avgudabild idol; vard. dummy

belöna *vb tr* (~de, ~t) reward; gottgöra recompense, remunerate; *~…med ett pris* award a prize to…

belöning *s* (~en, ~ar) reward; gottgörelse recompense, remuneration; utmärkelse award, prize; *som ~* as a reward osv.

belöpa *vb rfl* (-löpte, -löpt), *~ sig till* amount (come, run [up]) to

bemanna *vb tr* (~de, ~t) man; *~d* manned

bemanning *s* (~en, ~ar) bemannande manning; av t.ex. företag staffing; besättning crew; personal staff

bemedlad *adj* (-medlat, ~e), *en ~ person* a person of means, a well-to-do (wealthy) person; *de mindre ~e* people of small means

bemyndiga *vb tr* (~de, ~t) authorize, empower

bemyndigande *s* (~t, ~n) authorization; befogenhet authority, sanction, power [of attorney]; *ge ngn ~ att* + inf. authorize sb to + inf.; *ha* [*ngns*] *~ att* + inf. be authorized [by sb] to + inf.

bemäktiga *vb rfl* (~de, ~t), *~ sig* take possession of, seize; *fruktan ~de sig honom* vanl. he was overcome by (seized with) fear

bemärkelse *s* (~n, ~r) sense; *i bildlig ~* in a figurative sense, figuratively; *i ordets fulla ~* in the full sense of the word

bemärkelsedag *s* (~en, ~ar) märkesdag red-letter day; högtidsdag great (important, special) day (occasion)

bemärkt *adj* (=) noted; attr. well-known, pred. well known [*för* for]; framstående prominent; *göra sig ~ känd* make a name for oneself

bemästra *vb tr* (~de, ~t) få bukt med master; tygla overcome, get the better of

bemöda *vb rfl* (~de, ~t), *~ sig* take pains, try hard [[*om*] *att* + inf. to + inf.]; *~ sig* [*om*] *att* + inf. äv. endeavour (strive) to + inf.; *~ sig om ett gott uppförande* try [hard] to behave well

bemödande *s* (~t, ~n) ansträngning effort, exertion; strävan endeavour

bemöta *vb tr* (-mötte, -mött) **1** behandla treat; motta receive **2** besvara answer, meet; vederlägga refute

bemötande *s* (~t, ~n) **1** behandling treatment; *få ett vänligt* ~ meet with kind treatment (a kind

reception) **2** svar reply [*av* to]; vederläggande refutation [*av* of]

ben *s* (~et, =) **1** skelett~, fisk~ el. som ämne bone **2** lem, el. ben på strumpa, stol o.d. leg; *bryta ~et* break one's leg; *dra ~en efter sig* gå långsamt go shuffling along; söla hang about, dawdle; *lägga ~en på ryggen* take to one's heels; vard., skynda sig step on it, get moving (cracking); *stå på ~en* stand on one's legs, stand [up]; *rör på ~en!* vard. shake a leg!, get a move on!, get going!; det ska bli skönt att få *sträcka på ~en lite* …stretch one's legs a little; *stå på egna ~* stand on one's own feet (legs); *inte veta på vilket ~ man ska stå* be at one's wit's end, not know which leg to stand on; *sätta* (*ta*) *det långa ~et före* put one's best foot forward; *vara på ~en* be up and about; tillfrisknad äv. be on one's feet

1 bena *vb tr* (~de, ~t), *~ ur* fisk bone; *~ upp* (*ut*) bildl. analyse; amer. analyze, dissect

2 bena I *vb tr* (~de, ~t), *~ håret* part one's hair **II** *s* (~n, benor) parting; amer. part; *ha ~* have a parting; *kamma ~* make a parting

benbrott *s* (~et, =) **1** i nedre extremiteterna fractured (broken) leg **2** fraktur fracture

benfri *adj* (-fritt) boneless; om fisk äv. boned

bengal *s* (~en, ~er) Bengalese (pl. lika), Bengali (pl. lika el. -s)

Bengalen Bengal

bengalisk *adj* (~t) Bengalese; *~ eld* Bengal light; *~ tiger* Bengal tiger

benget *s* (~en, ~ter) vard. bag of bones

benhinneinflammation *s* (~en, ~er) med. periostitis (endast sg.)

benhård *adj* (-hårt) bildl. rigid, …hard as nails, strict; orubblig adamant; *~ konservatism* diehard conservatism

benig *adj* (~t) bony; om fisk äv. …full of bones; knotig äv. scraggy

Benin Benin

benjaminfikus *s* (~en, ~ar) bot. Benjamin fig, weeping fig

benkläder *s pl* underbyxor: mans [under]pants, amer. underpants

benknota *s* (~n, -knotor) bone

benmjöl *s* (~et) bone meal; gödningsämne bone manure

benmärg *s* (~en) [bone] marrow

benpipa *s* (~n, -pipor) anat. shaft [of the (resp. a) bone], bone

benrangel *s* (-ranglet, =) skeleton

benröta *s* (~n) med. caries

bensin *s* (~en) **1** motorbränsle petrol; amer. gasoline, vard. gas **2** kem., till rengöring benzine

bensinbomb *s* (~en, ~er) Molotov cocktail, petrol (amer. gasoline) bomb

bensindunk *s* (~en, ~ar) petrol can

bensinmack *s* (~en, ~ar) filling (service, petrol) station; amer. äv. gas station; med verkstad ofta garage

bensinmotor *s* (~n, ~er) petrol (amer. gasoline) engine

bensinmätare *s* (~n, =) petrol (fuel) gauge

bensinpump *s* (~en, ~ar) petrol pump; på bil fuel pump

bensinskatt *s* (~en, ~er) petrol (amer. gasoline) tax

bensinsnål *adj* (~t) om bil economical [on petrol

(amer. gasoline)]; **bilen är ~** äv. the car has a low petrol consumption (amer. gets good mileage)

bensinstation s (~en, ~er) filling (service, petrol) station; amer. äv. gas station; med verkstad ofta garage

bensintank s (~en, ~ar) petrol (fuel) tank

benskydd s pl sport. shinguards, [shin]pads

benskärva s (~n, -skärvor) splinter of bone, bone-splinter

benskörhet s (~en) med. brittle-bone disease

benstomme s (~n, -stommar) skeleton, skeletal structure; **ha kraftig ~** have a sturdy frame, be big-boned

benstump s (~en, ~ar) stump

benvit adj (-vitt) ivory-coloured

benvärmare s pl leg-warmers

benvävnad s (~en, ~er) bone tissue

benåda vb tr (~de, ~t) pardon; dödsdömd reprieve

benådning s (~en, ~ar) pardon; vid dödsdom reprieve; amnesti amnesty

benägen adj (-näget, -nägna) böjd inclined, apt, disposed; villig willing, ready; **vara ~ att** äv. tend to

benägenhet s (~en) böjelse inclination [för to]; disposition [för to[wards]]; begivenhet, ovana propensity [för to; att + inf. to + inf. el. for + ing-form]; villighet readiness, willingness [för to]; **ha en ~ att** tänka illa om andra have a tendency to…

benämna vb tr (-nämnde, -nämnt) call, name, denominate, term; beteckna designate; **denna växt benämnes olika** på olika platser this plant has (goes by) different names…

benämning s (~en, ~ar) name [på for], appellation, denomination, term; beteckning designation

beordra vb tr (~de, ~t) order; tillsäga instruct; **~ ngn till tjänstgöring** detail sb for duty

beprövad adj (-prövat, ~e) [well-]tried, tested, reliable

bereda I vb tr (-redde, -rett) **1** förbereda, tillreda prepare; göra i ordning get…ready; bearbeta: allm. dress, process; tillverka make; **~ hudar (läder)** curry (dress) hides (leather); **~ ngn på ngt** prepare sb for sth; **~ plats för** make room for; **~ väg för** bildl. pave (smooth, prepare) the way for **2** förorsaka, t.ex. besvär cause; skänka, t.ex. glädje give, afford; **uttalet bereder stora svårigheter** the pronunciation presents great difficulties **II** vb rfl (-redde, -rett), **~ sig** göra sig beredd prepare [oneself] [på, till for]; **man får (måste) ~ sig på det värsta** vanl. one must be prepared for the worst

beredd adj (berett) **1** prepared; redo äv. ready [på for; att + inf. to + inf.]; villig willing [till uppoffringar to make sacrifices]; **vara ~ på det värsta** fear (be prepared for) the worst **2** tekn., om läder curried, dressed

beredning s (~en, ~ar) **1** förberedande preparation; tillverkning manufacture, making; av läder dressing, currying **2** utskott drafting committe

beredskap s (~en, ~er) preparedness, readiness; mil. military preparedness; styrka emergency troops pl.; **ha i ~** have in readiness (färdig ready, på lager in store); **ligga i ~** mil. el. om t.ex. polis be in a state of alert, be alerted (standing by)

beredskapsarbete s (~t, ~n) public relief work (endast sg.), temporary employment

beredskapslager s (-lagret, =) stockpile

beredskapsplan s (~en, ~er) contingency plan, emergency plan

beredvillig adj (~t) ready [and willing], prompt

beredvillighet s (~en) readiness, willingness, promptitude

berest adj (=) widely-travelled…; **hon är mycket ~** she has travelled a great deal

berg s (~et, =) **1** mountain äv. bildl.; mindre hill; klippa rock; **det sitter som ~** it won't budge **2** geol. el. gruv. rock

bergart s (~en, ~er) [kind (species) of] rock

bergbana s (~n, -banor) mountain railway

bergfast adj (=) …[as] firm as a rock, rock-steady; **en ~ tro** an unshakable (a steadfast) belief

bergfink s (~en, ~ar) zool. brambling

berggrund s (~en, ~er) rock, bedrock

berghäll s (~en, ~ar) [flat piece of] rock

bergig adj (~t) mountainous; hilly; rocky

1 bergis s (~en, ~ar) bröd poppy-seed loaf (flätat plait)

2 bergis adv, **han är ~ försenad!** bet you he's late!

bergkristall s (~en, ~er) miner. rock crystal

berg-och-dalbana s (~n, -banor) roller coaster, big dipper; bildl., **livets ~** life 's ups and downs pl.

bergolja s (~n, -oljor) rock oil, petroleum

bergsalt s (~et, ~er) rock salt

bergsbestigare s (~n, =) mountaineer, mountain climber

bergsbestigning s (~en, ~ar) alpinism [mountain-]-climbing, mountaineering; tur [mountain] climb, ascent

bergsbruk s (~et, =) mining [industry]

bergsingenjör s (~en, ~er) mining engineer

bergskam s (~men, ~mar) mountain crest

bergskedja s (~n, -kedjor) mountain chain

bergskreva s (~n, -skrevor) cleft, crevice

bergskyddsrum s (~met, =) rock shelter

bergspass s (~et, =) mountain pass; trångt defile

bergspredikan s (best. sing.) bibl. the Sermon on the Mount

bergsprängare s (~n, =) **1** rock-blaster **2** vard., stor kassettbandspelare ghetto blaster, boom box

bergsrygg s (~en, ~ar) mountain ridge

bergssluttning s (~en, ~ar) mountain slope, mountain side

bergstopp s (~en, ~ar) mountain peak

bergstrakt s (~en, ~er) mountain[ous] district

bergsäker adj (~t, -säkra), **det är ~t** it's absolutely certain (a dead certainty); **jag är ~ på att han…** I'm dead certain that…

bergtagen adj (-taget, -tagna), **bli ~** be spirited away [into the mountain]; friare be enchanted

bergtroll s (~et, =) mountain troll, gnome

bergtunga s (~n, -tungor) zool. el. kok. lemon sole

berguv s (~en, ~ar) zool. eagle owl; amer. äv. great horned owl

bergvägg s (~en, ~ar) rock-face; klippvägg cliff-face

bergvärme s (~n) geothermal heating

beriberi s (~n) med. beriberi

beriden adj (-ridet, -ridna) mounted

berika vb tr (~de, ~t) enrich äv. fys.

beriktiga vb tr (~de, ~t) correct, rectify, put…right

beriktigande s (~t, ~n) correction, rectification

Berings sund Bering Strait

Berlin Berlin

berlinare s (~n, =) Berliner, inhabitant of Berlin

berlock *s* (~en, ~er) charm

bermudas *s pl* o. **bermudashorts** *s pl* Bermudas, Bermuda shorts

Bermudaöarna *s pl* the Bermudas, Bermuda sg.

bero *vb itr* (~dde, ~tt) **1** ~ **på** a) ha sin grund i be due (owing) to; *det ~r på att han är...* that is due (owing) to the fact that he is... (to his being...) **b**) komma an (hänga) på depend on; vara en fråga om be a question (matter) of; *det ~r på dig om...* it depends on (is up to) you whether...; *det ~r på vädret om vi ska resa* our going depends (is dependent) on the weather **2** låta ~ anstå: *låta saken ~* let the matter rest there

beroende I *adj* (oböjl.) **1** avhängig dependent [*av (på)* [up]on]; *vara ~ av (på)* äv. depend [up]on; *vara ~ av läkemedel* be dependent on (starkare addicted to) medicines **2** ~ **på** a) på grund av owing (vard. due) to [*att* the fact that] b) avhängigt av depending on [*om* whether] **II** *s* (~t, ~n) dependence [*av* [up]on]; addiction [*av* to]

beroendeframkallande *adj* (oböjl.) habit-forming; starkare addictive

beroendeförhållande *s* (~t, ~n) [state of] dependence [*till* on]; *stå i ~ till* be dependent on

berså *s* (~n, ~er) arbour, bower

berusa I *vb tr* (~de, ~t) intoxicate äv. bildl., inebriate, make...drunk; *låta sig ~s av* bildl. have one's head turned by **II** *vb rfl* (~de, ~t), ~ *sig* intoxicate oneself, get intoxicated (drunk, vard. tipsy) [*med* on]

berusad *adj* (-rusat, ~e) intoxicated, drunk båda äv. bildl. [*av* with], inebriated [*av* by]; vard. tipsy; *han är ~ av makt* (*framgång*) he is drunk with power (success)

berusande *adj* (oböjl.) intoxicating äv. bildl.

berusning *s* (~en, ~ar) intoxication

berusningsmedel *s* (-medlet, =) intoxicant

beryktad *adj* (-ryktat, ~e) ökänd notorious [*för* for], disreputable; pred. äv. ...of bad (evil) repute

berått *adj* (oböjl.), *med ~ mod* deliberately, in cold blood; jur. with malice aforethought

beräkna *vb tr* (~de, ~t) allm. calculate; uppskatta estimate [*till* at]; genom beräkning fastställa determine; räkna ut compute; anslå, t.ex. viss tid för ngt allow; *~...per person* i matrecept allow...per person; *när ~r du vara färdig?* when do you expect to be finished?; *huset ~s vara färdigt den 3 juni* the house is expected to be ready (finished) June 3rd

beräknande *adj* (oböjl.) calculating, scheming

beräkning *s* (~en, ~ar) calculation, computation; uppskattning estimate [*av* of]; *efter* (*enligt*) *mina ~ar* according to my calculations (reckoning)

berätta *vb tr* (~de, ~t) tell [*ngt för ngn* sb sth el. sth to sb]; ~ *ngt* skildra, förtälja äv. relate (narrate) sth; redogöra för äv. recount sth [*för ngn* to sb]; ~ *historier* tell stories; *han ~de, att...* he told (informed) me (us osv.) that...

berättande *adj* (oböjl.) narrative

berättare *s* (~n, =) story-teller, narrator

berättartalang *s* (~en, ~er) **1** förmåga gift for (knack of) telling stories **2** person gifted (born) story-teller

berättelse *s* (~n, ~r) saga, historia tale, [short] story; skildring narrative; redogörelse report, statement [*över* (*om*) about, on]; account [*över* (*om*) of]

berättiga *vb tr* (~de, ~t) entitle; ~ *ngn att* + inf. äv.

authorize sb to + inf., give sb the right to + inf.; *detta ~r inte till* sådana åtgärder this does not justify...

berättigad *adj* (-rättigat, ~e) om person entitled, authorized [*att* + inf. to + inf.]; justified [*att* + inf. in + ing-form]; rättmätig just, legitimate; välgrundad well-founded; ~ *stolthet* justifiable pride; *han är ~ till pension* he is entitled to a pension

berättigande *s* (~t) bemyndigande authorization; befogenhet, rätt right, claim [*till* to], eligibility [*till* for]; rättfärdigande justification; existensberättigande, *filmens ~* ligger i the raison d'être of the film...; *förbudet har* [*ett visst*] ~ ...is [to a certain extent] justified

beröm *s* (~met) lovord praise, commendation; *få ~* be [highly] commended (praised); *ge ngn ~* praise (speak highly of) sb

berömd *adj* (berömt) famous, celebrated; *vida ~* renowned

berömdhet *s* (~en, ~er) celebrity äv. person

berömlig *adj* (~t) värd beröm praiseworthy, commendable, laudable; *~a gärningar* distinguished services

berömma I *vb tr* (-römde, -römt) praise, commend; *man kan inte nog ~...* one cannot say enough in praise of... **II** *vb rfl* (-römde, -römt), ~ *sig själv* praise oneself; ~ *sig av* känna sig stolt över pride oneself [up]on; skryta över boast of

berömmande *adj* (oböjl.) commendatory, laudatory

berömmelse *s* (~n, ~r) ryktbarhet fame, renown; heder, ära credit; *vinna ~* äv. gain distinction

berömvärd *adj* (-värt) praiseworthy, commendable, laudable

beröra *vb tr* (-rörde, -rört) **1** eg. el. friare touch; stryka med handen över äv. pass one's hand [lightly] over; komma i beröring med come into contact with; snudda vid graze, skim; *ytterligheterna berör varandra* extremes meet **2** omnämna touch [up]on; påverka affect; *bli illa berörd* [*av ngt*] be unpleasantly affected [by sth], be upset [by sth]

beröring *s* (~en, ~ar) contact, touch äv. bildl.; förbindelse connection; *vid minsta ~* at the slightest touch; *komma i ~ med* come into contact with

beröringspunkt *s* (~en, ~er) point of contact; bildl. point (interest) in common

beröva *vb tr* (~de, ~t), ~ *ngn ngt* deprive sb of sth

besanna *vb tr* (~de, ~t) bekräfta verify; *~s* be verified (confirmed); om dröm, spådom äv. come true

besatt *adj* (=) **1** ~ [*av en ond ande*] possessed [by a devil]; *han var* [*som*] ~ *av henne* he was obsessed by (with) her; ~ *av en idé* obsessed by an idea; *som en ~* like a madman (one possessed) **2** occupied osv., jfr *besätta*

besatthet *s* (~en, ~er) possession; obsession

bese *vb tr* (-såg, -sett) see, look at, have a look at

besegla *vb tr* (~de, ~t) bekräfta seal; *hans öde är ~t* his fate (doom) is sealed

besegra *vb tr* (~de, ~t) defeat, conquer, beat; litt. vanquish; övervinna overcome; *bli ~d* äv. be beaten; *erkänna sig ~d* äv. acknowledge [one's] defeat

besegrare *s* (~n, =) conqueror, vanquisher

besiktiga *vb tr* (~de, ~t) inspect, examine; granska, syna survey, view; *bli ~d* äv. undergo inspection, be tested äv. om bil

besiktning *s* (~en, ~ar) inspection, examination, survey; bil~, se *kontrollbesiktning*

besiktningsinstrument *s* (~et, =) för motorfordon, se *registreringsbevis*

besiktningsman *s* (~nen, -män) inspector; avsynare surveyor

besinna I *vb tr* (~de, ~t) consider, bear…in mind **II** *vb rfl* (~de, ~t) **~ sig a)** betänka sig consider; innan man talar stop to think; **~ sig ett ögonblick** äv. reflect for a moment; **utan att ~ sig** without hesitation **b)** sansa sig calm down; **hon ~de sig** samlade sig she collected herself

besinning *s* (~en) besinnande consideration; sinnesnärvaro presence of mind; behärskning self-control; **förlora ~en** tappa huvudet lose one's head; **komma till ~** come to one's senses

besinningslös *adj* (~t) rash, unreflecting; hejdlös reckless

besitta *vb tr* (-satt, -suttit) possess, friare äv. have [got]; inneha occupy, hold

besittning *s* (~en, ~ar) possession äv. landområde, occupation, tenancy; **komma i ~ av** få tag i get (come into) possession of; **ta…i ~** take possession of…; bemäktiga sig seize…; besätta occupy…

besjunga *vb tr* (-sjöng, -sjungit) litt. sing the praises of, extol, celebrate…in song

besjäla *vb tr* (~de, ~t) inspire, animate

besk I *adj* (~t) bitter, acrid äv. bildl.; **~ kritik** pungent criticism; **ett ~t svar** a cutting answer **II** *s* (~en, ~ar) bitters pl.; **en ~** a glass of bitters

beskaffad *adj* (-skaffat, ~e) skapad constituted; konstruerad constructed; **så ~** skapad äv. …of such a nature; **han är nu en gång så ~** he is [made] that way

beskaffenhet *s* (~en) nature, character; varas quality; tillstånd state, condition

beskatta *vb tr* (~de, ~t) tax, impose taxes (resp. a tax) [up]on

beskattning *s* (~en, ~ar) beskattande taxation, taxing; kommunal rating; fastställande av skatt assessment; **direkt (indirekt) ~** direct (indirect) taxation

beskattningsbar *adj* (~t) taxable

beskattningsår *s* (~et, =) fiscal (tax) year, year of assessment

besked *s* (~et, =) **1** svar answer; upplysning information [*om* about]; anvisning instructions pl.; **jag fick det ~et att…** I was informed (told) that…, I got word that…; **jag ska ge (lämna) [dig] ~ i morgon** I will let you know tomorrow **2 med ~** properly; så det förslår with a vengeance

beskedlig *adj* (~t) good-tempered; medgörlig obliging; anspråkslös modest; **snäll och ~** good-natured

beskedlighet *s* (~en) kindness [of disposition], good nature

beskhet *s* (~en, ~er) **1** smak bitterness, bitter flavour äv. bildl. **2** yttrande o.d. caustic remark

beskickning *s* (~en, ~ar) ambassad embassy; legation legation, mission

beskjuta *vb tr* (-sköt, -skjutit) fire at; bombardera shell, bombard

beskjutning *s* (~en, ~ar) firing; bombardemang shelling, bombardment; **under ~** under fire

beskriva *vb tr* (-skrev, -skrivit) **1** describe; skildra äv. depict; **utförligt ~** äv. go into detail about; **…låter sig inte ~** …cannot be described (is indescribable) **2** röra sig i describe [*en båge (cirkel)* a curve (circle)]

beskrivande *adj* (oböjl.) descriptive

beskrivning *s* (~en, ~ar) **1** description; redogörelse account [*på* of]; **en närmare ~** a more detailed account (description); ringen **återfås mot ~** …can be recovered on (by) giving its description **2** anvisning directions, instructions (båda pl.)

beskugga *vb tr* (~de, ~t) shade; trädg. screen

beskydd *s* (~et) protection äv. som kriminell verksamhet [*mot* from, against]; **stå (ställa sig) under ngns ~** be (place oneself) under sb's protection

beskydda *vb tr* (~de, ~t) protect, shield [*för (mot)* from (against)]; gynna patronize

beskyddande *adj* (oböjl.) protective; överlägset patronizing

beskyddare *s* (~n, =) allm. protector; mecenat patron

beskylla *vb tr* (-skyllde, -skyllt) accuse [*för* of]; tax, charge [*för* with]

beskyllning *s* (~en, ~ar) accusation, charge, imputation [*för* of; *för att* + inf. of + ing-form]

beskåda *vb tr* (~de, ~t) look at, regard; besiktiga inspect

beskådan *s* (=, en) o. **beskådande** *s* (~t) inspection; **utställd till allmän beskådan (allmänt beskådande)** placed on [public] view, publicly exhibited

beskäftig *adj* (~t) meddlesome, fussy, officious; **en ~ människa** äv. a busybody

1 beskära *vb tr* (-skar, -skurit), **få sin beskärda del** receive one's [allotted (due)] share

2 beskära *vb tr* (-skar, -skurit) trädg. prune; tekn. trim, dress [down]; reducera cut down, pare

beskärma *vb rfl* (~de, ~t), **~ sig över** lament over, bemoan

beskärning *s* (~en, ~ar) trädg. pruning; tekn. trimming, dressing; reducering cutting down, paring

beslag *s* (~et, =) **1** till skydd, prydnad: allm. mount[ing]; i pl. äv. fittings; järn~, mässings~ ofta piece of ironwork (brasswork) **2** fys. el. kem., beläggning coating **3** kvarstad confiscation, seizure, sequestration; **lägga ~ på** requisition; friare el. bildl. appropriate, take, lay hands [up]on; **han lade ~ på mig (min tid) hela kvällen** he monopolized me (he took up my time) all the evening; **ta i ~** konfiskera confiscate, seize

beslagta *vb tr* (-tog, -tagit) konfiskera confiscate, seize

beslut *s* (~et, =) avgörande decision; av församling äv. resolution; jur. äv. verdict; föresats determination, resolve; **fatta (ta) ett ~** make (come to) a decision; **stå fast vid sitt ~** stick (adhere) to one's decision (resolve)

besluta I *vb tr* o. *vb itr* (~de el. -slöt, ~t el. -slutit) decide [[*om*] *ngt* vanl. [up]on sth]; stadga decree; **det beslöts vid mötet att…** it was decided (agreed) at the meeting that…; **de ~de åtgärderna** the measures decided [up]on **II** *vb rfl* (~de el. -slöt, ~t el. -slutit), **~ sig** bestämma sig make up one's mind; decide [*för ngt* [up]on sth; *att* + inf. to + inf. el. [up]on + ing-form]; föresätta sig determine, resolve [*att* + inf. to + inf. el. [up]on + ing-form]

besluten *adj* (-slutet, -slutna) resolved, determined; **vara fast ~** be firmly resolved (determined)

beslutsam *adj* (~t, ~ma) resolute, determined

beslutsamhet *s* (~en) resolution, determination

beslutsmässig *adj* (~t) …competent to make decisions; **vara ~** form (constitute) a quorum; **de var inte ~a** there was not a quorum

beslå *vb tr* (-slog, -slagit) **1** förse med beslag fit…with metal; täcka cover, case; segel furl **2 ~ ngn med lögn** convict sb of telling lies; ertappa catch sb lying

besläktad *adj* (-släktat, ~e) related [*med* to]; *vara nära ~ med* be closely related (akin) to; *~e ord* (*språk*) cognate words (languages)

beslöja *vb tr* (~de, ~t) cover...with a veil, veil äv. bildl.; friare obscure; *en ~d blick* a veiled glance; *en ~d röst* a husky voice

bespara *vb tr* (~de, ~t) spara in save; skona spare; *~ ngn besvär* save sb trouble; *det kunde du ha ~t dig* iron. you might have spared yourself the trouble

besparing *s* (~en, ~ar) **1** inbesparing saving äv. konkr.; *göra ~ar* effect economies; *det är en ren ~ [på 500 kronor]* it is a clear saving [of 500 kronor] **2** sömnad. yoke

besparingsåtgärd *s* (~en, ~er) economy measure

bespetsa *vb rfl* (~de, ~t), *~ sig på* (*på att* + inf.) look forward to + inf. (to + ing-form)

bespisa *vb tr* (~de, ~t) feed, provide meals (resp. a meal) for

bespisning *s* (~en, ~ar) bespisande feeding [*av* of]; skolmatsal dining hall

bespotta *vb tr* (~de, ~t) bibl. mock, scoff (jeer) at

bespruta *vb tr* (~de, ~t) spray [med bekämpningsmedel with pesticide]

besprutning *s* (~en, ~ar) spraying [med bekämpningsmedel with pesticide]; från flygplan crop-dusting

besserwisser *s* (~n, -wissrar) vard. know-all, smartarse; speciellt amer. wise guy, know-it-all

best *s* (~en, ~ar) beast, brute

bestialisk *adj* (~t) bestial

bestialitet *s* (~en, ~er) bestiality; handling äv. bestial act

bestick *s* (~et, =) **1** mat~ koll. cutlery; sallads~ o.d. servers pl. **2** sjö. dead reckoning

besticka *vb tr* (-stack, -stuckit) muta bribe; vittnen äv. suborn; *låta sig ~s* take (accept) bribes (a bribe)

bestickande *adj* (oböjl.) förledande insidious, seductive; rimlig plausible

besticklig *adj* (~t) ...open to bribery, bribable, corruptible

bestickning *s* (~en, ~ar) mutande bribery, corruption; av vittnen äv. subornation (samtliga endast sg.)

bestiga *vb tr* (-steg, -stigit) berg climb; tron ascend; häst mount; *~ talarstolen* mount the platform

bestigning *s* (~en, ~ar) climbing; av tron ascent

bestraffa *vb tr* (~de, ~t) punish; *detta ~s med...* the penalty for this is...

bestraffning *s* (~en, ~ar) punishment, penalty

bestrida *vb tr* (-stred, -stridit) **1** förneka deny; opponera sig mot contest, dispute, oppose; tillbakavisa repudiate; *det kan inte ~s att...* äv. it is incontestable that... **2** stå för bear, pay, defray [*kostnaderna* the cost[s]]

bestryka *vb tr* (-strök, -strukit) **1** översmeta smear, daub; med färg o.d. give...a coat[ing] [*med* of] **2** överfara, stryka över skim; mil. sweep, cover; längs efter rake, enfilade

bestråla *vb tr* (~de, ~t) utsätta för strålning, *~ med ultravioletta strålar* expose to ultraviolet rays

bestrålning *s* (~en, ~ar) radiation; *~ med ultravioletta strålar* exposure to ultraviolet rays; *~ av matvaror* irradiation [processing] of foodstuffs

bestseller *s* (~n, =) best-seller

bestsellerförfattare *s* (~n, =) author (writer) of best-sellers, best-seller

bestulen *adj* (-stulet, -stulna), *jag har blivit ~ på...* I have been robbed of..., I have had...stolen

bestyckning *s* (~en, ~ar) armament

bestyr *s* (~et, =) göromål work, business (båda endast sg.); uppdrag task, duty; besvär, bekymmer cares pl., trouble

bestyra *vb tr* (-styrde, -styrt) göra do; *~ [med]* ordna [med] manage, arrange; *ha mycket att ~* have a great deal to do (attend to, see to)

bestyrka *vb tr* (-styrkte, -styrkt) allm. confirm; stärka, ge [ökat] stöd åt bear out; bekräfta äv. corroborate; intyga certify; attestera äv. attest; bevisa prove; *~ riktigheten av en uppgift* confirm [the authenticity of] a statement; *[behörigen] bestyrkt avskrift* [duly] certified copy

bestå I *vb itr* (-stod, -stått) **1** äga bestånd exist; trots svårigheter subsist; fortfara last, endure; friare äv. go on, remain **2** *~ av* (*i*) consist of, be composed (made up) of **II** *vb tr* (-stod, -stått) genomgå, uthärda: t.ex. prövningar go (pass) through; examen o.d. pass, get through; *~ provet* stand (pass) the test

bestående *adj* (oböjl.) existerade existing; varaktig lasting, permanent; *den ~ ordningen* äv. the established order (existing state) of things; *freden kommer inte att bli ~* ...will not last (be permanent)

bestånd *s* (~et, =) **1** varaktighet existence; fort~ persistence; fortvaro continuance **2** grupp av t.ex. träd o.d. clump; antal number; samling collection, stock

beståndsdel *s* (~en, ~ar) constituent (component) [part], element; *vara en väsentlig ~ av* (*i*) be part and parcel of, be an essential part of

beställa *vb tr* o. *vb itr* (-ställde, -ställt) **1** rekvirera, beordra order; boka, äv. bord på restaurang book, reserve; *har ni beställt?* på restaurang o.d. have you ordered?; *får jag ~!* [waiter,] can I order please?; *~ tid [hos...]* make an appointment [with...] **2** *det är illa* (*dåligt*) *beställt med honom* he is in a bad way

beställning *s* (~en, ~ar) order; booking, reservation; *göra en ~ på en vara* give an order for an article (item); *ta emot ~ar* take orders; *gjord på ~* made to order; speciellt amer. custom-made; *han kom som på ~* he came just at the right moment, he was just the man I (we etc.) wanted to see

beställningsarbete *s* (~t, ~n) o. **beställningsjobb** *s* (~et, =) commissioned work; stöld o.d. put-up job

beställsam *adj* (~t, ~ma) fjäskig officious, fussy

beställsamhet *s* (~en) fjäskighet officiousness

bestämd *adj* (-stämt) fastställd m.m. fixed, settled osv., jfr *bestämma*; viss angiven definite; exakt precise; tydlig, klar clear, distinct; fast, orubblig determined, decided, firm; språkv. definite; *jag fick det ~a intrycket att* I had a definite impression that; *~a regler* set rules; *man vet ingenting bestämt* nothing definite is known; *vara ~ av sig* be definite (decided), know one's mind; *på det ~aste* most decidedly, flatly, emphatically

bestämdhet *s* (~en), *veta med ~* know with certainty (for certain, for sure)

bestämma I *vb tr* (-stämde, -stämt) allm. determine äv. begränsa, utröna; fastställa äv. fix, settle; besluta, inverka avgörande på äv. decide; [närmare] ange state, indicate; definiera define; gram. modify, qualify; *det får du ~ [själv]* that's (it's) for you to decide, that's up to you; **~ en dag för...** decide on (fix) a day for... **II** *vb rfl* (-stämde, -stämt), **~ sig** decide [*för* [up]on; *för att* + inf. to + inf. el. [up]on + ing-form]; make up one's mind [*för att* + inf. to + inf.]; come to a decision [*angående* upon (as to)]; **han har svårt att ~ sig** it is difficult for him to make up his mind; vard., friare he chops and changes; **vi bestämde oss för den dyrare mattan** we decided in favour of the more expensive carpet

bestämmanderätt *s* (~en) right of determination (beslutanderätt of decision); auktoritet authority; **~ över ngt** right to dispose of sth

bestämmelse *s* (~n, ~r) **1** föreskrift direction; regel regulation, rule; stadgande i t.ex. kontrakt stipulation; villkor condition; i t.ex. lag provision **2** uppgift mission; öde destiny

bestämmelseort *s* (~en, ~er) [place of] destination

bestämning *s* (~en, ~ar) gram. adjunct [*till* of], qualifier; friare attribute, qualification

bestämt *adv* **1** absolut, definitivt definitely; tydligt distinctly; avgjort decidedly; eftertryckligt firmly, resolutely; uttryckligen positively; **veta ~** know for certain; **jag kan inte säga ~** I can't say (tell) for certain **2** [högst] sannolikt, säkerligen certainly; **det har ~ hänt något** something must have happened

beständig *adj* (~t) **1** stadigvarande, ståndaktig constant; om väder äv. settled **2 ~ mot** t.ex. syror impervious (resistant) to

beständighet *s* (~en) constancy; hos material durability

beständigt *adv*, **ingenting är ~** nothing lasts for ever

bestörtning *s* (~en) dismay, alarm, consternation

besudla *vb tr* (~de, ~t) högtidl. soil, stain; t.ex. namn, rykte sully, tarnish

besutten *adj* (-suttet, -suttna) propertied, landed; **de besuttna** the propertied classes, the landed gentry

besvara *vb tr* (~de, ~t) svara, lämna svar [på] answer; reply to äv. bemöta; högtidl. respond to; **alla frågor måste ~s** på examensprov all questions must be attempted (answered)

besvikelse *s* (~n, ~r) disappointment, disillusionment [*över* at]

besviken *adj* (-sviket, -svikna) disappointed [*på* in; *över* at]

besvär *s* (~et, =) **1** allm. trouble; omak äv. inconvenience, bother; möda [hard] work, labour, pains pl.; svårighet[er] difficulties pl.; **göra sig ~et att** + inf. take the trouble to + inf.; **gör dig inget ~ !** för min räkning don't put yourself out!; **jag hade lite ~ med att** + inf. I had some trouble (difficulty) in + ing-form; **jag hade mycket ~ med att övertala honom** I had a very hard job to persuade (job persuading) him; **tack för ~et!** thanks very much for all the trouble you have taken (you had)!; **inte vara rädd för ~** not mind (be afraid of) a little inconvenience (hard work); **det är [inte] värt ~et** it is [not] worth while **2** jur. appeal, protest [*över* about]; **anföra ~** lodge an appeal; **anföra ~ mot** appeal against

besvära I *vb tr* (~de, ~t) trouble, bother; **förlåt att jag ~r!** excuse my troubling you!; **får jag ~ [dig] om saltet?** may I trouble you for the salt?, could you pass the salt, please?; **hettan ~r mig** the heat bothers me **II** *vb rfl* (~de, ~t) **~ sig a)** trouble (bother) oneself, put oneself out **b)** jur. lodge an appeal, appeal

besvärad *adj* (-svärat, ~e) generad embarrassed; förlägen self-conscious

besvärande *adj* (oböjl.) troublesome, annoying; generande embarrassing

besvärjelse *s* (~n, ~r) incantation, invocation

besvärlig *adj* (~t) allm. troublesome; svår hard, difficult; ansträngande trying; mödosam laborious; tröttande tiresome, tiring; generande awkward, embarrassing; **han kan vara ~ ibland** he can be difficult (tiresome) at times; **det är ~t att behöva...** + inf. it is a nuisance having to... + inf.

besvärlighet *s* (~en, ~er) troublesomeness; difficulty; **~er** difficulties, troubles, hardships

besvärsrätt *s* (~en) jur. right of appeal

besvärstid *s* (~en, ~er) jur. period within which an appeal may be lodged

besynnerlig *adj* (~t) allm. strange; egendomlig peculiar, odd; underlig weird, funny; märkvärdig curious, extraordinary; **så (vad) ~t!** how odd!

besynnerlighet *s* (~en, ~er) strangeness, oddness; **~er** peculiarities, oddities

beså *vb tr* (~dde, ~tt) sow

besätta *vb tr* (-satte, -satt) **1** mil. occupy **2** tillsätta, tjänst o.d. fill **3** teat. o.d., roller cast **4 alla sittplatser var besatta** all seats were filled (occupied)

besättning *s* (~en, ~ar) **1** garnison garrison; sjö. el. flyg. crew **2** boskap stock **3** teat. o.d., roll~ casting **4** mus., instrument~ number (complement) of instruments; **en orkester med full ~** a full-size orchestra

besättningsman *s* (~nen, -män), **en ~** one of the crew (hands) [på inf]

besök *s* (~et, =) visit [*hos, i* to]; kortare call [*hos* on; *på, i* at]; vistelse stay [*hos* with; *i, på* at (in); *vid* at]; **få (ha) ~** have (have [got]) a caller el. visitor (resp. callers el. visitors); **få ~ av...** be called upon by...; **vänta ~** expect (be expecting) visitors; **tack för ~et!** [it was] kind of you to call (look in)!

besöka *vb tr* (-sökte, -sökt) hälsa på el. bese visit, pay a visit to, go to see; bevista attend; **~ ngn** visit (call on) sb, pay sb a visit; hälsa på call on sb

besökare *s* (~n, =) visitor [*av, i, vid* to]; attender [*av* of; *vid* at, of]; caller

besöksadress *s* (~en, ~er) street address

besöksfrekvens *s* (~en, ~er) attendance rate

besökstid *s* (~en, ~er) på t.ex. sjukhus visiting hours pl.

bet *adj* (oböjl.), **han gick ~ på uppgiften** the task was too much for him, he failed to carry out the task

1 beta I *vb tr* (~de, ~t) aväta el. valla graze; livnära sig på feed on; **~ av** gräs o.d. graze; bildl. go (browse) through, deal with **II** *vb itr* (~de, ~t) graze

2 beta *s* (~n, betor), **efter den ~n** bildl., ung. after that [unpleasant] experience

3 beta *vb tr* (~de, ~t) tekn. steep; utsäde treat...with pesticides (fungicides); vid färgning mordant; vid garvning soak; kem. fix

4 beta *s* (~n, betor) bot. beet

5 beta *vb tr* (~de, ~t) fiske., **~ [på]** bait

6 beta *vb tr* (-tog, -tagit) beröva, **~ ngn lusten att** + inf. äv. [completely] take away sb's inclination to + inf., make sb disinclined to + inf.

betablockerare *s* (~n, =) med. beta-blocker

betacka *vb rfl* (~de, ~t), **~ sig [för ngt]** decline [sth] with thanks; **jag ~r mig!** no, thanks!, not [for] me [, thanks]!

betaga *vb tr* (-tog, -tagit) se 6 *beta*

betagande *adj* (oböjl.) bedårande charming; övervärldigande captivating

betagen *adj* (-taget, -tagna) overcome, taken [*av* with]; *lyssna* ~ listen spellbound; *~ i...* charmed (captivated) by..., enamoured of...

betala I *vb tr* o. *vb itr* (~de, ~t el. betalt) pay; varor, arbete pay for; *får jag (jag ska be att få) ~!* på restaurang o.d. can I have the bill (amer. the check), please!; *hur mycket ska jag ~?* how much am I (have I got) to pay?; ~ *för sig* pay for oneself (one's keep), pay one's way; *är pianot betalt?* has the piano been paid for?; *få betalt* be (get) paid; *har du fått betalt?* have you been paid (had your money)?; *få bra betalt för ngt* äv. get a good price for sth; *ha betalt för att* + inf. be paid for + ing-form; *han tar ordentligt (bra) betalt* he charges a lot **II** *vb rfl* (~de, ~t el. betalt), *arbete som ~r sig* work that pays (is worthwhile) **III** med beton. part.

betala av: *betala av* 1000 kronor *på bilen* (*skulden*) pay an instalment of...on the car (the debt)

betala igen pay back

betala in pay [in]; *betala in ett belopp på* ett konto o.d. pay an amount into...

betala tillbaka pay back

betala ut pay [out (down)], disburse

betalkort *s* (~et, =) charge card

betalkurs *s* (~en, ~er) rubrik prices paid

betalning *s* (~en, ~ar) payment; av t.ex. räkning äv. settlement; avlöning pay; ersättning remuneration, compensation; *erlägga* ~ make payment, pay; *mot* (*vid*) ~ *av* on payment of; *utan* ~ free of charge

betalningsbalans *s* (~en, ~er) balance of payments; *underskott* (*överskott*) *i ~en* deficit (surplus) in the balance of payments

betalningsflöde *s* (~t, ~n) ekon. cash flow

betalningsföreläggande *s* (~t, ~n) order (injunction) to pay [a debt]

betalningsförmåga *s* (~n) ability to pay; solvens solvency; *bristande* ~ inability to pay, insolvency

betalningsinställelse *s* (~n, ~r) suspension of payment[s]

betalningsmedel *s* (-medlet, =) means of payment; *lagligt* ~ legal tender

betalningspåminnelse *s* (~n, ~r) reminder [to pay]

betalningsskyldig *adj* (~t), ~ *person* person liable for payment

betalningstermin *s* (~en, ~er) term (period) of payment

betalningsvillkor *s pl* (~et, =) terms [of payment]

betal-tv *s* (-tv:n) pay television (TV)

betaversion *s* (~en, ~er) data. beta version

1 bete *s* (~t, ~n) boskaps~ pasturage; betesmark äv. pasture; *släppa* [*ut*]*...på* ~ send...out to pasture, turn...out to graze; *gå på* ~ be grazing (feeding)

2 bete *s* (~t, ~n) fiske. bait

3 bete *s* (~n, betar) huggtand tusk

4 bete *vb rfl* (-tedde, -tett), ~ *sig* uppföra sig behave; bära sig åt äv. act

beteckna *vb tr* (~de, ~t) vara uttryck för represent; betyda denote, signify, stand for; markera mark; känneteckna characterize; ~ *ngn* (*ngt*) *som* describe (characterize) sth (sb) as

betecknande I *adj* (oböjl.) characteristic, typical, significant [*för* of] **II** *adv*, ~ *nog* significantly (characteristically) [enough]

beteckning *s* (~en, ~ar) designation, term; i skrift notation

beteende *s* (~t, ~n) behaviour äv. psykol., conduct (endast sg.)

beteendeforskning *s* (~en) psykol. behavioural research

beteendemönster *s* (-mönstret, =) pattern of behaviour; vetensk. behavioural pattern

beteendevetenskap *s* (~en) psykol. behavioural science

betel *s* (~n) bot. betel

betesmark *s* (~en, ~er) pasture

beting *s* (~et, =) **1** ackord piecework contract; *arbeta på* ~ work by the piece **2** skol. assignment, project

betinga *vb tr* (~de, ~t) **1** förutsätta condition; *~s* (*vara ~d*) *av* a) vara beroende av be dependent on b) ha sin grund i be conditioned by c) bestämmas av be determined by; *...är historiskt ~de* ...have a historical basis; *~d reflex* conditioned reflex **2** ~ *ett högt pris* command (fetch) a high price

betingelse *s* (~n, ~r) villkor, förutsättning condition

betjäna I *vb tr* (~de, ~t) serve äv. om samfärdsmedel; uppassa attend [on]; vid bordet wait [up]on; *det är jag knappast betjänt av* that is of little use to me **II** *vb rfl* (~de, ~t), ~ *sig av* make use (avail oneself) of, employ

betjäning *s* (~en, ~ar) **1** serving osv., jfr *betjäna*; service; uppassning [på hotell] attendance [*av* on] **2** personal staff

betjäningsavgift *s* (~en, ~er) service charge

betjänt *s* (~en, ~er) manservant (pl. menservants); livréklädd footman; kammartjänare valet

betning *s* (~en, ~ar) tekn. steeping; av utsäde treating (treatment) with pesticides (fungicides)

betona *vb tr* (~de, ~t) **1** framhäva emphasize, stress, lay stress [up]on, accentuate [*att* the fact that] **2** fonet. stress, put the stress on, accent

betong *s* (~en) concrete; *armerad* ~ reinforced concrete; *oarmerad* ~ plain concrete

betongblandare *s* (~n, =) concrete mixer

betoning *s* (~en, ~ar) emphasis, stress, accent, accentuation samtliga äv. fonet.; *med ~ på* bildl. with the emphasis on

betrakta *vb tr* (~de, ~t) **1** se på, iakttaga look at, contemplate, regard äv. friare; bese view; ~ *ngn uppmärksamt* (*noga*) look intently at sb, gaze attentively at sb **2** ~ *ngn* (*ngt*) *som...* regard (look upon) sb (sth) as..., consider sb (sth)...

betraktande *s* (~t, ~n), *i ~ av* in consideration (view) of [*att* the fact that]; ofta considering [*att* that]; *komma* (*ta*) *i* ~ come (take) into consideration (account)

betraktelse *s* (~n, ~r) meditation reflection, meditation; bibel~ [religious] discourse [*över* i samtliga fall [up]on]

betraktelsesätt *s* (~et, =) way of looking at things (i bestämt fall at the matter)

betrodd *adj* (-trott) pålitlig trusted

betryckt *adj* (=) nedslagen dejected; deprimerad low-spirited, depressed; *en ~ situation* a depressing situation

betryggande *adj* (oböjl.) tillfredsställande satisfactory, adequate; säker safe; *på ~ avstånd* at a safe distance; *på ett* [*fullt*] ~ *sätt* in a way that ensures [complete] safety

beträda *vb tr* (-trädde, -trätt) eg. set foot upon; speciellt bildl. tread; [ny] bana o.d. enter (embark) [up]on; *Beträd ej gräsmattan!* Keep off the Grass!

beträffa *vb tr* (~de, ~t), *vad mig* (*det*) *~r* as far as I am (that is) concerned, as regards; *vad det ~r* äv. for that matter

beträffande *prep* concerning, regarding, with reference to; *~ Er order nr...* referring to your order No....

beträngd *adj* (-trängt) distressed, hard-pressed

bets *s* (~en, ~er) **1** mål. stain **2** garv. lye

betsa *vb tr* (~de, ~t) mål. stain

betsel *s* (betslet, =) remtyg bridle

betsla *vb tr* (~de, ~t), ~ [*på*] bridle, bit; ~ *av* unbridle

bett *s* (~et, =) **1** hugg, tandställning, insekts~ bite; *vara på ~et* vard. be in great form, be in the mood; amer. äv. be on the ball **2** tandgård set of teeth **3** på betsel bit

bettlare *s* (~n, =) åld. [professional] beggar, mendicant

bettleri *s* (~et) åld. begging, mendicancy

betunga *vb tr* (~de, ~t) burden, encumber; överlasta overload, overburden; *~s av* be oppressed (weighed down) by

betungande *adj* (oböjl.) heavy äv. om t.ex. skatt; om uppgift äv. burdensome, onerous; *vara ~* be a great burden [*för* to]

betuttad *adj* (-tuttat, ~e) vard., *vara ~ i ngn* have a crush on sb

betvinga *vb tr* (~de, ~t) allm. subdue; underkuva subjugate; bildl. overmaster, overpower; begär o.d. overcome, master, control, check, repress

betvivla *vb tr* (~de, ~t) doubt, feel dubious about, call...in question

betyda *vb tr* (-tydde, -tytt) mean, signify; innebära äv. imply; *~ mycket* signify (mean) a great deal; vara av stor betydelse be of great importance, make a great (all the) difference [*för ngn* to sb]; *vad ska det här ~?* what is the meaning of [all] this?; *vad betyder de här tecknen?* what do these signs stand for?; *det betyder olycka* it brings (means) bad luck

betydande *adj* (oböjl.) important; stor considerable; *en ~ konstnär* an important (a significant) artist

betydelse *s* (~n, ~r) meaning, signification, import (endast sg.); ords äv. sense; vikt significance, importance; *helt utan ~* quite unimportant; *det har ingen ~* spelar ingen roll it doesn't matter

betydelsefull *adj* (~t) significant; viktig important, momentous

betydelselös *adj* (~t) meaningless; insignificant, unimportant

betydenhet *s* (~en) importance

betydlig *adj* (~t) considerable; *en ~ skillnad* äv. a great (a big) difference

betydligt *adv* considerably; mycket a good (great) deal, very much, greatly

betyg *s* (~et, =) **1** handling: officiellt intyg el. examens~ certificate; avgångs~ [school-]leaving certificate, amer. transcript, final grades pl.; skol~, termins~ [school] report, amer. report card; arbetsgivares reference **2** betygsgrad mark; amer. grade; *vad fick du för ~ i engelska* (*på din uppsats*)*?* what mark (amer. grade) did you get in English (for your composition)?; *sätta ~ på* mark; amer. grade

betyga *vb tr* (~de, ~t) **1** intyga certify; bekräfta vouch

for [*att* it that] **2** tillkännage declare, profess; uttrycka express [*ngn sin aktning* one's respect for sb]

betygshets *s* (~en) skol. mad scramble (scrambling) for [higher] marks (amer. grades)

betygskopia *s* (~n, -kopior), *betygskopior* copies of [one's] certificates etc., jfr *betyg*

betygsskala *s* (~n, -skalor) skol. marking (amer. äv. grading) scale, scale of marks (amer. grades)

betygsätta *vb tr* (-satte, -satt) skol. mark; amer. grade; friare pass judgement on, grade, give one's opinion on

betäcka *vb tr* (-täckte, -täckt) cover äv. göra dräktig

betäckning *s* (~en, ~ar) cover; skydd äv. shelter; parning av djur covering

betänka I *vb tr* (-tänkte, -tänkt) consider; *man måste ~ att...* one must bear in mind that... **II** *vb rfl* (-tänkte, -tänkt), *~ sig* think it (the matter) over; tveka hesitate; *utan att ~ sig* without [any] hesitation

betänkande *s* (~t, ~n) **1** *ta i ~* take into consideration **2** utlåtande report

betänketid *s* (~en, ~er) time for consideration (reflection); *en dags ~* a day to think it (the matter) over

betänklig *adj* (~t) allvarlig serious, grave; oroväckade disquieting; prekär precarious; riskabel hazardous; tvivelaktig dubious; kritisk critical

betänklighet *s* (~en, ~er) tvekan hesitation (endast sg.); tvivel doubt; *~er* skrupler scruples; farhågor apprehensions [*mot* about], misgivings [*mot* as to]; *inte ha några ~er när det gäller att* + inf. not hesitate to + inf., have no hesitation in + ing-form

betänksam *adj* (~t, ~ma) besinningsfull deliberate; försiktig cautious, wary; tveksam hesitant; *vara ~* äv. have misgivings

betänkt *adj* (=), *vara ~ på ngt* (*på att* + inf.) be thinking of sth (of + ing-form), contemplate sth (+ ing-form)

beundra *vb tr* (~de, ~t) admire

beundran *s* (=, en) admiration; *hysa stor ~ för* feel (cherish) a great admiration for; *väcka ~ hos* arouse admiration in

beundransvärd *adj* (-värt) admirable; friare wonderful

beundrare *s* (~n, =) admirer; vard. fan

beundrarinna *s* (~n, beundrarinnor) [female] admirer; vard. fan

bevaka *vb tr* (~de, ~t) **1** eg. guard; misstroget watch **2** tillvarata look after; *~ sina intressen* look after (see to) one's interests **3** täcka journalistiskt cover

bevakad *adj* (-vakat, ~e), *~ järnvägsövergång* controlled level crossing; amer. controlled grade crossing

bevakning *s* (~en, ~ar) **1** guard, watch äv. konkr.; transporteras *under ~* ...under guard (escort); *stå under* [*sträng*] *~* be [closely] guarded, be in [close] custody, be under [close] surveillance **2** journalistisk täckning coverage; *massiv ~* massive coverage

bevakningsföretag *s* (~et, =) security company

bevakningskamera *s* (~n, -kameror) security camera, surveillance camera

bevandrad *adj* (-vandrat, ~e) acquainted, familiar [*i* with], at home, versed, skilled, practised [*i* in]; *vara väl ~ i* be thoroughly conversant with, be thoroughly (perfectly) at home with

bevara *vb tr* (~de, ~t) **1** bibehålla preserve; upprätthålla maintain; förvara, gömma keep; ~ *en hemlighet* keep a secret; *~...åt eftervärlden* hand...down to posterity **2** skydda protect; *bevare mig väl!* dear me!, good grief!; *Gud bevare konungen!* God save the King!

bevattna *vb tr* (~de, ~t) med kanaler, diken irrigate; vattna el. geogr. water

bevattning *s* (~en, ~ar) irrigation; watering

beveka *vb tr* (-vekte, -vekt) move; ~ *ngn att göra ngt* persuade (induce) sb to do sth; *han lät sig inte ~s* he was not to be moved, he was inflexible

bevekande I *adj* (oböjl.) moving, touching, affecting **II** *adv* movingly, touchingly, affectingly; vädjande appealingly

bevekelsegrund *s* (~en, ~er) motive, reason, inducement

bevilja *vb tr* (~de, ~t) grant; formellare äv. accord; tilldela award; tillerkänna allow; *riksdagen har ~t 50 000 kronor till* vanl. ...has granted (appropriated) 50 000 kronor for

bevingad *adj* (-vingat, ~e) winged; *bevingat ord* citat familiar quotation

bevis *s* (~et, =) allm. proof [*på* of], testimony äv. tecken; ådagaläggande demonstration; intyg certificate; *ett bindande* ~ conclusive proof, a conclusive piece of evidence; *ett talande* ~ a telling argument; *som ett* ~ *på...* as [a] proof (as evidence, as testimony) of...; som ett tecken på äv. as a mark (token) of...; *ge* (*framlägga*) ~ furnish (adduce) proofs; *undanröja ~en* remove the evidence; *frikännas i brist på* ~ be acquitted through (because of) lack of evidence

bevisa *vb tr* (~de, ~t) styrka prove; bestyrka äv. substantiate; leda i bevis demonstrate; göra gällande äv. argue; ~ *sin oskuld* establish one's innocence; *vilket skulle ~s* (förk. *V.S.B.*) geom. which was to be proved (förk. QED lat.)

bevisbörda *s* (~n, -bördor) jur. burden of proof

bevisföring *s* (~en, ~ar) demonstration; argumentation argumentation; jur., förebringande av bevis submission of evidence

beviskraftig *adj* (~t) jur. conclusive; *inte* ~ äv. inconclusive

bevisligen *adv* demonstrably; *han är* ~ sjuk he is unquestionably...

bevismaterial *s* (~et, =) [body of] evidence

bevisning *s* (~en, ~ar) (se äv. *bevis* o. *bevisföring*); *det brister i ~en* there is a flaw in the argument

bevista *vb tr* (~de, ~t) attend; närvara vid be present at

bevisvärde *s* (~t, ~n) jur. value (weight) as evidence

bevittna *vb tr* (~de, ~t) **1** bestyrka attest, testify; *~s:...* witnessed (witnesses):...; *~d kopia* attested (certified) copy **2** vara vittne till witness

bevuxen *adj* (-vuxet, -vuxna) overgrown; t.ex. med murgröna covered; med skog wooded

beväg *s* (oböjl., ett), *på eget* ~ on one's own authority

bevänt *adj* (oböjl.), *det är inte mycket* ~ *med det* (*honom, arbetet*) it (he, the work) is not up to much

beväpna *vb tr* (~de, ~t) arm; ~ *sig* arm oneself

beväpnad *adj* (-väpnat, ~e) armed; om fartyg, fästning äv. gunned; ~ *försedd med* equipped with

beväpning *s* (~en, ~ar) vapenutrustning armament

bevärdiga *vb tr* (~de, ~t), ~ *ngn med ett svar* (*en blick*) condescend to give sb an answer (a look)

beväring *s* (~en, ~ar) åld., värnpliktig conscript [soldier], recruit

bh *s* (bh:n, bh:ar) bra

Bhutan Bhutan

bi *s* (~et, ~n) bee; *arg som ett* ~ furious, in a rage, hopping mad; *flitig som ett* ~ busy as a bee

biaccent *s* (~en, ~er) fonet. secondary stress

biavsikt *s* (~en, ~er) subsidiary motive

bibehålla *vb tr* (-höll, -hållit) ha i behåll retain; bevara keep, preserve; upprätthålla keep up, maintain; ~ *figuren* keep one's figure; ~ *sig* om tyg o.d. wear [well]; om bruk o.d. be preserved, survive; *en väl bibehållen byggnad* a well-preserved building, a building in good repair; *med bibehållen lön* on [a] retained salary

bibel *s* (~n, biblar) bible äv. bildl.; *svära på ~n* swear on the Book, jfr *Bibeln*

bibelcitat *s* (~et, =) biblical quotation

bibelforskning *s* (~en) biblical research

bibelkonkordans *s* (~en, ~er) concordance [to the Bible]

Bibeln the [Holy] Bible (Scriptures pl.)

bibelord *s* (~et, =) biblical quotation

bibelspråk *s* (~et) bibelns språk biblical (scriptural) language

bibeltext *s* (~en, ~er) [sacred] text; vid gudstjänst lesson

bibeltolkning *s* (~en, ~ar) biblical interpretation, exeges|is (pl. -es)

bibelöversättning *s* (~en, ~ar) translation (version) of the Bible

bibetydelse *s* (~n, ~r) secondary meaning, connotation

bibliofil *s* (~en, ~er) bokälskare bibliophil[e]; boksamlare book collector

bibliografi *s* (~n, ~er) bibliography äv. vetenskapen om böcker

bibliotek *s* (~et, =) library; *låna på ~[et]* borrow [books] at the library

bibliotekarie *s* (~n, ~r) librarian

biblisk *adj* (~t) biblical, scriptural; scripture...

bibringa *vb tr* (~de el. -bragte, ~t el. -bragt), ~ *ngn* idéer (en uppfattning o.d.) impress sb with..., convey...to sb; ~ *ngn kunskaper* impart knowledge to sb

biceps *s* (~en el. =) anat. biceps (pl. lika)

bida *vb tr* (~de, ~t), ~ *sin tid* bide one's time

bidé *s* (~n, ~er) bidet

bidevind *adv* sjö., *segla* ~ sail close-hauled (by the wind); *dikt* ~ close to the wind

bidra *vb itr* (-drog, -dragit) contribute; lämna bidrag äv. make a contribution [*till* to]; ~ *till* vara bidragande orsak till äv. conduce (be conducive) to, help to; främja make for, promote; öka add to; ~ *med* pengar, en artikel, idéer contribute...; *bidragande orsak* contributory factor (cause)

bidrag *s* (~et, =) tillskott, medverkan contribution; tecknat belopp subscription; understöd allowance; stats~ grant, subsidy; *alla* ~ *mottas tacksamt* all contributions gratefully received; *lämna* ~ (*sitt* ~) *till* contribute to, make a (one's) contribution to; *leva på* ~ live on social security

bidragsfusk *s* (~et) social benefit fiddles pl., fiddling social benefits; amer. social welfare cheating

bidrottning *s* (~en, ~ar) queen bee

biennal *s* (~en, ~er) biennial

bifall *s* (~et, =) **1** samtycke consent, assent; godkännande approval; myndighets sanction; *ge sitt* ~ *till* förslaget äv.

assent to..., approve of...; *röna* (*vinna*) ~ meet with (win) approval, find favour **2** *applåder* applause, acclamation; rop cheers pl., shouts pl. of applause; *väcka stormande* ~ create thunderous applause, bring the house down

bifalla *vb tr* (-föll, -fallit) consent to, approve of, sanction, jfr *bifall 1*; ~ *en anhållan* grant a request; *bifalles!* beviljas granted; speciellt mil. approved

biff *s* (~en, ~ar) [beef]steak; *utskuren* ~ sirloin steak

biffko *s* (~n, ~r) beef cow; *~r* äv. beef cattle

biffstek *s* (~en, ~ar) beefsteak, steak; ~ *med lök* steak and onions

bifftomat *s* (~en, ~er) beef (beefsteak) tomato

bifigur *s* (~en, ~er) minor (subordinate) character

biflod *s* (~en, ~er) tributary [river (stream)]; *en ~ till S.* a tributary of the S.

bifoga *vb tr* (~de, ~t) vidfästa attach äv. data., annex; vid slutet tillägga append spec. i skrift, subjoin, add; närsluta enclose; *härmed ~s* räkningen we enclose..., we are enclosing...; var god ifyll *~d blankett* ...the accompanying form

bifokalglas *s* (~et, =) optik. bifocal glass

bigami *s* (~n) bigamy

bigamist *s* (~en, ~er) bigamist

bigarrå *s* (~n, ~er) bot. whiteheart [cherry], cherry

bigata *s* (~n, -gator) side street

bigott *adj* (=) bigoted

bigotteri *s* (~et, ~er) bigotry

bihang *s* (~et, =) appendage; i bok append|ix (pl. -ixes el. -ices)

bihustru *s* (~n, ~r) concubine

bihåla *s* (~n, -hålor) anat. sinus

bihåleinflammation *s* (~en, ~er) med. sinusitis (endast sg.)

biinkomst *s* (~en, ~er) extra (additional) income (endast sg.); *~er* äv. incidental earnings, perquisites; vard. perks

bijouterier *s pl* costume jewellery sg.; nipper trinkets

bikarbonat *s* (~et el. ~en) kem. bicarbonate [of soda]

bikini *s* (~n, = el. ~ar) bikini

bikt *s* (~en, ~er) confession; *avlägga* ~ make confession, confess [one's sins]

bikta I *vb rfl* (~de, ~t), ~ *sig* confess, confess one's sins **II** *vb tr* (~de, ~t) confess

biktfader *s* (~n, -fäder) [father] confessor

biktstol *s* (~en, ~ar) confessional

bikupa *s* (~n, -kupor) [bee]hive

bil *s* (~en, ~ar) car; amer. automobile, vard. auto; *köra* ~ drive [a car]; *åka* ~ go by car

1 bila *vb itr* (~de, ~t) go (travel) by car, motor; ~ *[omkring] i Europa* go motoring (go by car) round Europe

2 bila *s* (~n, bilor) [broad]axe

bilaga *s* (~n, bilagor) närsluten handling enclosure; till e-postmeddelande attachment; tidnings~ supplement; reklamlapp o.d. insert, inset; bihang till bok append|ix (pl. -ixes el. -ices)

bilateral *adj* (~t) bilateral

bilatlas *s* (~en, ~er) roadbook; amer. [road] atlas

bilavgaser *s pl* [car] exhaust fumes

bilbarnstol *s* (~en, ~ar) car [safety] seat

bilbatteri *s* (~et, ~er) car battery

bilbesiktning *s* (~en, ~ar) se *kontrollbesiktning*

bilburen *adj* (-buret, -burna) motorized

bilbälte *s* (~t, ~n) seat (safety) belt

bild *s* (~en, ~er) **1** picture äv. TV.; fotografi äv. photo[graph]; ljusbild slide; illustration äv. illustration, figure; porträtt äv. portrait; inre bild, föreställning äv. image; framställning äv. representation; *skapa sig en riktig ~ av läget* (*situationen*) form a true picture of the situation; *han är borta ur ~en* bildl. he's out of the picture (is no longer in the picture); *försvinna helt ur ~en* bildl. disappear from the scene entirely; *har du ~en klar för dig?* bildl. do you get the picture? **2** bildligt uttryck metaphor, figure [of speech], image; *tala i ~er* speak metaphorically, use metaphors **3** skol., ämne art, art education

bilda I *vb tr* (~de, ~t) **1** åstadkomma o.d.: allm. form; grunda äv. found, establish; utgöra äv. make, constitute; ~ *bolag* äv. float (start) a company; ~ *epok* mark an (a new) epoch; ~ *familj* start a family; ~ *gräns* mot ett land form a boundary; mera allm. constitute (form) a limit; ~ *skola* found a school; friare set a fashion; *~s* uppstå form, be formed **2** bibringa bildning educate **II** *vb rfl* (~de, ~t) ~ *sig* **a)** skaffa sig bildning educate oneself, improve oneself (one's mind) **b)** skapa sig, ~ *sig en uppfattning* [*om*] form an opinion [of]

bildad *adj* (bildat, ~e) kultiverad educated, cultivated, civilized, refined; *~e människor* educated (cultivated) people

bildande I *s* (~t) åstadkommande formation **II** *adj* (oböjl.) **1** *de ~ konsterna* ung. the fine arts **2** fostrande educational, educative; lärorik instructive

bildband *s* (~et, =) film strip

bildbar *adj* (~t) om person educable

bilderbok *s* (~en, -böcker) picture book

bildhuggare *s* (~n, =) sculptor

bildhuggeri *s* (~et, ~er) **1** bildhuggarkonst sculpture, statuary **2** verkstad sculptor's studio

bildkonst *s* (~en, ~er), *~en* the visual arts pl.; måleriet pictorial art

bildlig *adj* (~t) figurative, metaphorical; *i ~ betydelse* in a figurative sense, figuratively; *ett ~t uttryck* a figure of speech, a metaphor

bildligt *adv*, ~ *talat* figuratively (metaphorically) speaking

bildlärare *s* (~n, =) skol. art teacher

bildmaterial *s* (~et, =) illustrations pl., pictures pl.

bildning *s* (~en, ~ar) **1** skol. o.d. education; [själs]kultur culture; belevenhet [good] manners pl., etiquette, breeding **2** formation el. bildande formation, structure

bildningstörst *s* (~en) thirst (desire) for learning

bildordbok *s* (~en, -böcker) illustrated (pictorial) dictionary

bildrik *adj* (~t) om språk ...full of imagery, metaphorical; blomstersmyckad flowery

bildrulle *s* (~n, -drullar) vårdslös förare road hog

bildruta *s* (~n, -rutor) TV. [viewing] screen; på film frame

bildrör *s* (~et, =) TV. picture tube

bildskärm *s* (~en, ~ar) data. [visual] display [unit], [computer] screen, [computer] monitor

bildskärpa *s* (~n) TV. el. foto. [picture] definition

bildskön *adj* (~t) strikingly beautiful

bildsnidare *s* (~n, =) [wood-]carver

bildspråk *s* (~et, =) **1** litt.vet. imagery, metaphorical (figurative) language **2** bildkonstnärs pictorial language (communication)

bildstod *s* (~en, ~er) statue

bildstormare *s* (~n, =) litt. iconoclast
bildtext *s* (~en, ~er) caption
bildtidning *s* (~en, ~ar) pictorial [magazine], illustrated magazine (paper)
bildverk *s* (~et, =) bok illustrated work
bildyta *s* (~n, -ytor) TV. picture
bildäck *s* (~et, =) **1** på hjul [car] tyre (amer. tire) **2** sjö. car deck
bilersättning *s* (~en, ~ar) [car] mileage allowance
bilfabrik *s* (~en, ~er) car factory, motor works (pl. lika)
bilfirma *s* (~n, -firmor) car firm (dealer)
bilfri *adj* (-fritt), ~ innerstad car-free…, traffic-free…
bilfärja *s* (~n, -färjor) car ferry
bilförare *s* (~n, =) [car] driver, motorist
bilförsäkring *s* (~en, ~ar) car (motor) insurance, automobile insurance
bilhandske *s* (~n, -handskar) driving-glove
bilindustri *s* (~n, ~er) car (motor, automobile) industry
bilism *s* (~en) motorism, motoring, cars pl.
bilist *s* (~en, ~er) motorist, driver
biljard *s* (~en, ~er) spel billiards sg.; **spela** ~ play billiards
biljardbord *s* (~et, =) billiard table
biljardkö *s* (~n, ~er) [billiard] cue
biljardsalong *s* (~en, ~er) billiard hall (saloon); amer. äv. poolhall; mindre poolroom
biljardspelare *s* (~n, =) billiard-player
biljett *s* (~en, ~er) **1** ticket; **halv** ~ taxa half fare; **beställa** (**boka**) ~er resa etc. book tickets; **köpa** ~ take (buy) a ticket; **får jag be om ~erna!** tickets, please! **2** litet brev note
biljettautomat *s* (~en, ~er) ticket machine
biljettförsäljare *s* (~n, =) seller of tickets; järnv. o.d. booking-clerk; amer. ticket agent
biljettförsäljning *s* (~en, ~ar) sale of tickets
biljetthäfte *s* (~t, ~n) book of tickets
biljettkontor *s* (~et, =) booking-office, ticket office; teat. o.d. äv. box office
biljettlucka *s* (~n, -luckor) booking-office (ticket) window
biljettpris *s* (~et, = el. ~er) teat. o.d. admission (endast sg.), price of admission; för resa fare
biljon *s* (~en, ~er) trillion med 12 nollor
biljud *s* (~et, =) intruding sound; radio. [background] noise; med. råle
bilkarta *s* (~n, -kartor) road map
bilkrock *s* (~en, ~ar) car crash (smash)
bilkyrkogård *s* (~en, ~ar) used (old) car dump
bilkö *s* (~n, ~er) line (queue) of cars (vehicles); efter olycka o.d. tailback
bilkörning *s* (~en) motoring, [car-]driving
billarm *s* (~et, =) car alarm
billig *adj* (~t) **1** inte dyr cheap; inte alltför dyr inexpensive; **för en** ~ **penning** cheap, for a mere song; ~ **i drift** inexpensive (cheap) to run, economical **2** dålig, enkel, tarvlig cheap; vulgär common
billighetsresa *s* (~n, -resor) cheap trip (excursion)
billighetsupplaga *s* (~n, -upplagor) o.
billighetsutgåva *s* (~n, -gåvor) cheap edition; pocketupplaga paperback edition
billigt *adv* inte dyrt cheaply äv. tarvligt, cheap,

inexpensively; **köpa** (**sälja**) ~ buy (sell) cheaply; **komma** ~ **undan** get off cheap[ly]
billots *s* (~en, ~ar) car pilot
billykta *s* (~n, -lyktor) [car] headlight
bilmekaniker *s* (~n, =) car (motor) mechanic
bilmotor *s* (~n, ~er) [motor]car engine
bilmärke *s* (~t, ~n) make of car
bilnummer *s* (-numret, =) car (registration) number
bilolycka *s* (~n, -olyckor) car accident
bilparkering *s* (~en, ~ar) plats car park
bilpool *s* (~en, ~er) car pool
bilprovning *s* (~en, ~ar), **AB Svensk Bilprovning** the Swedish Motor-Vehicle Inspection Company
bilradio *s* (~n, ~apparater) car radio
bilregister *s* (-registret, =) myndighet, ung. motor-vehicle registration office
bilreparatör *s* (~en, ~er) car repairer; bilmekaniker motor mechanic
bilresa *s* (~n, -resor) car journey (trip); **göra en** ~ go on a car journey
bilring *s* (~en, ~ar) **1** däck tyre; amer. tire; innerslang tube **2** fettvalk spare tyre (amer. tire); ~ar [**kring midjan**] äv. rolls of fat [round the waist]; vard. love handles
bilsemester *s* (~n, -semestrar), **åka på** ~ go on a motoring (car) holiday; amer. go on vacation by car
bilsjuk *adj* (~t) carsick
bilskatt *s* (~en, ~er) se *fordonsskatt*
bilskola *s* (~n, -skolor) driving school; i namn o.d. school of motoring
bilskollärare *s* (~n, =) driving instructor
bilsport *s* (~en, ~er) motor sport
bilstöld *s* (~en, ~er) car theft; ~**erna har ökat** car thefts have increased
biltelefon *s* (~en, ~er) carphone
biltjuv *s* (~en, ~ar) car thief
biltrafik *s* (~en) [motor] traffic
biltull *s* (~en, ~ar) toll; **väg med** ~ tollway
biltunnel *s* (~n, -tunnlar) car tunnel
biltur *s* (~en, ~er) drive, ride, car trip; vard. spin [by car]; **ta en** ~ go for a drive; vard. go for a spin
biltvätt *s* (~en, ~ar) car wash
biltåg *s* (~et, =) biltransport per tåg Motorail®
biluthyrning *s* (~en, ~ar) [self-drive] car hire (rental) service; t.ex. i annons car hirers pl.
bilverkstad *s* (~en, -verkstäder) car repair shop, garage
bilvrak *s* (~et, =) [car] wreck, wrecked car
bilväg *s* (~en, ~ar) main (high) road; amer. highway
bilägare *s* (~n, =) car owner
bilägga *vb tr* (-lade, -lagt) **1** tvist o.d. settle; gräl make up, compose; vard. patch up **2** bifoga enclose; **bilagd handling** enclosure; jfr *bifoga*
biläggande *s* (~t, ~n) av tvist o.d. settlement, making up
bimbo *s* (~n, ~r) vard., neds. bimbo (pl. -s)
binda I *s* (~n, bindor) **1** se *dambinda* **2** kir. roller [bandage], bandage; **elastisk** ~ elastic bandage **II** *vb tr* (band, bundit) samman~, fast~ bind; [linda o.] knyta om tie båda äv. bildl.; ~ **böcker** bind books; ~ **ngn** [**till händer och fötter**] bind sb [hand and foot]; ~ **ngn vid brottet** pin the crime on to sb; **bunden aktie** restricted share; **bundet kapital** tied-up (locked-up) capital, tied-up money; **stå bunden** t.ex. om hund be tied up; **vara bunden till ngn** be tied to sb

III *vb itr* (band, bundit) bind; limmet *binder bra*
…binds (holds) well

IV *vb rfl* (band, bundit), **~ sig** tie (bind) oneself,
commit (pledge) oneself [*att* + inf. to + ing-form]; **~
sig för fem år** tie (bind) oneself for five years; **~ sig
vid** (*för*) en åsikt o.d. commit oneself to…; ett program
tie oneself down to…

V med beton. part.

binda fast tie…on (up) [*vid* to]

binda för *ögonen på ngn* tie something in front of
sb's eyes, blindfold sb

binda ihop hopfoga tie…together; t.ex. tidningar till paket
tie up

binda in *en bok* bind a book

binda om paket o.d. tie up; sår bind up

binda upp tie up äv. bildl.

bindande *adj* (oböjl.) förpliktande, om t.ex. avtal binding;
avgörande, om t.ex. bevis conclusive; *vara ~* be binding
[*för ngn* on sb]

bindel *s* (~n, bindlar) ögon~ bandage; **~ om armen** t.ex.
som igenkänningstecken armlet, armband

bindemedel *s* (-medlet, =) binder, bonding (binding)
agent; lim o.d. adhesive; mål. vehicle, base

bindeord *s* (~et, =) gram. conjunction

bindestreck *s* (~et, =) hyphen

bindhinna *s* (~n, -hinnor) anat. conjunctiva (pl.
conjunctivas el. conjunctivae)

bindning *s* (~en, ~ar) **1** av böcker binding **2** skid~
binding, fastening **3** känslomässig [emotional] tie
4 kem. bond

bindsle *s* (~t, ~n) fastening

bindväv *s* (~en, ~ar) anat. connective tissue

binge *s* (~n, bingar) **1** lår bin; hö~ mow **2** vard., hop
heap

bingo *s* (~n) o. *interj* bingo

binjure *s* (~n, -njurar) anat. adrenal (suprarenal) gland

binnikemask *s* (~en, ~ar) tapeworm

binär *adj* (~t) matem. el. kem. binary; **~ siffra** binary
digit; **~t talsystem** binary notation

binäring *s* (~en, ~ar) lands, trakts ancillary
(subsidiary) industry; bisyssla side line

bio *s* (~n, biografer) cinema; amer. movie; **gå på ~** go
to the cinema (the pictures, the movies)

biobesökare *s* (~n, =) filmgoer

biobiljett *s* (~en, ~er) cinema ticket

biobränsle *s* (~t, ~n) biofuel

biocid *s* (~en, ~er) bekämpningsmedel biocide

biodlare *s* (~n, =) bee-keeper

biodling *s* (~en, ~ar) bee-keeping

bioduk *s* (~en, ~ar) [cinema (movie)] screen

biodynamisk *adj* (~t) biodynamic; **~a livsmedel**
organically grown…; **~ odlare** organic farmer; **~
odling** organic farming

biofysik *s* (~en) biophysics sg.

bioföreställning *s* (~en, ~ar) cinema (movie, film)
show, movie

biograf *s* (~en, ~er) **1** bio cinema; amer. äv. movie
[theater] **2** levnadstecknare biographer

biografi *s* (~n, ~er) biography, life [*över* of]

biografisk *adj* (~t) biographical

biokemi *s* (~n) biochemistry

biokemisk *adj* (~t) biochemical

biolog *s* (~en, ~er) biologist, naturalist

biologi *s* (~n) biology

biologisk *adj* (~t) biological; **~t barn** natural child; **~**

klocka biological clock; **~ krigföring** biological
warfare, biowarfare; **~a stridsmedel** biological
weapons (weaponry koll. sg.)

biomassa *s* (~n, -massor) biomass

biomedicin *s* (~en) biomedicine

biomständighet *s* (~en, ~er) incidental
circumstance; jur. collateral fact

biopublik *s* (~en) cinema (movie) audience;
biobesökare filmgoers pl.

biorytm *s* (~en) biorhythm

biotop *s* (~en, ~er) biol. biotope

biperson *s* (~en, ~er) minor (subordinate) character

biprodukt *s* (~en, ~er) by-product, secondary
product, spin-off; avfalls~ waste product

biroll *s* (~en, ~er) teat. film. minor part (role), bit part
äv. bildl.

bisak *s* (~en, ~er) side issue, unimportant matter;
betrakta ngt *som en ~* …as [a matter] of secondary
importance

bisam *s* (~en) pälsverk musquash [fur]; amer. muskrat
[fur]

bisamråtta *s* (~n, -råttor) muskrat

bisarr *adj* (~t) bizarre, odd

bisarreri *s* (~et, ~er) oddity

bisats *s* (~en, ~er) gram. subordinate clause

Biscayabukten the Bay of Biscay

bisexuell *adj* (~t) bisexual; vard. AC/DC

bisittare *s* (~n, =) **1** TV. o. sport. expert commentator
2 i underrätt, ung. [legal] assessor, member of a (resp.
the) lower court; i jury juryman

biskop *s* (~en, ~ar) bishop

biskopsdöme *s* (~t, ~n) se *1 stift*

biskopsmössa *s* (~n, -mössor) mitre

biskopsstol *s* (~en, ~ar) ämbete bishopric

biskvi *s* (~n, ~er) **1** mandel~ ung. macaroon **2** oglaserat
porslin bisque

bismak *s* (~en, ~er) [slight] flavour (taste); obehaglig
funny taste; speciellt bildl. tinge

bison *s* (~en, ~ar) o. **bisonoxe** *s* (~n, -oxar) bison (pl.
lika el. -s)

bissera *vb tr* (~de, ~t) give…over again, repeat

bister *adj* (~t, bistra) om min o.d. grim, forbidding;
sträng stern; om klimat severe, hard, inclement; *bistra
tider* hard times; *se ~ ut* äv. frown

bistå *vb tr* (-stod, -stått) aid, assist, help

bistånd *s* (~et) aid, assistance, help

biståndsarbetare *s* (~n, =) [development] aid
worker

biståndsminister *s* (~n, -ministrar) i Sverige Minister
for International Development Cooperation

biståndsorgan *s* (~et, =) development agency

biståndspolitik *s* (~en) development assistance
policy

bisvärm *s* (~en, ~ar) swarm of bees

bisyssla *s* (~n, -sysslor) side-line, spare-time job
(occupation)

bisätta *vb tr* (-satte, -satt) i bårhus, gravkapell
remove…to the mortuary (chapel)

bisättning *s* (~en, ~ar) removal to the mortuary
(chapel)

1 bit *s* (~en, ~ar) piece, bit; del part; brottstycke
fragment; av socker, kol lump, knob [samtliga med of
framför följande ord]; vägsträcka distance, way;
musikstycke piece [of music]; låt tune; *en ~ bröd* a
piece (a morsel, skiva a slice) of bread; *äta en ~*

[*mat*] have a snack (a bite, something to eat); *gå en bra ~* walk quite a long way; *det är bara en liten ~ kvar* [*att gå*] there is only a little way left [to go], it isn't far; *följa ngn en ~ på vägen* accompany (escort) sb [a] part of the way; *han har kommit en bra ~ på väg* he is well on his way; bildl. he has made considerable progress; *~ för ~* bit by bit; *gå i ~ar* break, go (fall) to pieces

2 bit *s* (~en, ~ar) data. bit (förk. för binary digit)

bita I *vb tr* (bet, bitit) bite; *hunden bet mig i benet* the dog bit my leg; *~ sig i läppen* bite one's lip
II *vb itr* (bet, bitit) bite; om köld, blåst bite, cut, jfr *bitande*; *något att ~ i* bildl. something to get one's teeth (to bite) into; *han bet i* äpplet he bit into...; *~ i det sura äpplet* ung. swallow the bitter pill; *~ på naglarna* bite one's finger-nails; *ingenting biter på honom* he's really thick-skinned, nothing works on him
III med beton. part.
bita av bort bite off; itu bite...in two; *~ av en tand* break a tooth
bita sig fast vid bildl. stick (cling) to
bita ifrån sig ge igen hit back, give tit for tat
bita ihop *tänderna* clench (grit) one's teeth; bildl. äv. keep a stiff upper lip, bite the bullet
bitande *adj* (oböjl.) biting, cutting; om köld, blåst äv. nippy, keen; sarkastisk äv. caustic, pungent, sharp, tart; *~ ironi* biting irony, sarcasm
bitanke *s* (~n, -tankar) ulterior (secondary) motive
bitas *vb itr dep* (bets, bitits) bite; om hund äv. be snappish; varandra bite one another; *hunden bits* the dog bites
biton *s* (~en, ~er) bildl. touch, trace, shade
bitring *s* (~en, ~ar) [baby's] teething ring; vard. teether
biträda *vb tr* (-trädde, -trätt) assistera assist [*vid* in]; *~ ngn* [*inför rätten*] appear (plead) for sb
biträdande *adj* (oböjl.) assistant; *~ rektor* assistant head, assistant headmaster (resp. headmistress), assistant principal
biträde *s* (~t, ~n) **1** bistånd assistance, aid **2** medhjälpare assistant; affärs~ shop assistant; amer. [sales]clerk; sjukvårds~ assistant nurse; jur. counsel (pl. lika)
bitsk *adj* (~t) om t.ex. kommentar cutting, sarcastic; om hund fierce
bitsocker *s* (-sockret, =) lump sugar, cube sugar
bitter *adj* (~t, bittra) bitter äv. bildl.; om smak äv. acrid; om person äv. embittered; smärtsam äv. painful; hätsk äv. acrimonious; hård hard, harsh; *bittra fiender* bitter (implacable) enemies; *ett ~t öde* a cruel fate; *göra ~* embitter
bitterhet *s* (~en, ~er) bitterness [*över* at]; om smak äv. acridity; om person äv. embitterment; hätskhet acrimony, rancour
bitterljuv *adj* (~t) bitter-sweet
bittermandel *s* (~n, -mandlar) bitter almond
bitti *adv* o. **bittida** *adv* early; *i morgon bitti* [early] tomorrow morning; [*både*] *bittida och sent* at all hours, early and late
bitvarg *s* (~en, ~ar) old misery, grouch
bitvis *adv* på sina ställen in [some] places, here and there, occasionally
bivack *s* (~en, ~er) mil. bivouac; *gå* (*ligga*) *i ~* bivouac
bivax *s* (~et) beeswax

biverkning *s* (~en, ~ar) side effect äv. med., secondary effect
biväg *s* (~en, ~ar) by-way, by-road, bypath
biämne *s* (~t, ~n) univ. subsidiary subject
bjuda I *vb tr o. vb itr* (bjöd, bjudit) **1** erbjuda, räcka fram offer; servera serve; *~ motstånd* offer resistance; *vad får jag ~ på?* what can I offer you?
2 inbjuda ask, invite [*ngn på middag* sb to dinner]; *vara* (*bli*) *bjuden* be invited (asked); *är du bjuden?* have you been invited (asked)?
3 betala treat; *låt mig ~* [*på det här*] let me treat you [to this]; *jag bjuder* [*på det här*] this is on me; *~ ngn på en drink* (*på middag*) treat sb to a drink (to a dinner)
4 göra anbud offer; på auktion bid, make a bid [*på ngt* for sth]; kortsp. bid, call; *1000 kronor bjudet!* ...bid!
II med beton. part.
bjuda dit: *jag bjöd dit honom* (*honom dit*) I invited (asked) him there
bjuda emot: *det bjuder* [*mig*] *emot* I hate the idea [of doing it], it goes against the grain
bjuda hem ngn [*till sig*] invite (ask) sb to one's home (house)
bjuda hit: *jag bjöd hit honom* (*honom hit*) I invited (asked) him here
bjuda igen invite...back; *de bjuder aldrig igen* they never invite you back
bjuda in a) inbjuda invite **b)** be stiga in ask...[to come] in
bjuda omkring serve, hand round
bjuda till anstränga sig try
bjuda under underbid
bjuda upp ngn [*till dans*] ask sb for a dance
bjuda ut [*till salu*] offer [for sale]; *~ ut ngn* på restaurang o.d. take sb out; *~ ut sig* prostitute oneself
bjuda över eg. outbid äv. kortsp.
bjudande *adj* (oböjl.) tvingande urgent, imperative
bjudning *s* (~en, ~ar) kalas party; middags~ dinner [party]; *ha ~* give (vard. throw) a party
bjudningskort *s* (~et, =) invitation card
bjäfs *s* (~et, =) vard. finery; krimskrams knick-knacks pl.
bjälke *s* (~n, bjälkar) beam; större balk, baulk; bär~ girder; tvär~ joist; taksparre rafters; tekn. äv. square timber; inte se *~n i sitt eget öga* ...the beam in one's own eye
bjälklag *s* (~et, =) joists pl., beams pl., system of joists (beams)
bjällerklang *s* (~en), *~*[*en*] [the] sound of bells (resp. a bell)
bjällra *s* (~n, bjällror) [little] bell
bjärt *adj* (=) gaudy, glaring; *stå i ~ kontrast mot* (*till*) be in glaring contrast to
bjässe *s* (~n, bjässar) stor karl big strapping fellow, hefty guy (bloke)
björk *s* **1** (~en, ~ar) träd [silver] birch, birch-tree **2** (~en) virke birch[wood]; *...av ~* attr. äv. birch...
björkdunge *s* (~n, -dungar) birch grove, clump of birches
björkkvist *s* (~en, ~ar) birch twig
björklöv *s* (~et, =) birch leaf; koll. birch leaves pl.
björkmöbel *s* (~n, -möbler) möblemang birch suite; enstaka piece of birch furniture; *björkmöbler* bohag birch furniture sg.
björkris *s* (~et) koll. birch twigs pl.

björksav s (~en) birch sap
björkskog s (~en, ~ar) birchwood; större birch forest
björkstam s (~men, ~mar) birch trunk
björktrast s (~en, ~ar) zool. fieldfare
björkved s (~en) birchwood [fuel]
björn s (~en, ~ar) zool. bear; **väck inte den ~ som sover!** ung. let sleeping dogs lie!; **Stora (Lilla) ~en** astron. the Great (Little) Bear
björnbär s (~et, =) blackberry
björnfäll s (~en, ~ar) bearskin
björnhona s (~n, -honor) she-bear
björnloka s (~n, -lokor) bot. cow parsnip
björnmossa s (~n) bot. hair (haircap) moss
björnskinnsmössa s (~n, -mössor) till uniform bearskin; vard. busby
björntjänst s (~en, ~er), **göra ngn en ~** do sb a disservice
björntråd s (~en) bear cotton thread
björnunge s (~n, -ungar) bear cub
bl.a. förk., se *bland andra* o. *bland annat* under *bland*
1 black s (~en, ~ar) bildl., **en ~ om foten [för ngn]** a drag [on sb], an impediment [to sb]
2 black adj (~t) färglös drab äv. bildl.; urblekt faded
blackout s (~en, ~er) blackout; **få en ~** have a blackout
blad s (~et, =) **1** bot. leaf (pl. leaves); kron~ petal; **ta ~et från munnen** speak out, speak one's mind, not mince matters **2** pappers~ sheet; i bok leaf (pl. leaves); vard., tidning paper; **ett oskrivet ~** a blank page, a clean sheet; **han är ett oskrivet ~** he is an unknown quantity **3** på kniv, åra, propeller o.d. blade
bladgrönt s (oböjl.) chlorophyll, leaf green
bladguld s (~et) gold leaf, gold foil
bladlus s (~en, -löss) plant-louse, green fly, aphis (pl. aphides)
bladmage s (~n, -magar) zool. third stomach; vetensk. psalteri|um (pl. -a), omas|um (pl. -a)
bladnerv s (~en, ~er) vein, rib, nerve
bladpersilja s (~n) flat-leaf parsley
bladspenat s (~en) leaf spinach
bladverk s (~et) foliage
bladväxt s (~en, ~er) foliage plant
B-lag s (~et, =) sport. reserve (second) team; bildl. el. neds. äv. second-raters pl.
blamage s (~n, ~r) faux pas fr. (pl. lika), gaffe
blamera vb rfl (~de, ~t), **~ sig** commit a faux pas, put one's foot in it
blanchera vb tr (~de, ~t) kok. blanch
bland prep among, amongst, between; i partitiv betydelse of; **~ andra** (förk. *bl.a.*) among others; **~ annat** (förk. *bl.a.*) among other things; **~ annat därför att...** for one thing because...; han gjorde **många resor, bl.a. till Kina** ...many journeys, one of them to China; **i sitt tal sa han bland annat att...** in the course of his speech he said that...; han blev utvald **~ tio sökande** ...from among ten applicants; **omtyckt ~ ungdom** popular with...; **ingen ~ dem** none of them; **hon är inte längre ~ oss** she is no longer with us
blanda I vb tr (~de, ~t) mix; speciellt bildl. mingle; olika kvaliteter av t.ex. te el. tobak el. bildl. blend; metaller alloy; kem. compound; spelkort shuffle; **~ drinkar** mix drinks; **~ färger** mix (blend) colours
II vb rfl (~de, ~t), **~ sig** mix, mingle; sammansmälta blend; **~ sig i** andras affärer interfere with..., meddle

with (in)...; vard. poke one's nose into...; **~ sig i samtalet** butt (cut) in, stick one's oar in
III med beton. part.
blanda bort: **~ bort begreppen** confuse the issue, cause confusion
blanda i ngt i maten mix sth in..., add sth to...
blanda ihop förväxla mix up, confuse; blanda tillsammans, tillreda mix
blanda in ngn i ngt mix sb up in sth; speciellt ngt brottsligt involve (implicate) sb in sth
blanda till tillreda mix; medicin äv. compound
blanda upp ngt med ngt mix sth with..., add...to sth
blanda ut t.ex. vin med vatten dilute
blandad adj (blandat, ~e) mixed, mingled, blended, jfr *blanda I*; diverse miscellaneous; **~e karameller** assorted sweets; **~ kost** mixed diet; **~e känslor** mixed feelings; **blandat sällskap** mixed company
blandare s (~n, =) mixer; vatten~ mixer tap, amer. mixing faucet
blandekonomi s (~n) mixed economy
blandfolk s (~et, =) mixed race
blandfärg s (~en, ~er) secondary (compound) colour
blandfärs s (~en, ~er) kok. beef and pork mince; amer. ground beef and pork
blandmaterial s (~et, =) composition
blandning s (~en, ~ar) **1** mixture; av olika kvaliteter av t.ex. te, tobak el. bildl. blend; av konfekt o.d. assortment; legering alloy; kem. compound **2** blandade mixing osv., jfr *blanda I*
blandras s (~en, ~er) om djur mixed breed; speciellt lantbr. crossbreed; om t.ex. hund mongrel; **vara av ~** be a mixed breed osv.
blandskog s (~en, ~ar) mixed forest
blandsäd s (~en) gröda mixed crops pl.; tröskad mixed grain
blandäktenskap s (~et, =) mixed marriage
blank adj (~t) eg. bright, shining, shiny, glossy; oskriven, tom blank; **~ som en spegel** smooth as a mirror; **mitt på ~a förmiddagen** in broad daylight; **~t game** i tennis love game; **~a knappar** av mässing brass buttons
blanka vb tr (~de, ~t) polish; metall äv. burnish
blankett s (~en, ~er) form; amer. äv. blank
blanko s (oböjl.) bank., **in ~** in blank; **underskrift in ~** blank signature
blankocheck s (~en, ~ar el. ~er) bank. blank cheque
blankpolera vb tr (~de, ~t) o. **blankputsa** vb tr (~de, ~t) polish; metall äv. burnish
blankslipa vb tr (~de, ~t) burnish
blanksliten adj (-slitet, -slitna) om tyg shiny, threadbare
blankt adv brightly; **dra ~** draw one's sword [mot on]; **lämna in ~** vid provskrivning o.d. hand in a blank paper; rösta **~** ung. abstain; **det struntar jag ~ i!** I don't give a damn (hang) about it!; han sprang 100 meter **på 10 sekunder ~** ...in 10 seconds flat
blankvers s (~en) blank verse
blasé adj (oböjl.) o. **blaserad** adj (blaserat, ~e) blasé fr., jaded
blasfemi s (~n, ~er) blasphemy
blask s (~et) vard., usel dryck etc. slops pl., dishwater
1 blaska s (~n, blaskor) vard., tidning paper, tabloid; neds. [local] rag
2 blaska vb itr (~de, ~t) vard. splash [water], dabble

blaskig *adj* (~t) om dryck, färg wishy-washy

blast *s* (~en) tops pl.; potatis~ äv. haulm

blazer *s* (~n, blazrar) [sports] jacket; klubbjacka, vanl. av flanell blazer

bleck *s* (~et, =) tinplate, tin; *ett* ~ a sheet of tinplate; ~*et* mus., se *bleckblåsare*

bleckblåsare *s* (~n, =) mus. brass player; *bleckblåsarna* i orkester the brass [section] sg.

bleckburk *s* (~en, ~ar) konservburk tin can, tin; amer. can

bleckkärl *s* (~et, =) tin; i pl. äv. tinware sg.

bleckslagare *s* (~n, =) tinsmith

bleckslageri *s* (~et, ~er) tinworks (pl. lika)

blek *adj* (~t) pale; starkare pallid, white; sjukligt wan; glåmig, gulblek sallow; svag faint; *inte den ~aste aning* not the faintest (foggiest) [idea]; göra *ett ~t intryck* …a feeble impression; *bli* ~ [*av fasa*] turn pale [with terror]

bleka *vb tr* (blekte, blekt) kem. bleach; t.ex. jeans prefade; färger fade; ~*s* om färger fade, become discoloured; ~ *ur* fade

blekansikte *s* (~t, ~n) neds. paleface

blekfet *adj* (-fett) pasty[-faced], flabby

blekfis *s* (~en, ~ar), *han är en riktig* ~ vard. he's pale and sickly looking

blekhet *s* (~en) paleness; ansikts~ pallor; sjuklig wanness

blekmedel *s* (-medlet, =) bleach, bleaching agent; vätska bleaching solution

blekna *vb itr* (~de, ~t) om person turn pale [*av* fasa with…]; poet. pale; om färg o.d. el. bildl., t.ex. om minne fade

blekning *s* (~en, ~ar) kem. bleaching

bleknos *s* (~en, ~ar), *din lilla* ~ you pale little thing

blekselleri *s* (~n) [blanched] celery

bleksiktig *adj* (~t) anaemic, bloodless

blemma *s* (~n, blemmor) finne pimple, spot, pustule

blessyr *s* (~en, ~er) wound

bli I passivbildande *hjälpvb* (blev, blivit) be, vard. get; uttryckande gradvist skeende become; ~ *avrättad* be executed; ~ *överkörd* get run over; ~ *civiliserad* become civilized

II *vb itr* (blev, blivit) **1** uttryckande förändring become; med adj. äv.: ledigare get; långsamt grow; uttryckande plötslig el. oväntad övergång turn; tillsammans med vissa adj. go; tillsammans med adj. som anger sinnesstämning o.d. oftast be; *när ~r mötet?* when will the meeting be (take place)?; *vad blev resultatet?* what was the result?; *tre och två ~r fem* three and two make[s] five; *hur mycket ~r det?* how much will that be (does it come to)?; *det blev märken [på mattan] efter skorna* the shoes left (made) marks [on the carpet]; *det ~r nog bra till sist* it will probably turn out all right in the end; *det ska* ~ *regn* it is going to rain, it will rain; *det ~r svårt* it will (is going to) be difficult; *det börjar* ~ *vinter* winter is coming on (setting in); *det börjar* ~ *mörkt* it is begining to get dark; *jag vill* ~ *lärare när jag ~r stor* I want to be (become) a teacher when I grow up; *han blev 95 år [gammal]* he lived to be ninety-five; ~ [*till*] *en vana* become a habit; *dagarna blev till veckor* days grew into (became) weeks; ~ *blind* go (become) blind; ~ *frisk* get well, recover; *han blev förvånad* he was astonished; ~ *kär* fall in love; *bilden blev lyckad* the picture came out well; *festen blev lyckad* the party was a success; ~ *sjuk* fall (be taken, become) ill

2 förbli remain, stay; ~ *hemma* stay (remain) at home; ~ *liggande* (*sittande*) inte resa sig remain lying (seated)

3 *låta* ~ ngn (ngt) leave (let)…alone, keep one's hands off…; *låta* ~ *att* + inf. a) avstå från refrain from (avoid) + ing-form b) sluta med leave off (give up, stop) + ing-form; *jag borde låta* ~ [*att gå*] I ought not to [go]; *jag kan inte låta* ~ *att skratta* I can't help laughing; *det är svårt att låta* ~ it is difficult not to; *låt* ~ *det där!* don't [do that]!; *sluta!* stop it (that)!; vard. cut it out!

III med beton. part. (uttryck som inte tas upp här söks under partikeln, t.ex. *bli fast* under *1 fast*)

bli av a) komma till stånd take place, come off; *det ~r aldrig av för mig att* + inf. I never get round (around) to + ing-form; *det blev ingenting av med* resan …came to nothing b) ta vägen osv., *var blev han av?* where has he got to?; *vad ska det* ~ *av honom?* what is going to become of him? c) ~ *av med* förlora lose; få sälja dispose of; bli kvitt get rid of

bli borta utebli stay away; *jag ~r inte borta länge* I shan't be [away] long

bli ifrån sig be beside oneself; starkare go frantic [*av* with]

bli kvar a) stanna remain, stay b) se *bli över* nedan

bli till come into existence (being); födas be born; ~ *till sig* get excited, be [quite] upset

bli utan lottlös [have to] go without, get nothing

bli utom sig se *bli ifrån sig* ovan

bli över be over, be left [over]

blick *s* (~en, ~ar) ögonkast look; hastig glance, glimpse; dröjande gaze; öga eye; *allas ~ar* vändes mot all eyes…; *fästa ~en på* fix one's eyes upon, rivet (fasten) one's gaze upon; *ha (sakna)* ~ *för* have an (have no) eye for; *kasta en* ~ *på* have (take) a look (glance) at; *sänka ~en* lower one's eyes, look down; *utbyta menande ~ar* exchange meaning (significant) glances

blicka *vb itr* (~de, ~t) look; hastigt glance; dröjande gaze; ~ *bakåt* look back

blickfång *s* (~et, =) **1** eye-catcher **2** se *blickfält*

blickfält *s* (~et, =) field of vision, visual field

blickpunkt *s* (~en) visual point; *i ~en* bildl. in the limelight (public eye)

blickstilla *adv* om t.ex. vattenyta dead calm; *han stod* ~ he stood dead still (stock-still)

blid *adj* (blitt) om t.ex. röst soft; om t.ex. väsen gentle; om t.ex. väder mild; *inte se ngt med ~a ögon* look [up]on sth with disapproval, frown on sth

blidka *vb tr* (~de, ~t) appease, conciliate, placate; *låta* ~ *sig* ge efter relent

blidvinter *s* (~n, -vintrar) mild (open) winter

blidväder *s* (-vädret, =), *det är (har blivit)* ~ a thaw has set in

bliga *vb itr* (~de, ~t) stirra stare; ilsket glare [*på* i samtliga fall at]

blind *adj* (blint) blind äv. bildl. [*för* to]; ~ *lydnad* blind obedience; ~ *tilltro till* blind belief in; ~*a fläcken* anat. the blind spot; *bli* ~ go (become) blind; ~ *på ena ögat* blind in (of) one eye

blindbock *s* (~en, ~ar), *leka* ~ play blindman's buff

blinddörr *s* (~en, ~ar) blind door

blindfönster *s* (-fönstret, =) blind (blank) window

blindförare *s* (~n, =) blind person's guide (assistent)

blindgångare s (~n, =) mil. unexploded bomb (shell), vard. dud

blindhet s (~en) blindness

blindhund s (~en, ~ar) guide dog; amer. äv. seeing-eye dog

blindinstitut s (~et, =) institute for the blind

blindkarta s (~n, -kartor) skeleton (outline) map

blindo s (oböjl.), **i ~** blindly; planlöst at random

blindpassagerare s (~n, =) stowaway

blindskrift s (~en) braille

blindskär s (~et, =) sunken (hidden) rock; bildl. pitfall

blindtarm s (~en, ~ar) anat. caecum (pl. caecums el. caeca); ~ens bihang appendix (pl. appendixes el. appendices); *brusten* ~ ruptured appendix; *ta bort ~en* opereras have one's appendix removed

blindtarmsinflammation s (~en, ~er) appendicitis (endast sg.)

blindtest s (~et el. ~en, ~er el. =) blindfold test

blink s **1** (~et) blinkande av ljuskälla twinkling **2** (~en, ~ar) ljusglimt twinkle; blinkning wink; *i en ~* in a twinkling (flash), in the twinkling of an eye

blinka vb itr (~de, ~t) om ljus twinkle; med ögonen: blink [*mot ngt at sth*]; som tecken wink [*åt ngn at sb*]; *utan att ~* bildl. calmly, without batting an eyelid; inför smärta without flinching

blinker s (~n, blinkrar el. =) bil. indicator; amer. turning signal, blinker

blinkljus s (~et, =) blinkande ljus m.m. blinker; varningssignal på t.ex. polisbil el. vid vägarbete flasher

blinkning s (~en, ~ar) blinking, winking, jfr *blinka*; *en ~* a blink (wink)

blint adv blindly, obetingat äv. implicitly, på måfå äv. at random, besinningslöst äv. recklessly, rashly; *lita ~ på ngn* trust sb blindly

blipp s (~en el. ~et, ~ar el. =) data. blip

bliva vb (blev, blivit) se *bli*

blivande adj (oböjl.) framtida future; tilltänkt prospective; *min ~ fru* äv. my wife to be; *~ mödrar* expectant mothers

blixt s (~en, ~ar) **1** åskslag lightning (endast sg.); *en ~* a flash of lightning; *~ar* äv. lightning sg.; *~en slog ned* lightning struck; *~en slog ned i huset* the house was struck by lightning; *som en [oljad] ~* like [greased (a streak of)] lightning; *det kom som en ~ från en klar himmel* it was like a bolt from the blue; *med ~ens hastighet* with lightning speed, like a shot **2** konstgjord el. bildl. flash; foto. äv. flashlight

blixtanfall s (~et, =) o. **blixtangrepp** s (~et, =) lightning attack, blitz

blixthalka s (~n), *det var ~ på vägarna* the roads were treacherously icy; *varning för ~* ung. warning for sudden icy conditions

blixtkär adj (~t) madly in love

blixtlampa s (~n, -lampor) flash bulb

blixtljus s (~et, =) foto. flashlight

blixtlås s (~et, =) zip [fastener]; vard. zipper

blixtnedslag s (~et, =) stroke of lightning

blixtra vb itr (~de, ~t) **1** *det ~r* there is lightning, it is lightening **2** bildl.: om t.ex. ögon flash; *~nde huvudvärk* splitting headache

blixtsnabb adj (~t) ...[as] quick as lightning; attr. äv. lightning

blixtsnabbt adv at lightning speed, like lightning (a flash), with lightning rapidity

blixtvisit s (~en, ~er) flying visit

block s (~et, =) **1** massivt stycke, äv. hus~ block; geol. äv. boulder **2** skriv~ pad, block **3** lyft~ pulley; speciellt sjö. block **4** polit. bloc

blockad s (~en, ~er) sjö. blockade; av t.ex. arbetsplats boycott; *häva ~en* raise the blockade; call off the boycott; *förklara...i ~* proclaim a blockade of...; put...under a boycott

blockbildning s (~en, ~ar) [vanl. the] creation of blocs; *nya ~ar* the creation of new blocs

blockchoklad s (~en) cooking chocolate

blockera vb tr (~de, ~t) blockade; spärra äv. block [up], jam; *~ linjen* tele. block the line

blockering s (~en, ~ar) eg. el. psykol.: blocking äv. sport.; det som blockerar blockage

blockflöjt s (~en, ~er) recorder

blockämne s (~t, ~n) skol. block (course) of interrelated subjects

blod s (~et) blood; blodflöde bloodstream; *levrat ~* congealed blood; *ge ~* som blodgivare give blood; *väcka ont ~* stir up (breed) bad blood; *jag har det i ~et* it's (it runs) in my blood

bloda vb tr (~de, ~t), *det har gett mig ~d tand* it has whetted my appetite; *~ ned* fläcka stain (täcka cover) with blood; *~ ned sig* get oneself [all] bloody

blodapelsin s (~en, ~er) blood orange

blodbad s (~et, =) blood bath, massacre

blodbank s (~en, ~er) blood bank

blodblandad adj (-blandat, ~e) ...mingled with blood; med. äv. sanguineous

blodbrist s (~en) anaemia; amer. anemia

blodcirkulation s (~en) circulation [of the blood], blood circulation

bloddrypande adj (oböjl.) ...dripping with blood; bildl. gory, blood-curdling

blodfattig adj (~t) anaemic

blodfläck s (~en, ~ar) bloodstain

blodflöde s (~t, ~n) flow (gush) of blood, bleeding

blodfylld adj (-fyllt) ...full of blood; med. äv. plethoric

blodförgiftning s (~en, ~ar) blood-poisoning; vetensk. septicaemia

blodförlust s (~en, ~er) loss of blood

blodförtunnande adj (oböjl.), *~ medel* anticoagulant

blodgivarcentral s (~en, ~er) blood donor centre

blodgivare s (~n, =) blood donor

blodgivning s (~en) blood donation

blodgrupp s (~en, ~er) blood group

blodhund s (~en, ~ar) bloodhound

blodig adj (~t) blodfläckad bloodstained; nedblodad bloody; som kostar mångas liv bloody, sanguinary; lätt stekt underdone, rare; *~a strider* bloody (sanguinary) battles; *det blir inte så ~t* dyrt it won't be all that expensive

blodigel s (~n, -iglar) leech äv. bildl.

blodkorv s (~en, ~ar) black pudding

blodkropp s (~en, ~ar) fysiol. blood cell, [blood] corpuscle; *röda ~ar* red blood cells (corpuscles); *vita ~ar* white blood cells (corpuscles)

blodkärl s (~et, =) blood vessel

blodomlopp s (~et, =) **1** blodcirkulation circulation of the blood, blood circulation; *~et* äv. the circulatory system **2** cirkulerande blodmängd bloodstream

blodplasma s (~n) fysiol. plasma

blodplätt s (~en, ~ar) fysiol. platelet

blodpropp s (~en, ~ar) konkr. blood clot; vetensk.

thromb|us (pl. -i); sjukdom thrombos|is (pl. -es), embolism

blodprov s (~et, = el. ~er) blood test; preparat sample (specimen) of blood; **ta ~** take a blood test

blodpudding s (~en, ~ar) black pudding

blodrenande adj (oböjl.) blood-purifying; **~ medel** blood-purifier

blodröd adj (-rött) blood-red, sanguine; **bli alldeles ~** turn crimson

blodsband s (~et, =) blood connection; **~** pl. ties of kinship; **släkt genom ~** [med] related by blood [to]

blodsdroppe s (~n, -droppar), **till sista ~n** to the last drop of blood, to the bitter end

blodserum s (= el. ~et) fysiol. [blood] serum

blodshämnd s (~en) blood feud, vendetta

blodsjukdom s (~en, ~ar) blood disease

blodskam s (~men) incest

blodsocker s (-sockret) blood sugar

blodsprängd adj (-sprängt) bloodshot

blodstillande adj (oböjl.) styptic, haemostatic; **~ medel** styptic

blodstockning s (~en, ~ar) stagnation of the blood; med. haemostasis

blodstänkt adj (=) bloodstained

blodstörtning s (~en, ~ar) haemorrhage of the lungs

blodsugare s (~n, =) bloodsucker; bildl. äv. extortioner

blodsutgjutelse s (~n, ~r) bloodshed

blodtest s (~et el. ~en, ~er el. =) blood test

blodtillförsel s (~n) blood supply, supply of blood

blodtransfusion s (~en, ~er) blood transfusion

blodtryck s (~et, =) blood pressure; **högt ~** high blood pressure; vetensk. hypertension; **lågt ~** low blood pressure

blodtrycksfall s (~et, =) med. fall in blood pressure

blodtörstig adj (~t) bloodthirsty

blodutgjutning s (~en, ~ar) genom yttre skada bruise; vetensk. ecchymos|is (pl. -es); blödning bleeding, effusion of blood

blodvallning s (~en, ~ar) med. hot flush (amer. vanl. flash)

blodvite s (~t, ~n), **~ uppstod** there was bloodshed

blodvärde s (~t, ~n) blood count

blodåder s (~n, -ådror) [blood] vein

blogg s (~en, ~ar) blog

blogga vb itr (~de, ~t) blog

blogginlägg s (~et, =) blog spot

blogglista s (~n, -listor) blogroll

bloggosfär s (~en, ~er) blogosphere

blom s (~men) blomning, **gå (slå ut) i ~** blossom, bloom, flower, come into flower; **stå i ~** be in bloom (flower, om t.ex. fruktträd blossom), be blooming (flowering resp. blossoming)

blomblad s (~et, =) petal

blombord s (~et, =) flower stand

blombukett s (~en, ~er) bouquet, bunch of flowers; mindre nosegay, posy

blomfrö s (~et, ~n el. ~er) koll. flower seeds pl.

blomjord s (~en) potting compost; amer. potting soil

blomklase s (~n, -klasar) spray

blomknopp s (~en, ~ar) [flower] bud

blomkrans s (~en, ~ar) se blomsterkrans

blomkrona s (~n, -kronor) bot. corolla

blomkruka s (~n, -krukor) flowerpot

blomkål s (~en) cauliflower

blomkålshuvud s (~et, ~en el. =) [head of] cauliflower

blomlåda s (~n, -lådor) flowerbox

blomma I s (~n, blommor) allm. flower äv. bildl.; krona etc. äv. bloom; på fruktträd blossom; **blommor och bin** vard. the birds and the bees, the facts of life; **i ~n av sin ålder** in one's prime, in the prime of life **II** vb itr (~de, ~t) flower, bloom; om t.ex. fruktträd blossom; **den sorten ~r sent** …is a late flowerer; **vattnet ~r** the water is blooming; **~ upp** bildl. blossom out; **…har ~t ut** …has ceased flowering

blommig adj (~t) flowery, flowered

blommografera vb itr (~de, ~t) send flowers by Interflora

blomning s (~en, ~ar) flowering, blooming; coming into flower

blomningstid s (~en, ~er) flowering season

blomster s (blomstret, =) flower

blomsteraffär s (~en, ~er) o. **blomsterhandel** s (~n, -handlar) flower shop, florist's [shop]; som skylt florist

blomsterhandlare s (~n, =) florist

blomsterkrans s (~en, ~ar) wreath [of flowers], [flower] garland

blomsterprakt s (~en) floral splendour, profusion of flowers

blomsterrabatt s (~en, ~er) flowerbed; långsmal flower (herbaceous) border

blomsterspråk s (~et) language of flowers; bildl. flowery language

blomsterträdgård s (~en, ~ar) flower garden

blomsteruppsats s (~en, ~er) flower arrangement; på t.ex. middagsbord äv. flower bowl

blomsterutställning s (~en, ~ar) flower show

blomsteräng s (~en, ~ar) flowery meadow, meadow full of flowers

blomstjälk s (~en, ~ar) flower stalk; bot. peduncle

blomstra vb itr (~de, ~t) blossom, bloom; bildl. äv. flourish

blomstrande adj (oböjl.) blooming, flourishing; om t.ex. hy fresh, rosy; frisk fine and healthy

blomstring s (~en) bildl. prosperity

blomstringstid s (~en, ~er) bildl. time of prosperity; **i sin ~** in its heyday

blomvas s (~en, ~er) [flower] vase

blond adj (blont) om person fair, fair-haired, blond (om kvinna blonde); om hår fair, light, blond[e]

blondera vb tr (~de, ~t), **~ håret** dye one's hair blond, bleach one's hair

blondin s (~en, ~er) blonde, blonde (fair-haired) woman

bloss s (~et, =) **1** vid rökning puff, pull, drag, whiff; **dra ett ~ på pipan** take a puff (pull) at one's pipe; **ta ett ~** vard. have a fag **2** fackla torch; sjö. flare

blossa vb itr (~de, ~t) **1** flare, blaze; bildl. glöda glow [av with]; **~ upp** flamma upp äv. bildl. flare (blaze) up; om kärlek be kindled; rodna flush **2** sjö., ge nödsignal burn flares **3** röka puff [på at]

blossande I adj (oböjl.) rodnande glowing, flushed; glödande burning [av with] **II** adv, **~ röd** flaming red; **bli ~ röd** turn (flush) crimson (scarlet)

blott I adj (=) mere, very; **~a tanken på det** the mere (very) thought of it; **med ~a ögat** with the naked eye; **komma undan med ~a förskräckelsen** escape by the skin of one's teeth, get off with no more than a fright **II** *adv* only, but; merely; ~ *och bart* simply and solely, merely; *icke ~…utan även* not only…but also; *det är ett minne ~* it's but (only) a memory; jfr vidare *bara I*

blotta I *s* (~n, blottor) weak spot äv. bildl. **II** *vb tr* (~de, ~t) expose äv. bildl.; mil. el. sport. o.d.; göra bar äv. uncover, bare; röja: t.ex. sin okunnighet äv. betray; blottlägga äv. bildl. lay bare; ~ *huvudet* bare one's head, uncover [one's head] **III** *vb rfl* (~de, ~t) ~ *sig* **a**) förråda sig betray oneself, give oneself away **b**) visa könsorganen expose oneself indecently [*för (inför) ngn* to sb]; vard. flash

blottad *adj* (blottat, ~e) **1** avtäckt bare, uncovered; om svärd drawn; *med blottat huvud* bareheaded, uncovered **2** ~ *på* destitute (devoid) of

blottare *s* (~n, =) exhibitionist; vard. flasher

blottlägga *vb tr* (-lade, -lagt) lay bare, uncover, expose samtliga äv. bildl.

blottställa I *vb tr* (-ställde, -ställt) expose [*för* to]; riskera imperil, endanger **II** *vb rfl* (-ställde, -ställt), ~ *sig* expose oneself, lay oneself open [*för* to]

blottställd *adj* (-ställt) exposed [*för* to]; utblottad destitute

bluff *s* (~en, ~ar) bluff; om sak äv. eyewash; om person vanl. phoney, bluffer; bedrägeri, bedragare fraud

bluffa I *vb tr* o. *vb itr* (~de, ~t) bluff **II** *vb rfl* (~de, ~t), ~ *sig fram* make one's way by bluffing; ~ *sig igenom* bluff one's way through

bluffmakare *s* (~n, =) bluffer

blund *s* (oböjl., en), *jag fick inte en ~ i ögonen i natt* I didn't get a wink of sleep last night; *Jon* (*John*) *Blund* the sandman

blunda *vb itr* (~de, ~t) sluta ögonen shut one's eyes [*för* to]; hålla ögonen slutna keep one's eyes shut; ~ *för ngt* bildl. äv. wink at sth

blunddocka *s* (~n, -dockor) sleeping doll, doll with sleeping eyes

blunder *s* (~n, blundrar) blunder

blus *s* (~en, ~ar) blouse

bly *s* (~et) lead; *…av ~* äv. lead[en]…; *det här är tungt som ~* this is as heavy as lead (like a lump of lead)

blyerts *s* (~en) ämne blacklead; miner. graphite; i pennor lead; *skriva med ~* write in pencil

blyertspenna *s* (~n, -pennor) [lead] pencil

blyertsstift *s* (~et, =) lead; reserv~ lead refill

blyertsteckning *s* (~en, ~ar) pencil-drawing

blyfri *adj* (-fritt), ~ *bensin* unleaded (lead-free) petrol; amer. unleaded gas (gasoline)

blyförgiftning *s* (~en, ~ar) lead poisoning

blyg *adj* (~t), ~ [*av sig*] shy [*för* of]; förlägen bashful; försagd timid, diffident; *han är inte ~ av sig* tilltagsen he is pretty forward; fräck he has got a nerve

blygas *vb itr dep* (blygdes, blygts) litt. be (feel) ashamed [*för* of]; blush [for shame] [*över* at]

blygd *s* (~en) ~delar private parts pl.

blygdben *s* (~et, =) anat. pubic bone

blygdläppar *s pl* anat. labia lat.

blyghet *s* (~en) shyness, bashfulness, timidity

blygrå *adj* (-grått) leaden grey

blygsam *adj* (~t, ~ma) modest; måttlig äv. moderate; anspråkslös äv. unassuming, diffident

blygsamhet *s* (~en) modesty, diffidence; *falsk ~* false modesty

blygsel *s* (~n) shame; *känna ~ över* feel shame at; *rodna av ~* blush with shame

blyhaltig *adj* (~t) attr. …containing lead; plumbiferous

blytung *adj* (~t) …[as] heavy as lead; bildl. äv. leaden…

blå *adj* (blått) (jfr *blått*); blue; ~ *druvor* black grapes; ~ *timmen* the [blue] twilight hour; *få ett ~tt öga* get a black eye; ~ *av köld* blue with cold; *vara helt i det ~* be [up] in the clouds

blåaktig *adj* (~t) bluish

blåblommig *adj* (~t) attr. …with blue flowers

blåbär *s* (~et, =) **1** bilberry, whortleberry; amerikansk art blueberry **2** medelmåtta second-rater; gröngöling greenhorn

blåbärsris *s* (~et, =) koll. bilberry (osv., jfr *blåbär 1*) sprigs pl.

blåbärssoppa *s* (~n, -soppor) bilberry soup

blådåre *s* (~n, -dårar) vard. madman

blåfrusen *adj* (-fruset, -frusna) …blue with cold

blåfärgad *adj* (-färgat, ~e) blue; …dyed blue

blågrå *adj* (-grått) bluish-grey, blue-grey

blågrön *adj* (~t) bluish-green, blue-green

blågul *adj* (~t) blå och gul blue and yellow; *de ~a* sport. the Swedes, the Swedish [international] team

blåklint *s* (~en, ~ar) bot. cornflower

blåklocka *s* (~n, -klockor) bot., [*liten*] ~ harebell; i Skottl. bluebell

blåklädd *adj* (-klätt) …[dressed (clad)] in blue

blåkläder *s pl* [blue] overalls

blåkopia *s* (~n, -kopior) blueprint

Blåkulla the Brocken ty.

blålackerad *adj* (-lackerat, ~e) attr. blue[-lacquered]; pred. [lacquered] blue, jfr äv. *lackera*

blåmes *s* (~en, ~ar) zool. blue tit

blåmussla *s* (~n, -musslor) [common] sea mussel

blåmåla *vb tr* (~de, ~t) paint…blue

blåmålad *adj* (-målat, ~e) attr. blue[-painted]; pred. [painted] blue

blåmärke *s* (~t, ~n) bruise; *ha ~n överallt* be black and blue (be bruised) all over; *lätt få ~n* bruise easily

blåna *vb itr* (~de, ~t) become (turn) blue; *de ~nde bergen* the distant blue mountains (hills)

blånad *s* (~en, ~er) **1** blåmärke bruise **2** på trä discoloration

blåneka *vb itr* (~de, ~t), *han ~de [till det]* he flatly denied it

blånor *s pl* koll. tow sg.

blåpenna *s* (~n, -pennor) blue pencil

blåprickig *adj* (~t) attr. blue-spotted; pred. spotted [with] blue; *den är ~* vanl. it has blue spots; *en ~ blus* a blouse with blue spots

blårandig *adj* (~t) attr. blue-striped; pred. striped [with] blue; *den är ~* vanl. it has blue stripes; *en ~ blus* a blue-striped blouse

blårutig *adj* (~t) attr. blue-chequered; *den är ~* vanl. it has blue checks; *en ~ blus* a blouse with blue checks

blåräv *s* (~en, ~ar) blue fox

blåröd *adj* (-rött) purple

1 blåsa *s* (~n, blåsor) **1** i huden, i metall, glas, målning blister; i glas äv. bleb; *få blåsor i händerna* äv. blister one's hands **2** anat., speciellt urin- el. luftbehållare bladder; vetensk. äv. vesica **3** bubbla bubble **4** vard., festklänning party dress

2 blåsa I *vb itr* o. *vb tr* (blåste, blåst) **1** allm. blow;

mus. äv. play; föna blow-dry, blow-wave; **det blåser** it is windy, there is a wind [blowing]; **det blåser friskt** (**hårt**) there is a fresh breeze (a strong wind [blowing]); ~ **glas** blow glass; ~ [**nytt**] **liv i** bildl. breathe (infuse) fresh life into; ~ **på elden** (**soppan**) blow up the fire (blow on the soup); **jag ska ~ på det** [**så går det över**] I'll kiss it better **2** vard., lura fool, con, diddle [på out of]; **bli blåst på** be swindled (cheated, diddled) out of; **känn dig blåst!** eat your heart out! **3** i alkotest, **hon blev stoppad av polisen och fick ~** ...had to take a breathtest, ...was breathalysed

II med beton. part.

blåsa av a) tr.: eg. blow off; avsluta bring...to an end; sport. el. t.ex. strid äv. call off; amer. call time [out]; **domaren blåste av matchen** gav slutsignalen the referee blew the final whistle; före slutet av matchen the referee called the match off **b)** itr., om t.ex. huvudbonad blow (be blown) off

blåsa bort a) tr. blow away; skingra drive (chase) away, dispel **b)** itr. blow (be blown) away

blåsa igen stängas blow (be blown) to; **dörren blåste igen** äv. the wind banged the door to

blåsa ned blow (itr. äv. be blown) down

blåsa omkull blow (itr. äv. be blown) over (down)

blåsa upp a) tr., fylla med luft inflate, blow up; förstora bildl. blow up, magnify **b)** itr.: öppnas blow (be blown) open; **det blåser upp** the wind is rising; **det blåser upp till storm** there's a storm brewing (blowing up)

blåsare s (~n, =) mus. wind player; **blåsarna** som orkestergrupp the wind sg.

blåsbälg s (~en, ~ar) bellows pl.; **en ~** a [pair of] bellows

1 blåsig adj (~t) om väder windy, breezy, blowy

2 blåsig adj (~t) med blåsor blistered, blistery

blåsinstrument s (~et, =) mus. wind instrument

blåsippa s (~n, -sippor) hepatica, blue anemone

blåskatarr s (~en, ~er) inflammation of the bladder; vetensk. cystitis (endast sg.)

Blåskägg, [**Riddar**] ~ Bluebeard

blåslagen adj (-slaget, -slagna), **vara ~** be black and blue (be bruised) all over

blåslampa s (~n, -lampor) blowtorch

blåsljud s (~et, =) med. murmur

blåsning s (~en, ~ar) vard., **åka på en ~** bli lurad be swindled (cheated, conned)

blåsorkester s (~n, -orkestrar) brass band

blåst I s (~en) wind; starkare gale **II** adj (=) vard., **vara ~ dum** be thick speciellt amer.

blåställ s (~et, =) dungarees, overalls (båda pl.); **ett ~** a pair of dungarees (overalls)

blåsvart adj (=) blue-black, bluish-black

blåsväder s (-vädret, =) windy (stormy) weather; **vara ute i ~** bildl. be under fire; **råka i ~** bildl. come under fire, get into hot water

blåsyra s (~n) kem. prussic (hydrocyanic) acid

blåtira s (~n, -tiror) vard., **få** [**en**] **~** blått öga get a black eye

blått s (oböjl.) blue; **klädd i ~** dressed in blue; **vara klädd i ~** wear blue; **skifta i ~** be shot (tinged) with blue

blåval s (~en, ~ar) zool. blue whale

blåvinge s (~n, -vingar) **1** zool. [common] blue **2** förr, yngre flickscout brownie, se *minior*

blåögd adj (-ögt) blue-eyed; bildl. äv. starry-eyed, naive

blåögdhet s (~en) bildl. naiveté

bläck s (~et) ink; skrivet **med ~** ...in ink

1 bläcka vb tr (~de, ~t), ~ **ned** make...inky, ink

2 bläcka s (~n, bläckor), **ta sig en ~** vard. have a booze-up (vulg. piss-up), get plastered (vulg. pissed)

bläckfisk s (~en, ~ar) cuttlefish; vanl. (åttaarmad) octopus; ~**ar** zool. cephalopoda

bläckfläck s (~en, ~ar) inkstain, inkspot

bläckhorn s (~et, =) inkpot; infällt inkwell

bläckig adj (~t) inky

bläckpenna s (~n, -pennor) pen; reservoarpenna fountain pen

bläcksvamp s (~en, ~ar) bot. ink cap

blädderblock s (~et, =) flipchart

bläddra vb itr (~de, ~t) turn over the leaves (pages) [i en bok of...]; ~ **i** äv. dip into, browse through; ~ **igenom** look through; hastigt flick through; ytligt skim [through]; data. o.d. browse (scroll) through; ~ [**några sidor**] **tillbaka** turn back a few pages

blända vb tr (~de, ~t) **1** göra blind blind; tillfälligt äv. dazzle; bildl.: förtrolla dazzle, fascinate; förvilla deceive **2** ~ [**av**] billyktor dim; ~ [**av**] **vid möte** bil. dip (amer. dim) the headlights [when meeting other vehicles]; ~ **ned** foto. stop down

bländande adj (oböjl.) dazzling äv. bildl., blinding; om skarpt ljussken äv. glaring; ~ **ljus** dazzling light, glare

bländare s (~n, =) foto.: diaphragm; öppning aperture; inställning stop; **minska ~n** stop down; **ställa in ~n** set the aperture

bländfri adj (-fritt) antidazzle...

bländskydd s (~et, =) anti-glare device, glare shield

bländverk s (~et, =) delusion, illusion

bländvit adj (-vitt) dazzlingly white

blänga vb itr (blängde, blängt) glare, glower [på at]

blänk s (~et, =) gleam, glitter; från t.ex. fyr flash

blänka vb itr (blänkte, blänkt) shine, glisten, glitter; ~ **till** flash, flare up

blänkare s (~n, =) i tidning short notice

bläs s (~en, ~ar) vit fläck på hästhuvud blaze

blästra vb tr (~de, ~t) blast

blöda vb itr (blödde, blött) bleed äv. bildl. [ur ett sår from a wound]; **du blöder i ansiktet** your face is bleeding; **det har blött igenom** blood has soaked through

blödarsjuka s (~n) med. haemophilia; amer. hemophilia

blödig adj (~t) sensitive, soft, weak

blödighet s (~en) sensitivity, softness, weakness

blödning s (~en, ~ar) bleeding; invärtes äv. haemorrhage

blöja s (~n, blöjor) vard. nappy; amer. diaper

blöjbarn s (~et, =) ung. toddler, infant

blöjsnibb s (~en, ~ar) tie pants pl.

blöt I adj (blött) våt wet; vattendränkt äv. soaked, saturated; vattnig watery; för ex. jfr under *våt* **II** s (oböjl.), **ligga i ~** lie soaking; **lägga** ngt **i ~** put...in soak (to soak), soak...; **lägga näsan i ~** poke (stick, put) one's nose into other people's business

blöta I s (~n) väta wet; rot- downpour, soaker **II** vb tr (blötte, blött) soak; göra våt wet; ~ **igenom**... soak through...; ~ **ned**... wet..., make...wet; ~ **ned sig** get [oneself] all wet; ~ **ned sig om fötterna** get one's feet wet, get wet feet; ~ **upp** soak, steep

blötdjur s (~et, =) **1** zool. mollusc **2** vard., vekling softie, sloppy person
blötläggning s (~en) soak
blötsnö s (~n) wet snow; sörja slush
BMI (förk. för *body mass index*) BMI
b-moll s (oböjl.) mus. B flat minor
BNP (förk. för *bruttonationalprodukt*) GNP (förk. för gross national product), i Sverige ung. motsv. GDP (förk. för gross domestic product)
bo I *vb itr* (~dde, ~tt) live; tillfälligt stay; som inneboende lodge; amer. äv. room; ha sin hemvist, i högre stil reside; ~ *hos ngn* stay (resp. live) at sb's house (with sb); *du kan få ~ hos mig* I can put you up; ~ *ihop* live together; ~ *på hotell* stay el. stop (långvarigt live) at a hotel; ~ *gratis* (*billigt, dyrt*) pay no (a low, a high) rent **II** s (~et, ~n) **1** fågels nest; däggdjurs lair, den, hole; bildl., i lekar o.d. home; *bygga* ~ build a nest, nest **2** egendom, kvarlåtenskap [personal] estate (property) (båda endast sg.); *sätta* ~ settle, set up house; *medföra i ~et* bring into the marriage; *sitta i orubbat* ~ retain undivided possession [of the estate]
boa s (~n, boor) zool., pälskrage boa
boaorm s (~en, ~ar) boa constrictor
boasering s (~en, ~ar) panelling, wainscoting
bob s (~ben, ~bar) bobsleigh
bobba s (~n, bobbor) vard., finne pimple
bobsleigh s (~en, ~ar) **1** bob bobsleigh **2** sportgren bobsleighing
bock s (~en, ~ar) **1** get he-goat; råbock m.fl. buck; *han är en gammal* ~ he is an old goat (lecher) **2** stöd trestle, stand; tekn. horse **3** gymn. vaulting-horse, buck; *hoppa* ~ i lek play leapfrog **4** tecken tick; fel mistake, blunder; grovt fel clanger; *sätta* ~ *för* ngt mark...as wrong
bocka I *vb itr* o. *vb rfl* (~de, ~t), ~ [*sig*] buga bow [för to] **II** *vb tr* (~de, ~t) **1** tekn., böja bend; ~ *till ngt* bend sth **2** ~ *av* pricka för tick off
bockskägg s (~et, =) eg. goat's beard; hakskägg goatee
bod s (~en, ~ar) **1** butik shop; marknads~ booth, stall **2** skjul shed; lagerlokal storehouse, warehouse
bodelning s (~en, ~ar) division of the joint property of husband and wife [upon their separation]
Bodensjön Lake (the Lake of) Constance
body s (~n, ~s) plagg body, bodysuit
boendekostnader s *pl* housing costs pl.
boendemiljö s (~n, ~er) housing (home, living) environment
boendeparkering s (~en, ~ar) residents' parking (plats car park)
boer s (~n, =) Boer
boerkriget s (best. sing.) the Boer War
boett s (~en, ~er) watchcase
bofast *adj* (=) resident, domiciled; friare settled; *vara* ~ be domiciled
bofink s (~en, ~ar) chaffinch
bog s (~en, ~ar) **1** på djur shoulder äv. kok. **2** sjö. bow[s pl.] riktning **3** bildl., *slå in på fel* ~ take the wrong line
bogfläsk s (~et) kok. shoulder of pork
boggivagn s (~en, ~ar) bogie car (wagon)
bogsera *vb tr* (~de, ~t) tow; ta på släp take...in tow
bogserare s (~n, =) o. **bogserbåt** s (~en, -båtar) towboat, tug

bogsering s (~en, ~ar) tow; bogserande towage, towing; *ta* ~ take a tow
bogserlina s (~n, -linor) towline
bogspröt s (~et, =) sjö. bowsprit
bogträ s (~et) på seldon hame
bogvisir s (~et, =) på fartyg bow door [visor-style]
bohag s (~et, =) household goods pl., household furniture (endast sg.)
bohem s (~en, ~er) Bohemian
bohemisk *adj* (~t) Bohemian
bohemliv s (~et) Bohemian life, Bohemianism
boj s (~en, ~ar) sjö. buoy
boja s (~n, bojor) fetter, shackle; bildl. äv. bond; *lösa ngns bojor* unchain (unfetter) sb; *slå...i bojor* throw...into (put...in) irons
bojkott s (~en, ~er) boycott
bojkotta *vb tr* (~de, ~t) boycott
1 bok s **1** (~en, ~ar) träd beech **2** (~en) virke beech[-wood]; *...av* ~ äv. beech[en]...; för sammansättn. jfr äv. *björk-*
2 bok s (~en, böcker) book [om about, on]; *föra* ~ *över ngt* keep a record (list) of sth; *tala som en* ~ talk (speak) like a book
boka *vb tr* o. *vb itr* (~de, ~t) beställa book, reserve; bokföra enter [...in the books]; ~ *in* book, make a reservation; ~ *tid hos tandläkaren* make an appointment with the dentist, make a dental appointment; ~ *om* a) ändra biljett etc. change a booking (reservation) b) bokf. reverse an entry
bokanmälan s (=, en, -anmälningar) book review
bokauktion s (~en, ~er) book auction
bokband s (~et, =) binding; pärm äv. cover
bokbindare s (~n, =) bookbinder
bokbinderi s (~et, ~er) **1** bokbindning bookbinding **2** verkstad bookbinder's [shop], bookbindery
bokbuss s (~en, ~ar) mobile library; amer. bookmobile
bokcirkel s (~n, -cirklar) book club
boken *adj* (boket, bokna) halvskämd half rotten; övermogen overripe
bokflod s (~en, ~er) flood of books
bokföra *vb tr* (-förde, -fört) enter [...in the books]; *det bokförda värdet* the book value
bokföring s (~en, ~ar) redovisning bookkeeping, accountancy; *dubbel* (*enkel*) ~ double (single) entry bookkeeping
bokförlag s (~et, =) publishing house (firm), publishers pl.
bokförläggare s (~n, =) publisher
bokhandel s (~n, -handlar) butik bookshop, bookseller's [shop]; amer. bookstore
bokhandelsmedhjälpare s (~n, =) bookseller's assistant
bokhandlare s (~n, =) bookseller
bokhylla s (~n, -hyllor) bokskåp bookcase, bookshelves pl.; enstaka hylla bookshelf
bokhållare s (~n, =) bookkeeper; kontorist clerk
bokklubb s (~en, ~ar) book club (society)
boklig *adj* (~t) literary, bookish; ~*a kunskaper* booklearning sg.
boklåda s (~n, -lådor) bokhandel bookshop, bookstore
bokmal s (~en, ~ar) bildl. äv. om person bookworm
bokmärke s (~t, ~n) **1** bookmark **2** liten glansbild scrap (dock mindre vanligt i Storbr. och USA)
bokmässa s (~n, -mässor) book fair

bokollon *s* (~et, =) beechnut; i pl. äv. beechmast sg.

bokomslag *s* (~et, =) o. **bokpärm** *s* (~en, ~ar) [book-]cover

bokrea *s* (~n, -reor) vard. book sale (bargain)

boksamlare *s* (~n, =) bibliophile, collector of books

bokskog *s* (~en, ~ar) beech wood (större forest)

bokskåp *s* (~et, =) bookcase

bokslut *s* (~et, =) closing (balancing) of the books (accounts) äv. bildl.; **göra ~** close (make up, balance) the books

bokstav *s* (~en, -stäver) letter; **liten ~** small letter; **stor ~** capital [letter]; **gå efter ~en** adhere to the letter; **beloppet ska anges med bokstäver** the amount is to be set out in writing

bokstavera *vb tr* (~de, ~t) spell; tele. o.d. spell…using the phonetic alphabet

bokstavlig *adj* (~t) literal

bokstavligen *adv* literally, in a literal sense, down to the last letter

bokstavsbetyg *s* (~et, =) skol. alphabetic mark (amer. grade)

bokstavsordning *s* (~en, ~ar) alphabetical order

bokställ *s* (~et, =) hylla bookstand, bookrack; för läsning reading-desk

bokstöd *s* (~et, =) bookend, book support

boktitel *s* (~n, -titlar) book title

boktryck *s* (~et) tryckmetod letterpress printing

boktryckare *s* (~n, =) printer; tryckeriägare master printer

boktryckeri *s* (~et, ~er) lokal el. företag printing office (house)

bokverk *s* (~et, =) set of volumes; enstaka bok volume

bolag *s* (~et, =) **1** company; amer. äv. corporation, firm; **ingå ~ med ngn** enter into partnership with sb **2** vard., se *systembutik*

bolagsman *s* (~nen, -män) partner, associate

bolagsordning *s* (~en, ~ar) articles pl. of association

bolagsstyrelse *s* (~n, ~r) board of directors

bolagsstämma *s* (~n, -stämmor) shareholders' (general) meeting

bolero *s* (~n, ~r el. ~er el. ~s) mus., plagg bolero (pl. -s)

bolin *s* (~en, ~er) **1** sjö. hist. bowline **2** bildl., **allting gick på lösa ~er** everything was done anyhow (haphazardly)

Bolivia Bolivia

boliviansk *adj* (~t) Bolivian

boll *s* (~en, ~ar) **1** ball; slag i tennis stroke; skott i fotboll shot; passning pass; **en fin** (**bra**) **~** slagväxling a fine rally; **en lång ~** slagväxling a [long] rally; **~en ligger hos honom** bildl. the ball is with him (in his court); **kasta ~** play catch; **sparka ~** vard. play football; **spela ~** play ball **2** vard., huvud nut; **vara tom i ~en** be empty-headed (stupid)

bolla *vb itr* (~de, ~t) play ball; träningsslå knock up, have a knock-up; **~ med siffror** juggle with figures about

bollplank *s* (~et, =) bildl. sounding board

bollpojke *s* (~n, -pojkar) sport. ball boy

bollsinne *s* (~t) ball sense (control), timing

bollspel *s* (~et, =) ball game

bollträ *s* (~et, ~n) sport. bat

bolma *vb itr* (~de, ~t) utspy rök belch out smoke; om person puff, puff; **en ~nde skorsten** a belching chimney; **~ på en cigarr** puff away at a cigar

bolmört *s* (~en) bot. henbane

bolsjevik *s* (~en, ~er) Bolshevik

bolster *s* (~n el. bolstret, bolstrar el. =) feather bed

bolån *s* (~et, =) home loan

1 bom *s* (~men, ~mar) stång bar; järnv. [level crossing] gate; gymn. horizontal (high) bar; sjö. el. skog. boom; på vävstol beam; **bakom lås och ~** under lock and key

2 bom I *s* (~men, ~mar) felskott miss **II** *adv* miste, **skjuta ~** miss [the mark]

bomb *s* (~en, ~er) **1** bomb; **släppa ~en** bildl. drop the bombshell; **det slog ner som en ~** it came like a bombshell **2** sl., **~er** kvinnobröst tits, boobs

bomba *vb tr* (~de, ~t) bomb

bombanfall *s* (~et, =) bombing attack

bombardemang *s* (~et, =) bombardment, shelling, bombing, jfr *bombardera*

bombardera *vb tr* (~de, ~t) bombard äv. med t.ex. frågor; mil. äv. shell; från luften bomb; med t.ex. stenar assail, pelt

bombastisk *adj* (~t) bombastic, highfalutin

bombattentat *s* (~et, =) bomb attack (outrage), bombing

bombflyg *s* (~et) bombers pl.; vapenslag bomber command

bombhot *s* (~et, =) bomb scare (threat)

bombhund *s* (~en, ~ar) bomb-disposal dog, sniffer dog

bombnedslag *s* (~et, =) bomb hit äv. bildl.; **ett blont ~** a blonde bombshell

bombning *s* (~en, ~ar) bombing

bombplan *s* (~et, =) bomber, bombing plane

bombsäker *adj* (~t, -säkra) eg. bombproof; bildl. vard., **det är ~t** it is a dead cert

1 bomma *vb tr* (~de, ~t), **~ för** (**igen, till**) bar; **~ igen** stänga, t.ex. sommarvilla lock (shut) up

2 bomma *vb itr* (~de, ~t) missa miss [på ngt sth]

bomull *s* (~en) cotton; råbomull, vadd cotton wool, amer. absorbent cotton; **…av ~** äv. cotton…

bomullsbal *s* (~en, ~ar) bale of cotton

bomullsband *s* (~et, =) [cotton] tape

bomullsbuske *s* (~n, -buskar) cotton shrub

bomullsgarn *s* (~et, = el. ~er) cotton

bomullsklänning *s* (~en, -klänningar) cotton dress

bomullssammet *s* (~en) velveteen, velour

bomullsspinneri *s* (~et, ~er) cotton mill

bomullstopp *s* (~en, ~ar) cotton bud, swab; amer. Q-tip®

bomullstråd *s* (~en, ~ar) cotton thread

bomullstuss *s* (~en, ~ar) cotton-wool pad, cotton ball

bomullstyg *s* (~et, = el. ~er) cotton cloth (fabric); **~er** äv. cotton textiles

bomärke *s* (~t, ~n) [owner's] mark, cross; **sätta sitt ~** make one's mark

bona *vb tr* (~de, ~t) vaxa wax, polish; **~ om** re-polish

bonad *s* (~en, ~er) tapestry, hanging

bondbröllop *s* (~et, =) country (peasant) wedding

bondböna *s* (~n, -bönor) broad bean; amer. fava bean

bonddräng *s* (~en, ~ar) farmhand; neds. clodhopper

bonde *s* (~n, bönder) **1** allm. farmer; lantbo, småbrukare, spec. i europeiska länder utom Storbr. peasant; **bönderna** som samhällsgrupp äv. the peasantry sg. **2** neds. yokel, clodhopper **3** i schack pawn

bondepraktika *s* (~n, -praktikor), **~n** ung. the Farmer's Almanac

bondflicka *s* (~n, -flickor) country (peasant) girl

bondfångare *s* (~n, =) con man (artist)
bondförnuft *s* (~et) common sense, horse sense
bondförsök *s* (~et, =) clumsy attempt
bondgubbe *s* (~n, -gubbar) old peasant [man], old countryman
bondgumma *s* (~n, -gummor) old peasant woman, old countrywoman
bondgård *s* (~en, ~ar) farm; samtliga byggnader äv. farmstead
bondhåla *s* (~n, -hålor) vard. one-horse town
bondkatt *s* (~en, ~er) huskatt av blandras alley cat; europeisk korthårskatt [domestic] shorthair
bondkomik *s* (~en) slapstick, custard-pie comedy
bondkvinna *s* (~n, -kvinnor) peasant woman, countrywoman
bondmora *s* (~n, -moror) farmer's wife
bondpermission *s* (~en, ~ar) vard. French leave
bondpojke *s* (~n, -pojkar) country (peasant) lad (boy)
bondsk *adj* (~t) rustic, boorish
bondslug *adj* (~t) sly, shrewd
bondstuga *s* (~n, -stugor) [peasant's] cottage
bondtur *s* (~en) the luck of the devil; *det var ren ~* it was sheer luck
bong *s* (~en, ~ar) voucher; amer. coupon; totalisator~ ticket
boning *s* (~en, ~ar) bostad habitation; högtidl. dwelling[-place], abode; tenement äv. bildl.
boningshus *s* (~et, =) dwelling-house
bonjour *s* (~en, ~er) plagg frock coat
bonsaiträd *s* (~et, =) bonsai tree
bonus *s* (~en, ~ar) bonus; på bilförsäkringspremie no-claims bonus
bonusbarn *s* (~et, =) ung. stepchild
bonusklass *s* (~en, ~er) försäkr. bonus class
bonvax *s* (~et) floor polish, wax-polish
boom *s* (~en, ~er) vard. boom
boplats *s* (~en, ~er) settlement; arkeol. äv. village, site
bopålar *s pl*, *slå ner sina ~* settle down
bor *s* (~en el. ~et) kem. boron
bord *s* (~et, =) **1** table; skriv~ desk; *det ligger på mitt ~* bildl. that's my department; *det är inte mitt ~* bildl. that's not my department; *gå från ~et* leave the table; *lägga korten på ~et* put one's cards on the table, show one's hand äv. bildl.; *föra ngn till ~et* take sb in to dinner; *supa ngn under ~et* drink sb under the table; *sätta sig till ~s* sit down to dinner (lunch etc.) **2** sjö., planka plank, board; *om ~* on board, se vidare *ombord*; *över ~* se *överbord*
borda *vb tr* (~de, ~t) board
bordduk *s* (~en, ~ar) tablecloth
bordeaux *s* (~en, ~er) vin Bordeaux [wine]; röd claret
bordell *s* (~en, ~er) brothel
bordellmamma *s* (~n, -mammor) vard. madam
bordercollie *s* (~n, ~r el. ~s) Border collie
bordlägga *vb tr* (-lade, -lagt) uppskjuta postpone, shelve
bordläggning *s* (~en, ~ar) **1** uppskov postponement, shelving **2** sjö.: av plåt [shell] plating; av trä [outside] planking
bordlöpare *s* (~n, =) [table-]runner
bordsben *s* (~et, =) table leg
bordsbeställning *s* (~en, ~ar) på restaurang reservation
bordsbön *s* (~en, ~er) grace; *läsa ~* say grace

bordsdam *s* (~en, ~er) dining partner (companion), [lady] partner at table
bordsgranne *s* (~n, -grannar) neighbour at table, partner
bordskavaljer *s* (~en, ~er) dining partner (companion), partner at table
bordskniv *s* (~en, ~ar) tableknife
bordslampa *s* (~n, -lampor) table lamp
bordssalt *s* (~et) table salt
bordssilver *s* (-silvret) bestick table silver
bordsskick *s* (~et, =) table manners pl.
bordsskiva *s* (~n, -skivor) table top; lös el. fällbar [table] leaf
bordsställ *s* (~et, =) för salt, peppar etc. cruet stand
bordsvatten *s* (-vattnet) table-water
bordsvisa *s* (~n, -visor) drinking song
bordsända *s* (~n, ~r) end of the (resp. a) table; *vid övre (nedre) ~n* at the head (foot) of the table
bordtennis *s* (~en) table tennis; vard. ping-pong
bordtennisracket *s* (~en, ~ar) table-tennis (vard. ping-pong) bat
boren *adj* (boret, borna), *en ~ vältalare* a born orator
borg *s* (~en, ~ar) slott castle; fäste stronghold äv. bildl.
borga *vb itr* (~de, ~t), *~ för* garantera *ngt* vouch for (guarantee) sth; hans energi *~r för att ...* is a guarantee that
borgare *s* (~n, =) **1** medelklassare bourgeois (pl. lika) fr.; icke-socialist non-Socialist; *borgarna* medelklassarna äv. the bourgeoisie sg. **2** hist.: a) stadsbo citizen, townsman b) medlem av borgarståndet burgher; om eng. förhållanden burgess
borgarklass *s* (~en, ~er) middle class, bourgeoisie fr.
borgarråd *s* (~et, =) City Commissioner
borgen *s* (oböjl., en) **1** säkerhet security; guarantee äv. bildl., surety äv. borgensman; *gå i ~ för ngn* stand surety for sb; *gå i ~ för ngn (ngt)* vouch for sb (sth); *jag går i ~ för att* I guarantee that... **2** garanti för anhållens inställelse inför rätta o.d. bail; *frige mot ~* release on bail
borgensförbindelse *s* (~n, ~r) personal guarantee; *teckna ~* sign one's name as security
borgenslån *s* (~et, =) loan against a [personal] guarantee
borgensman *s* (~nen, -män) guarantor, surety
borgenssumma *s* (~n, -summor) amount guaranteed
borgenär *s* (~en, ~er) creditor
borgerlig *adj* (~t) **1** av medelklass middle class; neds. bourgeois; *~a vanor* middle class habits **2** statlig, profan civil; *~ vigsel* civil marriage **3** icke-socialistisk non-Socialist, right-wing; *de ~a [partierna]* the non-Socialist parties
borgerligt *adv* **1** *rösta ~* vote non-Socialist **2** *de gifte sig ~* they were married before the registrar
borgerskap *s* (~et, =) citizens pl., townspeople pl.; medelklassen middle classes pl.
borggård *s* (~en, ~ar) courtyard
borgmästare *s* (~n, =) **1** mayor; i större eng. städer lord mayor **2** förr i Sverige chief magistrate
borgruin *s* (~en, ~er) castle ruins pl.
bornera *vb itr* (~de, ~t) effervesce, froth; om vin sparkle
bornerad *adj* (bornerat, ~e) om person, ngt litt. narrow-minded
bornyr *s* (~en) head, froth; om vin sparkle
borr *s* (~en el. ~et, ~ar el. =) drill; liten hand~ gimlet;

större auger; tandläkar~ drill, burr; som fästs i t.ex. borrsväng bit

borra *vb tr* o. *vb itr* (~de, ~t) bore [*efter* for]; brunn äv. sink; metall drill; tunnel cut; **~ ned huvudet i kudden** bury one's face in the pillow; **~ hål i ngt** bore (drill) a hole (resp. holes) in sth; **~ upp** vidga **ett hål** widen a hole by boring

borrelia *s* (~n) med. borrelia

borrhål *s* (~et, =) bore hole, bore

borrmaskin *s* (~en, ~er) electric drill, power drill

borrplattform *s* (~en, ~ar) drilling (offshore) platform, oil rig

borrsväng *s* (~en, ~ar) tekn. brace [and bit]

borrtorn *s* (~et, =) derrick

borst *s* (~et el. ~en, =) bristle äv. bot.; koll. bristles pl.; **resa ~** bristle [up] äv. bildl.

borsta *vb tr* (~de, ~t) brush; **~ skorna** (**tänderna**) brush one's shoes (teeth); **~ av rocken** brush…, give…a brush

borstbindare *s* (~n, =) brushmaker; **svära som en ~** swear like a trooper

borste *s* (~n, borstar) brush; med långt skaft broom

borsyra *s* (~n) boracic (boric) acid

bort *adv* (se också betonad partikel under respektive verb, t.ex. *gå bort* under *gå III*); away; **vi ska ~** är bortbjudna **i kväll** we are invited out this evening, we are invited over to friends this evening; **långt ~** a long way off, far away (off); **~ med fingrarna** (vard. **tassarna**)**!** hands off, keep your hands to yourself

borta *adv* för tillfället away; för alltid, försvunnen gone; borttappad, försvunnen missing, lost; inte hemma away from home; bortbjuden out; bortkommen confused, at a loss; medvetslös unconscious; död dead; **där ~** over there (yonder); **här ~** over here; **hålla sig ~** keep away; **jag blir ~ en vecka** I'll be away for a week; **~ bra men hemma bäst** East, West, home is best

bortalag *s* (~et, =) sport. away team (side)

bortamatch *s* (~en, ~er) sport. away match (amer. vanl. game)

bortaplan *s* (~en, ~er) sport. away ground; **spela på ~** play away; **en seger på ~** an away win

bortaseger *s* (~n, -segrar) sport. away win

bortbjuden *adj* (-bjudet, -bjudna) invited out [*på middag* to dinner; *till Eks* at the Eks']

bortblåst *adj* (=), **den är som ~** it has completely vanished, it has vanished into thin air

bortbyting *s* (~en, ~ar) changeling

bortdömd *adj* (-dömt) sport. disallowed

bortemot *prep* se *bortåt I*

borterst *adv* farthest (furthest) off (away)

bortersta *adj* (superlativ) farthest, furthest, remotest; **på ~ bänken** in the back row

bortfall *s* (~et, =) statistik. o.d. falling (dropping) off, decline; t.ex. inkomst~ reduction

bortförklara *vb tr* (~de, ~t) explain…away, make excuses for

bortförklaring *s* (~en, ~ar) excuse

bortgjord *adj* (-gjort) vard., **bli ~** a) lurad be fooled b) utskämd be disgraced, be put to shame

bortglömd *adj* (-glömt) [altogether] forgotten

bortgång *s* (~en) död decease, departure

bortgången *adj* (-gånget, -gångna), **den bortgångne** ngt högtidl. el. formellt the deceased (departed)

bortifrån I *prep* from [the direction of] **II** *adv*, **där ~** from that direction, from over there; **långt ~** from far (a long way) off

bortkastad *adj* (-kastat, ~e), **~ möda** a waste of effort; **~ tid** (**~e pengar**) a waste of time (money), jfr *kasta bort* under *kasta IV*

bortkollrad *adj* (-kollrat, ~e), **bli ~** have one's head turned

bortkommen *adj* (-kommet, -komna) förvirrad confused, lost; försagd timid; främmande strange; opraktisk unpractical; **känna sig ~** äv. feel like a fish out of water

bortom *prep* beyond; förbi past

bortovaro *s* (~n) absence [*från* from]

bortrationalisera *vb tr* (~de, ~t) rationalize, reduce (cut down)…by rationalization

bortre *adj* (oböjl.) further, farther; **i ~ delen av** at the far end of; **det ~ av de båda husen** the farthest house of the two

bortrest *adj* (=), **han är ~** he is away [just now]

bortse *vb itr* (-såg, -sett), **~ från** disregard, leave…out of account (consideration), ignore; **~tt från** apart from, irrespective of [[*det faktum*] *att* the fact that]; **men ~tt från detta** but apart from this (that)

bortskämd *adj* (-skämt) spoilt

bortsprungen *adj* (-sprunget, -sprungna), **en ~ hund** a dog that has run away (has been lost)

borttagen *adj* (-taget, -tagna) …taken away, removed

borttappad *adj* (-tappat, ~e) lost

bortåt I *prep* **1** nästan nearly; **vara ~ 20 år** [*gammal*] be getting on for 20 **2** om rum, **~…** [*till*] towards, in the direction of; **hela gatan ~** all along the street **II** *adv* om rum, **där** (**här**) **~** [somewhere] in that (this) direction

boränta *s* (~n, -räntor) home interest rates pl.

bosatt *adj* (=) resident, residing, domiciled; **vara ~** live; högtidl. reside

boskap *s* (~en) cattle pl., livestock

boskapsskötsel *s* (~n) stock (cattle) breeding, stockraising [industry], stock farming

boskillnad *s* (~en) **1** jur. judicial division of the joint estate of husband and wife [upon their separation] **2** skarp skillnad sharp distinction

Bosnien Bosnia

Bosnien och Hercegovina Bosnia and Herzegovina

bosnier *s* (~n, =) Bosnian

bosnisk *adj* (~t) Bosnian

bosniska *s* **1** (~n, bosniskor) kvinna Bosnian woman **2** (~n) språk Bosnian

bospara *vb tr* (~de, ~t) save for a home, have a home-savings account

bosparande *s* (~t) saving for a home, saving in a home-savings account

Bosporen the [Straits pl. of] Bosporus

1 boss *s* (~en, ~ar) chef, vard. boss

2 boss *s* (~et) avfall av halm o.d. chaff

bostad *s* (~en, bostäder) hem place [to live]; privat hus house; lägenhet flat, spec. större el. amer. apartment; statistik., bostadsenhet dwelling; jur., fast ~ domicile; **fri ~** rent-free accommodation; **moderna bostäder** modern dwellings (houses and flats, housing pl.); **han saknar ~** he has nowhere to live; **söka ~** look for a place to live, go house-hunting (lägenhet flat-hunting, spec. amer. apartment-hunting); personer *utan fast* ~ ...of no fixed abode (with no permanent address)

bostadsadress *s* (~en, ~er) permanent (home) address

bostadsbidrag *s* (~et, =) housing benefit

bostadsbrist *s* (~en) housing shortage; *det råder* ~ there is a housing shortage

bostadsbyggande *s* (~t) house-building, housing construction

bostadsförmedling *s* (~en, ~ar) myndighet local housing authority, housing department; privat accommodation agency

bostadshus *s* (~et, =) större residential block

bostadskö *s* (~n, ~er) housing queue; *stå i* ~*n* vanl. be on the housing list

bostadslån *s* (~et, =) housing (home) loan

bostadslös *adj* (~t) homeless, ...without housing

bostadsmarknad *s* (~en) housing market

bostadsområde *s* (~t, ~n) housing area (estate)

bostadspolitik *s* (~en) housing policy

bostadsrätt *s* (~en, ~er) se *bostadsrättslägenhet*

bostadsrättsförening *s* (~en, ~ar) ung. cooperative (tenant-owners') building society, housing cooperative; amer. condominium

bostadsrättsinnehavare *s* (~n, =) owner of a cooperative [building society] flat (speciellt amer. apartment); amer. condominium (vard. condo) owner

bostadsrättslägenhet *s* (~en, ~er) ung. cooperative flat (speciellt amer. apartment); amer. condominium, vard. condo

bostadsstandard *s* (~en) housing standard

bostadssökande *s* (~n, =) person house-hunter (lägenhet flat-hunter), person looking for somewhere to live

bostadstillägg *s* (~et, =) rent allowance (subsidy), housing supplementary allowance

bostadsyta *s* (~n, -ytor) living (dwelling) space

bostonterrier *s* (~n, =) Boston terrier

bosätta *vb rfl* (-satte, -satt), ~ *sig* settle [down]

bosättning *s* (~en, ~ar) **1** bildande av eget hushåll setting up house **2** bebyggande settling osv., jfr *bosätta*; settlement

bosättningslån *s* (~et, =) home loan, loan for setting up a home

bot *s* (~en) **1** botemedel remedy, cure; *råda* ~ *på* (*för*) remedy, set...right **2** botgöring penance; *göra* ~ *och bättring* do penance; friare mend one's ways

bota *vb tr* (~de, ~t) **1** läka cure [*från* (*för*) of] **2** avhjälpa remedy, set...right

botanik *s* (~en) botany

botaniker *s* (~n, =) botanist

botanisera *vb itr* (~de, ~t) botanize; ~ *bland* bildl. browse (have a browse) among (through)

botanisk *adj* (~t) botanical; ~ *trädgård* botanical gardens pl.

botbar *adj* (~t) curable, remediable

botemedel *s* (-medlet, =) remedy, cure [*mot* i båda fallen for]; läkemedel äv. medicine

botfärdig *adj* (~t) penitent, repentant

botgörare *s* (~n, =) penitent

botgöring *s* (~en, ~ar) penance

botoxinjektion *s* (~en, ~er) med. el. kosmetisk botox injection

Botswana Botswana

botten *s* (bottnen el. =, bottnar) **1** allm. bottom; sjö~ el. som sjöterm äv. ground; på fiol back; tårt~ sponge cake; *det här är* ~ vard., sämsta möjliga this is absolute trash (the end, rubbish); *det är ingen* ~ *i honom* vard. there's no end to his appetite; *nå* ~ touch bottom; bildl. reach bedrock; ~ *upp!* vard. bottoms up!; *köra företaget i* ~ drain...completely [of its resources]; *i grund och* ~ se *1 grund 2*; *gå till* ~ bildl. get to the bottom [*med en sak* of a thing (matter)]; om fartyg sink, founder, go down **2** våning, *på nedre* ~ on the ground (amer. äv. first) floor **3** på tyg, tapet, flagga ground

bottenfrusen *adj* (-fruset, -frusna) frozen solid (down to the bottom)

bottenfärg *s* (~en, ~er) **1** ground **2** grundningsfärg first coat

Bottenhavet [the southern part of] the Gulf of Bothnia

bottenkurs *s* (~en, ~er) på värdepapper o.d. bottom rate (price, quotation)

bottenkänning *s* (~en, ~ar), *ha* ~ sjö. touch (strike [the]) bottom

bottenlån *s* (~et, =) first mortgage loan

bottenlös *adj* (~t) bottomless; bildl.: ofattbar unfathomable; avgrundsdjup abysmal

bottenpris *s* (~et, = el. ~er) rock-bottom price

bottenrekord *s* (~et, =), *det här är* ~ [*et*] vard. this is a new low, this is the lowest (sämst worst) yet (on record)

bottensats *s* (~en, ~er) sediment; i vin o.d. äv. lees pl., dregs pl.; i vinflaska äv. crust

bottenskrapa *vb tr* (~de, ~t) sjö., bildl. drain, deplete; ~ *sina tillgångar* drain all one's assets; ~ *båten* scrape the bottom of the barrel

bottenskyla *s* (~n, -skylor) enough to cover the bottom

Bottenviken [the northern part of] the Gulf of Bothnia

bottenvåning *s* (~en, ~ar) i markplanet ground (amer. äv. first) floor

bottin *s* (~en, ~er) [high] galosh, overshoe

bottna *vb itr* (~de, ~t) **1** nå botten touch bottom; i simbassäng be within one's depth **2** ~ *i* ha sin grund i originate in, have its origins in

Bottniska viken the Gulf of Bothnia

boule *s* (~n) sport. boules

boulevard *s* (~en, ~er) boulevard

bouppteckning *s* (~en, ~ar) lista estate inventory [deed]; förrättning estate inventory proceedings pl.

Bourgogne Burgundy

bourgogne *s* (~n, ~r) vin burgundy

boutique *s* (~n, ~r) boutique

boutredning *s* (~en, ~ar) administration (winding up) of an estate (of the estate of a deceased)

boutredningsman *s* (~nen, -män) [estate] administrator

bov *s* (~en, ~ar) villain, crook, skurk low-life, svagare scoundrel, rogue, samtliga äv. skämts.; förbrytare criminal, i t.ex. film baddie; ~*en i dramat* the villain of the piece, bildl. the culprit

bovaktig *adj* (~t) villainous

Boverket the National Board of Housing, Building and Planning

bovete *s* (~t) buckwheat

bowla *vb itr* (~de, ~t) bowl

bowling *s* (~en) [tenpin] bowling
bowlingbana *s* (~n, -banor) bowling alley
box *s* (~en, ~ar) låda, avbalkning m.m. box
boxa *vb tr* (~de, ~t) punch; ~ *slå till ngn* give sb a
punch [*i* in]
boxare *s* (~n, =) boxer; professionell äv. prizefighter,
pugilist
boxas *vb itr dep* (boxades, boxats) box
boxer *s* (~n, boxrar) boxer
boxershorts *s pl* boxer shorts, boxers
boxhandske *s* (~n, -handskar) boxing glove
boxkalv *s* (~en) box calf
boxning *s* (~en) idrottsgren boxing
boxningsmatch *s* (~en, ~er) boxing match, fight
boxningsring *s* (~en, ~ar) boxing ring
boysenbär *s* (~et, =) bot. boysenberry
boyta *s* (~n, -ytor) living (dwelling) space
bra (jfr *bättre* o. *bäst*) **I** *adj* (komparativ bättre, superlativ
bäst) **1** allm. good; hygglig decent; som det ska vara [all]
right; tillfredsställande satisfactory; jfr *god*; **~!** good!;
vard. fine!, OK!; *det är* (*var*) **~!** äv. that's just right!,
that's it (the way)!; *det var ~ att du kom* it is (was) a
good thing you came; *det är ~ så!* tillräckligt that's
enough (plenty), thank you; *vara ~* användbar *att ha*
be (come in) useful (handy), be of use; *vad ska det
vara ~ för?* what is the good (use) of that?; *han är ~
på engelska* he is good at English; *~ nyttig mot
förkylning* good for a cold; *ett ~ tag* länge quite a
while (time) **2** frisk well, all right; *bli ~ från sjukdom*
recover, get well **3** ganska lång good, long[ish]; vard.
goodish; ganska stor large, largish
II *adv* **1** allm. well; jfr *väl* o. *gott*; decently,
excellently, satisfactorily; vard. first-rate, fine; *tack,
[mycket]* ~ fine (very well), thanks; *hon dansar ~* she
is a good dancer; *ha det ~* skönt, bekvämt be
comfortable; *ha det ~ ställt* ekonomiskt be well off, be
doing well; *ha det [så] ~!* have a good time!; *se ~ ut*
a) om person be good-looking b) om sak look all right
2 mycket, riktigt quite, very, [quite] too; vard. jolly,
awfully; ganska, alltför rather [too], jfr *ganska*; *~
mycket bättre* far better; *~ mycket hellre* so much
rather; *jag skulle ~ gärna vilja veta...* I should very
much (dearly) like to know...; *ljuga ~* be a
downright liar; *ta ~ betalt* charge a lot (the earth)
bracka *s* (~n, brackor) neds. philistine, boor
brackig *adj* (~t) neds. philistine; friare smug,
narrow-minded; starkare caddish
bragd *s* (~en, ~er) bedrift exploit, feat, [heroic]
achievement
bragonistisk *adj* (~t) filos. bragonistic
brak *s* (~et, =) crash
braka *vb itr* (~de, ~t) crash; knaka crack; *~ ihop*
kollidera crash; gräla häftigt clash violently, have a
first-class row; om t.ex. maskiner, system break down,
collapse; *~ lös[t]* break out; *~ [sönder]* crack
brakmiddag *s* (~en, ~ar) vard. slap-up dinner, real
feast
brakseger *s* (~n, -segrar) vard. overwhelming victory
braksuccé *s* (~n, ~er) vard. terrific (tremendous)
success; om bok, pjäs o.d. smash hit
braman *s* (~en, ~er) Brahman, Brahmin
bramanism *s* (~en) Brahmanism, Brahminism
brand *s* (~en, bränder) eldsvåda fire; större
conflagration; *stå i ~* be on fire; *sätta...i ~* eg. set fire
to..., set...on fire; känslor inflame...

brandalarm *s* (~et, =) fire alarm
brandbil *s* (~en, ~ar) motorspruta fire engine (amer.
truck)
brandbomb *s* (~en, ~er) incendiary (fire) bomb
branddörr *s* (~en, ~ar) fire door
brandfackla *s* (~n, -facklor), *bli* (*kasta [ut]*) *en ~* bildl.
be (drop) a bombshell; ge upphov till diskussion arouse
a very heated discussion
brandfara *s* (~n) danger of fire, fire risk (hazard); *vid
~* in case of fire
brandförsvar *s* (~et) fire prevention (protection)
brandförsäkra *vb tr* (~de, ~t) insure...against fire
brandförsäkring *s* (~en, ~ar) fire insurance
brandgata *s* (~n, -gator) firebreak
brandgul *adj* (~t) orange-coloured, reddish yellow
brandhärd *s* (~en, ~ar) fire centre
brandkår *s* (~en, ~er) fire brigade; amer. fire
department
brandkårsutryckning *s* (~en, ~ar) turnout of the
(resp. a) fire brigade (amer. fire department); *göra en
~* bildl. take urgent measures, step in quickly
brandlarm *s* (~et, =) fire alarm
brandlukt *s* (~en) smell of fire (burning); *känna ~*
notice a smell of fire (burning)
brandman *s* (~nen, -män) fireman; speciellt amer. el. vid
skogsbränder firefighter
brandmur *s* (~en, ~ar) fireproof (fire) wall (mellan hus
party wall)
brandplats *s* (~en, ~er) scene of a (resp. the) fire
brandpost *s* (~en, ~er) fire hydrant, fireplug
brandredskap *s* (~et, =) fire appliance; koll.
firefighting equipment
brandrök *s* (~en) smoke from a (resp. the) fire; *det
luktar ~* there is a smell of burning
brandsegel *s* (-seglet, =) jumping sheet (net); speciellt
amer. life net
brandskada *s* (~n, -skador) fire damage (endast sg.),
fire loss
brandskadad *adj* (-skadat, ~e) fire-damaged,
...damaged by fire
brandskydd *s* (~et) fire-protection
brandskåp *s* (~et, =) fire-alarm box
brandsläckare *s* (~n, =) apparat fire-extinguisher
brandspruta *s* (~n, -sprutor) fire pump
brandstation *s* (~en, ~er) fire station; amer. firehouse
brandstege *s* (~n, -stegar) enklare el. fastmurad fire
ladder, fire escape; mekanisk extension ladder
brandsäker *adj* (~t, -säkra) fireproof; om t.ex. film
non-inflammable
brandtal *s* (~et, =) inflammatory speech
brandtrappa *s* (~n, -trappor) fire escape
brandvakt *s* (~en, ~er) fireguard; spec. under krigstid
firewatcher; *gå ~* bildl. pace the streets [at night]
brandvarnare *s* (~n, =) fire detector, automatic fire
alarm
brandvägg *s* (~en, ~ar) **1** data. firewall **2** brandsäker
husvägg, se *brandmur*
bransch *s* (~en, ~er) line of business (trade), line;
mångårig erfarenhet i ~en many years of experience
in the business (trade)
branschvana *s* (~n) experience of the (resp. a)
business (trade)
brant I *adj* (=) steep; tvär~ precipitous; djärvt
uppstigande äv. bold; *~ stigning* steep (sharp) rise
II *adv* steeply osv., jfr *brant I*; *planet steg ~* the plane

climbed steeply **III** s (~en, ~er) **1** stup precipice **2** rand verge äv. bildl.; *på ruinens* ~ on the verge of ruin

brasa s (~n, brasor) **1** fire, log fire; *tända en* ~ light (make) a fire; *vid* (*kring*) *~n* at (round) the fireside **2** vard., *ta dig i ~n!* get lost!; starkare up yours!

brasilian s (~en, ~er) o. **brasilianare** s (~n, =) Brazilian

brasiliansk adj (~t) Brazilian

brasilianska s (~n, brasilianskor) kvinna Brazilian woman

Brasilien Brazil

braskande adj (oböjl.) uppseendeväckande showy, ostentatious; om t.ex. rubrik, annons blazing, eye-catching

brasklapp s (~en, ~ar) ung. [hidden] reservation, saving clause

brass s (~et) **1** vard., *~et* mässingsblåsarna the brass **2** vard., hasch hash, pot

brassa I vb itr (~de, ~t) **1** ~ *på* a) elda stoke up the fire b) skjuta fire (blaze) away **2** vard., röka hasch smoke hash (pot) **II** vb tr (~de, ~t), ~ *käk* vard. knock up a meal (some food)

braständare s (~n, =) firelighter

bravad s (~en, ~er) exploit, achievement; *~er* äv. doings, adventures

bravera vb itr (~de, ~t) boast, brag [*med* about]

bravo interj bravo!, well done!; till talare hear!, hear!

bravorop s (~et, =) brav|o (pl. -os el. -oes), cheer

bravur s (~en), *med* ~ brilliantly

bravurnummer s (-numret, =) mus. bravura piece; bildl. star turn, showpiece

braxen s (=, en, braxnar) zool. bream (pl. vanl. lika)

bre vb tr (bredde, brett) se *breda*

breakdance s (oböjl., en) breakdance

breakdansare s (~n, =) breakdancer

bred adj (brett) avseende massa el. utsträckning broad; i betydelsen 'vidöppen' el. vanl. vid måttuppgifter wide; om panna, rygg, uttal broad; om mun wide; *tre meter lång och fyra meter* ~ three metres long by four metres broad; *på* ~ *basis* on a broad scale, broad-based...; *med* ~ *marginal* bildl. by a wide margin; *bli* (*göra*) *~are* be (make) broader (wider), broaden, widen

breda I vb tr (bredde, brett) spread; ~ *en smörgås* butter a slice of bread; göra en smörgås med pålägg make a sandwich **II** med beton. part. **breda på** a) lägga på spread, put on; stryka på spread (put)...on b) vard., överdriva lay it on thick **breda ut** spread out (hö o.d. about); något hopvikt unfold; något hoprullat unroll; ~ *ut sig* spread; ~ *ut sig om ngt* tala omständligt expatiate (enlarge) upon sth

bredaxlad adj (-axlat, ~e) broad-shouldered, square-shouldered

bredband s (~et) data. broadband; *mobilt* ~ mobile broadband

bredbar adj (~t) om t.ex. margarin easy-to-spread; ~ *ost* cheese spread

bredbent adj (=) straddle-legged; *stå* ~ stand with one's legs wide apart

bredd s (~en, ~er) **1** allm. breadth; eg. betydelse äv. width; fartygs äv. beam; *enkel* (*dubbel*) ~ om tyg o.d. single (double) width; *i* ~ [*med...*] abreast [of...]; *gå i* ~ walk abreast; den är en meter *på ~en* ...broad (in breadth); *mäta ngt på ~en* measure sth across,

measure the breadth of sth **2** geogr. latitude; *på 20° sydlig* ~ in latitude 20° south

bredda vb tr (~de, ~t) broaden, widen, make...broader (wider); bildl. äv. diversify, widen the scope of; ~ *sig* bildl. broaden one's horizons (education)

breddgrad s (~en, ~er) [degree of] latitude; *49:e ~en* the 49th parallel

breddning s (~en, ~ar) broadening, widening; bildl. äv. diversification

bredrandig adj (~t) broad-striped

bredsida s (~n, -sidor) sjö. el. mil. el. bildl. broadside; sport. side-foot; *med ~n till* sjö. broadside on

bredspårig adj (~t) **1** järnv. broad-gauge... **2** textil., ~ *manchester* wide-wale corduroy

bredvid I prep beside, at (by) the side of; gränsande till next (adjacent) to; om hus o.d. next [door] to; vid sidan om alongside [of]; ~ *ngn* äv. at sb's side; ~ *mig* äv. by me; ~ *varandra* äv. side by side; *prata* ~ *brevid mun* let the cat out of the bag, spill the beans **II** adv close by; *där* ~ close to it (the place); *här* ~ close by here, close to (at hand); *i huset* ~ in the next house, next door; *rummet* ~ the adjoining (adjacent) room; *hälla* ~ miss the cup (glass osv.); *tjäna* [*mycket*] *pengar* ~ vard. earn [a lot of] money on the side

bredvidläsningsbok s (~en, -böcker) supplementary reader

bretagnare s (~n, =) Breton

Bretagne Brittany

bretagnisk adj (~t) Breton

brev s (~et, =) letter; kortare note; skrivelse communication; bibl. el. friare epistle; *per* ~ by letter; *tack för ~et* thanks for your letter; *komma som ett ~ på posten* come without fail, come as sure as fate

brevbomb s (~en, ~er) letter bomb

brevbärare s (~n, =) postman; amer. mailman

brevduva s (~n, -duvor) carrier (homing) pigeon

brevhuvud s (~et, ~en el. =) letterhead

brevinkast s (~et, =) på dörr letterbox, amer. mail slot; på t.ex. posten letterbox, amer. mailbox

brevkorg s (~en, ~ar) letter tray

brevledes adv by letter

brevlåda s (~n, -lådor) letterbox; amer. [mail]box, jfr *brevinkast*; i Storbr., vid trottoarkanten pillar box

brevpapper s (~et el. -pappret, =) notepaper, letter paper

brevporto s (~t, ~n) [letter] postage, letter rate

brevpress s (~en, ~ar) paperweight, letter weight

brevskrivare s (~n, =) o. **brevskriverska** s (~n, -skriverskor), *en stor* ~ a great letter-writer

brevskrivning s (~en) letter-writing, correspondence

brevskörd s (~en, ~ar) collection (pile, accumulation) of [incoming] letters (mail)

brevställare s (~n, =) guide to letter-writing

brevvåg s (~en, ~ar) letter scales pl.; *en* ~ a letter balance (scale)

brevvän s (~nen, ~ner) pen friend, pen pal

brevväxla vb itr (~de, ~t) correspond

brevväxling s (~en, ~ar) correspondence

bricka s (~n, brickor) **1** serverings~ tray **2** tekn. washer **3** identitets~, polis~ badge, disk; märke, plåt plate; nummer~ check **4** spel~ counter, piece; i brädspel man (pl. men); i domino domino; i damspel draughtsman; amer. checker; **en ~ i spelet** bildl. a pawn in the game

bricklunch s (~en, ~er) lunch on a tray, tray lunch

bridge s (~n) bridge

bridgeparti s (~et, ~er) game (hand) of bridge

bridgetävling s (~en, ~ar) bridge competition

bridreaktor s (~n, ~er) fys. breeder [reactor]

brigad s (~en, ~er) brigade

brigadchef s (~en, ~er) brigade commander, brigadier; amer. brigadier general

brigg s (~en, ~ar) sjö. brig

brikett s (~en, ~er) briquet[te]

briljans s (~en) brilliance

briljant I adj (=) brilliant; ngt åld. el. formellt splendid **II** adv brilliantly, splendidly **III** s (~en, ~er) brilliant

briljantring s (~en, ~ar) diamond ring

briljera vb itr (~de, ~t) show off, shine; **~ med** sin engelska show off (air, parade)…

brillor s pl vard. specs, glasses, goggles

1 bringa s (~n, bringor) breast; kok. brisket; bröstkorg chest

2 bringa vb tr (~de el. bragte, ~t el. bragt) (se äv. ex. under jämvikt o. olag m.fl.); allm. bring äv. medföra; föra bort convey, take, conduct; **~ klarhet i ngt** throw (shed) light on sth; **~ olycka över** bring disaster to; **~ ned** minska reduce; pris äv. bring down

brink s (~en, ~ar) backe [steep] hill; älv~ [steep] riverbank

brinna I vb itr (brann, brunnit) **1** allm. burn äv. bildl.; stå i lågor äv. be on fire; flamma blaze; **~ av nyfikenhet** be burning with curiosity; **~ av iver** be filled with fervour; **det brinner hos A. (i gardinen)** A.'s house (the curtain) is on fire **2 ~ [ihop]** om gödsel decompose **II** med beton. part.

brinna av gå av go off; om sprängskott, bomb explode

brinna inne i ett hus (garage etc.) be burnt to death in a house (garage etc.)

brinna ned om hus o.d. be burnt down; om ljus burn itself out; om brasa o.d. burn low, go out

brinna upp be destroyed by fire; om t.ex. hus äv. be burnt out

brinna ut burn itself (om brasa äv. go) out; **elden har brunnit ut** the fire has gone (is) out

brinnande adj (oböjl.) allm. burning äv. bildl.; i lågor …in flames; om t.ex. bön, iver, tro fervent; **~ huvudvärk** a splitting headache; **ett ~ ljus** a lighted candle; **springa för ~ livet** run for dear life; **mitt under ~ krig** just while the war is (resp. was) raging (at its height)

bris s (~en, ~ar el. ~er) breeze; **frisk ~** fresh breeze; **lätt ~** light (slight) breeze

brisad s (~en, ~er) violent explosion (detonation)

brisera vb itr (~de, ~t) burst, detonate, explode

brist s (~en, ~er) **1** avsaknad lack; avsaknad av något väsentligt want; frånvaro absence; knapphet vanl. scarcity, shortage; starkare dearth [på i samtliga fall of]; **~ på lärare** scarcity (shortage) of teachers; **~ på omdöme (utrymme)** want (lack) of judgment (space); **lida ~ på** be short of; **i ~ på** frånvaro av in the absence of, if one lacks; **i ~ på bättre** for want of anything (something) better **2** bristfällighet deficiency, imperfection; ofullkomlighet shortcoming; skavank defect, flaw; moraliskt fel, svaghet failing

brista vb itr (brast, brustit) **1** sprängas burst; om blodkärl äv. rupture; slitas (brytas) av break, snap; spricka, ge vika give way; **brusten blindtarm** med. ruptured appendix; **brustna illusioner** shattered illusions; **mitt tålamod brast** my patience gave way; **~ i gråt** burst into tears; **~ [ut] i skratt** burst out laughing, burst into laughter **2** fattas fall short, be wanting (lacking); **~ i aktning** äv. fail in respect

bristande adj (oböjl.) otillräcklig deficient, insufficient, inadequate; bristfällig defective; **~ betalningsförmåga** inability to pay, insolvency; **~ förmåga** inability; **~ kunskaper** lack of knowledge, insufficient knowledge; **~ omdöme** lack of judgement (discretion), faulty judgement

bristfällig adj (~t) defective, faulty, imperfect; otillräcklig insufficient

bristning s (~en, ~ar) **1** bursting osv., jfr brista 1; burst, break **2** med. rupture; **~ar** graviditetsstrimmor stretchmarks

bristningsgräns s (~en) breaking-point; **till ~en** äv. to [the point of] bursting; **fylld till ~en** filled to the limit of its capacity

bristsjukdom s (~en, ~ar) deficiency disease

bristvara s (~n, -varor) article (commodity) in short supply

brits s (~en, ~ar) bunk; mil. [wooden] barrack-bed

britt s (~en, ~er) Briton äv. hist.; vard. Brit; speciellt amer. Britisher; **~erna** som nation el. lag o.d. the British

brittisk adj (~t) British; **Brittiska öarna** the British Isles

brittiska s (~n, brittiskor) kvinna British woman

Brittiska öarna s pl the British Isles

brittsommar s (~en, -somrar) Indian summer

bro s (~n, ~ar) bridge; **slå en ~ över** bridge [over], throw a bridge across

broavgift s (~en, ~er) bridge-toll

broccoli s (~n) broccoli

brodd s (~en, ~ar) **1** bot. germ, sprout båda äv. bildl.; sädes~ koll. new (tender) crop **2** pigg spike; på hästskor rough, frostnail, calk

broder s (~n, bröder) (jfr bror); brother (i pl. äv. 'brethren', t.ex. om medlemmar av samfund o.d.); munk äv. friar

brodera vb tr o. vb itr (~de, ~t) embroider äv. bildl.; **~ ut** bildl. embroider, embellish

broderfolk s (~et, =) sister nation

brodergarn s (~et, = el. ~er) embroidery cotton (resp. wool)

broderi s (~et, ~er) embroidery; **ett ~** a piece of embroidery

broderlig adj (~t) brotherly, fraternal

broderskap s (~et) brotherhood, fraternity

broderskärlek s (~en) brotherly love

brodyr s (~en, ~er) embroidered edging

brofäste s (~t, ~n) abutment

brohuvud s (~et, = el. ~en) mil. bridgehead; efter landstigning beachhead

broiler s (~n, broilrar) broiler [chicken]

brokad s (~en, ~er) brocade

brokig adj (~t) **1** mångfärgad particoloured, motley **2** bildl.: om t.ex. blandning, samling miscellaneous; om t.ex. sällskap motley

brom s (~en) kem. bromine

1 broms s (~en, ~ar) zool. horsefly, gadfly

2 broms s (~en, ~ar) **1** tekn. brake; på åkdon äv. skid, drag **2** bildl. check [på on]

bromsa I vb itr (~de, ~t) brake, apply (put on) the brake; bildl. put a brake (check) on; ~ **in** brake; långsamt slow down **II** vb tr (~de, ~t) **1** eg. brake; ~ **bilen** (**cykeln**) brake the car (the cycle) **2** bildl. check, curb

bromsback s (~en, ~ar) brake shoe

bromsbelägg s (~et, =) brake lining

bromsförmåga s (~n) braking power

bromskloss s (~en, ~ar) brake pad

bromsljus s (~et, =) brake light, stoplight

bromsmedicin s (~en, ~er) med. anti-retroviral drug

bromsning s (~en, ~ar) **1** eg. braking **2** bildl. checking, curbing

bromsolja s (~n, -oljor) brake fluid

bromspedal s (~en, ~er) brake pedal

bromsraket s (~en, ~er) rymd. retrorocket

bromsskiva s (~n, -skivor) brake disc

bromssträcka s (~n, -sträckor) braking distance

bronker s pl anat. bronchial tubes, bronchi

bronkit s (~en, ~er) med. bronchitis (endast sg.)

brons s **1** (~en, ~er) bronze **2** (~et, =) sport., tredje plats bronze medal; **ta** ~ take bronze, take a bronze medal

bronsera vb tr (~de, ~t) bronze

bronsmedalj s (~en, ~er) sport. bronze medal

bronsmedaljör s (~en, ~er) sport. bronze medallist

bronsmärke s (~t, ~n) sport. bronze badge

bronsåldern s (best. sing.) the Bronze Age

bropelare s (~n, =) bridge-pier, bridge-pillar

bror s (brodern, bröder) (jfr broder); brother; **Bröderna Ek** firmanamn Ek brothers (Bros.)

brorsa s (~n, brorsor) se bror

brorsbarn s (~et, =) brother's child; **mina** ~ my brother's (resp. brothers') children, my nephews and nieces

brorsdotter s (~n, -döttrar) niece; ibland brother's daughter

brorson s (~en, -söner) nephew; ibland brother's son

broräcke s (~t, ~n) bridge parapet (railing)

brosch s (~en, ~er) brooch

broschyr s (~en, ~er) brochure; häfte pamphlet, booklet; reklam~ leaflet

brosk s (~et, =) anat. cartilage; som ämne gristle (endast sg.)

broskbildning s (~en, ~ar) med. cartilage formation

brospann s (~et, =) span of a (resp. the) bridge

brott s (~et, =) **1 a)** förbrytelse, speciellt jur. crime, lindrigare offence [mot i båda fallen against] **b)** i USA, grövre förseelse misdemeanour **2** kränkning: av t.ex. lagen, neutraliteten violation, infringement; av allmän ordning, regler, kontrakt, etikett breach [mot i samtliga fall of] **3** brutet ställe: allm. break; ben~, ~yta på metall fracture; på rör äv. burst **4** sten~ quarry

brottare s (~n, =) wrestler

brottas vb itr dep (brottades, brottats) wrestle; ta livtag grapple båda äv. bildl.

brottmål s (~et, =) criminal case

brottning s (~en, ~ar) wrestling

brottningsmatch s (~en, ~er) wrestling-match

brottsbalk s (~en) criminal (penal) code

brottsjö s (~n, ~ar) breaker, heavy sea, comber

brottslig adj (~t) criminal; jur. stark. felonious; straffbar punishable

brottslighet s (~en) crime; mera abstr. criminality; ~**en** ökar crime...; **ekonomisk** ~ economic crime; vard. white-collar crime; **organiserad** ~ organized crime

brottsling s (~en, ~ar) förbrytare criminal, starkare felon; gärningsman culprit; svag offender

brottsoffer s (-offret, =) victim [of a resp. the crime]

brottsplats s (~en, ~er) scene of the (resp. a) crime

brottstycke s (~t, ~n) fragment

brottyta s (~n, -ytor) speciellt geol. fracture

brovalv s (~et, =) arch of a (resp. the) bridge, span

broöppning s (~en, ~ar) raising (opening) of a (resp. the) bridge; **det är** ~ they are raising the bridge

brr interj ugh!

brud s (~en, ~ar) **1** bride; **stå** ~ be married; **klädd till** ~ dressed for her wedding, in her wedding dress (finery) **2** vard., ngt neds. bird, skirt, totty, speciellt amer. broad, dame

brudbukett s (~en, ~er) wedding bouquet, bridal bouquet

brudfölje s (~t, ~n) bridal train

brudgum s (~men, ~mar) bridegroom

brudkista s (~n, -kistor) bottom drawer, trousseau [chest]; amer. hope chest

brudklänning s (~en, ~ar) wedding dress

brudkrona s (~n, -kronor) av metall bridal crown; krans bridal wreath

brudnäbb s (~en, ~ar) ung.: pojke page; flicka bridesmaid

brudpar s (~et, =) bridal couple; ~**et** äv. the bride and groom

brudslöja s (~n, -slöjor) **1** bridal veil **2** bot. baby's breath, gypsophila

bruk s (~et, =) **1** användning use, jfr användning; av ord usage; **göra** ~ **av** make use of; **ha** ~ **för** have (find) a use for; **för eget** ~ for one's own use, for personal use; **i** ~ allm. in use; **komma ur** ~ go out of use, fall into disuse; om ord o. uttryck äv. gain (lose) currency; [**endast**] **för utvärtes** ~ for external use [only]; **vid sina sinnens fulla** ~ in full possession of all one's senses (faculties) **2** sed: medvetet vald practice; vana, kutym usage, custom; **gamla svenska seder och** ~ old Swedish manners and customs **3** av jorden cultivation, tillage; av hel gård management, running **4** fabrik: järn~ works (pl. lika); pappers~ mill; **ett** ~ vanl. a factory

bruka vb tr (~de, ~t) **1** begagna [sig av] use, se vidare använda; ~ **våld** use force (violence) [mot against] **2** odla cultivate, till; gård farm **3** ha för vana återges ofta genom omskrivning med usually osv. (jfr ex.); ~**de** vanligast used to; **han** ~**r komma** vid 3-tiden he usually comes ...; **som man** ~**r säga** as the phrase goes; **det** ~**r vara svårt** it is often (is apt to be) difficult

brukbar adj (~t) **1** användbar usable, se vidare användbar; **i** ~**t skick** in [good] working order **2** odlingsbar cultivable

bruklig adj (~t) customary, usual, ...in use, ...in vogue; **det är** ~**t att** + inf. it is the done thing to; + inf., **det är inte** ~**t** it is not the fashion (custom); **som** ~**t** as usual

bruksanvisning *s* (~en, ~ar) directions pl. [for use]; för t.ex. tv-apparat operating instructions pl.

bruksfärdig *adj* (~t) ready for use; attr. ready-to-use...

bruksföremål *s* (~et, =) article for everyday use; i pl. äv. utility goods

brukshund *s* (~en, ~ar) working dog

brukspatron *s* (~en, ~er) åld., vid järnbruk ironmaster, foundry (ironworks) proprietor; vid pappersbruk [paper] mill owner

brukssamhälle *s* (~t, ~n) industrial community

bruksvärde *s* (~t, ~n) utility value

bruksvärdeshyra *s* (~n, -hyror) rent based on utility value

brumbjörn *s* (~en, ~ar) bildl. [perpetual] grumbler (grouser)

brumma *vb itr* (~de, ~t) om björn el. bildl. growl; om motor., radio. o.d. hum; bildl. äv. grumble

brun *adj* (~t) (för sammansättn. jfr äv. *blå-*); brown; solbränd tanned, bronzed; *~a bönor* maträtt Swedish brown beans, kidney beans served in a sweet-sour sauce

brunaktig *adj* (~t) brownish

brunbränd *adj* (-bränt) av sol tanned, bronzed; svedd scorched, singed

Brunei Brunei

brunett *s* (~en, ~er) brunette

brungul *adj* (~t) brownish yellow

brunhyad *adj* (-hyat, ~e) brown-hued, brown-complexioned

brunkol *s* (~et, =) lignite, brown coal

brunn *s* (~en, ~ar) well äv. sjö.; hälso~ [mineral] spring; spring~ el. bildl. fountain; *dricka ~* drink (take) the waters

brunnsborrning *s* (~en, ~ar) well-boring

brunnsort *s* (~en, ~er) health resort, spa, watering-place

brunst *s* (~en) honas heat; hanes rut

brunsten *s* (oböjl., en) miner. manganese ore (dioxide)

brunstig *adj* (~t) om hona ...on (in) heat; om hane rutting, ruttish

brunsttid *s* (~en) mating season

brunt *s* (oböjl.) brown; för ex. jfr *blått*

brunögd *adj* (-ögt) brown-eyed

brus *s* (~et) havets, stormens roar[ing]; vattnets rush[ing], surge; från orgel peal; tekn. noise, väsande hiss

brusa *vb itr* (~de, ~t) roar etc., jfr *brus*; om kolsyrad dryck fizz, effervesce; *brusande trafik* bustling traffic; *en brusande älv* a turbulent river; *~ upp* bildl. flare up, lose one's temper

brushuvud *s* (~et, ~en el. =) hothead

brustablett *s* (~en, ~er) effervescent (vard. fizzy) tablet

brusten *adj* (brustet, brustna) se under *brista 1*

brutal *adj* (~t) brutal; *~a metoder* äv. ruthless methods; *en ~ typ* äv. a brute

brutalitet *s* (~en, ~er) brutality

bruten *adj* (brutet, brutna) broken äv. om person o. språk; om arm, ben äv. fractured; jfr *bryta*; *brutet tak* mansard (curb) roof

brutto *adv* gross

bruttobelopp *s* (~et, =) gross amount

bruttolön *s* (~en, ~er) gross salary

bruttonationalprodukt *s* (~en, ~er) (förk. *BNP*) gross national product (förk. *GNP*); i Sverige, ung. motsv. gross domestic product (förk. *GDP*)

bruttopris *s* (~et, = el. ~er) gross price

bruttoton *s* (~net, =) gross ton (tonnage)

bruttovikt *s* (~en, ~er) gross weight

bruttovinst *s* (~en, ~er) gross profit (proceeds pl.)

bry I *vb tr* (~dde, ~tt), *~ sin hjärna* (*sitt huvud*) *med ngt* cudgel (rack) one's brains over sth, puzzle one's head over sth **II** *vb rfl* (~dde, ~tt) *~ sig om* ngn (ngt) **a)** ta notis om, fästa sig vid pay attention to..., take notice of... **b)** tycka om care for:; *~ dig inte om det!* don't bother (worry) about it!, never mind!; *vad ~r jag mig om det?* what do I care [about that]?; *det är ingenting att ~ sig om* that's nothing to worry about; *människor som ~ sig* people who care; *han ~ sig inte* he couldn't care less, he [just] doesn't care

brydd *adj* (brytt) puzzled [*för* about]; förlägen embarrassed

bryderi *s* (~et, ~er) perplexity; embarrassment; *vara i ~* villrådig äv. be puzzled (at a loss)

brydsam *adj* (~t, ~ma) kinkig awkward; förvirrande perplexing; genant embarrassing

brygd *s* (~en, ~er) brew

1 brygga *s* (~n, bryggor) allm. bridge äv. tandläk.; landnings~ landing-stage, jetty, pier; kommando~ [captain's] bridge; gymn., kroppsställning bridge

2 brygga *vb tr* (bryggde, bryggt) brew; kaffe: vanl. make; genom filter äv. filter; i bryggapparat äv. percolate

bryggare *s* (~n, =) **1** brewer **2** se *kaffebryggare*

bryggeri *s* (~et, ~er) brewery

bryggkaffe *s* (~t) fine-grind coffee

bryggmalen *adj* (-malet, -malna), *bryggmalet kaffe* fine-grind coffee

brylépudding *s* (~en, ~ar) caramel custard, crème caramel

brylling *s* (~en, ~ar) third cousin

bryn *s* (~et, =) edge, verge, fringe

1 bryna *vb tr* (brynte, brynt) göra brun brown; kok. brown, fry...till browned; *brynt smör* brown butter; *brynt socker* caramel, burnt sugar

2 bryna *vb tr* (brynte, brynt) vässa whet, sharpen

bryne *s* (~t, ~n) whetter, whetstone

brynja *s* (~n, brynjor) **1** nätundertröja string vest **2** hist., pansarskjorta coat of mail

brynsten *s* (~en, ~ar) whetstone, hone

brysk *adj* (~t) brusque, curt; häftig, oväntad abrupt

Bryssel Brussels

brysselkål *s* (~en) Brussels sprouts pl.

brysselspets *s* (~en, ~ar), *~[ar]* Brussels lace (endast sg.); *en ~* a piece of Brussels lace

bryta (jfr *bruten*) **I** *vb tr* (bröt, brutit) allm. break; kol, malm mine; sten quarry; förpackning open; förbindelse break off, sever; ljus refract, diffract; *~ arm* arm-wrestle; *~ armen* break (med. fracture) one's arm; *~ en färg* målarfärg break a colour; *~ en förlovning* break off an engagement; *~ isen* äv. bildl. break the ice; *~ sitt löfte* break one's promise; *~ ett samtal* tele. disconnect (cut off) a call; *~ servetter* fold napkins; *~ strömmen* elektr. break (interrupt) the circuit, switch off [the current]

II *vb itr* (bröt, brutit) **1** break äv. om vågor [*mot* against]; *~ med ngn* break with sb; *~ mot* lag, regel break; svagare infringe; lag äv. violate; ett förbud offend against...; en princip violate...; *vågorna bryts mot* klipporna the waves are breaking against (on)...

2 i uttal speak with an (a foreign) accent; ~ *på tyska* speak with a German accent

III *vb rfl* (bröt, brutit), ~ *sig* se under resp. beton. part. under *bryta IV*

IV med beton. part.

bryta av break (knäcka snap) [off]; ~ *av mot* kontrastera mot be in contrast to, contrast with; jfr *avbryta*

bryta fram break out, burst forth; om t.ex. solen break through

bryta igenom äv. mil. break through; ~ *sig igenom* break (force) one's way through

bryta ihop om person el. system etc. break down, collapse

bryta in set in, come on; om fienden, havet break in; ~ *sig in i ett hus* (*hos ngn*) break into a house (sb's home)

bryta ned break down; förstöra äv. demolish; fys. äv. decompose [*till* into]; bildl., krossa shatter

bryta [*om*] typogr. make up...[into pages]

bryta samman break down, collapse

bryta upp a) tr., ~ *upp ett lås* break open a lock, force a lock [open] **b)** itr., ~ *upp* från bordet make a move

bryta ut a) tr. break out; ~ *ut en faktor* matem. remove (put) a factor outside the bracket; ~ *ut...ur sammanhanget* detach (isolate)...from the context **b)** itr., t.ex. om eld, krig, uppror, epidemi break out; om åskväder come on **c)** rfl., ~ *sig ut* force one's way out

brytarspetsar *s pl* tekn. [contact-breaker] points

brytböna *s* (~n, -bönor) French (string) bean

brytning *s* (~en, ~ar) **1** lösbrytning breaking [off]; av kol mining; av sten quarrying **2** ljusets refraction, diffraction **3** i uttal accent, jfr *bryta II 2* **4** skiftning: i färg tinge; i smak [extra] flavour **5** oenighet breach, rupture; avbrott break; *hans svek ledde till en ~ med familjen* ... a rupture with his family; *en ~ med det förflutna* a break with the past

brytningstid *s* (~en, ~er) time of unrest [and upheaval]; övergångstid transition period

brytningsvinkel *s* (~n, -vinklar) optik. el. fys. angle of refraction

brytpunkt *s* (~en, ~er) **1** bildl., vändpunkt turning point **2** data. breakpoint

bråck *s* (~et, =) rupture, hernia

bråckband *s* (~et, =) truss

bråd *adj* (brått) brådskande busy, bustling; plötslig sudden, hasty, hurried; *en ~ död* a sudden death; *det är ~a dagar* nu inför bröllopet the days are very busy..., things are hectic...

bråddjup I *adj* (~t) precipitous; *det är ~t här* i vattnet it gets deep suddenly here **II** *s* (~et, =) precipice

brådmogen *adj* (-moget, -mogna) prematurely ripe; bildl. precocious

brådrasket *s* (best. sing.), *det gör han inte om i ~* he won't do that again in a hurry

brådska I *s* (~n) hurry, haste; jäkt bustle; *det är ingen ~* [*med det*] there is no hurry [about it]; *han gör sig ingen ~* he takes his time; *i ~n* glömde han in his hurry (haste)... **II** *vb itr* (~de, ~t) behöva utföras fort be urgent (pressing); *det ~r inte* there is no hurry about it, it is not urgent

brådskande *adj* (oböjl.) som måste uträttas fort urgent, pressing; på brev o.d. urgent; hastig hasty, hurried

brådstörtad *adj* (-störtat, ~e) precipitate, over-hasty, rash

brådstörtat *adv* precipitately, over-hastily

1 bråk *s* (~et, =) matem. fraction; amer.; *räkna med ~* do fractions

2 bråk *s* (~et, =) buller, oväsen noise, din, racket; gräl row, quarrel; uppståndelse fuss, trouble; *det blir bara ~* om du går dit there will only be trouble..., you're just asking for trouble...; *ställa till ~ om ngt* make (vard. kick up) a row (fuss) about sth

bråka I *vb itr* (~de, ~t) **1** bullra, väsnas be noisy, cause (make) a disturbance; gräla quarrel, have a row (quarrel); retas tease **2** krångla, tjafsa make (kick up) a fuss (row), make difficulties **II** *vb tr* (~de, ~t), ~ *lin* (*hampa*) brake flax (hemp)

bråkdel *s* (~en, ~ar) fraction; *~en av en sekund* a fraction of a second, a split second

bråkig *adj* (~t) bullersam noisy; besvärlig troublesome; krånglig fussy; oregerlig disorderly, unruly; motspänstig restive

bråkstake *s* (~n, -stakar) orosstiftare troublemaker; upprorsmakare rioter; om barn nuisance

brås *vb itr dep* (bråddes, bråtts), ~ *på ngn* take after sb

bråte *s* **1** (~n, bråtar) timmer~ jam of logs, log jam **2** (~n el. ~t) skräp rubbish, lumber, junk

bråttom *adv*, ha [*mycket*] ~ be in a [great] hurry [*med* about (with, over); *med att* + inf. to + inf.]; *det är ~* it can't wait, it's urgent

1 bräcka I *s* (~n, bräckor) spricka flaw, crack **II** *vb tr* (bräckte, bräckt) **1** bryta break; knäcka, krossa crack; *~s* break; crack **2** övertrumfa, ~ *ngn* outdo sb **III** *vb itr* (bräckte, bräckts), *när dagen bräcker* litt. when day breaks, at daybreak

2 bräcka *vb tr* (bräckte, bräckt) steka fry

bräckjärn *s* (~et, =) crowbar; jfr äv. *kofot*

bräckkorv *s* (~en, -korvar) smoked sausage [for frying]

bräcklig *adj* (~t) **1** eg. fragile; skör t.ex. om glas äv. brittle **2** skröplig, svag frail, infirm, feeble; ~ *hälsa* frail health

bräckt *adj* (=), ~ *vatten* brackish water

bräda I *s* (~n, brädor) **1** board **2** snowboard snowboard; surfingbräda surfboard, sailboard **II** *vb tr* (~de, ~t), ~ *ngn* cut out sb

brädd *s* (~en, ~ar) edge, brim; *fylla till ~en* fill to the brim; *stiga över sina ~ar* om flod overflow [its banks]

bräde *s* (~t, ~n) **1** board **2** spel backgammon **3** bildl., *betala allt på ett ~* pay in a lump sum, pay at one go; *sätta allt på ett ~* put all one's eggs in one basket

brädfodra *vb tr* (~de, ~t) board, wainscot; yttervägg cover with weatherboarding (amer. wooden siding)

brädfodring *s* (~en, ~ar) boarding, wainscoting; av yttervägg weatherboarding

brädgård *s* (~en, ~ar) timberyard; amer. lumberyard

brädgårdstecken *s* (-tecknet, =) data., tecknet # hash mark

brädseglare *s* (~n, =) windsurfer, sailboarder

brädsegling *s* (~en, ~ar) windsurfing, sailboarding

brädskjul *s* (~et, =) av bräder wooden shed

brädspel *s* (~et, =) backgammon

bräka *vb tr* (bräkte, bräkt) bleat äv. om person

bräken *s* (bräknen el. =, bräknar) bot. bracken

bräm *s* (~et, =) **1** kant border, edge; av pälsverk o.d. trimming **2** bot. limb

bränna I *vb tr* (brände, bränt) **1** allm. burn; i förbränningsugn incinerate; kremera cremate; sveda scorch, singe; **~ brödet** i ugnen scorch the bread...; **~ en cd** burn a CD; **~ fingrarna** äv. bildl. burn one's fingers; **~ pengar på ngt** waste money on sth; **~ sitt ljus i båda ändar** burn the candle at both ends; **~ sina skepp** bildl. burn one's boats; **~ tegel (lergods)** fire (burn, bake) bricks (pottery); **~ hemma** vard. distil spirits in one's home, make moonshine; **bränd kalk** burnt lime, quicklime; **bli bränd** bildl. get one's fingers burnt; **det luktar bränt** there is a smell of burning **2** i bollspel hit...out; **~ en straffspark** miss (muff) a penalty

II vb itr (brände, bränt) hetta, svida burn; kinden **brände efter örfilen** ...tingled (smarted) from the blow; **marken brände under fötterna på honom** bildl. the place was getting too hot for him; **pengarna bränner i fickan på honom** money burns holes in his pockets; peppar **bränner på tungan** ...burns (bites) the tongue; **en brännande fråga** a burning question (issue)

III vb rfl (brände, bränt), **~ sig** burn (scald) oneself; **~ sig på nässlor** get stung by nettles

IV med beton. part.
bränna av burn [down]; **~ av ett fyrverkeri** let off fireworks; **~ av ett skott** fire [off] a shot
bränna bort burn off (away); **~ bort en vårta** cauterize (remove) a wart
bränna fast: det brände fast i stekpannan it got burnt and stuck to the pan
bränna in: ~ in ngt i (på) ngt brand sth with sth
bränna ned burn down
bränna upp burn [up]
bränna vid: ~ vid såsen burn the sauce; **såsen brände[s] vid** the sauce got burnt and stuck to the pan
brännare s (~n, =) allm. burner
brännas vb itr dep (brändes, bränts) burn; om nässlor sting; **det bränns!** i lek you are getting warm!
brännbar adj (~t) combustible, inflammable; **en ~ fråga** a delicate (controversial) question; **~t ämne** eg. combustible [substance]; bildl. topic likely to arouse heated discussion
brännblåsa s (~n, -blåsor) blister
brännboll s (~en) ung. rounders sg.
bränneri s (~et, ~er) distillery
brännglas s (~et, =) burning glass
brännhet adj (-hett) burning (glowing) hot, scorching
bränning s (~en, ~ar) brottsjö breaker; **~arna** äv. the surf sg.
brännjärn s (~et, =) branding-iron
brännmärka vb tr (-märkte, -märkt) brand; bildl. äv. stigmatize
brännmärke s (~t, ~n) brännsår burn-mark; på boskap brand
brännoffer s (-offret, =) burnt offering
brännolja s (~n) eldningsolja fuel (heating) oil; drivmedel combustible oil
brännpunkt s (~en, ~er) focus (pl. focuses el. foci); ljusstrålars äv. focal point äv. bildl.; **stå i ~en för** intresset be the focal point of...
brännskada s (~n, -skador) burn [injury]
brännsår s (~et, =) burn [injury]
brännugn s (~en, ~ar) kiln; för stål converting furnace
brännvidd s (~en, ~er) foto. focal distance (length)
brännvin s (~et) schnapps, aquavit; vodka vodka;

kryddat (okryddat) ~ spiced (unspiced) schnapps (aquavit)
brännässla s (~n, brännässlor) stinging nettle
bränsle s (~t, ~n) fuel; **flytande (fast) ~** liquid (solid) fuel
bränslesnål adj (~t) fuel-efficient, economical; bilen **är ~** vanl. ...has a low fuel consumption
bränsletank s (~en, ~ar) fuel tank
bränsletillägg s (~et, =) heating surcharge; för flyg fuel surcharge
bräsch s (~en, ~er) breach; **gå i ~en för** stand up for, take up the cudgels for
bräsera vb tr (~de, ~t) kok. braise
bräss s (~en, ~ar) anat. thymus; kok., kalv~ sweetbread
brätte s (~t, ~n) brim; **en hatt med breda ~n** a broad-brimmed hat
bröa vb tr (~de, ~t) breadcrumb
bröd s (~et, =) bread (endast sg.); limpa loaf [of bread]; kaffe~ koll. buns and (or) cakes pl.; **hårt ~** crispbread; amer. äv. rye crisp; **den enes död, den andres ~** one man's loss is another man's gain; **ta ~et ur munnen på ngn** take the bread out of sb's mouth
brödbit s (~en, ~ar) piece of bread
brödburk s (~en, ~ar) bread bin, amer. bread box
brödbutik s (~en, ~er) baker's [shop], bakery
brödfrukt s (~en, ~er) breadfruit
brödföda s (~n) bread and butter; **slita [hårt] för ~n** struggle hard to make a living (for one's bread and butter)
brödkaka s (~n, -kakor) round loaf; hårt bröd [round of] crispbread
brödkant s (~en, ~er) crust [of bread]
brödkavel s (~n, -kavlar) remrolling-pin
brödkniv s (~en, ~ar) breadknife
brödkorg s (~en, ~ar) breadbasket
brödlös adj (~t), **bättre ~ än rådlös** ung. necessity is the mother of invention
brödrafolk s pl sister nations
brödraskap s (~et, =) brotherhood, fraternity
brödrost s (~en, ~ar) toaster
brödskiva s (~n, -skivor) slice of bread; **en rostad ~** a slice (piece) of toast
brödsmulor s pl [bread]crumbs
brödspade s (~n, -spadar) [baker's] peel
brödstil s (~en) typogr. body type (text), book face
brödsäd s (~en) bread-stuffs pl., cereals pl.; spannmål corn, amer. grain
brödtärning s (~en, ~ar) croûton fr.
bröllop s (~et, =) wedding; poet. nuptials pl.; **gå på ~** go to a wedding; **Figaros ~** opera The Marriage of Figaro
bröllopsdag s (~en, ~ar) wedding day; årsdag wedding anniversary
bröllopsmarsch s (~en, ~er) wedding march
bröllopsmiddag s (~en, ~ar) wedding dinner
bröllopsnatt s (~en, -nätter) wedding night
bröllopspresent s (~en, ~er) wedding present
bröllopsresa s (~n, -resor) honeymoon [trip]; **de åkte på ~ till Italien** they went to Italy for their honeymoon
bröst s (~et, =) allm. breast äv. bildl.; barm bosom; byst bust; bröstkorg chest; på klädesplagg bust, front; **ge ett barn ~et** give a baby the breast, breast-feed a baby; **ha ont i ~et** have a pain in one's chest; **en sten har**

fallit från mitt ~ it (that) was a load (weight) off my mind

1 brösta *vb rfl* (~de, ~t), ~ *sig över* yvas över boast (brag) about

2 brösta *vb tr* (~de, ~t) fotb., ~ [*ned*] *en boll* chest [down] a ball

bröstarvinge *s* (~n, -arvingar) direct heir

bröstben *s* (~et, =) anat. breastbone; vetensk. sternum (pl. sternums el. sterna)

bröstbild *s* (~en, ~er) half-length portrait

bröstcancer *s* (~n) breast cancer

bröstfena *s* (~n, -fenor) zool. pectoral fin

bröstficka *s* (~n, -fickor) breastpocket

bröstförstoring *s* (~en, ~ar) breast augmentation

brösthöjd *s* (oböjl.) breast (chest) height; *i* ~ breast-high

bröstkaramell *s* (~en, ~er) cough lozenge, cough drop

bröstkorg *s* (~en, ~ar) chest, rib cage, thorax (pl. thoraces)

bröstkörtel *s* (~n, -körtlar) mammary gland

bröstmjölk *s* (~en) breast milk; *uppfödd på* ~ breast-fed

bröstmuskel *s* (~n, -muskler) anat. chest muscle, pectoral muscle

bröstpanel *s* (~en, ~er) på vägg dado

bröstsim *s* (~met) breast stroke; *simma* ~ do the breast stroke

bröstsmärtor *s pl* chest pains

bröstsocker *s* (-sockret) sugar (rock) candy

bröstton *s* (~en, ~er) mus. chest note; *ta till de verkliga ~erna* bildl. beat the big drum, rant

bröstvidd *s* (~en, ~er) chest measurement

bröstvårta *s* (~n, -vårtor) nipple

bröstvärn *s* (~et, =) **1** byggn. parapet **2** mil. breastwork

bröt *s* (~en, ~ar) jam of floating logs, log jam

BSE med. BSE (förk. för bovine spongiform encephalopathy); jfr *galna ko-sjukan*

B-skatt *s* (~en, ~er) tax not deducted from income at source

B-språk *s* (~et, =) skol. second foreign language

bua *vb itr* (~de, ~t) boo, hoot [*åt* at]; ~ *ut ngn* boo sb; speciellt amer. give sb the Bronx cheer

bubbelpool *s* (~en, ~er) whirlpool, jacuzzi®

bubbla I *s* (~n, bubblor) bubble **II** *vb itr* (~de, ~t) bubble

buckla I *s* (~n, bucklor) **1** inbuktning dent **2** upphöjning boss **3** vard., idrottspris cup **II** *vb tr* (~de, ~t), ~ *till* dent; ~*s till* become dented

bucklig *adj* (~t) **1** inbuktad dented **2** utbuktad embossed

bud *s* (~et, =) **1** befallning command, order; bibl. commandment; *tio Guds* ~ the ten commandments; *hårda* ~ stiff terms; *det var hårda* ~ that's pretty tough (stiff) **2** anbud offer; på auktion bid; i kortspel bid, call; *ge* (*lägga*) *ett* ~ *på tusen kronor* make an offer (a bid) of... **3** budskap message, announcement; *få* ~ *om ngt* recieve word about sth; *skicka* ~ *efter ngn* send for sb; *skicka* ~ *till ngn* send sb a message **4** budbärare messenger; springpojke errand boy; se äv. *budfirma* **5** *stå till* ~*s* be at hand, be available

budbärare *s* (~n, =) messenger; poet. harbinger

buddism *s* (~en) Buddhism

buddist *s* (~en, ~er) Buddhist

buddistisk *adj* (~t) Buddhist, Buddhistic[al]

budfirma *s* (~n, -firmor) delivery firm (service)

budget *s* (~en, ~ar el. ~er) budget; *dra över ~en* exceed the budget; *göra upp en* ~ prepare a budget

budgetera *vb tr* (~de, ~t) budget; ~*d kostnad* budgeted cost; ~*de intäkter* estimated revenue

budgetproposition *s* (~en, ~er) budget [proposals pl.]

budgetunderskott *s* (~et, =) budget deficit

budgetår *s* (~et, =) budget (financial, fiscal) year

budgivning *s* (~en, ~ar) spel. bidding

budkavle *s* (~n, -kavlar) **1** hist. Skottl., ung. fiery cross **2** sport., budkavlelöpning i orientering o. skidtävling relay

budoar *s* (~en, ~er) boudoir

budord *s* (~et, =) commandment

budskap *s* (~et, =) meddelande message, announcement; polit. address, message; litt. tidings pl.; manifest manifesto

buffé *s* (~n, ~er) **1** möbel sideboard **2** [bord] (resp. rum) med smårätter och drycker buffet

buffel *s* (~n, bufflar) **1** zool. buffalo **2** drulle boor, lout

buffelhud *s* (~en, ~ar) buffalo-hide; beredd buffalo skin (leather), buff

buffert *s* (~en, ~ar) tekn. etc. buffer äv. bildl., bumper; *fungera som* ~ act as a cushion (buffer)

bufflig *adj* (~t) boorish, loutish

buga *vb itr* o. *vb rfl* (~de, ~t), ~ [*sig*] bow

1 bugg *s* (~en) dans. jive

2 bugg *s* (~en, ~ar) data., fel i dataprogram bug

1 bugga *vb itr* (~de, ~t) dans. jive

2 bugga *vb tr* (~de, ~t) placera dolda mikrofoner i bug

buggning *s* (~en, ~ar) med dolda mikrofoner bugging

bugning *s* (~en, ~ar) bow; underdånig obeisance

buk *s* (~en, ~ar) belly äv. på segel, flaska o.d.; anat. abdomen, venter; *fylla ~en* eat one's fill

Bukarest Bucharest

bukett *s* (~en, ~er) bouquet; liten nosegay; *plocka en* ~ pick a bunch of flowers

bukhinna *s* (~n, -hinnor) anat. peritoneum

bukhinneinflammation *s* (~en, ~er) med. peritonitis (endast sg.)

bukhåla *s* (~n, -hålor) anat. abdominal cavity

buklanda *vb itr* (~de, ~t) belly-flop

bukmuskel *s* (~n, -muskler) abdominal muscle

bukplastik *s* (~en) kir. abdominoplasty

bukreduktion *s* (~en, ~er) operation abdominal reduction; vard. tummy tuck

bukspottkörtel *s* (~n, -körtlar) anat. pancreas

bukt *s* (~en, ~er) **1** krökning curve, bend, winding; *gå i ~er* wind (bend) [in and out] **2** på kust bay; större gulf; svagt krökt bight; liten ~ creek, cove **3** *få* ~ *med* get the better of, overcome, manage, master; *få* ~ *med elden* get the fire under

bukta *vb itr* o. *vb rfl* (~de, ~t), ~ [*sig*] wind, curve, bend; slingra sig, om flod meander; om segel belly; ~ *in*[*åt*] curve in; ~ *ut*[*åt*] bulge

buktalare *s* (~n, =) ventriloquist

buktig *adj* (~t) krokig winding; svängd curved, bulging

bula *s* (~n, bulor) **1** knöl bump, swelling **2** buckla dent

bulgar *s* (~en, ~er) Bulgarian

Bulgarien Bulgaria

bulgarisk *adj* (~t) Bulgarian

bulgariska *s* **1** (~n, bulgariskor) kvinna Bulgarian woman **2** (~n) språk Bulgarian

bulgur *s* (~en) bulgur [wheat], bulgar [wheat]

bulimi *s* (~n) med., hetshunger bulimia

buljong *s* (~en, ~er) clear soup, broth; se äv. *kycklingbuljong* m.fl.

buljongtärning *s* (~en, ~ar) stock cube

1 bulla *s* (~n, bullor) påvlig bull

2 bulla *vb tr* (~de, ~t), **~ upp** make a great spread

bulldogg *s* (~en, ~ar) bulldog

bulle *s* (~n, bullar) bun; amer. osötad äv. biscuit; frukostbröd roll; *nu ska här bli andra bullar!* there are going to be some changes made here!

buller *s* (bullret, =) noise, din; dovt rumbling; stoj racket; *med ~ och bång* with a great hullabaloo

bullermatta *s* (~n, -mattor) noise-abatement zone

bullermätning *s* (~en, ~ar) noise measurement, noise-gauging

bullernivå *s* (~n, ~er) noise level

bullerplank *s* (~et, =) noise barrier

bullersam *adj* (~t, ~ma) noisy; högröstad boisterous

bullerskada *s* (~n, -skador) hearing impairment [resulting from exposure to high noise levels]

bullerskydd *s* (~et, =) noise protection

bulletin *s* (~en, ~er) bulletin

bullra *vb itr* (~de, ~t) make a noise; mullra rumble

bullrig *adj* (~t) noisy; om person äv. loud

bullterrier *s* (~n, =) zool. bull terrier

bulna *vb itr* (~de, ~t) swell [up]

bulnad *s* (~en, ~er) swelling, bump

bult *s* (~en, ~ar) bolt, pin; gängad screw[bolt]

bulta I *vb itr* (~de, ~t) knacka knock; dunka pound; om puls throb; *med ~nde hjärta* with a pounding (palpitating) heart; *~ i väggen* bang (pound) on the wall **II** *vb tr* (~de, ~t) bearbeta beat; *~ kött* pound meat

bulvan *s* (~en, ~er) **1** bildl. front, dummy **2** jakt. decoy

bumerang *s* (~en, ~er) boomerang äv. bildl.

bums *adv* vard. right away, on the spot; *~ i säng!* off to bed at once!

bunden *adj* (bundet, bundna) **1** bound osv., se *binda* **2** kem. combined

bundsförvant *s* (~en, ~er) ally

bungalow *s* (~en, ~er) bungalow

bunke *s* (~n, bunkar) skål av metall pan; av porslin o.d. bowl

bunker *s* (~n, bunkrar) sjö., mil. el. golf. bunker, sand trap; betongfort pillbox

bunkra *vb itr* (~de, ~t) bunker; *~ upp med mat och dryck* stock up with food and drink

bunt *s* (~en, ~ar) **1** av t.ex. kort packet, batch; brev, sedlar bundle; papper sheaf (pl. sheaves); rädisor o.d. bunch [samtliga med of framför följande ord] **2** bildl., *hela ~en* the whole bunch (lot)

bunta *vb tr* (~de, ~t), *~ [ihop]* make...up into (tie up...in) bundles etc., jfr *bunt*; pack...together

bur *s* (~en, ~ar) cage; för höns coop; sport., mål~ goal; använd vid frågesport o.d. i tv isolation booth; *~en* mil. vard. jankers; *sitta i ~* be kept in a cage; *sitta i ~en* mil. vard. be in jankers; *sätta i ~* cage, put...in a cage; höns coop up...

bura *vb tr* (~de, ~t), *~ in* vard., sätta i fängelse put...in quod (clink)

burdus *adj* (~t) abrupt, blunt; grov rough

burfågel *s* (~n, -fåglar) cagebird, cageling

burgen *adj* (burget, burgna) well-to-do, affluent; om person äv. well-off

burk *s* (~en, ~ar) **1** pot; kruka, glas~ äv. jar; plåt~ tin, amer. can [samtliga med of framför följande ord]; *en ~ öl* a can of beer; *en ~ sylt* a jar of jam; *ärter på ~* tinned (canned) peas **2** vard., tv-apparat the [goggle-]box, amer. the [boob] tube; dator machine

burka *s* (~n, burkor) burka, burqa

burkautomat *s* (~en, ~er) för returförpackningar reverse vending machine

Burkina Faso Burkina Faso

burkmat *s* (~en) tinned (canned) food

burköl *s* (~et el. ~en, =) canned beer

burköppnare *s* (~n, =) tin (can) opener

burlesk I *s* (~en, ~er) burlesque **II** *adj* (~t) burlesque

Burma Burma

burmansk *adj* (~t) Burmese

burmesisk *adj* (~t) Burmese

1 burr *interj* ugh!

2 burr *s* (~et, =) fuzzy (frizzy) hair

burra *vb tr* (~de, ~t), *~ upp* ruffle up; *fågeln ~de upp sig* the bird ruffled up its feathers

burrig *adj* (~t) frizzy, fuzzy; ruffled

burskap *s* (~et) **1** hist., borgarrätt freedom, franchise **2** *vinna ~* bli allmänt vedertagen be naturalized [*i* in], be adopted [*i* into]

burspråk *s* (~et, =) arkit. bay, oriel

Burundi Burundi

bus *s* (~et) **1** mischief; starkare rowdyism, hooliganism; *leva ~* be rowdy **2** *~et* vard. the trouble-makers

busa *vb itr* (~de, ~t) play; be up to mischief; *~ med* tease, play with

buse *s* (~n, busar) rå människa rough, ruffian; hooligan; bråkstake pest, nuisance

busfasoner *s pl* rowdy behaviour sg.

busfrö *s* (~et, ~n) vard. little devil (rascal, monkey)

busig *adj* (~t) mischievous

buskage *s* (~t, =) shrubbery; snår copse

buske *s* (~n, buskar) bush; större shrub; *sticka huvudet i busken* bury one's head in the sand

buskig *adj* (~t) bushy; *~a ögonbryn* bushy (shaggy) eyebrows

buskis *s* (~en) vard. slapstick, ham; *spela ~* ham

busksnår *s* (~et, =) thicket, copse

busliv *s* (~et) rowdyism, hooliganism

1 buss *s* (~en, ~ar) trafik~ bus; turist~ coach, amer. [tour]bus

2 buss *s* (~en, ~ar) data. [data] bus

3 buss *interj*, *~ på honom!* worry him!, at him!

1 bussa *vb tr* (~de, ~t), *~ hunden på ngn* set the dog on [to] sb

2 bussa *vb tr* (~de, ~t) transportera bus

bussbolag *s* (~et, =) bus company

busschaufför *s* (~en, ~er) bus (turistbuss coach) driver

bussfil *s* (~en, ~er) bus lane, busway

busshållplats *s* (~en, ~er) bus stop

bussig *adj* (~t) vard. nice, decent; hjälp mig, *är du ~!* ...,will you?

busslast *s* (~en, ~er) busload

busslinje *s* (~n, ~r) bus (turistbuss coach) service (line)

bussning *s* (~en, ~ar) tekn. sleeve, bushing, bush

bussresa *s* (~n, -resor) bus journey, busride; i turistbuss coach journey

bussterminal *s* (~en, ~er) bus terminal

busvissla *vb itr* (~de, ~t) whistle [shrilly]; ogillande catcall

busvissling *s* (~en, ~ar) [shrill] whistle; ogillande catcall

busväder *s* (-vädret, =) filthy (awful) weather

butelj *s* (~en, ~er) bottle; jfr *flaska*

buteljera *vb tr* (~de, ~t) bottle

buteljgrön *adj* (~t) bottle-green

butik *s* (~en, ~er) shop; amer. store; speciellt matvaru~ supermarket; *slå igen ~en* bildl. shut up shop; *stå i ~* work (serve) in a shop

butiksbiträde *s* (~t, ~n) shop assistant; amer. salesclerk, salesperson

butiksfönster *s* (-fönstret, =) shop (amer. store) window

butiksföreståndare *s* (~n, =) shop (amer. store) manager (kvinna manageress)

butikskedja *s* (~n, -kedjor) chain of shops

butikskontrollant *s* (~en, ~er) shop walker; amer. floorwalker

butiksstöld *s* (~en, ~er) shoplifting; *en ~* a shoplifting case

butiksägare *s* (~n, =) shopkeeper

butter *adj* (~t, buttra) sullen, morose, surly [*mot* to, towards]

buxbom *s* **1** (~en, ~ar) bot. box **2** (~en) virke boxwood

BVC förk., se *barnavårdscentral*

B-vitamin *s* (~et el. ~en, ~er) vitamin B

1 by *s* (~n, ~ar) vindil squall, gust

2 by *s* (~n, ~ar) litet samhälle village; mindre hamlet

byalag *s* (~et, =) **1** hist. village community **2** i t.ex. stad local community

bybo *s* (~n, ~r) villager

byffé *s* (~n, ~er) se *buffé*

byfåne *s* (~n, -fånar) vard. village idiot

bygata *s* (~n, -gator) village street

bygd *s* (~en, ~er) bebyggd trakt inhabited area of the countryside; nejd district, countryside; *ute i ~erna* out in the country [districts]

bygdemål *s* (~et, =) country speech; dialekt dialect

bygel *s* (~n, byglar) ögla eyelet, loop; ring hoop, ring; på handväska frame, mounting; på hänglås shackle

bygelbehå *s* (~n, ~ar) underwired bra

bygellift *s* (~en, ~ar) skidsport. T-bar [lift]

bygg- se äv. sammansättn. med *byggnads-*

bygga I *vb tr* o. *vb itr* (byggde, byggt) allm. build äv. bildl.; anlägga, sammanfoga äv. construct; resa äv. erect; *det bygger* grundar sig *på...* it is founded (based, built) on...; *kraftigt byggd* solidly built; om person sturdy, powerfully built **II** med beton. part.

bygga för en öppning build (wall, block) up...

bygga in omge med väggar wall in; jfr *inbyggd*

bygga om rebuild, reconstruct, alter

bygga på ngt [*med ngt*] add [sth] to sth

bygga till utvidga enlarge

bygga upp uppföra erect, raise; friare build up; *~ upp ngt på nytt* rebuild (restore) sth

bygga ut enlarge, extend; förbättra develop

bygga över build over; täcka cover [in], roof over; jfr *överbyggd*

byggarbetare *s* (~n, =) building (construction) worker

byggarbetsplats *s* (~en, ~er) building (construction) site

byggbranschen *s* (best. sing.) the building trade

bygge *s* (~t, ~n) building [under construction]

byggherre *s* (~n, -herrar) ung. building proprietor, property developer

byggkloss *s* (~en, ~ar) building block (brick)

byggkostnader *s pl* building costs

bygglov *s* (~et, =) building permit, building licence (amer. license)

byggmaterial *s* (~et, =) building material[s pl.]

byggmästare *s* (~n, =) ledare av bygge [master] builder; entreprenör building contractor

byggnad *s* (~en, ~er) **1** hus building, edifice **2** huset *är under ~* ...is under (in course of) construction, ...is being built **3** byggnadssätt, struktur build, structure; *kroppens ~* the build (frame) of the body; *språkets ~* the structure of the language

byggnadsarbetare *s* (~n, =) m.fl. sammansättn., se *byggarbetare* m.fl. sammansättn.

byggnadsentreprenör *s* (~en, ~er) building contractor, builder

byggnadsförbud *s* (~et, =) building ban, ban on building

byggnadsindustri *s* (~n, ~er) building industry

byggnadsingenjör *s* (~en, ~er) constructional (structural) engineer

byggnadslov *s* (~et, =) building permit, building licence (amer. license)

byggnadsnämnd *s* (~en, ~er) local housing (building) committee

byggnadssnickare *s* (~n, =) carpenter, joiner

byggnadsstil *s* (~en, ~ar) style of architecture

byggnadsställning *s* (~en, ~ar) scaffold[ing]; amer. äv. staging

byggnadstillstånd *s* (~et, =) building permit, building licence (amer. license)

byggplats *s* (~en, ~er) tomt [building] site

byggsats *s* (~en, ~er) construction kit, do-it-yourself (förk. DIY) kit

byggvaruhus *s* (~et, =) DIY (förk. för do-it-yourself) store

byhåla *s* (~n, -hålor) vard. one-horse town

byig *adj* (~t) squally, gusty

byk *s* (~en, ~ar) åld. **1** tvätt wash; *han har en trasa med i den ~en* bildl. he has a finger in that pie too **2** tvättkläder laundry

byka *vb itr* (bykte, bykt) åld. wash

bylta *vb tr* (~de, ~t), *~ på ngn* muffle sb up

bylte *s* (~t, ~n) bundle, pack

bypassoperation *s* (~en, ~er) kir., i hjärtats kranskärl heart bypass surgery (operation)

byracka *s* (~n, -rackor) vard. mongrel, cur

byrå *s* (~n, ~er) **1** möbel chest of drawers; amer. äv. bureau **2** kontor, ämbetsverk office; avdelning division, department; speciellt amer. bureau

byråchef *s* (~en, ~er) inom statligt verk director, head of a division (department)

byrådirektör *s* (~en, ~er) inom statligt verk senior adminstrative officer

byråkrat *s* (~en, ~er) bureaucrat

byråkrati *s* (~n, ~er) **1** byråkratiskt system officialism; vard. red tape **2** ämbetsmannavälde o.d. bureaucracy, officialdom

byråkratisk *adj* (~t) bureaucratic; **~t krångel** el. **~a metoder** äv. red tape

byrålåda *s* (~n, -lådor) drawer

byråsekreterare *s* (~n, =) inom statligt verk assistant secretary, executive officer

bysantinsk *adj* (~t) Byzantine

byst *s* (~en, ~er) bust

bysthållare *s* (~n, =) brassiere

bystmått *s* (~et, =) chest (bust) measurements pl.

byta I *vb tr* (bytte, bytt) ömsa, skifta change; ömsesidigt exchange; vid byteshandel barter, trade; vard. swap [*mot* for]; **jag skulle inte vilja ~ med honom** I wouldn't like to change places with him; **~ bil** trade (turn) in one's old car for a new one; **~ [om]** change; **~ kläder** change one's clothes; **~ plats** flytta sig move; ömsesidigt change places (seats); **~ tåg** change trains; **han bytte sin kniv mot en klocka** he traded (bartered, swapped) his penknife for a watch
II med beton. part.
byta av relieve
byta bort exchange, barter, swap [*mot* for]
byta in t.ex. bil trade in [*mot* for]
byta om change
byta till sig (*sig till*) ngt get sth in exchange [*mot* for]
byta upp sig: **hon bytte upp sig till en nyare bil** she traded in her car for a newer model
byta ut exchange; **~ ut A mot B** exchange A for B, substitute B for A

1 byte *s* (~t, ~n) **1** utbyte exchange; vid byteshandel barter (båda endast sg.); **förlora på ~t** lose by the exchange **2** rov booty sg., plunder sg.; spoils pl., äv. bildl.; jakt. quarry sg.; rovdjurs el. bildl. prey sg.; **bli ett lätt ~ för ngn** fall an easy prey to sb

2 byte *s* (en, pl., =) data. byte

bytesbalans *s* (~en) balance of current payments, balance on current account

byteshandel *s* (~n) barter, exchange; **idka ~** barter

bytesobjekt *s* (~et, =) trade-in

bytesrätt *s* (~en), **varorna levereras med full ~** i kontrakt goods exchanged if [you are] not satisfied, formellt statutory rights not affected

bytta *s* (~n, byttor) tub, cask

byxa *s* (~n, byxor), **en ~** a pair of trousers osv., se *byxor*

byxben *s* (~et, =) trouser (amer. vanl. pants) leg

byxdress *s* (~en, ~ar el. ~er) trouser suit; speciellt amer. pantsuit

byxkjol *s* (~en, ~ar) culottes pl., divided skirt

byxknapp *s* (~en, ~ar) trouser (amer. vanl. pants) button

byxlinning *s* (~en, ~ar) waistband

byxor *s pl* ytter~, lång~ trousers, amer. vanl. pants; lättare fritidsbyxor slacks; **[ett par] nya ~** new (a new pair of) trousers

byxpress *s* (~en, ~ar) trouser press

1 båda *vb tr* (~de, ~t), **det ~r gott** it's a good omen; **det ~r inte gott** it's a bad omen

2 båda *pron* both; obeton., utbytbart mot 'de två' two; **~ [två] är...** both [of them] are (they are both)...; **~ bröderna** both [the] brothers; **~ delarna** both; **de ~ andra** the two others, the other two; **vi är ~...** we are both..., both (the two) of us are...; **en vän till oss ~** a mutual friend of ours

bådadera *pron* both

både *konj*, **~...och** both...and endast om två led; **~ och!** well, yes and no!, a bit of both!; **~ Frankrike och Tyskland** äv. France as well as Germany; **han är längre än ~ du och jag** he is taller than either you or I

båg *s* (~et) vard. deception, trickery, mischief; **ruffel och ~** se *ruffel*

båge *s* (~n, bågar) kroklinje curve; matem. el. elektr. arc; mus.: legato~ slur, pil~ bow; byggn. arch; glasögon~ frame; krocket~ hoop; vard., motorcykel motorbike; **spänna ~n** draw one's (bend the) bow; **spänna ~n för högt** bildl. aim too high; kräva för mycket make exaggerated demands; **gå i en vid ~** make a wide sweep

bågfil *s* (~en, ~ar) hacksaw

bågformig *adj* (~t) curved, arched

båglampa *s* (~n, -lampor) arc lamp

båglinje *s* (~n, ~r) curve, curvature

bågna *vb itr* (~de, ~t) böja sig, svikta bend; ge vika sag; bukta ut bulge

bågskytte *s* (~t) archery

båk *s* (~en, ~ar) sjömärke beacon

1 bål *s* (~en, ~ar) anat. trunk, body

2 bål *s* (~en, ~ar) skål bowl; dryck punch

3 bål *s* (~et, =) ved~, ris~ bonfire; lik~ [funeral] pyre; **brännas på ~** be burnt at the stake

bålgeting *s* (~en, ~ar) hornet

bålrullning *s* (~en, ~ar) gymn. trunk bending

bålskål *s* (~en, ~ar) punch bowl

bålverk *s* (~et, =) bulwark; bildl. äv. safeguard

bångstyrig *adj* (~t) unmanageable, unruly; om t.ex. häst restive

bår *s* (~en, ~ar) sjuk~ stretcher, litter; lik~ bier

bård *s* (~en, ~er) border; på t.ex. tyg edging

bårhus *s* (~et, =) mortuary; speciellt amer. morgue

bårtäcke *s* (~t, ~n) [funeral] pall, hearse cloth

bås *s* (~et, =) stall, crib; friare compartment; avskärmad plats booth; i t.ex. ishockey box, benches pl.

båt *s* (~en, ~ar) boat; större ship; **sitta i samma ~** bildl. be in the same boat; **resa med ~** go by boat

båtbrygga *s* (~n, -bryggor) landing-stage; lastbrygga whar|f (pl. -fs el. -ves)

båtflyktingar *s pl* boat people

båtförbindelse *s* (~n, ~r) boat connection

båthus *s* (~et, =) boathouse

båtluffa *vb itr* (~de, ~t) vard. go island hopping

båtmotor *s* (~n, ~er) boat (marine) engine

båtmössa *s* (~n, -mössor) forage cap

båtplats *s* (~en, ~er) för fritidsbåt berth

båtresa *s* (~n, -resor) [sea] voyage, voyage (trip) by boat; kryssning cruise

båtshake *s* (~n, -hakar) boathook

båtskatt *s* (~en, ~er) boat tax, tax on boats

båtsman *s* (~nen, -män) boatswain, bosun

båttur *s* (~en, ~er) boat trip (ride)

båtvarv *s* (~et, =) boatyard

bä *interj* baa!

bäck *s* (~en, ~ar) brook, rivulet; amer. äv. creek; poet. rill; **många ~ar små gör en stor å** ung. great oaks from little acorns grow

bäcken *s* (~et, =) **1** anat. pelvis (pl. pelves) **2** säng~ bedpan **3** geogr. basin **4** mus. cymbals pl.

bäckenben *s pl* anat. bones of the pelvis

bäckenbotten *s* (-bottnen el. =, -bottnar) anat. pelvic floor; vetensk. perineum

bädd s (~en, ~ar) allm. bed; tekn. bedding

bädda I vb tr o. vb itr (~de, ~t), ~ **sängen** make one's (the) bed; **det är ~t för succé** för mig, dig etc. I am (you are etc.) heading for [a] success; **som man ~r får man ligga** as you make (you've made) your bed, so you must lie on it **II** med beton. part.

bädda in ngn i filtar wrap sb up [in bed] in blankets; se äv. inbäddad

bädda ned put...to bed

bäddjacka s (~n, -jackor) o. **bäddkofta** s (~n, -koftor) bed jacket

bäddmadrass s (~en, ~er) overlay mattress

bäddning s (~en) bäddande bedmaking

bäddsoffa s (~n, -soffor) sofa bed, bed settee

bägare s (~n, =) cup; pokal goblet; kyrkl. chalice; laboratorie~ beaker; **det var droppen [som kom ~n att rinna över]** it was the last straw; vard. that put the lid on it

bägge pron se 2 båda

bälg s (~en, ~ar) bellows pl., äv. foto.; mus., **en** ~ a [pair of] bellows

bälga vb tr (~de, ~t), ~ **i sig** swill, gulp down

Bält, Stora (Lilla) ~ the Great (Little) Belt

bälta s (~n, bältor) zool. armadillo (pl. -s el. -es)

bältdjur s pl zool., familjenamn dasypodidae lat., dasypodids

bälte s (~t, ~n) belt; geogr. äv. zone; **ett slag under ~t** eg. el. bildl. a blow below the belt; **ge ett slag under ~t** eg. el. bildl. hit below the belt

bälteskudde s (~n, -kuddar) bilsits för barn [car] booster seat (cushion)

bältros s (~en) med. shingles sg., herpes zoster

bända vb itr (bände, bänt) bryta prize; ~ **loss** prize (pry)...loose; ~ **upp** prize (pry)...open

bänk s (~en, ~ar) allm. bench äv. i riksdagen, seat; kyrk~ pew; skol~ desk; teater~ o.d. row; arbets~ workbench; köks~ worktop; **första** ~ teat. the first row; **sista** ~ the back row

bänka vb rfl (~de, ~t), ~ **sig** seat oneself

bänkrad s (~en, ~er) row

bänkskiva s (~n, -skivor) i t.ex. kök worktop; amer. counter

bänkspis s (~en, ~ar) table-top cooker

bär s (~et, =) berry; för ätbara bär anv. vanl. namnet på resp. bär; **plocka** ~ pick (go picking) berries (lingon etc. lingonberries etc., jfr ovan); **lika som** ~ as like as two peas [in a pod]

bära I vb tr (bar, burit) allm. carry; bildl., speciellt i betydelsen 'hysa', uthärda bear; vara klädd i wear; ~ **frukt** äv. bildl. bear fruit; ~ **huvudet högt** carry one's head high; ~ **kostnaderna** bear (defray) the expenses; ~ **lidandet med tålamod** bear one's pain with patience; ~ **spår av...** bear traces of...; ~ **uniform** wear a uniform; ~ **vapen** vara soldat bear arms; **taket bärs av pelare** the roof is carried (supported) by pillars **II** vb itr (bar, burit) **1** bear; **isen bär inte** the ice won't hold; **det må** ~ **eller brista** it's sink or swim; ~ **på** en börda carry...; **han går och bär på något** bildl. there is something on his mind **2** om väg lead, go **III** vb rfl (bar, burit) ~ **sig a)** löna sig pay; **företaget bär sig** the business pays its way **b)** falla sig happen, come about; **det bar sig inte bättre än att han...** as ill luck would have it, he... **1** ~ **sig åt** se under bära IV **IV** med beton. part.

bära av opers., **vart bär det av?** vart ska du? where are you going [to]?

bära bort carry (take) away

bära emot: det bär mig emot att + inf. it goes against the grain for me to + inf.

bära fram eg. carry (bring, resp. take) [up]; budskap convey

bära in carry (bring, resp. take) in

bära ned tr. carry (bring, resp. take) down (nedför trappan downstairs)

bära på sig carry...about (have...on) one

bära upp a) eg. carry (bring, resp. take) up (uppför trappan upstairs) **b)** stödja carry, support; ~ **upp en föreställning** carry off a performance **c)** se elegant ut i carry off

bära ut carry (bring, resp. take) out; ~ **ut post** deliver the post (mail)

bära sig åt a) bete sig behave; ~ **sig illa (dumt) åt** behave badly (like a fool) **b)** gå till väga manage, set about it; **hur bär du dig åt för att** hålla dig så ung? how do you manage to...?; **hur jag än bär mig åt** whatever I do

bärare s (~n, =) carrier; av namn, kista, bår, standar m.m. bearer; stadsbud porter, amer. äv. redcap

bärbar adj (~t) portable; ~ **dator** laptop [computer]

bärbuske s (~n, -buskar) vinbärsbuske etc. (jfr bär); currant etc. bush

bärfis s (~en, ~ar) stinkfly sloebug

bärga I vb tr (~de, ~t) person el. bildl. save, rescue; sjö. salvage; bil tow; segel take in, down; hö, skörd etc. gather (garner) in **II** vb rfl (~de, ~t), ~ **sig** behärska sig contain oneself; ge sig till tåls wait

bärgning s (~en, ~ar) **1** sjö. salvage; av segel taking in; av hö harvest; **begära** ~ **av bilen** ask for the car to be towed **2** utkomst livelihood, subsistence

bärgningsbil s (~en, ~ar) breakdown truck (lorry); amer. wrecking truck, tow truck, wrecker; flyg. crash waggon

bärgningsbåt s (~en, ~ar) o. **bärgningsfartyg** s (~et, =) salvage vessel (ship)

bärighet s (~en) **1** sjö. carrying capacity; flytförmåga buoyancy **2** tekn. bearing capacity **3** ekon. financial (earning) capacity; räntabilitet profitableness **4** textil., dunblandnings tog rating

bäring s (~en, ~ar) bearing

bärkasse s (~n, -kassar) av plast el. papper carrier bag; amer., stor bag tote bag; av nät string (net) bag

bärkraft s (~en) eg. supporting capacity; fartygs buoyancy; flyg. lifting capacity; **ekonomisk** ~ financial strength

bärkraftig adj (~t) ...capable of sustaining weight, strong; om skäl o.d. convincing; ekonomiskt [economically] sound

bärnsten s (~en) miner. amber; halsband **av** ~ äv. amber...

bärplansbåt s (~en, ~ar) hydrofoil [boat], jet hydrofoil

bärrem s (~men, ~mar) strap

bärsele s (~n, -selar) baby (kiddy) carrier

bärstol s (~en, ~ar) palanquin; hist. sedan [chair]

bärsärk s (~en, ~ar) berserk

bärsärkagång s (~en), **gå** ~ go berserk, run amok

bäst I adj (superlativ) allm. best; utmärkt excellent, first-rate; hand., prima prime; **första ~a** se under första; **det blir** ~ **så** that will be best (the best thing); **det är**

~ att du går you had better go; *hon är ~ i klassen* [*i engelska*] she is the best in the class [in English]; *~ i test* ung. editor's choice; *det kan hända den ~a* that (it) can (could, may) happen to anybody; *endast det ~a är gott nog* only the best is good enough; *hoppas på det ~a* hope for the best; *i ~a fall* at [the] best
II *adv* best; *tycka ~ om* like…best, prefer; *hålla på som ~ med ngt* be just in the thick (midst) of sth; *han får klara sig ~ han kan* he must manage as best (manage the best way) he can
III *konj*, *~* [*som*] *han gick där* just as (while) he was walking along; *~* [*som*] *det var* all at once
bästa *s* (oböjl.) (jfr ex. under *bäst I*); good, benefit, advantage; welfare; *Det Bästa* tidskrift, motsv. Reader's Digest; *det allmänna ~* the public (common, general) good; *göra sitt* [*allra*] *~* do one's [very] best; *för* (*till*) *ngns ~* for sb's own good
bästföredatum *s* (~et, =) på matvaror best-before date; ibland sell-by date, use-by date
bästis *s* (~en, ~ar) vard. best pal (friend)
bättra I *vb tr* (~de, ~t) improve [upon]; brister, leverne äv. amend, mend; *~ på* t.ex. målningen touch up **II** *vb rfl* (~de, ~t), *~ sig* mend, improve; i sitt leverne amend, reform
bättre I *adj* (komparativ) better; absol.: om middag splendid, sumptuous; hygglig, om t.ex. hotell decent; *bli ~* allm. get (become) better; om sjuk el. vädret äv. improve; *ju förr desto ~* the sooner the better; *så mycket ~* so much (all) the better; *i brist på ~* in the absence (for want) of anything better **II** *adv* better; *ha det ~ ställt* be better off; *han förstår inte ~* he doesn't know better; *det hände sig inte ~ än att han…* as [ill] luck would have it, he…; *~ upp* [*än så*] vard. one better [than that]
bättring *s* (~en, ~ar) improvement; om hälsa äv. recovery
bättringsvägen *s* (best. sing.), *vara på ~* be recovering, be getting better, vard. be on the mend
bäva *vb itr* (~de, ~t) tremble äv. bildl. [*för* at [the] thought of]]; darra shake, quiver; rysa shudder, quail [*av* i samtliga fall with]
bävan *s* (=, en) dread, fear
bäver *s* (~n, bävrar) beaver
böckling *s* (~en, ~ar) smoked Baltic herring, buckling
bödel *s* (~n, bödlar) executioner, hangman; bildl. tormentor; tyrann butcher
bög *s* (~en, ~ar) homosexuell: vard. gay, queer; neds. poof, amer. fag
Böhmen Bohemia
böhmisk *adj* (~t) Bohemian
böj *s* (~en, ~ar) bend, curve
böja I *vb tr* (böjde, böjt) **1** kröka bend; bågformigt äv. curve; lemmarna äv. flex; sänka bow, incline; *~ huvudet* åt sidan bend one's head…; *~* [*på*] *huvudet* incline (bow) one's head **2** gram. inflect **II** *vb rfl* (böjde, böjt), *~ sig* bend down, stoop [down]; luta sig äv. lean; om saker, krökas bend; ge vika yield, give in, surrender [*för* i samtliga fall to]; *~ sig för* majoriteten bow to…; *~ sig över ngn* bend over sb
III med beton. part.
böja av: vägen *böjer av åt öster* …swings (turns) to the east
böja ned bend down; *~ sig ned efter ngt* bend down to pick up sth
böja till bend; förfärdiga make
böja sig ut [*genom* fönstret] lean out [of…]
böjd *adj* (böjt) **1** eg. bent, curved, bowed, jfr *böja*; om hållning stooping; *~ av ålder* bent with age; *~ näsa* hooked nose; *med böjt huvud* with bowed head **2** gram. inflected **3** benägen, hågad inclined, disposed; *jag är ~ att hålla med* I tend to agree, I'm inclined to agree
böjelse *s* (~n, ~r) inclination [*för* for]; benägenhet, håg äv. tendency [*för* to, towards]; tycke, kärlek äv. fancy, liking, affection; *perversa ~r* perverted inclinations
böjlig *adj* (~t) **1** om sak flexible, pliant **2** om röst flexible **3** smidig pliable, supple
böjlighet *s* (~en) flexibility, pliancy, suppleness; jfr *böjlig*
böjning *s* (~en, ~ar) **1** böjande bending osv., jfr *böja* **2** bukt, krok bend, curve; krökning, speciellt naturv. flexure, curvature **3** på huvudet bend, bow **4** gram. inflection; av verb conjugation
böjningsform *s* (~en, ~er) gram. inflected form
böjningsmönster *s* (-mönstret, =) gram. paradigm
böjningsändelse *s* (~n, ~r) gram. inflectional ending
böka *vb itr* (~de, ~t) root, rummage
bökig *adj* (~t) ostädad untidy; stökig upside-down; besvärlig tiresome, trying, awkward
böla *vb itr* (~de, ~t) råma low, moo; ilsket, t.ex. om tjur bellow; om t.ex. siren wail; vard., gråta howl
böld *s* (~en, ~er) boil; svårare abscess
böldpest *s* (~en) bubonic plague
bölja I *s* (~n, böljor) billow, wave **II** *vb itr* (~de, ~t) om hav o. sädesfält billow, wave, undulate; om hav äv. roll, swell; om folkhop o.d. surge; om hår flow
böljande *adj* (oböjl.) billowing osv., jfr *bölja II*; om hav äv. billowy; om hår äv. waving, wavy
bön *s* (~en, ~er) **1** enträgen appeal, entreaty, plea; ödmjuk supplication [*om* i samtliga fall for]; *rikta en ~ till ngn* make an appeal to sb, appeal to sb **2** relig. prayer; *Herrens ~* the Lord's Prayer
1 böna *vb itr* (~de, ~t), *~ och be* beg and plead; *~ för ngn* plead for sb
2 böna *s* (~n, bönor) **1** bot. bean **2** flicka, vard., ngt åld. bird, chick
bönbok *s* (~en, -böcker) prayer book; katol. breviary
bönemöte *s* (~t, ~n) prayer meeting
bönfalla *vb tr* o. *vb itr* (-föll, -fallit) plead; högtidl. supplicate [*om* for]; *~ ngn om ngt* beseech (entreat, implore) sb for sth, appeal to sb for sth
böngrodd *s* (~en, ~ar) bot. el. kok. bean sprout
bönhöra *vb tr* (-hörde, -hört), *~ ngn* grant (hear) sb's prayer; *han blev bönhörd* he had his request granted; av Gud his prayer was granted
bönsöndag *s* (~en, ~ar) hist., *~en* Rogation Sunday
böra *hjälpvb* (borde, bort) **1** uttr. plikt, råd m.m. a) *bör, borde* särsk. uttr. plikt el. moralisk skyldighet ought to; uttr. råd, hövlig anmodan el. lämplighet should; *man bör inte prata* med munnen full you should not (starkare ought not to) talk…; *som sig bör* i sin ordning as it ought to (should) be, as is [meet and] proper; *du borde gå till en läkare* you should see a doctor b) *böra, bort* omskrivs: *han hade bort lyda* (*borde ha lytt*) he ought to have obeyed **2** uttr. förmodan: *hon bör måste vara 17 år* she must be 17; *han bör* torde *vara framme nu* he should be there by now; när var det? *det bör ha varit*

vid fyratiden …it would be (would have been) about four o'clock

börd *s* (~en) birth; härkomst äv. descent, ancestry, lineage; *av* [*ädel*] ~ of noble descent (lineage); *till* *~en* by birth

börda *s* (~n, bördor) burden, load båda äv. bildl.; *digna* *under ~n* äv. bildl. succumb under the load

1 bördig *adj* (~t) härstammande, *han är ~ från…* he was born in…, he is a native of…

2 bördig *adj* (~t) fruktbar fertile, fruitful

bördighet *s* (~en) fertility, fruitfulness

börja *vb tr* o. *vb itr* (~de, ~t) allm. begin, start; högtidl. commence; ta itu med set about [*arbeta* working]; inleda, påbörja äv. institute, initiate; ~ [*att*] + inf. begin (etc.) to + inf.; spec. om avsiktlig handling el. vid opers. vb äv. begin (etc.), + ing-form; ~ *dricka* supa begin (take to) drinking; vard. take to the bottle; ~ *motionera* take up exercise; *det ~r bli mörkt* (*kallt*) it is getting dark (cold); ~ *om* [*från början*] start afresh, start [all over] again; *till att ~ med* to begin (start) with; först […men] at first; ~ *på ngt* start on (t.ex. ett arbete set about) sth; ordet *~r på h* …begins with an h

början *s* (=, en) allm. beginning, start; högtidl. commencement; inledning äv. opening; ursprung, första ~ origin; [*den första*] ~ *till* the first (early) beginnings pl. of; *det är alltid en* ~ it is always something to start with; *ta sin* ~ begin, commence; *från* ~ *till slut* from beginning to end, from start to finish; om bok from cover to cover; [*redan*] *från* [*första*] ~ from the [very] beginning (start, outset); *i* (*till en*) ~ at the beginning (start, outset); till att börja med for a start; först […men] at first; *i* ~ *av maj* at the beginning of May, in early May; *i* ~ *av året* in the early (first) part of the year, early in the year; *i* ~ *av sextiotalet* in the early sixties; *med* ~ den 1 maj starting…

börs *s* **1** (~en, ~ar) portmonnä purse; amer. change purse **2** (~en, ~er) hand. exchange; fondbörs stock exchange; *på ~en* on the Exchange; i börshuset at (in) the Exchange

börsfall *s* (~et, =) ekon. fall on the stock market

börskrasch *s* (~en, ~er) stock market crash

börskurs *s* (~en, ~er) stock-exchange quotation (price)

börsmäklare *s* (~n, =) stockbroker

börsnoterad *adj* (-noterat, ~e) …quoted (listed) on the stock exchange

börsnotering *s* (~en, ~ar) stock-exchange quotation

börsspekulation *s* (~en, ~er) speculation on the stock exchange

börsuppgång *s* (~en, ~ar) rise on the stock market

bössa *s* (~n, bössor) **1** gevär gun; hagel~ shotgun; räfflad rifle **2** spar~ money box; insamlings~ collection box

bösskolv *s* (~en, ~ar) butt-end of a (resp. the) gun (rifle)

bösspipa *s* (~n, -pipor) gunbarrel

böta I *vb itr* (~de, ~t) pay a fine, be fined **II** *vb tr* (~de, ~t), *få ~ 500 kronor* be fined 500 kronor

böter *s pl* fine sg.; *döma ngn till 500 kronors ~* fine sb 500 kronor

bötesbelopp *s* (~et, =) fine

böteslapp *s* (~en, ~ar) för felparkering parking ticket; för fortkörning speeding ticket

bötesstraff *s* (~et, =) fine, penalty

bötfälla *vb tr* (-fällde, -fällt), ~ *ngn* fine sb, impose a fine on sb

C c

c *s* (c:et, c:n el. c) **1** bokstav c [utt. si:] **2** mus. C
ca (förk. för *cirka*) c, ca, approx., se äv. *cirka*
cabriolet *s* (~en, ~er) bil convertible
café *s* (~et, ~er) café
cafeteria *s* (~n, cafeterior) cafeteria
calmettevaccination *s* (~en, ~er) BCG (förk. för
  Bacillus Calmette-Guérin) vaccination
campa *vb itr* (~de, ~t) allm. go camping, camp; med
  husvagn caravan, amer. camp in a trailer
campare *s* (~n, =) allm. camper; med husvagn
  caravanner, amer. person vacationing in a trailer
camping *s* (~en) camping; med husvagn caravanning,
  amer. trailing, jfr äv. *campingplats*
campingplats *s* (~en, ~er) camping ground (site),
  amer. campground; för husvagnar caravan site, amer.
  trailer camp
campylobacter *s* (oböjl.) med. campylobacter
Canada Canada
cancer *s* (~n, cancrar) cancer
cancerframkallande *adj* (oböjl.) med. carcinogenic; ~
  ämne carcinogen; *det är* ~ vanl. it causes cancer
cancerprov *s* (~et, = el. ~er) undersökning cancer
  screening test; vävnad o.d. cancer test
cancertumör *s* (~en, ~er) cancerous tumour
cannabis *s* (~en) bot. el. narkotika cannabis
cape *s* (~n, ~r) plagg cape
Capitolium the Capitol
cardigan *s* (~en, ~er) cardigan
carport *s* (~en, ~ar) carport
cateringfirma *s* (~n, -firmor) catering firm
cayennepeppar *s* (~n) cayenne pepper
cd *s* **1** (cd:n, cd:ar el. = el. cd-skivor) cd-skiva CD (förk. för
  compact disc), compact disc; *finns den på* ~? do you
  have it on CD? **2** (cd:n, cd-spelare) cd-spelare CD
  (compact disc) player
cd-brännare *s* (~n, =) data. CD recorder (writer)
cd-läsare *s* (~n, =) data. CD drive
cd-rom *s* (~men, = el. ~mer) data. CD-ROM (förk. för
  compact disc read-only memory)
cd-skiva *s* (~n, -skivor) CD (förk. för compact disc),
  compact disc
cd-spelare *s* (~n, =) CD (compact disc) player
C-dur *s* (oböjl.) mus. C major
ceder *s* (~n, cedrar) **1** träd cedar **2** virke cedarwood;
  skrin *av* ~ äv. cedar[wood]...
cederträ *s* (~et) cedarwood
cedilj *s* (~en, ~er) språkv. cedilla
celeber *adj* (~t, celebra) distinguished, celebrated
celebrera *vb tr* (~de, ~t) celebrate
celebritet *s* (~en, ~er) celebrity
celiaki *s* (~n) med. coeliac (amer. celiac) disease
celibat *s* (~et) celibacy; *leva i* ~ be a celibate, live a
  celibate life
cell *s* (~en, ~er) cell
celldelning *s* (~en, ~ar) biol. cell division
cellgift *s* (~et, ~er) med. cytotoxin, cytotoxic drug
cellgiftsbehandling *s* (~en, ~ar) med. cytotoxic
  treatment, chemotherapy

cellist *s* (~en, ~er) cellist
cello *s* (~n, ~r el. celli) cello (pl. -s)
cellofan® *s* (~en el. ~et) Cellophane
cellprov *s* (~et, = el. ~er) med., cancerprov från
  livmoderhalsen smear test, cervical smear, Pap smear
  test
cellskräck *s* (~en) psykol. claustrophobia äv. friare
celluloid *s* (~en) celluloid
cellulosa *s* (~n) cellulose; pappersmassa wood pulp
cellvägg *s* (~en, ~ar) biol. cell-wall
Celsius, 30 grader ~ (30°C) 30 degrees Celsius (30°
  C)
cembalo *s* (~n, ~r) mus. harpsichord
cement *s* (~en el. ~et) cement äv. tandläk.
cementera *vb tr* (~de, ~t) cement äv. tandläk.
cendré *adj* (oböjl.) o. **cendréfärgad** *adj* (-färgat, ~e)
  om hår o. person ash-blond; om kvinna ash-blonde
censor *s* (~n, ~er) censor
censur *s* (~en) censorship [*av* over, upon]; *öppnat av*
  ~en opened by [the] censor
censurera *vb tr* (~de, ~t) censor
cent *s* (~en, =) myntenhet cent
center *s* (~n, centrar) **1** centre; amer. center **2** *~n* polit.,
  centerpartiet the Centre Party
centerbord *s* (~et, =) sjö. centreboard
Centerpartiet i Sverige the Centre Party
centigram *s* (~met, =) centigram[me]
centiliter *s* (~n, = el. -litrar) centilitre
centilong *s* (oböjl.) height code, unit for children's clothes
  based on height in centimetres
centimeter *s* (~n, = el. -metrar) centimetre
central I *s* (~en, ~er) hand. central agency (office),
  headquarters (vanl. pl.); friare centre; järnvägsstation
  central station; tele. exchange **II** *adj* (~t) central; *det*
  ~a väsentliga *i...* the essential thing about..., the core
  of...
Centralafrikanska Republiken the Central African
  Republic
centralantenn *s* (~en, ~er) communal aerial
  [system], communal antenna system
centralbank *s* (~en, ~er) central bank
centraldirigering *s* (~en) centralized control
centralförvaltning *s* (~en, ~ar) central
  administration
centralisera *vb tr* (~de, ~t) centralize
centralisering *s* (~en, ~ar) centralization
centrallås *s* (~et, =) på bil central locking
centralort *s* (~en, ~er) chief town [in the (resp. a)
  municipality]
centralstation *s* (~en, ~er) central station
centralstimulerande *adj* (oböjl.), ~ *medel* drug that
  stimulates the central nervous system
centralstyrd *adj* (-styrt) centrally controlled
  (managed)
centralt *adv*, ~ *belägen* centrally situated; *vi bor* ~ we
  live in the centre
centralvärme *s* (~n) central heating
centrera *vb tr* (~de, ~t) centre äv. tekn. el. bildl.,
  place...in the centre
centrifug *s* (~en, ~er) tekn. centrifuge; tvätt~
  spin-drier
centrifugalkraft *s* (~en) centrifugal force
centrifugera *vb tr* (~de, ~t) tekn. centrifugalize; tvätt
  spin-dry
centrum *s* (~et, = el. centra) centre; amer. center;

stads~, amer. äv. downtown (endast sg.); vetensk. centrum (pl. centrums el. centra), focus (pl. focuses el. foci); **stå i ~ för intresset** be the centre of attention

cerat s (~et, =) lipsalve; amer. chapstick

cerebral adj (~t) fysiol. cerebral

ceremoni s (~n, ~er) ceremony; **utan [vidare] ~er** without [any] ceremony

ceremoniel s (~et, =) ceremonial

ceremoniell adj (~t) ceremonial; ceremoniös ceremonious

ceremonimästare s (~n, =) master of ceremonies (förk. MC)

cerise I adj (oböjl.) cerise **II** s (oböjl.) cerise

certifikat s (~et, =) certificate

Cesar som kejsarnamn Caesar

cesium s (~et el. cesiet el. =) kem. caesium, amer. cesium

cess s (~et, =) mus. C flat

Ceylon hist. Ceylon

champagne s (~n, ~r) champagne

champinjon s (~en, ~er) [field (meadow)] mushroom, champignon

champion s (~en, ~s) champion

chans s (~en, ~er) chance; utsikt äv. prospect; gynnsamt tillfälle äv. opportunity [till i samtliga fall of], opening [till for]; **nu har du en ~!** now's your chance!; **han har goda ~er** his chances are good; **inte en ~** vard. not an earthly [chance]; **ta ~en** take one's chance

chansa vb itr (~de, ~t) take a chance, chance it

chansartad adj (-artat, ~e) hazardous, chancy; riskabel äv. risky; slumpartad random...

chanslös adj (~t), **han är ~** he doesn't stand a chance

chansning s (~en, ~ar), **det var bara en ~** it was just a long shot (a shot in the dark)

charad s (~en, ~er), **[levande] ~** charade

charkdisk s (~en, ~ar) cooked meats counter, delicatessen counter

charkuterist s (~en, ~er) pork butcher, provision dealer

charkuterivaror s pl cured (cooked) meats and provisions, delicatessen

charlatan s (~en, ~er) charlatan, quack

charm s (~en) charm, attractiveness

charma vb tr (~de, ~t) charm

charmant adj (=) delightful, charming

charmerad adj (charmerat, ~e) charmed [av ngt with...]

charmfull adj (~t) o. **charmig** adj (~t) charming, captivating

charmkurs s (~en, ~er) charm course; **gå en ~** go on a charm course

charmlös adj (~t) charmless

charmoffensiv s (~en, ~er), **starta en ~** turn on the charm; **starta en ~ mot ngn** try to win over sb, try to charm sb

charmtroll s (~et, =) vard. bundle of charm, charmer

charmör s (~en, ~er) charmer

charterflyg s (~et, =) flygning charter flight; verksamhet chartered air service

charterresa s (~n, -resor) charter trip (tour)

charterresenär s (~en, ~er) charter tourist

chartra vb tr (~de, ~t) charter

chassi s (~t el. ~et, ~en el.~er) chassis (pl. lika)

chatta vb itr (~de, ~t) data. chat

chattrum s (~met, =) data. chat roomc

chaufför s (~en, ~er) driver; privat~ chauffeur

chauvinist s (~en, ~er) chauvinist

chauvinistisk adj (~t) chauvinistic, jingoistic

check s (~en, ~ar el. ~er) cheque, amer. check [på belopp for...]; **betala med [en] ~** pay by cheque

checka I vb tr (~de, ~t) vard., kontrollera check **II** vb itr (~de, ~t), **~ in** flyg. el. på hotell check in, på hotell äv. register; **~ ut** från hotell check out, pay the bill

checkbedrägeri s (~et, ~er) cheque (amer. check) forgery (fraud)

checkhäfte s (~t, ~n) cheque book, amer. checkbook

checkkonto s (~t, ~n) cheque account, amer. checking account

checklista s (~n, -listor) checklist

chef s (~en, ~er) head [för of]; firmas äv. principal; arbetsgivare employer; mil.: för stab chief; för förband commander; sjö. captain; **han är min ~** överordnade he is my superior (vard. boss)

chefredaktör s (~en, ~er) chief editor, editor-in-chief (pl. editors-in-chief)

chefsrekrytering s (~en, ~ar) vard. head-hunting

chefstjänsteman s (~nen, -män) leading civil servant

chevaleresk adj (~t) chivalrous

cheviot s (~en, ~er) tyg serge

chevreau s (~n) läder kid

chic adj (~t) chic, stylish

chiffer s (chiffret, =) cipher, code; kryptogram cryptograph; **knäcka ett ~** break a code

chiffong s (~en, ~er) tyg chiffon fr.

chiffonjé s (~n, ~er) escritoire, secretaire

chikanera vb tr (~de, ~t) förolämpa insult; skämma ut disgrace

Chile Chile

chilen s (~en, ~er) o. **chilenare** s (~n, =) Chilean

chilensk adj (~t) Chilean

chilenska s (~n, chilenskor) kvinna Chilean woman

chilipeppar s (~n) chilli, chili (båda pl. -es)

chilisås s (~en, ~er) chilli (chili) sauce

chimär s (~en, ~er) chimera äv. bot.

chinchilla s (~n, chinchillor) djur el. skinn chinchilla

chintz s (~en) tyg chintz

chips s (~et, =) **1** data. chip **2** kok., pl. crisps, amer. chips

chock s (~en, ~er) **1** stöt, nervchock shock **2** mil., **göra ~ mot** charge [down on]

chocka vb tr (~de, ~t) shock; **bli ~d** get a shock

chockbehandling s (~en, ~ar) shock treatment (therapy)

chockera vb tr (~de, ~t) shock; **bli ~d över ngt** be shocked at (by) sth

chockerande adj (oböjl.) shocking

chockhöjning s (~en, ~ar), **[en] ~ av priserna** a drastic rise in prices

chockskadad adj (-skadat, ~e), **bli ~** get a shock

chocktillstånd s (~et, =) state of shock

chockupplevelse s (~n, ~r) traumatic experience

choka vb itr (~de, ~t) motor. use the choke

choke s (~n, chokar) choke

choklad s (~en, ~er) chocolate; **mörk ~** plain (amer. dark) chocolate; **vit ~** white chocolate; **en kopp ~** a cup of cocoa (finare sort chocolate); **en ask ~** praliner a box of [assorted] chocolates

chokladask s (~en, ~ar) med praliner box of chocolates; tom chocolate box

chokladbit *s* (~en, ~ar) pralin chocolate; med krämfyllning chocolate cream

chokladfabrik *s* (~en, ~er) chocolate factory

chokladkaka *s* (~n, -kakor) kaka choklad bar of chocolate; större, gräddad chocolate cake; småkaka chocolate biscuit (amer. cookie)

chokladpralin *s* (~en, ~er) se *chokladbit*

chokladsås *s* (~en, ~er) chocolate sauce

chorizo *s* (~n, ~r el. ~er) kok. chorizo

chosefri *adj* (-fritt) natural, unaffected, unsophisticated

choser *s pl* affectation sg.

chosig *adj* (~t) affected

chuck *s* (~en, ~ar) tekn. chuck

ciceron *s* (~en, ~er) cicerone (pl. cicerones el. ciceroni), guide

cider *s* (~n) cider

cif *adv* hand. c.i.f. (förk. för cost, insurance, freight)

cigarett *s* (~en, ~er) cigarette; vard. fag, ciggy

cigarettui *s* (~et, ~n el. ~er) cigarette case

cigarettfimp *s* (~en, ~ar) cigarette end, cigarette butt; vard. fag end

cigarettlimpa *s* (~n, -limpor) carton of cigarettes

cigarettmunstycke *s* (~t, ~n) löst cigarette holder

cigarettpaket *s* (~et, =) med innehåll packet (amer. pack) of cigarettes

cigarettpapper *s* (~et el. -pappret, =) cigarette paper

cigarettändare *s* (~n, =) lighter

cigarill *s* (~en, ~er) cheroot, cigarillo; amer. äv. stogie

cigarr *s* (~en, ~er) cigar

cigarrcigarett *s* (~en, ~er) se *cigarill*

cigarrett *s* (~en, ~er) med sammansättn., se *cigarett* med sammansättn.

cigarrlåda *s* (~n, -lådor) tom cigar box; låda cigarrer box of cigars

cigarrsnoppare *s* (~n, =) cigar-cutter

cigg *s* (~en, = el. ~ar) vard. fag, ciggy

cikada *s* (~n, cikador) zool. cicada, cicala

cikoria *s* (~n) bot. chicory

cirka *adv* about, roughly, se vidare *ungefär I*; speciellt vid årtal circa lat. (förk. c[a].)

cirkapris *s* (~et, = el. ~er) hand. recommended retail price

cirkel *s* (~n, cirklar) geom. circle äv. friare; *rubba ngns cirklar* put sb out, upset sb's calculations; *vi rör oss i ~* we are going round in circles

cirkelbevis *s* (~et, =), *göra ett ~* argue (reason) in a circle

cirkelformig *adj* (~t) circular

cirkelrund *adj* (-runt) circular

cirkelsåg *s* (~en, ~ar) circular saw

cirkelträning *s* (~en) sport. circuit training

cirkla *vb itr* (~de, ~t) kretsa circle

cirkulation *s* (~en, ~er) circulation

cirkulationsrubbning *s* (~en, ~ar) med. circulatory disturbance

cirkulera *vb itr* (~de, ~t) circulate, go round; *~!* tillsägelse av t.ex. polis move on!; *låta ~* circulate, send round

cirkulär I *s* (~et, =) circular **II** *adj* (~t) circular

cirkumflex *s* (~et, ~er) språkv. circumflex

cirkus *s* (~en, ~ar) circus; *det var full ~* villervalla it was chaotic, everything was upside-down; *rena ~en* löjlig tillställning a proper circus (farce)

cirkusartist *s* (~en, ~er) circus performer

cirkusdirektör *s* (~en, ~er) circus manager

cirkusnummer *s* (-numret, =) circus act

cirrusmoln *s* (~et, =) meteor. cirr|us (pl. -i)

ciselera *vb tr* (~de, ~t) tekn. chase

ciselör *s* (~en, ~er) tekn. chaser

ciss *s* (~et, =) mus. C sharp

ciss-moll *s* (oböjl.) mus. C sharp minor

cistern *s* (~en, ~er) för t.ex. olja tank; för vatten cistern

citat *s* (~et, =) quotation; *han sa ~ 'vi ger aldrig upp' slut ~* he said, quote,...,unquote

citationstecken *s* (-tecknet, =) o. **citattecken** *s* (-tecknet, =) quotation mark; i pl. äv. quotes, inverted commas; *inom ~* within quotes (quotation marks)

citera *vb tr* (~de, ~t) quote; anföra som exempel cite; skrift, författare äv. quote from; han sa, *jag ~r* 'vi ger aldrig upp' ..., quote...

citron *s* (~en, ~er) lemon

citrongräs *s* (~et) bot. el. kok. lemon grass

citrongul *adj* (~t) lemon-yellow; attr. äv. lemon

citronmeliss *s* (~en) bot. lemon (garden, sweet) balm

citronpeppar *s* (~n) lemon pepper

citronpress *s* (~en, ~ar) lemon squeezer, amer. reamer

citronsaft *s* (~en, ~er) lemon juice (sockrad, för spädning squash); amer. äv. lemonade

citronskal *s* (~et, =) lemon peel

citronskiva *s* (~n, -skivor) slice of lemon, lemon slice

citrusfrukt *s* (~en, ~er) citrus fruit

citruspress *s* (~en, ~ar) lemon squeezer, amer. reamer

cittra *s* (~n, cittror) mus. zither

city *s* (~t el. =, ~n) [affärs]centrum [business and shopping] centre, amer. downtown (endast sg.)

civil I *adj* (~t) civil; mots. militär civilian; *i ~a kläder* se *civilklädd*; *~t motstånd* el. *~ olydnad* civil disobedience; *~ polisbil* unmarked police car **II** *s* (en ~, pl. ~a), *de ~* the civilians; *i det ~a* in civilian life

civilbefolkning *s* (~en) civilian population

civilekonom *s* (~en, ~er) graduate from a [Scandinavian] School of Economics; eng. motsv. ung. Bachelor of Science (Economics); amer. motsv. ung. Master of Business Administration; mera allmänt economist

civilförsvar *s* (~et) civil defence (amer. defense)

civilingenjör *s* (~en, ~er) mera allmänt engineer

civilisation *s* (~en, ~er), *~[en]* civilization

civilisera *vb tr* (~de, ~t) civilize

civilist *s* (~en, ~er) civilian

civilklädd *adj* (-klätt) ...in plain (civilian) clothes; vard. in civvies; *en ~ polis* a plain-clothes policeman

civilkurage *s* (~t) moral courage; *visa ~* äv. have the courage of one's beliefs

civilmål *s* (~et, =) civil case (suit)

civil- och bostadsminister *s* (~n, -ministrar) i Sverige Minister for Public Administration and Housing

civilrätt *s* (~en) civil law

civilstånd *s* (~et, =) marital (civil) status

cleara *vb tr* (~de, ~t) clear

clearing *s* (~en) clearing

clematis *s* (~en, = el. ~ar) bot. clematis

clementin *s* (~en, ~er) clementine

clinch *s* (~en), *gå i ~* boxn. go (fall) into a clinch äv. friare

clips *s* (~et, =) öron~ earclip; dräktspänne e.d. clip

clitoris s (oböjl., en) anat. clitoris
clown s (~en, ~er) clown
c-moll s (oböjl.) mus. C minor
c/o på brev care of, c/o
Coca-Cola® s (~n, -color) Coca-Cola®
cockerspaniel s (~n, ~ar el. ~s) cocker spaniel
cockpit s (~en, ~er) flyg. cockpit
cocktail s (~en, ~ar) cocktail
cocktailbar s (~en, ~er) cocktail lounge
cocktailbär s (~et, =) maraschino cherry
cocktailparty s (~t, ~n) cocktail party
cognac s (~en) brandy; äkta, finare cognac
collage s (~t, =) konst. collage
collegetröja s (~n, -tröjor) sweatshirt
collie s (~n, ~r) collie
collier s (~n el. ~en, ~er) necklace
Colombia Colombia
colombian s (~en, ~er) Colombian
colombiansk adj (~t) Colombian
comeback s (~en, ~er) reappearance; **göra ~** make a
comeback
container s (~n, containrar) för frakt container; för
avfall skip, amer. Dumpster®
containerfartyg s (~et, =) container vessel (ship)
Cooköarna the Cook Islands
cool adj (~t) vard. cool, awesome
copyright s (~en) copyright
cornflakes s pl cornflakes
cortison s (~et) med. cortisone
Costa Rica Costa Rica
costarikansk adj (~t) Costa Rican
countrymusik s (~en) country
(country-and-western) music
courtage s (~t) ekon. brokerage
couscous s (~en) kok. couscous
cover s (~n, = el. ~s) o. **coverversion** s (~en, ~er) mus.
cover [version]
cowboyfilm s (~en, ~er) cowboy film (movie),
Western
cp s (oböjl.) (förk. för *cerebral pares*) med. cerebral
palsy
cp-skadad adj (-skadat, ~e) med., **vara ~** suffer from
cerebral palsy
crack s (oböjl.) slags narkotika crack
crawl s (~en) simn. crawl [stroke]
crawla vb itr (~de, ~t) simn. do the crawl, crawl
crème fraiche s (~n) crème fraiche fr., slightly
soured thick cream
crêpe s **1** (~n, ~s) kok. crepe **2** (~n) textil. crepe
crescendo I s (~t, ~n) crescend|o (pl. -os el. -i) it.
II adv crescendo it.
cricket s (~en) cricket
cricketspelare s (~n, =) cricketer
crostini s pl crostini
C-språk s (~et, =) skol. third foreign language
cup s (~en, ~er) sport. cup
cupfinal s (~en, ~er) cup final
cupmatch s (~en, ~er) cup tie, cup match
curling s (~en) curling
curry s (~n) curry [powder]; maträtt curry; **kyckling i
~** curried chicken
CV s (CV:n, CV:ar) meritförteckning CV, curriculum
vitae (pl. curriculae vitae), amer. äv. resumé

C-vitamin s (~et el. ~en, ~er) vitamin C
cyanid s (~en, ~er) kem. cyanide
cyankalium s (-kaliet el. = el. ~et) kem. potassium
cyanide
cyberkriminalitet s (~en) data. cybercrime
cyberpunk s (~en) mus. cyberpunk
cyberrymd s (~en) o. **cyberspace** s (oböjl.) data.
cyberspace
cykel s **1** (~n, cyklar) fordon bicycle, cycle, vard. bike;
mots. motor~ pedal bike; **åka ~** se *cykla* 1 **2** (~n, cykler)
serie cycle
cykelaffär s (~en, ~er) [bi]cycle (vard. bike) shop
(amer. store)
cykelbana s (~n, -banor) väg cycle lane, amer. bicycle
(vard. bike) lane; tävlingsbana cycle-racing track
cykelbyxor s pl cycling (vard. biking) shorts
cykelcape s (~n, ~r) regnplagg cycle (cycling) cape;
amer. äv. bike poncho
cykeldäck s (~et, =) cycle tyre (amer. tire)
cykelhjälm s (~en, ~ar) bicycle (vard. bike) helmet,
safety helmet
cykelkorg s (~en, ~ar) handlebar basket
cykelkärra s (~n, -kärror) [bi]cycle (vard. bike) cart
cykelled s (~en, ~er) cycleway; amer. äv. bikepath
cykellopp s (~et, =) bicycle (vard. bike) race
cykellykta s (~n, -lyktor) bicycle (vard. bike) lamp
cykellås s (~et, =) [bi]cycle (vard. bike) lock
cykelpump s (~en, ~ar) bicycle pump
cykelreparatör s (~en, ~er) [bi]cycle (vard. bike)
repairer (repairman)
cykelsport s (~en, ~er) cycling; vard. biking
cykelställ s (~et, =) bicycle (vard. bike) stand
cykelstöld s (~en, ~er) [bi]cycle (vard. bike) theft
cykeltur s (~en, ~er) längre cycling (vard. biking) tour;
kortare bicycle (vard. bike) ride
cykeltävling s (~en, ~ar) bicycle (vard. bike) race
cykelverkstad s (~en, -städer) bicycle (vard. bike)
repair shop
cykelväska s (~n, -väskor) pannier
cykelåkning s (~en) cycling; vard. biking
cykla vb itr (~de, ~t) **1** cycle; vard. bike; ride a
bicycle (vard. bike); göra en cykeltur go cycling **2** vard.,
nu är du [allt] ute och ~r you're talking through your
hat, you don't know what you're talking about
cyklamen s (=, en, =) bot. cyclamen
cykling s (~en) cycling; vard. biking
cyklist s (~en, ~er) cyclist
cyklon s (~en, ~er) meteor. cyclone; lågtrycksområde äv.
depression
cyklopöga s (~t, -ögon) för dykare diving-mask
cylinder s (~n, cylindrar) tekn. cylinder
cylindrisk adj (~t) cylindrical
cymbal s (~en, ~er) mus. cymbal
cyniker s (~n, =) cynic; friare coarse-minded person
cynisk adj (~t) cynical; rå coarse; skamlös shameless;
fräck impudent
cynism s (~en, ~er) cynicism, coarseness,
shamelessness, impudence (samtliga endast sg.); jfr
cynisk; **en ~** a piece of cynicism osv.
Cypern Cyprus
cypress s (~en, ~er) bot. cypress
cypriot s (~en, ~er) Cypriot, Cyprian
cypriotisk adj (~t) Cypriot, Cyprian

cypriotiska *s* (~n, cypriotiskor) kvinna Cypriot woman
cysta *s* (~n, cystor) med. cyst
cytologisk *adj* (~t) cytological
cytostatika *s pl* farmakol. cytostatics, anti-cancer
drugs

D d

d *s* (d:et, d:n el. d) **1** bokstav d [utt. di:] **2** mus. D
dabba *vb rfl* (~de, ~t), *~ sig* begå ett misstag make a
blunder; trampa i klaveret put one's foot in it
dacapo I *s* (~t, ~n) encore fr. **II** *adv* once more; mus.
da capo it.
dadda vard. **I** *s* (~n, daddor) barnsköterska nanny; amer.
nurse **II** *vb tr* o. *vb itr* (~de, ~t), *~ [med] ngn* treat sb
like a child
dadel *s* (~n, dadlar) date
dadelpalm *s* (~en, ~er) date palm
dag *s* (dagen (vard. dan), dagar (vard.dar)) **1** allm. day;
utan föreg. prep.: **a)** i obest. form: *~ och natt* night and
day; *~ ut och ~ in* day in, day out; day after day; *~
efter ~* el. *~ för ~* se under *dag 2*; *en [vacker] ~* viss dag
b) avseende förfluten tid one [fine] day
c) avseende framtid some (one) [fine] day, one of these
[fine] days; *din ~ kommer nog* your day (time) will
come [, don't worry]; *följande ~* se *dagen därpå*
under *dag 1 d)* nedan; *god ~!* good morning (resp.
afternoon, evening)!; vard. hallo!, hello!; vid
presentation how do you do?; *ha en bra ~!* have a nice
day!; *det kommer en ~ i morgon också* tomorrow is
another day; *redan samma ~* [on] the very same
day; *fjorton ~ar* a fortnight; *flydda (svunna) ~ar* days
gone by; *åtta ~ar* a week; *sluta sina ~ar* end one's
days; *våra ~ars* Stockholm the...of today,
present-day...
d) i best. form: *~ens rätt* på matsedel today's special;
~ens tidning today's (om förfluten tid the day's) paper;
~en därpå (följande ~) reste han he left [on] the
following day, he left [the] next day (the day
after); *vara ~en efter* have a hangover, feel like the
morning after [the night before]; *~en före hade han
rest* he had left the preceding day (the day before);
han reste ~en före valet he left [on] the day before
(on the eve of) the election; *hela ~arna* all day long;
varje dag every day; *hela ~en* all [the] day long, the
whole day; *hela ~en i ~* all [of] today; *hela långa ~en*
el. *~en i ända* el. *~en lång* all [the] day long,
[throughout] the whole (högtidl. livelong) day; *de
senaste ~arna* har en förbättring inträtt ...during the
last few days; *det är klart som ~en* it is as clear as
day; *se (skåda) ~ens ljus* [first] see the light [of day];
ta ~en som den kommer take each day as it comes
2 allm. day; med föreg. prep.:
a) *dag efter dag* day after day
b) *från dag till dag* from day to day; *från den ena ~en
till den andra* from one day to the next; över natten
overnight
c) *dag för dag* day by day, every day; *för ~en* for the
day; *frågan för ~en* the question of the hour; *hjälten
(samtalsämnet) för ~en* the hero (topic) of the day;
han är *mannen för ~en* ...the man of the moment;
leva för ~en live for the moment; *bli sämre för var ~
[som går]* get worse with every day that passes
d) *i ~* today; starkt beton. 'denna dag' äv. this day, se äv.
ex. under *i dag*; *i forna (gamla) ~ar* in days of old
(yore), in olden days; *i våra ~ar* in our day[s],

nowadays

e) *gå i ~en* gruv. crop out; *komma i ~en* bildl. come (be brought) to light; *lägga i ~en* show, display, jfr *ådagalägga; hon är sin far upp i ~en* she is the spitting image of her father (is just like her father)

f) *en gång* (*tre gånger*) *om ~en* once (three times) a day (per diem lat., every twenty-four hours); *om några ~ar* in a few days (days' time); *om ett par ~ar* in a day or two, in a few (couple of) days

g) *på ~en* (*~arna*) in the daytime, by day

h) *på ~en* punktligt to the day; *på ~en ett år sedan* a year ago to the (a) day; *mitt på ~en* in the middle of the day; *mitt på ljusa ~en* in broad daylight; dagsljus daylight

daga *s* (oböjl.), *ta ngn av ~* put sb to death

dagas *vb itr dep* (dagades, dagats) dawn; *det ~ nu* it is growing light, the day is dawning

dagbarn *s* (~et, =) child in the care of a childminder; *ha ~* take care of a small child (of small children), be a childminder

dagbarnvårdare *s* (~n, =) childminder

dagbok *s* (~en, -böcker) diary, journal; hand. daybook; klientbok appointment book; t.ex. rese~, bil~ log[book]; *föra ~* keep a diary (journal)

dagbräckning *s* (~en, ~ar) se *dagning*

dagcenter *s* (-centret, =) day centre; för ungdomsbrottslingar attendance centre

dagdrivare *s* (~n, =) waster, idler, loafer

dagdrivarliv *s* (~et) a waster's life, the life of an idler

dagdriveri *s* (~et) idling, loafing

dagdröm *s* (~men, ~mar) daydream

dagdrömma *vb itr* (-drömde, -drömt) daydream

dagdrömmare *s* (~n, =) daydreamer

dagenefterpiller *s* (-pillret, =) med. morning-after pill

dager *s* (~n, dagrar) **1** [dags]ljus daylight, light; bildl.: belysning light; *det är full ~* it is [as] light as day; *innan det blev ~* before it got (grew) light; *i full ~* in a full light; *komma i en helt annan ~* be put (placed) in a completely different light; *ställa* ngt *i en gynnsam* (*fördelaktig*) *~* put (place)...in a favourable light; *framstå i sin rätta ~* stand out in its right (true) light **2** konst. [*skuggor och*] *dagrar* light [and shade] sg.

dagerrotypi *s* (~n) foto. daguerrotype

dagg *s* (~en) dew; *när ~en faller* when the dew is falling (falls)

daggdroppe *s* (~n, -droppar) dewdrop

daggig *adj* (~t) dewy

daggkåpa *s* (~n, -kåpor) bot. lady's mantle, dewcup

daggmask *s* (~en, ~ar) earthworm

daghem *s* (~met, =) day nursery, nursery school; för barn under 3 år äv. crèche; spec. amer. daycare center

daghemskö *s* (~n, ~er) waiting list for [municipal] child care

dagis *s* (~et, =) vard. day nursery, nursery school; för barn under 3 år äv. crèche; spec. amer. daycare center; *gå på ~* go to the (resp. a) day nursery etc.

dagjämning *s* (~en, ~ar) equinox

dagkräm *s* (~en, ~er) kosmetika day cream

daglig *adj* (~t) daily; vetensk. diurnal; *~ tidning* daily [paper]; *i ~t bruk* in everyday use; *i ~t tal* in everyday speech, colloquially

dagligdags *adv* every day [of the week]

dagligen *adv* daily, every day; *tre gånger ~* äv. ...a day

dagligvara *s* (~n, -varor) everyday commodity; *dagligvaror* äv. perishables, non-durables

daglön *s* (~en, ~er) wages pl. by the day

daglönare *s* (~n, =) day labourer

dagmamma *s* (~n, -mammor) childminder, baby-minder

dagning *s* (~en, ~ar) dawn, daybreak; *i ~en* at dawn (daybreak)

dagofficer *s* (~en, ~are) officer on duty, orderly officer; speciellt amer. officer of the day

dagorder *s* (~n, =) mil. order of the day

dagordning *s* (~en, ~ar) föredragningslista agenda; *stå på ~en* be on the agenda; bildl. äv. have come up for (be under) discussion; *övergå till ~en* proceed (pass) to the business (order) of the day

dagpenning *s* (~en, ~ar) bidrag daily allowance; mil., taxa daily rate of pay

dagrum *s* (~met, =) sällskapsrum day room

dags *adv, hur ~?* [at] what time?, when?; *i går, i fjol så här ~* [at] this time...; *i morgon, nästa år så här ~* [by] this time...; *så* [*här* (resp. *där*)] *~ på dagen* at this (resp. that) time of [the] day; *det är ~ att gå nu* it is [about] time to go now; *det är så ~* för sent *nu!* it is a bit late now!

dagsaktuell *adj* (~t) topical; nyligen genomförd recent...; jfr äv. *aktuell*

dagsbehov *s* (~et, =) daily requirement

dagsbot *s* (~en, -böter) o. **dagsböter** *s pl* fine sg. [proportional to one's daily income]; *han dömdes till dagsböter* (*10 dagsböter à 500 kronor*) ung. he was sentenced to pay a fine (a fine of 10 times 500 kronor, vanl. a fine of 5,000 kronor)

dagsens (oböjl.), *det är ~ sanning* it is gospel (the plain) truth

dagsfärsk *adj* (~t) absolutely fresh; pred. äv. fresh today; *en ~ händelse* a quite recent event

dagsförtjänst *s* (~en, ~er) daily earnings pl.

dagshändelser *s pl* events of the day

dagskassa *s* (~n, -kassor) butiks day's takings pl., daily receipts pl.

dagsljus *s* (~et) daylight; *vid ~* by daylight; *sky ~et* shun the light of day

dagslända *s* (~n, -sländor) **1** zool. mayfly **2** bildl. fad; *vara en ~* äv. be here today and gone tomorrow, be a flash in the pan, be a passing fancy

dagsmarsch *s* (~en, ~er) day's march; *fyra ~er* four marches

dagsmeja *s* (~n, -mejor) midday thaw

dagsnyheter *s pl* radio. news sg.; dagens äv. today's news sg.

dagspress *s* (~en) daily press

dagsresa *s* (~n, -resor) day's journey; *två dagsresor* two (a couple of) days' journey

dagstidning *s* (~en, ~ar) daily [paper]

dagsverke *s* (~t, ~n) arbete mot daglön daywork; *gå på ~n* work by the day, do daywork [on a farm]; *det blir ett drygt ~* ...a whole (good) day's work

dagteckna *vb tr* (~de, ~t) högtidl. date

dagtid *s* (oböjl., en), *studera på ~* ...in the daytime

dagtinga *vb itr* (~de, ~t) kompromissa compromise, come to terms; *~ med sitt samvete* compromise with (square) one's conscience

dagtrafik *s* (~en) day-services pl.

dagtraktamente *s* (~t, ~n) daily allowance [for

expenses]; **han har 500 kronor i** ~ he is allowed 500 kronor a day for [his] expenses

dahlia s (~n, dahlior) bot. dahlia

dal s (~en, ~ar) valley; högtidl. vale, dale

dala vb itr (~de, ~t) sink, go down, descend, fall; spec. bildl. decline

Dalarna Dalarna, Dalecarlia

dalbotten s (-bottnen el. =, -bottnar) bottom of a (resp. the) valley

dalgång s (~en, ~ar) long valley

dalkarl s (~n el. ~en, ~ar) Dalecarlian

dalkulla s (~n, -kullor) Dalecarlian woman (resp. girl)

dallra vb itr (~de, ~t) skälva, darra quiver, tremble; om kind, gelé o.d. wobble; vibrera vibrate

dallring s (~en, ~ar) quiver, tremble, wobble, vibration; jfr *dallra*

dalmas s (~en, ~ar) Dalecarlian

dalsänka s (~n, -sänkor) depression; dal valley

dalta vb itr (~de, ~t), ~ **med ngn** klema coddle (mollycoddle, pamper) sb

1 dam s (~en, ~er) **1** allm. lady; **stora ~en** quite the grown-up [young] lady; **mina ~er och herrar!** ladies and gentlemen!; 100 meter bröstsim **för ~er** the women's... **2** bordsdam [lady] partner [at table]; danspartner [lady] partner; **~ernas [dans]** ladies' invitation (excuse-me) [dance] **3** kortsp. el. schack. queen; **hjärter ~** [the] queen of hearts

2 dam s (~en, ~er) **1 spela ~** play draughts (amer. checkers); jfr *damspel* **2** dubbelbricka i damspel king

damask s (~en, ~er), **~er** vanl. med knappar el. blixtlås gaiters; långa äv. leggings

damast s (~en, ~er) tyg damask (endast sg.)

damavdelning s (~en, ~ar) i t.ex. affär women's department; i t.ex. simhall women's section (side)

dambinda s (~n, -bindor) sanitary towel (pad); amer. sanitary napkin

damcykel s (~n, -cyklar) lady's bicycle

damdubbel s (~n, -dubblar) sport. women's doubles (pl. lika); match women's doubles match

damejeanne s (~n, ~r) demijohn, carboy

damfinal s (~en, ~er) sport. women's final

damfotboll s (~en) women's football (amer. soccer)

damfrisering s (~en, ~ar) lokal ladies' hairdressing saloon

damfrisör s (~en, ~er) o. **damfrisörska** s (~n, -frisörskor) ladies' hairdresser

damhatt s (~en, ~ar) lady's hat (pl. ladies' hats)

damidrott s (~en, ~er) women's sports

damklocka s (~n, -klockor) ladies' watch

damkläder s pl women's clothes (wear sg.)

damkonfektion s (~en) ladies' [ready-made] clothing, women's wear

1 damm s (~en, ~ar) **1** fördämning, vall tvärsöver flod dam, weir, barrage; skydds~ vid hav dike, dyke, sea wall **2** vattensamling pond; större, vid kraftverk o.d. pool, reservoir

2 damm s (~et) dust; **riva (röra) upp mycket ~** kick up a great deal of dust; **stå och samla ~** be gathering (collecting) dust

damma I vb tr (~de, ~t) dust; utan obj. äv. do the dusting; **~ av** t.ex. bordet dust, remove the dust from; **~ av i ett rum** dust a room; **~ av sina kunskaper i...** vard. brush up one's knowledge of...; **~ ned** make...[all] dusty; **~ på (till)** slå **ngn** wallop (bash) sb **II** vb itr (~de, ~t) **1** ge ifrån sig damm make a lot of

dust; **det ~r väldigt** there are clouds of dust; **det ~r på vägen** the road is dusty; **vad det ~r!** what a lot of dust! **2** ~ rusa **iväg** vard. rush away

dammfri adj (-fritt) dustless, ...free from dust

dammig adj (~t) dusty, dust-laden; **det är så ~t på vägen** the road is so dusty

dammkorn s (~et, =) grain (speck) of dust, mote

dammlucka s (~n, -luckor) sluice[gate], floodgate

dammode s (~t, ~n) fashion for women; **~t har växlat** fashions for women...

dammoln s (~et, =) dust-cloud, cloud of dust

dammsuga vb tr (-sög, -sugit) vacuum, hoover

dammsugare s (~n, =) **1** vacuum cleaner, hoover® **2** kaka, ung. small battenberg cake

dammtorka vb tr (~de, ~t) dust, se äv. *damma I*

dammtrasa s (~n, -trasor) duster, dustcloth, dustrag

dammvippa s (~n, -vippor) feather duster

damp s (oböjl.) (förk. för dysfunktion i fråga om aktivitetskontroll, motorikkontroll och perception) psykol. DAMP (förk. för Deficiency in Attention, Motor Control and Perception)

damrum s (~met, =) ladies' [cloak]room (amer. rest room)

damsadel s (~n, -sadlar) side-saddle

damsingel s (~n, -singlar) sport. women's singles (pl. lika); match women's singles match

damsko s (~n, ~r) lady's shoe; **~r** hand. ladies' footwear sg.

damskräddare s (~n, =) ladies' tailor

damspel s (~et, =) konkr. draughts (amer. checkers) set; abstr. [game of] draughts sg. (amer. checkers sg.)

damstrumpa s (~n, -strumpor) lady's stocking (pl. ladies' stockings)

damsällskap s (~et, =), **i ~** in female company, in the presence of ladies

damtidning s (~en, ~ar) women's magazine

damtoalett s (~en, ~er) lokal women's toilet (lavatory, cloakroom); **~en** vard. the ladies

damunderkläder s pl ladies' underwear sg., lingerie sg.

damur s (~et, =) ladies' watch

damväska s (~n, -väskor) [lady's] handbag, amer. purse

dana vb tr (~de, ~t) fashion, shape, form [till i samtliga fall into]; ~ **ngns karaktär** mould (amer. mold) sb's character

dandy s (~n, ~er) dandy, fop

1 dank s (~en, ~ar) **1** smalt ljus thin candle; talgljus tallow-candle, dip **2** spelkula av metall [metal] ball

2 dank s (oböjl.), **slå ~** idle, loaf [about]

Danmark Denmark

dans s (~en, ~er) dance; ~ande, utförande av ~ el. ~konst dancing; bal ball; **det går som en ~** it goes like clockwork, it is as easy as pie; **livet är ingen ~ på rosor** life is not a (is no) bed of roses, life is not all beer and skittles; **~en kring guldkalven** the worship of the golden calf; **middag med ~** dinner and dancing

dansa vb itr o. vb tr (~de, ~t) **1** allm. dance; skutta trip; gå med ~nde steg waltz; om häst prance; **gå och ~** ta danslektioner take dancing-lessons; **gå ut och ~** go out dancing; ~ **bra (dåligt)** be a good (poor) dancer; ~ **balett** vara balettdansör (balettdansös) be a ballet dancer; **hon ~de balett** i föreställningen she did a ballet...; ~ **samba (tango)** dance (do) the samba (tango); ~ **vals**

waltz; **de** (**man**) **~de hela natten** there was dancing the whole night **2** falla, trilla tumble; bordsservisen **~de i golvet** ...went slithering (bounding) [on] to the floor

dansande I adj (oböjl.) dancing **II** s (en ~, pl. =), **de ~** the dancers

dansant adj (=) ...keen on (fond of) dancing

dansare s (~n, =) dancer; se äv. dansös

dansbana s (~n, -banor) open-air dance floor; under tak dance pavilion

dansband s (~et, =) dance band, dance orchestra

danserska s (~n, danserskor) [female] dancer, dancing girl; jfr dansös

dansgolv s (~et, =) dance floor

dansk I adj (~t) Danish; **~ skalle** nut (butt) with the (one's) head; **ge ngn en ~ skalle** head-butt (nut) sb **II** s (~en, ~ar) Dane

danska s (jfr svenska) **1** (~n, danskor) kvinna Danish woman **2** (~n) språk Danish

danskonst s (~en) art of dancing

danslektion s (~en, ~er) dancing-lesson

danslokal s (~en, ~er) [public] dance hall, ball room

danslärare s (~n, =) dancing-teacher, dancing-master

dansmusik s (~en) dance music

dansorkester s (~n, -orkestrar) dance band, dance orchestra

dansrestaurang s (~en, ~er) dance restaurant

danssjuka s (~n) med. St. Vitus's dance, chorea

dansskola s (~n, -skolor) dancing-school

danssteg s (~et, =) dance step

danstillställning s (~en, ~ar) dance

dansör s (~en, ~er) dancer

dansös s (~en, ~er) [professional female] dancer; balettflicka dancing-girl; klassisk ballet-girl; i revy chorus girl

Dardanellerna s pl the Dardanelles

darr s (~et), **med ~ på rösten** with a shake (tremble) in one's voice

darra vb itr (~de, ~t) allm. tremble; huttra shiver; skälva, dallra quiver; skaka shake; **~ av köld** shiver with cold; **~ av rädsla** shake (tremble) with fright; **~ av vrede** shake (tremble) with anger; **~ i hela kroppen** shake (tremble) all over; **han ~r på handen** är darrhänt his hand shakes (trembles)

darrande adj (oböjl.) trembling osv., jfr darra; om t.ex. händer äv. shaky; om t.ex. ljussken fluttering; om röst o. handstil tremulous

darrgräs s (~et) bot. quaking-grass

darrhänt adj (=), **han är så ~** his hands are so shaky

darrig adj (~t) **1** se darrande; om åldring äv. doddering; om t.ex. linjer äv. wobbly **2** vard.: svag shaky; pred. out of sorts, off colour

darrning s (~en, ~ar) trembling osv., jfr darra; tremor, shiver, quiver, shake; **råka i ~** go all of a tremble (quiver), have a trembling-fit; om sak start quivering (om sträng vibrating)

darrocka s (~n, -rockor) zool. electric ray

darrål s (~en, ~ar) zool. electric eel

daska vb tr o. vb itr (~de, ~t) vard., slå **~** [**till**] **ngn** slap (spank) sb

dass s (~et, =) **1** torrdass dry privy (closet), amer. outhouse **2** vard., toalett lav, loo, john, vulg. bog [house]; **gå på ~** go to the lav (loo etc.)

1 data s pl **1** årtal dates **2** fakta data, facts

2 data s (~n) (se äv. dator); skol., ämne computer instruction; **hon jobbar med ~** she works in computing; **ligga** (**lägga**) **på ~** be (put) on computer

dataanläggning s (~en, ~ar), **en ~** computer installation, data processing equipment

databas s (~en, ~er) database, data bank

databehandla vb tr (~de, ~t) process; datorisera computerize

databehandling s (~en, ~ar) data processing; datorisering computerization; **automatisk ~** automatic data processing

databrott s (~et, =) computer crime

datafil s (~en, ~er) computer file

Datainspektionen the [Swedish] Data Inspection Board

datakonsult s (~en, ~er) computer consultant

datalingvistik s (~en) computional linguistics sg.

datanörd s (~en, ~ar) vard. computer nerd (freak)

dataoperatör s (~en, ~er) data operator

dataskydd s (~et) data protection

dataskärm s (~en, ~ar) [computer] monitor, [visual] display [unit] (förk. VDU), screen

dataspel s (~et, =) computer game

dataterminal s (~en, ~er) data (computer) terminal

datautrustning s (~en, ~ar) computer equipment

datavirus s (~et, =) computer virus (pl. viruses)

datera vb tr (~de, ~t) date; **Ert brev ~t 2 maj** your letter of May 2nd; fyndet **kan ~s till 1200-talet** ...can be dated back to the 13th century

datering s (~en, ~ar) dating

dativ s (~en, ~er) gram., **~[en]** the dative; **en ~** a dative; **stå i ~** be in the dative

dativobjekt s (~et, =) gram. dative (indirect) object

dato s (oböjl.) date; **trettio dagar a ~** thirty days after date; **till dags ~** up to the present, to date

dator s (~n, ~er) computer; för sammansättn. jfr data-; **det är fel på ~n** there is a computer breakdown (hitch)

datorfel s (~et, =) computer error (malfunction)

datorgrafik s (~en) computer graphics

datorisera vb tr (~de, ~t) computerize

datorisering s (~en, ~ar) computerization

datorspel s (~et, =) computer game

datorstödd adj (-stött) computer-aided, computer-assisted

datortomografi s (~n) computer tomography

datum s (~et, =) date; **poststämpelns ~** hand. date of postmark; **av gammalt ~** of old date, of long standing; **av senare ~** of [a] later (more recent) date

datumgräns s (~en, ~er) date line

datummärkning s (~en, ~ar) av t.ex. mat open-dating

datumparkering s (~en, ~ar) ung. night parking on alternate sides of the street [on even/odd dates]

datumstämpel s (~n, -stämplar) date stamp, dater

datumstämpla vb tr (~de, ~t) date-stamp

DDR hist. GDR (förk. för the German Democratic Republic)

D-dur s (oböjl.) mus. D major

de pers pron they, jfr äv. den

deadline s (~n, ~s) deadline; **klara en ~** meet a deadline

debarkera vb itr (~de, ~t) disembark, land

debarkering s (~en, ~ar) disembarkation, landing

debatt s (~en, ~er) debate speciellt parl.; diskussion

discussion; överläggning deliberation [*om* i samtliga fall on]; i pressen äv. controversy

debattartikel *s* (~n, -artiklar) ung. polemical article, article giving rise to a debate; amer. Op-Ed article

debattera *vb tr* o. *vb itr* (~de, ~t) debate; diskutera discuss; ~ *om ngt* debate [on] (discuss) sth; ~ *igenom en fråga* thrash a question out

debattör *s* (~en, ~er) debater

debet *s* (oböjl., ett) hand. debit; bokföringsrubrik Debtor; ~ *och kredit* debits and credits; *få* ~ *och kredit att gå ihop* get the two sides of one's accounts to agree; friare make both ends meet

debetsida *s* (~n, -sidor) hand. debit side

debitera *vb tr* (~de, ~t) hand. debit; ta betalt charge; ~ *ngn ett belopp* (*för en vara*) debit sb['s account] with (for) an amount (for an article), resp. charge sb an amount (for an article)

debitering *s* (~en, ~ar) hand. debiting; debetpost debit item (entry)

debut *s* (~en, ~er) debut, first appearance

debutant *s* (~en, ~er) sångare osv. singer osv. (teat. actor resp. actress) making his (resp. her) debut, debutant, om kvinnor debutante

debutbok *s* (~en, -böcker) first book

debutera *vb itr* (~de, ~t) make one's debut

december *s* (oböjl., en) December (förk. Dec.); för ex. jfr *april* o. *femte*

decennium *s* (decenniet, decennier) decade

decentralisera *vb tr* (~de, ~t) decentralize

decentralisering *s* (~en, ~ar) decentralization

dechargedebatt *s* (~en, ~er) parl. debate on [the approval of] the Cabinet-meeting minutes

dechiffrera *vb tr* (~de, ~t) decipher; kod decode

decibel *s* (en, pl. =) fys. decibel

deciderad *adj* (deciderat, ~e) avgjord, påtaglig pronounced, decided, marked

decigram *s* (~met, =) decigram[me]

deciliter *s* (~n, = el. -litrar) decilitre

decimal *s* (~en, ~er) decimal

decimalkomma *s* (~t, ~n) decimal point

decimalsystem *s* (~et) decimal system

decimera *vb tr* (~de, ~t) decimate, heavily reduce [...in number]

decimeter *s* (~n, = el. -metrar) decimetre

deciton *s* (~net, =) ung. two hundredweight (förk. 2 cwt)

deckare *s* (~n, =) **1** roman detective story, whodun[n]it **2** vard., detektiv sleuth, amer. dick

dedicera *vb tr* (~de, ~t) dedicate

dedikation *s* (~en, ~er) dedication

deducera *vb tr* (~de, ~t) deduce

deduktion *s* (~en, ~er) deduction

defaitism *s* (~en) defeatism

defekt I *s* (~en, ~er) fel, skada defect; ofullkomlighet, bristfällighet imperfection, deficiency **II** *adj* (=) defective; felaktig faulty; ofullständig imperfect; skadad damaged

defensiv I *s* (~en) defensive; *hålla sig på ~en* be on the defensive **II** *adj* (~t) defensive

defibrillator *s* (~n, ~er) med. defibrillator

defilera *vb itr* (~de, ~t), ~ [*förbi*] march (file) past

defilering *s* (~en, ~ar) march past

definiera *vb tr* (~de, ~t) define

definierbar *adj* (~t) definable

definition *s* (~en, ~er) definition

definitiv *adj* (~t) bestämd definite; oåterkallelig definitive, final

deflorera *vb tr* (~de, ~t) deflower

deformera *vb tr* (~de, ~t) deform; förstöra utseendet hos (på) disfigure

deformitet *s* (~en, ~er) deformity; förstört utseende disfigurement

defroster *s* (~n, defrostrar) bil. defroster, demister

deg *s* (~en, ~ar) dough; paj~, kak~, smör~ pastry; *en* ~ a piece of dough (resp. pastry)

dega *vb itr* (~de, ~t), *gå omkring och* ~ hang around doing nothing

degel *s* (~n, deglar) crucible

degeneration *s* (~en) degeneration

degenerera *vb itr* (~de, ~t) degenerate

degenererad *adj* (-genererat, ~e) degenerate

degig *adj* (~t) **1** degartad doughy, pasty **2** *jag är* ~ *om händerna* my hands are all doughy (covered with dough) **3** vard., vissen, *känna sig* ~ feel under the weather (out of sorts)

degradera *vb tr* (~de, ~t) degrade; mil. äv. demote; sjö. äv. disrate; bildl. reduce; ~ *till menig* reduce to the ranks

degradering *s* (~en, ~ar) degradation, demotion, disrating, reduction; jfr *degradera*

dejt *s* (~en, ~er) date

dejta *vb tr* o. *vb itr* (~de, ~t) date

deka *vb rfl* (~de, ~t), ~ *ner sig* vard. go to the dogs

dekad *s* (~en, ~er) decade

dekadent *adj* (=) decadent

dekal *s* (~en, ~er) sticker, transfer; amer. decal

dekan *s* (~en, ~er) univ. head of a (resp. the) faculty, dean

dekantera *vb tr* (~de, ~t) decant

dekis *s* (oböjl.) vard., *han är på* ~ he has come down in the world, he has gone to the dogs, he is on skid row

deklamation *s* (~en, ~er) uppläsning: utantill recitation; från bladet reading

deklamatorisk *adj* (~t) declamatory; högtravande highflown

deklamera *vb tr* (~de, ~t) läsa upp: utantill recite; från bladet read [aloud]

deklarant *s* (~en, ~er) som gör sin självdeklaration person filling in (filing) an (his el. her) income-tax return

deklaration *s* (~en, ~er) **1** declaration, statement **2** som rubrik på varuförpackning ingredients, constituents **3** se *självdeklaration*

deklarationsblankett *s* (~en, ~er) income-tax return form

deklarera *vb tr* o. *vb itr* (~de, ~t) **1** declare, state; proklamera proclaim **2** själv~ give one's return of income, fill in (amer. file) one's income-tax return form; tull~ declare; ~ *falskt* make a fraudulent income-tax return; ~ *för 350 000 kronor* return one's income at 350,000 kronor

deklassera *vb tr* (~de, ~t) degrade...socially

deklination *s* (~en, ~er) **1** gram. declension **2** astron. el. fys. declination

deklinera *vb tr* (~de, ~t) gram. decline

dekoder *s* (~n, dekodrar) elektr. decoder

dekokt *s* (~en, ~er) decoction [*på* of]

dekolletage *s* (~t, =) décolletage; vard. cleavage

dekolleterad *adj* (-kolleterat, ~e) décolleté; om plagg äv. low-cut, low-necked

dekor *s* (~en, ~er) décor; teat. äv. scenery; mönster pattern, design

dekoration *s* (~en, ~er) decoration äv. orden; föremål ornament

dekorativ *adj* (~t) decorative

dekoratör *s* (~en, ~er) decorator; i butik window dresser; teat. stage designer

dekorera *vb tr* (~de, ~t) decorate äv. med orden

dekorum *s* (oböjl., ett) decorum, propriety; **hålla på** (**iakttta**) ~ observe the rules of propriety

dekret *s* (~et, =) decree

dekretera *vb tr* o. *vb itr* (~de, ~t) decree; ~ **att...** tvärsäkert fastslå decree (lay it down) that...

del *s* (~en, ~ar) **1** allm. part (jfr ex. under *del 2*); ibland portion; avdelning section; band volume; komponent component; bråkdel fraction; **... blandas med en ~ vatten** ...one part of water

2 i delvis pronominella uttryck av typen 'en [hel] del [av]' o. liknande, **en ~** somligt something, [some] part of it; somliga some; **en ~ av befolkningen** part of the population; **en ~ vatten** (resp. *av vattnet*) rann ut some (resp. some of the) water...; **en ~ brev** (resp. *av breven*) **förstördes** some letters (resp. of the letters) were destroyed, a number of (resp. of the) letters were destroyed; **en ~ av brevet** some (part, om bestämd del a part) of the letter

en hel ~ åtskilligt a great (good) deal, plenty; vard. [quite] a lot; **en hel ~ brev** (resp. *av breven*) **förstördes** a great (good) many (quite a few) letters were destroyed, a fair (considerable) number (vard. [quite] a lot) of letters were destroyed; **en hel ~ brev** äv. plenty of letters

större ~en av klassen most of the class; **största ~en av klassen** the greater part of the class, the majority of the class

till ~s el. **till en ~** delvis in part, partly; några some of them; **till stor ~** largely, to a large (great) extent (degree); **till största ~en** for the most part, mostly; **till en viss ~** to some extent

3 avseende respect; **i** (**till**) **alla ~ar** in all respects, in every respect, throughout; tanklös är du också **för den ~en** ...as far as that goes, ...for that matter, ...if it comes to that

4 'sak', **ta båda ~arna!** bägge två take both (the two) [of them]; du måste göra **endera ~en** ...one thing or the other, ...one of the two

5 [**å,**] **för all ~!** ingen orsak! don't mention it!, [oh,] that's [quite] all right!; speciellt amer. you're welcome!; [**ja,**] **för all ~, det kan jag väl göra** all right, I'll do it; **nej, för all ~!** visst inte! oh no, by no means!; not in the least!, certainly not!; why [no], not at all!; **akta dig för all ~ för att...** whatever you do, take care not to...

6 andel share; beskärd del lot; **ha ~ i** ha intressen i have a share (an interest) in; vara inblandad i be concerned (implicated, mixed up) in; **rum med ~ i kök** ...with use of kitchen; **ha sin ~ i** bidra till contribute to, jfr *deltaga*; **för egen ~ kan jag...** personally (for my [own] part) I can...; **för min ~ tror jag...** as for me (as far as I am concerned), I think..., I for one think

7 kännedom, **få ~ av** be informed (notified) of (about); **ta ~ av** [**innehållet i**] study (acquaint oneself with) [the contents of]

dela I *vb tr* (~de, ~t) **1** särdela divide; dela upp divide (split) [up] (jfr *dela upp* under *dela III*); partition; stycka cut up (jfr *stycka*) [i into]; ~ **med 5** divide by 5; **12 kan ~s med 3** äv. 12 is divisible by 3; **det är ingenting att ~** [**på**] it is not worth dividing [up]

2 dela i lika delar, dela sinsemellan, delta i share; ~ **en flaska vin** [**med**] split (share) a bottle of wine [with]; ~ **ngns glädje** (**vinsten, ngns åsikt**) share sb's joy (the profits, sb's view); ~ **rum** [**med**] share the same room [with]; ~ **lika** share and share alike; om två äv. go fifty-fifty

II *vb rfl* (~de, ~t), ~ **sig** divide; dela upp sig divide up, separate; förgrena sig äv. branch [off]; om t.ex. väg fork; klyva sig äv. split up [i into]; **folkmassan ~de sig** the crowd parted

III med beton. part.

dela av dela [upp] divide [up], partition [i into]; avskilja partition off [ett hörn av ett rum a corner of a room]; ~ **av ett ord** divide a word

dela in se *indela*

dela med sig [**åt andra**] share with other people; ~ **med sig av ngt åt ngn** give sb a little (bit) of sth

dela upp indela divide up, break up [i into]; fördela distribute; sinsemellan share [mellan (på) among[st], om två between]; ~ **upp sig** divide (split) up, jfr *dela II*

dela ut distribute, deal (give) out; i småportioner dole out; fördela äv. portion (share) out; t.ex. proviant, ransoner äv. serve out; t.ex. gåvor, medicin, livsmedel äv. dispense; ~ **ut brev** (**paket**) distribute (avlämna deliver) letters (parcels); **bolaget ~r ut** betalar i utdelning **5 %** the company pays a 5% dividend

delad *adj* (delat, ~e) divided osv., jfr *dela*; ~ **glädje är dubbel glädje** ung. a joy that's shared is a joy made double; **därom råder ~e meningar** opinions differ (are divided) about that; friare that is a matter of opinion

delaktig *adj* (~t) **1** i gemenskap, sammanhang o.d., **vara ~ i** play a part in, be involved in **2** i beslut o.d., **vara ~ i** participate in **3** i brott o.d., **vara ~ i** be implicated (mixed up) in; **han är ~ i brottet** he is an accessory to the crime **4** av förmåner o.d., **vara ~ av** (**i**) share, come in for one's share of

delaktighet *s* (~en) **1** i beslut o.d. participation; i gemenskap, sammanhang o.d. äv. involvement **2** i brott o.d. complicity, implication [i in]

delbar *adj* (~t) divisible [med by]

delbarhet *s* (~en) divisibility

delegat *s* (~en, ~er) delegate

delegation *s* (~en, ~er) delegation, mission

delegera *vb tr* (~de, ~t) delegate

delegerad *adj* (delegerat, ~e) delegated; **en ~** a delegate

delfin *s* (~en, ~er) zool. dolphin

delfråga *s* (~n, -frågor) part

delge *vb tr* (-gav, -gett el. -givit) o. **delgiva** *vb tr* (-gav, -gett el. -givit), ~ **ngn ngt** inform sb of sth, communicate sth to sb; ~ **ngn sina intryck** give sb one's impressions; ~ **ngn en stämning** jur. serve a writ on sb

delgivning *s* (~en, ~ar) jur. serving [av of]

delikat *adj* (=) **1** om mat o.d. delicious **2** ömtålig, kinkig delicate

delikatess *s* (~en, ~er) delicacy; **~er** hand. äv. delicatessen

delikatessaffär s (~en, ~er) delicatessen [shop (amer. store)]

delirium s (deliriet, delirier), ~ **tremens** delirium tremens; vard. the DT's

delleverans s (~en, ~er) part delivery

delmål s (~et, =) intermediate goal (aim)

delmängd s (~en, ~er) matem. subset

delning s (~en, ~ar) division, partition; biol. fission; delande äv. dividing osv., jfr *dela*

delo s (oböjl.), **komma (råka) i ~ med ngn** fall out with (fall foul of) sb

delpension s (~en, ~er) partial pension

delrepublik s (~en, ~er) constituent republic

dels *konj*, ~...~... partly..., partly...; å ena sidan A å andra sidan B on [the] one hand..., on the other...; såväl A som B ...as well as...

delstat s (~en, ~er) federal (constituent) state, member of a (resp. the) federation

1 delta s **1** (~t, ~n) geogr. delta **2** (~t, ~n el. =) bokstav delta

2 delta *vb itr* (-tog, -tagit) **1** medverka m.m. take part; mera litterärt participate; som medarbetare collaborate; ~ *i* ansluta sig till, instämma i join, join in (jfr ex. nedan); vara medlem[mar] av äv. be a member (resp. members) of; ~ **aktivt** *i* take an active part in; ~ *i* **arbetet** äv. share (join) in the work; ~ *i* **debatten** (**samtalet**) äv. join [in] the debate (conversation); ~ *i* **en expedition** äv. join in (be a member resp. members of) an expedition; ~ *i* **sällskapslivet** be (mix) in (go into) society; ~ *i* **ett val** take part in an election **2** närvara be present [*i* at]; ~ *i* bevista attend; ~ *i* **en kurs** attend a course **3** ~ *i* dela share [in] [*ngns glädje* sb's joy]; ~ *i* **ngns sorg** sympathize with sb in his (her) sorrow **4** ~ *i* ta sin andel av share, share in

deltaga *vb itr* (-tog, -tagit) se *2 delta*

deltagande I *adj* (oböjl.) medkännande sympathetic, sympathizing... **II** s **1** (~t) (jfr *2 delta 1–3*); taking part osv., participation; medverkan cooperation; bevistande attendance [*i* at]; anslutning turnout; ~*t i* **valet var livligt** polling was heavy **2** (en ~, pl. =) medverkande, **de** ~ the participants osv., jfr *deltaga* o. *deltagare* **3** (~t) medkänsla sympathy

deltagare s (~n, =) (jfr *2 delta 1–2*); participator, participant [*i* in], member äv. i kurs, attender [*i* of]; **deltagarna** ofta äv. those taking part osv.; i tävling the competitors (entrants)

deltid s (~en, ~er), **arbeta** ~ work part-time, have a part-time job

deltidsanställd *adj* (-anställt), **vara** ~ be employed part-time; **en** ~ a part-time employee

deltidsarbete s (~t, ~n) part-time work

deltidstjänst s (~en, ~er) part-time post

delvis I *adv* partially, partly, in part **II** *adj* (~t) partial

delägare s (~n, =) joint owner, part-owner; i firma partner

dem *pers pron* them, jfr äv. *den*

demagog s (~en, ~er) demagogue, amer. äv. demagog

demagogi s (~n) demagogy

demagogisk *adj* (~t) demagogic

demallinera *vb tr* (~de, ~t) demallinate

demarkationslinje s (~n, ~r) line of demarcation

demaskera I *vb tr* (~de, ~t) unmask äv. bildl. **II** *vb rfl* (~de, ~t), ~ **sig** unmask äv. bildl.

demens s (~en, ~er) med. dementia

dement *adj* (=) med. demented

dementera *vb tr* (~de, ~t) deny

dementi s (~n, ~er) [official] denial, disclaimer

demilitarisera *vb tr* (~de, ~t) demilitarize

demo s (~n, ~s) data., ljudband el. skiva demo (pl. -s)

demobilisera *vb tr* o. *vb itr* (~de, ~t) demobilize

demobilisering s (~en, ~ar) demobilization

demografisk *adj* (~t) demographic

demokrat s (~en, ~er) democrat

demokrati s (~n, ~er) democracy; ~ **på arbetsplatsen** worker (staff) participation, industrial democracy

demokratisera *vb tr* (~de, ~t) democratize

demokratisering s (~en, ~ar) democratization

demokratisk *adj* (~t) democratic

demolera *vb tr* (~de, ~t) demolish

demon s (~en, ~er) demon, fiend

demonisk *adj* (~t) demoniacal, fiendish

demonstrant s (~en, ~er) demonstrator

demonstration s (~en, ~er) i olika betydelser demonstration; protestaktion äv. protest march

demonstrationståg s (~et, =) procession of demonstrators, demonstrators pl.

demonstrativ *adj* (~t) demonstrative äv. gram., ostentatious

demonstrera *vb tr* o. *vb itr* (~de, ~t) demonstrate; delta i demonstration äv. take part in a (resp. the) demonstration (protest march)

demontera *vb tr* (~de, ~t) fabrik, maskin take down, dismantle, dismount; ~ **en motor** äv. strip down an engine

demoralisera *vb tr* (~de, ~t) demoralize

demoralisering s (~en) demoralization

den (neutr. det , pl. de resp. dem, vard. dom; som determinativt pron. i genitiv dens pl. deras) **A** *best art* (det, de) the; ~ **allmänna opinionen** public opinion; **det medeltida Sverige** medieval Sweden; **jag och de mina** I and mine; **de närvarande** those (the people) present

B *pron* (det, de) **I** personligt **1** **den**, **det** it; syftande på högre djur äv. he resp. she (som objekt him, her); syftande på kollektiver då individerna avses they (som objekt them); **det** syftande på barn äv. he resp. she (som objekt him, her) **2** **det** i opersonliga uttryck, speciella fall o.d. **a)** vanl., t.ex. som subjekt i opersonliga uttryck, emfatiska konstruktioner m.m. it; **det regnar** it is raining; **det är långt till...** it is a long way to...; **vad är det för dag i dag?** what day is it today?; **det står i tidningen att...** it says in the paper that...; **det är mig de vill åt, inte dig** it is me [that] they want to get at, not you

b) som formellt subjekt med ett substantiviskt ord som egentligt subjekt i engelskan there; **det är ingen brådska** there is no hurry; **det var mycket folk där** there were many people there; **det finns ingenting kvar** there is nothing left; **det var en gång en kung** once upon a time there was a king; **det blir åska** there will be a thunderstorm; **det drar här** there is a draught here; **det knackar på dörren** there is a knock at the door

c) som egentligt subjekt utbytbart mot 'han', 'hon', resp. 'de' he, she resp. they; **vem är den där herrn (damen)?** – **det är en kollega till mig** ...he (resp. she) is a colleague of mine

d) som objekt vid vissa verb och ofta som predikatsfyllnad so; **det 'gör han också** so he does; **kommer han?** – **jag antar (hoppas, tror) det** ...I suppose (hope, think) so, ...I suppose etc. he will

e) ibland, framför allt betonat, that; i vissa fall this; *det duger* that will do; *det var det, det!* el. *så var det med det!* that's (that was el. so much for) that!; *det vill säga* that is; *det är här Ni ska av* this is where you get off

f) ibland utan motsvarighet i engelskan, *varför frågar du det?* why do you ask?; jag kommer i morgon. *– ja, gör det!* …yes (oh), do!; är du sjuk? *– ja, det är jag* …yes, I am

g) annan (ofta personlig) konstruktion i engelskan, *det gör ont i foten* my foot hurts; *det är fullsatt i bussen* the bus is full; *det är mulet* the sky is overcast; *det var roligt att höra att…* I am glad to hear that…

h) substantiviskt, *hon har 'det* charm o.d. she has 'it

II demonstrativt, *den*, *det* (jfr *den B I 2, speciellt e*)); that; *den* (*det*) *där* (resp. *här*) allm. that resp. this, självständigt, speciellt vid motsättning, vanligen that resp. this one; *de där* those; *de här* these; *~ eller ~* självständigt this or that person; *~ och ~ dagen* on such and such a day; *herr ~ och ~* Mr So-and-so, Mr What's-his-name, Mr What-d'ye-call-him; *är det ~ här* (resp. *där*)*?* is this (resp. that) it?, is it this (resp. that) one?; *är det här mina handskar? – ja, det är det* are these my gloves? – yes, they are

III determinativt: den som the person who, the one who; sak the one that; i ordspråk he who; *saken är ~ att…* the fact [of the matter] is that…; *till ~ det vederbör* to whom it may concern; *~ som vore rik ändå!* if only I (litt. would I) were rich!; *han är inte ~ som klagar* he is not [the] one (a man, the man) to complain; *allt det som…* everything (all) that…; *det är ~s fel, som…* it is the fault of anyone (of the person, of the one [of them]) who…

denaturera *vb tr* (~de, ~t) denature; *~d sprit* äv. methylated spirit[s pl.]

denguefeber *s* (~n, -febrar) med. dengue

denim *s* (~en) textil. denim

denimjeans *s pl* denims

denna *pron* (mask. denne, neutr. detta, pl. dessa)
1 förenat el. självständigt **a)** den (det osv.) här, nära i tid o. rum samt med syftning framåt this; pl. these **b)** den (det osv.) där, längre bort samt med syftning bakåt that; pl. those *dennes* (förk. *ds*) i datum instant (förk. inst.); *~ gång kommer han att lyckas* this time…; *~ gång lyckades han* that time…; *detta är mina bröder* these (those) are my brothers; *detta att han äter så mycket* the fact that he eats so much; *långt före detta* long before that (this, om närvarande tid now); *i och med detta har du…* by that you have…
2 självständigt, syftande på förut nämnd person (nämnda personer) he resp. she; pl. they; som objekt him resp. her; pl. them; den (de) senare the latter; *denne* el. *denna* äv., spec. av tydlighetsskäl the (+ lämpligt subst.), that person ([gentle]man, lady, woman e.d.); *dennes* his, the latter's osv., jfr ovan; *dennas* her; fristående hers; the latter's osv.; *jag* (*min bror*) *frågade värden, men ~…* I asked the landlord, but he (my brother asked the landlord, but the latter)…

denne *pron* se *denna*

densamma *demonstr pron* (mask. densamme, neutr. detsamma, pl. desamma) the same; med förbleknad betydelse = 'den', 'det', 'de' it; pl. they; som objekt them; [*tack,*] *detsamma!* the same to you!; *det gör* (*kan göra*) *detsamma* it doesn't matter; *det gör mig alldeles detsamma* it is all the same (all one) to me; *i detsamma hörde han…* at that very (just at that)

moment he heard…, all at once he heard…; *i detsamma som* [just] as; *med detsamma* at once, right away; i samma ögonblick at the same time; *med detsamma som* directly

densamme *pron* se *densamma*

dental *adj* (~t) dental

deodorant *s* (~en, ~er) deodorant

departement *s* (~et, =) **1** ministerium ministry, department [of state]; amer. department **2** franskt distrikt department

departementschef *s* (~en, ~er) head of a (resp. the) ministry (etc., jfr *departement*), minister

depesch *s* (~en, ~er) dispatch, despatch

depeschbyrå *s* (~n, ~er) ung. news-office [and ticket agency]

deplacement *s* (~et) sjö. el. fys. displacement

deponens *s* (=, ett, =) gram. deponent [verb]

deponera *vb tr* (~de, ~t) deposit [*hos* with; *i* [*en*] *bank* in (at) a bank]

deportation *s* (~en, ~er) deportation

deportera *vb tr* (~de, ~t) deport

deposition *s* (~en, ~er) konkr. deposit; abstr. depositing, deposition

depositionsräkning *s* (~en) deposit account

deppa *vb itr* (~de, ~t) vard. feel down (low), have the blues, be down in the dumps

deppad *adj* (deppat, ~e) o. **deppig** *adj* (~t) vard., *vara ~* se *deppa*

depraverad *adj* (depraverat, ~e) depraved

depression *s* (~en, ~er) depression; ekon. äv. slump

depressiv *adj* (~t) depressive

deprimerad *adj* (deprimerat, ~e) depressed

deputation *s* (~en, ~er) deputation

deputerad *s* (~en, ~e) deputy; medlem av en deputation delegate

depå *s* (~n, ~er) depot; upplagt förråd dump; hand. safe custody

deras *pron* **1** poss.: fören. their; självst. theirs; för ex., jfr *1 min 2* determ., se *den B III*

derby *s* (~t, ~n) sport. **1** hästkapplöpning Derby **2** lokalderby, speciellt fotb. [local] derby

derivat *s* (~et, =) kem. derivative

dermatologisk *adj* (~t) dermatological

dervisch *s* (~en, ~er) relig. dervish

desamma *pron* se *densamma*

desarmera *vb tr* (~de, ~t) bomb defuse; avväpna disarm

desavouera *vb tr* (~de, ~t) ngn disavow, repudiate the actions of; ngt repudiate, go back on

desertera *vb itr* (~de, ~t) desert

desertering *s* (~en, ~ar) desertion

desertör *s* (~en, ~er) deserter

design *s* (~en) design, designing; utförande styling, layout

designer *s* (~n, = el. ~s) [industrial] designer

desillusion *s* (~en, ~er) disillusion

desillusionerad *adj* (-illusionerat, ~e) disillusioned

desinfektion *s* (~en, ~er) disinfection

desinfektionsmedel *s* (-medlet, =) disinfectant

desinficera *vb tr* (~de, ~t) disinfect

desinformation *s* (~en, ~er) disinformation

deskriptiv *adj* (~t) descriptive

desorganisation *s* (~en) disorganization

desorienterad *adj* (-orienterat, ~e) confused, bewildered, disorientated; *vara ~* äv. be all at sea

desperado s (~n, ~r el. ~er) desperado (pl. -es el. -s)
desperat adj (=) förtvivlad desperate; ursinnig furious
desperation s (~en) desperation
despot s (~en, ~er) despot
despoti s (~n, ~er) despotism
despotisk adj (~t) despotic
despotism s (~en) despotism
1 dess s (~et, =) mus. D flat
2 dess I poss pron **1** its; med syftning på högre djur äv. his, her; med syftning på kollektiver their; han gick uppför gatan och fortsatte till ~ *bortersta ända* ...the far end [of it]; för ex., jfr *1 min 2* i adv. uttr., *innan* ~ dessförinnan before then; *sedan* ~ since then; *till* ~ adv. till (until, up to) then; senast då by then, by that time; *till* ~ [*att*] konj. till, until **II** adv desto the; ~ *bättre* (resp. *värre*) all (so much) the better (resp. worse); lyckligtvis fortunately (olyckligtvis unfortunately); *ju förr* ~ *bättre* (*hellre*) the earlier (sooner) the better
dessa pron se *denna*
dessbättre adv se *dess bättre* under *2 dess II*
Dess-dur s (oböjl.) mus. D flat major
dessemellan adv in between; friare at intervals (times), every now and then
dessert s (~en, ~er) dessert, sweet; vard. afters pl.
dessertost s (~en, ~ar) soft cheese
dessertsked s (~en, ~ar) dessertspoon; som mått dessertspoonful
dessertvin s (~et, ~er) dessert wine
dessförinnan adv before then; förut beforehand, previously
dessförutan adv without it
desslikes adv likewise, also
dessutom adv besides, ...as well; vidare furthermore; ytterligare moreover, in addition
dessvärre adv unfortunately, se vidare *dess värre* under *2 dess II*
destillat s (~et, =) distillate, distilled product
destillation s (~en, ~er) distillation
destillationsapparat s (~en, ~er) distilling-apparatus; för sprit still
destillera vb tr (~de, ~t) distil
destillering s (~en, ~ar) distillation
destination s (~en, ~er) destination
destinationsort s (~en, ~er) [place of] destination
destinerad adj (destinerat, ~e) sjö. destined; om fartyg äv. bound [*till* for]
desto adv, ~ *bättre* (*värre*) se *2 dess II*; *icke* ~ *mindre* none the less, nevertheless, notwithstanding [the fact]
destruktiv adj (~t) destructive
det best art o. pron se *den*
detachera vb tr (~de, ~t) detail; mil. äv. detach
detalj s (~en, ~er) **1** detail, particular; maskindel part; mil. section; *närmare* ~*er* är inte kända the immediate circumstances...; kontrollera ngt *i* ~ (*i alla* ~*er*, resp. *in i minsta* ~) ...in detail (minutely, down to the last detail); *gå in på* ~*er* go (enter) into detail[s] **2** hand., *handel i* ~ retail business (trade)
detaljerad adj (detaljerat, ~e) detailed, circumstantial
detaljgranskning s (~en, ~ar) examination in detail
detaljhandel s (~n) retail trade; handlande retailing
detaljhandlare s (~n, =) o. **detaljist** s (~en, ~er) retailer, retail dealer
detektiv s (~en, ~er) detective

detektivbyrå s (~n, ~er) detective agency
detektivhistoria s (-historien el. ~n, -historier) detective story
detektivroman s (~en, ~er) detective story (novel)
detektor s (~n, ~er) tekn. detector
determinism s (~en) filos. determinism
detonation s (~en, ~er) detonation
detonera vb itr (~de, ~t) detonate
detronisera vb tr (~de, ~t) dethrone; bildl., utkonkurrera oust, depose
detsamma pron se *densamma*
detta pron se *denna*
devalvera vb tr (~de, ~t) devalue, devaluate
devalvering s (~en, ~ar) devaluation
devis s (~en, ~er) motto (pl. -es el. -s); herald. äv. device
di s (~n), *ge* ~ give suck, suckle
1 dia I vb itr (~de, ~t) om djur, barn suck **II** vb tr (~de, ~t) ge di suckle
2 dia s (~n, dior) se *diabild*
diabetes s (~en el. =) diabetes
diabetiker s (~n, =) diabetic
diabild s (~en, ~er) transparency, diapositive; ramad [film] slide
diabolisk adj (~t) diabolic[al]
diadem s (~et, =) tiara, diadem
diafragma s (~n, diafragmor el. diafragmer) anat. el. tekn. diaphragm
diagnos s (~en, ~er) diagnos|is (pl. -es); *ställa* ~ make a diagnosis [*på* of]; *ställa* ~ *på* äv. diagnose
diagnostik s (~en) diagnostics sg.
diagnostiker s (~n, =) diagnostician
diagnostisera vb tr (~de, ~t) diagnose
diagnostisk adj (~t) diagnostic; ~*t prov* diagnostic test
diagonal I s (~en, ~er) matem. diagonal **II** adj (~t) diagonal
diagram s (~met, =) schematisk figur diagram; speciellt med kurvor graph; speciellt med siffror i kolumner chart
diakon s (~en, ~er) lay [welfare] worker, district visitor
diakonissa s (~n, diakonissor) lay [welfare] worker, district visitor
diakritisk adj (~t) språkv. el. med. diacritic; språkv. äv. diacritical
dialekt s (~en, ~er) dialect; *han talar* ~ he speaks a dialect (with a regional accent)
dialektal adj (~t) dialectal
dialektik s (~en) filos. dialectics sg.; bevisföring dialectic
dialektisk adj (~t) spetsfundig dialectic[al]
dialog s (~en, ~er) dialogue, amer. äv. dialog
dialys s (~en, ~er) dialys|is (pl. -es)
diamant s (~en, ~er) diamond; *slipad* (*oslipad*) ~ cut (uncut) diamond
diamantbröllop s (~et, =) diamond wedding
diameter s (~n, diametrar) diameter
diametral adj (~t) diametrical
diapositiv s (~et, =) transparency, diapositive; ramat [film] slide
diarieföra vb tr (-förde, -fört) enter...in a (resp. the) diary (journal)
diarium s (diariet, diarier) diary, journal
diarré s (~n, ~er) diarrhoea (endast sg.)
didaktisk adj (~t) didactic
diesel s (~n, dieslar) se *dieselolja*

diesellok *s* (~et, =) diesel engine
dieselmotor *s* (~n, ~er) diesel engine
dieselolja *s* (~n, -oljor) diesel oil (fuel)
diet *s* (~en, ~er) diet; **hålla ~** be on a diet
dietisk *adj* (~t) dietary; om kost dietetic
dietist *s* (~en, ~er) dietician, dietitian
dietmat *s* (~en) dietetic (dietary) food
differens *s* (~en, ~er) difference; löne~ differential
differential *s* (~en, ~er) matem. el. tekn. differential
differentialkalkyl *s* (~en, ~er) matem. differential calculus
differentiera *vb tr* (~de, ~t) differentiate; skol. stream
diffus *adj* (~t) diffuse; friare blurred
difteri *s* (~n) med. diphtheria
diftong *s* (~en, ~er) språkv. diphthong
dig *pers pron* you, åld., poet. el. relig. thee; rfl. yourself (åld. etc. thyself; i adverbial med beton. rumsprep. vanl. you); **~ själv** yourself
diger *adj* (~t, digra) thick, extensive; mycket stor huge; voluminös bulky, voluminous
digerdöden *s* (best. sing.) the Black Death
digital *adj* (~t) digital
digitalbox *s* (~en, ~ar) TV. digital box, converter box, set-top box
digitalis *s* (~en) bot. el. med. digitalis
digitalisera *vb tr* (~de, ~t) digitalize
digitalkamera *s* (~n, -kameror) digital camera
digitalkanal *s* (~en, ~er) digital channel
digital-tv *s* (oböjl., en) digital TV
digitalur *s* (~et, =) digital watch (resp. clock, jfr *1 ur*)
digna *vb itr* (~de, ~t) sjunka ihop sink down, collapse; tyngas ned be weighed down; **ett ~nde bord** a table loaded with food and drink
dignitet *s* (~en, ~er) matem. power; **av högsta ~** bildl. of the greatest distinction (importance)
dignitär *s* (~en, ~er) dignitary
dika *vb tr* (~de, ~t) ditch, trench; **~ av (bort)** vatten drain off…; **~ av (ut)** t.ex. mosse drain […by ditches]
dike *s* (~t, ~n) ditch, trench, dike
dikeskant *s* (~en, ~er) edge of a (resp. the) ditch
dikesren *s* (~en, ~ar) ditch-bank
dikning *s* (~en, ~ar) ditching, draining, drainage
1 dikt *s* (~en, ~er) **1** poem poem; **hans ~er** äv. his poetical works **2** poesi poetry; **~ och verklighet** fact and fiction; jfr *diktning* **3** påhitt, **rena ~en** pure fiction; **lögn och förbannad ~** a lot of damned lies
2 dikt *adv* sjö. close; **hålla ~ babord** steer hard aport
1 dikta *vb itr* o. *vb tr* (~de, ~t) författa write, compose; skriva vers äv. write (compose) poetry; **~ [ihop (upp)]** hitta på invent, fabricate, make up
2 dikta *vb tr* (~de, ~t) täta caulk
diktamen *s* (=, en, diktamina el. =) diktering dictation; **skriva efter (efter ngns) ~** write from (at sb's) dictation
diktare *s* (~n, =) writer; poet poet
diktator *s* (~n, ~er) dictator
diktatorisk *adj* (~t) dictatorial; friare äv. imperious
diktatur *s* (~en, ~er) dictatorship
diktaturstat *s* (~en, ~er) dictatorship
diktera *vb tr* (~de, ~t) dictate [*för* to]
diktion *s* (~en) diction
diktkonst *s* (~en) poesi poetry; **~en** konsten att dikta the art of poetry
diktning *s* (~en, ~ar) diktande writing, [literary]

composition; vers~ writing of poetry; diktkonst, poesi poetry; skönlitteratur ung. fiction
diktsamling *s* (~en, ~ar) collection of poems
dilamm *s* (~et, =) kok. baby lamb
dilemma *s* (~t, ~n) dilemma, quandary
dilettant *s* (~en, ~er) neds. dilettant|e (pl. -i el. -es)
dilettanteri *s* (~et) dilettantism
dilettantisk *adj* (~t) dilettantish, amateurish
dilettantism *s* (~en) dilettantism, amateurism
diligens *s* (~en, ~er) hist. stagecoach
dill *s* (~en) dill
dilla *vb itr* (~de, ~t) vard. drivel, babble, talk nonsense
dille *s* (~t) **1** mani, **ha ~ på** have a mania (craze) for **2** delirium the DT's (förk. för delirium tremens), the horrors
dillkrona *s* (~n, -kronor) head of dill
dimbank *s* (~en, ~ar) bank of fog (mist), fog bank
dimbildning *s* (~en, ~ar) smoke screening; bildl. ung. hush-hush, cover-up
dimbälte *s* (~t, ~n) belt of fog (mist)
dimension *s* (~en, ~er) dimension; storlek äv. size; **~er** proportioner äv. proportions
dimfigur *s* (~en, ~er) vague (dim, indistinct) shape
dimhöljd *adj* (-höljt) …shrouded (enveloped) in fog (mist); bildl. dim, obscure
diminuendo *s* (~t, ~n) o. *adv* mus. diminuendo it.
diminutiv I *s* (~et, ~er el. =) diminutive äv. gram. **II** *adj* (~t) diminutive äv. gram.
dimljus *s* (~et, =) bil. fog light
dimma *s* (~n, dimmor) fog; lättare mist; dis haze (endast sg.); **tät (tjock) ~** dense (thick, heavy) fog
dimmig *adj* (~t) foggy; lättare misty; disig hazy äv. bildl.; **glasögonen är ~a** …are misted over
dimpa *vb itr* (damp, dumpit) fall (plötsligt tumble, mjukt flop) down [*i golvet* on to the floor]; **~ ner** drop down
dimridå *s* (~n, ~er) smoke screen; **lägga ut ~er** kring ngt hush (cover)…up
dimslöja *s* (~n, -slöjor) veil of mist
din *poss pron* (ditt, dina) fören. your; åld., poet. el. relig. thy; självst. yours; åld., poet. el. relig. thine; **~ dumbom!** you fool (idiot)!; **Din tillgivne E.** i brevslut Yours ever (sincerely), E.; för ex., jfr *1 min*
dinera *vb itr* (~de, ~t) dine
dingla *vb itr* (~de, ~t) dangle, swing; **~ i galgen** swing; **~ med benen** dangle one's legs
dinkel *s* (~n) spelt
dinosaurie *s* (~n, ~r) zool. dinosaur
dioxin *s* (~et, ~er) kem. dioxin
diplom *s* (~et, =) diploma
diplomat *s* (~en, ~er) diplomat; framför allt bildl. diplomatist
diplomati *s* (~n) diplomacy
diplomatisk *adj* (~t) diplomatic; **~ kår** diplomatic corps (pl. lika), corps diplomatique; **på ~ väg** through diplomatic channels
diplomerad *adj* (diplomerat, ~e) attr. …holding a diploma
dipmix *s* (~en, ~er el. ~ar) kok. dip mix
dippa *vb tr* o. *vb itr* (~de, ~t) i dipmix dip
direkt I *adj* (=) direct; omedelbar immediate; rak äv. straight; rakt på sak gående av. straightforward; järnv.: genomgående through; om tåg äv. non-stop; **~ anföring** språkv. direct speech; **~ följd (orsak)** direct

(immediate) effect (cause); **~ skatt** direct tax; **~ svar** direct (straight) answer

II *adv* raka vägen direct, straight, right; genast o. på ett direkt sätt directly; omedelbart immediately; **~** rent ut sagt **oförskämd** downright insolent; **~ proportionell** directly proportional; **inte ~ rik, men...** not exactly rich, but...; **se ~ på** look directly (straight) at; **svara ~ på** en fråga answer...straight away; rättframt give a direct (straight) answer to...; **tv-programmet sänds ~** the television programme will be broadcast live

direktflyg *s* (~et, =) non-stop plane (flygning flight)

direktflygning *s* (~en, ~ar) non-stop flight

direktförbindelse *s* (~n, ~r) flyg. o.d. direct service

direktimport *s* (~en, ~er) direct import

direktinsprutning *s* (~en, ~ar) tekn. direct injection

direktion *s* (~en, ~er) styrelse [board of] management, board [of directors], directorate

direktiv *s* (~et, =) terms pl. of reference, instructions pl., directive; **ge ngn ~** give sb instructions, brief sb

direktkontakt *s* (~en, ~er) radio. el. TV. live contact; med. direct (immediate) contact

direktreferat *s* (~et, =) i radio running commentary

direktreklam *s* (~en) direct mail [advertising]

direktris *s* (~en, ~er) manageress, directress

direktsändning *s* (~en, ~ar) radio. el. TV. live broadcast

direktör *s* (~en, ~er) director; i bolag o.d. äv. [general] manager; amer. vice-president [*i* (*vid*) of]; för ämbetsverk superintendent [*vid* (*för*) of]; **verkställande ~** managing director; amer. president [*för* of]

direktörsassistent *s* (~en, ~er) assistant director (manager)

dirigent *s* (~en, ~er) conductor

dirigera *vb tr* o. *vb itr* (~de, ~t) direct; mus. conduct; sända send; **~ om** redirect, reroute, divert

dis *s* (~et) haze

discipel *s* (~n, disciplar) disciple

disciplin *s* **1** (~en) lydnad o.d. discipline; **hålla ~** keep (maintain) discipline (order); **kunna hålla ~** äv. be a good disciplinarian **2** (~en, ~er) vetenskapsgren branch of learning, discipline

disciplinera *vb tr* (~de, ~t) discipline

disciplinstraff *s* (~et, =) disciplinary punishment

disciplinär *adj* (~t) disciplinary; **vidta ~a åtgärder** take disciplinary action

discjockey *s* (~n, ~er) disc jockey (förk. DJ); vard. deejay

disco *s* (~t, ~n) vard. disco (pl. -s); **gå på ~** go to a (resp. the) disco

disharmoni *s* (~n, ~er) discord, disharmony

disharmonisk *adj* (~t) disharmonious äv. bildl.; skärande discordant, jarring

disig *adj* (~t) hazy

1 disk *s* (~en, ~ar) **1** butiks~, bank~ counter; bar~ bar; **stå bakom ~en** stand behind the counter **2** anat. disc; amer. disk **3** data. disk speciellt magnetiskt läsbar skiva, disc speciellt optiskt läsbar skiva

2 disk *s* (~en) **1** abstr. washing-up **2** konkr.: [odiskad dirty] dishes pl.

1 diska rengöra **I** *vb tr* (~de, ~t), **~ [av]** wash up; ett enda föremål wash **II** *vb itr* (~de, ~t) do the washing-up, do (wash) the dishes

2 diska *vb tr* (~de, ~t) sport. vard. disqualify

diskant *s* (~en, ~er) mus. treble

diskanthögtalare *s* (~n, =) tweeter

diskantklav *s* (~en, ~er) mus. treble clef

diskare *s* (~n, =) dishwasher, washer-up

diskbalja *s* (~n, -baljor) washing-up bowl; amer. dishpan

diskborste *s* (~n, -borstar) dishbrush, washing-up brush

diskbråck *s* (~et, =), **ha ~** have a slipped disc

diskbänk *s* (~en, ~ar) sink unit; **på ~en** on the draining board

diskett *s* (~en, ~er) data. diskette, floppy disk

diskho *s* (~n, ~ar) washing-up sink

diskjockey *s* (~n, ~er) disc jockey; vard. deejay

diskmaskin *s* (~en, ~er) dishwasher

diskmedel *s* (-medlet, =) washing-up (amer. dishwashing) liquid; i pulverform washing-up (amer. dishwashing) powder

diskning *s* (~en, ~ar) sport. vard. disqualification

diskontera *vb tr* (~de, ~t) ekon. discount

diskonto *s* (~t, ~n) bank~ minimum lending rate; privat~ market rate; **höja (sänka) ~t** raise (lower) the minimum lending rate

diskotek *s* (~et, =) **1** danslokal discotheque; vard. disco (pl. -s) **2** skivsamling record library (collection)

diskplockare *s* (~n, =) table clearer, waiter's assistant; amer. bus boy (kvinnl. girl)

diskreditera *vb tr* (~de, ~t) discredit

diskrepans *s* (~en, ~er) discrepancy

diskret I *adj* (=) **1** discreet; grannlaga, taktfull äv. tactful; försynt äv. unobtrusive; tystlåten äv. reticent; dämpad quiet äv. om färg; **[med]** ~ **avsändare** under plain cover **2** matem. el. filos. discrete; **~ variabel** discrete variable **II** *adv* discreetly etc., jfr *diskret I*

diskretion *s* (~en) discretion; tystlåtenhet äv. reticence; **~ utlovas** strict confidence assured

diskriminera *vb tr* (~de, ~t) discriminate [*ngn (ngt)* against sb (against sth)]

diskriminering *s* (~en, ~ar) discrimination [*av* against]; **omvänd ~** reverse discrimination; **positiv ~** positive discrimination; amer. affirmative action

Diskrimineringsombudsmannen (förk. *DO*) the Equality Ombudsman

diskställ *s* (~et, =) i kök dish (plate) rack; amer. dish drainer

disktrasa *s* (~n, -trasor) dishcloth; amer. dishrag

diskus *s* (~en, ~ar) sport. **1** disc|us (pl. -uses el. -i); **kasta ~** throw the discus **2** som sportgren [throwing the] discus

diskuskastare *s* (~n, =) discus-thrower

diskussion *s* (~en, ~er) discussion [*om* about]; speciellt parl. debate [*om* on]; överläggning deliberation [*om* on]; **ta upp till ~** bring up for discussion

diskussionsunderlag *s* (~et, =) basis for discussion

diskussionsämne *s* (~t, ~n) subject (topic) of (for) discussion

diskutabel *adj* (~t, diskutabla) debatable; tvivelaktig questionable

diskutera *vb tr* o. *vb itr* (~de, ~t) discuss; mera intensivt argue; debattera debate; tr. äv. talk over; **det tål att ~** that is a debatable (moot) point, it is open to discussion; **~ igenom en fråga** thrash a question out

diskvalificera *vb tr* (~de, ~t) disqualify

diskvalificering *s* (~en, ~ar) o. **diskvalifikation** *s* (~en, ~er) disqualification

diskvatten *s* (-vattnet) dishwater

dispens *s* (~en, ~er) exemption; speciellt relig. dispensation; **få** ~ be granted an exemption, be exempted; **ge** ~ exempt; give dispensation [*från* i båda fallen from]; **söka** ~ apply for exemption (dispensation)

dispensär *s* (~en, ~er) mest hist. tuberculosis clinic

disponent *s* (~en, ~er) bruks~ managing director; amer. president; lägre chef [sub-]manager [*för* (*vid*) of]

disponera *vb tr* o. *vb itr* (~de, ~t) **1** ~ [*över*] förfogande have…at one's disposal (command), have the use of; bestämma helt över have entire disposal of, be in control of; använda utilize, make use of; ha tillgång till have access to; fördela t.ex. bolagsvinst distribute, allot; ~ **över tillgodohavandet på ett konto** have the right to make withdrawals from…; **den tid jag ~r** [*över*] äv. the time I can spare **2** planera arrange, plan, organize; uppsats e.d. äv. outline

disponerad *adj* (disponerat, ~e) **1** hågad, upplagd disposed, inclined [[*för*] *att* + inf. to + inf.] **2** mottaglig predisposed, liable, susceptible äv. med. [*för* to]

disponibel *adj* (~t, disponibla) available, disposable, …at one's disposal (command); ~ **inkomst** disposable income; ~ **tid** äv. spare time; **disponibla tillgångar** liquid assets

disponibilitet *s* (~en), **vara i** ~ be available (unattached), await posting; **försätta ngn i** ~ place sb on the unattached list

disposition *s* (~en, ~er) **1** förfogande disposal; **stå** (**ställa ngt**) **till ngns** ~ be (place sth) at sb's disposal **2** av en uppsats o.d. plan, outline; av stoffet disposition, arrangement **3** ~**er** åtgärder arrangements, dispositions; förberedelser preparations; **vidta** ~**er** make arrangements etc. **4** mottaglighet predisposition äv. med. [*för* to]

dispositionsrätt *s* (~en) [right of] disposal [*till* of]

disproportion *s* (~en, ~er) disproportion

disputation *s* (~en, ~er) univ. disputation, [public] defence of a (one's) doctor's thesis

disputera *vb itr* (~de, ~t) **1** tvista dispute, argue [*emot* (*med*) *ngn* with sb; *om* about] **2** univ. [publicly] defend a (one's) doctor's thesis; **han ~de på…** his doctor's thesis was on (about)…

dispyt *s* (~en, ~er) dispute, controversy, altercation; **råka** (**komma**) **i** ~ get involved in a dispute

diss *s* (~et, =) mus. D sharp

dissa *vb tr* (~de, ~t) vard. dis

dissekera *vb tr* (~de, ~t) dissect äv. bildl.

dissektion *s* (~en, ~er) dissection

dissident *s* (~en, ~er) dissident

diss-moll *s* (oböjl.) mus. D sharp minor

dissociation *s* (~en, ~er) dissociation äv. kem.

dissonans *s* (~en, ~er) **1** mus. dissonance, discord **2** bildl. discord

distans *s* (~en, ~er) distance; **hålla** ~[*en*] keep one's (keep at a) distance; **han har fått** ~ **till problemet** he is now able to see the problem in perspective (to take a long view of the problem)

distansarbete *s* (~t, ~n) teleworking, telecommuting

distansera *vb tr* (~de, ~t) [out]distance, outstrip; ~ **sig från** dissociate oneself from

distansminut *s* (~en, ~er) nautical mile

distansundervisning *s* (~en) distance tuition

distingerad *adj* (distingerat, ~e) distinguished

distinkt I *adj* (=) distinct **II** *adv* distinctly

distinktion *s* (~en, ~er) distinction

distrahera *vb tr* (~de, ~t), ~ **ngn** distract sb, distract (divert) sb's attention, put sb out; störa disturb sb, put sb off; förströ divert sb

distraktion *s* (~en, ~er) tankspriddhet absent-mindedness, abstraction; förströelse distraction; **han gjorde det i** ~ …in a fit of absent-mindedness (abstraction)

distribuera *vb tr* (~de, ~t) distribute

distribution *s* (~en, ~er) distribution

distributör *s* (~en, ~er) distributor

distrikt *s* (~et, =) district

distriktschef *s* (~en, ~er) district superintendent

distriktsläkare *s* (~n, =) district medical officer

distriktsmästerskap *s* (~et, =) district championship

distriktssköterska *s* (~n, -sköterskor) district nurse, health visitor

disträ *adj* (neutrum undviks) absent-minded

dit *adv* **1** demonstr. there; åt det hållet that way, in that direction; ~ **bort** (**in, ned** etc.) away (in, down etc.) there; **resan** ~ **och tillbaka** the journey there and back; ~ **hör** (**räknas**) **även…** to that category also belongs (resp. belong)…; **det var** ~ **jag ville komma** bildl. that's what I was getting (driving) at; **jag längtar** ~ I long to go there, that's a place I long to go to; **det är** ~ **jag ska** that's where I'm going; **det är långt** ~ rumsbetydelse it's a long way there; tidsbetydelse that's a long time ahead **2** rel. where; varthelst wherever; **den plats** ~ **han kom** the place he came to

dithörande *adj* (oböjl.) …belonging to it (resp. them), …belonging there; hörande till saken relevant, related

ditintills *adv* se *dittills*

dito *adj* (oböjl.) o. *adv* ditto (förk. do.); **nya skor och** ~ **strumpor** new shoes and new stockings

ditresa *s* (~n), **på** ~**n** on the (my etc.) journey there **1** ditt poss pron se *din*

2 ditt *s* (oböjl.), **prata om** ~ **och datt…** this and that, …all sorts of things, …one thing and another

dittills *adv* up to then, till then, thitherto

ditvägen *s* (best. sing.), **på** ~ on the (my etc.) way there

ditåt *adv* in that direction, that way; **något** ~ something like that (to that effect, in that style)

diva *s* (~n, divor) diva

divalater *s pl* prima donna behaviour sg.

divan *s* (~en, ~er) couch, divan

divergens *s* (~en, ~er) divergence äv. fys. el. matem.

divergent *adj* (=) divergent äv. fys. el. matem.

divergera *vb itr* (~de, ~t) diverge äv. fys. el. matem.

divergerande *adj* (oböjl.) divergent

diverse *adj* (oböjl.) sundry, various; ~ **saker** äv. sundries, odds and ends; **Diverse** rubrik i räkenskaper Sundries

diversearbetare *s* (~n, =) casual labourer, unskilled worker, odd-job man

diversehandel *s* (~n, -handlar) butik general store

diversifiera *vb tr* (~de, ~t) diversify

dividend *s* (~en, ~er) matem. el. på aktier dividend

dividera I *vb tr* (~de, ~t) divide [*med* by] **II** *vb itr* (~de, ~t) vard., resonera argue [*om* about]

division *s* (~en, ~er) **1** matem. division **2** mil.: fördelning division; flyg., fartygsförband squadron; artilleri~, ung. artillery battalion **3** sport. division

divisor *s* (~n, ~er) matem. divisor
Djibouti Djibouti
djungel *s* (~n, djungler) jungle
djup I *adj* (~t) allm. deep; spec. i högre stil el. bildl.
profound; friare: fullständigt complete; stor great; *en ~*
bugning a deep (low) bow; *~ misstro* profound
mistrust; *~ okunnighet* profound (complete)
ignorance; *ligga i ~ sömn* be fast asleep; *~ tallrik*
soup plate; mindre fruit salad plate; *~ tystnad* a
profound silence; *den ~are meningen med det* its
underlying meaning; *i ~a[ste] skogen* in the depths
of the forest
II *s* (~et, =) allm. depth; högtidl. äv. depths pl.; bildl. äv.
profundity; poet. deep; avgrund abyss; *kaptenen följde*
fartyget i ~et the captain went down with his ship;
gå på ~et med ngt go (penetrate) to the bottom of
sth; jag tackade honom *ur ~et av mitt hjärta* ...from the
bottom (depths) of my heart
djupblå *adj* (-blått) deep blue
djupdykning *s* (~en, ~ar) **1** deep-sea diving; *en ~ i*
ämnet zoologi an in-depth study of... **2** misslyckande
fiasco
djupfrysa *vb tr* (-frös el. -fryste, -frusit el. -fryst)
deep-freeze
djupfrysning *s* (~en, ~ar) deep-freezing
djupfryst *adj* (=), *~a livsmedel* [deep-]frozen foods
djupgående I *adj* (oböjl.) deep[-going]; bildl.
profound; sjö. deep-draught **II** *s* (~t) sjö. draught
djuphavsfiske *s* (~t) deep-sea fishing
djuphavsforskning *s* (~en) deep-sea exploration
(research), oceanography
djupna *vb itr* (~de, ~t) deepen [till into]; eg. vanl. get
deeper; bildl. äv. grow more profound
djupsinne *s* (~t) profundity, depth [of thought]
djupsinnig *adj* (~t) profound, deep
djupsinnighet *s* (~en, ~er) **1** yttrande profound
remark **2** se *djupsinne*
djupt *adv* spec. i eg. bet. deep; spec. i bildl. bet. deeply,
profoundly, jfr *djup I*; *~ allvarlig* very serious
(grave); *~ bedrövad* deeply grieved; *~ förälskad*
deep[ly] in love; *~ kränkt (sårad)* deeply offended; *~*
känd tacksamhet heartfelt gratitude; *~ rotad*
deep-rooted; *~ rörd* deeply (profoundly) moved;
beklaga ~ regret deeply (profoundly); *gräva ~* dig
deep[ly]; *titta för ~ i glaset* take a drop too much;
sjunka ~ sink deep; bildl. fall low; *han sov ~* he was
fast asleep
djuptryck *s* (~et, =) typogr. photogravure [printing],
intagli|o (pl. -os el. -i)
djur *s* (~et, =) allm. animal; större fyrfota el. i betydelsen
'kreatur' el. bibl., föraktfullt el. bildl. äv. beast; insekt insect,
thing; *slita som ett ~* work like a horse; *som ett*
jagat ~ like a hunted animal (some hunted
creature)
djurart *s* (~en, ~er) species (pl. lika) of animal, animal
species (pl. lika)
djurförsök *s* (~et, =) experiment on (with) animals
djurisk *adj* (~t) allm. animal; bestialisk bestial; köttslig,
sinnlig carnal; rå, brutal brutal; *~ lusta* animal lust
djurkretsen *s* (best. sing.) astrol. the zodiac
djurliv *s* (~et) animal life, wildlife
djurpark *s* (~en, ~er) zoo zoological park
djurplågare *s* (~n, =) tormentor of animals; *vara en ~*
äv. be cruel to animals
djurplågeri *s* (~et) cruelty to animals

djurriket *s* (best. sing.) the animal kingdom
djurrättsaktivist *s* (~en, ~er) animal rights activist
djursjukhus *s* (~et, =) animal (veterinary) hospital
djurskydd *s* (~et) prevention of cruelty to animals
djurskyddsförening *s* (~en, ~ar) society for the
prevention of cruelty to animals
djurskötare *s* (~n, =) i zoologisk trädgård [zoo-]keeper;
lantbr. cattleman
djurtransport *s* (~en, ~er) transporterande the transport
of animals; som skylt på lastbil o.d. animal transport
djurtämjare *s* (~n, =) animal trainer (tamer)
djurvän *s* (~nen, ~ner) animal lover
djurvänlig *adj* (~t) ...fond of (kind to) animals;
lämplig för djur ...suitable for animals
djurvärld *s* (~en) animal kingdom (world); fauna
fauna; djurliv animal life, wildlife
djärv *adj* (~t) allm. bold; dristig äv. daring; oförvägen
intrepid, audacious; vågsam, vågad venturesome,
risky; fräck äv. cheeky; *lyckan står den ~e bi* Fortune
favours the brave
djärvhet *s* (~en) boldness, daring, intrepidity,
audacity, insolence; jfr *djärv*
djävel *s* (~n, djävlar) devil; starkare bastard; vulg.
bugger, fucker
djävla *adj* (oböjl.) o. *adv* bloody; damn[ed],
goddamn[ed], goddam; *[din] ~ idiot* you bloody
(damn) fool; amer. vulg. you fucking idiot
djävlar *interj* hell!, damn!; vulg. fuck [it]!
djävlas *vb itr dep* (djävlades, djävlats), *~ med ngn* be
bloody-minded towards sb; *han gjorde det bara för att*
~ ...just to be bloody-minded
djävlig *adj* (~t) **1** devilish; ondskefull fiendish; diabolisk
diabolic[al]; infernalisk infernal, hellish **2** i kraftuttr. om
person: vanl. bloody (goddamn[ed]) nasty [mot to];
om sak vanl. bloody (goddamn[ed]) rotten (awful)
djävligt *adv* **1** devilishly osv., jfr *djävlig 1* **2** i kraftuttr.
bloody, damn[ed], goddamn[ed], goddam; vulg.
fucking
djävul *s* (~en, djävlar) devil, fiend; jfr *1 fan*
djävulsk *adj* (~t) devilish; ondskefull fiendish; diabolisk
diabolic[al]; infernalisk infernal, hellish
djävulskap *s* (~et) devilry, devilment
djävulstyg *s* (~et) devilry
D-mark *s* (~en, =) hist., myntenhet D-mark
d-moll *s* (oböjl.) mus. D minor
DNA (förk. för *deoxiribonukleinsyra*) biol. DNA (förk.
för deoxyribonucleic acid)
DNA-analys *s* (~en, ~er) DNA analysis
DNA-profil *s* (~en, ~er) DNA profiling
DO förk., se *Diskrimineringsombudsmannen*
dobb *s* (~en, ~ar) fotb. stud
dobbel *s* (dobblet) [illicit] gambling (gaming)
dobermannpinscher *s* (~n, -pinschrar) hund
Dobermann [pinscher]
docent *s* (~en, ~er) vid universitet docent; motsv. i Storbr.
reader, senior lecturer; i USA associate professor [*i*
in]
docentur *s* (~en, ~er) docentship; motsv. i Storbr.
readership, senior lectureship; i USA associate
professorship
docera *vb itr* (~de, ~t) hold forth, lay down the law
docerande *adj* (oböjl.) didactic, magisterial
dock *adv* o. *konj* likväl yet, nevertheless, still;
emellertid however; ändå for all that,
notwithstanding

1 docka *s* (~n, dockor) **1** leksak doll äv. bildl.; barnspr.
dolly; led~, marionett, äv. bildl. puppet, marionette;
prov~, skylt~, buktalar~ etc. dummy **2** garn~ o.d. skein
2 docka sjö. **I** *s* (~n, dockor) dock **II** *vb tr* o. *vb itr*
(~de, ~t) dock äv. rymd.; tr. äv. admit…into a (resp.
the) dock
dockansikte *s* (~t, ~n) doll's face; bildl. äv. doll-like
face
dockning *s* (~en, ~ar) sjö. el. rymd. docking
dockskåp *s* (~et, =) doll's house
dockteater *s* (~n, -teatrar) puppet theatre (föreställning
show)
dockvagn *s* (~en, ~ar) doll's pram
doft *s* (~en, ~er) scent, perfume; fragrance äv. bildl.
dofta I *vb itr* (~de, ~t) smell; *det ~r [av] rosor* there is
a scent of roses; *vad det ~r härligt!* what a delightful
(wonderful) scent (fragrance)! **II** *vb tr* (~de, ~t), ~
mjöl över köttet sprinkle flour over the meat
doftande *adj* (oböjl.) sweet-scented; fragrant [*av*
with]; redolent [*av* of]
dogm *s* (~en, ~er) dogma; *~en om…* the dogma of…
dogmatik *s* (~en) dogmatics sg.
dogmatiker *s* (~n, =) dogmatist, dogmatician
dogmatisk *adj* (~t) dogmatic
dogmatism *s* (~en) dogmatism
doja *s* (~n, dojor) vard. shoe
dok *s* (~et, =) slöja veil; friare pall; *ta ~et* bli nunna take
the veil
doktor *s* (~n, ~er) doctor (förk. Dr., Dr); jfr *filosofie,
juris* m.fl.
doktorand *s* (~en, ~er) candidate for the doctorate,
doctoral candidate, postgraduate student
doktorera *vb itr* (~de, ~t) study for (avlägga examen
take) one's doctor's degree [*i* in]
doktorsavhandling *s* (~en, ~ar) thesis [for a (resp.
the) doctorate], doctor's dissertation (thesis)
doktorsgrad *s* (~en, ~er) doctor's degree, doctorate;
ta ~en take a doctor's degree
doktorshatt *s* (~en, ~ar) doctor's hat vid svensk
promotion
doktorspromotion *s* (~en, ~er) o.
doktorspromovering *s* (~en, ~ar) univ. conferring
(conferment) of doctor's degrees
doktorstitel *s* (~n, -titlar) title of doctor
doktrin *s* (~en, ~er) doctrine
doktrinär *adj* (~t) doctrinaire
dokument *s* (~et, =) document; jur. äv. deed,
instrument
dokumentarisk *adj* (~t) documentary
dokumentation *s* (~en, ~er) documentation äv.
vetensk. verksamhet, substantiation
dokumentera I *vb tr* (~de, ~t) eg. document,
substantiate; ådagalägga give (produce) evidence of
II *vb rfl* (~de, ~t), *~ sig som…* establish one's claim
to recognition as…, establish oneself as…
dokumentförstörare *s* (~n, =) paper-shredder
dokumentportfölj *s* (~en, ~er) [document] briefcase,
dispatch case
dokumentskåp *s* (~et, =) filing cabinet
dokumentär I *adj* (~t) documentary **II** *s* (~en, ~er)
documentary
dokumentärfilm *s* (~en, ~er) documentary [film]
dokusåpa *s* (~n, -såpor) docusoap, reality show
dold *adj* (dolt) hidden, concealed; förborgad äv. latent;

hemlig secret; *~a kameran* i tv Candid Camera; *med
illa ~…* with ill-concealed (ill-disguised)…
doldis *s* (~en, ~ar) vard. unperson, anonymous
public figure
dolk *s* (~en, ~ar) dagger, poniard
dolkstyng *s* (~et, =) dagger-thrust, stab
dolkstöt *s* (~en, ~ar) dagger-thrust, stab; *en ~ i
ryggen* bildl. a stab in the back
dollar *s* (~n, =) myntenhet dollar; amer. vard. buck; *5 ~*
five dollars ($5)
dollarkurs *s* (~en, ~er) dollar rate [of exchange]
dollarsedel *s* (~n, -sedlar) dollar note; amer. dollar
bill; vard. greenback
Dolomiterna *s pl* the Dolomites
dolsk *adj* (~t) se *lömsk*
1 dom *pron* se *de* o. *dem*, jfr äv. *den*
2 dom *s* (~en, ~er) kyrka cathedral
3 dom *s* (~en, ~ar) omdöme el. jur. (framför allt i civilmål el.
i högre stil) judgement; framför allt i brottmål sentence; i
sjörätts- o. äktenskapsmål decree; jurys utslag verdict;
eftervärldens ~ the verdict of posterity; *en friande ~* a
verdict of acquittal (of not guilty); *en fällande ~* a
verdict of guilty, a conviction; *yttersta ~en* the last
judgement; *~ har ännu inte avkunnats (fallit) i detta
mål* äv. the case is still pending; *sätta sig till ~s
över…* take upon oneself to judge…, rise [up] in
judgement against…
domare *s* (~n, =) **1** allm. judge; vid underrätt äv.
magistrate; vid högre rätt justice; friare el. bildl. äv.
adjudicator, arbiter **2** sport.: allmän idrott, kapplöpning
m.m. judge; tennis m.m. umpire; fotb. el. boxn. samt
överdomare i tennis referee, vard. ref
domarämbete *s* (~t, ~n) judicial office
domdera *vb itr* (~de, ~t) go on, shout and swear,
boss about
domedag *s* (~en) judgement day, doomsday; *till ~*
till (until) doomsday
domherre *s* (~n, -herrar) zool. bullfinch
dominans *s* (~en) dominance äv. biol., predominance
dominant *adj* (=) dominant äv. mus. el. biol.
dominera *vb tr* o. *vb itr* (~de, ~t) dominate; spela herre
domineer, be overbearing; vara förhärskande be
predominant (uppermost), predominate; ligga över
hold the upper hand; ha utsikt över, behärska
dominate, command
Dominica Dominica
dominikan *s* (~en, ~er) relig. el. geogr. Dominican
dominikansk *adj* (~t) relig. el. geogr. (från Dominikanska
republiken) Dominican
Dominikanska republiken the Dominican Republic
dominikisk *adj* (~t) från Dominica Dominican
domino *s* **1** (~n, ~r) dräkt domino **2** (~t) spel dominoes
sg.
dominobricka *s* (~n, -brickor) domino
dominoeffekt *s* (~en, ~er) domino effect, knock-on
effect
dominospel *s* (~et, =) [game of] dominoes sg.; konkr.
äv. set of dominoes
domkapitel *s* (-kapitlet, =) kyrkl. [cathedral] chapter
domkraft *s* (~en, ~er) tekn. jack
domkyrka *s* (~n, -kyrkor) cathedral
domna *vb itr* (~de, ~t), ~ [*av* (*bort*)] go numb; om värk
o.d. abate, subside, die down; friare go (grow)
dormant; *min fot har ~t* 'somnat' my foot has gone to
sleep, I've got pins and needles in my foot

domning s (~en, ~ar) numbness; abatement; jfr *domna*

domprost s (~en, ~ar) [cathedral] dean; **~en N.** Dean N.

domptera vb tr (~de, ~t) tame

domptör s (~en, ~er) tamer

domsaga s (~n, -sagor) jur. rural judicial circuit, judicial district

domsbasun s (~en, ~er) last trump

domslut s (~et, =) **1** judgement, judicial decision **2** sport. decision, call

domsrätt s (~en) jur. jurisdiction

domssöndagen s (best. sing.) the Sunday before Advent

domstol s (~en, ~ar) lawcourt, court [of law (justice)]; hist., bildl. el. i vissa sammanhang tribunal; *dra ngt inför* ~ take a matter to court; *dra ngn inför* ~ take sb to court, bring sb up before court

domstolsförhandling s (~en, ~ar), **~[ar]** court proceedings pl.

Domstolsverket the [Swedish] National Courts Administration

domän s (~en, ~er) domain äv. data., province; [*svenska*] *statens* **~er** the [Swedish] crown-lands

domänadress s (~en, ~er) data. domain address

domänförlust s (~en, ~er) domain loss; språkv. loss of domains of usage

Domänverket the [Swedish] National Forest Enterprise

don s (~et, =) verktyg tool; ~ pl., grejor gear, tackle (endast sg.); ~ *efter person* to every man his due

donation s (~en, ~er) donation; testamentarisk bequest

donationsbrev s (~et, =) deed of gift

donator s (~n, ~er) donor

Donau flod the Danube

donera vb tr (~de, ~t) donate, give [a donation of]; *de ~de medlen* the money donated

donjuan s (= el. ~en, ~er) kvinnojusare Don Juan

dop s (~et, =) baptism; barn~ vanl. christening; fartygs~ o.d. naming, christening; *bära ett barn till ~et* present a baby at the font

dopa vb tr (~de, ~t) sport. dope; ~ *sig* take drugs

dopakt s (~en, ~er) [ceremony of] baptism, baptismal rite

dopattest s (~en, ~er) certificate of baptism

dopfunt s (~en, ~ar) baptismal (christening) font

doping s (~en) med sammansättn., se *dopning* med sammansättn.

dopklänning s (~en, ~ar) christening robe

dopnamn s (~et, =) baptismal (first, Christian) name

dopning s (~en) sport. doping; tagande av dopingpreparat drug-taking, drug use (abuse)

dopningspreparat s (~et, =) doping preparation, narcotic substance [used in doping]

dopningsprov s (~et, =) sport. drug (dope) testing; *ett* ~ a drug (dope) test

dopp s (~et, =) **1** bad, *ta sig ett* ~ have a dip (plunge) **2** *kaffe med* ~ ung. coffee and buns (cakes)

doppa I vb tr (~de, ~t) allm. dip; ivrigt, hastigt plunge; helt o. hållet immerse; ~ *ned* dip...[down] [*i* into] **II** vb tr o. vb itr (~de, ~t), ~ *i grytan* 'dip in the pot', dip bread into the stock from the Christmas ham; *var så god och* ~ ta för Er! please help yourself (resp. yourselves) [to the buns (cakes)]! **III** vb rfl (~de, ~t), ~ *sig* have a dip (plunge)

dopparedagen s (best. sing.) o. **dopparedan** s (best. sing.) vard. Christmas Eve

dopping s (~en, ~ar) zool. grebe

doppsko s (~n, ~r) på käpp o.d. ferrule; på värjskida o.d. chape

doppvärmare s (~n, =) immersion heater

dopvittne s (~t, ~n) sponsor, godparent

dorisk adj (~t) Doric, Dorian; ~ *pelare* Doric column; ~ *tonart* mus. Dorian mode

dos s (~en, ~er) dose [före följande ord of]; dosering dosage; *en för stor* ~ vanl. an overdose

dosa s (~n, dosor) box äv. tekn. el. elektr.; bleck~ tin

1 dosera vb tr (~de, ~t) göra sluttande slope, escarp; väg camber; kurva bank

2 dosera vb tr (~de, ~t) med. dose

1 dosering s (~en, ~ar) sluttning slope, escarpment; vägs camber

2 dosering s (~en, ~ar) med. dosage

dosis s (oböjl.) se *dos*

dossier s (~n el. ~en, ~er) dossier, file

dotter s (~n, döttrar) daughter

dotterbolag s (~et, =) subsidiary [company], affiliated company

dotterdotter s (~n, -döttrar) granddaughter; *sons* (*dotters*) ~ great-granddaughter; *brors* (*systers*) ~ great-niece, grandniece

dotterson s (~en, -söner) grandson; *sons* (*dotters*) ~ great-grandson; *brors* (*systers*) ~ great-nephew, grandnephew

doublé s (~n) guld~ rolled gold

dov adj (~t) allm. dull; om smärta äv. aching; kvalmig sultry; undertryckt: om stämning stifled, om ljud muffled

dovhjort s (~en, ~ar) zool. fallow deer; hanne buck

Downs syndrom s med. Down's syndrome, mongolism

doyen s (~en, ~er) doyen

dra (jfr *dras*) **I** vb tr o. vb itr (drog, dragit) (jfr *dra II*) **1** eg. el. friare draw; häftigare el. kraftigare pull; hala haul; släpa drag, lug; streta med tug; bogsera tow; ~*!* pull!; [*ligga och*] ~ sport. set the pace; ~ *kniv* [*mot ngn*] draw a knife [on sb]; ~ *ett kort* [*ur leken*] draw a card [out of the pack]; ~ *ett tungt lass uppför en backe* pull a heavy load up a hill; ~ *ledningar* i huset wire the house [for electricity]; ~ *ngn inför rätta* take sb to court, bring sb up before court; ~*...ur* (*i*) led put...out of (set...into) joint **2** tänja [ut], ~ *lakan*[*en*] stretch (pull) the sheets; ~ *på munnen* (*smilbandet*) smile slightly **3** driva (maskin o.d.) work; vrida (vev o.d.) turn **4** locka attract; *ett stycke som* ~*r* [*folk* (*fullt hus*)] a play that draws [people (full houses)] **5** ta bort, subtrahera take [away], subtract **6** erfordra take; förbruka use [up]; konsumera consume; *hon* ~*r storlek 40* i kläder she takes size 40... **7** berätta, t.ex. en historia reel off; rabbla upp, t.ex. siffror go through **8** i vissa andra förb.: ~ *blankt*, ~ *benen efter sig*, ~ *en slöja över*, ~ *ngn vid näsan* osv., se under resp. huvudord

II vb itr (drog, dragit) (jfr *dra I*) **1** låta teet stå och ~ let the tea brew **2** tåga march; gå go, pass; röra sig move; flytta (om fåglar) migrate; ~ *i fält* (*krig*) take the field (go to the wars); *gå och* ~ sysslolöst lounge (hang) about; *jag måste* ~ gå, vard. I must be off, I'll be off **3** opers., *det* ~*r* there is a draught (amer. draft) **III** vb rfl (drog, dragit) ~ *sig* **a)** mera eg.: förflytta sig move; *molnen* ~*r sig norrut* the clouds are passing to the north; ~ *sig tillbaka* draw back; retirera retreat;

till sitt rum för kvällen etc. withdraw; pensionera sig retire **b)** *klockan ~r sig* se *dra sig efter* under *dra IV* nedan **c)** vara lättjefull, *ligga och ~ sig i sängen* be lounging (lie lolling) in bed, be having a lie-in **d)** *[inte] ~ sig för ngt* (*för att* + inf.) *[not]* be afraid of sth (of + ing-form); *inte ~ sig för ngt* (*för att* + inf.) äv. not mind sth el. think nothing of sth (not mind + ing-form) **IV** med beton. part.

dra av a) klä av pull (take) off **b)** avlägsna pull away **c)** dra itu pull...in two **d)** dra ifrån deduct

dra bort a) tr. draw away; trupper o.d. withdraw **b)** itr. move off, go away; om trupper withdraw **c)** *~ sig bort* go away

dra sig efter om klocka be losing, lose; *klockan har ~git sig 10 minuter efter* the clock is 10 minutes slow

dra fram a) tr.: taga (släpa) fram draw (pull) out; anlägga, t.ex. järnväg construct; bildl. bring up (forward, out), produce; *~ fram näsduken* pull out one's handkerchief; *~ fram stolen [till fönstret]* draw up the chair [to the window] **b)** itr. advance; *~ fram genom* äv. traverse **c)** *~ sig fram [i världen]* get on [in the world], get along

dra för gardinen draw..., pull...across

dra förbi go past, pass by

dra ifrån gardin o.d. draw (pull) aside (back); ta bort take away, subtract; ta (räkna) ifrån deduct; *han drog ifrån [de andra]* sport. he drew away [from the rest]

dra igen dörren pull...to, shut..., close...

dra igenom tr., t.ex. ett band draw (pull)...through; bildl. go (work, hastigt run, ytligt skim) through...

dra i gång ngt get sth going (working)

dra ihop samla gather...together; trupper concentrate; förkorta, t.ex. artikel cut down; *~ ihop sig* eg. contract; sluta sig close; *det ~r ihop [sig] till oväder* a storm is gathering; *det ~r ihop [sig] till regn* it looks like rain

dra in a) tr. draw in äv. bildl.; dra tillbaka, återkalla withdraw; inställa discontinue, stop, take away; på viss tid suspend; avskaffa abolish, do away with; konfiskera confiscate; *~ ngn i ett rum* drag sb into a room; *~ in ett körkort* take away (på viss tid suspend) a driving licence; *~ in magen* pull in one's stomach; *~ in en tidning* confiscate (förbjuda suppress) a paper; *~ in vatten (elektricitet)* lay on water (electricity) **b)** itr., *~ in på...* inskränka cut down [on]...

dra isär draw...apart (asunder)

dra i väg move off, march (go) away; march, start *[till* for]; vard., *~ i väg och...* go and...

dra med drag...along [with one]; *~ med sig* a) eg. take...about with one b) bildl. bring...with it (resp. them), innebära mean, involve; *~ med sig ngn i fallet* drag sb down with one

dra ned eg. draw (pull) down; smutsa ned make...dirty; *~ ned i smutsen* drag...down into the mire

dra om sig: *~ om sig sjalen* draw the shawl around one's shoulders

dra omkring a) tr.: sprida, strö ut throw (scatter)...about **b)** itr. wander about; jfr *ströva [omkring]* under *ströva*

dra omkull pull down; slå omkull knock...down (over)

dra på a) tr, t.ex. maskin, motor start **b)** itr: fortsätta go (push) on; vard., öka farten step on it; *~ på [sig]* ett plagg put (pull) on; *~ på sig en förkylning* catch [a] cold

dra samman se *dra ihop* ovan

dra till a) tr.: t.ex. dörr pull (draw)...to; dra åt [hårdare] pull (tie)...tighter, tighten **b)** itr.: 'breda på' pile it on; *~ till med en svordom (lögn)* come out with a swearword (lie); *~ till med att...* vard., hitta på hit on the excuse that... **c)** *~ till sig* eg. draw...towards one; absorbera absorb; attrahera attract äv. bildl.; dra tillsammans summon (collect) round one

dra tillbaka draw back; *~ tillbaka handen (trupperna)* äv. withdraw one's hand (the troops); *~ sig tillbaka* se *dra III 1*

dra undan draw (pull, move)...aside (out of the way), remove; *~ sig undan* move (draw) aside (out of the way); tillbaka fall (draw) back; *~ sig undan från* t.ex. plikter shirk, evade

dra upp tr. draw (pull, lift) up; fisk (vid metning) äv. land; odla raise; öppna open, uncork; klocka wind up; *~ upp...med roten* pull (drag)...up by the roots; *~ upp en båt [ur sjön]* pull a boat out of the sea; *~ upp ngt ur fickan* pull (vard. fish) sth out of one's pocket; *~ upp ngn ur vattnet* drag (friare help el. rescue) sb out of the water

dra ur tr. draw (pull, drag) out; *~ sig ur leken (spelet)* quit the game, friare back out, give up; vard. chuck it in

dra ut a) tr.: eg. draw (pull, drag, ta take) out; förlänga draw out, prolong; tänja ut stretch out; *[låta] ~ ut en tand* have a tooth extracted; *~ ut ngt ur...* draw osv. sth out of...; *~ ut en sticka ur...* remove a splinter from... **b)** itr. go off [på jakt (i krig) shooting (to the wars)]; march out; om rök o.d. find its way out, clear out, move off; strejken *~r ut på tiden* ...is dragging on (is going on and on); *det ~r ut på tiden* blir sent it is getting rather late; tar lång tid it is taking a long time

dra vidare move on

dra åt draw (pull)...tight[er], tighten; *~ åt sig* draw (pull, drag)...towards one; bildl. attract [...to one]; med saksubj. absorb, suck up

dra över: a) *~ över [tiden]* run over time [med 15 min. by...]; *~ över på* kontot overdraw...; *~ över sig* pull...over one; t.ex. olycka draw...down upon one[self]; jfr *överdra* **b)** vulg., *~ över* ha samlag med poke, screw

drabant *s* (~en, ~er) **1** livvakt bodyguard; hejduk henchman; hillebardjär halberdier **2** bildl. el. astron. satellite

drabba I *vb tr* (~de, ~t) träffa hit, strike; falla på [ngns lott] fall upon; hända [ngn] happen to, befall; beröra affect; *supportrarna ~de stan* the town was hit by the supporters; *en sjukdom som ~r barn* an illness that affects children; *~s av...* a) utsättas för be subjected to... b) råka ut för have..., meet with... c) träffas av be hit by...; *~s av en svår förlust* suffer a heavy loss; *~s av sjukdom* be stricken with illness; *~s av en sjukdom* contract an illness **II** *vb itr* (~de, ~t), *~ samman (ihop)* a) mil. meet, encounter each other b) om enskilda come to blows (vid dispyt loggerheads), cross (measure) swords

drabbning *s* (~en, ~ar) slag battle; stridshandling action; i friare bemärkelse encounter; *mellan ~arna* friare between the bouts (encounters)

drag *s* (~et, =) **1** dragning, ryck pull, tug **2** med stråke, penna o.d. stroke; *i korta ~* i korthet briefly, in brief; *i stora ~* i stort broadly, in broad outline **3** spel. move äv. bildl.; **ett mycket skickligt** ~ a very clever move, a masterly stroke; **svart har ~et** black to play; **det är ditt** ~ it is your move **4** särdrag, kännetecken allm. feature; ansikts- äv. line; karaktärs~ trait, streak; släkt~ strain; **ett utmärkande** ~ a characteristic [feature] [**för** of] **5** nyans, anstrykning touch, strain **6** luft~, andetag m.m. allm. draught; amer. draft; **det är inget** ~ **i kaminen** the stove does not draw; **njuta [av] ngt i fulla** ~ enjoy sth to the full; **han tömde glaset i ett** ~ he emptied (drained) the glass in a (one) draught (gulp); **sitta i** ~ sit in a draught **7** fiskeredskap trolling spoon

draga vb (drog, dragit) se **dra**

dragare s (~n, =) dragdjur draught (amer. draft) animal

dragas vb itr dep (drogs, dragits) se **dras**

dragbasun s (~en, ~er) mus. [slide] trombone

dragdjur s (~et, =) se **dragare**

dragé s (~n, ~er) dragée; farmakol. [sugar-coated] pill

dragen adj (draget, dragna) vard., berusad tipsy

dragfri adj (-fritt) ...free from draught[s] (amer. draft[s])

dragg s (~en, ~ar) grappling-iron

dragga vb itr (~de, ~t) drag äv. sjö. [**efter ngt** for sth]; ~ **i floden** drag the river

draghjälp s (~en) sport. pacesetter; **få** ~ be paced, be given a pacesetter; bildl. be helped along

dragig adj (~t) draughty; amer. drafty; **det är ~t här** äv. there is a draught (amer. draft) here

dragkamp s (~en, ~er) tug-of-war; bildl. äv. tussle

dragkedja s (~n, -kedjor) se **blixtlås**

dragkraft s (~en, ~er) traction force (power)

dragkrok s (~en, ~ar) på bil towing hook; på tåg m.m. drawhook; amer. drag hook, coupling hook

dragkärra s (~n, -kärror) handcart, barrow

draglina s (~n, -linor) bogserlina towline; för vagn trace; på linbana haulage cable

draglåda s (~n, -lådor) drawer

dragläge s (~t, ~n) bil. [clutch] biting point, bite

dragning s (~en, ~ar) **1** lotteri~ draw **2** attraktion attraction, drawing [**till** towards]; böjelse äv. inclination [**till** for] **3** nyans, **en** ~ **åt blått** a tinge of blue **4** genomgång general run-through

dragningskraft s (~en) attractive force; [power of] attraction; lockelse äv. attractiveness; **ha stor** ~ äv. be very attractive

dragningslista s (~n, -listor) lottery prize-list, list of lottery prizes

1 dragon s (~en) bot. tarragon

2 dragon s (~en) kavallerist dragoon

dragplåster s (-plåstret, =) bildl. draw, drawing-card, strong attraction

dragrem s (~men, ~mar) på seldon trace, draught (amer. draft); maskin~ belt; på vagnsfönster strap

dragspel s (~et, =) accordion; concertina concertina

drake s (~n, drakar) **1** dragon äv. ragata; pappers~, leksaks~ el. meteor. kite; **drakarna** de stora (tunga) tidningarna the heavy newspapers (dailies), the heavies; **flyga (släppa upp) en** ~ fly a kite **2** båttyp dragon **3** se **drakskepp**

drakflygning s (~en, ~ar) **1** med pappersdrakar kite-flying **2** flygsport, se **hängflyg**

drakonisk adj (~t) Draconic, harsh

drakskepp s (~et, =) hist. Viking [dragon] ship

drama s (~t, dramer) drama; uppskakande händelse tragedy

dramadokumentär s (~en, ~er) TV. etc. docudrama, dramatized documentary, faction

dramaserie s (~n, ~r) på tv drama series (pl. lika)

dramatik s (~en) drama äv. bildl.

dramatiker s (~n, =) dramatist, playwright

dramatisera vb tr (~de, ~t) dramatize; omarbeta till dramatisk form äv. adapt for the stage (theatre)

dramatisk adj (~t) dramatic; förstärkande äv. ...full of drama, exciting; **Dramatiska Institutet** the University College of Film, Radio, Television and Theatre; **Dramatiska Teatern** Kungliga Dramatiska Teatern the Royal Dramatic Theatre

dramaturg s (~en, ~er) teat. dramaturgist, dramaturge

drapera I vb tr (~de, ~t) drape, hang...with drapery (resp. draperies) **II** vb rfl (~de, ~t), ~ **sig** drape oneself; om tyg, [**låta**] ~ **sig** drape itself

draperi s (~et, ~er) [piece of] drapery, hanging

dras vb itr dep (drogs, dragits), [**få**] ~ **med** a) sjukdom be afflicted with, suffer from b) skulder, bekymmer be harassed by, be encumbered with

drastisk adj (~t) drastic

drasut s (~en, ~er) vard., **en lång** ~ a beanpole, a lanky fellow

dravel s (dravlet) vard. drivel, twaddle, nonsense

dregla vb itr (~de, ~t) dribble, slobber, drool; ~ **ned ngt** dribble all over sth

dreja I vb tr (~de, ~t) lergods turn, throw **II** vb itr (~de, ~t) sjö., ~ **bi** heave (bring) to

drejskiva s (~n, -skivor) potter's wheel

dress s (~en, ~ar el. ~er) klädsel dress, attire; byxdress o.d. suit, costume

dressera vb tr (~de, ~t) allm. train [**till (för)** for]; friare school, drill, tutor; hund äv. break

dressin s (~en, ~er) inspection trolley (amer. car)

dressing s (~en, ~ar) [salad] dressing

dressyr s (~en, ~er) training osv., jfr **dressera**; häst~ dressage

drev s (~et, =) **1** tekn. pinion **2** blånor [packing] tow, stuffing, oakum **3** jakt. drive, beat, battue

drever s (~n, drevrar) hund [Swedish] drever

drevjakt s (~en, ~er) battue

drevkarl s (~n el. ~en, ~ar) beater, driver

dribbla vb itr (~de, ~t) sport. dribble; ~ **bort ngn** bildl. bamboozle (hoodwink) sb; ~ **bort ngt** get rid of sth by manoevering

dribbling s (~en, ~ar) sport. dribbling; **en** ~ a dribble

dricka I vb tr o. vb itr (drack, druckit) allm. drink äv. supa; ~ **en kopp kaffe** have a cup of coffee; ~ **te med mjölk** have (take) milk in one's tea; **jag dricker aldrig sprit** I never touch spirits; ~ **ngns skål (en skål för ngn)** drink sb's health, drink to (toast) sb; **han har druckit** är berusad he has been drinking; ~...**i djupa drag** take deep (long) draughts of...; ~ **upp** finish, drink up; ~ **'ur flaskan (sitt glas)** empty the bottle (one's glass); ~ **'ur teet** drink up (finish [drinking]) one's tea; ~ **sig otörstig** quench one's thirst [completely] **II** s vard. **1** (~t) dryckesvaror drinks pl. **2** (~n, drickor), **en (två)** ~ läskedryck a lemonade (two lemonades)

drickbar adj (~t) drinkable, ...fit to drink

dricks s (~en) tip, gratuity; **ge kyparen** ~ give the waiter a (his) tip, tip the waiter; **100 kronor inklusive**

~ ...including the tip; *är ~en inräknad?* el. *är det med ~?* is service (the tip) included?

dricksglas *s* (~et, =) drinking-glass, glass, tumbler

drickspengar *s pl* tip sg., gratuity sg.; gratuities

dricksvatten *s* (-vattnet) drinking-water

drift *s* (~en, ~er) **1** begär, böjelse urge, instinct, impulse, prompting; *lägre ~er* baser instincts **2** verksamhet operation, working; igånghållande running; skötsel management; *kontinuerlig ~* continuous working, working all round the clock; *stoppa (inställa) ~en* stop production; *i ~* in operation (service), at work, going, running; *ta i ~* put into operation (service), start running; *vara billig i ~* be economical; om t.ex. bil äv. be cheap to run; skämts., om t.ex. familjemedlem not cost much to keep; *ur ~* out of operation (service), not working (running) **3** *råka (komma) på ~* get adrift; *vara på ~* om båt be adrift; *den (han) är på ~ någonstans* it (he) is knocking about somewhere

driftig *adj* (~t) företagsam enterprising; verksam active, energetic; drivande go-ahead

driftighet *s* (~en) företagsamhet enterprise; energi energy; gåpåaranda drive, vard. go

driftliv *s* (~et) drifter instincts pl.

driftstopp *s* (~et, =) vid fabrik o.d. stoppage of production, shutdown; järnv. suspension of traffic

driftsäker *adj* (~t, -säkra) dependable, reliable [in service]

1 drill *s* (~en, ~ar) mus. trill; fågels warble, warbling; *slå en ~* a) om fågel warble b) vard., urinera have a pee, have a tinkle

2 drill *s* (~en, ~ar) mil. drilling, drill

3 drill *s* (~en, ~ar) borr drill

1 drilla *vb itr* (~de, ~t) mus. trill, quaver; om fågel warble

2 drilla *vb tr* (~de, ~t) mil. drill

3 drilla *vb tr* o. *vb itr* (~de, ~t) borra drill

drillborr *s* (~en, ~ar) [spiral] drill

drink *s* (~en, ~ar) drink

drista *vb rfl* (~de, ~t), *~ sig [till] att* + inf. venture to + inf., make so bold as to + inf.

dristig *adj* (~t) bold, daring

driva I *s* (~n, drivor) [snow]drift; *lägga sig i drivor* form (pile itself up in) [great] drifts, drift **II** *vb tr* (drev, drivit) **1** eg. el. friare allm. drive; tvinga äv. force, compel; förmå impel; *~ maskinen (verket)* operate the machinery; *~ priserna i höjden* force up the prices; *~s till det yttersta (ytterligheter)* be driven (pushed) to extremes (extremities); *driven med elektricitet* driven (run) by electricity **2** trädg., i drivbänk o.d. force **3** bedriva, idka, *~ handel* carry on trade; *~ en affär (en fabrik)* run a business (a factory); *~ en politik* pursue a policy **4** ciselera chase **5** täta caulk **III** *vb itr* (drev, drivit) **1** eg. drive; sjö. el. om moln, sand el. snö drift; få avdrift make leeway; *~ för ankaret* drag the (her, its) anchor **2** *[gå och] ~* ströva, stryka omkring loaf (walk aimlessly) about; flanera roam about **3** *~ med ngn* skoja pull sb's leg; göra narr av make fun of sb, poke fun at sb, take the rise out of sb; vard. take the mickey out of sb **IV** med beton. part

driva bort a) tr. drive away (off) **b)** itr. drift away

driva igenom tr. drive through; bildl. force (carry) through; *~ sin vilja igenom* have (get) one's own way

driva in a) tr.: eg. drive in; fordringar, skatter collect; *~ in...i* drive...into **b)** itr. drift in

driva omkring itr. drift (walk aimlessly) about; *~ [redlöst] omkring* sjö. be adrift

driva på tr. press (urge, push) on; absol. force the pace

driva tillbaka tr. drive back, repel, repulse

driva undan tr. drive...out of the way; jfr *driva bort* ovan

driva upp tr.: mera eg. drive up; pris o.d. run (force) up; bildl. äv. raise, increase, step up; jakt. start; anskaffa procure, obtain; plantor grow

driva ut a) tr. drive...out; expel [*ur* from]; onda andar exorcize; djävulen cast out **b)** itr. drift out

drivande I *s* (~t) driving osv., jfr *driva*; idkande vanl. pursuit; sysslolöst loitering **II** *adj* (oböjl.) driving osv., jfr *driva*; *den ~ kraften* the driving force; om person äv. the prime mover

drivaxel *s* (~n, -axlar) driving shaft

drivbänk *s* (~en, ~ar) trädg. hotbed, forcing-bed, frame

1 driven *adj* (drivet, drivna) **1** skicklig clever; erfaren practised, experienced; *en ~ [hand]stil* ung. a flowing hand **2** ciselerad embossed, chased

2 driven *s* (best. sing.), *vara på ~* vard. be knocking around (about)

drivfjäder *s* (~n, -fjädrar) mainspring; bildl. äv. incentive, motive

drivhjul *s* (~et, =) driving wheel, driving gear

drivhus *s* (~et, =) hothouse, forcing-house båda äv. bildl.; oeldat äv. greenhouse, glasshouse

drivhuseffekt *s* (~en) greenhouse effect

drivis *s* (~en) drift ice

drivkraft *s* (~en, ~er) motive (propelling) force (power); *~en* bildl. the driving force; om person äv. the prime mover

drivmedel *s* (-medlet, =) fuel, propellant

drivmina *s* (~n, -minor) drifting (floating) mine

drivrutin *s* (~en, ~er) data. device driver

drog *s* (~en, ~er) drug

droga *vb tr* (~de, ~t) drug

drogfri *adj* (-fritt) ...without drugs, drug-free

drogmissbruk *s* (~et, =) drug abuse

dromedar *s* (~en, ~er) zool. dromedary

dropp *s* (~et) **1** droppande drip[ping] **2** med. drip; ~matning av. drip-feed

droppa I *vb itr* (~de, ~t) **1** drip, fall in drops; *det ~r från taket* the roof is dripping (leaking) **2** vard., *~ av* leave; *~ in* drop in **II** *vb tr* (~de, ~t) **1** distil, drop [*i* into]; *~ citronsaft i såsen* add drops of lemon juice to the sauce **2** vard., överge drop

droppe *s* (~n, droppar) allm. drop; av kåda e.d. tear; *[liten] ~* äv. droplet; *[som] en ~ i havet* only a drop in the ocean (bucket); *en ~ blod (vatten)* a drop of blood (water)

droppflaska *s* (~n, -flaskor) dropping-bottle

droppsten *s* (~en, ~ar) dripstone; hängande stalactite; stående stalagmite

droppstensgrotta *s* (~n, -grottor) dripstone cave

dropptorka *vb tr* o. *vb itr* (~de, ~t) drip-dry

droska *s* (~n, droskor) cab; droskbil äv. taxi[cab]

drottning *s* (~en, ~ar) queen äv. bildl. el. schack.; bi~ queen bee; *balens ~* the queen (belle) of the ball; *göra en bonde till ~* schack. queen a pawn

drucken adj (drucket, druckna) berusad: attr. drunken; pred. drunk; intoxicated, inebriated äv. bildl.; **en ~ a** drunk

drulle s (~n, drullar) vard. clodhopper, clumsy fool; tölp boor; bil~ roadhog

drulleförsäkring s (~en, ~ar) vard., se *ansvarsförsäkring*

drullig adj (~t) vard., se *drumlig*

drumla vb itr (~de, ~t), **~ i (i sjön)** stumble into the sea (water); **~ omkull** stumble and fall

drumlig adj (~t) clumsy, awkward; fumlig bungling

drummel s (~n, drumlar) lout, oaf (pl. oafs el. oaves); lymmel rascal

drunkna vb itr (~de, ~t) be (get) drowned äv. bildl.; **~ i...** bildl. be snowed under (swamped) with...; **han var nära att ~ ...**came near being drowned

drunkningsolycka s (~n, -olyckor) drowning-accident; med dödlig utgång fatal drowning-accident

druva s (~n, druvor) grape

druvklase s (~n, -klasar) cluster (lös bunch) of grapes

druvsaft s (~en, ~er) grapejuice

druvsocker s (-sockret) grape sugar, dextrose

dryck s (~en, ~er) drink; mera formellt beverage; gift~, magisk ~ o.d. potion; **starka ~er** strong drinks; koll. strong alcohol (liquor)

dryckenskap s (~en) drunkenness, inebriation

dryckesbroder s (~n, -bröder) drinking companion (mate)

dryckesvaror s pl drinks; sprit spirits

dryckesvisa s (~n, -visor) drinking-song

dryfta vb tr (~de, ~t) discuss, talk over; debattera debate; friare go into, argue

dryg adj (~t) **1** om sak: **a)** som förslår lasting, economical [in use] **b)** väl tilltagen liberal, ample; stor large; rågad heaped **c)** betungande heavy; mödosam hard, heavy; tröttande weary; **ett ~t arbete** a hard (heavy) task, a tough job; **~a böter** a heavy fine sg.; **det är en ~ kilometer dit** it is just over (quite) a kilometre there; **en ~ kopp [mjöl]** a large cupful [of flour]; **en ~ timme** just over an hour, a good (full) hour **2** om person: högfärdig, inbilsk overbearing, high-and-mighty, proud; 'viktig' self-important

dryga vb tr (~de, ~t), **~ ut** make...last [longer]

dryghet s (~en) **1** saks lastingness, economy in use **2** högfärd haughtiness, overbearingness; 'viktighet' self-importance

drygt adv **1 ~ 300** fully 300, slightly more than 300, just over 300; **~ hälften av...** quite (a good) half of... **2** högfärdigt haughtily, overbearingly; 'viktigt' self-importantly

drypa I vb tr (dröp, drupit el. drypt) put a few drops of... [**på (i)** on to (into)] **II** vb itr (dröp, drupit el. drypt) drip; droppvis rinna ned trickle; **han dröp av svett** he was dripping with perspiration; **~ 'av** smita slink away

drypande I adj (oböjl.) allm. dripping; om ljus äv. guttering; om näsa running **II** adv, **~ våt** dripping wet

dråp s (~et, =) manslaughter (endast sg.); homicide; **ett ~** a case of manslaughter

dråpare s (~n, =) killer, homicide

dråplig adj (~t) screamingly funny; **vara ~** äv. be a real scream

dråpslag s (~et, =) deathblow; **komma som ett ~** come as a staggering blow (tremendous shock); **rikta ett ~ mot** deal a deathblow (staggering blow) to

dråsa vb itr (~de, ~t), **~ [ned] i golvet (vattnet)** tumble (come tumbling) on to the floor (into the water); **en massa snö ~de ned från taket ...**came tumbling down off the roof

drägg s (~en) dregs pl.; slödder äv. scum

dräglig adj (~t) tolerable; **ganska ~** äv. not at all bad; **någorlunda ~a villkor** fairly acceptable terms

dräkt s (~en, ~er) **1** allm. dress (endast sg.); bildl. el. friare, speciellt poet. attire (endast sg.); national~ costume; fjäder~ plumage **2** jacka o. kjol suit, [tailored] costume

dräktig adj (~t) som bär foster pregnant, ...with young

dräktighet s (~en) **1** hos djur pregnancy, [period of] gestation, being with young **2** sjö. burden, tonnage, capacity, measurement

drälla vard. **I** vb tr (drällde, drällt) spill **II** vb itr (drällde, drällt) **1** [**gå och**] **~** slå dank loaf about; **~ omkring** hang (ligga lie) about **2** vimla swarm, teem; **det dräller av ungar på gatan** the street is teeming with kids

drämma vb tr o. vb itr (drämde, drämt), **~ näven i bordet** bang one's fist on...; **~ till ngn** wallop (thump, speciellt amer. slug) sb; **~ igen dörren** slam the door

dränage s (~t) med. drainage

dränera vb tr (~de, ~t) täckdika el. med. drain

dränering s (~en, ~ar) drainage; täckdikning äv. draining

dräng s (~en, ~ar) farmhand; hantlangare tool, henchman; **hans ~ar** äv. his men; **sådan herre, sådan ~** like master like man; **själv är bästa ~** ung. if you want a thing done well, do it yourself

dränka vb tr (dränkte, dränkt) eg. el. bildl. drown; översvämma (äv. om solen) flood; **~ [in] ngt med** olja steep sth in...; **~ in sig i (med) bensin** cover oneself all over in petrol; [**gå och**] **~ sig** drown oneself

dräpa vb tr (dräpte, dräpt) kill; åld. el. amer., speciellt i tidningsspråk slay; **du skall icke ~** bibl. thou shalt not kill

dräpande adj (oböjl.) bildl.: slående telling; förintande crushing; **~ replik** crushing reply

dröja vb itr (dröjde, dröjt) **1** låta vänta på sig be late [**med att komma** in coming]; söla loiter, dawdle; **svaret har dröjt länge** the answer has been a long time [in] coming **2** låta anstå o.d., **~ med ngt** delay sth, be long about (uppskjuta put off, tveka med hesitate about) sth; **~ med att** + inf. be long [in] (delay, put off) + ing-form **3** vänta wait; stanna stop, stay; **~ [kvar]** stanna kvar linger; poet. tarry; **~ vid...** bildl. dwell [up]on...; **var god och dröj!** i telefon hold on (hold the line), please! **4** opers., **det dröjer länge innan...** it will be a long [long] time (a long time will elapse) before...; **det dröjde en evighet innan...** it was ages before...

dröjande adj (oböjl.), **en ~ blick** a lingering gaze; **~ steg** dragging (dawdling) footsteps; **ett ~ svar** a hesitating answer

dröjsmål s (~et, =) delay; **utan ~** without [any (the least)] delay; friare promptly

dröjsmålsränta s (~n, -räntor) interest on overdue payment, penal interest on arrears [of payment]

dröm s (~men, ~mar) dream [**om** of (about)]; **en otäck ~** a nasty dream, a nightmare; **i ~men** el. **i mina**

~mar in [my] dreams; *i mina djärvaste* (*vildaste*) *~mar* in my wildest dreams; *försjunken i ~mar* lost in a reverie (in day-dreams); *i ~marnas land* in the land of dreams, in dreamland

drömbok *s* (~en, -böcker) book of dreams

drömfabrik *s* (~en, ~er) vard., filmstudio dream factory

drömjobb *s* (~et, =) dream job

drömlik *adj* (~t) dreamlike

drömma I *vb itr* o. *vb tr* (drömde, drömt) dream; bildl. äv. muse, daydream; *~ en dröm om…* have (dream) a dream about (of)…; *det kunde jag aldrig ~ om* I would (could) never dream of such a thing **II** *vb rfl* (drömde, drömt), *~ sig tillbaka till barndomen* dream one is (imagine oneself) back in one's childhood

drömmande *adj* (oböjl.) dreamy

drömmare *s* (~n, =) dreamer, visionary

drömmeri *s* (~et, ~er) dreaming; *~er* äv. musings

drömprins *s* (~en, ~ar) Prince Charming

drömsk *adj* (~t) drömmande dreamy

drömtydning *s* (~en, ~ar) [the] interpretation of dreams, dream interpretation

drömtårta *s* (~n, -tårtor) kok., chokladrulltårta chocolate Swiss roll; amer. chocolate roll

dröna *vb itr* (~de, ~t) slå dank idle; dåsa drowse; *gå och ~* hang about, idle around

drönare *s* (~n, =) **1** bi drone [bee] **2** person sluggard, snail

du *pers pron* you, åld., poet. el. relig. thou; *kära ~!* my dear [fellow, girl m.m.]!; *säga ~ till ngn* se *dua*

dua *vb tr* (~de, ~t), *~ ngn* address sb as 'du' (by the familiar word 'du'); friare be on familiar terms with sb; *vi ~r varandra* äv. we have dropped the titles

dualistisk *adj* (~t) filos. dualistic

dubb *s* (~en, ~ar) stud, knob; på verktygsmaskin centre; is- [ice-]prod; på däck: för vinterkörning stud, för isbanetävling spike

1 dubba *vb tr* (~de, ~t), *~ ngn till riddare* knight sb

2 dubba *vb tr* (~de, ~t) film dub [*till* into]

3 dubba *vb tr* (~de, ~t) däck provide (fit)…with studs, jfr *dubb*; *ett ~t däck* a studded tyre (amer. tire)

dubbdäck *s* (~et, =) studded tyre (amer. tire)

dubbel I *adj* (~t, dubbla) double äv. om blomma; tvåfaldig äv. twofold; [*det*] *dubbla antalet* double (twice) the number, double (twice) as many; *betala det dubbla* [*beloppet*] pay double [the amount], pay twice the amount; *dubbla budskap* mixed messages; *ligga ~ av* skratt lie doubled up with…; *vika duken ~* fold the cloth double; *priserna har stigit till det dubbla* prices have doubled **II** *s* (~n, dubblar) tennis o.d. doubles (pl. lika); match doubles match; *spela ~* (*en ~*) play doubles (a game of doubles)

dubbelarbeta *vb itr* (~de, ~t) have two jobs; om kvinna: förvärvsarbeta och sköta hushållet be a working mother

dubbelarbetande *adj* (oböjl.), *~ kvinnor* working mothers

dubbelarbete *s* (~t, ~n) **1** samma arbete utfört två gånger duplication of work **2** *ha ~* se *dubbelarbeta*

dubbelbeskattning *s* (~en, ~ar) double taxation

dubbelbottnad *adj* (-bottnat, ~e) dubbeltydig ambiguous, equivocal; *en ~ människa* a man with a complex character

dubbelbössa *s* (~n, -bössor) double-barrelled [shot]gun

dubbeldäckare *s* (~n, =) double-decker [buss bus, smörgås sandwich]

dubbeldörr *s* (~en, ~ar) två dörrhalvor twin door; *~ar* innerdörr och ytterdörr double doors

dubbelexponering *s* (~en, ~ar) foto. double exposure

dubbelfel *s* (~et, =) tennis. double fault; *göra ett ~* serve a double fault, double-fault

dubbelfönster *s* (-fönstret, =) double-glazed window

dubbelgångare *s* (~n, =) double; vard. lookalike

dubbelhaka *s* (~n, -hakor) double chin

dubbelklicka *vb itr* (~de, ~t) data. double-click

dubbelknäppt *adj* (=) double-breasted

dubbelliv *s* (~et) double life; *leva ett ~* lead (live) a double life

dubbelmatch *s* (~en, ~er) tennis o.d. doubles match

dubbelmening *s* (~en, ~ar) double meaning (sense)

dubbelmoral *s* (~en) double standard [of morality]

dubbelnamn *s* (~et, =) double-barrelled name

dubbelnatur *s* (~en, ~er), *vara en ~* have a split (dual) personality, be a Jekyll and Hyde

dubbelriktad *adj* (-riktat, ~e), *~ trafik* two-way traffic; vid vägarbete contraflow

dubbelrum *s* (~met, =) double room

dubbelsidig *adj* (~t) two-sided; *~ lunginflammation* double pneumonia

dubbelspel *s* (~et, =) **1** sport. doubles game **2** bedrägeri double-dealing; *spela ~* play a double game

dubbelspårig *adj* (~t) double-tracked; *en ~ järnväg* äv. a double line

dubbelsäng *s* (~en, ~ar) double bed

dubbelt *adv* i dubbelt mått doubly; två gånger twice; *~ så gammal* [*som*] twice as old [as]; *~ så gammal som han* äv. twice his age; *~ så mycket* twice as much, twice (double) the quantity; *~ så många* twice (double) as many; *~ upp* as much again

dubbeltydig *adj* (~t) ambiguous; friare equivocal, double-edged

dubbelvikt *adj* (=) doubled, …folded in two; *~ krage* turn-down collar; *~ av* skratt doubled up with…

dubbla *vb tr* (~de, ~t) kortsp. double

dubblera *vb tr* (~de, ~t) double; *~ en föreläsning* give a lecture twice; *~ en roll* teat. understudy a part

dubblett *s* (~en, ~er) **1** duplicate **2** två rum two-roomed flat (speciellt amer. apartment) [without a kitchen]; på hotell two connected rooms

dubblettnyckel *s* (~n, -nycklar) duplicate key

dubier *s pl*, *ha sina ~* have one's doubts [*om* about]

dubiös *adj* (~t) dubious; skum shady

ducka *vb itr* (~de, ~t) duck; *~ för* duck

duell *s* (~en, ~er) duel [*med pistol* with pistols]

duellant *s* (~en, ~er) duel[l]ist

duellera *vb itr* (~de, ~t) duel, fight a duel [*med* with]; fight duels

duett *s* (~en, ~er) mus. duet

duffel *s* (~n, dufflar) duffel coat

duga *vb itr* (dög el. dugde, dugt) allm. do; vara lämplig, passa äv. be suitable (fit); gå an, passa sig äv. be fitting (becoming); vara god nog be good enough; vara utmärkt be fine (splendid) [*till, åt, för* i samtliga fall for]; *det duger* that will do (be all right); *det duger inte!* that will never do!, that is no good!; vard. that won't wash!; *…duger inte till någonting* (*ingenting till*) …is no good; om sak äv. …is [of] no use; om person äv. …is fit (good) for nothing; *visa vad man*

duger till show what one can do, show what one is capable of (worth, made of); *det var ett rekord som heter ~!* that is something like (what I call) a record!

dugande *adj* (oböjl.) se *duglig*

dugg *s* (oböjl., ett) dyft, *inte ett ~* not a thing (bit); *inte ett ~ blyg* not a bit (not the least) shy; jag har glömt (läst, ätit upp) *vartenda ~* …every scrap (single bit) of it

dugga *vb itr* (~de, ~t) drizzle; *det ~r* äv. there is a drizzle

duggregn *s* (~et, =) drizzle

duggregna *vb itr* (~de, ~t) se *dugga*

duglig *adj* (~t) capable; kompetent äv. competent

duglighet *s* (~en) capability; kompetens competence, competency

duk *s* (~en, ~ar) cloth; bord~ äv. tablecloth; stycke tyg piece of cloth; segel~, målar~, oljemålning canvas; *vita ~en* the screen

1 duka *vb tr* o. *vb itr* (~de, ~t), *~ [bordet]* lay the table; *ett ~t bord* a table ready laid; *komma till ~t bord* bildl. have everything laid on (made easy for one); *~ av [bordet]* clear the table; *~ fram (upp)* eg. put…on the table

2 duka *vb itr* (~de, ~t), *~ under* succumb *[för* to]

dukat *s* (~en, ~er) hist., mynt ducat

duktig *adj* (~t) **1** bra o.d.: allm. good *[i* at; *[i] att* + inf. at + ing-form]; duglig äv. capable *[i* at (in); *[i] att* + inf. at (in) + ing-form]; effektiv äv. efficient; skicklig äv. clever *[i* i samtliga fall at; *[i] att* + inf., i samtliga fall at + ing-form]; kunnig proficient *[i* in (at); *[i] att* + inf. in + ing-form]; kompetent competent; begåvad gifted; *det var ~t!* that's fine!, well done!; *~ i matematik* clever (good) at (strong in) mathematics; *vara ~ i skolan* be doing well at school **2** [fysiskt] stark o.d.: allm. strong; kraftig äv. robust, sturdy; kraftfull powerful, vigorous; frisk o. stark (om barn) ibland bonny **3** orädd, käck brave **4** vard., stor o.d.: allm. big, large; ganska stor good-sized; ansenlig considerable; om penningsumma äv. goodly; riklig substantial

duktigt *adv* **1** well, capably osv., jfr *duktig 1*; *det var ~ gjort!* well done! **2** med besked with a vengeance; kraftigt powerfully, vigorously; *äta ~* eat heartily

dum *adj* (~t, ~ma) allm. stupid; amer. vard. dumb; enfaldig silly, foolish, daft; tjockskallig dense; barnspr., 'elak' nasty *[mot* to]; *~ blondin* dumb blonde; *inte [så] ~* oäven not bad; *så ~ jag var!* what a fool I was!; *han är inte så ~ som han ser ut* he is not such a fool as he looks; *det vore inte så ~t med en kopp kaffe* a cup of coffee would not be a bad idea; *~ i huvudet* stupid, daft; amer. äv. dumb

dumbom *s* (~men, ~mar) fool, idiot, ass, blockhead; *din ~!* you fool!

dumburken *s* (best. sing.) åld. vard. the [goggle] box; amer. the boob tube

dumdristig *adj* (~t) foolhardy, rash

dumdryg *adj* (~t) pompous; *han är ~* he is a pompous ass

dumhet *s* (~en, ~er) egenskap stupidity, dumbness osv., jfr *dum*; handling act of folly, stupid thing, blunder; yttrande stupid remark; *~er!* nonsense!, rubbish!; *begå (göra) en ~* do a stupid (foolish) thing, make a blunder; göra något dumt do something stupid

dumma *vb rfl* (~de, ~t), *~ sig* uppföra sig dumt make a

fool (an ass) of oneself; begå en dumhet make a blunder

dumpa I *vb tr* (~de, ~t) **1** stjälpa av dump, tip **2** ekon. dump **II** *vb itr* (~de, ~t) ekon. practise dumping, dump

dumpning *s* (~en, ~ar) **1** avstjälpning dumping, tipping **2** ekon. dumping; *en ~* a case of dumping

dumskalle *s* (~n, -skallar) vard. thickhead, dope, nitwit

dumsnut *s* (~en, ~ar) vard. silly, little fool, dope

dumt *adv* stupidly osv., jfr *dum*; *bära sig ~ åt* be silly (stupid), act like a fool; bära sig tafatt åt be awkward; se äv. *göra en dumhet* under *dumhet* o. *dumma sig* under *dumma*

dun *s* (~et) koll. down sg.

dunder *s* (dundret, =) ljud rumble, thunder; om kanon äv. boom; om åska äv. peal, clap; *med ~ och brak* with a crash

dunderfiasko *s* (~t, ~n) colossal (stupendous, spectacular) fiasco

dunderkur *s* (~en, ~er) miracle cure

dundersuccé *s* (~n, ~er) vard. terrific success; om skiva o.d. äv. smash hit; *det blev en ~* äv. it went like a bomb

dundertabbe *s* (~n, -tabbar) vard. awful bloomer (blunder), howler

dundra *vb itr* (~de, ~t) thunder; om kanon äv. boom; om åska rumble, roar; *åskan (det) ~de* äv. there was a clap of thunder; *~ mot ngt* thunder against sth

dundrande *adj* (oböjl.) thundering; *ett ~ kalas* a slap-up feast; *en ~ succé* a roaring success

dunge *s* (~n, dungar) group (clump) of trees; lund grove

dunig *adj* (~t) downy, fluffy

dunjacka *s* (~n, -jackor) quilted down jacket

1 dunk *s* (~en, ~ar) behållare can, drum

2 dunk I *s* **1** (~et) dunkande thumping; regelbundet upprepat throb[bing] **2** (~en, ~ar) slag, knuff thump; lek ung. hide-and-seek **II** *interj* thump!; *~ för mig!* i lek I'm in!

dunka I *vb itr* (~de, ~t) thump; om puls, maskin o.d. throb; *~ i bordet* äv. bang (hammer) on the table **II** *vb tr* (~de, ~t), *~ ngn i ryggen* slap (thump) sb on the back

dunkel I *adj* (~t, dunkla) skum dusky, obscure; mörk dark; rätt mörk darkish; mörk o. dyster gloomy; oklar, otydlig dim; obestämd, vag vague; svårbegriplig abstruse; svårfattlig o. oklar obscure; hemlighetsfull mysterious; *ha ett ~t minne av ngt* have a dim (vague) recollection of sth; *i dunkla ordalag* in vague (obscure) terms; *~t ursprung* obscure origin **II** *s* (dunklet) dusk; dystert gloom; oklarhet dimness, obscurity; *höljd i ~* bildl. wrapped in mystery; *skingra dunklet kring…* clear up the mystery surrounding…

dunkudde *s* (~n, -kuddar) down pillow

duns *s* (~en, ~ar) thud

dunsa *vb itr* (~de, ~t), *~ [ned]* thud [down]

dunst *s* (~en, ~er) ånga vapour, fume; utdunstning exhalation; *slå blå ~er i ögonen på ngn* pull the wool over (throw dust in) sb's eyes

dunsta I *vb itr* (~de, ~t) **1** låta…*~ av* el. *komma…att ~ av* förflyktigas evaporate; *~ bort* ta slut, gå upp i rök vanish into thin air, evaporate **2** *~ [av]* vard., smita make oneself scarce, hop it, take French leave

II *vb tr* (~de, ~t), **~ av** (*ut*) emit…in the form of vapour; **~ ut** lukt exhale

duntäcke *s* (~t, ~n) duvet, down (continental) quilt

duo *s* (~n, ~r) mus. duet äv. bildl.

dupera *vb tr* (~de, ~t) take in, dupe; **låta ~ sig** (*sig ~s*) allow oneself to be taken in (duped)

duplicera *vb tr* (~de, ~t) duplicate

duplicering *s* (~en) duplication

dur *s* (oböjl., en) mus. major; **gå i ~** be in the major key äv. bildl.

durk *s* (~en, ~ar) **1** golv cabin sole, flootboard **2** ammunitions~, krut~ magazine

durkdriven *adj* (-drivet, -drivna) skicklig clever; driven practised [*i* at]; accomplished [*i* in]; utstuderad cunning, artful; inpiskad thoroughpaced…, out-and-out…

durkslag *s* (~et, =) colander

durskala *s* (~n, -skalor) mus. major scale

dusch *s* (~en, ~ar) shower, shower bath äv. ~apparat, ~rum; hand~ hand-shower

duscha I *vb itr* (~de, ~t) have (take) a shower, shower **II** *vb tr* (~de, ~t) give…a shower; växter o.d. spray

duschdraperi *s* (~et, ~er) shower curtain

duschhytt *s* (~en, ~er) o. **duschkabin** *s* (~en, ~er) shower cabin (cubicle)

duschrum *s* (~met, =) shower room

dussin *s* (~et, =) dozen (förk. doz.); **några ~ knivar** a few dozen (some dozens of) knives; 100 kronor **~et** (*per ~*) …a dozen; sälja **per ~** …by the dozen

dussintals *adv* [dozens and] dozens of (+ subst. i pl.) [*människor* of people]

dust *s* (~en, ~er) kamp fight, tussle; sammandrabbning clash, facedown; bildl. äv. passage [of arms], tilt; **ha en ~ med** bildl. äv. clash swords with

dusör *s* (~en, ~er) gratuity; drickspengar äv. tip

duva *s* (~n, duvor) pigeon; mindre dove äv. bildl. el. polit.

duven *adj* (duvet, duvna) om dryck flat, stale; om person, dåsig drowsy, heavy; om växt drooping, faded

duvhök *s* (~en, ~ar) zool. goshawk

duvning *s* (~en, ~ar) **1** tillrättavisning o.d. dressing-down **2** träning, **ge ngn en ~** [*i*] coach sb [in]

duvslag *s* (~et, =) dovecot[e], pigeon house, pigeonry

duvunge *s* (~n, -ungar) young pigeon; **jag är ingen ~** I was not born yesterday, I am no spring chicken

dvala *s* (~n) tung sömn lethargy, torpor båda äv. bildl.; onaturlig trance; lättare drowse, doze; zool. hibernation; **ligga i ~** lie dormant; zool. hibernate

dvalliknande *adj* (oböjl.) lethargic, torpid, trance-like

dvd *s* (dvd:n, dvd:er) DVD (förk. för digital versatile (video) disc)

dvd-brännare *s* (~n, =) DVD recorder

dvd-skiva *s* (~n, -skivor) DVD [disc]

dvd-spelare *s* (~n, =) DVD player

D-vitamin *s* (~et el. ~en, ~er) vitamin D

dvs. (förk. för *det vill säga*) i.e., that is [to say]

dvärg *s* (~en, ~ar) allm. dwarf; i sagor äv. gnome; på cirkus o.d. midget

dvärgbjörk *s* (~en, ~ar) bot. dwarf (Arctic) birch

dvärgliknande *adj* (oböjl.) dwarf-like; förkrympt stunted

dy *s* (~n) mud, sludge; bildl. mire, slough

dyblöt *adj* (-blött) soaking wet; pred. äv. wet through

dyft *s* (oböjl., ett), **inte ett ~** not a thing (bit)

dygd *s* (~en, ~er) virtue; kyskhet äv. chastity; **göra en ~ av nödvändigheten** make a virtue of necessity

dygdig *adj* (~t) virtuous; kysk äv. chaste

dygn *s* (~et, =) day [and night]; **ett** (*två*) **~** äv. twenty-four (forty-eight) hours; **fem ~** five days [and nights]; **~et runt** round the clock, day and night; **vid den här tiden på ~et** at this time of night (resp. day)

dygnslång *adj* (~t), **en ~ resa** a twenty-four-hour journey, a journey of twenty-four hours

dygnsparkering *s* (~en) twenty-four-hour parking

dygnsproduktion *s* (~en) daily output

dygnsrytm *s* (~en, ~er) biol. circadian rhythm; **rubbad ~** vid längre flygresa jet lag

dyig *adj* (~t) muddy, sludgy, miry

dyka *vb itr* (dök, dykt) dive; om ubåt äv. submerge; om flygplan äv. nosedive; **~** och snabbt komma upp igen duck; **~ fram** [suddenly] emerge; **~ ned i** dive into; **~ ned i** bassängen äv. plunge into…; **~ ned till botten** dive [down] to the bottom; **~ på ngn** vard. pounce upon sb; **~ upp** emerge [*ur* out of]; eg. äv. come up (to the surface); visa sig, komma fram äv. turn up; komma inom synhåll äv. come into sight; om tanke e.d. suggest itself; **~ upp igen** visa sig igen äv. reappear

dykardräkt *s* (~en, ~er) diving-suit

dykare *s* (~n, =) diver; skalbagge diving-beetle

dykarklocka *s* (~n, -klockor) diving-bell

dykarsjuka *s* (~n) caisson disease, aeroembolism; vard. the bends (sg. el. pl.)

dykning *s* (~en, ~ar) dykande diving; om ubåt äv. submergence, submersion; enstaka dive, plunge; om flygplan äv. nosedive

dylik *adj* (~t) …of that (the) sort (kind), …like that, such; liknande similar; **eller ~t** (förk. *e.d.*) or the like, or suchlike [things]; **och ~t** (förk. *o.d.*) and the like, and suchlike [things]; osv. et cetera (förk. etc.); jfr *sådan*

dymmelonsdag *s* (~en, ~ar), **~[en]** Wednesday in Holy Week

1 dyn *s* (~en, ~er) dune, sand-hill

2 dyn *s* (~en, ~er) fys. dyne

dyna *s* (~n, dynor) cushion; till skydd mot t.ex. tryck samt stämpel~ pad

dynamik *s* (~en) **1** fys. dynamics sg. **2** mus. dynamics pl.

dynamisk *adj* (~t) dynamic äv. bildl., dynamical

dynamit *s* (~en) dynamite äv. bildl.

dynamitard *s* (~en, ~er) dynamiter, dynamitard

dynamo *s* (~n, ~r) på cykel dynamo (pl. -s)

dynasti *s* (~n, ~er) dynasty

dynga *s* (~n) dung; muck äv. bildl.; **prata ~** talk a lot of rubbish

dynggrep *s* (~en, ~ar) dung-fork

dynghög *s* (~en, ~ar) dunghill

dyning *s* (~en, ~ar), **~[ar]** swell, ground swell (båda sg.); bildl., se *efterdyning*; **hög ~** a heavy swell

dyr *adj* (~t) **1** som kostar mycket, vanl. expensive; dyrbar, kostbar äv. costly; som kostar mer än det är värt dear; **för ~a pengar** at great expense **2** älskad dear

dyrbar *adj* (~t) **1** värdefull valuable; som man är rädd om, som har högt värde i sig själv precious; **~a** praktfulla **kläder** sumptuous clothes **2** dyr dear, expensive, costly; jfr *dyr 1*

dyrbarhet *s* (~en, ~er) konkr. article (item) of [great] value; **~er** äv. valuables

dyrgrip *s* (~en, ~ar) article (thing) of great value

dyrk *s* (~en, ~ar) skeleton key, picklock

1 dyrka *vb tr* (~de, ~t), **~ upp** lås pick...; dörr open...with a skeleton key

2 dyrka *vb tr* (~de, ~t) tillbedja worship; beundra äv. adore; avguda äv. idolize

dyrkan *s* (=, en) tillbedjan worship, cult; beundran adoration; hängivenhet devotion

dyrkfri *adj* (-fritt) om lås unpickable; om kassaskåp burglar-proof

dyrköpt *adj* (=) attr. dearly-bought; om t.ex. erfarenhet, seger attr. äv. hard-earned

dyrortstillägg *s* (~et, =) area [cost-of-living] allowance

dyrt *adv* **1** (jfr *dyr 1*); expensively, dearly, at a high price, at great cost; dear jfr ex.; *det kommer att stå honom ~!* he'll pay for this!; *bo ~* ha hög hyra [have to] pay a high rent; *sälja (köpa) ~* sell (buy) dear (at a high price) **2** åld., högt dearly; **~ älskad** dearly beloved **3** åld., högtidligt solemnly; *lova ~ och heligt (högt och ~)* promise solemnly

dyscha *s* (~n, dyschor) couch

dysenteri *s* (~n) med. dysentery

dyslektiker *s* (~n, =) med. dyslectic

dyslexi *s* (~n) med. dyslexia

dyster *adj* (~t, dystra) gloomy, dismal, dreary; svårmodig sad, melancholy; trumpen glum; **~ färg** dusky (dark, sombre) colour; **~ min** gloomy air

dysterhet *s* (~en) gloom; gloominess, dismalness, dreariness; svårmod sadness; melancholy; trumpenhet glumness

dysterkvist *s* (~en, ~ar) skämts. misery, killjoy, wet-blanket

dyvåt *adj* (-vått) se *dyblöt*

då I *adv* **1** allm. then; den gången, dåförtiden äv. at that time, in those days (times); vid det tillfället äv. on that occasion; i det ögonblicket äv. at that moment; i så fall äv. in that case; *[just] ~* [just] at the time; *[senast] ~* by then, by that time; **~ och ~** now and then (again), occasionally, on and off, from time to time; *det var ~ det!* times have changed [since then]!, those were the days!; *när ~?* when? **2** som obeton. fyllnadsord vanl. utan [direkt] motsv. i eng.; *ja (nå) ~ så!* då är det ju bra well, it's all right then!; *jag (du, han etc.) ~?* what about me (you, him etc.)?; *vad nu ~?* what's up now?; *och ~ särskilt...* and especially...; *ja, ~* i så fall *gör jag det ~* well, in that case I'll do so **II** *konj* **1** för att ange tidssammanhang when (äv. rel.); vid det laget (den tid) då äv. by the time [that]; just som [just] as; samtidigt med att as; medan while; då däremot whereas; så snart som as soon as, directly; närhelst whenever; *den dag ~...* som adv. the day when (that)...; *nu ~* now that; vard. now; nu medan now while; *~ jag var barn* when (medan while) I was a child; *~ vi (de) anlände bad vi...* äv. on (on their) arriving, we asked... **2** för att ange orsakssammanhang as; i betraktande av att seeing [that]; *~ ju* since; *~ det förhåller sig så* that being so

dåd *s* (~et, =) illgärning outrage; brott crime; bragd deed, feat, exploit

dåförtiden *adv* at that time, in those days (times)

dålig (jfr *sämre, värre, sämst* o. *värst*) *adj* (~t) **1** allm.

bad; ofullkomlig, 'skral' äv. poor; sämre sorts inferior; [ur]usel, vard. rotten; svag, klen weak, jfr ex.; *ett ~t illa utfört arbete* a poor piece of work; **~a betyg** skol. bad (low) marks (grades); *ha ~t hjärta* have a weak heart; *vara på ~t humör* be in a bad temper; *ha ~ hörsel* be hard of hearing; **~ jordmån** poor soil; **~ karaktär** a bad (weak) character; **~ luft** bad (foul) air; **~ lön** low pay; *en ~ människa* a bad (stark. wicked) person; **~a nyheter (råd)** bad news (advice); *ha ~t samvete* have a bad (guilty) conscience; **~ sikt** poor visibility; **~ smak** bad taste äv. bildl.; *tala ~ svenska* ...poor Swedish; *ha ~ syn* have [a] bad eyesight; *råka i ~t sällskap* get into bad company; **~a tider** hard (bad) times; *det är en ~ tröst* that is a poor consolation; **~a tänder** bad teeth; **~t uppförande** äv. misbehaviour, misconduct; *en ~ ursäkt* a poor (flimsy) excuse; **~ vana** bad habit; *det var inte ~t!* that's not bad (not half good)!; *det blir ~t med potatis i år* there will be a shortage of potatoes this year **2** krasslig poorly, ill, amer. sick; vard. bad; inte riktigt kry out of sorts; illamående sick; *bli ~* be taken ill; *jag känner mig ~* vanl. I don't feel [very] well, I feel rotten; *vara ~ i magen* have a bad (an upset) stomach

dålighet *s* (~en, ~er) badness; moralisk äv. wickedness (båda endast sg.); *dra ut ngn på ~er* lead sb into bad ways; *vara ute på ~er* be on the spree

dåligt (jfr *sämre, värre, sämst* o. *värst*) *adv* badly; ofullkomligt, 'skralt' äv. poorly; jfr *illa*; **~ betald** poorly (badly) paid, ill-paid; *affärerna går ~* business is bad; *hans firma går ~* his firm is doing badly; *det går ~* allm. things are in a bad way; *ha det ~ ställt* be badly off; *ha ~ med pengar* be short of money; *höra ~* ha dålig hörsel be hard of hearing;; *se ~* ha dålig syn have a bad eyesight; *jag har sovit ~ i natt* I slept badly last night, I had a bad night [last night]; **~ utrustad** ill-equipped, poorly equipped; *hon äter [så] ~* she has a poor appetite

dån *s* (~et, =) roar[ing]; av åska roll[ing], rumble, rumbling; av kanoner o. kyrkklockor boom[ing]; **~et av åskan** äv. the thunder

1 dåna *vb itr* (~de, ~t) dundra roar; om åska roll, rumble; om kanoner o. kyrkklockor boom

2 dåna *vb itr* (~de, ~t) svimma, **~ [av]** faint, swoon

dåraktig *adj* (~t) foolish, silly; starkare idiotic, mad, insane; absurd absurd

dåre *s* (~n, dårar) fool, idiot; tokstolle loony; åld., sinnessjuk lunatic, madman, kvinnl. madwoman

dårfink *s* (~en, ~ar) vard. nutter, crackpot

dårhus *s* (~et, =) madhouse, loony bin, funny farm; *det här är ju rena [rama] ~et* this is like a madhouse

dårskap *s* (~en, ~er) folly; handling äv. piece of folly; *det vore ~ att* + inf. it would be sheer madness (folly) to + inf.

dåsa *vb itr* (~de, ~t) doze, drowse; lata sig laze; **~ bort** tiden drowse away...; **~ till** doze off

dåsig *adj* (~t) drowsy

dåsighet *s* (~en) drowsiness

dåtida *adj* (oböjl.), **~ seder** the customs of that time (day); jfr *dåvarande*

dåvarande *adj* (oböjl.), *[den] ~ ägaren* till huset the then owner...; *under ~ förhållanden* vanl. as things were then

däck *s* (~et, =) **1** på hjul tyre; amer. tire **2** sjö. deck; **alle man på ~!** all hands on deck!; **under ~** below [deck]
däcksbefäl *s* (~et) koll. deck officers pl.
däckspassagerare *s* (~n, =) deck passenger
däcksstol *s* (~en, ~ar) steamer chair
däggdjur *s* (~et, =) mammal; pl. (som zool. klass.) äv. mammalia lat.
dämma *vb tr* (dämde, dämt), ~ [*av* (*för, till, upp*)] dam [up]; ~ *in* omgärda med jordvall dike, dyke
dämpa *vb tr* (~de, ~t) mera eg.: allm. moderate; starkare subdue; ljud äv. deaden, muffle; ljus äv. reduce; färg[ton] äv. tone down, soften; bildl.: iver, hänförelse m.m. damp [down], moderate, put (cast) a damper on, cool; vrede, sorg mitigate; smärta alleviate, deaden; ~ *en boll* sport. trap (kill) a ball; ~ *farten* reduce speed; *detta ~de stöten* (*chocken*) that cushioned (softened) the shock; ~ *radion* turn down the radio
dämpad *adj* (dämpat, ~e) subdued; ~ *belysning* äv. soft light; *~e färger* äv. soft (quiet) colours; ~ *musik* soft music; *hon verkar ~ i dag* she seems to be in low spirits today; jfr *dämpa*
dän *adv* vard. el. dial. away, off
dänga *vb tr* o. *vb itr* (dängde, dängt) vard. **1** ~ [*och slå*] bang **2** ~ *näven i bordet* bang one's fist on the table; ~ *'till ngn* punch (wallop) sb
där *adv* **1** demonstr. there; *den* (*så, sådan*) ~ se under *den B II, 3 så o. sådan*; *här och ~* se under *2 här*; ~ *borta* (*nere* m.fl.) som adv., se *därborta, därnere* m.fl.; ~ *bakom mig* there behind me; ~ *i huset* (*trakten*) in that house (neighbourhood); ~ *på platsen* there; *förhållandena ~ på platsen* äv. local conditions; ~ *under* bordet under…there; ~ *uppifrån* taket up there from…; *han ~* that man (boy etc.); ~ *finns ingenting* there is nothing there; ~ *gick jag och hoppades* (*väntade*) there I was, hoping (waiting); ~ *gick jag och trodde att* du skulle komma there I was believing that…; ~ *har du!* var så god! there you are!; ~ *har* (*fick*) *du!* till den man slår take that!; ~ *har vi det!* el. ~ *ser du!* there you are!; ~ *tar du fel* that's where you're wrong, you are wrong there **2** rel. where; varhelst wherever; *landet, ~…* äv. the country in which…; hon är så söt ~ *hon sitter* …sitting there; *det var ~* [*som*] de fann honom that was where…, it was there [that]…
däran *adv*, *vara illa ~* sjuk be in a bad way
därav *adv* av denna (den, dessa, dem m.fl.) of (el. annan prep., jfr *av*) that (resp. it, those, them m.fl.); *på grund ~* for that reason; ~ *följer att…* [thence (from that)] it follows that…; *men ~ blev ingenting* but nothing came of it
därborta *adv* over there
därefter *adv* **1** om tid: efter detta after that; sedan then, afterwards, subsequently; därnäst next; *kort ~* shortly after[wards]; *under tiden ~* in the time that followed; *året* (*ett år*) ~ the year (a year) after [that] **2** i enlighet därmed accordingly, according to that; *resultatet blev också ~* the result was as might be (might have been) expected
däremellan *adv* om två between (om flera among) them; dessemellan in between, jfr *dessemellan*; *någonting ~* mitt emellan something in between
däremot *adv* **1** emellertid however; å andra sidan on the other hand; tvärtom on the contrary; i jämförelse därmed compared to it; *jag ~ tror…* äv. as for me, I

think…; *då ~* whereas, while[, on the other hand,] **2** mot det, ~ *finns inget botemedel* there is no cure for it; *ett ~ svarande belopp* a corresponding amount
därför *adv* **1** fördenskull so, hence båda endast i satsens början, therefore; av den orsaken for that (this) reason; följaktligen consequently; *och ~* [and] so, thus, and therefore; *det är alltså ~* so that's why! **2** ~ *att* because; ~ *att han inte kom* because he did not come **3** för denna etc. for (el. annan prep., jfr *2 för I*) that (osv., jfr *därav*); *till stöd ~* in support of it
därhemma *adv* at home
därhän *adv* **1** so far; *låt det inte gå* (*komma*) ~*!* don't let it come to that! **2** *lämna…~* leave…open; *det får vi lämna ~* we must leave it at that
däri *adv* in (el. annan prep., jfr *2 i*) that (it, those, them m.fl.); i detta avseende in that respect; *det förvånande ~ är…* the surprising thing about it is…; ~ *har du rätt* you are right there; ~ *gör du klokt* you are well advised to do so; ~ *inbegripet* including
däribland *adv* among them (those); inklusive including
därifrån *adv* lokalt from there; från denna plats (punkt) äv. from that place (point); från denna osv. from that (it, those, them m.fl.); [*bort*] ~ away [from there]; *långt ~* far from there, far away (off); bildl. far from it; *ut* ~ out of it; ut ur rummet etc. out of the room etc.; ~ *och dit* from there to there; *han gick ~* he left [the place]; *det var ~ han kom* that's where he came from; *ingen kom levande ~* not one came out alive; *han reste ~ i går* he left [there] yesterday; ~ *räknat* är det tio år counting from then…
därigenom *adv* **1** bildl.: därmed, på så sätt by that, in that way; genom detta (dessa) medel by that (those) means; på grund därav owing to that, by reason of that; tack vare detta thanks to that; ~ *genom att göra det kunde han…* by doing so he could… **2** igenom denna (den, dessa, den m.fl.) through that (it, those, them m.fl.); genom där through there
därinne *adv* in there; ~ *i rummet* there in the room, in that room
därmed *adv* with (el. annan prep., jfr *2 med*) that (it, those, them m.fl.); med detta (dessa) medel äv. by that (those) means; ~ med dessa ord lämnade han rummet with that…; ~ *var saken avgjord* that settled the matter; ~ [*är*] *inte sagt att…* that is not to say that…; ~ *är vi inne på…* that brings us to…; ~ *är mycket vunnet* that helps a great deal; *i enlighet* ~ accordingly; *i samband* ~ in that connection; nu gör du som jag säger *och* ~ *punkt* …and that's that
därnere *adv* down (below) there
därnäst *adv* next, in the next place, then; sedan after that
därom *adv* om el. angående det (detta, den saken) about it (this el.bortgången that [matter]); *norr* (*höger*) ~ [to the] north (to the right) of that; ~ *kan vi vara eniga* we can agree about that; ~ *tvista de lärde* on that point the learned disagree
däromkring *adv* **1** runtomkring [all] round there; Stockholm *och trakten* ~ …and environs, …and the surrounding area **2** så ungefär, *eller* ~ or thereabout[s]
därpå *adv* **1** om tid: efter detta after that; sedan then, afterwards, subsequently; därnäst next; *strax* ~ immediately afterwards; *året* ~ [the] next (the following) year, the year after [that] **2** på denna osv.

on (el. annan prep., jfr *på*) *t*hat (it, those, them m.fl.); **sockeln med den ~ stående statyn** ...with the statue on it; **ett bevis ~ är** a proof of it (that) is

därtill *adv* **1** to that (this, it m.fl.); **med hänsyn ~** in view of that (dessa fakta those facts); **orsaken ~** the reason for that (till att man gör så for doing so); **med ~ hörande...** with the...belonging to it (resp. them); en sportstuga **med allt vad ~ hör** ...and everything that goes with it; **en segelbåt med allt vad ~ hör** äv. a fully-equipped sailing-boat **2 ~ kommer** frakt to that [there] must be added...; **~ kommer att han...** moreover, he...; added to this, he...; **de ~ nödvändiga pengarna** the money necessary for the purpose **3** dessutom besides osv., jfr *dessutom*

därunder *adv* under (el. annan prep., jfr **2** *under*) that (it, those, them m.fl.); **under där** under there; **~ inbegripes...** that includes...; **och ~** mindre än detta and less; **barn på tolv år och ~** children of twelve and under (below [that age]); **belopp på 100 kronor och ~** amounts under (not exceeding) 100 kronor

däruppe *adv* up there; i himlen on high

därute *adv* out there

därutöver *adv* ytterligare in addition [to that(this, it)]; mer more; 100 kronor **och ~** ...and upwards; **belopp på 100 kronor och ~** äv. amounts of at least 100 kronor

därvid *adv* at that (this, it m.fl.); om tid äv.: vid det tillfället on that occasion; då then; i det sammanhanget in that connection; 'därvid' motsv. ofta av omskrivning,, jfr ex.; **~ blev det** there the matter rested; **~ när det sker bör man helst** + inf. when that happens, it is best to + inf.; **~ kom jag att tänka på...** that made me think of...

därvidlag *adv* i detta avseende in that respect; **~ håller jag med dig** I'm with you there

däråt *adv* **1** åt det hållet in that direction, that way; **någonting ~** something like that **2** åt denna osv. at (el. annan prep., jfr *åt*) that (it, those, them m.fl.); **hänge sig ~** indulge in it

däröver *adv* **1** over (el. annan prep., jfr *över*) that (it, those, them m.fl.); **när planet passerade ~** ...over there; **förvånad ~** surprised at it (this) **2** se *därutöver*

däst *adj* (=) bloated; **känna sig ~** äv. feel absolutely full up

däven *adj* (dävet, dävna) **1** fuktig damp, moist **2** olustig ...[who is vkas etc.)] off colour (out of sorts)

dävert *s* (~en, ~ar) sjö. davit

dö I *vb itr* o. *vb tr* (dog, dött) die; avlida äv. pass away; omkomma äv. perish, be killed; **vi ska ju alla ~ en gång** äv. one can't live for ever; **jag är så hungrig så jag kan ~** I'm dying of hunger, I'm starving; **här är så tråkigt så man kan ~** I'm bored to death here, I'm dying of boredom here; **~ en naturlig död** die a natural death; **~ en våldsam död** äv. meet with a violent death; **~ som flugor** die like flies; **~ av brustet hjärta (olycklig kärlek)** die of a broken heart; **~ av längtan efter ngt** (**efter att** + inf.) be dying for sth (to + inf.); **vad dog han av?** what did he die of?; **det ~r han inte av** bildl. that won't kill him; **~ för fosterlandet** die (give one's life) for one's country; **~ i cancer** die of cancer **II** med beton. part.

dö bort om ljud, ljus die away (down), fade [away]; **bullret dog bort** äv. the noise subsided

dö undan die off

dö ut die out; om ätt el. art äv. die off, become extinct;

om eld äv. die down; om ord äv. become obsolete; **samtalet dog ut** the conversation flagged

död I *adj* (dött) **1** dead äv. bildl.; livlös inanimate, lifeless; **bollen är ~** sport. ...out of play; **dött kapital** idle (dead) capital, idle money; **dött lopp** dead heat; **~ mans grepp** säkerhetsgrepp dead man's handle; **~a punkter** bildl. dull moments; **~ vinkel** blind spot; **~ den 5 maj** died on 5th May; **~ för världen** dead to the world; **Döda** rubrik för dödsannonser Deaths; **vara ~ och begraven** be dead and buried **2** subst. adj., **den ~e** the dead man, den avlidne the deceased; **de ~a** the dead; **uppstå från de ~a** rise from the dead; **~a och sårade** dead (killed) and wounded, casualties

II *s* (~en, ~ar) death; frånfälle (speciellt jur.) decease, demise; **~en** vanl. death; personifierad Death; **~ åt förtryckaren!** death to the oppressor!; **~en blev ögonblicklig** death was instantaneous; **~en inträdde klockan sex** he (resp. she) died at six o'clock; **det blir hans ~** it will be the death of him; **få en [ond] bråd ~** come to a sudden [violent] death; **ta (få) ~ på** kill [off]; slå ihjäl put...to death, kill; utrota exterminate; **ligga för ~en** be nearing one's end, be on one's deathbed; **gå i ~en för** die for, go to one's death for; **trogen in i (intill) ~en** faithful unto death; **vara nära ~en** be at death's door; **döma ngn till ~en** sentence sb to death; misshandla ngn **till ~s** ...to death; **sörja sig till ~s** die of grief; av olycklig kärlek die of a broken heart

döda *vb tr* (~de, ~t) **1** kill äv. bildl., amer. äv. slay; **~ tiden** kill time; **~ en boll** sport. kill (trap) a ball **2** hand.: bankbok, inteckning etc. cancel; konto close

Döda havet the Dead Sea

dödande I *s* (~t) killing; hand. cancellation, closing **II** *adj* (oböjl.) se *dödlig*; **ett långsamt ~ gift** a deadly poison that acts slowly

döddagar *s pl*, **till ~** så länge jag (du etc.) lever to the end of my (your etc.) life, to my (your etc.) dying day (hour)

dödfull *adj* (~t) vard., pred. dead (blind) drunk, sloshed, pissed

dödfödd *adj* (-fött) stillborn; **ett dödfött barn** äv. a stillbirth; **ett dödfött företag** an abortive enterprise

dödförklara *vb tr* (~de, ~t) officially declare...dead

dödgrävare *s* (~n, =) grave-digger; zool. äv. burying-beetle

dödkött *s* (~et) kring sår proud flesh; bildl. padding, makeweight

dödlig *adj* (~t) mortal; dödsbringande äv. deadly, fatal, lethal; **en ~ dos** a lethal dose; **ett ~t gift** a deadly poison; **ett ~t hat** a mortal (undying) hatred; **en ~ sjukdom** a fatal (killer) disease (illness); **få ~ utgång** be (prove) fatal

dödlighet *s* (~en) mortality; antal dödsfall äv. death rate; **~en i smittkoppor** mortality from...

dödläge *s* (~t, ~n) bildl. deadlock, stalemate, impasse; **hamna i (häva) ett ~** reach (break) a deadlock

dödsannons *s* (~en, ~er) i tidning obituary notice; **hans ~** the announcement of his death

dödsattest *s* (~en, ~er) o. **dödsbevis** *s* (~et, =) death certificate

dödsblek *adj* (~t) deathly pale, ...[as] pale as death; friare livid

dödsbo *s* (~et, ~n) estate [of a deceased person]; **den avlidnes ~** the estate of the deceased

dödsbud s (~et, =), **~et** budet om hans död the news of his death

dödsbädd s (~en, ~ar) deathbed; **ligga på ~en** (**sin ~**) be on one's deathbed

dödsdag s (~en, ~ar), **hans** ~ el. **~en** the day (årsdagen anniversary) of his death

dödsdans s (~en, ~er) Dance of Death, Danse Macabre

dödsdom s (~en, ~ar) death sentence, sentence of death; friare death warrant; **avkunna en** ~ pass a sentence of death

dödsdömd adj (-dömt) ...sentenced (condemned) to death; **han är** ~ av läkarna he has been given up...; **försöket är dödsdömt** the attempt is doomed to failure (doomed [in advance])

dödsfall s (~et, =) death; affären överlåtes **på grund av** ~ ...owing to the decease of the owner

dödsfiende s (~n, ~r) mortal (deadly) enemy

dödsfruktan s (=, en) fear of death

dödsfälla s (~n, -fällor) death trap

dödsförakt s (~et) contempt of (for) death; hoppa i det kalla vattnet **med** ~ ...without flinching; **med** ~ kastade hon sig ut with complete disregard of the dangerous risk (of her life)...

dödsföraktande adj (oböjl.) intrepid

dödshjälp s (~en) euthanasia, vard. mercy killing

dödskalle s (~n, -skallar) death's-head, skull; ~ **med korslagda benknotor** skull and crossbones

dödskamp s (~en, ~er) death struggle

dödsmask s (~en, ~er) death mask

dödsmärkt adj (=), **vara** ~ be doomed; om person äv. have the marks of death on one's face

dödsoffer s (-offret, =) vid olycka victim; **antalet** ~ the death toll, the number of fatal casualties; olyckan **krävde tre** ~ ...claimed three victims

dödsolycka s (~n, -olyckor) fatal accident

dödsorsak s (~en, ~er) cause of death

dödsrossling s (~en, ~ar), ~[**ar**] death rattle sg.

dödsruna s (~n, -runor) obituary [notice]

dödsryckningar s pl death throes; **ligga i ~na** be in one's death throes äv. bildl., be at one's (the) last gasp; bildl. äv. be on its (resp. their) last legs

dödssiffra s (~n, -siffror) death toll

dödssjuk adj (~t) dying, fatally ill

dödsstraff s (~et, =) capital punishment, death penalty; **avskaffa ~et** abolish capital punishment (the death penalty)

dödsstöt s (~en, ~ar) deathblow; bildl. äv. kiss of death [**för** to i bägge fallen]

dödssynd s (~en, ~er) relig. mortal sin; bildl. crime; **de sju ~erna** the Seven Deadly Sins

dödstrött adj (=), **vara** ~ be dead tired (all in); vard. be dead beat (dog-tired)

dödstyst adj (=) dead silent, ...[as] silent as the grave, deathly still

dödsur s (~et, =) zool. deathwatch [beetle]

dödsångest s (~en) rädsla för döden fear of death; mycket stark rädsla mortal dread (fear)

dödsår s (~et, =), **hans** ~ el. **~et** the year of his death

dödsäsong s (~en, ~er) slack (off) season, seasonal lull

dödtid s (~en) spare (free) time

dödvatten s (-vattnet) dead water; bildl., stagnation backwater; **råka** (**hamna**) **i** ~ reach a deadlock (an impasse)

dödvikt s (~en) deadweight

dölja I vb tr (dolde, dolt) conceal; gömma äv. hide; hålla inne med äv. withhold, keep...back; maskera äv. disguise, veil; genom förställning äv. dissemble [**för** i samtliga fall from]; ~ **sina avsikter** äv. keep one's intentions hidden; **jag har inget att** ~ I have nothing to hide; **hålla sig dold** be [in] hiding, keep under cover; jfr dold **II** vb rfl (dolde, dolt), ~ **sig** hide [oneself], conceal oneself [**för** i båda fallen from]

döma vb tr o. vb itr (dömde, dömt) **1** allm. judge [**av** (**efter**) by (from)]; speciellt i brottmål sentence, condemn; **döm själv!** judge for yourself; **jag dömer honom inte** bildl. I do not set myself up in judgement of him; **att ~ av...** el. **av...att** ~ judging (to judge) from (by)...; **av** (**efter**) **allt att** ~ to all (judging by) appearances, as far as can be judged; **döm om min förvåning när...** judge of (imagine) my surprise when...; ~ **ngn till** [**5 000 kronors**] **böter** fine sb [5,000 kronor]; ~ **ngn skyldig** [**till...**] convict sb (find sb guilty) [of...]; **staden är dömd till undergång** the town is doomed to destruction; **planen är dömd att misslyckas** the scheme is doomed to failure **2** sport.; allmän idrott, kapplöpning m.m. act as judge; tennis m.m. umpire; fotb. el. boxn. referee; ~ **bort** disallow; ~ **frispark** (**straffspark**) award a free kick (a penalty [kick])

döpa vb tr (döpte, döpt) baptize; ge namn äv. christen; fartyg name, christen; ge öknamn äv. dub, nickname; **...är döpt till N.** ...was christened N.; **han lät ~ sig** he was baptized; ~ **om** rename

dörja vb tr (-de, ~t) fiske. fish...by hand line

dörr s (~en, ~ar) door; ~öppning äv. doorway; **för** (**inom**) **stängda** (**lyckta**) **~ar** jur. el. parl. behind closed doors; **stå för ~en** bildl. be at hand, be near, be just round the corner; om något hotande be imminent; **det gick i ~en** the door opened [and shut]; nyckeln **sitter i ~en** ...is in the lock; **stå i ~en** stand in the doorway; **köra ngn på ~en** turn sb out; **rusa på ~en** make for (rush to) the door; **slå in öppna ~ar** bildl. batter at an open door; **visa ngn på ~en** show sb the door; **följa ngn till ~en** see sb out; **jag har inte varit utom ~en i dag** I have not been out today

dörrhandtag s (~et, =) doorhandle; runt doorknob

dörrkarm s (~en, ~ar) doorframe

dörrklocka s (~n, -klockor) doorbell; med ding-dong doorchime

dörrknackare s (~n, =) försäljare door-to-door salesman; tiggare beggar; polit. canvasser

dörrknackning s (~en, ~ar) utfrågning door-to-door (house-to-house) search (röstvärvning campaigning); **göra operation** ~ polis ...a house-to-house search

dörrmatta s (~n, -mattor) doormat

dörrnyckel s (~n, -nycklar) doorkey, latchkey

dörrpost s (~en, ~er) doorpost

dörrskylt s (~en, ~ar) doorplate

dörrspegel s (~n, -speglar) doorpanel

dörrspringa s (~n, -springor) chink [of the door]

dörrstängare s (~n, =) doorcheck, doorcloser

dörrvakt s (~en, ~er) doorkeeper, doorman, porter

dörröppning s (~en, ~ar) doorway

dös s (~en, ~ar) arkeol. dolmen

döv adj (~t) deaf [**för** alla varningar to...; **på ena örat** in...]; **vara** ~ lomhörd be hard of hearing; **tala för ~a öron** talk to deaf ears

döva vb tr (~de, ~t) lindra deaden, assuage; ~ **hungern**

still one's hunger; ~ *samvetet* silence one's
conscience

dövhet *s* (~en) deafness; lomhördhet hardness of
hearing

dövstum åld. **I** *adj* (~t, ~ma) deaf and dumb, deaf
mute **II** *s* (en ~, pl. ~ma) deaf mute

dövstumhet *s* (~en) åld. deaf mutism, deaf-muteness

dövörat *s* (best. sing.), **han slog ~ till** he just wouldn't
listen

e *s* (e:et, e:n el. e) **1** bokstav e [utt. i:] **2** mus. E

eau-de-cologne *s* (~n) eau-de-Cologne, cologne

ebb *s* (~en) ebb [tide], low tide; **~ och flod** the tides
pl., ebb and flow; **det är ~** the tide is out (börjar bli ~
is going out); **det är ~ i kassan** min kassa I am short of
funds; **vid ~** at low water

ebba *vb itr* (~de, ~t), **~ ut** bildl. ebb [away], peter out

ebenholts *s* (~en el. ~et) ebony

e-bläck *s* (~et) data. e-ink

e-bok *s* (~en, -böcker) e-book

e-brev *s* (~et, =) email

ecu *s* (~n, =) hist., myntenhet ecu (förk. för European
currency unit)

Ecuador Ecuador

ecuadoriansk *adj* (~t) Ecuadorian

ed *s* (~en, ~er) oath; svordom äv. curse; **avlägga** (**svära**)
en ~ take (swear) an oath; **avlägga ~en** trohets- el.
ämbetsed be sworn in; **jag kan gå ~ på att han...** I
swear that he...

edamerost *s* (~en, ~ar) Edam [cheese]

Eden Eden; **~s lustgård** the Garden of Eden

eder *pron* se *er*

edikt *s* (~et, =) edict

edition *s* (~en, ~er) edition

edlig *adj* (~t) sworn, ...on oath; **under ~ förpliktelse**
under oath

edsvuren *adj* (-svuret, -svurna) sworn

E-dur *s* (oböjl.) mus. E major

edvardiansk *adj* (~t) Edwardian

EES (förk. för *Europeiska ekonomiska
samarbetsområdet*) EEA (förk. för European
Economic Area)

efemär *adj* (~t) ephemeral

effekt *s* (~en, ~er) **1** verkan, [detalj som gör] intryck effect;
resultat result; **ha** (**göra**) **god ~** have (produce) a good
effect **2** tekn. el. fys. power; **köra ugnen på full ~** put
the oven full on **3 ~er** bagage luggage sg., baggage
sg.; tillhörigheter property sg., effects

effektfull *adj* (~t) striking, effective

effektförvaring *s* (~en, ~ar) lokal left-luggage office,
cloakroom; amer. checkroom

effektiv *adj* (~t) **1** om person efficient **2** om sak vanl.
effective, högpresterande efficient; verksam äv.
efficacious; 'som gör susen' effectual; **~ arbetstid** actual
working hours; **~t botemedel** effective (efficacious,
starkare effectual) remedy; **~ ränta** på lån true
(effective, actual) [rate of] interest; **~a åtgärder**
effective (starkare effectual) measures

effektivisera *vb tr* (~de, ~t) render...[more]
effective, streamline

effektivisering *s* (~en, ~ar) streamlining; **det behövs
en ~ av arbetet** the work needs to be made more
effective

effektivitet *s* (~en) (jfr *effektiv*); efficiency äv.
verkningsgrad, effectiveness, efficac[it]y

effektsökeri *s* (~et, ~er) straining after (striving for)
effect, playing to the gallery

effektuera *vb tr* (~de, ~t) hand. execute, fill

effektökning *s* (~en, ~ar) power increase

EFTA (förk. för *European Free Trade Association*) EFTA

efter

efter delas in i ordklasserna
I preposition
II adverb
III adjektiv

I *prep*
Prepositionen **efter** motsvaras ofta av **after** i uttryck som *hon kom gående **efter** oss = she came walking **after** us, **efter** några dagar = **after** a few days.* För att ange något man vill ha används vanligen **for**, t.ex. *leta **efter** något = look **for** something.*

efter används i många uttryck som står under andra uppslagsord. Exempelvis finns uttrycket *efter behov* under uppslagsordet *behov*, uttrycket *vara ute efter ngn (ngt)* under uppslagsordet *ute* osv.

Rumsbetydelse

1 i uttryck med betydelsen längre bak eller bakom after, behind; **hon kom gående ~ oss** she came walking after (behind) us; **stå ~ ngn i kön** stand behind sb in the queue; **stäng dörren ~ dig!** shut the door after (behind) you!; **vara (ligga) långt ~ de andra** be far behind the others

2 anger något man försöker träffa eller gripa tag i at; **kasta sten ~ ngn** throw stones at sb; **gripa ~ ngt** grasp at sth

Tidsbetydelse

3 anger att en viss tid gått eller att något inträffar efter en viss händelse after; ibland post-; **~ det att hon gått...** after she had gone...; **~ några dagar** after a few days, a few days after[wards], a few days later; **~ en timme** vanligen an hour later; **dagen ~ festen** the day after the party; **förhållandena ~ kriget** conditions after the war, post-war conditions; **hålla tal ~ middagen** make an after-dinner speech; **vi kände oss mycket bättre ~ att ha pratat med honom** we felt much better after having talked to him, we felt much better after we had talked to him

4 från en viss tidpunkt och framåt, sedan since; **han dog inom en vecka ~ avresan** (**~ det att han hade rest**) he died within a week of his departure, he died within a week of his going away; **~ moderns död har hon varit...** since her mother's death she has been...; **~ några dagar var han återställd** in a few days he had recovered

Följd, upprepning

5 anger ordningsföljd i t.ex. lista after; **~ några sidor** after a few pages; **hans namn står ~ mitt på listan** his name comes after mine on the list, his name follows mine on the list

6 i uttryck för upprepning after; **dag ~ dag** day after day; **den ena ~ den andra** one after another, one after the other; **brev ~ brev** letter after letter

Andra betydelser

7 anger ngt man vill få tag i, letar efter eller längtar efter, vanligen for; **annonsera ~** advertise for; **leta ~** look for; **ringa ~** ring for, phone for; **spaningarna ~** the search for; **springa ~ hjälp** run for help; **söka (spana) ~** look (search) for; **polisen var ~ honom** the police were after him, the police were on his tracks; **~ honom!** catch him!

8 anger vem man citerar, vilken regel el. dyl. man följer, vanligen according to; **~ vad jag har hört** according to what I am told, from what I hear; **klä sig ~ årstiden** dress according to the season; **klä sig ~ senaste modet** dress after the latest fashion

9 med ledning av by; **~ vad som är känt** as far as is known; **det finns inget vi kan gå ~** there is nothing we can go by

10 anger längsgående rörelse: längs, utmed along; **hon gick ~ stranden** she was walking along the shore

11 anger person som av arv eller liknande kommer ifrån, ofta from; i en del uttryck after, behind; **det har hon ~ sin mamma** she got that from her mother; **ögonen har han ~ sin far** he has got his father's eyes; **hon heter Julia ~ sin mor** she is called Julia after her mother; **hon lämnade en förmögenhet ~ sig** she left a fortune behind [her]

12 efterlämnad av, som uppkommit genom, i uttryck av typen *spåret efter en räv = spår som gjorts av en räv* of; **märket ~ ett slag** the mark of a blow; **spåret ~ en räv** the track of a fox, the track left by a fox

II *adv* (se också betonad partikel under respektive verb, t.ex. *se efter* under *se*) **1** om tid after; **året ~** the year after, the following (next) year; **kort ~** shortly after[wards] **2** bakom, kvar, på efterkälken behind; *jag gick före och hon kom* (**sprang** etc.) **~** ...she came (ran etc.) after (behind) me; **vara ~ med** be behind (behindhand, betr. betalningar äv. in arrears) with

III *adj* (oböjl.) som fattar långsamt dim, slow-witted, slow on the uptake

efteranmälan *s* (=, en, -anmälningar) o.
efteranmälning *s* (~en, ~ar) sport. late entry

efterapa *vb tr* (~de, ~t) ape, mimic, imitate, copy; i bedrägligt syfte counterfeit

efterapare *s* (~n, =) imitator; vard. copycat

efterapning *s* (~en, ~ar) imitating, copying, mimicking; konkr. imitation

efterarbete *s* (~t, ~n) kompletterande arbete supplementary work; avslutande granskning [final] revision; **det återstår en hel del ~** äv. there is a great deal of working over (touching-up) still to be done

efterbehandling *s* (~en, ~ar) med. el. tekn. after-treatment, follow-up, aftercare

efterbesiktning *s* (~en, ~ar) supplementary (final) inspection

efterbeskattning *s* (~en, ~ar) additional (supplementary) taxation

efterbeställning *s* (~en, ~ar) additional (repeat) order, re-order

efterbild *s* (~en, ~er) fysiol., framför allt synintryck after-image

efterbildning *s* (~en, ~ar) imitation, copy

efterbliven *adj* (-blivet, -blivna) efter i utvecklingen backward; åld., psykiskt äv. mentally retarded

efterbörd *s* (~en, ~er) med. afterbirth

efterbörs *s* (~en, ~er) hand. [free] transactions pl. on the stock exchange after [official] hours

efterdatera *vb tr* (~de, ~t) postdate

efterdyning *s* (~en, ~ar), **~ar** bildl. repercussions, reverberations; efterverkningar aftermath sg., after-effects [*efter* i samtliga fall of]

efterforska *vb tr* (~de, ~t) söka utröna inquire into, investigate; söka efter look for, try to trace

efterforskning *s* (~en, ~ar) undersökning investigation, inquiry; *göra ~ar efter* institute a search for

efterfrågan *s* (=, en, -frågningar) hand. demand [*på* for]; *~n avtar (ökar)* the demand is falling off (increasing); *det råder (är) stor ~ på...* there is a great demand for..., ...is in great demand; *tillmötesgå ~* meet a (resp. the) demand

efterföljande *adj* (oböjl.), *[den] ~* the following; sedermera följande [the] subsequent

efterföljansvärd *adj* (-värt) ...worth following, ...worthy of imitation (emulation)

efterföljare *s* (~n, =) efterhärmare imitator; *Kristi ~* the imitators of Christ

eftergift *s* (~en, ~er) concession; av skatt, skuld o.d. remission; *göra ~er* make concessions; *ömsesidiga ~er* mutual concessions

eftergiven *adj* (-givet, -givna) indulgent, compliant, lenient [*mot* towards]

eftergivenhet *s* (~en) indulgence, compliance, leniency [*mot* towards]

efterglans *s* (~en) afterglow

eftergranskning *s* (~en, ~ar) scrutiny, recheck, re-examination

1 efterhand *adv* se *efter I 9*

2 efterhand *s* (oböjl.), *i ~* efter de andra last, after the others; efteråt afterwards

efterhandskonstruktion *s* (~en, ~er) se *efterkonstruktion*

efterhängsen *adj* (-hängset, -hängsna) persistent äv. om t.ex. snuva, ...difficult to shake off; om t.ex. melodi catchy

efterhängsenhet *s* (~en) persistency, importunity

efterhärma *vb tr* (~de, ~t) imitate, copy

efterhärmning *s* (~en, ~ar) imitation

efterklang *s* (~en, ~er) lingering note; bildl. [faint] echo, afterglow

efterklok *adj* (~t), *det är lätt att vara ~* it's easy to be wise after the event

efterkomma *vb tr* (-kom, -kommit) önskan comply with; befallning obey; *inte ~* äv. fail to comply with

efterkommande I *adj* (oböjl.) framtida future **II** *s pl*, *våra ~* our descendants; våra efterträdare our successors; eftervärlden posterity sg.

efterkonstruktion *s* (~en, ~er) reconstruction (explanation) after the event; efterrationalisering rationalization

efterkontroll *s* (~en, ~er) t.ex. medicinsk check-up, follow-up; t.ex. statistisk recheck; t.ex. av tillverkad produkt inspection

efterkrav *s* (~et, =) cash on delivery (förk. COD); *sända varor mot ~* send goods COD

efterkrigstiden *s* (best. sing.) the post-war period (era); *~s litteratur* post-war...

efterkänning *s* (~en, ~ar) after-effect [*efter* of]; *jag har fortfarande ~ar av...* I am feeling the after-effects of...

efterleva *vb tr* (-levde, -levt) lag obey, conform to; föreskrift observe

efterlevande I *adj* (oböjl.) surviving **II** *s* (en ~, pl. =), *de ~* the surviving relatives, the deceased's family sg., the survivors; du måste tänka på *dina ~* ...those who will be left behind when you die

efterleverans *s* (~en, ~er) supplementary delivery

efterlevnad *s* (~en), *lagarnas ~* the observance of the laws

efterlikna *vb tr* (~de, ~t) imitate; *försöka ~* vara lika bra som try to emulate (equal) [*i* in]

efterlysa *vb tr* (-lyste, -lyst) misstänkt o.d.: sända ut signalement på issue a description of; vilja komma i kontakt med wish to get into touch with; spana efter make inquiries after, look for; *han är efterlyst [av polisen]* he is wanted [by the police]

efterlysning *s* (~en, ~ar) som rubrik Wanted [by the Police]; i radio police (SOS) message; *~en av A.* the issuing of a description of A.

efterlämna *vb tr* (~de, ~t) leave; *~ maka och tre barn* leave a wife and three children; *den ~de maken* the bereaved husband; *~de skrifter* posthumous works

efterlängtad *adj* (-längtat, -e) [much] longed-for...; *en ~ fortsättning* på bok, film an eagerly awaited sequel; *du är ~* av oss we are (resp. have been) longing for you

eftermiddag *s* (~en, ~ar) afternoon; *klockan tre på ~en* (förk. *e.m.*) at 3 o'clock in the afternoon (förk. at 3 p.m.); *i ~[s]* el. *i dag på ~en* this afternoon; *i går (i morgon) ~* yesterday (tomorrow) afternoon; *på ~en* el. *(om) ~arna* in the afternoon; *på fredag ~* adv. on Friday afternoon; *på ~en den 5 april* on the afternoon of April 5

eftermäle *s* (~t, ~n) minnesruna obituary [notice]; eftervärldens omdöme posthumous reputation

efternamn *s* (~et, =) surname, family name, second name, last name

efterprövning *s* (~en, ~ar) univ., ung. supplementary examination

efterrationalisering *s* (~en, ~ar) rationalization

efterräkning *s* (~en, ~ar), *~ar* påföljder [unpleasant] consequences; *han har dryga ~ar att vänta* he will have to suffer the consequences of his action (behaviour)

efterrätt *s* (~en, ~er) sweet, dessert, pudding; vard. afters pl.

eftersatt *adj* (=) försummad neglected

efterskalv *s* (~et, =) aftershock

efterskickad *adj* (-skickat, -e), *du kommer som ~* you are the very one we want

efterskott *s* (oböjl.), *i ~* in arrears; efter leverans after delivery; efter fullgjort arbete after carrying out the undertaking; *få lön i ~* ...at the end of the month (resp. week); *en present i ~* a belated present

efterskrift *s* (~en, ~er) postscript

efterskänka *vb tr* (-skänkte, -skänkt) remit; *~ en skuld* remit a dept

efterskänkning *s* (~en, ~ar) remission

efterskörd *s* (~en, ~ar) aftercrop; bildl. aftermath

eftersläckning *s* (~en, ~ar) **1** eg. final extinction of a fire (resp. of fires) **2** efter fest ung. follow-up party

eftersläng *s* (~en, ~ar) **1** *en ~ av influensa* another slight bout of influenza **2** sport., ful tackling late tackle **3** efter bokstav el. ord extra flourish

eftersläntrare *s* (~n, =) straggler; senkomling latecomer

eftersläpning *s* (~en) lagging (falling) behind; om arbete backlog

eftersmak *s* (~en) aftertaste; *det lämnar en obehaglig ~* it leaves a bad (nasty) taste [in the mouth] äv. bildl.

eftersnack *s* (~et) vard. discussion (chat) after a (resp. the) match etc., follow-up discussion

eftersom *konj* då ju since; då as; i betraktande av att seeing [that]; *allt ~* se *allteftersom*

eftersommar *s* (~en, -somrar) sensommar late summer; brittsommar Indian summer

efterspana *vb tr* (~de, ~t) search for; söka uppspåra [try to] trace; *~d av polisen* wanted [by the police]

efterspaning *s* (~en, ~ar), *~[ar]* search sg.; *anställa ~ar efter* institute a search for

efterspel *s* (~et, =) bildl. sequel; *få rättsligt ~* have legal consequences

eftersträva *vb tr* (~de, ~t) söka åstadkomma [try to] aim at; söka skaffa sig try to obtain; söka nå try to attain; *~ makt* strive after power

eftersträvansvärd *adj* (-värt) desirable, ...worth aiming at

efterstygn *s* (~et, =) backstitch

eftersägare *s* (~n, =) parrot; *ingenting annat än en ~* äv. a mere echo; *vara en ~ till ngn* parrot sb

eftersända *vb tr* (-sände, -sänt) vidarebefordra forward, send on [...to the addressee]; *eftersändes på brev* to be forwarded, please forward

eftersändning *s* (~en, ~ar) post. forwarding

eftersätta *vb tr* (-satte, -satt) försumma neglect, be neglectful of

eftersökt *adj* (=), [*mycket*] *~* anlitad, efterfrågad ...in [great] demand; omtyckt [much] sought-after..., [very] popular

eftertanke *s* (~n) eftersinnande reflection; övervägande consideration; *detta kräver ~* this requires careful consideration; *utan ~* without due reflection; *vid närmare ~* on second thoughts, on thinking it over

eftertaxering *s* (~en, ~ar) betr. skatt additional assessment [for arrears]

eftertrakta *vb tr* (~de, ~t) set one's heart on, covet

eftertraktad *adj* (-traktat, ~e) coveted; *mycket ~* much coveted (sought after)

eftertrupp *s* (~en, ~er) mil. rearguard; efterföljande grupp i allm. stragglers pl.; *bilda ~en* bring up the rear

eftertryck *s* (~et, =) **1** [särskild] tonvikt emphasis, stress; kraft force; *ge ~ åt* lay stress on, emphasize, stress; *för att ge ~ åt sina ord* äv. to lend (give) weight to one's words; *med ~* with emphasis, emphatically; med kraft forcibly **2** av tryckalster: **a)** abstr. reprinting; olovligt piracy **b)** konkr. reprint; olovlig pirated edition; *~ förbjudes* all rights reserved, copyright reserved

eftertrycklig *adj* (~t) emphatic, forcible; allvarlig serious; *i ~ ton* äv. emphatically

efterträda *vb tr* (-trädde, -trätt) succeed; *~...på tronen* follow...on the throne

efterträdare *s* (~n, =) successor; *A. Eks Eftr.* Successor (resp. Successors) to A. Ek

eftertänksam *adj* (~t, ~ma) eftersinnande thoughtful, pensive, meditative; klok o. försiktig circumspect

efterverkan *s* (=, en, -verkningar) o. **efterverkning** *s* (~en, ~ar) after-effect; *efterverkningar* efterdyningar äv. aftermath sg., repercussions

eftervård *s* (~en) aftercare

eftervärkar *s pl* afterpains

eftervärlden *s* (best. sing.) posterity; *gå till ~* go (om sak äv. be handed) down to posterity

eftervärme *s* (~n) remaining heat

efteråt *adv* **1** om tid afterwards; senare later; *någon tid*

~ some time afterwards (later); *flera dagar ~* several days later (afterwards) **2** bakom behind (after) me (him etc.)

EG hist. (förk. för *Europeiska gemenskaperna*) EC (förk. för the European Communities)

egal *adj* (~t), *det är mig ~t* it is all the same (all one) to me

Egeiska havet the Aegean [Sea]

egen *adj* (eget, egna) **1** uttr. tillhörighet **a)** föregånget av gen. el. poss. pron. own; *skolans egna elever* the school's own pupils; *det var hans egna ord* those were his very words; *starta (öppna) eget* start out in business on one's own; *vara sin ~* be one's own master **b)** föregånget av best. art. (som saknas i eng.) el. då poss. pron. lätt kan utsättas i sv. one's (my etc.) own; *det egna landet* one's (my etc.) own country; *för ~ del* kan jag for my [own] part...; *med egna ögon* with my own eyes **c)** övriga fall vanl. ...of one's (my etc.) own; *har han egna barn?* does he have any children of his own?; *bo i eget hus* live in a house of one's own; *ha eget rum* have a room to oneself (one's own room) **2** säregen, karakteristisk peculiar [*för* to]; characteristic [*för* of]; besynnerlig strange, odd, peculiar; jfr *egendomlig*

egenart *s* (~en) distinctive (special, individual) character, individuality

egenartad *adj* (-artat, ~e) distinctive, peculiar, singular

egenavgift *s* (~en, ~er) national insurance contribution

egendom *s* (~en, ~ar) **1** tillhörighet[er] property; *andras ~* the property of others; *fast ~* real property (estate); *gemensam ~* joint property; *lös ~* personal property (estate); *privat ~* private property **2** jord~, lant~ estate; mindre property

egendomlig *adj* (~t) **1** sällsam, underlig strange, peculiar, odd, singular; anmärkningsvärd remarkable, extraordinary; *ett ~t sammanträffande* a strange (curious) coincidence; *högst ~t!* [how] extraordinary!, most extraordinary! **2** karakteristisk peculiar [*för* to]; characteristic [*för* of]

egendomlighet *s* (~en, ~er) strangeness, peculiarity, oddity, singularity; remarkable thing; jfr *egendomlig 1*; utmärkande drag peculiarity, [peculiar] feature, characteristic; *~er* peculiarities, strange (singular etc.) features

egenföretagare *s* (~n, =) self-employed person; *vara ~* äv. be self-employed, run one's own business

egenhet *s* (~en, ~er) peculiarity, singularity, oddity, eccentricity; *han har sina ~er* ...certain (some) idiosyncrasies (peculiarities, ways) of his own; *han har den ~en att han är...* he has the curious habit of being...; jfr *egendomlighet*

egenhändig *adj* (~t) *~t* skriven ...in one's own hand[writing], ...written with one's own hand, autograph[ic]; *~ namnteckning* signature, autograph

egenkär *adj* (~t) conceited; fåfäng vain; självbelåten self-complacent; *han är så ~* äv. he thinks a lot of himself, he is so in love with himself

egenkärlek *s* (~en) conceit; vanity; self-complacency; jfr *egenkär*

egenmäktig *adj* (~t) arbitrary, high-handed; *~t förfarande* jur. unlawful dispossession

egenmäktighet *s* (~en) arbitrariness; egenmäktiga metoder high-handed methods pl.

egennamn *s* (~et, =) gram. proper noun (name)

egennytta *s* (~n) self-interest, selfishness

egennyttig *adj* (~t) self-interested, selfish

egensinne *s* (~t) self-will, wilfulness; envishet obstinacy, stubbornness

egensinnig *adj* (~t) self-willed, wilful; envis obstinate, headstrong

egensinnighet *s* (~en, ~er) se *egensinne*

egenskap *s* (~en, ~er) **1** sida, drag **a)** allm. quality; *goda* (*dåliga*) ~er äv. good (bad) points; *medfödda* (*förvärvade*) ~er hereditary (acquired) characteristics; *boken har den goda ~en att den är lättläst* äv. the book has the virtue (advantage) of being very readable **b)** särskild fysisk ~ el. spec. i naturv. property; *järnets ~er* the properties of iron **c)** utmärkande ~ characteristic **d)** erforderlig el. önskvärd ~ qualification **2** ställning, roll capacity; *i* [*min* (*din* etc.)] *~ av...* in my (your etc.) capacity as...

egentlig *adj* (~t) faktisk, verklig real, actual, virtual, true; riktig, äkta proper; *den ~a anledningen* the real (true) reason; *i ordets ~a bemärkelse* in the proper (real, true, strict, literal) sense of the word; *~t bråk* matem. proper fraction; *i ~ mening* in a proper (strict, literal) sense; *romaner i ~ mening* novels proper

egentligen *adv* i själva verket really, in reality, actually; strängt taget strictly (properly) speaking; när allt kommer omkring after all; rätteligen by rights; närmare bestämt, precis exactly; ibland utan motsv. i eng., jfr ex.; *hon är ~ ganska söt* she is rather pretty, really; *vad spelar det ~ för roll?* after all, what does it [really] matter?; *vad menar du ~ med det?* what exactly do you mean by that?

egenvård *s* (~en) self-care

egenvärde *s* (~t) **1** inneboende värde intrinsic value **2** fys. eigenvalue

egg *s* (~en, ~ar) [cutting] edge

egga *vb tr* (~de, ~t), ~ [*upp*] incite; stimulera stimulate, spur; driva på egg...on, urge [*till* i samtliga fall to; *till att* + inf. to + inf.]; ~ *upp* folkmassan stir up...

eggande *adj* (oböjl.) inciting; stimulerande stimulating; erotiskt ~ seductive

egnahem *s* (~met, =) home of one's own, owner-occupied house

ego *s* (~t, ~n) ego; *mitt alter ~* my alter ego lat.

egocentriker *s* (~n, =) egocentric, egotist

egocentrisk *adj* (~t) egocentric, egotistic, self-centred

egoism *s* (~en) egoism, selfishness

egoist *s* (~en, ~er) egoist, self-seeker

egoistisk *adj* (~t) egoistic, selfish, self-seeking

egoistiskt *adv* egoistically

egotripp *s* (~en, ~ar) vard. ego trip

egotrippad *adj* (-trippat, ~e) vard. ego-tripped

Egypten Egypt

egyptier *s* (~n, =) Egyptian

egyptisk *adj* (~t) Egyptian

egyptiska *s* **1** (~n, egyptiskor) kvinna Egyptian woman **2** (~n) forntida språk Egyptian

egyptolog *s* (~en, ~er) Egyptologist

egyptologi *s* (~n) Egyptology

e-handel *s* (~n) data. e-commerce (förk. för electronic commerce), e-business (förk. för electronic business)

ehuru *konj* although

eiss *s* (~et, =) mus. E sharp

ej *adv* not m.m., se *inte*

ejakulation *s* (~en, ~er) fysiol. ejaculation

ejder *s* (~n, ejdrar) zool. [common] eider [duck]

ejderdun *s* (~et, =) eiderdown

ejderdunskudde *s* (~n, -kuddar) eiderdown pillow

ek *s* **1** (~en, ~ar) träd oak[-tree] **2** (~en) virke oak[-wood]; möbler *av* ~ äv. oak...

1 eka *s* (~n, ekor) [flat-bottomed] rowing-boat (amer. rowboat)

2 eka *vb itr* (~de, ~t) echo; återskalla re-echo, reverberate [*mot* i samtliga fall from]; *det ~r här* there is an echo here

ekbord *s* (~et, =) oak table

eker *s* (~n, ekrar) spoke

EKG (förk. för *elektrokardiogram*) ECG (förk. för electrocardiogram), speciellt amer. EKG

ekipage *s* (~t, =) **1** horse and carriage, equipage; med betjäning turnout **2** sport.: ridn. horse [and rider]; bil. car [and driver]; motorcykel motorcycle [and rider]

ekipera I *vb tr* (~de, ~t) equip, fit out **II** *vb rfl* (~de, ~t), ~ *sig* equip oneself, fit oneself out

ekipering *s* (~en, ~ar) equipment, outfit

ekivok *adj* (~t) risqué, indecent

eklatera I *vb tr* (~de, ~t) förlovning announce **II** *vb itr* (~de, ~t) announce one's engagement

eklekticism *s* (~en) filos. el. konst. eclecticism

eklektiker *s* (~n, =) filos. el. konst. eclectic

eko *s* (~t, ~n) echo; *ge* ~ echo, make an echo; bildl. resound; *dagens* ~ radio. Radio Newsreel

ekobrott *s* (~et, =) vard., ekonomisk brottslighet economic crime, fraud

ekollon *s* (~et, =) acorn

ekolod *s* (~et, =) radar. echo sounder, sonar, sonic depth finder

ekolodning *s* (~en, ~ar) radar. echo sounding, sonic-depth finding

ekolog *s* (~en, ~er) ecologist

ekologi *s* (~n) ecology

ekologisk *adj* (~t) organic, ecological; ~ *jämvikt* ecological balance

ekonom *s* (~en, ~er) economist, se äv. *civilekonom*, *företagsekonom* o. *nationalekonom*

ekonomi *s* (~n, ~er) economy; som vetenskap economics sg.; ekonomisk ställning, finanser finances pl., financial position

ekonomiassistent *s* (~en, ~er) accounting clerk

ekonomibiträde *s* (~t, ~n) på t.ex. sjukhus catering assistant

ekonomibyggnad *s* (~en, ~er) farm building; ~*er* äv. [estate] offices

ekonomichef *s* (~en, ~er) financial manager, controller; vid större företag chief accountant

ekonomiförpackning *s* (~en, ~ar) paket (påse osv.) economy-size packet (bag etc.), economy pack; *i* ~ [in] economy size

ekonomiklass *s* (~en) flyg. economy class

ekonomisk *adj* (~t) **1** economic; finansiell, penning-financial; ~ *brottslighet* economic crime; vard. white-collar crime; ~ *krigföring* economic warfare **2** sparsam, besparande economical; ~ *i småsaker* economical in trifles, penny-wise and pound-foolish

ekorrbär *s* (~et) bot. [two-leaved] maianthemum

ekorre *s* (~n, ekorrar) squirrel

ekorrhjul *s* (~et) treadmill äv. bildl.

ekosystem *s* (~et, =) biol. ecosystem

ekoturism *s* (~en) ecotourism

ekoxe *s* (~n, -oxar) zool. stag beetle

ekplanka *s* (~n, -plankor) oak plank

e.Kr. förk., se *efter Kristus* under *Kristus*

eksem *s* (~et, =) med. eczema

ekumenisk *adj* (~t) kyrkl. ecumenical; *~t [kyrko]möte* ecumenical council

ekvation *s* (~en, ~er) matem. equation; *~ av första graden* equation of the 1st degree; *få ~en att gå ihop* bildl. make both ends meet

ekvatorialbälte *s* (~t, ~n) equatorial belt

Ekvatorialguinea Equatorial Guinea

ekvatorn *s* (best. sing.) the equator

ekvilibrist *s* (~en, ~er) balanskonstnär equilibrist

ekvirke *s* (~t) oak, oak wood

ekvivalent I *s* (~en, ~er) equivalent **II** *adj* (=) equivalent

el- som förled i sammansättn. electrical, electric, electro-, electricity; jfr sammansättn. nedan o. *elektrisk*

elaffär *s* (~en, ~er) electric outfitter's shop; amer. electrical supplies store

elak *adj* (~t) **1** stygg, spec. om barn naughty; nasty [*mot* to]; ond, ondskefull evil, wicked; ovänlig unkind, mean [*mot* to]; *ett ~t spratt* a nasty trick **2** se *elakartad* **3** obehaglig, om sak nasty, bad

elakartad *adj* (-artat, ~e) om sjukdom o.d. malignant, virulent; svagare bad; friare serious, grave; *ta en ~ vändning* take a turn for the worse

elakhet *s* (~en, ~er) egenskap naughtiness, nastiness, wickedness; yttrande spiteful remark; handling piece of spite

elaking *s* (~en, ~ar) vard. nasty (spiteful) person

elakt *adv* spitefully, unkindly; *det var ~ gjort av honom* it was nasty (spiteful) of him to do that

elallergi *s* (~n) se *elöverkänslighet*

elasticitet *s* (~en) elasticity, resilience

elastisk *adj* (~t) elastic, springy, resilient

elavbrott *s* (~et, =) power failure; p.g.a. avstängning power cut

elbil *s* (~en, ~ar) electric car

elchock *s* (~en, ~er) med. electroshock

eld *s* (~en, ~ar) **1** allm. fire äv. mil.; bildl. äv.: hetta, glöd ardour; *~!* mil. fire!; *~ upphör!* mil. cease fire!; *~en är lös!* [fire,] fire!; *bli ~ och lågor för* become very enthusiastic about; *besvara ~en* mil. return the fire; *fatta (ta) ~* catch fire; explosionsartat burst into flames; *ge ~* mil. fire, open fire [*mot* on]; *göra upp ~* make (light) a fire; *sätta (tända) ~ på* set fire to, set...on fire; *öppna ~* mil. open fire [*mot (på)* on]; *röra om i ~en* stir (poke up) the fire; *leka med ~en* bildl. play with fire **2** med tändstickor el. tändare light; *jag får inte ~ på veden (cigarren)* the wood won't (I can't get the cigar to) light; *har du ~?* have you got a light?

elda I *vb itr* (~de, ~t) spec. med centralvärme heat, jfr äv. ex.; göra upp eld, t.ex. i kamin light a fire (resp. fires, the fire), make a fire; ha en brasa have a fire; *de måste snart börja ~* they will soon have to start [the central] heating; *~ med ved (kol, olja)* use wood

(coal, oil) for heating **II** *vb tr* (~de, ~t) **1** ~ [*upp*] a) värma upp: t.ex. rum, ugn heat, get...hot; t.ex. ångpanna stoke b) bränna [upp] burn [up] c) egga rouse, stir, inspire; *~ upp sig* get [more and more] excited (worked up) **2** *~ en brasa* tända light (ha have) a fire

eldare *s* (~n, =) på båt el. tåg stoker, fireman; i hus boiler-man

elddop *s* (~et, =) mil. baptism of fire; friare first real test

eldfara *s* (~n) danger (risk) of fire; *vid ~* in case of fire

eldfarlig *adj* (~t) inflammable; *~a ämnen* äv. inflammables; *mycket ~* highly inflammable

eldfast *adj* (~t) fireproof; ugns~ ovenproof; *~ lera* fireclay; *~ tegel* firebrick

eldfluga *s* (~n, -flugor) zool. firefly

eldfängd *adj* (-fängt) inflammable; bildl. äv. fiery

eldfängdhet *s* (~en) inflammability; bildl. äv. fieriness

eldgaffel *s* (~n, -gafflar) poker

eldgivning *s* (~en) mil. firing

eldhav *s* (~et) sea of fire

eldhund *s* (~en, ~ar) andiron, firedog

eldhärd *s* (~en, ~ar) seat of the (resp. a) fire

eldig *adj* (~t) fiery, ardent, spirited, passionate; *~ springare* fiery steed

eldighet *s* (~en) fire, ardour

eldkvast *s* (~en, ~ar) puff of flame and smoke

eldledning *s* (~en) mil. fire control; taktisk fire direction

eldning *s* (~en) heating; [the] lighting of fires etc.; jfr *elda*

eldningsolja *s* (~n, -oljor) fuel (heating) oil

eldorado *s* (~t, ~n) eldorado (pl. -s)

eldprov *s* (~et, =) hist. ordeal by fire; prövning ordeal; avgörande prov acid test

eldrift *s* (~en), *~[en]* the use of electric power

eldriven *adj* (-drivet, -drivna) ...driven by electricity, electrically driven; *en ~ bil* an electric car

eldröd *adj* (-rött) ...red as fire, fiery red, flaming red

eldsjäl *s* (~en, ~ar) real enthusiast; *han är ~en i företaget* he is the driving force of...

eldsken *s* (~et, =) firelight, light (glow) of a (resp. the) fire

eldskrift *s* (~en), *i (med) ~* in letters of fire

eldskärm *s* (~en, ~ar) fire screen

Eldslandet Tierra del Fuego

eldslukare *s* (~n, =) fire-eater

eldslåga *s* (~n, -lågor) flame of fire

eldsläckare *s* (~n, =) apparat fire-extinguisher

eldspruta *s* (~n, -sprutor) mil. flame-thrower

eldsprutande *adj* (oböjl.), *~ drake* fire-breathing dragon

eldstad *s* (~en, -städer) fireplace; härd äv. hearth

eldstorm *s* (~en, ~ar) firestorm

eldstrid *s* (~en, ~er) mil. firing, exchange of fire båda endast sg.; uppgörelse shootout

eldsvåda *s* (~n, -vådor) fire; stor conflagration; *vid ~* in case of fire

eldtång *s* (~en, -tänger) firetongs pl.

eldupphör *s* (~et, =), *ge order om ~* give orders for cease-fire

eldvapen *s* (-vapnet, =) firearm

elefant *s* (~en, ~er) elephant; *se skära ~er* vard. see pink elephants; **se de stora ~erna dansa** see the big boys

elefantbete s (~n, -betar) elephant's tusk

elefanthanne s (~n, -hannar) bull elephant

elefanthona s (~n, -honor) cow elephant

elefantiasis s (~en el. =) med. el. bildl. elephantiasis

elefantsnabel s (~n, -snablar) elephant's trunk

elefantunge s (~n, -ungar) calf elephant

elegans s (~en) smartness, elegance; **vilken ~!** what style (elegance)!, how smart!; lösa uppgiften med **stor ~** ...great elegance

elegant I adj (=) smart, elegant; fashionabel fashionable; väl utförd neat; vard., flott posh; **en ~ lösning** a neat solution; **med en ~ gest** with a graceful gesture **II** adv smartly etc. **III** s (~en, ~er) sport. artist, technician

elegi s (~n, ~er) elegy [över on]

elegisk adj (~t) elegiac

elektor s (~n, ~er) elector

elektorsval s (~et, =) utseende av elektorer election of [the] electors

elektricitet s (~en) electricity

elektrifiera vb tr (~de, ~t) electrify

elektrifiering s (~en) electrifying, electrification

elektriker s (~n, =) electrician

elektrisk adj (~t) eldriven, elproducerande, elektriskt laddad o.d. vanl. electric; friare, som har med elektricitet att göra vanl. electrical; **~a artiklar** electrical supplies; **~ energi** electrical energy; **~t fält** electric field; **~ krets** electric circuit; **~t ljus** electric light; **~ spänning** [electric] voltage; **~ ström** (**stöt**) electric current (shock); **~a stolen** the electric chair; **avrätta ngn i ~a stolen** electrocute sb; **~ värmefilt** electric blanket; **~t värmeelement** electric fire (heater); jfr äv. sammansättn. med el-

elektrod s (~en, ~er) electrode

elektrodynamisk adj (~t) electrodynamic; **~ mikrofon** moving-coil microphone

elektroingenjör s (~en, ~er) electrical engineer; civilingenjör qualified electrical engineer

elektrokardiogram s (~met, =) (förk. *EKG*) electrocardiogram (förk. ECG)

elektrokemi s (~n) electrochemistry

elektrolys s (~en, ~er) fys. el. tekn. electrolys|is (pl. -es)

elektrolytisk adj (~t) fys. el. tekn. electrolytic

elektromagnet s (~en, ~er) electromagnet

elektromagnetisk adj (~t) electromagnetic

elektron s (~en, ~er) electron

elektronblixt s (~en, ~ar) electronic flash

elektronik s (~en) electronics sg.

elektronisk adj (~t) electronic; **~ brevlåda** electronic mailbox; **~ fotboja** polis. [electronic] tag; själva systemet [electronic] tagging; **~ musik** electronic music

elektronmikroskop s (~et, =) electron microscope

elektronrör s (~et, =) [electronic] valve; amer. vanl. [electron] tube

elektroskop s (~et, =) electroscope

elektroteknik s (~en) electrotechnics sg., electrotechnology

elektrotekniker s (~n, =) electrotechnician

elektroteknisk adj (~t) electrotechnical

elektroterapi s (~n) electrotherapy

element s (~et, =) **1** allm. element; **kriminella ~** criminal elements; **vara** (**inte vara**) **i sitt rätta ~** be in

(be out of) one's element **2** värmelednings~ radiator; **elektriskt ~** electric fire (heater) **3** fys. cell; **galvaniskt ~** galvanic cell **4** byggnads~ unit

elementa s pl, **~ av** the elements (rudiments) of

elementär adj (~t) elementary; **på ett ~t stadium** at an elementary stage; **det ~a** grunddragen **av ngt** the elements pl. of sth

elenergi s (~n) electrical energy

elev s (~en, ~er) allm. pupil; vid högre läroanstalter el. amer. äv. i skolor student; i butik, lärling apprentice; **vara ~ till J.** be a pupil of J.'s

elevarbete s (~t, ~n) pupil's (resp. student's) work; mer konkret piece of work done by a pupil (resp. student)

elevhem s (~met, =) ung. [school] boarding house

elevkår s (~en, ~er) body of pupils (resp. students)

elevråd s (~et, =) pupils' (resp. students') council

elevrådsordförande s (~n, =) chairman (head) of the pupils' (resp. students') council

elevunderlag s (~et, =) pupil (resp. student) population

elfenben s (~et) ivory

elfenbensfärgad adj (-färgat, ~e) ivory-coloured; attr. äv. ivory

Elfenbenskusten Côte d'Ivoire

elfenbenstorn s (~et, =) bildl. ivory tower

elfirma s (~n, -firmor) firm of electricians, electricians pl.

elfte räkn eleventh; **i ~ timmen** at the eleventh hour; jfr *femte*

elftedel s (~en, ~ar) eleventh [part]; jfr *femtedel*

elförbrukning s (~en) electricity (power) consumption, consumption of electricity

elförsörjning s (~en) electricity (power) supply

elgitarr s (~en, ~er) electric guitar

elidera vb tr (~de, ~t) fonet. elide

eliminera vb tr (~de, ~t) eliminate

eliminering s (~en, ~ar) elimination

elisabetansk adj (~t) Elizabethan

elision s (~en, ~er) fonet. elision

elit s (~en, ~er) elite; **~en av...** the pick (flower) of...

elitgymnast s (~en, ~er) top-level (elite) gymnast

elitidrott s (~en, ~er) sport at top (elite) level

elittrupp s (~en, ~er) sport. crack (picked) team; **~er** mil. crack (picked, elite) troops

elixir s (~et, =) elixir

eljest adv ngt åld. otherwise; annars så or [else], else; efter frågeord else

elkabel s (~n, -kablar) electric cable

elkamin s (~en, ~er) electric fire (heater)

elkraft s (~en) electric power

elledning s (~en, ~ar) electric cable (kraft~ line)

eller konj or; **varken...~** neither...nor; **~ också** ty annars, annars så or [else]; **~ hur?** a) efter nekande sats, t.ex.: 'hon röker inte' ...does she?; 'han är inte här' ...is he? b) efter jakande sats, t.ex.: 'John röker [ju]' ...doesn't he?; 'hon har [väl] läst engelska' ...hasn't she? c) som mera fristående, vard. what?, eh?; inte sant äv. isn't that so?, aren't I right?, don't you think?

ellips s (~en, ~er) **1** geom. ellipse **2** språkv. ellips|is (pl. -es)

elliptisk adj (~t) **1** geom. elliptic[al] **2** språkv. elliptical

elljus s (~et) electric light

elljusspår s (~et, =) lit running (forest) track

elmontör s (~en, ~er) electrician, electrical fitter

elmotor *s* (~n, ~er) electric motor

elmätare *s* (~n, =) electricity (electric) meter

eloge *s* (~n, ~r), *ge ngn en* ~ praise sb; *värd en* ~ worthy of great praise

elpanna *s* (~n, -pannor) electric boiler

elransonering *s* (~en, ~ar) rationing of electricity

elreparatör *s* (~en, ~er) electrician, electrical repairer

elräkning *s* (~en, ~ar) electricity bill

El Salvador El Salvador

Elsass Alsace

elsassisk *adj* (~t) Alsatian

elsladd *s* (~en, ~ar) electric flex (amer. cord)

elspis *s* (~en, ~ar) electric cooker (stove)

elström *s* (~men) electric current

eltaxa *s* (~n, -taxor) electricity rate (charges pl., tabell tariff)

eluppvärmd *adj* (-värmt) electrically heated; ~ *bakruta* electrically-heated rear window

eluppvärmning *s* (~en) electric heating

eluttag *s* (~et, =) power point, socket; amer. outlet

elva I *räkn* eleven; jfr *fem* o. *femton* med sammansättn. **II** *s* (~n, elvor) eleven äv. sport.; jfr *femma*

elvahundratalet *s* (best. sing.) the twelfth century, jfr *femtonhundratalet*

elverk *s* (~et, =) ung. electricity board; för produktion power station

elvisp *s* (~en, ~ar) electric [hand]mixer

elvärme *s* (~n) uppvärmning electric heating

elyseisk *adj* (~t) Elysian; *de Elyseiska fälten* the Elysian Fields

elände *s* (~t, ~n) **1** misery, wretchedness; otur, besvär nuisance; *fattigdom och* ~ misery and want; *vilket* ~*!* what a mess!, what a terrible state of things!; *till råga på* ~*t* (*allt* ~) to make matters worse, on top of it all **2** eländig sak wretched thing

eländig *adj* (~t) wretched, miserable; dålig very poor, lamentable; [ur]usel, vard. rotten, lousy; ~ *stackare* wretch

elöverkänslighet *s* (~en) electromagnetic hypersensitivity

e.m. förk. p.m., se även *eftermiddag*

e-mail *s* (~et, =) email

emalj *s* (~en, ~er) enamel

emaljera *vb tr* (~de, ~t) enamel

emaljering *s* (~en) enamelling

emaljfärg *s* (~en, ~er) enamel paint (colour)

emaljöga *s* (~t, -ögon) artificial (glass) eye

emancipation *s* (~en) emancipation

emanciperad *adj* (emanciperat, ~e) emancipated

emanera *vb itr* (~de, ~t) emanate

emballage *s* (~t, =) packing; omslag wrapping

emballera *vb tr* (~de, ~t) pack; slå in wrap [up]

embargo *s* (~t, ~n) embargo (pl. -es); *häva ett* ~ raise (lift, take off) an embargo

embarkera *vb itr* (~de, ~t) embark

embarkering *s* (~en) embarking, embarkation, boarding

emblem *s* (~et, =) emblem

emboli *s* (~n, ~er) med. embolism

embryo *s* (~t, ~n) embryo (pl. -s)

emedan *konj* because; eftersom as, seeing [that]; då...ju since; ~ *han var sjuk,* kunde han inte komma äv. being ill,...

emellan I *prep* speciellt mellan två between; mellan flera,

'bland' among[st]; *låt det stanna oss* ~*!* let it remain strictly between ourselves!; *oss* ~ [*sagt*] between ourselves (you and me); *vänner* ~ between (resp. among) friends; *det här får bli en sak er* ~ you'll have to settle it between you (yourselves); jfr *mellan* **II** *adv* between; hus med trädgårdar ~ ...between [them]; ge *200 kronor* ~ ...200 kronor into the bargain; se också betonad partikel under respektive verb, t.ex. *sticka emellan* under *sticka IV*

emellanåt *adv* occasionally, sometimes, at times, at intervals; *allt* ~ se *alltemellanåt*

emellertid *adv* o. *konj* however

emfas *s* (~en) emphasis

emfatisk *adj* (~t) emphatic; ~ *konstruktion* (*omskrivning*) språkv. emphatic construction (paraphrase)

emigrant *s* (~en, ~er) emigrant

emigration *s* (~en) emigration

emigrera *vb itr* (~de, ~t) emigrate

eminens *s* (~en, ~er) eminence

eminent *adj* (=) eminent

emission *s* (~en, ~er) **1** ekon. issue; ~ *av aktier* (*obligationer*) share (bond) issue **2** fys. el. miljövård emission

emittera *vb tr* (~de, ~t) ekon. issue

emma *s* (~n, emmor) stol [upholstered] easy chair

emmentalerost *s* (~en, ~ar) Emmenthal[er]

e-moll *s* (oböjl.) mus. E minor

emot (se också betonad partikel under respektive verb, t.ex. *säga emot* under *säga III*) **I** *prep* se 2 *mot* o. sammansättn. som *framemot* o. *tvärtemot*; *inte mig* ~ I have no objection, I don't mind; *mitt* ~ opposite [to], facing, it's all right with me; *vi har vinden* ~ *oss* the wind is against us **II** *adv*, *mitt* ~ opposite; *huset mitt* ~ äv. the house across the road (street etc.); *stöta* (*gå, springa* etc.) ~ med underförstått subst. i sv. knock into (against), collide with med substantivet utsatt i eng.

emotionell *adj* (~t) emotional; känslomässig emotive

emotse *vb tr* (-såg, -sett), *vi* ~*r* el. *ert snara svar* awaiting (looking forward to) your early reply; se vidare *motse*

emotstå o. **emotta** m.fl., se *stå emot* under *stå IV*, *ta emot* under *ta III* m.fl.

emotta *vb tr* (-tog, -tagit) se *ta emot* under *ta III*

empati *s* (~n) psykol. empathy

empatisk *adj* (~t) psykol. empathic

empirisk *adj* (~t) filos. empiric[al]

empirstil *s* (~en) Empire style; *stol i* ~ Empire...

EMU (förk. för *Ekonomiska och monetära unionen*) EU. EMU (förk. för the Economic and Monetary Union)

emulgeringsmedel *s* (-medlet, =) emulsifier

emulsion *s* (~en, ~er) kem. emulsion

1 en *s* **1** (~en, ~ar) träd [common] juniper **2** (~en) virke juniper[-wood]

2 en *adv* omkring some, about, jfr ex.; *för* ~ [*nio*] *tio år sedan* some (about) [nine or] ten years ago

3 en I *räkn* (ett) **1** allm. one; fören. ibland a, framför vokalljud an; ~ *och* ~ i gåsmarsch one by one, in single file; ~ *för alla och alla för* ~ one for all and all for one; hand. jointly and severally; ~ *och annan* o. liknande ex., se under *3 en III*; ~ *och samma* one and the same; *i ett för allt* all included; *det kommer på ett ut* it is all the same (all one), it all comes to the same

thing [in the end]; *på ~ [enda] dag* in one [single] day; *Rom byggdes inte på ~ dag* Rome was not built in a day; *~ gång* once, se vidare *gång 3*; *det tog ~ och ~ halv timme* …an (one) hour and a half, …one and a half hours; *ett hundra femtio* a (one) hundred and fifty; *ett tusen fem hundra* one (a) thousand five hundred; jfr *fem*, *2 två*, *tre* med sammansättn. **2** *~ till* el. *ytterligare ~* el. *ännu ~* another [one], en men inte fler one more; *~ gång till* once more; *~ kopp kaffe till* another (resp. one more) cup of coffee
II *obest art* (ett) **1** a, framför vokalljud an; *ett backkrön* the top of a hill; springa *som ~ galning* …like mad, …like a madman; *~ herr Ek* a certain Mr Ek, one Mr Ek; *~ kaffe[, tack]!* vid beställning a coffee, please!; *en annan* se under *annan*; *en del* se under *del 2* **2** framför vissa subst. där man inte kan bilda pl. i eng., t.ex. a piece of, an item of; *ett gott råd* a piece of (some) good advice; *~ smörgås* a piece (slice) of bread and butter **3** i vissa tidsadverbial spec. avseende förfluten tid one; *~ söndag* (*sommar*) blev jag sjuk one Sunday (summer)… **4** framför subst. som består av två delar som sitter ihop a pair of; *~ sax* (*tång*) a pair of scissors (tongs)
III *pron* (ett) **1** 'en och annan' o.d., *~ och* (*eller*) *annan* somebody [or other], a few (one or two) [persons], one here or there; *ett och annat* a thing or two, a few (one or two) things, something; t.ex. i ett yttrande a point or two etc.; *av ett eller annat skäl* for some reason or other, for one reason or another; *på ett eller annat sätt* somehow [or other]; *~ eller annan av…* one or other of…
2 *han är en tråkig ~* he is a boring person; *ni är mig ~a konstiga ~a!* what a funny lot you are!
3 vanl. objektsform av 'man' one, a fellow osv., jfr *3 man*; *det skär ~ i hjärtat* it cuts one to the heart; *~s* [*egen*] one's [own]; *vad ska ~ göra?* vard. el. dial. what is one (a fellow etc.) to do?
4 någon, *det är ~ som* vill tala med dig somebody…; *han* (*det*) *är ~ som* vet vad han vill he is a fellow who…; *det måste stå i ~* (någon) *av de här böckerna* …one [or other] of these books; *~ sån som du* (*dig*) a person like you

1 ena *pron* (mask. ene), [*den*] *~a systern* one (om endast två ibland äv. the one) sister; *min ~a syster* one of my sisters; *det ~a…det andra* självst. one thing…the other; *den ~e säger en sak, den andre något annat* one [person] says one thing and another [person] says another; *från det ~a till det andra* from one thing to another (the other); *den ~a dagen efter den andra* one day after the other (another); *å ~a sidan…å andra sidan* on [the] one hand…on the other [hand]

2 ena I *vb tr* (~de, ~t) unite; göra till enhet unify; förlika conciliate; *det ~de Tyskland* unified Germany; *~de vi stå, söndrade vi falla* ordspr. united we stand, divided we fall **II** *vb rfl* (~de, ~t), *~ sig* agree [*om* on, as to, about; *om att* + inf. resp. sats to resp. that]; come to an understanding (to an agreement, to terms)

enahanda I *adj* (oböjl.) the same; enformig monotonous, humdrum **II** *s* (oböjl., ett) sameness, monotony; *det evigt ~* the drab monotony, the deadly sameness

enaktare *s* (~n, =) one-act play, one-acter

enarmad *adj* (-armat, ~e) one-armed; *~ bandit* vard., spelautomat fruit machine, one-armed bandit

enas *vb itr dep* (enades, enats) **1** förenas become united **2** se *2 ena II*

enastående I *adj* (oböjl.) unique, unparalleled, unequalled, unprecedented, matchless, exceptional; *en ~ arbetsförmåga* an extraordinary capacity for work; *jag hade en ~ tur* I had exceptional (extraordinary) luck; *hon är ~* she stands alone **II** *adv* exceptionally, uniquely

enbart *adv* uteslutande solely, entirely, exclusively; endast merely; helt enkelt simply; odelat wholly; *~ i Stockholm* finns det… in Stockholm alone…; det vore *~ glädjande* …nothing but a pleasure

enbent *adj* (=) one-legged

enbladig *adj* (~t) **1** bot. one-leaved **2** tekn. one-bladed

enbuske *s* (~n, -buskar) juniper shrub (mindre bush)

enbär *s* (~et, =) juniper berry

encellig *adj* (~t) bot. unicellular, one-celled

encyklopedi *s* (~n, ~er) encyclopedia

encyklopedisk *adj* (~t) encyclopedic

enda *pron* (mask. ende) only, sole, one, jfr ex.; förstärkande, framfför allt i nekande satser single; *~* (*ende*) *arvinge till* sole heir to; *…är ~ barnet* …is an only child; [*den*] *~ möjligheten* the only possibility (chance); *den* (resp. *det*) *~* självst. the only one el. person (resp. thing); *de ~* fören. the only; självst. the only ones; *vi är inte de ~ som tror…* äv. we are not alone in believing…; *en* (*ett*) *~* just one; *en ~ gång* just once; *bara en ~ gång* only once; *med ett ~ slag* at a [single] blow; *inte* (*ingen, inte ett, inget*) *~* not a single [självst. one]; *inte en ~ av* mina vänner not a single one of…; *hans ~ talang* his one [and only] (his sole) talent

endast *adv* only; jfr vidare *bara*, *blott* o. *enbart*

ende *pron* se *enda*

endera (ettdera) **I** *pron* **1** av två, *~* [*av dem*] one [or other] of the two; vilken som helst either; *~ av oss* (*er*) måste göra det one [or other] of us (you) two… **2** *~ dagen* in the next day or two, any day now **II** *konj* vard., se *antingen*

endiv *s* (~en, ~er) chicory; amer. endive

endorfin *s* (~et, ~er) fysiol. endorphine

endorfinkick *s* (~en, ~ar) endorphin high

endossera *vb tr* (~de, ~t) hand. endorse

endossering *s* (~en, ~ar) hand. endorsement

endräkt *s* (~en) harmony, concord, unity

endräktig *adj* (~t) unanimous, harmonious

1 ene *s* (~t) virke juniper[-wood]

2 ene *pron* se *1 ena*

energi *s* (~n, ~er) energy äv. fys.; *med stor ~* very energetically

energibesparande *adj* (oböjl.) energy-saving

energidebatt *s* (~en, ~er) debate on energy

energiförbrukning *s* (~en) energy consumption, consumption of energy

energiförlust *s* (~en, ~er) loss of energy

energiförsörjning *s* (~en) energy supply

energiknippe *s* (~t, ~n) bundle of energy, live wire

energikris *s* (~en, ~er) energy cris|is (pl. -es)

energikälla *s* (~n, -källor) source of energy, energy source

energisk *adj* (~t) full av energi energetic; kraftig vigorous; ihärdig strenuous; *en ~ haka* a powerful chin

energiskatt *s* (~en, ~er) energy tax

energiskog *s* (~en, ~ar) energy forest
energisnål *adj* (~t) energy-saving, attr. ...that has (have etc.) a low energy consumption, fuel-efficient; friare economical
energiverk *s* (~et, =) energy authority
enerverande *adj* (oböjl.) trying, nerve-racking
en face *adv* full face, en face fr.
enfald *s* (~en) dumhet o.d. silliness, foolishness, stupidity; godtrogenhet o.d. simplicity
enfaldig *adj* (~t) dum o.d. silly, foolish, stupid; godtrogen o.d. simple[-minded]; ~ *stackare* simpleton
enfamiljshus *s* (~et, =) self-contained house, single-family house
enfas *adj* (oböjl.) o. **enfasig** *adj* (~t) elektr. single-phase..., monophase...
enformig *adj* (~t) monotonous, dull, humdrum; grå och enformig drab
enformighet *s* (~en) monotony, dullness, drabness, sameness
enfrågeparti *s* (~et, ~er) single-issue party
enfärgad *adj* (-färgat, ~e) ...of one (of uniform, of a single) colour; utan mönster plain; om ljus, målning monochromatic
enfödd *adj* (-fött) relig., *Guds ~e son* God's only-begotten son
engagemang *s* (~et, =) **1** anställning engagement; *erbjuda ngn ~* offer sb a contract; *få ~* get an engagement **2** finansiellt el. politiskt åtagande commitment, engagement; *bristande ~* lack of commitment (active interest) **3** delaktighet share [*i saken* in the matter] **4** känslo~ o.d. commitment, dedication, devotion [*i* i samtliga fall to]
engagera I *vb tr* (~de, ~t) **1** anställa engage **2** ta helt i anspråk absorb **II** *vb rfl* (~de, ~t), ~ *sig* bli absorberad become absorbed [*i (för)* in]; ~ *sig för* ta parti för, verka för stand up for; ~ *sig i* a) delta i engage in, take an active part (interest) in b) affärer, tvister become involved in
engagerad *adj* (engagerat, ~e) **1** anställd, upptagen engaged **2** invecklad [*i* t.ex. tvister, affärer] involved [*i* in] **3** absorberad absorbed [*i* in]; känslomässigt committed, dedicated, devoted [*i* i samtliga fall to]; *politiskt ~* politically committed
engelsk *adj* (~t) English; brittisk ofta British; *~t horn* mus. cor anglais, English horn; *Engelska kanalen* the [English] Channel; *~a kyrkan* som institution the Church of England; *~a ligan* the Football League; ~ *mil* mile; *~a pund* pounds sterling; *~a sjukan* rickets (sg. el. pl.), rachitis
engelska *s* **1** (~n, engelskor) kvinna Englishwoman; dam English lady (flicka girl); *hon är ~* vanl. she is English (British) **2** (~n) språk English; jfr *svenska 2*
Engelska kanalen the [English] Channel
engelskfientlig *adj* (~t) anti-English, anti-British, Anglophobe
engelskfödd *adj* (-fött) English-born, British-born
engelskspråkig *adj* (~t) **1** se *engelsktalande*; ~ författare ...writing (who writes) in English **2** om t.ex. litteratur English, ...in English **3** där engelska talas, attr. ...where English is spoken
engelsk-svensk *adj* (~t) English-Swedish, British-Swedish, Anglo-Swedish; ~ *ordbok* English-Swedish dictionary
engelsktalande *adj* (oböjl.) attr. English-speaking...; *vara ~* speak English

engelskvänlig *adj* (~t) pro-English, pro-British, Anglophil[e]
engelsman *s* (~nen, -män) Englishman; britt äv. Briton; amer. Britisher; *engelsmännen* som nation el. lag o.d. the English, the British
engifte *s* (~t) monogamy; *leva i ~* be monogamous
England England; Storbritannien ofta [Great] Britain
en gros *adv* hand. wholesale
engrospris *s* (~et, = el. ~er) hand. wholesale price
engångsartikel *s* (~n, -artiklar) disposable (throwaway, single use) article (product); *engångsartiklar* äv. disposables
engångsbelopp *s* (~et, =) single (one-off, amer. one-shot) payment, lump sum
engångsföreteelse *s* (~n, ~r) isolated case (phenomenon); vard. one-off [affair]; *jag hoppas att det här bara är en ~* vanl. I hope this won't happen again
engångsförpackning *s* (~en, ~ar) disposable (throwaway) package
engångsglas *s* (~et) flaska non-returnable (disposable) bottle; som påskrift på flaska no deposit
engångskostnad *s* (~en, ~er) once-for-all (one-off) cost
enhet *s* (~en, ~er) **1** ngt odelat helt, samhörighet o.d. unity; inom ett företag division, unit **2** matem. el. mil. el. sjö. m.m. unit; vid indexberäkning point
enhetlig *adj* (~t) uniform; homogen homogeneous; sammanfogad till en enhet, integrerad integrated; *~a normer* uniform standards
enhetlighet *s* (~en) uniformity, homogeneity
enhetsfront *s* (~en, ~er) polit. united (common) front
enhetspris *s* (~et, = el. ~er) standard price, flat rate
enhetssträvanden *s pl* movement sg. towards unity
enhetstaxa *s* (~n, -taxor) standard rate
enhällig *adj* (~t) unanimous, solid
enhällighet *s* (~en) unanimity
enhörning *s* (~en, ~ar) mytol. unicorn
enig *adj* (~t) enhällig unanimous; enad united; *bli (vara) ~[a]* agree [*med ngn om ngt* with sb about (on) sth]; *vi blev ~a* äv. we came to an agreement (to an understanding, to terms); *vi är ~a* äv. we are agreed, we are of one opinion
enighet *s* (~en) samförstånd agreement; *nationell ~* national unity; ~ *ger styrka* unity is strength
enkammarsystem *s* (~et, =) polit. single-chamber system
enkel *adj* (~t, enkla) **1** allm. simple; lätt äv. easy; elementär äv. elementary; vanlig äv. common, ordinary; anspråkslös äv. plain, homely; ~ *och okonstlad* unsophisticated; *ett ~t levnadssätt* plain living; ~ *majoritet* a simple (an ordinary) majority; *en ~ metod* a simple (straightforward) method; *en ~ informell liten middag* an informal little dinner; [*bara*] *en vanlig ~ människa* [just] an ordinary person; *med några enkla ord* in a few simple words; *enkla tarvliga skämt* cheap jokes; *ett ~t lätt sätt* a simple (an easy) way; *enkla vanor* simple habits **2** inte dubbel el. flerfaldig single; *en ~* [*biljett*] a single (speciellt amer. one-way) [ticket]; *enkla dahlior* single dahlias; *~t porto* single postage **3** självklar, naturlig, *som en ~ gärd av tacksamhet* as a simple token of gratitude **4** känna *sig ~* obetydlig feel [very] small; 'ställd' feel awkward
enkelbeckasin *s* (~en, ~er) zool. [common] snipe
enkelhet *s* (~en) simplicity; anspråkslöshet äv.

plainness; *i all* ~ quite informally; *för ~ens skull* for the sake of simplicity

enkelhytt *s* (~en, ~er) single[-berth] cabin

enkelknäppt *adj* (=) single-breasted

enkelrikta *vb tr* (~de, ~t), ~ *trafiken* introduce one-way traffic; ~*d a*) trafik. one-way... b) bildl. one-sided, narrow-minded

enkelrum *s* (~met, =) single room

enkelspårig *adj* (~t), ~ *järnväg* single-track railway; *vara* ~ bildl. have a one-track mind

enkelt *adv* simply; *klä sig* ~ äv. dress plainly; *helt* ~ simply; *jag tycker helt* ~ *inte om det* I [quite] simply don't like it

enklang *s* (~en) mus. unison

enklav *s* (~en, ~er) polit. enclave

enkom *adv* endast och allenast solely; särskilt purposely, especially, expressly

enkrona *s* (~n, -kronor) one-krona piece (coin)

enkät *s* (~en, ~er) rundfråga inquiry, poll, survey; frågeformulär questionnaire

enkönad *adj* (-könat, ~e) bot. unisexual

enlevera *vb tr* (~de, ~t) run away with; jur. abduct

enlevering *s* (~en, ~ar) abduction

enlighet *s* (oböjl.), *i ~ med* in accordance (compliance) with, se vidare *enligt*; *i ~ därmed* accordingly

enligt *prep* according to, se vidare *efter* I 4; ~ *artikel 3 i fördraget* by (under) article 3...; ~ *faktura* hand. as per invoice; ~ *lag* by law; ~ *min åsikt* in my opinion; se äv. under resp. subst.

enmansbolag *s* (~et, =) one-man firm (business)

enmanshytt *s* (~en, ~er) single cabin

enmansshow *s* (~en, ~er) o. **enmansteater** *s* (~n, -teatrar) one-man show äv. friare

enmastad *adj* (-mastat, ~e) sjö. single-masted

enmotorig *adj* (~t) single-engined, single-engine...

enorm *adj* (~t) enormous, immense

enormt *adv* enormously, immensely; ~ *billig* tremendously cheap

enplansvilla *s* (~n, -villor) one-storeyed house (villa), bungalow

enprocentig *adj* (~t) one-per-cent...; jfr *femprocentig*

enris *s* (~et) bot., koll. juniper twigs pl.

enrisrökt *adj* (=) ...smoked over a juniper fire

enrollera *vb tr* (~de, ~t) enrol; amer. enroll; enlist; *[låta]* ~ *sig* enrol etc. oneself, enlist

enrollering *s* (~en, ~ar) enrolment; amer. enrollment; enlistment

enrum *s* (oböjl.), *i* ~ utan vittnen privately, in private

enrummare *s* (~n, =) se *enrumslägenhet*

enrumslägenhet *s* (~en, ~er) one-room flat; speciellt amer. studio apartment

ens *adv* **1** en gång, över huvud even; *har du* ~ *försökt?* have you tried at all?; *inte* ~ not even; mindre än less than; *inte* ~ *då ville han...* even then he would not...; tjugo år, *om* ~ *det* ...if [as much as] that; inte före den tiden, *om* ~ *då* ...if then; *få, om* ~ *någon* few if anybody **2** *med* ~ all at once, all of a sudden

ensak *s* (oböjl., en), det är *min* ~ ...my [own] business (affair)

ensam *adj* (~t, ~ma) allena alone, jfr ex.; utan sällskap äv. ...by oneself; utan hjälp äv. single-handed; enstaka solitary; endast en, ogift, ensamstående single; enda sole; enslig, som känner sig ensam lonely, lonesome; jfr äv. ex.;

~ *i sitt slag* unique; *i ~t majestät* in splendid isolation; han är *en ~ människa* ...a lonely man; *kämpa en ~ strid* fight a lone struggle; ~*ma stunder* solitary hours; *det blir lite ~t här ibland* it gets a bit lonely here sometimes; *känna sig* ~ feel lonely (lonesome, deserted); *stå ~ i världen* be alone in the world; *han är inte ~ om att* + inf. he is not alone in + ing-form, he is not the only one to + inf.

ensamagentur *s* (~en, ~er) sole agency

ensamförsäljare *s* (~n, =) sole agent [*av* for]

ensamförälder *s* (~n, -föräldrar) single parent

ensamhet *s* (~en) solitude; övergivenhet loneliness

ensamrätt *s* (~en, ~er) sole right; *med* ~ all rights reserved

ensamstående *adj* (oböjl.) utan anhöriga single; ~ *förälder* single parent

ensamt *adv* **1** blott, *detta* ~ that alone **2** se *ensligt*

ensamvarg *s* (~en, ~ar) lone wolf, loner

ense *adj* (oböjl.), *bli (vara)* ~ agree osv., jfr under *enig*

ensemble *s* (~n, ~r) mus. ensemble; teat. äv. cast

ensidig *adj* (~t) eg. el. bildl. one-sided; fördomsfull o.d. äv. bias[s]ed, prejudiced; trångsynt narrow-minded; motsats: ömsesidig unilateral; ~ *kost* unbalanced diet; ~ *överenskommelse* unilateral agreement

ensidighet *s* (~en, ~er) one-sidedness, bias, prejudice, narrow-mindedness; jfr *ensidig*

ensiffrig *adj* (~t), ~*t tal* digit

ensilage *s* (~t) lantbr.: silage; ensilage äv. metod

ensitsig *adj* (~t), ~*t flygplan* single-seater

enskild *adj* (enskilt) privat private; personlig personal; särskild individual, separate; ~ *firma* private firm (business); ~*t mål* jur. private (civil) case (lawsuit); *den ~a människan* el. *den* ~*e* the individual; *på ~a punkter* i vissa avseenden in certain respects; *inta (stå i)* ~ *ställning* come to (stand at) attention

enskildhet *s* (~en, ~er) detalj detail, particular

enskilt *adv* privately, in private

enslig *adj* (~t) solitary, lonely; huset ligger *på en* ~ *plats* ...in a lonely (an isolated) spot

enslighet *s* (~en) solitariness, loneliness

ensligt *adv*, ~ *belägen* isolated; *huset ligger* ~ ... is in a lonely place

ensling *s* (~en, ~ar) se *enstöring*

enspråkig *adj* (~t) one-language..., monolingual, unilingual; *en* ~ *ordbok* a monolingual dictionary

enstaka *adj* (oböjl.) enskild separate, individual; sporadisk occasional; isolerad, sällsynt isolated; sällsynt äv. exceptional; ensam solitary; vi såg bara *några* ~ *bilar* ...a few [isolated] cars; *någon* ~ *gång* once in a while, very occasionally; *i* ~ *fall* in a few cases; *bara vid* ~ *tillfällen* only on very rare occasions

enstavig *adj* (~t) monosyllabic

enstämmig *adj* (~t) unanimous; mus. unison

enstämmighet *s* (~en) unanimity; mus. unison

enstämmigt *adv* unanimously; mus. in unison

enstörig *adj* (~t) unsociable, retiring

enstöring *s* (~en, ~ar) recluse; *leva som en* ~ live the life of a recluse, be a loner

enstöringsliv *s* (~et), *leva ett* ~ be a recluse (loner)

ental *s* (~et, =) **1** singular; jfr *singular* **2** matem. unit; ~ *och tiotal* units and tens

entente *s* (~n, ~r), ~*n* i första världskriget the Allies pl.

entita *s* (~n, -titor) zool. marsh tit, marsh titmouse (pl. marsh titmice)

entlediga *vb tr* (~de, ~t) dismiss; ämbetsman äv. remove…[from office]

entomolog *s* (~en, ~er) entomologist

entomologi *s* (~n) entomology

entonig *adj* (~t) monotonous

entré *s* (~n, ~er) **1** ingång entrance; förrum entrance hall **2** [rätt till] inträde admission; *fri* ~ admission free **3** inträdande på scenen entry; *göra sin* ~ äv. make one's appearance **4** avgift, se *entréavgift*

entréavgift *s* (~en, ~er) entrance fee, price of admission; *~er* intäkter vid tävling o.d. gate money sg.

entrébiljett *s* (~en, ~er) admission ticket

entrecote *s* (~n, ~r) kok. entrecôte fr.

entreprenad *s* (~en, ~er) contract; *lämna* (*ta*)…*på* ~ place (sign) a contract for…; *utföra*…*på* ~ …on contract

entreprenadarbete *s* (~t, ~n) contract work

entreprenör *s* (~en, ~er) contractor; idérik företagare entrepreneur

entrérätt *s* (~en, ~er) first course, vard. starter

enträdig *adj* (~t) om garn single-ply…; om metalltråd single-wired

enträgen *adj* (enträget, enträgna) urgent; ihärdig insistent; påträngande importunate; *på hans enträgna begäran* at his urgent request; *han är mycket* ~ he is very insistent (resp. importunate)

enträget *adv* urgently osv., jfr *enträgen*; ~ *avråda ngn från att* + inf. urge sb not to + inf.

entusiasm *s* (~en) enthusiasm

entusiasmera *vb tr* (~de, ~t) fill…with enthusiasm, arouse enthusiasm in, enthuse

entusiast *s* (~en, ~er) enthusiast

entusiastisk *adj* (~t) enthusiastic; *vara* (*bli*) ~ äv. enthuse; ~ *för* keen on

entydig *adj* (~t) med en enda betydelse unambiguous; otvetydig unequivocal; *ett* ~*t beslut* a clear-cut decision

envar *pron* var man everybody; *alla och* ~ each and everyone

enveten *adj* (envetet, envetna) se *envis*

envig *s* (~et, =) duel, single combat

environger *s pl* environs

envis *adj* (~t) obstinate, stubborn; halsstarrig äv. headstrong; tjurskallig äv. pigheaded; ihållande t.ex. hosta persistent; ~*t motstånd* stubborn (segt dogged) resistance; *en* ~ *förkylning* a stubborn (persistent) cold

envisas *vb itr dep* (-visades, -visats) be obstinate (osv., jfr *envis*), persist [*med att* + inf. in + ing-form]

envishet *s* (~en) (jfr *envis*); obstinacy, stubbornness, headstrongness, pigheadedness, persistency

envist *adv* obstinately osv., jfr *envis*; *tiga* ~ maintain a persistent silence

envoyé *s* (~n, ~er) envoy

enväldshärskare *s* (~n, =) autocrat; diktator dictator

envälde *s* (~t, ~n) autocracy, dictatorship; som system äv. absolutism

enväldig *adj* (~t) absolute, autocratic; *vara* ~ om härskare be an absolute ruler

enzym *s* (~en, ~er) kem. enzyme

enäggstvilling *s* (~en, ~ar) identical twin

enögd *adj* (-ögt) one-eyed

enögdhet *s* (~en) one-eyedness, blindness in one eye

epidemi *s* (~n, ~er) epidemic

epidemisjukhus *s* (~et, =) isolation hospital

epidemisk *adj* (~t) epidemic

epifys *s* (~en, ~er) anat. epiphys|is (pl. -es)

epigon *s* (~en, ~er) [inferior] imitator, epigone

epik *s* (~en) epic poetry

epiker *s* (~n, =) epic poet

epikuré *s* (~n, ~er) epicurean äv. bildl.; gourmet epicure

epikureisk *adj* (~t) epicurean

epilepsi *s* (~n) med. epilepsy

epileptiker *s* (~n, =) epileptic

epileptisk *adj* (~t) epileptic

epilog *s* (~en, ~er) epilogue; amer. äv. epilog

episk *adj* (~t) epic

episkopal *adj* (~t) kyrkl. episcopal

episod *s* (~en, ~er) episode; intermezzo incident

epistel *s* (~n, epistlar) långt brev, dikt, bibeltext epistle

epitet *s* (~et, =) epithet

epok *s* (~en, ~er) epoch; *bilda* ~ mark an (a new) epoch

epokgörande *adj* (oböjl.) epoch-making

epos *s* (~et, =) litt.vet. epic, epos

e-post *s* (~en) email (förk. för electronic mail)

e-posta *vb tr* (~de, ~t) email, send by email

e-postadress *s* (~en, ~er) email address

epålett *s* (~en, ~er) epaulet

er *pron* (ert, era) **1** pers., ~ (**Er**), **eder** (**Eder**) you; rfl. your|self (pl. -selves); i adverbial med beton. rumsprep. vanl. you **2** poss.: fören. your, självst. yours; *Er tillgivne E.* Yours sincerely, E.; ~*a stackare!* you poor things!; *Ers Majestät* Your Majesty; för ex., jfr vidare *1 min*

era *s* (~n, eror) era

erbarmlig *adj* (~t) eländig, usel wretched, miserable; mycket dålig (svag) very poor; ömkansvärd pitiable

erbjuda I *vb tr* (-bjöd, -bjudit) **1** ge anbud [om] o.d. offer; ibland tender; spec. självmant volunteer; ~ *ngn sina tjänster* offer (tender) sb one's services **2** förete, medföra present; förete äv. afford; skänka afford, offer; ~ *en storslagen anblick* present (afford) a magnificent spectacle; ~ *många fördelar* hold out (present, offer) many advantages; ~ *skydd mot* provide (afford) shelter from **II** *vb rfl* (-bjöd, -bjudit) ~ *sig a*) förklara sig villig offer one's services, come forward; spec. självmant volunteer [*som* i samtliga fall *as*]; ~ *sig att* + inf. offer (resp. volunteer) to + inf. *b*) yppa sig, öppnas present itself; om tillfälle o.d. äv. occur, arise; *en möjlighet erbjöd sig för honom* a chance came his way

erbjudande *s* (~t, ~n) offer; affärsanbud äv. tender; *få ett* ~ *om ngt* (*att* + inf.) be offered sth (a chance to + inf.)

erektion *s* (~en, ~er) fysiol. erection

eremit *s* (~en, ~er) hermit, recluse, anchorite

eremitkräfta *s* (~n, -kräftor) zool. hermit crab

erfara *vb tr* (-for, -farit) **1** få veta learn; ~ *att* (resp. *ngt*) be informed that (resp. of sth); *enligt vad vi erfarit har han…* we learn that he has… **2** röna, pröva på, [*få*] ~ experience

erfaren *adj* (erfaret, erfarna) experienced, practised [*i* in]; *en* [*gammal*] ~ *lärare* a veteran…

erfarenhet *s* (~en, ~er) experience vanl. endast sg., jfr ex.; ~*en visar* experience shows; *bli vis av* ~*en* learn (become wise) by experience; *grundad på* ~ based (founded) on experience, empirical; *jag har gjort den* ~*en att…* experience has taught me that…, I have found that…; *en nyttig* ~ a useful lesson; *ha*

stor ~ have a great deal of experience, be very experienced; ***av*** [***egen***] ~ from [personal] experience; ***enligt min*** ~ (***mina ~er***) as far as my experience goes; ***brist på*** ~ lack of experience, inexperience

erfarenhetsmässigt *adv*, ~ vet vi att... from experience...

erforderlig *adj* (~t) required, necessary

erfordra *vb tr* (~de, ~t) require; nödvändiggöra call for

erfordras *vb itr dep* (erfordrades, erfordrats) be required; jfr vidare *behövas*

ergonom *s* (~en, ~er) ergonomist; speciellt amer. biotechnologist

ergonomi *s* (~n) arbetsvetenskap ergonomics sg.; speciellt amer. biotechnology

ergonomisk *adj* (~t) ergonomic; speciellt amer. biotechnological

erhålla *vb tr* (-höll, -hållit) passivt mottaga receive; [för]skaffa sig, utverka, utvinna obtain; jfr vidare *1 få II 1*

erigerad *adj* (erigerat, ~e), ***i erigerat tillstånd*** fysiol. in an erect state

Erik som kunganamn el. helgonnamn Eric

eriksgata *s* (~n, -gator) ung. [kungens royal] tour of the country

erinra I *vb tr* (~de, ~t) **1** påminna, ~ [***ngn***] ***om ngt*** (resp. ***om att...***) remind sb of sth (resp. [of the fact] that...); ***det ~r*** [***starkt***] ***om*** it calls [vividly] to mind, it has a [strong] resemblance to **2** invända, ***jag har*** (***det finns***) ***inget att*** ~ ***mot det*** I have (there can be) no objections to that **II** *vb rfl* (~de, ~t), ~ ***sig*** remember; med större ansträngning recollect, recall; ***såvitt jag kan*** ~ ***mig*** as far as I remember, to the best of my recollection

erinran *s* (=, en, erinringar) **1** påminnelse reminder [*om* of] **2** anmärkning admonition, caution; invändning objection [*mot* to]

Eritrea Eritrea

erkänd *adj* (-känt) acknowledged, recognized; om t.ex. organisation, myndighet [officially] approved (recognized); ***allmänt*** ~ ***som*** en duktig lärare universally recognized as...; ***bli*** ~ vinna erkännande obtain recognition

erkänna (jfr *erkänd* o. *erkänt*) **I** *vb tr* (-kände, -känt) allm. acknowledge; bekänna, tillstå äv. confess [to]; medge äv. admit; acceptera, godkänna äv. recognize, accept; ~ ***sina brister*** admit one's deficiencies; ~ ***ett brott*** confess to a crime; ~ ***ett misstag*** acknowledge (admit) a mistake; ~ ***mottagandet av*** acknowledge [the] receipt of; ~ ***att*** acknowledge (confess, admit) that; ***jag måste*** ~ ***att han inte är dum*** I must admit that he is no fool; ***det ska villigt ~s att...*** it is no use denying that... **II** *vb rfl* (-kände, -känt), ~ ***sig besegrad*** acknowledge (admit) defeat

erkännande *s* (~t, ~n) acknowledgement, confession, admission, recognition, jfr *erkänna*; ***förtjäna*** ~ deserve credit; ***värd allt*** ~ worthy of all recognition

erkänsla *s* (~n) gratitude [*för* for; *mot* to]; ***som en*** ~ ***för*** in acknowledgement of

erkänt *adv* admittedly; ***han är en*** ~ duktig lärare he is recognized as a...

erlägga *vb tr* (-lade, -lagt) pay; ~ ***betalning*** make payment, pay [*för* vara for...]

erläggande *s* (~t) payment; ***mot*** ~ ***av*** on payment of

erodera *vb tr* (~de, ~t) geol. erode

erogen *adj* (~t), ~ ***zon*** fysiol. erogenous zone

erosion *s* (~en, ~er) geol. erosion

erotik *s* (~en) sex (äv. ~***en***); ~***en i hans diktning*** the eroticism in his poetry

erotisk *adj* (~t) erotic, sexual; ~ ***dikt*** kärleksdikt love poem; ~ ***litteratur*** erotic literature

ersätta *vb tr* (-satte, -satt) **1** gottgöra o.d.: **a)** ~ ***ngn*** compensate sb [*för* for]; ~ ***ngn för ngt*** äv. make up to sb for sth; ~ ***ngn för hans kostnader*** (***utgifter***) reimburse (repay, refund) sb [for] his costs (expenses); ~ ***ngn för hans arbete*** remunerate (recompense, pay) sb for his work **b)** ~ ***ngt*** compensate (make up) for sth, make good sth; ~ ***den skada*** man har vållat repair the damage... **2** komma i stället för, byta ut replace; ***el har ersatt olja*** äv. electricity has superseded oil; ~ ***kol med olja*** replace coal by (with) oil, substitute oil for coal

ersättare *s* (~n, =) substitute; vi har inte funnit ***någon*** ~ ***för honom*** äv. ...anyone to take his place

ersättlig *adj* (~t) replaceable; om förlust o.d. reparable

ersättning *s* (~en, ~ar) **1** gottgörelse compensation; för kostnader, utgifter reimbursement, repayment; för arbete remuneration, recompense, payment; skadestånd damages pl.; understöd, bidrag benefit; ~ ***för förlorad arbetsförtjänst*** compensation for loss of earnings; ~ ***i pengar*** pecuniary reward **2** utbyte replacement **3** surrogat substitute

ersättningsanspråk *s* (~et, =) jur. claim for compensation (skadestånd damages)

ersättningsskyldig *adj* (~t) jur. ...liable to pay compensation; skadeståndsskyldig ...liable for damages

ertappa *vb tr* (~de, ~t) catch; ~ ***ngn med att ljuga*** catch sb telling a lie (resp. lies); ~ ***ngn på bar gärning*** catch sb red-handed (in the [very] act)

eruption *s* (~en, ~er) eruption

eruptiv *adj* (~t) eruptive

erövra *vb tr* (~de, ~t) inta (t.ex. stad, fästning), ta som byte capture; lägga under sig (t.ex. ett land, hela världen) conquer; vinna win; ~ ***en ny marknad*** capture a new market

erövrare *s* (~n, =) conqueror

erövring *s* (~en, ~ar) conquest äv. bildl.; intagande capture, taking; ***göra en*** ~ make a conquest

eskader *s* (~n, eskadrar) sjö. squadron; flyg. group, amer. air division

eskaderchef *s* (~en, ~er) sjö. commander-in-chief of a (resp. the) squadron; flyg. group captain, amer. colonel

eskalera *vb tr* o. *vb itr* (~de, ~t) escalate, step up

eskapad *s* (~en, ~er) adventure, escapade

eskapism *s* (~en) escapism

eskimå *s* (~n, ~er) Eskimo (pl. -s el. lika)

eskimåkvinna *s* (~n, -kvinnor) Eskimo woman

eskort *s* (~en, ~er) escort; ***få*** ~ ***av*** be escorted by; ***under*** ~ ***av*** under the escort of, escorted by

eskortera *vb tr* (~de, ~t) escort

esperanto *s* (oböjl., en) Esperanto

esplanad *s* (~en, ~er) avenue, boulevard fr.

espresso *s* (~n) o. **espressokaffe** *s* (~t) espresso [coffee]; kopp ~ espresso (pl. ~s)

espressobryggare *s* (~n, =) espresso [coffee] machine (maker)

1 ess *s* (~et, =) kortsp., tennis. el. bildl. om person ace; ***hjärter*** ~ [the] ace of hearts

2 ess *s* (~et, =) mus. E flat
Ess-dur *s* (oböjl.) mus. E flat major
esse *s* (oböjl., ett), **vara i sitt ~** be in one's glory (element)
essens *s* (~en, ~er) essence
ess-moll *s* (oböjl.) o. **ess moll** *s* (oböjl.) mus. E flat minor
essä *s* (~n, ~er) essay
essäist *s* (~en, ~er) essayist
est *s* (~en, ~er) Estonian
ester *s* (~n, estrar) kem. ester
estet *s* (~en, ~er) aesthete
estetik *s* (~en) aesthetics sg.
estetisk *adj* (~t) aesthetic[al]; **~a ämnen** skol. art, music and drama
Estland Estonia
estnisk *adj* (~t) Estonian
estniska *s* **1** (~n, estniskor) kvinna Estonian woman **2** (~n) språk Estonian
estrad *s* (~en, ~er) platform, dais, rostrum; musik~ bandstand
estraddebatt *s* (~en, ~er) panel discussion
etablera I *vb tr* (~de, ~t) inrätta, grunda establish; åstadkomma bring about; **~ ett samarbete mellan** bring about cooperation between **II** *vb rfl* (~de, ~t), **~ sig** establish oneself; slå sig ned settle down; **~ sig som tandläkare** set up as a dentist
etablissemang *s* (~et, =) establishment; **~et** polit. the Establishment
etage *s* (~t el. ~n, = el. ~r) storey; amer., vanl. floor
etagevåning *s* (~en, ~ar) tvåplanslägenhet maisonette; amer. duplex [apartment]
etanol *s* (~en) kem. ethyl alcohol
etapp *s* (~en, ~er) **1** allm. stage; lap speciellt sport.; **i** [**korta**] **~er** by [easy] stages; **införa i ~er** introduce by stages, phase **2** skol. level, stage
etappvis *adv* by stages; **avveckla ~** äv. phase out; **införa ~** äv. phase in
etc. (förk. för *etcetera*) etc. (förk. för et cetera)
eter *s* (~n) ether; **i ~n** radio. on the air
eterisk *adj* (~t) ethereal; **~a oljor** äv. essential oils
etermedium *s* (-mediet, -medier el. -media) broadcasting medi|um (pl. -a)
eternell *s* (~en, ~er) bot. immortelle, everlasting flower
etik *s* (~en) ethics sg. (i betydelsen 'principer' pl.)
etikett *s* **1** (~en) umgängesformer etiquette; **hålla på ~en** be a stickler for etiquette **2** (~en, ~er) lapp label äv. bildl.; **förse ngt med ~** el. **sätta ~ på ngt** label sth
etikettera *vb tr* (~de, ~t) label
etikettsfråga *s* (~n, -frågor) question of etiquette
Etiopien Ethiopia
etiopisk *adj* (~t) Ethiopian
etisk *adj* (~t) ethical
etnisk *adj* (~t) ethnic; **~ rensning** ethnic cleansing
etnocentrisk *adj* (~t) ethnocentric
etnograf *s* (~en, ~er) ethnographer
etnografi *s* (~n) ethnography
etnografisk *adj* (~t) ethnographic
etnolog *s* (~en, ~er) ethnologist
etnologi *s* (~n) ethnology
etnologisk *adj* (~t) ethnological
etnomode *s* (~t, ~n) ethnic (ethno) fashion
etrusk *s* (~en, ~er) Etruscan
etruskisk *adj* (~t) Etruscan

etruskiska *s* (~n) språk Etruscan
etsa *vb tr* (~de, ~t) etch; **~ in** etch in; **det har ~t sig fast i mitt minne** it has engraved itself on my memory, it has made an indelible impression on me
etsare *s* (~n, =) konst. etcher
etsning *s* (~en, ~ar) abstr. el. konkr. etching
ett *räkn* o. *obest art* se *3 en*
etta *s* (~n, ettor) (jfr äv. *femma*) **1** one; i tärningsspel o.d. äv. ace; **~n** [**s växel**] first, [the] first gear **2** vard., **en ~** enrumslägenhet a one-room flat (speciellt amer. apartment)
etter I *s* (ettret) venom äv. bildl.; **spruta ~** bildl. spit out one's venom **II** *adv*, **~ värre** ännu värre still worse
ettermyra *s* (~n, -myror) zool. myrmicine
ettrig *adj* (~t) bildl.: hetsig hot-tempered, fiery; giftig vitriolic; ilsket envis violent, furious
ettstruken *adj* (-struket, -strukna) mus. once-accented; **ettstrukna C** middle C
ettårig *adj* (~t) (jfr *femårig*) **1** ett år gammal one-year-old...; pred. one [year old] **2** som varar (varat) i ett år one-year..., one year's...; gällande för ett år o. om växt äv. annual
ettåring *s* (~en, ~ar) om barn one-year-old child; om häst yearling
etui *s* (~t, ~er el. ~n) case
etyd *s* (~en, ~er) mus. étude fr., study
etyl *s* (~en) kem. ethyl
etylalkohol *s* (~en) kem. ethyl alcohol
etylen *s* (~en el. ~et) kem. ethylene
etymolog *s* (~en, ~er) etymologist
etymologi *s* (~n, ~er) etymology
etymologisk *adj* (~t) etymological
EU (förk. för *Europeiska unionen*) EU (förk. för the European Union)
EU-byråkrat *s* (~en, ~er) European Union bureaucrat, eurocrat
EU-direktiv *s* (~et, =) Euro directive
eufemism *s* (~en, ~er) euphemism
eufemistisk *adj* (~t) euphemistic
eufori *s* (~n) euphoria
euforisk *adj* (~t) euphoric
EU-förespråkare *s* (~n, =) Europhile
eukalyptus *s* (= el. ~en) eucalyptus
Euklides Euclid
EU-kommissionen the European Commission
EU-minister *s* (~n, -ministrar) i Sverige Minister for EU-Affairs
EU-motståndare *s* (~n, =) Europhobe
eunuck *s* (~en, ~er) eunuch
EU-parlamentet the European Parliament
Eurasien Eurasia
euro *s* (~n, =) valuta euro
eurocent *s* (~en, =) myntenhet eurocent
Europa geogr. Europe; mytol. Europa
Europadomstolen Europeiska domstolen för de mänskliga rättigheterna the European Court of Human Rights
europamarknaden *s* (best. sing.), **på ~** on the European market
europamästare *s* (~n, =) European champion
europamästarinna *s* (~n, -mästarinnor) European [woman] champion
europamästerskap *s* (~et, =) European championship

Europaparlamentet the European Parliament (förk. EP)

Europarådet the Council of Europe

Europaväg s (~en, ~ar) European highway

europé s (~n, ~er) **1** person European **2** kattras domestic shorthair

europeisera vb tr (~de, ~t) Europeanize

europeisk adj (~t) European; **Europeiska gemenskapen** (**gemenskaperna**) (förk. EG) hist. the European Community (Communities) (förk. EC); **Europeiska unionen** (förk. EU) the European Union (förk. EU)

eurovision s (~en) TV. Eurovision

Eva bibl. el. generellt om kvinna Eve

evakuera vb tr (~de, ~t) evacuate; **en ~d** an evacuee

evakuering s (~en, ~ar) evacuation

evangeliebok s (~en, -böcker) ung. gospel book

evangelietext s (~en, ~er) gospel text

evangelisk adj (~t) evangelical

evangelist s (~en, ~er) evangelist

evangelium s (evangeliet, evangelier) gospel äv. bildl.; **~ enligt Matteus** Matteusevangeliet the Gospel according to St. Matthew; **predika ~** preach the Gospel

evenemang s (~et, =) [great] event (occasion); större, ceremoniell tillställning function

eventualitet s (~en, ~er) eventuality, contingency; möjlighet possibility; **vara beredd på alla ~er** be prepared for all eventualities

eventuell adj (~t) möjlig possible; om det finns (blir m.m.) någon …if any; jfr vidare; **~a** (**ett ~t**) **fel** any faults (fault) that may occur; **en ~ fiende** a potential (possible) enemy; **~a följder** any consequences that may arise (that there may be); **~a kostnader** any costs that may arise, the costs if any; **~a köpare** prospective buyers

eventuellt adv möjligen possibly; om så behövs if necessary; **~ förekommande** m.m., se eventuella fel m.fl. ex. under eventuell; **jag kan ~ hjälpa dig** I may be able to help you; **han reser ~ i morgon** he may be going tomorrow

evig adj (~t) eternal, everlasting; ständig äv. perpetual, never-ending alla äv. vard. ('evinnerlig'); **var ~a** se vareviga; **denna ~a korv till middag!** these damned sausages for dinner every day!; **i en ~ kretsgång** in a perpetual circle; **detta ~a regnande** this everlasting (never-ending) rain; **den ~a staden** Rom the Eternal City; **dessa ~a strejker** these eternal strikes; **det tog en ~ tid** it took ages [and ages], it took forever; **för ~ tid** (**~a tider**) for ever

evighet s (~en, ~er) eternity; **det tog ~er** it took ages; **för tid och ~** for ever and ever; **i all ~** in all eternity, eternally

evighetsgöra s (~t) never-ending job

evighetsmaskin s (~en, ~er) perpetual motion machine

evigt adv eternally, everlastingly, perpetually, jfr evig; alltid ever; **för ~** for ever [and ever]

evinnerlig adj (~t) eternal; jfr evig

E-vitamin s (~et el. ~en, ~er) vitamin E

evolution s (~en, ~er) evolution

exakt I adj (=) exact **II** adv exactly

exakthet s (~en) exactness, exactitude

exalterad adj (exalterat, ~e) uppjagad overexcited; överspänd highly-strung

examen s (=, en, examina) **1** själva prövningen examination; vard. exam; **klara sin ~** pass one's examination; **gå upp i ~** take (sit for, go in for) an exam **2** [utbildnings]betyg: akademisk degree; lärar-, skeppar- o.d. certificate, ibland diploma; **ta** (**avlägga**) [en] **~** obtain one's degree etc.

examensskrivning s (~en, ~ar) **1** skriftlig examen written examination **2** uppgift exam[ination] paper

examinand s (~en, ~er) candidate, examinee

examination s (~en, ~er) examensförhör examination

examinator s (~n, ~er) examiner

examinera I vb tr (~de, ~t) **1** förhöra examine **2** växt determine [the species of] **II** vb itr (~de, ~t) do the examining

examinering s (~en, ~ar) av växter determination [of species]

excellens s (~en, ~er) Excellency; **Ers ~** Your Excellency

excellera vb itr (~de, ~t) excel [i in, at]

excenterskiva s (~n, -skivor) tekn. eccentric disc

excentricitet s (~en, ~er) eccentricity; bildl. äv. oddity

excentrisk adj (~t) eccentric; bildl. äv. odd

exceptionell adj (~t) exceptional

excerpt s (~en, ~er) extract, excerpt

excess s (~en, ~er) excess; **~er** utsvävningar orgies

exegetisk adj (~t) bibl. exegetical

exekution s (~en, ~er) execution

exekutionspluton s (~en, ~er) firing squad

exekutiv I adj (~t) **1** verkställande executive; **~ myndighet** executive authority **2** utmätnings-, **~ auktion** compulsory auction, auction under a writ of execution **II** s (~en, ~er) executive

exekutor s (~n, ~er) av testamente executor; kvinnl. executrix

exekvera vb tr (~de, ~t) **1** mus. execute, perform **2** **~ en dom** carry out a sentence; i civilmål execute a judgement

exempel s (exemplet, =) example; [inträffat] fall instance [på of]; räkne-, tal problem; enklare sum; **låt det bli ett varnande ~ för dig** let this be a warning (an example, a lesson) to you; **som ~ på** as an instance of; **tjäna som ~** serve as an example; **belysa ngt med ~** illustrate sth by examples, exemplify sth; **till ~** (förk. t.ex.) for example (instance); 'låt oss säga' äv. say; vid uppräkningar o.d. i skrift e.g.; **rovdjur, som t.ex. lejon och tigrar** predatory animals like (such as)…

exempellös adj (~t) unprecedented, unparalleled, unexampled; friare exceptional

exempelsamling s (~en, ~ar) collection of illustrative examples

exempelvis adv (se äv. till exempel under exempel); **~ kan jag nämna** as an (by way of) example…

exemplar s (~et, =) om bok, skrift o.d. copy; av en art specimen; **i två** (**tre**) **~** om handlingar äv. in duplicate (triplicate)

exemplarisk adj (~t) exemplary; **en ~ äkta man** äv. a model husband

exemplifiera vb tr (~de, ~t) exemplify

exemplifiering s (~en, ~ar) exemplification, exemplifying

exercera vb tr o. vb itr (~de, ~t) öva drill

exercis s (~en, ~er) övning drill

exhibitionism s (~en) exhibitionism

exhibitionist s (~en, ~er) exhibitionist

exil *s* (~en) exile
exilregering *s* (~en, ~ar) exile government, government in exile
existens *s* **1** (~en) tillvaro existence; utkomst livelihood **2** (~en, ~er) individ character; *en misslyckad* ~ a failure in life
existensberättigande *s* (~t) raison d'être fr.; *systemets* ~ the justification of the system
existensminimum *s* (=, ett) subsistence (poverty) level
existentialism *s* (~en) filos. existentialism
existentialist *s* (~en, ~er) filos. existentialist
existentialistisk *adj* (~t) filos. existentialist
existera *vb itr* (~de, ~t) exist; fortleva, livnära sig äv. subsist [*på* on]; *~nde* existing
exklusiv *adj* (~t) exclusive; kräsen äv. select
exklusive *prep* excluding, exclusive of, without
exklusivitet *s* (~en) exclusiveness
exkommunikation *s* (~en) kyrkl. excommunication
exkrementer *s pl* excrement sg.; vetensk. faeces
exkung *s* (~en, ~ar) ex-king
exkurs *s* (~en, ~er) excursus; utvikning digression
exkursion *s* (~en, ~er) excursion; speciellt amer. field trip
exlibris *s* (~et, =) ex-libris (pl. lika), book plate
exorcism *s* (~en) exorcism
exotisk *adj* (~t) exotic
expandera *vb itr* (~de, ~t) expand
expansion *s* (~en) expansion
expansionskraft *s* (~en, ~er) tekn. expansive force
expansionskärl *s* (~et, =) tekn. expansion tank
expansionspolitik *s* (~en) policy of expansion
expansiv *adj* (~t) expansive
expatriera *vb tr* (~de, ~t) expatriate
expediera *vb tr* (~de, ~t) **1** sända send [off], dispatch, forward; hand. äv. ship **2** betjäna serve, attend to; ~ [*en kund*] serve a customer **3** utföra: beställning, order execute, carry out **4** ombesörja deal with, attend to; klara av get…done; *det var snabbt ~ t* det gick undan that was quick work
expediering *s* (~en, ~ar) **1** sändande sending [off], dispatch, forwarding, shipment **2** ~ [*av kunder*] serving customers **3** utförande execution, carrying out **4** ombesörjande, ~ *av ngt* dealing with sth, attending to sth
expedit *s* (~en, ~er) [shop] assistant; amer. [sales] clerk
expedition *s* (~en, ~er) **1** se *expediering* **2** lokal office **3** resa, trupp o.d. expedition
expeditionsavgift *s* (~en, ~er) service charge
expeditionsföreståndare *s* (~n, =) office manager
expeditionsministär *s* (~en, ~er) o. **expeditionsregering** *s* (~en, ~ar) polit. caretaker government
expeditionstid *s* (~en, ~er) office hours pl.
experiment *s* (~et, =) experiment
experimentell *adj* (~t) experimental; *på* ~ *väg* experimentally, by means of experiments
experimentera *vb itr* (~de, ~t) experiment; ~ *ut* discover (find out) […by means of experiments]
experimentstadium *s* (-stadiet, -stadier) experimental stage; *på experimentstadiet* in the experimental stage
expert *s* (~en, ~er) expert [*på* on, in, betr. praktiska ting at]; authority, specialist [*på* on]

expertgrupp *s* (~en, ~er) group of experts; vard. think tank
expertis *s* (~en) **1** sakkunniga experts pl. **2** experternas uppfattning expert opinion; sakkunskap expertise, know-how
expertutlåtande *s* (~t, ~n) expert's (från flera experts') report
explicit I *adj* (=) explicit **II** *adv* explicitly
exploatera *vb tr* (~de, ~t) exploit äv. utsuga; gruva, patent, uppfinning äv. work; vattenkraft o.d. äv. harness, utilize; mark develop; naturtillgångar äv. tap, develop; ngns godtrogenhet m.m. äv. trade upon
exploaterande *s* (~t) o. **exploatering** *s* (~en, ~ar) exploitation, working, harnessing, utilization; av t.ex. mark development; jfr *exploatera*
explodera *vb itr* (~de, ~t) explode, blow up; om sprängladdning o.d. äv. detonate; om något uppumpat burst; *få ngt att* ~ explode (blow up, detonate, burst) sth; ~ *av skratt* explode with laughter
explosion *s* (~en, ~er) explosion, detonation, bursting, jfr *explodera*; spec. om tryckvågorna blast
explosionsartad *adj* (-artat, ~e) explosive
explosionssäker *adj* (~t) explosion-proof
explosiv *adj* (~t) explosive; fonet. plosive; *~a ämnen* explosives
expo *s* (~n, ~r el. ~er) exhibition, show; vard. expo
exponent *s* (~en, ~er) exponent [*för* of]; matem. äv. index (pl. indices)
exponera I *vb tr* (~de, ~t) utställa o. foto. expose; ~ utsätta *ngn* (*ngt*) *för ngt* expose sb (sth) to sth **II** *vb rfl* (~de, ~t), ~ *sig* expose oneself [*för* to]
exponering *s* (~en, ~ar) exposure äv. foto.
exponeringsmätare *s* (~n, =) foto. exposure meter
exponeringstid *s* (~en, ~er) foto. time of exposure, exposure time
export *s* (~en, ~er) exporterande export, exportation; varor exports pl.
exportartikel *s* (~n, -artiklar) export article (commodity), article for export; *exportartiklar* äv. exports
exportavdelning *s* (~en, ~ar) export department
exportchef *s* (~en, ~er) export manager
exportera *vb tr* (~de, ~t) export
exportförbud *s* (~et, =) export ban; ~ *på* en vara a ban on the export of…
exportföretag *s* (~et, =) export company
exporthandel *s* (~n) export trade
exportindustri *s* (~n, ~er) export industry
exportkredit *s* (~en, ~er) export credit
exportlicens *s* (~en, ~er) export licence (permit)
exportmarknad *s* (~en, ~er) export market
exportrestriktioner *s pl* export restrictions
exporttillstånd *s* (~et, =) export permit (licence)
exporttull *s* (~en, ~ar) export duty
exportvara *s* (~n, -varor) export commodity (product); *exportvaror* äv. export goods, exports
exportöl *s* (~et el. ~en, =) export beer
exportör *s* (~en, ~er) exporter
exposé *s* (~n, ~er) survey; summary, exposition
expresident *s* (~en, ~er) ex-president
express I *s* (~en, ~er; se *expressbyrå* o. *expresståg* **II** *adv* express; på försändelser äv. by express (special) delivery; *skicka* ~ send by (per) express
expressavgift *s* (~en, ~er) express delivery charge

expressbrev *s* (~et, =) express (special delivery) letter

expressbyrå *s* (~n, ~er) removal firm, transport agency; amer. express [company]; i annonser removals

expressgods *s* (~et) koll. express goods pl.; *sända ngt som ~* send sth by express, express sth

expressionism *s* (~en) konst. expressionism

expressionist *s* (~en, ~er) konst. expressionist

expressiv *adj* (~t) expressive

expresståg *s* (~et, =) express [train]

expropriation *s* (~en, ~er) compulsory acquisition (purchase), expropriation

extas *s* (~en) ecstasy; friare äv. rapture; *råka i ~* fall into an ecstasy; bildl. go into ecstasies (raptures) [*över* over]

extatisk *adj* (~t) ecstatic

extemporera *vb tr* o. *vb itr* (~de, ~t) extemporize

extensiv *adj* (~t) extensive; *~t jordbruk* extensive farming; *~ läsning* extensive reading

exteriör *s* (~en, ~er) exterior

extern *adj* (~t) external

extra I *adj* (oböjl.) tilläggs- extra, additional, supplementary; särskild, ovanlig special; icke fast anställd temporary-staff...; reserv-, till övers spare; det blir *en ~ avgift* (*kostnad, utgift*) äv. ...an extra; *~ möte* (*sammanträde*) extraordinary meeting; i dag blir det någonting [*alldeles*] *~* ...something [extra] special **II** *adv* extra; ovanligt exceptionally; separat separately; *~ billig* exceptionally cheap; vard. dirt-cheap; *~ prima kvalitet* extra (superior) quality; tjäna *lite ~* ...a little extra, ...some money on the side; tjäna *1 000 kronor ~* an extra 1,000 kronor; *läsa ~ med ngn* ge privatlektioner give sb private lessons; se äv. sammansättn. med *extra*

extraerbjudande *s* (~t, ~n) special offer

extraförtjänst *s* (~en, ~er) extra income (money), money on the side

extrahera *vb tr* (~de, ~t) extract [*ur* from]

extraknäck *s* (~et, =) vard., bisyssla job on the side; extraknäckande moonlighting

extraknäcka *vb itr* (-knäckte, -knäckt) earn money (work) on the side, moonlight

extrakt *s* (~et, =) extract, excerpt [*ur* from]; ur skrift äv. abstract [*ur* of]

extraktion *s* (~en, ~er) extraction; härkomst äv. descent

extralektion *s* (~en, ~er) privatlektion private lesson; *~er* äv. extra (private) tuition

extranummer *s* (-numret, =) **1** tidnings special [edition] **2** uppträdandes encore

extranyckel *s* (~n, -nycklar) spare (extra) key

extraordinarie *adj* (oböjl.) extraordinary; inte fast anställd temporary, non-permanent; *han är ~* he is on the temporary staff

extraordinär *adj* (~t) extraordinary, exceptional

extrapolera *vb tr* o. *vb itr* (~de, ~t) matem. el. statistik. extrapolate

extrapris *s* (~et, = el. ~er) special offer; reapris bargain price; *det är ~ på...* ...is (resp. are) on special offer, amer. äv. ...is (resp. are) on special

extratåg *s* (~et, =) special (dubblerat relief) train

extravagans *s* (~en, ~er) extravagance

extravagant *adj* (=) extravagant

extrem *adj* (~t) extreme, vard. over-the-top; polit. extremist

extremhögern *s* (best. sing.) polit. the extreme (hard) right

extremist *s* (~en, ~er) extremist

extremistisk *adj* (~t) extremist

extremitet *s* (~en, ~er) extremity

extremvänstern *s* (best. sing.) polit. the extreme left

extrumentell *adj* (~t) extrumental

eyeliner *s* (~n, =) eyeliner

f *s* (f:et, f) **1** bokstav f [utt. ef] **2** mus. F

fabel *s* (~n, fabler) fable äv. bildl.

fabricera *vb tr* (~de, ~t) **1** manufacture, make **2** bildl. fabricate, make up, invent

fabrik *s* (~en, ~er) factory; bruk, verk works (pl. lika); amer. äv. plant; cellulosa~, textil~ mill

fabrikant *s* (~en, ~er) tillverkare manufacturer; av bestämt varuparti maker

fabrikat *s* (~et, =) **1** vara manufacture, product; speciellt textil~ fabric **2** tillverkning make, manufacture; *av svenskt* ~ made in Sweden, Swedish-made

fabrikation *s* (~en, ~er) manufacture, making; produktionsomfång output

fabrikationsfel *s* (~et, =) manufacturing defect (flaw, fault)

fabriksanläggning *s* (~en, ~ar) industrial plant, se vidare *fabrik*

fabriksarbetare *s* (~n, =) factory hand (worker); på t.ex. textilfabrik mill hand

fabriksbod *s* (~en, ~ar) o. **fabriksbutik** *s* (~en, ~er) factory outlet

fabriksbyggnad *s* (~en, ~er) factory building

fabriksmärke *s* (~t, ~n) trade (manufacturer's) mark

fabriksny *adj* (-nytt) ...fresh from the factory, ...straight from the works, brand-new

fabrikspris *s* (~et, = el. ~er) factory (maker's) price

fabrikssamhälle *s* (~t, ~n) industrial community

fabriksskorsten *s* (~en, ~ar) factory chimney

fabrikstillverkad *adj* (-tillverkat, ~e) factory-made

fabriksvara *s* (~n, -varor) factory-made article (product); *fabriksvaror* äv. manufactured goods, manufactures

fabriksägare *s* (~n, =) o. **fabrikör** *s* (~en, ~er) factory owner; tillverkare manufacturer

fabulera *vb itr* (~de, ~t) make up stories, romance [*om* about], give one's imagination [a] free rein

fabulös *adj* (~t) fabulous, fantastic

facil *adj* (~t) om pris moderate, reasonable; *till det ~a priset av* 10 kronor at the reasonable (low) price of...

facit *s* (=, ett, =) **1** key, answers pl.; ~bok answer book **2** bildl.: lösning answer, total, resulting figure; result; resultat final result; *det är lätt att vara klok när man sitter med ~ i hand* it is easy to be wise after the event

fack *s* (~et, =) **1** i hylla o.d. compartment, pigeonhole; post~ post-office box; typogr. box; *placera i olika ~* bildl. pigenhole **2** gren inom industri o. hantverk branch, trade; yrke, speciellt akademiskt o.d. profession; område line, sphere; läro~ subject; roll~ roles pl., parts pl.; *han är arkitekt av ~et* he is an architect by profession **3** ~et fackföreningen the union; fackförbundet the unions pl.; *ledningen och ~et* the management and the shopfloor; *gå med i ~et* join the union

fackansluten *adj* (-slutet, -slutna), *vara* ~ be a member of a [trade] union (amer. a labor union)

fackeltåg *s* (~et, =) torchlight procession

fackförbund *s* (~et, =) sammanslutning av fackföreningar: vanl. federation of trade (amer. labor) unions, national trade (amer. labor) union

fackförening *s* (~en, ~ar) [trade] union; amer. labor union

fackföreningsavgift *s* (~en, ~er) [trade] union dues pl.; amer. labor union dues pl.

fackföreningsledare *s* (~n, =) [trade] union leader; amer. labor union leader

fackhögskola *s* (~n, -skolor) ung. specialized higher education institution

fackidiot *s* (~en, ~er) vard. narrow specialist

fackkunnig *adj* (~t) expert, skilled, experienced

fackkunskap *s* (~en, ~er), ~[*er*] expert (specialized, technical) knowledge (endast sg.)

fackla *s* (~n, facklor) torch

facklig *adj* (~t) hörande till fackföreningsrörelsen, attr. trade-union..., amer. labor union...; *en ~ fråga* a trade-union (amer. labor union) matter; *~ förtroendeman* trade-union (amer. labor union) representative

fackligt *adv*, *han är ~ organiserad* he belongs to a [trade] union (amer. a labor union)

facklitteratur *s* (~en) specialist (technical) literature; i mots. till skönlitteratur non-fiction

facklärare *s* (~n, =) subject (specialist) teacher

fackman *s* (~nen, -män) yrkesman professional; sakkunnig expert; *~ på området* expert in the matter (field)

fackmannahåll *s* (oböjl.), *på ~* among experts

fackordbok *s* (~en, -böcker) technical dictionary, dictionary of technical terms

fackordförande *s* (~n, =) chairman of a [trade] union (amer. a labor union)

fackspråk *s* (~et, =) technical language (terminology, jargon)

fackterm *s* (~en, ~er) technical (inom handel, industri trade) term

facktidning *s* (~en, ~ar) o. **facktidskrift** *s* (~en, ~er) för handel, industri trade (för yrkeskategori professional, teknisk technical) journal

fadd *adj* (neutrum undviks) jolmig flat, stale, vapid, insipid; banal vapid, insipid

fadder *s* (~n, faddrar) godfather, godmother, godparent; bildl. sponsor; *vara* (*stå*) ~ *till* be (act as) godfather (osv., se ovan) to; bildl. stand sponsor to, sponsor

fadderbarn *s* (~et, =) godchild; t.ex. i ett u-land sponsored (adopted) child

faddergåva *s* (~n, -gåvor) christening gift

fadderort *s* (~en, ~er) twin town

faddhet *s* (~en) flatness, insipidity; *~er* platitudes, insipid remarks

fader *s* (~n, fäder) father; poet. sire; *Gud ~* God the Father; *Fader vår som är i himmelen* Our Father, which art in heaven; *våra fäder* förfäder äv. our forefathers (ancestors); *på ~ns sida* on the (one's) father's side; attr. äv. paternal..., jfr *far*

faderlig *adj* (~t) fatherly äv. ~t öm; som tillkommer en far paternal

faderlös *adj* (~t) fatherless

fadermördare *s* (~n, =) **1** patricide, parricide **2** krage choker, ruff

fadersfigur *s* (~en, ~er) father figure (image)

faderskap s (~et) fatherhood; jur. paternity; **erkänna ~et** acknowledge paternity

faderskapsmål s (~et, =) paternity suit

faderskapstest s (~et el. ~en, ~er el. =) paternity test

faderskärlek s (~en) paternal (a father's) love (affection)

fadervår s (ett, pl. =) bönen: prot. the Lord's Prayer; speciellt katol. [the] Our Father; **läsa ~** say the Lord's prayer

fadäs s (~en, ~er) dumhet faux pas (pl. lika); **begå** (**göra**) **en ~** commit a faux pas, put one's foot in it, drop a clanger

fager adj (~t, fagra) fair; **fagra ord** fair words

faggorna s pl, **vara i ~** be in the offing, be coming (approaching, ahead), be on the way

fagott s (~en, ~er) instrument bassoon

Fahrenheit Fahrenheit

fajans s (~en, ~er) [glazed] earthenware, faience (båda endast sg.)

fakir s (~en, ~er) fakir

faksimil s (~et, pl. =) facsimile

fakta s pl se **faktum**

faktisk adj (~t) actual, real, factual; egentlig virtual; **de ~a förhållandena** the [actual] facts; **det ~a läget** the actual (real) situation

faktiskt adv as a matter of fact, in fact, actually, virtually; verkligen really; **jag vet ~ inte** I really don't know, I don't actually know

faktor s (~n, ~er) **1** allm. el. matem. factor; beståndsdel äv. element [i of, in]; **den mänskliga ~n** the human factor (equation, element); **dela upp i ~er** matem. factorize **2** på tryckeri foreman, overseer

faktum s (~et el. =, = el. fakta) fact; omständighet äv. circumstance; **fakta** äv. data; **~ är** the fact [of the matter] is; **fakta i målet** jur. the case history

faktura s (~n, fakturor) invoice, bill, account [över for, covering]

fakturera vb tr (~de, ~t) skriva faktura invoice, bill

fakultativ adj (~t) optional, facultative

fakultet s (~en, ~er) univ. faculty; **juridiska ~en** the faculty of law

falang s (~en, ~er) polit. wing, mindre faction

falk s (~en, ~ar) spec. jakt~ falcon; kortvingad hawk

falkblick s (~en, ~ar) bildl. eagle eye; **ha ~** äv. be eagle-eyed

falkenerare s (~n, =) falconer

falkjakt s (~en, ~er) hawking; spec. som konst, yrke falconry (endast sg.)

fall s (~et, =) **1** mer eg.: allm. fall; om pris, kurs, temperatur, tryck o.d. äv. decline, drop; störtande, undergång äv. downfall; sammanbrott äv. collapse, ruin; vatten~ fall[s pl.]; **knall och ~** all of a sudden, on the spot; kjolen har ett **vackert ~** ...graceful hang (fall); **det blev platt ~** fiasko it was a complete failure (vard. a flop); **i ~et bröt han armen** in falling he broke his arm **2** friare el. bildl.: förhållande, rättsfall, sjukdomsfall m.m. case; **ett intressant ~** an interesting case; **om så är ~et** if that is the case (is so), in that case; **från ~ till ~** from case to case; **i alla ~** i alla händelser in any case, at any rate, anyway, at least; det oaktat nevertheless, all the same; **i annat** (**motsatt**) **~** otherwise etc., jfr **annars**; **i bästa ~** at [the] best; **i bästa ~** kan vi operera i morgon if all goes well..., with any luck...; **i enstaka ~** in a few isolated instances (cases); **i nio ~ av tio** nine times (in nine cases) out of ten; **i så ~** in

that case, if so; **i vilket ~ som helst** in any case (event); äv. come what may; om två alternativ in either case; **i värsta ~** if the worst comes to the worst

falla I vb itr (föll, fallit) **1** mer eg.: allm. fall; om frukt, löv, regn o.d. äv. come down; dö äv. die, be killed; om tyg äv. hang; om temperatur, tryck, vatten o.d. äv. go down; **det föll mycket snö** there was a heavy fall of snow, a lot of snow fell; **ljuset föll på tavlan** äv. the picture caught the light

2 bildl.: allm. fall; om kurs, pris o.d. äv. drop, go down; om regering o.d. äv. be overthrown; om fråga, förslag o.d. äv. fail; **låta masken ~** bildl. show oneself in one's true colours; **avgörandet faller i dag** the matter will be decided today; **dom faller** om en vecka judgement will be pronounced ...; jag vet inte **hur orden föll [sig]** ...what the exact words were; **~ för** frestelsen yield (give way) to...; **alla föll för honom** everybody fell for him; **~ i glömska** o.d. fraser se resp. subst., **allting faller på plats** bildl. everything falls into place

II vb rfl (föll, fallit), **~ sig** hända sig happen, chance; med adj. predf.: te sig be; **det faller sig naturligt [för mig] att...** it comes natural [to me] to...; **det föll sig så att han...** it so happened that he..., he happened to + inf.

III med beton. part.

falla av allm. fall off

falla bort drop (fall) [off]; t.ex. ur minnet äv. drop out; försvinna be dropped, be discontinued, disappear, lapse; **'e' faller bort** i vissa ord e is dropped...

falla framåt fall forwards

falla i fall in; genom is fall through

falla ifrån dö pass away

falla igenom fall through; i examen fail; om lagförslag o.d. be defeated

falla ihop fall in (down), collapse; bryta samman break down, collapse

falla in fall in; stämma upp strike up; stämma in join in (äv. i samtal); **det skulle aldrig ~ mig in!** I wouldn't dream of it (of such a thing)!; **när det faller honom in** when it occurs to him, whenever he likes

falla ned fall (drop) down; **~ död ned** drop dead; **~ ned från** en stege äv. fall off...

falla nedför trappan fall downstairs

falla omkull fall [over], fall (tumble, come) down, drop

falla sönder fall (drop, crumble) to pieces; speciellt bildl. break up; jfr **sönderfalla**

falla tillbaka fall (slip) back; sacka efter fall behind, lag; **~ tillbaka i** gamla vanor relapse into...; **ha något att ~ tillbaka på** ekonomiskt have something [put by] to fall back on; vard. have a nest egg

falla ut fall out; **han föll ut genom fönstret** he fell out of the window

fallen adj (fallet, fallna), **vara ~ för** ha benägenhet för be inclined (given, prone) to, have a propensity for; vara lämpad för have an aptitude (a gift) for

fallenhet s (~en) begåvning, förmåga aptitude (endast sg.), gift, talent; ung man **med ~ för mekanik** ...of a mechanical turn, mechanically inclined...

fallera vb itr (~de, ~t) fattas fail; slå fel go wrong

fallfrukt s (~en, ~er) koll. windfalls pl.

fallfärdig adj (~t) ramshackle, tumbledown

fallgrop s (~en, ~ar) pitfall äv. bildl.

fallhastighet s (~en) falling velocity

fallhöjd s (~en, ~er) drop; vattens height of fall

fallos *s* (~en, ~ar) phallus

fallrep *s* (~et, =) sjö. gangway; ***vara på ~et*** be going downhill; ekonomiskt be on the brink of ruin

fallrepstrappa *s* (~n, -trappor) gangway (accommodation) ladder

fallseger *s* (~n, -segrar) brottn. win by (on) a fall

fallskärm *s* (~en, ~ar) **1** parachute; ***hoppa ~*** parachute; ***släppa ned med ~*** parachute, drop…by parachute **2** se *fallskärmsavtal*

fallskärmsavtal *s* (~et, =) ekon. golden parachute

fallskärmshopp *s* (~et, =) parachute jump

fallskärmshoppare *s* (~n, =) parachute jumper, parachutist

fallskärmsjägare *s* (~n, =) parachutist, paratrooper; amer. äv. parachuter

fallskärmstrupper *s pl* mil. parachute troops, paratroops

fallstudie *s* (~n, ~r) psykol. el. med. case study

fallucka *s* (~n, falluckor) trapdoor; bildl. pitfall

falna *vb itr* (~de, ~t) die down; vissna fade, wither

fals *s* (~en, ~ar) tekn. fold, seam; snick. rebate; spont groove, tongue; bokb. fold, guard, joint

falsa *vb tr* (~de, ~t) tekn. el. bokb. fold; snick. rebate

falsarium *s* (falsariet, falsarier) forgery, falsification

falsett *s* (~en) mus. falsetto (pl. -s); ***gå upp i ~*** rise to falsetto; ***sjunga i ~*** sing falsetto

falsifikat *s* (~et, =) falsification; vara spurious article

falsk *adj* (~t) allm. false; svekfull äv. fraudulent, deceitful, insincere; låtsad feigned, pretended; oäkta spurious, fictitious; förfalskad forged; oriktig äv. wrong; bedräglig delusive, illusory; jfr ex.; ***~t alarm*** false alarm; ***~ blygsamhet*** false modesty; ***under ~t namn*** under a false (an assumed) name, under an alias; ***~t pass*** forged (false) passport; ***~t rykte*** false (unfounded) report; ***~a sedlar*** conterfeit (forged) banknotes; ***~t spår*** wrong track (scent)

falskdeklarant *s* (~en, ~er) person who makes (resp. made) a fraudulent income-tax return

falskdeklaration *s* (~en, ~er) falsk självdeklaration fraudulent income-tax return

falskhet *s* (~en, ~er) allm. falseness; hos person äv. duplicity, deceitfulness, disloyalty; oriktighet erroneousness

falskmyntare *s* (~n, =) counterfeiter, coiner

falskskyltad *adj* (-skyltat, ~e) om bil …[fitted] with false [number] plates; amer. vanl. …[fitted] with false [license] plates

falskspelare *s* (~n, =) cheat; yrkesmässig cardsharp, cardsharper

falskt *adv* falsely, fraudulently etc., jfr *falsk*; mus. out of tune; ***spela ~*** a) mus. play out of tune b) kortsp. cheat [at cards]; ***vittna ~*** testify falsely, give false evidence (testimony)

familj *s* (~en, ~er) family; ***~en Brown*** the Brown family, the Browns pl.; ***bilda ~*** marry and settle down (start a family); ***ha ~*** have a family; ***en ~ på fem personer*** a family of five

familjeband *s pl* family ties

familjebidrag *s* (~et, =) till värnpliktig family allowance

familjebiljett *s* (~en, ~er) family [discount] ticket

familjebuss *s* (~en, ~ar) MPV (förk. för Multi-Purpose Vehicle)

familjedaghem *s* (~met, =) registered childminding home, family day nursery

familjefar *s* (-fadern, -fäder) father (head) of a (resp. the) family, family man, paterfamilias

familjeflicka *s* (~n, -flickor) girl from a good home, home-loving girl

familjeföretag *s* (~et, =) family business

familjeförhållanden *s pl* family affairs (levnadsomständigheter circumstances)

familjeförsörjare *s* (~n, =) main wage-earner, vard. breadwinner; jur. head of a (resp. the) household

familjegrav *s* (~en, ~ar) family grave (burial place, i kyrka m.m. äv. vault)

familjehotell *s* (~et, =) family hotel

familjehögtid *s* (~en, ~er) family reunion (celebration)

familjekrets *s* (~en, ~ar) family circle

familjeliv *s* (~et) family (home) life

familjemedlem *s* (~men, ~mar) member of a (resp. the) family

familjenyheter *s pl* social news sg.

familjeplanering *s* (~en, ~ar) family planning, planned parenthood

familjeråd *s* (~et, =), ***hålla ~*** have a family discussion

familjerådgivare *s* (~n, =) family guidance officer (counsellor)

familjerådgivning *s* (~en, ~ar) family guidance (counselling)

familjerätt *s* (~en) family law

familjesammanhållning *s* (~en) family feeling (togetherness)

familjesammankomst *s* (~en, ~er) family reunion

familjeskäl *s* (oböjl., ett), ***av ~*** for family reasons

familjär *adj* (~t) familiar; ***vara alltför ~*** be too familiar (free) [*mot* with]

famla *vb itr* (~de, ~t) grope, fumble [*efter* for (after)]; ***~ i mörker*** grope in the dark; ***~ sig fram*** grope one's way

famlande *adj* (oböjl.) groping, fumbling; bildl. tentative; ***~ försök*** hesitant attempt

famn *s* (~en, ~ar) **1** armar arms pl.; fång armful [före följande ord of]; ***ta ngn i ~*** embrace sb, take sb into (clasp sb in) one's arms; ***med ~en full av blommor*** carrying an armful of… **2** mått fathom; ***på tio ~ars vatten*** in ten fathoms of water

famna *vb tr* (~de, ~t) omfamna embrace, clasp […in one's arms]; omsluta encompass

famntag *s* (~et, =) embrace

famös *adj* (~t) beryktad notorious

1 fan *s* (=, en) **1** den Onde the Devil **2** vard., ***fy ~!*** hell!, damn!; vulg. fuck!, shit!; ***springa som (av bara) ~*** run like hell; ***det var [som] ~!*** well, I'll be damned!; ***vad (var, vem) ~*** what (where, who) the devil (the hell); ***det vete ~*** the devil [only] knows; ***det ger jag [blanka] ~ [i]*** I don't care (give) a damn (vulg. fuck) [about that]; ***ge ~ i mina saker!*** don't mess with my stuff!; ***du kan ge dig ~ på att…*** you bet your bloody (svagare damn[ed]) life that…; ***måla ~ på väggen*** make things out to be worse than they are; ***tacka ~ för det!*** I should bloody (svagare damn[ed]) well think so!

2 fan *s* (en el. ett, pl. ~s) beundrare fan

fana *s* (~n, fanor) flag; banner, standard båda äv. bildl.; mil. colours pl.; som emblem ensign; ***hålla frihetens ~ högt*** keep the banner of freedom flying

fanatiker *s* (~n, =) fanatic, zealot

fanatisk *adj* (~t) fanatic[al]

fanatism _s_ (~en) fanaticism
fanborg _s_ (~en, ~ar) massed standards pl.
fanbärare _s_ (~n, =) standard bearer
fanclub _s_ (~en, ~ar) fan club
fanders _s_ (oböjl.) vard., _det gick åt ~_ it went to pot (to hell)
faner _s_ (~et, =) veneer
fanera _vb tr_ (~de, ~t) veneer
fanerogam bot. **I** _s_ (~en, ~er) phanerogam **II** _adj_ (~t) phanerogamous
fanerskiva _s_ (~n, -skivor) veneer sheet
fanfar _s_ (~en, ~er) flourish, fanfare; _blåsa en ~_ sound a flourish
fanflykt _s_ (~en, ~er) desertion
fanjunkare _s_ (~n, =) warrant officer [class II]; vid flottan fleet chief petty officer; amer.: i armén, marinkåren master sergeant, vid flottan senior chief petty officer, vid flygvapnet senior master sergeant
fanklubb _s_ (~en, ~ar) fan club
fanskap _s_ (~et, =) vard., handling o.d. samt om person damn[ed] nuisance
fanstyg _s_ (~et, =) se _fanskap_
fantasi _s_ (~n, ~er) **1** inbillningsförmåga, skapande ~ imagination; av ytligare, flyktigare art fancy, fantasy; _livlig_ (**sjuk**) _~_ a lively (diseased) imagination; _inte i min vildaste ~_ not in my wildest dreams **2** inbillning, infall fancy, fantasy; _~er_ äv. dreams; _~ och verklighet_ fact and fiction; _fria_ (**rena**) _~er_ påhitt pure inventions **3** mus. fantasia, fantasy, improvisation
fantasibild _s_ (~en, ~er) imaginary picture, vision
fantasifull _adj_ (~t) imaginative; inte verklighetsförankrad fanciful
fantasilös _adj_ (~t) unimaginative, dull
fantasipris _s_ (~et, = el. ~er) orimligt högt pris ridiculous price
fantasirik _adj_ (~t) imaginative
fantasivärld _s_ (~en, ~ar) make-believe world, world of fantasy
fantast _s_ (~en, ~er) entusiast enthusiast, buff; vard. fan, freak; drömmare visionary, dreamer
fantasteri _s_ (~et, ~er) [mere] fantasy (starkare ravings pl.)
fantastisk _adj_ (~t) fantastic; vard. äv. terrific, fabulous
fantasy _s_ (oböjl.) litt.vet., film. el. konst. fantasy
fantisera **I** _vb itr_ (~de, ~t) **1** drömma fantasize, indulge in fancies, dream; svamla, hitta på talk wildly **2** mus. improvise **II** _vb tr_ (~de, ~t), _~ ihop_ invent, concoct
fantom _s_ (~en, ~er) phantom; _Fantomen_ seriefigur the Phantom
fantombild _s_ (~en, ~er) konstruerad identifieringsbild identikit; amer. composite sketch
fantomsmärta _s_ (~n, -smärtor) med. phantom pain
far _s_ (fadern, fäder) father; vard. dad, pa; amer. vard. äv. pop, papa; jfr _fader_ o. _pappa_; _~s dag_ Father's Day; _bli ~_ become a father; _han är ~ till tre barn_ he is the father of three children
1 fara _s_ (~n, faror) danger; stor el. hotande peril; risk risk; vågspel hazard; _det är ingen ~_ you (we etc.) needn't worry!; _någon ~ för hans liv föreligger inte_ his life is not in danger; _det är ingen ~ med honom_ there is no need to worry about him, he's all right; _utsätta ngn för ~_ expose sb to danger (peril), put sb in jeopardy, jeopardize (endanger, imperil) sb; _vara_

_i ~_ be in danger; äventyras be endangered (imperilled); _vara utom ~_ be out of danger; _vid ~_ in case of danger
2 fara **I** _vb itr_ (for, farit) **1** färdas, speciellt till en plats go [_till_ to]; avresa leave, start, depart, set out [_till_ i samtliga fall for]; go off (away) [_till_ to]; resa travel; _~ söderut_ go [to the] south; _vi for samma väg_ we travelled by the same route; _~ sin väg_ go away, leave
2 ila, rusa rush, tear, dash; plötsligt dart, shoot; susa whiz; _han fick ett slag så att han for i väggen_ ...flew against the wall; _komma ~nde_ come rushing (tearing) along; _komma ~nde in i rummet_ come rushing (dashing, stojande bursting) into the room **3** bildl., _~ illa_ fare badly, be badly treated; _bilen far illa av att_ + inf. it is bad for the car to + inf.; _vad är det han far efter?_ what is on his mind?, what is he thinking about?; _~ med osanning_ tell lies, be a liar **II** med beton. part. (jfr _köra III_ o. _1 resa III_)
fara av: locket _for av_ ...flew off; _~ rusa av och an_ dash (dart) to and fro
fara bort resa go (köra drive) away [_från_ from]
fara efter ngn: söka upphinna go (köra drive) after...; rusa dash (rush) after...; för att hämta go and (to) fetch..., go for...
fara fram a) eg.: komma farande go (köra drive) ahead **b)** bildl.: bete sig carry (go) on; härja ravage, cause havoc
fara förbi go (köra drive, rusa dash) past (by); passera pass
fara i: jag undrar _vad som har farit i honom_ ...what has taken possession of (got into) him
fara in: _~ in i_ enter, go into; _~ in till staden_ go in (om storstad up) to town
fara i väg start, go off, set out; rusa go (rush) off, hurry away
fara omkring go (travel, köra drive) about; om sak run (rulla roll) about; _~ omkring_ flänga bustle about
fara tillbaka återvända go back
fara upp a) rusa upp jump up, jump to one's feet **b)** öppna sig fly open, open; _~ upp ur sängen_ jump out of bed
fara ut eg. go (köra drive) out; _~ ut på_ (**till**) _landet_ go into the country; bildl., _~ ut mot ngn_ let fly at (skälla på rail at) sb
fara vidare go on, continue one's journey
fara över go across, cross, traverse
farao _s_ (~n, ~ner) Pharaoh
farbar _adj_ (~t) om väg passable, practicable, negotiable; om farvatten navigable
farbroderlig _adj_ (~t) avuncular; välvillig benign; nedlåtande condescending
farbror _s_ (~n, -bröder) allm. [paternal] uncle; friare nice old man, [nice old] gentleman; _~ John_ Uncle John; _~ Johansson_ Mr Johansson; _kan ~ säga vad...?_ can you please tell me...?
farfar _s_ (-fadern, -fäder) [paternal] grandfather; vard. grandpa, granddad; father's father; _han ska bli ~_ he's going to be a grandfather; _~s far_ (**mor**) great-grandfather (great-grandmother)
farföräldrar _s pl_, _mina ~_ my grandparents [on my father's side]
farhåga _s_ (~n, -hågor) oro fear, apprehension; ond aning misgiving; _mina farhågor besannades_ my misgivings turned out to be justified

farinsocker *s* (-sockret) brown sugar
farisé *s* (~n, ~er) Pharisee
fariseisk *adj* (~t) pharisaic[al]
farkost *s* (~en, ~er) boat, craft (pl. craft); poet. bark
farled *s* (~en, ~er) [navigable] channel, fairway; rutt route, lane
farlig *adj* (~t) **1** dangerous [*för* for, to]; farofylld …fraught with danger, perilous; äventyrlig hazardous, risky; *en ~ medtävlare* (*sjukdom*) a dangerous competitor (disease); *det är ~t att* + inf., äv. it is not safe to + inf.; *det är inte* [*så*] *~t* it is not so bad [after all]; det gör ingenting it doesn't matter; det gör inte ont it won't hurt you **2** 'faslig' awful
farlighet *s* (~en, ~er) danger, peril; dangerousness, perilousness (båda endast sg.); *inlåta sig på ~er* expose oneself to danger
farm *s* (~en, ~er el. ~ar) farm
farmaceut *s* (~en, ~er) pharmacist
farmaceutisk *adj* (~t) pharmaceutical
farmakolog *s* (~en, ~er) pharmacologist
farmakologi *s* (~n) pharmacology
farmare *s* (~n, =) farmer
farmor *s* (-modern, -mödrar) [paternal] grandmother; vard. grandma, granny, gran; father's mother; *hon ska bli ~* she's going to be a grandmother; *~s far* (*mor*) great-grandfather (great-grandmother)
farozon *s* (~en, ~er), *vara i ~en* bildl. be at risk (in jeopardy)
fars *s* (~en, ~er) farce
farsa *s* (~n, farsor) vard., *~*[*n*] dad, pa; *min ~* my old man
farsartad *adj* (-artat, ~e) farcical
farsarv *s* (~et, =) patrimony
farsot *s* (~en, ~er) epidemic, bildl. äv. plague
farstu *s* (~n, ~r) [entrance] hall, vestibule; trappavsats landing; *han faller inte i ~n för…* he is not so easily impressed by…; *jag är inte född i ~n* I wasn't born yesterday
fart *s* (~en, ~er) **1** hastighet: allm. speed, rapidity (endast sg.); takt rate; tempo pace; sjö., 'rörelse framåt' headway, way; *full ~ framåt!* full speed ahead!; *bestämma ~en* set the pace; *få ~* gather speed (momentum); sjö. make headway, gather way; *ge ~* på gunga push; *minska ~en* slow down, reduce speed; *sätta ~ skynda på* hurry up; vard. step on it; *öka ~en* speed up, increase (put on) speed, accelerate; vid löpning o.d. step up the pace; *av bara ~en* automatically; ofrivilligt unintentionally; *i* (*med*) *full ~* at full (top) speed **2** gång, rörelse, *medan du ändå är i ~en* while you are at it; *i ~en* sedan klockan sju up and about… **3** hast, liv, 'kläm' verve, swing; impetus, push; go, dash; vard. pep, jfr ex.; *det är ingen ~ i honom* he is without any go (dash, vard. pep); *sätta ~ på ngt* give an impetus to sth; blåsa liv i put life into sth; *sätta ~ på saker och ting* get things moving (going), speed things up; *försäljningen har tagit ~* [the] sales have received an impetus (have boomed); *det går med full ~* it's going like a house on fire, it's going great guns
fartbegränsning *s* (~en, ~ar) speed limit (restriction)
fartblind *adj* (-blint), *vara ~* fail to adjust to a slower speed
fartdåre *s* (~n, -dårar) vard. speeder, speed merchant; speciellt amer. speedster

fartfylld *adj* (-fyllt) action-packed, full of action, pacy
fartgräns *s* (~en, ~er) speed limit; *överskrida ~en* exceed the speed limit
fartgupp *s* (~et, =) o. **farthinder** *s* (-hindret, =) i vägbana speed bump (hump); vard. sleeping policeman
farthållare *s* (~n, =) **1** sport. pacemaker **2** bil., [*automatisk*] ~ cruise control
fartkontroll *s* (~en, ~er) speed check (fälla trap)
fartsyndare *s* (~n, =) speeder, speed merchant; speciellt amer. speedster
fartyg *s* (~et, =) vessel, ship, craft (pl. craft)
fartygsbefäl *s* (~et, =) koll. ship's officers pl.
fartygsbesättning *s* (~en, ~ar) crew, ship's company
fartygsolycka *s* (~n, -olyckor) shipping (maritime) accident (katastrof disaster)
fartygsregister *s* (-registret, =) register of shipping
farvatten *s* (-vattnet, =) vattenområde waters pl.; farled channel, fairway; *i egna* (*svenska*) *~* in home (Swedish) waters
farväl I *interj* farewell!, goodbye! **II** *s* (~et, =) farewell, goodbye; *säga ~* say goodbye
fas *s* (~en, ~er) **1** phase äv. bildl.; *gå in i en ny ~* enter a new phase **2** avsneddad kant bevel, chamfer
1 fasa I *s* (~n, fasor) blandad med avsky horror; skräck terror; bävan dread (endast sg.); *krigets fasor* the horrors of war; *det är min ~* it is my pet aversion; *stel av ~* paralysed with terror; *fylla ngn med ~* fill (strike) sb with horror (terror), horrify (terrify) sb **II** *vb itr* (~de, ~t) frukta shudder [*för* at]; *~ för ngt* shudder at sth; *jag ~r för vad som kan hända om…* I shudder at [the thought of] what can happen if…
2 fasa *vb tr* (~de, ~t) **1** ~ [*av*] avjämna bevel, chamfer **2** ~ *ut* gradvis avveckla phase out **3** elektr. synchronize
fasad *s* (~en, ~er) front, façade, frontage; tandläk. facing
fasadbeklädnad *s* (~en, ~er) byggn. facing
fasadbelysa *vb tr* (-lyste, -lyst) floodlight
fasadbelysning *s* (~en, ~ar) abstr. floodlighting; konkr. floodlights pl.
fasadklättrare *s* (~n, =) cat burglar; amer. äv. porch climber
fasadtegel *s* (-teglet) material facing brick; *ett hus med ~* …brick facing
fasan *s* (~en, ~er) pheasant
fasanhöna *s* (~n, -hönor) hen pheasant
fasansfull *adj* (~t) förfärlig horrible, terrible, appalling; ohygglig ghastly, gruesome; vard. awful, appalling, ghastly
fasantupp *s* (~en, ~ar) cock pheasant
fascinera *vb tr* (~de, ~t) fascinate
fascinerande *adj* (oböjl.) fascinating
fascism *s* (~en) Fascism
fascist *s* (~en, ~er) Fascist
fascistisk *adj* (~t) Fascist
fasen *s* (best. sing.) vard., *det var som ~* well, I'll be blowed!; *vad ~…* what the devil…
fasett *s* (~en, ~er) facet
fasettslipad *adj* (-slipat, ~e) …cut in facets; *fasettslipat glas* faceted glass
fasettöga *s* (~t, -ögon) zool. faceted (compound) eye
fashionabel *adj* (~t, fashionabla) fashionable
faslig *adj* (~t) dreadful, frightful, terrible; awful;

det var ~t vad du ser trött ut! you look dreadfully tired; ***ett ~t besvär*** an awful bother

fason s (~en, ~er) **1** form shape, form; snitt cut; ***förlora ~en*** lose its (get out of) shape; ***få ~ på ngn*** lick sb into shape; ***få ~ på ngt*** put sth into shape **2** later manners pl.; ***vad är det för ~er?*** what sort of behaviour is that?, where are your manners?

1 fast I adj (=) eg. (orörlig el. mots. till mjuk) el. bildl. (säker, ståndaktig, obeveklig) firm; fastsatt fixed; inte flyttbar stationary; fastställd, stadigvarande fixed, established, permanent, settled; ***ha ~ anställning*** have a permanent job; ***ett ~ arbete*** a regular (permanent, steady) job; ***~ bostad*** fixed abode, permanent address; ***~ bränsle*** (***föda***, ***ämne***) solid fuel (food, substance); ***~ egendom*** real property (estate); ***i ~ form*** in solid form; ***med ~ hand*** bildl. with a firm hand; ***~ inkomst*** fixed (regular) income; ***~a kostnader*** fixed costs; ***~ kund*** (***prenumerant***) regular customer (subscriber); ***ha ~ mark under fötterna*** äv. bildl. be on firm ground; ***ha ~a principer*** have fixed (firm) principles; ***~ pris*** fixed price; ***~ övertygelse*** firm (unswerving) conviction

II adv (se också betonad partikel under respektive verb, t.ex. *köra fast* under *köra III*) **1** firmly etc., jfr *1 fast I*; ibland firm; ***vara ~ anställd*** be permanently employed [*hos ngn* by sb]; have a permanent job (om högre tjänst appointment, post); ***~ besluten*** firmly resolved, determined **2** fasttagen, ***bli ~*** be (get) caught

2 fast konj though, although

1 fasta s (oböjl.), ***ta ~ på*** ngns ord el. löfte make a mental note of...; komma ihåg bear...in mind; utgå från take...as one's starting point; ***det är ingenting att ta ~ på*** that is nothing to go on

2 fasta I s **1** (~n, fastor) fastande fasting; tid då man fastar fast; ***tre dagars ~*** a fast of three days **2** (~n) fastlag, ***~n*** Lent **II** vb itr (~de, ~t) fast; ***på ~nde mage*** on an empty stomach, fasting

fastedag s (~en, ~ar) fast day, fasting-day

faster s (~n, fastrar) [paternal] aunt

fastfrusen adj (-fruset, -frusna), ***ligga ~*** om fartyg be icebound; jfr f.ö. *frysa fast* under *frysa III*

fasthet s (~en) orörlighet el. ståndaktighet firmness äv. hand.; varaktighet steadfastness, permanence; stabilitet stability; täthet solidity, compactness; ***~ i karaktären*** firmness (consistency) of character

fastighet s (~en, ~er) [house (jordagods landed)] property; fast egendom real estate (property)

fastighetsbranschen s (best. sing.) the real estate (property) business

fastighetsmarknad s (~en) property market, real estate market

fastighetsmäklare s (~n, =) estate (house) agent; amer. real estate agent, realtor

fastighetsregister s (-registret, =) land registry

fastighetsskatt s (~en, ~er) tax on real estate

fastighetsskötare s (~n, =) caretaker

fastighetstaxering s (~en, ~ar) property taxation, rating

fastighetsägare s (~n, =) house-owner; hyresvärd landlord

fastkedjad adj (-kedjat, ~e) chained fast (on)

fastklistrad adj (-klistrat, ~e), ***sitta som ~ vid tv:n*** be glued to the TV; ***stå som ~*** stand as if rooted to the spot; jfr *klistra fast* under *klistra II*

fastlagen s (best. sing.) Lent; veckan t.o.m. fettisdagen Shrovetide

fastlagsbulle s (~n, -bullar) se *semla*

fastlagsris s (~et, =) twigs pl. with coloured feathers [used as a decoration during Lent]

fastlagssöndag s (~en, ~ar), ***~[en]*** Quinquagesima [Sunday], Shrove Sunday

fastland s (~et) mainland; världsdel continent; ***det europeiska ~et*** the Continent, Continental Europe

fastlandsklimat s (~et, =) continental climate

fastlåst adj (=) bildl. deadlocked

fastlägga vb tr (-lade, -lagt) determine, decide; regler, planer lay down, establish

fastna vb itr (~de, ~t) allm. get caught, catch; sätta sig fast, klibba stick [fast], get stuck [fast]; komma i kläm jam, get wedged; ***frimärket ~r inte*** the stamp does (will) not stick (adhere); ***jag ~de*** bestämde mig ***för...*** I decided on...; nyckeln ***~de i låset*** ...jammed in the lock; ***~ i minnet*** stick [fast] (remain) in the (resp. one's) memory; ***blicken ~de på...*** my eye was caught (arrested) by...; ***~ på kroken*** be (get) hooked

fastnaglad adj (-naglat, ~e), ***stå som ~*** stand rooted to the spot

fastsatt adj (=) fixed, fastened, stuck [*i* (*på*) on to, to]

fastskruvad adj (-skruvat, ~e) ...screwed on

fastslå vb tr (-slog, -slagit) bildl. **1** hävda lay it down, maintain **2** bevisa prove; fastställa establish [*att* the fact that] **3** bestämma settle, fix

fastspikad adj (-spikat, ~e) nailed [*vid* on to, to]

fastspänd adj (-spänt) fastened; med rem strapped [*i* to]; ***barnen är ~a*** med säkerhetsbälte the children have got their seat belts on; i bilbarnstol the children are strapped in

fastställa vb tr (-ställde, -ställt) **1** bestämma appoint, fix, stipulate, establish, lay down; ***~ dag*** appoint (fix) a day; ***fastställt pris*** fixed (set, stipulated) price **2** stadfästa confirm, ratify, sanction; ***~ balansräkningen*** adopt the balance sheet **3** konstatera establish

fastvuxen adj (-vuxet, -vuxna) firmly (fast) rooted [*vid* to]; jfr *fastnaglad*

fastän konj though, although

fat s (~et, =) **1** uppläggnings~ dish; bunke basin; av metall äv. pan **2** tefat saucer; tallrik plate **3** tunna barrel; mindre cask; butt, hogshead äv. som mått; kar vat; ***ett ~ olja*** a drum (barrel) of oil; ***förvaras på ~*** ...in barrels **4** bildl., ***det ligger honom i ~et att...*** he is handicapped by the fact that...

fatal adj (~t) ödesdiger fatal, disastrous, regrettable

fatalist s (~en, ~er) fatalist

fatalistisk adj (~t) fatalistic

fatalitet s (~en, ~er) misfortune, mishap

1 fatt adj (oböjl.), ***hur är det ~?*** what's the matter?; vard. what's up?

2 fatt adv **1** se *i fatt* **2** ***få ~ i*** get hold of, find; komma över äv. come across (by), pick up, lay hands upon; ***ta ~ i*** catch hold of, grasp, grip

fatta I vb tr o. vb itr (~de, ~t) **1** gripa catch, grasp, clutch; hugga tag i seize, take hold of; ***~ ngns hand*** grasp sb's hand; ***~ pennan*** take up one's pen **2** börja hysa o.d. conceive, take, form, be seized with; jfr ex.; ***~ eld*** catch fire; ***~ ett beslut*** come to (make, arrive at) a decision; vid möte pass a resolution; ***~ misstankar mot ngn*** begin to suspect sb, become suspicious of sb; **~ motvilja mot** take a dislike (an aversion) to; **~ tycke för** take a fancy (liking) to **3** begripa understand, grasp, conceive, comprehend; **ha lätt** (**svårt**) **att ~** be quick (slow) on the uptake; **jag ~r inte hur...** I can't understand how..., it beats me how...; **om jag ~r saken rätt** as far as I can make out; **~r du vad jag menar?** äv. do you catch my meaning?; vard. do you get me? **II** vb rfl (~de, ~t), **~ sig kort** make it brief (short and sweet); **för att ~ mig kort** to be brief, to put it briefly (shortly)

fattad adj (fattat, ~e) lugn composed, collected

fattas vb itr dep (fattades, fattats) finnas i otillräcklig mängd be wanting (lacking); saknas be missing; behövas be needed; **det ~ 500 kronor** i kassan there is a deficit of 500 kronor; **det ~** (**fattades**) **bara att jag skulle...!** I wouldn't dream of + ing-form!; **~ bara!** I should jolly well think so!; **det fattades bara det!** iron. that's all that was missing (needed)!

fattbar adj (~t) comprehensible, conceivable [för to]

fattig adj (~t) **1** allm. poor; medellös penniless; utblottad destitute, impoverished; **~a** (**~t folk**) poor people; **de ~a** the poor; **~a riddare** kok. French toast; **en ~ stackare** a poor wretch; **malmen är ~ på** silver the ore is poor in... **2** ringa, ynklig paltry; **~a tio kronor** a paltry (wretched) ten kronor; **mina ~a slantar** my little bit of money

fattigbegravning s (~en, ~ar) pauper's burial

fattigdom s (~en) **1** allm. poverty; armod penury; nöd destitution; som social företeelse pauperism; **leva i** [**stor**] **~** be living in [great] poverty (penury); **ett liv i ~** a life of poverty **2** brist deficiency [på in, of]; lack, want; starkare destitution [på i samtliga fall of]; torftighet poorness, meagreness

fattigdomsbevis s (~et, =) bildl. admission of failure

fattighus s (~et, =) hist. workhouse, poorhouse

fattigkvarter s (~et, =) slum, poor quarter

fattiglapp s (~en, ~ar) down-and-out; **en ~** som jag vard. a poverty-stricken devil...

fattning s (~en, ~ar) **1** grepp grip, hold [om round, of] **2** för glödlampa socket, lamp holder; för t.ex. ädelsten setting, mounting **3** behärskning composure, self-command, self-possession; **behålla ~en** keep one's head, maintain one's composure; **tappa ~en** lose one's head (composure); **ta ngt med ~** take sth in one's stride (calmly)

fattningsförmåga s (~n) apprehension, comprehension; **ha dålig** (**god**) **~** be slow (quick) on the uptake; **det överstiger** (**övergår**) **min ~** it is beyond my comprehension

fatwa s (~n, fatwor) relig. fatwa

fatöl s (~et el. ~en, =) draught beer

faun s (~en, ~er) mytol. faun

fauna s (~n, faunor) fauna (pl. faunas el. faunae)

favorisera vb tr (~de, ~t) favour, show partiality towards; **~ ngn** äv. give sb preferential treatment

favorit s (~en, ~er) favourite (amer. favorite), pet

favoritförfattare s (~n, =) favourite (amer. favorite) author

favorিträtt s (~en, ~er) favourite (amer. favorite) dish

favorituttryck s (~et, =) favourite (amer. favorite) expression, pet phrase

favör s (~en, ~er) allm. favour; amer. favor; fördel

advantage; **till min ~** to my advantage; in my favour, to my credit äv. hand.

fax s **1** (~et, =) meddelande fax **2** (~en, ~ar) apparat fax [machine]; **med ~** by fax

faxa vb tr (~de, ~t) fax

faxnummer s (-numret, =) fax number

f.d. förk., se under 2 *före* I 2

F-dur s (oböjl.) mus. F major

fe s (~n, ~er) fairy; poet. fay

feber s (~n, febrar) fever äv. bildl.; **hög ~** a high temperature (fever); **få ~** run a temperature; **ha ~** have (run) a temperature, be feverish

feberaktig adj (~t) feverish, febrile båda äv. bildl.

feberanfall s (~et, =) attack (bout) of fever

feberdröm s (~men, ~mar) feverish dream, delirium

feberfantasi s (~n, ~er) delirium

feberfri adj (-fritt) ...free from fever

feberhet adj (-hett) very feverish, feverishly hot

feberkurva s (~n, -kurvor) temperature curve (papper chart)

febernedsättande adj (oböjl.) ...that reduce (resp. reduces) fever; vetensk. antipyretic, febrifugal; **~ medel** äv. antipyretic, febrifuge

febersjukdom s (~en, ~ar) fever

febertermometer s (~n, -termometrar) clinical thermometer

febrig adj (~t) **1** som har feber feverish **2** hektisk hectic, frantic

febril adj (~t) bildl. feverish, frantic

februari s (oböjl., en) February (förk. Feb.); för ex. jfr *april* o. *femte*

federal adj (~t) federal

federation s (~en, ~er) federation

federativ adj (~t) federative

feg adj (~t) cowardly; vard. yellow; räddhågad timid, timorous; **vara ~** vanl. be a coward

feghet s (~en) cowardice; räddhågsenhet timidity

fegis s (~en, ~ar) vard. chicken, yellow-belly; barnspr. scaredy-cat, fraidy-cat

feja vb tr o. vb itr (~de, ~t) göra rent clean; sopa sweep

fejd s (~en, ~er) feud; framför allt bildl. äv. quarrel, controversy; **ligga i ~ med ngn** be in a perpetual state of feud with sb, be always carrying on a feud with sb

fejka vb tr (~de, ~t) vard. fake; **intervjun var ~d** the interview was a fake

fel I s (~et, =) **1** skavank, defekt o.d. fault; kroppsligt ~ defect, infirmity; karaktärs- el. ~ hos ting äv. defect, flaw, blemish; ofullkomlighet äv. imperfection, shortcoming; missförhållande trouble; tennis o.d. fault; **hela ~et är att...** the whole trouble is that...; **~et med honom är att...** the trouble with him is that...; **det är** [**något**] **~ på...** there is something wrong (something the matter) with...; **ha ~ på hjärtat** have a heart condition; **vara utan ~** äv. be faultless **2** misstag mistake, error, fault; **grammatiska ~** grammatical errors (mistakes); **ett grovt ~** t.ex. i en skrivning a serious error (mistake); **begå** (**göra**) **ett ~** make a mistake (mindre slip), commit a fault (an error, 'tabbe' a blunder); **ha fem ~** på provet have five wrong answers... **3** skuld fault; **det är hans eget ~ att** + sats it is his own fault that + sats, he has only himself to blame for + ing-form; **vems är ~et?** whose fault is it?, who is to blame?

II adj (oböjl.) wrong; attr. vanl. the wrong; **uppge ~**

adress give the (a) wrong address; **vakna på ~ sida** get out of bed on the wrong side; jfr *felaktig* **III** *adv* wrong; speciellt före perf. part. wrongly; ibland (jfr ex.), mis-; **ge ~ tillbaka** vid betalning ~ give the wrong change; **gå ~** go the wrong way, lose one's (miss the) way; **min klocka går ~** my watch is wrong; **göra ~** make a mistake; moraliskt do wrong; **ha ~** be wrong; **höra ~** mishear; **jag har kommit ~** till fel telefonnummer I've got [on to] the wrong number; **köra ~** drive the wrong way; **räkna ~** miscount; felberäkna miscalculate; **skriva ngt ~** write sth wrong; **slå ~** bildl. be (prove) a failure, fail, go wrong (amiss); **det slår aldrig ~!** you can be sure!, you bet!; **skörden slog ~** the crops failed; **ta ~** make a mistake; vard. get it wrong; **ta ~ på tiden** mistake (make a mistake about) the time

1 fela *vb itr* (~de, ~t) begå fel make a mistake (resp. mistakes), err; handla orätt do wrong; **det är mänskligt att ~** to err is human

2 fela *s* (~n, felor) vard. fiddle

feladresserad *adj* (-adresserat, ~e) wrongly addressed, misdirected

felaktig *adj* (~t) oriktig wrong, incorrect, erroneous, mistaken; behäftad med fel faulty, defective; osann false, misleading; ibland äv. (jfr ex.), mis-; **~ användning** wrong use, misapplication; **~ bild** misrepresentation; **ge en ~ bild av** give a false impression of, misrepresent; **en ~ diagnos** a wrong (an error of) diagnosis

felaktighet *s* (~en, ~er) det felaktiga incorrectness, faultiness (båda endast sg.); fel error, fault, mistake, inaccuracy

felande *adj* (oböjl.) **1** som fattas missing, wanting; **den ~ länken** the missing link **2** som begår fel erring

felbedöma *vb tr* (-dömde, -dömt) misjudge, miscalculate

felbedömning *s* (~en, ~ar) misjudgement, miscalculation

felbehandling *s* (~en, ~ar) wrong treatment

felberäkning *s* (~en, ~ar) miscalculation

felcitera *vb tr* (~de, ~t) misquote

feldrag *s* (~et, =) t.ex. i schack wrong (false) move

felexpediering *s* (~en, ~ar) i butik e.d. mistake [made by a (resp. the) shop assistant (amer. sales clerk)]

felfinnare *s* (~n, =) faultfinder; pedant nitpicker

felfri *adj* (-fritt) faultless, flawless, perfect, correct; oklanderlig impeccable; **ett ~tt exemplar** a faultless (perfect) copy

felfrihet *s* (~en) faultlessness, flawlessness, correctness

felgrepp *s* (~et, =) error, mistake, slip

felinställd *adj* (-ställt) feljusterad wrongly adjusted, maladjusted

felkonstruerad *adj* (-konstruerat, ~e) wrongly constructed, misconstructed

felkälla *s* (~n, -källor) source of error

felläsning *s* (~en, ~ar) misreading; vid uppläsning fault (slip) in reading

felmarginal *s* (~en, ~er) margin of error

felparkerad *adj* (-parkerat, ~e), **vara (stå) ~** be wrongly parked

felparkering *s* (~en, ~ar) förseelse parking offence

felräkning *s* (~en, ~ar) miscalculation

felsatsning *s* (~en, ~ar) ekon. wrong (bad) investment; friare misguided venture

felskrivning *s* (~en, ~ar), **en ~** a slip of the pen, a writing error; på tangentbord a typing error

felslagen *adj* (-slaget, -slagna) inte lyckad unsuccessful; gäckad disappointed; **felslagna förhoppningar** disappointed hopes; **en ~ plan** an abortive plan; **en ~ skörd** a failed crop

felslut *s* (~et, ~) false (erroneous) conclusion (inference), fallacy

felspekulation *s* (~en, ~er) wrong (bad) speculation

felstavad *adj* (-stavat, ~e) wrongly spelt, misspelt

felstavning *s* (~en, ~ar) misspelling

felsteg *s* (~et, =) eg. el. bildl. slip; bildl. äv. faux pas fr.

felsyn *s* (~en) error [of judgment]

felsägning *s* (~en, ~ar) slip of the tongue; **freudiansk ~** Freudian slip

felsökning *s* (~en, ~ar) fault-localizing, fault-tracing, troubleshooting; data. debugging, error detection

feltolka *vb tr* (~de, ~t) misconstrue, misinterpret

feltolkning *s* (~en, ~ar) misconstruction, misinterpretation; vid läsning av text misreading

feltryck *s* (~et, =) faulty print; frimärke error

felunderrättad *adj* (-rättat, ~e) misinformed

felvänd *adj* (-vänt) …[that is (was etc.)] turned the wrong way (uppochnedvänd upside-down, bakfram back to front, utochinvänd inside out)

felöversättning *s* (~en, ~ar) mistranslation, incorrect translation

fem *räkn* five; **vi ~** the five of us; **vi var ~** there were five of us; **~ och** fem åt gången five at a time; **~ och femtio** kronor five kronor and fifty öre; **vinna med 5–3** win [by] 5–3; **alla ~ bröderna** all the five brothers; **ha (kunna) ngt på sina ~ fingrar** have sth at one's finger-tips (finger-ends), know sth from A to Z, know sth like the back of one's hand; **en ~ sex gånger** [some] five or six times; **~ hundra (tusen)** five hundred (thousand); **tåget går 5.20** the train leaves at five twenty (at twenty minutes past five); **han kom klockan halv ~** …at half past four, four-thirty, vard. half four; **hjärter ~** kortsp. [the] five of hearts; **linje 5** buss [bus] number 5, the [No.] 5; **han bor [på] Storgatan 5** vanl. he lives at [No.] 5 Storgatan

femaktare *s* (~n, =) five-act play, five-acter

femarmad *adj* (-armat, ~e) om ljusstake o.d. five-branched

fembarnsfamilj *s* (~en, ~er) family of five children

fembladig *adj* (~t) **1** bot. five-leaved, quinquefoliate; med fem kronblad five-petal[l]ed **2** tekn. five-bladed

femcylindrig *adj* (~t) five-cylinder…; **motorn är ~** it is a five-cylinder engine, the engine has five cylinders

femdagarsvecka *s* (~n, -veckor) five-day week

femdubbel *adj* (~t, -dubbla) fivefold, quintuple; **betala femdubbla priset (det femdubbla)** pay five times the price (amount); **vika ~** fold five times (in five)

femdubbla *vb tr* (~de, ~t) multiply…by five, increase…fivefold (five times), quintuple; **~s** increase fivefold (five times)

femdygnsprognos *s* (~en, ~er) meteor. five-day [weather] forecast

femetta *s* (~n, -ettor) fullträff direct hit, bull's eye

femfaldig *adj* (~t) fivefold

femfaldiga *vb tr* (~de, ~t) se *femdubbla*

femfaldigt *adv* o. **femfalt** *adv* fivefold, five times [over]

femföreställning *s* (~en, ~ar) five-o'clock performance

femgradig *adj* (~t) om skala …divided into five degrees; om vatten, + 5°C …[that is (was etc.)] five degrees [centigrade] above freezing-point

femhundra *räkn* five hundred; jfr *hundra* med sammansättn.

femhundrade *räkn* five hundredth

femhundrakronorssedel *s* (~n, -sedlar) five-hundred-krona note

femhundralapp *s* (~en, ~ar) five-hundred-krona note

femhundratal *s* (~et) **1** *ett ~ personer* some (about) five hundred persons **2** *~et* århundrade the sixth century; *på ~et* in the sixth century

femhundraårig *adj* (~t) five-hundred-year-old

femhundraårsdag *s* (~en, ~ar) o.

femhundraårsjubileum *s* (-jubileet, -jubileer) o.

femhundraårsminne *s* (~et, ~n) five-hundredth (500th) anniversary, quincentenary

femhörning *s* (~en, ~ar) pentagon

feminin *adj* (~t) feminine; om man äv. effeminate

femininum *s* (femininet, femininer) gram. the feminine [gender]

feminism *s* (~en) feminism

feminist *s* (~en, ~er) feminist

feministisk *adj* (~t) feministic

femkamp *s* (~en, ~er) sport. pentathlon; *modern ~* modern pentathlon

femkampare *s* (~n, =) sport. pentathlete

femkantig *adj* (~t) five-edged; femhörnig five-angled; femsidig five-sided

femkrona *s* (~n, -kronor) o. **femkronorsmynt** *s* (~et, ~en) five-krona piece

femlingar *s pl* quintuplets; vard. quins

femma *s* (~n, femmor) **1** five; vid tärnings- el. kortspel äv. cinque; mynt five-krona piece; *en ~* belopp five kronor; *~n* om hus, rum, buss o.d. No. 5, number Five; om buss äv. the [No.] 5; *~n [i hjärter]* kortsp. the five [of hearts]; *han ligger (kom in som) ~* he is (came in) fifth; *det var en annan ~* vard. that's quite another matter **2** vard., femrumslägenhet five-room[ed] flat (amer. apartment) **3** skol.: elev, se *femteklassare*; *~n* årskurs fem the fifth class (form, amer. grade), Class No. 5, Class V

femmilen *s* (best. sing.) sport. the fifty-kilometre race

femminutersrast *s* (~en, ~er) five-minute rest (break)

femminuterstrafik *s* (~en), *bussarna går i ~* there is a bus every five minutes (every fifth minute)

femprocentig *adj* (~t) five-per-cent…; amer. five-percent…; höjningen *är ~* …is five per cent

femradig *adj* (~t) five-rowed; med fem tryckta el. skrivna rader five-line[d]…

femrummare *s* (~n, =) o. **femrumslägenhet** *s* (~en, ~er) five-room[ed] flat (amer. apartment)

femrumsvilla *s* (~n, -villor) five-room[ed] house (villa)

femsidig *adj* (~t) five-sided

femsiding *s* (~en, ~ar) five-sided figure, pentagon

femsiffrig *adj* (~t) attr. five-figure…, …of five figures, five-digit…; *ett ~t tal* a five-figure (five-digit) number

femsitsig *adj* (~t), *~ bil* five-seater; bilen *är ~* …is a five-seater, …seats five [people]

femsnåret *s* (best. sing.), *vid ~* [at] about five [o'clock]

femspråkig *adj* (~t) på fem språk five-language…, …in five languages; som talar fem språk (attr.) …speaking five languages; *han är ~* he speaks five languages

femsträngad *adj* (-strängat, ~e) mus. five-stringed

femstämmig *adj* (~t) …for five voices, …in five parts; attr. äv. five-voice, five-part

femtal *s* (~et, =) five; *~et* talet fem the number five; *ett ~* some (about) five; *för varje ~* for each (every) five

femte *räkn* fifth (förk. 5th); *Gustaf den ~ (V)* Gustaf the Fifth, Gustavus V; *den (det) ~ från slutet* the last but four; *för det ~* in the fifth place, vid uppräkning fifthly; *den ~ (5) april* som adverbial on the fifth of April, on April 5th; *den ~ (5) april inföll på en söndag* the fifth of April (April 5th) was a Sunday; *Stockholm den 5 april (5/4) 2008* i brevdatering Stockholm, 5th April, 2008 el. Stockholm, April 5th, 2008; *vara ~ hjulet under vagnen* vard. be odd man out, be de trop, play gooseberry; *[för] var ~ meter* [for] every five metres (every fifth metre); *komma på ~ plats* come fifth; *på ~ våningen* 5 tr. upp on the fifth floor; *[en gång] vart ~ år* [once] every fifth year (five years)

femtedel *s* (~en, ~ar) fifth [part]; *två ~ar* two fifths; *en ~s sekund* a (one, the) fifth [part] of a second

femteklassare *s* (~n, =) elev i skolår 5 fifth-grade pupil, pupil in the fifth class (amer. grade); amer. äv. fifth-grader

femtekolonnare *s* (~n, =) fifth columnist

femteplacering *s* (~en, ~ar), *få en ~* come [in] fifth

femteplats *s* (~en, ~er) fifth place

femti *räkn* vard., se *femtio*

femtiden *s* (best. sing.), *vid ~* [at] about five [o'clock], round about five [o'clock]

femtielfte *räkn* vard., *för ~ gången* for the umpteenth time

femtielva *räkn* vard. umpteen

femtilapp *s* (~en, ~ar) fifty-krona note

femtio *räkn* fifty; *han är över ~* he is over fifty; jfr *fem* med sammansättn.

femtiofem *räkn* fifty-five

femtiofemte *räkn* fifty-fifth

femtiokronorssedel *s* (~n, -sedlar) fifty-krona note

femtionde *räkn* fiftieth

femtiondel *s* (~en, ~ar) o. **femtiondedel** *s* (~en, ~ar) fiftieth [part]; jfr *femtedel*

femtioplus *adj* (oböjl.) fifty-plus

femtioplussare *s* (~n, =) fifty-plus, fifty-plusser

femtiotal *s* (~et, =) fifty; *för varje ~* for each (every) fifty; *~et* åren 50–59 the fifties; *på ~et* 1950-talet in the [nineteen-]fifties, in the [19]50's; *i början av (på) ~et* in the early fifties; *i mitten av (på) ~et* in the middle of the fifties; *i slutet av (på) ~et* in the late fifties; *ett (något) ~* a) några och femtio [some] fifty odd b) ungefär femtio about fifty

femtiotalist *s* (~en, ~er) **1** litt.vet. writer belonging to [the literary movement of] the fifties **2** person born in the fifties

femtioårig *adj* (~t) fifty-year-old… etc., jfr *femårig*

femtioåring *s* (~en, ~ar) fifty-year-old man (resp. woman), man (resp. woman) of fifty [years of age], quinquagenarian; *~[ar]* äv. fifty-year-old[s]

femtioårsdag *s* (~en, ~ar) fiftieth anniversary; födelsedag fiftieth birthday

femtioårsjubileum *s* (-jubileet, -jubileer) o.

femtioårsminne *s* (~t, ~n) fiftieth anniversary

femtioårsåldern *s* (best. sing.), *en man i ~* a man aged (of the age of) about fifty; jfr *femårsåldern*

femtiooöring *s* (~en, ~ar) hist. fifty-öre piece

femton *räkn* fifteen; *klockan 15* at 3 o'clock in the afternoon, at 3 [o'clock] p.m.; jfr *fem* o. sammansättn.

femtonde *räkn* fifteenth, jfr *femte*

femtondel *s* (~en, ~ar) fifteenth [part]; jfr *femtedel*

femtonhundra *räkn* fifteen hundred

femtonhundratalet *s* (best. sing.) the sixteenth century; *på ~* in the sixteenth century; *~s Sverige* sixteenth-century Sweden

femtonårig *adj* (~t) fifteen-year-old... etc., jfr *femårig*

femtonåring *s* (~en, ~ar) fifteen-year-old

femtumsspik *s* (~en, ~ar) five-inch nail

femtusen *räkn* five thousand

femtusenårig *adj* (~t) five-thousand-year-old..., jfr ex. under *hundraårig*

femtåget *s* (best. sing.) the five (five-o'clock) train

femuddig *adj* (~t) five-pointed; om gaffel o.d. five-pronged

femveckorssemester *s* (~n) five-week holiday (amer. vanl. vacation)

femvåningshus *s* (~et, =) femplanshus five-storeyed (amer. five-storied) house

femväxlad *adj* (-växlat, ~e) om växellåda five-speed...; *den är ~* it has five gears

femårig *adj* (~t) **1** fem år gammal **a)** attr. five-year-old, ...of five [years of age] **b)** pred. five [years old] **2** som varar (varat) i fem år **a)** attr. five-year, five years', ...of five years, ...of five years' duration (standing) **b)** pred., *avtalet är ~t* ...is for five years

femåring *s* (~en, ~ar) five-year-old child (häst horse), child osv. of five [years of age]; *en ~* äv. a five-year-old (pl. five-year-olds)

femårsdag *s* (~en, ~ar) fifth anniversary; födelsedag fifth birthday

femårsjubileum *s* (-jubileet, -jubileer) o. **femårsminne** *s* (~t, ~n) fifth anniversary

femårsplan *s* (~en, ~er) five-year plan

femårsåldern *s* (best. sing.), *i ~* at the age of about five, at about five years of age; *en pojke i ~* a boy aged (of the age of) about five; *vara i ~* be about five

1 fena *s* (~n, fenor) fin äv. flyg. el. sjö.; *utan att röra en ~* without moving (stirring) a limb

2 fena *adj* (oböjl.), *vara [en] ~ på* be a wizard at

fender *s* (~n, fendrar) fender

fenicisk *adj* (~t) Phoenician

Fenix, *fågel ~* the Phoenix; *resa sig som en fågel ~ ur askan* rise like a phoenix from the Ashes

fenomen *s* (~et, =) phenomen|on (pl. -a)

fenomenal *adj* (~t) phenomenal, extraordinary, startling; kolossal prodigious; *han är ~ på* (*på att* + inf.)... he is fantastically good at (at + ing-form)...

fenoxisyror *s pl* kem. phenoxyacetic acids

feodalväsen *s* (~det, =) feudal system

feriearbete *s* (~t, ~n) holiday work; studieuppgift holiday task

ferieläsning *s* (~en, ~ar) holiday studies pl., studying in the holidays

ferier *s pl* holidays; speciellt univ. el. amer. vacation; vard. vac (båda sg.); parl. recess sg.

fernissa I *s* (~n, fernissor) varnish; bildl. veneer **II** *vb tr* (~de, ~t) varnish; *~ om* revarnish

fertil *adj* (~t) fertile

fertilitet *s* (~en) fertility

fest *s* (~en, ~er) **1** bjudning party; för att fira ngt celebration; t.ex. i det fria el. välgörenhets~ fête; festival festival; *en ~ för ögat* a feast for the eyes, a sight for sore eyes; *gå på ~* go to a party **2** festlighet festivity, rejoicings pl.; högtidlighet ceremony, function; *göra vardagen till ~* make every day a holiday

festa *vb itr* (~de, ~t) **1** kalasa feast [*på* on] **2** ~ [*om*] roa sig have a good time; dricka booze; *gå ut (vara ute) och ~* rumla go (be) on the (a) spree, go (be) on the (a) binge; *~ upp alla sina pengar* squander...on having a good time; dricka upp squander...on boozing

festarrangör *s* (~en, ~er) event organizer; *~en* the person in charge of the arrangements (entertainments)

festdag *s* (~en, ~ar) festival day; glädjedag day of rejoicing

festfixare *s* (~n, =) event organizer

festföremål *s* (~et, =), *~et* the guest of honour, the hero (the heroine) of the occasion

festival *s* (~en, ~er) festival

festklädd *adj* (-klätt) festively-dressed; i aftondräkt ...in evening dress

festklänning *s* (~en, ~ar) party dress

festkommitté *s* (~n, ~er) organizing (entertainment) committee

festlig *adj* (~t) **1** fest- festival...; glad festive; storartad grand, splendid; *vid ~a tillfällen* on ceremonious (festive, friare special) occasions **2** komisk comical, amusing

festlighet *s* (~en, ~er) festivity; *~er* äv. festive entertainments; jfr *fest 2*

festlokal *s* (~en, ~er) på restaurang o.d. assembly rooms pl.

festmiddag *s* (~en, ~ar) o. **festmåltid** *s* (~en, ~er) banquet, feast

festprisse *s* (~n, -prissar) vard. bon vivant fr.

feströka *vb itr* (-rökte, -rökt), *jag feströker bara* I only smoke at parties (on festive occasions)

festsabotör *s* (~en, ~er) vard. party pooper, wet blanket

festskrift *s* (~en, ~er), *en ~ tillägnad...* a miscellany (volume, festschrift ty.) in honour of...

festspel *s pl* festival sg.; *~en i Edinburgh* the Edinburgh Festival

festtåg *s* (~et, =) procession

festvåning *s* (~en, ~ar) assembly (banqueting) rooms pl.

fet *adj* (fett) fat äv. bildl.; om t.ex. fläsk äv. fatty; fetlagd äv. stout, corpulent, fleshy; abnormt obese; välgödd äv. well-fed; flottig oily, greasy; *~ hy* greasy skin; *~t hår* greasy hair; *~ jord* fat soil; *~ mat* rich (fatty) food; flottig greasy food; *~ mjölk* rich (fatty) milk; *~a rubriker* big headlines; *~ stil* se *fetstil*; *bli ~* grow (get) fat (om person äv. stout); speciellt om djur fatten; *det blir man inte ~ på* bildl. you won't grow fat on (get much out of) that; *det ~a på* köttet the fat part[s pl.] of...; *han har det inte för ~t* he is none too well off

fetisch *s* (~en, ~er) fetish, fetich

fetischist s (~en, ~er) fetishist, fetichist

fetknopp s (~en, ~ar) **1** bot. stonecrop **2** vard., om person fatty, fatguts

fetlagd adj (-lagt) [somewhat] stout (corpulent), ...inclined to stoutness (corpulence)

fetma s (~n) fatness; hos person vanl. stoutness, corpulence; sjuklig ~ obesity

fetstil s (~en, ~ar) typogr. extra bold type

fett s (~et, ~er) fat äv. kem.; smörj~ grease; flott lard; stek~ dripping; mat~ shortening; **smörja med** ~ grease; **utan** ~ fat-free

fettbildande adj (oböjl.) fattening; **icke** ~ non-fattening

fettfläck s (~en, ~ar) grease spot; **få en** ~ **på...** get a spot of grease on...

fettfri adj (-fritt) fat-free

fetthalt s (~en, ~er) fat[ty] content; fettprocent percentage of fat

fettintag s (~et) intake of fat[s] (of fatty food)

fettisdag s (~en, ~ar) **1** första tisdagen efter fastlagssöndagen, ~[**en**] Shrove Tuesday; [**på**] ~**en** adv. on Shrove Tuesday **2** tisdag i fastan Tuesday in Lent

fettisdagsbulle s (~n, -bullar) se semla

fettkörtel s (~n, -körtlar) anat. sebaceous gland

fettsnål adj (~t) om kost ...that is low on fats (in fat content)

fettsugning s (~en, ~ar) liposuction

fettsvulst s (~en, ~er) fatty tumour, lipoma, adipoma

fettvalk s (~en, ~ar) roll of fat; bilring spare tyre (amer. tire)

fetvadd s (~en) cotton wadding, unbleached cotton wool

fez s (~en, ~er) fez

fia s (oböjl.) spel, ung. ludo; amer. pachisi, Parcheesi®

fiasko s (~t, ~n) fiasco (pl. -s), failure; vard. washout, flop; **göra** (**bli ett**) ~ be a fiasco osv., fail completely; om sak äv. fall flat

fiber s (~n, fibrer) fibre (amer. fiber) äv. i kost; hos trä äv. grain

fiberoptik s (~en) fibre (amer. fiber) optics sg.

fiberrik adj (~t) rich in fibre (amer. fiber), fiber-rich; amer. fibre-rich; ~ **kost** diet containing plenty of roughage (bulk), diet containing plenty of dietary fibre (amer. fiber)

fibrös adj (~t) fibrous, fibred

ficka s (~n, fickor) pocket; **stoppa ngt i** ~**n** put sth in one's pocket; **stoppa ngt i** [**sin**] **egen** ~ bildl. pocket sth; **ha kontoret på** ~**n** have no fixed place of business

fickalmanacka s (~n, -almanackor) pocket diary

fickformat s (~et, =) pocket size; **kamera i** ~ pocket-size...

fickkniv s (~en, ~ar) pocketknife

ficklampa s (~n, -lampor) [electric] torch; amer. flashlight

ficklampsbatteri s (~et, ~er) torch (amer. flashlight) battery

ficklexikon s (~et, =) pocket dictionary

ficklock s (~et, =) [pocket] flap

fickordbok s (~en, -böcker) pocket dictionary

fickparkera vb tr o. vb itr (~de, ~t), ~ [**bilen**] parallel park, squeeze the car in between two other cars [when parking]

fickpengar s pl pocket money sg.

fickplunta s (~n, -pluntor) [pocket] flask; vard. pocket pistol

fickräknare s (~n, =) pocket calculator, minicalculator

fickspegel s (~n, -speglar) pocket mirror

fickstöld s (~en, ~er) pickpocketing; **en** ~ a case of pickpocketing; **begå** ~ vanl. pick somebody's pocket, pick [people's] pockets

ficktjuv s (~en, ~ar) pickpocket

fickur s (~et, =) [pocket] watch

fideikommiss s (~et, =) jur. estate in tail, entailed estate; t.ex. förmögenhet äv. trust, settlement

fiende s (~n, ~r) enemy [till of]; poet., starkare foe; ~**n** koll. the enemy; **skaffa sig** ~**r** make enemies

fiendskap s (~en) enmity, hostility; mellan person äv. animosity

fientlig adj (~t) hostile [mot to]; mil. äv. enemy...; fientligt inställd äv. inimical [mot to]; som efterled i sammansättn. ofta anti-, jfr t.ex. samhällsfientlig; **vara** ~**t inställd till ngn** (**ngt**) adopt a hostile attitude to (toward) sb (sth)

fientlighet s (~en, ~er) hostility

FIFA (förk. för Fédération Internationale de Football Association) Internationella fotbollsförbundet FIFA

fiffel s (fifflet) vard. cheating, wangling, fiddling; handlingar crooked dealings pl., double-dealing

fiffig adj (~t) vard., fyndig clever, ingenious, smart

fiffla vb itr (~de, ~t) vard. cheat, wangle, fiddle

fifflare s (~n, =) vard. wangler, fiddler

figur s (~en, ~er) figure; gestalt äv. form; i roman äv. character; ritad äv. diagram; vid målskjutning äv. dummy; individ, spec. neds. individual; **ha snygg** ~ ...a good figure; **vad är det där för en** ~? who's that character (specimen)?; **en konstig** ~ a queer specimen (customer, fish); **göra en slät** ~ cut a poor figure; **tänka på** ~**en** watch one's waistline

figurativ adj (~t) konst. figurative

figurera vb itr (~de, ~t) appear, figure

figursydd adj (-sytt) attr. tailored, åtsittande close-fitting, tight-fitting

figuråkning s (~en, ~ar) figure-skating

Fiji Fiji

fik s (~et, =) vard. café

1 fika vard. **I** vb itr (~de, ~t) have some coffee (tea) **II** s (~t el. ~n) [a cup of] coffee (tea)

2 fika vb itr (~de, ~t), ~ **efter** hanker after

fikapaus s (~en, ~er) o. **fikarast** s (~en, ~er) vard. coffee break

fikasugen adj (-suget, -sugna) vard., **jag är** ~ I feel like (starkare I'm dying for) some coffee

fikon s (~et, =) fig

fikonlöv s (~et, =) fig leaf äv. bildl.

fikonspråk s (~et, =) mumbo jumbo, gobbledygook

fikonträd s (~et, =) fig [tree]

fiktion s (~en, ~er) fiction

fiktiv adj (~t) fictitious

fikus s (~en, ~ar) **1** bot. india-rubber tree **2** vard., homosexuell gay, homo, queer

1 fil s (~en, ~er) **1** rad row; **rummen ligger i** ~ ...are in a suite **2** körfält lane; **byta** ~ change lanes; **välja** ~ get into a lane

2 fil s (~en) surmjölk sour[ed] milk

3 fil s (~en, ~ar) verktyg file

4 fil s (~en, ~er) data. file

fila vb tr o. vb itr (~de, ~t) file; ~ [**på**] **ngt** file sth (bildl.

filantrop äv. polish up, give the finishing touches to); **~ av** jämna file...smooth; bort file...off; isär file...in two

filantrop s (~en, ~er) philanthropist

filantropisk adj (~t) philanthropic[al]

filatelist s (~en, ~er) philatelist

filbunke s (~n, -bunkar) kok. [bowl of] soured (sour) whole milk; *lugn som en ~* [as] cool as a cucumber

filbyte s (~t, ~n) trafik. lane-changing, changing lanes

fildelare s (~n, =) data. file sharer

fildelning s (~en, ~ar) data. file sharing

filé s (~n, ~er) **1** kok. fillet **2** textil. netting, net work

filea vb tr (~de, ~t) kok. fillet

filharmonisk adj (~t) mus. philharmonic; **~t sällskap** philharmonic; *kungliga ~a orkestern i Stockholm* Stockholm Royal Philharmonic

filial s (~en, ~er) branch

filialkontor s (~et, =) branch office

filigran s (~et el. ~en, = el. ~er) filigree (endast sg.)

Filip som kunganamn Philip

filipin s (~en, ~er), **spela ~** [*med ngn*] play philippine[s] [with sb]

Filippinerna s pl the Philippines, the Philippine Islands

filippinsk adj (~t) Philippine, Filipino

filisté s (~n, ~er) bibl. Philistine

filkörning s (~en, ~ar) traffic-lane driving, driving in traffic lanes

film s (~en, ~er) **1** film; på bio äv. [moving (motion)] picture, movie; **~[en]** ~konst[en] the cinema; *en tecknad ~* a cartoon **2** hinna film

filma I vb tr o. vb itr (~de, ~t) göra film [av] film [*ngt* sth]; take (make) a film [*ngt* of sth]; speciellt enstaka scen shoot **II** vb itr (~de, ~t) **1** medverka i film act in films (resp. a film) **2** vard., låtsas sham, pretend; sport., falla avsiktligt dive, take a dive

filmaffisch s (~en, ~er) film poster

filmateljé s (~n, ~er) film studio

filmatisera vb tr (~de, ~t) adapt...for the screen, make a screen version of, film

filmatisering s (~en, ~ar) adaptation for the screen; konkr. äv. screen version

filmbolag s (~et, =) film company

filmbranschen s (best. sing.) the film (movie) industry

filmcensur s (~en) film (cinema) censorship; myndighet board of film censors

filmduk s (~en, ~ar) [film] screen

filmfestival s (~en, ~er) film festival

filmfotograf s (~en, ~er) cameraman

filmföreställning s (~en, ~ar) film (cinema) performance

filmförevisning s (~en, ~ar), föredrag **med ~** ...with the showing of a film (resp. films)

filmhjälte s (~n, -hjältar) hero of the screen

filmindustri s (~n, ~er) film (movie) industry

filminspelning s (~en, ~ar) filming, shooting [of a (resp. the) film]

filminstitut s (~et, =) film institute

filmjölk s (~en) soured (sour) milk

filmkamera s (~n, -kameror) film camera, cine-camera, moviecamera

filmkonst s (~en) cinematics sg.

filmkunskap s (~en) som ämne filmmaking

filmmanus s (~et, =) o. **filmmanuskript** s (~et, =) [film] script

filmproducent s (~en, ~er) film producer

filmregissör s (~en, ~er) film director

filmroll s (~en, ~er) film role

filmrulle s (~n, -rullar) foto. roll of film; för filmprojektor reel [of film]

filmskådespelare s (~n, =) film (screen, movie) actor

filmstjärna s (~n, -stjärnor) film (movie) star

filodeg s (~en, ~ar) kok. filo pastry

filolog s (~en, ~er) philologist

filologi s (~n) philology

filologisk adj (~t) philological

filosof s (~en, ~er) philosopher

filosofera vb itr (~de, ~t) philosophize [*över* [up]on, about]

filosofi s (~n, ~er) philosophy

filosofie adj (oböjl.), **~ doktor** (förk. *fil. dr*) Doctor of Philosophy (förk. D.Phil. el. Ph.D. efter namnet i Storbr. jfr ex. i slutet); **~ kandidat** (*magister*) (förk. *fil. kand.* resp. *fil. mag.*) a) graduate in the Faculty of Arts; motsv. ung. Bachelor (Master) of Arts (förk. B.A. (M.A.), amer. äv. A.B. (A.M.) samtliga efter namnet) b) vid naturvetenskaplig fakultet graduate in the Faculty of Science; motsv. ung. Bachelor (Master) of Science (förk. B.Sc. (M.Sc.), amer. äv. Sc.B. (Sc.M.) samtliga efter namnet); **~ kandidatexamen** (*magisterexamen*) som grad ung. Bachelor (Master) of Arts [degree] osv., jfr ovan

filosofisk adj (~t) philosophic; framför allt i friare bet. philosophical; *de ~a fakulteterna* hist. the faculties of arts and sciences

filt s (~en, ~ar) **1** blanket; pläd travel rug **2** tyg felt, felting

filta vb tr (~de, ~t) felt; **~** [*ihop*] **sig** felt [up]; friare mat, get (become) matted

filter s (filtret, =) filter äv. foto., strainer, screen; på cigarett filter tip

filtercigarett s (~en, ~er) filter-tipped cigarette, filter tip

filterpåse s (~n, -påsar) till [kaffe]bryggare filter bag, paper filter

filthatt s (~en, ~ar) felt [hat]; mjuk äv. trilby

filtpenna s (~n, -pennor) felt[-tipped] pen, felt-tip

filtrat s (~et, =) filtrate

filtrera vb tr (~de, ~t) filter, filtrate, strain

filttoffel s (~n, -tofflor) felt slipper

filur s (~en, ~er) sly dog; *en [riktig] liten ~* a cunning little devil

fimbulvinter s (~n, -vintrar) very severe winter

fimp s (~en, ~ar) cigarette end, butt[-end]; vard. fag-end

fimpa vb tr (~de, ~t) **1** cigarett stub [out] **2** vard., slopa chuck out, scrap; överge chuck up

fin adj (~t) allm. fine; elegant smart, elegant; av god kvalitet choice, select, high-class, superior, first-rate; tunn thin; liten small; känslig, om t.ex. instrument äv. sensitive, delicate; noggrann, om t.ex. mätning accurate, precise; bra äv. [very] good, nice; utmärkt, vard. grand; ädel äv. noble; distingerad äv. distinguished[-looking]; mondän fashionable; gracil delicate; iron. äv. nice, pretty; **~are** ganska fin, om t.ex. middag grand; **extra ~** superfine, ...of superior quality; **ren** (*snygg*) **och ~** nice and clean (neat, tidy); **~a betyg** high (good) marks (amer. grades); **~t folk** fashionable (distinguished) people; *vara i ~ form* be in good (in fine, at the top of one's) form; **ha ~**

hörsel have good hearing; *min ~a* (*~aste*) *klänning* my best (vard. party) dress; ~ *kvalitet* fine (good) quality; *en ~ middag* god äv. a first-rate dinner; förnäm a fashionable dinner party; *i ~t* bildat *sällskap* in polite society; *~t sätt* fine (good, refined) manners; *på ett ~t sätt* delicately, tactfully, discreetly; *en ~ vink* a delicate (gentle) hint; [*det är* (*var*)] *~t!* fine!, good!; *göra ~t* [*i rummet*] städa tidy up [the room]; pryda make things look nice [in the room]; *klä sig ~* dress up; *det är inte ~t* [*att* + inf.] it is not good manners (good form) [to + inf.]; *det var ~t att du kom* it's a good thing you came; *han är ~ på att* + inf. he is very good at + ing-form

final I *s* (~en, ~er) **1** sport. final; *gå till ~*[*en*] get to (reach) the final[s] **2** mus. el. bildl. finale **II** *adj* (~t) final

finalist *s* (~en, ~er) finalist

finalmatch *s* (~en, ~er) sport. final match (amer. vanl. game)

finansbolag *s* (~et, =) financing company (amer. corporation)

Finansdepartementet i Sverige the Ministry of Finance; i Storbr. the Treasury; i USA the Department of theTreasury

finanser *s pl* finances; hjälpa upp *~na* ...the financial position; *ha dåliga ~* be in financial difficulty

finansiell *adj* (~t) financial

finansiera *vb tr* (~de, ~t) finance, provide capital for; om t.ex. pension fund

finansiering *s* (~en, ~ar) financing, funding

finansiär *s* (~en, ~er) financier

finansman *s* (~nen, -män) financier

finansmarknadsminister *s* (~n, -ministrar) i Sverige Minister for Financial Markets

finansminister *s* (~n, -ministrar) i Sverige Minister for Finance; i Storbr. Chancellor of the Exchequer; i USA Secretary of the Treasury

finanspolitik *s* (~en) financial policy

finansvalp *s* (~en, ~ar) vard. financial yuppie

finansvärlden *s* (best. sing.) the financial world (world of finance)

finansväsen *s* (~det, =) finance, public finance[s pl.]

finbageri *s* (~et, ~er) patisserie

finess *s* (~en, ~er) **1** förfining refinement; takt äv. tact[fulness], delicacy; fint handlag finesse; *~en med apparaten är* a special (very good) point about... **2** *~er* a) subtiliteter subtleties, niceties b) anordningar [exclusive] features, gadgets

finfin *adj* (~t) great, tiptop, splendid; amer. swell

finfördela *vb tr* (~de, ~t) pulvrisera grind...into fine particles, atomize, pulverize; sprida scatter (sprinkle)...finely

finger *s* (fingret, fingrar) finger; *ge honom ett ~, och han tar hela handen* give him an inch and he will take a mile; *ha ett ~ med i spelet* have a finger in it (in the pie); *ha gröna fingrar* have green fingers; *ha långa fingrar* bildl. be light-fingered; *hålla fingrarna borta från ngt* bildl. keep one's hands off sth; *inte lyfta* (*röra*) *ett ~ för att*... not lift (raise, stir) a finger to; *sätta fingret på*... put (lay) one's finger on...; *se* [*i*]*genom fingrarna med ngt* shut one's eyes to sth, turn a blind eye to sth, wink (connive) at sth

fingera *vb tr* (~de, ~t) feign, simulate

fingeravtryck *s* (~et, =) fingerprint; *genetisk ~* genetic fingerprint; *ta ngns ~* take sb's fingerprints

fingerborg *s* (~en, ~ar) thimble

fingerborgsblomma *s* (~n, -blommor) bot. foxglove

fingerfärdig *adj* (~t) dexterous, deft, ...deft with one's fingers

fingerfärdighet *s* (~en) sleight of hand, [manual] dexterity

fingerfärg *s* (~en, ~er) målarfärg för barn fingerpaint

fingerkrok *s* (~en), *dra ~* pull fingers

fingerled *s* (~en, ~er) finger-joint

fingerspets *s* (~en, ~ar) fingertip; [*ända*] *ut i ~arna* to the (osv. one's) fingertips

fingersvamp *s* (~en, ~ar) bot. Clavaria lat.

fingersättning *s* (~en, ~ar) mus. fingering

fingertopp *s* (~en, ~ar) fingertip

fingertoppskänsla *s* (~n) bildl. instinctive feeling, subtle intuition

fingertuta *s* (~n, -tutor) fingerstall; för tummen thumbstall

fingervante *s* (~n, -vantar) [fabric (woollen)] glove

fingervarm *adj* (~t) lukewarm

fingervisning *s* (~en, ~ar) hint, pointer

fingra *vb itr* (~de, ~t), *~ på* finger; friare vanl.: tanklöst fiddle about with; klåfingrigt tamper (meddle) with

fingranska *vb tr* (~de, ~t) go through (examine)...thoroughly

finhackad *adj* (-hackat, ~e) finely chopped; kok. äv. finely minced

finhet *s* (~en, ~er) finhetsgrad fineness; tunnhet thinness; kvalitet, förfining delicacy, finesse

fininställning *s* (~en, ~ar) fine-tuning; av t.ex. motor trimming, tuning

finish *s* (~en, ~ar) sport. el. tekn. finish

finit *adj* (=) gram. finite

fink *s* (~en, ~ar) zool. finch

finka *s* (~n, finkor) vard., arrest nick, clink, the slammer; [*sätta*] *i ~n* [put] in the nick (clink, the slammer)

finkamma *vb tr* (~de, ~t) bildl. comb [out]

finklädd *adj* (-klätt, ~e) attr. ...who is (was etc.) dressed up; pred. dressed up

finkläder *s pl* Sunday best sg., finery sg.

finklänning *s* (~en, ~ar) party dress

finkornig *adj* (~t) fine-grained; foto. fine-grain

finkultur *s* (~en) high (highbrow) culture

finkänslig *adj* (~t) taktfull tactful, delicate; diskret discreet

finkänslighet *s* (~en) taktfullhet tactfulness, tact, delicacy [of feeling]; diskretion discretion

Finland Finland

finlandssvensk I *adj* (~t) Finland-Swedish, Finno-Swedish **II** *s* (~en, ~ar) Finland-Swede

finlandssvenska *s* **1** (~n, -svenskor) kvinna Finland-Swedish woman **2** (~n) språk Finland-Swedish

finlemmad *adj* (-lemmat, ~e) slender-limbed, small-boned

finlir *s* (~et) sport. polished play, silky skills pl.

finländare *s* (~n, =) Finlander, Finn

finländsk *adj* (~t) Finnish

finländska *s* (~n, -ländskor) kvinna Finnish woman

finmala *vb tr* (-malde, -malt) t.ex. kaffe grind...small; t.ex. kött mince...small

finmalen *adj* (-malet, -malna) om t.ex. kaffe finely ground; om t.ex. kött finely minced

finmaskig *adj* (~t) fine-meshed, small-meshed

finmekaniker *s* (~n, =) tillverkare precision-tool (instrument) maker, fine mechanician

finmekanisk *adj* (~t) fine mechanical; ~ *verkstad* precision-tool workshop, fine-mechanical workshop

finmotorik *s* (~en) fysiol. fine motor ability

finna I *vb tr* (fann, funnit) allm. find; träffa på äv. come upon; oförmodat come across; anse think, consider; *jag finner ingen anledning att* + inf. I see no reason to + inf.; ~ *nöje i* take pleasure in; *jag finner inte ord att uttrycka* I can't find (am at a loss for) words to…; ~ *varandra* bildl. find one another; ~ *för gott* att think fit…, choose…; ~ *på råd* find a way **II** *vb rfl* (fann, funnit) ~ *sig a*) ~ *sig själv* get to know oneself **b**) inte vara rådlös, *han finner sig alltid* he is never at a loss; *han fann sig snart* igen he soon collected his wits **c**) ~ *sig i a*) tåla stand, put up with, tolerate b) foga sig i submit to c) svälja sit down under, pocket; *få ~ sig i* nöja sig med have to be content (to content oneself) with; *det får du* [*allt*] ~ *dig i!* you'll have to put up with it!; ~ *sig i sitt öde* resign oneself (submit) to one's fate **d**) ~ *sig till rätta* se *rätta I 1*

finnas *vb itr dep* (fanns, funnits) vara be; existera exist; stå att finna, påträffas be found; förekomma äv. occur; *det finns* opers. there is (resp. are); *det finns folk som…* there are (you will find) people who…; *finns det…?* har ni…? have you [got]…?; *det bästa kaffe som finns* the best coffee there is (vard. coffee going); ~ *kvar a*) vara över be left **b**) inte vara borttagen (försvunnen) be still there **c**) fortfarande finnas: allm. remain; vara bevarad be extant; *den finns kvar här* …is still here; *ordet finns med* …is included; ~ *till* exist, be in existence

1 finne *s* (~n, finnar) person Finn

2 finne *s* (~n, finnar) kvissla pimple

finnig *adj* (~t) pimply

finputsa *vb tr* (~de, ~t) give an extra (a high) polish to; bildl. put the finishing touch to

finputsning *s* (~en, ~ar) extra (high) polish; bildl. finishing touch

finrum *s* (~met, =) best room

finsk *adj* (~t) Finnish

finska *s* (jfr svenska) **1** (~n, finskor) kvinna Finnish woman **2** (~n) språk Finnish

finskfödd *adj* (-fött) Finnish-born; för andra sammansättn. jfr *svensk-*

finskspråkig *adj* (~t) **1** se *finsktalande*; ~ *författare* …writing (who writes) in Finnish **2** om t.ex. litteratur Finnish, …in Finnish; ~ *tidning* Finnish-language newspaper **3** där finska talas, attr. …where Finnish is spoken

finsktalande *adj* (oböjl.) Finnish-speaking; *vara* ~ speak Finnish

finsk-ugrisk *adj* (~t) språkv. Finno-Ugric, Finno-Ugrian

finskuren *adj* (-skuret, -skurna) fine-cut, finely cut; bildl. äv. finely-chiselled…; ~ *tobak* fine-cut tobacco

finslipa *vb tr* (~de, ~t) blankslipa polish…smooth; bildl. put (give) the finishing touch[es] to, hone

finsmakare *s* (~n, =) epicure, gourmet; kännare connoisseur [*på* of]

finsnickare *s* (~n, =) cabinet-maker

finstilt *adj* (=), *det ~a* the small print

1 fint *s* (~en, ~er) **1** sport. feint, sidestep **2** bildl. trick, dodge

2 fint *adv* finely osv., jfr *fin*; smått äv. small; bra vanl. [very] well, fine

finta *vb itr* o. *vb tr* (~de, ~t) **1** sport. feint; ~ *bort ngn* sell sb the dummy **2** bildl. dodge the issue, shuffle

fintrådig *adj* (~t) fine-threaded; finfibrig fine-fibred; om metall fine-wired

fintvätt *s* (~en) tvättande [the] washing of delicate fabrics; tvättgods delicate fabrics pl.; ~ [*rekommenderas*] äv. wash as delicate fabric[s]

finurlig *adj* (~t) sinnrik clever, ingenious; fiffig, knepig smart, shrewd, cute

fiol *s* (~en, ~er) violin; *spela* ~ play the violin; *spela första* (*andra*) ~*en* bildl. play first (second) fiddle; *stå för ~erna* bildl. pay the piper

fiolhals *s* (~en, ~ar) neck of a (resp. the) violin

fiollåda *s* (~n, -lådor) fodral violin case

fiolstråke *s* (~n, -stråkar) [violin] bow

1 fira *vb tr* o. *vb itr* (~de, ~t), ~ [*på*] sjö. ease off, slack[en]; ~ [*ned*] let down, lower

2 fira I *vb tr* (~de, ~t) högtidlighålla celebrate; ihågkomma, t.ex. födelsedag, äv. keep; hålla hold; hylla fête; ~ *minnet av* commemorate; *vi ~de honom* [*på hans födelsedag*] we celebrated his birthday; *en ~d skönhet* a celebrated beauty; *vi ~de av Bo* när han slutade i företaget we had a farewell party for Bo… **II** *vb itr* (~de, ~t) skolka skive off

firande *s* (~t, ~n) celebrating osv., jfr *2 fira*

firma *s* (~n, firmor) firm; företag äv. [commercial] business; ~*namn* vanl. style; *teckna* ~ sign for the company

firmabil *s* (~en, ~ar) company car

firmafest *s* (~en, ~er) office (staff) party, party for the employees

firmamärke *s* (~t, ~n) trademark

firmateckning *s* (~en, ~ar) signing for a (resp. the) company

fis *s* (~en, ~ar) vard. fart

fisa *vb itr* (fes, fisit) vard. fart, let off

fisförnäm *adj* (~t) snooty, stuck-up

fisk *s* (~en, ~ar) **1** fish (pl. fish el. fishes); koll. fish (sg. el. pl.); *det var gott om* ~ på torget there was plenty of fish…; i sjön there were plenty of fish…; *få mycket* ~ get lots of fish; *har du fått någon ~?* have you got any fish; vi fick *tre små ~ar* …three little fishes; *en ful* ~ bildl. an ugly customer; *vara som en* ~ *i vattnet* be in one's element; *få sina ~ar varma* bildl. get a reprimand, be ticked (told) off **2** astrol., *Fiskarna* Pisces; *han är* ~ he is [a] Pisces

fiska *vb tr* o. *vb itr* (~de, ~t) fish; *ge sig ut* (*vara ute*) *och* ~ go [out] (be out) fishing; ~ *forell* fish [for] trout; ~ *efter* bildl. angle (fish) for; ~ *upp* fish up; hala fram fish out; få tag i fish (pick) up; ~ *ut* en sjö deplete…of fish

fiskaffär *s* (~en, ~er) fishmonger's [shop]; amer. fish market

fiskare *s* (~n, =) fisherman; metare äv. angler

fiskargubbe *s* (~n, -gubbar) old fisherman

fiskben *s* (~et, =) **1** av fisk fishbone **2** av val whalebone

fiskbensmönster *s* (-mönstret, =) herringbone pattern

fiskblåsa *s* (~n, -blåsor) zool. [fish] sound, air bladder [of a (resp. the) fish]

fiskbuljong s (~en, ~er) fish stock

fiskbulle s (~n, -bullar) fishball, fish quenelle

fiskdamm s (~en, ~ar) **1** eg. fishpond **2** på basar el. nöjesfält, ung. lucky dip; amer. grab bag

fiskdöd s (~en) death of fish [by pollution]

fiske s (~t, ~n) fishing [av of]; fiskeri, fiskerätt fishery; som näringsgren fisheries pl.; **allt ~ förbjudet!** fishing strictly prohibited!; **bedriva ~** fish; **vara ute på ~** be out fishing

fiskebank s (~en, ~ar) fishing-ground, fishing-bank

fiskebåt s (~en, ~ar) fishing-boat

fiskefartyg s (~et, =) fishing-vessel

fiskeflotta s (~n, -flottor) fishing-fleet

fiskegräns s (~en, ~er) fishing-limits pl., limit of the fishing zone

fiskehamn s (~en, ~ar) fishing port, fishing harbour (amer. harbor)

fiskekort s (~et, =) fishing licence (permit)

fiskelycka s (~n), **ha god ~** have good luck in one's fishing

fiskeläge s (~t, ~n) fishing village (hamlet)

fiskeredskap s pl fishing tackle (equipment, gear)

fiskerinäring s (~en) fishing industry

fiskeristadga s (~n) fisheries act

fiskerätt s (~en) fishing right[s pl.], right of fishing

fisketur s (~en, ~er) fishing trip (expedition); semester fishing holiday

fiskevatten s (-vattnet, =) fishing-grounds pl., fishing-waters pl.

fiskezon s (~en, ~er) fishing zone

fiskfilé s (~n, ~er) fillet of fish

fiskfjäll s (~et, =) fish-scale

fiskfärs s (~en, ~er) fish mousse (forcemeat)

fiskgjuse s (~n, -gjusar) zool. osprey, fish hawk

fiskgratäng s (~en, ~er) fish au gratin

fiskhandlare s (~n, =) i minut fishmonger; amer. fish dealer

fiskhåv s (~en, ~ar) landing net, bag net

fiskleverolja s (~n) cod-liver oil

fiskmjöl s (~et) fishmeal

fiskmås s (~en, ~ar) [common] gull

fisknät s (~et, =) fishing-net

fiskodling s (~en) abstr. fish culture, pisciculture, fish breeding

fiskpinne s (~n, -pinnar) kok. fish finger (speciellt amer. stick)

fiskrom s (~men) [hard] roe, spawn

fiskrätt s (~en, ~er) fish course (dish)

fisksoppa s (~n, -soppor) fish soup

fisksort s (~en, ~er) kind (species, sort) of fish

fiskstim s (~met, =) shoal of fish

fiskstjärt s (~en, ~ar) fishtail

fisktärna s (~n, -tärnor) zool. common tern

fiskyngel s (-ynglet, =) koll. fry pl.

fiss s (~et, =) mus. F sharp

Fiss-dur s (oböjl.) mus. F sharp major

fission s (~en, ~er) fys. [nuclear] fission

fiss-moll s (oböjl.) mus. F sharp minor

fistel s (~n, fistlar) med. fistula

fitta s (~n, fittor) vulg. cunt

fix adj (~t) **1** fixed; **~ idé** fixed idea, idée fixe fr.; friare monomania **2 ~ och färdig** all ready

fixa vb tr (~de, ~t) vard. fix, arrange; **~ skaffa ngt åt ngn** fix sb up with sth; **det ~r sig** it will be all right; **~ till sig** smarten oneself up

fixare s (~n, =) vard. fixer

fixera vb tr (~de, ~t) fix äv. foto.; skarpt betrakta äv. look fixedly (stare hard) at; **~ sig på** psykol. have a fixation on

fixerad adj (fixerat, ~e) fixed; psykol. fixated

fixering s (~en, ~ar) psykol., med. el. med blick fixation; foto. el. konst. fixing

fixeringsbild s (~en, ~er) puzzle picture

fixeringsmedel s (-medlet, =) fixative; foto. fixer

fixersalt s (~et, ~er) foto. fixing-salt, hypo

fixpunkt s (~en, ~er) lantmät. fixed point, benchmark

fixstjärna s (~n, -stjärnor) fixed star

fjant s **1** (~et) fjantande fussing **2** (~en, ~ar) fjantig person busybody

fjanta I vb itr (~de, ~t), **~ för ngn** suck up to sb, butter sb up, fawn on sb; **~ omkring** fuss (be fussing) about; vard. faff about **II** vb rfl (~de, ~t), **~ sig** be silly, play the fool

fjantig adj (~t) löjlig, fånig foolish, silly

fjantighet s (~en) egenskap: fånighet foolishness, silliness

fjol s (oböjl.), **i ~** last year; modeller **från i ~** ...of last year, last year's...

fjolla s (~n, fjollor) **1** kvinna silly young thing **2** neds., feminin homosexuell man queen

fjollig adj (~t) **1** om kvinna foolish, silly **2** neds., om feminin homosexuell man feminine, effeminate

fjompig adj (~t) vard. silly, wet

fjord s (~en, ~ar) i Norge fiord, fjord; i Skottl. firth

fjorton räkn fourteen; **~ dagar** vanl. a fortnight; amer. äv. two weeks; **~ dagars** ledighet a fortnight's...; **med ~ dagars mellanrum** at fortnightly intervals; jfr fem o. femton med sammanssättn.

fjortonde räkn fourteenth; **var ~ dag** every (once a) fortnight; jfr femte

fjortonhundratalet s (best. sing.) the fifteenth century, jfr femtonhundratalet

fjun s (~et, =) koll. down, fluff (båda endast sg.)

fjunig adj (~t) downy, fluffy

fjuttig adj (~t) vard. measly, paltry, tiny, se äv. futtig

fjäder s (~n, fjädrar) **1** fågel~ feather; prydnads~ plume; koll. feathers pl.; **en ~ i hatten** bildl. a feather in one's cap; **lätt som en ~** [as] light as a feather (as air) **2** tekn. spring

fjäderboll s (~en, ~ar) sport. shuttlecock

fjäderbuske s (~n, -buskar) plume

fjäderdräkt s (~en, ~er) plumage

fjäderfä s (~et, ~n) koll. poultry; **ett ~** a fowl

fjäderlätt adj (=) ...[as] light as a feather, feathery

fjädermoln s (~et, =) cirrus (pl. cirri), cirrus cloud

fjäderpenna s (~n, -pennor) quill

fjädervikt s (~en) boxn. featherweight

fjäderviktare s (~n, =) boxn. featherweight

fjädervåg s (~en, ~ar) spring balance

fjädra I vb itr (~de, ~t) vara elastisk be elastic (springy, resilient) **II** vb rfl (~de, ~t), **~ sig** kråma sig strut, swagger; göra sig till show off [för to]

fjädrande adj (oböjl.) springy äv. om t.ex. gång, elastic, resilient

fjädring s (~en, ~ar) spring system, springing, springs pl.; bil~ suspension; elasticitet elasticity, resilience

1 fjäll s (~et, =) mountain; i Skandinavien äv. fjeld; hög~ alp, high mountain; åka **till ~en** ...to (up into) the mountains; för sammansättn. jfr bergs-

2 fjäll s (~et, =) zool. o.d. scale

fjälla I vb tr (~de, ~t) fisk scale **II** vb itr (~de, ~t) peel; med., om person desquamate; **jag ~r** av solbränna my skin is peeling

fjällandskap s (~et, =) mountain (alpine) scenery, alpland

fjällbjörk s (~en, ~ar) mountain birch

fjällbäck s (~en, ~ar) mountain stream

fjällhotell s (~et, =) mountain hotel

fjällig adj (~t) scaly, scaled; **du är ~ på näsan** your skin is peeling off your nose

fjällripa s (~n, -ripor) zool. ptarmigan

fjällräddning s (~en) o. **fjällräddningstjänst** s (~en) mountain rescue service

fjällräv s (~en, ~ar) arctic fox

fjällsippa s (~n, -sippor) bot. mountain avens

fjällskivling s (~en, ~ar) bot., **stolt ~** parasol mushroom

fjällstuga s (~n, -stugor) mountain lodge

fjälltopp s (~en, ~ar) mountain top, peak, summit

fjälluggla s (~n, -ugglor) snowy owl

fjällvan adj (~t), **vara ~** be used to (familiar with) [the] mountains

fjällvandra vb tr o. vb itr (~de, ~t) go mountain hiking

fjällvandring s (~en, ~ar) mountain hike

fjällvråk s (~en, ~ar) zool. rough-legged buzzard (amer. hawk)

fjällvärlden s (best. sing.) the mountain (alpine) world

fjällämmel s (~n, fjällämlar) zool. lemming

fjärd s (~en, ~ar) ung. bay

fjärde räkn fourth; **vara ~ man** kortsp. make a fourth; jfr femte med sammansättn.

fjärdedel s (~en, ~ar) quarter, fourth [part]; **tre ~ar** three quarters (fourths)

fjärdedelsnot s (~en, ~er) mus. crotchet; amer. quarter note

fjärdedelspaus s (~en, ~er) mus. crotchet (amer. quarter-note) rest

fjäril s (~en, ~ar) butterfly; natt~ moth; **ha ~ar i magen** bildl. have butterflies in one's stomach

fjärilshåv s (~en, ~ar) butterfly-net

fjärilsim s (~met) butterfly [stroke]; **simma ~** do the butterfly stroke

fjärilskotlett s (~en, ~er) kok. butterfly cutlet

fjärilslarv s (~en, ~er) caterpillar

fjärma I vb tr (~de, ~t), **~ från** bildl. estrange (alienate) from **II** vb rfl (~de, ~t), **~ sig från** retreat (bildl. become alienated) from

fjärran I adj (oböjl.) distant, remote, far-off, far-away; **~ länder** distant (far-off) countries (lands); **Fjärran Östern** the Far East **II** adv far [away (off)]; **när och ~** far and near **III** s (oböjl.) distance; **i ~** in the distance

fjärrkontroll s (~en, ~er) remote [control]; vard. zapper

fjärrskådare s (~n, =) clairvoyant

fjärrstyrd adj (-styrt) remote-controlled; **~ robot** guided missile

fjärrstyrning s (~en, ~ar) remote control, telecontrol

fjärrtrafik s (~en) long-distance traffic

fjärrtåg s (~et, =) long-distance train

fjärrvärme s (~n) district heating

fjärrvärmeverk s (~et, =) district heating [power] plant

fjärt s (~en, ~ar) vard. fart

fjärta vb itr (~de, ~t) vard. fart, let off

fjäsk s (~et) kryperi fawning [för on]

fjäska vb itr (~de, ~t), **~ för ngn** fawn on sb, suck up to sb, chat sb up

fjäskig adj (~t) krypande fawning; överdrivet artig officious, fussy

fjättra vb tr (~de, ~t) fetter, shackle; chain [vid to]; **~d till händer och fötter** bound hand and foot; **~d vid sängen** bedridden, confined to bed

f-klav s (~en, ~er) mus. F clef

f.Kr. förk., se före Kristus under Kristus

flabb s (~et, =) vard., skratt guffaw, cackle

flabba vb itr (~de, ~t) vard. guffaw, cackle [åt at]

flack adj (~t) **1** eg. flat **2** bildl.: grund shallow; ytlig superficial

flacka vb itr (~de, ~t) rove; **~ och fara** be on the move; **~ omkring [i]** roam (wander, vard. knock) about

flackande I s (~t) wanderings pl. **II** adj (oböjl.), **en ~ blick** a shifting gaze, shifty eyes pl.

fladder s (fladdret) flutter

fladdermus s (~en, -möss) bat

fladdra vb itr (~de, ~t) flutter äv. bildl.; flaxa, flyga äv. flit; om låga äv. flicker

fladdrig adj (~t) **1** löst hängande flapping **2** bildl. flighty, volatile

flaga I s (~n, flagor) flake; avlagring el. hudflaga scale **II** vb itr (~de, ~t) flake [off], scale (peel) off

flagg s (~en) flag; ibland colours pl.; **segla under svensk (brittisk) ~** sail under the Swedish (British) flag; **segla under falsk ~** bildl. sail under false colours

flagga I s (~n, flaggor) **1** flag; som nationalitetssymbol äv. ensign; **flaggor** koll. äv. bunting sg.; **vit ~** white flag; flag of truce **2** data. flag; **utsättande av ~** flagging **3** mus., på notskaft tail **II** vb itr (~de, ~t) fly (display) a flag (resp. flags), put out flags; sjö. fly the colours; **~ på halv stång** fly the flag at half-mast; **det ~s för...** the flags are out in honour of...; **~ med** visa upp, t.ex. sina kunskaper show off, make a show of

flaggdag s (~en, ~ar), **allmän ~** official flag-flying day, day on which the national flag should be flown

flagglina s (~n, -linor) flag halyard

flaggskepp s (~et, =) flagship äv. bildl.

flaggspel s (~et, =) **1** flaggor, ung. [row of] bunting **2** sjö., flaggstång flagstaff

flaggstång s (~en, -stänger) flagstaff, flagpole

flagig adj (~t) flaky, scaly

flagna vb itr (~de, ~t) flake [off], scale (peel) off

flagrant adj (=) flagrant; friare obvious

flak s (~et, =) **1** is~ floe **2** last~ loading platform (body)

flakvagn s (~en, ~ar) open-sided waggon

flambera vb tr (~de, ~t) flambé[e], serve...flambé[e]

flamenco s (~n) dans, sång el. musik flamenco

flamingo s (~n, ~r) zool. flamingo (pl. -s el. -es)

flamländare s (~n, =) Fleming

flamländsk adj (~t) Flemish

flamländska s **1** (~n, -ländskor) kvinna Flemish woman **2** (~n) dialekt Flemish

flamma I s (~n, flammor) flame äv. om kvinna **II** vb itr (~de, ~t) blaze; bildl. äv. flame; **~ till (upp)** blaze (flare, flame) up äv. bildl.

flammig adj (~t) [röd]fläckig blotchy; om färg patchy

flams s (~et) ung. silly behaviour, silliness; fnitter silly giggles pl.

flamsa vb itr (~de, ~t) fool (monkey) about

flamsig adj (~t) silly; fnittrig giggly

flamsk adj (~t) Flemish

flamsäker adj (~t, -säkra) flameproof

Flandern Flanders

flandrisk adj (~t) Flemish

flanell s (~en, ~er) flannel; bomulls~ äv. flannelette

flanera vb itr (~de, ~t), **vara ute och ~** be out for a stroll

flank s (~en, ~er) flank äv. mil.

flankera vb tr (~de, ~t) flank; mil., beskjuta från sidan äv. enfilade

flanör s (~en, ~er) stroller, flaneur

flarn s (~et, =) kok. thin biscuit (amer. cookie)

flaska s (~n, flaskor) **1** bottle; apoteks~ äv. phial; napp~ [feeding] bottle; med olja el. vinäger, till bordsställ cruet; t.ex. bastomspunnen flask; **en ~ vin** a bottle of…; **han sa inte ~** vard. he didn't say a thing (a word); **öl på ~** bottled beer; **ta till ~n** vard. hit the bottle **2** av metall can

flaskautomat s (~en, ~er) för returflaskor reverse vending machine

flaskbarn s (~et, =) bottle[-fed] baby

flaskborste s (~n, -borstar) bottle brush

flaskhals s (~en, ~ar) trafik. o. bildl. bottleneck

flaskmata vb tr (~de, ~t) bottle-feed

flaskpost s (~en) message in a bottle

flaskställ s (~et, =) bottle-holder

flasköppnare s (~n, =) bottle-opener

flat adj (neutrum undviks) **1** eg. flat; inte djup shallow; ~ **tallrik** flat (ordinary) plate **2** bildl.: **a)** häpen taken aback, flabbergasted; förlägen abashed **b)** eftergiven weak; indulgent [mot towards]

flata s (~n, flator) **1** flat side **2** se handflata **3** vard., lesbisk kvinna lezzy, dyke

flatbottnad adj (-bottnat, ~e) flat-bottomed

flathet s (~en) eftergivenhet weakness, indulgence; slapphet softness

flatlus s (~en, -löss) zool. crab louse

flatskratt s (~et, =) guffaw, horse laugh

flavonoider s pl flavonoids

flax s (~en) vard. luck; **ha ~** be lucky

flaxa vb itr (~de, ~t) flutter; om t.ex. flagga flap; ~ **med armarna** wave (flap) one's arms; fågeln **~de med vingarna** …flapped (fluttered) its wings; ~ **omkring [i]** flutter about äv. om person

flaxig adj (~t) ombytlig flighty

fleece s (~n) tyg fleece

flegmatisk adj (~t) phlegmatic

fler adj (komp.) talrikare more; **är vi inte ~?** aren't there any more of us?; **de är ~ än vi** there are more of them than us, they are more numerous than we are; ~ [**människor**] än vanligt more people…

flera pron åtskilliga several; ~ [**olika**] various, different; **vid ~ tillfällen** äv. on more than one occasion; **på ~s begäran** at the request of several people

flerbarnsfamilj s (~en, ~er) large family, family with more than one child

flerbarnstillägg s (~et, =) supplementary child allowance [from the third child on]

flerdubbel adj (~t, -dubbla) multiple, manifold;

betala **flerdubbla** beloppet pay several times the amount

flerdubbla vb tr (~de, ~t) multiply

flerfaldig adj (~t), **~a** pl. many, numerous; **~a gånger** many times [over], time and again; **han är ~ mästare** he has been a (the) champion many times over

flerfamiljhus s (~et, =) block of flats; amer. apartment block

flerfärgad adj (-färgat, ~e) multicoloured, …in several colours

flerfärgstryck s (~et, =) tryckmetod multicolour (process) printing; trycksak multicolour print

fleromättad adj (-mättat, ~e) polyunsaturated; **fleromättat fett** koll. polyunsaturated fats pl.; ~ **fettsyra** polyunsaturate, polyunsaturated fatty acid

flersidig adj (~t) geom. polygonal

flersiffrig adj (~t), **~t tal** …running into several figures

flerspråkig adj (~t) polyglot…, multilingual…; **han är ~** he speaks several languages, he is a polyglot

flerstavig adj (~t) polysyllabic; **~t ord** äv. polysyllable

flerstegsraket s (~en, ~er) multistage rocket

flerstämmig adj (~t) mus. polyphonic, concerted; ~ **sång** sjungande part-singing; sångstycke part-song

flertal s (~et) **1** ~**et** majoriteten the majority; ~**et** [**människor**] most (the generality of) people; **det stora ~et** the great (vast) majority; **i ~et fall** in most (the majority of) cases **2 ett ~** flera… [quite] a number of…, several… **3** gram. plural; jfr plural

flervåningshus s (~et, =) multistorey (amer. multistory) building

flerårig adj (~t) several years'… osv., jfr mångårig; bot. perennial

flesta adj (superlativ), **de ~** a) fören. most b) fristående: flertalet the majority; av alla människor äv. most (the majority of) people; av förut nämnda personer el. saker most of them; **de ~ pojkar** most boys; **de ~ [av] pojkarna** most of the boys; **den som gör de ~ felen** (**flest fel**) …[the] most mistakes

flexa vb itr (~de, ~t) vard. be on (tillämpa apply) flexitime

flexibel adj (~t, flexibla) flexible; ~ **arbetstid** flexible working hours

flexibilitet s (~en) flexibility

flextid s (~en, ~er) flexitime, amer. äv. flextime

flicka s (~n, flickor) girl; flickvän äv. girlfriend; [**redan**] **som ~** even as a girl, in her (my) girlhood

flickaktig adj (~t) girlish

flickbok s (~en, -böcker), **en ~** a book for girls

flickcykel s (~n, -cyklar) girl's bicycle (vard. bike)

flickebarn s (~et, =) baby girl; om ung flicka young girl; mera skämts. young (little) lady

flickjägare s (~n, =) womanizer, skirt-chaser

flicknamn s (~et, =) girl's name; efternamn som ogift maiden name

flickscout s (~en, ~er) guide; amer. girl scout

flickskola s (~n, -skolor) girls' school

flicksnärta s (~n, -snärtor) young thing; **hon är bara en ~** …a slip of a girl

flicktycke s (~t), **ha ~** be popular with the girls

flickunge s (~n, -ungar) little girl

flickvän s (~nen, ~ner) girlfriend

flik s (~en, ~ar) t.ex. på kuvert flap; data. tab; hörn av plagg corner; lösryckt bit patch, shred; bot. lobe

flikig *adj* (~t) bot. lobate, laciniate[d]
flimmer *s* (flimret) flicker; hjärt~ fibrillation
flimmerhår *s pl* anat., zool. el. bot. cilia
flimra *vb itr* (~de, ~t) flicker, shimmer; *det ~r för ögonen* [*på mig*] everything is swimming before my eyes
flin *s* (~et, =) grin; hånleende sneer; skratt snigger, cackle
flina *vb itr* (~de, ~t) grin; hånle sneer [*åt* i samtliga fall at]
flinga *s* (~n, flingor) flake; *flingor* frukostflingor [breakfast] cereals
flink *adj* (~t), ~ [*av sig*] quick; *vara ~ i fingrarna* have deft fingers
flint *s* (~en), *han har början till ~* he is balding (beginning to go bald)
flinta *s* (~n, flintor) flint
flintglas *s* (~et) flintglass
flintporslin *s* (~et) koll. flint-clay china (porcelain)
flintskalle *s* (~n, -skallar) bald head
flintskallig *adj* (~t) bald, baldheaded; *vara ~* have a bald head, be bald
flintyxa *s* (~n, -yxor) flint axe
flippa *vb itr* (~de, ~t) vard., ~ *ur* (*ut*) flip [out]
flipperspel *s* (~et, =) pinball
flirt *s* (~en), osv., se *flört* osv.
flisa I *s* (~n, flisor) skärva, spån chip; splittra, sticka splinter; tunn bit flake **II** *vb tr* (~de, ~t), ~ *sönder* splinter **III** *vb rfl* (~de, ~t), ~ *sig* splinter
flit *s* (~en) **1** diligence; arbetsamhet industry; ihärdighet assiduity **2** *med ~* avsiktligt on purpose, purposely; överlagt deliberately; med vilja wilfully
flitig *adj* (~t) diligent; arbetsam industrious, hard-working; ihärdig sedulous, assiduous; om t.ex. biobesökare regular, habitual; verksam busy; ofta upprepad frequent; *~a Lisa* bot. busy Lizzie, sultan's balsam
floasit *s* (~en, ~er) geol. floatium
flock *s* (~en, ~ar) **1** allm. flock; av flygande fåglar äv. flight; av rapphöns covey; av vargar o.d. pack; av lejon pride; av lärkor, vaktlar, rådjur bevy [alla med of framför följande ord]; jfr *skara* o. *skock*; *gå i ~* bildl. follow the herd; vargar jagar *i ~* ...in packs **2** bot. umbel
flocka *vb rfl* (~de, ~t), ~ *sig* flock [together] [*kring* round]
flockas *vb itr dep* (flockades, flockats) se *flocka sig* under *flocka*
flockblommig *adj* (~t) bot. umbelliferous
flockdjur *s* (~et, =) gregarious (herd) animal
flod *s* (~en, ~er) **1** river; bildl. flood, torrent; staden ligger *vid ~en Avon* ...on the river Avon **2** högvatten high (rising) tide, flood [tide]; *det är ~* the tide is in; *vid ~* at high tide (water)
flodbädd *s* (~en, ~ar) riverbed
flodhäst *s* (~en, ~ar) hippopotam|us (pl. -uses el. -i); vard. hippo
flodkräfta *s* (~n, -kräftor) zool. crayfish
flodmynning *s* (~en, ~ar) mouth of a (resp. the) river; bred, påverkad av tidvattnet estuary
flodområde *s* (~t, ~n) [river] basin
flodstrand *s* (~en, -stränder) riverbank, riverside
flodvåg *s* (~en, ~or) tidal wave; bildl. äv. flood; tidvattensvåg äv. tide wave; i flodmynning [tidal] bore; störtflod äv. seismic sea wave
flop *s* (~en, ~ar) o. **flopp** *s* (~en, ~ar) vard., fiasko flop

1 flor *s* (~et, =) tyg gauze; slöja veil
2 flor *s* (oböjl., ett), *stå i* [*sitt*] ~ blomma be in bloom; blomstra be flourishing
flora *s* (~n, floror) flora äv. bok; *en rik ~* mångfald *av...* a great variety of...
Florens Florence
florentinsk *adj* (~t) Florentine
florera *vb itr* (~de, ~t) grassera be prevalent (rife, rampant), prevail; blomstra flourish; *rykten har börjat ~* rumours are circulating
florettfäktning *s* (~en, ~ar) sport. foil fencing
florsocker *s* (-sockret) icing sugar; amer. confectioners' (powdered) sugar
florstunn *adj* (-tunt) filmy
floskler *s pl* tomt prat empty (high-sounding, highflown) phrases, empty rhetoric sg., flummery sg.
flossamatta *s* (~n, -mattor) pile rug (carpet)
1 flott I *adj* (=) stilig smart, stylish; vard. posh; påkostad luxurious; frikostig generous; överdådig extravagant, lavish; *en ~* [*are*] middag a grand (vard. slap-up)... **II** *adv* smartly, luxuriously osv., jfr *1 flott I*; *leva ~* live in great style
2 flott *s* (~et) grease; stek~ dripping; ister lard; fett fat
1 flotta *s* (~n, flottor) **1** ett lands samtliga örlogs- o. handelsfartyg marine (endast sg.) **2** sjövapen navy **3** samling fartyg, flygplan fleet
2 flotta *vb tr* (~de, ~t), ~ *ned* med flott make...greasy
3 flotta *vb tr* (~de, ~t) t.ex timmer float, drive; med flotte raft
flottare *s* (~n, =) floater, [log-]driver; på flotte rafter, raftsman
flottbas *s* (~en, ~er) naval base
flottbro *s* (~n, ~ar) floating bridge, raft-bridge
flotte *s* (~n, flottar) raft
flottfläck *s* (~en, ~ar) grease spot; *få en ~ på...* get a spot of grease on...
flottig *adj* (~t) greasy
flottilj *s* (~en, ~er) sjö. flotilla; flyg. wing
flottist *s* (~en, ~er) seaman
flottning *s* (~en, ~ar) floating, driving; av flotte rafting
flottyr *s* (~en, ~er) deep[-frying] fat
flottyrkoka *vb tr* (~de, ~t) deep-fry, fry (cook)...in deep fat
flottör *s* (~en, ~er) float äv. flyg.
flox *s* (~en) bot. phlox
fluffig *adj* (~t) fluffy
fluga *s* (~n, flugor) **1** fly; fiske. äv. artificial fly; *en ~ gör ingen sommar* one swallow does not make a summer; *slå två flugor i en smäll* kill two birds with one stone **2** kravatt bow tie **3** modenyck craze, fad
flugfiske *s* (~t) fly-fishing
flugfångare *s* (~n, =) flycatcher äv. bot., flytrap
fluglarv *s* (~en, ~er) fly-maggot
flugsmuts *s* (~en) fly-specks pl., fly-spots pl.
flugsmälla *s* (~n, -smällor) [fly] swatter, fly-flap
flugsnappare *s* (~n, =) zool., grå (*svartvit*) ~ spotted (pied) flycatcher
flugsvamp *s* (~en, ~ar), röd ~ fly agaric; vit ~ destroying angel
flugvikt *s* (~en) o. **flugviktare** *s* (~en) sport. flyweight
fluktuation *s* (~en, ~er) fluctuation
fluktuera *vb itr* (~de, ~t) fluctuate, vary
flummig *adj* (~t) suddig, virrig muddled, fuzzy, muzzy; svamlig woolly, wishy-washy; narkotikapåverkad high

flundra *s* (~n, flundror) flatfish; skrubb~ flounder

fluor *s* (~en el. ~et) kem., grundämne fluorine; *tandkräm med* ~ toothpaste with fluoride

fluorescerande *adj* (oböjl.) kem. fluorescent

fluoridering *s* (~en) kem. fluoridation, fluorination

fluorsköljning *s* (~en, ~ar) fluoride rinse

fluortandkräm *s* (~en, ~er) fluoride toothpaste

fluster *s* (flustret, =) i bikupa hive entrance; bräde alighting-board

1 fly *adv*, ~ *förbannad* absolutely (damned) furious, raging mad

2 fly I *vb itr* (~dde, ~tt) **1** ge sig på flykt fly, flee ('flydde', 'flytt' vanl. endast fled) [*för* before; *från* from]; ta till flykten run away, take [to] flight; skynda undan äv. run; undkomma escape; *bättre* ~ *än illa fäkta* he who fights and runs away lives to fight another day; ~ [*ur*] *landet* flee the country; ~ [*bort*] *från ngt* flee sth; ~ *för livet* (*sitt liv*) run for one's life; ~ *undan rättvisan* flee from justice **2** försvinna vanish, disappear; *flydda tider* bygone days **II** *vb tr* (~dde, ~tt) avoid, shun, eschew

flyende I *adj* (oböjl.) **1** på flykt fleeing, fugitive... **2** indragen, ~ *haka* (*panna*) sloping chin (forehead) **II** *s* (en ~, pl. =), *de* ~ the fugitives

flyg *s* (~et, =) **1** flygväsen aviation, flying; avgång flight **2** flygplan plane; koll. planes pl.; *med* ~ by air; *ta* ~*et till...* take the plane to... **3** flygvapen air force

flyga I *vb itr* (flög, flugit) fly; med flygplan äv. travel (go) by air; fladdra, om t.ex. insekt, äv. flit; rusa, störta äv. rush, dash, dart; *jag tycker inte om att* ~ I don't like flying (air travel, going by air); ~ *i luften* explodera blow up, explode; tiden *flög i väg* ...flew; ~ *på London* om flygbolag run services to London; ~ *över Atlanten* fly [across] the Atlantic **II** *vb tr* (flög, flugit) fly; ~ *helikopter* fly a helicopter **III** med beton. part.

flyga emot... stöta emot fly [up] against..., crash into...while flying; till mötes fly to meet...

flyga i se *fara i* under *2 fara II*

flyga in itr. fly in; ~ *in mot* approach

flyga omkring fly (flit, rush, dash) about (around); virvla äv. whirl round

flyga på rusa på [let] fly at, attack, set upon

flyga upp fly up; rusa upp start (spring) up; öppnas fly open

flyga ut fly out [*ur* of]; *ungarna har flugit ut* [*ur boet*] the young birds have left their nest[s]; om barn the kids have left home

flyga över ett område fly over...

flygande *adj* (oböjl.) i olika betydelser flying; *i* ~ *fläng* in a terrific hurry, in double quick time; ~ *inspektion* flying inspection; ~ *mara* brottn. flying mare; ~ *reporter* roving reporter; ~ *start* flying start; ~ *tefat* flying saucer; *komma* ~ come flying

flyganfall *s* (~et, =) air raid

flygare *s* (~n, =) aviator; pilot pilot; speciellt mil. airman, kvinnl. airwoman

flygbas *s* (~en, ~er) air base

flygbiljett *s* (~en, ~er) air (airline) ticket; *hur mycket kostar en* ~ *till New York?* äv. how much is the air fare to New York?

flygblad *s* (~et, =) leaflet

flygbolag *s* (~et, =) airline, airway, airline company

flygbränsle *s* (~t, ~n) aviation fuel

flygbuller *s* (-bullret) aircraft noise

flygbuss *s* (~en, ~ar) buss till flygplatsen airport bus (coach)

flygbåt *s* (~en, ~ar) sjöflygplan seaplane; bärplansbåt hydrofoil [boat]

flygcertifikat *s* (~et, =) pilot's certificate (licence)

flygdivision *s* (~en, ~er) squadron

flygel *s* (~n, flyglar) **1** mus. grand [piano] **2** byggnad [detached] wing **3** polit., mil. el. sport. wing **4** på bil wing; amer. fender

flygfisk *s* (~en, ~ar) flying fish

flygflottilj *s* (~en, ~er) wing

flygfoto *s* (~t, ~n) bild aerial (air) photograph

flygfrakt *s* (~en, ~er) air-freight

flygfä *s* (~et, ~er) winged insect

flygfält *s* (~et, =) airfield

flygfärdig *adj* (~t) om fågel [fully] fledged; *inte* ~ unfledged

flygförbindelse *s* (~n, ~r) plane (air) connection; flygtrafik air service

flygförbud *s* (~et, =) över ett område ban on flying; för flyg el. pilot grounding order; *ha* ~ be grounded; *utfärda* ~ *för* ground

flyghaveri *s* (~et, ~er) aircraft crash

flyghavre *s* (~n) wild oats (vanl. pl.)

flygkapare *s* (~n, =) se *flygplanskapare*

flygkapning *s* (~en, ~ar) se *flygplanskapning*

flygkapten *s* (~en, ~er) captain [of an (resp. the) aircraft (airliner)], pilot

flygkropp *s* (~en, ~ar) fuselage

flyglarm *s* (~et, =) air-raid warning (alarm), alert

flygledare *s* (~n, =) air-traffic controller (control officer)

flygledartorn *s* (~et, =) control tower

flyglinje *s* (~n, ~r) airline, airway

flygmekaniker *s* (~n, =) air (aircraft) mechanic, aeromechanic

flygmyra *s* (~n, -myror) winged ant

flygning *s* (~en, ~ar) **1** flygande flying; flygverksamhet äv. aviation **2** flygfärd flight

flygolycka *s* (~n, -olyckor) plane crash, air crash

flygpassagerare *s* (~n, =) air passenger

flygpersonal *s* (~en) air personnel

flygplan *s* (~et, =) plane; aeroplane, amer. airplane; aircraft (pl. lika); stort trafik~ airliner

flygplansfåtölj *s* (~en, ~er) passenger seat

flygplanskapare *s* (~n, =) [aircraft] hijacker; vard. skyjacker

flygplanskapning *s* (~en, ~ar) [aircraft] hijacking; vard. skyjacking; *en* ~ an aircraft hijack; vard. a skyjack

flygplanstillverkare *s* (~n, =) aircraft manufacturer

flygplanstyp *s* (~en, ~er) aircraft type, type of aircraft

flygplats *s* (~en, ~er) airport

flygpost *s* (~en) airmail; *med* ~ by air[mail]

flygresenär *s* (~en, ~er) air passenger (traveller)

flygräd *s* (~en, ~er) air-raid

flygrädd *adj* (neutrum undviks), *vara* ~ be afraid of flying, have a fear of flying (going by air)

flygrädsla *s* (~n) fear of flying

flygsand *s* (~en) shifting sand[s pl.]

flygsjuka *s* (~n) air-sickness

flygspaning *s* (~en, ~ar) air (aircraft) reconnaissance

flygstab *s* (~en, ~er) air staff

flygsäkerhet *s* (~en) air (flight) safety

flygtid s (~en, ~er) flying (flight) time
flygtidtabell s (~en, ~er) airline timetable, amer. flight schedule
flygtrafik s (~en) air traffic (service)
flygtrafikledning s (~en, ~ar) air-traffic control
flygtransport s (~en, ~er) air transport; transporterande air transportation
flygtur s (~en, ~er) flight
flyguppvisning s (~en, ~ar) air display (show)
flygvana s (~n), *ha* ~ be used (accustomed) to flying
flygvapen s (-vapnet, =) mil. air force
flygväder s (-vädret, =) flying weather
flygvärdinna s (~n, -värdinnor) flight attendant, air hostess, cabin attendant
flygödla s (~n, -ödlor) zool. pterodactyl
flyhänt adj (=) quick, nimble, ...quick at one's work
1 flykt s (~en) flygande flight äv. bildl.; *gripa tillfället i ~en* take time by the forelock
2 flykt s (~en, ~er) flyende flight; rymning escape; *vild* ~ headlong flight; panikartad stampede; *~en från landsbygden* the flight from the country, the rural exodus; *driva (jaga) på ~en* put to flight; *ta till ~en* take [to] flight; friare take to one's heels; han dog *under ~en* ...during his flight (attempted escape)
flyktbil s (~en, ~ar) getaway car
flyktförsök s (~et, =) attempted escape; *göra ett* ~ make an attempt to escape
flyktig adj (~t) **1** kortvarig fleeting; övergående passing, transient, transitory; i förbigående casual; föga ingående cursory; *en* ~ *bekantskap* a casual acquaintance; *en* ~ *blick* a fleeting glance; i förbigående a casual glance; *en* ~ *genomläsning* a cursory reading **2** ombytlig inconstant, fickle, flighty **3** kem. volatile
flyktighet s (~en) **1** ombytlighet inconstancy, fickleness, flightiness **2** kem. volatility
flykting s (~en, ~ar) refugee
flyktinghjälp s (~en) aid to refugees
flyktinginvandring s (~en, ~ar) influx of refugees
flyktingkommissariat s (~et, =), *FN:s* ~ the United Nations High Commissioner for Refugees (förk. UNHCR)
flyktingläger s (-lägret, =) refugee camp
flyktingström s (~men, ~mar) stream of refugees
flyktväg s (~en, ~ar) escape route
flyt s (~et) vard. smooth running, flow; *det är bra ~ i spelet* fotb. the ball is flowing smoothly from man to man
flyta I vb itr (flöt, flutit) **1** bäras av vätska float äv. om simmare; inte sjunka äv. swim; brädorna *har flutit i land* ...has been washed (has floated) ashore **2** rinna flow; löpa ledigt, om t.ex. samtal flow; gå smidigt run smoothly (well) **3** ha vätskeform be fluid **4** ekon., ha obestämt värde float; *låta dollarn* ~ float...
II med beton. part.
flyta i: färgerna *flyter i varandra* ...run into each other
flyta ihop a) om floder meet **b)** bli suddig become blurred
flyta in a) eg., *~ in i* en sjö flow (run) into... **b)** inbetalas be paid in; skänkas come in **c)** publiceras be inserted, appear
flyta ovanpå: vilja ~ *ovanpå* try to be superior; *han vill gärna* ~ *ovanpå* he is always trying to be (he likes to be) superior
flyta på: arbetet *flyter på* ...is coming along nicely

flyta upp come (rise) to the surface
flyta ut mynna flow out; sprida sig spread; bli suddig become blurred
flytande I adj (oböjl.) **1** på ytan floating; *hålla det hela* ~ keep things going; *hålla sig* ~ keep oneself afloat (bildl. äv. above water) **2** rinnande flowing äv. bildl.; *tala* ~ *engelska* speak fluent English **3** i vätskeform liquid; inte fast fluid; ~ *bränsle* liquid fuel; ~ *föda* liquid food, slops pl.; ~ *kristaller* liquid crystals; ~ *tvål* liquid soap **4** rörlig, ~ *växelkurs* floating exchange rate **5** vag vague, fluid; *gränserna är* ~ the limits are fluid (indefinite, shifting) **II** adv obehindrat fluently; *tala engelska* ~ speak English fluently
flytdocka s (~n, -dockor) sjö. floating dock
flytförmåga s (~n) fartygs buoyancy
flytning s (~en, ~ar) med. discharge; *~ar* från underlivet the whites; vetensk. leucorrhoea sg.
flytt s (~en, ~ar) vard., byte av bostad move; den kom bort *i flytten* ...when we moved
flytta I vb tr (~de, ~t) **1** flytta på move; placera om äv. shift **2** förlägga till annan plats transfer [till to]; flytta bort, transportera remove **3** i spel move; *det är din tur att* ~ äv. it is your move
II vb itr (~de, ~t) **1** byta bostad move; lämna sin bostad move [out]; lämna en ort leave; om fåglar migrate; ~ *från staden* leave...; ~ *hem* move back home; ~ *utomlands (till sina föräldrar)* vanl. go to live abroad (with one's parents); ~ *från landet* leave the country **2** ~ *på* se flytta I 1
III vb rfl (~de, ~t), ~ *[på] sig* move; ändra läge shift one's position; maka åt sig make way (room)
IV med beton. part.
flytta fram a) tr. move...forward; ~ *fram stolen till brasan* draw (bring) the chair up to...; ~ *fram ngt [en vecka]* uppskjuta put off (postpone) sth [for a week]; förlägga till tidigare datum bring sth forward [for a week]; ~ *fram klockan en timme* put the clock on (forward) an hour **b)** itr. move up
flytta ihop a) tr. put (move)...together; ~ *ihop sig* se maka ihop sig under 2 maka II **b)** itr. [go to] live together; ~ *ihop med ngn* move in with sb
flytta in: itr. move in; ~ *in i* ett hus move into...; ~ *in till stan* move into town (to a town)
flytta isär om personer move apart, separate
flytta ned a) tr.: omplacera move...down (jfr ta ned under ta III); sänka lower; sport. relegate; jfr nedflyttad **b)** itr. move down
flytta om omplacera move (shift)...about, rearrange; ändra ordningen på transpose
flytta upp a) tr.: omplacera move...up (jfr ta upp under ta III); höja raise; sport. promote; jfr äv. uppflyttad **b)** itr. move up
flytta ut a) tr.: omplacera move...out [ur of] **b)** itr. move out [ur of]; utvandra emigrate; ~ *ut på landet* move out into the country
flytta över a) tr. move, shift; föra över äv. transfer äv. bildl.; frakta över convey, transport **b)** itr. move [till to]
flyttbar adj (~t) movable; bärbar portable; ställbar adjustable
flyttbil s (~en, ~ar) removal (furniture, amer. moving) van
flyttblock s (~et, =) erratic block (boulder)
flyttfirma s (~n, -firmor) removal firm

flyttfågel *s* (~n, -fåglar) bird of passage, migratory bird, migrant

flyttkarl *s* (~n el. ~en, ~ar) [furniture] remover; amer. mover

flyttkartong *s* (~en, ~er) moving box, removal box

flyttlass *s* (~et, =) vanful (vanload äv. fordon) of furniture; **~et går** på söndag we're moving…

flyttlåda *s* (~n, -lådor) moving box, removal box

flyttning *s* (~en, ~ar) **1** flyttande på moving; transport av t.ex. möbler removal; i annonser removals pl.; förflyttning transfer **2** byte av bostad removal; **anmäla ~** …change of address **3** fåglars migration

flyttningsanmälan *s* (=, en, -anmälningar) notification of change of address

flytväst *s* (~en, ~ar) life jacket; amer. äv. life vest

flå *vb tr* (~dde, ~tt) skin; större djur äv. flay

flås *s* (~et) sport. vard., **få upp ~et** get into condition, get fit; **ha bra ~** be in good condition, be fit

flåsa *vb itr* (~de, ~t) puff [and blow], breathe hard (heavily); flämta pant; **~nde av** ansträngning breathless with…

fläck *s* (~en, ~ar) spot; ställe äv. patch; smutsfläck: av något fuktigt stain, av något kladdigt smear; stor oregelbunden blotch; liten speck, fleck; på djurhud äv. patch; mindre speckle; på t.ex. frukt äv. speck; **en bar ~** a bare patch (spot); **leopardens ~ar** the leopard's spots; **det blir fula ~ar efter** (**av**) rödvin …makes (leaves) ugly stains; **på ~en** genast on the spot; **vi står på samma ~** bildl. we are still where we were, we are not getting anywhere; **han rörde sig inte ur ~en** he didn't budge (move)

fläcka *vb tr* (~de, ~t) **1** bildl. stain, sully **2** **~ ned** ngt stain…[all over]; **~ ned sig** get oneself (på kläderna one's clothes) [all] stained (soiled)

fläckborttagningsmedel *s* (-medlet, =) stain remover

fläckfeber *s* (~n) med. typhus fever

fläckig *adj* (~t) **1** nedfläckad, smutsig spotted, stained, soiled, dirty **2** med fläckar spotted; spräcklig speckled

fläcktyfus *s* (~en) med. typhus fever

fläckurtagning *s* (~en, ~ar) stain removal

fläckvis *adv* in patches (places), here and there

fläder *s* (~n, flädrar) elder

fläderblom *s* (~men) elderflower

fläderblomssaft *s* (~en, ~er) koncentrerad elderflower syrup; utblandad med vatten elderflower squash

fläderbuske *s* (~n, -buskar) elder bush

fläderbär *s* (~et, =) elderberry

fläka *vb tr* (fläkte, fläkt) split; **~ upp** split (med t.ex. kniv slit)…open

fläkt *s* (~en, ~ar) **1** vindpust breeze, breath [of air]; schvung verve; **en ~ av** romantik an air of…; **en frisk ~** a breath of fresh air; bildl. a breeze **2** fläktapparat fan; i maskiner, motorer äv. blower

fläkta I *vb tr* (~de, ~t) fan **II** *vb itr* (~de, ~t), **det ~r** [lite] there is a light breeze **III** *vb rfl* (~de, ~t), **~ sig** fan oneself

fläktrem *s* (~men, ~mar) fan belt

flämta *vb itr* (~de, ~t) **1** andas häftigt pant, puff; **~ av** utmattning gasp with… **2** fladdra flicker

flämtning *s* (~en, ~ar) (jfr *flämta*) **1** pant, gasp **2** flicker

1 fläng *s* (~et) jäkt bustle, bustling; spring running to and fro; **i flygande ~** in a terrific hurry, in double quick time

2 fläng *adj* (~t) vard. daft, screwy; amer. äv. dumb

flänga I *vb tr* (flängde, flängt) strip [av off] **II** *vb itr* (flängde, flängt), [fara och] ~ be dashing (rushing) about; **~ omkring** bustle about

fläns *s* (~en, ~ar) tekn. flange; i kragform collar

flänsad *adj* (flänsat, ~e) tekn. flanged, lugged

flärd *s* (~en) luxury, show, ostentation

flärdfri *adj* (-fritt) natural, unaffected, artless; anspråkslös modest, unpretentious

flärdfull *adj* (~t) nöjeslysten frivolous; prålsjuk showy, ostentatious

fläsk *s* (~et) färskt fläskkött pork; saltat el. rökt sid~ o. rygg~ bacon

fläskben *s* (~et, =) pork bone

fläskfilé *s* (~n, ~er) fillet (amer. tenderloin) of pork

fläskflott *s* (~et) dripping of pork (resp. bacon)

fläskig *adj* (~t) flabby, fat, fleshy

fläskkarré *s* (~n, ~er) loin of pork

fläskkorv *s* (~en, ~ar) pork sausage

fläskkotlett *s* (~en, ~er) pork chop

fläsklägg *s* (~en, ~ar) fram hand (bak knuckle) of pork; tillagad ung. boiled pickled pork

fläskläpp *s* (~en, ~ar), **ha** (**få**) **~** have (get) a thick (swollen) lip

fläskpannkaka *s* (~n, -pannkakor) pancake containing diced pork, diced pork pancake

fläsksvål *s* (~en, ~ar) bacon rind

fläsktärningar *s pl* diced pork (resp.bacon) sg.

fläskytterfilé *s* (~n, ~er) ung. [boneless] pork loin

fläta I *s* (~n, flätor) plait, braid; hårt flätad äv. pigtail; bakverk twist; **hon har flätor** she wears [her hair in] plaits (braids) **II** *vb tr* (~de, ~t) plait, braid; t.ex. korg äv. weave; krans o.d. twine; **~ korgar** plait (make) baskets; **~ ihop** eg. plait…together, interplait, interlace; **~ in** plait…in; framför allt bildl. intertwine, interweave

flätstickning *s* (~en, ~ar) sömnad. cable stitch

flöda I *vb itr* (~de, ~t) flow äv. bildl.; ymnigt stream äv. om ljus; **vinet ~de** …flowed freely (like water); **~ av**… abound with…; **~ över** flow over; om flod äv. overflow; **rummet ~de över av blommor** the room flowed over (overflowed) with flowers **II** *vb tr* (~de, ~t) tekn. prime

flödande *adj* (oböjl.) bildl.: t.ex. vältalighet flowing, fluent; t.ex. fantasi abounding, exuberant

flöde *s* (~t, ~n) flow, flux; **ett ~ av nyheter** a stream of news

flödesdiagram *s* (~met, =) flow diagram äv. data.

flödesschema *s* (~t, ~n) flowchart, flowsheet båda äv. data.

flöjel *s* (~n, flöjlar) vane äv. vimpel

flöjt *s* (~en, ~er) flute

flöjtist *s* (~en, ~er) flutist, flautist

flöjtton *s* (~en, ~er) flute-like tone (note)

flört *s* (~en) **1** flirtation äv. bildl. **2** person flirt

flörta *vb itr* (~de, ~t) flirt äv. bildl. [med with]

flörtig *adj* (~t) flirtatious, flirty

flöte *s* (~t, ~n) float; **bakom ~t** vard. stupid, daft

flöts *s* (~en, ~er) av kol seam

FM (förk. för *frekvensmodulering*) radio. FM

f.m. förk. a.m., se även *förmiddag*

f-moll *s* (oböjl.) mus. F minor

FN (förk. för *Förenta Nationerna*) UN sg.

fnasig *adj* (~t) narig chapped, chappy

fnask s (~et, =) neds., prostituerad prostitute, pro, amer. hooker

fnatt s (~en), **få** ~ vard. go crazy (potty)

fnatta vb itr (~de, ~t) vard., ~ **omkring** dither (flutter) around (about)

fnissa vb itr (~de, ~t) giggle, titter [åt at]

fnitter s (fnittret, =), **ett** ~ a giggle; **en massa** ~ lots of giggles (giggling) pl.

fnittra vb itr (~de, ~t) giggle, titter [åt at]

fnoskig adj (~t) vard. dotty, dippy, daft

fnurra s (~n), **det är en** ~ **på tråden mellan dem** they have fallen out [with each other]

fnysa vb itr (fnös el. fnyste, fnyst) snort [av ilska with…]; ~ **åt** föraktfull sniff at

fnysning s (~en, ~ar) snort

fnöske s (~t, ~n) tinder, touchwood (båda endast sg.)

foajé s (~n, ~er) foyer fr., lobby, entrance hall; artist~ greenroom

fob adv hand. f.o.b. (förk. för free on board)

fobi s (~n, ~er) psykol. phobia; **han har** ~ **mot** (**för**) **att flyga** he has a phobia about flying

fock s (~en, ~ar) sjö. foresail

focka vb tr (~de, ~t) avskeda sack

1 foder s (fodret, =) **1** i kläder el. friare lining; **sätta** ~ **i** line **2** dörrfoder doorcase

2 foder s (fodret, =) ~medel feedstuff, forage; spec. om torrt ~ fodder, feed, se äv. **torrfoder**; **ge korna** ~ feed the cows, give the cows a feed

foderbeta s (~n, -betor) bot. mangel[wurzel]

foderblad s (~et, =) bot. sepal

foderkaka s (~n, -kakor) cattle cake

foderväxt s (~en, ~er) fodder-plant, forage-plant

1 fodra vb tr (~de, ~t) **1** sätta foder i line; ~**d med** päls lined with… **2** med bräder, se **brädfodra**

2 fodra vb tr (~de, ~t) se **utfodra**

fodral s (~et, =) **1** case; av tyg o.d. cover **2** klänning sheath dress

1 fog s (oböjl., ett), **ha** [**fullt**] ~ **för ngt** have [every (ample)] reason for sth; **antagandet har** ~ **för sig** the assumption is reasonable

2 fog s (~en, ~ar) joint, seam; **knaka i ~arna** bildl. be a bit shaky

foga I vb tr (~de, ~t) **1** förena med fog join [i (vid) to]; friare el. bildl. add; bilaga o.d. attach [till to]; ~ **in** m.fl., se **infoga** osv. **2** avpassa suit, accommodate [efter to] **II** rfl (~de, ~t), ~ **sig** underkasta sig, böja sig give in, yield [efter (i) to]; ~ **sig i sitt öde** resign oneself (yield, submit) to one's fate

foglig adj (~t) medgörlig accommodating, amenable; eftergiven, undfallande compliant

foglighet s (~en) accommodatingness, amenability, amenableness; eftergivenhet compliancy

foglossning s (~en, ~ar) med. symphysis pubis dysfunction (förk. SPD), pelvic girdle pain (förk. PGP)

fogsvans s (~en, ~ar) verktyg handsaw

fokus s (~et el. ~en) foc|us (pl. -i el. -uses) [på on]

fokusera vb tr o. vb itr (~de, ~t) focus [på on]

folder s (~n, foldrar) folder, leaflet

foliant s (~en, ~er) folio (pl. -s)

folie s (~n, ~r) foil

folioformat s (~et) folio [size]; **i** ~ in folio

folk s (~et, =) **1** medborgare people; nation nation; **hela ~et** the entire population, the whole nation; [**det**] **svenska ~et** the Swedish people

2 ~et de breda lagren the [common] people pl.; **en man** (**kvinna**) **av** ~**et** a man (woman) of the people

3 människor people pl.; vard. el. speciellt amer. äv. folk[s] pl.; **mycket** ~ many people; **vanligt** ~ ordinary people; vem som helst äv. the man in the street; **se ut som** ~ **gör mest** look nothing out of the ordinary, look nothing special; **som** ~ **är mest** like the ordinary (general, common) run of people; **vad ska** ~ **säga?** what will people say?; **det blir nog** ~ **av honom till sist** he will turn out all right in the end; **det är skillnad på** ~ **och** ~ there are people and people

4 anställda, arbetare men, hands (båda pl.); på kontor o.d. staff; **ha för lite** (**brist på**) ~ ofta be short-handed (understaffed)

folkbibliotek s (~et, =) [free] public library

folkbildning s (~en) undervisning adult education

folkbokföring s (~en, ~ar) national registration

folkdans s (~en, ~er) folk dance; dansande folk dancing

folkdjup s (~et), **en man ur** ~**et** …[from the ranks] of the people

folkdräkt s (~en, ~er) folk (national, traditional, peasant) costume

folketymologi s (~n, ~er) popular etymology

folkfest s (~en, ~er) national (folklig popular) festival

folkgrupp s (~en, ~er) ethnic group; **som tillhör den tyska** ~**en** …ethnic Germans; **hets mot** ~ incitement to racial hatred

folkhav s (~et, =) vast crowd [of people]

folkhem s (~met, =), ~**met** ung. the Swedish Welfare State

folkhjälte s (~n, -hjältar) national hero

folkhumor s (~n) folk (popular) humour

folkhälsa s (~n) public health

folkhögskola s (~n, -skolor) folk high school

folkilsken adj (-ilsket, -ilskna) vicious; friare savage

folkkär adj (~t) very popular; om t.ex. kunglighet …loved by the people; **vara** ~ äv. be a great popular favourite

folklager s (-lagret, =), **de breda folklagren** the masses

folkledare s (~n, =) leader of the people

folklig adj (~t) popular; folkvänlig folksy; **han är** ~ äv. he has the common touch

folklighet s (~en, ~er) popularitet popularity; folkvänlighet folksiness

folkliv s (~et) gatuliv street life; **han betraktade** ~**et** [**på gatan**] he looked at the crowds [in the street]

folklivsforskning s (~en) se **etnologi**

folklivsskildring s (~en, ~ar) picture of the life [and manners] of the [common] people

folklore s (~n) folklore

folkloristisk adj (~t) folkloric

folkmassa s (~n, -massor) crowd [of people]

folkminskning s (~en, ~ar) decrease in (of) [the] population

folkmord s (~et, =) genocide

folkmusik s (~en) folk music

folkmängd s (~en, ~er) **1** antal invånare population **2** folkmassa crowd [of people]

folknöje s (~t, ~n) popular entertainment (amusement)

folkomröstning s (~en, ~ar) referendum; **anordna en** ~ take a referendum

folkopinion s (~en, ~er), ~[**en**] public (popular) opinion; **ge efter för** ~**en** yield to public opinion

folkpark s (~en, ~er) public [amusement] park
Folkpartiet liberalerna s pl i Sverige the Liberal Party [of Sweden]
folkpartist s (~en, ~er) member of the Liberal Party
folkpension s (~en) state [retirement] pension
folkpensionär s (~en, ~er) [retirement] pensioner, senior citizen
folkrepublik s (~en, ~er) people's republic
folkrik adj (~t) populous, densely populated
folkräkning s (~en, ~ar) census [of population]
folkrätt s (~en), **allmän ~** [public] international law
folkrättslig adj (~t), **~a frågor** questions of (pertaining to) international law
folkrörelse s (~n, ~r) popular (nationell national) movement, non-governmental organization
folksaga s (~n, -sagor) folktale, legend
folksamling s (~en, ~ar) crowd, gathering of people
folksjukdom s (~en, ~ar) national disease
folkskygg adj (~t) unsociable, retiring; shy äv. om djur
folkslag s (~et, =) nation, people
folkstorm s (~en, ~ar) public outcry (uproar)
folkstyrd adj (-styrt) democratically governed
folkstyre s (~t, ~n) democracy
folksång s (~en, ~er) folkvisa folk song, popular ballad
folksägen s (-sägnen, -sägner) popular legend
folktandvård s (~en) national dental health service
folktom adj (~t, ~ma) om gata, lokal o.d. deserted, …empty of people; om trakt o.d. sparsely inhabited; avfolkad depopulated
folktro s (~n) popular belief, folklore
folkträngsel s (~n) crowd[s pl.] [of people]
folktäthet s (~en) population density
folkuniversitet s (~et, =) folk university, University Extension Organization
folkvald adj (-valt) popularly elected
folkvandring s (~en, ~ar) [general] migration; **den stora** germanska **~en** the Great Migration, the Germanic Invasions pl.; **det var rena ~en till matchen** huge crowds flocked to the match
folkvett s (~et) common deceny (courtesy)
folkvilja s (~n, -viljor), **~n** the will of the People
folkvimmel s (-vimlet) throng, [swarming] crowd of people
folkvisa s (~n, -visor) folk song, popular ballad
folkökning s (~en) increase in (of) [the] population
folköl s (~et el. ~en, =) ung. weak-medium beer
f.o.m. se _från och med_ under _från_ I 7
1 fond s (~en, ~er) bakgrund background; teat. äv. back [of the stage]; **första radens ~** the dress-circle centre; **i ~en** teat. äv. upstage
2 fond s (~en, ~er) kapital fund; stiftelse äv. foundation
fondbörs s (~en, ~er) ekon. stock exchange
fondemission s (~en, ~er) ekon. bonus (scrip) issue, issue of bonus shares
fondera vb tr (~de, ~t) ekon. consolidate, fund
fondförvaltare s (~n, =) ekon. fund manager
fondkuliss s (~en, ~er) teat. backdrop, backcloth
fondmäklare s (~n, =) ekon. stockbroker
fondue s (~n, ~r) kok. fondue
fonduegryta s (~n, -grytor) fondue pot
fonetik s (~en) phonetics sg.
fonetiker s (~n, =) phonetician

fonetisk adj (~t) phonetic; **~ skrift** phonetic transcription (notation)
font s (~en, ~er) data. font
fontanell s (~en, ~er) anat. fontanel[le]
fontän s (~en, ~er) fountain
force majeure s (oböjl.) jur. force majeure fr., act of God
forcera vb tr (~de, ~t) **1** allm. force; påskynda speed up **2** chiffer break
forcerad adj (forcerat, ~e) ansträngd forced, strained; överdriven overdone, exaggerated; konstlad affected
fordom adv högtidl. in times past, in days of old, in days of yore, in bygone days
fordon s (~et, =) vehicle
fordonsskatt s (~en, ~er) ung. motor-vehicle (road) tax; i Storbr. motsv. vehicle licence; i USA automobile registration tax
fordra vb tr (~de, ~t) **1** med personsubj.: begära, kräva demand [_ngt av ngn_ sth of (from) sb]; yrka på insist [up]on; göra anspråk på [som sin rätt] claim; lydnad o.d. exact; **han ~r mycket** he demands (expects) a great deal; är mycket fordrande äv. he is very exacting; **~ att ngn ska lämna rummet** insist upon sb's leaving (require sb to leave) the room **2** med saksubjekt: erfordra, kräva require; behöva äv. want; **vanlig hövlighet ~r att…** ordinary civility prescribes (demands) that…
fordran s (=, en, fordringar) (jfr _fordringar_) **1** allm. demand [_på ngn_ on sb,; _på_ [_att få_] for]; krav äv. requirement [_på ngn_ in sb] **2** penning~ claim; debt; **ha en ~ på 1000 kronor på** (**hos**) **ngn** have a claim on sb for 1000 kronor
fordrande adj (oböjl.) exacting, demanding, …exacting in one's demands; krävande äv. exigent
fordras vb itr dep (fordrades, fordrats) behövas be needed osv., jfr _behövas_
fordringar s pl **1** allm. demands; anspråk claims; vad som erfordras requirements; **ha stora** (**för stora**) **~ på livet** ask a lot (too much) of life, jfr _krav_ **2** penning~ claims; debts; **ha ~ på 1000 kronor på** (**hos**) **ngn** have claims on sb for 1000 kronor
fordringsägare s (~n, =) creditor
forehand s (~en, =) tennis. o.d. forehand; slag äv. forehand stroke
forell s (~en, ~er) trout (pl. lika)
form s **1** (~en, ~er) allm. form; fason, skepnad äv. shape; snitt äv. make, cut; språkv. äv. voice; konsistens äv. consistency; **yppiga ~er** ample curves; **förlora ~en** lose [its] shape, become shapeless; **ta ~** take shape; **i bestämd ~** språkv. in the definite form; **i fast ~** in solid form, solid; **i flytande ~** om t.ex. medicin in liquid (fluid) form; fys., om t.ex. gas in liquid (fluid) state; **hålla på ~en** (**~erna**) stand on ceremony, be a stickler for etiquette, be punctilious; **till ~en** in form (shape) **2** (~en) sport. el. friare form; **hålla sig i ~** keep fit; **inte vara i ~** out of (not be in [good]) form; friare äv. be [a little] out of sorts (off colour); **i god** (**fin**) **~** in good (great) form (shape) **3** (~en, ~ar) gjut~ o. bildl. mould; amer. mold; kok.: porslins~ dish, basin; bakform [baking] tin (amer. pan); **eldfast** (**ugnsfast**) **~** casserole, ovenproof dish
forma vb tr (~de, ~t) (jfr _utforma_); allm. form; gestalta shape; utarbeta äv. frame; ge form åt, utforma äv. model, fashion; speciellt i [gjut]form, men äv. friare, särsk. dana

mould (amer. mold) [till i samtliga fall into]; **~ sig** form (shape, mould) itself (resp. themselves) [till into]

formalin s (~et el. ~en) kem. formalin, formol

formalisera vb tr (~de, ~t) formalize

formalist s (~en, ~er) formalist, stickler for forms

formalistisk adj (~t) formalistic

formalitet s (~en, ~er) formality, form; **~er** byråkratiskt pedanteri red tape sg.; **det är en ren ~** it is a mere formality (merely a matter of form); **utan ~er** without formality (ceremony)

format s (~et, =) size; data. el. om bok vanl. format; **i stort ~** äv. large-sized

formatera vb tr (~de, ~t) data. format

formation s (~en, ~er) mil. el. geol. formation

formbar adj (~t) formable, mouldable, amer. moldable; plastic

formbröd s (~et, =) tin (amer. pan) loaf

formel s (~n, formler) formula (pl. formulas el. formulae); **Formel 1** sport. formula one

formell adj (~t) formal; konventionell äv. conventional; **ett ~t fel** an error of form, a technical error; **~t subjekt** språkv. formal (grammatical) subject; **i ~t avseende** formally

formfulländad adj (-fulländat, ~e) ...perfect in form, finished; mera konkret perfectly shaped

formge vb tr (-gav, -gett el. -givit) design, style

formgivare s (~n, =) designer

formgivning s (~en, ~ar) designing; modell, mönster design

formlig adj (~t) **1** i vederbörlig form formal, ...in due form **2** verklig actual, real, positive, veritable

formligen adv direkt absolutely, downright; bokstavligen literally; faktiskt actually, really

formlära s (~n, -läror) språkv. accidence, morphology

formlös adj (~t) mera eg. formless, shapeless, featureless; friare vague, indistinct, ill-defined

formpressad adj (-pressat, ~e) moulded, pressed; formgjuten die-cast

formsak s (~en, ~er) matter of form; **en ren ~** a pure (mere) formality

formsinne s (~t) sense of form

formulera I vb tr (~de, ~t) formulate; t.ex. text word; t.ex. kontrakt draw up, draft; **klart (skarpt) ~d** clearly (sharply) worded **II** vb rfl (~de, ~t), **~ sig** express oneself, put one's thoughts into words

formulering s (~en, ~ar) formulation; av t.ex. text wording; av t.ex. kontrakt drawing up, drafting

formulär s (~et, =) formula (pl. formulas el. formulae); blankett form; amer. äv. blank

forn adj (~t) förutvarande former, earlier; forntida ancient; **han var en skugga av sitt ~a jag** ...a shadow (shell) of his former self

fornengelska s (~n) Old English

fornfynd s (~et, =) ancient (förhistoriskt prehistoric, arkeologiskt archaeological) find

fornlämning s (~en, ~ar) fast fornminne ancient monument; **~ar** allm. ancient remains

fornminne s (~t, ~n) relic (monument) of antiquity (of the past); skylt ancient monument

fornnordisk adj (~t) Old Norse

fornsvenska s (~n) Old Swedish

forntid s (~en) förhistorisk tid prehistoric times pl.; **~en** före medeltiden antiquity

forntida adj (oböjl.) ancient

fors s (~en, ~ar) rapid[s pl.]; vattenfallsliknande cataract, [water]fall; friare o. bildl. stream, torrent, cascade

forsa vb itr (~de, ~t) rush, race; friare gush; **regnet ~r ned** the rain is coming down in torrents (buckets)

forska vb itr (~de, ~t) search [efter for]; vetenskapa do research [work]; **~ i** inquire into, investigate, skol. do some research into; **ge ngn en ~nde blick** scan sb's face, give sb a searching look

forskarassistent s (~en, ~er) univ. junior research fellow

forskare s (~n, =) person doing research; univ. äv. postgraduate [student]; lärd scholar; naturvetenskapsman scientist

forskarflykt s (~en) brain drain

forskarstipendium s (-stipendiet, -stipendier) research scholarship

forskning s (~en, ~ar) vetenskaplig research; study [i of]; undersökning investigation [i into (on, respecting)]; inquiry [i into; i fråga om as to (respecting)]; **~ och utveckling** (förk. FoU) research and development (förk. R&D)

forskningsbibliotek s (~et, =) research library

forskningsresande s (~n, =) explorer

forsla vb tr (~de, ~t) transport, convey, carry [i (på) en kärra (på järnväg) in a cart (by rail)]; **~ bort** carry away, remove

forsränning s (~en, ~ar) white-water rafting

forsythia s (~n, forsythior) bot. forsythia

1 fort s (~et, =) mil. fort

2 fort adv i snabbt tempo fast; på kort tid quickly, vard. quick; raskt rapidly; snabbt speedily; **~!** quick!, sharp!; **och det ~are än kvickt** and double-quick; **~ast möjligt** as fast (osv.) as possible; **det gick ~** it was quick work; **det gick ~ för honom att...** it didn't take him long to...; **låt det gå ~!** mind you are quick about it!, and be snappy about it!; **så ~ [som]** konj. as soon as, directly

forta vb rfl (~de, ~t), **~ sig** om klocka gain

fortbestånd s (~et) continued existence, continuance

fortbildning s (~en, ~ar) further education (training)

fortbildningskurs s (~en, ~er) continuation course

forte s (~t, ~n) o. adv mus. forte it.

fortfarande adv still; **det är ~ lika varmt** äv. it is just as hot as ever

fortgå vb itr (-gick, -gått) go on

fortgående adj (oböjl.) continuing

fortifikation s (~en, ~er) mil. fortification

fortkörare s (~n, =) speeding offender

fortkörning s (~en, ~ar) trafikförseelse speeding offence; **få böta för ~** vanl. be fined for speeding

fortleva vb itr (-levde, -levt el. -levat) live on, survive

fortlevnad s (~en) survival, continued existence

fortlöpande adj (oböjl.) continuous, continuing; rullande rolling; om kommentar o.d. running; om serie consecutive

fortplanta I vb tr (~de, ~t) propagate äv. bildl. **II** vb rfl (~de, ~t), **~ sig** breed, propagate; överföras be propagated (transmitted); sprida sig spread; **~ sig genom delning** reproduce oneself...

fortplantning s (~en, ~ar) breeding, propagation, reproduction; transmission, spread; jfr fortplanta II

fortplantningsförmåga s (~n) biol. capacity for (power of) reproduction

fortplantningsorgan s (~et, =) reproductive (sexual) organ

fortsatt I adj (=) fortlöpande continuous; återupptagen resumed; ytterligare further; **få ~ hjälp** continue to receive assistance; **ett ~ uppskov** a prolongation of the delay **II** adv, **marknaden är ~ svag** the market continues weak

fortskaffningsmedel s (-medlet, =) [means (pl. lika) of] conveyance

fortskrida vb itr (-skred, -skridit) proceed; framskrida advance, progress

fortskridande adj (oböjl.) progressive, continuous

fortsätta vb tr o. vb itr (-satte, -satt) allm. continue; ~ [med] ngt continue [with] sth, go [with] sth, carry on with sth; återuppta take up sth again; ~ [med] att spela (sjunga) continue playing (singing), go (keep, carry) on playing (singing); ~ **med** övergå till ett stycke av **M** ozart go on to play...; **fortsätt att spela!** äv. please play on!; **fortsätt [bara]!** go (carry) on!, go ahead!; **fortsätt [framåt]!** please move along!; ~ **rakt fram** keep straight on; ...**fortsätter i morgon** ...will continue (will be continued) tomorrow; ~ **med medicinen** go on taking the medicine

fortsättning s (~en, ~ar) continuation [av (på) of]; av litterärt alster äv. sequel [av (på) to]; ~ **följer** [i nästa nummer] to be continued [in our next]; **god ~** [på det nya året]! ung. A Happy New Year!; **i ~en** hädanefter henceforth; från och med nu (då) from now (then) on

forum s (= el. ~et, = el. fora) forum; **rätt** ~ the proper forum (quarter, place)

forward s (~en, ~ar) sport. forward, striker

fosfat s (~et, = el. ~er) kem. phosphate

fosfor s (~n) kem. phosphorus

fosforescerande adj (oböjl.) phosphorescent

fosforhaltig adj (~t) phosphorous, phosphoric

fossil I s (~et, = el. ~er) fossil **II** adj (~t) fossil

foster s (fostret, =) foetus (amer. fetus); bildl. creation, product

fosterbarn s (~et, =) foster child, fosterling

fosterbror s (-brodern, -bröder) foster brother

fosterdiagnostik s (~en) med. foetal (amer. fetal) diagnosis (som vetenskap diagnostics sg.)

fosterdotter s (~n, -döttrar) foster daughter

fosterfar s (-fadern, -fäder) foster father

fosterfördrivande adj (oböjl.) abortive, foetus ridding

fosterfördrivning s (~en, ~ar) [illegal] abortion

fosterförälder s (~n, -föräldrar) foster parent

fosterhem s (~met, =) foster home

fosterhinna s (~n, -hinnor) anat. membrane of the foetus (amer. fetus); **inre** ~ amnion; **yttre** ~ chorion

fosterjord s (~en) native soil

fosterland s (~et) [native] country; **försvara** ~**et** defend one's country; **för kung och** ~ for King and Country

fosterlandsförrädare s (~n, =) traitor [to one's country]

fosterlandskärlek s (~en) patriotism, love of one's country

fosterlandsvän s (~nen, ~ner) patriot

fosterljud s (~et, =) med. foetal (amer. fetal) souffle

fosterländsk adj (~t) patriotic

fostermor s (-modern, -mödrar) foster mother

fosterrörelser s pl med. foetal (amer. fetal) movements, quickening sg.

fosterskada s (~n, -skador) med. foetal (amer. fetal) damage (endast sg.), damage endast sg. to the foetus (amer. fetus)

fosterson s (~en, -söner) foster son

fosterstadium s (-stadiet, -stadier) tidigt embryonic stage; senare foetal (amer. fetal) stage

fosterställning s (~en, ~ar) foetal (amer. fetal) position

fostersyster s (~n, -systrar) foster sister

fosterutveckling s (~en) development of the foetus (amer. fetus)

fostervatten s (-vattnet) anat. amniotic fluid

fostra vb tr (~de, ~t) bring up, rear; speciellt amer. raise

fostran s (=, en) bringing up osv., jfr fostra

fot s (~en, fötter som mått ~en, =) foot (pl. 'feet', som måttsord ibland 'foot', jfr ex.) äv. friare, t.ex. strump~, bergs~, träd~ o.d. el. på glas; på bord, lampa o.d. stand; på svamp base; ~! till hund [to] heel!; **gå** ~ om hund come to heel; **hög** ~ på glas [long] stem; **6** ~ **och 3 tum** 6 feet 3 inches, 6 foot (ibland feet) 3; **få** ~**en** vard., få sparken get the boot (sack); **få in en** ~ bildl. get one's foot in; **få in** ~**en i...** bildl. get one's foot into...; **sätta sin** ~ [hos ngn] set foot [in sb's house]; **stå med ena** ~**en i graven** have one foot in the grave; **komma på fötter** ekonomiskt get straight, get on to one's feet; **stå på egna fötter** bildl. stand on one's own [two] feet; **försätta på fri** ~ set free (at liberty); **på stående** ~ off-hand, straight (right) off, here and now; **inte veta på vilken** ~ **man ska stå** not know which leg to stand on; **till** ~**s** on foot; **gå till** ~**s** äv. walk

fota vard., fotografera **I** vb tr (~de, ~t) take a shot (photo) of **II** vb itr (~de, ~t) take photos **III** vb rfl (~de, ~t), [låta] ~ **sig** have one's photo taken

fotarbete s (~t) sport. o.d. footwork

fotavtryck s (~et, =) footprint

fotbad s (~et, =) footbath

fotbeklädnad s (~en, ~er) skor o. strumpor footgear; skodon footwear

fotboll s **1** (~en, ~ar) boll football; amer. soccer ball **2** (~en) spelet [association] football; vard. el. amer. soccer; **amerikansk** ~ American football, amer. football; **spela** ~ play football (amer. soccer)

fotbollförbund s (~et, =) football association

fotbollslag s (~et, =) football (vard. amer. soccer) team (side)

fotbollsmatch s (~en, ~er) football (soccer) match; amer. vanl. soccer game

fotbollsplan s (~en, ~er) football (vard. amer. soccer) ground; spelplanen vanl. football field (pitch)

fotbollsproffs s (~et, =) football (vard. amer. soccer) professional (vard. pro)

fotbollsskor s pl football boots; amer. soccer cleats

fotbollsspelare s (~n, =) footballer, football (amer. soccer) player

fotbollssupporter s (~n, -supportrar) football (vard. amer. soccer) supporter

fotbroms s (~en, ~ar) footbrake; på cykel coaster (back-pedal) brake

fotfel s (~et, =) tennis. foot fault; **döma** ~ call a foot fault

fotfolk s (~et) mil. foot soldiers pl.; ~**et** bildl. the rank and file

fotfäste s (~t, ~n) foothold, footing äv. bildl.; **få ~** get (gain, secure) a foothold (footing) äv. bildl.; **förlora ~t** lose one's foothold äv. bildl.

fotgängare s (~n, =) pedestrian

fotknöl s (~en, ~ar) ankle

fotled s (~en, ~er) själva leden ankle joint; ankel ankle

fotnot s (~en, ~er) footnote

foto s (~t, ~n) photo (pl. -s); [**han är inte med**] **på ~t** [he is not] in the photo

fotoaffär s (~en, ~er) camera shop, photographic dealer's

fotoalbum s (~et, =) photo album

fotoateljé s (~n, ~er) photographer's studio, photo[graphic] studio

fotoautomat s (~en, ~er) photo booth

fotoblixt s (~en, ~ar) flash light, photoflash

fotocell s (~en, ~er) photocell, photoelectric cell

fotogen s (~en el. ~et) paraffin [oil]; speciellt amer. kerosene

fotogenisk adj (~t) photogenic

fotogenkök s (~et, =) paraffin (amer. kerosene) [cooking] stove

fotogenlampa s (~n, -lampor) paraffin (amer. kerosene) lamp; ibland oil lamp

fotograf s (~en, ~er) photographer; film~ el. press~ äv. cameraman

fotografera I vb tr (~de, ~t) photograph, take a photograph (photo) of; [**låta**] **~ sig** have one's photo taken **II** vb itr (~de, ~t) photograph, take photographs (photos)

fotografering s (~en, ~ar) fotograferande photographing

fotografi s (~et, ~er) **1** konkr. photograph; jfr foto o. sammansättn. **2** som konst photography

fotografisk adj (~t) photographic

fotokopia s (~n, -kopior) av handling o.d. photocopy

fotokopiera vb tr (~de, ~t) photocopy

fotolabb s (~et, =) vard. photo lab

fotombyte s (~t, ~n) change of feet

fotomodell s (~en, ~er) model

fotomontage s (~t, =) photomontage

fotostatkopia s (~n, -kopior) photostat copy, photocopy

fotosyntes s (~en, ~er) bot. photosynthesis

fotpall s (~en, ~ar) footstool

fotriktig adj (~t) o. **foträt** adj (~t), **~ sko** correctly-fitting shoe

fotsid adj (-sitt), **~ klänning** ...that reaches [down] to the (one's) feet, ankle-length..., floor-length...

fotskrapa s (~n, -skrapor) [foot-]scraper

fotspår s (~et, =) footprint, footmark; **gå i ngns ~** follow in sb's footsteps

fotsteg s (~et, =) **1** steg step; **höra [ljudet av] ~** hear footsteps **2** på vagn footboard; på bil running-board

fotstöd s (~et, =) footrest

fotsula s (~n, -sulor) sole of a (resp. the) foot

fotsvamp s (~en) athlete's foot; med. epidermophytosis [of the feet]

fotsvett s (~en), **ha ~** have sweaty (perspiring) feet pl.; **det (han) luktar ~** it (he) smells of sweaty (perspiring) feet

fotvalv s (~et, =) arch of the foot

fotvandra vb itr (~de, ~t) walk, vard. hike

fotvandrare s (~n, =) rambler, vard. hiker; med ryggsäck backpacker

fotvandring s (~en, ~ar) vandrande walking, vard. hiking; utflykt walking-tour, vard. hike, hiking-trip

fotvård s (~en) care of the feet; med. chiropody, amer. vanl. podiatry; pedikur pedicure

fotvårdsspecialist s (~en, ~er) chiropodist; amer. vanl. podiatrist

fotvårta s (~n, -vårtor) med. verruca, amer. wart

fotända s (~n, ~r) o. **fotände** s (~n, -ändar) foot[-end]

foxterrier s (~n, =) fox terrier

foxtrot s (~en, ~er) foxtrot; **dansa ~** do (dance) the foxtrot

frack s (~en, ~ar) tail coat, dress coat; vard. tails pl., white tie; **klä sig i ~** put on tails (a white tie); **klädd i ~** in [full] evening dress; vard. in a white tie, in tails

frackmiddag s (~en, ~ar) white-tie dinner

frackskjorta s (~n, -skjortor) dress shirt

frackskört s (~et, =) coat-tail

fradga I s (~n) froth, foam; **tugga ~** froth (be foaming) at the mouth **II** vb itr o. vb rfl (~de, ~t), **~ [sig]** froth, foam

fradgas vb itr dep (fradgades, fradgats) foam, froth

fragment s (~et, =) fragment

fragmentarisk adj (~t) fragmentary

frakt s (~en, ~er) **1** last: sjö. freight, cargo; järnvägs~, bil~ el. flyg~ goods pl. **2** avgift: sjö. el. flyg. freight; järnvägs~, bil~ carriage; amer. äv. freight; **~ betald** freight (carriage) paid; **betala 1000 kronor i ~** pay 1000 kronor for (in) freight

frakta vb tr (~de, ~t) sjö. freight; med järnväg, bil, flyg carry, convey; **~ bort** forsla undan remove

fraktavtal s (~et, =) contract of affreightment

fraktflyg s (~et, =) freighter aircraft pl.

fraktfritt adv frakt betald carriage (freight) paid (prepaid), cost and freight

fraktgods s (~et) koll. goods pl. [forwarded by goods train], som ska sändas goods pl. [to be dispatched by goods train]; **som ~** järnv. by goods train

fraktgodsexpedition s (~en, ~er) goods office

fraktion s (~en, ~er) **1** grupp section, faction, group [of a party] **2** kem. fraction

fraktkostnad s (~en, ~er) freight charge

fraktsedel s (~n, -sedlar) hand. consignment note, [goods] waybill; sjö. bill of lading

fraktur s (~en, ~er) **1** med. fracture **2** typogr. black letter, German type

fralla s (~n, frallor) vard., småfranska roll

fram adv **1** i rumsbetydelse: **a)** om rörelse: framåt, vidare on, along, forward m.m.; ut out; till platsen (målet) there; jfr beton. part. under resp. enkla verb, t.ex. hinna fram under **1** hinna **II**; **jag måste ~!** I must get through!; **om sanningen ska ~** to tell the truth; **kom ~!** a) ur gömställe, o.d. come out! b) hit come here!; **han kom ~ och pratade med mig** he came up and talked to me; **sätta ~ en stol åt ngn** bring [up] a chair for sb; **ta ~** take out; **gå [vägen] rakt ~** walk right (straight) on [along the road], go (walk) straight ahead; **ända ~ till...** as far as [to]..., right (all the way) on to...; **~ och tillbaka** dit och åter there and back; av och an to and fro, backward[s] and forward[s]

b) om läge: framtill, i förgrunden forward, in front; på framsidan in front; **...knäpps ~** ...is buttoned in (down the) front; **sitta långt ~** sit far forward (well in front)

2 i tidsbetydelse: **längre ~** later on; **~ i maj (på hösten, på**

nyåret) sometime in May (in the autumn, in the new year), a little way on into May osv.; **~ på dagen** late in the morning; **långt ~ på dagen** late in the day; **till långt ~ på natten** until well (far) [on] into the night

framaxel *s* (~n, -axlar) tekn. front axle

framben *s* (~et, =) djurs foreleg, front leg

frambringa *vb tr* (~de el. -bragte, ~t el. -bragt) bring forth; skapa create; alstra produce; fys. generate; **~ ett ljud** produce (bring forth) a sound

framdel *s* (~en, ~ar) front [part], forepart

framdeles *adv* längre fram later on; i framtiden in the future; hädanefter henceforth, henceforward

framdäck *s* (~et, =) bil. front tyre (amer. tire)

framdörr *s* (~en, ~ar) front door

framemot *prep*, **~ kvällen (sjutiden)** towards evening (seven o'clock)

framfall *s* (~et, =) med. prolapse; livmoder~ uterine prolapse

framfart *s* (~en), **[våldsam] ~ härjningar** ravages [pl.]; **stormens ~** the ravages of the storm

framfot *s* (~en, -fötter) forefoot; **visa framfötterna** bildl. show (go through) one's paces

framfusig *adj* (~t) påträngande pushing, forward; gåpåaraktig aggressive; oblyg unblushing, unabashed

framföda *vb tr* (-födde, -fött) bring forth; eg. äv. give birth to

framför I *prep* **1** rumsligt before, in front of; **driva...~ sig** drive...before one; **hålla ngt ~ elden** hold sth to the fire **2** bildl.: före before; över above, ahead of; **~ allt** above all; **föredra te ~ kaffe** prefer tea to coffee; **han har hela livet ~ sig** he has his whole life ahead of him **II** *adv* in front; **han är långt ~** he is far ahead

framföra *vb tr* (-förde, -fört) **1** överbringa convey; speciellt hälsning äv. give; deliver äv. uttala; **~ ett klagomål** lodge (make) a complaint; **~ en (sin) ursäkt** offer an apology (one's excuses); **~ ett önskemål (sitt tack, sin åsikt)** express a wish (thanks, one's opinion); **är det något jag kan ~ [till...]?** i telefon o.d. can I give[...]a message? **2** uppföra, förevisa present, produce, put on; musik perform; sjunga sing; spela play **3** fordon drive

framförallt *adv* se *framför allt* under *framför I*

framförande *s* (~t, ~n) sätt att framföra (föredrag o.d.) delivery; av musik performance

framförhållning *s* (~en, ~ar) planering long-term planning, planning in advance

framförvarande *adj* (oböjl.), hålla ordentligt avstånd **till ~ fordon** ...to the vehicle in front [of one]

framgaffel *s* (~n, -gafflar) på t.ex. cykel [front] forks pl.

framgent *adv*, **[allt] ~** ever after, thenceforth; hädanefter henceforth

framgå *vb itr* (-gick, -gått) märkas, synas be clear (evident) [*av* from]; **av detta ~r att...** from this it may be concluded (inferred) that...; **hur länge han var borta ~r inte av boken** ...does not emerge (is not evident) from the book; **som ~r av exemplen...** as will be seen (is evident) from the examples...

framgång *s* (~en, ~ar) success; **ha ~ i...** be successful (succeed, prosper) in...; **med ~** äv. successfully; **utan ~** äv. unsuccessfully, with no success

framgångsrik *adj* (~t) successful

framhjul *s* (~et, =) front wheel

framhjulsdriven *adj* (-drivet, -drivna) bil. front-wheel driven

framhålla *vb tr* (-höll, -hållit) påpeka point out [*att* that]; call attention to [*att* the fact that]; betona emphasize, stress, lay stress upon; särskilt understryka give prominence to [*att* i samtliga fall the fact that]; **~ ngt för ngn** point out sth to sb; **~ nödvändigheten av...** äv. insist on the necessity of...

framhärda *vb tr* (~de, ~t) persist, persevere; **~ i att** + inf. persist in + ing-form

framhäva *vb tr* (-hävde, -hävt) låta framträda bring out, set off; **den vita skjortan framhävde hans solbränna** the white shirt accentuated his suntan

framifrån *adv* from the front

framkalla *vb tr* (~de, ~t) **1** förorsaka, t.ex. sjukdom cause; uppväcka, t.ex. känsla, minne arouse, raise, awaken; **~ motstånd** provoke opposition; **~ skratt** arouse (provoke) laughter **2** foto. develop

framkallning *s* (~en, ~ar) foto., framkallande development, developing; **~ och kopiering** developing and printing

framkant *s* (~en, ~er) front edge; **ligga i ~ på (när det gäller)...** be at the leading edge of...

framkasta *vb tr* (~de, ~t) se *kasta fram* under *kasta IV*

framkomlig *adj* (~t) om väg accessible, passable, trafficable; om vatten navigable; om terräng traversable; friare practicable

framkomlighet *s* (~en) om väg accessibility, passability; om vatten navigability; friare practicability

framkomst *s* (~en) ankomst arrival; **vid ~en** on arrival, when he (she etc.) arrives (arrived etc.)

framkörningsavgift *s* (~en, ~er) taxis initial extra charge; firmas transport charges pl.

framleva *vb tr* (-levde, -levt), **~ sitt liv i stillhet** pass one's life in tranquillity

framliden *adj* (-lidet, -lidna), **framlidne...** the late...

framlägga *vb tr* (-lade, -lagt) se *lägga fram* under *lägga IV*

framlänges *adv* forward[s]; **åka ~ på tåg** ride (sit) facing the engine

frammana *vb tr* (~de, ~t) frambesvärja conjure up

frammarsch *s* (~en, ~er) advance äv. bildl. [*mot* towards, in the direction of, med fientlig avsikt on]; **vara på ~** be advancing (on the march); bildl. be gaining ground

frammatning *s* (~en, ~ar) tekn. transportation; foto. feeding

framme *adv* **1** i förgrunden in front [*vid* at (by)]; **han står här ~** he is standing [up] here **2** framtagen, framlagd osv., synlig, 'ute' out; till hands ready; till beskådande on view (show); **solen är ~** the sun is out; **maten står ~** the meal is on the table; **låta plånboken ligga ~** leave one's wallet about **3** framkommen, vid målet there; **vara ~** äv. be at one's destination, have reached one's destination; **när (hur dags) är vi ~?** vanl. when do (shall) we get there (arrive [there])?; **nu är vi ~!** here we are!, we're there now! **4** i speciella betydelser: **hålla sig ~** keep oneself [well] to the fore, push oneself forward; skaffa sig fördelar be on the lookout for what one can get [hold of]; **nu har han varit ~ igen** now he has been at it (been up to mischief, been up to his [old] tricks) again

frampå I *prep* **1** rum in (resp. on) the front part of **2** tid, se ex. under *fram 2* **II** *adv* in [the] front

framryckning *s* (~en, ~ar) advance

framsida *s* (~n, -sidor) front [side]; fasad äv. face; på mynt obverse

framskjutande *adj* (oböjl.) projecting; protruding äv. om underkäke, prominent; överhängande beetling

framskjuten *adj* (-skjutet, -skjutna) advanced äv. mil.; bildl. prominent

framskrida *vb itr* (-skred, -skridit) fortgå progress, advance

framskriden *adj* (-skridet, -skridna) advanced; **långt ~ graviditet** an advanced stage of pregnancy; **i ett framskridet stadium** at an advanced stage

framskymta *vb itr* (~de, ~t) be discernible (distinguishable); **låta ~ att...** let it appear that..., give an intimation that...

framskärm *s* (~en, ~ar) flygel på bil front wing (amer. fender); på cykel front mudguard (amer. fender)

framsläpa *vb tr* (~de, ~t), **~ sitt liv i fattigdom** (**misär**) live a life of extreme poverty

framsteg *s* (~et, =) progress (endast sg.); framåtskridande äv. advance; förbättring improvement; **ett ~** a step forward, an improvement; **göra ~** make progress (headway), progress, advance; **göra stora ~** make much (great) progress (great headway, great strides)

framstegsfientlig *adj* (~t) reactionary, anti-progressive

framstegsvänlig *adj* (~t) progressive

framstupa *adv* flat [on one's face], prostrate; **falla** (**ligga**) **~** äv. fall (lie) prone; **~ sidoläge** vid första hjälpen semiprone position

framstycke *s* (~t, ~n) front [piece (part)]

framstå *vb itr* (-stod, -stått) visa sig [vara] stand out [*som* as]; **det här ~r som omöjligt** this appears impossible

framstående *adj* (oböjl.) bemärkt prominent; högt ansedd, ypperlig eminent, distinguished, outstanding

framställa *vb tr* (-ställde, -ställt) **1** tillverka: produce, make; fabriksmässigt äv. manufacture; kem. o.d. prepare **2** skildra describe, relate; livligt skildra, avbilda portray; högtidl. depict; ge en bild av give (present) a picture of; **så som han framställde saken** äv. according to his version **3** framlägga m.m. bring (put) forward, propose; **~ en fråga till ngn** ask sb a question, put a question to sb

framställan *s* (=, en, -ställningar) se *framställning 3*

framställning *s* (~en, ~ar) **1** tillverkning production; fabriksmässig äv. manufacture; kem. o.d. preparation **2** beskrivning description; redogörelse statement, report, account; bild picture; personligt färgad skildring, avbildning representation; **kort**[**fattad**] **~** äv. resumé, précis (pl. lika) fr., summary; **hans ~ av saken** his account (presentation) of the case (matter); **muntlig** (**skriftlig**) **~** skol. el. univ. oral (written) work (production) **3** förslag proposal [*om* for]; proposition [*om* regarding, as to]; hemställan petition; anhållan, hänvändelse application [om for]

framställningssätt *s* (~et, =) **1** tillverkningsmetod method of production, manufacturing process **2** författares style; talares delivery

framstöt *s* (~en, ~ar) mil. [forward] thrust, drive [*mot* against (on)]; bildl. energetic (strong) move, vigorous (strong) action

framsynt *adj* (=) förutseende far-seeing, far-sighted; **~a människor** people with foresight

framsynthet *s* (~en) förutseende foresight

framsäte *s* (~t, ~n) front seat

framtand *s* (~en, -tänder) front tooth

framtid *s* (~en, ~er) future; **min ~** mina framtidsutsikter my career; **det får ~en utvisa** time will show; **han har ~en för sig** a) är ung he has the future before him b) har de bästa utsikter he has a future before him; **för** (**i**) **all ~** for all time; **någon gång i ~en** at some future date; **i en nära ~** el. **inom den närmaste ~en** in the near future; **se ljust på ~en** take a bright view of the future

framtida *adj* (oböjl.) future

framtidsforskning *s* (~en) futurology

framtidsman *s* (~nen, -män) coming man

framtidstro *s* (~n) belief in the future

framtidsutsikter *s pl* future prospects

framtill *adv* in front; i främre delen in the front part; [**både**] **~ och baktill** [both] in front and behind

framtona *vb itr* (~de, ~t) **1** om film o.d. fade in **2 ~ som liberal** om person present (keep) a liberal profile

framtoning *s* (~en, ~ar) sätt att framträda image; **en folklig ~** a popular image

framträda *vb itr* (-trädde, -trätt) **1** uppträda, visa sig appear; **~ i radio** broadcast [on the radio]; **~ i tv** appear on TV **2** avteckna sig stand out

framträdande I *s* (~t, ~n) uppträdande appearance; **offentligt ~** public appearance **II** *adj* (oböjl.) viktig prominent, outstanding, distinguished; påfallande, dominerande conspicuous, salient; **en ~ politiker** a prominent politician; **spela en ~ roll** play a prominent (conspicuous) part

framtung *adj* (~t) ...heavy at the front; flyg. nose-heavy

framtvinga *vb tr* (~de, ~t) se *tvinga fram* under *tvinga III*

framvagn *s* (~en, ~ar) bil. front of a (resp. the) car

framväxt *s* (~en) growth, rise; bildl. äv. development

framåt I *adv* ahead äv. bildl.; vid rörelseverb äv. along; vidare onward[s], forward; [**för** (**under**)] **flera månader ~** for several months ahead (to come); [**för** (**under**)] **två månader ~** for the next two months; **ett steg ~** a (one) step forward; **ta ett stort steg ~** make a great stride forward äv. bildl.; **fortsätt ~!** keep straight on!; **gå ~** göra framsteg, utvecklas go ahead, progress; **vara riktad ~** be pointed forward; **luta sig ~** lean forward; **se** (**titta**) [**rakt**] **~** look straight forward (on); **man måste se ~** mot framtiden you have to look ahead **II** *prep* fram emot [on] toward[s]; **~ eftermiddagen** towards afternoon **III** *interj* onward!, forward!; **~ marsch!** forward, march! **IV** *adj* (oböjl.) vard., **vara** [**mycket**] **~** [**av sig**] be very go-ahead

framåtanda *s* (~n) enterprise, go-ahead spirit; **ha** [**stor**] **~** be [very] go-ahead

framåtböjd *adj* (-böjt) o. **framåtlutad** *adj* (-lutat) ...bent forward; **gå ~** walk with a stoop

framåtsträvande *adj* (oböjl.) bildl. go-ahead, pushing

framända *s* (~n, ~r) front [end]

framöver *adv* forward; **för** (**under**) **flera år ~** for several years ahead (to come); **en lång tid ~** a long time to come

franc *s* (~en, =) myntenhet franc

franchise *s* (~n, ~r) ekon. franchise

frank *adj* (~t) frank, open, straightforward

frankera *vb tr* (~de, ~t) sätta frimärke på stamp; **ett ~t kuvert** a prepaid (stamped) envelope; **ett**

otillräckligt ~t brev an insufficiently prepaid (stamped) letter

franko *adv* fraktfritt carriage (freight) paid, free of carriage

Frankrike France

frans *s* (~en, ~ar) fringe

fransad *adj* (fransat, ~e) fringed

fransig *adj* (~t) trasig frayed

fransk *adj* (~t) French; **~t fönster** French window; **~ lilja** herald. fleur-de-lis (pl. fleurs-de-lis); **den ~a liljan** äv. the lily of France

franska *s* **1** (~n) språk French; jfr *svenska 2* **2** (~n el. ~t, =) se *franskbröd*

franskbröd *s* (~et, =) vitt bröd white bread; småfranska [French] roll; långfranska French loaf

franskklassicism *s* (~en) litt.vet. French classicism

franskklassisk *adj* (~t) French-classical

fransktalande *adj* (oböjl.) French-speaking...; **vara ~** speak French

fransman *s* (~nen, -män) Frenchman; **fransmännen** som nation el. lag o.d. the French

fransysk *adj* (~t) French; **~ visit** flying visit (call)

fransyska *s* (~n, fransyskor) **1** kvinna Frenchwoman; jfr *svenska 1* **2** slakt., oxkött rumpsteak piece

frapperande *adj* (oböjl.) påfallande striking; förvånande astonishing

1 fras *s* (~en, ~er) uttryck phrase äv. mus.

2 fras *s* (~en, ~er) frasande rustle, rustling

frasa *vb itr* (~de, ~t) rustle

fraseologi *s* (~n, ~er) phraseology

frasera *vb tr* o. *vb itr* (~de, ~t) phrase äv. mus.

frasig *adj* (~t) crisp

frasmakare *s* (~n, =) phrasemonger

frasvåffla *s* (~n, -våfflor) [crisp (crispy)] waffle

fraternisera *vb itr* (~de, ~t) fraternize

fred *s* (~en, ~er) peace; **sluta ~** conclude (make) peace; **leva i ~** live in peace; **lämna ngn i ~** leave sb alone (in peace); **låt mig vara i ~!** do give me a little peace!

freda *vb tr* (~de, ~t) protect [*mot*, *för* from, against]; **~ sitt samvete** appease one's conscience; **med ~t samvete** with a clear conscience; **~ sig** protect oneself

fredag *s* (~en, ~ar) Friday; **~en den 8 maj** adv. on Friday, May 8th; **förra ~en** last Friday; som adv. äv. on Friday last; **nästa ~** nu följande next Friday; **i ~s** [*morse*] last Friday [morning]; **i ~ens tidning** in Friday's paper; **på** (**om**) **~arna** on Fridays; [**på**] **~ morgon** Friday morning

fredagskväll *s* (~en, ~ar) Friday evening (senare night); **på ~arna** on Friday evenings (nights)

fredagstidning *s* (~en, ~ar) Friday paper

fredagsväder *s* (-vädret, =), **fredagsvädret** the weather on Friday

fredlig *adj* (~t) peaceful; fridsam peaceable, inoffensive; **på ~ väg** in a peaceful way, by peaceful means, pacifically

fredlös *adj* (~t) outlawed; **en ~** an outlaw

fredsaktivist *s* (~en, ~er) peace activist

fredsavtal *s* (~et, =) peace agreement; på arbetsmarknaden industrial agreement

fredsbevarande *adj* (oböjl.) peace-keeping; **~ styrka** peace-keeping force

fredsduva *s* (~n, -duvor) dove of peace

fredsforskning *s* (~en, ~ar) peace research

fredsfördrag *s* (~et, =) peace treaty, treaty of peace

fredsförhandlare *s* (~n, =) peace negotiator

fredsförhandlingar *s pl* peace negotiations (talks); **inledande ~** peace preliminaries

fredsmäklare *s* (~n, =) peace mediator

fredspipa *s* (~n, -pipor) pipe of peace

fredsplan *s* (~en, ~er) peace plan

fredsplikt *s* (~en) no-strike rule, obligation to maintain peaceful industrial relations

fredspris *s* (~et, = el. ~er), **~et** el. **Nobels ~** the [Nobel] Peace Prize

fredsprocess *s* (~en, ~er) peace process

fredsrörelse *s* (~n, ~r) peace movement

fredsstiftare *s* (~n, =) peacemaker

fredstid *s* (~en, ~er), **i** (**under**) **~** in time[s] of peace

fredstrevare *s* (~n, =) peace feeler; i pl. äv. peace overtures

fredsvillkor *s pl* peace terms

freestyle *s* (~n, freestylar) kassettbandspelare i fickformat Walkman®

frejdig *adj* (~t) spirited; **med ~t mod** with a bold heart

frekvens *s* (~en, ~er) frequency äv. radio.

frekvent *adj* (=) frequent, common

frekventera *vb tr* (~de, ~t) nöjeslokal o.d. frequent, patronize

frenesi *s* (~n) frenzy; starkare rabidness

frenetisk *adj* (~t) om t.ex. bifall frenzied, frantic; om iver frenetic

freon® *s* (~en, ~er) CFC (förk. för chlorofluorocarbon), Freon

freonfri *adj* (~tt) CFC-free

fresia *s* (~n, fresior) bot. freesia

fresk *s* (~en, ~er) konst. fresco (pl. -s el. -es)

freskomålning *s* (~en, ~ar) painting in fresco, fresco-painting; konkr. äv. fresco (pl. -s el. -es)

fresta I *vb tr* (~de, ~t) **1** försöka förleda, locka tempt; **~ ngn att göra ngt** tempt sb to do (into doing) sth; **känna sig** (**vara**) **~d att** + inf. feel tempted to + inf. **2** pröva **~ lyckan** (**ngns tålamod**) try one's fortune (sb's patience) **3** anstränga strain **II** *vb itr* (~de, ~t), **~ 'på** vara påfrestande be a strain [*ngt* on sth]

frestande *adj* (oböjl.) tempting; lockande äv. inviting

frestare *s* (~n, =) tempter

frestelse *s* (~n, ~r) temptation; **falla för en ~** yield (give way) to temptation; **falla för ~n att** + inf. yield (give way) to the temptation to + inf.

fresterska *s* (~n, fresterskor) temptress

freudiansk *adj* (~t) Freudian; **~ felsägning** Freudian slip

fri *adj* (fritt) free; oavhängig äv. independent; ogenerad äv. free and easy; öppen, oskymd open; jfr *ledig* med ex.; **~ bil** free use of a (resp. the) car; **~ bostad** rent-free accommodation; **~tt fall** free fall; **under ~are former** more informally, under freer forms; **~ höjd** trafik. headroom, [clear] headway; **~tt inträde** på skylt o.d. entrance (admission) free; **~ konkurrens** free (open) competition; **~ kost** free meals pl.; **~ kärlek** free love; **~ radikal** kem. free radical; **~ översättning** free translation; **bli ~** frisläppt be set free, be set at liberty; **göra sig ~ från ngt** get rid of (rid oneself of) sth; **hålla vägarna ~a från snö** keep the roads clear of snow; **det står dig ~tt att** + inf. you are [perfectly] free (at liberty) to + inf.; **vara ~ från misstankar** be clear of suspicion; **ordet är ~tt** the meeting (floor) is open for discussion, everyone is now free to speak; *i det ~a* in the open [air], out of doors

1 fria *vb itr* (~de, ~t) eg., ~ [*till ngn*] propose [to sb]; litt. woo [sb] äv. bildl.

2 fria I *vb tr* (~de, ~t) frikänna acquit; *hellre ~ än fälla* one should always give people the benefit of the doubt; *~nde dom* verdict of acquittal (of not guilty) **II** *vb rfl* (~de, ~t), *~ sig från misstankar* clear oneself of suspicion

friare *s* (~n, =) suitor

fribiljett *s* (~en, ~er) [free] pass; teat. o.d. äv. free (complimentary) ticket

fribrev *s* (~et, =) försäkr. paid-up (free) policy

fribrottning *s* (~en, ~ar) sport. all-in wrestling, freestyle, catch-as-catch-can

frid *s* (~en) peace; fridfullhet serenity; lugn tranquillity; *inre ~* inner peace; *vad* (*vem, var, varför*) *i hela ~en…?* what (who, where, why) on earth…?; *allt* (*allting*) *är ~ och fröjd* everything in the garden is lovely, everything is all right; *det är slut på ~en* there will be no more peace; jfr *1 ro 1*

fridag *s* (~en, ~ar) free day, day off

fridfull *adj* (~t) peaceful, serene

fridfullhet *s* (~en) peacefulness, serenity

fridlysa *vb tr* (-lyste, -lyst) område samt djur, växt o.d. place…under protection, preserve; minnesmärke äv. protect, schedule…as a monument; *fridlyst område* naturskyddsområde nature reserve

fridsam *adj* (~t, ~ma) peaceable, placid

fridstörare *s* (~n, =) disturber of the peace

frielev *s* (~en, ~er) freeplace scholar

frieri *s* (~et, ~er) proposal, offer of marriage

friexemplar *s* (~et, =) gratisexemplar presentation (complimentary) copy; författares free copy

frige *vb tr* (-gav, -gett el. -givit) släppa lös free, set…free, release, liberate; *~ ngn* skänka friheten give sb his freedom; *~ en fånge* äv. discharge a prisoner

friggebod *s* (~en, ~ar) trädgårdsskjul garden shed; gäststuga, ung. garden cabin

frigid *adj* (neutrum undviks) frigid

frigiditet *s* (~en) frigidity

frigivning *s* (~en, ~ar) setting free, release, liberation, emancipation; jfr *Deleted entry/field: frige 1*

frigjord *adj* (-gjort) fördomsfri open-minded; emanciperad emancipated, liberated

frigjordhet *s* (~en) fördomsfrihet open-mindedness; emancipation emancipation

frigolit® *s* (~en) styrofoam

frigång *s* (~en) **1** permission parole; *ha ~* be on parole **2** motor. idling [speed]; *gå på ~* idle, tick over

frigångare *s* (~n, =) parole patient (fånge prisoner), patient (resp. prisoner) on parole

frigöra I *vb tr* (-gjorde, -gjort) bildl. liberate, set…free **II** *vb rfl* (-gjorde, -gjort), *~ sig* bildl., befria sig free (liberate) oneself, make (set) oneself free, emancipate oneself

frigörelse *s* (~n, ~r) befrielse liberation, release; emancipation emancipation

frihamn *s* (~en, ~ar) free port

frihandel *s* (~n) free trade

friherre *s* (~n, -herrar) baron

frihet *s* (~en, ~er) freedom; spec. som mots. till fångenskap, tvång liberty; oberoende independence; *~, jämlikhet, broderskap* Liberty, Equality, Fraternity;

~ under ansvar freedom with responsibility; *ge ngn full ~ att göra ngt* grant sb entire liberty to do sth; *ta sig ~en att göra ngt* take the liberty of doing sth

frihetskamp *s* (~en, ~er) fight (struggle) for freedom (liberty)

frihetskrig *s* (~et, =) war of independence

frihetsstraff *s* (~et, =) imprisonment

frihetsälskande *adj* (oböjl.) freedom-loving, liberty-loving

frihjul *s* (~et, =) free wheel; *åka* (*köra*) *på ~* free-wheel, coast

friidrott *s* (~en) athletics (pl. idrottande sg.); speciellt amer. track and field [sports pl.]

friidrottare *s* (~n, =) athlete

frikadell *s* (~en, ~er) forcemeat ball, quenelle

frikalla *vb tr* (~de, ~t) mil. el. från plikt o.d. exempt

frikast *s* (~et, =) sport. free throw

frikoppla I *vb tr* (~de, ~t) motor. disengage; bildl. release **II** *vb itr* (~de, ~t) trampa ur kopplingen disengage the clutch

frikort *s* (~et, =) [free] pass

frikostig *adj* (~t) liberal, generous; om person äv. open-handed; om gåva äv. handsome

frikostighet *s* (~en) liberality, generosity; persons äv. open-handedness

friktion *s* (~en, ~er) friction

friktionsfri *adj* (-fritt) frictionless, …without friction, smooth

frikyrka *s* (~n, -kyrkor) Free Church

frikyrklig *adj* (~t) Free Church; jfr *frireligiös*

frikänna *vb tr* (-kände, -känt) acquit [*från* of]; find…not guilty; *bli frikänd* be acquitted, walk free

frikännande I *s* (~t, ~n) acquittal, verdict of not guilty; *yrka på ~* plead not guilty **II** *adj* (oböjl.), *en ~ dom* a verdict of acquittal (of not guilty)

frilans *s* (~en, ~ar) freelance

frilansa *vb itr* (~de, ~t) freelance

frilansare *s* (~n, =) freelance

frilansjournalist *s* (~en, ~er) freelance journalist

frilista I *s* (~n, -listor) free list **II** *vb tr* (~de, ~t) free-list, free, place…on the free list; *~de varor* free-listed goods

friluftsbad *s* (~et, =) open-air baths (pl. lika), open-air bathing pool; bad i det fria open-air bathe

friluftsdag *s* (~en, ~ar) skol., ung. sports day, day for open-air activities; amer. ung. field day

friluftsliv *s* (~et, =) outdoor life

friluftsmänniska *s* (~n, -människor) outdoor type, lover of open-air life

friluftsmöte *s* (~t, ~n) open-air meeting

friluftsteater *s* (~n, -teatrar) open-air theatre

friläge *s* (~t, ~n), *lägga växeln i ~* put (slip) the gear into neutral

frimodig *adj* (~t) käck, öppenhjärtig frank, open; rättfram outspoken

frimodighet *s* (~en) frankness, openness; candour; outspokenness; jfr *frimodig*

frimurare *s* (~n, =) freemason, mason

frimurarorden *s* (best. sing.) the Masonic Order, the Order of Free and Accepted Masons

frimärke *s* (~t, ~n) [postage] stamp; *sätta ett ~ på ett brev* put (vard. stick) a stamp…

frimärksaffär *s* (~en, ~er) butik stamp-dealer's

frimärksalbum *s* (~et, =) stamp album

frimärksautomat *s* (~en, ~er) stamp machine

frimärkshäfte s (~t, ~n) book of stamps
frimärkssamlare s (~n, =) stamp collector, philatelist
frimärkssamling s (~en, ~ar) stamp collection
fringis s (~en, ~ar) vard., extra förmån fringe benefit
fri- och rättigheter s pl rights and privileges
fripassagerare s (~n, =) stowaway
friplats s (~en, ~er) t.ex. i skola free place; på teater o.d. free seat
frireligiös adj (~t) nonconformist; **vara ~** be a nonconformist
1 fris s (~en, ~er) arkit. frieze
2 fris s (~en, ~er) folkslag Frisian, Frieslander
frisbee s (~n, ~s el. ~ar) frisbee
frisedel s (~n, ~sedlar) mil. exemption warrant
frisera vb tr (~de, ~t) **1** eg., **~ ngn** do (dress) sb's hair **2** bildl. cook, doctor
frisersalong s (~en, ~er) hairdresser's, hair salon
frisim s (~met) freestyle [swimming]
frisinnad adj (-sinnat, ~e) liberal, broad-minded
frisinne s (~t) liberalism, broad-mindedness
frisisk adj (~t) Frisian
frisiska s **1** (~n, frisiskor) kvinna Frisian woman **2** (~n) språk Frisian
frisk adj (~t) **1** kry, inte sjuk well mest pred.; [som är] vid god hälsa healthy; återställd recovered; oskadad, felfri sound; **~a tänder** sound teeth; **~ som en nötkärna** [as] sound as a bell; **bli ~** get well (all right); **se ~ ut** look well **2** övriga betydelser: allm. fresh; **[en] ~ aptit** a keen (hearty) appetite; **hämta lite ~ luft** get some [fresh] air, take the air; **med ~a tag** with a will; **~a vindar** fresh breezes
friska vb tr (~de, ~t), **~ upp** freshen up äv. bildl.; **~ upp sina kunskaper** refresh (freshen up, brush up) one's knowledge; **~ upp minnet** refresh (freshen up) one's memory
friskanmäla vb rfl (-mälde, -mält), **~ sig** report that one has recovered from one's illness
friskhet s (~en) fräschhet freshness
friskhetstecken s (-tecknet, =) sign of [good] health
friskintyg s (~et, =) certificate of health
friskluftsintag s (~et, =) fresh-air inlet (intake)
friskna vb itr (~de, ~t), **~ till** recover
friskola s (~n, -skolor) independent school, private school
friskskriva vb tr (-skrev, -skrivit) declare...fit, give...a clean bill of health; **bli friskskriven** be declared fit, get (be given) a clean bill of health
frisksportare s (~n, =) keep-fit type, health freak (nut)
friskvård s (~en) health and fitness activities pl.
frisläppa vb tr (-släppte, -släppt) set...free, release
frispark s (~en, ~ar) sport. free kick; **döma ~** award a free kick; **lägga en ~** take a free kick
frispråkig adj (~t) outspoken, free-spoken
frispråkighet s (~en) outspokenness
frissa s (~n, frissor) vard. **1** hårfrisörska [ladies'] hairdresser **2** frisyr hairstyle, hairdo
frist s (~en, ~er) anstånd respite, grace; föreskriven tidrymd time (period) assigned, set term
fristad s (~en, -städer) skyddad uppehållsort sanctuary, [place of] refuge, asylum
fristil s (~en) brottn. freestyle; skidåkning skate skiing
fristående adj (oböjl.) eg. freestanding, ...standing by itself, ...that stands by itself; om t.ex. hus, garage

äv. detached; separat separate, self-contained; **~ gymnastik** floor exercises pl.; **~ system** data. stand-alone system
friställa vb tr (-ställde, -ställt), **~ arbetskraft** release (permittera lay off) manpower (labour)
friställd adj (-ställt) om arbetskraft redundant, laid off
frisyr s (~en, ~er) hairstyle; **vad tycker du om min ~?** äv. how do you like my hair[do]?
frisyrgelé s (~n el. ~et, ~er) hairstyling gel
frisör s (~en, ~er) hairdresser; herrfrisör äv. barber
frisörska s (~n, frisörskor) hairdresser
frita vb tr (-tog, -tagit) **1** med våld rescue **2** från skyldighet o.d. release, exempt, excuse [från from]; från ansvar relieve [från av]
fritagning s (~en, ~ar) rescue operation
fritagningsförsök s (~et, =) rescue attempt (bid)
fritera vb tr (~de, ~t) deep-fry
fritid s (~en) spare time, leisure [time]; ledig tid från arbete time off; **på ~en** in leisure (off-duty) hours, in one's leisure time (spare time, time off)
fritidsaktiviteter s pl leisure (recreational) activities
fritidsbåt s (~en, ~ar) pleasure boat, pleasure craft
fritidsfiske s (~t) angling
fritidsgård s (~en, ~ar) [youth] recreation centre
fritidshem s (~met, =) ung. [before and] after school care centre (amer. center), after school club
fritidshus s (~et, =) ung. holiday (week-end) cottage, summer house
fritidsintresse s (~t, ~n) hobby, leisure-time activity
fritidskläder s pl leisure (casual) wear sg., sportswear sg.
fritidsledare s (~n, =) recreation leader
fritidsområde s (~t, ~n) recreation area
fritidspedagog s (~en, ~er) recreation instructor (leader), recreational pedagogue
fritidssysselsättning s (~en, ~ar) hobby (leisure) activity, spare-time occupation
fritis s (~et, =) vard., se fritidshem
fritt adv allm. freely; obehindrat unobstructedly; utan tvång unconstrainedly; efter behag at will; öppet, oförbehållsamt openly, frankly, unreservedly; avgifts~ free [of charge]; **~ fram!** i barnlek you can all come out!; **det är ~ fram** man får fortsätta the green light has been given; **~ förfoga över ngt** have sth at one's own (entire) disposal; **huset ligger ~ och öppet** the house commands a free view, jfr ex. under fri
frityr s (~en, ~er) deep[-frying] fat
frityrsmet s (~en, ~er) batter
fritänkare s (~n, =) freethinker
frivakt s (~en, ~er) sjö. off-duty watch, watch below; **ha ~** be off duty, be below
frivillig I adj (~t) allm. voluntary; mil. volunteer; skol., om läroämne optional, amer. elective; **på ~ väg** voluntarily, on a voluntary basis **II** s (en ~, pl. ~a) mil. volunteer; **gå med som ~** volunteer
frivillighet s (~en) voluntariness
frivilligkår s (~en, ~er) volunteer corps
frivilligorganisation s (~en, ~er) NGO (förk. non-Governmental Organization), voluntary organization
frivilligt adv voluntarily, of one's own free will
frivol adj (~t) lösaktig loose, immoral; oanständig, om t.ex. historia indelicate, improper
frivolt s (~en, ~er) gymn. somersault
frivård s (~en) non-custodial treatment, probation

friåkning *s* (~en, ~ar) i konståkning free skating; i utförsåkning freeskiing

frodas *vb itr dep* (frodades, frodats) thrive, flourish

frodig *adj* (~t) luxuriant äv. bildl.; om gräs, äng o.d. lush; speciellt om ogräs rank; om person el. djur fat, plump

frodighet *s* (~en) luxuriance, exuberance, lushness etc.; jfr *frodig*

from *adj* (~t, ~ma) gudfruktig pious; saktmodig, beskedlig quiet, gentle; **en ~ önskan** a pious hope, an idle wish; **~ som ett lamm** meek (gentle) as a lamb

fr.o.m. förk., se *från och med* under *från I 7*

fromage *s* (~n, ~r) kok., ung. [cold] mousse

fromhet *s* (~en) gudfruktighet piety; saktmod, beskedlighet gentleness

fromma *s* (oböjl.), **till ~ för...** for the [lasting] benefit (advantage) of...

front *s* (~en, ~er) front äv. bildl.; meteor. el. mil. äv. front line; **bilda ~ mot** bildl. face; **visa upp en enad ~** present a united front; **på bred ~** mil. el. bildl. on a wide front; **vid ~en** mil. at the front, on the front line

frontal *adj* (~t) frontal

frontalkrock *s* (~en, ~ar) head-on collision

frontlinje *s* (~n, ~r) allm. el. mil. front line

frontmatad *adj* (-matat, ~e) ...loaded from the front; **~ tvättmaskin** front-loader

1 frossa *s* (~n, frossor), **ha ~ köldrysningar** have the shivers

2 frossa *vb itr* (~de, ~t) **1** eg., äta glupskt gormandize; gorge, guzzle [*på* [up]on]; gorge (glut, stuff) oneself [*på* with] **2** bildl., ohämmat hänge sig åt wallow in...

frossare *s* (~n, =) eg. glutton, guzzler, gormandizer

frossbrytning *s* (~en, ~ar) fit of shivering (ague)

frosseri *s* (~et) **1** eg. gluttony, guzzling, gormandizing **2** bildl. revelling, revelry [*i* in]

frost *s* (~en) frost; rim~ hoarfrost, white frost

frosta *vb tr* (~de, ~t) **1 ~ av** defrost **2 ~t glas** frosted glass

frostbiten *adj* (-bitet, -bitna) frostbitten, frost-nipped

frosthärdig *adj* (~t) frost hardy

frostig *adj* (~t) frosty

frostknöl *s* (~en, ~ar) chilblain

frostnatt *s* (~en, -nätter) frosty night

frostnupen *adj* (-nupet, -nupna) ...nipped by frost, frostbitten

frostskada *s* (~n, -skador) frost injury

frostskadad *adj* (-skadat, ~e) ...damaged by frost

frostskyddsmedel *s* (-medlet, =) o.

frostskyddsvätska *s* (~n, -vätskor) antifreeze

frotté *s* (~n, ~er) terry [cloth]

frottéhandduk *s* (~en, ~ar) terry towel

frottera I *vb tr* (~de, ~t) rub **II** *vb rfl* (~de, ~t), **~ sig** rub oneself, give oneself a rubbing; **~ sig med** kändisar o.d bildl. rub shoulders (hobnob) with ...

frotterborste *s* (~n, -borstar) fleshbrush

fru *s* (~n, ~ar) gift kvinna married woman (lady); hustru wife; **~ Ek** Mrs (mer neutralt Ms) Ek

frugal *adj* (~t) frugal

frukost *s* (~en, ~ar) morgonmål breakfast; **äta ~** have (amer. eat) breakfast; för fler ex. jfr *middag 2*

frukostbord *s* (~et, =) breakfast-table; **vid ~et** vid frukosten at breakfast

frukostdags *adv*, **vid ~** at breakfast-time

frukostflingor *s pl* breakfast cereals

frukostrum *s* (~met, =) breakfast room

frukost-tv *s* (-tv:n) breakfast TV, morning [news] show

frukt *s* (~en, ~er) bot. el. friare fruit; koll. fruit[s pl.]; resultat äv. product, result, outcome; **färsk ~** fresh fruit[s]; **förbjuden ~ smakar bäst** forbidden fruit is sweetest; **bära ~** bear fruit äv. bildl.

frukta I *vb tr* (~de, ~t) allm. fear; fasa för dread; ledigare be afraid [*ngn* (*ngt*) of sb (of sth); *att* + sats that]; **~ Gud** fear God; **~ det värsta** fear the worst; **det var [just] det jag ~de!** I feared as much!; **en ~d sjukdom** a dreaded disease **II** *vb itr* (~de, ~t), **~ för** t.ex. ngns liv, säkerhet fear for; **~ för sitt liv** be in fear of one's life

fruktaffär *s* (~en, ~er) butik fruit and sweet shop; amer. fruit and candy store

fruktan *s* (=, en) rädsla fear; starkare dread [*för* of; *för att* + inf. of + ing-form]; respektfylld awe [*för* of]; **darra av ~** tremble with fear; **av ~ för att** de skulle upptäcka honom for fear [that]...

fruktansvärd *adj* (-värt) terrible, terrific, awful, fearful, dreadful, horrible; **en ~ röra** an awful mess

fruktansvärt *adv* terribly osv., jfr *fruktansvärd*

fruktbar *adj* (~t) bördig fertile, rich; givande o.d. fruitful, productive, profitable; **~t samarbete** fruitful cooperation

fruktbarhet *s* (~en) fertility; fruitfulness, productivity; jfr *fruktbar*

fruktbärande *adj* (oböjl.) eg. fruit-bearing, fructiferous; bildl. fruitful

fruktkaka *s* (~n, -kakor) fruit cake

fruktkniv *s* (~en, ~ar) fruit-knife

fruktkräm *s* (~en, ~er) stewed fruit [thickened with potato flour]

fruktkött *s* (~et) pulp, flesh

fruktlös *adj* (~t) unavailing, futile, fruitless; **visa sig ~** prove useless (of no avail)

fruktodlare *s* (~n, =) fruit-grower

fruktodling *s* (~en, ~ar) odlande fruit-growing; konkr. fruit farm

fruktsaft *s* (~en, ~er) fruit juice

fruktsallad *s* (~en, ~er) fruit salad

fruktsam *adj* (~t, ~ma) om kvinna fertile; som snabbt förökar sig prolific, fecund

fruktsamhet *s* (~en) fertility; fecundity; jfr *fruktsam*

fruktskål *s* (~en, ~ar) fruit dish

fruktskörd *s* (~en, ~ar) fruktplockning fruit-gathering; konkr. fruit crop

fruktsocker *s* (-sockret) fruit sugar, fructose

fruktsort *s* (~en, ~er) kind of fruit

frukttröd *s* (~et, =) fruit-tree

frukttrödgård *s* (~en, ~ar) orchard

frukttårta *s* (~n, -tårtor) fruit flan; amer. äv. fruit cake

fruktyoghurt *s* (~en, ~ar) fruit yogurt

fruntimmer *s* (-timret, =) neds. female, woman (pl. women); amer. dame

fruntimmerskarl *s* (~n el. ~en, ~ar) ladies' man, lady-killer

fruntimmersveckan *s* (best. sing.) ung. Ladies' Week, the period July 19–25 inclusive

frusen *adj* (fruset, frusna) **1** om saker frozen; frostskadad frostbitten; **fruset kött** frozen meat **2** om person, **känna sig ~** feel chilly (frozen); **vara ~ av sig** be sensitive to cold, feel the cold

frusenhet *s* (~en) chilliness; coldness äv. bildl., sensitivity to cold

frusta *vb itr* (~de, ~t) snort; **~ av skratt** snort with laughter

frustration *s* (~en, ~er) frustration; **en ~** a feeling of frustration

frustrera *vb tr* (~de, ~t) frustrate

frustrerad *adj* (frustrerat, ~e) frustrated

fryntlig *adj* (~t) vänlig genial, kindly; jovialisk jovial

fryntlighet *s* (~en) geniality, kindliness; joviality; jfr *fryntlig*

frys *s* (~en, ~ar) freezer

frysa (se äv. *frusen*) **I** *vb itr* (frös, frusit) **1** till is freeze; **rören har frusit** the pipes are (have) frozen; **vattnet har frusit** the water is frozen **2** bli frostskadad get frostbitten; **potatisen har frusit** the potatoes are frostbitten **3** om person be (feel) cold; starkare be freezing; **jag fryser om händerna** my hands are cold **II** *vb tr* (frös el. fryste, frusit el. fryst) **1** matvaror freeze; få att stelna äv. congeal **2** t.ex. löner, priser freeze; **~ en bild** i t.ex. tv freeze a picture **III** med beton. part.

frysa fast freeze [vid [on] to]; **~ fast i** isen freeze fast in…

frysa igen freeze, get frozen; sjön **har frusit igen** …has frozen over; dörren etc. **har frusit igen** …has frozen shut

frysa ihjäl freeze to death

frysa in t.ex. matvaror freeze; få att stelna äv. congeal

frysa ut ngn freeze sb out, send sb to Coventry

frysbox *s* (~en, ~ar) [chest] freezer

frysdisk *s* (~en, ~ar) frozen-food display

frysfack *s* (~et, =) freezing-compartment, frozen storage compartment

frysfolie *s* (~n, ~r) freezer paper, aluminium freezer wrap

frysförpackning *s* (~en, ~ar) freezer packaging

frysklamp *s* (~en, ~ar) freezer pack

frysning *s* (~en, ~ar) freezing äv. bildl.

fryspunkt *s* (~en, ~er) freezing-point; nollpunkt äv. zero

frysskåp *s* (~et, =) [upright cabinet] freezer

frystorka *vb tr* (~de, ~t) freeze-dry

fråga I *s* (~n, frågor) question; förfrågan äv. inquiry, query; sak, problem äv. matter, point, problem; som ämne för diskussion, tvistefråga issue; **~n för dagen** the topic (issue) of the day; **vilken ~!** what a question [to ask]!; iron. a fine question [to ask]!; **~n är om** vi har råd the question is whether…; **det är ~n** that is [just] the point; **det är nog ~n om** han kan… it remains to be seen (it is doubtful) whether…; **det är en ~ om smak** it is a matter of taste; **vad är det ~ om?** a) vad gäller saken? what's it all about? b) vad står på? what's the matter?, what's up?; **ställa en ~ till ngn** ask sb a question; mannen (boken) **i ~** …in question, …concerned, …referred to; ofta this…; **han kan komma i ~** som chef he is a possible choice (a possibility)…; **det kommer aldrig på ~n!** [it is] out of the question!, certainly not!; **i ~ om** beträffande concerning, with (in) regard to, with reference to, as to, as regards

II *vb tr* o. *vb itr* (~de, ~t) ask [ngn om ngt sb about sth], jfr ex.; utfråga interrogate; söka svar i (hos) question; höra sig för inquire; **får jag ~ dig [om] en sak?** el. **får jag ~ en sak?** may I ask you a question?; **~ efter ngn** ask for sb; **~ efter en bok** i bokhandeln inquire for a book; **~ efter priset på** en vara ask the

price of…; **~ ngn om vägen** ask sb the way

III *vb rfl* (~de, ~t), **~ sig** ask oneself, wonder; **det kan man [verkligen] ~ sig!** you may well ask!; **~ sig fram** ask one's way

IV med beton. part.

fråga om på nytt ask again, repeat the (one's) question

fråga ut ngn question sb, interrogate sb, ask sb questions

frågeformulär *s* (~et, =) questionnaire, inquiry form

frågeord *s* (~et, =) gram. interrogative

frågesats *s* (~en, ~er) gram. interrogative sentence (bisats clause)

frågespalt *s* (~en, ~er) i tidning Readers' Queries

frågesport *s* (~en, ~er) quiz

frågesportprogram *s* (~et, =) quiz show, quiz programme (amer. program)

frågeställare *s* (~n, =) questioner; i paneldebatt question master

frågetecken *s* (-tecknet, =) question mark äv. bildl., mark of interrogation; **se ut som ett levande ~** look the [very] picture of bewilderment (astonishment); **sätta ett stort ~ för ngt** put a big question mark over sth, be very doubtful about sth

frågvis *adj* (~t) inquisitive

frågvishet *s* (~en) inquisitiveness

från

från delas in i ordklasserna
I preposition
II adverb

I *prep*
Prepositionen **från** motsvaras vanligen av **from** i uttryck som *hon är* **från** *Stockholm* = she is **from** Stockholm, **från** *maj till september* = **from** May to September.
från används i många uttryck som står under andra uppslagsord. Exempelvis finns uttrycket *avstå* **från** under uppslagsordet *avstå*, uttrycket *vara* **från** *vettet* under uppslagsordet *vett* osv.

Rumsbetydelse

1 anger plats för ursprung eller utgångspunkt, vanligen from; i vissa fall of; **hon är ~ Stockholm** she is from Stockholm; **en designer ~ Stockholm** a designer from Stockholm, a Stockholm designer; **tåget ~ London** the train from London; **den här musiken kommer ~ en musikal** this music is from a musical; **hotellet ligger fem miles ~ kusten** the hotel is situated five miles from the coast; **bilder ~** tagna i **Italien** pictures of (from) Italy; **glöden ~ hennes cigarett** the glow of her cigarette

2 i betydelsen 'bort från, ned från' off, ibland annan konstruktion, **falla ner ~ en stege** fall off a ladder; **klättra ned ~ en stege** climb down a ladder; **ta av ~ motorvägen** turn off the motorway; **ta bort armbågarna ~ bordet!** take your elbows off the table!

Tidsbetydelse

3 som kommer från angiven tid:, dag, vecka, månad, år from; århundrade: annan konstruktion, **matresterna ~ i går** the leftovers from yesterday; **pengar ~ förra månaden** money from last month; **en kyrka ~ 1100-talet** a 12th century church

4 från en viss tidpunkt i det förflutna och framåt since; **~ det**

jag kom hit ever since I came here; **jag känner honom ~ tiden i Uppsala** I have known him ever since we were at Uppsala; **en vän ~ skolåren** an old school-friend; **en vän ~ [min tid i] Rom** a friend I got to know in Rome

Andra betydelser

5 i uttryck för nedre gräns eller början from; **~ 200 kronor (20 år) och uppåt** from 200 kronor (20 years) and upwards; **~...till** from...to; **~ morgon till kväll** from morning till night; **arbeta ~ nio till fem** work from nine to five

6 anger vem som skickar eller ger något from; **ett brev ~ min kusin** a letter from my cousin; **en present ~ hennes mor** a gift from her mother

7 olika översättningar av **~ och med** (förk. *fr.o.m.*) :, **~ och med den 1 maj** as from May 1st; amer. as of May 1st; **~ och med 20 april till och med 5 maj** from April 20th to May 5th inclusive; amer. äv. from April 20th through May 5th; **~ och med den dagen var han...** from that [very] day he was...; **~ och med i dag** as from today, as from today, starting today; **~ och med nu ska jag...** from now on I will...; **tre år ~ och med nu** three years from now; **~ och med sidan 10** from page 10 on, from page 10 onwards

8 vid ord som anger befriande, borttagande o.d. of; **fri ~ skuld** free of guilt; **bota ngn ~ ngt** cure sb of sth

9 **~ det ena till det andra** from one thing to another; förresten by the way

II *adv* **1** frånkopplad, på instrumenttavla o.d. off **2** *till och ~* se *till II 4* **3** som betonad partikel, se *ifrån*

fråndöma *vb tr* (-dömde, -dömt), **~ ngn ngt** a) jur. deprive sb of sth [by judgement] b) bildl., se *frånkänna*

frånfälle *s* (~t, ~n) decease, death

frångå *vb tr* (-gick, -gått) ge upp give up; t.ex. plan, vana äv. relinquish; principer deviate from; åsikt, ståndpunkt abandon; jfr *gå ifrån* under *gå III*

frånkänna *vb tr* (-kände, -känt), **man kan inte ~ honom en viss talang** one can't deny [that] he has a certain talent

frånlandsvind *s* (~en, ~ar) offshore wind, land breeze

frånsett *prep*, **~ att** apart from the fact that; **~ detta** apart from that (this)

frånskild *adj* (-skilt) om makar divorced

frånskilja *vb tr* (-skilde el. -skiljde, -skilt el. -skiljt) t.ex. talong detach

frånstötande *adj* (oböjl.) repellent, repulsive, forbidding; vämjelig repugnant, disgusting; **verka ~ på ngn** repel sb

frånsäga *vb rfl* (-sade, -sagt), **~ sig** t.ex. ett uppdrag decline; t.ex. ansvar disclaim

frånta *vb tr* (-tog, -tagit) se *ta ifrån* under *ta III*

frånträda *vb tr* (-trädde, -trätt) **1** avgå från retire from, relinquish **2** avstå från: krav, förmån waive; egendom, rättighet surrender

frånträde *s* (~t, ~n) avgång retirement

frånvarande *adj* (oböjl.) **1** eg. absent [*från* from]; **han är ofta ~** äv. he often stays away **2** tankspridd absent[-minded]; upptagen av sina tankar preoccupied; om blick vacant

frånvaro *s* (~n) absence [*av* of; *från* from]; uteblivande äv. non-attendance; avsaknad äv. want [*av* of]; **lysa med sin ~** be conspicuous by one's (its) absence

fräck *adj* (~t) **1** oförskämd impudent, insolent [*mot* to], audacious; vard. cheeky; amer. äv. fresh; skamlös shameless, brazen, barefaced, bold; vågad, om t.ex. historia risqué fr., indecent; **~ i mun** rude, coarse; **det var det ~aste!** vard. what cheek (nerve)!; **han var ~ nog att** + inf. he was so impudent as to + inf. **2** vard., klatschig o.d. striking, bold

fräckhet *s* (~en, ~er) impudence, insolence, audacity, effrontery; vard. cheek, nerve (samtliga endast sg.); **ha ~en att** + inf. have the impudence etc. to + inf., be so impudent as to + inf.

fräckis *s* (~en, ~ar) fräck historia smutty (dirty) story (joke)

fräken *s* (fräknen, fräknar) bot. horsetail

fräknar *s pl* freckles; **få ~** freckle, become freckled

fräknig *adj* (~t) freckled

frälsa *vb tr* (frälste, frälst) save, redeem, deliver; **fräls oss ifrån ondo!** bibl. deliver us from evil!; jfr *frälst*

frälsare *s* (~n, =) saviour; **Frälsaren** el. **vår Frälsare** our Saviour, the Redeemer

frälsarkrans *s* (~en, ~ar) sjö. lifebuoy

frälse *adj* (oböjl.), **~ och ofrälse [män]** noblemen and commoners

frälsning *s* (~en) salvation, redemption

Frälsningsarmén the Salvation Army

frälsningssoldat *s* (~en, ~er) Salvationist

frälst *adj* (=) **1** i frikyrkan, **bli ~** find salvation, see the light **2** vard., **vara ~ på ngt** be gone (sold) on sth, have a yen for sth

främja *vb tr* (~de, ~t) promote, further, forward; hjälpa aid; understödja support

främjande I *s* (~t, ~n) promotion, furtherance; **till ~ av...** for the promotion etc. of..., for promoting..., [in order] to promote... **II** *adv*, **verka ~ för** promote, encourage

främjare *s* (~n, =) promoter; understödjare supporter

främling *s* (~en, ~ar) stranger [*för* to], friare outsider

främlingsfientlig *adj* (~t) ...hostile to[wards] foreigners, xenophobic

främlingsfientlighet *s* (~en, ~er) hostility towards foreigners, xenophobia

främlingshat *s* (~et) hostility (hatred) towards foreigners, xenophobia

främlingskap *s* (~et) om utlänning alien status; bildl. estrangement, alienation

främlingslegionen *s* (best. sing.), **[franska] ~** the Foreign Legion

främlingspass *s* (~et, =) alien's passport

främmande I *adj* (oböjl.) obekant strange, unknown, unfamiliar [*för* to]; utländsk foreign, jur. alien; jfr ex., **ett ~ ansikte** a strange (an unfamiliar) face; **hamna (råka) i ~ händer** fall into the hands of strangers; **[fullkomligt] ~ människor** [perfect] strangers; **ett ~ ord (språk)** a foreign word (language); **jag är inte ~ för tanken** the thought has sometimes crossed my mind; **denna ordbildning är ~ för svenskan** ...is foreign to (is not found in) Swedish **II** *s* **1** (en ~, pl. =) obekant stranger; gäst guest, visitor **2** (~t) gäster guests pl., visitors pl., company; **vi fick (det kom) ~** some people came to see us

främre *adj* (komparativ) front, fore; **~ vokal** fonet. front vowel

främst *adv* först first; längst fram in front; om rang, ställning foremost; huvudsakligen principally, chiefly; se äv. *först och främst* under *först 1*; **gå ~** go first, lead [the way], walk in front; i främsta ledet be in the front rank äv. bildl.; *ligga ~* i tävling lead

främsta *adj* (superlativ) förnämsta, bästa foremost; viktigaste chief, principal; ledande leading; första first, front; *~ bänk[en]* the front bench; *vår främsta nu levande* författare our foremost living...; *i ~ ledet* mil. in the forefront, bildl., bland de främsta in the front rank

frän *adj* (~t) **1** om lukt, smak rank, acrid; skarp pungent äv. bildl.; bildl. äv. acrimonious, bitter; sarkastisk caustic, biting; *~ kritik* pungent (biting) criticism **2** vard., tuff, flott snazzy, swish, groovy

fränhet *s* (~en) rankness, acridity; pungency; acrimony, acerbity; jfr *frän*

1 fräs *s* (~en, ~ar) tekn. [milling] cutter, mill; se äv. *jordfräs*

2 fräs *s* (~en) vard., fart, *i full ~* at full speed; *sätta ~ [på ngt]* speed up [sth]; t.ex. fest liven up

1 fräsa *vb tr* (fräste, fräst) tekn. mill

2 fräsa I *vb itr* (fräste, fräst) **1** hiss; brusa, skumma fizz; svagt fizzle; vid stekning sizzle, frizzle; om katt spit [*åt* at]; *~ till* om person hiss **2 fräs [ut] ordentligt!** snyt ut give your nose a good blow! **II** *vb tr* (fräste, fräst) hastigt steka fry, frizzle; *~ upp* värma upp fry up

fräsande *s* (~t, ~n) hiss, hissing; brus fizz; svagt fizzle; vid stekning sizzle, frizzling (sputtering) noise

fräsch *adj* (~t) fresh, fresh-looking; om person young-looking; obegagnad new; ren clean

fräscha *vb itr* (~de, ~t), *~ upp* freshen up; bildl. refresh, brush up; *~ upp sina kunskaper* brush up one's knowledge

fräschhet *s* (~en) o. **fräschör** *s* (~en) freshness; newness; jfr *fräsch*

fräsig *adj* (~t) vard., klatschig classy, groovy, swish

fräta I *vb tr* o. *vb itr* (frätte, frätt), *~ [på]* a) om syra o.d. corrode, eat into, erode b) bildl. gnaw [at], fret; *~ hål på* eat a hole in; *~nde syra* corrosive acid; *~nde ämne* corrosive; *verka ~nde på ngt* corrode sth, have a corrosive effect on sth **II** med beton. part.

fräta bort eat away, corrode away, erode

fräta sönder corrode, eat holes (a hole) in

frätmedel *s* (-medlet, =) corrosive; med. caustic, cautery

frö *s* (~et, ~n el. ~er) seed; koll. seed[s pl.]; bildl. äv. germ [*till of*]

fröa I *vb itr* (~de, ~t) shed its (resp. their) seed **II** *vb rfl* (~de, ~t), *~ sig* run (go) to seed, seed; *~ av sig* shed its (resp. their) seed

fröhus *s* (~et, =) bot. seed vessel, pericarp

fröjd *s* (~en, ~er) glädje joy; lust delight; *en ~ för ögat* a delight to the eye

fröjda I *vb tr* (~de, ~t) delight, gladden **II** *vb rfl* (~de, ~t), *~ sig* se *fröjdas*

fröjdas *vb itr dep* (fröjdades, fröjdats) rejoice [*åt (över)* in (at)], delight [*åt (över)* in]

frökapsel *s* (~n, -kapslar) bot. capsule, seed case

fröken *s* (=, en, fröknar) ogift kvinna unmarried woman; ung dam young lady; lärarinna teacher; som titel Miss (Ms); *Fröken!* till lärarinna Miss!; *Fröken Ur* the Speaking Clock

frömjöl *s* (~et) bot. pollen

fröskal *s* (~et, =) seed coat, test|a (pl. -ae)

F-skatt *s* (~en) preliminary tax paid in by self-employed persons

F-skattsedel *s* (~n, -sedlar) notice of tax assessment for self-employed persons

fuchsia *s* (~n, fuchsior) fuchsia

fuffens *s* (ett, pl. =) knep trick[s pl.], dodge[s pl.]; ofog mischief; *ha något ~ för sig* be up to something (to mischief)

fuga *s* (~n, fugor) mus. fugue

fukt *s* (~en) allm. damp; väta moisture; fuktighet[sgrad] humidity

fukta *vb tr* (~de, ~t) moisten, damp, wet; *~ läpparna* wet (moisten) one's lips; *~ strupen* wet one's whistle

fuktas *vb itr dep* (fuktades, fuktats), hans ögon *fuktades [av tårar]* ...became moist (moistened) [with tears]

fuktdrypande *adj* (oböjl.) damp, ...wet with damp

fuktfläck *s* (~en, ~ar) damp stain

fuktfri *adj* (-fritt) torr ...free from damp, dry

fuktig *adj* (~t) damp; ständigt moist; om luft äv. humid; *~a händer* clammy (moist) hands; *~t klimat* humid climate

fuktighet *s* (~en) **1** dampness; moistness; humidity; jfr *fuktig* **2** fukt moisture, damp

fuktighetsbevarande *adj* (oböjl.), *~ hudkräm* moisture cream, moisturizer

fuktighetsmätare *s* (~n, =) hygrometer

fuktskada *s* (~n, -skador) damage sg. due to damp; om fläck damp-stain

fuktskadad *adj* (-skadat, ~e) ...damaged by damp; fläckig ...stained by damp (moisture)

ful *adj* (~t) ugly; alldaglig plain, amer. äv. homely; om väder nasty, foul; i moralisk bem. bad, nasty; *den ~a ankungen* the Ugly Duckling; *~ fisk* bildl. ugly customer; *~ gubbe* vard. dirty old man; *~a ord* bad language sg.; *~ vana* nasty habit; *~ i mun* foul-mouthed, coarse, rude; *det är ~t att stjäla* it is bad to steal

fulhet *s* (~en) ugliness etc., jfr *ful*

fuling *s* (~en, ~ar) otäcking nasty customer, rotter; ful person fright, ugly face

full *adj* (~t) **1** fylld o.d. full [*av (med)* of]; framför allt bildl. filled [*av* with]; av folk äv. crowded, packed; *en korg ~ med* frukt äv. a basketful of...; *det är (vi har) ~t* fullbelagt, fullsatt we are fully booked (full up); *vara ~ av (med)* t.ex. idéer be teeming with...; *hälla glaset ~t* fill the glass [up]; *klottra* väggarna *~a* scribble all over...

2 hel, fullständig full; complete, whole, total; fullkomlig äv. perfect, absolute; *på ~t allvar* quite seriously, in real (dead) earnest; *~ betalning* payment in full; *njuta [av] ngt i ~a drag* enjoy sth to the full; *~t förtroende* complete confidence; *i ~ gång* in full swing, at full blast; *~t pris* the full price; *~ sysselsättning* full employment; *med ~ säkerhet* with absolute certainty; han är *i sin ~a rätt* ... perfectly within his rights; *till ~o* in full, to the full, fully

3 onykter drunk vanl. pred., intoxicated, vard. tipsy; *supa (dricka) sig ~* get drunk

fullastad *adj* (-lastat, ~e) fully loaded

fullbelagd *adj* (-belagt) full; pred. äv. full up; *det är (vi har) fullbelagt* we are fully booked (booked up)

fullblod *s* (~et, =) thoroughbred

fullblodig *adj* (~t) thoroughbred; bildl. äv.

full-blooded; out-and-out...,
one-hundred-per-cent...

fullblodshäst s (~en, ~ar) thoroughbred [horse]

fullbokad adj (-bokat, ~e) fully booked; pred. äv.
booked up

fullborda vb tr (~de, ~t) slutföra complete, finish;
utföra accomplish, do, perform, fulfil; **ett ~t faktum**
a fait accompli fr., an accomplished fact

fullbordan s (=, en) completion, finishing,
accomplishment, performance, fulfilment;
consummation; jfr *fullborda*

fullfjädrad adj (-fjädrat, ~e) fullt utvecklad, färdig
full-fledged; durkdriven, skicklig accomplished,
consummate; neds. thoroughpaced...

fullfölja vb tr (-följde, -följt) slutföra complete, finish,
accomplish; genomföra follow out, carry out; **~ en
plan** follow out (pursue) a plan; **~ sina studier**
complete one's studies

fullgod adj (-gott) satisfactory, adequate; **i fullgott
skick** in perfect (excellent) condition; **~a skäl** [very]
good reasons

fullgången adj (-gånget, -gångna) fully developed,
complete[d]

fullgöra vb tr (-gjorde, -gjort) plikt o.d. perform, do,
discharge; åtagande o.d. fulfil, meet; order o.d. carry
out, execute; **~ sina åtaganden** fulfil one's
obligations, meet one's engagements; **~ sin värnplikt**
do one's military service

fullhet s (~en) fullness

fullklottrad adj (-klottrat, ~e), **ett fullklottrat** papper
...which has (had) been scribbled all over; **en ~
vägg** äv. a wall full of graffiti; **väggen var ~ med**
slagord the wall had...scribbled all over it

fullkomlig adj (~t) **1** utan brist, om t.ex skönhet perfect
2 fullständig, absolut complete, entire, absolute, utter;
en ~ brist på logik an entire want of logic; **han är en ~
främling för mig** ...an utter (a total) stranger to me;
en ~ skandal a downright (perfect) scandal

fullkomlighet s (~en) perfection

fullkomligt adv perfectly; completely, entirely,
absolutely; jfr *fullkomlig*; till fullo fully; **behärska ett
språk ~** have a complete (perfect) command of a
language; **~ obegripligt** utterly (completely)
incomprehensible; **~ omöjligt** quite (utterly,
absolutely) impossible

fullkornsbröd s (~et, =) wholemeal (amer.
wholewheat) bread

fullkornsmjöl s (~et, =) wholemeal (amer.
wholewheat) flour

fullmakt s (~en, ~er) **1** befogenhet power of attorney,
authority; spec. vid röstning proxy; dokument power
(letter) of attorney; **ge ngn ~ att** + inf. authorize sb
to + inf.; **rösta genom ~** vote by proxy; **utfärda en ~**
issue a power (letter) of attorney **2** ämbetsmans
[letters pl. of] appointment; speciellt officers
commission

fullmaktsinnehavare s (~n, =) [authorized] agent,
attorney, proxy

fullmatad adj (-matat, ~e) om spannmål full-eared,
full-ripe

fullmogen adj (-moget, -mogna) full-ripe, fully ripe;
mature äv. bildl.

fullmåne s (~n, -månar) full moon

fullmäktig s (en ~, pl. ~e) valt ombud delegate, se äv.
kommunfullmäktig

fullpackad adj (-packat, ~e) o. **fullproppad** adj
(-proppat, ~e) crammed [med with], stuffed [med
with], chock-full [med of]

fullriggare s (~n, =) full-rigged ship

fullsatt adj (=) full; starkare crowded, packed; **det är
(vi har) ~** we are full up (utsålt sold out)

fullstoppad adj (-stoppat, ~e) crammed

fullständig adj (~t) komplett o.d. complete. entire,
full; absolut o.d. perfect, total; jfr *fullkomlig 2*; **~
avhållsamhet** total abstinence; restaurang **med ~a
rättigheter** [fully] licensed...; **~ tystnad** complete
silence

fullständighet s (~en) completeness

fullständigt adv completely etc., jfr *fullständig* o.
fullkomligt

fullt adv completely, wholly, fully, to the full, quite;
jfr ex.; **det är ~ förståeligt att...** it is quite
understandable that..., it is easy to (one can
readily) understand that...; **~ medveten om att...**
fully aware that...; **~ övertygad om att...** firmly
convinced that...; **njuta helt och ~ av ngt** enjoy sth
to the full; **tro ~ och fast på...** believe firmly in...; **ha
~ upp att göra** have plenty to do, have one's hands
full; **arbeta för ~** work full steam, work like mad;
med radion på för ~ with the radio on at full blast;
inte ~ ett år not quite...

fulltalig adj (~t) [numerically] complete; **vara ~**
speciellt om truppstyrka be up to (be in full) strength; **är
vi ~a?** are we all here?

fulltecknad adj (-tecknat, ~e), **listan är ~** the list is
filled [with signatures]

fulltonig adj (~t) mus. sonorous; friare very
expressive, eloquent

fullträff s (~en, ~ar) direct hit; pjäsen **blev en verklig ~**
...was a real hit (complete success)

fullvuxen adj (-vuxet, -vuxna) full-grown; om person äv.
adult, grown up; **bli ~** grow up

fullvärdesförsäkring s (~en, ~ar) full [value]
insurance

fullvärdig adj (~t), **~ kost** a balanced diet; **~ medlem**
full member

fullända vb tr (~de, ~t) **1** fullborda complete, finish
2 fullkomna perfect, accomplish; **~d skönhet** perfect
beauty

fulländning s (~en) perfection

fullärd adj (-lärt) skilled; **vara ~** have served one's
apprenticeship

fullödig adj (~t) sterling; äkta genuine

fumla vb itr (~de, ~t) fumble [med with (at)]

fumlig adj (~t) fumbling

fumlighet s (~en) fumblingness

fundament s (~et, =) foundation[s pl.]

fundamental adj (~t) fundamental, basic

fundamentalism s (~en) relig. fundamentalism

fundamentalist s (~en, ~er) relig. fundamentalist

fundera vb itr (~de, ~t) tänka think [på (över) of
(about, over) jfr ex.]; ta sig en funderare äv. reflect [på
(över) on]; grubbla ponder [på (över) over];
drömmande muse [på (över) over (on)]; **~ på att** + inf.,
överväga think of (about) + ing-form, consider
+ ing-form; ha för avsikt contemplate + ing-form; **jag ska
~ på saken** I will think the matter over (consider
the matter); **jag ~r så smått på att** + inf. I am half
thinking of + ing-form; **~ ut** think (work) out

fundering s (~en, ~ar), **~ar** tankar thoughts; idéer

ideas; teorier speculations; **ha ~ar** planer **på att** + inf. be thinking of + ing-form

fundersam adj (~t, ~ma) tankfull thoughtful, meditative; drömmande musing; betänksam hesitant

fungera vb itr (~de, ~t) **1** gå riktigt work, function; hissen **~r inte** …is out of order, …is not working **2** tjänstgöra, om person act, officiate, serve [som as]

funka vb itr (~de, ~t) vard. work, function

funkis s (~en) funktionalism, functional style

funktion s (~en, ~er) allm. function äv. matem. el. språkv.; maskins o.d. arbetssätt functioning, working; **ha en ~ att fylla** el. **fylla en ~** serve a [useful] purpose; **i ~** in operation, in working order; **ur ~** out of order (operation), not working

funktionalism s (~en) functionalism

funktionalistisk adj (~t) functional[istic]; **~ stil** functional style

funktionsduglig adj (~t) som fungerar working; i gott skick …in [good] working order; tjänlig serviceable

funktionshinder s (-hindret, =) disability

funktionshindrad adj (-hindrat, ~e) disabled

funktionsnedsättning s (~en, ~ar) impairment

funktionär s (~en, ~er) official, functionary; vid tävling, utställning o.d. steward

funtad adj (funtat, ~e) vard., **jag är inte så ~ att jag kan…** I am not so constituted that I can…; **normalt** (**annorlunda**) ~ normal (different)

fura s (~n, furor) [long-boled] pine

furie s (~n, ~r) fury, termagant; mytol. Fury

furir s (~en, ~er) ung.: mil. corporal, inom flyget sergeant, inom flottan petty officer

furste s (~n, furstar) prince; regent äv. sovereign; **furst B.** Prince B.

furstendöme s (~t, ~n) principality; **~t L.** the principality of L.

furstinna s (~n, furstinnor) princess

furu s (~n) virke pine[wood]; hand. redwood; bord **av ~** deal…

fusion s (~en, ~er) fusion; hand. äv. amalgamation, merger

fusionera vb tr (~de, ~t) ekon. fuse, merge

fusk s (~et) **1** cheating; val~ rigging; skol., genom att skriva av äv. cribbing **2** klåperi shoddy work, bad workmanship

fuska vb itr (~de, ~t) **1** cheat; skol., genom att skriva av äv. crib; **~ i kortspel** cheat at cards; **~ sig igenom** bluff (cheat) one's way through **2** klåpa dabble [i t.ex. konst, politik in]

fuskare s (~n, =) **1** cheat, cheater **2** klåpare bungler

fuskbygge s (~t, ~n) jerry-built house (construction etc.); **huset är ett ~** the house is jerry-built

fusklapp s (~en, ~ar) crib

fuskpäls s (~en, ~ar) simulated (fake) fur

fuskverk s (~et, =), **ett ~** a shoddy piece of work

futil adj (~t) futile

futilitet s (~en, ~er) futility; **~er** bagateller trifles

futt s (oböjl.) vard., **jag kan inte få ~ på elden** I can't get the fire to light

futtig adj (~t) ynklig paltry; småaktig, trivial petty, trifling; lumpen mean, shabby; **~a tio kronor** a paltry…; **~a bekymmer** petty troubles

futtighet s (~en, ~er) paltriness; pettiness; meanness, shabbiness (samtliga endast sg.); jfr **futtig**; **~er** trivialiteter trifles

futural adj (~t) språkv. futural

futurism s (~en) futurism

futurist s (~en, ~er) futurist

futuristisk adj (~t) futurist

futurum s (~et el. =, = el. futurer) gram. the future [tense]

fux s (~en, ~ar) chestnut [horse], sorrel

fy interj phew!, ugh!; svagare oh!; tillrop till talare shame!; **~ fan!** se 1 **fan** 2; **~ skäms!** el. **~ på dig!** shame on you!; till barn naughty, naughty!; **det är inte ~ skam** inte illa it's not to be sneered at, it's not bad

fylla I vb tr (fyllde, fyllt) **1** t.ex. behållare el. allm. fill äv. friare; stoppa full stuff äv. kok.; fylla på refill, replenish; fylla upp (helt), fylla ut: t.ex. hål fill up, plats äv. take up; bildl.: behov, brist supply; plikt, ändamål fulfil; **~ sin funktion** (**sitt ändamål**) serve (fulfil) one's (its) purpose; **~ en tand** fill a tooth; **~ tanken** bensintanken fill up [the tank]; **~s av fasa** be filled with fear; salongen **fylldes snabbt** …filled up rapidly; jfr **fylld 2 när fyller du [år]?** when is your birthday?; **han fyllde femtio [år] i går** he was fifty yesterday; **det är roligt att ~ år** it's nice to celebrate one's birthday **II** med beton. part.

fylla i a) kärl fill [up] b) vätska pour in c) ngt som fattas, t.ex. namnet fill in; **~ i en blankett** fill in (out) a form

fylla igen t.ex. hål fill up, stop [up]; med det innehåll som funnits där förut fill in

fylla på a) kärl: slå fullt fill [up]; åter fylla refill, replenish b) vätska pour in; **~ på mera vatten i** kannan pour some more water into…; **~ på bensin** o.d., tanka fill up

fylla ut t.ex. tomrum, program fill up, fill

III s (~n, fyllor), **ta sig en riktig** (**rejäl**) **~** have a good booze; han gjorde det **i ~n och villan** …when he was drunk (had had a drop too much)

fyllbult s (~en, ~ar) vard. drunkard, boozer, wino

fylld adj (fyllt) filled etc., jfr **fylla I** o. **fylla II**; kok. stuffed [med with]; full [med of]; **~ choklad** chocolates [with hard (resp. soft) centres]; **~ till sista plats** full up

fyllechaffis s (~en, ~ar) vard. designated driver

fylleri s (~et) drunkenness

fylleriförseelse s (~n, ~r) drinking offence

fyllerist s (~en, ~er) drunk

fyllhicka s (~n) vard. drunk hiccups; jfr **hicka I**

fyllig adj (~t) **1** om person plump; frodig, om kvinna buxom; om figur, kroppsdel full, ample, rounded; **~a läppar** full lips **2** bildl. a) om framställning o.d. full; detaljerad detailed; om urval o.d. rich b) om ton, röst full, rich, mellow c) om vin full-bodied, …of good body

fyllighet s (~en) plumpness, fullness; etc.; jfr **fyllig**; hos vin body

fyllkaja s (~n, -kajor) vard. boozer, wino

fyllna vb itr (~de, ~t) vard., **~ till** get tipsy

fyllnadsinbetalning s (~en, ~ar) av skatt supplementary payment [of tax for the previous income year]

fyllnadsmaterial s (~et, =) filling [material]

fyllnadsval s (~et, =) by-election

fyllning s (~en, ~ar) allm. filling äv. tand~; i kudde o.d. stuffing, padding; kok. stuffing; i bakverk filling; i pralin o.d. centre

fyllo s (~t, ~n) vard. drunk, wino

fyllsjuk adj (~t) vard., **vara ~** have an awful hangover, feel really sick [after drinking]

fylltratt s (~en, ~ar) vard. boozer, wino

fynd s (~et, =) **1** det funna find äv. bildl.; **göra ett ~** gott köp make a bargain; *sångaren är **ett verkligt ~** ...a real find* **2** finnande finding; upptäckt discovery

fynda *vb itr* (~de, ~t) make a real bargain (resp. bargains)

fyndig *adj* (~t) **1** om person, påhittig inventive; om sak ingenious; slagfärdig quick-witted, ready-witted; kvick witty; träffande apt; **en ~ lösning** an ingenious (clever) solution; **ett ~t svar** a quick-witted (witty) answer, a repartee **2** malmförande metalliferous, ore-bearing

fyndighet *s* (~en, ~er) **1** bildl. inventiveness, ingenuity; quick-wittedness, ready wit, readiness of wit, jfr *fyndig 1* **2** malm~ [ore] deposit

fyndort *s* (~en, ~er) o. **fyndplats** *s* (~en, ~er) finding-place; förekomstort locality

fyndpris *s* (~et, = el. ~er) bargain price

fyr *s* (~en, ~ar) **1** fyrtorn lighthouse; mindre kustfyr el. flygfyr beacon; fyrljus light; **bemannad ~** manned lighthouse; **roterande ~** revolving light **2** eld fire; **få ~** *i* t.ex. spisen light

1 fyra *vb itr* (~de, ~t), **~ av** fire, let off, discharge

2 fyra I *räkn* four; **inom ~ väggar** between four walls; **mellan ~ ögon** se ex. under *öga*; **på alla ~** on all fours; jfr *fem* **II** *s* (~n, fyror) four; **~n[s växel]** fourth, [the] fourth gear; jfr *femma*

fyrahundra *räkn* four hundred, jfr *hundra* med sammansättn.

fyrbent *adj* (=) four-legged äv. om stol o.d.

fyrcylindrig *adj* (~t) four-cylinder...; jfr *femcylindrig*

fyrdela *vb tr* (~de, ~t) divide...into four, quarter; **~d** äv. four-piece..., four-part...

fyrdimensionell *adj* (~t) four-dimensional

fyrdubbel *adj* (~t, -dubbla) fourfold, quadruple; jfr *femdubbel*

fyrdubbla *vb tr* (~de, ~t) multiply...by four osv., jfr *femdubbla*; quadruple

fyrfaldig *adj* (~t) fourfold; **ett ~t leve för** four (eng. motsv. three) cheers for...

fyrfilig *adj* (~t) four-laned, four-lane...; **den är ~** it has four lanes

fyrfotadjur *s* (~et, =) o. **fyrfoting** *s* (~en, ~ar) quadruped, four-footed animal

fyrfärgstryck *s* (~et, =) abstr. four-colour printing

fyrhjulsbroms *s* (~en, ~ar) bil. four-wheel brake

fyrhjulsdriven *adj* (-drivet, -drivna) bil. four-wheel driven

fyrhändigt *adv* mus., **spela ~** play a duet (resp. duets)

fyrhörning *s* (~en, ~ar) geom. quadrangle

fyrkant *s* (~en, ~er) **1** square; speciellt geom. quadrangle **2** tele. hash; **tryck ~** press the hash button

fyrkantig *adj* (~t) **1** square; geom. o.d. äv. quadrangular; friare äv. square-shaped **2** vard., fantasilös, klumpig o.d. square, conventional

fyrklöver *s* (~n, =) four-leaf (four-leaved) clover; bildl., grupp om fyra quartet

fyrling *s* (~en, ~ar) quadruplet; vard. quad

fyrmotorig *adj* (~t) four-engined, four-engine...

fyrsidig *adj* (~t) **1** geom. four-sided, quadrilateral **2** om broschyr o.d. four-page...

fyrsken *s* (~et) lighthouse light (ljusstyrka brilliancy)

fyrskepp *s* (~et, =) lightship

fyrspann *s* (~et, =) four-in-hand äv. vagn

fyrsprång *s* (oböjl.), **i ~** om häst at a (at full) gallop, [in] full career; friare at full (top) speed

fyrtakt *s* (~en) mus. quadruple time

fyrtaktsmotor *s* (~n, ~er) four-stroke (four-cycle) engine

fyrti *räkn* vard., se *fyrtio*

fyrtio *räkn* forty; jfr *femtio* med sammansättn.

fyrtionde *räkn* fortieth

fyrtiotalist *s* (~en, ~er) **1** litt.hist. writer [belonging to the literary movement] of the forties **2** person born in the forties

fyrtioårskris *s* (~en, ~er) midlife crisis

fyrtorn *s* (~et, =) lighthouse [tower]

fyrvaktare *s* (~n, =) lighthouse-keeper

fyrverkeri *s* (~et, ~er), **~[er]** fireworks pl.; **ett ~** a firework (pyrotechnic) display

fyrverkeripjäs *s* (~en, ~er) firework

fysik *s* (~en) **1** vetenskap physics sg. **2** kroppskonstitution physique, constitution

fysikalisk *adj* (~t) physical; **~ kemi** physical chemistry

fysiker *s* (~n, =) physicist

fysiksal *s* (~en, ~ar) skol. physics room

fysikum *s* (oböjl., ett) physics institution (laboratorium laboratory)

fysiolog *s* (~en, ~er) physiologist

fysiologi *s* (~n) physiology

fysiologisk *adj* (~t) physiological

fysionomi *s* (~n) physiognomy

fysioterapi *s* (~n) physiotherapy; vard. physio

fysisk *adj* (~t) physical; kroppslig äv. bodily, corporeal; **~ bestraffning** corporal punishment; **~ omöjlighet** physical (utter) impossibility; **~ person** jur. natural person; **hon är en väldigt ~ person** tycker om kroppskontakt she's a very physical person

1 få I *hjälpvb* (fick, fått) **1** få tillåtelse att **a)** allm. be allowed to, be permitted to; **~r** vanl. may, can; **fick** (**finge**) i indirekt tal might, could; **~r** (o. i indirekt tal **fick**) **inte** innebärande förbud must not; **Får jag gå nu? – Nej, det ~r du inte** May (Can) I go now? – No, you may not (can't, resp. mustn't); **ingen ~r veta det här utom du** nobody must know this...; **man ~r inte** röka här smoking is not allowed here, it's not allowed to smoke here; **~r ej vidröras!** do not touch!

b) med försvagad betydelse, spec. i hövlighetsfraser: **be att ~** + inf. ask to + inf.; be om tillstånd att ask permission to + inf.; **han bad att ~ tala med** chefen he asked to speak to...; **~r jag be om brödet?** vid bordet may I trouble you for the bread?; **~r jag fråga (lov att fråga)**... may (hövligare el. iron. might) I ask...; **~r jag (kan jag ~) tala med** herr A. can (could) I speak to...; **vad ~r det lov att vara?** i butik o.d. what can I do for you?, can I help you[, Sir resp. Madam]?

2 kunna, ha tillfälle el. möjlighet att **a)** allm. be able to, have an opportunity (a chance) to; **~r** vanl. can; ibland med försvagad betydelse ööversatt, jfr ex.; **vi fick göra som vi ville** we could do as we liked; **vi ~r väl se** we'll see [about that]; **vi ~r tala om det senare** we can talk about that later; **det ~r vara så länge** it can wait; **då ~r det vara** lämnas därhän [we'll] leave it at that, then; **gör dig inte besvär** don't bother

b) ~ höra, ~ se, ~ veta etc., se resp. verb

3 vara tvungen att, nödgas have to, have got to; **~r** (o. i indirekt tal **fick**) vanl. must; **det ~r duga (räcka)** that will have to do; **jag fick vänta** äv. I was kept waiting

II *vb tr* (fick, fått) jfr resp. huvudord **1** erhålla o.d. get; fånga, t.ex. fisk catch; belönas med be awarded; **~ arbete**

(*jobb*) get a job; ~ *avslag* be turned down, meet with a refusal; ~ *barn* have children (resp. a child, a baby); ~ *en fråga* be asked a question; *den ~r inte plats här* there is no room for it here; ~ *ro* find peace; ~ *ett slut* come to an end; ~ *snuva* catch a cold; ~ *tandvärk* get a toothache; ~ *tid* get (find) [the] time; *jag ska be att ~ …* el. *kan jag ~ …* i butik I should like (please give me) …; *~r jag* boken där, *är du snäll* will you [please] pass me…; *vem har du ~tt den av?* who gave you that?; *vad ~r vi till middag?* what are we having for dinner?, what's for dinner?; ~ *sig ett gott skratt* have a real good laugh; *där fick han* [*så han teg*]*!* that settled him!, that made him shut up!, that put him straight!

2 med adj. el. particip som predikatsfyllnad, *han har ~tt det bra* [*ekonomiskt*] he is comfortably (well) off; ~ *ngt färdigt* get sth finished, finish sth

3 förmå, bringa, ~ *ngn till ngt* el. ~ *ngn att göra ngt* make sb do sth, get sb to do sth; ~ *ngn i säng* get sb to bed

III med beton. part.

få av: ~ *av* locket get…off; ~ *av sig kläderna* get one's clothes off

få bort avlägsna remove; bli kvitt get rid of

få fast ngn get hold of sb, catch sb

få fram ta fram get…out [*ur* of], produce [*ur* out of]; [lyckas] anskaffa procure; [lyckas] framställa produce; *jag kunde inte ~ fram ett ord* I could not utter (get out) a word

få för sig att… **a)** sätta sig i sinnet get it into one's head… **b)** inbilla sig imagine…

få i: ~ *i ngt i…* get sth into…; ~ *i sig* tvinga i sig get…down; svälja äv. swallow; *jag fick i mig lite kaffe innan…* I managed to get (drink) some coffee…

få igen [lyckas] stänga close, make…close; återfå get…back, recover; *det ska du ~ igen!* I'll pay you back for that, you'll see!, I'll get even with you!

få ihop stänga close; samla get…together; speciellt pengar collect

få in get…in; TV-el radiokanal get; ~ *in ngt i…* get sth into…; ~ *in pengar* tjäna make money; samla ihop collect money

få loss get…off; få ur get…out

få med [*sig*] bring…[along]; *har du ~tt med allt?* have you got everything?; *inte ~ med* lämna [kvar] leave…behind

få ned get…down; svälja äv. swallow

få på [*sig*] get…on

få tillbaka get…back; ~ *tillbaka på* 500 kronor get change for…, jfr *få igen* ovan; ~ *tillbaka på skatten* get a tax refund

få undan ur vägen get…out of the way; överstökad get…over

få upp t.ex. dörr, lås get…open, open; t.ex. lock get…off; ögonen open, bildl. have…opened [*för* to]; knut untie, undo, get…untied (undone); kork get…out [*ur* of]; kunna lyfta raise, lift; få uppburen get…up; få ur sängen get…up, get…out of bed; kräkas upp bring up; ~ *upp farten* komma i gång get up speed; öka farten increase the speed

få ur ngn ngt get sth out of sb

få ut eg. get…out [*ur* of]; pengar draw; t.ex. lön, arv obtain; ~ *ut det mesta möjliga av…* utnyttja äv. make the most of…; *jag ~r ut…i lön* I take home…, my

take-home pay is…

få över få kvar have [got]…left (to spare)

2 få (jfr *färre*) *adj* (pl.) few; i vissa uttryck a few, jfr ex.; *bara några ~* only a few; friare very few; *ganska ~* rather few; *några ~* a few, some few; *med några ~ ord* in a few words, briefly; *några ~ utvalda* a chosen few; *ytterst ~* [*elever*] very few [pupils], a very small number [of pupils]

fåfäng *adj* (~t) **1** flärdfull vain **2** fruktlös vain, futile, fruitless; *ett ~t försök* a vain attempt

fåfänga *s* (~n) flärd vanity; *sårad ~* wounded vanity, pique

fågel *s* (~n, fåglar) bird; koll.: **a)** kok.: tam~ poultry; vild~ game birds pl.; *fri som ~n* free as air, footloose; *hon äter som en ~* she eats like (no more than) a sparrow; *det vete fåglarna!* vard. Lord knows! **b)** jakt. [game] birds pl., wildfowl

fågelart *s* (~en, ~er) species (endast sg.) of bird

fågelbad *s* (~et, =) birdbath

fågelbo *s* (~et, ~n) bird's nest (pl. vanl. birds' nests)

fågelbord *s* (~et, =) bird table

fågelbur *s* (~en, ~ar) birdcage

fågelfrö *s* (~et, ~n) birdseed

fågelholk *s* (~en, ~ar) nesting box

fågelhund *s* (~en, ~ar) allm. bird dog

fågelinfluensa *s* (~n, -influensor) bird flu, avian flu

fågelkant *s* (~en, ~er) sömnad. hemfinch

fågelkännare *s* (~n, =) bird-fancier, ornithologist

fågelliv *s* (~et, =) bird life

fågelperspektiv *s* (~et, =), *se staden i ~* have a bird's-eye view of…

fågelskrämma *s* (~n, -skrämmor) scarecrow

fågelskådare *s* (~n, =) ornitolog bird-watcher

fågelskådning *s* (~en, ~ar) bird-watching

fågelstation *s* (~en, ~er) ornithological station

fågelsträck *s* (~et, =) flight of birds

fågelsång *s* (~en, =) [the] singing of birds, bird song; *vi lyssnade på* (*till*) *~en* we listened to the birds singing

fågelunge *s* (~n, -ungar) young bird; inte flygfärdig nestling, fledgeling

fågelvägen *s* (best. sing.), *två mil ~ …* as the crow flies

fågelägg *s* (~et, =) bird's egg (pl. vanl. birds' eggs)

fåll *s* (~en, ~ar) sömnad. hem

1 fålla *vb tr* (~de, ~t) sömnad. hem; ~ *upp* hem up

2 fålla *s* (~n, fållor) inhägnad pen, fold

fåmansföretag *s* (~et, =) close company; amer. close[d] corporation

fån *s* (~et, =) fool, idiot, oaf (pl. -s el. oaves); *stå inte där som ett ~!* don't stand there like a fool!

fåna *vb rfl* (~de, ~t), ~ *sig* bete sig fånigt (larvigt) fool [about], be silly, play the fool; i tal talk nonsense, drivel

fåne *s* (~n, fånar) se *fån*

fåneri *s* (~et, ~er) foolery, stupidity; silliness (endast sg.)

fång *s* (~et, =) **1** famnfull armful [före följande ord of] **2** jur., *laga ~* legal acquisition

fånga I *s* (oböjl.), *ta…till ~* take…prisoner, capture; *ta sitt förnuft till ~* listen to reason, be sensible (reasonable) **II** *vb tr* (~de, ~t) catch, take båda äv. bildl.; i fälla trap; i nät net; i snara snare; infånga äv. capture, seize; ~ *ngns uppmärksamhet* catch (arrest) sb's attention

fångdräkt *s* (~en, ~er) prison (convict's) uniform

fånge *s* (~n, fångar) prisoner, captive äv. bildl.; straffånge convict

1 fången *adj* (fånget, fångna), *lätt fånget lätt förgånget* easy come, easy go

2 fången *adj* (fånget, fångna) fängslad captured, imprisoned, captive; *hålla ~* keep…in captivity, hold…prisoner

fångenskap *s* (~en) captivity; fängelsevistelse imprisonment, confinement; *fly ur ~en* …from captivity

fånglina *s* (~n, -linor) sjö. painter

fångläger *s* (-lägret, =) prison (prisoners') camp; mil. POW (förk. för prisoner of war) camp

fångst *s* (~en, ~er) **1** fångande catching, taking etc., jfr *fånga II* **2** byte catch äv. bildl.; vid fiske äv. haul, take, draught (amer. draft); vid jakt bag

fångstfartyg *s* (~et, =) fishing-vessel; val~ whaling boat, whaler

fångstredskap *s* (~et, =) fiske., koll. fishing (val~ whaling) tackle

fångtransport *s* (~en, ~er) konkr. convoy of prisoners; fordon prison van

fångvaktare *s* (~n, =) warder, jailer; amer. prison guard, jailer

fångvård *s* (~en) se *kriminalvård*

fånig *adj* (~t) dum silly, stupid, foolish; löjlig ridiculous

fånighet *s* (~en, ~er) silliness (endast sg.), stupidity; se äv. *fåneri*

fåntratt *s* (~en, ~ar) vard. fool, blockhead, oaf (pl. -s el. oaves)

fåordig *adj* (~t) silent, taciturn; *han är ~* äv. he's a man of few words

får *s* (~et, =) sheep (pl. lika) äv. bildl.; kött mutton; *räkna ~* för att somna count sheep

fåra I *s* (~n, fåror) furrow; rynka äv. line; ränna, skåra äv. groove **II** *vb tr* (~de, ~t) furrow; *ett ~t ansikte* a furrowed (lined) face

fåraherde *s* (~n, -herdar) shepherd äv. bildl.

fårakläder *s pl*, *en ulv i ~* a wolf in sheep's clothing sg.

fåraktig *adj* (~t) neds. sheepish, sheeplike

fåravel *s* (~n) sheep-breeding

fårbog *s* (~en, ~ar) shoulder of mutton

fårfarm *s* (~en, ~er el. ~ar) sheep farm

fårfiol *s* (~en, ~er) kok. dried salted or smoked leg of mutton

fårhjord *s* (~en, ~ar) flock of sheep

fårhund *s* (~en, ~ar) sheepdog

fårklippning *s* (~en) sheep-shearing

fårkött *s* (~et) mutton

fårost *s* (~en, ~ar) ewe's milk cheese

fårskalle *s* (~n, -skallar) blockhead, muttonhead, bonehead

fårskinn *s* (~et, =) sheepskin

fårskinnspäls *s* (~en, ~ar) sheepskin coat

fårskock *s* (~en, ~ar) flock of sheep

fårskötsel *s* (~n) sheep-farming

fårstek *s* (~en, ~ar) leg of mutton; tillagad roast mutton

fårticka *s* (~n, -tickor) ung. pore fungus (mushroom)

fårull *s* (~en) sheep's wool

fåtal *s* (~et, =) minority; *endast ett ~* [*medlemmar*] only a few [members], only a small number [of members]; *i ett ~ fall* in a minority of cases

fåtalig *adj* (~t) pred. few [in number]; *den ~a publiken* the small audience

fåtölj *s* (~en, ~er) armchair, easy chair

fä *s* (~et, ~n) **1** koll. cattle; *folk och ~* man and beast **2** kräk, usling swine

fäbless *s* (~en, ~er) weakness; *ha en ~ för* have a weakness (soft spot, partiality) for, be partial to

fäbod *s* (~en, ~ar) ung. hut, shack; i Skottland shieling

fädernearv *s* (~et, =) patrimony, paternal inheritance

fädernegård *s* (~en, ~ar) ancestral farm, family farm

fädernesland *s* (~et, -länder) [native] country, fatherland; poet. native land

fädernet *s* (best. sing.), *vara släkt på ~* be related on the (one's) father's side

fägring *s* (~en) poet. beauty; blomstring bloom

fähund *s* (~en, ~ar) usling swine, bastard

fäkta *vb itr* (~de, ~t) **1** mil. el. sport. fence; friare fight **2** bildl., *~ med armarna* gesticulate [violently]

fäktare *s* (~n, =) fencer, swordsman

fäktkonst *s* (~en) [art of] fencing

fäktmask *s* (~en, ~ar) fencing mask

fäktning *s* (~en, ~ar) fencing [*med, på* with]; strid fight

fäkttävling *s* (~en, ~ar) fencing competition

fälg *s* (~en, ~ar) på hjul rim

fälgkors *s* (~et, =) bil. cross rim wrench

fäll *s* (~en, ~ar) täcke o.d. skin rug; i hårbeklädnad fell

fälla I *s* (~n, fällor) trap; *fånga i en ~* catch in a trap, entrap; *gå i ~n* fall (walk) into the trap, swallow the bait; *lägga ut en ~ för* set a trap for
II *vb tr* (fällde, fällt) (i betydelse 2 äv. vb itr) **1** få att falla fell; slå till marken äv. knock…down; 'golva' floor; speciellt jakt. bring down; låta falla, t.ex. ankare, bomb drop; sänka, t.ex. bom lower; *~ ett förslag* defeat a proposal; *~ regeringen* overthrow the Government; *~ ett träd* fell (cut down) a tree; *~ tårar* shed tears **2** förlora, t.ex. blad, horn, hår shed, cast; fjädrar moult, amer. molt; förlora färg, om tyg lose [its] colour, fade **3** avge, avkunna, *~ en dom* i brottmål pass (pronounce) a sentence; i civilmål pass (give) judgement; *~ ett omdöme* express an (give one's) opinion **4** jur., förklara skyldig convict [*för* of] **5** kem., se *fälla ut* under *fälla III*
III med beton. part.

fälla ihop: *~ ihop ett paraply* fold (take down) an umbrella

fälla ned lock o.d. shut; bom, sufflett o.d. lower; krage turn down; paraply o.d. fold, put down

fälla upp lock o.d. open; krage turn up; paraply open, put up

fälla ut kem. precipitate; bottensats deposit

fällande *adj* (oböjl.), *ett ~ bevis* a damning piece of evidence, damning evidence; *en ~ dom* a verdict of guilty, a conviction

fällbar *adj* (~t) folding; hopfällbar collapsible

fällbord *s* (~et, =) drop-leaf table

fällkniv *s* (~en, ~ar) jackknife, clasp knife

fällning *s* (~en, ~ar) **1** abstr., av träd felling **2** konkr.: kem. precipitate; geol. deposit, sediment; i vin sediment

fällstol *s* (~en, ~ar) folding chair; utan ryggstöd camp stool; vilstol deckchair

fält *s* (~et, =) field äv. sport. el. bildl.; arkit., på vägg el. dörr panel; *lämna ~et fritt* (*öppet*) leave the field open [*för* gissningar to...]; **arbeta på ~et** inte vid skrivbordet work in the field

fältarbete s (~t, ~n) field work

fältartilleri s (~et) field artillery

fältbiolog s (~en, ~er) biologist in the field

fältflaska s (~n, -flaskor) water bottle, canteen

fälthare s (~n, -harar) zool. common (European) hare

fältherre s (~n, -herrar) commander, general

fältjägare s (~n, =) mil., ung. rifleman

fältkikare s (~n, =) dubbel field glasses pl., binoculars pl.

fältkök s (~et, =) field kitchen

fältläkare s (~n, =) army surgeon

fältmarskalk s (~en, ~ar) field marshal

fältmässig adj (~t) ...for active service, active-service...; **under ~a förhållanden** under active-service conditions

fältpost s (~en) mil. field post (mail); abstr. äv. army postal service

fältpräst s (~en, ~er) army chaplain; vard. padre

fältrop s (~et, =) lösen watchword, password; härskri war cry

fältsjukhus s (~et, =) field hospital, mobile hospital

fältslag s (~et, =) pitched battle

fältspat s (~en) miner. feldspar, felspar

fälttjänst s (~en) mil. field (active) service

fälttåg s (~et, =) campaign

fältuniform s (~en, ~er) field uniform, battle dress

fängelse s (~t, ~r) prison, jail, gaol, penitentiary; fängsligt förvar imprisonment [*på livstid* for life]; **få livstids ~** get a life sentence, be imprisoned for life; **dömas till två års ~** be sentenced to two years' imprisonment; **sitta i ~** be in prison (gaol, jail); **sätta ngn i ~** put sb in prison (gaol, jail), imprison sb

fängelsecell s (~en, ~er) prison cell

fängelsedirektör s (~en, ~er) governor (amer. warden) [of a (resp. the) prison]

fängelsehåla s (~n, -hålor) dungeon

fängelsekund s (~en, ~er) jailbird, gaolbird, old lag

fängelsepräst s (~en, ~er) prison chaplain

fängelsestraff s (~et, =) [term of] imprisonment; **avtjäna ett ~** serve a prison sentence, serve [one's] time; **långt ~** long-term sentence

fängsla vb tr (~de, ~t) **1** sätta i fängelse imprison, put...in prison, confine...to prison **2** intaga, tjusa captivate, fascinate

fänkål s (~en) bot. fennel; krydda fennel seed

fänrik s (~en, ~ar) inom armén second lieutenant; inom flottan acting sub-lieutenant; inom flyget pilot officer; amer.: inom armén o. flyget second lieutenant, inom flottan ensign

färd s (~en, ~er) **1** resa journey; till sjöss voyage; med bil, spårvagn etc. ride; flyg~ flight **2** bildl., **vara i [full] ~ med att** + inf. be busy + ing-form

färdas vb itr dep (färdades, färdats) travel

färdbevis s (~et, =) o. **färdbiljett** s (~en, ~er) ticket

färddator s (~n, ~er) bil. trip computer

färde s (oböjl.), **det är fara å (på) ~** danger threatens (is imminent)

färdhandling s (~en, ~ar), **~ar** travel documents

färdig adj (~t) **1** avslutad, fullbordad finished, completed; undangjord done; klar, beredd ready, prepared; **~ att användas** ready for use; **~ att gå** ready to go; **få (göra) ngt ~t** a) avsluta finish sth, get

sth finished (done) b) iordningställa get (make) sth ready [*till* for]; **bli ~ med ngt** finish sth; vard. get through with sth; **är du ~ [med arbetet]?** have you finished [your work]?, are you through [with your work]?; **han är alldeles ~** slut he's had it, he's finished; dödstrött he's dead tired (all in) **2 vara ~** nära **att** + inf. be on the point of + ing-form; **vara ~ att spricka av nyfikenhet** be bursting with curiosity

färdigförpackad adj (-förpackat, ~e) prepacked

färdighet s (~en, ~er) skicklighet skill, proficiency; gott handlag dexterity; talang accomplishment; **övning ger ~** practice makes perfect

färdigkokt adj (=) boiled, cooked; pred. äv. done

färdiglagad adj (-lagat, ~e), **~ mat** ready-cooked (convenience) food

färdigmat s (~en) ready-cooked (convenience) food

färdigrätt s (~en, ~er) ready meal, TV dinner

färdigställa vb tr (-ställde, -ställt) prepare, get...ready

färdigt adv, **äta ~** finish eating; **låt mig tala ~** let me finish [speaking]

färdknäpp s (~en, ~ar) vard., **en ~** one for the road

färdkost s (~en) food for a (the) journey

färdledare s (~n, =) guide, leader, conductor

färdmedel s (-medlet, =) means (pl. lika) (mode) of conveyance

färdriktning s (~en, ~ar) direction of travel

färdskrivare s (~n, =) bil. tachograph; flyg. flight recorder, vard. black box

färdsätt s (~et, =) means (pl. lika) (mode) of travel (transport, conveyance)

färdtjänst s (~en) mobility service, transportation service [for old (disabled) persons]

färdväg s (~en, ~ar) route

färg s (~en, ~er) colour (amer. color) äv. bildl.; målar~ paint; till färgning dye; tryck~ ink; kortsp. suit; **politisk ~** [political] colour, [political] complexion; **få ~** om ansikte get a colour; **hålla ~en** bildl. not betray one's feelings, not give the game away; **skifta ~** change colour; **vad är det för ~ på (vilken ~ har) bilen?** what colour is the car?

färga vb tr (~de, ~t) colour (amer. color); tyg, hår dye; glas o.d. stain; bildl.: ge en viss prägel åt colour (amer. color), tinge; **~ håret** dye one's hair; **duken har ~t [av sig]** the dye has come off the cloth; **~ om** re-dye

färgad adj (färgat, ~e) coloured (amer. colored) etc., jfr *färga*; **[starkt] ~** bildl. [highly] coloured (amer. colored)

färganalys s (~en, ~er) colour (amer. color) analysis

färgbad s (~et, =) dye-bath

färgband s (~et, =) för skrivmaskin [typewriter] ribbon

färgbild s (~en, ~er) colour (amer. color) picture

färgblind adj (-blint) colour-blind; amer. color-blind

färgblindhet s (~en) colour-blindness; amer. color-blindness

färgbrytning s (~en, ~ar) refraction of colours (amer. colors)

färgeri s (~et, ~er) dye works (pl. lika)

färgfilm s (~en, ~er) colour (amer. color) film

färgfilter s (-filtret, =) colour (amer. color) filter

färgfoto s (~t, ~n) o. **färgfotografi** s (~et, ~er) bild colour (amer. color) photo[graph] (picture)

färgglad adj (-glatt) brightly (richly) coloured (amer. colored)

färggrann adj (-grant) richly (brightly) coloured

(amer. colored), full of colour (amer. color); neds. gaudy, garish

färghandel s (~n, -handlar) butik, ung. paint dealer [and chemist], paint shop

färghandlare s (~n, =) paint dealer [and chemist], colour (amer. color) man

färgkarta s (~n, -kartor) colour (amer. color) chart

färgklick s (~en, ~ar) bildl. splash (daub) of colour (amer. color); konkr. splash (daub) of paint

färgkopiator s (~en, ~er) colour (amer. color) copier

färgkrita s (~n, -kritor) coloured (amer. colored) chalk; vax~ [coloured (amer. colored)] crayon

färglåda s (~n, -lådor) paintbox, colour (amer. color) box

färglägga vb tr (-lade, -lagt) colour (amer. color)

färglära s (~n) chromatics sg., chromatology

färglös adj (~t) colourless (amer. colorless); om person äv. insipid

färgning s (~en, ~ar) dyeing

färgpatron s (~en, ~er) data., till bläckstråleskrivare ink cartridge

färgpenna s (~n, -pennor) coloured (amer. colored) pencil

färgprakt s (~en) display of colour (amer. color), rich (glowing) colours (amer. colors) pl.

färgprov s (~et, = el. ~er) colour (amer. color) sample

färgrik adj (~t) richly coloured (amer. colored), ...rich in colour (amer. color); colourful (amer. colorful) äv. bildl.

färgrikedom s (~en) rich colouring (amer. coloring), rich colours (amer. colors) pl., variety of colours (amer. colors), colourfulness (amer. colorfulness)

färgsinne s (~t) sense of colour (amer. color), colour (amer. color) sense

färgskala s (~n, -skalor) range of colours (amer. colors), colour (amer. color) range (gamut); konkr. colour (amer. color) chart (guide)

färgskiftning s (~en, ~ar) nyans hue, tint, tinge

färgskrivare s (~n, =) data. colour (amer. color) printer

färgspruta s (~n, -sprutor) paint-sprayer

färgstark adj (~t) colourful (amer. colorful) äv. bildl. el. om person, richly (brilliantly) coloured (amer. colored)

färgsättning s (~en, ~ar) colour (amer. color) scheme, colours (amer. colors) pl., colouring (amer. coloring)

färgton s (~en, ~er) [colour (amer. color)] tone, hue, tint, shade

färgtryck s (~et, =) **1** process colour-printing; amer. color-printing **2** bild colour-print; amer. color-print

färgtub s (~en, ~er) paint tube

färg-tv s (-tv:n, -tv:ar) colour (amer. color) TV (television)

färgäkta adj (oböjl.) colour-fast (amer. color-fast), fast, unfadable; tvättäkta washproof

färgämne s (~t, ~n) pigment; för färgning: av tyg o.d. dye[stuff]; för drycker, livsmedel colouring (amer. coloring) matter

färja I s (~n, färjor) ferry; mindre ferryboat; tåg~ train ferry **II** vb tr (~de, ~t), ~ **över ngn** (**ngt**) ferry sb (sth) across

färjeförbindelse s (~n, ~r) ferry-service

färjetrafik s (~en) ferry-service

färre adj (komparativ) fewer; ~ [**till antalet**] **än...** äv.

less numerous than...; **mycket ~ fel** far fewer mistakes

färs s (~en, ~er) beredd, till fyllning forcemeat, stuffing; som rätt på fisk o.d. mousse; kött~ som råvara minced meat, vard. mince; amer. ground beef; jfr **köttfärs**

färsera vb tr (~de, ~t) kok. stuff

färsk adj (~t) inte konserverad, inte saltad e.d. el. bildl. fresh; bildl. äv. recent; inte gammal new; **~t bröd** fresh (freshly-baked, new) bread; **av ~t datum** of recent date; ~ **fisk** (**frukt, grönsaker**) fresh fish (fruit, vegetables); **~a nyheter** fresh news; **~a siffror** new (up-to-date) figures; **~a siffror visar att...** the latest figures show that...; **~a ägg** fresh (new-laid) eggs

färska vb tr (~de, ~t) metall fine, refine

färskost s (~en, ~ar) mjukost cream cheese; keso® o.d. cottage cheese

färskpotatis s (~en, ~ar) koll. new potatoes pl.

färskpressad adj (-pressat, ~e) freshly squeezed

färskrökt adj (=), ~ **lax** smoked salmon

färskvara s (~n, -varor) perishable foodstuff; **färskvaror** äv. perishables

färskvatten s (-vattnet) fresh water

Färöarna s pl the Faeroe Islands, the Faeroes

färöing s (~en, ~ar) Faeroese (pl. lika), Faeroe islander

färöisk adj (~t) Faeroese

fäst adj (=) bildl., [**mycket**] ~ **vid** [very much] attached to, [very] fond of

fästa I vb tr (fäste, fäst) **1** eg.: fastgöra fasten, fix, attach; med lim o.d. affix [vid to]; **fäst den med ett par knappnålar** fasten it [on] with a couple of pins, pin it on; ~ **en tråd**[**ända**] fasten [off] a thread; ~ **upp** put (med nålar pin) up äv. t.ex. hår; binda upp tie up **2** bildl., ~ **avseende vid** pay attention to; ~ **blicken på** fix (rivet) one's eyes on; ~ **stor vikt vid** attach great importance to

II vb itr (fäste, fäst) fastna, häfta adhere, stick; **spiken fäster inte** the nail won't hold

III vb rfl (fäste, fäst), ~ **sig vid ngn** become (get, grow) attached to sb; ~ **sig vid ngt** pay attention to sth, notice (take notice of) sth; **det är ingenting att ~ sig vid** it is not worth bothering about

fäste s (~t, ~n) **1** stöd, tag hold; fot~ foothold, footing samtliga äv. bildl.; **få ~** find (get) a hold (a foothold) **2** hållare, handtag holder; svärds~ o.d. hilt, handle **3** fästpunkt: bro~ o.d. abutment; anat. el. bot. attachment **4** befästning stronghold äv. bildl., fort, fortress; **ett konservatismens ~** a stronghold of conservatism

fästfolk s (~et, =) åld., **~et** the engaged couple

fästing s (~en, ~ar) tick; **jag har fått en ~** I've got a tick on me

fästingbett s (~et, =) tick bite

fästingburen adj (-buret, -burna) med. tick-borne; ~ **hjärninflammation** tick-borne encephalitis (förk. TBE)

fästman s (~nen, -män) fiancé

fästmö s (~n, ~r) fiancée

fästning s (~en, ~ar) mil. fortress, fort

fästningsvall s (~en, ~ar) rampart

föda I s (~n) food; näring äv. nourishment; kost äv. diet; för djur äv. feed, fodder; **fast ~** solid food (nourishment); **flytande ~** slops pl.

II vb tr (födde, fött) **1** (jfr **född**); sätta till världen give birth to; ~ **barn** give birth, have a baby (babies); **~s**

på nytt be born anew; ~ *levande ungar* be viviparous **2** alstra breed, beget; *hat föder hat* hatred breeds hatred **3** ge föda åt feed; försörja support, maintain; ~ *upp* djur breed, rear, raise; barn bring up

född *adj* (fött) born; *Födda* rubrik Births; *Fru A., ~ B.* Mrs A., née B.; Mrs A., formerly Miss B.; *hon är ~ B.* her maiden name was B.; *när är du ~?* when were you born?; *han är ~ svensk* he is a Swede by birth, he was born a Swede; *han är ~ till talare* he is a born orator

födelse *s* (~n, ~r) birth

födelseannons *s* (~en, ~er) announcement in the births column

födelseattest *s* (~en, ~er) birth certificate

födelsedag *s* (~en, ~ar) birthday, day of birth; *fira sin ~* celebrate one's birthday; *hjärtliga lyckönskningar (gratulationer) på ~en!* Many Happy Returns [of the Day]!

födelsedagsbarn *s* (~et, =) 'birthday child', birthday boy (girl); *ett [fyrfaldigt] leve för ~et* vanl. three cheers for + vederbörandes namn on his (her) birthday

födelsedagskalas *s* (~et, =) birthday party

födelsedagspresent *s* (~en, ~er) birthday present

födelsedatum *s* (~et, =) date of birth

födelsekontroll *s* (~en, ~er) birth control, contraception

födelsemärke *s* (~t, ~n) birthmark

födelsenummer *s* (-numret, =) birth registration number

födelseort *s* (~en, ~er) birthplace; i formulär place of birth

födelsestad *s* (~en, -städer) native city (town)

födelsestatistik *s* (~en) birth statistics (figures) pl.

födelsetal *s* (~et, =) birthrate; *sjunkande (stigande) ~* declining (rising) birthrate

födelseår *s* (~et, =) year of birth; *hans ~* the year of his birth

födgeni *s* (oböjl., ett), *ha ~* have an eye to the main chance; friare know how to look after oneself

födkrok *s* (~en, ~ar) means (pl. lika) of livelihood; vard. meal ticket

födoämne *s* (~t, ~n) food; foodstuff, article of food; *~n* äv. provisions, eatables, comestibles

födsel *s* (~n, födslar) birth; förlossning delivery; *från ~n* from [one's] birth; *av ~ och ohejdad vana* from long inveterate habit

födslovåndor *s pl* labour (amer. labor) pains äv. bildl.

födslovärkar *s pl* labour (amer. labor) pains, throes of childbirth

1 föga I *adj* (oböjl.) [very] little; *av ~ värde* of little value **II** *adv* [very] little; inte särskilt not very (resp. much); *~ smickrande* äv. unflattering; *~ trolig* not very likely, improbable

2 föga *s* (oböjl.), *falla till ~* yield, submit, give in [*för* to]; vard. climb down

föl *s* (~et, =) foal; unghäst colt; ungsto filly

föla *vb itr* (~de, ~t) foal

följa I *vb tr* (följde, följt) **1** gå bakom (efter, utmed), el. bildl. follow; efterträda succeed; *~ modet* follow the fashion; *~ en politik (plan)* pursue a policy (plan); *~ reglerna* follow (comply with) the rules; *~ ngns råd* follow (act on, take) sb's advice; *~ ngn med blicken* watch sb closely **2** ledsaga accompany äv. bildl.; vard. come (dit go) with; *~ ngn till tåget (båten* etc.) see sb

off; *jag följer dig en bit på väg* I will come with you part of the way

II *vb itr* (följde, följt) follow; som konsekvens el. resultat äv. ensue, result; *fortsättning följer* to be continued; de plikter *som följer med ämbetet* ...which go with the post; *den ena olyckan följde på den andra* one misfortune followed [upon] the other

III med beton. part.

följa efter follow

följa ngn hem see sb home

följa med a) komma med come (dit go) along [*ngn* with sb]; *~ med ngn* äv. accompany sb **b)** hänga med o.d., han talar så fort att jag inte kan *~ med* ...follow him; *~ med sin tid* keep up (move) with the times, be (keep) up to date

följa upp fullfölja follow up

följa ngn ut see sb out

följaktligen *adv* consequently, in consequence, accordingly, this being so; *A. är sjuk och kan ~ inte komma* äv. ...so he cannot come

följande *adj* (oböjl.) following; *[den] ~* the following; *~ dag* adv. [the] next day, [on] the following day; *på ~ sätt* in the following way, as follows, like this; *på varandra ~ dagar* successive..., consecutive...; hans teori *är ~* ...is as follows; *i det ~* a) nedan o.d. below b) sedermera in the sequel

följas *vb itr dep* (följdes, följts), *~ åt* go together, accompany each other; uppträda samtidigt occur at the same time, synchronize; om t.ex. symptom be concomitant

följd *s* (~en, ~er) **1** räcka o.d. succession, sequence; serie series; *en ~ av olyckor* a series of accidents; fem år (femte året) *i ~* ...in succession, ...in a row; *i snabb ~* in rapid succession **2** konsekvens consequence [*för* of]; resultat result; *ha (få) ngt till ~* result in...; *ha till ~ att...* have the result that...; *till ~ av detta (därav, härav)* in (as a) consequence, consequently, on that account

följdföreteelse *s* (~n, ~r) consequence, sequel, concomitant

följdriktig *adj* (~t) logical, consequent; konsekvent consistent

följdsjukdom *s* (~en, ~ar) complication; med. sequel|a (pl. -ae)

följe *s* (~t, ~n) **1** slå *~ med ngn* join sb **2** svit, uppvaktning suite, retinue, train; väpnat escort; skara band; neds., pack o.d. gang, crew, lot

följebrev *s* (~et, =) covering (accompanying) letter

följesedel *s* (~n, -sedlar) delivery note; i emballage packing slip, shipping note

följeslagare *s* (~n, =) o. **följeslagerska** *s* (~n, följeslagerskor) companion äv. bildl.; uppvaktande attendant, follower

följetong *s* (~en, ~er) serial story, serial

följsam *adj* (~t, ~ma) foglig docile; smidig pliable, flexible

fön *s* **1** (~en, ~ar) hårtork blow-drier **2** (~en) vind föhn, foehn

föna *vb tr* (~de, ~t) hår blow-wave, blow-dry

fönster *s* (fönstret, =) window äv. data., äv. på kuvert; *stå i fönstret* om person stand (be) at the window; om sak be in the window

fönsterbleck *s* (~et, =) windowsill

fönsterbord *s* (~et, =) table (desk) by a (resp. the) window, window table

fönsterbräda *s* (~n, -brädor) window ledge
fönsterbåge *s* (~n, -bågar) ram windowframe
fönsterglas *s* (~et, =) window glass
fönsterglugg *s* (~en, ~ar) loophole; i snedtak dormer (attic) window
fönsterhake *s* (~n, -hakar) o. **fönsterhasp** *s* (~en, ~ar) window catch
fönsterkarm *s* (~en, ~ar) window frame
fönsterkuvert *s* (~et, =) window envelope
fönsterlucka *s* (~n, -luckor) shutter
fönsternisch *s* (~en, ~er) window recess, window bay
fönsterplats *s* (~en, ~er) t.ex. på tåg window seat
fönsterputsare *s* (~n, =) window-cleaner
fönsterputsning *s* (~en, ~ar) window-cleaning
fönsterruta *s* (~n, -rutor) window pane
fönstersmyg *s* (~en, ~ar) se *fönsternisch*
fönstertittare *s* (~n, =) peeping Tom, voyeur fr.
1 för sjö. **I** *s* (~en, ~ar) stem, prow, bow[s pl.]; *från ~ till akter* from stem to stern; *i ~en* at the prow, in the bows **II** *adv*, *~ och akter* fore and aft; *~ om...* ahead (inombords forward) of...; *~ ut* el. *~ över* ahead; inombords forward
2 för
för delas in i ordklasserna
I preposition
II konjunktion
III adverb
I *prep*
Prepositionen **för** motsvaras vanligen av **for** i uttryck som *arbeta* **för** *någon = work* **for** *somebody, det är bra* **för** *dig = that is good* **for** *you.*
En annan vanlig motsvarighet är **to** i uttryck som *läsa ngt* **för** *någon = read something* **to** *somebody.*
för används i många uttryck som står under andra uppslagsord. Exempelvis finns uttrycket **för** *din* (*vår* osv.) *skull* under uppslagsordet *skull*, uttrycket *misstänka någon* **för** *något* under uppslagsordet *misstänka, ha smak* **för** under uppslagsordet *smak* osv.

för översätts vanligen med **for** i betydelse 1–7:
1 anger vem eller vad något är bra eller dåligt för for; *det är bra* (*bäst*) *~ dig* it is good (best) for you; *rökning är skadlig ~ hälsan* smoking is bad for your health
2 anger ur vems perspektiv eller synvinkel något betraktas for; *lätt ~* easy for; *omöjlig ~* impossible for; *det är tid ~ dig att...* it's time for you to...
3 anger vad eller vem något är avsett för, *en kalender ~ nästa år* a calendar for next year; *en bok ~ hundvänner* a book for dog lovers
4 anger vem eller vad som får stöd eller hjälp for; *är ni ~ eller emot?* are you for or against?; *kämpa ~ ngt* fight for sth; *vad kan jag göra ~ dig?* what can I do for you?; *tala ~ ngn* speak for sb, speak on behalf of sb
5 anger vem någon är anställd hos for; *arbeta ~ ngn* (*ett företag*) work for sb (a company); *han spelar ~ AIK* he plays for AIK
6 anger pris eller vara vid ord som betecknar 'köpa' eller 'sälja' for; *betala ~ ngt* pay for sth; *köpa frimärken ~ 5 euro* buy stamps for 5 euros, buy 5 euros' worth of stamps; *vad tar ni ~* vad kostar *...?* what do you charge for...?
7 anger orsak, anledning eller grund för något for; *berömd ~* famous for; *bli straffad ~ ngt* be punished for sth

för översätts vanligen med **to** i betydelse 8 och 9
8 tillsammans med verb med betydelsen "berätta", "visa" för att ange vem man riktar sig till to; *berätta ngt ~ ngn* tell sth to sb, tell sb sth; *förklara ngt ~ ngn* explain sth to sb; *läsa* (*spela*) *ngt ~ ngn* read (play) sth to sb, read (play) sb sth
9 anger vem som upplever något to; *~ mig* (*henne* etc.) i mina (hennes etc.) ögon to me (her etc.); *det blev en chock ~ henne* it was a shock to her; *det är nytt ~ mig* it is new to me; *viktig ~ ngn* important to sb

för motsvaras av andra prepositioner i engelskan i betydelse 10–14
10 i uttryck av typen substantiv + för + substantiv, ofta motsvarande en genitivkonstruktion, t.ex. *chefen för avdelningen = avdelningens chef* of; *chef ~ avdelningen* head of the department; *offren ~ massakern* the victims of the massacre; *priset ~ boken* the price of the book; *tiden ~ min avresa* the time of my departure
11 vid ord som betecknar försvar, hemlighållande, skydd, vanligen from; *dölja ngt ~ ngn* conceal sth from sb; *gömma ngt ~ ngn* hide sth from sb; *skydda ngn ~ ngt* protect sb from sth; *vi har inga hemligheter ~ dig* we have no secrets from you
12 anger läge framför något before; *gardiner ~ fönstren* curtains before the windows; *hålla handen ~ munnen* hold one's hand before one's mouth; *knyta en näsduk ~ ögonen på ngn* tie a handkerchief over sb's eyes
13 anger pris per måttsenhet at; *köpa tyg ~ 200 kronor metern* buy cloth at 200 kronor a metre
14 anger vem som drabbas av något on; *elden slocknade ~ mig* the fire went out on me; *telefonen bara dog ~ mig* the telephone just went dead on me

Olika fasta förbindelser och uttryck med *för* i betydelse 15–23
15 *~...sedan* ...ago; *~ ett år sedan* a year ago; *till ~ ett år sedan* until a year ago; *~ länge sedan* long ago; *~ inte länge sedan* not long ago; *middagen är färdig ~ länge sedan* dinner has been ready for a long time
16 i uppräkningar av argument o.d., *~ det andra* (*tredje* etc.) second (third etc.), secondly (thirdly etc.), in the second (third etc.) place
17 anger upprepning i konstruktioner av typen substantiv + för + substantiv, vanligen by; i vissa fall for; *dag ~ dag* day by day, every day; *ord ~ ord* word for word; *punkt ~ punkt* point by point
18 anger upprepning i konstruktion med *var* och *varje*, *~ varje...* every..., each...; *bli sämre ~ varje dag* [*som går*] get worse every day; *~ var gång jag ser honom* each time I see him
19 *var ~ sig* each one separately, each one individually
20 *~ sig själv* ensam by oneself; med verb som riktar sig till den som utför handligen to oneself; *han sitter ofta ~ sig själv* he often sits by himself; *le ~ sig själv* smile to oneself; *prata ~ sig själv* talk to oneself; *tänka ~ sig själv* think to oneself; *ha ett helt hus ~ sig själv* have a whole house to oneself; *vara ~ sig själv* ensam be alone, be on one's own
21 *det blir inte bättre ~ det* that won't make it any better
22 *~ mig* vad mig beträffar *får han göra som han vill* as far as I am concerned he can do as he likes

23 *ta sånglektioner ~ ngn* take (have) singing lessons from (with) sb

för att + inf. i **betydelse 24–29**

24 för att uttrycka avsikt, vanligen to + inf., in order to + inf.; formellare so as to + inf.; *jag sprang hela vägen ~ att hinna med tåget* I ran all the way to catch the train; *hon gick ut ~ att leta efter honom* she went out to look for him; *~ att inte* in order not to + inf., so as not to + inf.; *vi åkte tidigare ~ att inte fastna i trafiken* we went earlier in order not to (so as not to) get stuck in the traffic; mindre formellt we went earlier so that we wouldn't get stuck in the traffic

25 för att uttrycka avsikt efter rörelseverb används enbart ing-form, *han har gått ut ~ att jaga (handla)* he has gone out shooting (shopping)

26 i uttryck av typen *vara alltför stor för att passa* to + inf.; *den är [allt]för stor ~ att passa* it is too big to fit; *hon sprang inte tillräckligt fort ~ att hinna med bussen* she did not run fast enough to catch the bus; *det är för bra ~ att vara sant* it's too good to be true

27 *~ att vara...* med tanke på att han (hon etc.) är... for a...; *han talar bra engelska ~ att vara nybörjare* he speaks good English for a beginner

28 *~ att inte tala om...* not to mention..., let alone...

29 *hon reste sin väg ~ att aldrig återvända* she left never to return

II *konj* och i sammansatta konjunktioner **1** ty for **2** *~ [att]* därför att because; *inte ~ att jag* hört något not that I... **3** *~ att* på det att so (in order) that; *~ att produktionen ska kunna ökas måste vi...* for production to be increased we must... **4** vägen var *[allt]för smal (inte bred nog) ~ att två bilar skulle kunna mötas* ...too narrow (not wide enough) for two cars to pass **5** *~ så vitt* provided that; *så vitt inte* ofta unless

III *adv* (se också betonad partikel under respektive verb, t.ex. *dra för* under *dra*) **1** alltför too; *mycket ~ gammal* much too old; *~ lite* too little, not enough; *det var då ~ väl, att du...* it's a very good thing you... **2** i rumsbetydelse, *gardinen är ~* ...is drawn; *luckan (regeln) är ~* ...is to; *hålla ~ ett skynke* hold...in front; *hålla ~ hålet [med någonting]* el. *hålla ~ [någonting för] hålet* hold sth before (in front of) the hole; *stå ~* är du snäll! stand in front...!; *stå ~ skymma ngn* stand in sb's way; *sätta ~ luckan* put up the shutter **3** motsats till 'emot' for; jag är *~ förslaget* äv. ...in favour of the proposal; är du *~ eller emot* ...for or against; *skälen ~ och emot* äv. the pros and cons; *det kan anföras skäl ~ och emot* there is much to be said on both sides

föra I *vb tr* (förde, fört) **1** befordra, förflytta convey; bära carry; forsla transport, remove; ta med sig: hit bring; dit take; *~ glaset* till munnen raise the (i sällskap one's) glass...; *~ handen över...* pass (move) one's hand over...; *~ ngn till sjukhus* take (remove) sb to hospital **2** leda lead, guide; ledsaga conduct; dit take; hit bring; *~ ngn* i dansen lead sb out; *vad förde dig hit?* what brought you here? **3** synligt bära carry; *~ svensk flagg* carry (fly) the Swedish flag (colours) **4** hand., handla med deal in; ha i lager stock, keep **5** olika bildliga betydelser, *~ dagbok* keep a diary; *~ förhandlingar* conduct (carry on) negotiations; *~ en politik* pursue a policy; *~ liv* väsnas make a row **II** *vb itr* (förde, fört), *~ bra* i dans lead well

III *vb rfl* (förde, fört), *~ sig* carry oneself; *han kan ~ sig* he has poise

IV med beton. part. (jfr *föra I*)
föra bort eg. take (carry) away (undan off), remove; bildl., t.ex. från ämne lead away
föra fram carry etc....forward; *föra fram* en idé o.d. bring up
föra in a) eg. introduce, take (hitåt bring)...in, lead (conduct)...in; *~ in* varor import **b)** friare el. bildl.: ofta introduce; *~ in* en annons insert...; *~ in* i räkenskaper, på en lista m.m. enter [up], record [i (på) in]; inregistrera register [i in]; jfr *införa*
föra med sig a) eg. carry (take)...[along] with one; hitåt bring with one **b)** bildl., som följd entail, involve, carry...with it, result in, lead to; ha i släptåg bring...in its (resp. their) train
föra samman saker bring...together; äv. put...together; jfr *sammanföra*
föra ut convey (carry etc.)...out [ur of]; *~ ut* pengar take...[with one]; *~ ut* varor export
föra vidare skvaller o.d. pass on
föra över eg. convey (carry etc.)...across; trupper, varor o.d. transport; överflytta transfer; bokf. carry over; *~ över pengar* till konto o.d. transfer money; se äv. *överföra*
förakt *s* (~et) allm. contempt; överlägset disdain; hånfullt scorn
förakta *vb tr* (~de, ~t) se ned på despise, hold...in contempt; en penningsumma som *inte är att ~* ...not to be despised; vard. ...not to be sneezed at
föraktfull *adj* (~t) contemptuous
föraktlig *adj* (~t) värd förakt contemptible; despicable
förandligad *adj* (-andligat, ~e) ethereal
föraning *s* (~en, ~ar) premonition, foreboding, presentiment; vard. hunch
förankra *vb tr* (~de, ~t) allm. anchor [vid to]; *beslutet är ~t i* gruppen the decision has the support of...; *fast ~d* djupt rotad deeply rooted, firmly established; intimt förbunden ...bound by close ties
förankring *s* (~en, ~ar) anchorage äv. bildl.; *ha sin ~ i* be deeply-rooted in; *ha en stark ~ bland* have strong support among
föranleda *vb tr* (-ledde, -lett) **1** förorsaka, vålla bring about, cause; ge upphov till occasion, give rise to **2** förmå, *~ ngn att* + inf. cause (induce, lead) sb to + inf., make sb + inf.
föranmälan *s* (=, en, -anmälningar) o. **föranmälning** *s* (~en, ~ar) till tävling preliminary (advance) entry (till kurs application)
förarbete *s* (~t, ~n) preparatory (preliminary) work, spadework (båda endast sg.); utkast study, sketch
förare *s* (~n, =) av fordon driver; av motorcykel o.d. rider; av flygplan pilot; jfr *kranförare* o. andra sammansättn.
förarga I *vb tr* (~de, ~t) annoy, provoke, vex, gall; vard. rile, aggravate **II** *vb rfl* (~de, ~t), *~ sig* get annoyed [över at (with)]
förargad *adj* (-argat, ~e) annoyed, provoked, vexed, irritated; *bli ~* be annoyed etc. [på ngn with sb; över ngt at (about over) sth]
förargas *vb itr dep* (förargades, förargats) get annoyed [över at (with)]
förargelse *s* (~n, ~r) **1** irritation, förtrytelse vexation, chagrin; vard. aggravation; förtret annoyance **2** anstöt offence; *väcka allmän ~* give general offence
förargelseväckande *adj* (oböjl.) anstötlig offensive;

chockerande shocking, scandalous; **~ beteende** disorderly conduct (behaviour)

förarglig *adj* (~t) förtretlig annoying, provoking, vexing, irritating, tiresome; **så ~t!** how [very] annoying!, what a nuisance (shame)!, it's too bad!

förarhytt *s* (~en, ~er) driver's cab; på tåg driver's compartment

förarplats *s* (~en, ~er) driver's seat

1 förband *s* (~et, =) **1** med. bandage; kompress o.d. dressing; **första ~** first-aid bandage; **lägga ~ på** apply a bandage to, bandage, dress **2** mil. unit; flyg. formation

2 förband *s* (~et, =) mus. opening (supporting) act

förbandsartiklar *s pl* dressing material[s pl.]

förbandslåda *s* (~n, -lådor) first-aid kit

förbanna *vb tr* (~de, ~t) curse, damn

förbannad *adj* (-bannat, ~e) cursed; i kraftuttr. vanl. bloody, damn[ed]; amer. goddam[n]; svagare darned, blasted; **bli ~** arg get [starkare damned] furious (angry) [**på** with]

förbannat *adv* bloody, damn[ed]; amer. goddam[n]; svagare blasted, darned

förbannelse *s* (~n, ~r) curse; ond önskan äv. imprecation, malediction

förbarma *vb rfl* (~de, ~t), **~ sig** take pity; speciellt relig. have mercy [*över* on]

förbarmande *s* (~t) mercy, pity, compassion; **utan ~** adv. äv. pitilessly, mercilessly, ruthlessly

förbaskad *adj* (-baskat, ~e) vard. darned etc., jfr *förbannad*

förbehåll *s* (~et, =), **med ~** with reservations; **med** (**under**) **~ att...** vanl. provided (with the proviso) that...; **med ~ för...** subject to...; **utan ~** adv. without reservation, unconditionally

förbehålla I *vb tr* (-höll, -hållit), **~ ngn [rätten] att...** reserve sb the right to + inf. (of + ing-form) **II** *vb rfl* (-höll, -hållit), **~ sig rätten att...** reserve the right to...

förbehållen *adj* (-behållet, -behållna) reserved [*för* for]; **det var honom ensam förbehållet att** + inf. it was vouchsafed by him alone to + inf.

förbehållsam *adj* (~t, ~ma) reserved, guarded, reticent

förbehållslös *adj* (~t) unreserved, whole-hearted; villkorslös unconditional

förbereda I *vb tr* (-beredde, -berett) prepare [*för* (*på*) for] **II** *vb rfl* (-beredde, -berett), **~ sig** prepare oneself [*för* (*på, till*) ngt for sth; *för* (*på, till*) *att* + inf. for + ing-form]; göra sig i ordning get [oneself] ready [*för* (*till*) for; [*för* (*till*)] *att* + inf. to + inf.]

förberedande *adj* (oböjl.) preparatory, preliminary; **~ arbete** (**förhandlingar**) preliminary work (negotiations)

förberedelse *s* (~n, ~r) preparation [*för* (*på, till*) for]; **~r** inledande åtgärder preliminaries

förbeställa *vb tr* (-ställde, -ställt) boka book, reserve...in advance

förbi I *prep* past, by; **gå** (**åka** etc.) **~ ngn** (**ngt**) äv. pass [by]...; **prata ~ varandra** talk at cross-purposes **II** *adv* (se också betonad partikel under respektive verb, t.ex. *släppa förbi* under *släppa IV*) **1** eg. past, by **2** slut over, past, gone, at an end; högkonjunkturen **är ~** ...is at an end; **den tiden är ~ då...** the time has gone by (has past)...; jfr *ute I 2* **III** *adj* (oböjl.) trött exhausted, all in

förbifarten *s* (best. sing.), **i ~** on one's way past, in passing; bildl. incidentally, in passing

förbifartsled *s* (~en, ~er) bypass

förbigå *vb tr* (-gick, -gått) allm. pass...over (by); strunta i ignore; **~ ngt med tystnad** pass sth over (by) in silence

förbigående *s* (~t), **i ~** in passing; bildl. äv. incidentally, casually

förbigången *adj* (-gånget, -gångna), **bli ~** vid befordran be passed over; **känna sig ~** feel left out [in the cold]

förbilliga *vb tr* (~de, ~t) cheapen, reduce the cost of

förbinda I *vb tr* (-band, -bundit) **1** sår bandage, dress **2** förena join, attach [*med* to]; connect [*med* with (to)]; bildl. combine, associate [*med* with]; **förbunden** allierad **med** allied to **3** förplikta bind, jur. bind[...over] [*till* to; [*till*] *att* to + inf.] **II** *vb rfl* (-band, -bundit), **~ sig** förplikta sig bind (pledge) oneself [*till* to; [*till*] *att* + inf. to + inf.]; **vi förbinder oss att...** we undertake (engage) to...

förbindelse *s* (~n, ~r) allm. connection; mellan person el. stater äv. relations pl.; kommunikation communication[s pl.] äv. mil.; giftermål o.d. alliance; kärleks~ liaison; **daglig** (**direkt**) **~** daily (direct) service; **upprätta diplomatiska ~r** establish diplomatic relations; **ha [goda] ~r** försänkningar have good connections; **stå i ~ med** a) ha kontakt be in communication (touch, contact) with; hand. have dealings with b) vara sammanbunden med be connected with

förbindelselinje *s* (~n, ~r) mil. line of communication

förbindelselänk *s* (~en, ~ar) [connecting] link

förbindlig *adj* (~t) courteous; ytligare suave

förbindlighet *s* (~en) courteousness; ytligare suavity

förbipasserande I *adj* (oböjl.) passing, ...passing by **II** *s* (en ~, pl. =) passer-by; **de ~** [the] passers-by

förbise *vb tr* (-såg, -sett) overlook; avsiktligt disregard

förbiseende *s* (~t, ~n) oversight, omission; **av ~** through an oversight

förbistring *s* (~en) confusion

förbittra *vb tr* (~de, ~t) **1 ~ livet för ngn** embitter sb's life **2** förarga exasperate

förbittrad *adj* (-bittrat, ~e) bitter; ursinnig furious [*över* about (at); *på* with]; **~ stämning** atmosphere [full] of resentment

förbittring *s* (~en) bitterness, resentment; ursinne rage

förbjuda *vb tr* (-bjöd, -bjudit) allm. forbid; om myndighet o.d. prohibit, ban [*ngn att* + inf. sb from + ing-form]

förbjuden *adj* (-bjudet, -bjudna) forbidden; av myndighet o.d. prohibited, banned; **Parkering** (**Rökning**) **~** No Parking (Smoking)

förblekna *vb itr* (~de, ~t) fade

förbli *vb itr* (-blev, -blivit) remain; boken **var och förblev borta** ...was gone for good

förblinda *vb tr* (~de, ~t) blind äv. bildl.; blända dazzle; bedåra infatuate

förbluffa *vb tr* (~de, ~t) amaze, astound; starkare dumbfound; vard. flabbergast; **bli [alldeles] ~d** be [quite] taken aback

förbluffande I *adj* (oböjl.) amazing, astounding **II** *adv* amazingly, astoundingly

förbluffelse *s* (~n) amazement, astonishment

förblöda *vb itr* (-blödde, -blött) bleed to death, die from loss of blood

förboka *vb tr* (~de, ~t) book in advance
förbommad *adj* (-bommat, ~e) barred and bolted, barred up
förborgad *adj* (-borgat, ~e) dold hidden [*för* from]; hemlig secret
förbruka *vb tr* (~de, ~t) allm. consume, use; göra slut på use up; krafter exhaust; pengar spend; nöta ut wear out
förbrukare *s* (~n, =) consumer, user
förbrukning *s* (~en) consumption; av pengar expenditure; **alltför stor** ~ overconsumption
förbrukningsartikel *s* (~n, -artiklar) article of consumption; i pl. äv. consumer goods pl.
förbrukningsdag *s* (~en), **sista** ~ 15 januari (på förpackning) use-by date
förbrylla *vb tr* (~de, ~t) bewilder, perplex, confuse; svagare puzzle
förbryllelse *s* (~n) bewilderment
förbryta *vb rfl* (-bröt, -brutit), ~ **sig** offend [*mot* against]; ~ **sig mot lagen** break the law
förbrytare *s* (~n, =) criminal, grövre ~ felon; dömd convict
förbrytelse *s* (~n, ~r) crime, grövre ~ felony
förbränna *vb tr* (-brände, -bränt) burn up; sveda scorch
förbränning *s* (~en) burning; kem. el. fys. combustion
förbränningsmotor *s* (~n, ~er) internal combustion engine
förbrödra *vb rfl* (~de, ~t), ~ **sig** get on familiar (friendly) terms with each other
förbrödring *s* (~en, ~ar), ~**en mellan folken** the establishment of good relations between peoples
förbud *s* (~et, =) prohibition [*mot* against]; mera officiellt ban [*mot* on]
förbund *s* (~et, =) **1** mellan stater alliance, union, league; förening o.d. äv. federation, association, society; mellan partier pact; stats~ [con]federation; **ingå** (**sluta**) ~ **med** enter into an alliance with; **stå i** ~ **med** be allied with **2** fördrag compact
1 förbunden *adj* (-bundet, -bundna), **med förbundna ögon** blindfold[ed] äv. bildl.
2 förbunden *adj* (-bundet, -bundna) se *förbinda I*
förbundsdagen *s* (best. sing.) i Tyskland the Federal Diet
förbundskansler *s* (~n, ~er) Federal Chancellor
förbundskapten *s* (~en, ~er) sport. national team manager
förbundsrepublik *s* (~en, ~er) federal republic; **Förbundsrepubliken Tyskland** the Federal Republic of Germany
förbundsstat *s* (~en, ~er) federal state; medlem av statsförbund member (constituent) state
förbyta *vb tr* (-bytte, -bytt), **vara som förbytt** be changed beyond recognition
förbytas *vb itr dep* (-byttes, -bytts) change, be turned [*i* (*till*) into]
förbättra *vb tr* (~de, ~t) allm. improve; rätta äv. amend; moraliskt reform; standard ameliorate; införa förbättringar på, fullkomna improve upon; **det** ~**r inte saken** that doesn't improve (mend) matters, that doesn't make things any better; ~ **ngns villkor** give somebody better (more favourable) terms
förbättras *vb itr dep* (-bättrades, -bättrats) improve
förbättring *s* (~en, ~ar) improvement [*av* in]; av hälsan äv. recovery; i standard amelioration
förbön *s* (~en, ~er) intercession [*för* for; *hos* with]; **hålla** ~ **för ngn** pray (offer up prayers) for sb

fördel *s* (~en, ~ar) **1** allm. advantage [*framför* over; *för* to; *med* of]; **dra** (**ha**) ~ **av** benefit (profit) by, derive advantage etc. from; **det har sina** ~**ar** it has certain advantages (its good points), there's a lot to be said for it; **med** ~ with advantage; **det kan med** ~ **användas** i stället för... it may well be used...; **vara till** ~ **för** be of advantage to; **det talar till hans** ~ it is in his favour; **visa sig** (**vara**) **till sin** ~ appear to advantage; utseendemässigt look one's best **2** tennis. advantage, vantage; vard. van
fördela *vb tr* (~de, ~t) allm. distribute [*bland* (*emellan*, *på*) among[st]]; uppdela divide [*i* into]; skifta ut allocate; utsprida spread, disperse; ~ **rollerna** cast (assign) the parts; ~ **utgifterna** över flera år spread the expenditure; ~ **sig** be distributed
fördelaktig *adj* (~t) allm. advantageous [*för* to]; vinstgivande profitable; gynnsam favourable; **i en** ~ **dager** in a favourable light; ~**t yttre** prepossessing (attractive) appearance
fördelardosa *s* (~n, -dosor) bil. distributor [housing]
fördelare *s* (~n, =) distributor äv. bil.
fördelarlock *s* (~et, =) bil. distributor cap
fördelning *s* (~en, ~ar) **1** distribution; division; allocation, dispersion; assignment; jfr *fördela* **2** mil. division
för den skull *adv* o. **fördenskull** *adv* se *därför 1*
fördetting *s* (~en, ~ar) se *föredetting*
fördjupa I *vb tr* (~de, ~t) allm. deepen, make...deeper; ~**d i** en bok o.d. absorbed (engrossed, buried, deep) in **II** *vb rfl* (~de, ~t), ~ **sig** tränga in enter deeply [*i* into]; ~ **sig i** studier o.d. engross (imerse) oneself in
fördjupning *s* (~en, ~ar) **1** eg. depression, hollow; mindre dent; i vägg recess, niche **2** abstr. deepening; intensifying
fördold *adj* (-dolt) hidden; hemlig secret; **i det** ~**a** in secret, secretly
fördom *s* (~en, ~ar), ~[**ar**] prejudice, bias; **ha** ~**ar mot** have prejudices (be prejudiced) against
fördomsfri *adj* (-fritt) unprejudiced, unbias[s]ed
fördomsfrihet *s* (~en) freedom from prejudice
fördomsfull *adj* (~t) prejudiced, bias[s]ed
fördomsfullhet *s* (~en) prejudice, bias
fördra *vb tr* (-drog, -dragit) allm. bear, stand; tåla, uthärda äv. endure, tolerate; finna sig i äv. put up with
fördrag *s* (~et, =) **1** avtal treaty **2** överseende, **ha** ~ **med** show tolerance (forbearance) with
fördragsam *adj* (~t, ~ma) tolerant, forbearing [*mot* towards]
fördragsamhet *s* (~en) tolerance, forbearance
fördriva *vb tr* (-drev, -drivit) **1** eg. drive away (off); ur landet banish, expel **2** ~ **tiden** while away (pass, kill) [the] time
fördröja *vb tr* (-dröjde, -dröjt) delay, retard; uppehålla detain; **bli fördröjd** be (get) delayed (retarded, detained)
fördubbla *vb tr* (~de, ~t) eg. double, duplicate; ~ **sina ansträngningar** redouble one's efforts
fördubblas *vb itr dep* (-dubblades, -dubblats) double
fördubbling *s* (~en, ~ar) doubling, duplication, reduplication; ökning redoubling
fördumma *vb tr* (~de, ~t) make...stupid; **verka** ~**nde** blunt (dull) the intellect
fördunkla *vb tr* (~de, ~t) förmörka darken; obscure äv. bildl.; överträffa overshadow, eclipse

fördyra *vb tr* (~de, ~t) raise the price of, make...dearer; **~s** rise in price, become dearer

fördystra *vb tr* (~de, ~t) make...gloomy; liv o.d. cast a gloom over

fördäck *s* (~et, =) sjö. foredeck

fördämning *s* (~en, ~ar) se *1 damm 1*

fördärv *s* (~et) **1** olycka ruin; undergång destruction, starkare perdition; *det kommer att bli hans ~* it will be his undoing (starkare ruin); socker är *rena ~et för tänderna* ...absolutely ruins the teeth; *störta ngn i ~et* lead sb to destruction, ruin sb **2** moraliskt förfall corruption, depravation; depravity

fördärva *vb tr* (~de, ~t) **1** mera eg.: i grunden ruin, destroy; skada damage, injure; spoliera spoil; nöjet o.d. äv. mar **2** bildl.: skämma taint, vitiate; moraliskt äv. corrupt, deprave; ngns rykte el. utsikter blight

fördärvad *adj* (-därvat, ~e) **1** ruined etc., jfr *fördärva 1*; *skratta sig ~* vard. laugh one's head off, die with laughing; *slå ngn ~* beat sb to a pulp **2** skämd tainted; moraliskt äv. corrupt, depraved

fördärvas *vb itr dep* (-därvades, -därvats) be ruined etc., jfr *fördärva*; om mat go bad, become tainted

fördärvlig *adj* (~t) pernicious; skadlig injurious [*för* to], destructive [*för ngt* of sth]

fördöma *vb tr* (-dömde, -dömt) condemn; ogilla blame, censure; bibl. damn

fördömd *adj* (-dömt) eg. damned; i kraftuttr. confounded etc., jfr *förbannad*; *det var ju rent fördömt!* damn it!

fördömelse *s* (~n) condemnation; *evig ~* eternal damnation

fördömlig *adj* (~t) reprehensible, ...to be condemned

fördömt *adv* vard. damn

1 före *s* (~t, ~n), *det är dåligt ~* skidföre the snow is bad for skiing

2 före I *prep* **1** allm. before; i rum äv. in front of; framför ahead (in advance) of äv. bildl.; i tid äv. prior (previous) to; *fem* [*minuter*] *~ fem* five [minutes] to (amer. äv. of) five; *år 40 ~ Kristus* se under *Kristus*; *inte ~ klockan sju* not before (earlier than)... **2** *~ detta* (förk. *f.d.*) former, ex-; *~ detta ambassadör i* (*professor vid*)... formerly ambassador in (formerly el. sometime professor at)...; *hennes ~ detta* [*man*] her ex-husband, her ex; *den ~ detta presidenten* the former president (ex-president) **II** *adv* allm. before; i förväg äv. in advance, ahead; främst äv. in front; *min klocka går ~* my watch is fast; *med fötterna* (*huvudet*) *~ feet* (head) foremost (first); se också betonad partikel under respektive verb, t.ex. *komma före* under *2 komma III*

förebild *s* (~en, ~er) role model [*för* (*till*) for (of)]; mönster pattern, model; ibland example; *efter svensk ~* on the Swedish model; *tjäna som ~ för* serve as a model for (to); *ta...till ~* take...as (for) a model

förebildlig *adj* (~t) föredömlig exemplary, model...

förebrå *vb tr* (~dde, ~tt) reproach [*för* with; *för att* + inf. for + ing-form]; klandra blame [*för* for]

förebråelse *s* (~n, ~r) allm. reproach; *få ~r* vanl. be reproached (blamed)

förebråande *adj* (oböjl.) reproachful

förebud *s* (~et, =) varsel presage; yttre tecken omen, portent [*till* i samtliga fall of]

förebygga *vb tr* (-byggde, -byggt) förhindra prevent; företa åtgärder mot provide (guard) against; förekomma

forestall; *~ missförstånd* preclude (obviate) misunderstanding

förebyggande *adj* (oböjl.) preventive; *~ medicin* (*vård, åtgärder*) preventive medicine (care, measures); *i ~ syfte* as a preventive measure

förebåda *vb tr* (~de, ~t) herald; varsla promise; något ont portend, forebode

föredetting *s* (~en, ~ar) has been, back number

föredra *vb tr* (-drog, -dragit) **1** ge företräde åt prefer [*framför* to]; *jag ~r att simma framför att jogga* I prefer swimming to jogging; *...är att ~* ...is preferable **2** redogöra för present; jfr *vara föredragande* under *föredragande*

föredrag *s* (~et, =) anförande talk; föreläsning lecture, discourse [*över* i samtliga fall on]; *hålla* [*ett*] *~* give (deliver) a talk etc., lecture; i vetenskapligt sammanhang äv. read a paper; skol. give a talk (an oral presentation)

föredraga *vb tr* (-drog, -dragit) se *föredra*

föredragande *s* (~n, =), *vara ~* submit (present) the report (a report, the reports) [*i ett ärende* on]; amer., vid konferens be the rapporteur

föredragning *s* (~en, ~ar) presentation of reports etc., jfr *föredragande*

föredragningslista *s* (~n, -listor) agenda; *sätta upp på ~n* place on (include in) the agenda

föredragshållare *s* (~n, =) lecturer

föredöme *s* (~t, ~n) example; mönster model, pattern; *vara ett gott ~* [*för ngn*] set [sb] a good example

föredömlig *adj* (~t) ...worthy of imitation; model...

förefalla *vb itr* (-föll, -fallit) synas seem, appear

förege *vb tr* (-gav, -gett el. -givit) pretend, allege

föregivande *s* (~t, ~n), *under ~ av* under the pretext of

föregripa *vb tr* (-grep, -gripit) forestall, anticipate

föregå *vb tr* (-gick, -gått) **1** komma före precede, jfr *gå före* under *gå III* **2** *~ med gott exempel* set a good example

föregående I *adj* (oböjl.) previous, preceding; tidigare äv. former, earlier; *~ dag* [adv. on] the previous day, the day before; *~ talare* the last (previous) speaker; *i det ~* har nämnts in the foregoing...; i text äv. above... **II** *s* (en ~, pl. =), *hans ~* his previous life, his antecedents pl.

föregångare *s* (~n, =) precursor, forerunner; företrädare predecessor

föregångsland *s* (~et, -länder) leading country

föregångsman *s* (~nen, -män) pioneer

förehavande *s* (~t, ~n), *hans ~n* his doings (activities)

förekomma I *vb itr* (-kom, -kommit) **1** anträffas occur, be met with, be found, exist **2** hända occur; *på förekommen anledning* se under *anledning* **II** *vb tr* (-kom, -kommit) hinna före forestall; anticipate; *~ ngns önskan* anticipate sb's wish; *bättre ~ än ~s* prevention is better than cure

förekommande *adj* (oböjl.) **1** occurring; *ofta ~* frequent, ...of frequent occurrence; *sällan ~* rare, ...of rare occurrence; *i ~ fall* där så är lämpligt where appropriate; vid behov should the occasion arise **2** tillmötesgående obliging; artig courteous

förekomst *s* (~en, ~er) occurrence, presence, existence (alla endast sg.); *~en av malm i...* the presence of ore in...; *~en av varg i...* the occurrence (existence) of wolves in...

föreligga *vb itr* (-låg, -legat) finnas till exist, be; finnas tillgänglig be available, be to hand; *här måste ~ ett misstag* there must be some mistake here; *någon fara för hans liv föreligger inte* his life is not in danger

föreliggande *adj* (oböjl.), *under ~ omständigheter* in (under) the present circumstances, as the matters stand; *avsikten med ~ bok är att...* the purpose of this (the) book is to...

förelägga *vb tr* (-lade, -lagt) **1** *~ ngn ngt* till påseende, underskrift o.d. put (place, lay) sth before sb; understälła submit sth to sb; *~ ngn en uppgift* set sb a task; *~ riksdagen en proposition* introduce a bill into... **2** jur., ålägga injct, order

föreläggande *s* (~t, ~n) jur. injunction, order

förelåsa *vb itr* (-läste, -läst) hålla föreläsning lecture [*i* (*över*) on; *vid* at; *om* about]

föreläsare *s* (~n, =) föredragshållare lecturer

föreläsning *s* (~en, ~ar) föredrag lecture; *gå på* [*en*] *~* go to (attend) a lecture; *hålla* [*en*] *~* lecture, deliver (give) a lecture

föreläsningssal *s* (~en, ~ar) lecture room (hall, theatre)

förelöpare *s* (~n, =) bildl. precursor, forerunner

föremål *s* (~et, =) ting object, thing; ämne, anledning subject; *oidentifierat flygande ~* unidentified flying object, UFO; *bli* (*vara*) *~ för* experiment, förhandlingar o.d. be the subject of...; kritik o.d. äv. be subjected to...

förena I *vb tr* (~de, ~t) allm. unite [*med* to]; sammanföra bring...together; förbinda join, connect; bildl. associate; kombinera combine äv. kem.; *vara ~d med* a) eg. be bound up (associated) with b) medföra, t.ex. fara involve, entail; *projektet är ~t med stora risker* the project involves a considerable risk; *med ~de krafter* with united efforts **II** *vb rfl* (~de, ~t), *~ sig* unite [*med* with]; kem. el. friare combine [*med* with]; om floder, linjer o.d. meet, join; *~ sig med* ansluta sig till join

Förenade Arabemiraten The United Arab Emirates

förening *s* (~en, ~ar) **1** förbindelse association, union, combination, jfr *förena*; *kemisk ~* chemical compound; *i ~ med* in combination (jointly, together, coupled) with **2** sällskap association, society; club

föreningsfrihet *s* (~en) freedom (liberty) of association

föreningslokal *s* (~en, ~er) club (association, society) premises pl., club rooms pl.

föreningsmedlem *s* (~men, ~mar) member of an association (a society, a club), member of the association etc.

föreningsmänniska *s* (~n, -människor), *hon är en ~* she likes belonging to societies (clubs), she is a joiner

föreningspunkt *s* (~en, ~er) t.ex. floders junction; linjers converging point

föreningsrätt *s* (~en) right (freedom) of association

förenkla *vb tr* (~de, ~t) simplify; *ge en ~d bild av ngt* give a simplified (simplistic) picture of sth

förenkling *s* (~en, ~ar) simplification

förenlig *adj* (~t) consistent, compatible [*med* with]; *inte ~ med* inconsistent (incompatible) with

Förenta nationerna (förk. *FN*) the United Nations [Organization] (förk. UN[O])

Förenta staterna the United States [of America] (förk. [the] USA, [the] US)

föresats *s* (~en, ~er) avsikt intention, purpose; *ha goda ~er* have good intentions

föreskrift *s* (~en, ~er) anvisning direction[s pl.], instructions pl.; läkares äv. prescription, orders pl.; bestämmelse regulation; *enligt ~* according to directions (instructions, regulations), as directed

föreskriva *vb tr* (-skrev, -skrivit) prescribe; om lag o.d. äv. lay down, provide; beordra direct, order [*ngn ngt* sth on sb]; *~ ngn* diet o.d. prescribe...for sb; *lagen föreskriver* the law provides (directs)

föreslå *vb tr* (-slog, -slagit) propose, suggest, put forward; vard. vote; vid sammanträde move; *~ ngn till* a) tjänst nominate sb (put sb forward as a candidate) for b) ordförande o.d. propose sb as

förespegla *vb tr* (~de, ~t), *~ ngn* ngt hold out to sb the prospect (promise) of...

förespegling *s* (~en, ~ar) promise, prospect [*om* of]; *genom falska ~ar* by making false promises, under false pretences

förespråka *vb tr* (~de, ~t) advocate, recommend

förespråkare *s* (~n, =) förkämpe advocate [*för* of], spokesman [*för* for]; *vara en ivrig ~ för* be an ardent (a keen) advocate of

förespå *vb tr* (-spådde, -spått) profetera prophesy; förutsäga predict [*ngn ngt* sth for sb]

förestå I *vb tr* (-stod, -stått) be at the head of, be in charge of, manage, superintend; *hon ~r* affären, huset o.d. she is in charge of (she manages)... **II** *vb itr* (-stod, -stått) vara att vänta be near (approaching, at hand); vara överhängande be imminent, impend

förestående *adj* (oböjl.) stundande approaching; kommande coming; pred. äv. at hand; spec. om något hotande imminent, impending; *vara nära ~* be close at hand, be imminent

föreståndare *s* (~n, =) manager, director; för institution head [*för* i samtliga fall of]

föreståndarinna *s* (~n, föreståndarinnor) manageress, directress [*för* i samtliga fall of]

föreställa I *vb tr* (-ställde, -ställt) återge represent; skildra depict; spela äv. play the part of, be; *vad ska det ~?* what is this supposed to be? **II** *vb rfl* (-ställde, -ställt), *~ sig* imagine, picture [to oneself], visualize

föreställning *s* (~en, ~ar) **1** begrepp, idé idea, conception, notion [*om* of] **2** teat. o.d. performance; *andra ~en* äv. the second house

föreställningsförmåga *s* (~n) power of imagination; *hans ~ är...* the power of his imagination is...

föresväva *vb tr* (~de, ~t), tanken *har ~t mig* ...has sometimes crossed my mind

föresätta *vb rfl* (-satte, -satt), *~ sig att göra ngt* besluta make up one's mind to do sth; sätta sig i sinnet set one's mind on doing sth

företa *vb tr* (-tog, -tagit) undertake, carry out, perform, make; *~ sig* set about; *han lyckas i allt han ~r sig* he succeeds in everything he does

företag *s* (~et, =) **1** affärs- o.d. company, firm, enterprise, business; **2** allm. undertaking; svårt enterprise; *det var ett helt ~ att...* it was a proper business to..., I (we etc.) had a real job (hassel) to...

företagaranda *s* (~n) spirit of enterprise

företagare *s* (~n, =) ledare el. ägare av företag leader (owner) of a business (an enterprise); tillverkare manufacturer; storföretagare industrialist; **han är egen ~** vanl. he runs his own business, he is self-employed

företagsam *adj* (~t, ~ma) enterprising, industrious, …[full] of enterprise, go-ahead

företagsamhet *s* (~en) enterprise, initiative, enterprising spirit; **fri (*privat*) ~** free (private) enterprise

företagsdemokrati *s* (~n) industrial democracy

företagsekonom *s* (~en, ~er) business economist

företagsekonomi *s* (~n) business economics sg. [and management]

företagskultur *s* (~en, ~er) corporate culture

företagsledare *s* (~n, =) [business] executive

företagsledning *s* (~en, ~ar) industrial management; **~en** the management

företagsläkare *s* (~n, =) company doctor (physician), staff medical officer

förete *vb tr* (-tedde, -tett) framvisa, t.ex. pass show up; anföra, t.ex. bevis bring forward, adduce

företeelse *s* (~n, ~r) allm. phenomen|on (pl. -a); friare fact; **en vanlig ~** an everyday occurrence

företräda *vb tr* (-trädde, -trätt) **1** representera represent; **~ ngn** äv. act in sb's place, be sb's proxy **2** gå framför precede

företrädare *s* (~n, =) **1** föregångare predecessor; **hans ~ på posten** the one who held the post before him (preceded him) **2** för idé o.d. advocate, upholder **3** ombud representative, proxy

företräde *s* (~t, ~n) **1** förmånsställning preference, priority [*framför* over]; **ha ~** i rangordning take precedence [*framför* of (over)]; **lämna ~ åt trafik från höger** give way to traffic coming [in] from the right **2** förtjänst advantage [*framför* over]; superiority (endast sg.) [*framför* to]; **hans fysiska ~n…** his physical assets…

företrädesrätt *s* (~en) förtursrätt [right of] precedence, priority, preference, preferential claim; vid teckning av aktier preferential right

företrädesvis *adv* preferably; i synnerhet especially

föreviga *vb tr* (~de, ~t) perpetuate, immortalize; skämts., fotografera photograph, portray

förevigande *s* (~t, ~n) perpetuating, perpetuation, immortalization

förevisa *vb tr* (~de, ~t) show, demonstrate [*för* to]; offentligt exhibit (show) [to the public]

förevisning *s* (~en, ~ar) showing (vanl. endast sg.), demonstration, exhibition

förevändning *s* (~en, ~ar) svepskäl pretext; ursäkt excuse [*för* for]; undanflykt evasion; **ta ngt till ~** take sth as an excuse

förfader *s* (~n, -fäder) ancestor, forefather

förfall *s* (~et) **1** allm. decay; om byggnad o.d. äv. disrepair, dilapidation; urartning degeneration, degeneracy; moraliskt äv. degradation **2** förhinder, **laga ~** lawful (valid) excuse; **utan giltigt ~** without due cause (a valid reason)

förfalla *vb itr* (-föll, -fallit) **1** fördärvas fall into decay (om byggnad o.d. disrepair); om person go downhill; moraliskt el. friare degenerate **2** bli ogiltig become invalid (void), lapse; gå om intet, slopas come to nothing, be dropped **3** hand., **~ [till betalning]** be (fall, become) due, mature

förfallen *adj* (-fallet, -fallna) **1** decayed, dilapidated;

om byggnad äv. …in disrepair, tumbledown; **han är ~** he has gone downhill (gone to the dogs) **2** ogiltig invalid, void; förverkad forfeited; pred. vanl. forfeit **3** hand., **vara ~ [till betalning]** be due

förfallodag *s* (~en, ~ar) due date, expiry date, day (date) of payment (i fackspråk maturity)

förfalska *vb tr* (~de, ~t) falsify; t.ex. tavla fake; namnteckning, sedlar o.d. forge; pengar, varumärken, varor counterfeit; **~de** pengar äv. counterfeit…

förfalskare *s* (~n, =) forger, counterfeiter

förfalskning *s* (~en, ~ar) **1** konkr. imitation, fake, forgery **2** förfalskande falsification, faking, forgery, counterfeiting; jfr *förfalska*

förfara *vb itr* (-for, -farit) gå till väga proceed [*vid* with, in; *mot* against]; handla act [*mot* towards]

förfarande *s* (~t, ~n) procedure, proceeding[s pl.]; tekn. process; jur. practice, conduct; **egenmäktigt ~** jur. arbitrary conduct

förfaras *vb itr dep* (-fors, -farits) be wasted, go bad

förfaren *adj* (-faret, -farna) experienced, skilled

förfaringssätt *s* (~et, =) procedure; tekn. process

förfasa *vb rfl* (~de, ~t), **~ sig** be horrified (shocked) [*över* at]

författa *vb tr* (~de, ~t) write, compose

författararvode *s* (~t, ~n) author's fee[s pl.]

författare *s* (~n, =) author, writer [*av* (*till*) of]

författarförening *s* (~en, ~ar) society of authors

författarskap *s* (~et) authorship; **romanen utgör höjdpunkten i hennes ~** the novel is the high water mark of her writing

författning *s* (~en, ~ar) **1** statsskick constitution **2** stadga statute

författningsenlig *adj* (~t) constitutional; enligt stadga statutory

författningsreform *s* (~en, ~er) constitutional reform

författningssamling *s* (~en, ~ar) statute book

författningsstridig *adj* (~t) o. **författningsvidrig** *adj* (~t) unconstitutional

förfela *vb tr* (~de, ~t) fail, miss; **~ sin verkan** fail to produce the desired effect

förfelad *adj* (-felat, ~e) utan verkan ineffective; misslyckad abortive; **ett förfelat liv** a wasted life; **vara ~** prove a failure

förfinad *adj* (-finat, ~e) polished; **förfinat sätt** äv. refined manners

förfining *s* (~en, ~ar) refinement, polish

förfjol *s* (oböjl.), **i ~** [during] the year before last

förflackas *vb itr dep* (-flackades, -flackats) become shallow (superficial, vulgarized)

förflackning *s* (~en) superficiality, shallowness

förflugen *adj* (-fluget, -flugna) random…; oöverlagd wild; **ett förfluget ord** an unguarded (rash) word

förfluten *adj* (-flutet, -flutna) past; förra last; **det tillhör en ~ tid** it belongs to (in) the past; **ett [stormigt] förflutet** a [stormy] past

förflyktigas *vb itr dep* (-flyktigades, -flyktigats) volatilize; bildl. äv. evaporate

förflyta *vb itr* (-flöt, -flutit) pass, go by, elapse

förflytta I *vb tr* (~de, ~t) move, transport; t.ex. tjänsteman transfer **II** *vb rfl* (~de, ~t), **~ sig** move; framför allt bildl. transport oneself

förflyttning *s* (~en, ~ar) removal, transportation, transfer; transplantation

förfoga *vb itr* (~de, ~t), **~ över** se *disponera 1*

förfogande s (~t) disposal; **stå** (**ställa ngt**) **till ngns ~** be (place sth) at sb's disposal; **olovligt ~** jur. [fraudulent] conversion

förfriska vb rfl (~de, ~t), **~ sig** refresh oneself

förfriskning s (~en, ~ar) refreshment; **bjuda på ~ar** offer refreshments

förfrusen adj (-fruset, -frusna) frostbitten

förfrysa I vb tr (-frös, -frusit), **han förfrös fötterna** he got his feet frostbitten **II** vb itr (-frös, -frusit) get frostbitten; om växt äv. get blighted with frost; frysa ihjäl get frozen to death

förfrysning s (~en, ~ar) congelation; kylskada frostbite

förfrågan s (=, en, förfrågningar) o. **förfrågning** s (~en, förfrågningar) inquiry; **göra en förfrågan** make an inquiry, inquire

förfula vb tr (~de, ~t) make...ugly (uglier)

förfuska vb tr (~de, ~t) bungle, botch

förfång s (oböjl., ett) detriment; speciellt jur. prejudice; **vara till ~ för** be to the detriment of

förfäkta vb tr (~de, ~t) en mening o.d. maintain; försvara defend, champion; sin rätt assert

förfära vb tr (~de, ~t) terrify, strike...with terror, dismay, appal; **~d över** terrified etc. at

förfäran s (=, en) fasa horror; svagare dismay; **till allas ~** to everyone's dismay (horror)

förfäras vb itr dep (-färades, -färats) be horror-struck, be appalled (shocked) [*över* at (by)]

förfärdiga vb tr (~de, ~t) allm. make [*av* [out] of]

förfärdigande s (~t) making

förfärlig adj (~t) **1** skrämmande terrible, frightful, dreadful; hemsk appalling, shocking samtliga äv. friare; vard. äv. awful **2** vard., omåttlig awful, tremendous

förfölja vb tr (-följde, -följt) eg. pursue, chase; t.ex. folkgrupp persecute; om tanke o.d. haunt

förföljare s (~n, =) pursuer; av t.ex. folkgrupp persecutor

förföljelse s (~n, ~r) **1** förföljande pursuit **2** av t.ex. folkgrupp persecution, trakasseri victimization [*mot* of]

förföljelsemani s (~n, ~er) persecution mania

förföra vb tr (-förde, -fört) seduce

förförare s (~n, =) seducer

förfördela vb tr (~de, ~t) wrong, injure; förolämpa offend

förförelse s (~n, ~r) seduction

förförerska s (~n, förförerskor) seductress

förförisk adj (~t) seductive, alluring

förföriskhet s (~en) seductiveness, allure

förgapa vb rfl (~de, ~t), **~ sig i** go crazy about (over)

förgasare s (~n, =) carburettor; amer. carburetor

förgasas vb itr dep (-gasades, -gasats) gasify

förgasning s (~en) gasification

förgifta vb tr (~de, ~t) poison; bildl. äv. envenom

förgiftning s (~en, ~ar) poisoning

förgiftningsförsök s (~et, =) attempted poisoning [*mot* of]

förgiftningssymptom s (~et, =) toxic symptom

förgjord adj (-gjort), **det** (**alltting**) **är som förgjort** nothing seems to go right, everything seems to be going wrong

förglömma vb tr (-glömde, -glömt) forget; **inte att ~** not forgetting...

förgrena vb rfl (~de, ~t), **~ sig** ramify, branch off; från samma punkt äv. fork

förgrening s (~en, ~ar) ramification; konkr. äv. fork; underavdelning subdivision; friare offshoot

förgripa vb rfl (-grep, -gripit), **~ sig på** ngn do violence to, violate, outrage; begå sedlighetsbrott mot äv. assault

förgrova vb tr (~de, ~t) coarsen

förgrund s (~en, ~er) foreground; **stå** (**träda**) **i ~en** be in (come to) the forefront

förgrundsfigur s (~en, ~er) o. **förgrundsgestalt** s (~en, ~er) prominent figure

förgrymmad adj (-grymmat, ~e) incensed; ursinnig enraged; uppbragt indignant [*på* with; *över* at]

förgråten adj (-gråtet, -gråtna) om ögon ...red (swollen) with weeping; **han var alldeles ~** he had been crying his eyes out

förgrämd adj (-grämt) grieved, careworn

förgubbning s (~en) aging, becoming old; ökning av antalet gamla increase in the number of old people

förgylla vb tr (-gyllde, -gyllt) gild; bildl. äv. embellish; **~ tillvaron** brighten up one's daily life

förgyllning s (~en, ~ar) gilding; konkr. äv. gilt

förgå vb itr (-gick, -gått) om tid pass [away (by)]; försvinna disappear, vanish

förgången adj (-gånget, -gångna) past, ...gone by; **det tillhör det förgångna** it belongs to the past; **det tillhör en ~ tid** it belongs to an age long since past

förgård s (~en, ~ar) forecourt

förgås vb itr dep (-gicks, -gåtts) omkomma perish, die; förolyckas be lost; [**vara nära att**] **~ av** nyfikenhet be dying of...; **jag håller på att ~ av törst** I am perishing with thirst

förgängelse s (~n) corruption

förgänglig adj (~t) perishable; dödlig mortal; kortvarig transient, transitory

förgätmigej s (~en, = el. ~er) bot. forget-me-not

förgäves adv in vain

förgöra vb tr (-gjorde, -gjort) allm. destroy; döda äv. put...to death

förhala vb tr (~de, ~t) **1** dra ut på delay, retard [*genom* (*med*) by]; förhandlingar protract **2** sjö. warp

förhall s (~en, ~ar) [entrance] hall, lobby

förhalning s (~en, ~ar) (jfr *förhala*) **1** delaying, protraction; vard. stalling **2** sjö. warping

förhalningstaktik s (~en) delaying tactics (vanl. pl.), playing for time

förhand s (oböjl.) t.ex. veta **på ~** beforehand; t.ex. betala, tacka **på ~** in advance

förhandla I vb itr (~de, ~t) negotiate [*om* on, about] **II** vb tr (~de, ~t) överlägga om deliberate on, discuss

förhandlare s (~n, =) negotiator

förhandling s (~en, ~ar) underhandling negotiation; överläggning deliberation; **~ar** äv. talks; med bud och motbud bargaining sg.; domstols, sällskaps proceedings; **avbryta ~arna** break off negotiations (talks)

förhandlingsbar adj (~t) negotiable

förhandlingsbord s (~et, =) negotiating table

förhandlingsrätt s (~en) right to negotiate

förhandlingsvillig adj (~t) ...willing to negotiate

förhandsbeställning s (~en, ~ar) advance order; av biljetter, rum m.m. advance booking (speciellt amer. reservation)

förhandsgranska vb tr (~de, ~t) examine (check, inspect) beforehand

förhandsinformation s (~en, ~er) prior information, information ahead of time

förhandslöfte s (~t, ~n) advance promise

förhandsreklam *s* (~en) advance publicity

förhandstips *s* (~et, =) advance information (endast sg.), tip [in advance]

förhandsuppgörelse *s* (~n, ~r) preliminary agreement

förhandsvisning *s* (~en, ~ar) [sneak] preview, privat private showing

förhasta *vb rfl* (~de, ~t), **~ sig** be rash, be too hasty, be precipitate

förhastad *adj* (-hastat, ~e) överilad rash, [over-]hasty, precipitate; förtidig premature

förhatlig *adj* (~t) hateful, odious, obnoxious [*för* to]

förhinder *s* (-hindret, =), **få ~** vara förhindrad att gå (komma etc.) be prevented from going (coming etc.); **jag fick ~** äv. I was otherwise engaged

förhindra *vb tr* (~de, ~t) prevent [*från att* + inf. from + ing-form]

förhistoria *s* (-historien) previous history; vetensk. prehistory

förhistorisk *adj* (~t) prehistoric

förhoppning *s* (~en, ~ar) hope; förväntning expectation; **~ar** utsikter prospects; **grusade ~** dashed hopes; **göra sig ~ar** indulge in expectations [*om* of]; **ha ~ar om** have (entertain) hopes of; **väcka ~ar hos ngn** arouse hopes (raise expectations) in sb [*om* of]

förhoppningsfull *adj* (~t) hopeful; lovande promising

förhoppningsvis *adv* hopefully; **~ kan vi...** äv. it is to be hoped that we can...

förhud *s* (~en) anat. foreskin; vetensk. prepuce

förhytt *s* (~en, ~er) sjö. forecabin

förhålla *vb rfl* (-höll, -hållit), **~ sig passiv** remain passive; **det förhåller sig så att...** the fact [of the matter] is that...; **hur ska man ~ sig till...?** what line (attitude) is one to take to...?

förhållande *s* (~t, ~n) **1** sakläge, tillstånd state [of things], conditions pl.; **~n** omständigheter circumstances; **[det verkliga] ~t är det att...** the fact [of the matter] is that...; **som ~na nu är** in the present state of things (circumstances); vard. the way things are; **under alla ~n** in any case; **under sådana ~n** in (under) the (such) circumstances **2** förbindelse, relation relations pl.; inbördes ~ relationship; kärleks~ [love] affair; **ha ett [intimt] ~ med** have an affair with **3** proportion, relation proportion; matem. ratio; **i ~ till** a) in proportion to, proportionate[ly] to b) i jämförelse med in relation to, compared with; **i ~ till sin ålder** är han... for his age...; **i ~t 1 till 3** in the ratio of 1 to 3

förhållandevis *adv* proportionately, jfr *jämförelsevis*

förhållningsorder *s* (~n, =) orders pl., instructions pl.

förhårdnad *s* (~en, ~er) callus; med. induration

förhänge *s* (~t, ~n) curtain

förhärdad *adj* (-härdat, ~e) hardened, obdurate; okänslig callous [*mot* to]

förhärdas *vb itr dep* (-härdades, -härdats) become hardened

förhärja *vb tr* (~de, ~t) devastate, ravage, lay...waste

förhärliga *vb tr* (~de, ~t) glorify, exalt, extol

förhärligande *s* (~t, ~n) glorification

förhärskande *adj* (oböjl.) predominant; gängse prevalent; **vara ~** äv. predominate, prevail

förhäva *vb rfl* (-hävde, -hävt), **~ sig** brösta sig plume oneself [*över* on]

förhävelse *s* (~n, ~r) arrogance (endast sg.)

förhäxa *vb tr* (~de, ~t) bewitch; tjusa enchant, fascinate

förhöja *vb tr* (-höjde, -höjt) bildl. heighten, enhance; **~ stämningen** raise the spirits

förhöjning *s* (~en, ~ar) förhöjande raising, heightening, enhancement; mera konkr. increase; t.ex. av temperatur rise, jfr *höjning*

förhör *s* (~et, =) allm. examination; av vittne äv. hearing; utfrågning interrogation, questioning; rättsligt inquiry; skol~ test, muntligt questions on the homework

förhöra I *vb tr* (-hörde, -hört) cross-examine, interrogate, question; **~ [ngn på] läxan** test [sb on] the homework **II** *vb rfl* (-hörde, -hört), **~ sig** inquire [*om* about; *hos* of]

förhörsledare *s* (~n, =) interrogator

förinta *vb tr* (~de, ~t) allm. annihilate, destroy

förintelse *s* (~n, ~r) annihilation, destruction; stor förödelse, katastrof holocaust; **~n** av bl.a judar och romer under andra världskriget the Holocaust

förintelsekrig *s* (~et, =) war of annihilation

förintelsevapen *s* (-vapnet, =) weapon of [mass] destruction

förirra *vb rfl* (~de, ~t), **~ sig** eg. go astray, get lost

förivra *vb rfl* (~de, ~t), **~ sig** get carried away, rush things

förjaga *vb tr* (~de, ~t) chase (drive)...away, expel; framför allt bildl. äv. dispel, banish

förkalkning *s* (~en, ~ar) calcification; jfr *åderförkalkning*

förkasta *vb tr* (~de, ~t) allm. reject, repudiate; t.ex. förslag äv. turn down

förkastelse *s* (~n) allm. rejection

förkastelsedom *s* (~en, ~ar) condemnation, denunciation

förkastlig *adj* (~t) objectionable; klandervärd reprehensible

förkastning *s* (~en, ~ar) geol. fault

förklara I *vb tr* (~de, ~t) **1** förtydliga explain [*för* to]; klargöra äv. make...clear, elucidate; ge förklaring på account for; **det ~r saken** that accounts for it; **~ bort ngt** explain away sth, make excuses for sth **2** tillkännage declare; uppge state; **~ krig mot** declare war on; **~s skyldig** be found guilty [*till* of; *till att* + inf. of + ing-form] **II** *vb rfl* (~de, ~t) **~ sig a)** förtydliga sig explain oneself **b)** uppge sig declare oneself [to be] [*för* in favour of; *mot* against]

förklarad *adj* (-klarat, ~e) avgjord declared, avowed; **en ~ fiende till...** an avowed (a sworn) enemy of...

förklarande *adj* (oböjl.) explanatory; belysande illustrative

förklaring *s* (~en, ~ar) **1** förtydligande explanation [*av* (*på, till, över*) of; *till att* why]; utläggning exposition, expounding; **som ~** in explanation; **alltting har sin ~** there is a reason for everything; **utan ett ord till ~** without a word of explanation **2** uttalande declaration, statement; inför rätten evidence **3** bibl. glorification; **Kristi ~** the Transfiguration of Christ

förklarlig *adj* (~t) eg. explicable, explainable; begriplig understandable, comprehensible; naturlig natural; **av lätt ~a skäl** for obvious reasons

förklenande *adj* (oböjl.), *i ~ ordalag* in disparaging terms

förklinga *vb itr* (~de, ~t) die away

förklistrad *adj* (-klistrat, ~e) already pasted, ready-pasted

1 förklä *s* (~t, ~n) se *förkläde 1*

2 förklä *vb tr* (-klädde,-klätt) se *förkläda*

förkläda *vb tr* (-klädde, -klätt) disguise [*till* tiggare as a…]; vara **förklädd** äv. …in disguise; **~ sig** disguise oneself

förkläde *s* (~t, ~n) **1** plagg apron; barns pinafore **2** person chaperon; **vara ~ åt** chaperon, act as a chaperon to (for)

förklädnad *s* (~en, ~er) disguise

förknippa *vb tr* (~de, ~t) associate

förkolna *vb itr* (~de, ~t) get charred

förkomma *vb itr* (-kom, -kommit) get lost; om brev o.d. miscarry

förkommen *adj* (-kommet, -komna) **1** förlorad missing, lost **2** avsigkommen …down at heel; starkare disreputable, degenerate

förkonstlad *adj* (-konstlat, ~e) artificial, affected

förkorta *vb tr* (~de, ~t) shorten; avkorta abridge, cut; t.ex. ord abbreviate; matem., bråk reduce; **~ tiden** beguile the time; **~d upplaga** abbreviated (abridged) edition

förkortning *s* (~en, ~ar) shortening (endast sg.), abridg[e]ment av t.ex. ord, abbreviation; matem., av bråk reduction; jfr *förkorta*

förkovra I *vb tr* (~de, ~t) improve; öka increase **II** *vb rfl* (~de, ~t), **~ sig** improve; **~ sig i engelska** improve one's English

förkovran *s* (=, en) improvement

förkrigstiden *s* (best. sing.) the pre-war period; *England under ~* äv. pre-war England

förkristen *adj* (-kristet, -kristna) pre-Christian

förkroma *vb tr* (~de, ~t) chromium-plate

förkromning *s* (~en, ~ar) chromium-plating; förkromade delar chromium plate

förkroppsliga *vb tr* (~de, ~t) embody, incarnate, personify; jfr *personifiera*

förkroppsligande *s* (~t, ~n) embodiment, incarnation, personification

förkrossad *adj* (-krossat, ~e) broken-hearted; ångerfull contrite

förkrossande *adj* (oböjl.) crushing, overwhelming; heartbreaking; **~ majoritet** overwhelming majority; **~ nederlag** crushing defeat

förkrympt *adj* (=) liten stunted, dwarfed; fysiol. abortive

förkunna *vb tr* (~de, ~t) tillkännage announce [*för* to]; utropa proclaim; förebåda foreshadow, herald; predika preach; **~ en dom** jur. pronounce sentence; **~ evangelium** preach the Gospel

förkunnare *s* (~n, =) preacher; announcer, herald; jfr *förkunna*

förkunnelse *s* (~n, ~r) preaching

förkunskaper *s pl* previous knowledge (training) sg. [*i* of]; grundkunskaper grounding sg. [*i* in]

förkväva *vb tr* (-kvävde, -kvävt) choke, stifle, smother

förkvävas *vb itr dep* (-kvävdes, -kvävts) choke, stifle, smother

förkyla *vb rfl* (-kylde, -kylt), **~ sig** catch [a] cold

förkyld *adj* (-kylt) **1** *bli ~* catch [a] cold; **vara [lite**

(*mycket*)] **~** have a [slight (bad)] cold **2** *nu är det förkylt!* that's torn (done) it!

1 förkylning *s* (~en, ~ar) sjukdom cold

2 förkylning *s* (~en, ~ar) tekn. precooling

förkämpe *s* (~n, -kämpar) advocate, champion [*för* of]

förkänning *s* (~en, ~ar) feeling; av sjukdom äv. symptom; av fara äv. premonition

förkänsla *s* (~n, -känslor) presentiment

förkärlek *s* (~en) predilection, preference, special liking, partiality [*för* i samtliga fall for]; **med ~** preferably

förköp *s* (~et, =) av biljett advance booking [avgift fee]

förköpa *vb rfl* (-köpte, -köpt), **~ sig** overspend, spend more than one can afford

förköpsrätt *s* (~en) jur. el. ekon. pre-emptive right, option; **ha ~** have an option [on goods], have first refusal [of goods]

förkörsrätt *s* (~en) trafik. right of way [*framför* over]

förlag *s* (~et, =) bok~ publishing firm (house), publisher[s pl.]; **utgiven på A:s ~** published by A.; **utgiven på [författarens] eget ~** published by the author (at the author's own expense)

förlaga *s* (~n, -lagor) original, master; model; **filmens ~ är…** the film is based on…

förlagskatalog *s* (~en, ~er) publisher's catalogue

förlagsredaktör *s* (~en, ~er) editor [at a publishing firm]

förlagsrätt *s* (~en, ~er) publishing right[s pl.]

förlama *vb tr* (~de, ~t) paralyse (amer. paralyze) äv. bildl.; bedöva stun; **som ~d av skräck** as if paralysed with fear

förlamning *s* (~en, ~ar) paralys|is (pl. -es) äv. bildl.

förleda *vb tr* (-ledde, -lett) locka, narra entice, seduce, beguile [*till* into]; leda på avvägar lead…astray; **~ ngn att tro att…** delude (lead) sb into believing that…

förledande *adj* (oböjl.) beguiling, seductive, attractive

förlegad *adj* (-legat, ~e) antiquated, obsolete, out-of-date…

förliden *adj* (-lidet, -lidna) till ända past, over, spent

förlig *adj* (~t), **~ vind** fair wind

förlika I *vb tr* (~de, ~t) reconcile [*med* to (with)] **II** *vb rfl* (~de, ~t), **~ sig** become reconciled, reconcile oneself [*med* to]; come to terms [*med* with]; fördra put up [*med* with]

förlikas *vb itr dep* (-likades, -likats) försonas be reconciled

förlikning *s* (~en, ~ar) försoning reconciliation; i arbetstvist o.d. conciliation, mediation (båda endast sg.); uppgörelse (speciellt ekon.) [amicable] settlement, compromise

förlikningskommission *s* (~en, ~er) conciliation (mediation) board

förlikningsman *s* (~nen, -män) [official] conciliator, arbitrator

förlisa *vb itr* (-liste, -list) be lost ([ship]wrecked); om båt äv. sink, founder

förlisning *s* (~en, ~ar) shipwreck, loss

förlita *vb rfl* (~de, ~t) **~ sig på** a) ngn trust in b) ngt trust to, rely on

förlitan *s* (=, en) o. **förlitande** *s* (~t) confidence; *i ~ på* trusting to, relying on

förljugen *adj* (-ljuget, -ljugna) dishonest, false, mendacious; lying endast attr.

förljugenhet s (~en) dishonesty, falsity, mendacity

förljuva vb tr (~de, ~t) sweeten, brighten

förlopp s (~et, =) **1** tids lapse **2** händelse~ course of events; skeende course

förlora I vb tr o. vb itr (~de, ~t) allm. lose; lida nederlag äv. be defeated (beaten); i spel äv. lose the game; **~ i** intresse, smak o.d. lose some of its...; **~ i styrka (vikt, värde)** lose force (weight, value); **~ med 1–0** lose [by] 1–0 (one nil); **~ på affären** lose on the bargain; **man ~r tid på att...** one loses time by + ing-form **II** vb rfl (~de, ~t), **~ sig** lose oneself, be lost, disappear [i in]

förlorad adj (-lorat, ~e) allm. lost; försutten äv. missed; förspilld äv. wasted; **den ~e sonen** bibl. the Prodigal Son; **~e ägg** poached eggs; **gå ~** be lost [för to]

förlorare s (~n, =) loser

förlossa vb tr (~de, ~t) **1** med. deliver **2** bibl. redeem

förlossning s (~en, ~ar) **1** med. delivery, childbirth **2** bibl. redemption

förlossningsavdelning s (~en, ~ar) delivery (labour) ward

förlossningstång s (~en, -tänger) midwifery (obstetric) forceps (sg. el. pl.)

förlov s (oböjl.), **med ~ [sagt]** if I (resp. we) may say so, if you don't mind my (resp. our) saying so

förlova vb rfl (~de, ~t), **~ sig** become engaged [med to]

förlovad adj (-lovat, ~e) engaged [to be married] [med to]; **Förlovade** tidningsrubrik Engagements; **de ~e** the engaged couple; **det ~e landet** the Promised Land

förlovning s (~en, ~ar) engagement; **ingå ~** become engaged [med to]

förlovningsannons s (~en, ~er) announcement in the engagements column

förlovningsring s (~en, ~ar) engagement ring

förlupen adj (-lupet, -lupna) runaway; om kula stray

förlust s (~en, ~er) allm. loss [för to; i (av) of; på t.ex. transaktion on (by), t.ex. 1000 kronor of]; skada äv. damage; **det vore [en] ren ~** it would be a dead loss; **lida stora ~er** sustain heavy losses (mil. äv. casualties); **sälja (gå) med ~** sell (be run) at a loss

förlusta vb rfl (~de, ~t), **~ sig** divert oneself

förlustavdrag s (~et, =) deduction[s pl.] for loss

förlustbringande adj (oböjl.) attr. ...involving a loss (resp. losses) [för to (for)]; **vara ~** involve a loss etc.

förlustelse s (~n, ~r) amusement; offentlig entertainment

förlustföretag s (~et, =) losing concern (business)

förlustkonto s (~t, ~n) loss account

förlustsiffra s (~n, -siffror) antal döda number of casualties

förlyfta vb rfl (-lyfte, -lyft), **~ sig** overstrain oneself by lifting [på ngt sth]

förlåt s (~en, ~er) åld. el. bibl. veil; **lyfta (lätta) på ~en kring** bildl. disclose, lift the veil on, lift the veil of secrecy surrounding

förlåta vb tr (-lät, -låtit) forgive [ngn för ngt sb [for] sth; ngn för + att-sats sb for + ing-form]; ursäkta excuse, pardon; **förlåt!** som ursäkt I'm [awfully] sorry!; förnärmat pardon me!; **förlåt...** som hövlig fråga el. inledning excuse (pardon) me...; **förlåt att jag...** excuse my + ing-form; **förlåt, jag hörde inte** [I] beg your pardon [I didn't catch what you said], what did you say?

förlåtelse s (~n) forgiveness [för for]; **be [ngn] om ~** ask (beg) sb's forgiveness; **få ~** be pardoned (forgiven)

förlåtlig adj (~t) pardonable, excusable

förlägen adj (-läget, -lägna) generad embarrassed, abashed, awkward; förvirrad confused; **göra ngn ~** äv. embarrass sb

förlägenhet s (~en) känsla embarrassment, awkwardness, confusion

förlägga vb tr (-lade, -lagt) **1** placera: lokalisera locate, place [till in]; trupper o.d. station, billet [i (vid) in (at)]; handlingen **är förlagd till medeltiden** ...takes place in the Middle Ages; mötet **har förlagts till nästa fredag (ett annat rum)** ...will be held next Friday (in another room) **2** slarva bort mislay **3** böcker publish

förläggare s (~n, =) chef för ett förlag publisher; redaktör el. redaktionschef senior editor

förläggning s (~en, ~ar) location; mil., konkr. station, camp

förläggningsort s (~en, ~er) mil. garrison [town]

förläna vb tr (~de, ~t), **~ ngn ngt** grant sb...; begåva endow sb with...; tilldela confer...on sb; hist., som förläning enfeoff sb with...; **~ glans åt** lend...to

förlänga vb tr (-längde, -längt) lengthen, prolong; utsträcka extend; linje (matem.) äv. produce; **förlängda märgen** med. the medulla oblongata, the prolongation of the spinal cord

förlängning s (~en, ~ar) **1** prolongation; utsträckning extension **2** sport. extra time; amer. overtime; **efter ~** after extra time (amer. overtime)

förlängningssladd s (~en, ~ar) extension lead (amer. cord), extension

förläning s (~en, ~ar) hist. enfeoffment; gods fief, fee

förläsa vb rfl (-läste, -läst), **hon har förläst sig på romaner** she has read too many novels

förlöjliga vb tr (~de, ~t) ridicule, hold...up to ridicule

förlöpa I vb itr (-löpte, -löpt) förflyta pass; avlöpa pass off; fortgå go, proceed **II** vb tr (-löpte, -löpt) åld., överge run away from, desert

förlösa vb tr (-löste, -löst), **~ en kvinna** deliver a woman of a child

förlösande adj (oböjl.), **ett ~ ord** a timely word; **han kom med det ~ ordet** he said just the thing everyone had been waiting for, he said just the right word

förmak s (~et, =) **1** salong drawing-room **2** anat. atrium, auricle

förman s (~nen, -män) arbetsledare foreman, supervisor; överordnad superior

förmana vb tr (~de, ~t) exhort; tillrättavisa admonish

förmaning s (~en, ~ar) exhortation; tillrättavisning admonition

förmaningstal s (~et, =) admonitory speech; vard. talking-to, lecture

förmast s (~en, ~er) sjö. foremast

förmatch s (~en, ~er) sport. preliminary match (amer. vanl. game)

förmedla vb tr (~de, ~t) fungera som mellanhand vid mediate, act as [an] intermediary in; **~ ett budskap** convey a message; **~ ett lån** negotiate (arrange) a loan; **~ nyheter** supply news

förmedlare s (~n, =) mellanhand intermediary

förmedling s (~en, ~ar) mediation (endast sg.), agency äv. byrå; anskaffning procurement, arrangement; **genom hans ~** through him (his agency)

förmena *vb tr* (~de, ~t) förvägra deny
förment *adj* (=) supposed; föregiven putative
förmer *adj* (oböjl.) o. **förmera** *adj* (oböjl.), **vara ~ än** be superior to
förmiddag *s* (~en, ~ar) morning; **klockan 11 på ~en** (förk. *f.m.*) at 11 o'clock in the morning (förk. at 11 a.m.); **i ~s** [late] this morning; **på ~en** during (in the course of) the morning; för ex. jfr *eftermiddag*
förmildra *vb tr* (~de, ~t) se *mildra*; **~nde omständigheter** extenuating circumstances
förminska *vb tr* (~de, ~t) (se äv. *minska*), **i ~d skala** on a reduced scale
förminskning *s* (~en, ~ar) **1** reduction, decrease, diminution [*av, i* i samtliga fall of, in] **2** foto. reduction
förmoda *vb tr* (~de, ~t) anta suppose; med större visshet presume; vard. reckon; amer. guess; förvänta expect; gissa conjecture, surmise; **~ att** förutsätta assume (take it) that
förmodan *s* (=, en, ~den) supposition, presumption; conjecture, surmise, guess, jfr *förmoda*; **mot [all] ~** contrary to expectation
förmodligen *adv* presumably; jfr *antagligen*
förmultna *vb itr* (~de, ~t) moulder [away], decay, rot
förmultning *s* (~en, ~ar) mouldering, decay (båda endast sg.)
förmultningsprocess *s* (~en, ~er) process of decay
förmyndare *s* (~n, =) jur. guardian [*för* of]; **stå under ~** be under guardianship (in tutelage)
förmyndarregering *s* (~en, ~ar) regency
förmyndarskap *s* (~et, =) o. **förmynderskap** *s* (~et, =) guardianship; bildl. authority, tutelage
förmå I *vb tr* o. *vb itr* (-mådde, -mått) **1** kunna, orka, **~ [att]** + inf. be able to + inf., be capable of + ing-form; **jag (du** osv.**) ~r (~dde) inte** vanl. I (you osv.) cannot (couldn't), jfr *kunna II 1* o. *orka*; **det här är allt vad huset ~r** ...all I (resp. we) can offer you **2 ~ ngn [till] att** + inf. get (induce, prevail upon, bring) sb to + inf.; övertala persuade sb to + inf. **II** *vb rfl* (-mådde, -mått), **~ sig till att** + inf. bring (induce) oneself to + inf.; besluta sig make up one's mind to + inf.
förmåga *s* **1** (~n) fysisk el. andlig kraft power [*att* + inf. to + inf.]; prestations~ capacity [*att* + inf. for + ing-form]; fallenhet o.d. faculty [*att* + inf. for (of) + ing-form]; duglighet ability [*att* + inf. to + inf.]; capability [*att* + inf. of + ing-form]; läggning gift, talent, aptitude [*att* + inf., i samtliga fall for + ing-form]; **ha (sakna) ~ att** koncentrera sig vanl. be able (be unable) to...; jag gjorde det **efter bästa ~** ...to the best of my ability **2** (~n, förmågor) person, **han är en verklig ~** he is a man of great ability; **unga förmågor** young talents
förmån *s* (~en, ~er) fördel advantage; särskild rättighet benefit; naturaförmån fringe benefit, perquisite, vard. perk; **sociala ~er** social benefits; **till ~ för** för att hjälpa in aid (for the benefit) of; för att gynna in favour of; **ha ~en att** + inf. have the privilege of + ing-form
förmånlig *adj* (~t) allm. advantageous [*för ngn* to sb]; gynnsam favourable; vinstgivande profitable; köp **på ~a villkor** ...on easy terms
förmånsberättigad *adj* (-berättigat, ~e) preferential
förmånsbeskattning *s* (~en, ~ar) tax imposed on fringe benefits
förmånserbjudande *s* (~t, ~n) special offer (bargain)
förmånstagare *s* (~n, =) beneficiary

förmäten *adj* (-mätet, -mätna) presumptuous; om person äv. arrogant; **vara ~ nog att** make bold (so bold as) to
förmätenhet *s* (~en) presumptuousness, presumption, arrogance
förmögen *adj* (-möget, -mögna) **1** rik wealthy, well-to-do, rich; pred. äv. well off; amer. äv. well fixed **2** i stånd capable [*till* of; *att* + inf. of + ing-form]
förmögenhet *s* (~en, ~er) större penningsumma fortune; kapital capital; privat~ [private] means pl.; ägodelar property; kvarlåtenskap estate; **taxerad ~** taxed property (assets pl.); **ha 900 000 kronor i ~** have a capital of...; klänningen **kostade en [mindre] ~** ...cost a [small] fortune; **tjäna (göra sig) en ~** make a fortune
förmögenhetsbrott *s* (~et, =) crime against property
förmögenhetsskatt *s* (~en, ~er) capital (wealth, property) tax
förmörka *vb tr* (~de, ~t) darken äv. fördystra, obscure; bildl., t.ex. förstånd cloud; himlakropp eclipse
förmörkas *vb itr dep* (-mörkades, -mörkats) darken, be darkened osv., jfr *förmörka*
förmörkelse *s* (~n, ~r) astron. eclipse
förnamn *s* (~et, =) first name; om döpt äv. Christian name; amer. äv. given name; **vad heter du i ~?** what is your first (Christian, given) name?
förnedra I *vb tr* (~de, ~t) degrade **II** *vb rfl* (~de, ~t), **~ sig** demean (degrade) oneself; **~ sig till ngt** stoop to sth; **~ sig till att** + inf. stoop to + ing-form
förnedrande *adj* (oböjl.) degrading, humiliating
förnedring *s* (~en) degradation
förneka I *vb tr* (~de, ~t) inte erkänna deny; bestrida äv. disavow; inte kännas vid disown, renounce; **jag kan inte ~ att...** vanl. I must admit that...; **det kan inte ~s att...** it cannot be denied that... **II** *vb rfl* (~de, ~t), **han ~r sig aldrig** he is always the same, that's just him
förnekande *s* (~t, ~n) o. **förnekelse** *s* (~n, ~r) denying osv., jfr *förneka I*; denial; disavowal; renunciation
förnickla *vb tr* (~de, ~t) nickel[-plate]
förnimbar *adj* (~t) perceptible [*för* to]
förnimma *vb tr* (-nam, -nummit) perceive; känna feel, be sensible of
förnimmelse *s* (~n, ~r) sinnes~ sensation; filos. perception
förnuft *s* (~et), **~[et]** reason; **sunt** el. **sunda ~et** common sense; **ta sitt ~ till fånga** listen to reason, be sensible (reasonable); jfr ex. under *förstånd*
förnuftig *adj* (~t) sensible; resonlig äv. reasonable; begåvad med (vittnande om) förnuft äv. rational
förnumstig *adj* (~t) would-be-wise, sententious; **vara ~** be a know-all
förnya *vb tr* (~de, ~t) allm. renew; upprepa repeat; fylla på, t.ex. förråd replenish; ge nytt liv åt, bildl. regenerate; **~ sig** renew oneself, try something different
förnyelse *s* (~n, ~r) renewal; renovation; repetition; replenishing, replenishment; regeneration; jfr *förnya*
förnyelsebar *adj* (~t), **~a energikällor** renewable sources of energy
förnäm *adj* (~t) distingerad distinguished; högättad noble, aristocratic; högdragen lofty, superior; förnämlig excellent, fine; **spela ~** give oneself (put on) airs
förnämhet *s* (~en) högdragenhet loftiness, superiority

förnämitet *s* **1** (~en) förfining, stil distinction, refinement **2** (~en, ~er) person celebrity; i pl. äv. well-known people

förnämlig *adj* (~t) ypperlig excellent, fine, superior

förnämst *adj* (superlativ) främst foremost; ypperligast finest; om person äv. greatest

förnär *adv*, **göra ngn något** ~ hurt sb (sb's feelings); **han gör inte ett fluga** ~ he wouldn't hurt a fly (say boo to a goose); **det gick hans ära** ~ that wounded (piqued) his pride

förnärma *vb tr* (~de, ~t) offend, affront; **bli ~d över** äv. take offence at; jfr *förolämpa*

förnödenheter *s pl* necessities; livs~ necessaries

förnöja *vb tr* (-nöjde, -nöjt) amuse, please; **ombyte förnöjer** variety is the spice of life, there's nothing like a change

förnöjd *adj* (-nöjt) glad happy, pleased; belåten contented, satisfied; **glad och** ~ pred. happy and content

förnöjelse *s* (~n, ~r) glädje amusement

förnöjsam *adj* (~t, ~ma) contented, ...easily pleased

förnöjsamhet *s* (~en) contentment

förolyckas *vb itr dep* (-olyckades, -olyckats) allm. be lost; omkomma äv. lose one's life; haverera äv. be wrecked; om flygplan äv. crash

förolämpa *vb tr* (~de, ~t) insult, affront; svagare offend; **en ~d min** an injured expression (air); **bli ~d över** be very much offended at

förolämpande *adj* (oböjl.) insulting; svagare offensive [*för* i båda fallen to]

förolämpning *s* (~en, ~ar) insult, affront [*mot* to]

förord *s* (~et, =) i t.ex. bok preface, foreword

förorda *vb tr* (~de, ~t) recommend [*hos* to; *till* for]

förordna *vb tr* (~de, ~t) **1** utse appoint; bemyndiga commission **2** bestämma ordain, decree; i t.ex. testamente provide [*om* for]

förordnande *s* (~t, ~n) **1** tjänste~ appointment; **få ~ som rektor** be appointed headmaster **2** testaments~ provision

förordning *s* (~en, ~ar) ordinance, decree, edict; stadga regulation

förorena *vb tr* (~de, ~t) contaminate, pollute; vard. foul

förorening *s* (~en, ~ar) förorenande contamination, pollution; vard. fouling; förorenande ämne pollutant; **~ar** i t.ex. vatten a lot of contamination (pollution) sg., impurities

förorsaka *vb tr* (~de, ~t) cause; föranleda occasion

förort *s* (~en, ~er) suburb; **~erna** äv. suburbia sg.

förortsbo *s* (~n, ~r) suburban [dweller], suburbanite

förortslinje *s* (~n, ~r) allm. suburban line; tåglinje suburban railway line; busslinje suburban bus line

förorätta *vb tr* (~de, ~t) wrong, injure

förpacka *vb tr* (~de, ~t) pack; emballera wrap [up]

förpackning *s* (~en, ~ar) konkr.: allm. pack, package; t.ex. ask äv. box; låda äv. case; emballage packing, wrapping

förpackningsmaskin *s* (~en, ~er) packing (packaging) machine

förpassa *vb tr* (~de, ~t) skicka iväg send [off]; **~ ngn ur landet** (**riket**) order sb to leave the country, deport sb

förpesta *vb tr* (~de, ~t) poison äv. bildl.; **~ luften** make a terrible smell; vard. stink the place out; **~ tillvaron för ngn** make life a misery for sb

förplikta I *vb tr* (~de, ~t), **~ ngn att** + inf. put (lay) sb under an obligation to + inf., bind (oblige) sb to + inf.; **känna sig ~d** feel [in duty] bound (obliged) **II** *vb rfl* (~de, ~t), **~ sig** bind (commit) oneself [*att* to]

förpliktelse *s* (~n, ~r) åtagande obligation, engagement, commitment; ekonomisk liability; skyldighet duty

förplägnad *s* (~en) food; entertainment

förpost *s* (~en, ~er) mil. outpost

förpostfäktning *s* (~en, ~ar) mil. outpost skirmish; bildl. preliminary skirmish

förprövning *s* (~en, ~ar) preliminary examination

förpuppa *vb rfl* (~de, ~t), **~ sig** zool. pupate, pass into the chrysalis stage; bildl. go into hibernation

förpuppning *s* (~en, ~ar) zool. pupation, change (transformation) into a chrysalis

förr *adv* **1** förut before; **han njöt som aldrig** ~ ...as he had never done before; **varken ~ eller senare** at no time before or after **2** fordom, ~ [**i tiden** (**världen**)] formerly, in former times (days); **~ och nu** then and now; **~ hade** (**var**) **han...** he used to have (be)...; **allt är som ~** everything is as it used to be, nothing has changed; **det var bättre ~** things aren't what they used to be **3** tidigare sooner, earlier; **~ eller senare** sooner or later **4** hellre rather, sooner

förra *adj* (mask. förre) **1** förutvarande former; före detta äv. late; tidigare earlier; som pron., **den förre...den senare** the former...the latter **2** närmast föregående last; [**i**] ~ **veckan** last week

förresten *adv* för övrigt besides; för den delen for that matter; apropå det by the way, incidentally; när allt kommer omkring after all

förrförra *adj* (mask. -förre), **~ året** the year before last

förrgår *s* (oböjl.), **i** ~ the day before yesterday; **i ~ morse** on the morning of the day before yesterday

förringa *vb tr* (~de, ~t) undervärdera minimize, belittle, lessen; t.ex. värdet av depreciate; brott palliate

förrinna *vb itr* (-rann, -runnit) bildl.: försvinna ebb away; förflyta pass [away], elapse

förrum *s* (~met, =) anteroom, antechamber; sjö. forehold

förruttna *vb itr* (~de, ~t) putrefy, decompose; om frukt el. trä rot; förmultna decay

förruttnelse *s* (~n, ~r) putrefaction, decomposition, corruption; förmultning decay; **stadd i** ~ putrescent

förrycka *vb tr* (-ryckte, -ryckt) rubba dislocate, upset; snedvrida distort

förryckt *adj* (=) tokig crazy, mad; **han är som** ~ he is quite crazy (mad), he is out of his mind

förrymd *adj* (-rymt) runaway...; om t.ex. fånge escaped...

förråa *vb tr* (~de, ~t) coarsen, brutalize; **verka ~nde** have a brutalizing effect

förrås *vb itr dep* (-råades, -råats) coarsen, become brutalized

förråd *s* (~et, =) store äv. bildl., stock, supply; mil. stores pl.; lokal store[room], supply depot; resurser resources pl.; **ha i** ~ ...in store (reserve)

förråda *vb tr* (-rådde, -rått) allm. betray [*åt*, *för* to]; röja äv., vard. give away, rat on; **~ sig** röja sig give oneself away

förrädare *s* (~n, =) traitor [*mot* to]

förräderi *s* (~et, ~er) treachery [*mot* to]; lands~ treason; **ett** ~ an act of treachery (resp. treason)

förrädisk *adj* (~t) treacherous äv. bildl. [*mot* to]; lands~ treasonable

förrän *konj* innan before; **knappt hade han…~** hardly (scarcely) had he…when, no sooner had he…than; **inte ~** först not until (till); **det dröjde inte länge ~** it was not long before; jfr *först 2*

förränta ekon. **I** *vb tr* (~de, ~t) placera place…at interest; betala ränta på pay interest on **II** *vb rfl* (~de, ~t), **~ sig** yield interest [*med* at]

förräntning *s* (~en) ekon. yield, return on investment; förtjänst profit; räntebetalning payment of interest; räntesats rate of interest

förrätt *s* (~en, ~er) kok. first course; vard. starter; **till (som)** ~ as a first course, as a starter, for starters

förrätta *vb tr* (~de, ~t) tjänstgöra vid, t.ex. dop, vigsel officiate at; **~ val** hold an election (elections)

förrättning *s* (~en, ~ar) tjänste~ function, [official] duty, office; kyrkl. äv. ceremony, service

försagd *adj* (-sagt) timid, diffident

försagdhet *s* (~en) timidity, diffidence

försaka *vb tr* (~de, ~t) go without, deny oneself, forsake; avsäga sig give up

försakelse *s* (~n, ~r) umbärande privation

församla I *vb tr* (~de, ~t) assemble, gather […together] **II** *vb rfl* (~de, ~t), **~ sig** se *församlas*

församlas *vb itr dep* (-samlades, -samlats) assemble, gather [together], congregate

församling *s* (~en, ~ar) **1** församlade personer assembly; folkrepresentation äv. convention, body **2** kyrkl.: menighet congregation; kyrkosamfund church; frireligiös el. inte kristen community; socken parish

församlingsbo *s* (~n, ~r) parishioner

församlingsfrihet *s* (~en) freedom of assembly

församlingshem *s* (~met, =) ung. parish house

församlingssyster *s* (~n, -systrar) ung. deaconess

förse I *vb tr* (-såg, -sett) provide, furnish; försörja äv. supply; utrusta äv. equip, fit [*med* i samtliga fall with]; **~dd med** om sak vanl. equipped (fitted) with **II** *vb rfl* (-såg, -sett), **~ sig** skaffa sig provide oneself [*med* with]; ta för sig help oneself [*med* to]

förseelse *s* (~n, ~r) fault; brott offence, misdemeanour

försegel *s* (-seglet, =) sjö. headsail

försegla *vb tr* (~de, ~t) seal äv. bildl.; t.ex. låda seal up

försegling *s* (~en, ~ar) konkr. seal

försena *vb tr* (~de, ~t) delay; uppehålla äv. detain; förhala retard

försenad *adj* (-senat, ~e) delayed, late; **vara ~** be late (behind time)

försening *s* (~en, ~ar) delay

förseningsavgift *s* (~en, ~er) delay charge, penalty for delay, default fine

försiggå *vb itr* (-gick, -gått) äga rum take place äv. teat. o.d.; pågå, ske go (be going) on; avlöpa pass (go) off

försigkommen *adj* (-kommet, -komna) advanced; neds. forward; brådmogen precocious

försiktig *adj* (~t) aktsam careful [*med* with]; förtänksam, klok cautious, prudent; vaksam wary; inte överdriven conservative; 'diplomatisk' guarded [*med* vad man säger om t.ex. fråga discreet; **i ~a ordalag** in guarded terms

försiktighet *s* (~en) (jfr *försiktig*); care; caution, prudence, wariness; guardedness; discretion äv. klokhet

försiktighetsskäl *s* (oböjl., ett), **av ~** by way of precaution

försiktighetsåtgärd *s* (~en, ~er) precautionary measure; **vidta alla ~er** take every precaution

försiktigt *adv* carefully osv., jfr *försiktig*

försilvra *vb tr* (~de, ~t) silver-plate

försitta *vb tr* (-satt, -suttit) t.ex. tillfälle miss, lose; **han försatt ingen tid** he lost no time

försjunka *vb itr* (-sjönk, -sjunkit), **~ i** hänge sig åt lose oneself (become absorbed) in; **försjunken i tankar** absorbed (lost, deep) in thought

förskaffa *vb tr* (~de, ~t) litt. procure, jfr *skaffa*; rendera bring

förskansa *vb rfl* (~de, ~t), **~ sig** entrench oneself; bildl. take shelter

förskepp *s* (~et, =) forebody

förskingra *vb tr* (~de, ~t) jur. embezzle, misappropriate; **han har ~t** …embezzled money

förskingrare *s* (~n, =) embezzler

förskingring *s* (~en, ~ar) **1** jur. embezzlement, misappropriation; av offentliga medel malversation **2** svenskar **i ~en** …scattered abroad; **judar[na] i ~en** the Diaspora

förskinn *s* (~et, =) leather apron

förskjuta I *vb tr* (-sköt, -skjutit) **1** rubba displace **2** inte längre vidkännas: hustru cast off, repudiate; barn disown **II** *vb rfl* (-sköt, -skjutit), **~ sig** rubbas get displaced (speciellt geol. dislocated); om last el. friare shift

förskjutning *s* (~en, ~ar) displacement, dislocation; shifting; jfr *förskjuta*

förskola *s* (~n, -skolor) preschool, nursery school, day nursery; spec. amer. daycare center

förskoleklass *s* (~en, ~er) preschool class

förskoleålder *s* (~n, -åldrar) preschool age

förskollärare *s* (~n, =) preschool teacher

förskona *vb tr* (~de, ~t), **~ ngn från (för) ngt** spare sb sth

förskoning *s* (~en) nåd mercy, forbearance

förskott *s* (~et, =) advance; **be om ~ på** lönen ask for an advance on…; **i ~** in advance, up front

förskottera *vb tr* (~de, ~t) advance; vard. upfront

förskottering *s* (~en, ~ar) advancement; förskott advance

förskottsbetalning *s* (~en, ~ar) advance (vard. upfront) payment, payment in advance

förskottsvis *adv* in advance; vard. upfront

förskräcka *vb tr* (-skräckte, -skräckt) frighten, scare, startle; **bli förskräckt** be (get) frightened osv. [*över* at]; bli bestört get a shock

förskräckas *vb itr dep* (-skräcktes, -skräckts) be frightened osv., jfr *förskräcka*

förskräckelse *s* (~n, ~r) fright, alarm; bestörtning consternation; **i ~n tappade han glaset** in his alarm (consternation), he dropped the glass; **ta en ända med ~** come to a sad (disastrous) end, end in disaster; **komma (slippa) undan med blotta ~n** escape by the skin of one's teeth, get off with no more than a fright

förskräcklig *adj* (~t) frightful, dreadful, awful; förfärlig terrible, horrible

förskrämd *adj* (-skrämt) frightened, scared; skygg timid

förskyllan *s* (=, en), **utan [min] egen ~** through no fault of mine

förskärare *s* (~n, =) carving knife, carver

förskärarkniv *s* (~en, ~ar) carving knife, carver

försköna *vb tr* (~de, ~t) make...look more beautiful, beautify; skönmåla make...look better than it is, embellish, gloss over

1 förslag *s* (~et, =) mus., långt appoggiatura; kort acciaccatura

2 förslag *s* (~et, =) **1** allm. proposal [*om, till* for; [*om*] *att* + inf. to + inf. for + ing-form]; råd suggestion; plan scheme, project [*till* for]; utkast draft [*till* of]; *väcka ~ om ngt* (*om att* + sats) propose (parl. o.d. move) sth (that...); *har du* ngt (ngn) *på ~?* have you...to suggest (...to recommend)?; *vi har många på ~ till tjänsten som* we have many applicants... **2** kostnads~ estimate [*för, till* for]

förslagen *adj* (-slaget, -slagna) cunning, crafty, artful

förslagenhet *s* (~en) cunning, craftiness, artfulness

förslagsställare *s* (~n, =) proposer [of the (resp. a) motion], mover

förslagsvis *adv* as a suggestion

förslappa *vb tr* (~de, ~t) försvaga weaken; göra kraftlös enervate; t.ex. moralen relax

förslappad *adj* (-slappat, ~e) weakened, enervative

förslappas *vb itr dep* (-slappades, -slappats) försvagas weaken; bli kraftlös become enervated; om t.ex. moral grow lax; om t.ex. intresse relax

förslappning *s* (~en, ~ar) weakening; kraftlöshet enervation

förslava *vb tr* (~de, ~t) enslave

försliten *adj* (-slitet, -slitna) worn out

förslitning *s* (~en, ~ar) abstr. wear; *~en av...* the wearing out of...; *normal ~* normal wear and tear

förslitningsskada *s* (~n, -skador) repetitive strain injury (förk. RSI)

förslummas *vb itr dep* (-slummades, -slummats) turn into (become) a slum

förslumning *s* (~en) deterioration (turning) into a slum

försluta *vb tr* (-slöt, -slutit) seal

förslå *vb itr* (-slog, -slagit) suffice, jfr *räcka* III 1; *så det ~r* ordentligt with a vengeance; mer än nog like anything

förslöa *vb tr* (~de, ~t) make...apathetic osv., jfr *förslöad*

förslöad *adj* (-slöat, ~e) apathetic, lethargic; håglös listless; trög dull

förslöas *vb itr dep* (-slöades, -slöats) grow (get) apathetic osv., jfr *förslöad*

förslösa *vb tr* (~de, ~t) squander [pengar *på spel* ...in (by) gambling]; dissipate [*på* in]

försmak *s* (~en) foretaste [*av* of]

försmå *vb tr* (~dde, ~tt) avvisa reject, disdain; förakta despise

försmädlig *adj* (~t) **1** hånfull sneering, scoffing **2** se *förarglig*

försmädlighet *s* (~en, ~er) yttrande sneer

försmäkta *vb itr* (~de, ~t) languish, pine [away]; *jag ~r av törst* I am fainting with (dying of) thirst

försnilla med avledningar se *förskingra* med avledningar

försoffad *adj* (-soffat, ~e) apathetic, lethargic; håglös listless; trög dull

försoffas *vb itr dep* (-soffades, -soffats) grow (get) apathetic osv., jfr *försoffad*

försoffning *s* (~en) apathy, listlessness

försommar *s* (~en, -somrar) early summer, early part of [the] summer

försona I *vb tr* (~de, ~t) förlika reconcile; *ett ~nde drag* a redeeming feature **II** *vb rfl* (~de, ~t), *~ sig med* bli vän med become reconciled (make it up) with; finna sig i reconcile oneself (become reconciled) to

försonas *vb itr dep* (-sonades, -sonats) make it up, become reconciled

försoning *s* (~en, ~ar) förlikning reconciliation; speciellt relig. atonement; *få till stånd* (*åstadkomma*) *en ~* bring about a reconciliation

försonlig *adj* (~t) conciliatory, forgiving

försonlighet *s* (~en) conciliatory spirit

försorg *s* (~en) **1** genom ngns *~* through sb, through (by) the agency of sb **2** *dra ~ om* a) ngn provide for... b) ngt see (attend) to...

försova *vb rfl* (-sov, -sovit), *~ sig* oversleep [oneself]

förspel *s* (~et, =) mus. prelude; bildl. äv. beginning, initial phase; före samlag foreplay

förspilla *vb tr* (-spillde, -spillt) waste [*på* on; *på att* + inf. on + ing-form]; *det är förspilld möda* it is labour thrown away

försprång *s* (~et, =) start; ledning lead; bildl. äv. advantage; *få ~ före ngn* get the start of sb; gå om gain the lead (bildl. äv. an advantage) over sb; *öka ~et* increase the lead; *ha [ett] stort ~* have a good head start

först *adv* **1** först [...och sedan] first; först [...men sedan] at first; vid uppräkning first[ly]; ursprungligen originally; jfr ex. under *främst*; *allra ~* first of all; *ligga ~* i tävling be [the] first; *stå ~ på listan* be [the] first on (at the top of) the list; *vara ~ på platsen* be the first to arrive; *~ och främst* till att börja med first and foremost, to begin with; framför allt above all; huvudsakligast primarily **2** inte förrän not until, only; *~ då såg han...* only (not until) then did he see...; *jag fick det ~ i går* I only got it (didn't get it until) yesterday; *han kommer ~ i morgon* (*om en vecka*) he won't come until tomorrow (come for another week)

första *räkn* o. *adj* (mask. förste) first (förk. 1st); begynnelse- initial, opening; tidigaste, äldsta earliest, early; ursprungliga original; främste foremost; speciellt i titlar principal, chief, head; *förste bibliotekarie* principal librarian; *på ~ bänk* i sal o.d. in the front row; *från ~ början* from the very start (beginning); *de ~ dagarna* var soligare the first few days...; *de två ~ dagarna* var soligare the first two days...; *~ hjälpen* first aid; *vid ~ bästa tillfälle* at the first (an early) opportunity; *på ~ våningen* a) på bottenvåningen on the ground (amer. first) floor b) en trappa upp on the first (amer. second) floor; *hon var den ~ som kom* she was the first to come; *~ bästa* vem som helst the first that comes (resp. came) along; *den ~ [i månaden]* adv. on the first [of the month]; *jag ska gå dit det ~ jag gör i morgon bitti* ...first thing tomorrow morning; *för det ~* in the first place, for one thing, vid uppräkning firstly

förstad *s* (~en, -städer) suburb

förstadium *s* (-stadiet, -stadier) preliminary stage

förstadsbo *s* (~n, ~r) suburban [dweller], suburbanite

förstagångsväljare *s* (~n, =) first-time voter

förstahandskontrakt *s* (~et, =) hyreskontrakt lease

förstahandsuppgift *s* (~en, ~er), **~er** first-hand information sg. [*om, på* about, on]

förstaklassare *s* (~n, =) elev i skolår 1 year one pupil; amer. first grade student

förstaklassbiljett *s* (~en, ~er) first-class ticket

förstamajdemonstration *s* (~en, ~er) May-Day demonstration

förstaplats *s* (~en, ~er) first place

förstapris *s* (~et, = el. ~er) the first prize; **få** (**ta hem**) **~**[*et*] be awarded (carry off, get) the first prize

förstapristagare *s* (~n, =) winner [of the first prize]

förstasida *s* (~n, -sidor) på tidning front page

förstatliga *vb tr* (~de, ~t) nationalize

förstatligande *s* (~t, ~n) nationalization

förstaupplaga *s* (~n, -upplagor) first edition

förstavelse *s* (~n, ~r) prefix

förstaåk *s* (~et, =) sport. first run

förste *räkn* se *första*

försteg *s* (~et, =), **ha ett ~ framför ngn** have an advantage over sb

förstenad *adj* (-stenat, ~e) petrified; **~ av fasa** petrified with horror

förstening *s* (~en, ~ar) petrifaction äv. konkr.

förstfödd *adj* (-fött) first-born

förstföderska *s* (~n, -föderskor) woman having her first baby

förstfödslorätt *s* (~en) [right of] primogeniture; speciellt bibl. birthright

förstklassig *adj* (~t) first-class, first-rate; vard. tiptop, A 1

förstnämnd *adj* (-nämnt) first-mentioned

förstockad *adj* (-stockat, ~e) trångsynt hidebound

förstone *s* (oböjl.), **i ~** at first, to start (begin) with

förstoppa *vb tr* (~de, ~t) constipate

förstoppning *s* (~en, ~ar) constipation; **ha ~** be constipated

förstora *vb tr* (~de, ~t), **~** [**upp**] eg. el. foto. enlarge; vard. blow up; optik. magnify; bildl. äv. exaggerate

förstoring *s* (~en, ~ar) foto. enlargement; konkr. äv. enlarged copy; optik. magnification; **i stark ~** greatly magnified (enlarged)

förstoringsglas *s* (~et, =) magnifying glass

förstreckning *s* (~en, ~ar) o. **förstrykning** *s* (~en, ~ar) i kanten mark; understrykning underlining

förströ I *vb tr* (-strödde, -strött) divert; roa entertain **II** *vb rfl* (-strödde, -strött), **~ sig** divert (amuse) oneself [*med* with; *med att* + inf. by + ing-form]

förströdd *adj* (-strött) absent-minded, preoccupied, abstracted

förströelse *s* (~n, ~r) diversion, recreation; nöje äv. amusement

förstucken *adj* (-stucket, -stuckna) allm. concealed, hidden; om t.ex. hot veiled

förstudie *s* (~n, ~r) preliminary (pilotstudie pilot) study

förstuga *s* (~n, -stugor) se *farstu*

förstukvist *s* (~en, ~ar) porch; amer. stoop; utan tak front-door landing

förstulen *adj* (-stulet, -stulna) furtive, stealthy, covert; **kasta en ~ blick på** steal (take, cast) a furtive glance (look) at

förstumma *vb tr* (~de, ~t) silence; bildl. strike...dumb, dumbfound; **bli ~d** tystna, se *förstummas*

förstummas *vb itr dep* (-stummades, -stummats) become (fall) silent; **~ av** häpnad be struck dumb with...

förstå I *vb tr* (-stod, -stått) allm. understand; begripa äv. comprehend, grasp; vard. get; bli klok på äv. make out; få klart för sig realize; inse see; kunna, veta know; **låta ngn ~ att...** give sb to understand that...; [*aha,*] **jag ~r!** oh, I see!; I get the message!; **du ~r väl att...** you must see (realize) that...; **jag ~r ingenting** [*av det hela*] I am completely at sea (at a loss); **jag förstod inte mycket av...** I didn't make much of (get much out of)...; **jag förstår inte meningen** (**vitsen**) **med...** I don't see the point of...; **såvitt jag ~r** as (so) far as I understand (can see); **jag förstod på honom att...** I gathered from him (from what he said) that...; **göra sig ~dd** make oneself understood **II** *vb rfl* (-stod, -stått), **~ sig på att** + inf. know (understand) how to + inf.; **~ sig på** ngt: förstå understand...; kunna know about...; vara kännare av be a judge of...; **jag ~r mig inte på henne** I can't make her out

förståelig *adj* (~t) se *begriplig*

förståelse *s* (~n) understanding; förstående äv. comprehension; sympati äv. sympathy; **ha full ~ för** sympathize with, quite understand

förstående *adj* (oböjl.) understanding, sympathetic

förstånd *s* (~et) begåvning intelligence, vard. brains pl.; förnuft reason; vett sense; klokhet wisdom; tankeförmåga intellect; fattningsförmåga understanding, comprehension; **förlora ~et** go out of one's senses (mind); **ha ~** [*nog*] **att...** have sense enough (the [good] sense) to...; **han borde haft bättre ~** he ought to have known better (to have had more sense); **tala ~ med ngn** make sb see reason; **det går över mitt ~** it is beyond me, it is above (beyond) my comprehension; **göra** ngt **efter bästa ~** ...to the best of one's judgement

förståndig *adj* (~t) förnuftig sensible äv. om sak; klok wise, judicious; begåvad med förstånd intelligent; **vara ~ nog att...** have the intelligence (sense) to...

förståndsgåvor *s pl* intellectual powers

förståndshandikappad *adj* (-handikappat, ~e) psykol. ngt åld. mentally retarded

förståndsmässig *adj* (~t) rational

förstås *adv* of course

förståsigpåare *s* (~n, =) neds. pundit, know-all

förställa I *vb tr* (-ställde, -ställt) disguise **II** *vb rfl* (-ställde, -ställt), **~ sig** dissemble, dissimulate

förställning *s* (~en) dissemblance, dissimulation

förstämd *adj* (-stämt) nedslagen dejected, depressed, downhearted

förstämning *s* (~en) förstämdhet dejection, depression; tryckt stämning gloom, gloomy atmosphere; **sprida ~ över** sällskapet cast a gloom over ...

förstärka *vb tr* (-stärkte, -stärkt) allm. strengthen; speciellt tekn. el. utöka äv. reinforce; elektr. el. radio. amplify, boost; intryck o.d. intensify

förstärkare *s* (~n, =) radio., ljud~ amplifier, booster

förstärkning *s* (~en, ~ar) strengthening osv., jfr *förstärka*; reinforcement; amplification, intensification (båda endast sg.); **få ~ar** mil. el. polis. o.d. receive reinforcements, be reinforced

förstäv *s* (~en, ~ar) sjö. stem

förstöra I *vb tr* (-störde, -stört) förinta, göra obrukbar destroy; fördärva ruin, spoil; ödelägga wreck; **~ sin**

hälsa ruin one's health [*genom* by]; ~ **nöjet för ngn** spoil (ruin) sb's pleasure; ~ **stämningen** spoil the atmosphere; *se förstörd* förkrossad **ut** look devastated **II** *vb rfl* (-störde, -stört), ~ **sig** slita ut sig wear oneself out; bli sjuk ruin (wreck) one's health

förstöras *vb itr dep* (-stördes, -störts) be destroyed osv., jfr *förstöra I*; långsamt decay; totalt perish

förstörelse *s* (~n, ~r) destruction; **vålla** ~ cause (wreak) destruction (havoc)

förstörelselusta *s* (~n) destructiveness, destructive urge

förstöring *s* (~en, ~ar) se *förstörelse*

försumbar *adj* (~t) negligible

försumlig *adj* (~t) vårdslös negligent; pred. äv. remiss [*i* in], neglectful [*mot* of]

försumlighet *s* (~en, ~er) negligence; neglectfulness; **visa** ~ be negligent

försumma *vb tr* (~de, ~t) missköta neglect; underlåta leave...undone; ~ **att** + inf. fail (omit) to + inf.; underlåta äv. neglect + ing-form (neglect to + inf.); **känna sig ~d** feel neglected (slighted, left out in the cold)

försummelse *s* (~n, ~r) neglect (endast sg.); underlåtenhet omission; **en grov ~ i tjänsten** [a piece of] gross neglect in...

försupen *adj* (-supet, -supna), **han är ~** he is a (an habitual) drunkard

försura *vb tr* (~de, ~t) make...acid

försuras *vb itr dep* (-surades, -surats) be acified

försurning *s* (~en, ~ar) acidification

försutten *adj* (-suttet, -suttna) lost osv., jfr *försitta*

försvaga *vb tr* (~de, ~t) allm. weaken; speciellt kroppsligt äv. enfeeble, debilitate; göra kraftlös enervate; försämra impair; ~**d hälsa** impaired health; ~**d syn** weakened eyesight

försvagas *vb itr dep* (-svagades, -svagats) grow (become) weak[er], weaken; försämras become impaired; om t.ex. synen fail

försvagning *s* (~en) weakening; försämring impairment

försvar *s* (~et, =) allm. defence (amer. defense) äv. sport.; rättfärdigande justification [*av*, *för* i samtliga fall of]; **det svenska ~et** the Swedish national defence; konkr.: stridskrafterna the Swedish armed forces pl.; sport. the Swedish defence; **ta...i** ~ defend (stand up for)...; **till** ~ **för** in defence (resp. justification osv.) of; **till hans** ~ kan sägas ...in his defence (amer. defense); **säga till sitt** ~ say in one's defence (amer. defense); vard. say for oneself

försvara I *vb tr* (~de, ~t) allm. defend; ta i försvar äv. stand up for; rättfärdiga justify; förfäkta vindicate; **det kan inte ~s** it is indefensible **II** *vb rfl* (~de, ~t), ~ **sig** defend oneself; speciellt i ord make (put up) a defence (amer. defense)

försvarare *s* (~n, =) defender äv. sport.

försvarbar *adj* (~t) defensible

försvarlig *adj* (~t) **1** ansenlig considerable, respectable **2** försvarbar defensible; justifiable, vindicable; hjälplig [just] passable; tillfredsställande satisfactory

försvarsadvokat *s* (~en, ~er) defence (amer. defense) lawyer, counsel (pl. lika) for the defence (amer. defense), defence (amer. defense) counsel (pl. lika)

försvarsberedskap *s* (~en) military (defensive) preparedness

Försvarsdepartementet i Sverige o. Storbr. the Ministry of Defence; i USA the Department of Defense

försvarsförbund *s* (~et, =) defensive alliance

försvarsgren *s* (~en, ~ar) fighting service

försvarskrig *s* (~et, =) defensive war (krigföring warfare)

försvarslinje *s* (~n, ~r) line of defence (amer. defense)

försvarslös *adj* (~t) defenceless; amer. defenseless

försvarsmakt *s* (~en) defensive forces pl.; **Försvarsmakten** i Sverige the armed forces...

försvarsmekanism *s* (~en, ~er) psykol. defence (amer. defense) mechanism

försvarsminister *s* (~n, -ministrar) i Sverige Minister for Defence; i Storbr. the Secretary of State for Defence; i USA the Secretary of Defense, the Defense Secretary

försvarsstab *s* (~en, ~er) defence (amer. defense) staff

försvarsställning *s* (~en, ~ar) mil. defensive position

försvarstal *s* (~et, =) jur. speech for the defence (amer. defense); friare speech in one's defence (amer. defense), apology

försvarsutgifter *s pl* defence (amer. defense) expenditure sg.

försvarsvapen *s* (-vapnet, =) defensive weapon (koll. weaponry sg.)

försvarsvilja *s* (~n) will to defend oneself (ett lands one's country, the nation)

försvarsväsen *s* (~det, =) national defence (amer. defense)

försvarsåtgärd *s* (~en, ~er) defensive measure

försvenska *vb tr* (~de, ~t) make...Swedish; **bli ~d** el. ~**s** become [rather] Swedish; ~**d form** Swedish form

försvenskning *s* (~en, ~ar) svensk språkform Swedish form [*av* of]

försvinna *vb itr* (-svann, -svunnit) disappear; fullständigt el. plötsligt vanish; komma bort be lost; gradvis fade [away]; vard.: ge sig i väg make oneself scarce, sticka make off [*med* with]; **försvinn!** go away!, get lost!, scram!; gå ut! get out!; **värken försvann** the pain passed off; **boken har försvunnit** ...is missing (lost)

försvinnande I *s* (~t, ~n) disappearance; **han var vid ~t iklädd...** when last seen he wore... **II** *adj* (oböjl.) obetydlig, ytterst liten negligible **III** *adv*, ~ **liten** extremely small (tiny)

försvåra *vb tr* (~de, ~t) allm. make (render)...[more] difficult; lägga hinder i vägen för obstruct

försyn *s* (~en), ~**en** Providence

försyndelse *s* (~n, ~r) offence, sin [*mot* against], breach [*mot* of]

försynt *adj* (=) hänsynsfull considerate, tactful, discreet; delicate äv. om t.ex. fråga; tillbakadragen unobtrusive; blygsam modest

försynthet *s* (~en) considerateness, delicacy; unobtrusiveness; modesty, jfr *försynt*

försåt *s* (~et, =) bakhåll ambush; friare snare, trap; **lägga** ~ **för** lay an ambush (set snares) for

försåtlig *adj* (~t) treacherous, insidious; t.ex. fråga tricky

försäga *vb rfl* (-sade, -sagt), ~ **sig** förråda sig give oneself away, say too much; förråda ngt let the cat out of the bag

försäkra I *vb tr* (~de, ~t) **1** gå i god för assure [*ngn om ngt* sb of sth; *ngn* [*om*] *att...* sb that...]; bedyra äv.

swear; **han ~de att...** he assured me (her osv.) that...; **det ~r jag!** el. **jag ~r!** I promise ([can] assure) you!; starkare I swear! **2** teckna försäkring insure [*mot* against]; speciellt liv~ äv. assure; **~ för högt (lågt)** overinsure (underinsure); **det är ~t för...kr (till fulla värdet)** it is insured for...kr (at the full value) **II** *vb rfl* (~de, ~t), **~ sig om** ngt make sure of...; **~ sig om att...** make sure that...

försäkran *s* (=, en, försäkringar) assurance; jur. affirmation

försäkring *s* (~en, ~ar) insurance; liv~ m.m. äv. assurance; avgift äv. insurance premium; brev policy; **teckna en ~** take out (effect) an insurance [policy] [*på* ngt on...; *på...* kr for...]

försäkringsbedrägeri *s* (~et, ~er) insurance fraud

försäkringsbelopp *s* (~et, =) insurance amount (value)

försäkringsbesked *s* (~et, =) från allmän försäkringskassa [social] insurance card

försäkringsbolag *s* (~et, =) insurance company

försäkringsbrev *s* (~et, =) [insurance] policy

Försäkringskassan the Swedish Social Insurance Agency

försäkringspremie *s* (~n, ~r) insurance premium

försäkringstagare *s* (~n, =) policy-holder; **~n** äv. the insured; om livförsäkrad äv. the assured

försäkringsvillkor *s pl* terms of insurance

försäkringsvärde *s* (~t, ~n) försäkringsbart insurable (försäkrat insured) value

försäljare *s* (~n, =) manlig salesman; kvinnlig saleswoman; salesperson; säljare seller

försäljning *s* (~en, ~ar) sale, sales pl.; försäljande äv. selling; **lämna till ~** put up for sale

försäljningschef *s* (~en, ~er) sales manager

försäljningspris *s* (~et, = el. ~er) sales (selling) price

försäljningsprovision *s* (~en, ~er) commission on sales, sales (selling) commission

försäljningsställe *s* (~t, ~n) sales outlet, point of sale

försäljningsvillkor *s pl* terms of sale

försämra *vb tr* (~de, ~t) försvaga, skada impair; förvärra make...worse, worsen; **~ ngns villkor** give sb less favourable terms

försämras *vb itr dep* (-sämrades, -sämrats) deteriorate, get (grow, become) worse, become impaired; om t.ex. hälsotillstånd change for the worse; gå tillbaka fall off

försämring *s* (~en, ~ar) deterioration; impairment; change for the worse; falling off; jfr *försämra* o. *försämras*

försändelse *s* (~n, ~r) konkr.: varu~ consignment; post~: allm. item of mail, brev letter, paket parcel

försänka *vb tr* (-sänkte, -sänkt) **1** tekn. countersink; **försänkt skruv** countersunk screw **2** bildl., **försänkt i tankar** lost in thought

försänkning *s* (~en, ~ar), **[goda] ~ar** good connections, useful contacts

försätta *vb tr* (-satte, -satt) **1** sätta set [*i rörelse* in...]; i visst tillstånd put; **~ på fri fot** set free (at liberty); **~ ngn i en besvärlig situation** put sb in an awkward situation **2** förflytta, **~ berg** move (bibl. remove) mountains

försättsblad *s* (~et, =) [front] endpaper; mot första boksidan flyleaf

försök *s* (~et, =) **1** ansats attempt [*till* at; *att* + inf. to

+ inf.]; bemödande effort, endeavour [*till* i båda fallen at; *att* + inf., i båda fallen at + ing-form to + inf.]; **vid första ~et** at the first attempt (vard. go); **göra ett ~** make an attempt, have a try (vard. a go, a shot) [at it]; **göra ~** experiment [*med*] make (carry out) experiments [with], experiment [with]; **det är värt ett ~** it's worth trying (a try); **på ~** som experiment as an experiment; på prov on trial **2** sport. rugby try

försöka I *vb tr* o. *vb itr* (-sökte, -sökt) allm. try; bjuda till attempt; bemöda sig endeavour [[*att*] + inf., i samtliga fall to + inf.]; **jag ska ~** I'll try; **försök!** vanl. have a try (vard. a go, a shot)!; **han försökte flera gånger innan...** he had several tries (vard. goes, shots) before...; **~ pröva med vatten** try water; **försök inte [med mig]!** don't try that on (with) me!, don't give me that!; **~ duger** there is no harm in trying **II** *vb rfl* (-sökte, -sökt), **~ sig på ngt** try one's hand at sth; våga sig på ngt venture [on] sth; **~ sig på att** + inf. try one's hand at + ing-form; våga sig på att venture [on] + ing-form

försöksanstalt *s* (~en, ~er) experimental (research) station

försöksdjur *s* (~et, =) laboratory animal, animal used for experiments (experimental purposes)

försöksheat *s* (~et, =) sport. trial (preliminary) heat

försökskanin *s* (~en, ~er) bildl. guinea pig

försöksperiod *s* (~en, ~er) trial period

försöksutskriva *vb tr* (-skrev, -skrivit) discharge...on trial

försöksverksamhet *s* (~en, ~er) experimental work, experiments pl., research

försörja I *vb tr* (-sörjde, -sörjt) sörja för provide for; underhålla support, keep, maintain **II** *vb rfl* (-sörjde, -sörjt), **~ sig** earn one's living [*med, genom* by]; **han försörjer sig på att skriva romaner** he writes novels for a living

försörjning *s* (~en) support, maintenance, provision

försörjningsbörda *s* (~n), **han har [en] stor ~** he has many dependents (many people to support)

försörjningsplikt *s* (~en) se *underhållsskyldighet*

förta I *vb tr* (-tog, -tagit) t.ex. verkan take away; t.ex. ljud deaden **II** *vb rfl* (-tog, -tagit), **~ sig** overdo it; **han förtar sig inte** he certainly doesn't overwork himself

förtal *s* (~et) slander, backbiting; ärekränkning defamation

förtala *vb tr* (~de, ~t) slander, backbite; ärekränka defame

förtappad *adj* (-tappat, ~e) lost; **en ~ syndare** an impenitent

förtappelse *s* (~n) perdition, damnation

förtecken *s* (-tecknet, =) **1** mus.: fast [key] signature; tillfälligt accidental **2** bildl., **med politiska ~** with political overtones

förteckna *vb tr* (~de, ~t) registrera make (draw up) a list of, register

förteckning *s* (~en, ~ar) list, catalogue, register [*på, över* i samtliga fall of]

förtegen *adj* (-teget, -tegna) reticent, secretive

förtenna *vb tr* (~de, ~t) tin[plate]

förtid *s* (oböjl.), **i ~** prematurely; **gammal i ~** old before one's time

förtidspension *s* (~en) early retirement pension; p.g.a. invaliditet disability pension; p.g.a. sjukdom sickness pension

förtidspensionär *s* (~en, ~er), **han är ~** he has taken (has been granted) early retirement; he has taken (has been granted) a disability resp. sickness pension, jfr *förtidspension*

förtiga *vb tr* (-teg, -tigit) keep...secret, conceal [*för ngn* i båda fallen from sb]

förtjusande *adj* (oböjl.) allm. charming; härlig delightful, gorgeous; söt, vacker lovely; utsökt exquisite; *vilken ~...!* äv. what an adorable (enchanting)...!

förtjusning *s* (~en) glädje delight [*över* at]; entusiasm enthusiasm; hänförelse enchantment

förtjust *adj* (=) glad delighted [*över* at; *i* with; [*över (åt)*] *att* + inf. to + inf.]; starkare enchanted [*över* with, by]; charmed [*över* with]; *bli ~ i* become fond of, take quite a fancy to; *vara ~ i* tycka om, t.ex. barn, mat be fond of; vara kär i be in love with

förtjäna I *vb tr* (~de, ~t) vara värd: allm. deserve; t.ex. belöning äv. merit; *han fick vad han ~de* he got what he deserved **II** *vb tr* o. *vb itr* (~de, ~t) se *tjäna I 1*

förtjänst *s* (~en, ~er) **1** inkomst earnings pl.; vinst profit[s pl.]; *göra 1000 kronor i ren ~ på...* make 1000 kronor clear profit out of... **2** merit merit; plus good point; förskyllan deserts pl.; *det är din ~ att...* it is thanks to you that...; *det är inte din ~ att...* it is no (small) thanks to you that...; *efter ~* förskyllan according to one's merits

förtjänstfull *adj* (~t) meritorious; betydande considerable

förtjänsttecken *s* (-tecknet, =) badge for merit

förtjänt *adj* (=), *göra sig* (*vara*) *~ av* deserve

förtorka *vb itr* (~de, ~t) become parched, dry up; vissna äv. wither [away]

förtorkad *adj* (-torkat, ~e) torr dry; uttorkad parched; skrumpen wizened

förtrampa *vb tr* (~de, ~t) bildl. trample...underfoot; *~d* förtryckt downtrodden

förtret *s* (~en) förargelse annoyance, vexation; obehag trouble; *svälja ~en* swallow one's annoyance (vexation); *till sin* [*stora*] *~* såg han [much] to his chagrin...

förtretlighet *s* (~en, ~er) vexation, annoyance

förtroende *s* (~t, ~n) **1** confidence [*för* (*till*) in]; *få ~t att* + inf. be entrusted with the task of + ing-form; *ha ~ för* have confidence (faith) in; *inge* [*ngn*] *~* inspire [sb with] confidence; *mista ~t för* lose confidence (one's trust) in; *säga ngt i* [*största*] *~* ...in [the strictest] confidence **2** förtroligt meddelande confidence; *utbyta ~n* exchange confidences

förtroendefråga *s* (~n, -frågor), *göra ngt till en ~* put sth to a vote of confidence

förtroendefull *adj* (~t) trustful, trusting, confiding

förtroendeingivande *adj* (oböjl.) confidence-inspiring; *vara ~* inspire confidence

förtroendeklyfta *s* (~n, -klyftor) credibility gap

förtroendeman *s* (~nen, -män) representant representative; *facklig ~* union representative

förtroendepost *s* (~en, ~er) position of trust; hederspost honorary office

förtroendeuppdrag *s* (~et, =) commission of trust; *jag har fått ~et att* + inf. I have been entrusted with the task of + ing-form

förtroendevotum *s* (~et, =) vote of confidence

förtrogen I *adj* (-troget, -trogna) **1** förtrolig intimate **2** bekant, *~ med* familiar (conversant) with, versed in **II** *s* (en ~, pl. -trogna) confidant; om kvinna vanl.

confidante; *göra ngn till sin förtrogna* vanl. take sb into one's confidence

förtrogenhet *s* (~en), *~ med* familiarity with, intimate knowledge of

förtrolig *adj* (~t) intim intimate, familiar; om vän äv. close; *ett ~t samtal* a heart-to-heart (an intimate) talk

förtrolighet *s* (~en, ~er) familiarity äv. närgångenhet, intimacy

förtrolla *vb tr* (~de, ~t) förhäxa enchant; förvandla transform [*till* into]; tjusa bewitch, fascinate

förtrollning *s* (~en) enchantment; bewitchment, fascination; jfr *förtrolla*; trollmakt spell; *bryta ~en* break the spell

förtrupp *s* (~en, ~er) mil. advance guard, vanguard

förtryck *s* (~et) oppression, repression

förtrycka *vb tr* (-tryckte, -tryckt) oppress

förtryckare *s* (~n, =) oppressor

förtrytelse *s* (~n, ~r) resentment, vexation, annoyance; starkare indignation [*över* i samtliga fall at]

förträfflig *adj* (~t) excellent; friare splendid

förträfflighet *s* (~en, ~er) excellence; duglighet splendid qualities pl.

förtränga *vb tr* (-trängde, -trängt) psykol. repress

förträngning *s* (~en, ~ar) **1** eg. constriction, contraction; med. stricture, stenosis **2** psykol. repression

förtröstan *s* (=, en) trust [*på ngn* (ngt) in...]; tillförsikt confidence

förtröttas *vb itr dep* (-tröttades, -tröttats) tire, weary

förtulla *vb tr* (~de, ~t) tullbehandla clear...[through the Customs], declare...[in the Customs], examine...for customs purposes; betala tull för pay duty on (for); *har ni något att ~?* ...to declare?

förtullning *s* (~en, ~ar) tullbehandling [customs] clearance; betalning av tull payment of duty; tullformaliteter customs formalities pl.

förtunna *vb tr* (~de, ~t) thin, attenuate; kem. dilute; luft rarefy

förtunnas *vb itr dep* (-tunnades, -tunnats) get (become) thin[ner]; glesna thin [out]; om luft become rarefied, rarefy

förtunning *s* (~en, ~ar) vätska thinner

förtur *s* (~en, ~er) priority [*framför* over]

förtvina *vb itr* (~de, ~t) vissna wither [away] [*av* with]; med. el. bildl. atrophy

förtvining *s* (~en) med. atrophy

förtvivla *vb itr* (~de, ~t) despair [*om ngt* (ngn) of sth (about, at sb)]

förtvivlad *adj* (-tvivlat, ~e) olycklig extremely unhappy; otröstlig disconsolate, heartbroken; utom sig ...in despair; desperat desperate; *vara ~* be in despair [*över ngt* (ngn) at sth (about sb)]

förtvivlan *s* (=, en) despair; desperation desperation [*över ngt* i båda fallen at sth]

förtvivlat *adv* desperat desperately; utan hopp despairingly; enormt terribly

förtvätt *s* (~en, ~ar) prewash

förtydliga *vb tr* (~de, ~t) förklara make...clear (resp. clearer), elucidate

förtydligande *s* (~t, ~n) clarification, elucidation

förtäckt *adj* (=) veiled, covert; *i ~a ordalag* indirectly, in a roundabout way

förtälja *vb tr* (-täljde el. -talde, -täljt el. -talt) tell; *det*

förtäljer inte historien that is not on record, nobody knows

förtänksam *adj* (~t, ~ma) försiktig prudent; förutseende wise

förtära *vb tr* (-tärde, -tärt) äta eat; dricka drink; förbruka el. bildl. consume; **farligt att ~!** på flaska o.d. vanl. poison!; **~s av** längtan be consumed with…

förtäring *s* (~en) **1** förtärande consumption **2** mat [och dryck] food [and drink], refreshments pl.

förtäta *vb tr* (~de, ~t) condense [*till* into]; koncentrera concentrate; **~d stämning** tense atmosphere

förtätning *s* (~en, ~ar) condensation, concentration

förtöja *vb tr* o. *vb itr* (-töjde, -töjt) moor [*vid* to]; berth; göra fast make…fast [*vid* to]

förtöjning *s* (~en, ~ar) mooring

förtörna *vb tr* (~de, ~t) anger; [*bli*] **~d** [be] angry (indignant) [*på ngn* with sb; *över ngt* about sth]

förunderlig *adj* (~t) underbar wonderful, marvellous; underlig strange, odd; **ha en ~ makt över** have an uncanny power over

förundersökning *s* (~en, ~ar) preliminary investigation (inquiry) äv. jur., pilot study

förundra *vb tr* (~de, ~t) se *förvåna*

förundran *s* (=, en) wonder [*över* at]

förundras *vb itr dep* (-undrades, -undrats) se *förvåna sig* under *förvåna II*

förunna *vb tr* (~de, ~t) grant; **det är inte alla ~t att…** not everyone is privileged to…, it is not given to everyone to…

1 förut *adv* sjö. ahead

2 förut *adv* om tid before; i förväg äv. beforehand, in advance; förr formerly; tidigare previously

förutan *prep*, **mig ~** without me

förutbestämd *adj* (-bestämt) predetermined, predestined, predestinate[d]

förutfattad *adj* (-fattat, ~e) preconceived; **~[e] mening**[*ar*] prejudice[s], preconceived ideas (notions)

förutom *prep* se *utom 2*

förutsatt *adj* (=), **~ att** provided [that]

förutse *vb tr* (-såg, -sett) foresee, anticipate; vänta expect

förutsebar *adj* (~t) foreseeable, predictable

förutseende I *adj* (oböjl.) foresighted, far-sighted, far-seeing; klok wise **II** *s* (~t) foresight; förtänksamhet forethought

förutsäga *vb tr* (-sade, -sagt) predict, foretell; speciellt meteor. forecast; förespå prophesy

förutsägbar *adj* (~t) foreseeable, predictable

förutsägelse *s* (~n, ~r) prediction; forecast; prophecy; jfr *förutsäga*

förutsätta *vb tr* (-satte, -satt) allm. presuppose; anta presume, assume; kräva, om sak äv. imply; **~ ta för givet att** take it for granted that

förutsättning *s* (~en, ~ar) villkor condition, prerequisite [*för* i båda fallen of]; vad som krävs requirement; grundval bas|is (pl. -es); kvalifikation qualification; **ha alla ~ar att lyckas** have every chance of succeeding; **sakna ~ar för ngt** lack the [necessary] qualifications (prerequisites) for sth; **skapa ~ar för** create opportunities for; **under ~ att…** på villkor att on condition (the understanding) that…; förutsatt att on the assumption that…

förutsättningslös *adj* (~t) unbiased, unprejudiced

förutvarande *adj* (oböjl.) förre former; jfr *före detta* under *2 före I 2*

förvalta *vb tr* (~de, ~t) t.ex. kassa administer; jur. hold…in trust; förestå manage; t.ex. ämbete discharge [the duties of…]

förvaltare *s* (~n, =) administrator; jur. trustee; manager; lantbr. steward, [farm-]bailiff

förvaltning *s* (~en, ~ar) administration; management; konkr., stats~ public administration, Government services pl.

förvaltningsbolag *s* (~et, =) holdingbolag holding (trust) company

förvandla *vb tr* (~de, ~t) omskapa el. tekn. transform; förbyta äv. change [*till* i båda fallen into]; **~ till** äv.: omskapa, göra om turn into; tekn. el. bildl. convert into; speciellt i fråga om straff commute into; till något mindre el. sämre reduce to; **~ sig till** turn oneself into

förvandlas *vb itr dep* (-vandlades, -vandlats), **~ till** övergå till turn (change) into; omskapas till be transformed into

förvandling *s* (~en, ~ar) (jfr *förvandla*); transformation; change; conversion; reduction [*till* i samtliga fall into]; zool. el. bildl. metamorphos|is (pl. -es)

förvandlingskonstnär *s* (~en, ~er) quick-change artist

förvanska *vb tr* (~de, ~t) distort; vantolka äv. misrepresent; t.ex. kod mutilate; **~d text** garbled…, corrupt…

förvanskning *s* (~en, ~ar) distortion, misrepresentation, garbling, mutilation; corruption; jfr *förvanska*

förvar *s* (~et) **1** keeping, charge; hand. [safe] custody; **i gott (säkert) ~** in safe keeping **2** jur., **ta ngn i fängsligt ~** take sb into custody

förvara *vb tr* (~de, ~t) allm. keep; lagra äv. store; hand. keep…in safe custody; [*bör*] **~s torrt (kallt)** keep in a dry (cool) place

förvaring *s* (~en, ~ar) **1** abstr. keeping; lagring storage; av pengar o.d. safe-keeping; jur. preventive detention (custody) **2** förvaringslokal left-luggage office, cloakroom; amer. checkroom

förvaringsbox *s* (~en, ~ar) safe-deposit box

förvaringsfack *s* (~et, =) allm. locker; banks safe-deposit box

förvaringsutrymme *s* (~t, ~n) storage space sg., storage room sg.

förvarna *vb tr* (~de, ~t) forewarn, warn…beforehand

förvarning *s* (~en, ~ar) premonition, forewarning; **utan ~** without notice (previous warning)

förveckling *s* (~en, ~ar) complication

förvekligas *vb itr dep* (-vekligades, -vekligats) become emasculate

förverka *vb tr* (~de, ~t) forfeit

förverkliga I *vb tr* (~de, ~t) realize; t.ex. plan carry…into effect, implement **II** *vb rfl* (~de, ~t), **~ sig själv** fulfil (amer. fulfill) oneself

förverkligande *s* (~t, ~n) realization, implementation

förverkligas *vb itr dep* (-verkligades, -verkligats) be realized (carried into effect), materialize

förvildad *adj* (-vildat, ~e) om t.ex. ungdom uncivilized; om t.ex. seder demoralized; vildvuxen, attr. …that has (had osv.) run wild

förvildas *vb itr dep* (-vildades, -vildats) (jfr *förvildad*); become uncivilized (demoralized), run wild

förvilla *vb tr* (~de, ~t) vilseleda mislead; förvirra confuse, bewilder; *~nde* likhet deceptive…; *~nde* lik confusingly…

förvillelse *s* (~n, ~r) aberration, error

förvinter *s* (~n, -vintrar) early winter, early part of [the] winter

förvirra *vb tr* (~de, ~t) allm. confuse; förbrylla bewilder, perplex; svagare puzzle

förvirring *s* (~en) allm. confusion; persons äv. bewilderment, perplexity; oreda disorder; *i första ~en* in the first moment of confusion

förvisa *vb tr* (~de, ~t) allm. banish; lands~ äv. exile [*från, ur* i båda fallen from]; bildl. relegate; ~ [*ur landet*] deport

förvisning *s* (~en, ~ar) banishment; exile; relegation; deportation; jfr *förvisa*

förvissa I *vb tr* (~de, ~t), *~d* övertygad convinced [*om ngt* (*om att…*) of sth (that…)]; *ni kan vara ~de om att…* you may rest assured that… **II** *vb rfl* (~de, ~t), *~ sig om ngt* (*om att…*) make sure of sth (that…)

förvissning *s* (~en) assurance; *i fast ~ om att…* in full assurance that…

förvisso *adv* assuredly, certainly

förvittra *vb itr* (~de, ~t) weather, disintegrate; smulas crumble [away]

förvittring *s* (~en, ~ar) weathering, disintegration; crumbling

förvrida *vb tr* (-vred, -vridit) distort, twist; t.ex. ansikte äv. contort; *~ huvudet på ngn* turn sb's head

förvridning *s* (~en, ~ar) distortion, twisting; av t.ex. ansikte äv. contortion

förvränga *vb tr* (-vrängde, -vrängt) distort, twist; t.ex. lagen äv. pervert; misstyda äv. misrepresent

förvrängning *s* (~en, ~ar) distortion; perversion; misrepresentation; jfr *förvränga*

förvuxen *adj* (-vuxet, -vuxna) overgrown; förvildad …overgrown with weeds

förvållande *s* (~t), *det skedde genom [hans] eget ~* it was through his [own] negligence

förvåna I *vb tr* (~de, ~t) surprise, astonish; starkare amaze; *det ~r mig* vanl. I am surprised osv., jfr ovan; *~ sig* be surprised osv., jfr ovan; förundras wonder [*över ngt* i samtliga fall at sth]; *det är ingenting att ~ sig över* it is hardly surprising

förvånad *adj* (-vånat, ~e) surprised, astonished; starkare amazed [*över ngt* i samtliga fall at sth]; hon frågade ~ …in surprise (astonishment)

förvånande *adj* (oböjl.) o. **förvånansvärd** *adj* (~t) surprising osv., jfr *förvåna I*

förvånas *vb itr dep* (förvånades, förvånats) se *förvåna sig* under *förvåna II*

förvåning *s* (~en) surprise, astonishment; starkare amazement

förvår *s* (~en, ~ar) early spring, early part of [the] spring

förväg *s* (oböjl.), *i ~* om tid in advance, beforehand; om rum ahead; *gå* (*skicka…*) *i ~* go (send…) on ahead; *gå händelserna i ~* anticipate…

förvägra *vb tr* (~de, ~t) se *vägra*

förvälla *vb tr* (-vällde, -vällt) parboil

förvänd *adj* (-vänt) förställd disguised; oriktig wrong; onaturlig perverted

förvända *vb tr* (-vände, -vänt) förställa disguise; *~ synen på ngn* throw dust in sb's eyes

förvänta *vb tr* (~de, ~t), *~* [*sig*] expect; jfr *vänta I*

förväntan *s* (=, en, förväntningar) expectation [*på* of]; lyckas *över* [*all*] ~ …beyond [all] expectation[s]

förväntansfull *adj* (~t) expectant; *vara ~* äv. be full of expectation

förväntning *s* (~en, ~ar) expectation; *motsvara ~arna* come up to expectations

förvärkar *s pl* med. first contractions

förvärma *vb tr* (-värmde, -värmt) preheat

förvärra *vb tr* (~de, ~t) make…worse, aggravate

förvärras *vb itr dep* (-värrades, -värrats) grow worse, become aggravated; försämras deteriorate

förvärv *s* (~et, =) acquisition; *~ av* egendom acquisition of…

förvärva *vb tr* (~de, ~t), *~* [*sig*] allm. acquire; t.ex. vänner make; *surt ~de slantar* (*pengar*) hard-earned cash (money)

förvärvsarbeta *vb itr* (~de, ~t) be gainfully employed, be employed outside the home

förvärvsarbetande *adj* (oböjl.) gainfully employed

förvärvsarbete *s* (~t, ~n) gainful employment (occupation)

förvärvskälla *s* (~n, -källor) source of income

förväxla *vb tr* (~de, ~t) mix up, confuse; *~ med* äv. mistake for

förväxling *s* (~en, ~ar) confusion, mix-up; misstag mistake

förväxt *adj* (=) se *förvuxen*

föryngra *vb tr* (~de, ~t) rejuvenate; göra ungdomlig äv. make…[look] younger

föryngras *vb itr dep* (-yngrades, -yngrats) rejuvenate; *hon har föryngrats* she looks younger

föryngring *s* (~en, ~ar) rejuvenation

föryngringskur *s* (~en, ~er) rejuvenation treatment

förzinka *vb tr* (~de, ~t) zinc, galvanize

föråldrad *adj* (-åldrat, ~e) antiquated; om ord obsolete; gammalmodig out-of-date, old-fashioned; *bli ~* become antiquated osv.

förädla *vb tr* (~de, ~t) **1** allm. ennoble; t.ex. smak refine **2** tekn. work up; metaller o.d. refine [*till* i båda fallen into]; process **3** djur, växter improve […by breeding]

förädlas *vb itr dep* (-ädlades, -ädlats) become ennobled (om smak refined)

förädling *s* (~en, ~ar) (jfr *förädla*) **1** ennobling; refinement **2** working up, refinement, processing, finishing **3** improvement [by breeding]

föräktenskaplig *adj* (~t) premarital

förälder *s* (~n, föräldrar) parent; *vi ska bli föräldrar* we're having a baby; *det är svårt* (*härligt*) *att vara ~* being a parent is hard (great)

föräldraansvar *s* (~et) responsibility as a parent (resp. as parents)

föräldraauktoritet *s* (~en) parental authority

föräldrafri *adj* (-fritt) …free from (without) parents

föräldraförening *s* (~en, ~ar) parent-teacher association; med enbart föräldrar parents' association

föräldraförsäkring *s* (~en, ~ar) parental benefit

föräldrahem *s* (~met, =) [parental] home; *mitt ~* vanl. my parents' home

föräldrakooperativ *s* (~et, =) förskola [daycare] parent cooperative

föräldraledig *adj* (~t) …on parental leave

föräldraledighet *s* (~en, ~er) parental leave

föräldralös *adj* (~t) orphan, …without parents; hon är ~ …an orphan; **hon blev** ~ she was orphaned (left an orphan)

föräldramöte *s* (~t, ~n) skol. parent-teacher (med enbart föräldrar parents') meeting

föräldrapenning *s* (~en) parental benefit

föräldrar *s pl* parents

föräldraskap *s* (~et) parenthood

förälska *vb rfl* (~de, ~t), ~ *sig* fall in love [*i* with]

förälskad *adj* (-älskat, ~e) …in love; **~e blickar** amorous glances; **bli** (**vara**) ~ [*i*] fall (be) in love [with]

förälskelse *s* (~n, ~r) kärlek love [*i* for]; kärleksaffär love affair

föränderlig *adj* (~t) allm. variable äv. astron.; ombytlig äv.: om väderlek changeable, om t.ex. lycka fickle; stadd i förändring changing

förändra I *vb tr* (~de, ~t) byta, helt ändra change [*till* into]; ändra på alter; förvandla transform [*till* into]; variera vary; **det ~r saken** that alters matters (totalt makes all the difference); **han är helt ~d** he is completely changed, he is quite a different man **II** *vb rfl* (~de, ~t), ~ *sig* se *förändras*

förändras *vb itr dep* (-ändrades, -ändrats) change [*till det bättre* for the better]; delvis alter; **tiderna** ~ times are changing

förändring *s* (~en, ~ar) change; omändring äv. alteration, variation; **vidta ~ar** make alterations

förändringsarbete *s* (~t, ~n) change process, process of change

förära *vb tr* (~de, ~t), ~ *ngn ngt* make sb a present of sth, present sb with sth

föräta *vb rfl* (-åt, -ätit), ~ *sig* overeat [oneself]; ~ *sig på* ngt eat too much (resp. many)…

föröda *vb tr* (förödde, förött) devastate

förödande *adj* (oböjl.) devastating

förödelse *s* (~n, ~r) devastation; **anställa stor** ~ make (wreak) great havoc

förödmjuka *vb tr* (~de, ~t) humiliate; ~ *sig* humiliate (humble) oneself

förödmjukande *adj* (oböjl.) humiliating [*för ngn* to sb; *för ngn att* + inf. for sb to + inf.]

förödmjukelse *s* (~n, ~r) humiliation

föröka I *vb tr* (~de, ~t) se *öka I* **II** *vb rfl* (~de, ~t), ~ *sig* breed, propagate, multiply

föröva *vb tr* (~de, ~t) commit, perpetrate

förövare *s* (~n, =) perpetrator, committer [*av* of]

föröver *adv* sjö. ahead

förövning *s* (~en, ~ar) preliminary exercise [*till* to]

fösa *vb tr* (föste, föst) driva drive; skjuta shove, push; ~ *ihop* (**samman**)… drive (resp. shove, push)…together

G g

G (förk. för *godkänd*) skol. passed

g *s* (g:et, g:n el. g) **1** bokstav g [utt. dʒi:] **2** mus. G **3** (förk. för *gram*) g

gabardin *s* (~en el. ~et) tyg gabardine, gaberdine

Gabon Gabon

gadd *s* (~en, ~ar) **1** sting; **ta ~en ur ngn** (**ngt**) bildl. take the sting out of sb (sth) **2** vard., tand fang

gadda *vb rfl* (~de, ~t), ~ *sig samman* (**ihop sig**) gang up [*mot* on (against)]; plot [*mot* against]

gaelisk *adj* (~t) Gaelic

gaffel *s* (~n, gafflar) fork; sjö. gaff

gaffelformig *adj* (~t) forked, fork-shaped, bifurcated

gaffelsegel *s* (-seglet, =) sjö. gaffsail; på stormast trysail

gaffeltruck *s* (~en, ~ar) fork-lift truck

gaffla *vb itr* (~de, ~t) vard. gabble, babble, jaw

gage *s* (~t, = el. ~r) fee; t.ex. boxares share of the purse

gagga *vb itr* (~de, ~t) vard. babble, drivel, gabble

gaggig *adj* (~t) vard., **vara** ~ be gaga (senile)

gagn *s* (~et) nytta use; fördel advantage, benefit; vinst profit; **till** ~ **för** vårt land for the benefit of…

gagna *vb tr* o. *vb itr* (~de, ~t), ~ *ngn* (**ngt**) be of use (advantage) to sb (sth); benefit sb (sth); ~ ngns intressen serve…

gagnlös *adj* (~t) useless, …of no use, futile

1 gala *vb itr* (gol, galit el. galt) crow; om gök call

2 gala *s* (~n, galor) gala

galadräkt *s* (~en, ~er), *i* ~ in gala dress, in full dress (regalia)

galaföreställning *s* (~en, ~ar) gala performance

galamiddag *s* (~en, ~ar) gala banquet

galant I *adj* (=) artig o.d. gallant **II** *adv* **1** artigt o.d. gallantly **2** förträffligt splendidly; **det gick** ~ it went off fine

galanteri *s* (~et, ~er) artighet o.d. gallantry

Galapagosöarna the Galapagos Islands

galauniform *s* (~en, ~er) full-dress uniform; *i* ~ äv. in full dress (regalia)

galavagn *s* (~en, ~ar) state coach

galax *s* (~en, ~er) astron. galaxy

galeas *s* (~en, ~er) sjö. **1** ung. ketch **2** hist. galleass

galej *s* (~et) åld. vard., *i kväll ska vi ut på* ~ we're going [out] on a spree (binge) tonight

galen *adj* (galet, galna) **1** sinnesrubbad samt friare mad [*av* with], crazy; vard. nuts endast pred., nutty, potty; uppsluppen wild [*av* with]; ~ förtjust *i* crazy (mad, vard. nuts) about; **bli** ~ go mad; **det är så man kan bli** ~ it's enough to drive you mad (crazy); **är du** [**alldeles**] ~? äv. are you completely out of your mind? **2** oriktig, på tok wrong; **hoppa i** ~ **tunna** do the wrong thing, make a hotchpotch; **galna kosjukan** vet. med. mad cow [disease]

galenpanna *s* (~n, -pannor) vard. madcap; våghals daredevil

galenskap *s* (~en, ~er) vansinne madness; dårskap folly; **göra ~er** do crazy (dumheter foolish) things

galet *adv* wrong; **bära sig** ~ **åt** bakvänt be awkward;

oriktigt set about the thing (it) [in] the wrong way; dumt do a foolish thing; **gå ~** go wrong

galgbacke s (~n, -backar) hist. gallows hill

galge s (~n, galgar) **1** klädhängare [clothes] hanger; **uppblåsbar ~** inflatable clothes hanger **2** för avrättning hist. gallows (pl. lika)

galghumor s (~n) gallows (macabre) humour

Galiléen Galilee

galileisk adj (~t) Galilean

galjonsfigur s (~en, ~er) sjö. el. bildl. figurehead

galla s (~n, gallor) **1** vätska bile; hos djur el. bildl. gall; **ösa sin ~ över** vent one's spite (spleen) upon **2** gallblåsa gall bladder

gallblåsa s (~n, -blåsor) anat. gall bladder

1 galler s (gallret, =) skyddsgaller o.d. grating; i bur, cell m.m. bars pl.; spjälverk lattice [work], trellis[-work]; radio. grid; **sättas bakom ~** i fängelse be put behind bars; **[få] skaka ~** vard. be behind bars

2 galler s (gallret, =) medlem av forntida keltisk stam Gaul

gallerfönster s (-fönstret, =) barred window; finare lattice [window]

galleri s (~et, ~er) gallery

galleria s (~n, gallerior) köpcentrum [shopping] arcade, shopping mall, galleria

gallfeber s (~n), **reta ~ på ngn** drive sb crazy (mad, up the wall), infuriate sb

gallgång s (~en, ~ar) anat. bile duct

Gallien hist. Gaul

gallimatias s (~en el. ~et) nonsense, balderdash

gallra vb tr o. vb itr (~de, ~t) frukt, plantor, träd thin out; skog thin; eliminera eliminate; **~ bort** (**ut**) sort (screen) out, weed out

gallring s (~en, ~ar) thinning, thinning out; sorting out; jfr gallra

gallskrik s (~et, =) yell, loud screech

gallskrika vb itr (-skrek, -skrikit) yell, howl

gallsten s (~en, ~ar) med. gallstone, biliary calculus; **ha ~** have gallstones

gallstensanfall s (~et, =) med. attack of biliary colic

gallsyra s (~n) fysiol. bile acid

galläpple s (~t, ~n) gall [apple]

galna ko-sjukan s (best. sing.) vet. med. mad cow [disease]

galning s (~en, ~ar) madman; **...som en ~** äv. ...like mad

1 galon® s (~en, ~er) tyg 'galon', PVC-coated (vinyl-coated) fabric[s pl.]

2 galon s (~en, ~er) uniformsband, **~er** [gold (resp. silver)] braid (lace) sg.

galonerad adj (galonerat, ~e) braided, laced

galopp s (~en, ~er) ridn. gallop; **i [full] ~** at a gallop (friare run); **fattar du ~en?** vard. do you get it (get what it's all about)?

galoppbana s (~n, -banor) racecourse

galoppera vb itr (~de, ~t) gallop

galopptävling s (~en, ~ar) horse-race

galosch s (~en, ~er) galosh, overshoe; **om inte ~erna passar** if you don't like it

galt s (~en, ~ar) zool. boar

galvanisera vb tr (~de, ~t) galvanize

galvanisk adj (~t) voltaic, galvanic; **~t element** voltaic cell (element)

galvanism s (~en), **oral ~** tandläk. [oral] galvanism, galvanic action

galär s (~en, ~er) hist. galley

galärslav s (~en, ~ar) galley slave

gam s (~en, ~ar) zool. vulture

Gambia the Gambia

gambisk adj (~t) Gambian

gambit s (~en, ~ar el. ~er) schack. gambit

game s (~t, =) **1** tennis game **2 vara gammal i ~t** be an old hand [at it] (an old-timer)

gamer s (~n, =) utövare av datorspel gamer

gamling s (~en, ~ar) old man (resp. woman), vard. oldie; **~ar** old folks, vard. oldies

gammaglobulin s (~et) fysiol. gamma globulin

gammal (jfr **äldre** o. **äldst**) adj (~t, gamla) allm. el. friare old; forntida ancient; inte längre färsk stale; **rätt ~** oldish; **~ och van** practised; **vara ~ och van** be an old hand [at it]; **en ~ kvickhet** (**nyhet**) a stale joke (piece of news); **gamla** antika **möbler** antique furniture sg.; **gamla nummer** av tidskrift o.d. back numbers; **en fem år ~ pojke** a five-year-old boy; **i det gamla Rom** in ancient Rome; **av ~ vana** by [force of] habit; **en ~ skolkamrat till mig** äv. a former schoolfellow of mine; **på den gamla goda tiden** in the good old days pl.; **bli ~** grow (get) old; **hon har börjat styrketräna på gamla dar** in her autumn years she has taken up bodybuilding; **se ~ ut** look old, be old-looking; **inte se så ~ ut som man är** äv. not look one's age; **hur ~ är du?** äv. what is your age?; **~ är äldst** you can't beat experience; **~ och ung** (**gamla och unga**) old and young

gammaldags adj (oböjl.) old-fashioned äv. omodern; attr. äv. old-world, old-time

gammaldans s (~en, ~er) old-time dance (dansande dancing)

gammalmodig adj (~t) old-fashioned, old-fangled; omodern äv. ...out of fashion (date); **~a åsikter** antiquated opinions

gammalrosa I s (oböjl.) old rose **II** adj (oböjl.) old rose

gammaltestamentlig adj (~t) attr. ...of the Old Testament; **i ~ tid** in Old Testament times

gammalvals s (~en, ~er) old-time waltz

gamman s (oböjl., en) åld., **glädje och ~** rejoicing

gammastrålar s pl gamma rays

gammastrålning s (~en, ~ar) fys. gamma radiation

gammelfarfar s (oböjl., en) great-grandfather

gammelfarmor s (oböjl., en) great-grandmother

gammelmorfar s (oböjl., en) great-grandfather

gammelmormor s (oböjl., en) great-grandmother

gamäng s (~en, ~er), **en glad ~** ngt åld. a bright spark

ganglion s (gangliet, ganglier) anat. ganglion (pl. ganglions el. ganglia)

gangster s (~n, gangstrar) gangster, mobster; friare hooligan

gangsterfilm s (~en, ~er) gangster film (movie)

gangsterliga s (~n, -ligor) gang, mob

ganska adv tämligen fairly endast i förb. med något positivt; starkare, mycket very; ofta känslobeton. rather, quite; vard., 'rätt så' pretty; **~ gammal** (**lång**) äv. oldish (longish); **en ~ god** (**stor**) **chans** a fair chance; **~ mycket** (**många**) a great deal osv., jfr **en hel del** under **del** 2; **~ mycket** [**folk**] rather (quite) a lot [of people]

gap s (~et, =) **1** mun mouth; hål, öppning gap, opening; avgrund abyss; **~et mellan** fattiga och rika the gap between... **2** skrik, vard. bawling, shouting

gapa vb itr (~de, ~t) **1** om person o. djur: öppna munnen open one's mouth (om fågel its beak) [wide]; hålla

munnen öppen keep one's mouth (resp. beak) open;
den som ~r efter mycket [mister ofta hela stycket] ung.
if you are too greedy, you often lose the lot **2** skrika etc., vard.
bawl, shout, yell; grasp all, lose all **3** om saker: vara
vidöppen, inte sluta till gape; om t.ex avgrund yawn

gapande *adj* (oböjl.) gaping; yawning; jfr *gapa 2*; ~
mun [wide] open mouth (om fågels beak); **ett ~ sår** a
gaping wound

gaphals *s* (~en, ~ar) vard., högljudd person loudmouth

gapskratt *s* (~et, =) roar of laughter, belly laugh,
guffaw; **brista ut i ~** burst out laughing

gapskratta *vb itr* (~de, ~t) roar with laughter,
guffaw

garage *s* (~t, =) garage

garagehyra *s* (~n, -hyror) garage rental

garageinfart *s* (~en, ~er) driveway, garage drive

garageplats *s* (~en, ~er) garage space (speciellt amer.
slot)

garant *s* (~en, ~er) guarantor, surety [*för* for]

garantera *vb tr* o. *vb itr* (~de, ~t) guarantee; friare äv.
warrant

garanti *s* (~n, ~er) guarantee [*för* for; *mot* against;
för att that]; spec. vid lån security; **lämna (ställa) ~[er]**
för give (furnish) a guarantee for; **det är ett års ~ på**
klockan ...is guaranteed for one year, there is a
one-year guarantee on...

garantibevis *s* (~et, =) o. **garantisedel** *s* (~n, -sedlar)
guarantee certificate

gard *s* (~en, ~er) sport. el. kortsp. guard; **sänka ~en**
lower one's guard

garde *s* (~t, ~n) mil. guards pl.; **det gamla ~t** bildl. the
old guard

gardera I *vb tr* (~de, ~t) guard; **~ med** etta vid tippning
cover oneself with... **II** *vb rfl* (~de, ~t), **~ sig** guard
(trygga sig safeguard) oneself; vid vadslagning hedge
[off]; **~ sig mot** förluster äv. cover oneself against...

garderob *s* (~en, ~er) **1** skrubb [built-in] wardrobe;
kapprum cloakroom; amer. äv. checkroom **2** kläder
wardrobe

garderobiär *s* (~en, ~er) cloakroom (amer. äv.
checkroom) attendant

garderobsavgift *s* (~en, ~er) cloakroom (amer. äv.
checkroom) charge (fee)

garderobssorg *s* (oböjl., en) vard., **ha ~** not have a
thing to wear

gardin *s* (~en, ~er) curtain; rullgardin blind

gardinkappa *s* (~n, -kappor) pelmet, [curtain]
valance

gardinluft *s* (~en, ~er) pair of curtains

gardinstång *s* (~en, -stänger) curtain rod (av trä pole)

gardinuppsättning *s* (~en, ~ar) curtain arrangement

gardist *s* (~en, ~er) guardsman

garn *s* **1** (~et, = el. ~er) tråd: allm. yarn; ullgarn äv. wool;
bomullsgarn äv. cotton **2** (~et, =) nät net; **fastna i ngns ~**
bildl. get caught in sb's toils

garnera *vb tr* (~de, ~t) **1** maträtt garnish; t.ex. pizza
top; tårta decorate **2** t.ex. kläder trim

garnering *s* (~en, ~ar) (jfr *garnera*) **1** garnish,
topping, decoration **2** trimming

garnhärva *s* (~n, -härvor) skein of yarn etc., se *garn 1*

garnison *s* (~en, ~er) garrison; **ligga i ~** be garrisoned

garnisonssjukhus *s* (~et, =) military hospital

garnisonsstad *s* (~en, -städer) garrison town

garnityr *s* (~et, =) **1** garnering trimming; på maträtt

garnish 2 uppsättning set; tand~ [löständer false] teeth
pl., set of teeth (resp. false teeth)

garnnystan *s* (~et, =) ball of yarn etc., se *garn 1*

garv *s* (~et, =) vard. laugh; starkare roar of laughter

1 garva *vb tr* (~de, ~t) bereda skinn tan

2 garva *vb itr* (~de, ~t) vard. laugh; starkare laugh
one's head off

garvad *adj* (garvat, ~e) eg. tanned äv. om hy; bildl.
hardened, seasoned; erfaren experienced

garvare *s* (~n, =) tanner

garveri *s* (~et, ~er) tannery

garvsyra *s* (~n) tannic acid, tannin

1 gas *s* (~en, ~er) fys. gas; **~er** i tarm o.d. wind sg., med.
flatus sg.; **i ~en** vard., berusad tipsy; upprymd in high
spirits; **trampa ~en i botten** step on the accelerator
(vard. the gas)

2 gas *s* (~en) tyg gauze

gasa I *vb tr* (~de, ~t) gas; **~ ihjäl sig** gas oneself **II** *vb*
itr (~de, ~t), **~ [på]** step on the gas

gasbildning *s* (~en, ~ar) formation of gas (gases),
gas formation

gasbinda *s* (~n, -bindor) gauze bandage

gasboll *s* (~en, ~ar) tennis. pressurized ball

gasbrännare *s* (~n, =) gas burner, gas jet; på gasspis
gas ring

gasell *s* (~en, ~er) gazelle

gasformig *adj* (~t) gasiform, gaseous

gasförgiftning *s* (~en, ~ar) gas poisoning

gask *s* (~en, ~ar el. ~er) studentfest, ung. [students']
party

gaska *vb tr* (~de, ~t) vard., **~ upp sig** cheer up

gaskammare *s* (~n, -kamrar el. =) gas chamber

gasklocka *s* (~n, -klockor) gasholder, gasometer

gaskran *s* (~en, ~ar) gas tap

gaskök *s* (~et, =) gas ring, gas stove

gasledning *s* (~en, ~ar) gas conduit; huvud~ gas main

gasljus *s* (~et, =) gaslight

gaslukt *s* (~en, ~er) smell of gas

gaslåga *s* (~n, -lågor) gas flame; häftigare gas jet; vard.
gas

gasläcka *s* (~n, -läckor) gas leak, leak of gas

gasmask *s* (~en, ~er) gas mask

gasmätare *s* (~n, =) apparat gas meter

gasol *s* (~en) LPG (förk. för liquefied petroleum gas),
Calor gas®; vard. bottled gas

gasolkök *s* (~et, =) Calor gas-stove®

gaspedal *s* (~en, ~er) accelerator [pedal], throttle
[pedal]; amer. gas [pedal]

gasreglage *s* (~t, =) throttle lever

gass *s* (~et) heat

gassa *vb itr* (~de, ~t) be broiling [hot]; **solen ~de** the
sun was baking

gassande *adj* (oböjl.) o. **gassig** *adj* (~t) broiling [hot]

gasskydd *s* (~et, =) mil. gas protection

gasspis *s* (~en, ~ar) gas cooker

1 gast *s* (~en, ~ar) sjö. man, hand

2 gast *s* (~en, ~ar) vålnad ghost

gasta *vb itr* (~de, ~t) skrika yell, bawl

gastkrama *vb tr* (~de, ~t) hålla i spänning hold...in
terrible suspense, fill...with horror

gastkramande *adj* (oböjl.) spännande hair-raising

gastronom *s* (~en, ~er) gastronome, gastronomist

gastronomisk *adj* (~t) gastronomic

gastroskopi *s* (~n, ~er) med. gastroscopy

gasturbin *s* (~en, ~er) gas turbine

gaständare *s* (~n, =) gas lighter
gasugn *s* (~en, ~ar) gas oven
gasutveckling *s* (~en, ~ar) generation (accumulation) of gas
gasverk *s* (~et, =) gasworks (pl. lika); administration, ung. gas board
gata *s* (~n, gator) street; uthuggen i skog lane; körbana roadway; **gammal som ~n** as old as the hills; **~ upp och ~ ned** up and down the streets; **på ~n** in (amer. on) the street; **vara på sin mammas ~** be on one's home ground; **gå på ~n** vara prostituerad walk the streets; rum **åt ~n** front...; **med fönster åt ~n** with a view towards (overlooking) the street
gatflicka *s* (~n, -flickor) street-walker, streetgirl, prostitute
gathörn *s* (~et, =) street corner
gatlopp *s* (~et, =), **löpa ~** run the gauntlet
gatlykta *s* (~n, -lyktor) streetlamp
gatpojke *s* (~n, -pojkar) street urchin
gatsopare *s* (~n, =) street sweeper, scavenger
gatsten *s* (~en, ~ar) paving-stone; koll. paving-stones pl.
gatt *s* (~et, =) sjö. **1** sund narrow inlet, narrows pl., gut **2** hål i fartygssida hole
gatuadress *s* (~en, ~er) street address
gatuarbete *s* (~t, ~n), **~[n]** roadwork sg.; reparation street repairs pl.
gatubarn *s* (~et, =) street child (urchin)
gatubelysning *s* (~en, ~ar) streetlighting
gatubeläggning *s* (~en, ~ar) street paving
gatuförsäljare *s* (~n, =) pedlar, street vendor, hawker
gatukorsning *s* (~en, ~ar) crossing, intersection; i trafikförordningar o.d. road junction
gatukök *s* (~et, =) hamburger (hot-dog etc.) stand
gatuplan *s* (~et, =), **i (på) ~et** on the ground (amer. äv. first) floor, on [the] street level
gatuskylt *s* (~en, ~ar) street sign
gatuvåld *s* (~et) street violence
1 gavel *s* (~n, gavlar), **på vid ~** wide open; **öppna dörren på vid ~** open the door wide
2 gavel *s* (~n, gavlar) **1** på hus gable; **ett fönster på ~n** ...in the gable **2** se **sänggavel**
gavelrum *s* (~met, =) gable room
gavott *s* (~en, ~er) mus. gavotte
gay *adj* (oböjl.) vard., homosexuell gay
gayrörelse *s* (~n, ~r), **~n** the gay movement
gazpacho *s* (~n) kok. gazpacho
G-dur *s* (oböjl.) mus. G major
ge I *vb tr* (gav, gett el. givit) **1** allm. give; skänka äv. present [ngn ngt sb with sth]; bevilja, t.ex. ngn anstånd, sitt samtycke äv. grant, accord; räcka hand, vid bordet pass; avkasta, inbringa, t.ex. frukt, ränta, resultat yield; det kommer att **~ arbete åt många** ...provide work for a great many [people]; **inte ~ mycket för** ngns omdöme not think much of...; **vad fick du ge för bilen?** how much did you pay for the car?; **jag ska ~ dig!** vard. I'll show you!; **jag skulle ~ vad som helst** för att få slippa I would give anything...; **vad ~r du mig för det?** what do you say about that? **2** teat. give, perform **3** kortsp. deal; **du ~r!** it is your deal!
II *vb rfl* (gav, gett el. givit), **~ sig** kapitulera surrender; erkänna sig besegrad yield; friare, äv. ge tappt give in; avta abate, subside; **~ sig tid till** give oneself time for; **det ~r sig självt** it is obvious; **det ~r ordnar sig nog med**

tiden it will be all right in time (in the end); **det kan du ~ dig [sjutton] på!** vard. you bet!
III med beton. part.
ge sig av be off
ge bort give away, part with
ge efter yield, bildl. äv. give way [för i båda fallen to]; **~ efter för ngns krav** give in to sb's demands
ge ifrån sig a) lukt, ljus, värme emit, give off **b)** livstecken give; ljud utter
ge igen hämnas pay back; svara give as good as one gets
ge sig in: ~ sig in på ett företag embark upon...; **~ sig in i** en diskussion o.d. enter into...
ge sig i väg se **ge sig av** ovan
ge med: ~ med sig avta abate, subside; ge efter yield
ge sig på: ~ sig på ngn set about sb; **~ sig på ett problem** tackle a problem
ge till: ~ till ett skrik give a cry; **~ sig till att** + inf. start (set about) + ing-form
ge tillbaka a) lämna give back, return **b)** vid växling, **~ [ngn] tillbaka** give sb change [på for]; **jag kan inte ~ tillbaka** I haven't got any change
ge upp a) give up; **~ upp** hoppet (försöket) äv. abandon...; **jag ~r upp!** till motståndare äv. you win! **b) ~ upp ett skrik** give a cry
ge ut publicera, låta trycka publish, bring out; t.ex. frimärken, bokupplaga äv. issue; sedlar issue; **~ sig ut** bege sig go out; **~ sig ut och fiska** go out fishing; **~ sig ut för att vara läkare** pass oneself off as a doctor
gebit *s* (~et, =) province, domain
gedigen *adj* (gediget, gedigna) **1** om metall: oblandad pure; massiv solid **2** bildl. solid, sterling; äkta äv. genuine; **ett gediget arbete** a piece of solid workmanship; **gedigna kunskaper** sound knowledge sg.
gegga vard. **I** *vb itr* (~de, ~t), **~ med** mess about with **II** *s* (~n) se **geggamoja**
geggamoja *s* (~n) vard. goo, gunge, amer. gunk; sörja muck
geggig *adj* (~t) vard. gooey, squidgy; sörjig mucky
gehäng *s* (~et, =) hist. swordbelt; axel~ baldric
gehör *s* (~et) **1** eg. ear; **ha absolut ~** have absolute pitch; **sakna ~** have a poor ear [for music]; **på ~** by ear **2** vinna **~** om idé meet with sympathy, gain a hearing; **han vann (fick) ~ för sina synpunkter** his views met with sympathy (gained a hearing)
geigermätare *s* (~n, =) fys. Geiger counter
geist *s* (~en) go, drive, pep; **tappa ~en** go off things, lose all interest in things
gejser *s* (~n, gejsrar) geyser
gelatin *s* (~et el. ~en) gelatin[e]
gelé *s* (~n el. ~et, ~er) jelly äv. bildl.
gelea *vb rfl* (~de, ~t), **~ sig** jelly, gel
geléartad *adj* (-artat, ~e) gelatinous
gelike *s* (~n, gelikar) jämlike equal; **du och dina gelikar** you and the likes of you
gem *s* (~et, =) pappersklämma paper clip
gemak *s* (~et, =) [state] apartment, state room
gemen *adj* (~t) **1** vanlig, **~e man** the man in (amer. on) the street, people in general; **i ~** in general **2** nedrig, simpel mean, dirty, low; **en ~ lögn** a dirty lie **3** **~a [bokstäver]** typogr. lower-case letters
gemenhet *s* (~en, ~er) egenskap meanness, baseness; handling dirty trick
gemensam *adj* (~t, ~ma) allm. common [för to];

förenad joint; ömsesidig mutual; **ha ~ ekonomi** share household costs; **ha ~t sovrum** sleep in the same bedroom; **ett ~t uttalande** a joint statement; **~ valuta** EU. single currency; **~ vårdnad** joint custody; **inte ha något ~t** have nothing in common; **göra ~ sak med** make common cause (throw in one's lot) with

gemensamhet s (~en) community [i t.ex. intressen of]

gemensamt adv jointly; **ansvara ~ för** be jointly responsible for; **äga ngt ~** own sth jointly (in common); **vi köpte** betalade **det ~** we bought it between us (together)

gemenskap s (~en, ~er) **1** själslig ~ intellectual fellowship, community spirit; samhörighet [feeling of] solidarity; relig. communion **2** samfälld besittning community

gems s (~en, ~er) zool. chamois (pl. lika)

gemyt s (~et, =) se *gemytlighet*

gemytlig adj (~t) trevlig pleasant; om t.ex. miljö [nice and] cosy; om person genial, jovial

gemytlighet s (~en) pleasantness; i fråga om t.ex. miljö cosiness; i fråga om person geniality, joviality; **i all ~** bekvämt och skönt cosily and comfortably

gemål s (~en, ~er) åld. consort

1 gen s (~en, ~er) biol. gene, factor

2 gen adj (~t) short, direct, near; **den ~aste vägen** är genom skogen the shortest way…

gena vb itr (~de, ~t) ta en genväg take a short cut

genant adj (=) embarrassing, awkward [för for]

genast adv at once, immediately, straight away (off); **jag kommer ~!** om ett ögonblick coming directly!

genbank s (~en, ~er) bot. el. biol. gene bank

gendarm s (~en, ~er) gendarme

genealog s (~en, ~er) genealogist

genealogi s (~n) genealogy

genealogisk adj (~t) genealogical

genera I vb tr (~de, ~t) besvära trouble, bother; hindra hamper; **~r det [dig], om jag röker?** do you mind if I smoke? **II** vb rfl (~de, ~t), **han ~r sig inte för att ljuga** he doesn't hesitate to lie

generad adj (generat, ~e) embarrassed [över at]; förlägen äv. self-conscious; **bli ~** become (be) embarrassed, feel self-conscious; **göra ngn ~** embarrass sb, make sb embarrassed

general s (~en, ~er) general; inom flyget i Storbr. air chief marshal

generalagent s (~en, ~er) general agent

generalagentur s (~en, ~er) general agency

generalbas s (~en) mus. thorough bass, figured bass, continuo

generaldirektör s (~en, ~er) director-general

generalförsamling s (~en, ~ar) general assembly; **FN:s ~** the UN General Assembly

generalguvernör s (~en, ~er) governor-general

generalindex s (~et, =) ekon. general index

generalisera vb tr (~de, ~t) generalize; **man bör inte ~** äv. …make sweeping statements

generalisering s (~en, ~ar) generalization

generalklausul s (~en, ~er) jur. general (basket, omnibus) clause

generalkonsul s (~n, ~er) consul-general

generallöjtnant s (~en, ~er) lieutenant general; inom flyget i Storbr. air marshal

generalmajor s (~en, ~er) major-general; inom flyget i Storbr. air vice-marshal

generalpaus s (~en, ~er) mus. general pause (förk. GP)

generalrepetition s (~en, ~er) [full-]dress (final) rehearsal [på of]

generalsekreterare s (~n, =) secretary general; **FN:s ~** the UN Secretary General, the Secretary General of the United Nations

generalstab s (~en, ~er) general staff

generalstabskarta s (~n, -kartor) ordnance map

generalstrejk s (~en, ~er) general strike

generande adj (oböjl.), **~ hårväxt** unwanted hair

generation s (~en, ~er) generation; **den nya ~en** the rising generation; **en ~ tillbaka** a generation ago

generationsklyfta s (~n, -klyftor) generation gap

generationsskifte s (~t, ~n) change of generations; **det har blivit ett ~** inom partiet äv. a new generation has arisen…

generationsväxling s (~en, ~ar) biol. alternation of generations, metagenesis

generator s (~n, ~er) generator

generell adj (~t) general

generera vb tr (~de, ~t) generate, produce

generositet s (~en) generosity, liberality

generös adj (~t) generous [mot to], liberal

genetik s (~en) genetics sg.

genetiker s (~n, =) geneticist

genetisk adj (~t) genetic; **~ kod** genetic code

Genève Geneva

Genèvekonventionen the Geneva Convention

genever s (~n) hollands, geneva

Genèvesjön the Lake of Geneva

gengas s (~en) producer gas; framställd av trä wood-gas

gengångare s (~n, =) ghost, spectre

gengåva s (~n, -gåvor) gift in return

gengäld s (oböjl.), **i ~** in return; å andra sidan on the other hand

gengälda vb tr (~de, ~t) repay

geni s (~et, ~er) genius

genial adj (~t) o. **genialisk** adj (~t) lysande brilliant; om saker, fyndig, sinnrik ingenious; **han är ~** snillrik he is a genius

genialitet s (~en) snille genius; svagare brilliance

geniknöl s (~en, ~ar), **gnugga ~arna** vard. cudgel one's brains

genitalier s pl genitals

genitiv s (~en, ~er), **~[en]** the genitive; **en ~** a genitive; **stå i ~** be in the genitive

genklang s (~en) echo; bildl. response, sympathy; **vinna (väcka) ~** meet with response (sympathy)

genljud s (~et) echo, reverberation; **ge ~** echo; resound äv. bildl.

genljuda vb itr (-ljöd, -ljudit) echo, resound, reverberate [av i samtliga fall with]

genmanipulation s (~en, ~er) gene manipulation

genmodifierad adj (-modifierat, ~e) genetically modified (förk. GM), genetically engineered

genmodifiering s (~en, ~ar) genetic modification, genetic engineering

genmäla vb tr (-mälde, -mält) reply; starkare retort; invända object [mot (på) to]

genmäle s (~t, ~n) reply, retort

genom I prep (se också under andra uppslagsord som konstrueras med *genom*, t.ex. *missöde* för uttrycket *genom ett missöde*) **1** i rums- el. tidsbetydelse vanl.

through; via via, by way of; **han gick ~ parken** he went (walked) through the park; **färden ~ Sahara** the journey across (the crossing of) the Sahara; **resa hem ~ Tyskland** travel home via (by way of) Germany; **han är den främste löparen ~ tiderna** he is the greatest runner of all time; **titta in (ut) ~ fönstret** look in at (out of) the window; **komma in ~ dörren** äv. come in at (för att spec. framhäva vägen by) the door; **kasta ut ngt ~ fönstret** throw sth out of the window; jfr äv. *igenom I* **2** anger förmedlare o.d. through; ombud, överbringare by; **sälja varorna ~ en agent** sell the goods through an agent; **nyheten nådde dem ~ pressen** the news reached them through [the medium of] the press; **skicka** en hälsning **~ ngn** send... by sb **3** anger medel: 'av' by; 'medelst' by [means of]; uttr. orsak, 'på grund av', 'tack vare' through, owing to, by, thanks to; **~ gifte** by marriage; **~ hans hjälp** kunde jag through (thanks to) his assistance...; **~ köp** by purchase; omkomma **~ en olyckshändelse** ...through (owing to) an accident **4 tre ~ fyra** three divided by four **II** *adv* se *igenom II*

genomarbeta *vb tr* (~de, ~t) gå igenom grundligt go through...thoroughly

genomblöt *adj* (-blött) se *genomvåt*

genomborra *vb tr* (~de, ~t) om (med) vapen samt bildl. pierce; med dolk stab

genombrott *s* (~et, =) breakthrough, quantum leap; **industrialismens ~** the industrial revolution; **få sitt ~ som författare** make one's name as an author

genombrottsblödning *s* (~en, ~ar) med., **~[ar]** breakthrough bleeding sg.

genombruten *adj* (-brutet, -brutna) med hålmönster open-work, latticed

genomdränka *vb tr* (-dränkte, -dränkt) saturate

genomdålig *adj* (~t) thoroughly bad

genomfart *s* (~en, ~er) passage; **~ förbjuden!** no thoroughfare!, no through traffic!

genomfartsled *s* (~en, ~er) through route

genomfartstrafik *s* (~en) through traffic

genomfartsväg *s* (~en, ~ar) thoroughfare

genomfrusen *adj* (-fruset, -frusna) om person ...[that is (was etc.)] chilled (frozen) to the bone

genomföra *vb tr* (-förde, -fört) carry through (out); förverkliga effect, realize; utföra accomplish; **~ en plan** carry out (implement) a plan

genomförbar *adj* (~t) practicable, feasible

genomgripande *adj* (oböjl.) sweeping, radical; grundlig thorough

genomgå *vb tr* (-gick, -gått) go through; **~ en förändring** undergo a change; se vid. *gå igenom* under *gå III*

genomgående I *adj* (oböjl.) **1** järnv. m.m. through... **2** bildl., **ett ~ drag** a common (general) feature; **ett ~ fel** a constant (general) error (fault, mistake) **II** *adv* throughout; utan undantag without exception; konsekvent consistently

genomgång *s* (~en, ~ar) **1** av t.ex. ämne survey, exposition; praktisk workout; **göra en ~ av** go over (through); **vid ~ av läxan** sa läraren on going through the homework... **2** väg igenom passage; **förbjuden ~!** no passage!

genomgångsbostad *s* (~en, -bostäder) temporary accomodation

genomgångsläger *s* (-lägret, =) transit camp

genomgångsrum *s* (~met, =) room giving access to another room (resp. other rooms)

genomgångstrafik *s* (~en) through traffic

genomhederlig *adj* (~t) downright honest

genomkokt *adj* (=) ...[that is (was etc.)] thoroughly done; pred. äv. done

genomkorsa *vb tr* (~de, ~t) fara igenom travel [through] the length and breadth of; **himlen ~des av blixtrar** lightning crisscrossed the sky; **landskapet var ~t av kanaler** the countryside was covered by a network of canals

genomleva *vb tr* (-levde, levt el. -levat) live (go) through

genomlida *vb tr* (-led, -lidit) endure, suffer, go through

genomlysa *vb tr* (-lyste, -lyst) med röntgenstrålar X-ray; analysera analyse

genomlysning *s* (~en, ~ar) med röntgenstrålar X-ray examination; analys analysis

genomläsning *s* (~en, ~ar) perusal; **efter en enda ~ av** ngt äv. after reading... through only once

genommusikalisk *adj* (~t) very musical

genomresa *s* (~n, -resor) through journey, transit; **på ~n** [in] passing through, in transit; **jag är här på ~** I am passing through here

genomresevisum *s* (~et, = el. -visa) transit visa

genomrutten *adj* (-ruttet, -ruttna) ...[that is (was etc.)] rotten all the way through; bildl. ...[that is (was etc.)] rotten to the core

genomsedd *adj* (-sett) om t.ex. upplaga revised

genomskinlig *adj* (~t) transparent; eg. äv. diaphanous; om plagg see-through...

genomskinlighet *s* (~en) transparency

genomskåda *vb tr* (~de, ~t) see through...; planer, förklädnad äv. penetrate

genomskärning *s* (~en) tvärsnitt cross-section; **visa ngt i ~** show sth in section; **2 meter i ~** ...in thickness (diameter)

genomslag *s* (~et, =) **1** genomslagskraft penetration **2** bildl., **få ~** have an effect (impact); bli succé be a success

genomslagskraft *s* (~en) **1** mil. penetrating power, [power of] penetration **2** bildl. impact, effectiveness

genomsnitt *s* (~et, =) medeltal average; **i ~** on [an (the)] average; **under (över) ~et** below (above) [the] average

genomsnittlig *adj* (~t) average

genomsnittsålder *s* (~n) average age

genomstekt *adj* (=) ...[that is (was etc.)] thoroughly done; pred. äv. done

genomströmma *vb tr* (~de, ~t) flow (run) through; **hon ~des av varma känslor** a feeling of warmth flowed through her

genomströmning *s* (~en) flowing (running) through; bildl. pervasion; tekn., data. el. skol. throughput

genomsur *adj* (~t) se *genomvåt*

genomsvettig *adj* (~t) ...[that is (was etc.)] wet through with perspiration

genomsyra *vb tr* (~de, ~t) bildl. permeate, imbue; **~s av** be permeated (imbued) with

genomsöka *vb tr* (-sökte, -sökt) search

genomtråkig *adj* (~t) terribly boring (dull)

genomtränga *vb tr* (-trängde, -trängt) se *tränga igenom* under *tränga III*

genomträngande *adj* (oböjl.) piercing; *en ~ lukt* a penetrating smell

genomtränglig *adj* (~t) penetrable [*för* by]; pervious [*för* to]

genomtrött *adj* (=) dead tired, dog-tired

genomtänkt *adj* (=), [*väl*] ~ well thought-out; om t.ex. framställning well-reasoned; om t.ex. tal carefully prepared

genomvåt *adj* (-vått) …[that is (was etc.)] wet through, soaking wet, drenched [*av* with]

genomvävd *adj* (-vävt) textil. interwoven

genre *s* (~n, ~r) genre

genrebild *s* (~en, ~er) genre picture

genrep *s* (~et, =) vard., se *generalrepetition*

gensaga *s* (~n, -sagor) jur. protest

genskjuta *vb tr* (-sköt, -skjutit) intercept; hinna upp take a short cut and overtake

gensvar *s* (~et, =) response, sympathy; *väcka* ~ be met with [a] response

genteknik *s* (~en) genetic engineering

gentemot *prep* bildl.: emot towards, to, against; i förhållande till in relation to

gentiana *s* (~n, gentianor) bot. el. farmakol. gentian

gentil *adj* (~t) elegant, 'flott' fine, stylish, smart; frikostig generous

gentjänst *s* (~en, ~er) favour (service) in return; *göra en* ~ äv. return a favour (service); *vara skyldig ngn en* ~ owe sb a favour (a good turn); *jag är skyldig dig en* ~ vard. I owe you one

gentleman *s* (~nen, -män) gentleman

gentlemannamässig *adj* (~t) gentlemanly, gentlemanlike

genuin *adj* (~t) äkta genuine; verklig real

genuppsättning *s* (~en, ~ar) set of genes

genus *s* (~et, =) gram. el. sociol. gender

genusvetenskap *s* (~en) gender studies (research)

genväg *s* (~en, ~ar) short cut äv. bildl.; *ta en* ~ take a short cut

geofysiker *s* (~n, =) geophysicist

geograf *s* (~en, ~er) geographer

geografi *s* (~n) geography

geografisk *adj* (~t) geographic[al]

geolog *s* (~en, ~er) geologist

geologi *s* (~n) geology

geologisk *adj* (~t) geological

geometri *s* (~n) geometry

geometrisk *adj* (~t) geometric[al]

Georgien Georgia

georgisk *adj* (~t) Georgian

geoteknisk *adj* (~t) geotechnic

gepard *s* (~en, ~er) zool. cheetah

gepäck *s* (~et) luggage, bags pl.

geriatri *s* (~n) o. **geriatrik** *s* (~en) geriatrics sg.

geriatriker *s* (~n, =) geriatrician, geriatrist

geriatrisk *adj* (~t) geriatric

gerilla *s* (~n, gerillor) trupper guerrillas pl.

gerillakrig *s* (~et, =) guerrilla war (krigföring warfare)

gerillasoldat *s* (~en, ~er) guerrilla

germansk *adj* (~t) Germanic; ibland Teutonic

gerontologi *s* (~n) gerontology

gerundium *s* (gerundiet, gerundier) språkv. gerund

geschäft *s* (~et, =) neds. business (endast sg.)

gesims *s* (~en, ~er) byggn. cornice

gess *s* (~et, =) mus. G flat

Gess-dur *s* (oböjl.) mus. G flat major

gest *s* (~en, ~er) gesture

gestalt *s* (~en, ~er) figure; väsen shape; form shape, form; i roman character; *ta form och* ~ take form and shape; *i en tiggares* ~ in the guise (shape) of a beggar

gestalta I *vb tr* (~de, ~t) shape, form, mould; amer. mold; teat. create II *vb rfl* (~de, ~t), ~ *sig* utveckla sig turn (work) out; arta sig shape; *hur framtiden än kommer att* ~ *sig* no matter what the future holds (has in store)

gestaltning *s* (~en, ~ar) formation; rollgestaltning creation; form o.d. form, shape, configuration; mus. el. konst. interpretation

gestikulera *vb itr* (~de, ~t) gesticulate

gesäll *s* (~en, ~er) journeyman

gesällprov *s* (~et, =) arbetsprov qualifying piece of work

get *s* (~en, ~ter) goat

getabock *s* (~en, ~ar) he-goat, billygoat

geting *s* (~en, ~ar) wasp

getingbo *s* (~et, ~n) wasp's nest (pl. wasps' nests); *sticka handen i ett* ~ bildl. stir up a hornet's nest

getingmidja *s* (~n, -midjor) wasp-like waist

getingstick *s* (~et, =) wasp sting

getmjölk *s* (~en) goat's milk

getost *s* (~en, ~ar) goat's milk cheese

getskinn *s* (~et) läder kid; *handskar av* ~ kid gloves

getto *s* (~t, ~n) ghetto (pl. -s el. -es)

getöga *s* (oböjl., ett), *kasta ett* ~ *på ngt* take a quick glance (look) at sth

gevär *s* (~et, =) speciellt mil. rifle; t.ex. jaktgevär gun; *sträcka* ~ mil. lay down one's arms; *i* ~! to arms!

gevärseld *s* (~en) rifle fire

gevärspipa *s* (~n, -pipor) barrel of a (resp. the) rifle

gevärsskott *s* (~et, =) rifleshot

Ghana Ghana

ghanansk *adj* (~t) Ghanaian

GI (förk. för *glykemiskt index*) GI (förk. för glycemic index)

gibbon *s* (~en, ~er) o. **gibbonapa** *s* (~n, -apor) zool. gibbon

Gibraltar sund the Straits pl. of Gibraltar

giffel *s* (~n, gifflar) croissant fr.

1 gift *s* (~et, ~er) poison äv. bildl.; hos ormar o.d. venom äv. bildl.; *det kan jag ta* ~ *på* bildl. I swear to it!, no question about it!

2 gift *adj* (=) married [*med* to]; *bli* ~ get (be) married; *vara lyckligt* ~ be happily married; *ett* ~ *par* a married couple; *vad heter hon som* ~? what's her married name?

gifta I *vb tr* (gifte, gift), ~ *bort* marry off; ~ *bort...med* marry...to II *vb rfl* (gifte, gift), ~ *sig* marry [*med ngn* sb]; get (be) married [*med ngn* to sb]; ~ *sig av kärlek* (*för pengar*) marry for love (for money); ~ *sig borgerligt* get married before the registrar; ~ *in sig i* marry into; ~ *om sig* get married again [*med ngn* to sb]; remarry [*med ngn* sb]

giftaslysten *adj* (-lystet, -lystna) …keen on getting married

giftastankar *s pl*, *gå i* ~ be thinking of getting married

giftasvuxen *adj* (-vuxet, -vuxna) marriageable, …of marriageable age, …old enough to marry

giftdryck *s* (~en, ~er) poisoned drink (draught)

gifte *s* (~t, ~n) marriage; **hans barn i första ~t** the children (resp. child) of his first marriage

giftermål *s* (~et, =) marriage

giftermålsbalk *s* (~en, ~ar) jur. marriage act (code)

giftfri *adj* (-fritt) non-poisonous; om t.ex. odling non-toxic

giftgas *s* (~en, ~er) poison gas

giftig *adj* (~t) poisonous äv. om förtal; med. toxic, venomous äv. 'spydig' o.d.; starkare virulent

giftighet *s* (~en, ~er) poisonousness, venomousness, virulence; jfr *giftig*; **~er** i ord spiteful (vitriolic) remarks, nasty cracks

giftmord *s* (~et, =) murder by poison; **ett ~** a case of murder by poisoning

giftorm *s* (~en, ~ar) venomous snake

giftorätt *s* (~en) jur. right to half of the marital (amer. community) property

giftorättsgods *s* (~et, =) jur. marital (amer. community) property

giftpil *s* (~en, ~ar) poisoned arrow

gifttagg *s* (~en, ~ar) sting; amer. äv. stinger

gifttand *s* (~en, -tänder) [poison] fang

giftutsläpp *s* (~et, =) toxic emission (konkr. waste)

gig *s* (~et, =) mus. vard. gig

gigabyte *s* (en, pl. =) data. gigabyte

gigant *s* (~en, ~er) giant

gigantisk *adj* (~t) gigantic, giant...

gigolo *s* (~n, ~r) gigolo (pl. -s)

gikt *s* (~en) med. gout

giktbruten *adj* (-brutet, -brutna) gouty

giljotin *s* (~en, ~er) guillotine

giljotinera *vb tr* (~de, ~t) guillotine

gill *adj* (~t), **tredje gången ~t!** third time lucky!; **allting går sin ~a gång** things are going on just as usual

gilla *vb tr* (~de, ~t) approve of; tycka bra om like; jur. approve; **en ~nde blick** a look of approval

gillande *s* (~t) approval; **vinna ngns ~** meet with sb's approval

gillas *vb itr dep* (gilldes, gillts), **det gills inte!** that doesn't count!, that's not fair!

gille *s* (~t, ~n) **1** kalas banquet, feast **2** skrå, förening guild; förening äv. society, club

gillestuga *s* (~n, -stugor) modern, ung. recreation room; amer. äv. rumpus room

gillra *vb tr* (~de, ~t), **~ en fälla för ngn** set a trap for sb

gills *vb itr dep* (gilldes, gillts) se *gillas*

giltig *adj* (~t) valid; **~ i en månad** available (valid) for one month; **utan ~t skäl** without a valid reason

giltighet *s* (~en) validity; biljetts äv. availability; **äga ~** om lag o.d. be in force

giltighetstid *s* (~en, ~er) period of validity; **efter ~ens utgång** after the date of expiry

gimmick *s* (~en, ~ar) vard. gimmick

gin *s* (~en el. ~et) spritdryck gin

gina *vb itr* (~de, ~t) se *gena*

ginseng *s* (~en) o. **ginsengrot** *s* (~en) ginseng

ginst *s* (~en, ~er) bot. broom

gips *s* (~en el. ~et, ~er) till väggar o. tak plaster; tekn. el. med. plaster [of Paris]; miner. gypsum

gipsa *vb tr* (~de, ~t) **1** t.ex. tak plaster **2** med. put...in plaster [of Paris]; **han har ett ~t ben** his leg is in plaster

gipsavgjutning *s* (~en, ~ar) konkr. plaster cast

gipsfigur *s* (~en, ~er) plaster figure

gipsförband *s* (~et, =) plaster cast

gipsplatta *s* (~n, -plattor) o. **gipsskiva** *s* (~n, -skivor) plasterboard, gypsum board

gir *s* (~en, ~ar) sjö. el. flyg. yaw, sheer; friare, äv. om t.ex. bil turn, swerve

gira *vb itr* (~de, ~t) sjö. el. flyg. yaw, sheer; friare, äv. om t.ex. bil turn, swerve

giraff *s* (~en, ~er) giraffe

girera *vb tr* (~de, ~t) pay by giro; överföra transfer by giro

girering *s* (~en, ~ar) giro transfer (payment)

girig *adj* (~t) greedy [*efter* for]; snål avaricious, miserly; **en ~ [person]** a miser

girigbuk *s* (~en, ~ar) miser

girighet *s* (~en) greed[iness]; avarice snålhet

girland *s* (~en, ~er) o. **girlang** *s* (~en, ~er) festoon, garland; pappers~ paper chain

giroblankett *s* (~en, ~er) giro form

giss *s* (~et, =) mus. G sharp

gissa I *vb tr* o. *vb itr* (~de, ~t) guess; sluta sig till divine; förmoda conjecture; **~!** guess!, have a guess!; **~ rätt (fel)** guess right (wrong), make a correct (wrong) guess; **rätt ~t!** you've guessed right!; **det var bra ~t** that was a good guess; **du får ~ tre gånger** I give you three guesses **II** *vb rfl* (~de, ~t), **~ sig fram** guess, proceed by conjectures; **~ sig till** guess; ngns tankar o.d. äv. divine

gissel *s* (gisslet, =) hist. scourge; bildl. äv. curse

gissla *vb tr* (~de, ~t) hist. scourge; lash framför allt bildl.

gisslan *s* (=, en, =) hostage; om flera person hostages pl.; **ta ~** seize (take) hostages; **tre ur ~** three of the hostages

gisslandrama *s* (~t, -dramer) hostage drama

giss-moll *s* (oböjl.) mus. G sharp minor

gissning *s* (~en, ~ar) guess, conjecture; **det är en ren ~** it is pure guesswork

gissningstävlan *s* (=, en, -tävlingar) guessing competition

gissningsvis *adv* at a guess

gisten *adj* (gistet, gistna) om båt, tunna o.d. leaky

gistna *vb itr* (~de, ~t) become leaky

gitarr *s* (~en, ~er) guitar

gitarrist *s* (~en, ~er) guitarist, guitar player

gitarrsolo *s* (~t, ~n) guitar solo

gitta *vb itr* (gitte, gittat), **jag gitter inte** höra på längre I can't be bothered to...

giv *s* (~en, ~ar) kortsp. el. bildl. deal

giva *vb* (gav, givit) se *ge*

givakt *s* (oböjl., en), **~!** attention!; **stå i ~** stand at attention

givande I *adj* (oböjl.) vinstgivande profitable; lönande paying; bildl. profitable, rewarding, worthwhile; **~ diskussioner** äv. fruitful discussions **II** *s* (~t), **en fråga om ~ och tagande** a question of give-and-take

givare *s* (~n, =) **1** giver; donator donor **2** tekn. sensor

given *adj* (givet, givna) given; avgjord, säker clear, evident; om t.ex. fördel, värde decided, definite, distinct; **på ett givet tecken** at a given sign; **det är givet!** självklart of course!, to be sure!; **ta för givet att...** take it for granted that...; **ta ngt för givet** take sth for granted

givet *prep*, **~ detta** given this (that)

givetvis *adv* [as a matter] of course, naturally [enough]

givmild *adj* (-milt) generous, open-handed

givmildhet *s* (~en) generosity, open-handedness

gjord *s* (~en, ~ar) girth

GJP (förk. för *Gemensamma jordbrukspolitiken*) EU. CAP (förk. för Common Agricultural Policy)

gjuta *vb tr* (göt, gjutit) **1** hälla pour; sprida, t.ex. skimmer shed; **~ liv i ngt** infuse (breathe) life into sth; **~ olja på vågorna** pour oil on troubled waters; **~ tårar** shed tears **2** tekn. cast; metall el. glas äv. found; friare, 'forma' mould; hans rock *sitter som gjuten* ...fits like a glove

gjuteri *s* (~et, ~er) foundry

gjutform *s* (~en, ~ar) mould

gjutgods *s* (~et) castings pl.

gjutjärn *s* (~et) cast iron

gjutning *s* (~en, ~ar) casting etc., jfr *gjuta 2*

g-klav *s* (~en, ~er) mus. G clef

glacéhandske *s* (~n, -handskar) kid glove

glacial *adj* (~t) geol. el. geogr. glacial

glaciär *s* (~en, ~er) glacier

glad *adj* (glatt) uppfylld av glädje happy; nöjd, belåten pleased [*över* about (with)]; svagare, vanl. endast pred. glad [*över* about; *över att* sats [that] sats] samtliga äv. i hövlighetsfraser; gladlynt cheerful; uppsluppen, munter merry; **~ [och trevlig]** jolly; **~a färger** bright (cheerful) colours; **~a nyheter** good news sg.; **~ påsk!** [A] Happy Easter!; *Glada änkan* the Merry Widow; **en ~ överraskning** a pleasant surprise; **göra ngn ~** make sb happy; **du kan vara ~,** att det inte är värre you may be glad...; **jag är ~ att du kom** I am glad (starkare so happy, delighted) that you came; **vara ~ att få** ett tips be glad of...

glada *s* (~n, glador) zool. kite

gladeligen *adv* gärna willingly; med lätthet easily

gladiator *s* (~n, ~er) gladiator

gladiolus *s* (~en, = el. gladioler) bot. gladiol|us (pl. -i)

gladlynt *adj* (=) cheerful; glad o. vänlig good-humoured

glam *s* (~met) laughing and talking

glamma *vb itr* (~de, ~t) laugh and talk; stimma be noisy

glamorisera *vb tr* (~de, ~t) glamorize

glamorös *adj* (~t) glamorous

glans *s* (~en) **1** glänsande yta: lustre; sidens o.d. sheen, gloss; gulds glitter; pålagd el. erhållen genom gnidning shine **2** sken, skimmer brilliance, brightness; strålglans radiance **3** prakt splendour, magnificence; ära, berömmelse glory, lustre; **sprida ~ över** lend (add) lustre to; **han solade sig i ~en från** sin fru he basked in the glory of...; **klara** ett prov **med ~** come out of...with flying colours, do brilliantly at...

glansdagar *s pl* palmy days

glansfull *adj* (~t) bildl. brilliant

glansig *adj* (~t) glossy; om t.ex. siden sheeny; om papper glazed; glänsande lustrous

glansis *s* (~en) på vägar black ice; *det var ~ på sjön* the lake was like ice

glanslös *adj* (~t) lustreless, lacklustre, dull

glansnummer *s* (-numret, =) star turn, showpiece

glanspapper *s* (~et el. -pappret, =) glazed paper

glansperiod *s* (~en, ~er) golden age, heyday (endast sg.)

glansroll *s* (~en, ~er) most celebrated (brilliant) role

glapp I *adj* (~t) loose **II** *s* (~et, =) tekn. el. bildl. play

glappa *vb itr* (~de, ~t) be loose, fit loosely; om sko äv. flop about; *det ~r* tekn. there's too much play;

käften ~de hela tiden vard. his chin kept wagging all the time

glas *s* (~et, =) ämne el. dricksglas glass; dricksglas utan fot äv. tumbler; glasruta pane [of glass]; större sheet of glass; i glasögon lens; tomglas empty bottle; **~ och porslin** glass[ware] and china; **kan jag få ett ~ vatten?** ...a glass of water?; **ett ~ vin** a glass of wine; **han tar sig ett ~** då och då he has a drink...; gjord **av ~** ...of glass

glasa *vb tr* (~de, ~t) glaze; **~ in** balkongen glaze in ...

glasartad *adj* (-artat, ~e) glassy, vitreous; **en ~ blick** a glassy look

glasbit *s* (~en, ~ar) piece (fragment) of glass

glasblåsare *s* (~n, =) glass-blower

glasbruk *s* (~et, =) glassworks (pl. lika)

glasburk *s* (~en, ~ar) glass jar

glasera *vb tr* (~de, ~t) glaze; bakverk ice, frost

glasfiber *s* (~n, -fibrer) fibreglass, glass fibre

glashal *adj* (~t) very slippery, glassy

glashus *s* (~et, =), *man skall inte kasta sten, när man [själv] sitter i ~* ordspr. people (those) who live in glass houses shouldn't throw stones

glaskeramikhäll *s* (~en, ~ar) på spis glass top

glasklar *adj* (~t) ...as clear as glass, limpid

glaskupa *s* (~n, -kupor) till ost o.d. glass cover

glasmålning *s* (~en, ~ar) bild stained-glass picture; **ett fönster med ~ar** a stained-glass window

glasmästare *s* (~n, =) glazier

glasmästeri *s* (~et, ~er) glazier's workshop (shop)

glasnudlar *s pl* glass noodles

glasruta *s* (~n, -rutor) pane [of glass]

glasrör *s* (~et, =) glass-tube

glass *s* (~en, ~ar) ice cream; **en ~** an ice [cream]

glassa *vb itr* (~de, ~t) vard., göra sig märkvärdig, 'styla' show off, put it on

glassbar *s* (~en, ~er) ice-cream parlour

glassbägare *s* (~n, =) [ice-cream] tub (cup)

glassförsäljare *s* (~n, =) ice-cream vendor (seller)

glasskiosk *s* (~en, ~er) ice-cream stall

glasskiva *s* (~n, -skivor) glass plate, plate of glass; på bord glass table top; i mikroskop o.d. glass slide

glasskula *s* (~n, -kulor) scoop of ice cream; **två glasskulor** two scoops of ice cream

glasskärva *s* (~n, -skärvor) fragment of glass; **glasskärvor** äv. broken glass sg., pieces of broken glass

glassmaskin *s* (~en, ~er) ice-cream maker

glasspinne *s* (~n, -pinnar) ice lolly; amer. Popsicle®

glasstrut *s* (~en, ~ar) [ice-cream] cornet (större cone)

glasstårta *s* (~n, -tårtor) ice gâteau (pl. -s el. -x)

glasull *s* (~en) glass wool

glasunderlägg *s* (~et, =) för dricksglas coaster

glasveranda *s* (~n, -verandor) glass-enclosed veranda, sun lounge; amer. porch

glasyr *s* (~en, ~er) glazing, glaze; sockerglasyr icing, frosting

glasögon *s pl* spectacles, glasses; vard. specs; skyddsglasögon o.d. goggles; **ett par ~** a pair of glasses (spectacles); **använda (ha) ~** wear glasses (spectacles)

glasögonbåge *s* (~n, -bågar) ett par spectacle frame sg.

glasögonfodral *s* (~et, =) glasses (spectacle) case

glasögonorm *s* (~en, ~ar) zool. Indian cobra

1 glatt *adv* (jfr *glad*); cheerfully, joyfully, gaily; **bli ~ överraskad** be pleasantly surprised

2 glatt *adj* (=) smooth; hal slippery; bot. glabrous; ~
o. glänsande glossy, sleek, shiny; springa **för glatta livet**
…for all one is worth

glencheckrutig *adj* (~t) …with a glen check pattern

gles *adj* (~t) thin; om befolkning sparse; om vävnad
loose; **han har ~t mellan tänderna** he is gap-toothed
(has teeth with gaps in between)

glesbygd *s* (~en, ~er) sparsely-populated
(thinly-populated) area

glesna *vb itr* (~de, ~t) thin [out], get (become)
thin[ner]; **vännernas skara börjar ~** för honom his
circle of friends is diminishing

gli *s* (~et, ~n) **1** eg., koll. [small] fry pl. **2** bildl., vard.
brat

glid *s* (~et, =) **1** glidande rörelse glide, slide **2** skidföre,
det är bra ~ ung. it is good snow for skiing **3 ungdom
på ~** young people going astray

glida *vb itr* (gled, glidit) över vatten, om flygplan el. friare
(lätt, ljudlöst o.d.) glide; över fast yta el. frivilligt slide; halka
slip, slide; **låta ~** om hand, blick pass, run; tillfället **gled
mig ur händerna** …slipped out of my hands; **~ ifrån
varandra** bildl. drift apart, become estranged; **~ isär**
drift apart; **mina strumpor glider ner hela tiden** my
stockings keep coming down; **~nde skala** sliding
scale

glidflygplan *s* (~et, =) glider

glidflykt *s* (~en) glide; om flygplan äv. volplane;
glidflygande gliding flight; **gå ned i ~** volplane

glidmedel *s* (-medlet, =) lubricant

glidning *s* (~en, ~ar) glide, slide; glidande gliding,
sliding; jfr *glida*

glimma *vb itr* (~de, ~t) gleam; svagare glimmer; glittra
glitter; om t.ex. dagg glisten [av i samtliga fall with]; **allt
som ~r är inte guld** all that glitters is not gold

glimmer *s* **1** (glimret) glans gleaming etc., gleam,
glitter; jfr *glimma* **2** (~n) miner. mica

glimra *vb itr* (~de, ~t) se *glimma*

glimt *s* (~en, ~ar) gleam, flash båda äv. bildl.; skymt
glimpse; **se (få) en ~ av ngt (ngn)** catch a glimpse of
sth (sb); **hon har ~en i ögat** she has a twinkle in her
eye

glimta *vb itr* (~de, ~t), **~ [till]** gleam, flash; **~ fram**
shine forth

glipa I *s* (~n, glipor) gap **II** *vb itr* (~de, ~t) gape open

gliring *s* (~en, ~ar) vard. gibe, sneer, taunt; **ge ngn en
~ för ngt** gibe (sneer) at sb about sth

glitter *s* (glittret) glitter, lustre; t.ex. daggens glistening;
t.ex. julgransglitter tinsel; grannlåt gewgaws, baubles
(båda pl.); vard., diamanter, juveler ice, sparklers pl.; på
kläder o.d. spangles pl.

glittra *vb itr* (~de, ~t) glitter; tindra sparkle; om dagg
glisten [av i samtliga fall with]

glittrande *adv*, vara **~ glad** …in sparkling[ly high]
spirits

glittrig *adj* (~t) glittering; prålig glitzy

glo *vb itr* (~dde, ~tt) stare; argt, vilt glare; dumt, med
öppen mun gape [på i samtliga fall at]

glob *s* (~en, ~er) globe

global *adj* (~t) global

globalisering *s* (~en) globalization

glop *s* (~en, ~ar) vard. whippersnapper, puppy

gloria *s* (~n, glorior) halo (pl. -es el. -s); nimbus nimbus
äv. bildl.

glorifiera *vb tr* (~de, ~t) glorify

gloruminär *adj* (~t) geol. glorumian

glosa *s* (~n, glosor) word

glosbok *s* (~en, -böcker) att skriva i vocabulary
[notebook]; tryckt glossary, vocabulary

gloslista *s* (~n, -listor) vocabulary, word list

glosögd *adj* (-ögt) popeyed

glufsa *vb itr* (~de, ~t) vard., **~ i sig** maten scoff…,
gobble (guzzle) down…

glugg *s* (~en, ~ar) hål, öppning hole, aperture,
opening; **~ mellan framtänderna** gap between one's
front teeth

glukos *s* (~en) kem. glucose

glunkas *vb itr dep* (glunkades, glunkats), **det ~** there
is a rumour going [om att; *om att* that]

glupande *adj* (oböjl.), **~ aptit** ravenous appetite

glupsk *adj* (~t) greedy [på (*efter*) for el. of];
ravenous, voracious; om storätare gluttonous

glupskhet *s* (~en) greed[iness]; voracity; gluttony

glutamat *s* (~et el. ~en, = el. ~er) kem. glutamate

gluten *s* (= el. ~et) gluten

glutenallergi *s* (~n, ~er) gluten allergy

glutenfri *adj* (-fritt) …free of gluten

glutenintolerans *s* (~en) hypersensitivity to gluten

glutta *vb itr* (~de, ~t) vard., kika peek, peep

glycerin *s* (~et el. ~en) kem. glycerin, glycerine

glykemisk *adj* (~t) glycemic; **~t index** (förk. *GI*)
glycemic index (förk. GI)

glykol *s* (~en, ~er) kem. glycol

glykos *s* (~en) kem. glucose

glåmig *adj* (~t) pale [and washed out]; gulblek sallow

glåpord *s* (~et, =) taunt, jeer; **kasta ~ efter ngn** jeer
(scoff) at sb, taunt sb, hurl abuse at sb

glädja I *vb tr* (gladde, glatt) give…pleasure [*med*
with; *med att* + inf. by + ing-form]; please; starkare
delight, make…happy; **det gläder mig!** som svar I am
so glad!; **det gläder mig att höra** [*det*] I am glad
(starkare delighted) to hear that **II** *vb rfl* (gladde,
glatt), **~ sig** be glad [*åt* (*över*) about]; rejoice [*åt*
(*över*) at el. in]; be pleased [*åt* (*över*) with]

glädjande I *adj* (oböjl.) trevlig pleasant; tillfredsställande,
t.ex. om resultat gratifying [*för* to; *att* + inf. to + inf.]; **en
~ tilldragelse** a happy event; **~ nyheter** good news
II *adv*, **~ nog** happily, fortunately enough

glädjas *vb itr dep* (gladdes, glatts) se *glädja sig* under
glädja II

glädje *s* (~n) joy [*över* at]; nöje pleasure [*över* in];
förtjusning delight [*över* at]; [känsla av] lycka
happiness; gagn, nytta use, jfr *nytta*; **~n stod högt i tak**
there was a lot of fun and games, there were lively
goings-on; **jag har den stora ~en att** + inf. it is a
pleasure for me to (+ inf.), I have (take) great
pleasure in + ing-form; **finna ~ i att** + inf. delight (take
pleasure) in + ing-form; **gråta (sjunga) av ~** weep
(sing) for joy; **jag hör till min ~ att…** I am glad to
hear that…; **till stor ~ för föräldrarna** to the [great]
delight of his (her etc.) parents

glädjebudskap *s* (~et, =) good news sg., glad tidings
pl.; **ett ~** joyful news

glädjedag *s* (~en, ~ar) day of rejoicing

glädjedödare *s* (~n, =) killjoy, wet blanket

glädjekvarter *s* (~et, =) vard. red-light district

glädjekälla *s* (~n) source of joy

glädjelös *adj* (~t) joyless, cheerless

glädjerik *adj* (~t) …full of joy, joyful

glädjerop *s* (~et, =) shout (cry) of joy

glädjerus *s* (~et) transport of joy

glädjespridare *s* (~n, =) person cheerful soul; speciellt om barn ray of sunshine

glädjesprång *s* (~et, =) leap for joy, caper

glädjestrålande *adj* (oböjl.) ...beaming with joy, radiant

glädjetjut *s* (~et, =) shout (cry) of joy

glädjetår *s* (~en, ~ar) tear of joy

glädjeyra *s* (~n) transport of joy, whirl of happiness, euforia

glädjeyttring *s* (~en, ~ar) manifestation of joy

glädjeämne *s* (~t, ~n) subject (cause) for (of) rejoicing

gläfs *s* (~et) eg. yelp, yap; gläfsande yelping, yapping; från person yapping

gläfsa *vb itr* (gläfste, gläfst) eg. yelp, yap [*på* at]; om person yap

glänsa *vb itr* (glänste, glänst) shine äv. bildl., glitter; om t.ex. tårar glisten [av (med) i samtliga fall with]; om t.ex. siden be glossy; bildl., briljera show off

glänsande *adj* (oböjl.) **1** eg. shining etc., jfr *glänsa*; om t.ex. ögon lustrous; om t.ex. siden glossy **2** utmärkt brilliant, splendid

glänt *s* (oböjl.), *dörren står på* ~ the door is slightly open (is ajar)

glänta I *vb itr* (~de, ~t), ~ *på dörren* open the door slightly **II** *s* (~n, gläntor) glade

glätta *vb tr* (~de, ~t) **1** smooth; papper glaze, calender; polera polish; ~*t papper* glazed (glossy) paper **2** bildl. slick, smooth; *ge en ~d bild av verkligheten* give a glossy picture of reality

glättig *adj* (~t) gladlynt cheerful; sorglös happy-go-lucky

glättighet *s* (~en) cheerfulness, gaiety

glöd *s* (~en) **1** konkr. live coal; koll. o. pl. ofta embers pl. **2** stark känsla ardour, glow, fervour; lidelse passion

glöda *vb itr* (glödde, glött) glow äv. bildl., be [all] aglow framför allt bildl. [av with]; bildl. äv. burn [av with]

glödande *adj* (oböjl.) glowing; om färger äv. flaming, fiery; om metall red-hot, white-hot; om känslor, nit ardent, fervent, burning, fiery; lidelsefull passionate

glödga *vb tr* (~de, ~t) make...red-hot (white-hot)

glödhet *adj* (-hett) om metall red-hot, white-hot; friare glowing hot

glödlampa *s* (~n, -lampor) light bulb

glödsteka *vb tr* (-stekte, -stekt) barbecue, grill...over a charcoal fire

glödtråd *s* (~en, ~ar) filament

glögg *s* (~en, ~ar) glogg, mulled wine served with raisins and almonds

glömma I *vb tr* (glömde, glömt) forget; försumma neglect; lämna kvar leave ... behind; *för att inte ~...* not forgetting...; *man glömmer så lätt* one is apt to forget; *vi glömmer det!* let's forget it!, let's say no more about it!; ~ *kvar ngt på bordet* leave sth on the table **II** *vb rfl* (glömde, glömt), ~ *sig* forget oneself

glömsk *adj* (~t) forgetful [av t.ex. plikter of]; disträ o.d. absent-minded; ~ *av* t.ex. ngns närvaro, omgivningen oblivious of...; *vara ~* [*av sig*] vanl. have a bad memory

glömska *s* (~n) **1** egenskap forgetfulness; absent-mindedness; *av ren ~* out of sheer forgetfulness **2** bortglömdhet oblivion; *falla* (*råka*) *i ~* be forgotten, fall (sink) into oblivion

g-moll *s* (oböjl.) mus. G minor

gnabb *s* (~et) bickering[s pl.]; *ett vänskapligt ~* a friendly tiff

gnabbas *vb itr dep* (gnabbades, gnabbats) bicker; starkare wrangle [om about]

gnaga *vb tr* o. *vb itr* (gnagde, gnagt) gnaw äv. bildl.; smågnaga nibble [på ngt [at] sth]; ~ *hål på* (*i*) gnaw holes (resp. a hole) in; ~ *av* itu gnaw...in two; bort gnaw off

gnagande *adj* (oböjl.) gnawing; ~ *oro* gnawing anxiety

gnagare *s* (~n, =) rodent

gnat *s* (~et) nagging, cavilling, carping; jfr *gnata*

gnata *vb itr* (~de, ~t) nag [på at; över about]; carp, cavil [på (över) at]

gnatig *adj* (~t) nagging; ~ [*av sig*] fretful, peevish

gnejs *s* (~en, ~er) geol. gneiss

gneta *vb itr* (~de, ~t) **1** vard., vara småaktig, pedantisk be a fusspot, niggle **2** skriva smått o. ihopträngt write in a crabbed hand

gnetig *adj* (~t) **1** om person niggling, fussy **2** om handstil crabbed

gnida I *vb itr* o. *vb itr* (gned, gnidit) rub; ~ [*på*] ngt med handen rub sth...; ~ [*på*] fiolen scrape the fiddle; ~ *bort* rub off (away); ~ *in ngt* rub sth in; ~ *in huden med...* rub the skin with... **II** *vb itr* (gned, gnidit) snåla be stingy; *spara och ~* vard. pinch and scrape

gnidare *s* (~n, =) miser, skinflint

gniden *adj* (gnidet, gnidna) o. **gnidig** *adj* (~t) stingy, niggardly, miserly

gnissel *s* (gnisslet) creaking; *ett ~* a creak (squeak); jfr *gnissla*; *utan ~* bildl. without a hitch

gnissla *vb itr* (~de, ~t) squeak; t.ex. om dörr äv. creak; 'skrika' screech; om syrsan chirp; *det ~r i maskineriet* bildl. things are not working smoothly; ~ *tänder* grind one's teeth

gnista *s* (~n, gnistor) spark; smula, spår: av t.ex. sanning vestige, trace; *det slog gnistor* när hon drog ur kontakten sparks flew...; *en ~ av hopp* a ray (spark) of hope; *jag har tappat ~n* the spark has gone out of me

gnistbildning *s* (~en, ~ar) formation of sparks

gnistra *vb itr* (~de, ~t) sparkle [av with]; spraka äv. emit (give out) sparks

gnistregn *s* (~et, =) shower of sparks

gno I *vb tr* (gnodde, gnott) rub; med borste scrub **II** *vb itr* (gnodde, gnott) arbeta, knoga, vard. toil, grind, work [hard], drudge

gnola *vb tr* o. *vb itr* (~de, ~t) hum [[på] ngt sth]

gnu *s* (~n, ~er) zool. gnu

gnugga *vb tr* (~de, ~t) rub; ~ *bort* rub off; ~ [*sig i*] *ögonen* rub one's eyes; ~ *händerna* rub one's hands äv. bildl.; ~ *sömnen ur ögonen* rub the sleep out of one's eyes

gnuggbild *s* (~en, ~er) transfer

gnutta *s* (~n, gnuttor) tiny bit; droppe drop; nypa pinch

gny I *s* (~et) whimper; bildl. grumbling **II** *vb itr* (~dde, ~tt) whimper; yttra missnöje grumble [över at (about)]

gnägg *s* (~et) neigh; skratt cackle

gnägga *vb itr* (~de, ~t) neigh; *ett ~nde skratt* a cackling laugh

gnäll *s* (~et) **1** jämmer whining, whine; kvidande whimpering; klagomål grumbling [över at (about)]; gnat nagging [på at; över about] **2** gnissel squeaking, creaking; *ett ~* a squeak (creak)

gnälla *vb itr* (gnällde, gnällt) **1** jämra sig whine; kvida whimper [*efter* for]; yttra missnöje grumble, grizzle [*för (över) ngt* at (about) sth; *för ngn* to sb]; klaga complain [*över ngt* of (about) sth] **2** om t.ex. dörr, gångjärn creak, squeak

gnällig *adj* (~t) om person el. röst whiny; gäll shrill

gnällspik *s* (~en, ~ar) vard. whiner, grizzler, moaner, grump

gobeläng *s* (~en, ~er) [piece of] tapestry

god (jfr *gott*; se äv. ex. under resp. subst.) **I** *adj* (gott) (jfr *bra I, bättre I* o. *bäst I*) **1** allm. good; vänlig äv. kind [*mot* to]; angenäm äv. pleasant, agreeable, nice; välsmakande äv. nice; gynnsam favourable, amer. favorable; jfr äv. *god II 3;* ~ *dag!* good morning (resp. afternoon, evening)!; vid presentation how do you do?; ~*e Gud!* good heavens (gracious)!; ~ *jul!* Merry Christmas!; ~ *natt!* good night!; *gott nytt år!* Happy New Year!; *i* ~*an ro* in peace and quiet; *ha gott samvete* have a clear conscience; ~ *sömn* sound sleep; *en* ~ *vän* [*till mig*] a good friend [of mine]; *för gott* för alltid for good; *så långt är allting gott och väl* so far so good; *vara* ~ (*gott*) *nog åt ngn* be good enough for sb

var så ~*!* a) här har ni here you are, [Sir resp. Madam, Mr Jones, Miss osv.]!; ta för er help yourself (resp. yourselves), please! (ofta utan motsv. i eng.) b) javisst, för all del m.m. you're welcome!; naturligtvis [do,] by all means!, certainly!; *var så* ~ *och sitt!* please take a seat!

2 tillräcklig good; ansenlig considerable; *en* ~ *stund* a good while; *med* ~ *marginal* by a comfortable (wide) margon

3 lätt, *han är inte* ~ *att tas med* he's not easy (an easy customer) to deal with; *det är inte gott att säga* it is hard to say

4 jur., ~ *man* konkursförvaltare trustee; i sterbhus executor; förordnad av domstol administrator

II *s* **1** *för mycket av det* ~*a* too much of a good thing; *livets* ~*a* the good things pl. of life

2 *gå i* ~ *för* guarantee, jfr *gå i borgen för* under *borgen* 1

3 *gott*: *allt gott* everything good, all good things pl.; *det är på gott och ont* it has its good points and bad points; *det gjorde gott!* kändes skönt that was good!; *inte ha något gott* att säga om ngn not have a good thing…; kom ska du få *något gott att äta* …something nice to eat

4 *gott om*: *ha gott om tid* (*äpplen*) have plenty of time (apples); *det är* (*finns*) *gott om…* a) tillräckligt med there is (resp. are) plenty of… b) mycket: med subst. i plur. there are a great many (vard. are lots of)…; med subst. i sg. there is a great deal of…

Godahoppsudden the Cape of Good Hope

godartad *adj* (-artat, ~e) om t.ex. sjukdom non-malignant, benign; *en* ~ *svulst* a benign tumour

godbit *s* (~en, ~ar) dainty morsel; titbit äv. bildl.; amer. tidbit

goddag *interj* good morning (resp. afternoon, evening)!

godhet *s* (~en) goodness; vänlighet kindness [*mot* to[wards]]; välvilja benevolence

godhjärtad *adj* (-hjärtat, ~e) kind-hearted

godis *s* (~et) sweets pl.; vard. sweeties pl.; amer. candy

godisaffär *s* (~en, ~er) sweetshop; amer. candy store

godissugen *adj* (-suget, -sugna) vard., *jag är* ~ just nu I feel like some sweets (amer. like some candy)

godkänd *adj* (-känt) approved; som betyg passed; *icke* ~ failed; *väl* ~ passed with distinction; *mycket väl* ~ passed with special distinction; *bli* ~ [*i examen*] pass [one's examination]; *få godkänt* obtain a pass

godkänna *vb tr* (-kände, -känt) **1** gå med på approve, agree to; gilla, t.ex. förslag approve of; om t.ex. myndighet pass; medge, erkänna som riktig allow, admit, acknowledge; sanktionera sanction; *ej* ~ äv. disapprove [of], disallow; om myndighet betr. förslag reject; *godkännes* på dokument approved **2** efter prövning, ~ *ngn* i examen pass sb

godkännande *s* (~t, ~n) approving osv., approbation, approval; admittance, acknowledgement, acceptance; jfr *godkänna*

godlynt *adj* (=) good-humoured, good-tempered

godmodig *adj* (~t) good-natured

godnatt *interj* good night!; *säga* ~ *till ngn* say good night to sb

godnattpuss *s* (~en, ~ar) good-night kiss

godnattsaga *s* (~n, -sagor) bedtime story

godo *s* (oböjl.), *göra upp saken i* ~ …amicably, …in a friendly spirit; *en uppgörelse i* ~ an amicable settlement; *jag har…till* ~ *hos dig* you owe me…; *hålla till* ~ *med* make do with; *håll till* ~*!* tag för er! [please] help yourself (resp. yourselves)!

gods *s* (~et, =) **1** koll., t.ex. varor goods pl.; last; amer. freight **2** lantegendom estate; större manor **3** jur. egendom property, possessions pl.

godsaker *s pl* sötsaker sweets; amer. candy sg.

godsexpedition *s* (~en, ~er) lokal goods (parcels, amer. freight) office

godsfinka *s* (~n, -finkor) mindre resgodsvagn luggage van; amer. baggage car, boxcar; jfr *godsvagn*

godstrafik *s* (~en) goods (carrying) traffic; amer. freight traffic (service)

godståg *s* (~et, =) goods train; amer. freight [train]

godsvagn *s* (~en, ~ar) goods wag[g]on (van); amer. freight car, öppen flatcar; jfr *godsfinka*

godsägare *s* (~n, =) landed proprietor, landowner, estate owner

godta *vb tr* (-tog, -tagit) approve [of], accept; förslag agree to

godtagbar *adj* (~t) acceptable

godtemplare *s* (~n, =) Good Templar

godtrogen *adj* (-troget, -trogna) gullible, credulous

godtycke *s* (~t) **1** gottfinnande, *efter* [*eget*] ~ at one's [own] discretion **2** egenmäktighet, *rent* ~ pure arbitrariness

godtycklig *adj* (~t) allm. arbitrary äv. egenmäktig; nyckfull capricious; utan grund gratuitous

godvilligt *adv* voluntarily

goja *s* vard. **1** (~n, gojor) papegoja Polly [parrot] **2** (~n), *prata* ~ talk bosh (rubbish)

gokart *s* (~en, ~er) sport. go-kart, go-cart

1 golf *s* (~en) sport. golf; *spela* ~ play golf, golf

2 golf *s* (~en, ~er) bukt gulf

golfbag *s* (~en, ~ar) golf bag

golfbana *s* (~n, -banor) golf course

golfbyxor *s pl* plus-fours

golfklubb *s* (~en, ~ar) golf club

golfklubba *s* (~n, -klubbor) golf club

golfspelare *s* (~n, =) golf player, golfer

Golfströmmen the Gulf Stream

golfvagn s (~en, ~ar) caddie car (cart)

Golgata bibl. Golgotha; [Mount] Calvary

Goliat bibl. Goliath

golv s (~et, =) allm. floor; sten~ i större byggnad äv. pavement; ~beläggning flooring; *från ~ till tak* from floor to ceiling; *på ~et* on the floor; *mitt på ~et* in the middle of the floor

golva vb tr (~de, ~t) boxn. floor

golvbrunn s (~en, ~ar) floor drain

golvdrag s (~et), *det var ~* there was a draught along the floor

golvlampa s (~n, -lampor) standard lamp; amer. floor lamp

golvmodell s (~en, ~er) floor model

golvmopp s (~en, ~ar) [floor] mop

golvplanka s (~n, -plankor) floorboard, flooring-board

golvspringa s (~n, -springor) crevice in the floor

golvtilja s (~n, -tiljor) floorboard, flooring-board

golvur s (~et, =) grandfather['s] clock

golvvärme s (~n) underfloor heating

golvväxel s (~n, -växlar) floor [gear]shift

golvyta s (~n, -ytor) floor surface; areal äv. floor area

gom s (~men, ~mar) palate äv. bildl., roof of the mouth; *kluven ~* cleft palate

gomsegel s (-seglet, =) anat. soft palate, velum (pl. vela)

gomspalt s (~en) med. cleft palate

gona vb rfl (~de, ~t), *~ sig* enjoy oneself, have a good time

gondol s (~en, ~er) båt el. butikshylla e.d. gondola

gondoljär s (~en, ~er) gondolier

gonggong s (~en, ~ar el. ~er) gong

gonorré s (~n, ~er) med. gonorrhoea; amer. gonorrhea

goodwill s (~en) goodwill

googla vb tr o. vb itr (~de, ~t) google

gordisk adj (~t), *[den] ~a knuten* the Gordian knot

gorilla s (~n, gorillor) **1** zool. gorilla **2** vard., livvakt gorilla, muscleman

gorma vb itr (~de, ~t) shout and scream, rant and rave

gosa vb itr (~de, ~t) cuddle

gosedjur s (~et, =) [soft] cuddly toy

gosig adj (~t) soft and warm; om barn cuddly

gospel s (~n, = el. ~s) gospel song

gossaktig adj (~t) boyish

gosse s (~n, gossar) boy; åld. el. skämtsamt, *gamle ~!* old boy (chap)!

gosskör s (~en, ~er) boys' choir

got s (~en, ~er) hist. Goth

gotik s (~en) arkit. Gothic, Gothic style (epok period)

gotisk adj (~t) om språk el. arkit. Gothic

gott I s (oböjl.) se *god II 3*

II adv **1** allm. well osv., jfr *bra II 1*; *~ och väl* med lätthet easily; *hälsa så ~!* all my regards (love)!; *leva ~* live well; *lukta (smaka) ~* smell (taste) nice (good); *skratta ~* laugh heartily [*åt* at]; *sova ~* sleep soundly osv., jfr *sova*; bosätta sig i London *för ~* ...for good; *göra så ~ man kan* do one's best; *så ~ som ingenting* practically (next to) nothing; *så ~ som* färdig practically (all but, as good as)... **2** lätt, väl, *det kan jag ~ förstå* I can very well (easily) understand that **3** gärna, *det kan du ~ göra* you can very well do that (so)

gotta vb rfl (~de, ~t), *~ sig* have a good time; *~ sig åt* (*i*) *ngt* thoroughly enjoy sth, revel in sth

gottegris s (~en, ~ar) vard., *din ~!* you're a proper one for sweet things!; *han är en ~* he has a sweet tooth, he loves sweets (amer. candy)

gottfinnande s (~t), *efter* [ditt eget] ~ as you think best

gottgöra vb tr (-gjorde, -gjort) **1** med personobj.: ersätta, *~ ngn för ngt* make up to (compensate) sb for sth; för besvär, arbete recompense (betala remunerate) sb for sth **2** med sakobj.: ersätta make up for; sona make...good; försummelse remedy, make amends for; skada make good...

gottgörelse s (~n, ~r) ersättning indemnification, compensation, recompense; skadestånd indemnity, damages pl. [*för* i samtliga fall for]

gottskriva vb tr (-skrev, -skrivit) hand., *~ ngn ett belopp* credit sb with an amount

gourmand s (~en, ~er) matvrak gourmand

gourmet s (~en, ~er) finsmakare gourmet

gps-mottagare s (~n, =) GPS receiver

grabb s (~en, ~ar) vard.: pojke boy; kille chap, bloke; speciellt amer. guy; *~arna* killgänget the lads

grabba vb tr o. vb itr (~de, ~t) vard., *~ tag i* grab [hold of]; *~ åt sig* grab...for oneself

grabbig adj (~t) vard. laddish, blokish

grace s (~n, ~r) **1** behag grace[fulness], charm; gunst favour; *fördela ~rna (sina gracer)* distribute one's favours **2** mytol., *de tre ~rna* the three Graces

gracil adj (~t) slender [and delicate]

graciös adj (~t) graceful

1 grad s (~en, ~er) **1** allm. degree; utsträckning extent; nyans shade; *i hög ~* to a great (high) degree, to a great extent; *i hög ~* + adj. highly, exceedingly, immensely; *i* [allra] *högsta ~!* very much so!; *i högsta ~* extremely; *så till den ~ att...* to such a degree (an extent) that...; *till en viss ~* to a certain degree (extent) **2** enhet vid t.ex. mätning degree; *40 ~ers feber* a temperature of 40 degrees centigrade; *det är 10 ~er kallt* it is 10 degrees [Celsius] below zero; *det är 10 ~er varmt* it is 10 degrees [Celsius] above zero; *i 45 ~ers vinkel* at an angle of 45 degrees; *på 60 ~er nordlig bredd* at 60 degrees North latitude; brännskada *av första ~en* first-degree... **3** rang rank, grade; stadium stage; *stiga i ~erna* rise in the ranks **4** typogr. type size

2 grad s (~en, ~er) tekn., på arbetsstycke burr; på fil edge

gradbeteckning s (~en, ~ar) mil., konkr. badge of rank, insignia (vanl. pl.)

gradera vb tr (~de, ~t) indela i grader, klassificera grade [*efter* according to]; tekn. graduate

gradering s (~en, ~ar) gradation; tekn. graduation

gradskillnad s (~en, ~er) difference of (in) degree

gradskiva s (~n, -skivor) protractor

gradtal s (~et, =), *vid höga (låga) ~* på termometern at high (low) temperatures; *vilket ~ visar kompassen?* what is the compass reading?

gradvis I adv by degrees, gradually, step by step **II** adj (~t) gradual

graf s (~en, ~er) matem. el. språkv. graph

graffiti s (~n) graffiti pl.

grafik s (~en) **1** konst~ graphic art, printmaking; gravyr engraving; grafiska blad prints, graphic works; gravyrer engravings (samtliga pl.) **2** data- el. datorgrafik computer graphics

grafiker s (~n, =) **1** konst~ graphic (lithographic) artist, printmaker **2** typogr., tryckare printer

grafikkort s (~et, =) data. video adapter (card), graphics card

grafisk adj (~t) graphic; **~ konst** se *grafik*; **~ formgivning** konkr. graphic design; **~ industri** printing industry

grafit s (~en, ~er) miner. graphite

grafolog s (~en, ~er) graphologist

grafologi s (~n) graphology

grahamsbröd s (~et, =) wholemeal (graham) bread; amer. whole wheat bread

grahamsmjöl s (~et) wholemeal (graham) flour; amer. whole wheat flour

gram s (~met, =) gram, gramme

grammatik s (~en, ~er) grammar

grammatikalisk adj (~t) grammatical[ly correct]

grammatisk adj (~t) grammatical

grammofon s (~en, ~er) record player; åld. gramophone

grammofonskiva s (~n, -skivor) record

gramse adj (oböjl.), **vara ~ på ngn** bear sb a grudge

gran s **1** (~en, ~ar) träd [Norway] spruce, spruce fir; vard. fir; jul~ Christmas tree **2** (~en) virke spruce [wood]; hand. whitewood

1 granat s (~en, ~er) miner. garnet

2 granat s (~en, ~er) mil. shell; hand~ hand grenade

granatgevär s (~et, =) mil. recoilless antitank rifle

granatkastare s (~n, =) mil. grenade-thrower; lätt trench mortar; sjö. mortar

granatskärvor s pl o. **granatsplitter** s (-splittret) mil. shrapnel, shell splinters

granatäpple s (~t, ~n) pomegranate

granbarr s (~et, =) spruce needle; vard. fir needle

grand s (~et, =) smula, **inte göra ett skapande[s] ~** not do a mortal thing (a stroke of work); **lite ~ (grann)** t.ex. pengar just a little; t.ex. bättre just a trifle; **vänta lite ~ (grann)!** wait a moment!, hang on!

grandios adj (~t) grandiose

granit s (~en, ~er) granite

grankotte s (~n, -kottar) spruce (vard. fir) cone

1 grann s (oböjl.) se *grand*

2 grann adj (grant) stilig, tjusig, iögonfallande magnificent; om t.ex. färg brilliant, dazzling; om t.ex. kvinna fine-looking

granne s (~n, grannar) neighbour; **bo ~ med** live next door to

grannfolk s (~et, =) **1** grannar, **~et** the (resp. our osv.) neighbours pl. **2** nation neighbouring (neighbour) nation

granngård s (~en, ~ar) bondgård neighbouring (adjacent) farm

grannlaga adj (oböjl.) finkänslig tactful; hänsynsfull considerate; diskret discreet; ömtålig (om sak) delicate

grannland s (~et, -länder) neighbouring (adjacent, adjoining) country; **vårt västra ~** our neighbouring country in the West

grannlåt s (~en, ~er), **~[er]** pynt, präliga saker showy ornaments pl.; t.ex. präliga smycken, bjäfs fripperies pl.; frills pl., äv. ordpral

grannskap s (~et) neighbourhood; närhet äv. vicinity

grannstat s (~en, ~er) neighbouring state

grannsämja s (~n) neighbourliness; **leva i god ~** be on neighbourly terms

granris s (~et) koll. spruce (vard. fir) twigs pl.

granska vb tr (~de, ~t) undersöka examine, study; besiktiga inspect; syna scrutinize; noga iaktta observe…closely; kontrollera, t.ex. siffror, manuskript check, om revisor audit

granskare s (~n, =) examiner, inspector

granskning s (~en, ~ar) examining osv., examination, study; inspection; scrutiny; check, check-up; jfr *granska*

grapefrukt s (~en, ~er) grapefruit

grassera vb itr (~de, ~t) om t.ex. sjukdom be rife (prevalent); stark rage; om t.ex. oskick run rampant

gratifikation s (~en, ~er) bonus, gratuity

gratinera vb tr (~de, ~t), **~d** fisk, blomkål …au gratin

gratis I adv for nothing, free [of charge (cost)], gratis **II** adj (oböjl.) free, gratuitous; **inträde ~** admission free

gratisbiljett s (~en, ~er) se *fribiljett*

gratiserbjudande s (~t, ~n) free offer; varuprov free sample

gratisexemplar s (~et, =) free copy

gratisprov s (~et, = el. ~er) free sample

grattis interj vard. congratulations!, congrats!

gratulant s (~en, ~er) congratulator; friare caller

gratulation s (~en, ~er) congratulation; **hjärtliga ~er [till** utnämningen]**!** many (hearty) congratulations [on…]!; **hjärtliga ~er på födelsedagen!** Many Happy Returns [of the Day]!, Congratulations!

gratulationskort s (~et, =) greetings card; amer. greeting card

gratulera vb tr (~de, ~t) congratulate [till on]; **[jag] ~r [på bröllopsdagen (högtidsdagen)]!** Congratulations!

gratäng s (~en, ~er) kok. gratin

gratängform s (~en, ~ar) kok. gratin-dish

1 grav s (~en, ~ar) allm. grave äv. bildl.; murad tomb; uppbyggd, uthuggen sepulchre; **den okände soldatens grav** the tomb of the Unknown Soldier; **tyst som i ~en** as silent as the grave; **hon står på ~ens rand** bildl. she has one foot in the grave

2 grav adj (~t) svår, allvarlig, om t.ex. beskyllning serious; om t.ex. anmärkning äv. damaging

3 grav adj (~t) fonet., **~ accent** accenttecken grave accent

grava vb tr (~de, ~t) kok., ung. pickle…raw; **~d lax** raw spiced salmon

gravallvarlig adj (~t) solemn, dead serious

gravand s (~en, -änder) sheldrake; hona äv. shelduck

gravation s (~en, ~er) jur. encumbrance

gravationsbevis s (~et, =) jur. [official] certificate of search (encumbrances)

1 gravera vb tr (~de, ~t) inrista engrave [i (på) on]; **~ in** engrave, incise, carve [i (på) on]

2 gravera vb tr (~de, ~t) jur. encumber

graverande adj (oböjl.) grave, serious; **~ omständigheter** aggravating circumstances

gravering s (~en, ~ar) engraving

gravid adj (neutrum undviks) pregnant

graviditet s (~en, ~er) pregnancy

graviditetstest s (~et el. ~en, ~er el. =) pregnancy test

gravitation s (~en) fys. gravitation

gravitationslagen s (best. sing.) fys. the law of gravity (gravitation)

gravitetisk adj (~t) grave, solemn; pompös pompous

gravkammare s (~n, -kamrar el. =) sepulchral chamber, sepulchre

gravkapell s (~et, =) för jordfästning [sepulchre] chapel

gravkor s (~et, =) chapel

gravkulle s (~n, -kullar) grave[mound]

gravlax s (~en, ~ar) kok. raw spiced salmon

gravlaxsås s (~en, ~er) salmon (shellfish) sauce [made of mustard, oil, dill etc.]

gravlik adj (~t), ~ tystnad deathlike silence

gravlykta s (~n, -lyktor) lamp on a (resp. the) grave

gravmonument s (~et, =) mausoleum; se vidare *gravvård*

gravplats s (~en, ~er) begravningsplats burial ground; grav grave, burial-place

gravplundrare s (~n, =) grave-robber

gravplundring s (~en, ~ar) grave-robbing

gravskrift s (~en, ~er) epitaph

gravsmyckning s (~en, ~ar) [the] ornamentation of a grave (resp. the grave, graves etc.)

gravsten s (~en, ~ar) gravestone, tombstone

gravsätta vb tr (-satte, -satt) jorda inter

gravsättning s (~en, ~ar) interment

gravvalv s (~et, =) [burial (sepulchral)] vault, tomb; i kyrka crypt

gravvård s (~en, ~ar) av trä memorial cross; av sten memorial stone; se äv. *gravsten*

gravyr s (~en, ~er) engraving; etsning etching; kopparstick [copperplate] engraving

gravöl s (~et, =) funeral feast; hist. äv. arval

gravör s (~en, ~er) engraver

gredelin adj (~t) o. **gredelint** s (oböjl.) se *lila*

grej s (~en, ~er el. ~or) vard., sak thing, thingy; manick gadget; när man inte kommer på rätt ord whatchamacallit

greja vard. **I** vb tr (~de, ~t) ordna, fixa fix, put…right, manage **II** vb itr (~de, ~t), ~ med pyssla med potter with, syssla med busy oneself with

grejor s pl vard. things, gadgets, odds and ends, bits and pieces; hophörande tackle, gear, kit (samtliga sg.); *det var inga dåliga ~* that's pretty good!, [that's] not bad!

grek s (~en, ~er) Greek

grekcypriot s (~en, ~er) Greek Cypriot

grekinna s (~n, grekinnor) Greek woman

grekisk adj (~t) Greek; om anletsdrag, antika o. antikiserande förh. Grecian

grekiska s (jfr *svenska*) **1** (~n, grekiskor) kvinna Greek woman **2** (~n) språk Greek

grekisk-ortodox adj (~t), ~a kyrkan the Greek (Eastern) Orthodox Church

grekisk-romersk adj (~t), ~ brottning sport. Graeco-Roman wrestling

Grekland Greece

gren s (~en, ~ar) **1** allm. branch; större träd~ limb; med kvistar bough; av flod, bergskedja äv. arm; förgrening ramification; gaffelformig fork **2** skol. option; del av tävling event **3** skrev crutch, crotch, fork

grena vb rfl (~de, ~t), ~ [ut] sig branch [out], fork; i två äv. bifurcate; flerfaldigt äv. ramify [i i samtliga fall into]

Grenada Grenada

grenig adj (~t) branched; grenrik branchy, ramified

grensle adv astraddle, astride [över of]

grenverk s (~et) koll. branches pl.

grep s (~en, ~ar) o. **grepe** s (~n, grepar) pitchfork; gödsel~ manure-fork

grepp s (~et, =) **1** allm. grasp äv. bildl. [om of]; hårdare grip äv. bildl. [om ämne on (of)]; tag hold äv. brottn.; *jag får inget ~ om det* I can't get the hang of it; *falla på eget ~* be caught in one's own trap, be hoist with one's own petard **2** handgrepp operation, manipulation; knep trick; konstgrepp device **3** handtag handle

greppa vb tr (~de, ~t) vard. grab (take) hold of; komma underfund med get the hang of

greve s (~n, grevar) count; i Storbr. earl; ~n vid omtal vanl. His (vid tilltal Your) Lordship; *komma i ~ns tid* come in the nick of time

grevinna s (~n, grevinnor) countess; ~n vid omtal vanl. Her (vid tilltal Your) Ladyship

grevlig adj (~t) attr. count's (i Storbr. earl's)…, …of a count (i Storbr. an earl)

grevskap s (~et, =) område i Storbr. county

griffeltavla s (~n, -tavlor) slate

grift s (~en, ~er) högtidl. tomb, grave

griljera vb tr (~de, ~t), ~ ngt coat sth with egg and breadcrumbs and roast it

grill s (~en, ~ar) **1** grill äv. lokal **2** kylar~ grille

grilla I vb tr (~de, ~t) grill äv. bildl.; i ugn el. speciellt amer. broil; på utegrill barbecue **II** vb itr (~de, ~t) ha grillfest have a barbecue

griller s pl konstiga idéer fads [and fancies], whims, whim sg.

grillfest s (~en, ~er) barbecue

grillkol s (~et el. ~en, =) [ready-made] charcoal

grillkorv s (~en, ~ar) sausage for grilling

grillspett s (~et, =) skewer; med kött e.d. [shish] kebab

grillvante s (~n, -vantar) oven glove

grimas s (~en, ~er) grimace, wry face; *göra en ~* make (pull) a [wry] face [åt at]

grimasera vb itr (~de, ~t) make (pull) faces, grimace

grimma s (~n, grimmor) halter; nos ~ muzzle

grin s (~et, =) **1** grimas grimace; t.ex. sur min sour look **2** flin grin; hånleende sneer

grina vb itr (~de, ~t) **1** vard.: gråta cry **2** ~ illa grimasera pull (make) [wry] faces, pull (make) a wry face [i båda fallen mot (åt) at]; ~ upp sig screw up one's face **3** flina grin; hånle sneer [mot (åt) i samtliga fall at]

grind s (~en, ~ar) trädgårds~ gate; vid järnvägsövergång [level-crossing] gate[s pl.]; cricket~ wicket

grindstolpe s (~n, -stolpar) gatepost

grindvakt s (~en, ~er) gatekeeper, lodge-keeper; i cricket wicketkeeper

grinig adj (~t) **1** gnällig whining, whimpering; kinkig, om barn fretful **2** knarrig grumpy; kritisk faultfinding; kinkig, petnoga particular, pedantic

grip s (~en, ~ar) fabeldjur griffin

gripa I vb tr (grep, gripit) **1** fatta tag i: allm. el. bildl. seize; kraftigt fatta tag i äv. catch (take) hold of; ~ [om] ngt clasp (grasp) sth; ~ ngn i armen seize sb by the arm, seize hold of sb's arm; ~ ngt ur luften make sth up, invent sth, jfr. ex. under *gripen 1*; ~s av förtvivlan, samvetskval be seized with…; ~s på bar gärning be caught in the act **2** tjuv, misstänkt o.d. capture, catch; jur. apprehend **3** djupt röra [profoundly] touch (move), [deeply] affect; starkare thrill, grip **II** vb itr (grep, gripit), ~ efter ngt grasp (catch, snatch) at sth **III** med beton. part.

gripa sig an: ~ sig an ngt set about sth

gripa in bildl., se *ingripa*; ~ in i varandra om t.ex. kugghjul interlock, engage

gripande *adj* (oböjl.) rörande touching osv., jfr *gripa I 3*; pathetic, poignant

gripbar *adj* (~t) fattbar apprehensible; påtaglig palpable, tangible

gripen *adj* (gripet, gripna) **1** seized [*av* t.ex. förtvivlan with]; *hela historien är fullständigt ~ ur luften* the whole story has been entirely made up **2** rörd touched osv., jfr *gripa I 3*

griptång *s* (~en, -tänger) pincers pl.

gris *s* (~en, ~ar) svin pig; kok., ~kött [young] pork; *köpa ~en i säcken* buy a pig in a poke

grisa *vb itr* (~de, ~t) **1** zool. farrow **2** ~ *ner* mess up; ~ *ner sig* make oneself all dirty, get oneself into a mess

grisfötter *s pl* kok. pigs' trotters

grisig *adj* (~t) filthy, dirty, piggish

griskulting *s* (~en, ~ar) young pig, piglet

grismat *s* (~en) mat för grisar pig feed; av avfall, flytande swill; neds., om mat hogwash, muck

grizzlybjörn *s* (~en, ~ar) grizzly bear

gro *vb itr* (~dde, ~tt) **1** germinate, sprout; växa grow **2** bildl. rankle; *det* [*ligger och*] ~*r i honom* it rankles (is rankling) in his mind

grobian *s* (~en, ~er) boor, lout; starkare ruffian

groblad *s* (~et) bot. plantain

groda *s* (~n, grodor) **1** zool. frog **2** fel blunder; grövre howler; *säga* (*göra*) *en* ~ make a blunder (howler)

grodd *s* (~en, ~ar) konkr. germ, sprout

groddblad *s* (~et, =) biol. germ layer

groddjur *s* (~et, =) batrachian

grodfötter *s pl* sport., för grodmän, sportdykare flippers

grodlår *s pl* frogs' legs

grodman *s* (~nen, -män) dykare frogman

grodmansdräkt *s* (~en, ~er) frogman suit

grodperspektiv *s* (~et), [*sedd*] *i* ~ [when (as) seen] from underneath; bildl. from a worm's-eye view

grodsim *s* (~met) frog kick

grodyngel *s* (-ynglet, =) tadpole; koll. tadpoles pl.; amer. dial. polliwog

grogg *s* (~en, ~ar) whisky and soda, amer. vard. highball; gin and tonic, rum and coke etc.

grogglas *s* (~et, =) long glass

groggvirke *s* (~t) vard. soda [water] (tonic, coke etc.) to mix with whisky (gin etc.), jfr *grogg*

grogrund *s* (~en, ~er) bildl. breeding ground, hotbed

groll *s* (~et) grudge; *gammalt* ~ a long-standing grudge

groning *s* (~en) germinating osv., jfr *gro*; germination

grop *s* (~en, ~ar) pit; större hollow, cavity; i väg hole; flyg. [air] pocket; buckla dent; i kind, haka dimple; ~*ar i låren* cellulite hollows in one's thighs

gropig *adj* (~t) eg. ...full of holes; ojämn uneven; om sjö el. resa rough; om luft, väg bumpy

grosshandel *s* (~n) wholesale trade (handlande trading)

grosshandlare *s* (~n, =) o. **grossist** *s* (~en, grossister) wholesale dealer, wholesaler

grotesk I *adj* (~t) grotesque **II** *s* (~en, ~er) konst. el. typogr. grotesque

grotta *s* (~n, grottor) cave; större cavern

grottekvarn *s* (~en) bildl. treadmill

grottforskning *s* (~en) speleology

grottmålning *s* (~en, ~ar) cave-painting

grottmänniska *s* (~n, -människor) förhist. caveman, cave-dweller, troglodyte

groupie *s* (~n, ~s) vard. groupie

grov *adj* (~t) allm. coarse; obearbetad, med ~ yta, ungefärlig, ohyfsad äv. rough; tjock äv. thick; ~*t artilleri* heavy artillery (guns pl.) äv. bildl.; ~*t bedrägeri* gross fraud; ~*t bröd* coarse rye bread; ~*a drag* ansiktsdrag coarse (gross) features; *i* ~*a drag* in rough (broad) outline[s], roughly; *ett* ~*t fel* a gross (grave) blunder (error); *en* ~ *lögn* a big (vard. thundering) lie; ~*a maskor* large meshes (stitches); ~*a ord* coarse (foul) language sg.; *tjäna* ~*a pengar* vard. earn big money; ~ *röst* gruff (rough, coarse) voice; ~ *sjö* heavy sea; ~*a skor* heavy shoes; *ett* ~*t skämt* a rude (coarse) joke; ~*t språk* coarse (rough) language; *en* ~ *stöld* a serious case of theft; amer. aggravated larceny; ~ *överdrift* gross exaggeration [*mot* to]; *vara* ~ *i munnen* be foul-mouthed, use coarse language

grovarbetare *s* (~n, =) unskilled (general) labourer

grovarbete *s* (~t) allm. heavy (rough) work; grovarbetares unskilled work (labour)

grovgöra *s* (~t) heavy (rough) work

grovhet *s* (~en, ~er), ~*er* otidigheter coarse (foul, abusive) language sg.

grovkalibrig *adj* (~t) large-calibred, large-bored

grovkornig *adj* (~t) **1** eg. coarse[-grained]; foto. coarse-grain **2** bildl. coarse, gross

grovkök *s* (~et, =) ung. utility room

grovlek *s* (~en, ~ar) [degree of] coarseness (thickness, heaviness), jfr *grov*; storlek size

grovlemmad *adj* (-lemmat, ~e) coarse-limbed

grovmala *vb tr* (-malde, -malt) grind (kött mince)...coarsely

grovmalen *adj* (-malet, -malna) coarsely-ground...; om kött coarsely-minced...

grovsalt *s* (~et) coarse-grained salt

grovsmed *s* (~en, ~er) blacksmith

grovsopor *s pl* bulky (heavy) refuse (rubbish) sg.

grovsortering *s* (~en) first (preliminary) sorting

grovstammig *adj* (~t) thick-stemmed

grubbel *s* (grubblet) funderande pondering; ängsligt, dystert brooding [*över* i samtliga fall on (over)]

grubbla *vb itr* (~de, ~t) fundera ponder, cogitate; brood [*på* i samtliga fall [up]on; *över* over (about)]; bry sin hjärna puzzle [one's head] [*på* about; *över* over]; *gå och* ~ a) för tillfället be in a brown study b) som vana be given to brooding; ~ *på ett problem* ponder over (about, on) a problem; ~ *sig fördärvad över* ett problem rack one's brains trying to think out...

grubblande I *s* (~t) pondering etc., se *grubbel* **II** *adj* (oböjl.) brooding, cogitative, meditative

grubblare *s* (~n, =) brooder, brooding type; *han är en* ~ ...given to brooding

grubbleri *s* (~et, ~er), *försjunken i* ~*er* in a brown study, brooding

gruff *s* (~et, =) vard. bråk, gräl row

gruffa *vb itr* (~de, ~t) vard. bråka, träta make (kick up) a row, squabble [*för* (*om*) about]; knota grumble, grouse [*för* (*om*) about]

grumla *vb tr* (~de, ~t) eg. muddy, make...muddy; t.ex. källa make (render)...turbid äv. ngns tanke (sinne); intryck, ngns lycka cloud, dim; förhållande, vänskap cloud; göra suddig blur; fördunkla obscure

grumlas *vb itr dep* (grumlades, grumlats) eg. become muddy (turbid); bildl. become clouded osv., jfr *grumla*; om röst become thick

grumlig *adj* (~t) muddy äv. om t.ex. färg el. hy, turbid äv. om t.ex. tankar; t.ex. om vätska cloudy [*av* i samtliga fall with]; dunkel obscure; **fiska i ~t vatten** fish in troubled waters

grums *s* (~et) allm. dregs; i vin lees (båda pl.); i vatten sediment

1 grund *s* (~en, ~er) **1** grundval, underlag foundation [*till* of]; hus~ äv. foundations pl.; bottenyta, bakgrund ground; bildl. äv. basis (pl. bases); **lägga ~en till** lay the foundations (bildl. äv. basis) of; **bygga upp ett företag från ~en** build up a company (business) from the bottom; **på vetenskaplig ~** on a scientific basis, on scientific lines; **ligga till ~ för** form the basis of; om princip o.d. underlie; huset **brann ner till ~en** ...burnt (was burnt) down to the ground
2 friare, i vissa uttr., **i ~** fullständigt entirely, totally, completely, utterly; **i ~en** el. **i ~ och botten** i själ och hjärta at heart, basically, essentially; i alla fall after all; faktiskt in reality
3 mark ground; **få gå från gård och ~** have to give up one's worldly possessions (all one owns)
4 skäl reason, ground[s pl.] [*till* for]; orsak cause [*till* of]; bevekelse~ motive; **ha sin ~ i ngt** bero på be due to sth; **på goda ~er** for very good reasons; **på ~ av** on account of, because of, owing to; till följd av as a result (consequence) of; **stängt på ~ av reparation** closed for repairs

2 grund I *adj* (grunt) shallow äv. bildl. **II** *s* (~et, =) grunt ställe shoal; t.ex. sand~ bank; undervattensklippa sunken rock; **gå** (**stå**) **på ~** run (be) aground

grunda I *vb tr* (~de, ~t) **1** grundlägga found; affär, tidning äv. establish, set up; inrätta institute **2** stödja, **~ sin mening på** base one's opinion on **3** grundmåla prime **II** *vb rfl* (~de, ~t), **~ sig** rest (be based) [*på* [up]on]

grundad *adj* (grundat, ~e) väl-~, om t.ex. farhåga well-founded; om misstanke äv. well-grounded; befogad, om t.ex. anledning äv. good; rimlig reasonable

grundare *s* (~n, =) grundläggare founder

grundavdrag *s* (~et, =) basic allowance (deduction)

grundavgift *s* (~en, ~er) basic fee

grundbegrepp *s* (~et, =) fundamental principle; i pl. äv. elements

grundbetydelse *s* (~n, ~r) basic (primary, fundamental) sense (meaning)

grunddrag *s* (~et, =) fundamental (essential) feature; **~en i Europas historia** the main outlines (an outline) of European history

grundfel *s* (~et, =) fundamental fault (defect, error)

grundform *s* (~en, ~er) primary (original, fundamental) form; substantivs common case; adjektivs positive [form]; verbs infinitive

grundforskning *s* (~en) basic (fundamental) research

grundfärg *s* (~en, ~er) **1** fys. primary colour **2** bottenfärg ground colour **3** mål.: strykning first coat; målarfärg priming paint

grundkurs *s* (~en, ~er) t.ex. skol. basic course

grundlag *s* (~en, ~ar) polit. fundamental (betr. författningen constitutional) law; författning constitution

grundlagsenlig *adj* (~t) constitutional

grundlagsstridig *adj* (~t) unconstitutional

grundlig *adj* (~t) allm. thorough äv. om person; gedigen solid, sound; ingående close; noggrann careful; genomgripande thoroughgoing

grundlighet *s* (~en) thoroughness osv., jfr *grundlig*; solidity, care

grundligt *adv* thoroughly osv., jfr *grundlig*; fullständigt completely, utterly

grundlinje *s* (~n, ~r) **1** lantmät. base[line] **2** grunddrag, **~rna till** the outlines of

grundlurad *adj* (-lurat, ~e) ...completely taken in, duped

grundlägga *vb tr* (-lade, -lagt) found, lay the foundation[s] (bildl. äv. basis) of, jfr *grunda I 1*

grundläggande *adj* (oböjl.) fundamental; om t.ex. princip äv. basic

grundläggare *s* (~n, =) skapare founder

grundläggning *s* (~en, ~ar) **1** grundande foundation, establishment **2** byggnadsarbete foundation-laying

grundlön *s* (~en, ~er) basic salary (pay, resp. wages pl.), jfr *lön*

grundlös *adj* (~t) om t.ex. påstående groundless; om t.ex. rykte baseless; om t.ex. misstanke unfounded

grundmurad *adj* (-murat, ~e) bildl. solidly established, firmly rooted; **grundmurat anseende** (**rykte**) äv. solid reputation; **grundmurat självförtroende** unshakable self-confidence

grundmåla *vb tr* (~de, ~t) prime, put the first coat on

grundorsak *s* (~en, ~er) primary (original) cause

grundplåt *s* (~en, ~ar) nucleus [*till* of], first contribution

grundprincip *s* (~en, ~er) basic (fundamental, underlying) principle

grundregel *s* (~n, -regler) fundamental (basic) rule (principle)

grundskola *s* (~n, -skolor) nine-year [compulsory] school

grundskolekompetens *s* (~en) skol., **han har ~** he has completed a nine-year compulsory education schooling

grundsten *s* (~en, ~ar) foundation stone

grundstomme *s* (~n, -stommar) groundwork; bildl. äv. nucleus [*till* of]

grundstöta *vb itr* (-stötte-, stött) run aground

grundstötning *s* (~en, ~ar) grounding

grundsyn *s* (~en) basic outlook

grundtal *s* (~et, =) matem. cardinal number

grundtanke *s* (~n, -tankar) fundamental (basic, leading) idea

grundtema *s* (~t, ~n) main (leading) theme

grundtext *s* (~en, ~er) original text

grundton *s* (~en, ~er) **1** mus. (skalas) el. bildl. keynote, root [note] **2** fys. fundamental tone

grundutbildning *s* (~en, ~ar) basic education (course, training); univ. undergraduate studies pl.

grundval *s* (~en, ~ar) foundation; bildl. äv. groundwork, bas|is (pl. -es); **skakas i sina ~ar** be shaken to its (resp. their) [very] foundations; **på ~ av** on the basis of

grundvatten *s* (-vattnet) i jorden groundwater, subsoil water

grundämne *s* (~t, ~n) element

grunka *s* (~n, grunkor) se *grej* o. *grejor*

grupp s (~en, ~er) allm. group; klunga äv. cluster; av träd äv. clump; avdelning section; arbetslag team

grupparbete s (~t, ~n) teamwork, group-work (båda endast sg.); skol. group project

gruppbefäl s (~et, =) mil., ung. [lower] non-commissioned officer (koll. officers)

gruppbild s (~en, ~er) group-picture (portrait)

gruppbiljett s (~en, ~er) järnv. party ticket

gruppboende s (~t, ~n) för funktionshindrade sheltered housing

gruppchef s (~en, ~er) mil. squad (sjö. section) leader; flyg. flight commander (amer. leader)

gruppdynamik s (~en) psykol. group dynamics sg.

gruppera I vb tr (~de, ~t) group[...together] [i into]; mil. deploy; ~ **om** regroup **II** vb rfl (~de, ~t), ~ **sig** group [oneself]; mil. deploy

gruppering s (~en, ~ar) grouping; mil. deployment

gruppförsäkring s (~en, ~ar) group insurance

gruppledare s (~n, =) t.ex. sport. group-leader

grupplivförsäkring s (~en, ~ar) group life insurance (pension policy)

gruppresa s (~n, -resor) group excursion

gruppsamtal s (~et, =) **1** group discussion **2** tele. conference call

gruppsex s (~et) group sex

gruppspel s (~et, =) fotb. o.d. group stage

gruppterapi s (~n) psykol. group therapy

grupptryck s (~et) psykol. group pressure

grus s (~et) **1** gravel äv. med.; spela **på** ~ tennis. ...on a clay court; fotb. ...on a gravel pitch **2** vard., småpengar small change

grusa vb tr (~de, ~t) gravel; bildl., t.ex. ngns förhoppningar dash[...to the ground]; ~**de förhoppningar** dashed (shattered) hopes

grusbana s (~n, -banor) i tennis clay court

grusgrop s (~en, ~ar) gravel pit

grushög s (~en, ~ar) gravel heap, heap of gravel; ruinhög ruins pl., heap of ruins (rubble)

grusplan s (~en, ~er) sport. gravel pitch

grustag s (~et, =) gravel pit

grusväg s (~en, ~ar) gravel (amer. dirt) road

1 gruva s (~n, gruvor) mine; kol~ äv. pit

2 gruva vb rfl (~de, ~t), [gå och] ~ **sig för ngt** dread (be dreading) sth

gruvarbetare s (~n, =) miner; kolarbetare äv. collier, pitman

gruvbolag s (~et, =) mining company

gruvdistrikt s (~et, =) mining district

gruvdrift s (~en) mining

gruvgas s (~en) metan methane, firedamp

gruvgång s (~en, ~ar) gallery, drift; längst ned level

gruvhål s (~et, =) pit

gruvlig adj (~t) dreadful, horrible, awful

gruvolycka s (~n, -olyckor) mining (i kolgruva äv. pit) accident

gruvras s (~et, =) caving-in (falling-in) of a (resp. the) mine (i kolgruva äv. pit)

gruvsamhälle s (~t, ~n) mining community (village)

gruvschakt s (~et, =) [mine] shaft; i kolgruva äv. [pit] shaft

gruvstolpe s (~n, -stolpar) o. **gruvstötta** s (~n, -stöttor) pitprop

gruvstrejk s (~en, ~er) miners' strike

1 gry s (~et), **det är gott ~ i honom** he has got plenty of backbone (grit)

2 gry vb itr (~dde, ~tt) dawn äv. bildl.; eg. äv. break; **dagen ~r** nu the day is dawning

gryende adj (oböjl.) dawning; ~ **anlag** budding talents; ~ **intresse** awakening interest

grym adj (~t, ~ma) cruel [mot to]; skoningslös ruthless

grymhet s (~en, ~er) cruelty [mot to]; starkare atrocity; **begå en** ~ commit an act of cruelty [mot on], commit an atrocity

grymta vb itr (~de, ~t) grunt

grymtning s (~en, ~ar) grunting; **en** ~ a grunt

gryn s (~et, =) korn grain; se äv. t.ex. havregryn

gryna vb rfl (~de, ~t), ~ **sig** granulate

grynig adj (~t) grainy; grusig gritty; småkornig granular

gryning s (~en, ~ar) dawn äv. bildl.

gryt s (~et, =) djurs håla earth, burrow

gryta s (~n, grytor) pot; större cauldron; av lergods casserole, terrine båda äv. maträtt; **små grytor har också öron** little pitchers have long ears

grytbitar s pl stewing steak (beef) sg.

grytlapp s (~en, ~ar) pot holder, kettle-holder

grytlock s (~et, =) pot lid

grytstek s (~en, ~ar) ung. braised beef

grå adj (grått) (för sammansättn. jfr äv. blå-); grey, amer. gray; trist äv. dull, dreary; mulen äv. overcast; ~ **arbetskraft** grey labour, amer. gray labor; **det ger mig ~a hår** it is enough to turn my hair grey; ~ **marknad** grey market; ~ **starr** med. cataract; **den ~ vardagen** the greyness of everyday life

gråaktig adj (~t) greyish

gråberg s (~et) **1** bergart granite **2** gruv. gangue, waste (dead) rock

gråblek adj (~t) ashen grey

gråblå adj (-blått) greyish blue, slate blue

grådaskig adj (~t) dirty grey; gråaktig greyish

grågås s (~en, -gäss) zool. greylag [goose]

gråhet s (~en) greyness; amer. grayness; bildl. äv. dullness, dreariness

gråhund s (~en, ~ar) Norwegian elkhound

gråhårig adj (~t) grey-haired; gråsprängd grizzled; **han är** ~ vanl. he has grey hair; **bli** ~ turn grey

gråna vb itr (~de, ~t) turn (go) grey; ~**d** åldrad grey-headed, hoary; om hår grey, grizzled

gråpapper s (~et el. -pappret, =) allm. drying paper; för växtpressning pressing paper; amer. äv. plant drier

gråpäron s (~et, =) [type of] small brownish-green pear

gråsej s (~en, ~ar) zool. coalfish, saithe

gråsparv s (~en, ~ar) house sparrow

gråspräcklig adj (~t) ...speckled grey; om tyg äv. pepper-and-salt...

gråsprängd adj (-sprängt) grizzled

gråstarr s (~en) **1** med. cataract **2** bot. sedge

gråsten s (~en, ~ar) granite

gråsugga s (~n, -suggor) zool. wood louse

gråsäl s (~en, ~ar) grey seal

gråt s (~en) gråtande crying; tyst äv. weeping; snyftande sobbing; **brista i gråt** burst into tears; **ha ~en i halsen** have a lump in one's throat

gråta vb tr o. vb itr (grät, gråtit) cry [efter for; för about; över over]; tyst äv. weep [över over]; snyfta sob; ~ **av glädje** weep (cry) for joy; ~ **av smärta** cry with pain; ~ **floder** cry (weep) buckets; **det är så man kan** ~ [åt det] it is enough to make one cry; ~ **ut**

have a good cry; **~ sig till sömns** cry oneself to sleep; **~nde sa han...** he said, in tears...

gråtanfall s (~et, =) o. **gråtattack** s (~en, ~er) fit of crying

gråterska s (~n, gråterskor) professional mourner

gråtfärdig adj (~t), **vara ~** be ready to cry, be on the verge of tears

gråtmild adj (-milt) tearful; sentimental sentimental, maudlin

gråtrut s (~en, ~ar) zool. herring gull

grått s (oböjl.) grey, amer. gray; för ex. jfr *blått*

gråverk s (~et) squirrel [fur]

gråzon s (~en, ~er) bildl. grey (amer. gray) area; **ekonomisk ~** grey (black) economy

1 grädda vb tr (~de, ~t) i ugn bake; plättar fry, make

2 grädda s (~n) bildl. cream; **~n av societeten** the cream of society, the crème de la crème

gräddbakelse s (~n, ~r) cream cake

grädde s (~n) cream; **tjock (tunn) ~** vanl. double (single) cream

1 gräddfil s (~en) sour[ed] cream

2 gräddfil s (~en) vard., körfil VIP lane

gräddfärgad adj (-färgat, ~e) cream-coloured; attr. äv. cream

gräddglass s (~en, ~ar) full-cream ice

gräddkanna s (~n, -kannor) cream jug

gräddkola s (~n, -kolor) [cream] toffee

gräddmjölk s (~en) milk mixed with cream

gräddning s (~en) i ugn baking; av plättar frying, making

gräddsås s (~en, ~er) cream sauce; sauce made with cream

gräddtårta s (~n, -tårtor) cream gateau (pl. -s el. -x), cream cake

gräl s (~et, =) tvist quarrel; träta squabble, wrangle, tiff; amer. äv. spat [om i samtliga fall about (over)]; grälande quarrelling osv., jfr *gräla*; quarrels pl.; bråk row, barney; **mucka ~** pick a quarrel [med with]; **råka i ~ med ngn** fall out with sb [om over]

gräla vb itr (~de, ~t) **1** tvista quarrel, have words (a quarrel); träta squabble, wrangle [med i samtliga fall with; om i samtliga fall about] **2** vara ovettig scold [på ngn sb; för for]; **~ över ngt** grumble about (over) sth

gräll adj (~t) glaring; om färg äv. loud, garish

grälsjuk adj (~t) quarrelsome, cantankerous

gräma I vb tr (grämde, grämt) vålla sorg grieve; förtryta vex, mortify; **det grämer mig att han...** I can't get over the fact that he... **II** vb rfl (grämde, grämt), **~ sig** fret [över over]; **gå och ~ sig** go around fretting

grämelse s (~n, ~r) sorg grief; harm mortification

gränd s (~en, ~er) alley, lane, byway

gräns s (~en, ~er) geografisk och ägogräns boundary; stats~ frontier; gränsområde border[s pl.]; yttersta ~, framför allt bildl. limit; skiljelinje boundary line, borderline, dividing line; **nedre (övre) ~** lower (upper) limit (boundary); **dra ~en** eg. fix the boundary; bildl. draw the line; skilja äv. draw (make) a distinction; **det finns inga ~er för hans fräckhet** there are no limits to his impudence; **sätta en ~ för** begränsa put a limit (draw the line) on; stävja put an end (a stop) to; **hålla sig inom vissa ~er** keep within [certain] limits; **~en mellan...och...** är suddig the dividing line (borderline) between...and...; **vara (stå) på ~en till** bildl. be on the verge of; **...ligger vid**

skotska ~en ...lies on the Scottish border; lättsinne **utan ~** boundless...

gränsa vb itr (~de, ~t), **~ till** allm. border on; begränsas av be bounded by; bildl. äv. verge on; **det ~r till vansinne** it borders (verges) on insanity; länderna **~r till varandra** ...have a common border

gränsbefolkning s (~en, ~ar) border (statsgräns frontier) population

gränsbevakning s (~en, ~ar) abstr. guarding of the border (frontier); konkr. border (frontier) guard

gränsbo s (~n, ~r) borderer

gränsdragning s (~en, ~ar) fixing (drawing-up) of a (resp. the) boundary (border, statsgräns frontier)

gränsfall s (~et, =) bildl. borderline case

gränshandel s (~n) cross-border shopping

gränskränkning s (~en, ~ar) border (frontier) violation

gränsland s (~et, -länder) borderland äv. bildl.

gränslinje s (~n, ~r) boundary [line], borderline, line of demarcation alla äv. bildl.

gränslös adj (~t) boundless, limitless; bildl. äv. unbounded; friare: ofantlig immense; oerhörd extreme; hejdlös enormous, tremendous

gränsområde s (~t, ~n) border district; bildl. borderland, interface

gränsoroligheter s pl border (statsgräns frontier) disturbances

gränssnitt s (~et, =) data. interface

gränsstation s (~en, ~er) frontier station

gränsstrid s (~en, ~er) border clash

gränstrakt s (~en, ~er) se *gränsområde*

gränstvist s (~en, ~er) boundary (statsgräns frontier) dispute

gräs s **1** (~et, =) grass äv. koll.; **i ~et** på gräsmattan on (bland gräset in) the grass; **klippa ~et** mow the lawn; **ha (tjäna) pengar som ~** have money to burn (make heaps of money) **2** (~et) sl., marijuana grass

gräsand s (~en, -änder) zool. mallard, wild duck

gräsbana s (~n, -banor) i tennis grass court

gräsbevuxen adj (-bevuxet, -bevuxna) grass-covered, grassy

gräsbrand s (~en, -bränder) grass fire

gräsfrö s (~et, ~n) koll. grass seeds pl.

gräshoppa s (~n, -hoppor) grasshopper; bibl. el. i Afrika, Asien locust

gräshoppssvärm s (~en, ~ar) swarm of locusts

gräsklippare s (~n, =) maskin lawn mower

gräsklippning s (~en) grass cutting (mowing)

gräslig adj (~t) ohygglig, ryslig shocking, terrible; vard., väldig awful, frightful; gemen horrid [mot towards]

gräslighet s (~en, ~er) shockingness osv., jfr *gräslig*; gräslig sak shocking osv. thing; ogärning atrocity

gräslök s (~en) chives pl.; som växt chive

gräsmatta s (~n, -mattor) lawn; inte ansad grassy space; **på (i) ~n** vanl. on (bland gräset in) the grass

gräsplan s (~en, ~er) gräsmatta lawn; sport.: t.ex. fotb. grass pitch; **på ~** vanl. on the grass

gräsrotsnivå s (~n), **på ~** bildl. at the grass roots, at grass roots level

gräsrötterna s pl bildl. the grass roots

gräslätt s (~en, ~er) grassy plain

gässtrå s (~et, ~n) blade of grass

grästorva s (~n, -torvor) turf, sod

gräsänka s (~n, -änkor) grass widow

gräsänkling s (~en, ~ar) grass widower

gräsätare *s* (~n, =) grass-eater; vetensk. graminivorous animal

gräva I *vb tr* o. *vb itr* (grävde, grävt) allm. dig [*efter* for]; företa utgrävning el. bygga genom grävning äv. excavate; om djur burrow; rota rummage [*efter* for; *i* in]; ~ [*efter*] **guld** dig for gold **II** med beton. part.

gräva fram dig out äv. bildl.; bringa i dagen dig up, unearth, excavate

gräva ned gömma bury [*i* in]; ~ *ned sig* [*i*] mil. dig oneself in[to]; bildl. get too absorbed [in]

gräva upp dig (bildl. äv. rake) up [*ur* from]; bringa i dagen äv. unearth, excavate; lik disinter, exhume

gräva ut bringa i dagen excavate

grävling *s* (~en, ~ar) zool. badger

grävmaskin *s* (~en, ~er) excavator

grävskopa *s* (~n, -skopor) **1** eg. bucket, dipper **2** grävmaskin excavator

gröda *s* (~n, grödor) crops pl.; skörd crop; *växande* ~ standing crops

grön *adj* (~t) (för sammansättn. jfr äv. *blå-*); green; ~ *av avund* green with envy; *det är ~t* vard. it's okay; ~*a bönor* green beans; ~*a druvor* vanl. white grapes; ~ *energi* green power; *ha ~a fingrar* bildl. have green fingers (a green thumb); *vara (ha kommit) på ~ kvist* be successful, be in clover; *det är ~t ljus* trafik. the lights are green; *ge ngn (få) ~t ljus* bildl. give sb (get) the green light (the go-ahead); *i min ~a ungdom* in my callow youth, in my salad days; ~*a vågen* polit. the green wave; ~*a ärter* green peas; *den ~a ön* Irland the Emerald Isle; *i det ~a* in the open, out of doors; i gröngräset on the grass

grönaktig *adj* (~t) greenish

grönalg *s* (~en, ~er) bot. green alga (pl. algae), green seaweed

grönbete *s* (~t), *vara på* ~ bildl. be in the country

grönblek *adj* (~t), ~ *i ansiktet* green...

grönfink *s* (~en, ~ar) zool. greenfinch

grönfoder *s* (-fodret) green fodder, greenstuff

gröngräs *s* (~et), *i* ~*et* on the grass

gröngöling *s* (~en, ~ar) **1** zool. green woodpecker **2** person greenhorn

grönkål *s* (~en) kale, borecole

Grönköping fictitious parochial little Swedish town, 'Little Puddleton'; småstad one-horse (vard. one-eyed) town

grönköpingsmentalitet *s* (~en) parochialism, provincialism

Grönland Greenland; *på* ~ in Greenland

grönlandshund *s* (~en, ~ar) Eskimo dog, husky

grönländare *s* (~n, =) Greenlander

grönländsk *adj* (~t) Greenlandic

grönländska *s* **1** (~n, -ländskor) kvinna Greenland woman **2** (~n) språk Greenlandic

grönmögelost *s* (~en, ~ar) blue mould (amer. mold) cheese

grönområde *s* (~t, ~n) green open space; obebyggt område greenfield site

grönpeppar *s* (~n) green peppercorn

grönsak *s* (~en, ~er) vegetable; ~*er* äv. greens

grönsaksaffär *s* (~en, ~er) greengrocer's [shop], greengrocery

grönsaksbuljong *s* (~en, ~er) vegetable stock

grönsakshandlare *s* (~n, =) i minut greengrocer

grönsaksland *s* (~et, =) vegetable plot

grönsaksodlare *s* (~n, =) vegetable grower; amer. äv. truck farmer

grönsakssoppa *s* (~n, -soppor) vegetable soup

grönsakstallrik *s* (~en, ~ar) kok. crudités pl.

grönsallad *s* (~en, ~er) växt lettuce; rätt green salad

grönsiska *s* (~n, -siskor) zool. siskin

grönska I *s* (~n) grön växtlighet verdure; grönt gräs green; grönt lövverk greenery, green foliage **II** *vb itr* (~de, ~t) vara grön be green; bli grön turn green

grönskande *adj* (oböjl.) verdant

grönt *s* (oböjl.) (för ex. jfr *blått*) **1** grön färg green; *det är* ~ trafik. the lights are green **2** grönfoder, grönsaker greenstuff **3** gröna kvistar till prydnad greenery

grönögd *adj* (-ögt) green-eyed

gröpa *vb tr* (gröpte, gröpt), ~ *ur* hollow (scoop) out

gröpe *s* (~t) groats pl.

gröt *s* (~en) kok.: av gryn el. mjöl porridge; av t.ex. ris pudding; grötlik massa mush, pulp, mess; *gå som katten kring het* ~ beat about the bush; *vara het på* ~*en* be over-eager (too eager)

grötig *adj* (~t) **1** porridge-like, pulpy, mushy **2** bildl.: otydlig om röst thick; oredig muddled

grötrim *s* (~met, =) rhyming verse made up when eating rice pudding on Christmas Eve, friare doggerel

guacamole *s* (~n) kok. guacamole

Guatemala Guatemala

guatemalansk *adj* (~t) Guatemalan

gubbaktig *adj* (~t) old-fogeyish; senil senile

gubbe *s* (~n, gubbar) **1** person old man (pl. men) äv. om make; *gubbar* karlar fellows, chaps; [*gamle*] ~*n Ek* old Ek; ~*en Noak* Father Noah **2** bildl.: *rita gubbar* draw funny figures; ~*n i lådan* jack-in-the-box; *gå mot röd* ~ cross at the red man [signal] **3** *den* ~*n går inte!* that won't wash!, don't give me that!

gubbig *adj* (~t), *han börjar bli* ~ he is getting old; jfr vidare *gubbaktig*

gubbsjuk *adj* (~t) vard., *vara* ~ be a dirty old man (an old lecher)

gubbstrutt *s* (~en, ~ar) vard. old buffer (codger), sl. old fart

guckusko *s* (~n, ~r) bot. lady's slipper

gud *s* (~en, ~ar) god, deity, divinity; *Gud [Fader]* God [the Father]; *Herre* ~*!* Oh my God!, Good Heavens (God)!; *han är inte Guds bästa barn* he's no angel [exactly]; *Gud nåde dig om...* God help you if you...; var tyst *för Guds skull!* ...for goodness' (God's, Heaven's) sake!; *det vete Gudarna!* God (Heaven) knows!; det var *en syn för* ~*ar* ...a sight for sore eyes

gudabenådad *adj* (-benådat, ~e) om person divinely gifted; friare supremely gifted, inspired, divine

gudadryck *s* (~en, ~er) nectar; bildl. äv. drink fit for the gods

gudagåva *s* (~n, -gåvor) divine (godsent) gift; friare godsend; humorn är *en* ~ ...a gift of the gods

gudalik *adj* (~t) godlike

gudalära *s* (~n, -läror) mythology

gudasaga *s* (~n, -sagor) [divine] myth

gudbarn *s* (~et, =) godchild

guddotter *s* (~n, -döttrar) goddaughter

gudfar *s* (-fadern, -fäder) godfather

gudfruktig *adj* (~t) God-fearing, pious

gudinna *s* (~n, gudinnor) goddess

gudlig *adj* (~t) godly, pious; neds. goody-goody

gudlös *adj* (~t) godless, ungodly; ogudaktig äv.

impious; hädisk profane, blasphemous; *ett ~t*
leverne a godless (wicked) life
gudlöshet *s* (~en) godlessness osv., jfr *gudlös*;
hädiskhet i ord profanity
gudmor *s* (-modern, -mödrar) godmother
gudom *s* (~en, ~ar) divinity, deity
gudomlig *adj* (~t) divine; friare äv. superb,
magnificent
gudomlighet *s* **1** (~en, ~er) gud divinity, deity **2** (~en)
egenskap divineness
gudsdyrkan *s* (=, en) worship [of God]
gudsfruktan *s* (=, en) fromhet devoutness, piety
gudsförgäten *adj* (-förgätet, -förgätna) om plats
godforsaken
gudsförtröstan *s* (=, en) trust in God
gudskelov I *interj*, ~ [*att du kom*]! thank goodness
(God, Heaven) [you came]! **II** *adv* lyckligtvis
fortunately
gudson *s* (~en, -söner) godson
gudstjänst *s* (~en, ~er) [divine] service; allmännare
worship; *~en börjar...* service (church) begins...;
förrätta (*hålla*) *~en* om präst officiate [at the service],
conduct the service
gudstjänstförrättare *s* (~n, =), *~n* the officiating
clergyman (priest)
gudstjänstordning *s* (~en, ~ar) order for divine
service, liturgy
gudstro *s* (~n) belief (faith) in God
guida *vb tr* (~de, ~t) guide
guide *s* (~n, ~r) guide
Guinea Guinea
Guinea-Bissau Guinea-Bissau
gul *adj* (~t) (för sammansättn. jfr äv. *blå-*); yellow; om
trafikljus amber; *~a febern* yellow fever; *~a fläcken*
anat. the yellow spot, the macula lutea lat.; *~ lök*
Spanish onion; *~a ärtor* yellow peas; *slå ngn ~ och*
blå beat sb black and blue
gula *s* (~n, gulor) yolk
gulaktig *adj* (~t) yellowish, yellowy
gulasch *s* (~en) kok. goulash
Gula Sidorna® tele. the Yellow Pages
gulblek *adj* (~t) sallow
guld *s* **1** (~et) gold; *ha ett hjärta av ~* have a heart of
gold; *lova ngn ~ och gröna skogar* promise sb the
moon (the earth); *skära ~ med täljkniv* coin money,
make money hand over fist **2** (~et, =) sport., *ta ~*
take gold, take a gold medal
guldarmband *s* (~et, =) gold bracelet
guldbrons *s* (~en) legering gold bronze; pulver bronze
gilding
guldbrun *adj* (-brunt) golden brown
guldbröllop *s* (~et, =) golden wedding, golden
anniversary
guldbågad *adj* (-bågat, ~e) om t.ex. glasögon
gold-rimmed
gulddoublé *s* (~n) rolled gold
guldfeber *s* (~n) gold fever
guldfisk *s* (~en, ~ar) goldfish
guldfyndighet *s* (~en, ~er) gold deposit
guldfärgad *adj* (-färgat, ~e) gold-coloured, golden
guldglänsande *adj* (oböjl.) ...shining like gold
guldgruva *s* (~n, -gruvor) goldmine äv. inkomstkälla;
kunskapskälla mine of information; lyckträff pot of
gold

guldgrävare *s* (~n, =) gold-digger; guldletare
prospector
guldgul *adj* (~t) golden yellow
guldhalsband *s* (~et, =) gold necklace
guldhalt *s* (~en, ~er) gold content; procentdel
percentage of gold
guldhamster *s* (~n, -hamstrar) golden hamster
guldkalven *s* (best. sing.), *dansen kring ~* the worship
of the golden calf
guldkantad *adj* (-kantat, ~e) gilt-edged,
gold-rimmed
guldkedja *s* (~n, -kedjor) gold chain
guldklimp *s* (~en, ~ar) **1** eg. [gold] nugget **2** bildl., *min*
lilla ~ my little treasure; målvakten är *en riktig ~* ...a
real pot of gold
guldklocka *s* (~n, -klockor) gold watch
guldkorn *s* (~et, =) grain of gold; visdomsord pearl [of
wisdom]
guldkrog *s* (~en, ~ar) first-class (vard. posh)
restaurant
guldlamé *s* (~n, ~er) gold lamé
guldmalm *s* (~en, ~er) gold ore
guldmedalj *s* (~en, ~er) sport. gold medal
guldmedaljör *s* (~en, ~er) sport. gold medallist
guldmynt *s* (~et, =) gold coin (piece); koll. gold
[coins pl.]
guldmyntfot *s* (~en) ekon. gold standard
guldmärke *s* (~t, ~n) sport. gold badge
guldplomb *s* (~en, ~er) gold filling
guldring *s* (~en, ~ar) gold ring
guldrush *s* (~en, ~er) o. **guldrusch** *s* (~en, ~er) gold
rush
guldsmed *s* (~en, ~er) goldsmith; juvelerare vanl.
jeweller
guldsmedsaffär *s* (~en, ~er) jeweller's [shop]
guldsmycke *s* (~t, ~n) gold ornament; *~n* äv. gold
jewellery sg.
guldsnitt *s* (~et, =) gilt-edge[s pl.]; endast överkant gilt
top; bok *med ~* äv. gilt-edged...
guldstämpel *s* (~n, -stämplar) [gold] hallmark
guldtacka *s* (~n, -tackor) gold bar (ingot)
guldvåg *s* (~en, ~ar), *en ~* a pair of gold scales; *väga*
sina ord på ~ weigh every word
guldåder *s* (~n, -ådror) gold vein
guldålder *s* (~n, -åldrar) golden age
guldörhänge *s* (~t, ~n) gold earring
gulfstaterna *s pl* the Gulf States
gulgrön *adj* (~t) yellowish-green
gulhyad *adj* (-hyat, ~e) yellow-skinned
gullegris *s* (~en, ~ar) vard. pet, darling
gullgosse *s* (~n, -gossar) vard. [spoilt] darling, pet,
blue-eyed boy; *en lyckans ~* a spoilt darling of
Fortune
gullig *adj* (~t) vard. sweet, cute; attr. äv. dear, darling
gullranka *s* (~n, -rankor) bot. Golden pothos, devil's
ivy
gullregn *s* (~et) bot. laburnum
gullris *s* (~et) bot. golden rod
gullstol *s* (~en, ~ar), *bära ngn i ~* chair sb, carry sb in
triumph
gullviva *s* (~n, -vivor) bot. cowslip
gulmetall *s* (~en) brass, yellow metal
gulmåra *s* (~n, -måror) bot. lady's (yellow) bedstraw
gulna *vb itr* (~de, ~t) become (turn) yellow, yellow;
bli urblekt fade

gulröd *adj* (-rött) yellowish-red
gulsot *s* (~en) med. jaundice
gulsparv *s* (~en, ~ar) zool. yellow bunting, yellowhammer
gult *s* (oböjl.) yellow; i trafikljus amber; för ex. jfr *blått*
gumma *s* (~n, gummor) old woman (pl. women); ibland old lady; skämts. old girl; *~n B.* old Mrs (resp. Miss) B.; *min ~* min hustru, vard. my old woman, the wife; amer. my old lady
gummera *vb tr* (~de, ~t) gum
gummi *s* (~t, ~n) **1** ämne rubber; klibbig substans gum **2** radergummi rubber; amer. el. för bläck eraser; *ett ~* a [piece of] rubber **3** vard., kondom condom; amer. äv. rubber
gummiansikte *s* (~t, ~n) vard. rubber face
gummiband *s* (~et, =) rubber (elastic) band
gummiboll *s* (~en, ~ar) rubber ball
gummibåt *s* (~en, ~ar) rubber boat (dinghy)
gummihandske *s* (~n, -handskar) rubber glove
gummiklack *s* (~en, ~ar) rubber heel
gummiplantage *s* (~n, ~r) rubber plantation
gummiring *s* (~en, ~ar) rubber ring
gummislang *s* (~en, ~ar) rubber tube (större hose)
gummisnodd *s* (~en, ~ar) elastic (rubber) band
gummistövel *s* (~n, -stövlar) rubber (gum) boot; *gummistövlar* äv. wellingtons
gummisula *s* (~n, -sulor) rubber sole
gummiträd *s* (~et, =) **1** Eucalyptus gumtree **2** Ficus elastica [India-]rubber tree
gump *s* (~en, ~ar) rump
gumse *s* (~n, gumsar) ram
gunga I *s* (~n, gungor) swing **II** *vb itr* (~de, ~t) i t.ex. gunga swing; på gungbräda seesaw; i gungstol, vagga el. på vågor rock; om t.ex. mark, äv. bildl. quake, totter; *sitta och ~ på stolen* sit tilting one's chair; *känna marken ~ under fötterna* bildl. feel the ground tottering beneath one's feet **III** *vb tr* (~de, ~t) person give...a swing; ge fart, puffa på push; ett barn på t.ex. knät dandle
gungbräda *s* (~n, -brädor) o. **gungbräde** *s* (~t, ~n) seesaw
gungfly *s* (~et, ~n) quagmire äv. bildl.
gunghäst *s* (~en, ~ar) rocking-horse
gungning *s* (~en, ~ar) swinging osv., jfr *gunga II*; swing, rock; *sätta ngt i ~* set sth rocking; t.ex. samhället rock sth [to its foundations]
gungstol *s* (~en, ~ar) rocking-chair
gunst *s* (~en, ~er) allm. favour; *stå högt i ~ hos ngn* be in high favour with sb, stand high in sb's favour, be in sb's good graces
gunstig *adj* (~t) gynnsam favourable, propitious
gunstling *s* (~en, ~ar) favourite
gupp *s* (~et, =) upphöjning bump; grop pit, hole
guppa *vb itr* (~de, ~t) på väg jolt, jog; på vatten bob [up and down]; om båt äv. rock
guppig *adj* (~t) om väg bumpy
guppy *s* (~n, ~er el. guppies) zool. guppy
gurgelvatten *s* (-vattnet) gargle
gurgla I *vb tr* o. *vb itr* (~de, ~t) **1** med t.ex. vatten gargle **2** om ljud gurgle **II** *vb rfl* (~de, ~t), *~ sig* gargle [one's throat]
gurgling *s* (~en, ~ar) **1** med t.ex. vatten gargling, gargle **2** om ljud gurgling
gurka *s* (~n, gurkor) cucumber; liten inläggnings~ gherkin
gurkmeja *s* (~n, -mejor) bot. el. kok. turmeric

gurkört *s* (~en) bot. borage
guru *s* (~n, ~er) hinduisk ledare o. lärare guru äv. friare
GUSP (förk. för *Gemensamma utrikes- och säkerhetspolitiken*) CFSP (förk. för the EU Common Foreign and Security Policy)
Gustav som kunganamn Gustavus; *~ Adolf* Gustavus Adolphus; *~ Vasa* Gustavus Vasa, Gustavus I
gustaviansk *adj* (~t) Gustavian
guvernant *s* (~en, ~er) governess [*för* to]
guvernör *s* (~en, ~er) governor
gyckel *s* (gycklet) skämt fun; upptåg joking, larking-about, larks pl.
gyckla *vb itr* (~de, ~t) skoja, skämta joke, jest; håna jeer [*med (över)* i samtliga fall at]; *~ med ngn* make fun of (poke fun at) sb
gycklare *s* (~n, =) allm. joker; yrkesmässig, hist. jester
gylf *s* (~en, ~ar) fly [of the (resp. one's) trousers]; vard. flies pl.
gyllene *adj* (oböjl.) guldliknande golden; av guld gold, ibland golden; *gå den ~ medelvägen* strike the golden mean (a happy medium); *~ snittet* mat. the golden section; *~ tider* palmy days
gyllenläder *s* (-lädret) gilt leather
gym *s* (~met, =) [workout] gym, health club
gymnasial *adj* (~t) **1** skol., britt. ung. upper secondary [level], amer. ung. [senior] high school [level] **2** omogen puerile, jejune
gymnasieekonom *s* (~en, ~er) britt. ung. person who has completed an upper secondary economics course, amer. ung. person who has completed a [senior] high school economics course
gymnasieingenjör *s* (~en, ~er) britt. ung. person who has completed an upper secondary engineering course, amer. ung. person who has completed a [senior] high school engeneering course
gymnasiekompetens *s* (~en), *ha ~* britt. ung. have completed upper secondary education, amer. ung. have completed (finished) high school, have a [senior] high school education
gymnasielärare *s* (~n, =) britt. ung. upper secondary school teacher, amer. ung. [senior] high school teacher
gymnasieskola *s* (~n, -skolor) britt. ung. [comprehensive] upper secondary school; amer. ung. [senior] high school
gymnasieutbildning *s* (~en, ~ar) britt. ung. upper secondary school education, amer. ung. [senior] high school education
gymnasist *s* (~en, ~er) britt. ung. upper secondary school pupil, amer. ung. [senior] high school student
gymnasium *s* (gymnasiet, gymnasier) se *gymnasieskola*
gymnast *s* (~en, ~er) gymnast; kvinnl. woman gymnast
gymnastik *s* (~en) **1** övningar o.d. gymnastics (vanl. sg.); morgon~ exercises pl. **2** skol., se *idrott 2*
gymnastikdirektör *s* (~en, ~er) gymnastiklärare, ung. certified gymnastics (physical training, förk. PT, physical education, förk. PE) instructor (master resp. mistress)
gymnastikdräkt *s* (~en, ~er) gym suit, leotard
gymnastiklärare *s* (~n, =) physical training (förk. PT) teacher, physical education (förk. PE) master; vard. gym teacher, gym instructor; som idrottslärare games teacher

gymnastiksal *s* (~en, ~ar) gymnasium; vard. gym
gymnastiksko *s* (~n, ~r) gym shoe; amer. sneaker
gymnastisera I *vb itr* (~de, ~t) do gymnastics (physical exercises) **II** *vb tr* (~de, ~t) exercise
gymnastisk *adj* (~t) gymnastic; *~a övningar* physical exercises
gympa vard. **I** *s* (~n) gymnastik gym, PT, PE, jfr *gymnastik*; träning till musik aerobics sg. **II** *vb itr* (~de, ~t) gymnastisera do gymnastics (PT, PE); träna till musik do aerobics, work out
gympakläder *s pl* vard. gym kit sg.
gymping *s* (~en) aerobics sg.
gynekolog *s* (~en, ~er) gynaecologist; amer. gynecologist
gynekologi *s* (~n) gynaecology; amer. gynecology
gynekologisk *adj* (~t) gynaecological; amer. gynecological
gynna *vb tr* (~de, ~t) favour; beskydda patronize; understödja äv. support; främja further, promote, encourage
gynnare *s* (~n, =) **1** välgörare benefactor; beskyddare patron **2** skämts. character
gynnsam *adj* (~t, ~ma) favourable [*för* to]; om förhållanden äv. propitious, auspicious; *ta en ~ vändning* take a turn for the better (a favourable turn)
gyro *s* (~t, ~n) tekn. gyro (pl. -s)
gyrokompass *s* (~en, ~er) sjö. el. flyg. gyrocompass
gyroskop *s* (~et, =) tekn. gyroscope
gyrostabilisator *s* (~n, ~er) sjö. gyrostabilizer
gytter *s* (gyttret) conglomeration, conglomerate, agglomeration; oredig anhopning confusion, muddle
gyttja *s* (~n) mud; dy sludge, slough; blöt, lös ooze
gyttjebad *s* (~et, =) mudbath
gyttjebotten *s* (-bottnen el. =, -bottnar) oozy bottom (ground)
gyttjepöl *s* (~en, ~ar) muddy (mud) puddle
gyttjig *adj* (~t) muddy; dyig sludgy; blöt oozy
gyttra *vb tr* (~de, ~t), *~ ihop* (*samman*) cluster...together; *~ ihop sig* get (be) conglomerated (agglomerated)
gyttrig *adj* (~t) ...clustered together
gå (se äv. ex. med 'gå' under resp. subst., adv. m.m.)
I *vb itr* (gick, gått) **1** allm. (innebärande rörelse, speciellt i rummet samt friare): **a**) ta sig fram till fots, promenera walk; i sakta mak stroll; stiga step [*åt sidan* to one side]; *~ ut och gå* go for a walk; *barnet ~r redan* the child can already walk; *~ till fots* walk, go on foot; *~ tyst* tread (step) softly
b) fara, ge sig i väg, röra sig el. friare, vanl. go; färdas travel äv. om t.ex. ljudet, ljuset; om samfärdsmedel äv. run; om fartyg äv. sail; bege sig av leave; avgå äv. depart [*till* for]; om t.ex. vagn, vagor run; om maskin, hiss o.d. run; fungera work; vara, t.ex. i tredje klassen, på sitt femte år be; *nu måste jag ~* äv. now I must be off (going); *bilen har ~tt* 5000 mil the car has done...; klockan *~r rätt* (*fel*) ...is right (wrong); *vart ska du ~?* where are you going [to]?; *~ Storgatan* go along (hålla sig till äv. follow) Storgatan; *~ och* (*för att*) *hämta* go to fetch; *~ och lägga sig* go to bed; *han gick hemifrån* klockan 9 he left home ...; *~ i kyrkan* go to church; *~ i skolan* go to school; *~ i* (*ur*) *vägen för ngn* get into (out of) sb's way; *~* [*omkring*] *i trasor* (tofflor) go about in...; *~ på* apoteket (posten) go to...; *bilen ~r på bensin* the car runs on petrol; *hon ~r på penicillin* she is on

penicillin; *~* [*i arv*] *till ngn* om egendom be handed down (passed on) to sb; *~ under namnet...* go (pass) under the name of...; *~ över tiden* om t.ex. gravid be overdue

c) föra, leda: om väg, flod o.d. (i viss riktning) run; (till mål) go; om väg o.d. äv. lead; om trappa, dörr o.d. lead [*till* to; *in i* into]
2 speciella betydelser **a**) avlöpa go [off], pass off, turn out; låta sig göra be possible; lyckas succeed; passera, duga pass; *det ~r nog* that will be all right; *det ~r inte* fungerar inte it won't work; är omöjligt it is impossible; *nu ~r det för långt!* now it (he etc.) has gone too far!; *så ~r det*, när... that's what happens...; *klockan ~r inte att laga* it is impossible to repair...; *om allt ~r bra* ...goes well; *hans affär ~r bra* ...is doing (going) well; *det gick bra för honom* i prov o.d. he got on (did) well; *hur ~r det för dig?* how are you getting on (making out)?; *det ~r för mig* jag får orgasm, vard. I'm coming **b**) äga rum, spelas o.d.: om idrottstävling come off, be played [off]; om t.ex. pjäs, radio be on; om film äv. be shown; om tapto, revelj sound; *pjäsen gick ett halvår* the play ran for (had a run of) six months; *pjäsen gick för fulla hus* i veckor the play drew full houses... **c**) säljas: ha åtgång sell; t.ex. på auktion be sold **d**) förflyta pass, go [by], elapse; *vad tiden ~r!* how time flies!; *få tiden att ~* kill time **e**) vara spridd: om sjukdom el. rykte o.d. be about; *det ~r rykten om att...* there are rumours [going about] that... **f**) rymmas, innehållas go [*i* into]; *det ~r två liter i flaskan* the bottle holds...; *det ~r 100 öre på en krona* there are 100 öre in (to)... **g**) sträcka sig go, extend; nå reach; *~ till* t.ex. knäna reach [down resp. up] to
II *vb tr* (gick, gått), *~ ed* take (swear) an oath; *~ ärenden* för egna inköp go shopping; åt ngn run errands
III med beton. part.
gå an passa, gå för sig do; vara passande äv. be proper; vara tillåten be allowed; vara möjlig be possible; *det ~r inte an* vanl. it won't (will never) do; *det ~r väl an* för den som är rik it is all right (all very well)...
gå av a) stiga av get off **b**) brista break **c**) nötas av: om kedja, tråd o.d. wear through **d**) om skott el. eldvapen go off **e**) *~ av och an* go to and fro
gå bort a) avlägsna sig go (resp. walk) away; *~ bort fram till* walk (resp. step, go) up to **b**) på bjudning go out [*på middag* to dinner] **c**) dö die; i högre stil pass away **d**) om t.ex. fläck disappear; avlägsnas be removed
gå efter a) följa walk (resp. go) behind, follow **b**) om klocka be slow
gå emot a) stöta emot go (resp. run) against **b**) motsätta sig go against; rösta emot vote against **c**) *allt ~r mig emot* är motigt everything is against me
gå fram a) *~ fram till* go osv. up to **b**) konfirmeras be confirmed **c**) om t.ex. flod, väg run **d**) om ljud carry
gå framför se *gå före* nedan
gå för sig se *gå an* ovan
gå förbi a) passera förbi pass [by] **b**) gå om overtake...[in walking]; vid tävling go (get) ahead [*ngn* of sb] äv. bildl., get past..., pass... **c**) hoppa över pass over
gå före a) eg., framför go (resp. walk) in front [*ngn* of sb] **b**) i förväg go osv. on in front **c**) i ordningsföljd precede, go before **d**) om klocka be fast **e**) ha företräde framför go (rank) before, have priority over
gå ifrån lämna leave; avlägsna sig get away; *tåget gick ifrån mig* vanl. I missed the train

gå igen a) sluta sig, om dörr o.d. shut [to] **b)** spöka walk; den gamle ägaren ~r igen i huset …haunts the house **c)** upprepa sig reappear, recur; *allt ~r igen* everything repeats itself

gå igenom a) eg. go (resp. walk, pass) through; gå tvärs över cross, go osv. across; passera [igenom] pass; tränga igenom go through, penetrate; om vätska soak through **b)** behandla, undersöka go (hastigt run) through, se igenom, look through; inspektera, granska go over, overhaul **c)** uppleva, [få] utstå pass (go) through; svårigheter experience, undergo, suffer; läkarbehandling go through, undergo **d)** läxa go over; årskurs, skola go (pass) through **e)** antas, godkännas pass, get through; om förslag o.d. äv. be passed; om motion be carried; hos myndighet be approved

gå ihop a) sluta sig close up; förena sig join, unite **b)** passa ihop agree, correspond, match; överensstämma tally; ~ *bra ihop* samsas get on well; *det ~r inte ihop* it doesn't make sense (add up) **c)** få det att ~ ihop ekonomiskt make [both] ends meet; affären *gick inte ihop* …did not pay its way

gå in a) eg. go (resp. walk, step) in, enter; gå inomhus go osv. inside **b)** t.ex. skor break (wear) in **c)** med prep.: ~ *in för* go in for; t.ex. idé äv. embrace, adopt; *bordet ~r inte in genom dörren* the table does (will) not go in through the door; korken ~r inte in [i hålet] …does not go in [the hole]; ~ *in på* eg. enter; ge sig in på, t.ex. ämne enter upon; t.ex. detaljer enter (go) into; *låt oss ~ in till de andra* let's join the others

gå isär eg. come apart; om åsikter o.d. diverge, be divergent

gå med a) göra sällskap, följa go (komma come) along (too, as well), go (komma come) with me (him osv.); ~ *med ngn* go (komma come) [along] with (beledsaga accompany, sluta sig till join) sb **b)** deltaga join in **c)** ~ *med i* klubb o.d. join, become a member of, enter **d)** ~ *med på* samtycka till agree (consent) to; godta äv. accept; medge admit, agree

gå ned (ner) a) allm. go down äv. om t.ex. svullnad; eg., om pers. äv. walk (resp. step) down, descend; i nedre våningen go downstairs; om ridå äv. fall, drop; solen set; om priser, temperatur o.d. äv. sink, fall, drop, decline **b)** ~ *ned i vikt* lose weight

gå om a) nå omkring go round **b)** passera, äv. bildl., se *gå förbi* ovan; ~ *om varandra* om person (utan att ses) pass each other; om brev cross in the post **c)** göras om repeated (done again); *matchen får ~ om* the match must be replayed

gå omkring promenera hit och dit walk osv. (allm. go) about [i huset (på gatorna) the house ([in] the streets)]; *han ~r omkring och säger att…* he goes around saying that…

gå omkull bildl., firman *har ~tt omkull* …has become (gone) bankrupt

gå på a) stiga [upp] på get on **b)** fortsätta go on; gå framåt go ahead, push on; snacka go (keep) on **c)** ~ *på* kosta amount (come) to; resan (biljetten) ~*r på 500 kronor* …costs 500 kronor **d)** om kläder go on **e)** *han ~r på* börjar tjänstgöra klockan 17 he goes on duty… **f)** *han ~r på* 'sväljer' *vad som helst* he'll swallow anything

gå runt a) räckas omkring pass (go, be handed) round **b)** svänga runt go round; kantra capsize, turn turtle **c)** gå ihop ekonomiskt, vard. break even

gå samman se *gå ihop* ovan

gå till försiggå come about; hända happen; ordnas be arranged (done); *hur ska det ~ till?* how is that to be done (managed)?; *hur gick det till?* how did it happen?; *det gick livligt till* there were lively goings-on, things were lively

gå tillbaka a) återvända go back; vända om äv. return båda äv. bildl. **b)** i tiden go (date) back [till to] **c)** minska, avta recede, decrease, abate, subside **d)** försämras, gå utför deteriorate, decline, go backwards, fall off

gå undan a) gå ur vägen, väja get out of the way, stand clear (back) **b)** gå fort get on fast, progress fast (rapidly); *låt det ~ undan!* get a move on!, hurry up!

gå under om fartyg go down, founder; om t.ex. stad be destroyed; om rike fall, perish; om världen come to an end

gå upp a) i fråga om rörelse uppåt, äv. friare: allm. go up, rise; eg., om pers. äv. walk (resp. step) up; i övre våningen vanl. go upstairs; ur säng get up; kliva upp get out [ur vattnet of…]; om t.ex solen rise; om pris o.d. go up, rise; *det gick upp för mig att…* I realized that… **b)** öppna sig: om dörr o.d. open, come (swing, fly) open; om sår open; om sjö (is) break up; om plagg rip, tear [i sömmen at the seam]; om t.ex. brosch come unfastened; om knapp el. knäppt plagg come unbuttoned; om knut come undone **c)** ~ *upp i rök* go up in smoke; bildl., om projekt o.d. äv. come to nothing **d)** ~ *upp i* vara (resp. bli) fördjupad i be (resp. become) absorbed (engrossed) in; ~ *upp i sin roll* enter into (identify oneself with)… **e)** ~ *upp i* vara (resp. bli) införlivad med be (resp. become) merged in **f)** ~ *upp i vikt* put on weight **g)** ~ *upp mot* kunna mäta sig med come up to; *ingenting ~r upp mot…* äv. there is nothing like…

gå uppe om patient be [up and] about

gå uppför om pers. go (resp. walk) up, mount, ascend; kliva climb; om väg go up[hill], ascend; ~ *uppför trappan* äv. go upstairs

gå ur [ngt], ~ *ur* [klubben] leave [the club]

gå ut (jfr äv. *utgå*) **a)** eg. el. friare go (resp. walk) out [genom dörren at the door]; gå utom dörren go outside; *jag ~r ut en stund* I'm going out (for) a while; ~ *ut skolan* leave (genomgå finish) school **b)** om patiens come out **c)** utlöpa, gå till ända come to an end, run out, expire; med prep.: *det är vad det hela ~r ut på* that is what the whole thing amounts to; *leken ~r ut på* the idea of the game is; ~ *ut ur rummet* leave the room; *låta* sin vrede o.d. ~ *ut över* vent…upon; *hans missnöje gick ut över* eleverna he was dissatisfied, so he took it out on his…

gå utför om väg go downhill; *det ~r utför med honom* bildl. he is going downhill

gå vidare eg. go (resp. walk) on; fortsätta go on, proceed [i, med with]

gå åt a) behövas be needed osv., jfr *behövas*; *det ~r åt mycket tyg till kjolen* the skirt takes a lot of material **b)** ta slut: förtäras be consumed; förbrukas be used up **c)** ha åtgång sell [bra well] **d)** ~ *åt av skratt* be dying with laughter; ~ *åt av värme* swelter **e)** ~ *illa (hårt) åt* ngn treat sb harshly

gå över a) färdas över, korsa (äv. absol.) go (resp. walk) across, cross [over]; ~ *över till* grannen go round (over) to… **b)** nå högre än go (resp. run, rise, be) above **c)** bildl., överstiga, t.ex. förstånd pass **d)** upphöra abate, cease, stop; om smärta, vrede äv. pass [off]; *det ~r över med åren* you (he osv.) will grow out of it as you get (he osv. gets) older **e)** **~ över i** förvandlas till pass into; **~ över till** friare el. bildl.: andra ägare pass to; t.ex. annat parti, fienden go over to; dagordningen, annan verksamhet, annat ämne pass on to; byta till change to

gående I s (en ~, pl. =), **en ~** fotgängare a pedestrian **II** adj (oböjl.) walking, going osv.; **det blir ~ bord** there will be a buffet

gågata s (~n, -gator) pedestrian precinct; med affärer mall

gång s **1** (~en) **a)** gående [till fots] walking äv. sportgren; sätt att gå (om levande varelser): allm. gait, walk, om häst pace; **20 km ~** 20 km walk; **ha [en] spänstig ~** walk with a springy step (gait); **känna igen ngn på ~en** recognize sb by his walk **b)** färd, om fartyg run; genom is, vatten passage [genom, i through] **c)** rörelse, verksamhet o.d.: om maskin o.d. working, running, motion, action; **avvakta händelsernas ~** wait and see what happens; motor **med tyst ~** ...that runs silently; **få i ~** maskin (samtal) get...going (started), start...; **jag kan inte få i ~ bilen** I can't get the car started; **hålla...i ~** keep...going; **komma i ~** get started (going); **sätta i ~** itr. start, go ahead; med arbete get busy; **sätt i ~!** get going!; **vara i ~** be going; om maskin, företag o.d. äv. be running (working), be in operation; **vara i full ~** om arbete o.d. be in full swing; **på ~** i görningen, under arbete in hand, in preparation, in progress, underway; **han har en ny bok på ~** he's got a new book on the way; **det är någonting på ~** there's something going on **d)** fortgång progress; förlopp course; **världens ~** the way of the world; **allting går sin gilla ~** things are going on just as usual; **under samtalets ~** in the course of the conversation **2** (~en, ~ar) väg path[way], walk, walkway; i o. mellan hus passage; i kyrka, teater, flyg. m.m. aisle **3** (~en, ~er) tillfälle, omgång m.m. time **a)** ex. i sg.: **en ~** once; om framtid one (some) day, some time; **en ~ för alla** once [and] for all; **en ~ [i tiden]** förr at one time; **en ~ om året** once a year; **en ~ till** once more; **det var en ~** i saga once upon a time [there was]; **en annan ~** som adv. another time, on another occasion; avseende framtid some other time; **förra (första) ~en** last (the first) time; **någon ~** ibland once now and then, from time to time; **någon ~ i maj** some time [or other]...; **någon enda (enstaka) ~** once in a while, very occasionally; **för en ~s skull** for once [in a while]; **det får räcka för den här ~en** that's enough for now; **inte en ~** inte ens not even; **med en ~** all at once; **på en ~ a)** samtidigt at a (the same) time, at once **b)** i en enda omgång in one go; **~ på ~** time after time, again and again; **två åt ~en** two at a time **b)** ex. i pl.: **några ~er** a couple of times; **två ~er** twice, a couple of times; **tre ~er** three times; **två ~er två är...** twice (two times) two is..., two twos are...; **två ~er till** twice more, two more times; **rummet är fem ~er fem meter** the room is five by five metres (amer. meters)

gångare s (~n, =) sport. walker

gångart s (~en, ~er) hästs pace

gångavstånd s (~et, =), **på ~** within walking distance

gångbana s (~n, -banor) vid sidan av cykelbana o.d. footpath; trottoar pavement; amer. sidewalk

gångbar adj (~t) **1** framkomlig negotiable, passable, practicable **2** gällande, gängse current; lättsåld salable, marketable

gångbro s (~n, ~ar) footbridge

gången adj (gånget, gångna) **1** förfluten ...gone by, bygone...; om t.ex. tid, vecka äv. past; **under det gångna året** during the past year **2** långt ~ om sjukdom o.d. far advanced

gångjärn s (~et, =) hinge

gånglåt s (~en, ~ar) marching-tune

gångmatta s (~n, -mattor) runner

gångramp s (~en, ~er) ramp

gångstig s (~en, ~ar) footpath, path

gångtrafik s (~en), **endast ~** pedestrians only; **ej ~** no pedestrians

gångtrafikant s (~en, ~er) pedestrian

gångtunnel s (~n, -tunnlar) [public] subway; amer. underpass

gångtävling s (~en, ~ar) walking competition

gångväg s (~en, ~ar) [public] footpath

går s (oböjl.), **i ~** yesterday, se äv. ex. under **i går**

gård s (~en, ~ar) **1** kringbyggd plats o.d.: allm. yard; bak~ backyard; på lantgård farmyard; gårdsplan framför t.ex. herrgård courtyard; **bo två trappor upp över ~en** live on the second (amer. third) floor at the back; **ett rum åt ~en** a back room **2** egendom o.d.: bond~ farm; större, herr~ estate; boningshus:: på bond~ farm[house]; på herr~ manor house **3** ljusring halo (pl. haloes el. halos)

gårdag s (~en, ~ar), **~en** yesterday; föregående dag äv. the day before, the previous day

gårdfarihandlare s (~n, =) hist. [licensed] pedlar

gårdshus s (~et, =) house across a (resp. the) courtyard, back building

gårdskarl s (~en el. ~en, ~ar) odd-job man, caretaker; amer. janitor

gårdsmusikant s (~en, ~er) itinerant musician

gårdsplan s (~en, ~er) courtyard

gårdvar s (~en, ~ar) watchdog äv. om person

gås s (~en, gäss) goose (pl. geese) äv. om person; **det är som att slå vatten på en ~** it's like water off a duck's back; **det går vita gäss [på sjön]** there are whitecaps (white horses) [on the sea]

gåsdun s (~et, =) goose down

gåshud s (~en) gooseflesh; **få ~** äv. get goose pimples (bumps)

gåskarl s (~n el. ~en, ~ar) gander

gåslever s (~n) goose liver

gåsleverpastej s (~en, ~er) pâté de foie gras fr.

gåsmarsch s (~en), **gå i ~** walk in single file

gåspenna s (~n, -pennor) skrivpenna quill [pen]

gåstavar s pl Nordic walking poles

gåsunge s (~n, -ungar) gosling

gåsört s (~en) bot. silverweed

gåta s (~n, gåtor) riddle; friare äv. mystery, puzzle, enigma; **det är mig en ~** it is a mystery to me

gåtfull adj (~t) mysterious, puzzling, enigmatic

gåtfullhet s (~en) mysteriousness, mystery

gåva s (~n, gåvor) allm. gift äv. bildl.; vard. present; testamenterad bequest, legacy; donation donation; **få ngt i (som) ~** have sth given one as a present

gåvobrev s (~et, =) jur. deed of gift

gåvoskatt s (~en, ~er) gift tax, tax on gifts

gäck s (oböjl.), **driva ~ med** se **gäckas**

gäcka vb tr (~de, ~t) omintetgöra frustrate; förbrylla, undgå baffle; fly undan elude; **~de förhoppningar** disappointed (frustrated) expectations

gäckande adj (oböjl.) elusive, mocking; **ett ~ skratt** a mocking laugh

gäckas *vb itr dep* (gäckades, gäckats), ~ **med** håna mock (scoff) at; åld., skämta med make fun of

gädda *s* (~n, gäddor) pike (pl. pike el. pikes)

gäddhäng *s* (~et, =) skämts. bingo wings (flaps) pl.

gäddrag *s* (~et, =) fiskeredskap trolling spoon [for pike]

gäl *s* (~en, ~ar) zool. gill

gälda *vb tr* (~de, ~t) åld., betala pay; sona atone for

gäldenär *s* (~en, ~er) debtor

gäll *adj* (~t) shrill; om färg crude

gälla *vb itr o. vb tr* (gällde, gällt) **1** ~ [*för*] räknas count; vara värd be worth; *esset gäller för* 1 eller 14 the ace counts... **2** äga giltighet: allm. be valid; om lag, kontrakt o.d. äv. be (remain) in force, apply; om mynt o.d. be current; vara tillämplig apply to, concern; *abonnemanget gäller från...* the subscription is valid (runs) [as] from...; *bestämmelsen gäller från 1 januari* the regulation applies as from (comes into effect on) 1st January; biljetten *gäller* [*för*] *1 månad* ...is valid for a month; erbjudandet *gäller till 15 april...* ...is open to 15th April; mitt löfte *gäller fortfarande* ...still holds good **3** angå: avse be intended for, be aimed at; röra concern, have reference to; *detta gäller er alla* this concerns all of you; *vad gäller saken?* what is it about?; vad kan jag stå till tjänst med? what can I do for you? **4** opers., *det gäller* är fråga om, vanl. it is a question (matter) of; *det gäller att* det är viktigt att + inf. it is important to + inf.; *nu gäller det!* now for it!; *nu gäller det att handla snabbt* now we (you etc.) must act quickly; *han sprang som om det gällde livet* he ran as if his life depended on it **5** anses be regarded [*för* (*som*) as]; pass [*för* for]; *han vill gärna* ~ *för* generös he sets himself up as...

gällande *adj* (oböjl.) giltig valid [*för* for]; om lag o.d. äv. ...in force; tillämplig applicable [*för* to]; rådande present, current, existing; *enligt* ~ *lag* according to existing law; *nu* ~ *priser* the current (ruling) prices; *göra* ~ hävda maintain, assert, claim; starkt framhäva argue; *göra sig* ~ a) hävda sig assert oneself b) vara framträdande be in evidence, manifest itself (resp. themselves), make itself (resp. themselves) felt; ålderdomen *börjar göra sig* ~ ...is beginning to tell

gällen *adj* (gället, gällna), ~ *mjölk* milk that has slightly turned (is on the turn)

gäng *s* (~et, =) allm. gang, mob; kotteri äv. set

gänga I *s* (~n, gängor) [screw-]thread, worm; *allt går i de gamla gängorna igen* bildl. things have gone back into the old groove again; *känna sig* (*vara*) *ur gängorna* vard. feel out of sorts **II** *vb tr* (~de, ~t) thread **III** *vb rfl* (~de, ~t), ~ *sig* vard., gifta sig get hitched

gängbråk *s* (~et, =) gang fight

gängledare *s* (~n, =) gang (mob) leader

gänglig *adj* (~t) lanky

gängse *adj* (oböjl.) current; förhärskande äv. prevalent; vanlig usual; *vara* ~ äv. prevail

gärde *s* (~t, ~n) åker field

gärdsgård *s* (~en, ~ar) fence

gärdsgårdsstör *s* (~en, ~ar) fence pole

gärdsmyg *s* (~en, ~ar) zool. wren

gärna *adv* villigt willingly, readily; med nöje gladly, with pleasure; ~ *det!* el. *så* ~ [*så*]*!* by all means!, with pleasure!, certainly!; ~ *för mig!* I have no objection!, it is all right with me!; *hur* ~ *jag än skulle vilja* however much I would like to; *inte* ~ knappast hardly, scarcely, not very well; *mycket* ~*!* with pleasure!, certainly!; *använd* ~ blyerts please use...; *jag erkänner* ~ *att...* I don't mind admitting (I am quite prepared to admit) that...; *han talar* ~ *om* sina böcker he likes (is fond of) talking of...; *jag skulle* [*bra*] ~ *vilja veta...* I would [very much] like to know...

gärning *s* (~en, ~ar) **1** handling deed, act, action; bedrift achievement; *göra en god* ~ do a good deed; *bli tagen på bar* ~ be caught red-handed (in the act) **2** verksamhet work; kall duties pl.

gärningsman *s* (~nen, -män) offender; *~nen* the perpetrator [of the crime]; svagare the culprit

gärningsmannaprofil *s* (~en, ~er) polis. m.m. criminal profile

gäspa *vb itr* (~de, ~t) yawn [*åt* at]

gäspning *s* (~en, ~ar) yawn

gäst *s* (~en, ~er) allm. guest [*i* (*vid*) at]; besökande äv. visitor; på restaurang o.d. äv. patron [*på* of]; på hotell, vanl. resident; *de har ofta* (*mycket*) *~er* they entertain a great deal; *vara en flitig* ~ be a frequent guest (visitor) [*hos ngn* at sb's home]; på t.ex. restaurang be a regular frequenter [*på* (*hos, i*) of]

gästa *vb tr o. vb itr* (~de, ~t) besöka visit; ~ *ngn* be sb's guest; vistas hos ngn stay with sb as his (her etc.) guest

gästabud *s* (~et, =) feast, banquet

gästarbetare *s* (~n, =) guest (foreign) worker

gästartist *s* (~en, ~er) guest artist (star)

gästbok *s* (~en, -böcker) guest book; på hotell o.d. visitors' book

gästdirigent *s* (~en, ~er) guest conductor

gästforskare *s* (~n, =) visiting scholar, guest research-worker

gästfri *adj* (-fritt) hospitable [*mot* towards (to)]

gästfrihet *s* (~en) hospitality

gästföreläsare *s* (~n, =) visiting (guest) lecturer

gästgivare *s* (~n, =) åld. innkeeper, landlord

gästgivargård *s* (~en, ~ar) o. **gästgiveri** *s* (~et, ~er) inn

gästhamn *s* (~en, ~ar) ung. guest harbour [for private boats]

gästhandduk *s* (~en, ~ar) guest towel

gästhem *s* (~met, =) guest-house; enklare hostel

gästprofessor *s* (~n, ~er) visiting professor

gästrum *s* (~met, =) spare bedroom; finare guest room

gästspel *s* (~et, =) teat. m.m. special (guest, star) performance (appearance)

gäststuga *s* (~n, -stugor) guest-house

gästvänlig *adj* (~t) se *gästfri*

göda I *vb tr* (gödde, gött) **1** fatten [up]; *slakta den gödda kalven* kill the fatted calf **2** med konstgödning fertilize **II** *vb rfl* (gödde, gött), ~ *sig* fatten [oneself] up, fatten

gödgris *s* (~en, ~ar) fatted (fattening) pig

gödkalv *s* (~en, ~ar) beef calf, fatted (fattening) calf; kok. prime veal

gödningsmedel *s* (-medlet, =) o. **gödningsämne** *s* (~t, ~n) fertilizer

gödsel *s* (~n) naturlig manure, dung; konst~ fertilizer[s pl.]

gödselstack *s* (~en, ~ar) dunghill

gödselvatten *s* (-vattnet) liquid manure

gödsla *vb tr* (~de, ~t) manure, dung; konst~ fertilize

gödsling *s* (~en, ~ar) manuring etc., jfr *gödsla*

gök *s* (~en, ~ar) zool. cuckoo; **~en gal** the cuckoo calls

gökotta *s* (~n, -ottor), **gå på** ~ go on a picnic at dawn to hear the first birdsong

gökunge *s* (~n, -ungar) young cuckoo; bildl. cuckoo in the nest

gökur *s* (~et, =) cuckoo clock

gökärt *s* (~en, ~er) bot. bitter vetch

göl *s* (~en, ~ar) pool; liten sjö äv. mere

gömfröig *adj* (~t) bot. angiospermous; ~ **växt** angiosperm

gömma I *s* (~n, gömmor) hiding-place; framför allt bildl. secret place; **i mina gömmor** lådor, skåp m.m. in my drawers (cupboards m.m.)
II *vb tr* (gömde, gömt) **1** dölja hide [...away], conceal [*för* from]; **hålla sig gömd** keep oneself hidden, lie low; ~ **ansiktet i händerna** hide (bury) one's face in one's hands; ~ **nyckeln** lek hide the key; ~ **undan** hide...away [*för* from], put...away out of sight **2** förvara: allm. keep; spara äv. save [up], put...by (aside) [*till (åt)* i samtliga fall for]; ~ **ngt** i sitt hjärta cherish (treasure, keep) sth...
III *vb rfl* (gömde, gömt), ~ **sig** hide [oneself], conceal oneself [*för* from; *undan* out of the way]

gömsle *s* (~t, ~n) o. **gömställe** *s* (~t, ~n) hiding-place; vard., för pers hide-out

göra I *vb tr* o. *vb itr* (gjorde, gjort) **1** med konkr. subst. som obj.: tillverka, förfärdiga, allm. make; **fabriken gör** elspisar the factory makes (manufactures)...; ~ **en förteckning** äv. draw up a list
2 med abstr. subst. som obj.: **a)** do: i allm. vid obj. som betecknar mera obestämd verksamhet, tjänst, fördel el. skada el. betecknar resultatet **b)** make: i allm. i betydelsen 'åstadkomma [något nytt]', skapa o.d., där 'göra' + obj. ofta kan utbytas mot enkelt vb **c)** andra vb, se ex.: ~ **affärer** do business; ~ **en god affär** make a good bargain; ~ **en bekännelse** make a confession; ~ **förbättringar** (*ett försök*) make improvements (an attempt); ~ **ngn den glädjen att** + inf. give (do) sb the pleasure of + ing-form; ~ **London** som turist do London; ~ **läxorna** do one's homework; ~ **mål** score a goal; ~ **en paus** make a pause, pause, have a break; ~ **en resa** make a journey; ~ **revolution** bring about (start) a revolution; ~ **slut med ngn** finish (break up) with sb; ~ **lumpen** do one's military service; ~ **en översättning** do a translation
3 med neutr. pron. el. adj. som obj. samt i infinitivuttryck: allm. do, jfr äv. *göra I 6* nedan; **jag gör det inte!** I won't do it!; **det gör mig detsamma** it is all the same to me; **det gör ingenting** it doesn't matter, never mind, that's quite all right; ~ **sitt bästa** do one's best; **han vet vad han gör** he knows what he's doing; **vad gör det?** what does it matter?, what of it?; **ha att** ~ **med** have to do with, deal with; **lätt att ha att** ~ **med** easy to deal (dra jämnt med get on) with; **du har ingenting här att** ~**!** you have no business to be (come) here!; **vad har du med det att** ~**?** what's it got to do with you?, that is none of your business!
4 med att-sats som obj.: förorsaka make, cause; **det gjorde att bilen stannade** that made the car (caused the car to) stop
5 med [ackusativobj. o.] obj. predf.: allm. make; ~ **ngn galen** drive sb mad; ~ **ngn olycklig** make sb

unhappy; ~ **saken värre** make matters (things) worse; **vi har gjort det till vår uppgift att...** we have made it our task to...
6 i stället för förut nämnt vb vanl. do; dock ofta utelämnat efter hjälpvb; jfr f.ö. nedanstående typex.: **han reste sig och det gjorde jag också** ...and so did I; ska jag stänga? – **Ja, gör det** ...Yes, do; **regnar det? – Ja, det gör det** is it raining? – Yes, it is; om du inte tar boken, **gör han det** ...he will
7 utgöra make; 100 pence **gör ett pund** ...make one pound
8 handla, gå till väga, bära sig åt act, behave; i ledigare stil do; **hur gör man för att få...?** how do you get...?, what do you have to do to get...?; jag vet inte **hur man bör** ~ ...how to act, ...what one ought to do; ~ **fel** (*rätt*) do wrong (right); **det var dumt gjort** that was a silly thing to do; **det var dumt gjort av honom** it was silly of him [to do that]
9 spec. fall: ~ **en kvinna med barn** make...pregnant; **det låter sig inte** ~[s] it cannot be done, it is not feasible
II *vb rfl* (gjorde, gjort) ~ **sig a)** allm. make oneself; låtsas vara make oneself out to be, pretend to be; ~ **sig fin i håret** make one's hair [look] nice; ~ **sig förstådd** make oneself understood; ~ **sig besvär att** + inf. take the trouble to + inf.; ~ **sig en förmögenhet** make a fortune **b)** passa, **han gör sig alltid på kort** he always comes out well [in photographs]; **kudden gör sig bra i soffan** the cushion goes well together with the sofa
III med beton. part.

göra av: var ska jag ~ **av** brevet**?** where am I to put (what am I to do with)...?; ~ **av med** förbruka, t.ex. pengar spend; göra slut på äv. get (run) through; ~ **sig av med** get rid of, dispose of

göra bort sig make a fool of oneself; misslyckas fail completely

göra fast fasten; surra secure, lash; förtöja make...fast [*vid* to]

göra ifrån sig: han har gjort bra ifrån sig he has done a good job

göra loss disengage, loose; en båt unmoor

göra ned a) eg., t.ex. fiende destroy, wipe out **b)** bildl., t.ex. bok slash, slate, pull...to pieces

göra om på nytt do (resp. make)...over again, redo; ändra alter; upprepa do...again, repeat; **gör inte om det!** don't do it again!

göra på sig vard. mess one's pants (i blöjan nappy)

göra till: det gör varken till eller från it makes no difference (odds) [either way]; **göra sig till** göra sig viktig, kokettera show off; sjåpa sig be affected, put it on; ~ **sig till för ngn** make up to sb

göra undan ngt get sth done (out of the way, off one's hands)

göra upp betala settle [up]; enas settle, come to terms; klara upp, hämnas settle [accounts], get even [*med* with]; ~ **upp** budget, förslag, kontrakt, plan, program o.d. draw up; ~ **upp** [*i förväg*] fix beforehand, prearrange; ~ **upp eld** make (light) a fire; ~ **upp räkningen** bildl. settle (square) accounts; ~ **upp saken** settle (arrange) the matter

göra åt: det går inte att ~ **något åt det** (*honom*) there is nothing to be done about it (him)

Göran, Sankt ~ St. George

göranden *s pl*, **hans** ~ **och låtanden** his doings pl.

gördel *s* (~n, gördlar) girdle

gördeldäck *s* (~et, =) bil. radial, radial-ply tyre (amer. tire)

görlig *adj* (~t) practicable, feasible, possible; **för att i ~aste mån** + inf. in order as far as possible to + inf.

görningen *s* (best. sing.), **det är något i ~** there is something brewing (in the wind)

göromål *s* (~et, =) business, work (båda endast sg.); åliggande duty

gös *s* (~en, ~ar) zool. pike-perch (pl. lika el. ibland -es), zander, amer. walleye

Göteborg Gothenburg, Göteborg

h *s* (h:et, h:n el. h) **1** bokstav h [utt. eɪtʃ] **2** mus. B [natural]

ha I *hjälpvb* (hade, haft) tempusbildande have; **vem ~r sagt** [**dig**] **det?** ofta who told you [that]?; **om jag** [**~de**] **vetat,** [**då**] **~de jag...** if I had (I'd) known I would have...; **det ~de jag aldrig trott** [**om honom**]**!** I would never have thought it [of him]!

II *vb tr* (hade, haft) **1** äga (äv. friare) **a**) allm. have; ledigare have got; mera formellt possess; inneha, hålla hold; hålla sig med, förvara keep; bära, t.ex. kläder wear; åtnjuta enjoy; **~ aktier** hold shares; **~ ansvar** (**ansvaret**) **för** be responsible for; **~ en egenskap** possess a quality; **vilken färg ~r den?** what colour (amer. color) is it?; **~ hund** keep (have) a dog; **jag ~r huvudvärk** I have (I've got) a headache; **~ kort kjol** wear a short skirt; **~ rätt** (**fel**) be right (wrong); **~ tur** be lucky; en ficklampa kan **vara bra att ~** ...come in handy; **~ ngn att fråga** have [got] sb to ask; **jag ~r ingenting att göra** I have [got] nothing to do; **vem ~r du i historia?** skol. who do you have for history?; **vad ska man ~ det till?** what is it for?

b) i vissa förb. med tids- el. rumsadverbial, **var ~r du handskarna?** where are (brukar du ha do you keep) your gloves?; **nu ~r jag det!** now I've got it!

2 få, erhålla have, get; **vad vill du ~?** what do you want?; om förtäring what will you have?, what would you like [to have]?; på restaurang what are you having?; **jag skulle vilja ~** en öl ..., please; I would like...; **vad ~r han i lön?** what is his salary?

3 i uttr. som betecknar omständigheter o.d., **~ det bra** gott ställt be well (comfortably) off; **~ det** [**så**] **bra!** have a good time!, all the best!, take care [of yourself]!; **han ~r det jobbigt just nu** he's having a tough time just now; **~ trevligt** (**roligt**) have a nice (good) time, enjoy oneself; **hur ~r du det?** how are (vard. how's) things?; hur mår du? how are you?, how are you getting on?; **hur ~r du det med** kläder**?** how are you off for...?; **~ ledigt** be off (free), be off duty; en ledig dag have the day off; **~ lätt** (**svårt**) **att** + inf. find it easy (difficult) to + inf.; **~ lätt för** språk have a gift for..., be good at...

III *vb rfl* (hade, haft) vard., **hon skrek och ~de sig** she screamed and shouted (carried on)

IV med beton. part.

ha bort tappa lose

ha emot: **jag ~r inget emot...** I have nothing against..., I have no objection to...; **om ni inte ~r något emot det** vill jag if you don't mind (object)...; **~r ni något emot att jag röker?** do you mind my smoking?

ha för sig a) **vad ~r du för dig** gör du**?** what are you doing?; i fråga om ofog what are you up to?; **~r du något för dig i kväll?** are you doing anything (have you got anything on) this evening? **b**) tro, mena think; föreställa sig have an idea, be under the impression; inbilla sig imagine; **han ~r fått för sig** satt sig i sinnet **att han ska** he has got it into his head that...

ha kvar ha över have…left; ännu ha still have; se vidare *kvar*

ha med [sig] a) föra (ta) med sig have with one; hit bring [along], bring with one; dit take [along]; *~r du med dig allt* som du behöver? have you brought (got) everything…? **b)** *det ~r det goda med dig att…* it has the advantage that…, the good thing about it is that… **c)** ha på sin sida have with one

ha på sig a) vara klädd i have…on, wear; *han ~de ingenting på sig* he had nothing on **b)** vara försedd med, *~r du en penna på dig?* have you got a pencil [on you]? **c)** ha till sitt förfogande, *vi ~r bara en dag på oss* we have only one day left (to spare)

ha sönder t.ex. en vas break; t.ex. klänning tear; jfr *sönder*

Haag The Hague

habegär s (~et) acquisitiveness; *lida av ~* vard. have the gimmies

habil adj (~t) duglig competent, able; skicklig adroit

habitué s (~n, ~er) regular frequenter (visitor), habitué fr.

1 hack s (oböjl.), *följa ngn ~ i häl* follow hard on (close [up]on) sb's heels

2 hack s (~et, =) skåra, hugg notch, cut, hack, dent; speciellt mindre o. oavsiktligt nick; allm. äv. mark

1 hacka s (~n, hackor) penningsumma, *tjäna en ~* …a bit of cash

2 hacka I s (~n, hackor) spetsig pick, pickaxe; mindre, för rensning o.d. hoe **II** vb tr (~de, ~t) **1** jord hoe **2** hacka i bitar chop; mycket fint mince; *varken ~t eller malet* bildl. neither one thing nor the other **3** *~ hål på* pick (om fågel äv. peck) a hole (resp. holes) in; *~ ett hål i isen* cut a hole in the ice **4** *han ~de tänder* his teeth chattered **III** vb itr (~de, ~t) **1** *~ i (på)* eg. hack at; om fågel pick (peck) at; *~ på* kritisera pick on, nag [at], find fault with **2** stamma, staka sig stammer, stutter; generat, osäkert hum and haw **3** om motor cough **4** data. hack

IV med beton. part.

hacka loss hack (chop) away

hacka sönder t.ex. is cut (break) up

hacka ut: *~ ut ögonen på ngn* om fågel peck sb's eyes out

hackare s (~n, =) o. **hacker** s (~n, = el. ~s) data. hacker

hackhosta s (~n) hacking (dry) cough

hackig adj (~t) **1** om egg o.d. jagged **2** om framställningssätt stammering, stuttering, halting; om t.ex. rytm jerky

hackkyckling s (~en, ~ar), *han är klassens ~* he is the classroom whipping boy

hackspett s (~en, ~ar) zool. woodpecker

haffa vb tr (~de, ~t) vard. nab, nick

hafs s (~et) slarv slovenliness, carelessness

hafsig adj (~t) slovenly; om person äv. careless; om arbete äv. scamped, slipshod, slapdash

hagalen adj (-galet, -galna) acquisitive, possessive

hage s (~n, hagar) **1** beteshage enclosed pasture (pastureland), enclosed field **2** barnhage playpen **3** *hoppa ~* lek play hopscotch

hagel s (haglet, =) **1** meteor. hail; *ett ~* a hailstone **2** blyhagel [small] shot; grövre buckshot (båda pl. lika)

hagelby s (~n, ~ar) meteor. hailstorm

hagelbössa s (~n, -bössor) o. **hagelgevär** s (~et, =)

shotgun, fowling-piece; *avsågat hagelgevär* sawn-off shotgun

hagelkorn s (~et, =) hailstone

hagelskur s (~en, ~ar) meteor. shower of hail, hailstorm

hagga s (~n, haggor) käring hag, old bag

hagla vb itr (~de, ~t) hail; om t.ex. kulor, protester äv. rain; frågorna *~de över dem* …showered down on them

hagtorn s (~en, ~ar) bot. hawthorn

Haiti Haiti

haj I s (~en, ~ar) shark äv. bildl. om person **II** adj (neutr. undviks) vard., skicklig, *vara ~ på* be a dab hand at; amer. be a shark on (at)

1 haja vb tr (~de, ~t) vard., *~r du?* do you get (me) it?

2 haja vb itr (~de, ~t), *~ till* start, be startled

hajpad adj (hajpat, ~e) vard. hyped up; attr. hyped-up

1 haka s (~n, hakor) chin; *sticka ut ~n* vard. stick one's neck out; *tappa ~n* be taken aback; *upp med ~n!* tappa inte modet [keep your] chin up!

2 haka vb tr (~de, ~t) **1** *~ av* unhook, unhitch; dörr o.d. unhinge **2** *~ fast ngt* hook (hitch) sth on, fasten sth [*i* (*vid*) to]; ärmen *~de fast i en spik* …[got] caught on a nail; *~ sig fast* cling [*vid* to] **3** *~ på* ngt hook (hitch)…on; t.ex. grind hang…; bildl., t.ex. idé catch on to, pick up; följa med come along **4** *~ upp* ngn i ishockey hook sb **5** *~ upp sig* om mekanism o.d. get stuck; om t.ex. blixtlås äv. get caught; *det har ~t [upp] sig någonstans* bildl. there's a hitch somewhere; *~ upp sig på detaljer* om person worry about (get hung up on) details

hake s (~n, hakar) **1** eg. hook; fönsterhake o.d. äv. catch; hakparentes square bracket **2** bildl., *det finns en ~* ett aber, hinder *någonstans* there is a snag in it (en nackdel a drawback to it) somewhere

hakkors s (~et, =) swastika

haklapp s (~en, ~ar) bib

hakparentes s (~en, ~er) square bracket

hakrem s (~men, ~mar) chin strap

hal adj (~t) slippery; om person äv. sleek, oily, smoothy, smooth-tongued; *vara ute på ~ is* bildl. be skating on (over) thin ice; *~ som en ål* slippery as an eel äv. bildl.; *det är ~t på vägarna* the roads are slippery (av is icy)

hala vb tr o. vb itr (~de, ~t) haul speciellt sjö., pull, tug; *~ in* haul in (home); *~ ned* haul down, lower; *[ned] flaggan* lower the flag; *~ upp* haul (pull) up; *~ upp ngt [ur* fickan] fish sth out [of…]

halka I s (~n) slipperiness; *det är svår ~* the roads (resp. streets) are very slippery (isigt icy), it is very slippery (isigt icy) **II** vb itr (~de, ~t) slip [*på* on]; slide; slira skid; *~ av* slip (glide) off; *~ ner* om t.ex strumpor roll down; *~ omkull* slip [and fall], slip down (over)

halkbana s (~n, -banor) bil. skidpan

halkfri adj (-fritt) non-skid, non-slip

halkig adj (~t) slippery, isig icy

halkkörning s (~en, ~ar) bil. skidpan driving [practice]

halkolycka s (~n, -olyckor) i trafiken accident owing to slippery (icy) conditions (roads)

halkskydd s (~et, =) anti-skid (anti-slip) device (protector)

hall s (~en, ~ar) hall; i hotell ofta lounge

halleluja interj hallelujah

hallick *s* (~en, ~ar) vard. pimp, ponce

hallon *s* (~et, =) raspberry

hallonbuske *s* (~n, -buskar) raspberry bush

hallonsaft *s* (~en, ~er) raspberry juice (resp. syrup); jfr *saft*

hallonsylt *s* (~en) raspberry jam

halloumi *s* (~n) kok. halloumi [cheese]

halloween *s* (oböjl., en) 31 oktober Halloween, Hallowe'en

hallstämpel *s* (~n, -stämplar) hallmark

hallucination *s* (~en, ~er) hallucination

hallucinera *vb itr* (~de, ~t) hallucinate, be subject to hallucinations

hallucinogen I *s* (~en, ~er) hallucinogen **II** *adj* (~t) hallucinogenic

hallå I *interj* hello, hallo båda äv. tele.; **~, ~!** i högtalare o.d. attention, please!; **~** [*där*]*!* I say!, hey!; ohövligt hey you! **II** *s* (~et) rop hallo etc.; rabalder o.d. hullabaloo, uproar, to-do

hallåa *s* (~n, hallåor) radio. el. TV. [female] announcer

hallåman *s* (~nen, -män) radio. el. TV. announcer

halm *s* (~en) straw

halmhatt *s* (~en, ~ar) straw hat

halmstack *s* (~en, ~ar) straw-stack, strawrick

halmstrå *s* (~et, ~n) straw; *gripa efter ett ~* bildl. clutch at straws (a straw)

halmtak *s* (~et, =) thatched roof

halmtäckt *adj* (=) om tak thatched

halo *s* (~n, ~er el. ~r) meteor. halo (pl. -es el. -s)

halogenlampa *s* (~n, -lampor) halogen [head] lamp (light)

hals *s* (~en, ~ar) eg. neck äv. friare på plagg, flaska, fiol el. bildl.; strupe throat; *~ över huvud* in a rush, headlong, precipitately; *ge ~* raise a cry (a shout); *skrika för full ~* shout at the top of one's voice; *han fick ett ben i ~en* a bone stuck in his throat; *sätta ngt i ~en* vrångstrupen choke on sth; skjortan är *för vid* (*trång*) *i ~en* ...too wide (tight) round the neck; *hög* (*låg*) *i ~en* high (low) at the neck; *ha ont i ~en* have a sore throat; *få ngn* (*ngt*) *på ~en* be saddled with sb (th.); *sträcka på ~en* crane [one's neck]; *det står mig upp i ~en* I am fed up with it

halsa *vb tr* (~de, ~t) drink from the bottle; *~ en öl* swig a [bottle of] beer

halsband *s* (~et, =) smycke necklace; för t.ex. hund collar

halsbloss *s* (~et, =) deep drag; *dra ~* inhale; enstaka take a deep drag

halsbrytande *adj* (oböjl.) hazardous; *~ fart* breakneck speed

halsbränna *s* (~n) heartburn; med. pyrosis

halsböld *s* (~en, ~er) med. quinsy, peritonsillar abscess

halsduk *s* (~en, ~ar) scar|f (pl. -fs el. -ves); stickad muffler

halsfluss *s* (~en, ~er) med. tonsillitis

halsgrop *s* (~en, ~ar), *ha hjärtat i ~en* have one's heart in one's mouth

halshugga *vb tr* (-högg, -huggit) behead, decapitate

halshuggning *s* (~en, ~ar) beheading, decapitation

halsinfektion *s* (~en, ~er) throat infection

halskedja *s* (~n, -kedjor) necklace, chain

halskota *s* (~n, -kotor) anat. cervical vertebra (pl. vertebras el. vertebrae); *översta ~n* the atlas

halskrås *s* (~et, =) ruffle, frill

halslinning *s* (~en, ~ar) neckband

halsmandel *s* (~n, -mandlar) anat. tonsil

halsont *s* (oböjl., ett), *ha ~* have a sore throat

halspulsåder *s* (~n, -ådror) anat. carotid [artery]

halssmycke *s* (~t, ~n) necklace; hängsmycke pendant

halsstarrig *adj* (~t) obstinate, stubborn, pigheaded

halstablett *s* (~en, ~er) throat lozenge (pastille)

halster *s* (halstret, =) gridiron, grill; *hålla ngn på ~* keep sb on tenterhooks

halstra *vb tr* (~de, ~t) kok. grill

1 halt *s* (~en, ~er) **1** av t.ex. socker samt av metall i legering content; procentdel percentage **2** bildl., kvalité substance

2 halt I *s* (~en, ~er) uppehåll halt; *göra ~* mil. halt; friare äv. come to a halt, [make a] stop **II** *interj* mil. halt!; friare äv. stop!

3 halt *adj* (=) lame, limping; *vara ~ på ena benet* lame in one leg

halta *vb itr* (~de, ~t) **1** eg. limp, hobble; *~ på* vänster fot limp with... **2** bildl., om vers, jämförelse etc. halt, limp

halv (jfr *halvt*) *adj* (~t) half; *en ~* sida half a...; *~a sidan* half the page; *en och en ~ timme* an hour and a half, one and a half hours; *en och en ~ månad* vanl. six weeks; *ett och ett ~t år* vanl. eighteen months; *två och en ~ procent* two and a half per cent (amer. percent); *~ biljett* half fare; *ett ~t löfte* a half promise; *för* (*till*) *~a priset* at half-price, at half the price; flaggan är *på ~ stång* ...at half-mast; *gå ~a vägen* bildl. meet halfway; *lyssna med ett ~t öra* listen only with one ear; [*klockan*] *~ fem* at half past four, at four-thirty; vard. half four; *fem i ~* [*fem*] twenty-five minutes past [four]

halva *s* (~n, halvor) **1** eg. half (pl. halves) **2** se *halvflaska* **3** *~n* andra snapsen, ung. the second glass

halvannan *adj* (-annat) se *en och en halv* [*timme*] osv., under *halv*

halvapa *s* (~n, -apor) zool. half-ape

halvautomatisk *adj* (~t) semi-automatic

halvbesatt *adj* (=) om lokal o.d. half filled

halvblind *adj* (-blint) half-blind; *vara ~* be half blind

halvblod *s* (~et, =) häst half-bred, half-blood

halvbror *s* (-brodern, -bröder) half-brother

halvcirkel *s* (~n, -cirklar) semicircle

halvdag *s* (~en, ~ar) half day; *arbeta ~* work half time, work half [the] day

halvdan *adj* (~t) medelmåttig mediocre, middling

halvdunkel I *s* (-dunklet) dusk, semi-darkness, half-light **II** *adj* (~t, -dunkla) dusky, dim

halvdussin *s* (~et, =) half-dozen

halvdöd *adj* (-dött) half dead [*av* with]

halvera *vb tr* (~de, ~t) halve, divide...into halves; geom. bisect; *~ kostnaderna* go halves

halveringstid *s* (~en) fys. el. kem. half-life

halvfabrikat *s* (~et, =) semimanufactured article; koll. semiproducts, semimanufactures (båda pl.)

halvfet *adj* (-fett) typogr. semibold

halvfigur *s* (~en, ~er), porträtt *i ~* half-length...

halvflaska *s* (~n, -flaskor) half-bottle, small bottle

halvfransk *adj* (~t) bokb., *~t band* half binding, half-calf [binding]; [*bunden*] *i ~t band* half-bound, in half calf

halvfull *adj* (~t) **1** half full **2** vard., ngt berusad ...a bit drunk, tipsy

halvfärdig *adj* (~t) half-finished, half-completed

halvgammal *adj* (~t, -gamla) om person elderly, middle-aged

halvhjärtad *adj* (-hjärtat, ~e) half-hearted, lukewarm

halvhjärtat *adv* half-heartedly, by halves

halvhög *adj* (~t) **1** om klack o.d. rather low, …of medium height **2** *med ~ röst* half aloud, in an undertone (a half-whisper)

halvkilo *s* (~t) half kilo, half a kilo

halvklar *adj* (~t), *~t* meteor. scattered clouds

halvklot *s* (~et, =) geogr. hemisphere

halvkombi *s* (~n, = el. ~er) bil. hatchback

halvkonserv *s* (~en, ~er) semi-preserved product

halvledare *s* (~n, =) fys. semiconductor

halvlek *s* (~en, ~ar) sport. half (pl. halves)

halvligga *vb itr* (-låg, -legat) recline; *i ~nde ställning* in a reclining position

halvliter *s* (~n, = el. -litrar) half litre, half a litre

halvljus *s* (~et, =), *köra med ~et på* drive with dipped headlights (beams); amer. drive with one's headlights on

halvlång *adj* (~t) **1** om kjol o.d. half-length…; *~ ärm* half-sleeve **2** fonet. half-long

halvmara *s* (~n, -maror) vard. half-marathon

halvmesyr *s* (~en, ~er) half measure

halvmil *s* (~en, =), *[en] ~* five kilometres; eng. motsv., ung. three miles

halvmåne *s* (~n, -månar) half-moon, crescent; på nagel half-moon; *det är ~* äv. the moon is half full

halvnaken *adj* (-naket, -nakna) half-naked; konst. semi-nude

halvnot *s* (~en, ~er) mus. minim; amer. half-note

halvofficiell *adj* (~t) semi-official, quasi-official

halvpension *s* (~en) på hotell o.d. half-board, demi-pension

halvsanning *s* (~en, ~ar) half-truth

halvsekel *s* (-seklet, =), *första halvseklet* the first half-century; *för ett ~ sedan* half a century ago

halvsida *s* (~n, -sidor) half page

halvsidesannons *s* (~en, ~er) half-page advertisement

halvskugga *s* (~n, -skuggor) half-shade

halvslag *s* (~et, =) half-hitch; *dubbelt ~* clove hitch

halvsova *vb itr* (-sov, -sovit) be half asleep, doze; *~nde* …half asleep, dozing

halvstatlig *adj* (~t) …partly state-owned, …partly owned by the State

halvstor *adj* (~t) medium[-sized]

halvsula *vb tr* (~de, ~t) half-sole

halvsyskon *s pl* half-brother[s pl.] and (resp. or) half-sister[s pl.]

halvsyster *s* (~n, -systrar) half-sister

halvsöt *adj* (-sött) om vin o.d. medium sweet

halvt *adv* half; *~ på skämt* half in jest; *göra ngt ~ om ~* do sth by halves; *~ om ~ lova* give a half promise

halvtid *s* (~en, ~er) **1** sport. half-time **2** *arbeta ~* have a half-time job, be on half-time

halvtidsanställd I *adj* (~anställt), *vara ~* work half-time **II** *s* (en ~, pl. ~a) half-time employee, half-timer

halvtidsarbete *s* (~t, ~n) half-time (part-time) work

halvtimme *s* (~n, -timmar), *en ~* half an hour, a half-hour; *den första ~n* the first half-hour; *varje ~* every half-hour; adv. äv. half-hourly; *om en ~* in half an hour['s time]; *en ~s resa* half an hour's…, a half-hour's…

halvton *s* (~en, ~er) mus. semitone; typogr. halftone

halvtorr *adj* (~t) **1** half dry **2** om vin o.d. medium dry

halvtrappa *s* (~n, -trappor), *en ~* half a flight (a half-flight) [of stairs]

halvvaken *adj* (-vaket, -vakna) half awake

halvvägs *adv* halfway, midway

halvår *s* (~et, =), *[ett] ~* six months, [a] half-year; *första ~et 2010* the first half of 2010; *[under (i)] ett ~* [for] six months (half a year); *varje ~* every six months; adv. äv. semi-annually, bi-annually, half-yearly

halvårsprenumeration *s* (~en, ~er) six-month (half-yearly) subscription

halvädelsten *s* (~en, ~ar) semiprecious stone

halvö *s* (~n, ~ar) peninsula

halvöppen *adj* (-öppet, -öppna) half open; på glänt ajar

hambo *s* (~n, ~r el. ~er) Hambo [polka]; *dansa ~* dance (do) the Hambo [polka]

Hamburg Hamburg

hamburgare *s* (~n, =) kok. hamburger

hamburgerbröd *s* (~et, =) hamburger roll (bun)

hamburgerkedja *s* (~n, -kedjor) hamburger chain

hamburgerkött *s* (~et) ung. smoked salt horseflesh (horsemeat)

hamitisk *adj* (~t) Hamitic

hammare *s* (~n, =) hammer; anat. äv. malleus lat.; *~n och skäran* symbol the hammer and sickle

hammarhaj *s* (~en, ~ar) zool. hammerhead

hammock *s* (~en, ~ar) [swinging] garden hammock

hammondorgel *s* (~n, -orglar) Hammond organ

hamn *s* (~en, ~ar) mål för sjöresa, hamnstad port; speciellt om själva anläggningen, tilläggsplats harbour (amer. harbor); dockhamn docks pl.; bildl. el. poet. äv. haven; *isfri (naturlig) ~* ice-free (natural) harbour (amer. harbor); *komma (ligga) i ~* arrive (be) in port; *löpa in i ~en* enter [the] harbour (amer. harbor); *föra ngt i ~* bildl. bring sth to a successful close

hamna *vb itr* (~de, ~t) land [up] [*i* t.ex. diket, fängelse in]; vagare get [*i* into]; go; sluta sin bana end [up] [*i* in]; *brevet ~de i* papperskorgen the letter ended up in…

hamnarbetare *s* (~n, =) dock worker, docker; stuvare stevedore

hamnavgift *s* (~en, ~er), *~[er]* harbour (amer. harbor) dues pl., dock dues pl.

hamnbassäng *s* (~en, ~er) dock

hamnkapten *s* (~en, ~er) harbour (amer. harbor) master

hamnkontor *s* (~et, =) port office, harbour-master's (amer. harbor-master's) office

hamnkvarter *s* (~et, =) dockland, dock district

hamnstad *s* (~en, -städer) port; vid havet äv. seaport

hamnstyrelse *s* (~n, ~r) harbour (amer. harbor) board, port authorities pl.; *Stockholms ~* the Port of Stockholm Authority

hampa *s* (~n) **1** bot. hemp **2** *ta ngn i ~n* take (seize) sb by the scruff of the neck, collar sb

hampfrö *s* (~et, ~n) hempseed äv. koll.

hamra *vb tr* o. *vb itr* (~de, ~t) hammer, beat; *~ på pianot* pound (thump) [on] the piano; *~ in ngt i ngn (i huvudet på ngn)* bildl. din…into sb (into sb's head); *~ ut* beat (hammer) out

hamster *s* (~n, hamstrar) zool. hamster

hamstra *vb tr* o. *vb itr* (~de, ~t) hoard

hamstrare *s* (~n, =) hoarder

hamstring *s* (~en, ~ar) hoarding

han *pers pron* he; om djur äv. it

hand *s* (~en, händer) hand; *~en på hjärtat, ser jag tjock ut i den här?* cross your heart (tell me honestly), does this make me look fat?; *byta ~* change hands; *ge ngn en* [*hjälpande*] *~* lend sb a hand; *ha fria händer* have a free hand, be a free agent; *ha* [*god*] *~ med* barn be good with..., have a way with...; *ha ~ om* be in charge of, be responsible for, handle; *skaka ~* [*med ngn*] shake hands [with sb]; *sätta händerna i sidan* put one's arms akimbo; *ta ~ om* take care (charge) of, look after; *ta sin ~ ifrån* wash one's hands of, drop, abandon; *efter ~* så småningom gradually, little by little; med tiden as time goes by (on); steg för steg step by step; *för ~* by hand, manually; *i första ~* in the first place, first [of all]; helst preferably; *gå ~ i ~* walk hand in hand; *hålla ngn i ~* [*en*] hold sb's hand; *hålla varandra i ~* [*en*] hold hands; *ta* [*ngn*] *i ~* hälsa shake hands [with sb], shake sb's hand; *de kan ta varann i ~!* iron. one's as bad as the other!, they go well together!; *ta saken i egna händer* take the matter into one's own hands; *vara i goda händer* be in good hands; t.ex. om barn äv. be well looked after (cared for); börja *med två tomma händer* ...empty-handed; *med varm ~* gärna gladly; *upp med händerna!* hands up!, put them up!; *vara kall om händerna* have cold hands; *ha bra kort på ~* kortsp. have a good hand; *stå på händer* do a handstand; *på egen ~* all by oneself, alone, on one's own; utan hjälp äv. single-handed; *till ~a* på brev by hand, by messenger; *ha till ~s* have handy (at hand, ready, [ready] to hand); ta *det som ligger närmast till ~s* ...what[ever] is (comes) handy; denna förklaring *ligger nära till ~s* ...is a very likely one, ...presents itself immediately; *få ngt ur händerna* get sth off one's hands, get sth done (finished); *låta tillfället gå sig ur händerna* let the opportunity slip [through one's fingers]; *ge vid ~en* visa prove, show; tyda på indicate

handarbeta *vb itr* (~de, ~t) do needlework etc., jfr *handarbete*

handarbete *s* (~t, ~n) sömnad needlework; broderi embroidery; stickning knitting; *ett ~* konkr. a piece of needlework (embroidery, knitting)

handbagage *s* (~t) hand luggage, carryon luggage

handbalsam *s* (~en, ~er) hand lotion

handbojor *s pl* handcuffs; *sätta ~ på ngn* handcuff sb

handbok *s* (~en, -böcker) handbook, manual; *~ i* psykologi handbook of...

handboll *s* (~en) sport. handball

handbroms *s* (~en, ~ar) handbrake; *dra till ~en* apply (put on) the handbrake

handdocka *s* (~n, -dockor) glove puppet

handduk *s* (~en, ~ar) towel; *kasta in ~en* boxn. el. bildl. throw in the towel (sponge)

handdusch *s* (~en, ~ar) hand shower

handel *s* (~n) **1** varu~ trade; handlande trading; i stort, internationell el. som näring äv. commerce; affärer, affärsliv business; speciellt olovlig traffic; *~ med bomull* trade in cotton, cotton trade; *~ med narkotika* drug traffic; *~* [*n*] *med Kina* trade with China **2** försäljningsställen *boken finns i ~n* the book is available in shops (stores); vara [*ute*] (*finnas*) *i ~n* be on the market

handeldvapen *s* (-vapnet, =) firearm; i pl. äv. small arms

handelsanställd *s* (en ~, pl. ~a) ung. employee in the wholesale and retail trade

handelsattaché *s* (~n, ~er) commercial attaché

handelsavtal *s* (~et, =) trade agreement; traktat commercial treaty, treaty of commerce

handelsbalans *s* (~en) balance of trade, trade balance; *stort underskott* (*överskott*) *i ~en* a large trade deficit (surplus)

handelsbojkott *s* (~en, ~er) trade embargo (pl. -es)

handelsbolag *s* (~et, =) ung. partnership

handelsembargo *s* (~t, ~n) trade embargo (pl. -s)

handelsfartyg *s* (~et, =) merchant vessel, merchantman

handelsflotta *s* (~n, -flottor) merchant navy; amer. merchant marine

handelsfrihet *s* (~en) freedom of trade

handelsförbindelse *s* (~n, ~r), *~r* trade (commercial) relations

handelshinder *s* (-hindret, =) barrier to trade, trade barrier

handelshögskola *s* (~n, -skolor) school of economics [and business administration]

handelskammare *s* (~n, =) chamber of commerce

handelskorrespondens *s* (~en) business (commercial) correspondence

handelsminister *s* (~n, -ministrar) i Sverige Minister for Trade

handelspartner *s* (~n, = el. ~s) trade partner

handelspolitik *s* (~en) trade (commercial) policy

handelsregister *s* (-registret, =) trade register

handelsresande *s* (~n, =) sales representative, travelling salesman

handelsrätt *s* (~en) jur. commercial law

handelsstad *s* (~en, -städer) commercial town (city)

handelsträdgård *s* (~en, ~ar) market garden, garden centre

handelsutbyte *s* (~t, ~n) trade [exchange]

handelsvara *s* (~n, -varor) commodity; *handelsvaror* äv. merchandise sg., [mercantile (commercial)] goods

handelsväg *s* (~en, ~ar) trade (commercial) route

handfallen *adj* (-fallet, -fallna) handlingsförlamad ...[who is (was)] unable to act; rådvill perplexed, bewildered; pred. äv. at a loss

handfast *adj* (=) om person sturdy, hefty; orubblig, bestämd firm, resolute; *~a regler* hard and fast (definite) rules

handfat *s* (~et, =) washbasin, handbasin, sink, amer. äv. washbowl

handflata *s* (~n, -flator) palm [of the (resp. one's) hand], flat of the (resp. one's) hand

handfull *s* (oböjl., en) bildl. a pocketful of, two or three; *en ~* jord a handful of...

handgemäng *s* (~et, =) scuffle; *de råkade i ~* they came to blows

handgjord *adj* (-gjort) handmade

handgranat *s* (~en, ~er) mil. hand grenade

handgrepp *s* (~et, =), *med ett enkelt ~* in one simple operation, with a single manipulation

handgriplig *adj* (~t) **1** *~ tillrättavisning* corporal punishment **2** påtaglig palpable, tangible; tydlig obvious; *~t bevis för* material (tangible) proof of

handgripligen *adv* med våld ~ *hindra ngn* från att ta sig in physically restrain sb…

handgriplighet *s* (~en, ~er), *övergå till ~er* come to blows, become physically violent

handgången *adj* (-gånget, -gångna), *hans handgångne man* his henchman

handha *vb tr* (-hade, -haft) hantera: t.ex. vapen handle; [förstå att] sköta manage; ha hand om be in charge of, be responsible for; förvalta administer

handikapp *s* (~et, =) handicap äv. sport. [*för* to]; funktionshinder disability

handikappad *adj* (-kappat, ~e) handicapped äv. bildl.; attr. …with a handicap; funktionshindrad disabled

handikapparkering *s* (~en, ~ar) parking for disabled badge holders; plats disabled parking bay

handikapp-OS *s* (-OS:et, =) the Paralympics pl., the Paralympic Games pl.

handikapptoalett *s* (~en, ~er) toilet for disabled persons, disabled toilet

handikappvänlig *adj* (~t) …suitable for disabled persons

handjur *s* (~et, =), *ett* ~ a male [animal]

handklaver *s* (~et, =) se *dragspel*

handknuten *adj* (-knutet, -knutna) om matta o.d. handmade

handkräm *s* (~en, ~er) hand lotion

handkyss *s* (~en, ~ar) kiss on the hand

handla *vb tr* o. *vb itr* (~de, ~t) **1** göra affärer **a**) göra sina inköp shop, do one's (go) shopping [*hos A.* at A.'s]; köpa buy; *gå* [*ut*] *och* ~ go [out] shopping; ~ *mat* buy food
b) driva handel trade, deal, do business [*med* en vara i samtliga fall in…; *med* (*på*) utlandet with…]; speciellt olovligt traffic **2** agera act; vidta åtgärder äv. take action; *tänk först och* ~ *sen!* think before you act!; ~ *rätt* do the right thing; ~ *snabbt* act promptly
3 ~ *om* **a**) röra sig om be about; behandla deal with; *det är det det ~r om* that's what it's all about **b**) gälla, vara fråga om be a question (matter) of

handlag *s* (~et) skicklighet knack, skill, dexterity; *ha det rätta ~et* have the knack of it; *ha gott* ~ *med* barn, djur have a good hand with…, know how to handle (manage)…

handlande *s* **1** (~t) handlingssätt conduct; *i allt sitt* ~ *är han*… in all his actions (dealings)… **2** (~n, =) handlare dealer [*med* in]; handelsidkare tradesman; butiksägare shopkeeper

handled *s* (~en, ~er) wrist

handleda *vb tr* (-ledde, -lett) undervisa instruct; vägleda guide; i studier o.d. supervise, tutor; i forskningsarbete äv. direct

handledare *s* (~n, =) instructor; studieledare o.d. supervisor, tutor

handledning *s* (~en, ~ar) instruction; guidance; supervision, direction; jfr *handleda*; ~ *i psykologi* boktitel [A] Guide to…

handledsväska *s* (~n, -väskor) clutch bag

handling *s* (~en, ~ar) **1** handlande, gärning action; gärning äv. act, deed; *fientlig* ~ act of hostility, hostile act (action); mellan stater enemy action; *straffbar* ~ punishable offence; *en ~ens man* a man of action; *omsätta* en idé *i* ~ carry…into effect (action), realize…; *gå från ord till* ~ translate words into deeds **2** i bok, pjäs etc. story, action; intrig plot [*i* of]; *~en är förlagd till* London the scene is set in…

3 urkund document; *en offentlig* ~ a public document; *lägga ngt till ~arna* put sth aside

handlingsfrihet *s* (~en) freedom (liberty) of action; *ha full* ~ äv. be a free agent

handlingsförlamad *adj* (-förlamat, ~e) paralysed, …[who is (was etc.)] completely powerless to act

handlingskraft *s* (~en) energy; vard. drive, ability to take action (to act)

handlingskraftig *adj* (~t) energetic, active, efficient; *en ~ regering* a strong government, a government that is able to act

handlingsmänniska *s* (~n, -människor) man (resp. woman) of action

handlingssätt *s* (~et, =) way of acting, line of conduct

handlov *s* (~en, ~ar) wrist

handlån *s* (~et, =) temporary loan

handlägga *vb tr* (-lade, -lagt) handha handle; behandla deal with; ~ *ett mål* hear a case

handläggare *s* (~n, =) allm. person handling a (resp. the) matter; som yrke, ung. administrative (executive) official, administrator; i brevhuvud o.d. motsv. our reference, please quote

handläggningstid *s* (~en, ~er) turnaround time

handlöst *adv* headlong, precipitately

handmålad *adj* (-målat, ~e) hand-painted

handpenning *s* (~en, ~ar) deposit; down payment

handplocka *vb tr* (~de, ~t) handpick äv. bildl.

handplockad *adj* (-plockat, ~e) utvald handpicked

handpåläggning *s* (~en, ~ar) kyrkl. laying on (imposition of) hands; *bota genom* ~ cure by one's touch

handräckning *s* (~en, ~ar) **1** hjälp assistance, aid; *ge ngn en* ~ lend sb a [helping] hand **2** mil.: tjänst fatigue [duty]; manskap fatigue party; *tjänstgöra som* ~ be on fatigue [duty]

handrörelse *s* (~n, ~r) movement of the (resp. one's) hand; gest äv. gesture

handsbredd *s* (~en, ~er) handbreadth, hand

handsfree *s* (oböjl., en) handsfree kit

handskakning *s* (~en, ~ar) det att skaka hand handshaking; *en* ~ a handshake

handskas *vb itr dep* (handskades, handskats), ~ *med* hantera handle; behandla treat; ~ *vårdslöst med* vapen play about with…, be careless with…

handske *s* (~n, handskar) glove; krag~ gauntlet; *passa som hand i* ~ fit like a glove

handskfack *s* (~et, =) i bil glove compartment

handsknummer *s* (-numret, =) size in gloves

handskrift *s* (~en, ~er) handskrivet dokument manuscript

handskriven *adj* (-skrivet, -skrivna) handwritten, …written by hand, manuscript…

handslag *s* (~et, =) handshake; *bekräfta ngt med ett* ~ shake hands on sth

handstickad *adj* (-stickat, ~e) hand-knitted

handstil *s* (~en, ~ar) handwriting; *driven* ~ a flowing hand

handsvett *s* (~en), *ha* ~ have clammy (perspiring) hands

handsydd *adj* (-sytt) handsewn; om plagg äv. handmade

handtag *s* (~et, =) **1** på dörr, kärl, väska etc. handle [*på* (*till*) of]; runt knob **2** *ge ngn ett* ~ hjälp lend sb a hand; *han har inte gjort ett* ~ skapande grand he has not done a stroke of work

handtork s (~en, ~ar) [automatic] hand drier

handtralla s (~n, -trallor) vulg. handjob

handtryckning s (~en, ~ar) **1** eg. pressure of the hand; handslag handshake **2** *ge ngn en* ~ mindre muta grease sb's palm

handtvätt s (~en) clothes pl. to be washed by hand; som tvättmärkning hand wash

handuppräckning s (~en, ~ar), rösta *genom* ~ ...by [a] show of hands

handvolt s (~en, ~er) gymn. handspring

handvändning s (oböjl., en), det är gjort *i en* ~ ...in no time, ...in a jiffy; *det är inte gjort i en* ~ it takes time to do it

handväska s (~n, -väskor) handbag, amer. purse

1 hane s (~n, hanar) allm. male [animal]; om elefant, val m.fl. bull; fågelhane ofta cock

2 hane s (~n, hanar) på gevär cock; *spänna ~n* osäkra ett vapen (gevär) cock the trigger (gun); *vila på ~n* bildl. wait and see

hang s (~et, =) bergssluttning hang, declivity; skidbacke slope

hangar s (~en, ~er) hangar

hangarfartyg s (~et, =) aircraft carrier

hanhund s (~en, ~ar) male dog

hank s (~en, ~ar) **1** hängare i rock, på handduk etc. hanger **2** *inom stadens* ~ *och stör* within the confines (limits) of the city

hanka vb rfl (~de, ~t), ~ *sig fram* [manage to] get along

hankatt s (~en, ~er) male cat, tomcat; vard. tom

hankön s (~et) eg. male sex; djur *av* ~ äv. male...

hanne s (~n, hannar) se *1 hane*

hans poss pron his; om djur vanl. its; för ex. jfr *1 min*

Hansan o. **Hanseförbundet** hist. the Hanseatic League

hansestad s (~en, -städer) hist. Hanseatic town (city)

hantel s (~n, hantlar) dumbbell

hantera vb tr (~de, ~t) allm., t.ex. verktyg, vapen handle; [förstå att] sköta manage; t.ex. maskin work; använda use, make use of; tygla, hålla tillbaka restrain, check; *lätt att* ~ handy; easy to handle äv. om person

hantering s (~en, ~ar) **1** hanterande handling etc., jfr *hantera* **2** näring, yrke trade, business; *skum* ~ shady business

hanterlig adj (~t) handy, easy to handle; manageable äv. om person

hantlangare s (~n, =) allm. helper, assistant; hejduk henchman, tool, minion

hantverk s (~et, =) konst~ handicraft; yrke trade; stolen är *ett fint* ~ ...a good piece of (...good) craftsmanship (workmanship)

hantverkare s (~n, =) craftsman, artisan; friare, allm. workman, carpenter (resp. painter etc.)

hantverksprodukt s (~en, ~er) handicraft product

hantverksutställning s (~en, ~ar) arts and crafts exhibition

harakiri s (~t el. ~n) hara-kiri jap.; *begå* ~ commit hara-kiri

harang s (~en, ~er) long speech; tirade, harangue, friare rigmarole

hare s (~n, harar) **1** zool. hare, amer. äv. rabbit; ynkrygg coward, vard. chicken, scaredy-cat; *rädd som en* ~ as

timid as a hare **2** sport. pacemaker, pacesetter; i hundkapplöpning hare

harem s (~et, =) harem

haricots verts s pl French (string) beans

harig adj (~t) timid, cowardly

harkla vb rfl (~de, ~t), ~ *sig* clear one's throat, hawk

harkling s (~en, ~ar) hawking

harklöver s (~n) bot. hare's foot (pl. hare's foots), amer. äv. rabbit foot

harkrank s (~en, ~ar) zool. crane fly, daddy longlegs

harlekin s (~en, ~er) harlequin

harm s (~en) indignation; förbittring resentment [*över ngt* at sth]; förtret vexation, annoyance; *med* ~ harmset indignantly

harma vb tr (~de, ~t) fill...with indignation; förtreta vex, annoy

Harmagedon bibl. Armageddon

harmas vb itr dep (harmades, harmats) vara upprörd feel indignant [*på ngn* with sb; *över ngt* at sth]; ~ *över ngt* äv. resent sth

harmlig adj (~t) vard., förtretlig annoying, provoking

harmlös adj (~t) oförarglig inoffensive, innocent, harmless

harmoni s (~n, ~er) harmony äv. mus., samklang äv. concord

harmoniera vb itr (~de, ~t) harmonize; ~ *med* harmonize (be in harmony, be in keeping) with

harmonilära s (~n) mus. harmony

harmonisera vb tr (~de, ~t) mus. el. bildl. harmonize

harmonisk adj (~t) allm. harmonious; mus. el. matem. harmonic; ~ *följd* matem. harmonic progression

harmsen adj (harmset, harmsna) upprörd indignant; förbittrad resentful; förtretad vexed

harmynt adj (=) med. harelipped

harmynthet s (~en) med. harelip

harnesk s (~et, =) rustning armour äv. bildl.; bröst~, rygg~ cuirass; *ett* ~ ofta a suit of armour, a pair of cuirasses

harpa s (~n, harpor) **1** mus. harp **2** vard., käring [old] hag

harpist s (~en, ~er) harpist

harpun s (~en, ~er) harpoon

harpunera vb tr (~de, ~t) harpoon

harr s (~en, ~ar) zool. grayling

harskramla s (~n, -skramlor) rattle

harsyra s (~n) bot. [wood] sorrel

hart adv, ~ *när* omöjligt well-nigh...

harts s (~et, ~er) resin; speciellt för stråke rosin

hartsa vb tr (~de, ~t) t.ex. stråke rosin

hartsaktig adj (~t) resinous

harv s (~en, ~ar) harrow

harva vb tr (~de, ~t) harrow

has s (~en, ~or) **1** på djur hock **2** vard., på människor: häl heel; ben leg

hasa vb itr o. vb tr (~de, ~t) glida slide, slither; dra fötterna efter sig shuffle [one's feet], shamble; ~ *ned* om strumpa slip down; ~ *sig ned* slither (slide) down

hasard s (~en) **1** spelande gambling; *spela* ~ gamble **2** *det är ren* ~ (*rena ~en*) slump it is all a matter of chance

hasardspel s (~et, =) gamble, game of chance; hasardspelande gambling

hasardspelare s (~n, =) gambler

hasch s (~et el. ~en) hashish, vard. hash

haschbeslag s (~et, =) seizure (confiscation) of

hashish; tullen *gjorde ett stort* ~ …seized a large quantity of hashish

haschisch *s* (~et el. ~en) hashish

hasp *s* (~en, ~ar) hasp

haspel *s* (~n, hasplar) reel; gruv. o.d. windlass

haspelspö *s* (~et, ~n) spinning rod

haspla *vb tr* (~de, ~t) reel; ~ *ur sig* vard. reel off

hassel *s* (~n, hasslar) hazel

hasselbackspotatis *s* (~en, ~ar) kok., koll. baked potatoes pl. thinly sliced halfway down

hasselbuske *s* (~n, -buskar) hazel bush (shrub)

hasselmus *s* (~en, -möss) zool. dormouse

hasselnöt *s* (~en, -nötter) hazelnut

hast *s* (oböjl., en) hurry, haste; *i största* (*all*) ~ in great haste, in a great hurry, hastily, hurriedly; hals över huvud precipitately; det var allt jag kom på *i en* ~ …on the spur of the moment

hasta *vb itr* (~de, ~t) hasten, hurry; ~ *vidare* hurry along; *det ~r inte* [*med det*] there is no hurry [about it], it is not urgent

hastig *adj* (~t) snabb rapid, quick, speedy; skyndsam hurried; förhastad, brådstörtad hasty; plötslig, bråd sudden; *i ~t mod* unpremeditatedly; jur. without premeditation; *ta ett ~t slut* come to a sudden end

hastigast *adv*, *som* ~ in a hurry, hastily; *titta in som* ~ look in for a moment

hastighet *s* (~en, ~er) **1** fart speed; hastighetsgrad äv. rate [of speed]; speciellt vetensk. velocity; snabbhet rapidity; *hög* ~ high (great) speed (velocity); *högsta* [*tillåtna*] ~ the maximum speed; *låg* ~ slow (low) speed; *ljusets* ~ the velocity (speed) of light; *hålla* (*köra med*) *en* ~ *av* 90 km/tim drive at a speed (rate) of…; se äv. *fart* **2** brådska, *i ~en* glömde han… in his hurry…

hastighetsbegränsning *s* (~en, ~ar) speed restriction (limit); *införa* ~ impose a speed limit

hastighetsmätare *s* (~n, =) speedometer; flyg. airspeed indicator

hastighetsrekord *s* (~et, =) speed record; *sätta* ~ set up a speed record

hastigt *adv* rapidly etc., jfr *hastig*; ~ *och lustigt* utan vidare without much (any more) ado, straight away

hastverk *s* (~et, =), *ett* ~ a rush job; fuskverk a scamped (slipshod) piece of work

hat *s* (~et) hatred; i mots. till kärlek el. poet. hate; avsky detestation, loathing, abhorrence

hata *vb tr* (~de, ~t) hate; avsky detest, loathe, abhor; ~ *ngn som pesten* hate sb like poison

hatbrott *s* (~et, =) hate crime

hatfull *adj* (~t) o. **hatisk** *adj* (~t) spiteful, rancorous, …full of (…filled with) hatred, hateful [*mot* towards]

hatkärlek *s* (~en) love-hate; förhållande love-hate relationship

hatt *s* (~en, ~ar) hat; på tub o.d. el. på svamp cap; *ha* ~ wear a hat; *hög* ~ top (silk) hat; *lyfta på ~en* raise one's hat [*för to*]

hattask *s* (~en, ~ar) hatbox, bandbox

hatthylla *s* (~n, -hyllor) hatrack

hatthängare *s* (~n, =) hatpeg

hattig *adj* (~t) dithery, shilly-shallying

hattnål *s* (~en, ~ar) hatpin

haussa *vb tr* (~de, ~t) **1** ekon., ~ [*upp*] *priserna* force up [the] prices **2** ~ [*upp*] uppreklamera boost, overrate

hausse *s* (~n, ~r) ekon. boom, rise [in prices]; bull

market; *spekulera i* ~ speculate for a rise, bull the market

hav *s* (~et, =) sea; världshav ocean; bildl., *Röda ~et* the Red Sea; *på andra sidan ~et* across the sea; [*som*] *en droppe i ~et* a drop in the ocean; *på ~et* till sjöss at sea; vistas *vid ~et* …at the seaside, …by the sea; *en stad vid ~et* a town [situated] by the sea, a seaside town; 500 m *över ~et* …above sea level

havande *adj* (oböjl.) gravid pregnant

havandeskap *s* (~et, =) pregnancy

Havanna Havana

havannacigarr *s* (~en, ~er) Havana [cigar]

haverera *vb itr* (~de, ~t) lida skeppsbrott be wrecked äv. friare; om flygplan, bil o.d. crash, be crashed; få motorfel o.d. have a breakdown; *~d* sjöoduglig disabled; skadad damaged

haveri *s* (~et, ~er) skeppsbrott [ship]wreck; flyg~, bil~ o.d. crash; motor~ o.d. breakdown; skada damage

haverikommission *s* (~en, ~er) commission (committee) of inquiry; *Statens* ~ the Swedish Accident Investigation Board

haverist *s* (~en, ~er) båt disabled vessel; flygplan crashed aircraft

havre *s* (~n) oats (vanl. pl.)

havregryn *s* (~et, =) koll. porridge (valsade rolled) oats (vanl. pl.)

havregrynsgröt *s* (~en) [oatmeal] porridge, amer. oatmeal

havrekli *s* (~et) oat bran

havsabborre *s* (~n, -abborrar) zool. [sea] bass

havsanemon *s* (~en, ~er) zool. sea anemone

havsbad *s* (~et, =) **1** badort seaside resort **2** badande sea-bathing; *bada* ~ bathe in the sea

havsband *s* (~et), *i ~et* i yttersta skärgården on the outskirts of the archipelago

havsbotten *s* (-bottnen el. =, -bottnar) sea (ocean) bed; *på* ~ at (on) the bottom of the sea

havsdjup *s* (~et, =) depth [of the sea (ocean)]

havsforskare *s* (~n, =) oceanographer

havsforskning *s* (~en) oceanography, marine research

havskatt *s* (~en, ~er) zool. Atlantic catfish

havsklimat *s* (~et, =) coastal (öklimat insular) climate

havskryssare *s* (~n, =) cruising yacht, ocean racer

havskräfta *s* (~n, -kräftor) Norway lobster, Dublin Bay prawn

havslax *s* (~en, ~ar) **1** salmon [caught in the sea] **2** gråsej coalfish

havsluft *s* (~en) sea air

havssalt *s* (~et) sea salt

havssköldpadda *s* (~n, -paddor) turtle

havsstrand *s* (~en, -stränder) seashore, beach

havstulpan *s* (~en, ~er) zool. acorn barnacle (shell), sea acorn

havsvatten *s* (-vattnet) sea water

havsvik *s* (~en, ~ar) bay; liten inlet

havsyta *s* (~n) surface [of the sea]; 1000 m *över ~n* …above sea level

havsörn *s* (~en, ~ar) sea eagle, white-tailed eagle

Hawaiiöarna *s pl* the Hawaiian Islands

hbt (förk. för *homo-, bi- och transsexuella*) LGBT (förk. för lesbian, gay, bisexual, or transgender), GLBT (förk. för gay, lesbian, bisexual, or transgender)

Hb-värde *s* (~t, ~n) hemoglobinvärde Hb count

H-dur *s* (oböjl.) mus. B major

headhunta *vb tr* (~de, ~t) vard. head-hunt

headhunter *s* (~n, -huntrar el. ~s) chefrektryterare head-hunter

healing *s* (~en) healing

hebré *s* (~n, ~er) Hebrew

hebreisk *adj* (~t) Hebrew

hebreiska *s* (~n) språk Hebrew

Hebriderna *s pl* the Hebrides

hed *s* (~en, ~ar) moor; ljunghed heath

hedendom *s* (~en) hednisk tro heathenism, heathendom; avguderi, gudlöshet paganism

hedenhös *s* (oböjl.), **från** (**sedan**) ~ from time immemorial

heder *s* (~n) ära, hederskänsla honour; beröm[melse] credit; hederlighet honesty; **han har ingen ~ i sig** (**i kroppen**) he has no sense of honour (no self-respect); **ta ~ och ära av ngn** defame (calumniate, skriftl. libel) sb; **vara en ~ för** sin kår be a credit to...; **på ~ och samvete!** on my honour!, cross my heart [and hope to die]!; **försäkra på ~ och samvete** declare solemnly (on oath); **till hans ~ skall det sägas** att it must be said to his credit...; **komma till ~s igen** come into favour again

hederlig *adj* (~t) ärlig, redbar honest; anständig decent; hedersam honourable; **en gammal ~ kakelugn** a good old-fashioned...

hederlighet *s* (~en) ärlighet, redbarhet honesty

hedersam *adj* (~t, ~ma) se *hedrande*

hedersbetygelse *s* (~n, ~r) [mark of] honour, mark of respect, distinction

hedersdoktor *s* (~n, ~er) honorary doctor

hedersgäst *s* (~en, ~er) guest of honour

hedersledamot *s* (~en, -ledamöter) honorary member [av (i) of]

hedersman *s* (~nen, -män), **en ~** a man of honour; friare an honest man; vard. a decent old sort

hedersmord *s* (~et, =) honour killing

hedersomnämnande *s* (~t, ~n) honourable mention, citation

hedersord *s* (~et, =) word of honour; mil. parole; **på ~!** tro mig! cross my heart [and hope to die]!, word of honour!, honestly!

hedersplats *s* (~en, ~er) place (sittplats seat) of honour

hederspris *s* (~et, = el. ~er) special prize

hederssak *s* (~en, ~er), **det är en ~ för honom** he makes it (regards it as) a point of honour

hedersskuld *s* (~en, ~er) debt of honour

hederstitel *s* (~n, -titlar) honorary title

hedersuppdrag *s* (~et, =) honorary task

hedersvåld *s* (~et) honour-based violence, honour violence

hedervärd *adj* (-värt) honourable; attr. äv. worthy

hedning *s* (~en, ~ar) heathen; vanl. före kristendomen pagan

hednisk *adj* (~t) heathen; vanl. före kristendomen pagan

hedra *vb tr* (~de, ~t) honour; **det ~r honom att** han... it does him credit that...; ~ **ngns minne** honour sb's memory; ~ **ngn med** ett besök do (pay) sb the honour of...

hedrande *adj* (oböjl.) honourable; aktningsvärd creditable; smickrande flattering

hegemoni *s* (~n, ~er) hegemony

hej *interj* vard., hälsning, utrop hello!, hi [there]!,

hallo!; ~ [**då**]**!** adjö bye-bye!, cheerio!; ~ **så länge!** so long!; **de pucklade på varandra ~ vilt** they went at each other hammer and tongs; **man ska inte ropa ~** [**förrän man är över bäcken**] don't crow too soon, don't halloo till you are out of the wood[s]

heja I *interj* come on!; amer. äv. attaboy! resp. attagirl!; bravo well done!; i hejaramsa rah!; ~ **AIK!** come on AIK! **II** *vb itr* (~de, ~t), ~ **på** a) ett lag o.d. cheer [on]; hålla på support b) säga hej till say hello to

hejaklack *s* (~en, ~ar) sport. cheering section (crowd), supporters pl.; **ledare av ~** cheerleader

hejaramsa *s* (~n, -ramsor) cheer; amer. äv. yell

1 hejare *s* (~n, =) tekn. drophammer; pålkran pile-driver

2 hejare *s* (~n, =) se *baddare*

hejarop *s* (~et, =) cheer

hejd *s* (oböjl., en), **det är ingen ~ på...** there are no bounds (is no limit) to...

hejda I *vb tr* (~de, ~t) stoppa, allm. stop; med abstr. obj.: tygla, få under kontroll check; hämma, hindra, t.ex. utveckling äv. arrest; ström, flöde äv. stem; ~ **ngns framfart** check sb's progress; **inget kunde ~ honom** nothing could stop him **II** *vb rfl* (~de, ~t), ~ **sig** hålla igen check oneself; i tal äv. break off, stop

hejdlös *adj* (~t) obändig uncontrollable; vild wild; våldsam violent; ofantlig tremendous, enormous; obegränsad unlimited, unbounded; måttlös inordinate, excessive

hejdlöst *adv* uncontrollably etc., jfr *hejdlös*; vard., väldigt tremendously

hejduk *s* (~en, ~ar) henchman, tool

hejdundrande *adj* (oböjl.) vard. tremendous, colossal; överdådig slap-up...; **ett ~ fiasko** äv. a complete (total) flop

hejdå *interj* bye-bye!, cheerio!

hektar *s* (~et el. ~en, =) hectare; **ett** (**en**) ~ eng. motsv. 2.471 acres

hektisk *adj* (~t) hectic

hekto *s* (~t, = el. ~n) (förk. *hg*) hectogram[me]; **ett ~** eng. motsv. ung. 3.5 ounces

hektoliter *s* (~n, = el. -litrar) (förk. *hl*) hectolitre; **en ~** eng. motsv. ung. 22 gallons

hel *adj* (~t) **1** total, odelad **a**) allm. whole (i vissa fall the whole of); hel och hållen äv. entire; full[ständig] äv. full, complete; **en ~ dag** a whole day; ~**a dagen** adv. all day [long], all the day, the whole (entire) day; **fem ~a dagar** five whole days; ~**a fem dagar** a whole (no less than) five days; [**under** (**i**)] ~**a sitt liv** var han all his life..., throughout ([for] the whole of) his life...; ~**a staden** (~**a Stockholm**) platsen the whole [of the] town (the whole of Stockholm); invånarna all the town (all Stockholm)

b) ytterligare ex.: ~**a ansvaret** the whole (entire, full) responsibility; ~**a beloppet** the full (whole, total) amount, the total; **en ~ del** se under *del 2*; det är ju **en ~ förmögenhet** ...quite a fortune; **över ~a landet** throughout (all over) the country; ~**a tal** whole numbers, integers; ~**a tiden** adv. all the time, the whole time; det har jag vetat ~**a tiden** ...all along; tåget går **varje ~ timme** ...every hour [on the hour]; ~**a året** adv. all through the year, throughout the year

c) i substantivisk anv.: **en ~** och två femtedelar one...; fyra halva är **två ~a** ...two wholes; **det ~a** kan lätt förklaras the whole thing...; **i det stora ~a** el. **på det ~a taget** i stort sett on the whole; i allmänhet in general

2 inte sönder whole; om glas o.d. unbroken; pred. ...not cracked; om kläder o.d.: inte slitna ...[that are (were etc.)] not worn out (inte sönderrivna not torn); **~ peppar** unground (whole) pepper

hela I *vb tr* (~de, ~t) bibl. el. poet. heal **II** *s* (~n, helor) **1** se *helflaska* **2** *~n* första supen, ung. the first glass; *~n går!* ung. let's take (now for) the first! **3** *Helan och Halvan* film., komikerpar Laurel Halvan and Hardy Helan

helande *adj* (oböjl.) o. *s* (~t, ~n) healing

helautomatisk *adj* (~t) fully automatic

helbror *s* (-brodern, -bröder) full brother

helbrägdagörare *s* (~n, =) faith-healer

helbrägdagörelse *s* (~n, ~r) faith-healing

heldag *s* (~en, ~ar) full day, all day; *arbeta ~* work full time (all day)

heldragen *adj* (-draget, -dragna), *~ linje* unbroken (continuous) line

helfabrikat *s* (~et, =) finished product (article, manufacture)

helfet *adj* (-fett) **1** typogr. bold, boldface **2** *~ ost* fat (gräddost full-cream) cheese

helfigur *s* (~en, ~er), *porträtt i ~* full-length (whole-length) portrait

helflaska *s* (~n, -flaskor) [large (whole, full-sized)] bottle

helförsäkring *s* (~en, ~ar) för fordon comprehensive [motor-]car insurance

helg *s* (~en, ~er) holiday[s pl.]; vard., veckohelg weekend; kyrkl. festival, feast; *i* (*till*) *~en* kommande veckoslut this weekend; *över ~en* veckoslutet over (during) the weekend

helga *vb tr* (~de, ~t) göra helig sanctify; hålla helig keep...holy; viga, ägna consecrate; *~t varde ditt namn* bibl. hallowed be thy name; *ändamålet ~r medlen* the end justifies the means

helgardera *vb rfl* (~de, ~t), *~ sig* cover oneself fully; vid vadslagning hedge [off]; vid tippning forecast a banker, use a three-way forecast

helgd *s* (~en) okränkbarhet sanctity; helighet sacredness; *privatlivets ~* the sanctity of private life; *hålla i ~* hold sacred; dag äv. keep holy, observe

helgdag *s* (~en, ~ar) holiday; *allmän ~* bank holiday, public (legal) holiday; *rörlig ~* kyrkl. movable feast

helgdagsafton *s* (~en, -aftnar) day (resp. evening) before a holiday (Church festival)

helgedom *s* (~en, ~ar) helig plats sanctuary, shrine; byggnad äv. temple, sacred edifice

helgeflundra *s* (~n, -flundror) se *hälleflundra*

helgerån *s* (~et, =) sacrilege

helgfri *adj* (-fritt), *~ dag* weekday, [normal] working day; *tåget går ~a lördagar* ...on ordinary Saturdays

helgjuten *adj* (-gjutet, -gjutna) eg. ...cast in one piece; bildl.: om t.ex. personlighet sterling...; harmonisk harmonious; fulländad perfect, consummate

helgmålsringning *s* (~en, ~ar) ringing in of a (resp. the) sabbath (Church festival)

helgon *s* (~et, =) saint äv. bildl.

helgonbild *s* (~en, ~er) image [of a saint]

helgondyrkan *s* (=, en) worship of saints, hagiolatry

helgonförklara *vb tr* (~de, ~t) canonize

helgonförklaring *s* (~en, ~ar) canonization

helgongloria *s* (~n, -glorior) halo, aura of sanctity; *hans ~ har kommit på sned* his reputation has become tarnished

helgonlik *adj* (~t) saintly, saintlike

helhet *s* (~en, ~er) whole, totality, entirety; *bilda en ~* form a whole; *publicera en artikel i sin ~* ...in full, ...in its entirety

helhetsbild *s* (~en, ~er) comprehensive (overall, general) picture

helhetsintryck *s* (~et, =) overall (total, general) impression

helhetssyn *s* (~en, ~er) comprehensive (overall) view

helhjärtad *adj* (-hjärtat, ~e) whole-hearted; *han gjorde en ~ insats* he put his heart and soul into it

helhjärtat *adv* whole-heartedly, without reservation

helig *adj* (~t) till sitt väsen holy; som föremål för religiös vördnad sacred; okränkbar sacrosanct, inviolable; *~a Birgitta* Saint Bridget; *den ~e ande* the Holy Ghost; *Erik den ~e* St. (St, Saint) Eric; *~ ko* sacred cow äv. bildl.; *~t löfte* sacred (solemn) promise; *Heliga stolen* the Holy See; *det allra ~aste* bibl. the Holy of Holies; *ngns allra ~aste* sb's [inner] sanctum

helighet *s* (~en, ~er) holiness; helgd sacredness, sanctity; *Hans ~* påven His Holiness

helikopter *s* (~n, helikoptrar) helicopter; vard. chopper

helinackordering *s* (~en, ~ar) **1** abstr. full board and lodging **2** person [full] boarder

helium *s* (heliet el. = el. ~et) kem. helium

helkonserv *s* (~en, ~er) non-perishable article (food); *~er* non-perishables

helkväll *s* (~en, ~ar), *ha en ~* vard. make an evening of it

heller *adv* efter negation, ibland underförstådd either; [*och*] *inte ~* äv. nor, [and] neither, för konstr. se ex.; *jag förstår inte det här. – Inte jag ~* ...Nor (Neither) do I; *jag sa att jag inte tagit den och det hade jag inte ~* ...and I hadn't; [*det gör jag så*] *fan ~!* I'll be damned if I do (resp. will)!

helljus *s* (~et, =), *köra med ~et på* drive with [one's] headlights (headlamps) on, drive on full (main, amer. high) beam

hellre *adv* rather, sooner; i vissa fall better, jfr ex.; *mycket ~* much rather (sooner); *jag vill ~* (*skulle ~ vilja*) + inf. I would rather (sooner) + inf., I [should] prefer to + inf.; *~ det än* inget alls rather (better) that than...; *ju förr dess ~* the sooner the better; *jag vill* (*önskar*) *ingenting ~!* there is nothing I would like better!, nothing would please me more!

hellång *adj* (~t) full-length..., ankle-length...

helnot *s* (~en, ~er) mus. semibreve; amer. whole note

helnykter *adj* (~t, -nyktra) teetotal

helnykterhet *s* (~en) total abstinence, teetotalism

helnykterist *s* (~en, ~er) teetotaller, total abstainer

helomvändning *s* (~en, ~ar) **1** mil., *göra en ~* do an about turn (speciellt amer. face) **2** bildl. turnround, turnabout, volte-face; amer. äv. turnaround; *göra en ~* äv. do a U-turn

helpension *s* (~en) på hotell o.d. full board [and lodging]

helsida *s* (~n, -sidor) full page

helsiden *s* (~et) all silk, pure silk

helsidesannons *s* (~en, ~er) full-page advertisement

helsike *s* (~t, ~n) vard., *i ~ heller!* not likely!

Helsingfors Helsinki

helskinnad *adj* (-skinnat, ~e), **komma** (**slippa**) ~ **undan** escape unhurt (safe and sound, unscathed)

helskägg *s* (~et, =) full beard; **ha** ~ wear a [full] beard

helspänn *s* (oböjl.), **på** ~ om person on tenterhooks, tense; vard. uptight

helst *adv* **1** företrädesvis preferably; speciellt i förb. med vb rather; ~ **i dag** preferably today; **jag vill** ~ + inf. I would rather + inf., I [would] prefer to + inf.; **[jag vill]** ~ **inte** I would rather not; **den ska** ~ **drickas varm** it should be (it is best) drunk hot

2 som ~ i uttr.: **hur som** ~ på vilket sätt som helst [just] anyhow, in [just] any way; hur ni vill however (just as) you like (please, choose); **hur som** ~, **så** tänker jag... in any case,...; **hur mycket** (**länge** etc.) **som** ~ hur mycket etc. ni vill as much (as long etc.) as you like; jag betalar **hur mycket** (**vad**) **som** ~ ...any amount [of money], ...anything [you like]; **det var hur trevligt som** ~ mycket trevligt it was very (ever so) nice; **ingen som** ~ **anledning** no reason whatever (starkare whatsoever); **när som** ~ [at] any time; när ni vill whenever you like; **vad som** ~ anything; vad ni vill anything (whatever) you like; **var** (**vart**) **som** ~ anywhere; var (vart) ni vill wherever you like; **vem som** ~ anybody; vem ni vill whoever you like; **vem som** ~ **som...** anybody (anyone) who..., whoever...; litt. whosoever...; han är **inte vem som** ~ ...not just anybody; **vilken som** ~ a) se **vem som helst** ovan b) av två either [of them] c) vilken ni vill whichever [of them (resp. the two)] you like; **i vilket fall som** ~ in any case; i alla händelser at any rate; i båda fallen in either case

helstekt *adj* (=) ...roasted whole, barbecued

helsyskon *s pl* full brothers and sisters

helsyster *s* (~n, -systrar) full sister

helt *adv* fullständigt, alltigenom, i sin helhet (äv. ~ **och hållet**) entirely, completely, absolutely, totally, wholly, altogether, all; alldeles quite; **jag instämmer** ~ I fully (quite) agree; **ägna sig** ~ **åt** devote oneself entirely to, give one's [whole and] undivided attention to; **det är något** ~ **annat** that is [something] quite different, that is quite another matter; ~ **enkelt** [**omöjligt**] simply [impossible]; [**inte förrän**] ~ **nyligen** [only] recently; **göra** ~ **om** eg. turn (face) about; ~ **plötsligt** all at once, all of a sudden; ~ **säkert** (**visst**) surely, no doubt

heltal *s* (~et, =) matem. whole number, integer

heltid *s* (~en, ~er) full-time äv. sport.; **arbeta** ~ work full-time, have a full-time job

heltidsanställd I *adj* (-anställt), **vara** ~ be employed full-time **II** *s* (en ~, pl. ~a) full-time employee, full-timer

heltidsarbete *s* (~t, ~n) full-time job

heltidsstuderande *s* (~n, =) full-time student

helton *s* (~en, ~er) mus. whole tone

heltäckande *adj* (oböjl.), ~ **matta** wall-to-wall ([close-]fitted) carpet; ~ **färg** flat colour

heltäckningsmatta *s* (~n, -mattor) wall-to-wall ([close-]fitted) carpet

helveckad *adj* (-veckat, ~e) knife-pleated

helvete *s* (~t, ~n) hell; bildl. äv. inferno; ~**t** hell; **göra livet till ett** ~ **för ngn** make sb's life hell; **ett** ~**s** oväsen a hell of a...; svagare a damned (infernal)...; **i** ~ **heller!** vard. like hell you (he etc.) will!, not bloody likely!; **vad i** ~ **gör du?** vard. what the (amer. äv. in) hell

are you doing?; **dra åt** ~ vard. go to hell, bugger off; **det gick åt** ~ vard. it got screwed up, it was a total flop

helvetisk *adj* (~t) hellish; infernal

helylle *s* (~t) all wool, pure wool; tröja **av** ~ all-wool (pure-wool)...

helår *s* (~et, =), **prenumerera för** ~ ...for a whole year (twelve months)

helårsprenumeration *s* (~en, ~er), **en** ~ a year's subscription

helägd *adj* (-ägt), **A är ett helägt** dotterbolag **till B** A is a...completely owned by B

hem I *s* (~met, =) home äv. anstalt; bostad äv. house, place; ~ **för gamla** old people's home; **ett andra** ~ äv. a home from home; **eget** ~ a home of one's own; **i** ~**met** hemma at home, in one's home **II** *adv* (se också betonad partikel under respektive verb, t.ex. *bjuda* hem under *bjuda II*) **1** home; tillbaka äv. back; **följa ngn** ~ see (walk) sb home; **gå** ~ go home; **gå** ~ **till ngn** go to sb's home (house, place); **kom** ~ **till mig!** come round to my place!; **hitta** ~ find one's way home; **jag vill** [**åka** (**gå**)] ~ I want to go home **2 gå** ~ vara populär be a hit, be popular; **det gick** ~ om skämt o.d. it (the point) went home; **ta** ~ **spelet** äv. friare win [the game]

hemarbete *s* (~t, ~n) **1** hemläxa homework (endast sg.) **2** hushållsarbete housework (endast sg.)

hembageri *s* (~et, ~er) local baker's [shop], local bakery

hembakad *adj* (-bakat, ~e) o. **hembakt** *adj* (=) home-made

hembesök *s* (~et, =) house call

hembiträde *s* (~t, ~n) [domestic] servant, maid

hembränd *adj* (-bränt) privately (home) distilled; olaglig illicitly distilled

hembränning *s* (~en, ~ar) home-distilling; olaglig illicit distilling

hembränt *s* (oböjl.) sl. hooch, moonshine

hembygd *s* (~en, ~er), ~**en** one's native (home) district

hembygdskunskap *s* (~en) skol., ung. local geography, history and folklore

hemdator *s* (~n, ~er) data. home computer, home PC

hemdragande *adj* (oböjl.), **komma** ~ **med** ngn (ngt) come home bringing (with)...

hemfalla *vb itr* (-föll, -fallit), ~ **åt** (**till**) t.ex. laster yield (give way) to; t.ex. en känsla äv. surrender [oneself] to; t.ex. dryckenskap become addicted to

hemfridsbrott *s* (~et, =) violation of the privacy of the home, trespass

hemföra *vb tr* (-förde, -fört) take (hit bring)...home; ~ **segern** win the day

hemförhållanden *s pl* home conditions

hemförlova *vb tr* (~de, ~t) mil. disband, demobilize; riksdag adjourn

hemförlovning *s* (~en, ~ar) mil. disbandment, demobilization; av riksdag adjournment

hemförsäkring *s* (~en, ~ar) home (house) insurance

hemförsäljning *s* (~en) house-to-house (door-to-door) selling (sales pl.)

hemgift *s* (~en, ~er) dowry

hemgjord *adj* (-gjort) home-made

hemhjälp *s* (~en, ~ar el. ~er) person home help

hemifrån *adv* borta från hemmet [away] from home,

away; *gå* (*resa*) ~ leave home, start (set out) from home; *vara* ~ borta be away [from home]

heminredning *s* (~en, ~ar) interior decoration, home furnishing

hemisfär *s* (~en, ~er) hemisphere

hemkommun *s* (~en, ~er) one's local authority; *i min* ~ in my municipality (the municipality where I am registered); jfr äv. *kommun*

hemkomst *s* (~en, ~er) homecoming, return [home]

hemkonsulent *s* (~en, ~er) domestic (home) adviser

hemkunskap *s* (~en) skol. home economics sg., domestic science

hemkunskapslärare *s* (~n, =) skol. domestic science teacher, teacher of home economics

hemkänsla *s* (~n) feeling of homeliness (cosiness, being at home)

hemkär *adj* (~t), *vara* ~ be fond of one's home, be a homebody

hemkörning *s* (~en, ~ar) van (doorstep) delivery [service]; *fri* ~ free delivery [service]

hemlagad *adj* (-lagat, ~e) om mat home-made; ~ *mat* äv. home cooking

hemland *s* (~et, -länder) native country (land), homeland; bildl. el. poet. home; *~et* äv. one's [own] country; emigrants äv. the old country; *det är mitt andra* ~ this is my second home

hemlig *adj* (~t) allm. secret [*för* from]; dold äv. concealed, hidden; [skeende] i smyg äv. clandestine; ~*t* (*strängt* ~*t*) på dokument secret (top secret); ~ *agent* secret agent; ~*a papper* secret (confidential, top-secret) documents; ~*t samförstånd* secret understanding; maskopi collusion; ~*t* [*telefon*]*nummer* ex-directory (amer. unlisted) number; *vi höll det* ~*t för honom* we kept it secret (a secret) from him

hemlighet *s* (~en, ~er) secret; *en offentlig* (*väl bevarad*) ~ an open (a closely-guarded) secret; *bevara en* ~ keep a secret; *ha* ~*er för ngn* have secrets from sb; *inte göra någon* ~ *av* make no secret of; ~*en med det* the secret of it; *det är hela* ~*en* så enkelt var det that is all there is to it; *i* [*allt*] ~ secretly, in secret, in secrecy

hemlighetsfull *adj* (~t) förtegen secretive; gåtfull mysterious

hemlighetsmakeri *s* (~et, ~er) mystery-mongering, mystery-making, secretiveness; vard. hush-hush

hemlighålla *vb tr* (-höll, -hållit) keep...secret, conceal [*för ngn* from sb]

hemligstämpla *vb tr* (~de, ~t) classify [as strictly secret (top secret)]

hemliv *s* (~et) home (domestic) life

hemlån *s* (~et, =), *inte till* ~ om bok for reference only

hemlängtan *s* (=, en) homesickness, *känna* (*ha*) ~ feel (be) homesick

hemläxa *s* (~n, -läxor) homework (endast sg.)

hemlös *adj* (~t) homeless

hemma *adv* at home äv. bildl. [*i ett ämne på* ett område in], jfr *hemmastadd*; ~ [*hos oss*] brukar vi at home..., in our home...; *du kan bo* ~ *hos oss* you can stay (långvarigt live) at our place, you can stay (långvarigt live) with us; ~ *hos Eks* at the Eks' [place etc.]; *hålla sig* (*stanna*) ~ keep (stay) at home, keep indoors, stay in[doors]; *känn dig som* ~*!* make yourself at home!; *vara* ~ a) be at home; inne äv. be in

b) hemkommen be home, be back [home]; *vara ensam* ~ be alone [in the house]

hemmablind *adj* (-blint) som inte ser brister blind to defects in one's home (resp. in one's work etc.)

hemmabruk *s* (oböjl.), *för* ~ for domestic use, for use in the home

hemmafru *s* (~n, ~ar) housewife; speciellt amer. homemaker

hemmagjord *adj* (-gjort) home-made; neds. ...[that is (was etc.)] knocked together

hemmahörande *adj* (oböjl.), ~ *i* a) jur., om person domiciled in b) om fartyg of, belonging to

hemmakväll *s* (~en, ~ar) evening at home

hemmalag *s* (~et, =) sport. home team (side)

hemmaman *s* (~nen, -män) house husband

hemmamarknad *s* (~en, ~er) home (domestic) market

hemmamatch *s* (~en, ~er) sport. home match (amer. vanl. game); *spela* ~ äv. play at home

hemman *s* (~et, =) homestead, [freehold] farm

hemmansägare *s* (~n, =) ung. yeoman, freeholder; friare vanl. farmer

hemmaplan *s* (~en, ~er) sport. home ground äv. bildl.; *spela på* ~ play at home; *en seger på* ~ a home win

hemmaseger *s* (~n, -segrar) sport. home win

hemmastadd *adj* (-statt) at home; obesvärad äv. at ease båda endast pred.; acklimatiserad äv. acclimatized; *känna* (*göra*) *sig* ~ feel (make oneself) at home; *vara* ~ *i* ett ämne be at home in (familiar with, versed in)...

hemmavarande *adj* (oböjl.) ...living at home

hem och skola-förening *s* (~en, ~ar) parent-teacher association (förk. PTA)

hemoglobin *s* (~et) haemoglobin; amer. hemoglobin

hemorrojder *s pl* haemorrhoids, piles, amer. hemorrhoids

hemort *s* (~en, ~er) home district; jur. domicile; fartygs home port, port of registry; örlogsfartygs home base

hemortskommun *s* (~en, ~er) the municipality where one is registered (lives); *i min* ~ in my municipality (in the municipality where I am registered); jfr äv. *kommun*

hempermanent *s* (~en) home perm

hemresa *s* (~n, -resor) journey (till sjöss voyage) home; i mots. till utresa home journey; till sjöss home[ward] voyage; *på* ~*n blev vi*... on our way home...

hemsamarit *s* (~en, ~er) ung. home help

hemsida *s* (~n, -sidor) data. home page

hemsjukvård *s* (~en) home nursing

hemsk *adj* (~t) allm. ghastly; ohygglig äv. grisly, gruesome; fruktansvärd äv. terrible, horrible; svagare awful, frightful; kuslig, spöklik uncanny, weird, eery; dyster dismal, dreary, gloomy; *en* ~ *sjukdom* a terrible disease; *en* ~ *spökhistoria* a horrible (creepy) ghost story

hemskillnad *s* (~en) judicial separation

hemskt *adv* vard., väldigt awfully, terribly; ~ *mycket folk* terribly many people; ~ *trevligt* awfylly (really) nice

hemslöjd *s* (~en) handicraft; [domestic (home)] arts and crafts pl.

hemspråk *s* (~et, =) home language

hemspråkslärare *s* (~n, =) home-language teacher

hemstad *s* (~en, -städer) home town
hemställa *vb tr* o. *vb itr* (-ställde, -ställt), *~ om ngt* anhålla request sth
hemställan *s* (=, en) anhållan request, petition
hemsöka *vb tr* (-sökte, -sökt) härja, drabba o.d.: om t.ex. fiendetrupper invade; om t.ex. sjukdom afflict; om t.ex. skadedjur infest; om t.ex. naturkatastrof devastate; om spöken haunt
hemsökelse *s* (~n, ~r) av t.ex. sjukdom affliction; av t.ex. skadedjur infestation; katastrof disaster, calamity
hemtam *adj* (~t) domesticated; pred. [quite] at home
hemtextil *s* (~en) o. **hemtextilier** *s pl* soft furnishings pl.
hemtjänst *s* (~en, ~er) home-help service
hemtrakt *s* (~en, ~er) home district (area); *i mina ~er* där jag bor [in the area] where I live; där jag växte upp where I grew up, where I'm from
hemtrevlig *adj* (~t) ombonad cosy [and intimate], nice and comfortable, snug; hemlik homelike, homely; om person pleasant
hemtrevnad *s* **1** (~en) cosiness, [home] comfort, homelike atmosphere (feeling), hominess **2** (~en, ~er) bot. mind-your-own-business
hemuppgift *s* (~en, ~er) homework (endast sg.)
hemvist *s* (~et el. ~en, = el. ~er) poet. abode; jur. domicile, [place of] residence, place of abode; *med ~ i* jur. domiciled in (resp. at); kaféet *var en ~ för* konstnärer ...was a seat (centre) of...
hemvårdare *s* (~n, =) [trained] home help
hemväg *s* (~en) way home; *på ~en blev jag...* on my (the) way home...
hemvärn *s* (~et, =) home defence; *~et* the Home Guard
hemvävd *adj* (-vävt) homespun äv. bildl., handwoven
hemåt *adv* homeward[s]; home, towards home; *vända ~* return [home], turn back home
henna *s* (~n) henna
henne *pers pron* her; om djur äv. it
hennes *poss pron* fören. her; om djur vanl. its; självst. hers, för ex. jfr vidare *1 min*
Henrik som kunganamn Henry
hepatit *s* (~en, ~er) med. hepatitis (endast sg.)
heraldik *s* (~en) heraldry
heraldisk *adj* (~t) heraldic
herbarium *s* (herbariet, herbarier) herbari|um (pl. -a)
Hercegovina Herzegovina
herde *s* (~n, herdar) fåra- o. bildl. shepherd
herdedikt *s* (~en, ~er) pastoral [poem], bucolic
herdestund *s* (~en, ~er) tender moment; poet. dalliance
herdinna *s* (~n, herdinnor) shepherdess
Herkules mytol. Hercules
herkulesarbete *s* (~t, ~n) Herculean task (labour)
hermafrodit *s* (~en, ~er) hermaphrodite
hermelin *s* (~en, ~er) zool. ermine äv. pälsverk
hermetisk *adj* (~t) hermetic
hermetiskt *adv*, *~ tillsluten* hermetically sealed
heroin *s* (~et) heroin
heroinist *s* (~en, ~er) heroin addict
heroisk *adj* (~t) heroic
heroism *s* (~en) heroism
herpes *s* (~en) med. herpes
herr *s* (~n, ~ar) se *herre 2*
herravdelning *s* (~en, ~ar) i t.ex. affär men's department; i t.ex. simhall men's section (side)

herravälde *s* (~t, ~n) makt[utövning] domination; styrelse rule, sway; välde dominion; överhöghet supremacy, ascendancy [över i samtliga fall vanl. over]; övertag samt behärskning mastery, command; kontroll control [över i samtliga fall vanl. of]; *förlora ~t över bilen* lose control of the car; *kämpa om ~t* struggle for supremacy
herrbetjänt *s* (~en, ~er) klädhängare valet stand
herrcykel *s* (~n, -cyklar) man's bicycle
herrdubbel *s* (~n, -dubblar) men's doubles (pl. lika); match men's doubles match
herre *s* (~n, herrar) **1** mansperson **a)** allm. gentle|man (pl. -men), man (pl. men); *höga herrar* important people; pampar bigwigs, VIPs **b)** i tilltal utan följande personnamn, *vill herrn* (artigare *min ~*) *vänta?* would you mind waiting, sir (Sir)?; *mina [damer och] herrar!* [ladies and] gentlemen!; 100 meter bröstsim *för herrar* the men's...
2 *herr* som titel framför personnamn (ibland framför annan titel) **a)** allm. Mr; *herr Ek* Mr Ek; *herr talman* (*ordförande, president*)*!* Mr Speaker (Chairman, President)! **b)** i brevutanskrift o.d.: *Herr Bo Ek* Mr Bo Ek; ibland mera formellt Bo Ek Esq.
3 i speciella betydelser: härskare master; i vissa fall lord; husbonde master; ägare master, owner; *herrn i huset* the master of the house; *sådan ~ sådan hund* like master like dog; *vara sin egen ~* be one's own master (om kvinna vanl. mistress), be a free agent, be independent; *vara ~ i sitt eget hus* be master in one's own house; *vara ~ på täppan* rule the roost; *vara ~ över situationen* be master of the situation, have the situation well in hand (under control)
4 *Herren* the Lord; *Herre!* O Lord!; *~ gud!* vard. Oh my God!, Good Heavens (God)!; *i (på) många herrans år* for ages [and ages], for donkey's years; *vad (varför) i herrans namn...?* what (why) on earth...?
herrekipering *s* (~en, ~ar) butik men's outfitter's; amer. men's store
herrelös *adj* (~t) ownerless; *~ hund* stray dog
herresäte *s* (~t, ~n) country seat, manor
herrfinal *s* (~en, ~er) sport. men's final
herrfrisering *s* (~en, ~ar) men's hairdresser, barber
herrfrisör *s* (~en, ~er) men's hairdresser, barber
herrgård *s* (~en, ~ar) byggnad country house, country seat, mansion, manor house; gods country (residential) estate, manor, manorial estate
herrgårdsvagn *s* (~en, ~ar) bil estate car; speciellt amer. station wagon
herrhatt *s* (~en, ~ar) man's hat (pl. men's hats)
herrklocka *s* (~n, -klockor) men's watch
herrkläder *s pl* men's clothes (wear sg.)
herrkonfektion *s* (~en) kläder men's [ready-made] clothing (amer. äv. furnishings), men's wear
herrmode *s* (~t, ~n) fashion for men; *~t har växlat...* men's fashions pl....
herrparaply *s* (~et el. ~n, ~er el. ~n) men's umbrella
herrsingel *s* (~n, -singlar) men's singles (pl. lika); match men's singles match
herrskap *s* (~et, =) **1** i tilltal till sällskap av båda könen, *mitt ~!* ladies and gentlemen! **2** herrskapsfolk gentlefolk[s] pl. **3** äkta makar: *~et Ek* Mr and Mrs Ek
herrsko *s* (~n, ~r) man's shoe; *~r* hand. men's footwear sg.
herrskräddare *s* (~n, =) men's tailor

herrstrumpa *s* (~n, -strumpor) man's sock (pl. men's socks)

herrsällskap *s* (~et, =), *i* ~ in male company, among [gentle]men

herrtidning *s* (~en, ~ar) med nakna flickor girlie magazine

herrtoalett *s* (~en, ~er) lokal men's toilet (lavatory, cloakroom); vard. gents; amer. äv. men's room

herrunderkläder *s pl* [gentle]men's (vard. gents) underwear sg.

herrur *s* (~et, =) [gentle]men's watch

hertig *s* (~en, ~ar) duke

hertigdöme *s* (~t, ~n) område duchy

hertiginna *s* (~n, hertiginnor) duchess

hes *adj* (~t) hoarse; beslöjad äv. husky

heshet *s* (~en) hoarseness; huskiness

het *adj* (hett) **1** hot; om t.ex. längtan äv. ardent; om t.ex. böner äv. fervent; upphetsad heated, excited; *en ~ debatt* a heated discussion; *~a linjen* the hot line; *ett ~t namn* a hot favourite, one of the hot favourites; *ett ~t tips* a hot tip; *~t vatten* [very] hot water; *~ zon* klimatzon torrid zone; *få det ~t* [*om öronen*] get into hot water; *när* valstriden *stod som ~ast* in the hottest part of… **2** vard., aktuell, på modet absolutely new, really up to date, hot

heta *vb itr* (hette, hetat) **1** benämnas be called (named) [*efter* after]; *vad heter han?* vanl. what's his name?; *vad ska* barnet *~?* what are you going to call…?; *vad heter hon i förnamn?* what is her first name?; intresserad av *allt vad sport heter* …everything connected with (to do with) sport; futurism, kubism *och allt vad det heter* …and what not, …you name it; *vad heter* 'bok' *i plural?* what is the plural of…?; *vad heter det* ordet, uttrycket etc. *på engelska?* what is that in English?, what is the English [word] for that?; …*eller vad hon* (*han*) *heter* or what's her (his) name; …*eller vad det heter* …or whatever it's called **2** opers., lyder, står [skrivet], *som det heter* as the word (term) is, as the phrase goes; *som det så vackert heter* as they so prettily put it; *det heter inte* 'triologi', *det heter* 'trilogi' it's not (you don't say)…, it's (you say)…

heterogen *adj* (~t) heterogeneous

heterosexuell *adj* (~t) heterosexual

hetlevrad *adj* (-levrat, ~e) hot-tempered, hot-blooded, irascible

hetluft *s* (~en) eg. hot air; *hamna* (*komma*) *i ~en* get into a tight (tough) spot, get into difficulties

hets *s* (~en) ansättande baiting; förföljelse persecution [*mot* of]; uppviglande agitation [campaign] [*mot* against]; jäkt, hetsigt tempo bustle, rush [and tear]; ~ *mot folkgrupp* incitement to racial hatred

hetsa *vb tr* (~de, ~t) jäkta rush, urge […on], press; reta, egga (äv. bildl.) bait; ~ jäkta *mig inte!* don't rush me!; ~ *en hund på ngn* set a dog on sb; ~ [*upp*] egga excite; sporra, t.ex. ngn till kamp äv. incite, egg…on; ~ *upp sig* get excited

hetshunger *s* (~n) med. bulimia

hetsig *adj* (~t) **1** häftig, om t.ex. lynne, ord hot; om t.ex. dispyt äv. heated; hetlevrad hot-tempered; lättretad hot-headed, hasty; om persons tal, uppförande äv. impetuous **2** jäktig bustling

hetsighet *s* (~en) hotness etc., se *hetsig*; heat; impetuosity

hetsjakt *s* (~en, ~er) jakt. hunt; jagande hunting; bildl.,

jäkt rush; ~ *på* agitation [campaign] (witch-hunt) against; förföljelse baiting (persecution) of

hetsäta *vb itr* (-åt, -ätit) binge, vid ett visst tillfälle äv. have a binge; vara hetsätare be a compulsive eater, med. suffer from bulimia

hetsätande *s* (~t) compulsive eating, bingeing; vid ett visst tillfälle binge; med. bulimia

hetsätare *s* (~n, =) compulsive eater, binger

hett *adv* hotly, ardently etc., jfr *het*; *det gick ~ till* we had a hot time of it; man slogs o.d. things got pretty rough; känslorna svallade feelings ran high; han kände att *det började osa ~* …the place began to be too hot for him

hetta I *s* (~n) heat; bildl. äv. ardour, passion; *i stridens* dispytens ~ in the heat (ardour) of the debate **II** *vb itr* (~de, ~t) vara het be hot; alstra hetta give heat; om hetsande dryck o.d. be heating; *det ~r om kinderna* [*på mig*] my cheeks are burning; ~ *upp* heat äv. bildl., heat up, make…hot

hexameter *s* (~n, -metrar) metrik. hexameter

hg förk. för *hekto*

hibiskus *s* (~en, ~ar) bot. hibiscus

hicka I *s* (~n) hiccup, hiccough; *få* (*ha*) ~ get (have) the hiccups **II** *vb itr* (~de, ~t) hiccup, hiccough, have the hiccups

hierarki *s* (~n, ~er) hierarchy

hieroglyfer *s pl* hieroglyphics

hi-fi *s* (~n) hi-fi (förk. för high-fidelity)

hightech *s* (oböjl.) high-tech

Himalaya the Himalayas pl.

himla I *adj* (oböjl.) vard. awful, terrific **II** *adv* vard. awfully, terrifically **III** *vb itr* (~de, ~t), ~ *med ögonen* för att visa irritation o.d. roll one's eyes; se skenhelig ut look sanctimonious **IV** *vb rfl* (~de, ~t), ~ *sig* förfasa sig be scandalized (shocked) [*över* at]

himlakropp *s* (~en, ~ar) celestial (heavenly) body

himlavalv *s* (~et) vault (canopy) of heaven; *på ~et* in the firmament

himmel *s* (himlen el. ~en el. ~n, himlar) himlavalv, sky o.d. vanl. sky; himmelrike, himmelska makter heaven; *~!* [good] Heavens!; *en klar* (*molnig*) ~ a clear (an overcast) sky; *röra upp* ~ *och jord* raise hell; en gåva *från himlen* …from above (heaven); *i sjunde himlen* in the seventh heaven, over the moon; *allt mellan ~ och jord* everything under the sun; *komma till himlen* go to heaven; *under Italiens* ~ under Italian skies

himmelrike *s* (~t) heaven, paradise; *~t* bibl. the kingdom of heaven; *ett* ~ a paradise, heaven on earth; *rena* *~t* pure paradise

himmelsblå *adj* (-blått) sky-blue, azure; jfr äv. *blått*

himmelsfärdsdag *s* (~en), *Kristi* ~ Ascension Day

himmelsk *adj* (~t) heavenly, celestial; bildl. äv. divine; *vår ~e Fader* our heavenly Father

himmelsskriande *adj* (oböjl.), *en ~ orättvisa* a glaring [piece of] injustice

himmelssäng *s* (~en, ~ar) four-poster bed

himmelsvid *adj* (-vitt), *en ~ skillnad* a huge (vast) difference, all the difference in the world

hin, ~ [*håle* (*onde*)] the devil, the Evil One, Old Nick; *hon är ett hår av* ~ …a devil of a woman

hind *s* (~en, ~ar) zool. hind

hinder *s* (hindret, =) allm. obstacle [*för* to]; svårighet äv. impediment; fördröjande ~ äv. hindrance; blockerande ~ äv. obstruction; sport.: häck o.d. fence, hurdle; dike o.d.

äv. ditch, jfr äv. *hinderlöpning*; **lägga ~ i vägen för ngn** put (place) obstacles in sb's way; *det möter inget ~* there is nothing against it (no objection to that); *det möter inget ~ att du...* there is nothing to prevent (is no objection to) you + ing-form; **ta ett ~** sport. take (clear) an obstacle (a fence etc.)

hinderlöpning s (~en, ~ar) steeplechase; hinderlöpande steeplechasing; i hästsport (med lägre hinder) äv. hurdle-racing

hindersprövning s (~en, ~ar) consideration of (inquiry into) impediments to marriage

hindra vb tr (~de, ~t) **1** förhindra prevent; avhålla keep, restrain; hejda stop; **~ ngn** i hans strävanden check sb; *det är ingenting som ~r att du gör det* there is nothing to prevent you from (vard. to prevent you) doing it; *ingenting kan ~ mig [från] att* + inf. there is nothing to prevent me from (vard. me) + ing-form **2** vara till hinders för hinder; stå el. lägga sig hindrande i vägen för ngt hamper, obstruct, impede, interfere with; **~ ngn** i hans arbete vanl. hinder sb; **~ trafiken** impede (obstruct, interfere with) the traffic

hindu s (~n, ~er) Hindu

hinduisk adj (~t) Hindu

hinduism s (~en) Hinduism

hingst s (~en, ~ar) stallion

hink s (~en, ~ar) vatten- bucket; mjölk~, slask~, skur~ pail [båda med of framför följande ord]

1 hinna I vb tr o. vb itr (hann, hunnit) **1** nå, komma reach, get [on], advance; *vi har hunnit långt i dag* we have done quite a lot today **2** hinna få färdig manage to accomplish, [manage to] get...done (finished); *jag måste ~ göra läxorna* före middagen I must get my homework done (finished)... **3** ha tid, ~ [med] have (få tid find, get) [the] time; lyckas manage it; **~ byta om** have time to change; *om jag hinner* if I get (find) [the] time, if I can spare the time; *det hinner jag inte* I have no time for (to do) that; *färgen har inte hunnit torka* the paint hasn't had time to dry, the paint isn't dry yet; *klockan hann (hade hunnit) bli två* it was already two o'clock **4** komma i tid [manage to] be (get there, hit come here) in time; *om vi skyndar oss, så hinner vi* if we hurry up we'll make it

II tillsammans med beton. part. vanl. [manage to] get, jfr dock följande ex.

hinna fram arrive [in time] [*till* at (resp. in)]; get there (hit here)

hinna före [ngn] manage to get there (hit here) before sb; vard. beat sb to it

hinna i fatt ngn catch up with sb

hinna med: **~ med att äta** have time to eat, get in a bite to eat; **~ med** ett arbete [manage to] finish... (get...done); **~ med tåget** [manage to] catch the (my etc.) train; *inte ~ med* tåget äv. miss...

hinna upp i fatt catch...up, catch up with

2 hinna s (~n, hinnor) allm., mycket tunn film; skal, överdrag skin; zool. el. bot. membrane

hiphop s (~pen) mus. hip-hop

hiphoppare s (~n, =) hip-hopper

1 hipp adv, **~ som happ** utan ordning, som det faller sig any how, any old how

2 hipp interj, **~, ~ hurra!** hip, hip hurrah!

3 hipp adj (~t) vard. cool, in

hippie s (~n, ~r) hippie

Hippokrates Hippocrates

hirs s (~en) bot. millet

hisklig adj (~t) förskräcklig horrible, terrifying; friare el. mera vard. frightful, awful

hisna vb itr (~de, ~t) se *hissna*

hisnande adj (oböjl.) se *hissnande*

1 hiss s (~en, ~ar) lift; amer. elevator; byggnads~, varu~ o.d. hoist

2 hiss s (~et, =) mus. B sharp

hissa vb tr (~de, ~t) **1** eg. hoist [up]; **~ en flagga** hoist (run up) a flag; **~ ett segel** hoist [up] a sail; **~ segel** avsegla set sail; **~ hala ned** lower [down] **2** person, t.ex. efter seger toss

hissknapp s (~en, ~ar) lift button; amer. elevator button

hisskorg s (~en, ~ar) lift (amer. elevator) cage (car)

hissna vb itr (~de, ~t) feel dizzy (giddy)

hissnande adj (oböjl.) höjd, djup dizzy (giddy)...

hisstrumma s (~n, -trummor) lift (amer. elevator) shaft (well)

historia s **1** (historien) skildring el. vetenskap history; *svensk (allmän) ~* Swedish (universal) history; *gå till historien* become (go down in el. to) history **2** (historien el. ~n, historier) berättelse: allm. story [*om* about (of)]; diktad äv. tale; *berätta en ~* tell a story; *det hör till historien att...* it is part of the story... **3** (historien el. ~n, historier) sak thing, affair, business, story; *det blir en dyr ~ för honom* it will be an expensive affair (business) for him; *det var en tråkig ~* it (that) was a sad story

historieberättare s (~n, =) story-teller

historiebok s (~en, -böcker) history book

historieforskning s (~en) history research

historielös adj (~t) ...without a history, history-less

historieskrivning s (~en, ~ar) the writing of history; som vetenskap historiography

historik s (~en, ~er) history, historical account [*över* of]

historiker s (~n, =) historian

historisk adj (~t) **1** allm. historical; *~t museum* history (historical) museum; *i ~ tid* within historical times **2** historic; **~ mark** historic[al] (classical) ground; *ett ~t ögonblick* a historic moment **3** gram., *~t presens* the historic present

1 hit adv allm. here; åt det här hållet this way, in this direction; så långt thus far; *kom ~ (~ ner* etc.)*!* come (come down etc.) here!; *kom ~ med boken!* bring...here!; **~ och dit** eg. to and fro; **ända ~** as far as this (here); *han har flyttat ~* ...moved here (to this place); *det hör inte ~* that has nothing to do with this (it)

2 hit s (~ten, ~tar el. ~s) schlager hit

hiterst adv nearest

hithörande adj (oböjl.) ...belonging to it (resp. them), ...belonging here; hörande till saken relevant

hitintills adv se *hittills*

hitlerhälsning s (~en, ~ar) Hitler salute

hitlista s (~n, -listor) top-of-the-pops list; *toppa ~n* be top of the pops, top the charts

hitom prep on this side of

hitre adj (oböjl.), *den ~* the one nearer (nearest), the one on this side; *det ~ av de båda husen* the nearest (nearer) house of the two

hitresa s (~n), *på ~n* on the (my etc.) journey here

hitta I vb tr (~de, ~t) **1** allm. find; träffa på come (hit, light) [up]on; komma över come across, pick up; *det är som ~t* mycket billigt it's dirt cheap (a gift), it's giving it away **2** ~ *på* **a**) komma på, tänka ut think of, hit [up]on; *vad ska vi ~ på [att göra]?* what shall we do? **b**) uppfinna invent **c**) uppdikta make up **d**) ställa till med, *vad har du nu ~t på?* what are you up to (have you got up to) now?; now, what are you doing? **II** *vb itr* (~de, ~t) finna vägen find (känna vägen know) the (my etc.) way

hittebarn *s* (~et, =) foundling

hittegods *s* (~et) lost property

hittegodsmagasin *s* (~et, =) lost property office

hittelön *s* (~en, ~er) reward; *1 000 kronor i* ~ 1 000 kronor reward

hittills *adv* up to now (the present), till now, hitherto; *så här långt* so (thus) far

hittillsvarande *adj* (oböjl.), *den* ~ ordningen the…we (they etc.) have had up till now (the present)…

hitvägen *s* (best. sing.), *på* ~ on the (my etc.) way here

hitåt *adv* in this direction, this way

hiv *s* (oböjl.) (förk. för *humant immunbristvirus*) med. HIV (förk. för human immunodeficiency virus)

hiva *vb tr* (~de, ~t) allm. heave; vard., kasta äv. throw, chuck

hivpositiv *adj* (~t) HIV-positive

hivtest *s* (~et el. ~en, ~er el. =) HIV test; *göra (ta) ett* ~ do (take) a HIV test

hivtesta I *vb tr* (~de, ~t), ~ *ngn* do (perform) an HIV-test on sb **II** *vb rfl* (~de, ~t), ~ *sig* get (be) tested for HIV

hivvirus *s* (~et, =) HIV virus

hjord *s* (~en, ~ar) herd; får- el. samling människor flock

hjort *s* (~en, ~ar) deer (pl. lika); hanne: kron~ stag, hart; dov~ buck

hjortdjur *s* (~et, =) deer (pl. lika); *~en* the deer (cervids)

hjorthorn *s* (~et, =) deer horn, antler

hjorthornssalt *s* (~et) ammonium carbonate; hartshorn

hjortkalv *s* (~en, ~ar) young deer; dovhjortskalv äv. fawn

hjortron *s* (~et, =) cloudberry

hjortronsylt *s* (~en) cloudberry jam

hjortskinn *s* (~et, =) läder deerskin; för handskar o.d. buckskin

hjul *s* (~et, =) allm. wheel; trissa castor; *vara femte ~et under vagnen* play gooseberry, be the odd man out; *byta* ~ vid punktering change wheels

hjula *vb itr* (~de, ~t) turn [cart]wheels, cartwheel

hjulaxel *s* (~n, -axlar) på vagn axletree

hjulbas *s* (~en, ~er) wheelbase

hjulbent *adj* (=) bandy-legged, bow-legged

hjullås *s* (~et, =) bil. [wheel] clamp; spec. amer. [Denver] boot

hjulnav *s* (~et, =) [wheel] hub

hjulspår *s* (~et, =) wheel track; djupare rut; *fortsätta i de gamla ~en* bildl. …in the [same] old rut

hjulångare *s* (~n, =) paddle steamer

hjälm *s* (~en, ~ar) helmet

hjälmbuske *s* (~n, -buskar) crest

hjälp *s* **1** (~en) allm., äv. om person help; bistånd äv. assistance, aid; nytta äv. use; undsättning rescue; understöd support, relief; botemedel remedy [*mot (för)* for]; *ekonomisk* ~ economic aid; *få ~ av ngn* finansiellt be helped (assisted) by sb, receive assistance from sb; *ge första ~en* vid olycksfall give (administer) first aid; *sända* ~ till katastrofområdet send relief…; *söka* ~

hos ngn seek assistance from sb; *tack för ~en!* thanks for the help!; *med* ~ *av* en linjal by means of…; *ta* händerna *till* ~ make use of…, have recourse to… **2** (~en, ~er) ridn., *~er* aids

hjälpa I *vb tr* o. *vb itr* (hjälpte, hjälpt) allm. help; bistå äv. assist; vara behjälplig äv. aid; understödja äv. support; undsätta relieve; avhjälpa remedy; tjäna till avail, be of use (avail); om botemedel be effective, have a good effect, be (do) good [*mot (för)* for]; *hjälp!* help!; *det hjälper inte* hur mycket jag än försöker it makes no difference…; *det kan inte ~s (det hjälps inte)* it can't be helped, there is nothing to be done about it; pengar har jag, men *vad hjälper det?* …what good does that do?, …what is the good of that?; *vad hjälper det att jag…?* what is the good (use) of my (me) + ing-form?; *vill du ~ mig* ett ögonblick*?* just give me (just lend) a hand [here], will you?; *jag kan inte ~ det* I cannot help it; det är inte mitt fel it is not my fault; ~ *ngn att göra ngt* help sb [to] do sth; ~ *ngn med ngt* help sb with sth

II med beton. part.

hjälpa ngn av med rocken help sb off with…, relieve sb of…

hjälpa ngn på med rocken help sb on with…

hjälpa till a) help [out], lend a hand, make oneself useful (helpful) **b**) bidraga till help, contribute; *vad kan jag ~ till med?* what can I do for you?

hjälpaktion *s* (~en, ~er) relief action (measures pl.)

hjälpare *s* (~n, =) helper; *en* ~ *i nöden* a friend in need

hjälpas *vb itr dep* (hjälptes, hjälpts) **1** *det hjälps inte* se ex. under *hjälpa I* **2** ~ *åt* help one another, join hands

hjälpbehövande *adj* (oböjl.) attr. …that require (resp. requires) help (assistance); fattig needy

hjälplig *adj* (~t) passable, tolerable

hjälplös *adj* (~t) helpless

hjälplöshet *s* (~en) helplessness

hjälpmedel *s* (-medlet, =) aid, means (pl. lika) [of assistance]; i pl. äv. facilities; botemedel remedy; *pedagogiska* ~ teaching (educational) aids

hjälpprogram *s* (~et, =) **1** data. utility (service) program **2** plan för hjälparbete aid programme

hjälpreda *s* (~n, -redor) **1** person helper, assistant; mammas lilla ~ …help[er] **2** handbok guide [*för (vid)* for]

hjälpsam *adj* (~t, ~ma) helpful [*mot* to]; ~ [*mot*] äv. …ready (willing) to help

hjälpstation *s* (~en, ~er) first-aid station

hjälpsändning *s* (~en, ~ar) relief consignment

hjälpsökande I *adj* (oböjl.) …seeking relief **II** *s* (~n, =), *en* ~ an applicant for relief (assistance)

hjälptransport *s* (~en, ~er) relief transport

hjälptrupp *s* (~en, ~er), *~er* auxiliary troops, auxiliaries

hjälpverb *s* (~et, =) auxiliary [verb]

hjälpverksamhet *s* (~en, ~er) relief (välgörenhet charity) work

hjälte *s* (~n, hjältar) hero; *dagens* ~ the hero of the day

hjältedyrkan *s* (=, en) hero worship

hjältedåd *s* (~et, =) heroic deed, deed of valour

hjältedöd *s* (~en), *dö ~en* die the death of a hero

hjältemod *s* (~et) heroism, valour

hjältemodig *adj* (~t) heroic

hjältinna *s* (~n, hjältinnor) heroine

hjärna s (~n, hjärnor) brain äv. om person; förstånd el. hjärnsubstans vanl. brains pl.; **lilla ~n** the cerebellum; **stora ~n** the cerebrum; **~n bakom organisationen** the brains (mastermind) of the organization

hjärnbalk s (~en, ~ar) anat., **~[en]** corpus callosum (pl. corpora callosa)

hjärnbark s (~en) anat. cerebral cortex

hjärnblödning s (~en, ~ar) med. cerebral (brain) haemorrhage (amer. hemorrhage)

hjärncell s (~en, ~er) anat. brain (cerebral) cell

hjärndöd I adj (-dött) attr. ...who is brain-dead; **han är ~** he is brain-dead **II** s (~en) brain death

hjärngymnastik s (~en) mental gymnastics sg.

hjärnhalva s (~n, -halvor) anat. cerebral hemisphere

hjärnhinna s (~n, -hinnor) anat. membrane of the brain

hjärnhinneinflammation s (~en, ~er) med. meningitis (endast sg.)

hjärnkirurgi s (~n) brain surgery

hjärnskada s (~n, -skador) brain damage (endast sg.), brain lesion

hjärnskakning s (~en, ~ar) concussion [of the brain]; **få en ~** be concussed

hjärnskål s (~en, ~ar) anat. brainpan, brain-case

hjärnsläpp s (~et, =) vard., **jag fick ~** my mind's a blank, my mind's gone blank, I had a senior moment

hjärnspöke s (~t, ~n) figment of sb's imagination

hjärnsubstans s (~en) anat. brain tissue; **grå ~** grey matter; **vit ~** white matter

hjärntrust s (~en, ~er) think tank

hjärntumör s (~en, ~er) brain tumour; med. encephaloma

hjärntvätt s (~en) brainwashing; **en ~** a brainwash

hjärntvätta vb tr (~de, ~t) brainwash

hjärnuppmjukning s (~en) softening of the brain

hjärnvindling s (~en, ~ar) anat. convolution of the brain

hjärta s (~t, ~n) heart; **Alla ~ns dag** St. Valentine's Day; **ha ett gott ~** have a kind heart; **ha dåligt (svagt) ~** have a weak heart; **lätta sitt ~** anförtro sig åt någon unburden one's mind (heart); **jag har inte ~ att göra det** I haven't got the heart to do it; **av hela mitt ~** with all my heart; **med sorg i ~t** with a sorrowful heart; **känna sig lätt om ~t** be (become) lighthearted (light of heart); saken **ligger mig varmt om ~t** I have...very much at heart; **ha ngt på ~t** have sth on one's mind; **tala fritt ur ~t** speak straight from the heart, speak one's mind; **av ~ns lust** to one's heart's content

hjärtattack s (~en, ~er) heart attack

hjärtbesvär s (~et, =), **ha (lida av) ~** have a weak heart (a heart condition)

hjärtblad s (~et, =) bot. cotyledon, seed leaf

hjärtbyte s (~t, ~n) med. heart transplant

hjärtdöd s (~en) cardiac death

hjärteangelägenhet s (~en, ~er) affair of the heart (pl. affairs of the heart)

hjärtegod adj (-gott) truly (very) kind-hearted

hjärtekrossare s (~n, =) heartbreaker

hjärter s (~n, =) kortsp., koll. (äv. som bud) hearts pl.; **en ~** a (resp. one) heart; **spela ~** ett hjärterkort play a heart

hjärterdam s (~en, ~er) kortsp. [the] queen of hearts

hjärteress s (~et, =) kortsp. [the] ace of hearts

hjärterfem s (oböjl.) kortsp. [the] five of hearts

hjärterknekt s (~en, ~ar) kortsp. [the] jack of hearts

hjärterkung s (~en, ~ar) kortsp. [the] king of hearts

hjärtesak s (~en, ~er), **det är en ~ för mig** I have it very much at heart, it's a matter very near to my heart

hjärtesorg s (~en, ~er) deep-felt grief, heartache; **dö av ~** die of a broken heart

hjärtevän s (~nen, ~ner) bosom friend; hjärtanskär sweetheart

hjärtfel s (~et, =) [organic] heart disease

hjärtflimmer s (-flimret) med. cardiac fibrillation

hjärtformig adj (~t) heart-shaped; bot. cordate

hjärtförstoring s (~en, ~ar) enlargement of the heart

hjärtinfarkt s (~en, ~er) heart attack, coronary; med. infarct of the heart, cardiac infarction

hjärtinnerligt adv vard. most awfully; **~ trött på...** thoroughly tired of...

hjärtinsufficiens s (~en, ~er) med. cardiac insufficiency

hjärtklaff s (~en, ~ar) anat. cardiac (heart) valve

hjärtklappning s (~en, ~ar) palpitation [of the heart]; **få ~** get palpitations

hjärt-kärlsjukdomar s pl cardiovascular diseases

hjärtlig adj (~t) cordial; starkare hearty; friare warm, kind [mot i samtliga fall to]; **~a gratulationer (lyckönskningar) på födelsedagen!** Many Happy Returns [of the Day]!; **ett ~t skratt** a hearty laugh; **~t tack!** thank you very much!, many thanks!

hjärtligt adv cordially etc., jfr hjärtlig; **~ trött på** heartily sick of; **skratta ~** laugh heartily, have a hearty laugh

hjärtljud s pl heartbeats

hjärt-lungmaskin s (~en, ~er) heart-lung machine

hjärtlös adj (~t) heartless; starkare callous

hjärtmassage s (~n) heart massage

hjärtmedicin s (~en, ~er) medicine (drug) for the heart, heart medicine

hjärtmuskel s (~n, -muskler) anat. cardiac muscle

hjärtmuskelinflammation s (~en, ~er) med. myocarditis (endast sg.)

hjärt- och kärlsjukdomar s pl cardiovascular diseases

hjärtpunkt s (~en, ~er) centralpunkt centre, heart, core

hjärtsjuk adj (~t) attr. ...suffering from [a] heart disease; **han är ~** he suffers from [a] heart disease, he has a heart condition

hjärtskärande adj (oböjl.) heart-rending, heartbreaking

hjärtslag s (~et, =) **1** pulsslag heartbeat **2** hjärtstillestånd o.d. heart failure, cardiac arrest

hjärtspecialist s (~en, ~er) heart specialist, cardiologist

hjärtstillestånd s (~et, =) med. cardiac arrest

hjärtsvikt s (~en) med. heart failure, cardiac insufficiency

hjärttrakt s (~en, ~er), **~en** the region of the heart, the heart region

hjärttransplantation s (~en, ~er) heart transplantation; **en ~** a heart transplant

hjässa s (~n, hjässor) crown, top of the (resp. one's) head

hjässben s (~et, =) anat. parietal bone

h-moll s (oböjl.) mus. B minor

ho s (~n, ~ar) trough; tvättho [laundry] sink

hobby s (~n, ~er) hobby

hobbyrum s (~met, =) recreation room; amer. äv. family room
hockey s (~n) ice hockey
hockeyfrilla s (~n, -frillor) vard., frisyr mullet
hockeyklubba s (~n, -klubbor) ice hockey stick
hockeylag s (~et, =) ice hockey team (side)
hockeymatch s (~en, ~er) ice hockey match (amer. vanl. game)
hoj s (~en, ~ar) vard. bike
hojta vb itr (~de, ~t) shout, yell; vard. el. amer. äv. holler
hokuspokus I interj hey presto!; som trollformel abracadabra **II** s (oböjl., ett) hocus-pocus, mumbo jumbo
holdingbolag s (~et, =) holding company
holk s (~en, ~ar) fågel~ nesting box
holka vb tr (~de, ~t), ~ **ur** hollow [out]; gräva ur dig out, excavate; jfr urholkad
Holland Holland, se äv. Nederländerna med avledn.
hollandaisesås s (~en, ~er) kok. hollandaise sauce
holländare s (~n, =) Dutchman; **holländarna** som nation el. lag o.d. the Dutch
holländsk adj (~t) Dutch
holländska s (jfr svenska; se äv. nederländska) **1** (~n, holländskor) kvinna Dutchwoman **2** (~n) språk Dutch
holme s (~n, holmar) islet; spec. i flod holm
hologram s (~met, =) foto. hologram
homeopat s (~en, ~er) homeopath
homeopatisk adj (~t) homeopathic
homofobi s (~n) homophobia
homogen adj (~t) homogeneous
homogenisera vb tr (~de, ~t) homogenize
homonym språkv. **I** s (~en, ~er) homonym **II** adj (~t) homonymous
homosexualitet s (~en) homosexuality
homosexuell I adj (~t) homosexual; vard. gay **II** s (en ~, pl. ~a) homosexual; vard. gay
hon pers pron she; om djur äv. it; Vad är klockan? – Hon är tolv …It is twelve o'clock
hona s (~n, honor) female; om vissa hovdjur, elefant, val, krokodil m.fl. cow; om fåglar ofta hen; som efterled i sammansättn., se t.ex. björnhona, rävhona
honduransk adj (~t) Honduran
Honduras Honduras
honkatt s (~en, ~er) female cat, she-cat
honkön s (~et) eg. female sex; djur av ~ äv. female…
honnör s (~en, ~er) mil.: hälsning salute; hedersbevisning honours pl.
honnörsord s (~et, =) ung. prestige word, word with a positive overtone
honom pers pron him; om djur äv. it
honorar s (~et, =) fee
honung s (~en) honey
honungsbi s (~et, ~n) honey bee
honungskaka s (~n, -kakor) i bikupa honeycomb
honungslen adj (~t) honeyed; ~ **röst** mellifluous voice
honungsmelon s (~en, ~er) honeydew melon
hop I s (~en, ~ar) skara crowd; hög heap; friare lot; **en ~ [med]**… a crowd osv. of…; **[den stora] ~en** the multitude (masses pl.) **II** adv se ihop
hopa I vb tr (~de, ~t) heap (pile, build) up; friare el. bildl. accumulate [över upon] **II** vb rfl (~de, ~t), ~ **sig** accumulate; t.ex. om moln mass; om snö drift, form drifts (resp. a drift); ökas increase

hopbyggd adj (-byggt) …built together
hopfoga vb tr (~de, ~t) put together, join
hopfällbar adj (~t) folding…, collapsible, foldable, foldaway…
hopfälld adj (-fällt) shut up; om paraply closed, furled, rolled up; jfr äv. hopslagen
hopgyttrad adj (-gyttrat, ~e) conglomerated, …clustered together
hopklumpad adj (-klumpat, ~e) i klumpar …in lumps
hopklämd adj (-klämt) …[that is (was etc.)] squeezed together, flattened
hopknycklad adj (-knycklat, ~e) crumpled up
hopkok s (~et, =) concoction, mishmash
hopkrupen adj (-krupet, -krupna) med uppdragna axlar hunched up; **sitta ~** sit huddled up (crouching)
hopkurad adj (-kurat, ~e) huddled up
1 hopp s (~et, =) hope; förhoppningar ofta hopes pl. [om of]; förtröstan trust; **allt ~ är ute** there is no longer any hope; **sätta sitt ~ till…** set (centre) one's hopes on…; **i ~ om ett snart svar** hoping to receive an early reply; **i ~ om att** + inf. (om att + sats) in the hope of + ing-form (that + sats); **vi lever på ~et** we live in hope
2 hopp s (~et, =) **1** allm., data., sport. el. bildl. jump; språng äv. leap; snabbt o. elastiskt äv. spring; långt skutt äv. bound; lekfullt skutt skip; studsning äv. bounce; t.ex. fågels hop; **stående ~** sport. standing jump; **göra ett ~ framåt** bildl. take a leap forward **2** hoppning: sport. jumping; gymn., över bock, med stav m.m. vaulting
hoppa I vb itr o. vb tr (~de, ~t) jump, leap, spring, bound, skip, bounce, jfr 2 hopp 1; om t.ex. fågel hop; ~ **och skutta** t.ex. om barn, lamm skip (gambol, frisk) about; ~ **högt av glädje** jump for joy; ~ **i kläderna** jump into one's clothes; ~ **på ett ben** hop [on one leg]; ~ **längdhopp** do the long jump (ägna sig åt längdhoppning go in for long jumping); ~ **fram och tillbaka i texten** flick backwards and forwards through the text; ~ **från det ena ämnet till det andra** hop from one subject to another **II** med beton. part.
hoppa av a) eg., ~ av [bussen (tåget)] jump off [the bus (train)] **b)** t.ex. organisation, institution opt out; skol. drop out **c)** bildl. back out; polit. defect, seek political asylum
hoppa i jump etc. (på huvudet dive) in
hoppa in som ersättare step in [för ngn in sb's place]; sport. come in (on)
hoppa på a) ~ på [bussen (tåget)] jump on [to the bus (train)] **b)** ~ på ngn fly at sb['s throat], jump on sb **c)** ~ på ett erbjudande jump at…, seize upon…
hoppa till give a jump, start
hoppa upp jump etc. up; från sin plats leap to one's feet; ~ **upp i sadeln** leap (vault) into the saddle
hoppa ur sprinten har ~t ur …has fallen out
hoppa över eg. jump over (across) **b)** bildl.: gå förbi, utelämna skip, leave out, omit; ofrivilligt miss out, forget
hoppas vb itr o. vb tr dep (hoppades, hoppats) hope [på for]; förlita sig trust; ibland hope for, jfr ex.; ~ **på det bästa** hope for the best; **det ~ jag** I hope so; blir det regn? –Det ~ jag att det inte blir …I hope not; **det var mer än jag vågade** ~ it was more than I dared [to] hope for; **jag ~ på honom** I set my hopes on him
hoppbacke s (~n, -backar) skijump
hoppfull adj (~t) hopeful; confident

hoppgunga *s* (~n, -gungor) baby jumper, bungee baby bouncer

hoppig *adj* (~t) **1** om väg bumpy **2** om framställning disconnected, choppy, jerky

hoppingivande *adj* (oböjl.) hopeful, promising

hoppjerka *s* (~n, -jerkor) vard. job-hopper

hopplock *s* (~et) random selection from different sources, miscellany

hopplös *adj* (~t) hopeless; om situation äv. desperate; ~ **förtvivlan** äv. blank despair; det hela var ~t äv. ...was a forlorn hope

hopplöshet *s* (~en) hopelessness; despair

hopprep *s* (~et, =) skipping-rope; amer. jump rope; **hoppa** ~ skip; amer. jump rope

hoppsan *interj* whoops!

hopptorn *s* (~et, =) diving tower

hopsjunken *adj* (-sjunket, -sjunkna) pred. shrunk up; attr. shrunken[-up]

hopskrumpen *adj* (-skrumpet, -skrumpna) shrivelled, wizened

hopskrynklad *adj* (-skrynklat, ~e) crumpled up

hopslagen *adj* (-slaget, -slagna) om bok closed; om bord o.d. folded up

hopslingrad *adj* (-slingrat, ~e) entwined

hopsparad *adj* (-sparat, ~e) saved up; **hans ~e slantar** äv. his savings

hopträngd *adj* (-trängt) ...crowded (packed) together

hopvikt *adj* (=) folded up

hopvuxen *adj* (-vuxet, -vuxna) o. **hopväxt** *adj* (=) se sammanvuxen

hora I *s* (~n, horor) whore **II** *vb itr* (~de, ~t) whore

hord *s* (~en, ~er) allm. horde

horisont *s* (~en, ~er) allm. horizon; eg. äv. skyline; **vidga sin** ~ broaden one's mind, widen one's intellectual horizon; **...avtecknar sig mot ~en** ...stands out against the horizon, ...is on the skyline; **vid ~en** on the horizon; **det går över min** ~ it is beyond me

horisontal *adj* (~t) horizontal

horisontalläge *s* (~t, ~n) horizontal [position]

horisontalplan *s* (~et, =) horizontal plane

horisontell *adj* (~t) horizontal

hormon *s* (~et, ~er el. =) hormone

hormonell *adj* (~t) hormonal

hormonpreparat *s* (~et, =) hormone preparation

hormoslyr® *s* (~en el. ~et) vard. Agent Orange [defoliant]

horn *s* (~et, =) **1** på djur o. bildl. horn; hjorts äv. antler; **ha ett ~ i sidan till ngn** have [got] one's knife into (have it in for) sb; **försedd med ~** horned; **ta tjuren vid ~en** bildl. take the bull by the horns **2** för att framkalla ljud horn; instrument äv. bugle; på bil o.d. äv. hooter

hornblåsare *s* (~n, =) mus. horn player, hornist; mil. bugler

hornboskap *s* (~en) horned cattle pl.

hornbågad *adj* (-bågat, ~e), **~e glasögon** horn-rimmed spectacles

hornhinna *s* (~n, -hinnor) anat. cornea

hornuggla *s* (~n, -ugglor) zool. long-eared owl

hornämne *s* (~t) fysiol. keratin

horoskop *s* (~et, =) horoscope; **ställa ngns ~** cast sb's horoscope

horribel *adj* (~t, horribla) horrible, awful

hortensia *s* (~n, hortensior) bot. hydrangea

hortonom *s* (~en, ~er) horticulturist, graduate in horticulture

hos *prep*
Prepositionen **hos** motsvaras vanligen av **at** i uttryck som *vi träffas* **hos** Ann = *we'll meet at Ann's place.*
hos används i många uttryck som står under andra uppslagsord. Exempelvis finns uttrycket *vara anställd* **hos** *någon* under uppslagsordet *anställd*, uttrycket *söka hjälp* **hos** *någon* under uppslagsordet *hjälp* osv.

1 anger vistelse i någons hem at (då ord för person följer efter *at* i engelskan används apostrofgenitiv), with; **hemma ~ oss** at our place, in our home; **jag bor** tillfälligt ~ **familjen Andersson** I'm staying at the Anderssons', I'm staying with the Anderssons; **han bor fortfarande ~ sina föräldrar** he still lives with his parents; **vi träffas ~ Ann** we'll meet at Ann's, we'll meet at Ann's place (house); **hon är inne ~ sig** i sitt rum she is in her room

2 anger lokal för affärsverksamhet eller t.ex. läkarmottagning at (då ord för person följer efter *at* i engelskan används apostrofgenitiv); jag fick vänta länge ~ **tandläkaren** ...at the dentist's; **jag har varit ~ tandläkaren** I have been to the dentist; **kartan finns ~ alla bokhandlare** the map is available at all bookshops

3 anger arbetsgivare for; **arbeta ~ ngn** work for sb, be employed by sb

4 anger läge bredvid någon, vid verb som *sitta, sätta sig, ligga* by; **kom och sitt ~ mig i soffan** come and sit by me on the sofa, come and sit by my side on the sofa; **jag satt** (var) **~ honom när...** I sat (was) with him when...

5 anger en persons egenskap, känsla, utseende: med betoning på inre egenskap in; med betoning på yttre egenskap, utseende about; **det finns något ~ henne jag tycker om** a) inre egenskap, inom there is something in her that I like b) yttre egenskap there is something about her that I like; **vad ser hon ~ honom?** what does she see in him?; **det är en ovana ~ mig att...** it's a bad habit of mine to...

6 i uttryck som betecknar tillhörighet till grupp, på svenska ofta ersättbart med *bland* in; **blodomloppet ~ fiskar** the circulatory system in (of) fishes; **en sjukdom som är vanlig ~ barn** an illness frequent in children

7 i uttryck av typen substantiv + **hos** + substantiv, ofta motsvarande en genitivkonstruktion, t.ex. *egenskapen hos detta material = detta materials egenskap* of; **egenskapen ~ detta material** the quality of this material; **kunderna ~ banken** the customers of the bank; **värdet ~** i **boken ligger i att...** the value of the book lies in the fact that...

8 anger författares verk o.d. in; **ordet finns ~ Shakespeare** the word can be found in Shakespeare

hosianna *interj* bibl. hosanna

hospice *s* (~t, =) o. **hospis** *s* (~et, =) hospice

hospitaliserad *adj* (hospitaliserat, ~e) institutionalized

hosta I *s* (~n) cough; hostande coughing; **envis ~** hacking cough; **få ~** get a cough **II** *vb itr* o. *vb tr* (~de, ~t) eg. cough, have a cough; **~ blod** cough up blood; **~ upp** cough up äv. punga ut med, expectorate

hostanfall *s* (~et, =) o. **hostattack** *s* (~en, ~er) fit (attack) of coughing

hostdämpande *adj* (oböjl.), **~ medicin** (**medel**) medicine (medical preparation) that relieves coughs

hostia *s* (~n, hostior), **~n** kyrkl. the Host

hostig *adj* (~t), **vara ~** have a cough

hostmedicin *s* (~en, ~er) cough mixture (syrup)

hostning *s* (~en, ~ar) cough; **~ar** äv. coughing

hot *s* (~et, =) allm. threat[s pl.] [*mot* against; *om* of]; ständigt hot, hotande fara: i högre stil menace [*mot* to]; **tomt ~** empty (idle) threats; **göra allvar av ett ~** carry out a threat; **ett ~ mot världsfreden** a threat to world peace

hota *vb tr* o. *vb itr* (~de, ~t) allm. threaten; i högre stil el. utan följande inf. menace; sport. äv. challenge; förestå äv. be imminent (impending); **~ med** threaten with, threaten, jfr ex.; **~ att** + inf. threaten to + inf.; **~ med hämnd** (**laga åtgärder**) threaten revenge ([legal] proceedings); **~ ngn med stryk** threaten to thrash sb; **~ ngn till livet** threaten sb's life; **det ~r att bli regn** it threatens to rain, it looks like rain

hotande *adj* (oböjl.) threatening, menacing; olycksbådande ominous; överhängande imminent, impending; **en ~ fara** a menacing (imminent) danger

hotbild *s* (~en, ~er) image of threat, threatening (menacing, ominous) picture

hotbrev *s* (~et, =) threatening (menacing) letter

hotell *s* (~et, =) hotel; **~ Svea** the Svea Hotel; **bo på** (**ta in på** [**ett**]) **~** stay (put up) at a hotel

hotellbetjäning *s* (~en, ~ar) personal hotel staff

hotellbranschen *s* (best. sing.) the hotel trade (industry)

hotelldirektör *s* (~en, ~er) hotel manager

hotellgäst *s* (~en, ~er) hotel visitor (guest); på längre tid resident

hotellrum *s* (~met, =) hotel room; **beställa** (**boka**) **~** book (amer. reserve) a room at a hotel

hotellräkning *s* (~en, ~ar) hotel bill; **betala ~en** äv. check out

hotellstäderska *s* (~n, -städerskor) chambermaid

hotelse *s* (~n, ~r) threat [*mot* against]; menace [*mot* to]; **fara ut i ~r mot ngn** utter threats against sb, menace sb

hotelsebrev *s* (~et, =) threatening letter

hotfull *adj* (~t) threatening, menacing; olycksbådande ominous

1 hov *s* (~en, ~ar) på djur hoof (pl. hooves el. hoofs); [**försedd**] **med ~[ar]** äv. hoofed

2 hov *s* (~et, =) hos kung etc. court; **vid ~et** at court; **hålla ~** keep court

hovdam *s* (~en, ~er) lady-in-waiting (pl. ladies-in-waiting) [*hos* to]

hovdjur *s* (~et, =) hoofed animal (mammal)

hovförvaltning *s* (~en, ~ar), **~en** the Office of the Treasurer of the Court; i Storbr. the Department of the Keeper of the Privy Purse and Treasurer to the King (resp. Queen)

hovkapell *s* (~et, =), [**Kungl.**] **~et** the Royal Opera-House Orchestra

hovkrats *s* (~en, ~ar) hoof pick

hovleverantör *s* (~en, ~er), [**kunglig**] **~** purveyor to His (resp. Her) Majesty the King (resp. Queen), purveyor to the court

hovman *s* (~nen, -män) courtier

hovmarskalk *s* (~en, ~er) ung. marshal of the court; i Storbr. Lord Chamberlain of the Household

hovmästare *s* (~n, =) **1** på restaurang head waiter **2** i privathus butler; finare steward

hovmästarsås *s* (~en, ~er) se *gravlaxsås*

hovnarr *s* (~en, ~ar) court-jester

hovnigning *s* (~en, ~ar) reverence

hovpredikant *s* (~en, ~er) chaplain to the King (resp. Queen)

hovrätt *s* (~en) court of [civil and criminal] appeal

hovrättsråd *s* (~et, =) judge of appeal

hovsam *adj* (~t, ~ma) moderate; hänsynsfull considerate

hovslagare *s* (~n, =) farrier, blacksmith

hovstall *s* (~et, =), **~et** the Royal Stables pl.; i Storbr. the Royal Mews Department

hovstallmästare *s* (~n, =) crown equerry; i Storbr. master of the horse

hovstat *s* (~en, ~er), **~en** the royal household

hovsångare *s* (~n, =) court singer [by special appointment to the King (resp. Queen)]

hovtång *s* (~en, -tänger) pincers pl.

HTML o. **html** data. HTML (förk. för hypertext markup language)

HTTP o. **http** data. HTTP (förk. för hypertext transfer protocol)

huckle *s* (~t, ~n) kerchief

hud *s* (~en, ~ar) allm. skin; på större djur el. tjock avflådd djur~ hide; **ge ngn på ~en** a) stryk tan sb's hide, give sb gyp b) ovett haul sb over the coals; **ha tjock ~** bildl. be thick-skinned

hudcancer *s* (~n) med. skin cancer

hudflänga *vb tr* (-flängde, -flängt) scourge, bildl. äv. castigate

hudfärg *s* (~en, ~er) eg. colour of the (one's) skin; hy complexion; **hans ~** the colour of his skin

hudfärgad *adj* (-färgat, ~e) flesh-coloured

hudklinik *s* (~en, ~er) skin clinic

hudkontakt *s* (~en) skin contact, skin-to-skin contact

hudkräm *s* (~en, ~er) skin cream

hudlös *adj* (~t) **1** eg. excoriated; sårig raw; genom skavning o.d. galled **2** bildl. skinless

hudnära *adj* (oböjl.) skintight; attr. äv. clinging

hudsjukdom *s* (~en, ~ar) skin (cutaneous) disease

hudtransplantation *s* (~en, ~er) skin-grafting; enstaka skin graft

hudutslag *s* (~et, =) rash, skin eruption; med. exanthema

hudvård *s* (~en) skin care, care of the skin

hugad *adj* (hugat, ~e), **~e spekulanter** prospective (intending) buyers; intresserade persons (those) interested

hugenott *s* (~en, ~er) hist. Huguenot

hugg *s* (~et, =) **1** med skärande vapen el. verktyg cut; som fläker upp äv. slash; med kniv o.d. stab; slag blow, stroke; med tänder, äv. om fisk bite; **...med en käpp i högsta ~** ...brandishing a stick **2** häftig smärta stab of pain, twinge **3** bildl. blow; **rikta skarpa ~ mot ngn** direct (aim) damaging blows (kritik criticism) at sb; **vara på ~et** vard. be in great form (in the mood); amer. äv. be on the ball, be with it; **han är på ~et igen** he's at it again

hugga I *vb tr* o. *vb itr* (högg, huggit) **1** med vapen el. verktyg cut, hew, strike; fläka upp äv. slash; med kniv o.d.

stab [*efter ngn* at sb]; klyva i små stycken chop; om bildhuggare carve; **~ ved** chop (cut) wood **2** med tänderna o.d. grab, clutch; t.ex. om fisk, hund bite; om orm äv. strike; **fisken hugger bra** the fish are biting (rising) freely **3** friare el. bildl.: gripa catch (seize) [hold of] [*i* t.ex. armen by]; vard. nab, cop; slå mot brygga o.d. bump [*mot* into, against], om smärta se *hugga till* under *hugga III*; **~ i sten** grundligt missta sig go wide of the mark; **det är hugget som stucket** it comes to the same thing [*om* whether]
II *vb rfl* (högg, huggit), **~ sig i benet** cut one's leg
III med beton. part.

hugga av cut off, sever [*från* from]; i två bitar chop (cut)...in two; t.ex. gren lop off
hugga för sig a) ta för sig help oneself [greedily] [*av* to] **b)** ta mycket betalt charge stiff prices
hugga i hjälpa till lend a hand; ta i av alla krafter make a real effort, go at it
hugga in på a) vard., t.ex. smörgåsen tuck into..., go for...
hugga ned ett träd fell (cut down)...
hugga till a) bita hárt bite [*mot* at] **b)** forma shape **c)** ta grovt betalt charge stiff prices **d)** **det högg till** i bröstet there was (I etc. felt) a twinge... **e)** **~ till med** gissa på make a guess at
huggjärn *s* (~et, =) verktyg chisel
huggkubbe *s* (~n, -kubbar) chopping-block
huggorm *s* (~en, -ormar) viper, adder
huggsexa *s* (~n, -sexor) scramble [*om* for], free-for-all; **det blev en riktig ~** there was a proper scramble, everyone tried to grab what they could
huggtand *s* (~en, -tänder) vass tand, äv. orms fang; bete tusk
hugskott *s* (~et, =) passing fancy, idea; jfr äv. *nyck*
huj *s* (oböjl., ett), **i ett ~** vard. in a flash (jiffy)
huk *s* (oböjl.), **sitta på ~** squat, sit on one's heels (vard. hunkers); **sätta sig på ~** squat down
huka *vb rfl* (~de, ~t), **~ sig** crouch [down]
huldra *s* (~n, huldror) lady (siren) of the woods
huligan *s* (~en, ~er) hooligan
hulka *vb itr* (~de, ~t) sob
hull *s* (~et) vanl. flesh; **fast i ~et** firm[-fleshed]; **lös i ~et** flabby; **med ~ och hår** whole, entirely; **hon svalde det med ~ och hår** she swallowed it hook, line and sinker; **lägga på ~et** put on flesh (om person äv. weight), fill out
huller om buller *adv*, allt ligger ~ ...all over the place, ...in a mess, ...higgledy-piggledy; **springa ~** om varandra run pell-mell
hulling *s* (~en, ~ar) på pil barb; på harpun o.d. fluke
hum *s* (oböjl., n el. ett), **ha ett ~ om** have some idea (know a bit) about
human *adj* (~t) människovänlig humane; hygglig kind, considerate, decent; **~t pris** reasonable price
humaniora *s pl* arts subjects; spec. om klassiska språk o.d. the humanities
humanisera *vb tr* (~de, ~t) humanize
humanism *s* (~en) humanism
humanist *s* (~en, ~er) humanist; med klassisk bildning classical scholar; studerande arts student
humanistisk *adj* (~t) humanistic; klassisk classical; **~ linje** skol., hist. humanities pl.
humanitet *s* (~en) humanity
humanitär *adj* (~t) humanitarian
humbug *s* (~en) bedrägeri humbug

humla *s* (~n, humlor) bumble-bee
humle *s* (~n el. ~t) hops pl.; planta hop
humleblomster *s* (-blomstret, =) bot. water avens
humleranka *s* (~n, -rankor) bot. hop bine
humlestör *s* (~en, ~ar) hop pole äv. bildl.
humma *vb itr* (~de, ~t) hum (hem) and haw
hummer *s* (~n, humrar) lobster
hummertina *s* (~n, -tinor) lobsterpot
hummus *s* (~en) kok. hummus
humor *s* (~n) humour, amer. humor; sinne för humor sense of humour; **ha ~** have a sense of humour
humoresk *s* (~en, ~er) litt.vet. humorous story (sketch); mus. humoresque
humorist *s* (~en, ~er) humorist
humoristisk *adj* (~t) humorous
humusrik *adj* (~t) ...rich in humus
humör *s* (~et, =) lynne temper, temperament; sinnesstämning humour, amer. humor; spirits pl., mood; **ha ett glatt ~** have a cheerful temperament; **förlora (tappa) ~et** bli arg lose one's temper; bli på dåligt humör be put out of humour (spirits); **hålla ~et uppe** keep up one's spirits; **upp med ~et!** cheer up!; han är inte **på ~** ...in the best of tempers; **på dåligt ~** sur, vresig in a bad mood (temper); **på gott ~** in a good (cheerful) mood; **inte vara på ~ att** + inf. not be in the mood to + inf., not feel like + ing-form
hund *s* (~en, ~ar) dog; jakt~ äv. hound; **man skall inte döma ~en efter håren** appearances are deceptive; **frysa som en ~** be chilled to the marrow; **de är som ~ och katt** they are like cat and dog, they are at daggers drawn; [få] **slita ~** [have to] rough it, have a rough time of it; **här ligger en ~ begraven** there is something fishy about this, I smell a rat here; **lära gamla ~ar sitta** teach an old dog new tricks
hundbajs *s* (~et) dog mess, dog's dung
hundbajspåse *s* (~n, -påsar) pooper-scooper bag (container)
hundbett *s* (~et, =) dog bite
hundbiten *adj* (-bitet, -bitna), **bli ~** be bitten by a dog
hunddagis *s* (~et, =) day care for dogs
hundgård *s* (~en, ~ar) kennels pl.
hundhalsband *s* (~et, =) dog collar
hundhuvud *s* (~et, ~en el. =) dog's head; **få bära ~et för ngt** be made the scapegoat for sth
hundhår *s* (~et) dog hair, dog's hair
hundkapplöpning *s* (~en, ~ar) dog (greyhound) racing (enstaka race)
hundkex *s* (~et, =) el. dog biscuit
hundkoja *s* (~n, -kojor) **1** kennel **2** liten bil mini
hundkoppel *s* (-kopplet, =) [dog] leash, [dog] lead; se vidare *koppel 1*
hundkorg *s* (~en, ~ar) dog basket
hundkäx *s* (~et el. ~en, =) bot. wild chervil
hundliv *s* (~et), **leva ett ~** lead a dog's life
hundloka *s* (~n, -lokor) bot. cow parsley
hundmat *s* (~en) dog food
hundpensionat *s* (~et, =), **ett ~** a [boarding] kennels pl., a kennel
hundra *räkn* hundred; [ett] **~** a hundred; 'ett **~** one hundred; **fem ~** five hundred; **ett tusen ett ~** a (one) thousand one hundred; **år 1990** adv. in [the year] 1990 (nineteen ninety); **flera (många) ~** several (many) hundred (fören. äv. hundreds of); **några ~** a few hundred; fören. äv. some hundreds of; **ett par ~**

fören. el. självst. a couple of hundred; **fem på** (**per**) ~ five in (out of) a hundred

hundracka s (~n, -rackor) cur, mongrel

hundrade I s (~t, ~n) hundred; **i ~n** in hundreds **II** *räkn* hundredth; jfr ex. under *femte*

hundradel s (~en, ~ar) o. **hundradedel** s (~en, ~ar) hundredth [part]; **två ~ar** two hundredths; **en ~s sekund** a (one, the) hundredth of a second

hundrafaldigt *adv* o. **hundrafalt** *adv* a hundredfold

hundrakronorssedel s (~n, -sedlar) o. **hundralapp** s (~en, ~ar) one-hundred-krona note

hundrameterslopp s (~et, =) hundred-metre race

hundraprocentig *adj* (~t) one-hundred-per-cent...; fullständig complete, absolute; jfr *femprocentig*

hundras s (~en, ~er) breed of dog (pl. breeds of dog[s]), dog breed

hundratal s (~et, =) hundred; **~et** (**något ~, ett ~**) **människor** hade infunnit sig some (about a) hundred people...; [**på**] **~et** år 100–200 [in] the second century

hundratals *adv*, ~ böcker hundreds of... (+ subst. i pl.); ~ **människor** äv. people in hundreds

hundratusen *räkn*, [**ett**] ~ a (one) hundred thousand

hundratusentals *adv*, ~ böcker hundreds of thousands of... (+ subst. i pl.)

hundraårig *adj* (~t) (jfr *femårig*) **1** hundra år gammal hundred-year-old... **2** som varar (varat) i hundra år hundred-year[-long]..., hundred years'...; **en ~ fred** äv. a century-long...; **en ~ tradition** a tradition that goes back a hundred years

hundraåring s (~en, ~ar) centenarian

hundraårsdag s (~en, ~ar) hundredth anniversary, centenary, speciellt amer. centennial; födelsedag hundredth birthday

hundraårsjubileum s (-jubileet, -jubileer) o. **hundraårsminne** s (~t, ~n) centenary, speciellt amer. centennial

hundskall s (~et, =) [the] barking of dogs (resp. a dog); jakt. äv. cry of hounds

hundskatt s (~en, ~er) dog tax; i Storbr. motsv. dog licence (amer. license)

hundskattemärke s (~t, ~n) dog-tax plate; amer. dog tag

hundsläde s (~n, -slädar) dog sledge

hundspann s (~et, =) dog team

hundtandsmönster s (-mönstret, =) hound's-tooth (dog's-tooth) check [pattern]

hunduppfödare s (~n, =) dog breeder

hundutställning s (~en, ~ar) dog show

hundvalp s (~en, ~ar) pup, puppy

hundväder s (-vädret, =), [**ett**] ~ beastly (filthy) weather

hundår s pl, **mina** ~ my years of hard hardship (drudgery)

hundägare s (~n, =) dog owner

hundöra s (~t, -öron) dog's ear (pl. dogs' ears); boken **har hundöron** vanl. ...is dog-eared

hunger s (~n) allm. hunger [*efter* for]; svält äv. starvation; **stilla ~n** (resp. **den värsta ~n**) appease (resp. take the edge off) one's hunger; **jag dör av ~** vard. I'm starving

hungersnöd s (~en) famine

hungerstrejk s (~en, ~er) hunger-strike

hungerstrejka *vb itr* (~de, ~t) hunger-strike

hungra *vb itr* (~de, ~t) be hungry (starving); svälta starve, hunger; ~ **efter kärlek** be craving (hungry) for love; ~ **efter medkänsla** be starving for sympathy

hungrig *adj* (~t) allm. hungry; utsvulten starving [*efter* (**på**) for]; gåpåaraktig go-ahead, go-getting; ~ **som en varg** hungry as a bear (hunter); **bli ~** get hungry

hunner s (~n, =) Hun

hunsa *vb tr* o. *vb itr* (~de, ~t), ~ [**med**] bully, browbeat, hector; vard. äv. push...around

hur *adv* **1** allm. how; ibland what, jfr ex.; ~ **då?** how?; på vilket sätt in what way?; ~ **så?** varför why [, then]?, what do you mean?; ~ **gammal är han?** how old (what age) is he?; ~ **menar du?** what (how) do you mean?; ~ **sa?** what [did you say]?, I beg your pardon?; ~ **ser han ut?** vilket utseende har han? what does he look like?; ~ **var** filmen? what was...like?, how was...?; ~ **är det med honom?** hans hälsa how is he?; jag vet inte ~ **jag ska förklara det** ...how to explain it **2** i vissa förb., ~... [**än**] vanl. however; ~ **skicklig han än är** however clever he may be, no matter how clever he is; ~ **jag än gör** (**bär mig åt**) whatever (no matter what) I do; ~ **man än försöker** however much one tries, try as one may; jag kan inte, ~ **gärna jag än ville** ...however much I would like to; **eller ~?** se under *eller*; ~ **som helst** se *helst 2*

hurdan *adj* (~t), ~ **är han?** what is he like?, what sort (kind) of person is he?; **~t vädret än blir** whatever (no matter what) [sort of] weather we may have

hurra I *interj* hurrah!, hurray! **II** s (~t, ~n el. =) cheer, hurray, hurrah; jfr ex. under *leve* **III** *vb itr* (~de, ~t) hurrah, hurray, cheer; ~ **för ngn** give sb a cheer, cheer sb; **ingenting** (**inte mycket**) **att ~ för** vard. nothing to write home about (to boast of), no great shakes

hurrarop s (~et, =) cheer

hurtfrisk *adj* (~t) hearty; **han är ~** he is a hearty [type]

hurtig *adj* (~t) hurtfrisk hearty; rask brisk; munter cheerful; sportig sporty

hurts s (~en, ~ar) på skrivbord pedestal

huruvida *konj* whether

hus s (~et, =) **1** allm. el. mindre house; större byggnad building; hyreshus äv. block [of flats]; **~ets vin** [the] house wine; **~et Windsor** the house of Windsor; **gå** (resp. **spela**) **för fulla ~** draw crowded houses (resp. play to capacity); **det var fullt** utsålt ~ i går there was a full house...; **göra rent ~ med** gamla fördomar make a clean sweep of..., cast off...; **ha öppet ~** keep open house; **var har du hållit ~?** wherever (where) have you been?; **det tog ~ i helvete** all hell broke loose; **som barn i ~et** as a member of the family; **gå man ur ~e** turn out to a man; han äter oss **ur ~et** ...out of house and home **2** snigels shell

husa s (~n, husor) housemaid; som serverar parlourmaid

husapotek s (~et, =) [family] medicine chest (cabinet)

husar s (~en, ~er) hussar

husarrest s (~en, ~er), **sitta i ~** be under house arrest

husbehov s (oböjl.), **till ~** a) vad man behöver for household consumption b) någotsånär [just] passably (moderately)

husbil s (~en, ~ar) camper, dormobile®

husbock s (~en, ~ar) zool. [house] longhorn beetle

husbonde s (~n, -bönder) master

husbåt *s* (~en, ~ar) houseboat

husdjur *s* (~et, =) domestic animal, house pet; **~en** koll. äv. the livestock sg.

husera *vb itr* (~de, ~t) vara, hålla till be; **~ i** hemsöka infest; om spöke o.d. haunt; **~ fritt** run riot

husesyn *s* (~en, ~er), **gå ~** [*i huset*] make a tour of the house

husfluga *s* (~n, -flugor) zool. housefly

husfrid *s* (~en) domestic peace; **vad gör man inte för ~ens skull?** anything for the sake of peace and quiet (for a quiet life)!

husfru *s* (~n, ~ar) på hotell o.d. housekeeper, matron

husförhör *s* (~et, =) kyrkl. el. hist. parish catechetical meeting

husgeråd *s* (~et, =) koll. köksredskap household (kitchen) utensils pl.

husgud *s* (~en, ~ar) household god

hushåll *s* (~et, =) household; större, 'finare' [domestic] establishment; hushållning housekeeping; **ha eget ~** do one's own housekeeping; **sköta ~et åt ngn** keep house for sb, do sb's housekeeping for him (resp. her)

hushålla *vb itr* (~de, ~t) **1** vara sparsam economize [*med* on]; be economical [*med* with] **2** sköta hushållet keep house, do the housekeeping, housekeep

hushållerska *s* (~n, -hållerskor) housekeeper

hushållning *s* (~en) **1** sparande economizing; sparsamhet economy, thrift **2** eg. housekeeping

hushållsapparat *s* (~en, ~er) household appliance

hushållsarbete *s* (~t, ~n) housework (endast sg.), domestic (household) work (endast sg.)

hushållsavfall *s* (~et) domestic refuse (waste)

hushållsmaskin *s* (~en, ~er) household appliance

hushållspapper *s* (~et el. -papphet, =) kitchen [roll] paper; **vi måste köpa ~** some kitchen rolls

hushållspengar *s pl* housekeeping money (båda sg.)

hushållsrulle *s* (~n, -rullar) kitchen roll

hushållsvåg *s* (~en, ~ar) kitchen scales pl.; **en ~** a kitchen scale

huskatt *s* (~en, ~er) domestic cat

husknut *s* (~en, ~ar) corner of a (resp. the) house

huskur *s* (~en, ~er) household remedy

huslig *adj* (~t) som har att göra med hem och hushåll domestic; intresserad av husligt arbete domesticated; överdrivet huslig house-proud

husläkare *s* (~n, =) family doctor

husmanskost *s* (~en) simple home cooking, plain food, homely fare

husmor *s* (-modern, -mödrar) housewife (pl. housewives); på internat o.d. matron

husmus *s* (~en, -möss) house mouse (pl. mice)

husockupant *s* (~en, ~er) [house] squatter

husrannsakan *s* (=, en) search, razzia raid; **göra ~ hos ngn** search (raid) sb's house

husrannsakningsorder *s* (~n, =) search warrant

husrum *s* (~met) accommodation, lodging, shelter; **ha fritt ~** äv. live rent-free; **ge ngn ~** tak över huvudet shelter sb, put sb up

husse *s* (~n, hussar) vard. master

hussvala *s* (~n, -svalor) zool. house martin

hustru *s* (~n, ~r) wife; **ha ~ och barn** have a wife and children (and family)

hustrumisshandel *s* (~n) wife-battering, wife-beating

hustrutillägg *s* (~et, =) extra allowance for the wife of a pensioner (resp. for wives of pensioners)

hustyrann *s* (~en, ~er) domestic tyrant

husvagn *s* (~en, ~ar) caravan; amer. [house] trailer

husvagnssemester *s* (~n, -semestrar) caravanning holiday, amer. trailer vacation

husvill *adj* (~t) homeless

husägare *s* (~n, =) house-owner

hut *s* (oböjl., en), **vet ~!** watch it!, none of your sauce (cheek)!; **lära ngn veta ~** teach sb manners

huta *vb itr* (~de, ~t), **~ åt ngn** give sb a good dressing-down (telling-off)

hutlös *adj* (~t) shameless, impudent; **~a priser** scandalous prices

hutt *s* (~en, ~ar) vard. snifter, nip, drink

huttra *vb itr* (~de, ~t) shiver [*av* with]

huv *s* (~en, ~ar) hood, cover; på penna cap

huva *s* (~n, huvor) på plagg hood

huvtröja *s* (~n, -tröjor) hooded sweat[shirt]; vard. hoodie

huvud *s* (~et, ~en el. =) allm. head; person brain; intelligens o.d. äv. brains pl.; på brevpapper o.d. heading; jfr äv. *kålhuvud, piphuvud* m.fl. sammansättn.; **han har gott ~** he has got a good brain (got brains); **han har ~et på skaft** he has got a good head on his shoulders, his head is screwed on the right way; **hålla ~et kallt** keep [vard. one's] cool, keep one's (a level) head; **köra ~et i väggen** bildl. run one's head against the (a) [brick] wall; **vara ~et högre än ngn** be a head taller than sb; bildl. be head and shoulders above sb; **handla efter eget ~** go one's own way; **dum i ~et** stupid, daft; amer. äv. dumb; **ha ont i ~et** have a headache; **få in ngt i** (**få ngt ur**) **~et** get sth into (out of) one's head; **framgången steg honom åt ~et** success went to his head, his head was turned by success; **tala över ~et på ngn** talk over sb's head; **över ~ taget** se *överhuvudtaget*

huvudansvar *s* (~et) main (chief) responsibility

huvudarvinge *s* (~n, -arvingar) principal heir (kvinnl. heiress)

huvudbibliotek *s* (~et, =) main (central) library

huvudbok *s* (~en, -böcker) hand. [general] ledger

huvudbonad *s* (~en, ~er) headgear; huvudprydnad headdress

huvudbry *s* (~et), **vålla ngn ~** cause sb a lot of trouble, give sb a headache (a lot of problems)

huvudbyggnad *s* (~en, ~er) main building

huvuddel *s* (~en, ~ar) main (greater) part; **~en av** äv. the bulk of

huvuddrag *s* (~et, =) fundamental (essential) feature; **~en i Sveriges historia** the main outlines of Swedish history

huvudduk *s* (~en, ~ar) headscarf

huvudentré *s* (~n, ~er) main entrance

huvudform *s* (~en, ~er) **1** anat. shape of the (one's) head **2** huvudart principal form

huvudförhandling *s* (~en, ~ar) jur. main proceedings pl., hearing

huvudgata *s* (~n, -gator) main (principal) street, thoroughfare

huvudgärd *s* (~en, ~ar) på säng bed's head

huvudingång *s* (~en, ~ar) main entrance

huvudkontor *s* (~et, =) head office, headquarters pl.

huvudkudde *s* (~n, -kuddar) pillow

huvudled *s* (~en, ~er) trafik. major road; **korsande** (**korsning med**) ~ vägmärke major road ahead

huvudledning *s* (~en, ~ar) **1** för gas, vatten o.d. main [pipe] **2** elektr. main circuit

huvudlärare *s* (~n, =) senior master (kvinnl. mistress); ~ **i engelska** vanl. head of the English Department

huvudlös *adj* (~t) **1** eg. headless **2** bildl.: enfaldig, oförståndig brainless, foolish; dumdristig foolhardy, desperate

huvudman *s* (~nen, -män) jur. el. hand. principal; i sparbank trustee; myndighet responsible authority (organisation organization)

huvudmåltid *s* (~en, ~er) principal meal

huvudnyckel *s* (~n, -nycklar) master key, passkey

huvudort *s* (~en, ~er) stad chief (main) town; huvudstad capital

huvudpart *s* (~en) major (chief) part, bulk

huvudperson *s* (~en, ~er) i drama, roman o.d. main (leading) character, protagonist

huvudpostkontor *s* (~et, =) general (head) post office

huvudpunkt *s* (~en, ~er) main (chief, principal) point

huvudredaktör *s* (~en, ~er) editor-in-chief (pl. editors-in-chief) äv. för uppslagsverk o.d., [chief] editor

huvudregel *s* (~n, -regler) main rule

huvudroll *s* (~en, ~er) principal (leading) part; **med...i ~en** (**~erna**) starring...

huvudrollsinnehavare *s* (~n, =) leading actor (kvinnl. actress), principal actor (kvinnl. actress)

huvudräkning *s* (~en) mental arithmetic (calculation)

huvudrätt *s* (~en, ~er) main course; viktigaste rätt principal dish; **till** (**som**) ~ as the main course resp. as a principal dish

huvudsak *s* (~en, ~er) main (most important) thing, main question (point); jfr äv. ex. under *bisak*; **i ~** in the main, in substance, on the whole

huvudsaklig *adj* (~t) principal, main, chief; egentlig, första primary; väsentlig essential

huvudsakligen *adv* principally etc., jfr *huvudsaklig*; mostly, in the main

huvudsats *s* (~en, ~er) gram. main (principal) clause

huvudskyddsombud *s* (~et, =) principal safety representative

huvudskål *s* (~en, ~ar) cranium

huvudspråk *s* (~et, =) main (principal) language

huvudstad *s* (~en, -städer) capital [*i* of]; stor metropolis

huvudströmbrytare *s* (~n, =) main power (master) switch

huvudstupa *adv* med huvudet före head first (foremost); headlong äv. bildl.; brådstörtat precipitately; **falla** ~ fall head over heels

huvudstyrka *s* (~n, -styrkor) mil. o.d. main body

huvudsvål *s* (~en, ~ar) scalp

huvudsyfte *s* (~t, ~n) principal (main) aim (purpose) [*med* of]

huvudsysselsättning *s* (~en, ~ar) main (chief) occupation

huvuduppgift *s* (~en, ~er) åläggande main task (funktion function)

huvudvikt *s* (~en), **lägga ~en på** (**vid**) **ngt** lay particular (the main) stress on sth

huvudvittne *s* (~t, ~n) principal witness

huvudväg *s* (~en, ~ar) main road

huvudvärk *s* (~en) headache äv. huvudbry; **det är inte min** ~ that's not my headache (my pigeon); **ha** [**en blixtrande**] ~ have a [splitting] headache

huvudvärkstablett *s* (~en, ~er) headache pill, aspirin®

huvudämne *s* (~t, ~n) main (principal, univ. äv. major) subject

huvudända *s* (~n, ~r) o. **huvudände** *s* (~n, -ändar) på bord, säng head [end]

hux flux *adv* vard. all of a sudden, straight away

hy *s* (~n) allm. complexion; hud skin

hyacint *s* (~en, ~er) bot. hyacinth

hyacintlök *s* (~en, ~ar) hyacinth bulb

hybrid I *adj* (neutrum undviks) hybrid **II** *s* (~en, ~er) hybrid

hybris *s* (~en el. =) arrogance, hubris grek.

hyckla I *vb tr* (~de, ~t) sham, feign, simulate, put on a show of [[*in*]*för* i samtliga fall before]; **~d fromhet** sham piety; **~t deltagande** pretended sympathy **II** *vb itr* (~de, ~t) be hypocritical, pretend [[*in*]*för* to]; play the hypocrite [[*in*]*för* with]

hycklande *adj* (oböjl.) hypocritical

hycklare *s* (~n, =) hypocrite

hyckleri *s* (~et, ~er) hypocrisy

hycklerska *s* (~n, hycklerskor) hypocrite

hydda *s* (~n, hyddor) hut; stuga cabin, cottage

hydra *s* (~n, hydror) mytol. el. zool. hydra äv. bildl.

hydraulisk *adj* (~t) hydraulic; ~ **broms** hydraulic brake

hydrofor *s* (~en, ~er) tryckbehållare, ung. pressure tank

hydroplan *s* (~et, =) seaplane; speciellt amer. hydroplane

hyena *s* (~n, hyenor) hyena äv. bildl.

hyfs *s* (~en) gott uppförande [good] manners pl.

hyfsa *vb tr* (~de, ~t) **1** snygga upp, putsa, ~ [*till*] trim (tidy) up, make...tidy (trim, presentable); manuskript o.d. touch up; **låt oss ~ glasen!** dricka upp det sista let's empty our glasses! **2** ekvation simplify, reduce

hyfsad *adj* (hyfsat, ~e) rätt bra decent, pretty good; **till ~e priser** at reasonable prices; **ett hyfsat resultat** a decent result; **ha ett hyfsat uppträdande** vara väluppfostrad o.d. have good manners

hygge *s* (~t, ~n) avverkat område clearing

hygglig *adj* (~t) **1** vänlig, hjälpsam o.d. decent, nice; snäll kind, good [*mot* i samtliga fall to]; **är du ~ och hjälper mig!** would you mind helping me? **2** skaplig decent; rimlig, t.ex. om pris fair, reasonable, moderate

hygien *s* (~en) hygiene äv. bildl., hygienics sg.; **personlig ~** äv. personal care

hygienisk *adj* (~t) hygienic, sanitary

hygienutrymmen *s pl* toilet and bathroom facilities

hygrometer *s* (~n, -metrar) fys. hygrometer

1 hylla *s* (~n, -hyllor) hyllplan shelf (pl. shelves); möbel med flera hyllor set of shelves; jfr *bokhylla*; bagage~ o.d. rack; **lägga ngt på ~n** äv. bildl. put sth on the shelf

2 hylla *vb tr* (~de, ~t) **1** gratulera congratulate; hedra, ära pay tribute (homage) to, honour; med offentligt bifall give...an ovation; med hurrarop cheer; med applåder applaud; med fest fête; ~ **ngn som ledare** hail sb as leader; **med ~de sin företrädare** he paid a warm tribute to... **2** stödja, t.ex. parti, sak support; **en allmänt ~d grundsats** a very generally accepted theory

hylle *s* (~t, ~n) bot. perianth
hyllmeter *s* (~n, = el. -metrar) running metre
hyllning *s* (~en, ~ar) gratulationer congratulations pl.; hyllningsbevis tribute, homage; bifall ovation; hurrarop cheers pl.
hyllningsdikt *s* (~en, ~er) complimentary poem
hyllpapper *s* (~et el. -pappret, =) shelf paper
hyllplan *s* (~et, =) shelf (pl. shelves)
hylsa *s* (~n, hylsor) allm. case, casing; huv, kapsyl cap, capsule; bot. shell, hull
hylsnyckel *s* (~n, -nycklar) box spanner
hymla *vb itr* (~de, ~t) vard., hyckla, krumbukta dodge, shuffle, prevaricate; ~ smussla **med** (**om**) **ngt** try to conceal sth on the sly; **det är inget att ~ om** it is no great secret, there is no reason to pretend [otherwise]
hymn *s* (~en, ~er) hymn; friare anthem
hynda *s* (~n, hyndor) bitch
hyperbel *s* (~n, hyperbler) matem. hyperbola
hyperinflation *s* (~en, ~er) hyperinflation, galloping (runaway) inflation
hyperkänslig *adj* (~t) hypersensitive
hypermodern *adj* (~t) ultramodern; tidsenlig extremely up to date; på modet very fashionable
hypernervös *adj* (~t) extremely nervous
hyperventilera *vb itr* (~de, ~t) med. hyperventilate
hypnos *s* (~en, ~er) hypnos|is (pl. -es)
hypnotisera *vb tr* (~de, ~t) hypnotize
hypnotisk *adj* (~t) hypnotic
hypnotisör *s* (~en, ~er) hypnotist
hypofys *s* (~en, ~er) anat. hypophys|is (pl. -es), pituitary gland (body)
hypokondriker *s* (~n, =) psykol. hypochondriac
hypokondrisk *adj* (~t) psykol. hypochondriac
hypotek *s* (~et, =) bank., inteckning mortgage; säkerhet security
hypotekslån *s* (~et, =) bank mortage loan, loan on mortage
hypotenusa *s* (~n, hypotenusor) matem. hypotenuse
hypotes *s* (~en, ~er) hypothes|is (pl. -es)
hypotetisk *adj* (~t) hypothetic[al]
hyra I *s* (~n, hyror) **1** för bostad o.d. rent; belopp rental; för tillfällig lokal, bil, tv o.d. hire; **betala** 5000 kronor **i ~** pay a rent of...; **vad betalar du i ~ för** lägenheten o.d. how much (what) rent do you pay for... **2** sjö.: lön wages pl., pay; tjänst berth; **ta ~** ship, sign articles [**på** on board]
II *vb tr* o. *vb itr* (hyrde, hyrt) **1** rent, hire; **att ~** annonsrubrik o.d. a) rum o.d. to let b) lösöre, båt o.d. for (on) hire; amer. i båda fallen äv. for rent; **~ av** (**hos**) **ngn** rent from sb; **~ i andra hand** sublet; **~ en stuga** för sommaren rent (take) a cottage...; **~ in sig hos ngn** take lodgings with sb; **~ ut** hus o.d. let, för lång tid lease; **~ ut** en båt hire out..., let out...on hire; **~ ut ett rum till ngn** let a room to sb; **~ ut...i andra hand** äv. sublet... **2** sjö., anställa hire, engage, ship
hyrbil *s* (~en, ~ar) rental (hire) car
hyresannons *s* (~en, ~er) 'to-let' advertisement
hyresavtal *s* (~et, =) för t.ex. lägenhet rental (för lösöre, båt o.d. hiring) agreement
hyresbidrag *s* (~et, =) housing (rent) allowance
hyresfastighet *s* (~en, ~er) se *hyreshus*
hyresfritt *adv* rent-free
hyresgäst *s* (~en, ~er) i lägenhet o.d. tenant; inneboende lodger, amer. roomer

hyresgästförening *s* (~en, ~ar) tenants' (residents') association
hyreshaj *s* (~en, ~ar) vard. rent racketeer
hyreshus *s* (~et, =) block of flats; amer. apartment building
hyreshöjning *s* (~en, ~ar) rent increase
hyreskontrakt *s* (~et, =) flerårigt lease; kortare tenancy agreement; för lösöre hire contract
hyreslägenhet *s* (~en, ~er) rented flat (amer. apartment)
hyresmarknad *s* (~en) housing-market
hyresnämnd *s* (~en, ~er) rent tribunal
hyresreglering *s* (~en, ~ar) rent control
hyresrätt *s* (~en, ~er) jur. right of tenancy, tenancy right; [**lägenhet med**] **~** flat (amer. apartment) with right of tenancy
hyressänkning *s* (~en, ~ar) rent reduction (decrease)
hyresvärd *s* (~en, ~ar) landlord
hysa *vb tr* (hyste, hyst) **1** ha, känna entertain; en mening äv. hold; t.ex. förhoppningar, en känsla, planer äv. cherish; t.ex. hämndbegär äv. harbour, nurse; t.ex. respekt feel [**mot** i samtliga fall towards]; **~ misstankar mot** have (entertain) suspicions about **2** ge husrum åt house, accommodate, put up; ge skydd åt shelter, give shelter to; rymling o.d. harbour; **~ in ngn hos ngn** find lodgings (a lodging, quarters) for sb with sb; **~ in ngt hos ngn** store sth at sb's house
hysch-hysch *s* (~et) hush-hush
hyska *s* (~n, hyskor) sömnad. eye; **~ och hake** hook and eye
hyss *s* (~et, =), **ha** [**en massa**] **~ för sig** be up to [a lot of] mischief
hyssja *vb itr* (~de, ~t), ropa hyssj **~** [**åt**] cry hush [to]
hysteri *s* (~n) hysteria; anfall hysterics pl.; **gripas av ~** go into hysterics
hysteriker *s* (~n, =) hysteric, hysterical person
hysterisk *adj* (~t) hysterical; **bli ~** el. **få ett ~t anfall** go into hysterics
hytt *s* (~en, ~er) sjö. cabin, berth; elegantare stateroom; jfr äv. *badhytt* o. *telefonhytt*
1 hytta *vb itr* (hytte, hytt) se *höta*
2 hytta *s* (~n, hyttor) smelting-house; järnbruk smelting-works (pl. lika), foundry; masugn blast furnace
hyttfönster *s* (-fönstret, =) cabin window; hyttventil porthole
hyttplats *s* (~en, ~er) berth
hyvel *s* (~n, hyvlar) **1** snick. plane **2** se *osthyvel* o. *rakhyvel*
hyvelbänk *s* (~en, ~ar) planing (carpenter's) bench
hyvelspån *s* (~et, =) shaving; koll. shavings pl.
hyvla *vb tr* (~de, ~t) plane; t.ex. ost slice; **~ av** jämna plane...smooth, smooth; ta bort plane (smooth)...off; **~de bräder** planed (dressed) boards, floorings
håg *s* (~en) sinne mind; hjärta heart; **dyster** (**glad**) **i ~en** in low spirits (in a happy mood); **slå** ngt **ur ~en** dismiss...from one's mind (thoughts), give up all idea of...
hågad *adj* (hågat, ~e) inclined [**för** for]; **vara ~ att** äv. be minded to; **jag känner mig inte ~ att** + inf. ofta I don't feel like + ing-form
hågkomst *s* (~en, ~er) recollection, memory [**av** of]; **~er** äv. reminiscences [**från** barndomen of...]

håglös *adj* (~t) listless; oföretagsam unenterprising; loj indolent

hål *s* (~et, =) hole i olika betydelser; reva äv. tear [*på* in]; öppning äv. aperture; gap, lucka gap; tandläk. cavity; **bränna** (*knacka, riva, nöta* m.fl.) ~ *på* burn (knock, tear, wear m.fl.) a hole (resp. holes) in; *det har gått* (*är*) ~ *på* strumpan äv. there is a hole (resp. are holes) in…; [*låta*] *göra* ~ *i öronen* have one's ears pierced; *ha* ~ *i öronen* have pierced ears; *slå* ~ *i* (*på*) make a hole in; t.ex. papper punch

håla I *s* (~n, hålor) **1** grotta cave, cavern; större djurs el. bildl. den; t.ex. rävs äv. hole, burrow; anat. cavity **2** småstad hole **II** *vb tr* (~de, ~t) hålslå punch; **~t papper** hole-punched (holed) paper

hålfot *s* (~en, -fötter) arch

hålfotsinlägg *s* (~et, =) arch support

hålig *adj* (~t) **1** insjunken hollow **2** full med hål …full of holes, honeycombed

hålighet *s* (~en, ~er) konkr. cavity äv. anat., hollow

håll *s* (~et, =) **1** riktning direction; sida quarter, side; *från alla* ~ [*och kanter*] from all directions (quarters, sides), from every direction (quarter), from everywhere; höra *från säkert* ~ from a reliable quarter (source); *på alla* ~ everywhere; bildl. on all sides; *på annat* ~ in another quarter, elsewhere; *på sina* ~ in some places, here and there; *åt annat* ~ in another direction; han gick *åt mitt* ~ (*samma* ~ *som jag*) …my way; de gick *åt var sitt* ~ …separate ways; *åt vilket* ~? which way?; *någonting åt det* ~*et* i den stilen something like that **2** avstånd distance, jfr ex. under *avstånd*; *på långt* ~ from a long distance; det är svårt att se *på så här långt* ~ …at this distance; *det syntes på långt* ~ att han var ledsen you could see (tell) a mile away…; ha ngt *på nära* ~ …close at hand, …nearby; se ngt *på nära* ~ …at close quarters **3** med. stitch; *få* ~ get a stitch

hålla I *vb tr* o. *vb itr* (höll, hållit) **1** t.ex. med handen el. i viss ställning hold; ~ *huvudet stilla* hold (längre tid keep) one's head still; ~ *händerna för öronen* hold (sätta put) one's hands over one's ears; ~ [*i*] *ngt* [*åt ngn*] hold sth [for sb]; ~ *hårt om* (*i*) *ngt* hold sth tight **2** bibehålla, hålla i visst skick keep; ~ *balansen* keep one's balance; ~ *farten* keep up the speed; ~ [*till*] *höger* keep [to the] right; ~ *kursen* sjö. el. bildl. keep on course; ~ *vikten* keep one's weight down; ~ *sitt löfte* keep one's promise; ~ *en plats* [*åt ngn*] keep (save) a seat [for…]; ~ *tiden* inte överskrida tiden manage in time; affärerna *håller stängt* (*öppet*) …are closed (open); ~ *ordning* [*omkring sig*] keep things tidy; ~ *rent hemma* keep the house clean; ~ *ngt för sig själv* tiga med keep sth to oneself

II *vb tr* (höll, hållit) **1** försvara hold; ~ *ställningarna* a) mil. hold one's position b) bildl. hold the fort **2** kosta på [sig] keep; ~ *ngn med mat* kosta på keep sb in food; tillhandahålla furnish (supply) sb with food **3** genomföra, anordna hold; framföra: t.ex. föredrag give, deliver; t.ex. tal äv. make; ~ *ett möte* hold a meeting; ~ *gudstjänst* hold (leda conduct) [divine] service **4** vid vadhållning bet [*på* on]; *jag håller en* hundring *på att han vinner* I bet you a…[that] he will win **5** anse consider; *jag håller* [*det*] *för troligt* att I think (consider) it likely…; ~ ngt *kärt* (*heligt*) hold…dear (holy)

III *vb itr* (höll, hållit) **1** vara stark nog: bibehållas, vara slitstark, äv. bildl. last; om kläder äv. wear; om t.ex. rep,

spik hold; glaset *håller* (*höll*) …won't (didn't) break; teorin *håller inte* …doesn't hold [water], …is not valid; vard. …won't wash; *och det håller* gäller *än* and this still applies; ~ *för* påfrestningen bear…, stand… **2** färdas i viss riktning: fortsätta keep; ta av turn; sjö. stand [*på* (*mot*) for] **3** ~ *på a* a) hävda: t.ex. sin mening stick (adhere) to; t.ex. rättigheter stand on **b**) vara noga med make a point of; ~ *på formerna* (*sin värdighet*) stand on ceremony (one's dignity) **c**) satsa, ~ *på* en häst bet (put one's money) on…, back…; ~ *på ett lag* support a team

IV *vb rfl* (höll, hållit) ~ *sig a*) med handen el. händerna, ~ *sig i* handtaget hold on to… **b**) i viss ställning hold oneself; förbli, vara keep [oneself]; förhålla sig keep; förbli remain, stay; ~ *sig frisk* keep fit (in good health); ~ *sig hemma* stay at home; ~ *sig lugn* keep (stay) calm; ~ *sig ren* keep [oneself] clean; ~ *sig stilla* inte röra sig keep (hold oneself) still; ~ *sig vaken* stay awake; ~ *sig väl med* ngn keep in with…; ~ *sig för sig själv* keep [oneself] to oneself **c**) behärska sig restrain (betr. naturbehov äv. contain) oneself; ~ *sig för skratt* keep oneself from laughing; *han kunde inte* ~ *sig för skratt* he could not help laughing **d**) stå sig: om t.ex. matvaror keep; om väderlek last **e**) ha, kosta på sig, ~ *sig med bil* keep a car; ~ *sig med* kläder *själv* keep oneself in… **f**) ~ *sig till* ngt: inte lämna keep (stick) to; rätta sig efter follow; ~ *sig till ämnet* stay on the subject

V med beton. part.

hålla av tycka om be fond of, be attached to

hålla borta keep…off; ~ *sig borta* keep (stay) away [*från* from]

hålla efter: ~ *efter ngn* övervaka keep a close check on (a tight hand over) sb; ~ *efter* ogräs o.d. keep down

hålla emot: motstå resist; 'med knät', ~ *emot* underförstått subst. i sv. motsvaras av utsatt subst. i eng. put one's weight (put one's knee) firmly against

hålla fast ngn (ngt) hold […fast]; ~ [*stadigt*] *fast i* keep [firm] hold of; ~ *fast vid* bildl. stick (hold) to; t.ex. åsikt äv. adhere to; t.ex. krav insist on; ~ *sig fast i* hold on (cling) to

hålla fram hold out

hålla sig framme se ex. under *framme 4*

hålla för: ~ *för näsan* hold one's nose; ~ *för öronen* hold (sätta put) one's hands over (stop) one's ears

hålla i: ~ *i ngt* [*åt ngn*] hold sth [for…]; ~ *i fast ngt* hold (keep hold of) sth; för att stödja sig hold on to sth; ~ *i sig* [*i* handtaget] hold on [to…]

hålla ifrån: ~…*ifrån sig* keep…off (away; på avstånd at a distance); ~ *sig ifrån* ngn keep away from…, avoid…

hålla i gång a) tr., ~ *ngt i gång* keep sth running **b**) itr., festa party

hålla ihop a) tr.: samman (eg. o. bildl.) keep…together **b**) itr.: samman (eg. o. bildl.) keep together; vara lojal, vard. äv. stick together; inte gå sönder hold together

hålla in a) dra in pull in **b**) häst pull up

hålla inne a) inomhus keep…in[doors]; ~ *sig inne* keep indoors **b**) t.ex. lön withhold, keep…back **c**) ~ *inne* tiga *med* keep…to oneself

hålla isär keep…apart; ~ *isär begreppen* keep the ideas apart

hålla kvar få att stanna kvar keep; fördröja äv. detain; fasthålla hold; ~ *sig kvar* [manage to] remain (stay)

hålla med ngn instämma agree with sb; vard. go along

with sb

hålla nere bildl., om t.ex kostnader keep...down

hålla om ngn hold (ta put) one's arms round sb; ~ *om* ngn *hårt* hold...tight

hålla på a) vara i färd med, *jag håller på och lagar mat* I'm [busy] cooking; ~ *på med* ngt be busy with...; arbeta äv. be at work upon (engaged on)...; *vad håller du på med?* what are you doing [just now]?; irriterat what do you think you're doing? **b)** fortsätta go (keep) on; vara kvar; vara i gång be going on; *jag höll på ett år för att* få den färdig it took me a year to... **c)** vara nära att, ~ *på att* + inf. be on the point of + ing-form; *jag höll på att ramla* vanl. I almost (very nearly) fell

hålla till vara, vistas be; vard. hang out; påträffas, om djur be met with; bo live; *var håller han till?* äv. where is he to be found?

hålla tillbaka hejda keep...back; återhålla, hämma restrain

hålla undan a) väja keep out of the way [*för* of] **b)** behålla försprånget keep the lead **c)** ~ god fart keep a good speed; ~ *sig undan* gömd keep in hiding [*för* from]; friare lie low

hålla upp upplyft hold up; ~ *upp dörren för ngn* vanl. open the door to sb

hålla uppe uppbära hold...up; hålla på plats äv. keep...up; stötta äv. support; ~ *ngn uppe* vaken keep sb up; ~ *sig uppe* inte sängliggande keep on one's legs, stay up; ~ *modet* o.d. *uppe* keep up...; ~ *priserna* o.d. *uppe* keep...up; *hoppet höll mig uppe* hope kept me going

hålla ut a) räcka ut hold out **b)** uthärda hold out; inte ge tappt hold on, persevere; vard. stick (tough) it [out]

hålla utanför: ~ *ngn* (~ *sig*) *utanför* bildl. keep sb (keep) out of sth

hållare s (~n, =) holder; jfr *lamphållare*, *pakethållare* m.fl.

hållas *vb itr dep* (hölls, hållits), *låta ngn ~* let sb have his (resp. her) way; lämna i fred leave sb alone

hållbar adj (~t) **1** slitstark durable, lasting, hard-wearing; om tyg, plagg, attr. ...that wears well (will wear); om färg fast; om livsmedel o.d. non-perishable; attr. ...that keeps well (will keep) **2** som kan försvaras tenable; *teorin är inte ~* the theory is not valid (does not hold water, vard. won't wash)

hållbarhet s (~en) **1** materials o. färgs slitstyrka durability; äv. wear; födoämnes keeping qualities pl. **2** teoris tenability, validity

hållen adj (hållet, hållna), *hon är hårt ~ av sin mamma* her mother keeps a close check on her

hållfast adj (=) strong, firm, solid

hållfasthet s (~en) strength, firmness

hållfasthetslära s (~n) mechanics of materials, science of the strength of materials

hållhake s (~n, -hakar), *ha en ~ på ngn* have a hold on sb

hålligång s (~et, =) vard., *det var ~ hela natten* på festen it was an all-night party

hålligångare s (~n el. -igångarn, =) vard. party animal; starkare raver

hållning s (~en, ~ar) **1** kropps~ carriage, posture, deportment; *ha god ~* have a good carriage, hold oneself well **2** uppträdande bearing, conduct; inställning attitude [*mot* to[wards]]

hållningslös adj (~t) bildl. spineless, flabby

hållplats s (~en, ~er) buss~ osv. stop; järnv. halt

hållpunkt s (~en, ~er) basis (pl. bases), grounds pl. [*för* for]; *några ~er* i föreläsningen some fixed points...

hålltid s (~en, ~er), *~er* set (fixed) times

hålrum s (~met, =) se *hålighet*

hålslag s (~et, =) hole (paper) punch

hålslev s (~en, ~ar) perforated ladle

hålsöm s (~men, ~mar) hemstitching; *en ~* a hemstitch; *sy ~* hemstitch

håltimme s (~n, -timmar) skol. gap [between lessons], free period

hålväg s (~en, ~ar) gorge, ravine

hålögd adj (-ögt) hollow-eyed

hån s (~et) scorn; förlöjligande derision, mockery; *ett ~ mot* an insult to

håna *vb tr* (~de, ~t) make fun of, deride; i ord äv. scoff at, taunt, mock [*för* i samtliga fall because of]

hånfull adj (~t) scornful; om t.ex. skratt äv. derisive, sardonic; i ord äv. scoffing

hångla *vb itr* (~de, ~t) neck, pet [*med ngn* sb]; amer. make out

hånle *vb itr* (-log, -lett) smile scornfully osv., jfr *hånfull*; sneer [*åt* i samtliga fall at]

hånleende s (~t, ~n) scornful (osv. jfr *hånfull*) smile, sneer

hånskratta *vb itr* (~de, ~t) laugh scornfully osv., jfr *hånfull*; jeer [*åt* i samtliga fall at]

hår s (~et, =) hair; *ha kort[klippt] ~* vanl. wear one's hair short; *[låta] klippa ~et* have one's hair cut, have a haircut; det lyckades, men *det var på ~et* ...it was a near thing (a close shave); *det var på ett ~ när att han hade blivit dödad* he came within a hair's breadth of being killed

håra I *vb itr* (~de, ~t), ~ *[av sig]* shed (drop) one's hair **II** *vb tr* (~de, ~t), ~ *ned* cover...with hair[s]

håravfall s (~et) loss of hair; med. alopecia

hårbalsam s (~et, =) hair conditioner

hårband s (~et, =) hair ribbon, headband

hårbevuxen adj (-bevuxet, -bevuxna) o. **hårbeväxt** adj (=) hairy

hårborste s (~n, -borstar) hairbrush

hårborttagning s (~en, ~ar) hair removal, depilation

hårborttagningsmedel s (-medlet, =) hair remover, depilatory

hårbotten s (-bottnen el. =, -bottnar) scalp

hård adj (hårt) allm. hard äv. bildl.; sträng äv. severe [*mot* on (towards)]; omild äv. rough; hårdhjärtad äv. hard-hearted; *ett hårt arbete* hard (heavy) work; vard. a hard (tough) job; *hårt ljud* (*ljus*) harsh sound (light); *med ~ hand* with a heavy hand; *en ~ knut* (*kram*) a tight knot (hug); ~ *konkurrens* severe (keen) competition; ~ *kritik* severe criticism; *hårt motstånd* strong (stubborn) opposition; *göra ~* make (render)...hard, harden; *vara ~ mot* ngn be hard on..., treat...harshly; *sätta hårt mot hårt* take a tough line

hårdband s (~et, =) bokb. hardback, hardcover

hårdbanta I *vb itr* (~de, ~t) minska i vikt be (go) on a crash diet **II** *vb tr* (~de, ~t), ~ *ngt* t.ex. kostnader cut back [on] sth

hårddata s pl cold figures, hard facts

hårddisk s (~en, ~ar) data. hard disk

hårdexploatera *vb tr* (~de, ~t) heavily exploit, exploit to the full

hårdfrusen *adj* (-fruset, -frusna) …[that is (was osv.)] frozen hard

hårdför *adj* (~t) tough, robust

hårdhandskar *s pl,* *ta i med ~na [mot]* take strong measures (a strong line) [against]

hårdhet *s* (~en) hardness; stränghet äv. harshness, severity; jfr *hård*

hårdhetsgrad *s* (~en, ~er) degree of hardness

hårdhjärtad *adj* (-hjärtat, ~e) hard-hearted

hårdhudad *adj* (-hudat, ~e) thick-skinned

hårdhänt I *adj* (=) omild rough; sträng heavy-handed, severe, hard-handed [*mot* with] **II** *adv,* **handskas ~ med…** handle…roughly, be rough with…

hårding *s* (~en, ~ar) vard. tough guy (customer, nut)

hårdkokt *adj* (=) om ägg el. bildl. hard-boiled

hårdna *vb itr* (~de, ~t) harden, become hard[er]; om konkurrens get tougher

hårdnackad *adj* (-nackat, ~e) stubborn; *göra hårdnackat motstånd* offer stubborn (dogged) resistance

hårdost *s* (~en, ~ar) hard cheese

hårdplast *s* (~en, ~er) rigid (thermosetting) plastic

hårdporr *s* (~en) hardcore porno (pornography)

hårdra *vb tr* (-drog, -dragit) bildl. strain; *~gen* äv. far-fetched, forced

hårdrock *s* (~en) mus. hard rock

hårdsmält *adj* (=) indigestible, …hard to digest båda äv. bildl.

hårdstekt *adj* (=) …roasted (osv. jfr *steka I*) too much, over-roasted

hårdträna *vb itr* (~de, ~t) train hard, do some hard training

hårdträning *s* (~en) hard training

hårdvaluta *s* (~n, -valutor) hard currency

hårdvara *s* (~n, -varor) data. hardware

hårfin *adj* (~t) tunn …[as] fine (thin) as a hair; minimal, t.ex. skillnad subtle, minute

hårfrisör *s* (~en, ~er) hairdresser; herrfrisör äv. barber

hårfrisörska *s* (~n, -frisörskor) hairdresser

hårfärg *s* (~en, ~er) **1** hair colour, colour of the (one's) hair; *hans ~* the colour of his hair **2** se *hårfärgningsmedel*

hårfärgning *s* (~en, ~ar) hair-dyeing

hårfärgningsmedel *s* (-medlet, =) hair dye (colouring)

hårfäste *s* (~t, ~n) hairline; *ha högt (lågt) ~* …a high (low) forehead

hårgelé *s* (~n el. ~et, ~er) hair gel

hårig *adj* (~t) hairy

hårklippning *s* (~en, ~ar) haircutting; *en ~* a haircut

hårklyveri *s* (~et, ~er), *~[er]* hairsplitting sg.

hårklämma *s* (~n, -klämmor) hairgrip; amer. bobby pin

hårknut *s* (~en, ~ar) topknot, bun

hårlock *s* (~en, ~ar) lock [of hair]

hårlös *adj* (~t) hairless

hårmousse *s* (~n, ~r) [styling] mousse

hårnål *s* (~en, ~ar) hairpin

hårnålskurva *s* (~n, -kurvor) hairpin bend

hårresande *adj* (oböjl.) hair-raising; ryslig äv. appalling, horrible; *det är ~* äv. it makes your hair stand on end

hårschampo *s* (~t, ~n) [hair] shampoo

hårslinga *s* (~n, -slingor) strand [of hair]

hårsmån *s* (~en) hair's breadth; *vara en ~ från* be a hair's breadth from

hårspole *s* (~n, -spolar) curler, roller

hårspray *s* (~en, ~er) o. **hårsprej** *s* (~en, ~er) hairspray

hårspänne *s* (~t, ~n) hairslide; amer. barrette

hårstrå *s* (~et, ~n) hair

hårsäck *s* (~en, ~ar) anat. hair follicle

hårt *adv* intensivt, kraftigt hard; strängt severely; stadigt tight; mycket [very] much resp. very, jfr ex.; *~ beskattad* heavily taxed; *vara ~ packad* be tightly packed; *~ spänd* lina very tense…; *arbeta ~* work hard; *dra åt ~ (hårdare)* tighten very much (more); *krama ngn ~* hug…tight; *det känns ~* bittert it feels bitter; *ta ngt ~* bildl. take…hard (very much to heart)

hårtest *s* (~en, ~ar) wisp [of hair]

hårtofs *s* (~en, ~ar) tuft of hair

hårtork *s* (~en, ~ar) hairdrier

håruppsättning *s* (~en, ~ar) konkr. coiffure fr.; vard. hairdo (pl. -s)

hårvax *s* (~et, ~er) hair wax

hårvård *s* (~en) haircare

hårväxt *s* (~en), ha dålig *~* …a poor growth of hair; *generande (missprydande) ~* superfluous hair[s pl.]

håv *s* (~en, ~ar) fiske. landing net; kyrk~ collection bag; *gå med ~en* bildl. fish for compliments

håva *vb tr* (~de, ~t), *~ in* bildl. rake in

1 häck *s* (~en, ~ar) **1** planterad hedge; *bilda ~* bildl. form a lane **2** vid häcklöpning hurdle; *110 m ~* 110 metres hurdles; *löpa ~* hurdle

2 häck *s* (~en, ~ar), *ha ~en full* vard. be up to one's ears in work

3 häck *s* (~en, ~ar) **1** sjö. stern-rail **2** vard., rumpa behind, backside; *ta dig i ~en!* up your arse (amer. ass)!, up yours!

häcka *vb itr* (~de, ~t) breed

häckla *vb tr* (~de, ~t) **1** bildl.: håna, pika taunt; avbryta talare med elaka kommentarer heckle **2** bearbeta lin hackle, dress, comb

häcklöpare *s* (~n, =) hurdler

häcklöpning *s* (~en, ~ar) hurdle race, hurdles sg.; häcklöpande hurdle racing

häckning *s* (~en, ~ar) breeding

häckplats *s* (~en, ~er) breeding place

häcksax *s* (~en, ~ar) hedge shears pl.

häda *vb tr* o. *vb itr* (~de, ~t) (äv. *~ Gud*) blaspheme

hädan *adv* högtidl., *gå ~* depart this life; *vik ~!* bibl. get thee hence!, begone!

hädanefter *adv* in future, from now on, henceforth, henceforward

hädanfärd *s* (~en, ~er) högtidl. departure [from this life]

hädelse *s* (~n, ~r) blasphemy [*mot* against]; svordom curse

hädisk *adj* (~t) blasphemous, profane; vanvördig irreverent

häfta *vb tr* (~de, ~t) **1** bokb. stitch, sew; *~d* obunden paper-bound, unbound; *~d bok* vanl. paperback **2** *~ fast…(fast…vid)* fasten…on (…[on] to); *~ ihop* staple…together

häftapparat *s* (~en, ~er) stapler

häfte *s* (~t, ~n) liten bok booklet; frimärks~, check~ osv. book; skriv~ exercise book

häftig *adj* (~t) **1** våldsam violent; om t.ex. smärta äv.

acute, severe; hetsig hot; om t.ex. dispyt äv. heated; **ett ~t oväder** (**regn**) a violent storm (heavy downpour); **en ~ rörelse** a sudden movement **2** speciellt i fråga om person: hetlevrad hot-headed, hot-tempered; lättretad quick-tempered, hasty; upphetsad excited; **en ~ motståndare till...** a violent opponent of...; **han blir** [**lätt**] **~** he loses his temper [easily] **3** vard., bra great, cool, awesome

häftigt adv violently osv., jfr *häftig*; **andas ~** breathe quickly; **koka ~** boil fast (fiercely); hjärtat slår ~ ...beats excitedly (abnormally fast)

häftklammer s (~n, -klamrar) [paper] staple

häftpistol s (~en, ~er) staple gun

häftstift s (~et, =) drawing-pin; amer. thumbtack

häger s (~n, hägrar) zool. heron

hägg s (~en, ~ar) bot. bird cherry

hägn s (~et, =) beskydd protection; **i** (**under**) **lagens ~** under the protection of the law

hägra vb itr (~de, ~t), **ett mål som ~r** [**för mig**] a goal which I dream of attaining

hägring s (~en, ~ar) mirage; bildl. äv. illusion

häkta I s (~n, häktor) [small] hook **II** vb tr (~de, ~t) **1** fästa hook; **~ av** unhook [**från off** (**from**)]; **~ på** ngt hook...on [**på** to] **2** jur. detain, remand...in custody; **den ~de** the detainee, the person in custody, the detained person

häkte s (~t, ~n) jur. custody; konkr. gaol, jail, prison; **kvarhålla** (**sätta**) ngn **i ~** detain (place)...in custody

häktning s (~en, ~ar) jur. detention [pending trial]

häktningsförhandling s (~en, ~ar) jur., **~** [**ar**] court proceedings pl. for the issue of a warrant of arrest (a detention order)

häktningsorder s (~n, =) jur. warrant of arrest, detention order

häl s (~en, ~ar) på fot el. strumpa heel; **följa ngn** [**tätt**] **i ~arna** be [close] on sb's heels

hälare s (~n, =) jur. receiver [of stolen goods]; vard. fence

häleri s (~et) jur. receiving [stolen goods]

hälft s (~en, ~er) half (pl. halves); **jag förstod inte ~en av vad han sa** ...[one] half of what he said; **~en mjölk** [**och**] **~en vatten** half milk, half water; **betala ~en var** pay half each, go halves; **~en så stor** [**som...**] half as large [as...], half the size [of...]; **på ~en så lång tid** in half the time; **göra ngt** [**bara**] **till ~en** ...by halves; **till ~en dold** half hidden

häll s (~en, ~ar) **1** berg~ flat rock **2** platta slab; av sten stone slab; på kökspis hob, top; i öppen spis hearth

1 hälla s (~n, hällor) byx~ strap; skärp~ loop

2 hälla vb tr (hällde, hällt) pour [**ngt i** (**på**) ett kärl sth into...]; slå throw [**i slasken** down the sink]; **~** [**på**] mera vatten **på teet** pour...on (tillsätta add...to) the tea; **~ av** (**ifrån**) pour off; **~ i vin** [**i** ett glas] pour out wine [into...]; **~ i** (**upp**) [en kopp] te **åt ngn** (**åt sig**) pour out...for sb (pour oneself out...); **~ i sig** (**ngn**) ngt pour...down one's (sb's) throat; **~ upp ett varmt bad åt ngn** run sb a hot bath; **~ ur** (**ut**) tömma empty out

hälleberg s (~et) rock

hälleflundra s (~n, -flundror) zool. halibut

hällregn s (~et, =) pouring rain

hällregna vb itr (~de, ~t), **det ~r** it is pouring with rain

hällristning s (~en, ~ar) rock carving

1 hälsa s (~n) health; **bra för ~n** good for the health

(for you); **slit den med ~n!** you are welcome to it!, enjoy it!

2 hälsa vb tr o. vb itr (~de, ~t) **1** välkomna greet; högtidl. salute; **~ ngn välkommen** bid sb welcome, welcome sb **2** säga goddag o.d. vid personligt möte, **~** [**på ngn**] say how do you do [to sb]; förtroligare say hello (hi) [to sb]; ta i hand shake hands [with sb]; mil. salute [sb] **3** skicka hälsning, **~** [**till ngn**] send [sb] one's compliments (formellare respects, förtroligare regards, love); **~ dem så mycket** [**från mig**] give them my regards (my love); **~ din fru** [**så mycket**] vanl. please remember me to your wife; **han ~r att...** he sends word that...; **vem får jag ~ från?** i telefon who is speaking, please?, what name, please?; när den efterfrågade inte kan ta samtalet who should I say called? **4 ~ på** [**ngn** (**hos ngn**)] besöka call round [on sb], drop in (stop by) [to see sb]; **han kom och ~de på** [**mig**] ...to see me

hälsena s (~n, -senor) anat. Achilles' tendon

hälsning s (~en, ~ar) allm. greeting; speciellt mil. salute; **~** [**ar**] som man låter framföra, äv. respects pl.; förtroligare regards pl.; till närmare bekant love sg.; bud message[s pl.]; **hjärtliga ~ar från... (till...)** i brevslut kindest (kind, best) regards from... (to...), mera intimt love from... (to...); **Med vänlig ~, Jan** i brevslut Yours [very] sincerely, Jan

hälsningsanförande s (~t, ~n) opening speech

hälsningsfras s (~en, ~er) greeting, salutation

hälsobringande adj (oböjl.) healthy, salubrious

hälsobrunn s (~en, ~ar) spa

hälsofara s (~n, -faror) danger to [the (one's)] health

hälsofarlig adj (~t) ...injurious (dangerous) to [the] health; **det är ~t** äv. it's a health hazard

hälsohem s (~met, =) health farm

hälsokontroll s (~en, ~er) health control, screening; individuell se *hälsoundersökning*

hälsokost s (~en) mat health foods pl., wholefood

hälsokostaffär s (~en, ~er) health food store

hälsorisk s (~en, ~er) health hazard (risk)

hälsosam adj (~t, ~ma) sund healthy äv. bildl.; om klimat äv. salubrious; nyttig, t.ex. om föda wholesome; bildl. äv. salutary

hälsoskäl s (~et), **av ~** for reasons of health

hälsotecken s (-tecknet, =) healthy sign äv. bildl.

hälsotillstånd s (~et, =), **hans ~** [the state of] his health

hälsoundersökning s (~en, ~ar) medical (amer. physical) [examination], check-up

hälsovådlig adj (~t) ohälsosam unhealthy; t.ex. bostad insanitary; skadlig ...injurious (dangerous) to [the] health

hälsovård s (~en) hygiene; organisation health service

hälsporre s (~n, -sporrar) calcaneal spur, heel spur

hämma vb tr (~de, ~t) hejda check, restrain; hindra hamper, obstruct, curb; t.ex. trafiken äv. hold up; fördröja retard; inhibit äv. psykol.; **~ blodflödet** stop (arrest) the bleeding; **~ ngn i växten** retard (stunt) sb's growth; **verka ~nde på** hamper, have a restraining (restrictive) influence (psykol. an inhibitory effect) on

hämmad adj (hämmat, ~e) inhibited speciellt psykol.; jfr vidare *hämma*

hämnare s (~n, =) avenger

hämnas I vb tr dep (hämnades, hämnats) avenge; vedergälla revenge **II** vb itr dep (hämnades, hämnats)

avenge (revenge) oneself [*på ngn för ngt* on sb for sth]; get one's revenge; ~ *på ngn* äv. be revenged (avenged) on sb, take revenge on sb, get one's own back on (get back at) sb; *för att* ~ vanl. in (out of) revenge

hämnd *s* (~en) revenge; högtidl. vengeance; *~en är ljuv* revenge is sweet

hämndaktion *s* (~en, ~er) act of vengeance (pl. acts of vengeance)

hämndbegär *s* (~et) desire for revenge, vindictiveness; *av* ~ out of revenge

hämndgirig *adj* (~t) o. **hämndlysten** *adj* (-lystet, -lystna) vindictive, revengeful

hämndlystnad *s* (~en) se *hämndbegär*

hämning *s* (~en, ~ar) inhibition äv. psykol.

hämningslös *adj* (~t) uninhibited; ohämmad unrestrained

hämsko *s* (~n, ~r) bildl. drag [*på* on], hindrance [*på* to]; *lägga en* ~ *på* put a check on

hämta I *vb tr* (~de, ~t) eg.: allm. fetch [*ngt åt ngn* sb sth]; avhämta vanl. collect, pick up; bildl.: t.ex. upplysningar get; t.ex. näring, tröst draw, derive; [*gå och*] ~ äv. go for; ~ *ngn med bil* pick sb up (fetch sb) by car; ~ *lite luft* get some air; *citatet är hämtat från...* the quotation is taken (drawn) from...; ~ *ut* avhämta collect [*på (från)* from]; ta ut, t.ex. pengar take out [*på* banken from (at)...] **II** *vb rfl* (~de, ~t), ~ *sig* t.ex. efter sjukdom recover äv. om marknadsläge o.d. [*efter (från)* from]; jag har inte ~*t mig än* (*mig från chocken*) äv. ...got over it yet (over the shock)

hämtmat *s* (~en) takeaway [food]

hämtning *s* (~en, ~ar) fetching, collection, picking up etc., jfr *hämta I*

hämtpris *s* (~et, = el. ~er) cash-and-carry price

hända I *vb itr* (hände, hänt) happen; förekomma äv. occur; äga rum take place; *har det hänt [honom] någonting?* has anything happened [to him]?; *det har hänt en olycka* vanl. there has been an accident; *vad som än händer* whatever (no matter what) happens; *det kan [nog]* ~ that may be [so] **II** *vb rfl* (hände, hänt), ~ *sig* happen, chance, come about

händelse *s* (~n, ~r) **1** tilldragelse: allm. occurrence; viktigare event; obetydligare incident; episod episode; *vara (stå) i ~rnas centrum* be at the centre of events (things), hold the centre of the stage **2** tillfällighet coincidence; *av en [ren]* ~ by [mere] accident (chance) **3** fall case; *för (i) den* ~ *att han skulle komma* in case he comes (should come); *i* ~ *av eldsvåda* in the event of fire, in case of fire; *i alla ~r* at all events, in any case

händelseförlopp *s* (~et, =) course of events; handling story; *redogöra för ~et* give an account of what happened (of the course of events)

händelselös *adj* (~t) uneventful, ...lacking in action

händelserik *adj* (~t) eventful; ...full of action

händelseutveckling *s* (~en, ~ar) trend of events (affairs), developments pl.

händelsevis *adv* by chance, by accident, accidentally; *jag råkade* ~ *se...* I happened to see..., I accidentally saw...; *du har ~ inte* ett frimärke på dig you don't happen to have..., you haven't...by any chance

händig *adj* (~t) praktiskt lagd handy; skicklig deft, dexterous

händighet *s* (~en) pratisk läggning handiness; skicklighet deftness, dexterity

hänföra I *vb tr* (-förde, -fört) **1** ~ [*till*] allm. assign [to]; räkna till äv. classify [among]; tillskriva äv. attribute [to] **2** hänrycka captivate, fascinate [*med* with] **II** *vb rfl* (-förde, -fört), ~ *sig till* avse have (bear) reference to, relate to; räknas till belong to

hänförande *adj* (oböjl.) fascinating, enchanting, ravishing

hänförd *adj* (-fört) captivated, fascinated; ~ *av (över)* in raptures over, enchanted with; *i ~a ordalag* in enthusiastic terms

hänförelse *s* (~n) rapture, enthusiasm; *tala med* ~ *om* talk rapturously about, gush about

hänga I *vb tr* (hängde, hängt) **1** hang äv. avrätta; över axeln (axlarna) äv. sling; fritt äv. suspend; *bli hängd* el. *~s* avrättas be hanged; ~ *ngt i* taket hang (suspend) sth from...; ~ *ngt på* en krok hang (friare put) sth on...; ~ *ngt på tork* hang...up (utomhus out) to dry; ~ *ngt över* ngt put sth over...; ~ *läpp* vara nedstämd be downhearted; bli sur pull a long face; vara sur mope [about] **2** ~ *ngn* sport. hang after sb
II *vb itr* (hängde, hängt) **1** hang [*i* ett rep by (*för att hålla sig fast* to)...; *på* en spik on (from)...]; ~ *i* taket hang (be suspended) from...; tavlan *hänger snett* ...is slanting (lopsided); ~ *och dingla (slänga)* hang loose, dangle; *stå och* ~ hang about, lounge [around]; ~ *ngn i kjolarna* cling to sb's skirts; ~ *med huvudet* hang one's head, be down in the mouth; *på krogen* hang out in (at)...; ~ *över böckerna* pore (be poring) over one's books **2** *det hänger på* beror på it depends on; avgörs av it hinges on
III *vb rfl* (hängde, hängt), ~ *sig* a) om person hang oneself b) data. freeze, jam, get stuck
IV med beton. part.
hänga av: ~ *av sig [ytterkläderna]* hang up one's things
hänga efter ngn be running after sb, follow sb about [everywhere]
hänga fast vid bildl. cling (stick) to; ~ *sig fast vid* hang on (cling) to
hänga för ett skynke hang...in front
hänga ihop a) sitta ihop stick together; ha samband, vara sammanhängande hang together, be coherent b) förhålla sig, *så hänger det ihop* that is how it is (how matters stand) c) ~ *ihop med* bero på be a consequence (result) of; höra ihop med be bound up (connected) with
hänga in ngt i garderoben hang sth [up] in...
hänga med: ~ *med [i svängarna]* keep up with things; vard. be with it; ~ *med i* diskussionen follow...; *hänger du med?* a) följer du med? are you coming along [with me (resp. us)]? b) fattar du? do you get me (it)?, are you with me?
hänga ner itr. hang down
hänga på: ~ *sig på ngn* force oneself (one's company) upon sb
hänga samman se *hänga ihop* ovan
hänga undan put...away; *[låta]* ~ *undan* ngt, t.ex. i affär put by, lay aside
hänga upp hang [up]; ~ *upp sig* fastna catch, get caught (stuck), hitch [*på* i samtliga fall on]; om tal el. sak get stuck; ~ *upp sig på* bry sig om, oroa sig för get hungup on, worry (make a fuss) about
hänga ut ngt hang (friare put) out...; t.ex. om skrynklig

klänning, den *hänger ut sig* the wrinkles (creases) will go (disappear) if the...is left to hang

hängande *adj* (oböjl.) allm. hanging; fritt suspended [*i taket* from...]; ned~ pendent, pendulous

hängare *s* (~n, =) i kläder samt galge hanger; se vidare *klädhängare*

hängbjörk *s* (~en, ~ar) bot. weeping birch

hängbro *s* (~n, ~ar) suspension bridge

hängbröst *s pl* sagging (pendulous) breasts

1 hänge *s* (~t, ~n) bot. catkin

2 hänge *vb rfl* (-gav, -gett el. -givit), *~ sig* let oneself go; *~ sig åt* give oneself up (over) to, devote oneself to; t.ex. förtvivlan äv. abandon (surrender) oneself to, give way to; t.ex. nöjen, laster äv. indulge in

hängflyg *s* (~et, =) o. **hängflygning** *s* (~en, ~ar) hang-gliding

hängfärdig *adj* (~t), *vara ~* be [down] in the dumps; *se ~ ut* look down in the mouth

hängig *adj* (~t) om person out of sorts; *jag känner mig ~* I feel out of sorts (off colour)

hängiven *adj* (-givet, -givna) devoted; tillgiven äv. affectionate; *vara ngn ~* be devoted (attached) to sb

hängivenhet *s* (~en) devotion, attachment [*för* to]; tillgivenhet affection [*för* for]

hänglås *s* (~et, =) padlock; *sätta ~ på* put a padlock on, padlock

hängmatta *s* (~n, -mattor) hammock

hängning *s* (~en, ~ar) hanging äv. avrättning

hängränna *s* (~n, -rännor) [rain] gutter

hängslen *s pl* braces; amer. suspenders

hängsmycke *s* (~t, ~n) pendant

hängväxt *s* (~en, ~er) hanging plant

hänryckning *s* (~en) rapture; extas ecstasy; *falla i ~ [över]* go into raptures (resp. ecstasies) [over]

hänryckt *adj* (=) in raptures (ecstasies), ecstatic

hänseende *s* (~t, ~n) respect; *i alla ~n* in all respects, in every respect (way); *i tekniskt ~* as regards technique, technically

hänskjuta *vb tr* (-sköt, -skjutit) refer, submit [*till* to]

hänsyfta *vb itr* (~de, ~t), *~ på* allude to; anspela på hint at

hänsyftning *s* (~en, ~ar) allusion [*på* to], hint [*på* at]; *med ~ på* in allusion (with reference) to

hänsyn *s* (~en, =) consideration äv. hänsynsfullhet, regard; hänseende äv. respect; skäl reason; *ta ~ till* a) visa omtanke om show consideration for; t.ex. ngns känslor äv. consider b) beakta take...into consideration (account), consider c) bry sig om pay attention to; *utan att ta ~ till...* bry sig om äv. disregarding..., quite regardless of...; *av politiska ~* for political reasons; *av ~ till* av omtanke out of consideration (regard, respect) for; *med ~ till* beträffande with (in) regard to, as regards; i betraktande av in view (consideration) of, considering

hänsynsfull *adj* (~t) considerate [*mot* to (towards)]; thoughtful

hänsynsfullhet *s* (~en) considerateness, thoughtfulness; hänsyn consideration

hänsynslös *adj* (~t) ruthless [*mot* to]; taktlös inconsiderate [*mot* to (towards)]; thoughtless [*mot* of]; *~ uppriktighet* brutal frankness

hänsynslöshet *s* (~en) ruthlessness osv., jfr *hänsynslös*

hänvisa *vb tr* (~de, ~t) refer [*till* to]; *han ~de till sin* bristande erfarenhet he pleaded...as an excuse; *vara ~d*

till [att använda] ngt be reduced to [using] (be obliged to use) sth

hänvisning *s* (~en, ~ar) reference; i ordbok o.d. äv. cross-reference; *med ~ till...* hänvisande till with reference to..., referring to...

hänvända *vb rfl* (-vände, -vänt), *~ sig till ngn* apply to sb [*för [att få]* upplysningar for...]

häpen *adj* (häpet, häpna) amazed, astounded; svagare astonished, surprised; obehagligt förvånad startled [*över* i samtliga fall at]; *bli ~* be amazed osv.; överraskad äv. be taken by surprise; förbluffad be taken aback

häpna *vb itr* (~de, ~t) be amazed osv., jfr *häpen*

häpnad *s* (~en) amazement, astonishment; *slå med ~* strike with amazement, amaze, astound; *till min ~* to my amazement (astonishment)

häpnadsväckande *adj* (oböjl.) amazing, astounding; oerhörd stupendous

1 här *s* (~en, ~ar) army; bildl. äv. host

2 här *adv* here; där there; härvidlag äv. in this case; *den (så, sådan) ~* se under *den* B II, 3 så o. *sådan*; *~ bak* here at the back; *~ borta* over here; *~ nere* down here; *~ uppe* up here; *~ bakom mig* here behind me; *~ i huset (landet)* in this house (country); *~ uppifrån taket up here from...*; *damen ~* this lady; *~ bor jag* el. *det är ~ jag bor* this is where I live; *~ har du!* var så god! here you are!; *~ har du boken!* here's the book!; *~ är jag!* here I am!; *det var ~ [som]...* this is [the place] where...; *~ och där (var)* here and there

härav *adv*, *på grund ~* for this reason; *~ följer att...* [hence (from this)] it follows that...; för ex. jfr vidare under *därav*

härbärge *s* (~t, ~n) husrum shelter, lodging; natt~ common lodging house

härbärgera *vb tr* (~de, ~t) house; person äv. lodge, give shelter to

härd *s* (~en, ~ar) **1** allm. hearth; fys., reaktor~ core; *egen ~ är guld värd* there is no place like home; *vid hemmets ~* by the fireside, round the family hearth **2** bildl. breeding ground, hotbed, centre, seat; med. äv. foc|us (pl. -uses el. -i) [*för* i samtliga fall of]

härda I *vb tr* (~de, ~t) allm. harden [*mot* to]; tekn. äv. t.ex. metall, glas temper; plast cure; *~ ngn* vanl. make sb hardy; *~ ngn mot* harden (inure) sb to; *~nde* friluftsliv *...that makes one hardy (tough)*; *~d* motståndskraftig hardy; okänslig hardened; *~t glas* toughened (tempered, strengthened) glass; *~t stål* hardened (tempered) steel **II** *vb itr* (~de, ~t), *~ ut* endure; *jag ~r inte ut längre* I can't stand (bear) it any longer; *jag ~de ut* länge I put up with it...; *~ ut med* se *uthärda* **III** *vb rfl* (~de, ~t), *~ sig* harden oneself [*mot* to]; *~ sig mot* äv. inure oneself to

härdig *adj* (~t) hardy äv. om växt

härdplast *s* (~en, ~er) thermoset, thermosetting plastic

härdsmälta *s* (~n, -smältor) fys., i kärnreaktor meltdown

härefter *adv* om tid: hädanefter in future, from now on; efter detta after this (that); från denna tid from now; senare subsequently; efteråt afterwards; härpå then; *kort ~* shortly after[wards]

härfågel *s* (~n, -fåglar) zool. hoopoe

härhemma *adv* at home; hos mig (oss) in this (my, our) house, in this (my, our) place

häri *adv* in this; i detta avseende in this respect; *~ ligger* hemligheten in this [fact (circumstance)] lies...; *~*

ligger svårigheten this is where the difficulty comes in; för ex. jfr vidare under *däri*

häribland *adv* among them (these); inklusive including

härifrån *adv* (jfr äv. *därifrån*) **1** lokalt from here; från denna plats, punkt äv. from this place (point); [*bort* (*borta*)] ~ away [from here]; **långt** ~ far from here, far off; **ut** ~**!** försvinn get out of here!; ~ **och dit** from here to there; **gå** (**resa** osv.) ~ leave [here] **2** från denna osv. from this; **bortsett** ~ apart from this [fact]; *det är* ~ *han har fått* sina idéer this is where he [has] got...from

härigenom *adv* bildl.: på så sätt in this way, by this, thus; genom detta (dessa) medel by this (these) means; på grund av detta owing to this; tack vare detta thanks to this

härinne *adv* in here (där there); ~ *i rummet* here in the room, in this room

härja I *vb tr* (~de, ~t) ravage; ödelägga devastate, lay waste; **se** ~**d ut** look worn and haggard; **ett** ~**t ansikte** a ravaged face **II** *vb itr* (~de, ~t) **1** ~ *i* (*på*, *bland*) ravage osv., jfr *härja I*; ~ **svårt i** (*bland*) vålla förstörelse, vanl. wreak (make) [great] havoc in (among) **2** om t.ex. sjukdom be rife (prevalent), rage **3** vard., väsnas o.d. play about; rasa carry on; ~ *bråka med ngn* order (boss) sb about

härjningar *s pl* ravages

härkomst *s* (~en) börd extraction, birth, parentage; härstamning descent, lineage; ursprung origin; *av utländsk* ~ of foreign extraction

härleda *vb tr* (-ledde, -lett) derive äv. språkv. [*från* from]; deducera deduce [*från* (*ur*) from]

härlig *adj* (~t) glorious äv. iron.; underbar wonderful; vard. gorgeous; förtjusande lovely; skön delightful; läcker delicious; storartad magnificent, splendid, grand; ~*t!* bra fine!; vard., smakens yummy!; *hon är för* ~ komisk she is a scream (too funny for words)

härlighet *s* (~en, ~er) **1** glans el. bibl. glory; prakt splendour; ~*er* läckerheter delicacies **2** *hela* ~*en* vard., alltihop the whole lot (whole bag of tricks, whole show)

härma *vb tr* (~de, ~t) imitate; vard. take off; apa efter äv. copy; förlöjligande el. naturv. mimic

härmas *vb itr dep* (härmades, härmats) imitate; förlöjligande el. naturv. mimic

härmed *adv* with this; ~ med dessa ord with these words; ~ *får jag meddela att...* I hereby wish to inform you that..., för ex. jfr vidare under *därmed*

härmning *s* (~en, ~ar) imitation; vard. takeoff, send-up

härnere *adv* down here (där there)

härnäst *adv* nu närmast next [of all]; nästa gång next time; sedan after this; *när vi ses* ~ next time we meet

härold *s* (~en, ~er) herald

härom I *adv* **1** om el. angående det (detta, den saken) about it (this el. that [matter]); ~ *råder inga tvivel* there is no doubt about it, för ex. jfr vidare *därom* **2** staden ligger *norr* ~ ...[to the] north from here **II** *prep*, affären ligger *alldeles* ~ *hörnet* ...just round the corner

häromdagen *adv* o. **häromdan** *adv* the other day

häromkring *adv* [all] round here (där there); i trakten äv. in the country round about here, in this neighbourhood

häromnatten *adv* the other night

häromsistens *adv* recently, a little while ago

häromåret *adv* a year or two (so) ago

härpå *adv* om tid: efter detta after this; sedan then, subsequently

härröra *vb itr* (-rörde, -rört), ~ *från* ha sitt ursprung i originate (arise, spring, proceed) from; härstamma från derive from; datera sig från date from

härs *adv*, ~ *och tvärs* in all directions, this way and that way; ~ *och tvärs genom* (*över*)... vanl. all over...

härska *vb itr* (~de, ~t) rule speciellt med personsubj.; regera reign [*över* i samtliga fall over]; råda prevail, be prevalent; ~ *över* äv. dominate [over], hold rule over, master; *det* ~*r...* är, råder vanl. there is (resp. are)...; *tystnad* ~*de i...* silence reigned in...

härskande *adj* (oböjl.) eg. ruling; gängse prevalent; attr. äv. prevailing; förhärskande predominant; *vara* ~ äv. prevail

härskare *s* (~n, =) ruler; regent sovereign [*över* of]; herre master [*över* of]

härsken *adj* (härsket, härskna) rancid; sur, om person: sulky, miffed; *vara* ~ *på ngn* vard. be put out (amer. sore) with sb

härsklysten *adj* (-lystet, -lystna) autocratic, domineering

härskna *vb itr* (~de, ~t) go (become, turn) rancid, go off; ~ *till* bli arg get stroppy, blow your top, amer. do a slow burn

härstamma *vb itr* (~de, ~t), ~ *från* vara ättling till be descended from, come of; komma från originate (come) from, derive one's origin from; datera sig från date from (back to); härleda sig från be derived from

härstamning *s* (~en, ~ar) varelses descent; ursprung origin; härledning derivation

härtappad *adj* (-tappat, ~e) i Sverige ...bottled in Sweden

härtill *adv* to this (that, it m.fl.); *med hänsyn* ~ in view of this (dessa fakta these facts); för ex. jfr vidare *därtill*

härutöver *adv* in addition [to this (that, it)]; jfr vidare *därutöver*

härva *s* (~n, härvor) **1** om t.ex. hoptrasslade sladdar el. komplicerad situation tangle; komplicerad situtin äv. complicated matter, speciellt polit. imbroglio; *en* ~ *av lögner* a tissue (a web of) lies **2** garn skein

härvid *adv* at this (that, it m.fl.); i det sammanhanget in this connection; för ex. jfr *därvid*

härvidlag *adv* i detta avseende in this respect; i detta fall in this case; i detta sammanhang in this [matter]; här here

häråt *adv* åt det här hållet this way; i den här riktningen, äv. in this direction

hässja I *s* (~n, hässjor) hay-drying rack **II** *vb tr* (~de, ~t), ~ *hö* pile hay on drying racks

häst *s* (~en, ~ar) **1** horse; jfr *ridhäst*; *sätta sig på sina höga* ~*ar* get on one's high horse; [*sitta*] *till* ~ [be] on horseback **2** ~*ar* vard., se ex. under *hästkraft*

hästhage *s* (~n, -hagar) horse paddock

hästhov *s* (~en, ~ar) **1** horse's hoof **2** bot. coltsfoot (pl. -s)

hästintresserad *adj* (-intresserat, ~e) ...interested in horses; vard. horsy

hästkapplöpning *s* (~en, ~ar) horse-race

hästkarl *s* (~n el. ~en, ~ar) kännare [good] judge of horses (horseflesh); ryttare horseman

hästkastanj *s* (~en, ~er) bot. horse chestnut

hästkraft *s* (~en, ~er) horsepower (pl. lika) (förk. hp);

en motor på 50 ~er a fifty horsepower engine; *hur många ~er?* how much horsepower?

hästkrake *s* (~n, -krakar) jade

hästkur *s* (~en, ~er) drastic remedy (cure), kill-or-cure remedy

hästkött *s* (~et) kok. horse-flesh, horse-meat

hästlängd *s* (~en, ~er) sport. [horse-]length; vinna *med en ~* …by a length

hästminne *s* (~t) phenomenal memory

hästmyra *s* (~n, -myror) zool. carpenter ant

hästpolo *s* (~n) polo

hästrygg *s* (~en, ~ar), *på ~en* on horseback

hästskit *s* (~en, ~ar) vard. horse-dung; vulg. horseshit

hästskjuts *s* (~en, ~ar) carriage, horse-drawn vehicle

hästsko *s* (~n, ~r) horseshoe

hästskosöm *s* (~men, ~mar) horseshoe nail

hästskötare *s* (~n, =) groom

hästspillning *s* (~en) horse-droppings pl.

hästsport *s* (~en, ~er) equestrian sports pl.; *~en* hästkapplöpningarna horse-racing, the turf

hästsvans *s* (~en, ~ar) **1** horse's tail **2** frisyr pony-tail

hästtagel *s* (-taglet) horsehair

hästtransport *s* (~en, ~er) vagn horsebox, horsetrailer; amer. horsecar

hästtäcke *s* (~t, ~n) horse cloth

hästuppfödare *s* (~n, =) horse-breeder

hästväg *s* (oböjl.), *något i ~* something quite extraordinary (fantastic)

hästägare *s* (~n, =) horse owner

hätsk *adj* (~t) hatisk spiteful, rancorous, malignant [*mot* i samtliga fall towards]; friare: t.ex. om utfall savage; t.ex. om fiende implacable; t.ex. om fiendskap bitter, fierce

hätta *s* (~n, hättor) hood; barns bonnet

häva I *vb tr* (hävde, hävt) **1** lyfta, slänga heave **2** upphäva, t.ex. blockad raise; annullera annul; t.ex. kontrakt äv. cancel, revoke; bota cure; *~ en sladd* bil. correct a skid; **II** *vb rfl* (hävde, hävt), *~ sig upp* raise (lift) oneself [up] [*på* en arm on…]; pull oneself up; *~ sig* höja sig heave
III med beton. part.
häva i sig put away
häva upp ett skri give a scream (yell), raise a cry
häva ur sig come out with

hävarm *s* (~en, ~ar) arm of a (resp. the) lever; hävstång lever

hävd *s* (~en, ~er) **1** tradition custom, tradition; jur., långvarigt innehav prescription; *av ~ firar vi nyår ensamma* it is a custom (tradition) of ours to celebrate the New Year on our own **2** *~er* history sg., annals; *gå till ~erna* go down in (to) history

hävda I *vb tr* (~de, ~t) påstå assert, maintain; upprätthålla uphold; *~ att…* påstå assert (maintain) that…; göra gällande claim (contend, argue) that…
II *vb rfl* (~de, ~t), *~ sig* försvara sin ställning hold one's own [*gentemot* ngt with…]; göra sig gällande assert oneself; *~ sig i konkurrensen* keep up with the competition

hävdvunnen *adj* (-vunnet, -vunna) jur. prescriptive; traditionell …sanctioned by usage; om t.ex. bruk, äv. time-honoured; om språkbruk established

hävert *s* (~en, ~ar) siphon

hävstång *s* (~en, -stänger) lever äv. bildl.

häxa *s* (~n, häxor) witch, hag båda äv. käring; eg. äv. sorceress; smeks. witch

häxbrygd *s* (~en, ~er) witches' brew (broth)

häxjakt *s* (~en, ~er) witch-hunt äv. bildl.

häxkittel *s* (~n, -kittlar) bildl. maelstrom

häxmästare *s* (~n, =) wizard

häxprocess *s* (~en, ~er) witch trial äv. bildl.

hö *s* (~et) hay; *bärga ~* gather in hay

höbärgning *s* (~en, ~ar) slåtter hay-making

1 höft *s* (oböjl., en), *på en ~* på måfå at random; planlöst in a slapdash (haphazard) way; på ett ungefär roughly, approximately

2 höft *s* (~en, ~er) hip

höftben *s* (~et, =) anat. hip bone

höftled *s* (~en, ~er) anat. hip joint

höftledsoperation *s* (~en, ~er) hip replacement operation

höftprotes *s* (~en, ~er) hip implant, hip replacement

höftskynke *s* (~t, ~n) loin cloth

1 hög *s* (~en, ~ar) samling heap; ordnad äv. stack; staplad pile; *en ~* [*med*] böcker m.m. a heap osv. of…; [*stora*] *~ar* massor *med* heaps [and heaps] of, lots [and lots] of; *hela ~en* allesammans the whole lot; *i en enda ~* röra all in a heap; *en i ~en* vilken (vem) som helst just any, any [one] ([just] anybody); *lägga* (*samla*) *pengar på ~* accumulate (amass, pile up) money

2 hög (jfr *högre* I o. *högst* I) *adj* (~t) **1** allm. high; högt liggande äv. elevated; lång, t.ex. om skorsten, byggnad, träd tall; stor: t.ex. om belopp large; t.ex. om straff, böter heavy; t.ex. om anspråk great; högt uppsatt, om person el. rang eminent, exalted; *~a berg* high (lofty) mountains; *~a betyg* high marks (amer. grades); *~ byggnad* high (tall) building; *~t gräs* long grass; *~a hopp* simn. high diving sg.; *~a ideal* high ideals; *~ luft* clear air; *~ officer* high-ranking officer; *i egen ~ person* se under *person*; *~a priser* high prices; *~a skatter* high taxes; *~a stövlar* high[-legged] boots; *han har ~a tankar om…* he thinks a lot (highly) of…, he has a high opinion of…; *det är ~ tid* [*att jag går*] it is high time [I went (for me to go)]; *vid ~ ålder* at an advanced (a great) age **2** om ljud: högljudd loud; högt på tonskalan high; gäll high-pitched; *~a C* mus. top C; *med ~ röst* in a loud voice **3** sl., narkotikapåverkad high, spaced-out, stoned

högaffel *s* (~n, -gafflar) hayfork

högakta *vb tr* (~de, ~t) respect, think highly of [*för* for]; hold…in high esteem

högaktiv *adj* (~t) fys. highly radioactive; vard. hot

högaktning *s* (~en) deep respect, high esteem

högaktningsfull *adj* (~t) respectful

högaktningsfullt *adv* respectfully; *Högaktningsfullt* i brev Yours faithfully, Yours truly

högaktuell *adj* (~t) …of great immediate interest, highly topical; se äv. *aktuell*

högaltare *s* (~n, =) high altar

högavlönad *adj* (-avlönat, ~e) highly paid; *vara ~* äv. be a high-salary (high-income) earner

högbarmad *adj* (-barmat, ~e) high-bosomed

högborg *s* (~en, ~ar) bildl. stronghold

högborgerlig *adj* (~t) ung. upper-class; lägre upper middle-class

högbro *s* (~n, ~ar) elevated (high-level) bridge

högburen *adj* (-buret, -burna), *gå med högburet huvud* …with one's head held high

högdjur *s* (~et, =) vard. VIP, bigwig, nob, big gun

högdragen *adj* (-draget, -dragna) haughty, arrogant; överlägsen supercilious

högeligen *adv* highly, greatly, exceedingly

höger I *adj* (best. högra) o. *adv* right; attr. äv. right-hand; **~ hand** el. **högra handen** the (one's) right hand; **på ~ hand** till höger **ser man...** on your (the) right you see...; **han är min högra hand** he's my right-hand man; **på ~ sida** (**högra sidan**) [**om**] on the right-hand side [of]; **gå på ~ sida!** keep to the right! **II** *s* **1** (oböjl.), komma **från ~** ...from the right; **till** (**åt**) **~** to the right; **se till ~** look [to the] right; **omkörning till ~** overtaking on the right; sitta (vara belägen) **till ~ om** ...to (on) the right of; **till ~ om mitten** polit. right-of-centre **2** (~n) polit., **~n** allm. the Right; som parti the Conservatives pl. **3** (~n) boxn., **en** [**rak**] **~** a [straight] right

högerback *s* (~en, ~ar) sport. right back

högerextremist *s* (~en, ~er) polit. right[-wing] extremist

högergängad *adj* (-gängat, ~e), **~ skruv** right-handed screw

högerhänt *adj* (=) right-handed

högerklicka *vb itr* (~de, ~t) data. right-click

högerorienterad *adj* (-orienterat, ~e) attr. right-wing; om person äv. ...with right wing (rightist) sympathies; **vara ~** be right wing, be a right-wing sympathizer

högerparti *s* (~et, ~er) Conservative (right-wing) party

högerregel *s* (~n), **tillämpa ~n** give right of way to traffic coming from the right

högerstyrd *adj* (-styrt) right-hand driven

högersväng *s* (~en, ~ar) right[-hand] turn; **~ förbjuden** no right turn

högersympatisör *s* (~en, ~er) right-wing sympathizer

högertrafik *s* (~en) right-hand traffic; **det är ~ i...** vanl. in...you keep to (drive on) the right

högervriden *adj* (-vridet, -vridna) polit. vard. right-wing; **vara ~** be right wing, be a right-winger, have right-wing views

högfjäll *s* (~et, =) alp, high mountain

högform *s* (oböjl.), **vara i ~** be in great shape (form)

högfrekvens *s* (~en, ~er) high frequency

högfrekvent *adj* (=) attr. high-frequency äv. fys.; **vara ~** have a high frequency; **ordet är ~** äv. the word is very frequent

högfärd *s* (~en) pride [*över* in]; fåfänga vanity; inbilskhet conceit

högfärdig *adj* (~t) proud [*över* of (about)]; vain [*över* about]; conceited [*över* about]; mallig stuck-up

högfärdsgalen *adj* (-galet, -galna) pompous, stuck-up, ...full of self-importance

högförräderi *s* (~et, ~er) high treason

höggradig *adj* (~t) high-grade, ...of a high grade

höghalsad *adj* (-halsat, ~e) om kläder high-necked

höghastighetsfärja *s* (~n, -färjor) high-speed ferry [of catamaran type]

höghastighetståg *s* (~et, =) high-speed train

höghet *s* (~en, ~er) titel, **Ers** (**Hans**) **Höghet** Your (His) Highness

höghus *s* (~et, =) high-rise (multistorey) block (building), high-rise; punkthus tower block

höghusbebyggelse *s* (~n, ~r) konkr. high-rise (multistorey) blocks pl. (buildings pl.)

höginkomsttagare *s* (~n, =) high-income earner

högintressant *adj* (=) highly interesting

högkant *s* (oböjl.), stå, ställa **på ~** ...on [its] end (edge)

högklackad *adj* (-klackat, ~e) high-heeled

högklassig *adj* (~t) high-class

högkonjunktur *s* (~en, ~er) boom, time of prosperity; **det råder ~** there is a boom; **under ~** in times of prosperity

högkostnadsskydd *s* (~et, =) patient's cost ceiling [within a one-year limit for medical care and medicine under the health service]

högkvarter *s* (~et, =) headquarters (sg. el. pl.)

högkyrklig *adj* (~t) High Church

högland *s* (~et, -länder) highlands pl., uplands pl.; **Skotska högländerna** the [Scottish] Highlands

högljudd *adj* (-ljutt) ljudlig loud; högröstad: om person loud-voiced; om t.ex. folkhop vociferous; bullersam noisy; **bli ~** tala högt raise one's voice

högljutt *adv* loudly; **tala ~** talk loud (in a loud voice, talk at the top of one's voice)

höglänt *adj* (=) attr. upland...; landskapet **är ~** ...has an upland character

högläsning *s* (~en) reading aloud [*ur* from]

höglönegrupp *s* (~en, ~er) high-income group

höglöneyrke *s* (~t, ~n) high-income occupation

högmod *s* (~et) pride; överlägsenhet arrogance; högdragenhet haughtiness; **~ går före fall** pride goes before a fall

högmodern *adj* (~t) ultramodern

högmodig *adj* (~t) proud [*över* of (ibland about)]; överlägsen arrogant; högdragen haughty

högmässa *s* (~n, -mässor) prot. morning service; katol. high mass

högoktanig *adj* (~t), **~ bensin** high-octane petrol (amer. gasoline)

högplatå *s* (~n, ~er) se *högslätt*

högre I *adj* (komparativ) higher osv., jfr 2 *hög*; i rang o.d. äv. superior [*än* to]; övre upper; ledande high; **de ~ klasserna** skol. the upper (senior) forms (amer. grades); **en ~ makt** a higher power; **~ matematik** higher (advanced) mathematics; **på ~ ort** vanl. in high quarters; order **från ~ ort** ...from above; **~ utbildning** higher (tertiary) education; **ett ~ väsen** a superior being **II** *adv* higher, more highly osv., jfr *högt*; ganska högt highly; mera more; **~ avlönade** arbetare higher-paid (ganska högt highly paid)...; **gå ~** betala mera go higher; **hänga** tavlan **~** hang...higher [up]; **~ stående djur** higher animals; **tala ~!** speak louder (up)!

högrest *adj* (=) reslig tall, stately

högrev *s* (~et, =) kok. prime (best) rib

högrisklaboratorium *s* (-laboratoriet, -laboratorier) safety lab

högröd *adj* (-rött) bright red; vermilion; **bli ~** [av ilska] turn scarlet [with...]

högröstad *adj* (-röstat, ~e) se *högljudd*

högskola *s* (~n, -skolor) college; universitet university; mindre university college; **teknisk ~** university of technology; se vidare *handelshögskola*, *lärarhögskola* m.fl.

högskoleexamen *s* (=, en, -examina) university degree

högskolelektor *s* (~n, ~er) senior [university]

lecturer, med docentkompetens äv. reader, amer. äv. assistant (med docentkompetens ung. associate) professor

högskolepoäng *s* (~en, =) credit

högskolestudier *s pl* university studies

högskoleutbildad *adj* (-utbildat, ~e) …with a university (higher) education, university-trained; jfr *högskola*

högskoleutbildning *s* (~en, ~ar) university (higher) education (studies pl.)

högslätt *s* (~en, ~er) geogr. [high] tableland, [high] plateau (pl. plateaus el. plateaux)

högsommar *s* (~en, -somrar) high summer; **på ~en** in the height of the summer

högspänn *s* (oböjl.), **på ~** on tenterhooks, in suspense

högspänning *s* (~en, ~ar) elektr. high tension (voltage)

högspänningsledning *s* (~en, ~ar) elektr. high-tension (high-voltage) [transmission] line

högst I *adj* (superlativ) highest osv., jfr *2 hög*; attr.: om antal, fart m.m. äv. maximum; översta äv. top, topmost; i makt el. rang supreme; yttersta extreme; **min ~a chef** my chief boss; **Högsta domstolen** the Supreme Court [of Judicature]; **av ~a klass** of the highest class, first-rate…; **~a vikt** maximum weight; **av ~a vikt** of the highest (of the utmost) importance; **på ~a växeln** in top [gear], in the highest gear; **min ~a önskan** my greatest wish; **den Högste** the Most High **II** *adv* **1** highest, most highly osv., jfr *högt*; mest most; när aktierna **står** [**som**] **~** …are at their highest; [**allra**] **~ uppe** at the [very] top [**på** (*i*) of] **2** mycket, synnerligen very, most; högeligen äv. highly, greatly; ytterst äv. extremely; **~ oväntat** totally unexpected; **~ sannolikt** most likely (probably), more than likely **3** inte mer än at [något starkare the] most; **summor på ~** 1000 kronor sums not exceeding…; **det varar ~ en timme** …not more than an hour (på sin höjd one hour at the most)

högstadium *s* (-stadiet, -stadier) the senior level (department) of the 'grundskola', jfr *grundskola*

högstbjudande *s* (oböjl.), **sälja till ~** …to the highest bidder

högstämd *adj* (-stämt) highflown, lofty, elevated

högsäsong *s* (~en, ~er) peak season; **under ~** äv. during the height of the season, when the season is (resp. was) at its height

högsäte *s* (~t, ~n), **sitta i ~t** occupy the seat of honour; bildl. be allowed to rule

högt (jfr *högre II* o. *högst II*) *adv* **1** high; i hög grad, mycket highly; högt upp high up; **vara ~ betald** be highly paid; **flyga ~** fly high; **vara ~ försäkrad** be heavily insured; **leva ~** live a high life; **leva ~ på** sitt goda rykte live on…, make capital out of…; **ligga ~ med huvudet** lie with one's head high; staden **ligger ~** …stands on high ground; **~ räknat** at the outside, at a high (liberal) estimate; tavlan **sitter för ~** …is too high up; solen **står ~** …is high; aktierna **står ~** …are high (up); **~ stående** se *högtstående*; **älska ngn ~** love sb dearly; **~ ovan** (**över**) molnen far (high) above… **2** om ljud: så det hörs loud; högljutt loudly; inte tyst, inte för sig själv aloud; högt på tonskalan high; **läsa ~ för ngn** read aloud to sb

högtalaranläggning *s* (~en, ~ar) t.ex. på flygplats public-address system, tannoy®

högtalare *s* (~n, =) loudspeaker

högtalartelefon *s* (~en, ~er) speakerphone

högteknologisk *adj* (~t) high-tech[nological]

högtflygande *adj* (oböjl.) high-flying, bildl.: om t.ex. planer ambitious; om t.ex. idéer highflown

högtid *s* (~en, ~er) festival, feast; **de stora ~erna** the high festivals

högtidlig *adj* (~t) allvarlig solemn; stämningsfull impressive; ceremoniell ceremonial, formal; **en ~ stämning** vanl. a solemn atmosphere; **vid ~a tillfällen** on ceremonious (friare special) occasions

högtidlighålla *vb tr* (-höll, -hållit) celebrate

högtidsdag *s* (~en, ~ar) festdag festival day; minnesdag commemoration day; vard. red-letter day; många lyckönskningar **på ~en** …on this great occasion

högtidsdräkt *s* (~en, ~er) formal attire; frack el. lång klänning evening dress

högtidsstund *s* (~en, ~er) really enjoyable occasion; hans föreläsningar **är riktiga ~er** …are a real treat [to listen to]

högtrafik *s* (~en), **vid ~** at peak hours

högtravande *adj* (oböjl.) bombastic; om t.ex. språk äv. highflown

högtryck *s* (~et, =) **1** meteor. el. tekn. high pressure; arbeta **för ~** …at high pressure **2** typogr. relief printing

högtrycksrygg *s* (~en, ~ar) meteor. ridge of high pressure

högtstående *adj* (oböjl.) [highly] advanced

högutbildad *adj* (-bildat, ~e) highly educated, highly qualified

högvakt *s* (~en, ~er) main guard; **gå ~** be on main guard

högvatten *s* (-vattnet) high water; **det är ~** the tide is in

högvilt *s* (~et) big game äv. bildl.

högvinst *s* (~en, ~er) på lotteri top prize; **en ~** one of the big (top) prizes

högväxt *adj* (=) tall

högönsklig *adj* (~t), **leva i ~ välmåga** be in the best of health

höja I *vb tr* (höjde, höjt) raise äv. bildl.; öka äv. increase; framför allt bildl. heighten; förbättra improve; mus. raise […in pitch]; **~ glaset för** raise one's glass to; **~ moralen** improve [public] morals, raise moral standards; **~ rösten** raise one's voice; **~ till skyarna** praise (extol) to the skies; **~ [på] ögonbrynen** raise one's eyebrows; **~ upp** raise, jfr vidare *upphöja*; **~ priset på** raise the price of; varor äv. mark up; **vara höjd över** för god för be above, be superior to; oberörd av be beyond; **vara höjd över alla misstankar** (**allt tvivel**) be above suspicion (beyond doubt) **II** *vb rfl* (höjde, höjt), **~ sig** rise; om t.ex. terräng, äv. ascend; resa sig (i förhållande till omgivningen), äv. tower; **~ sig över** bli bättre än rise above; vara bättre än be superior to; starkare tower above

höjd *s* (~en, ~er) **1** allm. height; kulle äv. hill, eminence; abstr.: speciellt geogr. el. geom. el. astron. äv. altitude; längd, t.ex. skorstens tallness; nivå level; intensitet degree; mus. pitch; **~ över havet** altitude (elevation) above sea level; **det är då ~en!** that's the limit!; **~en av** dumhet, lycka the height of…; **skjuta i ~en** run (shoot) up; om t.ex. priser äv. soar, go up and up; **i ~ med** a) i nivå med on a level with; lika högt som at the level of b) i jämbredd med abreast of; **den är 5 m på ~en** …high, …in height; **på 5 meters ~** at a (the) height of 5 metres; **flyga på hög** ~ fly at a high altitude; **stå på ~en av** t.ex. sin makt be at the height (summit) of; **på sin** ~ 10 år …at the [very] most (utmost) **2** se **höjdhopp 3** himmel, **Gud i ~en** God on high

höjdare s (~n, =) **1** vard., högt uppsatt person VIP, bigwig **2** sport. high ball (kast throw, spark kick) **3** stor upplevelse, **matchen var en ~** (**ingen ~**) the match was a spectacular (no big deal)

höjdhopp s (~et, =) sport. high jump (hoppning jumping)

höjdhoppare s (~n, =) sport. high jumper

höjdled s (oböjl.), **i ~** vertically

höjdmätare s (~n, =) altimeter, altitude indicator

höjdpunkt s (~en, ~er) bildl. climax [i dramat of…; **på** festligheterna to…]; huvudattraktion highlight; kulmen height, culmination; kulturen **nådde sin ~** …reached its peak (high point, zenith)

höjdrädd adj (neutrum undviks) …[who is (was etc.)] afraid of heights

höjdskillnad s (~en, ~er) difference of (in) altitude

höjning s (~en, ~ar) **1** höjande raising osv., jfr **höja** I; förbättring improvement; ökning av t.ex. lön, priser rise (amer. raise), rising, increase **2** geol. rising, uplift; **en ~ i marken** a rise (an elevation) in the ground

höjningstecken s (-tecknet, =) mus. sharp

höj- och sänkbar adj (~t) vertically adjustable

hök s (~en, ~ar) hawk äv. polit.

hölass s (~et, =) hayload; lastad skrinda loaded haycart

hölja vb tr (höljde, höljt) täcka cover; insvepa wrap [up], envelop; **~ sig i** wrap oneself in; **höljd i dimma** shrouded (blanketed) in fog; **höljd i dunkel** bildl. shrouded in mystery

hölje s (~t, ~n) täcke cover[ing]; överdrag coat[ing]; av lådtyp o.d. case; på radioapparat o.d. cabinet

hölster s (hölstret, =) pistolhölster holster

höna s (~n, hönor) kok. chicken; som efterled i sammansättn. ofta framförställt i eng., jfr *fasanhöna*; **göra en ~ av en fjäder** make a mountain out of a molehill

höns s (~et, =) [barnyard (domestic)] fowl; koll. poultry sg., fowls pl., chickens pl.; kok. chicken; **vara högsta ~et** be [the] cock of the walk; **som yra ~** like silly geese

hönsbuljong s (~en, ~er) chicken stock

hönsbur s (~en, ~ar) hen coop, hen-house

hönseri s (~et, ~er) o. **hönsfarm** s (~en, ~er el. ~ar) poultry farm, chicken farm

hönsfågel s (~n, -fåglar) gallinaceous bird

hönsgård s (~en, ~ar) inhägnad chicken run; hönsfarm poultry farm, chicken farm

hönshjärna s (~n, -hjärnor) vard., **ha en riktig ~** be featherbrained

hönshus s (~et, =) poultry-house

hönsmamma s (~n, -mammor) bildl. overprotective mother

hönsminne s (~t) vard., **ha ett riktigt ~** have a memory like a sieve

hönsnät s (~et, =) chicken wire

hönsägg s (~et, =) hen's egg (pl. vanl. hens' eggs)

höra I vb tr o. vb itr (hörde, hört) eg. el. friare hear; få veta äv. learn, be told **a)** utan obj. o. med adv. best., **jag hör dåligt** jag har dålig hörsel I'm hard of hearing; just nu I can't hear very well; **hör du illa?** are you deaf? **b)** med enbart obj., **han tycker om att ~ sin egen röst** he

likes [to hear] the sound of his own voice; **~ ett vittne** hear (examine) a witness; så får du inte göra, **hör du det?** …do you hear? **c)** med [obj. o.] inf., **hon hörde honom komma nedför trappan** she heard him coming downstairs; **~ sitt namn nämnas** hear one's name mentioned; **jag har hört sägas att…** I have heard [it said] (been told) that…; **~ talas om** hear of **d)** med [obj. o.] prepositionsbest., **~ av** (**genom**) ngn att… learn from (be told by) sb that…; **jag hör av** (**på**) **namnet att…** I hear by the name that…; **har du hört något från honom?** have you heard from him?; **det hörs på honom att…** you can tell by his voice that…; **han ville inte ~ på det örat** he just wouldn't listen **e)** i passiv form, **det hörs att han är** you can hear…; **det hörs bra härifrån** you can hear well from here; tala högre, **det hörs så dåligt** …I (resp. we) can't hear you; **vi hörs!** som avskedsord we'll get in touch; vard. talk to (catch) you later! **f)** i imper., **hör!** listen!; **hör och häpna!** wait for it!; **hör du** [**du**], är det sant att… look here,…, listen,…; **…och hör sen!** …and that's that! **g)** få ~ hear, learn, be told **h)** låta ~: låt ~! out with it!; **det låter ju ~ sig** förefaller rimligt that's quite plausible; låter ju bra that's something like **II** vb itr (hörde, hört) **1 ~ till** a) om ägande el. medlemskap belong to; vara medlem[mar] av, äv. be a member (resp. members) of b) vara en av be one of; vara bland be among c) vara tillbehör till o.d. go with; **det hör till** yrket it goes with…, it is part of…; **det hör inte till saken** se *det hör inte hit* under *höra* III **2 ~ under** en rubrik o.d. come (fall, belong) under **III** med beton. part.

höra av ngn hear from sb; **jag hör av mig** nästa vecka I'll be in touch…, you will hear from me…; **han har inte hört av sig** we (they etc.) haven't heard from him, there's no news from him

höra dit belong there; jfr *höra hit* nedan

höra efter ta reda på find out; fråga inquire [om ngt (ngn) about sth (sb)]

höra sig för inquire [om ngt about sth; hos of (at)]

höra hit höra hemma här belong here; **det hör inte hit** (**dit**) till saken that's got nothing to do with it, that's beside the point, that's neither here nor there

höra ihop belong together; bruka följas åt go together; **~ ihop med** be connected with; bruka åtfölja go with

höra på listen; **~ på ngn** (**ngt**) listen to sb (to sth); **~ på vad som** sägs listen to what…; **hör på nu!** now listen!

höra till: **det hör till** anses korrekt [**att man ska** + inf.] it is the right and proper thing [for one to + inf.]; ärbrukligt el. lämpligt it is the done thing [to + inf.]

höra upp lyssna pay attention

hörande s **1** (~t) hörsel hearing **2** (en ~, pl. =), **en ~** a person who can hear

hörapparat s (~en, ~er) hearing aid

hörbar adj (~t) audible

hörförståelse s (~n, ~r) skol. listening comprehension

hörglasögon s pl hearing spectacles

hörhåll s (oböjl.), **inom** (**utom**) ~ within (out of) earshot

hörlur s (~en, ~ar) tele. receiver; **~ar** för freestyle o.d. headphones; med mikrofon headset sg.

hörn s (~et, =) corner; **från jordens alla ~** from the four corners of the earth; **i ~et** i vrån in the corner; **i ~et av** Kungsgatan och Sveavägen at the corner of…;

[*alldeles*] *om ~et* [just] around the corner; *får jag vara med på ett ~?* may I join in?

hörna *s* (~n, hörnor) **1** se *hörn* **2** sport. corner äv. boxn.; *lägga en ~* take a corner

hörnskåp *s* (~et, =) corner cupboard

hörnsoffa *s* (~n, -soffor) corner settee (sofa)

hörnsten *s* (~en, ~ar) cornerstone, keystone äv. bildl.

hörntand *s* (~en, -tänder) canine tooth

hörntomt *s* (~en, ~er) corner site

hörsal *s* (~en, ~ar) lecture hall (theatre), auditorium

hörsam *adj* (~t, ~ma) obedient [*mot* to-]

hörsamma *vb tr* (~de, ~t) befallning obey; kallelse respond to; inbjudan accept

hörsel *s* (~n) hearing; *ha dålig* (*god*) *~* be hard of (have a good sense of) hearing

hörselgång *s* (~en, ~ar) anat. auditory meatus

hörselnerv *s* (~en, ~er) anat. auditory nerve

hörselorgan *s* (~et, =) anat. auditory organ, organ of hearing

hörselskadad *adj* (-skadat, ~e) hearing-impaired; *vara ~* äv. have impaired hearing, be hard of hearing

hörselskydd *s* (~et, =) hearing protector; *ett ~* äv. a pair of ear-muffs

hörslinga *s* (~n, -slingor) slags hörapparat hearing loop

hörsägen *s* (-sägnen, -sägner), *genom ~* by hearsay

hörövning *s* (~en, ~ar) skol. o.d. listening exercise; *~ar* äv. listening practice sg.

höskrinda *s* (~n, -skrindor) haycart

höskulle *s* (~n, -skullar) hayloft

hösnuva *s* (~n) hay fever

höst *s* (~en, ~ar) autumn äv. bildl.; amer. vanl. fall; *~en* [the] autumn; *~en 2010* the autumn of 2010; [*på*] *~en 2010* adv. in the autumn of 2010; *det blev ~* autumn came; [*nu*] *i ~* this autumn; *i ~* nästkommande, vanl. next autumn; *i ~as* last autumn; *om* (*på*) *~en* in [the] autumn; *till ~en* this autumn

höstack *s* (~en, ~ar) haystack, hayrick

höstbruk *s* (~et) lantbr. autumn (amer. vanl. fall) tillage (cultivation)

höstdag *s* (~en, ~ar) autumn (amer. vanl. fall) day, day in [the] autumn (fall); *en vacker ~* [adv. on] a fine autumn (fall) day

höstdagjämning *s* (~en, ~ar) autumnal (amer. vanl. fall) equinox

höstfärger *s pl* autumn (amer. vanl. fall) tints

höstkanten *s* (best. sing.), *fram på ~* about the beginning of autumn (amer. vanl. fall), when autumn (fall) comes (came etc.)

höstlik *adj* (~t) autumnal, autumnlike; *det är ~t i dag* it is quite like autumn (amer. vanl. fall)…

höstmörker *s* (-mörkret) autumn (amer. vanl. fall) darkness

höstrusk *s* (~et), *i ~et* in the nasty damp autumn (amer. vanl. fall) weather

höstsådd *s* (~en, ~er) lantbr. autumn (amer. vanl. fall) sowing

höstsäd *s* (~en) autumn-sown (amer. vanl. fall-sown) corn (grain)

hösttermin *s* (~en, ~er) autumn term; amer. fall semester

höstväder *s* (-vädret, =) autumn (amer. vanl. fall) weather; höstlikt autumnal weather

hösäck *s* (~en, ~ar), *sitta som en ~* sit like a sack of potatoes (hay)

höta *vb itr* (hytte, hytt), *den gamle mannnen hötte med käppen åt barnen* brandished his stick at the children

hötjuga *s* (~n, -tjugor) hayfork

hötorgskonst *s* (~en) ung. trashy (third-rate) art, kitsch

hövan *s* (best. sing.), *över ~* övermåttan beyond [all] measure; högeligen excessively; otillbörligt unduly

hövding *s* (~en, ~ar) indianhövding o.d. chief; för stam äv. headman; anförare leader

hövisk *adj* (~t) artig courteous; ridderlig chivalrous

hövlig *adj* (~t) inte direkt ohövlig civil; artig polite; belevad, förekommande courteous; aktningsfull respectful [*mot* i samtliga fall to-]

hövlighet *s* (~en, ~er) civility, politeness, courteousness, courtesy, respectfulness, jfr *hövlig*; *det hör till vanlig enkel ~ att hälsa* it is only common courtesy…; *av ren ~ borde han ha…* out of sheer politeness…

1 i *s* (i:et, i:n el. i) bokstav i [utt. aɪ]

2 i

i delas in i ordklasserna
I preposition
II adverb
I *prep*
Prepositionen **i** motsvaras vanligen av **in** i uttryck som *han bor i Stockholm = he lives in Stockholm, i maj = in May.*
i används i många uttryck som står under andra uppslagsord. Exempelvis finns uttrycket *i allmänhet* under uppslagsordet *allmänhet,* uttrycket *hålla någon i handen* under uppslagsordet *hand,* uttrycket *vara förtjust i* under uppslagsordet *förtjust* osv.

Rumsbetydelse

1 anger läge inuti något, inom ett område o.d. in; *huset ~ parken* the house in the park; *~ ett hörn* in a corner; *den ligger ~ lådan* it is in the box; *det var tyst ~ rummet* vanligen the room was quiet
2 anger befintlighet eller läge: vid namn för länder, större städer och orter som är intressanta för den talande in; vid namn för mindre städer och orter at; *~ Kent (Skandinavien, Sverige, Tokyo)* in Kent (Scandinavia, Sweden, Tokyo); *han bor ~ Lund* vanligen he lives at Lund; *jag bor här ~ Lund* I live here in Lund; *har du varit ~ Stockholm* have you been to Stockholm?; *jag har varit här ~ Stockholm sedan i går* I have been here in Stockholm since yesterday
3 anger läge vid en punkt at; *~ ena änden* at one end; *sväng vänster ~ rondellen* ...at the roundabout
4 anger läge på en yta eller läge ovanpå något, vanligen on; *sitta ~ sanden (soffan, trappan)* sit on the sand (sofa, stairs); *sitta ~ trädet* sit on (in) the tree
5 anger yttre del av kroppen on; *uttrycket ~ hans ansikte* the expression on his face; *han är smutsig ~ ansiktet* his face is dirty; *spotta ~ nävarna* spit on one's hands
6 anger riktning, rörelse, förändring vid verb into; *falla ~ vattnet* fall into the water; *stoppa ngt ~ fickan* put sth in[to] one's pocket; *störta landet ~ krig* plunge the country into war
7 anger änmesområde och liknande in; *~ historien* in history; *~ konsten* in art; *gå framåt ~ studierna* progress in one's studies

Tidsbetydelse

8 anger tiden för en händelse vid ord för månad el. längre tidsperiod in; *~ april* in April; *förr ~ tiden* in former times; *~ ungdomen* in one's youth
9 anger tidpunkt at; *~ slutet (början) av månaden* at the end (beginning) of the month; *jag kommer att träffa dem ~ jul* I'll be seeing them at Christmas
10 anger tidpunkt vid ord som betecknar årstid, vecka, del av dag: innevarande el. närmaste this; kommande next; som varit last; *~ vår* this spring; *~ natt* som är el. som kommer tonight; som var last night

11 vid ord som *månader* och *år* för ange hur länge något håller på for el. annan konstruktion, *~ månader* for months; *~ åratal* for years; *~ tio år* som varit [for] the last ten years; som kommer [for] the next ten years
12 anger klockslag to; amer. äv. of; *klockan är fem [minuter] ~ fem* it is five [minutes] to five, amer. äv. it is five [minutes] of five
13 *per* per el. omskrivning med a, an; *med en fart av 90 km ~ timmen* at the speed of 90 km per (an) hour; *en gång ~ veckan* once a week

Andra betydelser

14 för att uttrycka något man är bra el. dålig på at; *bra (dålig) ~ matte* good (bad) at maths
15 i uttryck av typen *gatorna i London = Londons gator,* vanligen of efter superlativ samt i rent lokal betydelse används dock in; *gatorna ~ London* the streets of London; *den största gatan ~ London* superlativ the biggest street in London; *professor ~ engelska vid universitetet ~ Uppsala* professor of English at the university of Uppsala
16 anger vad något är gjort av of; ibland in; *en staty ~ brons* ...in bronze; *ett bord ~ ek* an oak table, a table of oak
17 vid ord som betecknar hastighet, takt o.d. at; *köra ~ 100 kilometer ~ timmen* drive at 100 kilometer per hour; *~ full fart* at full speed; *gå ~ snabb takt* walk at a rapid pace

Olika fasta förbindelser

18 *~ och för sig:* jag kan *~ och för sig komma i morgon, men...* I can in fact (actually) come tomorrow, but...; *han har rätt ~ och för sig, men...* essentially he is right, but...; *åldern ~ sig är inget problem* taken by itself (properly speaking) age is no problem
19 *~ och med: ~ och med detta nederlag var allt förlorat* with this defeat everything was lost; *~ och med att...* så snart som as soon as...; *~ och med att jag går* är jag in (genom by) going...
20 *han liknar sin bror ~ att* i det avseendet att *han...* he resembles his brother in that he...
II *adv* (se också betonad partikel under respektive verb, t.ex. *ta i* under *ta III*); *en vas* (resp. *vaser*) *med blommor ~* a vase (resp. vases) with flowers in it (resp. them); *~ vattnet med dig (det)!* in with you (it)!, in you go!; *hoppa ~* jump in (into the water); *vill du hälla (slå) ~ åt mig?* would you pour out some for me?; *häll (slå) inte ~ för mycket!* don't pour in...!; *hälla (slå) ~ vatten ~ kannan* pour water into...; *han har legat ~* i badet *en timme* he has been in for an hour
iaktta *vb tr* (-tog, -tagit) **1** se, upptäcka observe; lägga märke till äv. notice; [uppmärksamt] betrakta vanl. watch **2** t.ex. försiktighet exercise, use; t.ex. en tyst minut observe
iakttagande *s* (~t, ~n) efterlevnad observance [*av* of]; *under ~ av...* observing... etc., jfr *iaktta 2*
iakttagare *s* (~n, =) observer
iakttagelse *s* (~n, ~r) observation; *jag har gjort den ~n att...* I have noticed (erfarenheten it is my experience) that...
iakttagelseförmåga *s* (~n) power (powers pl.) of observation
iberisk *adj* (~t) Iberian; *Iberiska halvön* the Iberian Peninsula
ibis *s* (~en, ~ar) zool. ib|is (pl. -es el. lika)

ibland I *prep* se *bland* **II** *adv* stundom sometimes; då och då occasionally, now and then, at times

icing *s* (~en, ~ar) i ishockey icing

icke *adv* se *inte*

icke-angreppspakt *s* (~en, ~er) non-aggression pact

icke-politisk *adj* (~t) non-political

icke-rökare *s* (~n, =) non-smoker; **avdelning för ~** på restaurang o.d. non-smoking area

icke-spridningsavtal *s* (~et, =) non-proliferation treaty

icke-våld *s* (~et) non-violence

1 id *s* (~en, ~ar) zool. ide

2 id *s* (~en, ~ar) se *id-bricka* o. *identitetshandling*

i dag *adv* today; starkt beton. 'denna dag' äv. this day; **~ åtta dagar** this day [next] week, a week today; **den dag [som] ~ är** se *ännu i dag* under *ännu 1*; **från och med ~** as from (starting) today; from this day onward[s] (forward); **vad är det för dag ~?** what day [of the week] is it?; **det skulle vara färdigt till ~** ...by today

idas *vb itr dep* (iddes, itts), **inte ~ [göra ngt]** vara för lat be too lazy [to do sth]; **jag ids inte** höra på längre I can't be bothered to...

id-bricka *s* (~n, -brickor) ID disc, ID

ide *s* (~t, ~n) winter quarters pl., winter lair; **gå i ~** eg. go into hibernation, hibernate; bildl. äv. shut oneself up in one's den

idé *s* (~n, ~er) idea äv. filos.; föreställning äv. notion, conception; begrepp concept [*om* i samtliga fall vanl. of]; **en fix ~ hos honom** a fixed idea of his; **en genial ~** a brilliant idea, a stroke of genius; **det är ingen ~!** there is no point [in it]!; **det är ingen ~ att göra (att han gör)...** it is no good el. use doing (his doing)..., there is no point in doing (his doing)...; **få en ~** hit on (be struck by) an idea; **hur har du kommit på den ~n?** what put that idea into your head?

ideal I *s* (~et, =) ideal [*för (av)* of] **II** *adj* (~t) ideal

idealbild *s* (~en, ~er) ideal [image]

idealisera *vb tr* (~de, ~t) idealize

idealisk *adj* (~t) ideal; friare perfect

idealism *s* (~en) idealism

idealist *s* (~en, ~er) idealist

idealistisk *adj* (~t) idealistic

idealitet *s* (~en) idealism

ideell *adj* (~t) idealistic; **~ förening** non-profit association (organization)

idegran *s* (~en, ~ar) bot. yew[-tree]

idéhistoria *s* (-historien) [the] history of ideas

idel *adj* (oböjl.), **~ segrar** i tävling nothing but wins; **en film med ~ stjärnor i rollerna** a star-studded movie; **hon var ~ öra (solsken)** she was all ears (smiles)

idelig *adj* (~t) ständig continual, perpetual; oupphörlig incessant

ideligen *adv* continually etc., se *idelig*; **~ fråga** samma sak keep [on] asking...

identifiera *vb tr* (~de, ~t) identify

identifiering *s* (~en, ~ar) o. **identifikation** *s* (~en, ~er) identification

identisk *adj* (~t) identical [*med* with]

identitet *s* (~en, ~er) identity; **fastställa ngns ~** establish sb's identity; **styrka sin ~** prove one's identity

identitetsbricka *s* (~n, -brickor) identity disc

identitetshandling *s* (~en, ~ar) identification [document], papers pl.

identitetskort *s* (~et, =) identity card

identitetsnummer *s* (-numret, =) identity (ID) number

ideolog *s* (~en, ~er) ideologist, ideologue

ideologi *s* (~n, ~er) ideology

ideologisk *adj* (~t) ideological

idérik *adj* (~t) ...full of ideas; friare inventive

idéspruta *s* (~n, -sprutor) vard. ideas man

idétorka *s* (~n) dearth of ideas

idévärld *s* (~en, ~ar) world of ideas

id-handling *s* (~en, ~ar) identification, papers pl.; vard. ID

idiom *s* (~et, =) idiom

idiomatisk *adj* (~t) idiomatic; **~t uttryck** idiomatic expression, idiom

idiot *s* (~en, ~er) idiot, fool

idioti *s* (~n, ~er) idiocy

idiotisk *adj* (~t) idiotic

idiotsäker *adj* (~t, -säkra) vard. foolproof, fail-safe

idissla *vb tr* o. *vb itr* (~de, ~t) ruminate, chew the cud; bildl. repeat...[over and over again]; **~ samma sak** vanl. be harping on the same string

idisslare *s* (~n, =) ruminant

idka *vb tr* (~de, ~t) bedriva carry on; utöva practise; ägna sig åt devote oneself to; t.ex. idrott go in for; **~ familjeliv** cultivate the society of one's family; **~** bedriva **studier [i språk** osv.] vanl. study [languages osv.]

id-kort *s* (~et, =) ID [card]

id-märka *vb tr* (-märkte, -märkt) djur etc., med mikrochips chip, micro-chip

id-märkt *adj* (=) om djur etc., med mikrochips chipped, micro-chipped

idog *adj* (~t) industrious; arbetsam laborious

idoghet *s* (~en) industry, laboriousness

idol *s* (~en, ~er) idol; favorit great favourite, [film (pop)] star

idolbild *s* (~en, ~er) affisch pop (film etc.) star poster

idrott *s* **1** (~en) sports pl., sport, amer. äv. athletics sg.; bollspel: fotboll, tennis o.d. games pl. **2** (~en) skol., ämne physical education (förk. PE), physical training (förk. PT), sport **3** (~en, ~er) se *idrottsgren*

idrotta *vb itr* (~de, ~t) go in for sports

idrottare *s* (~n, =) sportsman; kvinna sportswoman; friidrottare athlete

idrottsanläggning *s* (~en, ~ar) sports (athletics) ground (centre)

idrottsdag *s* (~en, ~ar) ung. sports day; amer., ung. field day

idrottsevenemang *s* (~et, =) sporting event

idrottsförbund *s* (~et, =) sport[s] (amer. äv. athletics) federation

idrottsförening *s* (~en, ~ar) sport[s] (amer. äv. athletics) association

idrottsgren *s* (~en, ~ar) [kind of] sport; [type of] game; branch of athletics; jfr *idrott 1*

idrottshall *s* (~en, ~ar) sports centre (hall); för gymnastik gymnasium

idrottsintresserad *adj* (-intresserat, ~e) ...interested in sports

idrottskvinna *s* (~n, -kvinnor) sportswoman; [female] athlete

idrottsledare *s* (~n, =) sports leader

idrottslärare *s* (~n, =) physical training instructor (förk. PT instructor), sports master

idrottsman *s* (~nen, -män) sportsman; athlete

idrottsmedicin *s* (~en) sports medicine
idrottsplats *s* (~en, ~er) sports ground (field)
idrottsstjärna *s* (~n, -stjärnor) sports star, ace
idrottstävling *s* (~en, ~ar) athletic[s] contest (games pl.), athletics meeting (amer. meet)
ids *vb itr dep* (iddes, itts) se *idas*
idyll *s* (~en, ~er) plats idyllic spot; stämning o.d. idyllic atmosphere
idyllisk *adj* (~t) idyllic
ifall *konj* **1** såvida if; förutsatt att provided [that] **2** huruvida if, whether
i fatt *adv*, **hinna** (**gå, köra** etc.) ~ *ngn* catch up with sb, catch sb up, draw level with sb
ifjol *adv* last year; för ex. se *fjol*
ifor-styrka *s* (~n, -styrkor) NATO-ledd IFOR (förk. för Implementation Force)
i fred *adv* se ex. under *fred*
i fråga *adv* se ex. under *fråga I*
ifrågasätta *vb tr* (-satte, -satt) betvivla question, call...in question
ifrågavarande *adj* (oböjl.), ~ *fall* the case in question (at issue, som det hänsyftas på referred to)
ifrån I *prep* se *från I*; **flyga** (**köra** etc.) ~ *ngn* (ngt) a) bort ifrån fly (drive etc.) away from... b) genom att vara snabbare fly (drive etc.) ahead of...; **lägga** ~ *sig* ngt put...down [på bordet on...]; undan, bort put away..., put...aside; lämna kvar leave...[behind]; **vara** ~ utom *sig* be beside oneself [av with] **II** *adv* borta away; **kan du gå** (**komma**) ~ *en stund?* can you get away for a while?, se också betonad partikel under respektive verb, t.ex. *ge ifrån sig* under *ge III* samt sammansättn. som *varifrån* m.fl.
iförd *adj* (ifört) se *iklädd*
IG (förk. för *icke godkänd*) skol. failed
igel *s* (~n, iglar) leech äv. bildl.
igelkott *s* (~en, ~ar) hedgehog
igen *adv* (se också betonad partikel under respektive verb, t.ex. *ta igen* under *ta III*) **1** på nytt again; **vad heter han nu ~ ?** now what's he called?; **om** ~ en gång till once more; **om och om** ~ over and over again **2** tillbaka, åter back; **ge** ~ hit back **3** **fylla** ~ fill up; med det innehåll som funnits där förut fill in; **knäppa** ~ button up; **slå** ~ dörren shut...
igenfrusen *adj* (-fruset, -frusna), dörren etc. **är** ~ ...has frozen shut; sjön **är** ~ ...has (is) frozen over
igengrodd *adj* (-grott) av t.ex. smuts blocked up [av with]
igenkännande *adj* (oböjl.), **ett** ~ **leende** a smile of recognition
igenkännlig *adj* (~t) recognizable [för to; på by]
igenmulen *adj* (-mulet, -mulna) overclouded, overcast
igenom I *prep* through, se vidare *genom I*; [**hela**] **dagen** (**livet**) ~ throughout the day (one's life); [**hela**] **året** ~ all the year round, all through the year, throughout the year **II** *adv* through; se också betonad partikel under respektive verb, t.ex. *gå igenom* under *gå III*
igensnöad *adj* (-snöat, ~e) översnöad snowed over, ...covered with snow; blockerad ...blocked (obstructed) by snow
igenvuxen *adj* (-vuxet, -vuxna), ~ [**med ogräs**] ...overgrown with weeds
igloo *s* (~n, ~r) **1** igloo **2** för glasavfall bottle bank
ignorera *vb tr* (~de, ~t) ignore, take no notice of;

person äv. give...the cold shoulder; t.ex. varning disregard
i gång *adv* se ex. under *gång 1 c*
igångsättande *s* (~t, ~n) start, starting [up]
i går *adv* yesterday; ~ **kväll** (**morse** osv.) yesterday evening (morning osv.); ~ **kväll** äv. last evening (senare night); ~ **natt** el. **natten till** ~ the night before last
ihjäl *adv* to death; **skjuta** ~ *ngn* shoot sb dead; amer. äv. shoot sb to death; **slå** ~ *ngn* kill sb; **hålla på att skratta** ~ *sig* nearly die [of] laughing; **svälta** ~ itr. die of hunger (starvation), starve to death, se också betonad partikel under respektive verb, t.ex. *köra ihjäl* under *köra III*
ihjälfrusen *adj* (-fruset, -frusna) ...frozen to death
ihjälklämd *adj* (-klämt), **bli** ~ be crushed to death
ihjälskjuten *adj* (-skjutet, -skjutna), **bli** ~ be shot dead; amer. äv. be shot to death
ihop *adv* (se också betonad partikel under respektive verb, t.ex. *hålla ihop* under *hålla V*; jfr också sammansättningar med *hop-* o. *samman-*) **1** tillsammans together; gemensamt jointly; **vara** ~ vara ett par be going out together **2** **köra** ~ **med** collide with; **springa** ~ **med** ngn bump into... **3** uttryckande minskning, **krympa** ~ shrink up; **smälta** ~ bort melt away
ihåg *adv*, **komma** ~ remember; erinra sig recollect; återkalla i minnet call...to mind, recall; lägga på minnet bear (keep)...in mind; **jag kommer inte** ~ namnet I forget...
ihålig *adj* (~t) hollow; bildl. äv. empty
ihålighet *s* (~en, ~er) det ihåliga hollowness; emptiness; hål cavity, hollow space
ihållande *adj* (oböjl.) om t.ex. köld, torka, applåder prolonged; om t.ex. regn continuous; [**ett**] ~ **regn** äv. a steady downpour
ihärdig *adj* (~t) om person persevering, persistent [i in]
ihärdighet *s* (~en) perseverance, persistence; seghet tenacity [of purpose]
i kapp *adv* **1** i tävling, **cykla** ~ have a cycling race [*med ngn* with sb; *med varandra* against (with) each other]; **springa** ~ **med** ngn race sb [*till* to]; **ska vi springa** ~ [*dit*]**?** I'll race you there!, let's run and see who comes first [there]! **2** se *i fatt*
ikläda *vb rfl* (-klädde, -klätt), ~ *sig* **ansvaret för** ngt shoulder the responsibility for sth
iklädd *adj* (iklätt) dressed in, wearing, in; **endast** ~ **pyjamas** wearing only...
ikon *s* (~en, ~er) äv. data. icon, ikon
i kväll *adv* this evening, tonight; starkt beton. äv. this night
1 ila *vb itr* (~de, ~t) skynda speed; vardagligare hurry, hasten; rusa dash; **tiden** ~**r** time flies
2 ila *vb itr* (~de, ~t), **det** ~**r i tänderna** [**på mig**] I have shooting pains in my teeth
i-land *s* (~et, i-länder) se *industriland*
ilastning *s* (~en, ~ar) loading
ilfart *s* (~en), **köra i** ~ drive at express (lightning) speed
illa *adv* badly, etc., jfr *dåligt* med ex.; i vissa fall, bl.a. som predf. bad; **inte** [**så**] ~**!** not [half] bad!; ~ **kvickt** pretty (damned) quick; ~ **däran** seriously ill; **det kan gå** ~ [**för dig**] om du inte slutar med det där you will get into trouble..., something [unfortunate] will happen to you...; **göra** ngn (**sig**) ~ hurt sb (oneself); **göra sig** ~ **i**

handen hurt one's hand; **~ klädd** badly (shabbily) dressed; **det luktar (smakar)** ~ it smells (tastes) nasty (bad); **må** ~ ha kväljningar feel (be) sick; **det är så man kan må** ~ it's enough to make you sick; **jag mår ~ bara jag tänker på det** it makes me sick to think of it; **det ser ~ ut** it looks (things look) bad; **hon ser inte ~ ut** she is not bad-looking; **sitta ~** a) på stol o.d. sit uncomfortably b) om kläder be ill-fitting, fit badly; **ta ~ upp** take offence; **ta inte ~ upp!** don't be offended!, no offence [was meant]!; **ta mycket ~ vid sig** be very upset (put out) [*över* about]; **tala ~ om ngn** run sb down, speak ill of sb; **om det vill sig ~** if things are against you (me etc.), if you (we etc.) don't watch it; **jag vill honom inget ~** I don't wish him any harm

illaluktande *adj* (oböjl.) nasty-smelling; starkare foul-smelling

illamående I *s* (~t) feeling of sickness **II** *adj* (oböjl.), **känna sig ~** känna kväljningar feel sick; amer. feel sick to (at, in) one's stomach

illasittande *adj* (oböjl.) om kläder, attr. badly-fitting; **vara ~** fit badly

illavarslande *adj* (oböjl.) ominous, sinister, ill-boding

illdåd *s* (~et, =) outrage [*mot* on], wicked (evil, foul) deed

illegal *adj* (~t) illegal

illegitim *adj* (~t) illegitimate

iller *s* (~n, illrar) zool. polecat

illitterat *adj* (=) illiterate

illmarig *adj* (~t) okynnig arch

illojal *adj* (~t) disloyal; **~ konkurrens** unfair competition

illröd *adj* (-rött) vivid (blazing) red; **vara ~ i ansiktet** be red as a beetroot

illtjut *s* (~et, =) vard. terrific yell

illumination *s* (~en, ~er) illumination

illuminera *vb tr* (~de, ~t) illuminate äv. handskrift

illusion *s* (~en, ~er) illusion; villfarelse delusion; **gör dig inga ~er!** don't have any illusions!; **jag gör mig inga ~er** I don't have any illusions; **beröva ngn hans ~er** äv. disillusion sb

illusionist *s* (~en, ~er) illusionist, conjurer

illusionsfri *adj* (-fritt) o. **illusionslös** *adj* (-löst) ...without illusions, ...free from all illusions

illusorisk *adj* (~t) skenbar illusory; inbillad imaginary

illuster *adj* (~t, illustra) illustrious

illustration *s* (~en, ~er) illustration; **som ~ till** in (as an, by way of) illustration of

illustrativ *adj* (~t) illustrative

illustratör *s* (~en, ~er) illustrator

illustrera *vb tr* (~de, ~t) illustrate; bildl. äv. be illustrative of; **rikt ~d** richly illustrated

illvilja *s* (~n) agg spite, ill will; elakhet malevolence; **av ~** from (out of) spite; **hysa ~ mot ngn** bear sb ill will

illvillig *adj* (~t) hätsk spiteful; elak malevolent [*mot* i båda fallen towards]

ilmarsch *s* (~en, ~er) forced march

ilning *s* (~en, ~ar) av glädje o.d. thrill [*av* of]; t.ex. i tand shooting pain

ilska *s* (~n) anger; starkare rage, fury [*över ngt* at sth]; **i ~n glömde han... ...**in his anger

ilsken *adj* (ilsket, ilskna) angry, speciellt amer. mad; ursinnig furious; om ljud piercing; **bli ~** get angry (mad) [*på ngn* with sb; *över ngt* at (about) sth]; fly into a temper (passion, rage) [*på ngn* with sb; *över ngt* over sth]

ilskna *vb itr* (~de, ~t), **~ till** fly into a temper, etc., jfr, [bli] ilsken

iläggsskiva *s* (~n, -skivor) table extension (leaf)

image *s* (~n) image; **partiets ~** the party image

imaginär *adj* (~t) imaginary äv. mat.

imbecill *adj* (~t) imbecile

imitation *s* (~en, ~er) imitation; vard., av t.ex. politiker takeoff; speciellt professionell impersonation

imitatör *s* (~en, ~er) imitator; speciellt professionell impersonator, impressionist

imitera *vb tr* (~de, ~t) imitate; person äv. mimic, take off; speciellt professionellt impersonate

imiterad *adj* (imiterat, ~e) imitated; oäkta, vanl. imitation...

imma I *s* (~n) mist, steam; **det är ~ på** glaset ...is misted over **II** *vb itr* (~de, ~t), **~ igen** become misted over

immig *adj* (~t) misty, steamy

immigrant *s* (~en, ~er) immigrant

immigration *s* (~en) immigration

immigrera *vb itr* (~de, ~t) immigrate [*till* into]

immun *adj* (~t) immune [*mot* to (against, from)]

immunbrist *s* (~en) med. immunodeficiency

immundefekt *s* (~en, ~er) med. immunodeficiency, immune deficiency

immunförsvar *s* (~et) immune defence

immunisera *vb tr* (~de, ~t) render...immune [*mot* to (against, from)]; immunize [*mot* against]

immunitet *s* (~en) med. el. jur. immunity; **diplomatisk ~** diplomatic immunity

immunsystem *s* (~et, =) immune system

i morgon *adv* tomorrow; **vi reser ~ vid den här tiden** ...[at] this time tomorrow; **tidigt ~** early tomorrow morning

i morse *adv* this morning

imperativ *s* (~en, ~er) gram. the imperative [mood]

imperfekt *s* (~et, ~er) gram. the past tense, the past (endast sg.), the preterite [tense]

imperialism *s* (~en) imperialism

imperialist *s* (~en, ~er) imperialist

imperialistisk *adj* (~t) imperialistic

imperium *s* (imperiet, imperier) empire

implantat *s* (~et, =) med. implant

implementera *vb tr* (~de, ~t) implement

implementering *s* (~en, ~ar) implementation

implicit I *adj* (=) implicit **II** *adv* implicitly

imponera *vb itr* (~de, ~t) impress [*på ngn* sb], make a great impression [*på ngn* on sb]; **han låter sig inte ~[s] av...** he is not impressed with (by)..., he is unimpressed by...

imponerande *adj* (oböjl.) allm. impressive; om t.ex. storlek, värdighet imposing; om t.ex. antal, siffror striking

impopularitet *s* (~en) unpopularity

impopulär *adj* (~t) unpopular [*hos (bland)* with]

import *s* (~en, ~er) importerande import, importation; varor imports pl.

importartikel *s* (~n, -artiklar) import article (commodity), article for import

importera *vb tr* (~de, ~t) import [*till ett land* into...]

importfirma *s* (~n, -firmor) import firm, firm of importers

importförbud *s* (~et, =) import ban (prohibition); **~ på** en vara a ban on the import of...

importrestriktioner *s pl* import restrictions

importtull *s* (~en, ~ar) import duty

importör *s* (~en, ~er) importer

impotens *s* (~en) fysiol. el. friare impotence

impotent *adj* (=) fysiol. el. friare impotent

impregnera *vb tr* (~de, ~t) impregnate [*med* with]; göra vattentät waterproof, proof, make...waterproof; **~t tyg** waterproof material

impregneringsmedel *s* (-medlet, =) impregnating (water proofing) agent

impressario *s* (~n, impressarier) manager, impresario (pl. -s)

impressionism *s* (~en) konst. impressionism

impressionist *s* (~en, ~er) konst. impressionist

impressionistisk *adj* (~t) konst. impressionist[ic]

improduktiv *adj* (~t) unproductive

impromptu *s* (~t, ~n) mus. impromptu äv. friare

improvisation *s* (~en, ~er) improvisation äv. mus.

improvisera *vb itr* o. *vb tr* (~de, ~t) improvise äv. mus., extemporize; vard. ad-lib; **~d** improvised, extemporaneous; vard. ad-lib, off-the-cuff

impuls *s* (~en, ~er) impulse äv. elektr. el. fysiol.; sporre äv. incentive, impetus, stimulus, spur; **få nya ~er från** get (receive) fresh inspiration from

impulsiv *adj* (~t) impulsive

impulsköp *s* (~et, =) impulsköpande impulse buying; **ett ~** an impulse buy (purchase); **göra [ett] ~** buy (purchase) on the impulse, impulse-buy

in *adv* (se också betonad partikel under respektive verb, t.ex. *lämna in* under *lämna II*); allm. in; i huset o.d. inside; **hit** (**dit**) **~** in here (there); **~ i** vanl. into; **gå ~ genom** dörren walk in through..., enter by...

inackordera *vb tr* (~de, ~t) board and lodge; **vara ~d** board and lodge, be boarded, be a boarder [*hos ngn* with sb (at sb's place)]

inackordering *s* (~en, ~ar) **1** kost o. logi board and lodging **2** person boarder, paying guest

inadekvat *adj* (=) inadequate, inexact

inaktiv *adj* (~t) inactive, inert

inaktuell *adj* (~t) förlegad out of date, ...no longer in question

inalles *adv*, **~ 500 kronor** ...in all, ...altogether

inandas *vb tr dep* (-andades, -andats) breathe in, inhale

inandning *s* (~en, ~ar) breathing in, inhalation; **en djup ~** a deep breath

inarbetad *adj* (-arbetat, ~e), **~ tid** compensatory leave [for overtime done]; **ett inarbetat varumärke** an established trademark

i natt *adv* förfluten last night; kommande, innevarande tonight; denna natt, nu i natt this night; **här ska vi bo ~** ...put up for (spend) the night

inavel *s* (~n) inbreeding

inbakad *adj* (-bakat, ~e) baked; bildl. included; **~ oxfilé** ung. beef Wellington

inbegripa *vb tr* (-grep, -gripit) **1** innefatta comprise, embrace; medräkna include **2** *inbegripen i* t.ex. ett samtal engaged in; t.ex. ordväxling in the middle of

inberäkna *vb tr* (~de, ~t) include, take...into account, count in; **frakten ~d** [the] freight included, including [the] freight

inbesparing *s* (~en, ~ar) saving (endast sg.)

inbetala *vb tr* (~de, ~t el. -betalt) pay [in]

inbetalning *s* (~en, ~ar) payment; inbetalande äv. paying in, inpayment

inbetalningskort *s* (~et, =) post. paying-in form

inbilla I *vb tr* (~de, ~t), **~ ngn ngt** make sb (lead sb to) believe sth; **vem har ~t dig det?** who[ever] put that into your head? **II** *vb rfl* (~de, ~t), **~ sig** imagine, fancy; **~ dig ingenting!** don't [you] get ideas into your head!; du såg inget spöke, **det var bara som du ~de dig** ..., it was only your imagination

inbillad *adj* (-billat, ~e) imagined, fancied; friare, t.ex. oförrätt, sjukdom imaginary

inbillning *s* (~en, ~ar) imagination; felaktig föreställning äv. fancy; **det är bara ~!** it is only your (his etc.) imagination (a figment of the imagination)!, you are (he is etc.) only imagining things!

inbillningsfoster *s* (-fostret, =) figment of the imagination, illusion

inbilsk *adj* (~t) conceited, stuck-up

inbilskhet *s* (~en) conceit

inbiten *adj* (-bitet, -bitna) t.ex. ungkarl confirmed; t.ex. rökare, vana inveterate

inbjuda *vb tr* (-bjöd, -bjudit) invite; bildl. äv. tempt [*till* to; *till att* + inf. to + inf.]; **det inbjuder till slöseri** it invites waste

inbjudan *s* (=, en, -bjudningar) invitation; vard. invite; **på ~ av** by (at, on) the invitation of

inbjudande *adj* (oböjl.) inviting; lockande tempting; om mat o.d. appetizing; **föga ~** uninviting, unappetizing

inbjudning *s* (~en, ~ar) invitation; vard. invite

inbjudningskort *s* (~et, =) invitation card

inblandad I *adj* (-blandat, ~e), **bli ~ i...** be (get) mixed up (involved) in... **II** *s* (en ~, pl. ~e), **de ~e** [**personerna**] those involved (concerned)

inblandning *s* (~en, ~ar) i andras affärer interference, meddling (endast sg.); bildl., ingripande intervention

inblick *s* (~en, ~ar) glimpse; insight (endast sg.); breven ger oss **en ~ i hans hemliv** ...a glimpse of his home life

inbringa *vb tr* (~de el. -bragte, ~t el. -bragt) yield, bring [in], fetch; **hans författarskap ~r** några tusen om året his writing brings him...; **tavlorna ~de** 90 000 kronor vid försäljning the pictures fetched...

inbringande *adj* (oböjl.) lucrative, profitable, remunerative

inbromsning *s* (~en, ~ar) braking; **göra en mjuk ~** brake (apply the brakes) gently

inbrott *s* (~et, =) **1** av tjuv: burglary, housebreaking (endast sg.); **ett ~** an act (a case) of housebreaking, a burglary; **det har varit ~ i huset** the house has been burgled (broken into), there have been burglars in the house; **göra ~ i** break into, burgle; amer. äv. burglarize **2** inträdande, **efter mörkrets ~** after dark

inbrottsförsök *s* (~et, =) attempted burglary

inbrottstjuv *s* (~en, ~ar) burglar, housebreaker

inbrytning *s* (~en, ~ar) breakthrough äv. bildl.

inbuktning *s* (~en, ~ar) inward bend; **göra en ~** bend inwards

inbunden *adj* (-bundet, -bundna) **1** om bok bound, hardbacked; **~ bok** hardback **2** om person reserved, uncommunicative

inbundenhet *s* (~en) uncommunicativeness, reserve

inburad *adj* (-burat, ~e) vard., **bli ~** be put in [the] nick

inbyggd *adj* (-byggt) built-in, in-built

inbyte *s* (~t, ~n) trade-in; **ta** en bil **i ~** trade in..., accept...in part payment

inbytesbil *s* (~en, ~ar) trade-in car

inbytesvärde *s* (~t, ~n) trade-in value

inbäddad *adj* (-bäddat, ~e) i filtar wrapped [up]; i

grönska embedded; **~ _journalist_** reporter som följer med trupper embedded journalist

inbördes I _adj_ (oböjl.) ömsesidig mutual, reciprocal; **ett sällskap för ~ beundran** a mutual admiration society; **~ _testamente_** joint (conjoint) will **II** _adv_ mutually, reciprocally; sinsemellan between (resp. among) themselves osv., jfr _sinsemellan_

inbördeskrig _s_ (~et, =) civil war

incest _s_ (~en, ~er) incest

incheckning _s_ (~en, ~ar) checking-in; **en ~** a check-in

incheckningsdisk _s_ (~en, ~ar) check-in counter

incheckningstid _s_ (~en, ~er) flyg. check-in (checking-in) time

incident _s_ (~en, ~er) incident

incitament _s_ (~et, =) incentive, stimul|us (pl. -i), impetus

indela _vb tr_ (~de, ~t) allm. divide [up]; i underavdelningar subdivide; klassificera classify, group [i into; _efter_ according to]; **~ _sin tid_** map out one's time

indelning _s_ (~en, ~ar) division, subdivision, classification, grouping, mapping out, jfr _indela_

index _s_ (~et, =) fackspr. el. ekon. ind|ex (pl. -exes, i vetenskaplig stil -ices) [_för (över)_ of]; matem. äv. subindex

indexreglera _vb tr_ (~de, ~t) index-link, index, tie...to the cost-of-living index

indexreglering _s_ (~en, ~ar) index-linking

indian _s_ (~en, ~er) Native American, American Indian

indianhövding _s_ (~en, ~ar) American Indian chief

indianreservat _s_ (~et, =) Indian reservation, Native American reservation

indiansk _adj_ (~t) Native American, American Indian, Amerindian

indianska _s_ (~n, indianskor) Native American woman (flicka girl), American Indian woman (flicka girl)

indianstam _s_ (~men, ~mar) Native American (American Indian) tribe

indicier _s pl_ jur., döma **på ~** ...on circumstantial evidence

Indien India

indier _s_ (~n, =) Indian

indignation _s_ (~en) indignation

indignerad _adj_ (indignerat, ~e) indignant [_över_ at]

indigo _s_ (~n) indigo

indikation _s_ (~en, ~er) indication äv. med.

indikativ _s_ (~en, ~er) gram. the indicative [mood]

indikator _s_ (~n, ~er) indicator äv. tekn. el. kem.

indirekt I _adj_ (=) allm. indirect; **~ _anföring_** indirect (reported) speech; **~ _belysning_** concealed lighting; **~ _skatt_** indirect tax **II** _adv_ indirectly; på indirekt väg by indirect means

indisk _adj_ (~t) Indian

indiska _s_ (~n, indiskor) kvinna Indian woman

Indiska Oceanen the Indian Ocean

indiskret _adj_ (=) indiscreet; taktlös tactless

indiskretion _s_ (~en, ~er) indiscretion; taktlöshet tactlessness (endast sg.)

indisponerad _adj_ (indisponerat, ~e) indisposed, out of sorts, not quite well

individ _s_ (~en, ~er) allm. individual; zool. äv. specimen;

vard., 'typ' äv. specimen, character; **en skum ~** a shady character (customer)

individualisera _vb tr_ (~de, ~t) individualize

individualism _s_ (~en) individualism

individualist _s_ (~en, ~er) individualist

individualistisk _adj_ (~t) individualistic

individuell _adj_ (~t) individual; **~t _program_** skol. individualized learner programme

indoeuropeisk _adj_ (~t) språkv. Indo-European

indoktrinera _vb tr_ (~de, ~t) indoctrinate

indoktrinering _s_ (~en, ~ar) indoctrination

Indonesien Indonesia

indonesisk _adj_ (~t) Indonesian

indrag _s_ (~et, =) typogr. indentation

indragen _adj_ (-draget, -dragna), **bli ~** inblandad _i_ be (get) mixed up (involved) in; **få körkortet indraget** get one's driving licence suspended (taken away); för alltid be disqualified from driving; jfr vidare _dra in_ under _dra IV_

indragning _s_ (~en, ~ar) **1** återkallande withdrawal; inställande discontinuation, suspension; avskaffande abolition; konfiskering confiscation; jfr _dra in_ under _dra IV_ **2** av vatten, elektricitet o.d. laying on

indriva _vb tr_ (-drev, -drivit) fordringar, skatter collect; på rättslig väg recover

indrivning _s_ (~en, ~ar) av fordringar, skatter collection; på rättslig väg recovery

indränkt _adj_ (=) soaked [_med (i)_ with (in)]

induktion _s_ (~en, ~er) fys. el. filos. induction

industri _s_ (~n, ~er) industry; **tung ~** heavy industry; **~ns** rationalisering el. rationaliseringen **inom ~n** vanl. industrial...; det går bra för **den svenska ~n** ...Swedish industry

industrialisera _vb tr_ (~de, ~t) industrialize; **det ~de England** industrial England

industrialisering _s_ (~en, ~ar) industrialization

industriarbetare _s_ (~n, =) industrial worker

industridesign _s_ (~en) industrial design

industriell _adj_ (~t) industrial

industrifastighet _s_ (~en, ~er) industrial premises pl.

industriföretag _s_ (~et, =) industrial concern (undertaking, enterprise)

industriidkare _s_ (~n, =) industrialist, manufacturer

industriland _s_ (~et, -länder) industrialized (industrial) country (nation), developed nation

industriområde _s_ (~t, ~n) industrial estate (amer. park)

industriort _s_ (~en, ~er) industrial centre (stad town, city)

industriprodukt _s_ (~en, ~er) industrial (manufactured) product

industrirobot _s_ (~en, ~ar) industrial robot

industrisamhälle _s_ (~t, ~n) industrial (industrialized) society

industrisemester _s_ (~n, -semestrar) ung. general industrial holiday (amer. vacation)

industrispionage _s_ (~t) industrial espionage

industristad _s_ (~en, -städer) industrial (manufacturing) town (city)

industriutsläpp _s_ (~et, =) industrial effluent

ineffektiv _adj_ (~t) om person o. sak inefficient; om sak äv. ineffective

inemot _prep_ nästan nearly, almost; han är **~ 60** äv. ...close on 60

inexakt _adj_ (=) inexact, inaccurate

infall s (~et, =) påhitt, idé idea, thought; nyck whim, fancy; **ett lyckligt** ~ a bright idea; vard. a brainwave

infalla vb itr (-föll, -fallit) inträffa fall; julafton **inföll på en onsdag** ...fell on a Wednesday; **den första perioden inföll** i början av seklet the first period took place...

infallen adj (-fallet, -fallna), **infallna kinder** sunken (hollow) cheeks

infallsvinkel s (~n, -vinklar) fys. angle of incidence; bildl. angle of approach

infam adj (~t) infamous; skändlig vile

infanteri s (~et) infantry; **vid ~et** in the Infantry

infanterist s (~en, ~er) infantryman, foot soldier

infantil adj (~t) infantile äv. psykol.

infarkt s (~en, ~er) med. infarct, infarction

infart s (~en, ~er) infartsled approach äv. sjöledes; privat uppfartsväg drive[way]; infartsport o.d. entrance, entrance gate; **förbud mot** ~ trafik. no entry

infartsparkering s (~en, ~ar) park-and-ride facilities pl.; **[systemet med]** ~ the park-and-ride system; själva parkeringsplatsen commuter car park

infatta vb tr (~de, ~t) kanta border, edge; ädelsten o.d. set, mount

infattning s (~en, ~ar) konkr. border, edge, setting, mount[ing], jfr infatta

infektera vb tr (~de, ~t) infect; friare poison; **stämningen var ~d** there was an atmosphere of hostility (a poisoned atmosphere)

infektion s (~en, ~er) infection

infektionsrisk s (~en, ~er) risk of infection

infektionssjukdom s (~en, ~ar) infectious disease

infernalisk adj (~t) infernal

inferno s (~t, ~n) inferno (pl. -s)

infibulation s (~en, ~er) typ av traditionell kvinnlig omskärelse infibulation

infiltration s (~en, ~er) infiltration äv. med.

infiltrera vb tr (~de, ~t) infiltrate äv. med.

infinit adj (=) gram. el. matem. infinite

infinitiv s (~en, ~er) gram. the infinitive [mood]

infinitivmärke s (~t, ~n) gram. [the] sign of the infinitive

infinna vb rfl (-fann, -funnit), ~ **sig** inställa sig put in an appearance, turn up; vara närvarande be present; visa sig appear, make one's appearance; ~ **sig hos ngn** t.ex. för att anhålla om ngt present oneself before sb

inflammation s (~en, ~er) inflammation

inflammera vb tr (~de, ~t) inflame; **debatten hade blivit ~d** the debate had become heated (inflamed)

inflation s (~en, ~er) inflation; **få ner ~en** bring down [the rate of] inflation

inflationsdämpande adj (oböjl.) disinflationary, anti-inflationary

inflationsskydd s (~et, =) inflationary rate safeguard

inflationstakt s (~en, ~er) inflation rate (level)

inflicka vb tr (~de, ~t) o. **inflika** vb tr (~de, ~t) interpose, interject, put in; i skrift insert

influens s (~en, ~er) influence äv. fys.

influensa s (~n, influensor) influenza; vard. [vanl. the] flu; **han ligger i** ~ he's down (laid up) with influenza ([the] flu)

influensavaccin s (~et, ~er) influenza vaccin

influensavirus s (~et, =) influenza virus

influera vb tr o. vb itr (~de, ~t) influence, have an influence on

inflygning s (~en, ~ar) mot flygplats approach; överflygning overflight

inflytande s (~t, ~n) bildl.: allm. influence [hos with; på on]; makt äv. ascendancy, sway [på over]; inverkan äv. effect; **ha** ~ **på** have an influence on, influence; **under** ~ **av** under the influence (sway) of, influenced by

inflytelserik adj (~t) influential; **en** ~ **man** äv. a man of influence

inflyttning s (~en, ~ar) moving in; i ett land immigration; ~**en till** städerna har ökat the number of people moving into...

inflyttningsfest s (~en, ~er) house-warming [party]

inflyttningsklar adj (~t) ...ready for occupation, ...ready to move into

inflöde s (~t, ~n) influx, inflow [i into]

infoga vb tr (~de, ~t) fit...in, insert; inkorporera incorporate; ~ **ngt i** ... fit (insert) sth into...

infordra vb tr (~de, ~t) allm. demand; hövligare request, solicit; ~ **anbud på** invite tenders for

informant s (~en, ~er) informant

information s (~en, ~er) **1** information (endast sg.); vard. info, gen; **användbar** ~ useful information; enstaka a useful piece of information **2 i ~en** vid informationsdisken at the information desk (counter)

informationsansvarig adj o. s (en ~, pl. ~a), **hon är** ~ she is in charge of information, she is the information officer (representative)

informationsbehandling s (~en, ~ar) data. information processing

informationsbyrå s (~n, ~er) information bureau, inquiry office

informationsflöde s (~t, ~n) information flow

informationsmöte s (~t, ~n) information meeting

informationssamhälle s (~t, ~n) information society, society dominated by massmedia

informationssekreterare s (~n, =) information officer

informationsteknik s (~en, ~er) o. **informationsteknologi** s (~n, ~er) information technology (förk. IT)

informativ adj (~t) informative, informatory

informator s (~n, ~er) [private] tutor [för to]

informatör s (~en, ~er) informant; pr-ansvarig public relations officer

informell adj (~t) informal

informera vb tr (~de, ~t) inform [om of], brief [om on]; **väl ~d** well-informed; **hålla ngn ~d om ngt** äv. keep sb posted about sth, vard. fill sb in on sth

infraljud s (~et, =) infrasound

infraröd adj (-rött) infrared

infrastruktur s (~en, ~er) ekon. infrastructure

infrastrukturminister s (~n, -ministrar) i Sverige Minister for Communications

infravärme s (~n) infrared heat; uppvärmning infrared heating

infria vb tr (~de, ~t) förhoppning, löfte fulfil, redeem; förbindelse äv. meet; skuld, lån discharge, pay off

infrusen adj (-fruset, -frusna) frozen [in]; **infrusna tillgångar** frozen assets

infrysning s (~en, ~ar) freezing

infånga vb tr (~de, ~t) catch; rymling o.d. äv. capture

infälld adj (-fällt), ~ **bild** inset

infödd I adj (-fött) native[-born]; **den ~a** inhemska **befolkningen** the indigenous population; **en** ~ **londonbo** a native of London, a native-born Londoner **II** s (en ~, pl. ~a), **en** ~ a native

infÖding *s* (~en, ~ar) native; urinvånare aborigine

infÖr *prep* (se äv. resp. huvudord) **1** i rumsbetydelse el. friare: allm. before; i närvaro av in the presence of; **~ den nyktra verkligheten** skingras alla drömmar face to face with (when it comes to) sober reality...; **häpna ~ ngt** be astonished at sth; **stå** (**ställas**) **~ ett svårt problem** be confronted with..., be brought up against..., be brought face to face with...; **ställd ~ [ett] fullbordat faktum** faced with an accomplished fact **2** i tidsbetydelse el. friare: omedelbart före on the eve of; vid at; med...i sikte at the prospect of; **~ julen** with Christmas at hand (approaching); **~ utsikten** (**hotet**) **att** + inf. el.+ sats at (faced with) the prospect (threat) of + ing-form

infÖra *vb tr* (-förde, -fört) ge spridning åt, t.ex. ett nytt mode introduce [*i* into]; påbjuda o.d. inaugurate, initiate; **~ utegångsförbud** impose a curfew; se vidare *föra in* under *föra IV* o. *importera*

infÖrande *s* (~t, ~n) **1** introduction etc., jfr *införa*; av annons insertion; i tidning publication **2** införsel importation

infÖrliva *vb tr* (~de, ~t) allm. incorporate; **~ ngt med sina samlingar** add sth to...

infÖrsel *s* (~n) **1** se *import* o. sammansättn. **2 ~ på lön** attachment of wages

infÖrskaffa *vb tr* (~de, ~t) procure, obtain; **~ upplysningar om** procure particulars about

infÖrstådd *adj* (-stått), **vara ~ med** agree (be in agreement) with, accept

inga *indef pron* se *ingen*

ingalunda *adv* sannerligen inte by no means; inte alls not at all

inge *vb tr* (-gav, -gett el. -givit) **1** lämna in, skrivelse o.d. hand in, present **2** ingjuta inspire, infuse, instil; **~ [ngn] förtroende** inspire [sb with] confidence; **~ ngn en känsla av...** inspire sb with (give sb) a feeling of..., instil a feeling of...into sb['s mind]

ingefära *s* (~n) ginger

ingen *indef pron* (inget, inga) **1** fören. no; **det kom inga brev i dag** there were no (weren't any) letters today; han är **~ dumbom** ...not a fool, mer känslobetonat: 'inte alls någon' no fool; **~ dum idé!** not a bad idea!; **~ människa** vanl. nobody; starkare 'inte en enda' not a [single] person; **det är ~ konst** it's easy enough; det är **~ tillfällighet att** ...no mere coincidence that; **2** självst. utan syftning **a)** om person, **ingen, inga** nobody, no one (båda sg.); ibland none pl.; **~s** ovän nobody's (no one's)...; **det var ~** (**inga**) **där** som jag kände there was nobody (no one) there...; **~ mer** får komma in no more people... **b)** allmänt neutralt, **inget** nothing; **inget är omöjligt** nothing is impossible **3** självst. med underförstått huvudord el. med partitiv konstr. none; han letade i fickorna efter cigaretter (en cigarett) men **hittade inga** (**~**) ...found none, ...did not find any (one); **~ av dem har** kommit tillbaka none of them have (has)...; inte en enda not one of them has...; av två neither of them has... **4 ~ annan** ingen annan människa vanl. nobody (no one) else; **~ annan** bok no other...; den här duger inte, **har du ~ annan?** ...haven't you got another (any other) [one]?, ...have you got no other [one]?; **~ annan** (**inga andra**) **av mina vänner har...** none of my other friends have (has)...

ingendera *indef pron* (ingetdera) fören. el. självst.: **a)** av

två neither **b)** av flera än två, se *ingen*; **~ delen** (**ingetdera**) stämmer neither of them...

ingenjÖr *s* (~en, ~er) engineer

ingenjÖrstrupper *s pl* engineers, sappers

ingenjÖrsvetenskap *s* (~en) [science of] engineering

ingenmansland *s* (~et) no man's land äv. bildl.

ingenstans *adv* nowhere; sådana metoder **kommer du ingenstans med** ...will get you nowhere

ingenting *indef pron* nothing; med partitiv konstr. none; **~ gott** kan komma av det no good...; **~ nytt** nothing new; inga nya kläder äv. no new things; inga nya meddelanden o.d. no news; **~ av detta** none of this; **det är ~ att ha** it is not worth having; **det bevisar ~** that does not prove anything; **jag har ~ att invända** I have no objection; hon gråter **för ~** ...on the slightest provocation

ingenvart *adv* se ex. under *2 vart*

inget *indef pron* se *ingen*

ingift *adj* (=), **bli ~ i** en familj marry into...

ingifte *s* (~t, ~n) **1** i en släkt, **genom ~ i...** by marrying into... **2** mellan nära släktingar intermarriage

ingivelse *s* (~n, ~r) inspiration, prompting; idé impulse, idea; **följa stundens ~** act on the impulse (spur) of the moment

ingjuta *vb tr* (-göt, -gjutit) bildl., **~ nytt liv i ngt** infuse new life into sth; jfr *inge 2*

ingrediens *s* (~en, ~er) ingredient; friare äv. constituent [element] [*i* of]

ingrepp *s* (~et, =) **1** med. [surgical] operation; **göra ett** [**operativt**] **~** perform an operation; göra ett snitt make an incision **2** intrång encroachment [*i* on]

ingress *s* (~en, ~er) introduction, preamble

ingripa *vb itr* (-grep, -gripit) vidta åtgärder intervene [*i* in]; framför allt hjälpande step in; störande, hindrande interfere [*i* in]; **~ mot** take measures (med laga åtgärder action) against, intervene against

ingripande *s* (~t, ~n) kraftfull åtgärd intervention, action; inblandning interference; **militärt ~** military intervention

ingrodd *adj* (-grott) t.ex. om smuts, fördomar ingrained; t.ex. om misstro, motvilja deeply rooted; attr. äv. deep-rooted

ingå I *vb itr* (-gick, -gått) **1** höra till, vara en [bestånds]del av, **~ i** be (form) [an integral] part of; inbegripas i be included in; **P. ~i** tillhör **laget** sport. P. is in the team; **det ~r i** hans skyldigheter att... it is one (part) of... **2 ~ i svaromål** reply to a charge **II** *vb tr* (-gick, -gått) stifta, t.ex. förbund o.d. enter into; t.ex. överenskommelse o.d. make; **~ avtal med** äv. arrive at (come to) an agreement with

ingående I *adj* (oböjl.) **1** bildl.: grundlig, t.ex. om förhör, granskning, studium thorough, close; t.ex. om kännedom äv. intimate; t.ex. om beskrivning, redogörelse detailed; uttömmande, t.ex. om samtal, undersökning exhaustive **2** bokf., se *ingående saldo* under *saldo* **II** *adv* thoroughly etc., jfr *ingående I 1* ovan; **kritisera** (**diskutera**) **ngt ~** criticize (discuss) sth in detail

ingång *s* (~en, ~ar) **1** konkr. entrance, way in; **stora ~en till...** the main entrance to... **2** tillträde entrance; **~ från gården** entrance from the yard; **förbjuden ~!** No Admittance! **3** början beginning, commencement; **fr.o.m. ~en av** nästa år from the beginning of... **4** elektr. el. radio. input

ingångslÖn *s* (~en, ~er) commencing (initial) wages pl. (månadslön salary)

ingångspsalm *s* (~en, ~er) opening hymn
inhalation *s* (~en, ~er) inhalation
inhalator *s* (~n, ~er) inhaler
inhalera *vb tr* (~de, ~t) inhale
inhandla *vb tr* (~de, ~t) buy, purchase
inhemsk *adj* (~t) domestic, home…, internal; *den* *~a befolkningen* the native population; *~a produkter* home (domestic) products; *växten är ~ i…* this plant is a native of (indigenous to)…
inhibera *vb tr* (~de, ~t) inställa cancel, call off
inhopp *s* (~et, =) **1** inblandning interference; *göra ett ~* interfere, intrude **2** ingripande, medling mediation, stepping-in; *göra ett ~* mediate, step in **3** sport., *göra ett ~* come on as a substitute
inhoppare *s* (~n, =) ersättare substitute, vard. sub, reserve äv. sport.; teat. understudy
inhuman *adj* (~t) inhuman, inhumane
inhysa *vb tr* (-hyste, -hyst) se *hysa in* under *hysa 2*
inhägna *vb tr* (~de, ~t) enclose; *~ ngt med staket* (resp. *mur, plank*) äv. fence (resp. wall, board) sth in
inhägnad *s* (~en, ~er) allm. enclosure; stängsel äv. fence
inhämta *vb tr* (~de, ~t) få veta, lära pick up, learn; skaffa sig obtain, procure [*av* i samtliga fall from]; *~ ngns råd* ask sb's advice, consult sb; *~ upplysningar om* obtain information (make inquiries) about
inifrån I *prep* from inside, from within, from the interior of **II** *adv* from inside; framför allt i friare bemärkelse from within
initial *s* (~en, ~er) initial
initialsvårighet *s* (~en, ~er) initial difficulty
initiativ *s* (~et, =) initiative; *på eget ~* on one's own initiative
initiativförmåga *s* (~n) o. **initiativkraft** *s* (~en) power of initiative
initiativrik *adj* (~t) enterprising
initiativtagare *s* (~n, =) initiator, promoter [*till* of]
initiera *vb tr* (~de, ~t) initiate
initierad *adj* (initierat, ~e) well-informed [*i* on], initiated [*i* in[to]]; vard. …in the know
injaga *vb tr* (~de, ~t) bildl., *~ skräck i ngn* strike terror into sb
injektion *s* (~en, ~er) injection äv. bildl.; bildl. äv. shot in the arm
injektionsnål *s* (~en, ~ar) [injection] needle
injektionsspruta *s* (~n, -sprutor) syringe; för injektion under huden hypodermic [syringe]; vard. hypo
injicera *vb tr* (~de, ~t) inject
inkafolket *s* (best. sing.) hist. the Incas pl.
inkalla *vb tr* (~de, ~t) se *kalla in* under *2 kalla II*
inkallad *s* (en ~, pl. ~e) person called up for military service; amer. draftee
inkallelse *s* (~n, ~r) **1** allm. summons **2** mil., inkallande calling up; amer. drafting, induction; order om tjänstgöring call-up; amer. draft call, the draft
inkallelseorder *s* (~n, =) calling-up (amer. draft) papers pl.
inkapslad *adj* (-kapslat, ~e) encapsulated äv. med.; om t.ex. tumör encysted
inkarnation *s* (~en, ~er) incarnation
inkassera *vb tr* (~de, ~t) collect, pocket, take in; lösa in cash
inkassering *s* (~en, ~ar) collection [of debts]; inkasserande collecting; *till ~* for collection
inkasso *s* (~t) se *inkassering*
inkassoföretag *s* (~et, =) debt collection firm

inkassokrav *s* (~et, =) debt collection demands pl.
inkassouppdrag *s* (~et, =) collection order
inkast *s* (~et, =) **1** sport. throw-in; *göra [ett] ~* take a throw-in **2** myntinkast slot **3** se *brevinkast*
inkludera *vb tr* (~de, ~t) include, comprise
inklusive *prep* including, inclusive of, …included
inklämd *adj* (-klämt) jammed (squeezed, wedged) in; *~ mellan* två personer sandwiched between…
inkognito *adv* incognito
inkokt *adj* (=) frukt, grönsaker preserved…, bottled…; fisk poached cold…
inkomma *vb itr* (-kom, -kommit) se *komma in* under *2 komma III*
inkommande *adj* (oböjl.), *~ post* incoming mail
inkompatibel *adj* (~t, inkompatibla) incompatible
inkompetens *s* (~en) oduglighet incompetence, disability
inkompetent *adj* (=) oduglig incompetent [*för* (*till*) for; *till att* + inf. to + inf.]
inkomst *s* (~en, ~er) **1** income [*av* from; *på* (*om*) of]; *mina ~er och utgifter* my income and expenditure; *~ av kapital* som skatteterm unearned income; *~ av tjänst* som skatteterm earned income **2** *~[er]* intäkter receipts [*av* from], takings [*av* from], proceeds [*av* of] (samtliga pl.); statens, kommunens revenue[s pl.] [*av* from]
inkomstbeskattning *s* (~en) taxation of income
inkomstbortfall *s* (~et, =) loss of income (statligt o.d. revenue)
inkomstkälla *s* (~n, -källor) source of income (statlig o.d. revenue)
inkomstläge *s* (~t, ~n) level of income
inkomstprövning *s* (~en) means test
inkomstskatt *s* (~en, ~er) income tax
inkomsttagare *s* (~n, =) wage (income) earner, salaried employee
inkomstår *s* (~et, =) income year
inkomstökning *s* (~en, ~ar) increase in earnings, rise of income
inkongruens *s* (~en, ~er) incongruity
inkongruent *adj* (=) allm. incongruous
inkonsekvens *s* (~en, ~er) inconsistency; bristande logik inconsequence
inkonsekvent *adj* (=) inconsistent; ologisk inconsequent
inkontinens *s* (~en) med. incontinence
inkontinent *adj* (=) med. incontinent
inkorg *s* (~en, ~ar) för post in tray
inkorporera *vb tr* (~de, ~t) incorporate [*i* (*med*) in[to]]
inkorrekt I *adj* (=) incorrect **II** *adv* incorrectly
inkråm *s* (~et) i bröd crumb; i fågel innards
inkräkta *vb itr* (~de, ~t) encroach, trespass; tränga [sig] in äv. intrude [*på* i samtliga fall [up]on]; *~ på* t.ex., rättigheter äv. infringe
inkräktare *s* (~n, =) encroacher, trespasser, intruder, infringer; jfr *inkräkta*; i ett land invader [*i* of]
inkrökt *adj* (=) self-absorbed
inkubationstid *s* (~en, ~er) med. incubation period
inkvartera *vb tr* (~de, ~t) mil. billet, quarter [*hos* on]; friare äv. lodge, accommodate [*hos* with]
inkvartering *s* (~en, ~ar) billeting etc., jfr *inkvartera*; accommodation
Inkvisitionen hist. the Inquisition

inkvisitorisk *adj* (~t) inquisitorial

inköp *s* (~et, =) purchase; *det kostar* 500 kronor *i* ~ the cost price is...; *för* (*till*) ~ *av* kläder for buying..., for the purchase of...

inköpare *s* (~n, =) buyer, purchaser

inköpsavdelning *s* (~en, ~ar) purchasing (buying) department

inköpschef *s* (~en, ~er) head (chief) buyer, purchasing manager

inköpspris *s* (~et, = el. ~er) cost (purchase) price; sälja *till* (*under*) ~[*et*] ...at (below) cost (purchase) price

inköpsställe *s* (~t, ~n) place of purchase

inkörd *adj* (-kört) om bil: intrimmad run in; *vara väl* ~ *på* jobbet have got the hang of...

inkörningsperiod *s* (~en, ~er) running-in period äv. bildl.

inkörsport *s* (~en, ~ar) entrance [gate]; själva öppningen el. bildl. gateway

inlaga *s* (~n, -lagor) **1** skrivelse petition, memorial, address; jur. äv. plea **2** i bok insert

inlagd *adj* (-lagt) (jfr äv. *lägga in* under *lägga IV*); i ättika o.d. pickled; ~ *sill* pickled herring

inland *s* (~et) mots. till kustland inland, interior [parts pl.]

inlandsis *s* (~en, ~ar) inland ice

inlandsklimat *s* (~et, =) inland climate

inleda *vb tr* (-ledde, -letts) **1** börja begin; t.ex. affärsförbindelser, debatt, möte, samtal open; t.ex. undersökningar institute, set...on foot, initiate; t.ex. angrepp, offensiv launch; ~ *bekantskap* form an acquaintance; ~ *förhandlingar* open (enter into, enter upon, initiate) negotiations **2** *inled oss icke i frestelse* lead us not into temptation; jfr vidare *leda in* under *3 leda III*

inledande *adj* (oböjl.) introductory, opening, preliminary, initial; ~ *förberedande* *möte* opening (preliminary, initial) meeting

inledning *s* (~en, ~ar) **1** början beginning, opening; upptakt prelude **2** förord, grundlinjer introduction

inledningsanförande *s* (~t, ~n) introductory (opening) speech (address), keynote address

inledningsskede *s* (~t, ~n) initial stage, preliminary phase

inledningsvis *adv* by way of introduction

inlemma *vb tr* (~de, ~t) incorporate [*i* in]

inlevelse *s* (~n) feeling, insight

inlevelseförmåga *s* (~n) power of insight; i en roll ability to live a (resp. the) part

inlindad *adj* (-lindat, ~e) wrapped up; ~*e* dolda *hot* veiled (disguised) threats

inlines *s pl* rullskridskor in-line skates, rollerblades

inloggning *s* (~en, ~ar) data. login, logon

inlopp *s* (~et, =) **1** infartsled entrance, approach; ~*et till* Stockholm the sea-approach to... **2** flods inflöde inflow [*i* into] **3** tekn. inlet, intake

inlåning *s* (~en, ~ar) bank. deposits pl.; inlånande receiving...on deposit

inlåningsränta *s* (~n, -räntor) bank. interest on deposits; räntefot deposit rate

inlåst *adj* (=), *vara* ~ el. *bli* ~ be locked in (up)

inlåta *vb rfl* (-lät, -låtit), ~ *sig i* (*på*) a) t.ex. diskussion, tävlan enter into... b) t.ex. affärer embark (enter) upon... c) t.ex. samtal, politik, strid engage in... d) t.ex.

tvivelaktig transaktion get mixed up in...; ~ *sig med ngn* have dealings with sb

inlägg *s* (~et, =) **1** i diskussion o.d. contribution [*av* ngn from...; *i* to] **2** fotb. cross, centre; *på ett* ~ *från A.* from a cross (centre) from A.

inläggning *s* (~en, ~ar) **1** a) konservering preserving etc., jfr *lägga in* under *lägga IV* b) inlagd matvara preserved fruits pl. (vegetables pl.) etc. **2** snick. el. konst. a) abstr. inlaying b) konkr. inlay

inläggssula *s* (~n, -sulor) insole

inlämna *vb tr* (~de, ~t) se *lämna in* under *lämna II*

inlämning *s* (~en, ~ar) **1** inlämnande handing (sending) in, delivery; av post posting; till förvaring leaving **2** inlämningsställe receiving-office; jfr äv. *bagageinlämning* m.fl. sammansättn.

inlämningsdag *s* (~en, ~ar) o. **inlämningsdatum** *s* (~et, =) date of posting; sista ~ date (day) on which an application etc. must be handed in (posted)

inlärning *s* (~en) learning, training; utantill memorizing

inlöpa *vb itr* (-löpte, -löpt) om underrättelse o.d. come in (to hand, through), arrive

inlösa *vb tr* (-löste,-löst) se *lösa in* under *lösa I 5*

inlösen *s* (=, en) allm. redemption; av check cashing; av växel honouring, payment

inmarsch *s* (~en, ~er) entry; invasion invasion [*i* into]

inmatning *s* (~en, ~ar) **1** data. input **2** tekn. feeding, intake [*i* into]

inmundiga *vb tr* (~de, ~t) skämts. partake of

inmönstring *s* (~en, ~ar) mil. enrolment; amer. enrollment

innan I *konj* before; i samband med nekande uttryck ibland (i betydelsen 'förrän') until; ~ *dess* se *dessförinnan*; ~ *du berättade det,* visste jag ingenting om saken until (before) you told me...; se äv. ex. under *dröja 4* **II** *adv* **1** tidsbetydelse, se *2 förut 2* rumsbetydelse, *utan och* ~ se *utan II*

innandöme *s* (~t, ~n) inside, interior (båda sg.); *jordens* ~[*n*] the bowels of the earth

innanför I *prep* inside, within; bakom t.ex. disken behind; *alldeles* ~ *dörren* just inside the door; ~ *murarna* within (inside) the walls; ~ *rocken* under the (his etc.) coat **II** *adv*, *i rummet* ~ in the room beyond

innanhav *s* (~et, =) inland sea

innanlår *s* (~et, =) av kalv fillet; av oxe o.d. thick flank

innanmäte *s* (~t, ~n) innandöme inside, interior (båda sg.); i djurkropp entrails, guts, bowels (samtliga pl.); i frukt o.d. pulp

innantill *adv*, *läsa* ~ read from the book etc.

inne I *adv* **1** rumsförh. el. bildl.: allm. in; inomhus indoors; inne i huset (stallet etc.) äv. in the house (stable etc.); *det är kallare* ~ *än ute* ...indoors than outdoors (out of doors); *vara* ~ be in äv. sport.; ~ *i* a) t.ex. huset, bilen in, inside b) t.ex. staden, skogen in; *jag har varit* ~ *i stan* I have been in [to] town; *längst* ~ *i* garderoben at the back of...; *han var så* ~ *i* samtalet att han inte märkte... he was so absorbed by...; *jag har varit* ~ *på den tanken* I have thought of (about) that myself; *medan vi är* ~ *på detta ämne* while we are on (we are dealing with) this subject

2 tidsförh.: *nu är tiden* ~ *att* + inf. now the time has come to + inf.; *när tiden är* ~ äv. in due time; *den stora dagen var* ~ ...was here (there, had come)

II *adj* (oböjl.) in;; *det är ~ att...* it's the latest (in) thing to...

innebandy *s* (~n) sport. floorball

inneboende I *adj* (oböjl.) naturlig, medfödd inherent; egentlig intrinsic; *vara ~ bo hos ngn* lodge with sb **II** *s* (en ~, pl. =) lodger; amer. äv. roomer

innebränd *adj* (-bränt), *bli ~* i ett hus be burnt to death in a house

innebära *vb tr* (-bar, -burit) betyda imply, mean, signify; föra med sig äv. involve

innebörd *s* (~en, ~er) betydelse meaning, signification, import; innehåll content; innehåll o. räckvidd purport [*av* (*i*) i samtliga fall of]; *mitt liv fick en helt ny ~* ...quite a new meaning (significance)

innefatta *vb tr* (~de, ~t) innesluta i sig contain; inbegripa include, comprise; bestå av consist of; omfatta embrace

innefolk *s* (~et), *~et* the in-crowd, the jet set, the trendsetters

inneha *vb tr* (-hade, -haft) hold, be in possession of, have...in one's possession; *~ rekordet* hold the record; *~ ett högt ämbete* hold (occupy) a high office

innehav *s* (~et, =) ägande possession, ownership; mera konkr. holding; *hans ~ av aktier var stort* his holding of shares...

innehavare *s* (~n, =) t.ex. av mästerskap, värdepapper, ämbete holder; besittare possessor; ägare owner

innehåll *s* (~et, =) contents pl.; tankeinnehåll el. innebörd samt procenthalt o.d. content; huvud~ substance; *hennes liv fick nytt ~* ...took on a new meaning (purpose); *till ~et* as regards the contents

innehålla *vb tr* (-höll, -hållit) contain; *vad innehåller lådan?* äv. what is there in...?

innehållsdeklaration *s* (~en, ~er) declaration of contents (av ingredienser ingredients)

innehållsförteckning *s* (~en, ~ar) table (list) of contents [*till* of], index [*till* to (of)]

innehållslös *adj* (~t) empty; attr. äv. ...containing very little

innehållsrik *adj* (~t) attr. ...containing a great deal (lots of things); mångsidig, omfattande comprehensive, substantial; *en ~* händelserik *dag* an eventful day; *ett ~t liv* an eventful (a full) life

inneliggande *adj* (oböjl.) **1** *~ order* orders on hand; *~ lager* the stock on (in) hand **2** *~ patient* inpatient

innerbana *s* (~n, -banor) sport. inside track

innerdörr *s* (~en, ~ar) inner door

innerficka *s* (~n, -fickor) inside pocket

innerfil *s* (~en, ~er) trafik. inner lane

innerkant *s* (~en, ~er) inside (inner) edge

innerkurva *s* (~n, -kurvor) på väg inside [of a (resp. the)] curve

innerlig *adj* (~t) förtrolig intimate; djupt känd heartfelt, sincere; *~ avsky* intense dislike; *~ kärlek* devoted (ardent) love; *min ~aste önskan* my dearest wish

innerlighet *s* (~en) intimacy; sincerity; intensity, devotedness, ardour; jfr *innerlig*

innermått *s* (~et, =) inner (inside) measurements

innersida *s* (~n, -sidor) inner side

innerskär *s* (~et, =) sport., *åka ~* do the inside edge

innerst *adv*, *~* [*inne*] a) eg. farthest in; på den inre sittplatsen on the inside; i mitten in the middle; i bortre ändan at the farthest end b) bildl. deep down, in one's heart of hearts; i grund och botten at heart

innersta *adj* (superlativ) eg. innermost; friare inmost; *hans ~ tankar* his inmost thoughts; *i sitt* (*mitt*) *~* in one's (my) heart [of hearts]

innerstad *s* (~en el. -stan) inner city; *i ~en* in the centre (central part) [of the town]

innersula *s* (~n, -sulor) insole

innertak *s* (~et, =) ceiling

innertrappa *s* (~n, -trappor) inside (inner) staircase (stairs pl.)

innervägg *s* (~en, ~ar) interior (inside) wall; mellanvägg partition

inneröra *s* (~t, -öron) anat. internal ear, labyrinth

innesko *s* (~n, ~r) indoor shoe

innesluta *vb tr* (-slöt, -slutit) allm. enclose, envelop båda äv. mil.; omge encompass, encircle, surround äv. mil.; innefatta include

innestående *adj* (oböjl.) insatt på bankkonto deposited, ...on deposit; *~ fordringar* claims remaining to be drawn; *~ lön* salary (wages) due

inneställe *s* (~t, ~n) vard. in-place, in-spot

innestängd *adj* (-stängt) shut (closed) in; inlåst locked in

innevarande *adj* (oböjl.) om tid present; löpande äv. current; *~ år* the current year, this year; *den 3 i ~ månad* adv. on the third of this month

innevånare *s* (~n, =) se *invånare*

innovation *s* (~en, ~er) innovation

innovatör *s* (~en, ~er) innovator

inofficiell *adj* (~t) unofficial, non-official; t.ex. besök äv. informal

inom *prep* **1** i rumsbetydelse el. friare within; innanför äv. inside; inuti, i äv. in, jfr ex.; *~ industrin* in [the sphere of] industry; frågan diskuterades först *~ partiet* ...within (inside) the party; *~ styrelsen* bland styrelsemedlemmarna among the members of the board; *~ sig* i sitt inre inwardly, in one's heart (mind), within one; *han tänkte ~ sig* för sig själv ...to himself; se äv. resp. subst. **2** i tidsbetydelse: inom gränserna för within; i betydelsen 'om', 'under' äv. in; 'på kortare tid än' äv. in under (less than), inside; *~* [*loppet av*] *ett år* in (within) [the course of] a year; *~ den närmaste tiden* in the immediate future; *~ kort* in a short time, shortly

inombords *adv* bildl. inside; *han har mycket ~* inom sig he has got a lot in him; *jag måste få lite ~* ngt att äta och dricka I must get something inside me

inombordsmotor *s* (~n, ~er) inboard motor (engine)

inomhus *adv* indoors

inomhusarbete *s* (~t, ~n) indoor work

inomhusbana *s* (~n, -banor) för idrott indoor track; för tennis covered court; för ishockey [indoor] rink

inomhusbruk *s* (~et) indoor use

inomskärs *adv* inside the [belt of the] skerries

inordna *vb tr* (~de, ~t) placera, inrangera arrange [...in order], range; *~ ngt i* ett system fit sth in (into)...; *~ sig i* samhället conform to...

inpackning *s* (~en, ~ar) **1** inslagning packing (wrapping) up, wrapping [in], packaging **2** omslag med olja, vatten o.d. pack

inpass *s* (~et, =) interjection; avbrott interruption; *göra ett ~* throw in a remark

inpiskad *adj* (-piskat, ~e) thoroughpaced...; out-and-out...; *en ~ lögnare* an inveterate (a consummate) liar; *en ~ skurk* an arch villain

inplanta *vb tr* (~de, ~t) implant [*hos ngn* in sb, in sb's heart (mind)]

inplastad *adj* (-plastat, ~e) plasticized, ...enclosed in (coated with) plastic

inprägla *vb tr* (~de, ~t) bildl. engrave, impress; *~ ngt i minnet* engrave (impress) sth [up]on one's mind

inpränta *vb tr* (~de, ~t), *~ ngt hos ngn* impress sth on sb; vard. drum sth into sb

inpyrd *adj* (-pyrt), *~ med rök* reeking with smoke

inpå I *prep* **1** i rumsbetydelse, *våt ~ bara kroppen* wet to the [very] skin; *alldeles ~ ngn* (ngt) quite close [up] to... **2** i tidsbetydelse, *till långt ~ natten* until far into...; *ett stycke ~* tredje året a little way [on] into...; *nära ~* julen close [on] to... **II** *adv*, *för tätt ~* too close (near) [to it (him etc.)]

inramad *adj* (-ramat, ~e) framed äv. bildl. [*av* by]

inramning *s* (~en, ~ar) framing; konkr. frame; friare äv. setting, framework (endast sg.)

inrapportera *vb tr* (~de, ~t) report

inre I *adj* (oböjl.) **1** belägen längre in inner, interior, inside; invärtes, intern internal; *~ angelägenheter* lands, förenings internal affairs; lands äv. domestic affairs; *den ~ kretsen* the inner circle; *~ marknad* single (internal) market **2** som hör till själslivet inner, inward; egentlig intrinsic; *en ~ drift* an impulse from within; *~ kamp* inner (inward) struggle; *~ monolog* interior monologue; *för hans ~ syn* to (in) his mind's eye **II** *s* (oböjl., ett) innandöme inside; persons inner man (woman); *hela mitt ~* upprördes my whole soul (being)...; *det ~* av landet the interior...; den smärta hon kände *i sitt ~* vanl. ...inwardly

inreda *vb tr* (-redde, -rett) fit up, equip [*till* as]; decorate; med möbler furnish; *vackert inredd* beautifully appointed (decorated)

inredning *s* (~en, ~ar) **1** inredande fitting-up, equipment, decoration, furnishing **2** konkr. [interior] fittings (appointments); väggfast ~ fixtures (samtliga pl.) [*i* in (of)]

inredningsarkitekt *s* (~en, ~er) interior designer (decorator)

inregistrera *vb tr* (~de, ~t) register [*på ngn* in sb's name]; hos domstol äv. enrol, amer. enroll; anteckna record

inregistrering *s* (~en, ~ar) registering etc., jfr *inregistrera*; registration; enrolment, amer. enrollment

inresa *s* (~n, -resor) inward journey (sjö. voyage, passage); till ett land entry, arrival

inresetillstånd *s* (~et, =) permission to enter the (resp. a) country; konkr. entry permit

inresevisum *s* (~et, = el. -visa) entry visa

inrikes I *adj* (oböjl.) inhemsk domestic, home, internal **II** *adv* within (in) the country

Inrikesdepartementet i Storbr. the Home Office; i USA the Department of the Interior

inrikesflyg *s* (~et) domestic aviation; *~et* flygbolaget domestic airlines pl.; flygningarna domestic flights pl.

inrikeshandel *s* (~n) domestic (home) trade

inrikesminister *s* (~n, -ministrar) i Storbr. Home Secretary, Secretary of State for the Home Department; i USA Secretary of the Interior

inrikesnyheter *s pl* domestic (home) news sg.

inrikespolitik *s* (~en) domestic politics pl. (politisk linje, tillvägagångssätt policy)

inrikespolitisk *adj* (~t), *en ~ debatt* a debate on domestic policy; *en ~ fråga* a question relating to domestic policy; *av ~a skäl* for reasons of domestic policy

inrikesporto *s* (~t, ~n) domestic (inland) postage

inrikesterminal *s* (~en, ~er) flyg. domestic terminal

inrikta I *vb tr* (~de, ~t) se *rikta in* under *rikta I* **II** *vb rfl* (~de, ~t), *~ sig på* se *vara inriktad på* under *inriktad*

inriktad *adj* (-riktat, ~e), *socialt ~* verksamhet ...that has social aims in view; *vara ~ på att* + inf. a) sikta mot aim at + ing-form, be bent on + ing-form b) koncentrera sig på concentrate on + ing-form, direct one's energies towards + ing-form; *han är mera ~ på* lagd för he has a greater propensity for

inriktning *s* (~en, ~ar) **1** målsättning [aim and] direction; koncentration concentration; regeringen *vill ha en ~ mot ökad jämlikhet* ...are aiming at a greater measure of equality; *hans ~ på* pengar his preoccupation with...; *~ på väsentligheter* concentration on essentials; *med ~ på* with the emphasis on **2** justering adjusting, putting...in position; i linje med något alignment; av vapen sighting, aiming

inristning *s* (~en, ~ar) engraving (endast sg.), carving, inscription

inrop *s* (~et, =) vid auktion purchase

inropning *s* (~en, ~ar) på scen o.d. call; efter ridåfallet curtain call

inrotad *adj* (-rotat, ~e) t.ex. om ovilja, fördom deep-rooted; t.ex. om respekt deep-seated; t.ex. om vana inveterate, ingrained

inrutad *adj* (-rutat, ~e), *en ~ tillvaro* a humdrum (stereotyped) existence; *min dag är helt ~* my day is fully planned in detail

inryckning *s* (~en, ~ar) till militärtjänst reporting for duty

inrymma *vb tr* (-rymde, -rymt) innehålla contain; inbegripa include; finna plats för find room for; *biblioteket är inrymt* i övervåningen the library is housed (located)...

inrådan *s* (=, en), *på* (*mot*) *min ~* on (contrary to) my advice

inräknad *adj* (-räknat, ~e), *sex personer, föraren ~* six, counting (including) the driver; *moms ~* including VAT

inrätta I *vb tr* (~de, ~t) **1** grunda establish, set up, start; *~ en befattning* create a post; *~ en skola* found a school; *vi har ~t ett lagerrum på vinden* we have had [part of] the attic fitted up as a storeroom **2** anordna arrange, organize; *~ sitt liv efter ngt* order one's life according to (adapt one's life to) sth; *speciellt ~d för ngt* especially constructed (adapted) for sth **II** *vb rfl* (~de, ~t) *~ sig* a) bekvämt settle down... b) anpassa sig adapt (accommodate) oneself [*efter* (*för*) to]

inrättning *s* (~en, ~ar) anstalt establishment; social äv. institution

inrökt *adj* (=), *en ~ pipa* a pipe that has been broken in; *ett ~ rum* a room that reeks of smoke

insamling *s* (~en, ~ar) hopsamling collection, fund; penning~, vard. whip-round [*för* for (in aid of)]

insamlingsställe *s* (~t, ~n) collecting depot

insats *s* (~en, ~er) **1** lös del i ngt liner, inset, insertion **2** i spel o.d. stake[s pl.]; kontant~ deposit; *det var ett uppdrag med livet som ~* ...in which [his (her) etc.]

life was at stake **3** prestation achievement, work (endast sg.), effort; bidrag contribution; idrotts~ performance; **göra en ~ för** (**i**) make a contribution to, contribute one's share to, work (do something) for; **han har gjort en stor ~ inom** föreningen he has done great work (a great job) for...

insatslägenhet *s* (~en, ~er) ung. cooperative [building-society] flat (amer. apartment)

insatt *adj* (=) **1 vara ~ i...** hemmastadd be familiar (at home) with...; kunnig be well up on...; veta om know a lot about... **2 ~ kapital** paid-in (invested) capital

inse *vb tr* (-såg, -sett) see, perceive, understand; vara på det klara med äv. realize; **jag kan inte ~** hur I do not (I fail to) see...; **av lätt ~dda skäl** for obvious reasons

insegel *s* (-seglet, =) seal

insekt *s* (~en, ~er) insect; amer. vard. bug

insektsbekämpning *s* (~en, ~ar) insect control

insektsbett *s* (~et, =) insect-bite

insektshåv *s* (~en, ~ar) butterfly-net

insektsmedel *s* (-medlet, =) insecticide

insektsätande *adj* (oböjl.) zool. insectivorous

insektsätare *s* (~n, =) zool. insect-eater; vetensk. insectivore

insemination *s* (~en, ~er) insemination

inseminera *vb tr* (~de, ~t) inseminate

insexnyckel *s* (~n, -nycklar) Allen key (amer. wrench)

insida *s* (~n, -sidor) inside, inner side; i betydelsen 'inre' interior; **från ~n** äv. from within; **använd ~n!** vard. use your head (loaf)!

insideraffärer *s pl* ekon. insider trading (dealing) sg.

insikt *s* (~en, ~er) **1** förståelse understanding [*i* of]; **komma till ~ om ngt** realize (see) sth, become alive to (aware of) sth **2** kännedom knowledge [*i* (*om*) of]; **ha goda ~er i** ett ämne have a sound knowledge of...

insiktsfull *adj* (~t) om person well-informed; attr. äv. ...showing insight; om skildring penetrating, discerning; t.ex. om ledning competent

insinuant *adj* (=) insinuating

insinuera *vb tr* o. *vb itr* (~de, ~t) insinuate

insistera *vb itr* (~de, ~t) insist; **~ på** [**att ngn kommer**] insist on [sb's coming]

insjukna *vb itr* (~de, ~t) fall (be taken) ill, go down [*i* with]

insjungning *s* (~en, ~ar) recording

insjunken *adj* (-sjunket, -sjunkna) sunken

insjö *s* (~n, ~ar) lake

insjöfisk *s* (~en, ~ar) freshwater (lake) fish

inskjuta *vb tr* (-sköt, -skjutit) inflicka interpose, interject, put in; se vidare skjuta in under skjuta II

inskolning *s* (~en, ~ar) acclimatization [at school]

inskrift *s* (~en, ~er) o. **inskription** *s* (~en, ~er) allm. inscription; på gravsten äv. epitaph; runt mynt o.d. äv. legend

inskriven *adj* (-skrivet, -skrivna), **vara ~ vid** skola, kår o.d. be enroled (amer. enrolled) at...; universitet o.d. be a registered student at...; t.ex. regemente äv. be enlisted at...; jfr vidare skriva in under skriva II

inskrivning *s* (~en, ~ar) **1** i skola o.d. enrolment (amer. enrollment); mil. äv. enlistment; vid universitet o.d. registration **2** jur. el. bokf. registration **3** data. keyboarding

inskrivningsavgift *s* (~en, ~er) skola o.d. enrolment (vid universitet o.d. registration) fee

inskränka I *vb tr* (-skränkte, -skränkt) begränsa restrict, limit, confine; minska reduce, cut [down] **II** *vb rfl* (-skränkte, -skränkt), **~ sig till** a) nöja sig med confine (restrict) oneself to [*till att* + inf. to + ing-form·] b) endast röra sig om be limited (confined, restricted) to, reduce itself to, only amount to [*till att* + inf., i samtliga fall to + ing-form·]

inskränkning *s* (~en, ~ar) restriction, limitation, reduction; förbehåll qualification, modification; regeln gäller **med vissa ~ar** ...with certain qualifications

inskränkt *adj* (=) **1** eg. restricted etc., jfr *inskränka*; **~ monarki** a limited monarchy **2** om person limited; trångsynt narrow[-minded]

inskränkthet *s* (~en) trångsynthet narrow-mindedness

inskärning *s* (~en, ~ar) snitt incision; skåra cut, notch; t.ex. i kust indentation

inskärpa *vb tr* (-skärpte, -skärpt) inpränta inculcate, enjoin, impress; eftertryckligt framhålla stress, bring home; **~ vikten av ngt hos ngn** bring home to (impress on) sb the importance of sth

inslag *s* (~et, =) **1** vävn., koll. weft **2** bildl., allm. element; del, 'nummer' äv. feature; drag äv. strain, streak; tillsats äv. contribution; **ett färgstarkt ~ i** gatubilden a colourful contribution to...; **ett intressant ~ i** programmet an interesting feature of...; **ett ~ av** t.ex. fåfänga, grymhet, humor a streak of...; **ett ~ av** t.ex. mysticism, psykisk sjukdom a strain of...

inslagen *adj* (-slaget, -slagna) **1** wrapped; attr. äv. ...that has been wrapped (done) up; **~ som present** gift-wrapped **2** inslagna fönsterrutor smashed windows

insläpp *s* (~et, =), **~ av** människor admission; luft~ inlet, opening

insmickrande *adj* (oböjl.) ingratiating, blandishing; **~ leende** ingratiating smile

insmord *adj* (-smort) greased, oiled; med ngt tjockt smeared; **vara ~ med sololja** have sun oil [rubbed] on

insmyga *vb rfl* (-smög, -smugit), **ett fel har insmugit sig** [*i* texten] an error has slipped (crept) in[to]...

insnöad *adj* (-snöat, ~e) **1** bli ~ get (be) snowed up el. in, get (be) snow-bound; utsatt för snöhinder äv. get (be) held up by [the] snow **2** vara ~ vard., gammalmodig be square

insolvens *s* (~en) insolvency

insolvent *adj* (=) insolvent

inspark *s* (~en, ~ar) fotb. goal kick; **göra ~** take a goal kick

in spe *adv*, **min svåger ~** my brother-in-law to be; **en popstjärna ~** a would-be (vard. wannabe) pop star

inspektera *vb tr* (~de, ~t) inspect

inspektion *s* (~en, ~er) inspection; **göra en ~ av** carry out an inspection of, inspect

inspektionsrunda *s* (~n, -rundor) tour of inspection

inspektör *s* (~en, ~er) allm. inspector; besiktningsman o.d. äv. surveyor; kontrollör supervisor; polis~ inspector

inspelad *adj* (-spelat, ~e), **~ kassett** prerecorded cassette, jfr vidare spela in under spela II

inspelning *s* (~en, ~ar) allm. recording; film~ production; inspelande äv. producing, filming; **jag har en ~** klockan fem I have a recording [session]...; filmen **är under ~** ...is being produced

inspelningsband *s* (~et, =) tomt kassettband recording (magnetic) tape

inspelningsstudio *s* (~n, ~r) recording studio

inspiration *s* (~en, ~er) inspiration

inspirera *vb tr* (~de, ~t) inspire

insprutning *s* (~en, ~ar) injection; i förbränningsmotor fuel injection

inspärrad *adj* (-spärrat, ~e) shut (looked) up; *hålla ngn ~* äv. detain sb

inspärrning *s* (~en, ~ar) confinement, incarceration

instabil *adj* (~t) unstable

installation *s* (~en, ~er) **1** anslutning av el., telefon o.d. installation; elektr. äv. wiring **2** invigning till ämbete installation, inauguration; av biskop äv. enthronement

installatör *s* (~en, ~er) electrician, installation engineer

installera I *vb tr* (~de, ~t) **1** ansluta (el., telefon o.d.) install äv. data. [*i* in; *på* on]; dra in telefon m.m. äv. put in; tekn. äv. set up, mount **2** inviga till ämbete install, inaugurate [*i* into]; biskop äv. enthrone [*i* in] **II** *vb rfl* (~de, ~t), *~ sig* flytta in install (settle, establish) oneself

instans *s* (~en, ~er) jur. instance; myndighet authority; *gå till högre ~* carry the case to a higher court; *i högsta ~* in the final court of appeal

insteg *s* (~et), *vinna ~* get (obtain, gain) a footing [*hos ngn* with sb]; få spridning, t.ex. om åsikt, sed äv. be introduced, begin to be adopted; få fotfäste, t.ex. om rörelse i ett land, nytt ord äv. establish itself

instifta *vb tr* (~de, ~t) ngt högtidl., t.ex. orden, pris institute; relig. äv. ordain; grunda, t.ex. fond establish, found

instiftare *s* (~n, =) grundare founder

instinkt *s* (~en, ~er) instinct; *sunda ~er* healthy instincts; *av ~* by instinct

instinktiv *adj* (~t) instinctive

institut *s* (~et, =) **1** allm. institute [*för* for (of)]; läroanstalt äv. school, college; t.ex. bank~ institution **2** jur. institution

institution *s* (~en, ~er) allm., läroanstalt institute, school; *engelska ~en* vid universitet the Department of English, the English Department

instruera *vb tr* (~de, ~t), *~ ngn i ngt* teach sb sth; *~ ngn* ge föreskrifter *att* + inf. instruct sb to + inf.; *~* undervisa *ngn om hur han ska* + inf. brief sb as to how to + inf.

instruktion *s* (~en, ~er) **1** handledning instruction; *~[er]* föreskrift instructions; anvisning directions (båda pl.); information, t.ex. mil. briefing; *få sina ~er* receive one's instructions, be briefed **2** skrift, bok instructions pl.

instruktionsbok *s* (~en, -böcker) instruction book, manual

instruktiv *adj* (~t) instructive

instruktör *s* (~en, ~er) instructor

instrument *s* (~et, =) allm. instrument

instrumentalist *s* (~en, ~er) mus. instrumentalist

instrumentalmusik *s* (~en) instrumental music

instrumentbräda *s* (~n, -brädor) instrument panel; i bil äv. dashboard, vard. dash

instrumentlandning *s* (~en, ~ar) instrument landing, landing by instruments

instrumentpanel *s* (~en, ~er) instrument panel; på bil dashboard, vard. dash

instudering *s* (~en, ~ar) av pjäs o.d. rehearsal; *~en av rollen* the studying of the part

inställa I *vb tr* (-ställde, -ställt) upphöra med stop, discontinue, suspend; avlysa cancel; *~ arbetet* strejka strike, go on strike, walk out; *~ betalningarna* suspend (stop) payment; *~ ett möte* cancel a meeting **II** *vb rfl* (-ställde, -ställt) *~ sig a*) om person: speciellt vid domstol appear, present oneself; vid mötesplats put in an (make one's) appearance, turn up; *~ sig hos ngn* äv. mil. report [oneself] to sb; *~ sig till tjänstgöring* äv. mil. report for duty; *~ sig inför rätta* appear before (in) the (resp. a) court *b*) *då inställer sig den frågan* then the question presents itself

inställande *s* (~t, ~n) upphörande suspension, discontinuation; avlysande cancellation

inställbar *adj* (~t) adjustable

inställd *adj* (-ställt), *vara ~* beredd *på ngt* be prepared for sth; *vara ~ på att* + inf. a) beredd på be prepared to + inf. b) ämna intend to + inf.; *vänligt ~* favourably (kindly) disposed; se äv. *inställa I* o. *ställa in* under *ställa III*

inställelse *s* (~n, ~r) appearance äv. jur. o.d.; *~ till tjänstgöring* reporting for duty

inställelseorder *s* (~n, =) mil. calling-up notice

inställning *s* (~en, ~ar) **1** reglering o.d. adjustment, adjusting, setting; foto. focusing; radio. tuning-in; tids~ time-setting etc.; jfr *ställa in* under *ställa III* **2** bildl. attitude, outlook, point of view, approach; *hans politiska ~* his political outlook; *ha en annan ~ till...* have a different point of view as regards (a different approach to)...; *en negativ ~ till...* a negative attitude towards (to)...

inställsam *adj* (~t, ~ma) ingratiating

inställsamhet *s* (~en) ingratiation

instämma *vb itr* (-stämde, -stämt) bildl., hålla med agree [*i (med)* with]; concur [*i* in; *med* with]; *[jag] instämmer!* I agree (vard. go along with that); *jag instämmer [med er] i att* + sats I agree [with you] that + sats; *~ i ett förslag* agree to (assent to, second) a proposal

instämmande I *s* (~t, ~n) bifall agreement, concurrence, assent **II** *adj* (oböjl.) concurring; *en ~ nick* a nod of assent

instängd *adj* (-stängt) **1** eg. ...shut (inlåst locked) up, shut in; *känna sig ~* feel shut in (confined, cooped up); *ett instängt liv* a confined life **2** om luft stuffy, close

insulin *s* (~et) kem. insulin

insulinchock *s* (~en, ~er) med. insulin shock

insupa *vb tr* (-söp, -supit) **1** frisk luft o.d. drink in, inhale **2** kunskaper o.d. imbibe, absorb

insvängd *adj* (-svängt) ...curved (rounded) inwards; *~ i midjan* ...[that] goes in at the waist

insyltad *adj* (-syltat, ~e) vard., *~ i* mixed up in, up to one's ears in

insyn *s* (~en) **1** view; *här [i trädgården] är det ingen (är man skyddad från) ~* the garden is shut off from people's view, people can't look into the garden **2** bildl. [public] control [*i* of]; *få en klar ~ i* obtain (gain) a clear insight into (a clear grasp of)

insändare *s* (~n, =) **1** debattinlägg letter to the press (till viss tidning the editor) **2** person correspondent

insändarspalt *s* (~en, ~er) letters-to-the-editor column

insättning *s* (~en, ~ar) i bank deposition; insatt belopp deposit

insättningsblankett *s* (~en, ~er) bank. deposit form
insättningskvitto *s* (~t, ~n) bank. deposit receipt (slip)
inta *vb tr* (-tog, -tagit) **1** placera sig på, t.ex. sin plats take; placera sig i, t.ex. liggande ställning place oneself in; ~ *en neutral hållning* take up a neutral attitude; ~ *en framskjuten plats i* hold a prominent position in, play a large part in; ~ *ngns plats* träda i stället för ngn fill sb's place; *de har redan intagit sina platser* äv. they are already seated **2** mil., erövra take, capture; besätta äv. occupy **3** måltid o.d. have, eat, take, consume; *han intog sina måltider* på hotellet he had (ate) his meals...
intag *s* (~et, =) intake äv. tekn.; insytt veck inlet
intagande *adj* (oböjl.) captivating, attractive; charmig charming
intagen I *adj* (-taget, -tagna), *bli* ~ *på sjukhus* be admitted to hospital **II** *s* (en ~, pl. -tagna), *en* ~ på sjukhus a patient; på anstalt an inmate
intagning *s* (~en, ~ar) taking in etc., jfr *ta in* under *ta III*; på sjukhus m.m. admission [*i* (*på*) [in]to]; på vårdanstalt commitment [*på* to]; till t.ex. universitet admission, intake; av annons o.d. insertion
intagningsnämnd *s* (~en, ~er) univ. admissions board
intagningspoäng *s pl* skol. el. univ. admission points (credits)
intakt *adj* (=) intact
intala *vb tr* (~de, ~t) bildl., ~ inbilla *ngn* (*sig*) *ngt* put sth into sb's (one's) head
inte *adv* **1** allm. not, i vissa fall, no, none, never, se ex. nedan; *visst* ~*!* certainly not!, oh no!, by no means!; ~ *en enda gång* not (never) once, not one (a) single time; *jag har* ~ *tid* I have no time; *jag vet* ~ I do not el. don't know; *jag kan* (*vill*) ~ I cannot el. can't (will not el. won't); *det hoppas jag* ~*!* I hope not!; *det var* ~ *för tidigt* ...none too early; ~ *för* ~[*t*] not for nothing **2** ofta före komp. no; *det blir* ~ *bättre för det!* it'll be no (none the) better for that!, that won't make things better!; ~ *längre* (*mera*) no longer (more); ~ *senare än* not (mera känslobetonat no) later than
inteckna *vb tr* (~de, ~t) fastighet mortgage [*för* for]; ~ *över skorstenen* mortgage up to the hilt
inteckning *s* (~en, ~ar) i fastighet mortgage [*för* (*på*) for; *i* on]; *ta en* ~ om ägaren raise a mortgage
inteckningslån *s* (~et, =) mortgage loan, loan on mortgage
integral *s* (~en, ~er) matem. integral
integralkalkyl *s* (~en, ~er) o. **integralräkning** *s* (~en, ~ar) integral calculus
integration *s* (~en, ~er) integration
integrationsminister *s* (~n, -ministrar) i Sverige Minister for Integration
Integrations- och jämställdhetsdepartementet i Sverige Ministry of Integration and Gender Equality
integrationspolitik *s* (~en) integration policy
integrera *vb tr* (~de, ~t) integrate; ~*d krets* elektr. integrated circuit; ~*s i samhället* integrate into (with) society
integrering *s* (~en, ~ar) integration
integritet *s* (~en) integrity
intellekt *s* (~et, =) intellect
intellektualism *s* (~en) intellectualism
intellektuell *adj* (~t) intellectual; själslig (i motsats till 'fysisk') mental; *en* ~ an intellectual; vard. a highbrow
intelligens *s* (~en, ~er) intelligence
intelligenskvot *s* (~en, ~er) ped. el. psykol. intelligence quotient (förk. IQ)
intelligenstest *s* (~et el. ~en, ~er el. =) o. **intelligensundersökning** *s* (~en, ~ar) intelligence test
intelligent *adj* (=) intelligent, clever; *vara* ~ äv. have brains
intendent *s* (~en, ~er) allm. föreståndare manager, superintendent; förvaltare steward; vid museum curator, keeper
intensifiera *vb tr* (~de, ~t) intensify
intensitet *s* (~en) intensity; i arbete o.d. äv. intensiveness
intensiv I *adj* (~t) intense; koncentrerad intensive; energisk, spec. om person äv. energetic **II** *s* (~en) vard., på sjukhus intensive care unit
intensivbevaka *vb tr* (~de, ~t) keep under close watch; t.ex. en nyhet cover closely
intensivkurs *s* (~en, ~er) intensive (concentrated, crash) course
intensivvård *s* (~en) intensive care
intensivvårdsavdelning *s* (~en, ~ar) intensive care unit
intention *s* (~en, ~er) intention
interaktiv *adj* (~t) interactive äv. data. o. TV.
interimsregering *s* (~en, ~ar) provisional (stopgap) government
interiör *s* (~en, ~er) det inre interior; inomhusbild indoor picture; ~*er från* finansvärlden inside (intimate) pictures of...
interjektion *s* (~en, ~er) gram. interjection
interkontinental *adj* (~t) intercontinental
intermezzo *s* (~t, ~n) mellanspel, äv. mus. intermezz|o (pl. -i el. -os); händelse incident
intern I *adj* (~t) internal; ~ *television* (*tv*) closed-circuit television (TV) (förk. CCTV) **II** *s* (~en, ~er) internerad: på anstalt, fängelse o.d. inmate
internat *s* (~et, =) boarding school
internationalisera *vb tr* (~de, ~t) internationalize
internationalisering *s* (~en) internationalization
internationalism *s* (~en) internationalism
internationell *adj* (~t) international
internatskola *s* (~n, -skolor) boarding school
internera *vb tr* (~de, ~t) i fångläger intern; på anstalt o.d. detain [*i* (*på*) in]; *en* ~*d* fångläger o.d. internee
internering *s* (~en, ~ar) i fångläger internment; på anstalt o.d. detention
Internet o. **internet** *s* (oböjl.) the Internet (Net); *surfa på* ~ surf the Internet (the Net)
internetbank *s* (~en, ~er) Internet banking, online banking [service]
internetcafé *s* (~et, ~er) o. **internetkafé** *s* (~et, ~er) Internet café
internminne *s* (~t, ~n) data. internal (primary) memory, RAM (förk. för random access memory)
internrekrytering *s* (~en, ~ar) recruitment within a (resp. the) company, internal recruitment
intern-tv *s* (-tv:n) closed-circuit television (TV) (förk. CCTV)
internutbildning *s* (~en, ~ar) in-service (on-the-job) training

interpellation *s* (~en, ~er) question, interpellation; *framföra en ~* ask a question

interpunktion *s* (~en) punctuation

interrogativ *adj* (~t) språkv. interrogative

intertraptisk *adj* (~t) språkv. intertraptic

intervall *s* (~et, =) interval äv. mus.

intervenera *vb itr* (~de, ~t) intervene

intervention *s* (~en, ~er) intervention

intervju *s* (~n, ~er) interview; *göra en ~ med ngn* interview sb, do an interview with sb

intervjua *vb tr* (~de, ~t) interview

intervjuare *s* (~n, =) interviewer

intervjuobjekt *s* (~et, =) o. **intervjuoffer** *s* (-offret, =) interviewee, subject of an (resp. the) interview

intervjuundersökning *s* (~en, ~ar) field investigation (survey), canvassing inquiry

intet *indef pron* **1** (jfr *ingen* o. *ingenting*); hon fortsatte *~ ont anande* …unsuspectingly **2** spec. fall, *tomma ~* empty nothingness; *gå om ~* come to naught (nothing)

intetsägande *adj* (oböjl.) om fraser, samtal o.d.: tom, innehållslös empty; meningslös meaningless, insignificant; ointressant uninteresting; *ett ~ ansiktsuttryck* (*leende*) a vacant expression (smile); *se ~ ut* look insignificant

intighet *s* (~en) tomhet emptiness; värdelöshet futility, worthlessness; vanity; *livets ~* the meaninglessness of life

intill I *prep* **1** om rum: fram till up to; *alldeles* (*tätt*) *~* quite close to; med beröring [up] against **2** om tid until, up (down) to; *~ slutet* to the very end **3** bildl., ordentlig *~ pedanteri* …to the point of pedantry **II** *adv*, *i rummet ~* in the adjoining (adjacent) room; *vi bor alldeles ~* we live next door; *inte det bästa men näst ~* …not far from it

intilliggande *adj* (oböjl.) adjacent; attr. äv. adjoining; pred. äv. situated close by

intim *adj* (~t) intimate; nära close; privat private; *~a detaljer* intimate details; *en liten ~ lokal* äv. a cosy little place; *ett ~t samband* a close connection; *~t umgänge* intimate relations pl., jur. intimacy; *en av hans ~are vänner* äv. one of his close friends

intimhygien *s* (~en) personal hygiene

intimitet *s* (~en, ~er) intimacy

intolerans *s* (~en) intolerance äv. med.

intolerant *adj* (=) intolerant

intonation *s* (~en, ~er) intonation äv. fonet. el. mus.

intransitiv *adj* (~t) gram. intransitive

intranät *s* (~et, =) data., företagsinternt nätverk intranet

intrasslad *adj* (-trasslat, ~e) entangled äv. bildl.

intravenös *adj* (~t) med. intravenous

intressant *adj* (=) interesting

intresse *s* (~t, ~n) interest äv. ekon., polit. m.m.; *svikande* (*sviktande*) *~* lack of interest; *aldrig svikande* (*sviktande*) *~* unflagging (unabated) interest; *…har* (*är av*) *stort ~ för mig* …is of great interest to me; *fatta ~ för ngt* take an interest in sth; *ha ~n i* ett företag have interests (an interest) in…; *tappa ~t för* lose interest in; vard. go off; *tillvarata ngns ~n* look after (safeguard) sb's interests; *det ligger i ert eget ~* it is in your own interest, it is for your own good

intressegemenskap *s* (~en, ~er), *det finns en ~ mellan de båda partierna* the two parties have common interest[s]

intressekonflikt *s* (~en, ~er) conflict (clash) of interests

intressent *s* (~en, ~er) interested party; delägare partner

intresseorganisation *s* (~en, ~er) professional and industrial organization, interest group (organization)

intressera I *vb tr* (~de, ~t) interest; *det ~r mig mycket* (*inte*) äv. it is of great (no) interest to me; *om det ~r* (*kan ~*) if it interests (may interest) you; *~ ngn för ngt* interest sb in sth **II** *vb rfl* (~de, ~t), *~ sig för…* take an interest in…, be interested in…; vard. go in for…

intresserad *adj* (intresserat, ~e) interested [*av* in]; *vara ~ av* äv. take an interest in; vard. be into; *~e kan vända sig till personalavdelningen* persons (those) interested…

intressesfär *s* (~en, ~er) sphere of interest; för inflytande sphere of influence

intresseväckande *adj* (oböjl.) interesting

intrig *s* (~en, ~er) **1** plan intrigue, plot **2** i roman etc. plot

intrigant *adj* (=) intriguing, scheming

intrigera *vb itr* (~de, ~t) intrigue

intrigmakare *s* (~n, =) manipulator, schemer, speciellt amer. wirepuller

intrikat *adj* (=) invecklad intricate, complicated; svår difficult; delikat delicate

introducera *vb tr* (~de, ~t) introduce [*hos* to]; lansera launch

introduktion *s* (~en, ~er) introduction

introduktionserbjudande *s* (~t, ~n) hand. trial (introductory) offer

introduktionskurs *s* (~en, ~er) introductory course

introduktionspris *s* (~et, = el. ~er) hand. trial (introductory) offer

introvert *adj* (=) psykol. introvert

intryck *s* (~et, =) bildl. impression; *få* (*ha*) *det ~et att…* get (be under) the impression that…; *ge ~ av…* give (convey, produce) the impression of…; *göra ett djupt ~ på ngn* make a deep impression on sb; *ta ~ av…* be influenced by…

intrång *s* (~et, =) encroachment, infringement; på annans mark trespass; *göra ~ på* (*i*)… vanl. encroach (trespass) [up]on…

inträda *vb itr* (-trädde, -trätt) **1** eg., se *träda in* under *1 träda II* **2** friare, *~ i en förening* join a society; *~ i ngns ställe* take sb's place **3** bildl.: inträffa set in; börja commence, begin; uppstå arise; följa ensue; *så snart en förbättring inträder* as soon as there is an improvement

inträde *s* (~t, ~n) **1** entrance; framför allt i friare bet. o. om t.ex. medlemsskap entry; tillträde admission, admittance; *göra sitt ~ i…* eg. vanl. enter…; *ta sitt ~ i* t.ex. akademi take one's seat as a member of **2** avgift entrance fee

inträdesansökan *s* (=, en, -ansökningar) o. **inträdesansökning** *s* (~en, -ansökningar) application for admission (entrance)

inträdesavgift *s* (~en, ~er) entrance fee

inträdesbiljett *s* (~en, ~er) admission ticket

inträdesprov *s* (~et, =) univ. o.d. entrance examination

inträdestal *s* (~et, =) inaugural address

inträffa *vb itr* (~de, ~t) hända happen, occur, come

about; infalla occur, fall [*på* en söndag on…]; **om en olycka ~r** if there is an accident, if an accident occurs; **polisen ser allvarligt på det ~de** the police take a serious view of the incident

intuition *s* (~en) intuition

intuitiv *adj* (~t) intuitive

intyg *s* (~et, =) certificate [*om* (*över, på*) of]; utförligare testimonial [*om* (*över, på*) respecting (as to)]; jur. affidavit; **utfärda** (**visa**) **ett ~** issue (show, present) a certificate osv.; **enligt ~ av…** as certified (attested) by…

intyga *vb tr* (~de, ~t) skriftligen certify, attest; bekräfta affirm, substantiate; **härmed ~s att…** vanl. this is to certify that…

intåg *s* (~et, =) entry [*i* into], mil. äv. invasion

intäkt *s* **1** (~en, ~er), **~er** influtna medel receipts [*av* from]; proceeds [*av* of]; statliga el. kommunala revenues **2** (oböjl.), **ta ngt till ~ för…** take sth as a pretext (försvar justification) for…

inuit *s* (~en, ~er) eskimå Inuit, Innuit

inunder I *adv* underneath; **våningen ~** the apartment below **II** *prep* underneath, beneath, below

inuti I *adv* inside **II** *prep* inside

invadera *vb tr* (~de, ~t) invade

invagga *vb tr* (~de, ~t), **~ ngn i säkerhet** lull sb into a false sense of security

inval *s* (~et, =) election [*i* to]

invald *adj* (-valt), **bli ~ i** be elected to; t.ex. riksdag äv. get into

invalid *s* (~en, ~er) disabled person

invalidiserad *adj* (invalidiserat, ~e) disabled

invaliditet *s* (~en) disablement, disability; speciellt försäkr. invalidity

invand *adj* (-vant), **~a föreställningar** ingrained opinions; **~a handgrepp** practised manipulations

invandra *vb itr* (~de, ~t) immigrera immigrate [*till* into (to)]; **antalet till Sverige ~de personer** the number of persons that have immigrated into Sweden

invandrarbakgrund *s* (~en) immigrant background

invandrarbyrå *s* (~n, ~er) immigrant services bureau

invandrare *s* (~n, =) immigrant

invandrarfientlig *adj* (~t) …hostile towards immigrants, anti-immigrant

invandring *s* (~en, ~ar) immigration

invasion *s* (~en, ~er) invasion [*i* of, into]

invasionsarmé *s* (~n, ~er) invasion (invading) army

inveckla I *vb tr* (~de, ~t), **bli ~d i ngt** get mixed up (involved, embroiled) in sth **II** *vb rfl* (~de, ~t), **~ sig i ngt** get [oneself] mixed up (involved, entangled) in sth; **~ sig i motsägelser** get tied up in contradictions

invecklad *adj* (-vecklat, ~e) komplicerad complicated, complex, intricate; **göra mer ~** complicate; jfr vidare *inveckla*

invektiv *s* (~et, =) invective

inventarieförteckning *s* (~en, ~ar) inventory; **upprätta en ~** make (draw up) an inventory

inventarier *s pl* effects, movables, stores

inventarium *s* (inventariet, inventarier) **1** se *inventarieförteckning* **2** person, **ett gammalt ~** a fixture **3** se *inventarier*

inventera *vb tr* o. *vb itr* (~de, ~t), **~ [ngt]** make (take) an inventory [of sth]; **~ [lagret]** take stock

inventering *s* (~en, ~ar) inventory; lager~ stocktaking

inverka *vb itr* (~de, ~t), **~ på ngt** act (have an effect,

have an influence, operate) on sth; **~ på** äv. affect, influence

inverkan *s* (=, en) effect, influence, action; **utöva ~ på…** influence…, affect…

invertera *vb tr* (~de, ~t) invert äv. matem.

investera *vb tr* (~de, ~t) invest

investerare *s* (~n, =) investor

investering *s* (~en, ~ar) investment

investeringsfond *s* (~en, ~er) investment fund

investeringsobjekt *s* (~et, =) object of investment

investmentbolag *s* (~et, =) investment trust (company)

invid I *prep* by; utmed alongside; **alldeles** (**tätt**) **~ väggen** very close to the wall **II** *adv* close (near) by

inviga *vb tr* (-vigde, -vigt) **1** byggnad, skola o.d. inaugurate; utställning, bro, järnväg o.d. äv. open **2** installera consecrate [*till biskop* a bishop] **3** kläder, en ny bil o.d.: bära wear (använda use)…for the first time **4 ~ ngn i ngt** göra ngn förtrogen med ngt initiate sb into sth; **~ ngn i en hemlighet** let (take) sb into a secret

invigning *s* (~en, ~ar) inauguration, opening, dedication; jfr *inviga 1* o. *inviga 2*

invigningsfest *s* (~en, ~er) eg. inaugural (opening) ceremony; inflyttningsfest house-warming [party]

invit *s* (~en, ~er) inbjudan invitation; vink hint

invitera *vb tr* (~de, ~t) invite, ask

involvera *vb tr* (~de, ~t) involve

invånarantal *s* (~et), **[hela] ~et** the [total] number of [the] inhabitants, the total population

invånare *s* (~n, =) inhabitant; i hus äv. inmate; i stadsdel o.d. resident; **per ~** äv. per head

invägning *s* (~en, ~ar) weighing in

invända *vb tr* (-vände, -vänt), **jag invände att…** I objected (made the objection) that…; **det finns mycket att ~ mot…** there are many (strong) objections to…, there is a great deal [to say] against…; **jag har inget att ~** [*mot det*] I have no objection [to it], I have nothing against it

invändig *adj* (~t) internal; ficka o.d. inside…; om t.ex. målning interior

invändigt *adv* internally; i det inre in the interior; på insidan [on the] inside; **in- och utvändigt** inside and outside, within and without

invändning *s* (~en, ~ar) objection [*mot* to, against]; **göra** (**komma med**) **~ar mot** object to, raise objections to el. against, demur to

invänta *vb tr* (~de, ~t) avvakta await; vänta på wait for

invärtes I *adj* (oböjl.) sjukdom o.d. internal; **för ~ bruk** for internal use **II** *adv* inom sig inwardly

invärtesmedicin *s* (~en) vetenskap internal medicine

inympa *vb tr* (~de, ~t) **1** trädg. graft, engraft [*på* [up]on, into] **2** med. inoculate **3** bildl. implant, inoculate [*ngt hos ngn* sth in sb (in sb's mind)]

inympning *s* (~en, ~ar) **1** trädg. engraftment, ingraftment **2** med. inoculation

inåt I *prep* med betydelse av riktning toward[s] (into, med betydelse av befintlighet in) the interior of; **~ landet** äv. up country **II** *adv* inward[s]; **dörren går ~** the door opens inwards; **längre ~** further in; **gå ~ med fötterna** turn in one's toes when walking

inåtvänd *adj* (-vänt) eg. …turned inward[s]; psykol. introverted, introspective

inälvor *s pl* bowels, intestines; djurs viscera, entrails; vard. guts

inälvsmask s (~en, ~ar) intestinal worm (koll. worms pl.)

inälvsmat s (~en) offal; amer. variety meat

inöva vb tr (~de, ~t) se öva in under öva I 1

iPod s (~en, ~ar) iPod

ip-telefoni s (~n) IP telephony, internet telephony, VoIP (förk. för Voice over Internet Protocol)

IQ (förk. för intelligenskvot) IQ

Irak Iraq

irakier s (~n, =) Iraqi

irakisk adj (~t) Iraqi

irakiska s (~n, irakiskor) kvinna Iraqi woman; **hon är ~** vanl. she is Iraqi

Iran Iran

iranier s (~n, =) Iranian

iransk adj (~t) Iranian

iranska s (för ex. jfr svenska) **1** (~n, iranskor) kvinna Iranian woman **2** (~n) språk Iranian

iris s (~en, ~ar) anat. el. bot. iris

iriska s (~n) Irish

Irland Ireland; **på ~** in Ireland

irländare s (~n, =) Irishman; **irländarna** som nation el. lag o.d. the Irish

irländsk adj (~t) Irish; **Irländska sjön** the Irish Sea; **~ setter** hund Irish (red) setter

irländska s (~n, irländskor) kvinna Irishwoman

ironi s (~n, ~er) irony; hån sarcasm; **genom en ödets ~** by the irony of fate, ironically enough

ironisera vb itr (~de, ~t), **~ över...** speak ironically of..., make ironic[al] remarks about...

ironisk adj (~t) ironic[al]; hånfull sarcastic

irra vb itr (~de, ~t), **~ [omkring]** wander (rove) about; **han har en ~nde blick** his eyes are always wandering

irrationell adj (~t) irrational

irrbloss s (~et, =) will-o'-the-wisp äv. bildl.

irreguljär adj (~t) irregular; **~a trupper** irregulars

irrelevant adj (=) irrelevant

irreparabel adj (~t, irreparabla) irreparable

irrfärd s (~en, ~er), **~er** wanderings

irrgång s (~en, ~ar) maze, labyrinth

irritation s (~en, ~er) irritation

irritationsmoment s (~et, =) source of irritation, irritant, irritating thing

irritera vb tr (~de, ~t) irritate äv. med., annoy, nettle, exasperate; **han ~r mig** äv. he gets on my nerves; **bli ~d** äv. be (get) put out; **han är ~d på mig** (**över det**) he is annoyed with me (at that)

irriterande adj (oböjl.) irritating, annoying, exasperating

irrlära s (~n, -läror) false doctrine; relig. äv. heresy

is s (~en, ~ar) ice (endast sg.); **varning för svag ~** Notice: Ice unsafe here!; **~arna har ännu inte lagt sig** the waters have not yet [got] frozen over; **~arna är osäkra** the ice is not safe; **bryta ~en** äv. bildl. break the ice; **ha ~ i magen** keep a cool head, keep [one's] cool, wait and see; **whisky med ~** whisky on the rocks; **lägga ngt på ~** äv. bildl. put sth in cold storage, put sth on ice

isa vb tr (~de, ~t) iskyla, t.ex. dryck ice, put...[down] on ice

isande adj (oböjl.) icy el. bildl.; **en ~ köld** eg. a biting (severe, keen) cold (frost); bildl. an icy coldness (extreme chilliness) [mot to[wards]]

isbana s (~n, -banor) ice rink

isbark s (~en) coating of ice

isbelagd adj (-belagt) icy, ice-covered

isberg s (~et, =) iceberg

isbergssallad s (~en) iceberg lettuce

isbildning s (~en, ~ar) ice formation (accretion)

isbill s (~en, ~ar) ice pick

isbit s (~en, ~ar) piece of ice; istärning ice cube

isbjörn s (~en, ~ar) polar bear

isblåsa s (~n, -blåsor) ice bag, ice pack

isbrodd s (~en, ~ar) crampon

isbrytare s (~n, =) icebreaker

isbälte s (~t, ~n) ice belt

iscensätta vb tr (-satte, -satt) produce, stage; bildl. stage, engineer

iscensättning s (~en, ~ar) production, staging; konkr. [stage-]setting

ischias s (~en) med. sciatica

ischiasnerv s (~en, ~er) med. sciatic nerve

ischoklad s (~en) 'ice chocolate', melted chocolate and cocoa butter in small moulds

isdans s (~en, ~er) sport. ice-dancing

isdubb s (~en, ~ar) ice-prod

isflak s (~et, =) ice floe

isfri adj (-fritt) ice-free

isgata s (~n, -gator), **backen var rena ~n ...** one sheet of ice

isglass s (~en, ~ar) pinne ice lolly; amer. Popsicle®

ishall s (~en, ~ar) ice-skating hall (rink)

ishav s (~et, =), **Norra ~et** the Arctic Ocean; **Södra ~et** the Antarctic Ocean

ishink s (~en, ~ar) iskylare ice bucket (pail)

ishockey s (~n) ice hockey

ishockeyklubba s (~n, -klubbor) ice hockey stick

ishockeymatch s (~en, ~er) ice hockey match (amer. vanl. game)

ishockeyrink s (~en, ~ar) ice hockey rink

ishockeyrör s (~et, =) skridsko ice hockey skate

ishockeyspelare s (~n, =) ice hockey player

isig adj (~t) icy; bildl. äv. frosty

isjakt s (~en, ~er) ice yacht, iceboat

iskall adj (~t) ...[as] cold as ice, ice-cold; isande icy; bildl. äv. frigid, glacial; speciellt om ngt som borde vara varmt äv. stone cold

isklump s (~en, ~ar) lump of ice

iskub s (~en, ~er) ice cube

iskyla s (~n) icy cold; bildl. iciness

iskyld adj (-kylt) om t.ex. dryck ice-cooled

islam s (oböjl., en) Islam

islamisk adj (~t) Islamic

islamist s (~en, ~er) Islamist

islamistisk adj (~t) Islamist

Island Iceland

islandssill s (~en, ~ar) Iceland herring (koll. herrings)

islossning s (~en, ~ar) break-up of the ice; bildl. thaw

isländsk adj (~t) Icelandic; på Island äv. Iceland...

isländska s (för ex. jfr svenska) **1** (~n, isländskor) kvinna Icelandic woman **2** (~n) språk Icelandic

islänning s (~en, ~ar) Icelander

isolationism s (~en) isolationism

isolationistisk adj (~t) isolationist

isolera vb tr (~de, ~t) **1** socialt isolate, segregate; **han ~r sig** he keeps to himself, he withdraws from other people **2** fys. el. tekn. insulate **3** kem. isolate

isolering s (~en, ~ar) **1** social isolation, segregation

2 fys. el. tekn. insulation **3** kem., urskiljande isolation **4** isoleringsavdelning på sjukhus isolation ward (block) **5** isoleringsstraff i fängelse solitary confinement, vard. solitary

isoleringsband *s* (~et, =) insulating tape

isoleringscell *s* (~en, ~er) solitary confinement cell, vard. solitary

isoleringsmaterial *s* (~et, =) insulating (elektr. äv. non-conducting, värmeisolerande äv. lagging) material

isoleringsstraff *s* (~et, =) solitary confinement

isotop *s* (~en, ~er) kem. el. fys. isotope

ispigg *s* (~en, ~ar) icicle

ispik *s* (~en, ~ar) ung. ice-stick

Israel Israel

israel *s* (~en, ~er) Israeli (pl. -s el. Israeli)

israelisk *adj* (~t) Israeli

israeliska *s* (~n, israeliskor) kvinna Israeli woman

israelit *s* (~en, ~er) bibl. Israelite

israelitisk *adj* (~t) bibl. Israelitic, Israelite

isränna *s* (~n, -rännor) channel through the ice

isskorpa *s* (~n, -skorpor) crust of ice

isskrapa *s* (~n, -skrapor) för bil ice scraper

issörja *s* (~n) på land ice-slush; i vatten broken ice

istadig *adj* (~t) restive

istadighet *s* (~en) restiveness

istapp *s* (~en, ~ar) icicle

ister *s* (istret) flott lard äv. kok.

isterband *s* (~et, =) [kind of] coarsely-ground smoked sausage

isterbuk *s* (~en, ~ar) potbelly äv. om person

istid *s* (~en, ~er) geol. ice age, glacial period

istoppstäcke *s* (~t, ~n) duvet, continental quilt; amer. comforter

istäcke *s* (~t, ~n) coating of ice; geol. ice sheet, icecap

i stället *adv* instead; i gengäld in return, in exchange; ~ **för** instead of [*att gå* of going]; som ersättning in [the] place of; såsom by way of

isvatten *s* (-vattnet) icy water; avkylt med is iced water, ice water

i sänder *adv* i taget at a time; en efter en one by one; **två eller tre** ~ äv. by twos or threes; **lite** ~ little by little, by instalments

isär *adv* åtskils apart; ifrån varandra away from each other; se också betonad partikel under respektive verb, t.ex. *hålla isär* under *hålla* V

isärtagbar *adj* (~t) demountable, dismountable; **lätt** ~ äv. easily disassembled (dismantled), …easy to take to pieces; **~t gevär** takedown rifle

isättning *s* (~en, ~ar) sömnad. insertion

IT *s* (oböjl.) IT (förk. för information technology)

Italien Italy

italienare *s* (~n, =) Italian

italiensk *adj* (~t) Italian

italienska *s* (för ex. jfr *svenska*) **1** (~n, italienskor) kvinna Italian woman **2** (~n) språk Italian

IT-ansvarig *s* (en ~, pl. ~a) IT manager, senior (head) IT technician

IT-branschen *s* (best. sing.) the IT industry

IT-bubblan *s* (best. sing.) vard. the dot-com (IT) bubble

IT- och regionminister *s* (~n, -ministrar) i Sverige Minister for Information Technology and Regional Affairs

IT-revolution *s* (~en, ~er) IT revolution

itu *adv* **1** i två delar in two, in half (halves); sönder, **gå**

(**vara**) ~ go to (be in) pieces **2** **ta** ~ **med ngt** set about (set to work at) sth; **ta** ~ **med ngn** take sb in hand

iver *s* (~n) eagerness, keenness; **med stor** ~ with great zest, with alacrity

ivoriansk *adj* (~t) från Elfenbenskusten Ivorian

ivra *vb itr* (~de, ~t), ~ **för** t.ex. nykterhet be an eager (a zealous, a keen) supporter of

ivrig *adj* (~t) eager, keen; angelägen äv. anxious; enträgen urgent; energisk energetic; **bli** (**vara**) ~ lätt upphetsad get (be) excited

iväg *adv* off; **ge sig** ~ be off; **komma** ~ get off (away, started)

iögonfallande *adj* (oböjl.) o. **iögonenfallande** *adj* (oböjl.) framträdande conspicuous; tydlig, påtaglig very obvious; pred. äv. very much in evidence; slående striking; **på ett** ~ **sätt** conspicuously

j *s* **1** (j:et, j:n el. j) bokstav j [utt. dʒeɪ] **2 J** (förk. för *joule*) J

ja I *interj* (ibland *adv*) yes; artigare el. spec. till överordnad yes, Sir (resp. Madam); vid upprop here!; **~ då!** oh yes!; **~, då går vi då** well, let's go then; **just det, ~!** that's just it!; **~[, ~],** **jag kommer** all right [, all right] (yes, yes,) I'm coming!; **trettio, fyrtio, ~, femtio** gånger thirty, forty, even fifty… **II** *s* (~et, ~n el. =) yes (pl. yeses); vid röstning aye; **få ~** receive (have, get) an answer in the affirmative (a favourable answer el. reply); vid frieri be accepted; **rösta ~** vote for the proposal, vote in the affirmative

1 jack *s* (~et, =) djup skåra gash

2 jack *s* (~et, =) tele. socket, jack; stickkontakt plug; **dra ur ~et** unplug the phone

jacka *s* (~n, jackor) jacket, coat

jacketkrona *s* (~n, -kronor) jacket crown; **sätta en ~ på en tand** äv. cap a tooth, have a tooth capped

jackett *s* (~en, ~er) morning coat, cutaway

jackficka *s* (~n, -fickor) jacket pocket

jade *s* (~n) miner. jade

jag I *pers pron* I; **~ själv** I myself, se äv. under *själv*; **Jag?** vanl. Me?; **det är ~** vanl. it's me, tele. speaking; **det är ~ som har fel** I'm the one who is wrong; **äldre än ~** older than I [am] (than me, ibland than myself) **II** *s* (~et, =) filos. el. psykol., **~et** the ego (pl. -s); **hans andra ~** his alter ego lat.; **hans bättre ~** his better self; **visa sitt verkliga ~** come out in one's true colours

jaga I *vb tr* (~de, ~t) allm. el. spec. om hetsjakt hunt; med gevär ('skjuta') shoot, amer. hunt; i betydelsen 'förfölja' äv. chase, hound; **vara ute och ~** be out hunting (resp. shooting); **pojkarna ~de en fjäril** the boys were chasing [after] a butterfly; **~ bort** drive away; **~ upp ngn ur sängen** drive (chase) sb out of his (resp. her) bed; **~ upp sig** get upset **II** *vb itr* (~de, ~t) rusa hurry, dash

jagare *s* (~n, =) krigsfartyg destroyer

jagform *s* (~en), **i ~** in the first person, in the I-form

jagföreställning *s* (~en, ~ar) psykol. self-image

jaguar *s* (~en, ~er) zool. jaguar

jaha *interj* betänksamt well [, let me see (think)]; bekräftande yes [, to be sure]; jag förstår oh, I see

jak *s* (~en, ~ar) zool. yak

jaka *vb itr* (~de, ~t) say 'yes' [*till to*], answer 'yes'

jakande I *adj* (oböjl.) affirmative **II** *adv* affirmatively; **~ svar** affirmative answer; **svara ~** reply (answer) in the affirmative

jakaranda *s* (~n) trä jacaranda [wood]; möbler **av ~** äv. jacaranda…

1 jakt *s* (~en, ~er) sjö. yacht

2 jakt *s* (~en, ~er) allm. el. spec. hetsjakt hunting, med gevär shooting, amer. hunting; jaktparti hunt, resp. shoot; **~ och fiske** hunting and fishing; **~en efter** (**på**) **mördaren** the hunt for the murderer; **~en efter rikedom** the pursuit of wealth; **vara på ~ efter** förfölja be in pursuit of, be chasing; vard., om person 'vara ute

efter' be gunning for; söka be hunting [for]; t.ex. nöjen, en lägenhet be on the hunt for

jaktbyte *s* (~t, ~n) jägares bag; djurs prey, game, quarry

jaktfalk *s* (~en, ~ar) gerfalcon

jaktflyg *s* (~et) fighters pl.; vapenslag fighter command

jaktflygare *s* (~n, =) fighter pilot

jaktflygplan *s* (~et, =) fighter, pursuit plane

jaktgevär *s* (~et, =) sporting gun; hagelgevär shotgun

jakthorn *s* (~et, =) hunting-horn, bugle

jakthund *s* (~en, ~ar) sporting dog; amer. hunting dog

jaktkniv *s* (~en, ~ar) hunting-knife

jaktkort *s* (~et, =) hunting licence

jaktlag *s* **1** (~en, ~ar) jur. game act, game law **2** (~et, =) jaktdeltagare, se *jaktsällskap*

jaktlicens *s* (~en, ~er) game licence

jaktlycka *s* (~n) good luck in hunting

jaktmark *s* (~en, ~er), **~[er]** hunting-grounds pl.; **de sälla ~erna** the happy hunting-grounds

jaktplan *s* (~et, =) fighter, pursuit plane

jaktrobot *s* (~en, ~ar) mil. air-to-air missile (förk. AAM)

jakträtt *s* (~en) jakträttigheter hunting (resp. shooting) rights pl., jfr *jaga I*

jaktstart *s* (~en, ~er) sport. pursuit

jaktsällskap *s* (~et, =) hunting (resp. shooting) party, jfr *jaga I*

jaktsäsong *s* (~en, ~er) hunting (resp. shooting) season, jfr *jaga I*

jaktvård *s* (~en) game preservation

jalusi *s* (~n, ~er) spjälgardin Venetian blind; skåpjalusi o.d. rollfront

jalusiskåp *s* (~et, =) rollfront cabinet

jama *vb itr* (~de, ~t) miaow, mew, meow

Jamaica Jamaica

jamaikansk *adj* (~t) Jamaican

jamare *s* (~n, =) vard., **ta sig en ~** have a dram

Janssons frestelse *s* (~n, ~r) kok. 'Jansson's temptation', sliced herring, potatoes and onions baked in cream

januari *s* (oböjl., en) January (förk. Jan.); för ex. jfr *april* o. *femte*

Japan Japan

japan *s* (~en, ~er) Japanese (pl. lika)

japansk *adj* (~t) Japanese

japanska *s* (för ex. jfr *svenska*) **1** (~n, japanskor) kvinna Japanese woman **2** (~n) språk Japanese

jargong *s* (~en, ~er) jargon, lingo (pl. -es), line of talk

jaröst *s* (~en, ~er) vote in favour, ay[e]; **~erna är i majoritet** the ayes have it

jasmin *s* (~en, ~er) bot. jasmine

jaspis *s* (~en, ~er) miner. jasper

jaså *interj* oh!, indeed!; frågande is that so?, really?; **~, gjorde han det?** oh, [he did,] did he?; **~, det är mitt fel!** so it's my fault, is it?; **~, inte det?** no?

jasägare *s* (~n, =) yes-man; kvinna yes-woman

javisst *interj* certainly, of course, sure [thing]

jazz *s* (~en) jazz

jazza *vb itr* (~de, ~t), **~ upp** jazz up äv. friare

jazzbalett *s* (~en, ~er) jazz ballet

jazzband *s* (~et, =) jazz band

jazzdans *s* (~en, ~er) jazz dance

jazzig *adj* (~t) jazzy

jazzmusik *s* (~en) jazz music

jeans *s pl* jeans
jeansjacka *s* (~n, -jackor) denim jacket
jeep® *s* (~en, ~ar) jeep
jehu *s* (oböjl., ett), *fara fram* (*komma*) *som ett* ~ come rushing along like a hurricane (whirlwind)
Jemen Yemen
jemenitisk *adj* (~t) Yemeni
jersey *s* (~n) tyg jersey
Jerusalem Jerusalem; *här ser ut som* ~*s förstöring* this is a shambles
jesuit *s* (~en, ~er) Jesuit
jesuitorden *s* (best. sing.) the Society of Jesus
Jesus Jesus; *Jesu liv* the life of Jesus
Jesusbarnet the Infant (the Child) Jesus
jesussandaler *s pl* gladiator sandals
jetdrift *s* (~en) jet propulsion
jetdriven *adj* (-drivet, -drivna) jet-propelled, jet-assisted
jetflyg *s* (~et, =) flygplan jet [plane (aircraft)]; flygning jet flight; *åka med* ~ go by jet
jetlag *s* (~en el. ~gen) jet lag
jetmotor *s* (~n, ~er) jet engine
jetong *s* (~en, ~er) spel~ counter, jetton
jetplan *s* (~et, =) jet [plane (aircraft)]; linjeflyg jetliner
jetstråle *s* (~n, -strålar) jet
jetström *s* (~men, ~mar) meteor. jet stream
jfr (förk. för *jämför*) cp., cf.
jiddisch *s* (~en) Yiddish
jingel *s* (~n, jinglar) reklamramsa o.d. jingle
jingulär *adj* (~t) geom. jingulous
jippo *s* (~t, ~n) vard., reklam~ [publicity] stunt, gimmick; *allsköns* ~*n* lots (all sorts) of gimmickry
jippobetonad *adj* (-betonat, ~e) …something of a stunt, gimmicky
jiujitsu *s* (~n) sport. jujitsu, jiujitsu
JK förk., se *Justitiekanslern*
JO förk., se *Justitieombudsmannen*
jo *interj* (ibland *adv*) **1** som svar på nekande el. tvivlande fråga el. påstående [oh,] yes; why, yes; eftertänksamt well; oh; *fick du inte tag i honom?* – *Jo, det fick* (*gjorde*) *jag* didn't you get hold of him? – [Oh, yes,] I did **2** med försvagad innebörd, inledande, anknytande o.d., ~, *det var* [*så*] *sant…* oh, [yes,] that reminds me…; ~ ~, *så går det* well, that's what happens **3** i förb. med adv. el. annan interj., ~ *då!* oh yes!; *hör du inte på?* – *Jo då, det gör jag!* aren't you listening? – I am (beton.) listening!
jobb *s* (~et, =) job äv. arbetsplats, work (endast sg.); *jag har haft mycket* ~ *med* (*med att* + inf.) I've had a lot of work with (it was quite a job to + inf.); *det är mitt* ~ yrke äv. it's my business (profession)
jobba *vb itr* (~de, ~t) vard., arbeta work; ligga i go at it; *vad* ~*r du med?* what do you do for a living?; ~ *på* keep at it, work away; ~ *över* work late, work overtime
jobbare *s* (~n, =) vard., arbetare worker
jobbarkompis *s* (~en, ~ar) vard. workmate
jobbig *adj* (~t) vard., *en* ~ *dag* a tough (hard) day; *det är* ~*t* ansträngande it's hard work (a tough job, besvärligt a hassel); *det känns* ~*t* för mig I feel bad about it; *han är* ~ besvärlig he's trying (tiresome, om barn äv. a handful)
jobspost *s* (~en, ~er) bad news; *en* ~ a piece of bad news
jockej *s* (~en, ~er) o. **jockey** *s* (~n, ~er) jockey

jod *s* (~en) kem. iodine
joddla *vb itr* (~de, ~t) yodel
jodhaltig *adj* (~t) iodic
jodå *interj* se *jo då* under jo 3
jogga *vb itr* (~de, ~t) jog
joggare *s* (~n, =) jogger
jogging *s* (~en) jogging
joggingbyxor *s pl* sweatpants
joggingdress *s* (~en, ~ar el. ~er) jogging (track) suit
joggingsko *s* (~n, ~r) jogging shoe
joggning *s* (~en) jogging
Johannes bibl. el. påvenamn John; ~ *döparen* [St.] John the Baptist; *evangelium enligt* ~ the Gospel according to St. John
johannesört *s* (~en, ~er) bot. St. John's wort
John Blund the sandman
jojo *s* (~n, ~ar el. ~r) leksak yo-yo (pl. -s); *åka* ~ bildl. yo-yo
joker *s* (~n, jokrar) kortsp. joker; ~*n i leken* bildl. the joker in the pack
jokertecken *s* (-tecknet, =) data. wild card [character]
jolle *s* (~n, jollar) liten roddbåt el. segel~ dinghy, skiff; större jolly boat, yawl; örlog. tender
joller *s* (jollret) babble, babbling; småbarns äv. crowing, prattle
jollra *vb itr* (~de, ~t) babble; om småbarn äv. crow, prattle
jolmig *adj* (~t) fadd vapid, tasteless; kväljande sickly; kvav muggy
jon *s* (~en, ~er) kem. el. fys. ion
Jon Blund the sandman
jonglera *vb itr* (~de, ~t) juggle
jonglör *s* (~en, ~er) juggler
jonisera *vb tr* (~de, ~t) kem. el. fys. ionize
jonisering *s* (~en, ~ar) kem. el. fys. ionization
jonisk *adj* (~t) Ionic äv. mus.; om invånare, hist. Ionian
jonosfär *s* (~en) ionosphere
jord *s* (~en, ~ar) **1** mark ground; jordmån soil; mylla, mull earth, amer. äv. dirt; stoft dust; *av* ~ *är du kommen*, ~ *skall du åter varda* earth to earth, ashes to ashes, dust to dust; *jag ville sjunka genom* ~*en* I wanted the ground to open up and swallow me; *falla i god* ~ fall into good (on fertile) ground; *hålla sig* (*stå med båda fötterna*) *på* ~*en* bildl. keep both feet firmly on the ground; *under* ~*en* under (below) ground; *gå under* ~*en* bildl. go underground (under ground), go to earth
2 område land; *ett stycke* ~ a piece of land **3** jordklot earth, se äv. *Jorden*; värld world; *Moder* ~ Mother Earth; [*här*] *på* ~*en* on [this] earth; *frid på* ~*en* peace upon earth; *på hela* ~*en* in the whole world; *resa* ~*en runt* go round the world **4** elektr. earth; amer. ground
jorda *vb tr* (~de, ~t) **1** begrava bury **2** elektr. earth; amer. ground
jordabalk *s* (~en, ~ar) jur. Code of Land Laws
Jordanien Jordan
jordansk *adj* (~t) Jordanian
jordart *s* (~en, ~er) soil [type]; geol. [sort of] earth
jordaxel *s* (~n) astron. axis of the earth
jordbruk *s* (~et, =) **1** verksamhet agriculture, farming **2** bondgård o.d. farm, holding; mindre plot
jordbrukare *s* (~n, =) farmer, agriculturist

jordbruksarbetare *s* (~n, =) agricultural worker, farm labourer, farm hand

jordbruksarbete *s* (~t, ~n) agricultural work, farming

jordbruksavtal *s* (~et, =) farm-prices (agricultural-prices) agreement

jordbruksbygd *s* (~en, ~er) agricultural (farming) district

Jordbruksdepartementet i Sverige the Ministry of Agriculture; i Storbr. the Department for Environment, Food and Rural Affairs; i USA the Department of Agriculture

jordbrukspolitik *s* (~en) agricultural (farming) policy

jordbruksprodukt *s* (~en, ~er) agricultural (farm) product; **~er** äv. agricultural (farm) produce sg.

jordbruksstöd *s* (~et) subventioner agricultural (farming) subsidies pl.

jordbunden *adj* (-bundet, -bundna) earthbound, earthy; fantasilös prosaic, pedestrian

jordbävning *s* (~en, ~ar) earthquake

jordegendom *s* (~en, ~ar) landed property; **~ar** lands

jordeliv *s* (~et), **~et** the (this) present life, our life on earth

Jorden astron. [the planet] Earth, se äv. *jord 3*

jordenruntresa *s* (~n, -resor) trip round the world

jordfräs *s* (~en, ~ar) rotary cultivator, Rotavator

jordfästa *vb tr* (-fäste, -fäst) read the funeral (enklare burial) service over

jordfästning *s* (~en, ~ar) burial service

jordförstöring *s* (~en) geol., **~[en]** soil erosion

jordgeting *s* (~en, ~ar) zool. [common] wasp

jordglob *s* (~en, ~er) [terrestrial] globe

jordgolv *s* (~et, =) earth[en] (amer. dirt) floor

jordgubbe *s* (~n, -gubbar) strawberry

jordgubbsglass *s* (~en, ~ar) strawberry ice cream; **en ~** äv. a strawberry ice

jordgubbsland *s* (~et, =) strawberry bed

jordgubbssaft *s* (~en, ~er) strawberry juice (resp. syrup), jfr *saft*

jordgubbssylt *s* (~en) strawberry jam

jordhög *s* (~en, ~ar) mound [of earth]

jordig *adj* (~t) …full of earth; nersmutsad …soiled with earth

jordisk *adj* (~t) earthly, terrestrial; världslig worldly; relig. äv. mortal; **hans ~a kvarlevor** vanl. his mortal remains; **lämna detta ~a** depart this life

jordklot *s* (~et, =), **~et** the globe

jordklump *s* (~en, ~ar) o. **jordkoka** *s* (~n, -kokor) clod (lump) [of earth]

jordkällare *s* (~n, =) earth cellar

jordlager *s* (-lagret, =) earth-layer

jordledning *s* (~en, ~ar) elektr. underground wire; radio. earth (amer. ground) lead; rörledning underground pipe

jordlott *s* (~en, ~er) allotment

jordmagnetism *s* (~en) geomagnetism, terrestrial magnetism

jordmån *s* (~en) soil äv. bildl.

jordning *s* (~en, ~ar) elektr. earthing; amer. grounding

jordnära *adj* (oböjl.) down-to-earth, earthy

jordnöt *s* (~en, -nötter) peanut

jordnötssmör *s* (~et) peanut butter

jordras *s* (~et, =) landslip

jordreform *s* (~en, ~er) land reform

jordskalv *s* (~et, =) earthquake

jordskorpa *s* (~n) [earth] crust

jordskred *s* (~et, =) landslide; mindre förskjutning [land]slip, earth slip

jordskredsseger *s* (~n, -segrar) polit. landslide victory

jordvärme *s* (~n) ground heat, geothermal energy

jordyta *s* (~n, -ytor) markyta surface of the ground; **på ~n** jordens yta on the earth's surface, on the face of the earth

jordägare *s* (~n, =) landowner

jordärtskocka *s* (~n, -skockor) Jerusalem artichoke

jota *s* (oböjl., ett) vard., **inte ett ~** not a jot, not an iota (atom)

joule *s* (en, pl. =) fys. joule

jour *s* (~en, ~er) **1 ha ~[en]** be on duty; **ha (vara) ~** om läkare be on emergency (för hembesök on-call) duty **2 à ~** se *ajour*

jourhavande I *adj* (oböjl.) …on duty (in charge) [for the day]; för hembesök …on call **II** *s* (en ~, pl. =) jourhavande läkare på sjukhus the doctor on duty; vid hembesök doctor on call

jourläkare *s* (~n, =) på sjukhus doctor on duty; för hembesök doctor on call

journal *s* (~en, ~er) dagbok, tidning journal; med. case book; sjö. logbook, log

journalfilm *s* (~en, ~er) åld. newsreel

journalist *s* (~en, ~er) journalist, press reporter

journalistik *s* (~en) journalism

journalistisk *adj* (~t) journalistic

journalistuppbåd *s* (~et, =) large number of journalists (reporters)

journummer *s* (-numret, =) tele. helpline

jourtid *s* (~en, ~er) emergency duty [hours pl.]

jourtjänst *s* (~en, ~er) läkares o.d. emergency (för hembesök on-call) duty, dygnet runt 24-hour duty; låssmeds o.d. emergency service, dygnet runt 24-hour (round-the-clock) service; **ha ~** be on duty; om läkare be on emergency (on-call) duty

jovialisk *adj* (~t) jovial, genial

jovialitet *s* (~en) joviality, geniality

jox *s* (~et) vard.: saker o. ting stuff, bits and pieces pl.; smörja, skräp trash, rubbish; kladd goo

joxig *adj* (~t) vard., krånglig awkward, ticklish, pillig fiddly

joystick *s* (~en, ~ar) data. joystick

ju *adv* **1** bekräftande o.d. why placeras först i den eng. satsen; naturligtvis of course; förstås to be sure; visserligen it is true; som bekant as we [all] know; det vet du ju [as] you know (see); **varför hör du inte på? – Ja, men jag gör ~ det!** why aren't you listening? – But I am beton. listening!; **jag har ~ sagt det** flera gånger I have said (told you) so…, haven't I?, I told you so…, didn't I?; **där är han ~!** why, there he is! **2** konj., **~…dess** (**desto, ~**) the…the; **~ förr dess** (**desto**) **bättre** the sooner the better

jubel *s* (jublet) hänförelse rejoicing; triumferande exultation; glädjerop shout[s pl.] of joy, enthusiastic cheering (cheers pl.) [över at]; munterhet hilarity, merriment; **då brast jublet lös[t]** then a storm of cheering burst forth

jubelidiot *s* (~en, ~er) vard. prize idiot

jubelrop *s* (~et, =) cry of joy

jubilar *s* (~en, ~er) person celebrating his etc. (a

special) anniversary; **~en** festföremålet the hero (heroine) of the day

jubilera *vb itr* (~de, ~t) celebrate one's (a special) anniversary

jubileum *s* (jubileet, jubileer) [special] anniversary, jubilee

jubileumsfond *s* (~en, ~er) jubilee fund (foundation)

jubileumsfrimärke *s* (~t, ~n) commemorative [stamp]

jubileumsutställning *s* (~en, ~ar) jubilee exhibition

jubla *vb itr* (~de, ~t) högljutt shout with joy; inom sig rejoice, exult [*över* at (about)]; **~nde** [enthusiastically] cheering, jubilant, exultant, joyful; **~nde glad** radiantly happy

judaskyss *s* (~en, ~ar) Judas kiss, kiss of death

jude *s* (~n, judar) Jew

judefientlig *adj* (~t) anti-Jewish, anti-Semitic

judeförföljelse *s* (~n, ~r) persecution of the Jews

judehat *s* (~et) hatred of the Jews, anti-Semitism

judendom *s* (~en), **~[en]** Judaism

judenheten *s* (best. sing.) Jewry

judinna *s* (~n, judinnor) Jewess

judisk *adj* (~t) Jewish; neds. äv. Jew endast attr.

judo *s* (~n) sport. judo

jugoslav *s* (~en, ~er) hist. Yugoslav, Jugoslav

Jugoslavien hist. Yugoslavia, Jugoslavia

jugoslavisk *adj* (~t) hist. Yugoslav[ian], Jugoslav[ian]

jugoslaviska *s* (~n, jugoslaviskor) hist., kvinna Yugoslav (Jugoslav) woman, för ex. jfr *svenska 1*

juice *s* (~n, ~r) fruit juice

jukebox *s* (~en, ~ar) jukebox

jul *s* (~en, ~ar) Christmas (förk. Xmas); poet. el. avseende hednisk tid Yule[tide]; **god ~!** [A] Merry Christmas!; **han kommer i ~** ...at (denna jul this) Christmas; *i ~as* last Christmas; **på ~en (~arna)** at Christmas [time]; **få ngt färdigt till ~** ...by Christmas; **önska ngn en god ~** wish sb a Merry Christmas; **dansa ut ~en** wind up Christmas with a dance round the Christmas tree

julafton *s* (~en, -aftnar) **~[en]** Christmas Eve; **på ~[en]** var vi... on Christmas Eve...; **det var rena ~** för ungdomarna a really great occasion for...

julbock *s* (~en, ~ar) Christmas goat [av halm made of straw]

julbord *s* (~et, =) middagsbord Christmas dinner table; maten Christmas buffet

julbön *s* (~en, ~er) Christmas-Eve service (evensong)

juldag *s* (~en, ~ar) **1** ~[en] Christmas Day; **på ~en** var vi... on Christmas Day... **2** ~arna julhelgen Christmas, the Christmas holiday (båda sg.)

juldagsmorgon *s* (~en, -morgnar) Christmas morning

julevangeliet *s* (best. sing.) the gospel for Christmas Day, the Christmas gospel

julfest *s* (~en, ~er) Christmas party

julgran *s* (~en, ~ar) Christmas tree; **det är ingenting att hänga i ~[en]** bildl. it is nothing to write home about

julgransbelysning *s* (~en, ~ar) Christmas tree illuminations pl.

julgransfot *s* (~en, -fötter) Christmas tree stand, stand for a (resp. the) Christmas tree

julgranskula *s* (~n, -kulor) Christmas tree ball

julgransplundring *s* (~en, ~ar) children's party after

Christmas [at which the Christmas tree is stripped of its decorations]

julhandla *vb itr* (~de, ~t) do one's Christmas shopping

julhelg *s* (~en, ~er) jul Christmas; **under ~en** during Christmas

julhälsning *s* (~en, ~ar) Christmas greeting

juli *s* (oböjl., en) July; för ex. jfr *april o. femte*

julkaktus *s* (~en, ~ar) bot. Christmas cactus

julkalender *s* (~n, -kalendrar) se *adventskalender*

julklapp *s* (~en, ~ar) Christmas present (gift); **köpa ~ar** äv. buy presents for Christmas; **önska sig ngt i (till) ~** ...for Christmas

julklappsrim *s* (~met, =) little verse as a Christmas present dedication, little verse inscribed on a Christmas present

julkorg *s* (~en, ~ar) Christmas hamper

julkort *s* (~et, =) Christmas card

julkrubba *s* (~n, -krubbor) Christmas crèche (crib)

julkärve *s* (~n, -kärvar) corn sheaf [hung out for the birds at Christmas]

jullov *s* (~et, =) Christmas holidays pl. (vacation)

julmarknad *s* (~en, ~er) Christmas fair

julmust *s* (~en) [type of] root beer [drunk at Christmas]

julotta *s* (~n, -ottor) early service on Christmas Day

julpsalm *s* (~en, ~er) Christmas hymn

julpynt *s* (~et) Christmas decorations pl.

julros *s* (~en, ~or) bot. Christmas (winter) rose, hellebore

julrusch *s* (~en, ~er), **~en** the Christmas rush

julskinka *s* (~n, -skinkor) [baked] Christmas ham

julskyltning *s* (~en, ~ar) Christmas window display

julstjärna *s* (~n, -stjärnor) **1** i julgran star on the top of a (resp. the) Christmas tree; i fönster illuminated star [placed in a window at Christmas] **2** bot. poinsettia

julstäda *vb itr* (~de, ~t) make the place clean and tidy for Christmas

julstämning *s* (~en) Christmas spirit (atmosphere)

julstök *s* (~et) preparations pl. for Christmas

julsång *s* (~en, ~er) Christmas carol (song)

jultid *s* (~en, ~er) Christmas time, Yule-tide

jultomte *s* (~n, -tomtar), **~[n]** Father Christmas, Santa Claus

julvecka *s* (~n, -veckor), **~[n]** Christmas week

Julön Christmas Island

jumbo *s* (~n), **komma (bli) ~** come (be) bottom (last)

jumbojet *s* (~en, ~ar) jumbo jet; vard. jumbo

jumbopris *s* (~et, = el. ~er) vard. booby prize

jumper *s* (~n, jumprar) jumper; amer. [thin] sweater

jungfru *s* **1** (~n, ~r) ungmö maid[en]; åld., kysk kvinna virgin; **Jungfru Maria** el. **den heliga ~n** the Virgin Mary, the Holy (Blessed) Virgin **2** astrol., **Jungfrun** Virgo; **han är ~** he is [a] Virgo

jungfrudom *s* (~en) virginity, maidenhood

jungfrukammare *s* (~n, =) servant's bedroom

jungfrulig *adj* (~t) maidenly, maiden...; maidenlike; **~ mark** virgin soil

jungfrulighet *s* (~en) maidenliness; virginity äv. bildl.

jungfruolja *s* (~n) extra-virgin olive oil

jungfruresa *s* (~n, -resor) maiden trip (sjö. voyage, flyg. flight)

jungman *s* (~nen, -män) sjö. ordinary seaman (pl. seamen), deckhand

juni *s* (oböjl., en) June; för ex. jfr *april o. femte*

junior I ['---] *s* (oböjl.) o. *adj* (oböjl.) junior; Bo Ek **~**

(förk. *jun., j:r*) ..., Junior (förk. Jun., Jr.) **II** [--'-] *s* (~en, ~er) sport. junior

juniorlag *s* (~et, =) junior team

juniorscout *s* (~en, ~er) 11–12 år scout

junta *s* (~n, juntor) militärjunta junta

Jupiter astron. el. mytol. Jupiter; mytol. äv. Jove

jura *s* (~n) geol. the Jurassic

juridik *s* (~en) law; som vetenskap äv. jurisprudence; *studera ~* study [the] law

juridisk *adj* (~t) allm. legal, juridical; avseende rättsvetenskap jurisprudential; *slå in på den ~a banan* go in for a legal career; *~ examen* grad law degree; *~ fakultet* faculty of law; *~ hjälp* legal assistance; *~t ombud* legal representative; *~ person* mots. till fysisk juridical (juristic[al], artificial) person; *~t utskott* judicial committee

juris *adj* (oböjl.), *~ doktor* (förk. *jur.dr*) Doctor of Laws (of Civil Law) (förk. LL D resp. DCL i Storbr., båda efter namnet); *~ kandidat* (förk. *jur. kand.*) ung. graduate in Law; eng. motsv. ung. Bachelor of Laws (förk. LL B, efter namnet)

jurisdiktion *s* (~en) jurisdiction

jurist *s* (~en, ~er) **1** praktiserande lawyer osv., jfr *advokat*; rättslärd jurist **2** juridikstuderande law student

juristexamen *s* (=, en, -examina) Master of Laws [degree] (förk. LL M)

jury *s* (~n, ~er) jury; *vara medlem av en ~* serve on a jury; *sitta i en ~* serve (be) on a jury

jurymedlem *s* (~men, ~mar) juryman, juror

just *adv* just; exakt, precis äv. exactly, precisely; egentligen, verkligen really; *jag har ~ kommit* I've just got here; *jag undrar ~ hur...* I really wonder how...; *~ nu* i detta ögonblick just (right) now, [just] at this very moment; för närvarande at the present moment; *han är ~ den rätte!* he is just the [right] one! äv. iron.; *varför ~ jag?* why [just] me?; varför väljer man *~ honom?* ...him of all people?; *~ det[, ja!]* that's right!, exactly!, quite!

juste *adj* (=, justa), *handla ~ mot ngn* treat sb fairly; *spela ~* play the game, play fair

justera *vb tr* (~de, ~t) **1** adjust; instrument regulate, set...right; mekanism true up; mått, vikt gauge, verify **2** protokoll check, confirm, approve **3** sport., skada injure; *han blev ~d* he was injured

justerbar *adj* (~t) adjustable

justering *s* (~en, ~ar) **1** adjusting, regulating osv., verification; *en ~* av kontrakt, bestämmelser o.d. an adjustment; jfr *justera 1* **2** sport., skada injury

justeringsman *s* (~nen, -män), utse två *justeringsmän* ...members to check the minutes

Justitiedepartementet i Sverige the Ministry of Justice; motsv. i Storbr. the Ministry of Justice, i vissa funktioner the Home Office; i USA the Department of Justice

Justitiekanslern (förk. *JK*) the Office of the Chancellor of Justice

justitieminister *s* (~n, -ministrar) i Sverige Minister for Justice; *~n* motsv. i Storbr. the Secretary of State for Justice, the Lord Chancellor; i vissa funktioner the Home Secretary; i USA the Attorney General

justitiemord *s* (~et, =) judicial murder; juridiskt misstag miscarriage of justice

Justitieombudsmannen (förk. *JO*) the [Swedish] Parliamentary Ombudsman

justitieråd *s* (~et, =) Justice of the Supreme Court; i

Storbr. ung. Lord Justice; i USA Associate Justice of the Supreme Court

jute *s* (~n el. ~t) växt el. fiber jute

juteväv *s* (~en, ~ar) jute cloth, gunny, hessian

juvel *s* (~en, ~er) jewel äv. bildl.; ädelsten gem; *~er* eg. äv. jewellery (amer. jewelry) sg.

juvelerare *s* (~n, =) jeweller, (amer. jeweler); affär jeweller's [shop] amer. jeweler's [store]

juvelprydd *adj* (-prytt) bejewelled; amer. bejeweled

juvelskrin *s* (~et, =) jewel case

juver *s* (juvret, =) udder

jycke *s* (~n, jyckar) vard., hund pooch; neds. cur

Jylland Jutland

jympa *s* (~n) o. *vb itr* (~de, ~t) se *gympa*

jädra o. **jädrar** m.fl. se *jäkla* o. *jäklar* m.fl.

jägare *s* (~n, =) hunter äv. bildl.

jägmästare *s* (~n, =) forest officer, [certified] forester

jäkel *s* (~n, jäklar) vard. devil; *en stackars ~* a poor devil, jfr vidare *djävel*

jäkla I *adj* (oböjl.) vard. blasted, darned; starkare damn[ed]; amer. äv. goddamn[ed] **II** *adv* damn[ed]; amer. äv. goddamn[ed]

jäklar *interj* vard., *~ [också]!* damn [it]!, damnation!

jäklas *vb itr dep* (jäklades, jäklats) vard., *~ med ngn* be [damned] nasty to sb

jäklig *adj* (~t) vard., om person vanl. damn[ed] nasty [mot to]; om sak vanl. damn[ed] rotten (awful)

jäklighet *s* (~en, ~er) vard., elakhet [damned] nastiness

jäkligt *adv* vard. damn[ed], confoundedly; amer. äv. goddamn[ed]

jäkt *s* (~et) brådska hurry, haste; fläng bustle, hustle, rush [and tear]; *storstadens (vardagens) ~* the rush and tear of the city (of everyday life)

jäkta I *vb itr* (~de, ~t) be always on the move (go), be in a hurry; *~ inte!* don't rush (hurry)!; ta det lugnt take it easy! **II** *vb tr* (~de, ~t) hurry...on, keep...on the drive (run); *~ mig inte!* don't rush me!; *~ ihjäl sig* drive oneself to death

jäktad *adj* (jäktat, ~e) jagad driven, chased; hetsad rushed, harassed, ...pressed for time; *~ av arbete* pushed with work

jäktig *adj* (~t) terribly busy, hectic

jäktigt *adv*, *ha det ~* be rushed off one's feet

jämbred *adj* (-brett) equally broad (resp. wide); lika bred överallt ...of uniform breadth (resp. width); *vara ~ med* be as broad etc. as

jämbredd *s* (oböjl.), *i ~ med* side by side with; bildl. on a level with

jämbördig *adj* (~t) jämngod ...equal in merit, equal [med to], ...of equal merit [med with], ...in the same class [med as]; *utan ~a medtävlare* without [any] competition

jämbördighet *s* (~en) equality [in merit]

jämfota *adv*, *hoppa ~* jump with both feet together

jämföra *vb tr* (-förde, -fört) compare; *~ med* a) göra jämförelse mellan compare...with b) likna vid compare...to; *jämför...* (förk. *jfr*) confer... (förk. cf.), compare... (förk. cp.); *det kan inte ~s med...* it cannot be compared (cannot compare) with...; *jämfört (om man jämför) med* äv. in comparison with

jämförande *adj* (oböjl.), *~ språkvetenskap* comparative philology

jämförbar *adj* (~t) comparable

jämförelse *s* (~n, ~r) comparison; *i ~ med* in

comparison with, compared with; **utan [all]** ~ without [any] comparison, beyond [all] comparison; **vid en** ~ fann man... on comparison..., on a comparison [being made]...

jämförelsevis *adv* comparatively; förhållandevis proportionately; relativt relatively; **den var ~ billig** äv. it was rather cheap

jämförlig *adj* (~t) comparable, ...to be compared [*med* with]; likvärdig equivalent [*med* to]

jämförpris *s* (~et, = el. ~er) cost-per-unit price, price per kilo (litre etc.)

jämgod *adj* (-gott) m.fl., se *jämngod* m.fl.

jämka *vb tr* o. *vb itr* (~de, ~t) **1** eg., ~ [*på*] maka (flytta) på move, shift; ~ **på** ändra på, justera adjust **2** bildl., avpassa adapt [*efter* to]; ~ **på** t.ex. sina åsikter, principer; justera adjust; modifiera modify; ge efter give way [a little] as regards; ~ **ihop** (**samman**) **olika uppfattningar** bring different (variant) opinions into line with each other

jämkning *s* (~en, ~ar) justering [re]adjustment; modifiering modification; ~ **av skatt** tax adjustment, adjustment of tax

jämlik *adj* (~t) equal

jämlike *s* (~n, -likar) equal

jämlikhet *s* (~en) equality; ~ **i arbetet** job equality

jämlikhetssträvanden *s pl* attempts to achieve equality

jämmer *s* (~n el. jämret) jämrande groaning, moaning; klagan lamentation

jämmerdal *s* (~en, ~ar) vale of tears

jämmerlig *adj* (~t) **1** eländig, ömklig miserable, wretched, pitiable **2** klagande mournful, wailing

jämmerrop *s* (~et, =) nödrop cry of distress; **ett** ~ a wail; **det hördes höga** ~ there was a lot of wailing

jämn *adj* (~t) **1** om yta: utan ojämnheter even; plan level; slät smooth

2 likartad, regelbunden even, regular; likformig uniform; konstant constant; kontinuerlig continuous; ~**a andetag** regular (even) breathing sg.; ~ **fördelning** even (balanced) distribution; **ett** ~**t klimat** a steady (equable) climate; **av** ~ **kvalitet** of uniform quality; **ha ett** ~**t humör** be even-tempered; **med** ~**a mellanrum** at regular intervals; **hålla** ~**a steg med** keep in step (keep neck and neck) with; bildl. keep pace (even, level, up) with; **en** ~ **ström av resande** a continuous stream of travellers

3 om tal, mått o.d., äv. i betydelsen 'avrundad' even; ~**a par** an equal number of men and women; **ha** ~**a pengar** have the exact change; **det är** ~**t!** sagt t.ex. till en kypare never mind the change !, [please,] keep the change!

jämna *vb tr* (~de, ~t) eg. level, make...level (even, smooth); kanterna på ngt even up; klippa jämn, 'putsa' trim; bildl., t.ex. vägen för ngn smooth; ~ **med marken** level with the ground; ~ **av** marken level; yta äv. make...even; tekn. face; klippa jämn, 'putsa' trim [up]; ~ **till** (**ut**) level, make...level; **det** ~**r ut sig** it evens itself out

jämnan *s* (best. sing.), **för** ~ all the time, continually; **de grälar för** ~ äv. they are always (forever) quarrelling

jämngod *adj* (-gott), **vara** ~**a** be equal to one another; **vara** ~ **med** be just as good as, be quite up (equal) to

jämnhet *s* (~en, ~er) evenness, levelness osv., regularity, uniformity, jfr *jämn*

jämnhög *adj* (~t) equally high (resp. tall etc.); lika hög överallt ...of uniform height; **vara** ~ **med** be as high etc. as

jämnhöjd *s* (oböjl.), **i** ~ **med** on a level with, on the same level as

jämnmod *s* (~et) equanimity, composure

jämnmulen *adj* (-mulet, -mulna), **en** ~ **himmel** an entirely overcast sky

jämnstark *adv*, **vara** ~**a** be equal in strength, be equally strong

jämnstor *adj* (~t) med alla enheter lika stora ...of uniform size; **vara** ~**a** be equal in size

jämnt *adv* **1** even[ly], level, smoothly, regularly osv., jfr *jämn* 1 o. *jämn* 2; **dela** ~ divide equally; **dra** ~ bildl. get on well; **vara** ~ **fördelad** be equally divided **2** precis exactly; **och därmed** ~ basta*!* and that's that!, and that's enough!; **jag tror honom inte mer än** ~ I only half believe him; **nätt och** ~ se under *nätt* II

jämntjock *adj* (~t) equally thick; lika tjock överallt ...of uniform thickness; **vara** ~ **med** be as thick as

jämnårig *adj* (~t) ...of the same age [*med* as]; **han är** ~ **med mig** he's about my age; **han och jag är** ~**a** he and I are just about the same age; **mina** ~**a** persons of my [own] age

jämra *vb rfl* (~de, ~t), ~ **sig** kvida wail, moan; stöna groan; klaga complain [*över* i samtliga fall about]; beklaga sig lament [*över* about (over)]

jäms *adv*, ~ **med** (**efter**) a) i jämnhöjd med at the level of, level (flush) with b) längs, utmed alongside [of]

jämsides *adv* eg. side by side; sport. neck and neck [*med* with], abreast [*med* of]; ~ **med** äv. alongside [of] äv. bildl.

jämspelt *adj* (=) evenly matched; pred. äv. even

jämställa *vb tr* (-ställde, -ställt) place...on a level [*med* with]; place...on an equal footing (on a par) [*med* with]; rank (class)...in the same category [*med* as]

jämställd *adj* (-ställt), **vara** ~ **med** be on an equal footing (a par) with

jämställdhet *s* (~en) **1** mellan könen gender equality; **vi strävar efter** ~ we are trying to achieve equal opportunities between women and men **2** parity; **det råder** ~ **mellan dem** they are on an equal footing (on a par)

jämställdhetsminister *s* (~n, -ministrar) i Sverige Minister for Gender Equality

jämställdhetsplan *s* (~en, ~er) plan of action for equality

jämt *adv* alltid always; ~ [**och ständigt**] el. **ständigt och** ~ for ever; oupphörligt incessantly, perpetually; gång på gång constantly, continually; ~ **och ständigt** osv. **göra ngt** äv. keep on doing sth [all the time]

jämte *prep* tillsammans med in addition to, together with; inklusive including

jämvikt *s* (~en) allm. balance äv. bildl.; eg. el. fys. equilibrium; **återfå** ~**en** recover one's balance; **återställa** ~**en** redress the balance; **vara i** ~ äv. bildl. be [well-]balanced

jämviktsläge *s* (~t, ~n) state (position) of equilibrium äv. bildl.; hand., försäljningens ~ breakeven point

jänta *s* (~n, jäntor) ngt åld., vard. lass

järn *s* (~et, =) iron äv. med. el. bildl. el. om skjutvapen el. golfklubbor; **ge** ~**et** vard.: ge full gas step on the gas (juice), step on it samtliga äv. bildl.; bildl. äv. give it all you've (we've etc.) got, sock it to 'em; **ha** [**för**] **många ~ i elden** have got [too] many irons in the fire; **ta sig ett ~** en sup, vard. have a drink, take a dram; balk **av ~** äv. iron...

järnaffär s (~en, ~er) butik hardware store, ironmongers

järnbalk s (~en, ~ar) iron girder

järnbrist s (~en) med. iron deficiency, lack of iron

järnbruk s (~et, =) ironworks (pl. lika); gjuteri iron foundry

järnek s (~en, ~ar) bot. holly

järnfilspån s pl iron filings

järnfysik s (~en) iron constitution

järngaller s (-gallret, =) iron grating

järngrepp s (~et, =) iron grip, stranglehold

järngruva s (~n, -gruvor) iron mine

järnhalt s (~en, ~er) iron content; procentdel percentage of iron

järnhaltig adj (~t) attr. ...containing iron; ferruginous, ferriferous

järnhand s (oböjl.), **styra** (**regera**) **med ~** rule with a rod of iron

järnhandel s (~n, -handlar) butik hardware store, ironmongers

järnhandlare s (~n, =) ironmonger; amer. hardware dealer

järnhård adj (-hårt) bildl. ...as hard as iron, iron...; ~ **disciplin** iron (rigid) discipline

järnklubba s (~n, -klubbor) golf. iron

järnkonstruktion s (~en, ~er) iron construction (frame)

järnkors s (~et, =) iron cross äv. om orden

järnmalm s (~en, ~er) iron ore

järnmedicin s (~en, ~er) iron tonic; tabletter iron tablets (pills) pl.

järnnätter s pl frosty nights [på senvåren in the late spring, på förhösten in the early autumn]

järnoxid s (~en, ~er) kem. ferric oxide

järnridå s (~n, ~er) teat. safety curtain; polit. hist. iron curtain

järnskodd adj (-skott) iron-shod; om käpp o.d. iron-tipped

järnskrot s (~et) scrap iron, refuse iron

järnspis s (~en, ~ar) iron range

järnvaror s pl ironmongery, hardware (samtliga sg.)

järnverk s (~et, =) ironworks (pl. lika)

järnvilja s (~n, -viljor) iron will, will of iron

järnväg s (~en, ~ar) railway; amer. railroad; **~ar!** vard. blast!, sugar!; **resa med ~** go by rail (train)

järnvägsarbetare s (~n, =) railway (amer. railroad) worker; järnvägsbyggare navvy; linjearbetare surfaceman, amer. section hand

järnvägsbom s (~men, ~mar) level-crossing (amer. grade-crossing) barrier

järnvägsbro s (~n, ~ar) railway (amer. railroad) bridge

järnvägsbygge s (~t, ~n) railway (amer. railroad) construction (building)

järnvägsförbindelse s (~n, ~r) railway (amer. railroad) connection, rail (train) service

järnvägshotell s (~et, =) railway (amer. railroad) hotel, station hotel

järnvägsknut s (~en, ~ar) junction

järnvägskorsning s (~en, ~ar) railway (amer.

railroad) crossing; plankorsning level (amer. grade) crossing

järnvägslinje s (~n, ~r) railway (amer. railroad) line

järnvägsnät s (~et, =) railway (amer. railroad) network (system)

järnvägsrestaurang s (~en, ~er) railway (amer. railroad) restaurant, station restaurant, refreshment room; mindre buffet

järnvägsskena s (~n, -skenor) rail; **järnvägsskenor** ofta metals

järnvägsspår s (~et, =) railway (amer. railroad) track

järnvägsstation s (~en, ~er) railway (amer. railroad) station

järnvägstaxa s (~n, -taxor) railway (amer. railroad) charge[s pl.]

järnvägstjänsteman s (~nen, -män) railway (amer. railroad) employee (clerk, högre official)

järnvägstrafik s (~en) railway (amer. railroad) traffic

järnvägsvagn s (~en, ~ar) railway-carriage, amer. railroad car; godsvagn railway truck (wagon), amer. freight car

järnvägsövergång s (~en, ~ar) railway (amer. railroad) crossing; plankorsning level (amer. grade) crossing

järnåldern s (best. sing.) the Iron Age; **yngre** (**äldre**) **~** the later (earlier) Iron Age

järpe s (~n, järpar) **1** zool. hazel hen, hazel grouse **2** kok., ung. [beef] croquette

järtecken s (-tecknet, =) åld. omen, portent, sign

järv s (~en, ~ar) zool. wolverine, glutton

jäsa vb itr (jäste, jäst) ferment; **låta** degen **~** allow...to rise; **det jäste bland folket** people's minds were in a ferment; **~** [**upp**] om deg rise; **~ över** om deg rise and run over

jäsning s (~en, ~ar) fermentation; **vara i ~** bildl. be in ferment, be in a [state of] ferment

jäst s (~en) yeast

jästsvamp s (~en, ~ar) yeast fung|us (pl. -i); vetensk. blastomycete

jätte s (~n, jättar) giant

jättebillig adj (~t) vard. dirt-cheap; **vara ~** äv. be a steal

jättebra adj (oböjl.) o. **jättefin** adj (~t) vard. great, smashing, terrific

jätteförlust s (~en, ~er) tremendous loss

jättegod adj (-gott) vard. great, lovely

jättegryta s (~n, -grytor) geol. giant's kettle (cauldron), pot-hole

jättehungrig adj (~t) vard. dead hungry, starving

jättelik adj (~t) gigantic, enormous, huge

jättepanda s (~n, -pandor) zool. giant panda

jätterolig adj (~t) vard. terrifically funny; **den är ~** äv. it's a real scream

jättesnygg adj (~t) vard. gorgeous, stunning

jättestor adj (~t) vard. gigantic, colossal, huge

jättesuccé s (~n, ~er) vard. terrific (tremendous) success; om bok, pjäs o.d. äv. smash hit; **det blev en ~** äv. it went like a bomb

jättevinst s (~en, ~er) på en transaktion tremendous profit; på tips huge win (dividend)

jätteödla s (~n, -ödlor) great saurian

jäv s (~et, =) challenge [mot to]; **anföra** (**inlägga**) **~ mot** make (lodge) a challenge to, raise an objection against

jävig *adj* (~t) jur.: om vittne o.d. challengeable, exceptionable

jävla o. **jävlar** m.fl., se *djävla* o. *djävlar* m.fl.

jökel *s* (~n, jöklar) glacier

jönsig *adj* (~t) vard. silly, daft

jösses se ex. under *kors II*

k *s* **1** (k:et, k:n el. k) bokstav k [utt. kei] **2** *K* (förk. för *kelvin*) K

kabaré *s* (~n, ~er) K; underhållning o.d. cabaret, floor show

kabaréartist *s* (~en, ~er) cabaret artiste

kabbeleka *s* (~n, kabbelekor) o. **kabbleka** *s* (~n, kabblekor) bot. marsh marigold

kabel *s* (~n, kablar) **1** elektr. cable **2** sjö. hawser

kabelbro *s* (~n, ~ar) [cable] suspension bridge

kabelbrott *s* (~et, =) cable breakdown

kabelfel *s* (~et, =) cable fault (brott breakdown)

kabeljo *s* (~n) torsk dried cod; långa dried ling

kabelkanal *s* (~en, ~er) TV. cable channel

kabel-tv *s* (-tv:n) cable television (TV), cablevision; vard. cable

kabin *s* (~en, ~er) passagerares cabin; pilots äv. cockpit

kabinbana *s* (~n, -banor) cableway

kabinett *s* (~et, =) rum, skåp, regering cabinet

kabinettsfråga *s* (~n, -frågor) förtroendevotum, *ställa ~* demand a vote of confidence

kabinettssekreterare *s* (~n, =) State Secretary for Foreign Affairs

kabinpersonal *s* (~en, ~er) flyg. cabin personnel (crew)

kabintryck *s* (~et) flyg. cabin pressure

kabinväska *s* (~n, -väskor) flyg., ung. carry-on (overnight) case (bag)

kabla *vb tr* o. *vb itr* (~de, ~t) cable

kabriolett *s* (~en, ~er) bil convertible

kabyss *s* (~en, ~er) sjö. galley, cookhouse

kackerlacka *s* (~n, kackerlackor) cockroach, black-beetle

kackla *vb itr* (~de, ~t) cackle äv. bildl.; om höna äv. cluck

kadaver *s* (kadavret, =) carcass; ruttnande as carrion

kadaverdisciplin *s* (~en) slavish (blind) discipline

kadens *s* (~en, ~er) mus.: avslutning cadence; soloparti cadenza

kader *s* (~n, kadrar el. kadrer) mil. el. polit. cadre

kadett *s* (~en, ~er) armé~ el. flyg. cadet; sjö. naval cadet, midshipman

kadmium *s* (kadmiet el. = el. ~et) kem. cadmium

kafé *s* (~et, ~er) café; med utomhusservering open-air café

kaféliv *s* (~et) café life

kafeteria *s* (~n, kafeterior) cafeteria

kafévagn *s* (~en, ~ar) järnv. buffet car

kaffe *s* (~t) coffee; *två ~!* two coffees, please!; *~ med mjölk* coffee with milk, white coffee; *~ utan mjölk* (*svart ~*) black coffee; *dricka ~* have [some] coffee; *koka (brygga, göra) ~* make [some] coffee; *vill du ha [lite] kaffe?* would you like some coffee?; *vill du ha mjölk i ~t?* ung. black or white?

kaffeautomat *s* (~en, ~er) coffee vending machine

kaffebord *s* (~et, =) coffee table

kaffebricka *s* (~n, -brickor) coffee tray; *han kom med en ~ med kaffe* he brought in coffee on a tray

kaffebryggare *s* (~n, =) coffee maker (machine)

kaffebröd s (~et) koll., ung. buns and cakes [to go with the coffee] pl.

kaffebuske s (~n, -buskar) coffee bush

kaffeböna s (~n, -bönor) coffee bean (berry)

kaffefat s (~et, =) small saucer

kaffegrädde s (~n) coffee cream; tunn grädde single cream

kaffekanna s (~n, -kannor) coffee pot

kaffekopp s (~en, ~ar) coffee cup; mått (förk. *kkp*) coffee-cupful

kaffekvarn s (~en, ~ar) coffee-mill, coffee-grinder

kaffemaskin s (~en, ~er) coffee machine (maker)

kaffepanna s (~n, -pannor) coffee kettle

kaffepaus s (~en, ~er) o. **kafferast** s (~en, ~er) coffee break

kafferep s (~et, =) coffee party; amer. äv. kaffee (coffee) klatsch

kaffeservis s (~en, ~er) coffee service (set)

kaffesked s (~en, ~ar) coffee spoon

kaffesugen adj (-suget, -sugna) vard., jag är ~ I feel like (starkare I'm dying for) a [cup of] coffee

kaffesump s (~en) coffee grounds pl.

kaffetår s (~en, ~ar) vard. drop of coffee

kaffeved s (~en) bildl., **göra ~ av** smash to smithereens

kaftan s (~en, ~er) österländsk långrock caftan; prästrock cassock

kagge s (~n, kaggar) keg, cask

kainsmärke s (~t) bibl. el. bildl. mark (brand) of Cain

Kairo Cairo

kaj s (~en, ~er) quay; lossningsplats för fartyg äv. wharf (pl. wharfs el. wharves); last~, amer. dock; strandgata embankment; **från ~** hand. ex quay

kaja s (~n, kajor) jackdaw, daw; **full som en ~** [as] drunk as a lord

kajak s (~en, ~er) kayak; **paddla ~** go kayaking

kajalpenna s (~n, -pennor) kohl pencil

kajavgift s (~en, ~er) ~[er] quayage sg., wharfage sg., quay dues pl.

kajennpeppar s (~n) cayenne, cayenne pepper

kajka vb itr (~de, ~t) row (segla sail) aimlessly

kajplats s (~en, ~er) quay-berth

Kajsa Anka seriefigur Daisy Duck

kajuta s (~n, kajutor) cabin; liten cuddy

kaka s (~n, kakor) allm., äv. t.ex. tårta, socker~ o.d. samt foder~ m.m. cake; finare bakverk pastry äv. koll.; små~ biscuit, amer. cookie; jfr *chokladkaka*; kräva **sin del av ~n** bildl. ...one's slice (cut, share) of the cake; **ta hela ~n** bildl. take (bag) the lot; **man kan inte både äta ~n och ha den kvar** you can't have your cake and eat it,

kakadua s (~n, kakaduor) zool. cockatoo (pl. -s)

kakafoni s (~n, ~er) se *kakofoni*

kakao s (~n) bot. cacao; pulver, dryck cocoa

kakaoböna s (~n, -bönor) cocoa bean

kakaofett s (~et) cocoa butter

kakaopulver s (-pulvret) cocoa powder

kakaosmör s (~et) cocoa butter

kakburk s (~en, ~ar) cake tin, biscuit tin

kakel s (kaklet, =) platta [glazed] tile (koll. tiles pl.); **mönstrat** (**målat**) ~ Dutch tile

kakelklädd adj (-klätt) tiled

kakelplatta s (~n, -plattor) [glazed] tile

kakelugn s (~en, ~ar) tiled stove

kakfat s (~et, =) cake-dish

kakform s (~en, ~ar) för bak baking tin, cake tin (amer. pan)

kaki s (~n) färg o. tyg khaki

kakifärgad adj (-färgat, ~e) khaki[-coloured]

kakmått s (~et, =) biscuit (amer. cookie) cutter

kakofoni s (~n, ~er) cacophony äv. mus.

kaktus s (~en, ~ar) cactus (pl. cactuses el. cacti)

kaktång s (~en, -tänger) pastry tongs pl.

kal adj (~t) mera allm. bare; om träd äv. leafless; skallig bald

kalabalik s (~en, ~er) tumult uproar, tumult, affray; rörig situation mix-up

kalas I s (~et, =) bjudning party; festmåltid feast; **betala ~et** bildl. pay for the whole show, foot the bill; **hela ~et** alltihop the whole thing (lot); **ha** (**ställa till**) ~ throw (give) a party **II** interj vard., 'fint' smashing!, super!, goody!

kalasa vb itr (~de, ~t), ~ **på ngt** feast on sth

kalaskula s (~n, -kulor) paunch

kalasmat s (~en) wonderful food; lyxmat delicacies pl.

kalcium s (kalciet el. = el. ~et) kem. calcium

kalebass s (~en, ~er) bot. el. behållare calabash

kalejdoskop s (~et, =) kaleidoscope

kalender s (~n, kalendrar) **1** tidsindelning calendar **2** se *almanacka* **3** årsbok yearbook, annual

kalendermånad s (~en, ~er) calendar month

kalenderår s (~et, =) calendar year

kalfjäll s (~et, =) bare mountain region above the tree line

kalhugga vb tr (-högg, -huggit) clear-fell, clear-cut

kalhygge s (~t, ~n) clear-felled (clear-cut) area

kali s (~t) kem. potash

kaliber s (~n, kalibrar el. kalibrer) calibre, caliber; storlek äv. size; bildl. äv. character, stamp

kalif s (~en, ~er) caliph, calif

Kalifornien California

kalifornisk adj (~t) Californian

kalium s (kaliet el. = el. ~et) kem. potassium

1 kalk s (~en, ~ar) **1** bägare goblet, cup äv. bildl.; nattvards~ chalice **2** bot. perianth

2 kalk s (~en) kem. lime, calcium oxide; som bergart limestone; som beståndsdel av föda calcium äv. i skelettet; **släckt ~** slaked lime; **osläckt** (**bränd**) ~ quicklime, burnt lime

kalka vb tr (~de, ~t) **1** t.ex. vägg limewash, whitewash **2** jorden lime

kalkbrist s (~en) med. calcium deficiency

kalkbrott s (~et, =) limestone quarry

kalkbruk s (~et, =) **1** bränneri lime-works (pl. lika) **2** murbruk [lime-]mortar

kalkera vb tr (~de, ~t) trace

kalkerpapper s (~et el. -pappret, =) **1** genomskinligt tracing-paper **2** karbonpapper carbon paper

kalkhaltig adj (~t) limy, calcareous, calciferous

kalkon s (~en, ~er) turkey

kalkonbröst s (~et, =) kok. turkey breast

kalkonfilm s (~en, ~er) o. **kalkonrulle** s (~n, -rullar) vard. turkey [film (movie)]

kalksten s (~en) miner. el. geol. limestone

kalkyl s (~en, ~er) **1** calculation; kostnadsberäkning cost estimate **2** matem. calculus (pl. calculuses el. calculi)

kalkylator s (~n, ~er) räkneapparat calculator

kalkylera vb tr o. vb itr (~de, ~t) calculate; t.ex.

kostnad estimate; **~ fel** äv. miscalculate; **~ med** räkna med count on

kalkylprogram s (~met, =) data. spreadsheet

1 kall adj (~t) **1** mer el. mindre eg.: allm. cold; sval cool; kylig chilly; flera grader **~t** ...below freezing-point; **han är ~ om fötterna** his feet are cold **2** bildl., om t.ex. färg o. person cold, jfr *kallsinnig*; okänslig frigid, unfeeling; **få ~a handen** be turned down flat; **det ~a kriget** the cold war; **hålla huvudet ~t** keep a cool head, keep [one's] cool

2 kall s (~et, =) vocation, calling

1 kalla s (~n, kallor) bot. calla [lily]

2 kalla I vb tr (~de, ~t) benämna allm. call; **~ ngn [för] lögnare** call sb a liar; **~ saker och ting vid deras rätta namn** call a spade a spade; **det ~r jag tur!** I call that luck! **II** vb tr o. vb itr (~de, ~t) tillkalla send for, call; officiellt summon; **plikten ~r** duty calls; **~ på** ropa på call; tillkalla send for, call; **~ till styrelsemöte** call a board meeting; **~ fram ngn** ask sb to come forward; **~ hem** ask...to come home; dipl. recall; mil. withdraw; **~ in** a) beordra in, instämma summon, call b) mil. call up; speciellt amer. draft; till värnplikt äv. conscript; jfr *inkallad*; **~ in ngn som vittne** call (summon) sb as a witness; **~ till sig** call

kallbad s (~et, =) ute bathe; i kar cold bath

kallblod s (~et, =) häst cold-blood[ed] horse

kallblodig adj (~t) **1** växelvarm cold-blooded **2** bildl.: lugn cool, composed; oberörd indifferent; orädd fearless; beräknande calculating; **~t mord** cold-blooded murder; **~ mördare** cold-blooded murderer

kallblodighet s (~en) cold-bloodedness; lugn coolness, composure

kallbrand s (~en) med. gangrene

kalldusch s (~en, ~ar) cold shower; **det kom som en ~** it was a real shock (a nasty surprise)

Kalle Anka seriefigur Donald Duck

kallelse s (~n, ~r) **1 ~ till** sammanträde notice (summons) to attend... **2** kall vocation, calling

kallfront s (~en, ~er) meteor. cold front

kallgarage s (~et, =) unheated (cold) garage

kallhamrad adj (-hamrat, ~e) bildl. hard-boiled, tough

kallhyra s (~n, -hyror) rent exclusive of heating and hot water

kalligrafi s (~n) calligraphy

kallmangel s (~n, -manglar) mangle

kallna vb itr (~de, ~t) get cold; tekn. el. bildl. cool

kallprat s (~et) small talk

kallprata vb itr (~de, ~t) talk about nothing in particular

kallrökt adj (=) kok. cold-smoked

kallsinne s (~t) coldness; likgiltighet indifference

kallsinnig adj (~t) kall cold, cold-hearted; likgiltig indifferent; **ställa sig ~ till** take up (assume) an unsympathetic (indifferent) attitude towards

kallsinnighet s (~en) se *kallsinne*

kallskuret s (oböjl.) cold buffet, cold cuts pl.

kallskänka s (~n, -skänkor) cold-buffet chef

kallstart s (~en, ~er) cold start (startande starting)

kallsup s (~en, ~ar), **jag fick en ~** I swallowed a lot of water

kallsvettas vb itr dep (-svettades, -svettats) be in a cold sweat (perspiration); **börja ~** break out in a cold sweat (perspiration)

kallsvettig adj (~t), **vara ~** be in a cold sweat

kallt adv **1** bildl. coldly; oberört coolly; likgiltigt indifferently **2 förvaras ~** keep in a cool place

kalluft s (~en) cold air

kallvatten s (-vattnet) cold water

kallvattenkran s (~en, ~ar) cold-water tap (amer. faucet)

kalops s (~en) ung. Swedish beef stew [cooked with allspice and bay leaves]

kalori s (~n, ~er) calorie; **bränna (räkna) ~er** burn (count) calories

kalorifattig adj (~t) ...deficient in calories, ...with a low calorie content; **en ~ kost** a low-calorie diet

kallririk adj (~t) ...with a high calorie value, ...rich in calories; **en ~ kost** a high-calorie diet

kalorisnål adj (~t) se *kalorifattig*

kalorivärde s (~t, ~n) calorie (calorific) value

kalott s (~en, ~er) **1** huvudbonad skullcap; katolsk calot[te] **2** polarbälte polar region

kalsonger s pl [under]pants

kalufs s (~en, ~er) mop (shock) of hair; **dra ngn i ~en** pull sb by the hair

kalv s (~en, ~ar) **1** djur calf (pl. calves) **2** kött veal **3** skinn calf[skin], calf-leather

kalva vb itr (~de, ~t) calve äv. om isberg o. jökel

kalvbräss s (~en) neck (throat) sweetbread

kalvdans s (~en) kok. beestings pudding

kalvfilé s (~n, ~er) fillet of veal

kalvfärs s (~en, ~er) råvara minced veal, veal forcemeat

kalvinism s (~en) relig. Calvinism

kalvinist s (~en, ~er) relig. Calvinist

kalvinistisk adj (~t) relig. Calvinistic

kalvkotlett s (~en, ~er) veal chop (benfri cutlet)

kalvlever s (~n, -levrar) calf's liver

kalvskinn s (~et, =) calf[skin], calf-leather

kalvskinnsband s (~et, =) calf-binding

kalvstek s (~en, ~ar) joint of veal; tillagad roast veal, amer. veal roast

kalvsylta s (~n, -syltor) kok. veal brawn, jellied veal

kam s (~men, ~mar) comb; på tupp crest; på berg ridge; på våg crest; **dra (skära) alla över en ~** judge (behandla treat) everyone alike

kamaxel s (~n, -axlar) bil. camshaft; **överliggande ~** overhead camshaft

Kambodja Cambodia

kambodjansk adj (~t) Cambodian

kambrium s (oböjl.) geol. the Cambrian

kamé s (~n, ~er) cameo (pl. -s)

kamel s (~en, ~er) camel

kameleont s (~en, ~er) zool. chameleon äv. bildl.

kamelhår s (~et, =) camel-hair

kamelia s (~n, kamelior) bot. camellia

kamera s (~n, kameror) camera

kameral adj (~t) ekon. fiscal; attr. äv. ...of public revenue

kameraman s (~nen, -män) cameraman (pl. cameramen)

kameramobil s (~en, ~er) cameraphone

kameraobjektiv s (~et, =) camera lens

kamerautrustning s (~en, ~ar) camera equipment

kameraövervakning s (~en, ~ar) [the system of] camera surveillance

Kamerun Cameroon

kamerunsk adj (~t) Cameroonian

kamfer s (~n) camphor

kamgarn s (~et) worsted [yarn]

kamin s (~en, ~er) stove; järn~ iron stove; el~, fotogen~ heater

kamma vb tr (~de, ~t) comb; **~ sig (håret)** comb one's hair; **~ bena** make a parting; **~ hem vinsten** vard. pull off the win (prize); **~ noll** vard. draw a blank; **~ in** håva in, t.ex. pengar rake in; **~ ut** håret comb out...

kammare s (~n, kamrar el. =) **1** rum chamber, parl. äv. house; small room; **första (andra) ~n** the Upper (Lower) House; om sv. förh., hist. the First (Second) Chamber [of the Riksdag] **2** i hjärta ventricle

kammarherre s (~n, -herrar) chamberlain

kammarjungfru s (~n, ~r) lady's-maid

Kammarkollegiet the Legal, Financial and Administrative Services Agency

kammarmusik s (~en) chamber music

kammarorkester s (~n, -orkestrar) chamber orchestra

kammarrätt s (~en, ~er) administrative court of appeal

kammarspel s (~et, =) teat. chamber play [for an intimate theatre]

kammussla s (~n, -musslor) zool. el. kok. scallop

kamning s (~en, ~ar) combing; frisyr hairstyle, coiffure fr.

kamomill s (~en, ~er) camomile

kamomillte s (~et, ~er) camomile tea

kamouflage s (~t) camouflage

kamouflagekläder s pl camouflage clothing sg.

kamouflera vb tr (~de, ~t) camouflage

kamp s (~en, ~er) strid fight, battle båda äv. bildl.; mödosam struggle [om makten for...]; **~en för tillvaron** the struggle for existence (life); [ta upp] **~en mot ngt** [take up] the fight against sth

kampanj s (~en, ~er) allm. campaign; t.ex. insamlings~, reklam~ äv. drive

kampera vb itr (~de, ~t) camp [ute out]; **~ ihop** bo tillsammans share rooms; hålla ihop keep together

kamplust s (~en) fighting spirit

kampsport s (~en, ~er) t.ex. judo, karate m.fl. martial art

kamrat s (~en, ~er) companion; comrade äv. polit.; vän friend, vard. mate, pal; jfr äv. klasskamrat, lekkamrat, reskamrat m.fl.; **~erna** i skolan, på kontoret o.d. vanl. the others

kamratanda s (~n), [god] **~** [vanl. a] spirit of comradeship, camaraderie fr.

kamratkrets s (~en, ~ar), i **~en** el. i min osv. **~** among my osv. friends etc., jfr kamrat

kamratlig adj (~t) friendly; lojal, bussig sporting; **vara ~** lojal be a sport

kamratskap s (~et) comradeship, camaraderie fr., friendship

kamratäktenskap s (~et, =) companionate marriage

kamrem s (~men, ~mar) timing belt; vard. cam belt

kamrer s (~en, ~er) accountant, i chefsställning chief (senior) accountant; chef för banks avdelningskontor branch manager; kontorschef head clerk; kassaföreståndare chief of the cashier's department

kan vb (kunde, kunnat) se kunna

kana I s (~n, kanor) slide; **åka ~** slide **II** vb itr (~de, ~t) slide

Kanaan bibl. Canaan

Kanada Canada

kanadagås s (~en, -gäss) zool. Canada goose

kanadensare s (~n, =) **1** person Canadian **2** kanot Canadian [canoe]

kanadensisk adj (~t) Canadian

kanadensiska s (~n, kanadensiskor) kvinna Canadian woman, för ex. jfr svenska

kanal s (~en, ~er) **1** byggd canal; naturlig channel; **Engelska ~en** the [English] Channel **2** anat. canal; t.ex. tår~, luft~ duct **3** TV. el. bildl. channel

kanalisera vb tr (~de, ~t) canalize; bildl. äv. channel

kanalje s (~n, ~r) ngt åld. rascal; skämts., om barn äv. scamp; filur cunning devil

kanapé s (~n, ~er) **1** bakelse palmier fr.; slags finare sandwich canapé fr. **2** soffa settee, sofa, canapé fr.

kanariefågel s (~n, -fåglar) canary

Kanarieöarna s pl the Canary Islands, the Canaries

kandelaber s (~n, kandelabrar) candelabra

kanderad adj (kanderat, ~e) candied

kandidat s (~en, ~er) **1** sökande candidate, applicant [till for]; föreslagen nominee; **ställa upp som ~** se kandidera **2** univ. graduate; jfr vidare under filosofie, juris m.fl.

kandidatland s (~et, -länder) EU. candidate country, applicant country

kandidatlista s (~n, -listor) list of candidates

kandidatur s (~en, ~er) candidature

kandidera vb itr (~de, ~t) allm. offer oneself (come forward) as a candidate [till for]; **~ till** polit. stand (speciellt amer. run) for

kandisocker s (-sockret) sugar (rock) candy

kanel s (~en) cinnamon

kanelbulle s (~n, -bullar) ung. cinnamon bun

kanhända adv perhaps; jfr kanske

kanin s (~en, ~er) rabbit; barnspr. bunny [rabbit]

kaninbur s (~en, ~ar) rabbit hutch

kaninskinn s (~et, =) rabbit (cony) [skin]

kanister s (~n, kanistrar) burk o.d. canister, tin; för vätska can

kanjon s (~en, ~er) canyon

kanna s (~n, kannor) **1** kaffe~, te~ o.d. pot; tillbringare o.d. jug, amer. pitcher; trädgårds~ o.d. [watering] can [alla med of framför följande ord] **2** tekn. piston

kannibal s (~en, ~er) cannibal

kannibalism s (~en) cannibalism

kannstöpare s (~n, =) armchair (amateur) politician

1 kanon s (~en el. =, ~er) kyrkl. el. typogr. canon; mus. äv. round, catch; **i ~** mus. in canon

2 kanon I s (~en, ~er) **1** mil. cannon äv. äldre pjäs, gun; **komma som skjuten ur en ~** come like a shot **2 de stora ~erna** vard., pamparna the bigwigs; sport.: om spelare the crack players **3** sport. vard., hårt skott cannonball **II** adj (oböjl.) vard., **vara ~** a) berusad be dead drunk, be canned b) mycket bra be super (fantastic); **den är ~** it's terrific (super, great)

kanonbåt s (~en, ~ar) gunboat

kanoneld s (~en) gunfire

kanonisera vb tr (~de, ~t) canonize

kanonisk adj (~t) canonical; **~ rätt** canon law

kanonkula s (~n, -kulor) cannonball

kanonmat s (~en) cannon fodder

kanonsalva s (~n, -salvor) salvo (pl. -s el. -es)

kanonskott s (~et, =) cannon-shot; sport. vard. cannonball

kanot s (~en, ~er) allm., äv. segel~ canoe; **paddla ~** go canoeing

kanotist *s* (~en, ~er) canoeist

kanske *adv* perhaps, maybe; *kan du komma? Kanske* ...I may (might), ...I'll see; *hon blir nog glad. Kanske det* ...Perhaps, ...She may (might); *jag ~ träffar honom i kväll* I may (might) meet...; *han skulle ~ göra det om...* he might do it if...; *skulle jag ha* bett honom om ursäkt ~? I suppose you think that I should have...

kansler *s* (~n, ~er) chancellor

kanslersämbete *s* (~t, ~n) chancellorship

kansli *s* (~et, ~er) vid beskickning chancellery; vid ämbetsverk o.d. secretariat[e], secretary's office; vid universitet registrar's (vid teater [general] manager's) office

kanslibiträde *s* (~t, ~n) ung. assistant [local government (civil service)] clerk (typist)

kanslichef *s* (~en, ~er) ung. head of [civil service] division; i nämnder o. på kanslier administrative director; i högsta domstolen, regeringsrätten senior judge referee; på ambassad head of chancery

kanslihus *s* (~et, =) government building

kansliråd *s* (~et, =) deputy assistant undersecretary

kanslisekreterare *s* (~n, =) assistant (second) secretary

kanslispråk *s* (~et, =) officialese, official jargon

kanslist *s* (~en, ~er) ung. assistant [local government (civil service)] clerk

kant *s* (~en, ~er) **1** allm., ytter~ edge; bård o.d. border, verge; på plagg edging, trimming; på tyg selvage, selvedge; marginal margin; på kärl o.d. brim; bröd~ crust; ost~ rind; hörn corner; trasig *i ~en* ...at the edge (om kopp o.d. brim); *~ i ~* edge to edge; *ställa på ~* place on edge **2** bildl., *hålla sig på sin ~* keep oneself to oneself, keep aloof; *komma på ~ med ngn* fall out with sb, get on the wrong side of sb; *vara fin i ~en* lättstött be oversensitive (struntförnäm stuck-up)

kanta *vb tr* (~de, ~t) sätta kant på edge; sömnad. trim; utgöra kant vid line, border; jfr ex.; *gatan var ~d av folk* ...lined with people; *stigen var ~d med blommor* ...bordered with flowers

kantarell *s* (~en, ~er) chanterelle

kantat *s* (~en, ~er) mus. cantata

kantband *s* (~et, =) edging, trimming

kantig *adj* (~t) allm. angular; bildl.: tvär, burdus abrupt; tafatt awkward, gauche; speciellt om ung person gawky

kantighet *s* (~en, ~er) allm. angularity; bildl. abruptness, awkwardness, gaucherie, gawkiness; jfr *kantig*

kanton *s* (~en, ~er) canton

kantor *s* (~n, ~er) kyrkl. cantor, precentor

kantra *vb itr* (~de, ~t) **1** sjö. capsize **2** ändra riktning: om tidvatten turn; om vind o. opinion veer

kantsten *s* (~en, ~ar) kerbstone; amer. curbstone

kantstött *adj* (=) om porslin chipped

kanvas *s* (~en) canvas; styv buckram

kanyl *s* (~en, ~er) med. cannula (pl. cannulae); avledande drain; injektionsnål injection needle

kaos *s* (~et) chaos; bildl. äv. utter confusion; *det var ~ i trafiken* the traffic was chaotic

kaotisk *adj* (~t) chaotic

1 kap *s* (oböjl.) udde cape

2 kap *s* (~et, =) fångst capture; fynd bargain; *hennes nya kille är ett riktigt ~* ...quite a catch

1 kapa *vb tr* (~de, ~t) **1** t.ex. flygplan, båt, last hijack; flygplan äv. skyjack **2** *~ åt sig* lay hands on, run off with

2 kapa *vb tr* (~de, ~t) hugga, skära av: sjö., t.ex. mast cut away; lina cut; skog. crosscut, speciellt amer. buck; *~ [av]* cut off (sjö. away); t.ex. kroppsdel chop off; *~ till* cut...into lengths

kapabel *adj* (~t, kapabla) able [*till* to]; capable [*till* of]; *hon är fullt ~ att göra det* she is perfectly capable of doing it

kapacitet *s* **1** (~en) prestationsförmåga capacity; skicklighet ability **2** (~en, ~er) person able man (resp. woman); *en stor ~* a person of outstanding (great) ability

kapare *s* (~n, =) **1** vard., av t.ex. flygplan, båt, last hijacker; av flygplan äv. skyjacker **2** hist. el. sjö. privateer

kaparfartyg *s* (~et, =) hist. privateer

1 kapell *s* (~et, =) överdrag cover

2 kapell *s* (~et, =) **1** kyrka, sido~, slotts~ chapel; bönekammare oratory **2** mus. orchestra

kapellmästare *s* (~n, =) mus. conductor; om t.ex. mässingsorkester bandmaster, bandleader

kapillär I *s* (~en, ~er) capillary **II** *adj* (~t) capillary

kapillärkraft *s* (~en) fys. capillarity, capillary action

1 kapital *adj* (~t), *ett ~t misslyckande* a capital (stupendous) failure

2 kapital *s* (~et, =) allm. capital; mots. ränta principal; *~et* kapitalismen capitalism; *han har eget ~* ...capital of his own

kapitalflykt *s* (~en) [the] flight of capital

kapitalförsäkring *s* (~en, ~ar) endowment assurance

kapitalinsats *s* (~en, ~er) capital investment

kapitalisera *vb tr* (~de, ~t) capitalize

kapitalism *s* (~en), *~[en]* capitalism

kapitalist *s* (~en, ~er) capitalist

kapitalistisk *adj* (~t) capitalistic, capitalist...

kapitalkonto *s* (~t, ~n) bankkonto deposit account

kapitalmarknad *s* (~en, ~er) capital market

kapitalplacering *s* (~en, ~ar) [capital] investment, investment of funds

kapitalstark *adj* (~t) ...well provided with capital, financially strong

kapitalt *adv*, *misslyckas ~* be a complete failure, fail completely (miserably); *han misstog sig ~t* he was completely mistaken (wrong)

kapitaltillgångar *s pl* capital resources (assets); privatpersons means

kapitalvaror *s pl* capital goods, durables

kapitel *s* (kapitlet, =) allm. chapter; *det är ett avslutat ~* that is a closed chapter; *ett sorgligt ~* a miserable business, a sad story

kapitulation *s* (~en, ~er) surrender (endast sg.), capitulation

kapitulera *vb itr* (~de, ~t) surrender äv. bildl., capitulate; *~ för* ngns charm (*inför* ett hot) vanl. surrender to...

kapitäl *s* **1** (~et el. ~en, = el. ~er) arkit. capital **2** (~en, ~er) typogr. small capital

kaplan *s* (~en, ~er) hjälppräst assistant vicar; hus~ el. katol. chaplain [*hos* to]

kapning *s* (~en, ~ar) av t.ex. flygplan, båt, last hijacking; av flygplan äv. skyjacking; *en ~* a hijack (av flygplan äv. skyjack)

kapp *adv* se ex. under *i kapp*

kappa s (~n, kappor) **1** dam~, militär~ coat; präst~ gown; *vända ~n efter vinden* be a turncoat; ordst. trim one's sails to every wind **2** på gardin pelmet, valance äv. på möbel

kappficka s (~n, -fickor) coat-pocket

kappkörning s (~en, ~ar) kappkörande racing

kapplöpning s (~en, ~ar) race; kapplöpande racing båda äv. bildl. [*efter* for]

kapplöpningsbana s (~n, -banor) racetrack; häst~ racecourse

kapplöpningshäst s (~en, ~ar) racehorse

kapprak adj (~t) bolt upright

kapprodd s (~en, ~er) boat race; kapproende boat racing

kapprum s (~met, =) cloakroom

kapprusta vb itr (~de, ~t) take part in an (resp. the) arms (armaments) race, compete in armaments

kapprustning s (~en, ~ar) arms (armaments) race (endast sg.)

kappsegla vb itr (~de, ~t) compete in a sailing race (resp. in sailing races)

kappsegling s (~en, ~ar) sailing race, yacht race; regatta regatta

kappsimning s (~en, ~ar) swimming-race; simmande competition swimming

kappsäck s (~en, ~ar) portmanteau (pl. portmanteaus el. portmanteaux); *bo i ~* live in suitcases

kaprifol s (~en, ~er) o. **kaprifolium** s (kaprifolien, kaprifolier) bot. honeysuckle

kapris s (~en) krydda capers pl.

kapsejsa vb itr (~de, ~t) capsize; välta turn over

kapsel s (~n, kapslar) lcapsule äv. rymd. el. bot.

kapsla vb tr (~de, ~t) tekn. enclose; *~ in* [*sig*] med. encapsulate

Kapstaden Cape Town

kapsyl s (~en, ~er) på t.ex. vinbutelj [bottle] cap; på t.ex. ölflaska, läskedrycksflaska [bottle] top

kapsylöppnare s (~n, =) bottle opener

kapten s (~en, ~er) **1** sjö. el. sport. captain; fartygs~ äv. master [*på, för* i båda fallen of] **2** inom armén captain; inom flottan lieutenant; inom flyget flight lieutenant; amer. captain; befattningsmässigt motsv. major, resp. inom flottan lieutenant commander

kapucinorden s (best. sing.) the Capuchin Order

kapun s (~en, ~er) kok. capon

kapuschong s (~en, ~er) hood; på munkkåpa cowl; *jacka med ~* hooded jacket

kaputt adj (=) om t.ex. firma ruined, ...done for; om sak broken; ur funktion out of order, not working, vard. on the blink

Kap Verde Cape Verde

kar s (~et, =) tub; större vat; bad~ bath [tub]

karaff s (~en, ~er) carafe; med propp decanter

karaffin s (~en, ~er) carafe

karaffvin s (~et, ~er) carafe wine

karakterisera vb tr (~de, ~t) characterize; beteckna describe; vara betecknande för be characteristic (typical) of

karakteristik s (~en, ~er) characterization; friare description; karaktärsteckning character sketch (djupare study), appreciation

karakteristisk adj (~t) characteristic, typical, distinctive [*för* of]

karaktär s (~en, ~er) allm. character; beskaffenhet nature, quality; läggning disposition, mentality; viljestyrka willpower; *jag har dålig ~* skämts. I've got no willpower, I've got a weak character

karaktärisera m.fl., se *karakterisera* m.fl.

karaktärsdrag s (~et, =) o. **karaktärsegenskap** s (~en, ~er) characteristic, [distinguishing] feature; framträdande drag salient feature

karaktärsfast adj (=) attr. ...of firm (stark strong) character; *han är ~* he has a firm (resp. strong) character

karaktärsfasthet s (~en) firmness (karaktärsstyrka strength) of character; vard. backbone, grit

karaktärslös adj (~t) ...lacking in character (principle); vard. spineless, weak

karaktärslöshet s (~en) lack (want) of character (principle)

karaktärsroll s (~en, ~er) character part (role)

karaktärsskådespelare s (~n, =) character actor

karaktärsämne s (~t, ~n) skol. subject specific to a programme, speciality subject, programme-specific subject

karamell s (~en, ~er) sötsak sweet; amer. piece of candy; kola~ toffee; bränt socker caramel (endast sg.); *~er* amer. candy sg.

karamellpåse s (~n, -påsar) fylld bag of sweets (amer. candy)

karantän s (~en, ~er) quarantine; *ligga* (*lägga*) *i ~* be (put) in quarantine

karaoke s (~n) mus. karaoke

karat s (~en el. ~et, =) carat; *18 ~s guld* 18-carat gold

karate s (~n) sport. karate

karateslag s (~et, =) sport. karate chop

karatespark s (~en, ~ar) karate kick

karavan s (~en, ~er) caravan

karbad s (~et, =) [vanl. hot] bath

karbid s (~en) kem. [calcium] carbide

karbidlampa s (~n, -lampor) carbide lamp

karbin s (~en, ~er) carbine

karbinhake s (~n, -hakar) snap-hook

karbol s (~en) o. **karbolsyra** s (~n) kem. carbolic acid, phenol

karbonat s (~et, = el. ~er) kem. carbonate

karbonpapper s (~et el. -pappret, =) carbon paper, carbon

karbunkel s (~n, karbunklar) med. carbuncle

karburator s (~n, ~er) carburettor

karda I s (~n, kardor) **1** redskap card; för ull äv. carding comb **2** vard., hand mitt **II** vb tr (~de, ~t) card

kardanaxel s (~n, -axlar) propeller (drive) shaft

kardanknut s (~en, ~ar) universal (cardan) joint

kardborrband s (~et, =) Velcro® [fastening]

kardborre s (~n, -borrar) växt burdock; blomkorg bur, burr äv. bildl., teasel

kardborreknäppning s (~en, ~ar) o. **kardborrknäppning** s (~en, ~ar) Velcro® [fastening]

kardemumma s (~n) cardamom; *summan av ~n* the long and the short of it

kardinal s (~en, ~er) cardinal äv. fågel

kardinalfel s (~et, =) cardinal error

kardiogram s (~met, =) med. cardiogram

karensdag s (~en, ~ar) försäkr. day of qualifying (waiting) period [before benefit may be claimed]; *~ar* koll. qualifying (waiting) period sg.

karg adj (~t) om landskap barren; om jord äv. bare

Karibiska havet the Caribbean [Sea]

karies _s_ (oböjl., en) med. caries, decay

karikatyr _s_ (~en, ~er) caricature; politisk skämtteckning cartoon

karikatyrtecknare _s_ (~n, =) caricaturist; cartoonist; jfr _karikatyr_

karikera _vb tr_ (~de, ~t) caricature

karisma _s_ (~n, karismer) charisma

karismatisk _adj_ (~t) charismatic

Karl som kunganamn Charles; ~ _den store_ Charlemagne, Charles the Great

karl _s_ (~n el. ~en, ~ar) allm. man (pl. men); vard. guy, bloke, chap; äkta man, vard. old man; _som en hel_ ~ like a man

karlakarl _s_ (~n el. ~en, ~ar), _en_ ~ a real man, a he-man

karlaktig _adj_ (~t) manly, virile; om kvinna mannish

Karl Alfred seriefigur Popeye

Karlavagnen the Plough, the Big Dipper

karlgöra _s_ (~t), [_ett_] ~ a man's job

karljohanssvamp _s_ (~en, ~ar) cep

karlslok _s_ (~en, ~ar) fellow, chap, bloke; neds. slouch

karltokig _adj_ (~t) man-mad, ...crazy about men

karltycke _s_ (~t), _ha_ ~ have a way with men, have sex appeal

karm _s_ (~en, ~ar) **1** armstöd arm **2** dörr~, fönster~ frame, case

karma _s_ (oböjl.) relig. karma

karmelit _s_ (~en, ~er) munk Carmelite [friar], White Friar

karmelitorden _s_ (best. sing.) the Carmelite Order

karmin _s_ (~et el. ~en) carmine

karminröd _adj_ (-rött) carmine[-red], scarlet

karmosinröd _adj_ (-rött) crimson[-red]

karmstol _s_ (~en, ~ar) armchair

karneol _s_ (~en, ~er) miner. cornelian

karneval _s_ (~en, ~er) carnival

karnevalståg _s_ (~et, =) carnival procession

karolin _s_ (~en, ~er) soldat soldier of Charles XII

karolinsk _adj_ (~t) Caroline

kaross _s_ (~en, ~er) **1** vagn coach **2** se _karosseri_

karosseri _s_ (~et, ~er) body[work], coachwork

karotin _s_ (~et) kem. carotin, carotene

karott _s_ (~en, ~er) fat deep dish

karottunderlägg _s_ (~et, =) table (dish) mat

karp _s_ (~en, ~ar) zool. carp (pl. lika)

Karpaterna _s pl_ the Carpathians

karriär _s_ (~en, ~er) allm. career; befordran advancement; _göra_ ~ make a career, get on in the world; _i_ [_full_] ~ in full career, at a run (gallop)

karriärist _s_ (~en, ~er) careerist, climber

karriärstege _s_ (~n, -stegar) career ladder

karsk _adj_ (~t) oförskräckt plucky; kaxig cocky; självsäker cocksure

kart _s_ (~en, ~ar el. =) koll. unripe (green) fruit sg. (bär berries pl.); _en_ ~ äppel~ an unripe apple

karta _s_ (~n, kartor) **1** geogr. map; geol. survey [_över_ i samtliga fall of]; _placera på_ ~_n_ bildl. put on the map **2** _en_ ~ frimärken a sheet of...; _en_ ~ tryckknappar a card of... **3** _hamna på överblivna_ ~_n_ remain (be left) on the shelf

kartblad _s_ (~et, =) map sheet

kartbok _s_ (~en, -böcker) atlas

kartell _s_ (~en, ~er) cartel

kartfodral _s_ (~et, =) map-case, map-holder

kartig _adj_ (~t) unripe

kartlägga _vb tr_ (-lade, -lagt) map, chart, survey; bildl. make a survey of, map out

kartläggning _s_ (~en, ~ar) mapping osv., jfr _kartlägga_

kartläsare _s_ (~n, =) map-reader

kartläsning _s_ (~en) map-reading

kartnagel _s_ (~n, -naglar) med. deformed nail

kartograf _s_ (~en, ~er) cartographer

kartong _s_ (~en, ~er) **1** papp cardboard, carton **2** pappask carton, cardboard box **3** konst. cartoon

kartotek _s_ (~et, =) kortregister card index (register); friare äv. file

kartritare _s_ (~n, =) map-drawer, cartographer

karttecken _s_ (-tecknet, =) map sign

karusell _s_ (~en, ~er) merry-go-round; enklare roundabout; _åka_ ~ ride (go) on a (resp. the) merry-go-round (roundabout)

karva _vb tr_ o. _vb itr_ (~de, ~t) tälja whittle [_i, på_ at]; chip; skära carve, cut; ~ _i..._ oskickligt hack away at..., cut...about

kasern _s_ (~en, ~er) mil. barracks (pl. lika); ibland barrack; hyres~ tenement [house]

kasernförbud _s_ (~et, =) confinement to barracks

kaserngård _s_ (~en, ~ar) barrack square

kasernvakt _s_ (~en, ~er) barracks guard

kashmir _s_ (~en el. ~et) vävnad el. ull cashmere, kashmir

kasino _s_ (~t, ~n) spelhus o.d. casino (pl. -s)

1 kask _s_ (~en, ~ar) hjälm helmet

2 kask _s_ (~en, ~ar) vard., brännvins~ ung. laced coffee, coffee laced with snaps

kaskad _s_ (~en, ~er) cascade äv. av ljus, toner, torrent äv. av ord

kaskelot _s_ (~en, ~er) zool. sperm whale, cachalot

kasperdocka _s_ (~n, -dockor) allm. handdocka glove puppet; Kasper Punch

kasperteater _s_ (~n, -teatrar) ung. Punch and Judy show

Kaspiska havet the Caspian [Sea]

kass _adj_ (~t) vard. useless, lousy, no good

kassa _s_ (~n, kassor) **1** [tillgängliga] pengar money, funds pl.; intäkter, hand. takings pl., receipts pl.; fond fund; _min_ ~ _tillåter inte..._ my finances (purse) won't allow...; _ha_ 1 500 kronor _i_ ~_n_ have...available, have...in cash; i kassaskrinet have...in the (one's) cashbox o.d.; _ur_ (_av_) [_min_ osv.] _egen_ ~ out of my osv. own pocket (purse); _vara_ [_stadd_] _vid_ ~ el. _vara vid god_ ~ be in cash (funds) **2** ~kontor o.d.: allm. cashier's office; ~lucka o.d.: i bank cashier's (amer. teller's) desk; i varuhus o.d. cashdesk, paydesk, [cash-]counter; i snabbköp o.d. checkout [counter], cashpoint; på postkontor counter; teat. o.d. box office; _betala i_ ~_n_ pay at the desk (i t.ex. snabbköp checkout [counter]); _sitta i_ ~_n_ work as a checkout assistant

kassaapparat _s_ (~en, ~er) cash register, till

kassabehållning _s_ (~en, ~ar) cash in hand, cash balance

kassabok _s_ (~en, -böcker) cashbook

kassabrist _s_ (~en) deficit

kassakista _s_ (~n, -kistor) strong box; bildl., _statens_ ~ the State coffers pl.

kassakvitto _s_ (~t, ~n) [cash] receipt

kassapjäs _s_ (~en, ~er) box-office success; _vara en_ ~ äv. have box-office appeal

kassarabatt _s_ (~en, ~er) cash discount; _3 %_ ~ 3% discount [for cash]

kassaskrin _s_ (~et, =) cashbox

kassaskåp s (~et, =) safe

kassavalv s (~et, =) strongroom; större vault; safe deposit

kasse s (~n, kassar) **1** av papper el. plast carrier bag; amer. paper bag resp. plastic bag; av nät string bag **2** vard., i t.ex. ishockey goal

1 kassera vb tr (~de, ~t) utrangera discard, scrap

2 kassera vb tr (~de, ~t), ~ *in* collect; lösa in cash

kassett s (~en, ~er) till bandspelare, film, tv cassette; *inspelad* ~ prerecorded cassette; *oinspelad* ~ blank cassette

kassettband s (~et, =) cassette tape

kassettbandspelare s (~n, =) cassette tape-recorder

kassler s (~n) kok. smoke-cured loin of pork

kassör s (~en, ~er) cashier; i bank äv. teller; i förening o.d. treasurer; i snabbköp check-out assistant

kassörska s (~n, kassörskor) woman (female) cashier; i snabbköp check-out assistant

1 kast s (~et, =) allm. throw; som idrottsgren throwing; med metspö o.d. cast; med huvudet toss [med of]; förändring change [i of]; om vind gust; *det är ditt* ~ it is your [turn to] throw; *stå sitt* ~ take the consequences; *ge sig i* ~ *med* tackle, grapple (get to grips) with; *tvära* ~ chops and changes

2 kast s (~en, ~er) samhälls~ caste

3 kast s (~en, ~er) typogr. case

kasta I vb tr (~de, ~t) **1** allm. throw; vard. chuck; häftigt o. vårdslöst fling; häftigt äv. sling; lätt o. lekfullt (ofta uppåt) toss; lyfta o. slänga pitch; vräka hurl; vid fiske cast; kortsp., saka, göra sig av med discard; ~ *[bort]* throw away; ~ *en boll* throw a ball; *boll* play catch; ~ *hit* bilnyckeln! throw me…!; ~ *ngn i marken* throw (slå knock) sb down; ~ *ngt i huvudet på ngn* throw sth at sb's head **2** sömnad. overcast, whipstitch

II vb itr (~de, ~t) (jfr äv. *kasta I*) **1** om vind chop about **2** vet. med. abort

III vb rfl (~de, ~t), ~ *sig* allm. throw oneself; ~ *sig av* cykel, tåg o.d. jump off; ~ *sig av och an* toss [about]; ~ *sig i* (*i vattnet*) plunge in (into the water); ~ *sig in i* ett företag (ett förhållande) throw oneself into…; ~ *sig ned i* en fåtölj flop down in (into)…; ~ *sig ned* omkull *på* marken throw oneself to…; ~ *sig ut genom* fönstret jump (throw el. chuck oneself) out of…; ~ *sig över* ngn fall upon (go for) sb; ~ *sig över maten* tuck right into the food

IV med beton. part.

kasta av throw (vårdslöst fling) off; hästen ~*de av ryttaren* …threw the (its) rider; ~ *av sig* t.ex. täcket throw off; kläderna äv. (snabbare) whip (helt o. hållet strip) off

kasta bort throw (chuck, fling, sling) away; tid waste, pengar äv. squander [på on]; jfr *bortkastad*

kasta fram fråga, påstående put in; ~ *fram ett förslag om ngt* propose (suggest) sth, put forward a proposal for sth

kasta i a) eg. throw…in (etc, jfr ovan); ~ *i ngn i* vattnet throw (etc.) sb into… **b)** han ~*de i sig maten* he bolted (gulped down, wolfed down) his food

kasta ifrån sig throw away (etc., jfr *kasta bort* ovan)

kasta in eg. el. friare throw (etc., jfr ovan)…in; ~ *in* en sten *genom fönstret* throw (etc.)…through the window

kasta loss a) sjö., tr. let go; itr. cast off **b)** bildl., slå sig lös let [oneself] go

kasta om a) om vinden veer round; t.ex. två rader transpose; ~ *om rodret* shift the helm; svepa om, ~ *om sig* en sjal throw (wrap)…around one's shoulders

kasta omkull eg. throw (starkare speciellt med saksubj. knock)…down (over)

kasta på: ~ *på* en duk *på bordet* throw…on the table; ~ *på sig kläderna* fling one's clothes on

kasta upp a) uppåt throw (toss)…up [i luften into…]; t.ex. jordhög throw up **b)** kräkas throw up, vomit

kasta ut throw (etc.)…out [genom t.ex. fönstret *från* t.ex. krog of]; sjö., last jettison; ~ *ut* pengar *på* waste (squander, vard. blow) one's…on

kasta över: ~ *över bollen!* över muren o.d. throw the ball over [to me (us osv.)]!

kastanj s (~en, ~er) o. **kastanje** s (~n, ~r) träd el. frukt **a)** äkta chestnut; frukt äv. sweet chestnut **b)** häst~ horse chestnut

kastanjebrun adj (~t) om hår chestnut [brown]

kastanjett s (~en, ~er) mus. castanet

kastby s (~n, ~ar) gust [of wind], squall

kastell s (~et, =) mil. hist. citadel

kastlös s (en ~, pl. ~a), *en* ~ a pariah; *de* ~*a* vanl. the Untouchables

kastmärke s (~t, ~n) caste mark

kastrat s (~en, ~er) eunuch

kastrera vb tr (~de, ~t) castrate, djur äv. neuter, av häst geld; ~*d häst* gelding

kastrering s (~en, ~ar) castration; av djurhane äv. gelding

kastrull s (~en, ~er) saucepan, [stew]pan

kastspjut s (~et, =) javelin

kastspö s (~et, ~n) fiske. casting rod

kastsöm s (~men, ~mar) overcasting; stygn whipstitch

kastvapen s (-vapnet, =) missile

kastvind s (~en, ~ar) gust [of wind], squall

kastväsendet s (best. sing.) the caste system

kasuar s (~en, ~er) zool. cassowary

kasus s (~et, =) språkv. case

kasusböjning s (~en, ~ar) språkv. case declension

kasusändelse s (~n, ~r) språkv. case ending (termination)

katafalk s (~en, ~er) catafalque

katakomb s (~en, ~er) catacomb

katalan s (~en, ~er) Catalonian, Catalan

katalansk adj (~t) Catalonian, Catalan

katalanska s (för ex. jfr *svenska*) **1** (~n, katalanskor) kvinna Catalan woman **2** (~n) språk Catalan

katalog s (~en, ~er) catalogue, amer. catalog [över of]; telefon~ directory

katalogisera vb tr (~de, ~t) catalogue, list

katalogpris s (~et, = el. ~er) catalogue (list) price

Katalonien Catalonia

katalys s (~en) kem. catalysis

katalysator s (~n, ~er) kem. el. bildl. catalyst; i bil catalytic converter

katalytisk adj (~t) kem. catalytic; ~ *avgasrenare* bil. catalytic converter

katamaran s (~en, ~er) sjö. catamaran

katapult s (~en, ~er) catapult

katapultstol s (~en, ~ar) ejection (ejector) seat

katarakt s (~en, ~er) vattenfall el. med. cataract

katarr s (~en, ~er) catarrh

katastrof s (~en, ~er) allm. catastrophe; t.ex. tåg~, flyg~ el. bildl. disaster

katastrofal *adj* (~t) catastrophic, disastrous

katastroflarm *s* (~et, =) emergency alert

katastrofområde *s* (~t, ~n) emergency (disaster) area

kateder *s* (~n, katedrar) lärares teacher's desk; föreläsares lecturer's desk

katedral *s* (~en, ~er) cathedral

kategori *s* (~n, ~er) category äv. filos.; klass class; grupp group; sort sort; *olika ~er av skolor* various types of...

kategorisk *adj* (~t) categorical; tvärsäker dogmatic; om t.ex. påstående definite; om t.ex. förnekande flat

katekes *s* (~en, ~er) catechism

kateter *s* (~n, katetrar) med. catheter

katgut *s* (~en) catgut

katod *s* (~en, ~er) fys. el. kem. cathode

katolicism *s* (~en), **~[en]** Catholicism

katolik *s* (~en, ~er) Catholic

katolsk *adj* (~t) Catholic; *[den] ~a kyrkan* the [Roman] Catholic Church

katrinplommon *s* (~et, =) prune

katt *s* (~en, ~er) cat; vard. el. barnspr. pussy-cat; *inte en ~* var där not a soul...; *en ~ bland hermelinerna* ung. an upstart, a parvenu fr.; *när ~en är borta dansar råttorna på bordet* when the cat's away the mice will play; *det osar ~* tycker jag I smell a rat; *det vete ~en* blowed if I know; *det ger jag ~en i* I don't care (give) a monkey's about that; *gå som ~en kring het gröt* beat about the bush

katta *s* (~n, kattor) she-cat; cat äv. om kvinna

kattaktig *adj* (~t) cat-like, feline

kattdjur *s* (~et, =) feline, cat

Kattegatt the Cattegat, the Kattegat

kattfot *s* (~en) bot. cat's-foot (pl. cat's-feet)

kattguld *s* (~et) geol. yellow mica; ngt värdelöst tinsel, empty show

katthår *s* (~et) cat hair, cat's hair

kattlik *adj* (~t) cat-like, feline

kattlåda *s* (~n, -lådor) [cat] litter tray

kattmat *s* (~en) cat food

kattras *s* (~en, ~er) breed of cat (pl. breeds of cat[s]), cat breed

kattsand *s* (~en) cat litter

kattskinn *s* (~et, =) catskin

kattsläktet *s* (best. sing.) the feline (cat) family

kattuggla *s* (~n, -ugglor) tawny owl

kattun *s* (~et el. ~en, ~er) tyg calico; tryckt äv. cotton print

kattunge *s* (~n, -ungar) kitten; *lekfull som en ~* äv. kittenish

kattutställning *s* (~en, ~ar) cat show

kattöga *s* (~t, -ögon) eg. cat's eye; på cykel rear reflector

kaukasier *s* (~n, =) Caucasian

kaukasisk *adj* (~t) Caucasian

Kaukasus the Caucasus

kausal *adj* (~t) språkv. causal

kausalitet *s* (~en) filos. causality, causal relation

kautschuk *s* **1** (~en) ämne rubber, caoutchouc **2** (~en, ~ar) radergummi rubber; amer. el. för bläck eraser

kav *adv*, *~ lugn* spegelblank dead calm; *det var ~ lugnt* there was a calm

kava *vb itr* (~de, ~t), *~ [sig] fram* flounder ahead

kavaj *s* (~en, ~er) jacket; på bjudningskort informal dress

kavaljer *s* (~en, ~er) bords~, dans~ partner; gentleman gentleman

kavalkad *s* (~en, ~er) cavalcade äv. bildl.

kavalleri *s* (~et, ~er) cavalry

kavallerist *s* (~en, ~er) cavalryman, trooper

kavat *adj* (=) open, straightforward; oförskräckt plucky

kavel *s* (~n, kavlar) bröd~ rolling-pin

kaveldun *s* (~et) bot. bulrush, reed mace

kaviar *s* (~en) caviar[e]

kavitet *s* (~en, ~er) vetensk. el. anat. cavity

kavla *vb tr* (~de, ~t) roll; *~ ned* strumpa roll down; ärm unroll; *~ upp* roll (tuck) up; *~ upp ärmarna* förbereda sig på hårt arbete roll one's sleeves up; *~ ut* deg roll out

kavle *s* (~n, kavlar) bröd~ rolling-pin

kavring *s* (~en, ~ar) kok. [loaf of] dark, sweetened rye bread

kaxig *adj* (~t) vard., stöddig cocky, cocksure; mallig stuck-up

kazakisk *adj* (~t) Kazakh

Kazakstan Kazakhstan

kazakstansk *adj* (~t) Kazakh

kazoo *s* (oböjl.) mus. kazoo

kebab *s* (~en, ~er) kok. kebab

kedja I *s* (~n, kedjor) chain äv. bildl.; av berg äv. range; följd äv. series (pl. lika); av tankar äv. train; av poliser cordon; *bilda ~* form a chain; för avspärrning link hands **II** *vb tr* (~de, ~t) chain [*vid* to]; *~d* äv. ...in chains; *~ fast* chain [...fast (on)]

kedjebrev *s* (~et, =) chain letter

kedjehus *s* (~et, =) link[-attached] house, terrace (row) house linked by a garage etc. to the adjacent houses

kedjereaktion *s* (~en, ~er) chain reaction

kedjeröka *vb tr* o. *vb itr* (-rökte, -rökt) chain-smoke

kedjerökare *s* (~n, =) chain-smoker

kedjeskydd *s* (~et, =) chain guard

kefir *s* (~en) kefir, kephir

kejsardöme *s* (~t, ~n) empire; *~t* Japan the empire of...

kejsare *s* (~n, =) emperor

kejsarinna *s* (~n, kejsarinnor) empress

kejsarsnitt *s* (~et, =) med. Caesarean, caesarian, Caesarean section (operation); amer. vard. äv. C-section

kejserlig *adj* (~t) imperial

kela *vb itr* (~de, ~t) cuddle, pet; *~ med* smeka cuddle, fondle, pet

kelgris *s* (~en, ~ar) pet, darling; favorit favourite; om man äv. blue-eyed boy

kelig *adj* (~t) cuddly, cuddlesome, affectionate

kelsjuk *adj* (~t) attr. ...wanting to be cuddled (fondled); cuddly

kelt *s* (~en, ~er) Celt

keltisk *adj* (~t) Celt

keltiska *s* (~n) språk Celtic

kelvin *s* (oböjl.) (förk. K) fys. kelvin (förk. K)

kemi *s* (~n) chemistry; *teknisk ~* industrial chemistry

Kemikalieinspektionen the Swedish Chemicals Agency

kemikalier *s pl* chemicals

kemisal *s* (~en, ~ar) skol. chemistry room

kemisk *adj* (~t) chemical; **~ krigföring** chemical warfare

kemisk-teknisk *adj* (~t) chemico-technical

kemist *s* (~en, ~er) chemist

kemoterapi *s* (~n) chemotherapy

kemtvätt *s* (~en, ~ar) metod dry-cleaning; tvätteri dry-cleaners

kemtvätta *vb tr* (~de, ~t) dry-clean

kennel *s* (~n, kennlar) kennels pl.

kennelklubb *s* (~en, ~ar) kennel club

kentaur *s* (~en, ~er) mytol. centaur

Kenya Kenya

kenyansk *adj* (~t) Kenyan

keps *s* (~en, ~ar) [peaked] cap

keramik *s* (~en) ceramics sg.; alster ceramics pl., ceramic ware, pottery

keramiker *s* (~n, =) potter, ceramist

keramikhäll *s* (~en, ~ar) på spis ceramic hob

keramisk *adj* (~t) ceramic; **~ verkstad** pottery

kerub *s* (~en, ~er) cherub (relig. pl. -im)

keso® *s* (~n) cottage cheese

ketchup *s* (~en) ketchup; amer. äv. catsup

kex *s* (~et, =) biscuit, cracker; sött cookie

keyboard *s* (~en, = el. ~s) mus. keyboard

KFUK (förk. för *Kristliga föreningen av unga kvinnor*) the YWCA (förk. för Young Women's Christian Association)

KFUM (förk. för *Kristliga föreningen av unga män*) the YMCA (förk. för Young Men's Christian Association)

kg förk. för *kilo[gram]*

KGB hist., sovjetiska säkerhetspolisen KGB

khaki *s* (~n) färg el. tyg khaki

kibbutz *s* (~en, ~er) kibbutz (pl. -im)

kibetisk *adj* (~t) cibetic

1 kick *s* (oböjl., ett) vard., **på ett [litet] ~** i ett nafs in a jiffy

2 kick *s* (~en, ~ar) vard. **1** spark kick; **få ~en** bli avskedad get the push (sack, boot) **2** stimulans, nöje kick

1 kicka *vb tr* (~de, ~t) vard. **1** sparka kick **2** avskeda kick...out

2 kicka *s* (~n, kickor) vard., liten flicka [little] girl, lass

kickstart *s* (~en, ~er) pedal kick-starter

kid *s* (~et, =) rådjurskalv fawn

kidnappa *vb tr* (~de, ~t) kidnap

kidnappare *s* (~n, =) kidnapper

kidnappning *s* (~en, ~ar) kidnapping

kika *vb itr* (~de, ~t) titta nyfiket, i smyg osv. peep, peek [*på* at]; **får jag ~ på det?** can I have a peep (peek) [at it]?; jfr *titta*

kikare *s* (~n, =) binoculars pl.; fält~ äv. field glasses pl.; teater~ äv. opera glasses pl.; tub~ telescope; **en ~** a pair of binoculars osv., jfr ovan; a telescope; **vad har du i kikaren?** för rackartyg o.d. what are you up to?

kikarsikte *s* (~t, ~n) telescopic sight

kikhosta *s* (~n) whooping cough

kikhål *s* (~et, =) peep hole

kikna *vb itr* (~de, ~t) choke (be nearly suffocated) with coughing; vid kikhosta whoop; **skratta så man ~r** ...till one chokes (splits)

kikärt *s* (~en, ~er) bot. el. kok. chickpea

kil *s* (~en, ~ar) wedge; sömnad. gusset, gore

1 kila *vb tr* (~de, ~t) med kil o.d. wedge; **~ fast** wedge, fix...with a wedge; **~ in** wedge in; **~ in ngt i** wedge sth into

2 kila *vb itr* (~de, ~t) **1** ila o.d. scamper; skynda hurry; **nu ~r jag [i väg]!** now I'll (I must) be off!; **~ hem** be off (pop) home; **~ in [till ngn]** pop (slip) in [to see...] **2** vard., **~ vidare** kick the bucket

kilformig *adj* (~t) wedge-shaped; bot. cuneate

kilklack *s* (~en, ~ar) wedge heel

killa *vb tr* o. *vb itr* (~de, ~t) se *kittla*

kille *s* (~n, killar) vard., pojke boy, lad; karl guy, bloke; pojkvän boyfriend

killing *s* (~en, ~ar) kid

kilo *s* (~t, ~n) (förk. *kg*) kilo (pl. -s); äldre britt. eng. motsv., ung. 2.2 pounds (förk. Ib[s].); **han väger 70 ~** äv. (i britt. mått) ...11 stone; **25 kronor ~t** ...a kilo

kilobit *s* (~en, ~ar) data. kilobyte (förk. kb)

kilogram *s* (~met, =) (förk. *kg*) kilogram[me] (förk. kg); jfr *kilo*

kilojoule *s* (en, pl. =) kilojoule (förk. kj)

kilometer *s* (~n, = el. -metrar) (förk. *km*) kilometre (amer. kilometer) (förk. km); **en ~** eng. motsv., ung. 0.62 miles

kilometerskatt *s* (~en, ~er) kilometre (amer. kilometer) tax [on cars, trucks etc. that run on diesel etc.]

kilopris *s* (~et, = el. ~er) price per kilo

kilovis *adv* per kilo by the kilo; **~ med...** kilos pl. of...

kilowatt *s* (~en, =) kilowatt

kilowattimme *s* (~n, -timmar) (förk. *kWh*) kilowatt-hour (förk. kWh)

kilskrift *s* (~en) cuneiform, cuneiform writing

kilt *s* (~en, ~ar) kilt

kimono *s* (~n, ~r) kimono (pl. -s)

kimrök *s* (~en) lampblack, carbon black

Kina China

kinakål *s* (~en) bot. el. kok. Chinese leaves (cabbage)

kinarestaurang *s* (~en, ~er) vard. Chinese restaurant

kinaschack *s* (~et) sällskapsspel Chinese chequers (amer. checkers) sg.

kind *s* (~en, ~er) cheek; **vända andra ~en till** turn the other cheek; **vara blek (rosig) om ~erna** have pale (rosy) cheeks, be pale-cheeked (rosy-cheeked)

kindben *s* (~et, =) cheek bone

kindknota *s* (~n, -knotor) cheekbone

kindtand *s* (~en, -tänder) molar, back tooth

kines *s* (~en, ~er) Chinese (pl. lika); ofta neds. Chinaman (pl. Chinamen)

kineseri *s* (~et, ~er) **1** konst. chinoiserie fr. **2** bildl. pedantry; byråkrati red tape

kinesisk *adj* (~t) Chinese; **Kinesiska muren** the Great Wall of China

kinesiska 1 (~n, kinesiskor) kvinna Chinese woman **2** (~n) språk Chinese, jfr *svenska*

kinin *s* (~et) farmakol. quinine

kink *s* (~et) moaning [and groaning], whining

kinka *vb itr* (~de, ~t) gnälla, om småbarn fret, whine; vara gnällig be fretful

kinkig *adj* (~t) **1** om person: fordrande ...hard to please; petnoga, kräsen particular, fastidious, dainty [*med* (*på*) mat about...]; gnällig fretful **2** om sak: svår, besvärlig difficult; brydsam awkward; ömtålig ticklish, delicate, tricky; **det är inte så ~t [med det]** it's not all that important

kiosk *s* (~en, ~er) kiosk; tidnings~ newsstand, större bookstall; godis~ sweet stall, amer. candy stand

kiosklitteratur *s* (~en) neds. pulp literature

1 kippa *vb itr* (~de, ~t), **~ efter andan** gasp for breath (air)

2 kippa *vb itr* (~de, ~t) om sko flop about

kirgizisk *adj* (~t) Kyrgyz

Kirgizistan Kyrgyzstan

kirgizistansk *adj* (~t) Kyrgyz

Kiribati Kiribati

kiropraktik *s* (~en) chiropractic

kiropraktiker *s* (~n, =) o. **kiropraktor** *s* (~n, ~er) chiropractor

kirurg *s* (~en, ~er) läkare surgeon

kirurgi *s* (~n) surgery

kirurgisk *adj* (~t) surgical; **~t ingrepp** [surgical] operation, surgery

kirurgtejp *s* (~en) surgical tape

1 kis *s* (~en, ~er) miner. pyrites (pl. lika), pyrite-ore

2 kis *s* (~en, ~ar) vard., ngt åld., pojke lad; karl chap, guy, fellow

kisa *vb itr* (~de, ~t) närsynt peer [*mot* at]; **~ mot solen** squint against the sun

kisel *s* (~n el. kislet) kem. silicon

kiselsten *s* (~en, ~ar) pebble[-stone]; koll. pebbles pl.

1 kiss *interj*, **~, ~!** till katt puss, puss!

2 kiss *s* (~et) vard. wee-wee

kissa *vb itr* (~de, ~t) vard. wee-wee, do a wee-wee; **~ på sig** wet oneself (one's pants); av skratt wet oneself (one's pants) laughing

kisse *s* (~n, kissar) o. **kissekatt** *s* (~en, ~er) o. **kissemiss** *s* (~en, ~ar) samtl. vard. pussy[-cat], puss

kissnödig *adj* (~t) vard., **jag är ~** I've got to (I must) do a wee-wee

kista *s* (~n, kistor) **1** förvaringsmöbel chest, sjö. äv. locker; penning- coffer; lik~ coffin, amer. äv. casket **2** vard., mage belly, tummy, breadbasket

kistbotten *s* (-bottnen el. =, -bottnar), **ha något (pengar) på ~** have a little nest egg, have something put by for a rainy day

kitsch *s* (~en) kitsch ty.

kitschig *adj* (~t) vard. kitschy

kitslig *adj* (~t) **1** småaktig petty; snarstucken testy **2** om sak: svår, besvärlig difficult

kitt *s* (~et) fönster~ putty; bildl. cement

kitta *vb tr* (~de, ~t) cement; med fönsterkitt putty

kittel *s* (~n, kittlar) stewpan; större cauldron äv. bildl.; grytliknande pot; te~, fisk~ kettle

kitteldal *s* (~en, ~ar) geol. basin, cirque

kittla I *vb tr* (~de, ~t) tickle; framför allt bildl. äv. titillate **II** *vb itr* (~de, ~t), **det ~r i näsan** my nose tickles; **det ~r i magen** jag hissnar my stomach tickles, I get a tickling feeling in my stomach

kittlare *s* (~n, =) anat. clitoris

kittlas *vb itr dep* (kittlades, kittlats), **~ inte!** don't tickle!

kittlig *adj* (~t) ticklish

kittling *s* (~en, ~ar) kittlande tickling; kittlande känsla tickling feeling, tickle

kiv *s* (~et) quarrel; ~ande quarrelling, squabbling; i ord äv. wrangling [*om* i samtliga fall about, as to]; **på pin ~** out of pure (sheer) cussedness; för att retas just to tease

kivas *vb itr dep* (kivades, kivats) gräla quarrel, squabble; munhuggas wrangle [*om* about, as to]; tvista contend [*om* for]

kiwi *s* (~n, ~er) o. **kiwifrukt** *s* (~en, ~er) kiwi fruit

kjol *s* (~en, ~ar) skirt; **hänga ngn i ~arna** bildl. be tied to sb's apron-strings

kjollinning *s* (~en, ~ar) waistband

kjollängd *s* (~en, ~er) skirt-length

1 klabb *s* (~en, ~ar) trä~ chunk of wood

2 klabb *s* (~et), **hela ~et** the whole lot (bag of tricks, shoot)

klabba *vb itr* (~de, ~t) om snö stick

klabbig *adj* (~t) sticky

klabbsnö *s* (~n) [wet and] sticky snow

klack *s* (~en, ~ar) på skodon heel; **slå ~arna i taket** bildl. kick up one's heels; **slå ihop ~arna** click one's heels

klacka *vb tr* (~de, ~t) heel; **~ om** re-heel

klackbar *s* (~en, ~er) heel bar

klackjärn *s* (~et, =) heel-iron

klackning *s* (~en, ~ar) heeling

klackring *s* (~en, ~ar) signet ring

klackspark *s* (~en, ~ar) fotb. backheel; **han tog det med en ~** vard. he took in his stride, he did not take it too seriously

1 kladd *s* (~en, ~ar) utkast rough copy [*till* of]

2 kladd *s* **1** (~en, ~ar) smet goo **2** (~et) kludd daub; klotter scribble

kladda *vb itr* (~de, ~t) **1** smeta, söla make a mess; **vem har ~t** på fönstret? who has made dirty marks...?; **~ ned sig** make oneself all messy, make a mess all over oneself, get oneself in[to] a mess **2 ~ på ngn** vard., tafsa på ngn grope sb

kladdblock *s* (~et, =) scratch pad

kladdig *adj* (~t) klibbig sticky, messy, gooey; nedkladdad smeary; kladdigt skriven scribbly; **jag är ~ om händerna** my hands are sticky

kladdpapper *s* (~et el. -pappret, =) scrap (amer. scratch) paper

klaff *s* (~en, ~ar) **1** flap; på bord äv. [drop] leaf (pl. leaves); på sekretär fall-front; på blåsinstrument key; ventil på t.ex. trumpet valve; anat. valve; bro~ leaf, bascule **2 håll ~en!** vard. shut your trap!, belt up!

klaffa *vb itr* (~de, ~t) stämma tally; fungera bra work out [well]

klaffbord *s* (~et, =) folding (drop-leaf) table

klaffbro *s* (~n, ~ar) bascule bridge

klaffel *s* (~et, =) med. valvular disorder

klaffsits *s* (~en, ~ar) folding seat; på teater o.d. tip-up seat

klafsa *vb itr* (~de, ~t) squelch

klaga *vb itr* (~de, ~t) **1** beklaga sig complain [*över* about (of);; *för (hos)* to]; make complaints; knorra grumble [*över* at (over, about)]; högljutt lament; ingen kan **~ på honom (maten)** ...find fault with him (the food); maten var inte att **~ på** ...left no room for complaint **2** inkomma med klagomål lodge a complaint

klagan *s* (=, en) lament, lamentation; knot grumbling; högljudd wailing

klagande I *adj* (oböjl.) complaining osv., jfr klaga 1; om röst, ton äv. plaintive **II** *s* (~n, =) jur. complainant, lodger of a (resp. the) complaint

klagomur *s* (~en, ~ar), **Klagomuren** the Wailing Wall; **~en** tv el. radio etc. the department for complaints

klagomål *s* (~et, =) complaint [*över, på* about], grievance

klagorop *s* (~et, =) lamentation[s pl.]

klagotid *s* (~en, ~er) jur. period within which an appeal may be lodged

klagovisa s (~n, -visor) lament; *Klagovisorna* i Bibeln Lamentations sg.

klammer s (~n, klamrar el. =) **1** sammanfattningstecken brace **2** häft~ staple

klammeri s (~et, ~er), *råka i ~ med rättvisan* fall foul of the law

1 klamp s (~en, ~ar) träklabb chunk of wood

2 klamp s (~et) klampande tramping; klampande ljud tramp

klampa *vb itr* (~de, ~t) gå tungt tramp; *~ in* barge in äv. bildl.; *~ omkring* clump (stamp) about

1 klamra *vb rfl* (~de, ~t), *~ sig fast vid* cling to, hang on to båda äv. bildl.

2 klamra *vb tr* (~de, ~t) med häftklammer staple; bokb. stitch

klamydia s (~n) med. chlamydia

klan s (~en, ~er) clan

klander s (klandret) **1** allm. blame; starkare censure; kritik criticism **2** jur., *anföra ~ mot* protest (lodge el. enter a protest) against; testamente äv. dispute

klandervärd adj (-värt) blameworthy, reprehensible

klandra *vb tr* (~de, ~t) tadla blame, find fault with; kritisera criticize

klang s (~en, ~er) allm. ring (endast sg.); starkare clang; av klockor ringing; av samstämda kyrkklockor peal; klangfärg tone, timbre; *ordet har en negativ ~* bildl. ...an unpleasant ring

klangfull adj (~t) sonorous

klangfärg s (~en, ~er) timbre, [tone] quality

klanglös adj (~t) flat, dull, toneless

klanka *vb itr* (~de, ~t) grouse, grumble, carp [på about, at]

klanta *vb rfl* (~de, ~t), *~ sig* el. *~ till det* vard. make a mess of things, muck things up; trampa i klaveret put one's foot in it

klantig adj (~t) vard., klumpig clumsy, heavy-handed; dum stupid

klantskalle s (~n, -skallar) vard. blockhead, clumsy fool

klapp s (~en, ~ar) **1** smeksam pat; lätt slag tap; *en uppmuntrande (överlägsen) ~ på axeln* an encouraging (a patronizing) pat on the back **2** vard., se *julklapp*

1 klappa *vb tr* o. *vb itr* (~de, ~t) ge en klapp pat; t.ex. på axeln äv. tap; starkare clap; smeka stroke, caress; om hjärta beat, häftigt palpitate, hårdare throb; *~ ngn på kinden* pat sb on the cheek; *~ [i] händerna* clap one's hands, applaud; *~ händerna åt ngn* clap sb; *med ~nde hjärta* with a beating heart; *saken är ~d och klar* ...is (has been) fixed up, ...is (has been) signed, sealed, and delivered; *~ igen* vard., upphöra fold up; *~ igenom (ihop)* vard., kollapsa go (fall) to pieces, crack up, break down; *~ till ngn* give sb a slap, slap sb

2 klappa s (~n, klappor) film. clapperboard

klapper s (klappret) klapprande clattering osv., jfr *klappra*; clatter

klappersten s (~en, ~ar) geol. rubble; koll., på strand o.d. shingle

klappjakt s (~en, ~er) eg. battue fr.; bildl. witch-hunt [på for]; *bedriva ~ på* hound

klappra *vb itr* (~de, ~t) clatter; om hästhovar clip-clop; om tänder chatter

klappstol s (~en, ~ar) folding chair

klar adj (~t) **1** ljus, tydlig o.d., allm. clear; om väder el. om t.ex. färg, solsken äv. bright; om t.ex. hy transparent; om framställning, stil äv. lucid, limpid; tydlig, om t.ex. språk, skyldighet, svar plain; begriplig intelligible; åskådlig perspicuous; tydlig pronounced; avgjord, om t.ex. favorit odds-on, decided; om t.ex. seger clear, definite; *~t besked* exact information, a straight answer; *~ himmel* äv. a cloudless sky; *~ soppa* clear soup; *i (vid) ~t bra väder* in fair weather; *det blev (stod) ~t för mig att...* it became (was) clear (obvious) to me...; småningom it dawned [up]on me...; jag insåg I realized [clearly]...; *få ngt ~t för sig* get a clear idea of sth; *få ~t för sig hur...* realize how...; *ha ~t för sig vad...* be clear about (as to)..., have a clear idea of...; *det är ~t* äv. that's evident (obvious); givetvis naturally, of course; *saken är ~!* that settles it!; *komma (vara) på det ~a med ngt* realize...

2 färdig ready [*för, till* for; *att* + inf. to + inf.]; uppgjord arranged, settled [up], vard. fixed up; gjord done; *~t slut!* over and out!; *~a, färdiga, gå!* ready, steady, go!; amer. ready, set, go!; vid idrottstävlingar on your marks, get set, go!; utnämningen *blir ~ nästa vecka* ...will be made next week; *göra sig ~* get ready [*för, till* for; *att göra ngt* to do sth]; *det är ~t nu* it's OK now; *får jag vara med? Det är ~t!* ...Of course!; *är du ~ [med arbetet]?* have you finished [your work]?; vard. are you through [with your work]?

klara I *vb tr* (~de, ~t) **1** eg.: göra klar clarify; strupen clear **2** bildl., *~* (ofta äv. *~ av, upp*): a) reda upp settle; ordna äv. arrange; lösa, t.ex. problem solve, do; *få...gjord* get...done; gå i land med manage; lyckas med, t.ex. en svår uppgift cope with, tackle...successfully; stöka undan do b) tåla: om person be able to stand; om sak be able to stand up to c) rädda, *~...ur en knipa* help...out of straits; *det ska jag nog ~!* I'll take care of that (fix it)!; *~ sin examen* pass (get through) one's exam; *~ [sig igenom] krisen* get through (overcome) the crisis; friare pull through; *~ ut* se *reda ut* under *reda III 1*

II *vb rfl* (~de, ~t), *~ sig* reda sig, t.ex. bra manage, get on (by), do, speciellt amer. make out; t.ex. utan hjälp (missöde) get along; bli godkänd i examen pass; rädda sig get off, escape; vid sjukdom pull through; *han ~r sig alltid* i alla lägen he always falls on his feet; *han ~r sig nog!* äv. he'll do all right!, he'll make it!, he'll pull it off!; *~ sig bra i skolan* do well at school; *~ sig dåligt* come off (do) badly, give a poor account of oneself; *~ sig själv* help oneself; ekonomiskt fend for oneself; *~ sig från förkylning* avoid...; *jag kan inte ~ mig på* den här lönen I cannot manage (make both ends meet) on...; *~ sig utan* ngt do without...; *~ sig undan* get off, escape

klarblå adj (-blått) bright blue

klarbär s (~et, =) sour cherry, amarelle

klarera *vb tr* (~de, ~t) sjö. clear; *~ in (ut)* clear...inwards (outwards)

klarerare s (~n, =) sjö. shipping agent

klarering s (~en, ~ar) sjö. clearance

klargöra *vb tr* (-gjorde, -gjort) förklara o.d. make...clear; utreda elucidate, explain; påvisa demonstrate [*för ngn* i samtliga fall to sb]; *~ för ngn (sig själv) att (hur)...* make it clear to sb (to oneself) that (how)...

klarhet s (~en) (jfr *klar 1*); clearness osv.; framför allt bildl. clarity; transparency; lucidity [*i, om* on, as to]; *bringa ~ i ngt* throw (shed) light on sth; *få* (*skaffa sig, komma till*) ~ *i* ngt get a clear idea (picture) of...; *gå från ~ till ~* go from strength to strength

klarinett *s* (~en, ~er) clarinet

klarinettist *s* (~en, ~er) clarinettist, clarinet-player

klarlägga *vb tr* (-lade, -lagt) se *klargöra*

klarläggande *s* (~t, ~n) elucidation, explanation, demonstration; jfr *klargöra*

klarmedel *s* (-medlet, =) clarifier, fining

klarna *vb itr* (~de, ~t) **1** bli ljus[are]: om himlen clear, become clear[er]; om vädret clear up; ljusna brighten up äv. bildl.; bli klarare, om läge o.d. become clearer [*för* to]; *det* vädret ~*r* [*upp*] it is clearing up; *det* saken o.d. *börjar* ~ things are looking up; ~ *upp* clear (brighten) up **2** om vätska clarify

klarsignal *s* (~en, ~er) järnv. go-ahead (line clear) signal; sjö. el. flyg. clearance signal, all clear; *få* (*ge ngn*) ~ bildl. get (give sb) the green light (the go-ahead, the OK)

klarspråk *s* (~et), *tala* ~ make things plain, not mince words

klarsynt *adj* (=) clear-sighted; skarpsynt perspicacious

klarsynthet *s* (~en) clear-sightedness, [clarity of] vision; skarpsynthet perspicacity

klart *adv* clearly osv., jfr *klar*; avgjort, utpräglat decidedly, definitely; t.ex. fientlig openly; *uttrycka sig* ~ express oneself clearly; *har jag uttryckt mig* ~ [*nog*]? have I made myself clear?

klartecken *s* (-tecknet, =), *få* (*ge ngn*) ~ bildl. get (give sb) the green light (the go-ahead, the O.K., the all-clear)

klartext *s* (~en) text en clair fr.; *i* ~ en clair fr.; friare in plain language (Swedish, English etc.)

klartänkt *adj* (=) clear-thinking, clear-headed

klarvaken *adj* (-vaket, -vakna) wide awake

klarögd *adj* (-ögt) eg. bright-eyed, clear-eyed

klase *s* (~n, klasar) cluster; spec. lös ~ bunch [båda med of framför följande ord]; bot. raceme

klass *s* (~en, ~er) allm. class; skol.: skolklass class, form; amer. grade; årskurs form; amer. grade; rang grade, order; *ett första ~ens hotell* a first-class (utmärkt first-rate) hotel; *åka [i] 2:a* ~ travel (go) second class; *hon går i min* ~ she's in my class (form); *han* (resp. *det*) *står i en* ~ *för sig* he (resp. it) is in a class of his own (resp. its own); *vara i* ~ *med* be in the same class as, be up to

klassa *vb tr* (~de, ~t) class; ~ *ned* t.ex. en prestation belittle

klassamhälle *s* (~t, ~n) class society

klassanda *s* (~n) class spirit

klassfest *s* (~en, ~er), *vi ska ha* ~ our class is going to have a party

klassföreståndare *s* (~n, =) skol. class (form) teacher (tutor), group tutor; amer. home-room teacher

klassicism *s* (~en), ~[*en*] classicism

klassificera *vb tr* (~de, ~t) classify

klassificering *s* (~en, ~ar) o. **klassifikation** *s* (~en, ~er) klassificerande classification, classifying; sätt att klassificera way of classifying

klassiker *s* (~n, =) classic; forskare classical scholar

klassisk *adj* (~t) eg.: antik o. om t.ex. musik classical; friare, tidlös classic; om exempel, skrift äv. standard; ~ *mark* classic ground; ~*a språk* classical languages

klasskamp *s* (~en, ~er) class struggle

klasskamrat *s* (~en, ~er) classmate

klasskillnad *s* (~en, ~er) class distinction

klasskonferens *s* (~en, ~er) skol. class assessment meeting

klasslärare *s* (~n, =) class teacher

klassmedveten *adj* (-medvetet, -medvetna) class-conscious

klassresa *s* (~n, -resor) **1** skolresa class trip **2** bildl., byte av samhällsklass, *göra en* ~ climb the social ladder

klassrum *s* (~met, =) classroom

klassuppsättning *s* (~en, ~ar) skol., av bok special set of books for (in) a class

klassutjämning *s* (~en, ~ar) levelling out of class distinctions, removal of class barriers

klassvis *adv* by classes; en klass i sänder a (one) class at a time; ordnad[e] ~ ...in classes

klatsch I *interj* crack! **II** *s* (~en, ~ar) pisksmäll lash; ljudlig crack; dask slap

klatscha *vb itr* o. *vb tr* (~de, ~t) om piska crack; ~ *med piskan* crack one's (the) whip; ~ [*till*] *ngn* slap sb

klatschig *adj* (~t) effektfull, iögonfallande striking; flott smart; snärtig, om svar witty; schvungfull dashing

klaustrofobi *s* (~n) psykol. claustrophobia

klausul *s* (~en, ~er) clause, proviso

klav *s* (~en, ~er) **1** mus. clef **2** till chifferskrift key

klave *s* (~n, klavar) **1** se *krona eller* (*och*) *klave* under *krona 1* **2** mätinstrument calliper

klaver *s* (~et, =), *trampa i* ~*et* put one's foot in it, drop a brick, make a faux pas

klavertramp *s* (~et, =) vard. clanger, faux pas (pl. lika) fr.

klaviatur *s* (~en, ~er) mus. keyboard

klema *vb itr* (~de, ~t), ~ *med* pamper, coddle; ~ *bort* spoil [...by indulgence]

klematis *s* (~en, = el. ~ar) bot. clematis

klemig *adj* (~t) veklig pampered, coddled, effeminate, soft

klen *adj* (~t) **1** sjuklig o.d.: feeble; ömtålig delicate; bräcklig frail [*till hälsan* in health]; speciellt om barn äv. weakly; svag weak; *vara* ~ äv. be sickly, be of weak (delicate) health **2** underhaltig, skral poor; svag feeble; mager meagre, slender; *med* ~*t resultat* with poor results; *en* ~ *tröst* a poor consolation

klenhet *s* (~en) sjuklighet o.d. feeble [state of] health (osv., jfr *klen 1*); delicacy, frailty

klenod *s* (~en, ~er) dyrgrip priceless article; gem; treasure; familje~, släkt~ heirloom

klentrogen *adj* (-troget, -trogna) incredulous, sceptical

klentrogenhet *s* (~en) incredulity, scepticism

klenät *s* (~en, ~er) kok., ung. cruller

kleptoman *s* (~en, ~er) kleptomaniac

kleptomani *s* (~n) kleptomania

kleta I *vb itr* (~de, ~t) make a mess, daub; ~ *ner* soil, mess up **II** *vb tr* (~de, ~t) färg o.d. daub

kletig *adj* (~t) gooey, mucky, sticky

kli *s* (~et) bran

klia I *vb itr* (~de, ~t) itch; *det* ~*r i örat* my ear itches; *det* ~*r i fingrarna* [*på mig* (*honom, henne* etc.)] *att...* bildl. I'm (he's, she's etc.) itching to...; *det* ~*r i hela kroppen* [*på mig*] I am itching all over **II** *vb tr* (~de, ~t) scratch; ~ *ngn på ryggen* scratch sb's back **III** *vb rfl* (~de, ~t), ~ *sig* scratch oneself; ~ *sig i huvudet* (*örat*) scratch one's head (ear)

klibba *vb itr* (~de, ~t) vara klibbig be sticky (adhesive);

fastna stick, cling [på, vid to]; **~ ihop** [**sig**] stick [together]

klibbal s (~en, ~ar) bot. [common] alder

klibbig adj (~t) allm. sticky [av with]; som fastnar adhesive; om vätska gluey, tacky; naturv. glutinous, viscous

kliché s (~n, ~er) **1** typogr. [printing] block (amer. plate), cut **2** sliten fras cliché fr., stereotyped (hackneyed) phrase

1 klick s (~en, ~ar) klump lump; mindre, av smör knob, pat; av grädde vanl. dollop; av färg daub, smear, dab [alla med of framför följande ord]

2 klick s (~en, ~ar) kotteri clique, coterie, set; polit. faction

1 klicka vb itr (~de, ~t) **1** knäppa click **2** data., **~ på** ikonen med musen click on... **3** om skjutvapen, motor misfire; om skott fail to go off; 'strejka' go wrong, break down; om t.ex. minnet, omdömet be at fault

2 klicka vb itr (~de, ~t), **~ ut degen på** plåten drop the dough on to...

klickbar adj (~t) data. clickable

klient s (~en, ~er) client

klientel s (~et, =) clientele, clients pl., set of clients

klimakterium s (klimakteriet) med. climacteric, menopause

klimat s (~et, =) climate äv. bildl.; poet. clime

klimatförhållanden s pl climatic conditions, climate sg.

klimatförändring s (~en, ~ar) change of climate

klimathot s (~et, =) climate threat

klimatisk adj (~t) climatic

klimatsmart adj (=) climate-smart

klimatutsläpp s pl climate emissions

klimatångest s (~en) climate anxiety

klimax s (~en, ~ar) climax

klimp s (~en, ~ar) lump; guldklimp nugget; kok., ung. dumpling; koll. dumplings pl.

klimpa vb rfl (~de, ~t), **~ sig** get lumpy

klimpig adj (~t) lumpy

1 klinga s (~n, klingor) blade; svärd, värja sword

2 klinga vb itr (~de, ~t) ring; ljuda, låta sound; genljuda resound; om mynt jingle, chink; om glas tinkle, chink; vid skålande clink; **hans ord ~de falskt** ...didn't ring true; **~ i glaset** för att hålla tal o.d. tap one's glass; **~ av** om t.ex. epidemi abate, subside, be on the wane; **~ ut** förklinga die away

klingande I s (~t) ringing osv., jfr 2 klinga **II** adj (oböjl.) ringing; **ett ~ skratt** a ringing laugh; **på ~ ren svenska** in pure Swedish

klinik s (~en, ~er) clinic; vid större sjukhus clinical department; privat sjukhem nursing home

klinisk adj (~t) clinical

klink s (~et) pianoklink strumming (tinkling) on the piano

1 klinka s (~n, klinkor) dörrklinka latch

2 klinka vb itr o. vb tr (~de, ~t), **~ på pianot** tinkle on the piano

klinkerplatta s (~n, -plattor) clinker slab

klint s (~en, ~ar el. ~er) kulle hill; bergstopp peak; bergbrant perpendicular hillside; vid kust cliff

klipp s (~et, =) **1** med sax snip; hack, filmklipp cut; i biljett clip, punch; tidningsklipp [press] cutting; amer. clipping **2** affär, **göra ett ~** vard. make (get) a good bargain; i större sammanhang make a killing, bring off a big deal

1 klippa I vb tr (klippte, klippt) allm. cut; naglar äv. pare; gräs mow; vingar clip; får shear; biljett clip, punch; putsa, t.ex. skägg, häck trim; figurer o.d. cut out; film cut; **~ håret** få håret klippt have one's hair cut; **~ [håret på] ngn** cut sb's hair; **som klippt och skuren för** det arbetet (**till att** + inf.) just cut out for...(for + ing-form); **nu är det klippt!** vard. that's torn (done) it!, we've had it! **II** vb itr (klippte, klippt), **~ med ögonen** blink; **~ med öronen** twitch one's ears; **~ ut och klistra in** data. cut and paste **III** vb rfl (klippte, klippt), **~ sig** få håret klippt have one's hair cut **IV** med beton. part.

klippa av cut (hastigt snip) off; itu cut...in two; avbryta, t.ex. sina förbindelser sever; t.ex. samtal cut...short, put a stop to

klippa bort cut off (away)

klippa itu ngt cut...in two (half)

klippa ned t.ex. en häck trim down

klippa sönder ngt cut...[all] to pieces (bits)

klippa till: **~ till** efter mönster o.d. cut out; **~ till ngn** land (give, dot) sb one

klippa upp cut open, slit

klippa ur (**ut**) ngt cut (clip)...out [ur en tidning of a newspaper]

2 klippa s (~n, klippor) berg rock äv. bildl.; skarpkantig o. brant havsklippa cliff

klippblock s (~et, =) rock, boulder

klippdocka s (~n, -dockor) cut-out [doll]

klippig adj (~t) rocky; om berg craggy; om kust iron-bound; **Klippiga bergen** the Rocky Mountains, the Rockies

klippkort s (~et, =) biljett punch ticket

klippning s (~en, ~ar) klippande cutting osv., jfr 1 klippa; av håret hair-cutting; frisyr haircut; **beställa tid för ~** book a time for a haircut

klipprev s (~et, =) reef of rocks

klipsk adj (~t) snabbtänkt quick-witted, ready-witted; förslagen crafty; se vidare knipslug

klirra vb itr (~de, ~t) allm. jingle; om mynt äv. chink; om glas clink, chink; om metall ring [mot on]

klister s (klistret) paste; lim glue, adhesive, cement; **råka i klistret** get into a jam (fix, mess); **sitta i klistret** be in a mess (a fix, the soup)

klistermärke s (~t, ~n) sticker, stick-on [label], sticky label

klisterremsa s (~n, -remsor) adhesive (gummerad gummed) tape

klistra I vb tr (~de, ~t) paste; fackspr. cement; mera allm. stick

II med beton. part.

klistra fast ngt [på (vid)...] paste (stick) sth on [to...]

klistra igen stick down

klistra in data. paste

klistra in ngt [i...] paste (stick) sth in[to...]; **~ in** frimärken hinge...

klistra upp: **~ upp** t.ex. en affisch paste (stick) up; **~ upp** en affisch **på väggen** paste (stick)...up on the wall

klistrig adj (~t) sticky, gluey

klitoris s (oböjl., en) anat. clitoris

klitter s pl dunes, sand-hills

kliv s (~et, =) stride; **ta ett stort ~** take a long stride; **ta ett stort ~ framåt** bildl. take a large step forward

kliva I vb itr (klev, klivit) med långa steg stride; stiga step; **~ över** tröskeln cross..., step across...

II med beton. part.
kliva av se *stiga av* under *stiga II*
kliva i båt step (get) into
kliva på se äv. *stiga på* under *stiga II*; han bara **klev på** steg in [utan att knacka] ...walked (marched) [straight] in
kliva över dike o.d. stride across; gärdesgård climb (get) over...
klo s (~n, ~r) claw; rovfågels äv. talon; kräftklo äv. pincers pl.; på gaffel, grep o.d. prong; **råka i ~rna på ngn** get into the clutches of sb, get into sb's clutches; **slå ~rna i...** strike one's claws into...; bildl. äv. pounce on...
kloak s (~en, ~er) sewer; zool. cloac|a (pl. -ae) lat.
kloakbrunn s (~en, ~ar) cesspool
kloakdjur s (~et, =) zool. monotreme
kloakledning s (~en, ~ar) [main] sewer
kloakråtta s (~n, -råttor) zool. sewer rat
kloakrör s (~et, =) sewer, sewage pipe
kloaksystem s (~et, =) sewage system
kloaktrumma s (~n, -trummor) sewer
kloakvatten s (-vattnet) sewage
klocka I s (~n, klockor) **1** att ringa med el. bot. bell; **ringa på ~n** ring (elektrisk ~ press) the bell **2** ur: fickur, armbandsur watch; väggur o.d. clock; **lära sig ~n** learn to tell the time; **hur mycket (vad) är ~n?** what's the time?, what time is it?; **~n är ett (halv ett)** it is one [o'clock] (half past twelve, twelve thirty, vard. half twelve); **~n är fem [minuter] i ett** it is five [minutes] to (amer. äv. of) one; **~n är fem [minuter] över ett** it is five [minutes] past (amer. äv. after) one; **min ~ är ett** it is one [o'clock] by my watch; **~n är (börjar bli) mycket** it is (is getting) late; **~n tre (halv tre)** adv. at three [o'clock] (at half past two, two thirty, vard. half two); **veta vad ~n är slagen** bildl. know what to expect, know the time of day **II** *vb tr* (~de, ~t) sport., **han ~des för 10,8** he [was] clocked 10.8
klockad adj (klockat, ~e), **~ kjol** bell-shaped skirt
klockare s (~n, =) ung. parish clerk and organist; kyrkomusiker precentor
klockarkärlek s (~en) weakness, soft spot [för for]; **ha en ~ för (till) ngt** äv. have a penchant for sth
klockarmband s (~et, =) av läder watchstrap, amer. watchband; av metall watch bracelet
klockboj s (~en, ~ar) sjö. bell buoy
klockformig adj (~t) bell-shaped
klockkedja s (~n, -kedjor) watchchain
klockkjol s (~en, ~ar) bell[-shaped] skirt
klockljung s (~en) bot. bell-heather
klockradio s (~n, ~apparater) clock radio
klockren adj (~t) ...[as] clear as a bell; **en ~ träff** a direct (full) hit
klockringning s (~en, ~ar) [the] ringing of bells (resp. a bell)
klockslag s (~et, =), **på ~et** on the stroke [of the clock]
klockspel s (~et, =) **1** klockor chime [of bells]; ljud chimes pl.; klockor el. ljud carillon **2** instrument glockenspiel ty.
klockstapel s (~n, -staplar) [detached] bell tower, belfry
klocksträng s (~en, ~ar) bell cord, bell pull
klok adj (~t) förståndig wise; omdömesgill judicious; förnuftig sensible; förtänksam, försiktig prudent, politic; intelligent intelligent; om djur äv. sagacious; skarp, klipsk

shrewd; välbetänkt well-advised; **~a råd** vanl. sensible advice sg.; **det var ~t av dig** that was very wise (sensible) of you; **vara ~ nog att** + inf. be sensible enough (have sense enough, have the good sense) to + inf.; **det är inte ~t** vard. it's crazy (mad); **det är inte ~t vad** dyrt allt har blivit I can't believe how...; han är så snål **så det är inte ~t!** ...you wouldn't believe it!; **jag blir inte ~ på honom (det)** I can't make him (it) out, I can't make head or tail of him (it); han är **inte riktigt ~** vard. ...not all there, ...not quite right in the head, ...dotty, ...nuts
klokhet s (~en, ~er) (jfr *klok*); wisdom; judiciousness; sense; prudence; intelligence, sagacity; shrewdness
klona *vb tr* (~de, ~t) biol. clone
kloning s (~en) biol. cloning
klor s (~et el. ~en) kem. chlorine
klorera *vb tr* (~de, ~t) kem. chlorinate
klorid s (~en, ~er) kem. chloride
klorkalk s (~en) kem. chloride of lime
kloroform s (~en) kem. chloroform
kloroformera *vb tr* (~de, ~t) kem. chloroform
klorofyll s (~et el. ~en) chlorophyll
klosett s (~en, ~er) ngt åld. toilet, lavatory, water closet
kloss s (~en, ~ar) träklump block, jfr *byggkloss*
kloster s (klostret, =) monastery; nunnekloster convent, nunnery; **gå i ~** enter a monastery osv., se ovan
klostercell s (~en, ~er) monastery (i nunnekloster convent) cell
klosterkyrka s (~n, -kyrkor) abbey, monastery church
klosterlöfte s (~t, ~n), **avlägga ~[t]** take the vow[s pl.]
klosterruin s (~en, ~er) ruined abbey (monastery osv., jfr *kloster*)
1 klot s (~et, =) kula ball äv. om jorden; i bowling äv. bowl; glob globe; vetensk. sphere; astron. orb; jfr *jordklot*
2 klot s (~en) tyg sateen; bokb. cloth
klotband s (~et, =) cloth-binding; **i ~** in cloth
klotblixt s (~en, ~ar) meteor. [flash of] ball lightning; **~ar** äv. ball lightning sg.
klotformig adj (~t) ball-shaped; globular; spherical
klotrund adj (-runt) ...round like a ball, om person rotund, vard. tubby, se äv. *klotformig*
klotter s (klottret) scrawl, scribble, doodle; klottrande scrawling, scribbling, doodling; på väggar graffiti pl. (it.); jfr *klottra*
klotterplank s (~et, =) 'graffiti board', board in a public place on which people may scribble what they like
klottersanering s (~en, ~ar) removal of graffiti
klottra *vb itr* o. *vb tr* (~de, ~t) skriva snabbt och slarvigt scrawl, scribble; tankspritt rita figurer doodle, scribble; **~ ned** a) skriva ned scrawl, jot down b) fullklottra scrawl (scribble) all over; **~ på väggarna** scrawl graffiti on the walls
klottrig adj (~t) om stil scrawling
klubb s (~en, ~ar) club
klubba I s (~n, klubbor) club; mindre mallet; auktionsklubba hammer; ordförandeklubba gavel, hammer; slickepinne lolly, lollipop; jfr *bandyklubba* o. *golfklubba* o. andra sammansättn.; **föra ~n** act as chairman; **gå under ~n** go (come) under the

hammer **II** *vb tr* (~de, ~t) **1** slå ihjäl club **2** bestämma
fix; *tiden är redan ~d* the time has already been fixed
3 ~ *[igenom]* driva igenom, t.ex. förslag push through
4 vid auktion, *~s för* 1000 *kronor* be knocked down
for...
klubbhus *s* (~et, =) sport. clubhouse, club pavilion
klubbjacka *s* (~n, -jackor) blazer
klubbmärke *s* (~t, ~n) club badge
klubbmästare *s* (~n, =) **1** anordnare av fester, ung.
master of ceremonies **2** sport. club champion
klubbslag *s* (~et, =) vid sammanträde fall of the
[chairman's] gavel; vid auktion blow (rap) of the
hammer
klucka *vb itr* (~de, ~t) **1** om höns o.d. cluck; om kalkon
äv. gobble; *ett ~nde skratt* a chuckle **2** om vätska
gurgle; om vågor lap
kludd *s* **1** (~et) dålig målning daub; *bara ~* a mere daub
2 (~en, ~ar) målarkludd dauber
kludda *vb itr* o. *vb tr* (~de, ~t) daub; *~ i boken* make
smudges in...; *~ ner* smudge
kluddig *adj* (~t) om målning dauby; fläckig blotchy,
smudgy
klump *s* **1** (~en, ~ar) lump äv. i halsen; av något fuktigt äv.
blob; jordklump clod; klunga clump **2** (oböjl.), *i ~* alla
tillsammans in a lump
klumpa **I** *vb tr* (~de, ~t), *~ ihop* behandla utan åtskillnad
treat...alike; tränga ihop t.ex. en massa människor på
samma ställe crowd (pack)...together **II** *vb rfl* (~de,
~t) *~ sig a)* ~ ihop sig, bilda klumpar form lumps (clods)
b) uppträda klumpigt be tactless; trampa i klaveret put
one's foot in it
klumpeduns *s* (~en, ~ar) clumsy lout, clodhopper
klumpfot *s* (~en) club foot
klumpig *adj* (~t) clumsy; åbäkig äv. unwieldy,
lumbering; otymplig äv. ungainly; tafatt äv. awkward,
heavy-handed; taktlös tactless
klumpsumma *s* (~n, -summor) lump sum
klunga *s* (~n, klungor) grupp group; av träd äv. clump;
skock bunch, knot; svärm, klase m.m. cluster [alla med of
framför följande ord]
klunk *s* (~en, ~ar) gulp, draught; mindre drop [alla med
of framför följande ord]; *en ~ vatten* a drink (liten sip) of
water
klunka **I** *vb tr* (~de, ~t), *~ i sig* gulp...down, quaff
II *vb itr* (~de, ~t) om vätska gurgle; om vågor lap
kluns *s* (~en, ~ar) vard. **1** klump lump **2** klumpeduns
clodhopper
klurig *adj* (~t) vard.: **1** om person artful, sly, smart;
fiffig, om t.ex. problemlösning ingenious, clever **2** knepig,
kvistig tricky
klusil *s* (~en, ~er) fonet. stop, plosive
kluster *s* (klustret, =) data., mus., astron. el. språkv.
cluster
klut *s* (~en, ~ar) huvudklut kerchief; trasa rag; lapp
patch; segel sail; *sätta till alla ~ar* pull out all the
stops, sock it to 'em
kluven *adj* (kluvet, kluvna) split osv., jfr *klyva*; om
personlighet split, dual, dissociated; bot. el. anat. cleft;
~ stjärt forked tail; *tala med ~ tunga* speak with a
forked tongue, speak with two voices
klyfta *s* (~n, klyftor) **1** bergsklyfta cleft; ravin ravine; bred
o. djup chasm; mellan branta klippor gorge; smal crevice
2 bildl. cleavage, breach, rift, gap äv. om generations~,
gulf **3** apelsinklyfta segment; i dagligt tal piece; äggklyfta,
äppelklyfta o.d. [wedge-shaped] slice; vitlöksklyfta clove

klyftig *adj* (~t) bright, clever, smart, shrewd
klyftpotatis *s* (~en, ~ar) koll., kok. potato wedges pl.
klyka *s* (~n, klykor) gren~ fork, crotch, crutch; år~
rowlock, amer. oarlock
klyscha *s* (~n, klyschor) fras hackneyed phrase
(expression), cliché fr.
klyva **I** *vb tr* (klöv, kluvit) allm. split, cleave; skära itu
cut...in two (half); dela divide up; *~ atomer* split
atoms; *~ vågorna* cleave (breast) the waves **II** *vb rfl*
(klöv, kluvit), *~ sig* split
klyvare *s* (~n, =) sjö. jib
klyvas *vb itr dep* (klövs, kluvits) split up [*i* into]
klyvning *s* (~en, ~ar) splitting osv., jfr *klyva*; av
atomkärna äv. fission
klå *vb tr* (~dde, ~tt) **1** ge stryk thrash, beat; vard. lick
samtliga äv. besegra; *~ upp [ordentligt]* give...a [good
(sound)] thrashing (beating), beat...good and
proper **2** lura, *~ ngn på pengar* cheat (swindle, vard.
do, diddle) sb out of some money
klåda *s* (~n) itch; kliande itching
klåfingrig *adj* (~t), *vara ~* be unable to let things
alone, be always at things
klåfingrighet *s* (~en) inability to let things alone
klåpare *s* (~n, =) bungler, botcher [*i* at]
klä (jfr äv. *klädd*) **I** *vb tr* (~dde, ~tt) **1** ta på kläder dress;
förse med kläder clothe; pryda attire, array **2** bekläda:
invändigt line; utvändigt face; t.ex. med blommor deck;
förse med överdrag cover, jfr *klä över* under *klä III* nedan;
~ julgranen decorate (dress) the Christmas tree; *~ en
vägg med panel* panel... **3** passa suit; become äv. anstå;
rött ~r henne el. *hon ~r i rött* red suits her, she looks
good in red **4** *få ~ skott för ngt* be made the
scapegoat for sth
II *vb rfl* (~dde, ~tt), *~ sig* dress, dress oneself; poet.,
om naturen o.d. clothe oneself; *~ sig snyggt* (*smakfullt*)
med smak dress well, be well dressed; *~ sig varmt* put
on (bära wear) warm clothing, wrap up well; *~ sig
fin* dress (get oneself) up; *hon ~r sig bara i
märkeskläder* she only wears designer clothes
III med beton. part.
klä av: *~ av ngn* undress sb; *~ av sig* undress, take off
one's clothes; *~ av sig naken* strip [naked]; vard. peel
off
klä in med t.ex. värmeisolerande material lag
klä om: *~ om* möbler o.d. re-cover; *~ om [sig]* change;
klä sig fin dress
klä på: *~ på ngn* put sb's clothes on for him (resp.
her), help sb on with his (resp. her) clothes; *~ på
barn, docka* dress...; *~ på ngn skjortan* put sb's...on
[for him resp. her]; *~ på sig* get dressed, dress, put
on one's clothes; *~ på er ordentligt!* put plenty [of
clothes] on!, wrap [yourselves] up well!
klä upp i fina kläder dress...up; *~ upp sig* dress upp
klä ut: *~ ut sig till prinsessa* dress oneself up as a...
klä över möbler o.d. cover [*med* with]; upholster [*med*
in, with]; tekn., linda om dress
1 kläcka *vb itr* (kläckte, kläckt), *det klack till i mig* I
started, it gave me a start (jump)
2 kläcka *vb tr* (kläckte, kläckt) hatch; *~ ur sig* come
out with; kvickhet crack; *~ [fram]* t.ex. en idé hit
[up]on; *~s* hatch [out]
kläckning *s* (~en, ~ar) hatching, incubation
kläda *vb tr* (klädde, klätt) se *klä*
klädborste *s* (~n, -borstar) clothes brush
klädd *adj* (klätt) dressed osv., jfr *klä*, *påklädd* o.

utklädd; litt. clad; **hur ska jag vara ~?** what am I to (what shall I) wear?; **~ knapp** [cloth-]covered button; **vara ~ i blått** äv. wear blue

kläde *s* (~t, ~n) tygsort cloth; kostymtyg broadcloth (båda endast sg.)

klädedräkt *s* (~en, ~er) spec. nationaldräkt costume; klädsel dress (endast sg.)

kläder *s pl* allm. clothes; klädsel clothing, dress (båda endast sg.); **jag skulle inte vilja vara i hans ~** I wouldn't [like to] be in his shoes (skin); **bli varm i ~na** begin to find one's feet

klädesplagg *s* (~et, =) article of clothing

klädförråd *s* (~et, =) stock of clothes; rum clothes-storeroom

klädhängare *s* (~n, =) galge [clothes] hanger; krok [coat] peg; list el. hylla med krokar rack; ställning hatstand

klädkammare *s* (~n, -kamrar el. =) walk-in closet, walk-in wardrobe, walk-in cupboard

klädkorg *s* (~en, ~ar) clothes basket

klädloge *s* (~n, ~r) teat. dressing-room, tiring-room

klädlus *s* (~en, -löss) body louse

klädnad *s* (~en, ~er) garment äv. bibl., raiment (endast sg.)

klädnypa *s* (~n, -nypor) clothes peg; amer. clothespin

klädsam *adj* (~t, ~ma) becoming äv. bildl.

klädsel *s* (~n, klädslar) **1** sätt att klä sig dress; högtidl. attire; rekommenderad, lämplig dress code; kläder äv. clothes pl.; **ordna till sin ~** adjust one's clothing; **vara noga med sin ~** be particular about one's dress, be a careful dresser **2** överdrag på möbler o.d. covering; i bil upholstery

klädskåp *s* (~et, =) wardrobe; låsbart skåp i omklädningsrum locker

klädstil *s* (~en, ~ar) style of dressing (dress)

klädstreck *s* (~et, =) clothes line

klädsömnad *s* (~en, ~er) dressmaking and tailoring

klädvård *s* (~en) care of the (one's) clothes

klädvårdsrulle *s* (~n, -rullar) lint roller

klädväg *s* (oböjl.), **i ~** as regards (in the way of) clothes

kläm *s* (~men, ~mar) **1** eg., **få fingret i ~** get one's finger caught; **komma i ~** bildl. get stuck in the middle **2** kraft, energi force, vigour; fart o.d. go, dash; **med fart och ~** with vigour and dash **3** jag har inte ~ **på...** I can't get the hang of...

klämdag *s* (~en, ~ar) working day between a holiday and a weekend (between two holidays)

klämma I *s* **1** (~n, klämmor) för papper o.d. clip **2** (~n) knipa, trångmål straits pl., scrape; **råka (sitta) i ~** get into (be in) a mess (fix, tight corner, jam) **II** *vb tr* o. *vb itr* (klämde, klämt) squeeze; om skodon pinch, hurt; **veta var skon klämmer** bildl. know where the shoe pinches; **han klämde fingret i dörren** he got his finger caught in...; **~ ngn på** en summa squeeze...out of sb; **jag har klämt fingret** I have squeezed (stark. crushed) my finger **III** med beton. part.

klämma fast fästa fix, fasten; med [pappers-]klämma clip...[securely together]

klämma fram: **~ fram med ngt** come out with sth

klämma i med melodi strike up; hurrarop give

klämma ihjäl squeeze...to death; ett föremål flatten

klämma ihop flera föremål squeeze...together; ett föremål flatten

klämma in: **~ in ngt** squeeze sth in[to...]; **~ sig in i** squeeze (squash) into

klämma sönder crush (squeeze) [i bitar...to pieces]

klämma till a) vard., klå sock (give)...one **b)** bildl., göra slag i saken go right ahead; **han klämde till med** en summa he came out with...

klämma ur sig bildl. come out with; vard. spit...out

klämma ut: **klämma ut ngt ur...** squeeze sth out of...

klämma åt bildl. clamp (crack) down on

klämmig *adj* (~t) om musik spirited, lively; om person ...full of go (fun)

klämta *vb itr* (~de, ~t) toll; **~ i klockan** toll the bell

klämtning *s* (~en, ~ar) klämtande tolling, toll

klänga I *vb itr* (klängde, klängt) klättra climb äv. om växt; jfr *klättra* **II** *vb rfl* (klängde, klängt), **~ sig** climb; om växt äv. creep; **~ sig fast vid...** cling (hang) on to...

klänge *s* (~t, ~n) bot. tendril

klängranka *s* (~n, -rankor) bildl. clinging vine

klängros *s* (~en, ~or) climbing rose, rambler [rose]

klängväxt *s* (~en, ~er) climber, climbing plant; clinging vine

klänning *s* (~en, ~ar) dress; festklänning äv. gown

klänningstyg *s* (~et, =) dress material

kläpp *s* (~en, ~ar) i ringklocka tongue, clapper; glas- i ljuskrona drop

klärvoajans *s* (~en) clairvoyance, second sight

klärvoajant *adj* (=) clairvoyant

klätterros *s* (~en, ~or) climbing rose, rambler [rose]

klätterställning *s* (~en, ~ar) för barn climbing frame, jungle gym

klättra *vb itr* (~de, ~t) climb; med möda clamber; kravla scramble; **~ i träd** climb trees; **~ ned** climb down [från trädet the tree]; **~ upp (upp i trädet)** climb up (up the tree); **~ upp på** ett tak climb [up] on to...; **~ uppför** en stege, ett berg climb [up] (ascend, scale, mount)...

klösa *vb tr* (klöste, klöst) scratch; **~ ögonen ur ngn** scratch sb's eyes out

klöv *s* (~en, ~ar) [cloven] hoof (pl. hoofs el. hooves)

klövdjur *s* (~et, =) cloven-footed animal; vetensk. fissiped

klöver *s* (~n, =) **1** bot. el. lantbr. clover; bot. äv. trefoil **2** kortsp., koll. clubs pl.; **en ~** a (resp. one) club, jfr *hjärter* med ex. o. sammansättn. **3** vard., koll. pengar dough, bread (båda sg.)

klöverblad *s* (~et, =) cloverleaf

km förk. för *kilometer*

k-märkt *adj* (=), **~ byggnad** listed building

knacka *vb tr* o. *vb itr* (~de, ~t) knock; hårt rap; lätt tap, rat-tat; om motor knock, pink; **~ dörr** go door-to-door; **~ hål på ett ägg** crack an egg; **~ i bordet** rap [on] the table; **~ på dörren** knock (osv., se ovan) at the door; **det ~r** there's a knock, there's somebody knocking; **~ 'på** knock (osv., se ovan) [at the door]; **~ 'på hos ngn** knock at sb's door

knackigt *adv* vard., **ha det ~** be badly off [financially]

knackning *s* (~en, ~ar) knackande knocking osv., jfr *knacka*; **en ~ på dörren** a knock (resp. rap, tap, rat-tat) at the door

knaggla *vb rfl* (~de, ~t), **~ sig fram** struggle (plod) along; **~ sig igenom** en bok struggle (plod [one's way]) through...

knagglig *adj* (~t) om väg o.d. rough, bumpy, uneven;

om t.ex. vers rugged; **~ engelska** bruten broken English; stapplande halting English

knaggligt *adv*, **det går ~ för honom i skolan** (**i engelska**) he is pretty weak at school (in English)

knaka *vb itr* (~de, ~t) creak; starkare crack; **golvet ~r** the floor creaks; **det ~r i isen** the ice is cracking; **växa så det ~r** grow like mad (blazes, anything)

knall *s* (~en, ~ar) bang; gevärs, pistols äv. crack, report; vid explosion detonation; åsk~ crash, peal, clap; korks pop; **dö ~ och fall** segna ned fall down dead on the spot

1 knalla *vb itr* (~de, ~t) smälla bang, crack; om åska crash; explodera detonate; om kork pop

2 knalla *vb itr* (~de, ~t) gå långsamt trot; **~ vidare** äv. push on; **det ~r** [**och går**] I am jogging along (managing) [pretty well]; **~ i väg** trot (push, toddle) off

knalle *s* (~n, knallar) liten höjd [bare] hillock

knallgas *s* (~en) oxy-hydrogen gas

knallhatt *s* (~en, ~ar) tändhatt percussion (detonating) cap

knallpulver *s* (-pulvret) fulminating powder; till ~pistol cap

knallpulverpistol *s* (~en, ~er) cap pistol

knallröd *adj* (-rött) bright (vivid) red

knalt *adv*, **ha det ~** be hard up

knap *s* (~en, ~ar) sjö. cleat

knaperstekt *adj* (=) ...fried crisp

knapert *adv*, **ha det ~** be hard up

1 knapp *s* (~en, ~ar) **1** allm. button; i strömbrytare äv. switch; jfr *manschettknapp, skjortknapp* m.fl.; **knäppa ~en** do up the button; **trycka på ~en** press the button äv. bildl. **2** knopp knob; prydnads~ äv. boss; på svärd el. sadel pommel **3** bot., ståndar~ anther

2 knapp *adj* (~t) scanty; knappt tillmätt, om t.ex. ranson, tid, vikt short, scarce; mager meagre; om lön äv. barely sufficient; om t.ex. seger narrow, jfr *knapphändig*; ... är **i ~aste laget** ...barely enough (sufficient), ...rather scanty; **en ~** (**~a två**) liter (kilometer m.m.) a little less than one (two)..., just under one (two)..., barely one (two)...; [**en**] **~ majoritet** a bare (narrow) majority; **med ~ marginal** by a narrow margin; **~a omständigheter** reduced (straitened) circumstances; **tiden är ~** time is [running] short; **det var ~t med mat** food was rather scarce

1 knappa *vb itr* (~de, ~t), **~ in på** skära ned reduce, cut down, curtail

2 knappa *vb tr* (~de, ~t), **~ in i** dator enter on...

knappast *adv* hardly, scarcely; **det tror jag ~** I hardly (scarcely) think so, jfr äv *knappt 2*

knappdragspel *s* (~et, =) accordion; concertina concertina

knapphål *s* (~et, =) buttonhole

knapphålsblomma *s* (~n, -blommor) buttonhole; amer. boutonniere

knapphändig *adj* (~t) meagre, scanty; kortfattad brief; om förklaring, ursäkt äv. scantily worded, curt, bald

knapplås *s* (~et, =) keypad lock, key lock, button lock

knappnål *s* (~en, ~ar) pin; **fästa...med ~ar** fasten...[up (on)] with pins, pin...[on] [*vid* to]; **man kunde höra en ~ falla** you could hear a pin drop

knappnålshuvud *s* (~et, ~en el. =) pinhead

knapprad *s* (~en, ~er) row of buttons

knappt *adv* **1** otillräckligt o.d. scantily osv., jfr *2 knapp*;

snålt sparingly; **ha det ~** be badly (poorly) off, be in straitened circumstances; **leva ~** live sparingly; **~ tilltagen** portion, vila scanty, jfr äv ex. under *tilltagen*; **vinna ~** win by a narrow margin **2** knappast hardly, scarcely; nätt och jämnt barely; **~ en liter** se *en knapp liter* under *2 knapp*; **hon är ~ 15 år** she is scarcely (barely, not quite) 15; **det tog ~ en timme** it took just under the hour; **det var ~ att jag hann undan** I barely managed to escape; **~...förrän** hardly (scarcely)...when; no sooner...than

knapptelefon *s* (~en, ~er) push-button telephone, key phone

knapra *vb itr* (~de, ~t) nibble; **~ på ngt** nibble [at]...; hörbart munch away at..., crunch [up]...; mumsa på munch...

knaprig *adj* (~t) crisp, crispy, crunchy

knark *s* (~et) vard. drugs, dope; heroin junk

knarka *vb itr* (~de, ~t) use (take) drugs, be a drug addict (a junkie)

knarkare *s* (~n, =) drug addict; mera vard. junkie

knarkarkvart *s* (~en, ~ar) vard., tillhåll pad, hangout for drug addicts

knarkbegär *s* (~et) drug addiction

knarkhund *s* (~en, ~ar) vard. sniffer dog

knarkkurir *s* (~en, ~er) drug courier; sl. mule

knarklangare *s* (~n, =) drug pusher (peddler)

knarr *s* **1** (~et) knarrande ljud creaking, squeaking **2** (~en, ~ar) vard., moped, motorcykel boneshaker

knarra *vb itr* (~de, ~t) om t.ex. golv, trappa, dörr creak; om skor äv. squeak; om snö crunch

knarrig *adj* (~t) **1** eg. creaking, squeaking; creaky; squeaky äv. om röst **2** om person: vresig o.d. grumpy, surly

knasig *adj* (~t) vard. daft, potty, pred. äv. crackers, nuts

knastra *vb itr* (~de, ~t) crackle; om grus el. något mellan tänderna crunch

knatte *s* (~n, knattar) vard. little fellow (lad), sonny

knatter *s* (knattret) rattle; knattrande rattling

knattra *vb itr* (~de, ~t) rattle

kneg *s* (~et, =) vard., arbete drudgery, grind

knega *vb itr* (~de, ~t) **1** vard., arbeta slave away, drudge **2** gå toil [*uppför* backen up...]

knegare *s* (~n, =) vard. nine-to-fiver

knekt *s* (~en, ~ar) **1** soldat soldier **2** kortsp. jack, knave; **hjärter ~** [the] jack of hearts

knep *s* (~et, =) trick; fint, fuffens äv. dodge, gimmick; list stratagem, ruse; **fula ~** dirty tricks; i affärer äv. sharp practice; **känna till ~et** know the trick, know how it is done; **kunna ~en** know the tricks of the trade, know the ropes

knepig *adj* (~t) **1** slug o.d. artful, cunning, shrewd; sinnrik ingenious **2** besvärlig, om t.ex. fråga, situation etc. ticklish, tricky

knickers *s pl* plagg knickerbockers; **ett par ~** a pair of knickerbockers

knip *s* (~et, =), **~ i magen** stomach-ache

1 knipa I *s* (~n, knipor) penning~ financial straits (difficulties) pl.; klämma, **råka** (**vara**) **i ~** get into (be in) a fix (tight corner, jam, mess)
II *vb tr* (knep, knipit) **1** nypa pinch; med tång o.d. äv. nip; **~ av** nip (pinch) off (itu...in two); **~ ihop** eg. pinch...together (igen...to); **~ ihop läpparna** compress one's lips; **~ ihop ögonen** screw up one's eyes **2** lyckas få, t.ex. jobb, huvudroll etc. land **III** *vb itr*

(knep, knipit), *om det kniper* bildl. at (amer. in) a pinch, if the worst comes to the worst

2 knipa *s* (~n, knipor) zool. goldeneye

knippa *s* (~n, knippor) rädisor, blommor o.d. bunch; sparris o.d. bundle [båda med of framför följande ord]

knippe *s* (~t, ~n) **1** se *knippa* **2** ljus~, strål~ pencil **3** bot. cyme

knipsa *vb tr* (~de, ~t), *~ av* bort clip (snip, nip) off

knipslug *adj* (~t) knowing, shrewd, astute; listig crafty, artful, sly, cunning, wily

kniptång *s* (~en, -tänger) tekn. pincers, nippers (båda pl.)

kniv *s* (~en, ~ar) knife (pl. knives); rak~ razor; *dra ~ mot ngn* draw a knife on sb; *sätta ~en på strupen på ngn* bildl. hold a gun to sb's head, leave sb no alternative

knivblad *s* (-et, =) blade of a (resp. the) knife

knivhugg *s* (~et, =) stab (slash) [with a knife]

knivhugga *vb tr* (-högg, -huggit) stab (slash)...[with a knife]

knivig *adj* (~t) kvistig tricky, ticklish

knivsegg *s* (~en, ~ar) knife-edge

knivskaft *s* (~et, =) handle of a (resp. the) knife

knivskarp *adj* (~t) ...[as] sharp as a razor, knife-edged; bildl. äv. razor-sharp; *~ konkurrens* very close (fierce) competition

knivsudd *s* (~en, ~ar) point of a (resp. the) knife; *en ~ salt* a pinch of salt

knixa *vb itr* (~de, ~t) bob, curtsy, make (drop) a curtsy

knocka *vb tr* (~de, ~t) boxn. knock out

knockout boxn. **I** *s* (~en, ~er) (förk. *K.O.*) knock-out (förk. KO); *teknisk ~* technical knock-out; *vinna på ~* win by (on) a knock-out **II** *adj* (oböjl.), *slå ngn ~* knock sb out

knog *s* (~et, =) work; *ha ett väldigt ~ med att* + inf. have an awful job to + inf.

knoga *vb itr* (~de, ~t) arbeta work, plod, drudge; med studier o.d. grind (slog) away [*med* i samtliga fall at]; *~ brottas med* en uppgift o.d. struggle with...; *~ uppför* en backe trudge up...

knoge *s* (~n, knogar) knuckle

knogjärn *s* (~et, =) knuckle-duster; amer. brass knuckles pl.

knop *s* **1** (~en, ~ar) knut knot **2** (~en, =) hastighetsmått knot; *fartyget gör 20 ~* the vessel does 20 knots

knopp *s* (~en, ~ar) **1** bot. bud **2** knapp, kula knob; prydnads~ äv. boss; på mast el. flaggstång (sjö.) truck **3** vard., huvud nob, nut; *[lite] konstig i ~en* a bit cracked

knoppas *vb itr dep* (knoppades, knoppats) bud

knorr *s* (~en, ~ar) curl; *ha ~ på svansen* have a curly tail; *sätta ~ på* sätta piff på add zest to, give...that little extra; om t.ex. maträtt add piquancy (relish) to

knorra *vb itr* (~de, ~t) **1** knota murmur [*över* at]; starkare grumble [*över* at, about] **2** kurra, om mage rumble

knot *s* (~et) knotande murmuring [*över* at]; starkare grumbling [*över* at, about]

1 knota *vb itr* (~de, ~t) klaga murmur; starkare grumble; vard. grouse; jfr *knorra 1*

2 knota *s* (~n, knotor) ben bone

knotig *adj* (~t) bony; mager scraggy; om träd knotty

knott *s* (~et el. ~en, =) insekt gnat, black fly; koll. gnats, black flies (båda pl.)

knottra *vb rfl* (~de, ~t), *skinnet ~r sig på mig* I get goose pimples (gooseflesh)

knottrig *adj* (~t) skrovlig granular; om hud rough; om träd knotty; *jag blir ~* I get goose pimples (gooseflesh)

knubbig *adj* (~t) plump; om barn chubby

knubbsäl *s* (~en, ~ar) zool. harbour seal

knuff *s* (~en, ~ar) push, shove; med armbågen för att väcka uppmärksamhet nudge; i sidan poke, dig

knuffa I *vb tr* o. *vb itr* (~de, ~t) push, shove; med axeln shoulder, jostle; med armbågen elbow, nudge; i sidan poke, dig; *~ ngn i sidan* vanl. poke (dig) sb in the ribs **II** med beton. part.

knuffa fram: *~ fram ngn* bildl. push sb; *~ sig fram* elbow (push, shoulder) one's way [along]

knuffa ned ngn från en stol o.d. push sb down off...

knuffa omkull push (shove, knock)...over, upset

knuffa till se *knuffa I* ovan; äv. knock (bump, person äv. push) into

knuffa undan push ...aside (out of the way) (osv., se *knuffa I* ovan)

knuffa upp: *~ upp dörren* push the door open

knuffas *vb itr dep* (knuffades, knuffats), *~ inte!* don't push (shove)!

knull *s* (~et, =) vulg. fuck, shag, screw, bang

knulla *vb tr* o. *vb itr* (~de, ~t) vulg. fuck, shag, screw, bang

knussel *s* (knusslet) meanness, stinginess; *utan ~* without stint

knussla *vb itr* (~de, ~t) be mean (stingy)

knusslig *adj* (~t) mean, stingy; om person äv. tight[-fisted]

knut *s* (~en, ~ar) **1** som knytes, äv. friare knot; hår~ äv. bun; *knyta (slå) en ~* make (tie) a knot [*på* in] **2** hus~ corner; vi hade fienden *inpå ~arna* ...at our very door[s] (doorstep) **3** se *knutpunkt* **4** vard., hastighetsmått kilometres per hour; *köra i hundra ~ar* km/tim do a ton

knuta *s* (~n, knutor) anat. node; tumör tumour

knuten *adj* (knutet, knutna) **1** tied osv., jfr *knyta*; *~ hand* [clenched] fist **2** om personlighet introvert, introspective

knutig *adj* (~t) knotty, nodular

knutpiska *s* (~n, -piskor) knout

knutpunkt *s* (~en, ~er) centrum centre; järnvägs~ junction

knuttimrad *adj* (-timrat, ~e), *~ stuga* log cabin, cabin built of logs dovetailed at the corners

knyck *s* (~et, =) ryck jerk; svagare twitch

knycka I *vb itr* (knyckte, knyckt) rycka jerk; svagare twitch; *~ på nacken* högdraget o.d. toss one's head, bridle; *~ till* give a sudden jerk **II** *vb tr* (knyckte, knyckt) vard., stjäla pinch, swipe, nick; idéer o.d. lift, crib

knyckig *adj* (~t) ryckig jerky

knyckla *vb tr* (~de, ~t), *~ ihop* crumple up; *~ till* batter

knyppeldyna *s* (~n, -dynor) lace pillow

knyppla *vb tr* o. *vb itr* (~de, ~t), *~ [spetsar]* make lace; *~d[e] spets[ar]* pillow-lace sg., bobbin lace sg.

knyppling *s* (~en, ~ar) knypplande lace-making; spets pillow-lace (endast sg.)

knyst *s* (oböjl., ett), *inte ett ~* ljud not the least (slightest) sound; *inte säga ett ~* not breathe (say) a word [*om* about]

knysta *vb itr* o. *vb tr* (~de, ~t), *utan att* ~ without breathing (uttering) a word; utan att mucka without murmuring (a murmur)

knyta I *vb tr* (knöt, knutit) **1** eg. tie; t.ex. skosnöre äv. fasten; slips äv. knot **2** ~ *handen* (*näven*) clench one's hand (fist); hotfullt shake one's fist [*åt, mot* at]; ~ *näven i byxfickan* bildl. pocket one's anger **3** bildl., ~ *bekantskap med ngn* make sb's acquaintance, strike up an acquaintance with sb; ~ *kontakter* establish (form) connections; *knuten till* attached to, connected with; parti associated with; *vara [fast] knuten till* anställd vid be on the [permanent] staff of; *hans namn är knutet till* uppfinningen his name is linked to…
II *vb rfl* (knöt, knutit) ~ *sig a*) lägga sig turn in, hit the sack (hay) **b**) *det knöt sig för honom* i talet he suddenly couldn't utter a word
III med beton. part.
knyta an se *anknyta II*
knyta fast tie, fasten [*vid, på* to]
knyta igen tie up
knyta ihop två föremål tie (knot)…together; säck o.d. tie up
knyta om… tie…round
knyta samman eg. tie…together, connect, link up; bildl., *de band som knyter samman våra länder* the bands which unite our countries
knyta upp a) lossa untie; knut, knyte o.d. äv. undo; öppna t.ex. säck open **b**) fästa upp tie up
knyta åt hårt tie…tight
knytblus *s* (~en, ~ar) pussy[cat] bow blouse
knyte *s* (~t, ~n) bundle [*med* of]; *ett litet* ~ om barn a little mite
knytkalas *s* (~et, =) ung. potluck
knytnäve *s* (~n, -nävar) [clenched] fist
knytnävsslag *s* (~et, =) punch
knåda *vb tr* (~de, ~t) knead äv. massera
knåp *s* (~et) finicky (fiddly) job
knåpa *vb itr* (~de, ~t) pyssla potter about [*med* at]; knoga plod (peg) away [*med* at]; ~ *ihop* ett brev patch (put) together [some sort of]…
knä *s* (~et, ~n) **1** eg. knee äv. på byxben o. strumpbyxa; sköte lap; *han har ~n på byxorna* his trousers are baggy at the knees; *sitta i ~t på ngn* …on sb's knee, …on (in) sb's lap; *be på sina bara ~n* beg on bended knee[s]; *falla på ~ [för…]* kneel (kneel down) [to…], go down on one's knees [to…], fall on one's knees [before…], jfr *knäböja*; *gå på ~na* bildl., vara utmattad be worn out (whacked); *ligga (stå) på ~* be kneeling, be on one's knees, jfr *knäböja*; kjolen *går till ~na* …reaches down to the knees; vattnet *gick upp till ~na* …was knee-deep **2** krök elbow äv. tekn., bend
knäa *vb itr* (~de, ~t) under börda stagger; vid slagsmål knee
knäbyxor *s pl* short trousers; till folkdräkt o.d. [knee] breeches
knäböja *vb itr* (-böjde, -böjt) bend (bow) the knee, kneel; speciellt relig. genuflect [*för* i samtliga fall to; *inför* before, to]
knäböjning *s* (~en, ~ar) genuflection; gymn. knee-bending
knäck *s* (~en, ~ar) **1** spricka crack; bildl.: hårt slag blow; *det tog (höll på att ta) ~en på mig* it nearly killed me **2** karamell toffee; *koka* ~ make toffee

knäcka I *vb tr* (knäckte, knäckt) **1** eg.: spräcka o.d. crack; bryta av break; hastigt tvärs över snap; ~ *en flaska vin* vard. crack a bottle of wine **2** bildl.: person break, ruin; hälsa shatter, wreck; problemet *knäckte mig* …floored me; ~ *en kod (ett chiffer)* break (crack) a code **II** *vb itr* (knäckte, knäckt), ~ *extra* vard. moonlight, have a job on the side
knäckebröd *s* (~et, =) crispbread; amer. äv. ryecrisp
knäckfråga *s* (~n, -frågor) knotty (avgörande crucial) problem
knähund *s* (~en, ~ar) lapdog
knäkort *adj* (=) knee-length…
knäled *s* (~en, ~er) anat. el. tekn. knee joint
knälång *adj* (~t) knee-length…
1 knäpp *s* (~et, =) ljud click; smäll snap; av sträng twang; tickande tick; *inte ett* ~ not a sound
2 knäpp *adj* (~t) vard. nuts, screwy, freaky
1 knäppa I *vb tr* (knäppte, knäppt) **1** ~ *papperstussar* o.d. *på ngn* flick (flip)…at sb; ~ *ngn på näsan* tillrättavisa ngn tell sb off **2** foto. snap **3** skjuta: djur pot; person, sl. bump…off **4** ~ *nötter* crack nuts **II** *vb itr* (knäppte, knäppt), *det knäpper i* elementet there's a clicking (ticking) sound in…; ~ *med fingrarna* hörbart snap one's fingers; ~ *på* sträng pluck; gitarr o.d. twang; *det knäppte till och blev kallt* ung. the frost set in
2 knäppa *vb tr* (knäppte, knäppt) **1** med knapp button [up]; med spänne buckle; ~ *knappen (spännet)* do up the button (buckle); klänningen *knäpps i ryggen* …buttons down (up at) the back; ~ *igen (ihop)* t.ex. rocken button up; ~ *upp* t.ex. rocken unbutton; knappen undo **2** ~ *händerna* clasp (fold) one's hands **3** ~ *av (på)* t.ex. ljuset, radion switch off (on)
knäppe *s* (~t, ~n) enklare clasp; låsbart catch
knäppinstrument *s* (~et, =) mus. plucked string instrument
knäppning *s* (~en, ~ar) med knapp[ar] buttoning; klänning *med ~ bak* …that buttons down (up at) the back
knäreflex *s* (~en, ~er) med. knee-jerk, patellar reflex
knäskada *s* (~n, -skador) knee injury
knäskydd *s* (~et, =) kneepad, knee-protector
knäskål *s* (~en, ~ar) kneecap; vetensk. patella (pl. patellas el. patellae)
knästrumpa *s* (~n, -strumpor) knee[-length] stocking
knästående *adj* (oböjl.) kneeling
knäsvag *adj* (~t) …weak (shaky) in the knees, weak-kneed
knäveck *s* (~et, =) hollow of the knee; hänga *i ~en* …by the knees
knöl *s* (~en, ~ar) **1** ojämnhet, bula o.d. bump, lump; upphöjning o.d. boss, knob, knot; mindre nodule; utväxt protuberance, wen; svulst tumour (amer. tumor); på träd knob; begonia~, potatis~ o.d. tuber **2** vard., om person bastard; svagare swine; speciellt amer. son of a bitch (pl. sons-of-bitches), SOB
knöla *vb tr* (~de, ~t), ~ *ihop* crumple up; ~ *till* batter
knölig *adj* (~t) ojämn o.d.: om t.ex. väg bumpy; om madrass o.d. lumpy; om t.ex. finger, träd knobbly, knotty, gnarled; med. nodular; bot. tuberous
knölpåk *s* (~en, ~ar) käpp knobbly stick; vapen cudgel, bludgeon
knölsvan *s* (~en, ~ar) zool. mute swan
knölval *s* (~en, ~ar) zool. humpback [whale]
knös *s* (~en, ~ar), *en rik* ~ a rich fellow, a plutocrat

KO förk., se *Konsumentombudsmannen*
K.O. boxn. (förk. för *knockout*) KO
ko *s* (~n, ~r) cow; *helig ~* sacred cow; äv bildl.
koagulera *vb itr* (~de, ~t) med. coagulate, clot
koagulering *s* (~en) med. coagulation, clotting
koala *s* (~n, koalor) zool. koala [bear]
koalition *s* (~en, ~er) coalition
koalitionsregering *s* (~en, ~ar) coalition
  government
kobbe *s* (~n, kobbar) skär islet [rock], rock
kobent *adj* (=) knock-kneed
kobolt *s* (~en) kem. el. miner. cobalt
koboltblå *adj* (-blått) cobalt-blue...
kobra *s* (~n, kobror) zool. [Indian] cobra
kock *s* (~en, ~ar) cook; *ju fler ~ar desto sämre soppa*
  too many cooks spoil the broth
kocka *s* (~n, kockor) [female (woman)] cook
kod *s* (~en, ~er) code äv. data.; *knäcka en ~* break a
  code
koda *vb tr* (~de, ~t) code; *~ av* decode, decipher; *~ in*
  encode
kodein *s* (~et) kem. el. med. codeine
kodex *s* (~en, ~ar) **1** handskrift cod|ex (pl. -ices) lat.
  2 lagsamling el. friare code
kodifiera *vb tr* (~de, ~t) codify, code
kodlås *s* (~et, =) code lock
koefficient *s* (~en, ~er) matem. coefficient
koffein *s* (~et) caffeine
koffeinfri *adj* (-fritt) caffeine-free; *~tt kaffe*
  decaffeinated coffee; vard. decaf
koffert *s* (~en, ~ar) trunk
kofot *s* (~en, -fötter el. ~ar) bräckjärn crowbar; som
  inbrottsverktyg jemmy, amer. jimmy
kofta *s* (~n, koftor) stickad cardigan; grövre jacket
kofångare *s* (~n, =) på bil bumper; järnv. cow catcher
koger *s* (kogret, =) till pilar quiver
kognitiv *adj* (~t) psykol. cognitive; *~ beteendeterapi*
  (förk. *KBT*) cognitive behavioural therapy (förk.
  CBT)
kohandel *s* (~n) polit. horse-trading, log rolling
kohandla *vb itr* (~de, ~t) horse-trade
koj *s* (~en, ~er) sjö.: häng~ hammock; fast ~, se
  kojplats; *gå* (*krypa*) *till ~s* turn in
koja *s* (~n, kojor) cabin, hut; barnspr. little house
kojplats *s* (~en, ~er) sjö. bunk, [sleeping-]berth
kok *s* (~et, =) **1** ett *~ potatis* a potful of...; oljan kan
  användas *till flera ~* ...for frying several times **2** ett
  [*ordentligt*] *~ stryk* a [good] hiding (thrashing)
1 koka *s* (~n, kokor) jord~ clod
2 koka I *vb tr* (~de, ~t) [ngt i] vätska boil; långkok stew;
  laga [till] (t.ex. kaffe o.d., soppa, gröt, äv. karameller, lim m.m.)
  make; *~ köttet mört* boil the meat until tender; *~
  soppan* en kvart let the soup simmer for...; *~ soppa
  på en spik* ung. make a lot out of nothing; *kokt*
  färdigkokt, om t.ex. fisk, kött, potatis äv. cooked; pred. äv.
  done **II** *vb itr* (~de, ~t) allm. boil; sjuda simmer; *låt
  soppan ~* en kvart let the soup simmer for...; *det ~de
  i mig* (*jag ~de*) *av* vrede I was boiling (simmering,
  seething) with... **III** med beton. part.
koka bort itr. boil away
koka ihop boil down; bildl., t.ex. en historia concoct,
  make (cook) up
koka in tr., frukt, grönsaker preserve; i glasburk bottle; jfr
  inkokt

koka upp a) itr. come to the boil **b**) tr. bring...to the
  boil
koka över boil over äv. bildl.
kokain *s* (~et) cocaine; vard. coke
kokbok *s* (~en, -böcker) cookery book; amer.
  cookbook
kokerska *s* (~n, kokerskor) [female (woman)] cook
kokett *adj* (=) coquettish; tillgjord affected
kokettera *vb itr* (~de, ~t) coquette [*för, med* with];
  ~ skryta o.d. *med ngt* show off sth
koketteri *s* (~et, ~er) coquetry
kokhet *adj* (-hett) boiling (piping, steaming) hot
kokkonst *s* (~en) cookery, culinary art
kokkärl *s* (~et, =) cooking utensil; i pl. äv. pots and
  pans
kokmalen *adj* (-malet, -malna), *kokmalet kaffe*
  coarse-ground coffee
kokning *s* (~en, ~ar) boiling osv., jfr 2 *koka*
kokong *s* (~en, ~er) zool. cocoon
kokoppor *s pl* med. cowpox sg.
kokos *s* (~en) coconut
kokosboll *s* (~en, ~ar) kok., ung. snowball
kokosfett *s* (~et) coconut butter (oil)
kokosflingor *s pl* koll. desiccated (shredded) coconut
  sg.
kokosmjölk *s* (~en) coconut milk
kokosnöt *s* (~en, -nötter) coconut
kokospalm *s* (~en, ~er) coconut palm, coco palm
kokplatta *s* (~n, -plattor) hot plate, hob
kokpunkt *s* (~en, ~er) boiling point äv. bildl.; *nå ~en*
  reach boiling point äv. bildl.
koks *s* (~en) sl., kokain coke
koksalt *s* (~et) common salt
koksaltlösning *s* (~en, ~ar) salt-solution
kokvagn *s* (~en, ~ar) mil. field kitchen
kokvrå *s* (~n, ~r) kitchenette
KOL (förk. för *kroniskt obstruktiv lungsjukdom*)
  COPD (förk. för Chronic Obstructive Pulmonary
  Disease)
kol *s* (~et el. ~en, =) **1** bränsle: sten~ coal äv. koll.; trä~
  charcoal; *ett ~ ~stycke* a coal, a piece (lump) of coal
  (resp. charcoal); *lägga på ett* [*extra*] *~* bildl. get a
  move on, make an extra effort **2** rit~ drawing
  charcoal **3** kem. carbon
1 kola *s* (~n, kolor) mjuk karamell caramel
2 kola *vb itr* (~de, ~t), *~* [*av*] el. *~ vippen* vard., dö kick
  the bucket, peg out
kolare *s* (~n, =) charcoal-burner
kolartro *s* (~n) blind (implicit) faith
kolasås *s* (~en, ~er) kok. caramel sauce
kolbrikett *s* (~en, ~er) coal briquet[te]
kolbrytning *s* (~en, ~ar) coalmining
kolchos *s* (~en, ~er) kolkhoz
koldioxid *s* (~en) kem. carbon dioxide
koldioxidneutral *adj* (~t) carbon neutral
koldioxidskatt *s* (~en, ~er) carbon tax
koldioxidutsläpp *s pl* carbon emissions
kolera *s* (~n) med. [Asiatic] cholera
koleraepidemi *s* (~n, ~er) cholera epidemic
koleriker *s* (~n, =) choleric (irascible) person
kolerisk *adj* (~t) choleric, irascible
kolesterol *s* (~et el. ~en) kem. cholesterol; *innehålla
  mycket* (*lite*) *~* be high (low) in cholesterol
kolesterolhalt *s* (~en, ~er) cholesterol content

kolesterolvärde *s* (~t, ~n) cholesterol level (count); **förhöjt** ~ elevated (raised) cholesterol level

kolfyndighet *s* (~en, ~er) coal deposit

kolförande *adj* (oböjl.) geol. carboniferous, coal-bearing

kolförening *s* (~en, ~ar) kem. carbon compound

kolgruva *s* (~n, -gruvor) coalmine, coalpit; stor colliery

kolgruvearbetare *s* (~n, =) collier, [coal]miner, pitman

kolhalt *s* (~en, ~er) carbon content

kolhaltig *adj* (~t) kem. carbonaceous; geol., se *kolförande*

kolhydrat *s* (~en, ~er) carbohydrate

kolhydratbantning *s* (~en, ~ar) low-carb dieting

kolibakterie *s* (~n, ~r) colon bacillus (pl. bacilli)

kolibri *s* (~n, ~er) zool. humming-bird, colibri

kolik *s* (~en) med. colic

kolindustri *s* (~n, ~er) coal industry

kolja *s* (~n, koljor) haddock

kolkällare *s* (~n, =) coal-cellar

koll *s* (~en, ~ar) vard., **ha ~ [på läget]** know what's going on; **hålla ~ på** keep a check on; **göra en extra ~** av ngt check...specially, double-check...

kolla *vb tr* (~de, ~t) vard. check; **~ att** äv. make sure [that]; **~ [in] läget** check up on things (the situation), see how things are going; **~ [in] ngn (ngt)** get a load of sb (sth), take a peek at sb (sth); **~ upp ngt** check sth

kollaboratör *s* (~en, ~er) collaborator

kollaborera *vb itr* (~de, ~t) collaborate

kollage *s* (~t, =) konst. collage

kollaps *s* (~en, ~er) collapse

kollapsa *vb itr* (~de, ~t) collapse

kollationera *vb tr* (~de, ~t) motläsa collate; jämföra äv. compare [carefully]; upprepa repeat [...for verification]

kollega *s* (~n, kolleger el. kollegor) colleague; **mina kolleger (kollegor)** på kontoret my fellow workers; ministern mötte **sin franska ~** ...his French counterpart (opposite number)

kollegieblock *s* (~et, =) note pad (block)

kollegium *s* (kollegiet, kollegier) **1** lärarkår [teaching-]staff **2** sammanträde staff (teachers') meeting

kollekt *s* (~en, ~er) collection; **ta upp ~** make a collection

kollektbössa *s* (~n, -bössor) collection box

kollekthåv *s* (~en, ~ar) collection bag

kollektion *s* (~en, ~er) collection äv. hand.; jfr *provkollektion*

kollektiv I *adj* (~t) collective **II** *s* (~et, =) collective; jordbruk äv. collective farm; språkv. äv. collective noun

kollektivanslutning *s* (~en, ~ar) polit. collective affiliation, affiliation as a body

kollektivanställd *adj* (-anställt) o. *s* (en ~, pl. ~a), **vara ~** be employed under a collective agreement

kollektivavtal *s* (~et, =) collective agreement

kollektivfil *s* (~en, ~er) bus lane, busway

kollektivhus *s* (~et, =) block of service flats (amer. apartments) [having common recreational facilities and dining hall]

kollektivisera *vb tr* (~de, ~t) collectivize

kollektivism *s* (~en) collectivism

kollektivtrafik *s* (~en) public transport

kolli *s* (~t, ~n el. =) package, parcel; resgods äv. piece [of luggage]

kollidera *vb itr* (~de, ~t) collide; bildl., t.ex. om intressen, tv-program clash; **~ med en bil** collide with (crash into) a car; **filmen ~r med fotbollsmatchen** the film clashes with the football match

kollision *s* (~en, ~er) collision; bildl. vanl. clash

kollisionskurs *s* (~en, ~er) sjö. collision course; **vara på ~** be on a collision course äv. bildl.

kollo *s* (~t, ~n) se *barnkoloni*

kollra *vb itr* (~de, ~t), **~ bort ngn** förvrida huvudet på ngn turn sb's head, se äv. *bortkollrad*

kollrig *adj* (~t) tokig mad, crazy [av with]; **bli ~** go mad (crazy)

kolmila *s* (~n, -milor) hist. charcoal stack (pile)

kolmörk *adj* (~t) pitch-dark

1 kolon *s* (~et, =) skiljetecken colon

2 kolon *s* (~et, =) anat. colon

koloni *s* (~n, ~er) allm. colony; lydland äv. dependency; jfr *barnkoloni*

kolonial *adj* (~t) colonial

kolonialmakt *s* (~en, ~er) colonial power

kolonialpolitik *s* (~en) colonial policy (resp. politics pl., jfrp *olitik*)

kolonialvaror *s pl* colonial products (produce sg.)

kolonialvälde *s* (~t, ~n) kolonier colonial possessions pl.; större colonial empire

kolonilott *s* (~en, ~er) allotment

kolonisation *s* (~en, ~er) colonization

kolonisera *vb tr* (~de, ~t) colonize

kolonistuga *s* (~n, -stugor) allotment-garden cottage

koloniträdgård *s* (~en, ~ar) allotment [garden]

kolonn *s* (~en, ~er) byggn. el. mil. el. tekn. column

kolonnad *s* (~en, ~er) arkit. colonnade, peristyle

koloradoskalbagge *s* (~n, -baggar) Colorado beetle

koloratur *s* (~en, ~er) mus. coloratura it.

kolorera *vb tr* (~de, ~t) eg. colour

kolorit *s* (~en, ~er) färg colouring (endast sg.); mus. timbre

kolos *s* (~et) eg.: av kol coal (av ved osv. wood osv.) fumes pl.; jfr *koloxid*

koloss *s* (~en, ~er) colossus (pl. colossuses el. colossi); friare äv. monster; **en ~ på lerfötter** a colossus (an image) with feet of clay

kolossal *adj* (~t) colossal; om t.ex. framgång äv. enormous, tremendous, huge; om t.ex. summa äv. staggering; häpnadsväckande, om t.ex. okunnighet äv. stupendous

koloxid *s* (~en) kem. carbon monoxide

koloxidförgiftning *s* (~en, ~ar) carbon monoxide poisoning

kolskyffel *s* (~n, -skyfflar) coal shovel

kolstybb *s* (~en) för löparbanor o.d. cinders pl.

kolsvart *adj* (=) pitch-dark; om t.ex. hål coal-black, jet-black

kolsyra *s* (~n) **1** syra carbonic acid **2** gas carbon dioxide; mineralvatten **utan ~** still...

kolsyrad *adj* (-syrat, ~e) carbonated; **kolsyrat mineralvatten** sparkling mineral water

kolsyresnö *s* (~n) carbon dioxide snow

koltablett *s* (~en, ~er) charcoal tablet

kolteckning *s* (~en, ~ar) charcoal drawing

koltrast *s* (~en, ~ar) zool. blackbird

kolugn *adj* (~t) ...[as] cool as a cucumber, completely calm (unruffled)

kolumn *s* (~en, ~er) column (förk. col.)

kolumnist *s* (~en, ~er) journalist columnist

kolv *s* (~en, ~ar) **1** i motor o.d. piston; i tryckpump plunger **2** på gevär butt **3** i lås bolt **4** kem., av glas flask **5** bot., blom~ spadix (pl. spadices)

kolvring *s* (~en, ~ar) tekn. piston ring

kolväte *s* (~t, ~n) kem. hydrocarbon; *mättade* (*omättade*) ~*n* saturated (unsaturated) hydrocarbons

koma *s* (~n) med. coma; *ligga i* ~ be in a coma

kombi *s* (~n, = el. ~er) bil estate car; amer. station wagon

kombination *s* (~en, ~er) **1** combination äv. till lås; *i* ~ *med* äv. combined with **2** skidsport, *alpin* ~ Alpine combination (combined competition); *nordisk* ~ Nordic combination (combined competition)

kombinera *vb tr* (~de, ~t) combine

komedi *s* (~n, ~er) comedy

komedienn *s* (~en, ~er) comedienne, comic actress

komediförfattare *s* (~n, =) comedy-writer

komediserie *s* (~n, ~r) TV. comedy series, sitcom

komet *s* (~en, ~er) comet äv. bildl.

kometbana *s* (~n, -banor) comet's orbit

kometkarriär *s* (~en, ~er), *göra* ~ have a meteoric career

kometlik *adj* (~t) comet-like

kometsvans *s* (~en, ~ar) comet's tail

komfort *s* (~en) comfort

komfortabel *adj* (~t, komfortabla) comfortable

komik *s* (~en) något komiskt comedy, comicalness

komiker *s* (~n, =) comedian, comic; skådespelare comic actor

komisk *adj* (~t) komedi-, rolig comic; skrattretande, löjlig comical, ridiculous, ludicrous; lustig äv. funny, droll

komjölk *s* (~en) cow's milk

1 komma *s* (~t, ~n) skiljetecken comma; i decimalbråk point

2 komm|a I *vb itr* (kom, kommit) (jfr *kommande*; jfr äv. ex. med 'komma' under resp. subst., adv. m.m.)

1 come; råka komma, hamna get; anlända äv. arrive [*till* at, i vissa fall in]; infinna sig, uppträda o.d. äv. appear, vard. turn up; han (tåget) *kom klockan 9* ...arrived (came [here], dit got there) at 9 o'clock; *när -er* tåget [*hit*]*?* äv. when will...get (be) here?; *jag -er!* [I'm] coming!; *jag -er inte* på festen, *jag tänker inte* ~ gå på festen I'm not going [to go], I shan't be there; *han kom för sent* he was (came, arrived) too late; var försenad he was late; *vart vill du* ~*?* vad syftar du på? what are you driving at?; *kom och hälsa på mig!* come and see me!, look me up!; jag har lovat *att* ~ *och hälsa på dem* ...to go and see them; ~ *springande* (*cyklande* osv.) come running (cycling osv.) along

2 med obeton. prep., ~ *av* bero på be due to; ~ *från* härstamma från, om ord be derived from; ~ *från* en fin familj come of...; ~ *i ordning* get organized; ~ *i säng* get to bed; ~ *i tid* be (hit come, dit get there) in time; *var -er du ifrån?* el. *varifrån -er du?* where do (plötsligt eller närmast have) you come from?; ~ *med* ha med sig bring; en historia, lögner come out with, tell; anmärkning, påstående, skämt, ursäkter make; undanflykter, förslag, plan bring (put) forward; invändningar äv. make, raise; *vad har du att* ~ *med?* säga what have you got to say (erbjuda offer, visa show, föreslå suggest)?; ~ *på besök* (*visit*) call; *hur -er man till stationen?* how does one (do I) get to the station?;

~ *till* uppgörelse come to, t.ex. insikt, resultat, slutsats arrive at; ~ *till nytta* be of use, be some good, come in useful

3 vard., få orgasm come

4 ~ *att* + inf. **a)** uttr. framtid, *-er att* + inf.: i första person will (shall) + inf.; i övriga person will + inf.; *-er du* (*ni*) *att* + inf. *?* äv. are you going to + inf.?; jfr äv. *ska* **b)** *hur kom du att* tänka på det (lära dig svenska, förälska dig i henne)*?* how did you come (resp. happen) to...?; *jag kom att tänka på* att jag... it occurred to me..., I happened to think of the fact...

II *vb rfl* (kom, kommit), ~ *sig* hända o.d. come about, happen; ~ *sig av* bero på come from, be due (owing) to; *hur -er 'det sig?* how is that?, how come?, why?; *hur kom det sig att* han...*?* how is it (did it come about) that...?

III med beton. part.

komma an: ~ *an på* se *bero 1 b*

komma av se *stiga av* under *stiga II*; ~ *av sig* stop [short], get stuck; tappa tråden lose the thread

komma bort avlägsna sig get away; gå förlorad get (be) lost; *de kom bort från varandra i trängseln* they lost each other in the crowd

komma efter bakom come behind (after); gå go (walk) behind (after); följa [efter] follow; bli efter get (fall) behind; ~ *tio minuter efter* [*de andra*] turn up...after the others

komma emellan intervene

komma emot a) möta come (dit go) towards (to meet) **b)** stöta emot go against (into)...

komma fram a) stiga fram: hit come (dit go) up; ur gömställe, led o.d. come out [*ur, från* of] **b)** ~ vidare get on (igenom through, förbi past); på telefon get through **c)** hinna (nå) fram: dit get there, get to (reach) the place; hit get here; anlända arrive; bildl., *vi har -it fram till* följande siffror we have arrived at...; *vi kom fram till* fann *att...* we came to the conclusion that... **d)** framträda, bli synlig come out, appear, emerge **e)** bli bekant come out; *de upplysningar som -it fram föranleder* mig the information that has come to hand...

komma för: ~ *sig för med att* + inf. bring oneself to + inf.; jag har tänkt skriva, *men jag har inte kommit mig för* ...but I haven't got around to it

komma förbi eg. pass; hälsa på drop by (in); ~ fram get past

komma före: ~ *före* [*ngn*] eg. get there (hit here) before (ahead of) sb; i tid, i rang come before (precede) sb; vid tävling get ahead (in front) of sb

komma ifrån get away from; bli kvitt o.d. get rid of; bli ledig get off; ~ *ifrån varandra* get separated; bildl. äv. drift apart

komma igen återkomma, se *komma tillbaka* nedan; *kom igen!* sätt fart, lägg av etc. come on!; få nya krafter, *laget kom igen* efter pausen the team rallied (recovered strongly)...

komma ihop sig fall out [*om* about]

komma ihåg se *ihåg*

komma in come in; inträda äv. enter; lyckas ~ get in; ~ inomhus come (resp. get) indoors; ~ *in i* **a)** rummet, butiken come (resp. get, kliva walk, step) into, enter **b)** tidningen (om artikel o.d.) be inserted (appear) in **c)** få upp skåp o.d. get...open **d)** bekanta sig med become acquainted (familiar) with; ~ *in med* **a)** ett brev, en bricka o.d. come in with (bringing, carrying)

b) anbud, uppgifter hand in c) ansökan make, present, submit; **~ in på** a) utbildning o.d. be admitted to b) samtalsämne get (apropå drift) on to

komma i väg get off (away, started); det är på tiden **att vi -er i väg** ...[that] we were off, ...for us to be off

komma loss om person: eg. get away (ut out); bildl. get away

komma med a) göra sällskap, följa come (dit go) along, come (dit go) with me (him osv.); **~ med ngn** come (dit go) [along] with sb b) hinna med tåg (båt) catch...; **han kom inte med** tåget äv. he missed... c) **han kom inte med på** fotografiet he didn't get into...

komma ned (**ner**) come down, descend; klättra ned äv. go down; lyckas ~ ned o.d. get down [*från* taket from, trädet out of]; **~ ned från** stegen get off...; **~ ned till** (på) undervåningen go (resp. come) downstairs; **~ ned på jorden** [*igen*] get back to reality

komma omkring: **när allt -er omkring** after all; when all is said and done, at the end of the day

komma på a) erinra sig think of, recall, remember; **jag kan inte ~ på** namnet äv. ...escapes me b) hitta på think of, hit [up]on; **han kom på** en bra idé ...struck him c) överraska come upon; se vidare *ertappa*

komma till a) tilläggas be added; **dessutom -er** moms **till** in addition there will be... b) uppstå arise, come about; ~ till stånd, om t.ex. dikt be written (om tavla made, om musik composed); berätta, **hur barn -er till** ...the facts of life

komma tillbaka return äv. bildl., come (go resp. get) back, jfr *återkomma*; **jag -er tillbaka** i morgon I'll call again...; **jag -er snart tillbaka!** I'll soon be back!

komma undan undkomma get off, escape

komma upp allm. come up; dit upp go up; ta sig (stiga) upp o.d. get up; om växt come up, shoot [up]; om fråga, förslag come (be brought) up [*till behandling* for discussion]; **~ sig upp** make one's way, get on; **~ upp i** (**till**) **en hastighet av...** reach a speed of...

komma ur ngt get out of...

komma ut a) come (dit go; lyckas ~ get) out [*ur* of] b) om bok o.d. come out, appear, be published; **han har -it ut med** en bok he has brought out (published)... c) om rykte o.d. get about (abroad); om hemlighet äv. be revealed d) berätta om sin sexuella läggning come out [of the closet]

komma åt a) få tag i get hold of, secure, jfr *komma över* nedan; nå reach; **jag kan inte ~ åt** de inlåsta böckerna I can't get at... b) få fast o.d. get at; skada äv. do a bad turn to c) råka röra vid, (stöta emot) touch, come in[to] contact with; **jag råkade ~ åt...** I happened to touch (brush against)... d) få tillfälle get a chance (an opportunity) [*att* + inf. to + inf. el. of + ing-form]

komma över a) eg. come (dit go, lyckas ~ get) over (tvärs över t.ex. flod across); **jag -er över** till dig **senare!** I'll come round later on! b) få tag i get hold of, come by; hitta find, come across; till billigt pris pick up c) övervinna, t.ex. förlust get over, surmount; t.ex. skandal live...down

komma överens se under *överens*

kommande *adj* (oböjl.) allm. coming; framtida, t.ex. tid utveckling, för ~ behov future; nästkommande next; **~ dagar** (**år**) day (years) to come

kommanditbolag s (~et, =) ung. limited partnership [company]

kommando s (~t, ~n) command äv. data.; ~ord word

of command; **ta ~t över** kommande take command of; ansvaret take charge of

kommandobrygga s (~n, -bryggor) sjö. [captain's] bridge

kommatera *vb tr* o. *vb itr* (~de, ~t) put [the] commas in; förse med skiljetecken i allm. punctuate

kommendant s (~en, ~er) commandant [*i, på* of]

kommendera *vb tr* o. *vb itr* (~de, ~t) command; **~ ngn** i befallande ton äv. order (vard. boss) sb about; jfr f.ö. *befalla*

kommendering s (~en, ~ar) förordnande appointment; **få en ~ till...** receive orders for [service in]...

kommendör s (~en, ~er) inom flottan commodore; amer. rear admiral lower half; yngre i tjänsten captain

kommendörkapten s (~en, ~er), **~ av första graden** captain; yngre i tjänsten commander; **~ av andra graden** commander

kommentar s (~en, ~er) **1** allm., **~**[*er*] skriftlig[a] notes pl., annotations pl.; muntlig[a] comment[s pl.] [*till* i samtliga fall on]; **inga ~er!** no comment! **2** utläggning, tolkning commentary [*till* on]

kommentator s (~n, ~er) commentator

kommentera *vb tr* (~de, ~t) comment on; förse med noter annotate, make notes on

kommers s (~en, ~er), **det var livligt ~** på torget there was a brisk trade...; **~en var i full gång** trade was in full swing; **sköta ~en** run the business

kommersialisera *vb tr* (~de, ~t) commercialize

kommersialisering s (~en) commercialization

kommersiell *adj* (~t) commercial

Kommerskollegium best. form the [Swedish] National Board of Trade

komminister s (~n, komministrar) kyrkl., ung. assistant rector (vicar)

kommissariat s (~et, =) commissioner's office; ämbete office of commissioner

kommissarie s (~n, ~r) vid polisen superintendent, lägre [chief] inspector; amer. captain, lägre lieutenant

kommission s (~en, ~er) **1** commission; **Europeiska ~en** the European Commission **2** köpa (sälja) **i** (**på**) **~** ...on commission

kommissionär s (~en, ~er) EU. commissioner; fond~ stockbroker; lotteri~ o.d. agent

kommitté s (~n, ~er) committee; **sitta i** (**tillsätta**) **en ~** be on (appoint) a committee

kommittéledamot s (~en, -ledamöter) committee member

kommun s (~en, ~er) som administrativ enhet municipality, town (urban) district; myndigheterna local authority

kommunal *adj* (~t) local government, local; stads- äv. municipal samtliga endast attr.; **~ dagmamma** childminder (baby-minder) [employed by the local authorities]; **~a** allmänna **transportmedel** public tranport; **~ vuxenutbildning** municipal adult education

kommunalanställd s (en ~, pl. ~a) local government (i stadskommun äv. municipal) employee

kommunalarbetare s (~n, =) local government (i stadskommun äv. municipal) worker

kommunalråd s (~et, =) local government (i stadskommun municipal) commissioner

kommunalskatt s (~en, ~er) koll. ung. local taxes pl.; motsv. i Storbr. rates pl.

kommunalt *adv*, **åka ~** go by public transport

kommunalval *s* (~et, =) local government (i stad äv. municipal) election

kommunfullmäktig *s* (en ~, pl. ~e) person, ung. [local government] councillor; **~e** beslutande församling municipal council, local [government] council

kommunicera *vb itr* (~de, ~t) communicate

kommunikation *s* (~en, ~er) communication

kommunikationsmedel *s* (-medlet, =) means (pl. lika) of communication; **allmänna** ~ public services

kommunikationsradio *s* (~n, ~apparater) communication radio

kommunikationssatellit *s* (~en, ~er) communication[s] satellite

kommuniké *s* (~n, ~er) communiqué fr., bulletin

kommunism *s* (~en), ~[en] Communism

kommunist *s* (~en, ~er) Communist

kommunistisk *adj* (~t) Communist

kommunistparti *s* (~et, ~er) Communist party

kommunstyrelse *s* (~n, ~r) municipal executive board; i Stockholm, Göteborg och Malmö city executive board

komocka *s* (~n, -mockor) kospillning cowpat; amer. cowchip

Komorerna The Comoros

komp *s* (~et, =) vard., ackompanjemang comp

kompa *vb tr* (~de, ~t) vard., ackompanjera comp, back

kompakt *adj* (=) compact; om mörker äv. dense; om massa äv. solid

kompaktskiva *s* (~n, -skivor) compact disc (förk. CD)

kompani *s* (~et, ~er) mil. el. hand. company

kompanichef *s* (~en, ~er) mil. company commander

kompanjon *s* (~en, ~er) partner; **bli ~er** vanl. go into partnership [with each other]

kompanjonskap *s* (~et, =) partnership

komparation *s* (~en, ~er) comparison äv. gram.

komparativ I *s* (~en, ~er) gram., **i ~** in the comparative **II** *adj* (~t) comparative äv. gram.

komparera *vb tr* (~de, ~t) compare äv. gram.

kompass *s* (~en, ~er) compass; navigera **efter ~** ...by [the aid of] the compass

kompassnål *s* (~en, ~ar) compass needle

kompassros *s* (~en, ~or) compass card

kompatibel *adj* (~t, kompatibla) tekn. el. data. compatible

kompendium *s* (kompendiet, kompendier) compendium (pl. compendiums el. compendia)

kompensation *s* (~en, ~er) compensation; **som ~ för** in (by way of) compensation for

kompensera *vb tr* (~de, ~t) compensate; uppväga compensate [for], make up for

kompetens *s* (~en, ~er) allm. competence; kvalifikationer qualifications pl.; jfr **behörighet**

kompetensutveckling *s* (~en) in-service training (courses pl.)

kompetent *adj* (=) competent; kvalificerad äv. qualified

kompilera *vb tr* (~de, ~t) compile äv. data.

kompis *s* (~en, ~ar) vard. buddy, mate

kompledig *adj* (~t) vard., **vara ~** be on compensatory leave [for overtime done]

komplement *s* (~et, =) complement; **vara (utgöra) ett ~ till** äv. be complementary to

komplementfärg *s* (~en, ~er) complementary colour

komplett I *adj* (=) complete; **han är en ~ idiot** äv. he is a downright fool (a blithering idiot) **II** *adv* alldeles completely, absolutely, downright; **han är ~ galen** he is completely mad

komplettera *vb tr* (~de, ~t) complete, make up; göra fullständigare äv. supplement; förråd o.d. äv. replenish; ~ **varandra** complement each other; **~nde** material, upplysningar o.d. complementary; tilläggs- supplementary

komplettering *s* (~en, ~ar) kompletterande completion, making up; tillägg complementary addition

komplex I *s* (~et, =) **1** abstr.: psykol. complex; **ha ~ för** have a complex about **2** konkr.: hus o.d. complex, group of buildings, block **II** *adj* (~t) complex äv. matem.; komplicerad complicated

komplicera *vb tr* (~de, ~t) complicate

komplikation *s* (~en, ~er) complication; **~er har tillstött** med. complications have set in

komplimang *s* (~en, ~er) compliment; **ge en ~** pay a compliment; **ge ngn en ~ för ngt** compliment sb on sth

komplott *s* (~en, ~er) plot

komponent *s* (~en, ~er) component

komponera *vb tr* (~de, ~t) mus. el. litt.vet. compose; sammanställa, t.ex. matsedel o.d. put together; ~ **musiken till...** äv. write the music to (for)...

komponist *s* (~en, ~er) mus. composer

komposition *s* (~en, ~er) composition äv. mus.

kompositör *s* (~en, ~er) mus. composer

kompost *s* (~en, ~er) trädg. compost

kompostkvarn *s* (~en, ~ar) [garden] shredder

kompott *s* (~en, ~er) kok. compote [på of]; fruktkompott stewed fruit; **en blandad ~** bildl. a mixed bag, a hotchpotch

kompress *s* (~en, ~er) med. compress; **steril ~** sterile [gauze] dressing

kompression *s* (~en, ~er) compression

kompressor *s* (~n, ~er) compressor

komprimera *vb tr* (~de, ~t) compress; **~d luft** compressed air

kompromettera *vb tr* (~de, ~t) compromise; **~nde** compromising

kompromiss *s* (~en, ~er) compromise; **gå med på (nå) en ~** agree to el. accept (enter into, reach) a compromise

kompromissa *vb itr* (~de, ~t) compromise [om about]

kompromisslös *adj* (~t) uncompromising

kompromisslösning *s* (~en, ~ar) compromise solution

kompromissvilja *s* (~n) readiness (willingness) to compromise

komvux (förk. för *kommunal vuxenutbildning*) se under *kommunal*

kon *s* (~en, ~er) cone

koncentrat *s* (~et, =) concentrate äv. kem.; tekn., **i ~** in a concentrated form

koncentration *s* (~en, ~er) concentration

koncentrationsförmåga *s* (~n) power of concentration, ability to concentrate

koncentrationsläger *s* (-lägret, =) concentration camp

koncentrationsläsning *s* (~en, ~ar) skol. o.d. intensive (concentrated) studies pl.

koncentrera I *vb tr* (~de, ~t) concentrate [på on]; framför allt bildl. äv. focus, centre [på on]; **intresset ~s till (kring, på)...** the interest is focused (centred) on... **II** *vb rfl* (~de, ~t), **~ sig** concentrate, focus [*på* i båda fallen on]; **~ sig på ngt** äv. focus (centre) one's attention on sth

koncept *s* **1** (~et, = el. ~er) utkast [rough] draft [*till* of]; **tappa ~erna** förlora fattningen lose one's head; **utarbeta ett ~** work out (draw up) a first outline **2** (~et, =) begrepp, idé concept

koncern *s* (~en, ~er) group [of companies]

koncernchef *s* (~en, ~er) president and CEO

koncernledning *s* (~en, ~ar) ung. executive management

koncernredovisning *s* (~en, ~ar) consolidated accounts pl.; amer. consolidated financial statements pl.

koncession *s* (~en, ~er) concession, licence, franchise

koncessiv *adj* (~t) gram. concessive

koncis *adj* (~t) concise

kondensation *s* (~en, ~er) condensation

kondensator *s* (~n, ~er) condenser; elektr. äv. capacitor

kondensera *vb tr* (~de, ~t) condense

kondensor *s* (~n, ~er) tekn. el. optik. condenser

kondensvatten *s* (-vattnet) condensation water, condensate

1 kondis *s* (~et, =) vard., se *konditori*

2 kondis *s* (~en) vard., se *kondition*

kondition *s* (~en) kroppskondition condition, [physical] fitness; **jag har dålig ~** I'm in bad shape (not fit, out of condition, out of training); **jag har bra ~** I'm in good shape (quite fit, in condition, in training)

konditional *adj* (~t) gram. conditional

konditionalis *s* (=, en) gram. the conditional [mood]

konditionstest *s* (~et el. ~en, ~er el. =) fitness test

konditor *s* (~n, ~er) pastrycook

konditori *s* (~et, ~er) med servering café; i Storbr. ofta teashop, patisserie fr., tea room; butik utan servering baker's, bakery, cake shop

konditorivaror *s pl* cakes and pastries

kondoleans *s* (~en, ~er) condolence[s pl.], sympathy (endast sg.)

kondoleansbrev *s* (~et, =) letter of condolence

kondolera *vb tr* (~de, ~t), **~ ngn** condole el. sympathize (express one's condolence[s] el. sympathy) with sb [*med anledning av* on]

kondom *s* (~en, ~er) condom

kondor *s* (~en, ~er) zool. condor

konduktör *s* (~en, ~er) buss~ conductor; tåg~ guard, ticket-collector; amer., på buss el. tåg conductor

kondylom *s* (~en) med. condyloma

konfekt *s* (~en) choklad~ [assorted] chocolates pl.; karameller o.d. sweets pl.; amer. candy, candies pl.; blandad chocolates and sweets pl.; **han blev blåst på ~en** he was done out of it, he got diddled

konfektion *s* (~en) kläder ready-made (speciellt amer. ready-to-wear) clothing (garments pl.); **köpa ~** äv. buy off the peg (amer. rack)

konferencié *s* (~n, ~er) o. **konferencier** *s* (~n el. ~en, ~er) compere, Master of Ceremonies (förk. MC); amer. äv. emcee

konferens *s* (~en, ~er) conference; sammanträde meeting

konferensanläggning *s* (~en, ~ar) conference centre (amer. center)

konferensbord *s* (~et, =) conference table äv. bildl.

konferera *vb itr* (~de, ~t) confer [*om* about, as to]; diskutera äv. discuss the matter

konfession *s* (~en, ~er) confession, creed

konfessionslös *adj* (~t) undenominational; attr. äv. ...adhering to no creed

konfetti *s* (~n) koll. confetti sg.

konfidentiell *adj* (~t) confidential, ...off the record

konfiguration *s* (~en, ~er) data. el. tekn. el. astron. configuration

konfigurera *vb tr* (~de, ~t) data. configure

konfirmand *s* (~en, ~er) confirmand, candidate for confirmation

konfirmation *s* (~en, ~er) kyrkl. el. hand. confirmation

konfirmera I *vb tr* (~de, ~t) kyrkl. el. hand. confirm **II** *vb rfl* (~de, ~t), **~ sig** be confirmed

konfiskera *vb tr* (~de, ~t) confiscate; beslagta äv. seize

konfiskering *s* (~en, ~ar) confiscation; beslagtagning äv. seizure

konflikt *s* (~en, ~er) conflict äv. psykol.; strid clash; tvist dispute; arbets~ labour (industrial) dispute; **komma i ~ med ngn (ngt)** come into conflict with sb (sth)

konfliktersättning *s* (~en, ~ar) strejkunderstöd strike pay (benefit)

konfliktvarsel *s* (-varslet, =) strejkvarsel strike notice, notice of industrial action; lockoutvarsel lockout notice

konformism *s* (~en) conformism; vard. me-tooism

konfrontation *s* (~en, ~er) confrontation; för att identifiera en misstänkt identification parade, line-up

konfrontera *vb tr* (~de, ~t), **~ ngn med...** confront sb (bring sb face to face) with...

konfunderad *adj* (konfunderat, ~e) confused, bewildered

konfys *adj* (~t) confused, bewildered, perplexed; **göra ngn ~** confuse (bewilder, fluster) sb

kongenial *adj* (~t) samstämmig congenial; **en ~ översättning** a translation true to the spirit of the original

konglomerat *s* (~et, =) ekon. el. geol. conglomerate; bildl. conglomeration

Kongo landet el. floden the Congo; **Demokratiska republiken ~** Kinshasa the Democratic Republic of the Congo; **Republiken ~** Brazzaville the Republic of the Congo

kongolesisk *adj* (~t) Congolese

kongress *s* (~en, ~er) conference; större el. hist. congress; **~en** i USA [the] Congress

kongressa *vb itr* (~de, ~t) hålla en kongress hold a conference; större el. hist. hold a congress

kongressdeltagare *s* (~n, =) member of a (resp. the) conference; större el. hist. member of a (resp. the) congress

kongruens *s* (~en, ~er) likformighet congruity; matem. congruence; språkv. concord

kongruent *adj* (=) congruous; matem. congruent; geom. äv. ...equal in all respects

konisk *adj* (~t) konformig conical; matem., t.ex. sektion conic

konjak *s* (~en) brandy; äkta, finare cognac

konjaksglas *s* (~et, =) o. **konjakskupa** *s* (~n, -kupor) cognac (balloon) glass

konjugation *s* (~en, ~er) språkv. conjugation

konjugera *vb tr* (~de, ~t) språkv. conjugate

konjunktion *s* (~en, ~er) språkv. el. astron. el. astrol. conjunction

konjunktiv *s* (~en, ~er) språkv. the subjunctive [mood]

konjunktur *s* (~en, ~er) konjunkturläge state of the market; konjunkturutsikter trade outlook; **~er** konjunkturförhållanden trade conditions; **goda ~er** a boom, times of prosperity äv. friare; **dåliga ~er** a slump, times of depression äv. friare

konjunkturkänslig *adj* (~t) ...sensitive to economic fluctuations

konjunkturnedgång *s* (~en, ~ar) [trade] recession, downward economic trend

konjunkturuppgång *s* (~en, ~ar) [trade] boom, upward economic trend

konjunkturutveckling *s* (~en, ~ar) business (economic) trend (developments pl.)

konkarongen *s* (best. sing.) vard., **hela ~** the whole lot (caboodle); de allihop the lot of them

konkav *adj* (~t) optik. el. geom. concave

konklav *s* (~en, ~er) kyrkl. conclave äv. friare

konkordans *s* (~en, ~er) ordförteckning concordance

konkret *adj* (=) concrete; **ett ~ förslag** äv. a tangible proposal

konkretisera *vb tr* (~de, ~t) make...concrete, put...in concrete form, concretize

konkubin *s* (~en, ~er) concubine

konkurrens *s* (~en) competition; **fri ~** open competition, freedom of competition; **hård (stenhård) ~** keen (stiff) competition; **ta upp ~en med...** enter into competition with...

konkurrensfördel *s* (~en, ~ar) competitive advantage

konkurrenskraftig *adj* (~t) competitive

Konkurrensverket the Swedish Competition Authority

konkurrent *s* (~en, ~er) competitor [*om* for]; friare äv. rival

konkurrera *vb itr* (~de, ~t) compete [*om* for]; **börja ~ med ngn** enter into (take up) competition with sb; **~nde företag** competing (rival) firms; **~ ut ngn** drive sb out of the market (out of business)

konkurs *s* (~en, ~er) bankruptcy; **personlig ~** personal bankruptcy; **begära ngn i ~** file a bankruptcy petition against sb; **begära sig i ~** file one's petition [in bankruptcy]; **försätta ngn i ~** declare (adjudge) sb bankrupt; **gå i (göra) ~** go (become) bankrupt, go into bankruptcy; om bolag äv. go into liquidation

konkursansökan *s* (=, en, -ansökningar) petition in bankruptcy; **inge ~ (sin ~)** file a (one's) petition [in bankruptcy]

konkursbo *s* (~et, ~n) bankrupt's (bankruptcy) estate

konkursförvaltare *s* (~n, =) [official] receiver; mindre officiellt trustee

konkursmässig *adj* (~t) ung. insolvent; **vara ~** be on the verge of bankruptcy

konnotation *s* (~en, ~er) språkv. el. logik. connotation

konnässör *s* (~en, ~er) connoisseur [*på* of (in)]

konossement *s* (~et, =) hand. el. sjö. bill of lading (förk. B/L)

konsekutiv *adj* (~t) consecutive äv. språkv.

konsekvens *s* (~en, ~er) överensstämmelse consistency; [på]följd consequence [*för* for]; **brist på ~** lack of consistency, inconsistency; **ta ~erna av sitt handlande** take the consequences of one's action

konsekvent I *adj* (=) consistent **II** *adv* consistently; genomgående throughout; **handla ~** act consistently (in a consistent manner)

konselj *s* (~en, ~er) cabinet meeting; **~en** statsrådsmedlemmarna the Cabinet

konsert *s* (~en, ~er) **1** concert; av solist recital **2** musikstycke concert|o (pl. -os el. -i)

konsertera *vb itr* (~de, ~t) give a concert (resp. [a series of] concerts)

konsertflygel *s* (~n, -flyglar) concert grand

konserthus *s* (~et, =) concert hall

konsertmästare *s* (~n, =) leader [of an (resp. the) orchestra]; amer. concertmaster

konserv *s* (~en, ~er), **~er** tinned (amer. canned) goods (food sg.)

konservatism *s* (~en) conservatism

konservativ I *adj* (~t) conservative **II** *s* (en ~, pl. ~a), **de ~a** polit. the Conservatives

konservator *s* (~n, ~er) vid museum o.d. curator, keeper; av t.ex. tavlor restorer; djuruppstoppare taxidermist

konservatorium *s* (konservatoriet, konservatorier) academy of music, conservatoire fr.

konservburk *s* (~en, ~ar) tin, amer. can; av glas preserving jar, amer. Mason jar

konservera *vb tr* (~de, ~t) bevara, skydda mot förruttnelse preserve äv. kok. (se vidare *lägga in* under *lägga IV*); restaurera restore

konservering *s* (~en, ~ar) preservation äv. kok.; restaurering restoration

konserveringsmedel *s* (-medlet, =) preservative, preserving agent

konservfabrik *s* (~en, ~er) cannery

konservöppnare *s* (~n, =) tin opener; amer. can opener

konsistens *s* (~en, ~er) consistency; **anta fast ~** stelna set; hårdna harden, solidify; **till ~en** in consistency

konsistensfett *s* (~et) [cup] grease

konsistensgivare *s* (~n, =) förtjockningsmedel thickener, thickening agent; stabiliseringsmedel stabilizer, stabilizing agent

konsol *s* (~en, ~er) bracket; arkit. corbel; s-formad console

konsolidera *vb tr* (~de, ~t) consolidate; **~ sin ställning** äv. strengthen one's position

konsonant *s* (~en, ~er) consonant

konsonantisk *adj* (~t) consonantal

konsortium *s* (konsortiet, konsortier) syndicate, consortium

konspiration *s* (~en, ~er) conspiracy, plot

konspiratör *s* (~en, ~er) conspirator, plotter

konspirera *vb itr* (~de, ~t) conspire, plot [*mot ngn* against sb]

konst *s* (~en, ~er) **1** konstnärlig verksamhet art; konstverk (koll.) [works pl. of] art; **de sköna ~erna** the [fine] arts **2** skicklighet skill; **~en att** + inf. the art of + ing-form; förmågan the ability to + inf.; **efter alla ~ens regler** according to the rules [of the game] (to all the recognized rules); grundligt thoroughly, soundly; **det är väl ingen ~!** that's easy [enough]!, there is nothing to it!, it's dead easy!; **det är ingen ~ för honom att** + inf. it's easy (no great matter) for him to + inf.; **han kan ~en att** + inf. he knows how to + inf.

3 ~*er* konststycken, trick tricks, dodges; ***göra ~er*** do (perform) tricks; om akrobat do (perform) stunts

konstakademi *s* (~n el. ~en, ~er) academy of art (fine arts); ***Konstakademien*** Kungliga Akademien för de fria konsterna the Royal Academy of Fine Arts

konstant I *adj* (=) constant äv. fys.; oföränderlig invariable; beständig perpetual **II** *s* (~en, ~er) matem. el. fys. constant

konstapel *s* (~n, konstaplar) förr, poliskonstapel [police] constable

konstatera *vb tr* (~de, ~t) fastställa establish [*att* the fact that]; bekräfta certify; verify; [på]visa show; ***jag bara ~r faktum (fakta)*** I am merely (only) stating a fact (facts)

konstaterande *s* (~t, ~n) establishing osv., jfr *konstatera*; establishment, certification, verification; påstående statement

konstbefrukta *vb tr* (~de, ~t) växter artificially fertilize

konstbefruktning *s* (~en, ~ar) av växter artificial fertilization; jfr äv. *konstgjord befruktning* under *konstgjord*

konstbevattna *vb tr* (~de, ~t) irrigate [artificially]

konstbevattning *s* (~en, ~ar) [artificial] irrigation

konstellation *s* (~en, ~er) constellation äv. astron.

konstfackskola *s* (~n, -skolor) school of arts, crafts and design

konstfiber *s* (~n, -fibrer) artificial (man-made) fibre

konstflygning *s* (~en, ~ar) stunt (trick) flying, aerobatics sg.

konstfrusen *adj* (-fruset, -frusna) artificially frozen

konstfull *adj* (~t) artistic

konstfärdig *adj* (~t) skilful, dexterous

konstfärdighet *s* (~en, ~er) skill, dexterity

konstföremål *s* (~et, =) object of art, objet d'art (pl. objets d'art) fr.

konstgalleri *s* (~et, ~er) art gallery

konstgjord *adj* (-gjort) artificial; ***~ andning*** med. artificial respiration äv. bildl.; ***~ befruktning*** av människor o. djur artificial insemination; av växter artificial fertilization; ***~ njure*** artificial kidney, kidney machine; ***på ~ väg*** by artificial means, artificially

konstgrepp *s* (~et, =) knep trick; list, listigt påfund [crafty] device, artifice, sleight of hand

konstgräs *s* (~et) AstroTurf®

konstgödsel *s* (~n) artificial manure, [artificial] fertilizer

konstgödsling *s* (~en, ~ar) artificial manuring

konsthandel *s* **1** (~n, -handlar) försäljningslokal art [dealer's] shop; större art gallery **2** (~n) abstr. art-dealing, dealing in art

konsthandlare *s* (~n, =) art-dealer

konsthantverk *s* (~et, =) [art] handicraft; arts and crafts pl.; föremål (koll.) art wares pl., handicraft products pl.

konsthistoria *s* (-historien) art history

konsthistoriker *s* (~n, =) art historian

konstig *adj* (~t) underlig odd, strange, weired; vard. funny; ***~are än så är det inte*** that's all there is to it

konstighet *s* (~en, ~er) oddity, strangeness; ***~er*** egendomliga drag oddities, strange features

konstindustri *s* (~n, ~er) art industry, industry of applied arts

konstintresserad *adj* (-intresserat, ~e) ...interested in art

konstis *s* (~en, ~ar) artificial ice

konstituera *vb tr* (~de, ~t) **1** utgöra constitute **2** grunda, inrätta constitute; ***styrelsen har ~t sig*** the board has elected its officers

konstitution *s* (~en, ~er) constitution

konstitutionell *adj* (~t) constitutional

konstitutionsutskott *s* (~et, =) standing committee on the constitution

konstkritiker *s* (~n, =) art critic

konstkännare *s* (~n, =) judge of art, art expert

konstlad *adj* (konstlat, ~e) tillgjord affected; tvungen forced; artificiell artificial

konstläder *s* (-lädret) artificial (imitation) leather, leatherette, art leather

konstmuseum *s* (-museet, -museer) art museum

konstnär *s* (~en, ~er) allm. artist; målare äv. painter

konstnärlig *adj* (~t) artistic; ***~ ledare*** art director; ***en hög ~ nivå*** äv. a high level of artistry

konstnärlighet *s* (~en) konstnärligt kunnande artistry; förmåga artistic ability

konstnärskap *s* (~et) **1** konstnärlighet artistry **2** att vara konstnär, ***~ förpliktar*** being an artist...

konstnärskrets *s* (~en, ~ar), ***i ~ar*** in artists' circles

konstnärsliv *s* (~et, =), ***~et*** allm. an artist's life; ***~et i Paris*** life in artistic circles in Paris

konstnärssjäl *s* (~en, ~ar), ***han är en ~*** he has the soul of an artist (is a true artist)

konstpaus *s* (~en, ~er) rhetorical pause, pause for effect, telling pause

konstprodukt *s* (~en, ~er) **1** inte naturprodukt artificial product **2** konstalster artistic (art) product

konstra *vb itr* (~de, ~t) **1** krångla, om t.ex. barn be awkward **2** göra invecklad, ***~ till saker*** complicate matters, make a big business out of things

konstrik *adj* (~t) konstnärlig artistic

konstruera *vb tr* (~de, ~t) allm. construct äv. geom.; göra utkast till äv. design; rita upp äv. draw; språkv. construe; verbet ***~s med dativ*** ...governs (takes) a (the) dative

konstruktion *s* (~en, ~er) construction; språkv. äv. construct; design (jfr *konstruera*); ***den bärande ~en*** the supporting structure

konstruktionsfel *s* (~et, =) tekn.: abstr. error (fault) in design; konkr. constructional fault, fault in the construction; språkv. construing-error

konstruktiv *adj* (~t) constructive; om person positive, constructive-minded; ***~ kritik*** constructive criticism

konstruktör *s* (~en, ~er) constructor, designer; jfr *konstruera*

konstsalong *s* (~en, ~er) art salon fr., art gallery

konstsamlare *s* (~n, =) art collector

konstsamling *s* (~en, ~ar) art collection; offentlig art gallery

konstsiden *s* (~et) o. **konstsilke** *s* (~et) rayon, artificial silk

konstsim *s* (~met) synchronized swimming, vard. synchro

konstskatt *s* (~en, ~er) art treasure

konstskola *s* (~n, -skolor) **1** art school, school of art **2** konstriktning school [of art]

konststycke *s* (~t, ~n) trick; kraftprov tour de force (pl. tours de force); ***något av ett ~*** something of a feat (an achievement)

konstutställning *s* (~en, ~ar) art exhibition
konstverk *s* (~et, =) work of art (pl. works of art)
konstvetenskap *s* (~en) history and theory of art
konståkare *s* (~n, =) o. **konståkerska** *s* (~n, -åkerskor) figure skater
konståkning *s* (~en) figure skating
konstälskare *s* (~n, =) art-lover
konsul *s* (~n, ~er) consul
konsulat *s* (~et, =) consulate
konsulent *s* (~en, ~er) adviser, consultant; i offentlig tjänst äv. advisory officer
konsult *s* (~en, ~er) consultant; rådgivare adviser
konsultarvode *s* (~t, ~n) consultant's fee
konsultation *s* (~en, ~er) consultation
konsultativ *adj* (~t) consultative; **~t statsråd** ung. minister without portfolio
konsultera *vb tr* (~de, ~t) consult; **~ en läkare** consult (friare see) a doctor
konsultföretag *s* (~et, =) consultancy firm
konsultuppdrag *s* (~et, =) consulting, assignment, assignment as a consultant
konsum *s* (oböjl., ett) butik el. förening co-op
konsumaffär *s* (~en, ~er) o. **konsumbutik** *s* (~en, ~er) cooperative shop (store)
konsument *s* (~en, ~er) consumer
konsumentkunskap *s* (~en) skol., ung. instruction in goods and consumption
konsumentmakt *s* (~en) consumer power
Konsumentombudsmannen (förk. *KO*) the [Swedish] Consumer Ombudsman
konsumentprisindex *s* (~et, =) retailer (amer. consumer) price index (förk. RPI resp. (amer.) CPI)
konsumentskydd *s* (~et) consumer protection (safety)
konsumentupplysning *s* (~en, ~ar) consumer guidance, information for consumers
Konsumentverket the Swedish Consumer Agency
konsumera *vb tr* (~de, ~t) consume
konsumtion *s* (~en) consumption
konsumtionssamhälle *s* (~t, ~n) consumer society
konsumtionsskatt *s* (~en, ~er) ekon. consumption tax
konsumtionsvara *s* (~n, -varor) article of consumption; **konsumtionsvaror** äv. consumer (consumption) goods
kontakt *s* (~en, ~er) **1** beröring, förbindelse contact äv. person, exposure; bildl. ofta äv. touch; **bra ~er** förbindelser useful contacts; **få (ta, komma i) ~ med** get into contact (touch) with, contact; **förlora (tappa) ~en med** lose contact (touch) with; **hålla ~en med** keep in touch with, maintain contact with; **komma i ~ med folk** make contacts [with people]; **undvik ~ med huden** avoid skin contact; **vid ~ med huden** on contact with the skin **2** elektr. contact; strömbrytare switch; stickpropp [connecting] plug; vägguttag point, outlet, wall socket
kontakta *vb tr* (~de, ~t) contact, get into touch (contact) with
kontaktannons *s* (~en, ~er) personal advertisement (vard. ad); i tidning, **~erna** the personal column; vard. the lonely-hearts column (båda sg.)
kontaktbehov *s* (~et) need for human contact[s]
kontaktledning *s* (~en, ~ar) elektr. overhead contact wire; för lok o.d. aerial line; för trådbuss trolley wire

kontaktlim *s* (~met, = el. ~mer) impact (contact) adhesive
kontaktlins *s* (~en, ~er) contact lens; **~er** äv. vard. contacts; **hårda (mjuka) ~er** hard (soft) contact lenses
kontaktnät *s* (~et, =) circle of contacts
kontaktperson *s* (~en, ~er) contact
kontaktsvårigheter *s pl* difficulty sg. in making contacts [with people]
kontaktuppgifter *s pl* contact details, contact information pl.
kontaktyta *s* (~n, -ytor) contact surface, interface äv. bildl.
kontamination *s* (~en, ~er) med. el. språkv. contamination
kontant I *adj* (=) cash; **~ betalning** cash (down) payment, ready money; **mot ~ betalning** for cash, for ready money; **vid ~ betalning** if cash is paid; **~a medel** ready money sg.; **~a utlägg** out-of-pocket expenses **II** *adv*, **betala** bilen **~** pay cash for..., pay for...[in] cash; **köpa ~** ...for cash, ...for ready money
kontantaffär *s* (~en, ~er) cash transaction
kontantbelopp *s* (~et, =) cash amount, amount in cash
kontanter *s pl* ready money sg.; **i ~** äv. cash in hand
kontantförsäljning *s* (~en) cash sale; **vi har bara ~** we only do business on a cash basis
kontantinsats *s* (~en, ~er) vid avbetalning el. t.ex. husköp down payment; bidrag cash contribution (i företag o.d. investment)
kontantkort *s* (~et, =) cash card; till mobiltelefon prepaid phone card
kontantkorttelefon *s* (~en, ~er) mobiltelefon prepaid mobile phone, pay-as-you-go mobile phone; spec. amer. prepaid cellphone, pay-as-you-go cellphone
kontantköp *s* (~et, =) cash purchase
kontantpris *s* (~et, = el. ~er) cash price
kontemplation *s* (~en, ~er) contemplation
kontemplativ *adj* (~t) contemplative
kontenta *s* (~n), **~n av...** the gist (substance, sum total) of...
kontera *vb tr* (~de, ~t) hand. account-code, code
kontext *s* (~en, ~er) context
kontinent *s* (~en, ~er) continent; [**den europeiska**] **~en** the Continent [of Europe]
kontinental *adj* (~t) continental
kontinentaldrift *s* (~en) o. **kontinentalförskjutning** *s* (~en) geol. continental drift
kontingent *s* (~en, ~er) **1** mil. contingent; friare äv. group **2** ekon., kvot quota, allocation
kontinuerlig *adj* (~t) continuous
kontinuitet *s* (~en) continuity
konto *s* (~t, ~n) account; med kredit, amer. charge account; löpande räkning current account; **ha ~ i en bank** have an account with (in) a bank; **ha pengar på ~t (sitt konto)** have money in one's account; **öppna [ett] ~ hos** open an account with; **sätta in på ett ~** pay into an account; **sätta upp på ngns ~** put down to sb's account
kontoinnehavare *s* (~n, =) holder of an (resp. the) account, account-holder
kontokort *s* (~et, =) kreditkort credit card; betalkort debit card
kontokund *s* (~en, ~er) credit (charge) customer

kontokurant *s* (~en, ~er) current account, account current; utdrag statement of account

kontonummer *s* (-numret, =) account number

kontor *s* (~et, =) office; *vara på ~et* be in (at) the office; *arbeta på ~* be employed in (at) an office, have [got] a clerical job

kontorisering *s* (~en, ~ar), *~ av* lägenheter conversion of…into offices

kontorist *s* (~en, ~er) clerk, office (clerical) employee; *hon* (*han*) *är ~* vanl. she (he) works in an office

kontorsanställd *s* (en ~, pl. ~a) office worker, clerk

kontorsarbete *s* (~t, ~n) office (clerical) work; *ett ~* an office job

kontorschef *s* (~en, ~er) head of an (resp. the) office, office manager, head (chief) clerk

kontorslandskap *s* (~et, =) open-plan (landscaped) office

kontorslokal *s* (~en, ~er), *~[er]* office premises pl.

kontorsmaskin *s* (~en, ~er) office (business) machine

kontorsmateriel *s* (~en) office supplies pl., stationery

kontorspersonal *s* (~en) office (clerical) staff

kontorstid *s* (~en, ~er) office (business) hours pl.

kontoutdrag *s* (~et, =) statement of account

1 kontra *prep* versus lat.

2 kontra *vb itr* (~de, ~t) **1** sport. make a breakaway; boxn. counter **2** replikera counter, retort

kontrabas *s* (~en, ~ar) mus. contrabass; basfiol vanl. double bass

kontrahent *s* (~en, ~er) contracting party

kontrakt *s* (~et, =) **1** avtal o.d. contract äv. kortsp.; högtidl. covenant; hyreskontrakt lease; *ingå ett ~ med ngn om ngt* (*om att* + inf.) enter into (make) a contract with sb about sth (to + inf. el. about + ing-form); *bryta* (*säga upp*) *ett ~* break (terminate) a contract; *enligt ~[et]* contractually **2** kyrkl.: i stan deanery; på landsbygden rural deanery

kontraktera *vb tr* (~de, ~t) anlita contract

kontraktion *s* (~en, ~er) fysiol. el. fys. contraction

kontraktsbrott *s* (~et, =) breach of contract

kontraktsenlig *adj* (~t) contractual, …according to contract; *inom den ~a tiden* …the time specified in the contract

kontraktsprost *s* (~en, ~ar) kyrkl.: i stan dean; på landsbygden rural dean

kontraorder *s* (~n, =) contrary order[s pl.], counter-order[s pl.]

kontrapunkt *s* (~en) mus. counterpoint

kontrarevolution *s* (~en, ~er) counter-revolution

kontrasignera *vb tr* (~de, ~t) countersign

kontrasignering *s* (~en, ~ar) signatur countersignature

kontraspionage *s* (~t) counterespionage, counterintelligence

kontrast *s* (~en, ~er) contrast; *stå i* [*skarp* (*bjärt*)] *~ till* form a [sharp (glaring)] contrast to, be in [sharp (glaring)] contrast to

kontrastera *vb itr* (~de, ~t) contrast [*mot* with]

kontrastmedel *s* (-medlet, =) med. contrast medium

kontrastverkan *s* (=, en) contrasting effect, effect of contrast

kontring *s* (~en, ~ar) **1** sport. breakaway, counter attack; boxn. counter; *på en ~* on the break **2** replik retort

kontroll *s* (~en, ~er) **1** granskning, övervakning check, check-up [*av* (*på*, *över*) on]; tillsyn, övervakande control, supervision, inspection **2** [full] behärskning control, command [*över* t.ex. bilen of, t.ex. en skolklass over]; *ha ngt under ~* …under control; friare äv. …well in hand **3** konkr.: kontrollställe checkpoint, control [station], kontrollanordning control

kontrollampa *s* (~n, -lampor) pilot (warning) lamp

kontrollant *s* (~en, ~er) supervisor, inspector; controller äv. sport.

kontrollbesiktning *s* (~en, ~ar) av fordon vehicle test (abstr. testing); motsv. i England av MOT (förk. för Ministry of Transport) test

kontrollera *vb tr* (~de, ~t) **1** granska check [up on]; en uppgift äv. verify; pröva, undersöka test; övervaka supervise; inspektera inspect; *~ att* det stämmer äv. see (make sure) that…; *~t silver* hallmarked silver **2** behärska control

kontrollmärke *s* (~t, ~n) check [mark]

kontrollrum *s* (~met, =) control room

kontrollräkna *vb tr* (~de, ~t) addering o.d. recount and check off; *~ ngt* t.ex. sifferkolumn add up sth again to check (verify) it; t.ex. räknetal rework sth to check it

kontrollsiffra *s* (~n, -siffror) data. check digit; i personnummer last digit in the personal code number

kontrollstation *s* (~en, ~er) control station, checkpoint

kontrollstämpel *s* (~n, -stämplar) på silver o.d. hallmark; på varor inspection stamp; på dokument control stamp

kontrolltangent *s* (~en, ~er) på tangentbord control key

kontrolltorn *s* (~et, =) flyg. control tower

kontrolluppgift *s* (~en, ~er) från arbetsgivare till skattemyndigheten och till den skattskyldige statement of income

kontrollvägning *s* (~en, ~ar) check weighing

kontrolläsa *vb tr* (-läste, -läst) read through and check

kontrollör *s* (~en, ~er) controller; övervakare o.d. äv. supervisor, inspector

kontrovers *s* (~en, ~er) controversy, dispute

kontroversiell *adj* (~t) controversial

kontur *s* (~en, ~er) outline; eg. äv. contour; friare o. bildl. äv. line

konung *s* (~en, ~ar) king; *lejonet är djurens ~* …king of the beasts

konvalescens *s* (~en) convalescence

konvalescent *s* (~en, ~er) convalescent [patient]; *vara ~ efter* en sjukdom be recovering from…

konvalescenthem *s* (~met, =) convalescent home

konvalje *s* (~n, ~r) bot. lily of the valley (pl. lilies of the valley)

konvenans *s* (~en) propriety, convention; *~en* proprieties pl., convention, the conventions pl.; *bryta mot ~en* commit a breach of etiquette

konvent *s* (~et, =) sammankomst convention

konvention *s* (~en, ~er) överenskommelse o. bruk convention

konventionell *adj* (~t) conventional; *~a vapen* conventional weapons (weaponry sg.); *vara ~* äv. stand on ceremony

konvergera *vb itr* (~de, ~t) matem. el. fys. converge [*mot* en punkt towards...]

konversation *s* (~en, ~er) conversation; *föra en ~* carry on a conversation

konversera *vb itr* o. *vb tr* (~de, ~t) converse, chat [*ngn* (*med ngn*) with sb; *om ngt* about (on) sth]

konverter *s* (~n, konvertrar) tekn. converter

konvertera I *vb tr* (~de, ~t) förvandla convert [*till* into] **II** *vb itr* (~de, ~t) relig. be converted, become a convert

konvertering *s* (~en, ~ar) conversion

konverteringslån *s* (~et, =) conversion loan

konvertibel *adj* (~t, konvertibla) ekon. convertible; *~t skuldebrev* convertible bond (debenture)

konvex *adj* (~t) optik. el. geom. convex

konvoj *s* (~en, ~er) convoy; *segla under* (*i*) ~ sail in convoy

konvulsion *s* (~en, ~er) med. convulsion

kooperation *s* (~en, ~er), ~[*en*] cooperation

kooperativ *adj* (~t) cooperative; *Kooperativa förbundet* (förk. *KF*) KF, the Swedish Cooperative Union

koordination *s* (~en) coordination

koordinationsförmåga *s* (~n) ability to coordinate; med. coordination

koordinera *vb tr* (~de, ~t) coordinate

kopek *s* (~en, =) myntenhet kopeck, kopek

kopia *s* (~n, kopior) copy äv. bildl.; avskrift äv. transcript; foto. vanl. print; av konstverk o.d. replica; imitation imitation; *ta* [*en*] ~ *av*... copy..., make a copy (print osv.) of...

kopiator *s* (~n, ~er) se *kopieringsapparat*

kopiepapper *s* (~et el. -pappret, =) foto. printing (copying) paper

kopiera *vb tr* (~de, ~t) copy äv. data.; skriva av äv. transcribe; foto. vanl. print

kopieringsapparat *s* (~en, ~er) photocopier, [photo] copying machine

kopieringsskydd *s* (~et, =) data. copy protection

kopist *s* (~en, ~er) copyist, copying clerk; foto. photofinisher

kopiös *adj* (~t) copious, abundant, overwhelming

kopp *s* (~en, ~ar) cup; som mått äv. cupful; *en ~ te* a cup of tea; *en ~ vatten* äv. a cupful of water

koppa *s* (~n, koppor) med., blemma pustule, vesicle

koppar *s* (~n el. ~en) copper; kastrull *av* ~ äv. copper...

kopparbrun *adj* (~t) o. **kopparfärgad** *adj* (-färgat, ~e) copper-coloured

koppargruva *s* (~n, -gruvor) copper mine

kopparhalt *s* (~en, ~er) copper content; procentdel percentage of copper

kopparhaltig *adj* (~t) attr. ...containing copper; coppery, cupreous

kopparkittel *s* (~n, -kittlar) copper pan (osv., jfr *kittel*)

kopparmalm *s* (~en) copper ore

kopparmynt *s* (~et, =) copper [coin]

kopparorm *s* (~en, ~ar) blindworm, slow-worm

kopparplåt *s* (~en, ~ar) sheet copper; *en* ~ a copper sheet (plate)

kopparröd *adj* (-rött) copper-coloured; *kopparrött hår* coppery[-red] hair

kopparslagare *s* (~n, =) **1** eg. coppersmith **2** pl., vard., bakrus hangover sg.; *ha* ~ have a hangover

kopparstick *s* (~et, =) abstr. el. konkr. copperplate [engraving]

koppartråd *s* (~en, ~ar) copper wire

koppel *s* (kopplet, =) **1** hundkoppel leash, lead; för två hundar couple; djuren: två hundar brace (pl. lika) el. couple (tre hundar leash, flera hundar pack) [of dogs (hounds)]; bildl.: hop, skara pack; *gå* (*ledas*) *i* ~ be (be held) in leash (i band on the lead) äv. bildl. **2** mil. shoulder belt **3** järnv. coupler

koppla I *vb tr* (~de, ~t) **1** tekn. el. elektr. couple [up]; elektr. (t.ex. element) äv. connect; radio. connect [up (on)]; tele. connect, put...through **2** binda i koppel leash, couple; jfr *koppel 1*; ~ *hunden* äv. put the dog on the lead **3** brottn. o.d., ~ *ett grepp* put on (apply) a hold
II *vb itr* (~de, ~t) vard., fatta, *han ~r långsamt* he is slow on the uptake
III med beton. part.
koppla av itr. relax
koppla från järnv. o.d. uncouple; tekn. el. elektr. disconnect, disengage; motor. o.d. äv. throw...out of gear
koppla ihop eg. couple...[up] together; connect äv. elektr., join up; friare couple (put)...together, link up
koppla in a) ledning o.d. connect, join up, put...in circuit; t.ex. elektrisk apparat plug in **b)** anlita call in
koppla på elektr. o.d. switch (turn) on; ~ *på charmen* vard. turn on the charm
koppla till t.ex. vagn put on, attach
koppla upp sig på nätet, data. connect [to the net], go on-line
koppla ur elektr. el. tele. disconnect, disengage; motor. declutch, disengage the clutch

kopplare *s* (~n, =) hallick procurer, pimp

koppleri *s* (~et, ~er) procuring, pimping

kopplerska *s* (~n, kopplerskor) procuress

koppling *s* (~en, ~ar) kopplande coupling osv., jfr *koppla I 1* o. *koppla I 2*; connection äv. elektr.; radio. el. tele.; bil. clutch

kopplingspedal *s* (~en, ~er) clutch pedal

kopplingsschema *s* (~t, ~n) elektr. wiring (connection) diagram

kopplingstavla *s* (~n, -tavlor) elektr. switchboard

kopplingston *s* (~en, ~er) tele. dialling tone; amer. dial tone

koppärrig *adj* (~t) pockmarked, ...pitted with smallpox

kopulera *vb itr* (~de, ~t) copulate

kor *s* (~et, =) arkit. chancel, presbytery; altarets plats sanctuary; gravkor chapel

kora *vb tr* (~de, ~t) choose, select [*till* as]

koral *s* (~en, ~er) chorale; psalm hymn

koralbok *s* (~en, -böcker) hymnal [containing the melodies]

korall *s* (~en, ~er) coral; *ett halsband av* ~ a coral...

korallfiske *s* (~t, ~n) coral-fishing

korallhalsband *s* (~et, =) coral necklace

korallrev *s* (~et, =) coral reef

korallröd *adj* (-rött) coral-red

Koranen the Koran

kordong *s* (~en, ~er) polis- el. snodd cordon

Korea Korea; *Demokratiska folkrepubliken* ~ Nordkorea the Democratic People's Republic of Korea; *Republiken* ~ Sydkorea the Republic of Korea

korean *s* (~en, ~er) Korean

koreansk *adj* (~t) Korean

koreanska s (jfr *svenska*) **1** (~n, koreanskor) kvinna Korean woman **2** (~n) språk Korean

koreograf s (~en, ~er) dans. choreographer

koreografi s (~n) dans. choreography

Korfu Corfu

korg s (~en, ~ar) **1** allm. basket; större, t.ex. matsäckskorg, julkorg hamper; för bär o.d. (av spån) punnet; **en ~ med** äpplen vanl. a basket of... **2** bildl., **få ~en** be refused (turned down)

korgblommig adj (~t) bot. composite

korgboll s (~en) spel [an old form of] basket-ball

korgflätning s (~en) basketry

korgmakare s (~n, =) basket-maker

korgmöbler s pl wicker (basketwork) furniture sg.

korgosse s (~n, -gossar) choirboy

korgstol s (~en, ~ar) wicker (basketwork) chair

koriander s (~n) bot. coriander

korint s (~en, ~er) currant

korintisk adj (~t) Corinthian

korintkaka s (~n, -kakor) currant cake

korintsås s (~en) currant sauce

korist s (~en, ~er) chorus-singer; kyrkl. choir-singer

kork s (~en, ~ar) **1** ämne el. propp cork; **dra ~en ur** flaskan uncork..., draw the cork out of... **2** bildl., **vara styv i ~en** be cocky (too big for one's boots)

korka vb tr (~de, ~t) cork; **~ igen** cork [up]; bildl. block up; **~ upp** uncork

korkad adj (korkat, ~e) vard., inskränkt stupid, dense; amer. dumb

korkek s (~en, ~ar) cork oak (tree)

korkmatta s (~n, -mattor) linoleummatta linoleum, lino

korkskruv s (~en, ~ar) corkscrew

korkskruvslockar s pl corkscrew curls

korksmak s (~en) taste of cork, corky taste

korksula s (~n, -sulor) cork sole

korn s (~et, =) **1** sädeskorn, frö grain; liten partikel äv. granule; bildl., **ett ~ av sanning** a grain of truth **2** sädesslag barley **3** på skjutvapen bead; mil. äv. front sight; bildl., **få ~ på ngt** få syn på get sight (få nys om get wind) of sth

kornblixt s (~en, ~ar) meteor. sheet lightning; **en ~** a flash of sheet lightning

kornblå adj (-blått) cornflower blue

kornett s (~en, ~er) mus. cornet

korngryn s (~et, =) barley-grain; koll. barley groats pl.

kornig adj (~t) granular, granulous

kornighet s (~en) granularity, granulation; foto. graininess

kornisch s (~en, ~er) gesims el. gardin~ cornice, valance

kornmjöl s (~et) barley meal

kornåker s (~n, -åkrar) med gröda field of barley

korona s (~n, koronor) astron. corona (pl. coronas el. coronae)

1 korp s (~en, ~ar) **1** zool. raven **2** hacka pick[axe]

2 korp s (~en, ~ar) (se äv. *korpidrott*), **spela fotboll i ~en** play in the inter-company (inter-works) football league

korpgluggar s pl vard. eyes; **håll ~na öppna!** keep your eyes peeled!

korpidrott s (~en, ~er) inter-company (inter-works) sport[s pl.]; friidrott inter-company (inter-works) athletics (sg. el. pl.)

korporation s (~en, ~er) corporate body, body corporate; som juridisk person äv. corporation

korporativism s (~en) polit. corporatism, corporativism

korpral s (~en, ~er) corporal

korpsvart adj (=) raven-black

korpulens s (~en) stoutness, corpulence

korpulent adj (=) stout, corpulent

korrekt adj (=) correct; felfri faultless

korrektur s (~et, =) proof[s pl.]; avdrag proof sheet; **i ~** in proof; **läsa ~ på...** read (correct) the proofs of...

korrekturfel s (~et, =) error in a proof (resp. the proofs)

korrekturläsa vb tr (-läste, -läst) proofread, read...in proof

korrekturläsare s (~n, =) proofreader

korrekturläsning s (~en, ~ar) proofreading

korrekturtecken s (-tecknet, =) proof-reader's mark, proof-mark

korrelat I s (~et, =) filos. correlate; ibland correlative; språkv. antecedent **II** adj (=) filos. correlate, correlative

korrelation s (~en, ~er) correlation äv. språkv. el. statistik.

korrespondens s (~en, ~er) brevväxling, överensstämmelse correspondence; **undervisning per ~** ...by correspondence

korrespondenskort s (~et, =) correspondence card

korrespondenskurs s (~en, ~er) ngt åld. correspondence course

korrespondensundervisning s (~en) ngt åld. postal tuition

korrespondent s (~en, ~er) correspondent äv. till tidning

korrespondera vb itr (~de, ~t) brevväxla el. överensstämma correspond

korridor s (~en, ~er) corridor äv. om landremsa; amer. äv. hallway; i offentlig byggnad el. speciellt parl. lobby; **maktens ~er** the corridors of power

korridorpolitik s (~en) lobbying; **bedriva ~** lobby

korrigera vb tr (~de, ~t) correct; ngn äv. put...right; revidera revise

korrigering s (~en, ~ar) rättelse correction; revidering revision

korrosion s (~en) tekn. corrosion äv. geol.

korrosionsbeständig adj (~t) corrosion-resistant, corrosion-proof

korrugerad adj (korrugerat, ~e), **~ plåt** corrugated iron

korrumpera vb tr (~de, ~t) corrupt

korrumperad adj (korrumperat, ~e) corrupt

korrupt adj (=) corrupt

korruption s (~en) corruption, graft

kors I s (~et, =) cross äv. bildl.; mus. sharp symbol; **~ i taket!** wonders will never cease!, well, would you believe it!; **lägga i ~** cross; **sitta med armarna i ~** bildl. twiddle one's thumbs, sit doing nothing; sitta **med benen i ~** ...with legs crossed, ...cross-legged; **krypa till ~et** humble oneself, eat humble pie; amer. eat crow **II** interj, **~ i alla mina (all sin) dar**!el. **~ i jösse namn** well, I never!, good heavens (gracious)!; amer. äv. gee!, gosh! **III** adv, **~ och tvärs** åt alla håll in all directions, this way and that

korsa I vb tr (~de, ~t) cross äv. ta sig tvärs över el. i betydelsen 'stryka' el. 'korsa över'; biol. äv. interbreed; **vägarna ~r varandra** the roads cross [each other]

II *vb rfl* (~de, ~t), **~ sig** göra korstecknet cross oneself, make the sign of the cross

korsband *s* (~et, =) anat. cruciate ligament

korsbefruktning *s* (~en, ~ar) bot. cross-fertilization; vetensk. xenogamy

korsben *s* (~et, =) anat. rump-bone; vetensk. sacrum (pl. sacra)

korsblommig *adj* (~t) bot. cruciferous

korsdrag *s* (~et, =) draught; amer. draft

korseld *s* (~en) crossfire, fusillade

korsett *s* (~en, ~er) corset; av äldre typ, se *snörliv*

korsfarare *s* (~n, =) hist. crusader

korsformig *adj* (~t) ...formed like a cross; arkit. cruciform

korsfästa *vb tr* (-fäste, -fäst) crucify

korsfästelse *s* (~n) crucifixion

korsförhör *s* (~et, =) cross-examination

korsförhöra *vb tr* (-hörde, -hört) cross-examine

korsgång *s* (~en, ~ar) **1** vid klostergård cloister **2** i kyrka cross-aisle

Korsika Corsica

korsikan *s* (~en, ~er) Corsican

korsikansk *adj* (~t) Corsican

korskyrka *s* (~n, -kyrkor) arkit. cruciform church

korslagd *adj* (-lagt) crossed; **med ~a armar** with folded arms; sitta **med ~a ben** ...cross-legged, ...with legs crossed

korsning *s* (~en, ~ar) allm. crossing; biol. äv. crossbreeding, hybrid cross[breed]; **en ~ mellan** a cross between

korsnäbb *s* (~en, ~ar) zool. crossbill

korsord *s* (~et, =) crossword [puzzle]; **lösa ~** do (solve) crosswords

korsrygg *s* (~en, ~ar), **~en** the small of the back, the lumbar region

korsspindel *s* (~n, -spindlar) cross-spider, garden spider

korsstygn *s* (~et, =) cross-stitch

korstecken *s* (-tecknet, =) **1** relig., **göra korstecknet** make the sign of the cross; korsa sig äv. cross oneself **2** mus. sharp [sign]

korståg *s* (~et, =) hist. crusade äv. bildl., holy war

korsvirkeshus *s* (~et, =) half-timbered house

korsvis *adv* crosswise

korsväg *s* (~en, ~ar) crossroad; vägkorsning crossroads (pl. lika)

korsört *s* (~en, ~er) bot. groundsel, ragwort

1 kort *s* (~et, =) **1** spelkort, vykort, visitkort m.m. card; postkort [post]card; **bra** (**dåliga**) **~** spel. a good (bad el. poor) hand; **ett säkert ~** bildl. a safe (sure) bet (card); **lägga ~en på bordet** put one's cards on the table, show one's hand äv. bildl.; **spå i ~** tell fortunes by the cards; **betala med ~** kreditkort pay by credit card; **satsa** (**sätta**) **allt på ett ~** stake everything on one card (throw); friare put all one's eggs in one basket **2** foto photo (pl. -s), picture; exponering exposure; **ta ett ~** take a photo (picture) **3** sport., **få gult** (**rött**) **~** get the yellow (red) card

2 kort I *adj* (=) **1** short; kortfattad, kortvarig äv. brief; avfärdande curt [*mot* with, towards], abrupt [*mot* with]; **tämligen ~** ofta shortish; **ett ~ besök** a brief (short) visit; **med ~a mellanrum** at short (brief) intervals; **dra det ~aste strået** get the worst of it, come off the loser; stanna bara **en ~ stund** ...a little while; **en ~ tid därefter** shortly afterwards; **~ vokal**

short vowel; **göra ~are** äv. shorten; förkorta äv. abbreviate, cut down

2 komma till ~a fail, fall short

II *adv* shortly speciellt i tidsuttr.; kortfattat vanl. briefly; koncist concisely; summariskt summarily; tvärt, snävt abruptly, curtly; ibland short; **för att fatta mig ~** to be brief osv., jfr *fatta II*; **hålla ngn ~** keep a tight rein on sb; **~ sagt** in brief; friare to cut a long story short; **~ därefter** (**dessförinnan**) el. shortly afterwards (before); **~ och gott** helt enkelt simply

korta *vb tr* (~de, ~t) shorten; **~ av** (**ned**) [**på**]... shorten...[down]; minska cut down (back), reduce; förkorta äv. abbreviate

kortbent *adj* (=) short-legged

kortbyxor *s pl* för barn short trousers (amer. pants); för barn och som sommarplagg shorts

kortdistanslöpare *s* (~n, =) sport. sprinter, short-distance runner

kortdistanslöpning *s* (~en, ~ar) sprint, short-distance run; löpande sprinting, short-distance running

kortege *s* (~n, ~r) cortège fr.; festtåg procession; av bilar motorcade

kortfattad *adj* (-fattat, ~e) brief, short, concise; summarisk summary; vard. potted; **en ~ version** vard. a potted version

kortfilm *s* (~en, ~er) short [film (movie)]; vard. quickie

kortfristig *adj* (~t) short-term...

korthalsad *adj* (-halsat, ~e) short-necked

korthet *s* (~en) shortness, brevity; **i ~** briefly, in short (brief), in a few words

korthuggen *adj* (-hugget, -huggna) bildl. abrupt, choppy

korthus *s* (~et, =) house of cards; **falla ihop som ett ~** collapse like a house of cards

korthårig *adj* (~t), **vara ~** om person have short hair; **~a hundar** (**katter**) short-haired dogs (cats)

kortison *s* (~et) med. cortisone

kortklippt *adj* (=) om person, **vara ~** have (wear) one's hair short, have close-cropped (short-cropped) hair

kortkonst *s* (~en, ~er) card trick

kortkort *adj* (=), **~ kjol** mini[skirt]

kortlek *s* (~en, ~ar) pack (amer. äv. deck) [of cards]

kortlivad *adj* (-livat, ~e) short-lived; **vara ~** äv. not last long

kortlåda *s* (~n, -lådor) för kortsystem card-index file

kortläsare *s* (~en, =) data. card reader; **dra ett kort genom ~** swipe a card

1 kortnummer *s* (-numret, =) på t.ex. kreditkort [credit] card number

2 kortnummer *s* (-numret, =) tele. speed dial number

kortregister *s* (-registret, =) card index [*över* of]

kortsida *s* (~n, -sidor) short side

kortsiktig *adj* (~t) på kort sikt short-term...; kortsynt shortsighted; **en ~ lösning på ett problem** a short-term solution to a problem

kortsluta *vb tr* (-slöt, -slutit) elektr. short-circuit

kortslutning *s* (~en, ~ar) elektr. short circuit; vard. short

kortspel *s* (~et, =) **1** kortspelande card-playing; **fuska i ~** cheat at cards **2** enstaka spel card game

kortspelare *s* (~n, =) card-player

kortstrumpa *s* (~n, -strumpor) sock

kortsynt *adj* (=) bildl. short-sighted
kortsynthet *s* (~en) bildl. short-sightedness
korttidsanställning *s* (~en, ~ar) short-time (temporary) employment
korttidsminne *s* (~t) psykol. short-term memory
korttidsparkering *s* (~en, ~ar) short-stay (short-term) parking [plats lot]
kortvarig *adj* (~t) ...of short (brief) duration, short; övergående transitory, transient; *ett ~t äktenskap* a brief marriage
kortvuxen *adj* (-vuxet, -vuxna) short
kortvåg *s* (~en) radio. short wave; *lyssna på ~* listen to the short-wave [stations]; *sända på ~* broadcast on short wave
kortvågssändare *s* (~n, =) radio. short-wave transmitter
kortväxt *adj* (=) short
kortända *s* (~n, ~r) o. **kortände** *s* (~n, -ändar) short side
kortärmad *adj* (-ärmat, ~e) short-sleeved
korus *s* (oböjl.), *i ~* in chorus
korv *s* (~en, ~ar) sausage; *varm ~* hot dog (koll. dogs pl.); *tycka om ~* like sausages
korva *vb rfl* (~de, ~t), *~ sig* om strumpa o.d. be sagging
korvbröd *s* (~et, =) roll (bun) [for a (resp. the) hot dog]
korvförsäljare *s* (~n, =) o. **korvgubbe** *s* (~n, -gubbar) hot-dog man (seller)
korvkiosk *s* (~en, ~er) hot-dog stand
korvskinn *s* (~et, =) sausage skin (casing)
korvspad *s* (~et), *klart som ~* vard. as plain as a pikestaff (as the nose on your face)
korvstoppning *s* (~en) bildl. cramming
korvstånd *s* (~et, =) hot-dog stand
korvöre *s* (~t, ~n), *inte ha ett ~* not have a brass farthing
kos *s* (oböjl., en), gå (springa, flyga o.d.) *sin ~* ...away; *han har gått sin ~* he has gone
kosa *s* (~n, kosor), styra (ställa) *~n (sin ~) till (mot, åt)*... head for..., wend (make) one's way towards...
kosack *s* (~en, ~er) Cossack
kosackdans *s* (~en, ~er) Cossack dance; *dansa ~* do the Cossack dance
koscher *adj* (oböjl.) o. **kosher** *adj* (oböjl.) jud. kosher
kosing *s* (~en) vard. dough sg., bread sg., dosh sg.
koskälla *s* (~n, -skällor) cowbell
kosmetik *s* (~en) skönhetsvård beauty care
kosmetika *s* (~n) cosmetics pl., make-up
kosmetisk *adj* (~t) cosmetic äv. bildl.
kosmetolog *s* (~en, ~er) cosmetologist, cosmetician; skönhetsexpert äv. beautician
kosmisk *adj* (~t) cosmic; *~ strålning* cosmic radiation
kosmonaut *s* (~en, ~er) cosmonaut
kosmopolit *s* (~en, ~er) cosmopolitan, cosmopolite
kosmopolitisk *adj* (~t) cosmopolitan
kosmos *s* (= el. ~en el. ~et) cosmos; världsalltet the cosmos
Kosovo Kosovo
kosovoalbansk *adj* (~t) Kosovar, Kosovo Albanian
kossa *s* (~n, kossor) barnspr. moo-cow; neds., om kvinna cow
kost *s* (~en) fare; *[en] allsidig (ensidig) ~* a balanced (unbalanced) diet; *god och närande ~* good

nourishing food (fare); *en mager ~* a poor diet; bildl. a meagre fare; *vegetarisk ~* vegetarian diet (fare); *~ och logi* board and lodging, bed and board
kosta *vb tr* o. *vb itr* (~de, ~t) cost; belöpa sig till go (amount, run) to; *hur mycket (vad) ~r...* how much (what) does...cost?, how much is...?; om ersättning för prestation (t.ex. lagning, klippning o.d.) ofta how much do I (resp. we) owe you for...?; *det ~r ingenting* äv. there is nothing to pay (no charge); *du måste fråga vad det ~r* ...ask the price; *~ vad det ~ vill* bildl. no matter what (never mind) the cost; *strunt i vad det ~r!* hang the expense!; *det ~r mer än det smakar* it costs more (is more trouble) than it is worth *~ 'på a)* lägga ut, offra spend (pengar äv. lay out) *[på ngn (ngt)* on sb (sth)]; *~ på ngn* ngt go to the expense of giving sb...; *han har ~t på huset en hel del* he has spent a good deal on...; *~ på sig ngt* treat oneself to sth; *han kunde åtminstone ha ~t på sig att* tacka he might at least have... *b)* vara svårt, besvärligt, prövande, *det ~r på* it is trying (är ansträngande a great effort) *[att* + inf. to + inf.]
kostbar *adj* (~t) dyrbar costly; värdefull precious
kostcirkel *s* (~n, -cirklar) balanced diet chart
kostexpert *s* (~en, ~er) dietitian, dietician
kostfiber *s* (~n, fibrer) roughage
kosthåll *s* (~et) o. **kosthållning** *s* (~en) fare, diet
kostnad *s* (~en, ~er), *~[er]* allm. cost sg.; jur. el. bokföring vanl. costs pl.; utgift[er] expense[s pl.]; utlägg outlay[s pl.]; avgift[er] charge[s pl.]; *fasta ~er* fixed costs; *höga (stora) ~er* heavy expenses (expenditure sg.); *stå för el. ~erna* pay (defray) the expenses (jur. [the] costs); *utan ~[er] för oss* without any expense[s] on our part
kostnadsberäkna *vb tr* (~de, ~t) cost, estimate the costs of
kostnadsfri *adj* (-fritt) ...free of cost (avgiftsfri of charge), cost-free
kostnadsfritt *adv* free of cost (avgiftsfritt of charge)
kostnadsfråga *s* (~n, -frågor) question of cost
kostnadsförslag *s* (~et, =) estimate of cost[s], quotation
kostnadsskäl *s* (~et), *av ~* because of the expense
kostnadsställe *s* (~t, ~n) cost centre
kostnadsökning *s* (~en, ~ar) increase (rise) in costs (betr. priser in prices)
kostsam *adj* (~t, ~ma) costly, expensive, dear
kostvanor *s pl* eating habits
kostym *s* (~en, ~er) **1** suit; *mörk ~* dark lounge suit **2** teat. o.d. costume; maskerad~ fancy dress
kostymbal *s* (~en, ~er) fancy-dress (costume) ball
kota *s* (~n, kotor) anat. vertebr|a (pl. -ae)
kotknackare *s* (~n, =) vard. bonesetter
kotlett *s* (~en, ~er) chop; benfri cutlet
kotpelare *s* (~n, =) anat. vertebral column
kotte *s* (~n, kottar) **1** på träd cone **2** bildl., *inte en ~* not a [living] soul; *varenda ~* every man alive, every man jack [of them]
kotteri *s* (~et, ~er) coterie, set; neds. clique
kovändning *s* (~en, ~ar) bildl. turnround, turnabout, volte-face, amer. äv. turnaround; *göra en ~* äv. do a U-turn
koögd *adj* (-ögt) cow-eyed
kpist *s* (~en, ~ar) kulsprutepistol tommy gun, sub-machine-gun

krabat *s* (~en, ~er) vard. little fellow; *en duktig* [*liten*] ~ a fine little fellow

krabb *adj* (oböjl., neutrum undviks) sjö. choppy

krabba *s* (~n, krabbor) crab

krabbtina *s* (~n, -tinor) crabpot

krackelerad *adj* (krackelerat, ~e) crackled; *krackelerat porslin* (*glas*) äv. crackleware

krafs *s* (~et) skräp trash; krimskrams knick-knacks pl.

krafsa *vb itr* (~de, ~t) scratch [*på* dörren on (at)...]; ~ *ned* hastigt nedskriva jot down, scrawl, scratch; ~ skrapa, rafsa *ihop* scrape together

kraft *s* (~en, ~er) **1** natur~ o.d. force; förmåga, drivkraft m.m., äv. elektriskt, mekaniskt o.d. power; kroppslig el. andlig styrka strength; verkan active influence, efficacy; t.ex. örts läkande ~ virtue; *nedbrytande ~er* destructive forces; *skapande* ~ creative power; *få* (*hämta, samla*) *nya ~er* recover (regain, gain [new]) strength, recuperate; vard. pick up; *spara på ~erna* save one's strength; *av alla ~er* så mycket man orkar: t.ex. arbeta with all one's might (strength); t.ex. ta i, kämpa as hard as ever one can, hard; *av egen* ~ by one's own [unaided] efforts; han är ännu *i sin fulla* ~ ...in his prime, ...in the full vigour of manhood; *i sin ~s dagar* var han [when he was] in his prime...; *med förenade ~er* lyckades vi by our united (combined) efforts..., jointly..., together...; *med förnyad* ~ with renewed (fresh) vigour (strength) **2** om person force, spirit; *vara den drivande ~en* be the driving force (the leading spirit, the prime mover); *frivilliga ~er* äv. volunteers **3** jur., giltighet force; om dom o.d., *vinna laga* ~ gain legal force, become law (legal); *träda i* ~ come into force (effect, operation), take effect; *träda ur* ~ be annulled **4** *i ~ av* by virtue (force, right) of; jur. in pursuance of

kraftanläggning *s* (~en, ~ar) power plant (station)

kraftansträngning *s* (~en, ~ar) exertion, effort, all-out attempt; *göra en* ~ exert oneself, make a real effort

kraftfoder *s* (-fodret, =) lantbr. concentrated feed (fodder)

kraftfull *adj* (~t) mäktig, t.ex. om gestalt, härskare powerful; effektfull o.d., t.ex. om stil forcible; t.ex. om tal forceful; vital, stark vigorous, strong; energisk energetic; *i ~a ordalag* in forcible words; ~ *röst* powerful (strong) voice

kraftfält *s* (~et, =) fys. field [of force]

kraftförsörjning *s* (~en) power supply

kraftig *adj* (~t) **1** kraftfull powerful; kraftigt verkande äv. potent; *en* ~ *dos* a strong (stiff) dose; ~*a påtryckningar* strong pressure sg.; *ett ~t slag* a powerful (strong, violent, hard, heavy) blow **2** stor, avsevärd, t.ex. förlust, minskning, ökning great, big, substantial, considerable; om t.ex. nedgång äv. heavy; om t.ex. ökning äv. sharp, steep; *en ~ prissänkning* äv. a drastic reduction of (in) prices **3** stor till växten el. omfånget big; stadigt byggd sturdy, robust; fetlagd stout; ~ *benstomme* sturdy frame; ~ *karl* strapping (robust, hefty, strong) fellow; ~*t rep* stout rope; ~*a skor* stout (strong) shoes; ~*t tyg* strong (heavy) material (cloth) **4** om mat, måltid: bastant substantial, solid; närande nourishing, nutritious; fet rich; 'tung' heavy

kraftigt *adv* **1** med kraft, starkt etc. powerfully, strongly etc., jfr *kraftig 1*; ~ *byggd* strongly (sturdily) built, sturdy; ~ *framhålla ngt* stress sth emphatically **2** i hög grad, betydligt greatly, very much, substantially etc., jfr *kraftig 2*; ~ *bidra till...* contribute greatly to..., be instrumental in...; ~ *förbättrade* villkor considerably improved...

kraftkarl *s* (~n el. ~en, ~ar) bildl. man of action, strong man

kraftkälla *s* (~n, -källor) source of energy

kraftledning *s* (~en, ~ar) power (transmission) line

kraftlös *adj* (~t) svag, klen weak, feeble; orkeslös, utmattad effete; slapp nerveless

kraftmätning *s* (~en, ~ar) trial of strength, showdown

kraftnät *s* (~et, =) grid, power network

kraftprestation *s* (~en, ~er) feat [of strength], tour de force (pl. tours de force) fr. [*av ngn* on sb's part]

kraftprov *s* (~et, =) trial (test) of strength; jfr *kraftprestation*

krafttag *s* (~et, =), *ta ett* ~ *för att* + inf. make a vigorous effort [in order] to + inf.

kraftuttryck *s* (~et, =) oath, curse, expletive; ~ i pl. äv. strong language sg.

kraftverk *s* (~et, =) power station (plant, house), generating station

kraftåtgärd *s* (~en, ~er) strong (energetic, forcible, friare drastic) measure

kraftöverföring *s* (~en, ~ar) [the] transmission of power, [power] transmission

krage *s* (~n, kragar) collar; på strumpa o.d. top; *ta sig i ~n* rycka upp sig pull oneself together, get a grip on oneself

kraghandske *s* (~n, -handskar) gauntlet

kragknapp *s* (~en, ~ar) stud; amer. äv. collar button

kragnummer *s* (-numret, =) size in collars

kragstövel *s* (~n, -stövlar) topboot, wellington [boot]

krake *s* (~n, krakar) ynkrygg coward; stackare wretch; *stackars ~!* äv. poor thing (creature)!

krakmandel *s* (~n, -mandlar) dessert (soft-shell) almond (koll. almonds pl.)

kram *s* (~en, ~ar) hug; smeksam cuddle; i brevslut Love

krama *vb tr* (~de, ~t) **1** trycka, pressa, t.ex. ngns hand squeeze, press; ~ *saften ur* en citron squeeze...dry, squeeze the juice out of...; ~ *ihjäl* squeeze...to death; ~ *ur* squeeze **2** ~ [*om*] omfamna hug, embrace; smeksamt cuddle

kramas *vb itr dep* (kramades, kramats) rpr. embrace, cuddle

kramdjur *s* (~et, =) leksak cuddly toy

kramgo *adj* (-gott) vard. huggable, cuddly

kramp *s* (~en, ~er) i ben, fot etc. cramp; *få* ~ t.ex. i benet be seized with cramp

krampaktig *adj* (~t) med. el. friare, t.ex. gråt spasmodic, convulsive; ~*t försök* desperate effort; *hålla sig ~t fast i ngt* hold on tight to sth

kramplösande *adj* (oböjl.), ~ [*medel*] antispasmodic

krampryckning *s* (~en, ~ar) spasm, twitch

kramsnö *s* (~n) wet (packed) snow

kran *s* (~en, ~ar) **1** vatten~, gas~ etc. tap, cock; amer. faucet; lyft~ crane **2** vard., näsa snout, conk

kranbil *s* (~en, ~ar) crane lorry (truck)

kranförare *s* (~n, =) crane operator

kranium *s* (kraniet, kranier) anat. skull; vetensk. cranium (pl. craniums el. crania)

krans *s* (~en, ~ar) blomster~, lager~, ornament o.d. wreath, garland; vid begravning [funeral] wreath; ringformigt föremål ring äv. bakverk; krets, ring circle, ring

kranskärl *s* (~et, =) coronary artery

kransnedläggning *s* (~en, ~ar) wreath-laying [ceremony]

kranvatten *s* (-vattnet) tap water

kras *s* (~et) crack; **gå i ~** go (break) to pieces äv. bildl.; starkare smash to pieces, be smashed [to pieces el. smithereens]; **slå...i ~** break...to pieces, smash...[to pieces el. smithereens]

krasa *vb itr* (~de, ~t) crunch, scrunch

krasch I *interj* crash! **II** *s* (~en, ~er) crash, smash; bildl. äv. collapse, failure

krascha *vb itr* o. *vb tr* (~de, ~t) krossa, krocka o.d. crash, smash; göra bankrutt o.d. smash, go smash; **ett ~t äktenskap** a ruined marriage

kraschlanda *vb itr* (~de, ~t) crash-land

kraschlandning *s* (~en, ~ar) crash-landing

krass *adj* (~t) materialistisk, egoistisk materialistic, self-interested; cynisk cynical; **den ~a verkligheten** harsh reality

krasse *s* (~n) bot., blomster~ nasturtium, Indian cress; krydd~ garden cress

krasslig *adj* (~t) seedy, ...out of sorts

krater *s* (~n, kratrar) crater

krats *s* (~en, ~ar) tekn. scraper

kratsa *vb tr* (~de, ~t) scrape [*ur* out]; riva scratch

kratta I *s* (~n, krattor) **1** redskap rake **2** vard., person clot **II** *vb tr* (~de, ~t) rake

krav *s* (~et, =) allm. demand; anspråk claim; anmaning att betala demand for payment; **ett rättmätigt krav** a legitimate claim; **~ på** t.ex. reformer demand for; starkare insistence on; **höja ~en** raise the standards (requirements); **resa ~ på** begära call for; jur., göra anspråk på claim, lay claim to; **ställa stora ~ på** make great (heavy) demands on; jfr *fordran* o. *fordringar*

kravaller *s pl* riots, disturbances

kravallpolis *s* (~en, ~er) riot police

kravallstaket *s* (~et, =) riot barrier

kravatt *s* (~en, ~er) [neck]tie

kravattnål *s* (~en, ~ar) tiepin

kravbrev *s* (~et, =) demand note; påminnelse reminder

kravla *vb itr* (~de, ~t) crawl; **~ sig upp** a) crawl up [*på* on to] b) mödosamt resa sig struggle to (up on) one's feet

kravlös *adj* (~t) ung. permissive, liberal

kravmärkt *adj* (=) se *miljömärkt*

kraxa *vb itr* (~de, ~t) croak, caw

kraxande *s* (~t, ~n) croaking, cawing; enstaka croak, caw

kreation *s* (~en, ~er) creation

kreativ *adj* (~t) creative

kreativitet *s* (~en) creativity, creativeness

kreatur *s* (~et, =) djur [farm] animal; ~ pl. (nöt~) cattle pl.; **fem ~** nöt~ five head of cattle

kreatursbesättning *s* (~en, ~ar) stock [of cattle]; livestock (endast sg.)

kreatursfoder *s* (-fodret, =) cattle-feed, cattle-fodder

kredit *s* **1** ['--] (oböjl., ett) tillgodohavande credit; bokföringsrubrik Creditor; **debet och ~** debits and credits **2** [-'-] (~en, ~er) credit; förtroende äv. credit rating, standing; **få ~** get (receive) credit; **köpa på ~** buy on credit (on tick)

kreditera *vb tr* (~de, ~t) hand. credit; **~ ett konto med**

ett belopp credit an account with..., credit...to an account

kreditinstitut *s* (~et, =) credit institution (agency)

kreditiv *s* (~et, =) hand. letter of credit

kreditivbrev *s* (~et, =) dipl. credentials pl., letter of credence

kreditkort *s* (~et, =) credit card

kreditkostnader *s pl* extra charges in connection with credit transactions (with loans)

kreditköp *s* (~et, =) credit buying; purchase on credit

kreditmarknad *s* (~en) credit market

kreditnota *s* (~n, -notor) credit note

kreditor *s* (~n, ~er) creditor

kredittid *s* (~en, ~er) period (term) of credit

kreditupplysning *s* (~en, ~ar) credit report (information); sg.

kreditvärdig *adj* (~t) creditworthy, sound

kreditåtstramning *s* (~en, ~ar) credit crunch (squeeze)

krematorium *s* (krematoriet, krematorier) crematori|um (pl. vanl. -a), crematory

kremera *vb tr* (~de, ~t) cremate

kremering *s* (~en, ~ar) cremation

Kreml the Kremlin

kremla *s* (~n, kremlor) bot. Russula lat.

kreol *s* **1** (~en, ~er) person creole, Creole **2** (oböjl.) språk creole

kreosot *s* (~en el. ~et) kem. creosote

Kreta Crete

kretensare *s* (~n, =) Cretan

kreti och pleti *s* (oböjl.) every Tom, Dick and Harry sg.

kretong *s* (~en, ~er) tyg cretonne

krets *s* (~en, ~ar) eg. el. friare circle; ring av saker el. personer äv. ring; område district, se äv. *valkrets*; förenings~, lokalavdelning o.d. branch [organization], district (local) section; tekn., t.ex. ström~ circuit; **en sluten (trängre) ~** några få a narrow circle; ett utvalt sällskap a select few pl.; **i litterära ~ar** in literary circles; **vi rör oss i olika ~ar** we move in different circles (spheres); **i välinformerade ~ar** in well-informed circles (quarters)

kretsa *vb itr* (~de, ~t) circle, move in circles (resp. a circle); om fågel wheel, circle; **~ kring ngt** om planet o.d. revolve round (orbit) sth; **hans tankar ~de alltid kring** arbetet his thoughts were continuously centred on...

kretsgång *s* (~en, ~ar) cyclic (revolving, circular) motion, circle; bildl., t.ex. historiens, livets round; jfr *kretslopp*

kretskort *s* (~et, =) elektr. printed circuit card

kretslopp *s* (~et, =) t.ex. blodets circulation; t.ex. jordens revolution, orbit; **årstidernas ~** the cycle (return) of the seasons

krevad *s* (~en, ~er) explosion, burst

krevera *vb itr* (~de, ~t) explode, burst; **~ av ilska** explode with rage

kricket *s* (~en) cricket

kricketgrind *s* (~en, ~ar) wicket

kricketspelare *s* (~n, =) cricketer

krig *s* (~et, =) war; krigföring warfare; **det kalla ~et** the cold war; **~et mot narkotikan (brottsligheten)** bildl. the war on drugs (against crime); **öppet ~** open warfare; **starta ~ mot** start a (go to) war against;

föra ~ mot make (wage) war against; **förklara ett land ~** declare war [up]on a country; **vara (ligga) i ~ med** be at war with; **vara med i ~et** serve (fight, be) in the war

kriga *vb itr* (~de, ~t) föra krig make war; strida, slåss fight [*mot* against]

krigare *s* (~n, =) soldier; litt. el. åld. warrior

krigförande *adj* (oböjl.) belligerent; **~ makt** belligerent [power], power at war; **de ~** the belligerents

krigföring *s* (~en, ~ar), **~[en]** warfare

krigisk *adj* (~t) om folk, sinnelag o.d. warlike, martial, bellicose

krigsbyte *s* (~t, ~n) booty, loot; trofé war-trophy

krigsdans *s* (~en, ~er) war dance

krigsfara *s* (~n) danger of war

krigsfartyg *s* (~et, =) warship, man-of-war (pl. men-of-war)

krigsfilm *s* (~en, ~er) war movie

krigsflotta *s* (~n, -flottor) sjövapen navy; samling fartyg battle (armed) fleet

krigsfånge *s* (~n, -fångar) prisoner of war (förk. POW); hist. war captive

krigsförbrytare *s* (~n, =) war criminal

krigsförbrytartribunal *s* (~en, ~er) war crimes tribunal; **~en i Haag** International Criminal Tribunal for the former Yugoslavia (förk. ICTY)

krigsförbrytelse *s* (~n, ~r) war crime

krigsförklaring *s* (~en, ~ar) declaration of war

krigshandling *s* (~en, ~ar) polit. act of war

krigsherre *s* (~n, -herrar) litt. warlord

krigshetsare *s* (~n, =) warmonger

krigshistoria *s* (-historien) military history

krigshärjad *adj* (-härjat, ~e) war-torn, ...devastated by war

krigsinvalid *s* (~en, ~er) disabled soldier, war cripple

krigskonst *s* (~en, ~er), **~[en]** the art of war (warfare); ngns strategy

krigskorrespondent *s* (~en, ~er) war correspondent

krigslag *s* (~en, ~ar) military law; **de internationella ~arna** the international rules of warfare

krigslist *s* (~en) stratagem äv. bildl.

krigsmakt *s* (~en, ~er), **~en** the armed (fighting) forces pl. (services pl.), jfr äv. *försvarsmakt*

krigsmateriel *s* (~en) war equipment, munitions pl.

krigsmålning *s* (~en, ~ar) indians o.d. warpaint; kvinnas, skämts. äv. heavy make-up

krigsorsak *s* (~en, ~er) cause of war, casus belli (pl. lika) lat.

krigsplacering *s* (~en, ~ar) mil. posting in case of war, wartime posting

krigspropaganda *s* (~n) war propaganda

krigsrisk *s* (~en) danger (risk) of war; försäkr. war risk[s pl.]

krigsråd *s* (~et, =), **hålla ~** hold a council of war

krigsrätt *s* (~en) domstol court martial (pl. courts martial, court martials), military tribunal (court); **ställas inför ~** be court-martialled

krigsskadad *adj* (-skadat, ~e) om person [war] disabled

krigsskadeförsäkring *s* (~en, ~ar) war risk[s] insurance

krigsskadestånd *s* (~et, =) reparations pl. [for war damages], war indemnity

krigsskådeplats *s* (~en, ~er) theatre (seat) of war, theatre of operations

krigsslut *s* (~et, =) end of the war

krigsspel *s* (~et, =) war game äv. mil.

krigsstigen *s* (best. sing.), **vara på ~** be on the warpath [*mot* against]

krigstid *s* (~en, ~er) wartime; **i ~** in wartime; **i ~er** in [times of] war

krigstillstånd *s* (~et, =) state of war; **i ~** in a state of war, at war

krigstjänst *s* (~en) active service; **göra ~** be on active service; **vägra att göra ~** refuse to bear arms

krigsutbrott *s* (~et, =) outbreak of war

krigsveteran *s* (~en, ~er) veteran, ex-service man

krikon *s* (~et, =) bot. bullace

krill *s* (~en) zool. krill (pl. lika)

Krim the Crimea

kriminalare *s* (~n, =) vard. [police] detective, plain-clothes man

kriminalen *s* (best. sing.) vard. the criminal investigation department (förk. the CID)

kriminalfilm *s* (~en, ~er) detective film

kriminalisera *vb tr* (~de, ~t) criminalize, outlaw, make...a criminal offence

kriminalitet *s* (~en) crime; criminality äv. brottslig egenskap; **~en ökar** crime is on the increase

kriminalkommissarie *s* (~n, ~r) ung. detective superintendent; lägre detective chief inspector

kriminalpolis *s* **1** (~en), **~en** the criminal investigation department (förk. the CID) **2** (~en, ~er) [police] detective

kriminalregister *s* (-registret, =) se *belastningsregister*

kriminalroman *s* (~en, ~er) detective story (novel)

kriminalvård *s* (~en) correctional treatment for offenders

Kriminalvårdsstyrelsen i Sverige the National [Swedish] Prisons and Probation Administration; i Storbr. the Prison Commission (Commissioners pl.); i USA the Federal Bureau of Prisons

kriminell *adj* (~t) criminal

kriminologi *s* (~n) criminology

krimskrams *s* (~et) knick-knacks pl., trumpery, showy ornaments pl.

kring I *prep* (jfr äv. *omkring I* o. *2 om I*) **1** [runt] om vanl. round; speciellt amer. around; [i trakten] omkring, äv. friare om tid, mått etc. [round] about; omgivande surrounding; **kretsa ~ solen** revolve round (about, amer. around) the sun; **~ jul** [round] about Christmas; **~ noll** round about...; **~ klockan sju** at about...; **mystiken ~ försvinnandet** the mystery surrounding... **2** om, angående about, concerning; **en debatt (tankar) ~ ett ämne** a debate (thoughts) on... **II** *adv* se *omkring II*

kringboende *s* (en ~, pl. =), **de ~** those living around; grannarna the neighbours

kringbyggd *adj* (-byggt) om gård o.d. ...surrounded (shut in) by buildings

kringfartsled *s* (~en, ~er) trafik. ring road; amer. beltway

kringflackande *adj* (oböjl.), **föra ett ~ liv** ströva (irra) omkring lead a wandering (roving) life, wander

kringgå *vb tr* (-gick, -gått) lagen, reglerna evade, circumvent; en bestämmelse o.d. äv. get round; **~ frågan**

evade (sidestep) the question, evade (shirk, dodge) the issue

kringgärda *vb tr* (~de, ~t) omge fence (hedge) in, enclose; inskränka, t.ex. ngns frihet circumscribe, restrict; *~d med* (*av*) restriktioner surrounded (hedged in) by...

kringla *s* (~n, kringlor) **1** kok., salt~ pretzel; vete~ ung. twist bun **2** på skidstav disc

kringliggande *adj* (oböjl.) omgivande surrounding

kringresande *adj* (oböjl.) travelling, touring; om teatersällskap o.d. äv. itinerant, strolling

kringsnack *s* (~et) vard. discussion; tomprat empty talk, chatter [*om ngt* about (around) sth]

kringspridd *adj* (-spritt) o. **kringströdd** *adj* (-strött) ...scattered about; *ligga ~*[*a*] *i rummet* be scattered about the room

kringstående *adj* (oböjl.) ...standing round; *de ~* [*personerna*] those standing round, the bystanders

kringutrustning *s* (~en, ~ar) peripheral equipment, peripherals pl.

kringvandrande *adj* (oböjl.) strolling, itinerant

krinolin *s* (~en, ~er) klänning crinoline

kris *s* (~en, ~er) crisis (pl. crises); ekon. äv. depression

krisa *vb itr* (~de, ~t), *~ ihop* have a nervous breakdown; *det håller på att ~ till sig* things are getting into a mess (becoming critical)

krisartad *adj* (-artat, ~e) critical, ...resembling a crisis

krisdrabbad *adj* (-drabbat, ~e) ...hit by a crisis (depression depression)

krisläge *s* (~t, ~n) crisis (pl. crises), critical state

krismöte *s* (~t, ~n) emergency meeting

krispig *adj* (~t) crispy; om vin crisp

krispolitik *s* (~en) policy to meet (combat) the crisis; friare emergency measures pl.

krissituation *s* (~en, ~er) critical situation

kristall *s* (~en, ~er) crystal; glas äv. cut glass; vas *av ~* crystal..., cut-glass...; *bilda ~er* form crystals, crystallize

kristallglas *s* (~et, =) att dricka ur crystal glass

kristalliseras *vb itr dep* (kristalliserades, kristalliserats) crystallize [*till into*]

kristallisering *s* (~en, ~ar) crystallization

kristallklar *adj* (~t) crystal-clear, ...as clear as crystal

kristallkrona *s* (~n, -kronor) cut-glass chandelier

kristallkula *s* (~n, -kulor) crystal [ball]

kristallvas *s* (~en, ~er) crystal vase, cut-glass vase

kristdemokrat *s* (~en, ~er) polit. Christian Democrat

Kristdemokraterna *s pl* i Sverige the [Swedish] Christian Democrats

kristen I *adj* (kristet, kristna) Christian; *den kristna världen* äv. Christendom; *vara ~* be a Christian **II** *s* (en ~, pl. kristna) Christian

kristendom *s* (~en), *~*[*en*] Christianity

kristenhet *s* (~en), *~*[*en*] Christendom

kristid *s* (~en, ~er) time (period) of crisis; ekon. äv. [time (period) of] depression, slump

Kristi Himmelsfärdsdag Ascension Day

kristlig *adj* (~t) kristen Christian; lik Kristus, t.ex. om sinnelag Christlike; friare Christianly, charitable; *göra ett ~t byte* vard. make a fair exchange

kristna *vb tr* (~de, ~t) omvända Christianize

Kristus Christ; *efter ~* (förk. *e.Kr.*) AD (förk. för Anno Domini); *före ~* (förk. *f.Kr.*) BC (förk. för before

Christ); *år 40 före* (resp. *efter*) *~* the (adv. in the) year 40 BC (resp. AD)

krita I *s* (~n, kritor) **1** chalk; färg~ crayon; *en* [*bit*] *~* a [piece (stick) of] chalk; *en ask kritor* a box of chalks (resp. crayons) **2** *ta på ~* vard. buy on tick; *när det kommer till kritan* when it comes to it (the crunch, the point) **3** geol. the Cretaceous **II** *vb tr* (~de, ~t) chalk

kriterium *s* (kriteriet, kriterier) criter|ion (pl. -ia) [*på* of]

kritik *s* (~en) bedömning criticism; klander äv. censure; *~en* kritikerna the critics, the reviewers (båda pl.); *få dålig* (*bra*) *~* be unfavourably (favourably) reviewed; vard. have a bad (good) write-up; *under all ~* beneath contempt

kritiker *s* (~n, =) critic; recensent äv. reviewer

kritikerrosad *adj* (-rosat, ~e) ...highly praised (acclaimed) by the critics

kritiklös *adj* (~t) uncritical; utan urskillning äv. indiscriminate

kritisera *vb tr* (~de, ~t) **1** klandra criticize, censure, find fault with, pass strictures on; småaktigt carp at; *du ska då alltid ~* you are always finding fault **2** recensera review

kritisk *adj* (~t) bedömande, klandrande, avgörande critical; avgörande äv. crucial; *~ situation* critical situation; nödläge äv. emergency

kritklippa *s* (~n, -klippor) chalk cliff

kritperioden *s* (best. sing.) se *krita I 3*

kritstrecksrandig *adj* (~t) pinstriped; *~ kostym* pinstripe [suit]

kritvit *adj* (-vitt) ...[as] white as chalk (i ansiktet as a sheet), snow-white

kroat *s* (~en, ~er) Croat

Kroatien Croatia

kroatisk *adj* (~t) Croatian

kroatiska *s* (jfr *svenska*) **1** (~n, kroatiskor) kvinna Croatian woman **2** (~n) språk Croatian

krock *s* (~en, ~ar) **1** bil~ o.d. collision, crash **2** mellan t.ex. tv-program clash

krocka *vb itr* o. *vb tr* (~de, ~t) **1** om bil o.d. crash; *~ med ngt* collide with sth, run (crash, smash, lätt bump) into sth; *bilarna ~de* the cars collided (ran etc. into each other) **2** om t.ex. tv-program clash **3** i krocket roquet; *~* [*bort*] croquet

krocket *s* (~en) croquet

krocketklot *s* (~et, =) croquet ball

krocketklubba *s* (~n, -klubbor) croquet mallet

krocketspel *s* (~et, =) croquet; konkr. croquet set

krockskadad *adj* (-skadat, ~e) attr. ...[that has (resp. had) been] damaged in a collision

krocksäker *adj* (~t, -säkra) crashworthy

krog *s* (~en, ~ar) restaurang restaurant; värdshus o.d. inn, tavern

krogliv *s* (~et) restaurant life

krognota *s* (~n, -notor) restaurant bill (amer. check)

krogrunda *s* (~n, -rundor) pub-crawl; *gå en ~* go on a pub-crawl, go on the spree; amer. go on a drinking spree

krok *s* (~en, ~ar) **1** hake, häng~, met~ etc. hook äv. boxn.; *lägga ut sina ~ar för ngn* spread one's net for (try to catch) sb; *nappa på ~en* bildl. swallow (rise to) the bait **2** krök[ning] bend, curve, turn; vindling winding; *gå i ~ar* om väg o.d. wind **3** vard., *här i ~arna* in these

kroka *vb tr* (~de, ~t) hook; **~ av** unhook; **~ på** hook on; **~ upp** hook up

krokan *s* (~en, ~er) kok. croquembouche fr.

krokben *s* (~et), **sätta ~ för ngn** eg. trip sb up, put obstacles in the way of sb; bildl. upset sb's plans

krokett *s* (~en, ~er) kok. croquette

kroki *s* (~n, ~er) konst., skiss croquis (pl. lika); teckning efter levande modell life-drawing

krokig *adj* (~t) crooked; i båge curved; böjd bent; **~a** deformerade **fingrar** gnarled fingers; **~ näsa** hooked nose; **~ väg** curved (winding) road

krokighet *s* (~en, ~er) crookedness; curvature

krokna *vb itr* (~de, ~t) bågna bend; bli krokig get crooked (etc., jfr *krokig*); vard. el. sport., tappa orken fold up

kroknäst *adj* (=) hook-nosed

krokodil *s* (~en, ~er) crocodile

krokodiltårar *s pl* crocodile tears; **gråta ~** shed (weep) crocodile tears

krokryggig *adj* (~t) stooping, bent; **vara ~** have a stoop, be round-shouldered, hunch one's shoulders

kroksabel *s* (~n, -sablar) scimitar

krokus *s* (~en, ~ar) bot. crocus (pl. crocuses el. croci)

krokväg *s* (~en, ~ar) omväg roundabout (circuitous) way; **gå en ~** äv. go a long way round; **gå ~ar** bildl. use underhand means (methods)

krom *s* (~et el. ~en) chromium

kromatisk *adj* (~t) fys. el. mus. chromatic

kromgult *s* (oböjl.) chrome yellow

kromosom *s* (~en, ~er) biol. chromosome

krona *s* (~n, kronor) **1** kunga~, brud~ o.d. el. träd~ el. tand~ crown; blom~ corolla; träd~ äv. [tree]top, head; horn~ antlers pl.; på hjortdjur head; ljus~, tak~ chandelier; **~ eller klave** heads or tails; **kasta ~ och klave om ngt** toss for sth; **sätta ~n på verket** supply the finishing touch; **vara ~n på verket** be the crowning glory **2 ~n** kungamakten, staten the Crown; **~ns egendom** State (Crown, Government) property **3** svenskt mynt [Swedish] krona (pl. kronor); ibland Swedish crown (förk. SKr. resp. Sw. cr. el. SEK)

kronblad *s* (~et, =) bot. petal

krondill *s* (~en) dillkronor heads pl. of dill

kronhjort *s* (~en, ~ar) red deer (pl. lika); hane äv. stag

kroniker *s* (~n, =) med. chronic invalid, chronic

kronisk *adj* (~t) chronic

kronjuveler *s pl* Crown jewels

kronkoloni *s* (~n, ~er) crown colony

kronkurs *s* (~en, ~er) ekon. [Swedish] krona rate

kronofogde *s* (~n, -fogdar) head of an (resp. the) enforcement district; lägre senior enforcement officer

kronofogdemyndighet *s* (~en, ~er) enforcement service

kronologi *s* (~n) chronology

kronologisk *adj* (~t) chronological

kronometer *s* (~n, kronometrar) chronometer

kronopark *s* (~en, ~er) crown (state) forest area

kronprins *s* (~en, ~ar) crown prince; **engelska ~en** vanl. the Prince of Wales

kronprinsessa *s* (~n, -prinsessor) crown princess; **engelska ~n** vanl. the Princess of Wales

krontal *s* (~et, =), **utjämna...till närmast högre ~** round...off upwards to the nearest krona

kronvittne *s* (~t, ~n), **bli ~** vittne mot medbrottsling (i Storbr.) turn King's (resp. Queen's, i USA State's) evidence

kronärtskocka *s* (~n, -skockor) [globe] artichoke

kronärtskocksbotten *s* (-bottnen el. =, -bottnar) artichoke bottom

kronärtskockshjärta *s* (~t, ~n) artichoke heart

kropp *s* (~en, ~ar) body äv. fys., matem. o.d.; bål äv. trunk; slakt. carcass, carcase; **fast ~** fys. solid; **främmande ~** foreign body; **närmast ~en** next to the skin; **våt inpå bara ~en** wet to the skin; **darra** (**ha ont**) **i hela ~en** shake (have aches and pains) all over; **ha utslag över hela ~en** have spots (a rash) all over [one's body]; **till ~ och själ** in mind and body

kroppkaka *s* (~n, -kakor) kok. potato dumpling [stuffed with chopped pork]

kroppsansträngning *s* (~en, ~ar) physical exertion

kroppsarbetare *s* (~n, =) manual labourer (worker)

kroppsarbete *s* (~t, ~n) manual labour (work)

kroppsbyggare *s* (~n, =) body-builder

kroppsbyggnad *s* (~en) build, physique, bodily constitution; **en person med grov** (**spenslig**) **~ a** strongly (slenderly) built person, a person of a powerful (slender) build

kroppsdel *s* (~en, ~ar) part of the body

kroppsfixering *s* (~en, ~ar) fixation with (on) one's own body

kroppshydda *s* (~n, -hyddor) body

kroppskontakt *s* (~en, ~er) bodily (physical) contact

kroppskrafter *s pl* physical strength sg.

kroppskultur *s* (~en) physical culture

kroppslig *adj* (~t) bodily, physical

kroppslängd *s* (~en) height, stature

kroppsnära *adj* (oböjl.) om t.ex. klädesplagg body-hugging, figure-hugging

kroppspulsåder *s* (~n, -ådror), **stora ~n** the aorta

kroppsskada *s* (~n, -skador) physical injury; jur. bodily harm

kroppsskanning *s* (~en, ~ar) body scanning

kroppsspråk *s* (~et) body language

kroppsställning *s* (~en, ~ar) posture

kroppstemperatur *s* (~en, ~er) body temperature

kroppstyngd *s* (~en) weight [of the (one's) body]

kroppsuppfattning *s* (~en, ~ar) psykol. body image

kroppsvisitation *s* (~en, ~er) body search; vard. frisk

kroppsvisitera *vb tr* (~de, ~t) body search; vard. frisk

kroppsvärme *s* (~n) body (animal) heat

kroppsövningar *s pl* physical exercises (training sg.)

kross *s* (~en, ~ar) crusher, crushing mill (machine); sten~ stone crusher

krossa *vb tr* (~de, ~t) crush, grind; slå sönder break, smash [up], dash [...to pieces], shatter; förstöra wreck; benet **~des** ...was crushed; **~ ngns hjärta** break sb's heart; **~ ngns makt** break (shatter) sb's power; **~ allt motstånd** crush all resistance

krossår *s* (~et, =) bruise, contusion

kroton *s* (oböjl., en) bot. croton

krubb *s* (~et) vard., mat grub, nosh

krubba I *s* (~n, krubbor) manger, crib; jul~ crib **II** *vb itr* (~de, ~t) vard., äta have some grub (a nosh), stoke up

krucifix *s* (~et, =) crucifix

kruka *s* (~n, krukor) **1** blom~ o.d. pot; sylt~ o.d. äv. jar; vatten~ o.d. pitcher **2** person, vard. coward

krukmakare *s* (~n, =) potter

krukmakeri *s* (~et, ~er) pottery

krukväxt *s* (~en, ~er) potted plant, pot-plant

krulla I *vb tr* (~de, ~t) curl; hår äv. frizz[le] **II** *vb rfl* (~de, ~t), **~ sig** curl; om hår äv. frizz[le]

krullig *adj* (~t) curly; tätare kinky, frizzy; kort och småkrulligt woolly

krumbukt *s* (~en, ~er), **utan ~er** omsvep vanl. straight out, in so many words, with the wrappings off

krumbukta *vb rfl* (~de, ~t), **~ sig** ringla wind; svansa fawn [*för* on]; göra omsvep dodge, shuffle

krumelur *s* (~en, ~er) snirkel flourish, curlicue; oläslig signatur o.d. squiggle; 'gubbe', figur doodle; förstrött *rita ~er* doodle

krumsprång *s* (~et, =) caper, gambol; **göra ~** caper [about], gambol, frisk

krupp *s* (~en) med. croup; **falsk ~** false croup

1 krus *s* (~et, =) kärl jar; av flasktyp med handtag jug; vatten~ o.d. pitcher; [öl]sejdel mug; med lock tankard [alla med Of framför följande ord]

2 krus *s* (~et) krusande ceremony; trugande pressing; **utan ~** without [any] ceremony; utan vidare without [any] further ado

krusa I *vb tr* (~de, ~t) curl, crisp; hår äv. frizzle; vattenyta ripple, stir; rynka, t.ex. tyg ruffle **II** *vb rfl* (~de, ~t), **~ sig** curl, crisp; om hår äv. frizzle; om vattenyta ripple, stir; rynka, t.ex. tyg ruffle **III** *vb tr* o. *vb itr* (~de, ~t), **~ [för] ngn** ställa sig in, fjäska make up to sb, curry favour with sb

krusbladig *adj* (~t), **~ persilja** curly-leaf parsley

krusbär *s* (~et, =) gooseberry

krusbärsbuske *s* (~n, -buskar) gooseberry bush

krushårig *adj* (~t) frizzy[-haired], curly-headed

krusiduller *s pl* [superfluous] ornaments; byggn. gingerbread work sg.; i skrift flourishes, curlicues; bildl. frills; **utan ~** no frills; rakt på sak straight out, in so many words

krusig *adj* (~t) curly; krulligt, om hår äv. kinky, tätare frizzy; bot. curled, wrinkled; om vattenyta rippled

kruska *s* (~n) 'kruska', [kind of] porridge made of bran, oats, raisins etc.

kruskål *s* (~en) [curled] kale, borecole

krusmynta *s* (~n) bot. [curled] mint

krusning *s* (~en, ~ar) på vattenyta ripple

krustad *s* (~en, ~er) kok. croustade fr.

krut *s* (~et) **1** gunpowder, powder; **det är ~ i honom** vard. he has got some go (pep) **2** ont **~ förgås inte så lätt** ordspr. ill weeds grow apace, evil weeds never wither

krutdurk *s* (~en, ~ar) powder magazine; **sitta på en ~** bildl. sit on top of a volcano (powder keg)

krutgubbe *s* (~n, -gubbar) vard. tough old boy

krutgumma *s* (~n, -gummor) vard. tough old girl

krutrök *s* (~en) gunpowder smoke

kruttunna *s* (~n, -tunnor) powder keg

krux *s* (~et, =) crux (pl. cruxes el. cruces); **det är det som är ~et!** there's (that's) the snag (crunch)!

kry *adj* (krytt) well (vanl. pred.), fit; återställd recovered; i fråga om äldre person hale [and hearty]; jfr vidare *frisk*

krya *vb itr* (~de, ~t), **~ på sig** get better, recover, pick up; **~ på dig!** get well soon!

krycka *s* (~n, kryckor) crutch; käpp~ handle, crook;

gå på kryckor walk on crutches; bildl. be limping along

krydda I *s* (~n, kryddor) växtprodukt spice äv. bildl.; smakförhöjande tillsats, speciellt salt o. peppar seasoning, flavouring (samtliga äv. **kryddor** i koll. bemärkelse); bords~ condiment; **ge en extra ~ åt** add (give, lend) [a] zest to **II** *vb tr* (~de, ~t) speciellt med salt o. peppar season; med andra kryddor spice äv. bildl.; smaksätta flavour; **~ efter smak** i recept add seasoning to taste; **~ sitt tal med** spice (interlard) one's speech with; **~d med timjan** flavoured with thyme

kryddburk *s* (~en, ~ar) spice-jar

kryddhylla *s* (~n, -hyllor) spice-rack

kryddnejlika *s* (~n, -nejlikor) clove

kryddost *s* (~en, ~ar) seed-spiced (clove-spiced) cheese

kryddpeppar *s* (~n) allspice

kryddstark *adj* (~t) spicy, strongly (highly) seasoned; jfr *krydda II*

kryddväxt *s* (~en, ~er) aromatic plant, herb; speciellt exotisk spice[-plant]

krylla *vb itr* (~de, ~t), **det ~de av myror** på platsen the place was alive (teeming, crawling) with ants; **stranden ~de av folk** the beach was swarming with people

krympa *vb tr* o. *vb itr* (krympte, krympt) shrink; **krympt** krympfribehandlad preshrunk; **~ ihop** shrink [up], dwindle; förminskas äv. contract

krympfri *adj* (-fritt) unshrinkable; krympfribehandlad preshrunk, shrinkproof; **garanterat ~** guaranteed not to shrink

krympling *s* (~en, ~ar) åld. cripple

krympmån *s* (~en) allowance for shrinkage; **beräkna (ta hänsyn till) ~** allow for shrinkage

krympning *s* (~en, ~ar) shrinkage

kryp *s* (~et, =) creepy-crawly; neds., om person creep; insekt insect äv. friare om person

krypa I *vb itr* (kröp, krupit) crawl; tyst o. försiktigt creep; om barn crawl; om växt creep, trail; **~ [fram]** äv. go at a crawl; **tåget kröp fram** över slätten the train crawled (went at a crawl)...; **timmarna kröp fram** the hours crept (crawled) by; **~ för ngn** bildl. cringe (grovel) to sb, fawn on sb; **det kryper i mig när jag ser det** it gives me the creeps (makes my flesh creep) to see it; **~ i säng** crawl into bed; **~ till korset** humble oneself, eat humble pie, kiss the rod **II** med beton. part.

krypa bakom t.ex. en buske creep (gömma sig hide) behind...

krypa fram komma fram come out äv. bildl.

krypa ihop t.ex. i soffan, ett hörn huddle [oneself] up, nestle up; huka sig, kura crouch; av fruktan o.d. cower

krypa in t.ex. genom fönstret (smygande) creep in; **~ in i sitt skal** bildl. shrink (retire) into oneself (one's shell)

krypa intill ngn cuddle (huddle) up against sb

krypa ner [*i* sängen] nestle down (cuddle up) [in...]

krypa omkring om barn crawl about (around)

krypa upp [*i* soffhörnet o.d.] huddle [in...]; för att mysa curl up [in...]

krypande *adj* (oböjl.) crawling, creeping etc., jfr *krypa*; om känsla äv. creepy; bildl., lismande o.d. cringing, fawning, obsequious

kryperi *s* (~et, ~er) cringing [and fawning], obsequiousness (båda endast sg.)

krypfil *s* (~en, ~er) slow (crawler) lane; amer. truck (creeper) lane

krypgrund *s* (~en, ~er) byggn. crawlspace, crawl space

kryphål *s* (~et, =) bildl. loophole

krypin *s* (~et, =) gömställe, hål nest, hole; vrå nook, corner; lya den; **ett eget ~** a place of one's own

krypköra *vb itr* (-körde, -kört) edge along [by using clutch and accelerator]

krypskytt *s* (~en, ~ar) sniper

krypskytte *s* (~t) sniping

krypta *s* (~n, kryptor) crypt

kryptisk *adj* (~t) cryptic

krypto *s* (~t, ~n) crypto

kryptogam bot. **I** *s* (~en, ~er) cryptogam **II** *adj* (~t) cryptogamous, cryptogamic

krysantemum *s* (~en, =) chrysanthemum; vard. chrysant

kryss *s* (~et, =) **1 a)** kors cross; vid tippning draw; **sätta ~ för** mark...with a cross, på t.ex. lista put a cross against **b)** korsord crossword **c)** sport. top corner of the goal **2** sjö. **a)** segling mot vinden windward sailing, beating, tacking **b)** utan bestämd kurs cruising; **ligga på ~** se *kryssa 1*

kryssa *vb itr* (~de, ~t) **1** sjö. **a)** segla mot vinden sail (beat) to windward, beat, tack **b)** segla omkring el. företa långfärd (om turistfartyg o.d.) cruise; [**ligga och**] **~** t.ex. i skärgården be [out] cruising, sail to and fro **2** friare: röra sig i sicksack walk (go, hit come) zigzag, zigzag; **~ sig fram genom** weave o.'s way through **3 ~ för** markera mark...with a cross, på t.ex. lista put a cross against

kryssare *s* (~n, =) cruiser; se äv. *havskryssare*

kryssning *s* (~en, ~ar) långfärd cruise

kryssningsfartyg *s* (~et, =) cruise liner

kryssningsrobot *s* (~en, ~ar) mil. cruise missile

kryssvalv *s* (~et, =) arkit. cross-vault[ing]

krysta *vb itr* (~de, ~t) vid avföring strain [at stool]; vid förlossning bear down; **~ fram en ursäkt** come out with a lame excuse

krystad *adj* (krystat, ~e) tvungen, sökt strained, laboured, forced

krystning *s* (~en, ~ar), **~ar** strain, abdominal pressure; vid förlossning bearing down (samtliga sg.)

krystvärkar *s pl* bearing-down contractions

kråka *s* (~n, kråkor) **1** fågel crow; **hoppa ~** hop; **elda för kråkorna** ung. let the fire go up the chimney **2** märke tick; signatur signature; initialer initials **3** vard., snorkråka bogie

kråkfötter *s pl* dålig handstil scrawl sg.

kråkslott *s* (~et, =) old dilapidated mansion

kråksång *s* (~en), **det är det fina i ~en** that is [just] the beauty of it

kråma *vb rfl* (~de, ~t), **~ sig** prance [about]; om person äv. strut (swagger) [about], preen oneself

krångel *s* (krånglet) besvär, bråk trouble, fuss, bother, hassle; svårigheter, invändningar difficulties pl.; olägenhet inconvenience; förvecklingar complications pl.; **det är något ~ med motorn** there is something wrong with the engine

krångla I *vb itr* (~de, ~t) **1** ställa till krångel make a fuss; göra svårigheter el. invändningar make (raise) difficulties, be awkward; förorsaka besvär give (cause) trouble **2** 'klicka' o.d., om t.ex. motor, radio go wrong; om t.ex. lås, broms jam; **magen, motorn ~r** there is

something wrong with...
II med beton. part.

krångla sig ifrån ngt slingra sig undan dodge (wriggle out of, shirk, get out of) sth

krångla sig igenom ngt get through sth in one way or other, muddle through sth

krångla till t.ex. en fråga: röra till make a mess (a muddle) of; göra invecklad complicate

krångla sig undan ngt se *krångla sig ifrån ngt* ovan

krångla sig ur t.ex. en situation, ngns grepp wriggle out of

krånglig *adj* (~t) svår difficult, hard; svårlöst äv. knotty, ticklish; invecklad complicated, intricate; besvärlig (äv. om person) troublesome, trying; dålig, svag, t.ex. om mage weak, jfr äv. *krångla*

1 krås *s* (~et, =) gås~ o.d. giblets pl.; **smörja ~et** gorge oneself

2 krås *s* (~et, =) på kläder ruffle, frill

kråsnål *s* (~en, ~ar) breastpin

kräfta *s* (~n, kräftor) **1** zool. crayfish, crawfish; båda äv. koll. *kräftor*; **vara** (**bli**) **röd som en** [**kokt**] **~** look (become) as red as a lobster; **fiska** (**fånga**) **kräftor** catch crayfish **2** med. cancer; bot. el. bildl. canker **3** astrol., **Kräftan** Cancer; **han är ~** he is [a] Cancer

kräftdjur *s pl*, **~en** [the] crustaceans

kräftfiske *s* (~t, ~n) crayfishing

kräftgång *s* (~en), **gå ~** move backwards

kräfthåv *s* (~en, ~ar) crayfish net

kräftpest *s* (~en) parasitic mould [which attacks crayfish]

kräftskiva *s* (~n, -skivor) crayfish party

kräftstjärt *s* (~en, ~ar) crayfish tail

kräk *s* (~et, =) neds. bastard; amer. äv. jerk; knöl, fä brute, animal

kräkas I *vb itr dep* (kräktes, kräkts) vomit; vard. throw up; britt. äv. be sick; amer. äv. be sick at (to, in) one's stomach; **det är så man kan ~** [**åt det**] vard. it is enough to make you (one) sick (puke) **II** *vb tr dep* (kräktes, kräkts), **~** [**upp**] throw up, vomit; **~ blod** vomit blood

kräkla *s* (~n, kräklor) kyrkl. crosier, crozier

kräkmedel *s* (-medlet, =) med. emetic

kräkning *s* (~en, ~ar), **~ar** vomiting; kräkningsanfall attack of vomiting (båda sg.)

kräla *vb itr* (~de, ~t) **1** krypa crawl, creep; **~ i stoftet** bildl. grovel [in the dust] **2 ~** [**av ngt**] se *krylla*

kräldjur *s* (~et, =) reptile

kräm *s* (~en, ~er) **1** allm. cream; jfr *skokräm, tandkräm* etc.; maträtt, se *fruktkräm* **2** vard., elström juice

krämare *s* (~n, =) shopkeeper, tradesman

krämfärgad *adj* (-färgat, ~e) o. **krämgul** *adj* (~t) cream-coloured

krämig *adj* (~t) creamy

krämpa *s* (~n, krämpor) ailment; **de vanliga krämporna** vard. the usual aches and pains; **ålderdomens krämpor** the infirmities of old age

kränga I *vb tr* (krängde, krängt) **1** mödosamt dra, t.ex. en tröja över huvudet force; **~ av** [**sig**] pull off, wriggle out of **2** vard., sälja flog **II** *vb itr* (krängde, krängt) sjö. heel [over], careen; slänga, om bil, flygplan o.d. sway

krängning *s* (~en, ~ar) heeling, careening, swaying; jfr *kränga II*

kränka *vb tr* (kränkte, kränkt) bryta mot violate; överträda, inkräkta på infringe; förorätta wrong, injure äv. såra; förolämpa offend, insult; **~ svenskt luftrum**

violate Swedish air territory; **kränkt** förolämpad offended etc., hurt [in one's feelings]; **känna sig kränkt över ngt** äv. take offence at (resent) sth

kränkande *adj* (oböjl.) förolämpande insulting; om yttrande äv. offensive, outrageous; om tillmäle abusive

kränkning *s* (~en, ~ar) violation; t.ex. av ngns rättigheter infringement; t.ex. av fördrag infraction [*av* i samtliga fall of]; offence [*av* against]; insult [*av* to]

kräpp *s* (~en) crêpe fr., crepe; krusflor crape

kräppad *adj* (kräppat, ~e) crinkled

kräppapper *s* (~et el. -pappret, =) crêpe paper, crinkled paper

kräppnylon *s* (~et el. ~en) stretch nylon

kräsen *adj* (kräset, kräsna) fastidious, particular; vard. choosy [*på* i samtliga fall about]; om smak o.d. discriminating; **en ~ publik** a discriminating public; **vara ~** äv. be hard to please

1 kräva *s* (~n, krävor) zool. crop, craw

2 kräva *vb tr* (krävde, krävt) **1** fordra (jfr d.o. med ex.) **a)** med personsubj.: begära demand; resa krav på call for; jur. claim; yrka på insist [up]on; absolut fordra exact; **~ för mycket av livet** ask too much of life **b)** med saksubj.: behöva, erfordra require, demand, exact; påkalla call for; t.ex. ngns uppmärksamhet äv. claim; ta i anspråk, t.ex. tid take; **rättvisan kräver att vi...** justice requires us to + inf. **2** fordra betalning av, **~ ngn [på betalning]** demand payment from sb, request sb to pay **3** kosta, **olyckan krävde tre liv** the accident claimed the lives of three people

krävande *adj* (oböjl.) om arbete, uppgift o.d. exacting; mödosam, svår arduous, heavy, hard; påfrestande, t.ex. om tid trying; **en ~ uppgift** äv. a demanding task, a task that makes demands

krävas *vb itr dep* (krävdes, krävts) behövas be needed etc., jfr *behövas*; **det krävs mycket av honom** great demands are made on him

krögare *s* (~n, =) värdshusvärd innkeeper; källarmästare restaurant keeper, restaurateur

krök *s* (~en, ~ar) bend; av väg, flod o.d. äv. curve, winding; sväng turn

1 kröka I *vb tr* o. *vb itr* (krökte, krökt) bend; i båge äv. curve; **~ [på]** t.ex. armen, fingret crook, hook; t.ex. ryggen bend; **~ rygg** bildl., om person cringe, kowtow [*för* to] **II** *vb itr* o. *vb rfl* (krökte, krökt) **~ [sig] a)** allm. bend; om väg o.d. äv. curve **b)** bågna, slå sig bend, get bent; bli krokig get crooked

2 kröka *vb itr* (~de, ~t) vard. booze

kröken *s* (best. sing.) vard. booze, liquor; **spola ~** go on the [water] wagon

krökning *s* (~en, ~ar) krökande bending etc., jfr *1 kröka*

krön *s* (~et, =) bergs~ o.d. crest, ridge; mur~ coping; allmännare (högsta del) top; **~et [på en backe]** the brow (top) of a hill

kröna *vb tr* (krönte, krönt) allm. crown; bilda krön (topp) på äv. crest, top, surmount; **~ ngn till kung** crown sb king; **~s med framgång** be crowned with success, be successful

krönika *s* (~n, krönikor) chronicle; annaler äv. annals pl.; friare, t.ex. vecko~ (resp. månads~) diary, survey of the events (news) of the week (resp. month); tidningsartikel o.d. över visst ämne column

krönikör *s* (~en, ~er) chronicler; i tidning columnist

kröning *s* (~en, ~ar) kunga~ o.d. coronation

krösus *s* (~en, ~ar) Croesus; **han är en riktig ~** he's made of money

kub *s* (~en, ~er) cube; **~en på 5** the cube of 5

Kuba Cuba

kuban *s* (~en, ~er) Cuban

kubansk *adj* (~t) Cuban

kubanska *s* (~n, kubanskor) kvinna Cuban woman

kubb *s* (~en, ~ar) **1** hugg~, trä~ block **2** hatt bowler (amer. derby) [hat]

kubik *s* (~en), **5 i ~** the cube of 5

kubikcentimeter *s* (~n, =) cubic centimetre (förk. cc, cu.cm.)

kubikmeter *s* (~n, = el. -metrar) cubic metre (förk. cu.m.)

kubikrot *s* (~en, -rötter) cube root

kubisk *adj* (~t) cubic[al]; kubformig äv. cubiform

kubism *s* (~en) konst. cubism

kubistisk *adj* (~t) konst. cubist[ic]

kuckel *s* (kucklet) vard. hanky-panky

kuckeliku *interj* cock-a-doodle-doo!

kudde *s* (~n, kuddar) cushion; huvud~ pillow

kuddkrig *s* (~et, =) pillow fight

kuddvar *s* (~et, =) cushion case; till huvudkudde pillow case

kuf *s* (~en, ~ar) eccentric, [a bit of an] oddball

kufisk *adj* (~t) weird, odd

kugga *vb tr* (~de, ~t) i tentamen o.d. fail; vard. plough; amer. flunk; **han blev ~d** he failed (was ploughed); amer. he [was] flunked

kugge *s* (~n, kuggar) cog, tooth (pl. teeth); **en [liten] ~ i det hela** bildl. a [small] cog in a big wheel

kuggfråga *s* (~n, -frågor) catch (tricky) question, poser

kugghjul *s* (~et, =) gearwheel, cogwheel; drev, litet ~ pinion

kuk *s* (~en, ~ar) vulg. cock, prick

kul *adj* (oböjl.) lustig funny; trevlig nice, jolly, super, fun; roande amusing; underhållande entertaining; **vi hade hur ~ som helst** roligt we had great fun (trevligt a very nice time); **[så] ~ att träffas igen!** how nice to see you again!

1 kula *s* (~n, kulor) **1** allm. ball; klot äv. globe, sphere, orb; gevärs~ bullet; bröd~, pappers~ o.d. pellet; sten~ (leksak) marble; på termometer bulb; i radband bead; **förlupen ~** stray bullet; **spela ~** play marbles **2** pengar, vard., **kulor** marbles, bread sg. **3** sport.: **a)** redskap shot, weight **b)** se *kulstötning*; **stöta ~** put the shot (weight) **4** börja på ny ~ start afresh

2 kula *s* (~n, kulor) grotta cave; håla hole; lya den, lair

kulblixt *s* (~en, ~ar) meteor. flash of ball lightning, fireball

kulen *adj* (kulet, kulna) om väderlek, dag raw [and chilly], bleak

kulhål *s* (~et, =) bullet-hole

kulinarisk *adj* (~t) culinary

kuling *s* (~en, ~ar) meteor. gale; **frisk ~** strong breeze; **styv (hård) ~** moderate (fresh) gale

kuliss *s* (~en, ~er) teat.: vägg [wing] flat, side-scene; sättstycke set piece; bildl. [false] front; **~er** dekor vanl. pieces of scenery; **bakom ~erna** behind the scenes äv. bildl.; **i ~en (~erna)** mellan scendekorationerna in the wings

1 kull *adv* se *omkull*

2 kull *s* (~en, ~ar) av däggdjur litter; av fåglar brood;

friare, t.ex. student~ batch [samtliga med of framför följande subst.]

3 kull *s* (oböjl.), *leka* ~ play tag

1 kulla *s* (~n, kullor) Dalecarlian woman (resp. girl)

2 kulla *vb tr* (~de, ~t) i lek, ~ *ngn* make sb 'it', he (tag) sb

kullager *s* (-lagret, =) tekn. ball bearing

1 kulle *s* (~n, kullar) hatt~ crown; *en hatt med låg (hög)* ~ äv. a low-crowned (high-crowned) hat

2 kulle *s* (~n, kullar) höjd hill; liten hillock, mound

kullerbytta *s* (~n, -byttor) somersault; fall fall, tumble; *slå (göra) en* ~ turn (do) a somersault; spec. ofrivilligt turn head over heels

kullersten *s* (~en, ~ar) cobble[stone]; koll. cobbles pl.

kullerstensgata *s* (~n, -gator) cobbled street

1 kullig *adj* (~t) om terräng o.d. hilly; mjukt böljande undulating

2 kullig *adj* (~t) om nötboskap hornless, polled

kullkasta *vb tr* (~de, ~t) bildl., t.ex. ngns planer upset, throw over; t.ex. teori overthrow

kullrig *adj* (~t) kupig bulging, convex; knölig bumpy; om stenläggning cobbled

kulmen *s* (=, en) culmination, highest point, summit, acme; höjdpunkt, t.ex. festens climax; ekon. el. statistik. o.d. peak, maximum; *sjukdomen nådde [sin]* ~ …reached its peak

kulminera *vb itr* (~de, ~t) culminate [*i* in]; reach one's climax (statistik. o.d. peak)

kulram *s* (~en, ~ar) abacus (pl. abacuses el. abaci)

kulregn *s* (~et, =) rain (hail) of bullets

kulspetspenna *s* (~n, -pennor) ballpoint [pen]

kulspruta *s* (~n, -sprutor) machine gun

kulsprutegevär *s* (~et, =) light machine gun

kulsprutepistol *s* (~en, ~er) sub-machine-gun

kulstötare *s* (~n, =) sport. shot putter

kulstötning *s* (~en, ~ar) sport. putting the shot (weight); idrottsgren shot put

kult *s* (~en, ~er) cult

kultiverad *adj* (kultiverat, ~e) cultivated; bildl. äv. cultured, refined; *en* ~ *man* äv. a man of culture

kultplats *s* (~en, ~er) cult centre

kultur *s* (~en, ~er) **1** ~[*en*] civilisation civilization; etnografiskt el. [andlig] bildning culture, se äv. *matkultur* etc.; *andlig* ~ [intellectual] culture; *den antika* ~*en* the civilization of ancient times; *den västerländska* ~*en* Western civilization **2** lantbr. o.d. cultivation; t.ex. trädg. el. bakterie~, vävnads~ etc. culture; skog. planting, plantation; växter plants pl.

kulturarbetare *s* (~n, =) cultural worker

kulturarv *s* (~et, =) cultural heritage

kulturbilaga *s* (~n, -bilagor) tidning arts section (supplement)

kulturcentrum *s* (~et, = el. -centra) cultural (community) centre, centre of culture (cultural life)

kulturchock *s* (~en, ~er) culture shock

kulturdebatt *s* (~en, ~er) cultural debate, public discussions [on cultural matters] pl.

Kulturdepartementet i Sverige the Ministry of Culture; i Storbr. the Department for Culture, Media and Sport

kulturell *adj* (~t) cultural

kulturfientlig *adj* (~t) …[that is (was osv.)] inimical (hostile) to culture

kulturhistoria *s* (-historien) cultural history, [the]

history of civilization; *Europas* ~ the history of European civilization

kulturhistorisk *adj* (~t) culture-historical; som behandlar (resp. hänför sig till) kulturhistoria …on (resp. concerning) the history of civilization; vanl. historical

kulturhus *s* (~et, =) cultural (arts) centre, community centre

kulturhuvudstad *s* (~en, -städer) cultural capital

kulturkrets *s* (~en, ~ar) **1** kulturvärld world of culture **2** cultured circle; *i (inom)* ~*ar* in cultured circles

kulturkrock *s* (~en, ~ar) cultural (culture) clash

kulturliv *s* (~et), ~*et i* Sverige cultural life in…, the cultural life of…

kulturminister *s* (~n, -ministrar) i Sverige Minister for Culture and Sport; i Storbr. Secretary of State for Culture, Media and Sport

kulturminnesmärke *s* (~t, ~n) relic of [ancient] culture; byggnadsverk o.d. vanl. ancient (historical) monument, listed building

kulturpersonlighet *s* (~en, ~er) intellectual leader, leading personality in the field of culture

kulturpolitik *s* (~en) cultural [and educational] policy

kulturrevolution *s* (~en, ~er) cultural revolution

kulturråd *s* (~et, =), *Statens* ~ organ the Swedish Arts Council

kultursida *s* (~n, -sidor) i tidning cultural page

kulturskymning *s* (~en) cultural decline, decline of culture; stängningen av biblioteken *är rena* ~*en!* …shows the low status of culture (what a low cultural state we are in)

kultursnobb *s* (~en, ~ar) highbrow, culture snob; vard. culture vulture

kulturutbyte *s* (~t, ~n) cultural exchange[s pl.]

kulturväxt *s* (~en, ~er) cultivated plant

kulvert *s* (~en, ~ar) culvert, conduit

kulör *s* (~en, ~er) colour; ansiktsfärg el. bildl. complexion

kulört *adj* (=) coloured; mönstrad el. flerfärgad, t.ex. om tyg, garn äv. fancy…; ~ *lykta* papperslykta Chinese lantern

kulörtvätt *s* (~en, ~ar) tvättprogram el. tvättgods coloureds pl.

1 kummel *s* (kumlet, =) sten~ cairn; grav~ vanl. barrow

2 kummel *s* (~n, kumlar) zool. hake

kummin *s* (~en el. ~et) caraway

kumpan *s* (~en, ~er) kamrat companion; *A. och hans* ~*er* A. and his gang (cronies)

kund *s* (~en, ~er) customer; artigt, om fast kund patron äv. på t.ex. restaurang; mera formellt client; ~*er* kundkrets äv. clientele sg.; *vara* ~ handla *hos A.* shop at A.'s, give one's custom to A.; *han är* ~ *hos oss* …a customer of ours

kundbearbetning *s* (~en, ~ar) customer relationship management

kundbesök *s* (~et, =) besök hos kunder visit to customers; besök av kunder visit from customers

kunde imperf. av *kunna*

kundkrets *s* (~en, ~ar) circle of customers, customers pl., clientele; vid affärsöverlåtelse äv. goodwill; förbindelser connection[s pl.]; *ha en stor* ~ …a wide circle (a great number) of customers, …a wide clientele (connection)

kundservice s (~n) o. **kundtjänst** s (~en) [customer] service; avdelning service department

kundvagn s (~en, ~ar) [supermarket] trolley; amer. shopping cart

kundvänlig adj (~t) customer-friendly

kung s (~en, ~ar) king äv. kortsp.; schack. el. bildl.; i kägelspel kingpin; **hjärter ~** [the] king of hearts

kungadöme s (~t, ~n) monarchy; kungarike äv. kingdom

kungafamilj s (~en, ~er) royal family

kungahus s (~et, =) royal family (ätt house)

kungamakt s (~en) royal power

kungapar s (~et, =) King and Queen (med pred. i pl.), royal couple

kungarike s (~t, ~n) kingdom; **~t Sverige** the Kingdom of Sweden

kunglig adj (~t) royal; om makt, glans, värdighet m.m. äv. regal; **Kungliga (Kungl.) Biblioteket** the Royal [Swedish] Library; **de ~a** kungafamiljen the royal family (sg. el. pl.); kunglighterna the royal personages

kunglighet s (~en, ~er) person royal personage; **~er** royalties; vard. royals

kungsfisk s (~en, ~ar) zool. redfish, Norwegian haddock

kungsfiskare s (~n, =) zool. kingfisher

kungsfågel s (~n, -fåglar) zool. goldcrest, goldencrested wren

kungsljus s (~et, =) bot. mullein, Aaron's rod

kungsord s (~et, =), **det var ~ för honom** he took it for the gospel truth (as gospel)

kungsvatten s (-vattnet) kem. aqua regia lat.

kungsörn s (~en, ~ar) zool. golden eagle

kungöra vb tr (-gjorde, -gjort) announce, make...known (utan sakobj. ofta make it known); högtidl. notify, proclaim [för i samtliga fall to]; förordning o.d. promulgate

kungörelse s (~n, ~r) announcement, [public] notice, notification, proclamation; advertisement; jfr kungöra

kunna I vb tr (kunde, kunnat) (med subst. obj.) 'känna till', 'behärska', 'ha lärt sig' know; **han kan allt** vet allt he knows everything; kan göra allt he can do everything; **nu kan vi det här!** nu är vi färdiga med (och trötta på) det här we've had quite enough of this now!; **han kan sina saker** he knows his business; **han kan flera språk** he knows (kan tala can speak) several languages

II hjälpvb (kunde, kunnat) **1** kan (resp. **kunde**) som uttrycker förmåga, möjlighet m.m. can (resp. could); **jag kan (kan inte)** simma, dansa etc. I can (can't)...; jag ska göra **allt jag kan** äv. ...everything in my power; **jag ska göra så gott jag kan** I will do my best, I will do as well as (as best) I can; **jag kan inte komma i morgon** I can't come (make it) tomorrow; **boken kan köpas** i vilken affär som helst the book can (is to) be had...; **han kan köra bil** förstår sig på att he knows how to drive a car; **det kan du** är lätt för dig att **säga som är...** it's easy for you to say, you are...; **jag kan själv** I can do it myself

2 kunna + inf. (resp. **kunnat**) 'vara i stånd att' m.m. be (resp. been) able to; 'ha förmåga att' äv. have (resp. had) the power (om själslig förmåga ability) to; 'ha tillfälle att' äv. be (resp. been) in a position to; 'förstå sig på att' äv. know (resp. known) how to; jfr äv. ex.; **inte ~** äv. be unable to; **skulle ~** 'kunde' ofta could (resp. might);

hade hon (**om hon hade**) **~t** göra det, så... had she (if she had) been able (in a position) to...

3 som uttrycker oviss möjlighet, tillåtelse m.m. may (resp. might), can (resp. could), jfr ex.; **det är så man kan bli galen** el. **det kan göra en galen** it's enough to drive you mad (crazy); **kan (kunde) jag få lite mera te?** may el. can (might) I have some more tea, please?; **kan (kunde) jag få fråga dig om en sak?** may el. can (might) I ask you a question?; **kan jag få komma in?** may (can) I come in?; **jag kan ha misstagit mig** I may have been mistaken; **han kan komma** vilket ögonblick som helst he may come...; **det kan [tänkas] vara sant** it may be true

4 spec. fall: **det kan du ha rätt i** you may be right there; **det kan man kalla otur!** that's what I call bad luck!; **du kan väl komma** vädjande do come, please!; **hon låste dörren så att ingen kunde (skulle kunna) komma in** she locked the door so that no one might (could, should) come in; **hur kan det komma sig att...?** how is (comes) it that...?; **du kan räkna med mig** you may (can) count on me; **hon kan (kunde) sitta så där i timmar i sträck** she will (would) sit (she sits resp. sat) like that for hours on end; **vad kan klockan vara?** I wonder what the time is?; **vem kan det vara?** who can (might) it be?; **du kan vara glad att du inte följde med** you may be glad you didn't come

5 med beton. part., **jag kan inte med honom (det)** I can't stand him (it); **jag kan inte med att se...** I can't stand seeing...

kunnande s (~t) kunskap knowledge; förmåga ability; tillägnad färdighet proficiency; skicklighet skill; [**tekniskt**] **~** vard. [technical] know-how

kunnig adj (~t) well-informed [i on], knowledgeable [i about]; erfaren experienced [i in]; kompetent competent; skicklig clever, [very] good [i at]; yrkesskicklig skilled [i at, in]; **vara tekniskt ~** possess technical skill (vard. the [technical] know-how)

kunnighet s (~en, ~er) kunskaper knowledge [i of]; erfarenhet experience [i of]; [yrkes]skicklighet skill [i at, in]; färdighet proficiency [i in]

kunskap s (~en, ~er) knowledge (endast sg.) [i, om of]; elevs äv. proficiency (endast sg.) [i in]; **~er (grundliga ~er) i** ett ämne some (a) knowledge (a sound knowledge) of..., jfr äv. ex. under kännedom

kunskapsteori s (~n, ~er) theory of knowledge; vetensk. epistemology

kunskapstörst s (~en) thirst for knowledge

kunskapstörstande adj (oböjl.) attr. ...who thirsts for knowledge; **vara ~** thirst for knowledge

kupa I s (~n, kupor) skydds~ allm. shade äv. lamp~; globformig globe; bi~ hive; på behå cup; se äv. konjaksglas o. ostkupa **II** vb tr (~de, ~t) **1 ~ handen** cup one's hand **2 ~ potatis** earth up potatoes

kupé s (~n, ~er) **1** järnv. compartment **2** bil. el. vagn coupé

kupera vb tr (~de, ~t) **1** stubba: svans dock; öron crop **2** kortsp. cut

kuperad adj (kuperat, ~e) kullig hilly; vågig undulating, rolling; **~ terräng** äv. broken ground

kupévärmare s (~n, =) bil. car heater

kupig adj (~t) convex, rounded

kuplett s (~en, ~er) revue song

kupol s (~en, ~er) dome; liten cupola

kupolformig *adj* (~t) domed, dome-shaped
kupong *s* (~en, ~er) coupon; hotell~, mat~ voucher
kupp *s* (~en, ~er) coup; inbrotts~ äv. robbery, raid, job; överrumpling surprise [stroke (attack)]; **göra en ~** polit. stage a coup; ett inbrott bring (pull) off a coup, make a raid; **dö på ~en** die (perish) in the attempt (in carrying it out); hon blev rik (världsberömd) **på ~en** …as a result [of it]; till råga på allt …on top of it
kuppförsök *s* (~et, =) attempted coup etc., jfr *kupp*
kuppmakare *s* (~n, =) perpetrator of a (resp. the) coup
1 kur *s* (~en, ~er el. ~ar) vakt~ sentry box; buss~ bus shelter
2 kur *s* (~en, ~er) med. cure äv. bildl., [course of] treatment [*mot*, *för* for]; **gå igenom en ~** undergo a cure (treatment)
kura *vb itr* (~de, ~t), **~ ihop** [*sig*] av kyla el. rädsla huddle [oneself] up; för att mysa snuggle up; **sitta och ~** slöa idle (sit idling) away the time; ha tråkigt mope, sit moping
kurage *s* (~t) pluck, courage; se vidare *mod* med ex.
kurant *adj* (=) **1** hand., gångbar sal[e]able, marketable; lättsåld, attr. …that sells (resp. sell) easily **2** kry fit (endast pred.); om åldring hale [and hearty]
kurator *s* (~n, ~er) **1** allm., social~ [social] (skol-school) welfare officer **2** univ., nations~ 'curator', counsellor; **förste** (**andre**) **~** ung. president (vice-president) **3** konstnärlig konsult curator
kurbits *s* (~en, ~ar el. ~er) **1** bot. gourd, pumpkin **2** blomsterdekoration i dalmålning richly-decorated floral motif [in Dalecarlian painting]
kurd *s* (~en, ~er) Kurd
kurdisk *adj* (~t) Kurdish
kurdiska *s* **1** (~n, kurdiskor) kvinna Kurdish woman **2** (~n) språk Kurdish
Kurdistan Kurdistan
kurera *vb tr* (~de, ~t) cure [*från* of]
kurhotell *s* (~et, =) health resort hotel
kuriosa *s pl* koll. curios, bric-a-brac sg.
kuriositet *s* (~en, ~er) curiosity; föremål äv. curio (pl. -s); **som en ~** kan nämnas äv. as a matter of curiosity…
kuriositetsvärde *s* (~t), saken *har bara ~* …is of interest only as a curiosity
kurir *s* (~en, ~er) courier
kurirpost *s* (~en), *med ~* in the courier's bag
kurort *s* (~en, ~er) health resort; brunnsort spa, watering place
1 kurra *s* (~n) vard., arrest clink, quod, the nick; **sitta** (**sätta ngn**) *i ~n* be (put sb) in clink (quod, the nick)
2 kurra *vb itr* (~de, ~t), *det ~r i magen* my stomach is rumbling
kurragömma *s* (oböjl.), *leka ~* play hide-and-seek
kurre *s* (~n, kurrar) vard. bloke, guy; *en underlig ~* äv. an odd customer
kurs *s* (~en, ~er) **1** riktning: sjö. el. flyg. el. bildl. course; polit. o.d. äv. [line of] policy; **hålla ~en** sjö. el. flyg. keep (stand on) one's course; **ändra ~** change (alter) one's course; sjö. äv. veer **2** hand. rate [*på* for], [market] price [*på* of]; värdepappers äv. quotation [*på* for]; på valutor rate [of exchange]; **högsta ~** [vanl. the] peak price (resp. highest quotation); **lägsta ~** [vanl. the] bottom price (resp. rate); **stå högt i ~** be at a premium; bildl. be in great repute (favour) [*hos* with]; **stå lågt i ~** be at a discount äv. bildl. **3** skol. el. univ. course; **gå** [*igenom*] (*delta i*) **en ~**

attend a course; **gå en ~ i matlagning** take (attend) classes in cookery
kursavgift *s* (~en, ~er) skol. o.d. course fee, fee for a (resp. the) course
kursbok *s* (~en, -böcker) skol. o.d. prescribed (set) book
kursdeltagare *s* (~n, =) univ. o.d. member of a (resp. the) course, course member
kursfall *s* (~et, =) hand. fall (decline, drop) in prices (resp. rates), fall of the exchange; plötsligt slump
kursförlust *s* (~en, ~er) hand. loss on exchange
kursiv I *s* (~en) italics pl.; **med** (**i**) **~** in italics **II** *adj* (~t) typogr. italic
kursivera *vb tr* (~de, ~t) italicize, print…in italics; **~d** äv. …in italics; **~d stil** italics pl.
kursivläsning *s* (~en, ~ar) flyktig rapid reading
kursivstil *s* (~en) italics pl.; **med ~** in italics
kursivt *adv*, **läsa ~** read without preparation (resp. rapidly jfr *kursivläsning*)
kurskamrat *s* (~en, ~er), **en ~** a person who is on the same course; **vi är ~er** …together on the same course
kurskatalog *s* (~en, ~er) course prospectus (amer. catalog)
kurslista *s* (~n, -listor) hand., över aktier o.d. stock exchange list; över utländska valutor list of foreign exchange rates
kurslitteratur *s* (~en) course books pl. (literature)
kursnedgång *s* (~en, ~ar) hand. fall (decline, drop) in prices (resp. rates), fall of the exchange; plötslig slump
kursnotering *s* (~en, ~ar) hand. official (market, exchange) quotation
kursplan *s* (~en, ~er) skol. o.d. curriculum (pl. curriculums el. curricula); speciellt för visst ämne syllabus (pl. syllabuses el. syllabi)
kursuppgång *s* (~en, ~ar) hand. rise (advance) in prices; plötslig boom
kursverksamhet *s* (~en, ~er) kurser [educational, praktisk training] courses pl.
kursvinst *s* (~en, ~er) hand. profit[s pl.] on exchange
kurtage *s* (~t) brokerage
kurtis *s* (~en, ~er) flirtation äv. bildl., philandering
kurtisan *s* (~en, ~er) courtesan
kurtisera *vb tr* (~de, ~t), **~ en flicka** court a girl
kurva *s* (~n, kurvor) allm. curve; [väg]krök äv. bend; diagram graph; dålig sikt *i ~n* …at the curve (bend); **ta en ~** take a curve
kurvdiagram *s* (~met, =) curve chart
kurvig *adj* (~t) curving; om kvinnliga former curvy, curvaceous
kuscha *vb tr* (~de, ~t) browbeat, cow; äkta man äv. henpeck; **~d** browbeaten, cowed, henpecked, …kept down (under)
kusin *s* (~en, ~er) [first] cousin
kusinbarn *s* (~et, =) kusins barn first cousin once removed; syssling second cousin
kusk *s* (~en, ~ar) **1** driver äv. sport.; privat coachman **2** astron.: **Kusken** the Wag[g]oner, the Charioteer
kuska *vb itr* (~de, ~t), **~ omkring** [*i*] gad (travel) about
kuskbock *s* (~en, ~ar) [coach]box, driver's seat
kuslig *adj* (~t) ohygglig gruesome; hemsk, spöklik uncanny, weird; ruskig, om t.ex. kväll horrible; starkare ghastly; **känna sig ~ till mods** feel creepy, have a creepy sensation

kust *s* (~en, ~er) coast; strand shore; **bo vid ~en** live on the coast (för ferier at the seaside, by the sea); **~en är klar** bildl. the coast is clear

kustartilleri *s* (~et) coast artillery

kustband *s* (~et), **i ~et** on the sea coast (seaboard)

kustbefolkning *s* (~en, ~ar) coastal (littoral) population

kustbevakning *s* (~en) sjö. (abstr.) coast watching; **~en** the coast guard

kustbo *s* (~n, ~r) inhabitant of the coast

kustflotta *s* (~n, -flottor), **~n** the Coastal (i Storbr. ung. the Home) Fleet

kustförsvar *s* (~et) coast[al] defence

kustklimat *s* (~et, =) coastal climate

kustlinje *s* (~n, ~r) coastline, shoreline

kustradiostation *s* (~en, ~er) coast radio station

kustremsa *s* (~n, -remsor) coastal strip

kuststräcka *s* (~n, -sträckor) stretch of coast, littoral; stormvarning har utfärdats **för ~n mellan A. och B.** ...for the coastal region between A. and B.

kuta *vb itr* (~de, ~t) **1** gå krokig walk with a stoop **2** vard., springa, **~** [**i väg**] dash (dart) off (away)

kutig *adj* (~t) om rygg bent; om person stooping, hunched up

kutryggig *adj* (~t) round-shouldered; **hon är ~** äv. she stoops

1 kutter *s* (kuttret) duv~ cooing äv. bildl.

2 kutter *s* (~n, kuttrar) **1** båt: segel~ cutter; fiske~ vessel **2** tekn. cutter [head]

kuttersmycke *s* (~t, ~n) vard. 'boat bunny (belle)', beautiful girl (woman) who adorns a leisure boat

kuttra *vb itr* (~de, ~t) coo äv. bildl.

kutym *s* (~en, ~er) usage, custom, practice; **det är ~ att** + inf. it is customary (a [recognized] custom) to + inf.

kuva *vb tr* (~de, ~t) allm. subdue; t.ex. uppror äv. suppress, put down; känslor äv.: undertrycka repress; betvinga curb, check, bring...under control

kuvert *s* (~et, =) **1** brev~ envelope **2** bords~ cover; 500 kronor **per ~** ...a head; **det var dukat med sex ~** covers were laid for six

kuvertavgift *s* (~en, ~er) på restaurang cover charge

kuvertbröd *s* (~et, =) [French] roll

kuvertväska *s* (~n, -väskor) pochette, clutch bag, envelope [handbag]

kuvös *s* (~en, ~er) incubator; amer. äv. isolette

Kuwait Kuwait

kuwaitisk *adj* (~t) Kuwaiti

kvacka *vb itr* (~de, ~t) **1** vard. practise quackery [*med* ngn on...]; use quack remedies; bildl., fuska dabble [*med* ngt with...] **2** som en anka quack

kvacksalvare *s* (~n, =) quack [doctor]; charlatan äv. charlatan; fuskare dabbler

kvacksalveri *s* (~et, ~er) quackery, charlatanry; dabbling; jfr *kvacksalvare*

kvadda *vb tr* (~de, ~t) **1** krascha smash, crash **2** bildl. ruin, destroy

kvadrant *s* (~en, ~er) quadrant

kvadrat *s* (~en, ~er) square; **~en på** 2 är 4 the square of...; **2 m i ~** 2 m. square; **3** [**upphöjt**] **i** ~ 3 squared, 3 raised to the second power

kvadratisk *adj* (~t) geom. el. friare square; matem. quadratic; **~ ekvation** quadratic equation

kvadratmeter *s* (~n, = el. -metrar) square metre

kvadratrot *s* (~en, -rötter) square root; **dra ~en ur ett tal** extract the square root of a number

1 kval *s* (~et, =) sport., se *kvalificering*

2 kval *s* (~et, =) lidande suffering; pina torment; oro, ångest anguish; vånda agony (båda endast sg.); lida **hungerns** (**svartsjukans**) **[alla]** ...the pangs of hunger (the torments of jealousy)

kvala *vb itr* (~de, ~t) sport. **1** spela kvalmatch play a (resp. the) qualifying match **2** kvalificera sig qualify; **~ in till** VM qualify for...

kvalfull *adj* (~t) agonizing; om död extremely painful

kvalificera *vb tr o. vb rfl* (~de, ~t), **~ [sig]** qualify [*till*, *för* for]

kvalificerad *adj* (kvalificerat, ~e) qualified [*till*, *för* for]; om t.ex. arbetskraft skilled; om t.ex. undervisning superior, advanced; **en ~ gissning** an educated guess; **en ~ idiot** a prize idiot; **~ majoritet** a statutory (two-thirds) majority

kvalificering *s* (~en, ~ar) qualification; **klara ~en till...** sport. manage to qualify for...; se äv. *kvalificeringsmatch*

kvalificeringsmatch *s* (~en, ~er) sport. qualifying match (amer. vanl. game)

kvalifikation *s* (~en, ~er) allm. qualification

kvalitativ *adj* (~t) qualitative

kvalité *s* (~n, ~er) se *kvalitet*

kvalitet *s* (~en, ~er) allm. quality; hand., äv. i betydelsen 'kvalitetsklass' grade; **av bästa** (**god, prima, dålig, sämre**) **~** of the best ([a] good, [a] first-rate, [a] poor, [an] inferior) quality; varor **av bästa ~** äv. first (top) quality...

kvalitetskontroll *s* (~en, ~er) quality check

kvalitetsmedveten *adj* (-medvetet, -medvetna) quality-conscious

kvalitetsvara *s* (~n, -varor) superior (high-class) article, quality product; **kvalitetsvaror** äv. quality goods

kvalmatch *s* (~en, ~er) sport. qualifying match (amer. vanl. game)

kvalmig *adj* (~t) kvav o.d. close, stuffy, stifling, suffocating

kvalster *s* (kvalstret, =) zool. mite

kvantfysik *s* (~en) quantum physics sg.

kvantitativ *adj* (~t) quantitative

kvantitet *s* (~en, ~er) quantity; mängd äv. amount

kvantitetsrabatt *s* (~en, ~er) hand. quantity discount

kvantmekanik *s* (~en) fys. quantum mechanics sg.

kvar *adv* (se också betonad partikel under respektive verb, t.ex. *hålla kvar* under *hålla* V); på samma plats som förut [still] there (resp. here); kvarlämnad left [behind]; efter [sig] behind; vidare, längre (i förb. med verb som 'stanna) on; i behåll (i förb. med 'vara' o. 'finnas'): om institution o.d. in existence; om bok, dokument extant; bevarad preserved; återstående, övrig left; över, till övers left, over, left over; fortfarande still; ytterligare more; **bli** (**finnas, stanna, vara**) **~** äv. remain; **ha** 500 kronor **~** have...left [over]; **ha ~** behålla keep; **har vi långt ~?** av vägen are we [still] far off?; **inte ha långt ~** [**att leva**] not have long (a long time) left [to live]; **låta** ngt **ligga** (**stå** m.fl.) **~** leave...[there]; **stå ~** friare el. bildl. remain [[*som medlem*] *i* a member of]; under de få dagar **som är ~ till jul** äv. ...remaining to Christmas; **det var** bara fem minuter **~** äv. there were...to go (run); **det är mycket ~ av** (**på**) arbetet there is a great deal of...[still] left (remaining to be done); **det är inte mycket** ~ there's not much left

kvarglömd *adj* (-glömt), **en ~ bok** a book that has (resp. had) been left behind [and forgotten]; **~a effekter** lost property sg.

1 kvark *s* (~en) surmjölksost curd [cheese], quark

2 kvark *s* (~en) fys. quark

kvarleva *s* (~n, -levor) bildl. remnant; rest residue; från det förflutna relic, survival; **hans jordiska kvarlevor** his mortal remains

kvarlåtenskap *s* (~en) property left [by a deceased person]; **hans ~** uppgår till... the property left by him...

kvarn *s* (~en, ~ar) mill; för spannmål äv. flour-mill; väder~ äv. windmill; **först till ~ får först mala** first come, first served; **ge ngn vatten på ~** bring grist to sb's mill

kvarndamm *s* (~en, ~ar) vattensamling millpond; fördämning milldam

kvarnhjul *s* (~et, =) millwheel

kvarnsten *s* (~en, ~ar) millstone; **vara [som] en ~ om halsen på ngn** bildl. be a millstone round sb's neck

kvarnvinge *s* (~n, -vingar) windmill-sail

kvarsittare *s* (~n, =) pupil who has not been moved up

kvarsittning *s* (~en, ~ar) skol., som straff detention

kvarskatt *s* (~en, ~er) [income] tax arrears pl., back tax[es pl.]

kvarstad *s* (~en, ~er) jur. sequestration [på of]; om fartyg embargo [på on]; om tryckalster impoundage; tillfällig suspension [på of]; **belägga med ~** sequestrate; embargo; impound, suspend

kvarstå *vb itr* (-stod, -stått) remain; **faktum ~r** the fact remains

1 kvart *s* **1** (~en, ~ar el. som måttsord äv. pl.=) fjärdedel quarter; **en (ett) ~s...** a quarter of a (resp. an)...; avståndet är **en och tre ~s meter** ...a metre (amer. meter) and three-quarters; se äv. **trekvart 2 2** (~en, ~ar el. som måttsord äv. pl.=) kvarts timme quarter of an hour; **klockan är ~ i två** it is a quarter to (amer. äv. of) two; **klockan är ~ över två** it is a quarter past (amer. äv. after) two **3** (~en, ~er) mus. fourth **4** (~en, ~ar) sport., kvartsfinal quarterfinal

2 kvart *s* (~en, ~ar) vard., enkel bostad pad; se äv. *knarkarkvart*

kvarta *vb itr* (~de, ~t) vard.: sova have a kip, kip [down]

kvartal *s* (~et, =) quarter [of a (resp. the) year]

kvartalshyra *s* (~n, -hyror) quarterly (quarter's) rent

kvartalsskifte *s* (~t, ~n) beginning of the (resp. a) new quarter

kvartalsvis *adv* quarterly, by the quarter

kvarter *s* (~et, =) **1** hus~ block; område district, area; friare neighbourhood **2** månfas quarter **3** mil. quarters pl., billet; se vidare *nattkvarter*

kvartersbutik *s* (~en, ~er) neighbourhood (corner) shop; speciellt amer. convenience store

kvarterskrog *s* (~en, ~ar) local restaurant

kvarterspolis *s* (~en, ~er) polisman local policeman; koll. local (neighbourhood) police

kvartett *s* (~en, ~er) quartet äv. mus.

kvarting *s* (~en, ~ar) vard., **en ~** [punsch] ung. a half bottle (37.5 cl) [of...]

kvarts *s* (~en, ~er) miner. quartz

kvartsfinal *s* (~en, ~er) sport. quarterfinal

kvartsformat *s* (~et, =) bokb. quarto

kvartslampa *s* (~n, -lampor) ultraviolet lamp

kvartssamtal *s* (~et, =) skol. discussion on progress [between teacher, parent and pupil]

kvartssekel *s* (-seklet, =) quarter of a century; **ett ~** äv. twenty-five years pl.

kvartsur *s* (~et, =) quartz watch (vägg~ o.d. clock)

kvartär geol. **I** *adj* (~t) Quaternary **II** *s* (~en, ~er) the Quaternary

kvasivetenskaplig *adj* (~t) quasi-scientific; mera neds. pseudoscientific

kvast *s* (~en, ~ar) **1** eg. broom; ris~, gatsopares ~ äv. besom **2** knippa bunch

kvastformig *adj* (~t) broom-shaped

kvastskaft *s* (~et, =) broomstick

kvav I *adj* (~t) allm. close; instängd äv. stuffy; tryckande oppressive, sultry; kvävande stifling, suffocating; fuktig o. kvav muggy **II** *s* (oböjl.), **gå i ~** sjö. founder, go down; bildl. come to nothing

kverulans *s* (~en) complaining, querulousness, cantankerousness

kverulant *s* (~en, ~er) grumbler, querulous (cantankerous) person

kverulantisk *adj* (~t) complaining, grumbling, querulous, cantankerous

kverulera *vb itr* (~de, ~t) make a fuss, complain, grumble [över about]; be cantankerous

kvick *adj* (~t) **1** snabb quick; flink äv. nimble, deft; livlig, t.ex. om ögon lively; **vara ~ [med] att** svara be very ready to + inf. **2** spirituell, slagfärdig witty, quick-witted; ~ o. dräpande, t.ex. om replik smart

kvicka I *vb itr* (~de, ~t), **~ på** hurry up **II** *vb rfl* (~de, ~t), **~ sig** hurry up

kvickhet *s* (~en, ~er) **1** snabbhet quickness osv., jfr *kvick 1* **2** espri wit **3** kvickt uttryck witticism, joke

kvickhuvud *s* (~et, = el. ~en) wit, witty fellow

kvickna *vb itr* (~de, ~t), **~ till** revive; återfå sansen äv. come to (round); friare brighten up

kvickrot *s* (~en) bot. couch grass, quitch grass

kvicksand *s* (~en) quicksand

kvicksilver *s* (-silvret) kem. mercury; speciellt bildl. äv. quicksilver; **kvicksilvret sjönk under noll** the mercury dropped to below zero

kvicksilverförgiftning *s* (~en, ~ar) mercurial poisoning; med. mercurialism

kvicksilvertermometer *s* (~n, -termometrar) mercury thermometer

kvicktänkt *adj* (=) quick-witted, ready-witted; **inte vidare ~** not very clever

kvida *vb itr* (kved, kvidit) whimper; klaga whine [över about]

kviga *s* (~n, kvigor) zool. heifer

kvigkalv *s* (~en, ~ar) cow-calf

kvilta *vb tr* (~de, ~t) sömnad. quilt

kvinna *s* (~n, kvinnor), **~[n]** woman (pl. women); **~ns frigörelse** women's liberation; **~ns rättigheter** women's rights; **kvinnor** statistik. o.d. females; **växa upp till ~** ...into a woman (to womanhood)

kvinnfolk *s* (~et, =) **1** koll. women pl.; **~et** i byn o.d. äv. the womenfolk pl. **2** ett ~ a woman

kvinnlig *adj* (~t) av el. för ~t kön female; framför yrkesbeteckning vanl. woman jfr ex.; typisk el. passande för en kvinna feminine; spec. om [goda] egenskaper, ~ av sig womanly; avsedd för kvinnor, sysselsättning women's, ladies' bägge endast attr.; om man, neds. womanish,

starkare effeminate; **~ _arbetskraft_** female labour; **~
fägring** feminine beauty; **~ _läkare_** woman (lady)
doctor (pl. women resp. lady doctors); **~ _rösträtt_** women's
suffrage, votes pl. for women

kvinnlighet _s_ (~en, ~er) womanliness, womanhood
[_hos_ in]; femininity; hos man äv. womanishness,
starkare effeminacy

kvinnoarbete _s_ (~t, ~n) women's work

kvinnobröst _s_ (~et, =) female breast

kvinnofängelse _s_ (~t, ~r) women's prison

kvinnohatare _s_ (~n, =) woman-hater (pl.
women-haters), misogynist

kvinnojour _s_ (~en, ~er) kvinnohus women's refuge;
amer. äv. women's crisis center

kvinnokarl _s_ (~n el. ~en, ~ar) ladies' man (pl. ladies'
men)

kvinnoklinik _s_ (~en, ~er) women's clinic

kvinnokön _s_ (~et), **~et** the female sex; kvinnosläktet
womankind; **_av_ ~** of [the] female sex

kvinnomisshandel _s_ (~n) women battering

kvinnopräst _s_ (~en, ~er) woman priest (minister);
~er women priests (ministers)

kvinnoprästmotståndare _s_ (~n, =) opponent of
women clergymen (ministers); **_vara_ ~** vanl. be
opposed to women clergymen (ministers)

kvinnorörelse _s_ (~n, ~r), **_~n_** women's lib

kvinnoröst _s_ (~en, ~er) **1** woman's voice (pl. women's
voices) **2** polit. o.d. woman's vote (pl. women's votes)

kvinnosakskvinna _s_ (~n, -kvinnor) member of the
women's liberation movement; vard. women's
libber; hist. feminist

kvinnosida _s_ (~n), **_på ~n_** on the distaff side

kvinnosjukdom _s_ (~en, ~ar) woman's disease (pl.
women's diseases)

kvinnotjusare _s_ (~n, =) lady-killer, womanizer

kvinnovälde _s_ (~t, ~n) government by a woman
(resp. by women), gynaecocracy

kvint _s_ (~en, ~er) mus., intervall fifth

kvintessens _s_ (~en) quintessence

kvintett _s_ (~en, ~er) quintet äv. mus.

kvissla _s_ (~n, kvisslor) [small] pimple, spot, pustule

kvisslig _adj_ (~t) pimply

kvist _s_ (~en, ~ar) **1** på träd o.d. twig; mindre sprig;
speciellt avskuren som prydnad spray; större vanl. branch
2 i virke knot, knag

kvista I _vb tr_ (~de, ~t) trädg., **~** [_av_] lop, trim **II** _vb itr_
(~de, ~t) vard., **~ _över_** (**_hem_**) **_till ngn_** pop (nip) over
(home) to sb

kvistfri _adj_ (-fritt) clean

kvistig _adj_ (~t) **1** om träd o.d. twiggy, spriggy;
branchy **2** om virke knotty **3** svårlöst o.d. knotty; **_en ~
fråga_** äv. a tricky (sticky) question, a poser

kvitt _adj_ (oböjl.) **1** inte längre skyldig, **_nu är vi ~_** that
makes us quits (square); **_vara ~_** [**_med_** ngn] be quits
[with…]; **~ _eller dubbelt_** i spel double or quits
(nothing) **2** _bli ~ ngn_ (_ngt_) bli fri från get rid (quit,
shot) of sb (sth); **_skönt att bli ~ honom_** (**_det_** m.m.)**_!_** äv.
good riddance!; **_göra sig ~…_** rid oneself of…

kvitta _vb tr_ (~de, ~t) set off [_med_, _mot_ against]; **~ _en
skuld mot en annan_** hand. äv. settle a debt per contra;
det ~r el. **_det ~r_** [**_mig_**] _lika_ it's all one (the same) [to
me], it makes no difference [to me]

kvitten _s_ (=, en el. ett, =) bot. quince

kvittens _s_ (~en, ~er) receipt

kvitter _s_ (kvittret) chirp osv.; kvittrande chirping osv.; jfr
kvittra

kvittera _vb tr_ o. _vb itr_ (~de, ~t) räkning receipt; t.ex.
belopp acknowledge; skriva under sign; sport. equalize;
en ~d räkning a receipted bill; **_~s_ på räkning** received
with thanks; **~ _ut_** sign for; t.ex. på posten collect;
pengar o.d. äv. cash

kvittering _s_ (~en, ~ar) o. **kvitteringsmål** _s_ (~et, =)
sport. equalizer

kvittning _s_ (~en, ~ar) set-off; kvittande setting off;
polit. pairing [off]

kvitto _s_ (~t, ~n) receipt [_på_ for]; **_ett skrivet ~_** a
written receipt

kvittra _vb itr_ (~de, ~t) chirp äv. bildl.; eg. äv. twitter,
chirrup

kvot _s_ (~en, ~er) quota; vid division quotient

kvotera _vb tr_ (~de, ~t) fördela i kvoter allocate…by
quotas; **~_d intagning_** quota-based admission

kvotering _s_ (~en, ~ar) allocation of quotas

kväka _vb itr_ (kväkte, kväkt) croak

kväkare _s_ (~n, =) relig. Quaker

kvälja _vb tr_ (kväljde, kväljt) äckla make…feel sick,
nauseate

kväljande _adj_ (oböjl.) sickening äv. friare, queasy,
nauseating, nauseous

kväljning _s_ (~en, ~ar), **~_ar_** sickness, nausea båda sg.; **_få_**
(**_ha_**) **~_ar_** be sick, feel queasy; amer. feel sick at (to,
in) one's stomach; **_få ~ar av ngt_** be nauseated by
sth; **_man får ~ar bara man ser det_** the mere sight of it
is enough to make one sick

kväll _s_ (~en, ~ar) afton: allm. evening; senare night äv.
som motsats till 'morgon'; jfr äv. motsv. ex. under _dag 1_; **_god
~!_** good evening!; **_i ~_** this evening, tonight; starkt
beton., 'denna kväll' äv. this night; **_i fredags_** last
Friday evening; **_i går ~_** yesterday (last) evening (resp.
night); **_i morgon ~_** tomorrow evening (resp. night);
mot ~en towards evening; **_om_** (**_på_**) **~_en_** (**~_arna_**) in the
evening (evenings); **_sent på ~en_** late in the evening;
klockan tio på ~en at ten [o'clock] in the evening (at
night); [**_på_**] **_fredag ~ ska vi…_** next Friday evening…,
jfr _i fredags kväll_ ovan samt _fredagskväll_; **_på ~en den 3
maj_** brann det… on the evening (resp. night) of May
3rd…

kvällningen _s_ (best. sing.), **_i ~_** at nightfall (poet.
even[tide])

kvällsarbete _s_ (~t, ~n) evening (resp. night) work

kvällsbelysning _s_ (~en, ~ar) evening light

kvällskröken _s_ (best. sing.), **_på ~_** in the evening

kvällskurs _s_ (~en, ~er) evening class (course)

kvällskvisten _s_ (best. sing.), **_på ~_** in the evening

kvällsmat _s_ (~en) supper; **_äta ~_** have supper

kvällsmänniska _s_ (~n, -människor) person who is (was
etc.) at his (resp. her) best in the evening

kvällsnyheter _s pl_ i radio late news sg.

kvällspromenad _s_ (~en, ~er) evening walk

kvällstidning _s_ (~en, ~ar) evening paper

kvällstrött _adj_ (=) alltid **_vara ~_** be tired towards (in
the) evening[s]

kvällsöppen _adj_ (-öppet, -öppna), **_ha kvällsöppet_** be
open in the evening

kväsa _vb tr_ (kväste, kväst) ngns högmod humble, take
the wind out of; **~** [**_till_**] **_ngn_** take sb down [a peg or
two]

kväva _vb tr_ (kvävde, kvävt) allm. choke; om syrebrist el.
rök äv. suffocate, stifle; om gas asphyxiate; eld el. med

t.ex. kudde smother; gäspning, gråt, skratt stifle, smother; hosta, opposition suppress; revolt quell; *vara nära att ~s* be almost choking (ready to choke) [*av* with]

kvävande *adj* (oböjl.) om värme suffocating, stifling; om känsla choking

kväve *s* (~t) kem. nitrogen

kvävehaltig *adj* (~t) nitrogenous

kvävgas *s* (~en) nitrogen gas

kvävning *s* (~en, ~ar) choking; suffocation, stifling, asphyxiation; smothering; jfr *kväva*

kyckling *s* (~en, ~ar) chicken äv. kok.; nykläckt chick; som efterled i sammansättn. ofta young; *ugnsstekt ~* roast chicken

kycklingbuljong *s* (~en, ~er) chicken stock

kycklingfilé *s* (~n, ~er) fillet of chicken

kycklinggryta *s* (~n, -grytor) kok. chicken casserole

kycklingklubba *s* (~n, -klubbor) kok. drumstick

kyffe *s* (~t, ~n) poky hole; ruckel hovel

kyl *s* (~en, ~ar) vard., kylskåp fridge; *~ och frys* fridge-freezer

kyla I *s* (~n) **1** eg.: allm. cold; svalka chilliness; *när ~n* höstkylan *kommer* äv. when the chilly period sets in; *vara ute i ~n* ...in the cold weather; jfr *köld 1* **2** bildl. coldness; t.ex. i förhållande mellan folk coolness, chilliness **II** *vb tr* (kylde, kylt) **1** *~* [*av*] cool [down], chill båda äv. bildl.; tekn. äv. refrigerate; *~ ned* chill; *~ ut* let...get quite cold; jfr *utkyld* **2** kännas kall, ledstången *kyler* ...feels cold

kylanläggning *s* (~en, ~ar) refrigerating (cold-storage) plant

kylare *s* (~n, =) **1** på bil radiator **2** kylapparat cooler, condenser

kylargrill *s* (~en, ~ar) bil. radiator grill[e]

kylarvätska *s* (~n) antifreeze [mixture]

kyldisk *s* (~en, ~ar) refrigerated [display] counter

kylhus *s* (~et, =) cold store

kylig *adj* (~t) cool; starkare cold; obehagligt *~* chilly alla äv. bildl.

kylklamp *s* (~en, ~ar) ice pack

kylknöl *s* (~en, ~ar) chilblain

kylning *s* (~en, ~ar) cooling; tekn. refrigeration

kylrum *s* (~met, =) cold-storage room, cold store

kylskada *s* (~n, -skador) frostbite

kylskåp *s* (~et, =) refrigerator

kylslagen *adj* (-slaget, -slagna) kylig cool; om dryck slightly warmed, tepid

kylvatten *s* (-vattnet) cooling water

kylväska *s* (~n, -väskor) cool bag (box), insulated bag

kymig *adj* (~t) vard.: nedrig nasty, mean; obehaglig rotten, lousy; *han mår ~t* (adv.) he feels rotten (lousy); *det kändes ~t* för mig (oss) *att...* I (we) felt rotten (lousy)...

kyndel *s* (~n) bot. el. kok. savory

kyndelsmässa *s* (~n) Candlemas

kynne *s* (~t, ~n) [natural] disposition, temperament; character, nature äv. om t.ex. landskap

kypare *s* (~n, =) waiter

kyrk- i sammans. se äv. *kyrko-*

kyrka *s* (~n, kyrkor) church; frireligiös o.d. chapel; *~n* som institution the Church; *gå i ~n* go to (attend) church (resp. chapel); ibland worship; *gå ur Svenska ~n* leave the church of Sweden; *vara i ~n* bevista gudstjänsten be at (in) church

kyrkbröllop *s* (~et, =) church (white) wedding

kyrkbänk *s* (~en, ~ar) pew

kyrkdörr *s* (~en, ~ar) church-door

kyrkfönster *s* (-fönstret, =) church window

kyrkklocka *s* (~n, -klockor) church bell (ur clock)

kyrklig *adj* (~t) **1** vanl. church...; formellare, t.ex. om myndighet ecclesiastical; *~ begravning* (*jordfästning*) Christian burial; *~ vigsel* church wedding **2** se *kyrksam*

kyrkoadjunkt *s* (~en, ~er) hist. curate

kyrkobesök *s* (~et, =) attendance[s pl.] at church

kyrkobesökare *s* (~n, =) regelbunden churchgoer; tillfällig attender at church

kyrkobok *s* (~en, -böcker) parish register

kyrkofullmäktig *s* (en *~*, pl. *~e*) ung. member of a (resp. the) vestry; *~e* pl. ung. the vestry sg.

kyrkogård *s* (~en, ~ar) cemetery; kring kyrka churchyard

kyrkoherde *s* (~n, -herdar) vicar, rector; katol. parish priest [*i of*]; *~* [*Bo*] *Ek* [the] Rev. (utläses the reverend) Bo Ek

kyrkohistoria *s* (-historien) church (ecclesiastical) history

kyrkohistoriker *s* (~n, =) church (ecclesiastical) historian

kyrkomusik *s* (~en) church (sacred) music

kyrkoråd *s* (~et, =) church council

kyrkosamfund *s* (~et, =) [church] communion, church

kyrkostämma *s* (~n, -stämmor) parish meeting

kyrkoår *s* (~et, =) ecclesiastical year

kyrkråtta *s* (~n, -råttor), *fattig som en ~* poor as a church mouse

kyrksam *adj* (~t, ~ma), *vara ~* [*av sig*] be a regular churchgoer

kyrksilver *s* (-silvret) church plate

kyrksocken *s* (-socknen, -socknar) åld. parish

kyrkspira *s* (~n, -spiror) church steeple (spire)

kyrktorn *s* (~et, =) church tower

kyrktupp *s* (~en, ~ar) church weathercock

kyrkvaktare *s* (~n, =) o. **kyrkvaktmästare** *s* (~n, =) verger, sexton

kyrkvärd *s* (~en, ~ar) churchwarden

kysk *adj* (~t) chaste äv. bildl.

kyskhet *s* (~en) chastity

kyskhetslöfte *s* (~t, ~n) vow of chastity

kyss *s* (~en, ~ar) **1** kiss **2** vard., slag knock, bonk, wallop; *få* [*sig*] *en ~* get a knock (etc.)

kyssa *vb tr* (kysste, kysst) **1** kiss; *han kysste henne på munnen* (*hand*[*en*]) he kissed her on the mouth (kissed her hand); *~ ngn till avsked* kiss sb goodbye **2** vulg., *kyss mig* [*i arslet*]! Up yours!

kyssas *vb itr dep* (kysstes, kyssts) rpr. kiss [each other]; *~ och smekas* äv. bill and coo

kyssäkta *adj* (oböjl.) om läppstift kissproof

kåda *s* (~n, kådor) resin

kådig *adj* (~t) resinous

kåk *s* (~en, ~ar) **1** ruckel ramshackle (tumbledown) house; mindre hovel, shack; vard. för hus house, byggnad building **2** i poker full house **3** vard., *sitta på ~en* be in clink (the cooler, the slammer)

kåkstad *s* (~en, -städer) shanty town

kål *s* **1** (~en) cabbage **2** (oböjl.) vard., *göra* (*ta*) *~ på* nearly kill; vard. make short work of, do for; friare drive…mad; det här *tar ~ på mig* …will be the death of me

kålblad *s* (~et, =) cabbage leaf

kåldolme *s* (~n, -dolmar) kok., ung. stuffed cabbage roll

kålfjäril *s* (~en, ~ar) cabbage butterfly, large white

kålhuvud *s* (~et, ~en el. =) [head of] cabbage

kålmask *s* (~en, ~ar) caterpillar

kålpudding *s* (~en, ~ar) kok. cabbage pudding

kålrabbi *s* (~n) kohlrabi, turnip cabbage

kålrot *s* (~en, -rötter) swede, Swedish turnip; amer. rutabaga

kålsoppa *s* (~n, -soppor) cabbage soup

kålsupare *s* (~n, =), *de är lika goda ~* [*båda två*] they are [both] tarred with the same brush, one is as bad as the other

kånka *vb itr* (~de, ~t), *~ på* (*i väg med*) *ngt* lug (go away lugging) sth

kåpa *s* (~n, kåpor) **1** munk~ cowl **2** tekn.: skydds~ cover, casing; spis~ hood

kår *s* (~en, ~er) allm. body; mil. el. dipl. corps (pl. lika); jfr *studentkår* o. *lärarkår* o.d. sammansättn.

kåravgift *s* (~en, ~er) univ. student's union dues; amer. student union fees

kåre *s* (~n, kårar) **1** vindil breeze; krusning på vatten ripple **2** bildl., *det går kalla kårar efter* (*längs*) *ryggen på mig* när jag… a cold shiver runs (goes) down my back…, I get the creeps…

kårhus *s* (~et, =) för studenter students' union [building]

kåsera *vb itr* (~de, ~t) hålla ett kåseri ung. give a talk; skriva ett kåseri ung. write a light article [*om* (*över*) on]

kåserande *adj* (oböjl.) chatty, conversational, informal

kåseri *s* (~et, ~er) i tal [informal] talk; i tidning light (conversational) article, kolumn column

kåsör *s* (~en, ~er) i tidning ung. columnist

kåt *adj* (neutrum undviks) vulg. randy, horny; *vara ~ på ngn* be turned on by sb; starkare be made randy (horny) by sb

1 kåta *s* (~n, kåtor) [Lapp] cot (tält~ äv. tent)

2 kåta *vb tr* (~de, ~t) vulg., *~ upp ngn* make sb feel randy (horny)

käbbel *s* (käbblet) bickering osv., jfr *käbbla*

käbbla *vb itr* (~de, ~t) bicker, wrangle, squabble; gnata nag [*om* i samtliga fall about]; *~ emot* answer back

käck *adj* (~t) hurtig, klämmig …full of go, lively; pigg bright; om t.ex. melodi sprightly

käft *s* (~en, ~ar) **1** ~[*ar*] käkar, gap jaws pl.; hos djur äv. chaps pl.; *håll ~*[*en*]*!* shut (belt) up!; *slänga ~* bandy words; *vara slängd i ~en* have the gift of the gab; slagfärdig be quick at repartee; *slå ngn på ~en* hit (punch) sb on the jaw **2** på verktyg jaw **3** *inte en ~* vard. not a [living] soul

käfta *vb itr* (~de, ~t) prata jaw; käbbla wrangle; *~ emot* answer back

kägelbana *s* (~n, -banor) skittle alley, ninepin alley

kägelklot *s* (~et, =) skittle-ball

kägelspelare *s* (~n, =) skittle-player, skittler

kägla *s* (~n, käglor) **1** allm. cone **2** i kägelspel skittle, ninepin; *slå* (*spela*) *käglor* play skittles (ninepins)

käk *s* (~et) vard., mat grub, nosh, eats pl.

käka vard. **I** *vb itr* (~de, ~t) have some grub (nosh) **II** *vb tr* (~de, ~t) eat; *~ middag* have dinner

käkben *s* (~et, =) jawbone; vetensk., undre mandible

käke *s* (~n, käkar) jaw

käkled *s* (~en, ~er) jaw-joint

kälkbacke *s* (~n, -backar) toboggan (sledge) run

kälkborgare *s* (~n, =) philistine, bourgeois fr.

kälkborgerlig *adj* (~t) philistine, bourgeois fr.

kälke *s* (~n, kälkar) toboggan, sledge; *åka ~* toboggan, sledge

kälkåkning *s* (~en) tobogganing, sledging

källa *s* (~n, källor) spring; flods source äv. bildl.; *varma källor* hot springs; *en ~ till* glädje (förargelse) a source of…; *från* (*ur*) *säker ~* from a reliable source (quarter), on good authority; *gå till källorna* källskrifterna consult the original sources

källare *s* (~n, =) förvaringslokal cellar; jordvåning basement

källarfönster *s* (-fönstret, =) cellar (resp. basement jfr *källare*) window

källarförråd *s* (~et, =) cellar store room, basement storage space (stall)

källarglugg *s* (~en, ~ar) cellar airhole

källarlokal *s* (~en, ~er) basement premises

källarmästare *s* (~n, =) restaurant-keeper, restaurateur fr.

källarvalv *s* (~et, =) cellar-vault

källarvåning *s* (~en, ~ar) basement

källbeskattning *s* (~en) taxation at the source; *~*[*en*] systemet the Pay-As-You-Earn (förk. PAYE) system; amer. the Pay-As-You-Go plan

källforskning *s* (~en, ~ar) original research, study of [original] sources

källfrisk *adj* (~t) om vatten spring-cool

källkritik *s* (~en) vetensk. criticism of the (resp. one's) sources

källsjö *s* (~n, -sjöar) **1** källa för flod source lake **2** sjö med flera källor lake fed by springs

källskatt *s* (~en, ~er) tax at [the] source [of income], Pay-As-You-Earn (förk. PAYE) tax; amer. withholding (Pay-As-You-Go) tax; jfr *källbeskattning*

källskrift *s* (~en, ~er) vetensk., källa [written] source

källsortera *vb itr* (~de, ~t) sort out (separate) household waste

källspråk *s* (~et, =) språkv. source language

källvatten *s* (-vattnet) spring water

källåder *s* (~n, -ådror) vein of water; källa spring

kämpa I *vb itr* (~de, ~t) slåss fight; bildl. äv. contend; brottas struggle; *~ för ngt* fight for sth; *~ med ngn* (varandra) fight [with]…, struggle with…; *~ med läxorna* struggle with (sweat over) o.'s homework; *~ mot fattigdomen* fight (struggle) against poverty; *~ mot vinden* battle against the wind; *~ mot gråten* struggle to fight (hold) back one's tears; *~ om ngt* contend for sth; *~ 'emot* bjuda motstånd offer resistance; *~ 'på* fight (struggle, battle, soldier) on **II** *vb rfl* (~de, ~t), *~ sig fram* fight (struggle, battle) one's way; *~ sig igenom* ngt fight one's way through…; framför allt bildl. struggle through…

kämpe *s* (~n, kämpar) **1** stridsman warrior **2** förkämpe champion, protagonist [*för* of]

kämpig *adj* (~t) vard. tough; *ha det ~t* have a tough time of it; *det är ~t* it's a tough job

känd *adj* (känt) bekant: mots. okänd known; ryktbar famous, noted; beryktad notorious [*för ngt* i samtliga fall for sth]; välbekant familiar [*för ngn* to sb]; *~ av*

alla (*av polisen*) known by all (to the police); **bli ~** avslöjad be disclosed; bli kändis become famous; det är **allmänt känt** ...widely (generally, universally) known; neds. ...notorious; **vara ~ för att vara...** be known to be..., have the reputation of being...; **vara ~ för** sin kvalité be noted for..., have a name for...; **vara ~ under namnet...** äv. go by the name of...

kändis s (~en, ~ar) vard. celebrity, celeb, well-known personality, public figure, household name

känga s (~n, kängor) boot; amer. äv. shoe; **ge ngn en ~** pik have a dig (make a crack) at sb, take a shot at sb

känguru s (~n, ~r el. ~er) kangaroo

känn s (oböjl.), **göra ngt på ~** do sth by instinct (instinctively), play sth by ear; **ha ngt på ~** feel sth instinctively, sense sth; **ha på ~ att...** have a (the) feeling (an impression) that..., have a hunch that...

känna I s (oböjl.), **ge sig till ~** om person make oneself (one's presence) known, reveal one's identity [*för ngn* to sb]; om t.ex. missnöje manifest itself

II *vb tr* o. *vb itr* (kände, känt) **1** förnimma: kroppsligt o. själsligt i allm. feel; ha en obestämd förkänsla av sense; pröva [try and] see; jfr äv. ex. med 'känna' under resp. subst.; **~ avund** (**besvikelse**) m.fl. återges enl. mönstret be (feel) envious (disappointed); **~ en svag doft** notice a faint scent; **~ gaslukt** smell gas; **~ glädje** feel joy (happiness), rejoice; **~ hunger** (**törst**) feel (be) hungry (thirsty); **inte ~ någon lust att** + inf. not feel like + ing-form; **~ tacksamhet mot ngn för ngt** feel (be) grateful to sb for sth; **~ trötthet** feel tired; **känn [efter] om** kniven är vass [try and] see whether..., jfr vidare *känna efter* under *känna IV* nedan; **~ för att arbeta** feel like working, feel up to work; **~ med ngn** feel with sb; **~ ngt på lukten** (**smaken**) tell sth by the smell (taste); jfr *kännas* **2** känna till, vara bekant med know, jfr *känna till* under *känna IV* nedan; **~ ngn till namnet** (**utseendet**) know sb by name (sight); **känner jag henne rätt** så kommer hon if I know her at all (have summed her up right)...; **lära ~** get to know; **lära ~ ngn** äv. make sb's acquaintance; småningom come to know sb; **vi lärde ~ varann** på jobbet äv. we became (got) acquainted...

III *vb rfl* (kände, känt), **~ sig** feel; märka [att man är] feel oneself; **~ sig trött** feel tired; **~ sig som en främling** i sitt eget hem feel oneself (feel like) a stranger...

IV *vb* med beton. part.

känna av t.ex. kölden feel; **få ~ av** t.ex. arbetslöshet experience

känna efter: **~ efter i fickorna** search (feel in) one's pockets; **~ efter om** dörren är låst (potatisen är kokt) see if...

känna sig för eg. el. bildl. feel one's way [*hos ngn* with sb]

känna igen recognize; **~ igen ngn på** rösten (gången) äv. know sb by...; **~ igen sig** hitta, t.ex. i stad know one's way about

känna pröva **på** t.ex. motgång [have to] experience; **få ~ på hur det är** att ha det knappt be made to feel what it is like...; **~ på sig att...** have a (the) feeling..., feel instinctively (in one's bones)...

känna till know, be acquainted with; veta av (om) know (have heard) of; vara hemma i, t.ex. arbete, knep

äv. be up to; **~ dåligt till** be unfamiliar with, know little about; **~ väl till** be well acquainted (be very familiar) with, know all about

kännarblick s (~en), **med ~** with the eye of a connoisseur (an expert)

kännare s (~n, =) konst~ o.d. connoisseur, judge [*av* of]; expert expert [*av, på* on, in]; authority [*av, på* on]; **~ av** klassisk musik **säger så** people who know all about...say so

kännarmin s (~en), **med ~** with the air of a connoisseur

kännas *vb itr dep* (kändes, känts) **1** feel; handen **känns varm** ...feels warm; tyget **känns mjukt** äv. ...is soft to the touch; **det känns** kallt (underligt) it feels...; **det känns skönt** it feels pleasant, it's a pleasant feeling; **det känns inte** I (you osv.) don't feel it; **det känns lugnande för mig att veta det** it is a relief to me to know [that]; **hur känns det [nu]?** how do you feel (are you feeling) [now]?; **hur känns det att börja** arbetet igen? how does it feel to begin (beginning)...?; **det känns på lukten** att... you can tell by the smell... **2 ~ vid** erkänna, t.ex. misstag acknowledge; **inte vilja ~ vid** refuse to acknowledge, disown; t.ex. sin egen far äv. be ashamed of; **vem känns vid** äger...? who is the owner of...?

kännbar adj (~t) förnimbar perceptible; märkbar noticeable; påtaglig obvious [*för* to]; avsevärd considerable [*för* i samtliga fall for]; **en ~ brist på** livsmedel a much-felt want of...; starkare a pressing need of...; **ett ~ straff** a stiff penalty (sentence), a punishment that is (was etc.) really felt (jfr *straff*)

kännedom s (~en) kunskap knowledge [*om* of]; bekantskap acquaintance; närmare familiarity [*om* with]; **få ~ om** (*om att*) receive information (be informed) about (that); **ha ~ om** know about, be aware (informed) of; **kopia för ~** ...for [your] information; **det har kommit till vår ~ att...** we have been informed (information has reached us) that...

kännetecken s (-tecknet, =) **1** igenkänningstecken [distinctive] mark, token **2** utmärkande egenskap characteristic, distinctive feature, attribute; symtom symptom; tecken mark, criteri|on (pl. -a) [*på* i samtliga fall of]

känneteckna *vb tr* (~de, ~t) characterize, mark, be characteristic (typical) of; **~s av** äv. be distinguished by

kännetecknande adj (oböjl.) characteristic; **ett ~ drag** äv. a distinctive trait

känning s (~en, ~ar) **1** kontakt touch; mil. äv. contact; **få ~ med botten** touch (strike) [the] bottom; **ha ~ar** kontakter have contacts **2** smärtsam förnimmelse sensation of pain; **ha ~ av** ryggen be troubled by...

känsel s (~n) sinne feeling [*i* in]; perception of touch; jfr *känselsinne*; **ha fin ~** have a fine sense of feeling (resp. touch); förlora **~n** ...sensibility (one's sense of feeling); **jag har ingen ~ i** foten äv. my...is numb

känselnerv s (~en, ~er) anat. sensory nerve

känselorgan s (~et, =) anat. tactile organ

känselsinne s (~t) för värme, köld, smärta sense of feeling; för tryck [sense of] touch, tactile sense

känselspröt s (~et, =) zool. feeler, palp; tentakel tentacle

känsla s (~n, känslor) allm. feeling [*för ngn* (*ngt*) towards sb (for sth)]; sinnesförnimmelse sensation;

sinne, uppfattning, medvetande sense; förmåga att känna, stark ~ emotion; **ömma känslor** tender feelings (affections); **jag har en stark ~ [av] att... I** have a strong feeling (föraning presentiment) that...; **ha ~ för** rätt och orätt have a sense of...; **vädja till** väljarnas **känslor** appeal to the emotions of...; **utan ~ för** without any feeling for

känslig *adj* (~t) allm., om person el. mer fackspr. sensitive [*för* to]; mottaglig för t.ex. smärta, drag, motgång, smitta, intryck susceptible; om kroppsdel sensible [*för* to]; lättrörd, ömsint emotional; lättretlig touchy; ömtålig delicate; känslofull emotional, ...full of feeling; **ett ~t ämne** a delicate subject; **~ för** kritik sensitive to...; om växt **~ för kyla** affected by the cold; **barn i den ~a åldern** ...at the impressionable age

känslighet *s* (~en) sensitivity, sensitiveness; susceptibility; sensibility [*för* i samtliga fall to]; emotionality; delicacy; jfr *känslig*

känslobetonad *adj* (-betonat, ~e) emotionally tinged, emotive äv. om ord o.d., emotional

känslokall *adj* (~t) cold; hjärtlös callous

känsloladdad *adj* (-laddat, ~e) ...charged with emotion, emotionally charged; **ett känsloladdat ord** an emotive word; **en ~ stämning** äv. a charged atmosphere

känsloliv *s* (~et) emotional life, emotions pl.

känslolös *adj* (~t) insensitive, insensible [*för* to]; domnad numb; speciellt själsligt callous, unemotional; unfeeling [*för ngn* towards sb]

känslolöshet *s* (~en) insensitiveness osv., insensibility; indifference; apathy; jfr *känslolös*; **hans ~** brist på känsla äv. his lack of emotion (kyla feeling)

känslomänniska *s* (~n, -människor) emotional person; utpräglad emotionalist

känslomässig *adj* (~t) emotional, ...based on feeling

känslosam *adj* (~t, ~ma) känslofull emotional; sentimental sentimental; starkare mawkish

känsloutbrott *s* (~et, =) outburst of feeling, gush of emotion

käpp *s* (~en, ~ar) allm. stick; tunn cane; stång rod; **sätta ~ar i hjulet** throw a spanner into the works; **sätta ~ar i hjulet för ngn** put a spoke in sb's wheel; **gå med ~** stödd på en käpp walk with a stick

käpphäst *s* (~en, ~ar) hobby-horse; bildl. äv. fix idé obsession, idée fixe, consuming passion

käpprak *adj* (~t) bolt upright, ...[as] straight as a poker

käpprätt *adv*, **det gick ~ åt skogen** it went all to blazes

kär *adj* (~t) **1** avhållen dear [*för* to]; älskad beloved; om sak äv. cherished [*för* by]; **~a barn (du, ni)!** my dear (till flera dears)!; **[men] ~a nån** varför... but my dear...; **Kära Anna!** i brev Dear Anna,; **~a vänner!** my dear friends!; **ett ~t besvär** a labour of love; **om livet är dig ~t** if you value your life; **ha ngn ~** be fond of (love) sb; **mina nära och ~a** my loved ones, my nearest and dearest **2** förälskad in love; starkare infatuated [*i* with]; **bli ~ i** fall in love with; **vara ~ i** be in love with; vard. be keen (struck, gone) on

kära *vb rfl* (~de, ~t) vard., **~ ner sig i** [go and] fall in love with, fall for

kärande *s* (~n, =) jur. plaintiff

käresta *s* (~n, kärestor) sweetheart

käring *s* (~en, ~ar) neds. old bag; osympatisk kvinna bitch; **gammal ful ~** hag

käringaktig *adj* (~t) old-womanish

käringknop *s* (~en, ~ar) o. **käringknut** *s* (~en, ~ar) granny['s] knot

käringprat *s* (~et) old woman's (resp. women's) gossip, old wives' tales pl.

käringtand *s* (~en) bot. bird's-foot trefoil, babies' slippers pl.

kärkommen *adj* (-kommet, -komna) [very] welcome

kärl *s* (~et, =) allm. vessel äv. anat.; biol. äv. duct; förvarings~ receptacle, container [*för, till* for]

kärlek *s* (~en, ~ar) allm., **~[en]** love [*till* vanl. of (for)]; tillgivenhet affection [*till* for]; hängivenhet devotion [*till (för)* t.ex. studier to]; **~en är blind** love is blind; **~[en] till Gud (människan)** love of God (mankind); **~[en] till nästan** neighbourly love, charity; **gifta sig av ~** marry for love; **dö av olycklig ~** die of a broken heart

kärleksaffär *s* (~en, ~er) love affair, romance

kärleksbarn *s* (~et, =) love child

kärleksbekymmer *s* (-bekymret, =), **ha ~** be unhappily in love

kärleksbrev *s* (~et, =) love letter

kärleksdikt *s* (~en, ~er) love poem

kärleksfull *adj* (~t) älskande loving, affectionate, doting; öm tender [*mot* i samtliga fall to[wards]]; hängiven, om t.ex. studium devoted

kärleksförbindelse *s* (~n, ~r) o. **kärleksförhållande** *s* (~t, ~n) love affair, liaison

kärleksförklaring *s* (~en, ~ar) declaration of love

kärleksgnabb *s* (~et) lovers' quarrels (tiffs) pl.

kärleksgud *s* (~en, ~ar) god of love, love god

kärlekshistoria *s* (-historien, -historier) **1** berättelse love story **2** se *kärleksaffär* o. *kärleksförbindelse*

kärlekskrank *adj* (~t) lovesick

kärleksliv *s* (~et) love life

kärlekslös *adj* (~t) **1** hårdhjärtad uncharitable [*mot* to] **2** om t.ex. barndom loveless

kärleksroman *s* (~en, ~er) love story

kärlekssång *s* (~en, ~er) love song

kärleksäventyr *s* (~et, =) love affair, fling

kärleksört *s* (~en, ~er) bot. orpine, livelong

kärlkramp *s* (~en) med. vascular spasm

1 kärna I *s* (~n, kärnor) smör~ churn **II** *vb tr* (~de, ~t), **~ smör** churn, make butter

2 kärna I *s* (~n, kärnor) **1** i äpple, päron, citrusfrukt pip (amer. seed); i gurka, melon, russin, druva seed; i druva äv. pip; i stenfrukt stone, amer. pit; i nöt kernel; **ta ut kärnorna ur...** remove the pips osv. from...; gurka o.d. äv. seed...; stenfrukt äv. stone...; amer. pit... **2** i säd grain **3** friare: tekn., gaslågas el. jordens core; fys. el. naturv. nucle|us (pl. -i); i träd heart **4** bildl., **~n** det väsentliga the essence [*i* of]; **pudelns ~** the heart (crux) of the matter **II** *vb tr* (~de, ~t), **~ ur** äpplen core; se vidare *ta ut kärnorna ur* under *2 kärna I* ovan

kärnavfall *s* (~et) nuclear waste

kärnbränsle *s* (~t, ~n) nuclear fuel

kärnenergi *s* (~n) nuclear energy

kärnexplosion *s* (~en, ~er) nuclear explosion

kärnfamilj *s* (~en, ~er) sociol. nuclear family

kärnforskning *s* (~en) nuclear research

kärnfri *adj* (-fritt) om citrusfrukt pipless, seedless; om russin seedless, urkärnad seeded; om stenfrukt stoneless, urkärnad stoned

kärnfrisk *adj* (~t) om person thoroughly healthy, fit as a fiddle

kärnfrukt *s* (~en, ~er) bot. pome

kärnfull *adj* (~t) bildl. vigorous; mustig pithy; [*kort och*] ~ äv. sententious

kärnfysik *s* (~en) nuclear physics sg.

kärnfysiker *s* (~n, =) nuclear physicist

kärnhus *s* (~et, =) core

kärnkemi *s* (~n) nuclear chemistry

kärnklyvning *s* (~en, ~ar) fys. nuclear fission

kärnkraft *s* (~en) nuclear power

Kärnkraftinspektionen Statens kärnkraftinspektion the Swedish Nuclear Power Inspectorate

kärnkraftsavfall *s* (~et) nuclear waste

kärnkraftsavveckling *s* (~en, ~ar) nuclear phase-out

kärnkraftverk *s* (~et, =) nuclear power station (plant)

kärnladdning *s* (~en, ~ar) fys. nuclear charge

kärnmjölk *s* (~en) buttermilk

kärnpunkt *s* (~en, ~er) pivot; *~en i...* the principal (cardinal, main) point in (of)...

kärnreaktor *s* (~n, ~er) nuclear reactor, atomic pile

kärnstridsspets *s* (~en, ~ar) nuclear warhead

kärnteknik *s* (~en) nuclear technology

kärnvapen *s* (-vapnet, =) nuclear weapons; koll. nuclear weaponry sg.

kärnvapenbestyckad *adj* (-bestyckat, ~e) o.

kärnvapenbärande *adj* (oböjl.) nuclear-armed, ...armed with nuclear weaponry

kärnvapenfri *adj* (-fritt), ~ *zon* non-nuclear (nuclear-free) zone

kärnvapenförbud *s* (~et, =) ban on nuclear weapons, nuclear ban

kärnvapenkrig *s* (~et, =) nuclear war (krigföring warfare)

kärnvapenmakt *s* (~en, ~er) land med kärnvapen nuclear power

kärnvapenmotståndare *s* (~n, =) opponent of the use of nuclear weapons; vard. antinuke

kärnvapenprov *s* (~et, =) nuclear test

kärnvapenstopp *s* (~et, =) se *kärnvapenförbud*

kärnved *s* (~en) o. **kärnvirke** *s* (~t) bot. heartwood, duramen

kärnvärmeverk *s* (~et, =) nuclear heating plant

kärnämne *s* (~t, ~n) skol. core subject

käromål *s* (~et, =) jur. plaintiff's case

kärr *s* (~et, =) marsh

kärra *s* (~n, kärror) cart; drag~, skott~ barrow; vard., bil car

kärring *s* (~en, ~ar) se *käring*

kärrmark *s* (~en, ~er) marktyp marshy ground (soil); område marsh[land]

kärv *adj* (~t) allm. harsh; om yta, före äv. rough äv. om vin; om landskap äv. austere; bildl., om stil, språk, humor rugged; om person gruff; trög, om t.ex. fönster, byrålåda stiff; *ett ~t läge* a difficult situation; *~a tider* hard times

kärva *vb itr* (~de, ~t) om t.ex. fönster, byrålåda keep sticking, be stiff; *det ~r till sig* things are getting difficult

kärve *s* (~n, kärvar) lantbr. sheaf (pl. sheaves); *binda* [*ngt i*] *kärvar* sheaf [sth]

kärvhet *s* (~en) harshness; roughness; austerity; jfr *kärv*

kärvänlig *adj* (~t) öm affectionate; överdrivet vänlig ingratiating

kättarbål *s* (~et, =) hist. stake

kättare *s* (~n, =) heretic äv. friare

kätte *s* (~n, kättar) lantbr. pen, [loose] box

kätteri *s* (~et, ~er) heresy äv. friare

kättersk *adj* (~t) heretical; friare heterodox

kätting *s* (~en, ~ar) chain; ankar~ äv. cable

kättja *s* (~n) lust

kö *s* (~n, ~er) **1** rad av väntande queue, file; speciellt amer. line; *bilda* ~ form a queue; *stå* (*ställa sig*) *i* ~ se *köa*; *ställa sig i ~n* take one's place in the queue **2** slutet av trupp rear **3** biljard~ cue

köa *vb itr* (~de, ~t) queue [up]; speciellt amer. stand in line, line up

köbildning *s* (~en, ~ar), *det är* ~ there is a queue, a queue has formed; *för att undvika* ~ to avoid a queue

köbricka *s* (~n, -brickor) queue number (ticket)

kök *s* (~et, =) **1** eg. kitchen **2** kokkonst cuisine, cookery; känd för sitt *goda* ~ äv. ...fine cooking (food) **3** kokapparat stove

köksa *s* (~n, köksor) kitchenmaid, [assistant female] cook

köksavfall *s* (~et) kitchen-refuse, garbage

köksbord *s* (~et, =) kitchen table

köksfläkt *s* (~en, ~ar) kitchen fan (ventilator)

köksförkläde *s* (~t, ~n) kitchen apron

köksgolv *s* (~et, =) kitchen floor

kökshandduk *s* (~en, ~ar) kitchen towel, tea towel, tea cloth

köksingång *s* (~en, ~ar) kitchen (back) entrance, service entrance

köksinredning *s* (~en, ~ar) kitchen fixtures pl.

kökskniv *s* (~en, ~ar) kitchen-knife

köksmaskin *s* (~en, ~er) kitchen machine (appliance)

köksmästare *s* (~n, =) chef

köksredskap *s pl* household (kitchen) utensils (elektriska appliances)

köksrulle *s* (~n, -rullar) kitchen roll

köksskåp *s* (~et, =) kitchen cupboard

köksspis *s* (~en, ~ar) kitchen range; elektrisk el. gasspis cooker

köksträdgård *s* (~en, ~ar) kitchen garden, vegetable garden

köksvägen *s* (best. sing.), *gå* ~ go by the backstairs; genom köket go through the kitchen

köksväxt *s* (~en, ~er) grönsak vegetable; kryddväxt pot herb, aromatic plant, sweet herb

köl *s* (~en, ~ar) sjö. keel; *fartyget kom på rät*[*t*] ~ *sedan...* the ship righted herself...; *komma på rätt* ~ bildl. get on to the right tack

kölapp *s* (~en, ~ar) queue [number] ticket

köld *s* (~en) **1** eg.: allm. cold; frost frost; kall väderlek cold weather; köldperiod spell of cold [weather]; gå ut *i 10 graders* ~ ...in 10 degrees below freezing-point **2** bildl.: kylighet coldness; likgiltighet indifference

köldgrad *s* (~en, ~er) degree of cold (frost), jfr *minusgrad*

köldknäpp *s* (~en, ~ar) sudden cold spell, cold snap

köldpunkt *s* (~en, ~er) fysiol. cold spot

köldrysning *s* (~en, ~ar) cold shiver

köldvåg *s* (~en, ~or) cold wave

Köln Cologne
kölsvin s (~et, =) sjö. keelson, kelson
kölvatten s (-vattnet) sjö. wake äv. bildl.
kön s (~et, =) **1** allm. sex; *av kvinnligt* (*manligt*) ~ of the female (male) sex; *hälften* av dem *av kvinnligt* (*manligt*) ~ half of them females (males) **2** gram. gender
könlös adj (~t) sexless; bot. el. zool. neuter; ~ *fortplantning* asexual reproduction
könsbestämning s (~en, ~ar) sex-determination
könsbyte s (~t, ~n) change of one's sex
könscell s (~en, ~er) sex cell, gamete
könsdelar s pl, *yttre* ~ genitals, privates, private parts
könsdiskriminering s (~en) discrimination between the sexes, sex (gender) discrimination, sexism
könsdrift s (~en) sex[ual] instinct (urge); friare sexual desire, sex drive
könshormon s (~et, ~er el. =) sex hormone
könskvotering s (~en), ~ *av tjänster* o.d. allocation...according to sex
könsliv s (~et) sex[ual] life
könsmogen adj (-moget, -mogna) sexually mature
könsmognad s (~en) sexual maturity
könsord s (~et, =) word referring to sex (gender); vard. four-letter word
könsorgan s (~et, =) sexual organ; i pl. äv. genitals; *inre* ~ pl. internal sexual organs; jfr vidare *könsdelar*
könsroll s (~en, ~er) sex (gender) role
könssjukdom s (~en, ~ar) venereal disease (förk. VD), social disease
könsstympning s (~en, ~ar) female circumcision, female genital mutilation (förk. FGM)
könsumgänge s (~t, ~n) [sexual] intercourse; jur. carnal knowledge
köp s (~et, =) allm. purchase; vard. buy; köpande buying; transaktion, vard. deal; *göra ett bra* ~ make (get) a good bargain; *ta varor på öppet* ~ take goods on a sale-or-return basis (on approval, with the option of returning them); *man får det* (*det kommer med*) *på* ~*et* you get that into the bargain (thrown in); [*till*] *på* ~*et* allm. ...into the bargain; dessutom ...in addition, what's more...; till och med even; till råga på allt to crown (on top of) it all
köpa I vb tr (köpte, köpt) buy äv. bildl., purchase [*av ngn* from sb]; *muta* bribe, buy over; vard., gå med på buy; ha pengar *att* ~ *för* ...to buy [things] with; *det finns att* ~ it is to be bought (had); *Önskas* ~ el. *Köpes* rubrik Wanted; ~ *ngn* (*sig*) *ngt* buy sb (oneself) sth; ~ *ngt till ngn* buy sth for sb
II med beton. part.
köpa hem t.ex. mat, frukt buy
köpa in buy in; ~ *in sig i* buy oneself (one's way) into
köpa upp buy up; ~ *upp sina pengar* spend all one's money
köpa ut: ~ *ut ngn* buy sb out; ~ *ut sprit till ngn* buy spirits (liquor) on sb's behalf
köpare s (~n, =) buyer, purchaser
köpcentrum s (~et, = el. -centra) shopping centre, shopping precinct, shopping mall
köpeavtal s (~et, =) contract of sale
köpebrev s (~et, =) bill of sale
köpekontrakt s (~et, =) contract of sale
Köpenhamn Copenhagen

köpenskap s (~en, ~er) trade; handlande trading
köpeskilling s (~en, ~ar) o. **köpesumma** s (~n, -summor) jur. purchase-sum
köpgalen adj (-galet, -galna) ...mad about buying things
köping s (~en, ~ar) ung. [small] market town; eng. motsv. ung. urban district
köpkort s (~et, =) hand. credit card
köpkraft s (~en) purchasing (buying) power
köpkurs s (~en, ~er) för värdepapper bid price (quotation); för valutor buying rate
köplust s (~en) o. **köplusta** s (~n) desire (inclination) to buy things; efterfrågan [buying] demand
köpman s (~nen, -män) business man; handlande tradesman; grosshandlare el. åld. merchant
köporder s (~n, =) order to buy, buying-order
köpslå vb itr (-slog, -slagit) bargain, haggle
köpslående s (~t) bargaining
köpstark adj (~t), ~ *publik* ...with great spending power, ...with [plenty of] money to spend; friare well-to-do
köpstrejk s (~en, ~er) buyers' strike
köptvång s (~et), *utan* ~ with no obligation to purchase, without obligation to purchase
1 kör s (~en, ~er) sång~ choir; körparti t.ex. i opera, oratorium chorus; sångstycke chorus äv. bildl.; *i* ~ in chorus
2 kör s (oböjl., ett), *i ett* ~ without stopping, continuously; t.ex. arbeta äv. at a stretch, without a break
3 kör s (~et) vard., *hela* ~*et* klabbet the whole lot (caboodle); *det vanliga* ~*et med...* the usual old stuff about...
köra I vb tr (körde, kört) **1** framföra, styra: allm., t.ex. fordon drive; motorcykel ride; t.ex. skottkärra push, wheel, trundle; ~ *en motor med* (*på*) bensin run an engine on... **2** forsla: allm. take; i bil äv. drive, run; i kärra cart, wheel; speciellt [tyngre] gods, t.ex. om tåg äv. carry, transport, convey; *han körde henne* [*med bil*] *till stationen* äv. he gave her a lift... **3** data. run **4** stöta, sticka, stoppa run, thrust, stick; ~ *fingrarna genom håret* run one's fingers through one's hair; ~ *huvudet i väggen* bildl. bang (knock) one's head against a brick (stone) wall **5** jaga, mota, ~ *ngn på dörren* (*porten*) turn (utan vidare bundle) sb out **6** ~ *visa en film* show a film
II vb itr (körde, kört) **1** allm. drive; i (med) bil äv. motor; på [motor]cykel ride; åka go, ride; färdas travel, jfr *2 fara I 1* o. *åka I 1*; om bil äv., om tåg o.d. vanl. run, go äv. betr. hastighet; om fabrik work [[*i*] *dubbla skift* double shifts]; *kör!* i väg go ahead!; *han kör bra* he drives well, he is a good driver; *lära sig* [*att*] ~ köra bil learn how to drive [a car]; ~ *mot rött* [*ljus*] jump the [red] lights, run a red light; *han körde* (*bilen körde*) *rätt* (*rakt*) *in i...* he drove (the car ran) straight into...; ~ *uppför* en backe *på ettan* take (climb)...in first [gear]; *kör över* Gävle! drive (go) via...!; hit come via...! **2** kuggas i tentamen o.d. be ploughed; amer. flunk **3** *kör för det!* all right!, O.K.!, fair enough! **4** ~ *med*: a) ~ *med* kommendera *folk* boss (order) people about, worry people b) *hon* ~ *med* oparfymerad deodorant she always uses...; *han kör jämt med* t.ex. sina teorier he is always trotting out (going on about)... **5** *kör hårt!* sätt i gång get

cracking!

III med beton. part.

köra av: ~ *av vägen* med bilen drive off the road

köra bort a) tr.: forsla undan take osv. away; driva bort drive (send)...away (off), pack...off; jaga bort äv. chase...away **b)** itr. drive away

köra efter se *åka efter* under *åka II*

köra emot en lyktstolpe run into...

köra fast get stuck äv. bildl., come (be brought) to a dead stop (a standstill), grind to a halt; förhandlingarna *har kört fast* ...have come to a deadlock

köra fram itr., *bilen körde fram till* trappan the car drove up to...; tr., ~ *fram bilen* (*varorna*) *till* dörren drive the car (take etc. the goods) up to...

köra förbi drive (resp. ride) past

köra i fatt catch up with, se vidare *i fatt*

köra ifrån ngn (ngt) se *ifrån I*

köra igenom [**staden**] drive (resp. ride) through [the town]

köra i gång med projektet go ahead with...

köra ihjäl ngn run over sb and kill him (resp. her); ~ *ihjäl sig* dödas i en bilolycka be killed in a car accident

köra ihop a) kollidera run into one another; ~ *ihop med* run into, collide with **b)** fösa ihop drive (pack, crowd)...together [*i* (*på*) into] **c)** *det har kört ihop sig* [*för mig*] det har kommit något emellan something's come up

köra in a) eg., ~ *in bilen* [*i garaget*] drive the car into the garage; *tåget körde in* [*på* stationen] the train pulled in [at...]; ~ *in* vid trottoarkant o.d. draw in **b)** ~ *in* en försening (tio minuter) make up for...(save...) **c)** ~ *in* trimma in *en ny bil* run (amer. break) in a new car **d)** ~ stöta, stoppa *in*... [*i*] thrust (stick, push, vard. shove, poke)...in[to]

köra i väg a) itr. drive (resp. ride jfr ovan) off **b)** tr., se *köra bort* ovan

köra omkull ngn knock sb down; ~ *omkull med cykeln* (*på cykel*) fall from (off) one's bicycle [while riding]

köra på a) itr.: fortare drive (resp. ride jfr ovan) faster; vidare drive osv. on; *kör på bara!* äv. just go ahead! **b)** tr., ~ *på ngn* kollidera med run into sb; omkull ngn knock sb down

köra sönder t.ex. ett staket drive (resp. ride jfr ovan) into...and smash it; ~ *sönder bilen* vid krock smash up (fördärva motorn ruin) one's car

kör till! all right!, O.K.!, it's a deal!

köra tillbaka a) itr. drive (resp. ride jfr ovan) back **b)** tr., forsla take osv....back

köra undan itr.: ur vägen drive (resp. ride jfr ovan) out of the way

köra upp a) itr. drive (resp. ride jfr ovan) up; för körkort take one's driving test **b)** tr., eg. take osv. up; sticka upp stick (put) up; lura fleece, friare swindle [*på* of]; ~ *upp* ngn *ur sängen* make...get out of bed, rout...[up] out of bed; jfr *uppkörd*

köra ut a) itr. drive (resp. ride jfr ovan) out; ~ *ut på landet* med bil drive (göra en tur go for a drive) into the country **b)** varor deliver; ~ kasta *ut ngn* turn sb out [of doors] (ur rummet out of the room)

köra över a) t.ex. gata, bro drive (resp. ride jfr ovan) across, cross **b)** ~ *över ngn* vanl. run over sb; jfr

överkörd **c)** ~ *över ngn* bildl. not bother about what sb thinks (wants), ride roughshod over sb

körbana s (~n, -banor) på gata road[way], carriage way; amer. pavement

körbar adj (~t) ...fit for driving (om fordon to drive); för motorcykel, cykel ...fit for riding; om motorcykel, cykel ...fit to ride

körfält s (~et, =) lane; *byta* ~ change lanes

körförbud s (~et, =), *belägga* bil *med* ~ impose a driving ban on...

körhastighet s (~en, ~er) speed

körkort s (~et, =) driving (driver's) licence; *internationellt* ~ international driving permit; *mista* ~*et* lose one's [driving] licence, have one's [driving] licence suspended (revoked); *ta* ~ köra upp take (pass) one's driving test

körkortsprov s (~et, =) driving test

körledare s (~n, =) mus. choirmaster

körlektion s (~en, ~er) driving lesson

körning s (~en, ~ar) körande driving osv., jfr *köra*; data. run; av varor äv. haulage; körtur o.d.: med bil drive, mer yrkesmässig run; *olovlig* ~ ung. using a vehicle without lawful authority; taxichauffören hade bara *fyra* ~*ar på hela dagen* ...four fares all day

körriktning s (~en, ~ar) direction

körriktningsvisare s (~n, =) [direction] indicator

körsbär s (~et, =) cherry

körsbärskärna s (~n, -kärnor) cherry stone

körsbärslikör s (~en, ~er) cherry brandy

körsbärsröd adj (-rött) cherry-red; ~*a* läppar cherry...

körsbärstomat s (~en, ~er) cherry tomato

körsbärsträ s (~et) cherry-wood

körsbärsträd s (~et, =) cherry[-tree]

körskicklighet s (~en) driving-skill; hos [motor]cyklist riding-skill

körskola s (~n, -skolor) driving school; spec. i namn o.d. school of motoring

körsnär s (~en, ~er) furrier; handlare äv. fur-dealer

körsträcka s (~n, -sträckor), *tillryggalagd* (*sammanlagd*) ~ distance (total distance) covered

körsång s (~en, ~er) sjungande choir-singing; komposition chorus, part-song

körtel s (~n, körtlar) anat. gland

körtelfeber s (~n) med. glandular fever

körtelsjukdom s (~en, ~ar) glandular disease

körvel s (~n) bot.: dansk chervil; spansk [sweet] cicely

körväg s (~en, ~ar) i mots. till gångväg road[way], carriageway; i park el. till privathus drive; *det är* en kvarts (kilometers) ~ *dit* it is...drive (med [motor]cykel ride) there

kött s (~et) allm. flesh äv. bildl.; slaktat meat, jfr äv. *fårkött, nötkött* m.fl.; frukt~ äv. pulp; mitt eget ~ *och blod* ...flesh and blood; *få* (*ge*) *mer* ~ *på benen* bildl. get more meat on the bone

köttaffär s (~en, ~er) butik butcher's [shop]

köttben s (~et, =) bone [with some meat on it]

köttbit s (~en, ~ar) [small] piece of meat

köttbuljong s (~en, ~er) meat stock

köttbulle s (~n, -bullar) meatball, forcemeat ball

köttdisk s (~en, ~ar) meat counter; större meat department

köttfärgad adj (-färgat, ~e) flesh-coloured

köttfärs s (~en, ~er) råvara mince, amer. ground beef

köttfärslimpa s (~n, -limpor) meat loaf

köttfärssås *s* (~en, ~er) minced meat sauce;
 spaghetti med ~ spaghetti bolognese
köttgryta *s* (~n, -grytor) kärl stew-pot; rätt hotpot,
steak casserole; *sitta vid maktens köttgrytor* ung.
hold the reins of power
köttig *adj* (~t) fleshy
köttklubba *s* (~n, -klubbor) steak hammer, meat
mallet
köttkvarn *s* (~en, ~ar) [meat-]mincer,
mincing-machine; amer. meat grinder
kötträtt *s* (~en, ~er) meat course (dish)
köttsaft *s* (~en, ~er) meat juices pl.
köttskiva *s* (~n, -skivor) slice of meat
köttslamsa *s* (~n, -slamsor) scrap of flesh (av slaktat
kött meat)
köttslig *adj* (~t) **1** egen own; om t.ex. broder, kusin äv.
...german **2** sinnlig carnal; bibl. fleshly
köttsoppa *s* (~n, -soppor) [meat-]broth, meat soup
köttspad *s* (~et, =) [meat] stock, gravy
köttstycke *s* (~t, ~n) piece (större, med ben i joint) of
meat
köttsår *s* (~et, =) flesh wound
köttyxa *s* (~n, -yxor) [butcher's] chopper, cleaver
köttätande I *adj* (oböjl.) om människor meat-eating; om
djur flesh-eating, carnivorous **II** *s* (~t), *minska på ~t*
reduce the consumption of meat
köttätare *s* (~n, =) människa vanl. meat-eater; djur
carnivore

l *s* **1** (l:et, l) bokstav l [utt. el] **2** (förk. för *liter*) l
1 labb *s* (~en, ~ar) på djur paw; på människa, vard. paw,
mitt; näve fist
2 labb *s* (~et, =) vard., laboratorium lab
labil *adj* (~t) unstable, fluctuating; psykol.
emotionally unstable, labile
labilitet *s* (~en) instability, fluctuation; psykol. äv.
emotional instability, lability
laborant *s* (~en, ~er) laboratory worker (assistant,
elev student)
laboration *s* (~en, ~er) experiment laboratory
experiment; arbete (äv. *~er*) laboratory work; skol.,
övning laboratory lesson
laboratorium *s* (laboratoriet, laboratorier) laboratory
laborera *vb itr* (~de, ~t) **1** eg. do laboratory work
2 bildl., ~ *med* pröva work (go) on; experimentera med
experiment with, try out; röra sig med play about
with
labrador *s* (~en, ~er) hundras, ~ [*retriever*] Labrador
[retriever]
labyrint *s* (~en, ~er) maze; labyrinth äv. anat.
lack *s* (~en el. ~et, ~er el. =) **1** sigill~ sealing wax;
lacksigill seal **2** fernissa lacquer, varnish; nagel~ [nail]
varnish; till konstföremål japan; färg enamel, lacquer;
ämne [gum] lac **3** se *lackering* **4** lackskinn patent
leather
1 lacka *vb tr* (~de, ~t) **1** seal[...with sealing wax]; ~
igen (*ihop*) seal up..., seal...up with sealing wax
2 se *lackera*
2 lacka *vb itr* (~de, ~t), *han arbetade så att svetten*
~de he worked so hard that the sweat was
dripping from him
3 lacka *vb itr* (~de, ~t), *det ~r mot jul* Christmas is
drawing near
lackera *vb tr* (~de, ~t) lacquer; måla enamel, paint;
naglar el. fernissa varnish; [*låta*] ~ *om* en bil
have...repainted (resprayed)
lackering *s* (~en, ~ar) abstr. varnishing, lacquering,
enamelling osv., jfr *lackera*, konkr. varnish, lacquer,
enamel; på bil: abstr. [car] painting (spraying), konkr.
paintwork (endast sg.), paint
lackfärg *s* (~en, ~er) enamel paint, lacquer
lackmuspapper *s* (~et el. -pappret, =) kem. litmus
paper
lacknafta *s* (~n) white spirit, petroleum spirit; amer.
äv. mineral spirits
lacksko *s* (~n, ~r) patent-leather shoe
lackstång *s* (~en, -stänger) stick of sealing wax
lackviol *s* (~en, ~er) bot. wallflower, gillyflower
lada *s* (~n, lador) barn
ladda *vb tr* (~de, ~t) fylla: allm. el. data. load, skjutvapen
äv. charge; elektr. charge; ~ *batterierna* bildl. recharge
one's (the) batteries; bössan (kameran) *är ~d* ...is
loaded; stämningen *var ~d* ...was charged; *en ~d*
tystnad a pregnant silence; ~ *ned* data. download; ~
upp a) elektr. charge b) förbereda sig get ready; mentalt
prepare oneself mentally; fylla på förråden med t.ex. mat

stock up c) data. upload; **~ ur sig** elektr. discharge; om batteri run down

laddare s (~n, =) charger

laddning s (~en, ~ar) abstr. loading osv., jfr *ladda*; konkr.: charge, i skjutvapen äv. load; **en [hel] ~ böcker** loads pl. of...

laddningsbar adj (~t) om t.ex. batteri, rakapparat rechargeable

ladugård s (~en, ~ar) cowshed; amer. barn

ladusvala s (~n, -svalor) swallow; amer. barn swallow

1 lag s (~en) avkok decoction; spad liquid; socker~ syrup

2 lag s (~et, =) **1** sport. el. arbets~ team; sport. äv. side; roddar~ crew; arbetar~ gang; sällskap company; krets set; **dela upp sig på ~** make up sides; **gå ~et runt** go the round, circulate (be passed round) among the company; **låta** ngt **gå ~et runt** pass (hand)...round; **i glada vänners ~** in convivial company; **ha ett ord med i ~et** have a say (a voice) in the matter; **över ~** genomgående without exception, all along the line; utan åtskillnad wholesale; samtliga all round, to a man **2** ordning, **i** (**ur**) **~** in (out of) order **3** belåtenhet, **göra** (**vara**) **ngn till ~s** please (suit) sb **4 i kortaste ~et** rather (a bit) short, a bit on the short side, almost too short; 500 kronor **är i mesta** (**minsta**) **~et** ...is pretty much (precious little); **i senaste ~et** almost too late; i sista minuten only just in time, at the last moment; **vid det ~et** by then (that time)

3 lag s (~en, ~ar) allm. law; jur.: antagen av statsmakterna act [i Storbr. of Parliament, i USA of Congress]; förordning statute, enactment; lagbok code; **Sveriges rikes ~** boktitel the Statute Book of Sweden; **~en om** a) allm., t.ex. tillgång och efterfrågan the law of... b) jur., om speciell, namngiven lag the Act (law) relating to...; **~en om alltings djävlighet** Murphy's (Sod's) law, [the law that] if anything can go wrong it will; **~ar och förordningar** rules and regulations; **det är ~ på det** (**på att** + hel sats) there is a law about... (a law saying that...); **läsa ~en för ngn** give sb a lecture; **stifta ~ar** make laws; lagstifta legislate; **ta ~en i egna händer** take the law into one's own hands; **enligt ~[en]** by (according to) law; det är **i ~ förbjudet** ...prohibited by law

1 laga adj (oböjl.) lagenlig legal; laggiltig lawful; giltig, t.ex. skäl valid; **vinna ~ kraft** gain legal force, become law (legal); **i ~ ordning** according to the regulations prescribed by law; friare in due order

2 laga I vb tr (~de, ~t) **1 ~ [till]** allm. make; genom stekning o.d. äv. cook; göra i ordning, t.ex. måltid prepare, get...ready, speciellt amer. äv. fix; blanda till mix; **~ mat** cook; **hon ~r god mat** she is a good cook, she cooks well; **~ maten** do the cooking; **äta ~d mat** en varm måltid have a hot meal **2** reparera repair, speciellt amer. äv. fix; göra hel igen äv. mend; stoppa darn; lappa patch [up]; sy ihop stitch up; tänder fill **II** vb itr (~de, ~t), **~ [så] att...** se till see [to it] that...; ställa om arrange (manage) it so that...

laganda s (~n) team spirit

lagarbete s (~t, ~n) teamwork

lagberedning s (~en, ~ar) delegation law-drafting board (committee)

lagbok s (~en, -böcker) statute book, code of laws

lagbrott s (~et, =) breach (violation, infringement) of the law; lagbrytande lawbreaking

lagbrytare s (~n, =) lawbreaker, violator of the law

lagbunden adj (-bundet, -bundna) ...regulated (fixed) by law; t.ex. utveckling ...conformable to law; t.ex. frihet constitutional; samhälle constitutionally organized

lagbundenhet s (~en, ~er) t.ex. naturens conformity (adherence) to law

lagd adj (lagt) om person, **vara konstnärligt ~** be artistic, be artistically inclined; **vara filosofiskt ~** be of a philosophic turn of mind; **vara praktiskt ~** be practical, have a practical turn of mind

lagenlig adj (~t) ...according to [the] law, lawful

1 lager s (lagret, =) **1** förråd stock [av, i of]; stort beredskaps~ stockpile; lokal: rum stockroom, storeroom[s pl.], magasin warehouse; **så långt lagret räcker** while stocks last; sälja **från ~** ...from stock; **ha...i** (**på**) **~** have...in stock (on hand), bildl. have a stock of...; hämta ngt **på lagret** ...from the stockroom; **lägga...på ~** lay (put)...in stock, stock up **2** skikt: allm. layer äv. kok.; av målarfärg coat, layer; sociol. strat|um (pl. -a); geol. äv. bed, strat|um (pl. -a); **de breda lagren** the broad mass sg. of the people, the masses; **översta lagret** the top layer; **klä sig i ~ på ~** dress in different layers of clothing **3** tekn. bearing

2 lager s (~n, lagrar) bot. laurel; **skörda lagrar** bildl. win laurels; **vila på lagrarna** rest (sit) on one's laurels

3 lager s (~n) öl lager

lagerarbetare s (~n, =) stockroom worker

lagerblad s (~et, =) bay leaf äv. kok.; till lagerkransar vanl. laurel leaf

lagerbär s (~et, =) bayberry

lagerchef s (~en, ~er) stores (storeroom, magasin warehouse) manager, head stores-clerk

lagerkatalog s (~en, ~er) stock list

lagerkrans s (~en, ~ar) som utmärkelsetecken laurel wreath

lagerkrönt adj (=) ...crowned with a laurel wreath, laureate

lagerlokal s (~en, ~er) stockroom, storeroom[s pl.], storage room[s pl.]; magasin warehouse

lagerutrymme s (~t, ~n) storage space

lagervara s (~n, -varor) stock line; **lagervaror** äv. stock goods

lagfart s (~en, ~er) jur., **söka ~ på** fastighet apply for the registration of one's title to...

lagfartsbevis s (~et, =) jur. certificate of registration of title

lagförslag s (~et, =) [proposed] bill

lagg s (~en, ~ar) **1** kok. griddle; för våfflor waffle iron; **en ~ våfflor** a round of... **2** vard., skida ski

lagkamrat s (~en, ~er) team-mate

lagkapten s (~en, ~er) captain [of a (resp. the) team]

lagledare s (~n, =) sport. team manager, coach

laglig adj (~t) laga legal; erkänd av lagen, t.ex. arvinge, hustru, regering lawful; t.ex. ägare rightful; **~ befogenhet** statutory powers pl.; **på ~ väg** by lawful (legal) means, legally

laglott s (~en, ~er) jur., ung. statutory share of inheritance, lawful portion

laglydig adj (~t) law-abiding

laglös adj (~t) lawless

laglöshet s (~en) lawlessness

lagman s (-nen, -män) vid tingsrätt chief judge in district court; i vissa städer president of city court; vid länsrätt chief judge in county administrative court

lagning s (~en, ~ar) abstr. repairing, speciellt amer. äv.

fixing; mending; tandlagning filling; **en** ~ a repair, a mend; skicka...**på** (**till**) ~ ...to be repaired

lagom I *adv* just right; nog just enough; tillräckligt sufficiently; måttligt in moderation, moderately; den är ~ **saltad** ...salted just right; den är ~ **stor** ...just large enough, ...just the right size; **det är ~ svalt** (**varmt**) the temperature is just right (comfortable); it is not too hot, and not too cold; **komma precis** ~ i tid be just in time; lägligt come at the right moment; **skrik ~!** don't shout like that! **II** *adj* (oböjl.) tillräcklig adequate, sufficient; lämplig, passande fitting, appropriate, suitable; måttlig moderate; **på ~ avstånd** at just the right distance; **det blir** (**är**) **precis** ~ it's just right; tillräckligt it's quite enough; skon är [**precis**] ~ **åt mig** ...fits me [exactly]; **det är ~ åt honom** iron. it serves him right **III** *s* (oböjl.), ~ **är bäst** everything in moderation

lagparagraf *s* (~en, ~er) section of a law (an Act, resp. the law, the Act)

lagra I *vb tr* (~de, ~t) förvara store äv. data.; magasinera warehouse; för kvalitetsförbättring: t.ex. vin lay down...to mature; t.ex. ost leave...to ripen **II** *vb rfl* (~de, ~t) ~ **sig a)** geol. stratify **b)** om t.ex. damm settle [in layers]

lagrad *adj* (lagrat, ~e) (jfr *lagra*) **1** förbättrad genom lagring: om t.ex. ost ripe; om t.ex. vin matured **2** geol. stratified **3** tekn. ...journalled in bearings

lagring *s* (~en, ~ar) (jfr *lagra*) **1** storage, storing; warehousing; för kvalitetsförbättring maturing, seasoning **2** geol. stratification

lagrum *s* (~met, =) se *lagparagraf*

lagsport *s* (~en, ~er) team game

lagstadgad *adj* (-stadgat, ~e) statutory, ...fixed (laid down, prescribed) by law

lagstifta *vb itr* (~de, ~t) legislate

lagstiftande *adj* (oböjl.) legislative; ~ **församling** legislative assembly (body)

lagstiftning *s* (~en, ~ar) konkr. legislation, law[s pl.] [*mot* against; *om* relating to, respecting]

lagstridig *adj* (~t) ...contrary to [the] law; olaglig illegal

lagsöka *vb tr* (-sökte, -sökt), ~ **ngn** sue sb

lagsökning *s* (~en, ~ar) debt-recovery procedure (bestämt fall case)

lagtext *s* (~en, ~er) jur. words (wording) of (resp. the) an Act

lagtävling *s* (~en, ~ar) team competition

lagun *s* (~en, ~er) lagoon

laguppställning *s* (~en, ~ar) sport. [team] line-up

lagård *s* (~en, ~ar) se *ladugård*

lagändring *s* (~en, ~ar) **1** jur. alteration in (förbättring amendment of) an (resp. the) Act **2** sport. team change

lagöverträdelse *s* (~n, ~r) an offence against (a transgression of) the law; mindre äv. misdemeanour

laka *vb tr* (~de, ~t), ~ **ur** leach äv. tekn.; kok. remove the salt from...by soaking; jfr *urlakad*

lakan *s* (~et, =) sheet; **vit som ett** ~ [as] white as a sheet

1 lake *s* (~n, lakar) se *saltlake*

2 lake *s* (~n, lakar) zool. burbot

lakej *s* (~en, ~er) lackey äv. bildl.; betjänt äv. footman

lakonisk *adj* (~t) laconic

lakrits *s* (~en) liquorice; amer. licorice

laktosintolerans *s* (~en) lactose intolerance

lalla *vb itr* (~de, ~t) tala förvirrat ramble; sluddra mumble

lam *adj* (~t) förlamad paralysed; amer. vanl. paralyzed; bildl.: föga övertygande lame, svag feeble; **han är ~ i benen** vanl. his legs are paralysed

1 lama *s* (~n, lamor) zool. llama

2 lama *s* (~n, lamor) munk lama

lamell *s* (~en, ~er) **1** naturv. el. anat. lamell|a (pl. -ae); lamin|a (pl. -ae) äv. geol. **2** bil.: i koppling disc; i kylare rib, gill, slat **3** elektr. segment, bar

lamellträ *s* (~et) laminboard, laminated wood

laminat *s* (~et, =) laminate

laminera *vb tr* (~de, ~t) laminate

lamm *s* (~et, =) lamb; **Guds** ~ the lamb of God

lammbringa *s* (~n, -bringor) kok. breast of lamb

lammfilé *s* (~n, ~er) fillet of lamb

lammkotlett *s* (~en, ~er) kok. lamb chop

lammkött *s* (~et) **1** kok. lamb **2** koll., flickor, neds. bits of crumpet (fluff)

lammskinn *s* (~et, =) berett lambskin

lammstek *s* (~en, ~ar) kok. leg (joint) of lamb; tillagad roast lamb, amer. lamb roast

lammull *s* (~en) lamb's-wool

lampa *s* (~n, lampor) lamp; glöd~ vanl. bulb

lampett *s* (~en, ~er) bracket lamp (med levande ljus candlestick)

lampfot *s* (~en, -fötter) lampstand, lamp base

lamphållare *s* (~n, =) fattning [electric] light socket

lampkupa *s* (~n, -kupor) globe

lampskärm *s* (~en, ~ar) lampshade

lamslå *vb tr* (-slog, -slagit) allm. paralyse; amer. vanl. paralyze; **lamslagen av** skräck paralysed (petrified) with...

LAN *s* (förk. för *local area network*) data., lokalt datornät LAN

land *s* **1** (~et, länder) stat, nation: country; eg., i högre stil el. mera bildl. land; **det heliga ~et** the Holy Land; **drömmarnas** ~ the land of dreams; **både inom och utom ~et** inside and outside the country, at home and abroad **2** (~et) fastland land; strand shore; **se** (**veta**) **hur ~et ligger** bildl. see how the land lies (know the lie of the land); **i** ~ allm., t.ex. driva, gå, vara ashore, on shore; på landbacken on land; **gå** (**stiga**) **i** ~ go ashore [*på* ön on...]; **gå i ~ med** bildl. manage, cope with; **ro ngt i** ~ bildl. pull sth off (through); **på** ~ **a)** mots. till sjöss on shore, ashore **b)** mots. i vattnet on land, overland; **färdas till ~s och till sjöss** ...by sea and land **3** (~et) jord land; territorium äv. territory **4** (~et, =) trädgårds~ [garden] plot; med t.ex. grönsaker, potatis, vanl. patch **5** (~et) landsbygd, **vara från ~et** come from the country äv. neds.; **bo på ~et** live in the country; se äv. *lantställe*

landa I *vb itr* (~de, ~t) allm. land äv. bildl.; flyg. äv. come (touch) down; i havet, om rymdfarkost splash down **II** *vb tr* (~de, ~t), ~ **ett plan** land a plane

landbacken *s* (best. sing.), **på** ~ on land (shore)

landbris *s* (~en, ~ar el. ~er) land breeze

landdjur *s* (~et, =) land (terrestrial) animal

landförbindelse *s* (~n, ~r) förbindelse med fastlandet connection with the mainland

landgång *s* (~en, ~ar) konkr. **1** sjö. gangway, gangplank **2** lång smörgås long open sandwich

landhockey *s* (~n) amer. [field] hockey

landhöjning *s* (~en, ~ar) uplift, elevation of the land

landkrabba *s* (~n, -krabbor) vard. landlubber

landkänning *s* (~en, ~ar) **1** få (*ha*) ~ come (be) within sight of land, make land **2** grundstötning grounding; **få** ~ touch ground

landmina *s* (~n, -minor) landmine

landmärke *s* (~t, ~n) sjö. landmark

landning *s* (~en, ~ar) landing, touchdown; rymdfarkosts, i havet splashdown

landningsbana *s* (~n, -banor) flyg. runway

landningsfyr *s* (~en, ~ar) flyg. beacon

landningsförbud *s* (~et, =), **få** (*ha*) ~ be prohibited from landing

landningshjul *s* (~et, =) flyg. landing wheel

landningsljus *s* (~et, =) flyg. landing light (flare)

landningsplats *s* (~en, ~er) sjö. landing place; flyg. landing ground; rymdfarkosts, i havet splashdown

landningssträcka *s* (~n, -sträckor) flyg. landing run

landningsställ *s* (~et, =) flyg. undercarriage, landing gear

landningstillstånd *s* (~et, =) permission to land; **ge** ~ give...permission to land, clear...for landing

landområde *s* (~t, ~n) territory

landpermission *s* (~en, ~er) shore leave

landremsa *s* (~n, -remsor) strip of land

landsarkiv *s* (~et, =) ung. provincial record office

landsbygd *s* (~en) country, countryside; **på den svenska ~en** in the Swedish countryside, in rural parts of Sweden

landsbygdsbefolkning *s* (~en, ~ar), **~en** the rural population, the population (people) in the rural areas

landsbygdsminister *s* (~n, -ministrar) i Sverige Minister for Rural Affairs

landsfader *s* (~n, -fäder) father of the (his) people

landsflykt *s* (~en) exile; **gå i ~** go into exile

landsflyktig *adj* (~t) ...in exile

landsförrädare *s* (~n, =) traitor [to one's country]

landsförräderi *s* (~et, ~er) treason

landsförvisa *vb tr* (~de, ~t) exile, banish, expatriate

landsförvisning *s* (~en, ~ar) exile, banishment

landshövding *s* (~en, ~ar) ung. county governor [*i* of]

landskamp *s* (~en, ~er) international [match]

landskap *s* (~et, =) **1** provins province **2** natur el. tavla landscape; sceneri scenery

landskapsmålare *s* (~n, =) landscape painter, landscapist

landskyrka *s* (~n, -kyrkor) lantkyrka country (rural) church

landslag *s* (~et, =) sport. national team; **svenska ~et** vanl. the Swedish team

landslagsspelare *s* (~n, =) international [player]

landsman *s* (~nen, -män) från samma land fellow countryman, compatriot [*till* ngn of...]

landsnummer *s* (-numret, =) tele. country code [number]

landsomfattande *adj* (oböjl.) countrywide, nationwide

Landsorganisationen, **~ i Sverige** (förk. *LO*) the Swedish Trade Union Confederation; **Brittiska ~** the Trades Union Congress (förk. TUC); **Amerikanska ~** the American Federation of Labor and Congress of Industrial Organizations (förk. AFL-CIO)

landsort *s* (~en), **~en** the provinces pl.; **i ~en** äv. in the country

landsortsbo *s* (~n, ~r) provincial

landsortstidning *s* (~en, ~ar) provincial newspaper

landsplåga *s* (~n, -plågor) [national] scourge; friare plague, nuisance, pest

landssorg *s* (~en) national (state, public) mourning

landstiga *vb itr* (-steg, -stigit) speciellt mil. land; från fartyg äv. disembark; jfr vidare *stiga i land* under *land* 2

landstigning *s* (~en, ~ar) landing, disembarkation

landsting *s* (~et, =) ung. county council

landstingsskatt *s* (~en, ~er) ung. county council tax

landstingsval *s* (~et, =) ung. county council election

landstridskrafter *s pl* land forces

landsväg *s* (~en, ~ar) main (mindre country) road

landsvägsbuss *s* (~en, ~ar) coach

landsvägskörning *s* (~en, ~ar) med bil etc. driving on main (mindre country) roads

landsända *s* (~n, ~r) o. **landsände** *s* (~n, -ändar) part of a (resp. the) country

landsätta *vb tr* (-satte, -satt) speciellt mil. land; från fartyg äv. disembark

landsättning *s* (~en, ~ar) landing, disembarkation

landtunga *s* (~n, -tungor) udde tongue of land, spit; näs neck of land, isthmus

landvind *s* (~en, ~ar) land wind

landvinning *s* (~en, ~ar), **~ar** erövrade områden conquests; bildl. achievements

landvägen *s* (best. sing.), **åka ~** ...by land, ...overland

landå *s* (~n, ~er) fyrhjulig vagn med suffletter landau

langa I *vb tr* (~de, ~t) räcka från hand till hand pass...from hand to hand; skicka hand; kasta chuck, sling; **~ hit** ge mig...! let me have...!, just pass me...! **II** *vb tr* o. *vb itr* (~de, ~t), **~ narkotika** push (peddle) drugs (narcotics); **~ sprit** peddle liquor; speciellt under förbudstiden bootleg [liquor]

langare *s* (~n, =) peddler; narkotika~ äv. pusher; speciellt under förbudstiden bootlegger

lank *s* (~en) vard. dishwater

lanka *s* (~n, lankor) kortsp. low (poor) card

lankes *s* (~en, ~er) Sri Lankan

lankesisk *adj* (~t) Sri Lankan

lanolin *s* (~et) lanolin

lans *s* (~en, ~ar) lance

lansera *vb tr* (~de, ~t) allm. introduce; införa på marknaden äv. bring out, put...on the market; föra fram, t.ex. mode, idé start, launch

lansering *s* (~en, ~ar) introduction; på marknaden putting out; av t.ex. mode, idé starting, launching

lansett *s* (~en, ~er) med. lancet

lansettfisk *s* (~en, ~ar) zool. lancelet

lantarbetare *s* (~n, =) farm worker, farm hand

lantbefolkning *s* (~en, ~ar) country (rural) population

lantbo *s* (~n, ~r) provincial; man äv. countryman; kvinna äv. countrywoman; **~r** vanl. country-people

lantbrevbärare *s* (~n, =) rural postman (amer. mail carrier)

lantbruk *s* (~et, =) **1** verksamhet agriculture, farming **2** bondgård o.d. farm

lantbrukare *s* (~n, =) farmer, agriculturist

lantbruksuniversitet *s* (~et, =), **Sveriges ~** the Swedish University of Agricultural Sciences

lantbruksutställning *s* (~en, ~ar) agricultural (farm) show

lantbröd *s* (~et, =) ung. multi-grain (mixed-grain) loaf, country loaf

lantegendom *s* (~en, ~ar) estate

lanterna *s* (~n, lanternor) sjö. light; flyg. navigation (position) light

lantgård *s* (~en, ~ar) farm

lanthandel *s* (~n, -handlar) affär country (village) shop (amer. store)

lantis *s* (~en, ~ar) vard. country bumpkin, yokel

lantlig *adj* (~t) eg. rural, country...; enkel rustic äv. neds.; landsortsmässig provincial

lantlighet *s* (~en) rural simplicity, rusticity

lantliv *s* (~et) country life

lantluft *s* (~en) country air

lantmätare *s* (~n, =) [land] surveyor

lantställe *s* (~t, ~n) place in the country, country house (mindre cottage, större residence, estate)

lantvin *s* (~et, ~er) local wine; bordsvin table wine

Laos Laos

laotisk *adj* (~t) Laotian

lapa *vb tr* o. *vb itr* (~de, ~t) om djur lap; om människor: vard., ~ **sol** bask in the sun; ~ **i sig** lap (resp. drink) up

lapidarisk *adj* (~t) laconic, brief

lapis *s* (~en) lunar caustic, nitrate of silver

1 lapp *s* (~en, ~ar) åld., same Lapp, Laplander

2 lapp *s* (~en, ~ar) till lagning el. som ögonskydd patch; etikett label; t.ex. pris~ äv. ticket, tag; meddelande note; pappers~ piece (slip) of paper; skriva på **lösa ~ar** ...odd bits of paper

lappa *vb tr* (~de, ~t) **1** patch äv. data.; laga mend; ~ **ihop** äv. bildl. patch up, repair **2** ~ **till** slå till **ngn** slap (wallop) sb **3** vard., ~ **bilar** put parking tickets on cars

lapphund *s* (~en, ~ar) 'Lapphund', Lapland dog

lappkast *s* (~et, =) i skidsport [high-]kick turn; bildl. turnaround, turnabout

lappkåta *s* (~n, -kåtor) Lapp (Laplander's) hut (cot, tältkåta äv. tent)

Lappland Lapland

lapplisa *s* (~n, -lisor) [woman] traffic warden; vard. meter maid

lappländsk *adj* (~t) Laplandish, ...of Lapland; attr. äv. Lapland...

lapplänning *s* (~en, ~ar) Laplander, inhabitant of Lapland

lappning *s* (~en, ~ar) lappande patching, mending; lappat ställe mend

lappsjuka *s* (~n) amer. cabin fever; **få** ~ ung. feel isolated and want to get out and about

lapptäcke *s* (~t, ~n) patchwork quilt

lappverk *s* (~et, =), [**ett**] ~ [a piece of] patchwork

lapskojs *s* (~en) kok. lobscouse, meat and potato hash

lapsus *s* (~en, ~ar) lapse, slip

laptop *s* (~pen, ~par) bärbar dator laptop [computer]

larm *s* **1** (~et) oväsen noise; buller din **2** (~et, =) alarm alarm; signal alert; flyg~ äv. air-raid warning; **slå** ~ sound the alarm; bildl.: varna warn, protestera raise an outcry

larma I *vb itr* (~de, ~t) make a noise (din); **en ~nde hop** a clamorous crowd **II** *vb tr* (~de, ~t) **1** alarmera call **2** förse med larm, huset **är ~t** ...has had an alarm installed in it

larmrapport *s* (~en, ~er) alarming report; friare scare

larmsignal *s* (~en, ~er) alarm [signal], alert

1 larv *s* (~en, ~er) zool.: allm. larv|a (pl. -ae); av t.ex. fjäril, mal caterpillar; av t.ex. skalbagge grub; av fluga maggot

2 larv *s* (~et) vard., dumheter rubbish, nonsense; dumt uppträdande silliness, silly behaviour

larva *vb rfl* (~de, ~t), ~ **sig** prata dumheter talk rubbish; vara larvig be silly, play the fool

larvfötter *s pl* tekn. caterpillars, caterpillar treads; **traktor med** ~ caterpillar (crawler) [tractor]

larvig *adj* (~t) silly, ridiculous, stupid

lasagne *s* (~n) kok. lasagne

lasarett *s* (~et, =) [general] hospital

laser *s* (~n, lasrar) fys. laser

lasera *vb tr* (~de, ~t) mål. glaze

laserskrivare *s* (~n, =) laser printer

laserstråle *s* (~n, -strålar) fys. laser beam

laska *vb tr* (~de, ~t) **1** tekn. scarf **2** sömnad. sew...with a saddle stitch

lass *s* (~et, =) last load; lastad vagn loaded cart (jfr t.ex. *hölass*); **ett** bil~ **kol** a lorryload (truckload) of coal; **ett** ~ [**med**] smörgåsar a big pile of...; **dra det tyngsta ~et** bildl. bear the heaviest burden

lassa *vb tr* o. *vb itr* (~de, ~t) load, se äv. *1 lasta II*; ~ **i sig** mat stuff oneself with...

lasso *s* (~t el. ~n, ~n el. ~r) lasso (pl. -s el. -es); **kasta** ~ throw a (the) lasso; **fånga med** ~ lasso

lassvis *adv* **1** i lass by the cartload **2** ~ **stora mängder med...** loads (cartloads) of...

1 last *s* **1** (~en, ~er) eg.: load; skepps~ cargo, freight; **med full** ~ with a full load; **med en** ~ **av...** carrying (loaded with) a cargo of... **2** (oböjl.), **ligga** ngn **till** ~ [**ekonomiskt**] become (be) a [financial] burden to...; **ligga samhället till** ~ be a charge to the public

2 last *s* (~en, ~er) fel o.d. vice; dålig vana äv. bad habit

1 lasta I *vb tr* o. *vb itr* (~de, ~t) allm. load; ta ombord take in, take (put)...on board; ta in last take in cargo; ha lastförmåga av. carry; ~ **och lossa** load and unload; ~**d med...** loaded (laden) with...; om fartyg äv. with a cargo of...

II med beton. part.

lasta av unload; ~ **av sig bekymren på** andra unburden one's troubles to...

lasta i (**in**) load [*i* into]; ~ **inte i för mycket** [*i den*]! don't put too much into it!

lasta om a) på nytt reload **b**) till annat transportmedel transfer, transship [*på* (*till*) on to]

lasta på ngt på vagnen load sth on to...; ~ **på ngn** ngt load (bildl. saddle) sb with...

lasta ur unload

2 lasta *vb tr* (~de, ~t) klandra blame [*för* for]

lastbar *adj* (~t) vicious, depraved

lastbarhet *s* (~en) depravity

lastbil *s* (~en, ~ar) lorry; speciellt tyngre el. amer. truck

lastbilssläp *s* (~et, =) lorry (truck) trailer

lastdjur *s* (~et, =) beast of burden

lastfartyg *s* (~et, =) cargo-ship, freighter

lastflak *s* (~et, =) [loading] platform, loading body

lastgammal *adj* (~t, -gamla) extremely old, ancient; **så** ~ **är jag inte** I am not that old

lastkaj *s* (~en, ~er) sjö. whar|f (pl. -fs el. -ves), amer. dock; vid godsstationer loading platform

lastning *s* (~en, ~ar) loading

lastpall *s* (~en, ~ar) [loading] pallet

lastplats *s* (~en, ~er) loading berth (place)

lastrum *s* (~met, =) utrymme cargo (stowage) space; sjö. hold; flyg. cargo compartment

lat *adj* (neutrum undviks) allm. lazy; slö indolent

lata *vb rfl* (~de, ~t), **~ sig** be lazy, have a lazy time; slöa laze, idle; **ligga** (**sitta**) **och ~ sig** loll about

latent *adj* (=) latent

later *s pl* fasoner behaviour sg., manners; **stora ~** grand airs

lathund *s* (~en, ~ar) **1** lat person lazy dog (devil); lazybones (pl. lika), layabout **2** hjälpreda: för översättning crib, för räkning ready reckoner; resumé av manual quick reference guide

latin *s* (~et) Latin; för konstr. jfr *svenska 2*

Latinamerika Latin America

latinamerikan *s* (~en, ~er) Latin American

latinamerikansk *adj* (~t) Latin American

latinlinje *s* (~n) skol., hist. classical line (side)

latinsk *adj* (~t) Latin

latitud *s* (~en, ~er) latitude äv. bildl.; **på 30° nordlig ~** in latitude 30° north

latmansgöra *s* (~t), det är **inget ~** ...no easy job

latmask *s* (~en, ~ar) lazybones (pl. lika)

latrin *s* (~en, ~er) **1** avträde latrine **2** exkrementer night soil

latsida *s* (~n), **ligga på ~n** be idle

lav *s* (~en, ~ar) bot. lichen

lava *s* (~n, lavor) lava

lave *s* (~n, lavar) brits bench

lavemang *s* (~et, =) enema

lavendel *s* (~n) bot. lavender

lavendelblå *adj* (-blått) lavender-blue

lavera *vb tr* (~de, ~t) konst. wash

lavering *s* (~en, ~ar) konst., konkr. wash-drawing, tinted drawing

lavett *s* (~en, ~er) mil. gun carriage

lavin *s* (~en, ~er) avalanche äv. bildl.

lavinartad *adj* (-artat, ~e) avalanche-like; **en ~ utveckling** an explosive development

lavinfara *s* (~n, -faror) danger of avalanches

lavinhund *s* (~en, ~ar) mountain rescue dog

lax *s* (~en, ~ar) zool. salmon (pl. lika); **en glad ~** vard. a bright spark, a lively fellow

laxera *vb itr* (~de, ~t) take a purgative (svagare laxative)

laxermedel *s* (-medlet, =) purgative; svagare laxative

laxfiske *s* (~t) salmon-fishing

laxfärgad *adj* (-färgat, ~e) salmon-coloured, salmon pink

laxkotlett *s* (~en, ~er) salmon cutlet

laxrosa *adj* (oböjl.) salmon pink

laxtrappa *s* (~n, -trappor) salmon ladder (leap, stair)

laxöring *s* (~en, ~ar) zool. salmon trout (pl. lika)

layout *s* (~en, ~er) layout

LCD-tv *s* (-tv:n, -tv:ar) LCD-TV (förk. för liquid crystal display)

le *vb itr* (log, lett) smile äv. iron. [åt at]; **~ mot** smile at (bildl. [up]on)

leasa *vb tr* (~de, ~t) ekon. lease

leasing *s* (~en, ~ar) ekon. leasing

1 led *s* (~en, ~er) väg way; rutt route; trafikled i stad äv. thoroughfare

2 led *s* **1** (~en, ~er) fog: anat. el. bot. el. tekn. joint; del av finger (tå) phalanx (pl. phalanxes el. phalanges); del av leddjur segment; **stel i ~erna** stiff in the joints; **ur ~** äv. bildl. out of joint; **gå ur ~** get dislocated **2** (~et, =) **a)** länk, t.ex. i beviskedja link; stadium stage; beståndsdel part; **vara ett** [**viktigt**] **~ i...** form [an essential] part of... **b)** matem. term **c)** mil. el. gymn.: personer bredvid varandra rank äv. bildl.; bakom varandra file; rad line, row; **bakre** (**främre**) **~et** the rear (front) rank; **sluta ~en** close ranks äv. bildl.

3 (~et, =) släkt~ generation; släktskaps~ degree [of kindred]; linje line; **härstamma i rakt nedstigande ~ från...** be a direct (lineal) descendant of...

3 led *adj* (lett) **1** trött, vara **~ på** ...tired (weary, sick [and tired]) of, ...fed up with **2** ond evil; stygg nasty [*mot* to]; **den ~e** the Evil One

1 leda *s* (~n) weariness [*vid* of]; trötthet boredom, tedium, ennui fr.; avsmak disgust, loathing; övermättnad satiety; **känna ~** avsmak **vid** ngt have a loathing for..., be disgusted with...; **höra ngt till ~** ...till one is sick of it, ...ad nauseam

2 leda *vb tr* o. *vb itr* (~de, ~t) anat., **~** [**på**] flex

3 leda I *vb tr* (ledde, lett) allm. lead; t.ex. undersökning, förhör conduct; mil. command; styra, förestå manage, direct, run; ha hand om be in charge of; vägleda guide; rikta, t.ex. tankar direct; fys. el. elektr. conduct; transportera, t.ex. vatten convey; **~ ett företag** manage (run, conduct, be in charge of)...; **~ ett barn vid handen** lead...by the hand; **~ en cykel** push (wheel)...; **~ ett sammanträde** conduct (vara ordförande take the chair at, preside over) a meeting; [**låta sig**] **~s av** be governed (guided) by... **II** *vb itr* (ledde, lett) lead äv. sport.; Sverige **leder med 3–2** ...is leading [by] 3–2; **vad kommer det att ~ till** bildl. where will it lead to?, what will the outcome of it be?; diskussionen **leder ingen vart** ...leads nowhere (doesn't take you anywhere); **~ till** lead to; resultera i äv. result (end) in; föranleda lead up to **III** med beton. part.

leda av el. **leda bort** se *avleda*

leda fram a) tr.: ngn lead...up [*till* to] **b)** itr. lead; bildl. äv. lead up [*till* to]

leda in ngn (ngn **i rummet**) lead...in (...into the room); **~ in** samtalet **på** turn (direct)...on to

leda tillbaka lead (bildl. trace) back [*till* to]

ledad *adj* (ledat, ~e) försedd med leder articulate[d], jointed; **ett ledat fordon** an articulated vehicle

ledamot *s* (~en, -möter) member; i lärt sällskap o.d. fellow [*av, i* i båda fallen of]

ledande *adj* (oböjl.) allm. leading; om t.ex. princip guiding, ruling; fys. conducting, conductive; **ställa en ~ fråga** ask a leading question; **en man i ~ ställning** ...in a leading (framskjuten prominent) position; **vara ~** lead

ledare *s* (~n, =) **1** person: allm. leader; väg~ äv. guide; anförare conductor; arrangör, t.ex. idrotts~ äv. organizer; **~ för** ett företag manager (head) of...; **konstnärlig ~** teat. art director **2** i tidning leader, editorial **3** fys. conductor [*av* (*för*) of]

ledaregenskaper *s pl* qualities of leadership, gifts as a leader

ledarhund *s* (~en, ~ar) **1** i spann leader-dog **2** blindhund guide dog; amer. äv. seeing-eye dog

ledarskap *s* (~et) leadership

ledarskribent *s* (~en, ~er) leader-writer, editorial writer

ledas *vb itr dep* (leddes, letts) be bored [*vid, åt* with]

ledband *s* (~et, =) **1** anat. ligament **2** [**gå**] **i ~** [be] in leading-strings; **hålla ngn i ~** äv. lead sb by the nose

ledbrosk *s* (~et, =) anat. articular cartilage

ledbruten adj (-brutet, -brutna) stiff; **känna sig alldeles ~** äv. be aching all over

ledbuss s (~en, ~ar) articulated bus

ledd s (~en, ~er) direction, way; 2 meter **på ena ~en** ...one way (direction); **på fel** (**rätt**) **~** in the wrong (right) direction (way)

leddjur s (~et, =) arthropod, articulated animal

ledfyr s (~en, ~ar) sjö. leading light; bildl. beacon

ledgångsreumatism s (~en) med. rheumatoid arthritis

ledig adj (~t) **1** fri a) om person: free; pred. äv. not occupied; sysslolös unoccupied, idle b) om tid: free, ...off; inte upptagen leisure..., spare...; **en ~ dag i veckan** one day off a week; jag har aldrig **en ~ stund** ...a spare moment, ...a moment to spare; **få ~t en timme** (**en vecka**) get an hour off (a week off el. a week's holiday); **ge ngn ~t** give sb time off; **ge ngn en dag ~t** let sb take a day off; **ha ~t från skolan** [**den dagen**] have a holiday from school [on that day]; **ta ~t en dag** (**vecka**) take a day off (a week off el. a week's holiday); **hon är ~** (**har ~t**) **i dag** she has today off; har sin ~a dag she has her day off today **2** obesatt, obebodd vacant; inte upptagen free, unoccupied; disponibel: attr. spare..., pred. free, to spare, att tillgå available; som skylt: på taxi for hire, på t.ex. toalett vacant; **det finns inte en ~ bil** there isn't a taxi to be had (a taxi available); **~a platser** tjänster vacancies; som tidningsrubrik Situations Vacant; tjänsten är **fortfarande ~** ...still open; **är den här platsen ~?** el. **är det ~t här?** is this seat taken (occupied)? **3** otvungen easy äv. om t.ex. hållning; flytande: om handstil flowing, om språk fluent, natural, informal, colloquial, bekväm, om t.ex. kläder comfortable, loose-fitting; **~a!** mil. stand easy!

ledigförklara vb tr (~de, ~t) announce...as vacant, invite applications for

ledighet s (~en, ~er) **1** ledig tid free time, leisure, time off; semester holiday; **~ för studier** leave of absence for study purposes **2** otvungenhet: i umgänge easiness (ease) of manner, stils o.d. ease, easy flow, i rörelser freedom

ledighetskommitté s (~n, ~er) skämts., **han tillhör ~n** he is a member of the leisured classes

ledigt adv **1** få (**ge ngn**) osv. **~**, se ex. under *ledig 1* **2** allm., med lätthet easily; bekvämt comfortably; obehindrat, t.ex. röra sig freely; utan risk certainly; gladeligen gladly, willingly; röra sig **~** otvunget ...with ease; **sitta ~** om kläder fit comfortably, be an easy fit

ledkapsel s (~n, -kapslar) anat. joint-capsule

ledkort s (~et, =) i kortregister guide card

ledlös adj (~t) utan leder jointless

ledmotiv s (~et, =) mus. recurrent theme, bildl. äv. guiding (leading) principle; **~et ur** filmen Dr. Zjivago the theme from...

ledning s (~en, ~ar) **1** skötsel o.d. management; ledarskap leadership; inom t.ex. företag management; mil. command; väg~ guidance; ledtråd lead, clue; sport. lead; **ta ~en** take the lead; sport. äv. go ahead; ta befälet take over command; **under sakkunnig ~** under expert guidance; **under ~ av** a) t.ex. erfarna lärare under the guidance (superintendence, direction) of b) mus. conducted by **2** koll., om personer, **~en** inom företag the management, the executives (managers) pl.; t.ex. inom parti the leaders pl., the leadership; mil.

the command **3** elektr., tråd wire, grövre cable; kraft~ el. tele. line **4** rör pipe

ledningsbrott s (~et, =) o. **ledningsfel** s (~et, =) tele. o.d. line breakdown

ledningsförmåga s (~n) fys. conductivity

ledningsnät s (~et, =) tele. main system

ledningsstolpe s (~n, -stolpar) tele. telegraph pole

ledningstråd s (~en, ~ar) wire

ledsaga vb tr (~de, ~t) allm. accompany äv. mus.; beskyddande escort; som uppvaktande attend

ledsam adj (~t, ~ma) sorglig sad; långtråkig boring, tedious

ledsamhet s (~en, ~er) långtråkighet boredom; **här vilar inga ~er!** are we downhearted? [-No!]; se vidare *tråkighet*

ledsen adj (ledset, ledsna) sorgsen sad; olycklig unhappy; bedrövad grieved [**över** i samtliga fall about]; besviken disappointed [**över** at]; illa berörd upset [**över** i båda fallen about]; **jag är ~ att jag stör** (**störde**) **dig** I am sorry to disturb (to have disturbed) you; **jag blir inte ~ om...** ofta I don't mind if...; **var inte ~!** vanl. cheer up!; **var inte ~** bekymrad [**för det**]! vanl. don't worry [about that]!; **vad är du ~ för?** what are you upset about?; **vara mycket ~ över** vad som hänt be very sorry about..., deeply regret...

ledsna vb itr (~de, ~t) grow (get) tired [**på** ngt of...; **på att** + inf. of + ing-form]; **ha ~t på** äv. have had enough of, be fed up with

ledsnad s (~en) bedrövelse distress, sorrow, grief [**över** i samtliga fall at]; beklagande regret [**över** at]; **till min ~ hör jag att...** I hear with regret that...

ledstjärna s (~n, -stjärnor) guiding-star, lodestar båda äv. bildl.

ledstång s (~en, -stänger) handrail; trappräcke äv. banisters pl.

ledsyn s (~en) low vision; **han har ~** he can only just see his way about

ledtråd s (~en, ~ar) clue, lead [**till** i båda fallen to]

ledvärk s (~en) aching joints; med. arthralgia

leende I adj (oböjl.) smiling äv. om t.ex. natur; hon nickade [**vänligt**] **~** ...with a [kindly] smile **II** s (~t, ~n) smile

leg s (~et, =) (förk. för *legitimation*) vard. ID [card]

legal adj (~t) laglig legal

legalisera vb tr (~de, ~t) legalize

legat s **1** (~et, =) testamentsgåva legacy, bequest **2** (~en, ~er) påvligt sändebud legate

legation s (~en, ~er) legation

legend s (~en, ~er) legend; uppdiktad historia myth; **levande ~** living legend

legendarisk adj (~t) legendary

legera vb tr (~de, ~t) alloy

legering s (~en, ~ar) konkr. alloy

legio adj (oböjl.) oräknelig innumerable, countless; **de är ~** there are lots and lots of them, they are legion

legion s (~en, ~er) legion

legionär s (~en, ~er) legionary

legitim adj (~t) legitimate, lawful

legitimation s (~en, ~er) **1** kort identity card; styrkande av identitet identification; **har ni ~?** have you got an identity card?, can you prove your identity? **2** styrkande av behörighet authorization; **ha ~ som läkare** be a registered (fully qualified) doctor

legitimationshandling s (~en, ~ar) identity (identification) paper

legitimationskort *s* (~et, =) identity (identification) card

legitimera I *vb tr* (~de, ~t) **1** göra laglig legitimate **2** ge behörighet authorize; **~d** läkare registered (fully qualified)... **3** rättfärdiga justify **II** *vb rfl* (~de, ~t), **~ sig** show one's identity card, prove one's identity

legosoldat *s* (~en, ~er) mercenary

legotillverkning *s* (~en, ~ar) hand. subcontract work

legotrupper *s pl* mercenary troops

legymer *s pl* vegetables

legymsallad *s* (~en, ~er) kok. Russian salad

leja *vb tr* (lejde, lejt) hire äv. neds.; anställa take on; **lejd mördare** hired assassin; vard., t.ex. i gangsterliga hit man, contract killer

lejd *s* (~en) garanti safe conduct; **ge ngn fri ~** grant sb safe conduct

lejdare *s* (~n, =) sjö., trappa, repstege ladder

lejon *s* (~et, =) **1** lion äv. bildl. **2** astrol., **Lejonet** Leo; **han är ~** he is [a] Leo

lejongap *s* (~et, =) bot. snapdragon

lejongul *adj* (~t) tawny

lejonhona *s* (~n, -honor) o. **lejoninna** *s* (~n, -innor) lioness

lejonklo *s* (~n, ~r), **visa ~n** show one's mettle

lejonkula *s* (~n, -kulor) lion's den; **ge sig in i ~n** bildl. beard the lion in his den

lejonman *s* (~en, ~ar) lion's mane; på person [leonine] mane

lejonparten *s* (best. sing.) the lion's share

lejonunge *s* (~n, -ungar) young lion, lion cub

lek *s* (~en, ~ar) **1** ordnad game; lekande play; t.ex. med döden playing; bildl.: t.ex. vågornas dancing; t.ex. skuggornas play; det är **en ~ med ord** ...a play on words; **blanda** (**ge**) **sig i ~en** eg. take part in the game; bildl. interfere; **den som sig i ~en ger, han får ~en tåla** ung. once you've started, you can't back out (must take the consequences); **på ~** for fun; **dra sig ur ~en** quit the game; friare back out; **vara ur ~en** be out of the running **2** zool.: fiskars spawning; fåglars pairing, mating **3** kort~ pack; amer. äv. deck

leka *vb tr* o. *vb itr* (lekte, lekt) **1** allm. play äv. bildl. [med with]; vara tal. utföra på lek play at; spela rollen av act; **~ lekar** play games; **~ mamma, pappa, barn** play house; **~nde barn** children at play; **~ med** a) behandla lättsinnigt trifle with, treat...lightly; ngns känslor äv. play [fast and loose] with b) fingra på toy (fiddle) with; **~ med tanken** [**att** + inf.] play (toy) with the idea [of + ing-form]; han (det) **är inte att ~ med** ...is not to be trifled with; t.ex. om sjukdom äv. ...is no trifling matter **2** zool.: om fiskar spawn; om fåglar pair, mate

lekamen *s* (=, en) body; **Kristi ~** the body of Christ

lekamlig *adj* (~t) bodily; mots. till andlig äv. corporeal

lekande *adv*, **det går** (**är**) **~ lätt** it is as easy as anything (as pie)

lekfull *adj* (~t) playful, ...full of fun

lekis *s* (~et, =) se *lekskola*

lekkamrat *s* (~en, ~er) playmate

lekledare *s* (~n, =) games organizer, playleader

lekman *s* (~nen, -män) layman, layperson; **lekmännen** äv. the laity sg.

lekmannahåll *s* (oböjl.), **på ~** among laymen

lekmannamässig *adj* (~t) attr. lay..., amateur...

lekpark *s* (~en, ~er) playground; **i ~en** in the playground

lekplats *s* (~en, ~er) **1** lekpark playground; **på ~en** in the playground **2** fiskars spawning-ground

leksak *s* (~en, ~er) toy, plaything äv. bildl. om person [**för** for]

leksaksaffär *s* (~en, ~er) toyshop

lekskola *s* (~n, -skolor) förr nursery school, preschool, kindergarten

lekstuga *s* (~n, -stugor) barns lekhus playhouse, Wendy house; bildl. playground

lektant *s* (~en, ~er) playground supervisor, playleader

lektid *s* (~en, ~er) zool.: fiskars spawning time; fåglars pairing-time, mating-time

lektion *s* (~en, ~er) lesson äv. bildl. [*i* ngt i...]; i skola äv. class; **ge ~er** [*i engelska*] vanl. teach [English]

lektor *s* (~n, ~er) 'lektor'; univ. lecturer [*i* in]; skol. äv., ung. senior master (kvinnl. mistress) [*i* of]

lektorat *s* (~et, =) skol. post as a senior master osv., jfr *lektor*; univ. lectureship

lektyr *s* (~en) reading; konkr. something to read, reading matter

lektör *s* (~en, ~er) manuskriptläsare [publisher's] reader

lem *s* (~men, ~mar) limb äv. bildl.; manslem male organ

lemlästa *vb tr* (~de, ~t) maim, mutilate; göra till invalid cripple, disable

len *adj* (~t) mjuk soft; slät smooth; friare om t.ex. röst silky äv. bildl.; om t.ex. smak bland, mild; **~ hud** smooth (soft) skin

lena *vb tr* o. *vb itr* (~de, ~t) lindra soothe; det **~r** [*i*] **halsen** ...is soothing to the throat

leopard *s* (~en, ~er) leopard

leopardhona *s* (~n, -honor) leopardess

lepra *s* (~n) med. leprosy

ler *s* (~et), **de hänger ihop som ~ och långhalm** they are as thick as thieves

lera *s* (~n, leror) clay; gyttja mud; modellera modelling clay, plasticine

lerblandad *adj* (-blandat, ~e) clayey; gyttjig muddy

lerbotten *s* (-bottnen el. =, -bottnar) i sjö o.d. clayey bottom (ground)

lerduva *s* (~n, -duvor) sport. clay pigeon

lerduveskytte *s* (~t) sport. clay-pigeon (skeet skeet) shooting

lergods *s* (~et) earthenware, pottery; kruka av ~ earthenware..., pottery...

lergryta *s* (~n, -grytor) earthenware cooking dish, terrine; oglaserad, med lock clay baker

lergök *s* (~en, ~ar) mus. [toy] ocarina

lerig *adj* (~t) lerhaltig clayey; gyttjig, smutsig muddy

lerjord *s* (~en, ~ar) clay (clayey) soil

lerklump *s* (~en, ~ar) lump of clay; lerkoka lump of mud

lerkruka *s* (~n, -krukor) crock; förvaringskärl earthenware jar (pot)

lervälling *s* (~en, ~ar), vägen är **en enda ~** ...just a mass (sea) of mud

lesbisk *adj* (~t) lesbian

Lesotho Lesotho

leta I *vb itr* o. *vb tr* (~de, ~t) allm. look; ihärdigt search; ivrigt hunt [*efter* i samtliga fall for]; **har du ~t ordentligt?** have you looked (searched) properly? **II** *vb rfl* (~de, ~t), **~ sig dit** (**hem**) find one's way there (home) **III** med beton. part. **leta fram** find, hunt out [*ur* from]; **~ sig fram** find

one's way
leta igenom search; gå igenom ransack, go through
leta reda (**rätt**) **på** [try (lyckas manage) to] find
leta upp search out, hunt up; hitta find
letargi s (~n) lethargy
lett s (~en, ~er) Latvian, Lett
lettisk adj (~t) Latvian
lettiska s **1** (~n, lettiskor) kvinna Latvian (Lettish) woman **2** (~n) språk Latvian, Lettish
Lettland Latvia
leukemi s (~n, ~er) med. leukaemia; amer. leukemia
leva I vb itr o. vb tr (levde, levt) **1** allm. live; vara i livet, vanl. be alive; existera exist; fortleva survive; **leve friheten, konungen!** long live...!; **så länge jag lever** as long as I live; hela mitt liv all my life; **den som lever får se** he who lives will see; ~ **som man lär** practise what one preaches; ~ **enkelt** lead a simple life; ~ **farligt** live dangerously; ~ **för** ngn (ngt) live for...; ~ **för dagen** live from day to day, live from hand to mouth; ~ **[ihop] med** live with; ~ **på** (**av**) live on; äta, om djur äv. feed on; försörja sig genom live (make a living) by; ~ **på ngn** live on sb; ~ **på hoppet** live in hope
2 väsnas be noisy, make a noise
II med beton. part.
leva sig in i ngns känslor enter into...; ~ **sig in i rollen** live the part
leva kvar allm. live on, survive; friare still exist, be still in existence
leva om itr., väsnas be noisy, make a noise; festa lead a fast life, live it up, go the pace
leva upp a) tr., leva upp run through; förbruka use up b) itr., ~ **upp igen** revive; ~ **upp till** sitt rykte live up to...
leva ut känslor o.d. give full expression to..., t.ex. aggressivitet act out...
levande adj (oböjl.) living; som mots. till död: pred. alive; attr. living...; om djur äv. live; bildl.: livfull, livlig lively; starkare vivid; naturtrogen lifelike; **mer död än** ~ more dead than alive; ~ **blommor** natural (real) flowers; ~ **last** live cargo; ~ **legend** living legend; **ett ~ uppslagsverk** a walking encyclopaedia; **i ~ livet** in real (actual) life; ~ **ljus** pl. candles pl., candlelight; ~ **musik** live music; här finns **inte en** ~ **själ** ...not a [living] soul; **en** ~ **skildring** a lively (vivid) description; ~ **varelser** living (animate) beings
levanistisk adj (~t) litt.vet. levanistic
leve s (~t, ~n) cheer; **utbringa ett [fyrfaldigt]** ~ **för** give (föreslå call for) four (eng. motsv. three) cheers for
levebröd s (~et) uppehälle [means of] livelihood, living; **det är mitt** ~ it's my livelihood, I make my living out of it
lever s (~n, levrar) anat. el. kok. liver
leverans s (~en, ~er) delivery äv. konkr.; sändning äv. shipment, consignment; tillhandahållande äv. supply; betala **vid** ~ ...on delivery
leveransdatum s (~et, =) delivery date
leveransklar adj (~t) ...ready for delivery
leveransvillkor s pl terms (conditions) of delivery, delivery terms
leverantör s (~en, ~er) supplier; i stor omfattning contractor; speciellt av livsmedel purveyor; avlämnare deliverer
levercirros s (~en, ~er) med. cirrhosis of the liver
leverera vb tr (~de, ~t) avlämna, sända deliver;

tillhandahålla supply, furnish, provide [ngt till ngn i samtliga fall sb with sth]
leverfläck s (~en, ~ar) liver spot; friare mole
leverkorv s (~en, ~ar) liver sausage
leverne s (~t) liv life; **liv och** ~ life [and way of living]
leverop s (~et, =) cheer
leverpastej s (~en, ~er) liver paste
levnad s (~en) life
levnadsförhållanden s pl circumstances; **hans** ~ the conditions under which he lives
levnadsglad adj (-glatt) ...full of vitality (zest [for life])
levnadskonstnär s (~en, ~er) connoisseur of the art of living; **vara** ~ äv. know how to live
levnadskostnader s pl cost sg. of living
levnadsstandard s (~en) standard of living
levnadssätt s (~et, =) manner (way) of living (life)
levnadsteckning s (~en, ~ar) biography [över of]
levnadstrött adj (=) ...tired of life
levnadsvanor s pl habits (ways) of life (living)
levnadsvillkor s pl living conditions
levnadsår s (~et, =) year of [one's] life
levra vb rfl (~de, ~t), ~ **sig** coagulate, clot
lexikograf s (~en, ~er) lexicographer
lexikografi s (~n) lexicography
lexikon s (~et, = el. lexika) dictionary; speciellt över ett dött språk lexicon
lian s (~en, ~er) liana, liane
libanes s (~en, ~er) Lebanese (pl. lika)
libanesisk adj (~t) Lebanese
Libanon Lebanon
libbsticka s (~n, -stickor) bot. lovage
liberal I adj (~t) liberal **II** s (en ~, pl. ~a), **de ~a** polit. the Liberals
liberalisera vb tr (~de, ~t) liberalize
liberalism s (~en), ~[**en**] liberalism
Liberia Liberia
libero s (~n, ~r) fotb. libero (pl. -s), sweeper
libretto s (~n el. ~t, ~r el. ~n) librett|o (pl. -os el. -i)
librettoförfattare s (~n, =) librettist
Libyen Libya
libyer s (~n, =) Libyan
libysk adj (~t) Libyan
libyska s (~n, libyskor) kvinna Libyan woman
licens s (~en, ~er) licence; amer. license [**för** (**på**) for]; avgift för radio o. tv licence fee; tillverka **på** ~ ...under [a] licence
licensansökan s (=, en, -ansökningar) licence application, application for a licence
licensavgift s (~en, ~er) licence fee
licensiera vb tr (~de, ~t) license
licensinnehavare s (~n, =) licensee, licence-holder
licenstillverkning s (~en, ~ar) manufacture under licence
licentiat s (~en, ~er) licentiate; **filosofie** ~ (**fil. lic.**) Licentiate of Philosophy; **Fil. lic. Bo Ek** t.ex. på brev Mr Bo Ek, Fil. Lic.
1 lida vb itr (led, lidit) gå pass [on]; framskrida, om tid draw (wear) on; **det lider mot kvällen** night is drawing near; **han kommer vad det lider** ...sooner or later (in time)
2 lida I vb itr (led, lidit) plågas: allm. suffer; ha plågor äv. be in pain; ~ **av** suffer from; t.ex. lyte äv. be afflicted with; ha anlag för, t.ex. svindel be subject to; **jag lider plågas av det** (**av att se det**) it makes me suffer (I

suffer when I see it); **få ~ för ngt** have to suffer (pay) for sth **II** *vb tr* (led, lidit) plågas av suffer; uthärda endure; **~ brist på** be in want of; **~ nederlag** be defeated, sustain (suffer) a defeat

lidande I *adj* (oböjl.) suffering; **bli ~** [**på ngt**] om person be the sufferer (loser) [by sth], om sak suffer [by sth] **II** *s* (~t, ~n) suffering; bibl. o.d. affliction, distress; **Kristi ~** the Passion

lidandehistoria *s* (-historien, -historier) tale (story) of woe; **Kristi ~** the Passion; berätta **sin ~** ...the story of one's sufferings

lidelse *s* (~n, ~r) passion; hänförelse fervour, ardour, enthusiasm; **med ~** äv. passionately

lidelsefull *adj* (~t) allm. passionate; om tal impassioned; friare äv.: brinnande ardent; intensiv fervent; häftig vehement

lidelsefullhet *s* (~en) passion, ardour, fervour, vehemence; jfr *lidelsefull*

lider *s* (lidret, =) shed

liderlig *adj* (~t) om person lecherous, lewd

liderlighet *s* (~en) lechery, lewdness

lie *s* (~n, liar) scythe

Liechtenstein Liechtenstein

liemannen *s* (best. sing.) bildl. the Grim Reaper

liera *vb rfl* (~de, ~t), **~ sig** ally (associate) oneself [*med* with]; **~ sig med** take up with

lierad *adj* (lierat, ~e) connected; **nära ~ med** äv. intimate with

lift *s* (~en, ~ar el. ~er) **1** skid- o.d. lift **2** **få ~** get a lift, hitch a lift (ride)

lifta *vb itr* (~de, ~t) hitchhike; **får jag ~ med dig** till affären? can you give me a lift...?

liftare *s* (~n, =) hitchhiker

liftkort *s* (~et, =) skidsport. lift ticket; för hel säsong season pass

liga *s* (~n, ligor) **1** tjuv~ o.d. gang, mob; spion~ ring **2** fotbolls~ o.d. league

ligamatch *s* (~en, ~er) sport. league match

ligatur *s* (~en, ~er) med., typogr. el. mus. ligature

ligg|a I *vb itr* (låg, legat) **1** lie; inte stå el. sitta, vila be lying down; vara sängliggande be in bed; vara, befinna sig be; vara belägen be, be situated (located), stand **~ sjuk** be laid up, be ill in bed; **snön kommer inte att ~ kvar** the snow won't stay; **-er du bra så där?** are you comfortable...?; **~ djupt** bildl. lie deep; **~ först (sist)** i tävling lead (be last); **~ lågt** bildl. lie low, keep out of the way, keep a low profile; **~ länge** på mornarna stay in bed late...; **huset -er nära stationen** ...is close to the station; **huset, staden -er vackert (högt)** ...is beautifully situated (stands on high ground); **~ vaken** lie (be lying) awake; **var -er Eslöv?** where is Eslöv?; **var -er knivarna?** where do you keep...?; **var ska (brukar) knivarna ~?** where do...go?; **~ och läsa** lie reading; i sängen read in bed; **~ och skräpa** lie about; **~ och sova** lie sleeping (asleep); **~ och vila** [lie down and] have a rest; **låta ngt ~ där det -er** leave sth [lying] where it is

med obeton. prep.: avgörandet **-er hos honom** ...lies (rests) with him; förslaget **-er hos styrelsen** ...is in the hands of the board; **~ sjuk i** influensa be down (laid up, in bed) with...; **~ i samma rum** sleep in (share) the same room; **knivarna -er (ska ~)** i lådan the knives are in (go into)...; **de -er i skilsmässa** they are seeking a divorce; **det -er i släkten** it runs in the family; **det -er något i det** bildl. there is something in

that; **~ med** ha samlag med sleep with, go to bed with; **~ med varandra** sleep together; **~ på sjukhus** be in hospital; rummet **-er åt (mot) gatan (norr)** ...overlooks the street (faces north); stationen **-er åt det här hållet** ...lies (is [situated]) in this direction **2** om fågelhona, **~ på ägg** sit [on her eggs]; **~ och ruva** be brooding

II med beton. part.

ligga av sig om person get (be) out of practice (training) [*i* in]

ligga bakom se ex. under *bakom*

ligga efter a) vara efter be (lag) behind; **~ efter med** be behind (betr. betalning äv. in arrears) with **b)** ansätta, **~ efter ngn** keep on at sb [*med* tiggarbrev with...]; hålla efter keep a close check on sb

ligga framme till bruk o.d. be out (ready); till påseende be displayed; skräpa lie about; **låt inte** pengarna **~ framme** don't leave...[lying] about

ligga för, det **-er inte för mig** ...is not in my line; passar mig inte ...doesn't suit me; **det -er inte för mig att...** it is not in my nature to...

ligga före be ahead [*ngn* (*ngt*) of sb (of sth)]; i tid o. ordning be (come) before [*ngn* (*ngt*) sb (sth)]

ligga i knoga work hard, be at it; **~ i och arbeta** keep on working

ligga kvar inte resa sig remain lying; **~ kvar** [*i sängen*] remain in bed; **~ kvar** [*över natten*] stay the night; **låta** ngt **~ kvar** leave...

ligga nere om t.ex. arbete be at a standstill; om t.ex. fabrik stand idle

ligga på vara ihärdig be persistent, insist; duken **-er på** ...is on; **här -er solen på** there is a lot of sunshine here; **här -er vinden på** the wind blows hard here

ligga bra (illa) till: ~ bra till för... passa suit...well; **~ bra (illa) till hos ngn** be in sb's good (bad) books, be liked (disliked) by sb; **som det nu -er till** as (the way) things are now; **~ till sig** om t.ex. vara improve by keeping (being kept); **låta** en fråga **~ till sig** leave...to mature

ligga under a) vara lagd under be [put] underneath **b)** vara underlägsen be inferior [*ngn* to sb]; sport.: **~ under** be losing; **~ under med 1–0 (ett mål)** be losing by 1–0, be 1–0 down

ligga ute: kan du ~ ute med pengarna tills i morgon? can you wait for the money till tomorrow?; **jag ligger ute med pengar** I have money owing to me

ligga över a) vara lagd över: ngt **-er över** [*det*] ...is laid (put, utbrett spread) over it; **pappret -er över så den syns inte** it is hidden by the paper **b)** övernatta stay overnight (the night); **du kan ~ över här** [*i natt*] ...sleep here tonight

liggande *adj* (oböjl.) allm. lying; om person äv. reclining, recumbent; belägen äv. situated; vågrät horizontal; stå**v** *i* **~ ställning** ...in a recumbent position; **bli ~ a)** om person: remain lying in bed; inte kunna resa sig not be able to rise (get up) **b)** om sak: ligga kvar remain; bli kvarlämnad be left; inte slutbehandlas remain undealt with, get held up; inte göras färdig remain undone; inte bli avsänd not be sent off; **förvaras ~** be kept flat (in a horizontal position); om t.ex. flaskor be stored lying down

liggare *s* (~n, =) bok register [*för* of]; hand. äv. ledger

liggetid *s* (~en, ~er) post. period of retention; sjö. lay-days pl.

liggfåtölj *s* (~en, ~er) järnv. o.d. reclining chair

ligghöna *s* (~n, -hönor) brood-hen, sitter
liggstol *s* (~en, ~ar) vilstol deckchair
liggsår *s* (~et, =) bedsore
liggunderlag *s* (~et, =) ground sheet
liggvagn *s* (~en, ~ar) **1** järnv. couchette [car]
2 barnvagn pram; amer. baby carriage
ligist *s* (~en, ~er) hooligan, thug; amer. äv. hoodlum, mobster
liguster *s* (~n, ligustrar) bot. privet
1 lik *s* (~et, =) corpse, [dead] body; de hittade *~et* (*hans ~*) ...the (his) body; *blek som ett ~* deathly pale, as white as a sheet; *ett ~ i garderoben* bildl. a skeleton in the cupboard (amer. closet); *~ i lasten* bildl. a lot of deadwood
2 lik *s* (~et, =) sjö., kant leech; tross leech rope, bolt rope
3 lik *adj* (~t) (attr. se *lika I*); like; *de är ~a* lika varandra they are alike; *hon är ~ honom* she is like him [*till* utseendet in...]; *~a som bär* as like as two peas; *vara sig ~* be (se ut äv. look) the same as ever; han är *sig inte ~ i dag* ...not his usual self today; här *är allt sig ~t* everything is just the same as ever...; *det är* [*just*] *~t honom!* it is just like him!, it's him all over!
lika I *adj* (oböjl.) (pred. jfr äv. *3 lik*); av samma storlek, värde etc. equal; samma, likadan the same; helt överensstämmande identical; likformig, enhetlig uniform; *~ barn leka bäst* birds of a feather flock together; *~ lön för ~ arbete* equal pay for equal work; *vara ~ med* be equal to; 2 plus 2 *är ~ med 4* ...make[s] (is el. are, equal[s]) 4; *två ~* i spel two all; *fyrtio ~* i tennis deuce
II *adv* **1** vid verb: likadant in the same way (manner); uttr. inbördes jämförelse äv. alike; i lika delar equally; behandla alla ~ ...alike (the same); *vi ligger ~* i spel we are even **2** vid adj. o. adv. [just] as; i lika grad equally; inte mindre none the less; lika mycket [just] as much [*som* as]; *~...som...* as...as...; *den är ~ bred som den andra* (*som* [*den är*] *lång*) it is [just] as broad as the other (as broad as it is long); den är *~ bred överallt* ...equally broad all over; vi hade *~ fint väder hela tiden* ...the same fine weather all the time; *vi är ~ gamla* äv. we are the same age; *jag är ~ glad om han* inte kommer I would be just as pleased if...; *han är ~ lång som du* he's just as tall as you, he's the same height as you, he's your height; *~ mycket* just as much, as much again; *~ många* just as many, as many again; föremålen är *~ stora* vanl. ...the same size
likaberättigad *adj* (-berättigat, ~e), *vara* (*bli*) *~* have (get, be given) equal rights [*med* with]
likaberättigande *s* (~t) equality [of rights]
likadan *adj* (~t) similar [*som* to], ...of the same sort (kind) [*som* as]; alldeles lika, oförändrad the same; *jag har en ~* [*som den här*] hemma I have one like this...; *jag är ~* I'm just the same; *det är ~t med mig* (*överallt*) it's the same [thing] with me (everywhere); *de är* [*precis*] *~a* inbördes jämförelse they are [quite] alike
likadant *adv* in the same way; t.ex. göra the same; *~ klädda* inbördes jämförelse dressed alike
likafullt *adv* ändå nevertheless, none the less, all the same
likalydande *adj* (oböjl.) om text ...identical in wording [*med* to]; *i två ~ exemplar* in duplicate, in two identical copies
likalönsprincipen *s* (best. sing.) the principle of equal pay [for equal work]

likartad *adj* (-artat, ~e) similar [*med* to]; ...of a similar kind; *under i övrigt ~e förhållanden* other things being equal
likasinnad I *adj* (-sinnat, ~e) like-minded **II** *s* (en ~, pl. ~e), *~e* like-minded people
likaså *adv* **1** likaledes likewise; också also; hon kom och *~ han* ...so did he, ...he did as well **2** se *lika II 2*
likaväl *adv* just as well [*som* as]; *~* såväl *som* as well as
likbent *adj* (=) geom., *~ triangel* isosceles triangle
likbil *s* (~en, ~ar) hearse
likblek *adj* (~t) deathly (ghastly) pale
like *s* (~n, likar) equal, peer; *hans likar* his equals; *inte ha sin ~* be matchless (unequalled); *en* prakt *utan ~* an unparalleled (unheard-of)...
likformig *adj* (~t) enhetlig uniform; homogen homogeneous
likgiltig *adj* (~t) indifferent äv. om sak [*för* ngt to...]; håglös listless, apathetic; oberörd impassive, unconcerned; oviktig unimportant, insignificant, trivial; [*det är*] *~t vad* (*vem*) it doesn't matter what (who); *det är mig ~t* vad du gör I don't care...
likgiltighet *s* (~en) (jfr *likgiltig*); indifference [*för* to]; listlessness, apathy; impassivity; unimportance, insignificance
likhet *s* (~en, ~er) framför allt i fråga om utseendet resemblance, likeness; till art similarity [*med* i samtliga fall to]; jämlikhet samt mat. equality; *i ~ med* liksom like; i överensstämmelse med in conformity with; *det finns stora likheter mellan dem* vanl. there are close points of similarity between them
likhetstecken *s* (-tecknet, =) equals sign, equal sign, sign of equality; *sätta ~ mellan lycka och* rikedom equate happiness with...
likkista *s* (~n, -kistor) coffin; amer. äv. casket
likna I *vb itr* (~de, ~t) vara lik be like, resemble [*ngn* [*till* utseendet] sb [in...]]; om sak äv. be similar to; se ut som look like; *de ~r varandra* äv. they are alike; *nu börjar det ~ något* now we're getting somewhere **II** *vb tr* (~de, ~t), *~ vid* compare to
liknande *adj* (oböjl.) likartad similar; dylik ...like that (this); skolor *och* (*eller*) *~* ...and (or) the like; jag har aldrig sett *något ~* ...the like [of it]
liknelse *s* (~n, ~r) jämförelse simile; bild metaphor; bibl. parable [*om* of]; *utan ~* without (beyond) comparison
likrikta *vb tr* (~de, ~t) elektr. rectify; bildl. standardize; t.ex. pressen control; t.ex. opinion regiment; *~d* bildl. äv. uniform
likriktning *s* (~en) elektr. rectification; bildl. standardization
liksidig *adj* (~t) equilateral, equal-sided
liksom I *konj* framför subst. like; framför adv. samt inledande fullständig el. förkortad sats as; *han är lärare ~ jag* (*min bror*) ...like me (my brother), ...just like I am (my brother is); *i Sverige ~ i* England in Sweden as in...; *~* [*även*] *fallet var med...* as was [also] the case with... **II** *adv* så att säga as it were, so to speak; på något sätt somehow; vard. sort (kind) of; *jag ~ anade det* I sort (kind) of thought so
likstelhet *s* (~en) rigor mortis lat.
likström *s* (~men) elektr. direct current, DC
likställd *adj* (-ställt), *vara ~ med* be on an equality (an equal footing, a par) with
likställdhet *s* (~en) equality

liktorn *s* (~en, ~ar) corn
liktydig *adj* (~t) synonym synonymous [*med* with]; *vara ~ med* bildl. be tantamount to; *det är ~t med att...* this (that) means that...
likvaka *s* (~n, -vakor) wake, vigil [over a dead body]
likvid I *s* (~en, ~er) payment; se vidare *betalning* **II** *adj* (neutrum undviks) tillgänglig liquid, available; *~a medel* liquid capital sg., available funds, floating assets
likvidation *s* (~en, ~er) ekon. el. i betydelsen 'avlivning' liquidation; avveckling äv. winding-up; *träda i ~* go into liquidation
likvidera *vb tr* o. *vb itr* (~de, ~t) ekon. el. i betydelsen 'avliva' liquidate; *~ en skuld* settle a debt
likvidering *s* (~en, ~ar) ekon. el. i betydelsen 'avlivning' liquidation
likviditet *s* (~en) ekon. liquidity
likväl *adv* ändå yet, still, nevertheless; i alla fall all the same, even so
likvärdig *adj* (~t) equivalent [*med* to]; de är ~a ...equally good, ...equally valuable
likvärdighet *s* (~en) equivalence
likör *s* (~en, ~er) liqueur
lila *s* (oböjl.) o. *adj* (oböjl.) ljus~ lilac, mauve; mörk~ purple; violett violet; för sammansättn. jfr *blå-*
lilja *s* (~n, liljor) lily; *fransk ~* herald. fleur-de-lis (pl. fleur-de-lis)
liljekonvalje *s* (~n, ~r) bot. lily of the valley (pl. lilies of the valley)
lilla *adj* (best.) o. **lille** *adj* (best. mask.) se *liten*
lillan *s* (best. sing.) min (vår etc.) lillflicka my (our etc.) little girl
lillasyster *s* (~n, -systrar), [*min* etc.] ~ my etc. little (baby) sister; om större barn my etc. young[er] (kid) sister
lillebror *s* (-brodern, -bröder), [*min* etc.] ~ my etc. little (baby) brother; om större barn my etc. young[er] (kid) brother
lillen *s* (best. sing.) min (vår etc.) lillpojke my (our etc.) little boy
lilleputt *s* (~en, ~ar) Lilliputian; friare äv. dwarf, miniature
lillfinger *s* (-fingret, -fingrar) little finger; speciellt amer. äv. pinkie
lillgammal *adj* (~t, -gamla) ...old for one's age; brådmogen precocious
lillhjärnan *s* (best. sing.) anat. the cerebellum
lillslam *s* (~men, ~mar) kortsp. little (small) slam; *göra ~* make a little (small) slam
lilltå *s* (~n, ~r) little toe
lillvärdinna *s* (~n, -värdinnor) [assistant] hostess
lim *s* (~met, = el. ~mer) glue
limaböna *s* (~n, -bönor) lima [bean]
lime *s* (~n, ~r) bot. lime
limejuice *s* (~n) lime juice
limerick *s* (~en, ~ar) skämtvers limerick
limfärg *s* (~en, ~er) distemper
limit *s* (~en, ~er) hand., börs. etc. limit
limitera *vb tr* (~de, ~t) hand., börs. etc. limit
limma *vb tr* (~de, ~t) **1** hopfoga glue; *~ fast* glue...on [*vid* to]; *~ ihop* glue...together **2** *~t papper* sized paper
limning *s* (~en, ~ar) glueing; limmat ställe glue joint; *gå upp i ~en* lossna come unstuck; *hon höll på att gå upp i ~en* she nearly blew her top, she freaked (was freaking) out

limousine *s* (~n, ~r) limousine
limpa *s* (~n, limpor) **1** avlångt bröd loaf (pl. loaves); av rågmjöl rye bread **2** *en ~ cigaretter* a carton of cigarettes **3** cykelsadel banana seat
limstift *s* (~et, =) glue stick
limstryka *vb tr* (-strök, -strukit) med limfärg distemper
lin *s* (~et) bot. flax
lina *s* (~n, linor) rope; smäckrare cord; speciellt sjö. line; stål~ wire; *löpa ~n ut* go the whole hog, go through with it; *visa sig på styva ~n* show one's paces; briljera show off
linbana *s* (~n, -banor) häng~ cableway, [aerial] ropeway
linberedning *s* (~en) flax dressing (processing)
linblomma *s* (~n, -blommor) flax flower
lind *s* (~en, ~ar) bot. lime [tree]; poet. linden
linda I *s* (~n, lindor) hist., för spädbarn swaddling-clothes pl.; *kväva...i sin ~* bildl. nip...in the bud; *ligga i sin ~* bildl. be in its infancy **II** *vb tr* (~de, ~t) vira wind; svepa wrap; binda tie; t.ex. en stukad vrist bind up; spädbarn swaddle; *hon kan ~ honom kring sitt [lill]finger* she can twist him round her little finger
III med beton. part.
linda in wrap up [*i* in], jfr *inlindad*
linda om vira om på nytt rewind; *~ om fingret [med någonting]* tie something round one's finger
lindansare *s* (~n, =) o. **lindanserska** *s* (~n, -danserskor) [tight]rope walker
lindblomma *s* (~n, -blommor) lime blossom
lindra *vb tr* (~de, ~t) nöd, fattigdom relieve; verka lugnande [på] soothe; tillfälligt palliate; *straffet ~des till böter* ...was reduced to a fine; *~nde medel* sg. palliative
lindrig *adj* (~t) inte sträng el. svår mild äv. om sjukdom; inte våldsam gentle; lätt, inte allvarlig light; obetydlig, t.ex. om feber, sår slight; *~t straff* light (mild) punishment
lindrigt *adv* mildly osv., jfr *lindrig*; *vara ~ förkyld* be suffering from a slight cold; *komma ~ undan* get off light[ly]
lindring *s* (~en, ~ar) av smärta, nöd o.d. relief; av straff, arbetsbörda reduction [*av* of]; *ge ~* bring (afford) relief
linearritning *s* (~en, ~ar) linear drawing
linfrö *s* (~et, ~n) linseed
lingon *s* (~et, =) lingonberry; *inte värd ett ruttet ~* not worth a bean (damn, amer. dime, cent)
lingondricka *s* (~n) lingonberry juice
lingonris *s* (~et) koll. lingonberry sprigs (twigs) pl.
lingonsylt *s* (~en) lingonberry jam
lingul *adj* (~t) flax-coloured; om hår flaxen
lingvist *s* (~en, ~er) linguist
lingvistik *s* (~en) linguistics sg.
linhårig *adj* (~t) flaxen-haired
liniment *s* (~et, =) liniment, embrocation, rubbing lotion
linjal *s* (~en, ~er) ruler; tekn. rule
linje *s* (~n, ~r) **1** allm. line; *~ 5* trafik. number 5; *politisk ~* line of policy; *detta ligger helt i ~ med* hans politik this is in line (on a line) with...; *i rät ~ med* in [a] line with, even with; *vi är inne på samma ~* we are on the same line[s]; *utefter (över) hela ~n* bildl. all along the line; genomgående throughout; förbättringar *över hela ~n* äv. all-round... **2** skol. hist. course [programme]; univ. äv. study programme

linjedomare *s* (~n, =) sport. linesman
linjefart *s* (~en) sjö. liner traffic (service)
linjefartyg *s* (~et, =) liner
linjeperspektiv *s* (~et) linear perspective
linjera *vb tr* (~de, ~t) rule; **~ upp** rule; bildl. draft, outline, sketch out
linjetrafik *s* (~en) regular traffic (services pl.); flyg. scheduled traffic (flights pl.)
linjeval *s* (~et, =) skol. hist. choice of course (univ. äv. study) programme
linjeväljare *s* (~n, =) tele. selector
linjär *adj* (~t) linear
linka *vb itr* (~de, ~t) limp, hobble
linne *s* **1** (~t) tyg linen; duk **av ~** äv. linen... **2** (~t) koll., dukar osv. linen **3** (~t, ~n) plagg för kvinnor o. män tank top; underplagg för kvinnor slip, camisole; undertröja vest
linnea *s* (~n, linneor) bot. twinflower, linnaea
linneduk *s* (~en, ~ar) linen cloth
linneskåp *s* (~et, =) linen cupboard (amer. closet), större linen press
linning *s* (~en, ~ar) band; i midjan waistband
linoleum *s* (~et el. ~en) linoleum, lino
linolja *s* (~n, -oljor) linseed oil
lins *s* (~en, ~er) **1** bot. el. kok lentil **2** optik., anat. el. geol. lens
linsformig *adj* (~t) lens-shaped
linslus *s* (~en, -löss) vard. lens louse
linsvätska *s* (~n, -vätskor) till kontaktlinser lens cleaner fluid
lintott *s* (~en, ~ar) person towhead
lipa *vb itr* (~de, ~t) vard. **1** gråta blubber, howl **2** ~ räcka ut tungan **åt ngn** stick one's tongue out at sb
lipen *s* (best. sing.), **ta till ~** vard. turn on the waterworks
lipsill *s* (~en, ~ar) vard. cry-baby
lira *vb tr* o. *vb itr* (~de, ~t) vard., spela play
lirare *s* (~n el. lirarn, =) vard., spelare player
lire *s pl* myntenhet lire
lirka *vb itr* (~de, ~t), **~ med ngn** coax (wheedle, cajole) sb [*för att få honom att* + inf. into + ing-form]; **hur jag än ~de** så fick jag inte loss nyckeln whichever way I turned and tried...; **~ ur ngn en hemlighet** worm (pry) a secret out of sb
lisa *s* (~n) lindring relief; tröst solace, comfort
lismande *adj* (oböjl.) fawning, wheedling, oily
lismare *s* (~n, =) fawner
Lissabon Lisbon
1 list *s* (~en, ~er) listighet cunning; knep trick, ruse; **med** (**genom**) **~** fick han som han ville with cunning (guile)...
2 list *s* (~en, ~er) **1** långt o. smalt stycke trä resp. metall strip [of wood resp. metal] **2** bård border, edging **3** byggn., utskjutande kant moulding, beading; golv~ skirting-board **4** trädg. [narrow] bed (kant~ border); gurk~ o.d. ridge
1 lista I *s* (~n, listor) list [*på* (*över*) of]; **långt ner på ~an** low (a long way) down on the list; **stå överst** (**nederst**) **på ~n** be at the top (bottom) of the list, top (foot) the list äv. bildl. **II** *vb tr* (~de, ~t) list
2 lista I *vb tr* (~de, ~t), **~ fundera ut** find (work) out **II** *vb rfl* (~de, ~t), **~ sig in** (**ut**) steal (sneak) in (out)
listig *adj* (~t) cunning, sly, crafty; förslagen smart; vard., klyftig clever

listighet *s* (~en) egenskap cunning, slyness etc.; jfr *listig*
lit *s* (oböjl., en), **sätta** [**sin**] **~ till** lita på put confidence in; förtrösta på put one's trust in, pin one's faith on
lita *vb itr* (~de, ~t), **~ på** förlita sig på depend (rely) [up]on, trust to; hysa förtroende för trust, have confidence in; räkna på count [up]on; vara förvissad om be assured of; **det kan du ~ på!** [you can] depend upon it (take it from me)!; vard. you bet!; **~ på att ngn gör ngt** depend on (rely on, trust, count on) sb to do sth
litania *s* (~n, litanior) relig., el. bildl. litany
Litauen Lithuania
litauer *s* (~n, =) Lithuanian
litauisk *adj* (~t) Lithuanian
litauiska *s* **1** (~n, litauiskor) kvinna Lithuanian woman **2** (~n) språk Lithuanian
lit de parade *s* (oböjl.), **ligga på ~** lie in state
lite *s* (oböjl.) o. *adv* (jfr *mindre* o. *minst*) **1** föga little; få few jfr ex.; **bara ~** only (just) a little, only (just) a few; **inte** [**så**] **~** arg not a little..., quite...; **rätt ~ folk** rather few people; **jag har fått** tjugo kronor **för ~ tillbaka** I got...too little back; **det vill inte säga så ~!** that's saying a great deal!; **det var ~ men gott** there was not much, but what there was of it was good; **det var inte ~ det!** that's quite a lot!; **det var så ~!** för all del [it's] no trouble at all!; amer. äv. you're welcome!
2 (jfr *smula I 2*); något, en smula a little; tillsammans med subst. äv. some; några få a few, some; **~** [**mer**] **bröd** some (a little) [more] bread; **det vore trevligt att ha ~ folk** omkring sig it would be nice (I'd like) to see some people...; vill du ha **~ jordgubbar?** ...some (a few) strawberries?; det skulle vara gott med **~ mat** ...a little something to eat; **är du inte ~ dum nu?** aren't you being a bit stupid now?; **han är ~ förkyld** he has got a slight (a bit of a) cold; **~ då och då** every now and then; jag måste **sova ~** ...have (get) a little (some) sleep; **vänta ~!** wait a little (a bit, a minute)!; **~ av varje** a little (a bit) of everything; **~ för** (**väl**) **dyr** rather (a little, a bit) too expensive; det kostar **~ över 1000 kronor** ...a little over 1000 kronor; **klockan är ~ över tre** it has just turned three; **~ var** (**till mans**) **har vi...** pretty well every one of us has (all of us have)...
liten (jfr *litet, mindre, minst o. smått*) **I** *adj* (litet, best. mask. lille, best. fem. lilla, pl. små) **1** allm. small (vanl. som beton. best. till konkr. subst. o. subst. som betecknar antal, kvantitet, pris o.d.)
2 allm. little (som best. till abstr. subst. o. speciellt tillsammans med känslobetonade subst. o. adj.)
3 ytterst liten tiny, minute, diminutive, wee; kort short; obetydlig slight, insignificant; futtig petty **de små** obeton. **barnen** the little ones; tacksam för **minsta lilla bidrag** ...the least little contribution; **en ~** beton. **bit** a small bit; **en ~ ~ bit** a tiny (teeny weeny) bit; **en ~** obeton. **bit** a little [bit]; följa med ngn **en ~ bit** ...a little way; **~ bokstav** small (typogr. lower-case) letter; **lilla du!** my dear!; **din lilla** (**lille**) **dumbom!** you little fool!; **ett litet fel** har smugit sig in a slight error...; **små framsteg** little advance (progress) sg.; **ett sött litet hus** a pretty little house; **i ~ skala** on a small scale; **med små steg** with short steps; stanna **en ~ stund** ...a little while; **lilla visaren** på klockan the short (little) hand; **känna sig ~** feel

small; **när jag var** ~ when I was small (little)
II *s* (en ~, pl. små) **1** hon väntar **en** ~ …a baby;
stackars ~! poor little thing (mite)!; **redan som** ~
even as (when quite) a child
2 den lille (**lilla**) se *lillen* resp. *lillan*; **det lilla som** finns
kvar what little…
3 de små barnen the little ones; **stora och små** great
and small, children and grown-ups (adults)
litenhet *s* (~en) smallness, littleness; jfr *liten*
liter *s* (~n, = el. litrar) rymdmått litre; amer. liter; **en ~**…
ung. motsv.: om våtvaror el. bär two pints of…, om torra
varor el. amer. a quart of…; **25 ~ bensin** ung. 5 1/2
gallons of petrol, amer. 6 1/2 gallons of gasoline; **8
kronor ~n** …a litre
literbutelj *s* (~en, ~er) litre bottle
litermått *s* (~et, =) litre measure, tillbringare
measuring jug
litervis *adv* per liter by the litre; **~ med…** litres of…
litet I *adj* (neutr.) se *liten I* **II** *s* (oböjl.) o. *adv* se *lite*
litografi *s* (~n, ~er) metod lithography; **en ~** a
lithograph
litografisk *adj* (~t) lithographic
litteratur *s* (~en, ~er) literature
litteraturförteckning *s* (~en, ~ar) bibliography, list
of references
litteraturhistoria *s* (-historien) [vanl. the] history of
literature; **engelsk ~** the history of English
literature
litteraturhistoriker *s* (~n, =) literary historian
litteraturhänvisning *s* (~en, ~ar), **~[ar]** [notes on]
further reading, suggested reading
litteraturkritik *s* (~en) literary criticism
litteraturkritiker *s* (~n, =) literary critic
litteraturstöd *s* (~et) publishing subsidy
litteraturvetenskap *s* (~en) [vanl. the] history of
literature, literary history (mera allmänt studies pl.)
litterär *adj* (~t) literary
liturgi *s* (~n, ~er) kyrkl. liturgy
liturgisk *adj* (~t) kyrkl. liturgical
liv *s* (~et, =) **1** allm. life; livstid lifetime; tillvaro äv.
existence; livaktighet äv. vitality; levnadssätt way of life,
living; **~ och rörelse** hustle and bustle, bustling life;
~et efter detta [the] life to come; **~et i storstaden** (**på
landet**) town (country) life; **då blev det ~ i honom**
then he suddenly came to life; **börja ett nytt ~** start a
new life; ändra (bättra) sig turn over a new leaf; **få ~**
come to life; **få nytt ~** leva upp get (take) a new lease
of life; **få ~ i** get some life into; **åter få ~ i** en
avsvimmad bring…round; **ge ~ åt** t.ex. rummet, tavlan
give life to; ingjuta liv i infuse life into; **hålla ~ i** en
diskussion keep…going; **detta ~ets goda** creature
comforts pl.; **skrämma ~et ur ngn** frighten sb out of
his (resp. her) wits (the life out of sb); [**få**] **sätta ~et
till** lose (sacrifice) one's life; **ta ~et av ngn** el. **bringa
ngn om ~et** take sb's life; mer 'uttänkt' put sb to
death; **ta ~et av sig** el. **ta sitt ~** take one's [own] life,
kill oneself; **det är ingen fara för hans ~** his life is not
in danger; **sånt är ~et** that's (such is) life, that's the
way it (life) is; **springa för ~et** run for all one is
worth (like mad, for dear life); **vän för ~et** friend
for life; **aldrig i ~et** never in all my life; utrop never!,
vard. not on your life!, no way!; **har du** (**är**) **dina
föräldrar i ~et?** are your parents living (alive)?; **med
~ och lust** with [one's] body (heart) and soul, with
gusto (zest); **komma ifrån ngt med ~et i behåll** escape

from sth alive; **en strid på ~ och död** a life-and-death
struggle; **trött på ~et** tired of living (life); **hålla ngn**
(**intresset**) **vid ~** keep sb alive (up the interest); **vara
vid ~** be alive; **få sig ngt till ~s** have (get) sth to eat;
bildl. be treated to sth
2 levande varelse living being; om person äv. [living]
soul; **de små ~en** the little (poor) dears
3 kropp body; **komma ngn** (**ngt**) **inpå ~et** lära känna get
to grips with sb (sth), get to know sb (sth)
intimately
4 midja waist äv. på plagg; **vara smal om ~et** have a
small (slender) waist; **veka ~et** midriff, diaphragm
5 på plagg bodice
6 oväsen row, noise, commotion; bråk, uppståndelse
to-do, fuss; **det kommer att bli ett himla ~** there'll be
an awful row, there'll be the devil to pay
liva *vb tr* (~de, ~t), **~ upp ngn** bildl. liven up sb; **~ upp
stämningen** (**rummet**) liven up (enliven) the
atmosphere (the room)
livad *adj* (livat, ~e) munter merry; uppsluppen hilarious
livaktig *adj* (~t) lively; livskraftig vigorous; aktiv active
livaktighet *s* (~en) liveliness; livskraft vigour
livboj *s* (~en, ~ar) lifebuoy
livbåt *s* (~en, ~ar) lifeboat
livbälte *s* (~t, ~n) lifebelt
livegen *adj* (-eget, -egna) hist., **en ~ bonde** a serf
livegenskap *s* (~en) serfdom
livfull *adj* (~t) …[that is (are etc.)] full of life; livlig
lively; om skildring o.d. vivid
livförsäkring *s* (~en, ~ar) life insurance, [life]
assurance; **teckna en ~** take out a life insurance
livförsäkringsbolag *s* (~et, =) life assurance
company
livgarde *s* (~t, ~n), **Svea ~** the Svea Life Guards pl.
livgivande *adj* (oböjl.) life-giving; bildl. äv. heartening
livhanken *s* (best. sing.), **klara ~** keep body and soul
together; **rädda ~** save one's skin
livlig *adj* (~t) allm. lively; om person äv. vivacious; rörlig
active, vaken alert; om skildring o.d. vivid; om debatt
animated; om intresse great, keen; om trafik heavy,
busy
livligt *adv* vividly; **det kan jag ~ föreställa mig** I can
vividly imagine it
livlina *s* (~n, -linor) lifeline äv. bildl.
livlös *adj* (~t) allm. lifeless, inanimate; i eg. betydelse äv.
dead; uttryckslös expressionless; bildl. äv. dull
livmedikus *s* (= el. ~en, -medici) personal physician;
kungens ~ äv. physician-in-ordinary to the King
livmoder *s* (~n, -mödrar) anat. womb; vetensk. uterus
(pl. uteri)
livmoderhals *s* (~en, ~ar) anat. neck of the womb;
vetensk. cervix
livmodermun *s* (~nen, ~nar) anat. mouth (orifice) of
the womb (uterus)
livmodertapp *s* (~en, ~ar) anat. portio [vaginalis] lat.
livnära I *vb tr* (-närde, -närt) föda feed; försörja
support, maintain **II** *vb rfl* (-närde, -närt), **~ sig**
försörja sig support oneself [*av* (*på*) on; *med* (*genom*)
by]; **~ sig på** äta eat; om djur äv. feed on
livré *s* (~et, ~er) livery; t.ex. chaufförs äv. uniform
livréklädd *adj* (-klätt) liveried, …in livery;
uniformed
livrem *s* (~men, ~mar) [waist]belt
Livrustkammaren the Royal Armoury

livrädd *adj* (neutrum undviks) terrified; vard. ...scared stiff

livräddning *s* (~en, ~ar) från drunkning life-saving

livränta *s* (~n, -räntor) life annuity

livsandar *s pl*, *pigga upp sina domnade* ~ revive one's sinking spirits

livsaptit *s* (~en) appetite (lust) for life

livsavgörande *adj* (oböjl.) ...of decisive importance; livsviktig vital

livsbehov *s* (~et, =) vital need

livsbejakande *adj* (oböjl.), *vara* ~ have a positive attitude (approach) to (outlook on) life

livsbetingelse *s* (~n, ~r) condition governing one's life; *goda ~r* favourable conditions

livscykel *s* (~n, -cykler el. -cyklar) life cycle

livsduglig *adj* (~t) ...capable of living (surviving); vetensk. el. bildl. viable

livselixir *s* (~et, =) elixir of life

livserfaren *adj* (-erfaret, -erfarna) attr. ...who has a great deal of experience of life; *han är* ~ he has a great deal of experience of life

livserfarenhet *s* (~en, ~er) experience of life

livsfara *s* (~n) mortal danger, danger to life; *han svävar i* ~ his life is in danger

livsfarlig *adj* (~t) highly dangerous; vard., svagare dead dangerous; ~ *ledning* (*spänning*)*!* skylt Danger! High Voltage!

livsfilosofi *s* (~n, ~er) philosophy, philosophy of life; livsåskådning, livssyn outlook on (view of) life

livsform *s* (~en, ~er) vetensk. form of life; allm. way of life

livsfråga *s* (~n, -frågor) question of vital importance, vital question

livsfunktion *s* (~en, ~er) vital function

livsföring *s* (~en, ~ar) life, way of life

livsförnödenheter *s pl* necessities of life; jfr *livsmedel*

livsglädje *s* (~n) joy of living, joie de vivre fr.

livsgnista *s* (~n) spark of life

livsgärning *s* (~en, ~ar) lifework

livshotande *adj* (oböjl.) life-threatening; om sjukdom o.d. grave; dödlig fatal

livsinställning *s* (~en) approach (attitude) to life

livskamrat *s* (~en, ~er) life companion (partner), companion through life

livskraftig *adj* (~t) vigorous, robust

livskvalitet *s* (~en, ~er) quality of life

livsleda *s* (~n) deep depression, weariness of life

livslevande *adj* (oböjl.), *där stod han* ~ ...as large as life, in the flesh, in person

livslinje *s* (~n, ~r) i handen lifeline

livslust *s* (~en) zest (lust) for life

livslång *adj* (~t) lifelong

livslängd *s* (~en) persons length of life, jfr *medellivslängd*; saks life; data. useful life

livslögn *s* (~en, ~er) lifelong deception (illusion)

livsmedel *s pl* food, provisions

livsmedelsaffär *s* (~en, ~er) grocer's store (mindre shop)

livsmedelsbrist *s* (~en) food shortage, scarcity of foodstuffs

livsmedelsindustri *s* (~n, ~er) food industry

livsmedelstillsats *s* (~en, ~er) food additive

livsmedelsverk *s* (~et, =), *Statens* ~ el.

Livsmedelsverket the [Swedish] National Food Administration

livsmål *s* (~et, =) aim (object) in life

livsrytm *s* (~en) tempo

livsstil *s* (~en, ~ar) way of life, life style

livssyn *s* (~en, ~er) outlook on (view of) life

livstecken *s* (-tecknet, =) sign of life; *han har inte gett ett* ~ *ifrån sig* bildl. there is no sign of life (news) from him

livstid *s* (~en) life[time]; *~s fängelse* life imprisonment; *få* ~ get a life sentence; vard. get life; *sitta inne på* ~ be in [prison (jail)] for life, serve a life sentence; vard. be a lifer

livstidsfånge *s* (~n, -fångar) prisoner for life; vard. lifer

livstycke *s* (~t, ~n) bodice

livsuppehållande *adj* (oböjl.) life-sustaining

livsuppehälle *s* (~t) utkomst living, livelihood

livsuppgift *s* (~en, ~er) mission (object) in life

livsverk *s* (~et, =) lifework; *ett* ~ a lifetime achievement

livsviktig *adj* (~t) vital äv. bildl.; *det är inte ~t* vard. it is not all that important

livsvilja *s* (~n) will to live

livsvillkor *s* (~et, =) nödvändighet vital necessity; levnadsförhållanden living conditions; se äv. *livsbetingelse*

livsyttring *s* (~en, ~ar) manifestation (sign) of life

livsåskådning *s* (~en, ~ar) outlook on (philosophy of) life

livsöde *s* (~t, ~n) lott destiny; *~n* ngns upplevelser life [story] sg.

livtag *s* (~et, =) brottn. waistlock, waisthold; *ta* ~ *på* apply a waistlock (waisthold) on; bildl. grapple with, tackle

livvakt *s* (~en, ~er) bodyguard äv. koll.

ljud *s* (~et, =) allm. (äv. *~et*) sound; buller noise; klang, hos instrument tone; *inte kunna få fram ett* ~ av heshet be unable to say a word; av rörelse o.d. be unable to utter a [single] sound; *vi har inte hört ett* ~ *om saken* ...anything about it

ljuda I *vb itr* (ljöd, ljudit) låta sound; höras be heard; klinga, skalla ring; klämta toll; genljuda resound, echo **II** *vb tr* (~de, ~t) språkv. sound

ljudband *s* (~et, =) för bandspelare tape

ljudbang *s* (~en, ~ar) från överljudsplan sonic boom

ljudbok *s* (~en, -böcker) audiobook

ljuddämpare *s* (~n, =) **1** bil. silencer; amer. muffler **2** på skjutvapen silencer

ljudeffekt *s* (~en, ~er) sound effect

ljudenlig *adj* (~t) språkv. phonetic

ljudfil *s* (~en, ~er) sound file

ljudfilm *s* (~en, ~er) soundfilm

ljudisolerad *adj* (-isolerat, ~e) soundproof

ljudisolering *s* (~en, ~ar) soundproofing

ljudkort *s* (~et, =) data. sound card, audio card

ljudkuliss *s* (~en, ~er) radio. sound effects pl.

ljudlig *adj* (~t) allm. loud; om t.ex. örfil resounding; om kyss smacking

ljudlös *adj* (~t) soundless; utan buller noiseless; *den ~a natten* the silent night

ljudradio *s* (~n) sound-broadcasting, sound radio

ljudsignal *s* (~en, ~er) sound signal, acoustic signal

ljudskrift *s* (~en, ~er) språkv. sound notation, phonetic transcription

ljudstyrka s (~n, -styrkor) loudness, volume [of sound], sound level

ljudtekniker s (~n, =) sound technician (engineer)

ljudvall s (~en, ~ar) sound (sonic) barrier; *passera ~en* break through the sound (sonic) barrier

ljudvåg s (~en, ~or) sound wave

ljudöverföring s (~en, ~ar) sound transmission

ljuga I vb itr (ljög, ljugit) lie [*för ngn* to sb]; tell a lie (lies); *du ljuger!* you're lying!; *~ ihop ngt* make up (invent) sth **II** vb rfl (ljög, ljugit), *~ sig fri från ngt* lie oneself out of sth; *~ sig till ngt* gain sth by telling lies

ljum adj (~t, ~ma) lukewarm, tepid; äv. bildl.; om vind, väder warm, mild, temperate; om vänskap half-hearted

ljumma vb tr (~de, ~t), *~ [upp]* warm [up], take the chill off

ljumskbråck s (~et, =) med. inguinal hernia

ljumske s (~n, ljumskar) o. **ljumskveck** s (~et, =) anat. groin

ljung s (~en) bot. heather

ljunghed s (~en, ~ar) heath (moor) [covered with heather]

ljus I s (~et, =) allm. el. bildl. light; stearin~ o.d. candle; *varde ~!* bibl. Let there be light!; *~ets hastighet* the velocity (speed) of light; *sitta som tända ~* sit straight as ramrods; *plötsligt gick det upp ett ~ för mig* it suddenly dawned on me, now the penny has dropped; *kasta nytt ~ över ngt* throw a new (different) light on sth; *föra ngn bakom ~et* take sb in, hoodwink (deceive) sb; *dra fram i ljuset* bring to light; *se ngt i ett nytt ~* see sth in a new light; *leta [efter ngt] med ~ och lykta* search (hunt) high and low [for sth] **II** adj (~t) light; om färg äv. pale; om dag, klangfärg clear; om hy, hår fair, se äv. *blond*; om kött white; om öl pale; klar, lysande bright äv. bildl.; *mitt på ~a dagen* in broad daylight; *~a lyckliga minnen* happy memories; *se det från den ~a sidan* look on the bright side [of things]; *ha sina ~a stunder* have one's bright moments (om psykiskt sjuk lucid intervals)

ljusbehandling s (~en, ~ar) light treatment

ljusbeständig adj (~t) se *ljusäkta*

ljusbild s (~en, ~er) [lantern] slide

ljusblå adj (-blått) light (pale) blue

ljusbrytning s (~en, ~ar) fys. [light] refraction

ljusbåge s (~n, -bågar) elektr. [electric] arc

ljuseffekt s (~en, ~er) light (belysningseffekt lighting) effect

ljusfenomen s (~et, =) light phenomenon

ljusfilter s (-filtret, =) foto. light filter

ljusglimt s (~en, ~ar) gleam of light; bildl. gleam (ray) of hope

ljusgård s (~en, ~ar) **1** kring solen coron|a (pl. -as el. -ae), halo (pl. -es el. -s); foto. halation **2** arkit. glass-roofed (light) well

ljushastighet s (~en, ~er) speed of light

ljushuvud s (~et, ~en el. =) bildl. genius; *han är inte något ~ precis* äv. he's not very bright (not on the bright side)

ljushyad adj (-hyat, ~e) fair-skinned, clear-skinned; *vara ~* äv. have a fair (clear) complexion

ljushårig adj (~t) fair[-haired], blond (om kvinna blonde)

ljuskrona s (~n, -kronor) chandelier

ljuskägla s (~n, -käglor) beam (cone) of light

ljuskälla s (~n, -källor) source of light

ljuskänslig adj (~t) ...sensitive to light; foto. photosensitive

ljuslockig adj (~t) attr. om person ...with fair, curly hair

ljuslåga s (~n, -lågor) candle-flame

ljusmanschett s (~en, ~er) candle ring, drip-ring

ljusmätare s (~n, =) light meter, photometer

ljusna vb itr (~de, ~t) **1** eg. get (grow) light; dagas äv. dawn; om väder clear up; om färg become light[er]; blekna fade **2** bildl.: om ansiktsuttryck brighten, light up; *utsikterna ~r* the prospects are getting brighter

ljusning s (~en, ~ar) **1** gryning dawn **2** bildl. change for the better, improvement

ljuspenna s (~n, -pennor) data. light (data) pen, wand

ljuspunkt s (~en, ~er) **1** lysande punkt luminous point **2** bildl. bright spot

ljusreflex s (~en, ~er) reflection of light

ljusreklam s (~en) metod illuminated advertising (skylt o.d. advertisement); skylt äv. neon sign

ljussax s (~en, ~ar) [pair of] snuffers pl.

ljussignal s (~en, ~er) light signal

ljussken s (~et, =) light

ljusskygg adj (~t) **1** som inte tål ljus ...averse to light; med. photophobic **2** skum fishy, shady

ljusskylt s (~en, ~ar) electric (neon) sign

ljusstake s (~n, -stakar) candlestick

ljusstark adj (~t) bright; astron. brilliant, ...of great brilliancy

ljusstrimma s (~n, -strimmor) streak of light

ljusstråle s (~n, -strålar) ray (beam) of light

ljusstump s (~en, ~ar) candle-end

ljusstyrka s (~n, -styrkor) brightness, luminosity äv. astron.; i ljusmätning luminous intensity; foto., om lins speed, rapidity

ljusstöpning s (~en, ~ar) making (dipping) candles

ljussvag adj (~t) faint

ljuster s (ljustret, =) fiske. fishspear

ljusterapi s (~n) med. light therapy (treatment)

ljustra vb tr (~de, ~t) fiske. spear

ljustuta s (~n, -tutor) bil. headlamp flasher

ljusvåg s (~en, ~or) fys. light wave

ljusår s (~et, =) astron. lightyear äv. bildl.

ljusäkta adj (oböjl.) ...that will not fade, light-fast; *gardinerna är ~* vanl. ...will not fade

ljuv adj (~t) allm. sweet; förtjusande äv. delightful; behaglig, om t.ex. syn pleasing; *det ~a livet* elegant living, la dolce vita (it.); *~ musik* sweet music

ljuvhet s (~en) sweetness

ljuvlig adj (~t) härlig delightful, lovely; spec. om smak delicious; utsökt exquisite

ljuvlighet s (~en, ~er) sweetness; *~er* delights, delightful things

LO förk., se *Landsorganisationen*

lo s (~n, ~ar) zool. lynx (pl. lynxes el. lynx)

lob s (~en, ~er) anat. lobe

lobb s (~en, ~ar) sport. lob

lobba vb itr (~de, ~t) **1** sport. lob **2** bedriva lobbyverksamhet lobby; *~ för ngt* lobby for sth

lobby s (~n, ~er) vestibul el. påtryckningsgrupp lobby

lobbyist s (~en, ~er) lobbyist

lobotomi s (~n) kir. lobotomy

1 lock s (~en, ~ar) hår~ curl; längre lock [of hair]; korkskruvs~ ringlet

2 lock s (~et, =) på kokkärl, låda o.d. lid; löst på burk o.d.

äv. cover, top; kapsyl cap; fick~ flap; *lägga på ~et* på
ngt bildl. hush...up, put the lid on; *det slår ~ för*
öronen [på mig] my ears feel blocked up
3 lock *s* (~et), *försöka med ~ och pock* try every
means of persuasion (by hook or by crook)
1 locka I *vb tr* (~de, ~t) lägga i lockar curl **II** *vb rfl*
(~de, ~t), *hennes hår ~r sig* her hair curls [naturally]
2 locka I *vb tr* o. *vb itr* (~de, ~t) **1** fresta tempt; dra till
sig t.ex. publik attract; ~ förleda *ngn [till] att* + inf. entice
(lure) sb into + ing-form; *det ~r mig inte* I am not
tempted; ~ *ngn i fällan* trap sb **2** ~ *på* kalla på call
II med beton. part.
locka bort ngn entice (lure) sb away
locka fram: ~ *fram ngn från* gömställe entice sb out
of...; ~ *fram ett skratt hos ngn* make sb laugh
locka med sig ngn entice sb into coming (resp. going)
along
locka till sig entice...to come [to one]; ~ *till sig*
kunder attract customers (custom)
locka ur ngn ngt draw (worm) sth out of sb
lockande *adj* (oböjl.) tempting, attractive
lockbete *s* (~t, ~n) bait, lure båda äv. bildl.
lockelse *s* (~n, ~r) enticement, allurement [*för* to];
frestelse lure, temptation [*till* to]; trollmakt charm,
magic power
lockfågel *s* (~n, -fåglar) decoy äv. bildl.
lockig *adj* (~t) curly
lockout *s* (~en, ~er) lockout
lockouta *vb tr* (~de, ~t) lockout
lockoutvarsel *s* (-varslet, =) lockout notice
lockpris *s* (~et, = el. ~er) hand. specially reduced price
lockrop *s* (~et, =) zool. call
lockton *s* (~en, ~er) call; ~*er* bildl. siren call (note) sg.
locktång *s* (~en, -tänger) curling-tongs pl.; *en* ~ a pair
of curling-tongs
lockvara *s* (~n, -varor) cut-price line; hand. loss-leader
lod *s* (~et, =) byggn. plummet; sjö. äv. lead; klock~
weight
1 loda *vb itr* o. *vb tr* (~de, ~t) sjö. el. bildl., ~ *[djupet]*
sound
2 loda *vb itr* (~de, ~t), *gå och* ~ stroll [about]; neds.
loiter (mooch) [about]
lodenrock *s* (~en, ~ar) loden coat
lodjur *s* (~et, =) zool. lynx (pl. lynxes el. lynx)
lodlina *s* (~n, -linor) sjö. lead line, sounding line
lodlinje *s* (~n, ~r) vertical line
lodning *s* (~en, ~ar) sjö. sounding
lodrät *adj* (-rätt) vertical; ~*a ord* clues down
loft *s* (~et, =) loft; vind attic
loftgång *s* (~en, ~ar) arkit. gallery
loftgångshus *s* (~et, =) house with external galleries
loftsäng *s* (~en, ~ar) loft bed
logaritm *s* (~en, ~er) matem. logarithm; vard. log [*för*
of]
1 loge *s* (~n, logar) tröskplats barn
2 loge *s* (~n, ~r) **1** teat. box; kläd~ dressing-room
2 ordens~ lodge
logement *s* (~et, =) kasernrum barrack room,
troop-room, squad-room; i arbetarförläggning
lodgings pl., dormitory
logera I *vb itr* (~de, ~t) lodge, be in lodgings, stay
II *vb tr* (~de, ~t) inhysa lodge, accommodate,
put...up
logg *s* (~en, ~ar) sjö. el. flyg. log
1 logga *vb itr* (~de, ~t) **I** sjö. el. flyg. log

II med beton. part.
logga in data. log in
logga ur (ut) data. log out (off)
2 logga *s* (~n, loggor) se *logo*
loggbok *s* (~en, -böcker) sjö. el. flyg. logbook
logi *s* (~n) husrum accommodation, lodging
logik *s* (~en) logic
logisk *adj* (~t) logical
logo *s* (~n, ~r) (kortform för *logotyp*) vard. logo
logoped *s* (~en, ~er) speech therapist
logotyp *s* (~en, ~er) logotype
loj *adj* (~t) om person indolent; håglös listless; slö,
likgiltig apathetic
lojal *adj* (~t) loyal [*mot* to]
lojalitet *s* (~en, ~er) loyalty
lojalitetskonflikt *s* (~en, ~er) conflict of loyalties
lok *s* (~et, =) [railway] engine
lokal I *s* (~en, ~er) premises pl.; rum room; sal hall;
biblioteket *har sina ~er i skolan* ...is housed in the
school **II** *adj* (~t) local
lokalavdelning *s* (~en, ~ar) local branch
lokalbedöva *vb tr* (~de, ~t) administer a local
anaesthetic to; ~ *en tand* freeze a tooth
lokalbedövning *s* (~en, ~ar) local anaesthesia; *en* ~ a
local anaesthetic
lokalisera *vb tr* (~de, ~t) ange platsen för, förlägga locate
[*i (till)* in]
lokaliseringspolitik *s* (~en) regional industrial
[location] policy
lokaliseringsstöd *s* (~et, =) [industrial] location
aid, regional development grants pl.
lokalkännedom *s* (~en), *ha god (dålig)* ~ have [a]
good (bad) local knowledge
lokalombud *s* (~et, =) local representative
lokalpatriotisk *adj* (~t), *vara* ~ be a local patriot;
neds. be parochial
lokalpatriotism *s* (~en) local patriotism; neds.
parochialism
lokalradio *s* (~n) local radio
lokalradiostation *s* (~en, ~er) local radio station
lokalsamtal *s* (~et, =) tele. local call
lokalsinne *s* (~t) sense of direction; *ha bra (dåligt)* ~
have a good (poor) sense of direction
lokaltelefon *s* (~en, ~er) anläggning private telephone
installation
lokaltidning *s* (~en, ~ar) local [news]paper
lokaltrafik *s* (~en) local traffic, local transport; järnv.
suburban services pl.
lokalvård *s* (~en) [på kontor office] cleaning
lokalvårdare *s* (~n, =) [på kontor office] cleaner
lokförare *s* (~n, =) enginedriver; amer. engineer
lokomotiv *s* (~et, =) [railway] engine
lom *s* (~men, ~mar) zool. diver; amer. loon
lomhörd *adj* (-hört) ...[who is (was osv.)] hard of
hearing
lomma *vb itr* (~de, ~t), ~ *iväg* slouch away
London London
londonbo *s* (~n, ~r) Londoner
longitud *s* (~en, ~er) longitude; *på 10° östlig* ~ in
longitude 10° east
longör *s* (~en, ~er) longueur fr.; i bok o.d. äv. dull
(tedious) passage
looping *s* (~en, ~ar) flyg., *göra en* ~ loop the loop
lopp *s* (~et, =) **1** löpning run; tävling race; *dött* ~ dead
heat **2** flods utsträckning, *flodens övre (nedre)* ~ the

upper (lower) reaches pl. of the river **3** förlopp, *i det långa ~et* in the long run; *inom ~et av* ett par dagar within...; *under dagens ~* during (in the course of) the day **4** bildl., *~et är kört* it's all over; it's too late to do anything about it; *ge fritt ~ åt* sina känslor give vent to... **5** gevärs~ bore

loppa *s* (~n, loppor) flea; *leva ~n* live it up

loppbett *s* (~et, =) fleabite

loppcirkus *s* (~en, ~ar) flea circus

loppmarknad *s* (~en, ~er) flea market, second-hand [junk] market; för att samla in pengar jumble sale

lord *s* (~en, ~er) lord

lornjett *s* (~en, ~er) lorgnette

lort *s* (~en, ~ar) **1** smuts dirt; starkare filth **2** djurexkrementer droppings pl.

lorta *vb tr* (~de, ~t), *~ ned* make...dirty (starkare filthy)

lortgris *s* (~en, ~ar) om barn dirty little thing

lortig *adj* (~t) dirty; starkare filthy

loss oböjl. *adv* loose; off, away; *få* (*komma* osv.) *~* se betonad partikel under *1 få III o. 2 komma III* osv.; *skruva ~* unscrew

lossa *vb tr* (~de, ~t) **1** lösgöra loose; sjö. let go; *~* förtöjningar på unmoor; *~* [*på*] band, knut untie, undo; göra lösare loosen av; bildl.; ngt hårt spänt äv. slacken **2** lasta ur unload; [varor från] fartyg äv. discharge **3** avlossa, *~ ett skott* fire (discharge) a shot

lossna *vb itr* (~de, ~t) come loose; gå upp (av) come off; om t.ex. knut come undone (om ngt limmat unstuck); om tänder get loose; börja bli lös loosen

lossning *s* (~en, ~ar) (jfr *lossa 2*); unloading, discharging; enstaka discharge, unloading

lossningsplats *s* (~en, ~er) för fartyg discharging berth; bestämmelseort place (port) of discharge

Lothringen Lorraine

lots *s* (~en, ~ar) pilot

lotsa *vb tr* (~de, ~t) sjö. el. friare pilot; vägleda guide; *~ in i* (*ut ur*) pilot into (out of)

lotsbåt *s* (~en, ~ar) pilot boat

lotsväsen *s* (~det, =) pilotage service

lott *s* (~en, ~er) **1** del, öde m.m. lot; andel äv. share, part; jord~ allotment, plot; lottsedel lottery ticket; *~en får* måste *avgöra* it must be decided by lot; *olika faller ödets ~er* fate apportions her favours unevenly; *dra ~ om ngt* (*om vem som ska gå*) draw lots for sth (lots to decide who is to go); *falla* (*komma*) *på ngns ~* fall to sb's lot **2** gå om *~* overlap

1 lotta *s* (~n, lottor) member of the [Swedish] women's voluntary defence service; armé~ (i Storbr.) WRAC, (i USA) WAC; flyg~ (i Storbr.) WRAF, (i USA) WAF; marin~ (i Storbr.) Wren, (i USA) member of the WAVES

2 lotta *vb itr* o. *vb tr* (~de, ~t), *~ om ngt* draw lots for sth; *~ ut* raffle

lottad *adj* (lottat, ~e), *vara lyckligt ~* be lucky; *de sämst ~e* those who are worst off

lottakår *s* (~en, ~er) lokalkår [local] corps of the [Swedish] women's voluntary defence service

lottdragning *s* (~en, ~ar) se *lottning*

lotteri *s* (~et, ~er) lottery; bildl. äv. gamble; för välgörande ändamål äv. raffle; *vinna på ~* win [a prize] in a lottery

lotterivinst *s* (~en, ~er) lottery prize (winnings pl.)

lottlös *adj* (~t), *bli ~* come away empty-handed

lottning *s* (~en, ~ar) [vanl. the] drawing of lots; *avgöra ngt genom ~* decide sth by drawing lots

lottnummer *s* (-numret, =) lottery number

lotto *s* (~t) Lotto; i USA äv. ung. the numbers [game]

lottsedel *s* (~n, -sedlar) lottery ticket

lotus *s* (~en, ~ar) växt lotus; blomma lotus bloom (som ornament flower)

lotusställning *s* (~en) vid t.ex. meditation lotus position

Louvren museum i Paris the Louvre

1 lov *s* **1** (~et, =) ledighet, lovdag holiday; ferier holidays pl.; speciellt amer. vacation; *vad ska du göra på ~et?* ...in your holidays? **2** (oböjl.) tillåtelse permission, leave; *får jag ~?* may I?; vid uppbjudning shall we dance?, may I have the pleasure of this dance?; *vad får det ~ att vara?* i butik o.d. can I help you [sir resp. madam]?, what can I do for you?; *be* [*ngn*] *om ~ att få göra ngt* ask [sb's] permission to do sth **3** (oböjl.), *få ~* vara tvungen *att* have to **4** (~et) beröm praise; *sjunga ngns ~* sing sb's praises, extol sb; *tack och ~!* thank God!

2 lov *s* (~en, ~ar) **1** sjö. tack **2** bildl., *slå sina ~ar kring ngn* (*ngt*) hover (prowl) about sb (sth); *ta ~en av* surpass, put...in the shade

1 lova *vb tr* (~de, ~t) **1** ge löfte [om] promise [[*att*] *komma* to come]; högtidl. äv. vow; *det ~r gott* för framtiden it promises well...; *~ bort ngt åt ngn* promise sth to sb; *~ bort sig* anta inbjudan accept an invitation [annorstädes elsewhere] **2** bedyra, försäkra, *jo, det vill jag ~!* I'll say!, I should say so!

2 lova *vb itr* (~de, ~t) sjö. luff [the helm]

lovande *adj* (oböjl.) promising

lovart *s* (oböjl.) sjö., *i ~* to windward

lovdag *s* (~en, ~ar) holiday

lovlig *adj* (~t) tillåten permissible, allowable; om t.ex. avsikt lawful; *inte vara ~* sexuellt be below the age of consent; *vara ~t byte* bildl. be fair game

lovord *s* (~et, =) praise; *få ~* be [highly] praised (commended); *full av ~ över* full of praise for

lovorda *vb tr* (~de, ~t) o. **lovprisa** *vb tr* (~de, ~t) praise; starkare extol, eulogize

lovsång *s* (~en, ~er) song of praise

lovtal *s* (~et, =) panegyric, eulogy, encomium

lovvärd *adj* (-värt) praiseworthy, commendable, laudable

lp-skiva *s* (~n, -skivor) LP (pl. LPs)

luciafirande *s* (~t, ~n) Lucia Day celebrations pl. [on 13th December]

luciatåg *s* (~et, =) Lucia procession [on 13th December]

lucka *s* (~n, luckor) **1** liten dörr, t.ex. ugns~ o.d. door; fönster~ shutter; tak~ hatch; damm~ gate; sjö. hatch [cover] **2** öppning hole, opening; expeditions~ counter-window; på t.ex. kassettbandspelare flap **3** tomrum, mellanrum, brist gap; i t.ex. manuskript omission, lacuna (pl. lacunas el. lacunae); *en ~ i lagen* a [legal] loophole; *nu blev det liv i ~n* vard. this made things hum **4** i tidsschema window **5** mil. vard., logement barrack room

lucker *adj* (~t, luckra) om jord loose

luckra *vb tr* (~de, ~t) loosen, break up; *~ upp* loosen [up]

ludd *s* (~et el. ~en) fjun fluff; dun, äv. bot. down; på tyg nap

ludda *vb itr* (~de, ~t), koftan *~r* [*av sig*] the fluff comes (is coming) off...

luddfri *adj* (-fritt) lintless

luddig *adj* (~t) **1** fjunig fluffy; dunig downy **2** oklar woolly

luden *adj* (ludet, ludna) hairy; grovt äv. shaggy; zool. äv. hirsute; bot. downy

luder *s* (ludret, =) vard., hora whore, trollop; amer. hooker

Ludvig som kunganamn vanl. Louis; tyskt kunganamn Ludwig

luffa *vb itr* (~de, ~t) **1** vara på luffen be on the road, tramp the countryside **2** lufsa lumber, shamble

luffare *s* (~n, =) tramp, vagabond; amer. äv. hobo (pl. -s el. -es), bum

luffarschack *s* (~et, =) noughts and crosses pl.; amer. tick-tack-toe

luffen *s* (best. sing.) vard., **på ~** on the road; **ge sig ut på ~** take to (hit) the road

lufsa *vb itr* (~de, ~t) lumber, shamble

lufsig *adj* (~t) clumsy, ungainly

1 luft *s* (~en), **en ~ gardiner** a pair of curtains

2 luft *s* (~en) air; **~en gick ur honom** bildl. he ran out of steam; **behandla ngn som ~** treat sb as if he (she etc.) did not exist; **få ~ under vingarna** chans till utveckling get a chance to develop (to spread one's wings); **ge ~ åt sin vrede (sina känslor)** give vent to one's anger (feelings); **det är fuktigt i ~en** the air is damp; **flyga i ~en** explodera blow up; **det där hänger i ~en** that's all in the air; **det ligger en förändring i ~en** there's a change in the air (in the offing); **det är vår i ~en** spring is in the air; **siffrorna är gripna ur ~en** the figures have been made up (are pure invention)

lufta I *vb tr* (~de, ~t) kläder o.d. air äv. bildl.; tekn., **~ elementen** bleed the radiators; **~ sin ilska** give vent to one's anger **II** *vb rfl* (~de, ~t), **~ sig** go out for a breath of air

luftaffär *s* (~en, ~er) bogus transaction (deal), fraud

luftanfall *s* (~et, =) o. **luftangrepp** *s* (~et, =) air raid (strike), attack from the air

luftballong *s* (~en, ~er) [air] balloon

luftbevakning *s* (~en) mil. aircraft warning service

luftblåsa *s* (~n, -blåsor) air bubble

luftbolag *s* (~et, =) bogus company

luftbro *s* (~n, ~ar) airlift

luftburen *adj* (-buret, -burna) airborne

luftdrag *s* (~et, =) draught

luftfart *s* (~en) aviation; flygtrafik air traffic

Luftfartsverket the [Swedish] Civil Aviation Administration

luftficka *s* (~n, -fickor) air pocket

luftfräschare *s* (~n, =) air freshener

luftfuktare *s* (~n, =) air humidifier

luftfuktighet *s* (~en) atmospheric humidity

luftfärd *s* (~en, ~er) vid hopp o. fall passage through the air

luftförorening *s* (~en, ~ar) air pollution; ämne air pollutant

luftförsvar *s* (~et) air defence

luftgevär *s* (~et, =) airgun, air rifle

luftgrop *s* (~en, ~ar) air pocket; **~ar** turbulens turbulence

lufthav *s* (~et, =), **~et** the atmosphere

lufthål *s* (~et, =) air hole

luftig *adj* (~t) airy; lätt, porös light; verklighetsfrämmande airy-fairy

luftintag *s* (~et, =) air intake

luftkonditionering *s* (~en, ~ar) air-conditioning

luftkrig *s* (~et, =) aerial war (krigföring warfare)

luftkudde *s* (~n, -kuddar) tekn. airbag, air cushion

luftkyld *adj* (-kylt) air-cooled

luftlager *s* (-lagret, =) strat|um (pl. -a) of air

luftlandsättning *s* (~en, ~ar) av proviant airdrop; av trupper landing of airborne troops

luftledning *s* (~en, ~ar) elektr. overhead line (för spårvagn o.d. wire)

luftmadrass *s* (~en, ~er) air (inflatable) mattress, lilo® (pl. lilos)

luftmaska *s* (~n, -maskor) chain stitch

luftmotstånd *s* (~et) air resistance

luftombyte *s* (~t, ~n) change of air (climate)

luftpistol *s* (~en, ~er) air pistol (gun)

luftpump *s* (~en, ~ar) air pump

luftrenare *s* (~n, =) air cleaner (filter filter)

luftrum *s* (~met, =) territorium air territory

luftrör *s* (~et, =) anat., bronk bronch|us (pl. -i)

luftrörskatarr *s* (~en, ~er) med., bronkit bronchitis

luftslott *s pl*, **bygga ~** build castles in the air (in Spain)

luftstrid *s* (~en, ~er) air battle, aerial combat

luftstridskrafter *s pl* aerial forces

luftstrupe *s* (~n, -strupar) anat. windpipe; vetensk. trachea (pl. -e)

luftström *s* (~men, ~mar) air current, current of air

lufttom *adj* (~t, ~ma) airless; **[ett] ~t rum** a vacuum

lufttorka *vb tr* o. *vb itr* (~de, ~t) dry in the air, air-dry

lufttrumma *s* (~n, -trummor) tekn. ventilating shaft, airshaft

lufttryck *s* (~et, =) **1** meteor. atmospheric pressure; t.ex. i däck air pressure **2** vid explosion blast

lufttät *adj* (-tätt) airtight, hermetic

luftvåg *s* (~en, ~or) air-wave

luftväg *s* (~en, ~ar), **~arna** anat. the respiratory (air) passages

luftvägsinfektion *s* (~en, ~er) infection of the respiratory passages

luftvärmepump *s* (~en, ~ar) air [source] heat pump

luftvärn *s* (~et, =) anti-aircraft (förk. AA) defence[s pl.]; **~et** truppslaget Anti-Aircraft Command

luftvärnseld *s* (~en) anti-aircraft fire; vard. ack-ack

luftvärnskanon *s* (~en, ~er) anti-aircraft gun

luftväxling *s* (~en, ~ar) ventilation

1 lugg *s* (~en, ~ar) hårfrisyr fringe; amer. bangs pl.; **titta under ~ på ngn** look furtively (stealthily) at sb

2 lugg *s* (~en) på kläde o.d. nap; på sammet o. mattor pile; **borsta mot (med) ~en** ...against (with) the nap

lugga *vb tr* (~de, ~t), **~ ngn** pull sb's hair

luggsliten *adj* (-slitet, -slitna) eg. o. bildl. threadbare; friare shabby; om kläder äv. worn

lugn I *s* (~et) om vatten o. luft calm; lä shelter; ro, frid peace; sinnesjämvikt calm; fattning composure; självbehärskning self-control, self-possession; **~et före stormen** the lull (calm) before the storm; **~ i stormen!** take it easy!, don't get excited!, hold your horses!; **bevara ~et** keep calm; **i ~ och ro** in peace and quiet **II** *adj* (~t) calm; stilla quiet; fridfull peaceful; inte orolig (om person, pred.) easy in one's mind; fattad composed; med bibehållen behärskning self-possessed; om mönster quiet; om färg subdued, quiet; **då kan jag känna mig ~** that sets my mind at rest; **patienten har haft en ~ natt** ...restful night; **med ~t**

samvete with an easy conscience; *i de ~aste vattnen går de största* (*fulaste*) *fiskarna* still waters run deep

lugna I *vb tr* (~de, ~t) calm, quieten, still; småbarn soothe; t.ex. tvivel settle; blidka appease; inge tillförsikt reassure; ~ *ngns farhågor* allay sb's fears, set sb's mind at rest **II** *vb rfl* (~de, ~t), ~ [*ner*] *sig* calm down; ~ *dig!* äv. don't get excited!; *vi får* ~ *oss* några dar we'll have to wait…

lugnande *adj* (oböjl.) om nyhet o.d. reassuring, comforting; om verkan o.d. soothing; ~ *medel* sg. sedative, tranquillizer, depressant; *det är* (*känns*) ~ *för mig att veta att…* it is a relief to me to know that…

lugnt *adv* t.ex. betrakta calmly, quietly; t.ex. sova, dö peacefully; t.ex. svara with composure; tryggt safely, confidently; *ta det ~!* take it easy!; jäkta inte! take your time [about it]!; ha tålamod! you must wait (be patient)!; *det kan man ~ påstå!* that's for sure!

Lukas bibl. Luke; *evangelium enligt* ~ the Gospel according to St. Luke

lukrativ *adj* (~t) lucrative, profitable

lukt *s* (~en, ~er) **1** smell, odour; behaglig scent, perfume, fragrance; odör bad (nasty) smell (odour); stank stench; *känna ~en* (*en* ~) *av* kaffe smell the aroma of… **2** luktsinne sense of smell

lukta I *vb tr* o. *vb itr* (~de, ~t) smell; *det ~r gott* (*illa*) it smells nice (bad); *det ~r tobak om honom* he smells of tobacco; ~ *på ngt* smell (om hund äv. sniff at) sth **II** *vb rfl* (~de, ~t), ~ *sig till ngt* bildl. scent sth out

luktfri *adj* (-fritt) odourless, scentless

luktorgan *s* (~et, =) anat. organ of smell, olfactory organ

luktsalt *s* (~et) smelling-salts pl.

luktsinne *s* (~t) sense of smell, olfactory sense

luktviol *s* (~en, ~er) bot. sweet violet

luktärt *s* (~en, ~er) bot. sweet pea

lukullisk *adj* (~t), *en* ~ *måltid* a sumptuous (luxurious) meal (repast)

lull *adv*, *stå* ~ om småbarn stand all by oneself [without support]

lulla *vb itr* (~de, ~t) ragla reel, stagger; tulta toddle

lumberjacka *s* (~n, -jackor) lumber jacket

1 lummig *adj* (~t) om t.ex. park thickly wooded, woody; lövrik leafy; skuggande shady

2 lummig *adj* (~t) vard., berusad tipsy, woozy

lump *s* (~en) **1** trasor rags pl.; skräp junk **2** *ligga i ~en* se *lumpa*

lumpa *vb itr* (~de, ~t) ligga inkallad do one's military service

lumpbod *s* (~en, ~ar) junk shop (amer. store)

lumpen *adj* (lumpet, lumpna) småsint mean, petty; tarvlig shabby, despicable; vard. dirty; om t.ex. uppförande base, low; *för lumpna* 50 kronor for a paltry…

lumpor *s pl* rags

lumpsamlare *s* (~n, =) rag-and-bone man

lunch *s* (~en, ~er) lunch; formell luncheon; skol~ dinner; *äta* ~ *have* (*eat*) *lunch* äv. lunch; *äta* ~ *ute* go out to lunch; *han gick ett ärende på ~en* …in the (his) lunch hour; *han är på* ~ …is at lunch; för vidare ex., jfr *middag 2*

luncha *vb itr* (~de, ~t) lunch, have [one's] lunch

lunchrast *s* (~en, ~er) lunch hour; paus äv. break for lunch, lunch break

lunchrum *s* (~met, =) dining-room, lunchroom; i fabrik, självservering canteen, cafeteria

lunchstängd *adj* (-stängt) …closed for lunch; *vi har lunchstängt* we are closed for lunch

lund *s* (~en, ~ar) grove

lunga *s* (~n, lungor) lung äv. bildl.

lungblödning *s* (~en, ~ar) med. pulmonary haemorrhage

lungcancer *s* (~n) med. cancer of the lung, lung cancer

lunginflammation *s* (~en, ~er) med. pneumonia; *dubbelsidig* ~ double pneumonia, inflammation of the (both) lungs

lungsjuk *adj* (~t) …suffering from a lung disease

lungsjukdom *s* (~en, ~ar) lung disease; *kroniskt obstruktiv* ~ (förk. *KOL*) Chronic Obstructive Pulmonary Disease (förk. COPD)

lungspets *s* (~en, ~ar) anat. apex of the lung

lungsäck *s* (~en, ~ar) anat. pleur|a (pl. -ae)

lungsäcksinflammation *s* (~en, ~er) med. pleurisy

lungtuberkulos *s* (~en) med. pulmonary tuberculosis

lungödem *s* (~et, =) med. pulmonary edema

lunk *s* (~en) jog-trot äv. bildl.; *hästen gick i* [*sakta*] ~ …trotted along; *allt här går i sin vanliga* ~ som vanligt things are the same as usual

lunka *vb itr* (~de, ~t), ~ *fram* jog (trot) along

lunnefågel *s* (~n, -fåglar) zool. puffin

luns *s* (~en, ~ar) vard., tölp boor, oaf, bumpkin

lunta *s* (~n, luntor) **1** bok tome, [big] volume; [pappers]packe bundle (papperhög heap) of papers; *nådiga ~n* se *budgetproposition* **2** tändsnodd el. hist. fuse, slow match

lupin *s* (~en, ~er) bot. lupin

lupp *s* (~en, ~ar) förstoringsglas magnifying glass, magnifier; *sätta ngt under* ~ bildl. put sth under the microscope

1 lur *s* (~en, ~ar) **1** horn horn; bronsålders~ lur[e] **2** se *hörlur*

2 lur *s* (~en, ~ar) vard., slummer nap; *ta sig en* ~ have (take) a nap, have forty winks

3 lur *s* (oböjl.) bakhåll, försåt, *ligga på* ~ lie in wait, lurk; *stå på* ~ lie in ambush

1 lura *vb itr* (~de, ~t) slumra, ~ *till* drop off [to sleep]

2 lura I *vb itr* (~de, ~t) ligga på lur lie in wait [*på ngn* for sb]; bildl., t.ex. om fara, olycka lurk **II** *vb tr* (~de, ~t) narra take…in; bedra deceive, dupe, play…false; speciellt på pengar el. ngt utlovat cheat, swindle; vard. do, diddle [*på* i samtliga fall out of]; förleda, locka entice, lure [*att* + inf., i samtliga fall into + ing-form]; ~ *ngn att* skratta make sb…; ~ *ngn att tro ngt* delude (inveigle) sb into believing sth, have sb on; *låta* ~ *sig* [allow oneself to] be taken in (deceived, cheated, fooled); *jag har blivit ordentligt ~d* I've been properly taken in (properly had) **III** med beton. part.

lura av ngn ngt genom övertalning, med smicker wheedle sth out of sb; genom bedrägeri cheat (swindle, con) sth out of sth

lura i ngn ngt inbilla delude sb into believing sth

lura på ngn ngt få ngn att köpa ngt trick (genom prat talk) sb into buying sth; pracka palm off sth on sb

lura sig till (**till sig, åt sig**) **ngt** get sth by trickery

lura ur ngn en hemlighet worm…out of sb

lura ut ngt ta reda på get to know sth, find out about sth

lurendrejare s (~n, =) cheat, swindler

lurendrejeri s (~et, ~er) cheat, swindle, fraud, trickery

lurifax s (~en, ~ar) sly dog (fox)

lurig adj (~t) listig deceptive, cunning

lurk s (~en, ~ar) tölp boor; drummel lout; lymmel rascal

lurpassa vb itr (~de, ~t) **1** kortsp. hold back **2** ~ på ngn lie in wait for (waylay) sb

lurvig adj (~t) om t.ex. hår rough; om t.ex. hund shaggy

lus s (~en, löss) louse (pl. lice); läsa ~en av ngn give sb a good talking-to (a dressing-down)

lusern s (~en, ~er) lucerne; speciellt amer. alfalfa

lusig adj (~t) **1** full av löss lousy, verminous, ...infested with lice **2** vard., sölig slow, dawdling, ...lagging behind

luska vb itr (~de, ~t), ~ ut (reda på) ngt ferret (search) out sth

lusläsa vb tr (-läste, -läst) read through (scrutinize)...meticulously (thoroughly)

luspank adj (~t), vara ~ vard. be stony-broke (dead broke)

lussa vb itr (~de, ~t) vard., ~ för någon visit sb with Lucia and her attendants [on 13th December]

lussekatt s (~en, ~er) 'Lucia cat', saffron bun [eaten on Lucia Day (13th December)]

lust s (~en) böjelse, håg inclination; benägenhet bent, disposition; drift t.ex. skapar~ urge; åstundan, åtrå desire; smak fancy, liking, nöje, behag delight, pleasure; glädje joy; när ~en faller på för honom when he is in the mood, when the fancy takes him; göra vad man har ~ till ...what one feels like [doing]; [inte] ha ~ att + inf. [not] feel like + ing-form (feel inclined to + inf.); jag har ingen ~ [till det] I don't feel like it; jag har god ~ att + inf. I have a good mind to + inf.; tappa ~en för ngt go off sth, not fancy sth any longer

lusta s (~n, ~r) lust, desire; köttets ~r the lusts of the flesh, carnal desires

lustbetonad adj (-betonat, ~e) pleasurable, attractive

lustförnimmelse s (~n, ~r) sensation (feeling) of pleasure

lustgas s (~en, ~er) laughing gas

lustgård s (~en, ~ar), Edens ~ the Garden of Eden, Paradise

lusthus s (~et, =) [garden] pavilion, gazebo

lustig adj (~t) rolig funny; roande amusing; löjlig comical; konstig odd, strange, peculiar, funny; ~a huset på tivoli fun house; göra sig ~ över ngn (ngt) make fun of..., poke fun at..., make cracks about...

lustigkurre s (~n, -kurrar) clown, joker

lustjakt s (~en, ~er) yacht

lustmördare s (~n, =) sex killer

lustslott s (~et, =) [royal] out-of-town residence

lustspel s (~et, =) comedy

1 lut s (~et, =), stå (ställa ngt) på ~ stand (stand sth) slantwise (aslant); ha ngt på ~ i reserv have sth up one's sleeve

2 lut s (~en, ~ar) tvättlut lye

1 luta s (~n, lutor) mus. lute

2 luta I vb itr (~de, ~t) **1** vara lutande lean, incline; slutta slope; om t.ex. tak äv. slant; stå snett stand aslant; böja sig bend; väggen ~r vanl. the wall is out of [the] perpendicular **2** tendera tend [mot to]; jag ~r åt att

tacka ja till erbjudandet I am inclined to accept...; det ~r nog ditåt vard. it looks like it; jag ser nog vartåt det ~r ...which way things are going **II** vb tr (~de, ~t) lean [mot against]; ~ huvudet åt sidan lay one's head on one side; ~ mera på flaskan så rinner det bättre tilt the bottle [a bit] more... **III** vb rfl (~de, ~t), ~ sig bakåt el. tillbaka (fram el. framåt) lean back (forward); ~ sig fram mot ngn (ut [genom fönstret]) lean towards sb (out [of the window]); ~ sig mot lean against (i riktning mot towards); ~ sig över lean (bend down) over

3 luta vb tr (~de, ~t) behandla med lut treat...with lye; lutlägga soak...in lye; ~ av möbler remove old paint from...with lye

lutad adj (lutat, ~e) leaning; tavlan stod ~ mot väggen the picture stood leaning against the wall

lutande adj (oböjl.) leaning; om t.ex. plan inclined; om t.ex. bokstäver slanted; om t.ex. tak, handstil sloping

lutfisk s (~en, ~ar) torkad fisk stockfish; maträtt boiled ling [previously soaked in lye]

luthersk adj (~t) Lutheran

1 lutning s (~en, ~ar) inclination; sluttning slope; tekn. gradient

2 lutning s (~en, ~ar) behandling med lut treatment with lye; ~ av fisk soaking of fish in lye

lutningsvinkel s (~n, -vinklar) angle of inclination, tilt

luttrad adj (luttrat, ~e) om person chastened

luva s (~n, luvor) knitted (woollen) cap

luven s (best. sing.), ligga (vara) i ~ på varandra be at loggerheads [with each other]; råka i ~ på varandra fly at each other (each other's throats)

luvtröja s (~n, -tröjor) hooded sweat[shirt]; vard. hoodie

Luxemburg Luxembourg

luxemburgare s (~n, =) Luxembourger

luxemburgsk adj (~t) Luxembourg...

luxemburgska s (~n, luxemburgskor) kvinna Luxembourg woman

luxuös adj (~t) luxurious; om t.ex. måltid äv. sumptuous

lya s (~n, lyor) **1** djurs lair, hole, den **2** vard., liten bostad den, pad

lycka s (~n) känsla av ~ happiness; sällhet bliss; tur luck; framgång success; välgång, välstånd prosperity; ~ till! good luck!; bättre ~ nästa gång! better luck next time!; vilken ~! what joy (happiness)!; finna ~n find happiness; göra ~ ha framgång be a success; söka ~n seek one's fortune; önska ngn ~ till wish sb the best of luck (every happiness); till all ~ by [great] good luck, as [good] luck would have it

lyckad adj (lyckat, ~e) successful; vara mycket ~ be a great success; om t.ex fest go (om t.ex. tal come) off very well; uttalandet var mindre lyckat ...hardly a happy one (the thing to say)

lyckas vb itr dep (lyckades, lyckats) succeed, be successful [i (med) att + inf. in + ing-form]; make a success [med ngt of...]; om sak äv. be (prove [to be], turn out) a success; avlöpa bra go (come) off well; om person äv. manage, contrive; jag lyckades inte göra det I failed (did not manage) to do it; han har verkligen lyckats i livet he has really succeeded in life; ~ bra med ngt do well (succeed) in sth; om jag ~ lösa problemet if I manage to solve the problem

lycklig adj (~t) glad o.d. happy [över about, at];

gynnad av lyckan fortunate; tursam lucky; **en ~ omständighet** a fortunate circumstance; **~ resa!** have a nice trip!, pleasant journey!; **av en ~ slump** by a lucky chance; **ett ~t äktenskap** a happy marriage

lyckligen adv, **~ anländ** safely arrived; **~ avslutat** arbete successfully completed…

lyckliggöra vb tr (-gjorde, -gjort) make (render)…happy

lyckligt adv happily etc., jfr lycklig; **det gick ~** den här gången it went off all right…; **~ gift** happily married

lyckligtvis adv luckily, fortunately

lyckobringande adj (oböjl.) attr. …that brings luck (fortune)

lyckodag s (~en, ~ar) lucky day

lyckohjul s (~et, =) wheel of fortune äv. lotterihjul

lyckokast s (~et, =) bildl. unexpected success, real hit

lyckoklöver s (~n, =) four-leaved clover

lyckorus s (~et), **gå runt i ett ~** be in ecstasies (raptures)

lyckosam adj (~t, ~ma) fortunate; framgångsrik successful

lyckoslant s (~en, ~ar) lucky penny

lyckost s (~en, ~ar) vard. lucky dog (thing)

lyckotal s (~et, =) lucky number

lycksalig adj (~t) supremely happy, blissful; salig blessed, poet. blest

lycksalighet s (~en) bliss, supreme (intense) happiness; salighet blessedness

lycksökare s (~n, =) äventyrare adventurer; opportunist opportunist; som söker rik hustru fortune-hunter

lycksökerska s (~n, -sökerskor) äventyrerska adventuress; som söker rik make gold-digger

lyckträff s (~en, ~ar) stroke of luck, [lucky] chance; **det var en [ren] ~ att han svarade rätt** it was a pure fluke that he gave the right answer

lyckönska vb tr (~de, ~t) se gratulera

lyckönskning s (~en, ~ar), **~ar** congratulations, jfr ex. under gratulation

1 lyda I vb tr (lydde el. löd, lytt) hörsamma obey, listen to; t.ex. ngns råd take, follow; t.ex. lagar äv. keep, comply with; **inte ~** äv. disobey **II** vb itr (lydde el. löd, lytt), **~ under** sortera under: a) om t.ex. land be under the control of, be administered by b) om person be responsible to, be subordinate to c) jur. be under (within) the jurisdiction of

2 lyda vb itr (lydde el. löd, lytt) ha en viss lydelse run, read; vard. go; **räkning som lyder på** 1500 kronor bill for…

lydelse s (~n, ~r) ordalydelse wording; **ett brev med följande ~** …which reads as follows

lydig adj (~t) obedient [mot to]; foglig submissive [mot towards]

lydnad s (~en) obedience; foglighet submissiveness

lyft s (~et, =) **1** lyftande rörelse, **tunga ~** lifting heavy things **2** sport. lift **3** vard., framgång boost, big step forward

lyfta I vb tr (lyfte, lyft) **1** lift; höja t.ex. armen, huvudet raise; med ansträngning heave **2 ~ en maska** stickning slip a stitch **3** uppbära, t.ex. lön, belopp draw; ta ut från konto withdraw (take out)…from one's account **II** vb itr (lyfte, lyft) **1 flygplanet lyfter** the plane is taking off (rising); **fåglarna lyfte** the birds flew [away] **2 ~ på hatten** raise one's hat [för ngn to sb];

~ på locket lift the lid; **~ på luren** pick up the receiver **III** vb rfl (lyfte, lyft), **~ sig** vard., göra en ansiktslyftning have a face-lift; **~ sig själv i håret** make a superhuman effort, strain every nerve; ovationer **så att taket ville ~ sig** …that nearly brought the roof down

IV med beton. part.

lyfta av lift off

lyfta bort (undan) take away

lyfta fram framhäva bring out, emphasize

lyfta ned take (person äv. help)…down

lyfta upp lift (raise)…up

lyfta ut lift (take) out

lyftanordning s (~en, ~ar) lifting device

lyftkran s (~en, ~ar) [lifting] crane

lyhörd adj (-hört) **1** perceptive; **hon är ~ för** kundernas önskemål she is sensitive to (aware of)… **2** om t.ex. bostad, **det är lyhört** här it is not soundproof…, you [can] hear every sound…

lykta s (~n, lyktor) lantern; gat~, bil~, signallampa o.d. lamp; kulört Chinese lantern

lyktstolpe s (~n, -stolpar) lamppost

lymfa s (~n) anat. lymph

lymfkärl s (~et, =) anat. lymphatic [vessel]

lymfkörtel s (~n, -körtlar) anat. lymphatic gland

lymmel s (~n, lymlar) scoundrel, villain; svagare rascal

lymmelaktig adj (~t) scoundrelly, villainous; svagare rascally

lyncha vb tr (~de, ~t) lynch

lynchning s (~en, ~ar) lynching

lynchstämning s (~en) violent feeling of hostility (resentment), great uproar

lynne s (~t, ~n) läggning temperament; sinnelag disposition; äv. temper; sinnesstämning humour, mood; **vara vid dåligt ~** be in a bad humour; vard. have the sulks; jfr humör med ex.

lynnesutbrott s (~et, =) fit (outburst) of temper

lynnig adj (~t) temperamental, moody; nyckfull capricious

1 lyra s (~n, lyror), **en hög ~** a high ball; **ta [en] ~** make a catch, catch

2 lyra s (~n, lyror) mus. lyre; **han har många strängar på sin ~** he has many strings to his bow

3 lyra s (~n, lyror), **på ~n** vard., berusad tipsy, tight

lyrik s (~en) allm. poetry; lyrisk diktning lyric poetry; dikter lyric poems pl., lyrics pl.

lyrisk adj (~t) lyric; **bli ~ vid tanken på…** grow lyrical (quite poetic) at the thought of…

lysa I vb itr o. vb tr (lyste, lyst) **1** skina shine; bländande glare; glänsa gleam; om t.ex. juveler glisten, sparkle; om t.ex. stjärnor äv. glitter, twinkle; **det lyser** i fönstret there is a light on…; **~ ngn i ansiktet med en ficklampa** shine a torch in sb's face

2 bildl., **~ med lånta fjädrar** strut in borrowed plumes; **~ med sin frånvaro** be conspicuous by one's absence

II med beton. part.

lysa igenom synas igenom show through; **föraktet lyser igenom** hans ord there is obvious contempt in…

lysa in i rummet shine into…

lysa till, plötsligt lyste det till i mörkret there was a [sudden] gleam…, a light gleamed suddenly…

lysa upp: a) tr., göra ljus light up; eg. äv. illuminate; bildl. äv. brighten [up] **b)** itr., om ansikte o.d. light up, brighten up [av förtjusning with…]

lysande adj (oböjl.) **1** shining; klar bright; om föremål o.d. luminous; strålande radiant; om ögon sparkling **2** bildl. brilliant; om resultat spectacular; storartad splendid; **~ begåvning** brilliant talent

lysboj s (~en, ~ar) sjö. light buoy

lysbomb s (~en, ~er) flare

lyse s (~t, ~n) **1** belysning av bostad o.d. light[ing]; **tända ~t** i trappan put on the light... **2 på ~t** vard. berusad tipsy, tight

lyskraft s (~en) luminosity, light intensity; **en person med stor ~** a distinguished (luminary) figure

lysmask s (~en, ~ar) zool. glow-worm

lysning s (~en, ~ar) hist. [the] banns (vanl. pl.); som tidningsrubrik, ung. forthcoming marriages; **ta ut ~** ask to have the banns published

lysningspresent s (~en, ~er) ung. wedding-present

lysraket s (~en, ~er) star shell, light flare

lysrör s (~et, =) elektr. fluorescent lamp (tube), [fluorescent] strip light

lyssna vb itr (~de, ~t) listen [efter for; på (till) to]; **~ på radio** listen to the radio

lyssnare s (~n, =) listener

lyssnarpost s (~en) från radiolyssnare letters pl. from listeners

lysten adj (lystet, lystna) glupsk greedy [efter (på) for, of]; girig covetous [efter (på) of]; desirous [efter (på) att + inf. to + inf. of + ing-form]

lyster s (~n) glans lustre

lystmäte s (~t, ~n), **få sitt ~ av** ngt have one's fill of..., have as much as one wants of...

lystnad s (~en) greediness, greed; begär desire; starkare craving [efter for]

lystra vb itr (~de, ~t), **~ till** ngt pay attention to...; order obey...; **~ till namnet** Karo answer to the name of...

lystring s (~en) mil., **~!** attention [to orders]!

lyte s (~t, ~n) kroppsfel bodily defect, [physical] disability; missbildning deformity, malformation; vanställande ~ disfigurement

lyteskomik s (~en) humour based on people's disabilities

lyx s (~en) luxury, sumptuousness; överdåd extravagance; prakt, ståt magnificence, splendour, richness; **leva i ~** live in [the lap of] luxury; **ett liv i ~** a life of luxury

lyxartikel s (~n, -artiklar) luxury; **lyxartiklar** luxuries, luxury goods

lyxbil s (~en, ~ar) expensive (luxury) car

lyxhotell s (~et, =) luxury hotel

lyxhytt s (~en, ~er) sjö. stateroom

lyxig adj (~t) luxurious

lyxkrog s (~en, ~ar) luxury (expensive) restaurant

lyxkryssare s (~n, =) luxury cruiser

lyxliv s (~et, =) life of luxury

lyxskatt s (~en, ~er) tax on luxuries

1 låda s (~n, lådor) **1** box; större case; plåt~ tin [box]; drag~ drawer; jfr brevlåda m.fl.; **en ~** cigarrer a box of... **2** kok. dish au gratin **3 hålla ~** vard. keep on talking, do all the talking

2 låda vb itr (lådde, lått), **tungan låder vid gommen** ...cleaves to the roof of the mouth

lådkamera s (~n, -kameror) box camera

låg (jfr lägre I o. lägst I) adj (~t) **1** allm. low; kort, om t.ex. träd, skorsten äv. short; tarvlig o.d. äv. mean, base; flyga **på ~ höjd** ...at a low altitude; **~a priser** low prices; **~t straff** light (mild) sentence; **han har ~a**

tankar om... he has a low opinion of... **2** om ljud, **med ~ röst** in a low voice; **~a toner** low notes **3** vard., nere, deppig down, low

låga I s (~n, lågor) flame äv. bildl.; starkare blaze; fladdrande flare; på gasspis burner; **stå i lågor** be in flames (on fire, ablaze); brinna **med klar ~** ...with a clear flame **II** vb itr (~de, ~t) blaze; bildl. äv. flame; **ett ~nde** tal a fiery...

lågavlönad adj (-avlönat, ~e) low-paid; **vara ~** äv. be a low-income earner

lågenergilampa s (~n, -lampor) low-energy bulb

lågenergisamhälle s (~t, ~n) low-energy society

lågfrekvens s (~en, ~er) low frequency

lågfrekvent adj (=) attr. low-frequency... äv. fys.; **vara ~** have a low frequency

låghalsad adj (-halsat, ~e) urringad low-necked

låghalt adj (=), **vara ~** have one leg shorter than the other

låghet s (~en, ~er) bildl.: egenskap meanness, baseness; handling base (mean) act

låghusbebyggelse s (~n, ~r) konkr. low-rise houses pl. (buildings pl.)

låginkomsttagare s (~n, =) low-income earner

lågklackad adj (-klackat, ~e) low-heeled

lågkonjunktur s (~en, ~er) recession, slump; **det råder ~** there is a recession (slump); **under ~** in times of recession

lågkyrklig adj (~t) Low Church

lågland s (~et) lowland [area]

låglänt adj (=) low-lying, lowland...

låglönegrupp s (~en, ~er) low-wage (low-income) group

låglöneyrke s (~t, ~n) low-wage (low-income) occupation

lågmäld adj (-mält) low-voiced; försynt quiet, unobtrusive

lågoktanig adj (~t), **~ bensin** low-octane petrol (amer. gasoline)

lågpris s (~et, = el. ~er) low price; **till ~** at a low price

lågprisflyg s (~et, =) flygbolag budget (low-cost) airline

lågprisvaruhus s (~et, =) discount store

lågsko s (~n, ~r) [ordinary] shoe

lågslätt s (~en, ~er) geogr. lowland plain

lågspänning s (~en, ~ar) elektr. low tension (voltage)

lågstadium s (-stadiet, -stadier) the junior level (department) of the 'grundskola', jfr grundskola

lågsvavlig adj (~t) attr. ...with a low sulphur content, low-sulphur...

lågsäsong s (~en, ~er) low (off, off-peak) season, seasonal lull

lågt (jfr lägre II o. lägst II) adv low; med låg röst äv. in a low voice; **flyga ~** fly low; **vara alltför ~ försäkrad** be underinsured; **ligga ~ med huvudet** lie with one's head low; staden **ligger ~** ...stands on low ground; **ligga ~** se ligga I 1; **~ räknat** at a low estimate; tavlan **sitter för ~** ...is too far down; solen **står ~** ...is low; aktierna **står ~** ...are low (down)

lågtflygande adj (oböjl.) low-flying

lågtrafik s (~en), **vid ~** at off-peak hours

lågtryck s (~et, =) meteor. el. tekn. low pressure; område area of low pressure, depression

lågtstående adj (oböjl.) om kultur, folk primitive

lågutbildad adj (-utbildat, ~e) ...with a low [standard of] education, unqualified

lågvatten s (-vattnet) low water; *det är* ~ the tide is out

lågvattenmärke s (~t, ~n) low-water mark sjö. el. bildl.

lågväxt adj (=) short

lån s (~et, =) loan äv. bildl.; ordet *är ett* ~ *från engelskan* ...has been borrowed from English; ~ *på* 10 000 kronor loan of...; ~ *mot ränta* loan at interest; *ge ngn ett* ~ lend sb money; *tack för* ~*et* [*av boken*]*!* thank you for lending me the book!; *leva på* ~ live by borrowing

låna I vb tr (~de, ~t) **1** få till låns borrow äv. bildl. el. vid subtraktion [*av* from, of, vid penninglån, vard. off; *från* from; *mot* inteckning o.d., *på* aktier o.d. on...]; ~ *en bok på* biblioteket borrow a book from...; *kan jag få* (*får jag*) ~ *ditt paraply?* can I borrow...?; *får jag* ~ *telefonen?* may I use your telephone? **2** låna ut lend, loan [*åt* to]
II med beton. part.

låna ihop get...together by borrowing
låna in ord o.d. borrow, adopt [*i* ett språk into...]
låna upp ett belopp raise...by borrowing, borrow...
låna ut lend [*mot* ränta at...]

låneansökan s (=, en, -ansökningar) loan application, application for a loan

lånebibliotek s (~et, =) lending-library

lånedisk s (~en, ~ar) på bibliotek issuing counter

lånekort s (~et, =) på bibliotek library ticket

låneränta s (~n, -räntor) rate of interest on loans, lending rate

lång (jfr *längre* I o. *längst* I) adj (~t) **1** allm. long; långvarig äv. prolonged, protracted (jfr också *långvarig*); väl lång, om muntlig el. skriftlig framställning lengthy; *du har inte* ~ *tid på dig* you haven't got much time; *det tar inte* ~ *tid* (*stund*) [*för honom*] *att* + inf. it doesn't (kommer inte att won't) take [him] long to + inf.; *hur* ~ *tid* tar det*?* how long...? **2** lång till växten, reslig tall; ~ *och gänglig* lanky

långa s (~n, långor) zool. ling

långbent adj (=) long-legged

långboll s sport. **1** (~en) spel, ung. rounders sg. **2** (~en, ~ar) långspark long kick; långkast long throw **3** (~en, ~ar) i t.ex. tennis [long] rally

långbord s (~et, =) long table

långbyxor s pl [long] trousers (amer. pants), slacks

långbänk s (~en, ~ar), *dra* en fråga *i* ~ discuss...endlessly (interminably)

långdans s (~en, ~er), *dansa* ~ *genom rummen* dance hand in hand in a long row through the rooms

långdistanslöpare s (~n, =) sport. long-distance runner

långdistanslöpning s (~en, ~ar) sport. long-distance run (löpande running)

långdragen adj (-draget, -dragna) som drar ut på tiden protracted, lengthy; långtråkig tedious

långfilm s (~en, ~er) long (feature) film (movie)

långfinger s (-fingret, -fingrar) middle finger

långfingrad adj (-fingrat, ~e) o. **långfingrig** adj (~t) eg. long-fingered; vard., tjuvaktig light-fingered

långfranska s (~n el. ~t, =) white loaf

långfredag s (~en, ~ar), ~*[en]* Good Friday

långfärdsbuss s (~en, ~ar) coach; i USA äv. Greyhound [bus]

långfärdsskridskor s pl long-distance skates

långgrund adj (-grunt) shallow

långhelg s (~en, ~er) long weekend

långhårig adj (~t) om djur, vanl. long haired; *han är* ~ he has long hair; ovårdad el. oklippt his hair is too long

långivare s (~n, =) lender, granter of a (resp. the) loan

långkalsonger s pl long [under]pants; vard. long johns

långkok s (~et, =), *ett* ~ a dish that requires slow cooking

långkörare s (~n, =), filmen *har blivit en* ~ ...has had a [very] long run

långlivad adj (-livat, ~e) som lever länge long-lived; ...*blir inte* ~ varar inte länge ...won't last long; stannar inte länge ...won't stay long

långpanna s (~n, -pannor) roasting pan

långpendlare s (~n, =) ung. long-distance commuter

långpromenad s (~en, ~er) long walk

långrandig adj (~t) **1** randig på längden striped, with vertical stripes **2** bildl. long-winded, prolix

långresa s (~n, -resor) long journey (sjöresa voyage)

långrev s (~en, ~ar) fiske. long line

långsam adj (~t, ~ma) slow; senfärdig, dröjande äv. tardy; maklig äv. leisurely; långtråkig boring, tedious; ~ *puls* sluggish (low) pulse

långsamt adv slowly; ibland äv. slow; långtråkigt boringly, tediously; ~ *verkande gift* slow poison; *det går* ~ it is a slow business; *det går* ~ *för honom att lära sig* engelska he is very slow in learning...

långsida s (~n, -sidor) long side

långsides adv, ~ [*med*] alongside

långsiktig adj (~t) long-term..., long-range...

långsint adj (=), *han är* ~ he doesn't forget things (forgive) easily

långskepp s (~et, =) i kyrka nave

långskjutande adj (oböjl.) long-range...

långskott s (~et, =) sport. long shot

långsluttande adj (oböjl.) gently sloping

långsmal adj (~t) long [and] narrow

långstrumpa s (~n, -strumpor) stocking

långsträckt adj (=) elongated, long

långsynt adj (=) optik. long-sighted; amer. vanl. far-sighted

långsökt adj (=) far-fetched

långt (jfr *längre* II o. *längst* II) adv i rumsbetydelse far (spec. i nek. el. fråg. sammanhang samt med adv. o. prep.), a long way (distance) (spec. i jak. sammanhang); i tidsbetydelse vanl. long (jfr *länge*); 'vida' far; *gå* ~ eg. walk a long way (distance), i livet go far, get on, go places; *nej, nu går det för* ~*!* that's too much (a bit thick, the limit)!; *det gick så* ~ *att...* things came to such a pass that...; *med* 50 *kronor kommer du inte* ~ 50 kronor won't get you very far; *så* ~ *ögat når* as far as the eye can reach; ~ *bort*[*a*] far away (off); *vi har* ~ *dit* (*hem*) we have a long way [to go to get] there (home); ~ *ifrån* huset far from...; ~ *ifrån målet* wide of the mark; huset är ~ *ifrån färdigt* ...far from [being] completed; ~ *inne* (~ *in*) *i* skogen a long way (far, well) into...; *till* ~ *in på natten* till late in the night; *till* ~ *in på* 1500-*talet* till well into...; *det är* ~ *mellan hans besök* his visits are few and far between; *det är* ~ *mellan husen* the houses are far apart; ~ *ned* far down; *vi har* ~ *till närmaste* granne we live a long way from the nearest...; *det är* ~ *till* jul it is a long time to...; *det är inte* ~ *till jul*

Christmas is not far off; **~ bättre** far (mycket much, a good deal) better; **han är ~ över** 70 år he is well over...

långtgående adj (oböjl.) far-reaching; **~ eftergifter** generous (considerable) concessions

långtidsanställning s (~en, ~ar) long-term employment, employment on a long-term basis

långtidsparkering s (~en, ~ar) long-stay (long-term) parking; område long-stay car park, long-stay parking lot

långtidsprognos s (~en, ~er) meteor. long-range forecast

långtifrån adv se långt ifrån under långt

långtradarchaufför s (~en, ~er) truck-driver; amer. äv. trucker, teamster

långtradare s (~n, =) lastbil long-distance lorry (truck); med släp articulated lorry (truck), amer. trailer truck

långtråkig adj (~t) very tedious, boring; **det är ~t** äv. it's a [crashing] bore

långtur s (~en, ~er) long tour (trip osv., jfr 2 tur 2)

långvarig adj (~t) allm. long; långt utdragen äv. prolonged, protracted; om t.ex. sjukdom äv. lingering; **~t lidande** (**regnande**) a long period of suffering (rain); **en ~ vänskap** a friendship of long standing

långvåg s (~en) long wave; jfr kortvåg med ex.

långvågig adj (~t) fys. long-wave...

långvård s (~en) long-term care (treatment)

långvårdsavdelning s (~en, ~ar) på sjukhus ward for long-term (long-stay) patients

långväga I adj (oböjl.), **~ gäster** guests from a long way away, guests who have (resp.had) a long way to go **II** adv, komma **~ ifrån** ...from far away

långärmad adj (-ärmat, ~e) long-sleeved

långörad adj (-örat, ~e) long-eared; attr. äv. ...having long ears

lånord s (~et, =) loan word

låntagare s (~n, =) borrower

1 lår s (~en, ~ar) låda large box; pack~ [packing-]case

2 lår s (~et, =) anat. thigh; av slaktdjur leg

lårben s (~et, =) thigh-bone, femur

lårbensbrott s (~et, =) fractured (broken) thigh[-bone]

lårbenshals s (~en, ~ar) neck of the femur

lås s (~et, =) lock; häng~ padlock; på väska, armband o.d. clasp; **sätta ~ för** (**på**) padlock; dörren **gick i ~** ...locked itself; **gå i ~** bildl. succeed, go off all right; **inom ~ och bom** under lock and key; **hänga på ~et** vard. be at a shop (box office etc.) just when it opens

låsa I vb tr (låste, låst) lock; med hänglås padlock; väska, armband o.d. clasp, fasten; **~ [dörren] [efter sig]** lock the door, lock up; **hon har låst om sig** she has locked herself in; **ha pengarna låsta** have one's money locked up; dörren **går inte att ~** har inget lås ...doesn't lock, ...can't be locked; har ett trasigt lås ...won't lock **II** vb rfl (låste, låst), **~ sig**: hjulen **låste sig** ...got locked; förhandlingarna **låste sig** ...reached a deadlock **III** med beton. part.

låsa fast med hänglås padlock

låsa in lock...up (in) [i in]

låsa sig inne (**ute**) lock oneself in (out)

låsa upp unlock

låsanordning s (~en, ~ar) locking device; lås lock

låsbar adj (~t) lockable

låskolv s (~en, ~ar) bolt

låsningsfri adj (-fritt) bil., **~a bromsar** antilock brakes

låssmed s (~en, ~er) locksmith

låt s (~en, ~ar) tune, song

1 låta vb itr (lät, låtit) ljuda, verka sound [som (som om) like (as if)]; **han låter arg** (**arg på rösten**) he (his voice) sounds angry; **hur låter citatet** (**melodin**)? how does the quotation read (the melody go)?; **det låter** verkar **bra** that sounds fine, that makes sense; **det låter** verkar **inte bra** I don't like the sound of that, that's not so good; **det låter bättre** that's more like it, now you're talking; **det låter** (**låter på honom**) **som om** han skulle få jobbet it seems (from what he says it seems) as if...; **så ska det ~!** bildl. that's the spirit!, that's more like it!

2 låta hjälpvb (lät, låtit) **a)** tillåta let, allow, permit **b)** se till att ngt blir gjort get, make, have, cause, order **c)** vid omskr. (i formen låt) av imper. 1 person pl. av huvudvb. let; se äv. t.ex. låta bli under bli II 3; **~ ngn göra ngt** inte hindra let sb...; tillåta allow (ge lov permit, överlåta åt leave) sb to...; **~ göra ngt** se till att ngt blir gjort have (get) sth done (tillverkat made); vidta åtgärder cause sth to be done; **låt oss göra det!** let's do it!; **jag kan inte ~ honom göra det** äv. I can't have him doing that; **de lät honom göra** vad han ville he was allowed to do...; **han lät bygga** ett hus he had...built; **~ ngt bli en vana** make sth a habit (a habit of sth); **~ ngn [få] veta** let sb know; **~ ngn förstå** att give sb to understand...; **~** handen **glida över ngt** pass...over sth; **låt det gå fort!** be quick about it!, make it snappy!; **~** ngt **gå vidare** pass...on; **~ ngt ligga [där det ligger]** leave sth where it is; **han lät meddela** att he sent word (a message [to say])...; **~ dörren stå öppen** leave...open; **låt det vara!** strunta i det don't bother!; **~** ngn (ngt) **vara [i fred]** let (leave)...alone (be); **jag låter inte** (**tänker inte ~**) **någon behandla mig på det sättet** I'm not (not going) to be treated like that by anybody; **jag låter mig inte kommenderas** nobody is going to tell me what to do, I won't be dictated to (bossed about); **låt dig inte nedslås av det** don't let it get you down; **~ sig nöja** (**nöja sig**) **med** be content with; **han låter inte övertala sig** he is not to be persuaded, he won't [let himself] be persuaded

låtanden s pl se ex. under göranden

låtgåsystem s (~et, =) ekon. laissez-faire [economy]

låtsa vb itr o. vb tr (~de, ~t) se låtsas

låtsad adj (låtsat, ~e) pretended, feigned, assumed, affected, simulated; hycklad, fingerad sham...

låtsas I vb itr o. vb itr dep (låtsades, låtsats) pretend [att (som om) that]; tr. äv. feign, affect; spela simulate; **~ som om...** äv. make [a show] as if...; **hon ~ bara** she is only pretending (shamming); **~ vara sjuk** pretend to be ill; **~ sova** pretend to be asleep; **inte ~ se** ngn pretend not to see..., turn a blind eye to...; ignorera cut...dead; **~ som ingenting** behave (se ut look) as if nothing had happened; **han låtsades inte om att...** he didn't show (nämnde inte let on) that...; **inte ~** bry sig **om** ngn (ngt) take no notice of..., ignore... **II** s (oböjl.), göra ngt på **~** be pretending to...; **det är bara på ~** it's only make-believe, I'm (we're etc.) only pretending

låtsaslek s (~en, ~ar) [game of] make-believe

låtskrivare s (~n, =) songwriter

lä s (oböjl.) lee; skydd mot vinden shelter; sitta **i ~** ...on the lee side (the leeward); **i ~ för** vinden sheltered from…; **där ligger du i ~** bildl. that (he etc.) puts you in the shade, doesn't it (doesn't he etc.)?; now you've met your match

läck adj (oböjl.) leaky; **vara ~** äv. leak; **springa ~** spring a leak

läcka I s (~n, läckor) leak; bildl. äv. leakage **II** vb itr (läckte, läckt) leak; vara otät (om båt) äv. make water; rinna ut äv. run out; **det läcker** någonstans there is a leak…; **tanken läcker** …is leaking; **~ sippra in** leak in; **~ ut** leak out äv. bildl.; om t.ex. gas äv. escape **III** vb tr (läckte, läckt) leak; **han har läckt upplysningar** he has leaked information

läckage s (~t, =) leakage

läcker adj (~t, läckra) delicious; snygg nice, pretty; vard., god scrumptious; toppen smashing

läckerbit s (~en, ~ar) titbit äv. bildl., dainty

läckerhet s (~en, ~er) konkr. delicacy, dainty

läder s (lädret) leather; **väska av ~** äv. leather…

läderartad adj (-artat, ~e) leather-like; hård och seg leathery; bot. coriaceous

läderfåtölj s (~en, ~er) leather[-upholstered] armchair

läderhud s (~en) anat. cutis, derm

läderimitation s (~en, ~er) konkr. imitation leather, leatherette

läderlapp s (~en, ~ar) zool. bat; **Läderlappen** a) seriefigur Batman b) operett Die Fledermaus ty.

ländersula s (~n, -sulor) leather sole

lädervaror s pl leather goods (manufactures)

läge s (~t, ~n) allm. situation äv. bildl., position; plats site, location; i förhållande till väderstreck aspect, exposure; röst~ pitch; tillstånd state, conditions pl.; **geografiskt ~** geographical position; **kolla ~t** vard. check up on things, check things out; **hur är ~t?** vard. how's things (tricks)?, what's the score?; **som ~t nu är** as the situation is now, as matters now stand; **i dagens ~** in the present situation, as things are (matters stand) now

lägel s (~n, läglar) bibl. bottle; vinlägel wineskin; **nytt vin i gamla läglar** new wine in old bottles

lägenhet s (~en, ~er) våning flat; speciellt större el. amer. apartment; **en ~ på** tre rum **och kök** a flat etc. containing…and a kitchen

läger s (lägret, =) **1** tält- o.d. camp äv. bildl.; **slå ~** pitch [one's] camp, friare camp; **dela sig i två ~** bildl. split into two camps (parties); **stå med en fot i vardera lägret** bildl. have a foot in both camps; **vara på ~** be in a camp **2** bädd bed; djurs lair

lägerbål s (~et, =) o. **lägereld** s (~en, ~ar) camp fire

lägerliv s (~et) camp life; **[leva] ~** friluftsliv [be] camping

lägerplats s (~en, ~er) camping ground, camping site

lägerskola s (~n, -skolor) camp school

lägesrapport s (~en, ~er) progress report, report of the situation; **en ~ från matchen** a report on how the match is going

lägg s (~en, ~ar) på kalv: fram~ fore knuckle, bak~ hind knuckle; på oxe shin; på svin: fram~ hand, bak~ knuckle

lägga I vb tr (lade, lagt) **1** placera: allm. put; större föremål äv. place; spec. i liggande ställning lay; lägga till sängs put…to bed; sätta på (t.ex. förband) apply; **~ ett brev i (på)** brevlådan put (drop) a letter in[to]…; **~ ansvaret (skulden) på** ngn lay the responsibility

(blame) on…; **~ pengar på** ngt spend money on… **2** fackspr.: t.ex. golv lay; t.ex. vägar lay down, construct **II** vb itr (lade, lagt), **~ på hullet** se under **hull** **III** vb rfl (lade, lagt) **~ sig a)** i eg. betydelse (äv. **~ sig ned**) lie down; gå till sängs go to bed; placera sig (t.ex. i bakhåll) place oneself; sport.: boxn. o.d. take a dive, om lag throw the (resp. a) game; **~ sig och vila** (lie down [to rest]); **~ sig i** t.ex. veck form; **~ sig i** rätt fil get into…; **~ vända sig på sidan** turn on one's side **b)** bildl.: avta (om t.ex. storm o.d.) abate, subside; gå över pass off; om svullnad go down **c)** frysa: om vattendrag freeze over; om is freeze **IV** med beton. part.

lägga an: a) **~ an [med geväret]** present [one's gun] [på] **b)** **~ an på** ngn make up to…, make a dead set at…

lägga av vard., upphöra, sluta upp pack it in, call it a day; **han har lagt av med tennis** he has stopped playing tennis; **lägg av!** a) sluta med det där! stop it (that)!, cut it out! b) försök inte! come off it!, get away [with you]!, amer. don't give me that line (stuff)!

lägga bort ifrån sig put down (aside); sluta med drop, give up

lägga emellan betala mellanskillnaden give…into the bargain

lägga fram: a) ta fram put out [ngt åt ngn sth for sb]; till påseende display **b)** bildl.: redogöra för (t.ex. planer, åsikter) put forward, propound; utveckla (t.ex. idéer) set out; presentera: t.ex. förslag, uppsats submit [för ngn to…]; lagförslag present; förete (t.ex. bevis) produce, adduce; offentliggöra publish

lägga för servera serve [out], dish [out] [ngn to sb]

lägga i put in; tillsätta add; bifoga enclose; **~ i** ngt i… put sth in[to]…; tillsätta add sth to…; bifoga enclose sth in…; **~ i** en växel engage…; **~ i ettan [s växel]** äv. put the (resp. a) car in first [gear]; **~ sig i** bildl., se blanda sig i under blanda II; **lägg dig inte i det här** don't interfere, mind your own business

lägga ifrån sig put…down [på bordet on…]; undan, bort put away (aside); lämna kvar leave […behind]; förlägga mislay

lägga ihop put (piece)…together; sammanslå äv. join; plocka ihop äv. collect; vika ihop fold [up]; tillsluta shut; addera ihop add up; **~ ihop två och två** add two to two; bildl. put two and two together

lägga in (se äv. lägga i ovan) **a)** stoppa o.d. in put…in; slå in wrap up; infoga put in, insert; t.ex. ngt i ett program introduce; bifoga (t.ex. i brev) enclose; lägga på (t.ex. parkettgolv) put down; sömnad. take in; **~ in** ngt i en ask put (emballera pack) sth in[to]… **b)** **~ in** data. install [ett program på en dator a program on a computer] **c)** konservera: allm. preserve; i glasburk bottle; i plåtburk can, tin; i salt, ättika etc. pickle **d)** inkomma med (t.ex. protest) enter, lodge; **~ in en ansökan hos ngn om ngt** apply to sb for sth, file an application with sb for sth; **~ in om anstånd** put in for…

lägga ned: a) eg. put (i liggande ställning lay)…down; **~ från sig** put (lay) down; packa ned pack; gräva ned (t.ex. ledning) lay; sömnad. let down; **~ ned ngt i** en ask put (packa pack) sth into…; **~ ned en krans** på en grav lay a wreath… **b)** upphöra med (t.ex. verksamhet) discontinue; inställa (t.ex. drift, järnvägslinje) shut down; stänga (t.ex. fabrik) close [down]; inte fullfölja (t.ex.

process) withdraw; teaterpjäs take off; tidning discontinue **c)** använda, offra (t.ex. pengar, möda, tid) spend, expend [*på ngt* (*på att* + inf.) on sth (in + ing-form)]; ~ *ned* arbete *på ngt* äv. put in...on sth, put...into sth **d)** jakt., döda bring down

lägga om: a) förbinda bandage; sår dress **b)** ändra change, alter; ordna om rearrange; omorganisera reorganize; ~ *om produktionen till...* switch over production to...; ~ *om trafiken* divert [the] traffic

lägga på: a) eg. put on; t.ex. förband äv. apply [*på to*]; t.ex. färg äv. lay on; tillsätta add; posta post, amer. mail; ~ *på en duk på* bordet put (breda ut spread) a cloth on...; ~ *på ngn* en filt put...over sb; ~ *på [luren]* tele. hang up, ring off **b)** t.ex. skatter impose [*på ngn* (ngt) on...]; ~ *på ngn* arbete (ansvar) saddle sb with... **c)** öka, ~ *på* femtio kronor *på priset* (*på varorna*) raise the price (the price of the goods) by...; ~ *på* 10 % *på räkningen* put an extra...on the bill

lägga till: a) tr.: tillfoga add; bidra med contribute **b)** rfl, ~ *sig till med* skaffa sig: t.ex. skägg grow; t.ex. bil buy oneself; t.ex. vanor, åsikter adopt **c)** itr., sjö.: förtöja berth [*vid* at]; landa land; anlöpa call [*vid* at]

lägga undan lägga bort o. reservera put aside; plocka undan put away; spara put away, lay aside (by); ~ *undan till en bil* save up for...

lägga under: ~ *under sig* subdue, subjugate; erövra conquer

lägga upp: a) placera put...up [*på* hyllan on...] **b)** visa (t.ex. kort, pengar) put down; ~ *upp korten* bildl. show one's cards (hand) **c)** kok. dish up; ~ *upp ngt på* ett fat arrange (place) sth on... **d)** sömnad.: korta shorten; vika upp tuck up; stickning o.d.: maskor cast on, till plagg set up **e)** ~ *upp* håret [*på spolar*] set...on rollers **f)** magasinera, förråd o.d. lay up (in); ~ *upp* en båt lay...up **g)** planlägga: t.ex. arbete organize, plan; t.ex. program arrange, draw up; t.ex. kortregister make [out]; ~ *upp ett konto* (*ett lån*) open an account (issue a loan) **h)** ~ *upp* på Internet upload **i)** ~ *upp ett skratt* break into laughter **j)** ~ *upp sig* vard., sexuellt put out [*för ngn* for sb]

lägga ur växeln put...into neutral

lägga ut: a) eg. lay (placera put)...out; breda ut äv. spread [*på* golvet on...] **b)** data. put out [*en hemsida på Internet* a web page on the Internet] **c)** sömnad. let out **d)** pengar: ge ut spend, lay out; betala pay [*för ngt* (ngn) for...]; jag kan ~ *ut för dig* ...pay [the money] for you **e)** bli tjockare fill out, put on weight **f)** sjö., ~ *ut* [*ifrån* land] put out (off) [from...] **g)** ~ *sig ut för ngn* hjälpa intercede (plead) for sb; söka vinna make up to sb **h)** arbete farm out

lägga över: a) placera över (t.ex. en duk) lay (put, place, breda spread)...over; ~ *över* maten [*med någonting*] el. ~ *över* [*någonting över*] maten put something over..., cover...[with something] **b)** ~ flytta *över* ngt *på* put (bildl. shift)...on to

läggdags *adv*, *det är* ~ it is time for bed (bedtime)

läggning *s* (~en, ~ar) **1** karaktär disposition; sinnelag temperament; fallenhet bent, turn [*för*, *åt* for]; *sexuell* ~ sexual orientation **2** av hår setting

läggningsvätska *s* (~n, -vätskor) setting lotion

läglig *adj* (~t) opportune, timely; passande convenient [*för* ngn for...]; *vid ~t tillfälle* at an opportune moment; när det passar dig (er) ...at your convenience

lägligt *adv* opportunely; passande conveniently; du kommer ~ vanl. ...at the right time

lägra *vb rfl* (~de, ~t), ~ *sig* a) utbreda sig (om t.ex. dimma) settle [*över* [up]on] b) slå sig ned lie (sit) down

lägre I *adj* (komparativ) allm. lower osv., jfr *låg*; i rang o.d. äv. inferior [*än* to]; underordnad lower **II** *adv* lower; *gå* ~ sänka priset go lower; *hänga* tavlan ~ hang...lower [down]; ~ *stående djur* lower animals

lägst I *adj* (superlativ) lowest osv., jfr *låg*; attr. om antal, fart m.m. äv. minimum; *på ~a hyllan* äv. on the bottom shelf; *på ~a växeln* in the lowest gear **II** *adv* lowest; man måste räkna med ~ *500 kronor* ...500 kronor at the lowest; när aktierna *står* [*som*] ~ ...are at their lowest; jfr *lågt*

lägstbjudande *s* (en ~, pl. =) the lowest bidder

läka *vb tr* o. *vb itr* (läkte, läkt) heal; såret *är illa läkt* ...has healed badly

läkande *adj* (oböjl.) healing; t.ex. verkan äv. curative

läkararvode *s* (~t, ~n) doctor's fee

läkarbehandling *s* (~en, ~ar) medical treatment

läkarbok *s* (~en, -böcker) medical book

läkare *s* (~n, =) allm. doctor; vard. medico; mera formellt physician; *allmänpraktiserande* ~ general practitioner; *privatpraktiserande* ~ private practitioner, doctor in private practice; *gå till (söka)* ~ *för* ngt see (consult) a doctor about...

Läkare utan gränser Doctors Without Borders

läkarhjälp *s* (~en) medical attention; *tillkalla* ~ call for a doctor

läkarhus *s* (~et, =) medical (health) centre

läkarintyg *s* (~et, =) doctor's certificate

läkarkår *s* (~en, ~er) body of physicians; *~en* the medical profession

läkarmottagning *s* (~en, ~ar) lokal surgery, amer. office; läkarhus medical (health) centre (amer. center)

läkarsekreterare *s* (~n, =) medical (doctor's) secretary

läkarstation *s* (~en, ~er) medical health (reception) centre

läkartid *s* (~en, ~er) medical appointment

läkarundersökning *s* (~en, ~ar) medical examination (check-up); vard. medical

läkarvård *s* (~en) medical treatment; *fri* ~ free medical treatment

läkas *vb itr dep* (läktes, läkts) heal [ihop up]; såret *läktes av sig självt* ...healed itself

läkekonst *s* (~en) medicine

läkemedel *s* (-medlet, =) medicine, pharmaceutical (medical) product, drug, medicament; botemedel remedy

läkemedelsindustri *s* (~n, ~er) pharmaceutical industry

läkemedelsmissbruk *s* (~et) abuse of medicines

läkkött *s* (~et), *bra* ~ flesh that heals readily

läkning *s* (~en) healing

läktare *s* (~n, =) inomhus gallery; utomhus platform; åskådar- [grand]stand

läktarvåld *s* (~et) inom fotbollen violence on the terraces, football hooliganism

läm *s* (~men, ~mar) att fälla ned flap

lämmel *s* (~n, lämlar) zool. lemming

lämmeltåg *s* (~et, =) lemming migration; bildl. general exodus

lämna I *vb tr* (~de, ~t) **1** bege sig ifrån, låta vara, kvarlämna, efterlämna leave; överge: abandon, dra sig tillbaka från (t.ex. sin tjänst, politiken) retire from; **~ ngn ensam hemma** leave sb alone at home; **~ sin plats åt ngn** give up one's seat to sb; det har inte **~t något spår** [**efter sig**] ...left any trace [behind]; **~ ngn åt sitt öde** leave sb to his (resp. her) fate **2** ge: allm. give; låta ngn få äv. let...have; bevilja, t.ex. kredit, rabatt äv. grant, allow; komma med äv.: t.ex. förklaring offer, present; t.ex. anbud make; tillhandahålla äv.: t.ex. upplysningar provide, furnish; **~ ngt till ngn** ge give (överlämna hand over) sth to sb; låta få let sb have sth; komma med bring sb sth; gå med take sth to sb; **~ svar** give an answer; jag måste **~** [**in**] **min kostym på kemtvätt** ...have my suit cleaned, ...take my suit to the cleaners

II med beton. part.
lämna av t.ex. varor deliver; passagerare drop, set down; mil. hand over
lämna bakom sig leave...behind; bildl. äv. outgrow; distansera outdistance
lämna bort lämna ifrån sig give away; skicka bort send out; **~ bort** ett barn, t.ex. för adoption give up
lämna efter sig efterlämna leave, se vidare *efterlämna*
lämna fram överlämna hand over; avlämna äv. deliver
lämna ifrån sig ge ifrån sig hand over; avhända sig, skiljas från part with; avträda surrender
lämna igen se *lämna tillbaka* nedan
lämna in: a) allm. hand (take, skicka send) in; inkomma med äv. present, submit; t.ex. skrivelse, skolskrivning give in; till förvaring leave **b)** vard., dra sig ur, ge upp pack it in; dö kick the bucket, hand (cash) in one's chips
lämna kvar ngt leave...; oavsiktligt leave...behind
lämna tillbaka return; ngt lånat äv. give back; t.ex. skolskrivning hand back
lämna ut t.ex. paket hand out; t.ex. varor deliver; från förråd o.d. issue; **~ ut** ngt **till ngn** äv. hand...over to sb; jfr *utlämna*
lämna över ledarskap o.d. hand over; se vidare *överlämna*

lämning s (~en, ~ar) **1** arkeol. el. vetensk. relic, survival [*från* of]; **~ar** konkr. remains [*av, efter* of]; jfr vidare *kvarleva* **2** ~ **på dagis** leaving one's child (children) at the day nursery

lämpa I vb rfl (~de, ~t) (jfr *lämpad*), **~ sig** passa be convenient; **~ sig för** ngt be suited for...; om sak äv. be [well] adapted for..., lend itself to... **II** vb tr (~de, ~t) anpassa adapt [*efter* to] **III** s (~n, lämpor), **lämpor** gentle persuasion sg.; **använda lämpor för att få ngn att** + inf. coax sb into + ing-form

lämpad adj (lämpat, ~e), **vara ~ för: a)** vara anpassad för be suited (suitable, adapted) for **b)** ha fallenhet för be suited (fitted, cut out) for; jfr äv. *lämplig*

lämplig adj (~t) passande: allm. suitable; t.ex. behandling äv. appropriate; t.ex. uttryck äv. fitting; t.ex. lagom (t.ex. ersättning) adequate; rätt, tillbörlig proper, fit; läglig opportune, convenient; **vid ~t tillfälle** at a suitable (convenient) opportunity; han är **~ för arbetet** ...fit for the job; filmen är [**inte**] **~ för barn** ...[not] suitable (fit) for children; **det ~aste** bästa vore att the best thing [to do]...

lämpligen adv, **det görs ~** så här it should be (is best) done...

lämplighet s (~en) (jfr *lämplig*); suitability; appropriateness, fitness; advisability, expediency; opportuneness, convenience; **hans ~ för** arbetet his fitness for...

lämplighetsintyg s (~et, =) för körkort certificate of fitness [to drive]
län s (~et, =) county, administrative province
länd s (~en, ~er) anat. el. vet. med. loin; på djur äv. hind-quarters pl.; friare back
länga s (~n, längor) rad row, range
längd s (~en, ~er) **1** allm. length; kropps~, höjd height; kropps~ äv. stature, tallness; utförlighet lengthiness; fonet. äv. quantity; **resa sig** (**sträcka ut sig**) **i hela sin ~** draw oneself up to one's full height (stretch oneself out full length); **i ~en** in the end (the long run); med tiden in the course of time; hur länge som helst indefinitely; **vinna med två ~er** win by two lengths; **skära** (**mäta**) **ngt på ~en** cut sth lengthwise (measure the length of sth); den är en meter **på ~en** ...long (in length) **2** se *längdhopp* **3** förteckning register, list **4** vete~, ung. flat long-shaped bun, fläta, ung. [long] bun plait

längdaxel s (~n, -axlar) geogr. longitudinal axis
längdenhet s (~en, ~er) unit of length
längdgrad s (~en, ~er) se *longitud*
längdhopp s (~et, =) sport. long (amer. äv. broad) jump (hoppning jumping); **stående ~** standing long (amer. äv. broad) jump
längdhoppare s (~n, =) sport. long jumper
längdmått s (~et, =) long (linear) measure, measure of length
längdriktning s (~en, ~ar), **i ~en** lengthways, lengthwise, in the longitudinal direction
längdåkning s (~en) cross-country skiing (lopp race)
längdåkningsskida s (~n, -skidor) cross-country ski
länge (jfr *längre* II o. *längst* II) adv long (speciellt i nek. o. fråg. satser), [for] a long time (speciellt i jak. satser); **gå ~** om t.ex. film have a long run, be on for a long time; hon kunde aldrig **sitta stilla ~** ...sit still for long; **sitta uppe ~** sit up late; som vana keep late hours; **sova ~** sleep late; jag har bott här **ganska ~** ...[for] quite a long time; **tillräckligt ~** long enough; **hur ~...?** how long...?; **hur ~ stannar du?** [for] how long are you staying?; jag har bott här **lika ~ som du** ...just as long as you [have]; [**inte**] **på ~** [not] for a long time; var har du varit **så ~?** ...all this time?; jag väntar här **så ~** ...in the meantime; **sitt ner så ~!** take a seat while you wait!; **ta det här så ~!** take this just for now!; **än** [**nu**] **så ~** har ingenting hänt so far (up to now)...; **så ~** [**som**] konj. as long as; medan ännu while; **för ~ sedan** a long time ago; **för inte** [**så**] **~ sedan** not [so (very)] long ago; **det är ~ sedan** it is a long time ago; **det är ~** (**inte ~**) **sedan** han för it is a long time (not long) since...; **det var ~ sedan vi sågs!** it's a long time since we met (saw each other)!; vard. long time no see!

längre I adj (komparativ) longer osv., jfr *lång*; **göra ~** äv. lengthen; **en ~** ganska lång **promenad** a longish (rather long) walk; jag har nu varit här **en ~** ganska lång **tid** ...for quite a long (for a considerable) time; **dagarna börjar bli ~** the days are getting longer (are lengthening) **II** adv further äv. friare, farther (vanl. endast om avstånd); i tidsbetydelse vanl. longer; jfr äv. *långt* o. *länge*; **man kan inte komma ~** för vägen är spärrad you can't get any further...; **jag kan inte stanna ~** I can't stay any longer; åka **en hållplats ~** ...a stop farther (further); **han är inte lärare ~** he is not a teacher any more; **~ bakåt** (**ned, upp**) further (farther) back (down, up); **~ fram** om tid later on; **~ tillbaka** i rums- o. tidsbetydelse further back

längs *prep* o. *adv*, **~ [efter (med)]** along; sjö., längs utmed alongside

längst I *adj* (superlativ) longest osv., jfr *lång*; **i det ~a** så länge som möjligt as long as possible; in i det sista to the very last; **hoppas i det ~a** hope against hope **II** *adv* i rumsbetydelse vanl. furthest äv. friare, farthest; ända right, jfr ex.; i tidsbetydelse vanl. longest; jfr *långt* o. *länge*; **jag har ~ att gå** I have the longest way to go; **vara (räcka) ~** last longest; **~ bort** furthest away; **~ fram [i salen]** at the very front [of the hall]; **~ inne i** lådan at the very back of...; **~ nere (ned) i** flyttkartongen (*på* sidan) at the very bottom of...; stå **~ till höger** ...furthest to the right, ...at the extreme right; **~ ute på** udden right out on...

längta *vb itr* (~de, ~t) long; starkare yearn, ache [*efter* ([*efter*] *att* + inf.) i samtliga fall for (to + inf.)]; **~ efter** sakna miss; **~ efter att ngn ska komma** be longing for sb to come; **~ till** Italien long to go to (få vara i be in)...; **~ till sommaren** long for summer to come; **~ bort** long to get (go) away; **~ hem** ha hemlängtan long for home, be homesick; **~ tillbaka [till]** long to return [to]; önska sig tillbaka wish one was (were) back [in]

längtan *s* (=, en) longing; starkare yearning [*efter, till* for]

längtande *adj* (oböjl.) o. **längtansfull** *adj* (~t) starkare yearning; t.ex. blick äv. wistful

länk *s* (~en, ~ar) **1** led link äv. bildl. el. data. **2** kedja chain

länka *vb tr* (~de, ~t), **~ fast** chain[...up]; **~ ihop (samman)** link...together

läns *adj* (oböjl.) **1** eg. dry, free from water; **pumpa (ösa) en båt ~** pump...dry (bail out...) **2** bildl., tom empty

1 länsa *vb tr* (~de, ~t) **1** se *pumpa* (*ösa*) *läns* under *läns 1* **2** tömma empty; göra rent hus i äv. clear out; uttömma drain [*på* i samtliga fall of]; göra slut på make a clean sweep of

2 länsa *vb itr* (~de, ~t) sjö., **~ [undan] för vinden** run before the wind; i storm scud

länsarbetsnämnd *s* (~en, ~er) ung. county labour board

länspolischef *s* (~en, ~er) ung. county police commissioner

länsrätt *s* (~en, ~er) ung. county administrative court

länsstyrelse *s* (~n, ~r) myndighet county administrative board

länstol *s* (~en, ~ar) armchair, easy chair

länsväg *s* (~en, ~ar) ung. county (second-class) road

läpp *s* (~en, ~ar) lip; **falla ngn på ~en** be to sb's taste; **vara på allas ~ar** be on everybody's lips (tongue)

läppavläsning *s* (~en, ~ar) lip-reading

läppenna *s* (~n, läppennor) kosmetika lip pencil

läppglans *s* (~en) lip gloss

läppja *vb itr* (~de, ~t), **~ på** dryck sip [at]...

läppstift *s* (~et, =) lipstick

lär *hjälpvb* (pres.) (pres.) **1** sägs o.d., **han ~ (~ inte) sjunga bra** they say he sings (doesn't sing) well, he is said (förmodas is supposed) to sing (not to sing) well **2** torde, **det ~ inte vara så lätt att...** it is probably not very easy to..., it is not likely to be

very easy...; **han ~ vara den ende som...** he is probably the only one who...

lära I *s* (~n, läror) **1** vetenskapsgren science; teori[er] theory, theories pl.; tro faith; förkunnelse, undervisning teaching[s pl.]; **den rätta ~n** the true faith **2** gå (komma, vara) i ~ hos ngn be apprenticed to sb **II** *vb tr* (lärde, lärt) **1** lära andra, undervisa teach; undervisa äv. instruct; **~ ngn [att] simma** teach sb to swim, instruct sb in swimming; **han lärde mig hur jag skulle** lösa problemen he taught me how to... **2** lära sig learn; **man lär så länge man lever** we live and learn; jfr vidare *lära III* samt *lära känna* under *känna II 2* **III** *vb rfl* (lärde, lärt), **~ sig** learn; tillägna sig äv. acquire; snabbt el. speciellt i fråga om dålig vana o.d. pick up [*ngt av ngn* i samtliga fall sth from sb]; **få ~ sig** learn [*av ngn* from sb]; undervisas be taught [*av ngn* by sb]; **~ sig [att] köra bil** learn [how] to drive; **vi har lärt oss [att] uppskatta...** äv. we have grown (come) to appreciate...; **~ undervisa sig själv** teach oneself **IV** med beton. part.

lära ngn av med ngt vard. teach sb to stop doing sth

lära in learn

lära om relearn

lära upp ngn teach (öva upp train, instruera instruct) sb

lära ut ngt till ngn teach sb sth

läraktig *adj* (~t) ...ready (willing, apt) to learn, ...quick to learn (at learning); om djur teachable

lärare *s* (~n, =) allm. teacher [*i* ett ämne of (in)...]; skol~ äv. schoolmaster; vid högre skola vanl. master; t.ex. tennislärare instructor; privat~ äv. coach, tutor; **vår ~ i engelska** our English teacher (master)

lärarhandledning *s* (~en, ~ar) **1** handledande [the] supervision (instruction) of [trainee] teachers **2** handbok teacher's manual (guide)

lärarhögskola *s* (~n, -skolor) school (institute) of education; mindre teachers' training college

lärarkandidat *s* (~en, ~er) ung. student (trainee) teacher

lärarkår *s* (~en, ~er) vid skola o.d. teaching-staff; **Sveriges ~** the teachers pl. of Sweden, the teaching profession in Sweden

lärarlös *adj* (~t), **~a lektioner** lessons without a teacher

lärarrum *s* (~met, =) teachers' staff (common) room

lärartjänst *s* (~en, ~er) teaching post

lärarvikarie *s* (~n, ~r) supply (substitute) teacher

lärd I *adj* (lärt) allm. learned; humanistiskt scholarly; naturvetenskapligt scientific; **[mycket] ~** äv. erudite **II** *s* (en ~, pl. ~a), **de ~a** äv. the learned

lärdom *s* (~en, ~ar) **1** vetande learning, scholarship; grundlig äv. erudition **2** 'läxa' lesson; **dra (ta) ~ av...** learn from...

lärdomshistoria *s* (-historien) history of learning

lärft *s* (~et el. ~en, ~er) linne~ linen; halvlinne~ union [cloth]; bomulls~ cotton

lärjunge *s* (~n, -jungar) pupil [*i* (*vid*) en skola at (of)...]; friare el. bibl. disciple [*till ngn* of sb]

lärka *s* (~n, lärkor) zool. [sky]lark; **glad som en ~** merry as a lark

lärkträd *s* (~et, =) bot. larch[-tree]

lärling *s* (~en, ~ar) apprentice

läroanstalt *s* (~en, ~er) educational institution (establishment); **högre ~** institute of higher education

lärobok s (~en, -böcker) textbook; handbok manual [i of]; skolbok äv. schoolbook; ~ *i geografi* (*biologi*) äv. geography (biology) textbook

läromedel s pl (-medlet, =) textbooks and teaching aids, teaching media; se äv. *lärobok*

läromedelspaket s (~et, =) study kit

läromästare s (~n, =) master; friare teacher

läroplan s (~en, ~er) curricul|um (pl. -a); t.ex. univ. course of study

lärorik adj (~t) instructive

lärosats s (~en, ~er) trossats doctrine, dogma

lärospån s pl, *göra sina första* ~ [*i ngt*] acquire (pick up) one's first knowledge (experience) [of sth]

lärosäte s (~t, ~n) seat of learning

läroverk s (~et, =) hist., [*allmänt*] ~ [State] secondary grammar school

läroämne s (~t, ~n) subject

lärpengar s pl, *få betala dyra* ~ bildl. have to pay [dear] for one's experience

läsa I vb tr o. vb itr (läste, läst) **1** allm. read; tyda äv. decipher; framsäga, t.ex. bön say; deklamera äv. recite; ~ *innantill*, read; i mots. till 'utantill' (ur boken osv.) read from the book osv.; ~ *korrektur* äv. correct proofs; ~ *noter* read music; ~ *ngns tankar* read sb's thoughts (mind); *har du läst* [*vad som står i*] *tidningen?* äv. have you seen the paper?; *sitta och* ~ *en bok* be [sitting] reading a book; ~ *en saga för ngn* read...to sb **2** studera study; speciellt univ. read; ~ *på till examen* read [up] for one's degree **3** undervisa; ~ *med ngn* ge lektioner give sb lessons in...; lära teach sb...; privat äv. coach sb in...; ~ *läxor med ngn* help (assist) sb with (in preparing) his (resp. her) homework **4** *gå och* ~ *få* konfirmationsundervisning be prepared for one's confirmation **II** med beton. part.

läsa igenom ngt read sth [all the way] through, read over sth

läsa in en kurs (ett ämne, en roll) learn (study up)...[thoroughly (perfectly)]

läsa om en bok o.d. reread

läsa på läxa o.d. prepare

läsa upp read [out], read...aloud (out loud) [*för* ngn to...]; något inlärt say, repeat; t.ex. dikt recite

läsa ut läsa slut finish [reading]; uttala pronounce; förstå, *vad kan man* ~ *ut av det här?* what can you gather (understand) from this?

läsare s (~n, =) **1** person som läser reader **2** optisk ~ optical [character] reader; ljusfläcksavläsare optical (flying-spot) scanner **3** relig., ung. pietist

läsbar adj (~t) readable; jfr äv. *läslig*

läsbarhet s (~en) readability

läsebok s (~en, -böcker) reader; nybörjarbok reading-book; ~ *i engelska* English reader

läsecirkel s (~n, -cirklar) book club

läsekrets s (~en, ~ar) författares circle of readers, public; tidnings äv. readers pl., readership

läsesal s (~en, ~ar) reading-room

läsförståelse s (~n) skol. reading comprehension

läsglasögon s pl reading glasses

läshuvud s (~et, ~en el. =), *ha* ~ have a good head for study[ing]

läsida s (~n, -sidor) lee-side; *på* ~*n* on the leeward, leewards

läsk s (~en, =) vard., se *läskedryck*

läska vb tr (~de, ~t), ~ *strupen* wet one's whistle; *en* ~*nde dryck* a refreshing drink; saft *är* ~*nde* (*det* ~*r med* saft) ...is refreshing; ~ *sig med*... refresh oneself with...

läskedryck s (~en, ~er) soft drink; vard. pop, amer. soda; lemonad lemonade

läskig adj (~t) vard., hemsk awful, horrible; otäck scary; avskyvärd äv. disgusting

läskpapper s (~et el. -papbret, =) blotting-paper; *ett* ~ a sheet of blotting-paper

läskunnig adj (~t) ...[that is (was osv.)] able to read

läskunnighet s (~en) ability to read

läslig adj (~t) möjlig att läsa legible; tydbar decipherable

läslighet s (~en) legibility; tydbarhet decipherability

läsning s (~en, ~ar) reading äv. parl., deciphering osv., jfr *läsa*; lektyr äv. reading-matter; *optisk* ~ optical [character] reading; ljusfläcksavläsning optical (flying-spot) scanning

läs- och skrivsvårigheter s pl, *ett barn med* ~ a child with a reading and writing disability

läspa vb itr (~de, ~t) lisp

läspenna s (~n, -pennor) data. light (data) pen, wand

läsplatta s (~n, -plattor) e-book reader, e-reader

läspning s (~en) lisping; *en* ~ a lisp

läsrum s (~met, =) reading-room

läst s (~en, ~er) skom.: konkr. last; passform fitting; skoblock [shoe]tree; *med smal* ~ with a narrow fitting

lästa vb tr (~de, ~t), ~ *ut* last

läsvärd adj (-värt), [*mycket*] ~ [very] readable, ...[well] worth reading

läsår s (~et, =) skol. school year; speciellt amer. äv. session; univ. academic year

läsövning s (~en, ~ar) reading exercise

läte s (~t, ~n) [indistinct (inarticulate)] sound; djurs call, cry

lätt I adj (=) **1** inte tung light äv. t.ex. rörlig, tunn samt om t.ex. mat, vin, sömn, musik; lindrig, obetydlig äv. slight; svag äv. gentle; obestämbar (om t.ex. doft) faint; *en* ~ (~*are*) *förkylning* a slight (light) cold; ~ *gång* tekn. smooth (easy) running; *med* ~ *hand* lightly; eg. äv. with a light touch; mjukt, varsamt äv. gently; ~*a material* lightweight materials; *musiken gick i den* ~*a* (~*are*) *stilen* the music was of a light type; *ett* ~ *vin* äv. a light-bodied wine, a wine of a mild character; *göra...*~*are* mindre tung äv. lighten...; *vara* ~ *på hand* have a light touch **2** inte svår (mödosam) easy; enkel simple; *det är hur* ~ *som helst* it is the easiest thing in the world, it is as easy as anything; *det är* ~ *för dig att säga* vanl. it is all very well for you to say; *vara* ~ *att ha att göra med* be easy to get on with; *...är inte det* ~*aste* ...is not one of the easiest things; *göra det* ~ *för sig* take the easy way out, not take too much trouble; *inte ha det* ~ not have an easy time [of it]; *han har* ~ *för sig* everything comes easy to him; *han har* ~ *för språk* he has a gift for languages; *ha* ~ *för att fatta* be quick on the uptake; *han har* ~ *för att gråta* he cries easily, he is easily moved to tears; *ha* ~ *för att lära* be a quick learner; *ha* ~ [*för*] *att uttrycka sig* find it easy to express oneself **II** adv **1** inte tungt: eg. light; ytligt, nätt och jämt lightly; lindrigt, obetydligt, svagt osv. slightly, gently osv. (jfr *lätt I 1*); lite, en smula somewhat, a trifle; ~ *klädd* se *lättklädd*; *sova* ~ sleep lightly; som vana äv. be a light sleeper; **ta [för] ~ på ngt** take sth [too] lightly (easily, vard. easy); bagatellisera ngt make [too] light of sth **2** inte svårt easily; vard. easy; lätt och behändigt äv. deftly; snart, ofta, bekvämt readily; **man blir ~** trött, om... one gets easily (is apt to get)...; **man glömmer ~...** ofta one is apt to forget...; **det går (är) ~ att** + inf., när... it is easy (är enkelt äv. an easy matter) to + inf....; **sådant händer ~** such things happen; **det kan så ~ missförstås** it can so easily (it is apt, liable, likely to) be misunderstood; **det är ~ gjort** äv. it is no trouble; **de är ~ räknade** ett fåtal vanl. they may be counted on the fingers of one hand; **det är ~are sagt än gjort** it is easier said than done

lätta I vb tr (~de, ~t) **1** göra lättare lighten; bildl. äv. unburden, ease; mildra relieve; lindra alleviate; **~ sitt hjärta för ngn** unburden one's mind to sb; **känna sig ~d** feel relieved (eased) [in one's mind]; **~ upp stämningen** relieve the atmosphere **2 ~ ankar** weigh anchor **II** vb itr (~de, ~t) **1** bli lättare eg. become (get) lighter; bildl. ease, be relieved; om depression o.d. lift; **det ~r** verkar befriande it gives [some] relief (is a relief) **2 ~ på ngt** allm., se lätta I 1; lossa på (t.ex. förband, klädesplagg) loosen **3** skingras, lyfta (t.ex. om dimma) lift; **det ~r** klarnar (om väder) the air is clearing **4** om flyg take off

lättantändlig adj (~t) ...easy to set fire to, inflammable; **mycket ~** highly inflammable
lättdryck s (~en, ~er) light drink
lättfattlig adj (~t) easily comprehensible, ...[that is (was)] easy to understand
lättfil s (~en) low-fat sour milk
lättflyktig adj (~t) [highly] volatile
lättflytande adj (oböjl.) om vätskor very liquid; fackspr. ...of low viscosity; om stil, språk fluent
lättfångad adj (-fångat, ~e) easily caught (i snara trapped); **ett lättfångat byte** an easy prey äv. bildl.
lättfärdig adj (~t) neds., om t.ex. visa, dans: vågad daring; oanständig indecent; **en ~ kvinna** a woman of easy virtue
lättfärdighet s (~en) neds. loose morals pl., moral laxity
lättförståelig adj (~t) easily comprehensible, ...[that is (was osv.)] easy to understand
lättförtjänt adj (=) easily earned; **~a pengar** äv. easy money sg.
lätthanterlig adj (~t) ...[that is (was osv.)] easy to handle äv. bildl.
lätthet s (~en) ringa tyngd lightness; ringa svårighet easiness; enkelhet simplicity; ledighet o.d.: t.ex. att lära sig språk ease; t.ex. att uttrycka sig facility [att + inf. in + ing-form]; **med ~** ledigt with ease, easily
lättillgänglig adj (~t) eg. easily accessible (vard. get-at-able), ...easy of access, ...within easy reach; om person approachable; se äv. lättfattlig
lättja s (~n) laziness, idleness; lättjefullhet indolence
lättjefull adj (~t) lazy; loj indolent
lättklädd adj (-klätt) tunnklädd lightly (thinly) dressed (clad); mer el. mindre oklädd scantily clad
lättköpt adj (=) t.ex. framgång ...easily come by (gained); **en ~ seger** an easy victory
lättlagad adj (-lagat, ~e) om mat ...[that is (was osv.)] easy to prepare; **~ mat** äv. easy food to prepare
lättledd adj (-lett) easily led, impressionable

lättlurad adj (-lurat, ~e) gullible, ...easily taken in (duped)
lättläst adj (=) om handstil, brev o.d. [very] legible; om bok o.d. very readable; **boken är ~** äv. the book is easy to read
lättmargarin s (~et, ~er) low-fat margarine
lättmetall s (~en, ~er) light metal; aluminium aluminium, amer. aluminum
lättmetallfälgar s pl bil. alloy rims (wheels)
lättmjölk s (~en) low-fat milk
lättnad s (~en, ~er) lisa relief [för for, to; i in]; alleviation; mildring relaxation [i in, of]; lindring easing-off endast sg. [i in (of)]; nedsättning, minskning reduction, abatement [i of]; **~er** minskade besvärligheter facilities; **dra en ~ens suck** breathe a sigh of relief
lättretlig adj (~t) irritable, irascible; lättstött touchy; häftig quick-tempered
lättroad adj (-roat, ~e) easily amused, ...[that is (was osv.)] easy to amuse
lättrogen adj (-troget, -trogna) credulous; lättlurad gullible
lättrökt adj (=) om t.ex. skinka lightly smoked
lättrörd adj (-rört) emotional, easily moved; känslig sensitive
lättsam adj (~t, ~ma) **1** inte mödosam easy **2** sorglös easy-going, good-humoured; **~ underhållning** light entertainment
lättsinne s (~t) **1** obetänksamhet rashness, thoughtlessness; irresponsibility **2** lättfärdighet wantonness, looseness
lättsinnig adj (~t) **1** obetänksam rash, thoughtless; ansvarslös irresponsible **2** lättfärdig wanton, loose-living
lättskrämd adj (-skrämt), **vara ~** be easily scared (frightened), scare easily
lättskött adj (=) ...[that is (was osv.)] easy to handle (om barn, maskin o.d. äv. to manage, om t.ex. lägenhet to keep tidy)
lättsmält adj (=) **1** om mat easily digested; om bok o.d. äv. ...[that is (was osv.)] easy to read **2** tekn. [easily] fusible
lättstött adj (=) touchy, hypersensitive; pred. äv. [very] quick to take offence
lättsåld adj (-sålt) ...[that is (was osv.)] easy to sell, readily salable (marketable); **~a varor** äv. goods that sell easily
lättsövd adj (-sövt), **vara ~** be a light sleeper
lättvikt s (~en) sport. lightweight
lättviktare s (~n, =) sport. el. bildl. lightweight
lättvin s (~et, ~er) light wine, unfortified wine
lättvindig adj (~t) enkel simple; slarvig, förhastad hasty; ytlig superficial
lättvindigt adv, **ta (behandla) ngt ~** take (treat) sth lightly (casually)
lättvispad adj (-vispat, ~e) lightly whipped
lättyoghurt s (~en) low-fat yogurt (yoghurt)
lättåtkomlig adj (~t) ...[that is (was osv.)] easy to find, easily accessible (vard. get-at-able); pred. äv. easy of access, within easy reach
lättöl s (~et el. ~, =) low-alcohol beer
läxa I s (~n, läxor) **1** hemläxa homework (endast sg.); **få (ge)...i (till) ~** get (give)...for homework; **bara ha en (inte ha någon) ~** have only one subject for (have no el. not have any) homework; **ha många läxor** have a lot of homework; **göra ~n** do one's homework

2 tillrättavisning, tankeställare lesson; *där fick jag mig en ~* that taught me a lesson; *ge ngn en ~* teach sb a lesson **II** *vb itr* (~de, ~t), *~ upp ngn* [*ordentligt*] tell sb off [properly]

läxläsning *s* (~en, ~ar) hemma homework, studier study

löda *vb tr* (lödde, lött) solder; *~ fast* solder…on [*vid to*]; *~ ihop* tillsammans solder…together

lödder *s* (löddret) allm. lather; tvållödder äv. soapsuds pl.; fradga äv. foam, froth

löddra *vb tr* o. *vb rfl* (~de, ~t), *~ sig* lather

löddrig *adj* (~t) lathery; om häst lathered, foaming [av i samtliga fall with]

lödighet *s* (~en) om silver [standard of] fineness

lödkolv *s* (~en, ~ar) soldering-iron, soldering-copper

lödning *s* (~en, ~ar) soldering

löfte *s* (~t, ~n) promise; högtidl. vow [*om* of; [*om*] *att* + inf. to + inf.]; förbindelse undertaking; *ge ett ~* make a promise; *hålla sitt ~* keep one's promise; *mot ~ om* t.ex. riklig ersättning on the promise of

löftesbrott *s* (~et, =) breach of faith

löftesrik *adj* (~t) promising, …full of promise

lögn *s* (~en, ~er) lie, falsehood; *en liten* (*oskyldig*) *~* a fib; *det är ~!* that's a lie!; *det var ~ att* få upp låset it was [absolutely] impossible to…

lögnaktig *adj* (~t) lying; om påstående o.d. untruthful; *han är så ~* he is such a liar

lögnaktighet *s* (~en, ~er) untruthfulness (endast sg.)

lögnare *s* (~n, =) liar

lögndetektor *s* (~n, ~er) lie detector

lögnerska *s* (~n, lögnerskor) liar

lögnhals *s* (~en, ~ar) [thundering] liar

löja *s* (~n, löjor) zool. bleak

löjan *s* (best. sing.), *det är ju rena ~!* vard. it's a joke!, starkare it's absolutely ridiculous!

löje *s* (~t, ~n) åtlöje ridicule, derision; *det vilar ett ~ts skimmer över…* an air of ridicule surrounds…

löjeväckande *adj* (oböjl.) ridiculous; se äv. *löjlig*

löjlig *adj* (~t) ridiculous; komisk comical; tokrolig ludicrous; orimlig absurd; *~a familjerna* kortsp. happy families; *göra sig ~* make a fool of oneself; *göra sig ~ över…* make fun of…

löjlighet *s* (~en, ~er) egenskap el. förhållande ridiculousness; comicality; absurdity osv., jfr *löjlig*; *~er* dumheter absurdities; nonsens nonsense sg.

löjrom *s* (~men) whitefish roe

löjtnant *s* (~en, ~er) inom armén lieutenant; inom flottan sub-lieutenant; inom flyget flying officer; amer.: inom armén el. flyget first lieutenant, inom flottan lieutenant junior grade

löjtnantshjärta *s* (~t, ~n) bot. bleeding heart

lök *s* (~en, ~ar) kok. onion; koll. onions pl.; blomster~ el. jordstam bulb; *lägga ~ på laxen* bildl. make matters worse, rub it in

lökkupol *s* (~en, ~er) arkit. onion dome, bulbous (onion-shaped) dome

löksalt *s* (~et) onion salt

löksoppa *s* (~n, -soppor) kok. onion soup

löksås *s* (~en, ~er) kok. onion sauce

lökväxt *s* (~en, ~er) bulbous plant, bulb

lömsk *adj* (~t) illistig wily, sly, crafty; bakslug disingenuous; förrädisk treacherous; försåtlig, smygande insidious

lön *s* (~en, ~er) **1** pay (endast sg.); avlöning: speciellt vecko~ wages pl.; månads~, års~ salary amer. äv. veckolön; en ~ *som man kan leva på* a living wage; *full ~* full pay; *vad har han i ~?* what wages (resp. salary) does he get? **2** ersättning compensation, recompense; belöning reward; *få ~ för mödan* be rewarded for one's pains

löna I *vb tr* (~de, ~t) belöna reward; *~ ont med gott* return good for evil **II** *vb rfl* (~de, ~t), *~ sig* pay; amer. äv. pay off äv. opers.; vara lönande äv. be profitable, yield a profit; *det ~r sig inte att* + inf. a) tjänar ingenting till it's no use (no good) + ing-form, it isn't worth while + ing-form b) är inte värt pengarna it isn't worth it to + inf.

lönande *adj* (oböjl.) om företag o.d. profitable; om sysselsättning o.d. äv. remunerative

löneanspråk *s pl* vid avtalsförhandlingar wage (resp. salary) claims (demands); *svar med ~* i annons reply stating salary expected (required)

löneavdrag *s* (~et, =) deduction from wages (resp. salary)

löneavtal *s* (~et, =) wage (resp. salary) contract; kollektivavtal wage[s] (resp. salary, pay) agreement

lönebesked *s* (~et, =) pay slip; amer. paystub

löneförhandlingar *s pl* wage (resp. salary, pay) negotiations (talks)

löneförhöjning *s* (~en, ~ar) pay rise (amer. raise)

löneförmån *s* (~en, ~er) ung. benefit [attaching to one's salary (resp. wages)], emolument; *~er* inkluderande naturaförmåner o.d. wages (resp. salary) and emoluments

löneglidning *s* (~en, ~ar) wage drift

lönegrad *s* (~en, ~er) [salary] grade; *komma upp i en högre ~* be promoted to a higher grade

löneklyfta *s* (~n, -klyftor) difference in wages (resp. salary, pay)

lönekonto *s* (~t, ~n) wages (resp. salary, pay) account

lönekuvert *s* (~et, =) pay packet

löneläge *s* (~t, ~n) wage (resp. salary) level

lönepåslag *s* (~et, =) pay (wage, salary) increase

lönerörelse *s* (~n, ~r) löneförhandlingar wage (resp. salary, pay) negotiations pl.

löneskillnad *s* (~en, ~er) wage (pay) differential

lönestopp *s* (~et, =) wage freeze; temporärt wage pause, pay pause

lönesänkning *s* (~en, ~ar) pay cut

lönetillägg *s* (~et, =) wage (resp. salary, pay) increment

löneuppgift *s* (~en, ~er) wage (resp. salary) statement

löneökning *s* (~en, ~ar) pay increase

löning *s* (~en, ~ar) vard. pay (endast sg.); *få ~* get one's pay

lönlös *adj* (~t) gagnlös useless, futile; fruktlös fruitless; *det är ~t att göra det* it is no use (good) doing it; *det ~a i att* + inf. the uselessness (futility) of + ing-form

lönn *s* **1** (~en) bot. maple[-tree] **2** (~en) virke maple[wood]

lönndom *s* (oböjl.), *i ~* clandestinely, secretly, in secret

lönndörr *s* (~en, ~ar) secret (hidden) door

lönnfack *s* (~et, =) secret (hidden) compartment

lönnfet *adj* (-fett) ung. flabby

lönngång *s* (~en, ~ar) secret (hidden) passage

lönnkrog *s* (~en, ~ar) illicit liquor shop, illicit drinking club; amer., förr speakeasy, gin mill

lönnmord *s* (~et, =) assassination

lönnmördare *s* (~n, =) assassin
lönsam *adj* (~t, ~ma) profitable
lönsamhet *s* (~en) profitability
lönsparande *s* (~t) sparform salary-savings system, save as you earn
lönt *adj* (oböjl.), *det är inte ~ att försöka* it is no use (no good) trying
löntagare *s* (~n, =) wage earner, salary earner; jfr *lön*; anställd employee
löntagarfond *s* (~en, ~er) employee fund, wage-earners' investment fund
löpa I *vb itr* o. *vb tr* (löpte, löpt) eg. el. bildl. run; sträcka sig äv. extend; om stig o.d. äv. go; ~ *ett lopp* (*varv*) run a race (a lap); *lånet löper med 10 % ränta* the loan carries (bears) interest at 10%; *låta ngn ~* let sb go; *låta tankarna ~* [*i väg*] let one's thoughts run on **II** *vb itr* (löpte, löpt) vara brunstig om hona be on (in) heat **III** med beton. part.
löpa ihop (**samman**) converge
löpa ut om avtal, tid o.d. run out, expire
löpande *adj* (oböjl.) regelbundet återkommande running; fortlöpande current; [*på*] ~ *band* se under *band 1*; *i ~ följd* in consecutive order, consecutively; ~ *utgifter* running (current, working) expenses; ~ *ärenden* current (routine) business sg. (matters)
löparbana *s* (~n, -banor) [running] track
löpare *s* (~n, =) **1** sport. runner; jfr *häcklöpare* m.fl. **2** schack. bishop **3** duk runner **4** byggn. stretcher
löpband *s* (~et, =) treadmill
löpe *s* (~t) rennet
löpeld *s* (~en, ~ar), [*sprida sig*] *som en* ~ [spread] like wildfire
löpknut *s* (~en, ~ar) [running] noose
löpmage *s* (~n, -magar) zool. fourth stomach; vetensk. abomas|um (pl. -a)
löpmaska *s* (~n, -maskor) ladder, run
löpning *s* (~en, ~ar) **1** sport.: löpande running; lopp run; tävling race **2** mus. run
löpsedel *s* (~n, -sedlar) [newspaper] placard, [news]bill; i radio programme parade
löpsk *adj* (~t), *vara* ~ om t.ex. honkatt be on (in) heat
löptid *s* (~en, ~er) **1** hand., allm. currency, duration (båda endast sg.); särskilt i fråga om lån äv. life[time] **2** brunsttid mating season
lördag *s* (~en, ~ar) Saturday; jfr äv. *fredag* för ex. o. sammansättn.
lördagsbilaga *s* (~n, -bilagor) Saturday supplement
lördagsgodis *s* (~et) Saturday sweets pl. (amer. candy)
lös I *adj* (~t) (jfr äv. resp. huvudord) **1** inte fastsittande el. bunden, fri loose; inte fäst äv. unattached, unfixed; otjudrad untethered; löstagbar detachable; rörlig äv. movable; separat, enstaka äv. separate, single; *~a delar* reservdelar spare parts; *en ~ hund* a dog off the leash; *gå ~* fri be at large; om djur i betydelsen 'röra sig fritt' roam freely; *ha en ~ tand* have a loose tooth; *vara ~* hålla på att lossna be coming off (coming loose); ha lossnat be off (loose); *ha pengar[na] ~a i fickan* have (carry) one's money in one's pocket **2** inte hård el. fast, inte spänd loose; slapp äv. slack; mjuk äv. soft; rinnande running; vard. runny; ägget *är för ~t* ...is too soft[-boiled] **3** friare el. i div. uttr.: om ammunition o.d. blank; om förmodan, påstående, rykte o.d. baseless, groundless,

unfounded; vag vague; *på ~a grunder* on flimsy grounds; *~t prat* idle talk (chatter), gossip; köpa en vara *i ~ vikt* se *lösvikt* **II** *adv*, *gå ~ på* angripa *ngn* (*ngt*) attack sb (sth), go for sb (go at sth)
lösa I *vb tr* (löste, löst) **1** från förpliktelser o.d. release, set...free; befria äv. liberate **2** lossa [på] loose; ~ [*upp*] loosen äv. verka lösande; knut o.d. äv. undo, untie; håret let (take) down **3** upplösa: ~ [*upp*] i vätska dissolve; i beståndsdelar disintegrate **4** finna lösningen på, klara upp: problem o.d. solve; konflikt o.d. vanl. settle; matematiska problem äv. work out; ~ *korsord* solve (do) crosswords **5** biljett o.d. take, pay for; köpa buy; ~ skaffa sig *licens* take [out] a licence (amer. license); ~ *in* check (om bank) pay; ~ *ut* a) post., hämta ut get...out [at the post office] b) delägare, o.d. buy...off c) pant redeem
II *vb rfl* (löste, löst) ~ [*upp*] *sig* a) i vätska dissolve, be dissolvable b) ordna sig, *det löser sig* it will be okay (alright); ~ *sig* [*av sig*] *själv* solve itself
lösaktig *adj* (~t) loose, dissolute
lösaktighet *s* (~en) [moral] looseness (laxity), loose living
lösbladssystem *s* (~et, =) loose-leaf system
lösdrivare *s* (~n, =) vagrant
lösegendom *s* (~en, ~ar) personal property (estate), personalty
lösen *s* (=, en) **1** lösesumma ransom; post. surcharge; *begära ~ för ngn* hold sb to ransom **2** lösenord, paroll watchword, password; mil. äv. countersign; *...är tidens ~* ...the order of the day
lösenord *s* (~et, =) data. password
lösesumma *s* (~n, -summor) ransom
lösgom *s* (~men, ~mar) tandläk. [dental] plate
lösgöra I *vb tr* (-gjorde, -gjort) lösa, släppa lös set...free, let...loose; befria release; ta loss detach, unfasten, unfix, disengage; kapital o.d. free, liberate **II** *vb rfl* (-gjorde, -gjort), ~ *sig* eg. set oneself free, loosen oneself; bildl. release oneself
löskoka *vb tr* (~de, ~t) ägg boil...lightly
löskokt *adj* (=) soft-boiled, lightly boiled
löslig *adj* (~t) **1** i vätska soluble, dissolvable **2** löst grundad, vag vague
lösmynt *adj* (=), *vara* ~ skvalleraktig have a loose tongue, be a gossip
lösning *s* (~en, ~ar) **1** av problem o.d. solution [*av, på* of]; av fråga äv. settlement [*av* of]; av gåta äv. key [*av, på to*] **2** vätska solution
lösningsmedel *s* (-medlet, =) solvent
lösnummer *s* (-numret, =) single copy
lösnummerpris *s* (~et, = el. ~er) price per [single] copy
lösnäsa *s* (~n, -näsor) false nose
lösryckt *adj* (=) fristående (om ord o.d.) disconnected, isolated; *~a citat* quotations out of context
lösskägg *s* (~et, =) false beard
lössläppt *adj* (=) fri, ohämmad licentious; uppsluppen wild, abandoned; otyglad unbridled
lössnö *s* (~n) loose snow
lössnöåkning *s* (~en, ~ar) skidsport. off-piste skiing; vard. powder skiing
löst *adv* allm. loosely; lätt lightly; obestämt vaguely; helt apropå casually, idly; *ett ~ framkastat förslag* a chance (haphazard) proposal; *vara ~ knuten till...* be loosely bound up with...; *gå ~ på* ett stort belopp

run into (up to)...; *sitta* ~ eg. be (om kläder fit) loose; bildl. be none too secure

löstagbar *adj* (~t) detachable

löständer *s pl* false teeth, dentures

lösvikt *s* (oböjl.), köpa en vara *i* ~ ...loose, ...by weight

lösögonfransar *s pl* false eyelashes

lösöre *s* (~t, ~n) se *lösegendom*

löv *s* (~et, =) leaf (pl. leaves); koll. leaves pl.

löva *vb tr* (~de, ~t) decorate...with branches (...with leafy branches)

lövas *vb itr dep* (lövades, lövats) leaf, leave, come into leaf

lövbiff *s* (~en, ~ar) kok., ung. minute steak

lövfällning *s* (~en, ~ar) defoliation; *~en har börjat* the leaves have begun to fall

lövgroda *s* (~n, -grodor) zool. tree frog

lövkoja *s* (~n, -kojor) bot. stock

lövruska *s* (~n, -ruskor) branch [with its leaves on]

lövskog *s* (~en, ~ar) ung. deciduous forest

lövsprickning *s* (~en, ~ar) leafing; *i ~en* when the trees are leafing (coming into leaf)

lövsåg *s* (~en, ~ar) fretsaw

lövsångare *s* (~n, =) zool. willow warbler, willow wren

lövträ *s* (~et) hardwood

lövträd *s* (~et, =) broad-leaf (årligen lövfällande deciduous) tree

lövtunn *adj* (-tunt) wafer-thin, paper-thin

lövverk *s* (~et, =) foliage

m *s* **1** (m:et, m) bokstav m [utt. em] **2** (förk. för *meter*) m

Maastrichtfördraget Unionsfördraget the Maastricht Treaty

macho *s* (~n, ~r el. ~s) macho (pl. -s)

machtal *s* (~et, =) flyg. Mach [number]

mack *s* (~en, ~ar) bensinmack filling (service, petrol) station, amer. äv. gas station; med verkstad ofta garage

macka *s* (~n, mackor) vard., se *smörgås*

Madagaskar Madagascar

madam *s* (~men, ~mer) åld. som titel Mrs; kvinna woman

Madeira geogr. Madeira

madeira *s* (~n) vin Madeira

madonna *s* (~n, madonnor) Madonna

madonnabild *s* (~en, ~er) [picture of the] Madonna

madonnalik *adj* (~t) Madonna-like

madrass *s* (~en, ~er) mattress

madrassera *vb tr* (~de, ~t) pad; *~d* vägg, cell padded...

Madrid Madrid

maffia *s* (~n, maffior) Mafia, Maffia äv. bildl.

maffig *adj* (~t) vard. smashing, wicked; *en* [*stor och*] *~ glass* a nice [big] ice cream

magasin *s* (~et, =) **1** förrådshus storehouse; lager el. möbelmagasin warehouse **2** på skjutvapen magazine **3** tidskrift el. tv-program magazine

magasinera *vb tr* (~de, ~t) store [up]; hand. warehouse

magasinering *s* (~en, ~ar) storage

magasinsprogram *s* (~met, =) TV. magazine

magbesvär *s* (~et, =), *ha ~* have stomach trouble (tillfälligt an upset stomach)

magblödning *s* (~en, ~ar) gastric haemorrhage

magcancer *s* (~n) stomach cancer, cancer of the stomach

magdans *s* (~en, ~er) belly dance

magdansös *s* (~en, ~er) belly dancer

mage *s* (~n, magar) stomach; vard. belly, tummy äv. barnspr.; anat. abdomen; matsmältning digestion; *ha* [*stor*] *~* vanl. be paunchy (potbellied); *ha känslig ~* have a weak stomach; *hans ~ krånglar* his stomach is (ständigt gets) upset; *ha ont i ~n* have a pain in one's stomach, have a stomach-ache (vard. a belly-ache); *vara hård* (*trög*) *i ~n* be constipated; *vara lös i ~n* have loose bowels, have diarrhoea; *ligga på ~n* vanl. lie on one's face; *ha ~ att...* + inf. have the cheek (the nerve) to... + inf.

mager *adj* (~t, magra) inte fet, allm. lean; smal (om person o. kroppsdelar) vanl. thin; vard. skinny; bildl. vanl. meagre; knapp (om t.ex. inkomst, lön) äv. scanty; klen, dålig (om t.ex. tröst, resultat) äv. poor; *~ jord* poor (meagre) soil; *~* halvfet *ost* low-fat cheese; *bli ~* se *magra*

magerlagd *adj* (-lagt) [somewhat] thin, ...inclined to thinness

maggrop *s* (~en, ~ar) pit of the stomach

maggördel *s* (~n, -gördlar) **1** skärp cummerbund, abdominal belt **2** på cigarr band

magi *s* (~n) magic; ***svart*** ~ black magic

magiker *s* (~n, =) magician

maginfluensa *s* (~n, -influensor) gastric influenza

magisk *adj* (~t) magic

magister *s* (~n, magistrar) **1** lärare schoolmaster
2 *filosofie* ~ se under *filosofie*

magkatarr *s* (~en, ~er) gastric catarrh, gastritis
(endast sg.)

magknip *s* (~et), ***ha*** ~ have a stomach-ache (a
belly-ache, the gripes)

magkänsla *s* (~n, -känslor) gut feeling

magma *s* (~n, magmor) geol. magma (pl. magmas el.
magmata)

magmun *s* (~nen, ~nar) anat. orifice of the stomach

magnat *s* (~en, ~er) magnate

magnesium *s* (~et el. magnesiet el. =) kem. magnesium

magnet *s* (~en, ~er) magnet

magnetband *s* (~et, =) magnetic tape

magnetfält *s* (~et, =) fys. magnetic field

magnetisera *vb tr* (~de, ~t) magnetize

magnetisk *adj* (~t) magnetic; bildl. äv. magnetical; ~
resonanstomografi (förk. *MRT*) med. magnetic
resonance imaging (förk. MRI)

magnetism *s* (~en) magnetism

magnetkamera *s* (~n, -kameror) med., för magnetisk
resonanstomografi magnetic resonance imaging
scanner (förk. MRI scanner)

magnetnål *s* (~en, ~ar) magnetic needle

magnifik *adj* (~t) magnificent, splendid

magnitud *s* (~en, ~er) astron. el. geogr. magnitude

magnolia *s* (~n, magnolior) bot. magnolia

magnumbutelj *s* (~en, ~er) magnum

magont *s* (oböjl., ett) stomach-ache; ***jag har*** ~ I've got
[a] stomach-ache

magplask *s* (-et, =) belly flop; bildl. fiasco

magpumpa *vb tr* (~de, ~t), ~ ***ngn*** pump out sb's
stomach

magpumpning *s* (-en, ~ar), ***göra en*** ~ se *magpumpa*

magra *vb itr* (~de, ~t) become (grow, get) thin[ner]
(om djur lean[er]), lose flesh; bli avtärd become
emaciated; banta slim; ~ 2 kilo lose…in weight

magsaft *s* (~en, ~er) gastric juice

magsjuk *adj* (~t), ***vara*** ~ have an upset stomach,
suffer from a stomach disease

magsköljning *s* (~en, ~ar) gastric lavage fr.

magstark *adj* (~t), ***det var ~t!*** that's a bit thick
(steep)!

magsyra *s* (~n, -syror) acidity of the stomach

magsår *s* (~et, =) gastric ulcer

magsäck *s* (~en, ~ar) stomach

magtrakt *s* (~en, ~er), ***~en*** the abdominal region

magväska *s* (~n, -väskor) bum bag, amer. fanny pack

magåkomma *s* (~n, -åkommor) stomach complaint

maharadja *s* (~n, maharadjor) indisk furste maharaja[h]

mahjong *s* (~en) sällskapsspel mah-jong

mahogny *s* (~n) mahogany; ***möbler av*** ~ attr. äv.
mahogany…; för sammansättn. jfr äv. *björk-*

mail *s* (~et, =) email

maila *vb tr* (~de, ~t), ~ ***ngt till ngn*** email sth to sb

maj *s* (oböjl., en) May; för ex. jfr *april* o. *femte;* ***första*** ~
äv. May Day

majblomma *s* (~n, -blommor) May-Day flower, small
artificial flower [sold for charity and] worn on May Day

majestät *s* (~et, = el. ~er) majesty; ***Ers*** ~ Your
Majesty med predikatet i 3:e person sg.

majestätisk *adj* (~t) majestic; friare (t.ex. om träd)
stately

majestätsbrott *s* (~et, =) lese-majesty (endast sg.); ***ett***
~ a case of lese-majesty

majonnäs *s* (~en, ~er) mayonnaise

major *s* (~en, ~er) major; inom flyget i Storbr. squadron
leader

majoritet *s* (~en, ~er) majority; ***absolut*** ~ absolute
(clear, overall) majority; ***enkel*** ~ a simple (an
ordinary) majority; ***[en] kompakt*** ~ a solid
majority; ***den tysta ~en*** the silent majority; ***få (ha)*** ~
get (have) a majority; ***komma i*** ~ gain a majority;
vara i ~ be in the (a) majority; ***med tio rösters*** ~ by a
majority of ten

majoritetsbeslut *s* (~et, =) majority resolution,
decision by (of) a (resp. the) majority

majoritetsparti *s* (~et, ~er) majority party

majs *s* (~en) spec. bot. maize; spec. kok. sweetcorn;
amer. [sweet]corn; som foder och för dekoration Indian
corn

majskolv *s* (~en, ~ar) corncob; ax äv. ear of maize;
~ar som maträtt corn on the cob sg.

majskorn *s* (~et, =) grain of maize etc., jfr *majs*

majsmjöl *s* (~et) maize meal, corn flour

majsolja *s* (~n, -oljor) maize oil

majstång *s* (~en, -stänger) maypole

mak *s* (oböjl.), gå i ***sakta*** ~ …at an easy (a leisurely)
pace, …at an amble

1 maka *s* (~n, makor) wife; speciellt jur. el. åld. spouse;
hans [äkta] ~ his [wedded] wife

2 maka I *vb tr* o. *vb itr* (~de, ~t), ~ ***på ngt*** flytta undan
remove sth; ~ ***[på] sig*** move [one's position]
II med beton. part.
  maka ihop put (pull)…together; ~ ***ihop sig*** move
  (press) closer together
  maka undan move away
  maka åt sig lämna plats make room [*för* for]

makaber *adj* (~t, makabra) macabre, gruesome

makadam *s* (~en el. ~men) macadam, [road] metal

makalös *adj* (~t) matchless, peerless; ojämförlig
incomparable; exempellös unparalleled

makaroner *s pl* o. **makaroni** *s pl* koll. macaroni sg.

makaronipudding *s* (~en, ~ar) macaroni pudding

make *s* (~n, makar) **1** i äktenskap **a)** man, ***[äkta]*** ~
husband; speciellt jur. el. åld. spouse **b)** part party to
the marriage, spouse; ***äkta makar*** husband and wife
2 en av ett par fellow; ***~n till den här handsken*** ofta the
other glove [of this pair] **3** motstycke, like match,
equal, like; ***jag har väl (då) aldrig hört (sett) på ~n!***
well, I never!

Makedonien Macedonia; ***f.d. jugoslaviska republiken***
~ the Former Yugoslav Republic of Macedonia

makedonier *s* (~n, =) Macedonian

makedonisk *adj* (~t) o. **makedonsk** *adj* (~t)
Macedonian

makedonska 1 (~n, makedonskor) kvinna
Macedonian woman **2** (~n) språk Macedonian

makeup *s* (~en, ~er) make-up; ***göra*** ~ make up, put
on make-up

maklig *adj* (~t) bekväm easy-going; långsam, sävlig
slow, leisurely

makrill *s* (~en, ~ar) mackerel

makrokosmos *s* (oböjl.) universum macrocosm

makt *s* (~en, ~er) allm. power äv. stat; i högre stil äv.
might; drivande kraft, våld force; herravälde dominion;

[laglig] myndighet authority; **~ens korridorer** the corridors of power; **vanans ~** [the] force of habit; **vädrets ~er** var onådiga the weather gods…; **milda ~er!** good gracious!; **kunskap är ~** knowledge is power; **få ~ över** obtain (get) power over, gain (obtain) ascendancy over; om känsla o.d. take possession of; **överväldiga** get the better of, overwhelm; **ha ~ att** + inf. have power (authority, full powers) to + inf.; **ha** utöva **~en** be in authority; **ha ~en** [**i sin hand**] be in power; **ha stor ~** possess great power, be powerful; **sätta ~ bakom orden** back up one's words by force; om han skulle **ta ~en** …seize power

föregånget av prep.: **ha ngn i sin ~** have sb in one's power (at one's mercy); **ha ordet i sin ~** be eloquent, be a good speaker; **det står inte i min ~ att** + inf. it is not in (is beyond, is out of) my power to + inf.; **vi gjorde allt som stod i vår** (**i mänsklig**) **~** we did all that was humanly possible; **komma till ~en** come (get) into power (parl. äv. office); **vara** (**sitta**) **vid ~en** be in (hold) power

maktapparat s (~en, ~er) machinery of power
maktbalans s (~en, ~er) balance of power
maktbegär s (~et, =) lust for power
maktfaktor s (~n, ~er) powerful factor, force; **han är en ~ inom politiken** he is a power in politics
maktfullkomlig adj (~t) diktatorisk dictatorial; enväldig autocratic
maktfullkomlighet s (~en) dictatorialness; maktfullkomligt sätt autocratic ways pl. (attitude)
maktgalen adj (-galet, -galna) power-mad, power-crazy
makthavande s (en ~, pl. =), **de ~** those in power, the powers that be
makthavare s pl, **makthavarna** those in power, the powers that be
maktkamp s (~en, ~er) struggle for power, power struggle
maktlysten adj (-lystet, -lystna) power-seeking, …ambitious (greedy) for power, power-hungry
maktlystnad s (~en) lust (thirst, hunger) for power
maktlös adj (~t) powerless, impotent; **stå** (**vara**) **~** be powerless [emot ngt against (in the face of) sth]; polisen **stod ~** äv. …could do nothing
maktlöshet s (~en) powerlessness, impotence
maktmedel s pl force sg., forcible means; resurser resources; **tillgripa** (**använda**) **~** use (employ) force
maktmissbruk s (~et) abuse of power
maktpolitik s (~en) power politics pl.
maktposition s (~en, ~er) position of power (authority)
maktskifte s (~t, ~n) transfer of power
maktspel s (~et, =), **~et** the power game
maktspråk s (~et) dictatorial language; **begagna ~** resort to the language of force
maktställning s (~en, ~ar) dominating (powerful) position
maktutövning s (~en) exercise (wielding) of power
maktövertagande s (~t, ~n) assumption (seizure) of power, takeover
makulatur s (~en) pappersavfall waste paper
makulera vb tr (~de, ~t) göra ogiltig: t.ex. dokument cancel, invalidate, obliterate; frimärken o.d. deface; kassera (t.ex. trycksaker, bokupplaga) destroy

makulering s (~en, ~ar) cancellation, invalidation; obliteration; defacement; destruction; jfr **makulera**
1 mal s (~en, ~ar) insekt moth
2 mal s (~en, ~ar) fisk [freshwater] catfish, sheatfish
mala vb tr o. vb itr (malde, malt) **1** säd, kaffe o.d. grind [till mjöl into…]; säd äv. mill; kött vanl. mince; **~ sönder** grind; framför allt bildl. äv. crumble, crush **2 ~** [**på**] om tjatigt upprepa **ngt** keep on repeating sth; **tankarna malde och malde** i mitt huvud my thoughts kept going round and round (kept on revolving)…
malaj s (~en, ~er) **1** medlem av folkslag Malay[an] **2** mil., ung. C 3 man
malajisk adj (~t) Malayan; attr. äv. Malay
malaria s (~n) malaria
Malawi Malawi
Malaysia Malaysia
malaysisk adj (~t) Malaysian
Maldiverna s pl öarna the Maldives, the Maldive Islands
maldivisk adj (~t) Maldivian
Mali Mali
maliciös adj (~t) malicious
malign adj (~t) malignant
malisk adj (~t) Malian
malkula s (~n, -kulor) mothball, camphor ball
mall s (~en, ~ar) modell, mönster pattern äv. rit~, model; schablon templet, template
mallig adj (~t) stuck-up, cocky, snooty
Mallorca Majorca
malm s (~en, ~er) **1** miner. ore; bruten rock **2** legering bronze
malmbrytning s (~en) ore-mining
malmfyndighet s (~en, ~er) ore deposit
malmfält s (~et, =) ore-field
malmåder s (~n, -ådror) lode [of ore]
malning s (~en, ~ar) grinding osv., jfr **mala 1**
malplacerad adj (-placerat, ~e) opassande inappropriate; oläglig ill-timed; **vara ~** ofta be out of place
malpåse s (~n, -påsar) mothproof bag; ligga (läggas) **i ~** bildl. …in mothballs
malström s (~men, ~mar) whirlpool, maelstrom äv. bildl.
malt s (~en el. ~et) malt
Malta Malta; **ris à la ~** kok. cold creamed rice
maltdryck s (~en, ~er) malt liquor
maltes s (~en, ~er) o. **maltesare** s (~n, =) Maltese (pl. lika)
malteser s (~n, =) hundras Maltese
malteserkors s (~et, =) Maltese cross äv. tekn.
maltesisk adj (~t) Maltese
maltesiska s **1** (~n, maltesiskor) kvinna Maltese woman **2** (~n) språk Maltese
malva s (~n, malvor) bot. mallow; färg mauve
malvafärgad adj (-färgat, ~e) mauve[-coloured]
maläten adj (-ätet, -ätna) **1** moth-eaten äv. bildl., mothy **2** luggsliten shabby
malör s (~en, ~er) mishap, misfortune
malört s (~en) wormwood; amer. äv. sagebrush; **blanda ~ i glädjebägaren** [**för ngn**] mar sb's happiness (joy)
mamelucker s pl damunderbyxor directoire knickers, pantalettes
mamma s (~n, mammor) mother [till of]; jfr **mor**; vard. ma, mum, amer. mom, ma; barnspr. mummy,

amer. mommy; **leka ~, pappa, barn** play mothers and fathers, play house

mammaklänning s (~en, -klänningar) maternity dress (gown)

mammaledig adj (~t), **vara ~** be on maternity leave

mammaledighet s (~en, ~er) maternity leave; **ha ~** be on maternity leave

mammig adj (~t) vard., **vara ~** om barn hang around one's mother's skirts, be tied to one's mother's apron-strings

mammografi s (~n, ~er) med. mammography

mammon s (oböjl., en) mammon; **den snöda ~** filthy lucre

mammut s (~en, ~ar) mammoth äv. bildl.

1 man s (~en, ~ar) hästman o.d. mane äv. friare

2 man s (~nen, män) **1** allm. man (pl. men); besättningsman, arbetare hand; **män** statistik. o.d. males; en styrka **på fyrtio ~** mil. ...of forty men; **10 000 ~** mil. äv. 10,000 troops; **alle ~ på däck!** all hands on deck!; **~ över bord!** man overboard!; **gemene ~** ordinary people pl., the common man, the man in the street; **hans närmaste ~** his right-hand man, his right hand; **tredje ~** jur. third party; **[alla] som en ~** samtliga [all] to a man, one and all; **det ska jag bli ~ för!** I'll see to that!; **gå under med ~ och allt** go down with all hands; **kämpa ~ mot ~** fight man to man; **per ~** per person, per (a) head, per man, each; **lite till ~s** se ex. under **lite 2 2** make husband; **bli ~ och hustru** ...man and wife; **hennes blivande ~** her future husband

3 man indef pron **a)** den talande inbegripen (ofta tillsammans med den tilltalade) one; 'vi', ibland we **b)** [spec.] den tilltalade inbegripen (spec. i talspr., anvisningar o.d.) you **c)** 'folk' people; 'de' they; 'någon' someone resp. anyone **d)** återges ofta genom passiv el. opers. konstruktion, jfr ex.; **vad ska ~ göra?** what is one to do?; **så får ~ inte göra** you mustn't do that; **så gör ~ [bara] inte** that [simply] isn't done; **vet aldrig** vad som kan hända you never know (one never knows, there is no knowing)...; **hur kan ~ vara så dum?** how can anyone be so stupid?; **i Frankrike (här i Sverige) dricker ~** mer kaffe än te in France they drink ([here] in Sweden we drink)...; **förr trodde ~** att jorden var platt people used to think (it was formerly thought) that...; **som ~ säger** as the saying goes, as they say; **~ har inte lyckats hitta någon förklaring [till saken]** it has not been possible to explain the matter; **ser ~ på!** well, well!; well!, I never!

mana vb tr (~de, ~t) uppmana exhort; pådriva urge; egga incite; uppfordra call upon; **känna sig ~d** feel called upon (prompted); **detta ~r till efterföljd** this invites imitation; **~ på** driva på urge on

manager s (~n, =) manager; teat. o.d. äv. impresario (pl. -s), publicity agent

manbyggnad s (~en, ~er) manor house; på bondgård farmhouse

manchester s (~n) corduroy; ofta om plagg cord

manchesterbyxor s pl cords

manchestersammet s (~en) corduroy; ofta om plagg cord

Manchuriet Manchuria

mandarin s (~en, ~er) **1** kinesisk ämbetsman mandarin **2** frukt tangerine, mandarin [orange]

mandat s (~et, =) uppdrag commission, task; fullmakt authorization, authority; från organisation o.d.

mandate; riksdagsmans: säte seat, mandattid term of office; folkrättsligt mandate; **besätta** (**ta**) **5 ~** get 5 seats

mandatperiod s (~en, ~er) polit. term of office

mandel s (~n, mandlar) **1** bot. almond **2** anat. tonsil

mandelbiskvi s (~n, ~er) ung. macaroon

mandelblom s (~men) mandelträdsblom koll. almond blossoms pl.

mandelblomma s (~n, -blommor) stenbräcka meadow saxifrage

mandelformad adj (-format, ~e) almond-shaped; **ha mandelformade ögon** be almond-eyed

mandelmassa s (~n) almond paste, marzipan

mandelolja s (~n, -oljor) almond oil

mandelspån s (~et, =) koll. almond flakes pl., flaked almonds pl.

mandelträd s (~et, =) almond[-tree]

mandolin s (~en, ~er) mandolin[e]

mandom s (~en) manhood

mandomsprov s (~et, =) trial (test) of manhood, manhood test

mandrill s (~en, ~er) zool. mandrill

manege s (~n, ~r) ridbana ring

maner s (~et, =) o. **manér** s (~et, =) **1** sätt manner, fashion; stil style; **ha fina ~** ...fine (good) manners **2** förkonstling mannerism

manet s (~en, ~er) jellyfish

manfall s (~et, =), **det blev stort ~** i strid there were a great many [men etc.] killed, there were heavy losses; i examen a great many failed

manfolk s (~et, =) koll. men pl.; **~et** i byn o.d. äv. the menfolk pl.

manga s (~n) japansk serieteckningstradition manga

mangan s (~et) kem. manganese

mangel s (~n, manglar) mangle

mangelfri adj (-fritt) non-crease

mangla vb tr (~de, ~t) tvätt o.d. mangle; guld o.d. beat, hammer

mangling s (~en, ~ar) mangling; **~[ar]** bildl., ung. tough (protracted) negotiations pl.

mango s (~n, ~r el. =) frukt el. träd mango (pl. -s el. -es)

mangold s (~en) bot. [Swiss] chard, whitebeet

mangrann adj (-grant), **det var en ~ uppslutning vid mötet** people came in full force to (everyone turned up at) the meeting

mangrant adv in full numbers (force), to a man; **de infann sig ~** äv. every one of them turned up

mangrove s (~n) bot. mangrove

manhaftig adj (~t) karlaktig manly; om kvinna masculine, mannish

mani s (~n, ~er) mania; friare äv. craze [på for; [på] **att** + inf. for + ing-form]

manick s (~en, ~er) vard. gadget, thingamy, doodah

maniererad adj (maniererat, ~e) mannered, affected

manifest I s (~et, =) polit. o.d. manifesto (pl. -s) **II** adj (=) manifest, obvious

manifestation s (~en, ~er) manifestation

manifestera vb tr (~de, ~t) manifest; visa tydliga tecken på display, evince; **~ sig** ta sig uttryck manifest (show) itself

manikyr s (~en) manicure; **få ~** have a manicure

manikyrist s (~en, ~er) manicurist, manicure

maning s (~en, ~ar) uppmaning exhortation; t.ex. hjärtats prompting; vädjan appeal

manipulation s (~en, ~er) manipulation; bildl. äv. device, trick

manipulera vb tr o. vb itr (~de, ~t), ~ [**med**] manipulate; ~ **med** mixtra med äv. tamper with; göra fuffens med juggle with; t.ex. räkenskaper äv. cook, doctor

manisk adj (~t) manic

manke s (~n, mankar) withers pl.; **lägga ~n till** put one's back into it, put one's shoulder to the wheel

mankemang s (~et, =) fel [vid utförandet] fault; allt gick **utan ~** ...without a hitch

mankön s (~et, =) male sex; **av ~** of [the] male sex

manlig adj (~t) av mankön male; typisk för en man masculine, male; spec. om goda egenskaper manly; viril virile; modig manful; avsedd för män, t.ex. klubb men's endast attr.; **~a arvingar** male issue sg.; **~a yrken** male occupations

manlighet s (~en, ~er) masculinity, manliness, virility, jfr **manlig**

manna s (~n el. ~t) bildl. el. bot. el. bibl. manna

mannagryn s pl (~et, =) semolina sg.

mannagrynsgröt s (~en) semolina pudding

manneminne s (oböjl.), **i ~** within living memory

mannekäng s (~en, ~er) model; åld. mannequin

mannekänga vb itr (~de, ~t) vard. model, be a (work as a) model

mannekänguppvisning s (~en, ~ar) fashion show

manodepressiv adj (~t) psykol. manic-depressive

manometer s (~n, -metrar) fys. manometer, pressure gauge (amer. gage)

manschauvinism s (~en) male chauvinism, machismo

manschauvinist s (~en, ~er) male chauvinist

manschett s (~en, ~er) cuff; tekn. sleeve; ljusmanschett candle ring, candle-drip; **darra på ~en** bildl. shake in one's shoes

manschettknapp s (~en, ~ar) cuff link

mansgris s (~en, ~ar) vard., [**mullig**] ~ male chauvinist pig (förk. MCP)

manshög adj (~t) ...as tall as a man; **~t gräs** grass tall enough to hide a man

manskap s (~et, =) koll. men pl.; sjö. äv. crew, hands pl., ship's company

manskläder s pl men's (resp. a man's) clothes (clothing sg.); **en kvinna i ~** a woman dressed up as a man (in a man's clothes)

manskör s (~en, ~er) male [voice] choir, men's choir

manslem s (~men, ~mar) pen|is (pl. vanl. -es), male organ (member)

manslukerska s (~n, -slukerskor) man-eater, vamp

mansnamn s (~et, =) male name, man's name (pl. men's names)

mansperson s (~en, ~er) man (pl. men), male

mansroll s (~en, ~er) man's role (pl. men's roles)

mansrörelse s (~n, -rörelser) men's movement

mansröst s (~en, ~er) male voice

manssamhälle s (~t, ~n) male-governed (male-dominated) society

manstark adj (~t) strong in number[s]

mansålder s (~n, -åldrar) generation

mantalslängd s (~en, ~er) register (schedule) of population

mantalsskriva I vb tr (-skrev, -skrivit), **~ ngn** register sb [for census purposes] II vb rfl (-skrev, -skrivit), **~ sig** register [for census purposes]

mantalsskriven adj (-skrivet, -skrivna), **~ i** Stockholm registered (domiciled) in...

mantalsskrivning s (~en, ~ar) [residential] registration [for census purposes]

mantel s (~n, mantlar) **1** plagg cloak; kungamantel o.d. el. bildl. mantle; **ta upp ngns fallna ~** step into sb's shoes, take over from one's predecessor **2** tekn. jacket; kulas äv. envelope

mantilj s (~en, ~er) spansk sjal mantilla

mantimme s (~n, -timmar) man-hour (pl. man-hours)

mantlad adj (mantlat, ~e) tekn. jacketed

mantra s (~t, ~n) relig. el. friare mantra

mantåg s (~et, =) sjö. man-rope

manual s (~en, ~er) handbok el. mus. manual

manuell adj (~t) manual

manufakturaffär s (~en, ~er) draper's shop; amer. dry goods store

manus s (~et, =) MS (pl. MSS); **titta i ~** ...in the MS; se vidare **manuskript**

manuskript s (~et, =) manuscript [till of]; maskinskrivet äv. typescript; typogr. äv. copy; film~ o.d. script

manår s (~et, =) man-year (pl. man-years)

manöver s (~n, manövrer el. manövrar) **1** allm. manoeuvre, amer. maneuver (båda äv. bildl.); truppförflyttning äv. movement; serie övningar, t.ex. fältmanöver manoeuvre exercise, manoeuvres pl.; knep äv. trick, stratagem; [serie] handgrepp operation **2** **~!** mil. [stand] at ease!

manöverpanel s (~en, ~er) control panel

manövrera vb tr o. vb itr (~de, ~t) manoeuvre, amer. maneuver (båda äv. bildl.); fartyg o.d. äv. steer; friare: sköta handle, manage; tekn., styra, reglera control; sätta (hålla) i funktion operate, work; **~ bort** (**ut**) **ngn** outmanoeuvre (amer. outmaneuver) sb, jockey sb out [of his post (job etc.)]

manövrerbar adj (~t) manoeuvrable; amer. maneuverable

manövrering s (~en, ~ar) manövrerande manoeuvring; amer. maneuvering etc., jfr **manövrera**; **automatisk ~** automatic control

maoism s (~en) polit., **~[en]** Maoism

mapp s (~en, ~ar) **1** för handlingar folder; stor, t.ex. konstmapp portfolio (pl. -s); pärm file **2** data. folder

mara s (~n, maror) **1** nattmara nightmare äv. friare **2** vard., maraton marathon **3** vard., ragata bitch, cow, hag

maraton s (oböjl., ett) marathon

maratonlopp s (~et, =) marathon [race]

maratonlöpare s (~n, =) marathon runner

mardröm s (~men, ~mar) nightmare äv. bildl., bad dream

mareld s (~en) sea-fire

margarin s (~et, ~er) margarine; vard. marge

marginal s (~en, ~er) margin äv. hand. o.d. el. bildl.; **i ~en** in the margin; **med god** (**bred**) **~** by a comfortable (wide) margin; **med knapp ~** by a narrow margin

marginalanteckning s (~en, ~ar) marginal note

marginalisera vb tr (~de, ~t) marginalize

marginalskatt s (~en, ~er) marginal tax (rate, rate of tax)

marginell adj (~t) marginal

Maria som drottningnamn el. bibl. Mary; **jungfru ~** the Virgin Mary, the Holy (Blessed) Virgin [Mary]

Marie Bebådelsedag Annunciation [Day], Lady Day

marig *adj* (~t) vard., knivig, t.ex. om problem knotty; besvärlig, t.ex. om situation awkward, tricky, dicey; *ha det ~t* vard. have a nasty time of it

marijuana *s* (~n) marijuana, marihuana; sl. pot, ganja

marin I *s* (~en, ~er) mil. navy; *Marinen* i Sverige the Swedish Naval Forces pl. (Navy and Coast Artillery) **II** *adj* (~t) marine; mil. naval

marinad *s* (~en, ~er) kok. marinade

marinbiologi *s* (~n) marine biology

marinblå *adj* (-blått) navy blue; attr. äv. navy

marinera *vb tr* (~de, ~t) kok. marinate, pickle

marinmålning *s* (~en, ~ar) konkr. seascape

marinsoldat *s* (~en, ~er) marine

marinstab *s* (~en, ~er) naval staff

marionett *s* (~en, ~er) marionette, puppet äv. bildl.

marionetteater *s* (~n, -teatrar) puppet theatre (föreställning show)

1 mark *s* (~en, ~er) jordyta ground; jord[mån] soil; markområde land; åkerfält field; *~er* grounds; trakt, terräng äv. country sg.; ägor äv. domains; *ett stycke ~* a piece of land; *fast ~* firm ground äv. bildl.; *bryta ~* break ground äv. bildl.; *förlora (vinna) ~* bildl. lose (gain) ground; *jämna (bereda) ~en för* bildl. pave (prepare) the way for; *ta ~* land; om tennisboll o.d. äv. touch the ground; [ute] *i ~erna* in the countryside (the woods and fields); *jämna med ~en* raze (level) to the ground; *på klassisk (historisk) ~* on classical (historic) ground; *på svensk ~* on Swedish soil; *falla till ~en* fall to the ground; bildl. äv. fall flat, misfire

2 mark *s* (~en, =) hist., myntenhet mark

3 mark *s* (~en, ~er) spelmark counter

markant *adj* (=) påfallande marked, pronounced, sharp, striking; framträdande prominent

markatta *s* (~n, -kattor) **1** zool. guenon **2** vard., 'häxa' bitch

markbunden *adj* (-bundet, -bundna), *~ tv-kanal* terrestrial TV channel

markera *vb tr* (~de, ~t) **1** utmärka mark äv. vid skjutning; vid spel äv. score; pricka för put a mark against, tick off; data. select; staka ut, t.ex. bana, spelplan mark [out]; belägga sittplats o.d. reserve **2** antyda indicate **3** bildl. poängtera emphasize, stress; accentuate, draw attention to **4** sport., bevaka [motståndare] mark

markerad *adj* (markerat, ~e) allm. marked; utpräglad äv. pronounced

markering *s* (~en, ~ar) **1** marking; konkr. äv. mark; indication, indicating etc., jfr *markera* **2** tele. metre charge unit **3** data. selection

marketenteri *s* (~et, ~er) canteen; hist. sutlery

markförsvar *s* (~et, =) ground defence

markis *s* (~en, ~er) solskydd awning, sunblind

markkrig *s* (~et, =) ground war

marknad *s* (~en, ~er) **1** torg~ market; varumässa o.d. fair; *hålla ~* hold a fair **2** ekon. el. hand. market, marketplace; avsättningsområde äv. outlet; *köparens (säljarens) ~* buyers' (sellers') market; *på öppna ~en* in the open market

marknadsanalys *s* (~en, ~er) market analysis (pl. analyses)

marknadsandel *s* (~en, ~ar) market share, share of the market

marknadschef *s* (~en, ~er) marketing manager

Marknadsdomstolen the [Swedish] Market Court

marknadsekonomi *s* (~n, ~er) market economy

marknadsföra *vb tr* (-förde, -fört) market, put on (introduce into) the market

marknadsförare *s* (~n, =) marketing man (manager)

marknadsföring *s* (~en) marketing

marknadsintroduktion *s* (~en, ~er) börs. initial public offering (förk. IPO)

marknadskommunikation *s* (~en, ~er) marketing communications pl.

marknadsledare *s* (~n, =) hand. market leader

marknadsorienterad *adj* (-orienterat, ~e) market-oriented

marknadsplats *s* (~en, ~er) torg el. friare market

marknadspris *s* (~et, = el. ~er) hand. market price

marknadsstånd *s* (~et, =) market stall, fair booth

marknadsundersökning *s* (~en, ~ar) market research (endast sg.), market survey, market analysis (pl. analyses)

marknadsvärde *s* (~t, ~n) market (trade) value

markpersonal *s* (~en) flyg. ground staff (crew)

markstridskrafter *s pl* ground forces

marktjänst *s* (~en, ~er) flyg. ground service[s pl.]; vard., hemarbete daily housekeeping

Markus bibl. Mark; *evangelium enligt ~* the Gospel according to St. Mark

markvärdinna *s* (~n, -värdinnor) ground hostess

markägare *s* (~n, =) landowner, property owner

markör *s* (~en, ~er) marker äv. tekn. el. språkv.; data. cursor

marmelad *s* (~en, ~er) jam; av citrusfrukter marmalade; konfekt jelly fruits pl.

marmor *s* (~n) marble; bord *av ~* äv. marble...

marmorera *vb tr* (~de, ~t) marble; *~t papper* marble[d] paper

marmorskiva *s* (~n, -skivor) marble slab (på bord o.d. top); bord *med ~* marble-topped...

marockan *s* (~en, ~er) Moroccan

marockansk *adj* (~t) Moroccan

marockanska *s* (~n, marockanskor) kvinna Moroccan woman

Marocko Morocco

marodör *s* (~en, ~er) marauder

Mars astron. el. mytol. Mars

mars *s* (oböjl., en) månadsnamn March (förk. Mar.); för ex. jfr *april* o. *femte*

marsch I *s* (~en, ~er) march äv. mus.; *vara på ~* be on the march **II** *interj* march!; *framåt ~!* forward, march!; *höger och vänster om ~!* dismiss!; *på stället ~!* mark time!; *~ pannkaka!* vard. off you go at once!

marschall *s* (~en, ~er) ung. large, outdoor candle lit to welcome party guests, cresset

marschera *vb itr* (~de, ~t) march; *~ mot...* march towards (i fientligt syfte on)...; *det var raskt ~t* vard. that was quick (smart) work!; *~ in [i* el. *på]* march in[to]

marschfart *s* (~en, ~er) flyg. el. bil. o.d. cruising speed

marschorder *s* (~n, =) marching orders pl.

marschtakt *s* (~en) marching-step; mus. march time

Marshallöarna the Marshall Islands

marsipan *s* (~en) marzipan

marskalk *s* (~en, ~ar) **1** mil. marshal; i Storbr. field marshal **2** festmarskalk steward, amer. usher; vid bröllop ung. best man

marsvin *s* (~et, =) zool. guinea pig

martall *s* (~en, ~ar) bot. dwarfed (stunted) pine [tree]

martera *vb tr* (~de, ~t) torment, torture

martyr *s* (~en, ~er) martyr; *dö som ~ för en sak* die a martyr to a cause; *spela ~* make a martyr of oneself, put on an air of martyrdom (a suffering air)

martyrdöd *s* (~en), *lida ~en* suffer martyrdom, be martyred

martyrgloria *s* (~n, -glorior) martyr's crown

martyrium *s* (martyriet, martyrier) martyrdom

marulk *s* (~en, ~ar) zool. angler [fish]

marxism *s* (~en), *~[en]* Marxism

marxist *s* (~en, ~er) Marxist

marxistisk *adj* (~t) Marxist

maräng *s* (~en, ~er) kok. meringue

marängsviss *s* (~en, ~er) kok. meringue shells with whipped cream and chocolate sauce

mas *s* (~en, ~ar) **1** dalmas Dalecarlian **2** skattmas tax collector, taxman

masa *vb rfl* (~de, ~t), *~ sig i väg* shuffle off; *~ sig upp ur sängen* drag oneself out of bed

mascara *s* (~n, mascaror) mascara

1 mask *s* (~en, ~ar) zool. worm; larv grub, larv|a (pl. -ae); i kött, ost maggot; data., slags datavirus worm; *ha ~ [i magen]* have worms; *leta ~* search for worms (bait); *det är ~ i* t.ex. äpplet, träet there are worms (etc., se ovan) in…, …is worm-eaten; t.ex. köttet äv. …is maggoty

2 mask *s* (~en, ~er) allm. mask; mil. el. bildl. äv. screen; bildl. äv. disguise, cloak; data., maskering mask; skönhets~, ansikts~ äv. [face (mud)] pack; teat. o.d. make-up; *hålla ~en* spela ovetande o.d. not give the show away; hålla sig för skratt keep a straight face; *kasta ~en* el. *låta ~en falla* throw off one's mask

1 maska *vb tr* (~de, ~t) **1** ~ *[på]* metkrok o.d. bait…with a worm **2** med., ~ *av* deworm

2 maska *vb tr* (~de, ~t) **1** data. mask **2** foto., ~ *av* mask

3 maska *vb itr* (~de, ~t) i arbete make a pretence of working; organiserat go slow, work to rule; friare el. sport. play for time, waste time, vard. stall

4 maska I *s* (~n, maskor) mesh; vid stickning stitch; löpmaska ladder, run; *avig ~* purl; *fast ~* double stitch; *lös ~* simple chain stitch; *rät ~* plain stitch; *det har gått en ~ på mina strumpbyxor* I have a ladder (a run) in my tights; *lägga upp* 50 *maskor* cast on…stitches; *tappa (ta* el. *plocka upp) en ~* drop (pick up) a stitch **II** *vb tr* (~de, ~t), ~ *av* stickning o.d. cast off

maskera I *vb tr* (~de, ~t) med mask el. bildl. mask; med sminkning, speciellt teat. make…up; t.ex. avsikt disguise, camouflage äv. mil.; *~d* masked; med smink made up; utklädd dressed up; förklädd disguised [*till* as]; *~t hot* covert threat; försäljningen var *~t tiggeri* …a disguised form of beggary **II** *vb rfl* (~de, ~t), ~ *sig* med mask mask oneself; med smink make [oneself] up; klä ut sig dress [oneself] up; förklä sig disguise oneself [*till* as]

maskerad *s* (~en, ~er) fancy-dress (amer. costume) party

maskeraddräkt *s* (~en, ~er) fancy dress, fancy-dress costume

maskering *s* (~en, ~ar) **1** maskerande masking etc., jfr

maskera **2** konkr. samt bildl. mask; speciellt mil. camouflage; förklädnad disguise; teat. o.d. make-up

maskeringstejp *s* (~en, ~er) masking tape

maskhål *s* (~et, =) wormhole

maskin *s* (~en, ~er) allm. machine; motor, ång~ o.d. engine; *~er* maskinanläggning machinery sg., plant sg.; *för egen ~* sjö. by its (resp. their) own engines; bildl. on one's own steam, without help; *för full ~* sjö. at full speed; friare on all cylinders, in top gear; *arbeta för full ~* work full steam; *skriva [på] ~* type

maskindisk *s* (~en), *den tål ~* it is dishwasher safe

maskindiskmedel *s* (-medlet, =) dishwasher powder (i tablettform tablets)

maskindriven *adj* (-drivet, -drivna) power-driven, mechanically operated

maskinell *adj* (~t) mechanical; *~ utrustning* machinery, machine equipment (outfit)

maskineri *s* (~et, ~er) machinery äv. teat. el. bildl., mechanism; på fartyg engines pl.

maskinfel *s* (~et, =) sjö. engine trouble; data. computer malfunction (error, fault)

maskingevär *s* (~et, =) machine gun

maskingjord *adj* (-gjort) machine-made

maskinhall *s* (~en, ~ar) i fabrik machine room

maskinist *s* (~en, ~er) engine-man; i fastighet boilerman, fastighetsskötare caretaker; sjö. engineer; på biograf projectionist, cinema operator; teat. stage mechanic

maskinlära *s* (~n) applied mechanics sg., mechanical engineering

maskinläsbar *adj* (~t) data. machine-readable, machine-sensible

maskinmässig *adj* (~t) mechanical, machine-like; *~ tillverkning* machining, machine-processing

maskinpark *s* (~en, ~er) machinery, assembly of machinery

maskinrum *s* (~met, =) sjö. engine room

maskinskada *s* (~n, -skador) sjö. engine trouble

maskinskriven *adj* (-skrivet, -skrivna) typewritten, typed

maskinskrivning *s* (~en) typing, typewriting

maskintvätt *s* (~en, ~ar) som tvättmärkning machine wash; *tål ~* machine-washable

maskintvättbar *adj* (~t) machine-washable

maskning *s* (~en, ~ar) going slow, working to rule, playing for time (samtliga endast sg.); jfr *3 maska*

maskopi *s* (~n, ~er), *stå (vara) i ~ med ngn* be working together (be in collusion) with sb; vard. be in cahoots with sb

maskot *s* (~en, ~ar) mascot

maskros *s* (~en, ~or) dandelion

maskulin *adj* (~t) masculine äv. gram. el. om kvinna, virile

maskulinum *s* (maskulinet, maskuliner) gram. the masculine [gender]

maskäten *adj* (-ätet, -ätna) worm-eaten; bildl., t.ex. om tand decayed

maskör *s* (~en, ~er) teat. o.d. make-up man, maker-up (pl. makers-up)

masochism *s* (~en) masochism

masochist *s* (~en, ~er) masochist

masonit® *s* (~en) masonite

massa *s* (~n, massor) **1** fys. mass; *tung (trög) massa* heavy mass **2** som råmaterial el. utgörande det inre av ngt substance; smet o.d. mass; spec. trä~, pappers~ pulp;

degartad paste; **fast** (**flytande**) ~ firm (fluid) mass
3 kompakt samlad mängd, t.ex. snö~ mass; stor ~ bulk
4 folkhop crowd [of people]; pöbel mob; **massorna** el.
den stora ~n the masses pl., the broad mass of the
people; **den stora ~n** flertalet **av...** the great majority
of... **5 en** [**hel**] ~ mängd [quite] a lot; **det finns en ~**
böcker there are masses (a lot, lots) of...; **en ~ arbete**
att göra stacks (tons, masses) of work...; **en ~ lögner**
a pack of lies; **en ~ smörja** a load of rubbish; **det var
en ~** (**massor av**) **folk** på gatan there were lots
(crowds) of people...; **ha massor med** pengar have
lots (loads) of...

massafabrik s (~en, ~er) pulp mill
massage s (~n) massage; **få ~** have (get) a massage;
ge ngn ~ give sb a massage
massageapparat s (~en, ~er) massage apparatus,
vibro-massage machine; massagestav vibrator
massageinstitut s (~et, =) massage parlour (amer.
parlor)
massageolja s (~n, -oljor) massage oil
massaindustri s (~n, ~er) pulp industry
massaker s (~n, massakrer) massacre, slaughter
massakrera vb tr (~de, ~t) massacre äv. bildl.,
slaughter
massarbetslöshet s (~en) mass unemployment
massaved s (~en) pulpwood
massera vb tr (~de, ~t) massage
massförstörelsevapen s pl weapons of mass
destruction
massgrav s (~en, ~ar) mass grave
masshysteri s (~n) mass hysteria
massiv I s (~et, =) bergområde massif **II** adj (~t) solid;
stadig, tung äv. massive; **~ vedergällning** massive
retaliation
massmedia s pl the mass media
massmord s (~et, =) mass (wholesale) murder
(killings pl.)
massmöte s (~t, ~n) mass meeting
massproduktion s (~en, ~er) mass production
masspsykos s (~en, ~er) mass psychosis
masstart s (~en, ~er) sport. mass start
masstillverka vb tr (~de, ~t) mass-produce
masstillverkning s (~en, ~ar) mass production
massuppbåd s (~et, =) large muster [of people]; mil.
general levy, levy in mass
massverkan s (=, en) mass effect
massvis adv, **~ med** se massa 5
massör s (~en, ~er) masseur
massös s (~en, ~er) masseuse
mast s (~en, ~er) radio~ o.d. äv. pylon; flagg~ pole;
fartygs samtliga, **~er** äv. masting sg.
mastig adj (~t) vard., stadig, om mat solid; 'tung' heavy;
diger, om t.ex. program heavy
mastodont s (~en, ~er) zool. hist. mastodon; bildl. vanl.
mammoth
masttopp s (~en, ~ar) masthead
masturbation s (~en, ~er) masturbation
masturbera vb itr (~de, ~t) masturbate
masugn s (~en, ~ar) blast furnace
masur s (~n) curly-grained wood
masurbjörk s (~en, ~ar) masur birch
masurka s (~n, masurkor) mus. mazurka
mat s (~en) food; kost äv. fare, diet; foder äv. feed;
matlagning, kök cooking, cookery; kokkonst äv. cuisine;
måltid meal; **en bit ~** something (a bite) to eat, a

snack; **ett mål** [**varm**] ~ a [hot] meal; **~ och dryck**
food and drink; **~ och husrum** board and lodging;
~en middagen (lunchen) **är klar** (**färdig**) vanl. dinner
(lunch) is ready; **ge** djuren ~ feed...; **vill du ha lite ~?**
vanl. do you want something to eat?; **laga ~** cook;
laga ~en do the cooking; **efter** (**på**) **~en** måltiderna
(middagen etc.) after meals (dinner etc.); **ta ~en ur
munnen på ngn** bildl. take the bread out of sb's
mouth; **vara liten i ~en** be a poor (small) eater;
dricka vin **till ~en** ...with one's meal[s]
mata vb tr (~de, ~t) person, djur el. tekn. feed; bildl., t.ex.
ngn med kunskaper stuff; **~ fram** tekn. transport; **~ in**
data. enter (feed)...into, input; **~ ut** data. output
matador s (~en, ~er) matador
matarbuss s (~en, ~ar) feeder bus
matberedare s (~n, =) köksmaskin food processor
matbestick s (~et, =) koll. cutlery (endast sg.)
matbit s (~en, ~ar), **en ~** lätt måltid a bite, a snack,
something to eat
matbord s (~et, =) dining-table
matbröd s (~et, =) [plain] bread
match s (~en, ~er) match, amer. vanl. game; tävling
competition; **göra en bra ~** play a good game; **det är
en enkel ~** bildl. it is child's play, it's as easy as pie,
it's a piece of cake
matcha vb tr o. vb itr (~de, ~t) **1 ~** [**fram**] **ngn** launch
(build up) sb **2** vard., om t.ex. färg, plagg match; **~nde
färger** matching colours; grön klänning och **skor i ~nde
färg** ...shoes to match
matchboll s (~en, ~ar) i tennis o.d. match point (ball)
matdags adv, **det är ~** it is time to eat; **vid ~** when it
is time to eat
matematik s (~en) mathematics (vanl. sg.); förk., vard.
maths (amer. math)
matematiker s (~n, =) mathematician
matematisk adj (~t) mathematical
materia s (materien el. ~n, materier) matter; ämne äv.
substance
material s (~et, =) allm. material [till for]; byggnads~,
rå~ o.d. materials pl.; det skrivna i bok o.d. äv. matter;
uppgifter data pl., body of information; **statistiskt ~**
statistical material; **byggd av bra ~** built of good
materials
materialförvaltare s (~n, =) sport. kit man, kit
manager
materialisera vb tr o. vb rfl (~de, ~t), **~** [**sig**]
materialize
materialism s (~en) materialism
materialist s (~en, ~er) materialist
materialistisk adj (~t) materialistic
materiel s (~en) t.ex. elektrisk equipment; t.ex. skol~ äv.
accessories pl.; t.ex. skriv~ materials pl.
materiell adj (~t) material; **~ skada** [material]
damage; **~a tillgångar** tangible assets
matfett s (~et, ~er) cooking fat
matfrisk adj (~t) attr. ...with a good appetite; **vara ~**
have a good appetite
matförgiftning s (~en, ~ar) food poisoning
mathållning s (~en, ~ar) kost food, fare
matig adj (~t) filling
matiné s (~n, ~er) matinée, afternoon performance
matjessill s (~en, ~ar) kok., ung. soused herring
matjord s (~en, ~ar) **1** ytskikt topsoil; för trädgårdsbruk
earth and soil **2** bildl., **ha ~ i fickorna** be born lucky

matkorg s (~en, ~ar) hamper; fylld äv. basket of provisions

matkultur s (~en, ~er) kokkonst culinary art, cuisine; *de har ingen ~ i det landet* the standard of cuisine is low...

matkupong s (~en, ~er) luncheon voucher; amer. meal ticket

matkällare s (~n, =) food cellar

matlag s (~et, =) omgång sitting

matlagning s (~en) cooking, cookery; *vara duktig i ~* be a good cook, be good at cooking; används *till ~* ...for cooking purposes

matlust s (~en) appetite; *dålig ~* lack of appetite; *ha tappat ~en* have lost one's appetite

matlåda s (~n, -lådor) lunch (resp. sandwich) box, jfr *matsäck*

matmamma s (~n, -mammor) vard., *hon är en riktig ~* lagar god mat she is a very good cook

matmor s (oböjl., en) mistress; vard. missis, missus

matning s (~en, ~ar) feeding äv. tekn.

matnyttig adj (~t) **1** närande nourishing, nutritious **2** vard., t.ex. om kunskaper useful

matolja s (~n, -oljor) cooking oil

matos s (~et) [unpleasant] smell of cooking (food)

matpengar s pl **1** hushållspengar housekeeping money sg. **2** till måltid lunch (dinner) money

matplats s (~en, ~er) dining area

matportion s (~en, ~er) helping (serving) of food

matranson s (~en, ~er) ration [of food]

matrast s (~en, ~er) break for a meal

matrecept s (~et, =) recipe

matrester s pl [food] scraps, left-overs; i tänderna food particles

matriarkat s (~et, =) matriarchy

matrikel s (~n, matriklar) register, roll

matris s (~en, ~er) matr|ix (pl. -ices el. -ixes)

matro s (~n), *ha ~* have one's meal[s] in peace; *störa ngns ~* disturb sb during his (resp. her) meal[s]

matrona s (~n, matronor) matron, matronly woman

matros s (~en, ~er) seaman; som mots. till lätt~ able seaman

matrum s (~met, =) dining-room

maträtt s (~en, ~er) dish; del av meny course

matsal s (~en, ~ar) dining-room; större dining-hall; i skola o.d. äv. refectory; på fabrik o.d. canteen

matsalsmöbel s (~n, -möbler) möblemang dining-room suite

matsedel s (~n, -sedlar) menu, bill of fare

matservering s (~en, ~ar) se *servering 2*

matservis s (~en, ~er) dinner service (set)

matsilver s (-silvret) table silver

matsked s (~en, ~ar) tablespoon; som mått (förk. *msk*) äv. tablespoonful (förk. tbs el. tbsp); *två ~ar socker* two tablespoonfuls of sugar

matsmältning s (~en, ~ar) digestion

matsmältningsbesvär s (~et, =) indigestion

matstrejka vb itr (~de, ~t) go on hunger-strike

matstrupe s (~n, -strupar) gullet; med. oesophag|us (pl. -i)

matställe s (~t, ~n) restaurant; amer. äv. diner; vard. eatery

matsäck s (~en, ~ar) lunch~ packed lunch, lunch packet, amer. box lunch; smörgåsar sandwiches pl.; *rätta mun[nen] efter ~en* cut one's coat according to one's cloth

matsäckskorg s (~en, ~ar) för utflykt picnic hamper

1 matt adj (=) **1** kraftlös faint [av t.ex. hunger with, t.ex. svält from]; svag, klen weak, feeble samtliga äv. bildl. om t.ex. försök, intresse; *känna sig ~* feel faint (utmattad exhausted, done-up, 'hängig' out of sorts) **2** för ögat: om t.ex. yta, guld, målarfärg, papper (speciellt foto.) matt; mattslipad, om t.ex. glas, silver frosted, ground; glanslös dull, dead; om t.ex. hår, öga lustreless

2 matt adj (oböjl.) o. s (~en) schack. mate, checkmate; *göra ngn ~* mate (checkmate) sb; [*schack och*] *~ !* [check]mate!

matta s (~n, mattor) carpet äv. gymn. o.d. samt bildl., t.ex. av löv; mindre rug; dörr~, badrums~ o.d. mat; kork~ (linoleum~) [piece of] linoleum; *mattor* som handelsvara rugs and carpets, koll. carpeting sg.; *hålla sig på ~n* bildl. toe the line; *rulla ut röda ~n för ngn* roll out the red carpet for sb; bildl. give sb the red-carpet treatment

mattas vb itr dep (mattades, mattats), *~ [av]* bli mattare (svagare) become weaker etc., jfr *1 matt*; om färg, glans o.d. fade; bildl.: om t.ex. intresse flag; om kurs weaken; om t.ex. trafik slacken [off]; om blåst abate

1 matte s (~n, mattar) mots. till 'husse' mistress

2 matte s (~n) vard., matematik maths; amer. math

Matteus bibl. Matthew; *evangelium enligt ~* the Gospel according to St. Matthew

matthet s (~en) faintness, weakness etc., jfr *1 matt 1*; trötthet äv. lassitude, enervation

mattid s (~en, ~er) mealtime; för djur feeding time

mattpiskare s (~n, =) redskap carpet beater

mattpolerad adj (-polerat, ~e) attr. matt-finished

mattslipad adj (-slipat, ~e) frosted; om glas äv. ground

matvanor s pl eating habits

matvaror s pl food, provisions; artiklar food items

matvaruaffär s (~en, ~er) grocery [store, mindre shop]

matvrak s (~et, =) glutton, gormandizer; vard. greedy guts

matvrå s (~n, ~r) dining alcove (recess)

matväg s (oböjl.), *allt som fanns i ~* ...in the way of food

matvägra vb itr (~de, ~t) refuse to eat

matvägrare s (~n, =) barn child who refuses to eat

matäpple s (~t, ~n) cooking apple

Mauretanien republiken Mauritania; hist. Mauretania

Mauritius Mauritius

mauser s (~n, =) o. **mausergevär** s (~et, =) Mauser rifle

mausoleum s (mausoleet, mausoleer) mausoleum (pl. -ums el. -a)

max I s (oböjl., ett) vard., *till ~* as much as possible, to the max; *vara ful till ~* be really ugly; *gilla ngt till ~* really dig sth, like sth a lot **II** adv, *båten tar ~ 15 personer* ... a maximum of 15 people; som förled, vard., se *maximi-* i sammansättn.

maxim s (~en, ~er) maxim

maximal adj (~t) maximal; attr. maximum...; *vara ~* be at a maximum; *~ otur* the maximum of bad luck, awful bad luck

maximalt adv at most, as a maximum; *båten tar ~ 15 personer* ...a maximum of 15 people

maximera vb tr (~de, ~t) maximize, put an upper limit to, limit; *~d till...* limited to...at the most, with an upper limit of...

maximibelopp s (~et, =) maximum amount

maximigräns *s* (~en, ~er) highest (maximum) limit (level)

maximihastighet *s* (~en, ~er) maximum (top) speed; fartgräns speed limit

maximipris *s* (~et, = el. ~er) maximum price, ceiling [price]

maximitemperatur *s* (~en, ~er) maximum temperature

maximum *s* (~et, =) maxim|um (pl. vanl. -a); *nå sitt ~* reach its maximum, reach its (a) peak, culminate

maxtaxa *s* (~n, -taxor) vard. maximum rate (charge)

mazarin *s* (~en, ~er) kok. 'mazarin', small cake made of almond paste etc. and covered with icing

MBL förk., se *medbestämmandelagen*

mc *s* (mc:n, mc:ar el. =) se *motorcykel*

mecenat *s* (~en, ~er) patron [of the arts (resp. of literature)], maecenas

Mecka Mecca äv. bildl.

1 med *s* (~en, ~ar) på kälke, släde o.d. runner; på gungstol, vagga rocker

2 med

med delas in i ordklasserna

I preposition
II adverb

I *prep*
Prepositionen **med** motsvaras vanligen av **with** i uttryck som *en bil* **med** *luftkonditionering* = *a car* **with** *air-conditioning*, *äta* **med** *sked* = *eat* **with** *a spoon.*
En annan motsvarighet är **by**, t.ex. *betala* **med** *kort* = *pay* **by** *card.*

med används i många uttryck som står under andra uppslagsord. Exempelvis finns uttrycket *med avsikt* under uppslagsordet *avsikt*, uttrycket *följa* **med** under uppslagsordet *följa* osv.

1 i betydelsen *tillsammans med* with; *bo ~ ngn* live with sb; *leka ~ en docka* play with a doll

2 anger vad någon/något har with; *en man ~ rött hår* a man with red hair, a red-haired man

3 anger klädsel in; *en man ~ grå kavaj* a man in a grey jacket, a man wearing a grey jacket

4 anger redskap eller sätt som man gör något på with; *French stavas ~ stort F* French is written with a capital F; *tala ~ brytning* speak with an accent

5 anger vilken slags röst man säger något eller hur man skriver något in; *~ låg röst* in a low voice; *skrivet ~ blyerts* written in pencil; *~ stora bokstäver* in capital letters

6 anger samtidighet eller beledsagande omständighet with; *~ dessa ord* lämnade han rummet with these words…, so saying…; han stod där *~ händerna i byxfickorna* …with his hands in his pockets

7 anger transportmedel, betalningsmedel by; *komma ~ flyg* (*tåg*) …by air (train); hon kom *~ samma tåg* …on the same train; *betala ~ kreditkort* pay by credit card

8 i betydelsen *inklusive* with, including, counting; *~ dricks* blir det …with tips, …tips included; *~ föraren* var vi fem counting (including) the driver…

9 i betydelsen *innehållande* containing; i betydelsen *bestående av* consisting of; *en plånbok ~ 100 dollar* a wallet containing 100 dollars; *en lista ~ namn* a list of names; *ett ord ~ fem bokstäver* a word of five letters

10 anger vad något är blandat med with; *tar du kaffet ~ eller utan socker?* …with or without sugar?

11 anger förening, släktskap, vanligen to; *förlovad* (*gift*) *~* engaged (married) to; *vara släkt ~* be related to, be a relative of

12 anger vem som är far el. mor by; *hon har två barn ~ sin första man* she has two children by her first husband

13 anger motståndare vid ord för tävlan, kamp with, against; *tävla ~ ngn* compete with (against) sb

14 i vissa uttryck med betydelsen *när det gäller* about; *det bästa ~ det är…* the best thing about it is…; *det är något konstigt ~ honom* there is something funny about him

15 *vad är det ~ dig?* what is the matter with you?

16 *vad menar du ~ det?* what do you mean by that?

17 anger hur mycket mycket större el. mindre något är vid räknesätten division och multiplikation by; *dela* (*multiplicera*) *~ 5* divide (multiply) by 5; *höja ~ 10 procent* raise by 10 per cent; *vinna ~ 10 poäng* win by 10 points

18 om hastighet, takt at el. annan konstruktion; *~ en hastighet av 60 km/tim* at a speed of 60 km/h; *~ fem minuters mellanrum* at intervals of five minutes; *tidningen kommer ~ ett nummer i veckan* the newspaper appears once a week

19 i betydelsen *och* and; *~ flera* (förk. *m.fl.*) and others; *~ mera* (förk. *m.m.*) etcetera (förk. etc.), and so on; *och andra saker* and other things; *skinka ~ ägg* ham and eggs

20 i uttryck av typen substantiv + *med* + substantiv, ofta motsvarande en genitivkonstruktion, t.ex. *syftet med resan* = *resans syfte*, vanligen of; *avsikten ~ dessa anmärkningar* the purpose of these notes; *fördelen ~ detta system* the advantage of this system

21 i uttryck av typen *med varsamhet* = *varsamt* with, el. omskrivning med adverb, *~ eftertryck* with emphasis; *~ glädje* gladly; *~ varsamhet* with care, carefully

22 *~ att* + inf.: *börja ~ att säga* begin by saying; *tillbringa dagen ~ att läsa* spend the day reading

II *adv* **1** också too, as well, also; i vissa fall so; *ge mig dem ~* give me those, too (those as well); *han är gammal han ~* he is old, too; *det tycker jag ~* I think so too; *han är trött på det och* [*det är*] *jag ~* …and so am I, …and I am too; *till och ~ jag* måste skratta even I…

2 som betonad partikel vid verb (se också betonad partikel under respektive verb, t.ex. *ta med* under *ta*): *följa* (*gå*) *~* med underförstått subst. el. pron. i sv. come (go) with med substantivet (pronomenet) utsatt i eng.; *får jag följa ~?* may I come (go) with you (come along)?; *jag håller ~* [*dig*] om det I agree with you there; *kommer du ~ ?* are you coming?; *hon tog oss ~* på bio she took us with her…; *vara ~* a) t.ex. i förening be a member [*i* of] b) t.ex. på begravning be present [*på* at]

medalj *s* (~en, ~er) medal [*för* for]; *~ens baksida* bildl. the other side of the picture

medaljong *s* (~en, ~er) smycke locket; mönster på t.ex. matta medallion

medaljplats *s* (~en, ~er), *hamna på ~* sport. win a medal, be a medallist

medaljör *s* (~en, ~er) medallist

medan *konj* while; för att beteckna motsats äv. whereas; 'just då' äv. as, jfr ex.; *du kan läsa en bok ~ jag skriver brevet färdigt* …while I finish the letter; han läste *~ han gick* …while [he was] walking (as he walked);

~ tid är while there is yet time; **några lever i överflöd ~ andra svälter** ...while (whereas) others are starving

medansvar s (~et) joint responsibility [*för* for]

medansvarig adj (~t), **vara ~** share the responsibility, be jointly responsible [*för* i båda fallen for]

medarbeta vb itr (~de, ~t), **~ i** skriva artiklar o.d. i bokverk etc. contribute to; tidning äv. write for; tillhöra redaktionen be on the staff of

medarbetare s (~n, =) medhjälpare collaborator; kollega colleague; mera eg. co-worker; i tidning, bokverk o.d.: tillfällig contributor [*i* to]; redaktör editor; redaktionsmedlem member of the staff [*i* of]; **från vår utsände ~** from our special correspondent; **konstnärlig ~** art (artistic, design) contributor

medarbetarsamtal s (~et, =) performance appraisal

medarvinge s (~n, -arvingar) joint heir (kvinnl. heiress), coheir (kvinnl. coheiress)

medbestämmande s (~t) participation [in decision-making], co-determination

medbestämmandelagen s (best. sing.) (förk. *MBL*) the law concerning right of participation in decision-making

medbestämmanderätt s (~en) voice, right to be consulted, right of co-determination (joint consultation, participation); i bolag o.d. äv. [right of] control

medbjuden adj (-bjudet, -bjudna), **han var ~** också bjuden he was also invited

medborgare s (~n, =) citizen; subject speciellt i monarki, national speciellt boende utanför sitt eget land; **bli svensk ~** become a Swedish citizen (subject)

medborgarrättsrörelse s (~n, ~r) civil rights movement

medborgarskap s (~et, =) citizenship; **få svenskt ~** acquire Swedish citizenship

medborgerlig adj (~t) civic, civil; **~ plikt** civic duty; **~a rättigheter** civil rights

medbroder s (~n, -bröder) relig. o.d. brother (pl. vanl. brethren); kollega colleague

medbrottsling s (~en, ~ar) accomplice; speciellt jur. accessory

meddela I vb tr (~de, ~t) **1** ge besked let sb know; skriftligen äv. send [sb] a message, send [sb] word; **~ ngn ngt** underrätta inform sb of sth; delge, t.ex. nyhet communicate sth to sb; speciellt formellt el. officiellt notify sb of sth (sth to sb); **~ ngt (att)** äv.: tillkännage announce (uppge state, inrapportera report) sth (that); **vi ber Er ~ oss** please let us know (inform us [as to]); **han lät ~** he sent a message (sent word); **härmed ~s att** i brev this is to inform you that, we beg to inform you that; i kungörelse notice is hereby given that; **det ~s att** it is announced (learnt) that; **från London ~s (det ~s från London) att** it is reported from London that **2** ge, lämna give; bevilja grant; utfärda issue; **~ dom** give (render) a decision, pass judgement **II** vb rfl (~de, ~t), **~ sig** om person communicate [*med* with]

meddelande s (~t, ~n) message; äv. tele. o.d., kort skriftligt note, memo (pl. memos); tillkännagivande announcement; skriftligt, formellt, speciellt till el. från myndighet notification; **ett ~** en underrättelse a piece of information (news); **~n** offentliga, t.ex. i radio announcements; **~ om** adressändring notification of...; **~ per telefon** telephone message; **internt**

(personligt) ~ t.ex. i radio internal (personal) message; **få ~ om** be informed of, receive information about, learn (hear) about; t.ex. en utnämning be notified of; **kan jag få lämna ett ~?** t.ex. i telefon can I leave a message?; **utan föregående ~** without [previous] notice

meddelare s (~n, =) informant

meddelarskydd s (~et, =) whistle-blower protection

meddelsam adj (~t, ~ma) communicative, informative

meddetsamma adv se *genast*

mede s (~n, medar) på släde o.d. runner; på gungstol, vagga rocker

medel s (medlet, =) **1** sätt, metod means (pl. lika); utväg [ur svårighet] expedient; verktyg instrument äv. bildl.; bote- remedy äv. bildl. [*mot* for (against)]; preparat, t.ex. rengörings- agent (jfr t.ex. *diskmedel*); **lugnande ~** sedative, tranquillizer; **försöka alla ~** try every possible expedient, try everything; **med alla ~** with all the means at our (their etc.) disposal; **han skyr inga ~** he stops at nothing **2** ~ pl.: pengar means [*till* for]; money sg., funds, resources; **allmänna ~** public funds; **egna ~** private means **3** se *medelbetyg*, *medeltal* m.fl.

medelbetyg s (~et, =) average (statistik. median) mark (amer. grade)

medeldistanslöpare s (~n, =) sport. middle-distance runner

medeldistansrobot s (~en, ~ar) mil. medium-range missile

medelfyllig adj (~t) om vin medium-bodied

medelgod adj (-gott), **den är av ~ kvalitet** it is of medium (middling) quality

medelhastighet s (~en, ~er) average speed

Medelhavet the Mediterranean [Sea]

Medelhavsklimat s (~et) Mediterranean climate

medelhård adj (-hårt) medium hard, ...of medium hardness

medelinkomst s (~en, ~er) average (middle-range) income

medelklass s (~en, ~er) middle class; **~en** vanl. the middle classes pl.; **folk av ~** el. **folk som tillhör ~en** middle class...

medelklassbakgrund s (~en) middle-class background

medellivslängd s (~en, ~er) average length of life

medellängd s (~en, ~er) persons medium (average) height

medellös adj (~t) ...without (destitute of) means, destitute, impoverished; behövande indigent

medelmåtta s (~n, -måttor) **1** över, under **~n** ...the average **2** neds., om person mediocrity, second-rater

medelmåttig adj (~t) neds. mediocre, indifferent, second-rate

medelpunkt s (~en, ~er) centre; bildl äv. focus, focal point; om person äv. central figure; **sällskapets ~** the life [and soul] of the party; **stå i ~en** be the centre of attraction

medelst prep by, by means of

medelstor adj (~t) medium[-sized], middle-sized, ...of medium size, fairly large

medelstorlek s (~en, ~ar) medium size

medelsvensson s (oböjl., en) the (resp. an) average Swede

medelsvår adj (~t) moderately difficult

medeltal s (~et, =) average; matem. äv. mean [av of; för for (of)]; i ~ on [an (the)] average
medeltemperatur s (~en, ~er) mean temperature; årlig ~ mean annual temperature
medeltid s (~en, ~er) hist., ~en the Middle Ages pl.
medeltida adj (oböjl.) medieval, mediaeval
medelväg s (~en, ~ar) middle course; gå den gyllene ~en strike a happy medium
medelvärde s (~t, ~n) mean value, average [value]; matem. mean
medelålder s (~n, -åldrar) 1 ~n middle age; en man i ~n a middle aged man 2 genomsnittlig ålder average age
medelålders adj (oböjl.) middle aged
medfaren adj (-faret, -farna), illa ~ attr.: om t.ex. bok, bil ...that has (resp. had) been badly knocked about; utnött (om plagg) ...that is (resp. was) very much the worse for wear
medfånge s (~n, -fångar) fellow-prisoner
medfödd adj (-fött) speciellt med., om t.ex. blindhet congenital [hos in]; friare om talang, egenskap o.d. native, innate, inborn, natural; ~a egenskaper biol. inherited characters; det är medfött [hos honom] he was born with it, it comes natural to him
medfölja vb tr o. vb itr (-följde, -följt), ~ [ngt] bifogas be enclosed [with sth]; räkning medföljer I (resp. we) enclose..., enclosed please find...; jfr följa med under följa III
medföra vb tr (-förde, -fört) 1 om person, se föra med sig under föra IV; om tåg, båt o.d.: passagerare convey, take; post o.d. carry; sydvästvind medför regn...brings rain 2 ha till följd, innebära involve, entail; vålla bring about; leda till lead to, result in; ha i släptåg bring...in its (resp. their) train; detta medförde att han blev... that led to his being...
medförfattare s (~n, =) co-author
medge vb tr (-gav, -gett el. -givit) o. **medgiva** vb tr (-gav, -gett el. -givit) 1 erkänna, tillstå admit [för to]; motvilligt äv. concede 2 tillåta allow, permit; tiden medger inte att jag går time does not allow (permit) me to...
medgivande s (~t, ~n) erkännande admission; eftergift concession; tillåtelse permission; samtycke consent; tyst ~ tacit consent
medgång s (~en, ~ar) välgång prosperity, good fortune, luck; framgång success; ha ~ äv. prosper, be prosperous (in luck), resp. be successful; i med- och motgång for better or for worse, in prosperity and adversity
medgörlig adj (~t) resonabel reasonable, cooperative, ...easy to get on with, accommodating; foglig manageable; eftergiven compliant
medgörlighet s (~en) reasonableness, cooperativeness, easiness to get on with
medhjälp s (~en) assistance, help; jur., ~ till brott complicity in crime
medhjälpare s (~n, =) assistant, helper; jur. accomplice
medhåll s (~et) stöd support; vard. backing-up; moraliskt stöd countenance; favoriserande favouring; få ~ hos (av) ngn be supported (vard. backed up) by sb
medhårs adv with the fur; stryka ngn ~ bildl. rub sb [up] the right way
media s pl the media
medial adj (~t) medial

medicin s (~en, ~er) medicine; studera ~ study medicine
medicinalväxt s (~en, ~er) medicinal plant (herb)
medicinare s (~n, =) medical student; vard. medic (pl. -s); läkare doctor, vard. medic
medicine adj (oböjl.), ~ doktor (förk. med. dr) Doctor of Medicine (förk. MD efter namnet i Storbr.); ~ kandidat (förk. med. kand.) ung. graduate in medicine; eng. motsv. ung. Bachelor of Medicine (förk. MB efter namnet); ~ studerande medical student; jfr vidare ex. under filosofie
medicinflaska s (~n, -flaskor) medicine bottle
medicinman s (~nen, -män) medicine man
medicinsk adj (~t) medical; ~t bad medicinal bath; ~ fakultet faculty of medicine
medicinskåp s (~et, =) medicine cabinet (cupboard)
medier s pl tidningar, tv o.d., ~ el. ~na the media
medikament s (~et, = el. ~er) medicine, medicament
medinflytande s (~t) participation, contributory influence; ha ~ över have a voice (say) in, be able to participate [actively] in
medioker adj (~t, mediokra) mediocre
meditation s (~en, ~er) meditation
meditera vb itr (~de, ~t) meditate [över on]
medium s 1 (oböjl.) som klädstorlek o.d. medium 2 (mediet, medier) fys. medi|um (pl. vanl. -a) 3 (mediet, medier) spiritistiskt medium 4 (mediet, medier) matem. mean 5 se medier
medkämpe s (~n, -kämpar) comrade-in-arms (pl. comrades-in-arms), fellow-combatant
medkänsla s (~n) sympathy, fellow feeling; ha ~ med feel sympathy for, sympathize with
medla I vb itr (~de, ~t) mediate; mellan stridande äv. intervene; i äktenskapstvist try to bring about a reconciliation; uppträda som skiljedomare arbitrate; ~ mellan förlika äv. conciliate, reconcile II vb tr (~de, ~t), ~ fred mediate a peace
medlare s (~n, =) mediator, intercessor; vard. go-between; skiljedomare arbitrator; förlikningsman conciliator
medlem s (~men, ~mar) member [i, av of]; bli ~ i become a member of, join; vara ~ i kommitté o.d. äv. serve (sit, be) on...
medlemsavgift s (~en, ~er) membership fee; till klubb o.d. äv. subscription; speciellt amer. dues pl.
medlemsförteckning s (~en, ~ar) list of members
medlemskap s (~et, =) membership [i of]
medlemskort s (~et, =) membership card; i parti party card
medlidande s (~t) pity, compassion; medkänsla sympathy; hysa ~ med feel pity for, pity; av ~ [med] out of pity [for]
medlidsam adj (~t, ~ma) compassionate; t.ex. om leende pitying
medling s (~en, ~ar) mediation, intervention; förlikning conciliation; i äktenskapstvist attempt to bring about a reconciliation; skiljedom arbitration; uppgörelse (resultat) settlement, arrangement
medlingsförslag s (~et, =) proposal for a settlement; konkr., vid arbetstvist draft settlement
medlingsförsök s (~et, =) attempt at mediation (to mediate)
medlingskommission s (~en, ~er) mediation (arbitration) commission

medlöpare s (~n, =) polit. fellow traveller, sympathizer

medmänniska s (~n, -människor) fellow creature (being), fellowmen (pl. -men)

medmänsklig adj (~t) brotherly, human

medpassagerare s (~n, =) fellow passenger; **samtliga ~** [**i kupén**] all the other passengers [in the compartment]

medresenär s (~en, ~er) fellow traveller, fellow passenger; reskamrat travelling companion

medryckande adj (oböjl.) fängslande captivating, fascinating; tändande stirring, exciting

medräkna vb tr (~de, ~t) se *räkna med* under *räkna II*

medsamma adv vard. at once

medskyldig adj (~t) accessory [*i* to]

medsols adv clockwise, with the sun

medspelare s (~n, =) i t.ex. tennis, kortsp. partner; teat. o.d. co-actor; i lagspel team-mate; **han passade till en av medspelarna** he passed to one of his team-mates; **en av medspelarna fick bollen** one of the other players got the ball

medströms adv with the current (tide)

medsyster s (~n, -systrar) sister; kollega colleague; förtala *sina medsystrar* ...other women

medsökande s (~n, =) fellow applicant; till ämbete o.d. fellow-candidate, competitor, rival [*till* i samtliga fall for]

medtagen adj (-taget, -tagna) utmattad exhausted; worn out äv. t.ex. av sorg, sjukdom; **i svårt medtaget tillstånd** utterly exhausted, in a serious condition

medtrafikant s (~en, ~er) medpassagerare fellow passenger; vägtrafikant fellow road-user

medtävlare s (~n, =) competitor äv. sport., rival [*om* for]

medurs adv clockwise

medverka vb itr (~de, ~t) bidraga contribute [*i* t.ex. tidning to; *till* to (towards)]; aktivt delta take part [*i* teaterpjäs o.d. (*vid* framförande) in]; uppträda äv. perform [*vid* konsert o.d. at]; hjälpa till assist [*i* (*vid*), *till* in]; **detta ~de till** det goda resultatet this contributed to[wards]...

medverkan s (=, en) bistånd assistance, help; deltagande participation; **i morgon ges en konsert under ~ av A.** ...a concert in which A. will take part; jur., **~ till brott** complicity in crime

medverkande I adj (oböjl.) contributory **II** s (en ~, pl. =), **de ~** vid konsert o.d. the performers (solisterna the soloists); i pjäs o.d. the actors; allm. äv. those taking part

medvetande s (~t) consciousness [*om* of]; **förlora ~t** lose consciousness, become unconscious; **vara vid fullt ~** be fully conscious

medveten adj (-vetet, -vetna) conscious; avsiktlig, om t.ex. lögn deliberate; självsäker self-assured; **vara ~ om** (**om att**) be conscious el. aware of (that)

medvetenhet s (~en) insikt awareness, consciousness

medvetet adv consciously; avsiktligt deliberately

medvetslös adj (~t) unconscious

medvetslöshet s (~en) unconsciousness

medvind s (~en, ~ar) following wind; sjö. fair wind; **jag hade ~** eg. the wind was (I had the wind) behind me; **segla i ~** a) eg. sail with a fair wind (before the wind) b) bildl. be fighting a winning battle; t.ex. om

politiskt parti be doing well; om företag äv. be prospering

medvurst s (~en, ~ar) mettwurst, German sausage [of a salami type]

medömkan s (=, en) pity, compassion, commiseration [*med* with (for)]

megabit s (~en, ~ar) data. megabit (förk. Mb el. Mbit)

megabyte s (en ~, pl. =) data. megabyte (förk. MB); vard. meg

megafon s (~en, ~er) megaphone

megahertz s (en, pl. =) megahertz

megakändis s (~en, ~ar) vard. superstar, megastar

megaton s (~net, =) megaton

megawatt s (~en, =) (förk. *MW*) megawatt (förk. MW)

meja vb tr (~de, ~t) mow; säd cut, reap; **~ ned** bildl. mow down

mejeri s (~et, ~er) dairy

mejeriprodukt s (~en, ~er) dairy product; **~er** äv. dairy produce sg.

mejl s **1** (~et, =) meddelande email **2** (~en) system email

mejla vb tr (~de, ~t) email

mejladress s (~en, ~er) email address

mejlkompis s (~en, ~ar) vard. keypal

mejram s (~en) bot. el. kok. marjoram

mejsel s (~n, mejslar) chisel; skruv~ screwdriver

mejsla vb tr (~de, ~t) chisel; eg. äv. cut [...with a (the) chisel]; **~ ut** chisel out äv. bildl.

meka vb itr (~de, ~t) vard., **~ med** bilen do repair work on...; mixtra med tinker about with...

mekanik s (~en) lära mechanics sg., äv. bildl.; mekanism mechanism äv. bildl.; piano~ o.d. action

mekaniker s (~n, =) t.ex. bil~ mechanic; flyg~ aircraftman; konstruktör mechanician, engineer

mekanisera vb tr (~de, ~t) mechanize

mekanisk adj (~t) mechanical äv. bildl.; **~a leksaker** drivna med fjäder clockwork toys; **~ verkstad** engineering workshop

mekanism s (~en, ~er) mechanism; i ur o.d. äv. works pl.; anordning contrivance; sak gadget

melankoli s (~n) melancholy; med. äv. melancholia

melankolisk adj (~t) melancholy, sad, gloomy; med. melancholic

melanom s (~et, =) med. melanoma (pl. -s el. -ta)

melass s (~en) molasses, black treacle

melerad adj (melerat, ~e) mixed, mingled, ...of mixed shades

mellan prep spec. mellan två between; mellan flera, 'bland' among[st]; **titta fram ~** molnen, träden peep out from behind (from among)...; **är det något ~ dem?** is there anything between them?; **~ femtio och sextio personer** infann sig some fifty or sixty people...; **han är ~ femtio och sextio år** he is [somewhere] between fifty and sixty; **natten ~ den 5 och 6** var det... on the night of the 5th to the 6th...; telefonen är avstängd **natten ~ måndag och tisdag** ...from Monday evening till Tuesday morning; han dog **natten ~ måndag och tisdag** ...on Monday night (senare in the early hours of Tuesday morning); **proportionen ~** födelse- **och** dödstal the proportion of...to...; **bättre** förståelse **~ folken** a better...among [the] nations, a better international...; **läsa ~ raderna** read between the lines; **~ fyra ögon** in private, se vidare under *öga*

mellanakt s (~en, ~er) teat. interval; amer. intermission

Mellanamerika Central America
mellanblödning s (~en, ~ar) med., ~[ar] breakthrough bleeding sg.; lättare spotting sg.
mellanchef s (~en, ~er) middle manager; ~er äv. middle management
mellandag s (~en, ~ar), ~arna mellan jul o. nyår the days between Christmas and New Year
mellandäck s (~et, =) between-deck; passagerarklass på båt steerage
Mellaneuropa Central Europe
mellaneuropeisk adj (~t) Central European
mellangärde s (~t, ~n) anat. diaphragm, midriff
mellanhand s (~en, -händer) **1** förmedlare intermediary; hand. middleman, agent; gå genom flera **mellanhänder** ...middlemen's hands **2** kortsp. second hand; **sitta på** ~ sit in between
mellanhavande s (~t, ~n) [ouppklarad] räkning [outstanding] account; tvist difference; ~n affärer dealings, transactions; allm. äv. unsettled matters; **göra upp sina ~n med ngn** affärer o.d. settle [up] with sb, square (balance) accounts with sb; tvistigheter settle one's differences with sb
mellanheat s (~et, =) sport. intermediate heat
mellankrigstiden s (best. sing.) the interwar period; **under ~** äv. between the wars
mellanlanda vb itr (~de, ~t) make an intermediate landing, stopover, touchdown
mellanlandning s (~en, ~ar) intermediate landing, stopover, touchdown, landing en route; **flyga utan ~** fly non-stop
mellanled s (~et, =) **1** medlare intermediary; hand. middleman, agent **2** se mellanlänk
mellanliggande adj (oböjl.) intermediate, intervening; **de ~ städerna** the towns in between
mellanläge s (~t, ~n) intermediate (middle) position
mellanlägg s (~et, =) allm. protective layer (covering); tekn., i lager o.d. liner; tunn skiva shim; sömnad. interfacing, interlining
mellanlänk s (~en, ~ar) intermediate link, [connecting] link, interlink
mellanmjölk s (~en) medium-fat milk, eng. motsv. ung. semi-skimmed milk
mellanmål s (~et, =) snack [between meals]
mellanrum s (~met, =) intervall (speciellt tids-) interval; avstånd, t.ex. mellan ord space; lucka, hål gap; **med korta ~** at short intervals; **med två timmars ~** at intervals of two hours; **de dog med en veckas ~** they died within a week of each other
mellanrätt s (~en, ~er) entremets fr. (pl. lika), side dish
mellanskillnad s (~en, ~er) difference; **betala** 500 kronor **i ~** pay an extra...
mellanslag s (~et, =) space
mellanslagstangent s (~en, ~er) på tangentbord spacebar
mellanspel s (~et, =) interlude, intermezz|o (pl. -i el. -os)
mellanstadium s (-stadiet, -stadier) intermediate stage; **mellanstadiet** i grundskolan the intermediate level (department) of the 'grundskola', jfr grundskola
mellanstation s (~en, ~er) intermediate station, amer. way station
mellanstatlig adj (~t) international; mellan delstater, t.ex. i USA interstate...

mellanstor adj (~t) medium[-sized], middle-sized
mellanstorlek s (~en, ~ar) medium size
mellanställning s (~en, ~ar) intermediate position
mellansvensk adj (~t) Central Swedish; attr. äv. ...of Central Sweden
mellantid s (~en, ~er) **1** sport. intermediate time **2** tidsperiod interval, intervening time; **under ~en** in the meantime, meanwhile
mellanting s (~et, =), **ett ~ mellan...** something (a cross) between...
mellanvikt s (~en) o. **mellanviktare** s (~n) sport. middleweight
mellanvåg s (~en) radio. medium wave; jfr ex. under kortvåg
mellanvägg s (~en, ~ar) partition [wall]
mellanöl s (~et el. ~en, =) medium-strong beer, beer with a medium alcoholic content
mellanöra s (~t, -öron) anat. middle ear
Mellanöstern the Middle East, i USA äv. the Mideast
mellerst adv in the middle
mellersta adj (superlativ) attr. middle, central; mellanliggande intermediate; **den ~** the middle one [i ålder in age]; **~ Sverige** Central (the middle parts pl. of) Sweden; **Mellersta Östern** the Middle East
melodi s (~n, ~er) melody; låt, sång tune [till of]; **den går på ~n...** it goes to the tune of...; **det är min ~** bildl., vard. that's my style
Melodifestivalen TV. **1** i Sverige the Swedish Song Contest **2** Eurovisionsschlagerfestivalen the Eurovision Song Contest
melodiradio s (~n) easy-listening radio
melodisk adj (~t) melodious, tuneful
melodiös adj (~t) melodious, melodic
melodram s (~en, ~er) melodrama
melodramatisk adj (~t) melodramatic
melon s (~en, ~er) melon
membran s (~et, =) anat. el. biol. membrane; tele. el. radio. o.d. el. i pump diaphragm
memoarer s pl memoirs
memoarförfattare s (~n, =) writer of memoirs
memorandum s (~et, =) memorandum (pl. memorandums el. memoranda); förk. memo (pl. memos)
memorera vb tr (~de, ~t) memorize, commit...to memory
1 men I konj allm. but; uttr. motsättning ('det är bara det att') äv. only; ~ ändå yet; emellertid however; **han är bra ~ alldeles för ung** ...but (only he is) far too young; **en liten ~ dock** märkbar skillnad a small [but] yet...; **[nej]** ~ **mamma!** oh,...! **II** s (ett, pl. =) hake snag; invändning but, objection; **inga ~!** no arguing (arguments)!
2 men s (~et, =) skada harm, injury; förfång detriment; **han kommer att få ~ för livet av** den brutala behandlingen ...will leave a permanent mark on him; **han har fortfarande ~ av** olyckan he is still suffering from the [after-]effects of...
mena vb tr o. vb itr (~de, ~t) **1** åsyfta mean; avse intend; vilja ha sagt äv. mean to say [med i samtliga fall by]; syfta på äv. refer to; ~ **med** lägga in betydelse i understand by; ~ **allvar** [med ngt] be serious [about...]; **det var inte** [så] **illa ment** (menat) no offence was intended (meant); **vad ~r du?** vart vill du komma? what are you driving at?; **vad ~s med...?** a) vad innebär...? what is meant by...? b) vad är meningen med...? what does...mean?, what is the

meaning of…? **2** anse think [*om* of]; **han ~r att…** äv. he is of the opinion (he considers) that…; **~ på att…** vard. consider (säga say) that…

menageri s (~et, ~er) menagerie äv. bildl.

menande I *adj* (oböjl.) meaning, significant; om blick äv. knowing **II** *adv* meaningly, with meaning, knowingly; **se ~ på ngn** vanl. give sb a look full of meaning

mened s (~en, ~er) perjury; **begå ~** commit perjury, perjure oneself; **anstiftande av ~** subordination [of perjury]

menig I s (en ~, pl. ~a) i armén private, vard. squaddy; flyg.: i Storbr. aircraft[s]man, i USA airman; i marinen [ordinary] seaman **II** *adj* (~t), **~e man** ordinary people pl.

menighet s (~en, ~er) kyrkl. congregation; [**den församlade**] **~en** friare the assembled people pl.

mening s (~en, ~ar) **1** uppfattning o.d.: allm. opinion; åsikt äv. view; tanke äv. idea [*om* (*beträffande*) i samtliga fall about, of, när det gäller sak äv. on, as to]; **vara av** (**ha**) **samma ~ som ngn** share sb's view[s], be of the same opinion as sb, agree with sb; **ha en annan ~ än ngn** ofta differ from (with) sb, disagree with sb; **jag har sagt min ~** I have given (stated) my opinion, I have said what I think; **om jag får säga min ~** vanl. if you ask me; **enligt min ~** in my opinion (omdöme judgement), to my mind **2** avsikt intention; syfte purpose, object, aim, idea; **det var inte ~en** (**min ~**) som ursäkt I didn't mean to; **det är ~en att jag ska göra det** a) avsikten är I am to (the idea is that I should)… b) det förväntas I am supposed to…; **~en var att…** the intention was that…; **vad är ~en med det här?** a) vad är det bra för what is the idea of this?; vard. what's the big idea? b) vad vill det här säga what is this all about? **3** innebörd, idé sense; betydelse meaning, significance; **~en med livet** the meaning of life; **det är ingen ~ med att** + inf. there is no sense (point) in + ing-form; **ett bolag i svensk ~** …in the Swedish sense [of the word] **4** gram. sentence; av flera satser period

meningsbyggnad s (~en, ~er) språkv. sentence structure

meningsfrände s (~n, ~r) sympathizer; **hans ~r** äv. those who share his opinion[s] (views)

meningsfull *adj* (~t) o. **meningsfylld** *adj* (-fyllt) om t.ex. arbete, verksamhet meaningful, purposeful

meningslös *adj* (~t) meaningless; som saknar mening äv. unmeaning; oförnuftig senseless; svamlig nonsensical; **~a ord** äv. words devoid of meaning; **~t prat** nonsense; **~t våld** mindless (senseless) violence; **det är ~t att gå** vanl. there is no sense (point) in going

meningsskiljaktighet s (~en, ~er) difference of opinion, disagreement [*om* about]

meningsutbyte s (~t, ~n) exchange of views (opinions); diskussion debate; dispyt controversy, dispute, argument

menisk s (~en, ~er) anat. meniscus (pl. meniscuses el. menisci)

menlig *adj* (~t) injurious, prejudicial, detrimental [*för* i samtliga fall to]

menlös *adj* (~t) ofarlig harmless; oskyldig innocent; intetsägande vapid; om mat insipid; **Menlösa barns dag** se *Värnlösa barns dag* under *värnlös*

menlöshet s (~en) harmlessness osv., innocence, vapidity; jfr *menlös*

menopaus s (~en, ~er) med. menopause

Menorca Minorca

mens s (~en) [monthly] period; **ha ~** vanl. have one's period

mensskydd s (~et, =) sanitary protection

menstruation s (~en, ~er) menstruation, menses pl.

menstruationsbesvär s (~et, =) menstrual discomfort (pains pl.)

menstruationsrubbning s (~en, ~ar) menstrual disorder

menstruera *vb tr* (~de, ~t) menstruate

mensvärk s (~en) period pain, menstrual pains

mental *adj* (~t) mental

mentalitet s (~en, ~er) mentality

mentalsjuk *adj* (~t) åld. mentally deranged (ill, disordered)

mentalsjukdom s (~en, ~ar) åld. mental disease (illness, disorder, derangement)

mentalsjukhus s (~et, =) åld. mental hospital

mentalvård s (~en) åld. mental health care; organisation mental health services

mentol s (~en) menthol

menuett s (~en, ~er) mus. minuet

meny s (~n, ~er) menu äv. bildl. el. data.; matsedel äv. bill of fare

mer *adj* (komp.) o. *adv* o. **mera** *adj* (komp.) o. *adv* more; ytterligare further, else, besides; ganska, snarare rather; det kräver [*mycket*] **~ arbete** …[much] more work; **det var** [*mycket*] **~ bilar** (**folk**) än vanligt there were [many] more cars (people)…; **han är ~ konstnär än vetenskapsman** …more of an artist than [of] a scholar; vill du ha [*lite*] **~** [*te*]**?** …some more [tea]?; **finns det ~** [*te*]**?** is there any more [tea]?; **jag vill inte ha ~** [*te*] I don't want any more [tea]; det finns **inte ~** [*te*] …no more [tea]; **den är ~ efterfrågad** …more in demand (in greater demand); **den är ~ grön än blå** …green rather than blue; **vara ~ känd** än be better (more widely) known…; **han** (**huset**) **finns inte ~** he is no more (the house doesn't exist any longer); **jag träffade honom inte ~** (**aldrig ~**) I didn't see him any more (I never saw him again); **var det någon ~** (**någon ~ än jag**) **som såg det?** did anybody else (anybody [else] except me) see it?; **vad kan man ~ göra** (**vänta sig**)**?** what else can one do (more can one expect)?; **vem ~ än du** var där**?** who [else] besides (else but) you…?; **~ än** 10 personer more than…; över upwards of (above)…; **inte mer än** 10 personer no (högst not) more than…; endast only…; inte över not above…; **det räcker mer än väl** that is more than enough; **han vet mer än väl…** …perfectly (only too) well; det är **inte mer än rätt**[**vist**] …only fair; **mer och mer** el. **allt mer** [**och mer**] more and more; **mer eller mindre** more or less

merarbete s (~t, ~n) extra work

meridian s (~en, ~er) geogr. meridian

merit s (~en, ~er) kvalifikation qualification [*för* for]; plus recommendation; förtjänst merit; **han har bättre ~er** äv. he is more qualified

meritera I *vb tr* (~de, ~t) qualify, render…qualified [*för* for]; språkkunskaper anses **~nde** …are considered an additional qualification **II** *vb rfl* (~de, ~t) **~ sig** qualify [oneself] [*för* for]

meriterad *adj* (meriterat, ~e) qualified

meritförteckning s (~en, ~ar) o. **meritlista** s (~n, -listor) curriculum vitae (pl. curricula vitae), CV, amer.

biodata, resumé; allmännare list of qualifications, personal record

merkantil *adj* (~t) commercial

merkantilism *s* (~en), *~en* mercantilism, the mercantile system

merkostnad *s* (~en, ~er) additional (extra, surplus, plus, excess) cost

Merkurius astron. el. mytol. Mercury

merpart *s* (~en), *~en av...* the greater (major) part of..., the majority of...

mersmak *s* (~en), *det ger ~* it whets the appetite, it makes you want more, it's moreish

mervärde *s* (~t, ~n) surplus (ökat increased) value

mervärdesmat *s* (~en) functional foods pl.

mervärdesskatt *s* (~en, ~er) value-added tax

1 mes *s* (~en, ~ar) zool. tit|mouse (pl. -mice)

2 mes *s* (~en, ~ar) person namby-pamby, softy, wimp

mesallians *s* (~en, ~er) misalliance

mesanmast *s* (~en, ~er) sjö. mizzen[mast]

mesig *adj* (~t) namby-pamby, wimpish; feg faint-hearted

mesopotamisk *adj* (~t) Mesopotamian

mesost *s* (~en, ~ar) whey cheese

mess *s* (~et, =) vard. text

messa *vb tr* o. *vb itr* (~de, ~t) vard. text

Messias bibl. Messiah

messmör *s* (~et, =) soft whey cheese

mest I *adj* (superlativ) allm. [the] most; 'mer än hälften [av]' most; attr. äv. most of; för konstr. se ex.; *där det finns ~* [*med*] mat where there is [the] most (the greatest amount el. quantity of)...; *där det finns ~* [*med*] bilar where there are [the] most (is the greatest number of)...; det som tar *~ tid* ...[the] most time; det upptar *den ~a tiden* (*min ~a tid*) ...most of the (my) time; *det ~a teet* exporteras most tea...; *det ~a te som* dricks most of the tea that...; *det ~a av* förmögenheten most (the greater part, the bulk) of...; *det ~a* [*av vad*] *som* görs most of what...; *det* [*allra*] *~a* jag kan göra the [very] most...; han har sett *det ~a* [*i livet*] ...most things [in life]; *få ut det ~a av livet* get the most out of life; *för det ~a* se mest II 2 **II** *adv* **1** allm., äv. superlativbildande most, the most, jfr ex.; *~ beundrad är hon* för sin intelligens she is most admired...; *hon är ~ beundrad* (*den ~ beundrade*) av dem she is the most admired...; *en av våra ~ kända* författare one of our best-known (most widely known, most well-known)...; *på det ~ hjärtlösa sätt* in a most heartless way **2** för det mesta mostly; huvudsakligen äv. chiefly, mainly; till största delen äv. for the most part; vanligen generally; *han röker ~ pipa* he mostly smokes...; *som pojkar är ~* just as boys generally are **3** så gott som practically, almost; sova *~ hela dagen* ...practically all day

mestadels *adv* mostly; till största delen for the most part; i de flesta fall in most cases

mestis *s* (~en, ~er) mestizo (pl. -s); kvinna mestiza

meta I *vb tr* (~de, ~t) angle for, fish **II** *vb itr* (~de, ~t) angle, fish

metadata *s pl* metadata

metadon *s* (~et) med. methadone, methadon

metafor *s* (~en, ~er) metaphor

metafysik *s* (~en) metaphysics sg.; äv. friare

metafysisk *adj* (~t) metaphysical

metall *s* (~en, ~er) metal; knapp *av ~* äv. metal...

metallarbetare *s* (~n, =) metalworker

metallhaltig *adj* (~t) metalliferous; attr. äv. ...containing metal

metallic *s* (~en) o. **metallicfärg** *s* (~en, ~er) metallic paint

metallindustri *s* (~n, ~er) metal industry

metallisk *adj* (~t) metallic

metallslöjd *s* (~en) metalwork

metallsmak *s* (~en) metallic taste

metalltråd *s* (~en, ~ar) [metal] wire

metallurgi *s* (~n) metallurgy

metamorfos *s* (~en, ~er) biol. el. friare metamorphos|is (pl. -es)

metan *s* (~et el. ~en) kem. methane, marsh gas

metanol *s* (~en) kem. methanol

metare *s* (~n, =) angler

metastas *s* (~en, ~er) med. metastas|is (pl. -es)

mete *s* (~t, ~n) metning angling, fishing

meteor *s* (~en, ~er) meteor äv. bildl.

meteorartad *adj* (-artat, ~e) meteoric äv. bildl.

meteorit *s* (~en, ~er) meteorite

meteorolog *s* (~en, ~er) meteorologist; vard. t.ex. i tv weatherman, weather forecaster

meteorologi *s* (~n) meteorology

meteorologisk *adj* (~t) meteorological; *~ station* meteorological (weather) station

meteorsvärm *s* (~en, ~ar) astron. meteor swarm

meter *s* (~n, = el. metrar) (förk. *m*) metre (amer. meter) (förk. m); eng. motsv. äv. yard (ung. 90 cm); *2 ~ tyg* two metres of...; *två ~s höjd* a height of two metres; 80 kronor *~n* ...a metre

meterlång *adj* (~t), *en ~ stav* a metre (amer. meter) long..., a...one metre (amer. meter) long (in length)

metersystem *s* (~et, =), *~et* the metric system; *införa ~et* go metric

metervara *s* (~n, -varor), tyget *finns i ~* ...is sold by the metre (amer. meter); *metervaror* piece goods

metervis *adv* per meter by the metre (amer. meter); *~ med...* metres and metres (amer. meters and meters) of...; eng. äv. ung. yards and yards of...

metkrok *s* (~en, ~ar) [fish] hook

metmask *s* (~en, ~ar) angling-worm

metning *s* (~en) angling, fishing

metod *s* (~en, ~er) allm. method; system äv. system; tillvägagångssätt äv. procedure; speciellt tekn. process

metodik *s* (~en) metodlära methodology; metoder methods pl.

metodiklektor *s* (~n, ~er) lecturer in teaching methods [at a school (institute) of education]

metodisk *adj* (~t) methodical

metodist *s* (~en, ~er) relig. Methodist

metrev *s* (~en, ~ar) [fishing-]line

metrik *s* (~en) litt.vet. prosody

metronom *s* (~en, ~er) mus. metronome

metropol *s* (~en, ~er) metropolis

metropolit *s* (~en, ~er) kyrkl. metropolitan

metspö *s* (~t, ~n) [fishing-]rod

Mexico o. **Mexiko** Mexico

mexikan *s* (~en, ~er) Mexican

mexikansk *adj* (~t) Mexican; *Mexikanska golfen* the Gulf of Mexico

mexikanska *s* (~n, mexikanskor) kvinna Mexican woman

mezzosopran *s* (~en, ~er) mus. mezzo-sopran|o (pl. -i)

m.fl. (förk. för *med flera*) and others

miau *interj* miaow!

mick *s* (~en, ~ar) vard., mikrofon mike
middag *s* (~en, ~ar) **1** kl. 12 noon; ungefär mitt på dagen midday; **god ~!** good afternoon!; **sova ~** have (take) an afternoon nap (a siesta); **vila ~** have a lie-down in the afternoon
2 måltid: allm. dinner; bjudning äv. dinner party; **~en är färdig** dinner is ready; **ha (bjuda hem) vänner på ~** have friends over (around) for dinner; **äta ~** have [one's] dinner; högtidl. dine; **äta ~ ute** på restaurang dine out; **~ med dans** dinner-dance; **dricka** öl **till ~en** drink…at dinner (with one's dinner); **äta fisk till ~** have…for dinner
middagsbjudning *s* (~en, ~ar) dinner party
middagsbord *s* (~et, =) dinner table; **duka ~et** äv. lay the table for dinner; **vid ~et** at dinner
middagsgäst *s* (~en, ~er) dinner guest; **ha ~er** äv. have guests for dinner
middagssol *s* (~en) midday sun
middagstal *s* (~et, =) speech during dinner; eng. motsv. after-dinner speech
midja *s* (~n, midjor) waist; markerad waistline; **ha smal ~** …a slim waistline
midjekjol *s* (~en, -kjolar) underkjol waist slip
midjekort *adj* (=), **~ jacka** waist-length jacket
midjemått *s* (~et, =) waist-measurement
midjeväska *s* (~n, -väskor) belt (vard. bum) bag, amer. vard. fanny pack
midnatt *s* (~en) midnight; **vid ~** at midnight
midnattsmässa *s* (~n, -mässor) midnight mass
midnattssolen *s* (best. sing.) the midnight sun
midskepps *adv* amidships, midships
midsommar *s* (~en, -somrar) midsummer; som helg Midsummer; för konstr. jfr *jul* o. sammansättn.
midsommarafton *s* (~en, -aftnar), **~[en]** Midsummer Eve
midsommarblomster *s* (-blomstret, =) bot. crane's-bill
midsommardag *s* (~en, ~ar), **~[en]** Midsummer Day i Storbr. 24 juni
midsommarnatt *s* (~en, -nätter) Midsummer night
midsommarstång *s* (~en, -stänger) maypole
midvinter *s* (~n, vintrar) midwinter
mig *pers pron* me; rfl. myself; **~ själv** myself; **stackars ~!** poor me!; **han gav ~ den** he gave it [to] me; **jag har lärt ~ det** I have learnt it; **jag har inga pengar på ~** I have no money on me; **en vän till ~** a friend of mine; **kom hem till ~!** come round to my place; **jag var utom ~** I was beside myself; jfr äv. *sig*
migration *s* (~en, ~er) migration
migrationsminister *s* (~n, -ministrar) i Sverige Minister for Migration and Asylum Policy
Migrationsverket the Swedish Migration Board
migrän *s* (~en) migraine
migränanfall *s* (~et, =) attack of migraine
mikra *vb tr* o. *vb itr* (~de, ~t) vard. microwave; amer. nuke
mikro *s* (~n) vard., mikrovågsugn micro
mikroblogg *s* (~en, ~ar) micro blog
mikrodator *s* (~n, ~er) data., persondator microcomputer
mikrofilm *s* (~en, ~er) microfilm
mikrofon *s* (~en, ~er) microphone; vard. mike; på telefonlur mouthpiece; **dold ~** hidden microphone; vard. bug
mikrofotografera *vb tr* (~de, ~t) microphotograph

mikrokosmos *s* (=, ett) microcosm
Mikronesien Micronesia
mikroorganism *s* (~en, ~er) micro-organism
mikroskop *s* (~et, =) microscope; **undersöka ngt i ~** …under a microscope
mikroskopisk *adj* (~t) microscopical; mycket liten vanl. microscopic
mikrovågsugn *s* (~en, ~ar) microwave [oven]; **tål ~** som märkning microwave safe
mil *s* (~en, =), **en ~** ten kilometres; eng. motsv. ung. six miles; **engelsk ~** mile; **ett par ~** some twenty or thirty kilometres; **nautisk ~** nautical mile
mila *s* (~n, milor) kol~ [charcoal] stack (pile)
Milano Milan
mild *adj* (milt) allm. (t.ex. om förebråelse, klimat, luft, ost, sätt, vinter) mild; inte hård (t.ex. om blick, färg, ljus, regn, svar) soft; lindrig (t.ex. om straff) light; inte sträng: t.ex. om dom, bedömning lenient; t.ex. om röst, sätt gentle; **~a makter!** el. **du ~e!** Good gracious!, Gracious me!; **så till den ~a grad kallt** so awfully cold
mildhet *s* (~en) mildness, softness, lightness, lenience, leniency, lenity, gentleness; jfr *mild*
mildra *vb tr* (~de, ~t) lindra: allm. mitigate; t.ex. smärta äv. alleviate, assuage; t.ex. straff reduce; t.ex. sorg allay; göra mildare: allm. soften; t.ex. stöt cushion
milersättning *s* (~en, ~ar) bil. mileage allowance
milis *s* (~en, ~er) militia
militant *adj* (=) militant
militarism *s* (~en), **~[en]** militarism
militarist *s* (~en, ~er) militarist
militaristisk *adj* (~t) militarist[ic]
militär I *s* (~en, ~er) **1** soldat service man, member of the armed forces; spec. i armén äv. soldier; **en hög[re] ~** a high-ranking officer **2** krigsmakten, **~en** the military pl.; armén the army **II** *adj* (~t) military; **i det ~a** mots. i det civila in military life; **han är i det ~a** …in the army
militärattaché *s* (~n, ~er) military attaché
militärbas *s* (~en, ~er) military base
militärdiktatur *s* (~en, ~er) military dictatorship
militärflyg *s* (~et, =) flygväsen military aviation
militärflygplan *s* (~et, =) military plane
militärförläggning *s* (~en, ~ar) military camp, garrison
militärisk *adj* (~t) militär- military; soldatmässig soldierly, soldier-like
militärjunta *s* (~n, -juntor) military junta
militärområde *s* (~t, ~n) military command [area]; amer. military district
militärregim *s* (~en, ~er) military regime
militärsjukhus *s* (~et, =) military hospital
militärtjänst *s* (~en) o. **militärtjänstgöring** *s* (~en) military service; **inkallad till ~** called up for military service
militärutbildning *s* (~en, ~ar) military training
miljard *s* (~en, ~er) billion; **en ~** äv. a el. one thousand million (resp. millions, jfr *miljon*); **~er** bakterier vanl. thousands of millions of…
miljardär *s* (~en, ~er) billionaire
miljon *s* (~en, ~er) million; **~er människor** millions of people; **dessa tio ~er (tio ~er människor)** these ten million[s] (ten million people)
miljonaffär *s* (~en, ~er) transaction (deal) involving (amounting to, worth) millions (resp. a million)
miljondel *s* (~en, ~ar) millionth [part]; jfr *femtedel*

miljonstad *s* (~en, -städer) town with over a million (resp. with millions of) inhabitants

miljontals *adv*, ~ böcker millions of... (+ subst. i pl.); ~ **människor** äv. people in millions

miljonupplaga *s* (~n, -upplagor) edition running into millions (resp. a million)

miljonvinst *s* (~en, ~er) på lotteri o.d. prize of a million kronor (pounds etc.); hand. million-kronor (million-pound etc.) profit

miljonär *s* (~en, ~er) millionaire

miljö *s* (~n, ~er) yttre förhållanden environment, milieu fr.; omgivning surroundings pl.; ram setting

miljöaktivist *s* (~en, ~er) environmentalist; vard. eco warrior

miljöanpassad *adj* (-passat, ~e) environmentally adapted (adjusted)

miljöbrott *s* (~et, =) environmental crime

Miljödepartementet i Sverige the Ministry of the Environment

miljöfara *s* (~n, -faror) environmental hazard (danger)

miljöfarlig *adj* (~t) harmful to the environment, ecologically harmful; **~t avfall** hazardous [chemical] waste

miljöfråga *s* (~n, -frågor) environmental (ecological) question (issue, problem)

miljöförstöring *s* (~en, ~ar) [environmental] pollution

miljögift *s* (~et, ~er) toxic substance injurious to the environment

miljökatastrof *s* (~en, ~er) environmental disaster

miljöminister *s* (~n, -ministrar) i Sverige Minister for the Environment

miljömärkning *s* (~en, ~ar) eco-labelling

miljömärkt *adj* (=) eco-labelled

miljöombyte *s* (~t, ~n) change of environment (surroundings, scene)

miljöparti *s* (~et, ~er) polit. environmental party

Miljöpartiet de Gröna i Sverige the [Swedish] Green Party

miljöpolicy *s* (~n, ~er) ecopolicy

miljöpolitik *s* (~en) environmental (ecological) policy

miljöskadad *adj* (-skadat, ~e) psykol. ...harmed by one's environment; missanpassad [socially] maladjusted

miljöskildring *s* (~en, ~ar) litt.vet. description of the social background (setting)

miljöskydd *s* (~et, =) environmental protection (control)

miljövård *s* (~en) environmental control (conservation), ecology

miljövänlig *adj* (~t) environmentally (environment) friendly, ecofriendly

millennieskifte *s* (~t, ~n) turn of the millenium

millennium *s* (millenniet, millennier) millenium

millibar *s* (~en, =) millibar

milligram *s* (~met, =) (förk. *mg*) milligramme (förk. mg)

milliliter *s* (~n, = el. -litrar) (förk. *ml*) millilitre (förk. ml)

millimeter *s* (~n, = el. -metrar) (förk. *mm*) millimetre (förk. mm); det stämmer **på ~n** ...to a millimetre; friare ...to a hair

milslång *adj* (~t) attr.: ten-kilometre long...; flera mil lång ...miles and miles long

milstolpe *s* (~n, -stolpar) milestone äv. bildl.

milsvid *adj* (-vitt), **~a** skogar ...extending for miles and miles; **en ~ utsikt** a view of the country for miles

milt *adv* mildly, jfr *mild*; **~ sagt** (**uttryckt**) to put it mildly

mim *s* (~en, ~er) mime äv. person

mima *vb itr* (~de, ~t) mime

mimik *s* (~en) facial expressions pl.

mimosa *s* (~n, mimosor) bot. mimosa

mimosasallad *s* (~en, ~er) 'mimosa salad', kind of mayonnaise salad with chopped vegetables and fruit

1 min *poss pron* (mitt, mina) fören. my; självst. mine; **det är ~ bil** it is my car; **bilen är ~** the car is mine; **Mina damer och herrar!** Ladies and Gentlemen!; **och jag, ~ dumskalle, som trodde honom** and I believed him, fool that I was; **ditt och mitt hem** your home and mine; **på ~a och ~a kollegers vägnar** on behalf of myself (me) and my colleagues; **jag har gjort mitt** I have done my part (bit); **jag sköter mitt** [**och du sköter ditt**] I mind my own business [and you mind yours]; [**jag och**] **de ~a** [I (me) and] my family

2 min *s* (~en, ~er) ansiktsuttryck expression; uppsyn air; litt. mien; utseende look; **med** [**en**] **bister ~** with a grim expression; **vad gjorde han för ~** när han såg det? what was the expression on his face...?; **inte göra** [**någon**] **~ av att gå** make no sign of going; **hålla god ~ i elakt spel** grin and bear it (endast i inf.), put a good (bold) face on it; **ta på sig en oskyldig ~** put on an air (a look) of innocence; **utan att** [**för**]**ändra en ~** without turning a hair (batting an eyelid)

mina *s* (~n, minor) mine; **desarmera** (**lägga, spränga**) **en ~** disarm (lay, spring) a mine

minaret *s* (~en, ~er) minaret

mindervärdeskomplex *s* (~et, =) psykol. inferiority complex

mindervärdig *adj* (~t) inferior

mindervärdighet *s* (~en) inferiority

minderårig I *adj* (~t) omyndig ...under age; efterlämna **~a barn** ...young children; **~ förbrytare** young offender **II** *s* (en ~, pl. ~a), **en ~** a minor, an infant båda spec. jur.; **~a** juveniles

mindre I *adj* (komparativ) (mots. till 'större' o.d.) allm. smaller; kortare shorter; yngre younger; ringare less; attr. ibland äv. lesser; mindre betydande minor; [ganska] liten small; obetydlig slight, insignificant; **Mindre Asien** Asia Minor; **av ~ betydelse** of less (föga little, minor) importance; **ett ~ litet fel** har smugit sig in a slight error...; det kostar **en ~ liten förmögenhet** ...a small fortune; i England och **i ~ grad i Sverige** ...to a lesser extent (and less so) in Sweden; **jag har inget ~ än en** hundralapp I have no smaller change...; **vara ~ till storleken** (**växten**) be smaller in size (shorter el. smaller of stature)

II *adv* (mots. till 'mera') allm. less; färre fewer; inte särdeles not very; inte så mycket not so much [än as]; det kräver **~ arbete** ...less (a smaller el. lesser amount of) work; **där var** [**mycket**] **~ färre bilar** (**folk**) än vanligt there were [far] fewer cars (people)...; göra ngt **på ~ än en timme** ...in less than (in under) an hour; **ingen ~ än** statsministern no less a person than...; **ingenting ~ än** ett underverk nothing less than...; endast nothing short of...; **inte ~ än** tio personer no fewer (less) than...; **man kan bli** arg **för** ~ it is enough to make you (one)...; **med** ~ [**än att**] hela systemet **avskaffas** short of the abolition of..., unless...is abolished; han kan inte gå, **mycket** (**ännu**) ~ **springa** ...let alone run; **ett** ~ **lyckat** försök a not very successful..., a rather unsuccessful...; det är ~ **troligt** ...not very likely, ...rather unlikely

minera I vb tr (~de, ~t) mine **II** vb itr (~de, ~t) lay mines

mineral s (~et el. ~en, = el. ~er) mineral

mineralfyndighet s (~en, ~er) o. **mineralförekomst** s (~en, ~er) mineral deposit

mineralhalt s (~en, ~er) mineral content; procentdel percentage of mineral[s]

mineralhaltig adj (~t) attr. ...containing mineral[s]

mineralog s (~en, ~er) mineralogist

mineralogi s (~n) mineralogy

mineralvatten s (-vattnet) mineral water

minering s (~en, ~ar) minerande mining; konkr. mined area

minfara s (~n, -faror) danger from mines

minfartyg s (~et, =) minelayer

minfält s (~et, =) minefield

miniatyr s (~en, ~er) miniature

miniatyrformat s (~et, =), **i** ~ in miniature

miniatyrkamera s (~n, -kameror) miniature camera; vard. minicam[era]

minibuss s (~en, ~ar) minibus

minidator s (~n, ~er) minicomputer

minigolf s (~en) miniature (mini) golf; med roliga hinder crazy golf

minikjol s (~en, -kjolar) miniskirt, mini

minimajs s (~en) baby corn

minimal adj (~t) extremely small, minimal; om t.ex. chanser äv. infinitesimal; pred. äv. practically non-existent; om t.ex. skillnad, värde äv. negligible; pred. äv. hardly worth mentioning

minimalistisk adj (~t) konst. el. mus. minimalist

minimera vb tr (~de, ~t) reduce...to a minimum, minimize

minimibelopp s (~et, =) minimum amount

minimigräns s (~en, ~er) lowest (minimum) limit (level)

minimikrav s (~et, =) minimum demand

minimilön s (~en, ~er) minimum wage (salary), jfr **lön**

minimipris s (~et, = el. ~er) minimum price; vid auktion reserve price

minimiålder s (~n, -åldrar) minimum age

minimum s (~et, =) minim|um (pl. -a); **reducera till ett** ~ reduce to a minimum

minior s (~en, ~er) scout: pojke Cub [Scout]; flicka Brownie [Guide]

minipiller s (-pillret, =) preventivmedel minipill

miniräknare s (~n, =) minicalculator, pocket calculator

minister s (~n, ministrar) allm. minister; i USA secretary; i Storbr., regeringsmedlem äv. cabinet minister (member)

ministerium s (ministeriet, ministerier) se **departement 1**

ministerpost s (~en, ~er) ministerial post

ministerpresident s (~en, ~er) premier, prime minister

ministär s (~en, ~er) samtliga statsråd ministry; se vidare **regering**

mink s (~en, ~ar) mink

minkpäls s (~en, ~ar) mink coat

minnas vb tr dep (mindes, mints) remember; erinra sig äv. recollect, recall; regeln är **lätt att** ~ ...easy to remember; **jag har svårt för att** ~ namn vanligen I have a bad memory for...; **jag minns att jag gjorde det** I remember doing (having done) it; **jag minns inte** har glömt **vad hon heter** äv. I forget (have forgotten)...; **jag vill** ~ **att han...** I seem to remember that he...; **om jag minns rätt** (**inte minns fel**) if I remember rightly, if my memory serves me right; **så länge** (**långt tillbaka**) **jag kan** ~ ever since (as far back as) I can remember; **såvitt jag kan** ~ as far as I can remember, to the best of my recollection

minne s (~t, ~n) **1** memory; data. äv. storage device; erinran äv. remembrance; hågkomst äv. recollection, reminiscence; ~**t av min son** the memory of my son; **ett** ~ **för livet** a memory for life; uppliva **gamla** ~**n** ...old memories; **förlora** (**tappa**) ~**t** lose one's memory; **jag har inget** ~ **av** vad som hände I have no recollection (remembrance) of...; **jag har inget** ~ **av att jag gjorde det** vanl. I can't remember doing (having done) it; **bevara** ngn **i tacksamt** ~ keep...in grateful memory (remembrance); **ha** (**hålla**) ngt **i** ~**t** keep (bear)...in mind, remember...; **lagra i** ~**t** data. store; **lägga** ngt **på** ~**t** komma ihåg remember...; inprägla make a mental note of..., commit...to memory; **till** ~[**t**] **av** in memory (remembrance) of; **dra sig till** ~**s** remember, recollect; namnet **har fallit mig ur** ~**t** ...has escaped (slipped) my memory, I have forgotten...; **måla** ngt **ur** ~**t** ...from memory **2** minnessak remembrance, memento (pl. -s el. -es); souvenir souvenir, keepsake; **du får den som** ~ ...as a remembrance (a souvenir) **3** samtycke, **med hans goda** ~ with his consent

minnesanteckning s (~en, ~ar) memorandum (pl. memorandums el. memoranda)

minnesbeta s (~n, -betor), **ge ngn en** ~ teach sb a lesson that he (resp. she) won't forget

minnesbild s (~en, ~er) visual picture; **jag har en tydlig** ~ **av...** I have a distinct recollection of...

minnesförlust s (~en, ~er) loss of memory

minnesgod adj (-gott), **en** ~ **person** kom ihåg den a person with a good memory...; **vara** ~ have a good memory

minnesgudstjänst s (~en, ~er) memorial service

minneshögtid s (~en, ~er) commemoration, memorial ceremony

minneskapacitet s (~en) data. storage (memory) capacity

minneskort s (~et, =) data. memory card

minneslista s (~n, -listor) memorandum (pl. memorandums el. memoranda); för inköp shopping list

minneslucka s (~n, -luckor) gap (lapse) in one's memory

minneslund s (~en, ~ar) memorial grove (park)

minnesmärke s (~t, ~n) **1** minnesvård memorial, monument [**över** to] **2** relik relic, ancient monument

minnesord s pl minnestal commemorative words [**över** on]

minnesregel s (~n, -regler) mnemonic rule

minnesrik *adj* (~t) …rich in memories [of the past]; oförglömlig unforgettable

minnessak *s* (~en, ~er) **1** souvenir, keepsake, memento (pl.-s el. -es) **2** det är *en ren* ~ …merely a matter of memory

minnessten *s* (~en, ~ar) o. **minnesstod** *s* (~en, ~er) se *minnesmärke 1*

minnestal *s* (~et, =) commemorative speech [*över* on-]

minnestavla *s* (~n, -tavlor) commemorative plaque (tablet)

minnesutställning *s* (~en, ~ar) commemorative exhibition

minnesvärd *adj* (-värt) memorable [*för* ngn to…]; …worth remembering

minoritet *s* (~en, ~er) minority; *hamna i* ~ be reduced to a minority; *vara i* ~ be in the (a) minority

minoritetsparti *s* (~et, ~er) minority party

minoritetsregering *s* (~en, ~ar) minority government

minsann I *adv* sannerligen certainly, indeed; *det är* ~ *inte lätt* äv. that isn't easy, to be sure (I can tell you) **II** *interj*, *jaså, ~!* oh, indeed!; oh, is that so?

minska I *vb tr* (~de, ~t) reduce [*med* by]; skära ned äv. cut down, curtail; förminska decrease, lessen, diminish; förringa detract from; sänka lower; dämpa abate; ~ ngt *till hälften* halve…, diminish…to a half **II** *vb itr* (~de, ~t) **1** ~ *på* se *minska I* **2** decrease, lessen, diminish; avta fall off; sjunka decline, fall, go down; dämpas, lägga sig abate; arbetslösheten *har ~t* …has been reduced; folkmängden *har ~t* [*med…*] …has decreased [by…]; intresset *har ~t* …has diminished (become less); ~ [5 kilo] *i vikt* go down […] in weight; på grund av *~d efterfrågan* …decreasing demand

minskas *vb itr dep* (minskades, minskats) se *minska II 2*

minskning *s* (~en, ~ar) reduction, decrease, diminution [*av, i* i samtliga fall of, in]; nedskärning cut [*av* in]

minspel *s* (~et, =) facial expressions pl.

minspärr *s* (~en, ~ar) mil. mine barrage; över väg mine road block

minst I *adj* (superlativ) **1** mots. till 'störst': allm. smallest; attr. t.ex. om antal, äv. minimum; kortast shortest; yngst youngest; ringast least; obetydligast slightest; *den* ~ (*~e*) *av* pojkarna the smallest (yngste youngest) of…; *jag har inte* [*den*] *~a anledning att…* I haven't the least (slightest) reason to…, I have no reason whatever to…; *vid ~a beröring* at the slightest touch; ~ *till storleken* smallest in size **2** mots. till 'mest' least, the least; mots. till 'flest' fewest, the fewest; *han fick* ~ (~ *pengar*) he got [the] least ([the] least money); *han gjorde* ~ *fel* av oss he made the fewest mistakes…; *där det finns* ~ [*med*] mat where there is least (the smallest amount el. quantity of)…; *där det finns* ~ [*med*] bilar where there are fewest (is the smallest number of)… **3** det *~a du kan göra är att…* the least you can (could) do is to…; *om du är det ~a* rädd if you are the least bit (at all)…; *jag begrep inte det ~a* I did not understand a thing; *hon är inte det ~a* blyg she is not a bit (the least bit)…; *inte det ~a* not in the least, not at all **II** *adv* least; åtminstone at least; inte mindre än not less

than; *när man* [*allra*] ~ väntar det when you least [of all]…; *den kostar* [*allra*] ~ 100 kronor it costs…at [the very] least; *inte* ~ not least; i synnerhet äv. especially; ~ *sagt* to say the least [of it]

minsvepare *s* (~n, =) minesweeper

minsvepning *s* (~en, ~ar) minesweeping

minsökare *s* (~n, =) mine detector

mint *s* (~en) smakämne mint

mintsmak *s* (~en), *…med* ~ mint-flavoured…, …with a mint flavour

minus I *s* (~et, =) matem. minus [sign]; underskott deficit, deficiency, shortage [*på* i samtliga fall of]; nackdel drawback; *termometern står på* ~ it is below zero (freezing point); *stå på* ~ bildl. be on the minus side, be in the red **II** *adv* minus; ~ *2* [*grader*] el. *2 grader* ~ two degrees below zero; *fyra* ~ *två* four minus (less) two; 20 000 ~ *skatt* …less tax

minusgrad *s* (~en, ~er) degree of frost, degree below zero; *det är ~er* the temperature is below zero (freezing-point)

minuspoäng *s* (~en, =) point off, minus point

minussida *s* (~n, -sidor), *på ~n* on the debit side

minustecken *s* (-tecknet, =) minus [sign]

minut *s* (~en, ~er) **1** minute äv. del av grad; *fem ~ers promenad* [a] five minutes' walk, a five-minute walk; jag var borta [*i*] *en* ~ …for a minute; *i ~en* per minut a (per) minute; varje minut every minute; komma *i sista ~en* …at the last moment (minute); *på en* ~ inom en minut in a minute; med en minuts varsel at a minute's notice; *på ~en* strax in a minute; genast directly **2** hand., *köpa i* ~ buy retail; *sälja* ngt *i* ~ sell…by retail, retail…

minutförsäljning *s* (~en, ~ar) retail sale

minutiös *adj* (~t) meticulous; detaljerad minute, elaborate

minutvisare *s* (~n, =) minute hand

mirakel *s* (miraklet, =) miracle

mirakulös *adj* (~t) miraculous

misantrop *s* (~en, ~er) misanthrope

misantropisk *adj* (~t) misanthropic

miserabel *adj* (~t, miserabla) miserable, wretched

miss *s* (~en, ~ar) fel, bom miss; *en svår* ~ a bad miss

missa *vb tr* o. *vb itr* (~de, ~t) miss; ~ *poängen i* historien miss the point of…; ~ *tåget* äv. lose one's train

missakta *vb tr* (~de, ~t) ringakta disdain, look down upon; förakta despise

missanpassad *adj* (-anpassat, ~e) maladjusted; han *är* ~ äv. …is a misfit

missbedöma *vb tr* (-dömde, -dömt) misjudge, miscalculate

missbelåten *adj* (-belåtet, -belåtna) displeased [*med* with, at]; jfr *missnöjd*

missbelåtenhet *s* (~en) displeasure

missbildad *adj* (-bildat, ~e) malformed, misshapen

missbildning *s* (~en, ~ar) malformation; lyte deformity

missbruk *s* (~et, =) abuse; av alkohol, narkotika äv. addiction [*av* to]

missbruka *vb tr* (~de, ~t) abuse; t.ex. alkohol, narkotika be addicted to; t.ex. ngns godhet take [undue] advantage of; Guds namn take…in vain; *det kan lätt ~s* it lends itself (is open) to abuse; *detta ~de ord* this much-abused word

missbrukare *s* (~n, =) av alkohol, narkotika addict [*av* to]; ~ *av narkotika* drug (dope) addict

missdådare *s* (~n, =) malefactor, evildoer

misse *s* (~n, missar) vard. pussy[-cat], puss

missfall *s* (~et, =) miscarriage; *få* ~ have a miscarriage

missfoster *s* (-fostret, =) monster, monstrosity

missfärga *vb tr* (~de, ~t) discolour

missförhållande *s* (~t, ~n) otillfredsställande tillstånd: ~[*n*] allm. unsatisfactory state of things (affairs) sg.; dåliga förhållanden bad conditions pl.; *sociala ~n* social evils

missförstå *vb tr* (-förstod, -förstått) misunderstand; vard. get...wrong; *~dd* misskänd misunderstood, unappreciated; *det kan lätt ~s* it can easily be misunderstood

missförstånd *s* (~et, =) misunderstanding; oenighet disagreement; jfr *misstag* o. *missuppfattning*

missgrepp *s* (~et, =) bildl. mistake, blunder, error [of judgement]

missgynna *vb tr* (~de, ~t) treat...unfairly; vara orättvis mot be unfair to; *~d* eftersatt disadvantaged

missgärning *s* (~en, ~ar) misdeed, outrage; starkare evil (ill) deed

misshaga *vb tr* (~de, ~t) displease

misshaglig *adj* (~t) displeasing, objectionable [*för* to]; *en* ~ person (åtgärd) an undesirable...

misshandel *s* (~n) maltreatment, ill-treatment, spec. av barn, kvinnor battering [*av* of]; jur. assault and battery [*mot* against]; *utsätta för* ~ se *misshandla*

misshandla *vb tr* (~de, ~t) maltreat, ill-treat, treat...badly; speciellt barn el. kvinnor äv. batter, manhandle; speciellt jur. assault; bildl.: t.ex. en melodi, språket murder, t.ex. ett piano maltreat

misshushålla *vb itr* (~de, ~t), ~ slösa *med* be uneconomical with (in the use of); förvalta dåligt mismanage

misshushållning *s* (~en) mismanagement; *~en med* arbetskraften the uneconomical use of...

misshällighet *s* (~en, ~er) discord, dissension; *~er* äv. quarrels; meningsskiljaktigheter differences

missil *s* (~en, ~er) mil. missile

mission *s* (~en, ~er) **1** [livs]uppgift, [politiskt] uppdrag mission; kall äv. vocation **2** relig., ~[*en*] missions pl.

missionera *vb itr* (~de, ~t) missionize

missionshus *s* (~et, =) [nonconformist] chapel, mission-hall

missionär *s* (~en, ~er) missionary

misskläda *vb tr* (-klädde, -klätt) not suit (become), be unbecoming on

missklädsam *adj* (~t, ~ma) unbecoming; drottningen bar *en* ~ *hatt* äv. ...a hat that didn't suit her

misskreditera *vb tr* (~de, ~t) discredit

misskund *s* (oböjl., en) förbarmande mercy; medkänsla compassion; *utan* ~ without any mercy (compassion)

misskänna *vb tr* (-kände, -känt) felbedöma misjudge; missförstå misunderstand; underskatta underrate; *misskänd* äv. unappreciated

missköta I *vb tr* (-skötte, -skött) mismanage, jfr *vansköta I*; försumma, t.ex. hälsa, tjänst neglect **II** *vb rfl* (-skötte, -skött), ~ *sig* neglect oneself (sin hälsa one's health); ~ *sig* [*i sitt arbete*] neglect one's work (duties)

missleda *vb tr* (-ledde, -lett) mislead

missljud *s* (~et, =) eg. el. bildl. jarring (discordant) sound; mus. el. bildl. äv. discord, discordant note

misslyckad *adj* (-lyckat, ~e) som misslyckats unsuccessful; felslagen, förfelad abortive; *en* ~ *existens* el. *ett misslyckat företag* a failure; *misslyckat försök* unsuccessful (abortive) attempt; *en* ~ kaka ...that has turned out badly, ...that is a failure; som sekreterare *är han totalt* ~ ...he is an utter failure (a complete misfit)

misslyckande *s* (~t, ~n) failure; fiasco (pl. -s); vard. flop

misslyckas *vb itr dep* (-lyckades, -lyckats) fail [*i* (*med*) in; *med att* + inf. to + inf. el. in + ing-form]; be (prove, turn out) unsuccessful [*i* (*med*) in]; planen *misslyckades totalt* äv. ...did not work at all, ...broke down (collapsed, failed) completely, ...was a dead failure (vard. a complete flop)

misslynt *adj* (=) ill-humoured; starkare cross; *göra ngn* ~ put sb out [of humour], upset sb (sb's equanimity), make sb cross; *bli* ~ *över ngt* get put out at (get cross about) sth

missminna *vb rfl* (-minde, -mint), *om jag inte missminner mig* if my memory is not at fault, if I remember rightly

missmod *s* (~et) downheartedness, dejection, despondency, depression [of spirits]; nedslagenhet discouragement

missmodig *adj* (~t) downhearted, dejected, despondent, depressed; nedslagen discouraged [*över* i samtliga fall at]

missnöjd *adj* (-nöjt) framför allt tillfälligt dissatisfied; missbelåten displeased; som karaktärsdrag o.d. discontented

missnöje *s* (~t) dissatisfaction; missbelåtenhet, misshag displeasure; djupt o. utbrett discontent; ngns otillfredsställdhet discontentment [*med* i samtliga fall with; *över* at]; ogillande disapproval [*med* of]; *det rådande ~t* bland arbetarna the prevailing discontent...; meddelandet *väckte allmänt* ~ ...gave rise to general dissatisfaction

missnöjesparti *s* (~et, ~er) polit. party of discontent

missnöjesyttring *s* (~en, ~ar) expression of dissatisfaction (discontent)

misspryda *vb tr* (-prydde, -prytt) disfigure

missriktad *adj* (-riktat, ~e) misdirected

missräkna *vb rfl* (~de, ~t), ~ *sig* göra en felberäkning make a miscalculation [*på* (*i fråga om*) about (as to)]; ~ *sig* bli besviken *på ngn* be deceived (disappointed) in sb

missräkning *s* (~en, ~ar) disappointment [*för* to; *över* at]

missta *vb rfl* (-tog, -tagit), ~ *sig* make a mistake [*om* (*på*) about (as to)]; be mistaken, be wrong, be in error; *om jag inte misstar mig* if I am not mistaken; ~ *sig på* felbedöma ngn (ngt) be mistaken in..., get...wrong, get a wrong idea of (about)..., misjudge...; *man kan inte* ~ *sig på* avsikten there is no mistaking...; äv. ...is obvious (unmistakable)

misstag *s* (~et, =) mistake, error; förbiseende oversight, slip, blunder; *det måste vara ett* ~ there must be some mistake; *det vore ett* ~ att tro... it would be an error...; *av* ~ by mistake, through (owing to) an oversight

misstanke *s* (~n, -tankar) suspicion [*för* (*om*) ngt as to (about)...; [*om*] *att* + sats that + sats]; *fatta*

misstankar mot begin to suspect, become suspicious of; **ha sina misstankar** att… suspect…, have a suspicion…; **hysa misstankar mot** suspect, entertain suspicions about; **väcka misstankar hos ngn** arouse suspicion in sb's mind

misstolka *vb tr* (~de, ~t) missförstå misconstrue; vantolka misinterpret

misstro I *vb tr* (~dde, ~tt) distrust, suspect, have no faith in; tvivla på doubt; betvivla discredit **II** *s* (~n) se *misstroende*

misstroende *s* (~t) distrust, mistrust, suspicion [*mot* i samtliga fall of]; **hysa ~ mot** se *misstro I*

misstroendevotum *s* (~et, =) vote of censure, vote of no confidence [*mot* on]; **ställa ~** move a vote of censure (vote of no confidence)

misstrogen *adj* (-troget, -trogna) distrustful, mistrustful, suspicious; skeptisk incredulous [*mot* i samtliga fall of]

misstrogenhet *s* (~en) distrustfulness, distrust, suspiciousness; skepticism incredulity

misströsta *vb itr* (~de, ~t) despair [*om* of]; **man ska aldrig** (*inte*) **~** vard. never say die

misströstan *s* (=, en) despair; svagare despondency

misstycka *vb itr* o. *vb tr* (-tyckte, -tyckt), **om du inte misstycker** if you don't mind; **jag hoppas du inte misstycker** om… I hope you won't take it amiss (be offended)…

misstyda *vb tr* (-tydde, -tytt) missförstå misconstrue; vantolka misinterpret

misstämning *s* (~en, ~ar) förstämning [feeling of] depression; spänning unpleasant (bad, ill) feeling

misstänka *vb tr* (-tänkte, -tänkt) suspect [*för* of; *för att* + inf. of + ing-form]; förmoda äv. guess, think; **~ ngn** äv. be suspicious of sb; **jag misstänker att han ljuger** I suspect him of lying; **~s för ngt** (*för att* + inf.) be under suspicion of sth (of + ing-form); jfr *misstänkt*

misstänkliggöra *vb tr* (-gjorde, -gjort) throw (cast) suspicion on

misstänksam *adj* (~t, ~ma) suspicious, distrustful [*mot* of]

misstänksamhet *s* (~en) känsla suspicion; egenskap suspiciousness, distrustfulness

misstänkt I *adj* (=) **1** suspected [*för* of]; häktad **som ~ för** …on [the (a)] suspicion of; **vara** (*bli*) **~ för ngt** (*för att* + inf.) be (come) under suspicion of sth (of + ing-form) **2** tvivelaktig, som inger misstro suspicious; **en ~ figur** a suspicious-looking (shady) character; **det ser ~ ut** (*verkar ~*) there is something suspicious (vard. fishy) about it **II** *s* (en ~, pl. ~a), **en ~** a suspect; **den ~e** (~a) the suspect

missunna *vb tr* (~de, ~t) grudge, begrudge; avundas envy

missunnsam *adj* (~t, ~ma) grudging [*mot* towards]; avundsam envious [*mot* of]

missuppfatta *vb tr* (~de, ~t) t.ex. ngns avsikt misunderstand, mistake; t.ex. situationen misjudge, misconceive; feltolka misread, get a false idea (notion) of

missuppfattning *s* (~en, ~ar) missförstånd misunderstanding, misapprehension, mistake; felaktig uppfattning misconception, false idea

missvisande *adj* (oböjl.) bildl. misleading, deceptive

missvisning *s* (~en, ~ar) kompassens variation, declination

missväxt *s* (~en) failure of the crop[s]; bönderna befarar ~ …a bad harvest; **~ på potatis** höjer priset failure of the potato crops…

missämja *s* (~n) dissension, discord, disagreement

missöde *s* (~t, ~n) mishap, misadventure; **tekniskt ~** technical hitch; **genom ett ~** en olycklig slump by mischance; **utan ~n** without a hitch (any accident)

mist *s* (~en) mist; tjocka fog

mista *vb tr* (miste el. mistade, mist el. mistat) förlora lose; undvara do without; **~ livet** lose one's life; **~ sin lön** be deprived of…

miste *adv*, **om jag inte tar ~** if I'm not mistaken; **gå ~ om** a) bli utan miss, fail to secure; vard. miss out on b) förlora (t.ex. sin plats) lose

mistel *s* (~n, mistlar) bot. mistletoe

mistlur *s* (~en, ~ar) foghorn

mistral *s* (~en) meteor. mistral

misär *s* (~en, ~er) extreme poverty, destitution

mitella *s* (~n, mitellor) med. sling

1 mitt *poss pron* se under *1 min*

2 mitt I *s* (~en) allm. middle; centrum äv. centre; **i** (*på*, *vid*) **~en** in the middle; **i ~en av juni** in the middle of June, in (at) mid-June

II *adv*, käppen gick **~ av** …[right] in two; **~ emellan** halfway between; han är varken ljus eller mörk utan någonting **~ emellan** …something [in] between; sanningen ligger **~ emellan** …is midway between the two; **~ emellan** ögonen right between…; **~ emot** just (straight, right, exactly) opposite [ngt [to] sth]; **~ fram** right in front; **~ framför näsan på ngn** under sb's very nose; 'rakt i ansiktet' in sb's face; **~ framför ögonen på ngn** right before sb's eyes, under sb's very eyes; **~ i** in (vid riktning into) the [very] middle [ngt of sth]; **~ i ansiktet** full (right) in the (one's) face; **~ i natten** right in the middle of the night; mera känslobetonat at (in the) dead of night; **~ i sommaren** (*vintern*) äv. in the height of summer (depth of winter); osedd **~ i vimlet** …amid the throng; **~ ibland** in the midst of, among; **~ ibland oss** in our midst; **~ inne i** in the very (right in the) centre (middle) of; bildl. in the middle of; **~ inne i** landet äv. in the interior of…; dela ngt **~ itu** …into two equal parts, …in half; gå **~ itu** …[right] in two; **~ på** in the middle; i rumsbetydelse äv. in the centre [ngt of sth]; vara **~** (*ute*) **på havet** …in mid-ocean, …right out at sea; **~ under** ngt a) i rumsbetydelse immediately (exactly) under (nedanför below) b) i tidsbetydelse in the middle of…; **~ uppe i** i tidsbetydelse o. bildl. in the middle of; **~ ute i** (*på*) out in the middle of, right out in; **~ över** ngt straight (exactly) above (over)…; **~ över** gatan straight across…

mittbena *s* (~n, -benor), **ha ~** have one's hair parted (have a parting) in (down) the middle

mittemellan *adv* se mitt emellan under *2 mitt II*

mittemot *adv* se mitt emot under *2 mitt II*

mittenparti *s* (~et, ~er) polit. centre party; **~erna** the parties in the middle

mitterst *adv* in the centre (middle) [i of]

mittersta *adj* (superlativ), [**den**] **~ kullen** the middle (central)…

mittfält *s* (~et, =) sport. midfield

mittfältare *s* (~n, =) sport. midfielder

mittgång *s* (~en, ~ar) [central] gangway; i kyrka, teater el. flyg. m.m. [centre (amer. center)] aisle

mittlinje *s* (~n, ~r) centre (central, median, på t.ex. fotbollsplan halfway) line

mittpunkt *s* (~en, ~er) centre

mittpå *adv* se *mitt på* under *2 mitt II*

mittremsa *s* (~n, -remsor) mellan två vägbanor central reservation; amer. median strip

mittuppslag *s* (~et, =) i tidning centrefold, amer. centerfold

mix *s* (~en, ~er el. ~ar) mix

mixa *vb tr* (~de, ~t) vard. mix äv. ljud

mixer *s* (~n, mixrar) kok. el. för ljud mixer; kok. äv. blender, liquidizer

mixerstav *s* (~en, ~ar) hand blender

mixtra *vb itr* (~de, ~t), ~ *med* knåpa potter (manipulera juggle, krångla tamper) with

mixtur *s* (~en, ~er) mixture

mjugg *s* (oböjl.), *i* ~ covertly; *le i* ~ laugh up one's sleeve

mjuk *adj* (~t) icke hård: allm. soft; t.ex. om anslag, handlag, sätt, kontur gentle; icke stel: böjlig limp, supple; smidig lithe, lissom, limber; ~ *som en vidja* (katt) lissom (lithe)...; ~ *och behaglig* till sitt väsen gentle [*mot* to[wards]]; ~*a rörelser* graceful (lithe) movements; *göra* vattnet ~*t* soften...; *göra* ngn ~ foglig soften...up; *vara* ~ *i kroppen* have supple limbs, be lithe

mjuka *vb tr* (~de, ~t), ~ [*upp*] göra mjuk make...soft, soften; ~ *upp* t.ex. sina muskler limber up; t.ex. läder supple; göra foglig soften up; ~ *upp sig* musklerna limber up

mjukglass *s* (~en, ~ar) soft ice cream

mjukhet *s* (~en) softness etc., jfr *mjuk*; pliancy, flexibility

mjuklanda *vb itr* (~de, ~t) make a soft landing äv. bildl.

mjuklandning *s* (~en, ~ar) soft landing äv. bildl.

mjukmedel *s* (-medlet, =) till tvätt fabric softener

mjukna *vb itr* (~de, ~t) soften, become (grow) soft[er]

mjukost *s* (~en, ~ar) soft cheese

mjukstart *s* (~en, ~er) settling-in period; skol. introductory (reception) period

mjukvara *s* (~n, -varor) data. software

mjäkig *adj* (~t) om t.ex. pojke namby-pamby; om t.ex. melodi sloppy sentimental

1 mjäll *s* (~et el. ~en) dandruff, scurf

2 mjäll *adj* (~t) **1** mör, läcker tender **2** om hy transparently (diaphanously) white

mjälte *s* (~n, mjältar) anat. spleen

mjälthugg *s* (~et, =) stitch [in the spleen]; *få* ~ have a stitch in one's side

mjärde *s* (~n, mjärdar) fiske. [fish] trap, wire cage

mjöd *s* (~et) mead

mjöl *s* (~et) siktat ~, speciellt vete~ flour; något söndermalet, t.ex. osiktat ~, ben~ meal; pulver powder; stoft dust; *inte ha rent* ~ *i påsen* bildl. have something to hide, be up to some mischief

mjöla *vb tr* (~de, ~t) flour, sprinkle...[over] (powder...) with flour

mjölig *adj* (~t) floury; ~ potatis mealy...

mjölk *s* (~en) milk; *oskummad* ~ whole (unskimmed) milk

mjölka I *vb tr* (~de, ~t) milk; ~ *ngn på* upplysningar (pengar), se *1 pumpa* **II** *vb itr* (~de, ~t) give (yield) milk; korna ~*r bra* ...are milking well

mjölkaffär *s* (~en, ~er) dairy

mjölkaktig *adj* (~t) milky

mjölkallergi *s* (~n, ~er) milk (dairy) allergy

mjölkchoklad *s* (~en) milk chocolate

mjölke *s* (~n, mjölkar) **1** fisk~ milt äv. om organet, soft roe **2** bot., se *mjölkört*

mjölkflaska *s* (~n, -flaskor) av glas: tom milk bottle, fylld bottle of milk

mjölkkanna *s* (~n, -kannor) milk can

mjölkko *s* (~n, ~r) milch cow äv. bildl.; *en bra* ~ a good milker

mjölkkörtel *s* (~n, -körtlar) anat. mammary gland

mjölkning *s* (~en, ~ar) milking

mjölkningsmaskin *s* (~en, ~er) milking machine

mjölkpaket *s* (~et, =) milk carton; paket mjölk carton of milk

mjölkpall *s* (~en, ~ar) sittpall milking stool

mjölksocker *s* (-sockret) milk sugar, lactose

mjölksyra *s* (~n, -syror) lactic acid

mjölktand *s* (~en, -tänder) milk tooth

mjölkört *s* (~en, ~er) bot. rose bay [willow herb]; amer. äv. fireweed

mjölnare *s* (~n, =) miller

mjölon *s* (~et, =) bot. bearberry

mjölsikt *s* (~en, ~ar) redskap flour sifter

mjölsäck *s* (~en, ~ar) floursack; säck mjöl sack of flour

m.m. (förk. för *med mera*) etc.

mms *s* (~:et, =) tele. MMS, picture message

mo *s* (~n, ~ar) **1** hed sandy heath [with pines] **2** sand[jord] sandy soil

moatjé *s* (~n, ~er) kavaljer, motspelare partner

mobb *s* (~en) mob

mobba *vb tr* (~de, ~t) i skola el. på arbete bully; mera allm. trakassera victimize, harass; vard. gang up on

mobbning *s* (~en) särsk. skol. bullying; mera allm. trakasseri harassment, victimization; ~ *av ngn* äv. ganging up on sb

mobil I *adj* (~t) mobile äv. mil. **II** *s* (~en, ~er) **1** vard., mobiltelefon mobile **2** konst. mobile

mobilisera *vb tr* o. *vb itr* (~de, ~t) mil. mobilize äv. friare

mobilisering *s* (~en, ~ar) mil. mobilization äv. friare

mobiliseringsorder *s* (~n, =) mil. mobilization order

mobilnummer *s* (-numret, =) mobile [phone] number; spec. amer. cellphone number

mobiltelefon *s* (~en, ~er) mobile [tele]phone, cellphone, cellular phone

mobiltelefontäckning *s* (~en) mobile network coverage

moçambikisk *adj* (~t) Mozambican, Mozambiquean

Moçambique Mozambique

1 mocka *s* (~n) skinnsort suede [leather]

2 mocka *vb tr* o. *vb itr* (~de, ~t), ~ [*gödsel*] clear the dung out; ~ *i* lagården clear the dung out of..., clear...of dung

mockajacka *s* (~n, -jackor) suede [leather] jacket

mockakopp *s* (~en, ~ar) [small] coffee cup

mockasin *s* (~en, ~er) moccasin

mod *s* (~et) orädhet courage; i vissa uttr. (jfr ex.) äv. heart; kurage mettle, pluck, nerve; vard. guts pl.; *fatta* ~ el. *ta* ~ *till sig* take courage (heart), pluck (screw) up courage; *tappa* ~*et* lose heart (courage), be discouraged; *hålla* ~*et uppe* bear up, keep up one's courage (spirits); *inge ngn nytt* ~ äv. hearten (put new heart into) sb; *känna sig väl* (resp. *illa*) *till* ~*s* feel at ease (resp. feel uneasy, feel ill at ease); **vara vid gott ~** be in good heart (spirits)

modd *s* (~en) slush

moddig *adj* (~t) slushy

mode *s* (~t, ~n) fashion, vogue, style; 'fluga' rage, fad; **det är högsta ~** it is all (quite) the fashion (vogue, rage); **klädd efter senaste ~t** dressed in the latest fashion (style); **komma på ~t** become the fashion (fashionable), come into fashion (vogue); **vara på ~t** be the (be in) fashion, be fashionable, be in vogue, be the craze, be all the rage

modedesigner *s* (~n, = el. ~s) fashion designer

modefluga *s* (~n, -flugor) craze, fad

modefärg *s* (~en, ~er) fashionable colour; **blått är ~en** äv. blue is all the rage

modehus *s* (~et, ~en) fashion house

modelejon *s* (~et, =) fashionmonger; sprätt dandy, fop

modell *s* (~en, ~er) **1** allm. model; mönster pattern; typ, snitt design; t.ex. hand. style **2** person model; **arbeta som ~** mannekäng model, work as a fashion model; **sitta ~ för ngn (ngt)** sit to sb (for sth); teckna **efter levande (naken) ~** ...from life (from the nude)

modellbygge *s* (~t, ~n) abstr. construction of a model (resp.models); konkr. model

1 modellera *s* (~n, modelleror) modelling clay; plastiskt material plasticine

2 modellera *vb tr* o. *vb itr* (~de, ~t) eg. el. bildl. model [*efter* after, [up]on]

modellflygplan *s* (~et, =) model [aero]plane

modelljärnväg *s* (~en, ~ar) model railway

modellsnickare *s* (~n, =) pattern maker

modem *s* (~et, =) data. modem

modemedveten *adj* (-medvetet, -medvetna) fashion-conscious

modenyck *s* (~en, ~er) fad, whim (vagary) of fashion

modeord *s* (~et, =) fashionable (vogue) word; vard. in-word

moder *s* (~n, mödrar) allm. mother; **~ jord** Mother Earth; **blivande mödrar** expectant mothers; **på ~ns sida** on the (one's) mothers side; attr. äv. maternal...; jfr *mor*

moderat I *adj* (=) **1** måttlig moderate; skälig reasonable **2** polit. Conservative, right-wing **II** *s* (~en, ~er) polit., **en ~** a member of the Moderate Party

Moderata samlingspartiet i Sverige the Moderate Party

Moderaterna *s pl* i Sverige the Moderate Party

moderation *s* (~en, ~er) moderation, restraint

moderbolag *s* (~et, ~en) parent company

moderera *vb tr* (~de, ~t) moderate; dämpa, t.ex. sina uttalanden, äv. tone down

moderfartyg *s* (~et, ~en) mother ship

moderfirma *s* (~n, -firmor) o. **moderföretag** *s* (~et, ~en) parent firm (company)

moderiktig *adj* (~t) fashionable; pred. äv. in fashion

moderiktning *s* (~en, ~ar) fashion trend

moderkaka *s* (~n, -kakor) anat. placenta (pl. placentas el. placentae)

moderland *s* (~et, -länder) mother country

moderlig *adj* (~t) omhuldande motherly, maternal

moderlighet *s* (~en) motherliness, maternal feeling

moderlös *adj* (~t) motherless

modern *adj* (~t) nutida modern, contemporary; attr. äv. ...of today; tidsenlig up to date; på modet fashionable, modish; pred. äv. in fashion, in vogue; **~ engelska** present-day (modern) English; **~a språk** modern languages; **det är inte ~t med blått** blue is out (has gone out) [of fashion]

modernisera *vb tr* (~de, ~t) modernize, bring...up to date

modernisering *s* (~en, ~ar) modernization

modernist *s* (~en, ~er) konst. modernist

modernitet *s* (~en, ~er) modernity (endast sg.); nymodig sak novelty

modersbunden *adj* (-bundet, -bundna), **vara ~** have a mother fixation

modersinstinkt *s* (~en, ~er) maternal instinct

moderskap *s* (~et) motherhood, maternity

moderskärlek *s* (~en) maternal (a mother's) love (affection), motherly love

modersmjölk *s* (~en) mother's (breast) milk; **med ~en** with one's mother's milk

modersmål *s* (~et) mother tongue, native language; **på sitt eget ~** äv. in one's own [native] language

modesak *s* (en, pl. ~er) **1** konkr. fashionable (fancy) article **2** abstr., **vara en ~** be the vogue (fashion); vard. be the in-thing

modeskapare *s* (~n, =) couturier fr., fashion designer

modest *adj* (=) modest

modetecknare *s* (~n, =) fashion designer

modeteckning *s* (~en, ~ar) fashion plate; fashion design (drawing) båda äv. abstr.

modetidning *s* (~en, ~ar) fashion magazine (paper)

modevisning *s* (~en, ~ar) fashion show (display)

modfälld *adj* (-fällt) discouraged, disheartened, dispirited, downhearted; dämpad dejected; misströstande despondent [*över* i samtliga fall at]; **göra ngn ~** discourage (dishearten, dispirit) sb

modifiera *vb tr* (~de, ~t) modify; dämpa äv. moderate, temper; inskränka äv. qualify

modifikation *s* (~en, ~er) modification; inskränkning äv. qualification; **det är en sanning med ~** it is not the whole truth, the statement needs qualifying

modig *adj* (~t) allm. courageous, plucky; tapper brave; djärv bold; **det var ~t av dig att göra det** that was a plucky (courageous) thing of you to do

modist *s* (~en, ~er) milliner, modiste

modlös *adj* (~t) dispirited, jfr vidare *modfälld*

modstulen *adj* (-stulet, -stulna) downhearted, jfr vidare *modfälld*

modul *s* (~en, ~er) module

modulera *vb tr* (~de, ~t) mus. el. radio. modulate

mogen *adj* (moget, mogna) allm. ripe; friare, framför allt bildl. äv. mature; i betydelsen 'färdig' äv. ready; **~ frukt** ripe (fullmogen mellow) fruit; **en ~ kvinna** a mature woman; **~ ost** ripe cheese; **moget vin** mature (fylligt, vällagrat mellow) wine; **vid ~ ålder** at a mature age; **efter moget övervägande** after mature deliberation (consideration); **bli ~** se *mogna*

mogenhet *s* (~en) ripeness; bildl. maturity

mogna *vb itr* (~de, ~t) allm. ripen; om frukt o.d. äv. grow ripe; friare o. bildl. mature

mognad *s* (~en) ripeness; maturity; framför allt bildl.

mohair *s* (~en) mohair

mohikan *s* (~en, ~er), **den siste ~en** the last of the Mohicans

mojna *vb itr* (~de, ~t) lull, slacken; ~ [*av* (*bort*)] äv. abate, die down (away), subside

mojäng *s* (~en, ~er) vard. gadget, thingumabob, thingamy, doodah

mol *adv*, ~ *allena* entirely (all) alone, all by oneself

mola *vb itr* (~de, ~t) småvärka ache slightly; ~*nde värk* dull pain

Moldavien, [*Republiken*] ~ [the Republic of] Moldova

moldavier *s* (~n, =) Moldovan

moldavisk *adj* (~t) Moldovan

moldaviska *s* (~n, moldaviskor) kvinna Moldovan woman

molekyl *s* (~en, ~er) fys. el. kem. molecule

molekylär *adj* (~t) fys. el. kem. molecular

moll *s* (oböjl., en) mus. minor; *gå i* ~ be in the minor key äv. bildl.

mollskala *s* (~n, -skalor) mus. minor scale

mollskinn *s* (~et, =) moleskin

moln *s* (~et, =) cloud äv. bildl.; *gå i* ~ pass (vanish) into [the] clouds (cloud)

molnfri *adj* (-fritt) cloudless, ...free from clouds; unclouded äv. bildl.

molnig *adj* (~t) cloudy, overcast

molnighet *s* (~en) cloudiness; *ökad* ~ i väderleksrapport becoming cloudier

molntapp *s* (~en, ~ar) o. **molntott** *s* (~en, ~ar) wisp of cloud

molntäcke *s* (~t, ~n) cloud-cover; *lättande* ~ decreasing cloud; *tjockt* ~ thick layer[s pl.] of cloud; *uppsprickande* ~ breaks pl. in the overcast, decreasing cloud

molntäckt *adj* (=) ...[that is (was osv.)] clouded over

moloken *adj* (moloket, molokna) vard. downhearted; pred. down; *vara* ~ äv. be down in the mouth

moltiga *vb itr* (molteg, moltigit) not say a word

momang *s* (~en, ~er) vard. instant, moment; *på* ~*en* instantly, on the spot

moment *s* (~et, =) **1** faktor element, factor; punkt point; stadium stage, phase; *det svåraste* ~*et i* tävlingen the most difficult part (element) of... **2** fys. el. tekn. moment

momentan *adj* (~t) momentary, instantaneous

moms *s* (~en) VAT, jfr *mervärdesskatt*

momsbefriad *adj* (-befriat, ~e) o. **momsfri** *adj* (-fritt) ...exempt from (zero-rated for) VAT

Monaco Monaco

monark *s* (~en, ~er) monarch

monarki *s* (~n, ~er) monarchy

monarkist *s* (~en, ~er) monarchist

mondän *adj* (~t) fashionable; societets- society...

monegask *s* (~en, ~er) Monacan, Monegasque

monegaskisk *adj* (~t) Monacan, Monegasque

monegaskiska *s* (~n, monegaskiskor) kvinna Monacan (Monegasque) woman

monetär *adj* (~t) ekon. monetary

mongol *s* (~en, ~er) Mongol[ian]

Mongoliet Mongolia

mongolism *s* (~en) äldre benämning, se *Downs syndrom*

mongoloid *adj* (neutrum undviks) **1** om ras Mongoloid **2** med. åld. mongoloid

monitor *s* (~n, ~er) radio. el. TV. monitor

monogam *adj* (~t) monogamous

monogami *s* (~n) monogamy

monografi *s* (~n, ~er) monograph [*över* on]

monogram *s* (~met, =) monogram

monokel *s* (~n, monoklar el. monokler) monocle

monolog *s* (~en, ~er) monologue, amer. äv. monolog, soliloquy

monopol *s* (~et, =) monopoly; *ha* ~ *på ngt* (*att* + inf.) have [got] a monopoly of sth (of + ing-form)

Monopol® sällskapspel Monopoly®

monopolisera *vb tr* (~de, ~t) monopolize

monopolställning *s* (~en, ~ar) monopoly position

monoteism *s* (~en) relig. monotheism

monoteistisk *adj* (~t) relig. monotheistic[al]

monoton *adj* (~t) monotonous

monotoni *s* (~n) monotony

monster *s* (monstret, =) monster; om sak äv. monstrosity

monstruös *adj* (~t) monstrous

monsun *s* (~en, ~er) monsoon

monsunregn *s* (~et, =) monsoon rain

montage *s* (~t, =) film. montage (endast sg.); montering mounting

montenegrin *s* (~en, ~er) Montenegrin

montenegrinsk *adj* (~t) Montenegrin

montenegrinska *s* (~n, montenegrinskor) **1** kvinna Montenegrin woman **2** (~n) språk Montenegrin

Montenegro Montenegro

monter *s* (~n, montrar) **1** av glas o.d. showcase, display case **2** utställningsutrymme på mässa o.d. [exhibition] stand

montera *vb tr* (~de, ~t) sätta ihop, infatta: foto. el. sömnad. el. allm. mount; t.ex. bil, radio assemble, put together; ~ [*'på*] anbringa äv. fix, fit; ~ *in* fit in, fix [up], install; ~ *ned* dismantle, dismount

montering *s* (~en, ~ar) abstr. mounting etc., assembly, assemblage; erection; installation; film. äv. montage; jfr *montera*

monteringsfärdig *adj* (~t) prefabricated; ~*a hus* prefabricated (prefab) houses, prefabs

montör *s* (~en, ~er) fitter; elektr. äv. electrician

monument *s* (~et, =) monument; *resa ett* ~ *över* erect (put up) a monument to (to the memory of)

monumental *adj* (~t) monumental; friare äv. stupendous, grand

moped *s* (~en, ~er) moped

mopp *s* (~en, ~ar) mop

moppa *vb tr* (~de, ~t) mop

1 moppe *s* (~n, moppar) vard., *ge ngn på* ~ en åthutning give sb a telling-off; stryk give sb a hiding

2 moppe *s* (~n, moppar) vard., moped moped

mops *s* (~en, ~ar) pug

mopsig *adj* (~t) vard. cheeky, saucy

mor *s* (modern, mödrar) allm. mother; jfr äv. *mamma* o. *moder*; ~*s dag* Mother's Day; *bli* ~ become a mother; *vara som en* ~ *för ngn* be [like] a mother to sb, mother sb; ~ *till* fyra barn the mother of...

moral *s* (~en, ~er) **1** etik ethics (sg. el. pl.); ~uppfattning morality (endast sg.); seder morals pl. **2** anda, t.ex. i lag, på arbetsplats, spec. bland trupper morale (endast sg.); *höja* ~*en* boost morale **3** sensmoral moral [*i of*]

moralbegrepp *s* (~et, =) moral concept

moralisera *vb itr* (~de, ~t) moralize [*över* on]

moralisk *adj* (~t) moral; etisk ethical

moralist *s* (~en, ~er) moralist

moralkaka *s* (~n, -kakor) o. **moralpredikan** *s* (=, en, predikningar) [moral] lecture, sermon

moras *s* (~et, =) sumpmark morass, bog; kärr marsh

morbid *adj* (neutrum undviks) morbid

morbror *s* (~n, -bröder) [maternal] uncle; jfr *farbror*

mord *s* (~et, =) murder [*på* of]; jur. äv. homicide, lönn~ el. politiskt ~ assassination; *begå ett* ~ commit a murder

mordbrand *s* (~en, -bränder) fire-raising; speciellt jur. arson (båda endast sg.)

mordbrännare *s* (~n, =) fire-raiser; speciellt jur. arsonist

mordförsök *s* (~et, =) attempted murder

mordgåta *s* (~n, -gåtor) murder mystery

mordisk *adj* (~t) murderous

mordkommission *s* (~en, ~er), **~en** the homicide squad; vard. homicide

mordlystnad *s* (~en) bloodthirstiness, murderousness

mordplats *s* (~en, ~er) scene of the (resp.a) murder

mordutredning *s* (~en, ~ar) murder investigation

mordvapen *s* (-vapnet, =) murder weapon

morfar *s* (-fadern, -fäder) [maternal] grandfather; vard. grandpa, granddad; mother's father; **~s far** (**mor**) great-grandfather (great-grandmother); **han ska bli** ~ he's going to be a grandfather

morfin *s* (~et el. ~en) morphia; speciellt med. morphine

morfinist *s* (~en, ~er) morphinist, morphine addict

morföräldrar *s pl*, **mina** ~ my grandparents [on my mother's side]

morgon *s* (~en, morgnar) (jfr äv. ex. under *dag 1* o. *kväll*) **1** mots. 'kväll' morning; gryning dawn; *god* **~!** good morning!; **~en gryr** the day is dawning, it is growing light; *från* ~ *till kväll* from morning to night, from dawn to dusk; *i tidernas* ~ at the beginning of time **2** *i* ~ tomorrow; se äv. ex. under *i morgon*

morgonandakt *s* (~en, ~er) enskild morning prayers pl.; t.ex. radio morning service

morgonbön *s* (~en, ~er) morning prayers pl.; i kyrka äv. matins pl.

morgondag *s* (~en, ~ar), **~en** tomorrow; *skjut inte upp det till ~en* don't put it off to the next day

morgongymnastik *s* (~en) [early-]morning exercises pl.

morgonhumör *s* (~et), **han har dåligt** ~ he is in a bad mood in the morning[s]

morgonkaffe *s* (~t) early morning coffee; som frukost breakfast

morgonkröken o. **morgonkulan** o. **morgonkvisten** *s* (best. sing.), *på* ~, in the early morning

morgonluft *s* (~en) morning air; *vädra* ~ bildl. begin to see one's chance

morgonmål *s* (~et, =) morning meal, breakfast

morgonmänniska *s* (~n, -människor) person who is (was etc.) at his (resp. her) best in the morning

morgonnyheter *s pl* i radio early [morning] news sg.

morgonpigg *adj* (~t), *vara* ~ be lively (alert) in the morning[s]; jfr *morgontidig*

morgonrock *s* (~en, ~ar) dressing gown

morgonrodnad *s* (~en, ~er) red light of dawn, aurora

morgonstjärna *s* (~n, -stjärnor) astron. morning star

morgonstund *s* (~en, ~er), ~ *har guld i mund* ordst., ung. the early bird catches the worm

morgontidig *adj* (~t), *vara* ~ [*av sig*] be an early riser (bird)

morgontidning *s* (~en, ~ar) morning paper

morgontrött *adj* (=), *vara* ~ be tired in the morning[s]

morisk *adj* (~t) Moorish, Moresque

morkulla *s* (~n, -kullor) zool. [European] woodcock

mormoder *s* (~n, -mödrar) se *mormor*

mormon *s* (~en, ~er) Mormon

mormor *s* (-modern, -mödrar) [maternal] grandmother; vard. grandma, granny, gran; mother's mother; **~s far** (**mor**) great-grandfather (great-grandmother); **hon ska bli** ~ she's going to be a grandmother

morna *vb rfl* (~de, ~t), ~ *sig* get oneself roused (awake)

morot *s* (~en, morötter) carrot äv. bildl.

morra *vb itr* (~de, ~t) growl, snarl [*åt* at]

morrhår *s pl* whiskers

morrning *s* (~en, ~ar) growl, snarl

1 morsa *s* (~n, morsor) vard., ~[*n*] mum, ma; amer. mom

2 morsa *vb itr* (~de, ~t) vard., hälsa, ~ *på* say hallo (amer. äv. hi) to

morsarv *s* (~et, =) inheritance from one's mother

morse *s* (oböjl.), *i* ~ this morning; *i går* ~ yesterday morning

morsealfabet *s* (~et, =) Morse alphabet (code)

morsgris *s* (~en, ~ar) vard., mammig pojke mother's (mamma's) boy; mes, vekling mollycoddle

morsk *adj* (~t) självsäker self-assured; kaxig cocky, stuck-up; orädd bold

morska *vb rfl* (~de, ~t), ~ *upp sig* fatta mod pluck up courage

mortel *s* (~n, mortlar) mortar

mortelstöt *s* (~en, ~ar) pestle

morän *s* (~en, ~er) geogr. moraine

mos *s* (~et) kok. mash; av äpplen sauce; mjuk massa pulp; röra mush; *göra* ~ *av* bildl. make mincemeat of

mosa I *vb tr* (~de, ~t), ~ [*sönder*] pulp, reduce...to pulp; potatis o.d. mash; tillintetgöra t.ex. motståndare crush (smash)...completely; vard. beat...to a frazzle **II** *vb rfl* (~de, ~t), ~ *sig* pulp, go into a pulp

mosaik *s* (~en, ~er) mosaic; *lägga in med* ~ mosaic

mosaikgolv *s* (~et, =) mosaic floor

mosaisk *adj* (~t) relig. Mosaic; **~a församlingen** (kyrkogården) the Jewish...

mosebok *s* (~en, -böcker), *de fem moseböckerna* vanl. the Pentateuch sg.; *Första* (resp. **Andra, Tredje, Fjärde, Femte**) *Mosebok*[*en*] vanl. Genesis (resp. Exodus, Leviticus, Numbers, Deuteronomy)

moselvin *s* (~et, ~er) moselle

1 mosig *adj* (~t) mosad pulpy, mushy

2 mosig *adj* (~t) vard., om ansikte red and bloated; berusad fuddled

mosippa *s* (~n, -sippor) bot. pasqueflower

moské *s* (~n, ~er) mosque

moskit *s* (~en, ~er) mosquito

Moskva Moscow

mossa *s* (~n, mossor) moss

mosse *s* (~n, mossar) bog, moss

mossgrön *adj* (~t) moss-green

mossig *adj* (~t) **1** full med mossa mossy **2** gammalmodig moth-eaten, old-fashioned

moster *s* (~n, mostrar) [maternal] aunt

1 mot *s* (~et, =) **1** trafik., se *planskild korsning* under *planskild* **2** allm., trafikplats i flera plan interchange, motorway junction

2 mot

mot delas in i ordklasserna
I preposition
II adverb
I *prep*
Prepositionen **mot** motsvaras vanligen av **towards** i uttryck som *han gick mot huset* = *he walked towards the house.*
En annan vanlig motsvarighet är **against**, t.ex. *luta sig mot väggen* = *lean against the wall.*
mot används i många uttryck som står under andra uppslagsord. Exempelvis finns uttrycket *skeptisk mot* under uppslagsordet *skeptisk*, uttrycket *motvilja mot* under uppslagsordet *motvilja* osv.

Rumsbetydelse

1 anger i riktning mot, vanligen towards; amer. ofta toward; *köra ~ staden* drive towards (amer. ofta toward) the town; *han kom springande ~ mig* he came running towards me; *vika av ~ byn* turn off towards (in the direction of) the village
2 anger beröring av lodrät yta against; *luta sig ~ väggen* lean against the wall; *ställa stolen ~ väggen* put the chair against the wall, intill put the chair [close] to the wall
3 anger mål vid kast, slag o.d. at; *kasta sten ~* throw stones at; *sikta ~* aim at

Tidsbetydelse

4 i betydelsen *fram emot* towards; *~ kvällen* towards the evening; *~ slutet av året* towards the end of the year
Motstånd, kontrast, jämförelse
5 anger fientlighet, motstånd, motsats, motsättning against; *slåss ~* fight against; *~ lagen* against the law; *~ hennes vilja* against her will; *jag har ingenting ~ honom* I have nothing against him
6 anger motståndare i sport eller motpart i rättegång against, versus (förk. v., amer. vs.); *England spelar ~ Sverige i finalen* England plays against Sweden in the final
7 anger bakgrund, kontrast against; *blått är vackert ~ gult* blue is beautiful against yellow
8 anger det man jämför med to, against; *dollarn har fallit 10 % ~ pundet* the dollar has fallen 10% against the pound; *det är ingenting ~ vad jag har sett* it is nothing to what I have seen; *priset är nu 500 euro ~ 400 förra året* the price is now 500 euros as compared to 400 last year

Andra betydelser

9 anger odds to; *hålla tio ~ ett* bet ten to one
10 för att ange bemötande, inställning to; mer betonat: *gentemot* towards; *grym ~* cruel to; *vänlig ~* kind to
11 anger byte el. motsvarighet for, against, on; *göra ngt ~ betalning* do sth. [in return] for money, do sth. in exchange for money; *~ kvitto* against [a] receipt; *~ [uppvisande av] legitimation* on identification; *~ en årlig avgift* on payment of an annual fee; *jag gör det ~ att du hjälper mig* a) I'll do it in exchange for you helping me b) om du hjälper mig I'll do it if (provided) you help me
II *adv* se *emot* II

mota *vb tr* (~de, ~t) **1** ~ spärra vägen för *ngn* (resp. *ngt*)

bar (block) the way for sb (sb's way, resp. the way for sth); hindra obstruct sb (resp. the progress of sth); hejda check (stop) sb (resp. sth); *~ Olle i grind* ung. nip the (resp. a) thing in the bud **2** fösa drive; vard. shoo; *~ bort (undan)* drive…off (…away); *~ in (in i)* drive in (…into); *~ ut (ut ur)* drive (köra turn) out (…out of)

motanfall *s* (~et, =) o. **motangrepp** *s* (~et, =) counterattack

motanklagelse *s* (~n, ~r) countercharge

motarbeta *vb tr* (~de, ~t) motsätta sig oppose, go against; sätta sig upp mot set oneself [up] against; motverka counteract; bekämpa combat; *~ sina egna intressen* go against one's own interests; *de båda parterna ~r varandra …*are opposing each other, …are at cross purposes

motattack *s* (~en, ~er) se *motanfall*

motbevis *s* (~et, =) proof to the contrary, counterevidence

motbevisa *vb tr* (~de, ~t) refute

motbild *s* (~en, ~er) motstycke counterpart; kontrastbild contrasting picture

motbjudande *adj* (oböjl.) som väcker motvilja repugnant, repulsive *[för* to]; vämjelig disgusting, loathsome; obehaglig, frånstötande offensive, forbidding; svagare offputting

motbok *s* (~en, -böcker) hand. [customer's] passbook, bankbook; hist., för köp av spritdrycker ration book [for wine and spirits]

motbud *s* (~et, =) hand. counterbid

motdrag *s* (~et, =) schack. el. friare countermove

moteld *s* (~en, ~ar) **1** mil. counterfire, return-fire **2** skog. backfire; *anlägga ~* make a backfire, backfire **3** bildl. countermeasures pl.

motell *s* (~et, =) motel; större motor inn

motett *s* (~en, ~er) mus. motet

motförnobare *s* (~n, =) tekn. mattring-iron

motgift *s* (~et, ~er) antidote *[mot* against, for, to]

motgång *s* (~en, ~ar) adversity, misfortune, bad luck (endast sg.); bakslag reverse, setback; mil. check; *ta ~ar med ett leende* meet misfortunes with a smile; *i med- och ~* for better and for worse, in prosperity and adversity

mothugg *s* (~et, =) bildl. opposition, protest; *få ~* meet with opposition

mothårs *adv* against the fur; *stryka ngn ~* bildl. rub sb [up] the wrong way

motighet *s* (~en, ~er) reverse, setback, check; *livets små ~er* life's little setbacks

motigt *adv*, *han har det lite ~* things are going against him, things are not going his way; *det känns ~* it is (feels) frustrating

motion *s* **1** (~en) kroppsrörelse [physical] exercise; *få ~* get [some] exercise **2** (~en, ~er) förslag motion; lagförslag [private, member's] bill *[i* on; *om* for; *[om] att* + inf. to + inf. (for + ing-form)]; *väcka ~* propose (submit) a motion, introduce a bill, move a resolution

motionera I *vb tr* (~de, ~t), *~ t.ex. en häst* give…exercise, exercise… **II** *vb itr* (~de, ~t) **1** skaffa sig motion take exercise **2** väcka förslag, se *väcka motion* under *motion 2*

motionscykel *s* (~n, ~cyklar) cycle exerciser, exercise bike (cycle)

motionsgymnastik *s* (~en) keep-fit exercises pl.; *gå på* ~ go to keep-fit classes

motionsslinga *s* (~n, -slingor) o. **motionsspår** *s* (~et, =) jogging track

motionär *s* (~en, ~er) **1** person som motionerar person who does physical exercise; joggare jogger **2** parl. proposer of a (resp. the) motion, introducer [of a (resp. the) bill], mover of a (resp. the) resolution, jfr *motion 2*

motiv *s* (~et, =) **1** bevekelsegrund motive [*för, till* for, of]; drivfjäder äv. incentive [*för* to]; skäl reason [*för* for]; cause [*för* of]; *vad hade han för ~ för att* + inf. what was his motive (reason) for + ing-form **2** ämne, grundtanke motif; för tavla äv. subject; mus. äv. theme [*för, till* i samtliga fall for, of]

motivation *s* (~en, ~er) motivation äv. psykol.

motivera *vb tr* (~de, ~t) **1** utgöra skäl för give cause for; rättfärdiga justify, warrant, explain; ange sina skäl för state one's reasons (one's motives) for **2** skapa lust el. intresse för motivate

motivering *s* (~en, ~ar) berättigande justification, explanation [*för* of (for)]; angivande av [sina] skäl statement of [one's] reasons ([one's] motives); t.ex. för lagförslag explanatory statement; motivation [*för* of]; *med ~en att* on the ground[s] (plea) that

motkandidat *s* (~en, ~er) rival candidate [*till* person to, plats o.d. for]

motljus *s* (~et), *i ~* against the light

motlut *s* (~et, =) ascent, upward slope; amer. upgrade; *i ~* on an upward slope

motocross *s* (~en) motocross, scramble

motoffensiv *s* (~en, ~er) counteroffensive

motor *s* (~n, ~er) förbrännings~ engine, motor; *elektrisk ~* electric motor; *luftkyld ~* air-cooled engine; *slå av ~n* switch (cut, turn) off the engine (motor)

motorbränsle *s* (~t, ~n) motor fuel

motorbuller *s* (-bullret, =) noise from an engine (resp. the engine, [the] engines)

motorbåt *s* (~en, ~ar) motorboat (större motorlaunch)

motorcykel *s* (~n, -cyklar) motorcycle; vard. motorbike; *lätt (tung)* ~ light (heavy) motorcycle; *~ med sidvagn* motorcycle and sidecar

motorcyklist *s* (~en, ~er) motorcyclist

motordriven *adj* (-drivet, -drivna) motor driven; t.ex. gräsklippare power...

motorfartyg *s* (~et, =) motorship (förk. M/S, MS), motor vessel (förk. MV)

motorfel *s* (~et, =) engine (motor) fault (krångel trouble)

motorfordon *s* (~et, =) motor vehicle

motorgräsklippare *s* (~n, =) power lawnmower, power-mower

motorhuv *s* (~en, ~ar) på bil bonnet (amer. hood); flyg. cowl, cowling

motorisera *vb tr* (~de, ~t) motorize

motorisk *adj* (~t) fysiol. motor..., motoric; *~ inlärning* motor learning; *~a nerver* motor nerves

motorkrångel *s* (-krånglet) engine (motor) trouble

motorolja *s* (~n, -oljor) motor (engine) oil

motorseglare *s* (~n, =) båt auxiliary-powered (motor-sailing) vessel

motorsport *s* (~en, ~er) motoring, motor sport[s pl.]

motorstopp *s* (~et, =) engine (motor) failure

(breakdown); *jag fick ~ bilen* gick sönder the (my) car broke down; bilen tjuvstannade the (my) car stalled

motorstyrka *s* (~n, -styrkor) engine power

motorsåg *s* (~en, ~ar) power saw

motortrafik *s* (~en) motor traffic

motortrafikled *s* (~en, ~er) main arterial road, major road

motortävling *s* (~en, ~ar) motor race

motorväg *s* (~en, ~ar) motorway; amer. expressway, freeway, super highway, [interstate] highway, interstate

motorvärmare *s* (~n, =) engine preheater

motpart *s* (~en, ~er) opponent, opposite party speciellt jur.; *~en* äv. the other party (side)

motpol *s* (~en, ~er) opposite pole; bildl. antithes|is (pl. -es), opposite; *de är [varandras] ~er* they are poles apart

motprestation *s* (~en, ~er) gentjänst service in return; *som ~* erbjöd han in return...

motreplik *s* (~en, ~er) rejoinder

motsats *s* (~en, ~er) opposite, contrary, reverse, antithes|is (pl. -es) [*mot (till)* i samtliga fall of]; motsättning contrast [*mot (till)* to]; *detta är raka ~en [till...]* this is the exact (very) opposite [of...], this is quite the contrary [of...]; *i ~ till mig* är han... unlike (by contrast with) me...; *landet i ~ till staden* ...as against (as opposed to) the town; bevis (exempel) *på ~en* ...to the contrary

motsatsförhållande *s* (~t, ~n) oppositionellt förhållande state of opposition, clash of interests; fientligt antagonism; *stå i ~ till* be in opposition to

motsatt *adj* (=) opposite, contrary äv. bildl.; omvänd reverse; *i ~ fall* in the contrary case; i annat fall otherwise; *[det] ~a könet* the opposite sex; *vara av ~ mening* take the opposite view; *i ~ riktning mot* in the opposite direction to (from); *på ~a sidan* on the opposite side (bokuppslag page); *~a syften* conflicting...; *~a åsikter* opposed (contradictory)...

motse *vb tr* (-såg, -sett) se fram emot look forward to; förutse expect; vänta sig await; *länge ~dda* förändringar long-expected..., long-awaited...

motsols *adv* anticlockwise, counterclockwise

motspelare *s* (~n, =) **1** sport. o.d. opponent **2** teat. o.d., *ha ngn som [till]* ~ el. *vara ~ till ngn* play opposite sb

motspänstig *adj* (~t) som gör motstånd refractory, recalcitrant [*mot* to]; ohanterlig unmanageable

motstridig *adj* (~t) om uppgifter o.d. conflicting, contradictory, incompatible; *~a intressen* conflicting interests

motsträvig *adj* (~t) motvillig reluctant

motströms *adv* against the current (stream)

motstycke *s* (~t, ~n) counterpart [*till* to, of]; *det saknar ~* it is without precedent, it is without parallel, it is unique; brott *utan ~* äv. unparalleled...

motstå *vb tr* (-stod, -stått) se *stå emot* under *stå IV*

motstående *adj* (oböjl.) opposite

motstånd *s* (~et, =) motvärn, hinder allm. resistance, opposition äv. sport., jfr ex.; *följa minsta ~ets lag* take (follow, choose) the line of least resistance, take the easy way out; *ge upp ~et* give up one's opposition; mil. äv. surrender; *göra [våldsamt] ~ mot* offer [violent] resistance to; *möta ~* meet with resistance (opposition)

motståndare *s* (~n, =) opponent äv. sport., adversary,

antagonist, resister; **vara ~ till ngt** be an opponent of (be opposed to, be against) sth

motståndarlag s (~et, =) sport. opposing team

motståndarsida s (~n), **~n** våra etc. motståndare our etc. opponents pl.

motståndskraft s (~en, ~er) [power of] resistance, resisting power [mot to, against]; materials äv. resistibility; fysisk äv. stamina

motståndskraftig adj (~t) resistant [mot to, against]; **~ mot eld** fireproof; **~ mot rost** rust-resisting, rust-resistant

motståndsman s (~nen, -män) polit. member of the resistance (underground)

motståndsrörelse s (~n, -rörelser) polit. resistance movement

motsvara vb tr (~de, ~t) correspond to; t.ex. beskrivningen answer [to]; **de ~r inte varandra** stämmer inte överens they do not correspond; filmen **~de inte mina förväntningar** ...didn't live up to my expectations; resultatet **~r inte våra förväntningar** vanl. ...falls short of our expectations

motsvarande adj (oböjl.) allm. corresponding; jämngod, lik äv. equivalent, analogous, similar; **i ~ grad** el. **på ~ sätt** äv. correspondingly

motsvarighet s (~en, ~er) överensstämmelse correspondence; likvärdighet equivalence; premiärministerns **svenska ~** ...opposite number in Sweden; ordets **närmaste ~** the closest equivalent...; **det saknar ~** el. **det finns ingen ~ till detta** it has (there is) nothing corresponding to it, it is without parallel

motsäga vb tr (-sade, -sagt) allm. contradict; inte stämma med äv. be contradictory to; strida mot äv. conflict (be inconsistent) with

motsägande adj (oböjl.) contradictory, conflicting; själv~ inconsistent

motsägelse s (~n, ~r) allm. contradiction; oförenlighet incompatibility; **utan ~** oemotsägligen indisputably

motsägelsefull adj (~t) contradictory, ...full of contradictions (inkonsekvenser inconsistencies)

motsätta vb rfl (-satte, -satt), **~ sig** oppose, go against

motsättning s (~en, ~ar) motsatsförhållande opposition; fientligt förhållande antagonism

motta vb tr (-tog, -tagit) o. **mottaga** vb tr (-tog, -tagit) se ta emot under ta III

mottagande s (~t, ~n) reception; speciellt hand. receipt; **få ett vänligt (positivt) ~** äv. be kindly (favourably) received; **vid ~t** hand. [up]on receipt

mottagare s (~n, =) **1** person receiver; av gåva o.d. äv. recipient; frakt- äv. consignee; adressat vanl. addressee **2** apparat receiver, receiving set

mottaglig adj (~t) allm. susceptible; känslig sensitive [för to]; **~ för** äv. a) idéer, uppslag, intryck open (responsive, receptive) to b) förnuftsskäl amenable to; **~ för förkylningar** liable to catch colds

mottaglighet s (~en) susceptibility, sensitiveness etc., jfr mottaglig; **~ för intryck** impressionability

mottagning s (~en, ~ar) allm. reception äv. radio.; sällskaplig ~ hemma at-home (pl. at-homes); själva rummet consulting-room; jfr läkarmottagning; **doktorn har ~ varje dag** ...surgery (betr. psykiater consulting) hours every day, amer. äv. ...office hours every day; **rektorn har ~ 10–12** ...receives visitors 10–12

mottagningsbevis s (~et, =) post., försändelser **med ~** ...by recorded delivery, amer. ...by certified mail

mottagningskommitté s (~n, ~er) reception committee

mottagningsrum s (~met, =) läkares consulting-room, surgery, amer. [doctor's] office; psykiaters consulting-room

mottagningssköterska s (~n, -sköterskor) surgery (reception, hos tandläkare dental) nurse, receptionist

mottagningstid s (~en, ~er) visiting hours pl.; läkares, tandläkares surgery hours; psykiaters consulting hours

motto s (~t, ~n) motto (pl. -es el. -s); devis legend

moturs adv anticlockwise, counterclockwise

motverka vb tr (~de, ~t) motarbeta counteract; hindra obstruct; försöka sätta stopp för countercheck; upphäva verkan av neutralize; **~ sitt eget syfte** be counterproductive

motverkan s (=, en) counteraction

motvikt s (~en, ~er) eg. el. bildl. counterbalance, counterweight, counterpoise [mot i samtliga fall to]; **bilda ~ mot** counterbalance, offset

motvilja s (~n) olust dislike [mot of (for)], distaste [mot for]; avsky antipathy, repugnance [mot to (against)]; vedervilja aversion [mot to (from, for); mot att + inf., i samtliga fall to (of etc.) + ing-form]; **jag känner ~ mot honom** I have taken a dislike to him; jfr motvillighet

motvillig adj (~t) reluctant; starkare averse

motvillighet s (~en) reluctance; starkare averseness

motvilligt adv reluctantly

motvind s (~en, ~ar) contrary (adverse) wind, headwind; **ha ~** äv. have the wind [dead] against one; **segla i ~** a) eg. sail against the wind b) bildl. be fighting an uphill (a losing) battle, be battling against odds; t.ex. om politiskt parti, företag be doing badly

motvärde s (~t, ~n) equivalent, countervalue

motvärn s (oböjl.) resistance; **sätta sig till ~** make (offer) resistance, fight back

motåtgärd s (~en, ~er) countermeasure

mousse s (~n, ~r) kok. o. hår~ mousse fr.

mousserande adj (oböjl.), **~ vin** sparkling wine

mozzarella s (~n) kok. mozzarella

mp3 s (oböjl.) MP3

mp3-spelare s (~n, =) MP3 player

MS (förk. för multipel skleros) MS

muck s (~en) vard.: mil., ung. demob

1 mucka vard. **I** vb itr (~de, ~t), lyda **utan att ~** ...without a murmur **II** vb tr (~de, ~t), **~ gräl** pick a quarrel (fight) [med with]

2 mucka vb itr (~de, ~t) vard.: mil. be demobbed

mudd s (~en, ~ar) på plagg wristlet

mudderverk s (~et, =) dredge, dredger, dredging boat

muddra vb tr o. vb itr (~de, ~t) **1** dredge; **~ upp** dredge **2** vard., **~ ngn** kroppsvisitera frisk sb

muff s (~en, ~ar) **1** av skinn o.d. muff **2** tekn. sleeve; rör~ socket; på axlar coupling-box, muff

muffins s (~en, =) muffin

mugg s (~en, ~ar) **1** kopp mug, cup; större jug; arbeta, gå **för fulla ~ar** at full speed **2** vard., se toalett 1

Muhammed Mohammed

muhammedan s (~en, ~er) åld. Mohammedan

muhammedansk adj (~t) åld. Mohammedan

1 mula s (~n, mulor) zool. mule

2 mula *vb tr* (~de, ~t) vard., **~ ngn** rub snow over sb's face

mulatt *s* (~en, ~er) mulatto (pl. -s)

mule *s* (~n, mular) muzzle

mulen *adj* (mulet, mulna) om himmel clouded over endast pred., overcast, cloudy äv. om väder; bildl. gloomy; **det är mulet** it is cloudy

mull *s* (~en) allm. earth, jfr *mylla I*; stoft dust

mullbär *s* (~et, =) mulberry

mullbärsträd *s* (~et, =) mulberry [tree]

muller *s* (mullret) rumble, roll

mullig *adj* (~t) plump

mullra *vb itr* (~de, ~t) rumble, roll

multoa *s* (~n) vard. earth closet

mullvad *s* (~en, ~ar) zool. mole äv. spion

mulna *vb itr* (~de, ~t) cloud over, become overcast, get cloudy; bildl. darken; **det ~r [på]** the sky is clouding over

mul- och klövsjuka *s* (~n) foot-and-mouth disease

multimedia *s pl* multimedia

multinationell *adj* (~t) multinational

multipel I *s* (~n, multiplar el. multipler) multiple **II** *adj* (~t, multipla) multiple; **~ skleros** (förk. *MS*) multiple sclerosis (förk. MS)

multiplicera *vb tr* (~de, ~t) multiply [*med* by]

multiplikation *s* (~en, ~er) matem. multiplication

multiplikationstabell *s* (~en, ~er) matem. multiplication table

multna *vb itr* (~de, ~t) moulder (rot) [away], decay

mulåsna *s* (~n, -åsnor) eg. hinny; vanl. mule

mumie *s* (~n, ~r) mummy äv. bildl.

mumifiera *vb tr* (~de, ~t) mummify

mumla *vb tr* o. *vb itr* (~de, ~t) tala (uttala) otydligt mumble; muttra mutter, murmur; **~ fram** mutter

mumma *s* (~n) dryck, ung. half-and-half, shandy

mummel *s* (mumlet) mumble etc.; mumlande mumbling etc., jfr *mumla*

mums vard. **I** *interj* yum-yum! **II** *s* (~et), **det smakar ~** it tastes delicious (scrumptious), it's yummy

mumsa *vb itr* (~de, ~t) munch [*på* (*i sig*) *ngt* sth]

mun *s* (~nen, ~nar) mouth; **en ~** vatten a mouthful of...; **hålla ~** a) tiga keep quiet; vard., tystna äv. shut up b) inte tala om vad man vet keep one's mouth shut [*med* about]; **prata bredvid ~** let the cat out of the bag, spill the beans; **ful (grov) i ~** foul-mouthed; **jag vill inte ta det ordet i min ~** I couldn't possibly utter such a word; **lägga orden i ~nen på ngn** put the words into sb's mouth; påverka, t.ex. vittnes, svar prompt sb; **tala i ~[nen] på varandra** speak at the same time (all at once); **med 'en ~** with one voice, unanimously; **dra på ~nen** smile slightly; ta brödet **ur ~nen på ngn** ...out of sb's mouth

München Munich

mundering *s* (~en, ~ar) **1** vard., klädsel get-up, rig-out **2** åld., hästs trappings pl.; soldats equipment

munfull *s* (oböjl., en) mouthful [*med* of framför följande ord]

mungböna *s* (~n, -bönor) bot. el. kok. mung bean

mungiga *s* (~n, -gigor) mus. jew's harp

mungipa *s* (~n, -gipor) corner of one's mouth; **dra ner mungiporna** lower (droop) the corners of one's mouth

mungo *s* (~n, ~r el. ~er) zool. mongoose (pl. -s)

munhuggas *vb itr dep* (-höggs, -huggits) wrangle, bicker, bandy words

munhygien *s* (~en) oral hygiene

munhåla *s* (~n, -hålor) oral (mouth) cavity

munk *s* (~en, ~ar) **1** person monk; tiggar~ friar **2** bakverk doughnut; amer. vard. äv. donut

munkavle *s* (~n, -kavlar) eg. gag; bildl. muzzle; **sätta ~ på ngn** gag (muzzle) sb

munkjacka *s* (~n, -jackor) hooded sweat[shirt]; vard. hoodie

munkkloster *s* (-klostret, =) monastery

munkkåpa *s* (~n, -kåpor) cowl

munklöfte *s* (~t, ~n) monastic (monk's) vow

munkorden *s* (=, en, -ordnar) monastic order

munkorg *s* (~en, ~ar) muzzle; **sätta ~ på** äv. bildl. muzzle; hund **med ~** muzzled...

munläder *s* (-lädret) vard., **ha välsmort ~** have the gift of the gab

mun-mot-mun-metoden *s* (best. sing.) mouth-to-mouth method (resuscitation), kiss of life

munsbit *s* (~en, ~ar) mouthful; tugga morsel; **ta ngt i en ~** swallow sth in one go (at a mouthful)

munskydd *s* (~et, =) mask

munspel *s* (~et, =) harmonica, mouth organ

munstycke *s* (~t, ~n) fast: allm. mouthpiece; mus. äv. embouchure fr.; på slang nozzle; på rör, förgasare o.d. jet; löst, för cigarett etc. holder

munsår *s* (~et, =) sore on the lips; **ha ~** äv. have a sore lip

munter *adj* (~t, muntra) merry; glättig cheerful; uppsluppen hilarious, mirthful; **en ~ melodi** a lively tune; **~ stämning** a cheerful atmosphere

muntergök *s* (~en, ~ar) vard. cheerful person, happy bunny

munterhet *s* (~en, ~er) merriness, cheerfulness, hilarity, mirth, jfr *munter*; **väcka ~** raise laughter (a laugh)

muntlig *adj* (~t) om t.ex. examen, tradition, översättning oral; om t.ex. meddelande, överenskommelse verbal; **~ tentamen** univ. oral exam[ination]; **~ överläggning** vanl. personal conference (discussion)

muntligen *adv* o. **muntligt** *adv* orally, viva voce; t.ex. meddela ngt verbally, by word of mouth

muntra *vb tr* (~de, ~t), **~ upp** cheer...[up], exhilarate

muntration *s* (~en, ~er) amusement, entertainment; vard. jollification

munvig *adj* (~t) glib; slagfärdig ready-witted

munvighet *s* (~en) glibness; slagfärdighet ready-wittedness

Mupparna tv-figurer the Muppets

mur *s* (~en, ~ar) wall äv. bildl.; **tiga som ~en** maintain a wall of silence, keep completely silent (vard. mum)

mura I *vb tr* (~de, ~t) bygga [av tegel (sten)] build...[of brick (stone)]; **~ igen (till)** wall (med tegel brick) up; en öppning med tegel block up...with bricks; **~ igen ögonen på ngn** bung up sb's eyes; **~ in** fälla in build...into a (resp. the) wall **II** *vb itr* (~de, ~t) i sten carry out (do) masons' (i tegel bricklayers') work

murare *s* (~n, =) tegel~ bricklayer; speciellt sten~ mason; för putsarbete plasterer

murbruk *s* (~et) mortar

murbräcka *s* (~n, -bräckor) battering ram äv. bildl.

murgröna *s* (~n, murgrönor) bot. ivy

murken *adj* (murket, murkna) decayed; starkare rotted

murkla *s* (~n, murklor) bot. morel

murkna *vb itr* (~de, ~t) decay, rot, become rotted
murmeldjur *s* (~et, =) marmot; sova **som ett ~** ...like a dormouse (top, log)
murrig *adj* (~t) om färg drab
murvel *s* (~n, murvlar) vard. hack journalist
murverk *s* (~et, =) masonry; av tegel brick work
muräna *s* (~n, muränor) zool. moray
mus *s* (~en, möss) **1** mouse (pl. mice); **tyst som en ~** quiet as a mouse **2** data. mouse (pl. mouses) **3** vulg., kvinnligt könsorgan pussy
musarm *s* (~en, ~ar) med. mouse elbow
museiföremål *s* (~et, =) museum specimen (piece äv. bildl.), exhibit
museum *s* (museet, museer) museum; för konst äv. gallery; **gå på ~** visit (go to) a museum
musicera *vb itr* (~de, ~t), **vi brukar ~ [lite]** we usually play [some] music
musik *s* (~en) music äv. bildl.; **levande ~** live music; **vem har gjort ~en till...?** who wrote (has written) the music to...?; **sätta ~ till ngt** set sth to music; **det är ~ i mina öron** it is music to my ears
musikaffär *s* (~en, ~er) music shop
musikal *s* (~en, ~er) musical
musikalisk *adj* (~t) musical; **en ~ människa** vanl. a person who is musical; **~ akademi** academy of music
musikant *s* (~en, ~er) musician, music-maker
musikbranschen *s* (best. sing.) the music business
musikdirektör *s* (~en, ~er) **1** graduate of the Royal College of Music **2** mil. bandmaster
musiker *s* (~n, =) musician
musikestrad *s* (~en, ~er) bandstand; i konserthus concert platform, orchestra
musikfilm *s* (~en, ~er) musical [film]
musikhandel *s* (~n, -handlar) music shop
musikhistoria *s* (-historien) [vanl. the] history of music
musikhögskola *s* (~n, -skolor) college (academy) of music
musikindustrin *s* (best. sing.) the music industry
musikinstrument *s* (~et, =) musical instrument
musikintresserad *adj* (-intresserat, ~e) ...interested in music
musikkapell *s* (~et, =) orchestra, band
musikkassett *s* (~en, ~er) music cassette
musikkonservatorium *s* (-konservatoriet, -konservatorier) academy of music, conservatoire fr.
musikkår *s* (~en, ~er) band, orchestra; **medlem av en ~** äv. bandsman
musiklektion *s* (~en, ~er) music lesson
musiklärare *s* (~n, =) music teacher (i skola äv. master)
musikmobil *s* (~en, ~er) music phone
musikskola *s* (~n, -skolor) school of music, music school
musikstycke *s* (~t, ~n) piece of music
musikverk *s* (~et, =) musical composition (work)
musikvetenskap *s* (~en) musicology
musikvideo *s* (~n, ~r) music video
musikvän *s* (~nen, ~ner) o. **musikälskare** *s* (~n, =) music lover, lover of music
musiköra *s* (~t) musical ear; **bra ~** vanl. a good ear for music
muskedunder *s* (-dundret, =) blunderbuss

muskel *s* (~n, muskler) muscle; **spänna musklerna** flex (tense) one's muscles
muskelbristning *s* (~en, ~ar) muscle rupture, rupture of a (resp. the) muscle
muskelbyggare *s* (~n, =) ung. body-builder
muskelfäste *s* (~t, ~n) anat. muscular attachment
muskelförtvining *s* (~en, ~ar) med. muscular dystrophy (atrophy)
muskelknippe *s* (~t, ~n) bundle of muscles äv. person
muskelknutte *s* (~n, -knuttar) vard. muscleman, Hercules, man mountain
muskelkraft *s* (~en) se *muskelstyrka*
muskelreumatism *s* (~en) muscular rheumatism
muskelsträckning *s* (~en, ~ar), **få en ~** pull (sprain) a muscle
muskelstyrka *s* (~n) muscular strength, muscularity; ngns fysiska styrka äv. muscle
muskelvärk *s* (~en) muscular pain, pain in one's muscles
musketör *s* (~en, ~er) hist. musketeer
musknapp *s* (~en, ~ar) data. mouse button
muskot *s* (~en) träd el. krydda nutmeg
muskotblomma *s* (~n, -blommor) krydda mace
muskotnöt *s* (~en, -nötter) krydda nutmeg
muskulatur *s* (~en, ~er) musculature, muscles pl.
muskulös *adj* (~t) muscular
musköt *s* (~en, ~er) hist. musket
müsli *s* (~n) muesli, amer. äv. granola
muslim *s* (~en, ~er) Muslim
muslimsk *adj* (~t) Muslim
muslin *s* (~en el. ~et, ~er) tyg muslin
musmatta *s* (~n, -mattor) data. mouse pad (mat)
musselskal *s* (~et, =) mussel shell; av hjärtmussla cockle shell
Musse Pigg seriefigur Mickey Mouse
musseron *s* (~en, ~er) svamp tricholoma lat., matsutake
mussla *s* (~n, musslor) mussel; ätlig ofta äv. clam; djur tillhörande musselsläktet bivalve; ätlig ofta clam; blå~ sea mussel; målar~ freshwater mussel; hjärt~ cockle
must *s* (~en) **1** ojäst fruktsaft: **a)** av druvor must **b)** av äpplen [apple] juice; amer. [sweet] cider **2** kraft: eg. betydelse nutritive juices pl., goodness; bildl. pith; **suga ~en ur ngt** extract the essence out of sth; **suga ~en ur ngn** take the life out of sb
mustang *s* (~en, ~er) zool. mustang
mustasch *s* (~en, ~er) moustache, amer. mustache; **ha (lägga sig till med) ~** wear (grow) a moustache (resp. mustache)
mustaschprydd *adj* (-prytt) moustached, amer. mustached
mustig *adj* (~t) **1** kraftig, närande rich; om t.ex. soppa nourishing; om t.ex. öl full-bodied **2** bildl., om t.ex. historia racy, juicy; grov, om t.ex. uttryck coarse
1 muta I *s* (~n, mutor) bribe; vard. kickback sg.; för att tysta ngn hush money sg.; **ta mutor** take bribes (a bribe) [av from] **II** *vb tr* (~de, ~t) bribe [med with (by)]; polit. äv. corrupt; speciellt vittne suborn; **~ ngn** vard. äv. square sb, oil (grease) sb's palm; **han lät inte ~ sig** he was not to be bribed
2 muta *vb itr* (~de, ~t), **~ in ngt** gruv. file a mining claim for sth; claim sth äv. bildl.
mutation *s* (~en, ~er) biol. mutation
mutförsök *s* (~et, =) attempt at bribery, attempted bribery

mutskandal *s* (~en, ~er) bribery scandal

mutter *s* (~n, muttrar) till skruv [screw] nut

muttra *vb itr* (~de, ~t) mutter; ~ *för sig själv* mutter to oneself; ~ klaga *över ngt* grumble (vard. grouse) about (at) sth

MVG (förk. för *mycket väl godkänd*) skol. passed with special distinction

MW (förk. för *megawatt*) MW

Myanmar Myanmar

mycken *adj* (mycket, myckna) o. *adv* se *mycket*

myckenhet *s* (~en, ~er) se *mängd 1*

mycket *adj* (neutrum) o. *adv* **1 mycken, mycket** i omedelbar anslutning till följande subst.: **a**) allm.: much; framför eng. subst. i pl. many **b**) en hel del a great (good) deal of, a great amount (quantity) of; framför eng. subst. i pl. a great many; fullt med plenty (vard. a lot) of **c**) stor great; efter ~ *diskuterande* ...a great deal of (a lot of, much) discussion; *det var* ~ *folk* på mötet there were [a great] many (a lot of) people...; jag har aldrig sett *så* ~ *folk* ...so many (such a lot of) people; *vad* ~ folk! what a lot of...!; *mycken glädje* (*omsorg*) much pleasure (care); har han ~ *pengar* (*böcker*)? ...much money (many books)?

2 mycket följt av adj. o. adv. ('mycket [för] hög[t]' o. 'mycket högre') **a**) i positiv: allm. very; framför vissa perf. part. o. pred. adj. (som 'afraid', 'alike', 'alone') [very] much, ibland, speciellt i samtalsspråket very; den är ~ *användbar* ...very useful, ...of great use; den är ~ *efterfrågad* ...much in demand, ...in great demand; jag har ~ *få vänner* ...very few friends; det är ~ *möjligt* (*riktigt*) ...quite possible (right); *han är* ~ *sjuk* he is very ill **b**) i komparativ samt i uttrycket 'mycket för' = 'alltför': vanl. much; en hel del äv. a great (good) deal, vard. a lot; *så* ~ *bättre* all (so much) the better; ~ *fler[a]* many (far) more; ~ *färre* fel far fewer...; ~ *mer* much more; ~ *vackrare* much more beautiful

3 i övr. fall:, allm. much; en hel del, ganska mycket a great (good) deal; vard. a lot; många [saker] many [things]; en massa plenty

~ *som* (~ *av det som*) skrivs much that (much of what)...; *det finns* ~ (*inte* ~) *kvar* there is plenty (not much) left; *det görs* ~ för barnen much is done...; *hon är inte* ~ *för* desserter she is not very keen on...; *han är inte* ~ *till* *skidåkare* he isn't much of a skier; *det finns inte* ~ [*mer*] *att tillägga* there is little [else] to be added; *det är* ~ *därför som* jag går it is very much for that reason that...; *det är inte* ~ *med honom* (*det*) he (it) isn't up to much; *det förvånade mig* ~ *att* it very much (greatly) surprised me...; *jag går* ~ (*inte* ~) *på bio* I go to the cinema quite a lot (I don't go to the cinema very much); *jag saknar* mina vänner ~ I miss...very much (...badly)

i uttrycken *för* (*hur, lika, så*) ~: två bilar *är för* ~ (*en för* ~) ...are too much (is one too many); *en gång för* ~ once too often; *hur* ~ fick han? how much...?; *hur* ~ *jag än* försöker however (no matter how) much I...; *lika* ~ as much; *hälften så* ~ half as much; *det gör inte så* ~ om han går it doesn't matter [very] much...; *utan att så* ~ *som att svara* without even (so much as) answering

4 myckna: *det myckna arbete* han lagt ned på... the amount of work he has put into...; *det myckna regnandet* the continual rain

mygel *s* (myglet) vard. wangling, string-pulling; i större skala, ofta polit. wheeling and dealing

mygg *s* (~en) koll., stickmyggor allm. mosquitoes; knott gnats (båda pl.); *sila* ~ *och svälja kameler* strain at a gnat and swallow a camel

mygga *s* (~n, myggor) **1** stick~ allm. mosquito (pl. -es el. -s); knott gnat **2** vard., liten mikrofon body mike

myggbett *s* (~et, =) mosquito-bite

myggbiten *adj* (-bitet, -bitna) ...bitten by mosquitoes

myggmedel *s* (-medlet, =) mosquito repellent, anti-mosquito preparation

myggnät *s* (~et, =) mosquito net

myggolja *s* (~n, -oljor) mosquito-repellent [oil]

myggstift *s* (~et, =) mosquito-repellent [stick]

mygla *vb itr* (~de, ~t) vard. wangle, pull strings; amer. äv. finagle; i större skala, ofta polit. wheel and deal; ~ *till sig ngt* get sth by wangling etc. jfr *mygel*

myglare *s* (~n, =) vard. wangler, string-puller; i större skala, ofta polit. wheeler-dealer

mykolog *s* (~en, ~er) mycologist

mylla I *s* (~n, myllor) mould, humus, earth; i mots. till alv topsoil (samtliga endast sg.) **II** *vb tr* (~de, ~t), ~ *ned ngt* put sth into the ground [and cover it with earth]

myller *s* (myllret) swarm, crowd, throng

myllra *vb itr* (~de, ~t) swarm, be alive [*av* with]

myndig *adj* (~t) **1** jur., som har uppnått ~ ålder ...of age; ~ *ålder* majority; *bli* ~ come of age, reach lawful age **2** befallande authoritative, commanding; neds. masterful, overbearing; t.ex. om stämma, ton peremptory

myndighet *s* (~en, ~er) **1** samhällsorgan [public] authority; ~*erna* the authorities **2** befogenhet authority, power **3** myndigt uppträdande o.d. authoritativeness etc.; *uppträda med* ~ ...with authority **4** myndig ålder full age

myndighetsperson *s* (~en, ~er) person in authority

mynna *vb itr* (~de, ~t), ~ *ut i* a) om flod o.d. fall (flow) into; om gata o.d. lead to, run into b) bildl. end (result, conclude) in; ~ *ut i intet* come to nothing; *var* ~*r* floden *ut?* where does...discharge itself?

mynning *s* (~en, ~ar) mouth äv. tekn.; ingång entrance; gatu~ o.d. äv. opening; rör~ o.d. orifice; på skjutvapen muzzle

mynt *s* (~et, =) coin äv. koll.; pengar money; valuta currency; *betala ngn med samma* ~ bildl. pay sb back in his own coin, repay sb in kind; *prägla* ~ coin money; *slå* ~ *av* bildl. make capital [out] of, cash in on

1 mynta *s* (~n, myntor) bot. mint

2 mynta *vb tr* (~de, ~t) coin, mint båda äv. bildl.

myntenhet *s* (~en, ~er) monetary unit

myntfot *s* (~en) monetary standard, standard [of coinage]

myntinkast *s* (~et, =) slot

myntsamling *s* (~en, ~ar) collection of coins, numismatic collection

myntslag *s* (~et, =) o. **myntsort** *s* (~en, ~er) coin; valuta currency

myr *s* (~en, ~ar) bog, swamp; geol. mire

myra *s* (~n, myror) ant; *vara flitig som en* ~ be as busy as a bee, be an eager beaver; *sätta myror i huvudet på ngn* give sb a headache (something to think about)

myriad *s* (~en, ~er) myriad; ~*er stjärnor* myriads of stars

myrkott *s* (~en, ~ar) zool. pangolin, scaly ant-eater

myrslok s (~en, ~ar) zool. ant-eater

myrstack s (~en, ~ar) ant-hill, ant-heap

myrsyra s (~n, -syror) kem. formic acid

myrten s (=, en, myrtnar) bot. myrtle

mysa vb itr (myste, myst) **1** belåtet smile contentedly; vänligt smile genially **2** vard. be enjoying oneself; *sitta och ~* i soffan be snuggled up…

mysdress s (~en, ~ar) lounger, leisure suit, cat suit

myshörna s (~n, -hörnor) cosy corner

mysig adj (~t) vard., trivsam [nice and] cosy (snug); om person sweet, nice

mysk s (~en) musk

myskoxe s (~n, -oxar) musk ox

mysterium s (mysteriet, mysterier) mystery; *mysteriet med* de försvunna… the mystery of…

mysticism s (~en) relig. mysticism

mystifiera vb tr (~de, ~t) mystify

mystifik adj (~t) vard. mysterious

mystifikation s (~en, ~er) mystification

mystik s (~en) hemlighetsfullhet mystery, mysteriousness; *skingra ~en [kring…]* clear up (solve) the mystery [surrounding (of)…]; *~en tätnar* the plot thickens

mystiker s (~n, =) mystic

mystisk adj (~t) gåtfull o.d. mysterious; relig. mystic[al]

myt s (~en, ~er) myth [om of]

myteri s (~et, ~er) mutiny; *göra ~* mutiny, raise (stir up) a mutiny

myteriförsök s (~et, =) attempted mutiny

myterist s (~en, ~er) mutineer

mytisk adj (~t) mythical

mytologi s (~n, ~er) mythology

mytologisk adj (~t) mythological

mytoman s (~en, ~er) psykol. mythomaniac, pathological liar

1 må vb itr (~dde, ~tt) känna sig be, feel; *hur ~r du?* how are you?; *jag ~r bra* I feel fine (quite well); *jag ~r inte riktigt bra* I'm not [feeling] (don't feel) quite well; *jag ~r inte bra av vin* wine does not agree with me; *~ så gott!* look after yourself!; *~ illa* ha kväljningar feel (be) sick [amer. at (to, in) one's stomach], feel queasy; *jag ~r illa bara jag tänker på det* it makes me sick to think of it; *det ~r du inte illa av* bildl. it won't hurt you (do you any harm), you won't be any the worse for it

2 må hjälpvb (pres.) i pres.: uttr. önskan samt medgivande o.d. may; uttr. uppmaning o.d. let el. omskrivning; *vad som än ~ hända* whatever may happen, happen (come) what may; traktor *~ omköras* …may be overtaken; *det ~ jag [då] säga!* well, I never!; mera vard. well, what do you know!; *det var vackert ~ du tro!* …I can tell you!, …believe me!; *det ~ vara hänt!* låt gå all right, then; *vem det än ~ vara* whoever it may be; *~ så vara men…* that's all very well, but…; *ja, ~ han leva* på ngns födelsedag, ung. motsv. Happy Birthday to You!; jfr *måtte* o. *månde*

måbär s (~et, =) bot. alpine (mountain) currant

måfå s (oböjl.), *på ~* at random; *en gissning på ~* a random (haphazard) guess

måg s (~en, ~ar) son-in-law (pl. sons-in-law)

måhända adv maybe; jfr *kanske*

1 mål s (~et, =) **1** tal[förmåga], röst, *har du inte ~ i mun?* haven't you got a tongue in your head?; *sväva på*

~et hesitate, hum (hem) and haw; svara undvikande be evasive **2** dialekt dialect

2 mål s (~et, =) jur. case; speciellt civil~ lawsuit; *förlora ~et* lose one's case

3 mål s (~et, =) måltid meal; *ett ordentligt ~ mat* a good square (solid) meal

4 mål s (~et, =) **1** i bollspel goal; *göra [ett] ~* score a goal; *stå i ~* be in goal, keep goal; *vinna med två ~ mot noll (med 2–0)* win by two goals to nil (2–0, utläses two nil el. two nothing) **2** vid kapplöpning o.d.: finish; ~linje finishing line; ~snöre [finishing] tape; speciellt vid hästkapplöpning [winning-]post; *komma först i ~* come in (home) first; *leda från start till ~* …from start to finish **3** vid skjutn. mark; skottavla el. mil., t.ex. för bombfällning target; *rörligt ~* moving target **4** bildl.: t.ex. för drömmar goal; slutpunkt äv. end; bestämmelseort destination; syfte[mål] aim, purpose; speciellt för mil. operationer objective; för åtlöje o.d. butt, object, target; *hans ~ i livet* his aim in life; gå och driva *utan bestämt ~* …aimlessly; *skjuta över ~et* bildl. overshoot (overreach) the mark

måla I vb tr o. vb itr (~de, ~t) paint; bildl. äv. depict; *~ efter naturen* paint from…; *~t* färgat *glas* stained glass; *~ av ngn* paint sb's portrait; *~ av ngt* paint a picture of sth; *~ om* repaint, rum äv. redecorate; *~ över* t.ex. namnet paint out **II** vb rfl (~de, ~t), *~ sig* sminka sig make [oneself] up

målande adj (oböjl.) om stil, skildring graphic, vivid; om t.ex. ord, gest expressive

målarbok s (~en, -böcker) paint-book, colouring book

målarduk s (~en, ~ar) [artist's] canvas

målare s (~n, =) konstnär painter, artist; hantverkare [house-]painter, [painter and] decorator

målarfärg s (~en, ~er) paint; *~er* konst. artist's colours

målarkonst s (~en) [art of] painting

målarmästare s (~n, =) master [house-]painter

målarpensel s (~n, -penslar) paintbrush

målarskola s (~n, -skolor) **1** konkr. art school **2** konstriktning school of painters

målarskrin s (~et, =) paintbox, colour box

målbeskrivning s (~en, ~ar) ped. description of aims (objectives)

målbrottet s (best. sing.), *han är (har kommit) i ~* his voice is breaking (is beginning to break)

målbur s (~en, ~ar) sport. goal

måldomare s (~n, =) i ishockey o.d. referee; vid kapplöpning o.d. judge

måleri s (~et, ~er) painting

målerisk adj (~t) picturesque

målfoto s (~t, ~n) sport. photograph [of a resp.the) finish]; *ett avgörande genom ~* a photofinish

målfrossa s (~n) sport. pile (bag) of goals

målföre s (~t) voice; *förlora (tappa) ~t* lose the power of speech; *återfå ~t* recover one's power of speech (one's voice)

målförsök s (~et, =) sport. goal attempt

målgrupp s (~en, ~er) target group; för reklam o.d. äv. target audience

målgörare s (~n, =) sport. [goal]scorer

målinriktad adj (-inriktat, ~e) psykol. goal-directed, goal-oriented; mera generellt target-oriented; *~ forskning* applied research

målinriktning s (~en, ~ar) target orientation, direction (orientation) towards a goal

mållinje s (~n, ~r) löpning o.d. finishing line (tape), tape; fotb. o.d. goal line; målöppningen goalmouth

1 mållös adj (~t) stum speechless [av t.ex. harm with]; ~ av häpnad dumbfounded; göra ~ strike dumb, make speechless

2 mållös adj (~t) **1** sport. goalless **2** bildl., planlös aimless

målmedveten adj (-medvetet, -medvetna) purposeful; ihärdig single-minded, steady, stable; vara ~ äv. have a fixed purpose

målmedvetenhet s (~en) purposefulness

målning s (~en, ~ar) **1** målande, måleri painting **2** ~en det målade the paintwork; själva färgen the paint **3** tavla painting, picture

målområde s (~t, ~n) på fotbollsplan o.d. goal area

målrelaterad adj (-relaterat, ~e) om betyg criterion-referenced, goal-referenced

målskillnad s (~en, ~er) sport. goal difference

målskytt s (~en, ~ar) sport. [goal]scorer

målsman s (~nen, -män) förmyndare guardian; förälder parent

målspråk s (~et, =) språkv. target language

målstolpe s (~n, -stolpar) på fotbollsplan o.d. goalpost, upright; vid löpning winning-post

målsägande s (~n, =) o. **målsägare** s (~n, =) jur. plaintiff; i brottmål prosecutor; allm. äv. injured party

målsättning s (~en, ~ar) mål aim, purpose, objective, end [in view], goal

målsökare s (~n, =) robot homing device, target seeker

måltavla s (~n, -tavlor) target äv. bildl.

måltid s (~en, ~er) meal; högtidl. repast; en lätt ~ a light meal, a snack; äta mellan ~erna …between meals

måltidsdryck s (~en, ~er) table drink

målvakt s (~en, ~er) goalkeeper; amer. goaltender; vard. goalie, keeper

1 mån s (~en) grad degree; mått measure; utsträckning extent; i möjligaste ~ as far as possible, to the utmost possible extent; i någon ~ el. i viss ~ to some (to a certain) extent, to a certain degree, in some measure, up to a point; i vad ~ to what extent (degree); i den ~ som to the extent that; allteftersom [according] as; i ~ av behov as the need arises (arose etc.); i ~ av tillgång as far as supplies admit (admitted etc.)

2 mån adj (~t), ~ om a) angelägen om anxious (concerned) about b) aktsam med careful of c) noga med particular about; ~ om att + inf.: ivrig eager to + inf.; angelägen anxious to + inf.; han är ~ om sitt rykte …jealous of his reputation

måna vb itr (~de, ~t), ~ om ngn watch…with loving care, nurse…; sin hälsa look after…

månad s (~en, ~er) month; jfr äv. motsv. ex. under 2 vecka; i april ~ in [the month of] April; hon är i femte ~en she is five months pregnant (gone); en gång i ~en once a month, monthly; 1000 kronor i ~en (per ~) …a (per) month; hyra per ~ …by the month

månadshyra s (~n, -hyror) monthly rent

månadskort s (~et, =) biljett monthly season ticket

månadslön s (~en, ~er) [monthly] salary, monthly pay; ha ~ have a monthly salary, be paid by the month

månadsrapport s (~en, ~er) monthly report

månadsskifte s (~t, ~n), ~t the turn of the month

månadssten s (~en, ~ar) birthstone

månadstidning s (~en, ~ar) o. **månadstidskrift** s (~en, ~er) monthly paper (magazine, journal, review), jfr tidskrift

månadsvis adv monthly, by the month

månatlig adj (~t) monthly

månatligen adv monthly

månbelyst adj (=) moonlit

måndag s (~en, ~ar) Monday; jfr fredag för ex. o. sammansättn.

månde hjälpvb (oböjl.) litt., vad ~ bliva av detta barn? what is to become of…[I wonder]?; vem det vara ~ whoever it is (may be)

måne s (~n, månar) astron. moon; det kan du se dig i ~n efter vard. you can whistle for it; det är lika svårt som att ta ner ~n it's like crying (asking) for the moon

månfärd s (~en, ~er) journey (trip) to the moon

månförmörkelse s (~n, ~r) eclipse of the moon

många indef pron a) allm. many; vid eng. subst. i sg. much (båda speciellt i fråg. o. nek. sats samt efter 'as', 'so', 'too' el. 'how') b) en hel del a good (great) many; fören. äv. a great (large) number of; en massa a lot (lots) [fören. of]; talrika numerous; ~ anser att many (a great number of, a lot of) people…; ~ av oss many of us; vi var ganska ~ we were fairly numerous; hur ~ är vi? how many…?; ~ gånger many times, ofta often; ~ goda råd (upplysningar) much good advice (information); för ~ [böcker] too many [books]; ganska ~ quite a number, quite a lot (a few); lika ~ bitar var the same number of…; [inte] lika ~ som i fjol [not] as many as…; väldigt ~ [böcker] an immense number (an enormous lot) [of books]

mångahanda adj (oböjl.) multifarious; attr. äv. multiple…, many kinds (sorts) of…

mångdubbel adj (~t, -dubbla), mångdubbla värdet many times the value

mångdubbelt adv t.ex. öka many times over; ~ större many times greater

mångdubbla vb tr (~de, ~t) multiply

mången indef pron (månget el. mångt) **1** fören. many a (resp. an)…; på ~ god dag for many a day **2** självst. a) om person many people pl.; i ordstäv o.d. many a man b) i mångt och mycket in many respects

mångfald s (~en, ~er) **1** stort antal, en ~ t.ex. plikter, städer a great number of, a [great] variety of, a multiplicity of **2** mots. 'enhetlighet' manifoldness **3** matem. multiple

mångfaldig adj (~t) manifold, multiple, multiplex; skiftande diverse, varied; ~a talrika multitudinous, numerous; ~a gånger many times [over]

mångfaldiga vb tr (~de, ~t) mångdubbla multiply; skrift o.d. manifold, duplicate

mångfalt adv se mångdubbelt

mångfasetterad adj (-fasetterat, ~e) om tolkning o.d. nuanced, …full of nuances

månggifte s (~t, ~n) polygamy

månggudadyrkan s (=, en) o. **mångguderi** s (~et) polytheism

månghörning s (~en, ~ar) geom. polygon

månghövdad adj (-hövdat, ~e) eg. many-headed; en ~ skara a large number of people, quite a multitude (crowd)

mångkulturell adj (~t) multicultural

mångkunnig *adj* (~t) all-round, versatile, polymathic; lärd, attr. äv. …of wide (great) learning

mångmiljonär *s* (~en, ~er) multimillionaire

mångordig *adj* (~t) verbose, wordy

mångsidig *adj* (~t) many-sided; geom. äv. polygonal; om person äv. versatile; om t.ex. utbildning all-round; **han är en ~ begåvning** he is a man of many gifts (a versatile and talented man)

mångsidighet *s* (~en) many-sidedness; persons äv. versatility

mångskiftande *adj* (oböjl.) diversified, multifarious, varied

mångstämmig *adj* (~t), **en ~ kör** a choir of many voices

mångsysslare *s* (~n, =), **vara en ~** have many [and varied] occupations (pursuits)

mångt *poss pron* se *mången*

mångtydig *adj* (~t) attr. …having (of, with) various meanings

mångård *s* (~en, ~ar) [lunar] halo

mångårig *adj* (~t) t.ex. om erfarenhet, arbete many years'…; t.ex. om vänskap long-standing…, …of long standing; **~ prenumerant** a subscriber for many years

månlandning *s* (~en, ~ar) moon-landing

månlandskap *s* (~et, =) lunar (moon) landscape, moonscape

månljus I *s* (~et) moonlight **II** *adj* (~t) moonlit; **det var ~t ute** there was moonlight outside; **det här var ~t!** vard. iron. this is just fine!

månne *adv* o. **månntro** *adv*, vad vill han mig **~?** …I wonder

månraket *s* (~en, ~er) moon rocket

månsken *s* (~et) moonlight; **det är ~ i kväll** there's a moon tonight, the moon is out tonight

månskära *s* (~n, -skäror) crescent

månsond *s* (~en, ~er) rymd. lunar probe

månsten *s* (~en, ~ar) miner. moonstone

månvarv *s* (~et, =) tidrymd lunar month, lunation; poet. moon

måra *s* (~n, måror) bot. woodruff, bedstraw

mård *s* (~en, ~ar) zool. marten

mårdhund *s* (~en, ~ar) zool. raccoon dog

mårtensgås *s* dagen St. Martin's Day, Martinmas

mås *s* (~en, ~ar) gull

måste I *hjälpvb* (inf. saknas, pres. o imperf. måste, supinum måst), **han ~** a) är (resp. blir) tvungen att he must; speciellt för att ange 'yttre tvång' he has (resp. will have) to, he is (resp. will be) obliged to, vard. he has got to b) var tvungen att he had to, he was obliged to, vard. he had got to; **~ jag det?** must I?, do I have to?; **det ~ du inte** you don't (om framtid won't) have (need) to; vard. you haven't got to; **jag ~ göra det förr eller senare** I shall (will) have to (I must) do it sooner or later; **huset ~ repareras** the house must (imperf. had to) be repaired; **jag ~** kan inte låta bli att **skratta** I can't help laughing; **du ~ vara (ha varit)** mycket trött you must be (have been)…; **han ~ vara sjuk** eftersom… he must be ill…; **skåpet ~ bort** the cupboard will have to go; **det ~ mera till än så för att** + inf. it takes more than that to + inf., you need more than that to + inf.

II *s* (~t, ~n), **det är ett ~** it's a must

mått *s* (~et, =) **1** allm. measure [på of]; speciellt uppmätt storlek measurement; bildl., måttstock standard [för for (of); på of]; storlek size, dimensions pl., proportions pl.; **~et är rågat** bildl. the cup is full to the brim; friare äv. that was the last straw!; jag har fått nog I've had enough of it!; **hålla ~et** bildl. be (come) up to standard (the mark); motsvara förväntningarna come up to expectations; **ta ~ på ngn [till en kostym]** take sb's measurements (measure sb) [for…], fit sb [for…]; **vara ett ~ på** be the measure (standard, gauge) of; **vidta ~ och steg** take measures (steps); **av stora ~** bildl. of great (grand) proportions; **med våra ~ [mätt]** by our standards; **i rikt ~** in ample measure **2** kok., kopp measuring-cup; litermått measuring-jug; kakmått biscuit (amer. cookie) cutter

1 måtta *s* (~n) moderation; **det är ingen ~ på vad han begär (hans krav)** there is no limit to his demands; **någon ~ får det vara** enough's enough, there's got to be a limit somewhere; **med ~** moderately, in moderation, sparingly

2 måtta I *vb tr* (~de, ~t), **~ ett slag mot** aim…at **II** *vb itr* (~de, ~t) sikta take aim [mot (åt) at]

måttband *s* (~et, =) measuring-tape, tape measure

måttbeställd *adj* (-beställt) …made to measure, custom-made

måtte *hjälpvb* (imperf.) **1** uttr. önskan, **~ du aldrig** få ångra det may you (I hope you will) never…; **det ~ väl inte ha hänt dem något!** I [do] hope nothing has happened to them! **2** uttr. subjektiv visshet, **han ~ vara sjuk** eftersom… he must be ill…; **det ~ väl jag veta!** I ought to (should) know!

måttenhet *s* (~en, ~er) unit of measurement

måttfull *adj* (~t) allm. moderate; i mat o. dryck äv. temperate; sansad (om person) el. diskret (om stil) sober

måttfullhet *s* (~en) moderation; temperance; sobriety; jfr *måttfull*

måttlig *adj* (~t) allm. moderate; i mat o. dryck äv. temperate; återhållsam abstemious; blygsam, om t.ex. anspråk modest; om t.ex. succé, intresse scant; **det är inte ~t vad han begär** …is out of all proportion

måttlighet *s* (~en) moderation; i mat o. dryck äv. temperance

måttlös *adj* (~t) se *omåttlig*

måtto *s* (oböjl., en), **i så ~** to that (such an) extent; såtillvida in so far

måttstock *s* (~en, ~ar) measure; framför allt bildl. standard, gauge [för (på) i samtliga fall of]; bildl. äv. yardstick, criteri|on (pl. -a); **[mätt] efter en annan ~** by another standard

måttsystem *s* (~et, =) system of measurement

mähä *s* (~et, ~n) vard. milksop, namby-pamby

mäkla *vb tr* o. *vb itr* (~de, ~t) medla mediate; **~ fred** mediate a peace

mäklararvode *s* (~t, ~n) courtage brokerage

mäklare *s* (~n, =) hand. broker; fond~ äv. stockbroker; fastighets~ estate (house) agent, amer. real estate agent, realtor

mäkta I *vb tr* o. *vb itr* (~de, ~t), **~ [göra] ngt** be capable of [doing] sth, be able to (manage) sth; **jag ~r inte [göra] mera** I can do no more **II** *adv* mightily; t.ex. iron. mighty

mäktig *adj* (~t) **1** kraftfull powerful; känslobetonat mighty; storartad majestic, grand, grandiose, great; väldig, stor tremendous, immense, huge; **en ~ furste** a powerful sovereign **2** om föda: tung heavy; fet [o. söt] rich

mängd *s* (~en, ~er) **1** kvantum quantity, amount; antal

number [samtliga med of framför följande ord]; *en* [*stor*] ~
(*~er av, stora ~er*) *te har* importerats a large (great)
quantity of tea has..., [large] quantities of tea
have...; *en* [*stor*] ~ (*~er av, stora ~er*) *böcker har*
förstörts a large (great) number of books have
(has)..., a great many books have...; *i stora ~er* in
large quantities (antal numbers); *i riklig* ~ vanl. in
abundance **2** *~en* folket, massan the crowd, the
multitude; *skilja sig från ~en* stand out from the
rest; *försvinna* bli borttappad *i ~en* get lost in the
crowd

mängdlära *s* (~n) matem. theory of sets, set theory
mängdrabatt *s* (~en, ~er) hand. quantity discount
människa *s* (~n, människor) allm. man (pl. men); kvinna
woman (pl. women); person person, individual;
mänsklig varelse human being; *~n* i allm. bemärkelse man;
människor folk people; *människorna* mänskligheten
mankind, the human race, man, humanity (alla sg.);
i ~ns natur human nature; *vi människor* we humans
(mortals); *alla människor* (*varje* ~) vanl. everybody,
everyone (båda sg.); *ingen* ~ nobody, no one; *inte en*
~ not a single person, not a soul; *gamla människor*
old people; amer. old folks; *den moderna ~n* modern
man; *stackars ~!* poor thing (soul, creature)!; *det*
gör ingen ~ *glad* nobody will be any happier for
that; *känna sig som en ny* (*annan*) ~ feel a new
(different) man (resp. woman); *vi är inte mer än*
människor [after all] we are only human
människoapa *s* (~n, -apor) anthropoid ape
människobarn *s* (~et, =) **1** eg. [human] child **2** poet.,
människa human being, mortal
människofientlig *adj* (~t) misanthropic
människoföda *s* (~n) human food; *otjänlig som* ~
unfit for human consumption
människoförakt *s* (~et) misanthropy
människohand *s* (~en, -händer), orörd *av* ~ ...by
human hand; *gjord av* ~ (*människohänder*)
man-made
människohandel *s* (~n) human trafficking, traffic
(trafficking) in human beings
människointresse *s* (~t), *ha* ~ be interested in
people
människokropp *s* (~en, ~ar) human body
människokännare *s* (~n, =) judge of character
människokännedom *s* (~en) knowledge of human
nature, judgement of character
människokärlek *s* (~en) humanity, love of
mankind; kristlig ~ charity; filantropi philanthropy
människoliv *s* (~et, =) [human] life; *en förlust av fem*
~ the loss of five lives; svåra *förluster av* ~ ...loss sg.
of life; *ett helt* ~ a whole [human] lifetime
människomassa *s* (~n, -massor) crowd [of people]
människooffer *s* (-offret, =) human sacrifice
människosläkte *s* (~t, ~n), *~t* the human race,
mankind
Människosonen the Son of Man
människospillra *s* (~n, -spillror) human wreck
människosyn *s* (~en) outlook on people (mankind)
människovän *s* (~nen, ~ner) humanitarian, friend of
humanity; filantrop philanthropist
människovänlig *adj* (~t) humanitarian, humane;
filantropisk philanthropic
människovärde *s* (~t, ~n) human dignity
människovärdig *adj* (~t) ...fit for human beings

människoätare *s* (~n, =) djur man-eater; kannibal
cannibal
mänsklig *adj* (~t) human; human humane; *den ~a*
faktorn se under *faktor*; *de ~a rättigheterna* human
rights; *ett ~are samhälle* a more humane society;
allt som står i ~ *makt* all that is humanly possible;
det är ~t att fela el. *att fela är mänskligt* to err is
human
mänsklighet *s* (~en) **1** humanitet humaneness,
humanity **2** *~en* människosläktet mankind, humanity
märg *s* (~en) **1** ben~ marrow; anat. medulla; *förlängda*
~en se under *förlänga* **2** bot. pith, medulla **3** bildl.: det
innersta marrow, core; kraft o. mod pith; *frysa ända in i*
~en be chilled (frozen) to the marrow (to the bone,
through and through)
märgben *s* (~et, =) marrowbone
märgpipa *s* (~n, -pipor) ben marrowbone; bogstycke
shoulder
märka *vb tr* (märkte, märkt) **1** förse med märke mark;
med etikett äv. label; med skåra, streck äv. score; med
bokstäver äv. letter; ~ *med namnlapp* mark with a
name-tape; *ett ansikte märkt av* sjukdom a face
marked by (bearing traces of)...; *han är märkt för*
livet he is marked for life, he is a marked man; ~ *ut*
mark out **2** lägga märke till notice, note; speciellt
avsiktligt observe; bli medveten om become aware of;
inse perceive; känna äv. feel; på smaken taste; på lukten
smell; höra hear; se see; *märk väl* nota bene (förk.
N.B.); *man märker inte* tröttheten *förrän...* you don't
notice (become aware of)...; *jag märkte då honom*
att han var arg I noticed (could tell) that...; skillnaden
märks knappt ...is hardly noticeable; *det märks* hörs
(syns) *att* han är trött you (one) can hear (see) that...;
det märks på henne att hon är rik you can tell..., it is
obvious...; *bland* de närvarande *märktes* among...we
(I) noted (...there were) **3** ~ *ord* cavil, quibble, take
up sb's words
märkbar *adj* (~t) iakttagbar noticeable; skönjbar
discernible; synbar visible; förnimbar perceptible,
appreciable; tydlig, om t.ex. förbättring marked
märke *s* (~t, ~n) **1** allm. mark; spår trace; etikett label,
tag; fabrikat: t.ex. bil~ make; av t.ex. kaffe, tobak brand;
klubb~ o.d. badge; bot., pistills stigma; *uppvisa* (*bära*) *~n*
efter misshandel show marks (signs) of...; en opera *av*
klassiskt ~ ...of a classical brand (kind) **2** *lägga* ~
till notice; se äv. *märka 2*
märkesdag *s* (~en, ~ar) red-letter day
märkeskläder *s pl* designer clothes pl.
märkesnamn *s* (~et, =) brand (proprietary) name
märkesvaror *s pl* proprietary (branded) goods;
ledande ~ brand leaders
märklig *adj* (~t) anmärkningsvärd, framstående
remarkable, notable; uppseendeväckande striking;
egendomlig strange, odd, peculiar; *ett ~t*
sammanträffande a remarkable (striking)
coincidence; *det var ~t!* how extraordinary
(peculiar, odd)!, that's odd!
märkligt *adv* remarkably etc., jfr *märklig*; ~ *nog*
strangely (oddly) enough, strange as it may seem
(sound)
märkning *s* (~en, ~ar) marking etc., jfr *märka 1*
märkpenna *s* (~n, -pennor) marker, highlighter
märkvärdig *adj* (~t) egendomlig strange, curious, odd,
peculiar; förunderlig wonderful; boken är *inte särskilt* ~
...nothing special; *göra sig* ~ viktig make oneself

important, put on airs; **det ~a med det** the remarkable thing about it

märkvärdighet s (~en, ~er) egenskap strangeness etc., jfr *märkvärdig*; **~er** remarkable things; sevärdheter sights

märkvärdigt adv se *märkligt*

märr s (~en, ~ar) sto mare

mäsk s (~en) vid öl- o. spritframställning mash

mäss s (~en, ~ar) mess; lokal äv. messroom

mässa I s (~n, mässor) **1** katol. el. mus. mass; prot. [divine] service; **gå i ~n** katol. attend (go to) Mass **2** hand. [trade] fair; utställning äv. exhibition **II** vb tr o. vb itr (~de, ~t) tala (läsa) entonigt chant, drone; sjunga liturgiskt (recitativartat) chant, intone

mässbok s (~en, -böcker) kyrkl. missal

mässfall s (~et, =) **1** inställd gudstjänst, **det blev ~** no service was held **2** inställt möte, föredrag, **det blev ~** the...was called off

mässhake s (~n, -hakar) kyrkl. chasuble

mässhall s (~en, ~ar) exhibition hall

mässing s (~en) **1** brass **2** vard., **i bara ~en** in the altogether, in one's birthday suit

mässingsbeslag s (~et, =) brass mounting

mässingsinstrument s (~et, =) brass [wind] instrument; **~en** i orkester the brass sg.

mässkrud s (~en, ~ar) kyrkl. vestments pl.

mässling s (~en) [the] measles sg.; **ha ~en** äv. be down with [the] measles

mässpojke s (~n, -pojkar) sjö. cabin boy, messroom boy

mästarbrev s (~et, =) master craftsman's diploma (certificate)

mästare s (~n, =) allm. master; sport. el. friare champion; **svensk ~ i tennis** Swedish tennis champion; han är **en ~ i (på) att ljuga** ...a master at lying; **han är ingen ~ i tennis (att ro)** he is a poor hand at tennis (rowing); **en ~ på fiol** a master of the violin, a great violinist

mästarhand s (oböjl.), **med ~** with a master-hand

mästarinna s (~n, mästarinnor) sport. [woman] champion

mästarklass s (~en, ~er) speciellt mus. master class

mästarprov s (~et, =) inom skråväsen examination for the master craftsman's diploma (certificate); mästerstycke masterpiece

mästerkock s (~en, ~ar) master cook

mästerlig adj (~t) masterly; lysande brilliant; **ett ~t drag** a masterstroke

mästerligt adv in a masterly way; lysande brilliantly

mästerskap s (~et, =) mastership; sport. championship; **~ i simning** swimming championship

mästerskytt s (~en, ~ar) crack shot, champion marksman

mästerstycke s (~t, ~n) masterpiece; mästardrag masterstroke

mästerverk s (~et, =) masterpiece

mästra vb tr (~de, ~t) klandra criticize, find fault with; ngn äv. put...right

mäta I vb tr (mätte, mätt) measure [med måttband efter (med) ögonmått, båda by]; beräkna calculate; lantmät. survey; **~ ngn med blicken** look sb up and down; **~ upp** a) ta mått på measure [up], take the measurements of; lantmät. survey b) t.ex. mjölk measure out; t.ex. tyg measure off; **~ ut** jur., se *utmäta*

1 II vb itr (mätte, mätt) hålla ett visst mått measure; **han mäter** 1.80 [**i strumplästen**] he stands...[in his socks] **III** vb rfl (mätte, mätt), **han kan inte ~ sig med...** he cannot match (jämföras compare with)...

mätare s (~n, =) **1** el~, gas~, parkerings~ o.d. meter; instrument gauge äv. bildl. **2** zool., se *mätarfjäril*

mätarfjäril s (~en, ~ar) zool. geometrid [moth], geometer

mätarlarv s (~en, ~er) zool. looper, geometer

mätarställning s (~en, ~ar) meter reading; vägmätare mileage reading, milometer (amer. odometer) reading

mätbar adj (~t) measurable; **icke ~** non-measurable

mätglas s (~et, =) graduated (measuring) glass

mätinstrument s (~et, =) measuring instrument, gauge

mätning s (~en, ~ar) mätande measuring, gauging osv., jfr *mäta I*; measurement; **göra ~ar** take (make) measurements, lantmät. el. sjö~ make surveys

mätsticka s (~n, -stickor) measuring-rod; olje~ dipstick

mätt adj (=) attr. ...who has had enough to eat; vard. full [up] endast pred.; **jag är ~** I have had enough [to eat]; vard. I'm full [up]; **äta sig (bli) ~** have enough to eat, satisfy one's appetite; **jag blir inte ~ av (på)** en banan ...doesn't fill me [up]; **han kunde inte se sig ~ på det** he never tired of looking at it, he couldn't take his eyes off it; **~ på** intryck sated (satiated) with...

mätta vb tr (~de, ~t) **1** satisfy; **det finns många munnar att ~** there are many mouths to feed; **frukt ~r inte** fruit does not fill you [up] **2** kem., hand. el. friare saturate

mättad adj (mättat, ~e) kem., hand. el. friare saturated; **marknaden är ~** the market has reached saturation point; **~e fettsyror** saturated fatty acids

mättnad s (~en) kem., hand. el. friare saturation

mättnadskänsla s (~n, -känslor) feeling of satisfaction

mö s (~n, ~r) poet., flicka maid, maiden

möbel s (~n, möbler) enstaka piece of furniture; som efterled i sammansättn. suite, jfr t.ex. *matsalsmöbel*; **möbler** bohag furniture sg.

möbelaffär s (~en, ~er) butik furniture store (shop)

möbelfabrik s (~en, ~er) furniture factory

möbelsnickare s (~n, =) cabinet-maker

möbeltyg s (~et, ~er) furnishing fabric

möbelvaruhus s (~et, =) furnishing store

möblemang s (~et, =) bohag furniture (endast sg.); **ett ~** a suite of furniture

möblera vb tr (~de, ~t) förse med möbler furnish; ordna möblerna arrange the furniture [[i] rummet in the room]; **hyra ~t** rum rent a furnished room; lägenhet rent a furnished flat (amer. apartment); **~ om** a) flytta om möblerna rearrange the furniture [i rummet in the room] b) förse med andra möbler refurnish c) bildl., i regering o.d. reshuffle, shake up

möblerbar adj (~t) attr. ...that can (could etc.) be furnished; **~ hall** lounge hall

möblering s (~en, ~ar) furnishing; möblemang äv. furniture

möda s (~n, mödor) besvär pains pl., trouble; tungt arbete labour, toil; slit drudgery; strapats, vedermöda hardship; **göra sig [stor] ~** take [great] pains (trouble); **ha all ~ i världen att** + inf. have no end of trouble to + inf. (great difficulty in + ing-form); **är det ~n värt?** is it worth while (the bother)?; **endast med ~** kunde hon only with difficulty...

mödernet s (best. sing.), **vara släkt på ~** be related on the (one's) mother's side

mödom s (~en, ~ar) **1** virginity **2** anat., se *mödomshinna*

mödomshinna s (~n, -hinnor) anat. hymen, maidenhead

mödosam adj (~t, ~ma) laborious, difficult, strenuous; om t.ex. uppgift äv. arduous

mödragymnastik s (~en) före förlossning antenatal (efter postnatal) exercises pl.

mödravård s (~en) maternity welfare; före förlossning antenatal (efter postnatal) care

mödravårdscentral s (~en, ~er) antenatal (prenatal) clinic

mögel s (möglet) mould; amer. mold; på papper, i hus o.d. mildew

mögelhund s (~en, ~ar) dog trained to sniff out mildew

mögelsvamp s (~en, ~ar) mould [fungus]

mögla vb itr (~de, ~t) go (get) mouldy osv., jfr *möglig*

möglig adj (~t) mouldy; amer. moldy; om papper, i hus o.d. mildewy; unken samt framför allt bildl., förlegad o.d. musty, fusty

möhippa s (~n, -hippor) hen party [given for a bride-to-be]; speciellt amer. bachelorette party

möjlig adj (~t) possible; görlig äv. feasible, practicable; tänkbar conceivable; **alla ~a [och omöjliga] sätt** all sorts of ways, every possible way sg.; **det är mycket ~t** att han har... it is quite possible (it may well be)...; **det är ~t att jag tar fel** I may be wrong; **är det ~t** att han...? is it possible (can it be)...?; **om ~t** if possible; **så snart som (snarast) ~t** as soon as possible, as soon as I (you etc.) possibly can; **på bästa ~a sätt** in the best possible way; **högsta ~a** ränta the highest possible..., the maximum...; **med minsta ~a** besvär with the least possible..., with a minimum of...; **i ~aste mån** as far as possible; **praktiskt ~t** practically possible, practicable, feasible

möjligen adv possibly; kanhända perhaps; **~ har han** ändrat sig äv. he may have...; **kan man ~ få träffa...** I wonder if it is possible to meet...; **har du ~ en krona på dig?** vanl. do you happen to have...?

möjliggöra vb tr (-gjorde, -gjort) make (render)...possible; underlätta facilitate

möjlighet s (~en, ~er) possibility; chans chance; utsikt prospect [till ngt ([till] att + inf.) samtliga of sth (of + ing-form)]; tillfälle äv. opportunity; utväg, medel means (sg. el. pl.) [att + inf. of (for) + ing-form]; **det finns ingen annan ~** there is no other possibility (no alternative); **om det finns någon ~** så kommer jag äv. if I possibly can...; **inom ~ernas gräns[er]** within the range of possibility; **~er till bad** bathing facilities

möjligtvis adv se *möjligen*

mönja s (~n) red lead, minium

mönster s (mönstret, =) allm. pattern; dekor, utförande äv. design; föredöme äv. model, paragon; norm standard; på bildäck tread; **ett ~ till en klänning** a pattern for a dress; **vara ett ~ av** dygd, flit be a pattern (model, paragon) of...; **efter ~** from a pattern

mönstergill adj (~t) model endast attr., ideal; om t.ex. uppförande exemplary

mönstergård s (~en, ~ar) o. **mönsterjordbruk** s (~en, =) model farm

mönsterstickad adj (-stickat, ~e) patterned

mönstra I vb tr (~de, ~t) **1** förse med mönster pattern **2** granska inspect, scrutinize, take stock of; **~ ngn [med blicken]** look sb up and down **3** sjö., anställa på fartyg sign (take)...on, ship; verkställa upprop med call over **II** vb itr (~de, ~t) **1** sjö. sign on, ship **2** mil., inskrivas enrol; amer. enroll **III** med beton. part.

mönstra av a) tr. pay...off b) itr. sign (be paid) off

mönstra på a) tr. sign (take)...on, ship b) itr. sign on

mönstrad adj (mönstrat, ~e) t.ex. om tyg patterned

mönstring s (~en, ~ar) **1** mönster pattern[ing] **2** granskning inspection; scrutiny **3** mil., se *inskrivning*

mör adj (~t) **1** om kött tender; om skorpor o.d.: spröd crisp **2** bildl., foglig meek; **göra ngn ~** soften sb up; **känna sig ~ i hela kroppen** be aching all over

möra vb tr (~de, ~t), **~ kött** tenderize meat

mörbulta vb tr (~de, ~t) person beat...black and blue; **alldeles ~d** efter matchen aching all over...

mörda vb tr (~de, ~t) murder; speciellt polit. assassinate; utan obj. commit a murder (murders); framför allt bildl. kill

mördande I adj (oböjl.) friare murderous; om klimat, slag deadly; om t.ex. blick withering; **~ konkurrens** cutthroat competition; **~ kritik** devastating (crushing) criticism **II** adv, **~ tråkig** deadly dull

mördarcell s (~en, ~er) fysiol. killer cell

mördare s (~n, =) murderer; speciellt polit. assassin

mördeg s (~en, ~ar) shortcrust pastry

mördegskaka s (~n, -kakor) shortbread

mörk adj (~t) dark; djup, om färg, ton äv. deep; dunkel äv. obscure; dyster gloomy; **en ~ blick** a black look; **~t bröd** dark bread; **~ choklad** plain (amer. dark) chocolate; **~ kostym** dark lounge suit; **~a tankar** dark (sombre, black) thoughts; **det ser ~ ut** bildl. things look bad; **bli ~are** get darker, darken

mörka vb tr (~de, ~t), **~ ngt** keep people in the dark about sth

mörkblond adj (-blont) om person dark blond (om kvinna blonde); om hår dark blond[e], light brown

mörkblå adj (-blått) dark blue; om plagg äv. navy blue; polit. true-blue, ultraconservative

mörker s (mörkret) darkness; mera konkr., mörk rymd dark; **mörkret faller på** nu darkness (night) is falling; **efter mörkrets inbrott** after dark; **famla i ~ (mörkret)** grope in the dark äv. bildl.; **kunna se i ~ (mörkret)** ...in the dark

mörkerkörning s (~en, ~ar) driving in the dark, night-driving

mörkerseende s (~t) fysiol. twilight (fackspr. scotopic) vision

mörkertal s (~et, =) hidden statistics sg.

mörkhyad adj (-hyat, ~e) dark-skinned, dark-complexioned

mörkhårig adj (~t) dark-haired

mörklagd adj (-lagt) om person dark[-haired]

mörklägga vb tr (-lade, -lagt) speciellt mil. black out; t.ex. genom strömavbrott plunge...into darkness; hemlighålla keep...secret (dark)

mörkläggning *s* (~en, ~ar) speciellt mil. blackout; **~en av** spionerimålet the cover up of…

mörkna *vb itr* (~de, ~t) get (grow, become) dark, darken; **det ~r** el. **det börjar ~** it is getting dark, night is falling; **hans ansikte ~de** då han fick se… his face darkened (became sombre)…; utsikterna **har ~t** …have become less promising (become gloomy)

mörkrostad *adj* (-rostat, ~e), **mörkrostat kaffe** dark (Continental, French) roast coffee

mörkrum *s* (~met, =) foto. o.d. dark room

mörkrädd *adj* (neutrum undviks), **vara ~** be afraid of the dark; **det är så man kan bli ~** it's enough to scare you out of your wits

mörkögd *adj* (-ögt) dark-eyed

mört *s* (~en, ~ar) roach; **pigg som en ~** [as] fit as a fiddle

mössa *s* (~n, mössor) cap

möta *vb tr* o. *vb itr* (mötte, mött) allm. meet; råka på [ngn] come (run) across, chance upon; råka på el. röna meet with; t.ex. svårigheter encounter; stå inför face, confront; **~ ngn** i en match meet (encounter) sb; **~ ngn** i trappan meet (pass) sb…; **~ [ngn]** vid station o.d. meet sb; **~ faran** meet (face) [the] danger; **~ förståelse** meet with sympathy; **för att kunna ~ konkurrensen** in order to meet (stand up to, cope with) competition; **~ motstånd** meet with (encounter) resistance; **~ sitt öde** meet one's fate; **~ upp** samlas meet up, gather, assemble

mötande *adj* (oböjl.) t.ex. person attr. …that one meets; t.ex. bil, tåg, trafik oncoming…, …coming the other way (from the other direction); **två ~ tåg** two trains passing each other

mötas *vb itr dep* (möttes, mötts) meet; passera varandra pass [each other]; **deras blickar möttes** their eyes met

möte *s* (~t, ~n) allm. meeting; spec. oväntat samt i match o.d. encounter; avtalat appointment; vard., träff date; **avtala ett ~** arrange (fix) a meeting (an appointment, vard. date); **hålla (öppna) ett ~** hold (open) a meeting; **kalla till ett ~** call a meeting; **stämma ~ med** make an appointment with, arrange to meet (a meeting with); **jag har stämt ~ med honom** klockan sex I have an appointment with him…; blända av **vid ~** …when meeting other vehicles; **gå** okända öden **till ~s** go to meet…, be heading for…; **vi går** en oviss framtid **till ~s** we have…before us; **gå (komma) ngn till ~s** [come to] meet sb; tillmötesgå meet sb half way

mötesdeltagare *s* (~n, =) participant [in a (resp. the) meeting]

mötesfrihet *s* (~en) freedom (right) of assembly

möteslokal *s* (~en, ~er) mötesplats place of meeting, meeting place; samlingsrum assembly (conference) room[s pl.]

mötesplats *s* (~en, ~er) meeting place; överenskommen rendezvous (pl. lika); på väg o.d. passing place

n *s* (n:et, n) bokstav n [utt. en]

nachos *s pl* kok. nachos

nacka *vb tr* (~de, ~t), **~ en höna (ngn)** chop a hen's (sb's) head off

nackdel *s* (~en, ~ar) disadvantage, drawback; **väga fördelar och ~ar** weigh the pros and cons

nacke *s* (~n, nackar) back of the (one's) head, nape of the (one's) neck; **bryta ~n [av sig]** break one's neck; **vrida ~n av ngn** bildl. wring sb's neck; **ha ögon (klia sig) i ~n** have eyes at (scratch) the back of one's head; **ha 70 år på ~n** be [as much as] seventy years old; **ha många år på ~n** be getting on

nackkudde *s* (~n, -kuddar) head cushion

nackskinn *s* (~et), **ta ngn i ~et** take…by the scruff of its neck

nackspärr *s* (~en, ~ar) wryneck; vetensk. torticollis

nackstöd *s* (~et, =) headrest; i bil äv. head restraint

nacksving *s* (~en, ~ar) brottn. headlock

nafs *s* (~et, =) snap; hugg grab; **i ett ~** vard. in a flash (jiffy), in two ticks

nafsa *vb tr* o. *vb itr* (~de, ~t) snap [efter at]; **~ ngn i benet** snap at sb's leg; **~ åt sig** snap up

nafta *s* (~n) kem. naphtha

nagel *s* (~n, naglar) **1** anat. nail; **bita på (peta) naglarna** bite (clean) one's nails **2** bildl., **vara en ~ i ögat på ngn** be a thorn in the flesh (side) to sb

nagelband *s* (~et, =) anat. cuticle

nagelborste *s* (~n, -borstar) nail brush

nagelfara *vb tr* (-for, -farit) scrutinize…closely (critically)

nagelfil *s* (~en, ~ar) nail file; sandpappersfil emery board

nagellack *s* (~et, =) nail varnish (polish)

nagellackborttagningsmedel *s* (-medlet, =) nail-varnish (nail-polish) remover

nagelpetare *s* (~n, =) nail-cleaner

nagelrot *s* (~en, -rötter) root of a (resp. the) nail

nagelsax *s* (~en, ~ar) nail scissors pl.

nageltrång *s* (~et), **ha ~** have an ingrown (ingrowing) toenail

nageltång *s* (~en, -tänger) nail nippers pl.

nagga *vb tr* (~de, ~t) bröd prick; **~ i kanten** bildl., t.ex. kapital begin to nibble at, eat into; hennes goda rykte **har blivit ~t i kanterna** …has become somewhat tarnished

naggande *adv*, **den är liten men ~ god** there's not much of it, but what there is, is good

naiv *adj* (~t) naive; troskyldig ingenuous, unsophisticated; barnslig childish; enfaldig simple-minded; omogen green

naivism *s* (~en) konst. o.d. naïvism

naivitet *s* (~en, ~er) naivety, naiveté, naiveness

naken *adj* (naket, nakna) naked äv. bildl.; vard. …in the raw; speciellt konst. nude; **nakna fakta** the naked (bare, hard) facts; **[den] nakna sanningen** the naked (plain) truth; **klä av sig ~** strip naked (to the skin)

nakenbad *s* (~et, =) badning, vard. skinny-dipping; **ett ~** a bathe in the nude, a skinny-dip

nakenbadare *s* (~n, =) naked bather; vard. skinny-dipper

nakenbild *s* (~en, ~er) nude (naked) picture; i herrtidning ofta girlie picture

nakendansös *s* (~en, ~er) nude dancer

nakenhet *s* (~en) nakedness; speciellt konst. nudity

nalkas *vb itr dep* o. *vb tr dep* (nalkades, nalkats) approach äv. om. person; litt. draw near

nalla *vb tr* (~de, ~t) vard. pinch, swipe

nalle *s* (~n, nallar) vard. **1** se *nallebjörn* **2** se *mobiltelefon*

nallebjörn *s* (~en, ~ar) barnspr. teddy [bear]; i barnsagor o.d. äv. bruin

Namibia Namibia

namibisk *adj* (~t) Namibian

namn *s* (~et, =) name [på of]; hans *goda ~ och rykte* …good name [and reputation]; *hur var ~et?* what [is your] name, please?; *byta ~* change one's name; han *fick ~et John* …received the name of (was named, döptes till was christened) John; *skapa sig ett ~* make a name for oneself; *i Guds ~* relig. in the name of God; *vad* (*varför*) *i herrans ~…?* what (why) on earth?, what (why) in the name of goodness el. (heaven)…?; *i lagens ~* in the name of the law; *i sanningens ~* to be quite honest, to tell the truth; ingen *med det ~et* …of that name; känna ngn [bara] *till ~et* …by name; *vara känd under ~et S.* be known by (go by, go under) the name of S.; en man *vid ~ Brown* …called Brown, …by the name of Brown; *nämna ngt vid dess* (*saker och ting vid deras*) *rätta ~* call sth by its right name, call a spade a spade

namnbricka *s* (~n, -brickor) identitetsbricka identity disc (amer. disk); *~or* amer. mil. dogtags

namnbyte *s* (~t, ~n) change of name

namne *s* (~n, namnar) namesake

namnge *vb tr* (-gav, -gett el. -givit) name

namngiven *adj* (-givet, -givna) named; *av icke ~* konstnär by an unnamed (anonymous)…

namninsamling *s* (~en, ~ar) list of signatures; petition; protestskrivelse äv. round robin

namnkunnig *adj* (~t) renowned, famous

namnlapp *s* (~en, ~ar) name-tape, hängande name tag

namnlista *s* (~n, -listor) list of names, jfr äv. *namninsamling*

namnlös *adj* (~t) nameless; bildl. äv. unspeakable

namnsdag *s* (~en, ~ar) nameday

namnskylt *s* (~en, ~ar) nameplate; på dörr doorplate; på t.ex. affär signboard

namnteckning *s* (~en, ~ar) o. **namnunderskrift** *s* (~en, ~er) signature

namnändring *s* (~en, ~ar) change of name

nanoteknik *s* (~en, ~er) nanotechnology

napalm *s* (~en) kem. napalm

1 napp *s* (~en, ~ar) di- teat, amer. nipple; tröst~ dummy, comforter, amer. pacifier

2 napp *s* (~et, =) fiske bite; svagare el. bildl. nibble [*på* at]; *få ~* have a bite (nibble), get a rise

1 nappa *s* (~n) skinnsort nappa [leather]

2 nappa *vb tr* o. *vb itr* (~de, ~t) om fisk bite; svagare el. bildl. nibble [*på* at]; *~* [*till* (*åt*) *sig*] snatch (catch) [up (hold of)]; *det ~r sällan* när det… you seldom get a bite…; *det ~de han genast på* he jumped at it [at once]; *~ på kroken* bite [at the hook]; rise to (swallow) the bait äv. bildl.

nappatag *s* (~et, =) tussle, set-to; äv. bildl. *ta ett ~ med…* have a tussle with…, come to grips with…

nappflaska *s* (~n, -flaskor) feeding (baby's) bottle

naprapat *s* (~en, ~er) naprapath

narciss *s* (~en, ~er) bot. narcissus (pl. narcissuses el. narcissi)

narcissistisk *adj* (~t) psykol. narcissistic

narig *adj* (~t) om hud chapped, rough

narkoman *s* (~en, ~er) narcotics (drug) addict; vard. junkie

narkomani *s* (~n) drug addiction, narcomania

narkomanvård *s* (~en) care (treatment) of drug (narcotics) addicts

narkos *s* (~en, ~er) narcos|is (pl. -es); *ge* [*ngn*] *~* administer an anaesthetic (amer. anesthetic) [to sb]

narkosläkare *s* (~n, =) anaesthetist; amer. anesthesiologist

narkossköterska *s* (~n, -sköterskor) nurse anaesthetist (amer. anesthetist)

narkotika *s pl* narcotics, drugs; vard. dope sg.

narkotikaberoende *s* (~t) drug dependence (addiction)

narkotikabrott *s* (~et, =) narcotics (drug) crimes pl.

narkotikahandel *s* (~n) traffic in narcotics, drug traffic (racket)

narkotikahund *s* (~en, ~ar) sniffer dog

narkotikainnehav *s* (~et, =) possession of narcotics (drugs)

narkotikakurir *s* (~en, ~er) narcotics courier, drug-runner; vard. mule

narkotikalangare *s* (~n, =) drug (dope) trafficker, drug (dope) pusher (peddler)

narkotikamissbruk *s* (~et, =) narcotics (drug) abuse

narkotikapolis *s* (~en, ~er), *~en* the narcotics (drug) squad

narkotisk *adj* (~t) narcotic

narr *s* (~en, ~ar) allm. fool; hov~ äv. [court] jester; pajas clown; *göra ~ av ngn* make fun (game) of (poke fun at) sb

narra *vb tr* (~de, ~t) se *2 lura II* o. *2 lura III*

narras *vb itr dep* (narrades, narrats) fib, tell fibs (resp. a fib)

narval *s* (~en, ~ar) zool. narwhal, sea-unicorn

nasal *adj* (~t) nasal

nasalljud *s* (~et, =) nasal [sound]

nasaré *s* (~n, ~er) Nazarene äv. bibl.

Nasaret Nazareth

1 nasse *s* (~n, nassar) vard., gris pig; liten piglet; barnspr. piggy; *Nasse* i Nalle Puh Piglet

2 nasse *s* (~n, nassar) vard., nazist Nazi

nate *s* (~n, natar) bot. **1** pondweed **2** våtarv chickweed

nation *s* (~en, ~er) nation

nationalbudget *s* (~en, ~ar) national budget

nationaldag *s* (~en, ~ar) national [commemoration] day, national holiday; *Sveriges ~* the National Day of Sweden

nationaldräkt *s* (~en, ~er) **1** typisk för ett land national costume **2** folkdräkt traditional costume

nationalekonom *s* (~en, ~er) economist

nationalekonomi *s* (~n) economics sg.

nationalekonomisk *adj* (~t) economic; *en ~ fråga* som rör landets ekonomi a matter affecting the national economy

nationalförsamling *s* (~en, ~ar) national assembly

nationalhjälte *s* (~n, -hjältar) national hero

nationalinkomst s (~en, ~er) national income
nationalisera vb tr (~de, ~t) nationalize
nationalism s (~en), ~[en] nationalism
nationalist s (~en, ~er) nationalist
nationalistisk adj (~t) nationalistic
nationalitet s (~en, ~er) nationality
nationalitetsbeteckning s (~en, ~ar) på bil nationality sign; på flygplan nationality mark
nationalitetsmärke s (~t, ~n) på bil nationality sign; på flygplan nationality mark
nationalkaraktär s (~en, ~er) national character
nationalmuseum s (-museet, -museer) national museum (för konst gallery)
nationalpark s (~en, ~er) national park
nationalprodukt s (~en, ~er) ekon. national product
nationalromantik s (~en) litt.vet. el. mus. m.m. national romanticism
nationalrätt s (~en, ~er) maträtt national dish
nationalsocialism s (~en), ~[en] National Socialism
nationalsocialist s (~en, ~er) National Socialist
nationalstat s (~en, ~er) nation-state
nationalsång s (~en, ~er) national anthem
nationell adj (~t) national; ~t prov skol. national standardized test
nativitet s (~en) birthrate
NATO atlantpaktsorganisationen NATO (förk. för North Atlantic Treaty Organization)
natrium s (~et el. natriet el. =) kem. sodium
natriumglutamat s (~et el. ~en, = el. ~er) kem., smakförstärkare monosodium glutamate
natt s (~en, nätter) night äv. bildl.; **god ~!** good night!; **arbeta ~** work nights; **~en till** söndagen [som adv. on (under loppet av during)] the night before...; här ska vi **ta in** (**bo**) **i ~** ...put up for (spend) the night (tonight); **i går** (**morgon**) **~** yesterday (tomorrow) night; **på ~en** (**nätterna**) at (by) night, in the night[-time]; klockan tolv **på ~en** ...at night; de är [**olika**] **som ~ och dag** they are like (as different as) chalk and cheese (amer. night and day); arbeta **till långt fram** (**in**) **på ~en** ...far into the night; 2 tabletter **till ~en** ...at bedtime; **stanna över ~en** stay overnight (the night)
natta vb tr (~de, ~t) vard., **~ barnen** put the children to bed, tuck the children in for the night
nattapotek s (~et, =) all-night pharmacy (i Storbr. chemist's, i USA drugstore)
nattarbete s (~t, ~n) det att arbeta på natten night-work; **ett ~** a night-job
nattaxa s (~n, -taxor) på buss o.d. night tariff, night fare
nattblindhet s (~en) nightblindness
nattbuss s (~en, ~ar) night-service (late-night) bus
nattdjur s (~et, =) nocturnal animal
nattdräkt s (~en, ~er), **i ~** in nightwear, in night-attire
nattduksbord s (~et, =) bedside table (med skåp cabinet); amer. äv. night table, nightstand
nattetid adv at (by) night, in the night[-time]
nattexpedition s (~en, ~er) på apotek o.d. night-service
nattfjäril s (~en, ~ar) zool. moth
nattflyg s (~et, =) flygningar night-flights pl.; plan night-plane
nattfrost s (~en) night frost
nattgäst s (~en, ~er) guest for the night
natthimmel s (-himlen el. ~en el. ~n, -himlar) night sky

nattjour s (~en, ~er) night duty
nattjänstgöring s (~en, ~ar), **ha ~** be on night duty
nattkafé s (~et, ~er) all-night café
nattklocka s (~n, -klockor) nightbell
nattklubb s (~en, ~ar) nightclub
nattkröken s (best. sing.), **fram på ~** towards the small hours [of the night]
nattkvarter s (~et, =) se nattlogi
nattkärl s (~et, =) chamber pot
nattlampa s (~n, -lampor) night lamp; i t.ex. sovrum nightlight
nattlektyr s (~en) bedside reading
nattlig adj (~t) nocturnal; natt- äv. night-; varje natt nightly; under natten ...in the night
nattlinne s (~t, ~n) nightdress, nightgown; vard. nightie
nattliv s (~et) night life
nattlogi s (~n) husrum accommodation (lodging) for the night
nattläger s (-lägret, =) liggplats bed [for the night]; improviserat shakedown
nattmössa s (~n, -mössor) nightcap; **prata i ~n** ung. talk drivel, talk through one's hat
nattparkering s (~en, ~ar) [over]night parking
nattpermission s (~en, ~er) night-leave
nattportier s (~n, ~er) night porter
nattradio s (~n) all-night radio
nattrafik s (~en) night-services pl.
nattro s (~n) vila night's rest; lugn peace and quiet at night
nattskift s (~et, =) nightshift
nattskjorta s (~n, -skjortor) nightshirt
nattskärra s (~n, -skärror) zool. nightjar; amer. äv. goatsucker
nattsköterska s (~n, -sköterskor) night nurse
nattsmyg s (~en, ~ar) zool. silverfish
nattsudd s (~et) late nights (bjudningar parties) pl.; **vara ute på ~** have a night on the tiles, be out on the spree
nattsvart adj (=) ...[as] black as night äv. bildl.
nattsömn s (~en) ngns [night's] sleep; **ha god ~** sleep well at night
nattuggla s (~n, -ugglor) person night owl, nightbird
nattvak s (~et, =) late hours pl., keeping late hours; nattjänst night-duty, vigil
nattvakt s (~en, ~er) **1** person night watchman, security officer **2** tjänstgöring night watch (duty)
nattvard s (~en, ~er) kyrkl., **~en** the Holy Communion, the Blessed (Holy) Sacrament, the Lord's Supper; **Nattvarden** målning av Leonardo da Vinci The Last Supper
nattvardsgång s (~en, ~ar) kyrkl. communion
nattvardsvin s (~et, ~er) kyrkl. sacramental wine
nattviol s (~en, ~er) bot. **1** vild butterfly orchis (orchid) **2** odlad dame's violet (rocket)
nattåg s (~et, =) night train
nattöppen adj (-öppet, -öppna) ...open all night (round the clock); **nattöppet kafé** all-night café
natur s (~en, ~er) allm. nature; läggning, kynne o.d. äv. disposition, temperament; geografisk beskaffenhet äv. geography; natursceneri o.d. [natural] scenery; **~en** som skapande kraft o.d. nature; **komma ut i ~en** ...the country[side]; **Sveriges ~** nature in Sweden; **en vacker ~** omgivning beautiful scenery, a beautiful landscape; **ett stycke vild ~** a stretch of wild nature;

frågor av allmän ~ questions of a general nature (character); *det ligger i människans* ~ [*att* + inf.] it is inherent in human nature [to + inf.]; *det ligger i sakens* ~ [*att* man...] it is in the nature of things (is quite natural) [that...]; *ute i ~en* in the countryside; utomhus out of doors, in the open; *vara försiktig till sin* ~ (*av ~en*) be wary by nature (constitution)

natura s (oböjl.), *in* ~ in kind

naturaförmåner s pl payments in kind, fringe benefits, perquisites; vard. perks

naturahushållning s (~en) primitive (genom byteshandel barter) economy

naturalisera vb tr (~de, ~t) naturalize

naturalist s (~en, ~er) naturalist

naturalistisk adj (~t) naturalist[ic]

naturbarn s (~et, =) child of nature

naturbegåvning s (~en, ~ar), *vara en* ~ be naturally talented (gifted), have natural talents (gifts) osv.

naturbehov s (~et, =), *uträtta sina* ~ relieve oneself

naturbeskrivning s (~en, ~ar) description of scenery (nature)

naturdyrkan s (=, en) relig. nature worship; kärlek till naturen love of nature

naturell adj (~t) natural, ...au naturel fr.

naturenlig adj (~t) natural

naturfenomen s (~et, =) natural phenomen|on (pl. -a)

naturfolk s (~et, =) primitive people

naturfärg s (~en, ~er) natural colour

naturfärgad adj (-färgat, ~e) natural-coloured

naturföreteelse s (~n, ~r) natural phenomenon

naturgas s (~en, ~er) natural gas

naturhistoria s (-historien) natural history

naturhistorisk adj (~t), *~t museum* natural-history museum

naturintresse s (~t, ~n) interest in [the study of] nature

naturkatastrof s (~en, ~er) natural disaster

naturkraft s (~en, ~er) natural (elemental) force; *~erna* äv. the forces of nature

naturkunskap s (~en) som skolämne science

naturkännedom s (~en) knowledge of nature

naturlag s (~en, ~ar) natural law, law of nature

naturlig adj (~t) allm. natural; medfödd äv. innate, native, inborn; självklar äv. self-evident, obvious; *dö en ~ död* äv. jur. die from natural causes; *av ~a skäl* for obvious reasons; *ett* porträtt *i ~ storlek* a life-size...; *~t urval* biol. natural selection; *på ~ väg* by natural means, naturally; *det ~a* hade varit att gå the natural thing...

naturlighet s (~en) naturalness osv., jfr *naturlig*

naturligtvis adv of course, naturally; *~!* ja (jo) visst äv. certainly!, sure!

naturliv s (~et) **1** *leva* ~ lead an outdoor life **2** *~et* naturens liv ung. wildlife

naturläkare s (~n, =) nature healer; mera vetensk. naturopath

naturläkemedel s (-medlet, =) nature-cure medicine; mera vetensk. naturopathic preparation

naturmedicin s (~en, ~er) naturopathy, nature cure

naturminne s (~t, ~n) o. **naturminnesmärke** s (~t, ~n) natural monument (landmark)

naturmänniska s (~n, -människor) i urtillstånd child of nature (pl. children of nature); friluftsmänniska nature lover

naturnödvändig adj (~t) absolutely necessary

naturnödvändighet s (~en) absolute (physical, natural) necessity; *med* ~ with absolute necessity

naturorienterande adj (oböjl.), *~ ämnen* skol. science subjects

naturprodukt s (~en, ~er) natural product

naturprogram s (~met, =) TV. nature programme (amer. program)

naturreligion s (~en, ~er) nature religion, nature worship

naturreservat s (~et, =) nature reserve

naturrikedom s (~en, ~ar), *~[ar]* natural wealth sg.; jfr *naturtillgång*

naturriket s (best. sing.) the natural kingdom

naturrätt s (~en) jur. natural law

natursceneri s (~et, ~er), *~[er]* natural scenery sg.

natursiden s (~et) o. **natursilke** s (~t) real (pure) silk

naturskildring s (~en, ~ar) description of scenery (nature)

naturskyddsområde s *naturårdsverk* (~t, ~n) nature reserve

naturskön adj (~t) ...of great natural beauty, extremely picturesque; *det ~a* Dalarna ...with its beautiful scenery; *en ~ plats* äv. a beauty spot

naturskönhet s (~en) beauty of nature, natural beauty; *berömd för sin* ~ noted for [the beauty of] its scenery

naturstig s (~en, ~ar) nature trail

naturtillgång s (~en, ~ar) natural asset; *~ar* äv. natural resources

naturtillstånd s (~et, =) natural state

naturtrogen adj (-troget, -trogna) ...true to life, lifelike

naturturism s (~en) nature tourism

naturvetare s (~n, =) scientist; studerande science student

naturvetenskap s (~en, ~er) [natural] science

naturvetenskaplig adj (~t) scientific

naturvetenskapsman s (~nen, -män) scientist

naturvård s (~en) nature conservation, environment protection

naturvårdsområde s (~t, ~n) conservation area

Naturvårdsverket the Swedish Environmental Protection Agency

nautisk adj (~t) sjö. nautical; *~ mil* nautical mile

nav s (~et, =) hub; propeller~ boss

navel s (~n, navlar) anat. navel; vard. belly button

navelskådning s (~en, ~ar) neds. navel-gazing

navelsträng s (~en, ~ar) navel string; vetensk. umbilical cord

navigation s (~en, ~er) navigation

navigatör s (~en, ~er) navigator

navigera vb tr o. vb itr (~de, ~t) navigate

navigerbar adj (~t) navigable

navigering s (~en, ~ar) navigation

navkapsel s (~n, -kapslar) hubcap

nazism s (~en), *~[en]* Nazism

nazist s (~en, ~er) Nazi

nazistisk adj (~t) Nazi

Nazityskland Nazi Germany

neandertalare s (~n, =) o. **neandertalmänniska** s (~n, -människor) Neanderthal man

Neapel Naples

nebulosa s (~n, nebulosor) astron. nebul|a (pl. -ae)

necessär s (~en, ~er) rese~ toilet bag

ned *adv* (se också betonad partikel under respektive verb, t.ex. *brinna ned* under *brinna II*); allm. down; nedåt äv. downwards; nedför trappan downstairs; **upp och ~** i div. uttryck se *upp 1*; **uppifrån och ~** from top to bottom; **längst ~ på** sidan at the [very] bottom of...; **ända ~** all the way down (to the bottom); lägga **~ ngt i** ...sth into; **blöta (skräpa) ~** utan obj. make things all wet (make a mess)

nedan I *adv* below; **se ~!** see below **II** *s* (oböjl.) wane; **månen är i ~** the moon is on the wane

nedanför I *prep* below; t.ex. trappan, åsen at the foot of; söder om [to the] south of **II** *adv* [down] below; söder därom to the south [of it]

nedanstående *adj* (oböjl.) nedan angiven o.d. the...[mentioned] below

nedbantad *adj* (-bantat, ~e), **~ budget** reduced budget

nedblodad *adj* (-blodat, ~e) ...covered all over with blood, bloodstained

nedbruten *adj* (-brutet, -brutna), **vara ~** bildl.: knäckt, slut be broken [down]; av t.ex. dålig hälsa be shattered; **~ av sorg** prostrate with grief

nedbrytbar *adj* (~t) kem. degradable, decomposable; **biologiskt ~** biodegradable

nedbrytning *s* (~en, ~ar) kem. breaking down

nedbäddad *adj* (-bäddat, ~e), **ligga ~** have been tucked up in bed

neddragen *adj* (-draget, -dragna), **neddragna mungipor** a drooping mouth; **med mössan ~ i pannan** with one's (his etc.) cap drawn (pulled) down over one's (his etc.) forehead; **med rullgardinen ~** with the blind down (drawn, lowered)

nederbörd *s* (~en) meteor. precipitation; i väderrapport vanl.: regn rainfall, snö snowfall; **riklig ~** heavy rain[fall] (resp. snow[fall])

nederbördsområde *s* (~t, ~n) meteor. precipitation area; vanl. i väderrapport rainfall (resp. snowfall) area

nederdel *s* (~en, ~ar) lower part

nederlag *s* (~et, =) mil. defeat äv. sport. el. friare; **lida ~** äv. be defeated

nederländare *s* (~n, =) Dutchman, Netherlander

Nederländerna *s pl* the Netherlands

nederländsk *adj* (~t) vanl. Dutch; officiellare Netherlands..., ...of the Netherlands

nederländska *s* (jfr *svenska*) **1** (~n, nederländskor) kvinna Dutchwoman, Netherland woman **2** (~n) språk vanl. Dutch

nederst *adv* at the [very] bottom [*i, på, vid* of]; **~ på** sidan at the bottom (foot) of...

nedersta *adj* (superlativ), **[den] ~** hyllan the lowest (bottom)..., av två the lower...; **~ våningen** vanl. the ground (amer. äv. first) floor

nedfall *s* (~et, =), **[radioaktivt] ~** [radioactive] fallout

nedfart *s* (~en, ~er) **1** nedfärd descent, way down **2** väg entrance **3** skidbacke descent, ski run

nedflyttad *adj* (-flyttat, ~e), **bli ~** be moved down äv. skol.; sport. be relegated, go down

nedfläckad *adj* (-fläckat, ~e) ...stained all over

nedfrysning *s* (~en, ~ar) refrigeration; med. äv. (total) hypothermia; **en ~ av relationerna mellan de båda länderna** a freezing of the relations between the two countries

nedfällbar *adj* (~t) om t.ex. sufflett, attr. ...that can be lowered (let down); **~ sits** tip-up seat

nedfärd *s* (~en, ~er) färd ner descent; nedresa journey down

nedför I *prep* down; **~ backen** down the hill, downhill; **~ trappan** down the stairs; inomhus äv. downstairs **II** *adv* downwards; i betydelsen 'i utförsbacke', 'utför' äv. downhill

nedförsbacke *s* (~n, -backar) downhill slope, descent; **vi hade (det var) ~ hela vägen** it (the road) was downhill [for us]...

nedgående (jfr *nedåtgående*) **I** *s* (~t), **vara på ~** be going down **II** *adj* (oböjl.) solens setting

nedgång *s* (~en, ~ar) **1** himlakroppars setting; sjunkande, tillbakagång om pris o.d. decline äv. om kultur o.d., fall, drop; minskning decrease; **solens ~** sunset **2** till källare, tunnelbana o.d. way (trappa stairs pl.) down

nedgången *adj* (-gånget, -gångna) **1** om sko down at heel **2** utarbetad o.d. worn out **3** förfallen dilapidated

nedgångsperiod *s* (~en, ~er) **1** ekon. depression, cris|is (pl. -es) **2** kulturell o.d. period of decline (starkare decadence) **3** persons period of depression

nedgörande *adj* (oböjl.) om kritik scathing, slashing

nedhukad *adj* (-hukat, ~e), **sitta ~ över** en bok (en blomma) sit crouched (crouching) [down] over...

nedhängande *adj* (oböjl.) ...hanging down; fritt suspended; om ljuskrona pendent

nedifrån I *prep*, **~ gatan** (hamnen) from...[down] below; **~ södern** from down south **II** *adv* from below (underneath); **~ och ända upp** from below upwards, from the bottom right up; **femte raden ~** from the bottom

nedisad *adj* (-isat, ~e) ...covered with ice; geol. glaciated; **vingarna var ~e** ...had iced up

nedisning *s* (~en, ~ar) covering with ice; geol. glaciation; flyg. icing

nedkalla *vb tr* (~de, ~t) högtidl., **~ frid** (välsignelse) **över ngn** call down...on sb

nedklottrad *adj* (-klottrat, ~e), ett **nedklottrat** papper ...which has (had) been scribbled all over; **en ~ vägg** äv. a wall full of graffiti; **väggen var ~ med** slagord the wall had...scribbled all over it

nedknarkad *adj* (-knarkat, ~e) vard. freaked-out, ...completely under the influence of drugs

nedkomma *vb itr* (-kom, -kommit) ngt högtidl., **~ med en son** give birth to a boy, be delivered of a boy

nedkomst *s* (~en, ~er) ngt högtidl., förlossning delivery, confinement

nedkyld *adj* (-kylt) med kroppstemperatur under det normala ...suffering from hypothermia

nedkylning *s* (~en, ~ar) cooling [down], chilling; kroppstemperatur under det normala hypothermia

nedladdning *s* (~en, ~ar) data. download

nedlagd *adj* (-lagt) inte längre i bruk disused, closed down, jfr vidare *lägga ned* under *lägga IV*

nedlusad *adj* (-lusat, ~e) lousy, lice-infested; **vara ~ med pengar** vard. be filthy rich, be rolling in money

nedlåta *vb rfl* (-lät, -låtit), **~ sig** sänka sig till stoop, descend [*till* ngt to...; *till att* + inf. to + ing-form]; gå med på condescend [*till* ett svar to give...; *till att* + inf. to + inf.]

nedlåtande *adj* (oböjl.) överlägsen condescending, patronizing

nedlåtenhet *s* (~en) condescension, patronizing air

nedlägga *vb tr* (-lade, -lagt) se *lägga ned* under *lägga IV*

nedläggelse *s* (~n, ~r) av arbete stoppage (cessation) of work

nedläggning *s* (~en, ~ar) **1** *~en av en krans* the laying down of a wreath **2** av verksamhet discontinuation; inställelse shutting-down; stängning closing-down; *en ~* a shutdown

nedläggningshotad *adj* (-hotat, ~e) om t.ex. fabrik ...threatened with closure (closing-down)

nedre *adj* (oböjl.) lower; *~ ändan* av bordet äv. the bottom...; *i ~ vänstra hörnet* (på boksida o.d.) in the bottom (lower) left-hand corner; *på ~ botten* on the ground (amer. first) floor

nedresa *s* (~n, -resor) journey down (söderut southwards)

nedrig *adj* (~t) gemen, simpel mean, dirty, low; *vilken ~ otur!* what rotten luck!; *det är* (*var*) *~t* av dig att tro det! it is beastly (horrid)...!

nedringd *adj* (-ringt), *bli* [*fullständigt*] *~* be showered with telephone calls

nedrusta I *vb itr* (~de, ~t) disarm, cut down (reduce) [one's] armaments **II** *vb tr* (~de, ~t) cut down [on], t.ex. forskningen reduce

nedrustning *s* (~en, ~ar) **1** disarmament; begränsning arms limitations (mera allm. reduction) **2** *~ av välfärdsstaten* dismantling of the welfare state

nedrustningsförhandlingar *s pl* disarmament (begränsning arms limitation) negotiations

nedräkning *s* (~en, ~ar) inför start countdown

nedrökt *adj* (=), *ett ~ rum* a room that reeks of smoke

nedsaltning *s* (~en, ~ar) salting, pickling

nedsatt *adj* (=), *~ pris* reduced price; *ha ~ hörsel* have reduced (svagare impaired) hearing, be hard of hearing; *ha ~ syn* have impaired vision

nedskrivning *s* (~en, ~ar) hand. writing-down, write-down; av valuta m.m. devaluation

nedskräpning *s* (~en) littering [up]

nedskärning *s* (~en, ~ar) minskning reduction [*av* of, in]; cut [*av* in]; av personal inom företag o.d. downsizing

nedslag *s* (~et, =) **1** på dator keystroke; på skrivmaskin stroke **2** mus. downbeat **3** blixt~ stroke of lightning **4** mil., projektils [point of] impact

nedslagen *adj* (-slaget, -slagna) bildl. depressed, low-spirited, dejected

nedslagenhet *s* (~en) se *nedstämdhet*

nedsliten *adj* (-slitet, -slitna) worn down; om maskin run-down

nedslående *adj* (oböjl.) bildl. disheartening, depressing, discouraging; resultatet *blev ~* ...was (proved) disappointing

nedsläpp *s* (~et, =) i ishockey face-off; *göra ~* face off

nedsmetad *adj* (-smetat, ~e) besmeared; med fett äv. ...[all] covered with (in) grease (med smuts dirt)

nedsmittad *adj* (-smittat, ~e), *bli ~* become infected; catch an infection [*av* ngn from...]

nedsmutsad *adj* (-smutsat, ~e) om t.ex. händer very dirty; om plagg äv. ...dirtied (soiled) all over

nedsmutsning *s* (~en) dirtying, soiling; av t.ex. luften, luftförorening pollution, contamination

nedstigande *adj* (oböjl.), *rakt ~ led* se *2 led 3*

nedstigning *s* (~en, ~ar) descent

nedströms *adv* downstream

nedstämd *adj* (-stämt) bildl. depressed, low-spirited, dejected

nedstämdhet *s* (~en) [state of] depression

(dejection), low-spiritedness; *hans ~* äv. his depressed state [of mind]

nedstänkt *adj* (=), *bli ~* get splashed (spattered, sprinkled) all over

nedsutten *adj* (-suttet, -suttna), *en ~ soffa* an old sagging sofa

nedsvärtning *s* (~en, ~ar) bildl. character assassination, defamation of character; *~ av ngn* blackening of sb's character

nedsättande *adj* (oböjl.) förklenande disparaging; om yttrande o.d. depreciatory

nedsättning *s* (~en, ~ar) sänkning lowering; minskning reduction; pris~, amer. äv. markdown; av hörsel o.d. impairment

nedsövd *adj* (-sövt) anaesthesized, ...under an anaesthetic

nedtagande *s* (~t) o. **nedtagning** *s* (~en) taking down

nedtill *adv* at the foot (bottom), down in the lower part [*på* of]; därnere [down] below

nedtoning *s* (~en, ~ar) toning down, playing down; friare äv. defusing

nedtrappning *s* (~en, ~ar) de-escalation; gradvis avveckling phasing out; av t.ex. konflikt defusing, playing down

nedtryckt *adj* (=) bildl. depressed, dejected [*av* by]; jfr *nedtyngd*

nedtyngd *adj* (-tyngt) bildl. ...weighed down, ...loaded, ...burdened [*av* i samtliga fall with]

nedvikt *adj* (=) dubbelvikt, *blus med ~ krage* blouse with a turn-down collar

nedväg *s* (~en), *på ~en* on the way (resa journey) down (söderut southwards, down south)

nedvärdera *vb tr* (~de, ~t) **1** ekon. reduce the value of, depreciate **2** bildl. belittle, disparage, depreciate

nedåt I *prep* allm. down; längs [all] down along; *gå ~ staden* ...down towards (in the direction of) town; *bo ~* Malmö live [somewhere] down in the direction of...(vard. down...way) **II** *adv* allm. downwards; *röra sig ~* move downwards

nedåtgående I *s* (~t), *vara i ~* om konjunkturer o.d. be on the downgrade, have a downward trend (tendency) **II** *adj* (oböjl.) om pris falling; om tendens, konjunkturer downward

nedärvd *adj* (-ärvt) ...passed on (transmitted) by heredity, hereditary; traditionell ...handed down from generation to generation, traditional

negation *s* (~en, ~er) negation

negativ I *adj* (~t) negative; matem. el. elektr. äv. minus **II** *s* (~et, =) foto. negative

neger *s* (~n, negrer) neds. Negro

negerande *adj* (oböjl.) negative

negligé *s* (~n, ~er) negligee

negligera *vb tr* (~de, ~t) allm. neglect, overlook; strunta i ignore; t.ex. varning äv. disregard

negress *s* (~en, ~er) neds. Negress, Negro (black) woman (pl. women)

negroid *adj* (neutrum undviks) åld. el. neds. Negroid

nej I *interj* (ibland *adv*) **1** allm. no; *~ då!* visst inte oh, [dear me,] no!; not at all!; starkare certainly not!; *~ tack!* no, thank you (thanks)! **2** med försvagad innebörd, ibland rent överflödigt: anknytande o.d. well; uttr. förvåning o.d. oh!; *~ nu måste jag gå!* well, I must be off [now]!; *~, nu går det för långt!* this is really going too far!; *~, vad säger du!* you don't say [so]!

II *s* (~et, =) no; avslag refusal; **få ~** meet with a refusal; vid frieri be refused (turned down); **rösta ~** vote against [the proposal]; **svara ~** [**på** en fråga] answer no [to...]; **säga ~ till ngt** äv. refuse (decline) sth; **tacka ~** [**till** bjudning] vanl. decline [...] with thanks

nejd *s* (~en, ~er) trakt district; grannskap neighbourhood; poet. clime

nejlika *s* (~n, nejlikor) **1** bot., stor, driven carnation; enklare pink **2** krydda clove

nejonöga *s* (~t, -ögon) zool. lamprey

nejröst *s* (~en, ~er) no, vote against, negative vote; **~erna är i majoritet** the nays (noes) have it

nejsägare *s* (~n, =) person who always says no to everything, no-man; kvinna no-woman

neka I *vb itr* (~de, ~t) deny; **han ~de bestämt till att ha gjort det** he flatly denied having done it **II** *vb tr* (~de, ~t) vägra refuse; **~ ngn sin hjälp** refuse to help sb; **~ ngn tillträde** refuse sb admittance **III** *vb rfl* (~de, ~t), **jag kan inte ~ mig nöjet att** + inf. I cannot deny myself (forgo) the pleasure of + ing-form

nekande I *adj* (oböjl.) vanl. negative; **ett ~ svar** avslag a refusal **II** *adv*, **svara ~** reply (answer) in the negative **III** *s* (~t), dömas **mot sitt ~** ...in spite of one's denial [of the charge] (one's pleading not guilty)

nekrolog *s* (~en, ~er) obituary [notice], necrology

nektar *s* (~n) bot. el. bildl. nectar

nektarin *s* (~en, ~er) nectarine

neon *s* (~et) neon

neonljus *s* (~et, =) neon light

neonskylt *s* (~en, ~ar) neon sign

Nepal Nepal

nepalesisk *adj* (~t) Nepalese

nepotism *s* (~en) nepotism

Neptunus astron. el. mytol. Neptune

ner o. sammansättn., se *ned* o. sammansättn.

nere *adv* allm. down; i nedre våningen äv. downstairs; deprimerad down [in the dumps], depressed, in low spirits; **där ~** down there; **här ~** down here; **~ i** Skåne down [south] in...; **priset** (**temperaturen**) **är ~ i...** the price (temperature) is down to...; **~ på** down on (botten at)

nerium *s* (nerien, nerier) bot. nerium, oleander

nerts *s* (~en, ~ar) zool. el. skinn mink

nerv *s* (~en, ~er) nerve; bot. äv. vein, rib; bildl.: känsla feeling; kraft vigour, spirit, drive, go; **~er av stål** nerves of steel (iron); **ha dåliga ~er** have weak nerves; **han** (**det**) **går mig på ~erna** he (it) gets on my nerves (vard. wick)

nervcell *s* (~en, ~er) nerve cell

nervcentrum *s* (~et, = el. -centra) nerve centre

nervchock *s* (~en, ~er) nervous shock

nervgas *s* (~en, ~er) nerve gas

nervgift *s* (~et, ~er) neurotoxin

nervig *adj* (~t) **1** bot. nerved, nervate[d], veined **2** vard. highly-strung, nervy

nervimpuls *s* (~en, ~er) nerve (nervous) impulse

nervkittlande *adj* (oböjl.) thrilling, breathtaking, hair-raising

nervknippe *s* (~t, ~n) bildl. bundle of nerves

nervknut *s* (~en, ~ar) anat. ganglion (pl. ganglions el. ganglia)

nervkollaps *s* (~en, ~er) nervous breakdown

nervkrig *s* (~et, =) war of nerves

nervlugnande *adj* (oböjl.), **~ medel** sedative, tranquillizer

nervositet *s* (~en) nervousness osv., jfr *nervös*

nervpirrande *adj* (oböjl.) thrilling, breathtaking, hair-raising

nervpress *s* (~en) nervous strain

nervpåfrestande *adj* (oböjl.) nerve-racking, ...[that is] a strain on the nerves

nervryckning *s* (~en, ~ar) nervous spasm

nervsammanbrott *s* (~et, =) nervous breakdown

nervsjukdom *s* (~en, ~ar) nervous disorder, neuros|is (pl. -es)

nervspänning *s* (~en, ~ar) nervous strain

nervsystem *s* (~et, =) nervous system; **centrala ~et** the central nervous system

nervtråd *s* (~en, ~ar) nerve fibre

nervvrak *s* (~et, =) nervous wreck

nervvärk *s* (~en) neuralgia

nervös *adj* (~t) allm. nervous; tillfälligt edgy, jumpy; rastlös restless; **~** [**av sig**] highly-strung, amer. high-strung; vard. nervy; **bli ~** get nervous osv.; vard. get the willies (heebie-jeebies); **var inte ~!** don't worry!, take it easy!; **han har ~a ryckningar** he has a nervous tic

nesa *s* (~n, nesor) ignominy, shame

neslig *adj* (~t) vanärande ignominious; skändlig infamous

netikett *s* (~en, ~er) data. vard. netiquette

netto I *adv* net **II** *s* (~t, ~n) se *nettoavkastning* m.fl.; **i rent ~** net (clear) profit

nettoavkastning *s* (~en, ~ar) net yield osv., jfr *avkastning*

nettobehållning *s* (~en, ~ar) net balance; jfr *behållning*

nettobelopp *s* (~et, =) net amount (sum)

nettoinkomst *s* (~en, ~er) net income (förtjänst profit, intäkter proceeds pl.)

nettolön *s* (~en, ~er) net wages pl.; månadslön net salary; mera allm. net pay (endast sg.); vard. take-home pay

nettopris *s* (~et, = el. ~er) net [cost] price

nettovikt *s* (~en) net weight

nettovinst *s* (~en, ~er) net (clear) gain (profit)

neuralgi *s* (~n) med. neuralgia

neurasteni *s* (~n) med. neurasthenia

neurolog *s* (~en, ~er) neurologist

neurologi *s* (~n) neurology

neuros *s* (~en, ~er) psykol. neuros|is (pl. -es)

neurotiker *s* (~n, ~er) psykol. neurotic

neurotisk *adj* (~t) psykol. neurotic

neutral *adj* (~t) neutral

neutralisera *vb tr* (~de, ~t) neutralize

neutralitet *s* (~en) neutrality; **väpnad ~** armed neutrality

neutralitetspolitik *s* (~en) policy of neutrality

neutron *s* (~en, ~er) fys. neutron

neutronbomb *s* (~en, ~er) neutron bomb

neutrum *s* (neutret, neutrer el. neutra) gram. the neuter [gender]

New York New York

newyorkbo *s* (~n, ~r) New Yorker

ni *pers pron* you; **~ andra** the rest of you, you others; **säga ~ till ngn** address sb as 'ni'

1 nia *vb tr* (~de, ~t), **~ ngn** address sb as 'ni' [instead of using the familiar word 'du']

2 nia *s* (~n, nior) siffra nine; jfr *femma*

Nicaragua Nicaragua

nicaraguansk *adj* (~t) Nicaraguan

nick *s* (~en, ~ar) **1** allm. nod **2** fotb. header

nicka *vb itr* o. *vb tr* (~de, ~t) **1** allm. nod [*åt* (*till*) *ngn* at sb]; **~ bifall** nod approval; **~ till** somna drop off [to sleep] **2** fotb. head; **~** [*in*] **bollen i mål** head the ball into goal

nickel *s* (~n) **1** metall nickel **2** vard., **jag har inte ett ~** I haven't a bean (amer. cent el. dime)

nickelallergi *s* (~n, ~er) nickel allergy

nickelkadmiumbatteri *s* (~et, ~er) nickel-cadmium battery

nickning *s* (~en, ~ar) **1** allm. nodding; **svara med en ~** [**med huvudet**] ...a nod [of the (one's) head] **2** sport.: nickande heading; nick header

nidbild *s* (~en, ~er) scurrilous (malicious) portrait

nidingsdåd *s* (~et, =) wicked (dastardly) outrage, heinous deed

nidskrift *s* (~en, ~er) lampoon, libellous pamphlet

nidvisa *s* (~n, -visor) satirical ballad (song)

niga *vb itr* (neg, nigit) curtsy, curtsey [*för ngn* to sb]

Niger staten o. floden the Niger

Nigeria Nigeria

nigeriansk *adj* (~t) Nigerian

nigning *s* (~en, ~ar) curtsy, curtsey

nihilism *s* (~en) nihilism

nihilist *s* (~en, ~er) nihilist

nikotin *s* (~et el. ~en) nicotine

nikotinfri *adj* (-fritt) nicotine-free; befriad från nikotin denicotinized

nikotinförgiftning *s* (~en, ~ar) nicotine-poisoning, nicotinism

nikotinplåster *s* (-plåstret, =) nicotine patch

nikotintuggummi *s* (~t, ~n) nicotine [chewing] gum

Nilen the Nile

nio *räkn* nine; jfr *fem* o. sammansättn.

niohundra *räkn* nine hundred, jfr *hundra* med sammansättn.

nionde *räkn* ninth; jfr *femte* med sammansättn.

niondel *s* (~en, ~ar) ninth [part]; jfr *femtedel*

nippran *s* (best. sing.) vard., **få ~** go off one's nut (chump); **jag får ~** it drives me up the wall

nipprig *adj* (~t) vard. crazy; pred. äv. nuts

niqab *s* (~en, ~er) niqab

nirvana *s* (~t) relig. el. friare nirvana

nisch *s* (~en, ~er) niche äv. bildl.

nischa *vb tr* (~de, ~t), **~ in sig** create a niche for oneself

1 nit *s* (~et el. ~en) iver zeal; starkare ardour, fervour

2 nit *s* (~en, ~ar el. ~er) lott el. bildl. blank; **dra en ~** draw a blank; **gå på en ~** vard., bli lurad, bli utan draw a blank, get nowhere

3 nit *s* (~en, ~ar) tekn. rivet

nita *vb tr* (~de, ~t) **1 ~** [*fast*] rivet [*vid* [on]to]; **~ ihop** två plåtar rivet...together **2** vard., slå till bash, wallop; sätta fast, gripa nab, cop, pinch

nitisk *adj* (~t) ivrig zealous, diligent; trägen assiduous; starkare ardent, fervent; **alltför ~** over-zealous

nitlott *s* (~en, ~er) se *2 nit*

nitrat *s* (~et, ~er el. =) kem. nitrate

nitroglycerin *s* (~et) kem. nitroglycerin[e]

nitti *räkn* vard., se *nittio*

nittio *räkn* ninety; jfr *fem* o. *femtio* med sammansättn.

nittionde *räkn* ninetieth

nitton *räkn* nineteen; jfr *fem* o. *femton* med sammansättn.

nittonde *räkn* nineteenth; jfr *femte*

nittonhundrafemtio *räkn* nineteen hundred and fifty; **född år ~** äv. born in nineteen fifty

nittonhundrafemtiotalet *s* (best. sing.) the nineteen-fifties pl.

nittonhundratalet *s* (best. sing.) the twentieth (20th) century; jfr *femtonhundratalet*

nivellera *vb tr* (~de, ~t) level; bildl. äv. equalize, reduce...to one (a uniform) level; öka level up (minska down, utplåna away)

nivellering *s* (~en, ~ar) levelling osv., jfr *nivellera*

nivå *s* (~n, ~er) level; bildl. äv. standard; **hålla sig** (**vara**) **i ~ med** keep (be) on a level with; **på samma ~** on the same level; **överläggningar på högsta ~** top-level (summit) talks

nivågruppering *s* (~en, ~ar) skol. ability grouping, setting, streaming

nivåskillnad *s* (~en, ~er) difference in level äv. bildl.; difference in altitude

njugg *adj* (~t) knusslig parsimonious [*med, på* with]; med (på) ord, beröm o.d. sparing, chary [*med, på* of]

njurbäcken *s* (~et, =) anat. renal pelvis

njure *s* (~n, njurar) kidney; **konstgjord ~** artificial kidney, kidney machine; som fackterm haemodialyser

njurinflammation *s* (~en, ~er) inflammation of the kidney[s]; vetensk. nephritis (endast sg.)

njursauté *s* (~n, ~er) kok. sautéed kidneys pl.

njursten *s* (~en, ~ar) kidney stone, stone in the kidney[s]; vetensk. renal calcul|us (pl. -i)

njurtransplantation *s* (~en, ~er) kidney transplantation; **en ~** a kidney transplant

njuta I *vb tr* (njöt, njutit) enjoy, jfr *åtnjuta* **II** *vb itr* (njöt, njutit) enjoy oneself, have a wonderful time; **~ av ngt** (**av att resa**) enjoy sth (travelling); starkare delight (take delight) in sth (in travelling); **jag riktigt njuter av att** höra henne it is a positive joy (delight) for me to...

njutbar *adj* (~t) enjoyable [*för* to]; aptitlig appetizing; smaklig palatable äv. bildl. [*för* to]

njutning *s* (~en, ~ar) enjoyment, pleasure; starkare delight; **en** [**sann** (**verklig**)] **~ för** ngn a [real] pleasure for...; ögat (örat) a [real] feast for...; **bordets ~ar** the delights (luxuries)...; **sinnliga ~ar** sensual pleasures

njutningslysten *adj* (-lystet, -lystna) pleasure-seeking, hedonistic

njutningslystnad *s* (~en) love of (longing for) pleasure (enjoyment); filosofi hedonism, epicurism, epicureanism

njutningsmedel *s* (-medlet, =) stimulant

NO förk., se *naturorienterande*

Noak Noah; **~s ark** Noah's ark

nobba *vb tr* (~de, ~t) vard. say no to, reject, cold-shoulder; **~ ett anbud** turn an offer down; **~ ngn** för t.ex. dans give sb the brush-off

nobben *s* (best. sing.), **få ~** vard. get the brush-off, be turned down, be cold-shouldered

nobel *adj* (~t, nobla) noble; om utseende äv. distinguished

Nobelpris *s* (~et, = el. ~er) o. **nobelpris** *s* (~et, = el. ~er) Nobel Prize [*i* litteratur for...]

Nobelpristagare *s* (~n, =) o. **nobelpristagare** *s* (~n, =) Nobel Prize winner

nobless *s* (~en) nobility; *~en* de förnäma äv. the noblesse, the upper ten [thousand] (båda pl.)

nock *s* (~en, ~ar) byggn. ridge

nog *adv* **1** tillräckligt enough, sufficiently; *stor ~* (*~ stor*) large enough, sufficiently large; ha **mer än ~** ...more than enough; *nej nu får det vara ~!* jag finner mig inte längre enough of that!, enough's enough!; *man kan aldrig vara ~ försiktig* you (one) can't be too careful; *~ sagt* enough said; vard. 'nuff said; *jag har fått ~* [*av det*] orkar inte med mer I have had enough [of it]; är less på, vard. I'm fed up [with it], I've had it up to here; *ha mat ~* hemma have enough food...; *ha mat ~* för att t.ex. bjuda gäster have food enough...; *inte ~ med att han vägrade,* han t.o.m.... not only did he refuse...

2 med svagare betydelse: ganska m.m., *konstigt* (*lustigt, lyckligt* osv.) *~ kom hon* curiously (oddly, fortunately osv.) enough...; *konstigt* (*sorgligt*) *~* äv. strange (sad) to say; *naturligt* (*olyckligt*) *~* vanl. naturally (unfortunately); *nära ~* se *nästan*

3 förmodligen probably, very likely; säkerligen no doubt, doubtless; helt säkert certainly; *han är ~* förmodligen *snart här* äv. I expect (suppose, amer. guess) he will soon be here; *brevet kommer ~* [*ska du se*]*!* helt säkert äv. the letter will come all right [, never [you] fear]!; *det är ~ gott och väl* [*, men...*] that's all very well [, but...]; *det ska jag ~ ordna!* I'll see to that [don't worry]!; *~ ser det så ut* it certainly looks like it; it looks like it, I (you osv.) must admit; *det tror jag ~* I should think so; *~ är han* (*~ för att han är*) duktig men... to be sure (it is true) he is...

noga I *adv* precis o.d. precisely, exactly accurately; ingående closely; in i minsta detalj minutely; strängt strictly; omsorgsfullt carefully; *akta sig ~ för att* + inf. take great (good) care not to + inf.; *hålla ~ reda på* böckerna keep a careful (a strict) check on...; *lägga ~ märke till...* note (mark)...carefully; *~ räknat* strictly [speaking]; *jag vet inte så ~* hur (när)... I don't know [very (quite)] exactly... **II** *adj* (oböjl.) omsorgsfull careful; samvetsgrann scrupulous; kinkig particular [*med* (*om*) ngt i samtliga fall about (as to)...]; jfr äv. *noggrann*; *vara ~ med att* + inf. äv. make a point of + ing-form; *det är inte så ~* [*med det*]*!* it's not all that important!

noggrann *adj* (-grant) omsorgsfull careful; samvetsgrann scrupulous [*med* about]; exakt exact, precise; ingående close

noggrannhet *s* (~en) carefulness osv., jfr *noggrann*; care, accuracy; *bristande ~* inaccuracy

nogräknad *adj* (-räknat, ~e) particular; framför allt moraliskt scrupulous [*med, i fråga om* about]

nogsamt *adv*, *det har jag ~ fått erfara* I have learnt that to my cost; *~ undvika att* + inf. studiously (carefully) avoid + ing-form

nojsa *vb itr* (~de, ~t) skoja lark about, fool around

noll *räkn* (äv. adj. o. subst.) allm. nought, amer. naught, amer. vard. zilch, zip; på instrument zero; spec. i telefonnummer O [utt. əʊ amer. oʊ]; *det är ~ grader* Celsius it is zero [degrees] (at freezing-point); *ett ~ till dig!* vard., jag är svarslös one up to you!, you scored there!; *kamma ~* come away empty-handed; *leda med 30–0* i tennis lead thirty love; *segra med 3–0* i t.ex. fotboll win by three [goals to] nil (nothing); i baseboll, amer. win by three nothing, win by a three nothing shutout; *matchen slutade 0–0* äv. the match was a

goalless draw; *värdet är lika med ~* ekon. ...is equal to zero (nil)

nolla *s* (~n, nollor) eg. nought (amer. naught), cipher; *en ~* om person a nobody (nonentity); *hålla ~n* sport. keep a clean sheet; *hålla ~n mot AIK* amer. shut...out, keep...scoreless

nollgradig *adj* (~t), *~t* vatten ...at freezing temperature

nollpunkt *s* (~en, ~er) zero [point]; elektr. neutral [point]; *absoluta ~en* absolute zero; *stå på ~en* äv. bildl. be at zero

nollställa *vb tr* (-ställde, -ställt) instrument set (turn)...to zero, reset

nollställd *adj* (-ställt) **1** om instrument set at (reset to) zero **2** opartisk impartial; likgiltig indifferent; uttryckslös expressionless

nollsummespel *s* (~et, =) zero-sum game äv. friare

nolltaxerare *s* (~n, =) taxpayer who pays no income tax due to deductions that exceed tax on gross income; skattesmitare tax dodger

nolltid *s* (oböjl.), *på ~* vard. in [less than] no time

nolltillväxt *s* (~en) ekon. zero (nil) growth

nolltolerans *s* (~en) zero tolerance

020-nummer *s* (-numret, =) tele. Freefone®, freephone®

nollvision *s* (~en, ~er) zero vision

nolläge *s* (~t, ~n) zero (neutral) position

nomad *s* (~en, ~er) nomad

nomadfolk *s* (~et, =) nomadic people

nomenklatur *s* (~en, ~er) nomenclature

nominativ *s* (~en, ~er) gram. the nominative

nominell *adj* (~t) nominal; *~t värde* äv. face value

nominera *vb tr* (~de, ~t) nominate

nominering *s* (~en, ~ar) nomination

nonaggressionspakt *s* (~en, ~er) non-aggression pact

nonchalans *s* (~en) nonchalance; inställning nonchalant attitude [*mot* i samtliga fall towards]; likgiltighet indifference [*mot* to]; bekymmerslöshet airiness, flippancy

nonchalant *adj* (=) nonchalant; likgiltig indifferent; bekymmerslös airy, flippant

nonchalera *vb tr* (~de, ~t) pay no attention to, take no notice of, ignore; regler o.d. äv. disregard; person, medvetet cold-shoulder; försumma neglect

nonfigurativ *adj* (~t) konst. non-figurative

nonintervention *s* (oböjl.) polit. non-intervention

nonsens *s* (oböjl., ett) nonsense, rubbish

nonstop *adv* non-stop

nonstopflygning *s* (~en, ~ar) non-stop flight

noppa I *s* (~n, noppor) i tyg, på plagg bobble **II** *vb tr* (~de, ~t) burl; ögonbryn pluck **III** *vb rfl* (~de, ~t), *~ sig* om tyg bobble, pill; *fågeln ~r sig* ...is preening its feathers

noppig *adj* (~t) om tyg ...with bobbles

nord *s* (~en) o. *adv* north (förk. N) [*om* of]; *vinden blåser från ~* ...in (from) the north

Nordafrika som enhet North Africa; norra Afrika Northern Africa

nordafrikansk *adj* (~t) North African

Nordamerika North America

nordamerikansk *adj* (~t) North American

nordan *s* (=, en) o. **nordanvind** *s* (~en, ~ar) north wind, northerly wind

nordbo *s* (~n, ~r) Northerner; skandinav Scandinavian

Norden Skandinavien the Scandinavian (mer officiellt Nordic) countries pl., Scandinavia; med Finland spec. Fenno-Scandinavia; *här i ~* äv. [here] in the North
Nordeuropa the north of Europe, Northern Europe
nordeuropeisk *adj* (~t) North European
Nordirland polit. Northern Ireland; norra Irland the north of Ireland
nordisk *adj* (~t) allm. northern; skandinavisk Scandinavian; mer officiellt Nordic; med Finland spec. Fenno-Scandinavian; språkv. el. mytol. o.d. Norse; *Nordiska rådet* the Nordic Council; *~a språk* univ. Scandinavian languages
Nordkalotten the Arctic area of the Scandinavian countries and the Kola Peninsula
Nordkap the North Cape
Nordkorea Demokratiska folkrepubliken Korea North Korea
nordkoreansk *adj* (~t) North Korean
nordkust *s* (~en, ~er) north coast
nordlig *adj* (~t) från el. mot norr, om t.ex. vind, riktning, läge northerly; om vind äv. north; i norr, t.ex. boende, belägen northern; *det blåser ~ vind* the wind is northerly (comes from the north)
nordligare *I adj* (komparativ) more northerly *II adv* farther to the north, farther north[wards]
nordligast *I adj* (superlativ) most northerly, northernmost *II adv* farthest north
nordost *I s* (~en) väderstreck the north-east (förk. NE); vind north-easter, north-east wind *II adv* north-east (förk. NE) [*om of*]
nordostlig *adj* (~t) north-east[ern], north-easterly, jfr *nordlig*
nordostpassagen *s* (best. sing.) the North-East Passage
nordpol *s* (~en, ~er) *~en* the North Pole
nordpolsexpedition *s* (~en, ~er) expedition to the North Pole, arctic expedition
nordpolsfarare *s* (~n, =) arctic explorer
nordsida *s* (~n, -sidor) north (northern) side; *på ~n av (om)* äv. [to the] north of
Nordsjön the North Sea
nordväst *I s* (~en) väderstreck the north-west (förk. NW); vind north-wester, north-west wind *II adv* north-west (förk. NW) [*om of*]
nordvästlig *adj* (~t) north-west[ern], north-westerly, jfr *nordlig*
nordvästpassagen *s* (best. sing.) the North-West Passage
nordvästra *adj* (best.) the north-west[ern]..., jfr *norra*
nordöst *s* (oböjl.) o. *adv* se *nordost*
nordöstlig *adj* (~t) se *nordostlig*
nordöstra *adj* (best.) the north-east[ern]..., jfr *norra*
Norge Norway
Norgehistoria *s* (-historien el. ~n, -historier) ung. ethnic joke [about Norwegians]; ibland motsv. Irish (Polish etc.) joke
norm *s* (~en, ~er) måttstock standard; mönster äv. model; rättesnöre norm, criteri|on (pl. -a); regel rule
normal *adj* (~t) allm. normal äv. bildl.; genomsnitts- average, mean; standard- standard; *under ~a förhållanden* äv. normally; *~t förfarande* standard procedure; *under (över) det ~a* below (above) normal ([the] average)

normalbegåvad *adj* (-begåvat, ~e) ...of average (normal) intelligence
normalfall *s* (~et, =), *i ~et* normally; *i ~* pl. in normal cases (conditions)
normalfördelning *s* (~en, ~ar) statistik. normal distribution
normalisera *vb tr* (~de, ~t) normalize äv. dipl.; genomföra enhetlighet i standardize
normalisering *s* (~en, ~ar) normalization äv. dipl.; standardisering standardization
normalstorlek *s* (~en, ~ar) normal (standard) size; *en...av ~* äv. a normal-sized..., a standard-sized...
normalt *adv* normally; *förlöpa ~* take a (its, resp. their) normal course; *utveckla sig ~* ...on normal lines
normaltid *s* (~en, ~er) standard time
normand *s* (~en, ~er) Norman äv. hist.
Normandie Normandy
normativ *adj* (~t) normative
normera *vb tr* (~de, ~t) standardize; reglera regularize, regulate
normgivande *adj* (oböjl.) normative; *vara ~ för* äv. be a standard for
norpa *vb tr* (~de, ~t) vard. pinch
norr *I s* (oböjl.) väderstreck the north; *här uppe i Norr* ...the North; *rakt (längst, borta) i ~* due (farthest, out) north; *gränsa i ~ och söder till...* be bounded in the north and the south by...; *ett rum mot (åt) ~* ...to the (...facing) north; *styra åt ~* ...north (northward[s]) *II adv* [to the] north [*om of*]; jfr äv. *norrifrån* o. *norrut*
norra *adj* (best.) t.ex. sidan the north; t.ex. delen the northern; framför landsnamn o.d. the north of, Northern, jfr ex. samt *Nordafrika*; *~ halvklotet* the Northern hemisphere; *~ Skåne (Sverige)* the north of (Northern) Skåne (Sweden); *i ~ Stockholm* in the north of...
norrifrån *adv* from the north
norrläge *s* (~t, ~n), *hus med ~* ...facing north
norrländsk *adj* (~t) ...of Norrland; attr. äv. Norrland...
norrlänning *s* (~en, ~ar) Norrlander
norrman *s* (~nen, -män) Norwegian
norrsken *s* (~et) aurora borealis, northern lights pl.
norrut *adv* åt norr northward[s], towards [the] north; i norr in the north, out north; *längre ~* further north; *tåg pl. som går ~* trains going north, northbound trains; *resa ~* go (travel) north
norröver *adv* se *norrut*
nors *s* (~en, ~ar) zool. smelt
norsk *adj* (~t) Norwegian; hist. Norse
norska *s* **1** (~n, norskor) kvinna Norwegian woman **2** (~n) språk Norwegian
nos *s* (~en, ~ar) **1** zool.: hos fyrfotadjur i allm. el. vard., 'näsa' nose; hos häst, nötkreatur, apa muzzle; *blek om ~en* white about the gills **2** tekn., spets nose
nosa *vb itr* (~de, ~t) sniff, smell; *~ på ngt* sniff (smell) at sth; *~ upp (reda på, rätt på)* bildl., vard. nose (sniff) out; om person äv. find out; *~ i allting* pry (poke one's nose) into everything
noshörning *s* (~en, ~ar) rhinoceros (pl. -es el. lika)
noslängd *s* (~en, ~er) sport., *med en ~* by a neck
nosring *s* (~en, ~ar) nose ring
nostalgi *s* (~n) nostalgia
nostalgisk *adj* (~t) nostalgic

nostalgitripp *s* (~en, ~ar el. ~er), **en** ~ a trip down memory lane

1 not *s* (~en, ~ar) fiske. seine; **dra** ~ fish with a seine, seine

2 not *s* (~en, ~er) mus., nottecken note; anmärkning äv. annotation; fotnot footnote; **~er** nothäfte[n] music sg.; **spela efter** (**utan**) **~er** play from (without) music; **han var med på ~erna** förstod he caught on; godkände he fell in with (he got) the idea at once; **inte vara med på ~erna** ha svårt att fatta not understand what the thing is all about, not get it

nota *s* (~n, notor) **1** räkning bill; speciellt hand. account; **kan jag få ~n?** the bill (amer. the check), please!; **betala ~n** pay the bill (amer. check) **2** lista list [*på* of]

nota bene *adv* märk nota bene (förk. N.B.) lat.; det vill säga that is

notariat *s* (~et, =) o. **notariatavdelning** *s* (~en, ~ar) i bank trust (trustee) department

notarie *s* (~n, ~r) hist. [recording (articled)] clerk; vid domstol law clerk

notarius publicus *s* (oböjl., en) notary [public] (pl. notaries [public])

notblad *s* (~et, =) mus. sheet of music

notera *vb tr* (~de, ~t) anteckna note (take) down, make a note of; konstatera, lägga märke till, lägga på minnet note; bokföra enter, book; uppge (fastställa) priset på quote [*i, till* at]; sport. el. friare, t.ex. seger record, register; t.ex. framgång, poäng score; **~de priser på** varor (värdepapper) quotations (prices quoted) for...

notering *s* (~en, ~ar) noterande noting down osv., jfr *notera*; **en** ~ a note, an entry, a quotation, a record

nothäfte *s* (~t, ~n) bok music [book]; mindre sheet of music; **några ~n** äv. some sheet music sg.

notis *s* (~en, ~er) **1** meddelande o.d. notice; i tidning vanl. [short] paragraph, kortare [news] item; tillkännagivande announcement **2** **inte ta ~ om** take no notice (heed) of

notorisk *adj* (~t) notorious

notpapper *s* (~et el. -pappret, =) mus. music paper

notskrift *s* (~en) mus. musical notation

notställ *s* (~et, =) mus. music stand

notvärde *s* (~t, ~n) mus. time (note) value

nougat *s* (~en, ~er) soft chocolate nougat; **fransk** (**vit**) ~ [French (white)] nougat

nova *s* (~n, novor) astron. nova (pl. novas el. novae)

novell *s* (~en, ~er) short story; **lång** ~ novelette

novellförfattare *s* (~n, =) o. **novellist** *s* (~en, ~er) short-story writer

novellsamling *s* (~en, ~ar) collection of short stories

november *s* (oböjl., en) November (förk. Nov.); för ex. jfr *april* o. *femte*

novis *s* (~en, ~er) novice

no-ämnen *s pl* se *naturorienterande*

nr (förk. för *nummer*) no. (pl. nos.)

nu I *adv* **1** med tydlig tidsbetydelse: allm. now; vid det här laget by now, by this time; jfr äv. *genast, igen* o. *just*; **~ gällande** priser current (ruling)...; **den ~ levande** generationen the present..., the...now living; **den ~ rådande** prisnivån now prevailing...; **~ när** now that, now; nu medan now while; **~ för tiden** se *nuförtiden*; **~ i veckan** kan det inte bli ...[during] this [present] week; **~ på** söndag this [coming]...; **först** (**inte förrän**) **~ har jag sett...** not until now have I seen..., only now did I see...; **vad ~** [*då*]**?** what's up now?; [**ända**] **tills ~** up till ([right] up to) now; **ät ~!** vädjande

do (come on,) eat!; **~ kommer han!** here he comes!
2 obetonat, med försvagad tidsbetydelse, som fyllnadsord ibland utan direkt motsvarighet i engelskan; **för att** ~ ta ett exempel just to...; **hur det** ~ än **går** however it may turn out; **om** ~ detta sker now, if...; supposing now...; **om** ~ saken förhåller sig så if...; **om vi** ~ tänker oss att now, if we...; **...eller vad man** ~ **har** ...or whatever one may [happen to] have

II *s* (~et), **~et** the present [time (moment, resp. day)]; **i detta** ~ at this moment; **leva i ~et** för dagen live for the moment (in the present)

nubb *s* (~en, ~ar) tack; koll. tacks pl.

nubba *vb tr* (~de, ~t) fästa tack; ~ **fast** fasten...down with tacks

nubbe *s* (~n, nubbar) glas brännvin snaps, schnapps (pl. lika)

nucka *s* (~n, nuckor), [**gammal**] ~ old spinster; mera neds. old maid

nudda *vb tr* o. *vb itr* (~de, ~t), ~ [**vid**] touch, brush against; skrapa lätt graze

nudel *s* (~n, nudlar) kok. noodle

nudism *s* (~en) nudism

nudist *s* (~en, ~er) nudist

nuförtiden *adv* nowadays, these days, at the present time, now; **ungdomen** ~ **är...** the young people of today..., young people today...

nukleär *adj* (~t) fys. nuclear

nuklid *s* (~en, ~er) fys. nuclide

nuläge *s* (~t), **i ~t** as things are at present, in the present situation, at the present point in time

numer *adv* o. **numera** *adv* nu now; se vidare *nuförtiden*

numerisk *adj* (~t) numerical; **~ analys** numerical analysis; **~ överlägsenhet** numerical superiority

numerus *s* (ett, pl. =) gram. number

numerär I *s* (~en, ~er) number; partis, kårs [numerical] strength **II** *adj* (~t) numerical; **vara ~t överlägsna** (**underlägsna**) be superior (inferior) in numbers; **~t överläge** (**underläge**) numerical advantage (disadvantage)

nummer *s* (numret, =) allm. number; av tidning äv.: exemplar copy, om hela upplagan issue; sko~, handsk~ o.d. size; i samling, på program item; **~ ett** number one, No. 1; i tävling, vid målet first; **i dagens** ~ in today's paper (issue); **få sig ett** ~ vard., ha samlag have a shag (bang); **slå ett** ~ tele. dial a number; **göra ett stort** ~ **av** ngt make great play of (a great business out of...); **ha ~ 39 i skjortor** (**7 i handskar**) take thirty-nines in shirts (sevens in gloves)

nummerbricka *s* (~n, -brickor) i restauranggarderob cloakroom ticket

nummerlapp *s* (~en, ~ar) kölapp queue [number] ticket

nummerordning *s* (~en) numerical order

nummerplåt *s* (~en, ~ar) bil. number (amer. vanl. license) plate

nummerpresentatör *s* (~en, ~er) tele. number (caller) display

nummerskiva *s* (~n, -skivor) tele. dial

nummerskylt *s* (~en, ~ar) bil. number (amer. vanl. license) plate; **personlig** ~ vanity plate

nummerupplysning *s* (~en, ~ar), **~en** tele. directory enquiries pl. (amer. assistance)

numrera *vb tr* (~de, ~t) number; paginera äv. page; **~d plats** vanl. reserved seat

numrering *s* (~en, ~ar) numbering; paginering pagination

nuna *s* (~n, nunor) vard. mug, phizog

nunna *s* (~n, nunnor) person nun; *bli ~* äv. take the veil

nunnekloster *s* (-klostret, =) convent, nunnery

nunneorden *s* (=, en, -ordnar) order of nuns

nutid *s* (~en), *~en* [the] present times pl.; *~ens* krav present-day...; *~ens* människor (ungdom) äv. ...of the present day (age)

nutida *adj* (oböjl.) ...of today, today's, jfr *nutidens* under *nutid*; modern modern; tidsenlig up to date

nutidshistoria *s* (-historien) modern (contemporary) history

nutidsmänniska *s* (~n, -människor), *~n* people pl. of today, modern man; *vi nutidsmänniskor* we moderns, we people [of] today

nutidsorientering *s* (~en) tävling, ung. quiz on contemporary life and events

nutria *s* (~n) zool. el. skinn nutria

nuvarande *adj* (oböjl.) present; dagens ...of today, today's; om priser äv. ruling; [*den*] *~ finansministern* (*regeringen*) äv. the...now (at present) in office (resp. power)

ny I *adj* (nytt) new [*för* ngn to...; *för* t.ex. året for]; nutida, modern modern; hittills okänd, ovanlig, om t.ex. metod novel; förnyad, färsk el. oanvänd fresh; nyligen inträffad, utkommen o.d. recent; om t.ex. fakta äv. more; handduken är smutsig, ge mig *en ~* en annan ...another [one]; en ren a clean (new) one; *ett ~tt annat pappersark* a fresh sheet of paper; *den ~a generationen* the rising generation; *ge ngn ~a krafter* give sb renewed (new) strength; *få ~tt mod* get fresh courage; *en ~* Hitler a second...; *ge ngn en ~ påminnelse* give sb another (a fresh) reminder; *ingenting ~tt* nothing new; inga nya kläder äv. no new things; inga nya meddelanden o.d. no news; *det är något ~tt* en ny erfarenhet *för mig att* + inf. it is a novel (a new) experience...; *vad ~tt?* what's the news?, any news?; *på ~tt* once more, [over] again, anew, afresh; *~are böcker* (forskning) recent...; metoder novel...; *~are* (*~a*) *tidens historia* nutidshist. modern history; *den ~aste* senaste *upplagan* the latest edition **II** *s* (oböjl.) new moon; *månen är i ~* tilltagande the moon is waxing

nyanlagd *adj* (-lagt) attr. recently (newly) built osv., jfr *anlägga*; om trädgård recently (newly) laid out; *den ~a fabriken* äv. the new factory; *den är ~* it has been recently built etc.

nyanländ *adj* (-anlänt) newly (recently) arrived; *den är ~* it has recently arrived

nyans *s* (~en, ~er) shade, nuance; färg~ äv. tint; bildl. äv.: skillnad slight difference; anstrykning tinge; betydelse~ shade of meaning, nice (subtle) distinction

nyansera *vb tr* (~de, ~t) eg.: avtona (färg) shade off; nuance äv. bildl.; friare el. bildl. äv.: spel, röst modulate, framställning, stil vary

nyanserad *adj* (nyanserat, ~e) shaded-off, nuanced, modulated, varied; attr. äv. ...containing nice (subtle) distinctions, jfr *nyansera*; *en mera ~ uppfattning* a less rigid...; *en mera ~* beskrivning a more balanced..., a more profound...

nyanskaffning *s* (~en, ~ar) new purchase (acquisition)

nyanställa *vb tr* (-ställde, -ställt), *~ 25 man* i fabrik employ 25 new hands

nyanställd *adj* (-anställt) newly (recently) employed; *en ~* a new employee; *han är ~* he has been newly (recently) employed

Nya Zeeland New Zealand

nybakad *adj* (-bakat, ~e) o. **nybakt** *adj* (=) **1** newly baked **2** bildl., om student newly-fledged

nybearbetning *s* (~en, ~ar) new adaptation; av t.ex. musik new arrangement; av t.ex. pjäs o.d. new version; av bok revised edition

nybildad *adj* (-bildat, ~e) recently formed, ...of recent formation; *nybildat ord* neologism, coining; *den är ~* it has been recently formed, it is of recent formation

nybildning *s* (~en, ~ar) new formation; med. regeneration, konkr. new growth; språkv. neologism, coining; *~en* nybildandet *av* ord the forming (formation) of new..., the coining of...

nybliven *adj* (-blivet, -blivna), *en ~* bilägare a person who has recently (just) become a...; *en ~* professor a newly-created (newly-appointed)...; *en ~* student a newly-fledged...; *hon är ~ mor* she has recently (just) become a mother

nybryggd *adj* (-bryggt), *nybryggt kaffe* freshly made (brewed) coffee

nybyggare *s* (~n, =) allm. settler; kolonist äv. colonist

nybyggd *adj* (-byggt) recently (newly) built; *den är ~* it has been recently (newly) built

nybygge *s* (~t, ~n) **1** nybyggande, *~t av* vägar the construction of new... **2** hus (fartyg) under byggnad house (ship) under construction; färdigt new building (ship) **3** koloni colony

nybörjare *s* (~n, =) beginner, novice [i at]

nybörjarkurs *s* (~en, ~er) beginners' course

nybörjartur *s* (~en) beginner's luck

nyck *s* (~en, ~er) hugskott, påfund fancy; oberäkneligt infall whim; lynneskast freak; *en ödets* (*naturens*) *~* a freak of fate (Nature); *ha sina ~er* be capricious

nyckel *s* (~n, nycklar) key; bildl. äv. (ledtråd) clue [*till* som öppnar (löser) to, tillhörande of]; till konservburk äv. opener

nyckelbarn *s* (~et, =) latchkey child (kid)

nyckelben *s* (~et, =) collar bone; vetensk. clavicle

nyckelfigur *s* (~en, ~er) key figure

nyckelharpa *s* (~n, -harpor) mus., ung. hurdy-gurdy

nyckelhål *s* (~et, =) keyhole

nyckelindustri *s* (~n, ~er) key industry

nyckelknippa *s* (~n, -knippor) bunch of keys

nyckelord *s* (~et, =) keyword; till korsord clue [*till* to, of]

nyckelpiga *s* (~n, -pigor) ladybird; amer. ladybug

nyckelposition *s* (~en, ~er) key position

nyckelring *s* (~en, ~ar) key-ring, split ring

nyckelroll *s* (~en, ~er) key role (part)

nyckfull *adj* (~t) oberäknelig erratic, capricious, unpredictable äv. om väder; ombytlig fickle; godtycklig arbitrary

nyckfullhet *s* (~en) capriciousness osv., jfr *nyckfull*; unpredictability

nydanare *s* (~n, =) breaker of new ground, pioneer; nyskapare innovator

nydaning *s* (~en, ~ar) reorganization, regeneration

nyemission *s* (~en, ~er), *~ av aktier* new issue of shares [for cash]

nyetablering *s* (~en, ~ar), *~en av industrier* the setting up of new industries; *en* ~ a new establishment

nyfallen *adj* (-fallet, -fallna), ~ *snö* newly-fallen snow

nyfascism *s* (~en), ~[*en*] neo-Fascism

nyfascist *s* (~en, ~er) neo-Fascist

nyfattigdom *s* (~en) neo-poverty; *~en* äv. the new poverty

nyfiken *adj* (nyfiket, nyfikna) curious; frågvis inquisitive; neds. prying; vard. nosy; ~ *i en strut!* Nosy Parker!; ~ *på* ngt (hur...) curious about..., curious (ivrig eager, anxious) to hear (learn, know osv.)...; *göra ngn* ~ äv. arouse sb's curiosity

nyfikenhet *s* (~en) curiosity; frågvishet inquisitiveness; *väcka ngns* ~ arouse sb's curiosity; *av ren* ~ out of sheer curiosity; *brinna av* ~ be burning with curiosity

nyfriserad *adj* (-friserat, ~e), *jag är* ~ I've just had my hair done

nyfångad *adj* (-fångat, ~e) fresh-caught, newly caught

nyfödd *adj* (-fött) eg. newborn...; om hopp new; *den ~es* skrik the...of a (resp. the) newborn child; oskyldig *som ett nyfött barn* as...as a newborn babe

nyförlovad *adj* (-förlovat, ~e) **I** *det ~e paret* se *nyförlovad II*; *han är* ~ he has just got (become) engaged [to be married] **II** *s* (en ~, pl. ~e), *de ~e* the recently-engaged (newly-engaged) couple

nyförvärv *s* (~et, =) new (recent) acquisition (t.ex. fotbollsspelare signing)

nyförvärvad *adj* (-förvärvat, ~e) attr. newly acquired; *den är* ~ it has been newly acquired osv.

nygift I *adj* (=) newly married, newly wedded; *de är ~a* äv. they have just been married; *som* ~ *började han...* as a newly-married man... **II** *s* (en ~, pl. ~a), *de ~a* the newly married (wedded) couple, the newly-weds

nygrekiska *s* (~n) Modern Greek

nygräddad *adj* (-gräddat, ~e) freshly baked (osv., jfr *1 grädda*), ...fresh (straight, hot) from the oven

nyhet *s* (~en, ~er) **1** något nytt, ny sak novelty; nytt påfund, förändring innovation; nytt drag new feature; *den senaste ~en i skoväg* äv. the last word (latest fashion) in shoes; *~er på bokmarknaden* äv. new publications, new and forthcoming books; *ha ~ens behag* have the charm of novelty **2** [underrättelse om] något nyligen inträffat, ~[*er*] news sg.; i tidning news item[s]; *en* [*god* (*dålig*)] ~ a piece of [good (bad)] news; *jag kan tala om en* ~ något nytt [*för dig*] I have got [some (a piece of)] news for you; *det var* är *en* ~ *för mig* that is new[s pl.] to me; *inga ~er är goda ~er* no news is good news

nyhetsankare *s* (~t, = el. ~n) radio. el. TV. anchor|man (pl. -men), kvinnlig anchor|woman (pl. -women)

nyhetsbevakning *s* (~en) news coverage

nyhetsbyrå *s* (~n, ~er) news agency

nyhetsförmedling *s* (~en, ~ar) newsdistribution, news-service

nyhetssammandrag *s* (~et, =) news summary (roundup); *ett* ~ äv. the news in brief

nyhetssändning *s* (~en, ~ar) radio. news broadcast, newscast; i tv äv. television news

nyhetstorka *s* (~n) shortage (dearth) of news

nyhetsuppläsare *s* (~n, =) i radio o. tv newscaster

nyhetsvärde *s* (~t) news value

nyinflyttad *adj* (-flyttat, ~e), *~e hyresgäster* new tenants; *vi är ~e* [*i huset*] we have just moved in (into the house)

nyinkommen *adj* (-kommet, -komna) attr. ...that has (had osv.) just come in (arrived, mottagen been received), newly arrived, ...just in

nyinspelning *s* (~en, ~ar) av musikstycke o.d. new recording

nyklassicism *s* (~en) neoclassicism

nyklippt *adj* (=) om hår newly-cut; om gräs new-mown; *jag är* ~ I have just had my hair cut

nykläckt *adj* (=) newly hatched

nykokt *adj* (=) freshly boiled

nykomling *s* (~en, ~ar) allm. newcomer; nyligen anländ new (fresh) arrival

nykommen *adj* (-kommet, -komna) attr. newly (recently) arrived

nykter *adj* (~t, nyktra) sansad el. inte berusad sober; sansad el. balanserad level-headed, balanced; saklig matter-of-fact; prosaisk prosaic

nykterhet *s* (~en) **1** avhållsamhet från alkohol sobriety, soberness, temperance **2** sans och förståndighet sobriety, sober-mindedness; balans level-mindedness

nykterhetsförening *s* (~en, ~ar) för nykterhetens främjande temperance society (league)

nykterhetsrörelse *s* (~n, ~r) temperance movement

nykterist *s* (~en, ~er) teetotaller, total abstainer

nyktra *vb itr* (~de, ~t), ~ *till* become sober [again], sober up; bildl. sober down

nykärnad *adj* (-kärnat, ~e), *nykärnat smör* newly-churned butter, butter fresh from the dairy

nylagad *adj* (-lagat, ~e) kok. freshly made

nyligen *adv* recently, newly; för kort tid sedan lately, of late; kort dessförinnan shortly before, just previously; *en ~ inträffad* händelse (*genomgången* operation) ofta a recent...; *helt* ~ quite recently, only just now

nylon *s* (~et el. ~en) nylon

nylonstrumpor *s pl* nylon stockings, nylons

nymald *adj* (-malt) o. **nymalen** *adj* (-malet) freshly ground

nymf *s* (~en, ~er) nymph

nymodig *adj* (~t) modern; neds. newfangled

nymodighet *s* (~en, ~er) modernity; neds. newfangledness (båda endast sg.); *en* ~ nytt påfund a newfangled thing (idé idea)

nymålad *adj* (-målat, ~e) freshly (newly, recently) painted; bänken *är* ~ äv. ...has just been (has been recently) painted; *Nymålat!* Wet Paint

nymåne *s* (~n) new moon

nynazism *s* (~en), ~[*en*] neo-Nazism

nynna *vb tr* o. *vb itr* (~de, ~t) hum [[*på*] ngt sth]

nyodling *s* (~en, ~ar) **1** uppodling [land] reclamation **2** område reclaimed land; i skogsmark [new] clearing

nyordning *s* (~en, ~ar) reorganization; polit. el. hist. new order

nyp *s* (~et, =) pinch; *ge ngn ett* ~ eg. äv. pinch sb; *få sig ett* ~ vard., samlag have a shag (bang)

nypa I *vb tr* (nöp, nypt el. nupit) **1** eg. pinch, nip, tweak [ngn i örat sb's...]; *det* kylan *nyper i skinnet* there is a [cold] nip in the air; ~ *av* pinch...off (itu in two); trädg. pinch (nip) off **2** knycka, ~ *åt sig* ngt pinch..., grab... **II** *s* (~n, nypor) **1** hålla ngt *i ~n* (*nyporna*) ...in one's hand (vard. paw); *ta ngt med ~n* (*nyporna*) ...with one's fingers (vard. paws); *ha hårda nypor* vard., vara hårdhänt be tough **2** *en* ~ smula t.ex.

mjöl a pinch of...; **frisk luft** a breath (mouthful) of...; **ta ngt med en ~ salt** bildl. take sth with a pinch of salt

nypas *vb itr dep* (nöps el. nyptes, nypts äv. nupits) pinch other people (varandra each other); **nyps inte!** don't pinch [me]!

nypermanentad *adj* (-permanentat, ~e), **nypermanentat hår** newly-permed hair; **jag är ~** I have just had a perm

nyplockad *adj* (-plockat, ~e) om bär o.d. freshly (newly) picked; om hönsfågel o.d. newly (freshly) plucked

nypon *s* (~et, =) frukt [rose] hip

nyponbuske *s* (~n, -buskar) dogrose [bush]

nyponros *s* (~en, -rosor) bot. dogrose; **fräsch som en ~** fresh as a daisy

nyponsoppa *s* (~n, -soppor) rosehip soup

nypremiär *s* (~en, ~er) revival; film äv. rerun; **ha ~** vanl. be revived; om pjäs äv. be given a new production

nypåstigen *s* (en ~, pl. nypåstigna), **några nypåstigna?** järnv. any more tickets, please?

nyrakad *adj* (-rakat, ~e) newly shaved (shaven); **han är ~** äv. he has recently shaved

nyrekrytera *vb tr* (~de, ~t), **~ folk** recruit new men osv. (soldater äv. soldiers)

nyrenoverad *adj* (-renoverat, ~e) attr. newly renovated; **den är ~** it has been newly renovated

nyreparerad *adj* (-reparerat, ~e) attr. newly repaired; **den är ~** it has been newly repaired

nyrik *s* (en ~, pl. ~a), **en ~** a nouveau riche fr; **de ~a** the nouveaux riches, the new (newly) rich

nyromantik *s* (~en), **~[en]** neo-romanticism

nys *s* vard. **1** (oböjl.), **få ~ om** get wind of **2** (~et) dumheter rubbish, nonsense

nysa *vb itr* (nös el. nyste, nyst el. nysit), **~ [till]** sneeze

nysilver *s* (-silvret) [electroplated] nickel silver (förk. EPNS), German silver; föremål EPNS silverware, electroplate; skedar **av ~** electroplated...

nyskapande *adj* (oböjl.) innovative; om t.ex. fantasi creative

nyskapare *s* (~n, =) innovator

nyskapelse *s* (~n, ~r) new creation; ord äv. recent coinage, neologism

nysning *s* (~en, ~ar) nysande sneezing; **en ~** a sneeze

nysnö *s* (~n) newly-fallen snow

nyspulver *s* (-pulvret, =) sneezing powder

nyss *adv* **1** från nu räknat: med vb i imperf. just now; för ett ögonblick sedan a moment (för en stund sedan a little while, a short time) ago; med vb i perfekt [only] just; **en ~ utkommen** bok a...that has just come out (appeared), a recent...; **han gick alldeles ~** ...only a moment ago; **han är ~ fyllda 30 år** he has just turned thirty **2** från då räknat just [then (a moment osv., jfr *1* before)]; **han hade [alldeles] ~ ätit middag, när...** he had [only] just had dinner, when...

nyssnämnd *adj* (-nämnt), **~a...** the...just mentioned

nysta *vb tr* (~de, ~t) **1** wind; **~ av** unwind; **~ upp** från ett nystan unwind... **2** bildl., avslöja unravel; lösa clear up

nystan *s* (~et, =) garn~ ball of yarn (wool); snöre ball of string

nystartad *adj* (-startat, ~e) attr. recently (newly) started; firman **är ~** ...has been recently (newly) started (established)

nystruken *adj* (-struket, -strukna) newly ironed

nystvinda *s* (~n, -vindor) yarn reel

nyteckning *s* (~en, ~ar), **~ av aktier** subscription for new shares

nyter *adj* (~t, nytra), **pigg och ~** bright and cheery

nytillskott *s* (~et, =) tillskjutet bidrag additional (extra) contribution; tillökning new addition (acquisition); **det senaste ~et till laget** the team's latest acquisition

nytolkning *s* (~en, ~ar) reinterpretation, new version

nytryck *s* (~et, =) reprint

nytt *adj* (neutr.) se **ny I**

nytta *s* (~n) use, good; fördel advantage; varaktig ~ benefit; vinst profit; **~n med** det är... the usefulness (advantage, value) of...; **dra ~ av** ngt benefit (profit) by..., derive advantage from...; **få ~ av** ngt find...of use (useful, of service); **förena ~ med nöje** combine business with pleasure; kan jag **göra (vara till) någon ~?** ...be of [any] help?; nu måste jag **göra lite ~** ...get something done; **vara ngn till stor ~** be of great use (service, värde value, om sak äv. be very useful) to sb

nyttig *adj* (~t) allm. useful; till nytta ...of use (service) [för ngn i samtliga fall to...; till ngt for...]; hälsosam, bra (äv. bildl.) wholesome, good [för for]; **det blir ~t för honom** äv. it will do him good

nyttighet *s* (~en, ~er) usefulness (endast sg.); utility äv. konkr.; hälsosamhet wholesomeness

nyttja *vb tr* (~de, ~t), **~ sprit** drink alcohol (spirits), se vidare *använda*

nyttjanderätt *s* (~en) jur. usufruct; **ha ~ till** ngt have the [right of] use and enjoyment of...

nyttobetonad *adj* (-betonat, ~e) practical, utilitarian

nyttoföremål *s* (~et, =) article for everyday use, useful article

nyttolast *s* (~en, ~er) maximum load, payload

nyttotrafik *s* (~en) commercial traffic

nyttoväxt *s* (~en, ~er) utility plant

nytvättad *adj* (-tvättat, ~e) attr. newly-washed, om tvätt freshly-laundered; **jag är ~ i håret** I have just washed my hair

nytändning *s* (~en, ~ar) av känslor o.d. rekindling, reawakening; **en ~ i äktenskapet** a lease of new life...

nytänkande *s* (~t) new thinking, fresh ideas pl.; **ett ~ i fråga om** a new approach to

nyutbildad *adj* (-bildat, ~e) newly-qualified, newly-trained

nyutkommen *adj* (-kommet, -komna), **en ~ bok** a recent..., a...that has just come out (appeared)

nyutnämnd *adj* (-nämnt) newly appointed

nyvaknad *adj* (-vaknat, ~e) attr. newly awakened äv. bildl.

nyval *s* (~et, =) new election

nyvald *adj* (-valt) attr. newly (recently) elected (resp.chosen); **han är ~** he has been newly elected etc.

nyvärdesförsäkring *s* (~en, ~ar) replacement value insurance

nyzeeländare *s* (~n, =) New Zealander

nyzeeländsk *adj* (~t) ...of New Zealand, New Zealand...

nyzeeländska *s* (~n, nyzeeländskor) kvinna New Zealand woman

nyår *s* (~et, =) new year; som helg New Year

nyårsafton *s* (~en, -aftnar), **~[en]** New Year's Eve

nyårsdag *s* (~en, ~ar), **~[en]** New Year's Day

nyårslöfte *s* (~t, ~n) New Year's resolution

nyårsnatt *s* (~en, -nätter) New Year's night

nyårsvaka *s* (~n, -vakor), **hålla ~** see the New Year in

nyårsönskan *s* (=, en, -önskningar) o. **nyårsönskning** *s* (~en, ~ar) wish for the New Year

nyöppnad *adj* (-öppnat, ~e) newly opened äv. om butik

1 nå *interj* well; förmanande now then; **~ ja!** [oh] well!

2 nå I *vb tr* (nådde, nått) reach äv. nå att ta el. friare; t.ex. marken, bergstoppen äv. get (come) to; uppnå attain; **~ bestämmelseorten** reach (arrive at) one's destination; **~ land** come to (reach) land; när kriget **~tt sitt slut** ...had come to an end; **~ sitt syfte** achieve one's purpose (end), gain one's end; **han ~ddes av underrättelsen** the news reached him; **jag kan ~s per telefon (på nummer...)** I can be reached by phone (you will find me at number...) **II** *vb itr* (nådde, nått) reach; **så långt ögat ~r** as far as the eye can reach; **han ~r mig till axeln** he comes up to my shoulder; **~ fram till** reach; **jag ~r inte upp** I can't reach [so high]; **vattnet ~dde upp till knäna på honom** ...came up (reached) to his knees; **han ~r nästan [upp] till** taket he almost reaches [up to] (touches)...

nåd *s* (~en) **1** speciellt relig. grace; barmhärtighet mercy; ynnest favour; **i ~ens år 2008** in the year of our Lord 2008; **finna ~ inför ngn (ngns ögon)** find favour with sb (in sb's eyes); **få ~** be pardoned (om dödsdömd reprieved); **låta ~ gå före rätt** err on the side of mercy, temper justice with mercy; **söka (begära) ~** sue for mercy (pardon); **leva på ~er hos ngn** live on sb's charity; **ta ngn till ~er** restore sb to favour **2** titel, **Ers ~** Your Grace

nådastöt *s* (~en, ~ar) coup de grâce, deathblow båda äv. bildl.; **ge ngn ~en** put sb out of his (resp.her) misery; **devalveringen var ~en för många småsparare** the devaluation was the final blow for many small savers

nådatid *s* (~en) [period of] grace, respite

nåde *vb tr* (presens konjunktiv), **Gud ~ dig, om du...** God help you if you...

nådeansökan *s* (=, en, -ansökningar) petition for mercy

nådegåva *s* (~n, -gåvor) gift of grace; friare bounty; **som en ~** bildl. like (as) a gift from above

nådig *adj* (~t) allm. gracious; speciellt relig. äv. (barmhärtig) merciful [mot to]; nedlåtande condescending; **Gud vare oss ~!** God be merciful to (have mercy on) us!; **han blir inte ~ när han får veta** he won't be very pleased...; **det är inte ~t att råka ut för henne** när... it is best to keep out of her way...

någon *indef pron* (något, några) **a)** mest jakande: 'en viss' some, somebody, someone; 'en (ett)' one, a, an; 'några stycken' o.d. some; 'några få' a few **b)** mest i nekande, frågande. o. villkorliga satser: 'någon alls', 'någon överhuvudtaget' any, anybody, anyone, anything; 'en (ett)' a, an, one **c)** **någon (något)** av två, se **någondera**; se äv. ex. med *någon* under *annan* 2–4, *annanstans* o. 2 *vart*; **inte ~** jfr *ingen*

A (någon el. något) **I** fören. (framför [adj. +] subst.; framför subst. adj. o.d. se *någon A III*) **a)** some; 'en (ett)' a, an; 'ungefär en (ett)' about a (an) **b)** any; 'en (ett)' a, an Ex.: **har du inte ~ gång** önskat...? haven't you at any time (en eller annan gång at some time [or other])...?; **har du ~ en cigarett?** have you got (do you have) a cigarette?; **~ förklaring lämnades inte** no explanation was given; **om det ska bli (vara) till ~ nytta** if it is to be of any (åtminstone någon some) use; **~ utbildning ansåg han inte nödvändig** he did not consider any

training necessary; **om ~** ungefär en **vecka** in about a week, in a week or so

II med underförstått huvudord samt följt av partitivt prepositionsattribut med 'av' **a)** one; **något av** 'någon del av' vanl. some of; 'något som påminner om' o.d. something of **b)** any; 'en (ett)' one Ex.: **har du någon cigarett? – Nej, jag tror inte jag har ~ kvar** ...I have any (one) left; **varje kväll är det dans på något av de större hotellen** ...one [or other] of the big hotels; **inte för att han trodde på något av vad** hon sa not that he believed a thing (any, anything) of what...; **det är en förklaring så god som ~** ...as any

III utan underförstått huvudord el. följt av subst. adj. el. självst. pron.: **någon** somebody, someone; resp. anybody, anyone; **något** something; resp. anything Ex.: **om ~ söker mig** if anybody (någon viss person somebody) calls; **han, om ~,** bör veta det he if anybody...; **han, om ~,** var patriot he..., if ever there was one; **~ annan** se *annan* 2 o. *annan* 3; **om man inte har något** att säga if you haven't got anything...; **är filmen något att se?** ...worth seeing?; **det är alltid något** it's better than nothing, it's something anyway; **han tror han är något** ...is somebody; **något annat** se *annan* 2 o. *annan* 4; **jag har något viktigt** att säga I have something important...; **han vägrade, något som** vilket **förvånade mig** ...which astonished me; **han har något åt lungorna** there is something wrong with his lungs

B några **a)** some; 'några människor' vanl. some people; 'några få' a few **b)** any; 'några människor alls' vanl. any people Ex.: **några bananer hade han inte** he hadn't got any...; **för några [få] dagar sedan** a few days ago; **han är några och tjugo år** he is [some] twenty odd; **om något eller några år** in a year or so or more; **de, om några** bör veta det they, if any...; **de, om några** är (var) patrioter they..., if ever there were any

någondera *indef pron* (någotdera) av två vanl. either; **han gick inte med på någotdera** förslaget el. **någotdera av förslagen** ...either (om flera än två any [one]) of the proposals; **det har inte förekommit skottlossning från ~ sidan** ...either side

någonsin *adv* ever; **aldrig ~** se under *aldrig* 1; **så mycket jag ~ kan** as much as ever I (as I possibly) can; **om du ~ skulle behöva pengar** if ever (at any time) you should want money

någonstans *adv* på (till) ett eller annat ställe somewhere [or other]; på (till) något ställe alls anywhere; **var ~ hittade du den?** where[abouts]...?; **vart ska vi gå ~?** where...?

någonting *indef pron* oftast something resp. anything (jfr *någon* A o. *någon* B); för ex. se ex. med *något* under *någon*; **inte ~** se *ingenting*

någonvart *adv* se ex. under 2 *vart*

någorlunda I *adv* fairly, tolerably, reasonably, moderately, pretty; **~ [bra]** fairly etc. well; **om vädret blir ~ vackert** if the weather is anything like fine (is decent); **hur mår du? – Jo tack, ~!** ...Not too bad (Fairly well), thank you! **II** *adj* (oböjl.) fairly etc. good, jfr *någorlunda I*

något I *indef pron* se *någon* A **II** *adv* en smula o.d. somewhat, a little, slightly; vard. a bit

någotsånär *adv* fairly osv., jfr *någorlunda*

några *pron* se *någon* B

nåja *interj*, **~, gör som du vill då!** [oh] well,...!

nål *s* (~en, ~ar) allm. needle; att fästa med, t.ex. knapp~ el. för prydnad pin; **~ och tråd** a needle and thread; **sitta som på ~ar** be on pins and needles, be on tenterhooks, be having kittens; **det är som att leta efter en ~ i en höstack** it's like looking for a needle in a haystack

nåla *vb tr* (~de, ~t), **~ fast ngt** på (vid)... pin sth on [to...], fasten sth on [to...] with pins (resp. a pin); **~ ihop** pin...together, fasten...together with pins

nålbrev *s* (~et, =) synålsbrev packet of needles (med knappnålar pins)

nåldyna *s* (~n, -dynor) pincushion

nålfilt *s* (~en) textil. needle felt

nålstick *s* (~et, =) pinprick äv. bildl.

nålsöga *s* (~t, -ögon) eye of a (resp. the) needle

nånsin *adv* vard., se någonsin

nånstans *adv* vard., se någonstans

nånting *pron* vard., se någonting

nåväl *interj* nå well!; då så all right!

näbb *s* (~en, ~ar) bill; små- el. rovfågels beak; **försvara sig med ~ar och klor** defend oneself tooth and nail

näbbdjur *s* (~et, =) zool. duckbill, duckbilled platypus

näbbgädda *s* (~n, -gäddor) **1** zool. garpike, garfish **2** bildl. saucy girl (thing)

näbbig *adj* (~t) näsvis saucy, pert

näbbmus *s* (~en, -möss) zool. shrew[-mouse]

1 näck *s* (~en) water sprite; **Näcken** 'the Neck', the evil spirit of the water

2 näck *adj* (oböjl.) vard., naken naked, in the raw; **bada ~** äv. skinny-dip

näckros *s* (~en, ~or) bot. water lily

näktergal *s* (~en, ~ar) zool. thrush nightingale; sydnäktergal nightingale

nämligen *adv* **1** förklarande: ty for; eftersom since; emedan as; ju of course; ser ni you see; ska ni veta you must know; ofta utan motsv., **det är ~ så** (**saken är ~ den**), **att...** the fact [,you see,] is that...; it's like this, [you see,]... **2** framför uppräkning el. som närmare upplysning om just begagnat ord el. uttryck namely, i skrift ofta viz. (läses vanl. namely); ibland that is to say, i.e.; **fem världsdelar, ~ Europa, Asien** osv. five continents, namely (viz.)...; **han har två stora intressen ~ fotboll och segling** he has two great interests:...

nämna *vb tr* (nämnde, nämnt) omnämna mention [*för* to]; säga say; uppge, ange state, give; **~ ngn vid namn** mention sb by [his resp. her] name; **höra sitt namn ~s** ...mentioned; **ingen nämnd och ingen glömd** all included

nämnare *s* (~n, =) matem. denominator; **minsta gemensamma ~** the lowest (least) common denominator

nämnd *s* (~en, ~er) jur., ung. panel of lay assessors; utskott committee; kommission commission, board

nämndeman *s* (~nen, -män) jur., ung. lay assessor

nämnvärd *adj* (-värt), **ingen ~** (**inga ~a**)... no...to speak of (worth mentioning, of any note); **utan ~** förlust äv. without [any] appreciable...

nämnvärt *adv*, situationen **har inte ändrats ~** ...has not changed appreciably (to any appreciable extent); mår du bättre? – **Nej, inte ~** ...No, hardly (not really)

nännas *vb itr dep* (nändes, nänts) have the heart to + inf.; **jag nänns inte** väcka honom äv. I cannot bring myself to + inf.

näpen *adj* (näpet, näpna) nice, pretty, sweet, cute

näppeligen *adv* knappast hardly, scarcely; svårligen äv. not easily

näpsa *vb tr* (näpste, näpst) ngt åld., tillrättavisa rebuke, censure; straffa chastise, castigate

1 när I *konj* **1** för att ange tidssammanhang when osv., se *då* II 1; **~...än** whenever **2** för att ange orsakssammanhang, se *då* II 2 **II** *adv* **1** interr. when; hur dags at what time [*på dagen* of the day]; **kan du säga ~ den blir färdig?** äv. can you say (tell me) how soon (by when, vilket datum at el. on el. by what date)...?; **~ då?** when?; så roligt har jag inte haft **sen Gud vet ~** ...for God knows how long **2 ~ som helst** se under *helst* 2

2 när *adv* (jfr *1 nära*) **1** eg., [**från**] **~ och fjärran** [from] far and near **2** bildl., **inte på långt ~** not by a long way (vard. a long chalk), nowhere near; alla klarade sig **så ~ som på en** (**på en ~**) ...except for one; alla var närvarande **så ~ som på två** ...but (except) two; ett år **så ~ som på tre dagar** (**på tre dagar ~**) ...all but three days; **jag hade så ~** glömt I had all but (almost, [very] nearly)...; **något så ~** se *någotsånär*

1 nära (jfr *närmare* o. *närmast*) **I** *adj* (oböjl.) allm. near; poet. nigh; uttr. fysisk närhet (beröring) el. större förtrolighet close; intim intimate; omedelbar immediate; **i** (**inom**) **en ~ framtid** in the near (immediate) future; **ha ngt på ~ håll** ...close at hand, ...near by; **mina ~ och kära** my loved ones **II** *adv* (i betydelse 1 ibl. prep.) **1** allm. near; helt nära close to (by), near (hard) by samtliga äv. prep.; t.ex. besläktad nearly; t.ex. förbunden äv. closely, intimately; **~ skjuter ingen hare** ordst. a miss is as good as a mile; hon var **~ döden** ...near [to] death; **~ nog** se nästan; **gå inte för ~!** don't go too near!; skolan ligger **~ till för honom** ...is handy for him; **det är en slutsats som ligger ~ till hands** se ex. under *närliggande*; **stå ngn ~** be near (close) to sb; **jag var ~ att falla** el. **det var ~ att jag föll** I nearly (almost) fell; **jag var ~ att säga** allt I was on the point (verge) of telling... **2** nästan, närapå almost, nearly, close upon

2 nära *vb tr* (närde, närt) **1** föda nourish, give nourishment to, feed; underhålla, försörja support; t.ex. sin fantasi äv. foster **2** se *hysa* 2; **en länge närd** t.ex. önskan (dröm) a long-cherished...; misstanke a...of long standing

näradödenupplevelse *s* (~n, ~r) near-death experience

närande *adj* (oböjl.) nourishing; starkare nutritious; kraftig sustaining, substantial

närbelägen *adj* (-beläget, -belägna) nearby..., ...[situated] near (close) by; adjacent; neighbouring...

närbesläktad *adj* (-besläktat, ~e) ...closely related (akin) [*med* to]; kindred endast attr.

närbild *s* (~en, ~er) close-up; Paris *i* ~ a close-up [picture] of...

närbutik *s* (~en, ~er) corner shop; amer. convenience store; amer. äv. neighborhood (corner) store

närgången *adj* (-gånget, -gångna) fräckt nyfiken inquisitive; indiskret indiscreet; påflugen obtrusive, intrusive, pushing (amer. pushy); **vara ~ mot** take liberties with; göra [sexuella] närmanden till make a pass at, harass; amer. äv. (vard.) be (get) fresh with; **närgångna frågor** intrusive (personliga personal) questions

närhelst *konj* whenever

närhet *s* (~en) **1** grannskap, trakt neighbourhood, vicinity; *i ~en av* äv. near [to]; *en* by *i ~en* äv. a neighbouring...; finns någon bank *här i ~en?* ...near (round about) here?, ...near by?, ...in this neighbourhood? **2** närbelägenhet, *~en till* vatten ökar tomtvärdet the nearness (proximity) to...

närig *adj* (~t) snål stingy, miserly; girig grasping

näring *s* (~en, ~ar) **1** föda nourishment äv. bildl., food; nutriment äv. bot.; näringsvärde sustenance; bildl. fuel; ryktet *fick ny ~* ...got fresh support; *ge ~ åt* t.ex. ngns förhoppningar (misstänksamhet) incite, stimulate; t.ex. ett rykte lend support to; rötterna *hämtar ~ ur jorden* ...derive their nourishment (nutriment) from the earth **2** utkomst, *ha sin ~ av* jorden derive one's livelihood from... **3** näringsgren, *~[ar]* industry sg.

Näringsdepartementet i Sverige the Ministry of Enterprise, Energy and Communications

näringsfrihet *s* (~en) freedom of trade

näringsfysiologi *s* (~n) nutrition

näringsförbud *s* (~et, =) ban on (injunction against) carrying on a business

näringsgren *s* (~en, ~ar) branch of business (industry), industry

näringsidkare *s* (~n, =) inom industri manufacturer; inom handel businessman; inom hantverk handicraftsman

näringskedja *s* (~n, -kedjor) biol. food chain

näringsliv *s* (~et) [trade and] industry; ofta äv. economy

näringsmedel *s* (-medlet, =) födoämne food (endast sg.), foodstuff, aliment

närings- och energiminister *s* (~n, -ministrar) i Sverige Minister for Enterprise and Energy

näringspolitik *s* (~en) ekon. economic (commercial) policy

näringsrik *adj* (~t) nutritious, nutritional, ...of high nutritional value

näringsvärde *s* (~t, ~n) nutritional value

näringsämne *s* (~t, ~n) nutrient

närkamp *s* (~en, ~er), *i ~* boxn. in infighting; fotb. o.d. in tackles (tackling); *gå i ~ med* bildl. come to grips with, tackle

närkontakt *s* (~en, ~er) close contact

närliggande *adj* (oböjl.) **1** eg., se *närbelägen* **2** bildl., *en ~* lösning, slutsats a...that lies near at hand (that immediately suggests itself), an obvious (a natural)...; *ett mera ~ problem* a more immediate problem

närma I *vb tr* (~de, ~t) bring...nearer (closer) båda äv. bildl. [*till* to] **II** *vb rfl* (~de, ~t), *~ sig* allm. approach; hitåt äv. come (ditåt äv. get) near[er]; högtidl. draw near; *båten ~r sig* land äv. the ship is nearing...; *klockan ~r sig 10* vanl. it is getting near [to] ([on] towards) ten o'clock; *han börjar ~ sig de fyrtio* he's getting on for (going on) forty; *slutet ~de sig* äv. it was drawing near the end; filmen *~r sig slutet* ...is drawing to[wards] an end

närmande *s* (~t, ~n), *göra otillbörliga ~n* make improper advances; *göra* sexuella *~n mot ngn* make a pass at sb; speciellt amer. be (get) fresh with sb; *ett ~* mellan partierna a rapprochement fr. (a closer association)...; ta första steget *till ett ~* ...towards closer (more intimate) relations

närmare I *adj* (komparativ) nearer; om väg äv.: genare more direct; kortare shorter; bildl.: om t.ex. bekantskap closer; ytterligare further; *vid ~ granskning* on [a] closer examination; *~* ingående *kännedom om* an intimate knowledge of, a thorough familiarity with; *~ upplysningar finns hos* further (more exact) information may be obtained from; *du får ~ besked i morgon av mig* I'll give you more details (let you know more about it) tomorrow

II *adv* (i betydelse 3 äv. prep.) **1** allm. nearer; starkare closer; bildl. äv., t.ex. granska more closely (narrowly, thoroughly); t.ex. beskriva more exactly, in greater detail; *~ bestämt* more exactly (precisely), to be precise; *bli ~ bekant med* become more intimately (better) acquainted with; *gå ~ in på saken* go into [greater] detail, jfr *undersöka en sak närmare* nedan; *komma* ngn (varandra) *~* (bli förtroligare) get closer to...; *ta ~ reda på ngt* find out more about sth; jag har *tänkt ~ på saken* ...thought the matter over [more carefully]; ändrat mig ...thought better of it; *undersöka en sak ~* examine a matter more closely, look closer (more closely) into a matter **2** inemot close [up]on; nästan nearly; *han är ~ femtio* he is getting (going) on for fifty; *han har varit där i ~ fem år* ...for almost (getting on, going on) five years **3** prep. (t.ex. ~ stationen, sanningen) nearer [to], closer to; *dra stolen ~ bordet* draw one's chair up (closer) to the table

närmast I *adj* (superlativ) nearest; omedelbar immediate; om t.ex. vän closest, most intimate; närmast (näst) i ordningen next; två mil till *~e stad* ...the nearest town; *under de ~e* (*de två ~e*) dagarna during the next few (two)...; *inom den ~e* [*fram*]*tiden* in the immediate (near) future; *~e motsvarigheten till* the nearest (closest, most exact) equivalent to; *mina ~e planer* my plans for the immediate future; *mina ~e* subst. adj. those nearest [and dearest] to me, my people; *hans ~e släktingar* his nearest relations (jur. next of kin); *den ~e släkten* vanl. the (resp. his el. her osv.) immediate family; *köra ~e vägen* drive the nearest (genaste most direct, kortaste shortest) way; *i det ~e* almost, nearly osv., jfr *nästan*

II *adv* (i bet 3 äv. prep.) **1** allm. nearest; starkare closest; bildl., t.ex. ~ berörd most closely (intimately); närmast (näst) i ordningen next; den stationen *ligger* (*är*) *~* ...is the nearest (resp. closest); *var och en är sig själv ~* every man for himself; *~ följande* (*föregående*) *dag* the (som adv. on the) very day after (before); *~ högre tal* the next higher number; *~ motsvarande* uttryck the...that comes closest (nearest); *den ~ sörjande* the chief mourner **2** först [och främst] first of all, in the first place (instance); främst primarily; huvudsakligen principally, chiefly; i det närmaste almost **3** prep. (t.ex. ~ dörren, värdinnan) nearest [to], closest (resp. next) to, jfr *närmast II 1* ovan; bredvid next to

närmevärde *s* (~t, ~n) matem. approximate value

närmiljö *s* (~n, ~er) local environment, neighbourhood

närminne *s* (~t) psykol., ung. short-term memory

närpolis *s* (~en) person local policeman; koll. local police pl.

närproducerad *adj* (-producerat, ~e) locally produced

närradio *s* (~n) community radio

närstrid *s* (~en, ~er) mil. close combat, hand-to-hand fighting

närstående *adj* (oböjl.) om vän close, intimate;

närbesläktad ...closely akin (related); **mina** ~ närmaste, subst. adj. those nearest [and dearest] to me, my people; **i** regeringen ~ **kretsar** in circles close (near) to...

närsynt *adj* (=) short-sighted, near-sighted

närsynthet *s* (~en) short-sightedness, near-sightedness; optik. myopia

närtrafik *s* (~en) local (suburban) services pl.

närvara *vb itr* (~de, ~t), ~ **vid** be present at; bevista, t.ex. sammanträde äv. attend; t.ex. boxningsmatch be at

närvarande *adj* (oböjl.) **1** på platsen present [vid at]; **vara** ~ **vid** bevista äv. attend, be at; **de** ~ [**personerna**] those present, jfr *närvara* **2** nuvarande present; **för** ~ for the present, for the time being, at present; amer. äv. presently

närvaro *s* (~n) presence; vid sammanträde o.d. äv. attendance [vid at]; **i vittnens** (**gästernas**) ~ before (in the presence of) witnesses (the guests)

närvarokontroll *s* (~en, ~er) attendance check, check on attendance

närvarolista *s* (~n, -listor) attendance list

näs *s* (~et, =) landremsa isthmus; mindre neck of land; udde foreland, spit

näsa *s* (~n, näsor) nose äv. bildl.; **gå dit ~n pekar** vard. follow one's nose; **ha ~ för** bildl. have a nose (flair) for; **lägga ~n i blöt** poke (stick) one's nose into other people's business; **räcka lång ~ åt** cock a snook at, thumb one's nose at; **inte se längre än ~n räcker** not see farther than (beyond) one's nose; **stå där med lång ~** bli snopen be left disappointed (pulling a long face); **sätta ~n i vädret** toss one's head; bildl. put on airs, be stuck-up; **det gick min ~ förbi** it didn't come my way, I missed it; **mitt för ~n på ngn** under sb's [very] nose; **rynka på ~n åt** ogilla turn one's nose up at; **stå** (**trilla**) **på ~n** fall on one's face; vard. come a cropper; **dra ngn vid ~n** lead sb up the garden path, take sb in

näsben *s* (~et, =) anat. nasal bone

näsblod *s* (~et) nose-bleed[ing]; **jag blöder** (**har**) ~ my nose is bleeding

näsborre *s* (~n, -borrar) nostril

näsdroppar *s pl* nose drops

näsduk *s* (~en, ~ar) handkerchief; vard. hanky

näshåla *s* (~n, -hålor) anat. nasal cavity

näsknäpp *s* (~en, ~ar), **få sig en** ~ tillrättavisning get a telling-off

näsoperation *s* (~en, ~er) o. **näsplastik** *s* (~en, ~er) med. nose surgery; vard. nose job

näsrot *s* (~en, -rötter) anat. root of the nose

näsrygg *s* (~en, ~ar) anat. bridge of the (resp. one's) nose

nässeldjur *s* (~et, =) cnidarian

nässelfeber *s* (~n) nettlerash, hives sg.; vetensk. urticaria

nässelfjäril *s* (~en, ~ar) small tortoiseshell [butterfly]

nässelsoppa *s* (~n, -soppor) kok. nettle soup

nässelutslag *s* (~et, =) nettlerash (endast sg.)

nässla *s* (~n, nässlor) nettle

nässpray *s* (~en, ~er) nasal spray

näst I *adv* allm. next; **den** ~ **bästa** (**äldsta**) the second best (oldest); **det** ~ **bästa** vore att + inf. the next best thing [to do]...; **den** ~ **sista** (**största**) the last (biggest) but one **II** *prep* after, next to

nästa I *adj* (mask. näste) next; ~ **dag** (fredag, gång): nu

följande next...; påföljande the next (following)...; **i** ~ **nummer** in the next (därpå följande the following)...; **se** ~ **sida!** see next page! **II** *s* (~n) neighbour; **älska din** ~ love your neighbour

nästan *adv* allm. almost; ofta äv., spec. vid måtts- el. tidsuttr. nearly; starkare all but; praktiskt taget practically, virtually; ~ **aldrig** hardly ever; starkare beton. el. speciellt amer. almost never; ingen eller ~ **ingen** självst. om person ...practically (almost) nobody; **jag kan** ~ **inte** tro det I can hardly...; få det **för** ~ **ingenting** (~ **gratis**) ...for almost (next to) nothing; **det är** ~ 25 grader it is almost (nearly)...; ~ **hela** familjen (tiden) almost the whole..., almost (nearly) all...; ~ **lika stora** almost equally big (equal in size); han är ~ **lika gammal som jag** ...almost (nearly) as old (the same age) as I am; **jag tycker** ~ **att...** I almost (rather, half) think that...

1 näste *adj* (mask.) se *nästa I*

2 näste *s* (~t, ~n) nest äv. mil.; bildl. äv. den; rovfågels aerie, aery

nästföljande *adj* (oböjl.) nu följande next; påföljande the next (following); [**redan**] ~ **dag** reste han äv. the very next day...

nästgårds *adv*, stugan **ligger inte** ~ **precis** ...is not exactly next door

nästipp *s* (~en, ~ar) tip of the (resp. one's) nose

nästkommande *adj* (oböjl.), ~ **måndag** next Monday, Monday next

nästla *vb rfl* (~de, ~t), ~ **sig in hos ngn** ingratiate oneself with sb, worm oneself into sb's favour

nästäppa *s* (~n, -täppor) nasal congestion; **jag har** ~ my nose is blocked [up]

näsvinge *s* (~n, -vingar) wing of the (resp. one's) nose

näsvis *adj* (~t) cheeky, saucy, impertinent [mot ngn i samtliga fall to sb]

näsvishet *s* (~en) egenskap cheekiness, impertinence

nät *s* (~et, =) **1** allm. net; spindels web; metalltråds~ wire netting (endast sg.); nätverk network; tele. äv. system; elektr. mains pl.; **binda** (**knyta**) ~ make nets; **lägga ut** ~ set (lay [out]) nets; **lägga ut sina** ~ bildl. set (lay [out]) one's toils **2** **nätet** internet the Internet, the Net; **beställa på** (**via**) ~**et** order off the Net; **surfa på** ~**et** data. surf the Internet (the Net); **söka på** ~**et** browse the Net (Web)

nätansluten *adj* (-anslutet, -anslutna) elektr. mains-operated; ~ **mottagare** äv. mains receiver (set)

nätboll *s* (~en, ~ar) i tennis o.d. let, netball

nätdejting *s* (~en) online dating

nätfiske *s* (~t) data. phishing

näthandel *s* (~n) data. e-commerce (förk. för electronic commerce), e-business (förk. för electronic business)

näthinna *s* (~n, -hinnor) anat. retina; **ha en bild på** ~**n** bildl. have...before one's eyes

nätkasse *s* (~n, -kassar) string (net) bag

nätmedborgare *s* (~n, =) data., person som använder Internet netizen

nätmelon *s* (~en, ~er) bot. netted melon

nätmobbning *s* (~en) data. cyber-bullying

nätpoker *s* (~n) online poker

nätspänning *s* (~en, ~ar) elektr. mains voltage

nätstrumpa *s* (~n, -strumpor) net stocking; **nätstrumpor** strumpbyxor fishnet tights, fishnets

nätsurfare *s* (~n, =) data. netsurfer

nätt I *adj* (=) **1** söt pretty; speciellt amer. cute; fin o. nätt dainty; prydlig neat; **en ~ summa** iron. a tidy (nice little) sum, a pretty penny **2** knapp scanty **II** *adv* prettily osv., jfr *nätt I 1* ovan; **~ och jämnt** t.ex. undgå barely, narrowly; t.ex. hinna med tåget only just; precis tillräckligt barely; t.ex. tillfrisknad barely, only just; se äv. *knappt*

nätupplaga *s* (~n, -upplagor) data. Internet edition, online edition

nätverk *s* (~et, =) network äv. data.

nätverka *vb itr* (~de, ~t) network

nätverksserver *s* (~n, -servrar) data. network server

näve *s* (~n, nävar) fist; **en ~ sand** a handful (fistful) of...; **knyta ~en** clench one's fist; hotfullt shake one's fist [*åt, mot* at]; **slå ~n i bordet** bring one's fist down (bang one's fist) on the table; bildl. put one's foot down; **spotta i nävarna** bildl. roll up one 's sleeves, buckle down to it

näver *s* (~n, nävrar) bot. birch-bark

nöd *s* (~en) nödvändighet, nödtvång necessity; nödställd belägenhet distress; svagare trouble; trängande behov, brist need; svagare want; armod, utblottat tillstånd destitution; **~en har ingen lag** necessity knows no law; **~en är uppfinningarnas moder** necessity is the mother of invention; **bruka större våld än ~en kräver** employ more force than the necessity of the case demands; **det går ingen ~ på honom** he has nothing to complain of, he's sitting pretty, he's got all he wants; han har det ekonomiskt bra he's well off all right; **lida ~** be in want (stark. need); **i ~ och lust** for better, [or] for worse; **i ~en prövas vännen** a friend in need is a friend indeed; **med ~ och näppe klara sig undan ngt** narrowly escape sth; **till ~s** at a pinch

nödbedd *adj* (-bett), **vara ~** need (require) [a great deal of] pressing

nödbroms *s* (~en, ~ar) emergency brake

nödd *adj* (nött), **därtill var jag ~ och tvungen** I was forced and compelled to do so

nödfall *s* (ett, =), **i ~** if necessary, if need arises; om det kniper at a pinch; **i yttersta ~** if the worst comes to the worst, in the last resort

nödflagg *s* (~en) sjö., **föra (hissa) ~** carry (hoist) a distress signal

nödhamn *s* (~en, ~ar), **söka ~** put into a port of refuge

nödig *adj* (~t) **1** formellt, behövlig needful, requisite, ...required; nödvändig necessary; **~a** t.ex. anvisningar äv. the...needed **2** vard., **jag är ~** I must go to the loo (amer. john), I must go somewhere

nödlanda *vb itr* (~de, ~t) make an emergency (forced) landing, force-land

nödlandning *s* (~en, ~ar) emergency (forced) landing

nödlidande *adj* (oböjl.) necessitous, distressed; utarmad destitute, needy; svältande starving; **de ~** subst. adj. those in want, the needy

nödläge *s* (~t, ~n) distress; **i nuvarande ~** in the present emergency

nödlögn *s* (~en, ~er) white lie

nödlösning *s* (~en, ~ar) emergency (tillfällig temporary) solution (utväg expedient); provisorium äv. makeshift

nödmynt *s* (~et, =) hist. emergency [token] coin (koll. money)

nödrim *s* (~met, =) halting rhyme

nödrop *s* (~et, =) cry (call) of distress (rop på hjälp for help); **han klarade sig med ett ~** ...by the skin of his teeth

nödsakad *adj* (-sakat, ~e), **bli (vara) ~** have to + inf.; **vi är tyvärr ~e att** meddela we regret to have to...

nödsignal *s* (~en, ~er) sjö. distress signal; per radio SOS [signal]

nödsituation *s* (~en, ~er) emergency [situation]

nödställd *adj* (-ställt) distressed, ...in distress; **de ~a** subst. adj. those in distress

nödtorft *s* (~en), **livets ~** the bare necessities pl. of life, enough to keep body and soul together

nödtorftig *adj* (~t) scanty, meagre, barely adequate

nödtvång *s* (~et), göra ngt **av ~** ...out of necessity, ...under compulsion

nödutgång *s* (~en, ~ar) emergency exit; vid brand äv. fire escape

nödvändig *adj* (~t) allm. necessary [*för* ngn for, ngt, t.ex. hälsan to]; väsentlig essential [*för* to, for]; starkare vital [*för* to]; oumbärlig indispensable [*för* to, for]; erforderlig requisite; **det är ~t (alldeles ~t)** äv. it is a (an absolute) necessity; **lida brist på det ~a[ste]** be in want of actual necessities

nödvändiggöra *vb tr* (-gjorde, -gjort) necessitate, make (render)...necessary; medföra entail

nödvändighet *s* (~en, ~er) necessity; oumbärlighet indispensability; **med ~** se *nödvändigt*

nödvändighetsvara *s* (~n, -varor) essential commodity (product), necessity; **nödvändighetsvaror** äv. essential goods

nödvändigt *adv* o. **nödvändigtvis** *adv* necessarily osv., jfr *nödvändig*; med nödvändighet of necessity; **han skulle (ville) ~ dansa** varje dans he just had to dance..., he insisted on dancing...; **måste du ~ resa?** vanl. must you really...?

nödvärn *s* (oböjl.) self-defence; **handla i ~** act in self-defence

nödår *s* (~et, =) year of famine

nöja *vb rfl* (nöjde, nöjt), **~ sig med** be satisfied (content) with, content oneself with; **han nöjde sig med** inskränkte sig till **en kort kommentar** he confined himself to a short comment; **låta ~ sig (sig ~s) med** be content with; foga sig i acquiesce in

nöjaktig *adj* (~t) tillfredsställande satisfactory; precis tillräcklig adequate

nöjas *vb itr dep* (nöjdes, nöjts) se *nöja*

nöjd *adj* (nöjt) tillfredsställd satisfied; förnöjd, mots. besviken content endast pred., contented; belåten pleased; **vara ~ med lite** äv. be easily (soon) satisfied

nöje *s* (~t, ~n) **1** glädje pleasure; starkare delight, joy; njutning enjoyment; **ett sant ~** a real treat; **med ~ gärna** with pleasure, gladly; **mycket ~!** have a good time!, enjoy yourself! båda äv. iron.; **det ska bli mig ett ~ att göra det** I shall be delighted...; **för ~s skull** for fun **2** förströelse amusement; tillställning äv. entertainment; tidsfördriv diversion, pastime

nöjesbransch *s* (~en, ~er), **~en** show business; vard. show biz

nöjesfält *s* (~et, =) amusement park, pleasure ground; enklare funfair; amer. äv. carnival, fairgrounds pl.

nöjesliv *s* (~et) underhållning [public] entertainments (amusements) pl.; **hon kastade sig in i ett hektiskt ~** ...a hectic life of pleasure

nöjeslysten *adj* (-lystet, -lystna) pleasure-seeking, ...fond of amusement

nöjesresa *s* (~n, -resor) pleasure trip

nöjesskatt *s* (~en, ~er) entertainment tax

nörd *s* (~en, ~er) vard., neds. nerd, geek, trainspotter

1 nöt *s* (~en, nötter) bot. nut; *en hård ~ att knäcka* bildl.
a hard (tough) nut to crack; *få på ~en* vard.: få stryk
get a hiding (beating)

2 nöt *s* (~et, =) **1** eg., se *nötkreatur* **2** vard., dumbom
ass, donkey, blockhead

nöta *vb tr* o. *vb itr* (nötte, nött), ~ [*på*] wear; geol.
abrade; kläder wear out, wear...shabby
(threadbare); *~s* get worn (rubbed osv.); *tyget tål att*
~ på the cloth will stand [hard] wear; *~[s] av* (*bort*)
wear off; ojämnheter (bildl.) rub off; *~ hål på* göra ett hål i
wear a hole (resp. holes) in; *~ in* en läxa [*i sitt huvud*]
drill (drum)...into one's head; *~ ut* wear out; jfr
utnött

nötboskap *s* (~en) [neat] cattle pl.

nötbrun *adj* (~t) nut-brown, hazel

nötknäckare *s* (~n, =) o. **nötknäppare** *s* (~n, =)
nutcrackers pl.; *en ~* a pair of nutcrackers

nötkreatur *s pl* [neat] cattle; *fem ~* five head of
cattle

nötkråka *s* (~n, -kråkor) zool. nutcracker

nötkärna *s* (~n, -kärnor) kernel of a (resp. the) nut;
frisk som en ~ [as] sound as a bell

nötkött *s* (~et) beef

nötning *s* (~en, ~ar) wearing osv., jfr *nöta*; starkare
wear; framför allt bildl. wear and tear

nötskal *s* (~et, =) nutshell; *i ett ~* bildl. in a nutshell

nötskrika *s* (~n, -skrikor) zool. jay

nött *adj* (=) worn; om bokband o.d. rubbed [*i at*]; om
plagg (pred.) äv. the worse for wear; bildl. hackneyed,
trite

nötväcka *s* (~n, -väckor) zool. nuthatch

1 o *s* (o:et, o:n el. o) bokstav o [utt. ɔʊ]

2 o *interj* oh!; *~ ve!* alas!

oacceptabel *adj* (~t, -acceptabla) unacceptable

oaktat I *prep* notwithstanding; *det ~* äv. for all that,
nevertheless **II** *konj* although, notwithstanding the
fact that

oaktsam *adj* (~t, ~ma) careless [*med* with, about]

oaktsamhet *s* (~en) carelessness; *grov* (*ringa*) *~* gross
(limited) negligence

oanad *adj* (-anat, ~e), *få ~e konsekvenser* (*följder*)
have unforeseen (unsuspected) consequences; *~e*
möjligheter undreamt-of (unthought-of)
possibilities

oangenäm *adj* (~t) unpleasant, disagreeable

oangriplig *adj* (~t) unassailable; bildl. äv.
unimpeachable, unexceptionable

oanmäld *adj* (-anmält) unannounced

oannonserad *adj* (-annonserat, ~e) unannounced

oansenlig *adj* (~t) insignificant, inconsiderable; om
t.ex. lön modest; om utseende plain, ordinary

oanskaffbar *adj* (~t) unobtainable, unprocurable

oanständig *adj* (~t) indecent; opassande äv. improper;
slipprig äv. obscene; vard. dirty, smutty

oanständighet *s* (~en, ~er) indecency, impropriety;
~er äv. indecent talk sg. (anmärkningar remarks, skämt
jokes), smut sg.

oansvarig *adj* (~t) irresponsible

oantagbar *adj* (~t) unacceptable, inadmissible

oantastlig *adj* (~t) unassailable, unimpeachable;
okränkbar inviolable

oanträffbar *adj* (~t) unavailable; pred. äv. not
available; *han har varit ~ hela dagen* I (osv.) have been
unable to get hold of him...

oanvänd *adj* (-använt) unused, jfr *obegagnad*; om
metod o.d. äv. unapplied; om kapital o.d. idle; *rummet*
står oanvänt ...is not in use (not used)

oanvändbar *adj* (~t) useless; pred. äv. of no use;
unusable; inte tillämplig inapplicable

oaptitlig *adj* (~t) unappetizing, unpalatable; bildl. äv.
unsavoury, disgusting

oartig *adj* (~t) ohövlig impolite, discourteous, uncivil
[*mot* i samtliga fall to]

oartikulerad *adj* (-artikulerat, ~e) otydlig inarticulate

oas *s* (~en, ~er) oasis (pl. oases) äv. bildl.

oavbruten *adj* (-brutet, -brutna) uninterrupted,
unbroken; oupphörlig äv. ceaseless, incessant

oavbrutet *adv* uninterruptedly osv., se *oavbruten*;
arbeta ~ i 6 timmar work for 6 hours on end
(without a break, without respite)

oavgjord *adj* (-gjort) undecided, unsettled; sport.
drawn; *en ~ match* a draw

oavgjort *adv*, *sluta ~* sport. el. friare end in a draw;
spela ~ draw

oavhängig *adj* (~t) independent

oavhängighetsförklaring *s* (~en) declaration of
independence

oavkortad *adj* (-kortat, ~e) ...in full; om upplaga o.d.
unabridged; om lön, semester unreduced

oavkortat *adv*, *beloppet går ~ till* forskning the entire amount (the amount in full) will go to…

oavlåtlig *adj* (~t) se *oupphörlig*

oavlönad *adj* (-lönat, ~e) unpaid, unwaged, unremunerated

oavsett *prep* oberoende av irrespective of; frånsett apart from; *~ vilka de är* no matter who they are, whoever they may be; *~ om han kommer eller inte* whether he comes or not (no); *~ hur* no matter how; *~ detta* apart from that

oavsiktlig *adj* (~t) unintentional; oöverlagd äv. unpremeditated

oavslutad *adj* (-slutat, ~e) unfinished, uncompleted

oavvislig *adj* (~t), *ett ~t krav* a claim that cannot be refused (rejected), an imperative demand

obalans *s* (~en, ~er) unbalance, lack of balance (of equilibrium); mera abstrakt, bristande jämvikt disequilibrium, imbalance; *komma i ~* om t.ex. finanser get out of balance

obalanserad *adj* (-balanserat, ~e) unbalanced; obehärskad äv. uncontrolled

obanad *adj* (-banat, ~e) om terräng o.d. trackless, pathless; om stig o.d. untrodden äv. bildl.

obarmhärtig *adj* (~t) merciless, pitiless; skoningslös relentless, ruthless [*mot* i samtliga fall to, towards]

obducent *s* (~en, ~er) postmortem examiner

obducera *vb tr* (~de, ~t) perform a postmortem [examination] (an autopsy) on

obduktion *s* (~en, ~er) postmortem [examination], autopsy

obeaktad *adj* (-aktat, ~e) unnoticed, unobserved, unheeded; *lämna ~* disregard, pay no attention to

obearbetad *adj* (-arbetat, ~e) om råvaror raw, crude, unmanufactured

obebodd *adj* (-bott) uninhabited

obeboelig *adj* (~t) uninhabitable, …unfit for habitation

obebyggd *adj* (-byggt), *~ mark* ground that has not been built on; *~ tomt* äv. vacant lot (plot)

obefintlig *adj* (~t) om sak non-existent

obefläckad *adj* (-fläckat, ~e) ren immaculate, unpolluted; om namn, rykte unblemished, spotless

obefogad *adj* (-fogat, ~e) oberättigad unwarranted, unjustified; grundlös unfounded, groundless

obefolkad *adj* (-folkat, ~e) uninhabited

obegagnad *adj* (-begagnat, ~e) unused; pred. äv. not used; *så gott som ~* hardly used

obegriplig *adj* (~t) incomprehensible; otydbar unintelligible; oförklarlig inexplicable [*för* i samtliga fall to]

obegriplighet *s* (~en, ~er) incomprehensibility (etc., jfr *obegriplig*, samtliga endast sg.); *~er* ord (uttryck) incomprehensible words (expressions)

obegränsad *adj* (-gränsat, ~e) allm. unlimited, unbounded; gränslös äv. limitless, boundless

obegåvad *adj* (-gåvat, ~e) ointelligent unintelligent, not very clever; utan talang untalented

obehag *s* (~et, =) olust discomfort, uneasiness; omak, besvär trouble; olägenhet inconvenience; *få ~* besvärligheter get into trouble; *känna ~* feel ill at ease, feel uncomfortable

obehaglig *adj* (~t) allm. unpleasant, disagreeable [*för, mot* to]; otrevlig äv. nasty; om situation awkward; *en ~ överraskning* an unpleasant surprise

obehagligt *adv* unpleasantly osv., jfr *obehaglig*

obehindrat *adv* unimpededly, without hindrance; *röra sig ~* move unhindered (freely); *tala ett språk ~* speak a language fluently

obehärskad *adj* (-härskat, ~e) om språk, uppträdande o.d. uncontrolled, unrestrained; *han är [så] ~* he has no self-control

obehörig *adj* (~t) allm. unauthorized; som saknar kompetens unqualified, non-qualified; om t.ex. vinst illegitimate; *~a äga ej tillträde* no admittance [except on business]

obekant *adj* (=) **1** okänd unknown; om t.ex. ansikte, omgivning äv. unfamiliar; främmande äv. strange [*för* i samtliga fall to] **2** med ngn (ngt) unacquainted, unfamiliar [*med* with]

obekräftad *adj* (-bekräftat, ~e) unconfirmed, unverified

obekväm *adj* (~t) allm. uncomfortable; oläglig inconvenient [*för* to]; besvärlig awkward, difficult äv. om person; *~ arbetstid* unsocial (inconvenient) working hours; *vara* (*bli*) *~ för* regeringen be an embarrassment to…

obekvämlighetstillägg *s* (~et, =) unsocial hours bonus, supplementary allowance for unsocial hours (inconvenient working hours)

obekvämt *adv* uncomfortably osv., jfr *obekväm*; *man sitter ~ i den här stolen* this is an uncomfortable chair to sit in

obekymrad *adj* (-bekymrat, ~e) unconcerned [*om, för* about]; heedless [*om, för* of]; *vara ~ om* (*för*) äv. not care (worry) about

obelisk *s* (~en, ~er) obelisk

obelönad *adj* (-belönat, ~e) unrewarded

obemannad *adj* (-mannat, ~e) om fyr, järnvägsstation, bensinstation o.d. unattended; om t.ex. rymdfarkost unmanned, unpiloted

obemedlad *adj* (-medlat, ~e) …without (of limited) means

obemärkt I *adj* (=) unnoticed, unobserved, unperceived; om vrå o.d. äv. obscure; ringa humble **II** *adv* se *oförmärkt*; *passera ~* pass unnoticed (unobserved)

obenägen *adj* (-benäget, -benägna) ohågad disinclined, indisposed [*för* for]; ovillig unwilling, reluctant, loath endast pred. [*att* + inf., i samtliga fall to + inf.], averse [*att* + inf. to + ing-form]; *jag är inte ~ att hålla med* I am inclined to agree

obenägenhet *s* (~en) disinclination, indisposition; unwillingness, reluctance; aversion; jfr *obenägen*

obeprövad *adj* (-prövat, ~e) untried

oberoende I *s* (~t) independence **II** *adj* (oböjl.) independent [*av* of]; *vara ~* äv. stand on one's own [two] feet (legs), be one's own boss **III** *adv*, *~ av* independent[ly] of; *~ av om* (*hur*) se ex. under *oavsett*

oberäknelig *adj* (~t) omöjlig att förutsäga unpredictable; om person, lynne o.d. äv. erratic, capricious

oberättigad *adj* (-berättigat, ~e) orättvis unjustified, unwarranted; grundlös groundless, unfounded

oberörd *adj* (-berört) bildl. unmoved, unaffected, unperturbed [*av* i samtliga fall by]; likgiltig indifferent [*av* to]; obekymrad unconcerned [*av* at]

obesatt *adj* (=) unoccupied; ledig vacant; *tjänsten är ännu ~* äv. the post has not yet been filled

obesedd *adj* (-besett), *vi köpte bilen ~* we bought the car without seeing (having seen) it

obesegrad *adj* (-besegrat, ~e) unconquered; speciellt sport. undefeated, unbeaten

obeskattad *adj* (-skattat, ~e) untaxed

obeskrivlig *adj* (~t) indescribable, ...beyond description; outsäglig inexpressible, unspeakable

obeskrivligt *adv* indescribably osv., jfr *obeskrivlig*; den är ~ *rolig* ...too funny for words

obeslutsam *adj* (~t, ~ma) irresolute, wavering; tveksam äv. hesitating, hesitant, indecisive

obesläktad *adj* (-släktat, ~e) unrelated, unconnected; pred. äv. not related

obesprutad *adj* (-sprutat, ~e) organically grown

obestridd *adj* (-bestritt) undisputed, unchallenged, uncontested

obestridlig *adj* (~t) indisputable, undoubted, incontestable, unquestionable; om t.ex. argument unanswerable; oförneklig äv. undeniable; *ett ~t faktum* äv. an incontrovertible fact

obestyrkt *adj* (=) unverified, unconfirmed; om avskrift unattested

obestånd *s* (oböjl.) insolvency; *komma på* ~ become insolvent, be unable to pay one's debts

obeställbar *adj* (~t) post. undeliverable

obestämbar *adj* (~t) om sak indeterminable; om känsla o.d. indefinable, undefinable; neds. nondescript

obestämd *adj* (-bestämt) **1** icke fastställd indefinite, indeterminate, unspecified; oavgjord undecided; obeslutsam indecisive, irresolute; oklar vague, indefinite; *uppskjuta ngt på* ~ *tid* postpone sth indefinitely **2** gram. indefinite **3** matem. indeterminate

obesvarad *adj* (-svarat, ~e) unanswered; om hälsning unreturned; ~ *kärlek* unrequited love

obesvärad *adj* (-besvärat, ~e) ostörd undisturbed, untroubled; av t.ex. för mycket kläder el. inskränkningar unencumbered, unhampered [*av* i samtliga fall by]; otvungen, ledig unconstrained, easy

obetalbar *adj* (~t) dråplig priceless

obetald *adj* (-betalt) unpaid; om räkning äv. unsettled; om skuld äv. outstanding; ~ *hyra* äv. back rent

obetingad *adj* (-betingat, ~e) ovillkorlig unconditional; om lydnad, tro äv. unquestioning; oinskränkt absolute, implicit, unqualified

obetonad *adj* (-betonat, ~e) språkv. unstressed, unaccented

obetvinglig *adj* (~t) invincible, unconquerable; oemotståndlig irresistible; om längtan o.d. äv. uncontrollable

obetydlig *adj* (~t) allm. insignificant; om sak äv. inconsiderable; oviktig äv. unimportant; bagatellartad trifling, trivial; liten small; *en ~ skillnad* a slight (inappreciable) difference

obetydlighet *s* (~en, ~er) insignificance, unimportance (båda endast sg.); bagatell triviality, trifle

obetydligt *adv*, ~ *använd* slightly used

obetänksam *adj* (~t, ~ma) tanklös thoughtless, inconsiderate; oförsiktig äv. imprudent, indiscreet, ill-advised; överilad äv. rash

obetänksamhet *s* (~en, ~er) thoughtlessness etc., imprudence, indiscretion; jfr *obetänksam*

obevakad *adj* (-vakat, ~e) unguarded, unwatched; om testamente unproved; ~ *järnvägsövergång* open level (amer. grade) crossing; *i ett obevakat ögonblick* in an unguarded moment

obevandrad *adj* (-vandrat, ~e), ~ *i* unfamiliar with, unversed in

obeveklig *adj* (~t) inexorable, implacable, unrelenting; hård äv. harsh, stern

obeväpnad *adj* (-väpnat, ~e) unarmed

obildad *adj* (-bildat, ~e) olärd uneducated; okultiverad uncultured, unpolished, unrefined

obildbar *adj* (~t) uneducable

objekt *s* (~et, =) object

objektiv I *s* (~et, =) vanl. (kamera~ o.d.) lens; optik. objective **II** *adj* (~t) objective; opartisk äv. unbiased el. unbiassed, detached

objektivitet *s* (~en) objectivity, detachment

objuden *adj* (-bjudet, -bjudna) uninvited, unasked; ~ *gäst* äv. self-invited guest, intruder; vard. gatecrasher

oblandad *adj* (-blandat, ~e) eg. el. bildl. unmixed; om t.ex. glädje äv. unmingled; ren äv. pure; oförfalskad unadulterated; outspädd, om drycker neat, undiluted

oblat *s* (~en, ~er) kyrkl. [sacramental] wafer

oblekt *adj* (=) unbleached

oblid *adj* (-blitt) ogunstig unpropitious, unfavourable; *se ngt med ~a ögon* take a stern view of sth, frown on sth

oblidkelig *adj* (~t) obeveklig inexorable, implacable

obligation *s* (~en, ~er) hand. bond; bolags o.d. äv. debenture; *inlösa en* ~ redeem a bond

obligatorisk *adj* (~t) compulsory [*för* for]; moraliskt bindande o.d. obligatory [*för* on]; ~*a skolämnen* compulsory subjects

oblodig *adj* (~t) om statskupp o.d. bloodless; om offer unbloody

oblyg *adj* (~t) shameless, unashamed, unabashed; fräck äv. barefaced

oboe *s* (~n, ~r) mus. oboe

oboist *s* (~en, ~er) mus. oboist

oborstad *adj* (-borstat, ~e) **1** eg. unbrushed; om skor uncleaned, unpolished **2** ohyfsad rough, rude, unpolished

obotfärdig *adj* (~t) impenitent, unrepentant

obotlig *adj* (~t) allm. incurable; om skada irreparable, irremediable; *en ~ optimist* an eternal optimist

obrottslig *adj* (~t) om trohet, lydnad unswerving; om löfte inviolable; om tystnad, neutralitet strict

obrukad *adj* (-brukat, ~e) om jord untilled, waste

obrukbar *adj* (~t) unusable, unserviceable; *vara* ~ äv. be of no use; apparaten *är* ~ trasig ...is out of order

obruten *adj* (-brutet, -brutna) allm. unbroken, intact; om brev, förpackning unopened; om serie uninterrupted; om kraft unimpaired

obs *s* (~et, =) N.B. (pl. N.B.'s); ~*!* Note, N.B.; *ett* ~ an N.B.

obscen *adj* (~t) obscene

obscenitet *s* (~en, ~er) obscenity

observant *adj* (=) observant

observation *s* (~en, ~er) observation; *lägga in ngn på* ~ place sb in hospital for observation

observatorium *s* (observatoriet, observatorier) observatory

observatör *s* (~en, ~er) observer

observera *vb tr* (~de, ~t) observe, note; lägga märke till notice; betrakta watch; ~*!* el. *att* ~*!* [please] note:

obskyr *adj* (~t) föga känd obscure; 'skum' shady, dubious

obstetrik *s* (~en) med. obstetrics sg.

obstinat *adj* (=) obstinate, stubborn
obstruktion *s* (~en, ~er) polit. el. sport. obstruction [*mot* to]; amer. parl. filibustering
ob-tillägg *s* (~et, =) vard., se *obekvämlighetstillägg*
obunden *adj* (-bundet, -bundna) eg. unchained, untied; kem. uncombined; bildl. uncommitted [*av* by]; om person, oberoende ...without ties, independent; fri free [*av* from]
obygd *s* (~en, ~er), **~en** the wilderness (backwoods pl.); vard. the sticks pl.
obäddad *adj* (-bäddat, ~e) om säng unmade
obändig *adj* (~t) svårhanterlig intractable; okuvlig, t.ex. energi irrepressible; ~ **kraft** colossal strength
oböjlig *adj* (~t) inflexible, rigid; bildl. äv. unbending, unyielding, unflinching, uncompromising; gram. indeclinable
obönhörlig *adj* (~t) inexorable, implacable
obönhörligen *adv* o. **obönhörligt** *adv* inexorably, implacably
ocean *s* (~en, ~er) ocean; bildl. äv. sea
oceanografi *s* (~n) oceanography
oceanångare *s* (~n, =) [ocean] liner
ocensurerad *adj* (-censurerat, ~e) uncensored
och *konj* and; ~ **dylikt** se under *dylik*; ~ **så vidare** (förk. *osv.*) and so on, and so forth, et cetera (förk. etc.); de gick **två ~ två** ...two by two, ...in pairs; **bättre ~ bättre** better and better; **svårare ~ svårare** more and more difficult, increasingly difficult; **härifrån ~ dit** from here to there; **han satt ~ läste en bok** he was (sat) reading a book
ociviliserad *adj* (-civiliserat, ~e) uncivilized
ock *adv* also, ...too; se vidare *också*; **han svarade, om** ~ med viss motvillighet he did reply, though...
ocker *s* (ockret) usury; amer. vard. loan sharking; med varor profiteering; **bedriva ~** practise usury
ockerpris *s* (~et, = el. ~er) exorbitant (extortionate) price
ockerränta *s* (~n, -räntor) extortionate [rate of] interest
1 ockra *s* (~n) miner. ochre
2 ockra *vb itr* (~de, ~t) practise usury (profiteering), profiteer; ~ **på** utnyttja trade on
ockrare *s* (~n, =) usurer, money-lender; amer. vard. loan shark
också *adv* also, ...too, ...as well; till och med even; i själva verket in fact, indeed, actually; **eller ~** or else; **om ~** even if; fastän even though; **...och det gjorde** beton. **han ~** ...and so he did; **...och det gjorde han** beton. ~ ...and so did he; **det var ~ en fråga!** what a question!
ockult *adj* (=) occult
ockupant *s* (~en, ~er) occupant, occupier; hus- äv. squatter
ockupation *s* (~en, ~er) occupation; ockuperande av hus squatting
ockupationsmakt *s* (~en, ~er) occupying power
ockupationsstyrkor *s pl* occupation forces
ockupera *vb tr* (~de, ~t) mil. occupy; ~ **hus** squat
o.d. förk., se under *dylik*
odaterad *adj* (-daterat, ~e) undated, ...not dated
odds *s* (~et, =) odds pl.; **~en är emot honom** the odds are against him, the dice are loaded against him; **mot alla ~** against the odds; **höga ~** long odds; **låga ~** short odds
ode *s* (~t, ~n) ode

odefinierbar *adj* (~t) indefinable, subtle
odelad *adj* (-delat, ~e) eg. el. bildl. undivided; allmän universal, general; hel whole, entire; om bifall unqualified; mitt **~e förtroende** ...entire confidence; ~ **uppmärksamhet** undivided (unremitting) attention
odelat *adv*, **inte ~** angenäm not entirely (altogether)...; **ägna sig ~ åt** ngt give one's undivided (whole) attention to...
odelbar *adj* (~t) indivisible
odemokratisk *adj* (~t) undemocratic
Oden mytol. Woden
odiplomatisk *adj* (~t) undiplomatic; inte välbetänkt impolitic
odisciplinerad *adj* (-disciplinerat, ~e) undisciplined
odiskutabel *adj* (~t, -diskutabla) indisputable, ...beyond dispute
odjur *s* (~et, =) monster; om person äv. beast, brute
odla *vb tr* (~de, ~t) t.ex. jord, växter eller vänskap cultivate; växter, grönsaker m.m. grow, raise; ~ **bakterier** culture bacteria; ~ **rosor** grow roses; **~d jord** cultivated (tilled) land, farmland; **~de pärlor** cultured pearls; ~ **upp** bring...under cultivation, reclaim
odlare *s* (~n, =) cultivator, grower, planter
odling *s* (~en, ~ar) **1** odlande cultivation äv. bildl. t.ex. av själen; av jord äv. tillage; av t.ex. grönsaker growing; av t.ex. bakterier culture; av fisk, musslor o.d. breeding **2** område plantation
odlingsbar *adj* (~t) cultivable; om jord äv. arable
odlingsgräns *s* (~en, ~er) limit of cultivation
odogmatisk *adj* (~t) undogmatic
odon *s* (~et, =) bot. bog (great) bilberry
odontologi *s* (~n) odontology
odramatisk *adj* (~t) undramatic, ...without drama, unexciting
odrickbar *adj* (~t) undrinkable
odryg *adj* (~t) uneconomical
odräglig *adj* (~t) olidlig unbearable, insufferable; **en ~ människa** an insufferable person; vard. a pest, a pain in the neck (amer. äv. ass)
oduglig *adj* (~t) inkompetent incompetent, unqualified; olämplig unfit, unfitted [*till* for]; oanvändbar useless, hopeless, unusable; pred. äv. of no use; **han (den här) är ~** äv. he (this) is no good
odygdig *adj* (~t) mischievous, naughty
odyssé *s* (~n, ~er) mytol. Odyssey; bildl. wandering tour, quest, odyssey
Odysseus mytol. Ulysses, Odysseus
odåga *s* (~n, odågor) good-for-nothing, waster
odödlig *adj* (~t) immortal; om t.ex. ära undying
odödliggöra *vb tr* (-gjorde, -gjort) immortalize
odödlighet *s* (~en) immortality
odör *s* (~en, ~er) bad (nasty) smell, [unpleasant] odour
OECD ekonomiskt samarbetsorgan OECD (förk. för Organization for Economic Cooperation and Development)
oeftergivlig *adj* (~t) om krav, skyldighet imperative, irremissible; om regel inflexible, absolute
oefterhärmlig *adj* (~t) inimitable
oegennytta *s* (~n) disinterest, unselfishness, altruism
oegennyttig *adj* (~t) disinterested, unselfish, altruistic

oegentlig *adj* (~t) oriktig, olämplig improper, inappropriate; om t.ex. bokföring irregular; bildlig, överförd figurative, metaphorical

oegentlighet *s* (~en, ~er), **~er** i bokföring, förvaltning irregularities, falsifications; förskingring embezzlement sg.

oekonomisk *adj* (~t) uneconomical; slösaktig äv. wasteful, unthrifty

oeldad *adj* (-eldat, ~e) unheated, ...without heating

oemotsagd *adj* (-sagt) uncontradicted; obestridd unchallenged

oemotståndlig *adj* (~t) irresistible; överväldigande overwhelming

oemottaglig *adj* (~t) insusceptible, unsusceptible [*för* to]; för smitta, påtryckningar, smicker äv. immune [*för* against, to]; proof [*för* against]; för kritik impervious [*för* to]

oengagerad *adj* (-engagerat, ~e) passiv uninvolved, uncommitted

oenig *adj* (~t) divided, disunited; **vara ~** disagree [*med* with; *om* on], be divided [*om* about]

oenighet *s* (~en, ~er) disunity, disunion, disagreement; tvist quarrel, dispute

oense *adj* (oböjl.), **bli ~** disagree [*med* with]; **vara ~** disagree, differ, be at variance [*om* i samtliga fall about]

oerfaren *adj* (-erfaret, -erfarna) inexperienced; oövad unpractised [*i* in]; 'grön' green

oerhörd *adj* (-erhört) **1** aldrig tidigare hörd unheard-of... (pred. unheard of); enastående unprecedented, unparalleled **2** allm. förstärkande enormous, tremendous, immense; vard. awful, terrific; ytterlig, om t.ex. noggrannhet extreme; spec. betr. storlek. volym äv. huge, colossal

oerhört *adv* enormt enormously osv., jfr *oerhörd 2*; vard. awfully, terrifically; ytterligt extremely; **det betyder ~ mycket för honom** it means an enormous (a tremendous) lot to him; **~ många** fall an enormous number of...; **~ svårt** tremendously (extremely) difficult

oersättlig *adj* (~t) irreplaceable; om förlust o.d. irreparable, irrecoverable, irretrievable; **ingen är ~** äv. nobody is indispensable

oestetisk *adj* (~t) unaesthetic

oetisk *adj* (~t) unethical

ofantlig *adj* (~t) se *oerhörd 2*

ofantligt *adv* se *oerhört*

ofarbar *adj* (~t) om väg impassable, impracticable; om farvatten unnavigable

ofarlig *adj* (~t) pred. not dangerous; om t.ex. person el. djur äv. harmless; om företag o.d. äv. safe; riskfri ...without risk; oskadlig innocuous; om t.ex. kritik, nöje harmless, inoffensive

ofattbar *adj* (~t) incomprehensible, inconceivable, unimaginable [*för* i samtliga fall to]

ofelbar *adj* (~t) felfri infallible; osviklig äv. unerring, unfailing

ofelbarhet *s* (~en) infallibility, unerringness

ofelbart *adv* säkert inevitably, infallibly, without fail

offensiv I *s* (~en, ~er) offensive; **inleda** (**sätta i gång**) **en ~** launch (mount) an offensive **II** *adj* (~t) offensive, aggressive

offentlig *adj* (~t) allm. public; officiell official; **~ försvarare** jur. public defence counsel; **en ~ handling** a public (official) document; **en ~ hemlighet** an open secret; **den ~a sektorn** ekon. the public (government) sector

offentliganställd *s* (en ~, pl. ~a) public employee; statstjänsteman civil servant

offentliggöra *vb tr* (-gjorde, -gjort) announce; i tryck publish

offentlighet *s* (~en) allmän kännedom publicity

offentligt *adv* publicly etc., jfr *offentlig*; **uppträda ~** vanl. appear in public

offer *s* (offret, =) bildl. byte, villebråd victim, prey; i krig, olyckshändelse victim, casualty; relig., gåva sacrifice, offering; **han är ~ för** sin egen dåraktighet he is the victim of...; **falla ~ för** fall [a] victim (prey) to; katastrofen **krävde** (**skördade**) **många ~** ...claimed many victims (a heavy toll)

offerera *vb tr* (~de, ~t) hand. offer

offergåva *s* (~n, -gåvor) votive offering, sacrifice

offert *s* (~en, ~er) hand. offer [*på* vid försäljn. of, vid köp for]; pris~ quotation; vid anbudsgivning tender [*på* for]; kostnadsförslag estimate [*på* kostnad of, arbetea for]; **lämna en ~** make (submit) an offer (a tender), give an estimate

offervilja *s* (~n) spirit of self-sacrifice, generosity

officer *s* (~en, ~are) o. **officerare** *s* (~n, =) [commissioned] officer [*i* in; *vid* ett regemente of...]; **befordras till ~** be promoted an officer, obtain a commission

officersgrad *s* (~en, ~er) [the] rank of officer, officer's rank

officerskår *s* (~en, ~er) officers pl., body of officers

officersmäss *s* (~en, ~ar) officers' mess; sjö. wardroom

officersutbildning *s* (~en, ~ar) officer's training

officiant *s* (~en, ~er) officiator

officiell *adj* (~t) official; **~t språk** official language

officiera *vb itr* (~de, ~t) officiate

offpiståkning *s* (~en) skidsport. off-piste skiing

offra I *vb tr* (~de, ~t) uppoffra sacrifice; avstå från äv. give up; satsa spend; ägna devote [*på* to]; relig. sacrifice, offer [up]; **~ tid** (**pengar**) **på** spend (waste) time (money) on **II** *vb rfl* (~de, ~t), **~ sig** sacrifice oneself [*för* for]

offset *s* (~en) typogr. offset

offsettryck *s* (~et, =) metod offset [printing]; **ett ~** an offset [print]

offside *s* (~n, ~r) o. *adv* sport. offside

ofin *adj* (~t) ohyfsad ill-mannered, rude; grov coarse; **det är ~t att...** it is bad manners (form) to...

ofinansierad *adj* (-finansierat, ~e) unfunded, unfinanced, non-funded, non-financed

ofodrad *adj* (-fodrat, ~e) unlined

ofog *s* (~et, =) oskick nuisance; **~et att** gå på gräsmattor the objectionable practice (habit) of + ing-form

oformlig *adj* (~t) formlös formless, shapeless; uppsvälld bloated; mycket fet enormously fat; vanskapt deformed

oframkomlig *adj* (~t) om väg impassable, impracticable äv. bildl.

ofrankerad *adj* (-frankerat, ~e) om brev unstamped, unpaid

ofreda *vb tr* (~de, ~t) antasta molest

ofri *adj* (-fritt) ...[that is (was osv.)] unfree (not free); **på ~ grund** on non-freehold property

ofrivillig *adj* (~t) involuntary; oavsiktlig unintentional

ofrivilligt *adv* involuntarily, in spite of oneself; oavsiktligt unintentionally

ofruktbar *adj* (~t) om t.ex. jord barren, infertile, sterile äv. bildl.; till ingen nytta unfruitful, unproductive, unprofitable

ofruktsam *adj* (~t, ~ma) barren, infertile, sterile

ofrånkomlig *adj* (~t) oundviklig inevitable; om faktum, slutsats o.d. äv. inescapable

ofrälse *adj* (oböjl.) untitled; *de ~ stånden* the commoner estates; jfr *frälse*

ofta *adv* allm. often; upprepade gånger frequently; poet. oft; *~ förekommande* frequent, common; *~st* in most cases, more often than not; *allt som ~st* every now and then

ofullbordad *adj* (-fullbordat, ~e) unfinished, uncompleted; *~ handling* gram. incomplete action; *Schuberts ~e* [*symfoni*] Schubert's Unfinished [symphony]

ofullgången *adj* (-gånget, -gångna) om foster abortive; bildl., omogen immature

ofullkomlig *adj* (~t) imperfect

ofullständig *adj* (~t) incomplete; bristfällig imperfect, defective; fragmentarisk fragmentary

ofärd *s* (~en) olycka misfortune; fördärv destruction, ruin

ofärdig *adj* (~t) inte färdig, *i ~t skick* in an unfinished state

ofärgad *adj* (-färgat, ~e) om t.ex. glas uncoloured; om t.ex. tyg undyed; om t.ex. skokräm neutral

ofödd *adj* (-fött) unborn

oförarglig *adj* (~t) harmless, inoffensive; om person äv. unoffending

oförbehållsam *adj* (~t, ~ma) reservationslös unreserved; öppenhjärtig frank, open

oförberedd *adj* (-berett) unprepared

oförberett *adv* without preparation, unpreparedly; *tala ~* speak ad lib (improviserat impromptu, vard. off the cuff)

oförblommerad *adj* (-blommerat, ~e) oförtäckt frank, direct, undisguised; rättram blunt

oförbrännelig *adj* (~t) bildl. irrepressible, indefatigable, inexhaustible

oförbätterlig *adj* (~t) ohjälplig incorrigible; *en ~ optimist* äv. an incurable optimist

ofördelaktig *adj* (~t) allm. disadvantageous, unfavourable [*för* to]; om affär unprofitable; om utseende unprepossessing; *i* [*en*] *~ dager* in an unfavourable light

ofördragsam *adj* (~t, ~ma) intolerant [*mot* towards, of]

ofördröjligen *adv* without delay, immediately

ofördärvad *adj* (-fördärvat, ~e) om natur, person unspoiled, unspoilt; om t.ex. yngling, smak äv. uncorrupted, undepraved [*av* i samtliga fall by]

oförenlig *adj* (~t) incompatible, inconsistent; om t.ex. åsikter, motsatser irreconcilable [*med* i samtliga fall with]

oföretagsam *adj* (~t, ~ma) unenterprising

oföretagsamhet *s* (~en) lack of enterprise (initiative), unenterprisingness

oförfalskad *adj* (-falskat, ~e) eg. el. bildl. unadulterated; om t.ex. glädje äv. unalloyed; ren pure; äkta genuine

oförfärad *adj* (-färat, ~e) fearless, undaunted, dauntless

oförglömlig *adj* (~t) unforgettable

oförhappandes *adv* av en slump accidentally, by chance; oväntat unexpectedly

oförhindrad *adj* (-hindrat, ~e) pred. free, at liberty [*att + inf., båda* to + inf.]; unhindered [*att + inf.* from + ing-form]

oförklarlig *adj* (~t) inexplicable, unaccountable; gåtfull mysterious

oförliknelig *adj* (~t) incomparable; makalös matchless, unparalleled; enastående unique

oförlåtlig *adj* (~t) unforgivable, unpardonable, inexcusable

oförminskad *adj* (-minskat, ~e) undiminished, unreduced; om t.ex. energi, intresse äv. unabated

oförmodad *adj* (-förmodat, ~e) unexpected, unlooked for; oförutsedd äv. unforeseen

oförmåga *s* (~n) inability [*att + inf.* to + inf.]; incapacity [*till* for; *att + inf.* for + ing-form]; incapability [*till* of; *att + inf.* of + ing-form]; inkompetens incompetence [*till* for]

oförmärkt *adv* i smyg stealthily; omärkligt imperceptibly; diskret unobtrusively

oförmögen *adj* (-förmöget, -förmögna) incapable [*till* of; *att + inf.* of + ing-form]; unable [*att + inf.* to + inf.]; arbets~ el. oduglig unfit [*till* for; *att + inf.* to + inf.]

oförnuftig *adj* (~t) unreasonable, irrational, senseless; dåraktig foolish

oförrätt *s* (~en, ~er) orätt wrong; kränkning injury; orättvisa injustice

oförrättad *adj* (-rättat, ~e), *med oförrättat ärende* without having achieved anything, without any success, empty-handed

oförsiktig *adj* (~t) ovarsam incautious; oklok imprudent; vårdslös careless, improvident; överilad rash

oförskräckt *adj* (=) orädd fearless; oförfärad dauntless, undaunted

oförskylld *adj* (-förskyllt) oförtjänt undeserved; attr. äv. ...that one has done nothing to deserve

oförskyllt *adv* without deserving (having deserved) it; *lida ~* suffer through no fault of one's own

oförskämd *adj* (-förskämt) allm. insolent, impudent; vard. cheeky [*mot* i samtliga fall to]; audacious; näsvis impertinent, saucy [*mot* båda to]

oförskämdhet *s* (~en, ~er) egenskap insolence, impudence, cheek etc., jfr *oförskämd*; audacity, impertinence, sauce, sauciness; handling, yttrande impertinence

oförsonlig *adj* (~t) allm. irreconcilable, implacable, unforgiving; obeveklig unrelenting, relentless [*mot* i samtliga fall towards]

oförsonlighet *s* (~en) irreconcilability, implacability, unforgivingness etc., jfr *oförsonlig*

oförståelig *adj* (~t) se *obegriplig*

oförstående *adj* (oböjl.) unsympathetic [*för* to (towards)]; inappreciative, unappreciative [*för* of]; likgiltig indifferent; *ställa sig ~ till ngt* take up an unsympathetic attitude towards sth

oförstånd *s* (~et) oklokhet lack of wisdom (common sense); dumhet foolishness

oförståndig *adj* (~t) oklok unwise, imprudent; dum foolish

oförställd *adj* (-förställt) allm. unfeigned, undisguised; om förvåning äv. unaffected, genuine

oförstörbar *adj* (~t) indestructible, undestroyable

oförsvarlig *adj* (~t) indefensible, unwarrantable; oursäktlig inexcusable

oförtjänt I *adj* (=) allm. undeserved, unmerited; om person undeserving [*av* of] **II** *adv* undeservedly, without deserving (having deserved) it

oförtruten *adj* (-förtrutet, -förtrutna) outtröttlig indefatigable, untiring, unwearied; trägen assiduous

oförtrutet *adv* tirelessly, indefatigably

oförtröttlig *adj* (~t) se *outtröttlig*

oförtäckt *adj* (=) unveiled, undisguised

oförutsedd *adj* (-sett) unforeseen, unexpected, unlooked for; *om inget oförutsett inträffar* if nothing (unless something) unforeseen (unexpected) happens, barring accidents

oförvitlig *adj* (~t) om uppförande o.d. irreproachable, unimpeachable, blameless; t.ex. karaktär, rykte äv. unblemished

oförvägen *adj* (-förväget, -förvägna) djärv daring, bold, adventurous; våghalsig reckless, daredevil

oföränderlig *adj* (~t) unchangeable, unalterable, immutable, unchanging; beständig äv. invariable, constant

oförändrad *adj* (-ändrat, ~e) unchanged, unaltered, unmodified

ogenerad *adj* (-generat, ~e) otvungen free and easy, unconstrained; nonchalant offhand, casual; oberörd unconcerned; fräck cool; *känna sig* ~ äv. be (feel) at [one's] ease

ogenomförbar *adj* (~t) impracticable, unworkable

ogenomskinlig *adj* (~t) opaque; pred. äv. not transparent

ogenomtränglig *adj* (~t) om t.ex. skog, mörker impenetrable äv. bildl.; för ljus, vätska impervious, impermeable [*för* i samtliga fall to]

ogenomtänkt *adj* (=) överilad rash, hasty; *planen var* ~ the plan was not properly thought out; vard. the plan was half-baked

ogift *adj* (=) unmarried, single; *en* ~ *faster* a maiden aunt

ogilla *vb tr* (~de, ~t) **1** inte tycka om disapprove of, dislike **2** inte godkänna disallow, reject; upphäva overrule; t.ex. besvär, talan dismiss

ogillande (jfr *ogilla*) **I** *s* (~t, ~n) **1** disapproval, dislike **2** disallowance, rejection, dismissal **II** *adj* (oböjl.) disapproving, deprecating **III** *adv* disapprovingly etc.

ogiltig *adj* (~t) allm. invalid; pred. äv. not valid, null and void; sport., om t.ex. hopp, kast disallowed; *förklara* ~ sport. disallow; se vidare *ogiltigförklara*

ogiltigförklara *vb tr* (~de, ~t) jur. declare invalid (null and void), annul, quash; upphäva t.ex. kontrakt äv. cancel

ogin *adj* (~t) ogenerös ungenerous; snål stingy, mean; missunnsam grudging [*mot* i alla fallen to]

ogjord *adj* (-gjort) undone; *vara ute i ogjort väder* ung. do the right thing for the wrong reason; bråka i onödan make a lot of fuss about nothing; förhasta sig jump to conclusions

oglamorös *adj* (~t) unglamorous

ograverad *adj* (-graverat, ~e) jur. unencumbered; orörd intact, untouched

ogripbar *adj* (~t) intangible, elusive

ogrumlad *adj* (-grumlat, ~e) om t.ex. glädje, lycka unclouded

ogrundad *adj* (-grundat, ~e) allm. unfounded; grundlös äv. groundless, baseless

ogräs *s* (~et) weeds pl.; bibl. tares pl.; *ett* ~ a weed; *rensa* ~ weed

ogräsbekämpning *s* (~en, ~ar) weed control (killing)

ogräsmedel *s* (-medlet, =) weed-killer

ogudaktig *adj* (~t) ungodly, impious; syndig äv. wicked

ogynnsam *adj* (~t, ~ma) unfavourable [*för* for]; ofördelaktig äv. adverse, disadvantageous [*för* to]; spec. om tidpunkt o.d. unpropitious

ogärna *adv* motvilligt unwillingly; motsträvigt reluctantly, grudgingly; ~ *göra ngt* äv. be reluctant to do sth; *jag vill* ~ *tro det* I find it hard to believe

ogärning *s* (~en, ~ar) missdåd misdeed; brott crime; illdåd outrage, atrocity

ogästvänlig *adj* (~t) inhospitable; om plats, trakt o.d. äv. forbidding

ogörlig *adj* (~t) outförbar impracticable, unfeasible; omöjlig impossible

ohanterlig *adj* (~t) om sak unwieldy, cumbersome; om person unmanageable

oharmonisk *adj* (~t) inharmonious, se vidare *disharmonisk*

ohederlig *adj* (~t) dishonest, crooked

ohejdad *adj* (-hejdat, ~e) mera eg. unchecked; om känsloyttringar äv. unrestrained, uncontrolled; *av* ~ *vana* by force of habit

ohelig *adj* (~t) unholy; ~ *allians* bildl. unholy alliance

ohjälplig *adj* (~t) om skada, förlust o.d. irremediable, irreparable, irretrievable

ohjälpligt *adv* hopelessly etc., jfr *ohjälplig*

ohm *s* (~en, =) fys. ohm

ohoj *interj*, *skepp ~!* ship ahoy!

ohotad *adj* (-hotat, ~e) unthreatened, speciellt sport. unchallenged, secure

ohyfsad *adj* (-hyfsat, ~e) obelevad ill-mannered; oborstad rough, uncouth; ohövlig impolite, rude

ohygglig *adj* (~t) förfärlig dreadful, appalling; hemsk ghastly, gruesome; avskyvärd atrocious, hideous

ohygglighet *s* (~en, ~er) dreadfulness (endast sg.) etc., jfr *ohygglig*; t.ex. brottets monstrosity (endast sg.); ~*er* atrocities, horrors

ohyggligt *adv* dreadfully, appallingly etc., jfr *ohygglig*

ohygienisk *adj* (~t) unhygienic, insanitary

ohyra *s* (~n) vermin pl.; äv. bildl.

ohågad *adj* (-hågat, ~e) disinclined, unwilling, indisposed [*för* i samtliga fall for; *att* + inf. to + inf.]

ohållbar *adj* (~t) om ståndpunkt, argument o.d. untenable, indefensible; om situation intolerable

ohälsosam *adj* (~t, ~ma) om klimat, område unhealthy, insalubrious; om föda unwholesome; om bostad insanitary

ohämmad *adj* (-hämmat, ~e) om t.ex. sorg, glädje unrestrained; utan hämningar uninhibited

ohängd *adj* (-hängt) fräck impudent; lymmelaktig loutish

ohöljd *adj* (-höljt) bildl. unconcealed, unveiled, open; oförställd äv. undisguised; oblyg unblushing

ohörbar *adj* (~t) inaudible

ohörsamhet *s* (~en) disobedience

ohövlig *adj* (~t) oartig impolite, discourteous,

uncivil; oförskämd rude; vanvördig disrespectful [*mot* i samtliga fall to]

oidipuskomplex *s* (~et, =) psykol. Oedipus complex

oigenkännlig *adj* (~t) unrecognizable

oigenkännlighet *s* (~en), vanställd *till ~* ...past (beyond) recognition

oinfriad *adj* (-friat, ~e) förhoppning, förväntning, löfte unfulfilled, unredeemed

oinskränkt *adj* (=) unrestricted; om makt, förtroende absolute, unlimited

oinspirerad *adj* (-inspirerat, ~e) uninspired

ointaglig *adj* (~t) mil. impregnable

ointressant *adj* (=) uninteresting; tråkig äv. dull

ointresserad *adj* (-intresserat, ~e) uninterested [*av* in]; *vara ~ av ngt* äv. take no interest in sth

oinvigd *adj* (-invigt, ~e) om person uninitiated [*i* in (into)]; obegripligt för *den ~e* äv. ...an outsider

oj *interj* oh!, oh dear!; vid förvåning äv. oh my!, wow!; vid smärta ow!; *oj [oj] då!* good grief!

ojust I *adj* (=) orättvis unfair; taskig rotten **II** *adv*, *spela ~* sport. play dirty (rough); bryta mot reglerna commit a foul (resp. fouls)

ojämförlig *adj* (~t) incomparable, ...beyond (without) comparison

ojämförligt *adv* incomparably, beyond (without) comparison, immeasurably; *den ~ största* delen by far the..., the...by far; *han är den ~t största författaren* he is by far the greatest author

ojämn *adj* (~t) allm., om t.ex. yta, prestation, humör uneven; om fördelning, kvalitet äv. unequal; skrovlig rough, rugged; om klimat, lynne unequable; oregelbunden irregular; växlande variable; *en ~ match* an uneven match; *~a tänder* crooked (uneven) teeth

ojävig *adj* (~t) opartisk impartial; om vittne o.d. competent, unchallengeable

OK *adj* (oböjl.) o. *interj* se *okej*

ok *s* (~et, =) yoke äv. bildl.

okammad *adj* (-kammat, ~e) om hår uncombed; *jag är ~* I haven't combed my hair

okamratlig *adj* (~t) disloyal; osportslig unsporting; om t.ex. anda uncomradely; *vara ~* äv. be a bad sport

okapi *s* (~n, ~er) zool. okapi

okarina *s* (~n, okarinor) mus. ocarina

okej vard. **I** *adj* (oböjl.) OK, okay **II** *interj* OK, okay

oklanderlig *adj* (~t) allm., om uppförande o.d. irreproachable, impeccable; felfri faultless; fläckfri immaculate; oförvitlig blameless

oklar *adj* (~t) **1** eg.: otydlig indistinct; grumlig turbid, muddy, cloudy; om ljus, sikt dim; om röst husky **2** bildl.: otydlig unclear, indistinct; vag vague, dim, hazy; dunkel, svårfattlig obscure, abstruse; oredig muddled, confused; tvetydig ambiguous; *det är ~t om han någonsin gjorde det* it is uncertain whether... **3** sjö. foul

oklarhet *s* (~en, ~er) egenskap indistinctness etc., jfr *oklar*; obscurity; *~er* i framställning o.d. obscurities; reda ut *några ~er* ...some unclear points

oklassificerad *adj* (-klassificerat, ~e) unclassified

oklippt *adj* (=) uncut; om t.ex. skägg, häck untrimmed; om gräsmatta unmown; om film unedited

oklok *adj* (~t) oförståndig unwise, imprudent; omdömeslös injudicious; obetänksam thoughtless; inte tillrådlig inadvisable

oklädd *adj* (-klätt) undressed, unclothed

oknäppt *adj* (=) om plagg unbuttoned; knappen *är ~* ...is not done up

okokt *adj* (=) unboiled; rå uncooked

okomplicerad *adj* (-komplicerat, ~e) simple, uncomplicated, straightforward

okoncentrerad *adj* (-koncentrerat, ~e) ...lacking in concentration, unconcentrated

okonstlad *adj* (-konstlat, ~e) oförställd unaffected, ingenuous; enkel, naturlig artless, natural

okontroversiell *adj* (~t) uncontroversial, non-controversial

okonventionell *adj* (~t) unconventional; vard. offbeat

okristlig *adj* (~t) **1** eg. unchristian **2** oerhörd, ryslig awful, tremendous

okristligt *adv* oerhört, rysligt awfully, tremendously; stiga upp *~ tidigt* ...at an ungodly hour

okritisk *adj* (~t) uncritical

okrossbar *adj* (~t) unbreakable

okränkbar *adj* (~t) inviolable

okrönt *adj* (=) om kung o.d. uncrowned äv. bildl.

oktan *s* (~et, =) octane

oktantal *s* (~et, =) octane rating (number); *bensin med högt ~* high-octane petrol

oktav *s* (~en, ~er) **1** mus. octave; *lilla* (*ostrukna*) *~en* the small octave **2** bokformat octavo

oktett *s* (~en, ~er) mus. octet[te]

oktober *s* (oböjl., en) October (förk. Oct.); för ex. jfr *april* o. *femte*

okular *s* (~et, =) optik. eyepiece, ocular

okultiverad *adj* (-kultiverat, ~e) uncultivated, uncultured; obildad äv. uneducated; ohyfsad unpolished, unrefined, uncouth

okunnig *adj* (~t) **1** ovetande ignorant; omedveten unaware, unconscious; oupplyst uninformed [*om* i samtliga fall of; *om att...* that...] **2** obevandrad, olärd ignorant [*i* of]; pred. äv. unacquainted [*i* with]

okunnighet *s* (~en) ignorance; *sväva i* [*lycklig*] *~ om ngt* be blissfully ignorant (unaware) of sth

okunskap *s* (~en) ignorance

okuvlig *adj* (~t) indomitable; om t.ex. energi irrepressible; obetvinglig äv. unconquerable

okvalificerad *adj* (-kvalificerat, ~e) unqualified

okvinnlig *adj* (~t) unwomanly, unfeminine; manhaftig mannish

okvädinsord *s* (~et, =) o. **okvädingsord** *s* (~et, =) word of abuse, insult; *~* i pl. äv. abuse sg.

okynne *s* (~t) odygd, ofog mischievousness, mischief; *av rent ~* out of pure mischief

okynnig *adj* (~t) odygdig mischievous

okysk *adj* (~t) unchaste

okänd *adj* (-känt) unknown; obekant unfamiliar; främmande strange [*för* i samtliga fall to]; *av ~ anledning* for some unknown reason

okänslig *adj* (~t) insensitive, insensible; utan känsel numb; framför allt själsligt callous, unfeeling [*för* i samtliga fall to]

okänslighet *s* (~en) insensitivity, insensibility; numbness; callousness; jfr *okänslig*

olag *s* (oböjl.), *bringa i ~* disorganize, throw...out of gear, upset; *komma* (*råka*) *i ~* get out of order (gear); *hans mage är i ~* his stomach is upset

olaga *adj* (oböjl.) o. **olaglig** *adj* (~t) unlawful, illegal; olovlig äv. illicit

olater *s pl* vices, bad habits

oldboy s (~en, ~s) sport. veteran
olicografi s (~n) olycography
olidlig adj (~t) insufferable, excruciating; outhärdlig äv. unbearable
olidligt adv, ~ **spännande** unbearably exciting
oligarki s (~n, ~er) polit. oligarchy
oligopol s (~et, =) ekon. oligopoly
olik adj (~t) (jfr olika I); inte påminnande om unlike; skiljaktig different; ~ ngt different from (to, amer. äv. than) sth, unlike sth, dissimilar to sth; hon är ~ honom [till utseendet] she is unlike (different from el. to) him [in appearance]; det är ~t honom it is unlike him
olika I adj (oböjl.) (jfr olik); olikartad, skiljaktig different, differing; skiftande varying; växlande various; en mängd ~ saker a great many different..., a variety of...; av ~ slag of different (various) kinds; barn i ~ åldrar children of different ages; vi har ~ åsikt[er] we have different (differ in our) views; smaken är ~ tastes differ, there's no accounting for taste; det är ~ varierar it varies, it all depends II adv differently, in different ways; de är ~ stora ...of different sizes, ...unequal in size
olikartad adj (-artat, ~e) dissimilar, different; heterogeneous, disparate
olikfärgad adj (-färgat, ~e) ...of different colours, differently coloured; mångfärgad multicoloured
olikhet s (~en, ~er) skillnad difference; i storlek, antal o.d. äv. disparity; skiljaktighet diversity, divergence
oliktänkande s (en, pl. =) o. adj (oböjl.) polit. dissident
olinjerad adj (-linjerat, ~e) unlined, unruled
oliv s (~en, ~er) olive
olivgrön adj (~t) olive-green, olive
olivolja s (~n, -oljor) olive oil
olivträd s (~et, =) olive [tree]
olja I s (~n, oljor) oil; gjuta ~ på vågorna pour oil on troubled waters; hitta ~ strike oil; måla i ~ paint in oil[s] II vb tr (~de, ~t) oil; smörja äv. grease, lubricate; ~ in oil [all over], lubricate
Oljeberget the Mount of Olives
oljeberoende s (~t) dependence on oil
oljeblandad adj (-blandat, ~e) ...mixed with oil, oil-mixed
oljebolag s (~et, =) oil company
oljeborrning s (~en, ~ar) drilling for oil, oil-drilling
oljeborrplattform s (~en, ~ar) oilrig
oljebälte s (~t, ~n) [long] oilslick
oljecistern s (~en, ~er) oil storage tank
oljeeldning s (~en) oil-heating, oilfired heating
oljefat s (~et, =) oil drum
oljefläck s (~en, ~ar) på tyg etc. oil stain; på mark, vattenyta oilslick, patch of oil
oljefält s (~et, =) oilfield
oljefärg s (~en, ~er) oil colour, oil paint; måla i (med) ~ paint in oils
oljekanna s (~n, -kannor) oilcan
oljekälla s (~n, -källor) oil well
oljeledning s (~en, ~ar) [oil] pipeline
oljeletning s (~en) oil prospecting
oljemålning s (~en, ~ar) teknik o. tavla oil painting
oljepanna s (~n, -pannor) oil[fired] boiler
oljeraffinaderi s (~et, ~er) oil refinery
oljerigg s (~en, ~ar) oil rig
oljerock s (~en, ~ar) oilskin coat
oljesticka s (~n, -stickor) dipstick

oljeställ s (~et, =) oilskins pl., oilskin clothes pl.
oljetank s (~en, ~ar) oil tank
oljetanker s (~n, ~tankrar) oiltanker
oljetryck s (~et, =) 1 tekn. oil pressure 2 typogr.: metod oil printing, oleography; bild oleograph
oljeutsläpp s (~et, =) oil spill (spillage), discharge (avsiktligt dumping) of oil [in the sea]
oljeväxt s (~en, ~er) oil[-yielding] plant
oljig adj (~t) oily, oleaginous; bildl. äv. unctuous; vard. smarmy
oljud s (~et, =) oväsen noise; larm äv. din, racket; föra ~ make a noise, be noisy
olle s (~n, ollar) ylletröja [thick] sweater
ollon s (~et, =) 1 bot., ek~ acorn; bok~ beechnut 2 anat. glans (pl. glandes)
ollonborre s (~n, -borrar) zool. cockchafer
ologisk adj (~t) illogical
olovandes adv, göra ngt ~ ...without leave (permission)
olovlig adj (~t) olaglig unlawful, illicit; förbjuden forbidden, prohibited; om jakttid close
olust s (~en) obehag uneasiness, discomfort [över (inför) at]; missnöje dissatisfaction; ovilja displeasure [över (inför) with (at)]
olustig adj (~t) ur humör out of spirits endast pred.; nedstämd low-spirited, depressed; håglös listless; illa till mods uncomfortable, uneasy; obehaglig unpleasant, disagreeable
olustkänsla s (~n, -känslor) feeling of discomfort, uneasy feeling
olvon s (~et, =) bot. guelder-rose, snowball-tree
olycka s (~n, olyckor) 1 olyckligt öde o.d. misfortune, ill fortune; otur bad (ill) luck; motgång adversity, trouble; bedrövelse unhappiness; elände affliction, misery; när ~n är framme when an accident occurs; om man har otur if things are against you, if your luck's out 2 missöde mishap, misfortune; olyckshändelse, t.ex. bilolycka accident; en ~ kommer sällan ensam it never rains but it pours; en ~ händer så lätt accidents will happen 3 vard., om person wretch; skämts. rascal, devil; hennes ~ till son that good-for-nothing son of hers
olycklig adj (~t) betryckt unhappy [över about]; djupt distressed; eländig miserable, wretched; drabbad av olycka el. otur unfortunate, unlucky, ill-fated, hapless; beklaglig unfortunate, deplorable; få en ~ utgång have an unfortunate ending; ~t misstag fatal blunder
olyckligtvis adv unfortunately, unluckily
olycksalig adj (~t) högst olycklig unhappy, unfortunate; fördömd confounded
olycksbarn s (~et, =), samhällets ~ pl. social outcasts, dropouts, the underprivileged in society
olycksbud s (~et, =) bad (tragic) news; ett ~ [a piece of] bad (tragic) news
olycksbådande adj (oböjl.) ominous, sinister
olycksdrabbad adj (-drabbat, ~e) unfortunate, ill-fated; om t.ex. väg dangerous, hazardous; som lätt råkar ut för olyckor accident-prone
olycksfall s (~et, =) accident, casualty; ~ i arbetet accident at work
olycksfallsförsäkring s (~en, ~ar) accident insurance; jfr försäkring o. sammansättn.
olycksfågel s (~n, -fåglar) vard. unlucky creature

(person), person dogged by ill luck; som lätt råkar ut för olyckor person who is accident-prone

olyckshändelse s (~n, ~r) accident; lindrigare mishap

olyckskorp s (~en, ~ar) vard. prophet of woe, Cassandra, amer. äv. calamity howler (kvinnl. Jane)

olycksplats s (~en, ~er), **~en** the scene of the accident

olycksrisk s (~en, ~er) risk of an accident

olyckstillbud s (~et, =) near-accident

olycksöde s (~t, ~n) unlucky fate

olydig adj (~t) disobedient [*mot* to]; mot överordnad äv. insubordinate; **vara ~ mot ngn** äv. disobey sb; om barn äv. play sb up

olydnad s (~en) disobedience; mot överordnad äv. insubordination

Olympen mytol. Olympus

olympiaby s (~n, -byar) Olympic village

olympiad s (~en, ~er) mytol. el. sport. Olympiad; sport. äv Olympic Games, Olympics

olympiamästare s (~n, =) Olympic champion

olympier s (~n, =) **1** mytol. Olympian [god] **2** sport. Olympic competitor

olympisk adj (~t) **1** mytol. el. bildl. Olympian **2** sport. Olympic; **~ guldmedaljör** Olympic gold medallist; **~t rekord** Olympic record; [de] **~a spelen** the Olympic Games, the Olympics; **~a sommarspelen** (**vinterspelen**) the Summer (Winter) Olympic Games (Olympics)

olåst adj (=) unlocked

olåt s (~en) oljud noise

olägenhet s (~en, ~er) besvär inconvenience, trouble, nuisance; svårighet difficulty; **orsaka ~er för ngn** cause sb trouble

oläglig adj (~t) olämplig inopportune [*för* for]; malplacerad untimely, ill-timed; obekväm inconvenient [*för* to]

oläggligt adv inopportunely, inconveniently; **komma ~** om person el. sak come at an inconvenient moment

olämplig adj (~t) inte passande unsuitable, unfit; malplacerad ill-timed, ill-placed, untimely; pred. äv. out of place; oläglig inopportune, inconvenient; otillbörlig improper; ej ändamålsenlig inexpedient; **han är ~ som lärare** he is not fit to be (unsuitable as) a teacher

oländig adj (~t) svårframkomlig rough, rugged; ofruktbar sterile

oläsbar adj (~t) o. **oläslig** adj (~t) om handstil o.d. illegible; om bok unreadable

olönsam adj (~t, ~ma) unprofitable

olöslig adj (~t) kem. indissoluble, insoluble; om problem, uppgift o.d. insoluble, unsolvable

1 om I konj **1** villkorlig, allm. if; 'för den händelse att' äv. in case; 'antaget att' äv. supposing; 'förutsatt att' äv. provided [that]; **~ vädret tillåter** äv. weather permitting; **~ det är så** if that is the case, if so, in that case; **~ det inte hade varit för honom** if it hadn't been for him; som en hjälp äv. but for him **2** jämförande, **som ~** as though (if) **3** medgivande, **även ~** even though (if) **4** vid förslag, **~ vi skulle gå** på bio**?** what (how) about going...? **5** frågande **a)** 'huruvida' whether, if **b)** i satsförk., hade du roligt? – **Om!** ...I should say [so]!, vard. ...Not half!, ...You bet!; vill du följa med? – **Om!** ...Wouldn't I just!, ...you bet!

II s (oböjl.) if; **om inte ~ hade varit** if things had been

otherwise; **efter många ~ och men** after many ifs and buts (mycket trassel a lot of bother)

2 om

om delas in i ordklasserna
I preposition
II adverb

I *prep*
Prepositionen **om** motsvaras vanligen av **about** eller **on** i uttryck som *tala* **om** *resan* = talk **about** the trip, *en bok* **om** *veteranbilar* = a book **on** vintage cars. En annan motsvarighet är **in**, t.ex. **om** *två år* = **in** two years.

in används i många uttryck som står under andra uppslagsord. Exempelvis finns uttrycket *vara angelägen* **om** under uppslagsordet *angelägen*, uttrycket *göra* **om** under uppslagsordet *göra* osv.

Som handlar om

1 anger vad något handlar om eller har som innehåll about; ngt mer formellt on; i vissa fall of; **en bok ~** a book about (on); **historien ~** the story of (about); **fråga ~ ngt** ask about sth; **föreläsa ~** lecture on

2 anger vad något gäller vid ord som *hur, när, vad* about, as to; engelsk motsvarighet ibland utan preposition, **anvisningar ~ hur man ska** + inf. directions how to + inf., directions as to how to + inf.; **han sa ingenting ~ när han skulle komma** he said nothing about when he would come

3 i uttryck som anger vilken kroppdel något gäller har engelskan annan konstruktion, **han är röd ~ kinderna** he has red cheeks; **hon är kall ~ fötterna** she has cold feet; **torka sig ~ munnen** wipe one's mouth

4 anger vad man vill ha for; **en begäran ~** a request for; **tävla ~** compete for

Tidsbetydelse

5 anger tidpunkt i framtiden, när det har gått in; **~ tre timmar** in three hours; **~ ett år** in a year's time

6 anger tidsperiod in, during; **vad har du för dig ~ dagarna?** what are you doing in the daytime?

Rumsbetydelse

7 anger att något går eller sträcker sig runt något around; **ha en halsduk ~ halsen** have a shawl around one's neck

8 anger läge i förhållande till väderstreck eller läge i förhållande till höger eller vänster of; **norr ~** north of, to the north of; **till höger ~** to the right of

Antal, mängd

9 anger mängd, antal of; **en militär enhet ~ 400 man** a military unit of 400 men

10 anger antal gånger under en viss tidsperiod a, an, per; **en gång** (**tre gånger**) **~ dagen** once (three times) a day

II adv (se också betonad partikel under respektive verb, t.ex. *flytta om* under *flytta IV*) **1** 'omkring', **binda ~** paket o.d. tie up...; **binda ~ ett snöre om** ett paket tie a string round...; **en bok med papper ~** ...wrapped in paper (with paper wrapped round it); **helt ~!** about turn!; **runt ~** se *runtom*; **röra ~ i teet** stir one's tea; **se sig ~** look round; snöret **går inte ~** ...does (will) not go round; **vända sig ~** turn round **2** 'tillbaka', **se sig** (**vända**) **~** look (turn) back **3** 'förbi', **springa ~ ngn** run past sb, overtake sb **4** 'på nytt' **a)** **läsa ~** en bok reread...; **måla ~** en vägg repaint..., paint...[over] again (afresh); **se ~** en film see...again **b)** **många**

gånger ~ many times over; se äv. *om igen* under *igen 1* **5** 'på annat sätt', **göra** ~ remake, redo

omak *s* (~et) besvär trouble, bother; olägenhet inconvenience; **göra sig ~et att** go to the trouble of + ing-form

omaka *adj* (oböjl.) eg. odd...; bildl., om t.ex. äkta par ill-matched, ill-assorted; ~ **handskar** odd gloves; **strumporna är** ~ ...do not match (are not a pair)

Oman Oman

omanlig *adj* (~t) unmanly; förverkligad effeminate

omansk *adj* (~t) Omani

omarbeta *vb tr* (~de, ~t) se *arbeta om* under *arbeta II*

omarbetad *adj* (-arbetat, ~e) om bok o.d. revised; om lag o.d. redrafted; helt och hållet äv. rewritten; för scenen, filmen adapted

omarbetning *s* (~en, ~ar) av bok o.d. revision; för scenen, filmen adaptation, recast

ombe *vb tr* (-bad, ~tt) o. **ombedja** *vb tr* (-bad, -bett), **han ombads** (**blev ~dd**) **att** + inf. he was requested (asked, called upon) to + inf.

ombesörja *vb tr* (-sörjde, -sörjt) attend (see) to; behandla deal with; ta hand om take care of; göra do; ha hand om be in charge of, be responsible for

ombilda *vb tr* (~de, ~t) omskapa transform; omorganisera reorganize; t.ex. företag till bolag convert [*till* i samtliga fall into]; ~ **regeringen** reshuffle the government

ombonad *adj* (-bonat, ~e) om bostad o.d. [warm (nice) and] cosy, snug

ombord *adv* on board, aboard; ~ **på** m/s Mary on board the...; **gå** ~ **på** en båt, ett flygplan go on board..., board...; **gå** ~ go on board, go aboard, embark

ombrytning *s* (~en, ~ar) av satt text making up, make-up

ombud *s* (~et, =) representative; ställföreträdare deputy; vid konferens o.d. delegate; affärs~ agent; **vara ~ för** äv. deputize for, act on behalf of; **genom** ~ by proxy

ombudsman *s* (~nen, -män) representant representative; ibland ombudsman; hos organisation o.d. secretary; jur.: hos bank o.d. solicitor; hos bolag äv. company lawyer, se äv. *Justitieombudsmannen* o. andra sammans.

ombyggnad *s* (~en, ~er) rebuilding, reconstruction, conversion; **huset är under** ...is being rebuilt

ombyte *s* (~t, ~n) change; omväxling äv. variety; utbyte exchange; **ett ~ underkläder** a change of underwear

ombytlig *adj* (~t) changeable; om t.ex. väder äv. variable; om person äv. fickle, inconstant, volatile

omdana *vb tr* (~de, ~t) remodel, reshape, transform, reconstruct; reformera reform

omdaning *s* (~en, ~ar) remodelling, reshaping (alla endast sg.), transformation, reform, reconstruction

omdebatterad *adj* (-debatterat, ~e) [much] debated (discussed); omstridd controversial

omdirigera *vb tr* (~de, ~t) redirect, reroute, divert

omdiskuterad *adj* (-diskuterat, ~e) se *omdebatterad*

omdöme *s* (~t, ~n) **1** omdömesförmåga judgement; urskillning discernment, discrimination; **ha gott ~** have a sound judgement, be a good judge **2** åsikt, utlåtande opinion, judgement, estimation; **avge** (**fälla**) **ett ~ om ngn** (**ngt**) give one's opinion on sb (sth)

omdömesförmåga *s* (~n) discrimination,

discernment, judgement; **en person med** ~ a discerning person

omdömesgill *adj* (~t) judicious, discerning

omdömeslös *adj* (~t) om person ...lacking in judgement; om person o. handling injudicious

omedelbar *adj* (~t) direkt immediate, direct; ofördröjlig äv. prompt; naturlig natural, spontaneous; **den ~a orsaken var...** the immediate (primary) cause was...

omedelbart *adv* direkt immediately, directly; genast äv. at once, promptly; ~ **efter** (**före**) immediately after (before)

omedgörlig *adj* (~t) oresonlig unreasonable; inte samarbetsvillig uncooperative; ogin unaccommodating, disobliging; envis stubborn; motspänstig intractable

omedveten *adj* (-medvetet, -medvetna) unconscious [*om* of]; ovetande äv. unaware endast pred. [*om* of]; instinktiv instinctive

omedvetet *adv* unconsciously; instinktivt instinctively

omelett *s* (~en, ~er) omelette; **säg ~!** vid fotografering say cheese!

omen *s* (~et, =) omen, augury

omfamna *vb tr* (~de, ~t) embrace, hug; ~ **varandra** embrace [each other]

omfamning *s* (~en, ~ar) embrace, hug

omfartsled *s* (~en, ~er) o. **omfartsväg** *s* (~en, ~ar) bypass [road]

omfatta *vb tr* (~de, ~t) **1** innefatta, inbegripa comprise, include, comprehend; innehålla contain; sträcka sig över extend (range) over; täcka cover **2** ansluta sig till, t.ex. en lära, nya idéer embrace; en teori hold

omfattande *adj* (oböjl.) vidsträckt extensive; om t.ex. kunskaper, befogenheter wide; innehållsrik comprehensive; vittgående: om t.ex. reform far-reaching; om t.ex. förändring sweeping; i stor skala large-scale...

omfattning *s* (~en, ~ar) omfång extent, scope; utsträckning range, compass; proportioner proportions, dimensions; skala scale; **katastrofens hela** ~ the full scale of the disaster; **av betydande** ~ of considerable proportions

omforma *vb tr* (~de, ~t) ombilda transform, reshape [*till* into]; elektr. convert

omformare *s* (~n, =) elektr. [power] converter

omformulera *vb tr* (~de, ~t) reformulate; t.ex. text reword; t.ex. kontrakt redraft

omfång *s* (~et) **1** eg.: storlek size, bulk, dimensions pl.; volym volume; omkrets circumference, girth; rösts range, compass; **till ~et** in size (bulk, girth) **2** bildl.: utsträckning, omfattning scope, range, extent, compass

omfångsberäkning *s* (~en, ~ar) av böcker casting off

omfångsrik *adj* (~t) allm. extensive, voluminous, bulky

omföderska *s* (~n, -föderskor) woman having her second (third etc.) baby

omfördela *vb tr* (~de, ~t) redistribute; data. reallocate

omfördelning *s* (~en, ~ar) redistribution; data. reallocation

omförhandla *vb tr* (~de, ~t) renegotiate

omförhandling *s* (~en, ~ar) renegotiation

omge *vb tr* (-gav, -gett el. -givit) surround, enclose, encircle, encompass

omgestalta *vb tr* (~de, ~t) remould, refashion, reshape, transform

omgift *adj* (=) remarried; *han är* ~ he has remarried, he has married again

omgifte *s* (~t, ~n) remarriage

omgivning *s* (~en, ~ar) t.ex. en stads surroundings pl., environs pl. (båda äv. övers. för *~ar*); trakt neighbourhood, district; miljö environment; *hans närmaste* ~ those pl. closest to him; han är en fara *för sin* ~ ...to those around him

omgjord *adj* (-gjort) på nytt redone..., remade...; ändrad altered...; *den är* ~ it has been redone etc.

omgruppera *vb tr* (~de, ~t) regroup

omgående *adv* omedelbart immediately, at once

omgång *s* (~en, ~ar) **1** konkr.: uppsättning, sats set; hop batch; *en* ~ *underkläder* a set (change) of underwear; *bjuda på en* ~ *öl* stand a round of beer **2** abstr.: sport., kortsp. m.m round; skift, tur turn, spell, relay; *i ~ar* efter varandra by (in) turns, successively; han har vistats på sjukhus *i ett par ~ar* on two separate occasions... **3** vard., stryk beating, thrashing

omgärda *vb tr* (~de, ~t) förse med stängsel fence (close)...in, enclose; bildl. surround

omhulda *vb tr* (~de, ~t) t.ex. vetenskap o. konst foster; t.ex. teori cherish; person take good care of, make much of

omhänderta *vb tr* (-tog, -tagit) ta hand om take care (charge) of, look after; om polis take...into custody

omhändertagande *s* (~t, ~n), *lagen om tillfälligt* ~ the Act by which offenders may be taken into temporary custody

omild *adj* (-milt) om behandling o.d. harsh, rough, ungentle; om klimat ungenial; om kritik severe

omintetgöra *vb tr* (-gjorde, -gjort) planer, förhoppningar o.d. frustrate, thwart; planer äv. balk, foil; *planerna omintetgjordes* äv. ...were brought to nothing

omisskännlig *adj* (~t) unmistakable; uppenbar äv. obvious, pronounced

omistlig *adj* (~t) oumbärlig indispensable; om rättighet o.d. inalienable; oskattbar priceless

omkastare *s* (~n, =) elektr. change-over switch

omkastning *s* (~en, ~ar) av ordningen inversion; av bokstäver o.d. transposition; av åsikter o.d. reversal

omklädd *adj* (-klätt) om möbel re-covered

omklädnad *s* (~en) o. **omklädning** *s* (~en) av möbler re-covering

omklädningshytt *s* (~en, ~er) inomhus [dressing] cubicle; vid strand bathing hut

omklädningsrum *s* (~met, =) dressing-room, changing-room; med låsbara skåp locker room

omkomma *vb itr* (-kom, -kommit) be killed, die; ~ *i* en bilolycka be killed in...; *de omkomna* the victims, those killed

omkoppling *s* (~en, ~ar) tele. reconnection; elektr. change-over, switch-over

omkostnad *s* (~en, ~er), *~er* allm. cost[s pl.]; utgifter expense[s pl.], expenditure sg.; *extra ~er* extras

omkrets *s* (~en) circumference; geom. äv. perimeter; 5 meter *i* ~ ...in circumference

omkring I *prep* (jfr äv. *kring I 1*) **1** i rumsbetydelse, 'kring' round, about; speciellt amer. around; *runt* ~ around, round about; sitta ~ *bordet* ...round the table **2** i tidsbetydelse, han kommer ~ *den första* ...[round] about the 1st; ~ *den första* är det alltid mycket att göra around the 1st...; ~ *klockan två* at about two; vard. äv. twoish

II *adv* **1** (se också betonad partikel under respektive verb, t.ex. *springa omkring* under *2 springa II*); eg. [a]round; hit och dit about; *gå* ~ *på gatorna* walk about the streets; *se sig* ~ look round (around); *se sig* ~ *i rummet* look round (around) the room; *runt* ~ all round (around); vard. all over the place; *när allt kommer* ~ after all, when it comes down to it, at the end of the day **2** ungefär about, se vidare *ungefär I*

omkull *adv* down, over

omkväde *s* (~t, ~n) litt.vet. refrain, burden

omkörning *s* (~en, ~ar) omkörande overtaking, amer. passing; ~ *förbjuden* no overtaking (amer. passing); *göra en* ~ overtake, amer. pass

omkörningsfil *s* (~en, ~er) fast (overtaking, amer. passing) lane

omkörningsförbud *s* (~et, =) som skylt o.d. no overtaking (amer. passing), overtaking prohibited

omlastning *s* (~en, ~ar) på nytt reloading; till annat transportmedel transshipment

omlokalisera *vb tr* (~de, ~t) relocate, re-site

omlopp *s* (~et, =) allm. circulation; astron. revolution; *sätta i* ~ pengar put...into circulation; rykten circulate, put about; en del rykten *är i* ~ *att* ...are going about (are circulating) [to the effect] that

omloppsbana *s* (~n, -banor) astron. el. om satellit o.d. orbit

omlott *adv*, *gå* ~ overlap

omlottkjol *s* (~en, ~ar) wraparound skirt

omläggning *s* (~en, ~ar) **1** omändring change, alteration; t.ex. av schema, arbetstid rearrangement; t.ex. av produktion switch-over, change-over; av trafik diversion; omorganisering reorganization **2** av gata: reparation repaving; mer omfattande reconstruction **3** av sår bandaging, dressing

ommöblering *s* (~en, ~ar) **1** omflyttning av möbler rearrangement of furniture; byte av möbler refurnishing **2** inom regering o.d. reshuffle, shake-up

omnejd *s* (~en) neighbourhood, surroundings pl., surrounding country; Stockholm *med* ~ ...and environs

omnämna *vb tr* (-nämnde, -nämnt) mention [*för ngn* to sb]; make mention of, refer to

omnämnande *s* (~t, ~n) mention [*av* of]; reference [*av* to]

omodern *adj* (~t) inte längre på modet out of date, unfashionable; gammalmodig old-fashioned, outmoded, vard. old hat; ~ *lägenhet* flat without modern conveniences (vard. mod cons), amer. cold-water flat; *bli* ~ go out of fashion, become old-fashioned (dated)

omogen *adj* (-moget, -mogna) unripe; om frukt äv. green; om person, attityd o.d. immature, vard. half-baked

omoralisk *adj* (~t) immoral; oetisk unethical

omorganisation *s* (~en, ~er) reorganization

omorganisera *vb tr* (~de, ~t) reorganize

omotiverad *adj* (-motiverat, ~e) **1** oberättigad unjustified, unwarranted; opåkallad uncalled for, unprovoked; ogrundad unfounded **2** utan motivation unmotivated

omplacera *vb tr* (~de, ~t) tjänsteman o.d. transfer...to another post, se vidare *placera om* under *placera III*

omplacering *s* (~en, ~ar) av t.ex. möbler rearrangement; av tjänsteman o.d. transfer [to another post]; av pengar reinvestment

omplantering *s* (~en, ~ar) transplanting, transplantation äv. bildl.; i rabatt o.d. äv. replanting; av krukväxt repotting

ompröva *vb tr* (~de, ~t) allm. reconsider; undersöka reinvestigate, re-examine, review äv. jur.

omprövning *s* (~en, ~ar) reconsideration, reappraisal; undersökning reinvestigation, review äv. jur.; examen new (fresh) examination; **ta ngt under ~** reconsider sth

omringa *vb tr* (~de, ~t) surround, encircle, close in on

område *s* (~t, ~n) **1** eg. **a)** geogr. territory; mindre district, area, zone; trakt region **b)** inhägnat: allm. grounds pl.; speciellt vid kyrka o.d. precincts pl.; **förbjudet ~!** no trespassing!; **privat ~** private property **2** bildl.: gebit o.d. field, sphere, range; fack branch; **det är inte mitt ~** that is outside my area (vard. not in my line)

omräkningskurs *s* (~en, ~er) rate of exchange

omrörning *s* (~en, ~ar) kok. o.d. stirring; koka den **under ~** ...stirring it [all the time]

omröstning *s* (~en, ~ar) voting; med röstsedlar ballot voting; **en ~** a vote; **låta en fråga gå till ~** let a matter be decided by vote; **sluten ~** secret vote; system [secret] ballot

omsider *adv*, **sent ~** at long last, at length

omskaka *vb tr* (~de, ~t), **~s väl!** shake well before using!

omskakad *adj* (-skakat, ~e) eg. shaken; starkare jolted; bildl. shocked

omskakande *adj* (oböjl.) upprörande upsetting; starkare shocking

omskola I *vb tr* (~de, ~t) retrain; lära upp på nytt re-educate **II** *vb rfl* (~de, ~t), **~ sig till...** train [oneself] to become...

omskolning *s* (~en, ~ar) retraining, re-education

omskriva *vb tr* (-skrev, -skrivit) återge med andra ord paraphrase; **en mycket omskriven** händelse a much discussed..., a...about which a great deal has been written

omskrivning *s* (~en, ~ar) återgivande med andra ord circumlocution; förklarande paraphrase, periphras|is (pl. -es); **en förskönande ~** a euphemism

omskuren *adj* (-skuret, -skurna) circumcised

omskära *vb tr* (-skar, -skurit) circumcise

omskärelse *s* (~n, ~r) circumcision

omslag *s* (~et, =) **1** pärm på bok cover; löst bokomslag [dust] jacket, dust cover; skivfodral sleeve, cover; **~ets framsida (baksida)** på bok outside front (back) cover **2** förändring, i väder o.d. change; i stämningen o.d. äv. reversal, reaction; i känslorna äv. revulsion [i i samtliga fall in (of)]

omslagsbild *s* (~en, ~er) cover picture

omslagspapper *s* (~et el. -pappret, =) wrapping paper

omslingrad *adj* (-slingrat, ~e), de satt **tätt ~e** ...locked in an embrace

omsluta *vb tr* (-slöt, -slutit) gripa om clasp; omge surround; innesluta enclose, encircle

omsorg *s* (~en, ~er) **1** omvårdnad care [om of (om person äv. for)]; **slösa sina ~er på ngn** lavish one's care and attention on sb **2** noggrannhet care, precision, exactness; samvetsgrannhet conscientiousness; **lägga ned stor ~ på ngt** devote great care (pains) to sth; **med ~** with care, carefully, meticulously

omsorgsfull *adj* (~t) allm. careful; noggrann äv.

painstaking, precise; samvetsgrann scrupulous, conscientious; grundlig thorough; i detalj utarbetad o.d. elaborate

omspel *s* (~et, =) sport. replay; **det blir ~** i morgon there will be a replay..., the match will be replayed...

omspänna *vb tr* (-spände, -spänt) sträcka sig över cover, extend (stretch) over, span; omfatta embrace

omstart *s* (~en, ~er) data. reboot, restart

omstridd *adj* (-stritt) disputed, ...in dispute; **en ~ fråga** äv. a controversial issue

omstrukturera *vb tr* (~de, ~t) restructure

omstrukturering *s* (~en, ~ar) restructuring

omstående *adj* (oböjl.), **på ~ sida a)** av blankett o.d. on the back b) i bok overleaf

omställbar *adj* (~t) adjustable, adaptable

omställning *s* (~en, ~ar) **1** bildl., anpassning i ny miljö adaptation, adjustment **2** ändring, omkoppling change[-over], switch-over; av t.ex. drift äv. conversion; inställning, av instrument o.d. adjustment

omställningskostnader *s pl* conversion costs

omständighet *s* (~en, ~er) **1** allm. circumstance; faktiskt förhållande äv. fact; faktor factor; **~er** äv. state of affairs sg., conditions; **förmildrande ~er** extenuating circumstances; **han mår efter ~erna bra** he is well, considering [the circumstances]; **under alla ~er** at any rate, in any case; **under inga ~er** under no circumstances, on no account, by no [manner of] means **2 leva i små ~er** live in modest circumstances **3** utan [vidare] **~er** invändningar without [further] ceremony

omständlig *adj* (~t) utförlig circumstantial, detailed; långrandig long-winded äv. om person, lengthy, roundabout; ceremoniös ceremonious

omstörta *vb tr* (~de, ~t) bildl. overthrow, subvert, upset

omstörtande *adj* (oböjl.), **~ verksamhet** polit. subversive activity

omsvep *s pl*, säga ngt **utan ~** ...straight out, ...in so many words, ...without beating about the bush

omsvängning *s* (~en, ~ar) plötslig förändring [sudden] change, turn [of the tide]; i opinion, politik o.d. äv. swing, reversal, change-over, veer

omsätta *vb tr* (-satte, -satt) **1** omvandla convert, transform, turn [i i samtliga fall into]; **~ i praktiken** put into practice, implement **2** ekon., ha en omsättning av turn over; sälja sell, market; lån o.d. renew

omsättning *s* (~en, ~ar) ekon., försäljning på t.ex. årsbasis turnover, sales pl.; lån renewal; på arbetskraft turnover; kommers, affärsverksamhet business, trade; **snabb (årlig) ~** quick (annual) turnover; **öka ~en** increase sales (the turnover)

omsättningsskatt *s* (~en, ~er) allmän varuskatt sales tax; på företags omsättning turnover tax

omtag *s* (~et, =) runt gardin tie-back

omtagning *s* (~en, ~ar) film. retake; mus. repeat

omtagningstecken *s* (-tecknet, =) mus. repeat mark

omtalad *adj* (-talat, ~e) talked-about; dryftad discussed; omnämnd mentioned; **den förut ~e** processen the previously-mentioned...; **mycket ~d** much discussed (talked of); **vara ~d för** sin duglighet be renowned (famous) for...; jfr äv. *tala om* under *tala III*

omtanke *s* (~n, -tankar) omsorg care; omtänksamhet consideration, thought, concern [om i samtliga fall for]; thoughtfulness

omtapetsering *s* (~en, ~ar) repapering; *målning och ~* [painting and] redecoration

omtenta *s* (~n, -tentor) vard. resit

omtryck *s* (~et, =) typogr. reprint

omtumlad *adj* (-tumlat, ~e) dazed, ...in a daze, bewildered, dizzy

omtumlande *adj* (oböjl.) overwhelming, bewildering

omtvistad *adj* (-tvistat, ~e) disputed, ...in dispute; *en ~ fråga* äv. a controversial question, a moot point

omtyckt *adj* (=) popular [*av* with]; eftersökt äv. ...much in demand; på modet ...much in vogue (fashion); *vara ~* äv. be liked; *illa ~* unpopular; *vara illa ~* äv. be disliked

omtänksam *adj* (~t, ~ma) full av omtanke considerate [*mot* towards (to)]; thoughtful [*mot* of]

omtänksamhet *s* (~en) consideration [*mot* for], considerateness, thoughtfulness

omtöcknad *adj* (-töcknat, ~e) dazed, groggy; av sprit o.d. äv. fuddled, muddled; boxn. punch-drunk

omusikalisk *adj* (~t) unmusical

omutlig *adj* (~t) som ej kan mutas incorruptible, unbribable; obeveklig uncompromising, inflexible

omval *s* (~et, =) **1** nytt val new (second) election **2** återval re-election; *ställa upp för (till) ~* seek re-election; i Storbr. äv. stand again; i USA äv. run again

omvald *adj* (-valt) re-elected

omvandla *vb tr* (~de, ~t) förändra transform, change; omräkna convert [*till* i samtliga fall into]

omvandling *s* (~en, ~ar) förändring transformation, change; omräkning conversion

omvårdnad *s* (~en) care; sjukvård nursing [*av* (*om*) i båda fallen of]

omväg *s* (~en, ~ar) detour, roundabout (circuitous) way (route); *ta* (*köra* osv.) *en ~* make a detour; *få höra ngt på ~ar* ung. hear sth on the grapevine

omvälja *vb tr* (-valde, -valt) re-elect

omvälvande *adj* (oböjl.) om t.ex. plan revolutionary

omvälvning *s* (~en, ~ar) revolution, upheaval

omvänd *adj* (-vänt) **1** omkastad inverted, reversed, inverse äv. matem.; motsatt converse, opposite, contrary; *han var som en ~ hand* he had turned (changed) round completely; *i ~ ordning* in reverse order, inversely **2** relig. el. friare converted [*till* to]

omvända *vb tr* (-vände, -vänt) relig. convert; friare äv. bring...round [*till* to]; *~ sig* relig. be converted; friare come round

omvändelse *s* (~n, ~r) relig. conversion äv. friare

omvänt *adv* inversely; å andra sidan on the other hand; *och* (*eller*) *~* and (or) vice versa lat.

omvärdera *vb tr* (~de, ~t) revalue; amer. revaluate, reassess; ompröva reappraise

omvärdering *s* (~en, ~ar) revaluation, reassessment; omprövning reappraisal

omvärld *s* (~en), *~en* the world around [one], the surrounding world, jfr *omgivning*

omväxlande I *adj* (oböjl.) **1** om t.ex. natur, program varied; inte enformig ...full of variety **2** alternerande alternate, alternating **II** *adv* alternately, by turns

omväxling *s* (~en) ombyte change; förändring variety, variation; växling alternation; *som ~* for a change

omyndig *adj* (~t) **1** minderårig ...under age; *han är ~* äv. he is a minor **2** psykiskt o.d., *förklara ngn ~* jur. declare sb incapacitated

omyndigförklarad *adj* (-förklarat, ~e) jur. incapacitated

omålad *adj* (-målat, ~e) unpainted; utan makeup ...without make-up

omåttlig *adj* (~t) spec. i fråga om mat o. dryck immoderate, excessive; överdriven exorbitant, inordinate; ofantlig tremendous, enormous, immense

omåttligt *adv* immoderately etc., jfr *omåttlig*; to excess

omänsklig *adj* (~t) inhuman

omärklig *adj* (~t) imperceptible, insensible, unnoticeable; osynlig indiscernible; *nästan ~* hardly perceptible

omärkligt *adv* imperceptibly etc., jfr *omärklig*; i smyg stealthily, furtively

omätlig *adj* (~t) immeasurable; gränslös äv. boundless, vast, immense

omättad *adj* (-mättat, ~e) kem. unsaturated

omättlig *adj* (~t) insatiable; bildl. äv. insatiate, unappeasable

omöblerad *adj* (-möblerat, ~e) unfurnished

omöjlig *adj* (~t) impossible; ogörlig äv. unfeasible, impracticable; *han brukar inte vara ~* he is usually very reasonable; *göra sig ~* make oneself impossible; *begära det ~a* ask for impossibilities

omöjligen *adv*, *jag kan ~ göra det* I cannot (can't) possibly do it

omöjliggöra *vb tr* (-gjorde, -gjort) make (render)...impossible; utesluta preclude

omöjlighet *s* (~en, ~er) impossibility; impracticability (endast sg.)

omöjligt *adv* se *omöjligen*

omönstrad *adj* (-mönstrat, ~e) om tyg o.d. ...without a pattern, unpatterned, plain

onanera *vb itr* (~de, ~t) masturbate, play with oneself

onani *s* (~n) masturbation

onaturlig *adj* (~t) unnatural; konstlad äv. artificial, affected; onormal abnormal

ond I *adj* (ont) (jfr *värre* o. *värst*) **1** framför allt i moraliskt hänseende: allm. evil; elak äv. wicked; dålig äv. bad; *~ ande* evil spirit; *~a aningar* misgivings; *~ cirkel* vicious circle; aldrig säga *ett ont ord till* (*om*) ngn ...a nasty word to (about) sb; *av två ~a ting väljer man det minst ~a* of two evils choose the less, one must choose the lesser of two evils **2** arg angry [*på* with (at)], amer. mad [*på* at; *över* i båda fallen about (at)]; annoyed [*på* with; *över* at]; *bli ~* get angry etc. **3** som gör ont, om del av kroppen sore, bad

II *s* **1** *den* (*hin*) *~e* the Evil One **2** *det ~a* a) smärtorna the pain, the ache; sjukdomshärden the trouble, the complaint b) om last, omoral o.d. the evil; *ta det ~a med det goda* take the rough with the smooth **3** *ont* a) allm., *roten till allt ont* the root of all evil; *inget ont* nothing (no) evil; *ett nödvändigt ont* a necessary evil; *hon fortsatte intet ont anande* ...unsuspectingly; *inget ont som inte har något gott med sig* it's an ill wind that blows nobody any good; *göra ont värre* make matters worse; starkare add insult to injury b) plåga, värk pain, ache; *göra ont* hurt; *gör det ont i knät?* does your knee hurt?; *var gör det ont?* äv. where's the pain?; *ha ont* be in pain, suffer; **ha ont i halsen** have a sore throat; **ha [mycket] ont i huvudet** have a [bad] headache; **ha ont i magen** have a pain in the stomach, have [a] stomach-ache **c**) **ont om** knapphet på: **det är ont om** smör (i allmänhet) ...is scarce, there is a shortage of..., (vid en måltid) there is not very much...; **ha ont om...** be short of...; **ha ont om pengar** äv. be hard up for money; vard. be cash-strapped; **ha ont om tid** be pressed (pushed) for time

ondgöra *vb rfl* (-gjorde, -gjort), ~ **sig över ngt** klaga över complain about sth; kritisera criticize sth; ~ **sig över att** klaga över complain about the fact that

ondo *s* (oböjl.), **det är inte helt av** ~ it is not altogether a bad thing; **fräls oss ifrån** ~! bibl. deliver us from evil!

ondsint *adj* (=) illvillig evil, malicious; elak ill-natured

ondska *s* (~n) evil; elakhet, illvilja malice, spite

ondskefull *adj* (~t) elak, illvillig spiteful, malicious, malevolent

onekligen *adv* undeniably, certainly, doubtless

onkel *s* (~n, onklar) uncle

online *adv* data. online

onlinetjänst *s* (~en, ~er) online service

onomatopoetisk *adj* (~t) språkv. onomatopoeic, onomatopoetic

onormal *adj* (~t) abnormal; ovanlig exceptional

onsdag *s* (oböjl., en) Wednesday; jfr *fredag* för ex. o. sammansättn.

ont *s* (oböjl., ett) se *ond*

onumrerad *adj* (-numrerat, ~e) unnumbered; **~e platser** vanl. unreserved seats

onyanserad *adj* (-nyanserat, ~e) eg. ...without nuances, ...without light and shade; bildl. without nuance; förenklad simplistic

onykter *adj* (~t, -nyktra) intoxicated, drunk, se äv. *berusad*; köra bil **i ~t tillstånd** ...when under the influence of drink (liquor)

onyttig *adj* (~t) till ingen nytta useless, ...[that is (was etc.)] of no use; ohälsosam, t.ex. om mat unhealthy, unwholesome

onyx *s* (~en, ~er) miner. onyx

onåbar *adj* (~t) unreachable, inaccessible

onåd *s* (oböjl.) disfavour, disgrace; **falla (råka) i ~ hos ngn** fall (get) into disfavour (disgrace) with sb, fall (get) out of favour with sb

onödan *s* (best. sing.), **i ~** unnecessarily, without [due] cause; **han gör inte något i ~** ...if he doesn't have to, ...unless he has to

onödig *adj* (~t) unnecessary, needless; obehövlig äv. unneeded, unneedful

oombedd *adj* (-ombett) unasked, uninvited; av fri vilja unsolicited; **slå sig ned ~** vanl. ...without being asked

oomstridd *adj* (-omstritt) undisputed, unchallenged, uncontested

oomtvistlig *adj* (~t) indisputable, incontestable

oordentlig *adj* (~t) **1** om person: inte noggrann careless; vårdslös, ovårdad slovenly, untidy **2** om sak: t.ex. om skick disorderly; ostädad untidy

oordnad *adj* (-ordnat, ~e) utan att ha ordnats unarranged; i oordning disordered, disorderly; om hår dishevelled; om förhållanden unsettled

oordning *s* (~en) allm. disorder; förvirring äv. confusion; oreda äv. disarray, muddle, mess; **i ~** in disorder, in confusion, in a muddle, in a mess

oorganiserad *adj* (-organiserat, ~e) unorganized; ~ **arbetskraft** äv. non-union labour

oorganisk *adj* (~t) inorganic

opal *s* (~en, ~er) miner. opal

oparfymerad *adj* (-parfymerat, ~e) unscented, ...without perfume, fragrance free

oparlamentarisk *adj* (~t) unparliamentary

opartisk *adj* (~t) allm. impartial, non-partisan; neutral neutral

opassande I *adj* (oböjl.) allm. improper, unbecoming; oanständig indecent; **det är ~** äv. it is bad form **II** *adv* improperly etc., jfr *opassande I*; **uppföra sig** äv. misbehave

opasslig *adj* (~t) indisposed

opastöriserad *adj* (-pastöriserat, ~e) unpasteurized

opatriotisk *adj* (~t) unpatriotic

OPEC (förk. för *Organization of Petroleum Exporting Countries*) OPEC

opedagogisk *adj* (~t) unpedagogical

opera *s* (~n, operor) opera; byggnad opera house; **gå på ~n** go to the opera

operachef *s* (~en, ~er) opera director

operaföreställning *s* (~en, ~ar) opera performance

operahus *s* (~et, =) opera house

operasångare *s* (~n, =) o. **operasångerska** *s* (~n, -sångerskor) opera-singer

operation *s* (~en, ~er) **1** allm. el. mil. operation **2** med. [surgical] operation [*i* t.ex. magen on]; **göra en ~** perform (carry out) an operation **3** kampanj campaign; **göra ~ dörrknackning** av polisen ...a house-to-house search; för insamling ...a house-to-house (door-to-door) collection

operationsbord *s* (~et, =) operating table

operationskniv *s* (~en, ~ar) operating knife

operationssal *s* (~en, ~ar) operating theatre (amer. room)

operationssköterska *s* (~n, -sköterskor) theatre nurse (sister); amer. operating-room nurse

operativsystem *s* (~et, =) data. operating system

operatris *s* (~en, ~er) o. **operatör** *s* (~en, ~er) operator

operera I *vb itr* (~de, ~t) agera, verka, vara i arbete operate; ~ **på egen hand** operate independently **II** *vb tr* (~de, ~t) med. operate on [*för* for]; **bli ~d för...** have (undergo) an operation for...; ~ **bort** remove...surgically

operett *s* (~en, ~er) klassisk operetta, light opera; mera modern musical comedy

operettartad *adj* (-artat, ~e) comic-opera..., ...like a comic opera

opersonlig *adj* (~t) impersonal

opinion *s* (~en, ~er) [public] opinion; **den allmänna ~en** public opinion, the general feeling; **skapa (väcka) ~ för...** rouse public opinion in favour of...

opinionsbildare *s* (~n, =) moulder (creator) of public opinion

opinionsbildning *s* (~en, ~ar) [the] formation (moulding, creation) of public opinion

opinionsmöte *s* (~t, ~n) ung. public meeting

opinionssiffror *s pl*, **bra (dåliga) ~** high (poor) poll ratings

opinionsundersökning *s* (~en, ~ar) [public] opinion poll

opium *s* (opiet el. ~et) opium

oplacerad *adj* (-placerat, ~e) sport. unplaced

oplockad *adj* (-plockat, ~e) om t.ex. blomma unpicked; om fågel unplucked; **ha en gås ~ med ngn** have a bone to pick with sb

opolerad *adj* (-polerat, ~e) unpolished; bildl. äv. rough; unrefined

opolitisk *adj* (~t) unpolitical, non-political

opossum *s* (~en, ~ar) zool. opossum äv. skinn; vard. possum

opp *adv* o. **oppe** *adv* se *upp* o. *uppe*

opponent *s* (~en, ~er) opponent

opponera I *vb itr* (~de, ~t) vid disputation o.d. act as opponent (resp. opponents) **II** *vb rfl* (~de, ~t), **~ sig** object, raise objections [*mot* to]

opportun *adj* (~t) opportune, well-timed; lämplig äv. expedient, convenient; passande äv. appropriate

opportunist *s* (~en, ~er) opportunist

opportunistisk *adj* (~t) opportunist, opportunistic

opposition *s* (~en, ~er) opposition; **~en** parl. the Opposition; **i ~** in opposition

oppositionell *adj* (~t) oppositional

oppositionsledare *s* (~n, =) leader of the Opposition

oppositionsparti *s* (~et, ~er) opposition party

opraktisk *adj* (~t) impractical, unpractical

opressad *adj* (-pressat, ~e) unpressed

opretentiös *adj* (~t) unpretentious

oprofessionell *adj* (~t) unprofessional

oproportionerlig *adj* (~t) disproportionate, ...out of proportion (scale)

oprovocerad *adj* (-provocerat, ~e) unprovoked

oprövad *adj* (-prövat, ~e) untried; friare el. bildl. untested

opsykologisk *adj* (~t) unpsychological, ...[that is (was osv.)] not psychological

optik *s* (~en) optics sg.; linssystem i kamera o.d. lens system

optiker *s* (~n, =) optician; affär optician's [shop]

optimal *adj* (~t) optimum..., optimal

optimera *vb tr* (~de, ~t) optimize

optimism *s* (~en) optimism

optimist *s* (~en, ~er) optimist

optimistisk *adj* (~t) optimistic

optimistjolle *s* (~n, -jollar) sjö. optimist dinghy

option *s* (~en, ~er) option äv. ekon.

optionsmarknad *s* (~en, ~er) option market

optisk *adj* (~t) optic[al]; **~ [bild]läsare** data. optical scanner; **~ fiber** optical fibre; **~t glas** optical glass; **~ [tecken]läsare** data. optical character reader (förk. OCR); **~ [tecken]läsning** data. optical character recognition (förk. OCR); **~ villa** optical illusion; **~t vitmedel** optical whitening agent

opublicerad *adj* (-publicerat, ~e) unpublished

opus *s* (~et, =) work, production; mus. opus (pl. opuses el. opera)

opåkallad *adj* (-kallat, ~e) uncalled for; obefogad äv. unwarranted; onödig äv. unnecessary

opålitlig *adj* (~t) om person el. sak unreliable, untrustworthy, undependable; om väder äv. unsettled

opåräknad *adj* (-räknat, ~e) unexpected; unlooked for

opåtalt *adv*, det får inte **ske ~** ...pass unnoticed (without a protest, unchallenged)

opåverkad *adj* (-påverkat, ~e) uninfluenced, unaffected, unmoved [*av* i samtliga fall by]

or *s* (~et, =) zool. mite

oraffinerad *adj* (-raffinerat, ~e) tekn. unrefined

orakad *adj* (-rakat, ~e) unshaved, unshaven

orakel *s* (oraklet, = el. orakler) oracle; **oraklet i Delfi** the Delphic Oracle

orakelsvar *s* (~et, =) oracle

oral I *adj* (~t) fysiol. el. språkv. el. psykol. oral **II** *s* (~en, ~er) språkv. oral sound

oralsex *s* (~et) oral sex

orange *s* (oböjl.) o. *adj* (=, = el. ~a) orange; för sammansättn. jfr *blå-*

orangeri *s* (~et, ~er) orangery; mindre hothouse

orangutang *s* (~en, ~er) zool. orang-outang, orang-utan

oratorium *s* (oratoriet, oratorier) mus. oratorio (pl. -s)

ord *s* (~et, =) word; löfte word, promise; **Guds ~** the Word of God, God's Word; **inte ett ~ om det här!** not (don't breathe) a word about this!; vard. mum's the word!; **hårda ~** harsh words; **stora ~** big words; **tomma ~** empty (idle) words; **~et är fritt** vid möte the debate is opened, everyone is now free to speak; förvåning **är inte rätta ~et** bildl. ...is not the word for it; **begära ~et** ask permission to speak; **få ~et** be called upon to speak; parl. be given the floor; **få sista ~et** have the last word; **ge ngn sitt ~ på ngt** give sb one's word for sth; **ge ngn ~et** el. **överlämna ~et åt ngn** call upon sb to speak; **hålla [sitt] ~** be as good as one's word, keep one's promise (word) [*till* to]; han kan inte **ett ~ latin** ...a word of Latin; **jag saknar ~!** words fail me!; **tala (växla) ett par ~ med...** have a word with...; **välja sina ~** [pick and] choose one's words; **innan jag visste ~et av** before I knew where I was; vard. before I could say knife (Jack Robinson); **med andra ~** in other words; **med egna ~** in one's own words; **ta ngn på ~en** take sb at his (her etc.) word

orda *vb itr* (~de, ~t), **~ om** talk about, discuss

ordagrann *adj* (-grant) literal; om översättning äv. word-for-word...; om referat o.d. verbatim (lat.)...

ordagrant *adv* literally, word for word, verbatim lat.

ordalag *s pl* words, terms; **i allmänna ~** in general terms

ordalydelse *s* (~n, ~r) wording, text; **det har följande ~** it runs as follows

ordbajsare *s* (~n el. -bajsarn, =) vard. gasbag, windbag

ordbehandlare *s* (~n, =) data. word processor

ordbehandling *s* (~en) data. word processing

ordblind *adj* (-blint) word-blind; vetensk. dyslectic; **vara ~** äv. be a dyslectic

ordblindhet *s* (~en) word-blindness; vetensk. dyslexia

ordbok *s* (~en, -böcker) dictionary

orden *s* (=, en, ordnar) **1** samfund order **2** ordenstecken decoration, order

ordenssällskap *s* (~et, =) order, fraternal order (society, association), fellowship

ordentlig *adj* (~t) **1** ordningsam orderly, methodical; noggrann careful, accurate [*med* i samtliga fall about, as to]; välartad well-behaved; anständig decent, nice; prydlig neat; proper tidy **2** friare: riktig proper; rejäl real, regular; grundlig thorough, sound, good; jag har fått **en ~ förkylning** ...a terrible (awful) cold; **ett ~t mål mat** a square meal; **en ~ smäll** slag a nasty bang (knock)

ordentligt *adv* in an orderly (osv.) manner,

methodically etc., jfr *ordentlig*; **klä på sig** ~ varmt wrap (cover) oneself up properly (really well); dörren var ~ **stängd** ...properly shut; **uppföra sig (sitta)** ~ behave (sit) properly; **uppför dig ~!** behave yourself!

order *s* (~n, =) **1** befallning order, command; instruktion instruction, direction; **få ~ [om] att** + inf. be ordered (instructed) to + inf.; **ge ~ om ngt** order sth; **ha ~ att** + inf. have (be under) orders to + inf.; **lyda ~** obey orders; **på ~ av** by order of **2** hand. order; **få en ~ på en vara** obtain (get) an order for an article; **placera en ~ hos** place an order with

orderbekräftelse *s* (~n, ~r) order confirmation

orderbok *s* (~en, -böcker) hand. order book

orderingång *s* (~en, ~ar) hand. order intake

orderstock *s* (~en, ~ar) hand. volume of orders; av icke utförda order backlog [of orders]

ordföljd *s* (~en, ~er), **rak (omvänd)** ~ normal (inverted) word order

ordförande *s* (~n, =) vid sammanträde chairman, chairperson; kvinnlig äv. chairwoman [*vid* at (of)]; i större sammanhang el. i förening, domstol o.d. president [*i* of]; **sitta [som]** ~ **vid** ett möte be chairman at..., chair..., preside at (over)...

ordförandeklubba *s* (~n, -klubbor) chairman's gavel

ordförandeskap *s* (~et, =) chairmanship, presidency

ordförklaring *s* (~en, ~ar) definition (explanation) of a word

ordförråd *s* (~et, =) vocabulary

ordförståelse *s* (~n) [word] comprehension

ordinarie *adj* (oböjl.) om tur o.d. regular; om tjänst permanent; om fast anställd äv. ...on the permanent staff; vanlig ordinary; ~ **arbetstid** regular working hours pl.; **till ~ pris** at the standard (regular) price

ordination *s* (~en, ~er) **1** med. prescription **2** prästvigning ordination

ordinera *vb tr* (~de, ~t) **1** med. prescribe **2** prästviga ordain

ordinär *adj* (~t) vanlig ordinary, common; genomsnittlig average

ordklass *s* (~en, ~er) gram. part of speech

ordlek *s* (~en, ~ar) pun, play on words

ordlista *s* (~n, -listor) vocabulary; specialiserad ofta glossary; enklare alfabetisk word list

ordna I *vb tr* o. *vb itr* (~de, ~t) **1** ställa...i ordning arrange; amer. äv. fix; bringa ordning i äv. put...in order, adjust, put...straight; sina affärer settle; ~ **en fest** arrange a party **2** se till, t.ex. att ngt blir gjort, klara av arrange; amer. el. vard. fix [up]; reda upp, hand., ekon. o.d. settle, straighten out, put...right; skaffa get, find; ta hand om see to; ~ **[med]** organize; t.ex. biljetter arrange, get; ~ **arbete åt ngn** find sb a job, fix sb up with a job; **det ska vi nog ~** we'll see to (we'll take care of) that

II *vb rfl* (~de, ~t), **det ~r sig nog!** it will be all right (sort itself out, straighten itself out) [don't you worry]!

III med beton. part.

ordna in se *inordna*

ordna om ändra arrange...differently, rearrange

ordna till: ~ **till håret** put one's hair straight, tidy (amer. fix) one's hair; ~ **till** slipsen (klädseln) adjust one's tie (clothes)

ordna upp reda ut settle [up]; **det ~r nog upp sig så**

småningom things will sort themselves out in the end

ordning *s* (~en, ~ar) **1** allm. order; ordentlighet, ~ o. reda orderliness; snygghet tidiness; metod method, plan; system system; föreskrift regulations, rules (båda pl.); **[den] allmänna ~en** law and order; **upprätthålla (återställa) ~en** maintain (restore) order; **hålla ~ i** byrålådorna keep...in [good] order, keep...tidy; **det är ingen ~ med (på) honom** han är opålitlig he is unreliable (slarvig careless); **jag får ingen ~ på det här** I can't get this straight (bli klok på make this out); **hålla ~ på...** keep...in order (under control); **för ~ens skull** för formens skull as a matter of form; **det är helt i sin ~** ...quite in order (quite all right); vard. ...OK; **i vanlig ~** som vanligt as usual; i vederbörlig ordning in due course; **göra i ~** ngt get...ready (in order), prepare (amer. fix)...; **göra sig i ~** get ready; återgå **till ~en** ...to the normal state of things **2** följd order, sequence, succession; tur turn; **ta frågorna i ~** take...in turn (in order); **den andra i ~en** the second **3** biol., astron. el. arkit. order

ordningsam *adj* (~t, ~ma) orderly, methodical

ordningsfråga *s* (~n, -frågor) på möte point of order (pl. points of order)

ordningsföljd *s* (~en, ~er) order, sequence, succession; lapparna **ligger i ~** ...are in the right (in consecutive) order

ordningsmakt *s* (~en), **~en** vanl. the police pl.

ordningsman *s* (~nen, -män) åld., i skolklass monitor

ordningspolis *s* **1** (~en), **~en** avdelning the police department in charge of law and order **2** (~en, ~er) polisman police officer (constable)

ordningsregler *s pl* regulations; skol. school rules

ordningssinne *s* (~t) feeling for order

ordningsstadga *s* (~n, -stadgor) allm. regulations pl.

ordningsvakt *s* (~en, ~er) guard; t.ex. på nöjesplats ung. patrolman; vid t.ex. museum attendant

ordonnans *s* (~en, ~er) mil. orderly

ordrik *adj* (~t) mångordig wordy, verbose; **ett ~t språk** a language with a large vocabulary

ordspråk *s* (~et, =) proverb; ordstäv äv. saying

ordstäv *s* (~et, =) [common] saying, proverbial saying

ordval *s* (~et, =) choice of words

ordväxling *s* (~en, ~ar) argument, altercation

orealistisk *adj* (~t) unrealistic

oreda *s* (~n) oordning disorder, disarray; förvirring, oklarhet confusion; röra muddle, mess, jumble, shambles (vanl. sg.); **ställa till ~ i ngt** make a muddle (mess) of sth

oregano *s* (~n) bot. el. kok. oregano

oregelbunden *adj* (-bundet, -bundna) irregular

oregelbundenhet *s* (~en, ~er) irregularity

oregerlig *adj* (~t) ohanterlig unmanageable; ostyrig unruly, ungovernable; bråkig wild, disorderly

oreglerad *adj* (-reglerat, ~e) om t.ex. arbetstid el. tekn. om flöden unregulated; om skuld unsettled

oren *adj* (~t) eg. el. bildl. impure, unclean; förorenad äv. polluted, contaminated; relig. äv. unholy; mus. false, ...[that is (was etc.)] out of tune

orenhet *s* (~en, ~er) impurity, uncleanness

orenlighet *s* (~en) egenskap uncleanliness; smuts dirt; starkare filth (samtliga endast sg.)

orensad *adj* (-rensat, ~e) om trädgårdsland unweeded; om bär o.d. unpicked; om fisk ungutted

orera *vb itr* (~de, ~t) hold forth, speechify, spout [*om* about]

oresonlig *adj* (~t) omedgörlig unreasonable, ...unamenable to reason; envis stubborn, obstinate

organ *s* (~et, =) **1** kropps- el. växtdel organ **2** organisation o.d. organ [*för* of]; inom t.ex. FN äv. agency; institution institution; myndighet authority, body; språkrör mouthpiece; tidning newspaper

organdonation *s* (~en, ~er) med. organ donation

organisation *s* (~en, ~er) organization; förening äv. association

organisationsförmåga *s* (~n) organizing ability, flair for organization

organisationsnummer *s* (-numret, =) corporate identification number (förk. CIN), organization registration number (förk. Org. Reg. No.)

organisatorisk *adj* (~t) om t.ex. förmåga organizing; om t.ex. skäl organizational

organisatör *s* (~en, ~er) organizer

organisera *vb tr* (~de, ~t) organize; ordna, arrangera, inrätta äv. arrange; ~ *sig* fackligt organize; bilda fackförening äv. form (ansluta sig till join) a union

organisk *adj* (~t) organic

organism *s* (~en, ~er) organism

organist *s* (~en, ~er) organist, organ-player

organtransplantation *s* (~en, ~er) med. organ transplantation; **en** ~ an organ transplant

orgasm *s* (~en, ~er) orgasm; **få** ~ have an orgasm; vard. come

orgel *s* (~n, orglar) organ

orgelläktare *s* (~n, =) organ loft

orgelpipa *s* (~n, -pipor) organ pipe

orgiastisk *adj* (~t) orgiastic

orgie *s* (~n, ~r) eg. el. bildl. orgy; **en** ~ **i färger** a riot (riotous display) of colours; **fira** ~**r i ngt** indulge in an orgy of sth

orientalisk *adj* (~t) oriental

Orienten the Orient, the East

orientera I *vb tr* (~de, ~t) orient, orientate; informera inform; i korthet brief **II** *vb rfl* (~de, ~t), ~ *sig* eg. el. bildl. orient oneself, get one's bearings; ~ *sig i ett* ämne familiarize oneself with..., make oneself familiar with... **III** *vb itr* (~de, ~t) sport. practise orienteering

orienterare *s* (~n, =) sport. orienteer

orientering *s* (~en, ~ar) **1** geogr. el. bildl. orientation; information information; översikt survey; inriktning: om sak trend; om person leanings pl.; **tappa** ~**en** bildl. äv. lose one's bearings **2** sport. orienteering

orienteringsförmåga *s* (~n) sense of direction

orienteringstavla *s* (~n, -tavlor) information (med vägkarta route) sign

orienteringsämne *s* (~t, ~n) skol. general subject

original *s* (~et, =) **1** sak, dokument o.d. original; **i** ~ in the original **2** person eccentric, original; vard. character

originalare *s* (~n, =) desktop artist

originalfärg *s* (~en, ~er) original colour (amer. color); målarfärg original paint

originalitet *s* (~en) originality; säregenhet eccentricity

originalmanus *s* (~et, =) original manuscript; egenhändigt manus holograph

originalspråk *s* (~et, =) original [language]; **på** ~**et** in the original

originaltext *s* (~en, ~er) original text

originell *adj* (~t) ursprunglig, självständig original; säregen eccentric, queer, odd; vard. way-out; ovanlig ...out of the ordinary

oriktig *adj* (~t) incorrect; felaktig äv. erroneous, inaccurate; osann äv. false, misleading

orimlig *adj* (~t) förnuftsvidrig absurd, preposterous; motsägande incongruous; oskälig unreasonable, exorbitant; **begära det** ~**a** ask for the impossible, make unreasonable demands

orimlighet *s* (~en) det orimliga absurdity, preposterousness etc., jfr *orimlig*; exorbitance

orimmad *adj* (-rimmat, ~e) unrhymed

ork *s* (~en) kraft energy; styrka strength; uthållighet stamina; **han tappade** ~**en** he ran out of steam

orka *vb tr* o. *vb itr* (~de, ~t), jag (du etc.) ~*r* (~*de*) + inf. vanl. ...can (could) + inf.; **han** ~*r* arbeta ganska mycket äv. he is able to + inf...., he is capable of + ing-form; **nu** ~*r jag inte* [*hålla på*] *längre* I cannot go on any longer, I am too tired to go on; **jag** ~*r inte mer* t.ex. mat I cannot manage any more, I have had enough; **han** ~**de inte ända fram** he could not manage (make) it all the way; **han** ~*r inte med* skolarbetet he cannot cope with...; **jag** ~*r inte* äta soppan I cannot manage...; **jag** ~*r inte bära* väskan ...is too heavy for me, I cannot manage to carry...

orkan *s* (~en, ~er) hurricane

orkanstyrka *s* (~n, -styrkor) hurricane force

orkeslös *adj* (~t) feeble; ålderdomssvag infirm, decrepit

orkester *s* (~n, orkestrar) orchestra; mindre äv. band

orkesterdike *s* (~t, ~n) orchestra pit

orkesterledare *s* (~n, =) bandleader

orkestrering *s* (~en, ~ar) orchestration, scoring

orkidé *s* (~n, ~er) bot. orchid

orm *s* (~en, ~ar) snake; bibl. el. bildl. äv. serpent

orma *vb rfl* (~de, ~t), ~ *sig* wind; om flod äv. meander

ormbett *s* (~et, =) snake bite

ormbiten *adj* (-bitet, -bitna) snake-bitten

ormbo *s* (~et, ~n) **1** snake's (bildl. serpent's) nest **2** lösa sladdar tangle of wires

ormbunke *s* (~n, -bunkar) bot. fern

ormgift *s* (~et) snake venom

ormmänniska *s* (~n, -människor) slags akrobat contortionist

ormserum *s* (~et, =) med. antivenin

ormskinn *s* (~et, =) snakeskin

ormslå *s* (~n, ~r) zool. blindworm, slow-worm

ormtjusare *s* (~n, =) snake-charmer

ormvråk *s* (~en, ~ar) zool. buzzard

ornament *s* (~et, =) ornament, decoration

ornamental *adj* (~t) ornamental, decorative

ornamentera *vb tr* (~de, ~t) ornament, decorate

ornitolog *s* (~en, ~er) ornithologist

ornitologi *s* (~n) ornithology

oro *s* (~n) ängslan anxiety [*för* (*över*) ngn, ngt about...]; uneasiness [*för* (*över*) ngt about...]; starkare alarm [*över* ngt at...]; bekymmer concern [*för* ngn about sb; *för* (*över*) ngt for (about) sth], worry [*för* ngn about sb; *för* (*över*) ngt about (over) sth]; motsats till lugn disquiet; rastlöshet restlessness; speciellt politisk el. social unrest; uppståndelse i församling o.d. commotion; **känna** ~ [*i kroppen*] feel restless [all over]

oroa I *vb tr* (~de, ~t) göra ängslig make...anxious (uneasy); starkare alarm; bekymra worry, trouble;

störa disturb, bother; *det är ~nde att* man... it is disquieting that... **II** *vb rfl* (~de, ~t), ~ *sig för* ngn be (feel) anxious about..., worry [oneself] (be troubled) about...; ~ *sig för* (*över*) ngt be (feel) anxious (uneasy, troubled) about...

orolig *adj* (~t) ängslig anxious, uneasy; starkare alarmed; bekymrad concerned, worried, troubled (för konstr. jfr *oro*); rädd apprehensive [*för ngns skull* for sb; *för* ngt of...]; om förhållanden troubled, disturbed, unsettled, unquiet; rastlös restless, fidgety; stormig turbulent; patienten hade *en ~ natt* ...a bad night; *~a tider* unsettled (troubled) times; *var inte ~för det!* äv. never fear!, don't worry!

orolighet *s* (~en, ~er), *~er* politiska el. sociala disturbances, riots, troubles, violence sg.

oromantisk *adj* (~t) unromantic

oroselement *s* (~et, =) person troublemaker, mischiefmaker; polit. agitator; källa till oro source of unrest

oroshärd *s* (~en, ~ar) trouble (danger) spot

orosmoln *s* (~et, =) threatening (storm) cloud

orosväckande *adj* (oböjl.) alarming, disquieting; *på ett ~ sätt* in a disturbing (worrying) way

orre *s* (~n, orrar) zool. black grouse (pl. lika)

orrhöna *s* (~n, -hönor) zool. grey (amer. gray) hen, heath hen

orrspel *s* (~et, =) tupps: läten blackcock's calls pl.; parningslek blackcock's courting

orrtupp *s* (~en, ~ar) zool. blackcock

orsak *s* (~en, ~er) cause; grund äv. ground[s pl.]; skäl äv. reason; anledning äv. occasion [*till* i samtliga fall for; [*till*] *att* + inf. to + inf. el. for + ing-form]; *~ och verkan* cause and effect; *ingen ~!* not at all!, don't mention it!, it is quite all right!; amer. äv. you're welcome; *han var ~ till* olyckan he was the cause of...; *utan* [*minsta*] *~* without any cause (reason) [whatever]

orsaka *vb tr* (~de, ~t) cause, occasion

orsakssammanhang *s* (~et, =) causal connection (relation), causes and effects pl.

ort *s* (~en, ~er) **1** plats place; [mindre] samhälle äv. village; trakt locality, district, neighbourhood; *på ~ och ställe* on the spot; *på högre ~* in high quarters; *han vistas på okänd ~* his whereabouts are unknown **2** gruv. drift, gallery

ortnamn *s* (~et, =) place name

ortodox *adj* (~t) orthodox; *den ~a kyrkan* the Orthodox Church

ortografi *s* (~n, ~er) orthography

ortoped *s* (~en, ~er) orthopaedist; amer. orthopedist

ortopedisk *adj* (~t) orthopaedic; amer. orthopedic

ortsbefolkning *s* (~en, ~ar) local population (inhabitants pl.)

ortstidning *s* (~en, ~ar) local [news]paper

orubbad *adj* (-rubbat, ~e) eg. unmoved; oförändrad unaltered, unchanged; om t.ex. förtroende unshaken

orubblig *adj* (~t) allm. immovable, unshakable; om lugn o.d. imperturbable; om beslut o.d. unyielding, unflinching; om tro o.d. unwavering; fast firm, steadfast

orutinerad *adj* (-rutinerat, ~e) inexperienced, unpractised

oråd *s* (~et), *ana ~* suspect mischief; vard. smell a rat

orädd *adj* (neutrum undviks) fearless; pred. äv. unafraid; oförskräckt äv. intrepid, undaunted, daring

oräknelig *adj* (~t) innumerable, countless; otalig äv. uncountable, untold; vard. no end of...

orätt I *adj* (=) felaktig wrong, incorrect; orättvis unjust, unfair [*mot* to]; *hamna i ~a händer* fall into the wrong hands **II** *adv* wrong; spec. före perfekt particip wrongly; incorrectly etc., jfr *orätt I*; *handla ~* do wrong **III** *s* (~en) oförrätt wrong; orättvisa äv. injustice, unfairness; *göra ~* do wrong; *göra ngn ~* wrong sb, do an injustice to sb

orättfärdig *adj* (~t) unjust, unrighteous

orättmätig *adj* (~t) wrongful; olaglig äv. unlawful, illegitimate

orättvis *adj* (~t) unjust, unfair [*mot* to]; om sak äv. inequitable

orättvisa *s* (~n, orättvisor) unfairness (endast sg.), injustice, inequity; oförrätt wrong; *en skriande ~* a glaring [piece of] injustice

orörd *adj* (-rört) inte vidrörd untouched, unmolested; obruten, hel intact; jungfrulig virgin...; *~ natur* unspoiled countryside

orörlig *adj* (~t) immobile; utan att röra sig äv. motionless; fast, om t.ex. maskin[del] stationary

OS *s* (OS:et, =) (förk. för *Olympiska spelen*) the Olympic Games pl., the Olympics pl.

os *s* (~et) stekos [unpleasant] smell of frying; kol~, bensin~ o.d. fumes pl.

osa *vb tr* o. *vb itr* (~de, ~t) om lampa o.d. smoke; ryka, stinka reek

o.s.a. (förk. för *om svar anhålles*) RSVP

osagd *adj* (-sagt) unsaid, unspoken; *det låter jag vara osagt* I would not like to say, I'll leave that unsaid

osaklig *adj* (~t) subjektiv, partisk partial; irrelevant irrelevant; *ett ~t argument* irrelevant, äv. an argument [that is (was etc.)] not to the point

osalig *adj* (~t) unblessed; *som en ~ ande* like a lost soul

osammanhängande *adj* (oböjl.) om tal, tankar o.d. incoherent, disconnected, rambling; utan samband unconnected

osams *adj* (oböjl.), *bli ~* quarrel, fall out; *vi är ~* we have fallen out

osann *adj* (osant) untrue, false

osanning *s* (~en, ~ar) untruth; lögn lie, falsehood; *tala* (*fara med*) *~* tell lies (resp. a lie)

osannolik *adj* (~t) unlikely, improbable; *det är ~t att han har* gjort det he is unlikely to have...

oscillera *vb itr* (~de, ~t) fys. el. elektr. oscillate

osedd *adj* (-sett) unseen; *köpa* ngt *osett* ...that one has not seen, ...without having seen it

osedlighet *s* (~en) immorality, loose morals; oanständighet indecency; starkare obscenity

osedvanlig *adj* (~t) exceptional, extraordinary

oseriös *adj* (~t) opålitlig unreliable, untrustworthy

osjälvisk *adj* (~t) unselfish, selfless; oegennyttig äv. disinterested

osjälvständig *adj* (~t) om person (attr.) ...lacking in independence, ...who lacks (lack etc.) independence; om arbete unoriginal; *han är ~* he is lacking in (lacks) independence

oskadad *adj* (-skadat, ~e) o. **oskadd** *adj* (oskatt) unhurt, unharmed, uninjured; om person äv. unscathed; om sak äv. undamaged, intact; *i oskadat skick* in good (sound) condition

oskadliggöra *vb tr* (-gjorde, -gjort) sak

render…harmless; fiende, kanon o.d. put…out of action; gift neutralize

oskalad *adj* (-skalat, ~e) unpeeled

oskarp *adj* (~t) om kniv blunt; om t.ex. fotografi blurred, …[that is (was osv.)] out of focus

oskattbar *adj* (~t) priceless, inestimable, invaluable

oskick *s* (~et, =) dålig vana bad habit; förkastligt bruk bad practice; ofog nuisance

oskiftad *adj* (-skiftat, ~e) jur., om bo o.d. undivided

oskiljaktig *adj* (~t) inseparable; om följeslagare constant; *~a vänner* äv. bosom friends

oskolad *adj* (-skolat, ~e) oövad untrained, unschooled; okunnig untutored

oskriven *adj* (-skrivet, -skrivna) unwritten; *en ~ lag* an unwritten law; *ett oskrivet blad* se *blad 2*

oskuld *s* (~en, ~er) **1** egenskap innocence; skuldlöshet äv. guiltlessness, blamelessness; kyskhet chastity, virginity; renhet purity **2** person som inte haft sex virgin; *hon är ~* she is a virgin

oskuldsfull *adj* (~t) innocent, guileless

oskuldsfullhet *s* (~en) innocence, guilelessness

oskyddad *adj* (-skyddat, ~e) unprotected; för t.ex. väder o. vind unsheltered; jfr vidare *skydda*; *oskyddat samlag* (*sex*) unprotected sex

oskyldig *adj* (~t) innocent; icke skyldig äv. guiltless; pred. äv. not guilty [*till* i samtliga fall of]; oförarglig inoffensive, harmless

oskyldigt *adv* innocently etc., jfr *oskyldig*; *~ dömd* wrongfully convicted

oskälig *adj* (~t) **1** orimlig unreasonable, undue; om pris o.d. excessive, exorbitant, extortionate **2** om djur dumb, irrational

oslagbar *adj* (~t) omöjlig att besegra el. oöverträfflig unbeatable; om person, lag äv. undefeatable

oslipad *adj* (-slipat, ~e) om ädelsten o. glas uncut; om ädelsten äv. el. bildl. unpolished; om verktyg unground; om kniv dull; *en ~ diamant* äv. a rough diamond

Oslo Oslo

osläckt *adj* (=) unextinguished, unquenched; *~ kalk* quicklime, unslaked lime

osmaklig *adj* (~t) eg. el. bildl. unappetizing, unsavoury, distasteful; starkare disgusting, sickening; *ett ~t skämt* a joke in bad taste

osmidig *adj* (~t) eg. el. bildl.: klumpig clumsy; om person äv. unadaptable

osminkad *adj* (-sminkat, ~e) **1** utan smink, *hon var ~* she had no make-up on **2** oförskönad, om t.ex. skildring unembellished; *den ~e sanningen* the naked (plain) truth

osmältbar *adj* (~t) indigestible äv. bildl.; tekn. infusible

osnygg *adj* (-snyggt) ovårdad untidy; smutsig dirty; gemen mean

osockrad *adj* (-sockrat, ~e) sugar free

osolidarisk *adj* (~t) disloyal

osorterad *adj* (-sorterat, ~e) unsorted, unassorted

osportslig *adj* (~t) unsporting, unsportsmanlike

OSS (förk. för *Oberoende staters samvälde*) CIS (förk. för Commonwealth of Independent States)

oss *pers pron* us; rfl. ourselves (vid pluralis majestatis ourself; i adverbial med beton. rumsprep. vanl. us); *~ emellan sagt* between ourselves

1 ost *s* (~en) o. *adv* sjö. east (förk. E); se äv. *öster* o. jfr *nord* o. *norr* med ex. o. sammansättn.

2 ost *s* (~en, ~ar) cheese; *lyckans ~* bildl. lucky dog

(thing); *ge ngn betalt för gammal ~* get even with sb, get one's own back on sb

ostadig *adj* (~t) osäker unsteady, unstable; rankig rickety, wobbly; ombytlig changeable, inconstant, unstable; hand. fluctuating, unsettled; *~t väder* changeable (unsettled, variable) weather

ostbit *s* (~en, ~ar) piece (större chunk, kilformig wedge) of cheese

ostbricka *s* (~n, -brickor) cheese board

ostentativ *adj* (~t) ostentatious

osthyvel *s* (~n, -hyvlar) cheese slicer (planer)

Ostindien pl. the East Indies pl.

ostindisk *adj* (~t) East Indian; *Ostindiska Kompaniet* hist. the East India Company

ostkaka *s* (~n, -kakor) [Swedish] cheese (curd) cake [without pastry]; med keso cottage cheese pie

ostkupa *s* (~n, -kupor) cheese-dish cover

ostkust *s* (~en) east coast; *~en* the East Coast

ostlig *adj* (~t) easterly; east; eastern; jfr *nordlig*

ostraffad *adj* (-straffat, ~e) unpunished; *en tidigare ~* [*person*] a person without previous convictions; förstagångsförbrytare a first offender

ostron *s* (~et, =) oyster äv. bildl.

ostronodling *s* (~en, ~ar) abstr. oyster-farming, oyster-breeding; konkr. oyster-farm

ostruken *adj* (-struket, -strukna) **1** om tyg unironed **2** *ostrukna a* mus. A in the small octave

ostskiva *s* (~n, -skivor) slice of cheese

ostsmörgås *s* (~en, -smörgåsar) [open] cheese sandwich

ostädad *adj* (-städat, ~e) om rum untidy; *rummet är ostädat* äv. …has not been tidied [up]

ostämd *adj* (-stämt) mus. untuned; pred. äv. out of tune

ostämplad *adj* (-stämplat, ~e) unstamped; om frimärke uncancelled

ostörd *adj* (-stört) undisturbed, untroubled; *jag vill vara ~* I don't want to be disturbed

ostört *adv* undisturbedly; tala *~* …without being disturbed

osund *adj* (-sunt) allm. (eg. o. bildl.) unhealthy; om föda unwholesome; ohygienisk insanitary; om luft foul, noxious; bildl.: t.ex. om inflytande unwholesome; t.ex. om principer unsound

osv. (förk. för *och så vidare*), se under *och*

osvensk *adj* (~t) un-Swedish

osviklig *adj* (~t) om säkerhet o.d. unerring; ofelbar unfailing; om medel infallible; *med ~ precision* with unerring precision

osvuren *adj* (-svuret, -svurna), *osvuret är bäst* better not be too certain; man vet aldrig you never can tell

osymmetrisk *adj* (~t) unsymmetrical

osympatisk *adj* (~t) otrevlig unpleasant, disagreeable; frånstötande repugnant

osynlig *adj* (~t) invisible

osyrad *adj* (-syrat, ~e) unleavened

osårbar *adj* (~t) invulnerable

osäker *adj* (~t, -säkra) allm. uncertain, unsure [*på* (*om*) of]; otrygg insecure; riskabel risky; ostadig unsteady, unstable, shaky; otillförlitlig unreliable; tvivelaktig doubtful; tvekande hesitant, hesitating; *med ~ röst* in an unsteady (shaky) voice; *~t uppträdande* unassured manner; *det är ~t om han kommer* it is uncertain (doubtful) whether he'll come

osäkerhet *s* (~en, ~er) (jfr *osäker*); uncertainty;

insecurity, riskiness; instability, unreliability; hesitation

osäkra *vb tr* (~de, ~t) gevär cock; handgranat pull out the pin of

osäljbar *adj* (~t) unsalable, unmarketable

osällskaplig *adj* (~t) unsociable

osämja *s* (~n) discord, dissension, disagreement

osänkbar *adj* (~t) unsinkable

osökt I *adj* (=) naturlig natural, spontaneous; **~ tillfälle** convenient (unsought-for) opportunity **II** *adv* naturally etc.; **påminna ~ om...** inevitably bring...to mind

osötad *adj* (-sötat, ~e) unsweetened

otack *s* (oböjl.), **~ är världens lön** there is no (one can't expect) gratitude in this world

otacksam *adj* (~t, ~ma) framför allt om person ungrateful [*mot* to (towards)]; **en ~ uppgift** a thankless (an unrewarding) task

otacksamhet *s* (~en) ingratitude, ungratefulness

otakt *s* (oböjl., en), **gå** (**komma, dansa**) **i ~** walk (get, dance) out of step; **spela i ~** ...out of time

otal *s* (oböjl., ett), **ett ~...** a countless (any, an endless) number of...; vard. no end of...

otalig *adj* (~t) se *oräknelig*

otalt *adj* (oböjl.), **ha ngt ~ med ngn** have a score to settle (a bone to pick) with sb; **jag har inget ~ med honom** äv. I have no quarrel with him

oteknisk *adj* (~t) ...without technical knowledge; attr. äv. ...with no knowledge of technical things; **han är ~** (**en ~ spelare**) sport. he hasn't much technique (technical skill); **jag är väldigt ~** I'm not technically minded

otid *s* (oböjl., en), **i tid och ~** at all (odd) times of the day

otidighet *s* (~en, ~er), **~er** abuse sg., abusive language sg.

otidsenlig *adj* (~t) old-fashioned, unfashionable, ...out of keeping with the times

otillbörlig *adj* (~t) orätt undue; olämplig inappropriate, unwarrantable, unwarranted; opassande improper, unseemly; **~ konkurrens** (**marknadsföring**) unfair competition (marketing practice)

otillfredsställande *adj* (oböjl.) unsatisfactory, unsatisfying

otillförlitlig *adj* (~t) unreliable, undependable

otillgänglig *adj* (~t) eg. el. bildl. inaccessible [*för* ngt for...; *för* ngn to...]; vard. unget-at-able

otillräcklig *adj* (~t) om mängd el. antal insufficient; bristfällig inadequate; ...not up to the mark; **känna sig ~** feel inadequate

otillräknelig *adj* (~t) ...not responsible (accountable) for one's actions, mentally deranged, non compos mentis lat.

otillåten *adj* (-tillåtet, -tillåtna) förbjuden forbidden; mera officiellt prohibited; olovlig unlawful, illicit, illegitimate

otippad *adj* (-tippat, ~e), **en ~ segrare** an unbacked (unfancied) winner

otjänlig *adj* (~t) olämplig unsuitable; obrukbar unserviceable; **~ som människoföda** unfit for human consumption

otjänst *s* (~en, ~er), **göra ngn en ~** do sb a bad turn (a disservice)

otrevlig *adj* (~t) obehaglig disagreeable, unpleasant; mera vard. bad; otäck nasty, ugly; **vara ~ mot** ngn be disagreeable to...; **det ser ~t ut** när man... it looks bad (does not look nice)...

otrevlighet *s* (~en, ~er) egenskap disagreeableness etc., jfr *otrevlig*; **~er** disagreeable (unpleasant) things, disagreeables

otrivsam *adj* (~t, ~ma) obehaglig unpleasant, disagreeable; om sak äv. unhomely, uncomfortable; pred. äv. not homely

otro *s* (~n) lack (want) of faith, disbelief; bibl. unbelief

otrogen *adj* (-troget, -trogna) t.ex. i äktenskap unfaithful; svekfull faithless [*mot* to]; relig. unbelieving; **de otrogna** de icke troende the infidels (unbelievers)

otrohet *s* (~en) unfaithfulness; i äktenskap äv. infidelity; svekfullhet faithlessness [*mot* i samtliga fall to]

otrolig *adj* (~t) eg. incredible, unbelievable; osannolik unlikely; otänkbar inconceivable; häpnadsväckande astounding, amazing; **~t men sant** strange but true

otrygg *adj* (~t) insecure [*för* against]; osäker äv. unsafe, precarious

otrygghet *s* (~en) insecurity, unsafeness, precariousness

otränad *adj* (-tränat, ~e) untrained; **hon är ~** she is out of training

otröstlig *adj* (~t) inconsolable [*över* at]; ...[who is (was osv.)] not to be comforted

otta *s* (~n, ottor), **i ~n** early in the morning, in the early morning

ottoman *s* (~en, ~er) soffa ottoman, couch

otukt *s* (~en) speciellt bibl. fornication; [*bedriva*] **~ med minderårig** [commit] an indecent assault on a minor

otuktig *adj* (~t) [sexually] immoral; **~ leverne** immoral living

otur *s* (~en) bad luck, ill-luck, misfortune; **vilken ~!** what [a stroke of] bad luck!; **ha ~** äv. be unlucky, have no luck [*i* in (i spel at)]

oturlig *adj* (~t) o. **otursam** *adj* (~t, ~ma) unlucky

otursdag *s* (~en, ~ar) unlucky day

otvetydig *adj* (~t) unambiguous, unequivocal; klar plain, clear; uppenbar unmistakable

otvivelaktig *adj* (~t) undoubted, indubitable, unquestionable

otvivelaktigt *adv* undoubtedly etc., jfr *otvivelaktig*; no doubt, without [a] doubt

otvungen *adj* (-tvunget, -tvungna) unconstrained, unstrained; ledig äv. [free and] easy; naturlig äv. unforced, natural; okonstlad äv. unaffected

otydlig *adj* (~t) indistinct; oklar äv. unclear; om bild o.d. äv. blurred; dunkel äv. vague, obscure

otyg *s* (~et) nuisance

otyglad *adj* (-tyglat, ~e) om t.ex. fantasi, lidelser unbridled; hejdlös, ohämmad äv. uncontrolled, unrestrained

otymplig *adj* (~t) klumpig: t.ex. om kropp, rörelse ungainly; t.ex. om metod, översättning clumsy; åbäkig unwieldy, cumbersome

otålig *adj* (~t) impatient [*efter* svar for...; *på* ngn with...; *över* dröjsmål at (of)...; *över att* + inf. at + ing-form]

otålighet *s* (~en) impatience

otäck *adj* (~t) allm. nasty, horrid [*mot* to]; ful, elakartad äv. ugly; vidrig äv. disgusting; starkt känslobeton.

om t.ex. väder foul, beastly, rotten; ryslig horrible, awful

otämjd *adj* (-tämjt) untamed

otänkbar *adj* (~t) inconceivable, unthinkable, unimaginable; att fortsätta **är ~t** ...is not to be thought of; **det är inte ~t** att han... it is quite conceivable (may well be)...

otät *adj* (-tätt) om packning o.d. ...[that is (was etc.)] not tight; läck leaky, leaking; dragig draughty

otörstig *adj* (~t), **dricka sig ~** drink one's fill

oumbärlig *adj* (~t) indispensable; nödvändig äv. essential [*för* to (t.ex. ändamålet for)], absolutely necessary [*för* to, for]

oundgänglig *adj* (~t) nödvändig necessary; oumbärlig indispensable

oundviklig *adj* (~t) unavoidable; som inte kan undgås inevitable, inescapable

ouppfostrad *adj* (-fostrat, ~e) badly brought-up endast om person, ill-bred; ohyfsad ill-mannered, bad-mannered

ouppfylld *adj* (-fyllt) unfulfilled, unrealized, ungratified

oupphörlig *adj* (~t) incessant, ceaseless; oavbruten äv. unceasing, continuous; ständig äv. continual, perpetual

oupphörligen *adv* o. **oupphörligt** *adv* incessantly etc., jfr *oupphörlig*

ouppklarad *adj* (-klarat, ~e) om t.ex. brott unsolved; oförklarad unexplained; om affär o.d. unsettled

oupplöslig *adj* (~t) bildl. indissoluble; inte åtskiljbar äv. inseparable

ouppmärksam *adj* (~t, ~ma) inattentive [*på, mot* to]; inte aktgivande äv. unobservant [*på* of]

ouppmärksamhet *s* (~en) lack of attention, inattention, inattentiveness

ouppnåelig *adj* (~t) om t.ex. ideal, mål unattainable; om person unapproachable, inimitable

oursäktlig *adj* (~t) inexcusable, unpardonable

outbildad *adj* (-bildat, ~e) allm. uneducated; om t.ex. arbetskraft untrained, unskilled

outforskad *adj* (-forskat, ~e) unexplored, uninvestigated

outgrundlig *adj* (~t) gåtfull inscrutable; ogenomtränglig impenetrable; ofattbar unfathomable; **av någon ~ anledning** for some inscrutable reason

outhyrd *adj* (-hyrt) unlet, vacant

outhärdlig *adj* (~t) unbearable; olidlig äv. insupportable, intolerable, unendurable

outnyttjad *adj* (-nyttjat, ~e) oanvänd unused, unutilized; om fördelar, resurser o.d. unexploited; om naturtillgångar undeveloped; om kapital idle

outplånlig *adj* (~t) om t.ex. intryck, spår indelible; om t.ex. minne ineffaceable

outsider *s* (~n, =) sport. el. bildl. outsider

outsinlig *adj* (~t) inexhaustible, unfailing

outslitlig *adj* (~t) om tyg o.d. (attr.) ...that will stand up to any amount of wear; ...[that is (was etc.)] impossible to wear out, indestructible

outspädd *adj* (-spätt) undiluted

outsäglig *adj* (~t) unspeakable, ...beyond words, unutterable

outtalad *adj* (-talat, ~e) unspoken, unvoiced, unexpressed, tacit

outtröttlig *adj* (~t) framför allt om person indefatigable; om nit untiring; om energi o.d. tireless, unflagging

outtömlig *adj* (~t) inexhaustible, exhaustless

outvecklad *adj* (-vecklat, ~e) undeveloped, embryonic båda äv. bildl.; om person (omogen) immature

ouvertyr *s* (~en, ~er) overture [*till* to] äv. mus.

oval I *adj* (~t) oval; **~a rummet** i Vita Huset the Oval Office **II** *s* (~en, ~er) oval

1 ovan I *prep* above, over **II** *adv* above; **se ~** see above; **från ~** from above; nedlåtande condescendingly

2 ovan *adj* (~t) inte van unaccustomed, unused [*vid* to; [*vid*] *att* + inf. to + ing-form]; oövad unpractised, untrained; om t.ex. anblick, uppgift unfamiliar

ovana *s* (~n, ovanor) **1** ful vana bad (objectionable) habit **2** brist på vana unaccustomedness [*vid* to]; lack (want) of practice; bristande förtrogenhet unfamiliarity [*vid* with]

ovanför I *prep* above; norr om [to the] north of **II** *adv* above, higher (farther el. further) up; norr därom to the north [of it]

ovanifrån *adv* from above

ovanlig *adj* (~t) unusual; sällsynt äv. uncommon, rare; pred. äv. not common; sällan förekommande infrequent; **det är ~t att han...** it is unusual for him to + inf.

ovanlighet *s* (~en, ~er) unusualness etc., jfr *ovanlig*; **det hör till ~erna att han...** it is an unusual thing for him to + inf.; **för ~[en]s skull** [just] for once

ovanligt *adv* unusually etc., jfr *ovanlig*; förstärkande extremely, abnormally; **~ nog** for once

ovanläder *s* (-lädret) upper, vamp

ovannämnd *adj* (-nämnt) above-mentioned, above

ovanpå I *prep* on [the] top of; han bor **~ oss** ...[in the flat] above us **II** *adv* on [the] top; i villa o.d. upstairs; **vem bor ~?** ...above?, ...in the flat (speciellt amer. apartment) above?, ...on the floor above?; se äv. *flyta ovanpå* under *flyta II*

ovansida *s* (~n, -sidor) upper side

ovanstående *adj* (oböjl.), **~ lista** the above..., the...above

ovarsam *adj* (~t, ~ma) vårdslös careless; oförsiktig incautious, unwary

ovation *s* (~en, ~er) ovation; **få stående ~er** get a standing ovation

ovederhäftig *adj* (~t) inte trovärdig untrustworthy; otillförlitlig unreliable

ovedersäglig *adj* (~t) incontrovertible; obestridlig äv. incontestable; ovederläglig irrefutable

overall *s* (~en, ~er) overalls pl., amer. coverall; arbets~ boiler suit; för småbarn zip suit, amer. overalls pl.

overheadprojektor *s* (~n, ~er) overhead projector (förk. OHP)

overklig *adj* (~t) unreal; skenbar äv. illusory

overklighet *s* (~en) unreality

overksam *adj* (~t, ~ma) sysslolös idle; passiv passive, inactive

ovetande I *adj* (oböjl.) se *okunnig* **II** *adv*, **mig ~** (~s) without my knowledge

ovetenskaplig *adj* (~t) unscientific

ovett *s* (~et) bannor scolding; vard. telling-off; otidigheter abuse; **få ~** get a scolding (a telling-off)

ovettig *adj* (~t) abusive; **vara ~ mot ngn** abuse sb

ovidkommande *adj* (oböjl.) irrelevant [*för* to]

ovig *adj* (~t) klumpig ungainly, clumsy

ovigd *adj* (-vigt) om jord unconsecrated

oviktig *adj* (~t) unimportant, insignificant, immaterial, negligible

ovilja *s* (~n) **1** ovillighet unwillingness, reluctance; obenägenhet disinclination [*mot* for; [*mot*] *att* + inf. to + inf.] **2** misshag displeasure [*mot* at]; agg animosity, resentment [*mot* against]; motvilja repugnance [*mot* to, towards]

ovillig *adj* (~t) inte villig unwilling; motvillig reluctant, disinclined, loath [*att* + inf., i samtliga fall to + inf.]; averse [*att* + inf. to + ing-form]

ovillkorlig *adj* (~t) obetingad unconditional, unqualified; absolut absolute; nödvändig necessary; ofrånkomlig inevitable

ovillkorligen *adv* absolutely, necessarily, inevitably

oviss *adj* (~t) uncertain [*om ngt* of (about) sth]; tveksam doubtful; **utgången är ännu ~** äv. the outcome (result) still hangs in the balance

ovisshet *s* (~en) [state of] uncertainty, doubt[fulness]; **hålla ngn i ~ om...** äv. keep sb in suspense as to...

ovårdad *adj* (-vårdat, ~e) om klädsel, hår dishevelled; om person unkempt, slovenly; om språk, stil substandard; friare slipshod, careless

oväder *s* (ovädret, =) storm, tempest, bad weather

ovädersmoln *s* (~et, =) storm cloud

ovälkommen *adj* (-kommet, -komna) unwelcome; inte önskvärd undesirable; inte önskad äv. unwanted

ovän *s* (~nen, ~ner) fiende enemy; poet. foe; **vara ~ med ngn** be on bad terms (have fallen out) with sb

ovänlig *adj* (~t) inte vänskaplig unfriendly; inte snäll unkind; inte välvillig unkindly [*mot* i samtliga fall to, towards]; om t.ex. sätt, uppträdande disobliging; tvär harsh, brusque

oväntad *adj* (-väntat, ~e) unexpected, unlooked for; **oväntat besök** äv. a surprise visit

ovärderlig *adj* (~t) invaluable [*för* to]; oskattbar äv. priceless

ovärdig *adj* (~t) allm. unworthy; skamlig shameful, disgraceful; **ett uppträdande ~t en gentleman** ...unworthy of a gentleman

oväsen *s* (~det) oljud noise; larm din, uproar; stoj racket; tumult hullabaloo; **föra ~** make a noise

oväsentlig *adj* (~t) unessential, non-essential, inessential [*för* to]; oviktig äv. unimportant, immaterial

oxblodsröd *adj* (-rött) ox-blood red

oxbringa *s* (~n, -bringor) kok. brisket of beef

oxe *s* (~n, oxar) **1** zool. ox (pl. oxen) äv. bildl.; stut bullock **2** astrol., **Oxen** Taurus; **han är ~** he is [a] Taurus

oxel *s* (~n, oxlar) bot. Swedish whitebeam

oxeltand *s* (~en, -tänder) molar [tooth], grinder

oxfilé *s* (~n, ~er) fillet of beef

oxhud *s* (~en, ~ar) oxhide

oxid *s* (~en, ~er) kem. oxide

oxidera *vb tr* o. *vb itr* (~de, ~t) kem. oxidize

oxidering *s* (~en, ~ar) kem. oxidization

oxkött *s* (~et) beef

oxstek *s* (~en, ~ar) kok. roast beef; slakt. el. kok. joint of beef

oxsvanssoppa *s* (~n, -soppor) oxtail soup

ozelot *s* (~en, ~er) zool. ocelot äv. skinn

ozon *s* (~et) kem. ozone

ozonhål *s* (~et, =) ozone hole

ozonskikt *s* (~et, =), **~et** the ozonosphere

ozonvänlig *adj* (~t) ozone-friendly

oåterkallelig *adj* (~t) irrevocable, ...beyond (past) recall

oåtkomlig *adj* (~t) otillgänglig inaccessible [*för* to]; om person unapproachable; vard. unget-at-able [*för* by]; oanskaffbar unobtainable; **förvaras ~t för barn** påskrift to be kept out of children's reach

OÄ (förk. för *orienteringsämnen*) skol. general subjects

oäkta *adj* (oböjl.) falsk false, spurious, counterfeit...; imiterad imitation..., mock..., sham...; konstgjord artificial; **~ barn** åld. illegitimate child

oändlig *adj* (~t) infinite äv. mat.; ändlös äv. endless, interminable; omätlig äv. measureless; gränslös äv. boundless, limitless, immense; **en ~ mängd [av]...** an endless (infinite, enormous) amount of...; och så vidare **i det ~a** ...ad infinitum lat., ...to infinity; fortsätta **i det ~a** ...for ever [and ever], ...endlessly, ...interminably

oändligt *adv* infinitely etc., jfr *oändlig*; **~ liten** äv. infinitesimal; **~ mycket bättre** infinitely better; **~ många** sandkorn an infinite number of..., innumerable..., an infinity of...; vard. no end of...; **~ stor** infinite, infinitely great

oärlig *adj* (~t) dishonest [*mot* to (towards)]; ohederlig äv. crooked

oärlighet *s* (~en) dishonesty, ohederlighet äv. crookedness

oätbar *adj* (~t) dåligt tillagad uneatable; onjutbar unpalatable

oätlig *adj* (~t) om t.ex. svamp inedible; jfr äv. *oätbar*

oäven *adj* (-ävet, -ävna), **inte [så] ~** fairly good, quite passable, ...[that is (was etc.)] not [too] bad (vard. not half bad)

oöm *adj* (~t, ~ma) om person robust, rugged; hållbar durable, hard-wearing; härdig hardy

oönskad *adj* (-önskat, ~e) undesired; **en ~ graviditet** an unwanted pregnancy; **~e biverkningar** unwelcome side-effects

oöppnad *adj* (-öppnat, ~e) unopened

oöverlagd *adj* (-lagt) överilad rash, hasty; oövertänkt ill-considered; inte planlagd unpremeditated

oöversatt *adj* (=) untranslated

oöverskådlig *adj* (~t) oredig confused; ofantlig immense, vast; oändlig boundless, limitless; om följder o.d. incalculable; om tid indefinite

oöverstiglig *adj* (~t) insurmountable; **~ klyfta** unbridgeable gap

oöversättlig *adj* (~t) untranslatable

oöverträffad *adj* (-träffat, ~e) unsurpassed; utan like unrivalled, unequalled [i fråga om i samtliga fall for; som as]

oövervinnelig *adj* (~t) mera eg. invincible; om t.ex. blyghet, motvilja unconquerable; om svårighet o.d. insuperable

p *s* (p:et, p:n el. p) bokstav p [utt. pi:]; *sätta ~ för...* put a stop to (vard. a stopper on)...

pacemaker *s* (~n, pacemakrar) med. el. sport. pacemaker

pacificera *vb tr* (~de, ~t) pacify

pacifism *s* (~en) pacifism

pacifist *s* (~en, ~er) pacifist

pacifistisk *adj* (~t) pacifist

1 pack *s* (~et) slödder rabble, riff-raff; vermin pl.

2 pack *s* (~et), *pick och ~* se *pick och pack*

packa I *vb tr* (~de, ~t) pack [up]; stuva stow, stuff; *har du ~t [färdigt]?* have you packed [up] your things?; *~d med folk* packed (crowded, crammed) [with people]; *stå som ~de sillar* be packed like sardines **II** *vb rfl* (~de, ~t), *~ [ihop] sig* om snö o.d. pack; jfr *packa III* **III** med beton. part.
packa ihop a) eg. tr. pack...together **b)** itr. pack up äv. bildl.; *~ ihop sig* tränga ihop sig crowd together, crowd [*i* i båda fallen into...]; jfr *packa II*
packa in pack up, put in; slå (linda) in äv. wrap (do) up
packa sig i väg be off; *~ dig i väg!* vanl. clear off (out)!
packa ner pack up; undan pack away; *jag har redan ~t ner den* i resväskan I have already packed (put) it into (in)...
packa upp unpack

packad *adj* (packat, ~e) vard., berusad loaded, sloshed

packe *s* (~n, packar) package; bunt bundle

packis *s* (~en, ~ar) pack ice

packlåda *s* (~n, -lådor) o. **packlår** *s* (~en, ~ar) packing-case

packning *s* (~en, ~ar) **1** pack äv. mil.; bagage luggage; flyg. el. sjö. el. amer. baggage **2** nedpackning packing **3** tekn. gasket, packing; till kran o.d. washer

padda *s* (~n, paddor) toad äv. bildl.

paddel *s* (~n, paddlar) paddle; tvåbladig double[-bladed] paddle

paddla *vb tr* o. *vb itr* (~de, ~t) paddle [one's canoe]; *ge sig ut (vara ute) och ~* go [out] (be out) canoeing

paff *adj* (~t) staggered, flabbergasted, nonplussed; *jag blev alldeles ~* äv. I was completely taken aback

page *s* (~n, ~r) frisyr pageboy [style]

paginera *vb tr* (~de, ~t) paginate, page

paginering *s* (~en, ~ar) pagination

pagod *s* (~en, ~er) pagoda

pain riche *s* (~n el. ~t, =) se *baguette*

paj *s* (~en, ~er) pie; utan deglock tart

paja vard. **I** *vb itr* (~de, ~t) break down, go to pieces; om t.ex. planering collapse; radion *har ~t* ...has conked out, ...is on the blink **II** *vb tr* (~de, ~t) ruin, smash, cause...to break down

pajas *s* (~en, ~ar el. ~er) clown; friare äv. buffoon; *spela ~* äv. play the fool

pajbotten *s* (-bottnen el. =, -bottnar) se *pajskal*

pajdeg *s* (~en, ~ar) kok. [pie] pastry

pajform *s* (~en, ~ar) pie dish

pajkastning *s* (~en, ~ar) custard-pie throwing; bildl., ömsesidig kritik mudslinging

pajskal *s* (~et, =) kok. pastry case, flan case

paket *s* (~et, =) parcel; litet packet; större el. amer. el. bildl. package; *ett ~ cigaretter* a packet (amer. a pack) of cigarettes; *skicka som ~* send by parcel post; *slå in ett ~* wrap up a parcel (amer. äv. package)

paketavtal *s* (~et, =) enhetsavtal package deal

paketera *vb tr* (~de, ~t) packet

pakethållare *s* (~n, =) på cykel carrier

paketinlämning *s* (~en, ~ar) receiving-office; post. parcel counter

paketlösning *s* (~en, ~ar) package solution

paketpost *s* (~en) parcel post

paketpris *s* (~et, = el. ~er) package (all-in) price

paketresa *s* (~n, -resor) allt-i-ett-resa package (all-inclusive) tour

Pakistan Pakistan

pakistanier *s* (~n, =) Pakistani

pakistansk *adj* (~t) Pakistani

pakistanska *s* (~n, pakistanskor) kvinna Pakistani woman

pakt *s* (~en, ~er) pact, treaty; *ingå en ~* make (conclude) a pact (treaty)

palats *s* (~et, =) palace

palatsliknande *adj* (oböjl.) palatial

palatsrevolution *s* (~en, ~er) palace (backstairs) revolution

palaver *s* (~n, palavrer) palaver

paleontolog *s* (~en, ~er) palaeontologist

paleontologi *s* (~n) palaeontology

Palestina Palestine

palestinier *s* (~n, =) Palestinian

palestinsk *adj* (~t) Palestinian, Palestine

palestinska *s* (~n, palestinskor) kvinna Palestinian woman

palett *s* (~en, ~er) konst. palette, pallet

palissad *s* (~en, ~er) palisade, stockade

paljett *s* (~en, ~er) spangle, sequin

1 pall *s* (~en, ~ar) **1** möbel stool; fotpall footstool **2** lastpall pallet

2 pall *s* (oböjl.) vard., *stå ~* cope, manage; *stå ~ för ngt* cope with (manage) sth; stå emot stand up to sth

1 palla *vb tr* (~de, ~t), *~ upp* chock [up], block up

2 palla *vb itr* (~de, ~t) vard., *~ för ngt* orka cope with (manage) sth

3 palla *vb tr* (~de, ~t) vard., *~ äpplen* steal apples

pallra *vb rfl* (~de, ~t), *~ sig i väg* toddle off, get along; *~ sig upp* ur sängen get oneself out of bed

palm *s* (~en, ~er) palm[tree]

palmblad *s* (~et, =) palm-leaf (pl. palm-leaves)

palmsöndag *s* (~en, ~ar), *~[en]* Palm Sunday

palpera *vb tr* (~de, ~t) med. palpate

palsternacka *s* (~n, palsternackor) parsnip

palt *s* (~en, ~ar) kok., slags kroppkaka potato dumpling; blod~, se *paltbröd*

paltbröd *s* (~et, =) rye bread baked with blood, boiled and served with bechamel sauce and bacon

paltor *s pl* vard. rags, clobber sg.

pamflett *s* (~en, ~er) pamphlet

pamp *s* (~en, ~ar) person bigwig, big shot (noise), VIP (förk. för Very Important Person)

pampig *adj* (~t) magnificent, grand

Panama Panama

Panamakanalen the Panama Canal

panda s (~n, pandor) zool. panda
pandemi s (~n, ~er) med. pandemic
panel s (~en, ~er) **1** eg. panel[-work], panelling (endast sg.); boasering wainscot **2** diskussionspanel panel
paneldebatt s (~en, ~er) panel debate
panelhöna s (~n, -hönor) ngt åld. wallflower
panera vb tr (~de, ~t) kok. coat...with egg and breadcrumbs, breadcrumb, bread
pang interj bang!, crack!, pop!
panga I vb tr (~de, ~t) vard., slå sönder smash **II** vb itr (~de, ~t) bang, go bang
pangbild s (~en, ~er) vard. terrific (fantastic) picture
pangbrud s (~en, ~ar) vard. cracker, smasher, peach
panik s (~en) panic; [det är] ingen ~ brådska there's no rush; **gripas av** ~ panic, be seized with (by) panic
panikartad adj (-artat, ~e) panicky
panikslagen adj (-slaget, -slagna) panic-stricken
panikångest s (~en) psykol. panic (anxiety) disorder; **anfall av** ~ panic (anxiety) attack
panisk adj (~t) panic; **ha en** ~ rädsla för have a terrible dread of; vard. be scared stiff of
pank adj (~t) vard.; pred. broke, cleaned out, on the rocks
1 panna s (~n, pannor) **1** kok. pan; kaffe~ kettle **2** värme~ furnace; ång~ boiler
2 panna s (~n, pannor) forehead; poet. brow; **hög (låg)** ~ high (low) forehead; **lägga** ~n i [djupa] veck wrinkle [up] one's forehead
pannband s (~et, =) headband; för sport sweatband
pannben s (~et, =) anat. frontal bone
pannbiff s (~en, ~ar) ung. hamburger
pannkaka s (~n, -kakor) pancake, jfr ugnspannkaka; **grädda pannkakor** fry pancakes; **det blev** ~ av alltihop det gick i stöpet it fell flat, it flopped
pannlampa s (~n, -lampor) headlamp
pannlugg s (~en, ~ar) fringe; amer. bangs pl.
pannrum s (~met, =) boiler room; för centraluppvärmning äv. furnace room
pannå s (~n, ~er) dörrspegel el. konst. panel
panorama s (~t, ~n) panorama; utsikt äv. view, vista
panorera vb tr o. vb itr (~de, ~t) film. pan
pansar s (~et, =) **1** mil. armour (endast sg.) **2** zool. carapace
pansarbil s (~en, ~ar) armoured car
pansardörr s (~en, ~ar) armoured (steel) door
pansarglas s (~et, =) armoured (bulletproof) glass
pansarplåt s (~en, ~ar) armour-plate
pansarregemente s (~t, ~n) mil. armoured (tank) regiment
pansarvagn s (~en, ~ar) mil. armoured car; stridsvagn tank
pant s (~en, ~er) pledge äv. bildl., pawn; i lek forfeit; **betala** ~ för t.ex. tomglas pay a deposit; **lämna (ta)**...i ~ leave (take)...as a pledge
panta vb tr (~de, ~t) vard., ~ flaskor (tomglas) get money on return bottles; se äv. pant o. pantsätta
pantbank s (~en, ~er) pawnshop; **på** ~en at the pawnbroker's
pantbrev s (~et, =) jur. mortgage deed
panteism s (~en) pantheism
panteistisk adj (~t) pantheistic[al]
panteon s (oböjl., ett) pantheon
panter s (~n, pantrar) zool. panther
pantkvitto s (~t, ~n) pawn ticket
pantlån s (~et, =) mortgage loan

pantlånekontor s (~et, =) pawnbroker's [shop], pawnshop
pantomim s (~en, ~er) pantomime, dumb show
pantsätta vb tr (-satte, -satt) i pantbank pawn; pantförskriva pledge; **en pantsatt** klocka a...in pawn, a pawned...; **vara pantsatt** be in pawn
papaya s (~n, papayor) träd o. frukt papaya
papegoja s (~n, papegojor) parrot äv. bildl.
papegojsjuka s (~n) parrot fever; med. psittacosis
papier-maché s (~n) papier mâché
papiljott s (~en, ~er) curler
papp s (~en) cardboard
pappa s (~n, pappor) father [till of]; vard. dad, pa; amer. äv. papa; barnspr. daddy
pappaledig adj (~t), vara ~ be on paternity leave
pappaledighet s (~en, ~er) paternity leave
pappask s (~en, ~ar) cardboard box
papper s (~et el. pappret, =) som ämne el. koll. paper: skriv~, brev~ stationery koll.; omslags~ wrapping paper; **ett** ~ a piece of paper; **några** ~ ark some sheets of paper; **gamla** ~ handlingar ancient documents; **ha** ~ **på att...** have papers to prove that..., have documentary evidence that...; det existerar **bara på** ~et ...only on paper (in theory)
pappersark s (~et, =) sheet of paper
pappersavfall s (~et) waste paper
pappersbruk s (~et, =) papermill
pappersdocka s (~n, -dockor) paper-doll
pappersduk s (~en, ~ar) paper (disposable) table cloth
pappersexercis s (~en) red tape
pappershandduk s (~en, ~ar) paper towel
pappershandel s (~n, -handlar) butik stationer's [shop]
pappersindustri s (~n, ~er) paper industry
pappersinsamling s (~en, ~ar) paper collection
papperskasse s (~n, -kassar) paper carrier [bag]
papperskniv s (~en, ~ar) paperknife, paper-cutter
papperskorg s (~en, ~ar) wastepaper basket; amer. wastebasket; utomhus litterbin
papperskvarn s (~en, ~ar), ~en the wheels of bureaucracy, bureaucracy, red tape
papperslapp s (~en, ~ar) slip (scrap) of paper
pappersmassa s (~n) paper (wood) pulp
pappersnäsduk s (~en, ~ar) paper (disposable) handkerchief, tissue; Kleenex®
papperspåse s (~n, -påsar) paper bag
pappersservett s (~en, ~er) paper napkin
pappersskräp s (~et) waste paper
pappersstallrik s (~en, ~ar) paper plate
papperstillverkning s (~en) paper-making, paper manufacture
pappersvaror s pl paper articles (goods); skrivmateriel stationery sg.
pappersåtervinning s (~en) paper recycling
pappkartong s (~en, ~er) o. **papplåda** s (~n, -lådor) cardboard box
pappskalle s (~n, -skallar) vard. blockhead, dimwit, nitwit
paprika s (~n, paprikor) **1** bot. capsicum; kok. [sweet] pepper, pimiento; **grön (gul, röd)** ~ green (yellow, red) pepper **2** krydda paprika
paprikapulver s (-pulvret, =) kok. paprika
papuansk adj (~t) Papuan
Papua Nya Guinea Papua New Guinea

papyrus *s* (~en, ~ar) o. **papyrusrulle** *s* (~n, -rullar) papyr|us (pl. -i)

1 par *s* (~et, =) **1** sammanhörande pair; två stycken couple; *ett* ~ handskar (byxor) a pair of...; de kostar 100 kronor *~et* (*per* ~) ...a pair; *ett gift* (*ungt*) ~ a married (young) couple; *ett älskande* ~ a pair of lovers, a loving couple; *de är ett omaka* ~ they are an unmatched couple; ~ *om* ~ in pairs (couples), two by (and) two **2** *ett* ~ några... a couple of..., a few...; *ett* ~ [*tre*] *dagar* a couple of days, two or three days, a few days; *ett* ~ *hundra kronor* a hundred kronor or so, a few hundred kronor; *ett* ~ *ord* a word or two; *om ett* ~ *dagar* in a few (couple of) days

2 par *s* (oböjl.) golf. par

para I *vb tr* (~de, ~t) **1** ordna parvis, ~ [*ihop*] match, pair [...together] **2** djur mate, pair **3** förena combine **II** *vb rfl* (~de, ~t), ~ *sig* mate, pair, copulate

parabel *s* (~n, parabler) **1** matem. parabola **2** liknelse parable

parabol *s* (~en, ~er) TV. [satellite] dish

parad *s* (~en, ~er) **1** mil. el. friare parade; *stå på* ~ friare be on parade **2** sport.: fäktn. parry; boxn. block

paradera *vb itr* (~de, ~t) parade

paradexempel *s* (-exemplet, =) prime (classical) example

paradigm *s* (~et, =) gram. el. vetensk. paradigm

paradigmskifte *s* (~t, ~n) vetensk. paradigm shift

paradis *s* (~et, =) paradise; *ett* ~ *på jorden* äv. a heaven on earth; *ormen i ~et* the serpent in the Garden of Eden

paradmarsch *s* (~en, ~er) parade march

paradnummer *s* (-numret, =) showpiece

paradox *s* (~en, ~er) paradox

paradoxal *adj* (~t) paradoxical

paradvåning *s* (~en, ~ar) representationsvåning state apartment

paraffin *s* (~et el. ~en) [solid] paraffin, paraffin wax

parafras *s* (~en, ~er) paraphrase

paragraf *s* (~en, ~er) numrerat stycke section; jur. äv. paragraph; i traktat o.d. article, clause

paragrafryttare *s* (~n, =) bureaucrat, stickler for details

paragraftecken *s* (-tecknet, =) section mark

Paraguay Paraguay

paraguayansk *adj* (~t) Paraguayan

parallell *s* (~en, ~er) o. *adj* (~t) parallel; *dra en* ~ draw a parallel, make a comparison

parallellfall *s* (~et, =) parallel case (instance)

parallellgata *s* (~n, -gator) parallel street

parallellimport *s* (~en, ~er) parallel import

parallellkoppling *s* (~en, ~ar) parallel coupling

parallellogram *s* (~met, =) geom. parallelogram

parallellport *s* (~en, ~ar) data. parallel port

parallellslalom *s* (~en) parallel slalom

parallellsväng *s* (~en, ~ar) skidsport. parallel turn

parallellt *adv* parallel; *löpa* ~ *med...* run parallel to (with)...

parallelltonart *s* (~en, ~er) mus. relative key

paralysera *vb tr* (~de, ~t) med. el. bildl. paralyse, amer. paralyze

paranoia *s* (~n) med. paranoia

paranoid *adj* (neutrum undviks) med. paranoiac, paranoid

parant *adj* (=) elegant elegant; flott chic, stylish; iögonenfallande striking

paranöt *s* (~en, -nötter) Brazil nut

paraply *s* (~et el. ~n, ~er el. ~n) umbrella; vard. brolly; *fälla ihop* (*ned*) *ett* ~ close (put down) an umbrella; *fälla upp ett* ~ open (put up) an umbrella

paraplyorganisation *s* (~en, ~er) umbrella organization

paraplyställ *s* (~et, =) umbrella stand

paraplyvagn *s* (~en, ~ar) [baby] buggy

parapsykologi *s* (~n) parapsychology

parasit *s* (~en, ~er) parasite; om person äv. hanger-on, sponger

parasitera *vb itr* (~de, ~t) sponge, parasitize [*på* [up]on]

parasitisk *adj* (~t) parasitic

parasoll *s* (~et el. ~en, ~er el. =) parasol, sunshade; större trädgårds~ garden umbrella

paratyfoid *s* (~en) o. **paratyfus** *s* (~en) med. paratyphoid [fever]

parbladig *adj* (~t) bot. pinnate

pardon *s* (~en), *utan* ~ without mercy, mercilessly

parentation *s* (~en, ~er), *hålla* ~ *över...* deliver an oration to the memory of...

parentes *s* (~en, ~er) de båda tecknen parenthes|is (pl. -es) äv. inskott o. bildl., brackets pl.; *sätta...inom* ~ put...in brackets (parenthesis); *inom* ~ *sagt* by the way, incidentally

parentetisk *adj* (~t) parenthetical

parera *vb tr* (~de, ~t) parry; avvärja fend off

parflikig *adj* (~t) bot. partite

parfym *s* (~en, ~er) perfume; billigare scent; *~er* koll. äv. perfumery sg.

parfymera *vb tr* (~de, ~t) perfume; med lättare parfym scent

parfymeri *s* (~et, ~er) perfumery [shop]

parfymflaska *s* (~n, -flaskor) med parfym bottle of perfume (billigare scent)

parhus *s* (~et, =) semidetached house

parhäst *s* (~en, ~ar) **1** *en* ~ a horse of a pair; *de är ~ar* they are inseparable [friends] **2** amer., vicepresidentkandidat running mate

pari *s* (~t) ekon., *till* ~ at par; *under* (*över*) ~ below (above) par

paria *s* (~n, ~s) pariah; bildl. äv. outcast

Paris Paris

parisare *s* (~n, =) **1** person Parisian **2** kok., se *parisersmörgås*

pariserhjul *s* (~et, =) big wheel; amer. Ferris wheel

parisersmörgås *s* (~en, ~ar) [type of] hamburger on fried bread

parisisk *adj* (~t) Parisian

parisiska *s* (~n, parisiskor) kvinna Parisienne

paritet *s* (~en) parity; *i* ~ *med* on a level (par) with

park *s* (~en, ~er) **1** parkanläggning park; offentlig äv. recreation grounds pl.; mindre (i stad) ibland äv. square **2** bestånd (av fordon, maskiner o.d.), se *maskinpark*, *vagnpark* etc.

parkas *s* (~en, ~ar el. ~er) plagg parka

parkera *vb tr* (~de, ~t) **1** park; för kortare uppehåll wait **2** vard., placera park, dump

parkering *s* (~en, ~ar) **1** parking; ~ *förbjuden* no parking **2** område, se *parkeringsplats*

parkeringsautomat *s* (~en, ~er) parking meter

parkeringsavgift s (~en, ~er) parking fee, parking charge

parkeringsböter s pl parking fine sg.; **få ~** get a parking fine

parkeringsförbud s (~et, =), **det är ~** parking is prohibited

parkeringshus s (~et, =) multistor[e]y car park

parkeringsljus s (~et, =) parking light[s pl.], sidelights pl.

parkeringsmätare s (~n, =) parking meter

parkeringsplats s (~en, ~er) parking [place], parking space; område car park, amer. parking lot; ~ med parkeringsrutor parking bay

parkeringsruta s (~n, -rutor) parking space

parkeringstillstånd s (~et, =) för funktionshindrad disabled [parking] badge, disabled parking permit

parkeringsvakt s (~en, ~er) för parkeringsmätare traffic warden; vid parkeringsplats car-park attendant

parkett s (~en, ~er) **1** teat. stalls pl.; amer. parquet, orchestra [seats pl.]; **på ~** in the stalls; **sitta på första ~** bildl. have a ringside seat **2** golv parquet flooring (floor)

parkettgolv s (~et, =) parquet floor

parkettplats s (~en, ~er) seat in the stalls (amer. parquet), stall

parklek s (~en) playground activities pl.

parksoffa s (~n, -soffor) park bench

parlament s (~et, =) parliament

parlamentarisk adj (~t) parliamentary

parlamentarism s (~en) parliamentary government; mera abstr. parliamentarianism, parlamentarism

parlamentsbeslut s (~et, =) act (decree) of parliament

parlamentsbyggnad s (~en, ~er) parliament building

parlamentsledamot s (~en, -ledamöter) member of parliament, MP

parlamentsval s (~et, =) parliamentary election

parlör s (~en, ~er) phrase book

parmesanost s (~en, ~ar) Parmesan [cheese]

parning s (~en, ~ar) mating, pairing, copulation

parningslek s (~en, ~ar) courtship (endast sg.), mating dance

parningstid s (~en, ~er) mating season

parodi s (~n, ~er) parody, travesty [på of]; skit [på on]; **en ren ~ på...** a travesty of...

parodiera vb tr (~de, ~t) parody, mimic, travesty

parodisk adj (~t) parodical

paroll s (~en, ~er) slagord watchword, slogan

parrelation s (~en, ~er) partner relationship

part s (~en, ~er) **1** andel portion, share **2** jur., ~ [i målet] party; det är bäst **för alla ~er** ...for all parties (everybody) [concerned]; man måste höra **bägge ~er** ...both sides

parta vb itr (~de, ~t) vard. party

partaja vb itr (~de, ~t) vard. party

partajare s (~n, =) vard. party animal, raver

parti s (~et, ~er) **1** del part äv. mus.; avdelning section; av bok passage **2** hand., kvantitet lot; varusändning consignment, parcel; speciellt sjö. äv. shipment; kvantitet quantity [alla med of framför följande ord]; **I ~ och minut** [by] wholesale and [by] retail **3** polit. party **4** spel~ game; **ett ~ schack** a game of chess; **spela ett ~ bridge** play (have) a game (round) of bridge **5** gifte match; **han är ett gott (bra) ~** he is an

eligible (a good) match **6** ta ~ för ngn el. **ta ngns ~** take sb's part (side), side with (stand up for) sb

partiapparat s (~en, ~er) polit. party machine

partibeteckning s (~en, ~ar) polit. party label

particip s (~et, =) gram. participle

partiell adj (~t) partial

partifärg s (~en, ~er) polit. political complexion, party colour

partikamrat s (~en, ~er) fellow party member

partikel s (~n, partiklar) particle äv. språkv. o. fys.

partikongress s (~en, ~er) polit. party conference

partiledardebatt s (~en, ~er) debate between [the] party leaders

partiledare s (~n, =) polit. party leader (vard. boss)

partilös adj (~t) polit. non-party...; friare independent, neutral

partipamp s (~en, ~ar) polit. party bigwig (boss)

partipolitik s (~en) party politics (sg. el. pl.)

partipolitisk adj (~t) party-political

partipris s (~et, = el. ~er) hand. wholesale price

partiprogram s (~met, =) polit. party programme (manifesto), platform

partisan s (~en, ~er) partisan

partisekreterare s (~n, =) polit. party secretary, secretary of a (resp. the) party

partisk adj (~t) partial, biased, one-sided

partiskhet s (~en) partiality, bias, one-sidedness

partitur s (~et, =) mus. score

partner s (~n, =) partner

partnerskap s (~et, =), **ingå [registrerat] ~** enter into a [registered] partnership; amer. enter into a civil union

partnerskapslag s (~en, ~ar) jur. law regarding [registered] partnership; amer. civil union law

parvel s (~n, parvlar) vard. little fellow

parvis adv in pairs (couples)

paråkning s (~en) sport. pairs-skating

pascha s (~n, paschor) hist. el. skämts. pasha

1 pass s (~et, =) **1** passage pass; bergs~ äv. gorge, defile **2** för resor passport; **falskt (förfalskat) ~** forged passport **3** jakt. el. polis. o.d. (patrulleringsområde) beat; **stå på ~** allm. be on guard (on the lookout) **4** tjänstgöring duty; skift spell; **vem har ~et i kväll?** who is on duty (in charge) tonight?, who has (is on for) night-duty? **5 så ~ [mycket]** tillräckligt **att** + sats [about] enough to + inf.; **så [här] ~ mycket (nära, stor)** så [här] mycket osv. as much (near, big) as this; **så ~ mycket kan jag säga dig** I can tell you this much; **så ~ till den grad stor (nära, vanligt) att...** so big (near, common) that...; **komma [ngn] väl (bra) till ~** spec. om konkr. ting come in handy; om kunskap o.d. stand sb in good stead

2 pass interj kortsp. pass!, none!; **säga ~** say (call) 'pass' ('no bid')

3 pass interj, **~ för den!** that's mine!, I want that one!, bags I that one!, speciellt amer. dibs on that!

passa I vb tr o. vb itr (~de, ~t) **1** ge akt på attend (pay attention) to; hålla ett öga på keep (have) an eye on; se efter see to, look after; maskiner o.d.: sköta äv. operate, övervaka äv. watch [over]; **~ barn** se efter barn look after (take care of) children; sitta barnvakt babysit; **~ telefonen** answer the telephone; **~ tiden** vara punktlig be punctual, be (come) in time; **~ på** utnyttja **tillfället** take the chance (opportunity); **~ komma i tid till tåget** be in time for the train

2 vara lagom (avpassad), lämpa sig, avpassa, anpassa fit spec. om konkr. ting, suit [*efter* i båda fallen to]; vara lämplig be fit[ting] [*till* for]; be suitable [*till* for; *för* to]; vara läglig, bekväm be convenient [*ngn* to sb]; *den* t.ex. jackan ~*r precis* it fits perfectly (is a perfect fit); *den* ~*r inte alls* it doesn't fit at all (fits very badly); möbeln ~*r inte här* …is out of place here; *om det* ~*r er* är lägligt if it is convenient to you, if it suits you, if it is all right with [(for) you]; *när det* ~*r henne* when it suits her; när hon har lust äv. when she chooses (likes); *det* ~*r mig utmärkt* it suits me fine

med prepositionskonstruktion: *de* ~*r för varandra* they are suited to each other; *det* ~ [*in*] *i sammanhanget* it fits [into] the context; *nyckeln* ~*r inte i* (*till*) *låset* the key doesn't fit the lock; *en slips som* ~*r till* kostymen a tie that goes well with (that matches)…; *han* ~*r bra till* fritidsledare o.d. he is cut out el. is the right sort of man for (to be) a…

3 vara klädsam suit, become; anstå be becoming [*ngn* for sb] osv., jfr *passa II b*
4 kortsp. pass, say 'no bid'
5 sport., ~ [*bollen*] pass [the ball]

II *vb rfl* (~de, ~t) ~ *sig* **a)** lämpa sig, vara lämpligt be convenient (opportune) **b)** anstå be becoming, be fitting [*för ngn* for sb]; become [*för ngn* sb]; *det* ~*r sig inte* it is not proper (vard. not good form, not done) **c)** se upp, look out [*för* for]; akta sig take care of oneself

III med beton. part.
passa ihop a) itr.: konkret fit [together]; friare fit in; stämma tally, square [*med* with]; ~ *ihop* [*med varandra*] om personer suit (be well suited to) each other, get on well together; ~ *ihop med* ngt match… **b)** tr. fit…together; tekn. joint, join…together
passa in a) tr. fit…in (into) **b)** itr. fit [in]; tekn. äv. gear; ~ *in i* fit (bildl. äv. dovetail) [into]; *det* ~*r precis in på honom* the description fits him exactly
passa på: ~ *på medan*… take the opportunity while…; ~ *på att* + inf. take the opportunity to + inf.
passa upp vid bordet wait [*på* båda at (amer. on)]; ~ *upp på ngn* wait on sb
passabel *adj* (~t, passabla) passable; skaplig tolerable; attr. äv. …which is (was etc.) not too bad
passadvind *s* (~en, ~ar) geogr. tradewind
passage *s* (~n, ~r) passage abstr. o. konkr. (äv. avsnitt i bok o.d. el. mus.); astron. transit; arkad arcade; *hindra* ~*n* block (obstruct) the thoroughfare; *lämna fri* ~ leave the way free
passagerare *s* (~n, =) passenger; i taxi o.d. fare
passagerarflygplan *s* (~et, =) flyg. passenger plane (airliner)
passagerartrafik *s* (~en) passenger traffic
passande I *adj* (oböjl.) lämplig suitable; läglig convenient [*till* i samtliga fall for]; riktig, rätt appropriate, proper, correct; tillbörlig becoming; *det skulle inte vara* ~ anständigt it would not be proper (decent) **II** *s*, *det* ~ det korrekta what is [right and] proper, the [proper] thing; det anständiga decorum, good form; *känsla för det* ~ sense of propriety
passare *s* (~n, =) cirkelinstrument compasses pl.; *en* ~ a pair of compasses
passbåt *s* (~en, ~ar) tender, ferryboat
passera *vb tr* o. *vb itr* (~de, ~t) **1** ~ [*förbi*] pass äv. friare, pass by; överskrida cross; *det låter jag* ~ överser jag med I am willing to overlook that (let it pass);

ett ~*t stadium* a stage that has passed (gone by)
2 hända happen osv., jfr *hända I 3* kok. strain; genom durkslag press…through a colander **4** i t.ex. tennis pass
passerkort *s* (~et, =) o. **passersedel** *s* (~n, -sedlar) pass, permit
passform *s* (~en, ~er) om kläder o.d. fit; *kjolen har bra* ~ …is a good fit
passfoto *s* (~t, ~n) passport photo
passgångare *s* (~n, =) spec. om häst ambler
passion *s* (~en, ~er) lidelse, lidande passion; mani mania
passionerad *adj* (passionerat, ~e) lidelsefull passionate; ivrig, entusiastisk keen, ardent, enthusiastic; om t.ex. talare impassioned; *han är* [*en*] ~ *fiskare* äv. fishing is a passion with him
passionsfrukt *s* (~en, ~er) passion fruit
passiv I *adj* (~t) passive; ~ *delägare* sleeping partner; ~ *medlem* associate member; ~ *rökning* (*rökare*) passive smoking (smoker); *förhålla sig* ~ remain passive (neutral), sit (stand) back **II** *s* (~et, el. ~en, = el. ~er) språkv. the passive [voice]
passivisera *vb tr* (~de, ~t) passivate, make…passive
passivitet *s* (~en) passivity, passiveness
passkontroll *s* (~en, ~er) passport examination (control) äv. själva lokalen
passkontrollant *s* (~en, ~er) immigration officer, passport official
passning *s* (~en, ~ar) **1** eftersyn attention, looking to; tillsyn tending; skötsel nursing; betjäning attendance, service, waiting-on; ~ *av barn* looking after children **2** sport. pass
passopp *s* (~en, ~er) attendant; *vara* ~ *åt*… fetch and carry for…
passus *s* (~en, ~ar) passage
pasta *s* (~n, pastor) **1** allm. paste **2** spaghetti o.d. pasta
pastasås *s* (~en, ~er) kok. pasta sauce
pastej *s* (~en, ~er) pâté
pastell *s* (~en, ~er) pastel; *måla i* ~ paint in pastel
pastellfärg *s* (~en, ~er) pastel colour
pastellkrita *s* (~n, -kritor) pastel [crayon]
pastill *s* (~en, ~er) pastille, lozenge
pastisch *s* (~en, ~er) pastiche
pastor *s* (~n, ~er) i frikyrkan el. om utländska förh. pastor; ~ [*Bo*] *Ek* [the] Rev. Bo Ek
pastoral I *s* (~en, ~er) pastoral äv. mus. **II** *adj* (~t) pastoral äv. mus.
pastorat *s* (~et, =) kyrkl., ung. parish
pastorsexpedition *s* (~en, ~er) hist., ung. [parish] registrar's (register) office
pastrami *s* (~n) kok. pastrami
pastörisera *vb tr* (~de, ~t) pasteurize
pâté *s* (~n, ~er) o. **paté** *s* (~n, ~er) pâté
patellarreflex *s* (~en) med. patellar reflex
patent *s* (~et, =) patent [*på* for]; *söka* (*få, ha*) ~ apply for (obtain, hold) a patent for
patentbrev *s* (~et, =) letters patent pl.
patentbyrå *s* (~n, ~er) patent agency
patentera *vb tr* (~de, ~t) patent, take out a patent for; patentskydda protect…by [a] patent
patentinnehavare *s* (~n, =) holder of a (resp. the) patent, patentee
patentlås *s* (~et, =) safety (yale®, patent) lock; smäcklås latch

patentlösning s (~en, ~ar) cure-all, panacea, patent (ready-made) solution, instant recipe

patentmedicin s (~en, ~er) bildl. cure-all, panacea

patentregister s (-registret, =) register of patents

patentskyddad adj (-skyddat, ~e) patented

patentstickning s (~en, ~ar) double knitting

patentverk s (~et, =) patent office; **Patent- och Registreringsverket** the [Swedish] Patent and Registration Office

pater s (~n, patrar) priest; **~ X** Father X

patetisk adj (~t) **1** lidelsefull passionate; högtravande highflown **2** gripande el. löjeväckande pathetic; **en ~ figur** a pathetic figure

patiens s (~en, ~er) patience; amer. solitaire; **lägga ~** play patience (solitaire)

patient s (~en, ~er) patient; sjukdomsfall äv. case

patientbricka s (~n, -brickor) patient's [ID] card

patina s (~n) patina; bildl. äv. mellowness

patolog s (~en, ~er) pathologist

patologi s (~n) pathology

patologisk adj (~t) pathological

patos s (~et) lidelse passion, devotion; t.ex. ungdomligt fervour; t.ex. deklamatoriskt, falskt pathos; **socialt ~** passion for social justice

patrask s (~et, =) rabble, riff-raff

patriark s (~en, ~er) patriarch äv. friare

patriarkalisk adj (~t) patriarchal

patriarkat s (~et, =) **1** kyrkl., ämbete patriarchate **2** fadersvälde patriarchy, patriarchate

patriot s (~en, ~er) patriot

patriotisk adj (~t) patriotic

patriotism s (~en) patriotism

patron s (~en, ~er) för skjutvapen cartridge äv. friare (om patronliknande förpackning el. föremål); för t.ex. kulpenna refill [cartridge]; film~ [film] cartridge; **lös ~** blank cartridge; **skarp ~** ball cartridge

patronbälte s (~t, ~n) cartridge (ammunition) belt

patronhylsa s (~n, -hylsor) cartridge [case]

patrull s (~en, ~er) patrol; **stöta på ~** bildl. (stöta på motstånd) meet with opposition [hos ngn from sb]

patrullera vb tr o. vb itr (~de, ~t) patrol

patrulltjänst s (~en) patrol service (duty)

paus s (~en, ~er) **1** speciellt i tal pause; uppehåll, avbrott break, intermission; teat. el. radio. interval; amer. intermission; **göra en ~** i t.ex. tal make a pause; **ta en ~** i t.ex. arbetet have (take) a break **2** mus. rest

pausa vb itr (~de, ~t) o. **pausera** vb itr (~de, ~t) pause, stop, make a pause

pausknapp s (~en, ~ar) på t.ex. cd-spelare pause button (control)

paussignal s (~en, ~er) radio. interval signal

paustecken s (-tecknet, =) mus. rest [sign]

paviljong s (~en, ~er) pavilion

pc s (pc:n, pc:ar) persondator PC (förk. för personal computer)

peang s (~en, ~er) med. haemostatic (artery) forceps sg.

pedagog s (~en, ~er) educationalist, educationist; lärare pedagogue, amer. äv. pedagog; i förskola preschool teacher

pedagogik s (~en) pedagogy, pedagogics sg.; metodik äv. teaching methods

pedagogisk adj (~t) pedagogical; uppfostrande educational

pedal s (~en, ~er) pedal

pedant s (~en, ~er) pedant; friare meticulous person, perfectionist; vard. neds. nitpicker

pedanteri s (~et, ~er) pedantry; friare meticulousness, perfectionism; vard. neds. nitpicking

pedantisk adj (~t) pedantic; friare meticulous, perfectionist; vard. neds. nitpicking

pediatrik s (~en) paediatrics (amer. pediatrics) sg.

pediatriker s (~n, =) paediatrician; amer. pediatrician

pedikyr s (~en) pedicure, chiropody

pedofil s (~en, ~er) paedophile (amer. pedophile); vard. child molester

pejla vb tr (~de, ~t) **1** bestämma riktningen till take a bearing of; flyg., med radio locate **2** loda sound **3** bildl., **~ läget** see how the land lies

pejling s (~en, ~ar) bearing; radio location; sounding, jfr **pejla**

pejorativ adj (~t) språkv. pejorative

peka vb itr (~de, ~t) point [på at (to); på att... to the fact that...]; **~ tyda på att...** äv. indicate that...; **gå dit näsan ~r** follow one's nose; **hon får allt hon ~r på** her slightest wish is fulfilled, everything is hers for the asking; **nålen ~r åt norr** the needle points [to the] north; **~ ut** point out; välja ut single out

pekannöt s (~en, -nötter) pecan

pekbok s (~en, -böcker) för småbarn [children's] picture book

pekfinger s (-fingret, -fingrar) forefinger, index finger

pekines s (~en, ~er) zool. pekinese, Pekinese (båda pl. lika); vard. peke

Peking Beijing, tidigare benämning Peking

pekoral s (~et, =) pretentious (highflown) rubbish (endast sg.)

pekpinne s (~n, -pinnar) pointer; bildl. lecture; **för många pekpinnar** too much lecturing

pelarbord s (~et, =) pedestal table

pelare s (~n, =) pillar äv. bildl.; kolonn column

pelargon s (~en, ~er) o. **pelargonia** s (pelargonier el. pelargonior) bot. geranium

pelargång s (~en, ~ar) arkit. colonnade; kring klostergård cloister; arkad arcade

pelatrosinera vb itr (~de, ~t) kem. pelatrosinate

pelikan s (~en, ~er) pelican

pellet s (~en, ~ar el. ~s) tekn. m.m. pellet

pendang s (~en, ~er) counterpart, companion [piece, bok volume]; **bilda en ~ till** match

pendel s (~en, pendlar) **1** pendulum **2** se **pendeltåg**

pendeltrafik s (~en) commuter traffic

pendeltåg s (~et, =) commuter (suburban) train

pendla vb itr (~de, ~t) **1** svänga swing [to and fro]; tekn. oscillate, pendulate; vackla vacillate **2** trafik. commute

pendlare s (~n, =) trafik. commuter

pendling s (~en, ~ar) **1** oscillation, pendulation; swinging (endast sg.) **2** trafik. commuting

pendyl s (~en, ~er) ornamental (vägg~ wall) [pendulum] clock

penetration s (~en, ~er) penetration

penetrera vb tr (~de, ~t) penetrate

peng s (~en, ~ar) slant coin

pengar s pl koll. money sg.; kapital capital sg., funds; **kontanta** (**reda**) **~** cash, ready money; **mina sista ~** the last of my money; **snabba ~** easy money; amer. vard. a fast (quick) buck; **svarta ~** black (dirty) money; **ha mycket** (**inte ha mycket**) **~** have a lot of (not have much) money; **ha ~ till** mat och kläder have money for...; *lägga ner ~ på ngt* put [a lot of] money into sth; *man kan inte få allt för ~* money won't buy everything; *vara utan ~* be without any money (penniless, out of cash)

penibel *adj* (~t, penibla) pinsam painful; kinkig awkward; *en ~ situation* an awkward situation

penicillin *s* (~et) farmakol. penicillin

penis *s* (~en, ~ar) penis

penna *s* (~n, pennor) allm. pen; blyerts~ pencil; skribent writer

pennalism *s* (~en) bullying

penndrag *s* (~et, =) stroke of the pen

pennfodral *s* (~et, =) pen (för blyertspennor pencil) case

penning *s* (~en, ~ar), *få ngt för en billig* (*ringa*) *~* get sth cheap[ly] (vard. for a song); se äv. *peng* o. *pengar*

penningbehov *s* (~et, =) need of money

penningbekymmer *s pl* financial worries

penningbrist *s* (~en) shortage (lack) of money

penningfråga *s* (~n), *det är en ~* [*för honom*] it is a question (matter) of money [for him]

penningförsändelse *s* (~n, ~r) remittance [of money]

penninggåva *s* (~n, -gåvor) money-gift

penninglott *s* (~en, ~er) [state] lottery ticket

penningplacering *s* (~en, ~ar) investment [of money (capital)]

penningpolitik *s* (~en) monetary policy

penningstark *adj* (~t) ...in a strong financial position; attr. äv. moneyed; *~ person* äv. financially strong (wealthy) person, man (resp. woman) of money

penningsumma *s* (~n, -summor) sum of money

penningtransaktion *s* (~en, ~er) money (financial) transaction

penningtvätt *s* (~en, ~ar) money laundering

penningvärde *s* (~t, ~n) pengarnas köpkraft value of money, money value

penningväsen *s* (~det, =) myntsystem monetary system; finanser finances pl.

penningört *s* (~en) bot. pennycress

pennkniv *s* (~en, ~ar) penknife; fickkniv pocketknife

pennskaft *s* (~et, =) eg. penholder

pennskrin *s* (~et, =) pencil-box

pennstift *s* (~et, =) [loose] lead

pennstump *s* (~en, ~ar) pencil stump; stubby pencil

pennteckning *s* (~en, ~ar) pen-and-ink drawing

pennvässare *s* (~n, =) pencil-sharpener

pensé *s* (~n, ~er) bot. pansy

pensel *s* (~n, penslar) målar~ o.d. [paint]brush

penseldrag *s* (~et, =) stroke of a (resp. the) brush

penselföring *s* (~en, ~ar) brushwork

pension *s* (~en, ~er) **1** underhåll pension; tid som pensionerad retirement; *gå i ~* retire **2** inackordering board; se äv. *pensionat*

pensionat *s* (~et, =) inackorderingsställe boarding house, guest house; mindre hotell [private (family)] hotel; på kontinenten ofta pension

pensionera *vb tr* (~de, ~t) pension [off], grant a pension to; *~ sig* retire

pensionerad *adj* (pensionerat, ~e) retired

pensionering *s* (~en, ~ar) pensioning, superannuation; *till ~en* var han... up to his retirement...

pensionsavgift *s* (~en, ~er) pension contribution

pensionsbesked *s* (~et, =) certificate of pension benefits

pensionsfond *s* (~en, ~er) pension fund

pensionsförsäkring *s* (~en, ~ar) retirement annuity (pension insurance)

pensionsgrundande *adj* (oböjl.), *~ inkomst* pensionable income

pensionssparande *s* (~t, ~n) pensions savings pl.

pensionsålder *s* (~n, -åldrar) pensionable (retirement) age

pensionär *s* (~en, ~er) pensionstagare [old-age] pensioner, senior citizen

pensionärsbostad *s* (~en, -bostäder) pensioner's (amer. retirement) accommodation

pensla *vb tr* (~de, ~t) paint; *~ brödet med ägg* brush...with beaten egg; *~ på färg* apply paint

pensum *s* (~et, =) task, assignment

Pentagon USA:s försvarshögkvarter the Pentagon

pentry *s* (~t, ~n) kokvrå kitchenette; sjö. el. flyg. galley

peppa *vb tr* (~de, ~t), *~* [*upp*] vard. pep up

peppar *s* (~n) pepper; *~, ~!* besvärjelse touch (knock on) wood!; *han kan dra dit ~n växer* I wish him further; amer. I wish he'd drop dead (go jump in the lake)

pepparkaka *s* (~n, -kakor) gingerbread biscuit; *mjuk ~* gingerbread cake

pepparkakshus *s* (~et, =) gingerbread house

pepparkorn *s* (~et, =) peppercorn

pepparkvarn *s* (~en, ~ar) pepper mill

pepparmint *s* (~en) smakämne peppermint

pepparmynta *s* (~n) bot. peppermint

pepparrot *s* (~en) horseradish

pepparstek *s* (~en, ~ar) kok. pepper steak

pepparströare *s* (~n, =) pepper pot

peppra *vb tr* o. *vb itr* (~de, ~t) pepper [[*på*] *ngt* sth]; *~ ngn med kulor* pepper sb with bullets

per *prep* **1** medelst by; *~ brev* (*e-post, järnväg, telefon*) by letter (email, rail, telephone) **2** *~ månad* (*styck, ton*) a) varje månad osv. a (per) month (piece, ton) b) månadsvis osv. by the month (piece, ton); två gånger *~ månad* (*vecka, år*) äv. ...monthly (weekly, yearly); 25 kronor *~ styck* äv. ...each, ...apiece; *~ år* årligen äv. annually, per annum; *~ gång* varje gång every (each) time; åt gången at a time **3** *~ den 31 mars* om t.ex. kontoutdrag [as] at 31st March

per capita *adv* per capita

perenn I *adj* (perent) bot. perennial **II** *s* (~en, ~er) perennial [plant]

perfekt I *adj* (=) perfect; oerhört bra first-rate; *en ~ äkta man* ofta a model husband **II** *adv* perfectly, to perfection **III** *s* (~et, ~er) gram. the perfect [tense]; *~ particip* past (perfect) participle

perfektion *s* (~en) perfection

perfektionism *s* (~en) perfectionism

perfektionist *s* (~en, ~er) perfectionist

perforera *vb tr* (~de, ~t) perforate

perforering *s* (~en, ~ar) perforation

pergament *s* (~et, =) parchment; till bokband o.d. äv. vellum

pergamentrulle *s* (~n, -rullar) roll of parchment

perifer *adj* (~t) peripheral äv. anat. el. data.; avsides liggande äv. remote, outlying

periferi *s* (~n, ~er) **1** cirkel~ circumference **2** utkant, ytterområde periphery

periferisk *adj* (~t) se *perifer*

period *s* (~en, ~er) period; ämbets~ o.d. term; **en ~ av dåligt väder** a spell of bad weather
periodare *s* (~n, =) se *periodsupare*
periodicitet *s* (~en) periodicity
periodisk *adj* (~t) periodic; tekn. el. elektr. äv. cyclic; **det ~a systemet** kem. the periodic system
periodkort *s* (~et, =) o. **periodmärke** *s* (~t, ~n) trafik. season ticket
periodsupare *s* (~n, =) periodical drinker, dipsomaniac; vard. dipso
periodvis *adv* periodically
periskop *s* (~et, =) periscope
permanent I *adj* (=) permanent; **~ minne** data. permanent storage **II** *s* (~en, ~er) permanentning av hår permanent waving; **en ~** a permanent wave; vard. a perm
permanenta *vb tr* (~de, ~t) **1** allm. make...permanent **2** hår perm; **är hon ~d?** has she had her hair permed?; [**låta**] **~ sig** have a perm **3** väg lay...with a permanent surface; **~d väg** road with a permanent surface
permission *s* (~en, ~er) mil. o.d. leave [of absence]; på längre tid furlough; **få ~** get (be granted) leave; **ha ~** be on leave
permissionsansökan *s* (=, en, -ansökningar) mil. o.d. application for leave
permissionsförbud *s* (~et, =) mil. o.d. suspension (stoppage) of leave; **ha ~** be confined to barracks
permissionssedel *s* (~n, -sedlar) mil. [leave] pass
permittera *vb tr* (~de, ~t) **1** avskeda (arbetare) dismiss [tillfälligt temporarily], lay off; **bli ~d** be made redundant (laid off work) **2** mil. grant leave to
permittering *s* (~en, ~ar) av arbetare [temporary] dismissal, lay-off, redundancy
perplex *adj* (~t) perplexed; **bli ~ över ngt** äv. be taken aback by sth
perrong *s* (~en, ~er) platform
persedlar *s pl* utrustning equipment, kit (båda sg.)
perserkatt *s* (~en, ~er) Persian cat
persianpäls *s* (~en, ~ar) Persian lamb coat
Persien hist. Persia
persienn *s* (~en, ~er) Venetian blind
persika *s* (~n, persikor) peach
persilja *s* (~n) parsley
persiljesmör *s* (~et) parsley (maître d'hôtel) butter
persisk *adj* (~t) Persian
persiska *s* (~n) språk Persian, Farsi
Persiska viken geogr. the Persian Gulf
person *s* (~en, ~er) allm. person äv. gram.; neds. äv. individual; framstående personage; **~er** vanl. (spec. mindre formellt) people; **en vuxen ~** an adult (a grown-up) [person]; **en offentlig ~** a public figure (character); **i egen hög ~** in person, personally; **per ~** per person, per (a) head, each, apiece; **utan hänsyn till ~** without respect (distinction) of persons; **hur är hon (han) som person?** what is she (he) like as a person?
personal *s* (~en, ~er) staff; speciellt mil. el. på sjukhus, offentlig institution o.d. personnel; **ha för lite (mycket) ~** be understaffed (overstaffed), be undermanned (overmanned); **höra till ~en** be on the staff
personalansvar *s* (~et) line management responsibility
personalansvarig *s* (en ~, pl. ~a) human resources manager

personalavdelning *s* (~en, ~ar) staff (personnel) department
personalbrist *s* (~en) shortage of staff (personnel)
personalchef *s* (~en, ~er) human resources (personnel) manager
personalfest *s* (~en, ~er) staff (på kontor o.d. office) party
personalingång *s* (~en, ~ar) service (staff) entrance
personalmatsal *s* (~en, ~ar) staff (personnel) dining room, canteen
personalnedskärningar *s pl* staff cuts, downsizing sg.
personalomsättning *s* (~en) staff (employee, labour) turnover
personalpolitik *s* (~en) staff policy
personalrabatt *s* (~en, ~er) staff (personnel) discount
personaltidning *s* (~en, ~ar) house magazine (organ)
personalutbildning *s* (~en, ~ar) staff (personnel) training
personalvård *s* (~en) staff welfare
personangrepp *s* (~et, =) personal attack
personbevis *s* (~et, =) [copy of] birth certificate
personbil *s* (~en, ~ar) private car
personbästa *s* (oböjl., ett) sport. personal best (förk. PB)
personifiera *vb tr* (~de, ~t) personify; **han är hederligheten ~d** he is honesty personified
personkemi *s* (~n) vard. [personal] chemistry
personkult *s* (~en, ~er) personality cult, cult of personality
personkännedom *s* (~en) knowledge of people
personlig *adj* (~t) allm. personal äv. intim; närgången; individuell individual; **~t** på brev private; **för min ~a del** for my [own] part; **~t pronomen** personal pronoun; **~t telefonsamtal** person-to-person call; **~a tillhörigheter** (**~ åsikt**) personal el. private belongings (opinion); **min ~a åsikt är...** äv. personally, I think...
personligen *adv* personally; 'i egen hög person' äv. in person; **han var ~ närvarande** äv. he was present himself; **jag inbjöd honom ~** gjorde det själv I invited him myself
personlighet *s* (~en, ~er) personality; person personage, figure; **han är en ~** he has personality; **gå (komma) in på ~er** become personal
personlighetsdrag *s* (~et, =) traits pl. of character
personlighetsförändring *s* (~en, ~ar), **han har genomgått en ~** he has undergone a change of personality
personlighetsklyvning *s* (~en, ~ar) psykol., **lida av ~** have a split (dual, multiple) personality
personnamn *s* (~et, =) personal name
personnummer *s* (-numret, =) personal identity number; amer. ung. social security number
personskada *s* (~n, -skador) försäkr. el. allm. personal injury
personsökare *s* (~n, =) [radio] pager, bleeper, beeper
persontrafik *s* (~en) passenger traffic
persontåg *s* (~et, =) mots. godståg passenger train; mots. snälltåg ordinary (slow) train
personundersökning *s* (~en, ~ar) jur. personal case study; amer. presentence investigation
perspektiv *s* (~et, =) konst. perspective äv. bildl.; **~en**

utsikterna the prospects; **nya** ~ äv. new vistas (prospects, horizons); **anlägga ett nytt ~ på problemet** adopt a new approach to the problem, see the problem from a new angle; **få ~ på ngt** get sth into perspective; **i ett längre ~** måste vi taking the long view...; se verkligheten **ur barnets ~** ...from the (a) child's point of view (child's angle)

perspektivfönster s (-fönstret, =) picture (vista) window

Peru Peru

peruan s (~en, ~er) Peruvian

peruansk adj (~t) Peruvian

peruanska s (~n, peruanskor) kvinna Peruvian woman

peruk s (~en, ~er) wig

perukmakare s (~n, =) wigmaker

pervers adj (~t) perverted, sexually depraved; **han är** ~ äv. he is a pervert

perversion s (~en, ~er) perversion

perversitet s (~en, ~er) pervertedness (endast sg.), sexual perversion

peseta s (~n, ~s) hist., myntenhet peseta

pessar s (~et, =) diaphragm, [Dutch] cap

pessimism s (~en) pessimism

pessimist s (~en, ~er) pessimist

pessimistisk adj (~t) pessimistic

pest s (~en, ~er) allm. plague; friare äv. pestilence; **jag hatar (avskyr) honom som ~en** I hate him like poison (hate his guts); **det är som att välja mellan ~ och kolera** ung. it's a choice between the devil and the deep blue sea; **måndagar är ~** Mondays are murder (poison)

pesthärd s (~en, ~ar) plague spot

pesto s (~n) kok. pesto

peta I vb tr o. vb itr (~de, ~t) **1** allm. pick, poke; **~ hål i (på) ngt** poke a hole in (through) sth; **~ naglarna** clean one's nails; **~ [sig i] näsan** pick one's nose; **~ tänderna** pick one's teeth; **~ i maten** av brist på aptit pick (peck) at one's food **2** bildl., utmanövrera oust; avskeda dismiss; **~ en spelare** sport. drop a player **II** med beton. part.

peta av (bort) pick off (away)

peta in eg. el. bildl. push (poke) in[to]

peta sönder pick...to pieces

peta till ngt touch sth

peta ut avlägsna remove

petgöra s (~t) finicky (fiddly) job

petig adj (~t) smånoga fussy, finicky; vard. nitpicking; om person äv. meticulous, pedantic

petit-chou s (~n, ~er) ung. éclair bun, cream puff

petitess s (~en, ~er) trifle

petition s (~en, ~er) petition [om for]

petnoga adj (oböjl.) vard. fussy, pernickety

petriskål s (~en, ~ar) för bakterieodling Petri dish

petrokemisk adj (~t) petrochemical

petroleum s (~et) petroleum, mineral oil

petunia s (~n, petunior) bot. petunia

p.g.a. (förk. för på grund av) se 1 grund 4

P-hus s (~et, =) se parkeringshus

pH-värde s (~t, ~n) pH value

physalis s (~en, = el. ~ar) bot. physalis, strawberry tomato, Chinese lantern

pi s (~et, ~n el. =) matem. pi

pianist s (~en, ~er) pianist, piano player

piano I s (~t, ~n) piano (pl. -s); som mots. till flygel upright piano **II** adv mus., styrkebeteckning piano it.

pianoackompanjemang s (~et, =) piano accompaniment

pianodragspel s (~et, =) piano accordion

pianokonsert s (~en, ~er) musikstycke piano concerto (pl. -s); konsert piano recital

pianola s (~n, pianolor) pianola, player-piano

pianolektion s (~en, ~er) piano lesson

pianomusik s (~en) piano music

pianostol s (~en, ~ar) piano stool, music stool

pianostämmare s (~n, =) piano tuner

pianotråd s (~en, ~ar) piano wire

piccolo s (~n, ~r) bellboy; amer. äv. bellhop

picka vb tr o. vb itr (~de, ~t) **1** om fågel: **~ på ngt** peck at sth; **~ hål på ngt** pick a hole in sth **2** med nål el. gaffel (t.ex. frukt) prick **3** om hjärtat flutter, pitter-patter

pickels s pl pickles, relish sg.

picknick s (~en, ~ar) picnic

picknickkorg s (~en, ~ar) picnic hamper

pick och pack s (oböjl.), **ta sitt ~** take (gather) one's traps (goods and chattels); **han tog sitt ~ och drog** he took his stuff and cleared off, he took his bits and pieces and left

pickup s (~en el. pickuppen, ~er el. pickupper) **1** på grammofon pickup, cartridge **2** liten lastbil pickup [truck], utility truck

pickupnål s (~en, ~ar) stylus (pl. styluses el. styli)

pidginengelska s (~n) språkv. pidgin English

piedestal s (~en, ~er) pedestal

pierca vb tr (~de, ~t), **~ tungan** have one's tongue pierced

piercing s (~en, ~ar) piercing

pietetsfull adj (~t) reverent, reverential; **~ restaurering** restoration in keeping with past tradition, pious restoration

pietism s (~en) relig. pietism

pietistisk adj (~t) relig. pietistic

piff s (~en) zest; **sätta ~ på ngt** add zest (spice) to sth, add an extra touch (just that little extra) to sth; **sätta ~ på maten** give a relish to the food

piffa vb tr (~de, ~t) vard., **~ upp** smarten (pep, jazz) up

piffig adj (~t) vard.: chic, snitsig chic, smart; pikant piquant; **en ~ maträtt** a tasty (spicy) dish

piga s (~n, pigor) hist. maid

1 pigg s (~en, ~ar) spike; tagg quill; spets point

2 pigg adj (~t) **1** brisk, spry; kvick, käck spirited; vaken alert, wide-awake; **en ~ unge** a bright (sharp) child; **~a ögon** lively eyes; **känna sig ~** i form feel fit (full of beans) **2 vara ~ på ngt** be keen on sth; **är du ~ på** en promenad **?** do you feel like...?, how about...?

pigga vb itr (~de, ~t), **~ upp** buck up; muntra upp cheer up; stimulera stimulate; **det ~de upp mig** it bucked (cheered) me up; **~ upp sig** buck (cheer) up

pigghaj s (~en, ~ar) zool. spiny (piked) dogfish

piggna vb itr (~de, ~t), **~ till** come round

piggsvin s (~et, =) zool. porcupine

piggvar s (~en, ~ar) zool. turbot

pigment s (~et, =) pigment

pigmentering s (~en, ~ar) pigmentation

pik s (~en, ~ar) **1** vapen pike **2** bergstopp peak **3** sjö. peak **4** spydighet dig, taunt, gibe, innuendo; **jag förstår ~en** that was a dig at me; I get the message; **ge ngn en ~** make a [sly] dig (a crack) at sb; **det var**

en ~ till dig that was one for you; that was a dig at you **5** i simhopp pike

pika *vb tr* (~de, ~t) taunt [*ngn för ngt* sb with sth], have a dig at sb

pikant *adj* (=) piquant; kryddad äv. spicy, highly seasoned; *~a detaljer* spicy (juicy) details; *en ~ historia* a spicy (racy) story

pikanteri *s* (~et, ~er) piquancy (endast sg.); *~er* pikanta detaljer spicy (juicy) details

piké *s* (~n, ~er) tyg piqué

piket *s* (~en, ~er) **1** polisstyrka flying (riot) squad **2** polisbil police van; amer. patrol wagon

1 pil *s* (~en, ~ar) träd willow

2 pil *s* (~en, ~ar) **1** pilbågs~ arrow; armborst~ bolt; pilkastnings~ dart; *Amors ~ar* Cupid's darts (shafts, arrows); *snabb som en ~* swift as an arrow; *fara i väg som en ~* be off like a shot **2** pilformigt tecken arrow; vägvisare fingerpost

pila *vb itr* (~de, ~t), *~ i väg* dart (dash) away

pilbåge *s* (~n, -bågar) bow

pilfink *s* (~en, ~ar) zool. tree sparrow

pilgrim *s* (~en, ~er) pilgrim

pilgrimsfalk *s* (~en, ~ar) peregrine [falcon]

pilgrimsfärd *s* (~en, ~er) pilgrimage; *göra en ~* go on a pilgrimage

pilgrimsmussla *s* (~n, -musslor) zool. pilgrim's shell, pilgrim scallop; kok. Scallop Saint-Jacques

pilkastning *s* (~en) spel darts sg.

pilla *vb itr* (~de, ~t), *~ knåpa med ngt* potter at sth; *~ peta på ngt* pick (poke) at sth, finger (touch) sth; *~ av* (*bort* m.fl.) se peta II

piller *s* (pillret, =) pill; *svälja det beska pillret* swallow the bitter pill

pillerburk *s* (~en, ~ar) pillbox äv. damhatt

pillra *vb itr* (~de, ~t) se pilla

pilot *s* (~en, ~er) pilot

pilotstudie *s* (~n, ~r) pilot study

pilsk *adj* (~t) vard. randy, horny

pilsner *s* (~n, =) öl av pilsnertyp, ung. lager; äkta Pilsner (Pilsener) [beer]

pilspets *s* (~en, ~ar) arrowhead

pimpel *s* (~n, pimplar) fiske. jig

pimpinett *adj* (=) åld. vard. natty; om person äv. dapper, fastidious

1 pimpla *vb tr* o. *vb itr* (~de, ~t) dricka tipple

2 pimpla *vb tr* o. *vb itr* (~de, ~t) fiske. jig

pimpsten *s* (~en) pumice [stone]

pin I *adj* (oböjl.), *på ~ kiv* out of sheer cussedness, just to make trouble **II** *s* (oböjl.), *vill man vara fin får man lida ~* one has to go through a great deal for one's appearance **III** *adv*, *~ färsk* se pinfärsk

pina I *s* (~n, pinor) pain, torment[s pl.], suffering, anguish (endast sg.); *göra ~n kort* get it over quickly **II** *vb tr* (~de, ~t) torment, torture; *~ livet ur ngn* bildl. worry the life out of sb; *~ i sig* mat force…down; *en ~nde blåst* a biting (piercing) wind

pinal *s* (~en, ~er) sak thing, article; *~er* tillhörigheter gear sg., things

pincené *s* (~n, ~er) eye-glasses pl.; *en ~* a pair of eye-glasses

pincett *s* (~en, ~er) tweezers pl.; kir. forceps (sg. el. pl.); *en ~* a pair of tweezers (forceps)

pinfärsk *adj* (~t) absolutely new (fresh)

pingis *s* (~en) vard. table tennis, ping-pong

pingla I *s* (~n, pinglor) **1** [small] bell, tinkler **2** vard.,

flicka chick, doll **II** *vb itr* (~de, ~t) tinkle, jingle **III** *vb tr* (~de, ~t) ringa upp, *jag ~r* [*dig*] i eftermiddag I'll give you a ring (tinkle)…

pingpong *s* (~en) ping-pong

pingst *s* (~en, ~ar), *~[en]* Whitsun; högtidl. Whitsuntide; *i ~as* last Whitsun, för ex. o. sammansättn. jfr jul

pingstafton *s* (~en, -aftnar) Whitsun Eve

pingstdag *s* (~en, ~ar) Whitsunday, jfr juldag 1

pingsthelg *s* (~en, ~er), *~en* Whitsun, the Whitsun holiday; högtidl. Whitsuntide

pingstlilja *s* (~n, -liljor) [white] narcissus (pl. narcissuses el. narcissi)

pingströrelse *s* (~en, ~er), *~n* the Pentecostal Movement

pingstvän *s* (~nen, ~ner) relig. Pentecostalist

pingvin *s* (~en, ~er) penguin

pinje *s* (~n, ~r) bot. [stone]pine

pinkod *s* (~en, ~er) behörighetskod för t.ex. bankomatkort PIN (förk. för Personal Identification Number) code

pinne *s* (~n, pinnar) allm. peg; större stick; för fåglar perch; steg~ rung; *stel* (*styv*) *som en ~* [as] stiff as a poker; *trilla av pinn*[*en*] dö peg out

pinnhål *s* (~et, =), *klättra upp ett par ~* rise a step or two

pinnsoffa *s* (~n, -soffor) rib-back settee

pinnstol *s* (~en, ~ar) ung. Windsor-style chair

pinsam *adj* (~t, ~ma) plågsam painful; besvärande, om t.ex. situation, tystnad äv. embarrasing, awkward; *vad ~t!* how awful (embarrassing)!

pinuppa *s* (~n, pinuppor) vard. pin-up [girl]

pion *s* (~en, ~er) bot. peony

pionjär *s* (~en, ~er) pioneer

pionjärarbete *s* (~t, ~n) pioneer[ing] work; *göra ett ~* do pioneer work, break new ground

1 pip I *s* (~et, =) ljud peep, cheep; fågels äv. chirp; råttas squeak **II** *interj* peep!

2 pip *s* (~en, ~ar) på kärl spout

1 pipa *vb itr* (pep, pipit) om fåglar chirp, cheep; om råttor squeak; gnälla whimper, whine, squeal; *det piper i bröstet på honom* there is a wheeze in his chest

2 pipa *s* (~n, pipor) allm. pipe; vissel~ whistle; gevärs~ barrel; skorstens~ flue; *röka ~* smoke a pipe; *dansa efter ngns ~* dance to sb's tune (pipe); *gå åt ~n* go to pot

pipeline *s* (~n, ~r) tekn. pipeline

pipett *s* (~en, ~er) pipette

piphuvud *s* (~et, ~en el. =) pipe bowl

pipig *adj* (~t) om röst squeaky

piplärka *s* (~n, -lärkor) zool. pipit

pippi *s* (~n, ~ar) **1** barnspr. birdie, dickey-bird **2** *få ~* go nuts; *ha ~ på…* have a thing about…, have a mania (craze) for…

Pippi Långstrump sagofigur Pippi Longstocking

piprensare *s* (~n, =) pipe-cleaner

piprök *s* (~en) pipe-smoke

pipskaft *s* (~et, =) pipe stem, pipe shank

pipskägg *s* (~et, =) pointed beard

pipställ *s* (~et, =) pipe rack

piptobak *s* (~en) pipe tobacco

pir *s* (~en, ~ar) pier; vågbrytare mole; mindre äv. jetty

pirat *s* (~en, ~er) sjörövare pirate

piratbyxor *s pl* Capri pants

piratkopia *s* (~n, -kopior) pirate copy

piratkopiering s (~en, ~ar) pirate copying, piracy

piratsändare s (~en, =) pirate transmitter ([radio] station)

piratupplaga s (~n, -upplagor) o. **piratutgåva** s (~n, -gåvor) pirated edition (av skivor release)

piraya s (~n, pirayor) zool. piranha

pirog s (~en, ~er) **1** pastej Russian pasty; stor paj pirog (pl. ~i) **2** båt pirogue

1 pirra vb itr (~de, ~t) t.ex. i fingret tingle; **det ~r i magen** I have (t.ex. då jag ser… get) butterflies in my stomach; **en ~nde känsla** a funny feeling

2 pirra s (~n, pirror) transportvagn cart

pirrig adj (~t) jittery; enerverande nerve-racking

piruett s (~en, ~er) pirouette

pisk s (~et) stryk whipping; **få ~** be whipped

piska I s (~n, piskor) whip; **~n och moroten** bildl. the stick and the carrot; **han kan inte arbeta om han inte har ~n över sig** he can't work unless he is driven **II** vb tr o. vb itr (~de, ~t) eg. whip; starkare lash; prygla äv. flog; **~ mattor** beat rugs; **~ upp** t.ex. hatstämning stir (whip) up…

piskad adj (piskat, ~e) vard., **vara ~** tvingad **att** + inf. be driven (forced) to + inf.

piskrapp s (~et, =) lash, cut with a (resp. the) whip; bildl. whiplash

pisksnärt s (~en, ~ar) **1** på piska whiplash **2** piskslag crack

pisksnärtskada s (~n, -skador) whiplash injury

piskställning s (~en, ~ar) carpet-beating rack

piss s (~et) vulg. piss; mindre vulg. pee

pissa vb itr (~de, ~t) vulg. piss; mindre vulg. pee, piddle

pissmyra s (~n, -myror) vard. pismire

pissoar s (~en, ~er) urinal

pist s (~en, ~er) **1** skidbana o. tävlingsbana för fäktning piste **2** på cirkus ring fence

pistasch s (~en, ~er) nöt o. träd pistachio (pl. -s)

pistill s (~en, ~er) bot. pistil

pistol s (~en, ~er) vapen pistol; friare gun

pistolhot s (~et, =), **under ~** at gunpoint

pistolhölster s (-hölstret, =) holster

pistolskott s (~et, =) pistol-shot

pistong s (~en, ~er) tekn., kolv piston

pitabröd s (~et, =) pitta (pita) [bread]

pitbullterrier s (~n, =) hund pit bull [terrier]

pitt s (~en, ~ar) vulg. cock, prick

pittoresk adj (~t) picturesque

pixel s (~n, pixlar) TV., foto. el. data. pixel

pizza s (~n, pizzor) kok. pizza

pizzeria s (~n, pizzerior) pizzeria; amer. äv. pizza parlor

pizzicato mus. **I** s (~t, ~n) pizzicato it. **II** adv pizzicato it.

pjosk s (~et) **1** klemande coddling, pampering **2** sjåpighet namby-pambiness, mawkishness

pjoska vb itr (~de, ~t), **~ med ngn** coddle (pamper) sb

pjoskig adj (~t) namby-pamby, mawkish

pjåkig adj (~t) i vissa negerade uttryck, t.ex. **restaurangen är inte så ~** dålig …is not [too (so)] bad

pjäs s (~en, ~er) **1** teat. play **2** föremål, sak piece, thing; mil. piece [of ordnance]; kanon gun **3** schack. man (pl. men), piece

pjäxa s (~n, pjäxor) skid~ ski boot

placera I vb tr (~de, ~t) **1** allm. place; förlägga, stationera: person äv. station; t.ex. hus äv. locate **2 ~**

pengar invest money **II** vb rfl (~de, ~t) **~ sig a)** sätta sig seat oneself; ställa sig take one's stand **b)** sport., **~ sig som etta** come first; svenskarna **~de sig inte** …were not placed **III** med beton. part.

placera om allm. put…in another position; möbler o.d. rearrange, shift about; tjänsteman o.d. transfer…to another post; pengar reinvest

placera ut sätta ut set out; t.ex. barn i fosterhem place; flyktingar resettle

placering s (~en, ~ar) allm. placing osv., jfr placera I 1; om pengar investment; sport. place, jfr placera II

placeringskort s (~et, =) place card

placeringslista s (~n, -listor) seating-list

plack s (~en) tandläk. plaque

pladask adv, **falla ~** fall flat on one's face; **falla ~ för ngn** fall for sb like a ton of bricks

pladder s (pladdret) babble, chatter

pladdra vb itr (~de, ~t) babble, chatter

plagg s (~et, =) garment, article of clothing

plagiat s (~et, =) plagiarism; **ett ~** a [piece of] plagiarism, a slavish imitation

plagiera vb tr (~de, ~t) plagiarize

1 plakat s (~et, =) affisch, anslag placard, poster

2 plakat adj (oböjl.) vard. dead drunk, plastered

plakett s (~en, ~er) plaque; mindre plaquette

1 plan s (~en, ~er) **1** öppen plats open space, piece of ground; liten, t.ex. framför hus, äv. area; boll- o.d. ground, field; tennis- court; **bäst på ~** sport. man (resp. woman) of the match **2** planritning plan [till for, of]; planskiss äv. blueprint, draft; karta äv. map **3** planering o.d.: allm. plan [på for]; avsikt, förslag äv. scheme, project, jfr ex.; **vilda ~er** wild schemes (projects); **göra upp en ~ för att** + inf. make (form) a plan to + inf.; **ha ~er på ngt (på att** + inf.) plan (contemplate) sth resp. plan to + inf., contemplate + ing-form; **vad har du för ~er?** what are your plans?; **allting gick enligt ~erna** everything went according to plan; vard., **det finns inga ~er [i världen] att jag kan** hinna dit I haven't a ghost of a chance of… + ing-form, there is no way I can…

2 plan s (~et, =) **1** [plan] yta plane; nivå äv. level; våningsplan floor; **lutande ~** inclined plane; **ligga på (i) samma ~ som** be on the same level as (on a level with); **i två ~** in two planes; **på ett annat ~** bildl. on another plane **2** flygplan plane, jfr äv. flygplan

3 plan adj (~t) flat, level; **~ yta** tekn. plane surface

plana I vb tr (~de, ~t), **~ [av]** göra plan plane [down], level **II** vb itr (~de, ~t) om bil aquaplane; om båt plane; berget började **~ ut** …level away

planekonomi s (~n, ~er) planned economy

planenligt adv according to plan, as planned

planera vb tr (~de, ~t) **1** planlägga plan, make plans for, arrange; **~ att** + inf., plan (intend) to + inf.; **~ göra förberedelser för n** gt make preparations for…; **~ in** fit…into the schedule (timetable) **2** tekn., jämna mark o.d. level; släta ut metall, foto planish

planering s (~en, ~ar) **1** planning, design, jfr planera 1 **2** levelling etc., jfr planera 2

planeringskalender s (~n, -kalendrar) planner, personal organizer

planeringsstadium s (-stadiet, -stadier), **på planeringsstadiet** at the planning stage, still on the drawing-board

planet s (~en, ~er) planet

planetarium s (planetariet, planetarier) planetarium

planetsystem s (~et, =) planetary system

planhalva s (~n, -halvor) sport. half [of the ground (field, pitch)]

planhyvel s (~n, -hyvlar) planer

plank s (~et, =) **1** virke, koll. deals pl., planking **2** staket fence; kring bygge o.d., för affischering hoarding[s pl.]; amer., kring bygge o.d. fence, för affischering billboard

planka I s (~n, plankor) grov allm. plank; av furu el. gran deal; mindre batten **II** vb tr (~de, ~t) vard., plagiera copy, pinch **III** vb itr (~de, ~t) vard., smita in till match o.d. gatecrash [in på into]

plankorsning s (~en, ~ar) level (amer. grade) crossing

plankstek s (~en, ~ar) kok. planked steak

plankton s (~et) biol. plankton

planlägga vb tr (-lade, -lagt) plan, jfr äv. *planera 1*; **planlagt mord** premeditated murder

planläggning s (~en, ~ar) planning, design

planlös adj (~t) planless, unmethodical; utan mål aimless; om t.ex. studier, sökande random; om bebyggelse o.d. rambling; t.ex. om läsning desultory

planlösning s (~en, ~ar) byggn. planning (endast sg.); layout, design; **huset har en öppen** ~ the house is open planned

planmässig adj (~t) methodical, systematic, regular; planenlig ...[that is (was etc.)] according to plan

planritning s (~en, ~ar) konkr. [ground] plan; konstruktionsritning plan-drawing

plansch s (~en, ~er) i bok o.d. plate, illustration; väggplansch wall chart (picture)

planskild adj (-skilt), ~ **korsning** flyover [junction], motorway junction; med viadukt äv. el. amer. overpass; med tunnel äv. el. amer. underpass

planslipa vb tr (~de, ~t) grind [...level]; ~**d botten** ...ground level

planta s (~n, plantor) allm. plant; uppdragen ur frö seedling; träd~ sapling

plantage s (~n, ~r) plantation

plantageägare s (~n, =) plantation owner, planter

plantera vb tr (~de, ~t) plant; t.ex. häck set; ~...*i en kruka* pot...; ~...*med skog* afforest...; ~ *om* eg. el. bildl. transplant; eg. äv. replant; krukväxt repot; ~ *ut* växt plant (set) [out]; i rabatt bed out; ~ *ut fisk* i en damm stock...with fish

plantering s (~en, ~ar) konkr. plantation; anläggning park, garden; abstr. planting

plantskola s (~n, -skolor) nursery; **en** ~ **för** bildl. a nursery for, i negativ betydelse a hotbed of

plask I s (~et, =) splash; plaskande splashing **II** interj splash!

plaska vb itr (~de, ~t) splash, plash; med händer el. fötter äv. paddle, dabble; ~ *omkring* splash about

plaskdamm s (~en, ~ar) [children's] paddling (wading) pool (pond)

plaskvåt adj (-vått) se *genomvåt*

plasma s (~t el. ~n, plasmer) fys. el. fysiol. plasma

plasmaskärm s (~en, ~ar) plasma screen

plast s (~en, ~er) plastic; föremål **av** ~ plastic...

plasta vb tr (~de, ~t) plasticize; ~ *in* plasticize, enclose in plastic, coat with plastic

plastbehandlad adj (-behandlat, ~e) plastic-coated

plastbunke s (~n, -bunkar) för matlagning mixing bowl

plastbåt s (~en, ~ar) plastic boat

plastficka s (~n, -fickor) plastic case

plastfilm s (~en, ~er) o. **plastfolie** s (~n, ~r) clingfilm; amer. plastic wrap

plasthink s (~en, ~ar) plastic bucket (pail)

plastik s (~en) **1** konst. plastic art **2** med. plastic surgery (operation)

plastikkirurg s (~en, ~er) med. plastic surgeon

plastikkirurgi s (~n) med. plastic surgery

plastindustri s (~n, ~er) plastics industry

plastis s (~en, ~ar) synthetic ice

plastisk adj (~t) plastic

plastkasse s (~n, -kassar) plastic carrier (amer. carry) bag, plastic bag

plastkort s (~et, =) plastic card; vard., kreditkort credit card

plastmamma s (~n, -mammor) vard., styvmamma stepmother

plastmapp s (~en, ~ar) plastic file

plastmugg s (~en, ~ar) plastic cup

plastpappa s (~n, -pappor) vard., styvpappa stepfather

plastpåse s (~n, -påsar) plastic bag

platan s (~en, ~er) bot. plane [tree], platan

platina s (~n) platinum

platonisk adj (~t) Platonic

plats s (~en, ~er) **1** ställe allm. place; ort äv. locality; 'ort och ställe' spot; sittplats, mandat seat; utrymme space; tillräcklig ~ room; ~*!* till hund [lie] down!; **allmän** (**offentlig**) ~ public place; **en enslig** (**vacker**) ~ a lonely (beautiful) spot; **öppen** ~ open space, i skog clearing; ~*en är upptagen* this seat is taken (occupied); **beställa** (**boka**) ~ t.ex. på bilfärja book a passage; **det finns inte** ~ **för** skåpet el. skåpet **får inte** ~ there is no room for...; **få bra** ~*er* (**en bra** ~) på bio, teater o.d. get good seats (a good seat); **få** ~ **med** find room for; **lämna** ~ **för** a) bereda utrymme, väg make room (way) for b) bildl. leave room for, admit of; **ta stor** ~ take up a great deal of space (room); **tag** ~*!* järnv. take your seats, please!; **veta sin** ~ know one's place; **gott om** ~ plenty of room; **på era** ~*er!* sport. on your marks!; **falla på** ~ bildl. fall (click) into place; **komma på första** (**andra**) ~ come first (second); **spela på** ~ hästsport make a place bet; **ställa tillbaka ngt på sin** ~ put sth back [back] where it belongs; **sätta ngn på** ~ put sb in his (her etc.) place, take sb down [a peg or two]; **det vore på sin** ~ **om...** it would not be out of place (be amiss) if...; salen var **fylld till sista** ~ ...filled to capacity **2** anställning situation, job; befattning post, position; **lediga** ~*er* se *ledig 2*

platsa vb itr (~de, ~t) vard., ~ *i* laget qualify (be good enough) for [a place in]...; **hon** ~*r inte i* den här gruppen she doesn't fit into...

platsannons s (~en, ~er) advertisement (vard. ad) in the situations-vacant (betr. platssökande situations-wanted) column, job advertisement (vard. ad)

platsansökan s (=, en, -ansökningar) application for a (resp. the) situation etc., jfr *plats 2*; employment application

platsbiljett s (~en, ~er) seat reservation [ticket]

platsbrist s (~en) lack of accommodation (room)

platschef s (~en, ~er) local (branch) manager

platssökande I adj (oböjl.) ...in search of (seeking, looking for, on the lookout for) employment **II** s (~n, =) applicant

platt I adj (=) allm. flat; tillplattad äv. (pred.) flattened out; banal äv. trite, commonplace; **~a skor** vard. äv. flats, flatties **II** *adv* flatly; **falla ~ till marken** bildl. fall flat

platta I *s* (~n, plattor) allm. plate; tunn lamin|a (pl. -ae); rund disc (amer. disk); cd~ [compact] disc, CD; grammofon~ record, disc; kok~ hot plate, hob; sten~ flag[stone]; golv~, vägg~ tile; flyg. apron, tarmac **II** *vb itr* (~de, ~t), **~ till** (**ut**) flatten [out]; valsa ut laminate; **~ till ngn ordentligt** bildl. squash sb flat

plattektonik *s* (~en) geol. plate tectonics sg.

plattfisk *s* (~en, ~ar) flatfish

plattform *s* (~en, ~ar) platform äv. bildl.

plattfot *s* (~en, -fötter) flatfoot; **ha ~** be flatfooted, have flat feet

plattfotad *adj* (-fotat, ~e) flatfooted

plattityd *s* (~en, ~er) platitude, commonplace

plattmask *s* (~en, ~ar) flatworm

plattnäst *adj* (=) flat-nosed

plattskärm *s* (~en, ~ar) flat screen

platt-tv *s* (-tv:n, -tv:ar) flat-screen television, flat-screen TV

platå *s* (~n, ~er) allm. plateau (pl. -x el. -s); högslätt äv. tableland

platåsko *s* (~n, ~r) platform shoe

plausibel *adj* (~t, plausibla) plausible, likely

plebejisk *adj* (~t) plebeian; okultiverad äv. common, vulgar, low

plektrum *s* (~et el. plektret, = el. plektrer) mus. plectr|um (pl. -a)

plenum *s* (~et, =) plenary (full) meeting (sitting, assembly); jur. full session

pleonastisk *adj* (~t) språkv. pleonastic

plexiglas® *s* (~et) Plexiglas®

pli *s* (~n) manners pl.; **sätta ~ på** lick...into shape

plikt *s* (~en, ~er) skyldighet duty [*mot* towards]; förpliktelse obligation; **~en framför allt** duty first; **~en kallar** duty calls; **göra sin ~** do one's duty

plikta *vb tr* o. *vb itr* (~de, ~t) jur. pay a fine; **~ för ngt** bildl. smart (suffer) for sth; **han fick ~ med livet för sin djärvhet** his boldness (daring) cost him his life

pliktkänsla *s* (~n) sense of duty

pliktskyldig *adj* (~t) dutiful; tillbörlig obligatory

pliktskyldigast *adv* dutifully, as in duty bound; vederbörligen duly

plikttrogen *adj* (-troget, -trogna) dutiful, faithful; lojal loyal; samvetsgrann conscientious

plikttrogenhet *s* (~en) dutifulness, faithfulness; lojalitet loyalty; samvetsgrannhet conscientiousness

plint *s* (~en, ~ar) **1** byggn. plinth **2** gymn. box [horse]

plira *vb itr* (~de, ~t), **~** [**med ögonen**] peer, screw up one's eyes [*mot* (*på, åt*) at]

plirig *adj* (~t) peering; om ögon äv. narrowed, half-closed

plissera *vb tr* (~de, ~t) pleat; **~d kjol** pleated skirt

plita *vb itr* (~de, ~t), **han lyckades ~ ihop** en rapport he managed with great effort to put...together; **han satt och ~de på** sin roman he sat writing away at...

plock *s* (~et) **1** abstr., **jag har sysslat med allt möjligt ~** I have been doing all sorts of things **2** konkr., småplock odds and ends, bits and pieces (samtliga pl.)

plocka I *vb tr* o. *vb itr* (~de, ~t) **1** allm. pick; samla gather; ~ blommor (bär, svamp) pick..., gather...; **~ en fågel** (**ögonbrynen**) pluck a fowl (one's eyebrows); **gå och ~** pyssla potter (mess) about **2** bildl., **~ ngn** fleece sb; **bli ~d på** 2000 kronor be skinned of...

II *vb rfl* (~de, ~t), **~ sig** om fågel plume (preen) oneself

III med beton. part.

plocka av a) **~ av en buske** dess blad strip a bush of... **b**) frukt pick [off], gather **c**) t.ex. bord clear

plocka bort remove, take away (off), pick off

plocka fram take out, produce

plocka ihop t.ex. sina tillhörigheter gather...together, collect; sätta ihop put...together; t.ex. maskindelar assemble

plocka sönder pick (take)...to pieces

plocka undan clear away, remove

plocka upp pick up äv. liftare; ur låda o.d. take out

plocka ut välja pick (cull) [out]

plocka åt sig grab

plockepinn *s* (~et) spel spillikins sg.

plockgodis *s* (~et) koll. pick'n mix

plockmat *s* (~en) snacks pl.

plog *s* (~en, ~ar) plough; amer. plow; **lägga...under ~en** put...under [the] plough, make...arable

ploga *vb tr* o. *vb itr* (~de, ~t) **1 ~** [**vägen**] clear the road [of snow] **2** skidsport., bromsa stem

plogbil *s* (~en, ~ar) snow plough (amer. plow)

plogbill *s* (~en, ~ar) ploughshare; amer. plowshare

Plogbillsrörelsen the Plowshare movement

plogfåra *s* (~n, -fåror) furrow

plogsväng *s* (~en, ~ar) skidsport. snowplough (amer. snowplow) turn, stemturn

ploj *s* (~en, ~er el. ~ar) vard. ploy

plomb *s* (~en, ~er) **1** tandläk. filling **2** försegling [lead] seal

plombera *vb tr* (~de, ~t) **1** tandläk. fill **2** försegla seal [...with lead]

plommon *s* (~et, =) plum; gröngult, typ reine claude greengage

plommonstop *s* (~et, =) bowler (speciellt amer. derby) [hat]

plommonträd *s* (~et, =) plum tree

plottra *vb itr* (~de, ~t) småsyssla potter about; **~ bort** pengar, tid etc. fritter (trifle) away

plottrig *adj* (~t) se *rörig*

plufsig *adj* (~t) bloated

plugg *s* **1** (~en, ~ar) tapp plug, stopper; i tunna tap, bung **2** (~et, =) vard.: pluggande swotting, cramming, grinding; skola school; **i ~et** at school

plugga *vb tr* o. *vb itr* (~de, ~t) **1** sätta in plugg put in a plug (resp. plugs); **~ igen** plug up **2** skol. vard. swot, cram; **jag måste plugga** I've got to do some studying; **~ in...** swot (speciellt amer. bone) up on...

plugghäst *s* (~en, ~ar) vard. swot; amer. grind

1 plump *adj* (~t) coarse, rude

2 plump *s* (~en, ~ar) bläckfläck blot, blur

plumphet *s* (~en, ~er) plumpt sätt coarseness, rudeness; **~er** coarse remarks (language sg., skämt jests)

plumpudding *s* (~en, ~ar) juldessert Christmas pudding; amer. plum pudding

plums I *s* (~et el. ~en, = el. ~ar) plop, flop **II** *adv* plop, flop **III** *interj* plop!, flop!

plumsa *vb itr* (~de, ~t) falla plop, flop [*i* i samtliga fall into]

plundra *vb tr* (~de, ~t) utplundra plunder; råna rob; skövla t.ex. stad, butiker pillage, loot, sack [*på* i samtliga fall of]; **~ julgranen** strip...

plundrare *s* (~n, =) plunderer etc., jfr *plundra*

plundring s (~en, ~ar) plunder[ing], robbing, looting, av erövrad stad sack (samtliga endast sg.)

plundringståg s (~et, =), *ge sig ut på* ~ make (go on) a plundering expedition

plunta s (~n, pluntor) pocket pistol, pocket flask

plural s (~en, ~er) o. **pluralis** s (oböjl., en) gram. the plural [number]; *en* ~ a plural; *första person* ~ first person plural; *stå i* ~ be in the plural

pluralistisk adj (~t) pluralistic

pluraländelse s (~n, ~r) plural ending

plurr s (~et), *ramla i ~et* vard. fall into (land in) the water

plus I s (~et, =) tecken, matem. o.d. plus [sign]; fördel advantage, asset; tillskott addition; *jag står på* ~ I am in credit (on the plus side, in the black); *termometern står på* (*visar*) ~ it is above zero (freezing point) **II** adv plus, and; ~ *7* [*grader*] el. *7 grader* ~ seven degrees above zero; ~ *minus noll* eg. just at freezing point; bildl. [equal to] nil

plusgiro s (~t, ~n) postal giro [banking] service (konto account); *per* ~ by [postal] giro

plusgiroblankett s (~en, ~er) [postal] giro form

plusgirokonto s (~t, ~n) postal giro account

plusgironummer s (-numret, =) [postal] giro account number

plusgrad s (~en, ~er), *det är* [*fem*] ~*er* it is [five degrees] above zero

pluskvamperfekt s (~et, ~er) gram. the pluperfect [tense]

pluspoäng s (~en, =) plus point

plussa vb itr (~de, ~t) vard. add [up]; ~ *på med* några stycken add on...

plussida s (~n, -sidor), *på ~n* on the credit side

plustecken s (-tecknet, =) plus [sign]

pluta vb itr (~de, ~t), ~ [*med munnen*] pout

Pluto astron. el. mytol. Pluto äv. seriefigur

pluton s (~en, ~er) mil. platoon

plutonchef s (~en, ~er) mil. platoon leader

plutonium s (~et el. plutoniet el. =) kem. plutonium

plutt s (~en, ~ar) vard., barn tiny tot; småväxt person little shrimp

pluttig adj (~t) ynklig tiny, small

plym s (~en, ~er) plume

plysch s (~en, ~er) plush

plywood s (~en) plywood

plåga I s (~n, plågor) smärta pain; pina torment; lidande affliction; plågoris nuisance, plague; han är *en* ~ *för sin omgivning* ...a plague (pest, nuisance) to those around him; *dö under svåra plågor* die in violent pain **II** vb tr (~de, ~t) pina torment; starkare torture; besvära pester, bother; starkare plague; ansätta badger; ~ *livet ur ngn* worry the life out of sb; *det ~r mig* att se det it hurts me...; *se ~d ut* look pained

plågas vb itr dep (plågades, plågats) suffer [pain]

plågoande s (~n, -andar) tormentor

plågoris s (~et, =) gissel scourge; obehag pest, nuisance, plague

plågsam adj (~t, ~ma) painful; *ytterst* ~ äv. excruciating

plån s (~et, =) på tändsticksask striking surface

plånbok s (~en, -böcker) wallet; amer. äv. billfold

plåster s (plåstret, =) plaster; amer. Band-Aid®; *som* ~ *på såren* to make up for it, as a consolation

plåstra vb itr (~de, ~t), ~ *ihop* bildl. patch...up; ~ *om* sår dress; med plåster plaster

plåt s (~en, ~ar) **1** koll. [sheet] metal, sheet iron; bleck tin, tinplate **2** skiva el. foto. plate; tunn skiva sheet **3** bakplåt baking plate, baking sheet, baking tray **4** vard., biljett ticket

plåta vard. **I** vb tr (~de, ~t) take a picture (snapshot) of **II** vb itr (~de, ~t) take pictures (snapshots)

plåtburk s (~en, ~ar) tin, can

plåtsax s (~en, ~ar) plate (amer. tin) shears pl., snips pl.

plåtskada s (~n, -skador) på bil damage endast sg. to the bodywork (coachwork)

plåtskjul s (~et, =) tin shed

plåtslagare s (~n, =) sheet-metal (tinplate, plate) worker, plater, tinsmith

plåttak s (~et, =) tin (plated) roof

pläd s (~en, ~ar) [res]filt [travelling] rug

plädera vb itr (~de, ~t) plead

plädering s (~en, ~ar) appeal, plea

pläterad vb tr (pläterat, ~e) silverpläterad silver-plated

plätt s (~en, ~ar) **1** fläck, liten yta spot **2** kok., ~*ar* small pancakes **3** *det är lätt som en* ~ it's as easy as pie, it's a piece of cake

plättlagg s (~en, ~ar) griddle [with rings for making small pancakes]

plöja vb tr o. vb itr (plöjde, plöjt) plough; amer. plow; ~ *igenom* en bok plough [one's way] through...; ~ *sig fram* genom mängden force (plough) one's way...

plöjning s (~en, ~ar) ploughing; amer. plowing

plös s (~en, ~ar) tongue [of a (resp. the) shoe]

plötslig adj (~t) sudden, abrupt, unexpected; ~ *avresa* abrupt departure; *ta ett ~t slut* come to a sudden (an abrupt) end

plötsligen adv o. **plötsligt** adv suddenly etc., jfr *plötslig*; all of a sudden, all at once; ~ *avbryta* äv. cut...short

PM s (PM:en el. PM:et, =) memo (pl. -s); jfr äv. *promemoria*

PMS se under *premenstruell*

pneumatisk adj (~t) pneumatic

pochera vb tr (~de, ~t) kok. poach

pocka vb itr (~de, ~t), *han ~r på* ngt (*på att* + inf.) he insists...(on + ing-form); ett problem *som ~r på en lösning* ...which is urgently in need of a solution; frågan *~r på ett svar* ...demands an answer

pockande adj (oböjl.) enträgen importunate; fordrande exacting; *ett* ~ *behov* an urgent need

pocket s (oböjl.), *i* ~ in (as a) paperback

pocketbok s (~en, -böcker) paperback

poddradio s (~n) podcast

podium s (podiet, podier) estrad platform, dais; för talare el. dirigent rostrum (pl. rostrums el. rostra), podium (pl. podiums el. podia); vid modevisning catwalk

poem s (~et, =) poem, piece of poetry

poesi s (~n, ~er), ~[*n*] poetry

poesibok s (~en, -böcker) att skriva i poetry album; lyrikbok book of poetry

poet s (~en, ~er) poet

poetisk adj (~t) poetic; ~ *frihet* poetic licence

pogrom s (~en, ~er) pogrom

pointer s (~n, pointrar) hundras pointer

pojkaktig adj (~t) boyish

pojkbok s (~en, -böcker), *en* ~ a book for boys

pojkcykel s (~n, -cyklar) boy's cycle (vard. bike)

pojkdröm s (~men, ~mar) boyhood dream, boy's dream

pojke s (~n, pojkar) **1** allm. boy äv. om pojkvän; känslobeton. äv. lad **2** ~n det sista i flaskan the last drop

pojknamn s (~et, =) boy's name

pojkscout s (~en, ~er) [boy] scout

pojkskola s (~n, -skolor) boys' school

pojkspoling s (~en, ~ar) stripling, whippersnapper

pojkstreck s (~et, =) boyish (schoolboy) prank, lark

pojktycke s (~t), **ha** ~ be popular with the boys

pojkvasker s (~n, -vaskrar) vard. young lad

pojkvän s (~nen, ~ner) boyfriend

pokal s (~en, ~er) som pris cup; för dryck goblet

poker s (~n) kortsp. poker

pokeransikte s (~t, ~n) poker face, deadpan face, dead pan

pokulera vb itr (~de, ~t) tipple; **de satt och ~de** they sat tippling (drinking together)

pol s (~en, ~er) allm. pole; **~erna på** ett batteri the terminals of...

pola vb itr (~de, ~t) vard. knock (hang) about (around) [med with]

polack s (~en, ~er) Pole

polare s (~n el. polarn, =) vard. pal, mate, buddy

polarexpedition s (~en, ~er) polar expedition; till Nordpolen (Sydpolen) äv. arctic (antarctic) expedition

polarforskare s (~n, =) polar etc. explorer, jfr *polarexpedition*

polaris s (~en, ~ar) polar ice

polarisation s (~en, ~er) fys. polarization

polarisera vb tr (~de, ~t) polarize äv. fys.

polarisering s (~en, ~ar) polarization

polaritet s (~en) polarity äv. fys. o. TV.

polarräv s (~en, ~ar) arctic (ice) fox

polarsken s (~et) polar lights pl., jfr *norrsken* o. *sydsken*

polartrakt s (~en, ~er) polar region; till Nordpolen (Sydpolen), äv. arctic (antarctic) region

polcirkel s (~n, -cirklar) polar circle; **norra** (**södra**) ~n the Arctic (Antarctic) circle

polemik s (~en, ~er) polemic[s vanl. sg.], controversy

polemisera vb itr (~de, ~t) polemize, carry on a controversy [*mot* with (against); *om* about]

polemisk adj (~t) polemical, controversial

Polen Poland

polera vb tr (~de, ~t) allm. polish äv. bildl.; möbler äv. wax; metall äv. burnish; ~ **upp** polish (rub) up

polermedel s (-medlet, =) polish

policy s (~n, ~er) policy

poliklinik s (~en, ~er) polyclinic; på sjukhus äv. outpatient (outpatients') department (clinic) (förk. OPD)

polio s (~n) med. polio

polioepidemi s (~n, ~er) polio epidemic

polioskadad s (en ~, pl. ~e), **en** ~ a polio victim

poliospruta s (~n, -sprutor) polio injection

poliovaccin s (~et, ~er el. =) anti-polio vaccine

poliovaccinering s (~en, ~ar) polio vaccination

polis s **1** (~en) polismyndighet el. koll. police pl.; **~en** vard. the cops pl., the fuzz pl.; amer. the heat; **kvinnlig** ~ women police; **ridande** ~ mounted police; **anmäla ngn för ~en** report sb to the police **2** (~en, ~er) polisman policeman, police officer; i Storbr. äv. [police] constable; i USA vanl. patrolman; vard. cop; **en kvinnlig** ~ a policewoman, a woman police officer; **en ridande** ~ a mounted policeman

polisanmäla vb tr (-anmälde, -anmält) report...to the police

polisanmälan s (=, en, -anmälningar) report to the police; **göra** ~ **om ngt** report (make a report of) sth to the police

polisassistent s (~en, ~er) senior police officer

polisbevakning s (~en) police supervision (eskort escort); **stå under** ~ be placed under police supervision

polisbil s (~en, ~ar) [för trafikövervakning traffic] patrol car, police (squad) car; radiobil äv. panda (amer. prowl) car

polisbricka s (~n, -brickor) police badge

polischef s (~en, ~er) chief of police, police commissioner

polisdistrikt s (~et, =) police district; amer. [police] precinct

poliseskort s (~en, ~er) police escort

polisförhör s (~et, =) police interrogation

polishund s (~en, ~ar) police dog

polishögskola s (~n, -skolor) police college (amer. academy)

polisingripande s (~t, ~n) police action; **det blev ett** ~ the police intervened (stepped in)

polisinspektör s (~en, ~er) police inspector (amer. lieutenant)

polisintendent s (~en, ~er) ung. assistant commissioner, chief superintendent

polisiär adj (~t) police...

poliskommissarie s (~n, ~r) [police] superintendent, lägre [police] chief inspector; amer. captain, lägre lieutenant

poliskontroll s (~en, ~er) police check; ställe checkpoint

poliskår s (~en, ~er) police force, constabulary

polislås s (~et, =) approved security lock

polisman s (~nen, -män) policeman etc., se *polis 2*

polismyndighet s (~en, ~er), **~en** el. **~erna** the police authorities pl.; **närmaste** ~ the nearest police station

polismästare s (~n, =) ung. district police commissioner, commissioner of police

polisonger s pl side whiskers; vard. sideburns; långa yviga muttonchops

polispatrull s (~en, ~er) police patrol

polispiket s (~en, ~er) polisstyrka police picket; bil police van; amer. äv. wagon

polispådrag s (~et, =) force (muster) of police[men]; amer. äv. posse; **det blev ett stort** ~ a large force (number) of police[men] were called out

polisradio s (~n) police radio

polisrapport s (~en, ~er) police report

polisrazzia s (~n, -razzior) police raid (roundup)

polisregister s (-registret, =) police records pl.

polisskydd s (~et, =) police protection

polisspärr s (~en, ~ar) kedja police cordon; vägspärr roadblock

polisstat s (~en, ~er) police state

polisstation s (~en, ~er) police station; amer. precinct

polisstyrka s (~n, -styrkor) police squad

polistillstånd s (~et, =) police authorization (permit)

polisundersökning s (~en, ~ar) o. **polisutredning** s (~en, ~ar) police (criminal) investigation (inquiry)

politik s (~en) **1** statsangelägenheter, politiskt arbete o. liv, partis åsikter politics (som vetenskap sg., i betydelsen 'politisk åsikt' pl.); *tala ~* talk politics **2** politisk linje, tillvägagångssätt, beräkning policy

politiker s (~n, =) politician; ledande ~ äv. statesman; neds. politico (pl. -s)

politikerförakt s (~et) mistrust of (lack of faith in) politicians

politisera vb tr o. vb itr (~de, ~t) politicize

politisk adj (~t) political; *~ förföljelse* political persecution; *~a åsikter* political opinions

polityr s (~en, ~er) polish; bildl. äv. surface politeness, veneer

polka s (~n, polkor) polka; *dansa ~* dance (do) the polka

polkagris s (~en, ~ar) [peppermint] rock; amer. peppermint stick

pollen s (~et) pollen

pollenallergi s (~n, ~er) pollen allergy

pollett s (~en, ~er) check, counter, token

pollettera vb tr (~de, ~t), *~ bagaget* have one's luggage (baggage) registered (amer. checked)

pollettering s (~en, ~ar) registering, registration; amer. checking

pollinera vb tr (~de, ~t) pollinate

pollinering s (~en, ~ar) bot. pollination

pollution s (~en, ~er) pollution; vard. wet dream

polo s **1** (~n) sport. polo **2** (~n, ~r el. ~er) se *polokrage* o. *polotröja*

polokrage s (~n, -kragar) polo neck, polo-neck (turtleneck) collar

polotröja s (~n, -tröjor) polo-neck (turtleneck) sweater

polsk adj (~t) Polish; *~ riksdag* vard. bear garden

polska s **1** (~n, polskor) kvinna Polish woman, jfr *svenska 1* **2** (~n) språk Polish, jfr *svenska 2* **3** (~n, polskor) dans, ung. reel

Polstjärnan the Pole Star (North Star)

polyester s (~n) polyester

polyeten s (~et el. ~en) kem. polythene

polygami s (~n) polygamy

polyp s (~en, ~er) **1** zool. polyp **2** med. polypus (pl. polypuses el. polypi); *~er i näsan* adenoids

polyteism s (~en) relig. polytheism

pomerans s (~en, ~er) Seville (bitter, amer. äv. sour) orange

pommes frites s pl chips, French fried [potatoes]; speciellt amer. [French] fries

pomp s (~en) o. **pompa** s (~n) pomp; *~ och ståt* pomp and circumstance (splendour)

pompös adj (~t) ståtlig stately, magnificent, grandiose; uppblåst pompous; högtravande declamatory

pondus s (~en) authority, weight, impressiveness; värdighet dignity

ponera vb tr (~de, ~t), *~ att linjen dras...* suppose the line is drawn...

ponny s (~n, ~er) pony

ponton s (~en, ~er) pontoon; flygplans~ äv. float

pontonbro s (~n, ~ar) pontoon (floating) bridge

1 pool s (~en, ~er) bassäng pool

2 pool s (~en, ~er) ekon. o. grupp av tillgänglig arbetskraft o.d. pool

pop s (~en) musik m.m. pop

popartist s (~en, ~er) pop singer (musician)

popcorn s (~et, =) popcorn äv. koll.

popkonsert s (~en, ~er) pop concert

popkonst s (~en) pop art

poplin s (~en el. ~et, ~er) poplin

popmusik s (~en) pop music

popnit s (~en, ~ar) tekn. pop rivet

poppel s (~n, popplar) poplar

poppig adj (~t) typisk för popkulturen pop-cultural

poppis adj (oböjl.) vard. with-it, trendy

popsångare s (~n, =) o. **popsångerska** s (~n, -sångerskor) pop singer

popularisera vb tr (~de, ~t) popularize

popularitet s (~en) popularity

population s (~en, ~er) biol. el. statistik. population

populistisk adj (~t) populist, populistic

populär adj (~t) popular [bland with]; *bli ~* 'slå', äv. catch on

populärpress s (~en) popular press

populärvetenskap s (~en) popular science

populärvetenskaplig adj (~t) popular; *~ tidskrift* popular science magazine

por s (~en, ~er) pore

porfyr s (~en, ~er) miner. porphyry

porla vb itr (~de, ~t) murmur, ripple, purl

pormask s (~en, ~ar) blackhead

pornografi s (~n) pornography

pornografisk adj (~t) pornographic

porr s (~en) vard. porn, porno

porrfilm s (~en, ~er) vard. porno (blue) film (movie), pornoflick

porrklubb s (~en, ~ar) porno club

porrtidning s (~en, ~ar) vard. porno magazine

pors s (~en) bot. bog myrtle, sweet gale

porslin s (~et, ~er) materialet china: äkta ~ porcelain; koll.: hushålls- china[ware], crockery

porslinsblomma s (~n, -blommor) bot. waxplant

porslinsfabrik s (~en, ~er) porcelain (china, pottery) factory

porslinsmålning s (~en, ~ar) porcelain (china, pottery) painting

porslinstallrik s (~en, ~ar) china plate

port s (~en, ~ar) ytterdörr street door, front door; inkörs~, sluss~, slalom~ gate äv. bildl.; portgång gateway; data. port; *helvetets ~ar* the gates of hell; *köra (visa) ngn på ~en* turn sb out [of doors], send sb packing

portabel adj (~t, portabla) portable

portal s (~en, ~er) portal, [ornamental] doorway

portalfigur s (~en, ~er) bildl. prominent figure

porter s (~n, =) öl stout; svagare porter

portering s (~en, ~ar) tele. porting

portfölj s (~en, ~er) av läder briefcase; dokument~ dispatch case; förvaringsfodral, förråd av värdepapper, ministerämbete portfolio (pl. -s); *minister utan ~* minister without portfolio

portförbjuda vb tr (-bjöd, -bjudit), *~ ngn* refuse sb admittance [to the house (på restaurangen to the restaurant, vid hovet to court)]; *all tråkighet är portförbjuden ...*is banned

portgång s (~en, ~ar) gateway, doorway

portier s (~n, ~er) [chief] receptionist, reception clerk; amer. äv. hotel (desk) clerk

portion s (~en, ~er) **1** eg.: allm. portion; upplagd mat~ äv. helping; andel äv. share, lot; ranson ration; *en stor ~ [av]...* a generous helping (portion) of... **2** bildl., *det behövs en god ~ fräckhet för att* + inf. it needs a good share (great deal) of impudence to + inf.; *i små ~er* in small doses (instalments)

portionera *vb tr* (~de, ~t), ~ [*ut*] portion [out]; mil. ration out

portionsförpackning *s* (~en, ~ar), *i ~* in individual portions (helpings)

portionsvis *adv* in portions; lite i sänder in (by) instalments

portkod *s* (~en, ~er) entry (house) code

portmonnä *s* (~n, ~er) purse; amer. change purse

portnyckel *s* (~n, -nycklar) streetdoor (front-door) key, latchkey

porto *s* (~t, ~n) postage (endast sg.); taxa postage rate; *enkelt* (*dubbelt*) ~ single (double) postage

portofri *adj* (-fritt) post-free, ...free of postage

portofritt *adv* post-free, ...free of postage

portohöjning *s* (~en, ~ar) increase in postal rates

portosats *s* (~en, ~er) postal rate, rate of postage

porträtt *s* (~et, =) portrait; foto o.d. picture

porträttera *vb tr* (~de, ~t) portray; måla äv. make a portrait of; *låta ~ sig* have one's portrait painted

porträttlik *adj* (~t) lifelike; bilden var *mycket ~* äv. ...a very good (a speaking) likeness

porträttmålare *s* (~n, =) portrait painter

porttelefon *s* (~en, ~er) entryphone, house phone

Portugal Portugal

portugis *s* (~en, ~er) Portuguese (pl. lika)

portugisisk *adj* (~t) Portuguese

portugisiska *s* (jfr *svenska*) **1** (~n, portugisiskor) kvinna Portuguese woman **2** (~n) språk Portuguese

portvakt *s* (~en, ~er) dörrvakt porter, doorkeeper; speciellt amer. doorman; i hyreshus caretaker; speciellt amer. janitor

portvalv *s* (~et, =) archway, porch

portvin *s* (~et, ~er) port [wine]; *rött ~* ruby (äldre tawny) port; *vitt ~* white port

porös *adj* (~t) porous; svampaktig spongy

pose *s* (~n, ~r) pose; *inta en ~* adopt a pose

posera *vb itr* (~de, ~t) pose; göra sig till äv. attitudinize, strike an attitude; *~ naken* pose [in the nude]

position *s* (~en, ~er) position; *bestämma sin ~* sjö. determine one's position, take one's bearings

1 positiv I *adj* (~t) allm. positive; försök att vara *lite mera ~* ...a bit more constructive; *~ inställning* constructive (sympathetic) attitude; *~t svar* positive (affirmative) answer; *~ särbehandling* (*diskriminering*) se under *särbehandling*; *~t tal* matem. positive number (quantity), plus quantity **II** *s* (~et, =) **1** gram. the positive [degree]; *i ~* in the positive **2** foto. positive

2 positiv *s* (~et, =) mus., bärbart barrel organ; större street organ

positivhalare *s* (~n, =) organ-grinder

possessiv *adj* (~t) possessive äv. gram.

post *s* (~en, ~er) **1** brev o.d. post, mail; *avgående* (*inkommande*) ~ outgoing el. outward (resp. incoming el. inward) post (mail, letters pl.); *har ~en kommit?* has the post come yet?; *har jag fått någon ~?* is there any mail for me?, are there any letters for me?; *skicka...med* (*per*) ~ post..., mail..., send...by post (mail); *med dagens ~* a) inkommande with today's letters (post etc.) b) avgående by today's post (mail) **2** postkontor post office; *gå på ~en* go to the post

office; *jobba på ~en* be working at the Post Office **3** hand., i bokföring o.d. item, entry; belopp amount, sum; varuparti lot, parcel, consignment; börs. block; *betala i ~er* ...by instalments **4** data., i databas etc. record, entry **5** mil., vaktpost sentry, sentinel; poststställe, äv. friare post, station; *stå på ~* be on guard, stand sentry; *stanna på sin ~* remain at one's post **6** befattning post, appointment

posta *vb tr* (~de, ~t) post; speciellt amer. mail

postadress *s* (~en, ~er) postal (mailing) address

postanvisning *s* (~en, ~ar) ung. money order

postbefordran *s* (=, en, -befordringar) sändning per post forwarding (conveyance) by post

postbil *s* (~en, ~ar) mailvan, post-office van

postbox *s* (~en, ~ar) post-office box (förk. POB, PO Box)

postdatera *vb tr* (~de, ~t) postdate

postera I *vb tr* (~de, ~t), *~* [*ut*] post, station **II** *vb itr* (~de, ~t) be on guard, be stationed

poste restante *adv* poste restante, to be called for; amer. general delivery

postering *s* (~en, ~ar) picket, [out]post

postexpedition *s* (~en, ~er) [branch] post office

postexpeditör *s* (~en, ~er) post-office clerk

postfack *s* (~et, =) ung. post-office box (förk. POB, PO Box)

postförskott *s* (~et, =) cash (amer. collect) on delivery (förk. COD); *ett ~* a cash-on-delivery (COD) letter (paket parcel, amer. package); *sända ngt mot ~* send sth COD

postförsändelse *s* (~n, ~r) postal item (packet), piece (article) of mail; *~r* äv. postal matter sg.

postgiro med sammansättn., se *plusgiro* med sammansättn.

postgymnasial *adj* (~t), *~ utbildning* post-gymnasium (post-secondary, higher) education, jfr *gymnasial* o. *gymnasieutbildning*

postgång *s* (~en) postal service

postisch *s* (~en, ~er) postiche, hairpiece

postkontor *s* (~et, =) post office

postkupp *s* (~en, ~er) post-office (mail) robbery

postlucka *s* (~n, -luckor) post-office counter

postlåda *s* (~n, -lådor) se *brevlåda*

postmodern *adj* (~t) konst. postmodern

postmästare *s* (~n, =) postmaster (kvinnl. postmistress)

postnatal *adj* (~t) postnatal

postnummer *s* (-numret, =) postcode; amer. zip code

posto *s* (oböjl.), *fatta ~* take one's stand, take up one's station [vid at]

postorder *s* (~n, =) mail order; *köpa på ~* buy through a mail-order firm

postorderfirma *s* (~n, -firmor) mail-order firm (company, business)

postorderkatalog *s* (~en, ~er) mail-order catalogue (amer. catalog)

postpaket *s* (~et, =) post parcel (etc., jfr *paket*); *som ~* by parcel post

postrån *s* (~et, =) på postkontor post-office robbery (hold-up)

poströst *s* (~en, ~er) postal (absent) vote; amer. absentee vote (ballot)

poströsta *vb itr* (~de, ~t) vote by post

postskriptum *s* (~et, =) postscript

poststämpel s (~n, -stämplar) postmark; Stockholm, ~ns datum ...date as postmark

poststämpla vb tr (~de, ~t) postmark

postsäck s (~en, ~ar) mailbag, postbag

posttjänsteman s (~nen, -män) post-office employee (clerk, högre official)

posttur s (~en, ~er) [post] delivery; med första ~en by the first post

postum adj (~t) posthumous

postutbärning s (~en, ~ar) o. **postutdelning** s (~en, ~ar) postal (mail) delivery, delivery of post (mail)

postväsen s (~det, =) postal (post-office) services pl. (system)

postväxel s (~n, -växlar) ung. bank money order, bankdraft

potatis s (~en, ~ar) potato; vard. spud; koll. potatoes pl.; het ~ bildl. hot potato; sätta (ta upp) ~ plant (dig [up], lift) potatoes

potatisblast s (~en) avtagen potato haulm (växande tops pl.)

potatischips s pl [potato] crisps (amer. chips)

potatisgratäng s (~en, ~er) potatoes pl. au gratin

potatiskrokett s (~en, ~er) potato croquette

potatisland s (~et, =) potato-field; mindre potato-patch; med gröda field of potatoes

potatismjöl s (~et) potato flour

potatismos s (~et) creamed (vanl. utan tillsats mashed) potatoes pl.; vard. mash

potatisnäsa s (~n, -näsor) snub (pug) nose

potatispress s (~en, ~ar) potato ricer

potatissallad s (~en, ~er) potato salad

potatisskal s (~et, =) potato peel (kokt skin, avskalat peelings pl.)

potatisskalare s (~n, =) potato peeler

potens s (~en, ~er) **1** fysiol. potency, sexual power (prowess), virility **2** matem. el. friare power; kraft äv. potency

potent adj (=) potent

potentat s (~en, ~er) potentate

potential s (~en, ~er) potential

potentiell adj (~t) potential

potpurri s (~et, ~er) potpourri fr.; mus. äv. [musical] medley [på of]

pott s (~en, ~er) spel. pool, kitty, pot; spela om ~en play for the kitty; ta hem ~en take the pot, hit the jackpot; bildl. win [the day]

potta s (~n, pottor) nattkärl chamber [pot]; barnspr. potty; sätta ngn på ~n bildl. put sb in a spot, put (stick) sb up against the wall

potträning s (~en) potty (toilet) training

poäng s **1** (~en el. ~et, =) point; skol., betygs- äv. mark; amer. grade; högskolepoäng credit; i kricket run; en ~ till dig! bildl. that's one up to you!; få 20 ~ score twenty [points]; vinna med 5 ~ win by five points; leda (segra) på ~ lead by (win on) points **2** (~en, ~er) udd, kläm point; fatta (missa) ~en i en historia catch see (miss) the point of...

poängställning s (~en, ~ar) score

poängtera vb tr (~de, ~t) emphasize, point out

poängtips s (~et, =) treble chance [pool]

p-piller s (-pillret, =) contraceptive (birth) pill; använda (äta) ~ be on the pill

p-plats s (~en, ~er) se parkeringsplats

pr s (oböjl.) PR, public relations pl.; reklam publicity; göra ~ för plug, boost

pracka vb tr (~de, ~t), ~ på ngn ngt fob (palm) sth off on sb, foist sth [off] on sb

Prag Prague

pragmatisk adj (~t) pragmatic

prakt s (~en) splendour; ståt pomp; glans glory; sommaren stod i sin fulla ~ ...in its full splendour

praktexempel s (-exemplet, =) perfect (classical) example

praktexemplar s (~et, =) splendid (magnificent, fine äv. iron.) specimen; den här plantan är ett riktigt ~ ...real (perfect) beauty

praktfull adj (~t) splendid, magnificent; prunkande gorgeous

praktik s (~en) **1** övning practice, experience; skaffa sig ~ obtain (get) practical experience; i ~en in practice; tillämpa (genomföra) ngt i ~en put sth in[to] practice **2** yrkesutövning av läkare o.d. practice äv. själva lokalen; öppna egen ~ open a practice of one's own

praktikant s (~en, ~er) trainee, student [employee]; lärling apprentice; arbeta som ~ work in order to get practical experience

praktikantplats s (~en, ~er) trainee etc. post (job), jfr praktikant

praktiker s (~n, =) practitioner, practician

praktikplats s (~en, ~er) se praktikantplats

praktisera vb tr o. vb itr (~de, ~t) **1** practise, jfr äv. arbeta som praktikant under praktikant; ~ sina kunskaper practise (make use of) one's knowledge **2** inom ett yrke t.ex. som läkare practise, be in practice

praktisk adj (~t) practical; händig handy; användbar useful; lätthanterlig handy; i ~a livet in practical life; av ~a skäl for practical reasons; ~a tips useful hints

praktiskt adv practically; ~ användbar practical, applicable; pred. äv. useful in practice; ~ genomförbar practicable; ~ taget practically, as good as, to all intents and purposes, in effect

praktverk s (~et, =) bok magnificent work (volume)

pralin s (~en, ~er) chocolate; med krämfyllning chocolate cream

pr-ansvarig s (en ~, pl. ~a) se pr-chef

prao s (~n) förk., se under arbetslivsorientering

prassel s (prasslet) **1** rustle, rustling **2** vard., vänsterprassel an affair on the side

prassla vb itr (~de, ~t) **1** rustle **2** vard., ~ med ngn have an affair with sb

prat s (~et) samspråk talk, chat; små~ chit-chat; pladder chatter; snack, strunt~ twaddle, nonsense; skvaller gossip; [sånt] ~! nonsense!, rubbish!; inget ~ i klassen ! no talking!; löst (tomt) ~ idle talk

prata I vb itr o. vb tr (~de, ~t) (jfr äv. tala); talk, chat; skvallra gossip; du ~r! nonsense!, rubbish!; folk ~r så mycket people will talk; ~ affärer talk business; ~ jobb talk shop; ~ bredvid mun let the cat out of the bag, give the game away; ~ för sig själv talk to oneself; ~ med ngn om ngt talk to (with) sb about sth

II med beton. part.

prata av sig om ngt get sth off one's chest

prata bort talk ...away

prata förbi: vi ~r förbi varandra we are talking at cross-purposes

prata omkull ngn talk sb down

prata på go on (keep) talking, talk away

pratas vid: låt oss ~s vid om saken let's talk it over

pratbubbla *s* (~n, -bubblor) i serieruta speech bubble (balloon)

pratig *adj* (~t) chatty; om person äv. talkative

pratkvarn *s* (~en, ~ar) person chatterbox

pratmakare *s* (~n, =) [great] talker, chatterbox; vard. gasbag

pratsam *adj* (~t, ~ma) talkative, chatty; talför, talträngd loquacious; alltför ~ garrulous

pratsamhet *s* (~en) talkativeness, chattiness; talförhet loquacity, jfr *pratsam*

pratsjuk *adj* (~t) ...very fond of talking, garrulous

pratstund *s* (~en, ~er) chat; **få sig en ~** have a chat

pratsugen *adj* (-suget, -sugna) vard. talkative, ...in a talkative mood

prattagen *s pl*, **vara i ~** be in a talkative mood

praxis *s* (= el. ~en) practice; bruk custom; **det är [allmän]** ~ it is the practice [att + sats el.+ inf. to + inf.]; **bryta mot vedertagen** ~ depart from established practice

pr-chef *s* (~en, ~er) public relations (PR) officer

precis I *adj* (~t) t.ex. om mått, sätt precise; t.ex. om uppgift exact **II** *adv* exactly, precisely, just; **inte ~** not exactly; **just ~!** exactly!; **komma ~** be punctual; vard. come dead on time; **passa ~** om kläder fit exactly; alla är ~ **lika stora** ...exactly the same size; kom ~ **klockan 8** ...at eight [o'clock] sharp (precisely); ~ **som förut** just as before; **han är sig ~ lik** he is the same as ever; **det är ~ som vanligt** it's the same as ever

precisera *vb tr* (~de, ~t) villkor o.d. specify; uttrycka klart clarify, define [...exactly (accurately)]

precision *s* (~en) precision, preciseness, accuracy

precisionsarbete *s* (~t, ~n) precision work; urtillverkning **är ett verkligt ~** ...is a work requiring great precision

predestinera *vb tr* (~de, ~t) predestinate, predestine äv. friare [för (till) to; [till] att + inf. to + inf.]

predika *vb tr* o. *vb itr* (~de, ~t) preach [för to; om (över) on]; hålla straffpredikan lecture, sermonize

predikan *s* (=, en, predikningar) sermon [över on]; straff- äv. lecture; **hålla ~** preach, deliver the sermon; **hålla en ~ för ngn** bildl. lecture (sermonize) sb, give sb a lecture

predikant *s* (~en, ~er) preacher

predikat *s* (~et, =) gram.: verb verbal part of the predicate, satsens predikatsdel predicate

predikatsfyllnad *s* (~en, ~er) gram. complement; **objektiv (subjektiv)** ~ objective (subjective) complement

predikstol *s* (~en, ~ar) pulpit

predisponera *vb tr* (~de, ~t), ~ el. **göra...~d** predispose [för to]

preferens *s* (~en, ~er) företräde o.d. preference [framför over (to)]

prefix *s* (~et, =) prefix

pregnans *s* (~en) pregnancy, significance, terseness, conciseness, jfr *pregnant*

pregnant *adj* (=) innehållsdiger, uttrycksfull ...packed with meaning, pregnant, significant; kärnfull pithy, terse; precis concise

preja *vb tr* (~de, ~t) sjö., tvinga att stanna command...to heave to; bil o.d. force...to stop, av vägen force...off the road

prejudicerande *adj* (oböjl.) precedential; **ett ~**

[**rätts**]**fall** vanl. a test case; **fallet kan bli ~** ...may form a precedent

prejudikat *s* (~et, =) precedent; **stödd på ~** precedented

prekär *adj* (~t) precarious; kinkig awkward; osäker insecure

preliminär *adj* (~t) preliminary, provisional

preliminärskatt *s* (~en, ~er) preliminary tax, tax at source [of income]; amer. withholding tax; jfr *källskatt*

preludium *s* (preludiet, preludier) mus. prelude äv. bildl.; **preludier** bildl. preliminaries, prelude sg.

premenstruell *adj* (~t) premenstrual; ~ **spänning** (förk. PMS) premenstrual syndrome (förk. PMS)

premie *s* (~n, ~r) [försäkrings]avgift premium; extra utdelning bonus; export~ o.d. bounty

premielån *s* (~et, =) premium bond loan, lottery loan

premieobligation *s* (~en, ~er) premium (lottery) bond

premiera *vb tr* (~de, ~t) prisbelöna award prizes (resp. a prize) to; belöna reward; friare äv. put a premium on, encourage, foster

premiss *s* (~en, ~er) förutsättning prerequisite, precondition

premium *s* (premien, premier) **1** skol. prize; **få ~** receive a prize **2** bensin premium, super; **tanka ~** fill (tank) up with premium petrol

premiär *s* (~en, ~er) teat. o.d. premiere, first (opening) night (performance); **filmen har ~ på juldagen** the film will be released...

premiärkväll *s* (~en, ~ar), ~[**en**] the evening of the first (opening) night (performance)

premiärminister *s* (~n, -ministrar) Prime Minister, premier

premiärpublik *s* (~en) first-night audience

prenatal *adj* (~t) prenatal

prenumerant *s* (~en, ~er) subscriber [på to]

prenumeration *s* (~en, ~er) subscription

prenumerationsavgift *s* (~en, ~er) subscription [fee (rate, cost)]

prenumerera *vb itr* (~de, ~t) subscribe [på to]; ~ **på** en tidning äv. take in...

preparat *s* (~et, =) preparation; **mikroskopiska ~** slides

preparera *vb tr* (~de, ~t) [för]bereda prepare; tekn. process; påverka person i förväg brief

preposition *s* (~en, ~er) preposition

presenning *s* (~en, ~ar) tarpaulin

presens *s* (ett, pl. =) gram. the present tense, the present (endast sg.); ~ **particip** the present participle

present *s* (~en, ~er) present, gift; vard. pressie; **jag har fått den i ~ av honom** he gave it to me as a present

presentabel *adj* (~t, presentabla) presentable

presentation *s* (~en, ~er) presentation; i vanl. umgänge introduction [för to]; **en ~ av** de båda lagen a presentation of...

presentera *vb tr* (~de, ~t) **1** föreställa introduce [för (i) to]; **får jag ~...** may I introduce..., have you met...; ~ **sig** introduce oneself **2** framlägga, förete present äv. hand., exhibit; framvisa äv. show

presentförpackning *s* (~en, ~ar) gift wrapping (kartong box, carton)

presentkort *s* (~et, =) gift voucher (token)

presentpapper s (~et el. -pappret, =) gift-wrapping (amer. äv. gift-wrap) paper

president s (~en, ~er) allm. president [i of; vid at]; ordförande äv. chairman

presidentkandidat s (~en, ~er) candidate for the presidency, presidential candidate

presidentperiod s (~en, ~er) presidency, period as president

presidentval s (~et, =) presidential election

presidera vb itr (~de, ~t) preside [vid at (over)], take the chair

presidium s (presidiet, presidier) ordförandeskap chairmanship, presidency; styrelse presiding committee

preskribera vb tr (~de, ~t) jur., ~s el. **bli ~d** om fordran o.d. be (become) statute-barred (amer. äv. outlawed); **brottet är ~t** the period for prosecution has expired

preskription s (~en, ~er) jur. limitation

preskriptionstid s (~en, ~er) jur. period of limitation; **~en för** för den här typen av brott **är 10 år** actions for…are limited to 10 years

press s **1** (~en) tidnings~ press; **Pressens opinionsnämnd** the [Swedish] Press Council; **få god ~** have a good press; **figurera i ~en** vanl. appear in the [news]papers **2** (~en, ~ar) redskap o.d. press; för citrusfrukt squeezer; **gå i ~** tryck go to press; **växterna ligger i ~** …are being pressed **3** (~en) påtryckning, tryck pressure; påfrestning strain; **sätta (utöva) ~ på ngn** bring pressure to bear on sb, put pressure on sb

pressa I vb tr (~de, ~t) allm. press; med strykjärn äv. iron (byxor äv. crease); mönster i metall o.d. äv. emboss; krama squeeze; **~ apelsiner** squeeze (press) oranges; **~ potatis** rice potatoes; **~ priset** force the price down, cut the price; **~ rösten** force one's voice; **~ ngn på pengar** extort money from sb, blackmail sb **II** vb itr (~de, ~t), i andra halvlek **~de svenskarna hårt** …the Swedes put on the pressure (pushed forward); **ligga och ~** på stranden, vard. bask in the sun trying to get a tan **III** med beton. part.

pressa fram en bekännelse extort… [ur from]; **~ fram** ett ljud get out…; ~ klämma **fram en tår** squeeze out a tear; **~ sig fram** squeeze (force) one's way

pressa ihop compress, squeeze (jam, press)…together

pressa ned press (force) down; priser o.d. äv. cut down, reduce; **~ ned** t.ex. saker i en väska cram

pressa upp t.ex. fart, priser force (drive) up

pressa ut eg. press (saft o.d. äv. squeeze) out [ut ngt ur sth out of]; **~ ut** ett veck smooth (iron) out…

pressande adj (oböjl.) t.ex. värme oppressive; t.ex. arbete arduous; t.ex. förhör severe, persistent; t.ex. arbetsförhållanden trying

pressarfot s (~en, -fötter) sömnad. foot

pressattaché s (~n, ~er) press attaché

pressbyrå s (~n, ~er) **1** presstjänst press department **2** kiosk newsagent; amer. newsdealer

presscensur s (~en) press censorship, censorship of the press

pressekreterare s (~n, =) press officer, press secretary

pressfotograf s (~en, ~er) press photographer

pressfrihet s (~en) freedom of the press

pressklipp s (~et, =) press cutting (clipping)

presskonferens s (~en, ~er) press conference

presskort s (~et, =) press card, reporter's pass

pressläktare s (~n, =) press gallery; sport. press stand, press box

pressombudsman s (~nen, -män) press agent (ombudsman); dipl. information officer; **allmänhetens ~** the Press Ombudsman

pressrelease s (~n, ~r) press release

presstalesman s (~nen, -män) vard. [press] spokesman (spokesperson, kvinnlig äv. spokeswoman), press officer

presstöd s (~et) koll. press subsidy (subsidies pl.)

pressveck s (~et, =) crease

prestanda s pl prestationsförmåga performance (endast sg.); **bilens ~** the car's performance

prestation s (~en, ~er) arbets~, sport~ performance; verk, bedrift, färdighet achievement; kraftprov äv. feat, effort

prestationsförmåga s (~n) capacity äv. persons, performance, efficiency

prestationslön s (~en, ~er) incentive pay (bonus), payment by results

prestationsångest s (~en) psykol. performance anxiety

prestera vb tr (~de, ~t) åstadkomma accomplish, achieve; anskaffa, komma med produce, offer

prestige s (~n) prestige

prestigefylld adj (-fyllt, ~e) prestigious

prestigeförlust s (~en, ~er) loss of prestige (vard. face)

prestigesak s (~en, ~er) matter (question) of prestige

prestigeskäl s pl, **av ~** for reasons of prestige

presumtiv adj (~t) förmodad supposed; blivande prospective; **~ svärson (kund)** prospective son-in-law (customer)

pretendent s (~en, ~er) pretender [på (till) to]

pretention s (~en, ~er) pretension [på to]; jfr äv. anspråk

pretentiös adj (~t) anspråksfull, förmäten pretentious; fordrande exacting

preteritum s (~et, =) gram. preterite [tense]

Preussen Prussia

preussisk adj (~t) Prussian

preventiv adj (~t) preventive

preventivmedel s (-medlet, =) contraceptive

prick I s (~en, ~ar) **1** punkt o.d. dot; på tyg, tärning o.d. spot; **skjuta ~** score (make) a bull['s eye]; **träffa [mitt i] ~** bildl. hit the mark; **sätta ~en över i** eg. dot (put the dot over) the i, bildl. add the finishing touch; **på ~en** to a T (turn, hair), exactly **2** sport. o.d., minusprick penalty point **3** sjö.: flytande [spar] buoy; fast beacon **4** vard., person, **en hygglig ~** a decent bloke (guy); **en konstig ~** a queer customer **II** adv vard., ~ [klockan] 8 el. 8 ~ at 8 sharp (on the dot)

pricka I s (oböjl.), **till punkt och ~** se under punkt **II** vb tr (~de, ~t) **1** t.ex. linje dot; göra hål med nål o.d. prick; skriv under på, **den ~de linjen…** the dotted line **2** träffa [prick] hit **3** utmärka, **~ [ut]** mark [out]; farled med sjömärken äv. buoy **4** bildl.: ge en prickning censure, reprove **III** med beton. part.

pricka av tick off

pricka för mark, put a mark (tick) against, tick off;

~ för [ngt] **med rött** mark sth in red
pricka in: a) på karta o.d. dot (mark, prick) in **b)** t.ex.
ett slag i boxning put in
pricka ut mark out, jfr ovan *pricka II 3*
prickblad s (~et, =) bot. dumb cane
prickfri adj (-fritt) sport. ...without any penalty
points
prickig adj (~t) spotted; fullprickad dotted; **~ korv**
salami-type sausage
prickning s (~en, ~ar) bildl. reproof, reprimand
pricksäker adj (~t, -säkra) se *träffsäker*
pricktest s (~et el. ~en, = el. ~er) med. scratch test
prilla s (~n, prillor) vard., portion snus pinch of snuff
prima I adj (oböjl.) first-class, first-rate; vard. tiptop,
A 1; **~ ballerina** prima ballerina it., principal dancer;
extra ~ kvalitet extra (superior) quality **II** adv, **jag**
mår ~ vard. I feel first-rate (great)
primadonna s (~n, primadonnor) prima donna it.; på
talscen leading lady; stjärna star
primitiv adj (~t) primitive
primitivism s (~en) primitivism
primitivitet s (~en) primitiveness
primtal s (~et, =) matem. prime number, prime
primula s (~n, primulor) bot. primula; vanl. primrose
primus adj (oböjl.), **~ motor** prime mover
primuskök® s (~et, =) Primus [stove]
primär adj (~t) primary; **~t behov** primary (basic)
need
primärval s (~et, =) parl. primary [election]
primärvård s (~en) primary health care
primör s (~en, ~er) early vegetable (resp. fruit)
princip s (~en, ~er) principle; **av ~** on principle, as a
matter of principle; **jag har som ~ att** + inf. I make it
a principle (it's a principle with me) to + inf.; **i ~**
håller jag med dig in principle...; det är **i ~ samma sak**
...fundamentally (essentially) the same thing
principbeslut s (~et, =) decision in principle; **fatta**
ett ~ äv. resolve in principle
principfast adj (=) firm; **hon är väldigt ~** she stands
by her principles
principfråga s (~n, -frågor) question (matter) of
principle
principiell adj (~t) attr. ...of principle; väsentlig
fundamental, essential; **en ~ fråga** a question
(matter) of principle; **~ motståndare till** opponent
on principle to; **saken har också en ~ sida** there is
also the matter of principle [to be considered]; **av**
~a skäl on grounds (for reasons of) of principle
principiellt adv se *av princip* o. *i princip* under *princip*
principlös adj (~t) unprincipled, ...without
principle
principuttalande s (~t, ~n) declaration of principle
prins s (~en, ~ar) prince; **må som en ~** ung. have a
lovely time, feel fine
prinsessa s (~n, prinsessor) princess
prinskorv s (~en, ~ar) ung. chipolata sausage, small
sausage for frying
printer s (~n, printrar) data., skrivare printer
prioritera vb tr (~de, ~t) give priority to, give
precedence (preference) to, prioritize
prioriterad adj (prioriterat, ~e) priority...,
preferential; speciellt amer. preferred
prioritet s (~en, ~er) priority, prioritization
1 pris s **1** (~et, = el. ~er) [salu]värde, kostnad allm. price,
cost; belopp äv. rate [på i samtliga fall of]; begärt ~ äv.

charge; villkor terms pl. [på båda for]; **höja (sänka)**
~erna raise (reduce, lower) prices; **gå ned i ~** go
down in price; **stå högt (lågt) i ~** eg. be high (down)
in price; **komma överens om ~et** agree about (on)
the price, come to terms; **till [ett] lågt (billigt) ~**
cheap[ly]; **till nedsatt ~** at a reduced price; **till ~et av**
bildl. at the cost of; **till varje ~** at all costs (any price)
2 (~et, = el. ~er) belöning prize; **få (ta hem) första ~** be
awarded (carry off) the first prize; **utfästa ett ~**
offer a prize; **ta ~et** bildl. be easily first (best); vard.
take the cake (biscuit)
3 (~et) högtidl., lov praise; **~ ske Gud** the Lord be
praised
2 pris s (~en, ~ar) nypa pinch; **en ~ snus** a pinch of
snuff
prisa vb tr (~de, ~t) praise; berömma äv. extol,
commend; lov- äv. glorify; **~ sin lycka** count oneself
lucky (fortunate)
prisbelöna vb tr (~de, ~t) award a prize (resp. prizes)
to; en **~d (prisbelönt)** författare ...to whom a prize
has been awarded; **en prisbelönt tjur** a prize bull
prisbildning s (~en) formation (determination) of
prices, price formation
prisbomb s (~en, ~er) vard., **det är en riktig ~** it is an
absolute bargain (sensationally low priced)
prischock s (~en, ~er) vard. heavy rise in price[s]
prisfall s (~et, =) fall (decline, drop) in prices (resp.
the price) [på of]
prisge vb tr (-gav, -gett el. -givit) give...up, abandon
[åt i båda fallen to]; **vara prisgiven åt** be at the mercy
of
prishöjning s (~en, ~ar) rise (increase, advance) in
prices (resp. the price), price rise (increase)
prisindex s (~et, =) price index
priskartell s (~en, ~er) price ring (cartel)
prisklass s (~en, ~er) price range (class)
priskontroll s (~en) price control (curb)
priskrig s (~et, =) price war
prislapp s (~en, ~ar) price label (tag, ticket)
prislista s (~n, -listor) hand. price list; sport. prize list
prisläge s (~t, ~n) price range (level); **i alla (olika) ~n**
at all (different) prices; **i vilket ~?** [at] about what
price?
prisma s (~n, prismor) optik. prism; i ljuskrona pendant,
drop
prismedveten adj (-medvetet, -medvetna) price
conscious
prismärka vb tr (-märkte, -märkt) price-mark, price
prisnedsättning s (~en, ~ar) price reduction
prisnivå s (~n, ~er) price level
prisnotering s (~en, ~ar) [price] quotation
prispall s (~en, ~ar) winners' stand, rostrum
prispengar s pl prize money sg.
prisras s (~et, =) collapse (sharp drop) in prices
prisreglering s (~en, ~ar) price regulation (control)
prisskillnad s (~en, ~er) difference in price[s pl.],
price difference, margin
prisstegring s (~en, ~ar) se *prishöjning*
prisstopp s (~et, =) price freeze, [price] ceiling;
införa [allmänt] ~ freeze prices; **införa ~ på** ngt put a
ceiling (resp. ceilings) on...; **upphäva ett ~ (~et)**
unfreeze prices
prissumma s (~n, -summor) prize money
prissänkning s (~en, ~ar) price reduction

prissättning s (~en, ~ar) pricing, price-fixing, [the] fixing of the price[s pl.]

pristagare s (~n, =) prizewinner

pristävling s (~en, ~ar) prize competition

prisuppgift s (~en, ~er) hand. quotation [*på* for]; *lämna ~ på* state (give) the price of

prisutdelning s (~en, ~ar) prize-giving; *förrätta ~* give away the prizes

prisutveckling s (~en, ~ar) price trend

prisvärd adj (-värt) **1** eg. ...worth its price **2** lovvärd praiseworthy

privat I adj (=) private, personal; *~ [område]* private [grounds (premises) pl.]; *den ~a sektorn* the private sector; *~a* utgifter, förhållanden personal...; *i det ~a* in private life **II** adv privately, in private; i förtroende confidentially

privatangelägenhet s (~en, ~er) private (personal) matter, private affair

privatanställd adj (-anställt), *~ person* person in private employment

privatbostad s (~en, -bostäder) private residence

privatbruk s (oböjl., ett), *för ~* for private (personal) use

privatchaufför s (~en, ~er) [private] chauffeur

privatdetektiv s (~en, ~er) private detective; vard. private eye

privategendom s (~en, ~ar) private property

privatisera vb tr (~de, ~t) överföra till privat ägo privatize, put under private ownership

privatisering s (~en, ~ar) privatization; *~ av* sjukvården äv. putting...under private ownership

privatlektion s (~en, ~er) private lesson

privatliv s (~et) private life; *i ~et* in private life

privatperson s (~en, ~er) private person; *som ~ är* han in private [life] (utom tjänsten in his private capacity)...

privatpraktik s (~en, ~er) private practice

privatpraktiserande adj (oböjl.), *~ läkare* doctor in private practice

privatsak s (~en, ~er) private (personal) matter, private affair

privatsamtal s (~et, =) i telefon private call

privatsekreterare s (~n, =) private secretary, personal assistant

privatskola s (~n, -skolor) private school; i Storbritannien äv. Public School

privatundervisning s (~en) private tuition

privatägd adj (-ägt) privately owned

privilegierad adj (privilegierat, ~e) privileged

privilegium s (privilegiet, privilegier) privilege

pr-kvinna s (~n, -kvinnor) o. **pr-man** s (~nen, -män) PR (public-relations) officer

pr-man s (~nen, -män) PR officer, public relations officer

proaktiv adj (~t) proactive

probabilitet s (~en) probability äv. matem.

problem s (~et, =) problem; *ha ~ med magen* have trouble with one's stomach; *ha ~ med spriten* have a drink problem; *lösa ~* solve problems; *inga ~!* no problem!

problematik s (~en) problems pl., complex of problems

problematisk adj (~t) problematic, complicated; tvivelaktig doubtful, uncertain

problembarn s (~et, =) problem child

problemfri adj (-fritt) problem-free

problemlösare s (~n, =) troubleshooter

problemlösning s (~en, ~ar) solution [of a (resp. the) problem], troubleshooting

problemställning s (~en, ~ar) problem problem; uttryckssätt presentation of a (resp. the) problem, approach to a (resp. the) problem

procedur s (~en, ~er) tillvägagångssätt, rättegångsordning procedure; förfarande process

procent s (~en, =) 'per hundra' per cent, percent (förk. pc, ofta äv. %); procenttal percentage; *med 10 ~[s]* (*10 %*) *rabatt* at ten per cent (10%) discount; *hur många ~ är det?* how much per cent is that?; *få ~ på* omsättningen get a percentage on...; *i ~* in percentages; ta ett lån *till 10 ~s ränta* take out a loan at an interest rate of ten per cent (10%)

procentare s (~n, =) money-lender; speciellt amer. loan shark

procentenhet s (~en, ~er) percentage unit (point)

proceträkning s (~en) calculation of percentages, percentages pl.

procentsats s (~en, ~er) percentage [rate]

procentuell adj (~t) percentage..., ...calculated (expressed) as a percentage

process s (~en, ~er) **1** förlopp, utvecklingsgång process, operation **2** jur. lawsuit, action, case, jfr *rättegång*; *förlora* (*vinna*) *en ~* lose (win) a case; *göra ~en kort med ngn* bildl. make short work of sb, deal summarily with sb **3** tekn. process

processa I vb itr (~de, ~t) jur. carry on a lawsuit (resp. lawsuits) **II** vb tr (~de, ~t) tekn. process

procession s (~en, ~er) procession; festtåg äv. pageant

processrätt s (~en) law of [legal] procedure

producent s (~en, ~er) producer äv. film., TV. o.d.

producera vb tr (~de, ~t) allm. produce; tillverka äv. manufacture, turn out

produkt s (~en, ~er) product äv. matem.; fabrikat äv. manufacture, make; alster äv. production; *~er* lantbr. äv. produce (endast sg.)

produktion s (~en, ~er) production; tillverkningsmängd äv. output; avkastning yield; speciellt lantbr. produce (endast sg.); hans litterära *~* ...output (production[s pl.], work[s pl.])

produktionsapparat s (~en, ~er) productive apparatus, machinery of production

produktionsbortfall s (~et, =) fall (dropping off) in production

produktionsfaktor s (~n, ~er) factor of production

produktionsförmåga s (~n) productive capacity, productivity

produktionskostnad s (~en, ~er) production cost

produktiv adj (~t) productive äv. språkv.; om t.ex. författare prolific; *~ verksamhet* productive activity

produktivitet s (~en) productivity

produktutvecklare s (~n, =) product developer

produktutveckling s (~en, ~ar) product development

profan adj (~t) profane; världslig o. om musik secular

profanera vb tr (~de, ~t) profane

profession s (~en, ~er) profession, trade, jfr *yrke*; *till ~en* by profession

professionalism s (~en) professionalism

professionell adj (~t) professional; *mycket ~* very (highly) professional

professor s (~n, ~er) professor; vard. prof [i of; vid at (in)]

professur s (~en, ~er) professorship, [professorial] chair; **~en i** historia vid**U** meå universitet the chair of...; **inneha en ~ i** historia hold a professorship (chair) in...

profet s (~en, ~er) prophet; siare äv. seer; **de större** (**mindre**) **~erna** the major (minor el. lesser) prophets; **ingen är ~ i sitt eget land** no one is a prophet in his own country

profetia s (~n, profetior) prophecy; förutsägelse prediction

profetisk adj (~t) t.ex. gåva prophetic; t.ex. skrift prophetical

proffs s (~et, =) vard. pro (pl. pros); **bli ~** turn pro

proffsboxare s (~n, =) professional boxer

proffsboxning s (~en) professional boxing

proffsig adj (~t) se *professionell*

profil s (~en, ~er) profile äv. bildl.; tekn. äv. [vertical] section; däcks profile, pattern; personlighet personality, image; **hålla en låg ~** bildl. keep a low profile; avbilda **i ~** ...in profile, ...side-face

profilera I vb tr (~de, ~t) profile; tekn. äv. shape; byggn. set up profiles (resp. a profile) of **II** vb rfl (~de, ~t), **~ sig** create a distinctive [personal] image for oneself

profit s (~en, ~er) profit

profitbegär s (~et) love of gain (profit)

profitera vb itr (~de, ~t) förtjäna profit, benefit [på by]; utnyttja take advantage [på of]; gain an advantage [på out of]

profithungrig adj (~t) profit-seeking

profitsyfte s (~t, ~n), göra ngt **i** [**rent**] **~** ...for the [mere] sake of profit, ...because it pays

profitör s (~en, ~er) profiteer

proformafaktura s (~n, -fakturor) hand. proforma invoice

profylaktisk adj (~t) med. prophylactic; **~ medicin** preventive medicine

profylax s (~en) med. prophylaxis, preventive medicine

proggmusik s (~en) vard. prog music

prognos s (~en, ~er) speciellt med. prognos|is (pl. -es); friare prediction, prognostication; ekon. el. meteor. forecast; **göra** (**ställa**) **en ~** make a prognosis etc., prognosticate

prognoskarta s (~n, -kartor) meteor. weather [forecast] chart

program s (~met, =) programme äv. skol.; amer. el. data. program; polit. äv. platform; skol. programme, course [programme], univ. äv. study programme; **göra** (**lägga**) **upp ett ~** draw (set) up a programme; **stå på ~met** be on (in) the programme; det ligger **utanför ~met** ...outside the programme

programenlig adj (~t) ...according to [the] programme (amer. program)

programförklaring s (~en, ~ar) policy statement, manifesto (pl. -s)

programledare s (~n, =) presenter; konferencier compère; radio. el. TV. linkman, anchorman

programmakare s (~n, =) programme-maker; amer. program-maker

programmatisk adj (~t) programmatic

programmera vb tr (~de, ~t) programme; amer. el. data. program

programmerare s (~n, =) data. programmer

programmering s (~en, ~ar) programming; **~ av datorer** computer programming

programmeringsspråk s (~et, =) se *programspråk*

programpunkt s (~en, ~er) item on (of) a (resp. the) programme (amer. program)

programspråk s (~et, =) data. programming language

programvara s (~n, -varor) data. software; tillämpning application [software]

progressiv adj (~t) progressive; t.ex. beskattning äv. graduated; gram. äv. continuous; **~ form** gram. progressive (continuous) form; **~a glasögon** multifocals

progressivitet s (~en) progressiveness

projekt s (~et, =) project, plan, scheme

projektanställd adj (-ställt), **vara ~** ...engaged (employed) on a special project

projektanställning s (~en, ~ar) engagement (employment) on a special project

projektera vb tr (~de, ~t) project, plan, design

projektgrupp s (~en, ~er) project team, research group

projektil s (~en, ~er) projectile; friare missile

projektion s (~en, ~er) projection

projektor s (~n, ~er) [slide] projector

projicera vb tr (~de, ~t) project

proklamation s (~en, ~er) proclamation

proklamera vb tr (~de, ~t) proclaim; **~ strejk** call a strike

prokura s (~n) jur. el. hand. [power of] procuration, proxy; **teckna** [**firma**] **per ~** sign for...by (per) procuration (förk. per pro, pp)

proletariat s (~et) proletariat; **~ets diktatur** the dictatorship of the proletariat

proletarisera vb tr (~de, ~t) proletarize

proletär I adj (~t) proletarian **II** s (~en, ~er) proletarian; **~er i alla länder, förenen eder!** workers of the world, unite!

proletärförfattare s (~n, =) proletarian author

prolog s (~en, ~er) prologue [till to]

promemoria s (~n, promemorior) memorand|um (pl. -a el. -ums) [angående of (on, respecting)]

promenad s (~en, ~er) **1** spatsertur walk; flanerande stroll; motions~, vard. constitutional; **ta** [**sig**] **en ~** go for a walk (a stroll) **2** gata promenade; spec. strand~ seafront, parade

promenaddäck s (~et, =) sjö. promenade deck

promenadkäpp s (~en, ~ar) walking-stick; amer. äv. cane

promenadsko s (~n, ~r) walking-shoe

promenadväg s (~en, ~ar) walk

promenera I vb itr (~de, ~t) take a walk (stroll), walk, stroll; **gå ut och ~** go for (take) a walk **II** vb tr (~de, ~t), **~ hem segern** romp home, win at a canter

promille I adv per thousand (mille, mil) **II** s (~n, =), **hög ~** av alkohol, ung. high percentage (permillage) [of alcohol]

promillegräns s (~en, ~er) upper limit of alcohol in the blood constituting drink (amer. drunk) driving

prominent adj (=) prominent

promiskuitet s (~en) promiscuity

promiskuös adj (~t) promiscuous

promotion s (~en, ~er) univ. conferment of doctor's degrees (resp. a doctor's degree); ceremoni conferment [ceremony]

promotor s (~n, ~er) **1** sport. promoter **2** univ. conferrer of doctor's degrees

promovera vb tr (~de, ~t) univ. confer a doctor's degree (a doctorate) on

prompt I adv omedelbart promptly, immediately, forthwith; ovillkorligen absolutely; **han ville ~ att jag skulle** + inf. he insisted on my + ing-form **II** adj (=) prompt, immediate

pronera vb itr (~de, ~t) anat. pronate

pronomen s (~et, = el. pronomina) gram. pronoun

propaganda s (~n) propaganda; reklam publicity; **göra (bedriva) ~** se propagera II

propagandasyfte s (~t, ~n), **i ~** for propaganda (publicity) purposes

propagandist s (~en, ~er) propagandist

propagera I vb tr (~de, ~t) propagate **II** vb itr (~de, ~t) make (carry on) propaganda [för for]

propeller s (~n, propellrar) propeller

propellerblad s (~et, =) propeller blade

propellerdriven adj (-drivet, -drivna) propeller-driven

propellerplan s (~et, =) flyg. propeller-driven aircraft

proper adj (~t, propra) snygg tidy, neat; renlig clean; skötsam decent, nice

proportion s (~en, ~er) proportion; **~er** dimensioner äv. dimensions, size sg.; **ha sinne för ~er** have a sense of proportion; **i ~erna 3 till 1** in the proportion (ratio) of 3 to 1; **stå i [omvänd (rimlig, rätt)] ~ till** insatsen be in [inverse (reasonable, due)] proportion (ratio) to…; **inte alls stå i ~ till** kostnaden be out of all proportion (be disproportionate) to…

proportionell adj (~t) proportional, proportionate [mot to]; **omvänt ~** inversely proportional; **~a val** elections on the basis of proportional representation

proportionerlig adj (~t) proportionate; välväxt äv. shapely, well-built, well-proportioned

proposition s (~en, ~er) lagförslag government bill; **lägga [fram] en ~** present (introduce) a bill

propp s (~en, ~ar) **1** avpassad ~, äv. för diskho, badkar el. tvättställ, tapp plug; elektr., säkring fuse [plug]; av öronvax lump; öron- till hörapparat o.d. earpiece, hörselskydd earplug; **det har gått en ~** a fuse has blown **2** se blodpropp **3** ped. vard. introductory (preparatory, propaedeutic) course

proppa vb tr (~de, ~t), **~…full** cram, stuff; **~ i ngn** mat cram (stuff)…into sb (kunskaper …into sb's head); **~ i sig** gorge (stuff) oneself [ngt with sth]; **~ igen** ett hål stop up…, plug [up]…

proppfull adj (~t) pred. cram-full, chock-full [med of], chock-a-block [med with]

proppmätt adj (=), **äta sig ~** gorge (stuff) oneself [på with]; **vara ~** vard. be full up

propsa vb tr o. vb itr (~de, ~t), **~ på ngt (på att** + inf.) insist [up]on sth ([up]on + ing-form)

propå s (~n, ~er) förslag proposal

prosa s (~n) prose; **på ~** in prose

prosaförfattare s (~n, =) prose writer

prosaisk adj (~t) prosaic; vardaglig äv. commonplace; torr unimaginative, matter-of-fact

prosit interj bless you!; speciellt amer. gesundheit!

prospekt s (~et, =) reklamtryck prospectus

prospektera vb itr (~de, ~t) prospect [efter for]

prospektering s (~en, ~ar) prospecting

prost s (~en, ~ar) dean

prostata s (~n) anat. prostate [gland]

prostataförstoring s (~en, ~ar) enlargement of the prostate gland

prostituera I vb tr (~de, ~t) prostitute **II** vb rfl (~de, ~t), **~ sig** prostitute oneself äv. bildl.

prostituerad I adj (prostituerat, ~e) prostitute **II** s (en ~, pl. ~e) prostitute; amer. äv. hooker

prostitution s (~en) prostitution

protegé s (~n, ~er) protégé; kvinna protégée

protein s (~et, ~er) protein

protektion s (~en) beskyddarskap patronage; beskydd protection

protektionism s (~en) protectionism

protektionist s (~en, ~er) protectionist

protektionistisk adj (~t) protectionist

protes s (~en, ~er) arm, öga etc. artificial arm (resp. eye etc.); med. prostheslis (pl. -es); tandläk. denture, dental plate

protest s (~en, ~er) **1** protest äv. sport. [mot against]; invändning objection [mot to]; **en skarp ~** a strong protest; **inlägga ~** protest, lodge (make, register, enter) a protest; **under ~ (livliga ~er)** under protest (vigorous protests) **2** hand. protest

protestant s (~en, ~er) Protestant

protestantisk adj (~t) Protestant

protestantism s (~en), **~[en]** Protestantism

protestera vb itr o. vb tr (~de, ~t) protest [mot against], object [mot to]; **~ kraftigt mot ngt** cry out (remonstrate) against sth

protestmöte s (~t, ~n) protest (indignation) meeting

proteststorm s (~en, ~ar) storm of protest (indignation)

protokoll s (~et, =) **1** minutes pl., record; domstols~, riksdags~ o.d. report of the proceedings; kortsp. el. sport. score; **föra ~** keep (take) the minutes (record), act as a secretary; t.ex. i kortsp. keep the score; **ta ngt till ~et** enter…in the minutes, record (take down)…; **utom ~et** off the record; **vid ~et** N.N. vanl. …Secretary **2** dipl., **~et** diplomatic protocol

protokollföra vb tr (-förde, -fört) se föra protokoll under protokoll 1

proton s (~en, ~er) fys. proton

protoplasma s (~n el. ~t) biol. protoplasm

prototyp s (~en, ~er) prototype

prov s **1** (~et, =) test äv. tekn., kem. el. kunskaps~ o.d.; tekn. o.d. äv. experiment; försök, prövning trial; examens~ examination; **muntligt (skriftligt) ~** oral (written) test (resp. examination); anställa ngn (göra ngt) **på ~** …on trial; **sätta på ~** put to the test, test; **ta en vara på ~** take…on approval (on trial) **2** (~et, =) bevis proof; exempel specimen; **ge ett (visa) ~ på** t.ex. tapperhet display, give proof of **3** (~et, = el. ~er) konkr., speciellt hand., varu~ sample; provexemplar, provbit specimen; **ta ett ~** med. take a specimen, jfr äv. blodprov, urinprov m.fl.

prova vb tr o. vb itr (~de, ~t) göra prov med test; försöka, pröva [på], provköra o.d. try; grundligt try out; kläder, skor try on; ost, vin o.d. sample, taste; **~ in** sömnad. fit; **~ ut** t.ex. glasögon try out, test

provanställning s (~en, ~ar) trial period of employment, se äv. provtjänstgöring

provare s (~n, =) tekn. tester

provborra vb itr o. vb tr (~de, ~t) test-drill

provborrning s (~en, ~ar) exploratory (test) drilling

provdocka s (~n, -dockor) tailor's dummy, mannequin
provensalsk adj (~t) Provençal
provexemplar s (~et, =) specimen, sample; av bok specimen (sample) copy
provfilma vb itr (~de, ~t) have a screen test
provflyga vb itr o. vb itr (-flög, -flugit) test, test-fly
provflygare s (~n, =) test pilot
provflygning s (~en, ~ar) test (trial) flight
provhytt s (~en, ~er) fitting cubicle (större room)
proviant s (~en) provisions, [food] supplies (samtliga pl.)
proviantera I vb tr (~de, ~t) provision **II** vb itr (~de, ~t) take in (buy) supplies
provins s (~en, ~er) province
provinsiell adj (~t) provincial
provision s (~en, ~er) commission; **få ~** get a commission
provisorisk adj (~t) tillfällig temporary, improvised; nödfalls- makeshift, emergency båda endast attr.; **~ regering** provisional government
provisorium s (provisoriet, provisorier) provisional (temporary) arrangement; nödlösning makeshift
provkollektion s (~en, ~er) collection of samples, samples pl.
provköra vb tr o. vb itr (-körde, -kört) test; bil o.d. äv. give...a trial run
provkörning s (~en, ~ar) av bil o.d. trial (test) run; på väg road test
provning s (~en, ~ar) testing etc., jfr prova; av kläder trying on, fitting
provningsanstalt s (~en, ~er) testing laboratory (institute)
provocera vb tr (~de, ~t) provoke, instigate; **~nde** provocative
provokation s (~en, ~er) provocation
provokativ adj (~t) provocative
provokatör s (~en, ~er) polit. [agent] provocateur fr. (pl. [agents] provocateurs)
provrum s (~met, =) i t.ex. affär fitting room
provräkning s (~en, ~ar) skol. test paper [in arithmetic]
provrör s (~et, =) kem. test tube
provrörsbarn s (~et, =) test-tube child (baby)
provsjunga vb itr (-sjöng, -sjungit) audition, have an audition [för (till) ngt for sth; för ngn before sb]
provsjungning s (~en, ~ar) audition
provsmaka vb tr (~de, ~t) taste, sample
provsmakning s (~en, ~ar) tasting, sampling
provspela vb itr (~de, ~t) audition, have an audition [för (till) ngt for sth; för ngn before sb]
provspelning s (~en, ~ar) audition
provstopp s (~et, =) för kärnvapen [nuclear] test ban
provtagning s (~en, ~ar) med. [the] taking of specimens
provtjänstgöring s (~en, ~ar) för högre anställning probationary service, [period of] probation
provtur s (~en, ~er) trial trip (run)
prudentlig adj (~t) prim, finical
prunka vb itr (~de, ~t) be resplendent (dazzling); **~ i alla färger** be blazing with colour
prunkande adj (oböjl.) lysande dazzling, blazing, glowing; grann gaudy; bildl., om stil o.d. flowery, glitzy
prut s (~et) **1** haggling, bargaining **2 utan ~** without much ado

pruta vb itr (~de, ~t) om köpare haggle [over the price], köpslå bargain; om säljare reduce (knock something off, beat down) the price; **[försöka] ~ på en vara** haggle over the price of..., try to beat down the price of...; **~ 50 kronor** (om säljare) knock (take)...off [the price]; han begärde 5000 kronor men **jag lyckades ~ 10 %** ...I managed to knock 10 per cent off the price
prutmån s (~en, ~er) margin [for haggling (bargaining)]
prutt s (~en, ~ar) vulg. fart
prutta vb itr (~de, ~t) vulg. fart, let off
pryd adj (neutrum undviks) prudish; **en ~ person** äv. a prude
pryda vb tr (prydde, prytt) adorn; utsmycka äv. decorate, ornament; försköna embellish (samtliga äv. **~ upp**); passa, kläda become; vasen **pryder sin plats** ...is decorative [there (here)]
pryderi s (~et) o. **prydhet** s (~en) prudishness, prudery
prydlig adj (~t) välvårdad, snygg neat, trim; om person äv.: nätt o. dainty; överdrivet ~ prim and proper; **~ handstil** neat handwriting; **det ser ~t ut** it looks neat (makes a fine show)
prydlighet s (~en, ~er) neatness etc., jfr prydlig
prydnad s (~en, ~er) dekoration adornment, decoration, embellishment; prydnadssak el. bildl. ornament; **vara en ~ för** sin yrkeskår (sin skola) grace..., adorn...
prydnadssak s (~en, ~er) ornament; mindre **~er** knick-knacks, fancy goods; bric-a-brac sg.
prydnadsväxt s (~en, ~er) ornamental plant
prygel s (pryglet), **ge ngn ~** give sb a flogging (whipping), flog (whip) sb
prygla vb tr (~de, ~t) flog, whip; klå upp thrash, beat
pryl s (~en, ~ar) **1** syl pricker; skom. awl **2** vard., sak gadget; **~ar** äv. odds and ends, bits and pieces
prylgalen adj (-galet, -galna) vard. crazy (mad) about gadgets (gadgetry)
prylsamhälle s (~t, ~n), **~t** vard. the materialistic society
prål s (~et) ostentation, parade, showiness; grannlåt finery; prålig utstyrsel äv. bravery
pråla vb itr (~de, ~t) make a big show (parade), show off; **~ med** sina smycken, kunskaper etc. make a [big] show (display) of, parade, show off, flaunt
prålig adj (~t) flashy, gaudy, showy
pråm s (~en, ~ar) barge
pråmskeppare s (~n, =) bargeman, bargee
prång s (~et, =) [narrow] passage; gränd alley; vrå: i t.ex. hus corner, nook, bland t.ex. klippor cranny
prångla vb itr (~de, ~t), **~ ut falska sedlar** circulate (utter) counterfeit notes
prägel s (~n, präglar) avtryck impression, impress äv. bildl.; på mynt samt bildl. stamp; drag, anstrykning touch; karaktär character; **ge hemmet en personlig ~** ...a personal touch; **sätta sin ~ på** leave (set) one's mark on
prägla vb tr (~de, ~t) **1** mynta coin, mint; slå [mynt] strike; typogr. emboss; stämpla stamp äv. bildl. **2** känneteckna characterize, mark; biol., lära upp genom prägling imprint; **~ in [i minnet]** engrave (impress) sth [on one's mind]; **~s av** äv. bear the stamp of
prägling s (~en, ~ar) **1** av mynt el. ord o.d. coinage; typogr. embossing **2** biol. imprinting

präktig *adj* (~t) utmärkt fine, splendid, grand; stadig stout; tjock thick; stark strong; **en ~ förkylning** a proper (stark. awful) cold

pränt *s* (~et, =), **sätta...på** ~ skriva ned write down...; låta skriva ned have...written down

pränta *vb tr* (~de, ~t) write...carefully; texta print; ~ **in** se *inpränta*

prärie *s* (~n, ~r) prairie

präriehund *s* (~en, ~ar) prairie dog

prärievarg *s* (~en, ~ar) coyote, prairie wolf

präst *s* (~en, ~er) speciellt prot. clergyman; speciellt katol. el. icke-kristen priest; frikyrklig el. i Skottl. minister; **~erna** prästerskapet the clergy sg.; **kvinnliga ~er** women priests (ministers); **bli** ~ take holy orders, enter the Church

prästerlig *adj* (~t) clerical; t.ex. värdighet priestly, sacerdotal; kyrklig ecclesiastical

prästerskap *s* (~et) clergy, clergymen pl.; speciellt katol. priesthood, priests pl.

prästgård *s* (~en, ~ar) vicarage, rectory; katol. presbytery

prästinna *s* (~n, prästinnor) priestess

prästkrage *s* (~n, -kragar) **1** bot. oxeye daisy **2** prästs krage [Geneva] bands pl.; rundkrage clerical (vard. dog) collar

prästrock *s* (~en, ~ar) cassock; katol., långrock soutane

prästviga *vb tr* (-vigde, -vigt) ordain; **~s** el. **bli prästvigd** be ordained, take [holy] orders

prästvigning *s* (~en, ~ar) ordination

pröjsa *vb tr* o. *vb itr* (~de, ~t) vard. pay; **jag ~de 50 kronor för...** äv. I gave (coughed up) 50 kronor for...

pröva I *vb tr* (~de, ~t) prova, försöka samt sätta på prov try; grundligt try out; göra prov med, undersöka test; ~ **lyckan** (**sin lycka**) try one's luck (fortune); ~ **något nytt** try something new; ~ **ngns tålamod** try (tax) sb's patience **II** *vb rfl* (~de, ~t), ~ **sig fram** feel one's way, proceed by trial and error **III** med beton. part.

pröva in till utbildning sit for (undergo, take) an (the, one's) entrance examination [*till, på, vid* for]

pröva på försöka try one's hand at; erfara experience; [få] utstå suffer

prövad *adj* (prövat, ~e), **han är hårt ~** he has had to put up with (go through) a good deal

prövande *adj* (oböjl.) påfrestande trying; granskande searching

prövning *s* (~en, ~ar) **1** prov, undersökning test, trial, examination; prövande testing; undersökning äv. inquiry [*av* into]; t.ex. av fullmakt investigation; noggrann scrutiny [*av* of]; prövningsprocedur, prövningstid probation; **förnyad** ~ av en fråga re-examination, reconsideration; **noggrann** ~ close examination, [careful] scrutiny; **skriftlig** ~ written examination (test) **2** påfrestning ordeal, affliction

prövningsnämnd *s* (~en, ~er) för taxeringar tax appeal board

prövosten *s* (~en, ~ar) touchstone [*på* of]

prövotid *s* (~en, ~er) trial (experimental) period; period of probation

PS *s* (ett, pl. =) PS

psalm *s* (~en, ~er) i psalmboken hymn; i Psaltaren psalm; **Davids ~er** the Book of Psalms sg.

psalmbok *s* (~en, -böcker) hymn book

psalmsång *s* (~en, ~er) hymn singing

psalmvers *s* (~en, ~er el. ~ar) stanza of a hymn

Psaltaren i Bibeln Psalms pl., the Book of Psalms

pseudohändelse *s* (~n, ~r) pseudo-event, non-event

pseudonym I *s* (~en, ~er) pseudonym, nom de plume fr., pen name, assumed name **II** *adj* (~t) pseudonymous; om namn assumed

pseudovetenskaplig *adj* (~t) pseudoscientific

p-skiva *s* (~n, -skivor) trafik. parking disc (amer. disk)

psoriasis *s* (~en) med. psoriasis

psyka *vb tr* (~de, ~t) vard. psych [out]

psyke *s* (~t, ~n) **1** själsliv mentality, psyche; själ soul **2** vard., psykiatrisk klinik psychiatric clinic

psykedelisk *adj* (~t) psychedelic

psykiater *s* (~n, psykiatrer) psychiatrist; vard. shrink

psykiatri *s* (~n) psychiatry

psykiatriker *s* (~n, =) psychiatrist; vard. shrink

psykiatrisk *adj* (~t) psychiatric; ~ **vård** psychiatric care

psykisk *adj* (~t) mental; psychic; ~ **sjukdom** mental illness (disorder, disease); ~ **tortyr** mental torture

psykoanalys *s* (~en, ~er) psychoanalys|is (pl. -es)

psykoanalytiker *s* (~n, =) psychoanalyst

psykoanalytisk *adj* (~t) psychoanalytic

psykofarmaka *s pl* psychoactive drugs, psychodrugs

psykolog *s* (~en, ~er) psychologist

psykologi *s* (~n) psychology

psykologisk *adj* (~t) psychological; ~ **krigföring** psychological warfare

psykopat *s* (~en, ~er) psychopath

psykopati *s* (~n) psychopathy

psykopatisk *adj* (~t) psychopathic

psykos *s* (~en, ~er) psychos|is (pl. -es)

psykosomatisk *adj* (~t) psychosomatic

psykoterapeut *s* (~en, ~er) psychotherapist

psykoterapi *s* (~n) psychotherapy

psykotisk *adj* (~t) psychotic; **en ~ person** äv. a psychotic

ptro *interj* till häst whoa

pub *s* (~en, ~ar) pub, public house

pubertet *s* (~en) puberty

publicera *vb tr* (~de, ~t) publish

publicering *s* (~en, ~ar) publication, publishing

publicist *s* (~en, ~er) publicist, journalist, writer [for the press]

publicitet *s* (~en) publicity; **ge ngt ~** give sth publicity

publik I *s* (~en, ~er) lyssnare, tittare, läsare etc. audience; t.ex. sport. spectators pl.; läsekrets äv. readers pl.; **inför ~** offentligt in public; **inför en fulltalig ~** before a full audience; **nå en stor ~** via radion (genom sina böcker) reach a large audience... **II** *adj* (~t) allmän public

publikation *s* (~en, ~er) publication

publikdragande *adj* (oböjl.) popular, attractive; ~ **film** box-office film

publikfavorit *s* (~en, ~er) popular favourite (figure); **den stora ~en** the idol of the crowd

publikframgång *s* (~en, ~ar) se *publiksuccé*

publikfriande *adj* (oböjl.) crowd-pleasing; attr. ...that plays (resp. play) to the gallery

publikfrieri *s* (~et, ~er) playing to the gallery

publikrekord *s* (~et, =) antalet attendance record; den största publiken någonsin record attendance

publiksiffra *s* (~n, -siffror) attendance; sport. gate

publiksuccé *s* (~n, ~er) success with the public; film. el. teat. o.d. hit, success; bok best-seller

publikundersökning *s* (~en, ~ar) audience research poll

puck *s* (~en, ~ar) ishockey~ puck

puckel *s* (~n, pucklar) **1** hump, hunch; *kamelens pucklar* the humps of the camel **2** [temporär] ökning bulge

puckelpist *s* (~en, ~er) skidsport. mogul

puckelryggig *adj* (~t) hunchbacked; *vara* ~ äv. have a hunch

puckla *vb itr* (~de, ~t), ~ *på ngn* vard. bash (wallop) sb

pudding *s* (~en, ~ar) **1** kok. pudding **2** vard., vacker flicka smasher, dish

pudel *s* (~n, pudlar) poodle; *~ns kärna* the crux (heart) of the matter

pudendusblockad *s* (~en, ~er) med. pudendal block

puder *s* (pudret) powder; kosmetiskt [face] powder, toilet powder

puderdosa *s* (~n, -dosor) compact

puderrouge *s* (~t el. ~n) blusher, amer. äv. blush

pudersnö *s* (~n) powder snow

pudersocker *s* (-sockret) icing sugar; amer. powdered (confectioner's) sugar

pudervippa *s* (~n, -vippor) powder puff

pudra I *vb tr* (~de, ~t) powder; med socker o.d. dust **II** *vb rfl* (~de, ~t), ~ *sig* powder [oneself]

puertorican *s* (~en, ~er) Puerto Rican

puertoricansk *adj* (~t) Puerto Rican

puff *s* (~en, ~ar) **1** knuff push; lätt med armbågen nudge **2** på plagg puff **3** möbel pouf **4** knall pop **5** rök~ o.d. puff

puffa I *vb tr* (~de, ~t) knuffa push; lätt med armbågen nudge, jfr äv. *knuffa* **II** *vb itr* (~de, ~t) **1** knalla pop **2** ~ *på en pipa* puff [away] at a pipe **3** göra reklam, ~ *för ngt* plug (puff) sth

puffas *vb itr dep* (puffades, puffats) knuffas push

puffärm *s* (~en, ~ar) puff[ed] sleeve

puka *s* (~n, pukor) kettle-drum; *pukor* i orkester timpani (pl. el. sg.); *han blev mottagen med pukor och trumpeter* he was given the red-carpet treatment

pukslagare *s* (~n, =) timpanist, kettle-drummer

pullover *s* (~n, pullovrar) pullover

pulpa *s* (~n, pulpor) anat. el. bot. pulp

pulpet *s* (~en, ~er) desk

puls *s* (~en, ~ar) pulse; *ta ~en på ngn* med. feel sb's pulse; *ha 80 i* ~ have a pulse of 80; *känna ngn på ~en* bildl. sound sb out

pulsa *vb itr* (~de, ~t) trudge, plod [i snön through…]

pulsera *vb itr* (~de, ~t) beat, throb, pulsate

pulsslag *s* (~et, =) anat. pulse beat

pulsåder *s* (~n, -ådror) fysiol. artery

pult *s* (~en, ~ar) [conductor's] desk; podium podi|um (pl. -a)

pulver *s* (pulvret, =) powder; *mala (stöta) till* ~ äv. pulverize

pulverform *s* (oböjl.), *i* ~ powdered

pulverkaffe *s* (~t) instant coffee

pulvermos *s* (~et) o. **pulverpotatismos** *s* (~et) instant mash, instant mashed potatoes pl.

pulvrisera *vb tr* (~de, ~t) pulverize; bildl., krossa äv. smash

puma *s* (~n, pumor) zool. puma, cougar

pump *s* (~en, ~ar) pump; *gå på ~en* vard. make a blunder

1 pumpa *vb tr* (~de, ~t) pump; ~ *däcken* (*cykeln*) pump up (inflate) the tyres [of the bike]; ~ *läns* pump…dry (empty); ~ *ngn på* en hemlighet (upplysningar) pump…out of sb, draw…from sb; ~ *in* pump in; ~ *upp* vatten, ett däck pump up; ett däck äv. inflate

2 pumpa *s* (~n, pumpor) bot. pumpkin, vegetable marrow

pumps *s pl* court-shoes; amer. pumps

punch *s* (oböjl., en) boxn. punch

pund *s* (~et, =) **1** myntenhet pound (förk. £); engelskt ~ äv. pound sterling; mark. quid (pl. lika); *fem* ~ five pounds (£5); *fem* ~ *och femtio pence* five pound[s] fifty (£5.50p) **2** vikt pound [med of framför följande subst.] (förk. lb., pl. lb[s].) **3** bildl., *förvalta sitt* ~ *väl* make the most of one's talents

pundhuvud *s* (~et, = el. ~en) vard. blockhead, fathead

pundsedel *s* (~n, -sedlar) pound note

pung *s* (~en, ~ar) **1** påse, t.ex. tobaks~ pouch; t.ex. penning~, speciellt bibl. bag; börs purse; *lätta på ~en* loosen the purse strings **2** hos pungdjur pouch, marsupi|um (pl. -a) **3** anat. scrot|um (pl. -a el. -ums), testicles pl.

punga *vb itr* (~de, ~t), ~ *ut med* fork out, cough up

pungbjörn *s* (~en, ~ar) koala [bear]

pungdjur *s* (~et, =) marsupial

pungråtta *s* (~n, -råttor) zool. opossum, possum

pungslå *vb tr* (-slog, -slagit), ~ *ngn* fleece sb [of his money], bleed sb white; ~ *ngn på* 500 kronor make sb fork out…

punk *s* (~en) punk [rock]

punkare *s* (~n, =) punk [rocker]

punkt *s* (~en, ~er) **1** allm. point; prick äv. dot äv. mus.; skiljetecken full stop, amer. period; sak, fråga point, matter; stycke, avdelning paragraph; i kontrakt, brev o.d., 'nummer' på program, dagordning item; jur., i anklagelse count; ~ [*och*] *slut!* and that's that (flat)!; *död* ~ tekn. dead centre (point), bildl., dödläge deadlock; *den kritiska ~en* the critical (crucial) point; *den springande ~en* the crux of the matter; *en öm* ~ bildl. a tender (sensitive) spot, a sore point; *sätta* ~ eg. put a full stop; *sätta* ~ *för ngt* bildl. bring sth to an end; *där sätter vi* ~ *för i dag* let's stop (leave off) there for today, let's call it a day; *på den här ~en* härvidlag on this point, in this particular, in this respect; *på alla väsentliga ~er* in all essentials; *låt mig tala till ~!* let me finish [what I have to say]!; *till* ~ *och pricka* exactly; bokstavligt to the letter **2** typogr., mått point

punktera *vb tr* (~de, ~t) **1** däck o.d. el. med. puncture **2** markera med punkter dot; konst. stipple

punktering *s* (~en, ~ar) **1** på däck o.d. el. med. puncture; *få* ~ have a puncture (vard. a flat tyre, a flat) **2** konst. stipple

punktinsats *s* (~en, ~er) se *punktåtgärd*

punktlig *adj* (~t) punctual; noga äv. accurate, exact

punktlighet *s* (~en) punctuality

punktmarkering *s* (~en, ~ar) sport. man-to-man marking

punktskatt *s* (~en, ~er) selective (specific) purchase tax

punktskrift *s* (~en) braille

punktstrejk *s* (~en, ~er) selective strike

punktåtgärd *s* (~en, ~er) selective (enstaka isolated) measure

puns *s* (~en, ~ar) tekn. punch

punsch *s* (~en) Swedish (arrack) punch

pupill *s* (~en, ~er) anat. pupil

puppa *s* (~n, puppor) zool. pup|a (pl. -ae), chrysali|s (pl. -ses el. -des)

pur *adj* (~t) pure, sheer; **av ~ förvåning** from sheer surprise

puré *s* (~n, ~er) purée; potatis~ äv. mash; soppa äv. soup

purist *s* (~en, ~er) purist

puritan *s* (~en, ~er) puritan; hist. Puritan

puritansk *adj* (~t) puritan, puritanical; hist. Puritan

purjo *s* (~n) o. **purjolök** *s* (~en, ~ar) leek

purken *adj* (purket, purkna) vard., sur sulky, grumpy; stött huffy [på with]

purpurfärgad *adj* (-färgat, ~e) o. **purpurröd** *adj* (-rött) blåröd purple

purra *vb tr* (~de, ~t) sjö. el. vard., väcka call, rouse

purser *s* (~n, pursrar el. ~s) sjö. el. flyg. purser

purung *adj* (~t) very young

push-up-behå *s* (~n, ~ar) push-up bra

1 puss *s* (~en, ~ar) pöl puddle, pool

2 puss *s* (~en, ~ar) kyss kiss

pussa *vb tr* (~de, ~t) kiss

pussas *vb itr dep* (pussades, pussats) pussa varandra kiss

pussel *s* (pusslet, =) puzzle; läggspel jigsaw puzzle; **lägga ~** do a jigsaw puzzle; bildl. fit [all] the pieces together

pusselbit *s* (~en, ~ar) piece [in a jigsaw puzzle]; bildl. piece

pussig *adj* (~t) om ansikte bloated, puffy

pussla *vb itr* (~de, ~t) do a jigsaw puzzle; **~ ihop** put (piece) together

pust *s* (~en, ~ar) vind~ breath of air (wind), puff [of wind]; stark gust

1 pusta *s* (~n, pustor) geogr. Hungarian steppe, puszta

2 pusta *vb itr* (~de, ~t) flåsa puff [and blow], pant; **~ ut** ta en paus take a breather; återhämta sig recover one's breath; känna lättnad feel relief

puta *vb itr* (~de, ~t), **~ ut** bulge, stick out

1 puts *s* (~en) **1** rappning plaster, lath and plaster; grov roughcast **2** putsmedel polish **3** renlighet tidiness

2 puts *adv*, **~ väck** se under *väck*

putsa *vb tr* (~de, ~t) **1** rengöra t.ex. fönster clean; polera polish; klippa [ren] t.ex. hår, naglar, häck trim; **~ ett rekord** improve on a record, better (i lopp o.d. äv. lower) a record; **~ skor** clean (polish, vard. shine) shoes; **~ av** clean; polera polish, give…a polish; hastigt o. lätt t.ex. fönster, skor give…a wipe-over; **~ upp** clean (polera polish) up **2** rappa plaster; med grov puts roughcast

putslustig *adj* (~t) droll, comical, funny

putsmedel *s* (-medlet, =) polish

1 putt *s* (~en, ~ar) golf. putt

2 putt *adj* (=) vard. sulky, grumpy

putta *vb tr* o. *vb itr* (~de, ~t) **1** golf. putt **2** **~ till** push, give…a little push

puttefnask *s* (~en, ~ar) neds. [little] shrimp; barn brat; **lille ~** smeks. little chap

puttenuttig *adj* (~t) vard. sweet, cute

puttra *vb itr* (~de, ~t) **1** kok. simmer, cook gently **2** om motor[fordon] chug

pygmé *s* (~n, ~er) pygmy

pyjamas *s* (~en, ~ar el. =) pyjamas (amer. pajamas) pl.; vard. PJs, jimjams, amer. jammies; **en ~** a pair (suit) of pyjamas

pynt *s* (~et) grannlåt finery; t.ex. jul~ decorations pl.

pynta *vb tr* o. *vb itr* (~de, ~t) smycka decorate, deck [out]

pyra *vb itr* (pyrde, pyrt) smoulder; **ligga och ~** be smouldering

pyramid *s* (~en, ~er) pyramid; i biljard pyramids pl.

pyramidal *adj* (~t) vard., kolossal colossal, enormous

pyramidspel *s* (~et, =) pyramid game

pyre *s* (~t, ~n) mite, tiny tot

Pyrenéerna *s pl* the Pyrenees

Pyreneiska halvön the Iberian Peninsula

pyroman *s* (~en, ~er) pyromaniac

pyroteknik *s* (~en) pyrotechnics (sg. el. pl.)

pyroteknisk *adj* (~t) pyrotechnic

pyrrhusseger *s* (~n, -segrar) Pyrrhic victory

pys *s* (~en, ~ar) vard. little chap (boy)

pysa *vb itr* (pyste, pyst) **1** om ngt som kokar give (let) off steam; om t.ex. ånga hiss **2** vard., ge sig iväg buzz (pop) off

pyspunka *s* (~n, -punkor) vard. slow puncture, slow leak

pyssel *s* (pysslet) pottering

pyssla *vb itr* (~de, ~t) busy oneself [*med* with]; **gå och ~** [*i huset*] potter about [(in) the house]; **~ om** look after, make…comfortable

pysslig *adj* (~t) handy [about the house (place)]

pyssling *s* (~en, ~ar) manikin; tomte pixie

pyton I *s* (oböjl., en) zool. python **II** *adv* vard., **det luktar** (**smakar**) **~** it smells (tastes) awful (like hell)

pytonorm *s* (~en, ~ar) python

pyts *s* (~en, ~ar) pot; hink bucket

pytteliten *adj* (-litet, -små) tiny, teeny [weeny]…, wee

pyttipanna *s* (~n) kok. hash of fried diced meat with onions and potatoes served with fried egg and pickled beetroot

på

på delas in i ordklasserna
I preposition
II adverb

I *prep*

Prepositionen **på** motsvaras vanligen av **on** i uttryck som *på bordet* = *on the table* och *på måndag* = *on Monday*.

på används i många uttryck som står under andra uppslagsord. Exempelvis finns uttrycket *lukta på* under uppslagsordet *lukta*, uttrycket *bli arg på* under uppslagsordet *arg* osv.

Läge

1 anger läge på el. mot en yta on; **~ bordet** on the table; **~ huvudet** on one's head; **~ väggen** on the wall; **ligga ~ rygg** lie on one's back

2 anger befintlighet på större öar in; när det gäller mindre öar on; **~ Irland** in Ireland; **~ Öland** on Öland; **jag är född här ~ Öland** I was born here in Öland; **~ en öde ö** on a desert island

3 anger rum o.d. i byggnader in; **~ vinden** in the attic; hon är **~ toaletten** …in the bathroom; **han är ~ sitt rum** he is in his room

4 anger avgränsat, ofta plant, utrymme in; **~ den här bilden**

in this picture; **~ torget** in the square

5 anger gata in; speciellt amer. on; vid exakt gatuadress at; **~ gatan** in (speciellt amer. on) the street; **~ Hamngatan** in (speciellt amer. on) Hamngatan; **~ Hamngatan 25** at 25 Hamngatan

6 anger lokal el. byggnad avsedd för en viss verksamhet at; **~ banken** at the bank; **~ flygplatsen** at the airport; **~ teatern** at the theatre

7 anger sysselsättning, evenemang o.d at; **vara ~ fest** (**konsert**) be at a party (concert); **~ en konferens** at a conference

8 anger sida i bok on; i vissa fall at; **~ sidan 100** on page 100; **slå upp böckerna ~ sidan 30** open your books at page 30

Riktning

9 anger riktning till sådana platser där prepositionen on används vid befintlighet on; i betydelsen ned på, upp på ofta on to, onto; **lägga ngt ~ ett bord** put sth on a table; **hoppa upp ~ bordet** jump on to (up on) the table; **kliva upp ~ en stol** get on a chair

10 anger riktning till sådana platser där prepositionen in används vid befintlighet to, into; **gå upp ~ vinden** go up [in]to the attic; **rusa ut ~ gatan** rush out into the street

11 anger riktning till sådana platser el. evenemang där prepositionen at används vid befintlighet to; **gå ~ banken** go to the bank; **gå ~ fest** go to a party; **gå ~ konsert** go to a concert; **har du varit ~** besökt **museet?** have you been to the museum?

12 anger vem/vad man t.ex. kastar, slår och tittar mot at; **kasta en sten ~ ngn** throw a stone at sb; **knacka ~ dörren** knock at the door; **peka ~ ngn** point at sb; **titta ~ ngn** look at sb

Tidsbetydelse

13 anger en viss dag, veckodag el. visst datum on; **de är födda ~ samma dag** they were born [on] the same day; **~ fredag** on Friday; **~ hans födelsedag** on his birthday; **~ fredag morgon** on Friday morning; **~ morgonen den femte april** on the morning of the fifth of April

14 anger del av dagen, årstid, årtionde, århundrade in; **~ 2000-talet** in the 21st century; **~ morgonen** in the morning; **~ eftermiddagen** in the afternoon; **~ vintern** in [the] winter; **~ 30-talet** (**trettiotalet**) in the 30's (thirties)

15 anger tidpunkt at; **~ utsatt tid** at the appointed time; **~ samma gång** at the same time

16 anger tidslängd on; med betoning på hela tidsavsnittet during; **han arbetar ~ loven** he works on his holidays, he works during his holidays; **jag läste boken ~ resan hit** I read the book on (during) the journey here

17 anger tidsperiod vid ord för timme, dag, vecka, månad, år for; amer. ofta in; **han har inte varit här ~ månader** he has not been here for (amer. ofta in) months

18 anger tidsperiod i framtiden for; **hyra ett hus ~ en månad** rent a house for a month; **åka bort ~ några dagar** go away for a few days

19 anger den tid som något tar in; **det är klart ~ en minut** it'll be ready in a minute; **jag kommer ~ minuten** I will come in a minute; **genast** I will come directly

20 anger tid någon har till förfogande, **vi har en vecka ~ oss** we've got a week

Mått, antal

21 i måttsbestämningar med höjd o.d. at; i betydelsen på en sträcka av for; **~ 300 meters avstånd** (**djup**) at a distance (depth) of 300 metres (amer. meters); **inte ett träd ~ många kilometer** not a tree for many kilometres (amer. kilometers)

22 i betydelsen per in; **inte en ~ hundra** not one in a hundred;; **det går 100 pence ~ ett pund** there are 100 pence in a pound

23 anger exakthet to; **mäta ~ millimetern** measure to a millimetre; **summan stämmer ~ öret** the sum tallies to an öre, the sum tallies down to the last öre

24 anger följd och upprepning after; **göra fel ~ fel** make one mistake after the other, make mistake after mistake; **kaffe ~ maten** middagen coffee after dinner

25 anger antal of, el. annan konstruktion, **en bok ~ 500 sidor** a 500-page book, a book of 500 pages; **en gädda ~ fem kilo** a pike weighing five kilos; **en flicka ~ femton år** a girl of fifteen

Andra fall

26 i uttryck av typen substantiv + på + substantiv, ofta motsvarande en genitivkonstruktion, t.ex. namnet på gatan = gatans namn, vanligen of; **färgen ~ blomman** the colour of the flower; **man såg bara huvudet ~ honom** only his head could be seen; **namnet ~ gatan** the name of the street

27 anger språk språk in; **~ engelska** in English; **~ ett främmande språk** in a foreign language

28 anger ngt man vill få tag i for; **hoppas ~ ngt** hope for sth; **vänta ~ ngt** wait for sth

29 i betydelsen med hjälp av by; **man hör ~ rösten att hon är trött** one hears by her voice that she is tired; **jag märkte ~ hennes ögon att hon ljög** I could tell by her eyes that she was lying

II adv (se också betonad partikel under respektive verb, t.ex. sätta på under sätta); **en burk** (**burkar**) **med lock ~** a pot with a lid on it (pots with lids on them); en burk **med locket ~** …with the lid on; **~ med skorna!** on with your shoes!; **klä ~ sig** vanl. dress; **lägga ~ ett lock** [**på en burk**] put a lid on [a pot]; **han rodde ~** he rowed on, he went on rowing; **är gasen** (**tv:n**) **~?** is the gas (TV) on?

påannonsera vb tr (~de, ~t) radio. el. TV. announce, present

påbackning s (~en, ~ar) vard., **på straff** extended sentence

påbjuda vb tr (-bjöd, -bjudit) t.ex. skatt, straff impose; t.ex. tystnad command; **det påbjöds att…** it was decreed that…

påbrå s (~t) stock, heritage; arvsanlag hereditary disposition; **med italienskt ~** of Italian stock; **ha gott** (**dåligt**) **~** come of good (poor) stock

påbud s (~et, =) decree

påbudsmärke s (~t, ~n) trafik. mandatory sign

påbyggnad s (~en, ~er) addition; våningsplan o.d. additional storey; superstructure äv. bildl.

påbyggnadskurs s (~en, ~er) univ. supplementary course

påbyltad adj (-byltat, ~e) muffled up

påbörja vb tr (~de, ~t) begin osv., se börja; **för varje ~d timme** …each extra hour or part of that hour

pådrag s (~et, =), polisen arbetar **med fullt ~** …in full force, at full capacity; **det blev [ett] stort ~ av poliser** a great number of police were called out

pådyvla *vb tr* (~de, ~t), **~ ngn ngt** impute sth to sb

påfallande I *adj* (oböjl.) striking, marked, conspicuous, remarkable **II** *adv* strikingly, markedly, conspicuously, remarkably; **det händer ~ ofta** ...with remarkable frequency, ...markedly often

påfart *s* (~en, ~er) entrance

påflugen *adj* (-fluget, -flugna) pushy, obtrusive; närgången forward

påfrestande *adj* (oböjl.) trying

påfrestning *s* (~en, ~ar) strain, stress; prövning trial

påfund *s* (~et, =) idea, invention, jfr *påhitt*; **nya ~** neds. newfangled ideas; **ett djävulens ~** the devil's own invention

påfyllning *s* (~en, ~ar) påfyllande filling up, refilling, replenishment, jfr *fylla på* under *fylla II*; en portion till another helping; en kopp (ett glas etc.) till another cup (glass etc.); **vill du ha ~?** av mat, dryck äv. would you like some more?

påfågel *s* (~n, -fåglar) peacock speciellt om tupp; höna peahen

påföljande *adj* (oböjl.) next, following, ensuing, subsequent; **~ dag** adv. [the] next day

påföljd *s* (~en, ~er) consequence; jur. sanction; **med ~ (med den ~ en) att han...** with the consequence (result) that he...

påföra *vb tr* (-förde, -fört) debitera, **~ ngn (ngns konto) ngt** charge sth to sb's account; **~ ngn** skatt levy...on sb

pågå *vb itr* (-gick, -gått) go (be going) on; fortsätta continue; vara last; försiggå be in progress, proceed; **sammanträdet ~r fortfarande** ...is still going on; **utställningen ~r fortfarande** äv. the exhibition is still on; **förhandlingar ~r** negotiations are under way (are in progress)

pågående *adj* (oböjl.), **under ~** föreställning while the...is in progress, during the...; **den [nu] ~ undersökningen** the present (current)...

påhitt *s* (~et, =) idé idea; uppfinning, knep device, invention; lögn, 'dikt' invention, fabrication; **vilket ~!** what an idea!; **det var bara ~ alltihop** it was all an invention (a made-up story), the whole story was made up

påhittad *adj* (-hittat, ~e) made up, invented; fiktiv fictitious

påhittig *adj* (~t) ingenious, ...full of ideas

påhittighet *s* (~en) ingenuity

påhopp *s* (~et, =) bildl. attack

påhälsning *s* (~en, ~ar), **göra en ~ hos** pay a visit to; **få ~ av tjuvar** be paid a visit by thieves

påhäng *s* (~et, =) drag, burden; person äv. hanger-on (pl. hangers-on); **ha ngn som ~** have sb hanging on

påhängsvagn *s* (~en, ~ar) semitrailer

påk *s* (~en, ~ar) thick stick, cudgel; vard., ben pin; **rör på ~arna!** get moving!, get a move on!

påkalla *vb tr* (~de, ~t) kräva call for, claim, demand; **~ ngns uppmärksamhet** attract sb's attention; **om omständigheterna så ~r** if required [by circumstances], if such a step is called for

påklädd *adj* (-klätt) dressed

påkläderska *s* (~n, påkläderskor) teat. dresser

påkommen *adj* (-kommet, -komna), **hastigt ~** sudden

påkostad *adj* (-kostat, ~e) dyrbar expensive; om t.ex.

föreställning äv. lavish; om t.ex. bil, hus ...lavishly fitted out

påkänning *s* (~en, ~ar) påfrestning stress äv. fys., strain; **finansiell ~** financial strain

påkörd *adj* (-kört), **bli ~ av** ett annat fordon be run (bumped) into...; om person, av en bil be knocked down..., be hit...

påla *vb tr* o. *vb itr* (~de, ~t), **~ [marken]** pile (drive piles into) the ground

pålaga *s* (~n, pålagor) skatt tax; tullavgift o.d. duty

pålandsvind *s* (~en, ~ar) onshore wind

påle *s* (~n, pålar) pole, post; mindre pale, stake; byggn., till grundläggning, bro o.d. pile; **en ~ i köttet** bibl. el. friare a thorn in the (one's) flesh (side)

pålitlig *adj* (~t) reliable, dependable; trovärdig trustworthy; **en ~ metod** a reliable (safe) method; **en ~ vän** a staunch friend

pålitlighet *s* (~en) reliability, dependability; trovärdighet trustworthiness

pålkran *s* (~en, ~ar) pile-driver

pålle *s* (~n, pållar) vard. gee-gee, horsey

pålägg *s* (~et, =) **1** smörgåsmat: skinka, ost etc. ham, cheese etc.; **en smörgås med ~** an open sandwich **2** extra avgift, tillägg se *påslag*

påläggskalv *s* (~en, ~ar) bildl., framtidsman [up-and-]coming young man, good prospect; **en av partiets ~ar** one of the party's bright, young prospects (rising stars)

påläst *adj* (=), **han är bra (dåligt) ~** he has done his homework well (badly)

påminna I *vb tr* o. *vb itr* (-minde, -mint), **~ [ngn] om ngt** (resp. **om att** + sats) få att minnas remind sb of sth (resp. [of the fact] that...); **han påminner om sin bror** he resembles his brother, he reminds one (you) of his brother; **påminn mig om att jag ska** + inf. remind me to + inf. **II** *vb rfl* (-minde, -mint), **~ sig** remember; med större ansträngning recollect, recall

påminnelse *s* (~n, ~r) erinran reminder [om of]; **få ~ om** äv. be reminded of

pånyttfödd *adj* (-fött) reborn, born-again; **jag känner mig ~** I feel as if I were born again (anew)

påpassad *adj* (-passat, ~e), **hon var mycket ~ av pressen** she was followed everywhere by the Press

påpasslig *adj* (~t) uppmärksam attentive; 'vaken', pigg alert, smart; färdig att ingripa prompt; vaksam vigilant

påpeka *vb tr* (~de, ~t) point out, call attention to; **~ för ngn att** + sats point out to sb that..., call sb's attention to the fact that...; **det bör ~s att** äv. it should be observed that

påpekande *s* (~t, ~n) anmärkning remark, comment; antydan hint, intimation; påminnelse reminder

påpälsad *adj* (-pälsat, ~e) well wrapped up, muffled up

påringning *s* (~en, ~ar) tele. phone call

påräkna *vb tr* (~de, ~t) count upon; vänta sig expect

påse *s* (~n, påsar) bag; **en ~ [med]** frukt a bag of...; **ha påsar under ögonen** have bags (be puffy) under the eyes; **slå sina påsar ihop** gifta sig get hitched (spliced); slå sig ihop join forces

påseende *s* (~t) granskning inspection, examination; **sända** varor **till ~** send...on approval; **vid första ~t** at the first glance; ytligt sett on the face of it; **vid närmare ~** on closer inspection

påsig *adj* (~t) baggy; **~a kinder** puffy cheeks; **vara ~ under ögonen** have bags (be puffy) under the eyes

påsk *s* (~en, ~ar) Easter; jud. Passover; *glad ~!* Happy Easter!; han kommer *i* ~ ...at (denna påsk this) Easter; *i ~as* last Easter; för ex. o. sammansättn. jfr *jul*

påskafton *s* (~en, -aftnar) Easter Eve

påskalamm *s* (~et, =) paschal lamb

påskdag *s* (~en, ~ar) **1** *~en* Easter Day (Sunday), jfr vidare *juldag 1* **2** *en av ~arna* one day during Easter

påskhare *s* (~n, -harar) Easter bunny

påskhelg *s* (~en, ~er), *~en* Easter

påskina *vb tr* (oböjl.), *låta ~* låta förstå, låtsas pretend; antyda intimate, hint; *låta ~* förstå *att...* äv. make out that...

påskkort *s* (~et, =) Easter card

påskkärring *s* (~en, ~ar) liten flicka young girl dressed up as an Easter witch

påsklilja *s* (~n, -liljor) daffodil

påsklov *s* (~et, =) Easter holidays pl. (vacation)

påskrift *s* (~en, ~er) utanskrift, t.ex. på brev superscription, address; text, t.ex. på etikett inscription, wording, text; etikett, t.ex. på flaska label; underskrift signature

påskris *s* (~et) se *fastlagsris*

påsksmällare *s* (~n, =) Easter [firework] cracker

påskvecka *s* (~n, -veckor), *~[n]* Easter week

påskynda *vb tr* (~de, ~t) hasten, speed up; t.ex. sina steg äv. quicken; t.ex. förloppet accelerate, expedite; *~ beslutet* bring about a speedy (speedier) decision

påskägg *s* (~et, =) Easter egg

påslag *s* (~et, =) löne~ increase, rise, increment; pris~ increase (rise) [in price]

påslakan *s* (~et, =) duvet cover

påssjuka *s* (~n) mumps sg.; med. parotitis; *ha ~* have [the] mumps

påste *s* (~et, ~er) tepåsar teabags pl.; dryck tea made with a teabag

påstigning *s* (~en, ~ar) trafik. boarding, entering, getting on; *endast ~* boarding only

påstridig *adj* (~t) obstinate, opinionated; envis äv. stubborn, pigheaded

påstruken *adj* (-struket, -strukna) vard. tipsy, tiddly

påstå *vb tr* (-stod, -stått) säga, yttra say; uppge state; med bestämdhet declare; göra gällande allege; hävda assert; *jag vågar ~* I venture to say; *han påstod sig ha varit där* vanl. he said (declared) that he had...; *han ~r sig kunna* + inf. he claims to be able to + inf.

påstådd *adj* (-stått) alleged

påstående *s* (~t, ~n) utsaga, uppgift statement; hävdande assertion

påstötning *s* (~en, ~ar) påminnelse reminder [*om* of]; vink hint; pådrivning urging, prompting; *ge ngn en ~* påminna *om* ngt äv. remind sb of...

påta *vb itr* (~de, ~t), [*gå och*] *~* peta, gräva poke [about]; pyssla potter about; *han tycker om att ~ i jorden* he likes pottering in the garden

påtaga *vb rfl* (-tog, -tagit), *~ sig* se *ta på sig* under *ta III*

påtaglig *adj* (~t) uppenbar obvious, evident, apparent; märkbar marked, palpable; gripbar, faktisk tangible; *~t bevis* tangible proof; *~ lögn* evident lie; förbättringen *är ~* ...is obvious

påtala *vb tr* (~de, ~t) kritisera o.d. criticize, protest against; t.ex. fel, missförhållande call attention to; se äv. *påpeka*

påtryckning *s* (~en, ~ar) pressure (endast sg.); [*upprepade*] *~ar* [continual] pressure sg.; *utöva ~ar på*

ngn bring pressure to bear on sb; polit. äv. lobby; vard. turn the heat on sb

påtryckningsgrupp *s* (~en, ~er) pressure group; polit. äv. lobby

påträffa *vb tr* (~de, ~t) find, come across; se äv. *träffa på* under *träffa 1*

påträngande *adj* (oböjl.) påflugen pushy, self-assertive, forward; enträgen importunate, insistent; *en ~ person* äv. a pusher

påtvinga *vb tr* (~de, ~t), *~ ngn ngt* force (inflict) sth on sb

påtår *s* (~en, ~ar) ung. a second cup; *vill du ha ~?* would you like another (a second) cup?

påtänd *adj* (-tänt) vard., *vara ~* narkotikapåverkad be high (stoned)

påtänkt *adj* (=) contemplated; planerad äv. intended, projected; *då var du inte ens ~* you weren't even thought of then, skämts. you were just a twinkle in your father's eye

påve *s* (~n, påvar) pope äv. bildl.; *~n Pius XVI* Pope...; *tvista om ~ns skägg* quarrel about nothing, split hairs

påvedöme *s* (~t) papacy

påver *adj* (~t, påvra) poor; om t.ex. resultat äv. meagre

påverka *vb tr* (~de, ~t) influence, have (exert) an influence on; spec. i fråga om t.ex. humöret, hälsan affect, have an effect on, act on; leda sway; *han är lätt att ~* he is easily influenced; *låta sig ~s av...* [allow oneself to] be influenced by...

påverkad *adj* (-verkat, ~e) lätt berusad tipsy; av narkotika high; jfr äv. *påverka*

påverkan *s* (=, en, påverkningar) influence, effect

påverkbar *adj* (~t), [*lätt*] *~* easily influenced, impressionable

påvisa *vb tr* (~de, ~t) påpeka point out, indicate [*för* to]; bevisa prove, demonstrate, show; konstatera establish

påvlig *adj* (~t) papal

påökt *adj* (oböjl.), *få ~* [*på lönen*] get a rise (amer. raise) [in pay]

päls *s* (~en, ~ar) på djur fur, coat; plagg fur coat; *ge ngn på ~en* stryk give sb a hiding (ovett a telling-off, kritik a slating); *få på ~en* äv. get it in the neck, cop it

pälsa *vb tr* (~de, ~t), *~ på sig ordentligt* wrap (muffle) oneself up well

pälsaffär *s* (~en, ~er) furrier's [shop], fur dealer (amer. store)

pälsbrämad *adj* (-brämat, ~e) fur-trimmed

pälscape *s* (~n, ~r) fur cape

pälsdjur *s* (~et, =) furred (fur-bearing) animal

pälsfodrad *adj* (-fodrat, ~e) fur-lined

pälsjacka *s* (~n, -jackor) fur jacket

pälsjägare *s* (~n, =) trapper

pälskrage *s* (~n, -kragar) fur collar

pälsmössa *s* (~n, -mössor) fur cap

pälsverk *s* (~et, =) fur; koll. furs pl.

pälsänger *s* (~n, -ängrar) zool. carpet beetle

pär *s* (~en, ~er) i Storbr. peer [of the realm]

pärla I *s* (~n, pärlor) pearl; av glas, trä etc. som inte imiterar äkta bead; bildl., om t.ex. konstverk gem; *odlade* (*imiterade*) *pärlor* culture (imitation el. artificial) pearls; *äkta pärlor* real (genuine) pearls; *hon är en ~* she is a treasure (a real gem); *kasta pärlor för svin* cast pearls before swine **II** *vb itr* (~de, ~t), *svetten*

~de i pannan på honom beads of perspiration stood on his forehead; *~nde viner* sparkling wines

pärlband *s* (~et, =) string of pearls

pärlemor *s* (~en) mother-of-pearl

pärlemorskimrande *adj* (oböjl.) iridescent, pearly, nacreous

pärlfiskare *s* (~n, =) pearl-fisher, pearl-diver

pärlgrå *adj* (-grått) pearl (pearly) grey

pärlhalsband *s* (~et, =) pearl necklace

pärlhyacint *s* (~en, ~er) grape hyacinth

pärlhöns *s* (~et, =) guinea fowl äv. koll.; höna äv. guinea hen

pärlmussla *s* (~n, -musslor) pearl oyster; flod~ pearl mussel

pärlsocker *s* (-sockret) ung. crushed loaf (fackspr. nib) sugar

pärlspont *s* (~en, ~ar) snick. tongued, grooved and beaded panel; matched and beaded boards

pärluggla *s* (~n, -ugglor) zool. Tengmalm's owl; amer. boreal owl

pärlvit *adj* (-vitt) pearl (pearly) white

pärm *s* (~en, ~ar) bok~ cover; samlings~ file; för lösa blad [loose-leaf] binder; *från ~ till ~* from cover to cover

päron *s* (~et, =) pear

päronformad *adj* (-format, ~e) pear-shaped

päronträ *s* (~et) pearwood

päronträd *s* (~et, =) pear [tree]

pärs *s* (~en, ~er) prövning ordeal, trial; *en svår ~* äv. a severe test, a trying experience; slag a hard blow

pöbel *s* (~n) mob, riff-raff, rabble

1 pöl *s* (~en, ~ar) vatten~, blod~ o.d. pool; [smutsig] vatten~ puddle; *~en* Atlanten, vard. the Pond

2 pöl *s* (~en, ~ar) långkudde bolster

pölsa *s* (~n, pölsor) kok. hash [of offal and grain]

pö om pö *adv* bit by bit

pösa *vb itr* (pöste, pöst) svälla swell [up]; *~ av stolthet* be puffed up (be swelling) with pride; *~ upp* swell up; jäsa rise; *~ över* koka över bubble over

pösig *adj* (~t) puffy; om t.ex. byxor baggy; om t.ex. tröja loose-fitting; om person äv. puffed-up, pompous

pösmunk *s* (~en, ~ar) kok. fritter; bildl., person puffed-up person, pompous ass

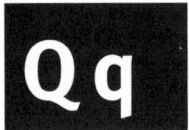

q *s* (q:et, q:n el. q) bokstav q [utt. kju:]

Qatar Qatar

qatarisk *adj* (~t) Qatari

quenell *s* (~en, ~er) kok. quenelle

quiche *s* (~n) kok. quiche

quilta *vb tr* (~de, ~t) sömnad. quilt

quinoa *s* (~n) quinoa

quorn *s* (oböjl.) kok. Quorn

r *s* (r:et, r) bokstav r [utt. ɑ:]

rabalder *s* (rabaldret) uppståndelse commotion; oväsen uproar; i pressen outcry

rabarber *s* (~n) rhubarb; *lägga ~ på ngt* vard. walk away (make off) with sth

rabarberpaj *s* (~en, ~er) rhubarb pie

1 rabatt *s* (~en, ~er) blomstersäng flower bed; kant~ [flower] border, border of flowers

2 rabatt *s* (~en, ~er) hand. discount; avdrag äv. deduction; nedsättning reduction; *lämna (ge) 20 % ~ [på priset]* allow (give), grant) a 20% discount (a discount of 20%) [off the price]; *med 3 % ~* at 3% discount

rabattera *vb tr* (~de, ~t), *~t pris* reduced price; *~d resa* journey at a reduced rate

rabattfrimärke *s* (~t, ~n) reduced rate stamp

rabatthäfte *s* (~t, ~n) hand. book of discount coupons

rabbi *s* (~n, ~er) o. **rabbin** *s* (~en, ~er) rabbi

rabbla *vb tr* (~de, ~t), *~ [upp]* rattle (reel) off

rabiat *adj* (=) rabid, savage; fanatisk fanatical; ursinnig raving, frenzied

rabies *s* (oböjl., en) med. rabies; hos människa vanl. hydrophobia

race *s* (~t, =) **1** sport. race **2** vard., bildl., *köra sitt eget ~* go one's own way

racerbil *s* (~en, ~ar) racing car, racer

racerbåt *s* (~en, ~ar) speedboat, racer, racing boat

racercykel *s* (~n, -cyklar) racing cycle, racer

racerförare *s* (~n, =) racing driver

1 rack *s* (~et, =) sport. vard. racket

2 rack *s* (~et, =) för stereoutrustning, o.d. rack

racka *vb itr* (~de, ~t), *~ ner på* ngn (ngt) vard. run...down

rackare *s* (rackarn el. ~n, =) rascal

rackartyg *s* (~et, =) mischief; *göra ~* be up to mischief (all sorts of games); *hitta på ~* get into mischief

rackarunge *s* (~n, -ungar), *din lilla ~!* you little rascal!

racket *s* (~en, ~ar) racket; bordtennis~ bat

rad *s* (~en, ~er) **1** räcka, led row, line; serie series (pl. lika); följd succession; av t.ex. ord äv. string [samtliga med of framför följande subst.]; *en ~* frågor a number of...; *en ~ [av] händelser* a succession (series) of events; *tre dagar i ~* three days running, three consecutive days **2** i skrift line; på tipskupong column; [*börja på] ny ~* nytt stycke [start a] fresh paragraph; *skriv ett par ~er till mig* write (drop) me a line **3** teat. tier

rada *vb itr* (~de, ~t), *~ upp* ställa i rad[er] put...in a row (resp. in rows), line...up; räkna upp enumerate, cite, mention, go through; *de ~de upp sig* they lined up

radannons *s* (~en, ~er) classified advertisement (vard. ad)

radar *s* (~n) radar

radarantenn *s* (~en, ~er) radar aerial (amer. antenna)

radarkontroll *s* (~en, ~er) fartkontroll i trafiken radar speed check; konkr. radar trap (speed detector)

radarpar *s* (~et, =) sport. el. friare, *ett ~* a 'radar pair (couple)', a couple of players (actors etc.) who work perfectly together

radarskärm *s* (~en, ~ar) radar screen, radarscope, display [screen]

radavstånd *s* (~et, =) typogr. spacing

radband *s* (~et, =) kyrkl. rosary; beads pl., string of beads

radbrytning *s* (~en, ~ar) data. word-wrap[ping]; ny rad new line

radda *s* (~n, raddor) vard., *en hel ~ med* böcker a whole pile of...; *en hel ~ människor* lots of people

radera *vb tr* (~de, ~t) **1** *~ [bort (ut)]* sudda ut erase, rub out; *~ ut* utplåna, t.ex. stad, hus raze [...to the ground], wipe (blot) out **2** data. delete

radergummi *s* (~t, ~n) rubber; amer. el. för bläck eraser

radhus *s* (~et, =) terraced house; amer. row house

radialdäck *s* (~et, =) radial tyre (amer. tire)

radiator *s* (~n, ~er) radiator

radie *s* (~n, ~r) radius (pl. radii) äv. geom.

radiera *vb tr* (~de, ~t) **1** vetensk. radiate **2** *[ut]*sända i radio transmit; rund~ broadcast

radikal I *adj* (~t) radical; genomgripande äv. fundamental, sweeping; grundlig thorough; om t.ex. kur, medel äv. drastic **II** *s* (~en, ~er) radical; reformivrare reformer; polit. äv. extremist, leftist, left-winger

radikalisera *vb tr* (~de, ~t) radicalize

radikalism *s* (~en) radicalism

radio *s* **1** (~n) telegrafi el. telefoni radio; rund~ broadcasting; *Sveriges Radio* the Swedish Broadcasting Corporation; *höra ngt på ~* hear sth on the radio; *vad är det på ~ i kväll?* what is on the radio...?; *höra (lyssna) på ~* listen to the radio **2** (~n, -apparater) radiomottagare radio [set], receiver

radioaffär *s* (~en, ~er) radio shop, radio dealer's

radioaktiv *adj* (~t) radioactive; *~ strålning* nuclear (atomic) radiation; *~t avfall* nuclear waste; *~t nedfall* fallout

radioaktivitet *s* (~en) radioactivity

radioamatör *s* (~en, ~er) [shortwave] radio amateur

radioapparat *s* (~en, ~er) radio [set]

radiobil *s* (~en, ~ar) **1** polisbil radio patrol car; amer. prowl car **2** på nöjesfält dodgem [car]

radiofyr *s* (~en, ~ar) radio beacon

radiofysik *s* (~en) radio physics sg.

radioförbindelse *s* (~n, ~r) radio link

radiohus *s* (~et, =) broadcasting house

radiologi *s* (~n) radiology

radiolyssnare *s* (~n, =) radio listener

radiolänk *s* (~en, ~ar) radio relay link

radio- och tv-mast *s* (~en, ~er) radio and TV mast

radiopejling *s* (~en, ~ar) direction finding, radio location

radiopjäs *s* (~en, ~er) radio play

radioprogram *s* (~met, =) radio programme

radiosond *s* (~en, ~er) radiosonde

radiostation *s* (~en, ~er) radio (broadcasting) station

radiostyrd *adj* (-styrt) radio-controlled, radio-guided

radiostörning *s* (~en, ~ar) genom annan sändare jamming (endast sg.); *~ar* från motorer o.d. interference sg.; atmosfäriska äv. atmospherics

radiosändare *s* (~n, =) apparat [radio] transmitter,

transmitting set; sändarstation radio (broadcasting) station

radioteater *s* (~n, -teatrar) radio theatre

radiotelegrafi *s* (~n) radio telegraphy

radiotelegrafist *s* (~en, ~er) radio operator

radioterapi *s* (~n) radiotherapy

radioutsändning *s* (~en, ~ar) broadcast, radio transmission

radiovåg *s* (~en, ~or) radio wave

radium *s* (~et el. radiet el. =) kem. radium

radiumbehandling *s* (~en, ~ar) radium treatment

radmatning *s* (~en, ~ar) data. line feed

radon *s* (~et) kem. radon

radondöttrar *s pl* radon daughters

radonhus *s* (~et, =) house affected by radon radiation

radskrivare *s* (~n, =) data. line printer

raffig *adj* (~t) vard. stunning, chic, very smart

raffinaderi *s* (~et, ~er) refinery

raffinemang *s* (~et, =) förfining refinement, polish, sophistication; fulländning perfection; sinnrikhet ingenuity

raffinera *vb tr* (~de, ~t) refine

raffinerad *adj* (raffinerat, ~e) tekn. refined äv. bildl.; utsökt exquisite; om klädsel, utseende o.d. elegant, sophisticated; sinnrik ingenious

rafflande *adj* (oböjl.) hårresande hair-raising; nervkittlande thrilling

rafräschissör *s* (~en, ~er) atomizer

rafsa *vb itr* (~de, ~t) rummage [about]; ~ *ihop* sina saker scramble (scrape)…together; ~ *åt sig ngt* grab (snatch) [hold of] sth

ragata *s* (~n, ragator) bitch; litt. vixen

ragg *s* (~en), *resa* ~ bristle [up] äv. bildl.

ragga *vb itr* (~de, ~t) vard., ~ *upp* en tjej pick up…; ~ *upp* några spelare scrape (scramble) together…, get hold of…

raggare *s* (~n, =) vard. 'raggare', member of a gang of youths who ride about in cars

raggig *adj* (~t) med ragg shaggy; grov rough, coarse; rufsig unkempt, dishevelled

raggmunk *s* (~en, ~ar) kok., ung. potato pancake

raggsocka *s* (~n, -sockor) ragg sock, thick oversock (skiing-sock)

ragla *vb itr* (~de, ~t) stagger, reel

raglanärm *s* (~en, ~ar) raglan sleeve

ragu *s* (~n, ~er) kok. ragout

rak *adj* (~t) straight; upprätt erect, upright; ärlig straight, honest; ~*a motsatsen* se under *motsats*; *på* ~ *arm* bildl. offhand, straight off, off the cuff; *i* [*tre*] ~*a set* tennis in [three] straight sets; *gå* ~*a spåret* (*vägen*) *till* go straight to; vard. make straight (a beeline) for; *det enda* ~*a* the only right thing [to do]

1 raka *vb tr* (~de, ~t) shave, give…a shave; ~ *sig* shave; ~ *bort* shave off; ~ *av sig* skägget shave one's…[off]

2 raka *s* (~n, rakor) raksträcka, vard. straight [stretch]; *på* ~*n* on the straight

3 raka *vb itr* (~de, ~t), ~ *i höjden* växa fort shoot up, rocket; *priserna* ~*ade i höjden* prices soared (rocketed)

rakapparat *s* (~en, ~er) elektrisk shaver, [electric] razor

rakblad *s* (~et, =) razor blade

rakborste *s* (~n, -borstar) shaving-brush

raken *s* (best. sing.), *på* ~ i följd in a row

raket *s* (~en, ~er) rocket äv. fyrverkeripjäs; rymd~ o.d. missile; *fara i väg som en* ~ be off like lightning (a shot)

raketbas *s* (~en, ~er) mil. missile (rocket) base

raketdriven *adj* (-drivet, -drivna) rocket-propelled, rocket-powered

raketgevär *s* (~et, =) bazooka

raketmotor *s* (~n, ~er) rocket engine

raketvapen *s* (-vapnet, =) missile [weapon], rocket missile; pl. (koll.) missilery sg.

rakhyvel *s* (~n, -hyvlar) safety razor

rakkniv *s* (~en, ~ar) razor

rakkräm *s* (~en, ~er) shaving cream

raklång *adj* (~t), *falla* ~ fall flat; *ligga* ~ lie stretched out (full length)

rakna *vb itr* (~de, ~t) become (get) straight; om hår go out of curl

rakning *s* (~en, ~ar) rakande shaving; *en* ~ a shave

rakpermanenta *vb tr* (~de, ~t) lockigt hår process, conk

rakryggad *adj* (-ryggat, ~e) eg. straight-backed, upright; om person äv. erect; bildl. upright; *han är* ~ äv. he is a person (man) of principle

rakspegel *s* (~n, -speglar) shaving-mirror

raksträcka *s* (~n, -sträckor) straight stretch; sport. stretch, straight, amer. straightaway

rakt *adv* rätt straight, right, direct; i samband med väderstreck due; alldeles quite; starkare absolutely; *gå* ~ *fram* …straight on; titta ~ *fram!* …straight before (in front of) you!; ~ *i ansiktet* full (right) in the (one's) face; *gå* ~ *på sak* komma till saken come (go) straight to the point

raktvål *s* (~en, ~ar) shaving soap

rakvatten *s* (-vattnet) aftershave aftershave lotion

raljant *adj* (=) bantering, teasing

raljera *vb itr* (~de, ~t) banter, tease; ~ *över ngt* joke about (make fun of) sth

rallare *s* (~n, =) navvy

rally *s* (~t, ~n) bil. [motor] rally

rallyförare *s* (~n, =) sport. rally-driver

RAM *s* (oböjl.) data. RAM (förk. för random access memory)

1 ram *s* (~en, ~ar) infattning frame äv. bildl.; kant border; gräns limits, bounds (båda pl.), scope, framework; *sätta inom glas och* ~ frame; *inom samhällets* ~ within the frame[work] of society; *givna* ~*ar* terms of reference; *det faller utom* ~*en för…* it is outside (beyond the scope of)…; *falla ur* ~*en* bildl. be out of character

2 ram *s* (~en, ~ar) tass paw; *suga på* ~*arna* bildl., svälta go without food, starve

3 ram *adj* (neutrum undviks), *rena* ~*a* se under *3 ren*

rama *vb tr* (~de, ~t), ~ [*in*] frame

ramaskri *s* (~et, ~n) outcry

ramavtal *s* (~et, =) general (basic) agreement

ramberättelse *s* (~n, ~r) frame story

rambudget *s* (~en, ~ar el. ~er) overall budget

ramla *vb itr* (~de, ~t) falla fall, tumble; störta ihop collapse, crash; ~ *över* konkr. fall over; bildl., råka på chance upon, stumble across; för övriga beton. part. se *falla III*

ramlag *s* (~en, ~ar) outline (blueprint) law

ramma *vb tr* (~de, ~t) ram

ramp *s* (~en, ~er) **1** sluttande uppfart ramp **2** teat.: golv~

footlights pl.; tak~ stage lights pl.
3 uppskjutningsanordning [launching] pad
rampfeber s (~n) stage fright; friare the jitters pl.
rampljus s (~et) belysning footlights pl.; bildl. limelight; ~**et** bländade henne the glare of the footlights…; **stå** (**träda fram**) **i** ~**et** bildl. be (appear) in the limelight
ramponera vb tr (~de, ~t) skada damage; förstöra wreck
ramsa s (~n, ramsor) av ord [long] string of words; barn~ nursery rhyme; reklam~ jingle
ranch s (~en, ~er) ranch
rand s **1** (~en, ränder) streck o.d. stripe; strimma streak **2** (~en) kant edge; brädd brim; spec. av större yta el. bildl. verge; bildl. äv. brink; gräns[område] border; **stå på förtvivlans** ~ be on the verge of despair; **på gravens** ~ on the brink of the grave; **vid öknens** ~ on the border of the desert; fylla glaset **till** ~**en** …to the brim
randa vb tr (~de, ~t) göra randig stripe; friare streak
randanmärkning s (~en, ~ar) marginal note, note in the margin; bildl. comment
randas vb itr dep (randades, randats) gry dawn; förestå come; **dagen** ~ the day is dawning (breaking); **en ny dag** ~ bildl. a new day is coming (dawning)
randig adj (~t) striped; om fläsk streaky; om t.ex. manchestersammet ribbed; **den är** ~ **på längden** (**tvären**) it is striped lengthwise (is cross-striped); **det har sina** ~**a skäl** there are good (special) reasons for it
randstat s (~en, ~er) border state
randsydd adj (-sytt) welted
rang s (~en) rank; företrädesrätt precedence; **ha generals** ~ hold the rank of general; **en konstnär av första** ~[**en**] an artist of the first rank, a first-rate artist
rangera vb tr (~de, ~t) **1** ordna, ~ **in** se inordna; ~ **ut** se utrangera **2** järnv. shunt, marshal; amer. äv. switch
rangerbangård s (~en, ~ar) shunting (marshalling) yard; amer. äv. switchyard
ranglig adj (~t) gänglig lanky; ostadig rickety
ranglista s (~n, -listor) ranking list äv. sport.
rangordna vb tr (~de, ~t) place…in order of precedence (rank); t.ex. sökande till arbete place…in order of preference
rangordning s (~en, ~ar) order of precedence (rank; av t.ex. sökande till arbete preference)
rangskala s (~n, -skalor) order of rank (importance); **den sociala** ~**n** the social ladder
rank adj (~t) **1** om båt unsteady; fackspr. crank, cranky **2** om person: lång o. slank tall and slender
1 ranka s (~n, rankor) klängväxt creeper; reva tendril; stängel o.d. [pliant] stem, vine
2 ranka vb tr (~de, ~t) rangordna rank
3 ranka vb (oböjl.), **låta ett barn rida** ~ dandle a child on one's knee; **rida, rida** ~ ride a-cock-horse
rankinglista s (~n, -listor) o. **rankningslista** s (~n, -listor) sport. ranking list
rannsaka vb tr (~de, ~t) search, ransack; undersöka examine; jur. åld. try, hear
rannsakning s (~en, ~ar) search; examination, inquiry; jur. åld. trial, hearing
ranson s (~en, ~er) ration
ransonera vb tr (~de, ~t) ration
ransonering s (~en, ~ar) rationing
ransoneringskort s (~et, =) ration card
ranta vb itr (~de, ~t), ~ **efter ngn** follow sb about

[everywhere]; ~ **omkring** [**i huset**] run about [the house]
ranunkel s (~n, ranunkler el. ranunklar) bot. crowfoot (pl. -s), buttercup
rap s (rappen) se rapning
rapa vb itr (~de, ~t) belch; vard. burp; om barn ofta bring up wind; med. eruct, eructate
rapning s (~en, ~ar) belch; vard. burp; med. eructation
1 rapp s (~et, =) **1** slag blow; snärt lash; smäll rap **2 i rödaste** ~**et** instantly, in next to no time, in the twinkling of an eye
2 rapp adj (~t) allm. quick, brisk, swift; flink nimble; **ett** ~**t svar** a prompt (ready) reply (answer)
1 rappa vb tr (~de, ~t) t.ex. vägg plaster
2 rappa vb itr (~de, ~t) slå, ~ **till** strike, lash
3 rappa vb itr (~de, ~t) skynda, vard., ~ **på** get a move on, hurry [up]
4 rappa vb itr (~de, ~t) mus. rap
rappakalja s (~n) rubbish, twaddle, drivel
rappare s (~n, =) mus. rapper
rappfoting s (~en, ~ar) zool. rapquadruped
rapphöna s (~n, -hönor) o. **rapphöns** s (~et, =) partridge
rappning s (~en, ~ar) plastering; konkr. plaster
rapport s (~en, ~er) report; redogörelse account; skriftlig write-up; uppgift statement; mil. message; **avge** (**avlägga**) ~ **om ngt** report (make one's report) on sth
rapportera vb tr (~de, ~t) report [om on]
raps s (~en) bot. rape, colza
rapsodi s (~en, ~er) mus. el. friare rhapsody
rapsodisk adj (~t) rhapsodic[al]
rapsolja s (~n, -oljor) rape oil
rar adj (~t) **1** snäll nice; vänlig kind; söt sweet, lovely; **hon är** [**så**] ~ äv. she is [such] a dear **2** sällsynt rare
raring s (~en, ~ar) love, sweetie
raritet s (~en, ~er) sällsynthet rarity; speciellt om antikvitet curio (pl. -s), curiosity
1 ras s (~en, ~er) släkte, härkomst race; om djur vanl. breed; stam stock
2 ras s (~et, =) **1** av jord landslide, landslip; av byggnad collapse; **han begravdes under** ~**et av stenar** …under the [mass of] falling stones **2** ekon., värdesänkning collapse
rasa vb itr (~de, ~t) **1** störta, ~ [**ned**] fall down; om jord slide [down], give way; störta ihop collapse; störta in cave (fall) in; om priser o.d. tumble **2** stoja, fara fram, om t.ex. barn romp and play; om vind, hav, krig o.d. rage
rasande I adj (oböjl.) **1** ilsken furious [på ngn över ngt with sb about sth; på ngn för att + sats with sb for + ing-form]; raging [på ngn (över ngt) against sb (at sth)]; **bli** ~ fly (get) into a rage (passion); vard. see red **2** snabb furious, terrific; häftig vehement, fierce; våldsam violent, tempestuous **II** adv vard., väldigt awfully; kolossalt tremendously
rasbiologi s (~n) racial biology
rasblandning s (~en, ~ar) mixture of races (av djur breeds); spec. av vita o. svarta miscegenation; zool.: abstr. crossbreeding, crossing
rasbråk s (~et, =) racial disturbances; större race riot
rasdiskriminering s (~en, ~ar) racial (race) discrimination
rasera vb tr (~de, ~t) eg.: riva ned demolish, pull down; förstöra destroy; lägga i ruiner lay…in ruins; bildl., t.ex. tullmurar abolish

raseri *s* (~et) **1** ilska fury, frenzy; vrede rage; vredesmod anger, wrath; *skumma av ~* foam with rage **2** våldsamhet, t.ex. elementens fury; t.ex. stormens raging

raserianfall *s* (~et, =) o. **raseriutbrott** *s* (~et, =) fit of rage; barns tantrum; *få ett ~* fly (burst) into a fit of rage; om barn have (throw) a tantrum

rasfördomar *s pl* racial (race) prejudice sg.

rasförföljelse *s* (~n, ~r) racial (race) persecution

rashat *s* (~et) racial (race) hatred

rashund *s* (~en, ~ar) pedigree dog

rashäst *s* (~en, ~ar) thoroughbred

rasism *s* (~en) racism, racialism

rasist *s* (~en, ~er) racist, racialist

rasistisk *adj* (~t) racist, racialist

1 rask *adj* (~t) **1** snabb quick, fast; om t.ex. takt äv. rapid, swift **2** frisk, *~ och kry* om åldring hale and hearty

2 rask *s* (~et), *hela ~et* alltsammans the whole lot (bag of tricks, caboodle)

raska *vb itr* (~de, ~t), *~ på* hurry [up]; vard. get a move on, look snappy

rasmotsättning *s* (~en, ~ar), *~ar* racial antagonism (tension) sg.

rasp *s* **1** (~en, ~ar) verktyg rasp, coarse file **2** (~et) ljud rasp; från grammofonskiva scratch

raspa I *vb tr* (~de, ~t) tekn. rasp **II** *vb itr* (~de, ~t) rasp; om grammofonskiva scratch

raspig *adj* (~t) om ljud, röst rasping, grating; om grammofonskiva scratchy

rasren *adj* (~t) se *renrasig*

rassel *s* (rasslet) skrammel rattle; slammer clatter; klirr jingle; prassel rustle

rassla *vb itr* (~de, ~t) rattle; clatter; jingle; rustle; jfr *rassel*

rast *s* (~en, ~er) paus break, amer. skol. recess; lunch~ break [for lunch]; mil. halt; *han arbetar utan någon ~* he works non-stop (without a break)

rasta I *vb itr* (~de, ~t) have a break (rest), rest; mil. halt **II** *vb tr* (~de, ~t) motionera exercise; *~ hunden* take the dog for a walk

raster *s* (rastret, =) typogr. screen

rastgård *s* (~en, ~ar) exercise yard

rastlös *adj* (~t) restless

rastlöshet *s* (~en) restlessness

rastplats *s* (~en, ~er) **1** resting-place **2** vid vägen för bilister lay-by (pl. lay-bys), amer. rest area; med bord etc. picnic area; som skylt services pl.

raststuga *s* (~n, -stugor) i fjällen rest hostel

rastställe *s* (~t, ~n) se *rastplats*

rasåtskillnad *s* (~en, ~er) racial discrimination (segregering segregation); *det råder ~* there is a colour bar

rata *vb tr* (~de, ~t) reject; inte finna god nog, vard. turn up one's nose at; sökande (förslag), vard. turn down

ratificera *vb tr* (~de, ~t) ratify

ratificering *s* (~en, ~ar) o. **ratifikation** *s* (~en, ~er) ratification

rationalisera *vb tr* (~de, ~t) rationalize

rationalisering *s* (~en, ~ar) rationalization

rationalism *s* (~en) rationalism

rationell *adj* (~t) rational

ratt *s* (~en, ~ar) allm. wheel; bil. el. sjö. o.d. äv. steering wheel; på apparat o.d. knob; *sitta vid ~en* i bil be at the wheel, drive

ratta *vb tr* o. *vb itr* (~de, ~t) vard. drive

rattfull *adj* (~t), *en ~ förare* a drunken driver, a drink-driver, amer. a drunk-driver

rattfylla *s* (~n, -fyllor) o. **rattfylleri** *s* (~et) drink-driving; mera officiellt driving under the influence of drink; amer. drunken driving

rattfyllerist *s* (~en, ~er) drink-driver; amer. drunk-driver

rattlås *s* (~et, =) steering lock

rattstång *s* (~en, -stänger) steering column

rattväxel *s* (~n, -växlar) steering-column gear change

raveparty *s* (~t, ~n) rave party

ravin *s* (~en, ~er) ravine

ravioli *s* (~n) kok. ravioli

razzia *s* (~n, razzior) raid; med infångande av brottslingar m.m. roundup; *göra en ~ i...* raid...

rea I *s* (~n, reor) se *realisation* **II** *vb tr* o. *vb itr* (~de, ~t) se *realisera*

reafynd *s* (~et, =) sales bargain

reaförlust *s* (~en, ~er) ekon. capital loss

reagens *s* (~et el. ~en, = el. ~er) kem. reagent, test [*på (för)* i båda fallen for-]

reagenspapper *s* (~et el. -pappret, =) kem. test paper

reagera *vb itr* (~de, ~t) react [*för, på* to; *inför* ofta in the face of]; *~ för (på)* låta sig påverkas av respond to; *~ mot* vara motståndare till be against; protestera mot protest (raise protests) against

reaktion *s* (~en, ~er) reaction [*för, på* to]; speciellt positiv från person response

reaktionsförmåga *s* (~n) ability to react (respond); persons äv. powers pl. of reaction; alkohol *försämrar ~n* ...slows down one's reactions (reflexes)

reaktionär I *s* (~en, ~er) reactionary **II** *adj* (~t) reactionary

reaktor *s* (~n, ~er) tekn. [nuclear] reactor, atomic pile

reaktorhaveri *s* (~et, ~er) reactor breakdown

realia *s pl* skol. o.d. realia, life and institutions, social background sg.

realinkomst *s* (~en, ~er) real income

realisation *s* (~en, ~er) försäljning till nedsatt pris [bargain] sale; utförsäljning clearance sale; *köpa på ~* buy at a sale (in the sales, amer. on sale)

realisationsförlust *s* (~en, ~er) ekon. capital loss

realisationsvinst *s* (~en, ~er) ekon. capital gain

realisera I *vb tr* (~de, ~t) **1** sälja till nedsatt pris sell off **2** förvandla i pengar convert...into cash **3** förverkliga realize; t.ex. plan carry out, implement, put...into practice **II** *vb itr* (~de, ~t) hold (have) sales

realism *s* (~en) realism

realist *s* (~en, ~er) allm. realist

realistisk *adj* (~t) realistic; nykter matter-of-fact, down-to-earth

realitet *s* (~en, ~er) reality; *~er* äv. facts; *i ~en* äv. in [actual] fact, actually

reallön *s* (~en, ~er) real wages pl. (pay etc., jfr *lön*)

realpolitik *s* (~en) realist politics (sg. el. pl.); viss persons el. i visst fall realistic policy

realränta *s* (~n, -räntor) real rate of interest

realvärde *s* (~t, ~n) ekon. real value

reavinst *s* (~en, ~er) capital gain

reavinstskatt *s* (~en, ~er) capital gains tax

rebell *s* (~en, ~er) rebel

rebellisk *adj* (~t) rebellious

rebus *s* (~en, ~ar) picture puzzle, rebus

recensent *s* (~en, ~er) critic, reviewer

recensera *vb tr* (~de, ~t) review
recension *s* (~en, ~er) review; vard. write-up; kortare äv. notice
recept *s* (~et, =) **1** med. prescription; *medicinen säljs endast på* ~ ...on [a doctor's] prescription **2** kok. el. bildl. recipe [*på* for]; *det finns inget enkelt* ~ bildl. there is no simple method (formula) [*för* for]
receptarie *s* (~n, ~r) på apotek dispenser
receptbelagd *adj* (-belagt) ...available (sold, dispensed) only on [a doctor's] prescription; *~a läkemedel* prescription drugs
receptfri *adj* (-fritt) ...available without [a] prescription
reception *s* (~en, ~er) **1** mottagning reception **2** på hotell m.m. reception desk
receptionist *s* (~en, ~er) receptionist, reception clerk
receptiv *adj* (~t) receptive
recettföreställning *s* (~en, ~ar) benefit performance
recidiv *s* (~et, =) relapse [*i* into]; *få* ~ med. suffer (have) a recurrence (relapse); jur. relapse into crime
reciprok *adj* (~t) reciprocal
recitation *s* (~en, ~er) uppläsning: utantill recitation; från bladet reading
recitativ *s* (~et, =) mus. recitative, recitativo it.
recitera *vb tr* (~de, ~t) läsa upp: utantill recite; från bladet read [aloud]
reda I *s* (~n) ordning order; klarhet clarity; *bringa* ~ *i ngt* bring order into sth, get (put) sth straight (in order); *få* ~ *på* få veta find out, get to know, learn; få tag i find; *ha* ~ *på* veta *ngt* know sth; vard. be in on sth; *hålla* ~ *på* hålla uppsikt över look after, keep a check on; *leta* ~ *på* [try to] find, look up; *ta* ~ *på* skaffa information om find out
II *adj* (oböjl.), ~ *pengar* ready money, [hard] cash
III *vb tr* (redde, rett) **1** ordna prepare; ~ *upp* lösa upp unravel äv. bildl., disentangle; bildl. äv., t.ex. affärer clear up, sort out, straighten out; ~ *ut* klarlägga elucidate, explain [*för ngn* to sb] **2** kok., ~ [*av*] thicken
IV *vb rfl* (redde, rett), *det reder sig* [*nog*] ordnar sig [nog] that (it) will be all right
redaktion *s* (~en, ~er) **1** lokal editorial office[s pl.] **2** personal editorial staff; editors pl.
redaktionell *adj* (~t) editorial; ~ *artikel* ledare editorial, leading article, vard. leader
redaktionschef *s* (~en, ~er) editor-in-chief (pl. editors-in-chief), managing editor
redaktionssekreterare *s* (~n, =) ung. assistant editor-in-chief, sub-editor
redaktör *s* (~en, ~er) editor; om ansvarig för t.ex. modesida, matspalt o.d. feature editor
redan *adv* **1** allaredan, speciellt som bestämning till predikatet already; så tidigt (långt tillbaka) som as early (far back) as; till och med even; ~ *då* (*tidigare*) even then (earlier); ~ *då* kände man till krutet as early as that..., even at that time...; ~ *när jag kom in* märkte jag... the moment I entered...; ~ *följande dag* the very next day; ~ *nu vet vi, att det inte går* we know already (even now)...; ~ *som barn* while still a child, even as a child **2** enbart, bara, ~ *tanken därpå* är obehaglig the mere (very) thought of that (it)...
redare *s* (~n, =) shipowner
redbar *adj* (~t) rättskaffens upright; ärlig honest; hederlig

honourable; *han är* ~ oförvitlig he is a man of integrity
1 redd *s* (~en, ~er) sjö. roadstead; roads pl.; *ligga på ~en* lie (be riding) [at anchor] in the roadstead (roads)
2 redd *adj* (rett) kok., ~ *soppa* thick (cream) soup; ~ *kycklingsoppa* cream of chicken [soup]
rede *s* (~t, ~n) fågelbo nest
rederi *s* (~et, ~er) **1** företag shipping company **2** verksamhet shipping [business (trade)] **3** kontor shipping office
redig *adj* (~t) **1** klar clear; tydlig plain; om framställning äv. lucid; *klara och ~a anvisningar* clear and precise (exact)... **2** *vara fullt* ~ a) vid full sans be quite conscious b) *om sina sinnens fulla bruk* be in full possession of one's senses **3** ordentlig, se *rejäl 2*
redigera *vb tr* (~de, ~t) edit äv. film o.d.; avfatta write, draw up, draft; ~ *om* re-edit, revise; rewrite
redlös *adj* (~t) **1** sjö. disabled **2** *dricka sig* ~ drink oneself into a stupor
redlöst *adv* **1** sjö., *driva* ~ drift in a disabled condition, be adrift **2** *berusad* blind (dead) drunk
redning *s* (~en, ~ar) kok. thickening äv. konkr.
redo *adj* (oböjl.) färdig ready; beredd prepared; *göra sig* ~ get (make oneself) ready, get prepared; *var ~!* scoutrörelsens lösen be prepared!
redogöra *vb itr* (-gjorde, -gjort), ~ *för ngt* avlägga räkenskap account for (avge rapport report on) sth; beskriva describe (give an account of); *närmare* ~ *för...* give [further] details about...; ~ *för* orsakerna state...
redogörelse *s* (~n, ~r) account [*för* of]; report [*för* on]; hand. o.d. statement [*för* of]
redovisa *vb tr* o. *vb itr* (~de, ~t) resultat o.d. show; ~ [*för*] *ngt* account for sth osv.; ~ *ett grupparbete* skol. give an account of a group project; *årsvinsten ~s med...* uppges till the profit for the year is returned at...
redovisning *s* (~en, ~ar) allm. account; räkenskapsbesked statement of account[s]; statistik. return; ~ *av ett grupparbete* skol. account of a group project
redskap *s* (~et, =) **1** verktyg tool, implement; instrument instrument; t.ex. hushålls- utensil; gymn. [PT (PE)] appliance **2** bildl. tool, instrument
redskapsbod *s* (~en, ~ar) tool shed
redskapsgymnastik *s* (~en) apparatus gymnastics (vanl. sg.)
reducera I *vb tr* (~de, ~t) reduce äv. matem., kem. el. bildl.; förminska diminish; sänka: t.ex. priser äv. lower, cut [down] **II** *vb itr* (~de, ~t), ~ *till 3–4* sport. reduce the score (vard. pull one back) to 3–4
reducering *s* (~en, ~ar) reducing; konkr. reduction, diminution; laget *fick en* ~ *till 1–2* ...reduced the score to 1–2; vard. ...pulled one back
reduceringsmål *s* (~et, =) sport., *få ett* ~ reduce one's opponent's lead by one goal; vard. pull one back
reduktion *s* (~en, ~er) reduction, diminution; cut; jfr *reducera*
reell *adj* (~t) verklig real; faktisk äv. actual
referat *s* (~et, =) redogörelse account [*av* of], report [*av* of (on)]; utdrag abstract; översikt review; sammandrag summary; [*direktsänt*] ~ i radio [running] commentary
referendum *s* (~et, =) referendum (pl. referendums el. referenda)

referens *s* (~en, ~er) reference; *svar med ~er* reply stating [the names of] references
referensbibliotek *s* (~et, =) reference library
referensexemplar *s* (~et, =) reference copy; *endast ~* reference only
referensgrupp *s* (~en, ~er) sociol. reference group; i samband med utredning consultative group, expert panel
referenslitteratur *s* (~en) works of reference, reference books (båda pl.)
referensram *s* (~en, ~ar) frame of reference
referent *s* (~en, ~er) reporter
referera I *vb tr* (~de, ~t), *~ ngt* report (give an account of, cover) sth; *~ en match* i t.ex. radio commentate on (cover) a match **II** *vb itr* (~de, ~t), *~ till* ngn (ngt) refer to...; *~nde till* Ert brev with reference to..., referring to...
reflektera I *vb tr* (~de, ~t) reflect äv. bildl., throw back; bildl. äv. mirror, show **II** *vb itr* (~de, ~t) **1** fundera reflect; begrunda meditate [*över ngt* [up]on sth]; tänka think [*över ngt* about sth] **2** *~ på* överväga *att* + inf. think about (consider) + ing-form; *~ på* [*att köpa*] ngt be interested in sth
reflektion *s* (~en, ~er) se *reflexion*
reflektor *s* (~n, ~er) reflector
reflex *s* (~en, ~er) **1** allm. reflex äv. fysiol.; återspegling reflection, reflexion äv. bildl.; *betingad ~* psykol. conditioned reflex; *obetingad ~* unconditioned reflex **2** konkr., se *reflexband* o. *reflexbricka*
reflexband *s* (~et, =) luminous (reflector) tape
reflexbricka *s* (~n, -brickor) luminous tag (disc), reflector tag (disc)
reflexhandling *s* (~en, ~ar) reflex action
reflexion *s* (~en, ~er) **1** fys. reflection, reflexion **2** begrundan reflection; anmärkning observation
reflexiv *adj* (~t) gram. reflexive
reflexrörelse *s* (~n, ~r) fysiol. reflex movement (action), reflex
reform *s* (~en, ~er) reform; omdaning remodelling; nydaning reorganization (båda endast sg.)
reformation *s* (~en, ~er) reformation; *~en* the Reformation
reformator *s* (~n, ~er) reformer; omdanare remodeller; nydanare reorganizer
reformera *vb tr* (~de, ~t) reform; omdana remodel; nydana reorganize
reformert *adj* (=), *den ~a kyrkan* the Reformed Church; *en ~* a Reformist, a Calvinist
reformvänlig *adj* (~t) reformist, ...favourably inclined towards reform
refräng *s* (~en, ~er) mus. refrain, chorus; *han kom med sin gamla vanliga ~* bildl. ...the same old story; *nu måste vi tänka på ~en* vard. we must be getting along
refug *s* (~en, ~er) traffic island; amer. safety island
refusera *vb tr* (~de, ~t) reject; vard. turn down
regalier *s pl* regalia
regalskepp *s* (~et, =) hist. man-of-war (pl. men-of-war), ship of the line (pl. ships of the line)
regatta *s* (~n, regattor) sport. regatta
1 regel *s* (~n, regler) allm. rule; rättesnöre criter|ion (pl. -ia); föreskrift regulation, precept; maxim maxim; *i* (*som*) *~* vanligen *kommer han* klockan åtta as a rule he comes..., he generally comes...; *göra det till* [*en*] (*ta som*) *~ att* + inf. make it a rule to + inf.

2 regel *s* (~n, reglar) **1** på dörr bolt; *skjuta för ~n* [*för dörren*] bolt the door **2** byggn. joist, beam
regelbunden *adj* (-bundet, -bundna) regular; ordnad settled; *ett ansikte med regelbundna drag* a face with regular features
regelbundenhet *s* (~en) regularity
regelbundet *adv* regularly
regelmässig *adj* (~t) regular
regelrätt I *adj* (=) regular; enligt reglerna ...according to rule (the rules); ren, om t.ex. förfalskning downright; *en ~ utskällning* a proper telling-off **II** *adv* regularly; *~ gjord* done in the normal way (according to rule el. the rules)
regelverk *s* (~et, =) [set of] rules and regulations
regemente *s* (~t, ~n) **1** mil. regiment **2** *föra ett hårt ~ med* folk rule...with severity (with a rod of iron)
regementschef *s* (~en, ~er) regimental commander
regementsofficer *s* (~en, ~are) field officer
regenerera *vb tr* (~de, ~t) biol. el. bildl. regenerate
regent *s* (~en, ~er) ruler; ställföreträdande regent; härskare sovereign
regentlängd *s* (~en, ~er) list of monarchs
regera *vb tr* o. *vb itr* (~de, ~t) härska (äv. bildl.) rule [*över* over]; styra govern; vara kung o.d. reign [*över* over]; *den ~nde världsmästaren* the reigning world champion
regering *s* (~en, ~ar) allm. government; styrelse rule; monarks regeringstid reign; *~en* the Government; ministären the Ministry; *bilda ~* form a Government; *sitta i* (*tillhöra*) *~en* be a member of the Government
regeringsbeslut *s* (~et, =) government decision
regeringschef *s* (~en, ~er) head of government
regeringsform *s* (~en, ~er) **1** styrelseform form of government **2** författning constitution
regeringsförslag *s* (~et, =) government proposal (proposition bill)
Regeringskansliet the [Swedish] Government Offices pl.
regeringskris *s* (~en, ~er) government (cabinet) crisis
regeringsparti *s* (~et, ~er) government party, party in power
Regeringsrätten the [Swedish] Supreme Administrative Court
regeringsställning *s* (~en), *vara i ~* be in office (power)
regeringstid *s* (~en, ~er) monarks reign
regeringsår *s* (~et, =), *under hans tredje ~* in the third year of his reign
regi *s* (~n) **1** direction; speciellt teat. production; Hamlet *i Bergmans ~* (*i ~ av Bergman*) ...produced (resp. directed) by Bergman **2** ledning, *i egen* (*privat*) *~* under personal (private) management; *i universitetets ~* arranged (conducted) by the university
regim *s* (~en, ~er) regime, rule, government; ledning management; *ny ~* på skylt under new management
region *s* (~en, ~er) region; område äv. district, area
regional *adj* (~t) regional
regionalpolitik *s* (~en) regional [development] policy
regionalradio *s* (~n) regional radio [service]
regionalstöd *s* (~et, =) regional subsidies pl.
regionplan *s* (~en, ~er) regional [development] plan
regionsjukhus *s* (~et, =) regional hospital

regissera *vb tr* (~de, ~t) direct; speciellt teat. produce
regissör *s* (~en, ~er) director; speciellt teat. producer
register *s* (registret, =) register äv. mus. el. språkv.; förteckning list, directory; namn~ äv. roll; alfabetiskt i bok index; **föra ~ över** ngt keep a register (record) of...; **spänna över ett stort (brett)** ~ bildl. cover a wide range
registerton *s* (~net, =) sjö. register ton
registrera *vb tr* (~de, ~t) allm. register; enter...in a (resp. the) register, make an entry of, record; data. key
registrering *s* (~en, ~ar) (jfr *registrera*); registration, registering osv.; anteckning entry, record; data. keying
registreringsbevis *s* (~et, =) för motorfordon certificate of registration; i Storbr. registration document
registreringsnummer *s* (-numret, =) på motorfordon registration (plate) number
registreringsskylt *s* (~en, ~ar) på bil number (amer. license) plate
regla *vb tr* (~de, ~t) med regel bolt; låsa lock
reglage *s* (~t, =) regulator, control; spak lever; kontrollinstrument controls pl.
reglemente *s* (~t, ~n) regulations, rules (båda pl.)
reglementsenlig *adj* (~t) ...in accordance with [the] regulations; ~ **klädsel** regulation dress
reglera *vb tr* (~de, ~t) regulate; avpassa, justera adjust; göra upp, t.ex. skuld settle; ~**d arbetstid** regulated working hours
reglerbar *adj* (~t) adjustable
reglering *s* (~en, ~ar) **1** reglerande regulating osv., regulation; adjustment; settlement; jfr *reglera* **2** menstruation menstruation
reglerteknik *s* (~en) automatic control engineering
regn *s* (~et, =) rain (endast sg.); skur shower båda äv. bildl.; **det ser ut att bli** ~ it looks like rain; **efter ~ kommer solsken** bildl., ung. every cloud has a silver lining; **vi hade** ~ hela dagen it was raining..., we had rain...
regna *vb itr* (~de, ~t) rain äv. bildl.; **det ~r** it is raining; **det ~r in** the rain comes in; **låtsas som om det ~r** take no notice; ~ **bort** bli förstörd av regn be washed out [on account of rain]
regnblandad *adj* (-blandat, ~e), ~ **snö** sleet, rain mingled with snow
regnby *s* (~n, ~ar) rain-squall
regnbåge *s* (~n, -bågar) **1** rainbow; **i alla ~ns färger** in all the colours of the rainbow **2** zool., regnbågsforell rainbow trout
regnbågshinna *s* (~n, -hinnor) anat. iris
regndimma *s* (~n, -dimmor) o. **regndis** *s* (~et) fine drizzle, Scotch mist
regndroppe *s* (~n, -droppar) raindrop, drop of rain
regnfattig *adj* (~t) attr. ...with [very] little rain; **sommaren var ganska** ~ ...was not very rainy; **trakten är** ~ ...has very little rain (a very low rainfall)
regnförsäkring *s* (~en, ~ar) insurance against rain
regnig *adj* (~t) rainy, wet, showery
regnkappa *s* (~n, -kappor) raincoat, mac
regnkläder *s pl* rainwear sg., waterproof clothes
regnmoln *s* (~et, =) rain cloud
regnmängd *s* (~en, ~er) rainfall
regnmätare *s* (~n, =) rain gauge, pluviometer
regnområde *s* (~t, ~n) meteor. rain area, area of rain
regnrock *s* (~en, ~ar) se *regnkappa*
regnskog *s* (~en, ~ar) rain forest

regnskur *s* (~en, ~ar) shower [of rain]; häftig downpour
regnskydd *s* (~et, =) vid hållplats shelter; **söka** ~ seek (take) shelter from the rain
regnställ *s* (~et, =) rainsuit
regntid *s* (~en, ~er) rainy season; ~**en** i tropikerna the rains pl.
regntät *adj* (-tätt) rainproof, raintight
regnvatten *s* (-vattnet) rain water
regnväder *s* (-vädret, =) rainy (wet) weather; **det var** ~ hela sommaren the weather was rainy..., it rained...
regrediera *vb itr* (~de, ~t) psykol. regress, retrogress
regression *s* (~en, ~er) tillbakagång regression, retrogression
regressiv *adj* (~t) biol. el. språkv. regressive, retrogressive; **en ~ effekt** a retrograde effect
reguladetri *s* (~n) matem. [the] rule of three
regulator *s* (~n, ~er) tekn. regulator; governor
reguljär *adj* (~t) regular; normal normal, basic; ~**a trupper** regular troops, regulars; ~**t arbete** regular work
reguljärflyg *s* (~et, =) koll. scheduled airline service; scheduled flights pl.
rehabilitera I *vb tr* (~de, ~t) rehabilitate **II** *vb rfl* (~de, ~t), ~ **sig** rehabilitate oneself; friare make amends
rehabilitering *s* (~en, ~ar) rehabilitation
rehabiliteringsklinik *s* (~en, ~er) med. rehabilitation (vard. rehab) clinic (centre)
reinkarnation *s* (~en, ~er) relig. reincarnation
rejvparty *s* (~t, ~n) rave party
rejäl *adj* (~t) **1** pålitlig reliable, trustworthy; redbar honest; **göra ett ~t arbete** do [a piece of] solid work **2** förstärkande, **en ~ förkylning** a nasty (a stinker of a) cold; **ett ~t kok stryk** a good thrashing, a thorough hiding; **ett ~t mål mat** a substantial ([good] square, hearty) meal; **en ~ skattesänkning** a substantial tax reduction; **en ~ utskällning** a proper telling-off
rek *s* (~et, =) brev registered letter; som påskrift to be registered; **som** ~ by registered post (amer. mail)
1 reka *vb itr* (~de, ~t) vard., rekognoscera scout, reconnoitre, recce, recco
2 reka *vb tr* (~de, ~t) post., vard. register
rekapitulation *s* (~en, ~er) recapitulation, summing-up (pl. summings-up)
rekapitulera *vb tr* (~de, ~t) recapitulate, sum up
reklam *s* (~en, ~er) [commercial] advertising, publicity (båda endast sg.); konkr. advertisement[s pl.]; broschyrer advertising brochures pl. (vard. handouts pl.); ~**film** commercials pl., vard. ads pl.; **göra** ~ advertise [**för** ngt sth]
reklamaffisch *s* (~en, ~er) [advertising] bill (större poster)
reklamation *s* (~en, ~er) **1** klagomål complaint **2** post., efterlysning av brev (paket) inquiry concerning a missing letter (parcel)
reklamationsnämnd *s* (~en, ~er), **Allmänna ~en** the [Swedish] National Board for Consumer Complaints
reklambroschyr *s* (~en, ~er) advertising brochure (folder, pamphlet, vard. handout)
reklambyrå *s* (~n, ~er) advertising agency
reklamera *vb tr* (~de, ~t) **1** klaga på make a complaint about, complain about; begära ersättning

för put in a claim for **2** efterlysa make an inquiry concerning, inquire about

reklamerbjudande *s* (~t, ~n) special offer

reklamfilm *s* (~en, ~er) advertising (commercial) film, commercial

reklamfinansierad *adj* (-finansierat, ~e) ...financed (financially supported) by advertising; **~ tv** commercial television

reklaminslag *s* (~et, =) commercial, plug

reklamkampanj *s* (~en, ~er) advertising (publicity) campaign (drive)

reklamkanal *s* (~en, ~er) radio. el. TV. commercial channel

reklamman *s* (~nen, -män) publicity (advertising) expert; vard. adman

reklampaus *s* (~en, ~er) radio. el. TV. commercial break

reklamradio *s* (~n) commercial radio

reklamskylt *s* (~en, ~ar) advertising sign

reklamsnutt *s* (~en, ~ar) radio. el. TV. short commercial

reklamtecknare *s* (~n, =) commercial artist

reklam-tv *s* (-tv:n) commercial television

rekognoscera *vb tr* o. *vb itr* (~de, ~t) reconnoitre; mil. äv. scout; **~ terrängen** explore (reconnoitre) the ground

rekommendation *s* (~en, ~er) råd, förordande recommendation; **på läkares ~** on medical advice

rekommendationsbrev *s* (~et, =) letter of introduction (recommendation)

rekommendera *vb tr* (~de, ~t) **1** förorda, föreslå recommend **2** post. register; **~s** som påskrift to be registered; **~t brev** registered letter

rekonstruera *vb tr* (~de, ~t) reconstruct; byggnad äv. rebuild; regering äv. reshuffle

rekonstruktion *s* (~en, ~er) reconstruction; av byggnad äv. rebuilding; av en regering äv. [Government] reshuffle

rekord *s* (~et, =) record äv. bildl.; **svenska ~et i 1500 m löpning** the Swedish 1500 metres record in running; **slå ~ i (på)** ngt beat (break, cut) the...record; bildl. beat the record for...; **sätta [nytt] ~** set up a [new] record

rekordartad *adj* (-artat, ~e) record endast attr., unprecedented, unparalleled

rekordfart *s* (~en, ~er) record speed

rekordförsök *s* (~et, =) attempt at a (resp. the) record

rekordhållare *s* (~n, =) record-holder

rekordhög *adj* (~t), **vara ~** be at record high; **~a priser** record (sky-high) prices

rekordnivå *s* (~n, ~er), **på ~** at record level[s]

rekordpublik *s* (~en) record crowd[s pl.]; teater o.d. record audience; vid match äv. record number of spectators

rekordskörd *s* (~en, ~ar) record (bumper) harvest (crop)

rekordstor *adj* (~t) record-breaking, record...

rekordtid *s* (~en, ~er) record time; **på ~** in record time

rekreation *s* (~en, ~er) recreation; vila rest; avkoppling äv. relaxation

rekreationsområde *s* (~t, ~n) recreation area

rekreera *vb rfl* (~de, ~t), **~ sig** seek recreation (vila rest); vila upp sig rest; hämta sig recuperate

rekryt *s* (~en, ~er) person recruit; värnpliktig conscript

rekrytera *vb tr* (~de, ~t) recruit äv. bildl.

rekrytering *s* (~en, ~ar) recruitment, recruiting

rektangel *s* (~n, rektanglar) rectangle

rektangulär *adj* (~t) rectangular

rektor *s* (~n, rektorer) vid skola headmaster, kvinnl. headmistress, båda äv. head [teacher], speciellt amer. principal; vid institut o. fackhögskolor principal, director

rektorsexpedition *s* (~en, ~er) i skola headmaster's (resp. headmistress's) office

rektorsområde *s* (~t, ~n) municipal school management area under one headmaster

rekviem *s* (~et el. = el. rekviet, = el. rekvier) kyrkl. el. mus. requiem

rekvirera *vb tr* (~de, ~t) beställa order; skicka efter send (write away, write off) for; begära, t.ex. förstärkning ask for; **kan ~s från (genom)...** äv. [is (resp. are)] obtainable from (through)...

rekvisita *s* (~n) teat. el. film. properties, vard. props (båda pl.)

rekvisition *s* (~en, ~er) beställning order; jfr *rekvirera*

rekyl *s* (~en, ~er) recoil; hos gevär äv. kick

relatera *vb tr* (~de, ~t) **1** redogöra för relate, give an account of **2** ~ till sätta i samband med put...in relation to

relation *s* (~en, ~er) **1** redogörelse account, report **2** förhållande relation; intimare, mellan personer relationship (äv. **~er**); **~er** förbindelser äv. connections; **stå i ~ till** be related to, have a bearing [up]on; **sätta ngt i ~ till** relate sth to...

relativ *adj* (~t) relative äv. gram.; någorlunda äv. comparative; **allting är ~t** everything is relative

relativitet *s* (~en) relativity äv. fys.

relativitetsteori *s* (~n) fys. theory of relativity

relativpronomen *s* (~et, = el. -pronomina) gram. relative pronoun

relativsats *s* (~en, ~er) gram. relative clause

relativt *adv* relatively, fairly

relegera *vb tr* (~de, ~t) från skola expel, send down

relegering *s* (~en, ~ar) från skola expulsion

relevans *s* (~en) relevance

relevant *adj* (=) relevant, pertinent [**för** to]; pred. äv. to the point

relief *s* (~en, ~er) relief; konst. äv. relievo; **i ~** in relief; **ett mönster i ~** äv. a raised (embossed) pattern

reliefkarta *s* (~n, -kartor) relief (raised, embossed) map

religion *s* (~en, ~er) religion; tro faith; bekännelse creed; skolämne religious instruction (education), religion; **den kristna ~en** äv. Christianity

religionsfilosofi *s* (~n) [the] philosophy of religion

religionsfrihet *s* (~en) freedom of religion

religionsförföljelse *s* (~en, ~r) religious persecution

religionshistoria *s* (-historien) [the] history of religion; ofta comparative religion

religionskunskap *s* (~en) skol. religious instruction (education), religion

religionsstiftare *s* (~n, =) founder of a religion

religionsutövning *s* (~en) religious worship; **fri ~** freedom of worship, freedom to practise one's religion

religionsvetenskap *s* (~en) [the] science of religion

religiositet *s* (~en) religiousness, religiosity; fromhet piety

religiös *adj* (~t) religious; from pious, devout; i motsats till profan, om t.ex. musik sacred

relik *s* (~en, ~er) relic

relikskrin *s* (~et, =) reliquary, shrine

relikt *s* (~en, ~er) naturv. el. språkv. relict, relic

reling *s* (~en, ~ar) sjö. gunwale, rail

relä *s* (~et, ~er) tekn. relay

relästation *s* (~en, ~er) radio. el. TV. relay station

1 rem *s* (~men, ~mar) allm. strap; smal läder~ thong; liv~ belt; driv~ [transmission] belt; *ligga som en ~ efter marken* streak along, run like a hare; vard. run hell for leather; *lägg på en ~!* get a move on!, make it snappy!

2 rem *s* (~men, ~mar) enhet för strålning rem

remarkabel *adj* (~t, remarkabla) remarkable

remburs *s* (~en, ~er) hand. letter of credit, [documentary] credit

remi I *s* (~n, ~er) draw **II** *adj* (oböjl.) drawn; partiet *blev ~* äv. ...was a draw

reminiscens *s* (~en, ~er) reminiscence

remiss *s* (~en, ~er) **1** parl. o.d., *sända på ~ till...* refer [back] to...for consideration; vara *ute på ~ hos* ...under consideration by **2** med. referral, letter of referral (introduction) [from a doctor]

remissa *s* (~n, remissor) hand. remittance

remittera *vb tr* (~de, ~t) **1** refer; parl. äv. submit **2** till läkare el. sjukhus refer, send; *~ande läkare* doctor who refers (resp. has referred) a patient **3** hand. remit

remmare *s* (~n, =) vinglas rummer, kind of hock glass; *en ~ [med]* rhenvin a rummer of...

remouladsås *s* (~en, ~er) remoulade sauce

remsa *s* (~n, remsor) allm. strip; pappers~ äv. slip; avriven shred [alla med of framför följande ord]; klister~ tape

remskiva *s* (~n, -skivor) tekn. [belt] pulley

1 ren *s* (~en, ~ar) kant: åker~ headland; dikes~ ditch-bank; landsvägs~ verge, speciellt amer. shoulder

2 ren *s* (~en, ~ar) zool. reindeer (pl. lika)

3 ren *adj* (~t) (ibland *adv*, jfr slutet); fri från smuts clean äv. bildl.; fläckfri spotless; prydlig tidy; oblandad o. bildl. pure; outspädd, om spritdrycker neat; oförfalskad, om matvara o.d. unadulterated, pure; förstärkande: 'rena rama', 'bara' o.d. mere, sheer; *~a [rama] dumheten* sheer stupidity; *en ~ förlust* a dead loss; *~ hy* clear complexion (skin); *~a linjer* clean lines; *~ lättja* sheer laziness; det är *en ~ lögn* ...a downright (sheer) lie; *~ nyfikenhet* mere (sheer) curiosity; *~t samvete* clear conscience; *~a [rama] sanningen* the plain (absolute) truth; *av en ~ slump* by a mere chance; *~t spel* fair play; *~ vinst* net (clear) profit; *göra ~t* städa o.d. clean up, se äv. *rengöra*; *hålla ~t [och snyggt]* omkring sig keep things clean and tidy

rena *vb tr* (~de, ~t) allm. clean; metall, vätska, blod purify; destillera distil, rectify; bildl. purify, från synd purge; *~ från synd* purge (cleanse) of (from) sin

renfana *s* (~n, -fanor) bot. [common] tansy

rengöra *vb tr* (-gjorde, -gjort) clean; tvätta wash; skura: t.ex. kokkärl scour; golv scrub; putsa polish

rengöring *s* (~en, ~ar) cleaning osv., jfr *rengöra*

rengöringskräm *s* (~en, ~er) för ansiktet cleansing cream

rengöringsmedel *s* (-medlet, =) cleaning agent, cleaner, cleanser, detergent

renhet *s* (~en) cleanness; om luft, vatten, äkthet el. bildl. purity; kyskhet chastity

renhorn *s* (~et, =) reindeer horn äv. som ämne

renhållning *s* (~en) cleaning; av gator äv. public cleansing, street-cleaning; sophämtning refuse (amer. garbage) collection [and disposal]

renhållningsarbetare *s* (~n, =) refuse collector; amer. garbage (trash) collector

renhållningsverk *s* (~et, =) public cleansing (scavenging) department (i större städer division)

renhårig *adj* (~t) ärlig honest, fair

rening *s* (~en, ~ar) cleaning osv.; kem. el. bildl. purification; bildl. äv. purge; *~ av avloppsvatten* sewage treatment

reningsverk *s* (~et, =) för avloppsvatten sewage treatment works (pl. lika)

renlav *s* (~en, ~ar) bot. reindeer moss (lichen)

renlevnad *s* (~en) clean-living; avhållsamhet continence

renlig *adj* (~t) cleanly; *hon är inte särskilt ~ av sig* she's not particularly clean, she hasn't particularly clean habits

renlighet *s* (~en) cleanliness

renlärig *adj* (~t) orthodox

renodla *vb tr* (~de, ~t) naturv. cultivate, bakterier äv. isolate; förfina refine

renodlad *adj* (-odlat, ~e) pure; om bakterier äv. ...in a state of pure cultivation; bildl. äv. absolute, downright; om person äv. out-and-out

renommé *s* (~et) reputation, repute; *ha gott (dåligt) ~* have a good (bad) reputation (name), be of good (bad) repute

renommerad *adj* (renommerat, ~e) well-reputed [för for]; *en ~ forskare* a...of [good] repute

renons *adj* (oböjl.), *vara ~ i ruter* kortsp. have no diamonds; *vara alldeles (fullständigt) ~ på* humor (karaktär) osv. be absolutely without any..., have no...whatever, be utterly devoid of...

renovera *vb tr* (~de, ~t) renovate, do up [...again]; t.ex. bokband, tavla äv. restore; reparera äv. repair

renovering *s* (~en, ~ar) renovation; restoration; repairs pl.

renrakad *adj* (-rakat, ~e) barskrapad cleaned out; pank stony-broke (båda endast pred)

renrasig *adj* (~t) om djur ...of pure breed (stock); *en ~ hund* a pedigree dog; *en ~ häst* a thoroughbred [horse]

rensa *vb tr* (~de, ~t) rengöra clean; fisk äv. gut; fågel draw; bär pick over, top [and tail]; *~ i trädgården* weed...; *~ luften* bildl. clear the air; *~ bort* remove, clear away; *~ upp [i]* t.ex. område, källare clean up; *~ upp inom* partiet purge..., clean up...; *~ ut* bildl. weed out

renskav *s* (~et el. ~en) kok. thin fried slivers pl. of reindeer meat

renskinn *s* (~et, =) reindeer skin

renskrivning *s* (~en, ~ar) making (the making of) a fair copy; på maskin copy-typing

renskötare *s* (~n, =) reindeer herdsman (keeper)

renskötsel *s* (~n) reindeer breeding (keeping)

rensning *s* (~en, ~ar) cleaning osv., jfr *rensa*

rensningsaktion *s* (~en, ~er) polit. o.d. purge, clean-up; mil. mopping-up operation

renstek *s* (~en, ~ar) joint of reindeer; tillagad roast reindeer

rent *adv* jfr 3 ren **1** eg. cleanly; *sjunga ~* sing in tune; *tala ~* talk (speak) properly **2** alldeles quite, completely, absolutely; **~ av** se *rentav*; *jag sa honom* **~ ut** vad jag tyckte I told him plainly (outright)…; **~ ut sagt** to put it bluntly, to use plain language, not to mince matters

rentav *adv* faktiskt, i själva verket actually; helt enkelt simply; till och med even; det är **~ en skandal** …a downright (an absolute) scandal; *[ja]* **~ dum** indeed…, [and] even…; *jag hade* **~ glömt** I had clean forgotten

rentvå *vb tr* (~dde, ~tt) bildl. clear [*från* of], exonerate [*från* from], exculpate [*från* from]

renässans *s* **1** (~en, ~er) allm. renaissance, renascence, revival; *uppleva (få) en* **~** bildl. experience (have) a renaissance osv., return to favour **2** (~en, **~en** hist. the Renaissance, the Renascence

renässansstil *s* (~en) Renaissance style

rep *s* (~et, =) rope; lina cord; tross hawser; *hoppa* **~** skip, amer. vanl. jump rope

1 repa I *s* (~n, repor) scratch; skåra score **II** *vb tr* (~de, ~t) **1** rispa scratch, score **2 ~** *[av]* rycka av: löv strip off…; gräs, bär pluck handfuls of…; **~ upp** unravel; **~ upp vad man stickat** undo one's knitting **3 ~ mod** take heart, pluck up courage **III** *vb rfl* (~de, ~t), **~ sig** ta upp sig improve; tillfriskna recover [*efter* from], get better [*efter* after]

2 repa *vb tr* (~de, ~t) vard., repetera rehearse

reparation *s* (~en, ~er) repair[s pl.]; lagning mending; *lämna in bilen på verkstad för* **~** hand in the car for repair; *stängt för* (*på grund av*) **~** closed for repairs; *den är under* **~** it is under repair (being repaired)

reparationsverkstad *s* (~en, -städer) repair [work]shop; för bilar ofta garage

reparatör *s* (~en, ~er) repairer, repairman

reparera *vb tr* (~de, ~t) allm. repair; laga mend; vard. fix [up]; **~ ett misstag** put a blunder right; **~ sitt äktenskap** put one's marriage right, salvage one's marriage

repatriera *vb tr* (~de, ~t) repatriate

repellera *vb tr* (~de, ~t) fys. repel, repulse

repertoar *s* (~en, ~er) repertoire äv. friare, repertory; spelplan programme; pjäsen *höll sig på* **~***en länge* (*i 6 månader*) …had a long run (ran for 6 months)

repetera *vb tr* (~de, ~t) upprepa repeat; ta (göra) om äv. do…[over] again; gå igenom: t.ex. läxa go through…again; studieämne revise; teat. el. mus., öva in rehearse; pjäsen *håller på att* **~***s* …is under rehearsal

repetition *s* (~en, ~er) repetition; revision; rehearsal; jfr *repetera*

repetitionskurs *s* (~en, ~er) refresher course

repetitionsövning *s* (~en, ~ar) mil. [compulsory military] refresher course

repig *adj* (~t) scratched

replik *s* (~en, ~er) **1** genmäle reply, answer, rejoinder; svar på tal retort; kvickt svar repartee; *snabb i* **~***en* quick-witted, quick at repartee; *talaren får fem minuters* **~** the speaker is allowed five minutes in which to reply **2** teat. line, words pl.; längre lines pl., speech; stick~ cue; *repetera* (*glömma*) *sina* **~***er* rehearse (forget) one's lines **3** konst. replica

replikera *vb tr* o. *vb itr* (~de, ~t) reply, answer, rejoin; retort; jfr *replik 1*

repmånad *s* (~en, ~er) mil., *göra* [*sin*] **~** do one's military refresher course

reportage *s* (~t, ~n) i tidning o.d. report; livfullare o.d. äv.

story; direktsänt: i radio [running] commentary, i tv ung. live transmission; bearbetat, i radio o. tv documentary; *göra* **~ om** för tidning report (write) about; cover; för radio: direktsänt be the commentator at; bearbetat make a documentary on (about)

reporter *s* (~n, reportrar) reporter

reporänta *s* (~n, -räntor) ekon. repo rate

representant *s* (~en, ~er) representative [*för* of]; vid konferens äv. delegate; firmas äv. agent; parl. member, deputy, amer. congressman

representanthuset *s* (best. sing.) i USA the House of Representatives

representantskap *s* (~et) representation; samling representanter representative assembly (body)

representation *s* (~en, ~er) **1** polit. o.d. representation; konkr. äv. representatives pl. **2** urval selection, [representative] presentation **3** värdskap entertainment; *ha stor* **~** entertain a great deal

representationskonto *s* (~t, ~n) expense (entertainment) account

representationskostnader *s pl* entertainment expenses

representativ *adj* (~t) representative; typisk typical [*för* of]; representabel distinguished[-looking]

representera I *vb tr* (~de, ~t) företräda, motsvara represent; **~ ngn** äv. be the representative (hand. äv. be the agent) of sb, act for (on behalf of) sb; *pressen var rikligt* **~***d* äv. the Press was there in great numbers **II** *vb itr* (~de, ~t) utöva värdskap entertain; *vara ute och* **~** be out [officially] entertaining

repressalier *s pl* reprisals, acts of reprisal; *utöva* **~** *mot ngn för ngt* resort to reprisals against sb for sth

repressiv *adj* (~t) repressive; **~***a åtgärder* repressive measures

reprimand *s* (~en, ~er) reprimand; mindre formellt rebuke, reproof; *ge ngn en* **~** äv. reprimand sb, read sb a lecture

repris *s* (~en, ~er) radio. el. TV. repeat; av pjäs revival; sport., i slowmotion action (instant) replay; mus. recapitulation; *programmet ges i* **~** nästa vecka there will be a repeat of the programme…

repristecken *s* (-tecknet, =) mus. repeat [mark]

reproducera *vb tr* (~de, ~t) reproduce; efterbilda copy

reproduktion *s* (~en, ~er) konst. (konkr.) el. biol., fortplantning reproduction

repslagare *s* (~n, =) rope-maker

repstege *s* (~n, -stegar) ropeladder

reptil *s* (~en, ~er) reptile äv. bildl.

republik *s* (~en, ~er) republic

republikan *s* (~en, ~er) republican

republikansk *adj* (~t) republican

repövning *s* (~en, ~ar) mil. [compulsory military] refresher course

1 resa I *s* (~n, resor) **1** färd: allm., säeskilt till lands el. bildl. journey; till sjöss voyage; om alla slags resor, mera vard. trip; forsknings~ expedition; *Gullivers resor* Gulliver's travels; *enkel* **~** *kostar* 750 kronor the single fare is…; *fri* **~** travelling expenses paid, free travel; *lycklig* (*trevlig*) **~***!* pleasant journey!, bon voyage! fr.; *börja en* **~** start [out] (set out, embark) on a journey osv.; *hurdant väder hade ni på* **~***n?* …on your trip?; *under* **~***n* during (on) the journey, on the way **2** jur., gång, *första* **~***n* the (a, his etc.) first offence; *sju resor värre* ten times worse **II** *vb itr* (reste, rest) färdas travel, journey; till ett visst

mål vanl. go [*till* to]; av~ leave, depart, på längre resa set out [*till* i samtliga fall for]; **~ i affärer** travel on business; **~ [i] 1:a klass** travel first class; **~ jorden runt** travel round the world; **vi reser härifrån i morgon** we leave (are leaving) here tomorrow **III** med beton. part.
resa bort go away [*från* from]; **~ bort från** äv. leave; se äv. *bortrest*
resa förbi go past (by), pass by; passera pass
resa före go on ahead [*ngn* of sb]
resa igenom pass through; ett land äv. cross, travel across (through)
resa in i ett land enter...
resa omkring travel [about], get about; **jag reser omkring i** England äv. I am touring [in]...
resa över till go over (across) to; över vatten äv. cross over to
2 resa I *vb tr* (reste, rest) **1** sätta upp raise; uppföra äv. erect, set up, build; **~ en staty (ett monument)** raise a statue (a monument); **~ en stege** put (set) up a ladder; **~ på sig** get (stand) up; **res på dig!** get (stand) up! **2** bildl., **~ hinder** raise obstacles; **~ invändningar** raise objections **II** *vb rfl* (reste, rest) **~ sig a)** räta upp sig draw oneself up; stiga upp rise [to one's feet], get (stand) up, get on one's feet; om häst o.d. rear; **res dig [upp]!** get (stand) up!; **~ sig från bordet** rise from (leave) the table **b)** höja sig rise; **~ sig [högt] över ngt** tower above (over) sth **1** om håret stand on end; **håret reste sig på hans huvud** his hair stood on end **2** göra uppror rise, revolt
resande I *s* **1** (~t) det att resa travel, travelling **2** (~n, =) resenär traveller; passagerare passenger; besökande visitor, tourist **3** (en ~, pl. =) rom, medlem av resandefolket traveller; pl äv. travelling people **4** (~n, =) handelsresande sales representative, travelling salesman **II** *adj* (oböjl.), **han är ständigt på ~ fot** he is always travelling [about] (always on the move)
resdamm *s* (~et), tvätta av sig **~et** ...the dust of one's journey
reseapotek *s* (~et, =) first-aid kit
researrangör *s* (~en, ~er) travel organizer, tour operator
resebeskrivning *s* (~en, ~ar) bok travel book
resebyrå *s* (~n, ~er) travel (tourist) agency, travel bureau
resebyråtjänsteman *s* (~nen, -män) travel (tourist) agent
resecheck *s* (~en, ~ar el. ~er) traveller's cheque (amer. check)
reseda *s* (~n, resedor) bot. mignonette
reseersättning *s* (~en, ~ar) travel allowance, allowance for travelling (amer. travel) expenses
reseffekter *s pl* hand., som skylt travel equipment sg.
reseförbud *s* (~et, =) travel ban; **få ~** be forbidden to leave one's place of residence
reseförsäkring *s* (~en, ~ar) travel insurance; jfr *försäkring* med ex. o. sammansättn.
resehandbok *s* (~en, -böcker) guide [book]
resekostnad *s* (~en, ~er), **~[er]** cost sg. of travelling; utlägg travelling (amer. travel) expenses pl.
resekostnadsersättning *s* (~en, ~ar) travel allowance, allowance for travelling (amer. travel) expenses
reseledare *s* (~n, =) guide, tour leader
reselektyr *s* (~en) something to read on the journey

resenär *s* (~en, ~er) traveller; passagerare passenger
reserv *s* (~en, ~er) **1** förråd, beredskap reserve, fallback; **ha i ~** have in reserve; **har du några skor i ~?** äv. have you [got] a spare (an extra) pair of shoes? **2** mil., personalgrupp i krigsmakten, **kapten i ~en** captain in the reserve **3** sport., ersättare reserve, substitute; **sätta in en ~** i andra halvlek play (send on) a substitute... **4** till utbildningsplats, **stå som (vara) tionde ~ [till en kurs i engelska]** be tenth on the reserve list [for a course in English]
reservat *s* (~et, =) reserve, national [reserve] park; speciellt fågel~ sanctuary; för etnisk folkgrupp reservation
reservation *s* (~en, ~er) **1** protest protest **2** reservation; **med ~ förbehåll för prishöjningar** allowing for..., subject to... **3** avvaktande hållning reserve, jfr *reserverad*
reservbänk *s* (~en, ~ar), **på (från) ~en** sport. on (from) the substitutes' bench, on (from) the sidelines
reservdel *s* (~en, ~ar) spare (replacement) part; **~ar** äv. spares
reservdunk *s* (~en, ~ar) för t.ex. bensin spare (extra, reserve) tank
reservdäck *s* (~et, =) för bil o.d. spare tyre (amer. tire)
reservera I *vb tr* (~de, ~t) reserve; hålla i reserv keep...in reserve; lägga undan äv. put (set) aside; penningmedel äv. earmark; förhandsbeställa, t.ex. plats, hotellrum book; belägga, t.ex. plats take; **~ förhandsbeställa ett rum (bord)** äv. make a reservation **II** *vb rfl* (~de, ~t), **~ sig** make a reservation [*mot* against (to)]
reserverad *adj* (reserverat, ~e) reserved; tillbakadragen äv. reticent, distant, vard. stand-offish; försiktig prudent; om uttryckssätt äv. guarded; **vara ~** om person äv. keep aloof (oneself to oneself); inte släppa någon inpå livet keep one's distance
reservfond *s* (~en, ~er) reserve fund
reservförråd *s* (~et, =) reserve supply (store, stock), reserve[s pl.]
reservhjul *s* (~et, =) spare wheel
reservlag *s* (~et, =) sport. reserve team; reserves pl.
reservnyckel *s* (~n, -nycklar) spare (extra) key
reservoar *s* (~en, ~er) reservoir; bildl. äv. reserve; cistern cistern
reservoarpenna *s* (~n, -pennor) fountain pen
reservofficer *s* (~en, ~are) officer in (of) the reserve, reservist
reservproviant *s* (~en) mil. emergency (iron) ration
reservtank *s* (~en, ~ar) emergency (spare, extra) tank; i själva biltanken reserve tank
reservutgång *s* (~en, ~ar) emergency exit (door)
reseräkning *s* (~en, ~ar) travelling expenses account, specification of travelling expenses
reseskildring *s* (~en, ~ar) bok travel book, book of travels
resestipendium *s* (-stipendiet, -stipendier) travelling scholarship
resetraktamente *s* (~t, ~n) travelling allowance, allowance for travelling expenses; amer. per diem [allowance]
resevaluta *s* (~n, -valutor) foreign currency
resevillkor *s pl* för t.ex. charterresa conditions of travel
resfeber *s* (~n), **ha ~** be nervous (jittery, excited) before a (resp. the) journey (trip)
resgods *s* (~et) [accompanied] luggage (baggage)
resgodsexpedition *s* (~en, ~er) luggage (baggage) [delivery and booking] office

resgodsförsäkring s (~en, ~ar) [traveller's] luggage (baggage) insurance; jfr *försäkring* med ex. o. sammansättn.

resgodsförvaring s (~en, ~ar) o. **resgodsinlämning** s (~en, ~ar) lokal left-luggage office, amer. checkroom

residens s (~et, =) [official] residence; säte [official] seat; landshövdings county governor's house

residensstad s (~en, -städer) med länsstyrelse seat of a (resp. the) county government; i Storbr., ung. county town; säte för regering (regent) seat of the government (ruler); huvudstad capital

residera vb itr (~de, ~t) reside

resignation s (~en) resignation

resignera vb itr (~de, ~t) foga sig resign oneself [*inför* to]; ge upp give [it] up

resignerad adj (resignerat, ~e) resigned; **med en ~ suck** with a sigh of resignation

resistens s (~en) med. resistance

resistent adj (=) resistant; **~a bakterier** resistent bacteria, superbugs

reskamrat s (~en, ~er) travelling companion, fellow-traveller; **vara ~er** äv. travel together

reskassa s (~n, -kassor) travelling funds pl.; **min ~** äv. the money for my journey (trip)

reskläder s pl travelling wear sg.

reskontra s (~n, reskontror) hand. [personal] ledger

reslektyr s (~en) se *reselektyr*

reslig adj (~t) tall; lång o. ståtlig stately; om träd äv. lofty

reslust s (~en) longing to (for) travel

reslysten adj (-lystet, -lystna) ...keen on travelling

resmål s (~et, =) destination [of one's journey (trip)]; turistmål place to visit (for a holiday)

resning s (~en, ~ar) **1** jur. new trial; **begära ~** petition (move) for a new trial (a rehearing of the case); **få ~ i målet** be granted a new trial (hearing of the case) **2** höjd elevation; om person el. bildl. stature; **han har ~** bildl. he is an imposing personality **3** uppror rising, revolt, insurrection

resolut adj (=) beslutsam resolute; rask prompt; bestämd determined, decided

resolution s (~en, ~er) allm., äv. med. resolution [*om ngt* on sth]; beslut äv. decision; **anta en ~** pass (approve) a resolution

reson s (oböjl., en) reason; **ta ~** listen to reason, be reasonable

resonabel adj (~t, resonabla) reasonable, sensible

resonans s (~en, ~er) resonance

resonansbotten s (-bottnen el. =, -bottnar) o. **resonanslåda** s (~n, -lådor) mus. sounding (sound) board

resonemang s (~et, =) diskussion discussion; samtal talk, conversation; tankegång reasoning, [line of] argument; **föra ett ~** conduct (follow) a line of argument (reasoning)

resonemangsparti s (~et, ~er) marriage of convenience

resonera vb itr (~de, ~t) diskutera discuss; samtala talk; argumentera reason, argue [*om* about]; **det går inte att ~ med honom** one can't reason with him

resonlig adj (~t) reasonable, sensible

respass s (~et, =) avsked dismissal; **få (ge ngn) ~** be dismissed (dismiss sb); köras (köra) ut be sent (send sb) packing

respekt s (~en) respect; aktning esteem, regard; fruktan awe; **ha ~ för ngn** have respect for sb, hold sb in [great] respect; **sätta sig i ~ hos ngn** make sb respect one; **med all ~ för...** with all [due] deference to...

respektabel adj (~t, respektabla) respectable; anständig decent; ansenlig äv. considerable

respektera vb tr (~de, ~t) allm. respect; uppskatta äv. esteem

respektfull adj (~t) respectful

respektingivande adj (oböjl.) attr. ...that commands respect; imponerande imposing, impressive; starkare awe-inspiring

respektive I adj (oböjl.) respective; **de tog med sina ~ till festen** they took their wives ([wives and] husbands) to the party **II** adv respectively; agenten **köper ~ säljer** ...buys or sells[, as the case may be]; de fick en bil, en moped, **~ en cykel** ...and a bicycle respectively

respektlös adj (~t) disrespectful; vanvördig irreverent

respirator s (~n, ~er) respirator; **ligga i ~** lie in a respirator

respit s (~en, ~er) respite; **begära 5 dagars ~** äv. ask (apply) for five days of grace

resplan s (~en, ~er) **1** ~[er] plans pl. for a (resp. the el. one's) trip (journey) **2** resrutt itinerary

respons s (~en) response äv. psykol.

resrutt s (~en, ~er) route

ressällskap s (~et, =) **1** person travelling companion; grupp [med reseledare conducted] party of tourists **2** abstr. company on a (resp. the el. one's) journey

rest s (~en, ~er) återstod remainder, rest; överskott surplus; lämning relic; kvarleva remnant, survival; kem. el. jur. residue; lunch på uppvärmda **~er** ...leftovers; **~en** det överblivna the rest; matem. the remainder; av betalning the balance; **för ~en** se *förresten*

restaurang s (~en, ~er) restaurant; **gå ut (äta) på ~** go to (eat at) a restaurant, eat out

restaurangbesök s (~et, =) visit to a restaurant, restaurant visit

restauranginnehavare s (~n, =) proprietor of a (resp. the) restaurant, restaurant-keeper, restaurateur fr.

restaurangkedja s (~n, -kedjor) chain of restaurants

restaurangvagn s (~en, ~ar) dining-car, diner, restaurant car

restauratör I se *restauranginnehavare* **II** s (~en, ~er) arkit. restorer

restaurera vb tr (~de, ~t) restore

restaurering s (~en, ~ar) restoration

restavfall s (~et, =) industriellt o.d. residual waste

restera vb itr (~de, ~t) remain; **~ med** betalningen be in arrears with...

resterande adj (oböjl.) remaining; **det ~** the remainder; om belopp äv. the balance; **~ skatter** arrears of taxes, tax arrears; **~ skulder** debts still due [to be paid], outstanding debts

restid s (~en, ~er) åtgående tid travelling time

restituera vb tr (~de, ~t) **1** återbetala repay, reimburse, refund **2** återställa restore

restitution s (~en, ~er) återbetalning repayment, reimbursement, refund

restlager s (-lagret, =) surplus (remaining) stock

restpar s (~et, =) odd pair

restparti s (~et, ~er) remnant, odd lot

restplats s (~en, ~er) på t.ex. charterresa seat still vacant

restriktion *s* (~en, ~er) restriction
restriktiv *adj* (~t) restrictive; ~ **formulering** narrow (rigid) wording
restskatt *s* (~en, ~er) unpaid tax arrears pl.; kvarskatt back tax (taxes pl.)
restupplaga *s* (~n, -upplagor) av bok remainder edition, remainders pl.
resultat *s* (~et, =) allm. result; matem. answer; verkan effect; vinst return, profit; behållning proceeds pl.; sport. äv. score; **med gott** ~ with success, successfully; **leda till** ~ produce (yield) results, pay off; **inte leda till** ~ not lead to any result[s], not pay off, be in vain; **det fick till** ~ **att...** the result (upshot) was that...; han fick **ett dåligt** (**bra**) ~ **på provet** ...a poor (favourable) result on the test
resultatlös *adj* (~t) fruktlös fruitless; utan effekt ineffective; fåfäng vain, futile; **vara** ~ äv. be without result
resultattavla *s* (~n, -tavlor) sport. scoreboard
resultera *vb itr* (~de, ~t) result [*i* in]; ~ *i* äv. end in
resumé *s* (~n, ~er) summary, overview, résumé; av pjäs o.d. vanl. synops|is (pl. -es)
resumera *vb tr* (~de, ~t) summarize, sum up, give a summary of
resurs *s* (~en, ~er) resource; hjälpmedel, utväg expedient; **~er** tillgångar äv. assets; penningmedel means
resvan *adj* (~t) ...accustomed (used) to travelling
resvana *s* (~n, -vanor) experience of travelling; **ha** [**stor**] ~ äv. be an experienced (a seasoned) traveller
resväg *s* (~en, ~ar) itinerary, route
resväska *s* (~n, -väskor) suitcase
resår *s* (~en, ~er) **1** spiralfjäder coil (spiral) spring **2** gummiband, se *resårband*
resårband *s* (~et, =) elastic; **ett** ~ a piece of elastic; **infällt** ~ **i midjan** på klänning o.d. elasticated waist
resårbotten *s* (-bottnen el. =, -bottnar), **säng med** ~ sprung bed
resårmadrass *s* (~en, ~er) sprung mattress
resårstickning *s* (~en, ~ar) ribbed knitting
reta *vb tr* (~de, ~t) **1** framkalla retning irritate; kittla tickle; stimulera stimulate; fysiol. äv. excite; aptiten whet **2** förarga, ~ [**upp**] irritate, annoy, vex; starkare provoke, exasperate; jfr *retas*; **han blev** ~**d för sin brytning** he was teased about his accent; **det** ~**r mig** el. **jag** ~**r mig på det** I get irritated about it; vard. it gets my back up; ~ **inte upp dig** [**på...**]! don't work yourself (get yourself worked) up [about...]!
retande *adj* (oböjl.) irritating osv., jfr *reta 1*
retas *vb itr dep* (retades, retats) tease; ~ **inte!** stop teasing!; ~ **med ngn** tease sb; skoja med pull sb's leg
retbar *adj* (~t) fysiol. excitable, irritable
retfull *adj* (~t) se *retsam*
rethosta *s* (~n) irritating (hacking, dry) cough
retirera *vb itr* (~de, ~t) retreat, give way; dra sig tillbaka retire, withdraw; ge vika yield; backa ur back down
retlig *adj* (~t) **1** lättretad irritable, fretful; lättstött touchy, over-sensitive; vresig peevish; spec. om humör petulant **2** förarglig annoying
retlighet *s* (~en) irritability, fretfulness; touchiness, over-sensivity; peevishness; petulance; jfr *retlig 1*
retmedel *s* (-medlet, =) irritant; stimulerande stimulant
retning *s* (~en, ~ar) fysiol. irritation, excitation; psykol. el. friare stimul|us (pl. -i)
retorik *s* (~en) rhetoric, oratory

retoriker *s* (~n, =) orator, rhetorician
retorisk *adj* (~t) rhetorical; **en** ~ **fråga** a rhetorical question
retroaktiv *adj* (~t) om t.ex. lön, lag retroactive, retrospective, backdated; psykol. retrospective; ~ **betalning** (**lön**) retroactive (backdated) payment (pay); **en lag med** ~ **verkan** äv. an ex post facto law
retrospektiv *adj* (~t) retrospective; ~ **utställning** retrospective
reträtt *s* (~en, ~er) mil. el. bildl. retreat; bild. äv. climb-down; tillflykt refuge; **slå till** ~ el. **ta till** ~**en** beat a (the) retreat, retreat; bildl. äv. back out [of it], climb down; **ha** ~**en fri** (**klar**) bildl. have a line of retreat open
reträttplats *s* (~en, ~er) bildl. retirement post
reträttväg *s* (~en, ~ar) mil. el. bildl. line of retreat
retsam *adj* (~t, ~ma) irritating, tantalizing; förtretlig annoying; **han är så** ~ [**av sig**] retas gärna he likes teasing; **det var** ~**t!** what a nuisance!
retsticka *s* (~n, -stickor) tease
retur *s* (~en, ~er) **1** tur och ~ se *2 tur 2* **2** ~ **avsändaren** return to sender; **få ngt i** ~ get sth back, have sth returned; **skicka i** ~ return **3** ~**er** återförsändelser, hand. returns, returned goods; böcker return copies **4** sport. **a)** se *returmatch* **b)** ~boll, ~puck return; **på** ~**en** on the rebound
returbiljett *s* (~en, ~er) return (amer. round-trip) ticket
returglas *s* (~et, =) flaska returnable bottle; glas till återanvändning recycling glass; **återlämnade** ~ pl. returned bottles (empties)
returmatch *s* (~en, ~er) return match (amer. vanl. game)
returnera *vb tr* (~de, ~t) skicka tillbaka return, send back, return to sender
returpapper *s* (~et el. -pappret, =) waste paper [for recycling], återvunnet recycled paper
returporto *s* (~t, ~n) return (reply) postage
returrätt *s* (~en), **med** ~ handlares on sale or return
retusch *s* (~en, ~er) retouch; retuschering retouching; bildl. äv. touching up
retuschera *vb tr* (~de, ~t) foto. retouch; bildl. äv. touch up; **en** ~**d bild** a touched-up photograph
reumatiker *s* (~n, =) rheumatic
reumatisk *adj* (~t) rheumatic
reumatism *s* (~en) rheumatism, rheumatics pl.
1 rev *s* (~en, ~ar) fiske. fishing-line
2 rev *s* (~et, =) sand~ [sand]bank, [sand-]reef; klipp~ reef; utskjutande spit
3 rev *s* (~et, =) sjö., på segel reef
1 reva *s* (~n, revor) bot., ranka tendril; utlöpare runner
2 reva *s* (~n, revor) rämna tear, rent, rip
3 reva *vb tr* (~de, ~t) sjö., ~ **segel** take in sail
revalvera *vb tr* (~de, ~t) ekon. revalue, revaluate
revalvering *s* (~en, ~ar) ekon. revaluation
revansch *s* (~en, ~er) revenge; hämnd äv. vengeance; **få** ~ sport. have (get, gain) one's revenge; **ta** ~ **på ngn för ngt** take [one's] revenge (revenge oneself, vard. get one's own back) on sb for sth
revanschmatch *s* (~en, ~er) return match (amer. vanl. game)
revben *s* (~et, =) rib
revbensspjäll *s* (~et, =) slakt. sparerib; kok. spareribs pl., ribs pl. of pork

revelj s (~en, ~er) mil. reveille; **blåsa** ~ sound the reveille

revers s (~en, ~er) hand. promissory note, bond

reversibel adj (~t, reversibla) reversible

revetera vb tr (~de, ~t) mur. vanl. plaster, roughcast

revetering s (~en, ~ar) mur.: reveterande plastering, roughcasting; konkr. plaster (roughcast) [coating]

revidera vb tr (~de, ~t) revise; räkenskaper audit; förvaltning examine, scrutinize; ändra, t.ex. uppfattning äv. alter, modify; priser readjust

revir s (~et, =) jaktområde preserve[s pl.]; zool. el. sociol. el. bildl. territory; **göra intrång på ngns** ~ poach on sb's preserves; **köket är mitt** ~ the kitchen is my preserve (territory)

revision s (~en, ~er) revision; audit; examination, scrutiny; alteration, modification, readjustment; jfr *revidera*

revisionistisk adj (~t) polit. revisionist

revisionsberättelse s (~n, ~r) auditor's report

revisionsbyrå s (~n, ~er) firm of accountants

revisor s (~n, ~er) auditor; yrkes~ äv. accountant; **auktoriserad** ~ se *auktoriserad*

revolt s (~en, ~er) revolt, rising

revoltera vb itr (~de, ~t) revolt, rise [in revolt]

revoltör s (~en, ~er) revolter

revolution s (~en, ~er) revolution äv. bildl.

revolutionera vb tr (~de, ~t) revolutionize; **~nde** epokgörande revolutionary

revolutionär I adj (~t) revolutionary **II** s (~en, ~er) revolutionary

revolver s (~n, revolvrar) revolver, gun

revolversvarv s (~en, ~ar) capstan lathe

revorm s (~en, ~ar) med. ringworm

revy s (~n, ~er) teat. revue, variety (amer. vaudeville) [show]; översikt review; **låta gamla minnen passera** ~ review...

revyartist s (~en, ~er) revue (variety) artiste

revyteater s (~n, -teatrar) revue theatre, music hall

revär s (~en, ~er) stripe

Rhen the Rhine

rhenvin s (~et, ~er) Rhine wine, hock

rhododendron s (~en, = el. rhododendrer) bot. rhododendron

Rhodos Rhodes

ribba s (~n, ribbor) lath, strip [of wood]; kant~ edging; sport.: på målställning crossbar; vid höjdhopp bar

ribbad adj (ribbat, ~e) ribbed

ribbstickad adj (-stickat, ~e) rib-knitted

ribbstickning s (~en, ~ar) ribbed knitting, ribbing

ribbstol s (~en, ~ar) [set of] wall bars pl.

RIB-båt s (~en, ~ar) o. **ribbåt** s (~en, ~ar) RIB (förk. för Rigid Inflatable Boat)

ricinolja s (~n) castor oil

rida I vb itr o. vb tr (red, ridit) **1** eg. ride äv. på ngns axlar (knä), ride on horseback; ~ **barbacka** ride bareback[ed]; ~ **bra** äv. be a good rider; ~ **i galopp** ride at a gallop; ~ **[på] en häst** ride a horse; ~ **på framgången** ride [on] a wave of success **2** bildl., ~ **på principer** stick blindly to principles
II med beton. part.

rida bort ride away (off), leave

rida efter a) följa follow (förfölja pursue)...on horseback **b)** hämta ride and fetch

rida in på arenan ride into...; ~ **in** en häst dressera break [in]...

rida ut a) itr. go out riding, take a ride; ~ **ut till** ngn ride out to... **b)** tr., ~ **ut stormen** ride out (bildl. äv. weather [out]) the storm

ridande adj (oböjl.) riding, mounted; ~ **polis** mounted police; **komma** ~ come riding along, come on horseback

ridbana s (~n, -banor) riding-ground, riding-track

ridbyxor s pl riding-breeches; långa jodhpurs

riddarborg s (~en, ~ar) medieval (fairy-tale) castle

riddare s (~n, =) allm. knight; av vissa ordnar chevalier; ~ **av Strumpebandsorden** Knight of the Garter; **dubba ngn till** ~ dub sb a knight, knight sb

Riddarhuset the House of the Nobility

riddarspel s (~et, =) tournament

riddarsporre s (~n, -sporrar) bot. delphinium, larkspur

riddartiden s (best. sing.) the age of chivalry

riddarväsen s (~det, =) chivalry

ridderlig adj (~t) mera eg. chivalrous, knightly; poet. chivalric; bildl. gallant, courteous

ridderskap s (~et) knighthood; koll. äv. knights pl., knightage; **~et och adeln** i Sverige the Nobility

riddjur s (~et, =) animal used for riding, riding animal

riddräkt s (~en, ~er) riding-dress; dams riding-habit

ridhjälm s (~en, ~ar) riding cap; kraftigare riding helmet

ridhus s (~et, =) riding-school

ridhäst s (~en, ~ar) riding horse, mount

ridkonst s (~en) horsemanship, equestrianism

ridlektion s (~en, ~er) riding-lesson

ridläger s (-lägret, =) riding-camp

ridlärare s (~n, =) riding-master

ridning s (~en) riding

ridskola s (~n, -skolor) riding-school

ridsport s (~en) riding

ridspö s (~et, ~n) riding-whip, horsewhip; kort crop

ridstövel s (~n, -stövlar) riding-boot

ridtur s (~en, ~er) ride; **göra en** ~ go out riding, go for a ride

ridväg s (~en, ~ar) bridle path, horse path

ridå s (~n, ~er) curtain äv. bildl.; **inför öppen** ~ bildl. in the full glare of publicity

riff s (~et, =) mus. riff

rigg s (~en, ~ar) **1** sjö. rig[ging], tackling **2** vard., klädsel rig[-out]

rigga vb tr (~de, ~t) **1** sjö. rig; ~ **av** unrig, untackle, dismantle **2** friare: ~ **[upp (till)]** göra i ordning rig up, fix up; ~ **upp sig** vard. rig oneself out, doll oneself up

rigid adj (neutrum undviks) rigid, inflexible

rigorös adj (~t) rigorous, strict, severe

rik adj (~t) allm. rich; mycket förmögen äv. wealthy, opulent, affluent; om jordmån, fantasi fertile; jfr vidare *riklig*; **ett ~t liv** bildl. a full life; **i ~t mått** amply, abundantly; ~ **skörd** äv. bumper harvest (crop); **~t urval av...** wide range (choice) of...; **på** rich (abounding, fertile) in, full of; **bli** ~ get (become) rich, make money; **vi har blivit en erfarenhet ~are** we are that much wiser, we have added to our experience; **de ~a** the rich (wealthy); **hon är** ~ **som ett troll** she's rolling in money

rike s (~t, ~n) stat state, country, realm; kungadöme el. relig. kingdom; kejsardöme empire; bildl. (område) realm, domain; **det romerska ~t** the Roman Empire; **Sveriges** ~ the Kingdom of Sweden

rikedom s (~en, ~ar) **1** förmögenhet wealth (endast sg.), fortune, riches pl., affluence (endast sg.); **landets ~ar** the wealth of the country **2** abstr. richness [på in]; wealth [på of]; riklighet copiousness; ymnighet abundance; starkare profusion; om t.ex. fantasi fertility [på i samtliga fall of]

rikhaltig adj (~t) se riklig; om program o.d. full and varied

riklig adj (~t) allm. abundant, ample; rik rich; överflödande profuse; frikostigt tilltagen liberal, generous; **en ~ skörd** a heavy (an abundant) crop; **~t med** mat plenty of..., ...in abundance; **ge ~t med dricks** give a handsome (generous) tip

rikligen adv o. **rikligt** adv abundantly osv., jfr riklig; **bli ~ belönad** be richly rewarded

rikoschett s (~en, ~er) ricochet; projektil äv. rebounding shot

riksangelägenhet s (~en, ~er) matter of national concern

Riksantikvarieämbetet the National Heritage Board

riksarkiv s (~et, =) public record office; **Riksarkivet** the National Archives pl.

riksbank s (~en, ~er), **Sveriges Riksbank** el. **Riksbanken** the Riksbank, the Swedish Central Bank

riksbekant adj (=) nationally famous, ...famous (svagare known, ökänd notorious) throughout the country

riksdag s (~en, ~ar) institution riksdag; session session of the Riksdag; friare, t.ex. idrotts~ [national] convention, [annual] congress; **Sveriges Riksdag** el. [den svenska] **~en** the Riksdag, the Swedish Parliament

riksdagsgrupp s (~en, ~er) parliamentary party

riksdagshus s (~et, =), **~et** the Riksdag (Parliament) building

riksdagskvinna s (~n, -kvinnor) se riksdagsledamot

riksdagsledamot s (~en, -möter) member of the [Swedish] Riksdag, member of parliament

riksdagsman s (~nen, -män) se riksdagsledamot

riksdagsmandat s (~et, =) seat [in the Riksdag]

riksdagsmannaval s (~et, =) general election

riksdagstryck s (~et) Riksdag (parliamentary) publications (reports) pl.

riksdagsval s (~et, =) general election

riksförbund s (~et, =) national federation, national association, national union

riksföreståndare s (~n, =) regent

riksgräns s (~en, ~er) frontier, border

Riksgäldskontoret the Swedish National Debt Office

riksidrottsförbund s (~et, =), **Sveriges ~** el. **Riksidrottsförbundet** the Swedish Sports Confederation

riksintresse s (~t, ~n) national interest

rikskansler s (~n, ~er) chancellor; i Tyskland, hist. Chancellor [of the Reich]

rikslarm s (~et, =) nationwide alert

rikslikare s (~n, =) national standard äv. bildl.

riksmöte s (~t, ~n) session of the Riksdag, parliamentary session

riksolycka s (~n, -olyckor) national disaster, calamity äv. skämts.

riksomfattande adj (oböjl.) nationwide, country-wide

riksplan s (~et), **på ~et** on a national level

rikspolischef s (~en, ~er) national police commissioner

riksregalier s pl regalia

Riksrevisionen the Swedish National Audit Office (förk. SNAO)

riksrätt s (~en) jur., **ställa inför ~** impeach; **åtal inför ~** impeachment

rikssvenska s (~n) riksspråk Standard Swedish

rikstidning s (~en, ~ar) national daily

rikstäckande adj (oböjl.), **vara ~** have nationwide coverage, cover the whole nation

riksvapen s (-vapnet, =) national coat of arms

riksväg s (~en, ~ar) arterial (main) road, trunk road

riksåklagare s (~n, =), **Riksåklagaren** person: i Sverige Prosecutor-General; i Storbr. motsv. Director of Public Prosecutions

rikta I vb tr (~de, ~t) vända åt visst håll: allm. direct [mot to[wards], i fientligt syfte against]; t.ex. blicken äv. turn [mot towards]; vapen o.d. aim, level, point [mot i samtliga fall at]; tekn.: räta straighten [...out]; justera adjust; **~ kritik mot** regeringen level criticism against..., pass censure on...; **~ ett brev till** statsministern address a letter to...; **~ ett slag mot...** aim (direct, deal) a blow at...; **~ sin (ngns) uppmärksamhet på** ngt äv. turn one's (draw el. call sb's) attention to...; **~ in sig på** se vara inriktad på under inriktad **II** vb rfl (~de, ~t), **~ sig** om person (vända sig) address oneself [till to]; om bok o.d. be intended [till for], appeal [till to]; om kritik be directed [mot against], focus [mot on]

riktig adj (~t) (jfr äv. 3 rätt I); rätt right, proper; felfri correct; passande right, fitting, proper; berättigad just, justified; sann true; verklig, äkta äv. real, genuine, regular; han har **inget ~t arbete** ...no real (regular) work; **där gjorde du en ~ tabbe** you made a real blunder there; **han är en ~ dumskalle** he is a proper (a real) fool; **en ~ skandal** a downright (positive) scandal; **är det ~t** sant **att...?** is it true that...?; **det är på ~t** it's real; **det enda ~a vore att** säga sanningen the only proper (sensible, correct) thing would be to...

riktighet s (~en) rightness, propriety, correctness, justice, truth, reality; jfr riktig; **intyga ~en av** confirm [the truth of], verify; **det äger sin ~** it is quite correct (true), it is a fact

riktigt adv (jfr äv. 3 rätt II 1); korrekt rightly, correctly; efter verb ofta äv. right; vederbörligen duly, properly; förstärkande: verkligen really (vard. real), downright, alldeles, ganska quite, absolutely, vard. perfectly, ordentligt properly, thoroughly, **alldeles ~!** quite right!, quite so!; som du **mycket ~ anmärker** ...very properly (quite rightly) remark; **han kom också mycket ~** and he came, sure enough; **ha det ~ bra** bekvämt be quite comfortable (ekonomiskt well off); **jag mår inte ~ bra** I am not feeling quite well (all right); **han är inte ~ klok** ...not quite right in the head, ...not all there; **han var inte ~ nöjd** ...not quite (altogether) pleased; **~ ordentligt** så det förslår with a vengeance; innan jag var **~ vaken** ...properly awake; jag är **inte ~ övertygad** ...not fully convinced; **göra en** sak **~** do..., **handla ~** act rightly; **jag vet inte ~** I don't exactly know

riktlinje s (~n, ~r) bildl., **dra upp ~rna för ngt** lay down the general el. broad outlines (the guiding principles) for sth

riktmärke *s* (~t, ~n) **1** bildl. objective, aim, target [*för* of] **2** sjö. landmark

riktning *s* (~en, ~ar) **1** eg.: håll (allm.) direction; kurs äv. course; *i nordlig ~* in a northerly direction, northwards, to the north; *i ~ mot...* in the direction of...; *ändra ~* change [one's] direction (one's course) **2** bildl.: kurs, utvecklingslinje direction, course, way; linje line[s pl.]; vändning turn; inom konst, vetenskap, politik o.d.: rörelse movement, line, skola school, tendens tendency, trend; *utvecklas i demokratisk ~* gradually become more democratic

riktnummer *s* (-numret, =) tele., ung. dialling (amer. area) code

riktpunkt *s* (~en, ~er) mil. aiming point, point of aim; bildl. objective, aim [*för* of]

rim *s* (~met, =) rhyme; *utan ~ och reson* bildl. without rhyme or reason

rimfrost *s* (~en) hoarfrost, rime, white frost

rimlig *adj* (~t) skälig reasonable; rättvis äv. fair, just; måttlig äv. moderate; sannolik probable, likely; *inom ~a gränser* äv. within reason, within limits; *till ~t pris* at a reasonable price; *det är inte mer än ~t* it is only reasonable (fair)

rimligen *adv* se *rimligtvis*

rimlighet *s* (~en) reasonableness, fairness, justness; probability, likelihood; jfr *rimlig*; *inom ~ens gränser* within the limits of reason

rimligtvis *adv* rimligen reasonably, in reason; sannolikt quite likely, in all likelihood

1 rimma *vb tr* o. *vb itr* (~de, ~t) bilda rim rhyme [*på* with, to]; gå ihop, stämma agree, tally, fit in [*med* with]

2 rimma *vb tr* (~de, ~t) rimsalta salt...[lightly]

rimord *s* (~et, =) rhyme

rimsalta *vb tr* (~de, ~t) kok. salt...[lightly]

ring *s* (~en, ~ar) eg.: allm. ring, circle; på bil o.d. tyre, amer. tire; tekn., på axel o.d. collar; kring solen el. månen halo (pl. -s el. -es); sport. ring; *hon hade mörka ~ar under ögonen* äv. there were dark circles under her eyes; dansa *i ~* ...in a ring; *ställa sig i ~* form a ring (circle)

1 ringa *adj* (oböjl.) liten small, slight; obetydlig trifling, insignificant, inconsiderable; *ett ~ antal* a small number; *av ~ börd* of humble (lowly) birth; *~ förseelse* slight (trivial) offence; *av ~ intresse* of little interest; *~ tröst* poor consolation; *av ~ värde* of small value

2 ringa I *vb tr* o. *vb itr* (ringde, ringt) allm. ring; klämta toll; om klockspel chime; pingla tinkle; telefonera äv. phone, speciellt amer. äv. call; *~ [till] ngn* se *ringa upp ngn* under *2 ringa II*; *~ ett samtal* make a phone call; *~ hem* ring (phone) home; *~ efter* taxi ring (phone) for...; *det ringer* i telefonen, the phone is ringing; *det ringer i öronen på mig* my ears are ringing, there's a ringing in my ears; *det ringer [på dörren]* the doorbell is ringing, there is a ring at the door; *~ på ringklockan* ring the bell **II** med beton. part.

ringa in ngt send...by [tele]phone; *har det ringt in?* has the bell gone [for the lesson]?; *~ in det nya året* ring in the New Year

ringa på: *~ på hos ngn* ring sb's doorbell

ringa upp: *~ upp ngn [på telefon]* ring sb [up], phone [to] sb, give sb a ring, call sb up; speciellt amer. call

sb; *kan jag [få] ~ upp dig senare?* can I call you back?

ringa ut ring out; *det ringer ut* skol. there goes the bell [for the end of the lesson (lessons)]; *~ ut det gamla året* ring out the Old Year

3 ringa *vb tr* (~de, ~t) **1** *~ in* a) rita en ring omkring circle b) bildl., om t.ex. problem narrow down c) jakt. ring...in (round, about) d) mil. surround, encircle, close a ring round **2** *~ ur* sömnad. cut...low [at the neck]; se äv. *urringad*

ringakta *vb tr* (~de, ~t) person despise, disdain, hold...in contempt; sak make light of, disregard

ringaktning *s* (~en) contempt, disdain, disregard [*för* i samtliga fall for (of)]

ringblomma *s* (~n, -blommor) bot. [pot] marigold

ringdans *s* (~en, ~er) ring (round) dance; *dansa ~* dance in a ring

ringdomare *s* (~n, =) sport. referee

ringduva *s* (~n, -duvor) wood pigeon, ringdove

ringfinger *s* (-fingret, -fingrar) ring finger

ringformig *adj* (~t) ring-shaped, annular

ringhörna *s* (~n, -hörnor) sport. corner [of the (resp. a) boxing ring] äv. bildl.

ringklocka *s* (~n, -klockor) allm. bell; dörrklocka doorbell; handklocka handbell

ringla *vb itr* o. *vb rfl* (~de, ~t), *~ [sig]* om t.ex. väg, kö wind; om hår, rök curl; *ormen ~de ihop sig* ...coiled itself up; *~ iväg* om orm slither away

ringlar *s pl* av hår curls; av rök vanl. wreaths

ringled *s* (~en, ~er) se *kringfartsled*

ringmask *s* (~en, ~ar) zool. ringed worm, annelid

ringmur *s* (~en, ~ar) ring-wall

ringmuskel *s* (~n, -muskler) anat. sphincter

ringmärka *vb tr* (-märkte, -märkt) ring

ringning *s* (~en, ~ar) klock~ o.d. ringing osv., jfr *2 ringa I*; *ställa klockan på ~ [till]* klockan sex set the alarm [clock] for...

ringsignal *s* (~en, ~er) tele. ringtone; melodi äv. ringtune

rink *s* (~en, ~ar) sport. rink

rinna I *vb itr* (rann, runnit) allm. run; flyta äv. flow; strömma äv. stream, pour, course; sippra trickle; *näsan rinner* ...is running; *tårarna rann nedför kinderna på henne* äv. ...rolled down her cheeks; *ögonen rinner på honom* his eyes are running (watering) **II** med beton. part.

rinna av flow off (away); *låta* bären *~ av* drain...; *ilskan rann av henne* bildl. her anger simmered down

rinna bort om vatten run (drain, flow) away; *~ bort mellan fingrarna på ngn* run through sb's fingers; *han kände livet ~ bort [iväg]* he felt that his life was slipping away

rinna iväg om tid slip away (by)

rinna till om vatten i en brunn o.d. [begin to] flow again; *det fick hans kreativitet att ~ till* vard. that got his creative juices flowing

rinna upp om flod rise; bildl. originate [*i* in (from)]; *~ upp i* om flod have (take) its source (rise) in

rinna ur: *vattnet har runnit ur* badkaret the water has run (flowed) out of...

rinna ut run (flow) out [*ur* of]; *floden rinner ut i* havet the river flows into...; *~ ut i sanden* bildl. come to nothing, fizzle (peter) out

rinna över flow (run) over, overflow

rinnande *adj* (oböjl.) running osv., jfr *rinna I*; **kunna ngt som ett ~ vatten** know sth [off] pat

ripa *s* (~n, ripor) zool. grouse (pl. lika); fjäll~ ptarmigan (pl. lika)

rips *s* (~en el. ~et, ~er) tyg rep, repp

1 ris *s* (~et, =) sädesslag rice; oskalat äv. paddy; **polerat** (**opolerat**) ~ polished (unpolished) rice

2 ris *s* (~et, =) **1** koll. kvistar twigs pl., brushwood; snår scrub, shrubs pl.; blåbärs~, lingon~ sprigs pl. **2** till aga birch [rod], rod

risa I *vb tr* (~de, ~t) kritisera criticize...severely, lash; aga give...a birching **II** *vb itr* (~de, ~t) vard., **~ ihop** kollapsa fall to pieces; **det har börjat ~ till sig för honom** he's getting into a real jam, he's finding things difficult

risfält *s* (~et, =) med gröda field of rice, paddy-field

risgryn *s* (~et, =) koll. rice; **ett ~ a** grain of rice

risgrynsgröt *s* (~en) [boiled] rice pudding

rishög *s* (~en, ~ar) **1** pile (heap) of brushwood (twigs) **2** vard., förfallen bil old banger

risig *adj* (~t) **1** snårig scrubby; med torra grenar: attr. ...with dry twigs, ...that has (had etc.) dry twigs **2** vard., usel lousy, rotten; skraltig ramshackle; **känna sig ~** feel lousy

risk *s* (~en, ~er) allm. risk [*för* of]; fara äv. danger, peril; vågspel hazard; **med ~ att** + inf. at the risk of + ing-form; **på egen ~** at one's own risk; **löpa ~[en] att** + inf. run the risk of + ing-form

riska *s* (~n, riskor) bot. Lactarius lat., milk cap

riskabel *adj* (~t, riskabla) risky, hazardous; vard. dicey; farlig äv. dangerous, perilous

riskera *vb tr* (~de, ~t) allm. risk; run the risk of [*att* + inf., i båda fallen + ing-form]; våga äv. hazard, venture; äventyra jeopardize; **~ fängelse** risk imprisonment; **~ livet** äv. endanger one's life

riskfaktor *s* (~n, ~er) risk factor

riskfri *adj* (-fritt) safe, ...without [any] risk

riskfylld *adj* (-fyllt) ...full of risks; jfr *riskabel*

riskgrupp *s* (~en, ~er) risk category

riskkapital *s* (~et, =) risk capital

riskmoment *s* (~et, =) element of risk (danger)

risknippa *s* (~n, -knippor) bundle of twigs (brushwood)

riskspridning *s* (~en) ekon. spreading of risks

riskvillig *adj* (~t), **~t kapital** venture (equity, risk) capital

riskzon *s* (~en, ~er) danger-zone

rismjöl *s* (~et) ground rice, rice flour

risotto *s* (~n) kok. risotto

rispa I *s* (~n, rispor) allm. scratch; i tyg rent, tear **II** *vb tr* (~de, ~t) scratch; **~ upp** tear...open; med kniv cut (slit) open **III** *vb rfl* (~de, ~t), **~ sig** om person scratch oneself; ett tyg **som ~r sig** ...that is apt to fray

rispapper *s* (~et el. -pappret, =) rice paper

rispig *adj* (~t) allm. scratched, ...scratched all over; om tyg frayed

1 rista *vb tr* (~de, ~t) skära carve, cut [*i* sten, trä on...]; **~ in** ingravera engrave äv. bildl. [*i* on]; skära in carve (cut, inscribe) [*i* in]

2 rista *vb tr* o. *vb itr* (riste el. ~de, rist el. ~t) skaka shake

ristning *s* (~en, ~ar) in~ engraving (endast sg.); inscription

rit *s* (~en, ~er) rite

rita *vb tr* (~de, ~t) allm. draw [*med* blyerts (krita, tusch)

in...]; skissera sketch, outline; göra ritning till design; **~ av** make a drawing (sketch) of, kopiera copy; **~ upp** draw, trace [out], t.ex. tennisplan mark (chalk) out

ritare *s* (~n, =) konstruktions~ draughtsman; amer. draftsman

ritbestick *s* (~et, =) set (case) of drawing instruments, drawing set

ritblock *s* (~et, =) drawing-block, sketchblock

ritbord *s* (~et, =) drawing-table

ritning *s* (~en, ~ar) **1** ritande drawing **2** konkr. drawing, draft, draught; byggn. äv. design, plan; [blå]kopia blueprint; det hela gick **efter** (**enligt**) **~arna** bildl. ...according to plan

ritpapper *s* (~et el. -pappret, =) drawing-paper, design-paper

rits *s* (~en, ~ar el. ~er) repa o.d. scribed line (mark)

ritsa *vb tr* (~de, ~t) mark [off], scribe, trace

ritt *s* (~en, ~er) ride, riding-tour

ritual *s* (~en, ~er) ritual; kyrkl. äv. order

rituell *adj* (~t) ritual

riva I *vb tr* (rev, rivit) **1** klösa scratch; om rovdjur claw; **~ ngn i ansiktet** scratch sb's face **2** slita tear; **~ hål på** kläder tear a hole (resp. holes) in..., t.ex. förpackning, sårskorpa tear open...; **~ ngt i bitar** tear (pull) sth to pieces (bits) **3** rasera, t.ex. hus demolish, pull (tear) down **4** smula sönder: med rivjärn grate, färg grind **5** riva ihjäl kill, tear...to pieces **6 ~ [ribban]** i höjd- o. stavhopp knock the bar off

II *vb itr* (rev, rivit) **1** rota rummage [*bland* among]; poke (rummage) about; **~ [och slita] i ngt** tear at sth **2** svida, **~ i halsen** om t.ex. stark kryddning rasp (burn) the throat

III *vb rfl* (rev, rivit) **~ sig a**) rispa sig, **~ sig [i handen] på en spik** scratch (starkare tear) one's hand on a nail **b**) klia sig scratch [oneself]

IV med beton. part.

riva av a) tear (rip, strip) off; **~ av ett blad på** almanackan tear a leaf off... **b**) vard., **~ av** en låt tear off...

riva i säga ifrån på skarpen put one's foot down

riva itu tear...in two

riva lös (**loss**) tear (rip) off

riva ned eg. tear down, jfr *riva I 3*; bildl. demolish; **~ ned en vas från** hyllan knock down a vase from...

riva sönder tear; **~ hål på** tear a hole (resp. holes) in; **~ i** bitar tear...up (to pieces); t.ex. händer scratch...all over

riva upp öppna tear (rip) open; gata o.d. take up; sår eg. reopen; beslut o.d. cancel, go back on, tear up; en gammal historia rake up

riva ut tear out; **~ ut ett blad ur** en bok tear a leaf out of...

rival *s* (~en, ~er) rival [*om* for]; medtävlare äv. competitor [*till* en plats for...]

rivalisera *vb itr* (~de, ~t), **~ med ngn om ngt** compete (vie) with sb for sth; **~nde** stater etc. rival...

rivalitet *s* (~en) rivalry, competition

rivebröd *s* (~et) breadcrumbs pl.

Rivieran, på ~ el. **vid ~** on the Riviera

rivig *adj* (~t) vard. **1** med schvung i swinging, lively **2** om person, framåt go-ahead, pushing, ...[that is] full of go

rivjärn *s* (~et, =) **1** redskap grater **2** vard., ragata shrew

rivning *s* (~en, ~ar) **1** rasering demolition, pulling down **2** av färg grinding

rivningshus s (~et, =) building (house) to be demolished, condemned house

rivningstomt s (~en, ~er) vacant demolition site

rivstart s (~en, ~er) flying start äv. bildl.

rivöppnare s (~n, =) på burk o.d. ring opener (pull), speciellt amer. pop top

1 ro s (~n) **1** vila rest; frid peace; lugn repose; stillhet quiet, calm; *jag får ingen ~ för honom* el. *han ger mig ingen ~* he gives me no peace, he is always bothering me; *inte ha någon ~ i kroppen* be a restless person (a fidget); *jag tog det med ~* I did not let it worry me; *slå sig till ~* eg. make oneself comfortable; dra sig tillbaka till ett lugnt liv settle down [to a quiet life] **2** nöje, [*bara*] *för ~[s] skull* [just] for fun

2 ro vb tr o. vb itr (~dde, ~tt) **1** row; framför allt itr. pull; *fara ut och ~* go out rowing (boating); *~ i takt* pull (row) in time; *~ på!* pull away! **2** bildl., *~ hit med pengarna!* hand over the money!; *~ ngt i land* pull sth off (through)

roa I vb tr (~de, ~t) allm. amuse; underhålla entertain, divert; *det ~r mig att* + inf. äv. I enjoy + ing-form; *vara ~d av att dansa* like (enjoy, be fond of) dancing; *vara ~d av* astronomi be interested in... **II** vb rfl (~de, ~t), *~ sig* amuse (enjoy) oneself; vara ute på nöjen have a good time; *~ sig med att* + inf. amuse oneself by + ing-form

roadie s (~n, ~s) vard. roadie

roande adj (oböjl.) amusing osv., jfr roa I

robot s (~en, ~ar) maskin robot; mil. [guided] missile

robotbas s (~en, ~er) missile base

robotvapen s (-vapnet, =) guided missile (koll., pl. missilery sg.)

robust adj (=) robust, sturdy, rugged

1 rock s (~en, ~ar) överrock coat; kavaj jacket; arbets~, skydds~ overall; *vara för kort i ~en* be too short; inte duga not be up to the mark (job)

2 rock s (~en) mus. rock, rock-'n'-roll; *spela ~* play rock-'n'-roll

1 rocka s (~n, rockor) zool. ray; ätlig skate

2 rocka vb itr (~de, ~t) mus. rock, rock-'n'-roll

rockad s (~en, ~er) schack. castling; *göra [en] ~* castle; bildl. reshuffle, redeploy

rockband s (~et, =) mus. rock band

rockficka s (~n, -fickor) coat pocket

rockhängare s (~n, =) galge coat hanger; krok coat hook, coat peg; i rock tab

rocklåt s (~en, ~ar) mus. rock tune

rockmusik s (~en) rock music

rockmusiker s (~n, =) mus. rock musician

rockskört s (~et, =) delat coat-tail; odelat coat-skirt

rockstjärna s (~n, -stjärnor) mus. rock star

rockvaktmästare s (~n, =) cloakroom (amer. checkroom) attendant

rodd s (~en, ~er) **1** roende rowing **2** roddtur row, pull

roddapparat s (~en, ~er) rowing-machine

roddare s (~n, =) oarsman, rower

roddbåt s (~en, ~ar) rowing-boat, rowboat

roddsport s (~en, ~er) rowing

roddtur s (~en, ~er) row; *göra (ta) en ~* go for a row, go rowing

rodel s (~n, rodlar) sport. luge

roder s (rodret, =) sjö., roderblad rudder; hela styrinrättningen el. bildl. helm; *lyda ~* answer [to] the helm; *lägga om rodret* shift the helm; *sitta vid rodret* be at the helm äv. bildl.

rodna vb itr (~de, ~t) allm. turn red, redden, colour [up]; om person vanl.: av blygsel o.d. blush, av t.ex. ilska flush [up] [*av* with]; *~ över ngt* blush at sth

rodnad s (~en, ~er) **1** hos person blush, flush, jfr *rodna*; på huden red spot **2** hos sak redness (endast sg.)

rododendron s (~en, = el. rododendrer) bot. rhododendron

roffa vb tr (~de, ~t) rob [*ngt från ngn* sb of sth]; *~ åt sig* grab

rofferi s (~et, ~er) robbery; utsugning extortion

rofylld adj (-fyllt) peaceful, serene

rogivande adj (oböjl.) soothing; vilsam restful; *~ medel* med. sedative

rojalism s (~en) royalism

rojalist s (~en, ~er) royalist

rojalistisk adj (~t) royalist[ic]

rokoko s (~n) rococo; *~n* the Rococo period

rolig adj (~t) lustig, skojig funny; komisk comical; roande amusing; underhållande entertaining; *en ~ historia* a funny story; *han tycker det är ~t att* + inf. he likes to + inf., he enjoys + ing-form; *det var ~t att höra* I am glad to hear it; *det vore så ~t om...* it would be so nice if...; *så ~t!* how nice!; så skojigt what fun!; *nu är det ~a slut* that's the end of the fun

rolighet s (~en, ~er) kvickhet witticism, joke

rolighetsminister s (~n, -ministrar) funny man, minister of mirth, wag

roll s (~en, ~er) eg. el. bildl. part, role; rolltext lines pl.; *~erna är ombytta* the tables are turned, the boot is on the other foot; *ombytta ~er* reversed roles; *spela en stor (viktig) ~* bildl. play a big (an important) part (role); *det spelar ingen ~* it does not matter, it makes no difference; pengar *spelar ingen ~ för honom* ...is of no importance (account) to him; *det har spelat ut sin ~* it has been played out, it has had its day

rolla vb tr o. vb itr (~de, ~t) måla med roller roll [on]

rollator s (~n, ~er) för rörelsehindrade walker (walking frame) [on wheels], rollator

roller s (~n, rollrar) till målning roller

rollfack s (~et, =) type of role, type part; *ha sitt speciella ~* äv. be typecast

rollfördelning s (~en, ~ar) film. el. teat. casting

rollista s (~n, -listor) teat. cast

rollspel s (~et, =) role play; *~ande* role-playing

ROM s (oböjl.) data. ROM (förk. för read-only memory)

Rom, *alla vägar bär till ~* all roads lead to Rome

1 rom s (~men) fisk~ [hard] roe äv. som maträtt, spawn; *leka ~men av sig* sow one's wild oats

2 rom s (~men) dryck rum

roman s (~en, ~er) bok novel; i motsats till fackbok work of fiction; äventyrs~, riddar~ romance

romanförfattare s (~n, =) novelist

romani s (~n) språk Romany

romans s (~en, ~er) romance

romansallat s (~en) cos [lettuce]; amer. vanl. romaine [lettuce]

romansk adj (~t) om språk, folk Romance, om folk äv. Latin; arkit. Romanesque, i Storbr. vanl. Norman

romantik s (~en) romance; *~en* litt.vet. Romanticism

romantiker s (~n, =) romantic; litt.vet. Romantic[ist]

romantisera vb tr (~de, ~t) romanticize

romantisk *adj* (~t) romantic
romare *s* (~n, =) Roman
romarriket *s* (best. sing.) the Roman Empire
romb *s* (~en, ~er) geom. rhomb, rhombus (pl. rhombuses el. rhombi)
rombisk *adj* (~t) geom. rhombic
romboid *s* (~en, ~er) geom. rhomboid
romer *s pl* folkgrupp Romanies
romersk *adj* (~t) Roman; *~a ringar* gymn. flying rings
romersk-katolsk *adj* (~t) Roman Catholic
romkorn *s* (~et, =) roe-corn
rond *s* (~en, ~er) allm. round äv. boxn.; vakts äv. beat; *gå ~en* make one's rounds; *gå sin ~* om t.ex. vakt äv. go the rounds
rondell *s* (~en, ~er) trafik. roundabout; amer. [traffic] circle, rotary
rondo *s* (~t, ~n) mus. rondo (pl. -s)
rondskål *s* (~en, ~ar) med. kidney dish, pus basin
rondör *s* (~en) roundness, rotundity
rop *s* (~et, =) **1** eg. call, cry; högre shout; högljutt krav clamour [*på, efter* for]; på auktion bid; *~ av fasa* cry of...; *~ på* hjälp call (cry) for... **2** *komma i ~et* come into fashion (vogue); om person become popular; *vara i ~et* be in fashion (vogue), be all the rage; om person be [highly] popular
ropa I *vb tr* o. *vb itr* (~de, ~t) call [out], cry; högre shout; högljutt kräva clamour [*på* for]; *~ efter ngn* call out after sb; *~ efter* (*på*) starkt behöva cry for; *~ på ngn* call out to (tillkalla call) sb; *~ på ngt* på auktion bid for sth; *~ på hjälp* (*polis*) call for help (the police); *~ till* (*åt*) *ngn* call [out] to sb **II** med beton. part.
ropa in kalla in call...in; en skådespelare give...a curtain call; på auktion purchase
ropa till cry out [*av* t.ex. smärta with]; *~ ngn till sig* call sb
ropa upp kalla upp call...up; namn read out; call over; jur. call
ropa ut varor cry; meddela call out, announce
roquefortost *s* (~en, ~ar) Roquefort
ror *s* (~et, =) sjö., *sitta* (*stå*) *till ~s* be at the helm; se vidare *roder*
rorkult *s* (~en, ~ar) sjö. tiller
1 ros *s* (~en, rosor) bot. rose; *ingen ~ utan törnen* no rose without a thorn
2 ros *s* (~en) med. erysipelas
3 ros *s* (~et) lovord commendation; *~ och ris* praise and blame
1 rosa I *adj* (oböjl.) pink, rose [pink] **II** *adj* (oböjl.) (för sammansättn. jfr äv. *blå-*); pink, rose [pink]
2 rosa *vb tr* (~de, ~t) commend, eulogize; *inte ~ marknaden* inte lyckas bra be nothing to write home about, not be much of a success
rosafärgad *adj* (-färgat, ~e) rosy, pinkish
rosenblad *s pl* rose petals
rosenbröd *s* (~et, =) 'rose-roll', [kind of] small round French roll with poppy seeds
rosenbuske *s* (~n, -buskar) rosebush
rosendoft *s* (~en, ~er) scent of roses
rosenkindad *adj* (-kindat, ~e) rosy-cheeked
rosenknopp *s* (~en, ~ar) rosebud
rosenkrans *s* (~en, ~ar) **1** eg. rose wreath **2** radband rosary
rosenrabatt *s* (~en, ~er) bed of roses

rosenrasande *adj* (oböjl.) ursinnig furious, hopping mad, red with rage
rosenröd *adj* (-rött) rosy, rose-red
rosenrött *s* (oböjl.), *se allt i ~* see everything through rose-coloured glasses
rosensten *s* (~en, ~ar) rose[-cut] diamond
rosenträ *s* (~et) rosewood
rosenträdgård *s* (~en, ~ar) rose-garden
rosenvatten *s* (-vattnet, =) rosewater
rosépeppar *s* (~n) pink pepper
rosett *s* (~en, ~er) **1** prydnad, vanl. knuten bow; rosformig rosette; 'fluga' bow tie; *knyta [en] ~* tie a bow (ribbon) **2** bot. el. byggn. rosette
rosettfönster *s* (-fönstret, =) rose window
rosévin *s* (~et, ~er) rosé [wine]
rosig *adj* (~t) rosenfärgad rosy, rose-coloured, roseate; *vara ~ om kinderna* have rosy cheeks, be rosy- cheeked
rosmarin *s* (~en, ~er) bot. rosemary
rossla *vb itr* (~de, ~t) wheeze, rattle; *~ fram* wheeze out; *det ~r i bröstet på honom* there is a wheeze (rattle) in his chest
rosslig *adj* (~t) wheezing, wheezy, rattling
rossling *s* (~en, ~ar) wheeze, rattle
1 rost *s* (~en) på järn o. växter rust
2 rost *s* (~en) tekn. grate, fire-bars pl.; bröd~ toaster
1 rosta *vb itr* (~de, ~t) angripas av rost rust, get (become) rusty; *gammal kärlek ~r inte* old love is not soon forgotten; *~ fast* get rusted in (up); *~ igen* get rusted up; *~ sönder* rust away
2 rosta *vb tr* (~de, ~t) kok. roast äv. tekn.; bröd toast; *~t bröd* toast; *en ~d brödskiva* a slice of toast
rostbiff *s* (~en, ~ar) roast beef
rostbrun *adj* (~t) eg. rust-brown; friare russet
rostfläck *s* (~en, ~ar) på järn rust stain; på tyg äv. iron mould [stain]
rostfri *adj* (-fritt) non-corrosive; *~tt stål* stainless steel
rostig *adj* (~t) rusty äv. bildl.
rostning *s* (~en, ~ar) kok. el. tekn. roasting; av bröd toasting
roströd *adj* (-rött) rust-red
rostskador *s pl* corrosion sg.
rostskydd *s* (~et, =) rust protection; medel rust preventive
rostskyddsbehandling *s* (~en, ~ar) rustproofing, anticorrosive treatment
rostskyddsmedel *s* (-medlet, =) rust preventive, antirust (anticorrosive) agent
rot *s* (~en, rötter) allm. root äv. matem. o. språkv.; bildl. äv. origin; *~en till allt ont* the root of all evil; *dra ~en ur* ett tal extract the root of...; *slå ~* take (strike) root äv. bildl.; *rycka upp ngt med rötterna* eg. pull up sth by the roots; bildl. uproot (exterminate) sth; *skog på ~* standing timber; *gå till ~en med ngt* get to (at) the root of sth
1 rota *vb itr* (~de, ~t) böka root, grub, poke; leta äv. rummage [*efter* i samtliga fall for]; *~ i en byrålåda* poke (rummage) about in...; *~ i andras angelägenheter* poke one's nose into...; *~ fram* root (dig) out (up); *~ igenom* search, go through; *~ upp* dig up
2 rota *vb rfl* (~de, ~t), *~ sig* root, take (strike) root alla äv. bildl.
rotad *adj* (rotat, ~e), *djupt ~* deeply rooted, deep-rooted

rotation s (~en, ~er) rotation, revolution
rotationspress s (~en, ~ar) rotary press
rotblöta s (~n, -blötor) soaker
rotborste s (~n, -borstar) scrubbing-brush
rote s (~n, rotar) mil. file; flyg. pair of planes
rotel s (~n, rotlar) i stadsförvaltning department, division; polis. squad, division
rotera vb itr (~de, ~t) rotate, revolve, turn
rotfast adj (=) eg. well-rooted; bildl. deep-rooted, deep-seated
rotfrukt s (~en, ~er) root vegetable, edible root; **~er** lantbr. äv. root-crops
rotfylld adj (-fyllt) tandläk. root-filled
rotfyllning s (~en, ~ar) tandläk. root filling; amer. root canal
rotfäste s (~t, ~n) roothold; **få ~** take root, get a roothold
rotknöl s (~en, ~ar) bot. tuber, bulb
rotlös adj (~t) rootless äv. bildl.
rotlöshet s (~en) rootlessness, uprootedness; känsla sense of not belonging
rotmos s (~et) mashed turnips pl.
rotor s (~n, ~er) tekn. rotor
rotsaker s pl root vegetables; sopprötter pot-herbs
rotselleri s (~n) bot. celeriac
rotskott s (~et, =) bot. rootsucker
rotstock s (~en, ~ar) bot. rootstock, rhizome
rotsystem s (~et, =) bot. root system
rottecken s (-tecknet, =) matem. radical sign
rotting s (~en, ~ar) material el. käpp rattan, cane; **få smaka ~en** get a caning
rottingstol s (~en, ~ar) cane chair
rottråd s (~en, ~ar) bot. root-fibre, rootlet
rottweiler s (~n, =) zool. Rottweiler
rotunda s (~n, rotundor) rotunda
rotutdragning s (~en) matem. extraction of roots, evolution; tandläk. root extraction
rotvälska s (~n) obegripligt språk double Dutch, gibberish
rouge s (~t el. ~n) rouge
roulad s (~en, ~er) kok. roulade, roll
roulett s (~en, ~er) roulette
rov s (~et, =) rovdjurs föda el. bildl. prey; röveri pillage, looting, plundering; byte booty, spoil[s pl.], loot, plunder; **bli lågornas ~** be destroyed by fire; **ett ~ för** upprörda känslor a prey to...
rova s (~n, rovor) bot. turnip
rovdjur s (~et, =) predatory animal, predator, beast of prey; bildl. wild beast
rovdrift s (~en) hänsynslöst utnyttjande ruthless exploitation; **~ på jorden** soil exhaustion
rovfisk s (~en, ~ar) fish of prey
rovfiske s (~t) överfiskning overfishing
rovfågel s (~n, -fåglar) bird of prey
rovgirig adj (~t) rapacious, predatory; glupsk äv. voracious
royalty s (~n, ~er el. royalties) royalty
rubank s (~en, ~ar) verktyg trying (jointer) plane
rubb s (~et) vard., **~ och stubb** el. **hela ~et** the whole lot; lock, stock, and barrel
rubba vb tr (~de, ~t) eg.: flytta på move, dislodge; i nekande sats budge; bildl.: bringa i oordning disturb, upset, disarrange; ngns förtroende o.d. shake; ändra alter; **~ ngns planer** upset sb's plans
rubbad adj (rubbat, ~e) förryckt crazy, crackbrained

rubbning s (~en, ~ar) störning disturbance; i själsliga funktioner äv. samt i kroppsliga disorder; geol. el. hand. dislocation; ändring alteration
rubel s (~n, = el. rubler) myntenhet rouble
rubin s (~en, ~er) ruby
rubinröd adj (-rött) ruby[-red]
rubricera vb tr (~de, ~t) förse med rubrik headline, caption; beteckna characterize; inordna classify äv. jur.; **~s som...** come (resp.comes) under the heading of...
rubrik s (~en, ~er) i tidning headline, caption; t.ex. i brev el. över kapitel heading äv. jur.; **feta ~** big headlines; **flerspaltig ~** banner headline; **rubriker** radio. el. TV. [news] headlines
ruccola s (~n) kok. el. bot. rocket; amer. arugula
rucka vb itr (~de, ~t), **~ på** en sten move...; **~ på sina principer** modify (compromise with) one's principles
ruckel s (rucklet, =) kyffe hovel, ramshackle house (dwelling)
rucklig adj (~t) fallfärdig ramshackle, tumbledown, dilapidated
rucola s (~n) kok. el. bot. rocket; amer. arugula
ruda s (~n, rudor) zool. crucian [carp]
rudiment s (~et, =) rudiment
rudimentär adj (~t) rudimentary
ruelse s (~n) contrition, remorse
1 ruff s (~en, ~ar) sjö. cabin
2 ruff s **1** (~en, ~ar) golf. rough **2** (~et) i lagsport foul; rough play (endast sg.); **utvisas för ~** be sent off for a foul (for rough play)
ruffa vb itr (~de, ~t) sport. commit a foul, foul, play rough
ruffad adj (ruffat, ~e) sjö., attr. ...with a cabin; **vara ~** have a cabin
ruffel s (rufflet), **~ och båg** vard. monkey business, hanky-panky; fiffel fiddling, wangling
ruffig adj (~t) **1** sport. rough, foul **2** sjaskig shabby; fallfärdig dilapidated; beryktad disreputable; 'skum' shady
rufsa vb tr (~de, ~t), **~ [till] ngn i håret** ruffle (tousle) sb's hair
rufsig adj (~t) ruffled, dishevelled; **han är ~ i håret** vanl. his hair is untidy
rugby s (~n) Rugby football; vard. rugger
rugga I vb tr (~de, ~t) tyg, **~ [upp]** nap, raise **II** vb itr (~de, ~t) om fågel moult, amer. molt; **~ burra upp sig** om fågel ruffle up it's feathers
ruggig adj (~t) **1** om väder nasty, raw [and chilly], se vidare ruskig **2** tovig matted; raggig shaggy; burrig ruffled
ruggning s (~en, ~ar) **1** av tyg napping, raising **2** om fåglar moulting; amer. molting
ruin s (~en, ~er) **1** återstod ruin; **~er** rester äv. remains, remnants; **ligga i ~er** be in ruins, be ruined **2** sammanbrott ruin, destruction; **gå mot sin ~** be on the road to ruin; **på ~ens brant** on the verge of ruin
ruinera vb tr (~de, ~t) ruin, bring...to ruin (bankruptcy)
ruinerad adj (ruinerat, ~e) ruined, bankrupt; vard. [stony-]broke
ruinhög s (~en, ~ar) heap of ruins
rulad s (~en, ~er) kok. roulade, roll
ruljangs s (~en) vard., **sköta ~en** run the business (show)
1 rulla I vb tr o. vb itr (~de, ~t) roll äv. sjö.; **~**

tummarna twiddle (twirl) one's thumbs äv. bildl.; *låta pengarna* ~ make the money fly; ~ *med ögonen* roll one's eyes
II *vb rfl* (~de, ~t), ~ *sig* roll; om blad o.d. curl [up]; ~ *sig i pengar* be rolling in money
III med beton. part.
rulla bort a) itr. (om fordon) roll away (off) **b)** tr. (vagn o.d.) wheel away
rulla i gång: ~ *i gång en bil* bump start a car; julhandeln *har börjat* ~ *i gång* ...is getting into full swing
rulla ihop roll up; ~ *ihop sig* om djur roll (coil) itself up
rulla in vagn o.d. wheel in; ~ *in* ngn (ngt) *i en filt* roll up (wrap)...in a blanket; *tåget ~de in på* stationen the train pulled in at...
rulla på om år roll on (by); projektet *~r på* ...is coming along nicely
rulla upp ngt hoprullat unroll; gardin draw (pull) up; kavla upp roll up; spioneriaffär o.d. reveal, expose
rulla ut ngt hoprullat unroll; ~ *ut röda mattan* roll out the red carpet
2 rulla *s* (~n, rullor), *leva ~n* vard. be (go) on the spree (binge); *föra ett utsvävande liv* lead a fast life
3 rulla *s* (~n, rullor) **1** mil. list; civil äv. roll, register; *stryka ngn ur rullorna* mil. strike sb off the list
rullager *s* (rullagret, =) roller bearing
rullbana *s* (~n, -banor) tekn. roller conveyor
rullband *s* (~et, =) bandtransportör conveyor belt; för persontransport walkway, travelator
rullbord *s* (~et, =) serving (tea) trolley, dinner wagon
rullbräda *s* (~n, -brädor) skateboard
rullbälte *s* (~t, ~n) inertia-reel [seat belt]
rulle *s* (~n, rullar) **1** allm. roll; vals äv. roller, cylinder; tråd~, film~ el. på metspö reel; spole äv. spool, bobbin; hår~ [hair] curler **2** vard., *det är full ~* a) på arbetet we're busy as always b) på fest everyone's having a great time, the party is in full swing c) det finns mycket att göra I am (we are etc.) always on the go; *i full ~* at full speed
rullfilm *s* (~en, ~er) roll film
rullgardin *s* (~en, ~er) blind; amer. [window] shade
rullgardinsmeny *s* (~n, ~er) data. pop-up menu
rullkrage *s* (~n, -kragar) roll collar
rullning *s* (~en, ~ar) allm. rolling äv. sjö.; *komma i* ~ start (begin) rolling (to roll)
rullskida *s* (~n, -skidor) roller ski
rullskridsko *s* (~n, ~r) roller-skate; med hjulen i rad in-line skate; *åka ~* roller-skate; go roller-skating
rullsten *s* (~en, ~ar) koll. boulders, cobbles, pebbles (samtliga pl.)
rullstensås *s* (~en, ~ar) boulder-ridge
rullstol *s* (~en, ~ar) wheel chair
rullstolsbunden *adj* (-bundet, -bundna) se *rullstolsburen*
rullstolsburen *adj* (-buret, -burna), *vara* ~ be a wheelchair user, use a wheelchair
rulltobak *s* (~en) rolled tobacco, twist [tobacco]
rulltrappa *s* (~n, -trappor) escalator
rulltårta *s* (~n, -tårtor) med sylt jam (dröm~ chocolate) Swiss roll; amer. jelly (resp. chocolate) roll
rulta I *vb itr* (~de, ~t) waddle **II** *s* (~n, rultor) [little] podge; *en liten* ~ tulta a chubby little thing
rultig *adj* (~t) podgy, dumpy, roly-poly
1 rum *s* (~met, =) **1** room; arbets~: på kontor office; i

bostad study; uthyrnings~ lodgings pl.; *enskilt* ~ på sjukhus private ward; *hålla sig på sitt* ~ keep to one's room; *vara på sitt* ~ be in one's room **2** utrymme room; *finns det* ~ *för* en till? is there room for...?; *boken får* (*får inte*) ~ på hyllan there is (is no, isn't any) room for the book...; *hur många får* ~ *i soffan?* how many people can be seated on the sofa?; 500 personer *får* ~ *i salen* the hall will accommodate (hold)...; *få* ~ *med* find room for; *lämna* ~ *för* ngt bereda utrymme make room for sth **3** rymd, rumsbegrepp space; *utsträckning i* ~met extension in space **4** i spec. fraser, *i främsta* ~met framför allt above all; *komma i första* ~met come first (i första hand in the first place); hälsan *kommer i första* ~met ...comes first, ...is the first consideration; *äga* ~ take place; hända äv. happen; om fest o.d. be held
2 rum *adj* (~t, ~ma), *i* ~ *sjö* in the open sea
rumba *s* (~n, rumbor) rumba; *dansa* ~ dance (do) the rumba
rumla *vb itr* (~de, ~t), ~ [*om*] be on the spree (binge), revel; *vara ute och* ~ have a night out
rumpa *s* (~n, rumpor) vard., stuss backside, rump, behind
rumphuggen *adj* (-hugget, -huggna) bildl. short, abrupt, chopped about
rumsadverb *s* (~et, =) språkv. adverb of place
rumsarrest *s* (~en), *få* (*ha*) ~ be confined to one's room (mil. to one's own quarters)
rumsförmedling *s* (~en, ~ar) konkr., för uthyrningsrum o.d. accommodation agency
rumskamrat *s* (~en, ~er) roommate
rumsren *adj* (~t) housetrained; amer. housebroken
rumstemperatur *s* (~en, ~er) room (indoor) temperature; *i* ~ at room temperature
rumstera *vb itr* (~de, ~t) **1** husera carry on; mycket högljutt run riot **2** ~ [*om*] stöka rummage [about] [*i* in]; ~ [*om*] *i* genomleta äv. ransack; ändra change...about
rumsvärme *s* (~n) temperatur room (indoor) temperature
rumsväxt *s* (~en, ~er) indoor (house) plant
rumän *s* (~en, ~er) Romanian
Rumänien Romania
rumänsk *adj* (~t) Romanian
rumänska *s* (jfr *svenska*) **1** (~n, rumänskor) kvinna Romanian woman **2** (~n) språk Romanian
runa *s* (~n, runor) **1** skrivtecken rune **2** minnesruna obituary
runalfabet *s* (~et, =) runic alphabet
rund *adj* (runt) **1** allm. round; cirkel~ äv. circular; fyllig, knubbig plump, chubby, rounded; ~ *i ansiktet* round-faced; ~*a kinder* round (chubby) cheeks; ~*a ord* könsord four-letter words; *i* ~*a tal* ungefär in round figures (numbers), roughly **2** om vinsmak smooth [and full]
runda I *vb tr* (~de, ~t) **1** göra rund round; ~ *av* round off; ~ *av* en summa *uppåt* (*nedåt*) round up (down)...; se äv. *avrunda* **2** fara (gå, springa) runt round; sjö. äv. double; ~ *ett gathörn* round a street corner **II** *s* (~n, rundor) round; *gå* (*springa*) *en* ~ *i* parken take a stroll (a run) round...
rundabordskonferens *s* (~en, ~er) round-table conference
rundbågestil *s* (~en) arkit. Romanesque style; i Storbr. vanl. Norman style

rundel s (~n, rundlar) rund plan round (circular) space, circus; rabatt round bed; cirkel circle

rundfråga s (~n, -frågor) inquiry

rundgång s (~en) **1** elektr. acoustic feedback **2** bildl., ung. vicious circle; ekon. o.d. policy of giving with one hand and taking with the other

rundhult s (~et el. ~en, = el. ~ar) sjö. spars pl., set of spars

rundhänt adj (=) open-handed, generous, liberal

rundkindad adj (-kindat, ~e) round-cheeked, chubby

rundkyrka s (~n, -kyrkor) arkit. round church

rundlagd adj (-lagt) plump

rundlig adj (~t), **en ~ tid** a great while; se vidare riklig

rundmask s (~en, ~ar) zool. roundworm

rundning s (~en, ~ar) rundande rounding, t.ex. av udde äv. doubling; böjning curve, bend, t.ex. jordens curvature; utbuktning swell

rundnätt adj (=) short and plump

rundradio s (~n) broadcasting

rundresa s (~n, -resor) circular (round) tour (trip); **en ~ i** Sverige a tour of (in)...

rundsmörjning s (~en, ~ar) bil. lubrication, greasing

rundsnack s (~et) vard. empty talk, chatter [om ngt about (around) sth]

rundsticka s (~n, -stickor) circular [knitting] needle

rundtur s (~en, ~er) sightseeing (round) tour; **göra en ~ i** staden make a [sightseeing] tour of...

runforskning s (~en) runology

runga vb itr (~de, ~t) resound

runinskrift s (~en, ~er) runic inscription

runka vb itr (~de, ~t) vulg., onanera wank (jerk) off

runolog s (~en, ~er) runologist

runskrift s (~en) runic characters (letters) pl.

runsten s (~en, ~ar) rune stone

runt I adv (se också betonad partikel under respektive verb, t.ex. slå runt under 2 slå IV); round; **~ om[kring]** se runtom; **låta ngt gå ~** (vid bordet) pass sth round; **gå (irra) ~ på** gatorna (i staden) wander about...; **lova ~ [och hålla tunt]** promise more than one can perform; **visa ngn ~** show sb round **II** prep kring o.d. round; **~ hörnet** round the corner, all over the country...; **dygnet ~** [the whole] day and night; **året ~** all the year round

runtom I adv round about, [all] around; on all sides; **~ i husen** in the houses round about; **~ i landet** all over the country **II** prep [all] round, [all] around; on all sides of

runtomkring adv o. prep se runtom o. runt omkring under omkring II 1

rupie s (~n, ~r) myntenhet rupee

rus s (~et, =) intoxication äv. bildl. (endast sg. o. utan obest. art.); vard., fylla booze; **sova ~et av sig** sleep off one's drink, vard. sleep it off; **gå i ett ständigt ~** be in a constant state of intoxication; **i ett ~ av glädje** in transports (an ecstasy) of joy

rusa I vb itr (~de, ~t) allm. rush, dash; störta dart; flänga tear; skynda hurry; ila el. om motor race, om motor äv. rev [up]; **~ efter hjälp** rush (dash) off for help; priserna **~de i höjden** ...shot up, ...hit the roof **II** vb tr (~de, ~t), **~ en motor** race (rev [up]) an engine **III** med beton. part.

rusa bort rush etc. away (off)

rusa efter ngn a) för att hinna i kapp rush etc. after sb **b)** hämta rush etc. for sb

rusa emot ngn, ngt **a)** i rikting mot rush etc. towards... **b)** anfallande rush at...

rusa fram rush etc. out, plunge forward; **~ fram till** rush etc. up to

rusa förbi rush etc. past

rusa in [i] rush etc. in[to]; **~ in i** rummet äv. burst (bounce) into...

rusa iväg rush etc. off (away)

rusa till: en massa folk **~de till** ...came hurrying to the spot

rusa upp start (spring) up, spring (jump) to one's feet; **~ upp ur sängen** spring (jump) out of bed

rusa ut rush etc. out

rusch s (~en, ~er) rush [efter for]; sport. run

ruschig adj (~t) dashing, ...full of go (pep)

rusdryck s (~en, ~er) intoxicant, [intoxicating] liquor

rusig adj (~t) eg. el. bildl. intoxicated [av with, by]; berusad (pred.) äv. drunk; **~ av glädje** äv. flushed with joy

rusk s (~et) se ruskväder

1 ruska s (~n, ruskor) branch, bunch of twigs

2 ruska vb tr o. vb itr (~de, ~t) shake; **liv i ngn** rouse sb, shake up sb; **~ om ngn** bildl. stir (shake) up sb; **~ på huvudet** shake one's head; **~ på sig** shake oneself

3 ruska vb itr (~de, ~t), **det [regnar och] ~r** the weather is nasty

ruskig adj (~t) hemsk horrible, gruesome; om väder nasty, raw [and chilly]; om person: motbjudande disgusting, repulsive[-looking]; om kvarter, bakgata o.d.: illa beryktad disreputable, skum shady; **en ~ historia** an ugly (a nasty) affair

ruskigt adv horribly etc., jfr ruskig; vard., väldigt awfully, terribly

ruskväder s (-vädret, =) nasty (foul, rough) weather

rusning s (~en, ~ar) allm. rush [efter for]; stark efterfrågan äv. run [efter on]

rusningstid s (~en, ~er) rush-hour[s pl.]

rusningstrafik s (~en) rush-hour traffic

russin s (~et, =) raisin; **plocka ~en ur kakan** bildl. take the [best] plums

russinkärna s (~n, -kärnor) raisin seed

rusta I vb tr (~de, ~t) mil. arm; utrusta equip; spec. fartyg fit out
II vb itr (~de, ~t) göra förberedelser prepare, get ready [till (för) båda for]; mil. arm; **~ till krig** arm, prepare for war
III vb rfl (~de, ~t), **~ sig** förbereda sig prepare [oneself] [till (för) for]; mil. arm [oneself]
IV med beton. part.

rusta ned se nedrusta

rusta upp a) reparera repair, do up; ge ökad kapacitet expand, improve **b)** mil., se upprusta

rustad adj (rustat, ~e) mil. armed; förberedd prepared; utrustad equipped

rustik I adj (~t) rustic **II** s (~en) arkit. rustic work

rustkammare s (~n, -kamrar el. =) armoury

rustning s (~en, ~ar) **1** krigsförberedelse armament **2 en ~** pansardräkt a suit of armour; **~ar** äv. armour sg.; **i full ~** in full armour

ruta I s (~n, rutor) **1** fyrkant square; i vägg, dörr o.d.: fält panel; romb lozenge; på tv-apparat screen; på ritningssida o.d. box **2** i fönster pane [of glass]; **sätta rutor i** ett fönster glaze... **II** vb tr (~de, ~t) chequer; **rutat papper** squared (cross-ruled) paper; **~ in** eg. chequer, divide [up]…into squares, square; t.ex. sitt liv map out

1 ruter *s* (~n, =) kortsp., koll. diamonds pl.; **en ~** a (resp. one) diamond; jfr *hjärter* med ex. o. sammansättn.

2 ruter *s* (oböjl., en) go, spirit; vard. guts pl.; **det är ingen ~ i honom** he has no go (no guts) in him

rutig *adj* (~t) checked; attr. äv. chequered (amer. checkered)

rutin *s* (~en, ~er) **1** förvärvad skicklighet experience; procedur, vana, slentrian routine; **den dagliga ~en** the daily run of things (affairs); **det går på ~** it's just a matter of routine **2** procedur routine äv. data.

rutinerad *adj* (rutinerat, ~e) experienced, practised, skilled

rutinkontroll *s* (~en, ~er) routine check (check-up)

rutinmässig *adj* (~t) routine, perfunctory; pred. a matter of routine, of a routine nature; **~t tillvägagångssätt** standard procedure

rutinsak *s* (~en, ~er) matter of routine

rutinundersökning *s* (~en, ~ar) routine examination

rutscha *vb itr* (~de, ~t) slide, glide [*utför (ned)* down]

rutschbana *s* (~n, -banor) o. **rutschkana** *s* (~n, -kanor) på lekplats slide, spiralformig helter-skelter; vatten~ [water] chute; **åka ~** go on a slide etc., allm. slide

rutt *s* (~en, ~er) route; trafiklinje äv. service, run

rutten *adj* (ruttet, ruttna) rotten, putrid; murken äv. decayed; bildl. rotten, corrupt

ruttna *vb itr* (~de, ~t) become rotten osv. (jfr *rutten*); rot, go bad, putrefy; murkna äv. decay; om död kropp o.d. decompose; **~ bort** rot away äv. bildl.

ruva *vb tr* o. *vb itr* (~de, ~t) eg. sit, brood; bildl., om mörker o.d. hang, hover, grubbla brood (ruminate) [*på* el. *över* on, over-]; **~ [på] ägg** sit (brood) on eggs; **~ på** sina skatter gloat over…; **~ på hämnd** brood on [thoughts of] revenge

Rwanda Rwanda

rwandisk *adj* (~t) Rwandan

1 rya *vb itr* (~de, ~t) vard. curse and swear, bawl, shout and scream

2 rya *s* (~n, ryor) se *ryamatta*

ryamatta *s* (~n, -mattor) rya rug, long-pile rug

ryck *s* (~et, =) knyck jerk; dragning tug, pull; häftigt wrench; i tyngdlyftning snatch; sprittning start, twitch; bildl., anfall fit, nyck whim, freak; **göra ett ~** sport. put on a burst of speed; **nu krävs det snabba ~** vard. now we must really get a move-on (really push ahead); **vakna med ett ~** wake up with a start

rycka I *vb tr* o. *vb itr* (ryckte, ryckt) dra pull, tug; häftigare snatch, jerk, twitch; slita tear; våldsamt wrench; **~** stjäla **en handväska** snatch a handbag; **~ i** dörren pull at…; **~ ngn i håret** (**ärmen**) pull sb's hair (sleeve), pull sb by the hair (sleeve); **~ på axlarna åt ngt** shrug one's shoulders at sth; **~ ngt ur händerna på ngn** snatch sth out of sb's hands

II *vb itr* (ryckte, ryckt) **1** opers.: spritta, **det rycker i mitt ben** my leg is twitching; **det ryckte i mungiporna på honom** there was a twitch round the corners of his mouth **2** komma, **~ närmare** om t.ex. fienden close in; om tidpunkt o.d. draw closer (nearer), approach **3** sport., **han ryckte** på tredje varvet he put on a sudden burst of speed…

III med beton. part.

rycka av sönder break; itu pull…in two; bort pull (tear etc.) off; **~ av sig** pull (tear etc.) off

rycka bort tear etc. away; om döden carry off

rycka fram mil. advance, move (push) forward [*mot* against, towards]

rycka ifrån ngn ngt snatch sth [away] from sb äv. bildl., wrench sth from sb

rycka in itr.: mil., till tjänstgöring join up; **~ in i ngns ställe** take sb's place, replace sb; suppleanten fick **~ in** …step in; **~ in som vikarie för ngn** deputize (fill in) for sb

rycka loss ngt pull (jerk, wrench)…loose, dislodge…; bildl., ngt ur dess sammanhang wrench [*ur* from]; jfr *lösryckt*

rycka med [sig] eg. carry…away…; [*låta sig*] **~s med av** ämnet let oneself be carried away by…; ngns entusiasm be carried away by…

rycka sönder tear (pull)…to pieces

rycka till start, give a start, wince

rycka undan bort pull (snatch) away…; åt sidan pull (snatch)…aside

rycka upp a) eg.: t.ex. ogräs pull up; t.ex. en dörr pull…open **b)** bildl.: väcka rouse, shake (stir) up [*ur* from]; sätta fart på, t.ex. firma put life into; **~ upp sig** pull oneself together, rouse oneself

rycka ut a) tr. pull (tear) out **b)** itr., om brandkår o.d. turn out; mil.: lämna förläggningen march (move) out; hemförlovas be released; **~ ut till ngns försvar** come out strongly in defence of sb

rycka åt sig snatch, grab, seize

rycken *s* pl, **stå ~** stå emot stand up [*mot (för)* to]; hålla stånd hold out, hold one's own [*mot* against]; tåla en påfrestning stand the strain

ryckig *adj* (~t) knyckig jerky; om stil o.d. äv. abrupt; ojämn äv. spasmodic; osammanhängande disjointed; oregelbunden irregular

ryckning *s* (~en, ~ar) ryck pull, tug; sprittning twitch, wince; nervös (spec. i ansiktet) tic; **han har nervösa ~ar** he has a nervous tic

ryckvis *adv* i ryck by jerks, by fits [and starts], fitfully; då och då intermittently; **arbeta ~** …in (by) snatches, …in sudden bursts

rygg *s* (~en, ~ar) allm. back; bok~ spine; geogr., bergskam o.d. ridge; **~ mot ~** back to back; **bryta ~en** [**av sig**] break one's back; **ha** (**hålla**) **~en fri** keep a line of retreat open; **skjuta ~** om katt arch its back; **så fort jag vänder ~en till** as soon as I turn my back; **gå bakom ~en på ngn** bildl. go (do things) behind sb's back; **ha ont i ~en** have [a] backache; **vi hade vinden i ~en** the wind was behind us; **det rör mig inte i ~en!** I couldn't care less!; **sitta rak i ~en** sit up straight; sitta (stå) **med ~en mot ngn** (**ngt**) …with one's back to sb (sth); **hålla ngn om ~en** bildl. support sb, back sb up; **ligga på ~** lie [flat] on one's back

rygga I *vb itr* (~de, ~t), **~ [tillbaka]** shrink (start) back; flinch, recoil [*för* i båda fallen from]; **han ~de inte en tum** he didn't (wouldn't) budge an inch

II *vb tr* (~de, ~t), **~ en häst** back a horse

ryggfena *s* (~n, -fenor) zool. dorsal fin

ryggkota *s* (~n, -kotor) anat. vertebra (pl. vertebrae)

ryggläge *s* (~t, ~n) med. supine position; **inta ~** lie down on one's back

ryggmärg *s* (~en) anat. spinal marrow

ryggmärgsbedövning *s* (~en, ~ar) med. spinal anaesthesia

ryggmärgsprov *s* (~et, = el. ~er) med. lumbar puncture

ryggrad *s* (~en, ~er) anat. backbone, spine, spinal (vertebral) column; bildl. backbone

ryggradsdjur *s* (~et, =) vertebrate

ryggradslös *adj* (~t) invertebrate; bildl., om person spineless, ...without any backbone; *~a djur* äv. invertebrates

ryggsim *s* (~met) backstroke; *simma ~* do the backstroke

ryggskott *s* (~et, =) med. lumbago

ryggstöd *s* (~et, =) eg. support for the back, backrest; på stol etc. back [of a (resp. the) chair etc.]; *ha väggen som ~* lean against the wall

ryggsäck *s* (~en, ~ar) rucksack, backpack

ryggtavla *s* (~n, -tavlor) back

ryggvärk *s* (~en) backache

ryggåsstuga *s* (~n, -stugor) cottage open to the roof

ryka I *vb itr* (rök el. rykte, rykt) **1** avge rök smoke; osa reek; pyra smoulder; ånga steam, fume; *dammet ryker* the dust is flying (whirling); *det ryker ur skorstenen* the chimney is smoking **2** vard., gå förlorad, *där rök min sista hundring* there goes...
II med beton. part.
ryka ihop fly at (go for) each other; gräla quarrel [*om* about]
ryka in: *det ryker in* the chimney is smoking [in here]
ryka på ngn anfalla go for sb; antasta accost sb

rykande *adv*, *~ färska* nyheter hot..., red-hot...; *~ het* om mat etc. piping hot

rykt *s* (~en) av häst dressing, grooming, currying

rykta *vb tr* (~de, ~t) dress, groom, curry

ryktas *vb itr dep* (ryktades, ryktats), *det ~ att...* it is rumoured (there is a rumour, rumour has it) that..., the story goes that...; *enligt vad som ~* äv. according to rumours

ryktbar *adj* (~t) namnkunnig renowned; berömd famous, famed; allmänt omtalad celebrated; starkare illustrious

ryktbarhet *s* (~en) renown, fame, celebrity; jfr *ryktbar*

ryktborste *s* (~n, -borstar) horse brush

rykte *s* (~t, ~n) **1** kringlöpande nyhet rumour, report [*om* of]; hörsägen hearsay (endast sg.); *~t går att* (*det går ett ~ om att*)... rumour has it (it is rumoured, the report goes) that...; *~t om* hans död the rumour of...; *jag har hört vaga ~n om att...* I've heard vague rumours (rumblings) that... **2** allmänt omdöme om ngn (ngt) reputation, name; anseende äv. repute; ryktbarhet fame, renown; *ha gott* (*dåligt*) *~* have a good (bad) reputation (name), be well (ill) spoken of; *ha ~ om sig att* vara snål have the reputation of + ing-form, be reputed to + inf.; *han har inte världens bästa ~* he has not got the best of reputations

ryktesspridare *s* (~n, =) rumour-monger

ryktesspridning *s* (~en, ~ar) [the] spreading of rumours

ryktesvägen *s* (best. sing.), jag känner honom *~* ...by repute (reputation)

ryktskrapa *s* (~n, -skrapor) curry-comb

rymd *s* (~en, ~er) **1** världs~ space; luft air; himmel sky; bildl., i t.ex. målning space; *~en* världsrymden space; himlavalvet the expanse [of heaven]; *yttre ~en* outer space; *försvinna i tomma ~en* fade into space **2** ~innehåll capacity; volym volume

rymddräkt *s* (~en, ~er) spacesuit

rymdfarare *s* (~n, =) space traveller, spaceman

rymdfarkost *s* (~en, ~er) spacecraft (pl. lika)

rymdfart *s* (~en) space travel

rymdflygning *s* (~en, ~ar) spaceflight

rymdforskning *s* (~en) space research

rymdfärd *s* (~en, ~er) spaceflight, space journey (trip); *~er* äv. space travel sg.

rymdfärja *s* (~n, -färjor) space shuttle

rymdkapsel *s* (~n, -kapslar) [space] capsule

rymdmått *s* (~et, =) cubic measure, measure of capacity

rymdpromenad *s* (~en, ~er) spacewalk

rymdraket *s* (~en, ~er) space rocket

rymdskepp *s* (~et, =) spaceship

rymdsond *s* (~en, ~er) space probe

rymdstation *s* (~en, ~er) space station, satellite station

rymdteknik *s* (~en) aeronautics sg., astronautics sg.

rymdvarelse *s* (~n, ~r) extraterrestial [being] (förk. ET), alien

rymdålder *s* (~n) space age

rymlig *adj* (~t) eg. spacious, roomy; om t.ex. ficka capacious; vid ample; bildl., om samvete flexible, accommodating

rymling *s* (~en, ~ar) fugitive, runaway, escapee

rymma I *vb itr* (rymde, rymt) **1** allm., fly run away, make a getaway; om fånge o.d. escape; för att gifta sig i hemlighet elope; *~ med* kassan äv. run (make) off with...; *~ från* (*ur*) *fängelset* escape from (break) prison **2** sjö., om vinden veer aft **II** *vb tr* (rymde, rymt) kunna innehålla hold; om lokal accommodate, have room for; ha sittplats för äv. seat; bildl.: innefatta contain; *kärlet rymmer* 10 liter the vessel holds (will hold)...; bilen (båten) *rymmer sex personer* ...can take (...has room for) six people; there is room for six people in...

rymmas *vb itr dep* (rymdes, rymts), *de ryms i salen* there is room for...in the hall, the hall will hold (resp. seat)..., jfr *rymma II*; *så liten att den ryms i fickan* ...it fits into the pocket

rymmen *s* (best. sing.), *på ~* on the run

rymning *s* (~en, ~ar) ur fängelse o.d. escape

rymningsförsök *s* (~et, =) attempted (attempt to) escape

rymningssäker *adj* (~t, -säkra) escape-proof

rynka I *s* (~n, rynkor) i huden wrinkle, line, pucker; *rynkor* sömnad. gathering sg., shirring sg.; *rynkor kring ögonen* wrinkles about the eyes, crow's-feet **II** *vb tr* o. *vb itr* (~de, ~t) **1** *~ pannan* wrinkle [up] one's forehead; ögonbrynen pucker [up] (knit) one's brows; ogillande frown; *~ på näsan åt* bildl. turn up one's nose at **2** sömnad. gather, shirr

rynkig *adj* (~t) om hud wrinkled, wrinkly

rysa *vb itr* (ryste el. rös, ryst) av köld shiver; av fasa o.d. äv. shudder; av förtjusning o.d. thrill, be thrilled [*av* i samtliga fall with]; *det ryser i mig när jag* tänker på... I shudder when I..., it gives me the shudders (vard. the creeps) to + inf.; det där ljudet *får mig att ~* [*av obehag*] ...sets my teeth on edge; *~ till* give a shiver (shudder)

rysare *s* (~n, =) thriller

rysch *s* (~et, =) ruche, frill; *~ och pysch* frilly clothing; frillies pl.

rysk *adj* (~t) Russian; *~ kaviar* Russian caviar[e]; *~a posten* lek, ung. postman's knock, amer. post office

ryska s (jfr *svenska*) **1** (~n, ryskor) kvinna Russian woman **2** (~n) språk Russian

ryslig adj (~t) förskräcklig dreadful, frightful; fasansfull horrible; förfärlig terrible

rysligt adv dreadfully etc., jfr *ryslig*

rysning s (~en, ~ar) shiver, shudder

ryss s (~en, ~ar) Russian

ryssgubbe s (~n, -gubbar) bot. Bunias orientalis lat., hill mustard

ryssja s (~n, ryssjor) fiske. hoop net, fish trap

Ryssland Russia

ryta vb itr o. vb tr (röt, rutit) allm. roar; om person äv. bellow, shout, bawl [åt i samtliga fall at]; om storm äv. howl; ~ sina order roar (bark) out...; ~ till give a roar

rytande s (~t, ~n) roaring (endast sg.) etc., jfr *ryta*; ett ~ a roar

rytm s (~en, ~er) rhythm

rytmik s (~en) rhythmics sg.

rytmisk adj (~t) rhythmic[al]

ryttare s (~n, =) allm. rider, horseman

ryttarinna s (~n, ryttarinnor) horsewoman

ryttarstaty s (~n, ~er) equestrian statue

rytteri s (~et) mil. cavalry

ryttmästare s (~n, =) hist. [cavalry] captain; motsv. befattningsmässigt major

1 rå s (~n, ~r) sjö. yard

2 rå adj (rått) **1** inte kokt el. stekt raw **2** inte bearbetad: om t.ex. hudar, silke raw; om t.ex. olja crude; om diamant, yta rough **3** om väder raw **4** bildl.: grov, om t.ex. skratt, skämt coarse; om seder äv. crude; om beteende brutal; ~tt språk foul language; den ~a styrkan brute force; ett ~tt överfall a brutal assault

3 rå I vb itr (rådde, rått) **1** orka, jag ~r inte ensam I cannot manage it alone **2** se råda II
II vb rfl (rådde, rått), ~ sig själv be one's own master (resp. mistress); om hon får ~ sig själv ...is left to herself
III med beton. part.
rå för: jag ~r inte för det I cannot help it; det är inte mitt fel it's not my fault, it's none of my doing
rå med se *orka med* under *orka*
rå om own, possess, be in possession of; vem ~r om hunden? äv. who does the dog belong to?; hur länge får vi ~ om dig? ...can we have you to ourselves?
rå på mera eg. be stronger than; vara övermäktig get the better of; få bukt med cope with; bemästra master; jag ~r inte på honom han är för stark (duktig) I can't beat him; jag kan inte hantera honom I can't manage (handle) him

råbandsknop s (~en, ~ar) sjö. reefknot

råbarkad adj (-barkat, ~e) bildl. coarse, crude, boorish

råbiff s (~en, ~ar) ung. beefsteak à l'américaine, steak tartare

råbock s (~en, ~ar) zool. roebuck

råd s **1** (~et, =) advice; högtidl. counsel (båda endast sg.); ett [gott] ~ a piece (bit) of [good] advice, some [good] advice; många goda ~ a lot of good advice; ge ~ give advice; ge ngn ett ~ äv. advise sb; lyda (följa) ngns ~ take (follow, act on) sb's advice; be ngn om ~ el. fråga ngn till ~s ask (seek) sb's advice, consult sb **2** (oböjl., en) utväg way [out]; hjälp resource; det blir väl någon ~ there will be some way out **3** (oböjl., en) pengar, han har ~ att + inf. he can

afford to + inf.; jag har inte ~ med det I cannot afford it, it is beyond my means **4** (~et, =) rådsförsamling council; nämnd o.d. board; Europeiska rådet the European Council

råda I vb tr (rådde, rått) ge råd advise; högtidl. counsel; tillråda recommend; jag råder dig att inte + inf. äv. I warn you not to + inf.; ~ till ngt advise sth; vad råder du mig till? what do you advise me to do? **II** vb itr (rådde, rått) **1** ha makten rule; ha övertaget prevail [över over]; disponera dispose [över of]; om jag fick ~ if I had my way; här är det jag som råder I am master (resp. mistress) here; omständigheter som jag inte råder över ...over which I have no control **2** förhärska prevail, be prevalent; om t.ex. mörker, tystnad reign; det råder inget tvivel there is...; oro råder i landet there is unrest...

rådande adj (oböjl.) allm. prevailing, existing; gängse äv. prevalent, current; förhärskande predominant; nu ~ ...now prevailing, present; under ~ förhållanden in (under) the [existing] circumstances; den ~ nuvarande regimen the present...

rådbråka vb tr (~de, ~t) bildl., språk murder; på min ~de engelska in my broken...; ~ sin hjärna rack (cudgel) one's brain

rådfråga vb tr (~de, ~t) consult [ngn om ngt sb about sth; ngn i en sak sb on...]; ~ en advokat äv. take legal advice

rådfrågning s (~en, ~ar) consultation

rådgivande adj (oböjl.) consultative, advisory; om ingenjör o.d. consulting

rådgivare s (~n, =) allm. adviser, guide; högtidl. counsellor

rådgivning s (~en) advice, guidance; yrkesmässigt counselling [i (rörande) i samtliga fall on, concerning]

rådgivningsbyrå s (~n, ~er) advice (information) bureau, consulting firm

rådgöra vb itr (-gjorde, -gjort), ~ med ngn om ngt consult (confer) with sb on (about) sth; ~ om ngt äv. discuss sth

rådhus s (~et, =) stadshus town hall, i större stad el. amer. city hall; jur. [town] law-court[s pl.]; de gifte sig i ~et they were married before the registrar

rådig adj (~t) resolut resolute; fyndig resourceful; tack vare hans ~a agerande ung. thanks to his presence of mind

rådighet s (~en) resolution; fyndighet resourcefulness; sinnesnärvaro presence of mind

rådjur s (~et, =) roe deer (pl. lika), roe äv. koll.

rådjurssadel s (~n, -sadlar) kok. saddle of venison

rådjursstek s (~en, ~ar) joint of venison; tillagad roast venison

rådlig adj (~t) advisable, well-advised; klok äv. wise, prudent

rådlös adj (~t) för tillfället perplexed, puzzled; pred. äv. at a loss [what to do]

rådlöshet s (~en) perplexity

rådman s (~nen, -män) vid tingsrätt district court judge; i vissa städer city court judge; vid länsrätt county administrative court judge

rådplägning s (~en, ~ar) deliberation, consultation, conference

rådrum s (~met) frist respite; betänketid time for consideration

rådslag s (~et, =) deliberation, consultation, conference

rådslå *vb itr* (-slog, -slagit) se *rådgöra*

rådvill *adj* (~t) villrådig perplexed; pred. äv. at a loss; obeslutsam irresolute

råg *s* (~en) rye; **ha ~ i ryggen** vard., ung. have stamina (guts)

råga I *vb tr* (~de, ~t) heap, pile [up]; **en ~d tesked** a heaped teaspoonful; **en ~d** bräddfull **tallrik** a full plate **II** *s* (oböjl.), **till ~ på allt** to crown (cap) it all, on top of that (it all)

rågblond *adj* (-blont) om hår light-blond

rågbröd *s* (~et, =) rye (black) bread

råge *s* (~n) full (good) measure; **du ska få igen och det med ~** ...with interest, vard. ...with knobs on

rågkross *s* (~et) kok. crushed rye

råglas *s* (~et) rough plate [glass]

rågmjöl *s* (~et) rye flour

rågsikt *s* (~en) sifted rye flour

rågummi *s* (~t) raw (crude) rubber

rågummisula *s* (~n, -sulor) crêpe [rubber] sole

rågång *s* (~en, ~ar) boundary[-line]

råhet *s* (~en) (jfr 3 *rå*); egenskap rawness etc., crudity, brutality

råk *s* (~en, ~ar) open channel [in the ice]

1 råka *s* (~n, råkor) zool. rook

2 råka I *vb tr* (~de, ~t) träffa meet; stöta ihop med run (come) across, encounter **II** *vb itr* (~de, ~t) **1** händelsevis komma att happen to; **han ~de falla** he happened to fall; **jag ~de slå sönder** fönstret I broke...by accident; **han ~r vara min kusin** he happens to be (as it happens he is) my cousin; **om du skulle ~ se honom** if you should see him **2** hamna, komma, **~ i fara** get into danger; **i gräl med ngn** fall out with sb [om över]; **~ i händerna på** fall into the hands of; **~ i svårigheter** get into trouble **III** med beton. part.

råka in i get into; bli indragen i get involved in

råka på ngn come (run) across sb; **den första bok jag ~de på** vanl. ...came across

råka ut: ~ illa ut get into trouble (difficulties); starkare meet with misfortune, come to grief; **~ ut för** bedragare fall into the hands of...; **jag har ~t ut för honom** tidigare I have come up against him...; **~ ut för** en olycka meet with...; **~ ut för** ett oväder be caught in...; **~ ut för** en sjukdom contract...; **man vet aldrig vad man kan ~ ut för** ...what may happen to you

råkall *adj* (~t) raw [and chilly], bleak; **i den ~a morgonen** äv. in the raw of the morning

råkas *vb itr dep* (råkades, råkats) meet

råkopia *s* (~n, -kopior) foto. proof

råkost *s* (~en) raw (uncooked) vegetables and fruit, raw food

råkostsallad *s* (~en, ~er) raw vegetable salad

råkurr *s* (~et, =) vard. roughhouse, punch-up

råma *vb itr* (~de, ~t) moo, low; bellow äv. bildl.

råmande *s* (~t, ~n) kos läte mooing, lowing, bellowing

råmaterial *s* (~et, =) raw (crude) material

råmärke *s* (~t, ~n) eg. boundary-mark, landmark; **~n** bildl. bounds, boundaries; **inom lagens ~n** within the [pale of the] law

1 rån *s* (~et, =) bakverk wafer

2 rån *s* (~et, =) stöld robbery

råna *vb tr* (~de, ~t) rob; **~ ngn på ngt** rob sb of sth

rånare *s* (~n, =) robber

rånarluva *s* (~n, -luvor) balaclava

rånförsök *s* (~et, =) attempted (attempt at) robbery; **göra ett ~ mot...** make an attempt to rob...

rånkupp *s* (~en, ~er) robbery

rånmord *s* (~et, =) murder with robbery (with intent to rob)

rånock *s* (~en, ~ar) sjö. yardarm

rånöverfall *s* (~et, =) assault with intent to rob; vard. hold-up

råolja *s* (~n) crude oil

råraka *s* (~n, -rakor) kok., ung. [grated] potato pancake

råris *s* (~et) unpolished (rough, brown) rice

råriven *adj* (-rivet, -rivna), **rårivna** morötter grated raw...

rårörd *adj* (-rört), **~a** lingon ung. ...preserved raw; **~ lingonsylt** uncooked lingonberry jam (preserve)

råsegel *s* (-seglet, =) sjö. square sail

råsiden *s* (~et) o. **råsilke** *s* (~t) raw silk

råskala *vb tr* (~de, ~t) potatis peel...raw; **~d kokt potatis** peeled and boiled potatoes

råskinn *s* (~et, =) bildl. rowdy, brute, tough, roughneck

råsocker *s* (-sockret) raw (unrefined) sugar

råsop *s* (~en, ~ar) vard., slag sock, biff, wallop; bildl. vicious attack, broadside

råsteka *vb tr* (-stekte, -stekt) fry...raw; **råstekt potatis** potatoes fried raw

råtta *s* (~n, råttor) rat; liten mouse (pl. mice)

råttbo *s* (~et, ~n) mouse (rat's) nest, se äv. *råtthål*

råttfälla *s* (~n, -fällor) mousetrap, rat-trap

råttgift *s* (~et) rat-poison

råttgrå *adj* (-grått) mouse-coloured

råtthål *s* (~et, =) mousehole, rat-hole; bildl. rat-trap, rat-hole

råttlort *s* (~en, ~ar) koll. rat (muslort mouse) droppings pl.

råttsvans *s* (~en, ~ar) eg. rat's tail, rat-tail; **~ar** frisyr pigtails

råvara *s* (~n, -varor) raw material (product), crude material, primary product; **råvaror** äv. primary produce sg.

råvaruförsörjning *s* (~en) raw material supply

råvarutillgång *s* (~en, ~ar) supply of raw materials

råöversättning *s* (~en, ~ar) rough translation

räck *s* (~et, =) **1** rail; se vidare *räcke* **2** gymn. horizontal bar

räck|a I *s* (~n, räckor) **1** mera eg.: rad row; av hus o.d. äv. range **2** friare: av t.ex. händelser series (pl. lika), suite **II** *vb tr* (räckte, räckt) **1** överräcka hand, reach, pass; **vill du ~ mig saltet?** please pass [me] the salt; may I trouble you for the salt?; **~ ngn handen** give (offer) sb one's hand; bildl. extend the hand of friendship to sb **2** nå reach **III** *vb itr* (räckte, räckt) **1** förslå be enough (sufficient), suffice [*för, till* for]; **få pengarna att ~** make...last, se äv. *räcka till* under *räcka IV*; pengarna **-er inte** ...will not last out; **det -er inte långt** that won't go far (last long); **det -er (kan ~) så länge** that's enough for now; **nu -er det för i dag** that's enough for today, let's call it a day; **köp så att det -er** buy enough [to last] **2** vara, hålla på last; **~ länge** last a long time; **maten -te** tre dagar äv. there was enough food for...; **konferensen kommer att ~ in i juni** ...will go on into June **3** nå reach; sträcka sig (om sak) extend, stretch; **vattnet -te mig till knäna** the water came up (reached) to my knees

IV med beton. part.
räcka fram eg. hold (stretch) out; överräcka hand; som gåva present; ~ *fram handen* äv. extend one's hand; *blidvädret -te ända fram till* jul the mild weather lasted right on till…
räcka till: *få det att ~ till* make it do; om tillgångar äv. make both ends meet; *min inkomst -er inte till för det* …will not run to it (is not sufficient for it); *hon får aldrig tiden att ~ till* she never finds enough time
räcka upp: ~ *upp handen* put (hold, stretch) up one's hand; *han -er inte upp till* bordskanten he does not reach (come) up to…
räcka ut: ~ *ut handen* om cyklist o.d. give a hand-signal; ~ *ut handen efter ngt* reach out [one's hand] for sth; ~ *ut tungan åt ngn* stick (put) out one's tongue at sb; ~ *ut tungan* hos läkaren put one's tongue out
räcka över smörkniven pass…
räcke s (~t, ~n) på t.ex. balkong rail; på trappa (inomhus) banisters pl., (utomhus) railing[s pl.]
räckhåll s (oböjl., ett), butiken *ligger inom bekvämt ~* …is at a convenient distance; *utom ~* out of reach [*för* of]; *segern var nu utom ~* victory was now beyond reach
räckvidd s (~en, ~er) skjutvapens, radiostations o.d. range; t.ex. boxares reach; bildl., omfattning scope, compass; betydelse importance; *en fråga av stor ~* …of far-reaching importance
räd s (~en, ~er) raid [*mot* on]; *göra en ~ mot…* äv. raid…
rädas vb itr o. vb tr dep (räddes, supinum saknas), ~ [*för*]… fear (dread)…; ~ *för* sitt liv fear for…; *han räds inte för* (*för att* + inf.) he is not afraid of (to + inf., of + ing-form)
rädd adj (neutrum undviks) allm. afraid endast pred. [*för* of; *för att* + inf. to + inf. of + ing-form]; förskräckt, skrämd frightened, scared [*för* of]; *bli ~* get (be) frightened etc.; *vara ~* be afraid etc.; *vara ~ av* sig be timid; *jag är ~ för att han inte kommer* I am afraid he won't come; *är han sjuk? - jag är ~ för det* …I am afraid so; *det var just det jag var ~ för* I feared as much; *vara ~ för* äv. fear; *vara ~ om* aktsam om be careful with; t.ex. sina kläder take care of; mån om be jealous of; sparsam med be sparing (economical) with; ägodelar *som man är särskilt ~ om* …that one specially treasures (cherishes); *var ~ om dig!* take care [of yourself]!, look after yourself!
rädda I vb tr (~de, ~t) allm. save; ur överhängande fara äv. rescue [*från* (*ur, undan*) i båda fallen from]; bärga salvage, salve; friare, bevara preserve [*åt* for]; ~ *ansiktet* save one's face; ~ *livet på ngn* save sb's life; ~ *ngn från att drunkna* rescue (save) sb from drowning; hans liv (huset) *stod inte att ~* …was beyond saving, …was beyond recovery; komma *som en ~nde ängel* …like an angel to the rescue; *dagen är ~d* that's made my (our etc.) day; målvakten *~de på mållinjen* …saved on the goal-line **II** vb rfl (~de, ~t), ~ *sig* save oneself; genom flykt escape; *rädde sig den som kan!* every man for himself; ~ *sig i land* manage to reach the shore; ~ *sig ur* ett hus (en svårighet) manage to get out of…
Rädda Barnen Save the Children
räddare s (~n, =) rescuer; befriare deliverer
räddhågad adj (-hågat, ~e) o. **räddhågsen** adj (-hågset, -hågsna) timid, timorous, fearful

räddning s (~en, ~ar) ur överhängande fara rescue; räddande saving, rescuing, jfr *rädda I*; frälsning salvation äv. t.ex. stads, företags; utväg resort, way out; sport., målvakts save; *det blev hans ~* that was the saving of him (his salvation)
räddningsaktion s (~en, ~er) rescue action
räddningsarbete s (~t, ~n) rescue work (operations pl.)
räddningsbragd s (~en, ~er) daring rescue, life-saving exploit
räddningscentral s (~en, ~er) rescue centre (amer. center), rescue station
räddningsförsök s (~et, =) attempted (attempt at) rescue
räddningskår s (~en, ~er) rescue (salvage) corps; bil. breakdown [recovery] service
räddningslöst adv, ~ *förlorad* irretrievably lost
räddningsmanskap s (~et, =) o. **räddningspatrull** s (~en, ~er) rescue party
räddningsplanka s (~n, -plankor) bildl. last resort (hope)
räddningsraket s (~en, ~er) life rocket
rädisa s (~n, rädisor) radish
rädsla s (~n, rädslor) fear, dread [*för* of]; *av ~ för att* + sats for fear [that (lest)] + sats
räffla I s (~n, räfflor) spår groove äv. i gevärspipa; ränna channel; i t.ex. pelare flute; t.ex. på gummisula rib **II** vb tr (~de, ~t) groove, channel, flute; ~*d* om t.ex. gummisula ribbed; ~*t glas* ribbed glass; ~*d kant* på mynt milled edge
räfsa I s (~n, räfsor) rake **II** vb tr (~de, ~t) rake [*ihop* together]
räka s (~n, räkor) liten, tång~ el. allm. shrimp; större, djuphavs~ prawn
räkel s (~n, räklar), *en lång ~* a beanpole, a lanky fellow
räkenskap s (~en, ~er) **1** redogörelse, *avlägga ~ för ngt* render an account of sth, account for sth; ~*ens dag* the day of reckoning **2** *föra ~er* keep accounts; *göra upp ~erna* [*med ngn*] settle accounts [with sb]
räkenskapsår s (~et, =) financial year
räkfiske s (~t) shrimping
räkna I vb tr o. vb itr (~de, ~t) **1** allm. count; göra uträkningar reckon; beräkna calculate; ~ *till tio* count [up] to ten; ~ *kassan* count [over] the cash; hans dagar *är ~de* …are numbered; ~ *ngn bland* sina vänner count (reckon, number) sb among…; *det ~s bland det bästa hon gjort* it is ranked among her best works; ~ *med ngt* vänta sig expect (anticipate) sth; ta med i beräkningen allow for sth; påräkna count (reckon, calculate) [up]on sth; [*du kan*] ~ *med mig* [you can] count me in; ~ *inte med mig* [you can] count me out; *det kan du ~ med* you can reckon (count, depend) on that; *det ska du nog inte ~ med* I wouldn't count on it, don't bank on it; en motståndare *att ~ med* …to be reckoned with; du måste ~ *med två portioner per man* …allow (reckon) two portions per head; *jag ~r med att han kommer* I count on him to come; *valarna ~s till* däggdjuren whales are counted (classed) among (come under)…; ~*t i dollar* in dollars; *i pengar ~t* in terms of money; *i procent ~t* on a percentage basis; ~*t från* [*och med*]… counting [as] from (mera formellt with effect from)… **2** matem. do arithmetic (sums); ~ *ett tal* do (work out) a sum; ~ *med bråk* do fractions; ~

i huvudet do mental arithmetic; vid visst tillfälle make a mental calculation

II med beton. part.

räkna av dra av deduct, allow for; *~ av en skuld mot en fordran* offset (compensate) a debt by a credit

räkna bort dra av deduct; lämna ur räkningen leave…out of account; extrainkomster exclude

räkna efter: *~ efter hur mycket det blir* work out how much it will be, see what it makes; *~ efter om det stämmer* check to see if it is right

räkna igenom kontrollera check; kassan count [over]; jag måste *~ igenom talen [en gång till]* …do (go through) the sums [once more]

räkna ihop t.ex. pengar count (reckon, tally, tot) up; en summa add up

räkna in t.ex. kreatur count; ngt i priset include

räkna med count [in], include, take into account

räkna ned inför start count down; addera ned add (sum) up

räkna om count…over again, recount; ett tal do…again; *~ om tum till* centimeter convert inches into…

räkna upp nämna i ordning enumerate; pengar count out; ekon., anslag o.d. adjust…upwards

räkna ut beräkna calculate, work out; fundera ut figure out; ett tal do, work out…; boxn. count out; *~ ut det i huvudet* do it (work it out) in one's head

räknare *s* (~n, =) kalkylator calculator; för strålmätning [radiation] counter

räknas *vb itr dep* (räknades, räknats), *han (det) ~ inte* he (that) does not count (counts for nothing)

räknebok *s* (~en, -böcker) skol., att räkna i sum book; lärobok arithmetic [book]

räknedosa *s* (~n, -dosor) minicalculator, calculator

räkneexempel *s* (-exemplet, =) fråga, problem o.d. arithmetical problem; skol., mera elementärt sum [to be worked out]; mera bildl., ung. illustrative example

räknefel *s* (~et, =) arithmetical error, miscalculation

räknemaskin *s* (~en, ~er) calculating machine, calculator

räknenisse *s* (~n, -nissar) vard. number cruncher

räkneord *s* (~et, =) numeral

räknesätt *s* (~et, =), *de fyra ~en* the four [fundamental] rules of arithmetic

räkneuppgift *s* (~en, ~er) arithmetical problem, sum

räkneverk *s* (~et, =) counter

räkning *s* (~en, ~ar) **1** räknande counting; beräkning, uträkning calculation, reckoning; matem. arithmetic, figures pl.; *hålla ~ på ngt* veta antalet keep count of sth; *gå ner för ~* boxn. el. bildl. take (amer. go down for) the count; *tappa ~en* antalet lose count; *vara bra i ~* be good at arithmetic (mera elementärt sums, att räkna figures); *ett streck i ~en* oförutsett hinder an unforeseen obstacle, besvikelse a [great] disappointment; *det var ett streck i ~en för mig* it upset my plans; *han är ur ~en* he's out of the running (not in it) **2** nota bill, amer. äv. check; månads-, konto account; faktura invoice; *en ~ på 500 kronor* a bill for…; *~en är på 500 kronor* the bill amounts (runs) to…; *göra upp en ~* bildl. pay (settle) an account; *skriva (sätta) upp ngt på ngns ~* put sth down to sb's account (to sb) **3** behålla ngt *för egen ~* …for oneself; *för ngns ~* on sb's account (behalf)

räksmörgås *s* (~en, ~ar) [open] prawn sandwich

räls *s* (~en, ~ar el. ~er el. =) rail; koll. äv. rails pl.; *det*

gick som på ~ it went like clockwork, it went smoothly, it went according to plan

rälsbrott *s* (~et, =) rail breakage

rälsbuss *s* (~en, ~ar) railbus, railcar, motorcoach

rämna I *s* (~n, rämnor) i t.ex. mur el. i jorden crack; i molnen rent **II** *vb itr* (~de, ~t) spricka crack, split, tear; om molntäcke part

ränker *s pl*, *smida ~* intrigue, plot, scheme

ränksmidare *s* (~n, =) intriguer, plotter, schemer

1 ränna *s* (~n, rännor) allm. groove, furrow; transport~ shoot, chute; avlopps~ drain; farled channel, fairway

2 ränna I *vb itr* (rände, ränt) run [*efter* flickor after…; *på* bio to…]; *~ i vädret (höjden)* växa shoot up; *~ på grund* run aground

II *vb tr* (rände, ränt), *~ kniven i ngn* run one's knife into sb

III med beton. part.

ränna in: *~ in ngt i…* run sth into…; *~ in i ngt* run (crash) into sth

ränna iväg run (rush) off

ränna omkring på gatorna run (gad) about [in]…

ränna upp *på ett grund* run aground (upon rocks)

ränna ute om kvällarna run [out and] about…, gad about…

rännande *s* (~t) running (gadding) about; *det var ett fasligt ~ [av folk]* hela dagen people kept running in and out (coming and going)…

rännil *s* (~en, ~ar) rill, rivulet, runnel; friare, t.ex. av svett trickle

rännsnara *s* (~n, -snaror) running noose

rännsten *s* (~en, ~ar) gutter; *hamna i ~en* bildl. land in the gutter

ränsel *s* (~n, ränslar) knapsack, rucksack

ränta *s* (~n, räntor) ekon. interest endast sg.; räntesats rate of interest; *~ på ~* compound interest; *effektiv ~* true (actual) rate of interest; *fast ~* fixed interest; *rak ~* flat rate; *rörlig ~* floating interest rate, fluctuating rate of interest; *upplupen ~* accrued interest; *betala ~ på* ett lån pay interest on…; *ta 10 % i ~* charge 10% interest; *ge igen för ngt med ~* bildl. return sth with interest; *lånet löper med 10 % ~* the loan carries 10% interest; låna ut pengar *mot [låg] ~* …at [low] interest

räntabel *adj* (~t, räntabla) vinstgivande profitable, remunerative, paying; räntebärande interest-bearing; *vara ~* äv. pay its way

räntabilitet *s* (~en) profitableness, remunerativeness

ränteavdrag *s* (~et, =) deduction of interest; vid självdeklaration tax relief on interest

räntebelopp *s* (~et, =) amount of interest

ränteberäkning *s* (~en, ~ar) calculation of interest

räntechock *s* (~en, ~er) shock rise in interest rates

räntefot *s* (~en) se *räntesats*

räntefri *adj* (-fritt) …free of (without) interest, interest-free

räntehöjning *s* (~en, ~ar) increase in the rate of interest

ränteinkomst *s* (~en, ~er) income (endast sg.) from interest

räntekostnad *s* (~en, ~er) cost of interest, interest charge; *~er* interest charges

ränteläge *s* (~t, ~n) interest [rate] level; *det allmänna ~t* the general level of interest rates

ränteräkning *s* (~en, ~ar) matem. computation of interest

räntesats *s* (~en, ~er) rate of interest, interest rate

räntesubvention *s* (~en, ~er) interest subsidy

räntesänkning *s* (~en, ~ar) reduction in the rate of interest

räntetak *s* (~et, =) ekon. interest-rate ceiling

räntetermin *s* (~en, ~er) date of payment of interest

ränteutveckling *s* (~en) development in interest rates

rät *adj* (rätt) rak right; om linje straight; **~ vinkel** right angle; **2 ~a, 2 aviga** i stickbeskrivning 2 plain, 2 purl; knit 2, purl 2

räta *s* (~n) right side, face **II** *vb tr* o. *vb itr* (~de, ~t), **~ [ut]** straighten [out], make...straight; **~ [upp]** ett fartyg right...; **~ på benen** stretch one's legs; **~ på ryggen** straighten one's back; **~ upp sig** straighten oneself up; **~ ut sig** om person stretch oneself out; om sak become straight [again]

rätlinjig *adj* (~t) eg. rectilinear; bildl., rättfram, ärlig open, straightforward

rätoromanska *s* (~n) språk Rhaeto-Romanic

rätsida *s* (~n, -sidor) **1** right side, face; mynts o.d. obverse **2** bildl., **jag får ingen ~ på det här** I can't get this straight, I can't make head or tail of this; **jag får ingen ~ på honom** I can't make him out, I don't know what to do with him; **försöka få [någon] ~ på sin ekonomi** try to get one's finances into [some sort of] order

rätstickning *s* (~en) plain knitting

1 rätt *s* (~en, ~er) mat~ dish; del av måltid course; **middag med tre ~er** a three-course dinner; **dagens ~** på matsedel today's special

2 rätt *s* **1** (~en) (jfr *rätta I*) rättighet, det rätta, allm. right; rättvisa justice; **~en till arbete** el. **~en att arbeta** the right to work; **få ~** prove (be) right, turn out to be right; **ge ngn ~** admit that sb is right, agree with sb; **du gjorde ~ som vägrade** you were right to refuse; **det gjorde du ~ i** you did right there; **han svarade inte och det gjorde han ~ i** ...and [he was] quite right too; **göra ~ för sig** göra nytta do one's share (bit); betala för sig pay one's way; **ha ~ [i ngt]** be right [about sth]; **det har du ~ i** you are right [there], how right you are!; vard. you are dead right; **ha ~en på sin sida** be in the right; **ha ~ att** + inf. have a (the) right to + inf., be entitled to + inf.; **ha ~ till ngt** have a right (be entitled) to sth; **hålla på sin ~** stand on (assert) one's rights; **komma till sin ~** göra sig själv rättvisa do oneself justice, do justice to oneself; ta sig bra ut show (appear) to advantage; **tavlan kommer mera till sin ~ där** that position does the picture more justice, the picture looks just right there; **åren börjar ta ut sin ~** age is beginning to tell [on me (you etc.)]; **han är i sin fulla ~** he is perfectly (quite) within his rights; **med all ~** with perfect justice, very rightly; **med vad ~?** by what right (authority)?; skilja mellan **~ och orätt** ...right and wrong

2 (~en, ~er) domstol court [of law (justice)], law court; jfr *rätta I 2*; **sitta i ~en** sit in court (on the bench); **inför ~en** förklarade han in court... **3** (~en) rättsvetenskap, rättssystem law

3 rätt *I adj* (=) riktig right, correct; tillbörlig proper; rättmätig rightful; sann, verklig true, real; rättvis fair, just; **~ ska vara ~** fair is fair; **om ~ ska vara ~** by rights, if we are fair, in all justice; **det är ~** that's

right; **det var ~ av henne att** + inf. it was right of her to + inf., she was right to + inf. (in + ing-form); **det är inte mer än ~ [att...]** it's only fair [that...]; **[det är] ~ åt honom!** serves him right!; **det enda ~a** the only right thing; **den ~e** the right man, vard. Mr Right; **den ~a** the right woman, vard. ibl. Miss Right; **i ordets ~a bemärkelse** in the proper sense of the word; **här är inte ~a platsen att** + inf. this is not the [right] place to + inf.; **i ~ tid** in [due] time, on time; **ett ord i ~an tid** ...in season; överlämna ngt till **den ~e ägaren** ...the right (rightful) owner; **i ~[a] ögonblick[et]** at the right moment

II *adv* **1** korrekt rightly, correctly; efter vb ofta äv. right; **~ avskrivet intygas** True Copy, true (correct) copy certified by; **eller ~are [sagt]** or rather (more correctly); **går din klocka ~?** is your watch right?; **det kan aldrig ha gått ~ till** there must be (have been) something wrong here (there); **handla ~** do the right thing; **höra ~** hear right; **räkna ~** antal count right; räknetal do it (work it out) right; bildl. be right [in one's calculations]; saken är **inte ~ skött** ...not properly handled; **stava ~** spell correctly; **träffa ~** hit the mark; bildl. hit upon the right thing

2 förstärkande: riktigt quite; något försvagande: tämligen fairly, ganska (vanl. gillande) pretty, (vanl. ogillande) rather; **jag trivs ~ [så] bra med** arbetet I get on quite (pretty) well with...; **jag tycker ~ bra om henne** I quite like her; filmen är **~ [så] bra** äv. ...not [too (so)] bad **3 ~ och slätt** simply; **han är ~ och slätt en bedragare** he is a swindler pure and simple **4 ~ som det var** plötsligt all at once, all of a sudden, suddenly; **~ som jag satt där** just as I was sitting there **5** rakt straight, direct, right, se ex. under *rakt*; **duken ligger snett, lägg den ~!** ...put it straight!; tavlan hänger upp och ned, **vänd den ~!** ...turn it right side up!; **~ så!** sjö. steady [as she goes]!; **~ i (åt) norr** due north; bo (gå) **~ över gatan** ...straight across the street **6 få (leta, ta) ~ på** se ex. under *reda I*

rätta I *s* (oböjl.) **1 med ~** [quite] rightly, justly, with justice, på goda grunder with good reason; **och det med ~** and rightly so; **finna sig till ~** bli van vid förhållandena settle down, find one's way about, find one's legs; **nu har han funnit sig till ~** acklimatiserat sig now he feels at home; **hjälpa ngn till ~** show sb the way about; friare help sb, lend sb a hand; vard. show sb the ropes; **komma till ~** be found, turn up; **komma till ~ med** a) person, få bukt med manage, handle b) t.ex. problem cope with, master; situation manage, handle; t.ex. svårigheter overcome, get the better of; **lägga till ~** eg. lay (put)...in order, arrange; klarlägga make...clear; utreda elucidate; beriktiga put...right; **ställa allt till ~** reda upp put (set) things right; **sätta sig till ~** settle oneself; **tala ngn till ~** bring sb to reason, make sb see (listen to) reason; **visa ngn till ~** eg. show sb the way; vägleda show sb the way about; vard. show sb the ropes **2** jur., **inför ~** in court, before the court; **dra ngt inför ~** bring (take) sth to court; **ställas inför ~** be put on trial

II *vb tr* o. *vb itr* (~de, ~t) **1** korrigera correct; ett fel äv. rectify; person äv. put...right; skol. mark, amer. grade; **~ en skrivning** mark (amer. grade) a paper; **~ till** a) t.ex. klädseln, håret, ledet put...straight, adjust b) t.ex. fel put (set)...right, rectify, correct; missförhållande o.d. remedy; **det ~r nog till sig så småningom** it is sure to come right in the end

2 avpassa adjust (accommodate, suit) [*efter* to]
III *vb rfl* (~de, ~t) ~ **sig a**) rätta en felsägning correct
oneself **b**) ~ **sig efter** om person, t.ex. ngns önskningar
comply with, follow; instruktioner o.d. äv. conform to;
beslut o.d. abide by, go by; order obey; andra människor,
omständigheterna accommodate (adapt) oneself to; det
enda han har **att ~ sig efter** ...to go by
rättare *s* (~n, =) lantbr. [farm] foreman
rättegång *s* (~en, ~ar) rannsakning trial; process [legal]
proceedings pl.; speciellt civilmål lawsuit, action; **~en
mot X** civilmål the action against X, brottmål the trial
of X
rättegångsbalk *s* (~en, ~ar) Code of Judicial
Procedure, Rules of Court pl.
rättegångsbiträde *s* (~t, ~n) counsel (pl. lika)
rättegångsdag *s* (~en, ~ar) allm. court day; för visst
mål day (date) of trial (of the hearing)
rättegångshandling *s* (~en, ~ar), **~[ar]** allm. court
records pl.; avseende visst mål documents pl. of a (resp.
the) case
rättegångskostnad *s* (~en, ~er), **~[er]** [court] costs
pl.
rättegångsprotokoll *s* (~et, =) report of the
proceedings
rätteligen *adv* med rätta by right, rightly; egentligen by
rights
rättelse *s* (~n, ~r) allm. correction, i text äv.
emendation; beriktigande rectification, amendment;
~r rubrik errata, corrigenda
rättesnöre *s* (~t, ~n) guiding rule (principle), norm
rättfram *adj* (~t, ~ma) straightforward; uppriktig äv.
frank, candid; öppenhjärtig outspoken
rättframhet *s* (~en) straightforwardness etc., jfr
rättfram
rättfärdig *adj* (~t) just; speciellt bibl. äv. righteous; **en ~
sak** a just cause
rättfärdiga I *vb tr* (~de, ~t) allm. justify; försvara äv.
vindicate; motivera äv. warrant **II** *vb rfl* (~de, ~t), **~
sig** justify oneself [*inför ngn* before (to) sb]
rättfärdiggöra *vb tr* (-gjorde, -gjort) justify
rättfärdiggörelse *s* (~n) relig., **~ genom tron**
justification by faith
rättfärdighet *s* (~en) justness, justice; speciellt bibl. äv.
righteousness
rättighet *s* (~en, ~er) allm. right; befogenhet authority;
~er spriträttigheter licence sg.; **~er och skyldigheter**
rights and duties; **de mänskliga ~erna** human rights;
ha ~ till ngt have a right (be entitled) to sth; **ha ~ att**
+ inf. have a (the) right (be entitled) to + inf.; **ha
[fullständiga] ~er** spriträttigheter be [fully] licensed
rättika *s* (~n, rättikor) black radish
rättmätig *adj* (~t) om t.ex. arvinge, ägare rightful,
lawful; om krav o.d. legitimate; **det ~a i** hans krav the
legitimacy of...
rättning *s* (~en, ~ar) **1** korrigering correcting; av
skrivningar äv. marking (amer. grading) **2 ~ i ledet** mil.
el. bildl. closing the ranks
rättroende *adj* (oböjl.) o. **rättrogen** *adj* (-troget,
-trogna) faithful; friare orthodox; **en ~** subst. adj. a
[true] believer; **en ~ kristen (muslim)** a [true]
believer in Christianity (Islam)
rättrådig *adj* (~t) rättvis just; redbar upright, honest
rättsanspråk *s* (~et, =) legal claim [*på* to]
rättsbegrepp *s* (~et, =) concept (conception) of

justice; [**stridande**] **mot alla ~** contrary to all ideas of
right and justice
rättsfall *s* (~et, =) [legal] case
rättsfråga *s* (~n, -frågor) issue of law
rättsförfarande *s* (~t, ~n) legal (judicial) procedure
rättshistoria *s* (-historien) history of law;
rättshistorien äv. legal history
rättshjälp *s* (~en) legal aid
rättsinnad *adj* (-sinnat, ~e) o. **rättsinnig** *adj* (~t)
right-minded; se äv. *rättrådig*
rättskaffens *adj* (oböjl.) honest, upright
rättskemisk *adj* (~t), **~t laboratorium** laboratory of
forensic chemistry; **~ undersökning** public analyst's
investigation
rättskipning *s* (~en) [the] administration of justice
rättskrivning *s* (~en) spelling, jfr *rättstavning*
rättskrivningslära *s* (~n, -läror) orthography
rättskänsla *s* (~n) sense of justice; **social ~** sense of
social justice
rättslig *adj* (~t) laglig legal; i domstol judicial; juridisk
juridical; **medföra ~ påföljd** involve legal
consequences; **vidta ~a åtgärder mot ngn** take (bring)
judicial proceedings against sb
rättsläkare *s* (~n, =) medical examiner
rättslös *adj* (~t) om person ...without legal rights
(protection); om tillstånd lawless, anarchic[al]
rättslöshet *s* (~en) lack of legal rights (protection);
lawlessness, anarchy; jfr *rättslös*
rättsmedicin *s* (~en) forensic medicine, medical
jurisprudence
rättsmedicinsk *adj* (~t) medico-legal
rättsmedvetande *s* (~t) sense of justice
rättsordning *s* (~en, ~ar) jur. legal (judicial) system;
den allmänna ~en public law (order)
rättspraxis *s* (= el. ~en) legal usage, case law
rättsprocess *s* (~en, ~er) legal process
rättspsykiatrisk *adj* (~t), **~ undersökning**
examination conducted by a forensic psychiatrist
rättsröta *s* (~n) ung. corrupt legal system
rättssak *s* (~en, ~er) [legal] case; **göra ~ av ngt** take
sth to court
rättssal *s* (~en, ~ar) court[room]
rättssamhälle *s* (~t, ~n) community protected and
governed by law and order
rättsskydd *s* (~et, =) legal protection, protection of
the law
rättsstat *s* (~en, ~er) state governed by law
rättsstridig *adj* (~t) unlawful, illegal, ...contrary to
[the] law; **~t tvång** duress
rättssäkerhet *s* (~en) law and order, rule of law,
security of life and property; **den enskildes ~** the
legal rights pl. of the individual
rättstavning *s* (~en) spelling, orthography; **ha prov i
~** skol., vanl. have [a] dictation
rättsvetenskap *s* (~en) jurisprudence, legal science
rättsväsen *s* (~det, =) judicial system, judicature
rättvis *adj* (~t) rättfärdig just [*mot* to]; skälig fair,
equitable; opartisk impartial; **sträng men ~** strict but
fair; **det är inte mer än ~t att...** it is only fair that...
rättvisa *s* (~n) justice, fairness, equity, impartiality,
jfr *rättvis*; **~n** lag o. rätt justice, the law; **göra [full] ~ åt
ngt** do [full] justice to sth; **låta ~n ha sin gång** let
justice take (have) its course; **i ~ns namn** bör tilläggas
in justice ([all] fairness)...
rättvisekrav *s* (~et, =) demand for justice (fairness);

det är ett ~ att... justice demands that..., it is only fair that...

rättvisemärkt *adj* (=) om vara labelled (marked) 'fair trade'

rättvänd *adj* (-vänt) allm. ...[that is (was etc.)] turned the right way round (right side up)

rättänkande I *adj* (oböjl.) right-minded, right-thinking **II** *s* (en ~, pl. =), *en ~* a right-minded (right-thinking) person

rätvinklig *adj* (~t) om triangel o.d. right-angled; om figur äv. rectangular

räv *s* (~en, ~ar) fox äv. bildl.; *svälta ~* kortsp. beggar-my-neighbour; *han har en ~ bakom örat* he is a sly fox (wily bird), he's always up to some trick or other

rävaktig *adj* (~t) bildl. foxy

rävgryt *s* (~et, =) fox-burrow, fox earth

rävhona *s* (~n, -honor) vixen

rävjakt *s* (~en, ~er) jagande till häst med hundar foxhunting; med gevär foxshooting; jaktparti foxhunt

rävlya *s* (~n, -lyor) se *rävgryt*

rävsax *s* (~en, ~ar) fox trap; *sitta i en ~* bildl. be in a tight corner (spot), be trapped

rävspel *s* (~et, =) **1** spel, ung. fox and geese **2** bildl. intriguing, intrigues pl., underhand games pl.; speciellt polit. gerrymandering

rävsvans *s* (~en, ~ar) **1** eg. foxtail, fox brush **2** bot., amarantväxt love-lies-bleeding

rävunge *s* (~n, -ungar) fox cub

rö *s* (~et, ~n), *som ett ~ för vinden* like a reed shaken by the wind

röd *adj* (rött) (för sammansättn. jfr äv. *blå-*); red äv. polit.; om hår äv. ginger, carroty; hög~ scarlet; *~ som blod* blood-red, crimson; *~ som en tomat* red as a beetroot (amer. beet), red as a tomato; *gå mot ~ gubbe* cross against the red light; *~a hund* med. rubella; vard. German measles sg.; *~a kinder* red (rosy, ruddy) cheeks; *köra mot rött [ljus]* trafik. jump the [red] lights; *den ~a tråden* bildl. the main thread, the connecting thought; *...går som en ~ tråd genom berättelsen* ...runs all through the story; *inte ett rött öre* not a bean; amer. not a red cent; *bli ~ i ansiktet* turn (go) red, redden, jfr *rodna*; *göra* (*färga*) *~* redden; *de ~a* polit. the Reds; *se rött* see red

Röda havet the Red Sea

Röda korset the Red Cross

rödakorssyster *s* (~n, -systrar) Red Cross nurse

rödaktig *adj* (~t) reddish, ruddy

rödbena *s* (~n, -benor) zool. redshank

rödbeta *s* (~n, -betor) [red] beetroot (amer. beet)

rödblommig *adj* (~t) **1** eg., jfr *blåblommig* **2** om person florid; om t.ex. hy äv. rosy, ruddy; se äv. *rödkindad*

rödblond *adj* (-blont) om t.ex. hår sandy

rödbok *s* (~en, ~ar) bot. [common] beech

rödbrun *adj* (~t) reddish-brown, ruddy brown, russet

rödbrusig *adj* (~t) om person red-faced...; om t.ex. ansikte red

rödflammig *adj* (~t) blotchy

rödfärg *s* (~en) röd färg red paint; *Falu ~* Falun red paint

rödglödgad *adj* (-glödgat, ~e) red-hot äv. bildl.

rödgråten *adj* (-gråtet, -gråtna) ...red (swollen) with weeping

rödhake *s* (~n, -hakar) o. **rödhakesångare** *s* (~n, =) zool. robin [redbreast], redbreast

rödhårig *adj* (~t) red-haired; *hon är ~* äv. she has red hair

röding *s* (~en, ~ar) zool. char, charr

rödkantad *adj* (-kantat, ~e), *~e ögon* red-rimmed eyes

rödkindad *adj* (-kindat, ~e) red-cheeked, rosy-cheeked, ruddy-cheeked

rödklöver *s* (~n, =) bot. red clover

rödkål *s* (~en) red cabbage

Rödluvan sagofigur Little Red Riding Hood

rödlätt *adj* (=) om t.ex. hy ruddy

rödlök *s* (~en, ~ar) [red] onion

rödmosig *adj* (~t) red and bloated, florid

rödmyra *s* (~n, -myror) stackmyra wood ant; pissmyra, (vard.) pismire

rödnäst *adj* (=) red-nosed

rödpenna *s* (~n, -pennor) red pencil

rödpeppar *s* (~n) red pepper

rödräv *s* (~en, ~ar) zool. red fox

rödskinn *s* (~et, =) åld., neds. redskin

rödskäggig *adj* (~t) red-bearded

rödspotta *s* (~n, -spottor) plaice (pl. lika)

rödsprit *s* (~en) förr methylated spirit[s pl.]; vard. meth[s pl.]

rödsprängd *adj* (-sprängt) om öga bloodshot

rödspätta *s* (~n, -spättor) zool. plaice (pl. lika)

rödstjärt *s* (~en, ~ar) zool. redstart

rödtjut *s* (~et) vard., rödvin plonk

rödtunga *s* (~n, -tungor) zool. witch [flounder]

rödvin *s* (~et, ~er) allm. red wine; bordeaux claret; bourgogne burgundy

rödvinsglas *s* (~et, =) red wine glass

rödögd *adj* (-ögt) red-eyed

1 röja *vb tr* (röjde, röjt) förråda betray, give away; uppenbara, yppa reveal, disclose; avslöja, blotta expose [*för* i samtliga fall to]; *~ en hemlighet* give away (betray) a secret; *~ sig* give oneself away, expose oneself

2 röja I *vb tr* (röjde, röjt) skog clear; hygge clear up; *~ mark* clear land; *~ ngn ur vägen* remove sb, put sb out of the way; *~ hinder ur vägen* remove obstacles **II** med beton. part.

röja av tomt o.d. clear; *~ av bordet* clear the table

röja undan eg. o. bildl.: t.ex. hinder clear away; person remove; *~ undan på* bordet clear...

röja upp: *~ upp [i ett rum]* tidy up [a room]; *~ upp på* olycksplatsen olycksplatsen clear up the debris (wreckage) on...

röja ur clear out

röjarskiva *s* (~n, -skivor) vard. rave-up

röjdykare *s* (~n, =) frogman

röjning *s* (~en, ~ar) av mark o.d. clearing

röjsåg *s* (~en, ~ar) clearing saw

rök *s* (~en, ~ar) allm. smoke (endast sg.); av särskilt slag, t.ex. cigarrök äv. fumes pl.; *ingen ~ utan eld* no smoke without fire; *gå upp i ~* go up in smoke; bildl. äv. end [up] in smoke, vanish into thin air; *sedan dess har vi inte sett ~en av henne* ...seen a trace of her

röka I *vb itr* (rökte, rökt) smoke, jfr *ryka I* **II** *vb tr* (rökte, rökt) allm. smoke; matvaror äv. smoke-cure, smoke-dry; desinficera äv. fumigate; *~ cigarr* (*pipa*) smoke a cigar (a pipe); *sluta ~* give up smoking

III med beton. part.
röka upp: ~ *upp mycket pengar* spend a lot of money on smoking; ~ *upp* en cigarett finish...
röka ut ohyra o.d. fumigate, smoke out
rökare s (~n, =) **1** tobaks~ smoker; *icke* ~ non-smoker **2** sport. vard.: hårt skott scorcher, bullet, thundering shot; *lägga på en* ~ en spurt put on a fast spurt
rökavvänjningsklinik s (~en, ~er) [anti-]smoking clinic
rökbomb s (~en, ~er) smoke bomb
rökdetektor s (~n, ~er) smoke detector
rökdykare s (~n, =) fireman [equipped with a smoke helmet]
rökelse s (~n, ~r) incense
rökeri s (~et, ~er) smokehouse, curing-house
rökfri adj (-fritt) smokeless; ~ *zon* smokeless zone, på restaurang non-smokers' area
rökfylld adj (-fyllt) smoke-filled, smoky
rökfång s (~et, =) hood, flue
rökfärgad adj (-färgat, ~e) smoke-coloured; om glasögon smoked
rökförbud s (~et, =) ban on smoking; *det är* ~ i tunnelbanan there is no smoking..., smoking is prohibited...
rökförgiftad adj (-giftat, ~e) asphyxiated; *bli* ~ äv. be overcome by [the] smoke
rökförgiftning s (~en, ~ar) asphyxiation
rökgång s (~en, ~ar) flue; tekn. uptake
rökhosta s (~n) smoker's cough
rökig adj (~t) smoky, smoke-filled
rökkupé s (~n, ~er) smoking-compartment, smoker
röklukt s (~en) smell of smoke
rökning s (~en) allm. smoking; av matvaror äv. smoke-curing, smoke-drying; desinfektion äv. fumigation; ~ *förbjuden* no smoking; ~ *tillåten* smoking
rökpaus s (~en, ~er) break for a smoke
rökpelare s (~n, =) column (pillar) of smoke
rökridå s (~n, ~er) smoke screen äv. bildl.; *lägga ut en* ~ lay out a smoke screen
rökring s (~en, ~ar) smoke ring
rökrum s (~met, =) smoking-room
rökruta s (~n, -rutor) skol. smoking area, special area where pupils are allowed to smoke
rökskadad adj (-skadat, ~e) smoke-damaged
röksugen adj (-suget, -sugna), *jag är* ~ I feel like (starkare I'm dying for) a smoke
röksvamp s (~en, ~ar) bot. puffball
rökt adj (=) allm. smoked; om matvaror äv. smoke-cured; om skinka, fisk o.d. äv. smoke-dried
rökverk s (~et) koll. something to smoke; cigaretter, tobak etc. cigarettes pl., tobacco etc.
rölleka s (~n, röllekor) o. **röllika** s (~n, röllikor) bot. yarrow, milfoil
rön s (~et, =) iakttagelse observation; upptäckt discovery; erfarenhet experience (vanl. endast sg.); i pl. äv. (iakttagelser) findings
röna vb tr (rönte, rönt), ~ [*livlig*] *efterfrågan* be in [great] demand; ~ *framgång* meet with success; ~ *stort intresse* be received with great interest; ~ *stor uppskattning* be widely acclaimed; den borde ha *rönt ett bättre öde* ...enjoyed a better fate
rönn s (~en, ~ar) bot. mountain ash; speciellt i Nordeng. o. Skottl. rowan; för sammansättn. jfr äv. *björk* med sammansättn.

rönnbär s (~et, =) rowanberry; *surt, sa räven om* ~*en* ung. it's (that's) just sour grapes
röntga vb tr o. vb itr (~de, ~t) X-ray; *han ska* ~*s* i morgon he is to be X-rayed...
röntgen s (=, en, =) **1** ~strålar X-rays pl.; ~behandling X-ray treatment **2** (förk. *R*) fys., enhet roentgen
röntgenapparat s (~en, ~er) X-ray machine (unit)
röntgenavdelning s (~en, ~ar) radiotherapy department
röntgenbehandling s (~en, ~ar) X-ray treatment, radiotherapy
röntgenbild s (~en, ~er) X-ray picture, radiograph
röntgenblick s (~en, ~ar) X-ray vision
röntgenplåt s (~en, ~ar) X-ray plate
röntgenstrålning s (~en) [the] emission of X-rays
röntgenundersökning s (~en, ~ar) X-ray [examination]
rör s (~et, =) **1** lednings~ pipe; koll. äv. piping sg.; speciellt vetensk. el. tekn. tube **2** i radio el. tv valve; amer. tube **3** bot. reed; bambu~, socker~ cane
röra I s (~n, röror) allm. mess äv. bildl.; hoprörd blandning äv. mishmash, hotchpotch båda äv. bildl., mixture; oreda confusion, muddle; *vara en enda* ~ be all in a mess
II vb tr (rörde, rört) (jfr *rörd*) **1** sätta i rörelse move, stir; *inte* ~ *ett finger för att...* not stir a finger (lift a hand) to...; *rör ner grädden i smeten* stir (vänd fold) the cream into the mixture **2** vidröra touch; bildl., angå concern; *han rörde knappt* maten he hardly touched...; *rör mig inte!* don't touch me!; *vad rör det mig?* what has that got to do with me?; *se men inte* ~ look but don't touch **3** bildl., framkalla rörelse hos, ~ *ngn till tårar* move sb to tears
III vb itr (rörde, rört), ~ *i gröten* stir the porridge; jag vill inte ~ *i den saken* ...poke into that matter; *han rörde på huvudet* he moved his head; ~ *på sig* eg. move; motionera get some exercise; se sig om i världen get about; ~ *vid* föremål, person touch; ämne, problem touch [up]on
IV vb rfl (rörde, rört) ~ *sig* a) allm. move; motionera get exercise; *rör dig inte!* don't move!; *han rörde sig inte ur fläcken* äv. he did not budge; *ljuset rör sig snabbare än ljudet* light travels faster than sound; inte ett löv *rörde sig* ...was stirring; jorden *rör sig kring solen* ...turns (revolves) round the sun b) bildl., jag har svårt att förstå *vad som rör sig i hans huvud* ...what makes him tick, ...the workings of his mind; ~ *sig i* finare kretsar move in...; *han har mycket pengar att* ~ *sig med* he has a lot of money at his disposal; *det rör sig om din framtid* it (this) concerns your future; *samtalet rörde sig om* litteratur the conversation revolved around...; *det rör sig om* stora summor ...are involved; *vad rör det sig om?* what is it [all] about?
V med beton. part.
röra i stir in; ~ *i mjöl i* såsen stir flour into...
röra ihop kok. o.d. mix; bildl. mix (jumble) up; *han rörde ihop allting* äv. he got it all muddled up
röra om [i] kok. stir; ~ *om i brasan* stir (poke) up the fire; ~ *om i* grytan stir...
röra upp eg. stir up; damm äv. raise; gamla tvister rake up; ~ *upp himmel och jord* raise hell
röra ut ~ *ut ngt i vatten* stir sth into water, mix sth with water
rörande I adj (oböjl.) touching, moving; starkare

pathetic **II** *prep* angående concerning, regarding; vad beträffar as regards

rörd *adj* (rört) **1** gripen moved, touched, affected; hennes tårar *gjorde mig* ~ ...moved me **2** *rört smör* creamed butter

rördrom *s* (~men, ~mar) zool. bittern

rörelse *s* (~n, ~r) **1** motsats till vila motion äv. fys. el. tekn.; av levande varelse äv. movement; [*liv och*] ~ stir, bustle; uppståndelse commotion; *en ~ med* handen a movement (motion) of...; *sätta* fantasin *i* ~ stir (excite)...; *sätta* en maskin *i* ~ start...; *sätta sig i* ~ begin to move, start off; hela staden *är i* ~ ...is astir; *starka krafter är i* ~ *för att* + inf. strong forces are at work to + inf.; fientliga trupper *är i* ~ ...are on the move; *vara i ständig* ~ be in constant motion **2** politisk, social o.d. movement **3** affärs~ business; företag äv. enterprise, company, firm; *driva egen* ~ run a business (firm) of one's own **4** själs~, sinnes~ emotion; oro agitation

rörelseenergi *s* (~n) fys. kinetic (motive) energy

rörelsefrihet *s* (~en) freedom of movement; bildl. äv. liberty of action

rörelseförmåga *s* (~n) hos levande organism locomotive power; ngns ability to move [about]; *förlora ~n i benen* lose the use of one's legs

rörelsehindrad I *adj* (-hindrat, ~e) disabled **II** *s* (en ~, pl. ~e), *en* ~ a disabled person

rörelsekapital *s* (~et, =) working (floating) capital

rörelseresultat *s* (~et, =) ekon. earnings before interest and taxes (förk. EBIT)

rörformig *adj* (~t) tubular

rörig *adj* (~t) som ett virrvarr messy; oredig, virrig jumbled, muddled, confused; *vad det är ~t!* what a mess (jumble)!

rörinstallation *s* (~en, ~er) plumbing

rörledning *s* (~en, ~ar) piping; större transportledning pipeline

rörlig *adj* (~t) mobile; om priser, ränta flexible; snabb, äv. intellektuellt agile, nimble, alert; *~a delar* på maskin moving parts; *~a helgdagar* movable feasts; *~t kapital* working (floating, active) capital; *~a kostnader* variable costs; *~ pensionsålder* flexible pensionable age; *~a tillgångar* current assets; *~a trupper* mil. mobile troops

rörlighet *s* (~en) (jfr *rörlig*); mobility, flexibility; agility, nimbleness, alertness; *~ på arbetsmarknaden* industrial mobility

rörläggare *s* (~n, =) plumber, pipe layer, pipe fitter; för gasrör äv. gas fitter

rörmokare *s* (~n, =) o. **rörmontör** *s* (~en, ~er) plumber

rörpost *s* (~en) pneumatic dispatch; *med* ~ by tube

rörsocker *s* (-sockret) cane sugar

rörtång *s* (~en, -tänger) pipe wrench (tongs pl.)

röse *s* (~t, ~n) mound of stones; uppstaplat cairn

röst *s* (~en, ~er) **1** stämma, sångröst voice äv. bildl.; *~er höjdes för...* voices were heard urging...; *ha* ~ sång~ have a good voice; *höja* (*sänka*) *~en* raise (lower) one's voice; *lyssna till sin inre* ~ listen to one's inner voice; *med hög* (*låg*) ~ in a loud (low) voice; *ha mild* ~ be soft-spoken **2** polit. vote; *~er* votes; *antalet avgivna ~er* the number of votes cast, the [total] vote (poll); *nedlagd* ~ abstention; *få 3000 ~er* poll (get, receive) 3000 votes; *få de flesta ~erna* äv. head

the poll; *lägga ned sin* ~ abstain [from voting]; bli vald *med tio ~ers övervikt* ...by a majority of ten

rösta I *vb itr* (~de, ~t) vote; vid allmänt val äv. poll; *~nde* [*person*] voter; ~ *för* (*mot*) *ngt* vote for (against) sth; ~ *på högern* vote Conservative (with the Conservatives); ~ *om ngt* vote on sth, put sth to the vote; ~ *på ngn* vote for sb **II** med beton. part.

rösta igenom förslag o.d. vote...through

rösta in ngn i t.ex. riksdagen vote sb into...

rösta ned (**omkull**) vote down, reject

rösta ut vote off

röstapparat *s* (~en, ~er) anat. vocal organs pl.

röstberättigad *adj* (-berättigat, ~e) ...entitled to vote; *vara* ~ äv. have a vote; ~ *medlem* voting member; *en* ~ [*person*] a voter

röstbrevlåda *s* (~n, -lådor) data. el. tele. voice mail box

röstetal *s* (~et, =) number of votes, poll; *vid lika* ~ avgör lotten if the number of votes are equal..., where the voting is even...

röstfiske *s* (~t) angling for votes, vote-catching

röstkort *s* (~et, =) ung. voting (electoral) card

röstläge *s* (~t, ~n) [vocal] pitch; allm. tone of voice

röstlängd *s* (~en, ~er) electoral register, register of electors (voters)

röstning *s* (~en, ~ar) voting; vid allmänt val äv. polling

röstomfång *s* (~et, =) mus. compass (range) of a (resp. the) voice

röstorgan *s* (~et, =) mus. vocal organ

röstresurser *s pl* vocal powers

rösträknare *s* (~n, =) teller

rösträkning *s* (~en, ~ar) rösträknande counting of votes; *en* ~ a count [of votes]

rösträtt *s* (~en) ngns right to vote (of voting); politisk, kommunal franchise; *allmän* (*kvinnlig*) ~ universal (woman, women's) suffrage; *kvinnorna har inte* ~ *i det landet* äv. women do not have the vote...

röstsedel *s* (~n, -sedlar) voting paper, ballot paper

röstsiffror *s pl* number of votes, poll (båda sg.)

röstspringa *s* (~n, -springor) anat. glottis

röststyrka *s* (~n, -styrkor) **1** hos person strength (power) of one's (the) voice **2** polit. voting strength

röstövervikt *s* (~en) majority [of votes]

1 röta *s* (~n) rot; förruttnelse putrefaction; förmultning decay; bildl. corruption; *angripas av* ~ begin to rot, putrefy

2 röta *s* (~n), *vilken* ~ vard., tur what a piece (bit) of luck

rötmånad *s* (~en, ~er), *~en* the dogdays pl.

rötslam *s* (~met) [digested] sludge

rött *s* (oböjl.) red; *sätta lite* ~ *på läpparna* put on some lipstick; *köra mot* ~ jump the [red] light[s]; *gå mot* ~ cross against the red light; *se* ~ see red; för vidare ex. jfr *blått*

rötägg *s* (~et, =) eg. addled (rotten) egg; bildl. bad egg, rotter

röv *s* (~en, ~ar) vulg. arse; amer. ass

röva *vb tr* (~de, ~t) rob [*ngt från ngn* sb of sth]; stjäla steal [*ngt från ngn* sth from sb]; ~ *bort* run away with; speciellt kvinna abduct

rövarband *s* (~et, =) band (gang) of robbers

rövare *s* (~n, =) **1** robber; åld. el. bibl. thief (pl. thieves); *leva* ~ raise hell **2** *ta en* ~ vard. have a go, chance it (one's arm), take a gamble

rövarhistoria *s* (-historien el. ~n, -historier) tall (cock and bull) story

rövarkula *s* (~n, -kulor) robber's den, den of thieves; bildl. thieves' den

rövarpris *s* (~et, = el. ~er), *det är rena rama ~et* oskäligt mycket it's daylight (highway) robbery

röveri *s* (~et, ~er) robbery, brigandage

rövslickare *s* (~n, =) vulg. arse-licker, brown-noser; amer. ass-kisser

S s

s *s* (s:et, s) bokstav s [utt. es]

s. (förk. för *sidan* o. *sidorna*) p. resp. pp.

sabba *vb tr* (~de, ~t) vard., förstöra ruin, spoil, muck up

sabbat *s* (~en, ~er) Sabbath; *fira ~[en]* observe the Sabbath

sabbatsår *s* (~et, =) year off; univ. sabbatical

sabel *s* (~n, sablar) sabre äv. fäktn.; rak äv. sword

1 sabla *vb itr* (~de, ~t), *~ ned* t.ex. fienden cut down; t.ex. bok, pjäs slam, slate, pull (tear)...to pieces

2 sabla *adj* (oböjl.) o. *adv* vard., se *jäkla*

sabotage *s* (~t, =) sabotage; *utföra ~* sabotage; carry out sabotage [activities]

sabotageprogram *s* (~met, =) data. malware

sabotera *vb tr* (~de, ~t) sabotage; friare ruin, spoil, muck up

sabotör *s* (~en, ~er) saboteur

Sachsen Saxony

sacka *vb itr* (~de, ~t), *~ efter* lag (drop) behind, straggle

sackarin *s* (~et) kem. saccharin

sadel *s* (~n, sadlar) **1** allm. saddle äv. kok.; *sitta säkert i ~n* bildl. be (sit) firmly in the saddle; *sitta löst i ~n* bildl. be none too secure in the saddle **2** på fiol, gitarr etc. nut

sadelgjord *s* (~en, ~ar) [saddle] girth, cinch

sadelmakare *s* (~n, =) saddler

sadeltäcke *s* (~t, ~n) saddle blanket, saddlecloth

sadelväska *s* (~n, -väskor) saddle bag äv. på cykel

sadism *s* (~en) sadism

sadist *s* (~en, ~er) sadist

sadistisk *adj* (~t) sadistic

sadla I *vb tr* (~de, ~t) saddle; *~ av* (*på*) unsaddle (saddle [up]) **II** *vb itr* (~de, ~t), *~ om* byta yrke change one's profession etc., jfr *yrke*

sado-masochism *s* (~en) psykol. sado-masochism

safari *s* (~n, ~er) safari

safaripark *s* (~en, ~er) safari park

saffran *s* (~et el. ~en) saffron

saffransbröd *s* (~et, =) saffron bread

saffransgul *adj* (~t) saffron-yellow; attr. äv. saffron...

safir *s* (~en, ~er) sapphire

saft *s* (~en, ~er) av frukt, grönsaker, kött juice; kokt med socker (för spädning) [fruit] syrup; blandad med vatten som dryck fruit drink, se äv. *apelsinsaft, hallonsaft* m.fl.; *pressa* (*krama*) *~en ur* en citron squeeze [the juice out of]..., squeeze...dry

safta I *vb itr* (~de, ~t) **1** göra saft make fruit-syrup **2** *~ på* vard., 'bre på' pile it on; *~ till* slå till bash **II** *vb rfl* (~de, ~t), *~ sig* run to juice

saftig *adj* (~t) juicy äv. bildl.; om frukt, blad o.d. äv. succulent; full av sav sappy; *en ~ räkning* a huge bill

saga *s* (~n, sagor) fairy tale äv. friare, [fairy] story; folk~ folk tale; nordisk saga; myt, guda~ myth; *berätta en ~ [för mig]!* tell me a story!

sagd *adj* (sagt) said; *~a person* the said person; se f.ö. ex. under *säga*

sagesman s (~nen, -män) informant; källa äv. authority, source

sagoberättare s (~n, =) story-teller

sagobok s (~en, -böcker) story book, book of fairy tales (stories)

sagogryn s (~et, =) kok., koll. sago

sagoland s (~et, -länder) fairyland, wonderland

sagolik adj (~t) fabulous; vard., underbar o.d. äv. gorgeous, glorious; **en ~ röra** an incredible mess; **vilken ~ tur!** what fantastic (incredible) luck!

sagoprins s (~en, ~ar) fairy prince

sagoslott s (~et, =) fairy castle (palace)

Sahara the Sahara

sajt s (~en, ~er) data., webbplats [web] site

sak s (~en, ~er) **1** konkr. thing; föremål äv. object, article; **~er** tillhörigheter belongings **2** abstr.: omständighet o.d. thing; angelägenhet matter, business (endast sg.), affair; fråga äv. question; **en ~** någonting vanl. something; **~en** det, förhållandet o.d. it, the matter; **~er och ting** things; **~en är den att han...** the fact is that he..., it is like this, he...; han är bäst, **den ~en är klar** vard. ...that's clear, ...there's no doubt about that; **det gör inte ~en bättre** that doesn't mend matters (make it any better); det är ingen ursäkt that is no excuse; **kunna sin ~ (sina ~er)** know one's job (vard. stuff); **den ~en ska jag ordna** I'll see to that; **jag ska säga dig en ~** [I] tell you what; do you know what?; **jag ska tänka på ~en** I'll think about it, I'll think it over; **det var en annan ~!** det förändrar saken that makes all the difference!, that alters things (matters)!; **det är [inte] min ~** that's [none of] my business, that's [not] my headache; **det är din ~ att ta reda på det** it is up to you (is your job) to find out; **det är samma ~** it is the same thing; **för den goda ~en[s skull]** for the good of the cause; **han har rätt i ~** essentially he is right; **det ligger i ~ens natur** it is in the nature of things (is quite natural); **så var det med den ~en!** and that's that!, that's all there is to it!; **han är säker på sin ~** he is sure of his ground; **gå rakt på ~** säga utan omsvep not beat about the bush; **komma till ~en** get to the point, get down to brass tacks; **hålla sig till ~en** keep (stick) to the point **3** jur., rättsfall case; friare el. ngt att kämpa för cause; **göra ~ av ngt** take sth to court

saké s (~n) japanskt risbrännvin saké

sakfel s (~et, =) factual error

sakfråga s (~n, -frågor) question of fact, factual matter; **[själva] ~n** the point at issue

sakförhållande s (~t, ~n) state of things (affairs); faktum fact

sakkunnig I adj (~t) expert, competent; **vara ~ i** be [an] expert in (on) **II** s (en ~, pl. ~a), **en ~** an expert, a specialist, an adviser

sakkunskap s (~en) sakkännedom expert knowledge; **~en** de sakkunniga the experts pl.

saklig adj (~t) nykter o. torr matter-of-fact, businesslike; objektiv objective; **en ~ bedömning** an objective estimate; **på ~a grunder** on grounds of fact

saklighet s (~en) matter-of-factness; objektivitet objectivity

sakläge s (~t) state of things

saklöst adv ostraffat with impunity; utan vidare just like that; **det kan ~ utgå** it can be safely omitted

sakna vb tr (~de, ~t) **1** inte ha, vara utan lack, be without, have no; sakna och behöva want, be in want of; lida brist på be wanting (lacking, deficient) in; vara helt utan, t.ex. mening be devoid of; **~ anlag (medel, pengar)** lack aptitude (means, money); beskyllningen **~r grund** ...is without foundation, ...is unfounded (baseless); **han ~r humor** he has no (is devoid of a) sense of humour; **jag ~r ord** words fail me; **jag ~r ord för att uttrycka...** I am at a loss for words with which to express... **2** inte [kunna] hitta, **jag ~r mina nycklar** I've lost (I can't find) my keys **3** märka frånvaron av miss; **jag ~de inte nycklarna förrän...** I didn't miss my keys until...; **jag ~r det inte** I don't miss it; jag behöver det inte I can do without it; **~ ngn [mycket]** miss sb [badly (very much)]

saknad I s **1** (~en), **känna [stor] ~ efter ngn** miss sb [badly (very much)]; **~en efter honom är stor** his loss is deeply felt **2** (~en) brist want, lack **3** (en ~, pl. ~e), **~e** saknade personer missing persons, persons missing **II** adj (saknat, ~e) (jfr sakna 3); missed; borta missing; **anmäld som ~** reported missing

saknas vb itr dep (saknades, saknats) vara borta be missing; **det ~ 10 000 kronor i kassan** there is 10,000 kronor missing...

sakprosa s (~n) ordinary (non-literary) prose; som mots. till skönlitteratur non-fiction

sakral adj (~t) sacred

sakrament s (~et, =) sacrament

sakregister s (-registret, =) subject index

sakristia s (~n, sakristior) kyrkl. vestry, sacristy

sakrosankt adj (=) sacrosanct

sakskäl s (~et, =) positive argument; **mottaglig för ~** amenable to reason

sakta I adj (oböjl.) långsam slow; varsam gentle; dämpad soft; **över ~ eld** over a slow fire; **i ~ mak** at an easy (a leisurely) pace, at an amble **II** adv långsamt slowly; varsamt gently; **~ framåt!** sjö. easy ahead!; **gå ~** walk slowly (tyst softly); **~ men säkert** slow but sure, slowly but steadily (surely) **III** vb tr o. vb itr (~de, ~t), **~ farten** el. **~ in** slow down, slacken [the] speed **IV** vb rfl (~de, ~t), klockan **~r sig** ...is losing [time]

sakteliga adv, **så ~** slowly; tyst, lätt softly, gently

saktmodig adj (~t) meek äv. bibl., gentle

sakuppgift s (~en, ~er) factual information (endast sg.); **några ~er** some [pieces of] information

sal s (~en, ~ar) hall; sjukhus~ ward

salamander s (~n, salamandrar) zool. el. mytol. salamander

salami s (~n) salami [sausage]

saldo s (~t, ~n) balance; **ingående ~** balance brought forward (förk. b.f.); **utgående ~** balance [to be] carried forward (förk. c.f.)

salicylsyra s (~n, -syror) kem. salicylic acid

salig adj (~t) bibl. blessed; poet. blest; vard., lycklig delighted, [very] happy; avliden late...; **en ~ röra** a glorious mess, a proper mishmash; **var och en blir ~ på sin fason** everybody is happy in his own way

salighet s (~en, ~er) teol. blessedness; frälsning salvation; lycka bliss, happiness; **här var det trångt om ~en** vard. there isn't room to breathe (room to swing a cat) here

saliv s (~en) saliva

salivavsöndring s (~en) secretion of saliva, salivary secretion, salivation

sallad s (~en, ~er) **1** bot., [huvud]sallat lettuce **2** kok. salad

salladsbestick *s* (~et, =) salad servers pl.; ***ett*** ~ a pair of salad servers

salladsblad *s* (~et, =) lettuce leaf

salladsdressing *s* (~en, ~ar) salad dressing

salladshuvud *s* (~et, ~en el. =) lettuce, head of lettuce

salladskål *s* (~en) kinakål Chinese cabbage

salladslök *s* (~en, ~ar) bot. el. kok. spring onion, scallion

salladsskål *s* (~en, ~ar) salad bowl

salladsslunga *s* (~n, -slungor) salad spinner

salladssås *s* (~en, ~er) salad dressing

salmiak *s* (~en) kem. sal ammoniac, ammonium chloride

salmonella *s* (~n) bakterier salmonell|a (pl. -ae); sjukdomen salmonella, vetensk. salmonellosis

salong *s* (~en, ~er) **1** i hem drawing-room; amer. parlor; [stort] sällskapsrum lounge äv. på hotell, båt o.d.; teater~ auditorium, se äv. *frisersalong*, *skönhetssalong* m.fl. **2** utställning exhibition, konst. äv. salon

salongsberusad *adj* (-berusat, ~e) ung. merry

salongsfähig *adj* (~t) socially acceptable

salongsgevär *s* (~et, =) saloon (small-bore) rifle

salongslejon *s* (~et, =) lounge lizard

salpeter *s* (~n) kem. saltpetre, nitre; kali~ potassium nitrate

salpetersyra *s* (~n) kem. nitric acid

salsa *s* (~n) kok. el. mus. salsa; ***dansa*** ~ dance (do) the salsa

salt I *s* (~et, ~er) salt; kok~ [common] salt; ***ta ngt med en nypa salt*** bildl. take sth with a grain (pinch) of salt; ***strö i såren på ngn*** bildl. rub salt into sb's wounds **II** *adj* (=) salt; saltsmakande äv. salty; [in]saltad äv. salted; bildl., bitande, skarp pungent

salta I *vb tr* (~de, ~t) salt; beströ med salt äv. sprinkle…with salt; ~ ***notan*** vard. pad the bill; ***en ~d räkning*** a padded (stiff) bill **II** *vb itr* (~de, ~t), ~ ***i*** (***på***) ngt put salt in (on)…

saltfattig *adj* (~t), ~ ***kost*** low-salt diet

saltgurka *s* (~n, -gurkor) pickled gherkin

salthalt *s* (~en, ~er) salt content, salinity; procentdel percentage of salt

saltkar *s* (~et, =) för bordet saltcellar

saltlake *s* (~n) kok. brine, pickle

saltlösning *s* (~en, ~ar) saline solution, saline, brine

saltomortal *s* (~en, ~er) somersault; ***göra en*** ~ do (turn) a somersault, somersault; ***baklänges*** ~ backflip

saltsjö *s* (~n, ~ar) insjö salt lake; ***Saltsjön*** utanför Stockholm the Saltsjön [sea]

saltsyra *s* (~n) kem. hydrochloric acid

saltvatten *s* (-vattnet) saltwater

saltvattensfisk *s* (~en, ~ar) saltwater fish (pl. lika)

salu *s* (oböjl.), ***till*** ~ on (for) sale, to be sold; ***inte till*** ~ not for sale

saluföra *vb tr* (-förde, -fört) offer…for sale

saluhall *s* (~en, ~ar) market hall, covered market

salustånd *s* (~et, =) stall; på marknad äv. booth

salut *s* (~en, ~er) salute; ***ge*** (***skjuta***) ~ give a salute

salutera *vb tr* o. *vb itr* (~de, ~t) salute

salutorg *s* (~et, =) market place

1 salva *s* (~n, salvor) skott~ o.d. el. bildl. volley; eg. äv. round of ammunition; ***avlossa*** (***avfyra***) ***en*** ~ discharge (fire) a volley

2 salva *s* (~n, salvor) till smörjning ointment; till sårbehandling o.d. äv. salve

salvadoransk från El Salvador *adj* (~t) Salvadorean, Salvadorian, Salvadoran

salvia *s* (~n) bot. sage

samarbeta *vb itr* (~de, ~t) cooperate, work together; i litterärt arbete el. neds. el. polit. collaborate

samarbete *s* (~t, ~n) cooperation; i litterärt arbete el. neds. el. polit. collaboration; jfr *samarbeta*; ***internationellt*** ~ international cooperation; ***han har skrivit boken i*** ~ ***med A.*** …in collaboration with (together with) A.

samarbetsavtal *s* (~et, =) cooperation (collaboration) agreement

samarbetspartner *s* (~n, = el. ~s) partner, collaborator

samarbetssvårigheter *s pl* difficulty sg. in cooperating

samarbetsvilja *s* (~n) will (villighet willingness) to cooperate, cooperativeness

samarbetsvillig *adj* (~t) cooperative

samarit *s* (~en, ~er) bibl. el. bildl. Samaritan; ***den barmhärtige*** ~***en*** the Good Samaritan

samba *s* (~n, sambor), ***dansa*** ~ dance (do) the samba

samband *s* (~et, =) connection; mil. liaison; ***i*** ~ ***med*** in connection with; ***minskningen kan sättas i*** ~ ***med*** …can be related to (connected with)

sambeskatta *vb tr* (~de, ~t) jointly tax

sambeskattning *s* (~en, ~ar) joint taxation

sambo I *s* (~n, ~r) [live-in] partner, cohabitor, cohabitant; vard. cohab; jur. common-law husband (resp. wife) **II** *vb itr* (~dde, ~tt) live together, live in; mera formellt cohabit; ~ ***med*** ngn vanl. live with…

samboende I *adj* (oböjl.) …living together; mera formellt cohabiting **II** *s* (~t) det att sammanbo living together, cohabitation

samdistribution *s* (~en) joint distribution

same *s* (~n, ~r) Lapp, Laplander; mera vetensk. Sami (pl. lika)

samedräkt *s* (~en, ~er) Sami costume

samekvinna *s* (~n, -kvinnor) Sami woman

Sametinget the Sami Parliament

samexistens *s* (~en) coexistence; ***fredlig*** ~ peaceful coexistence

samfund *s* (~et, =) förening society, association; lärt äv. academy; kyrko~ communion

samfälld *adj* (-fällt) gemensam joint; kollektiv äv. collective; enhällig unanimous; ~ ***egendom*** jur. common land

samfällighet *s* (~en, ~er) association; community; cooperative

samfärdsel *s* (~n) communications pl.; inbördes äv. intercommunication; trafik traffic

samfärdsmedel *s* (-medlet, =) means (pl. lika) of communication

samförstånd *s* (~et) [mutual] understanding; enighet agreement; ***hemligt*** ~ secret understanding; maskopi collusion; ***i*** ~ ***med*** partiet o.d. in agreement (accord) with…; ***le i*** ~ smile like-mindedly

samgående *s* (~t) sammanslagning fusion, merger; gemensam aktion joint action; ***ett*** ~ ***mellan…*** [close] cooperation between…

samhälle *s* (~t, ~n) **1** allm. society (äv. ~***t***); mera konkr. som social enhet community; ort place; stad town **2** zool. colony; bi~ äv. hive

samhällelig *adj* (~t) social; vetensk. societal; ~ *plikt* public duty

samhällsanda *s* (~n) public (community) spirit

samhällsansvar *s* (~et) social responsibility; företags, organisations etc. corporate social responsibility (förk. CSR)

samhällsapparat *s* (~en) social apparatus

samhällsdebatt *s* (~en, ~er) public debate, public discussion of social matters

samhällsekonomi *s* (~n) national (public) economy (finances pl.)

samhällsfara *s* (~n, -faror) menace (threat) to society

samhällsfarlig *adj* (~t) ...dangerous to society (resp. the community)

samhällsfientlig *adj* (~t) antisocial

samhällsfrånvänd *adj* (-vänt) non-social-minded (civic-minded); oengagerad non-committed

samhällsförbättrare *s* (~n, =) social reformer

samhällsgrupp *s* (~en, ~er) social group

samhällsklass *s* (~en, ~er) class [of society], social class

samhällskritik *s* (~en) social criticism

samhällskritiker *s* (~n, =) critic of society, social critic

samhällskritisk *adj* (~t) ...critical of society; ~ *litteratur* äv. literature of social protest

samhällsliv *s* (~et) social life

samhällsnytta *s* (~n), *~n* the public welfare

samhällsnyttig *adj* (~t) ...of advantage to society; *~t företag* [public] utility company

samhällsomstörtande *adj* (oböjl.) subversive, revolutionary

samhällsordning *s* (~en, ~ar) social order

samhällsorienterande *adj* (oböjl.), *~ ämnen* social studies, civics sg., humanities pl.

samhällsplanering *s* (~en, ~ar) social (community el. town and country) planning

samhällsproblem *s* (~et, =) social problem

samhällsskick *s* (~et, =) social structure, type of society

samhällsskikt *s* (~et, =) social strat|um (pl. -a)

samhällsskildring *s* (~en, ~ar) description of society

samhällsställning *s* (~en, ~ar) social position, position in society, station

samhällstillvänd *adj* (-vänt, -vända) social-minded, civic-minded; engagerad, om t.ex. litteratur committed

samhällstjänst *s* (~en) community service

samhällsvetare *s* (~n, =) social scientist, sociologist

samhällsvetenskap *s* (~en) social science, sociology

samhörighet *s* (~en) solidarity; själsfrändskap affinity, togetherness [med i samtliga fall with]

samhörighetskänsla *s* (~n) feeling (sense) of belonging [med to], [feeling of] togetherness (affinity)

samisk *adj* (~t) Lapp, Lappish; mera vetensk. Sami

samiska *s* (~n) språk Lappish

samklang *s* (~en) mus. harmony, unison äv. bildl.; *stå i ~ med* bildl. be in harmony (tune, keeping) with

samkväm *s* (~et, =) social [gathering]

samkönad *adj* (-könat, ~e) **1** bot. androgynous; zool. äv. hermaphrodite **2** om t.ex. äktenskap same-sex

samköra *vb tr* (-körde, kört) coordinate; *~ dataregister* link and match computer files

samkörning *s* (~en, ~ar) coordination; *~ av*

dataregister [the] linking and matching of computer files

samla (jfr *samlad*) **I** *vb tr* (~de, ~t) gather; visst syfte collect; människor assemble; *~ på hög* amass, hoard, accumulate; [*stå och*] *~ damm* collect (gather) dust; *~ data* assemble data; *~ frimärken* (*material*) collect stamps (material); *~ mod* pluck (get) up courage; *~ tankarna* collect (compose) one's thoughts

II *vb itr* (~de, ~t), *~ på* ngt collect...

III *vb rfl* (~de, ~t), *~ sig* a) eg., se *samlas* b) bildl. collect (compose) oneself; vard. pull oneself together; koncentrera sig concentrate

IV med beton. part.

samla ihop se *samla I*; *~ ihop ett lag* (*sina saker*) get a team (one's things) together

samla in collect

samla på sig t.ex. en massa skräp pile up

samla upp gather up, collect; plocka upp äv. pick up

samlad *adj* (samlat, ~e) collected; församlad assembled etc., jfr *samla I*; *lugn och ~* calm and collected (composed); *Strindbergs ~e skrifter* the collected (complete) works of Strindberg; *i ~ trupp* (*tropp*) [all] in a body

samlag *s* (~et, =) sexual intercourse; speciellt med. el. vetensk. coitus, coition (samtliga endast sg.); *ett ~* an act of sexual intercourse; *ha ~* have sexual intercourse; vard. have sex, make love; *avbrutet ~* preventivmetod coitus interruptus lat.

samlagsställning *s* (~en, ~ar) sexual (coital) position

samlarbild *s* (~en, ~er) trading card

samlare *s* (~n, =) collector

samlarobjekt *s* (~et, =) collector's item

samlas *vb itr dep* (samlades, samlats) om person gather, get (come) together; om t.ex. folk[massa] äv. collect; församlas assemble; träffas meet; hopas collect; *~ kring en idé* be united by an idea

samlevnad *s* (~en) a) mellan människor social life; samliv life together; *äktenskaplig ~* married life b) mellan t.ex. nationer, [fredlig] ~ [peaceful] coexistence

samling *s* (~en, ~ar) **1** abstr. gathering etc., jfr *samla I* o. *samlas*; polit. coalition; *~ [sker]* klockan nio assembly (vi ska samlas we will assemble) at... **2** konkr., t.ex. av mynt, böcker collection; av personer, vanl. gathering; vard. bunch, lot [samtliga med of framför följande ord]; *en utvald ~* a select group (gathering)

samlingsalbum *s* (~et, =) skiva compilation album (CD); som titel ofta greatest hits

samlingsbegrepp *s* (~et, =) se *samlingsnamn*

samlingslokal *s* (~en, ~er) plats meeting-place; sal assembly hall, meeting-hall

samlingsnamn *s* (~et, =) generic (comprehensive, umbrella) term

samlingsplats *s* (~en, ~er) meeting-place; mil. el. friare rendezvous (pl. lika)

samlingspunkt *s* (~en, ~er) meeting-point, rallying-point; bildl. foc|us (pl. -i el. -uses)

samlingsregering *s* (~en, ~ar) coalition government

samlingssal *s* (~en, ~ar) assembly hall, meeting-hall

samliv *s* (~et) life together; *äktenskapligt ~* married life

samma *pron* (mask. samme) the same [*som* as]; likadan ...of the same kind (sort) [*som* as]; *~ dag* the (that) same day; **redan ~ dag** that very day; jag kom ~ **dag som du** ...[on] the same day as you [did]; ~ **gamla jacka** (**visa**) the same old coat (song); **en och ~ person** [one and] the same person; [**det är**] **sak ~** it's all the same, it makes no difference; **sak ~** [**var**] no matter [where]; **de är av ~ sort** (**storlek**) they are the same kind (size), they are of a kind (size); **de är av ~ längd** äv. they are of equal length; **de är i ~ ålder** they are [of] the same age; **på ~ gång** at the same time; **på ~ sätt** [in] the same way, similarly

sammalen adj (-malet, -malna), **sammalet mjöl** whole meal

samman adv together, jfr *ihop* o. *tillsammans*

sammanbiten adj (-bitet, -bitna) resolute, dogged

sammanblandning s (~en, ~ar) förväxling confusion

sammanbo vb itr (-bodde, -bott) live together, live in; mera formellt cohabit; **~ med** ngn live with...

sammanboende adj (oböjl.) o. s (~t) se *samboende*

sammanbrott s (~et, =) breakdown, collapse; **nervöst ~** nervous breakdown; **få ett ~** have a breakdown, break down, collapse

sammandrabbning s (~en, ~ar) mil. el. friare encounter; bildl., i fråga om åsikter clash, conflict; ordstrid altercation

sammandrag s (~et, =) summary, outline, précis (pl. lika); vetensk. el. univ. o.d. abstract; **matchen i ~** highlights of the match; **nyheterna i ~** news summary, the news in brief

sammandragning s (~en, ~ar) **1** mil. concentration **2** med. contraction

sammanfalla vb itr (-föll -fallit) **1** infalla samtidigt coincide; **delvis ~** äv. overlap **2** sönderfalla collapse

sammanfatta vb tr (~de, ~t) sum up, summarize

sammanfattning s (~en, ~ar) summary, outline, overview; jur., av mål summing-up (pl. summings-up)

sammanfattningsvis adv to sum up; speciellt amer. vard. to wrap up

sammanflöde s (~t, ~n) floders confluence

sammanfoga vb tr (~de, ~t) join, put together

sammanföra vb tr (-förde, -fört) bring...together; **~ presentera två personer** (**ngn med**...) introduce two persons to each other (sb to...)

sammangadda vb rfl (~de, ~t), **~ sig** se *gadda sig samman* under *gadda*

sammanhang s (~et, =) samband connection; text~ context; logiskt ~ consistency, coherence; obrutet ~, följd continuity; han fattade **hela ~et** ...the whole situation (thing), ...how it had all happened (come about); ordets betydelse framgår **av ~et** ...from the (its) context; **i detta ~** i samband härmed in this connection; i detta avseende in this [matter]; **framträda i offentliga ~** appear in public; se saken **i ett större ~** ...as part of a greater whole; **brist på ~** av. incoherence; ett citat **utbrutet ur sitt ~** ...taken out of context

sammanhållen adj (-hållet, -hållna) coherent; **väl ~** closely connected (held together)

sammanhållning s (~en) samhörighet solidarity; enighet unity; samstämmighet concord, harmony; **god ~ i klassen** good spirit...

sammanhängande adj (oböjl.) connected; logiskt äv. coherent; utan avbrott continuous; **härmed ~ frågor** ...connected with it (this)

sammankalla vb tr (~de, ~t) call together, assemble; ett möte o.d. äv. summon, convene

sammankallande s (en ~, pl. =), **~** [**ledamot**] **till** mötet var... the convener of...

sammankomst s (~en, ~er) meeting, gathering, assembly; för överläggning äv. conference; större convention

sammanlagd adj (-lagt) total total, entire; **det ~a beloppet** the total amount (sum); **deras ~a inkomster** their combined incomes, their incomes taken (added) together

sammanlagt adv in all; **~ 1000 kronor** äv. a total of..., ...all told

sammanpressa vb tr (~de, ~t) compress, press (squeeze)...together

sammanräkning s (~en, ~ar) addition; av röster count

sammansatt adj (=) om t.ex. ord, tal, ränta compound; av olika beståndsdelar composite; komplicerad complicated, complex; **vara ~ av** bestå av be composed (made up) of, consist of

sammanslagning s (~en, ~ar) uniting, union; fusion merger, amalgamation, consolidation; av kapital o.d. pooling

sammanslutning s (~en, ~ar) förening, sällskap association, society, club; sammanslutna organisationer union; polit. union, league, federation

sammansmältning s (~en, ~ar) fusion; bildl. äv. amalgamation, merging

sammanstråla vb itr (~de, ~t) se *stråla samman* under *stråla III*

sammanställa vb tr (-ställde, -ställt) se *ställa samman* under *ställa III*

sammanställning s (~en, ~ar) redogörelse etc. account; sammanställande putting together; av t.ex. antologi, register compilation

sammanstötning s (~en, ~ar) kollision collision; kamp, strid clash; mil. encounter

sammansvetsad adj (-svetsat, ~e) bildl. closely united (knit)

sammansvuren s (en ~, pl. -svurna), **sammansvurna** conspirators, plotters

sammansvärjning s (~en, ~ar) conspiracy, plot

sammansättning s (~en, ~ar) **1** sammansättande putting together; författande composition; montering assembly etc.; jfr *sätta ihop* under *sätta IV* **2** det sätt ngt är sammansatt på composition, make-up; t.ex. riksdagens constitution **3** sammansatt ord compound

sammanträda vb itr (-trädde, -trätt) meet, assemble; hålla ett möte hold a meeting

sammanträde s (~t, ~n) [committee] meeting; för överläggning äv. conference; t.ex. förenings äv. assembly; parl. o.d. sitting, session; **hon sitter i** (**är på**) **~** she is in a meeting

sammanträffa vb itr (~de, ~t) **1** råkas meet; **~ med ngn** meet sb; händelsevis run across sb **2** om omständigheter coincide, concur

sammanträffande s (~t, ~n) **1** möte meeting **2** ~ av omständigheter, slump coincidence; **ett lyckligt ~** a happy coincidence

sammanträngd adj (-trängt) compressed, condensed

sammanvuxen adj (-vuxet, -vuxna), **träden är sammanvuxna** the trees have grown together; **hans ögonbryn är sammanvuxna** his eyebrows meet

sammelsurium s (sammelsuriet, sammelsurier) jumble, mishmash, hotchpotch

sammet s (~en) velvet

sammetsklänning s (~en, ~ar) velvet dress

sammetslen *adj* (~t) o. **sammetsmjuk** *adj* (~t) velvety, ...like (as soft as) velvet; attr. äv. velvet...

sammetstapet *s* (~en, ~er) flock paper

samnordisk *adj* (~t) joint Scandinavian (mer officiellt Nordic)

Samoa Samoa

samordna *vb tr* (~de, ~t) coordinate

samordning *s* (~en, ~ar) coordination

samovar *s* (~en, ~er) samovar

sampla *vb tr* (~de, ~t) statistik. el. mus. sample äv. provsmaka; ~ **ur** take a sample from

samproduktion *s* (~en, ~er) coproduction

samregering *s* (~en, ~ar) joint government (rule)

samråd *s* (~et, =) consultation; **i ~ med** in consultation with

samråda *vb itr* (-rådde, -rått) consult each other; ~ **med ngn** consult (confer with) sb

samröre *s* (~t) dealings pl., collaboration; **ha ~ med** have dealings (collaborate) with

sams *adj* (oböjl.), **vara ~** vänner be [good] friends, be on good terms [with each other]; **bli ~ igen** be friends again, make it up

samsas *vb itr dep* (samsades, samsats) **1 a**) trivas tillsammans, ~ **[bra]** get on well **b**) enas agree [*om ngt* on (about) sth] **2** dela, ~ **om** t.ex. utrymmet share

samskola *s* (~n, -skolor) coeducational (coed, mixed) school

samspel *s* (~et) mus. el. teat. o.d. ensemble; sport. teamwork; bildl., t.ex. mellan faktorer interplay

samspelt *adj* (=), **vara ~a** play well together, have a perfect understanding äv. bildl.

samspråk *s* (~et) talk, conversation; förtroligt chat; **komma (slå sig) i ~ med** get into conversation with

samspråka *vb itr* (~de, ~t) talk, converse; småprata chat, have a chat

samstämd *adj* (-stämt) harmonierande attuned

samstämmig *adj* (~t) överensstämmande concordant, ...in accord; enhällig unanimous

samstämmighet *s* (~en, ~er) accord, concordance; enhällighet unanimity, consensus

samsända *vb tr* (-sände, -sänt) radio. el. TV. broadcast (transmit) simultaneously, simulcast

samsändning *s* (~en, ~ar) radio. el. TV. joint (simultaneous) broadcast (transmission), simulcast

samt *konj* and [also]; tillsammans med [together (along) with]

samtal *s* (~et, =) conversation, talk; tele. call; **föra ett ~** converse, carry on a conversation

samtala *vb itr* (~de, ~t) talk, converse [*om* about]; ~ **om** diskutera äv. discuss

samtalsavgift *s* (~en, ~er) tele. call charge

samtalsterapi *s* (~n) psykol. talk therapy

samtalston *s* (~en), **i ~** in a conversational tone

samtalsämne *s* (~t, ~n) topic, topic (subject) of conversation (polit. o.d. discussion); **byta ~** change the subject

samtid *s* (~en), **~en a**) vår tid our age (time), the age in which we live; den tiden that period (age, time) **b**) våra (hans etc.) samtida our (his etc.) contemporaries pl.

samtida I *adj* (oböjl.) contemporary **II** *s* (oböjl., en), **hans ~** his contemporaries

samtidig *adj* (~t) contemporaneous; framför allt om person contemporary; framför allt avseende längre period äv. coeval; skeende i samma ögonblick simultaneous

samtidigt *adv* at the same time [*som (med)* as]; på en och samma gång äv. at once; i samma ögonblick simultaneously

samtliga *adj* (oböjl.) attr.: fören. all the...; självst. all [of them (resp. us etc.)], all their (our)...; ~ **våra** kunder all [of] our...; ~ **närvarande** all those present

samtycka *vb itr* (-tyckte, -tyckt) consent, assent, agree [*till* i samtliga fall to]; **den som tiger han samtycker** silence gives consent

samtycke *s* (~t, ~n) consent; bifall assent; gillande approval, sanction; **ge sitt ~** give one's consent; bifalla assent

samuraj *s* (~en, ~er) samurai (pl. lika)

samvariation *s* (~en, ~er) statistik. covariance

samvaro *s* (~n) being together; tid tillsammans time together; umgänge relations pl.; **den dagliga ~n** daily intercourse; **skiljas efter många års ~** separate after many years [spent] together

samverka *vb itr* (~de, ~t) cooperate; samarbeta äv. work (act) together; förena sig unite

samverkan *s* (=, en) cooperation, collaboration; koordination coordination; gemensam aktion joint action; **i nära ~ med** in close cooperation with

samverkande *adj* (oböjl.) t.ex. faktorer, krafter concurrent; ömsesidigt verkande interacting

samvete *s* (~t, ~n) conscience; **ha dåligt ~ för ngt** have a bad conscience about sth; **ha gott (rent) ~** have a clear conscience; **ha ~ att göra ngt** have the conscience to do sth; **lätta sitt ~** relieve (ease) one's conscience; genom att erkänna make a clean breast of it; **~ts röst** the voice (promptings pl.) of conscience; **med gott ~** with a clear conscience; **ha något på sitt ~** have something on one's conscience; **på heder och ~!** cross my heart [and hope to die]!, [up]on my honour!

samvetsbetänkligheter *s pl* scruples, compunction sg.

samvetsfrid *s* (~en) ease of conscience, peace of mind

samvetsfråga *s* (~n, -frågor) delicate question; samvetssak matter (point) of conscience

samvetsförebråelser *s pl* remorse sg.; svagare compunction sg.; **göra sig ~** reproach oneself [*för, över* for, about]

samvetsgrann *adj* (-grant) conscientious; omsorgsfull äv. painstaking, careful; ytterst noggrann scrupulous

samvetsklausul *s* (~en, ~er) conscience clause

samvetskval *s pl* pangs (qualms) of conscience, remorse sg.; **gripas av ~** be seized with remorse; **ha ~** äv. be conscience-stricken

samvetslös *adj* (~t) ...without any conscience; föga nogräknad unscrupulous, unprincipled

samvetsro *s* (~n) se *samvetsfrid*

samvetssak *s* (~en, ~er) matter (point) of conscience

samvetsäktenskap *s* (~et, =) common-law marriage

samvälde *s* (~t, ~n), **Samväldet** the Commonwealth [of Nations]; **Brittiska ~t** hist. the British Commonwealth [of Nations]

samåka *vb itr* (-åkte, -åkt) car-pool; **vi samåker till jobbet** äv. we share one car to work

samåkning *s* (~en, ~ar) car-pooling

sanatorium *s* (sanatoriet, sanatorier) sanatorium (pl.

sanatoriums el. sanatoria); amer. äv. sanitarium (pl. sanitariums el. sanitaria)

sand s (~en) sand; grövre, t.ex. för sandning av väg el. bildl. grit; **rinna ut i ~en** bildl. come to nothing, peter (fizzle) out

sanda vb tr (~de, ~t) mot halka grit

sandal s (~en, ~er) sandal

sandalett s (~en, ~er) sandalette; utan hälrem äv. mule

sandbank s (~en, ~ar) sandbank; vid flodmynning o.d. äv. [sand] bar

sandbil s (~en, ~ar) gritting lorry (truck); vard. gritter; amer. sandtruck

sandblästra vb tr (~de, ~t) sandblast

sandbotten s (-bottnen el. =, -bottnar) sand[y] bottom

sanddyn s (~en, ~er) sand dune

sandelträ s (~et) sandalwood

sandig adj (~t) sandy

sandjord s (~en, ~ar) sandy soil

sandkorn s (~et, =) grain of sand

sandloppa s (~n, -loppor) zool. sandflea, chigoe

sandlåda s (~n, -lådor) **1** för barn att leka i sandpit; amer. sandbox **2** sandlår gritbin; amer. sandbin

sandning s (~en) mot halka gritting

sandpapper s (~et el. -pappret, =) sandpaper; **ett ~** a piece of sandpaper

sandpappersfil s (~en, ~ar) emery board

sandpappra vb tr (~de, ~t) sandpaper, sand down

sandrev s (~et, =) o. **sandrevel** s (~n, -revlar) sandbank, [sand-]reef

sandslott s (~et, =) barns sandcastle

sandsten s (~en) sandstone

sandstorm s (~en, ~ar) sandstorm

sandstrand s (~en, -stränder) [sandy] beach

sandsäck s (~en, ~ar) sandbag

sandtag s (~et, =) o. **sandtäkt** s (~en, ~er) sandpit

sandwich s (~en, ~ar) ung. canapé, Swedish sandwich

sandödla s (~n, -ödlor) zool. sand lizard

sandöken s (-öknen, -öknar) sand desert

sanera vb tr (~de, ~t) **1** t.ex. stadsdel clear...of slums, redevelop; renovera t.ex. i fastighet renovate **2** rensa upp clean up **3** omorganisera reorganize; finanserna o.d. put...on a sound basis **4** avlägsna: radioaktivitet, smitta decontaminate; olja clear[...of oil]; giftgas degas

sanering s (~en, ~ar) **1** av stadsdel o.d. slum-clearance; t.ex. av fastighet renovation **2** bildl. reconstruction, reorganization; rationalisering rationalization; av t.ex. veckopressen cleaning-up **3** avlägsnande av: radioaktivitet, smitta decontamination; olja clearing [...of oil]; giftgas degasification

sang s (~en, =) kortsp. no trumps; **en (två) ~** one (two) no-trumps

sangvinisk adj (~t) sanguine

sanitetsartikel s (~n, -artiklar) sanitary article

sanitetsgods s (~et) o. **sanitetsporslin** s (~et) sanitary ware

sanitetsvaror s pl sanitary articles

sanitär adj (~t) sanitary; **~ olägenhet** private nuisance

sank I s (obōjl.), **borra (skjuta)...i ~** sink; **borra...i ~** äv. scuttle **II** adj (~t) sumpig, vattensjuk swampy, marshy, waterlogged

sankmark s (~en, ~er) marsh

sankt adj (mask. = el. ~e, fem. ~a) saint (förk. St, St.)

sanktbernhardshund s (~en, ~ar) St Bernard [dog]

sanktion s (~en, ~er) sanction; **ekonomiska ~er** economic sanctions; **tillgripa (sätta in) ~er** straffåtgärder resort to (apply) sanctions

sanktionera vb tr (~de, ~t) sanction; om regent assent to

San Marino San Marino

sann adj (sant) true [mot to]; sannfärdig truthful, veracious; verklig real; äkta genuine; **en ~ berättelse** a true story; **ett sant nöje (en ~ njutning)** a [great] treat, a real treat (pleasure); **inte sant?** don't you think?; **det var [så] sant,** jag skulle ju... [oh,] I am forgetting,...; apropå by the way (that reminds me),...; **så sant som jag heter...** as sure as my name is...; **[det är] så sant som det är sagt!** [it is] quite true!, how true [that is]!

sanna vb tr (~de, ~t), **~ mina ord!** mark my words!, you will see!

sanndröm s (~men, ~mar) dream that comes true

sannerligen adv verkligen indeed, really; i högre stil in truth; förvisso certainly; **det är ~ inte för tidigt** it is certainly not too soon

sannfärdig adj (~t) truthful, veracious

sannfärdighet s (~en) truthfulness, veracity

sanning s (~en, ~ar) truth; sannfärdighet veracity; verklighet reality, fact; **~ens ögonblick** the moment of truth; **om ~en ska fram** to tell the truth, to be quite honest; **förr eller senare kommer ~en fram** the truth will out; **se ~en i vitögat** face the truth; **~en att säga** var jag inte där to tell the truth...; **säga ngn ett ~ens ord** tell sb a few home truths; **tala ~** tell (speak) the truth; **~en är den att...** the truth is that...; **i ~** in truth, truly

sanningsenlig adj (~t) truthful, veracious; om t.ex. beskrivning äv. ...in accordance with the truth

sanningshalt s (~en, ~er) degree of truth[fulness], veracity

sanningskommission s (~en, ~er) fact-finding commission

sanningsserum s (~et, =) truth serum (drug)

sanningssägare s (~n, =) person who believes in calling a spade a spade

sanningssökare s (~n, =) seeker after truth

sannolik adj (~t) probable; spec. pred. äv. very likely; **det är ~t att han kommer** ofta he is very likely to come

sannolikhet s (~en, ~er) probability äv. matem., likelihood; **med all ~** in all probability; **~en talar för att...** the probability is (odds are) that...

sannolikt adv probably, very (most) likely; **han kommer ~ inte** he probably won't come, he is not likely to come

sannsaga s (~n, -sagor) true story

sannskyldig adj (~t) förstärkande veritable; verklig real; riktig regular, thorough

sannspådd adj (-spått), **han blev ~** his prophecies (predictions) came true

sans s (~en) **1** medvetande, **mista ~en** lose consciousness, become unconscious; **komma till ~** [igen] recover one's senses, come round **2** fattning o.d., **med (utan) ~ och måtta** in (without any) moderation

sansa vb rfl (~de, ~t), **~ sig** lugna sig calm down, sober down

sansad adj (sansat, ~e) besinningsfull sober,

level-headed; samlad collected, composed; vettig sensible; *lugn och* ~ calm and collected (composed)

sanskrit *s* (= el. ~en) Sanskrit

sanslös *adj* (~t) **1** medvetslös unconscious, senseless **2** besinningslös frantic; om person äv. ...driven to distraction **3** vard., meningslös meaningless, senseless

sardell *s* (~en, ~er) anchovy

sardin *s* (~en, ~er) sardine; *packade som ~er* packed together like sardines

Sardinien Sardinia

sardonisk *adj* (~t) sardonic

sarg *s* (~en, ~er el. ~ar) **1** kant border, edging; ram frame **2** *~en* i ishockey the boards pl., the sideboards pl. **3** på stränginstrument rib

sarga *vb tr* (~de, ~t) skada lacerate äv. bildl.; skära cut [...badly]; såra wound; illa tilltyga mangle

sarkasm *s* (~en, ~er) sarcasm; *~er* sarcastic remarks

sarkastisk *adj* (~t) sarcastic; vard. sarky; bitande äv. caustic

sarkofag *s* (~en, ~er) sarcophag|us (pl. vanl. -i)

sars *s* (oböjl.) med. SARS (förk. för severe acute respiratory syndrome)

satan *s* (=, en) **1** den onde Satan, the Devil, Lucifer **2** i kraftuttr., *ett ~s oväsen* a bloody racket

satanisk *adj* (~t) satanic; friare devilish; jfr *djävulsk*

satanism *s* (~en) Satanism

sate *s* (~n, satar), *stackars ~* poor devil

satellit *s* (~en, ~er) astron., TV. el. bildl. satellite

satellitstat *s* (~en, ~er) polit. satellite state

satellitsändning *s* (~en, ~ar) TV. satellite transmission; *en ~* a satellite broadcast

satellit-tv *s* (-tv:n) satellite TV

satin *s* (~en el. ~et, ~er) textil. satin

satir *s* (~en, ~er) satire [*över* on (upon)]

satiriker *s* (~n, =) satirist

satirisk *adj* (~t) satiric[al]

satkärring *s* (~en, ~ar) o. **satmara** *s* (~n, -maror) vard. bitch, cow

sats *s* (~en, ~er) **1** språkv. sentence; i specialiserad betydelse (om t.ex. huvudsats el. bisats) vanligen clause **2** logik. el. matem. proposition; filos., tes thes|is (pl. -es); geom. theorem; *Pythagoras ~* Phytagoras' theorem **3** ansats takeoff, run; *ta ~* take a run **4** mus. movement **5** uppsättning set **6** kok., vid bakning o.d. batch **7** vulg., sädesvätska wad, load

satsa I *vb tr* (~de, ~t) stake; riskera venture; investera invest; *~ 100 kronor på* en häst stake (put, bet) 100 kronor on... **II** *vb itr* (~de, ~t) **1** göra insatser (i spel) make one's stake[s]; *~ på* hålla på bet on, put one's money on; t.ex. häst äv. back; inrikta sig på go in for, concentrate on; *~ på fel häst* back the wrong horse äv. bildl. **2** ta sats take a run

satsdel *s* (~en, ~ar) språkv. component part of a (resp. the) sentence; *ta ut ~arna [i en mening]* analyse a sentence

satsmelodi *s* (~n, ~er) språkv. [sentence] intonation

satsning *s* (~en, ~ar) försök bid; kampanj drive, venture; investering investment; *en djärv ~* a bold venture

satsuma *s* (~n, satsumor) frukt satsuma [orange]

satt *adj* (=) undersätsig stocky, squat, thickset, square-built

sattyg *s* (~et, =) vard.: rackartyg mischief; eländе, otyg damned nuisance (thing, business)

satunge *s* (~n, -ungar) vard. little brat (devil)

Saturnus astron. el. mytol. Saturn

satyr *s* (~en, ~er) mytol. satyr

satäng *s* (~en el. ~et) textil. satin

Saudiarabien Saudi Arabia

saudiarabisk *adj* (~t) Saudi Arabian

saudisk *adj* (~t) Saudi

sauna *s* (~n, saunor) sauna

sav *s* (~en) bot. sap

savann *s* (~en, ~er) savanna

savarin *s* (~en, ~er) o. **savaräng** *s* (~en, ~er) kok. savarin

sax *s* (~en, ~ar) **1** att klippa med scissors pl.; större, t.ex. plåt~, trädgårds~, ull~ shears pl.; *en ~ (två ~ar)* a pair (two pairs) of scissors; *den här ~en* this pair of scissors, these scissors pl. **2** att fånga med trap **3** sport. scissors sg. **4** vard., saxofon sax

saxa *vb tr* (~de, ~t) **1** korsa cross **2** segel wing [out]

saxofon *s* (~en, ~er) saxophone

saxofonist *s* (~en, ~er) saxophonist

scampi *s pl* kok. scampi, Dublin [Bay] prawns; *~ fritti* scampi fritti

scanna *vb tr* (~de, ~t) tekn. scan

scanner *s* (~n, scannrar) tekn. etc. scanner

scarf *s* (~en, ~ar el. scarves) scarf (pl. scarves el. scarfs)

scen *s* (~en, ~er) på teater stage; del av akt el. bildl., uppträde o.d. scene; *~en* teatern the stage, the theatre; *ställa till med en ~* make (create) a scene; *bakom ~en* behind the stage (the scenes äv. bildl.)

scenarbetare *s* (~n, =) stage hand, scene-shifter

scenario *s* (~t, scenarier el. ~n) teat. el. film. scenario (pl. -s) äv. bildl.

sceneri *s* (~et, ~er) teat. el. film. scenery

sceningång *s* (~en, ~ar) stage door

scenisk *adj* (~t) stage...; *~ gestaltning (framställning)* theatrical interpretation

scenkonst *s* (~en, ~er), *~[en]* acting, dramatic art

scenograf *s* (~en, ~er) teat. stage (set) designer

scenografi *s* (~en, ~er) teat. stage (set) design

scenskola *s* (~n, -skolor) teat. school of drama

scenvana *s* (~n) stage (acting) experience

sch *interj* tyst! sh!, [be] quiet!

schablon *s* (~en, ~er) tekn. template, pattern, gauge; för målning stencil; friare model, form; *gjord efter ~* made to pattern; *måla efter ~* paint from a stencil, stencil

schablonavdrag *s* (~et, =) i självdeklaration standard (general) deduction

schablonmässig *adj* (~t) ...made to pattern, stereotyped; friare conventional, cut-and-dried, mechanical

schabrak *s* (~et, =) **1** häst~ caparison **2** åbäke great big [lumping] thing, monstrosity

schack I *s* **1** (~et, =) spel chess **2** (~en, ~ar) hot mot kungen i schack check; *stå i ~* be in check **3** (oböjl.), *hålla...i ~* bildl. keep...in check **II** *interj* check!; *~ och matt!* checkmate! **III** *adj* (oböjl.), *göra ngn ~ och matt* checkmate sb

schacka *vb tr* o. *vb itr* (~de, ~t) schack. check; checkmate

schackbräde *s* (~t, ~n) chessboard

schackdrag *s* (~et, =) move [in chess]; bildl. move

schackmatt *adj* (oböjl.) checkmate; vard., utmattad done in, worn out; *göra ngn ~* eg. checkmate sb

schackmönster *s* (-mönstret, =) check (chequered) pattern

schackparti s (~et, ~er) game of chess
schackpjäs s (~en, ~er) chessman (pl. chessmen)
schackra vb itr (~de, ~t) traffic [med in], buy and sell; köpslå, äv. bildl.: ~ med (om) ngt bargain for (with) sth; ~ bort bargain (barter) away
schackruta s (~n, -rutor) chessboard square
schackrutig adj (~t) chequered
schackspel s 1 (~et, =) konkr. chess set 2 (~et) abstr. chess; ~ande playing chess
schackspelare s (~n, =) chessplayer
schackturnering s (~en, ~ar) chess tournament
schakal s (~en, ~er) zool. jackal
schakt s (~et, = tekn. el. gruv. shaft; gruvhål äv. pit
schakta vb tr (~de, ~t) excavate, bulldoze; t.ex. lös jord remove; ~ bort remove; t.ex. en ås cut away
schaktmassa s (~n, -massor) excavated material (earth)
schal s (~en, ~ar) o. **schalett** s (~en, ~er) se sjal o. sjalett
schalottenlök s (~en, ~ar) shallot
schaman s (~en, ~er) relig. shaman; friare medicine man
schampo s (~t, ~n) shampoo (pl. -s)
schamponera vb tr (~de, ~t) shampoo, give...a shampoo
schamponering s (~en, ~ar) shampoo (pl. -s)
scharlakansfeber s (~n) scarlet fever, scarlatina
scharlakansröd adj (-rött) scarlet
schas interj schoo!
schasa vb tr (~de, ~t), ~ [bort] shoo [away]
schattering s (~en, ~ar) shading; nyans shade, nuance; folk av olika politiska ~ar ...of different shades of political opinion
schatull s (~et, =) casket; skriv- writing case; med matsilver canteen
schavott s (~en, ~er) hist. scaffold
schavottera vb itr (~de, ~t) bildl. stand in the pillory, be pilloried; låta ngn ~ pillory sb
schejk s (~en, ~er) sheikh
schema s (~t, ~n) t.ex. arbets~, rörelse~ schedule; t.ex. färg~ scheme; diagram diagram; skol. timetable, amer. schedule; lägga ett ~ skol. make (draw up) a timetable (amer. schedule)
schemalagd adj (-lagt) timetabled, amer. scheduled; icke ~ äv. ...not on the timetable (amer. schedule), extracurricular
schematisera vb tr (~de, ~t) schematize
schematisk adj (~t) schematic; eg. äv. diagrammatic; en ~ framställning an outline, a general (rough) outline
Schengenavtalet the Schengen Agreement
scherzo s (~t, ~n) mus. scherz|o (pl. -os el. -i)
schimpans s (~en, ~er) chimpanzee
schism s (~en, ~er) schism, split
schizofren psykol. I adj (~t) schizophrenic II s (en ~, pl. ~a) schizophrenic; vard. schizo
schizofreni s (~n) psykol. schizophrenia
schizoid adj (neutrum undviks) psykol. schizoid
schlager s (~n, = el. schlagrar) easy-listening pop song
schlager-EM s (oböjl., ett) i tv the Eurovision song contest
schlagerfestival s (~en, ~er) popular song contest (festival); jfr äv. schlager-EM
schlagersångare s (~n, =) popular singer

schnauzer s (~n, schnauzrar) zool. schnauzer
schnitzel s (~n, schnitzlar) kok. schnitzel
schottis s (~en, ~ar) schottische; dansa ~ dance (do) the schottische
schvung s (~en) fart, kläm go, pep
Schwarzwald the Black Forest
Schweiz Switzerland; franska ~ French-speaking Switzerland
schweizare s (~n, =) Swiss (pl. lika)
schweizerfranc s (~en, =) myntenhet Swiss franc
Schweizergardet the Swiss Guard
schweizerost s (~en, ~ar) Swiss cheese
schweizisk adj (~t) Swiss
schweiziska s (~n, schweiziskor) kvinna Swiss woman
schyst I adj (=) vard. 1 toppen super, great, awesome 2 hygglig decent II adv decent
schäfer s (~n, schäfrar) zool. Alsatian [dog], German shepherd [dog]
schäslong s (~en, ~er) couch
scones s (~et, =) kok. scone
scoop s (~et, =) pangnyhet scoop
scout s (~en, ~er) scout; flick~ guide, amer. girl scout
scoutledare s (~n, =) scouter, scoutleader
scoutlöfte s (~t, ~n) scout promise
scoutrörelse s (~n) scout movement
scratch s (oböjl.) vard., starta från ~ start from scratch
scripta s (~n, scriptor) TV. el. film. script (continuity) girl
se I vb tr o. vb itr (såg, sett) see; titta look; få syn på äv. catch sight of; det kan ~s med blotta ögonen it can be seen, jfr vidare ses; jag ~r [att läsa] utan glasögon I can see [to read]...; ~ bra (dåligt) ha bra (dålig) syn have good (bad) eyesight; om jag inte ~r fel if my eyes do not deceive me; jag såg fel (rätt) vanl. I was mistaken (right); som jag ~r det har du rätt as I see it..., in my opinion...; jag ~r det som min plikt I regard it as...; jag tål inte ~ honom I can't stand the sight of...; få råka ~ see; ngn, ngt äv. catch sight of; få ~ nu let's see now; jag får ~ om jag kommer I may come, I'll see; det får vi ~ we'll see about that; låt mig ~ tänka let me see; du ska [få] ~ att han kommer I bet he will come; he will come, you'll see; där ~r du [själv]! there you are!
väl (illa) ~dd popular (unpopular); ekonomiskt ~tt economically; ur ekonomisk synpunkt from an economic point of view; i stort ~tt på det hela on the whole; i allmänhet generally (broadly) speaking; nästan almost; ytligt ~tt är... if one looks at it superficially...; vid första påseendet on the face of it... jag ~r av brevet... I see (find, learn) from...; jag ~r för mig hur det ska se ut I can visualize (just see)...; vad ~r hon hos honom? what does she see in him?; ~ ngn i ögonen look sb in...
~ på eg.: titta på look at; ta en titt på have a look at; uppmärksamt watch; länge gaze (stare) at; nyfiket, misstänksamt eye; ~ på klockan look at (consult) one's watch; hur ~r du på saken? what is your view of...?; ~ på tv watch (look at) TV; jag ~r på dig att... I can tell by your face that...; hon såg inte åt mig bildl. she ignored my very presence
II vb rfl (såg, sett) ~ sig a) känna sig, t.ex. föranlåten feel; anse sig, vara, t.ex. tvungen, besegrad find oneself, be b) ~ sig i spegeln look (have a look) at oneself in the mirror; ~ sig för look out, take care; gå försiktigt watch one's step, look where one is going; se sig

om se *se sig om* under *se III*
III med beton. part.
se an: ~ *tiden an* wait and see; bida sin tid bide one's time
se bort eg. look away (another way)
se efter a) ta reda på see [*om* if]; leta look; ~ *efter* [*om det finns*] *i* lådan look (have a look) [for it] in... **b)** övervaka look after; passa mind, have an eye to, take care of
se fram mot (emot) glädja sig åt look forward to
se sig för se under *se II 2*
se in: *man ~r in* det är insyn you (one) can see in
se ned look down; ~ *ned på* bildl. look down on; förakta äv. despise
se om a) t.ex. en film see...again **b)** se till look after; ordna look to; sköta om attend to; ~ *om sitt hus* bildl. set (put) one's house in order **c)** ~ *sig om* vända sig look round; ~ *sig om efter* söka look about (round, out) for **d)** ~ *sig om (omkring)* [*i staden*] look (have a look) round [the town]
se på look on; iakttaga watch; *~r man på!* överraskat well, what do you know!; jo jag tackar jag well, well!, I say!; då man får syn på ngn well, look who's here!
se till a) ordna med see to; ~ *till att* ngt blir gjort see [to it] that... **b)** se *se efter b)* **c)** jag har inte *~tt till honom* på länge I haven't seen him...; *jag ~r inte till honom mycket* numera I don't see much of him...
se tillbaka: ~ *tillbaka* [*i tiden*] look back [into the past]
se upp a) titta upp look up, raise one's eyes [*från* from·]; ~ *upp till* beundra look up to **b)** akta sig look (speciellt amer. watch) out [*för* for·]; vara försiktig take care, be careful; ~ *upp för* bilen (trappsteget)*!* mind...!; ~ *upp för dörrarna!* på tunnelbana mind (stand clear of) the doors!
se ut a) titta ut look out **b)** ha visst utseende look [*som* like·]; ~ *ut att* + inf. look like + ing-form; verka seem to + inf.; ~ *ut som om* look (verka seem) as if; *hur ~r han ut?* vad har han för utseende what does he look like?, är han arg, sjuk etc. how does he look?; *det ~r illa (mörkt) ut* it looks (things look) bad; *hur ~r jag ut i håret?* how does my hair look?, how's my hair?; *så här ~r ut!* what a mess!; *det ~r så (inte bättre) ut* it looks (seems very much) like it; *det ~r ut att bli regn* it looks like rain **c)** välja, ~ *ut* ngt [*åt sig*] choose (pick out)...; jfr *utse*
se över se igenom look over; gå över overhaul; revidera revise
seans *s* (~en, ~er) **1** spiritistisk seance **2** sittning sitting
sebra *s* (~n, sebror) zebra
sebu *s* (~n, ~er) zool. zebu
second hand *adj* (oböjl.), *köpa* ~ buy second hand; *jackan är* ~ the jacket is second hand
second hand-affär *s* (~en, ~er) second-hand shop (amer. store)
sed *s* (~en, ~er) bruk custom; praxis practice; sedvana usage; *~er* moral morals; uppförande manners; *~er och bruk* manners and customs; *man får ta ~en dit man kommer* when in Rome [you must] do as the Romans do
1 sedan o. (vard.) **sen I** *adv* **1** därpå then; senare later [on]; efteråt afterwards; efter det after that; *för...~* ...ago; *först* jag, ~ du first..., then...; *vad kommer ~?* what comes after this (that)?, what comes next?; *det är ett år ~ nu* it is a year ago now **2** vard., *än sen*

då? iron. so what?
II *prep* alltsedan: i uttryck som anger tidpunkt since; i uttryck som anger tidslängd for; ~ *dess* since [then]; *hon är sjuk ~ i går* she has been ill since yesterday; *hon bor utomlands ~ tio år* [*tillbaka*] she has been living abroad for the past (last) ten years; rester ~ *i går* ...from yesterday
III *konj* alltsedan since; efter det att after; när when; [*ända*] ~ *jag kom hit* [ever] since I came here; *det var först ~ jag hade sett den som...* it was not until (was only when) I had seen it that...
2 sedan *s* (~en, ~er) bil saloon [car]; amer. sedan
sedel *s* (~n, sedlar) banksedel banknote, note; amer. äv. bill
sedelautomat *s* (~en, ~er) för bensin cash-operated fuel pump
sedelförfalskning *s* (~en, ~ar) forgery of banknotes
sedelpress *s* (~en, ~ar) printing press for banknotes
sedelärande *adj* (oböjl.) moral, moralizing; *en ~ berättelse* a story with a moral [to it], a cautionary tale
sedermera *adv* längre fram later on; efteråt afterwards
sedesam *adj* (~t, ~ma) modest; tillgjort blyg demure; sipp prudish
sedeslös *adj* (~t) immoral; förfallen depraved
sediment *s* (~et, =) sediment äv. geol.
sedimentär *adj* (~t) sedimentary
sedlighetsbrott *s* (~et, =) jur. ngt åld. sexual offence
sedlighetsrotel *s* (~n, -rotlar) vice squad
sedvana *s* (~n, -vanor) usage; bruk custom; praxis practice; *enligt ~n* i familjen as is (resp. was) customary...
sedvanerätt *s* (~en) ung. common law
sedvanlig *adj* (~t) customary; vanlig usual; vedertagen accepted
sedvänja *s* (~n, -vänjor) se *sedvana*
seeda *vb tr* (~de, ~t) sport. seed; *vara ~d som etta* be No. 1 seed
seende I *adj* (oböjl.) sighted **II** *s* **1** (~t) sight, vision **2** (en ~, pl. =), *en ~* a sighted person; *de ~* the sighted
seg *adj* (~t) allm. tough; trögflytande viscous; uthållig äv. hardy, tenacious; långtråkig long-winded
segdra *vb itr* (-drog, -dragit) drag oneself [*upp*[*för*] up]; mötet *segdrog hela dagen* ...dragged out the whole day
segdragen *adj* (-draget, -dragna) long drawn-out, protracted
segel *s* (seglet, =) sail äv. koll.; *hissa ~ (seglen)* hoist sail (the sails); *sätta ~* set sail; *gå (segla) för fulla ~* go with all sails set (in full sail); *vind i seglen* se *1 vind*
segelbar *adj* (~t) navigable
segelbåt *s* (~en, ~ar) sailing-boat; större yacht
segelduk *s* (~en, ~ar) sailcloth, canvas [for sails]
segelfartyg *s* (~et, =) sailing-ship; mindre sailing-vessel
segelflyg *s* (~et) sport. gliding, sailplaning
segelflygplan *s* (~et, =) sailplane, glider
segelled *s* (~en, ~er) fairway, [navigable] channel
segelsport *s* (~en) yachting
segelsällskap *s* (~et, =) yacht[ing] club
segeltur *s* (~en, ~er) sailing trip; *göra (vara ute på) en ~* äv. go (be out) for a sail
seger *s* (~n, segrar) allm. victory; sport. äv. win; besegrande conquest; framför allt bildl. triumph, success

segerdag *s* (~en, ~ar) day of victory
segerherre *s* (~n, -herrar) se *segrare*
segerhuva *s* (~n, -huvor), **född med ~** eg. born with a caul; bildl. born to succeed
segerpall *s* (~en, ~ar) winner's (för flera winners') stand, rostrum
segerrik *adj* (~t) victorious, triumphant; **ett ~t krig** a victorious (successful) war
segertid *s* (~en, ~er) winning time
segertippad *adj* (-tippat, ~e) ...tipped to win
segertåg *s* (~et, =) triumphal procession (bildl. progress, march)
segerviss *adj* (~t) om person ...confident of victory; triumferande triumphant
segeryra *s* (~n) flush of victory
segflytande *adj* (oböjl.) viscous
seghet *s* (~en) toughness; hög viskositet viscosity; uthållighet hardiness; tenacity
segla I *vb itr* o. *vb tr* (~de, ~t) allm. sail äv. bildl.; som sport äv. go (be) yachting; båten **~r bra** ...is a good sailer; **~ en båt** (**ngn**) **till en plats** sail a boat... (take sb... in one's boat)
II med beton. part.
 segla förbi tr. o. itr. sail past, pass
 segla omkring i skärgården cruise...
 segla på en båt run into..., collide with..., fall (run) foul of...
 segla upp bildl., se *vara under uppsegling* under *uppsegling*
seglare *s* (~n, =) **1** person yachtsman **2** segelfartyg sailing-vessel
seglarskola *s* (~n, -skolor) sailing school
seglats *s* (~en, ~er) segeltur sailing tour (trip); i sg. äv. sail; kryssning cruise; längre sjöresa voyage; **en dags ~** one day's sail
segling *s* (~en, ~ar) **1** seglande sailing; sport~ äv. yachting **2** segeltur sailing tour osv., se *seglats*
seglivad *adj* (-livat, ~e) tough, hardy, tenacious; **~e fördomar** deep-rooted prejudices; **vara ~** die hard
segment *s* (~et, =) segment
segna *vb itr* (~de, ~t), **~ ned** pass out; **~ död ned** drop down dead
segra *vb itr* (~de, ~t) allm. win; vinna seger be victorious, win (gain) the victory; framför allt bildl. triumph, prevail [*över* i samtliga fall over]; **~ över** äv. conquer, defeat
segrande *adj* (oböjl.) om t.ex. här, makter conquering; om t.ex. lag, sida winning; segerrik victorious; **gå ~ ur striden** come out of the struggle victoriously
segrare *s* (~n, =) allm. victor; i tävling winner; besegrare conqueror
segregation *s* (~en, ~er) segregation
segregera *vb tr* o. *vb itr* (~de, ~t) segregate
segregering *s* (~en, ~ar) segregation
segsliten *adj* (-slitet, -slitna) utdragen long drawn-out, lengthy, interminable; svårlöst vexed
seismograf *s* (~en, ~er) seismograph
seismologi *s* (~n) seismology
seismologisk *adj* (~t) seismological
seismometer *s* (~n, -metrar) seismometer
sej *s* (~en, ~ar) se *gråsej*
sejdel *s* (~n, sejdlar) tankard; utan lock mug
sejour *s* (~en, ~er) vistelse stay, sojourn
sekatör *s* (~en, ~er) pruning shears pl., secateurs pl.; **en ~** a pair of pruning shears (secateurs)

sekel *s* (seklet, =) century
sekelgammal *adj* (~t, -gamla) **a)** hundraårig century-old..., hundred-year-old...; **vara ~** be a century (a hundred years) old **b)** månghundraårig centuries old
sekelskifte *s* (~t, ~n), **vid ~t** at the turn of the century
sekond *s* (~en, ~er) boxn. second
sekondera *vb tr* (~de, ~t) second
sekret *s* (~et, =) fysiol. secretion
sekretariat *s* (~et, =) secretariat
sekreterare *s* (~n, =) secretary
sekretess *s* (~en) secrecy
sekretessavtal *s* (~et, =) jur. non-disclosure agreement (förk. NDA), confidentiality agreement
sekretessknapp *s* (~en, ~ar) mute button
sekretesslag *s* (~en, ~ar), **~en** the Official Secrets Act
sekretion *s* (~en, ~er) fysiol. secretion; **inre ~** internal secretion
sekretär *s* (~en, ~er) bureau (pl. -x, amer. -s), secretaire; amer. äv. writing desk
1 sekt *s* (~en, ~er) relig. m.m. sect
2 sekt *s* (~en, ~er) vin [German] sparkling wine
sekterism *s* (~en) sectarianism
sekterist *s* (~en, ~er) sectarian
sektion *s* (~en, ~er) **1** avdelning: allm. section; univ. branch; frontavsnitt sector **2** matem. el. tekn. section
sektledare *s* (~n, =) sect leader
sektor *s* (~n, ~er) sector; **den offentliga ~n** the public sector
sekularisera *vb tr* (~de, ~t) secularize
sekularisering *s* (~en, ~ar) secularization
sekund *s* (~en, ~er) second; ögonblick äv. moment, vard. sec; **på ~en** [**klockan fem**] [at five] to the second (vard. on the dot); jag är tillbaka **på ~en** ...in a second (vard. a sec, half a tick); för ex. jfr vidare under *minut 1*
sekunda *adj* (oböjl.) sämre second-rate, inferior
sekundant *s* (~en, ~er) hist. el. schack. second
sekundera *vb tr* (~de, ~t) biträda second; i samtal äv. support
sekundmeter *s* (~n, = el. -metrar) metre per second (pl. metres per second)
sekundvisare *s* (~n, =) på klocka second hand
sekundär *adj* (~t) secondary; **av ~ betydelse** äv. of subordinate importance
sekvens *s* (~en, ~er) sequence äv. mus.
sela *vb tr* (~de, ~t), **~ [på] en häst** harness...; **~ av [hästen]** unharness the horse
seldon *s* (~et, =) harness sg.
sele *s* (~n, selar) harness äv. i fallskärm; bärrem sling; för barn: bär- baby (kiddy) carrier; att leda barn med reins pl.
selektiv *adj* (~t) selective
selen *s* (~et) kem. selenium
selleri *s* (~n) blek~ celery; rot~ celeriac
sellerisalt *s* (~et) celery salt
semafor *s* (~en, ~er) semaphore
semantik *s* (~en) språkv. semantics sg.
semester *s* (~n, semestrar) holiday[s pl.]; speciellt amer. vacation; **han har** (**är på**) **~** he is on holiday; vad gjorde du **på ~n?** ...on (during) your holiday?; vart ska du resa **på ~n?** ...for your holiday?
semesterby *s* (~n, ~ar) holiday camp

semesterersättning s (~en, ~ar) holiday (amer. vacation) pay

semesterfirare s (~n, =) holidaymaker; amer. vacationer

semesterlön s (~en, ~er) holiday pay (med veckolön wages, med månadslön salary)

semesterort s (~en, ~er) holiday resort

semesterparadis s (~et, =) vard. [ideal] holiday resort, amer. äv. vacationland

semestra vb itr (~de, ~t) ha semester be on holiday (amer. vanl. vacation); tillbringa semestern spend one's holiday[s], amer. [spend one's] vacation

semifinal s (~en, ~er) semifinal; *gå till ~[en]* reach the semifinals

semikolon s (~et, =) semicolon

seminarium s (seminariet, seminarier)
  1 undervisningsform o.d. seminar äv. personer o. lokal
  2 hist.: skola training college; präst~ seminary

semla s (~n, semlor) bun with marzipan and whipped cream [eaten during Lent]

1 sen adv o. prep se *1 sedan*

2 sen (jfr *senare* o. *senast*) adj (~t) **1** mots. tidig late; *till ~a kvällen* until late in the evening; *ha ~a vanor* keep late hours; *för ~ ankomst* late arrival; *det börjar bli ~t* it is getting late **2** senfärdig slow

sena s (~n, senor) sinew; anat. äv. tendon; på racket string

senap s (~en) mustard

senapsfrö s (~et, ~n) bot. el. kok. mustard seed (koll. seeds)

senapsgas s (~en) mustard gas

senapskorn s (~et, =) mustard seed (pl. seed[s])

senapssås s (~en, ~er) mustard sauce

senare I adj (komparativ) mots. tidigare later; mots. förra latter; nyare [more] recent; efterföljande subsequent; kommande future; *den* (*det, de*) *~* självst. the latter; *av ~ datum* of a later (more recent) date; *den ~ delen av...* the latter part of...; *det blir en ~ fråga* that will be a question for later on; *på ~ år* de här åren in the last few years; *nyligen* in recent years **II** adv later; längre fram later on; efteråt afterwards; framdeles subsequently; nyligen more recently; *~ på* dagen later [on] in...; *en dag ~* one day later (efteråt after, afterwards); *förr eller ~* sooner or later

senarelägga vb tr (-lade, -lagt) möte o.d. postpone

senast I adj (superlativ) latest; sist i ordning last; *de ~e händelserna* the latest events; *de ~e dagarnas händelser* the events of the last few days; han har varit sjuk *de ~e veckorna* ...for the past few weeks **II** adv **1** mots. tidigast latest; mots. först last; så sent som as late as, only; *jag såg honom ~ i* London the last time I saw him was in...; jag såg honom *~ i går* ...only (as late as) yesterday **2** inte senare än at the latest; *[allra] ~ i morgon* ...at the [very] latest; jag måste ha det *~ på måndag* ...by Monday [at the latest]

senat s (~en, ~er) senate

senator s (~n, ~er) senator

sendrag s (~et, =) cramp

Senegal Senegal

senegalesisk adj (~t) Senegalese

senfärdig adj (~t) slow, tardy

sengångare s (~n, =) zool. sloth

senhöst s (~en, ~ar) late autumn

senig adj (~t) sinewy; om person äv. wiry; om kött äv. stringy

senil adj (~t) senile

senildement I adj (=) ...suffering from senile dementia **II** s (en ~, pl. ~a), *en ~* a senile dement

senilitet s (~en) senility

senior I ['---] s (oböjl.) o. adj (oböjl.) senior; Bo Ek ~ (förk. *sen.*, *s:r*) ...Senior (förk. Sen., Sr.) **II** [--'-] s (~en, ~er) **1** sport. senior **2** pensionär senior citizen

seniorscout s (~en, ~er) venture scout

sensation s (~en, ~er) sensation; *göra [stor] ~* create a [great] sensation

sensationell adj (~t) sensational

sensationslysten adj (-lystet, -lystna) attr. ...craving for sensation, sensation-seeking; *vara ~* be out for sensations

sensationsmakeri s (~et) sensationalism (endast sg.), sensation-mongering

sensibel adj (~t, sensibla) sensitive; lättstött äv. touchy

sensibilitet s (~en) sensitivity äv. kem., sensitiveness; ibland sensibility

sensmoral s (~en, ~er) moral; *~en är...* the moral is...

sensommar s (~en, -somrar) late summer

sensualism s (~en) sinnlighet sensualism

sensualitet s (~en) sensuality

sensuell adj (~t) sensual

sent adv late; *bättre ~ än aldrig* better late than never; *gå och lägga sig ~* go to bed late; som vana keep late hours; *vad sent du kommer ~!* you're late!; *komma för ~ till* middagen a) inte passa tiden be late for... b) gå miste om be (come) too late for...

sentens s (~en, ~er) maxim, sententious phrase

sentida adj (oböjl.) nutida (attr.) ...of our days, present-day

sentimental adj (~t) sentimental

sentimentalitet s (~en) sentimentality

separat I adj (=) separate; särskild special **II** adv separately; boken sänds ~ ...under separate cover; utflykten *betalas ~* ...is [an] extra

separation s (~en, ~er) separation

separationsångest s (~en) psykol. separation anxiety

separatistisk adj (~t) polit. separatist

separatiströrelse s (~n, ~r) polit. separatist movement

separator s (~n, ~er) tekn. separator

separera vb tr o. vb itr (~de, ~t) separate

september s (oböjl., en) September (förk. Sept.); för ex. jfr *april* o. *femte*

septett s (~en, ~er) mus. septet

seraf s (~en, ~er) seraph (pl. seraphs el. seraphim)

serafimerorden s (best. sing.) the Order of the Seraphim

serb s (~en, ~er) Serb, Serbian

Serbien Serbia

serbisk adj (~t) Serbian, Serb

serbiska s **1** (~n, serbiskor) kvinna Serb[ian] woman **2** (~n) språk Serbian

serbokroatiska s (~n) språk Serbo-Croatian

serenad s (~en, ~er) serenade; *sjunga* (*hålla*) *~ för ngn* serenade sb

sergeant s (~en, ~er) ung. sergeant; befattningsmässigt motsv. warrant officer

serie s (~n, ~r) **1** series (pl. lika); rad äv. succession, chain; följd, svit sequence; hel följd av sammanhörande ting, t.ex. frimärken set; radio. el. TV. series; följetong serial; sport. league; **en ~** händelser m.m. a series (succession, chain) of... **2** [*tecknad*] ~ comic strip, cartoon

seriefigur s (~en, ~er) comic-strip character

seriekoppling s (~en, ~ar) elektr. series connection

seriekrock s (~en, ~ar) trafik. multiple collision; vard. pile-up

seriemördare s (~n, =) serial killer

serietecknare s (~n, =) comic-strip artist, cartoonist

serieteckning s (~en, ~ar) comic-strip drawing

serietidning s (~en, ~ar) med tecknade serier comic [paper]

serietillverkad adj (-tillverkat, ~e) mass-produced

serietillverkning s (~en, ~ar) serial (mass) production

seriös adj (~t) serious; högtidlig solemn

serpentin s (~en, ~er) pappersremsa streamer

serpentinväg s (~en, ~ar) serpentine road

serum s (~et, =) med. serum (pl. serums el. sera)

serva I vb itr (~de, ~t) sport. serve; **vem ~r (ska ~)?** whose serve (service) is it? **II** vb tr (~de, ~t) **1** sport. serve **2** vard., ~ passa upp [på] ngn wait on sb **3** vard., reparera o.d., ~ bilen have the car serviced

serve s (~n, servar) sport. service, serve

serveess s (~et, =) tennis ace

servegame s (~t, =) sport. break of service

servegenombrott s (~et, =) sport. break of service

servelinje s (~n, ~r) sport. service line

server s (~n, servrar) data. server

servera I vb tr (~de, ~t) serve; bjuda omkring hand round; hälla i pour [out]; **middagen är ~d** el. **det är ~t** dinner is served (ready) **II** vb itr (~de, ~t) serve (wait) at table; amer. wait [on] tables

servering s (~en, ~ar) **1** betjäning service; uppassning waiting; utskänkning serving; **hon sköter ~en** she does the waiting **2** restaurang restaurant, cafeteria

serveringsavgift s (~en, ~er) service charge (fee); dricks tip

serveringsvagn s (~en, ~ar) **1** järnvägsvagn, ung. catering car **2** liten vagn för mat food trolley

servett s (~en, ~er) [table] napkin, serviette

servettring s (~en, ~ar) napkin (serviette) ring

service s (~n) service; friare facilities pl.; **lämna bilen på** ~ hand in the car to be serviced; **jag har haft bilen på** ~ I've had my car serviced

servicebox s (~en, ~ar) bank. night safe; amer. night deposit box

servicebutik s (~en, ~er) se närbutik

servicehus s (~et, =) block of service flats (amer. apartments) [for the elderly or disabled]

servicenäring s (~en, ~ar) tertiary industry

serviceyrke s (~t, ~n) service occupation

servil adj (~t) servile; fjäskande cringing

servis s (~en, ~er) **1** porslin etc. service, set **2** se serveringsavgift **3** mil. gun crew

servitris s (~en, ~er) waitress

servitut s (~et, =) jur. easement

servitör s (~en, ~er) waiter

servostyrning s (~en) tekn. power steering

ses vb itr dep (sågs, setts) råkas meet, see each other; **vi ~ [senare]!** [I'll] be seeing you [later]!, [I'll] see you later!

sesam s (oböjl.), ~ **öppna dig!** open sesame!

sesamfrö s (~et, ~n) bot. el. kok. sesame seed (koll. seeds)

session s (~en, ~er) session; domstols äv. court; parl. äv. sitting; friare meeting

sessionssal s (~en, ~ar) domstols session chamber; allmännare assembly hall

seså interj lugnande there, there!; uppfordrande now, now!

set s (~et, =) set äv. i tennis; i bordtennis el. badminton game; **ett** ~ underkläder a set of...

setboll s (~en, ~ar) tennis o.d. set point; i bordtennis el. badminton game-ball

setter s (~n, settrar) zool. setter

sevärd adj (-värt) ...[well] worth seeing; märklig remarkable

sevärdhet s (~en, ~er), **~erna i** staden vanl. the sights of...; det är **en** [verklig] ~ ...[really] worth seeing

1 sex räkn six; jfr fem med sammansättn.

2 sex s (~et) det sexuella sex; **ha ~ med** have sex with, make love to

sexa s (~n, sexor) **1** six; jfr femma **2** måltid light supper

sexbomb s (~en, ~er) vard. sex bomb

sexcylindrig adj (~t) six-cylinder..., jfr femcylindrig

sexdagarslopp s (~et, =) sport. six-day race

sexdebut s (~en, ~er) sex debut

sexhandel s (~n) sex market; handlande sex traffic, sex trafficking

sexhundra räkn six hundred, jfr hundra med sammansättn.

sexhörning s (~en, ~ar) hexagon

sexig adj (~t) sexy

sexkantig adj (~t) hexagonal

sexliv s (~et) sex life

sexobjekt s (~et, =) sex object

sexsymbol s (~en, ~er) sex symbol

sextant s (~en, ~er) sjö. o.d. sextant

sextett s (~en, ~er) mus. sextet

sexti räkn vard., se sextio

sextio räkn sixty; jfr fem o. femtio med sammansättn.

sextionde räkn sixtieth

sextiowattslampa s (~n, -lampor) sixty-watt bulb

sexton räkn sixteen; jfr fem o. femton med sammansättn.

sextonde räkn sixteenth; jfr femte

sextonhundratalet s (best. sing.) the seventeenth century, jfr femtonhundratalet

sextrakasserier s pl sexual harassment sg.

sexturism s (~en) sex tourism

sexualbrott s (~et, =) sex crime; jur. sexual offence

sexualdrift s (~en) sexual (sex) drive

sexualförbrytare s (~n, =) sex criminal; jur. sexual offender

sexualitet s (~en) sexuality

sexualliv s (~et) sexual (sex) life

sexualsystem s (~et) bot. sexual system

sexualundervisning s (~en) skol. sex education

sexualupplysning s (~en, ~ar) information on sex[ual] matters

sexuell adj (~t) sexual; attr. äv. sex; **det ~a** allm. sex; ~ frigörelse sexual emancipation

sexårsverksamhet s (~en, ~er) skol. school introduction programme (amer. program) for six-year-olds

Seychellerna s pl the Seychelles

sfinx *s* (~en, ~er) sphinx
sfär *s* (~en, ~er) sphere
shah *s* (~en, ~er) Shah
sheriff *s* (~en, ~er) sheriff
sherry *s* (~n) sherry
shetlandsponny *s* (~n, ~er) Shetland pony
Shetlandsöarna *s pl* Shetland sg., the Shetlands, the Shetland Islands
shoppa *vb itr* (~de, ~t) shop; *gå (vara ute) och ~* go (be out) shopping
shoppingcenter *s* (-centret, =) o. **shoppingcentrum** *s* (~et, = el. -centra) shopping centre, shopping precinct, mall
shoppingvagn *s* (~en, ~ar) shopping trolley (cart)
shorts *s pl* shorts; *ett par ~* a pair of shorts
si *adv*, det görs *än ~, än så* ...sometimes this way, sometimes that; *det är lite ~ och så med det* inte mycket bevänt med it isn't up to much
sia *vb tr* o. *vb itr* (~de, ~t) prophesy [*om* of]
siamesisk *adj* (~t), *~a tvillingar* Siamese twins
siameskatt *s* (~en, ~er) Siamese (pl. lika)
siare *s* (~n, =) seer, prophet
sibetkatt *s* (~en, ~er) civet [cat]
Sibirien Siberia
sibirisk *adj* (~t) Siberian
sibylla *s* (~n, sibyllor) sibyl
siciliansk *adj* (~t) Sicilian
Sicilien Sicily
sicksack *s* (oböjl.), *i ~* [in a] zigzag; *gå i ~* vanl. zigzag
sicksacka *vb itr* o. *vb tr* (~de, ~t) zigzag
sid. (förk. för *sidan* o. *sidorna*) p. resp. pp.
SIDA (förk. för *Swedish International Development Cooperation Agency*) SIDA
sida *s* (~n, sidor) **1** allm. side; yta (t.ex. på kub) äv. face; bildl. äv.: egenskap point; aspekt aspect; *~ vid ~* side by side; i jämbredd abreast; *denna ~ upp!* this side up!; det är *hans starka ~* ...his strong point; *byta (välja) ~* i bollspel change ends (choose one's end); *välja ~* i konflikten take a stand...; han är trevlig *när han sätter den ~n till* ...when he shows that side of himself (of his character); *det har sina sidor* är ofördelaktigt it has its drawbacks; är besvärligt it is no easy job; *se det (saken) från den ljusa ~n* look on the bright side; *visa sig från sin bästa ~* appear at one's best, show to advantage; *från svensk ~ har man...* the Swedes have..., Sweden has...; ha ont *i ~n* ...in one's side; *med händerna i ~n* with arms akimbo; vi är släkt *på min fars ~* ...on my father's side; *ställa sig på ngns ~* bildl. side (take sides) with sb; *stå vid ngns ~* eg. stand beside sb (at sb's side); bildl. stand by (help) sb; *vid ~n av* se *bredvid I*; han tjänar lite *vid ~n om* ...on the side; *å ena ~n...å andra ~n* on [the] one hand...on the other [hand]; *gå åt ~n* step aside; *lägga* ngt *åt ~n* put...aside (away); bildl. put...on one side, shelve... **2** i bok page; *se ~[n]* (förk. *s.*) (förk. *sid.*) **5** see page (förk. p.) 5; *sidorna* (förk. *s.*) (förk. *sid.*) **5–6** pages (förk. pp.) 5–6
sidantal *s* (~et, =) number of pages
sidbena *s* (~n, -benor), *ha ~* have one's hair parted at the side
sidbrytning *s* (~en, ~ar) data. page break
sidbyte *s* (~t, ~n) i bollspel change of ends, change-over
siden *s* (~et) silk
sidenklänning *s* (~en, ~ar) silk dress

sidensvans *s* (~en, ~ar) zool. waxwing
sidfläsk *s* (~et) rökt el. saltat bacon
sidfot *s* (~en, -fötter) foot of the page
sidhuvud *s* (~et, ~en el. =) [page] header
sidhänvisning *s* (~en, ~ar) page reference
sidled *s* (oböjl.), *i ~* sideways, laterally; rörelser *i ~* lateral...
sidnummer *s* (-numret, =) page number
sidnumrering *s* (~en, ~ar) pagination
sidoblick *s* (~en, ~ar) side (sidelong) glance
sidogata *s* (~n, -gator) side street, by-street
sidoroder *s* (-rodret, =) flyg. rudder
sidoskepp *s* (~et, =) i kyrka aisle
sidospår *s* (~et, =) järnv. sidetrack äv. bildl., siding; *komma in på ett ~* bildl. get on to a sidetrack, get sidetracked
sidovind *s* (~en, ~ar) side wind; flyg. cross wind
sidoväg *s* (~en, ~ar) biväg side road, by-road
sidsteppa *vb tr* o. *vb itr* (~de, ~t) vard.: sport. el. bildl. sidestep
sidvagn *s* (~en, ~ar) sidecar; *motorcykel med ~* [motorcycle] combination
Sierra Leone Sierra Leone
sierska *s* (~n, sierskor) seeress, prophetess
siesta *s* (~n, siestor) siesta; *ha (ta) ~* take a siesta
sievert *s* (en, pl. =) (förk. *Sv*) fys., enhet sievert (pl. -s) (förk. *Sv*)
sifferbetyg *s* (~et, =) skol. numerical mark (amer. grade)
sifferminne *s* (~t), *ha [bra] ~* have a [good] memory for figures
sifferuppgift *s* (~en, ~er) figure; *~er* äv. numerical data
siffra *s* (~n, siffror) allm. figure; konkr. äv. numeral; enstaka ~ i flersiffriga tal digit; antal number; *romerska siffror* Roman numerals; försäljningen visade *dåliga siffror* ...poor results
sifon *s* (~en, ~er) siphon
sig *rfl pron* **1** allm.: mask. himself; fem. herself; neutr. itself; pl. themselves; bl.a. syftande på pron. 'man' (eng. 'one') oneself; *han (en av pojkarna) försvarade ~* he (one of the boys) defended himself; *man måste försvara ~* one must defend oneself, you must defend yourself
2 spec. fall: **a)** i adverbial med betonad rumsprep. vanl. him, her, it, them, one; *hon hade inga pengar på ~* she hadn't any money on (about) her **b)** angivande ägaren o.d., *han tvättade ~ om händerna* he washed his hands **c)** i ackusativ med infinitiv vanligen omskrivning, *han* (resp. *hon*) *sa (förklarade) ~ vara* nöjd he said (declared) that he (resp. she said etc. that she) was... **d)** utan motsvarighet i eng., *föreställa (inbilla) ~* imagine, fancy; *känna ~ trött* feel tired; *lära ~* learn; *skrynkla ~* crease, get creased **e)** *gråta ~ till sömns* cry oneself to sleep **f)** med preposition, *[lite] rädd (vidskeplig) av ~* [a bit] timid (superstitious); vi får ta frågorna *var för ~* ...one by one, ...separately, ...individually; han lever i en värld *för ~* ...of his own; han hade *ingenting på ~* ...nothing on; *gå hem till ~* go home
sightseeing *s* (~en, ~ar) sightseeing; tur sightseeing tour; *vara ute på ~* be out sightseeing
sigill *s* (~et, =) seal; *sätta sitt ~ på (under) [det]* affix one's seal on (under) it
signal *s* (~en, ~er) signal; ringning ring; *ge ~* make a signal; med signalhorn sound the horn; *ge ~ till...* give

the signal for…; **slå en ~** [**till ngn**] ringa upp give sb a ring (call)

signalement s (~et, =) description [*på* ngn of…]; **hans ~** a description of him (his person)

signalera I vb tr (~de, ~t) signal; varsko om announce **II** vb itr (~de, ~t) signal, make signals; med signalhorn sound the horn

signalering s (~en, ~ar) signalling

signalflagga s (~n, -flaggor) signal flag

signalist s (~en, ~er) mil. signaller; i flottan signalman

signallampa s (~n, -lampor) signal lamp; kontrollampa pilot light (lamp)

signatur s (~en, ~er) namnteckning signature; namnförkortning initials pl.; författarnamn pseudonym; **~en X** skriver [the writer with the pseudonym] X…

signaturmelodi s (~n, ~er) signature tune

signera vb tr (~de, ~t) sign

signifikant adj (=) significant äv. statistik. [*för* of]

signifikativ adj (~t) significative; typisk typical; betydelsefull significant [*för* i samtliga fall of]

signum s (= el. ~et, = el. signa) särmärke distinguishing mark, characteristic

sik s (~en, ~ar) zool. whitefish

siklöja s (~n, -löjor) zool. vendace

1 sikt s (~en) **1** möjlighet att se visibility; **dålig (god) ~** poor (good) visibility; **ha fri ~** have a clear view **2** tidrymd, **på ~** in the long run; **på lång ~** lönar det sig… in the long term…, taking a long view…

2 sikt s (~en, ~ar) såll sieve; grövre för t.ex. grus screen; för hushåll sieve, strainer, sifter

1 sikta I vb tr (~de, ~t) sjö. sight **II** vb itr (~de, ~t) aim äv. bildl. [*på* (*mot, till*) at]; med vapen äv. take aim; **~ högt** aim high äv. bildl.; **~ in sig på att** + inf aim at + ing-form

2 sikta vb tr (~de, ~t) sålla sift, pass…through a sieve; t.ex. grus screen; i kvarn bolt; **~t mjöl** sifted flour

sikte s (~t, ~n) sight äv. på skjutvapen; **ta ~ på** ngt aim at…; bildl. äv. have…in view; **få** ngt **i ~** get…in sight; **få land i ~** sjö. sight (make) land; **ha** ngt **i ~** kunna se be in sight of…; ha som mål have…in view; arbeta **med ~ på framtiden** …with an eye to the future; **förlora…ur ~** lose sight of…; **lämna (släppa)…ur ~** leave (let)…out of sight

siktförbättring s (~en) improved visibility

siktförsämring s (~en) reduced visibility

siktpunkt s (~en, ~er) point of aim (sight)

sil s (~en, ~ar) **1** redskap sieve, strainer; durkslag colander **2** sl., narkotikainjektion shot

sila I vb tr (~de, ~t) strain; **~ av (bort, från)** strain off **II** vb itr (~de, ~t) **1** om t.ex. vatten, sand trickle; om ljus filter **2** sl., injicera narkotika shoot dope, shoot up, mainline

silduk s (~en, ~ar) för silning straining-cloth

silhuett s (~en, ~er) silhouette

silikat s (~et, = el. ~er) kem. silicate

silikon s (~et el. ~en, ~er) kem. silicone

silikonbehandlad adj (-handlat, ~e) silicone treated

silikos s (~en) med. silicosis (endast sg.)

silke s (~t, ~n) silk

silkesfjäril s (~en, ~ar) silk moth

silkeslen adj (~t) silky; attr. äv. silken

silkesmask s (~en, ~ar) silkworm

silkesodling s **1** (~en) odlande sericulture **2** (~en, ~ar) konkr. silkworm farm

silkespapper s (~et el. -pappret, =) tissue paper

silkesvantar s pl, **behandla ngn med ~** bildl. treat sb with kid gloves

silkig adj (~t) vard. silky

sill s (~en, ~ar) herring; **inlagd (salt) ~** pickled (salt) herring; **som packade ~ar** packed like sardines [in a tin]

sillbulle s (~n, -bullar) kok. herring rissole

sillsallad s (~en, ~er) 'herring salad', salad of pickled herring, beetroot, and potatoes

sillstim s (~met, =) shoal of herring

silo s (~n, ~r el. ~er) silo (pl. -s)

siluett s (~en, ~er) se *silhuett*

silver s **1** (silvret) silver; **drivet (matt) ~** chased (frosted) silver; **gammalt (rent, äkta) ~** old (pure, sterling) silver **2** (silvret, =) sport., andra plats silver medal; **ta ~** take silver, take a silver medal

silverarmband s (~et, =) silver bracelet

silverbröllop s (~et, =) silver wedding [anniversary]

silverbägare s (~n, =) silver goblet

silverfat s (~et, =) silver dish (tallrik plate); **få ngt serverat på ~** get sth served on a silver platter

silverfisk s (~en, ~ar) zool. silverfish

silvergran s (~en, ~ar) bot. silver fir

silvergruva s (~n, -gruvor) silver mine

silvergrå adj (-grått) silver-grey, amer. silver-gray

silverhalsband s (~et, =) silver necklace

silverhalt s (~en, ~er) silver content; procentdel percentage of silver

silverhårig adj (~t) silver-haired

silvermedalj s (~en, ~er) sport. silver medal

silvermedaljör s (~en, ~er) sport. silver medallist

silvermärke s (~t, ~n) sport. silver badge

silverputs s (~en) silver polish

silverring s (~en, ~ar) silver ring

silverräv s (~en, ~ar) zool. silver fox

silversked s (~en, ~ar) silver spoon; **född med ~ i munnen** born with a silver spoon in one's mouth

silversmed s (~en, ~er) silversmith

silverstämpel s (~n, -stämplar) [silver] hallmark

silverte s (~et) 'silver tea', hot water with milk (cream)

simbassäng s (~en, ~er) swimming pool; inomhus swimming baths (pl. lika)

simblåsa s (~n, -blåsor) zool. swim[ming] bladder, sound

simborgarmärke s (~t, ~n) sport. swimming badge [awarded for swimming 200 metres]

simdyna s (~n, -dynor) [swimming] float; armkuddar water wings

simfena s (~n, -fenor) **1** zool. fin **2** i sportdykning, **simfenor** diving flippers

simfot s (~en, -fötter) **1** zool. webbed foot; fågel **med simfötter** web-footed… **2** i sportdykning, **simfötter** diving flippers

simfågel s (~n, -fåglar) web-footed bird

simhall s (~en, ~ar) [public] swimming baths (pl. lika)

simhopp s (~et, =) hoppande diving; **ett ~** a dive

simhoppare s (~n, =) diver

simhud s (~en) web; [**försedd**] **med ~** webbed

SIM-kort s (~et, =) tele. SIM card

simkunnig adj (~t), **han är ~** he can swim

simlärare s (~n, =) swimming teacher (instructor)

simma vb itr (~de, ~t) swim; **~ bra** be a good swimmer; **~ ryggsim (på rygg)** do the backstroke (swim on one's back); maten **~r i flott** …is swimming in fat

simmare *s* (~n, =) o. **simmerska** *s* (~n, simmerskor) swimmer

simmig *adj* (~t) thick, syrupy; om t.ex. sås well-thickened; om blick hazy

simmärke *s* (~t, ~n) swimming badge

simning *s* (~en, ~ar) swimming

simpel *adj* (~t, simpla) **1** enkel simple; vanlig ordinary **2** lumpen base, common, low; grov, tarvlig vulgar

simpelt *adv* **1** helt ~ se *helt enkelt* under *enkelt* **2** lumpet basely

simsalabim *interj* hey presto, abracadabra

simskola *s* (~n, -skolor) swimming school

simsport *s* (~en) swimming

simsätt *s* (~et, =) swimming style; *fritt* ~ free style [swimming]

simtag *s* (~et, =) stroke; *ta ett* ~ swim a stroke

simtur *s* (~en, ~er), *ta en* ~ have a swim

simtävling *s* (~en, ~ar) swimming competition

simulator *s* (~n, ~er) tekn. simulator

simulera I *vb tr* (~de, ~t) simulate äv. tekn. o.d., sham, feign **II** *vb itr* (~de, ~t) spela sjuk sham (feign) illness; speciellt mil. malinger

simulering *s* (~en, ~ar) simulation äv. tekn. o.d., shamming, feigning; malingering, jfr *simulera*

simultan *adj* (~t) simultaneous

simultankapacitet *s* (~en), *ha* ~ be good at multitasking

simultantolka *vb tr* (~de, ~t) interpret (translate)...simultaneously

simultantolkning *s* (~en, ~ar) simultaneous interpretation (translation)

sin *poss pron* (sitt, sina) **a)** fören.: då ägaren är mask., fem., resp. neutr. sg. his, her, resp. its; med syftning på flera ägare och, då individerna avses, på kollektivt subst. their; med syftning på ett utsatt el. tänkt 'man' (eng. 'one') one's **b)** självst. his, hers, its [own], theirs, one's own; *var* ~ each, se vidare *3 var 3*; *vad i all* ~ *dar* gör du här? what on earth...?; *i* ~ *förtvivlan* tillgrep han in desperation...; *på* ~a *ställen* (*håll*) in [some] places, here and there; *på* ~ *tid* var han in his time...; *någon har glömt kvar* ~ *väska* somebody has forgotten his (könsneutralt; i grupp kvinnor her; vard. their) bag; *sedan gick vi var och en till sitt* hem then each of us went home (till sin syssla to our [own] business), för ex. jfr vidare *1 min*

sina *vb itr* (~de, ~t) go (om ko äv. become, om källa äv. run) dry; bildl.: om t.ex. förråd run short (out); om t.ex. energi, tillgångar ebb [away], peter out; ~ *ut* dry up, run dry; *en aldrig* ~*nde* ström a never-ceasing...

sinekur *s* (~en, ~er) sinecure; vard. cushy (featherbed) job

Singapore Singapore

singaporiansk *adj* (~t) Singaporean

1 singel *s* (~n, singlar) **1** sport. singles (pl. lika); match singles match; *spela* ~ (*en* ~) play singles (a game of singles) **2** cd- el. vinylskiva single **3** *vara* ~ ogift etc. be single

2 singel *s* (~n, singlar) grus shingle, coarse gravel

singelolycka *s* (~n, -olyckor) one-car accident

singla I *vb tr* (~de, ~t) kasta toss; ~ *slant* toss up [a coin]; ~ *slant om* ngt toss for...; *ska vi* ~ *slant?* let's toss up!, let's toss for it! **II** *vb itr* (~de, ~t), lövet ~*de ned* ...came floating down

singular *s* (~en, ~er) o. **singularis** *s* (oböjl., en) gram.

the singular; *första person* ~ first person singular; *stå i* ~ be in the singular

sinka *vb tr* (~de, ~t) fördröja delay, detain

sinkadus *s* (~en, ~er) vard. **1** lyckträff stroke of luck **2** i tärningsspel five two

sinnad *adj* (sinnat, ~e) lagd minded; inriktad disposed; hågad inclined [*för* for]; *fientligt* (*vänskapligt*) ~ *nation* hostile (friendly)...

sinne *s* (~t, ~n) **1** fysiol. sense; *de fem* ~*na* the five senses; *ett sjätte* ~ a sixth sense; *vid sina* ~*ns fulla bruk* in full possession of all one's senses (faculties) **2** själ, förstånd mind; sinnelag disposition, nature; lugna [*de upprörda*] ~*na* ...people's [excited] minds; *ha* ~ *för* känsla för (t.ex. humor, proportioner) have a sense of; ha förståelse för (t.ex. naturen) have a feeling for (an appreciation of); ha blick för (t.ex. det sköna) have an eye for; *ha* ~ *för affärer* have an eye for business, have business acumen; handla *efter sitt eget* ~ ...at one's [own] discretion; man vet inte vad han *har i* ~*t* ...is up to; jag tänkte *i mitt stilla* ~ ...to myself, ...inwardly; *sätta sig i* ~*t att* + inf. set one's mind on + ing-form; *vara ung till* ~*t* be young at heart

sinnebild *s* (~en, ~er) symbol, emblem [*för* of]

sinnelag *s* (~et) disposition, temperament; *ett glatt* ~ a cheerful temperament

sinnesfrid *s* (~en) peace of mind

sinnesförnimmelse *s* (~n, ~r) sensation

sinnesförvirrad *adj* (-förvirrat, ~e) mentally deranged, unhinged

sinnesförvirring *s* (~en) mental derangement; begå självmord *i* ~ ...while of unsound mind

sinnesintryck *s* (~et, =) sensory impression

sinneslugn *s* (~et) tranquillity (calmness, serenity) of mind; jämvikt equanimity

sinnesnärvaro *s* (~n) presence of mind; *ha* ~ *nog att* + inf. have the presence of mind to + inf.

sinnesorgan *s* (~et, =) sense (sensory) organ, organ of perception

sinnesro *s* (~n) se *sinnesfrid* o. *sinneslugn*

sinnesrubbad *adj* (-rubbat, ~e) **1** mentalt sjuk mentally disordered, unhinged **2** vard. crazy, mad, screwy

sinnesrubbning *s* (~en, ~ar) mental disorder

sinnesrörelse *s* (~n, ~r) emotion

sinnesjuk *adj* (~t) **1** vard., galen mad, crazy **2** åld., se *mentalsjuk*

sinnesslö *adj* (-slött) åld. mentally deficient

sinnesstämning *s* (~en, ~ar) frame (state) of mind, mood; *i glad* (*uppsluppen*) ~ in a cheerful mood (in high spirits)

sinnestillstånd *s* (~et, =) state of mind, mental condition

sinnesundersökning *s* (~en, ~ar) rättspsykiatrisk undersökning examination conducted by a forensic psychiatrist

sinnevärld *s* (~en), ~*en* the material (external) world

sinnlig *adj* (~t) sensuell sensual; köttslig carnal; som uppfattas med sinnena sensuous

sinnlighet *s* (~en) sensuality, sensualism

sinnrik *adj* (~t) ingenious

sinnrikhet *s* (~en) ingenuity

1 sinom *pron*, *i* ~ *tid* in due [course of] time

2 sinom *adv*, *tusen* ~ *tusen* fåglar thousands upon (and) thousands of...

sinsemellan *adv* between (om flera äv. among)

themselves (resp. ourselves, yourselves; vid fördelning m.m. them, us etc.)

sinuskurva *s* (~n, -kurvor) matem. sine curve

sionism *s* (~en) Zionism

sionistisk *adj* (~t) Zionist

sipp *adj* (~t) pryd prudish

sippa *s* (~n, sippor) bot. [wild] anemone, windflower

sippmara *s* (~n, -maror) bot. winter hance

sippra *vb itr* (~de, ~t) smårinna trickle; droppvis tränga ooze; ~ **fram** come oozing out, ooze forth; ~ **igenom** [**ngt**] percolate [through sth]; ~ **ut** trickle (ooze, läcka leak) out samtliga äv. bildl.

sirap *s* (~en) ljus [golden] syrup; amer. light syrup; mörk [black] treacle, amer. molasses

sirapslen *adj* (~t) o. **sirapssöt** *adj* (-sött) bildl. treacly

siren *s* (~en, ~er) siren äv. mytol.

sirlig *adj* (~t) prydlig elegant, graceful; snirklad ceremonious

sirlighet *s* (~en) elegance, grace; ceremoniousness, jfr *sirlig*

sist *adv* **1** last; i slutet at the end; **han kom** [**allra**] ~ efterst he came last [of all]; senare än alla äv. he was the [very] last to arrive; **ligga** ~ i tävling be [the] last; ~ **i** boken (kön) at the end of...; ~ **men inte minst** last but not least; det har hänt mycket **sedan** ~ ...since [the] last time; **till** ~ till slut finally, in the end; avslutningsvis lastly, in conclusion; slutligen ultimately, eventually; spara ngt **till** ~ ...to (till) the last; jfr äv. *senast II* **2** förra gången last time; ~ **jag var där** [the] last time I was there, when I was there last

sista *adj* (mask. siste) allm. last; bakerst äv. back; senaste latest; slutlig final; **på** ~ **bänk** i sal o.d. in the back row; [**den**] ~ **delen** the last (av två the latter) part; **för** ~ **gången** for the last time; **lägga** ~ **handen vid** ngt put (apply) the finishing touches to...; **i** ~ **hand** last, last of all; **i** ~ **minuten** (**stund**) at the [very] last minute (moment); precis i tid äv. only just in time; ~ **sidan** i tidning the back page; ~ **vagnen** the rear carriage; **den** ~ [**i månaden**] [som adv. on] the last of the month; **det är det** (**han är den**) ~ **jag skulle vilja se** that is the last thing (he is the last person)...; **in i det** ~ to the very last

siste *adj* (mask.) se *sista*

sistliden *adj* (-lidet, -lidna) last; **sistlidna vecka** last week

sistnämnda *adj* (mask. sistnämnde) last-mentioned; **den** ~ (**sistnämnde**) av två äv. the latter

sistone *s* (oböjl.), **på** ~ lately

sisu *s* (~n) never-say-die attitude, bulldog spirit

sisyfosarbete *s* (~t, ~n) Sisyphean task; friare never-ending task

sits *s* (~en, ~ar) **1** allm. seat; på stol äv. bottom **2** kortsp., **kortens** (**spelarnas**) ~ the lie of the cards (the order of the players) **3** situation, läge (vard.), **vi är i en besvärlig** ~ we are in a real fix (spot)

sitt *poss pron* se *sin*

sitt|a I *vb itr* (satt, suttit) **1** om levande varelser: sit; på sittplats äv. be seated; inte stå äv. be sitting; sitta ned, sätta sig sit down; vara, befinna sig be; vara tjänstgörande (om t.ex. regering) be in office; **var så god och sitt!** sit down, please!, please take a seat!; ~ **bra** bekvämt be comfortable (comfortably seated); ha bra plats (t.ex. på teatern) have a good seat (resp. good seats); ~ **hemma** be (stanna stay, hålla sig stick) at home; ~ **uppflugen** be perched; **få** ~ få sittplats get (ha sittplats

have) a seat; ~ **och läsa** sit (be sitting) reading; hålla på att be reading

med obeton. prep.: ~ **för** en konstnär sit to...; ~ **i fängelse** be in prison; **hon -er i sammanträde** (**telefon**) just nu she is in a meeting (is engaged on the phone)... **2** om sak: vara, befinna sig be; ha sin plats be placed; om t.ex. sjukdom be located; hänga hang; inte lossna: om t.ex. spik, knapp hold; **klänningen -er bra** ...fits well, ...is a good fit; **den -er perfekt** [**på henne**] it fits [her] to perfection; **den -er bra över axlarna** it sits well across the shoulders; **det skulle** ~ **bra med en kopp kaffe** a cup of coffee would be nice (lovely); **den -er för hårt i midjan** it is too tight round the waist

II med beton. part.

sitta av a) avtjäna t.ex. straff serve **b)** ~ **av** [**hästen**] dismount from [the horse]

sitta emellan: [**få**] ~ **emellan** bildl.: om person be the sufferer; om sak suffer

sitta fast a) ha fastnat stick, be stuck; bildl. have got stuck; vara fastklämd sit (om sak be) jammed (wedged) **b)** vara fastsatt be fixed; vara fastklibbad adhere; inte lossna (om t.ex. spik, knapp) hold

sitta i bestå: om t.ex. skräck remain; om t.ex. kärlek last; om kunskaper stick in one's memory; **rummet är vädrat men lukten -er i** ...the smell clings to it; vanor **som -er i** deep-rooted...

sitta ihop inte gå sönder hold together; ha klibbat ihop have stuck [together]; vara hopsatt be held (fastened) together [**med** with]

sitta inne a) inomhus be (hålla sig keep, stay) indoors **b)** i fängelse, vard. be inside, do time **c)** ~ **långt inne** dröja (om t.ex. svar) be a long time coming; vara svår att få ur ngn, t.ex. löfte be hard to get out of sb **d)** ~ **inne med** t.ex. kunskaper, upplysningar possess

sitta kvar a) inte resa sig remain sitting (seated); inte lämna sin plats keep one's seat; **sitt kvar!** don't get up! **b)** vara kvar: allm. remain; om person äv. stay [on]; om t.ex. regering remain in office; ~ **kvar tills** ngt **är slut** sit...out

sitta med: ~ **med i** styrelsen be a member (resp. members) of..., be on...; ~ **med vid bordet** sit with the others at table

sitta ned (**ner**) **a)** itr. sit down; **sitt ned så länge** [**och vänta**] **så kommer han** take a seat while you wait and he will come **b)** tr., ~ **ned** en soffa wear down...by sitting on it a lot; jfr *nedsutten*

sitta på vara på be on; inte ramla av keep in place, stay put

sitta till: ~ **så till att...** om person be seated so that...; ~ **illa till** bildl. be in a fix

sitta upp: ~ **upp** [**på hästen**] mount [one's horse]

sitta uppe a) inte lägga sig sit up; ~ **uppe och vänta på** ngn sit (wait) up for... **b)** om sak: vara uppsatt be up; inte glida ner stay (keep) up; hållas uppe be kept up [**med** by]

sitta åt allm. be tight; starkare be too tight; om kläder äv. fit tight, be a tight fit; **den -er åt i midjan** it fits close to (stramar is too tight round) the waist; **det satt hårt åt innan jag fick** pengarna it was (I had) a tough job getting...

sittande *adj* (oböjl.) om levande varelser sitting; på sittplats äv. seated; **middagen serverades vid** ~ **bord** a sit-down dinner was served; **den** ~ **regeringen** the Government in office; nuvarande äv. the present

Government; göra ngt *i ~ ställning* …sitting down; *bli ~* se *sitta kvar* o. *sitta fast* under *sitta II*
sittbrunn *s* (~en, ~ar) sjö. cockpit
sittning *s* (~en, ~ar) för målare o.d. sitting; sammanträde meeting
sittopp *s* (~en, ~ar) vard., örfil box on the ear[s]; skrapa dressing-down
sittpinne *s* (~n, -pinnar) perch
sittplats *s* (~en, ~er) seat; *det finns 50 ~er och 30 ståplatser i bussen* there are 50 sitting and 30 standing places on the bus
sittplatsbiljett *s* (~en, ~er) järnv. seat reservation [ticket]; på t.ex. stadion seat ticket
sittstrejk *s* (~en, ~er) sit-down strike, sit-in
sittstrejka *vb itr* (~de, ~t), [börja] ~ go on a sit-down strike; *de ~r* they are on a sit-down strike
sittsäck *s* (~en, ~ar) möbel bean bag
sittvagn *s* (~en, ~ar) **1** för barn pushchair; amer. stroller **2** järnv., ung. non-sleeper; amer. day coach
situation *s* (~en, ~er) situation; läge äv. position; tillfälle occasion; *sätta sig in i ~en* make oneself acquainted with the situation; *sätt dig in i min ~!* put yourself in my place!
situp *s* (en, pl. ~s) gymn. sit-up
sjabbig *adj* (~t) shabby
sjabbla *vb itr* (~de, ~t), *~ med* trassla till mess up, make mess of; spelaren *~de med bollen* …fumbled [with] the ball; *~ bort en chans* fluff (mess up) a chance
sjakal *s* (~en, ~er) zool. jackal
sjal *s* (~en, ~ar) shawl; halsduk scarf (pl. scarves el. scarfs)
sjalett *s* (~en, ~er) headscarf (pl. headscarves el. headscarfs)
sjappa *vb itr* (~de, ~t) vard. bolt, do a bunk
sjasa *vb tr* (~de, ~t), *~ [bort]* shoo [away]
sjaskig *adj* (~t) slovenly, shabby; osnygg äv. untidy, sleazy; luggsliten äv. seedy-looking
sjok *s* (~et, =) t.ex. av tyg, snö sheet; av dimma layer; friare, större mängd large chunk
sju *räkn* seven, jfr *fem* med sammansättn.
sjua *s* (~n, sjuor) seven; jfr *femma*
sjuarmad *adj* (-armat, ~e), *~ ljusstake* seven-branched candlestick
sjubb *s* (~en, ~ar) zool. o. pälsverk raccoon
sjuda I *vb itr* (sjöd, sjudit) seethe; koka äv. boil båda äv. bildl.; småkoka simmer; *~ av vrede* seethe (boil) with anger; *~nde liv* seething life **II** *vb tr* (sjöd, sjudit) tekn. el. kok. boil; kok. äv. [let…]simmer
sjuhundra *räkn* seven hundred, jfr *hundra* med sammansättn.
sjuk *adj* (~t) **1** eg. ill vanl. pred., sick vanl. attr. (amer. attr. o. pred.); dålig unwell pred.; krasslig ailing; *bli ~ [i influensa]* fall (be taken) ill [with the flu], catch [the flu]; *~ av* avund sick with…; *vara ~ [av längtan] efter* ngt sick [with longing] for…, be dying for… **2** subst. adj., *den ~a (~e)* the sick woman (resp. man), the sufferer; patient the patient; långvarigt sjuk the invalid; sköta *~a (de ~a)* …sick people (the sick) **3** friare el. bildl.: osund (t.ex. fantasi) morbid; misstänkt suspicious, shady; skum fishy; *~ humor* sick humour (amer. humor); *ett ~t samvete* a guilty conscience
sjuka *s* (~n, sjukor) **1** illness osv., jfr *sjukdom*; mani mania; *engelska ~n, spanska ~n* se under *engelsk* resp. *spansk* **2** mil., sjukhus hospital
sjukanmäla I *vb tr* (-anmälde, -anmält), *~ ngn* report

sb sick; *vara sjukanmäld* be (have) reported sick **II** *vb rfl* (-anmälde, -anmält), *~ sig* report sick
sjukanmälan *s* (=, en, -anmälningar) notification of illness; *göra ~* sjukanmäla sig report (call in) sick
sjukbesök *s* (~et, =) av läkare visit, sick call; *gå på ~ till ngn* om läkare pay a visit to (a sick call on) a patient
sjukbår *s* (~en, ~ar) stretcher, litter
sjukbädd *s* (~en, ~ar) sickbed; *vid ~en* at the bedside
sjukdag *s* (~en, ~ar) day of illness
sjukdom *s* (~en, ~ar) allm. illness; ohälsa äv. sickness, ill-health; svårare, av bestämt slag disease äv. hos djur o. växter el. bildl.; i de inre organen samt psykisk disorder; åkomma complaint; affliction; *efter en lång tids ~* after a long illness; *obotlig ~* incurable disease; *smittsam ~* infectious (epidemic) disease; *ärftlig ~* hereditary disease; frånvarande *på grund av ~* …owing to illness (sickness, ill-health)
sjukdomsfall *s* (~et, =) case [of illness]; sjukdom illness
sjukdomsförlopp *s* (~et, =), *~et* the course of the disease (illness)
sjukdomskänsla *s* (~n), *allmän ~* general feeling of illness (discomfort)
sjukdomssymtom *s* (~et, =) symptom of [a (resp. the)] disease
sjukersättning *s* (~en, ~ar) sickness benefit
sjukfrånvaro *s* (~n) absence due to illness
sjukförsäkring *s* (~en, ~ar) health insurance; jfr *försäkring* med ex. o. sammansättn.
sjukgymnast *s* (~en, ~er) physiotherapist
sjukgymnastik *s* (~en) physiotherapy, health (remedial) exercises pl.
sjukhem *s* (~met, =) nursing home
sjukhus *s* (~et, =) hospital; *ligga på ~* be in hospital
sjukhussjuka *s* (~n) hospital infection; vetensk. nosocomial disease
sjukhusvård *s* (~en) hospital treatment (care)
sjukintyg *s* (~et, =) allm. certificate of illness; utfärdat av läkare doctor's certificate
sjukjournal *s* (~en, ~er) case record (för enskild patient sheet)
sjukledig *adj* (~t), *vara ~* be on sick leave
sjukledighet *s* (~en, ~er) sick leave
sjuklig *adj* (~t) lidande sickly, unhealthy; onormal, makaber morbid; *~t begär* morbid craving; *~ fetma* pathological obesity
sjuklighet *s* (~en, ~er) sickliness; persons vanl. poor health
sjukling *s* (~en, ~ar) sick person; patient äv. patient; sjuklig person invalid
sjukpenning *s* (~en) sickness benefit
sjukskriva *vb tr* (-skrev, -skrivit) put…on the sick-list; doktorn har *sjukskrivit mig* äv. …given me a certificate [of illness]; *vara sjukskriven [en vecka]* be on the sick-list [for a week]; *~ sig* se *sjukanmäla sig* under *sjukanmäla*
sjukskötare *s* (~n, =) male nurse
sjuksköterska *s* (~n, -sköterskor) [sick] nurse; examinerad trained nurse; manlig male nurse; på sjukhus hospital nurse
sjuksköterskestudent *s* (~en, ~er) student nurse, probationer
sjukstuga *s* (~n, -stugor) cottage hospital
sjuksyster *s* (~n, -systrar) se *sjuksköterska*

sjuksäng *s* (~en, ~ar) sickbed
sjukvård *s* (~en) skötsel nursing, care of the sick; behandling medical treatment (attendance); organisation medical service; **allmän** ~ public medical service, i Storbr. National Health Service (förk. NHS); **fri** ~ free medical treatment
sjukvårdare *s* (~n, =) paramedic; mil. medical orderly
sjukvårdsartiklar *s pl* sanitary (medical) articles, nursing requisites
sjukvårdsbiträde *s* (~t, ~n) nurse's assistant, hospital orderly
sjukvårdspersonal *s* (~en, ~er) nursing (hospital) staff (personnel)
sjumilastövlar *s pl* seven-league boots
sjunde *räkn* seventh; **vara i** ~ **himlen** be in seventh heaven; jfr *femte* med sammansättn.
sjundedel *s* (~en, ~ar) seventh [part]; jfr *femtedel*
sjunga I *vb tr* o. *vb itr* (sjöng, sjungit) sing; om fåglar äv. warble; ~ **en sång för ngn** sing a song to sb, sing sb a song; ~ **rent** (**falskt**) sing in tune (out of tune) **II** med beton. part.
sjunga in a) öva in practise **b)** ~ **in** en sång **på skiva** (**band**) record...; ~ **in en skiva** make a record
sjunga med join in [the singing]; ~ **med i** refrängen join in...
sjunga ut eg. betydelse sing up; bildl. speak one's mind, not mince matters; ~ **ut** [**med sina åsikter**] speak one's mind, say what is on one's mind
sjunka I *vb itr* (sjönk, sjunkit) sink; falla fall, drop; om t.ex. pris äv. decline; gå ned el. sjö., gå under go down; priserna **har sjunkit** ...have fallen (gone down, declined); temperaturen **sjunker** ...is going down äv. om feber, ...is falling; [**vattnet i**] **sjön har sjunkit** the water level has sunk; ~ **djupt** eg. sink deep; bildl. sink low; ~ **i ngns aktning** go down (sink) in sb's estimation; ~ **i pris** go down in price **II** med beton. part.
sjunka ihop falla ihop collapse; krympa shrink
sjunka ned: ~ **ned i** gyttjan sink into...; ~ **ned i** en fåtölj drop into...
sjunka undan om vatten sink, subside
sjunkande *adj* (oböjl.) sinking osv., jfr *sjunka*; ~ **födelsetal** declining birthrate
sjunkbomb *s* (~en, ~er) depth charge (bomb)
sjusovare *s* (~n, =) lie-abed, late riser
sjustjärnorna *s pl* astron. the Pleiades
sjutti *räkn* vard., se *sjuttio*
sjuttio *räkn* seventy; jfr *fem* o. *femtio* med sammansättn.
sjuttionde *räkn* seventieth
sjutton *räkn* **1** seventeen; jfr *fem* o. *femton* med sammansättn. **2** i svordomar el. vissa uttryck, ~ **också!** oh darn (hell)!; **fy** ~**!** God!; **å** ~**!** you don't say!, well I never!, Heavens!; **ja, för** ~**!** yes, damn (darn) it!; javisst you bet!; **vad** ~ **skulle jag göra det för?** why on earth would I want to do that?; **full i** ~ vard. full of mischief
sjuttonde *räkn* seventeenth; jfr *femte*
sjuttonhundratalet *s* (best. sing.) the eighteenth century, jfr *femtonhundratalet*
sjutusan *s* (oböjl.) vard., **en** ~ **till karl** a hell of a man (guy)
sjyst *adj* (=) o. *adv* se *schyst*
sjå *s* (~et, ett fasligt ~ a tough (big) job; **ha fullt** ~ [**med**] **att** + inf. have a proper job + ing-form

sjåare *s* (~n el. sjåarn, =) vard., hamnarbetare docker; stuvare stevedore; amer. longshoreman
sjåpa *vb rfl* (~de, ~t) vard., ~ **sig** be namby-pamby; göra sig till be affected, put it on
sjåpig *adj* (~t) namby-pamby; tillgjord affected
själ *s* (~en, ~ar) soul äv. person; hjärta heart; sinne mind; ande spirit; **känna** ~**arnas sympati** ...a spiritual affinity; **inte en** [**levande**] ~ not a [living] soul; **lägga ned hela sin** ~ **i** ngt put one's heart and soul into...; **i** ~ **och hjärta** i själva verket at heart; innerst inne in one's heart [of hearts]
själaglad *adj* (-glatt) overjoyed, delighted
själaringning *s* (~en, ~ar) ringande [the] tolling of the knell; ljud knell
själasörjare *s* (~n, =) präst clergyman, priest; friare spiritual guide (adviser)
själavandring *s* (~en) relig. transmigration, metempsychosis
själavård *s* (~en) relig. pastoral cure
själfull *adj* (~t) soulful
Själland Zealand
själlös *adj* (~t) soulless; uttryckslös vacuous; andefattig dull, vapid
själsdödande *adj* (oböjl.) soul-destroying, deadly boring
själsfrånvaro *s* (~n) absence of mind
själsfrände *s* (~n, ~r) kindred spirit (soul), soul mate
själsgåvor *s pl* mental (intellectual) gifts
själslig *adj* (~t) mental; andlig spiritual; psykisk psychic, psychical
själsliv *s* (~et) intellectual (andlig spiritual) life; känsloliv emotional life
själv I *pron* **1** jag ~ myself; du ~ yourself; bibl. o.d. thyself; han, hon ~ himself, herself; den ~, det ~t itself; man ~ oneself, yourself osv., jfr *3 man*; vi, ni, de ~a ourselves, yourselves, themselves; **sig** ~ himself osv., se sig; **mig** ~ myself; **jag** ~ I myself; **jag gjorde det** ~ (**alldeles** ~) I did it myself (all by myself); **jag har** ~ gjort det I myself have...; **jag har** gjort det ~ I have...myself; **jag frågade honom** ~ I jag själv asked him myself; just honom I asked him (the man) himself; ~ **kan jag inte** I myself can't; vad mig beträffar as for myself (me), I can't; **han kom** ~ personligen he came in person; **du ser** ~ **hur...** you can see for yourself how...; **hon syr sina kläder** ~ vanl. she makes her own clothes; **han är ärligheten** ~ he is the soul of honesty; **han är inte sig** ~ **i dag** (**längre**) he is not [quite] himself today (is not the man he was); **vara sig** ~ **nog** be self-sufficient, be sufficient to oneself; **var dig** ~ be yourself!; dumbom! – **det kan du vara** ~**!** ...the same to (so are) you!; **tack** ~**!** thank 'you! **2** i adjektivisk användning: ~**a arbetet** arbetet i sig the work itself; det egentliga arbetet the actual (regular) work; ~**a blotta tanken** the very idea; **bo i** ~**a centrum** [**av Stockholm**] ...in the very centre [of Stockholm]; **i** ~**a verket** in reality; faktiskt as a matter of fact, in actual fact; **det är** (**var**) **då** ~**a fasen att...** what a damn nuisance that... **II** *s* (~et) filos. el. psykol. self, se vidare *jag II*
självaktning *s* (~en) self-respect, self-esteem; **ingen** människa **med** ~ no self-respecting...
självantändning *s* (~en, ~ar) spontaneous combustion (ignition), self-ignition

självbedrägeri s (~et, ~er) self-deception, self-delusion

självbehärskning s (~en) self-control, self-mastery; fattning self-possession

självbekännelse s (~n, ~r) confession

självbelåten adj (-belåtet, -belåtna) self-satisfied; egenkär, äv. om t.ex. min complacent, smug

självbelåtenhet s (~en) self-satisfaction, smugness

självbestämmanderätt s (~en) right of self-determination

självbetjäning s (~en) self-service

självbevarelsedrift s (~en) instinct of self-preservation

självbild s (~en, ~er) psykol. self-image

självbindare s (~n, =) lantbr. [self-]binder

självbiografi s (~n, ~er) autobiography

självbiografisk adj (~t) autobiographical

självdeklaration s (~en, ~er) income tax return; blankett income-tax return form

självdisciplin s (~en) self-discipline

självdö vb itr (-dog, -dött) om djur die a natural death; bildl. die out of itself (resp. themselves)

självfall s (~et), **hon har** ~ she has a natural wave in her hair

självfallen adj (-fallet, -fallna) se självklar

självförakt s (~et) self-contempt

självförebråelse s (~n, ~r) self-reproach

självförhävelse s (~n) conceit

självförklarande adj (oböjl.) self-explanatory

självförsvar s (~et) self-defence

självförsörjande adj (oböjl.) self-supporting; om land self-sufficient; **hon är** ~ vanl. she earns her own living

självförtroende s (~t) self-confidence, self-reliance; **ha** ~ be self-confident; **sakna** ~ lack self-confidence

självförverkligande s (~t, ~n) self-fulfilment, self-realization

självförvållad adj (-vållat, ~e) self-inflicted, self-caused

självgod adj (-gott) self-righteous, self-conceited, self-opinionated

självhjälp s (~en) self-help; **hjälp till** ~ aid to helping oneself

självhushåll s (~et, =) **1** där man tillverkar o. producerar allt själv self-sufficient household; **2** där man kan laga mat själv, **lägenhet för** ~ self-catering accommodation

självhäftande adj (oböjl.) [self-]adhesive; attr. äv. (om t.ex. plast) stick-on

självhärskare s (~n, =) autocrat

självinstruerande adj (oböjl.), ~ **material** self-instructional material

självironi s (~n) self-irony, self-mockery

självironisk adj (~t), **vara** ~ be ironic at one's own expense

självisk adj (~t) selfish, egoistic

själviskhet s (~en) selfishness, egoism

självklar adj (~t) uppenbar obvious, self-evident; **det är ~t (en ~ sak)** äv. it goes without saying, it stands to reason; **ja, [det är] ~t!** yes, of course!; ta allting **för ~t** ...for granted, ...as a matter of course

självklarhet s (~en, ~er) självklar sak matter of course; **det är en** ~ äv. it goes without saying, it stands to reason

självklart adv uppenbart obviously, evidently; naturligtvis naturally

självkontroll s (~en) self-control

självkostnadspris s (~et, = el. ~er) ekon. cost price; **till** ~ at cost [price]

självkritik s (~en) self-criticism

självkännedom s (~en) self-knowledge

självkänsla s (~n) self-esteem

självlockig adj (~t) om hår naturally curly

självlysande adj (oböjl.) luminous, fluorescent

självlärd adj (-lärt) self-taught

självmant adv of one's own accord, voluntarily

självmedlidande s (~t) self-pity

självmedveten adj (-medvetet, -medvetna) säker self-assured, self-confident

självmord s (~et, =) suicide; **begå** ~ commit suicide

självmordsbombare s (~n, =) suicide bomber

självmordsförsök s (~et, =) attempted suicide; **göra ett** ~ attempt [to commit] suicide

självmordskandidat s (~en, ~er) would-be suicide

självmotsägelse s (~n, ~r) self-contradiction

självmål s (~et, =) sport. own goal; **göra** ~ score an own goal

självplockning s (~en), ~ **av jordgubbar** som skylt o.d. pick your own strawberries

självplågeri s (~et) self-torture

självporträtt s (~et, =) self-portrait äv. i skildring; ~ **av konstnären** portrait of the artist [by himself]

självpåtagen adj (-påtaget, -påtagna) self-assumed; **självpåtagna plikter** self-imposed duties (tasks)

självrannsakan s (=, en) soul-searching, self-searching, self-examination

självrespekt s (~en) self-respect, self-esteem

självrisk s (~en, ~er) försäkr. excess; sjöförsäkr. franchise; **försäkring med** ~ excess (resp. franchise) insurance

självrättfärdig adj (~t) self-righteous

självservering s (~en, ~ar) abstr. self-service; lokal self-service restaurant; cafeteria

självskriven adj (-skrivet, -skrivna) självklar natural; **vara** ~ **till** en plats be the obvious candidate for...; **vara** ~ **medlem i...** be an ex-officio member of...

självspricka s (~n, -sprickor) i huden, ung. chap

självstart s (~en, ~er) tekn. self-starter

självstudium s (-studiet, -studier) studerande på egen hand self-instruction, self-tuition; **självstudier** private (individual) studies

självstyre s (~t, ~n) self-government, autonomy

självständig adj (~t) independent; om t.ex. stat äv. self-governed; nyskapande, inte efterbildad äv. original; egen (attr.) ...of one's own

självständighet s (~en) independence; stats äv. self-government; nyskapande originality

självständighetsförklaring s (~en, ~ar) declaration of independence

självsvåldig adj (~t) egenmäktig arbitrary, high-handed; egensinnig wilful

självsvält s (~en) med. anorexia [nervosa]

självsäker adj (~t, -säkra) self-assured, self-confident; alltför ~ presumptuous

självtillit s (~en) se självförtroende

självtillräcklig adj (~t) self-sufficient

självtorka vb itr (~de, ~t) dry by itself (resp. themselves)

självundersökning s (~en, ~ar) self-examination

självuppfattning s (~en, ~ar) psykol. self-concept, self-image

sjäIvuppoffrande *adj* (oböjl.) self-sacrificing
sjäIvuppoffring *s* (~en, ~ar) self-sacrifice
sjäIvupptagen *adj* (-upptaget, -upptagna) self-centred, self-absorbed, ...wrapped up in oneself
sjäIvutlösare *s* (~n, =) foto. self-timer
sjäIvutnämnd *adj* (-nämnt) self-appointed, self-styled
sjäIvutplånande *adj* (oböjl.) self-effacing
sjäIvutplåning *s* (~en) self-effacement
sjäIvvald *adj* (-valt) som valt sig själv self-elected; som man själv valt self-chosen; **~ exil** self-imposed exile
sjäIvägande *adj* (oböjl.), **~ bonde** peasant proprietor, freeholder
sjäIvändamål *s* (~et) end in itself (pl. ends in themselves)
sjäIvövervinnelse *s* (~n), **det kräver stor ~ [för mig] att** + inf. it takes [me] a lot of willpower to + inf.; **med mycken ~** lyckades han after a hard struggle with himself...
sjätte *räkn* sixth; **ett ~ sinne** a sixth sense; jfr *femte* med sammansättn.
sjättedel *s* (~en, ~ar) sixth [part]; jfr *femtedel*
sjö *s* (~n, ~ar) insjö lake; hav el. sjögång o.d. sea; våg äv. wave; liten vattensamling, pöl pool; **~n** Vättern Lake...; **det är grov ~** there is a rough sea; **tåla (inte tåla) ~n** om person be a good (bad) sailor; **kasta pengarna i ~n** bildl. throw one's money away; **kasta yxan i ~n** bildl. throw up the sponge, throw in the towel; **jag sitter inte i ~n** jag har inte bråttom I'm in no hurry; det går ingen nöd på mig I'm all right; **sätta (få) sin båt i ~n** launch... (get...launched); **vara på ~n (till ~ss)** vara sjöman be at sea, be a sailor; **till ~ss** sjöledes by sea; på sjön at sea; **gå till ~ss** om person go to sea, become a sailor; om båt put [out] to sea
sjöbefälsskola *s* (~n, -skolor) school (college) of navigation
sjöbjörn *s* (~en, ~ar) **1** sjöman, **en [gammal] ~** an old sea dog **2** zool. fur seal, sea-bear
sjöbod *s* (~en, ~ar) boathouse
sjöborre *s* (~n, -borrar) zool. sea urchin
sjöbotten *s* (-bottnen el. =, -bottnar) i insjö, **på ~** on the bottom of a (resp. the) lake; se vidare *havsbotten*
sjöduglig *adj* (~t) seaworthy
sjöfarande **I** *adj* (oböjl.) t.ex. om nation seafaring, maritime **II** *s* (en ~, pl. =) mariner
sjöfarare *s* (~n, =) seafarer, seafaring man
sjöfart *s* (~en) navigation; som verksamhet shipping
Sjöfartsverket the Swedish Maritime Administration
sjöflygplan *s* (~et, =) seaplane; speciellt amer. hydroplane
sjöfågel *s* (~n, -fåglar) seabird; jakt. seafowl (pl. lika); koll. seabirds resp. seafowl (båda pl.)
sjöförklaring *s* (~en, ~ar) [ship's (captain's)] protest
sjöförsvar *s* (~et, =) naval defence
sjöförsäkring *s* (~en, ~ar) marine insurance; jfr *försäkring* med ex. o. sammansättn.
sjögräns *s* (~en, ~er) territorial limit; mots. landgräns sea boundary
sjögräs *s* (~et) seaweed
sjögång *s* (~en) high (rough) sea, seaway; **det är svår (ingen) ~** there is a heavy sea (not much of a sea)
sjöhäst *s* (~en, ~ar) zool. sea horse
sjöjungfru *s* (~n, ~r) mermaid

sjökapten *s* (~en, ~er) [sea] captain, master [mariner]
sjökort *s* (~et, =) [nautical (marine)] chart
sjölejon *s* (~et, =) zool. sea lion
sjöman *s* (~nen, -män) sailor; i mera officiellt språk seaman (pl. seamen), mariner; **bli ~** become a sailor, go to sea
sjömanskap *s* (~et) seamanship
sjömanskista *s* (~n, -kistor) seaman's chest
sjömanskostym *s* (~en, ~er) för barn sailor suit
sjömanskrage *s* (~n, -kragar) sailor collar
sjömanspräst *s* (~en, ~er) seamen's chaplain
sjömil *s* (~en, =) nautisk mil nautical mile
sjömärke *s* (~t, ~n) navigation mark, seamark
sjönöd *s* (~en) distress at sea; **i ~** in distress
sjöodjur *s* (~et, =) sea (i insjö lake) monster
sjöoduglig *adj* (~t) unseaworthy
sjöofficer *s* (~en, ~are) naval officer; för sammansättn. se *officer* med sammansättn.
sjöolycka *s* (~n, -olyckor) accident (större disaster) at sea
sjörapport *s* (~en, ~er) väderleksrapport weather forecast for sea areas
sjöreglering *s* (~en, ~ar) lake storage-capacity regulation
sjöresa *s* (~n, -resor) [sea] voyage; överresa crossing
sjöräddning *s* (~en) sea rescue (coastguard) service
sjörövare *s* (~n, =) pirate
sjöscout *s* (~en, ~er) sea scout
sjösjuk *adj* (~t) seasick; **lätt bli ~** vanl. be a bad sailor
sjösjuka *s* (~n) seasickness
sjöskumspipa *s* (~n, -pipor) meerschaum [pipe]
sjöslag *s* (~et, =) **1** mil. naval (sea) battle **2** vard., fest proper binge (booze-up)
sjöstjärna *s* (~n, -stjärnor) zool. starfish
sjöstrand *s* (~en, -stränder) sea (vid insjö lake) shore
sjöstridskrafter *s pl* naval forces
sjösäker *adj* (~t, -säkra) om båt seaworthy
sjösätta *vb tr* (-satte, -satt) launch
sjösättning *s* (~en, ~ar) launching
sjötomt *s* (~en, ~er) site bordering on the sea (vid insjö on a lake)
sjötunga *s* (~n, -tungor) sole
sjövatten *s* (-vattnet) sea water; insjövatten lake water
sjövett *s* (~et) sea sense
sjöväg *s* (~en, ~ar) seaway; på havet äv. sea route; åka **~en** ...by water; på havet äv. ...by sea
sjövärdig *adj* (~t) seaworthy
s.k. (förk. för *så kallad*), se ex. under 3 *så* I 1
ska *hjälpvb* (skulle, skolat) ofta will, shall, i ledigare stil sammandragna till 'll (t.ex. I'll), med 'not' till won't, shan't
I utan betonad partikel
1 uttr. ren framtid = 'kommer att': i första pers. will, i britt. eng. äv. shall; i övriga pers. will; **jag ~ träffa honom** i morgon I will (I shall, I'll) meet (be meeting) him..., I am going to meet him...; det går nog bra **~ ni se** ...you'll see; **vad ~ det bli av honom?** what will (is to) become of him?; han undrar **när han ~ få betalt** ...when he will (is going to) be paid; **...som vi strax ~ få se** ...as we will (shall) presently see; det ser ut **som om det ~ bli regn** ...as if there will be some rain, as if it is going to rain
2 om något omedelbart förestående el. avsett = 'ska just', 'ämnar', 'tänker': **a)** allm.: konstruktion med be going to +

inf.; **jag ~ spela tennis** i eftermiddag I'm going to play tennis...; **jag ~ just** [**till att**] **packa** I'm about (just going) to pack; **vad ~ du ha det till?** what do you want it for?

b) vid rörelseverb: oftast en konstruktion med be + ing-form av huvudverbet; **jag ~ resa** i morgon I am going (leaving)..., I am going to go (leave)...; **han ~** [**gå**] **på teatern** ([**åka**] **till stan**) he is going to the theatre (to town); **jag ~ på middag hos dem** I am going to their place for dinner

3 om något som avtalats el. bestämts på förhand (el. av ödet): konstruktion med be to + inf.; **jag** (**han**) **~ fortsätta i** tre veckor I am (he is) to continue for...; **tåget ~** (**bussen ~** egentligen) **komma klockan tio** the train is due (the bus is supposed to come) at ten; **om vi ~ vara där** klockan tre måste vi... if we are to be there...

4 uttryckande den talandes egen vilja, avsikt, beslut o.d.: will; **vi ~ fråga honom** we will (we'll) ask him; friare let's ask him; **det ~ jag** [**göra**]**!** som bekräftande svar I will (I'll) do that!; som svar på begäran all right!; **jag ~** beton. **ta reda på saken** I will (beton. shall) find out about it; **vad ~ han med** så mycket pengar**?** what does he want with...?; **han ~ nödvändigt ha sin vilja fram** he will beton. (must) have his own way

5 uttryckande annans vilja än den talandes, allm.: shall; **~ jag öppna fönstret?** shall I open the window?; **om någon frågar, vad ~ jag säga?** ...what shall I (am I to) say?; **var ~ jag börja?** where shall I (do I) begin?; **felet ~ inte upprepas** ...will (formellare shall) not be repeated; **vad ~ det här betyda?** what is the meaning of [all] this?; **det ~ bli!** right you are!, as you wish!; det ska serveras coming up!; **vad ~ det tjäna till?** what is the use (good) of that?; **det ~ vara så** det är så det brukar vara that's how it is supposed to be; **~ det här vara** (**föreställa**) **konst?** is this supposed to be...?; **hon föreslår att... ~ höjas** she suggests that...should be raised (speciellt amer. that...be raised); **han vet inte vad han ~ göra** (**tro** osv.) he doesn't know what to do (believe osv.)

att-satser efter vissa viljeverb återges vanl. med infinitivkonstruktion (alltid efter 'want', 'like' o. 'tell' i eng.): **han vill att jag ~ komma** he wants me to come; **hon säger att jag ~ göra det genast** she tells me to do it immediately

6 i betydelsen 'bör' ('borde', 'skulle allt'), uttryckande råd, lämplighet should; uttryckande plikt, moralisk skyldighet ought to; **vi** (**du**) **~ inte tala illa om honom** we (you) should not (något stark. ought not to) speak ill of him; jag vet inte **vad jag ~ göra** ...what to do

7 i betydelsen 'måste', 'får': **allt det här ~ jag göra, innan...** I have [got] to do all this before...; **han ~ då jämt kritisera** he is always criticizing, he always has to criticize

8 'lär' o.d., i betydelsen 'säges', 'påstås' be said (förmodas be supposed) to + inf., jfr ex. under **lär** 1: **nu ~ väl regnet snart vara över** now the rain should be over soon; **enligt uppgift ~ över hundra människor ha omkommit** more than a hundred people are said to have been killed; **den ska visst ~ vara värd flera miljoner** they say that it is (it is supposed to be) worth several million

9 i retoriska frågor, vanligen inledda med frågeord som 'varför', 'hur': should; **varför** [**i all världen**] **~ jag** (**han**) åka dit**?** why [on earth] should I (he)...?; Varför är hon här? – **Hur ~ jag kunna veta det?** ...– How should (would) I

know?

10 i att-satser efter uttryck för känsla o.d. och efter subjektiva omdömen (ibland underförstådda) should; **det är konstigt** (**synd**) **att han ~ bära sig åt så där** it is strange (a pity) that he should behave like that

11 i avsiktsbisatser: med starkare framhållande av avsikten shall, will; **de har ringt så att jag inte ~ bli förvånad** ...so that I won't (shan't) be surprised

12 i vissa villkorsbisatser, allm.: be to + inf.; **om** meningen är att **han ~ kunna räddas,** måste något göras nu if he is to be saved,...

13 vissa att-satser, vanl. föregångna av preposition, motsvaras av konstruktion med infinitiv el. ing-form av huvudverbet, **de väntar på att vi ~ börja** they are waiting for us to begin

14 speciella fall, **och det ~ du säga!** iron., du är just den rätte att säga it you are a fine one to talk!; **du ~ veta** du förstår **att jag...** well, you see I...; mer påpekande well, you know [that] I...

II med beton. part. o. utelämnat huvudverb (som sätts ut i eng.), se **ska I**

ska av: jag ~ av här a) tänker stiga av I'm getting (till konduktör I want to get) off here b) måste stiga av I have to (enligt överenskommelse am to) get off here

ska bort (**hem, upp, ut**): **jag ~ bort** (**hem, upp, ut**) ämnar gå bort (hem osv.) I'm going out (home, up, out)

ska in: jag ~ tänker fara **in till stan** i morgon I'm going into town...

ska med: ~ du med mig**?** are you coming [with me]?, honom are you going [with him]?

ska till: det ~ mycket till för att hon ska gråta it takes a lot to make her cry

skabb s (~en) allm. scabies, itch; hos husdjur äv. mange; hos får scab

skabrös adj (~t) obscene, scabrous

skada I s (~n, skador) **1** person~ injury; sak~ damage (endast sg.); sjuklig förändring lesion; ont harm; nackdel disadvantage; **det är ingen ~ skedd** there is no harm done; vard. there are no bones broken; **få svåra skador** be seriously injured (hurt, om sak damaged); **stormen gjorde stor ~ på...** the storm did great damage to (starkare wrought great havoc on)...; **göra mer ~ än nytta** do a great deal more harm than good; **ta ~** [**av**] bli lidande suffer [from]; få skador, om sak be damaged [by]; **han har inte tagit någon ~ av det** it hasn't done him any harm, he is none the worse for it; **ta ~n igen** make up for it; **till** [**stor**] **~ för...** [greatly] to the detriment of... **2** 'synd', **det är** [**stor**] **~ att...** it is a [great] pity that...

II vb tr (~de, ~t) göra illa: person injure; kroppsligen äv. hurt; sak damage; vara skadlig för be bad for; vara till skada (nackdel) för, ofta be detrimental to, harm, do harm to; **~ ngns** rykte damage (injure) sb's...; **~** [**sig i**] **benet** hurt (starkare injure) one's leg; **~ sig** hurt oneself; bli skadad be (get) hurt, be injured; **det ~r inte att försöka** there is no harm in trying

skadad I adj (skadat, ~e) om person el. kroppsdelar injured; pred. äv. hurt; om hörsel, syn impaired; om sak damaged; **är han ~?** is he hurt (starkare injured)? **II** s (en ~, pl. ~e), **en ~** an injured person; **de ~e** the injured

skadeanmälan s (=, en, -anmälningar) notification of damage (loss)

skadedjur s (~et, =) pest; koll. vermin

skadeersättning s (~en, ~ar) compensation

(indemnity) [for damage]; i pengar äv. damages pl.;
begära ~ claim damages (an indemnity)
skadeförsäkring s (~en, ~ar) insurance against
damage, liability insurance
skadeglad adj (-glatt) om t.ex. min malicious; **vara** ~
över ngt take a malicious delight in...
skadeglädje s (~n) delight over other people's
misfortunes, malicious pleasure (delight)
skadegörelse s (~n, ~r) damage (endast sg.) [på to]
skadeinsekt s (~en, ~er) noxious insect; **~er** äv.
vermin
skadereglerare s (~n, =) försäkr. claims adjuster
skadereglering s (~en, ~ar) försäkr. claims
adjustment
skadeslös adj (~t), **hålla** ngn ~ indemnify...; gottgöra
compensate... [för i båda fallen for]
skadestånd s (~et, =) damages pl.; polit. reparations
pl.; **begära** ~ [av ngn] sue [sb] for damages; **begära**
ett ~ **på** 10 000 kronor claim damages of...; **betala**
10 000 kronor i ~ pay...damages
skadeståndsanspråk s (~et, =) claim for damages
(indemnity, polit. reparations)
skadeverkan s (=, en, -verkningar) o. **skadeverkning** s
(~en, ~ar) skada damage (endast sg.); skadlig verkan
injurious (harmful) effect
skadlig adj (~t) injurious; farlig äv. harmful; speciellt
om djur o. naturföreteelser noxious; ohälsosam, om mat o.
dryck unwholesome [för i samtliga fall to]; inte bra bad
[för for]; **det är ~t** [**för hälsan**] **att röka** smoking is
bad for (starkare is injurious to, is damaging to)
one's health
skadskjuta vb tr (-sköt, -skjutit) wound
skaffa I vb tr (~de, ~t) allm. get; [in]förskaffa procure;
anskaffa provide; få tag på get hold of; få ihop (t.ex.
pengar) find, raise [åt ngn i samtliga fall for sb]; inhämta,
erhålla obtain; skicka efter send for; börja tänka på att ~
barn ...have children, ...start a family; ~ ngt **ur**
vägen get...out of the way
II vb rfl (~de, ~t), ~ **sig** get [oneself]; förskaffa sig
procure [for oneself]; t.ex. kunskaper acquire; t.ex.
vänner make; ådraga sig contract; ~ **sig upplysning om**
obtain information about; ~ **sig vänner** make
friends
III vb itr (~de, ~t) **1** göra do **2** sjö., äta eat
IV med beton. part.
skaffa fram anskaffa get; åstadkomma produce
skaffa hem köpa hem buy; beställa hem order...[to be
sent home]; varor till affär get
skaffa undan remove, clear away
skafferi s (~et, ~er) larder; större pantry
skaffning s (~en, ~ar) måltid meal; mat food
skafföttes adv, [**ligga**] ~ [lie] head to foot (tail)
skaft s (~et, =) handtag: allm., på t.ex. redskap, bestick
handle; längre: på t.ex. paraply, spjut shaft; på t.ex. kvast
stick; bot. stalk, stem; pip~ shank; stövel~ o.d. leg; **han**
har huvudet på ~ vard. he has a good head on his
shoulders, his head is screwed on the right way
Skagerack the Skagerrak
skaka I vb tr (~de, ~t) allm. shake; försätta i skakning äv.
convulse äv. bildl.; uppröra (t.ex. sinnet) agitate; ~ **hand**
[**med ngn**] shake hands [with sb]; underrättelsen **~de**
henne djupt vanl. she was deeply shaken by...
II vb itr (~de, ~t) allm. shake; darra äv. tremble,
quiver [av i samtliga fall with]; om åkdon jolt, jog; **jag**
fryser så jag ~r I'm shivering with cold; **han ~de i**

hela kroppen he was trembling (shaking) all over; ~
på ngt shake...; ~ **på huvudet** [**åt** ngt] shake one's
head [at...]; ~ **på sig** shake oneself
III med beton. part.
skaka av: ~ **av** (**bort**) snön [**från ngt**] shake...off [sth];
~ **av sig** ngt (ngn) shake off... äv. bildl.
skaka fram tr.: eg. shake out [ur of]; bildl. produce,
find
skaka ned ngt shake...down [från ett träd from
(off)...]
skaka om: ~ **om** ngt shake up..., shake...well; ~ **om**
ngn eg. give sb a shake; sätta liv i stir up sb; jfr
omskakad
skaka sönder a) tr. shake...to pieces **b**) itr. get
shaken to pieces
skakad adj (skakat, ~e) upprörd shaken, shocked
skakande adj (oböjl.) om t.ex. nyheter upsetting,
shocking, distressing; uppskakande: om t.ex. berättelse
harrowing
skakel s (~n, skaklar) skalm shaft; **hoppa över**
skaklarna bildl. kick over the traces; leva om run riot
skakig adj (~t) shaky äv. osäker; om väg äv. bumpy; om
vagn jolting, jogging
skakis adj (oböjl.) vard. shaky; rädd äv. jittery
skakning s (~en, ~ar) shaking; enstaka shake; av el. i
vagn jolting; enstaka jolt; med. tremor
skal s (~et, =) **1** hårt, på t.ex. nötter, skaldjur, ägg shell;
mjukt: allm. skin; speciellt på citrusfrukter äv. peel (vanl.
endast sg.); på t.ex. melon rind; på frö, säd hull; på t.ex. ris
husk; avskalade (t.ex. potatis~) koll. peelings pl., parings
pl.; **koka potatisen med ~et på** boil the potatoes in
their skins **2** till mobiltelefon cover **3** bildl. shell; yta
exterior; **ett tomt** ~ bildl. an empty shell
1 skala s (~n, skalor) i olika betydelser scale; register äv.
range; på radio [tuning] dial; **ritad efter** ~ (**i**
förminskad ~) drawn to scale (to a reduced scale);
en karta i ~[n] **1:1000** ...on the scale of 1:1000;
affärer i stor ~ ...on a large scale, large-scale...
2 skala vb tr (~de, ~t) t.ex. frukt, potatis, räkor peel; t.ex.
äpplen äv. pare; ägg shell; t.ex. ris husk; t.ex. korn hull;
mandel blanch; **vara lätt att** ~ peel (shell) easily
skalbagge s (~n, -baggar) beetle
skalbolag s (~et, =) shell company
skald s (~en, ~er) poet; fornnordisk scald, skald
skaldjur s (~et, =) shellfish äv. koll.
skalk s (~en, ~ar) på bröd crust; på ost rind
1 skall hjälpvb (pres. av 2 skola), **du ~ icke stjäla** bibl.
thou shalt not steal, se vidare *ska*
2 skall s (~et, =) barking, jfr *hundskall*; ovett o.d. i
pressen outcry [mot (på) against]; **ge** ~ bark; börja
skälla start barking
1 skalla vb itr (~de, ~t) eka resound; om sång, musik
ring out
2 skalla vb tr (~de, ~t) sport., nicka head; ~ **ngn**
head-butt (vard. nut) sb
skallbas s (~en, ~er) base of the skull; **brott på ~en**
fracture of the base of the skull
skalle s (~n, skallar) skull; vetensk. cranium (pl.
craniums el. crania); huvud head; vard. nut, noggin; **per** ~
vard. per (a) head; **slå in ~n på ngn** break sb's skull
skallerorm s (~en, ~ar) rattlesnake
skallgång s (~en, ~ar) efter bortsprungen o.d. search
[efter (på) for]; efter förbrytare chase; **gå** ~ **efter**
organize (institute) a search (resp.chase) for
skallig adj (~t) flintskallig bald, baldheaded

skallighet *s* (~en) bald-headedness, baldness

skallra I *s* (~n, skallror) rattle **II** *vb itr* (~de, ~t) rattle

skallskada *s* (~n, -skador) skull injury

skalm *s* (~en, ~ar) **1** på glasögon sidepiece, earpiece; amer. bow, temple; på sax blade **2** skakel side, shaft

skalmeja *s* (~n, skalmejor) mus. el. hist. shawm

skalp *s* (~en, ~er) scalp; *de är ute efter hans ~* bildl. they are out for his blood (scalp)

skalpell *s* (~en, ~er) kir. scalpel

skalpera *vb tr* (~de, ~t) scalp

skalpotatis *s* (~en, ~ar) koll. potatoes in their skins, unpeeled potatoes (båda pl.)

skalv *s* (~et, =) quake

skam *s* (~men) allm. shame; vanära, skamfläck äv. disgrace [*för* to]; något skamligt dishonour; starkare ignominy; *det är ingen ~ att vara* fattig there is no disgrace in being...; *det är stor ~* att it is a great (downright) shame...; *nu går ~ på torra land* that's the limit, that beats everything; *inte ha någon ~ i kroppen* be past all sense of shame, be lost to all sense of shame (decency); *känna ~ över* be ashamed of; *~ till sägandes* har jag glömt det to my shame I must admit that...; *för ~s skull* in common decency, [if only] for the sake of appearances; *komma på ~* om hopp o.d. come to nought

skamfila *vb tr* (~de, ~t) allm., möbeln *är ~d* ...is the worse for wear; hans anseende (rykte) *är ~t* ...is tarnished

skamfläck *s* (~en, ~ar) stain, blot [*på* (*i*) on]

skamgrepp *s* (~et, =) **1** underhand (dirty) trick **2** *ta ett ~ på ngn* ta på ngns könsorgan grab at sb's genitals

skamkänsla *s* (~n, -känslor) sense (feeling) of shame

skamlig *adj* (~t) allm. shameful; vanhedrande disgraceful, dishonourable; *komma med ~a förslag* make improper suggestions; *det är verkligen ~t* äv. it is a great (crying) shame (starkare a scandal)

skamlös *adj* (~t) shameless; oblyg unblushing; fräck impudent, brazen

skamlöshet *s* (~en, ~er) shamelessness (endast sg.); fräckhet impudence

skampåle *s* (~n, -pålar) hist. pillory; *stå vid ~n* bildl. be pilloried

skamsen *adj* (skamset, skamsna) ashamed (endast pred.) [*över* of]; shamefaced; *vara ~* be ashamed

skamvrå *s* (~n, ~r), *stå i ~n* stand in the corner; *ställa ngn i ~n* put sb in the corner

skandal *s* (~en, ~er) scandal; scen [scandalous] scene; *vilken ~!* what a scandal!, how scandalous!; *det här är* [*en*] *~* (*rena ~en*)*!* this is a disgrace (starkare, ett illdåd o.d. an outrage)!

skandalartikel *s* (~n, -artiklar) scandalous article

skandalisera *vb tr* (~de, ~t) skämma ut disgrace

skandalomsusad *adj* (-omsusat, ~e) ...[that is (was etc.)] surrounded by scandal, notorious

skandalös *adj* (~t) scandalous; skamlig äv. disgraceful; chockerande äv. shocking; upprörande outrageous; förargelseväckande offensive

skandera *vb tr* (~de, ~t) scan

skandinav *s* (~en, ~er) Scandinavian

Skandinavien Scandinavia

skandinavisk *adj* (~t) Scandinavian

skanna *vb tr* (~de, ~t) tekn. scan

skans *s* (~en, ~ar) **1** mil. redoubt, earthwork, fieldwork; fäste fortlet **2** sjö. forecastle, fo'c's'le

skapa *vb tr* (~de, ~t) allm. create, make; grunda found; framkalla cause; t.ex. hatkänslor engender; t.ex. ord invent, coin; *~* [*sig*] *en förmögenhet* make a fortune [for oneself], carve out a fortune; *han är som ~d* (*skapt*) *för det* he is just cut out for it; *han är som ~d* (*skapt*) *till* lärare he is a born...; *de är som skapta för varandra* they were made for one another

skapande *adj* (oböjl.) creative; ibland, om t.ex. aktivitet constructive

skapare *s* (~n, =) allm. creator; av t.ex. mode el. stil originator; uppfinnare inventor; grundare founder; *du min ~!* God Almighty!

skaparglädje *s* (~n) creative joy (zest)

skaparkraft *s* (~en, ~er) creative force (power)

skapelse *s* (~n, ~r) creation; abstr. äv. making; *~n* när Gud skapade universum the Creation, världen äv. nature, the universe

skapelseberättelsen *s* (best. sing.) the story of the creation

skaplig *adj* (~t) tolerable, passable; vard. pretty good, ...not [too] bad; rimlig, om t.ex. pris o. lön reasonable

skara *s* (~n, skaror) troop, band; hord tribe; [oordnad] mängd crowd, multitude; härskara host [alla med of framför följande ord]; *en utvald ~* a select group

skarabé *s* (~n, ~er) zool. scarab äv. avbildning

skare *s* (~n, =) frozen crust [on the snow]; *det blev ~ på snön* under natten the snow crusted over...

skarp I *adj* (~t) allm. sharp; om egg o. eggverktyg äv. keen; brant steep; om smak o. lukt strong; om ljud piercing, shrill; om kontur o.d. äv. distinct, clear; om ljus, färg o.d. bright, glaring; om sinnen keen, acute; *~ ammunition* live ammunition; *en ~ bild* foto. el. TV. a sharp picture; *en ~ gräns* bildl. äv. a well-defined limit; *~ hörsel* accute hearing; *~t intellekt* sharp intellect; *~ kontrast* sharp contrast; *~ kritik* severe (harsh) criticism; *~ krök* (*kurva*) sharp turn (curve); *en ~ protest* a strong protest; *~ tillrättavisning* severe reprimand **II** *s* (~en) se *skarpen*

skarpeggad *adj* (-eggat, ~e) sharp-edged, keen

skarpen *s* (best. sing.), *säga till* [*ngn*] *på ~* tell sb off properly; *ta i på ~ med ngn* take sb really in hand, crack down on sb

skarpladdad *adj* (-laddat, ~e) loaded [with live ammunition]; *ett skarpladdat vapen* a loaded gun

skarpsill *s* (~en, ~ar) sprat; koll. sprats pl.

skarpsinne *s* (~t) sharp-wittedness, acumen, acuteness [of perception]

skarpsinnig *adj* (~t) acute, penetrating, sharp-witted; om t.ex. politiker, forskare astute, shrewd

skarpskuren *adj* (-skuret, -skurna) om drag, profil o.d. clear-cut; *ett skarpskuret ansikte* äv. a hatchet face

skarpslipad *adj* (-slipat, ~e) sharp-edged

skarpsynt *adj* (=) sharp-sighted, keen-sighted, clear-sighted alla äv. bildl.

skarpsås *s* (~en, ~er) ung. remoulade sauce

skarpögd *adj* (-ögt) sharp-eyed, keen-sighted

1 skarv *s* (~en, ~ar) zool. cormorant

2 skarv *s* (~en, ~ar) **1** fog joint; sömnad. seam; tekn., äv. t.ex. i film o. inspelningsband splice **2** förlängningsstycke lengthening-piece **3** övergång, mellantillstånd intermediate stage, transitional stage

skarva I *vb tr* o. *vb itr* (~de, ~t) **1** lägga till ett stycke add a piece [*ngt* to sth]; *~ ngt* på längden lengthen (på bredden widen) sth [by adding a piece] **2** hopfoga join; tekn., äv. film o. inspelningsband splice **II** *vb itr*

(~de, ~t) vard., överdriva o. ljuga exaggerate, draw on one's imagination

skarvsladd s (~en, ~ar) extension lead (amer. cord), extension

skata s (~n, skator) **1** zool. magpie **2** neds., om kvinna bitch, hag

skateboard s (~en, ~ar el. =) skateboard

skatt s (~en, ~er) **1** rikedom treasure äv. bildl.; **~er** riches; wealth sg. **2** avgift o.d.: allm. tax; kommunalskatt (koll.) ung. local taxes pl., i Storbr. ung. rates pl.; på vissa varor (tjänster) duty; **~[er]** [rates and] taxes pl.; *det är ~ på* bensin there is a tax on..., ...is taxed; *direkt (indirekt)* ~ direct (indirect) tax; *dra* ~ deduct tax; *innehållen* ~ tax withheld; *kvarstående* ~ se *kvarskatt*; *slutlig* ~ final tax; *lön efter* ~ take-home pay (salary, wages pl.); *undantagen från* ~ exempt from tax **3** om person: älskling darling, pet; pärla treasure, gem

skatta I vb tr (~de, ~t) **1** värdera, uppskatta estimate [*till* at]; ~ *högt* esteem (value) highly, prize; ~ sig *lycklig* count...fortunate (lucky) **2** ~ en bikupa *på honung* take the honey from... **II** vb itr (~de, ~t) **1** betala skatt pay taxes [*för inkomst* on an income]; *han ~r för* 130 000 kronor *om året* he is assessed at...a year **2** beräkna estimate

skatteavdrag s (~et, =) tax allowance (deduction)

skattebedrägeri s (~et, ~er) se *skattefusk*

skattebetalare s (~n, =) taxpayer resp. ratepayer, jfr *skatt 2*

skattebrott s (~et, =) tax [evasion] crime

skatteexpert s (~en, ~er) tax expert (consultant)

skattefifflare s (~n el. -fifflarn, =) vard. tax evader (dodger)

skatteflykt s (~en) undandragande av skatt tax evasion (avoidance)

skatteflykting s (~en, ~ar) emigrant tax exile

skattefri adj (-fritt) tax-free, ...exempt from tax; om vara duty-free

skattefusk s (~et) tax evasion (dodging)

skatteförmåga s (~n) tax-paying capacity; *nedsatt* ~ reduced capacity to pay tax due

skattehöjning s (~en, ~ar) increase in taxation

skattejämkning s (~en, ~ar) tax adjustment

skattekort s (~et, =) preliminary tax card

skattekrona s (~n, -kronor), *skatten har fastställts till 35 kronor per* ~ (vid kommunal inkomstskatt) ung. the rate has been fixed at 35 per cent of the ratable income

skattekvitto s (~t, ~n) bil. car tax receipt; i Storbr. road licence

skattelättnad s (~en, ~er) tax relief (amer. vard. break)

skattemedel s pl tax revenue sg.

skattemyndighet s (~en, ~er), **~er** tax authorities; *lokala* **~en** the local tax office

skattemärke s (~t, ~n) för hund dog-tax plate; amer. [dog] tag

skattepaket s (~et, =) taxation package proposals pl.

skatteparadis s (~et, =) vard. tax haven

skatteplanering s (~en) tax avoidance [schemes pl.], tax shelter scheme[s] pl.

skattepliktig adj (~t) om person ...liable to taxation; om varor o.d. taxable, dutiable; ~ *inkomst* taxable (assessable) income

skattereform s (~en, ~er) fiscal (taxation) reform

skattesats s (~en, ~er) rate of tax, tax rate

skatteskolkare s (~n, =) tax evader (dodger)

skatteskuld s (~en, ~er) tax debt (liability)

skattesmitare s (~n, =) tax evader (dodger)

skattesänkning s (~en, ~ar) tax reduction (abatement)

skattetabell s (~en, ~er) tax table

skatteteknisk adj (~t) fiscal

skattetryck s (~et) pressure (burden) of taxation

skatteutjämning s (~en, ~ar) tax equalization

Skatteverket the Swedish Tax Agency

skatteåterbäring s (~en, ~ar) tax refund

skattkammare s (~n, =) treasury äv. bildl.

skattkista s (~n, -kistor) treasure chest

skattmas s (~en, ~ar) vard. tax collector, taxman

skattmästare s (~n, =) treasurer; univ. bursar

skattsedel s (~n, -sedlar) ung. [income-tax] demand note, notice of assessment

skattskriva vb tr (-skrev, -skrivit) bibl. tax

skattskyldig adj (~t) ...liable to taxation, taxable

skava vb tr o. vb itr (skavde, skavt) gnida, riva rub, chafe; skrapa scrape; ~ *mot* gnida rub, chafe [against, on]; ~ *hål på* (~ *sönder*) ett plagg wear (rub) a hole (resp. holes) in...; *skorna skaver* my shoes chafe my feet

skavank s (~en, ~er) fel defect, fault; ofullkomlighet imperfection; skönhetsfläck flaw; *utan* **~er** äv. faultless, flawless

skavfötters adv, [*ligga*] ~ [lie] head to foot (tail)

skavsår s (~et, =) sore, chafe; jag har fått ~ *på hälen* (*foten*) ...sores (a sore) on my heel (foot)

ske vb itr (skedde, skett) hända happen; inträffa äv. occur; hända sig come about; äga rum take place; försiggå go on; göras, verkställas be done; om betalning, transport be effected; *det kommer att* ~ en förbättring there will be...; *vad som* [*händer och*] **~r** what is going on (taking place); *det som* **~r***, det* **~r** what is to be will be; *det är bäst som* **~r** it's all for the best, everything turns out for the best in the end; *skadan är redan* **~dd** the damage has been done

sked s (~en, ~ar) spoon; som mått spoonful (pl. spoonfuls); *en* ~ medicin a spoonful of...; *ta* **~en** *i vacker hand* bildl. make the best of it (of a bad job)

skedblad s (~et, =) bowl of a (resp. the) spoon

skede s (~t, ~n) tidsskede period, epoch, era; [tids]avsnitt section [of time]; fas phase; stadium stage

skeende s (~t, ~n) [händelse]förlopp course [of events]; fortskridande development; process process

skela vb itr (~de, ~t) squint [*på ena ögat* with...]; vard. be cock-eyed; inåt be cross-eyed; utåt be walleyed; *han* **~r** [*på vänster öga*] äv. he has a squint (cast) [in his left eye]

skelett s (~et, =) skeleton; bildl. (stomme) äv. framework

skelettcancer s (~n) med. bone neoplasm

skelögd adj (-ögt) squint-eyed; inåt cross-eyed; utåt walleyed; *han är* ~ se *han skelar* under *skela*

skelögdhet s (~en) squint; svagare cast

1 sken s (~et, =) **1** ljus o.d. light; starkt el. bländande glare; bildl. (skimmer) gleam; **~et** *från* brasan the light of... **2** [falskt] yttre o.d. semblance, show, appearance[s pl.]; förevändning pretext, pretence; **~et** *bedrar* appearances are deceptive; *för att upprätthålla* **~et** to keep up appearances; *ge* ~ *av att vara* rik make a show of being..., pretend to be...

2 sken s (oböjl., ett), *falla* (*råka, sätta av*) *i* ~ se *1 skena*; *i fullt* ~ at top speed

1 skena *vb itr* (~de, ~t) bolt; ~ [*i väg*] run away äv. bildl.; *fantasin ~r i väg med honom* äv. his imagination runs riot; *en ~nde häst* a runaway horse

2 skena s (~n, skenor) järnv. el. löpskena rail; list strip; fälg rim; på skridsko blade, runner; med. splint

skenbar *adj* (~t) apparent; attr. äv. seeming; illusorisk illusory; påstådd ostensible

skenbarligen *adv* apparently, to all appearances, ostensibly

skenben s (~et, =) anat. shinbone; med. tibi|a (pl. -ae)

skenbild s (~en, ~er) phantom, shadow; vrångbild false picture; fys. virtual image

skendebatt s (~en, ~er) sham debate

skendemokrati s (~n, ~er) sham democracy

skendränkning s (~en, ~ar) waterboarding

skendöd I s (~en) apparent death, suspended animation **II** *adj* (-dött) apparently dead

skenhelig *adj* (~t) hycklande hypocritical; i ord canting; bigott sanctimonious

skenhelighet s (~en) hypocrisy; i ord cant; sanctimoniousness, false piety

skenmanöver s (~n, -manövrer el. -manövrar) diversion, feint

skenvärld s (~en, ~ar) illusory (imaginary) world

skenäktenskap s (~et, =) pro forma marriage, bogus (fake) marriage

skepnad s (~en, ~er) gestalt figure; form shape, guise; vålnad phantom; *i en tiggares* ~ in the guise of...

skepp s (~et, =) **1** sjö.: allm. ship; fartyg äv. vessel; *bränna sina* ~ bildl. burn one's boats **2** arkit. nave; sidoskepp aisle

skeppa *vb tr* (~de, ~t) ship, send...by ship

skeppare s (~n, =) [ship]master; vard. skipper

skepparexamen s (=, en, -examina) [prövning examination for the] master's certificate

skepparhistoria s (-historien el. ~n, -historier) traveller's tale, [sailor's] yarn

skeppning s (~en, ~ar) shipment; skeppande äv. shipping

skeppningskostnader s pl shipping charges (costs)

skeppsbrott s (~et, =) [ship]wreck; *lida* ~ be [ship]wrecked, suffer shipwreck; bildl. be wrecked; om äktenskap äv. go on the rocks

skeppsbruten I *adj* (-brutet, -brutna) shipwrecked **II** s (en ~, pl. -brutna) *en* ~ a shipwrecked man (person etc.), a castaway

skeppsbyggnadskonst s (~en, ~er), ~[*en*] [the art of] shipbuilding, naval architecture

skeppshandel s (~n, -handlar) ship stores (pl. lika)

skeppshandlingar s pl ship's papers (documents)

skeppsklarerare s (~n, =) shipping agent

skeppsklocka s (~n, -klockor) ship's bell, watch-bell

skeppskock s (~en, ~ar) ship's cook

skeppslast s (~en, ~er) cargo, shipload; *en* ~ vete a cargo (shipload) of...

skeppslista s (~n, -listor) register of shipping

skeppsläkare s (~n, =) ship's doctor

skeppsmäklare s (~n, =) shipbroker

skeppsrederi s (~et, ~er) företag shipping company, firm of shipowners

skeppssättning s (~en, ~ar) arkeol. ship tumul|us (pl. -i), stone ship

skeppsvarv s (~et, =) shipbuilding yard, shipyard

skepsis s (~en) scepticism, scepsis; amer. vanl. skepticism, skepsis

skepticism s (~en) scepticism; amer. vanl. skepticism

skeptiker s (~n, =) sceptic; amer. vanl. skeptic

skeptisk *adj* (~t) sceptical; amer. vanl. skeptical

sketch s (~en, ~er) teat. o.d. sketch

skev *adj* (~t) **1** vind warped; sned askew endast pred., lopsided; om leende wry **2** förvrängd distorted, warped; oriktig false

skeva I *vb itr* (~de, ~t) be warped osv., jfr *skev* **II** *vb tr* (~de, ~t) åra feather **III** *vb tr* o. *vb itr* (~de, ~t) flyg. bank

skevhet s (~en) warpedness; lopsidedness; wryness; distortion; falseness; jfr *skev*

skevning s (~en, ~ar) flyg. bank

skevroder s (-rodret, =) flyg. aileron

skick s (~et, =) **1** tillstånd: allm. condition; mer beständigt ofta state; *i dåligt* (*gott*) ~ in bad (good) condition (illa resp. väl underhållen order, om t.ex. hus repair), vard. in bad (good) nick; *i befintligt* ~ in its (resp. their) present state **2** uppförande behaviour; sätt manners pl. **3** sed, ~ *och bruk* custom, usage, practice

skicka I *vb tr* (~de, ~t) sända send [*med* (*per*) by]; expediera forward, dispatch; vid bordet pass; ekon., pengar remit; ~ *bud efter ngn* send for sb; ~ *barnen i säng* send...to bed; vard. bundle...off to bed **II** med beton. part.

skicka bort send away

skicka efter send for

skicka hem send home; varor äv. deliver; t.ex. trupper disband; från utlandet repatriate

skicka hit varor o.d. send...here, send...to me (us osv.)

skicka i väg send off; sak äv. dispatch; vard., person äv. bundle...off; t.ex. tiggare send...packing; brev post; speciellt amer. mail

skicka med ngt send...along (too); bifoga, hand. enclose...; ~ *med ngn ngt* send sth with sb

skicka tillbaka return, send back

skicka vidare send (vid bordet pass) on

skickad *adj* (skickat, ~e) lämpad suited, fitted, cut out [*för* (*till*) i samtliga fall for]

skickelse s (~n, ~r) bestämmelse dispensation, decree; *ödets* ~ ofta Fate

skicklig *adj* (~t) duktig clever, skilful, able; kunnig capable; kompetent competent, expert; tränad proficient, skilled, experienced; i fingrarna deft, dexterous; *en* ~ *fotograf* a talented photographer; *en* ~ *yrkesman* a competent professional

skicklighet s (~en) cleverness, skilfulness, ability; capability, competence, expertness; efficiency; proficiency, skill; deftness, dexterity; jfr *skicklig*

1 skida s (~n, skidor) **1** bot. siliqu|a (pl. -ae), silique; på ärter o. bönor pod **2** slida sheath, scabbard; *dra svärdet ur ~n* draw (unsheathe) one's sword

2 skida s (~n, skidor) sport. ski (pl. skis); *åka skidor* ski; göra en skidtur go skiing

skidbacke s (~n, -backar) ski slope (för backhoppning jump)

skidbindning s (~en, ~ar) ski binding (fastening)

skidbyxor s pl ski pants

skidföre s (~t, ~n), *det är bra* (*dåligt*) ~ ung. the snow is good (bad) for skiing

skidglasögon s pl ski goggles

skidhandske *s* (~n, -handskar) ski glove
skidlift *s* (~en, ~ar el. ~er) skilift
skidlärare *s* (~n, =) skiing instructor
skidlöpare *s* (~n, =) skier
skidpjäxa *s* (~n, -pjäxor) o. **skidsko** *s* (~n, ~r) ski boot
skidskytte *s* (~t) sport. biathlon
skidspår *s* (~et, =) ski (upplagt skiing) track, ski run
skidstav *s* (~en, ~ar) ski pole
skidtur *s* (~en, ~er) skiing tour
skidtävling *s* (~en, ~ar) skiing competition
skidutrustning *s* (~en, ~ar) skiing equipment
skidvalla *s* (~n, -vallor) ski wax
skidåkare *s* (~n, =) skier
skidåkning *s* (~en) skiing
skiffer *s* (~n, skiffrar) ler~, olje~ shale; tak~ slate; som vara (koll.) slating; vetensk. schist
skifferbrott *s* (~et, =) slate quarry
skift *s* (~et, =) shift; arbetslag äv. gang; arbetstid äv. turn; arbeta *i* ~ ...in shifts
skifta I *vb itr* (~de, ~t) förändra sig, växla change, alter; omväxla med varandra alternate; ~ *i rött* be shot (tinged) with red; ~ *i regnbågens alla färger* have all the colours of the rainbow **II** *vb tr* (~de, ~t) **1** byta change; ~ *färg* shifting colours **2** jur., fördela: arv distribute; bo, mark partition
skiftande *adj* (oböjl.) changing osv., jfr *skifta I*; ombytlig, om t.ex. lynne vanl. changeable; om t.ex. väder vanl. variable; om t.ex. innehåll, värde varied; om tyg o. färg shot
skiftarbete *s* (~t, ~n) shift work
skifte *s* (~t, ~n) **1** ombyte change, change-over **2** växling vicissitude; *i alla livets ~n* in all the vicissitudes (ups and downs) of life **3** fördelning: av arv distribution; av bo, mark partition **4** jordbit parcel
skiftesbruk *s* (~et, =) lantbr. rotation of crops
skiftning *s* (~en, ~ar) förändring change; variation variation; ~ *i rösten* modulation of the voice
skiftnyckel *s* (~n, -nycklar) adjustable spanner; speciellt amer. monkey wrench
skifttangent *s* (~en, ~er) på tangentbord shift key
skikt *s* (~et, =) allm. layer; av färg äv. coat; på film coating, emulsion; geol. stratum (pl. strata), layer båda äv. bildl.
skikta I *vb tr* (~de, ~t) geol. stratify **II** *vb rfl* (~de, ~t), ~ *sig* form layers
skild *adj* (skilt) **1** åtskild separated; frånskild divorced; *väg med ~a körbanor* dual carriageway; amer. divided highway **2** ~*a* olika different, differing; skiftande varying; växlande various; de har *vitt ~a intressen* ...widely differing interests; sedan dess *har de gått ~a vägar* bildl. ...they have followed separate (different) courses
skildra *vb tr* (~de, ~t) allm. describe; livfullt depict, paint, portray; t.ex. en karaktär delineate; sakligt relate, give an account of; i stora drag outline, sketch
skildring *s* (~en, ~ar) description; depiction, picture, portrayal, delineation; account; outline, sketch; jfr *skildra*
skilja I *vb tr* o. *vb itr* (skilde el. skiljde, skilt el. skiljt) **1** avskilja separate; våldsamt sever; ~ *kyrkan från staten* äv. disestablish the Church; ~ *ngn från* hans tjänst dismiss sb from... **2** åtskilja: allm. separate; *tills döden skiljer oss åt* till death do us (us do) part; bara en tunn vägg *skilde oss åt* we were separated by... **3** särskilja distinguish, differentiate; närmare

discriminate [*från* from; *mellan* (*på*) between]; ~ *mellan* (*på*) gott och ont tell the difference between...; *kunna* ~ *på sak och person* be able to make a distinction between person and thing **II** *vb rfl* (skilde el. skiljde, skilt el. skiljt) ~ *sig* **a**) allm. part [*från* person (avlägsna sig från) from, ngt (sälja o.d.) with]; vara olik differ, be different [*från* from]; *han skiljer sig från mängden* bildl. he stands out in a crowd (out from the rest) **b**) ~ *sig* get a divorce [*från* sin hustru from...]
skiljaktig *adj* (~t) olikartad different; avvikande divergent, dissentient
skiljaktighet *s* (~en, ~er) skillnad difference
skiljas *vb itr dep* (skildes el. skiljdes, skilts el. skiljts) **1** allm. part; ~ *som vänner* part friends; ~ *från ngn* äv. leave sb; ~ *åt* part [company] **2** ta ut skilsmässa get a divorce
skiljedom *s* (~en, ~ar) arbitration
skiljedomare *s* (~n, =) jur. arbitrator, referee; tillkallad tredje man umpire; i t.ex. smakfrågor judge
skiljelinje *s* (~n, ~r) dividing line
skiljenämnd *s* (~en, ~er) arbitration board
skiljetecken *s* (-tecknet, =) språkv. punctuation mark
skiljeväg *s* (~en, ~ar) crossroad; *stå vid ~en* bildl. be at the crossroads
skiljevägg *s* (~en, ~ar) partition, partition wall
skillnad *s* (~en, ~er) olikhet difference [*i* år (pris) in, ålder äv. of; *på* (*mellan*) between; *på* två grader (meter m.m.) of...]; i storlek, antal, ålder äv. disparity; åtskillnad distinction; skiljaktighet divergence, diversity; *det var* ~ *det!* en annan sak that's quite another thing (matter)!; *det är* ~ *på folk* [*och folk*] there are people and people; *se* ~ *på* (*mellan*)... distinguish (make a distinction) between...; *till* ~ *från henne* unlike (in contrast to) her; *känna* ~ *på madeira och portvin* tell madeira from port (the difference between madeira and port)
skilsmässa *s* (~n, -mässor) **1** äktenskaplig divorce; *begära* (*söka*) ~ jur. sue for a divorce, start (institute) divorce proceedings; *ta ut* ~ *från*... get a divorce from...; *de ligger i* ~ they are seeking a divorce **2** *en lång* ~ frånvaro a long separation; *kyrkans* ~ *från staten* the disestablishment of the Church
skilsmässobarn *s* (~et, =) child of divorced parents, child of divorce, child from a broken home
skilsmässoorsak *s* (~en, ~er) ground[s pl.] for divorce
skilsmässoprocess *s* (~en, ~er) divorce suit (proceedings pl.)
skimmel *s* (~n, skimlar) zool. roan; grå dapple-grey
skimmer *s* (skimret) shimmer, glimmer; månens light; *ett romantiskt* ~ a romantic light
skimra *vb itr* (~de, ~t) shimmer, glimmer
skina *vb itr* (sken, skinit) allm. shine; starkare blaze; bländande glare; blänka äv. gleam; solen (månen) *skiner* ...is shining; *avsikten skiner igenom* his (her osv.) purpose is only too obvious (apparent); *hon sken upp* när han kom in i rummet she brightened up..., her face lit up...
skingra I *vb tr* (~de, ~t) allm. disperse; t.ex. folkmassa, fiende, fågelsvärm äv. scatter; t.ex. farhågor, tvivel dispel, dissipate; t.ex. mystiken clear up, solve [*kring* surrounding (of)]; ~ *tankarna* divert one's mind (thoughts) **II** *vb rfl* (~de, ~t), ~ *sig* disperse, scatter

skingras *vb itr dep* (skingrades, skingrats) disperse, scatter

skinka *s* (~n, skinkor) **1** kok. ham; *bräckt* ~ fried ham; *ugnsstekt* färsk ~ roast pork **2** kroppsdel buttock

skinn *s* (~et, =) allm. skin; djur~ (större) äv. hide; med päls äv. coat, fur, pelt; fäll fell; beredd hud leather; *vara bara ~ och ben* be nothing but skin and bone, be a bag of bones; *byta* (*ömsa*) ~ om orm cast (shed, slough) its skin; *hon har ~ på näsan* she can put her foot down, she can stand up for herself; *hålla sig i ~et* behärska sig control oneself; hålla sig i styr keep within bounds; uppföra sig fint behave [oneself]; *det är ~ på mjölken* there's a skin on the milk

skinna *vb tr* (~de, ~t) skin; bildl. äv. fleece [*på* belopp of…]; ~ *ngn in på bara kroppen* renraka clean sb out, bleed sb white

skinnband *s* (~et, =) full leather binding; bok *i* ~ leather-bound…

skinnbyxor *s pl* leather pants (trousers)

skinnflådd *adj* (-flått) abraded

skinnfodrad *adj* (-fodrat, ~e) leather-lined

skinnfåtölj *s* (~en, ~er) leather-upholstered armchair

skinnhuvud *s* (~et, = el. ~en) vard. skinhead

skinnjacka *s* (~n, -jackor) läderjacka leather jacket

skinnklädd *adj* (-klätt) om t.ex. möbel leather-upholstered, leather-covered

skinnknutte *s* (~n, -knuttar) vard. rocker, leather-jacketed motorcyclist

skinnkrage *s* (~n, -kragar) pälskrage fur collar

skinn- och benfri *adj* (-fritt), ~ *ansjovis* koll. skinned and boned tinned sprats pl.

skinnskalle *s* (~n, -skallar) vard. skinhead

skinnsoffa *s* (~n, -soffor) leather sofa (couch)

skinntorr *adj* (~t) skinny, scraggy

skipa *vb tr* (~de, ~t), ~ *rättvisa* rättvist fördela o.d. see that justice is done

skippa *vb tr* (~de, ~t) vard. skip

skir *adj* (~t) om tyg airy, light, gossamer…; om t.ex. grönska tender; om t.ex. poesi ethereal

skira *vb tr* (~de, ~t) smör melt

skiss *s* (~en, ~er) sketch; friare äv. outline [*till* of]

skissa *vb itr* (~de, ~t), ~ [*på*] el. ~ *upp* sketch; bildl. sketch out, outline

skissartad *adj* (-artat, ~e) sketchy; friare äv. …in rough outline

skissblock *s* (~et, =) sketchblock

skissera *vb tr* (~de, ~t) sketch; bildl. sketch out, outline

skit *s* vard. **1** (~en, ~ar) exkrementer shit; djurs droppings pl., kors äv. muck; *skrämma ~en ur ngn* vulg. scare sb shitless **2** (~en) smuts filth; svagare dirt **3** (oböjl., ett) skräp [damned] junk (trash); *han gjorde inte ett* ~ he did not do a bloody (amer. goddam, vulg. fucking) thing **4** (oböjl., en) strunt, *snacka* ~ talk rubbish; vulg. talk bullshit; småprata chew the fat **5** (~en, ~ar) person bastard, rotter; vulg. shit, scumbag **6** (oböjl.) som utrop, ~ [*också*]*!* hell!; starkare shit!; [*det är*] ~ *samma* it's all the same, it doesn't matter a damn

skita I *vb itr* **1** (sket, skitit) vard. shit; *det skiter jag i* I don't care a damn about that, to hell with that; vulg. bugger (fuck) that; *det ska du* ~ *i!* that's none of your damn business!; ~ *på sig* vulg. shit in one's pants **2** (~de, ~t), ~ *ner sig* smutsa ner sig make oneself

all filthy, get oneself all dirty **II** *vb rfl* (sket, skitit) vard., ~ *sig* misslyckas go to hell; *det sket sig* it went to hell (pot), it was a complete fuck-up

skitbra *adj* (oböjl.) vard. dead (starkare bloody, damn) good

skitdålig *adj* (~t) vard. crappy, lousy

skitfull *adj* (~t) dead drunk, pissed

skitig *adj* (~t) vard. filthy

skitjobb *s* (~et, =) vard. lousy (crappy) job

skitsnack *s* (~et) vard., skitprat bullshit, crap, balls pl.; dösnack drivel, rot

skitstövel *s* (~n, -stövlar) sl. bastard, shit, scumbag; amer. äv. asshole

skiva I *s* (~n, skivor) **1** platta o.d.: allm. plate; av trä o.d. board; tunn sheet; rund disc (amer. disk); cd-skiva [compact] disc, CD; grammofon~ record, disc; fyrkantig, tjockare, av sten, trä o.d. slab; bords~ top, lös leaf (pl. leaves) **2** uppskuren (av matvara): allm. slice; tjockare slab; av skinka el. bacon äv. rasher [alla med of framför följande ord]; *i skivor* in slices **3** data., skivminne disk speciellt magnetiskt läsbar skiva, disc speciellt optiskt läsbar skiva **II** *vb tr* (~de, ~t) slice, cut into slices etc., jfr *skiva I 2*

skivad *adj* (skivat, ~e) sliced, …in slices

skivaffär *s* (~en, ~er) record shop

skivbolag *s* (~et, =) record company

skivbroms *s* (~en, ~ar) tekn. disc (speciellt amer. disk) brake

skivfodral *s* (~et, =) sleeve

skivminne *s* (~t, ~n) data. disk drive; hårddisk hard disk (drive)

skivspelare *s* (~n, =) record player

skivstång *s* (~en, -stänger) barbell

skivtallrik *s* (~en, ~ar) turntable

skjorta *s* (~n, skjortor) shirt; *det kostar ~n* vard. it costs the earth (a bomb); *spela ~n av ngn* vard. beat sb hollow

skjortblus *s* (~en, ~ar) shirtblouse; amer. shirtwaist, shirtwaister

skjortbröst *s* (~et, =) shirtfront

skjortknapp *s* (~en, ~ar) påsydd shirt button; lös shirt (finare dress) stud

skjortkrage *s* (~n, -kragar) shirt collar

skjortärm *s* (~en, ~ar) shirtsleeve; *gå* (*vara*) *i ~arna* be in one's shirtsleeves

skjul *s* (~et, =) redskaps~ o.d. shed; kyffe hovel

skjuta I *vb tr* o. *vb itr* (sköt, skjutit) **1** med skjutvapen shoot äv. friare; ge eld, avfyra fire; ~ *blixtar* (*gnistor*) om ögon flash, snap [*av* harm with…]; ~ *efter* (*mot, på*) *ngn* shoot (fire) at sb; ~ *bollen i mål* shoot…into the goal; ~ *med lös* (*skarp*) *ammunition* fire [with] blank (live) cartridges; ~ *vilt omkring sig* shoot wildly all round; ~ *sig* shoot oneself **2** flytta o.d.: allm. push; vårdslöst shove; knuffa elbow; kärra, rullstol o.d. äv. wheel; köra t.ex. en kudde under ngns huvud thrust; ~ flytta [*på*] move, vard. shift; ~ *på* uppskjuta *ngt* put off (postpone) sth; ~ *ngt åt sidan* push (vårdslöst shove)…aside; bildl. put…on one side, shelve…; något obehagligt brush aside (away) **3** ~ *rygg* om katt arch its back **4** ~ [*nya*] *skott* put forth [new] shoots, sprout **II** med beton. part.

skjuta av skjutvapen fire, discharge, let off; pil shoot; skott äv. fire off

skjuta bort: ~ *bort* tanken på put aside (away); något

obehagligt äv. brush aside (away)

skjuta fram a) tr., *~ fram stolen till* brasan push the chair up to…; *~ fram* hakan m.m. protrude… **b)** itr.: sticka ut jut out, protrude, project

skjuta för t.ex. lucka push…to

skjuta ifrån: *~ ifrån sig* sak el. person push (vårdslöst shove)…away

skjuta igen dörr o.d. push…to; stänga close, shut

skjuta ihjäl shoot…dead (amer. äv. to death)

skjuta ihop push (två dörrar slide)…together; in i varandra telescope

skjuta in tr.: t.ex. byrålåda push (vårdslöst shove)…in; inflika interpose; interject; införa: i skrift insert; ett gevär target; *~ in…i varandra* telescope…into each other

skjuta ned tr.: med skjutvapen shoot…down (levande varelse äv. dead); murar batter down; flygplan, fågel shoot (bring)…down; vard. down; t.ex. fönster lower

skjuta på ngt push…[from behind], give…a push

skjuta till: t.ex. dörr, se *skjuta igen* ovan; bidra med contribute

skjuta upp a) tr. eg.: flytta upp push (vårdslöst shove)…up; knuffa upp, öppna, t.ex. dörr push…open; rymdraket launch **b)** tr. bildl.: uppskjuta put (något obehagligt stave) off, postpone, defer; fördröja delay; på en tid äv. suspend; spec. jur. o. amer. stay; *~ upp ngt* en vecka put off osv., se ovan sth for… **c)** itr.: om växter shoot [up], spring up, sprout [up]; om t.ex. periskop stick up (out)

skjuta ut a) tr.: flytta ut o.d. push (vårdslöst shove)…out **b)** itr.: om t.ex. udde jut out

skjuta över: *~ över* ansvaret *på ngn* shift…on to sb

skjutbana s (~n, -banor) shooting range; täckt shooting gallery; mil. rifle range

skjutdörr s (~en, ~ar) sliding door

skjutfält s (~et, =) artilleri~ artillery range

skjutfönster s (-fönstret, =) sliding (sash) window

skjutjärnsjournalistik s (~en) hard-hitting journalism; intervjuande rapid-fire interviewing

skjutklar adj (~t) …ready to fire

skjutmått s (~et, =) slide (vernier) calliper

skjuts s (~en, ~ar) **1** ge ngn *~ till* staden give sb a lift… **2** vard., knuff shove, push, impetus; *han fick en ~ i karriären* he got a boost in his career

skjutsa vb tr (~de, ~t) köra drive, take; *~ ngn* give sb a lift

skjuttelefon s (~en, ~er) slider phone, slide phone

skjuttävling s (~en, ~ar) shooting competition (match)

skjutvapen s (-vapnet, =) firearm

skjutövning s (~en, ~ar) shooting (artilleri~ gunnery) practice

sko I s (~n, ~r) shoe; häst~ [horse]shoe **II** vb tr (~dde, ~tt) **1** förse med skor shoe äv. häst **2** kanta edge; med foder line; förstärka fortify; beslå t.ex…with metal **III** vb rfl (~dde, ~tt), *~ sig* göra sig oförtjänt vinst line one's pocket (feather one's nest)

skoaffär s (~en, ~er) shoe shop (amer. store)

skoblock s (~et, =) shoetree

skock s (~en, ~ar) skara troop; [oordnad] mängd crowd; [mindre] klunga group, bunch; av djur herd, flock [alla med of framför följande ord]

1 skocka s (~n, skockor) bot., se *kronärtskocka* o. *jordärtskocka*

2 skocka vb rfl (~de, ~t), *~ sig* se *skockas*

skockas vb itr dep (skockades, skockats) om

människor crowd (cluster, troop) [together], gather together in a crowd (mass), throng [*kring* i samtliga fall round]; om djur herd (flock) [together]; om moln mass

skodon s pl [boots and] shoes, footwear sg.

skog s (~en, ~ar) större forest äv. bildl.; mindre wood; ofta woods pl.; *inte se ~en för bara trän* be unable to see the wood for the trees; *i ~ och mark* in woods and fields; *det går (barkar) åt ~en* it's going to pot; *dra åt ~en!* go to blazes (hell)!

skogbevuxen adj (-bevuxet, -bevuxna) o. **skogbeväxt** adj (=) forested, wooded

skogig adj (~t) o. **skogklädd** adj (-klätt) wooded, woody

skogsarbetare s (~n, =) woodman, lumberjack

skogsarbete s (~t, ~n) forestry work

skogsavverkning s (~en, ~ar) felling, logging; virkesmängd felling (speciellt amer. logging) volume

skogsbacke s (~n, -backar) wooded (woody) hillside; *i en ~* on a wooded (woody) hillside

skogsbrand s (~en, -bränder) forest fire

skogsbruk s (~et, =) forestry

skogsbryn s (~et, =) edge (fringe) of a wood (större skogs forest)

skogsdunge s (~n, -dungar) grove

skogsduva s (~n, -duvor) zool. stock dove

skogsdöd s (~en), *~en* the death of forests [owing to pollution]

skogsfågel s (~n, -fåglar) forest bird; koll.: jakt. el. kok., ung. game birds pl.

skogshallon s (~et, =) bot. wild raspberry

skogshare s (~n, -harar) zool. alpine (mountain) hare

skogshögskola s (~n, -skolor) school (college) of forestry

skogsindustri s (~n, ~er) forest industry

skogsmus s (~en, -möss) zool., lilla ~en [long-tailed] field mouse, wood mouse

skogsmyra s (~n, -myror), [*röd*] *~* wood ant

skogsmård s (~en, ~ar) zool. pine marten

skogsområde s (~t, ~n) forest (woodland) region (area)

skogsplantering s (~en) abstr. afforestation

skogsrå s (~et el. ~n, ~n el. ~r) mytol., ung. siren of the woods

skogsskötsel s (~n) silviculture

skogsskövling s (~en, ~ar) forest devastation

skogstomt s (~en, ~er) ung. woodland plot (garden, större grounds pl.); obebyggd woodland site

skogstrakt s (~en, ~er) woodland, wooded district; avlägsen backwoods pl.

skogsvård s (~en) forestry

skogsväg s (~en, ~ar) forest (woodland) road

skogvaktare s (~n, =) forester, forest warden; speciellt amer. forest ranger

skohorn s (~et, =) shoehorn

skoj I s (~et) **1** fun; ofog mischief; drift joking; *det var bara på ~* it was only for fun, it was only a joke; *för ~s skull* for fun (a laugh), just for the fun of it **2** bedrägeri swindling; *det är rena ~et* …a proper swindle (fraud, vard. racket) **II** adj (oböjl.) roligt nice; jfr vidare *kul* med ex. **III** adv, *ha ~* have a laugh, lark about

skoja I vb itr (~de, ~t) skämta joke; ha hyss för sig have a laugh, be up to mischief, jfr *skoj I 1*; *~ driva med*

ngn kid sb, take the mickey out of sb **II** *vb itr* o. *vb tr* (~de, ~t) bedra cheat, swindle [*på* out of]

skojare *s* (~n, =) **1** bedragare cheat, swindler, racketeer; lymmel blackguard **2** skämtare joker; spjuver rogue; rackare rascal

skojfrisk *adj* (~t) om person (pred.) full of fun, boisterous

skojig *adj* (~t) rolig, lustig funny; trevlig nice; skämtsam facetious

skokartong *s* (~en, ~er) shoebox

skokräm *s* (~en, ~er) shoe polish (cream)

1 skola *hjälpvb* (skulle, skolat) se *ska* o. *skulle*

2 skola I *s* (~n, skolor) allm. school äv. bildl.; *~n* the school; *~n* undervisningen **börjar klockan 8.15** school begins at 8.15; *~n slutar* el. *vi slutar ~n* för terminen school breaks up, för dagen school is over [for the day]; *sluta (lämna) ~n* leave school; *gå i ~[n]* be at school **II** *vb tr* (~de, ~t) **1** utbilda train; häst äv. break [...in]; *~d arbetskraft* skilled labour; *~ om* retrain **2** trädg., *~ om (ut)* transplant, replant

skolarbete *s* (~t, ~n) schoolwork; hemuppgift homework

skolastik *s* (~en) scholasticism

skolastiker *s* (~n, =) scholastic

skolavslutning *s* (~en, ~ar) breaking-up, jfr *avslutning 3*

skolbarn *s* (~et, =) school child

skolbetyg *s* (~et, =) handling [school] report, amer. report card, slutbetyg transcript; betygsgrad mark, amer. grade; jfr *betyg*

skolbok *s* (~en, -böcker) schoolbook; lärobok textbook

skolbuss *s* (~en, ~ar) school bus

skolbyggnad *s* (~en, ~er) school; mindre äv. schoolhouse

skolbänk *s* (~en, ~ar) desk; *sitta på ~en* bildl. be at school

skoldag *s* (~en, ~ar) schoolday; *~en är slut* school is over for today

skolexempel *s* (-exemplet, =) textbook case (example); *ett ~ på...* a typical (classic) example of...; om handling o.d. an object lesson in...

skolfartyg *s* (~et, =) training ship

skolflicka *s* (~n, -flickor) schoolgirl; amer. äv. [girl] student

skolflygplan *s* (~et, =) training aircraft, trainer

skolgång *s* (~en) schooling; avbryta sin ~ ...school attendance

skolgård *s* (~en, ~ar) playground; spec. amer. schoolyard; *på ~en* in the playground

skolk *s* (~et) från skolan truancy

skolka *vb itr* (~de, ~t), ~ [*från skolan*] play truant (amer. äv. hooky), skip class; ~ *från* skolan (en lektion) shirk..., skip...; ~ *från arbetet* shirk (keep away from) one's work; en dag take a day off

skolkamrat *s* (~en, ~er) schoolmate, schoolfriend; *vi var ~er* äv. we were at school together

skolkare *s* (~n, =) från skolan truant

skolkatalog *s* (~en, ~er) school calendar (catalogue)

skolklass *s* (~en, ~er) school class (form)

skolleda *s* (~n) school fatigue

skollov *s* (~et, =) ferier [school] holidays pl., [school] vacation

skollunch *s* (~en, ~er) school lunch (dinner)

skolläkare *s* (~n, =) school doctor

skollärare *s* (~n, =) schoolmaster, schoolteacher

skolmat *s* (~en), ~[*en*] school meals pl.

skolmateriel *s* (~en) school equipment (supplies pl.), educational materials

skolmatsal *s* (~en, ~ar) school dining-hall (mindre dining-room)

skolmogen *adj* (-moget, -mogna) ...sufficiently mature for [starting] school; *vara ~* äv. be ready for school

skolmåltid *s* (~en, ~er) school meal

skolmästerskap *s* (~et, =) idrott schools championship

skolning *s* (~en, ~ar) **1** utbildning training; om t.ex. litterär (klassisk) ~ grounding **2** trädg. transplantation, replantation

skolpeng *s* (~en) school capitation allowance

skolplikt *s* (~en) compulsory school attendance

skolpojke *s* (~n, -pojkar) schoolboy; amer. äv. student

skolresa *s* (~n, -resor) school trip

skolsal *s* (~en, ~ar) klassrum classroom

skolschema *s* (~t, ~n) [school] timetable; amer. schedule

skolsjuka *s* (~n) feigned illness, malingering

skolskjuts *s* (~en, ~ar) transport school transport

skolsköterska *s* (~n, -sköterskor) school nurse

skolstyrelse *s* (~n, ~r) ung. local education authority

skoltandvård *s* (~en) school dental service

skoltid *s* (~en) år i skolan schooldays pl.; lektionstid school hours pl.

skoltidning *s* (~en, ~ar) school magazine (newspaper)

skoltrött *adj* (=) ...tired of school, school-weary

skoltrötthet *s* (~en) school fatigue

skolunderbyggnad *s* (~en) [educational] grounding, schooling

skolungdom *s* (~en, ~ar), ~[*ar*] schoolchildren pl.; spec. om äldre schoolboys and schoolgirls pl.

skoluniform *s* (~en, ~er) school uniform

Skolverket the [Swedish] National Agency for Education

skolväsen *s* (~det, =) educational system, education

skolväska *s* (~n, -väskor) school bag (med axelrem satchel)

skolålder *s* (~n) school age

skolår *s* (~et, =) school year; pl. (skoltid) schooldays

skolämne *s* (~t, ~n) school subject; *obligatoriskt (valfritt) ~* compulsory (optional) subject

skomakare *s* (~n, =) shoemaker; reparatör äv. shoe-repairer; *~, bliv vid din läst!* stick to your last!, the cobbler should stick to his last!

skomakeri *s* (~et, ~er) verkstad shoemaker's [work]shop

skona *vb tr* (~de, ~t) spare [*från ngt* sth]; vara aktsam om take care of; *~ ngns liv (ngn till livet)* spare sb's life; *~ rösten (ögonen)* take care not to strain one's voice (eyes)

skonare *s* (~n, =) o. **skonert** *s* (~en, ~er) sjö. schooner

skongång *s* (~en) i tvättmaskin delicate programme, programme for delicate fabrics

skoning *s* (~en, ~ar) kant edge

skoningslös *adj* (~t) merciless, ruthless, unsparing

skonsam *adj* (~t, ~ma) mild lenient; hänsynsfull considerate; barmhärtig merciful; varsam careful; *~ för* ögonen restful to...

skonsamhet *s* (~en) leniency; hänsyn consideration; barmhärtighet mercifulness; varsamhet care

skontvätt *s* (~en) delicate wash

skonummer *s* (-numret, =) shoe size, size in shoes; *vilket ~ har du?* äv. what size shoes do you take?

skopa I *s* (~n, skopor) scoop; för vätska ladle, dipper [alla med of framför följande ord]; på mudderverk o.d. bucket; öskar bailer; få (ge ngn) *en ~ ovett* ...a good telling-off **II** *vb tr* (~de, ~t) scoop; *~ upp* scoop up

skoputsare *s* (~n, =) shoeblack, shoe-cleaner; amer. shoeshine, bootblack

skorpa *s* (~n, skorpor) **1** bakverk rusk **2** hårdnad yta crust; sår~ äv. scab

skorpion *s* (~en, ~er) **1** zool. scorpion **2** astrol., *Skorpionen* Scorpio; *han är ~* he is [a] Scorpio

skorpmjöl *s* (~et) golden breadcrumbs pl., raspings pl.

skorra *vb itr* (~de, ~t) **1** på 'r' speak with a burr, burr **2** ljuda strävt grate, jar [*i* öronen on...]; rasp

skorrning *s* (~en, ~ar) skorrande 'r' burr

skorsten *s* (~en, ~ar) chimney; på fartyg el. lok funnel; fabriks~ el. fartygs~ äv. smokestack

skorstensfejare *s* (~n, =) chimney-sweep

1 skorv *s* (~en, ~ar) vard., gammalt fartyg old tub (hulk)

2 skorv *s* (~en) med. scurf

skorvig *adj* (~t) scurfy

skoskav *s* (~et) chafed (galled) feet pl.; *jag har [fått] ~ på höger fot* my right foot is chafed

skosnöre *s* (~t, ~n) shoelace; amer. äv. shoestring

skosula *s* (~n, -sulor) sole [of a shoe]

skot *s* (~et, =) sjö. sheet

skoter *s* (~n, skotrar) [motor] scooter

skotsk *adj* (~t) Scottish; spec. i Skottl. äv. Scots; ledigare Scotch spec. om skotska produkter; *Skotska högländerna* (*lågländerna*) the Highlands (Lowlands) [of Scotland]; *~ terrier* Scotch (Scottish) terrier; *~ whisky* Scotch [whisky]

skotska *s* **1** (~n, skotskor) kvinna Scotswoman; i England äv. Scotchwoman **2** (~n) språk Scots; i England äv. Scotch

skotskrutig *adj* (~t) tartan, plaid; *~t tyg* tartan, plaid

skott *s* (~et, =) **1** shot; *löst* (*skarpt*) *~* blank (live) shot; *han for iväg som ett ~* he was off like a shot; *få klä ~ för ngt* be made the scapegoat for sth **2** på växt shoot, sprout; *skjuta ~* put forth shoots, sprout **3** sjö. bulkhead

skotta *vb tr* (~de, ~t) shovel; *~ snö* shovel [the] snow away; *~ [ren] gatan [från snö]* clear the street of snow

skottavla *s* (~n, -tavlor) target; *vara ~ för* bildl. be the butt (target) of

skottdag *s* (~en, ~ar) leap day, intercalary day

skotte *s* (~n, skottar) **1** person Scotsman, Scot; *skottarna* som nation el. lag o.d. the Scots; i England äv. the Scotch **2** hund Scotch (Scottish) terrier

skottglugg *s* (~en, ~ar) loophole; *komma* (*hamna, stå*) *i ~en* bildl. come under fire, become the target of criticism

skotthåll *s* (~et) gunshot, range; *inom* (*utom*) *~* within (out of) gunshot (range) [*för* of]

skottkärra *s* (~n, -kärror) wheelbarrow

Skottland Scotland

skottlinje *s* (~n, ~r) line of fire äv. bildl.; *komma i ~n*

för ngns kritik become the butt (target) of...; jfr ex. under *skottglugg*

skottlossning *s* (~en, ~ar) skottväxling firing, shooting; avfyring firing [off], discharge

skottpengar *s pl* bounty sg.; *det är ~ på kråkor* there is a premium paid for the shooting of...

skotträdd *adj* (neutrum undviks) gun-shy

skottsalva *s* (~n, -salvor) volley of shots

skottskada *s* (~n, -skador) gunshot injury

skottspole *s* (~n, -spolar), *fara omkring som en ~* dart about like mad

skottsäker *adj* (~t, -säkra) ogenomtränglig bulletproof; *~ väst* bulletproof vest, flak jacket

skottväxling *s* (~en, ~ar) exchange of shots

skottår *s* (~et, =) leap year

skovel *s* (~n, skovlar) **1** för snö, jord o.d. shovel; *en ~ jord* a shovelful of earth **2** i turbin blade

skovla *vb tr* (~de, ~t) shovel

skraj *adj* (~t) vard., *vara* (*bli*) *~* be (get) scared; *vara ~ för ngt* be in a [blue] funk about

skral *adj* (~t) **1** underhaltig poor; *han är ~ i engelska* he is poor at...; skol. he is weak in... **2** krasslig out of sorts, poorly, ailing (alla endast pred.); *ha ~ hälsa* be in poor health

skraltig *adj* (~t) **1** se *skral* **2** illa medfaren rickety, ramshackle

skramla I *s* (~n, skramlor) rattle **II** *vb itr* (~de, ~t) **1** om vagn, kedjor, fönsterluckor m.m. rattle; om mynt jingle; om nycklar jangle, rattle; om kokkärl o.d. clatter; *~ med...* rattle... osv. **2** vard., samla in pengar club together, have a whip-round [*till* for]

skrammel *s* (skramlet) skramlande rattling osv.; *ett ~* a rattle osv.; jfr *skramla II 1*

skranglig *adj* (~t) **1** gänglig lanky; om person äv. loose-limbed **2** rankig rickety

skrank *s* (~et, =) vid domstol bar

skrankor *s pl* barriers, limits; *de sociala ~na* [the] social barriers

skrap *s* (~et) **1** skrapande ljud scraping, scrape; det att skrapa scratching; av häst[hov] pawing **2** något avskrapat scrapings pl.

skrapa I *s* (~n, skrapor) **1** redskap scraper; väg~ äv. grader; rykt~ curry-comb **2** tillrättavisning scolding, talking-to; vard. telling-off **II** *vb tr* o. *vb itr* (~de, ~t) allm. scrape; skada (kroppsdel) äv. graze; riva, krafsa, raspa scratch; *~ med fötterna* scrape one's feet; om häst paw the ground; *~ med foten* bildl. stand shuffling one's feet; *~ sig på benet* graze [the skin off] one's leg

III med beton. part.

skrapa av bort ngt scrape off sth; *~ av smutsen* (*snön*) *från skorna* scrape...off one's shoes

skrapa bort scrape away (off)

skrapa emot: *~ emot [grindstolpen]* graze (scrape against) [the gatepost]

skrapa ihop scrape (rake) together, rake up; *~ ihop pengar* scrape (scratch) together...

skrapa ur en gryta scrape...out

skraplott *s* (~en, ~er) scratch card

skrapning *s* (~en, ~ar) **1** ljud, se *skrap 1* **2** med. [dilatation and] curettage (förk. D & C)

skratt *s* (~et, =) laughter; enstaka ~, sätt att skratta laugh; *få sig ett gott ~ åt...* have a good laugh at...; *kikna av ~* choke with laughter; *ett gott ~ förlänger livet* ung. laughter is the best medicine; *jag försökte* *hålla mig för* ~ I tried to keep a straight face, I tried not to laugh; *jag kunde inte hålla mig för* ~ I couldn't keep a straight face (help laughing); *brista [ut] i* ~ burst out laughing; *vara full i* ~ be ready (fit) to burst [with laughter]

skratta *vb itr* (~de, ~t) laugh [*åt* at]; *det är ingenting att* ~ *åt* äv. it's no laughing matter; ~ *sig fördärvad* el. *hålla på att* ~ *ihjäl sig* el. ~ *på sig* split one's sides [with laughter], nearly die laughing; ~*r bäst som* ~*r sist*; he who laughs last laughs longest; ~ *till* give a laugh; ~ *ut ngn* laugh at sb, se äv. *utskrattad*

skrattgrop *s* (~en, ~ar) dimple

skrattmås *s* (~en, ~ar) zool. black-headed gull

skrattretande *adj* (oböjl.) laughable; löjlig ridiculous, ludicrous

skrattrynkor *s pl* laughter (amer. laugh) lines

skrattsalva *s* (~n, -salvor) burst (starkare roar) of laughter

skrattspegel *s* (~n, -speglar) distorting (amer. funhouse) mirror

skred *s* (~et, =) jord~ landslide äv. bildl.; snö~ avalanche

skrev *s* (~et, =) anat. crotch, crutch, fork

skreva I *s* (~n, skrevor) klyfta cleft; spricka crevice **II** *vb itr* (~de, ~t), ~ [*med benen*] part one's legs

skri *s* (~et, ~n) **1** människas scream, shriek, yell; *ge till* (*upp*) *ett* ~ give a scream osv. **2** måsens scream; ugglans hoot; åsnans bray

skria *vb itr* (~de, ~t) scream, shriek, yell; om uggla hoot; om åsna bray

skriande *adj* (oböjl.) förtvivlad crying, acute; om orättvisa glaring, flagrant; *ett* ~ *behov av* a crying (an acute) need for; *en* ~ *brist på* an acute shortage of

skribent *s* (~en, ~er) writer; tidnings~ journalist; artikelförfattare writer of an (resp. the) article

skrida *vb itr* (skred, skridit) eg.: gå långsamt glide, pass slowly, stalk; med långa steg stride; ~ *till handling* take action; ~ *till verket* set to work; ~ *fram* om person march (stride) along

skridsko *s* (~n, ~r) skate; *åka* ~*r* skate

skridskobana *s* (~n, -banor) skating-rink, ice rink

skridskoåkare *s* (~n, =) skater

skridskoåkning *s* (~en, ~ar) skating

skrift *s* (~en, ~er) **1** mots. tal, tryck, skrivkonst m.m. writing; handstil äv. handwriting, hand, script; skrivtecken characters pl.; bokstäver letters pl. **2** handling o.d. written (tryckt printed) document; tryckalster publication; mindre bok booklet; broschyr pamphlet, brochure; *den heliga* ~ the [Holy] Scriptures pl., Holy Writ; *samlade* ~*er* complete (collected) works

skriftlig *adj* (~t) written; ~*t besked* (svar) o.d. äv. ...in writing; *ha* (*få*) ~*t på ngt* have (get) sth down in writing (in black and white)

skriftligen *adv* o. **skriftligt** *adv* in writing; genom brev by letter

skriftlärd I *adj* (-lärt) ...versed in the Scriptures **II** *s* (en ~, pl. ~a) bibl., *en* ~ a scribe

skriftserie *s* (~n, ~r) series of publications, publication series

skriftspråk *s* (~et, =), ~[*et*] written language

skriftställare *s* (~n, =) author, writer [of books]

skriftväxling *s* (~en, ~ar) notväxling exchange of notes; brevväxling correspondence

skrik *s* (~et, =) cry; rop shout; tjut yell; gällt, oartikulerat scream, shriek; ~*ande* shouting, yelling, screaming,

shrieking; *ge till ett* ~ give a cry osv., cry osv. out loud; *sista* ~*et* bildl. the latest fashion (craze), all the rage, the last word

skrika I *vb itr* o. *vb tr* (skrek, skrikit) **1** utstöta skrik cry, call (cry) out; ropa shout, yell; vard. holler; gällt, oartikulerat scream, shriek; ~ *sig hes* shout osv. oneself hoarse; ~ *som en stucken gris* vard. squeal like a [stuck] pig; ~ *av smärta* cry (roar) with pain; ~ *åt ngn* shout (roar) at sb **2** gnissla squeak, creak, screech; *det skriker i magen på mig* vard. I'm famished **II** *s* (~n, skrikor) zool. jay; *mager som en* ~ [as] thin as a rake

skrikande (jfr *skrika*) **I** *adj* (oböjl.) shouting, yelling, screaming **II** *s* (~t) shouting, yelling, screaming

skrikhals *s* (~en, ~ar) högljudd person loudmouth; spädbarn bawling brat

skrikig *adj* (~t) **1** om barn screaming...; om röst shrill, high-pitched **2** om färg glaring, loud

skrin *s* (~et, =) box; för smycken äv. case; för bröd bin

skrinda *s* (~n, skrindor) rack waggon

skrinlägga *vb tr* (-lade, -lagt) uppge give up, relinquish; lägga på hyllan shelve, put...on the shelf

skripta *s* (~n, skriptor) TV. el. film. continuity clerk, script supervisor

skritt *s* (~en), *i* ~ at a walking pace

skriva I *vb itr* o. *vb tr* (skrev, skrivit) **1** allm. write; stava äv. spell; hastigt [o. slarvigt] scribble; på dator o.d. type; t.ex. kontrakt, testamente draw up; ~ *ren*[*t*]... copy out..., make a fair copy of...; ~ *snyggt* (*fult*) write a good (bad) hand; ~ *på dator* el. ~ [*på*] *maskin* type; ~ *i en tidning* write for (contribute to) a paper; ~ *beloppet med bokstäver* set out...in writing; ~ *med blyerts* (tryckbokstäver) write in...; ~ *på en roman* be working at...; *skriv till henne att*... write and tell her... **2** ~ *gården på sin son* assign...away to (settle...on) one's son; ~ *sig i* Stockholm have (get) oneself registered in... **II** med beton. part.

skriva av a) kopiera copy [out], transcribe; plagiera copy, vard. crib b) se *avskriva*

skriva ihop bokstäver o.d. join...together in writing; ~ *ihop...i ett ord* write...in one word, write...solid

skriva in föra enter [up] [*i* bok o.d. in...; *på* lista on...]; föra över, t.ex. uppsats copy out [*i* skrivbok in...]; ~ *in en elev* enter a pupil; ~ *in sig vid ett universitet* register at a university; amer. matriculate; se äv. *inskriven*

skriva ned (**ner**) a) anteckna write down, set (put) down [...in writing] b) hand., reducera write down [*till* to]; depreciate [*med* 10 % by...]; devalvera devalue

skriva om på nytt rewrite

skriva på a) tr.: t.ex. lista, växel write one's name on; t.ex. check på baksidan endorse b) itr.: skriva sitt namn sign; gå i borgen stand surety [*för ngn* for sb]; för t.ex. fotbollslag sign on

skriva under sign (put) one's name to...; utan obj. sign [one's name]; ~ *under på*... bildl. subscribe to..., endorse...

skriva upp a) anteckna, ~ *upp ngt på* t.ex. svarta tavlan write sth on...; ~ *upp ngn*[*s namn*] take down sb's name b) debitera put...down [*på ngn* to sb['s account]], charge [*på ngns konto* to sb's account] c) hand., höja värdet på write up; revalvera revalue

skriva ut utfärda write out; på dator o.d. type; på skrivare

print; skriva ren copy out; check, räkning äv. make out; **~ *ut ngn* från sjukhus** discharge sb...; **~ *ut recept på*** medicin write out a prescription for...
skriva över: **~ *över* gården** *på sin son* assign...away to one's son, settle...on one's son
skrivare *s* (~n, =) **1** data. printer **2** hist. scribe
skrivblock *s* (~et, =) writing pad
skrivbok *s* (~en, -böcker) skol. exercise book; för välskrivning copybook
skrivbord *s* (~et, =) desk
skrivbordsalmanacka *s* (~n, -almanackor) desk calendar
skrivbordslampa *s* (~n, -lampor) desk lamp
skrivbordslåda *s* (~n, -lådor) desk drawer
skrivbordsstol *s* (~en, ~ar) desk chair; svängbar ~ swivel chair
skrivbyrå *s* (~n, ~er) word-processing and secretarial services
skrivelse *s* (~n, ~r) [official] letter, [written] communication; jur. writ
skriveri *s* (~et, ~er) writing; *det blev en massa ~er i tidningarna* there were lots of articles (was a lot [of writing]) about it etc. in the papers
skrivfel *s* (~et, =) slarvfel när man skriver för hand slip of the pen; på dator o.d. typing error, typo
skrivklåda *s* (~n), *ha ~* have an itch to write
skrivkramp *s* (~en) writer's cramp
skrivkunnig *adj* (~t) ...[who is (was osv.)] able to write; *vara ~* äv. have learnt to write
skrivmaskin *s* (~en, ~er) typewriter; *skriva på ~* type
skrivning *s* (~en, ~ar) **1** skrivande writing; formulering wording, formulation **2** skriftligt prov: written test, för examen written exam
skrivpapper *s* (~et el. -pappret, =) writing paper
skrivskyddad *adj* (-skyddat, ~e) data., om ngt som kan läsas men inte ändras read-only; om fysiskt skyddat objekt t.ex. diskett write-protected
skrivstil *s* (~en, ~ar) hand, handwriting; typogr. script
skrivtecken *s* (-tecknet, =) [written] character
skrivunderlägg *s* (~et, =) desk pad
skrivvakt *s* (~en, ~er) person invigilator; amer. proctor
skrock *s* (~et, =) superstition
skrocka *vb itr* (~de, ~t) om person chuckle
skrockfull *adj* (~t) superstitious
skrodera *vb itr* (~de, ~t) brag [*om* about (of)], swagger [*om* about]
skrot *s* **1** (~et) metall~ scrap [metal]; järn~ scrap iron; skräp refuse, scrap, junk; *de är av samma ~ och korn* bildl. they are birds of a feather **2** (~en, ~ar) skrotupplag, *sälja på* (*till*) *~en* sell at (to) a scrapyard (junk yard)
skrota I *vb tr* (~de, ~t) förvandla till skrot scrap; fartyg äv. break up **II** *vb itr* (~de, ~t), *gå och ~* vard. go idling (mooning) around
skrotbil *s* (~en, ~ar) dilapidated car, wreck; vard. old banger
skrothandlare *s* (~n, =) scrap merchant, scrap dealer
skrothög *s* (~en, ~ar) **1** scrap heap **2** se *skrotbil*
skrotupplag *s* (~et, =) scrapyard, junk yard
skrotvärde *s* (~t) scrap value
skrov *s* (~et, =) body; fartygs~ äv. hull; djurskelett carcass

skrovlig *adj* (~t) rough; om t.ex. klippa rugged; om röst äv. raucous; sträv harsh
skrovmål *s* (~et, =), *få sig ett ~* have a good tuck-in (blowout)
skrubb *s* (~en, ~ar) rum cubbyhole, box room; skräprum lumber room
skrubba *vb tr* (~de, ~t) skura scrub; gnida rub; skrapa scrape; skinnet (knät) äv. graze; *~ sig på benet* scrape (graze, chafe) one's leg; *~ golvet* scrub the floor
skrubbsår *s* (~et, =) graze, abrasion
skrud *s* (~en, ~ar) garb, apparel (båda endast sg.); kyrklig vestment; *~ar* ofta robes
skruda I *vb tr* (~de, ~t) attire, array, deck... **II** *vb rfl* (~de, ~t), *~ sig* attire (array, deck...) oneself
skrumpen *adj* (skrumpet, skrumpna) shrivelled[-up]; rynkig äv. wrinkled; hopkrympt shrunken
skrumplever *s* (~n) med. cirrhosis of the liver
skrumpna *vb itr* (~de, ~t) shrivel [up]; krympa shrink; become shrivelled; torka bort dry up; bli rynkig become wrinkled
skrupel *s* (~n, skrupler) scruple
skrupelfri *adj* (-fritt) unscrupulous
skrupulös *adj* (~t) scrupulous
skrutt *s* **1** (oböjl.) vard., skräp, *det är bara ~ med undervisningen* ...is worthless **2** (~en, ~ar) äppel~ core
skruttig *adj* (~t) vard., skraltig decrepit, weak, shaky
skruv *s* (~en, ~ar) screw; på fiol peg; tennis. o.d. spin; *ha en ~ lös* vard. have a screw (tile) loose; *det tog ~* that did it (the trick), that went home
skruva I *vb tr* o. *vb itr* (~de, ~t) screw; boll spin; isflak swirl; *~ [på] sig* fidget [about], squirm, wriggle **II** med beton. part.
skruva av unscrew, screw off; stänga av turn off
skruva fast screw (fasten)...on (tight)
skruva i se *skruva in* nedan
skruva igen t.ex. burk screw up (down); stänga av turn off
skruva ihop screw...together
skruva in screw (skruv äv. drive) in (ända in home)
skruva isär unscrew, take...apart
skruva ned screw down; gas, radio o.d. turn down, lower
skruva på screw...on; gas, radio o.d. turn on
skruva upp screw up; pris äv. force up; gas, radio o.d. turn up; *~ upp förväntningarna* raise expectations
skruva ur unscrew
skruva åt screw...tight, tighten
skruvkork *s* (~en, ~ar) screw stopper (cap)
skruvlock *s* (~et, =) screw cap (top); burk *med ~* screwcap (screwtop)...
skruvmejsel *s* (~n, -mejslar) screwdriver
skruvnyckel *s* (~n, -nycklar) spanner; speciellt amer. wrench
skruvstycke *s* (~t, ~n) vice
skruvstäd *s* (~et, =) vice
skrymma *vb itr* (skrymde, skrymt) take up a lot of room (space); vara stor och klumpig be bulky
skrymmande *adj* (oböjl.) bulky
skrymsle *s* (~t, ~n) nook, corner; bildl. recess
skrynkelfri *adj* (-fritt) creaseproof, crease-resisting
skrynkla I *s* (~n, skrynklor) crease; wrinkle äv. i huden **II** *vb tr* o. *vb itr* (~de, ~t), *~ [ned* (*till*)] crease, crumple, wrinkle; *~ ihop* crumple up; *~ sig* om tyg crease, wrinkle, get creased osv.

skrynklig *adj* (~t) creased, crumpled; rynkig wrinkled

skryt *s* (~et) skrytande boasting, bragging; *bara* ~ an empty boast

skryta *vb itr* (skröt, skrutit) boast, brag [*över, med* of, about], show off; [*vilja*] ~ *med* show off, make a show of; *utan att* ~ without boasting

skrytbil *s* (~en, ~ar) vard. flashy car

skrytmåns *s* (~en, ~ar) vard. boaster, show-off, braggart

skrytsam *adj* (~t, ~ma) om person boastful

skrå *s* (~et, ~n) hist. [trade] guild, craft [guild]

skråanda *s* (~n) hist. guild spirit; neds., kotteribildning cliquishness

skrål *s* (~et, =) skrålande bellowing, roaring

skråla *vb itr* (~de, ~t) bellow, roar

skråma *s* (~n, skråmor) scratch, slight wound

skråväsen *s* (~det, =) hist. guild system

skräck *s* (~en) terror; fruktan fright, dread; fasa horror [*för* i samtliga fall of]; plötslig scare, panic; *injaga* ~ *i ngn* sätta ~ i ngn strike terror into sb, strike sb with terror; han var *skolans* ~ ...the terror of the school

skräckblandad *adj* (-blandat, ~e) ...mingled with terror osv., jfr *skräck*

skräckexempel *s* (-exemplet, =) shocking example (illustration), warning example [*på* of]

skräckfilm *s* (~en, ~er) horror film, hair-raiser

skräckfylld *adj* (-fyllt) horror-filled, ...full of horror

skräckfärd *s* (~en, ~er) nightmare journey

skräckinjagande *adj* (oböjl.) terrifying; fasaväckande horrifying

skräckkabinett *s* (~et, =) o. **skräckkammare** *s* (~en, =) chamber of horrors

skräckpropaganda *s* (~n) scaremongering [propaganda]

skräckslagen *adj* (-slaget, -slagna) horror-struck, terror-struck, horror-stricken, terror-stricken

skräckvälde *s* (~t, ~n) reign of terror

skräcködla *s* (~n, -ödlor) zool. dinosaur; neds., om kvinna gorgon

skräda *vb tr* (skrädde, skrätt) mjöl bolt; malm pick, separate; virke rough-hew; *inte* ~ *orden* bildl. not mince matters (one's words)

skräddare *s* (~n, =) **1** yrke tailor **2** zool. water strider (skipper)

skräddarsydd *adj* (-sytt) tailor-made, tailored, custom-made, customized alla äv. bildl.; *rollen var* ~ *för honom* äv. he was cut out for the part

skrädderi *s* (~et, ~er) **1** butik tailor's shop; firma tailor's firm; verkstad tailor's workshop **2** yrke tailoring

skräll *s* (~en, ~ar) **1** crash, smash båda äv. bildl.; smäll bang; brak clash **2** sport. vard. sensation, upset, turn-up [for the books]

skrälla *vb itr* (skrällde, skrällt) **1** om trumpet, högtalare blare; om väckarklocka jangle; om åska crash **2** sport. vard. cause a sensation (an upset)

skrällande *adj* (oböjl.) blaring; osv., jfr *skrälla*; om hosta hacking

skrälle *s* (~t, ~n), *ett* ~ *till* bil (hus etc.) a ramshackle old...

skrällig *adj* (~t) se *skrällande*

skrämma *vb tr* (skrämde, skrämt) frighten, scare; oroa alarm; starkare terrify; plötsligt startle; ~ *ngn med*

ngt scare (frighten) sb with sth; *låta* ~ *sig* [allow oneself to] be intimidated; *låta* ~ *sig till att* + inf. be frightened osv. into + ing-form; *bli skrämd* be (get) frightened (scared); ~ *bort* frighten (scare) away (off); ~ *ihjäl* frighten (scare)...to death; ~ *upp* göra rädd frighten osv., intimidate; driva upp start, put up

skrämmande *adj* (oböjl.) frightening, scary; oroande alarming; starkare terrifying

skrämsel *s* (~n) fright, alarm

skrämselpropaganda *s* (~n) scaremongering [propaganda]

skrämseltaktik *s* (~en) intimidating (bulldozing) tactics pl., intimidation

skrämskott *s* (~et, =) warning shot; bildl.: tomt hot empty threat, falskt alarm false alarm

skrän *s* (~et, =) yell, howl; ogillande hoot; ~ande yelling, howling, hooting; gormande ranting

skräna *vb itr* (~de, ~t) yell, howl; ogillande hoot; gorma bluster, rant

skränig *adj* (~t) yelling osv., jfr *skräna*; högljudd noisy

skräp *s* (~et) rubbish, junk, speciellt amer. trash; bråte lumber; avfall litter, refuse; *det är* ~ *med fisket här* the fishing here is worthless

skräpa *vb itr* (~de, ~t), *ligga och* ~ i rummet etc. [lie about and] make the room etc. [look] untidy; *gå och* ~ vard. loaf about (around); ~ *ned* make a litter (mess); ~ *ned* [*i*] rummet litter (clutter) up...; ~ *inte ned i naturen!* don't drop litter in the countryside!

skräphög *s* (~en, ~ar) rubbish heap; *kasta...på* ~*en* throw...on to the rubbish heap äv. bildl.

skräpig *adj* (~t) untidy, littered

skräplitteratur *s* (~en) pulp literature (fiction)

skräpmat *s* (~en) junk food

skräppa *s* (~n, skräppor) bot. dock

skräppost *s* (~en) reklam o.d. i e-post spam

skrävla *vb itr* (~de, ~t) boast, brag

skrävlare *s* (~n, =) boaster, braggart

skröna *s* (~n, skrönor) vard. tall (cock-and-bull) story

skröplig *adj* (~t) bräcklig frail, infirm; orkeslös decrepit; svag, om hälsa weak, delicate, poor

skröplighet *s* (~en) frailty, infirmity; orkeslöshet decrepitude; svaghet weakness, delicacy, poorness

skubba I *vb itr* (~de, ~t) vard., springa run **II** *vb rfl* (~de, ~t), ~ *sig mot* ngt rub oneself against...

skuffa *vb tr* (~de, ~t) o. **skuffas** *vb itr dep* (skuffades, skuffats) push, shove

skugga I *s* (~n, skuggor) av ett föremål el. person shadow äv. bildl.; mots. ljus shade (vanl. endast sg.) äv. konst.; *han är en* ~ *av* sitt forna jag he is a mere shadow of...; *inte* ~*n av en chans* not an earthly chance, not the ghost of a chance; *ingen* ~ *faller över...* bildl. this does not reflect on...; *ge* (*skänka*) ~ give (afford) shade; ligga i ~*n* [*av ett träd*] ...in the shade [of a tree]; *ställa...i* ~*n* bildl. put (throw)...into the shade, overshadow **II** *vb tr* o. *vb itr* (~de, ~t) **1** ge skugga åt shade äv. konst.; ~ *ögonen med handen* shade (shield) one's eyes with one's hand **2** följa efter shadow, tail

skuggbild *s* (~en, ~er) silhuett shadow picture, silhouette

skuggboxning *s* (~en) sport. shadow boxing

skuggig *adj* (~t) shady, shadowy

skuggliv *s* (~et) shadowy existence

skuggning *s* (~en, ~ar) skuggande shading äv. konst.; bevakning shadowing, tailing

skuggregering *s* (~en, ~ar) oppositionens shadow cabinet

skuggsida *s* (~n, -sidor) shady (bildl. äv. dark, seamy) side

skuggvärld *s* (~en, ~ar) skenvärld shadow world; dödsrike world of shades

skuggväxt *s* (~en, ~er) shade plant

skuld *s* (~en, ~er) **1** lånad penningsumma: allm. debt [*på* belopp of...; *till* (*hos*) ngn owing to...]; amount (sum) due (outstanding); ~*er* debts; mots. tillgångar liabilities; *ha* [*stora*] ~*er* äv. be [heavily] in debt; *stå i* ~ *hos* (*till*) *ngn* be in debt (indebted) to sb, be in sb's debt; om tacksamhets~ äv. owe sb a debt of gratitude; *sätta sig i* ~ run (get) into debt **2** fel, förvållande fault; blame äv. ansvar; brottslighet guilt; ~*en är min* (*faller på mig*) it is my fault, I am to blame; *han bär* [*största*] ~*en för det* he is [most] to blame for it (at fault in the matter); *jag fick* ~*en för det* I got all the blame for it; *förlåt oss våra* ~*er!* bibl. forgive us our trespasses!; *ge ngn* ~*en* [*för ngt*] el. *kasta* (*skjuta*) ~*en* [*för ngt*] *på ngn* lay (put, throw) the blame [for sth] [up]on sb; *ta på sig* ~*en för...* take the blame [upon oneself] for..., confess oneself guilty of...; *vara* ~ *till...* be to blame for...; orsak till be the cause of...; ansvarig för be responsible for...; *vara utan* ~ be blameless

skuldbelopp *s* (~et, =) amount of debt

skuldbörda *s* (~n, -bördor) burden of debt (moralisk guilt)

skuldebrev *s* (~et, =) se *skuldsedel*

skulderblad *s* (~et, =) shoulder blade; vetensk. scapul|a (pl. -ae) lat.

skuldfri *adj* (-fritt) **1** utan skulder ...free from debt[s]; om person äv. ...out of debt; *göra sig* ~ rid oneself of one's debts, get out of debt **2** oskyldig guiltless, innocent, blameless

skuldfråga *s* (~n, -frågor) moralisk question of guilt; ansvarsfråga question of responsibility

skuldfälla *s* (~n, -fällor) debt trap

skuldförbindelse *s* (~n, ~r) se *skuldsedel*

skuldkänsla *s* (~n, -känslor) feeling (sense) of guilt (endast sg.)

skuldmedveten *adj* (-medvetet, -medvetna) om t.ex. blick guilty

skuldra *s* (~n, skuldror) shoulder; *vara bred över skuldrorna* be broad-shouldered; *kämpa* ~ *vid* ~ ...shoulder to shoulder äv. bildl.

skuldränta *s* (~n, -räntor) interest on debt[s]

skuldsanering *s* (~en, ~ar) debt rescheduling

skuldsatt *adj* (=) ...in debt, indebted; om egendom encumbered

skuldsedel *s* (~n, -sedlar) promissory note; vard. IOU (förk. för I owe you)

skuldsätta *vb tr* (-satte, -satt), ~ *sig* run (get) into debt, incur debts; jfr *skuldsatt*

skull *s* (oböjl., en), *för din* (*vår*) ~ for your sake (our sake[s]); *för min* ~ for my sake; *för att göra mig till viljes* [just] to please me; *för min egen* ~ i eget intresse in my own interest; *för en gångs* ~ for once; *för fredens* ~ for the sake of peace; *för Guds skull!* for God's sake!; *för skojs* ~ for fun (a lark); *för säkerhets* ~ for safety's sake, to be on the safe side

skulle *hjälpvb* (imperf. av 1 skola) **I** ofta would, should; i ledigare stil sammandragna till 'd (t.ex. he'd); 'would', 'should' + 'not' wouldn't, shouldn't

II utan beton. part. **1** uttryckande framtid (framtiden räknas från en tidpunkt i förfluten tid): i första pers. would; i britt. eng. äv. should; i övriga pers. would; ofta äv. konstruktion med be going to + inf.; om ett par dagar ~ *jag fylla 50 år* ...I would (was going to) be fifty; *det* ~ *ta honom en kvart att gå dit* beräknade han it would take him...; doktorn sa *att jag snart* ~ *bli frisk* ...that I would soon recover; *han hoppades att det* ~ *sluta regna* he hoped that it would stop raining (that the rain would stop); *han var rädd att de* ~ *väcka henne* he was afraid that they would wake her; han undrade *om han någonsin* ~ *få betalt* ...whether he would ever be paid; han såg fram mot den morgon *när han* ~ *få sova ut* ...when he would be able to sleep long enough **2** om något omedelbart förestående el. avsett = 'skulle just', 'ämnade', 'tänkte': *han* ~ *precis svara,* när... he was just going to answer,...; [han var rädd *för att*] *det* ~ *bli regn* [...that] it was going to rain; hon sa att *hon* ~ *bo hos sin pappa* ...she was going (avsåg...she meant el. intended) to stay with her father; vet du *vad han* ~ *göra med det?* ...what he was going to do with it? **3** om något som avtalats el. bestämts för förhand (el. av ödet): konstruktion med be to + inf.; *kriget* ~ *vara* mer än fyra år the war was to last...; *naturligtvis* ~ *det regna den dag* som vi hade valt för utflykten of course it would (it just had to) rain on the day... **4** uttryckande den talandes egen vilja, avsikt, beslut o.d. would; *lovade jag inte att jag* ~ *göra det?* didn't I promise [that] I would do it? **5** uttryckande någon annans vilja, allm. should; på den tiden ~ förväntades *man avlägga visiter* ...you were supposed (expected) to pay visits; de kom överens om *att vi* ~ *åka* ...that we should (were to) go; han lovade *att det inte* ~ *upprepas* ...that it would not be repeated; *han gav order om att fångarna* ~ *friges* he gave orders for the prisoners to be released, he ordered that the prisoners [should] be released; *hon undrade om hon* ~ *svara* äv. she wondered whether to reply; *han visste inte vad han* ~ *säga* he didn't know what to say
att-satser efter vissa viljeverb återges vanl. med infinitivkonstruktion (alltid efter 'wanted', 'liked' o. 'told' i eng.): *hon ville att jag* ~ *komma* she wanted me to come; *hon sa att jag* ~ *komma genast* she told me to come immediately **6** i betydelsen 'borde', 'skulle allt', uttryckande råd, lämplighet should; uttryckande plikt, moralisk skyldighet ought to; *enligt min mening,* ~ *hon aldrig ha gift sig med honom* in my opinion she should really never have married him; *hon visste inte om hon* ~ *skratta eller gråta* vanl. ...whether to laugh or cry **7** villkor som anges i villkorsbisats el. är underförstått: i första pers. i allm. would; i britt. eng. äv. should; i övriga pers. would; *jag* ~ *inte bli förvånad om...* I wouldn't be surprised (shouldn't wonder) if...; *det* ~ *jag inte tro* I shouldn't think so; ...~ *jag tro* ...I should think, ...I dare say; *jag* ~ *gärna stanna* I would love to stay; ~ *du resa dit* om du hade tid? would you go there...?; *utan hennes hjälp* ~ *du* ha varit ruinerad without (but for) her help, you would...; det finns ingenstans, *det* ~ *möjligen vara i Kina* ...except perhaps (...unless it be) in China; *det* ~ *kunna tänkas* that's quite possible, that's not impossible; *en åtgärd som* ~ [*ha*] *lönat sig om...* a measure which would have paid off, if...

8 ifrågasättande, med innebörden 'skulle ngt verkligen (enligt uppgift)...', ~ *hon vara...?* [do] you mean (are you trying) to say that she is...?; ingenting tyder (tydde) på *att han* som det nu uppges el. antas ~ *ha gjort en sådan upptäckt* ...that he has (had) ever made such a discovery **9** i retoriska frågor, vanligen inledda med frågeord som 'varför', 'hur' should; *varför* [*i all världen*] ~ *jag* (*han*) åka dit? why [on earth] should I (he)...?; Varför är hon här? - *Hur ~ jag kunna veta det?* ...- How should (would, do) I know?; ~ *jag inte bry mig om mina barn?* do you mean (are you trying) to say that I don't care about my children? **10** i att-satser efter uttryck för känsla o.d. och efter subjektiva omdömen should; *att det ~ gå så långt!* that it should have come to this! **11** i avsiktsbisatser: med starkare framhållande av avsikten should, would, mer formellt might; han lade bort kniven *så att han inte ~ skära sig* ...so that he should (would, might) not cut himself, ...so as not to cut himself **12** i vissa villkorsbisatser **a)** allm.: 'händelsevis skulle' should; vid mycket osannolikt fall were to + inf. i alla pers.; *om du ~ träffa honom, så säg* [*till honom*]... if you should (should you el. in case you should) [happen to] see him, tell him...; ~ *jag se honom* ska jag underrätta dig if I should (should I) see him... **b)** i fristående villkorsbisats innebärande ett förslag, *om vi ~ gå* på bio? suppose we (let's) go...!, how (what) about going...? **13** i vissa andra (t.ex. medgivande, tids- o. jämförande) bisatser för att uttrycka något tänkt, en avsikt o.d., *jag gör det, även om jag ~ förlora pengarna* I'll do it even if (though) I should lose the money **14 a)** vissa att-satser, vanl. föregångna av preposition, motsvaras av konstruktion med infinitiv el. ing-form av huvudverbet, *de var angelägna om att jag ~ gå in i* föreningen they were anxious for me to join...; *jag krävde att han ~ visa mig...* I insisted on his (him) showing me... **b)** efter '[allt]för' (eng. 'too') o. 'nog', 'tillräcklig[t]' m.m. (eng. 'enough', 'sufficient[ly]'), vägen var inte *bred nog för att två bilar ~ kunna mötas* ...wide enough for two cars to meet **15** speciella fall, *du ~ bara våga!* just you dare (try)!
skulptera *vb tr* o. *vb itr* (~de, ~t) i sten el. trä carve; i lera model; framför allt bildl. sculpture; ~ *en staty i sten* carve (sculpture) a statue in (out of) stone
skulptris *s* (~en, ~er) sculptress
skulptur *s* (~en, ~er) sculpture
skulptör *s* (~en, ~er) sculptor
1 skum *adj* (~t, ~ma) **1** mörk dark; halvmörk rather dark, obscure; friare (om ögon, blick, föreställning o.d.) dim, misty **2** suspekt shady, suspicious; om förehavande o.d. äv. fishy
2 skum *s* (~met) allm. foam; fradga froth äv. på öl, spume; lödder vanl. lather; vid kokning el. jäsning scum
skumbad *s* (~et, =) foam bath, bubble bath
skumgummi *s* (~t) foam rubber
skumma I *vb itr* (~de, ~t) foam, spume; fradga froth; ~ *av raseri* foam with rage **II** *vb tr* (~de, ~t) skim äv. bildl.; ~ *grädden av mjölken* skim the cream off (from) the milk; ~ [*igenom*] *en tidning* skim [through] (scan) a paper
skummjölk *s* (~en) skimmed (amer. skim) milk
1 skumpa *vb itr* (~de, ~t) jog, jolt, bump, joggle

2 skumpa *s* (~n) vard., champagne champers sg., bubbly
skumpig *adj* (~t) jogging, jolting; *en ~ väg* a bumpy road
skumplast *s* (~en) foam plastic
skumrask *s* (~et), *i ~et* dunklet in the dark
skumraskaffär *s* (~en, ~er) shady transaction
skumsläckare *s* (~n, =) foam extinguisher
skumtvätt *s* (~en, ~ar) foam wash
skunk *s* (~en, ~ar) djur skunk
skur *s* (~en, ~ar) shower äv. bildl.; by squall; *spridda ~ar* scattered showers; *i ur och ~* in all weathers
skura *vb tr* o. *vb itr* (~de, ~t) golv scrub; t.ex. kastrull äv. scour; metall o.d. polish, burnish; göra ren clean
skurborste *s* (~n, -borstar) scrubbing (amer. scrub) brush
skurk *s* (~en, ~ar) scoundrel, villain; skojare rascal, blackguard
skurkaktig *adj* (~t) scoundrelly, villainous
skurkstat *s* (~en, ~er) rogue state
skurkstreck *s* (~et, =) piece of villainy; svagare rotten (dirty) trick
skurtrasa *s* (~n, -trasor) scouring cloth, swab
skuta *s* (~n, skutor) mindre lastfartyg small cargo boat; vard., båt boat
skutt *s* (~et, =) hopp leap, bound
skutta *vb itr* (~de, ~t) leap, bound; ~ *iväg* (*omkring*) scamper away (about)
skvadron *s* (~en, ~er) mil. squadron [of cavalry]
skvala *vb itr* (~de, ~t) pour; forsa gush, rush; radion ~*r* ...pours out music non-stop
skvaller *s* (skvallret) gossip; skol. sneaking, telling tales; förtal slander
skvallerbytta *s* (~n, -byttor) vard. gossip, gossipmonger, scandalmonger; t.ex. skol. telltale, sneak; ~ *bingbång!* telltale tit!
skvallerkärring *s* (~en, ~ar) vard. [old] gossip (gossipmonger)
skvallerspalt *s* (~en, ~er) gossip column
skvallerspegel *s* (~n, -speglar) window mirror
skvallertidning *s* (~en, ~ar) gossip paper (magazine); dagstidning tabloid
skvallra *vb itr* (~de, ~t) sprida skvaller gossip, talk scandal; sprida ut rykten tell tales; skol. sneak, snitch; ~ *om ngt* let on about sth, give sth away; ~ *på ngn* split on sb
skvallrig *adj* (~t) gossipy, tattling; som förtalar slanderous
skvalmusik *s* (~en) non-stop (canned) music
skvalpa *vb itr* (~de, ~t) om vågor lap, ripple; i kärl splash to and fro, swish about; ~ *ut* (*över*) a) tr. spill b) itr. splash (slop) over
1 skvatt *s* (oböjl., ett), *inte ett ~* not a thing (bit), jfr *dugg*
2 skvatt *adv*, *vara ~ galen* be completely insane, be off one's rocker (nut)
skvimpa *vb itr* (~de, ~t) i kärl splash to and fro, se vidare *skvalpa*
skvätt *s* (~en, ~ar) drop; som skvätt ut splash; *en ~* som kvantitet a drop [or two], a few drops; *en ~ whisky* (*cognac*) äv. a dash (spot) of whisky (brandy); *han grät en ~* he had a little cry
skvätta I *vb tr* o. *vb itr* (skvätte, skvätt) stänka splash; squirt **II** *vb itr* (skvätte, skvätt) småregna drizzle
1 sky *s* (~n, ~ar) **1** moln cloud äv. bildl.; dimma, dis haze

2 himmel sky; **stå som fallen från ~arna** be struck all of a heap; **skrika i högan ~** scream (cry) blue murder; **höja** ngn (ngt) **till ~arna** praise (extol)...to the skies

2 sky s (~n) kok.: kött~ gravy, meat-juice

3 sky vb tr (skydde, skytt) shun; undvika avoid; rygga tillbaka för shrink [back] from; **bränt barn ~r elden** once bitten, twice shy; **han ~r inga medel** he stops at nothing

skydd s (~et, =) protection [mot (för) against (from)]; mera konkr. shelter; värn defence; trygghet, säkerhet security [mot i samtliga fall against]; betäckning cover; tillflykt refuge; **söka (ta) ~** seek protection, seek (take) shelter; gömma sig go into hiding; **söka ~ hos ngn** seek protection (take refuge) with sb; **i ~ av mörkret** under [the] cover (cloak) of darkness

skydda vb tr (~de, ~t) protect; shelter speciellt mera konkr.; värna (t.ex. mot lidande, förtal, obehag) shield; försvara defend; skyla, ge betäckning cover [mot i samtliga fall vanl. against; för from]; här är vi **~de mot regnet** ...sheltered from the rain; [ett] **~t arbete** sheltered employment; **~t nummer** tele., text på display number withheld; arbeta i [en] **~d verkstad** ...a sheltered workshop; **en ~d vrå** a sheltered spot; **~ sig** protect (safeguard, mera konkr. shelter) oneself [mot (för) against (from)]

skyddsanordning s (~en, ~ar) safety device, guard

skyddsglasögon s pl eye protectors, goggles

skyddshelgon s (~et, =) patron saint

skyddshjälm s (~en, ~ar) protective helmet; för t.ex. byggnadsarbetare, vard. hard hat

skyddsling s (~en, ~ar) protégé, kvinna protégée

skyddsmask s (~en, ~er) protective mask

skyddsnät s (~et, =) protective netting, safety net

skyddsombud s (~et, =) safety representative (ombudsman)

skyddsområde s (~t, ~n) mil. prohibited (restricted) area

skyddsomslag s (~et, =) på bok [dust] jacket

skyddsrock s (~en, ~ar) overall; läkares o.d. white coat

skyddsrum s (~met, =) [air-raid] shelter; mil. äv. dug-out

skyddsräcke s (~t, ~n) guard rail

skyddstillsyn s (~en) jur. probation; dom probational sentence

skyddstull s (~en, ~ar) protective duty

skyddsåtgärd s (~en, ~er) protective (precautionary, safety) measure

skyddsängel s (~n, -änglar) guardian (ministering) angel

skyfall s (~et, =) cloudburst; **ett ~** äv. torrential rain

skyfallsliknande adj (oböjl.), **~ regn** torrential rain

skyffel s (~n, skyfflar) **1** skovel shovel; sop~ dustpan **2** trädgårds~ [thrust-]hoe, Dutch hoe

skyffla I vb tr (~de, ~t) skotta shovel **II** med betonad partikel

skyffla undan shove away (aside)

skyffla över ansvaret på ngn annan shove the responsibility on to someone else

skygg adj (~t) allm. shy [för of]; blyg timid; tillbakadragen reserved; försagd bashful

skygga vb itr (~de, ~t) rygga take fright, start; om häst shy [för i samtliga fall at]; **~ rygga tillbaka för ngt** be (vard. fight) shy of sth, jib at sth

skygglappar s pl blinkers; amer. blinders båda äv. bildl.

skyhög adj (~t) extremely high; friare, om t.ex. priser sky-high

skyhögt adv sky-high

skyla vb tr (skylde, skylt) hölja cover; dölja hide, veil; **~ sig** cover oneself; **~ över** cover up; bildl. äv. gloss over

skyldig I adj (~t) **1** som bär skuld (till ngt) guilty [till of; till att + inf. of + ing-form]; **icke ~** not guilty; **förklara sig ~** confess; jur. plead guilty; **förklara ngn ~** find sb guilty; **göra sig ~ till** t.ex. ett brott commit..., be guilty of...

2 som står i skuld (för ngt), **vara (bli) ~ ngn pengar (en förklaring)** owe sb [some] money (an explanation); **vad (hur mycket) är (blir) jag ~?** what (how much) do I owe you?

3 pliktig, förpliktad bound, obliged; ansvarig responsible, liable; **vara ~ att** + inf., äv. be in duty bound to + inf.; **juridiskt ~ att** bound in law to **II** s (en ~, pl. ~a), **den ~e** speciellt jur. the guilty person (party); i friare bet. the culprit (offender)

skyldighet s (~en, ~er) duty, obligation [mot towards]

skyldra vb tr (~de, ~t), **~ gevär** present arms

skylla vb tr o. vb itr (skyllde, skyllt), **~ ngt på ngn** blame sb for sth, throw (lay, put) the blame on sb for sth; **~ på ngn** throw (lay, put) the blame on sb; **~ på okunnighet** plead ignorance; **skyll dig själv!** a) du får **~ dig själv** om... you have yourself to blame b) det är ditt eget fel it is your own fault! c) du ville ju ha det så you asked for it!; **~ ifrån sig** skjuta skulden på någon annan throw (lay, put) the blame on someone else

skylt s (~en, ~ar) butiks~ o.d. sign, signboard; dörr~, namn~ plate; vägvisare signpost

skylta I vb itr (~de, ~t) arrangera ett skyltfönster dress a shopwindow; **~ med ngt** put sth on show, show sth; i skyltfönster display (expose) sth; bildl. show off (display, sport) sth, pråla med flaunt (parade) sth **II** vb tr (~de, ~t), **vägarna är väl ~de** the roads are well signposted

skyltdocka s (~n, -dockor) [tailor's] dummy; mannequin

skyltfönster s (-fönstret, =) shopwindow, display window, show window; [gå och] **titta i skyltfönstren** go window-shopping

skyltning s (~en, ~ar) display [of goods]; i skyltfönster window display; skyltande displaying; i skyltfönster window-dressing

skymf s (~en, ~er) förolämpning insult, affront; grov offence; kränkning indignity; neslighet, vanära ignominy

skymfa vb tr (~de, ~t) insult, affront; kränka outrage

skymflig adj (~t) förolämpande insulting, affronting; neslig ignominious; om t.ex. behandling outrageous

skymma I vb tr (skymde, skymt) block [out]; fördunkla dim, obscure; dölja conceal, hide; **~ sikten (utsikten)** obstruct (block) the view; **du skymmer mig** you are in my light **II** vb itr (skymde, skymt) get dark; **det (dagen) börjar ~** el. **det skymmer [på]** it is getting dark (dusk)

skymning s (~en, ~ar) twilight, dusk; poet. gloaming; **när ~en faller [på]** when twilight (dusk) sets in; **i ~en** at twilight (dusk)

skymt s (~en, ~ar) mera eg. ('flyktig anblick' el. 'syn') glimpse; bildl.: glimt (t.ex. av hopp) gleam, glimmer, flash; spår, 'antydan' trace, vestige; aning, tillstymmelse suspicion; [**få**] **se en ~ av...** catch (get) a glimpse of...; **jag har inte sett** [**så mycket som**] **~en av dem** på flera veckor äv. I have not seen any sign (trace) of them...; **inte ~en av en chans** not the ghost of a chance

skymta I *vb tr* (~de, ~t) få en skymt av catch (have) a glimpse of; spec. i betydelsen ana glimpse, get a glimmer of **II** *vb itr* (~de, ~t) vara skönjbar: svagt o. otydligt dimly appear, emerge; glimtvis be observable (glimpsed) here and there (now and again); visa sig, dyka upp appear here and there (emellanåt occasionally) äv. bildl.; **~ fram** peep out; otydligare loom; **~ förbi** be seen flashing past (by)

skymundan *s* (oböjl., ett), **hålla sig i ~** i undangömdhet keep oneself out of the way (i bakgrunden in the background); **det har kommit alldeles** (**helt**) **i ~** [**för viktigare saker**] it has had to make way [for more important things]

skynda I *vb itr* (~de, ~t) ila, hasta hasten; skynda sig, se *skynda II*; **det är** [**nog**] **klokast att ~ långsamt** ung. more haste, less speed **II** *vb rfl* (~de, ~t), **~ sig** hurry [up]; make haste, be quick; **~ dig** [**på**]**!** hurry up!, come on!, be quick [about it]!; **~ sig hem** hurry (rush) [to get] home; **~ sig att göra ngt** hasten osv. to do sth
III med beton. part.

skynda [**sig**] **efter ngn** hasten (hurry) after (för att hinna i fatt äv. to catch up with)

skynda [**sig**] **fram till** ngn (ngt) hasten on (along) to..., hurry to...

skynda på a) tr., **~ på ngn** hurry sb [up]; jfr *påskynda* **b)** itr., se *II* ovan

skynda till itr. hasten (hurry [up], come hurrying up) to the spot

skynda vidare hurry on

skyndsam *adj* (~t, ~ma) speedy; brådskande quick; påskyndad hurried; ofördröjlig prompt

skyndsamt *adv* speedily osv.; jfr *skyndsam*; **skyndsammast** with all possible speed

skynke *s* (~t, ~n) täckelse cover; tygstycke cloth; dok veil; **vara** (**som**) **ett rött ~ för ngn** be like a red rag [to a bull] to sb

skyskrapa *s* (~n, -skrapor) skyscraper

skytt *s* (~en, ~ar) **1** shot, marksman **2** astrol., **Skytten** Sagittarius; **han är ~** he is [a] Sagittarius

skytte *s* (~t) shooting; med gevär rifle-shooting

skyttegrav *s* (~en, ~ar) mil. trench

skyttel *s* (~n, skyttlar) vävn. el. i symaskin shuttle

skytteliga *s* (~n, -ligor) sport. leading (top) goalscorers pl.; **han leder ~n** he is the leading (top) goalscorer

skytteltrafik *s* (~en) shuttle service; **gå i ~** shuttle

skåda I *vb tr* (~de, ~t) behold, see; vars like världen **aldrig ~t** ...has (resp. had) never beheld (seen); **vad ~r mitt öga!** skämts. what is this I see?, what do I see? **II** *vb itr* (~de, ~t) look

skådebröd *s* (~et), **det är bara ~** it is just for show

skådeplats *s* (~en, ~er) scene [of action]; **denna stad har varit ~ för...** äv. this town has seen...

skådespel *s* (~et, =) teat. play, drama; bildl. spectacle; anblick, scen äv. sight, scene; arrangerat show

skådespelare *s* (~n, =) actor; kvinnlig äv. actress

skådespeleri *s* (~et) skådespelarkonst acting

skådespelerska *s* (~n, -spelerskor) actress

skål I *s* (~en, ~ar) **1** bunke bowl; flatare basin, dish; bot. cup, cupule; **en ~** [**med**]**...** a bowl osv. of... **2** välgångs~ toast; **dricka ngns ~** (**en ~ för ngn**) drink [to] sb's health, drink to (toast) sb; **föreslå** (**utbringa**) **en ~ för ngn** propose a toast to (for) sb, propose sb's health; **mellan ~ och vägg** vänner emellan between (resp. among) friends; i enrum privately, in private **II** *interj* cheers!

skåla *vb itr* (~de, ~t) glas mot glas clink (touch) glasses; **~ dricka för** (**med**) **ngn** drink sb's health; **~ dricka med varandra** drink to one another ([to] one another's health)

skålla *vb tr* (~de, ~t) i olika betydelser scald; bränna äv. burn; kok. blanch; **~ sig** (**händerna**) scald (burn) oneself (one's hands)

skållhet *adj* (-hett) scalding (boiling, vard. piping) hot

Skåne Skåne, Scania

skånsk *adj* (~t) Scanian; attr. äv. Skåne

skåp *s* (~et, =) cupboard; speciellt amer., särsk. för kläder, mat m.m. closet; med lådor el. hyllor äv. cabinet; väggfast wall-cupboard; låsbart, t.ex. i omklädningsrum locker; **bestämma var ~et ska stå** ung. be master in the house; om kvinna äv. wear the trousers (pants)

skåpbil *s* (~en, ~ar) [delivery] van

skåpmat *s* (~en) rester remnants pl.; [**gammal**] **~** bildl. a rehash of old stuff (material)

skåpsupa *vb itr* (-söp, -supit) have a drop (a tipple) on the sly (quiet)

skåpsupare *s* (~n, =) secret drinker; **han är ~** äv. he is a tippler on the quiet

skåpäta *vb itr* (-åt, -ätit) have a little nibble of food now and then (on the quiet, on the sly)

skåra I *vb tr* (~de, ~t) göra skåror i cut, notch, nick **II** *s* (~n, skåror) hugg, rispa cut; inskärning incision; hack score, notch, nick; längre slit

skädda *s* (~n, skäddor) zool. dab

skägg *s* (~et, =) beard; **ha ~** have (wear) a beard, be bearded; **låta ~et växa** lägga sig till med ~ grow a beard; **tala ur ~et** speak out (up)

skäggdopping *s* (~en, ~ar) zool. great crested grebe

skäggig *adj* (~t) bearded; orakad unshaved

skägglav *s* (~en) bot. beard lichen (moss)

skägglös *adj* (~t) beardless

skäggstrå *s* (~et, ~n) hair, bristle

skäggstubb *s* (~en) stubble

skäggväxt *s* (~en) growth of beard; skägg beard

skäkta I *s* (~n, skäktor) redskap för linberedning swingle, scutch **II** *vb tr* (~de, ~t) **1** lin swingle, scutch **2** jud., slakta slaughter...in accordance with rabbinical law

skäl *s* (~et, =) **1** grund m.m. reason [till for; *att* + inf. to + inf. el. for + ing-form]; orsak, anledning cause, ground[s pl.]; bevekelsegrund motive; argument argument; **det var ~et till att han inte kom** that was the reason why he did not come; **anföra starka ~ för...** adduce weighty arguments for...; **ha goda** (**alla**) **~ att...** have good (every) reason to...; **av det enkla ~et** for that simple reason; **av personliga ~** for personal reasons **2** rätt, **göra ~ för sig** a) göra nytta do one's share (bit) b) vara värd sin lön be worth one's salt, justify one's existence c) hålla måttet come up to the mark (to expectations); **en mästerskytt som** [**verkligen**] **gör ~ för namnet** ...who lives up to his name

skälig *adj* (~t) rimlig reasonable; rättvis fair; *finna ~t* äv. think fit (proper)

skäligen *adv* **1** tämligen rather, pretty; ~ *lite* precious little **2** reasonably; *vara ~ misstänkt* be suspected for good reason

skäll *s* (~et) **1** hunds skällande bark, barking **2** vard., ovett telling-off; *få ~* get a telling-off

1 skälla *s* (~n, skällor) bell; när han fick höra det *blev det annat ljud i ~n* ...he changed his tune

2 skälla I *vb itr* (skällde, skällt) **1** om hund bark [*på at*] **2** om person, ~ *på ngn* tell sb off; läxa upp scold sb **II** med beton. part.

skälla ut läxa upp scold, tell...off

skällsord *s* (~et, =) vard. insult, term (word) of abuse; ~ (pl.) äv. abuse sg.

skälm *s* (~en, ~ar) spjuver rogue

skälmroman *s* (~en, ~er) litt.vet. picaresque novel

skälmsk *adj* (~t) roguish, mischievous; om blick, leende arch...

skälva I *vb itr* (skälvde, skälvt) shake; starkare quake; darra tremble **II** *s* (~n) darrning, frossa, se *skälvning*; *få stora ~n* vard. get the jitters

skälvning *s* (~en, ~ar) shaking; starkare quaking; darrning trembling

skämd *adj* (skämt) om frukt rotten; om kött, vatten tainted, putrid; om luft bad; *ett skämt ägg* a bad (rotten) egg

skämma *vb tr* (skämde, skämt) spoil, mar; för mycket och för lite *skämmer allt* ...spoils (mars) everything; ~ *bort* spoil [*med* by]; klema bort pamper [*med* with]; ~ *ut* disgrace; ~ *ut sig* disgrace oneself

skämmas *vb itr dep* (skämdes, skämts) blygas be (feel) ashamed [of oneself]; *att du inte skäms!* el. *skäms du inte?* el. *du borde ~!* aren't you ashamed of yourself?, you ought to be ashamed of yourself!; *fy skäms!* shame on you!; ~ *ögonen ur sig* die of shame; ~ *för* (*över*) ngn (ngt) be ashamed of...; *han skämdes för* (*över*) *att han...* he felt ashamed that...; *den skämdes inte för sig* ...wasn't at all bad, ...did itself credit

skämt *s* (~et, =) joke, jest; lustighet pleasantry; skämtande joking; ~ *åsido* joking apart; *ett dåligt ~* a bad (poor) joke; smaklöst a joke in bad taste; *ett stående ~* a standing joke; *han förstår* (*tål*) *inte ~* he can't take a joke; *på ~* for a joke (lark), for (in) fun

skämta *vb itr* (~de, ~t) joke [*med* with]; vitsa crack jokes; ~ *med ngn* driva med pull sb's leg; göra narr av make fun of sb; *det är ingenting att ~ om* it is no joking (laughing) matter; ~ *bort* ngt laugh...off

skämtare *s* (~n, =) joker, jester

skämtartikel *s* (~n, -artiklar) [party] novelty, novelty article

skämtlynne *s* (~t, ~n) humour; sinne för humor sense of humour

skämtsam *adj* (~t, ~ma) jocular, facetious; humoristisk äv. humorous; mots. allvarlig (om t.ex. ton) joking; *vara ~ av sig* be full of fun

skämttecknare *s* (~n, =) cartoonist

skämtteckning *s* (~en, ~ar) cartoon

skända *vb tr* (~de, ~t) **1** vanhelga desecrate; våldta violate **2** univ. ung. rag

skändlig *adj* (~t) vanärande (om t.ex. handling) infamous, heinous; avskyvärd (om t.ex. brott) atrocious

skändlighet *s* (~en, ~er) handling infamous action (act, deed), infamy; våldsdåd atrocity

1 skänk *s* (~en, ~ar) matsalsmöbel sideboard

2 skänk *s* (~en, ~er) gåva gift; *få ngt till ~s* som gåva ...as a gift (present); gratis ...for nothing; *en ~ från ovan* a gift from above

skänka *vb tr* (skänkte, skänkt) **1** give; förära present [*ngn ngt* sb with sth]; t.ex. glädje afford; t.ex. glans lend; ~ *ngn sitt hjärta* give one's heart to sb; ~ *bort* give away **2** åld., ~ *i* hälla pour

skänkel *s* (~n, skänklar) **1** på t.ex. passare leg; på sax blade **2** ridn. leg

skäppa *s* (~n, skäppor) rymdmått bushel äv. bibl.; *sätta sitt ljus under ~n* hide one's light under a bushel

1 skär *s* (~et, =) holme rocky islet, skerry

2 skär *s* (~et, =) **1** med skridsko, i sammansättn., inner~, ytter~ ...edge; *ta långa ~* skate in long strides **2** egg på verktyg [cutting] edge; på plog share; på borr bit; på fräs knife **3** skåra cut; inskärning på nyckelax notch

3 skär *adj* (~t) ljusröd pink, light red

4 skär *adj* (~t), det är *ren och ~ lögn* ...a downright lie

skära I *s* (~n, skäror) **1** redskap sickle **2** mån~ crescent **II** *vb tr* o. *vb itr* (skar, skurit) cut; snida carve; skära för, t.ex. stek carve; kniven *skär bra* ...cuts well; ~ *halsen av ngn* cut (slit) sb's throat; ~ *en kurva* cut a curve; ~ *tänder* grind (gnash, grit) one's teeth; ~ *korsa varandra* cut one another; specielt geom. intersect; om gator cross; ~ ngt *i bitar* cut...into pieces, cut up...; ~ ngt *i skivor* cut...into slices; *det skär i hjärtat* it cuts me to the heart (quick); *det skär i öronen [på mig]* it jars on my ears **III** *vb rfl* (skar, skurit) ~ *sig* a) med t.ex. en kniv cut oneself [*på* ngt on...]; ~ *sig i fingret* cut one's finger b) kok. curdle c) inte gå ihop (om t.ex. åsikter, färger) clash [*mot* varandra with...]; *det skar sig mellan dem* they fell out **IV** med beton. part.

skära av bort cut off (away); itu cut...in two

skära bort cut off (away, out); putsa bort trim off

skära igenom eg. cut through; om ljud pierce

skära ihop om motor seize [up], jam

skära in tr.: rista in incise; ~ *in ngt i ngt* cut sth in sth, carve sth on sth b) itr., ~ *tränga in i* cut into

skära itu cut...in (into) halves

skära loss de skadade ur fordonet cut...loose

skära ned allm. cut down (back); minska äv.: t.ex. utgifter reduce, cut, pare down; plötsligt slash; t.ex. produktion cut [back]

skära sönder i bitar cut...to pieces, cut up..., cut...into pieces

skära upp a) i bitar cut up; i skivor cut up...into slices, slice; t.ex. stek äv. carve [up] b) öppna cut...open

skärande *adj* (oböjl.) eg. cutting; geom., om linje secant; bildl.: om ljud piercing, rasping

skärbräda *s* (~n, -brädor) o. **skärbräde** *s* (~t, ~n) chopping-board, cutting-board

skärbrännare *s* (~n, =) tekn. cutting blowpipe (torch)

skärböna *s* (~n, -bönor) string bean, French (haricot) bean

skärgård *s* (~en, ~ar) archipelago (pl. -s), islands and skerries pl.; *Stockholms ~* the Stockholm archipelago

skärm *s* (~en, ~ar) **1** avdelnings- o.d. screen; data~, röntgen~ [display] screen, monitor **2** skuggande (t.ex. lamp~, ögon~) shade; brätte peak; teknisk skyddsanordning shield

skärma *vb itr* (~de, ~t), ~ *av* t.ex. ljus screen (shut) off; ~ *av sig* från y ttervärlden shut oneself off...

skärmaskin *s* (~en, ~er) cutting machine; för papper äv. paper cutter, guillotine; för att skiva matvaror slicer, slicing machine

skärmbildsundersökning *s* (~en, ~ar) X-ray [examination]; i större skala mass radiography (endast sg.)

skärmdump *s* (~en, ~ar) data. screenshot, screen capture, screen dump

skärmflygning *s* (~en) sport., friflygande paragliding; bogserad efter båt parasailing

skärmmössa *s* (~n, -mössor) peaked cap

skärmsläckare *s* (~n, =) data. screen saver

skärning *s* (~en, ~ar) **1** skärande cutting äv. tekn.; i trä carving **2** korsning intersection [*mellan* linjer of...] **3** om kläder, snitt cut

skärningspunkt *s* (~en, ~er) geom. [point of] intersection, cut-off point

skärp *s* (~et, =) belt

skärpa I *s* (~n) **1** allm. sharpness osv., jfr *skarp I*; stränghet (om t.ex. kyla, kritik) severity; klarhet clarity, lucidity; framhålla ngt *med* ~ ...emphatically, ...with vigour (energy) **2** foto. el. TV. vanl. definition, sharpness; *ställa in* ~*n* [*på*] focus, bring...into focus; ~*n är inställd* (*inte inställd*) the lens is in (out of) focus
II *vb tr* (skärpte, skärpt) göra skarpare: (t.ex. uppmärksamheten) sharpen; (t.ex. bild) increase the sharpness of; stegra, öka intensify, increase; (t.ex. motsättningar) accentuate; göra strängare (t.ex. bestämmelser) tighten up, make...more stringent; ~ *kraven* raise the (one's) demands; ~ *straffet* increase the punishment (jur. sentence); ~ *tonen* harden (sharpen) one's tone; *skärpta bestämmelser* more stringent (severe, rigorous) rules; *skärpt bevakning* close surveillance; *skärpt konkurrens* keener competition; *skrärpta restriktioner* tighter restrictions
III *vb rfl* (skärpte, skärpt), ~ *sig* rycka upp sig pull oneself together, pull one's socks up; vara uppmärksam be on the alert

skärpeinställning *s* (~en, ~ar) foto. focusing

skärpning *s* (~en, ~ar) sharpening; ökning intensification, increase; av t.ex. motsättningar accentuation; av bestämmelser tightening up; *det måste bli en* ~ uppryckning hos oss we must pull ourselves together, vard. we must pull our socks up

skärpt *adj* (=), *vara* ~ begåvad be bright; vaken be on the alert (on the ball)

skärrad *adj* (skärrat, ~e) upphetsad excited, overwrought; nervös, darrig jumpy, jittery, nervy

skärseld *s* (~en) purgatory; bildl. äv. ordeal; ~*en* relig. purgatory

skärskåda *vb tr* (~de, ~t) undersöka examine, view; syna scrutinize, scan

skärsår *s* (~et, =) cut; djupt gash

skärtorsdag *s* (~en, ~ar) Maundy Thursday, the Thursday before Easter

skärva *s* (~n, skärvor) [broken] piece, fragment; smalare, splitter splinter; av lera: speciellt arkeol. potsherd; *skärvor* [*av glas* (*porslin*)] vanl. broken glass (china) sg.

sköka *s* (~n, skökor) bibl. harlot

sköld *s* (~en, ~ar) shield

sköldkörtel *s* (~n, -körtlar) anat. thyroid gland

sköldpadd *s* (~en) tortoiseshell

sköldpadda *s* (~n, -paddor) land~ el. sötvattens~ tortoise; havs~ turtle

skölja I *vb tr* (sköljde, sköljt) rinse; tvätta wash; ~ kläderna *ordentligt* äv. give...a good rinse; ~ *munnen* rinse [out] one's mouth; *var så god och skölj!* hos tandläkaren rinse [your mouth out], please!; *vågorna sköljde mot klippan* the waves washed against the rock
II med beton. part.
skölja av skölja ren: t.ex. händer wash; t.ex. tallrik rinse
skölja bort wash away (off)
skölja ned ~ *ned maten med* en öl wash down one's food with...
skölja upp a) tvätta upp give...a quick wash **b)** ~ *upp* ngt *på stranden* wash...up (ashore)
skölja ur a) ~ ren: t.ex. flaskor rinse (swill) [out]; t.ex. kläder give...a rinsing **b)** ~ *ur* (*ut*) ngt ur ngt rinse sth out of...

sköljmedel *s* (-medlet, =) fabric softener, fabric conditioner

sköljning *s* (~en, ~ar) rinse, wash

skön I *adj* (~t) **1** vacker beautiful; poet. beauteous; *de* ~*a konsterna* the [fine] arts **2** angenäm: allm. nice; om t.ex. känsla äv. pleasant; bekväm comfortable, vard. comfy; varm *och* ~ nice and...; *det är* ~*t att han* har rest it is a good thing he...; *det vore* ~*t med* ett bad it would be nice to have... **3** iron. nice, fine, pretty
II *s*, *den* ~*a* the fair lady; *min* ~*a* my pretty one, my beauty

skönhet *s* (~en, ~er) beauty

skönhetsdrottning *s* (~en, ~ar) beauty queen

skönhetsfel *s* (~et, =) o. **skönhetsfläck** *s* (~en, ~ar) flaw, blemish; felaktighet i vara äv. imperfection

skönhetsideal *s* (~et, =) ideal of beauty

skönhetsmedel *s pl* kosmetika cosmetics

skönhetssalong *s* (~en, ~er) beauty parlour; amer. beauty shop (parlor)

skönhetssinne *s* (~t) sense of beauty; smak taste

skönhetstävling *s* (~en, ~ar) beauty contest (competition)

skönhetsvård *s* (~en) beauty care; behandling beauty treatment

skönja *vb tr* (skönjde, skönjt) urskilja discern, make out; börja se (ana) begin to see; ~ *slutet* see the beginning of the end

skönjbar *adj* (~t) discernible; synbar visible

skönlitteratur *s* (~en) prosa fiction

skönlitterär *adj* (~t) om författare, verk o.d. (attr.) ...of fiction

skönmåla *vb tr* (~de, ~t) give a flattering (an idealized) description of

skönstaxera *vb tr* (~de, ~t), ~ *ngn* make a discretionary assessment of sb's income; *bli* ~*d* have one's income established by the tax commissioner

skönstaxering *s* (~en, ~ar) discretionary assessment

skönt *adv* **1** vackert beautifully **2** angenämt pleasantly; bekvämt comfortably; *ha det* ~ a) bekvämt be comfortable b) angenämt have a nice time **3** *göra det* ~ *för ngn* sexuellt give sb pleasure, make sb feel good

skör *adj* (~t) som lätt bryts (om t.ex. naglar, porslin) brittle; svag, ömtålig fragile, bildl. äv. frail

skörbjugg s (~en) scurvy; vetensk. scorbutus; **ha ~** vanl. be scorbutic

skörd s (~en, ~ar) allm. harvest; vin~ äv. vintage; konkr. äv. crop; jorden **ger goda ~ar** ...yields good harvests; frukt **av egen ~** home-grown..., ...of one's own growth, ...that one has grown oneself

skörda vb tr (~de, ~t) allm. reap; t.ex. säd äv. harvest; t.ex. frukt gather; bär pick; bildl. äv. win, gain; **~ beröm** gain (receive) praise; **rökningen ~ar många offer varje år** smoking claims many victims every year

skördetid s (~en, ~er) harvest time

skördetröska s (~n, -tröskor) combine harvester

skört s (~et, =) på rock: delat tail, odelat skirt

skörta vb itr (~de, ~t), **~ upp** lura overcharge, fleece

sköta I vb tr (skötte, skött) **1** vårda: t.ex. barn nurse; t.ex. sjuka äv. tend; om läkare attend; vara aktsam om be careful with, look after...well; **~ sin hälsa** look after (take care of) one's health; **~ om** take care of, look after; t.ex. patient äv. attend to **2** förestå, leda manage; t.ex. hushållet, en affär run; handha conduct; hantera handle äv. t.ex. folk; maskin o.d. work, operate; ha hand om (t.ex. trädgård, ngns affärer) look after; utföra, stå för (t.ex. matlagningen) do; kunna **~ ett arbete** ...carry on a job; **~ sitt arbete** go about (attend to) one's work; **det skötte du bra** you did a good job there; **sköt du ditt!** mind your own business! **3 ~ [om]** ombesörja attend (see) to; ta hand om take care of, look after; ha hand om be in charge of, be responsible for; **det (den saken) sköter jag [om]** I'll see (attend) to that
II vb rfl (skötte, skött) **~ sig a)** sköta om sig look after (take care of) oneself; om mage function **b)** uppföra sig conduct oneself; **~ sig bra (illa)** do well (badly); **hur sköter** klarar **han sig i skolan?** how is he doing (getting on) at school?; **~ sig själv** take care of oneself

skötare s (~n, =) keeper; se äv. t.ex. djurskötare o. sjukskötare

skötbord s (~et, =) nursing (changing) table; på offentlig toalett o.d. baby changing station

sköte s (~t, ~n) knä lap; moderliv womb; **i familjens ~** in the bosom of the family; vad framtiden **bär i sitt ~** ...holds in store

skötebarn s (~et, =) **1** gunstling darling, pet **2** huvudintresse main (chief) concern

sköterska s (~n, sköterskor) nurse

skötrum s (~met, =) på t.ex. varuhus baby changing room

skötsam adj (~t, ~ma) stadgad steady; plikttrogen conscientious

skötsel s (~n) vård care, tending; av sjuka nursing; ledning, förvaltning management; t.ex. av hushåll running

skötselanvisning s (~en, ~ar), **~[ar]** på plagg o.d. care instructions pl.; för t.ex. apparat maintenance, operating instructions pl.

skötselråd s (~et, =) på t.ex. plagg care instructions pl.; etikett care label

skövla vb tr (~de, ~t) devastate; förhärja ravage

skövling s (~en, ~ar) devastation, ravaging

slabba vb itr (~de, ~t) slosh about, make a mess; slaska splash; **~ ned sig** get oneself all mucky (messy)

sladd s (~en, ~ar) **1** elektr. lead, amer. cord **2** bildl., **komma med på ~en** come (slip) in with the rest **3** slirning skid; **jag fick ~ på bilen** my car skidded

sladda vb itr (~de, ~t) slira skid

sladdbarn s (~et, =) child born several years after the other[s]; skämts. afterthought

sladdlampa s (~n, -lampor) hand lamp

sladdlös adj (~t) elektr. cordless; **~ telefon** cordless telephone

sladdrig adj (~t) **1** slapp flabby, limp; om tyg shapeless, baggy; om t.ex. siden flimsy **2** se skvallrig

slaf s (~en, ~ar) vard., säng kip

slafsa vb itr (~de, ~t) **1 ~ i sig** ngt gobble up... **2** klafsa squelch, slop

slafsig adj (~t) slarvig sloppy; om mat mushy

1 slag s (~et, =) sort kind, sort; typ type; beskaffenhet description; art nature; vetensk. o.d. species (pl. lika); kategori category, class; jag äter **all ~s mat** ...all kinds (sorts) of food; **alla ~s bilar** el. **bilar av alla [de] ~** all kinds (sorts) of cars, cars of all kinds (sorts); av olika slag every model of car; hon är **något ~s sekreterare** ...some kind of secretary, ...a secretary of some sort; problemet **är av [ett] annat ~** ...is different (of a different type); **problemet är av sådant ~ att...** the problem is of such a nature that...; **vad är det för ~s bil?** what kind (sort) of car is it?

2 slag s (~et, =) **1** utdelat av person el. bildl., allm. blow; i spel stroke, hit; med handen äv.: med handflatan slap, smack, med knytnäven punch; **ett hårt ~ [för ngn]** bildl. a hard (heavy) blow [to...]; **slå ett ~ för...** strike a blow for...; **det är ett ~ i ansiktet [på ngn]** bildl. it is a slap (smack) in the face (eye) [for...]; **ett ~ i luften** bildl. an empty gesture, a waste of effort; **göra ~ i saken** slå till bring matters to a head; **vara i (ur) ~** be in (be out of) form; **i ett ~** bildl. all at once; **~ i ~** in quick (rapid) succession; **måtta (rikta) ett ~ mot** aim (direct) a blow at **2** rytmisk rörelse beat; hjärtats o. pulsens äv. throb; maskindels el. ving~ stroke; **~** pl.: t.ex. vågornas, hjärtats beating sg.; hjärtats äv. throbbing sg.; pendels oscillation sg. **3** klockslag stroke; **på ~et** on the stroke; punktligt äv. punctually, on the dot; **på ~et tre** on the stroke of three, at three [o'clock] sharp **4** varv turn; tekn. revolution; porten är låst **med dubbla ~** ...with a double turn of the key **5** tag, stund, **ett ~** under (på) en kort stund for a moment (a little while); en tid for a time; vänta **ett ~!** ...a moment (minute, sec)!, hang on! **6** mil. battle; **~et vid** Lund the battle of...; **ge ~et förlorat** give up the fight äv. bildl. **7** med. apoplexy; **få ~** vanl. have a stroke (an apoplectic stroke), vard. have a fit; **skrämma ~ på ngn** frighten the daylights out of sb, frighten sb out of his (resp. her) wits **8** sjö.: vändning tack; sträcka board; **göra ~** make a tack, tack **9** på kavaj o.d. lapel; på byxor el. ärm turn-up, amer. cuff

slaganfall s (~et, =) med. [apoplectic] fit, stroke

slagbord s (~et, =) gateleg table, drop-leaf table

slagdänga s (~n, -dängor) popular song

slagen adj (slaget, slagna) besegrad defeated, beaten; jfr 2 slå

slagfält s (~et, =) battlefield, battleground; bildl. äv. shambles pl.

slagfärdig adj (~t) bildl. quick-witted, ...quick at repartee

slagg s (~en el. ~et) av metall slag, dross; av kol o.d. clinker, cinders pl.

slagghög s (~en, ~ar) slag heap

slaginstrument s (~et, =) mus. percussion instrument; **~en** i orkester the percussion sg.

slagkraftig *adj* (~t) effective; om t.ex. argument äv. cogent

slagman *s* (~nen, -män) sport. batsman; i baseball vanl. batter

slagnummer *s* (-numret, =) hit

slagord *s* (~et, =) slogan catchword, slogan

slagregn *s* (~et, =) pelting rain

slagruta *s* (~n, -rutor) divining (dowsing) rod; *gå (leta) med ~* divine, dowse

slagsida *s* (~n, -sidor) **1** sjö. list; *få ~* sjö. [begin to] heel over; *ha ~* sjö. have a list, list **2** bildl.: lutning lopsidedness; debatten *fick en kraftig teoretisk ~* ...had a strong theoretical bias

slagskepp *s* (~et, =) battleship

slagskugga *s* (~n, -skuggor) eg. projected shadow; bildl. shadow

slagskämpe *s* (~n, -kämpar) fighter; deltagare i slagsmål äv. combatant

slagsmål *s* (~et, =) fight; bråk row; *råka i ~ med...* get into a fight with...; *de råkade i ~* they started fighting; vard. they had a punch-up

slagträ *s* (~et, ~n) i bollspel bat; bildl. weapon, stick

slagtålig *adj* (~t) om material impact resistant

slagverk *s* (~et, =) **1** i ur striking apparatus (mechanism) **2** mus. percussion instruments pl.; *~et* i orkester the percussion

slagverkare *s* (~n, =) mus. percussionist

slak *adj* (~t) inte spänd slack; matt feeble, weak

slakna *vb itr* (~de, ~t) eg. slacken

slakt *s* (~en, ~er) slaktande slaughter, slaughtering; av människor slaughter, butchery (samtliga endast sg.)

slakta *vb tr* (~de, ~t) djur kill, butcher; i större skala slaughter; människor slaughter, butcher, massacre; t.ex. bilar cannibalize, strip [down]

slaktare *s* (~n, =) butcher

slaktboskap *s* (~en) eg. cattle pl. to be killed (slaughtered), fat cattle

slakteri *s* (~et, ~er) affär butcher's [shop]; se äv. *slakthus*

slakthus *s* (~et, =) slaughterhouse, abattoir

slalom *s* (~en) slalom; utförsåkning downhill skiing

slalombacke *s* (~n, -backar) slalom slope

slalompjäxa *s* (~n, -pjäxor) slalom boot

slalomskida *s* (~n, -skidor) slalom ski

slalomtävling *s* (~en, ~ar) slalom race

slalomåkare *s* (~n, =) slalom skiier

slalomåkning *s* (~en, ~ar) slalom skiing

1 slam *s* (~men, ~mar) kortsp. slam; *göra ~* make a slam

2 slam *s* (~met) gyttja mud; bottenfällning ooze; sandhaltig silt; kloak~ sludge; dy slime

slamkrypare *s* (~n, =) **1** zool. mudskipper **2** vard., tygkänga cloth (duffel) boot **3** vard., felaktigt ställd fråga vid frågetävling wrongly put (posed) question; misstag slip

slamma *vb tr* o. *vb itr* (~de, ~t) rena: t.ex. malm wash; krita purify; kalkstryka calcimine, whitewash; *~ igen* itr. get filled with mud osv.; jfr *2 slam*; *~ upp* ngt i vätska suspend

slammer *s* (slamret) clatter, rattle [*av, med* of]

slampa *s* (~n, slampor) vard. slut

slamra *vb itr* (~de, ~t) skramla: om saker clatter, rattle; om person make a clattering (rattling) noise; *~ med ngt* clatter (rattle) sth

slamsa *s* (~n, slamsor) av t.ex. kött rag, scrap; *hänga i slamsor* ...in rags (tatters)

1 slang *s* (~en) språkv. slang

2 slang *s* (oböjl.), *slå sig i ~ med* ngn take up with...; börja prata med get into conversation with...

3 slang *s* (~en, ~ar) tube; grövre (t.ex. dammsugar~, brand~, vatten~) hose; cykel~, bil~ [inner] tube; *5 meter ~* ...of tubing (of hose piping); *vattna med ~* ...with a hose [pipe]

slangbella *s* (~n, -bellor) o. **slangbåge** *s* (~n, -bågar) catapult, amer. slingshot

slanglös *adj* (~t), *~t däck* tubeless tyre (amer. tire)

slangord *s* (~et, =) slang word

slank *adj* (~t) slender, slim; *hålla sig ~* keep slim

slant *s* (~en, ~ar) mynt coin; koppar~ copper; *ge ngn en ~* a little sum [of money], a few kronor; *tjäna en ~* ...some (a bit of) money; *det kostar en bra ~* ...a pretty penny (quite a bit); *vända på ~arna* spara look at every penny; *vara slagen till ~* hjälplös be completely lost; *singla ~* se under *singla*

slapp *adj* (~t) slak slack; om t.ex. hud loose; om t.ex. anletsdrag flabby, flaccid; kraftlös: om t.ex. hand limp; om t.ex. rörelse languid; håglös listless; hållningslös spineless; om t.ex. disciplin, moral lax

slappa *vb itr* (~de, ~t) vard., slöa take it easy, relax

slappas *vb itr dep* (slappades, slappats), *~ [av]* om t.ex. intresse relax, weaken, abate, flag; om t.ex. moral grow lax; om t.ex. kontroll slacken

slapphet *s* (~en) slackness; i kroppsdel o.d. limpness; i fråga om moral laxity

slappna *vb itr* (~de, ~t) om t.ex. muskler slacken; om t.ex. grepp loosen; jfr *slappas*; *~ av* relax

slarv *s* (~et) carelessness; försumlighet negligence

slarva I *s* (~n, slarvor) careless thing (woman); slampa slattern **II** *vb itr* (~de, ~t) **1** be careless (försumlig negligent); *~ med ngt* vara slarvig med be careless about sth; försumma neglect sth; fuska med make a mess of sth; *~ bort* förlägga [go and] lose; slösa bort fritter away; *~ ifrån sig ngt* el. *~ sig igenom ngt* scramble through sth, do sth by halves **2** *vara ute och ~* festa be on the spree (binge)

slarver *s* (~n, slarvrar) careless person; odåga good-for-nothing

slarvfel *s* (~et, =) careless mistake, slip

slarvig *adj* (~t) careless, negligent; hafsig slipshod, slovenly; ovarsam heedless; osnygg untidy; försumlig remiss; *hon har gjort ett ~t arbete* ...a slipshod piece of work

slashas *s* (~en, ~ar) vard. idler, slacker

slashing *s* (~en, ~ar) ishockey slashing

1 slask *s* (~et) **1** slaskväder slushy weather; gatsmuts slush **2** blask dishwater; *~vatten* slops pl.

2 slask *s* (~en, ~ar) vask sink

slaska I *vb tr* (~de, ~t) splash; *~ ned* golvet splash...; *~ ned* i badrummet make things all wet... **II** *vb itr* (~de, ~t) **1** blaska splash about **2** *det ~r* it is slushy weather; *det töar* it is thawing

slaskhink *s* (~en, ~ar) slop pail

slaskig *adj* (~t) om väder el. väglag slushy; slabbig wet

slaskspalt *s* (~en, ~er) i tidning light column

slasktratt *s* (~en, ~ar) sink

slaskvatten *s* (-vattnet) slops pl.

slaskväder *s* (-vädret, =) slushy weather

slav *s* (~en, ~ar) träl slave äv. bildl.; *vara ~ under ngt* be a slave to sth

slava *vb itr* (~de, ~t) slave; friare äv. drudge
slavdrivare *s* (~n, =) bildl. slave-driver
slaveri *s* (~et) slavery; *~et under* modet slavery to...
slavgöra *s* (~t) bildl. slavery, drudgery
slavhandel *s* (~n) slave trade, slave traffic; *vit ~* white slave traffic
1 slavisk *adj* (~t) osjälvständig slavish; om t.ex. lydnad äv. servile
2 slavisk *adj* (~t) Slavonic; om t.ex. folk äv. Slavic
slavstation *s* (~en, ~er) o. **slavsändare** *s* (~n, =) radio. el. TV. slave (satellite) station
slejf *s* (~en, ~ar) sko~ strap; ärm~ tab; rygg~ half-belt
slem *s* (~met) i t.ex. luftrören phlegm; avsöndring: anat. mucus, på djur äv. slime, på växter mucilage
slemhinna *s* (~n, -hinnor) anat. mucous membrane
slemlösande *adj* (oböjl.) expectorant; *~ medel* expectorant
slemmig *adj* (~t) slimy äv. bildl.; slemhaltig mucous; bot. mucilaginous; klibbig viscous
slentrian *s* (~en) routine; *bli ~* become a routine; *fastna i ~* get into a rut (a groove)
slentrianmässig *adj* (~t) routine-like; attr. äv. routine
slev *s* (~en, ~ar) sopp~ o.d. ladle; mur~ trowel; *få en släng av ~en* bildl. get one's share; om ngt obehagligt come in for one's share
sleva *vb itr* (~de, ~t), *~ i sig* ngt shovel down...
slicka I *vb tr* (~de, ~t) lick; *~ sig om munnen* lick one's lips (chops) [*efter ngt* in anticipation of sth]; *hans hår ligger som ~t* el. *han har ~t hår* his hair is plastered down
II *vb itr* (~de, ~t), *~ på* lick
III med beton. part.
slicka av tallriken lick...clean; *~ av* ngt [*från ngt*] lick...off [sth]
slicka i sig ngt lick up...; om t.ex. katt samt bildl. (t.ex. beröm) lap up...
slicka upp lick up
slicka ur skålen lick...clean
slickepinne *s* (~n, -pinnar) lolly, lollipop
slickepott *s* (~en, ~ar) **1** degskrapa spatula **2** vard., pekfinger first finger
slida *s* (~n, slidor) anat. vagina (pl. vaginas el. vaginae); skida sheath äv. bot.
slide-telefon *s* (~en, ~er) o. **slider-telefon** *s* (~en, ~er) slider phone, slide phone
slidkniv *s* (~en, ~ar) sheath knife
slinga *s* (~n, slingor) ringel av ngt hoprullat el. t.ex. rör~ coil; av rök o.d. wisp, wreath, trail; av väg, flod o.d. winding; ögla loop äv. data.; hår~ lock, rak strand; ornament arabesque
slingerväxt *s* (~en, ~er) trailing plant
slingra I *vb tr* (~de, ~t) wind, twine **II** *vb itr* (~de, ~t) **1** se *slingra III* nedan **2** sjö. roll **III** *vb rfl* (~de, ~t), *~ sig* om t.ex. väg wind; om flod äv. meander; åla sig wriggle; om växt trail; om t.ex. rök wreathe; bildl., om person stall [for time], be evasive (devious); *~ sig om (runt)* ngt twine (twist, om orm äv. coil) [itself] round...; *~ sig om varandra* intertwine, intertwist **IV** med beton. part.
slingra sig igenom thread one's way through; om orm wriggle its way through
slingra ihop entwine; *~ ihop sig* om t.ex. grenar intertwine, intertwist; ormen *~de ihop sig* ...coiled itself up

slingra sig undan itr.: eg. wriggle (friare slip) away; bildl. get (dodge) out of it (things)
slingra sig ur ngt wriggle out of...; bildl. äv. get (dodge) out of...
slingrande *adj* (oböjl.) o. **slingrig** *adj* (~t) winding; om t.ex. väg äv. tortuous, sinuous, twisty; attr. äv. serpentine; om flod äv. meandering; ålande wriggling; om växter trailing; bildl. tortuous, twisty
1 slinka *s* (~n, slinkor) hussy, wench; slampa slut
2 slinka *vb itr* (slank, slunkit) **1** slinta slide **2** kila slip; smyga slink, steal; *~ in på* en bar slip (nip, pop) into...; ett fel *hade slunkit med* [*i texten*] ...had slipped in[to the text]; *~ ned* om mat go down; *det slank ur mig* it slipped out of me [*att... that...*]
slint *adv*, *slå ~* misslyckas misfire, backfire
slinta *vb itr* (slant, sluntit) slip; *han slant med foten* his foot slipped
slip *s* (~en, ~ar) sjö. slips pl.; bana äv. slipway; bädd äv. stocks pl.; fartyget *ligger på ~* ...is on the slips (stocks)
slipa *vb tr* (~de, ~t) allm. grind; vässa äv. sharpen; bryna whet; glätta polish äv. bildl.; glas el. ädelstenar cut; med sandpapper sandpaper; *~ av (bort)* ngt grind...off; bildl. (t.ex. kantigheter) rub off...; *~ av* jämna grind...smooth; nöta, om t.ex. vågor wear...smooth
slipad *adj* (slipat, ~e) **1** eg. ground osv., jfr *slipa*; *~ diamant* cut diamond **2** listig smart, slick, shrewd; utstuderad cunning, artful
sliper *s* (~n, sliprar) järnv. sleeper; amer. crosstie, tie
slipmaskin *s* (~en, ~er) grinding machine; för glasslipning cutting machine; med sandpapper sander
slipover *s* (~n, slipovrar) slipover
slippa I *vb tr* o. *vb itr* (slapp, sluppit) **1 a)** *~ [ifrån, (undan)]* befrias från be excused from, be let off; undgå escape; undvika avoid; förskonas från be spared [*ngt* i samtliga fall sth, *att* + inf., i samtliga fall + ing-form]; bli kvitt get rid of
b) inte behöva not have to, not need [to]; *du slipper [göra det]* you needn't [do it], you don't need (have) to [do it]; jag hoppas *jag slipper se honom igen* ...I have seen the last of him; *hon slapp betala* she didn't have to pay; *för att ~ besvär* to save (avoid)...; *låt mig ~ höra* eländet I don't want to have to listen to...; *slipp* låt bli *då!* don't there!; *vad skönt att ~ honom (den* etc.*)!* good riddance!
2 släppas, *~ över* bron be allowed to pass...; *ingen slipper härifrån* nobody is allowed to leave [here] **II** med beton. part.
slippa fram komma igenom get through; släppas igenom be let through; släppas förbi be allowed to pass
slippa förbi [ngn] get past [sb]; slinka slip past [sb]
slippa igenom get through; släppas be let through; slinka, äv. om sak slip through
slippa in get in; släppas in be let in, be admitted
slippa lös get (break) loose; bli släppt, ur fängelse o.d. be set free; om eld break out
slippa undan a) tr. escape **b)** itr. get (be let) off, escape [*med* en varning with...]; *~ lindrigt undan* get (be let) off lightly
slippa ur: *det slapp ur mig* it slipped out of me [*att... that...*]
slipprig *adj* (~t) slippery; bildl. indecent, obscene
slips *s* (~en, ~ar) tie; *knyta en ~* knot a tie
slipshållare *s* (~n, =) tie clip, tie holder

slipsten *s* (~en, ~ar) grindstone; *han vet hur en ~ ska dras* he knows how to do things

slira *vb itr* (~de, ~t) om bil o.d. skid; spinna (om hjul) spin; om koppling o.d. slip; *~ på kopplingen* slip the clutch

slirig *adj* (~t) slippery

slisk *s* (~et) snask sweet stuff

sliskig *adj* (~t) **1** sickly-sweet, sweet and sickly; sirapslen sugary, treacly **2** om person oily, smarmy

slit *s* (~et) **1** arbete hard work, toil, drudgery; *~ och släp* toil and moil **2** *riv och ~ efter* biljetter struggle for...

slita I *vb tr* o. *vb itr* (slet, slitit) **1** nöta, *~ [på]* t.ex. kläder wear out; *~ hål på strumporna* wear one's socks into holes; *det sliter på nerverna* it tells (is a strain) on one's nerves; *slit den med hälsan!* you're welcome [to it]!, it's all yours! **2** riva tear; rycka pull; *~ sitt hår* tear one's hair; *~ blicken från* take...off; *~ ngt i stycken* tear (pull)...to pieces; *~ ngt ur händerna på ngn* tear...from sb **3** knoga toil, work [hard], drudge; *~ med* ngt toil (slave away) at...; *~ ont* (hund) have a rough time of it, rough it; *~ och släpa* toil and moil **4** *~ en tvist* settle..., decide...
II *vb rfl* (slet, slitit), *~ sig* om t.ex. djur break (get) loose; om båt break adrift; *~ sig [loss (lös)] från...* om person tear oneself (break) away from... äv. bildl.; göra sig ledig get away
III med beton. part.
slita av sönder break; itu pull...in two; slita bort tear off; *~ av ngn (sig) kläderna* tear off sb's (one's) clothes
slita bort nöta bort wear off; rycka bort tear away (off)
slita ifrån ngn ngt tear sth from sb
slita loss (lös) tear off (loose); *~ sig loss (lös)* se under *slita II* ovan
slita sönder riva i bitar tear...up (to pieces)
slita upp tear open
slita ut nöta ut wear out; trötta ut wear...out; *~ ut sig* wear oneself out, work oneself to death; se vidare *utsliten*

slitage *s* (~t) wear [and tear]

slitas *vb itr dep* (slets, slitits), *~ mellan* olika känslor be torn between...

sliten *adj* (slitet, slitna) allm. worn; om saker (äv. pred.) the worse for wear; luggsliten shabby; om kläder äv. threadbare; om t.ex. fras hackneyed, stereotyped

slitning *s* (~en, ~ar) **1** slitage wear **2** osämja discord, friction (båda endast sg.), dissension; samarbete *utan ~ar* frictionless (smooth)...

slit-och-slängmentalitet *s* (~en, ~er) för att uttrycka kritik, ung. consumer mentality, consumerism

slits *s* (~en, ~ar) skåra slit

slitsad *adj* (slitsat, ~e), *~ kjol* slit skirt

slitsam *adj* (~t, ~ma) strenuous, laborious; om t.ex. liv äv. hard, tough

slitstark *adj* (~t) hard-wearing; hållbar durable

slitstyrka *s* (~n) wearing qualities pl.; hållbarhet durability

slockna *vb itr* (~de, ~t) go out; om vulkan become extinct; bildl.: ta slut die down, somna drop off

slogan *s* (~en el. =, ~er) slogan

sloka *vb itr* (~de, ~t) droop, flag; *~ med svansen* drag one's tail; *~ med öronen* droop one's ears

slokhatt *s* (~en, ~ar) slouch hat, floppy hat

slopa *vb tr* (~de, ~t) avskaffa abolish, scrap; förkasta reject, discard; ge upp abandon, give up; hoppa över skip

slott *s* (~et, =) palace; befäst castle; större herrgård manor house

slottsherre *s* (~n, -herrar), *~n* godsherren the lord of the manor

slottsliknande *adj* (oböjl.) palatial

slottsvin *s* (~et, ~er) château wine

slovak *s* (~en, ~er) Slovak

Slovakien Slovakia

slovakisk *adj* (~t) Slovakian; attr. äv., om t.ex. språk Slovak...; *Slovakiska republiken* the Slovak Republic

slovakiska *s* **1** (~n, slovakiskor) kvinna Slovakian woman **2** (~n) språk Slovak

sloven *s* (~en, ~er) Slovene

Slovenien Slovenia

slovensk *adj* (~t) Slovenian; attr., om t.ex. språk äv. Slovene...

slovenska *s* **1** (~n, slovenskor) kvinna Slovenian woman **2** (~n) språk Slovene

sluddra *vb itr* (~de, ~t) slur one's words; om berusad speak (talk) thickly

sluddrig *adj* (~t) slurred

slug *adj* (~t) shrewd, astute; listig sly, cunning, artful; klipsk clever

sluka *vb tr* (~de, ~t) **1** eg. swallow; glupskt wolf [down]; hungrigt devour **2** bildl.: kosta, äta upp swallow (eat) up; förbruka consume; sträckläsa devour; *~ ngn med blicken* devour sb with one's eyes

slum *s* (~men) slumkvarter slum; *~men* the slums pl.

slumkvarter *s* (~et, =) slum [district (area)]

slummer *s* (~n) slumber; lur doze, nap

slump *s* (~en, ~ar) **1** tillfällighet chance, coincidence; *en lycklig ~* a lucky chance, good luck; *det var en ren ~ att...* it was a mere chance that...; *av en [ren] ~* by [mere] chance (accident); *lämna ngt åt ~en* leave sth to chance, trust to luck **2** rest remnant

slumpa I *vb tr* (~de, ~t), *~ [bort]* sell off...[in lots], sell...at a loss; *hela lagret ~s bort!* anslag clearance sale! **II** *vb rfl* (~de, ~t), *~ sig* happen, chance; *det ~de sig så att...* it so happened (chanced) that...

slumpartad *adj* (-artat, ~e) o. **slumpbetonad** *adj* (-betonat, ~e) accidental, random; attr. äv. chance

slumpmässig *adj* (~t) random, haphazard; attr. äv. chance

slumpvis *adv*, *~ utvalda* personer ...chosen at random, randomly chosen

slumra *vb itr* (~de, ~t) slumber; halvsova doze; bildl. be (lie) dormant; *~ till* doze off

slumrande *adj* (oböjl.) slumbering; bildl.: om t.ex. anlag dormant, om t.ex. rikedomar unexploited, undeveloped

slunga I *s* (~n, slungor) sling **II** *vb tr* (~de, ~t) **1** sling; kasta äv. throw; häftigt fling, hurl **2** honung extract

slup *s* (~en, ~ar) sjö.: prakt~ barge; skeppsbåt el. ång~ launch; segelfartyg sloop

slurk *s* (~en, ~ar) skvätt drop; klunk swig; *en ~* vin a few drops (pl.) of...

slusk *s* (~en, ~ar) shabby[-looking] person

sluskig *adj* (~t) shabby

sluss *s* (~en, ~ar) passage lock; dammlucka el. bildl. sluice, floodgate

slussa I *vb tr* (~de, ~t) **1** eg., låta...passera genom en sluss pass...through a lock **2** bildl., ~ **folk** **förbi** (**in, ut**) pass...one by one (one at the time); **han ~des mellan olika myndigheter** he was pushed around from one authority to the other **II** *vb itr* (~de, ~t) passera genom en sluss pass through a lock; ~ **in** (**ut**) eg. lock in (out)

slussport *s* (~en, ~ar) lock gate

slussvakt *s* (~en, ~er) lock-keeper

slut I *s* (~et, =) allm. end; upphörande äv. close; avslutning äv. termination, conclusion; utgång: t.ex. lyckligt ending; resultat äv. outcome, result; nedersta del äv. bottom [*av, på* i samtliga fall of]; **gott ~** [**på det gamla året**]! ung. a happy end to the old year!; **~et gott, allting gott** all's well that ends well; **det måste bli** [**ett**] **~ på det här** there must be a stop to this, there must be no more of this; **få ett ~** come to an end; historien **fick ett lyckligt ~** ...had a happy ending; **få ~ på** stoppa put an end (a stop) to, do away with; **göra ~ på** förbruka finish [up]; t.ex. pengar run through; **de har gjort ~** they have broken it off [with each other]; **lida mot sitt ~** draw to an end (a close); **ta ~** upphöra end; tryta give out; om t.ex. förråd äv. run out; smöret **börjar** (**håller på att**) **ta ~** ...is running short; **vi har slut på** smöret we have run out of...; vi har inget kvar we have no...[left]; **den andre** (**femte**) **från ~et** the last but one (four); **i** (**vid**) **~et av** (**på**) at the end of; **i ~et av maj** äv. late in May; **i ~et av sextiotalet** äv. in the late sixties; **på ~et** in (at) the end; **till ~** till sist finally, in the end; äntligen at last; avslutningsvis lastly, to wind up; **ända till ~et** to the last, to the very end **II** *adj* (oböjl.) avslutad over, at an end, finished; förbrukad used up, [all] gone; om t.ex. maträtt på restaurang äv. off; slutsåld sold out, out of stock; utgången (om bok) out of print; utmattad shattered, whacked; **boken är ~ på förlaget** the book is out of print; smöret **är ~** el. **det är ~ på** smöret there is no more... (no...left); **och därmed är** programmet ~ el. **och därmed är det ~ på** programmet and that is the end of...; **det är ~ med att** + inf. there will be no more + ing-form; **han är ~ som politiker** he is finished (through) as a politician

sluta A *vb tr* o. *vb itr* (~de, ~t) avsluta[s] end, finish; ge (få) en avslutning äv. wind up, conclude, terminate, close; göra färdig finish [off]; göra slut på bring...(come) to an end (a close); avbryta leave off; upphöra [med] stop, cease; ge upp give up; amer. äv. quit; **här ~r** vägen ...ends here; **hur ska det ~?** how will it end?, what is the end going to be?; **det kommer att ~ illa** it will end up badly, no good will come of it; **det kommer att ~ illa för honom** he will come to a bad (sticky) end; boken **~r sorgligt** ...has a sad ending; **vi ~r** [**arbetet**] klockan tre we stop work (working)...; vard. we knock off work...; **det har ~t regna** it has stopped (left off) raining; **jag har ~t röka** I have stopped (given up) smoking; **han har ~t** [**hos oss** (**på firman**)] he has left [us (the firm)]; ~ upphöra **med ngt** stop sth; ~ upphöra [**med**] **att göra ngt** stop doing sth; ~ [**med**] **tillverkningen** äv. discontinue...; ~ **med piller** stop taking...; **det ~de med att** han blev sjuk the end of it was that...; ~ **på** vokal end in...; **notan ~de på** 2000 kronor the bill (amer. check) amounted (came up) to...; ~ [**upp**]**!** stop it!, pack it up!; ~ **upp** [**med**] stop, cease

B I *vb tr* (slöt, slutit) **1** tillsluta close; ~ **en cirkel** close (bilda form) a circle; **cirkeln är sluten** bildl. the wheel

has come full circle; ~ **leden** mil. close the ranks; ~ ngn **i sina armar** (**till sitt bröst**) clasp (fold)...in one's arms (to one's bosom) **2** komma överens om conclude; t.ex. fred äv. make; t.ex. förbund enter into; ~ **fred** make peace; ~ **ett avtal** make (come to) an agreement, close a deal **3** dra slutsats, ~ **av** ngt **att** conclude (infer, döma judge) from...that

II *vb itr* (slöt, slutit), ~ **till** sitta åt fit tight[ly]; stängas shut tight; ~ **tätt** shut tightly; ~ **upp** samlas come together, gather [together]; ~ **upp kring ngn** rally round sb; bildl. rally to the support of sb

III *vb rfl* (slöt, slutit) ~ **sig a**) stänga sig: om t.ex. dörr shut; om t.ex. mussla, blomma close; bildl. shut up; ~ **sig inom sig själv** (**sitt skal**) retire into oneself (one's shell) **b**) ansluta sig, ~ **sig till** ngn attach oneself to...; förena sig med join...; hålla med side with...; ~ **sig samman** join together [*till* en klubb into...]; unite, combine; om t.ex. bolag äv. amalgamate, coalesce **c**) dra slutsats, ~ **sig till** ngt conclude (infer)... [*av* from]

slutackord *s* (~et, =) mus. final chord

slutare *s* (~n, =) foto. shutter

slutbehandla *vb tr* (~de, ~t) slutgiltigt behandla (t.ex. fråga) finally settle, finalize

slutbetyg *s* (~et, =) skol. final (avgångsbetyg leaving) certificate; amer. transcript, final grades; betygsgrad final mark (amer. grade); omdöme final verdict

sluten *adj* (slutet, slutna) **1** stängd closed; friare äv. close; förseglad (om t.ex. försändelse) sealed; privat (om t.ex. sällskap) private; isolerad (om t.ex. värld) secluded; ~ **omröstning** secret vote; ~ **vård** institutional care; på sjukhus care (behandling treatment) of in-patients, hospital treatment **2** inbunden uncommunicative, reserved; inåtvänd introvert

slutenhet *s* (~en) inbundenhet uncommunicativeness, reserve, introversion

slutföra *vb tr* (-förde, -fört) fullfölja complete, finish, finalize, carry (bring)...to a conclusion

slutförvaring *s* (~en) av t.ex. kärnbränsle terminal storage

slutgiltig *adj* (~t) final, definitive; om t.ex. resultat conclusive

slutkapitel *s* (-kapitlet, =) last (final, concluding) chapter

slutkläm *s* (~men, ~mar) slutpoäng final point; sammanfattning summing-up

slutkurs *s* (~en, ~er) på börs closing rate osv., jfr *kurs 2*

slutkörd *adj* (-kört) bildl., **vara ~** be worn out (shattered, whacked)

slutledning *s* (~en, ~ar) conclusion, inference, deduction

slutledningsförmåga *s* (~n) power of deduction

slutlig *adj* (~t) final; ytterst ultimate; slutgiltig definite; ~ **skatt** final tax

slutligen *adv* finally; till sist in the end, ultimately, eventually; äntligen at last (length); när allt kommer omkring after all

slutlikvid *s* (~en, ~er) slutbetalning final payment (settlement), payment of balance

slutlön *s* (~en, ~er) final wages pl. (resp. salary, jfr *lön*)

slutomdöme *s* (~t, ~n) final verdict

slutord *s pl* avslutningsord concluding (closing) words

slutplädering *s* (~en, ~ar) jur. concluding speech

slutprodukt *s* (~en, ~er) finished (final) product; av t.ex. kemisk process end product

slutpunkt *s* (~en, ~er) terminal (extreme) point

slutresultat *s* (~et, =) final result (outcome)

slutrim *s* (~met, =) end rhyme

slutsats *s* (~en, ~er) conclusion, inference; *dra en* (*sin egen*) *~ av* ngt draw a (one's own) conclusion from…, conclude (infer) from…; *dra förhastade ~er* jump to conclusions

slutscen *s* (~en, ~er) final (closing) scene

slutsignal *s* (~en, ~er) sport. final whistle

slutskattsedel *s* (~n, -sedlar) ung. final [income tax] notice of assessment

slutskede *s* (~t, ~n) final stage (fas phase)

slutspel *s* (~et, =) sport. final tournament; i vissa sporter play-off; schack. endgame

slutspurt *s* (~en, ~er) sport. final spurt äv. bildl., finish; *~en inför* valet the run-up to…

slutsträcka *s* (~n, -sträckor) sport. final stretch

slutsåld *adj* (-sålt), *vara ~* be sold out, be out of stock; utgången, om bok be out of print

slutta *vb itr* (~de, ~t) slope, slant; nedåt äv. decline, incline, descend; *~ brant* (*sakta*) *ned mot…* slope abruptly (gently) down to…

sluttande *adj* (oböjl.) allm. sloping; om t.ex. tak äv. slanting; om plan inclined

sluttning *s* (~en, ~ar) konkr. slope; backe äv. hillside

slutvinjett *s* (~en, ~er) bildl., slutscen conclusion, rounding off, closing scene; typogr. tailpiece

sly *s* (~et, ~n) koll. brushwood (endast sg.); enstaka skott coppice shoot

slyna *s* (~n, slynor) hussy; ngt starkare bitch

slyngel *s* (~n, slynglar) young rascal

1 slå *s* (~n, ~ar) **1** tvärslå [cross]bar, slat; horisontal äv. rail; stegpinne step **2** på kläder stripe

2 slå I *vb tr* o. *vb itr* (slog, slagit) **1** tilldela flera slag el. besegra beat; träffa med (ge) ett slag strike, hit; piska lash; stöta, smälla knock, bang; som tr. äv.: med flata handen smack, slap; lätt tap, rap; besegra äv. defeat; t.ex. pjäs i schack take, capture

2 i mera speciella betydelser: meja mow, t.ex. gräs äv. cut; kasta (i tärningsspel) throw; göra: t.ex. knut tie, make; tele., ett nummer dial

~ ngn [*gul och blå*] beat sb [black and blue]; *~* besegra *ett lag med 2–1* beat a team two one; *~ fienden* beat (defeat) the enemy; *~ ett nummer* dial a number; *klockan ~r två* the clock is striking two; *det slog mig* föll mig in it crossed my mind; frapperade mig it struck me; *~ ngn i ansiktet* hit (med handen äv. slap, smack) sb in the face; *~ ngn i huvudet* knock (bang) sb on the head; *~ ngt i bitar* smash (knock, break)…to pieces; *~ en boll i nät* hit…into the net; bollen *slog i nät[et]* …hit the net; *~ näven i bordet* bring down…on [to] the table with a bang; bildl. put one's foot down; *~ huvudet i* (*mot*) *en sten* bump (knock) one's head on (against)…; *~ i dörrarna* slam (bang) the doors; *~ i en ordbok* consult (look sth up in) a dictionary; *~ ngn med häpnad* strike sb with amazement (awe); *~ armarna om* ngn throw (put) one's arms round…

II *vb itr* (slog, slagit) (jfr äv. *2 slå I*) **1** vara i rörelse beat; om hjärta äv., häftigt throb, pound; om vågor äv. lap; om dörr be banging; om fisk be splashing about; fladdra (om t.ex. segel) flap; dörren *står och ~r* …keeps banging; fågeln *~r med vingarna* …beats (flaps) its wings; *regnet ~r mot* fönstret the rain is beating against… **2** om klocka, klockan *~r varje kvart* the clock strikes every quarter of an hour **3** slå an be a [great] hit, catch on

III *vb rfl* (slog, slagit) **1** *~ sig* skada sig hurt oneself; *~ sig i huvudet* (*på knät*) hurt (bump) one's head (knee) **2** *~ sig på knäna* slap one's knees; *~ sig för bröstet* stoltsera swagger, blow one's own trumpet **3** *~ sig på* angripa, t.ex. andningen attack, affect **4** *~ sig* bågna warp, cast

IV med beton. part.

slå an a) tr.: ton, tangent strike; sträng äv. touch **b)** itr. catch on, become popular [*på* publiken with…]; *~ an på ngn* catch (take) sb's fancy, make a favourable impression on sb; imponera på impress sb

slå av a) hugga av knock off; bryta itu break…in two; meja av, gräs mow, cut **b)** koppla ur o.d. switch off **c)** *~ av 200 kronor* [*på priset*] pruta knock (take) off…[from the price]; *~ av på* takten (kraven etc.) reduce…, go easy on…

slå bort a) hälla pour (kasta throw) away; vifta etc. whisk (flick) away (off) **b)** bildl. drive (chase) away; skaka av sig äv. shake off; bagatellisera make light of; *~ bort tanken på* ngt äv. dismiss the thought of sth; *~ bort* ngt *med ett skämt* pass…off with a joke

slå fast bildl., se *fastslå 2*

slå fel se *fel III*

slå sig fram eg. fight one's way through; lyckas make one's way, get on

slå i a) t.ex. spik drive (knock, hammer)…in **b)** *jag slog i huvudet* när jag föll I hurt (bumped) my head… **c)** *~ plugga i sig* ngt cram (drum) sth into one's head **d)** *~ lura i* ngn ngt talk sb into believing sth

slå ifrån a) koppla från switch off; t.ex. motor äv. cut out **b)** *~ ifrån* försvara *sig* defend oneself **c)** *~ ifrån sig* ngt: avvisa reject…; skaka av sig shake off…; tankar äv. dismiss…; tyget *~r ifrån sig smuts* …doesn't absorb [the] dirt, …is dirt-resistant

slå igen a) stänga: t.ex. bok, låda close (shut)…[with a bang]; t.ex. dörr äv. slam…to (shut), bang; t.ex. lock bang (snap)…down; *~ igen* [*butiken*] bildl. shut up [shop], close down **b)** stängas shut of itself [with a bang]; om dörr äv. slam shut

slå igenom göra succé: om person make a name for oneself; om sak be a success (hit); *~ igenom med en* bok make one's name with…

slå ihjäl: *~ ihjäl* ngn kill…; litt. slay…; *han slog ihjäl sig* vanl. he was killed; *~ ihjäl tiden* kill time

slå ihop a) slå mot varandra: händer clap; klackar click…[together] **b)** slå igen (t.ex. bok) close; fälla ihop: t.ex. fällstol fold [up]; paraply close, put down **c)** slå samman put…together, make…into one; förena join, combine, unite, fuse [*till* ngt into…]; hand. merge [*till* into], amalgamate; lägga ihop t.ex. tillgångar äv. pool; *~ sig ihop* inbördes join together, unite; om de *~r sina kloka huvuden ihop* …lay (put) their heads together; *~ sig ihop* [*om* en present] club together (amer. pitch in) [to buy…]; *~ sig ihop med* ngn join [forces] (associate oneself, amer. tie up) with…

slå in a) hamra in drive (knock, hammer) in **b)** slå sönder: t.ex. fönster smash; t.ex. dörr batter…down, smash (bash) in; *~ in öppna dörrar* bildl. batter at an open door **c)** *~ in* ngt [*i papper*] wrap up…[in paper], se äv. *inslagen* **d**) ~ *in ngt i kassaapparaten* register (vard. ring up) sth on the cash register **e**) gå i uppfyllelse come true **f**) ~ *in på* en väg take..., turn into...

slå sig lös roa sig enjoy oneself, släppa sig lös let oneself go, let one's hair down

slå ned a) slå omkull (till marken) knock...down, bowl...over; driva ned (t.ex. påle) drive (hammer)...down [*i* marken into...] **b**) fälla ned: t.ex. sufflett put down; paraply äv. close; blicken cast down **c**) kuva: t.ex. uppror put down, crush; bildl.: göra modfälld discourage; göra nedslagen depress, cast down **d**) *blixten slog ned i trädet* the tree was struck by lightning; ~ *ned på* om rovfågel el. bildl. swoop down (pounce) [up]on; bildl. äv. crack (clamp) down on **e**) minska, se *slå av* ovan **f**) ~ *sig ned* sätta sig sit (settle) down; om t.ex. fågel settle; bosätta sig settle [down]; ~ *dig ned!* sit down!, take a seat!

slå om a) förändras change äv. om väder; om vind chop about (round) **b**) kasta om (t.ex. omkopplare) turn over, reverse **c**) ~ *om* ett papper [*om ngt*] put (wrap)...round [sth]

slå omkring sig: ~ *vilt omkring sig* lash (hit) out wildly

slå omkull knock...down (over)

slå på a) koppla på (t.ex. motor) switch (turn) on; ~ *på* hälla på pour on **b**) ~ *sig på* ägna sig åt [*att spela*] *golf* take up (go in for) [playing] golf

slå runt a) om t.ex. bil overturn **b**) festa celebrate, have a fling, paint the town red

slå samman se *slå ihop* ovan

slå sönder break...[to pieces]; krossa äv. smash; ~...*sönder och samman* smash (batter)...to pieces, jfr äv. *sönderslagen*

slå till a) ge...ett slag strike, hit; ngn äv. hit...a blow; med flata handen slap, smack; stöta till knock (bump) into **b**) ~ *till* i t.ex. en affär clinch (settle) the deal, bestämma sig go for it **c**) ~ *till* ingripa *mot* t.ex. brottslingar crack down on

slå tillbaka a) t.ex. anfall beat off, repel **b**) ge igen hit (strike) back

slå upp a) sätta upp: allm. put up; tält äv. pitch; anslag o.d. äv. post [up], stick up; ~ *upp* nyheten om mordet *på första sidan* splash...on the front page **b**) fälla upp: t.ex. paraply, sufflett put up; krage turn up **c**) öppna: allm. open; t.ex. dörr throw (fling)...open; ~ *upp* sidan 10 [*i en bok*] open [a book] at...; ~ *upp ett ord i* en ordbok look up a word in... **d**) bryta (förlovning) break off **e**) komma upp (om lågor) flare up; öppnas (om t.ex. dörr) fly open

slå ut (jfr äv. *utslagen*) **a**) avlägsna knock out; krossa (t.ex. fönsterruta) break, smash; hamra ut (t.ex. buckla) flatten [out]; ~ *ut en boll* i tennis hit a ball out of [the] court [i bordtennis off the table]; *han har slagit ut en tand* he has knocked out a tooth **b**) breda ut: t.ex. vingar spread; hår let down; ~ *ut med armarna* throw (fling) one's arms about **c**) ~ *ut kostnaderna på* flera år spread the costs over...; flera personer distribute the costs among... **d**) besegra: sport. knock out; vinna över, slå beat; konkurrera ut: person cut out; sak supersede **e**) spricka ut: om blomma come out; öppna sig open; om träd burst into leaf (med blommor into blossom) **f**) ~ *väl ut* turn out well **g**) ~ *ut* hälla ut pour out; spilla spill [out]

slå över itr.: elektr. flash over; om röst break; slå runt

turn (tumble) over; bildl.: överdriva overdo it; ~ *över* övergå *i* change (turn) into

slående *adj* (oböjl.) allm. striking; *en ~ likhet* a striking resemblance

slån *s* (~en el. ~et, =) bot. sloe, blackthorn

slånbär *s* (~et, =) sloe

slånbärsbuske *s* (~n, -buskar) sloe [bush], blackthorn [bush]

slåss *vb itr dep* (slogs, slagits) fight [*för* ngt for...]; ~ *med* ngn fight [with]...; ~ *om ngt* eg. fight over sth; bildl. fight (scramble) for sth

slåtter *s* (~n, slåttrar) hay-making

slåttermaskin *s* (~en, ~er) mower, mowing-machine

släcka *vb tr* (släckte, släckt) allm. put out; t.ex. eld äv. extinguish; t.ex. gas äv. turn off; t.ex. elektriskt ljus äv. switch off; t.ex. törst quench, slake; *ljuset (det) är släckt* the light is out

släckning *s* (~en, ~ar) o. **släckningsarbete** *s* (~t, ~n) fire-extinction (vid skogsbrand firefighting) [operations pl.]

släde *s* (~n, slädar) fordon sleigh; mindre (t.ex. hund~) sledge, sled; *åka ~* sleigh, go sleighing, sledge

slädfärd *s* (~en, ~er) sleigh ride; jfr *släde*

slägga *s* (~n, släggor) **1** sledge[hammer] **2** sport. **a**) redskap hammer; *kasta ~* throw the hammer **b**) se *släggkastning*

släggkastning *s* (~en, ~ar) sport., som tävlingsgren hammer throw, throwing the hammer

släkt I *s* (~en, ~er) **1** ätt family; *~en* Vasa the house of...; *det ligger i ~en* it runs in the family **2** släktingar relations pl., relatives pl.; bjuda hem *~ och vänner* (*hela ~en*) ...one's friends and relations (all one's relations); *ha stor ~* have many relations (a large family); *han hör till ~en* he is part of the family **II** *adj* (oböjl.) related [*med* to]; bildl. (om t.ex. språk) cognate [*med* with]; jfr *besläktad*; *vi är* [*nära*] ~ we are [closely] related ([near] relations); ~ *på långt håll* distantly related; *han och jag är* ~ vanl. he is a relative of mine

släktdrag *s* (~et, =) family trait (characteristic)

släkte *s* (~t, ~n) generation generation; ras, stam race; slag species (pl. lika); naturv. gen|us (pl. -era); zool. äv. family; *det manliga ~t* the male species; *det uppväxande ~t* the rising generation; de är ett ~ för sig ...a race apart, ...an odd breed

släktfejd *s* (~en, ~er) family feud

släktforskare *s* (~n, =) genealogist

släktforskning *s* (~en) genealogical research; genealogi äv. genealogy

släkting *s* (~en, ~ar) relation, relative; avlägsen el. mer allmänt cousin; *mina ~ar* vard. my people (amer. folks); *en ~ till mig* a relation osv. of mine

släktklenod *s* (~en, ~er) [family] heirloom

släktkär *adj* (~t), vara ~ have a strong family feeling

släktled *s* (~et, =) generation generation; släktskapsled degree of relationship

släktnamn *s* (~et, =) **1** family name, surname **2** naturv. generic name

släktporträtt *s* (~et, =) family portrait

släktskap *s* (~et el. ~en, = el. ~er) relationship, kinship; bildl. kinship, affinity; andligt äv. congeniality

släktträd *s* (~et, =) family (genealogical) tree

släktträff *s* (~en, ~ar) family gathering

släkttycke s (~t) family likeness [med to]; bildl. affinity [med to]

1 slända s (~n, sländor) zool.: troll~ dragonfly; dag~ mayfly; **sländor** vetensk., som sammanfattande benämning neuroptera

2 slända s (~n, sländor) redskap distaff

släng s (~en, ~ar) **1** sväng swerve; knyck jerk, toss [med huvudet of one's head] **2** slag lash, cut, fling; gliring sneer; **få en ~ av sleven** bildl. get one's share; om ngt obehagligt come in for one's share **3** lindrigt anfall touch; **en ~ av influensa** a bout of influenza **4** snirkel flourish

slänga I vb tr (slängde, slängt) **1** throw; vard. chuck, sling; vårdslöst toss; häftigt fling; kasta bort throw (chuck) away; **~ ngt i väggen** throw (fling)...at the wall, dash...against the wall **2** **~ käft** o. **vara slängd i käften** se käft 1
II vb itr (slängde, slängt) svänga swing; dingla dangle; [hänga och] **~** om kläder hang loose; **~ med armarna** fling (wave) one's arms about
III vb rfl (slängde, slängt) **~ sig** allm. fling (throw) oneself [på marken on...]; **släng dig i väggen!** vard. take a running jump at yourself!
IV med beton. part. (se äv. kasta IV)
slänga fram t.ex. mat plank (plonk) down... [på bordet on to...]
slänga till ngn ngt chuck sth to sb
slänga ur sig t.ex. svordom come out with; obetänksamt blurt out
slänga på: a) **~ på luren** slam down the reciever **b)** **~ på sig** kläderna (morgonrock etc.) throw on...

slängd adj (slängt), **~ i ngt** clever (good) at..., [well] up (versed) in...

slängkappa s (~n, -kappor) [Spanish] cloak

slängkyss s (~en, ~ar), **ge ngn en ~** el. **kasta en ~** [åt ngn] blow sb a kiss

slänt s (~en, ~er) sluttning slope; backsluttning hillside; tekn. embankment side

släp s (~et, =) **1** på klänning train **2** släpvagn trailer **3** **ha (ta) på ~** bogsera have (take)...in tow **4** **slit och ~** toil and moil

släpa I vb tr (~de, ~t) dra drag; med möda el. våld äv. lug, haul; längs marken äv. trail [ngt efter sig sth behind (after) one]; **~ fötterna efter sig** drag one's feet **II** vb itr (~de, ~t) **1** ~ [i marken] om kläder trail [on...] **2** **~ på** bära på lug...along; dra på drag...along **3** uttr. långsamhet, **~ på** orden drawl...; **~ på knoga** toil, drudge **III** vb rfl (~de, ~t), **~ sig** drag oneself; hasa crawl; **~ sig fram** drag oneself along; bildl.: genom livet drag on one's existence, om t.ex. tid drag [on]
IV med beton. part.
släpa efter lag [behind]
släpa fram eg., **~ fram ngt till (ur)** källaren drag sth up to (out of)...
släpa med sig ngt drag (lug)...about with one; **~ med sig barnen** drag (lug) the kids along

släpig adj (~t) om t.ex. gång shuffling; om t.ex. sätt att prata drawling; om t.ex. tempo slow

släplift s (~en, ~ar el. ~er) sport. ski tow, T-bar lift

släppa I vb tr (släppte, släppt) inte hålla fast ngt let go [of], release [one's hold of]; inte hålla fast ngn let...go; släppa lös let...loose; frige set...free, release; ge upp give up, abandon, relinquish; avhända sig från come off; **släpp mig!** let me go!; **släpp** [min hand]! let go [of my hand]!; **jag släpper dig inte förrän...** I won't let you

go until...; **~ ngn inpå livet** let sb get closer to one; **inte ~ ngn med blicken** not take one's eyes off...
II vb itr (släppte, släppt) **1** lossna: om t.ex. färg, skal come off; om t.ex. skruv get (work) loose; inte klibba fast unstick; **~ i sömmarna** come unsewn **2** ge vika: om t.ex. värk pass off; om spänning relax **3** sjö., dragga come home **III** vb rfl (släppte, släppt), **~ sig** vard., fjärta let off
IV med beton. part.
släppa av sätta av put down (off); vard. drop
släppa efter koppla av relax; vara efterlåten give in; **~ efter på** t.ex. ett rep slacken, loosen; t.ex. disciplinen relax; t.ex. fordringar reduce
släppa fram: ~ fram ngn tele., koppla put sb through; **~ fram ngn [till ngt** let sb (allow sb to) pass [along (on) to...]
släppa förbi let...pass, make way for...[to pass]
släppa ifrån sig let...go; avhända sig part with; avstå från give up, relinquish
släppa igenom let...through, allow...to pass through; t.ex. ljus, ljud äv. transmit; godkänna pass
släppa in: ~ in luft let in...; **~ in ngn [i...]** let sb in[to...], admit sb [into...]; **~ in ett mål** sport., om målvakt let in a goal
släppa lös t.ex. fånge set...free, release; djur let (turn)...loose; t.ex. passioner give full rein to; **~ sig lös** let oneself go, let one's hair down
släppa ned dra (lägga) ned let down; fälla ned (t.ex. bom) lower; kasta ned (t.ex. flygblad) drop
släppa på vatten, ström turn on; ström äv. switch on
släppa till stå för supply, find; tillskjuta, t.ex. pengar contribute; ställa till förfogande make...available
släppa upp t.ex. ballong send up; drake fly; t.ex. pedal let...up (rise); **~ upp kopplingen** på bil let (slip) in the clutch
släppa ut a) allm. let...out [ur of]; fånge äv. release; t.ex. giftigt avfall discharge; ånga let (blow) off; **~ ut** djur [på bete] turn...out [to grass]; **~ ut luft ur** en bilring äv. deflate... **b)** sätta i omlopp: t.ex. aktier, sedlar issue; t.ex. vara put (bring) out, launch; **~ ut** ngt **på marknaden** put...on (bring...into) the market **c)** sömnad. let out

släpphänt adj (=) **1** eg. butterfingered **2** bildl. easy-going [med, mot with], indulgent [med, mot towards]; om t.ex. disciplin lax

släptåg s (~et), **ha ngt i ~** have sth in tow; **ha ngn i ~** tag around with sb

släpvagn s (~en, ~ar) trailer; för spårväg trailer coach

slät adj (slätt) **1** jämn, allm. (om t.ex. haka, hy, hår, yta) smooth; plan level, plane; om yta äv. even; om mark äv. flat; enkel, osmyckad (om t.ex. ring) plain; **~t hår** äv. sleek (amer. slick) hair; **en ~ kopp kaffe** ung. just a cup of coffee [without anything], a plain cup of coffee **2** skral poor; slätstruken indifferent; **göra en ~ figur** cut a poor figure

släta vb itr (~de, ~t), **~ till** smooth [down]; plana flatten; **~ ut** ngt smooth out...; **~ över** ngt bildl. smooth (gloss) over..., cover up...

slätbladig adj (~t), **~ persilja** flat-leaf parsley

släthårig adj (~t) om hund smooth-haired

slätlopp s (~et, =) sport. flat race

slätrakad adj (-rakat, ~e) clean-shaven, close-shaven

slätstickning s (~en) stocking (amer. stockinette) stitch

slätstruken *adj* (-struket, -strukna) bildl. mediocre, indifferent

1 slätt *s* (~en, ~er) allm. plain; slättland flat land

2 slätt *adv*, **rätt och ~** [quite] simply; **stå sig ~ i** konkurrensen do (come off) badly in...; **jag hade stått mig ~** utan hjälp I would have been badly off...

slättland *s* (~et) flat (level) country

slätvar *s* (~en, ~ar) zool. brill

slö *adj* (slött) **1** eg. blunt, dull **2** bildl. indolent, dull; slapp slack; trög slow, sluggish; dåsig drowsy; håglös listless, apathetic

slöa *vb itr* (~de, ~t) idle, laze; lata sig have a lazy time; **sitta och ~** loaf (lounge) around; dåsa be drowsing; **~ till** somna doze off

slödder *s* (slöddret) mob, riff-raff, rabble

slöfock *s* (~en, ~ar) lazybones (pl. lika), sleepyhead; trögmåns slowcoach; amer. slowpoke

slöja *s* (~n, slöjor) veil äv. bildl.; foto. fog; **dra (kasta) en ~ över...** bildl. draw (throw) a veil over...; **slita ~n från ngns ögon** bildl. tear away the veil from sb's eyes

slöjd *s* (~en) handicraft äv. skol.; trä~ woodwork, amer. woodworking, trä- o. metall shop

slöjda I *vb itr* (~de, ~t) do handicraft; i trä do woodwork **II** *vb tr* (~de, ~t) make; snida äv. carve

slöjdlärare *s* (~n, =) handicraft teacher; i träslöjd woodwork teacher

slöra *vb itr* (~de, ~t) sjö. sail free (large)

slösa I *vb tr* (~de, ~t) waste, squander; vara frikostig med, t.ex. beröm lavish [på i samtliga fall on]; **~ bort** waste, squander; **~ bort tiden** waste time, fritter (idle) away one's time **II** *vb itr* (~de, ~t) be wasteful; **~ med** slösa bort waste; vara frikostig med be lavish with (t.ex. beröm of); t.ex. pengar spend...lavishly

slösaktig *adj* (~t) oekonomisk wasteful, extravagant [i bägge fallen with]

slösaktighet *s* (~en) wastefulness, extravagance

slösare *s* (~n, =) spendthrift, squanderer

slöseri *s* (~et) wastefulness, extravagance; misshushållning waste [med of]

slötitta *vb itr* (~de, ~t) på tv watch television without paying much attention; **~ på** nyheterna watch...without paying much attention

smacka *vb itr* (~de, ~t), **~** [när man äter] eat noisily; **~ med läpparna** smack one's lips; **~ med tungan** click one's tongue; **~ åt** en häst gee up...

smak *s* (~en, ~er) allm. taste; hos ngt äv.: viss utmärkande flavour; angenäm relish; bismak savour äv. bildl.; smaksinne äv. sense of taste; tycke äv. liking, fancy; stil style; mode fashion; **~en är olika** tastes differ; **få ~ för** ngt acquire a taste for..., take a liking to...; **det ger ~ åt (sätter ~ på)** soppan it gives a flavour (relish) to...; **han har god (ingen) ~** he has good (no) taste; **jag har förlorat ~en** I can't taste anything; **ha (ta) ~ av** ngt have a (take on the) taste of...; **krydda efter ~** ...to taste; **det är en bok i min ~** that's a book for (to suit) me; **falla ngn i ~en** strike (take) sb's fancy, appeal to sb; om mat be to sb's taste; **den är mild i ~en** it has a mild taste, it tastes mild

smaka I *vb tr* o. *vb itr* (~de, ~t) allm. taste; pröva äv. try; bildl. äv. experience; **får jag ~** [på det]? let me have a taste [of it]!, let me taste (try) it!; **~ bra** taste nice (good); **~r det bra?** tycker du om det do you like it?; **det ~r citron** it tastes of..., it has a taste (flavour)

of...; **det ~r ingenting** (**konstigt**) it has no (a strange) taste; **hur ~r det?** vad tycker du om det how do you like it?; **det skulle ~ gott med** lite te I could do with..., I feel like...; **~ på** ngt taste...; prova try...; **~r det så kostar det** you can't get something (quality) for nothing, you can't make an omelette without breaking eggs

II med beton. part.

smaka av taste; **~ av** såsen **med senap** flavour...with mustard; **~ av** såsen **med vin** add wine to...

smaka på try, experience

smakbit *s* (~en, ~ar) bit (piece) to taste; prov sample

smakfråga *s* (~n, -frågor) matter (question) of taste

smakfull *adj* (~t) tasteful, ...in good taste; elegant stylish

smaklig *adj* (~t) **1** välsmakande savoury, delicate, palatable; läcker tasty; aptitlig appetizing; **~ måltid!** enjoy your meal!, have a nice meal! **2** tilltalande pleasing

smaklök *s* (~en, ~ar) anat. taste bud

smaklös *adj* (~t) allm. tasteless; bildl. äv. ...in bad taste

smaklöshet *s* (~en, ~er) egenskap tastelessness; bildl. äv. bad taste; **~er** tarvligheter vulgarity sg.

smakorgan *s* (~et, =) fysiol. organ of taste, gustatory organ

smakprov *s* (~et, = el. ~er) taste; bildl. sample

smakrik *adj* (~t) ...rich in (full of) flavour (amer. flavor)

smakriktning *s* (~en, ~ar) trend in taste; smak taste

smakråd *s* (~et, =) anvisning [piece of] advice [in matters of taste]; person adviser [in matters of taste]

smaksak *s* (oböjl., en) matter of taste

smaksinne *s* (~t) [sense of] taste

smaksätta *vb tr* (-satte, -satt) flavour; med kryddor season

smakämne *s* (~t, ~n) flavouring

smal *adj* (~t) inte bred: om t.ex. band, väg el. bildl. narrow; tunn: om t.ex. ben, ansikte, läppar thin; slank: om t.ex. hand, finger, stjälk slender; om t.ex. midja äv. slim; **lång och ~** om person tall and slim; **en ~ författare** bildl. an exclusive author, an author out of the main stream; **det var hans ~a lycka** it was a bit of luck for him; **det är en ~ sak för honom** it's a cinch (piece of cake) for him; **hålla sig ~** keep slim; **vara ~ om höfterna** have narrow hips; **vara ~ om midjan** have a slim (slender) waist

smalben *s* (~et, =) ung. [lower part of the] shin, the small of the leg

smalfilm *s* (~en, ~er) substandard film, cine-film; **16 mm ~** 16 mm film

smalfilmskamera *s* (~n, -kameror) cine-camera

smalmat *s* (~en) slimming (low-calorie) food

smalna *vb itr* (~de, ~t) om t.ex. väg become (get) narrower; bli tunnare, magrare become thinner (thin); **~** [av] narrow, tail away [till into]; **~** [av] **till** en spets taper [off] to...

smalspårig *adj* (~t) **1** järnv. narrow-gauge **2** textil., **~ manchester** needlecord, thin-wale corduroy

smaragd *s* (~en, ~er) emerald

smart *adj* (=) smart; slug sly, sharp

smartkort *s* (~et, =) smart card

smasha *vb itr* o. *vb tr* (~de, ~t) sport. smash

smaska *vb itr* (~de, ~t) slurp, champ one's food; **~ i sig** ngt gorge..., guzzle...

smaskens *adj* (oböjl.) vard. yummy, scrumptious; *~!* äv. yum-yum!

smaskig *adj* (~t) vard.: om mat yummy, scrumptious

smatter *s* (smattret) clatter; rattle, patter; jfr *smattra*

smattra *vb itr* (~de, ~t) om gevär el. regn rattle; om regn äv. patter; om skrivmaskin o.d. clatter

smed *s* (~en, ~er) smith; grov~ blacksmith; *sin egen lyckas* ~ the architect of one's own fortune[s]

smedja *s* (~n, smedjor) smithy, forge, blacksmith's workshop

smeka *vb tr* (smekte, smekt) caress; stryka stroke [gently]; kela med fondle

smekmånad *s* (~en, ~er) honeymoon äv. bildl.

smeknamn *s* (~et, =) pet name

smekning *s* (~en, ~ar) ömhetsbetygelse caress, endearment, gentle stroke

smeksam *adj* (~t, ~ma) caressing, fondling; om tonfall bland

smet *s* (~en, ~er) blandning, äv. kak~ mixture; pannkaks- o.d. batter; grötlik massa sticky mass (stuff), goo; sörja sludge

smeta I *vb tr* (~de, ~t) daub; något kladdigt smear; smör spread [på i samtliga fall on] **II** *vb itr* (~de, ~t) **1** kladda mess about **2** se *smeta av (ifrån) sig* under *smeta III* **III** med beton. part.

smeta av (från) sig make (leave) smears [på on]; om färg come off

smeta ned ngt daub (smear)...[all over]; *~ ned sig* make oneself all messy, get oneself in (into) a mess

smeta på ngt daub (smear, spread)...on [på to]

smetig *adj* (~t) smeary; klibbig sticky

smicker *s* (smickret) flattery; smickrande ord äv. flatteries pl.; vard. soft soap; inställsamhet blandishment[s pl.], blarney; kryperi adulation

smickra I *vb tr* (~de, ~t) allm. flatter; ngn, vard. butter...up; ngns fåfänga tickle; *jag är ~d över att* han kom I am flattered [by the fact that]... **II** *vb rfl* (~de, ~t), *~ sig* flatter oneself [*med att ha* gjort ngt on (upon) having...]

smickrande *adj* (oböjl.) allm. flattering [*för* to]; om t.ex. ord äv. complimentary; *föga* (*mindre*) ~ hardly flattering, [rather] uncomplimentary

smickrare *s* (~n, =) flatterer

smida *vb tr* (smidde, smitt) forge; järn äv. smith; hamra ut hammer out; bildl. (t.ex. planer) devise; *~ medan järnet är varmt* strike while the iron is hot; bildl. äv. make hay while the sun shines; *~ fast* ngt fasten...by forging

smide *s* (~t, ~n) **1** smideri forging, smithery, smithwork **2** konkr., *~n* av järn wrought-iron goods

smidesjärn *s* (~et) till smidning malleable iron; stångjärn forge iron; smitt wrought iron

smidig *adj* (~t) böjlig, spänstig flexible; om t.ex. system äv. elastic; om t.ex. lemmar supple; om material pliable, pliant; vig, rörlig lithe; mjuk: om t.ex. övergång, ngns sätt smooth and easy; anpasslig, om person adaptable; *ett ~t sätt att* resa an easy way to...

smidighet *s* (~en) flexibility; suppleness; pliability; litheness; smoothness; adaptability; jfr *smidig*; *hans ~ i umgänget* his smooth and easy manners (ways) pl....

smil *s* (~et, =) leende smile; självbelåtet smirk; flin grin; lismande fawning

smila *vb itr* (~de, ~t) smile, smirk, grin; fawn, jfr *smil*; *~ in sig hos* ingratiate oneself with

smilfink *s* (~en, ~ar) vard. smarmy type (customer)

smilgrop *s* (~en, ~ar) dimple

smink *s* (~et) make-up; teat. greasepaint

sminka *vb tr* (~de, ~t) make...up äv. teat.; *~ sig* make (make oneself) up; *~ av* [*sig*] remove one's make-up; *vara hårt ~d* be heavily made up

sminkning *s* (~en, ~ar) eg. making-up; konkr. make-up

sminkväska *s* (~n, -väskor) cosmetic (vanity, make-up) bag

sminkör *s* (~en, ~er) make-up artist, make-up man

sminkös *s* (~en, ~er) make-up artist, make-up woman

smisk *s* (~et) se *smäll 4*

smita *vb itr* (smet, smitit) **1** ge sig i väg run away [*från* ngn from...], clear out [*från* en plats of...]; försvinna make off, make oneself scarce; vard. do a bunk; *~ från notan* leave without paying; *~ från olycksplatsen* leave the scene of the accident, hit and run; *~ från* äv.: t.ex. tillställning slip away from; undandra sig: t.ex. arbete shirk, fight shy of; t.ex. betalning, skatter evade, dodge; *~ ifrån ngn* give sb the slip **2** om kläder, *~ åt* fit tight, be a tight fit

smitare *s* (~n, =) bil~ hit-and-run driver

smitning *s* (~en, ~ar) trafik., han är åtalad för *~ [från trafikolycksplats]* ...leaving the scene of the accident [he has caused]

smitta I *s* (~n, smittor) infection; spec. genom beröring contagion båda äv. bildl. **II** *vb tr* (~de, ~t) infect äv. bildl.; eg. äv. give (pass on, communicate) [the] infection to; *han ~de mig* el. *jag blev ~d av honom* vanl. I caught it from him, he gave it to me; *bli ~d [av* ngn] catch an (resp. the) infection [from...]; *bli ~d [av* en sjukdom] be infected [with...]; *~ ned* infect **III** *vb itr* (~de, ~t) be infectious äv. bildl.; genom beröring el. om person be contagious äv. bildl.; om sjukdom äv. be catching; *~ av sig på* bildl. rub off on, infect

smittbärare *s* (~n, =) disease carrier, carrier

smittkoppor *s pl* smallpox sg.

smittsam *adj* (~t, ~ma) allm. infectious; bildl. äv. el. genom beröring contagious, catching

Smittskyddsinstitutet the Swedish Institute for Infectious Disease Control

smittspridning *s* (~en, ~ar) [the] spread of infection (contagion)

smittämne *s* (~t, ~n) infectious agent, contagion; virus virus; bakterie bacteria

smocka vard. **I** *s* (~n, smockor) wallop, sock, biff; *~n hängde i luften* they were almost coming to blows, a fight was in the offing **II** *vb itr* (~de, ~t), *~ till ngn* wallop (sock, biff) sb (one)

smoking *s* (~en, ~ar) dinner jacket; amer. tuxedo (pl. -s), vard. tux; vard. el. på bjudningskort black tie

smokingskjorta *s* (~n, -skjortor) dress shirt

smolk *s* (~et) ung. particle of dirt (damm dust); *få ~ i ögat* get something in one's eye; *det har kommit ~ i glädjebägaren* bildl. there is a fly in the ointment

smord *adj* (smort) **1** med fett greased; med olja oiled **2** bildl., *det går som smort* it is going like clockwork (like a house on fire)

sms *s* (sms:et, =) tele. text message

sms:a *vb itr* (~de, ~t) tele., *~ [till] ngn* send a text message to sb, vard. text sb

smuggelgods *s* (~et, =) smuggled goods pl., contraband [goods pl.]

smuggla I *vb tr* (~de, ~t) smuggle; speciellt spritvaror i större skala bootleg; **~ in ngt** smuggle sth in [*in i* into]; **~ ut ngt** smuggle sth out [*ur of*] **II** *vb itr* (~de, ~t) smuggle

smugglare *s* (~n, =) smuggler

smuggling *s* (~en, ~ar) smugglande smuggling

smula I *s* (~n, smulor) **1** t.ex. bröd~ crumb äv. bildl.; allmännare bit, scrap **2** lite, **en ~** a little; framför adj. o. adv. äv. a bit; en aning a trifle; liten bit a little bit; några droppar a spot, a few drops pl.; **med en ~ humor (vänlighet)** with a little humour (a little bit of kindness); **en ~** trött a little (a bit)... **II** *vb tr* (~de, ~t) crumble; **~ sönder** ngt eg. äv. crumble (krossa crush)...[i bitar to bits]; bildl. tear...to pieces, make mincemeat of **III** *vb rfl* (~de, ~t), **~ sig** crumble

smulig *adj* (~t) som smular sig crumbly, friable; full med smulor ...full of crumbs

smultron *s* (~et, =) skogs~ wild (wood) strawberry

smultronställe *s* (~t, ~n) eg. [good] spot for [finding] wild (wood) strawberries; bildl. favourite [little] spot (haunt)

smussel *s* (smusslet) monkey business; fiffel cheating

smussla I *vb itr* (~de, ~t) be secretive (evasive); fiffla cheat; **~ med** ngt pilla med fiddle with sth on the sly **II** *vb tr* (~de, ~t), **~ till ngn ngt** slip (pass) sth to sb on the sly (quiet); **~ bort (undan)** gömma hide away; **~ in (ut)** ngt slip sth in (out) on the sly (quiet); smuggla smuggle...in (out)

smuts *s* (~en) dirt; starkare filth båda äv. bildl.; gat~ o.d. mud; smutslager, spec. på kroppen grime; orenhet t.ex. i vatten) impurities pl.; **dra ned (släpa)** ngt *i ~en* bildl. drag...into the dirt, drag (trail)...through the mud (mire)

smutsa *vb tr* o. *vb itr* (~de, ~t) dirty, soil; bildl. sully; **~ [ned]** äv. make...dirty; smörja ned äv. muck up; fläcka stain; **~ ned [*i ett rum*]** make things all dirty [in...], make a mess [in...]; **~ ned sig** get dirty; **~ ned sig om händerna** make one's hands [all] dirty

smutsfläck *s* (~en, ~ar) spot (speck) of dirt, smudge

smutsig *adj* (~t) allm. dirty; starkare filthy båda äv. bildl.; nedsmutsad (om t.ex. kläder) soiled; smutstäckt: om t.ex. ansikte grimy; om t.ex. händer grubby; inte ren, använd: om t.ex. disk unwashed; om t.ex. skjorta (pred.) not clean bildl.; osnygg (om t.ex. rum) dingy; som smutsar äv. (om t.ex. arbete) messy; bildl. äv. foul, nasty; oanständig smutty; **bli ~** get dirty; **lätt bli ~** om t.ex. material dirty (soil) easily; **han är ~ i ansiktet (om händerna)** his face is (his hands are) dirty

smutskasta *vb tr* (~de, ~t) throw (fling) mud at; svärta ner smear; baktala malign; förtala defame; **~ ngns person (namn och rykte)** drag sb's name through the mud, smear sb's reputation

smutskläder *s pl* dirty clothes sg.

smutstvätt *s* (~en) dirty washing (linen)

smutta *vb itr* (~de, ~t) sip; **~ på** dryck sip [at]...

smycka I *vb tr* (~de, ~t) allm., **~ [ut]** adorn äv. bildl.; pryda ornament; dekorera decorate; försköna embellish **II** *vb rfl* (~de, ~t), **~ sig** adorn oneself

smycke *s* (~t, ~n) piece of jewellery (amer. jewelry); enklare trinket; prydnad ornament äv. bildl.; **~n** vanl. jewellery sg., jewels

smyckeskrin *s* (~et, =) jewel case (box)

smyg *s* (~en, ~ar), *i* **~** olovandes on the sly, on the quiet (vard. Q.T.), surreptitiously; förstulet furtively; i hemlighet secretly

smyga I *vb tr* (smög, smugit) slip; **~** ngt *i handen på ngn* slip...into sb's hand **II** *vb itr* (smög, smugit) steal; slinka slink, sneak; smita slip; gå tyst creep [*bort* i samtliga fall away, off; *förbi* i samtliga fall past]; **~ på tå** creep on tiptoe, tiptoe **III** *vb rfl* (smög, smugit), **ett fel har smugit sig in (in i texten)** an error has slipped (crept) in (into the text); **~ sig på ngn** steal upon...; bildl. (om t.ex. sömnen) come creeping upon...

smygande *adj* (oböjl.), **komma ~** come sneaking (tyst creeping)

smygreklam *s* (~en) insidious advertising (endast sg.), hidden persuasion

smygröka I *vb itr* (-rökte, -rökt) smoke on the sly (quiet) **II** *vb tr* (-rökte, -rökt), **~ en cigarett** smoke...on the sly (quiet)

smygtitta *vb itr* (~de, ~t), **~ på ngt** look (peep) at sth secretly, have a peep at sth on the sly

smygväg *s* (~en, ~ar) bildl., **gå ~ar** resort to underhand methods; **på ~ar** by underhand means, in a roundabout way

små *adj pl* se **liten**

småaktig *adj* (~t) trångsynt petty; om person äv. small-minded; futtig mean; petnoga niggling, fussy; kitslig, om t.ex. kritik carping; om t.ex. kritiker captious

småaktighet *s* (~en, ~er) pettiness osv., niggling; carping; jfr *småaktig*

småannons *s* (~en, ~er) classified (small, amer. want) advertisement

småbarn *s* (~et, =) small (little) child; spädbarn baby, infant

småbarnsfamilj *s* (~en, ~er) family with a small child (flera with small children)

småbil *s* (~en, ~ar) small car; mycket liten minicar

småbildskamera *s* (~n, -kameror) minicamera; vard. minicam

småbitar *s pl* small pieces (bits); **riva i ~** tear...into little pieces (bits, fragments); **spränga i ~** blow (smash)...to smithereens

småbladig *adj* (~t) small-leaved

småblommig *adj* (~t) attr.: bot. ...with small flowers; om mönster ...with a small floral pattern; **den är ~** it has small flowers (resp. a small floral pattern)

småborgare *s* (~n, =) member of the [lower] middle class, [petty] bourgeois fr. (pl. lika)

småborgerlig *adj* (~t) [lower] middle-class, [petty] bourgeois fr.

småbruk *s* (~et, =) small-scale farming; konkr. smallholding

småbrukare *s* (~n, =) smallholder, small farmer

småbåtshamn *s* (~en, ~ar) marina

smådjur *s pl* small animals

småflickor *s pl* little girls

småfolk *s* (~et) koll. **a)** ~[et] enkelt folk humble folk, ordinary people pl.; vard. little people pl. **b)** småungar little ones (kids, children) **c)** älvor, tomtar o.d. little people pl.

småfranska *s* (~n el. ~t, =) [French] roll

småfrysa *vb itr* (-frös, -frusit) feel a bit chilly

småföretag *s* (~et, =) small business (firm)

småföretagare *s* (~n, =) small businessman (enterpriser, trader); ekon. small entrepreneur

smågata s (~n, -gator) side street

smågräla vb itr (~de, ~t) tvista have a bit of a (have a little) quarrel, have a tiff; gnabbas bicker; **~ på ngn** (**över ngt**) give sb a bit of a scolding (grumble a little about sth)

småhus s (~et, =) small [self-contained] house

småindustri s (~n, ~er) small[-scale] industry

småkaka s (~n, -kakor) fancy biscuit; amer. cookie

småkoka vb itr (~de, ~t) simmer

småkrafs s (~et) odds and ends pl.

småle vb itr (-log, -lett) smile [*mot, åt* at]

småleende I adj (oböjl.) smiling **II** s (~t, ~n) [faint] smile

småningom adv, [**så**] ~ efter hand gradually, by degrees, little by little; med tiden by and by; till sist eventually, at last; vad det lider sooner or later; längre fram later [on]

småpengar s pl small coins; växel [small] change sg., loose cash sg.

småplanet s (~en, ~er) astron. minor planet, planetoid

småpojkar s pl little boys

småprat s (~et) chat; kallprat small talk

småprata vb itr (~de, ~t) chat [*med* with]

småprickig adj (~t) attr. ...with small dots (spots); **den är** ~ it has small dots (spots)

småpåve s (~n, -påvar) neds.: local bigwig (bureaucrat)

småregna vb itr (~de, ~t) drizzle

småretas vb itr dep (-retades, -retats) [gently] tease

smårolig adj (~t) ...amusing (kvick witty) in a quiet way, droll

smårutig adj (~t) mönstrad small-checked; attr. äv. ...with small checks; **den är** ~ äv. it has small checks

smårätter s pl kok., ung. fancy dishes, hors-d'oeuvres

småsak s (~en, ~er) liten sak little (small) thing; bagatell trifle, small matter; **~er** plock odds and ends; bli arg för **minsta** ~ ...the merest (least) trifle

småsint adj (=) petty; om person äv. small-minded

småsjunga vb itr (-sjöng, -sjungit) sing softly; gnola hum

småskalig adj (~t) small-scale...

småskola s (~n, -skolor) hist. junior school

småskratta vb itr (~de, ~t) chuckle

småskuren adj (-skuret, -skurna) bildl. narrow-minded

småsmulor s pl, **det är inga** ~ it's no trifle, it's quite a lot

småsnål adj (~t) niggardly, cheeseparing

småsparare s (~n, =) small saver (depositor)

småspik s (~en, ~ar) koll. eg. small nails pl.; **det regnar** ~ it's raining cats and dogs

småspringa vb itr (-sprang, -sprungit) jog along; **hon småspringer alltid** she is always half walking, half running

småstad s (~en, -städer) small town; landsortsstad provincial (country) town

småstadsaktig adj (~t) ngt neds. provincial, parochial

småstadshåla s (~n, -hålor) neds. hole, one-horse town

småstat s (~en, ~er) small (minor) state

småsten s (~en, ~ar) koll. pebbles pl.

småstuga s (~n, -stugor) cottage

småsummor s pl small (struntsummor trifling) sums

småsyskon s pl younger (small) sister and brother (sisters, resp. brothers), younger (small) sisters and brothers

småtimmarna s pl the small hours; [fram] **på** ~ in the small hours [of the morning]

småtrevlig adj (~t) om person el. t.ex. kväll pleasant; om sak [nice and] cosy

smått I adj (oböjl.) **1** small osv., jfr *liten I* **2** ibland adv., **skriva** ~ write small; ha liten handstil have a tiny handwriting **II** s (oböjl.), **allt möjligt** ~ **och gott** all sorts (a great variety) of things; lite av varje a little of everything **III** adv **1** en smula [just] a little, a bit, slightly, somewhat; **så** ~ sakta och försiktigt slowly, gradually, little by little **2** se *smått I 2*

småttingar s pl vard. little kids, kiddies; mycket små tiny tots

småungar s pl little ones (kids, children)

småvarmt s (oböjl.) ung. small hot dishes pl.

småvilt s (~et) koll. small game

småvuxen adj (-vuxet, -vuxna) kort short; (pred.), om person äv. short of stature; liten small; om växt low

småvägar s pl bypaths

småväxt adj (=) se *småvuxen*

småäta vb itr (-åt, -ätit) snack [between meals]

smäcka I vb tr (smäckte, smäckt) **1** ~ **i sig** proppa i sig gorge (cram) oneself [*ngt* with sth] **2** tillverka, utföra vårdslöst, **~ ihop** knock up (together) **II** vb itr (smäckte, smäckt) ljuga lie

smäcker adj (~t, smäckra) slender; slank o. elegant sleek

smäda vb tr (~de, ~t) abuse; förtala defame; häda, t.ex. Gud blaspheme

smädedikt s (~en, ~er) libellous poem, lampoon

smädelse s (~n, ~r) abuse, invective; förtal defamation (samtliga endast sg.); hädelse blasphemy; **~r** abuse sg.; i skrift äv. libel sg.

smäktande adj (oböjl.) om t.ex. blickar languishing; om t.ex. röst melting; om toner äv. languorous

smäll s **1** (~en, ~ar) knall: av dörr o.d. bang, slam; av piska o.d. crack; av kork pop; vid kollision smash; vid explosion detonation **2** (~en, ~ar) slag: med handen smack, slap; lättare rap; med piska lash; stöt blow, knock, bang **3** (~en, ~ar) vard., bakslag blow, setback; **åka på en** ~ vard. get it in the eye **4** (~et) smisk smacking, spanking; **få** ~ **på fingrarna** (**stjärten**) get a rap over the knuckles (a smack on one's bottom) **5 vara på** ~**en** sl. be knocked up, be up the spout, have a bun in the oven

smälla I vb tr (smällde, smällt) **1** slå, dänga bang, knock, jfr *2 slå I* **2** smiska smack, give...a smacking; på stjärten äv. spank, give...a spanking; **~ ngn på fingrarna** (**stjärten**) rap sb over the knuckles (smack sb's bottom)

II vb itr (small el. smällde, smällt) om dörr o.d. bang, slam; om piska, gevär crack; om kork pop; om segel o.d. flap; gå av, om skott go off; **~ i dörrarna** bang..., slam...; **~ med piskan** crack...; **det smäller lika högt** it makes no difference, it is all the same; **det smäller högre** it is worth (it counts) more (is more valuable)

III med beton. part.

smälla av a) ett skott fire off...; skottet **smällde av** ...went off [with a bang] **b**) vard. freak (flip) out

smälla i sig vard.: proppa i sig gorge (cram) oneself

[*ngt* with sth·]; plugga in cram
smälla ihop a) stänga (t.ex. bok) close...with a snap
b) sätta ihop: t.ex. hus knock up (together); t.ex. historia
make up
smälla till a) ngn slap, smack, give...a rap **b)** *det har*
[plötsligt] smällt till och blivit kallt it has turned cold
[all of a sudden]
smälla upp: t.ex. hus knock up (together); nyhet splash
smällare *s* (~n, =) cracker; [*rysk*] ~ banger
smällfet *adj* (-fett) vard. enormously fat
smällkall *adj* (~t) vard. bitingly (bitter) cold; *mitt i ~a*
vintern in the depth of winter
smällkaramell *s* (~en, ~er) cracker
smällkyss *s* (~en, ~ar) smack [på mun on the lips, på
kinden on the cheek]
smälta I *s* (~n, smältor) tekn. melt **II** *vb tr* o. *vb itr*
(smälte, smält) **1** eg. betydelse: allm. melt; speciellt [om]
metaller fuse; [om] malm äv. smelt [*till* i samtliga fall
into]; till vätska liquefy; bildl. (t.ex. [om] hjärta) melt,
soften; desserten *smälter i munnen* ...melts in your
mouth; *smält smör* melted butter; *smält stål* molten
steel **2** fysiol. el. i betydelsen 'tillgodogöra sig' (bildl.) digest;
bildl. äv.: svälja stomach, pocket, put up with; komma
över get over; ~ *maten* digest one's food
III med beton. part.
smälta bort melt away äv. bildl.
smälta ihop a) förena: eg. melt (fuse)...together; bildl.
fuse, amalgamate **b)** förenas coalesce; om t.ex. färger:
gå i varandra melt (merge) into each other; harmoniera
blend; ~ *ihop med* förenas med coalesce (be fused)
with; gå upp i merge into **c)** minskas melt [down];
bildl. (om t.ex. förmögenhet) dwindle [down]
smälta in omgivningen go well with...; om sak äv.
harmonize with...
smälta ned melt down; amer. äv. melt up
smälta samman se *smälta ihop* ovan
smältdegel *s* (~n, -deglar) melting pot äv. bildl.,
crucible
smältning *s* (~en, ~ar) (jfr *smälta II*); melting osv.,
fusion; liquefaction
smältost *s* (~en, ~ar) processed cheese
smältpunkt *s* (~en, ~er) melting point; speciellt
metallers fusing point
smältugn *s* (~en, ~ar) smelting (melting) furnace
smältvatten *s* (-vattnet) melted snow (ice); geol.
glacier-water
smältverk *s* (~et, =) smelting plant, smeltery
smärgelduk *s* (~en, ~ar) emery cloth
smärre *adj* (oböjl.) smaller osv., jfr *mindre I*; *några ~*
fel (justeringar) some minor errors (adjustments)
smärt *adj* (=) slender, slim; *hålla sig* keep slim
smärta I *s* (~n, smärtor) allm. pain; häftig o. kortvarig
pang, twinge [of pain]; lidande suffering; sorg grief;
bedrövelse affliction, distress; *ha [svåra] smärtor* be in
[great] pain; *det ger häftiga smärtor* it causes acute
pain **II** *vb tr* (~de, ~t) bedröva grieve, pain,
give...pain; *det ~r mig djupt* it grieves me deeply, it
cuts me to the quick **III** *vb itr* (~de, ~t) värka ache,
be painful
smärtfri *adj* (-fritt) eg. painless; smidig smooth
smärtförnimmelse *s* (~n, ~r) sensation of pain
smärtgräns *s* (~en) pain threshold äv. bildl.
smärting *s* (~en) tyg canvas
smärtlindring *s* (~en, ~ar) pain relief (control)

smärtsam *adj* (~t, ~ma) allm. painful; sorglig äv. sad,
distressing; starkare afflicting, grievous
smärtstillande *adj* (oböjl.) pain-relieving, analgesic;
~ *medel* pain-killer, analgesic
smärttröskel *s* (~n) pain threshold äv. bildl.
smör *s* (~et) butter; ~ *och bröd* bread and butter; *bre*
~ *på...* butter..., spread butter on...; *gå åt som* ~ [*i*
solsken] sell like hot cakes; *han har hamnat i ~et* vard.
he is on (is riding) the gravy train, he is in the
gravy
smöra I *vb tr* (~de, ~t) butter **II** *vb itr* (~de, ~t) vard.,
~ *för ngn* butter up sb, suck up to sb
smörask *s* (~en, ~ar) för uppläggning butter dish
smörblomma *s* (~n, -blommor) buttercup
smörboll *s* (~en, ~ar) bot. globeflower
smördeg *s* (~en) kok. puff pastry
smörgås *s* (~en, ~ar) **1** *en* ~ utan pålägg a slice (piece)
of bread and butter; av svensk typ, med pålägg an open
sandwich, amer. äv. an open-faced sandwich;
dubbelsmörgås a sandwich **2** *kasta* ~ lek play ducks
and drakes, skip stones [across the water]
smörgåsbord *s* (~et, =) smörgåsbord (äv.
smorgasbord), large mixed hors d'oeuvre fr.
smörgåsmat *s* (~en) se *pålägg*
smörgåstårta *s* (~n, -tårtor) savoury 'sandwich
layer-cake'
smörj *s* (~et) vard., se *stryk*
smörja I *s* (~n, smörjor) **1** fett grease; smörjmedel äv.
lubricant **2** skräp: allm. rubbish, muck; bildl. äv. trash;
struntprat äv. nonsense, rot **II** (jfr *smord 1*) *vb tr*
(smorde el. smörjde, smort el. smörjt) **1** ~ *med [med fett*
(*olja*)] grease (oil)...; rund~ lubricate; bestryka smear,
daub [*med* with; *på* on]; ~ [*in*] *händerna* put some
hand cream on; *jag smörjer alltid in mig när jag har*
duschat I always put on body lotion after I've
showered **2** ~ *ngn* muta grease (oil) sb's palm; smickra
butter sb up
smörjelse *s* (~n, ~r) relig.: konkr. ointment; abstr.
unction; *sista ~n* spec. rom. katol. the last rites, förr the
extreme unction
smörjkanna *s* (~n, -kannor) oilcan
smörjmedel *s* (-medlet, =) tekn. lubricant
smörjning *s* (~en, ~ar) tekn. lubrication, greasing
smörjolja *s* (~n, -oljor) lubricating oil
smörklick *s* (~en, ~ar) pat (mindre dab) of butter
smörkniv *s* (~en, ~ar) butter knife
smörkräm *s* (~en, ~er) butter cream (icing)
smörkärna *s* (~n, -kärnor) churn
smörpapper *s* (~et el. -pappret, =) greaseproof paper
smörstekt *adj* (=) ...fried in butter, butter-fried
smörsyra *s* (~n) kem. butyric acid
smörsås *s* (~en, ~er) melted butter sauce
snabb *adj* (~t) om t.ex. framsteg, ström, växt rapid; om
t.ex. blick, rörelse quick, swift; om t.ex. uppgörelse,
tillfrisknande speedy; om t.ex. tåg, löpare fast; om t.ex.
affär, hjälp prompt; ~ [*i vändningarna*] nimble, alert;
~*t beslut* speedy (rapid) decision; ~*t svar* prompt
(speedy, quick) answer; *i* ~ *takt* at a rapid (quick)
pace, at a fast rate; ~ *som blixten* as quick as
lightning
snabba I *vb tr* o. *vb itr* (~de, ~t), ~ *på* speed up **II** *vb*
rfl (~de, ~t), ~ *sig* hurry up, look lively (snappy)
snabbfrysa *vb tr* (-frös el. -fryste, -frusit el. -fryst)
quickfreeze; amer. flashfreeze
snabbgående *adj* (oböjl.) fast; attr. äv. high-speed

snabbhet *s* (~en) quickness, rapidity, promptness, jfr *snabb*; fart speed

snabbis *s* (~en, ~ar) vard. quickie

snabbkaffe *s* (~t) instant coffee

snabbkassa *s* (~n, -kassor) fast checkout; amer. express checkout lane

snabbkurs *s* (~en, ~er) crash (rapid) course

snabbköp *s* (~et, =) butik self-service shop (store); större supermarket

snabblagad *adj* (-lagat, ~e), **~ mat** food that is quickly cooked, se äv. *snabbmat*

snabblunch *s* (~en, ~er) quick lunch

snabbmat *s* (~en) fast food, convenience food

snabbtelefon *s* (~en, ~er) intercom [system]

snabbtåg *s* (~et, =) fast (express) train

snabbtänkt *adj* (=) quick-witted, ready-witted

snabbuss *s* (~en, ~ar) express bus (coach)

snabel *s* (~n, snablar) vetensk. proboscis (pl. proboscises el. proboscides); elefants vanl. trunk

snabel-a *s* (-a:et, -a:n el. =) @-tecknet [commercial] at sign

snack *s* (~et) vard., **det är inget ~ om saken** there's no question about it, that's that (flat)

snacka *vb tr* o. *vb itr* (~de, ~t) vard., se *prata*

snackis *s* (~en, ~ar) talking point

snacks *s pl* snacks

snagg *s* (~en) frisyr crew cut

snagga *vb tr* (~de, ~t) cut (crop)...short; hår äv. crop, clip...short; **han är ~d** äv. he has a crew cut

snappa *vb tr* o. *vb itr* (~de, ~t), **~ till** (**åt**) **sig** snatch, grab; **~ upp** en nyhet o.d. snatch (pick) up; ett ord o.d. catch, overhear; ett brev o.d. intercept

snaps *s* (~en, ~ar) [glas] brännvin schnapps (pl. lika), dram

snapsvisa *s* (~n, -visor) drinking-song

snar (jfr *snarare, snarast* o. *snart*) *adj* (~t) skyndsam, snabb speedy; omedelbar prompt, hand. äv. early; nära förestående near, immediate; **~ att** + inf. quick (prompt, benägen ready) to + inf.

snara I *s* (~n, snaror) [rep]slinga snare äv. bildl.; rännsnara noose; **fastna i ~n** fall into the trap **II** *vb tr* (~de, ~t) snare, trap

snarare *adv* förr, hellre rather; fastmer, närmast if anything; **jag tror ~ att...** I am more inclined to think that...; vinden har **~ tilltagit** [**än avtagit**] ..., if anything, increased

snarast *adv*, **~ möjligt** as soon as possible, förk. el. vard. asap, at the earliest possible date (opportunity)

snarka *vb itr* (~de, ~t) snore

snarkning *s* (~en, ~ar), **~[ar]** snarkande snoring sg.; **en ~** a snore, snoring

snarlik *adj* (~t) rather like; **vara ~a** be rather (somewhat) like each other; **~ i färg** (form etc.) of much the same..., much alike in...; **ett ~t fall** a similar (an almost analogous) case

snarstucken *adj* (-stucket, -stuckna) retlig, ömtålig touchy; pred. äv. quick to take offence; lättretad short-tempered

snart *adv* allm. soon; inom kort shortly, before long; **så ~** [**som**] konj. a) så fort as soon as; genast directly b) så ofta whenever; **så ~ som möjligt** se *snarast möjligt* under *snarast*; **~ nog** a) alltför ~ only too soon b) ganska ~ fairly (pretty) soon, by and by c) tillräckligt ~ soon enough; **~ sagt** almost (etc., se

nästan); not far from, pretty well; **han fick ~ i gång bilen** he was not long in starting the car; **det är ~ fort gjort** it will soon be done, it will be done in next to no time; **jag kommer ~ tillbaka** I'll soon be back; så har det varit **i ~ tio år** ...for nearly ten years

snask *s* (~et) sötsaker sweets pl.; amer. candy

snaska *vb itr* o. *vb tr* (~de, ~t) äta sötsaker eat (munch) sweets; **~ på ngt** munch (chew) sth; **~ i sig** munch; glupskt scoff

snaskig *adj* (~t) kladdig, smutsig messy, dirty; snuskig smutty, indecent

snatta *vb tr* o. *vb itr* (~de, ~t) pilfer; vard. pinch [things]; i butik shoplift

snattare *s* (~n, =) pilferer; i butik shoplifter

snatteri *s* (~et, ~er) pilfering; i butik shoplifting

snattra *vb itr* (~de, ~t) om t.ex. anka quack; pladdra gabble, chatter, jabber

snava *vb itr* (~de, ~t) stumble, trip; jfr *snubbla*

sned I *adj* (snett) **1** eg.: t.ex. om linje, stråle, vinkel oblique; lutande slanting; sluttande sloping, inclined; skev warped; som väger ojämnt lopsided; krokig, vind crooked, wry; på snedden diagonal; **~a ögon** slanting eyes; **han är ~ i ansiktet** his face is (looks) lopsided **2** vard., arg pissed off, amer. pissed, sore **II** *s* (oböjl.), **på ~** obliquely, aslant, on the slant, slantingly, slopingly, askew, awry; på tvären sideways; **lägga huvudet på ~** put one's head on one side

snedda I *vb tr* (~de, ~t), **~ [av]** t.ex. hörn cut...off obliquely; tekn., fasa av bevel, chamfer **II** *vb tr* o. *vb itr* (~de, ~t), **~ [över]** gatan slant across..., cross...

snedden *s* (best. sing.), **på ~** obliquely, diagonally; klippa tyg **på ~** ...on the bias

snedficka *s* (~n, -fickor) slit (cross) pocket

snedfördelning *s* (~en, ~ar) uneven distribution (representation), imbalance

snedrekrytering *s* (~en, ~ar), [**social**] **~** [socially] uneven recruitment (recruiting)

snedslå *s* (~n, ~ar) bias [band]

snedsprång *s* (~et, =) **1** eg. side-jump, side-leap **2** bildl. escapade; 'historia' affair

snedsteg *s* (~et, =) **1** eg. sidestep **2** bildl., se *snedsprång*

snedstreck *s* (~et, =) slanting line, [slanting] stroke; typogr. o. data. slash

snedtak *s* (~et, =) sloping roof

snedtändning *s* (~en, ~ar) vard. feeling of resentment; av narkotika bad trip

snedvriden *adj* (-vridet, -vridna) bildl. twisted, distorted, warped

snegla *vb itr* (~de, ~t), **~ [på]** ogle; **~ på ngn** (ngt): förstulet glance furtively at...; misstänksamt look askance at...; lömskt leer at...; vilja ha have one's eye on...

snett *adv* obliquely; slantingly, aslant, awry; diagonally; jfr *sned*; **gå ~** vard., bli fel go wrong; tavlan **hänger ~** ...is slanting (lopsided); bo **~ emot** el. bo **~ över** [**gatan** etc.] ...almost opposite; **titta ~ på** ngn (ngt) look askance at...

snibb *s* (~en, ~ar) hörn corner; spets point; tipp, ände tip; tre~ triangular cloth

snickarbyxor *s pl* dungarees, overalls

snickarbänk *s* (~en, ~ar) carpenter's bench

snickare *s* (~n, =) speciellt inrednings~ joiner; timmerman carpenter; finare möbel~ cabinet-maker, furniture-maker

snickarglädje *s* (~n) byggn. gingerbread work

snickarverkstad *s* (~en, -städer) joiner's (carpenter's, cabinet-maker's) workshop; jfr *snickare*

snickeri *s* (~et, ~er) **1** abstr. el. koll. joinery (carpentry) [work], joiner's (carpenter's) work; möbel~ cabinet work; abstr. äv. cabinet-making, jfr *snickare* **2** konkr., se *snickarverkstad*

snickra I *vb itr* (~de, ~t) do carpentry (joinery) [work]; slöjda i trä do woodwork **II** *vb tr* (~de, ~t), ~ *[ihop]* möbel o.d. make; bildl. put (patch) together

snida *vb tr* (~de, ~t) carve

snideri *s* (~et, ~er) carving; konkr. äv. carved work

sniffa *vb itr* o. *vb tr* (~de, ~t) sniff [på at]; ~ thinner sniff...; ~ narkotika snort...

snigel *s* (~n, sniglar) slug; med snäcka snail

snigelfart *s* (~en), med ~ at a snail's pace

snigelpost *s* (~en) skämts. snail mail

sniken *adj* (sniket, snikna) girig avaricious; lysten greedy [*efter* for, of], covetous [*efter* of]

snikenhet *s* (~en) greediness, greed

snille *s* (~t, ~n) genius; *han är ett* ~ he is a [man of] genius

snilleblixt *s* (~en, ~ar) brainwave; starkare flash of genius

snilledrag *s* (~et, =) stroke of genius; svagare masterstroke

snillrik *adj* (~t) brilliant

snipa *s* (~n, snipor) **1** grädd~ jug; sås~ boat **2** båt ung. gig

snirkel *s* (~n, snirklar) spirallinje, arabesk scroll, helix (pl. helixes el. helices); på bokstav flourish

snits *s* (~en) style; *sätta* ~ *på ngt* give sth style, piff add zest to sth

snitsa *vb itr* (~de, ~t) vard., ~ *till* (*ihop*) t.ex. en middag knock up, fix; ett tal put together; piffa upp smarten up

snitsig *adj* (~t) vard. snazzy, stylish

snitsla *vb tr* (~de, ~t), *en* ~*d bana* a marked trail

snitt *s* **1** (~et, =) cut äv. modell; skärning äv. pattern; speciellt kir. incision; preparat section; boksnitt edge; *gyllene* ~*et* geom. the golden section **2** (~et, =) tvärsnitt section; genomsnitt cross-section; matem. intersection; *i* ~ on [the] average **3** (~en, ~ar) liten smörgås canapé

snittblomma *s* (~n, -blommor) cutting (avskuren cut) flower

snittlön *s* (~en, ~er) average pay (veckolön wage, månadslön salary)

snittyta *s* (~n, -ytor) section surface

sno I *vb tr* (snodde, snott) **1** hoptvinna twist; vira twine, wind; snurra twirl, turn **2** vard., stjäla pinch **II** *vb rfl* (snodde, snott) ~ *sig* **a)** linda sig twist, twine [*om* round]; trassla ihop sig get twisted (entangled), kink **b)** vard., skynda sig get cracking (moving), jfr *skynda II*; ~ *dig på!* get a move on!, make it snappy! **III** med beton. part.

sno ihop eg. twist together; ~ *ihop* t.ex. måltid, sockerkaka knock up

sno in: ~ trassla *in sig i ngt* get [oneself] entangled in sth

sno omkring fara omkring run (rush, bustle, go bustling) around, scamper about

sno på se *sno II b* ovan

sno åt sig vard. grab hold of, pinch

snobb *s* (~en, ~ar) allm. snob; kläd- dandy, fop; kultur~ highbrow

snobba *vb itr* (~de, ~t), ~ *med* t.ex. guldklocka sport; t.ex. kunskaper show off, swank about

snobberi *s* (~et, ~er) allm. snobbery, snobbishness; klädsnobberi dandyism, foppishness

snobbig *adj* (~t) snobbish; dandified, foppish; jfr *snobb*

snobbighet *s* (~en) o. **snobbism** *s* (~en) se *snobberi*

snodd *s* (~en, ~ar) att dra el. knyta cord, string; till garnering braid, lace

snofsig *adj* (~t) vard. smart, natty

snok *s* (~en, ~ar) zool. grass snake

snoka *vb itr* (~de, ~t) poke, ferret [about], pry; vard. snoop; *gå och* ~ go prying (vard. snooping) about; ~ *upp* (*reda på, rätt på*) hunt up, ferret out

snopen *adj* (snopet, snopna) besviken disappointed; obehagligt överraskad disconcerted; slokörad crestfallen; *det känns lite snopet* it is rather disappointing

snopp *s* (~en, ~ar) vard., penis thing, willie

snoppa *vb tr* (~de, ~t) ljus snuff; krusbär o.d. top and tail; bönor string; ~ *cigarr* cut (snip) [off]...; ~ *av ngn* bildl. snub sb, bite sb's head off

snor *s* (~et el. ~en) vard. snot

snora *vb itr* (~de, ~t) have a runny nose; *hosta och* ~ cough and sniffle

snorig *adj* (~t) snotty[-nosed]; attr. äv. ...with a runny nose

snorkel *s* (~n, snorklar) snorkel

snorkig *adj* (~t) snooty, snotty

snorkla *vb itr* (~de, ~t) snorkel

snorunge *s* (~n, -ungar) o. **snorvalp** *s* (~en, ~ar) vard., småbarn little kid; neds. snotty-nosed kid

snowboard *s* (~en, ~ar el. =) sport. snowboard

snubbla *vb itr* (~de, ~t) vara nära att falla stumble; snava över något äv. trip; ~ *fram* stumble (stappla stagger) along; ~ *på* (*över*) orden stumble (trip) over...; ~ *omkull* stumble (trip up) and fall; lösningen ligger ~*nde nära* ...very near

snudd *s* (~en, ~ar) eg. touch; *det är* ~ *på skandal* ...little short of a scandal

snudda *vb tr* o. *vb itr* (~de, ~t), ~ *[vid]* **a)** komma åt, röra vid brush [against]; skrapa lätt graze; om person äv. touch...lightly **b)** bildl.: omtala flyktigt touch [up]on; *låta blicken (tanken)* ~ *vid ngt* allow...to rest [up]on sth for a moment

snurra I *s* (~n, snurror) **1** leksak top; vind~ windmill, pinwheel **2** sjö., se *aktersnurra* **II** *vb itr* o. *vb tr* (~de, ~t), ~ *[runt]* spin, twirl; svänga, virvla whirl [*omkring* i samtliga fall round]; kring axel el. punkt turn [*omkring* on]; rotate, revolve [*omkring* round el. about]; *det* ~*r i huvudet på mig* el. *allting* ~*r runt för mig* my head is in a whirl, my head is spinning

snurrig *adj* (~t) vard., yr giddy, dizzy; tokig crazy, barmy; pred. äv. nuts; *bli* ~ vimsig äv. go haywire

snus *s* (~et, ~er) luktsnus snuff; 'svenskt' moist snuff (båda endast sg.)

snusa I *vb itr* (~de, ~t) **1** använda snus take snuff **2** nosa, vädra sniff; sova sleep **II** *vb tr* (~de, ~t) sniff up

snusbrun *adj* (~t) snuff-coloured

snusdosa *s* (~n, -dosor) snuffbox

snusen *s* (best. sing.) vard., [*lite*] *på* ~ [a bit] tipsy, woozy

snusförnuftig *adj* (~t) förnumstig would-be wise; know-all endast attr., sententious, platitudinous

snusk *s* (~et) **1** eg. el. bildl. dirt, filth, squalor **2** oanständighet obscenity, filth; om t.ex. litteratur, filmer obscene literature (films etc.)

snuskhummer *s* (~n, -humrar) vard. dirty old man

snuskig *adj* (~t) eg. el. bildl. dirty, filthy, sleazy; eg. äv. squalid; bildl. äv. smutty; ~ *fantasi* dirty (filthy) imagination

snusnäsduk *s* (~en, ~ar) bandanna

snustorr *adj* (~t) bone dry; eg. el. bildl. dryasdust..., pred. as dry as dust

snut *s* (~en, ~ar) vard., polis cop; ~*en* koll. the cops pl., the fuzz, the heat

snutt *s* (~en, ~ar) vard. bit, snippet; av t.ex. melodi snatch

snuttefilt *s* (~en, ~ar) comfort blanket, security blanket

snuttifiering *s* (~en), ~ *av...* breaking (dividing) up...into small snippets

1 snuva *s* (~n, snuvor) [head] cold; med. nasal catarrh; *få* ~ catch a cold; *ha* ~ have a cold [in the head], have the sniffles

2 snuva *vb tr* (~de, ~t) vard., lura cheat, trick, swindle [*ngn på ngt* sb out of sth]

snuvig *adj* (~t), *bli* ~ catch a cold; *vara* ~ have a cold [in the head], have the sniffles; *jag är lite* ~ I have got a bit of a (got a slight) cold

snyfta *vb itr* (~de, ~t) sob; ~ *fram* sob out; ~ *till* give a sob

snyftning *s* (~en, ~ar) sob

snygg *adj* (~t) prydlig tidy, neat; vacker o.d. pretty, nice, fine samtliga äv. bildl. el. iron.; stilig attractive; om en man handsome, good-looking, nice-looking; *det var en* ~ *historia!* that's (this is) a pretty (etc., jfr ovan) story (kettle of fish)!

snygga *vb tr* o. *vb itr* (~de, ~t), ~ *till sig* make oneself [look] tidy (presentable), tidy oneself up; piffa upp sig smarten (spruce) oneself up; ~ *upp* a) tr. o. itr.: städa tidy up b) tr.: ordna till, renovera do up

snygging *s* (~en, ~ar) vard. looker, stunner

snylta *vb itr* (~de, ~t) be a parasite; om person äv. sponge, cadge, amer. mooch [*på* i samtliga fall on]

snyltgäst *s* (~en, ~er) parasite äv. biol.; person äv. sponger, freeloader; amer. äv. moocher, hanger-on (pl. hangers-on)

snyta *vb tr* (snöt, snutit), ~ *sig* (*ett barn*) blow one's nose (a child's nose)

snål *adj* (~t) **1** allm. stingy, mean [*mot* towards; *om* (*på, med*) with]; gnidig tight-fisted, parsimonious; sniken greedy; njugg, överdrivet sparsam niggardly, miserly; knapp skimpy, scanty; ~ *portion* meagre (skimpy) portion; *vara* ~ *med beröm* be sparing of praise **2** om blåst biting, cutting

snåla *vb itr* (~de, ~t) vara snål be stingy (mean) [*på* (*med*) with]; nödgas leva snålt stint oneself; hushålla economize; ~ *in på* spara save on; knappa in skimp

snålblåst *s* (~en) cutting (biting) wind

snålhet *s* (~en) stinginess etc., jfr *snål 1*; greed; *låta* ~*en bedra visheten* be penny wise but pound foolish

snåljåp *s* (~et) vard. skinflint, cheapskate

snålskjuts *s* (~en), *åka* ~ bildl. get a free ride, take advantage [*på* of], profit [*på* from]

snår *s* (~et, =) thicket, brush

snårig *adj* (~t) **1** eg. brushy, ...covered with brushwood **2** bildl., komplicerad tricky, complicated

snårskog *s* (~en, ~ar) brushwood, thicket; bildl. forest

snäcka *s* (~n, snäckor) **1** skal shell; snäckdjur mollusc; trädgårds~ heli|x (pl. -ces, äv. -xes) **2** ornament scroll äv. på fiol **3** i öra cochlea (pl. -e)

snäckskal *s* (~et, =) shell

snäll *adj* (~t) hjälpsam el. mots. till stygg good; vänlig kind; ~ *och rar* nice [*mot* i samtliga fall to]; godhjärtad kind-hearted; väluppfostrad well-behaved; hänsynsfull considerate; ~*a Bo, får jag följa med?* please Bo,...?; ~*a du...* el. *...[så] är du* ~ el. *var* ~ *och...* ...[please], will (would) you?, please...; spec. till barn ...there's a good boy (resp. girl)

snälltåg *s* (~et, =) åld. fast train, express [train]

snäpp *s* (~et, =) vard., liten bit [wee] bit

snärj *s* (~et), *ha ett fasligt* ~ knog have a tremendous job; jäkt have a hectic time

snärja *vb tr* (snärjde, snärjt) [en]snare, entangle, trap; ~ *ngn i sina garn* bildl. ensnare sb in one's toils; *försöka* ~ *ngn* med frågor try to trap sb (catch sb out); ~ *in sig* get entangled (enmeshed, caught)

snärjig *adj* (~t) arbetsam laborious; jäktig hectic

snärjigt *adv*, *ha det* ~ arbetsamt have a tough job; jäktigt have a hectic time [of it]

snärt *s* (~en, ~ar) **1** lätt slag flick; rapp lash; bildl.: stickord gibe, jibe, taunt; vard. crack, dig **2** kläm, sprätt sting, bite, go, zip

snärta **I** *s* (~n, -snärtor) flicksnärta young thing **II** *vb tr* (~de, ~t), ~ [*till*] *ngn* eg. flick (lash) sb; bildl. gibe (dig) at sb, taunt sb

snärtig *adj* (~t) om slag sharp; attr. äv. ...with force (a sting) in it; om replik o.d.: bitande cutting; sarkastisk caustic

snäsa *vb tr* o. *vb itr* (snäste, snäst), ~ *åt ngn* snap at sb; ~ *av ngn* snap sb's head off, snub (rebuff) sb

snäsig *adj* (~t) brysk, ovänlig abrupt, brusque [*mot* to]; retlig irritable, peevish, gruff [*mot* towards]

snäv *adj* (~t) stramande tight, close; trång, knapp narrow; ~*a gränser* narrow limits; ~ *kjol* pencil (sheath) skirt; ~ *krets* limited circle

snö *s* (~n) snow; *det som göms i* ~ *kommer upp i tö* ordspr., ung. everything comes out sooner or later

snöa *vb itr* (~de, ~t) snow; *det* ~*r* it is snowing; vägen *har* ~*t igen* ...has been blocked by snow, ...has been snowed over, jfr äv. *igensnöad*; *det* ~*r in* the snow is coming (starkare driving) in

snöblandad *adj* (-blandat, ~e), *snöblandat regn* sleet, rain mixed with snow

snöblind *adj* (-blint) snowblind

snöboll *s* (~en, ~ar) snowball; *kasta* ~ *på* throw snowballs at

snöbollskrig *s* (~et, =) snowball fight

snöby *s* (~n, ~ar) snow flurry (starkare squall)

snöbär *s* (~et, =) bot. snowberry

snöd *adj* (neutrum undviks), ~ *vinning* se under *vinning*

snödjup *s* (~et) depth of snow

snödriva *s* (~n, -drivor) snowdrift

snödroppe *s* (~n, -droppar) bot. snowdrop

snöfall *s* (~et, =) snowfall, fall of snow

snöfattig *adj* (~t), ~ *trakt* ...with [very] little snow

snöflinga *s* (~n, -flingor) snowflake

snöglopp *s* (~et) sleet; *det är* ~ it is sleeting

snögrotta *s* (~n, -grottor) snow dug-out

snögräns *s* (~en) snowline
snögubbe *s* (~n, -gubbar) snowman
snöig *adj* (~t) snowy
snökanon *s* (~en, ~er) snow cannon
snökedja *s* (~n, -kedjor) snow tyre (amer. tire) chain
snöklädd *adj* (-klätt) se *snötäckt*
snölykta *s* (~n, -lyktor) 'snowball lantern', lantern made out of snowballs
snöpa *vb tr* (snöpte, snöpt) se *kastrera*
snöplig *adj* (~t) om t.ex. reträtt, sorti, nederlag ignominious, inglorious; om t.ex. resultat disappointing; *få ett ~t slut* come to a sorry (sad) end
snöplog *s* (~en, ~ar) snowplough; amer. snowplow
snöra *vb tr* (snörde el. ~de, snört el. ~t) lace [up]; *~ av* avskilja eg. tie off; bildl. cut off; *~ av sig* (*~ upp*) *skorna* unlace one's shoes; *~ på sig* pjäxorna put on...; strupen *snördes samman* ...was constricted (compressed); *~ åt* dra åt draw...together, tighten, truss...up
snöre *s* (~t, ~n) string; grövre ~, gardin- o.d. cord; för snörning lace; present~ ribbon; mål~ tape; *ett ~* a piece of string (etc., se ovan); *knyta* [*ett*] *~ om ett paket* tie (do) a parcel up with string
snörhål *s* (~et, =) eyelet [hole], lace-hole
snörik *adj* (~t), *~ trakt* ...with (that has) plenty of snow
snöripa *s* (~n, -ripor) zool. ptarmigan (pl. lika), snow grouse (pl. lika)
snörliv *s* (~et, =) stays pl.; korsett corset; *ett ~* a pair of stays
snörpa *vb tr* o. *vb itr* (snörpte, snörpt) pucker, purse [*ihop* up]; *~ på munnen* purse one's lips
snörrät *adj* (-rätt) ...as straight as an arrow
snörsko *s* (~n, ~r) lace-up shoe
snörvla *vb itr* (~de, ~t) snuffle; tala i näsan speak in a snuffle, speak through one's (resp. the) nose
snöröjning *s* (~en, ~ar) snow-clearance
snöskata *s* (~n, -skator) zool. fieldfare
snösko *s* (~n, ~r) snowshoe
snöskoter *s* (~n, -skotrar) snowmobile; amer. snowcat
snöskottare *s* (~n, =) snow shoveller (clearer)
snöskottning *s* (~en) clearing (shovelling) away [the] snow
snöskred *s* (~et, =) avalanche, snowslide
snöskyffel *s* (~n, -skyfflar) snowshovel
snöslask *s* (~et) glopp sleet, [fall of] wet snow
snöslunga *s* (~n, -slungor) snowblower, snowthrower
snösmältning *s* (~en) melting away of [the] snow
snösparv *s* (~en, ~ar) zool. snow bunting
snöstorm *s* (~en, ~ar) snowstorm; våldsam blizzard
snötillgång *s* (~en), *~en är tillräcklig* the depth of snow...
snötäcke *s* (~t, ~n) covering (blanket) of snow; *~ts tjocklek* the depth of snow
snötäckt *adj* (=) snow-covered, snowy; om fjälltopp äv. snow-capped; poet. snow-clad
snövessla *s* (~n, -vesslor) fordon weasel
snövit *adj* (-vitt) snowy, snow-white, ...as white as snow
snöyra *s* (~n) snowstorm
SO förk., se *samhällsorienterande*
so *s* (~n, suggor) sugga sow

soaré *s* (~n, ~er) soirée fr.
sobel *s* (~n, soblar) zool. sable äv. pälsverk
sobelpäls *s* (~en, ~ar) sable coat
sober *adj* (~t, sobra) allm. sober; dämpad subdued
social *adj* (~t) social; *~a problem* social problems; *~ service* social (public) services pl.; *~ status* social status
socialarbetare *s* (~n, =) social (welfare) worker
socialassistent *s* (~en, ~er) se *socialsekreterare*
socialbidrag *s* (~et, =) social allowance, supplementary benefit
socialbyrå *s* (~n, ~er) social welfare office
socialdemokrat *s* (~en, ~er) social democrat
Socialdemokraterna *s pl* i Sverige the [Swedish] Social Democrats
socialdemokrati *s* (~n, ~er), *~[n]* social democracy
socialdemokratisk *adj* (~t) social democratic; *Sveriges ~a arbetareparti* the Swedish Social Democratic Party
Socialdepartementet i Sverige the Ministry of Health and Social Affairs
socialfall *s* (~et, =) vard. social welfare case; utslagen dropout
socialförsäkring *s* (~en, ~ar) social (national) insurance
socialförsäkringsminister *s* (~n, -ministrar) i Sverige Minister for Social Security
socialgrupp *s* (~en, ~er) social group (class); *~ ett* [the] upper class; *~ två* [the] middle class; *~ tre* [the] working class
socialisera *vb tr* (~de, ~t) socialize; förstatliga nationalize
socialisering *s* (~en, ~ar) socialization; förstatligande nationalization
socialism *s* (~en), *~[en]* socialism
socialist *s* (~en, ~er) socialist
socialistisk *adj* (~t) socialistic
socialkontor *s* (~et, =) social welfare office; vard. welfare
socialkunskap *s* (~en) social studies pl.
sociallagstiftning *s* (~en, ~ar) social (amer. äv. social-security) legislation
socialminister *s* (~n, -ministrar) i Sverige Minister for Health and Social Affairs
socialpolitik *s* (~en) social policy
socialsekreterare *s* (~n, =) ung. social welfare secretary
Socialstyrelsen the National Board of Health and Welfare
socialtjänst *s* (~en), *~en* social services pl.
socialtjänstlagen *s* (best. sing.) the Social Services Act
socialvård *s* (~en) social welfare; *~en* äv. social services pl.
societet *s* (~en, ~er) society; *~en* Society; *högre ~en* High Society
sociolog *s* (~en, ~er) sociologist
sociologi *s* (~n) sociology
sociologisk *adj* (~t) sociological
socionom *s* (~en, ~er) graduate from a School of Social Studies, trained social worker
socka *s* (~n, sockor) sock
sockel *s* (~n, socklar) base; byggn., på möbel, skulptur o.d. äv. plinth, pedestal; lampfattning socket
socken *s* (socknen, socknar) parish

socker *s* (sockret) **1** sugar **2** vard., sockersjuka diabetes

sockerbeta *s* (~n, -betor) sugar beet

sockerbit *s* (~en, ~ar) lump of sugar; *två ~ar* two lumps of sugar

sockerdricka *s* (~n, -drickor) lemonade

sockerfri *adj* (-fritt) sugarless, sugar-free

sockerhalt *s* (~en, ~er) sugar content; procentdel percentage of sugar

sockerkaka *s* (~n, -kakor) sponge cake

sockerkaksform *s* (~en, ~ar) sponge baking tin; amer. cake pan [for sponge cake]

sockerlag *s* (~en) syrup [of sugar]

sockerpiller *s* (-pillret, =) med. placebo (pl. -s)

sockerrör *s* (~et, =) sugar cane

sockersjuk med. **I** *adj* (~t) diabetic **II** *s* (en ~, pl. ~a), *en ~* a diabetic

sockersjuka *s* (~n) med. diabetes

sockerskål *s* (~en, ~ar) sugar bowl

sockerströare *s* (~n, =) sugar castor (shaker)

sockertång *s* (~en, -tänger) sugar tongs pl.; *en ~* a pair of sugar tongs

sockervadd *s* (~en) candy floss; amer. cotton candy

sockerärt *s* (~en, ~er) bot. mangetout [pea]; amer. snow pea

sockra I *vb tr* (~de, ~t) sugar äv. bildl.; söta sweeten [...with sugar], put sugar in (on) **II** *vb itr* (~de, ~t), *~ i (på) ngt* sugar etc. sth, jfr *sockra I*; *~ för mycket* take too much sugar **III** *vb rfl* (~de, ~t), *~ sig* crystallize

soda *s* (~n) soda

sodavatten *s* (-vattnet) soda [water]

sodomi *s* (~n) sodomy

soffa *s* (~n, soffor) sofa; mindre el. pinn~ settee; vil~ couch; bädd~ sofa bed; t.ex. i järnvägsvagn el. park~ seat

soffbord *s* (~et, =) coffee (sofa) table

soffgrupp *s* (~en, ~er) group of sofa and armchairs; enhetligt möblemang lounge (three-piece) suite

soffhörn *s* (~et, =) med soffa sofa corner; i soffa corner of a (resp. the) sofa

soffkudde *s* (~n, -kuddar) sofa cushion

soffliggare *s* (~n, =) valskolkare abstainer, stay-at-home

sofflock *s* (~et, =) seat, top; *ligga på ~et* bildl. take things easy, rest; valskolka abstain

sofist *s* (~en, ~er) sophist

sofistikerad *adj* (sofistikerat, ~e) sophisticated

softboll *s* (~en) sport. softball

soja *s* (~n) sås soy (soya) sauce

sojaböna *s* (~n, -bönor) soya bean, soybean

sol *s* (~en, ~ar) sun äv. bildl.; *~en är framme* the sun is out; *det var ~ i går* it was sunny yesterday; *en plats i ~en* bildl. a place in the sun; *ligga i ~en* lie in the sun, sunbathe

sola I *vb tr* (~de, ~t) expose...to the sun **II** *vb rfl* (~de, ~t), *~ sig* sunbathe, bask in the sun[shine]; bildl. bask

solarium *s* (solariet, solarier) **1** solarium äv. lokal **2** solur solarium, sundial

solarplexus *s* (oböjl., en) anat. solar plexus

solbad *s* (~et, =) sunbath

solbada *vb itr* (~de, ~t) sunbathe, take a sunbath

solbatteri *s* (~et, ~er) tekn. solar battery

solbelyst *adj* (=) sunlit, sunny

solblekt *adj* (=) sun-bleached

solblind *adj* (-blint) sunblind, ...blinded by the sun

solbränd *adj* (-bränt) brun tanned; alltför mycket sunburnt, sunburned; *bli ~* get a suntan, tan

solbränna *s* (~n) suntan, tan

solcell *s* (~en, ~er) tekn. solar cell

soldat *s* (~en, ~er) soldier; menig äv. private; *den okände ~en* the Unknown Soldier

soldis *s* (~et) heat haze

soldyrkan *s* (=, en) sun worship

soldyrkare *s* (~n, =) sun-worshipper

soldäck *s* (~et, =) sjö. sun deck

soleksem *s* (~et, =) sunrash

solenergi *s* (~n) solar energy, sunpower

solenn *adj* (~t) solemn, ceremonious

solfattig *adj* (~t) attr. ...with very little sun[shine]; pred. not very sunny, lacking in sunshine

solfjäder *s* (~n, -fjädrar) fan; *fläkta sig med en ~* fan oneself

solfjädersformig *adj* (~t) fan-shaped

solfläck *s* (~en, ~ar) sunspot

solfångare *s* (~n, =) tekn. sun panel

solförmörkelse *s* (~n, ~r) solar eclipse, eclipse of the sun; *total ~* total solar eclipse

solgass *s* (~et) blazing hot sunshine; *i ~et* äv. in the hot sun

solglasögon *s pl* sunglasses

solglimt *s* (~en, ~ar) glimpse of the sun

solgud *s* (~en, ~ar) sun god

solhatt *s* (~en, ~ar) sun hat (för t.ex. barn bonnet)

solhöjd *s* (~en) altitude of the sun

solid *adj* (solitt) allm. solid; bildl. äv. sound; *~ ekonomi* sound economy; *~ firma* solid (well-established, respectable) firm; *~a kunskaper i* engelska a sound (thorough) knowledge of...; *~ vänskap* staunch friendship

solidarisera *vb rfl* (~de, ~t), *~ sig* fully identify oneself [*med* with]; *~ sig med ngn* äv. make common cause with sb, be loyal to sb

solidarisk *adj* (~t) loyal; jur. joint and several; *förklara (känna) sig ~ med ngn* declare one's (have a feeling of) solidarity with sb; *vara ~ med ngn* el. *visa sig ~ mot ngn* be loyal to sb, be on sb's side, back sb up; *en ~ lönepolitik* a wage policy which shows solidarity with low-paid workers

solidaritet *s* (~en) solidarity

soliditet *s* (~en) allm. solidity; bildl. äv. stability; ekon. äv. soundness, solvency

solig *adj* (~t) sunny äv. bildl.

solist *s* (~en, ~er) soloist

solka *vb tr* (~de, ~t), *~ [ned]* soil

solkatt *s* (~en, ~er) reflection of the sun; *sätta ~[er] på ngn* dazzle sb with a mirror

solkig *adj* (~t) soiled

solklar *adj* (~t) uppenbar ...as clear as daylight, [self-]evident, obvious; *ett ~t fall* an open-and-shut case; *en ~ straff* sport. a clear (an obvious) penalty

solkräm *s* (~en, ~er) sun (suntan) lotion

solljus I *s* (~et) sunlight **II** *adj* (~t) sunny, bright

solmogen *adj* (-moget, -mogna) sunripe

solnedgång *s* (~en, ~ar) sunset, sundown; *i (vid) ~en* äv. at the setting of the sun

solo I *adj* (oböjl.) o. *adv* solo; helt ensam alone, by oneself; vard. on one's tod **II** *s* (~t, ~n) solo (pl. -s, mus. äv. soli)

solochvårare *s* (~n, =) lonely-hearts racketeer

solodansör *s* (~en, ~er) o. **solodansös** *s* (~en, ~er) solo dancer, soloist

sololja *s* (~n, -oljor) suntan oil

solonummer *s* (-numret, =) solo (pl. -s, mus. äv. soli)

solostämma *s* (~n, -stämmor) mus. solo part

solosång *s* (~en, ~er) solo singing

solosångare *s* (~n, =) o. **solosångerska** *s* (~n, -sångerskor) solo singer, soloist

solros *s* (~en, ~or) bot. sunflower

solrosfrö *s* (~et, ~n) sunflower seed (koll. seeds)

solrosolja *s* (~n, -oljor) sunflower oil

solsida *s* (~n, -sidor) sunny side äv. bildl.

solsken *s* (~et) sunshine äv. bildl.; **det är ~** vanl. the sun is shining; **sitta i ~et** sit in the sun

solskydd *s* (~et, =) i bil sunshield; amer. sun visor

solskyddsfaktor *s* (~n, ~er) hos solskyddsmedel sun [protection] factor

solskyddsmedel *s* (-medlet, =) sun (suntan) lotion, sunblock

solstift *s* (~et, =) mot solbränna sunstick

solsting *s* (~et) sunstroke; **få ~** have a sunstroke

solstol *s* (~en, ~ar) deckchair; liggstol sun lounger

solstrimma *s* (~n, -strimmor) streak of sunshine

solstråle *s* (~n, -strålar) sunbeam; ray of sunshine äv. om person

solsystem *s* (~et, =) solar system

soltak *s* (~et, =) sun-shelter; på bil sliding (sunshine) roof (top)

soltimme *s* (~n, -timmar) hour of sunshine

soltorka *vb tr* o. *vb itr* (~de, ~t), **~ [ngt]** dry [sth] in the sun; **~de tomater** sun-dried tomatoes

soluppgång *s* (~en, ~ar) sunrise; vard. sunup; **i (vid) ~en** äv. at the rising of the sun

solur *s* (~et, =) sundial

solution *s* (~en, ~er) lösning solution

solva *vb tr* (~de, ~t) vävn. heddle

solvarm *adj* (~t) om t.ex. sand ...warmed by the sun

solvarv *s* (~et, =) **1** dygn day [and night] **2** år year **3** solcykel solar cycle

solvens *s* (~en) solvency

solvent *adj* (=) solvent

solvärme *s* (~n) warmth (starkare heat) of the sun; ibland sunshine; vetensk. solar heat

solår *s* (~et, =) solar year

som I *rel pron* **1** med syftning på person, allm. who (i formellare stil som objekt el. efter prep. whom); med syftning på djur el. sak, allm. which; i nödvändig relativsats ofta that; efter 'such' o. oftast efter 'the same' as; **allt (lite, mycket, ingenting** etc.) ~ all (little, much, nothing etc.) that; **det ~ en gång var** ett fint hus what was once...; **den ~ läser detta kommer att...** anyone who reads (anyone reading, those who read) this will...; **han var den förste (ende) ~ kom** he was the first (the only one) to come (that el. who came); **han är den störste statsman ~ någonsin levat** ...that (who) ever lived; **jag var dum ~ trodde honom** I was a fool to believe him; platsen [~] **han bor på** ...where (in which) he is living, ...[that] he is living in; **vad heter flickan** [~] **du skriver till?** ...[that (whom, who)] you are writing to?; det var här (då, på det sättet) [~] **jag mötte honom** ...that I met him; **det är någon ~ knackar på dörren** there is someone knocking at the door; **det finns ingen av oss ~ inte tycker att...** there is not one of us who doesn't think that...

2 specialfall **a)** översatt efter vissa frågeord samt efter 'när

(var, vart) som helst', jfr *helst 2*; jag vet inte **vem ~ har (vad ~ är) rätt** ...who (what) is right **b)** i allm. rel. pron., **vem ~ än** whoever; **vilken [dera] ~ än** whichever; **vad ~ än** whatever

II *konj* **1** samordnande, **såväl A ~ B** A as well as B; **gammal ~ ung** old and young alike

2 jämförande: 'såsom [varande]', 'i egenskap av' el. inledande fullständig el. förkortad jämförelsebisats as; 'i likhet med', 'på samma sätt som' (vanligen endast framför substantiviska ord) like; jfr *liksom* o. *såsom*; **P ~ i Peter** P for (as in) Peter; **vilda djur, ~** lejon och tigrar wild animals, such as...; **en [sådan] ~ han** a man like him; **den är lika bred ~ lång** it is as broad as it is long; han är **lika lång ~ du** ...as tall as you are; varför gör du inte ~ **jag?** ...as (vard. like) I do?, ...like me?; **om jag vore ~ du** if I were you (in your place); **gör ~ du vill** do as you like, have it your own way; de älskade honom **~ en son** ...as [they would] a son, ...like a son; överlämna en blomma **~ ursäkt** ...by way of apology; **~ sagt** as I (you etc.) said before; **~ tur var,** vann han luckily,...

3 villkorligt, han lever **~ [om]** han vore miljonär he lives as if (though)...

III *adv* framför superlativ: när vattnet står **~ högst** ...at its highest; **när** festen **pågick ~ bäst** right in the middle of..., se äv. under *bäst II*; när man är **~ mest (minst) förberedd** ...most (least) prepared; **~ hastigast** se under *hastigast*

somali *s* (oböjl.) språk Somali

Somalia Somalia

somalier *s* (~n, =) Somali, Somalian

somalisk *adj* (~t) Somali, Somalian

somaliska *s* **1** (~n, somaliskor) kvinna Somalian woman **2** (~n) språk Somali

somlig *pron* (somligt, somliga) **1 somlig** el. **somligt:** ~ fören. some; **~t** fören. some; självst. some things pl.; **~t var bra, ~t dåligt** part (some) of it was good, part (some) of it bad **2 somliga** fören. some; självst. some, some people

sommar *s* (~en, somrar) summer; för ex. jfr *höst*

sommarbostad *s* (~en, -bostäder) summer place (finare residence)

sommardag *s* (~en, ~ar) summer's day, day in [the] summer; **en vacker ~** [adv. on] a fine summer's day

sommardäck *s* (~et, =) ordinary (regular) tyre (amer. tire)

sommargäst *s* (~en, ~er) [holiday (summer)] visitor (guest)

sommarjobb *s* (~et, =) summer job

sommarkläder *s pl* summer clothes (vard. things)

sommarklänning *s* (~en, ~ar) summer dress

sommarlik *adj* (~t) summery, summerlike; **det är ~t** i dag it is quite like summer...

sommarlov *s* (~et, =) summer holidays pl.; speciellt amer. summer vacation

sommarmånad *s* (~en, ~er) summer month

sommarnatt *s* (~en, -nätter) summer night; **en ~** [adv. on] a summer night

sommarolympiaden *s* (best. sing.) o. **sommar-OS** *s* (-OS:et, =) the Summer Olympics pl., the Summer Olympic Games pl.

sommarsemester *s* (~n, -semestrar) summer holiday (speciellt amer. vacation)

sommarsjuka *s* (~n) summer diarrhoea

sommarsolstånd *s* (~et, =) summer solstice

sommarstuga *s* (~n, -stugor) summer (weekend) cottage

sommarställe *s* (~t, ~n) place in the country, summer cottage (större house)

sommartid *s* (~en) **1** framflyttad tid summer time, daylight saving time **2** på sommaren (adv.) in summer[time]

sommarväder *s* (-vädret, =) summer (sommarlikt summery) weather

sommarvärme *s* (~n) summer heat (temperature); *det är riktig ~* it's just like (as hot as) summer

somna *vb itr* (~de, ~t) fall asleep äv. bildl., go (drop off, lätt doze off) to sleep; jfr *domna*; *ha svårt att ~* have difficulty in falling asleep (getting to sleep); *~ in* a) somna, se ovan b) dö pass away; *~ om* go back to sleep again

somrig *adj* (~t) summery

son *s* (~en, söner) son

sona *vb tr* (~de, ~t) t.ex. brott, synder atone for, expiate; t.ex. misstag redeem, make amends for

sonat *s* (~en, ~er) mus. sonata

sonatform *s* (~en, ~er) mus. sonata form

sond *s* (~en, ~er) probe äv. rymd~; med. äv. sound; rörformig tube; ballong sounding balloon

sondera *vb tr* (~de, ~t) probe, sound äv. med.; *~ möjligheterna* explore...; *~ terrängen* reconnoitre [the ground]; bildl. see how the land lies

sondering *s* (~en, ~ar) probe, sounding; reconnoitering; jfr *sondera*

sondmata *vb tr* (~de, ~t) med. tube-feed

sondotter *s* (~n, -döttrar) granddaughter, jfr vidare *dotterdotter*

sonett *s* (~en, ~er) litt.vet. sonnet

sonhustru *s* (~n, ~r) daughter-in-law (pl. daughters-in-law)

sonika *adv*, *helt ~* helt enkelt simply; utan vidare äv. without further ado, without ceremony

sonor *adj* (~t) sonorous

sonson *s* (~en, -söner) grandson, jfr vidare *dotterson*

sopa I *s* (~n, sopor) vard., se *sopor* **II** *vb tr* o. *vb itr* (~de, ~t) sweep; *~ ett golv* sweep...; *~ golvet med ngn* vard. wipe the floor with sb; *~ [i] ett rum* sweep [out]...; *~ ngt rent från...* äv. bildl. sweep sth clear of...; *~ rent framför sin egen dörr* bildl. put one's own house in order; *~ ngt under mattan* bildl. sweep sth under the carpet; *~ av* sweep; *~ bort* sweep (friare clear) away; *~ igen spåren efter sig* eg. el. bildl. cover up one's tracks; *~ ihop (upp)* sweep up

sopbil *s* (~en, ~ar) refuse [collection] lorry; amer. garbage [removal] truck, sanitation truck

sopborste *s* (~n, -borstar) [dust] brush

sopförbränning *s* (~en) incineration

sophink *s* (~en, ~ar) refuse bucket (bin); amer. garbage can

sophämtare *s* (~n, =) refuse collector; vard. dustman; amer. garbage (trash) collector

sophämtning *s* (~en, ~ar) refuse collection (removal); amer. garbage collection

sophög *s* (~en, ~ar) refuse (rubbish) heap; amer. garbage heap, rubbish dump

sopkvast *s* (~en, ~ar) broom

sopnedkast *s* (~et, =) refuse (rubbish, amer. garbage) chute

sopor *s pl* avfall refuse; amer. vanl. garbage; skräp rubbish, waste (samtliga sg.)

soppa *s* (~n, soppor) **1** soup; köttbuljong äv. broth **2** vard., se *röra I*

soppkök *s* (~et, =) soup kitchen, communal kitchen

sopprot *s* (~en, -rötter) **1** rotgrönsak, *sopprötter* vegetables for soup, pot-herbs **2** vard., dumbom chump, nitwit

soppskål *s* (~en, ~ar) [soup] tureen

soppslev *s* (~en, ~ar) [soup] ladle

sopptallrik *s* (~en, ~ar) soup plate

soppåse *s* (~n, -påsar) bin-liner; amer. trash (garbage) bag

sopran *s* (~en, ~er) mus.: person el. röst soprano (pl. -s); person äv. soprano singer; ~stämma äv. treble

sopranstämma *s* (~n, -stämmor) mus. soprano [voice]; parti soprano [part]

sopskyffel *s* (~n, -skyfflar) dustpan

sopsortering *s* (~en) refuse sorting (separation); amer. garbage sorting (separation)

sopstation *s* (~en, ~er) förbränningsstation central refuse (amer. garbage) disposal plant; se äv. *soptipp*

sopsäck *s* (~en, ~ar) i soptunna o.d. bin (amer. trash) bag

soptipp *s* (~en, ~ar) dump, refuse dump (tip); amer. garbage dump

soptunna *s* (~n, -tunnor) dustbin, refuse bin; amer. trash (garbage) can

sopåkare *s* (~n, =) se *sophämtare*

sorbet *s* (~en) sorbet; amer. sherbet

sordin *s* (~en, ~er) sordino (pl. sordini), mute; i piano ofta damper; *lägga ~ på* glädjen put a damper on...

sorg *s* (~en, ~er) **1** bedrövelse: allm. sorrow [*över* at, over]; djup smärta distress (endast sg.); grief [*över* at, over]; som drabbat en affliction; bekymmer trouble, worry; *den dagen den ~en* we'll worry about that when the time comes, let's cross that bridge when we come to it; *med ~ i hjärtat* sad at heart, with an aching heart; *till min [stora] ~ måste jag* to my [great] ([much] to my) regret... **2** efter avliden: sörjande el. ~dräkt mourning [*efter* for]; förlust genom dödsfall bereavement; *beklaga ~en* express one's condolonces; *bära ~* wear (be in) mourning

sorgband *s* (~et, =) mourning band, black band, crape [band]

sorgebarn *s* (~et, =) problembarn problem child äv. friare; svart får black sheep

sorgebud *s* (~et, =) mournful (sad) news; om ngns död, se *dödsbud*

sorgedag *s* (~en, ~ar) day of mourning (friare sorrow); friare äv. black day

sorgemusik *s* (~en) funeral music

sorgfri *adj* (-fritt) bekymmerfri carefree, ...free from care; ekonomiskt tryggad ...free from want

sorgfällig *adj* (~t) careful; starkare conscientious, studious; ytterst noggrann scrupulous

sorgkant *s* (~en, ~er) black edge (border), mourning border; brev *med ~er* black-edged...; *ha ~er under (på) naglarna* vard. have black fingernails

sorgklädd *adj* (-klätt) ...in (wearing) mourning

sorgkläder *s pl* mourning sg.

sorglig *adj* (~t) ledsam, beklaglig sad; dyster melancholy; sorgesam mournful; tragisk tragic; bedrövlig deplorable, sorry; ömklig pitiful, miserable; *ett ~t faktum* a melancholy fact; *det var en ~ syn* ...sad (pitiful, sorry) sight (spectacle); *det är ~t men sant* ...sad but unfortunately true

sorgligt *adv* sadly etc., jfr *sorglig*; **~ nog** unfortunately, worse luck

sorglös *adj* (~t) se *sorgfri* 2 obekymrad unconcerned; tanklös unthinking, thoughtless; glad light-hearted; lättsinnig happy-go-lucky

sorgmarsch *s* (~en, ~er) funeral march

sorgmusik *s* (~en) funeral music

sorgsen *adj* (sorgset, sorgsna) sad; bedrövad äv. sorrowful, sorrow-stricken; pred. grieved; sorgmodig melancholy, mournful; nedslagen woeful, rueful [*över* i samtliga fall at-]

sorgslöja *s* (~n, -slöjor) mourning veil

sork *s* (~en, ~ar) zool. vole, field-mouse (pl. field-mice)

sorl *s* (~et) murmur, murmuring; av röster äv. hum, buzz; **bäckens ~** the murmur (ripple, rippling) of the brook

sorla *vb itr* (~de, ~t) murmur, hum; om röster äv. buzz; om bäck ripple

sort *s* (~en, ~er) **1** slag sort, kind; typ type; hand., märke brand; jfr äv. *1 slag* med ex.; **en ~s egendomliga insekter** a peculiar kind of insect sg.; framställa **en ny ~s vete** ...a new strain (variety) of wheat; **sju ~ers** kakor seven sorts of...; **den här ~en** blommar tidigt this type (variety)...; **han är en ~ för sig** he has his own funny ways **2** matem. denomination

sortera I *vb tr* (~de, ~t) sort, assort; efter kvalitet el. storlek äv. grade, classify [*efter* according to]; **~ efter storlek** äv. size; **~ in ngt i...** sort sth into...; **~ upp** materialet sort out (over, through)...; **~ ut** gallra ut sort (weed) out **II** *vb itr* (~de, ~t), **~ under** a) lyda under be subordinate to, be (come) under the supervision of b) höra under belong (come, fall) under

sorterad *adj* (sorterat, ~e) assorted

sortering *s* (~en, ~ar) sorterande sorting etc., jfr *sortera I*; classification; **andra ~** seconds

sorti *s* (~n, ~er) teat. el. friare exit [*från*, *ur* from]; **göra [sin] ~** make one's exit

sortiment *s* (~et, =) assortment, range, selection; samling collection; **ett rikt ~ av...** a wide range (selection) of...

SOS *s* (SOS:et, =), **ett ~** an SOS

sosse *s* (~n, sossar) vard. socialist, social democrat

sot *s* (~et) **1** soot; i motor carbon; som smuts grime **2** på säd smut, blight

1 sota I *vb tr* (~de, ~t) **1** skorsten o.d. sweep; motor decarbonize; vard. decoke **2** svärta black[en]; **~ [ned]** smutsa cover...with soot, make...sooty (grimy) **II** *vb itr* (~de, ~t) alstra sot smoke, give off soot

2 sota *vb itr* (~de, ~t), **få ~ för ngt** pay (smart, suffer) for sth; **det här ska han [minsann] få ~ för!** he'll pay (smart, suffer) for this!

sotare *s* (~n, =) chimney-sweep

soteld *s* (~en, ~ar) chimney-fire

sothöna *s* (~n, -hönor) zool. coot

sotig *adj* (~t) allm. sooty; om skorsten äv. ...full of soot; smutsig grimy

sotning *s* (~en, ~ar) [chimney-]sweeping etc., jfr *1 sota I*

souterränghus *s* (~et, =) split level [house]

souvenir *s* (~en, ~er) souvenir, keepsake

sova I *vb itr* (sov, sovit) eg. el. bildl. sleep; vara försänkt i sömn be asleep; ta en lur have a nap (sleep); **~ bra** sleep well, be a good (sound) sleeper; **~ gott** djupt sleep soundly, be sound (fast) asleep; **sov gott!**

sleep well (tight)!; **har du sovit gott [i natt]?** did you sleep well?; **han sover oroligt** he is restless in his sleep; som vana he sleeps restlessly; **han sov oroligt i natt** he had a restless (bad) night; benet **sover** ...has gone to sleep (is asleep); **jag har inte kunnat ~ på hela natten** I didn't get any sleep all night; **försöka ~ lite** try to get some sleep; **jag ska ~ på saken** I'll sleep on it **II** med beton. part.

sova av sig t.ex. rus, ilska sleep off...

sova bort a) tid sleep away... b) t.ex. smärta sleep off...

sova ut sova länge have a good sleep; sova tillräckligt länge have enough sleep, jfr *utsövd*

sova över: **~ över [hos ngn]** stay the night [at sb's place]

sovalkov *s* (~en, ~er) bedstead recess

Sovjet hist., se *Sovjetunionen*; **Högsta ~** the Supreme Soviet

sovjetrepublik *s* (~en, ~er) hist. Soviet Republic

Sovjetunionen hist. the Soviet Union, the Union of Soviet Socialist Republics (förk. USSR)

sovkupé *s* (~n, ~er) sleeping-compartment

sovmorgon *s* (~en, -mornar), **ha ~** i morgon have a late morning..., be able to sleep on...

sovplats *s* (~en, ~er) sleeping-place; järnv. el. sjö. [sleeping-]berth; järnv. äv. (vard.) sleeper

sovplatsbiljett *s* (~en, ~er) sleeping-berth ticket

sovra *vb tr* (~de, ~t) t.ex. material sift, sort out; t.ex. stil prune; malm dress; **~ bort** sort (winnow) out, eliminate

sovrum *s* (~met, =) bedroom

sovsal *s* (~en, ~ar) dormitory

sovstad *s* (~en, -städer) dormitory [suburb]; amer. äv. bedroom town

sovsäck *s* (~en, ~ar) sleeping bag

sovvagn *s* (~en, ~ar) sleeping car; vard. sleeper

sovvagnsbiljett *s* (~en, ~er) sleeping-berth ticket

so-ämnen *s pl* se *samhällsorienterande*

spackel *s* **1** (spacklet) massa filler, putty **2** (~n, spacklar) verktyg putty knife, scraper; amer. äv. spackle knife, spatula

spackla *vb tr* (~de, ~t) putty; **~ igen** ett hål putty up...

spad *s* (~et) allm. liquid, water, liquor; för soppor o. såser stock; kött~ ofta broth; grönsaks~ ibland juice

spade *s* (~n, spadar) spade; **en ~ jord** a spadeful of earth

1 spader *s* (~n, =) kortsp., koll. (äv. som bud) spades pl.; **en ~** a (resp. one) spade, jfr *hjärter* med ex. o. sammansättn.

2 spader *s* (oböjl.) vard., **få ~** do one's nut, go mad (crazy)

spadtag *s* (~et, =) cut (dig) with a (resp. the) spade; **ta det första ~et till...** cut (turn) the first sod for...

spaghetti *s* (~n) koll. spaghetti sg.

1 spak *s* (~en, ~ar) [hand-]lever; sjö. handspike; flyg. [control] stick, control column

2 spak *adj* (~t) lätthanterlig controllable, manageable; foglig docile; ödmjuk submissive, subdued; **bli ~** spakna become more controllable (etc., se ovan); ibland become less aggressive; mjukna soften; **få (göra) ngn ~** make sb docile (etc., se ovan), break sb's spirit

spaljé *s* (~n, ~er) för växt trellis, espalier

spaljéträd s (~et, =) trained (trellised) [fruit-]tree, espalier

spalt s (~en, ~er) **1** typogr. column **2** spaltat skinn split **3** tekn., springa slit

spalta vb tr (~de, ~t) **1** typogr. put…into columns **2** klyva o. dela upp, ~ [**upp**] split [up], divide **3** kem. decompose

spaltfyllnad s (~en, ~er) padding

spaltmeter s (~n, =), **skriva ~ om…** write page after page (columns [and columns]) about…

spana vb itr (~de, ~t) med blicken gaze, look out; intensivt watch, spy out; speja scout; om polis investigate; ~ söka **efter…** be on the lookout (the search, the hunt) for…; ~ **in** vard. have a look (peep) at, get an eyeful of

spanare s (~n, =) spejare scout; mil. el. flyg. observer; polis investigator, detective

spaniel s (~n, ~ar el. ~s) spaniel

Spanien Spain

spaning s (~en, ~ar) **1** search; polis~ äv. investigation, search for wanted persons (resp. a wanted person); mil. el. flyg. reconnaissance; **vara på ~ efter ngt** bildl. be on the lookout (the search) for sth; **sätta i gång ~ar efter** start a search (hunt) for **2** spanande searching; scouting, reconnoitring; jfr spana

spaningsflygplan s (~et, =) reconnaissance plane, scout

spaningspatrull s (~en, ~er) search party; mil. reconnaissance patrol

spanjor s (~en, ~er) Spaniard; **~erna** som nation, lag etc. the Spaniards, the Spanish

spanjorska s (~n, spanjorskor) Spanish woman

spankulera vb itr (~de, ~t) stroll, saunter

1 spann s (~et, =) **1** bro~ span **2** skid~ arching of a (resp. the) ski

2 spann s (~et, =) dragdjur team; med oxar äv. yoke (pl. lika); jfr fyrspann

3 spann s (~en, spänner el. ~ar) se hink

spannmål s (~en) corn; speciellt amer. grain; brödsäd cereals pl.

spannmålsmagasin s (~et, =) granary, grain store (elevator); silo silo

spansk adj (~t) Spanish; ~ **peppar** chili, green pepper; **~a sjukan** the Spanish flu

spanska s (~n) språk Spanish, jfr svenska 2

spanskamerikansk adj (~t) Spanish-American, Hispanic

spant s (~et, =) sjö.: allm. frame; av trä äv. timber, rib

spara I vb tr o. vb itr (~de, ~t) **1** samla, gömma save äv. data.; sätta av äv. save up, put (lay) by; för senare tillfälle äv. keep, reserve [till i samtliga fall for]; uppskjuta put off [till to, till]; **spar** kvittot! save (keep)…!; **det är ingenting att ~ på** it is not worth saving (keeping); ~ **till en bil** save up for a car; **ha en ~d slant** have some money saved (put by, laid by), have some savings, have a nest egg **2** inbespara save; ~ **arbete (plats, tid, utgifter)** save labour (space, time, expense) **3** vara sparsam be economical (saving), save; inskränka sig retrench, cut down one's expenses; ~ **och snåla** scrimp and save; **den som spar han har** waste not, want not **4** hushålla med economize [på on]; snåla be sparing [på of]; hålla inne med keep…to oneself; skona, t.ex. sin hälsa spare; **på krafterna** save one's strength; **inte ~ på krafterna** not spare (be unsparing of) one's strength **5** se bespara

II vb rfl (~de, ~t), ~ **sig** spare oneself, save one's strength; hålla igen not go all out; sport. äv. hold [oneself] back

III med beton. part.

spara ihop save (lay) up, put (lay) by [till i samtliga fall for]; hopa accumulate; jfr hopsparad

spara in save; ~ **in** dra in **på ngt** economize (cut down) on sth

sparare s (~n, =) saver

sparbank s (~en, ~er) savings bank

sparbössa s (~n, -bössor) money box, savings box

spargris s (~en, ~ar) piggy bank

spark s (~en, ~ar) **1** kick; **få en ~** get kicked; **ge ngn en ~** kick sb; **få ~en** vard. get the sack (the push), be (get) fired; **ge ngn ~en** vard. give sb the sack (the push), fire sb **2** se sparkstötting

sparka I vb tr (~de, ~t) kick; ~ **boll** vard. kick a ball about, play football; ~ **ngn på smalbenen** kick sb's shins; ~ **ngn i ändan** kick sb (give sb a kick) in the pants; **bli ~d från jobbet**, vard. get the sack (the push), be (get) fired; ~ **ngn från jobbet**, vard. give sb the sack (the push), fire sb

II vb itr (~de, ~t), ~ [**med benen (omkring sig)**] kick about; ~ **inte på dörren!** don't kick at (against)…!

III med beton. part.

sparka av knäcka av kick and break; ~ **av sig [täcket]** kick off one's bedclothes

sparka igen dörren kick…shut

sparka i gång en verksamhet vard. kick off…

sparka ihjäl ngn kick sb to death

sparka in dörren kick…in

sparka omkull kick…over

sparka till ngn (ngt) give…a kick

sparka upp t.ex. dörr kick…open

sparkapital s (~et, =) saved (savings) capital; **ett (hans) ~** vanl. some (his) savings pl.

sparkassa s (~n, -kassor) savings association

sparkcykel s (~n, -cyklar) scooter

sparkdräkt s (~en, ~er), **en ~** a romper suit (playsuit)

sparkonto s (~t, ~n) savings account

sparkstötting s (~en, ~ar) kick-sled, sled which is propelled like a scooter

sparlåga s (~n) **1** gas~ low jets pl.; grytan **står på ~** …is kept on low heat **2** bildl., **gå på ~** take it easy, not exert oneself too much; **sätta ngt på ~** backburner sth, put sth on the backburner

sparlån s (~et, =) 'savings loan', bank loan that may be obtained after a period of saving

sparmedel s pl savings capital sg.; **hans ~** his savings

sparobligation s (~en, ~er) savings bond

sparpaket s (~et, =) austerity package

sparpengar s pl savings

sparra vb tr o. vb itr (~de, ~t), ~ [**mot**] **ngn** spar with sb, be sb's sparring partner

sparringpartner s (~n, =) sparring partner äv. friare

sparris s (~en, ~ar) koll. asparagus (vanl. sg.); **en ~** a stalk (spear) of asparagus

sparsam adj (~t, ~ma) **1** ekonomisk economical [med with]; thrifty [med with]; **vara ~ med bränslet** bränslet economize on… **2** friare el. bildl.: gles sparse; knapp scanty; sällsynt rare, infrequent; ~ **med (på)** t.ex. beröm, ord sparing (chary) of

sparsamhet s (~en) economy, thrift

sparsamhetsskäl *s* (~et), *av* ~ for reasons of economy

sparsmakad *adj* (-smakat, ~e) fastidious; återhållsam restrained

spartansk *adj* (~t) Spartan

sparv *s* (~en, ~ar) sparrow

sparvhök *s* (~en, ~ar) sparrow hawk

sparvuggla *s* (~n, -ugglor) pygmy owl

spasm *s* (~en, ~er) spasm

spasmodisk *adj* (~t) spasmodic

spastiker *s* (~n, =) spastic; han är ~ ...a spastic

spastisk *adj* (~t) spastic

spat *s* (~en, ~er) miner. spar

spatel *s* (~n, spatlar) spatula

spatiös *adj* (~t) spacious; bostad äv. roomy

spatsera *vb itr* (~de, ~t) walk, stroll

spatt *s* (~en) **1** hos häst spavin **2** *jag tror jag får ~!* vard. I'll go crazy (mad) in a minute!

spattig *adj* (~t) **1** om häst spavined; om person, stelbent stiff, ...stiff in the joints **2** virrig, nervös scatty

spe *s* (oböjl., ett) förlöjligande derision, ridicule, mockery

speaker *s* (~n, speakrar) utropare, hallåman announcer; konferencier compère; britt. el. amer. parl. Speaker

speceriaffär *s* (~en, ~er) grocer's, grocery, grocer's (grocery) shop (amer. store)

specerier *s pl* groceries

specialartikel *s* (~n, -artiklar) i tidning feature [article]

specialdesignad *adj* (-designat, ~e) specially designed

specialeffekter *s pl* film etc. special effects

specialerbjudande *s* (~t, ~n) special offer

specialfall *s* (~et, =) special case

specialgjord *adj* (-gjort) specially made

specialisera I *vb tr* (~de, ~t) specialize [på, i in] **II** *vb rfl* (~de, ~t), ~ *sig* specialize [på, i in]

specialisering *s* (~en, ~ar) specialization

specialist *s* (~en, ~er) specialist [på in]; expert expert [på on (in)]; *han är ~ på* försäkringsfrågor he is an expert on (in)...

specialitet *s* (~en, ~er) speciality; fack, produkt äv. specialty

specialklass *s* (~en, ~er) skol. special educational needs class, remedial class

specialkunskap *s* (~en, ~er) specialist knowledge (endast sg.)

speciallärare *s* (~n, =) remedial teacher

specialstål *s* (~et, =) special (alloy) steel

specialundervisning *s* (~en) remedial teaching (instruction)

specialuppdrag *s* (~et, =) special task (commission)

specialutbildad *adj* (-utbildat, ~e) specially trained

speciell *adj* (~t) special, particular, jfr *särskild*

speciellt *adv* specially, especially, particularly, jfr *särskilt*; *detta gäller alldeles ~ i fråga om...* this is true about...in particular

specificera *vb tr* (~de, ~t) specify; räkning itemize; *nedan ~de varor* the articles specified below

specifik *adj* (~t) specific

specifikation *s* (~en, ~er) specification [över of], detailed description [över of]

spedition *s* (~en, ~er) hand., spedierande forwarding, dispatch, shipping; jfr *speditionsfirma*

speditionsfirma *s* (~n, -firmor) forwarding (shipping) agency (agents pl.)

speditör *s* (~en, ~er) forwarding (shipping) agent[s pl.]

speedway *s* (~en) speedway [racing]

spefull *adj* (~t) hånfull mocking, taunting; gäckande quizzical, ...given to mockery

spegel *s* (~n, speglar) **1** allm., optik. el. bildl. mirror, åld. looking glass; *sjön ligger som en ~* the lake is as smooth as a millpond **2** tekn., ving- specul|um (pl. -a); fält på dörr, matta o.d. panel

spegelbild *s* (~en, ~er) reflection äv. bildl.; vetensk. mirror (reflected) image

spegelblank *adj* (~t) om t.ex. is, sjö glassy, ...as smooth (bright) as a mirror; om t.ex. golv, metall shiny

spegelglas *s* (~et) mirror (tjockt, slipat plate) glass

spegelreflexkamera *s* (~n, -kameror) reflex camera

spegelvänd *adj* (-vänt) reversed, inverted

spegla I *vb tr* (~de, ~t) reflect, mirror; litteraturen *~r samtiden* ...reflects the age **II** *vb rfl* (~de, ~t), ~ *sig* be reflected (mirrored); om person look [at oneself] in a mirror

speja *vb itr* (~de, ~t) spy [efter for, out, on], jfr *spana*

spejare *s* (~n, =) mil. [reconnaissance] scout; spion spy

spektakel *s* (spektaklet, =) **1** elände nuisance; uppträde scene; uppståndelse fuss; skandal scandal **2** festlighet spectacle

spektakulär *adj* (~t) spectacular; sensationell sensational; uppseendeväckande striking

spektralanalys *s* (~en, ~er) spectral (spectrum) analys|is (pl. -es)

spektroskop *s* (~et, =) spectroscope

spektrum *s* (~et el. spektret, = el. spektra) fys. spectr|um (pl. -a) äv. bildl.

spekulant *s* (~en, ~er) **1** intending (prospective, would-be) buyer (purchaser); på auktion äv. bidder **2** börs. speculator, operator

spekulation *s* (~en, ~er) allm. speculation; hand. äv. venture; börs. operation; *på ~* on (as a) speculation; vard. on spec

spekulativ *adj* (~t) speculative; hand. äv. venturous

spekulera *vb itr* (~de, ~t) **1** fundera speculate [över about (on)], ponder [över on (over)]; *det ~s över* orsaken people are making guesses about... **2** göra osäkra affärer speculate; börs. operate, play the market; ~ *i aktier* speculate in shares

spel *s* (~et, =) **1** mus. playing; spelsätt äv. execution, performance **2** teat., spelsätt acting; teaterstycke play **3** sällskaps~, kort~, idrotts~ game äv. bildl.; spelande playing; spelsätt vanl. play; hasard~ gambling; ~ *om pengar* playing for money; *bollen är i (ur)* ~ the ball is in (out of) play; förlora (vinna) *på ~* ...by gambling; kortsp. ...at cards **4** orr~ o.d. [mating] call **5** tekn.: gruv~ winder; vinsch o.d. windlass; ankar~ capstan **6** spec. uttr., framför allt bildl.: *musklernas ~* the play of the muscles; ~*et är förlorat* the game is up; *spela ett högt ~* eg. play for high stakes; bildl. play a dangerous game; *spela rent ~* play fair (a straight game); *ta hem ~et* win the game; *följa ~ets regler* play the game, follow the rule book; *ha ett finger med i ~et* have a finger in it (in the pie); *stå på ~* be at stake; riskeras be in jeopardy, be at risk; *sätta ngt på ~* risk (stake, jeopardize) sth, put sth at stake;

dra sig ur ~et quit the game; friare back out, give up; vard. chuck it in

spela I *vb tr* o. *vb itr* (~de, ~t) **1** allm. play äv. bildl., om t.ex. ljus; mus. äv. execute, perform; om skådespelare äv. act; visa [film] show; ~ hasard gamble; låtsas vara pretend, feign; ~ *dataspel* play computer games; ~ *kort* play cards; ~ *piano* (*gitarr*) play the piano (guitar); vard. äv. play piano (guitar); ~ *teater* se *teater*; ~ rollen *Hamlet* play (act) [the part of] Hamlet; ~ *apa* play the ape, monkey about; ~ *hjälte* act the hero; ~ *sjuk* pretend to be ill, sham (feign) illness; mil. malinger; ~ *defensivt* sport. play defensively; *låta fantasin* ~ draw on one's imagination; ~ *mot ngn* i sport play sb; i pjäs play opposite sb, co-star sb; ~ *schack mot ngn* play sb at chess; ~ *om pengar* play for money; ~ *på* en häst bet on...; ~ *på ngns känslor* play on sb's feelings; ~ *på lotteri* take part in a lottery (lotteries pl.) **2** om orre o.d. call; om lärka o.d. sing **3** tr., vinscha hoist, winch **II** med beton. part.

spela av: ~ *av ngn* pengar win...off sb

spela bort gamble away

spela fram fotb. play (make) a through pass

spela igenom ett musikstycke play...over (through)

spela in a) tr., ~ *in en cd* record a CD; ~ *in en film* make (produce, fotografera shoot) a film; ~ *in ngt* på band, video etc. record sth, tape sth **b)** itr., inverka come into play

spela med join in the game; kortsp. take a hand; ~ *med i* en film appear in...

spela om mus., sport. e.d. replay, play...again; en scen take...[over] again

spela upp a) spelläxa play [*för* to] **b)** t.ex. en vals strike up; ~ *upp till dans* strike up a dance **c)** ljudband play back

spela ut a) ett kort lead, play **b)** ~ *ut ngn mot ngn* play off sb against sb; kyrkan *har ~t ut sin roll* ...has had its day **c)** sport. outplay

spela över (jfr *överspelad*) **a)** överdriva overdo it; om skådespelare overact **b)** ~ *över ett band* ljudband re-record a tape

spelare *s* (~n, =) allm. player; hasard~ gambler

spelautomat *s* (~en, ~er) [automatic] gambling machine; vard., med spak fruit machine, one-armed bandit; amer. slot machine

spelberoende *adj* (oböjl.) ...addicted to gambling

spelbord *s* (~et, =) för kortspel card table; för hasardspel gambling (gaming) table

speldosa *s* (~n, -dosor) music box

spelfilm *s* (~en, ~er) feature film

spelhall *s* (~en, ~ar) amusement hall (arcade)

spelhåla *s* (~n, -hålor) gambling den; speciellt amer. gambling joint

spelkort *s* (~et, =) playing-card

spellektion *s* (~en, ~er) mus. music lesson

spelman *s* (~nen, -män) [folk] musician; fiolspelare fiddler

spelmark *s* (~en, ~er) counter

spelregel *s* (~n, -regler) rule [of the game]

spelrum *s* (~met) bildl. scope, play; *ge fantasin fritt* ~ give free scope to one's imagination

spelskuld *s* (~en, ~er) gambling debt

spelsätt *s* (~et, =) sport. way of playing, technique äv. kortsp.; mus. äv. execution; teat. [way of] acting

spelt *s* (~en) spelt

speltid *s* (~en, ~er) för film screen (running) time; för musikkassett, videokassett playing time

speltvete *s* (~t) spelt

speluppläggare *s* (~n, =) sport. playmaker

spelår *s* (~et, =) teat. theatrical year

spelöppning *s* (~en, ~ar) schack. el. bildl. [opening] gambit; friare, t.ex. sport opening

spenat *s* (~en) spinach

spendera *vb tr* (~de, ~t) spend

spendersam *adj* (~t, ~ma) generous, liberal, ...liberal with one's money

spene *s* (~n, spenar) teat, nipple; hos ko äv. dug

spenslig *adj* (~t) slender, slim; om figur äv. slight

spenvarm *adj* (~t) om mjölk ...warm from the cow

sperma *s* (~n) sperm

spermadonator *s* (~n, ~er) o. **spermagivare** *s* (~n, =) sperm donor

spermie *s* (~n, ~r) sperm

spetig *adj* (~t) **1** spretande straggling **2** mager skinny; *~a ben* spindly legs

1 spets *s* (~en, ~ar) udd point äv. bildl.; på reservoarpenna nib; ände, på t.ex. finger, rot, tunga tip; [smal]ända [narrow] end; topp apex (pl. apexes el. apices) äv. geom., top; blad~ el. vetensk. cusp; *sluta i en* ~ end in a point; *gå i ~en för ngt* walk at the head of sth, head (lead the way for) sth äv. bildl.; *ställa saken på sin* ~ bring matters to a head; *driva saken till sin* ~ carry (drive) matters to an extreme (to extremes)

2 spets *s* (~en, ~ar) trådarbete, *~[ar]* lace (endast sg.); *en* ~ a piece of lace

3 spets *s* (~en, ~ar) hund spitz; dvärg~ Pomeranian

spetsa *vb tr* (~de, ~t) **1** göra spetsig, ~ till sharpen, point; ~ *öronen* prick (cock) up one's ears äv. bildl.; ~ *till* bildl.: t.ex. situation bring...to a head (a critical stage); t.ex. formulering make...[more] incisive **2** genomborra pierce **3** t.ex. mat, dryck lace, spike

Spetsbergen Spitsbergen

spetsbåge *s* (~n, -bågar) arkit. pointed arch, lancet, ogive

spetsfundig *adj* (~t) subtle; neds. quibbling, hairsplitting

spetsfundighet *s* (~en, ~er) subtlety, quibble; konkr. äv. subtle point; *~er* äv. quibbling, hairsplitting (samtliga sg.); *komma med ~er* split hairs

spetsgardin *s* (~en, ~er) lace curtain

spetsig *adj* (~t) allm. pointed; vass sharp båda äv. bildl.; avsmalnande tapering; om vinkel o.d. acute; bildl. äv. caustic, sarcastic, cutting; *~t berg* peaked mountain; ~ *kniv* o.d. sharp-pointed...

spett *s* (~et, =) **1** stek~ spit; grill~ skewer **2** järn~ [pointed] iron-bar lever

spett[e]kaka *s* (~n, -kakor) pyramid cake [made of eggs and baked on a spit]

spetälsk I *adj* (~t) leprous **II** *s* (en ~, pl. ~a), *en* ~ a leper

spetälska *s* (~n) leprosy

spex *s* (~et, =) student~ students' farce

spexa *vb itr* (~de, ~t) skämta clown [about], horse around

spigg *s* (~en, ~ar) zool. stickleback

1 spik *adv*, ~ *nykter* (*rak*) se *spiknykter* o. *spikrak*

2 spik *s* (~en, ~ar) nail; stift, nubb tack; räls~, brodd spike; *slå* (*träffa*) *huvudet på ~en* bildl. hit the nail on the head; om kritik o.d. äv. strike home

spika I *vb tr* o. *vb itr* (~de, ~t) nail; med nubb o.d. tack;

bildl. fix, peg; ~ **en dag för sammanträde** vard. fix...; **~d**
vard., se *fullsatt*
II med beton. part.
spika fast fasten...with a nail (resp. nails pl.); nail
[*vid* on to]
spika för: ~ *för* [*brädor för*] en öppning nail boards
over..., board up..., cover...with boards
spika igen lock o.d. nail...down (dörr o.d. up)
spika upp nail...[up]; anslag äv. placard
spikhuvud s (~et, ~en el. =) head of a (resp. the) nail,
nail-head
spikhål s (~et, =) nail hole
spikmatta s (~n, -mattor) bed of nails
spiknykter adj (~t, -nyktra) vard. ...as sober as a
judge
spikpiano s (~t, ~n) honky-tonk piano
spikrak adj (~t) dead straight, ...as straight as an
arrow (a poker)
spiksko s (~n, ~r) sport. spiked (track) shoe; **~r** äv.
spikes
spill s (~et) **1** waste, wastage, loss; spec. av vätska
spillage; radioaktivt fallout **2** data. overflow
spilla I vb tr o. vb itr (spillde, spillt) **1** eg. betydelse spill,
drop; **spill inte!** take care you don't spill a drop!,
don't spill it!; **det är inte värt att gråta över spilld**
mjölk it is no use crying over spilt milk **2** bildl.
waste, lose; ~ *ord* (*tid*) *på ngt* waste words on (time
on el. over) sth, waste one's breath on sth
II med beton. part.
spilla bort sin tid på struntsaker fritter away...
spilla på sig spill something (kaffe some coffee) on
one's clothes (over oneself)
spilla ut vinet spill...[out], slop...
spillkråka s (~n, -kråkor) zool. black woodpecker
spillning s (~en, ~ar) droppings pl.; gödsel dung
spillo s (oböjl.), *gå till* ~ get (be) lost, be wasted, go
(run) to waste; *låta ngt gå till* ~ waste sth, allow sth
to go (run) to waste
spillolja s (~n) waste oil
spillra s (~n, spillror) skärva splinter; friare el. bildl.
remnant, remains pl.; fragment fragment; **spillror** a) av
t.ex. flygplan, hus wreckage, debris (båda endast sg.) b) av
t.ex. förmögenhet, armé scattered remnants, wreck
(endast sg.) *av* of]; *slå ngt i spillror* lay sth in ruins,
shatter sth
spilltid s (~en) bortkastad tid time wasted (lost); extra
tid time left over
spilta s (~n, spiltor) stall; lös [loose] box
1 spindel s (~n, spindlar) zool. spider; *sitta som ~n i*
nätet be the spider in the web
2 spindel s (~n, spindlar) tekn. spindle; i ur verge; i
vindeltrappa newel
spindelnät s (~et, =) o. **spindelväv** s (~en, ~ar)
cobweb; spider['s] web
spinett s (~en, ~er) mus. spinet
spinkig adj (~t) [very] thin, spindly, slender; **~a ben**
spindly legs
1 spinn s (~et, =) **1** flyg. spin, spinning dive; *råka i* ~
go down in (get into) a spin **2** fys. spin
2 spinn s (~et, =) fiske., *ta en gädda på* ~ spin a pike
spinna I vb tr o. vb itr (spann, spunnit) eg. el. friare
spin; tvinna äv. twist; rotera äv. spin round, twirl **II** vb
itr (spann, spunnit) om katt, motor, person purr; ~ *av*
belåtenhet purr with content
spinnaker s (~n, spinnakrar el. ~s) sjö. spinnaker

spinnare s (~n, =) **1** fiske. spinner **2** spinnarfjäril
bombycid
spinneri s (~et, ~er) spinning mill
spinnfiske s (~t) spinning; amer. äv. bait casting
spinnrock s (~en, ~ar) spinning wheel
spinnspö s (~et, ~n) spinning (casting) rod
spion s (~en, ~er) spy; hemlig agent secret
(undercover) agent
spionaffär s (~en, ~er) spying (spy) affair
spionage s (~t, =) espionage; spionerande spying
spionera vb itr (~de, ~t) spy [*på* on]; carry on
espionage [*åt* i båda fallen for]
spioneri s (~et, ~er) spying; spionage espionage (båda
endast sg.)
spionliga s (~n, -ligor) spy ring
spionprogram s (~met, =) data. spyware
spira I s (~n, spiror) **1** topp spire **2** trä~ spar äv. sjö.;
rundhult pole **3** härskarstav sceptre; *Kung Karls* ~ bot.
Charle's sceptre **4** åld. vard., kvinnoben gam **II** vb itr
(~de, ~t), ~ [*upp* (*fram*)] om frö el. bildl. germinate;
skjuta skott sprout [up (forth)], shoot [forth] [*ur* out
of]; *~nde kärlek* incipient love; *~nde liv* budding
(growing) life
spiral s (~en, ~er) **1** spiral, helix (pl. helixes el. helices);
vindling äv. whorl, convolution; *gå i* ~ turn (wind)
spirally (in a spiral) **2** preventivmedel loop, coil, IUD
(förk. för intra-uterine device)
spiralblock s (~et, =) spiral[-bound] writing pad
spiralfjäder s (~n, -fjädrar) coil (spiral) spring
spiralformig adj (~t) spiral, helical; snäckformig
whorled; med vindlingar convoluted; speciellt biol.
convolute
spiraltrappa s (~n, -trappor) spiral staircase
spirea s (~n, spireor) bot. spiraea
spiritism s (~en), ~[*en*] spiritualism
spiritist s (~en, ~er) spiritualist
spiritualitet s (~en, ~er) elegans brilliance; fyndighet
wit; kvickhet esprit (samtliga endast sg.)
spirituell adj (~t) witty, ...full of wit
spirituosa s (~n) spirits pl.
1 spis s (~en, ~ar) köks~ cooker, amer. stove; [*öppen*]
~ [open] fireplace; *stå vid ~en* be busy cooking
2 spis s (~en, ~ar) åld., *andlig* ~ spiritual nourishment
spisa vb tr o. vb itr (~de, ~t) **1** äta eat **2** vard. listen
[jazz to jazz]
spiselkrans s (~en, ~ar) mantelpiece, chimneypiece
spisfläkt s (~en, ~ar) cooker hood ventilator (fan)
spiskummin s (~en el. ~et) bot. el. kok. cumin
spiskåpa s (~n, -kåpor) cooker hood
spisning s (~en), *utan vidare* ~ bildl. without further
ado
spisplatta s (~n, -plattor) hot plate, hob
spjut s (~et, =) spear; kast~, äv. sport. javelin; kort dart;
kasta ~ throw the javelin
spjutkastare s (~n, =) sport. javelin thrower
spjutkastning s (~en) sport., gren javelin throw, the
javelin
spjutspets s (~en, ~ar) **1** spearhead äv. bildl. **2** sport.
target player
spjutspetsteknologi s (~n) cutting-edge technology
spjuver s (~n, spjuvrar) rogue
spjäla I s (~n, spjälor) lath; på säng o.d. bar; i jalusi vanl.
slat; i staket pale; med. splint **II** vb tr (~de, ~t) med.
splint, put...into splints
spjälka vb tr (~de, ~t) **1** klyva, äv. bildl. el. kem. split [*i*

into]; bryta ned break down, decompose **2** med., se *spjäla II*

spjäll *s* (~et, =) i eldstad damper; i maskin throttle valve; förgasarventil vanl. throttle

spjälstaket *s* (~et, =) paling, pale (picket) fence

spjälsäng *s* (~en, ~ar) för barn cot [with bars]; speciellt amer. crib

spjärn *s* (oböjl.), **ta ~** [**med fötterna**] **mot ngt** brace one's feet against sth

spjärna *vb itr* (~de, ~t), **~ emot** streta emot offer resistance, dig one's heels in, resist

1 split *s* (~et) discord, dissension; **så ~** sow [the seeds of] dissension, make mischief

2 split *s* (~et) ekon. share splitting

splits *s* (~en, ~ar) splice

splitsa *vb tr* (~de, ~t) splice [up] [*ihop* together]

1 splitter *s* (splittret, =) splinter[s pl.]

2 splitter *adv*, **~ ny** brand-new

splitterfri *adj* (-fritt) shatterproof, splinterproof; **~tt glas** äv. safety (laminated) glass

splitterny *adj* (-nytt) brand-new

splitterskydd *s* (~et, =) splinter-protecting cover, splinterproof äv. mil.

splittra I *vb tr* (~de, ~t) shatter, splinter, break...into splinters; bildl. divide (t.ex. tid, krafter split) [up]; partiet **har ~ts** ...has split up **II** *vb rfl* (~de, ~t), **~ sig** splinter, shiver, split; bildl. divide (squander) one's energies, spread oneself thin

splittrad *adj* (splittrat, ~e), meningarna [inom partiet] **var ~e** ...were divided; **han är ~** he divides his energies; friare he is torn in different directions

splittring *s* (~en, ~ar) shattering etc., jfr *splittra I*; söndring disruption, disintegration; oenighet division, split, schism; brist på enhet lack of conformity, disunion

1 spola *vb tr* o. *vb itr* (~de, ~t) **1** ~ ren med vatten o.d. flush, swill [down], sluice; skölja rinse, wash äv. om våg; skridskobana flood; med. syringe; **~** [**upp**] **vatten** i badkaret run the water...; **~** [**i toaletten**] flush [the toilet]; **~ ngt i land** wash sth ashore; **~s i land** be washed ashore; **~ av** a) t.ex. bilen wash down, flush b) t.ex. disken rinse, swill c) t.ex. smutsen swill off; **~ ned ngt i toaletten** flush sth down the toilet (lavatory [pan]) **2** vard., förkasta scrap, chuck out, turn down; amer. äv. deep-six; **~ kröken** go on the [water] wagon; **~ sina planer** (**ett förslag**) scrub one's plans (a proposal)

2 spola I *vb tr* o. *vb itr* (~de, ~t) vinda upp på spole wind, spool, reel äv. film
II med beton. part.
spola av wind off, unspool
spola fram band, film run (wind) forward, fast-forward
spola tillbaka band, film rewind

spolarvätska *s* (~n, -vätskor) windscreen (amer. windshield) washer fluid

spole *s* (~n, spolar) **1** symaskinsspole bobbin, amer. spool; för film, [färg]band, silke o.d. spool; rulle reel; hårspole curler, roller **2** elektr. el. radio. coil **3** fjäderspole quill

spolformig *adj* (~t) spool-shaped, bobbin-shaped; naturv. fusiform

spoliera *vb tr* (~de, ~t) spoil, wreck; ödelägga ruin

spoling *s* (~en, ~ar) stripling; skämts. whippersnapper

spolmask *s* (~en, ~ar) roundworm; med. ascarid

sponsor *s* (~n, ~er) sponsor

sponsra *vb tr* (~de, ~t) sponsor

sponsring *s* (~en, ~ar) sponsoring

spont *s* (~en, ~er) snick. tongue

spontad *adj* (spontat, ~e), **~e bräder** matchboards, tongue-and-groove boards

spontan *adj* (~t) spontaneous

spontanitet *s* (~en, ~er) spontaneity, spontaneousness

spor *s* (~en, ~er) bot. spore

sporadisk *adj* (~t) sporadic; enstaka isolated, occasional, stray; spridd scattered

sporra *vb tr* (~de, ~t) eg. el. bildl., allm. spur [*framåt* on]; bildl. äv. stimulate, incite; starkare goad; deg cut, jag; **~ ngn att göra ngt** goad sb into doing sth; **~ hästen** spur the horse

sporre *s* (~n, sporrar) spur; bildl. äv. stimul|us (pl. -i), incentive; deg~ pastry wheel (cutter); på hund dewclaw; flyg. [tail] skid

sport *s* (~en, ~er) sport; flera slags ~er sports pl.; boll~ game[s pl.]; **det har blivit en ~** it has become a regular sport (pastime)

sporta *vb itr* (~de, ~t) go in for sports (bollsporter games)

sportaffär *s* (~en, ~er) sports shop (outfitter)

sportartiklar *s pl* sports equipment sg. (articles, goods)

sportbil *s* (~en, ~ar) sports car

sportdykare *s* (~n, =) skin diver

sportdykning *s* (~en, ~ar) skin diving

sportfiskare *s* (~n, =) angler

sportfiske *s* (~t) angling

sportflygplan *s* (~et, =) private (sports) plane

sportfåne *s* (~n, -fånar) vard. sports freak

sporthall *s* (~en, ~ar) sports centre (hall)

sportig *adj* (~t) sporty; om kläder o.d. äv. ...for sports wear

sportjacka *s* (~n, -jackor) leisure (casual) jacket

sportjournalist *s* (~en, ~er) sports writer

sportklädd *adj* (-klätt) ...in sports clothes

sportkläder *s pl* sports clothes; sportswear sg.

sportlov *s* (~et, =) skol. [winter] sports holiday (amer. vacation)

sportnyheter *s pl* o. **sportnytt** *s* (oböjl.) sports news sg., sportscast sg.

sportredaktör *s* (~en, ~er) sports editor

sportsida *s* (~n, -sidor) sporting page; **sportsidorna** äv. the sporting section sg.

sportslig *adj* (~t) sporting, sports...; **en ~ chans** a sporting chance

sportstuga *s* (~n, -stugor) ung. [weekend] cottage; av timmer log cabin

spotsk *adj* (~t) föraktfull, hånfull contemptuous, scornful; övermodig arrogant, haughty; stursk impudent

1 spott *s* (~et) saliv spittle, saliva

2 spott *s* (~et), **~ och spe** scorn and derision

spotta *vb itr* o. *vb tr* (~de, ~t) spit; med. o.d. expectorate; **~ ngn i ansiktet** spit in sb's face; **han ~r inte i glaset** he is fond of the bottle; **~ fram** a) ge ifrån sig rap out; t.ex. en tidningsartikel churn out b) tillverka pour out (forth); **~ ut** spit out; vard., klämma fram med äv. cough up

spottkopp *s* (~en, ~ar) spittoon, amer. äv. cuspidor

spottkörtel *s* (~n, -körtlar) salivary gland
spottloska *s* (~n, -loskor) vard. gob of spittle
spottstyver *s* (oböjl., en), **köpa** ngt **för en** ~ ...for a song
spov *s* (~en, ~ar) zool.: stor~ curlew; små~ whimbrel
spraka *vb itr* (~de, ~t) knastra crackle; gnistra sparkle
äv. bildl., send out [crackling] sparks; om norrsken flash; **~nde färger** blazing colours
sprallig *adj* (~t) lively, bouncy, frisky
spratt *s* (~et, =) trick; skämt hoax, prank, practical joke; **spela ngn ett** ~ play a trick (practical joke) on sb, trick (hoax) sb
sprattelgubbe *s* (~n, -gubbar) leksak jumping jack
sprattla *vb itr* (~de, ~t) hoppa, spritta flounder; för att komma loss struggle; om småbarn kick about; om dansös o.d. do a lot of high-kicking
spray *s* (~en, ~er) o. **sprej** *s* (~en, ~er) spray
spreja *vb tr* (~de, ~t) spray
sprejburk *s* (~en, ~ar) spray can
sprejflaska *s* (~n, -flaskor) [aerosol] spray, atomizer
spreta *vb itr* (~de, ~t) om ben, bokstäver sprawl; om hår straggle; **~ med** fingrarna spread..., expand..., splay...; t.ex. lillfingret extend...
spretig *adj* (~t) om t.ex. hår straggling, straggly; **~ handstil** sprawling hand
spricka I *s* (~n, sprickor) allm. crack; i ben äv. fracture; i hud chap; bildl.: t.ex. i vänskap rift, breach; t.ex. inom parti split; koppen **har en** ~ ...is cracked **II** *vb itr* (sprack, spruckit) crack; om hud chap; brista break; sprängas sönder burst; rämna split; äta tills man är **nära att** ~ ...ready to burst; **vara nära att ~ av** avund (nyfikenhet) almost burst with...; **molntäcket började ~ upp** the layer[s] of cloud began to break up (disperse)
sprickfärdig *adj* (~t) pred. ready to burst [*av* from]
sprida I *vb tr* (spred el. spridde, spridit el. spritt) allm. spread; t.ex. doft, ljus, vetande, värme äv. diffuse; skrifter äv. distribute; sprida ut, skingra disperse äv. om prisma, scatter; **~ kostnaderna** spread [out] the cost; **~ ljus över** ngt bildl. shed light upon sth; **~ en** dålig **lukt av**... give out a smell of...; **~ riskerna** spread the risk; **~ ett rykte** spread (circulate) a rumour; sätta i omlopp set a rumour afloat; **~ skräck** spread fear
II *vb rfl* (spred el. spridde, spridit el. spritt), **~ sig** spread, diffuse, disperse, scatter, jfr *sprida I*; om strålar o.d. diverge; utbreda sig, bildl. propagate oneself; elden **spred sig snabbt** ...spread rapidly; sjukdomen **har spritt sig till Europa** ...has reached Europe
III med beton. part.
sprida omkring scatter...about, jfr äv. *kringspridd*
sprida ut eg. spread out; friare spread [about (...abroad)], circulate, propagate, jfr *utspridd*
spridd *adj* (spritt) **1** utbredd spread; **arten är mycket ~** the species is widely dispersed (spread) **2** enstaka isolated, stray, sporadic; gles sparse; kring~ scattered, dispersed; **~a anmärkningar** stray remarks; **~a applåder** sporadic applause sg.; **~ bebyggelse** scattered houses; **några få ~a fall** some (a) few rare cases; **~a ord** isolated words, a few words here and there; **~a skurar** scattered showers; **på ~a ställen** here and there, in isolated spots (places)
spridning *s* (~en, ~ar) (jfr *sprida*); spreading [out] etc.; t.ex. av idéer, kunskaper, missnöje, sjukdom el. statistik. spread; diffusion; distribution; dispersion; tidningar

med stor ~ ...with a wide circulation, widely-read...
spridningsområde *s* (~t, ~n) range; biol. äv. area of distribution (för gas of diffusion)
spring *s* (~et) springande running [about]; **det är ett ~ [av folk]** dagen i ända there is a stream of people coming and going...; **hon blir trött av allt ~ i trapporna** all the running up and down the stairs makes her tired
1 springa *s* (~n, springor) [narrow] opening; t.ex. dörr~ chink; smal ~, t.ex. i brevlåda slit; för mynt o.d., brevinkast i dörr slot
2 springa I *vb itr* (sprang, sprungit) **1** löpa, ränna run; rusa dash, dart; kila, speciellt med små steg scamper; **~ 100 meter** delta i tävling run [in] the 100 metres; **~ sin väg (kos)** run away; 'sticka' make off; vard. cut and run, beat it; **~ efter ngn** vara efterhängsen run (be) after sb **2 ~ i luften** explodera explode, be blown up
II med beton. part.
springa av hoppa av jump off (down); **~ benen av sig** run oneself off one's legs, run like mad
springa bort run away (off), escape; se äv. *bortsprungen*
springa efter a) bakom run behind (after...) **b)** hämta run for, [run and] fetch
springa emot a) till mötes run to meet... **b)** stöta emot run into (against)...
springa fram a) eg. run (rush) forward (up) [*för att* + inf. to + inf.]; t.ex. ur gömställe spring out [*ur* from] **b)** friare: om flöde, idé o.d. spring forth [*ur* out of]; om källa o.d. äv. spout (gush, well) out [*ur* of]
springa förbi run past, pass
springa före a) framför run in front, run ahead [*ngn* of sb] **b)** i förväg run on in front (in advance, ahead)
springa i fatt ngn catch up with sb; vid förföljande äv. run down sb
springa ifrån ngn (ngt) run away from..., leave...
springa in: ~ in [i huset] run into the house, run indoors
springa ned run down (nedför trappan downstairs)
springa om ngn (ngt) overtake (outrun)...
springa omkring run about (around)
springa omkull ngn (ngt) run into...and knock him (it etc.) over (down)
springa på ngn a) råka träffa run into sb **b)** stöta emot run into (against) sb
springa undan åt sidan run out of the way [*för* to]; skyggt run away [*för* from]
springa upp a) löpa run up (uppför trappan upstairs) **b)** rinna upp spring up
springa ut: ~ ut [ur huset] run out of the house
springa över gata o.d. run across; **~ över till ngn** run (vard. pop) over to sb; för att hälsa på run (vard. pop) over and see sb
springande I *adj* (oböjl.) **1** i eg. betydelse running etc., jfr *2 springa I 1* **2 den ~ punkten** the vital (crucial) point **II** *s* (~t) se *spring*
springare *s* (~n, =) **1** häst steed, courser **2** schack. knight
springbrunn *s* (~en, ~ar) fountain
springflod *s* (~en) spring tide
springnota *s* (~n, -notor), **ta en ~** dine and dash, do a dine and dash
springpojke *s* (~n, -pojkar) errand (delivery) boy,

messenger; **vara** ~ passopp **åt ngn** fetch and carry for sb

sprinkler s (~n, =) sprinkler

sprint s (~en, ~ar) key, cotter; dubb pin, peg; liten cotter (kluven split) pin

sprinter s (~n, sprintrar) sport. sprinter

sprinterlopp s (~et, =) sport. sprint; amer. dash

sprit s (~en) alkohol alcohol; industriell spirit[s pl.]; dryck spirits pl.; stark~ [hard] liquor; **denaturerad** ~ denatured (röd~ methylated) spirits

sprita vb tr (~de, ~t) ärter o.d. shell, pod, hull; fjäder strip

spritdryck s (~en, ~er) alcoholic liquor (drink); **~er** vanl. spirits

spritförbud s (~et, =) prohibition of the sale of liquor

sprithaltig adj (~t) alcoholic, spirituous

spritkök s (~et, =) spirit stove (heater)

spritlangare s (~n, =) bootlegger

spritmissbruk s (~et, =) abuse of (addiction to) alcohol

spritpenna s (~n, -pennor) marker [pen]

spritpåverkad adj (-påverkat, ~e) ...under the influence of drink (liquor, alcohol), intoxicated

spritrestriktioner s pl restrictions on spirits (alcohol)

spriträttigheter s pl, **ha** ~ be [fully] licensed

sprits s (~en, ~ar) strutformig forcing (pastry) bag [and tube (nozzle)]; munstycke piping (forcing) tube, pipe, nozzle

spritsa vb tr (~de, ~t) t.ex. grädde, deg pipe

spritsmugglare s (~n, =) liquor smuggler, bootlegger

spritt adv, ~ [**språngande**] **galen** raving (stark staring) mad; ~ [**språngande**] **naken** stark naked; vard. starkers; ~ **ny** brand-new

spritta vb itr (spratt, supinum saknas) hoppa, t.ex. av glädje jump, bound [av for]; darra, t.ex. av lust, oro quiver; t.ex. av otålighet, spänning tremble [av with]; ~ **av liv** bubble with life; ~ **till** give a start, start

sprittermometer s (~n, -termometrar) spirit thermometer

spritärter s pl shelling (kok. green) peas

sprudla vb itr (~de, ~t) bubble; spruta gush; ~ **av liv** bubble over with high spirits (with life)

sprudlande I adj (oböjl.) om t.ex. fantasi, humör exuberant **II** adv, **vara** ~ **glad** bubble over with high spirits

sprund s (~et, =) på kläder slit, opening; på laggkärl bung[hole]

spruta I s (~n, sprutor) injektion injection; för injektion el. hand~ syringe äv. med.; liten squirt; för besprutning, målning o.d. sprayer; brand~ fire engine; **få en** ~ [**morfin**] get an injection (vard. a shot) [of morphine] **II** vb tr o. vb itr (~de, ~t) spurt; med fin stråle squirt; ~ ut med stor kraft, äv. om val o.d. spout; bespruta sprinkle; med slang hose; t.ex. färg el. mot ohyra spray; stänka splash, spatter; ~ **eld** spit (om vulkan äv. spew, emit, om drake breathe) fire; ~ **vatten på ngt** throw (spray) water on (spola flush, hose) sth **III** med beton. part.

spruta fram spurt [forth]; plötsligt gush

spruta in inject äv. med., syringe [i into]

spruta ut spurt [out], spout; (tr.) eld, rök, lava eject, emit, belch out

sprutlackera vb tr (~de, ~t) spray, spray-paint

sprutlackering s (~en) abstr. spraying, spray painting (finishing)

sprutmåla vb tr (~de, ~t) spray, spray-paint

sprutnarkoman s (~en, ~er) intravenous drug abuser; vard. junkie, mainliner

sprutpistol s (~en, ~er) spray gun

språk s (~et, =) allm. language; stil, litterärt uttryckssätt style, diction; talspråk speech; sätt att tala äv. manner of speaking; **juridiskt** (**militärt**) ~ legal (military) jargon; siffrorna **talar sitt tydliga** ~ ...speak for themselves; uttrycker mer än ord ...speak (express) volumes; **ha svårt** (**lätt**) **för** ~ find languages difficult (easy); lärare **i** ~ ...of languages; **ut med ~et!** speak up (out)!, out with it!

språka vb itr (~de, ~t) talk, speak [om about]

språkbegåvad adj (-begåvat, ~e) attr. ...with a gift for languages; **han är** ~ he has a gift for languages, he is a good linguist

språkbegåvning s (~en, ~ar) egenskap gift for languages, linguistic ability; **han är en** ~ se språkbegåvad

språkbehandling s (~en) diction, style

språkbruk s (~et) [linguistic] usage

språkforskare s (~n, =) linguistic researcher; filolog philologist; lingvist linguist

språkforskning s (~en) linguistic research; filologi philology; lingvistik linguistics sg.

språkfärdighet s (~en, ~er) language (linguistic) proficiency

språkförbistring s (~en, ~ar) confusion of languages (tongues)

språkhistoria s (-historien) [the] history of language; **engelsk** ~ the history of the English language

språkkunnig adj (~t), **vara** ~ have a good knowledge of languages, be a good linguist

språkkunskap s (~en, ~er), **allmän** ~ general linguistics sg.; **~er** knowledge sg. of languages

språkkurs s (~en, ~er) language course

språkkänsla s (~n) feeling for language, linguistic instinct

språklig adj (~t) linguistic; filologisk philological

språklära s (~n, -läror) grammar

språklärare s (~n, =) language teacher; i flera språk teacher of languages

språkmelodi s (~n, ~er) intonation

språkområde s (~t, ~n), **det engelska ~t** the English-speaking area

språkresa s (~n, -resor) kurs utomlands language course abroad

språkriktighet s (~en) linguistic (grammatical) correctness

språkrör s (~et, =) mouthpiece, spokesperson; talesman spokesman; kvinna äv. spokeswoman [för i samtliga fall of]

språkstudier s pl language (linguistic) studies

språksvårigheter s pl difficulty sg. in speaking and understanding [a (resp. the) language]

språkundervisning s (~en) language teaching

språkvetare s (~n, =) se språkforskare

språkvetenskap s (~en) lingvistik linguistics sg.; filologi philology

språkvård s (~en) guidance on modern Swedish (English etc.) usage

språkvårdare s (~n, =) person who gives guidance on modern Swedish (English etc.) usage

språköra s (~t), *ha [bra]* ~ have a good ear for languages

språng s (~et, =) allm. jump äv. bildl., leap; *våga ~et* bildl. take the plunge; *i ett [enda]* ~ at one [single] bound; *vara på* ~ beredd att ge sig i väg be just on the way, be running about, be on the go

språngbräda s (~n, -brädor) springboard äv. bildl.

språngmarsch s (~en, ~er) run; *~!* mil. double up!; *i* ~ at a run

språngsegel s (-seglet, =) brandsegel jumping sheet (net), speciell amer. life net

språngvis adv by jumps äv. bildl., by leaps; ojämnt at [irregular] intervals

spräcka vb tr (spräckte, spräckt) allm. crack äv. röst; plan spoil, ruin; inre organ burst; trumhinna split; t.ex. kostnadsramar go far beyond, overstep

spräcklig adj (~t) prickig speckled, spotted; marmorerad mottled

spränga I vb tr (sprängde, sprängt) allm. burst; med sprängämne blast; slå sönder, t.ex. dörr break (force)...open; upplösa: t.ex. politiskt parti split up; ~ *banken* i spel break the bank; *polisen har sprängt ligan* the police have busted the gang; ~ *målsnöret* breast the tape; ~ *i luften* blow up

II vb itr (sprängde, sprängt) värka ache; *det spränger i örat* my ear is aching

III med beton. part.

spränga bort tr.: med sprängämne blast away

spränga fram ridande gallop along, charge...

spränga in: ~ *i ett skyddsrum i* berg blast a shelter into...

spränga sönder burst (med sprängämne blast) [i flera delar ...to pieces]

sprängbomb s (~en, ~er) high-explosive bomb; splitterbomb splinter bomb, fragmentation bomb

sprängdeg s (~en) plastic explosive, explosive paste

sprängkraft s (~en) explosive force, blast effect

sprängladdning s (~en, ~ar) explosive charge

spränglista s (~n, -listor) vid val ung. splinter list

spränglärd adj (-lärt) erudite, very learned

sprängmedel s (-medlet, =) explosive

sprängskott s (~et, =) blast, blasting-discharge

sprängstoff s (~et, =) bildl. dynamite

sprängverkan s (=, en) explosive (blast) effect

sprängämne s (~t, ~n) explosive

sprätt s **1** (~en, ~ar) snobb dandy, fop **2** (oböjl.) fart, rotation, *sätta ~ på* vard. put life into; *han satte ~ på pengarna* he made the money fly, he threw his money around

1 srätta vb tr o. vb itr (srätte, srätt) **1** knäppa flick, flip [på ngn at...] **2** stänka spatter **3** om höns scratch **4** vara sprättig, *gå och* ~ strut [about], play the dandy

2 sprätta vb tr (~de, ~t) sömnad., ~ *bort* rip off (out); ~ *sönder* unpick; ~ *upp* söm rip up; plagg äv. unstitch; bok cut; kuvert slit open (up)

sprätthöns s (~et, =) koll. free-range hens pl.

sprättkniv s (~en, ~ar) sömnad. seam-picker

sprättägg s (~et, =) koll. free-range eggs pl.

spröd adj (sprött) allm. brittle; ömtålig fragile, om person äv. frail; om hud delicate; om röst frail; om klang tinny, thin

spröjs s (~en, ~ar) i fönster [window] bar; mer fackspråkligt: vågrät transom, lodrät mullion

spröt s (~et, =) **1** zool. antenn|a (pl. -ae), feeler **2** paraplyspröt rib

spurt s (~en, ~er) spurt; *göra en* ~ make a spurt

spurta vb itr (~de, ~t) spurt, put on (make) a spurt

spy vb tr o. vb itr (~dde, ~tt) vard. throw up, puke; amer. barf; ~ *[ut]* eld (rök) belch forth (out)...

spydig adj (~t) malicious, snide; sarkastisk sarcastic; om anmärkning äv. biting

spydighet s (~en, ~er) egenskap malice, sarcasm; ~*er* malicious (sarcastic) remarks, sarcasms

spyfluga s (~n, -flugor) zool. bluebottle, blowfly

spygatt s (~et, =) sjö. scupper

spypåse s (~n, -påsar) vard., på t.ex. flyg sick bag; amer. barfbag

spå vb tr o. vb itr (~dde, ~tt) **1** utöva spådom tell fortunes; ~ *ngn [i kort]* tell sb his (her) fortune [by the cards]; ~ *ngn i handen* read sb's palm **2** förutsäga predict, foretell, prophesy

spådom s (~en, ~ar) förutsägelse prediction, prophecy

spågubbe s (~n, -gubbar) o. **spågumma** s (~n, -gummor) fortune-teller

spån s (~et, =) flisa chip; takspån shingle; koll.: filspån filings pl.; hyvelspån shavings pl.; *han är dum som ett* ~ ...as thick as a plank

spåna vb itr (~de, ~t) för att få nya idéer brainstorm, have a brainstorming session; improvisera ad-lib

spång s (~en, spänger el. ~ar) footbridge, plank

spånplatta s (~n, -plattor) particle board, chipboard

spånskiva s (~n, -skivor) material chipboard; *en* ~ a sheet of chipboard

spåntak s (~et, =) shingled roof

spår s (~et, =) **1** märke **a**) allm. mark; friare el. svagare trace äv. lämning [av, efter i samtliga fall of]; *bära ~ av* bear (show) traces (signs, bildl. äv. vestiges) of; *finna ~ av* find traces (bildl. äv. vestiges) of; *sopa igen ~en efter sig* cover up one's tracks äv. bildl.; *åren har satt sina ~ [i ngt]* the years have left their mark [on...]; *sätta djupa ~ [i ngt]* bildl. make (set) a deep mark [on...], make a lasting impression [on...] **b**) se *fotspår*; *följa ngn i ~en* be fast on the heels of sb; bildl. follow in sb's footsteps **c**) i linje: skid~ el. efter t.ex. hjul, djur track [av, efter of]; *vara inne på fel* ~ be on the wrong track, be barking up the wrong tree; *allt gick i de gamla ~en* everything was in the same groove (rut); *det är raka ~et* raka vägen it is straight ahead (on); ingen svårighet it is plain sailing; *komma ngn (ngt) på ~en* get on the trail of sb (sth) **d**) jakt.: fotavtryck print; i rad trail; lukt~ scent; friare track [av, efter i samtliga fall of]; *få upp ett* ~ pick up a trail (resp. a scent) **2** ledtråd, vid brott clue; jfr äv. ex. under *spår 1 c*; *följa ett* ~ follow up a clue, pursue a line of inquiry; *polisen har inga ~ efter brottslingarna* ...cannot track down (...have no clues as to) the criminals **3** järnv. o.d. track[s pl.]; rails pl., line; *tåget går från ~ 2* the train leaves from platform 2 **4** grammofonskiva groove; på inspelningsband track **5** på skruv slot **6** tillstymmelse, aning trace, vestige; *inte ett* ~ *[bättre]* not a bit (not at all) [better]

spåra I vb tr (~de, ~t) följa spåren av track, follow the trail of, trace; jakt. äv. scent; friare el. i betydelsen 'märka' trace; ~ *upp* track down, trace (ferret) out; friare el. bildl. hunt out; upptäcka discover, spot **II** vb itr (~de, ~t) **1** skidsport. make a track **2** ~ *ur* a) om tåg o.d. leave (go off) the rails, be derailed b) bildl. go off the rails, go astray (adrift); om t.ex. diskussion äv. get off the right track; **festen ~de ur** the party got out of hand

spårbunden *adj* (-bundet, -bundna) trackbound, railbound

spårhund *s* (~en, ~ar) tracker [dog]; sleuth-hound, bloodhound både äv. bildl.

spårlöst *adv*, **han försvann ~** he vanished without a trace; **det gick honom ~ förbi** it made no impression on him at all

spårvagn *s* (~en, ~ar) tram, amer. streetcar; **åka ~** go by tram (streetcar)

spårvagnslinje *s* (~n, ~r) tramline, amer. streetcar line

spårvidd *s* (~en, ~er) gauge (amer. gage), width of track; motorfordons [wheel] track; **normal ~** standard gauge

spårväg *s* (~en, ~ar) tramway, amer. streetcar line; **det finns ingen ~ i…** there are no trams (amer. streetcars) in…

spårämne *s* (~t, ~n) **1** biol. trace element **2** fys. tracer [element]

spä *vb tr* (~dde, ~tt), **~ [ut]** dilute; med vatten äv. water down, thin down; blanda mix; **~ på** bildl., exaggerate

späck *s* (~et) **1** fettvävnad hos djur fat; hos val blubber **2** kok. bacon fat, larding bacon

späcka *vb tr* (~de, ~t) med späck lard; fylla stuff; bildl. [inter]lard, stud

späckad *adj* (späckat, ~e) larded osv., jfr *späcka*; **en ~ plånbok** a well-lined (fat) wallet; ett tal **späckat med citat** …studded (peppered) with quotations

späd *adj* (spätt) om t.ex. växt, ålder tender; om t.ex. gestalt slender; ovanligt liten tiny; bot. äv. young; ömtålig delicate; **~ röst** feeble (weak) voice

späda *vb tr* (spädde, spätt) se *spä*

spädbarn *s* (~et, =) infant, baby

spädbarnsdöd *s* (~en), **plötslig ~** sudden infant death syndrome (förk. SIDS); vard. cot (amer. crib) death

spädbarnsdödlighet *s* (~en) infant mortality, death rate among infants

spädbarnsvård *s* (~en) care of infants

spädgris *s* (~en, ~ar) suckling pig

spädkalv *s* (~en, ~ar) sucking-calf

spädning *s* (~en, ~ar) spädande diluting osv., jfr *spä*; konkr. dilution

späka *vb tr* o. *vb rfl* (späkte, späkt), **~ [sig]** mortify the flesh

späkelse *s* (~n, ~r) o. **späkning** *s* (~en, ~ar) mortification

spänd *adj* (spänt) (jfr *spänna I*); eg.: [ut]sträckt stretched; om rep, muskel taut; om rep äv. tight, tense; bildl., nervös tense, nervy; vard., irriterad uptight; **ett spänt förhållande** strained relations pl.; **~ förväntan** eager (tense) expectation; **spänt intresse** intense interest; **ett spänt läge** a tense situation, a state of tension; **~a nerver** tense (highly-strung, taut) nerves; **i ~ väntan** on tenterhooks; **vara ~ på att få veta** be curious (anxious) to know

1 spänn *s* (en, pl. =) spänt tillstånd, **vara (sitta) på ~** om person be in suspense (on tenterhooks)

2 spänn *s* (en, pl. =) vard., krona krona (pl. kronor)

spänna (jfr *späd*) **I** *vb tr* (spände, spänt) sträcka [ut] o.d., t.ex. snöre stretch; dra åt, t.ex. rep tighten; muskler stretch; anstränga, t.ex. krafter, nerver, röst strain; **~ en fjäder** tighten a spring; **~ hanen på ett gevär** cock a gun; **~ ögonen i ngn** fasten (rivet) one's eyes on sb **II** *vb itr* (spände, spänt) **1** kännas trång, om plagg be [too] tight [*över* bröstet across…] **2** **~ över** omspänna: sträcka sig över cover, extend over; omfatta embrace **III** *vb rfl* (spände, spänt) **~ sig a**) eg. tense oneself, be tense, be tensed-up **b**) anstränga sig strain (brace) oneself; **spänn dig inte!** relax! **c**) vard., spela tuff put on a show **IV** med beton. part.

spänna av a) **~ av [sig]** unfasten; med rem unstrap; med spänne unbuckle, unclasp; ta av [sig] take off, undo **b**) vard., **spänn av!** relax!, take it easy!, cool it!

spänna fast: **~ fast ngt** fasten (med rem strap, med spänne buckle) sth on [*vid* to]; **~ fast** säkerhetsbältet fasten…

spänna från: **~ från [hästen]** unharness (unhitch) the horse

spänna för: **~ för [hästen]** harness (hitch) the horse

spänna på [sig] skidor el. skridskor put on

spänna upp a) lossa: allm. undo, unfasten; med rem unstrap; med spänne unclasp, unbuckle **b**) paraply, lina put up

spänna ut sträcka stretch; **~ ut** bröstet expand…; **~ ut** magen distend…

spänna åt tighten, pull (draw)…tight[er]; **~ åt** bältet **ett hål till** tighten…up one hole more

spännande *adj* (oböjl.) fylld av spänning exciting, thrilling; starkare breathtaking; fängslande enthralling; **det ska bli ~ att få se (veta)** it will be interesting to see (know)

spänne *s* (~t, ~n) allm. clasp; på skärp buckle; för håret slide

spänning *s* (~en, ~ar) allm. el. elektr. tension; uttryckt i volt voltage; tekn. strain, stress; bildl.: allm. excitement; **vänta med ~** wait eagerly

spännram *s* (~en, ~ar) **1** mål. stretcher **2** vävn. tenter

spännvidd *s* (~en, ~er) byggn. el. flyg. span; omfattning extent, scope

spänst *s* (~en) **1** kroppslig vigour, physical fitness; vitalitet vitality **2** elasticitet, svikt springiness; t.ex. fjäders el. bildl. elasticity, resilience

spänsta *vb itr* (~de, ~t) motionera take exercise to keep fit; **~ uppför** trapporna run (leap) up…

spänstig *adj* (~t) om person vigorous, fit; vital vital, vivacious; speciellt om äldre person hale and hearty; om gång springy; elastic, resilient; jfr *spänst*; **hålla sig ~** keep fit

spänta *vb tr* (~de, ~t), **~ stickor** split wood

spärr *s* (~en, ~ar) **1** tekn. catch, stop, lock; jfr *spärranordning* o. *spärrhake* **2** vid in- o. utgång barrier; järnv. äv. el. vid flygplats gate **3** hinder: allm. o. psykol. barrier; barrikad barricade; polisspärr på väg roadblock; hand., för export (import) embargo

spärra I *vb tr* (~de, ~t) **1** allm. block, block up, bar; stänga för trafik äv. close [*för* to]; hindra obstruct, block; telefon put…out of service; konto o.d. block, freeze; **~ en check** stop [payment of] a cheque; **~ en gräns (hamn)** close a frontier (port); **~t konto** blocked…, frozen… **2** typogr. space out, interspace; **med ~d stil** in spaced-out letters **II** med beton. part.

spärra av gata (väg) close, seal off; med t.ex. bockar block; med rep rope off; med poliskordong cordon off; med taggtråd wire off; isolera isolate, shut off; jfr *spärra I 1* ovan

spärra in allm. shut (låsa lock)...up, se äv. *inspärrad*

spärra upp: ~ **upp munnen** (**ögonen**) open one's mouth (eyes) wide; se äv. *uppspärrad*

spärra ut fingrar (klor) spread out...

spärranordning *s* (~en, ~ar) locking (blocking) device

spärrballong *s* (~en, ~er) mil. barrage (anti-aircraft) balloon

spärreld *s* (~en, ~ar) mil. barrage

spärrhake *s* (~n, -hakar) pawl, ratchet; i t.ex. fönster, dörr catch; i urverk click

spärrlinje *s* (~n, ~r) trafik. solid line

spärrlista *s* (~n, -listor) allm. ung. black list; t.ex. för konton list of blocked accounts

spärrvakt *s* (~en, ~er) ticket collector

spätta *s* (~n, spättor) zool. plaice (pl. lika)

spö *s* (~et, ~n) kvist twig; metspö [fishing-]rod; ridspö horsewhip; **kasta med ~** fiske. cast; **regnet står som ~n i backen** it's pouring [down]; vard. it's raining cats and dogs; **få ~** el. **åka på ~** get a licking äv. bli besegrad

spöa *vb tr* (~de, ~t), ~ [**upp**] vard. whip, lash, flog; besegra beat, lick

spöka I *vb itr* (~de, ~t) **1** om en avliden haunt a (resp. the) place; **det ~r här** (**i huset**) this place (house) is haunted **2** bildl., **det är nog** kabelfelet **som ~r igen** ligger bakom it is probably...that is behind it (ställer till trassel is causing trouble) again; **mitt gamla magsår har börjat ~ igen** ...is acting up again **II** med beton. part.

spöka till (**ut**) **sig** make a fright of oneself, jfr äv. *utspökad*

spökdjur *s* (~et, =) zool. tarsier

spöke *s* (~t, ~n) vålnad ghost, spectre, vard. spook; skräckbild bugbear; frightening picture; **se ~n på ljusa dagen** conjure up imaginary terrors

spökeri *s* (~et, ~er) spöken ghosts pl.; spökande haunting; **~er** [the] appearance sg. of ghosts

spökhistoria *s* (-historien el. ~n, -historier) ghost story

spökhus *s* (~et, =) haunted house

spöklik *adj* (~t) **1** eg. ghostlike, ghostly, spectral, vard. spooky **2** kuslig, hemsk uncanny, weird

spökskepp *s* (~et, =) phantom ship

spökskrivare *s* (~n, =) ghost writer

spökstad *s* (~en, -städer) ghost town

spöktimme *s* (~n) ghostly (witching, midnight) hour

spöregn *s* (~et) pouring rain

spöregna *vb itr* (~de, ~t), **det ~r** it's pouring [down], it's coming down in buckets

spörsmål *s* (~et, =) question; **juridiska ~** legal matters

1 squash *s* (~en) sport. squash, squash rackets sg.

2 squash *s* (~en, ~er) bot. squash

Sri Lanka Sri Lanka

srilankesisk *adj* (~t) Sri Lankan

st. (förk. för *stycken*) pcs.

stab *s* (~en, ~er) allm. staff, jfr *personal*

stabbig *adj* (~t) **1** om mat stodgy **2** om person stocky äv. om ben, thickset

stabil *adj* (~t) i jämvikt stable; stadig, säker solid; om person steady; **en ~ firma** a sound firm

stabilisator *s* (~n, ~er) sjö. el. flyg. stabilizer; flyg. äv. tailplane

stabilisera *vb rfl* (~de, ~t), ~ **sig** stabilize; läget **har ~t sig** äv. ...has settled down

stabilitet *s* (~en) stability

stabilitetspakt *s* (~en) stability pact

stabschef *s* (~en, ~er) mil. chief of staff

stack *s* (~en, ~ar) halmstack, höstack stack, rick; hög heap; av t.ex. ved pile; myrstack ant-hill

stackare *s* (~n el. stackarn, =) allm. poor creature (starkare devil); eländig varelse [poor] wretch; krake weakling; ynkrygg coward; som efterled i sammansättn. vanl. poor...; **den ~n!** poor thing (devil)!

stackars *adj* (oböjl.) poor; ~ **du** (**dig**)**!** poor you!, you poor thing!; ~ **hon** (**henne**), **han** (**honom**)**!** poor thing!; ~ **jävel!** poor devil (starkare bugger)!; ~ **liten!** poor little thing!

stackato mus. el. friare **I** *s* (~t, ~n) staccat|o (pl. -os el. -i) it. **II** *adv* staccato it.

stackmoln *s* (~et, =) meteor. cumulus (pl. cumuli) [cloud]

stackmyra *s* (~n, -myror) wood ant

1 stad *s* (~en, städer) allm. town; större av.: i Storbr., spec. med katedral city; i administrativt avseende borough; **Stockholms ~** the city of Stockholm; **bo i ~en** (**stan**) live in town; **han är** [**inne**] **i stan** he is in (has gone into) town; han är **inte i stan** (bortrest) äv. out ot town; **mot ~en** (**stan**) el. **åt ~en** (**stan**) **till** äv. townwards; **mot centrum av** (**nere i**) ~**en** (**stan**) towards (in) the centre of town; amer. downtown; **gå ut på stan** go into town; och slå runt, vard. have a night out, paint the town [red]; **över hela stan** all over [the] town

2 stad *s* (~en, städer) kant på tyg list, selvedge

stadd *adj* (statt), **vara ~ i utveckling** be developing; **vara** (**inte vara**) ~ **vid kassa** be in (out of) cash

stadfästa *vb tr* (-fäste, -fäst) **1** dom confirm; lag establish; förordning sanction; fördrag ratify **2** relig., befästa establish [i ro in...]

stadga I *s* **1** (~n) stadighet steadiness, firmness, stability; stadgad karaktär firmness of character **2** (~n, stadgor el. ~r) förordning regulation[s pl.], rule, statute; lag law; t.ex. Förenta Nationernas charter **II** *vb tr* (~de, ~t) (jfr *stadgad*) **1** göra stadig steady; bildl. consolidate **2** förordna direct, enact, prescribe; påbjuda decree **III** *vb rfl* (~de, ~t), ~ **sig** om person settle down, become steady

stadgad *adj* (stadgat, ~e) **1** om person steady, staid; om karaktär firm; om rykte settled **2** föreskriven: vanl. prescribed

stadig *adj* (~t) säker: allm. steady; fast firm äv. bildl.; stabil stable; kraftig: om t.ex. käpp, sko, tyg stout, tough; om mat o. måltid substantial, solid; till konsistensen (om mat) compact; grov o. stark, om person sturdy; varaktig permanent, durable; **ha ~t arbete** have regular work; ~ **blick** steady gaze (look); **en** ~ whisky a stiff...; ~**t väder** settled weather; **ta ett** ~**t tag i** take [a] fast hold of; **vara** ~ **på hand** have a steady hand; **inte vara** ~ **på benen** be unsteady (wobbly) on one's legs

stadigvarande *adj* (oböjl.) permanent; ständig constant

stadion *s* (=, ett el. en, =) stadium

stadium *s* (stadiet, stadier) allm. stage; med. äv. stadium; skede phase, period; grad degree; vid skola department, jfr äv. *högstadium, lågstadium* o. *mellanstadium*; **i ett framskridet** ~ at an advanced stage

stadkant *s* (~en, ~er) på tyg list, selvedge

stadsarkitekt *s* (~en, ~er) town (i större stad city, i stadskommun municipal) architect
stadsarkiv *s* (~et, =) town (city, municipal) archives pl.; jfr *stadsarkitekt*
stadsbarn *s* (~et, =) town-child; i större stad city-child
stadsbefolkning *s* (~en, ~ar) urban (town) population
stadsbibliotek *s* (~et, =) town (city, municipal) library
stadsbo *s* (~n, ~r) inhabitant of a (resp. the) town (i större stad city), town-dweller; borgare citizen
stadsbud *s* (~et, =) bärare porter, amer. äv. redcap
stadsdel *s* (~en, ~ar) district, quarter of a (resp. the) town
stadshus *s* (~et, =) town (i större stad amer. city) hall
stadsjeep *s* (~en, ~ar) SUV (förk. för sport utility vehicle)
stadskörning *s* (~en, ~ar) med bil etc. town driving, driving in town
stadsliv *s* (~et) town (city) life
stadsmur *s* (~en, ~ar) town (city) wall
stadsmänniska *s* (~n, -människor), *jag är ~* ung. I am a town (city) person
stadsområde *s* (~t, ~n) town (om större stad city, urban, om storstad metropolitan) area
stadsplan *s* (~en, ~er) town (för större stad amer. city) plan
stadsplanering *s* (~en) town (i större stad amer. city) planning
stadsport *s* (~en, ~ar) town (city) gate
stadsrundtur *s* (~en, ~er), *en ~* a sightseeing tour [of the town (of the city)]
stadsteater *s* (~n, -teatrar) municipal (city) theatre
stadsvapen *s* (-vapnet, =) city arms pl.
stafett *s* (~en, ~er) sport. **1** pinne baton **2** gren o.d. relay; jfr *stafettlöpning*
stafettlöpare *s* (~n, =) relay runner
stafettlöpning *s* (~en) relay race (stafettlöpande racing)
stafettväxling *s* (~en, ~ar) sport. change-over, baton-changing
staffage *s* (~t, =) konst. staffage, figure[s pl.] in a (resp. the) landscape
staffli *s* (~et, ~er) konst. easel
stafylokock *s* (~en, ~er) bakterie staphylococc|us (pl. -i)
stag *s* (~et, =) lina o.d.: sjö. el. flyg. stay; flyg. äv. bracing-wire; till tält guy; till tennisnät o.d. cord; stång av trä el. metall strut; *gå över ~* sjö. go about, tack
stagnation *s* (~en, ~er) stagnation, stagnancy; stockning stoppage, standstill
stagnera *vb itr* (~de, ~t) stagnate, become stagnant
staka I *vb tr* (~de, ~t) **1** båt punt, pole **2** t.ex. väg mark; *~ ut* t.ex. tomt stake out (off); [järn]väg lay out; markera gränser för mark out, delimit; bestämma determine; föreskriva prescribe; jfr äv. *utstakad*; *~ ut en karriär åt sig* carve out a career for oneself **II** *vb itr* (~de, ~t) på skidor use one's [ski] sticks **III** *vb rfl* (~de, ~t) **1** *~ sig fram* a) i båt punt [oneself] along b) på skidor push oneself along with one's [ski] sticks **2** *~ sig* komma av sig stumble [*på* over]; tveka hesitate; *~ sig igenom* en text stumble through...
stake *s* (~n, stakar) **1** stör stake; att staka båt med pole **2** ljusstake candlestick **3** vard., framåtanda go, drive;

det är ingen ~ i honom he's got no balls **4** vulg., penis prick, tool
staket *s* (~et, =) vanl. av trä fence; av metall railing, paling; spjälstaket trellis; av ståltråd wire fence
stalagmit *s* (~en, ~er) geol. stalagmite
stalaktit *s* (~en, ~er) geol. stalactite
1 stall *s* **1** (~et, = el. ~ar) byggnad stable; amer. ofta äv. barn; för cykel shed **2** (~et, =) uppsättning hästar stable, stud; grupp racerförare o.d. stable **3** (~et, =) på stråkinstrument bridge
2 stall *s* (~en, ~ar) flyg. stall
stalldräng *s* (~en, ~ar) stableman, groom
stallgödsel *s* (~n) farmyard manure
stalltips *s* (~et, =), *ett* [*säkert*] *~* a tip straight from the horse's mouth, a straight (hot) tip
stam *s* (~men, ~mar) **1** trädstam trunk; fälld log; bot. el. språkv. stem **2** ätt family, lineage; folkstam tribe; djurstam strain; *en man av gamla ~men* ...of the old stock (friare school) **3** i kvittensblock o.d. counterfoil; på biljetthäfte o.d. stub
stamaktie *s* (~n, ~r) ordinary share
stamanställd mil. **I** *adj* (-anställt) regular **II** *s* (en ~, pl. ~a), *en ~* a regular, a regular soldier
stambana *s* (~n, -banor) järnv. trunk (main) line
stambok *s* (~en, -böcker) lantbr.: för hästar studbook; för boskap herdbook
stambokförd *adj* (-fört) lantbr. pedigree[d]; *~ besättning* pedigree[d] stock; *~ boskap* pedigree[d] cattle
stambord *s* (~et, =) regular table [at the (resp. a) restaurant]
stambyte *s* (~t, ~n) av rör plumbing overhaul, replacement of plumbing (water and sewage) stacks, plumbing stack repalcement
stamcell *s* (~en, ~er) biol. stem cell
stamfader *s* (~n, -fäder) progenitor, [earliest (first)] ancestor
stamgäst *s* (~en, ~er) regular frequenter
stamkrog *s* (~en, ~ar) favourite restaurant
stamkund *s* (~en, ~er) regular customer (client) [*i, på* at]
1 stamma *vb itr* (~de, ~t) se *härstamma*
2 stamma *vb tr* o. *vb itr* (~de, ~t) i tal stammer, stutter; t.ex. av osäkerhet falter; *~ fram* stammer (falter) out
stammis *s* (~en, ~ar) vard. regular
stammoder *s* (~n, -mödrar) [first] ancestress
stamning *s* (~en) stammering, stuttering; *lida av ~* suffer from a stammer
stamort *s* (~en, ~er) place of origin; *frihetens ~* the birthplace of freedom
1 stampa I *vb itr* o. *vb tr* (~de, ~t) **1** med fötterna stamp; *~* [*med foten*] *i golvet* stamp [one's foot] on the floor; *~ i marken* om häst paw the ground; *~ med fötterna* stamp one's feet; *stå och ~ på samma fläck* bildl. be still on the same old spot, mark time; inte komma någon vart be getting nowhere, be making no progress; *~ takten* beat time with one's foot (resp. feet) **2** sjö. pitch
II med beton. part.
stampa av [*sig*] smutsen (snön) stamp...off one's feet
stampa till a) tr., t.ex. jord trample (med redskap ram)...down **b)** itr. stamp [*med foten* one's foot]
2 stampa *vb itr* o. *vb tr* (~de, ~t) vard., pantsätta, *~* [*på*] *ngt* pawn sth

stampen *s* (best. sing.) vard., pantbanken, min klocka **är på ~** ...is at [my] uncle's, ...is in pop

stamtavla *s* (~n, -tavlor) genealogical table; pedigree äv. djurs

stamträd *s* (~et, =) genealogical (family) tree

stan *s* (best. sing.; vard. för staden) se under *1 stad*

standar *s* (~et, =) standard; friare el. bildl. äv. banner

standard *s* (~en, ~er) norm standard, standards pl.; nivå äv. level; **ha** (**hålla**) **en hög ~** be on (maintain) a high standard; **höja** (**sänka**) **~en** raise (lower) the standard, raise (lower) standards

standardavvikelse *s* (~n, ~r) statistik. standard deviation

standardbrev *s* (~et, =) form letter

standardformat *s* (~et, =) standard size

standardfras *s* (~en, ~er) standard (stock) phrase

standardhöjning *s* (~en, ~ar) rise in the standard (resp. in standards); standardhöjande raising of the standard (resp. of standards), jfr *standard*; om levnadsstandard rise in the standard of living

standardisera *vb tr* (~de, ~t) standardize

standardisering *s* (~en, ~ar) standardization; standardiserande standardizing

standardmått *s* (~et, =) konkr. **a)** allm. standard (stock) size; sängen **har** (**håller**) **~** ...is of standard size **b)** normalmått standard [measure]

standardsänkning *s* (~en, ~ar) lowering of the standard (resp. of standards) [om levnadsstandard of living], jfr *standard*

standardtyp *s* (~en, ~er), **av ~** of the standard type

standardutrustning *s* (~en, ~ar) standard equipment

standardverk *s* (~et, =) standard work

standby-biljett *s* (~en, ~er) till flyg standby ticket

stank *s* (~en, ~er) stench; vard. stink, pong; amer. äv. funk

stanna I *vb itr* (~de, ~t) **1** bli kvar stay; jfr *stanna kvar* under *stanna III* nedan; **komma för att ~** come to stay; **det ~r mellan oss** this is between you and me, it will go no further; **~ hos ngn** stay with sb; **~ till middagen** stay for dinner; **~ över natten** stay (vard. stop) the night

2 bli stående o.d., sluta röra sig: allm. stop; om bil, tåg o.d. äv. halt, come to a halt; med el. om fordon (avsiktligt) pull up; om arbete äv. come to a halt; om hjärta äv. cease to beat; **~ tvärt** stop short, stop dead; klockan **har ~t** ...has stopped; **i växten** stop growing; **det ~de vid hotelser** it got no (they etc. did not get) further than threats **3** stelna, om vätska stop running; kok. set

II *vb tr* (~de, ~t) hejda stop; bromsa (t.ex. fordon) äv. bring...to a standstill

III med beton. part.

stanna av allm. stop, cease; om t.ex. arbete, trafik äv. come to a standstill; om samtal o.d. die down, flag

stanna borta stay (remain) away

stanna hemma stay (remain) at home

stanna kvar (jfr ex. under *stanna I 1*): stanna remain; om person äv. stay; där man är remain where one is; som rest be left, remain; längre än de andra stay on (behind), remain behind

stanna uppe ~ **uppe sent** stay up late

stanniolpapper *s* (~et el. -pappret, =) tinfoil, silver paper

stans *s* (~en, ~ar) tekn. punch

stansa *vb tr* (~de, ~t), **~ [ut]** punch

stansoperatris *s* (~en, ~er) o. **stansoperatör** *s* (~en, ~er) keypunch operator

stapel *s* (~n, staplar) **1** hög pile; av ved stack; jfr *klockstapel* **2** sjö. stocks pl.; **gå** (**löpa**) **av ~n** sjö. leave the stocks, be launched; **gå av ~n** bildl. come off, take place **3** fys. pile **4** på bokstav stem; understapel downstroke; överstapel upstroke **5** i diagram bar, column

stapelbar *adj* (~t), **~a stolar** stacking (nesting) chairs

stapelbädd *s* (~en, ~ar) sjö. slipway, building berth

stapeldiagram *s* (~met, =) bar chart (graph)

stapelvara *s* (~n, -varor) staple [commodity]

stapla I *vb tr* (~de, ~t), **~ [upp]** pile [...up]; **~ ved** stack wood **II** *vb rfl* (~de, ~t), **~ sig** pile up

stappla *vb itr* (~de, ~t) **1** gå ostadigt totter, stumble [*fram* along]; vackla stagger; **gå med ~nde steg** walk with a tottering (osv. se ovan) gait; **ta de första ~nde stegen** take one's first stumbling steps äv. bildl. **2** staka sig falter, stumble; **på ~nde franska** in halting (stumbling) French

stare *s* (~n, starar) zool. starling

stark *adj* (~t) allm. strong äv. gram.; kraftig powerful; fast, om t.ex. hand, karaktär, tro firm; slitstark, om t.ex. kläder, möbler solid, durable, lasting; om krydda hot; verksam, om läkemedel äv. powerful, potent; intensiv, om t.ex. köld, ljus, längtan intense; om ljud el. röst loud; **~ färg** bright (vivid) colour; kortsp. strong suit; **en bacill i ~ förstoring** a greatly enlarged (magnified)...; **~t intryck** äv. deep impression; **en stor ~ karl** äv. a great big man; **~ köld** bitter (intense) cold; **det ~a könet** the sterner sex; **~a misstankar** äv. grave suspicions; **en ~ personlighet** äv. a forceful (dynamic) personality; **~a skäl** good (powerful) reasons; **~ ström** om vatten äv. rapid current; **~ tillströmning** av studerande large influx...; **~ trafik** heavy traffic; **vara ~ i armarna** have strong arms

starksprit *s* (~en) [strong] spirits pl., amer. hard liquor

starkström *s* (~men, ~mar) elektr. power (heavy, high-tension) current

starkströmsledning *s* (~en, ~ar) elektr. power line

starkt *adv* strongly osv., jfr *stark*; **~ kryddad** med stark smak hot; **jag misstänker ~ att...** I strongly suspect (have a strong suspicion) that...

starkvaror *s pl* spirits

starkvin *s* (~et, ~er) dessert wine, fortified wine, wine with a high alcohol content

starköl *s* (~et el. ~en, =) strong beer

starr *s* (~en) med., [**grå**] **~** cataract; **grön ~** glaucoma

start *s* (~en, ~er) start; avfärd äv. departure; flyg. takeoff; startande starting; av raket o.d. launching; **flygande** (**stående**) **~** sport. flying (standing) start; **vi måste vara med från ~en** ...be in on it from the beginning, ...get in on the ground floor

starta I *vb itr* (~de, ~t) start; flyg. take off; ge sig av äv. set out (off) **II** *vb tr* (~de, ~t) start [up] äv. bil, motor o. friare; sätta i gång (äv. friare) get...going, get...afloat; affärsföretag o.d. äv. launch; butik äv. set up; **~ eget** start one's own business, set up one's own; **~ en kampanj** launch a campaign

III med beton. part.

starta om data. restart, reboot

starta-eget-bidrag *s* (~et, =) start-your-own firm (company) allowance

startanordning s (~en, ~ar) starting device, starter; flyg. o.d. launching device

startavgift s (~en, ~er) för tävling o.d. entry fee

startbana s (~n, -banor) flyg. runway; mindre landing strip; för raket launcher, launching-pad

startbatteri s (~et, ~er) starter battery

startblock s (~et, =) sport. starting block

startfält s (~et, =) sport. line-up

startförbud s (~et, =) flyg., i dag *råder ~ (har ~ utfärdats)* ...all planes are grounded

startgrop s (~en, ~ar) sport. starting hole; *ligga i ~arna* bildl. be ready to start [at any minute], be waiting for the signal to start

startkabel s (~n, -kablar) bil. jump lead, jumper lead (cable); amer. jumper (booster) cable; *starta med startkablar* jump-start

startkapital s (~et, =) initial (seed) capital

startklar adj (~t) ...ready to start; flyg. ...ready to take off (for takeoff); vard. ...all set to go

startknapp s (~en, ~ar) o. **startkontakt** s (~en, ~er) starter [button]

startlinje s (~n, ~r) starting line

startmotor s (~n, -motorer) [engine] starter, starting motor

startnyckel s (~n, -nycklar) bil. ignition key

startpistol s (~en, ~er) starter's gun (pistol)

startraket s (~en, ~er) booster [rocket]

startsida s (~n, -sidor) data., på webbplats home page

startsignal s (~en, ~er) starting signal

startskott s (~et, =) starting shot; *~et gick* vanl. the pistol went off

startsträcka s (~n, -sträckor) flyg. starting (takeoff) run

stass s (~en) vard. finery, glad rags pl.

stat s (~en, ~er) **1** polit. state; *~en* the State; statsmakterna the Government; i konungadöme, jur. o.d. the Crown; *[Förenta] Staterna* the [United] States sg.; *en ~ i ~en* a State within the State; *på ~ens bekostnad* at the public expense, at the expense of the State (Government); *Statens Institut för...* the National [Swedish] Institute of (for)...; *Statens Järnvägar* the [Swedish] State Railways; *Statens Provningsanstalt* the [Swedish] National Testing Institute **2** budget; allm. budget; underhålls~ för tjänstemän establishment

statare s (~n, =) förr agricultural labourer receiving allowance (payment) in kind

station s (~en, ~er) allm. station; järnvägs~ el. buss~, amer. äv. depot

stationera vb tr (~de, ~t) station

stationshus s (~et, =) station building

stationsinspektor s (~n, ~er) stationmaster

stationsvagn s (~en, ~ar) bil estate car, amer. station wagon

stationär adj (~t) stationary

statisk adj (~t) static; *~ elektricitet* static [electricity]

statist s (~en, ~er) teat. walker-on (pl. walkers-on); film. extra

statistik s (~en, ~er) statistics pl.; som läroämne statistics sg.; *föra ~ över ngt* keep statistics of (relating to) sth

statistiker s (~n, =) statistician

statistisk adj (~t) statistical; *Statistiska centralbyrån*

Statistics Sweden; *~a uppgifter* statistical data, statistics

statistroll s (~en, ~er) walk-on, walking-on part; småroll bit part

stativ s (~et, =) stand; med tre ben äv. tripod

statlig adj (~t) (jfr äv. sammansättn. med *stats-*); statens o.d. vanl. State...; statsägd, om t.ex. företag äv. State-owned, Government-owned; förstatligad nationalized; i statlig regi, om t.ex. kommitté, verk Government...; spec. mots. kommunal, om t.ex. inkomstskatt national; spec. mots. privat, om t.ex. befattning public; *~ institution* Government (State) institution; *~a myndigheter* Government authorities

statsangelägenhet s (~en, ~er) affair of State

statsanslag s (~et, =) Government (State, public) grant (appropriation)

statsanställd I adj (-anställt) ...in the Civil Service, ...employed in Government (State, public) service **II** s (en ~, pl. ~a) civil servant, Government (State, public) employee

statsbesök s (~et, =) state visit

statsbidrag s (~et, =) State (Government) subsidy (grant); se vidare ex. under *statsunderstöd*

statsbudget s (~en, ~ar el. ~er) budget; budgetförslag estimates pl.

statschef s (~en, ~er) head of State

statsdepartement s (~et, =) department of State, Government department

statsegendom s (~en, ~ar) State (Government, national) property

statsfientlig adj (~t) ...hostile to the State; samhällsfientlig subversive; *~ verksamhet* subversive activities pl.

statsfinanser s pl Government finances, finances of the State

statsform s (~en, ~er) form of government, constitution

statsförbund s (~et, =) association of States; federation [con]federation; allians alliance; union union

statsförvaltning s (~en, ~ar) public (State) administration

statshemlighet s (~en, ~er) State (official) secret

statsingripande s (~t, ~n) State (Government) intervention (interference)

statsinkomster s pl [national (State)] revenue sg.

statskassa s (~n, -kassor) public treasury (exchequer); *avgifter till ~n* State dues

statskunskap s (~en) political science

statskupp s (~en, ~er) coup d'état (pl. coups d'état) fr.

statskyrka s (~n, -kyrkor) established (State, national) church

statslån s (~et, =) Government loan

statslös adj (~t) stateless

statsmakt s (~en, ~er) **1** stats makt power of a (resp. the) State, State authority **2** *~erna* the Government sg., the Government authorities; *tredje ~en* pressen the fourth estate

statsman s (~nen, -män) statesman; politiker politician

statsmedel s pl Government funds

statsminister s (~n, -ministrar) Prime Minister; *vice ~* Deputy Prime Minister

statsministerpost s (~en, ~er) premiership

statsobligation s (~en, ~er) Government bond

statsreligion s (~en, ~er) State (established) religion

statsråd *s* (~et, =) minister cabinet minister, member of the cabinet

statsrådsberedningen *s* (best. sing.) the Prime Minister's Office

statsrätt *s* (~en) constitutional law

statssekreterare *s* (~n, =) State Secretary; i Storbr. o. USA ofta motsv. Undersecretary of State

statsskick *s* (~et, =) form of government, constitution

statsskuld *s* (~en, ~er) national (public) debt

statstjänsteman *s* (~nen, -män) civil (public) servant

statsunderstöd *s* (~et, =) statsbidrag State (Government) subsidy (grant); **få ~** äv. be subsidized by the State, be State-aided; skola **med ~** State-aided…; **en teater med ~** a subsidized theatre

statsunderstödd *adj* (-understött) State-aided, subsidized

statsvetare *s* (~n, =) political scientist, expert on political science

statsvetenskap *s* (~en) political science

statsåklagare *s* (~n, =) jur. regional prosecutor

statsägd *adj* (-ägt) State-owned, Government-owned

statsöverhuvud *s* (~et, ~en el. =) head of State

statuera *vb tr* (~de, ~t), **för att ~ exempel** as a lesson (warning) to others

status *s* (~en) status; ställning äv. standing; **~ quo** status quo lat.; **återgå till ~ quo** revert to the status quo

statussymbol *s* (~en, ~er) status symbol

staty *s* (~n, ~er) statue

statyett *s* (~en, ~er) statuette, figurine

stav *s* (~en, ~ar) **1** käpp o.d. staff; vid stavhopp pole; skid~ ski pole; för stavgång Nordic walking poles; troll~ wand **2** se *stavhopp* **3** anat., syncell rod

stava *vb tr o. vb itr* (~de, ~t) spell; **han ~r bra (dåligt)** he is a good (bad) speller; **~ fel på** ett ord spell…wrong, misspell…; **~ rätt** spell correctly; **hur ~s (~r man [till]) det?** how do you spell it?, how is it spelt?; **~ sig igenom** spell out

stavelse *s* (~n, ~r) syllable; **sluten ~** fonet. checked (closed) syllable; **öppen ~** fonet. free (open) syllable

stavfel *s* (~et, =) spelling mistake, misspelling

stavformig *adj* (~t) staff-shaped; **~ bakterie** rod-shaped bacterium, bacillus

stavgång *s* (~en) Nordic walking

stavhopp *s* (~et, =) hoppning pole-vaulting

stavhoppare *s* (~n, =) pole-vaulter

stavkyrka *s* (~n, -kyrkor) stave church

stavmixer *s* (~n, -mixrar) hand blender

stavning *s* (~en, ~ar) spelling; rättstavning äv. orthography

stavningskontroll *s* (~en, ~er) o.

stavningskontrollprogram *s* (~met, =) data. spell-check[er]

stearin *s* (~et el. ~en) candlegrease, fackspr. stearin

stearinljus *s* (~et, =) candle

steg *s* (~et, =) step äv. bildl.; ljud o. spår av steg äv. footstep; steglängd äv. pace; kliv (äv. bildl.) stride; utvecklingsstadium el. raket~ stage; **~ för** se *stegvis I*; **sakta ~en** slacken one's pace; **ta första ~et** take the first step; bildl. äv. take the initiative; **ta första ~et till** försoning make the first move towards…; **ta ~et fullt ut** bildl. go the whole way (hog); **ta ut ~en** gå fortare

step out [better]; **ligga (vara) ~et före** be a step ahead

stega I *vb tr* (~de, ~t), **~ [upp]** en sträcka pace (step) [out]…; amer. walk off… **II** *vb itr* (~de, ~t) stride; **~ in (ut)** stride (march) in (out)

stege *s* (~n, stegar) ladder äv. bildl.; trapp~ stepladder

steglös *adj* (~t) tekn. variable, continuous

1 stegra *vb tr* (~de, ~t) öka: t.ex. priser, produktion increase, raise; t.ex. nyfikenhet, oro heighten; förstärka intensify; förvärra aggravate; **nyfikenheten (spänningen) ~des** steg äv. …rose

2 stegra *vb rfl* (~de, ~t), **~ sig** om häst rear; bildl. rebel, revolt; sätta sig till motvärn show fight, offer resistance; opponera sig object

1 stegring *s* (~en, ~ar) ökning increase, rise; pris~ äv. advance; heightening; intensification; aggravation; jfr *1 stegra*

2 stegring *s* (~en, ~ar) hästs rearing

stegvis I *adv* steg för steg step by step; gradvis äv. gradually, by degrees **II** *adj* (~t) gradual, step-by-step…

stek *s* (~en, ~ar) joint; tillagad vanl. roast, joint of roast meat; **ösa ~en** baste the joint; jfr *lammstek, kalvstek* m.fl.

steka I *vb tr* (stekte, stekt) i stekpanna med fett fry; vid öppen eld, i stekgryta samt (speciellt kött) i ugn roast; i ugn äv. (t.ex. fisk, äpplen) bake; halstra grill, broil; bräsera braise; **stekt** kyckling (anka o.d.) roast…; **stekt** potatis (ägg o.d.) fried…; **den är lagom stekt** it is done to a turn; **den är för lite (mycket) stekt** it is underdone (overdone); **~ upp** mat fry up…, warm up…in the frying pan **II** *vb itr* (stekte, stekt) **1** eg., **låt köttet ~** (köttet får ~) leave…to roast (resp. fry) **2** om solen be broiling (scorching) **III** *vb rfl* (stekte, stekt), **~ sig i solen** be broiling (baking) in the sun

stekfat *s* (~et, =) meat dish (platter)

stekfläsk *s* (~et) frying bacon

stekgryta *s* (~n, -grytor) [meat] roaster, pot, stewpan

stekhet *adj* (-hett) scorching (broiling) [hot]

stekning *s* (~en, ~ar) frying, roasting osv., jfr *steka I*

stekos *s* (~et) [unpleasant] smell of frying

stekpanna *s* (~n, -pannor) frying pan, frypan

steksky *s* (~n) gravy

stekspade *s* (~n, -spadar) slice, turner, spatula

stekspett *s* (~et, =) spit

stektermometer *s* (~n, -termometrar) meat thermometer

stekyta *s* (~n, -ytor) kok., **för att få en fin ~** to obtain an even browning (a browned outside)

stel *adj* (~t) stiff äv. bildl.; styv rigid; av köld äv. numb; kylig, om t.ex. sätt frigid, strict, formal; i hållning äv. wooden; om språk, umgänge formal; om t.ex. leende, ansiktsuttryck fixed; ansträngd äv. forced; **~ som en pinne** [as] stiff as a poker (a ramrod); **~ av fasa** paralysed with…; **jag är ~ i fingrarna** my fingers are stiff

stelbent *adj* (=) **1** eg. stiff-legged; attr. äv. …with stiff legs **2** bildl. formal, rigid; om språk stilted

stelfrusen *adj* (-fruset, -frusna) om person numb, …frozen stiff; om sak frozen, …frozen hard

stelhet *s* (~en) stiffness; rigidity; numbness; frigidity, strictness, formality; bildl. äv. constraint; jfr *stel*

stelkramp *s* (~en) tetanus, vard. lockjaw

stelna *vb itr* (~de, ~t) **1** om kroppsdel o.d. stiffen, get stiff, become rigid; av köld be numbed; av fasa be paralysed, become petrified (motionless); **~ till** eg. get stiff; *han ~de till* när han såg henne he stiffened up... **2** om vätska congeal, coagulate, solidify; om blod äv. clot; kok. set

sten *s* (~en, ~ar) stone, amer. äv. rock; med. äv. calcul|us (pl. -i); koll. stones pl., amer. äv. rocks pl.; liten pebble; stor boulder, rock; *det är mycket ~ här* there are many stones (amer. äv. rocks) here, it's very stony here; *en ~ har fallit från mitt bröst* that was a load (weight) off my mind; *kasta ~ på...* throw stones (amer. ofta rocks) at...; *lägga ~ på börda* increase the burden; *huset är av ~* the house is stone-built

stena *vb tr* (~de, ~t) stone, lapidate

stenansikte *s* (~t, ~n) bildl. stony (expressionless) face (countenance)

stenbit *s* (~en, ~ar) zool. lumpfish, lumpsucker

stenblock *s* (~et, =) stone block; naturligt äv. boulder

stenbock *s* (~en, ~ar) **1** zool. ibex, steinbock **2** astrol., *Stenbocken* Capricorn; *han är ~* he is [a] Capricorn

stenborr *s* (~en, ~ar) tekn. rock drill

stenbrott *s* (~et, =) [stone-]quarry, stonepit

stencil *s* (~en, ~er) ngt åld. stencil; som delas ut handout; *dra en ~* run off a stencil

stencilera *vb tr* (~de, ~t) stencil

stendöd *adj* (-dött) stone-dead, ...[as] dead as a doornail (as mutton vanl. om person), om sed äv. dead as a dodo

stendöv *adj* (~t) stone-deaf, ...[as] deaf as a post

stenfrukt *s* (~en, ~er) stone fruit, drupe

stenget *s* (~en, ~ter) zool. chamois

stengods *s* (~et) stoneware; *kruka av ~* stone..., stoneware...

stengärdsgård *s* (~en, ~ar) stone fence

stenhuggare *s* (~n, =) stonemason; enklare stone-cutter

stenhuggeri *s* (~et, ~er) verkstad stonemasonry; enklare stone-cutting workshop

stenhus *s* (~et, =) stone (av tegel brick) house

stenhård *adj* (-hårt) ...[as] hard as a brick; framför allt bildl. stony; omedgörlig adamant endast pred., ...[as] hard as nails

stenhäll *s* (~en, ~ar) **1** platta stone slab, flagstone; i öppen spis hearthstone **2** berghäll flat rock

stenhög *s* (~en, ~ar) heap (röse mound) of stones

stenig *adj* (~t) stony; om bergssluttning rocky

stenkaka *s* (~n, -kakor) vard., 78-varvs grammofonskiva old 78 record

stenkast *s* (~et, =) avstånd stone's throw (pl. stonethrows); *ett ~ från* within a stone's throw of, a stone's throw from

stenkastning *s* (~en, ~ar) stone-throwing

stenkista *s* (~n, -kistor) under bro o.d. stone caisson

stenkol *s* (~et, =) [pit] coal; till prydnad jet

stenkolsperioden *s* (best. sing.) geol. the Carboniferous period

stenkula *s* (~n, -kulor) leksak [stone] marble

stenlagd *adj* (-lagt) paved

stenlägga *vb tr* (-lade, -lagt) pave

stenläggning *s* (~en, ~ar) **1** abstr. paving **2** konkr. pavement

stenmjöl *s* (~et) rock dust

stenmur *s* (~en, ~ar) stone wall

stenograf *s* (~en, ~er) allm. shorthand typist; amer. stenographer (vard. steno)

stenografera I *vb tr* (~de, ~t) take down...(...down) in shorthand **II** *vb itr* (~de, ~t) write shorthand

stenografi *s* (~n) shorthand, amer. stenography

stenparti *s* (~et, ~er) trädg. rock garden, rockery

stenplatta *s* (~n, -plattor) slab of stone, flagstone; till stenläggning paving-stone

stenrik *adj* (~t) bildl. ...rolling in money

stenrös *s* (~et, ~en) o. **stenröse** *s* (~t, ~n) mound of stones; stenkummel cairn

stenskott *s* (~et, =), *ett ~* a stone (amer. rock) flying up from the road

stensättning *s* (~en, ~ar) **1** se *stenläggning* **2** arkeol. stone circle (skeppssättning ship)

stensöta *s* (~n, -sötor) bot. wall fern, polypody

stentavla *s* (~n, -tavlor) bibl. stone tablet

stentorsröst *s* (~en, ~er) o. **stentorsstämma** *s* (~n, -stämmor) stentorian voice

stentrappa *s* (~n, -trappor) stone stairs (spec. inomhus steps) pl.

stentvättad *adj* (-tvättat, ~e) stonewashed

stenyxa *s* (~n, -yxor) stone axe

stenåldern *s* (best. sing.) the Stone Age; *yngre ~* the Neolithic (New Stone) Age; *äldre ~* the Palaeolithic (Old Stone) Age

stenåldersmänniska *s* (~n, -människor) Stone-Age man

stenöken *s* (-öknen, -öknar) stony desert; om storstad concrete jungle

stepp *s* (~en) dans tap-dance; steppande tap-dancing

steppa *vb itr* (~de, ~t) tap-dance, do tap-dancing

sterbhus *s* (~et, =) dödsbo estate [of a deceased person]

stereo *s* **1** (oböjl.) teknik stereo **2** (~n, ~r) se *stereoanläggning*

stereoanläggning *s* (~en, ~ar), *en ~* stereo equipment, a stereo

stereofonisk *adj* (~t) stereophonic

stereotyp I *adj* (~t) bildl. stereotyped **II** *s* (~en, ~er) typogr. el. sociol. o.d. stereotype

steril *adj* (~t) allm. sterile; ofruktbar, ofruktsam äv. barren; bakteriefri äv. sterilized

sterilisera *vb tr* (~de, ~t) sterilize

sterilisering *s* (~en, ~ar) sterilization

steriliseringsapparat *s* (~en, ~er) sterilizer

sterilitet *s* (~en) sterility; barrenness; jfr *steril*

steroid *s* (~en, ~er) kem. steroid

stetoskop *s* (~et, =) med. stethoscope

steward *s* (~en, ~ar el. ~er) sjö. el. flyg. steward

stia *s* (~n, stior) svin- [pig]sty

stick I *s* (~et, =) **1** av nål o.d. prick; av t.ex. bi sting; av mygga bite; av vapen stab, thrust **2** kortsp. trick; *få ett ~* take (win) a trick **3** konst. engraving, jfr *kopparstick* **4** foto. discoloration **5** *lämna ngn i ~et* leave sb in the lurch, run out on sb **II** *adv*, *~ i stäv* sjö., om vind dead ahead; *~ i stäv med (mot)...* directly (completely) contrary (counter) to...; *handla ~ i stäv med (mot) ngt* äv. act in direct contravention of sth

sticka I *s* (~n, stickor) **1** flisa splinter; pinne stick; *få en ~ i fingret* get a splinter in...; *mager som en ~* [as] thin as a rake **2** strump~ [knitting-]needle **II** *vb tr* (stack, stuckit) **1 a)** ge ett stick, med nål o.d. vanl. prick; stinga: om t.ex. bi sting; om mygga bite **b)** köra, stöta stick; *~ hål i (hål på)* prick a hole (på flera ställen holes) in; t.ex. ballong, böld puncture, prick; böld (äv.

med.) lance; **~ hål på ett argument** pick a hole (holes) in an argument; **~ en kniv i ngn** stick…into sb, stab sb with…; **~ sig** prick oneself [på on]; **~ sig i fingret** prick one's finger [på with]
2 stoppa: put, stick; 'köra' thrust; **~ nyckeln i låset** put (insert) the key in[to]…
3 sömnad. **a)** med stickor knit äv. utan obj.; **~de plagg** knitwear sg. **b)** sy stitch
4 sjö., ha ett djupgående av draw
III *vb itr* (stack, stuckit) **1** ofta opers., **det sticker i benet** [på mig] I have twinges of pain in my leg
2 inte **~ under stol med att…** make no secret of the fact that…
3 vard., kila [sin väg] push off, be off; **stick!** clear off!, scram!, beat it!; **jag måste ~ nu** I must be off…
IV med beton. part.
sticka av mot (från) stand out against, contrast to; om färger äv. clash with
sticka emellan a) tr., eg. put…between **b)** itr., avbryta interrupt, butt in; **~ emellan med** ett par ord put in…
sticka fram a) tr. put (stretch, stick) out **b)** itr. stick out; skjuta fram protrude, project; titta fram peep out
sticka in a) tr. put (stick, 'köra' thrust)…in **b)** itr. (kila in) pop (nip) inside
sticka ned a) med vapen stab **b)** **~ ned ngt i…** put (stick, 'köra' thrust) sth in[to]…
sticka till a) tr., **~ till ngn** en hundring slip…in[to] sb's hand **b)** itr., **det stack till i mig** bildl. I felt a pang
sticka upp a) tr. stoppa upp put (stick, 'köra' thrust) up **b)** itr. skjuta upp, synas: allm. stick up (out); om växt shoot [up], spring up **c)** itr. vara uppnosig be cheeky
sticka ut a) tr. put (stick, 'köra' thrust) out **b)** itr., skjuta ut stick (stand, jut) out, protrude; kila ut pop out
stickande *adj* (oböjl.) om känsla pricking; smärtande shooting, stabbing; svagare tingling; om lukt, smak pungent; om blick, ögon piercing; om ljus dazzling
stickas *vb itr dep* (stacks, stuckits) om bi sting; om mygga bite; rivas, om t.ex. ylleplagg be itchy (scratchy)
stickgarn *s* (~et, = el. ~er) knitting-yarn
stickig *adj* (~t) som sticks: prickly; om t.ex. ylleplagg itchy, scratchy
stickkontakt *s* (~en, ~er) elektr.: stickpropp plug; vägguttag socket, power point, amer. outlet
stickling *s* (~en, ~ar) trädg. cutting; **sätta ~ar** strike cuttings
stickmaskin *s* (~en, ~er) knitting-machine
stickning *s* (~en, ~ar) **1** sömnad. **a)** stickande: strump-m.m. knitting; täck~ quilting **b)** konkr. (arbete) knitting; **en ~** a piece of knitting; **~ar** dekorativa sömmar stitchings **2** **~ar** stickande känsla pricking (svagare tingling) sensation
stickord *s* (~et, =) **1** gliring taunt, cutting (snide) remark **2** uppslagsord headword, entry **3** teat. cue
stickpropp *s* (~en, ~ar) elektr. plug
stickprov *s* (~et, =) spot test (check); t.ex. i tull random inspection; konkr. random sample
stickreplik *s* (~en, ~er) **1** teat. cue **2** se *stickord 1*
sticksspår *s* (~et, =) järnv. dead end [siding]; bildl. side issue; **komma in på ett ~** bildl. get sidetracked
1 stift *s* (~et, =) kyrkl. diocese
2 stift *s* (~et, =) **1** att fästa med: sprint o.d. pin; häft-drawing-pin, amer. thumbtack; trä~ plug; skomakar-tack, nail **2** att skriva med: blyerts~ lead; på reservoarpenna

nib **3** tekn.: i tändare flint; tänd~ plug; grammofon~ (förr) needle **4** bot. style
stifta *vb tr* (~de, ~t) **1** grunda: allm. found; t.ex. firma, fond äv. establish; lagar make, institute; **~ en lag** (*lagar*) äv. legislate **2** åstadkomma, göra, **~ bekantskap med** become (get) acquainted with, get to know; **~ fred** conclude (make) peace
stiftare *s* (~n, =) grundare founder; skapare creator; av t.ex. stipendium donor
stiftelse *s* (~n, ~r) foundation
stiftsstad *s* (~en, -städer) cathedral city
stifttand *s* (~en, -tänder) pivot tooth
stig *s* (~en, ~ar) path; upptrampad track båda äv. bildl.
stiga I *vb itr* (steg, stigit) **1** gå step, walk; trampa tread; **~ åt sidan** stand (step) aside **2** stiga uppåt, höja sig: om t.ex. rök rise, ascend, go up; om flygplan climb, gain height; om t.ex. humör rise; om terräng climb; om barometer rise, go up; **~ i graderna** rise in rank; **framgången steg honom åt huvudet** the success went to his head **3** öka, växa: allm. rise; om t.ex. priser äv. go up, increase; om t.ex. efterfrågan, inflytande grow; **hans aktier stiger** bildl. his stock is rising; **~ i antal** increase in number; **~ i värde** rise in value
II med beton. part.
stiga av gå av get off (out); från buss o.d. äv. alight; från cykel äv. dismount; **~ av** bussen (tåget) get off (out of)…, alight from…; **~ av** cykeln get off…, dismount [from]…
stiga fram step forward; **~ fram till…** step (walk) up to…
stiga in step (walk) in; **stig in!** vid knackning come in!
stiga på a) se *stiga in* ovan **b)** gå på get on; **~ på** bussen (tåget) board…, get on…; **~ på** cykeln get on…, mount…
stiga undan step out of the way
stiga upp rise; resa sig el. ~ ur sängen get up; kliva upp get out [*ur* vattnet of…]; **stig upp!** get up!; **jag stiger upp** tidigt I get up…; **han stiger upp sent** (*tidigt*) **på morgnarna** äv. he is a late (an early) riser; **röken stiger rakt upp** the smoke is rising (curling) straight up; **solen stiger upp** the sun rises
stigande *adj* (oböjl.) rising; om terräng äv. ascending, climbing; om priser äv. increasing; om ålder advancing; om t.ex. glädje, vrede mounting; om t.ex. betydelse, missnöje, sympati growing; **~ efterfrågan** growing demand; **med ~ intresse** with increasing (deepening, mounting) interest; **~ tendens** rising (upward) tendency (trend)
stigbygel *s* (~n, -byglar) **1** stirrup **2** anat. stirrupbone, stapes (pl. stapedes)
stigförmåga *s* (~n) flyg. climbing capacity
stighöjd *s* (~en, ~er) flyg. ceiling
stigma *s* (~t, ~n) stigma (pl. -ta)
stigmatisering *s* (~en, ~ar) stigmatization
stigning *s* (~en, ~ar) rise; i terräng el. flyg. ascent, climb; backe rise, upward slope; ökning increase
stil *s* (~en, ~ar) **1** hand~ [hand]writing; **[en] driven ~** a flowing hand **2** typogr. type; stilsats fount; tryck~ print, characters pl.; **kursiv** (*kursiverad*) **~** italics pl.; **[tryckt] med liten** (*stor*) **~** [printed] in small (large) type, in small (large) print **3** framställning, konstart el. friare: allm. style; författares äv. touch; bildhuggares, målares äv. manner; **i stor ~** i stor skala on a large scale; vräkigt in [grand] style; **något i den ~en** …like that (in that line); **och annat i samma ~** and more of the

same kind; **något i ~ med** Taube something like (in the same style as)...; **gå i ~ med** be in keeping with; passa ihop med match; den rocken **är din ~** ...is your style (just you); **det är dålig ~** opassande it's not the done thing, it's bad form (manners); **det är ~ på henne** she has style

stila *vb itr* (~de, ~t) vard., göra sig till show off, put it on, swank; **~ med ngt** show off sth

stilart *s* (~en, ~er) stil style; genre genre

stilbildande *adj* (oböjl.) attr. ...providing a pattern (model); om mode o.d. trendsetting; om t.ex. konst, poesi, idéer germinal

stilblandning *s* (~en, ~ar) mixture of styles

stilbrott *s* (~et, =) breach of style

stilenlig *adj* (~t) ...in accordance with the particular style; tidstrogen ...in accordance with the style of the period; passande fitting

stilett *s* (~en, ~er) med utfällbart knivblad flick knife, speciellt amer. switchblade; dolk stiletto (pl. -s)

stilettklack *s* (~en, ~ar) spike (stiletto) heel

stilfull *adj* (~t) stylish; smakfull tasteful, ...in good taste; elegant elegant

stilig *adj* (~t) snygg, vacker attractive, handsome; elegant elegant, smart, chic

stilisera *vb tr* (~de, ~t) konst. o.d. stylize, conventionalize, formalize

stilist *s* (~en, ~er) stylist; **god ~** master of style, elegant writer

stilistik *s* (~en) stylistics (vanl. sg.)

stilistisk *adj* (~t) stylistic; **i ~t avseende** as regards style

stilkänsla *s* (~n) artistic sense (smak taste), feeling for style

still *adj* o. *adv* se stilla I 2

stilla I *adj* (oböjl.) o. *adv* **1** attr. adj.: inte upprörd calm; stillsam, lugn quiet; orörlig immovable; fridfull peaceful; tyst silent; som man inte yppar: om t.ex. förhoppning secret; om t.ex. tvivel private **2** pred. adj. (äv. adv.)., **[var (stå)] ~!** rör dig inte keep still!, don't move!; **hålla kameran ~** hold the camera steady; **ligga (sitta** osv.**) ~** lie (sit osv.) still; hålla sig ~ keep still (lugn el. tyst quiet); inte röra sig not move; **stå ~** inte flytta sig stand still, not move (stir); om t.ex. fabrik, maskin stand (be) idle; om vatten be stagnant; **det står ~ i huvudet [på mig]** my mind is a blank, I just can't think [any more]; **tiden står ~** time stands still

II *vb tr* (~de, ~t) t.ex. begär, hunger, nyfikenhet, vrede satisfy, appease; kuva, t.ex. passion subdue; lindra, t.ex. lidande, smärta alleviate, soothe; lugna quiet; **~ blodflödet** staunch the bleeding

Stilla havet the Pacific [Ocean]

stillasittande I *adj* (oböjl.) om t.ex. arbete, liv sedentary **II** *s* (~t) orörlighet sitting still

stillastående I *adj* (oböjl.) om t.ex. fordon, luft stationary; om vatten el. bildl., om t.ex affärer, liv stagnant; om maskin idle; orörlig immobile; utan utveckling unprogressive **II** *s* (~t) orörlighet standing still; bildl. stagnation; t.ex. i affärslivet äv. standstill

stillatigande I *adj* (oböjl.) silent, quiet; om instämmande implicit; om medgivande tacit **II** *adv* silently; **~ åse (förbigå)** ngt ...passively

stillbild *s* (~en, ~er) film. still

stilleben *s* (~et, =) konst. still life (pl. still lifes)

stillestånd *s* (~et, =) vapen~ armistice; vapenvila truce äv. bildl.

stillhet *s* (~en) stillness, calm; quiet[ness]; fridfullhet peace; tystnad silence; det skedde **i all ~** ...quietly (in silence, utan ceremonier unceremoniously); begravningen **sker i ~** ...will be [strictly] private

stillsam *adj* (~t, ~ma) quiet; rofylld tranquil

stillsamhet *s* (~en) quietness; rofylldhet tranquillity

stillös *adj* (~t) ...without (lacking in) style; smaklös tasteless

stilmöbler *s pl* period furniture sg.

stilnivå *s* (~n, ~er) språklig stylistic level, register

stilren *adj* (-rent, -rena) stylistically pure (correct)

stilriktig *adj* (~t) se stilenlig

stilsort *s* (~en, ~er) typogr. type

stiltje *s* (~n) **1** vindstilla calm **2** bildl. period of calm, lull; stillestånd stagnation

stilvidrig *adj* (~t) inte tidstrogen ...out of keeping with the style of the period; inte harmonierande ...clashing with the style [of the rest]

stim *s* (~met, =) **1** fisk~ shoal, school **2** oväsen noise

stimma *vb itr* (~de, ~t) **1** om fisk shoal **2** föra oväsen make a noise, be noisy

stimmig *adj* (~t) noisy

stimulans *s* (~en, ~er) stimulering stimulation, stimul|us (pl. -i); medel stimulant

stimulantia *s pl* stimulants

stimulera *vb tr* (~de, ~t) stimulate, give a stimulus to; **bli ~d av** äv.(vard.) get a big kick out of

stimulerande *adj* (oböjl.) stimulating, stimulative; **~ medel** stimulant

sting *s* (~et, =) **1** stick: av t.ex. bi sting; av mygga bite; bildl. pang; häftig smärta äv. twinge; **jag kände ett ~ i hjärtat** bildl. I felt a pang **2** fart och kläm drive, zest; snärt sting, bite; **tappa ~et** äv. go soft

stingslig *adj* (~t) snarstucken touchy, irritable

stinka *vb itr* (stank, supinum saknas) stink, have a nasty smell; vard. pong; **~ av ngt** stink (reek) of sth; **det stinker här** this place stinks

stinkbomb *s* (~en, ~er) stink bomb, stinker

stinn *adj* (stint) fullstoppad stuffed [av with]; om t.ex. plånbok bulging; om mage, juver distended

stins *s* (~en, ~ar) stationmaster

stint *adv*, se (stirra) **~ på ngn** look (stare) hard at sb; **se ngn ~ i ögonen** look sb straight in the eye

stipendiat *s* (~en, ~er) speciellt för studier holder of a scholarship

stipendieansökan *s* (=, en, -ansökningar) application for a scholarship (bidrag a grant, an award)

stipendium *s* (stipendiet, stipendier) speciellt för studier scholarship; bidrag grant, award; **söka ett ~** apply for a scholarship (resp. a grant, an award)

stipulera *vb tr* (~de, ~t) stipulate

stirra I *vb itr* (~de, ~t) stare; drömmande, tankfullt gaze; elakt glower [på i samtliga fall at]; **han ~de rakt framför sig** he stared straight in front of him; **~ se** spänt **på...** fix (rivet) one's eyes upon... **II** *vb rfl* (~de, ~t), **~ sig blind på ngt** bildl. let oneself be mesmerized by sth

stirrande I *adj* (oböjl.) staring; **~ blick** stare, fixed look; tom vacant look **II** *s* (~t) staring osv., jfr stirra I; stare, gaze

stirrig *adj* (~t) virrig confused; stressad stressed out

stjäla I *vb tr* o. *vb itr* (stal, stulit) steal äv. bildl.; idéer o.d. crib; **~ ngt från ngn** äv. rob sb of sth; **~**

föreställningen steal the show **II** *vb rfl* (stal, stulit), **försöka ~ sig till** en stunds vila try to get (snatch)…

stjälk *s* (~en, ~ar) bot. stem; tjockare stalk

stjälpa I *vb tr* o. *vb itr* (stjälpte, stjälpt) välta omkull overturn, upset, tip…over; slå omkull knock…over; vända upp och ned på turn…upside down; omintetgöra t.ex. planer upset **II** med beton. part.

stjälpa av tip, dump

stjälpa i sig gulp down, toss off; amer. äv. chug-a-lug

stjälpa upp kok.: kaka turn out; gelé äv. unmould

stjälpa ur (**ut**) innehåll pour (tip) out; tömma empty

stjärna *s* (~n, stjärnor) star äv. bildl.; mil., gradbeteckning pip; ~, asterisk asterisk; *hans ~ har dalat* his star has declined (set); *tacka sin lyckliga ~ för att…* thank one's [lucky] stars that…; *bli ~* rise to stardom; *tryck ~* tele. press the star button; född *under en lycklig* (*olycklig*) *~* …under a lucky (an unlucky) star

stjärnbaneret *s* (best. sing.) the Star-Spangled Banner, the Stars and Stripes; vard. Old Glory

stjärnbeströdd *adj* (-bestrött) om himmel …studded with stars, starred, starry; poet. star-spangled

stjärnbild *s* (~en, ~er) astron. constellation; *~erna i zodiaken* (*djurkretsen*) the signs of the Zodiac

stjärnfall *s* (~et, =) astron. shooting (falling) star

stjärnformig *adj* (~t) star-shaped, starlike; vetensk. stelliform, stellar, asteroid

stjärngosse *s* (~n, -gossar) boy attendant on Lucia [dressed in a long white shirt and pointed cap who carries a star on a stick]

stjärnhimmel *s* (-himlen el. ~en el. ~n, -himlar) starry sky (firmament)

stjärnkarta *s* (~n, -kartor) astron. star chart

stjärnkikare *s* (~n, =) [astronomical] telescope

stjärnklar *adj* (~t) starry, starlit; *det är ~t* it is a starry night, the stars are out

stjärnmejsel *s* (~n, mejslar) Phillips® screwdriver

stjärnskott *s* (~et, =) person coming (rising) star, whizzkid

stjärntecken *s* (-tecknet, =) astrol. sign [of the Zodiac], star sign; *vilket ~ är du född i?* what star sign are you?

stjärntydare *s* (~n, =) astrologer

stjärt *s* (~en, ~ar) tail äv. bildl.; på människa bottom; bakdel behind, backside äv. på djur

stjärtfena *s* (~n, -fenor) tail fin; flyg. äv. fin

stjärtfjäder *s* (~n, -fjädrar) tail-feather

stjärtparti *s* (~et, ~er) flyg. tail-unit

sto *s* (~et, ~n) mare; ungt filly

stock *s* (~en, ~ar) **1** stam log; friare block; *sova som en ~* sleep like a log (top) **2** bot.: banan~ stem; vin~ vine **3** gevärs~ stock **4** se *aktiestock* o. *orderstock*

stocka *vb rfl* (~de, ~t), *~ sig* stagnate; om trafik get (be) held up; om vätska äv. clog; *orden ~de sig i halsen på honom* the words stuck in his throat

stockeld *s* (~en, ~ar) log fire

Stockholm Stockholm

stockholmare *s* (~n, =) Stockholmer, inhabitant (infödd native) of Stockholm; i pl. äv. Stockholm people

stockholmska *s* **1** (~n, stockholmskor) kvinna Stockholm woman (flicka girl) **2** (~n) dialekt the Stockholm dialect

stockkonservativ *adj* (~t) ultraconservative

stockning *s* (~en, ~ar) avbrott stoppage; stillastående standstill, stagnation; deadlock äv. bildl.; av blod congestion; *~ i trafiken* traffic jam, [traffic] hold-up

stockros *s* (~en, ~or) bot. hollyhock

stoff *s* **1** (~et, =) abstr.: material material [*till* for]; innehåll, i bok o.d. [subject] matter; materia stuff; *samla ~ till en roman* collect material for a novel **2** (~et, = el. ~er) konkr.: rå~ materials pl.; färg~ matter; tyg material, jfr vidare *tyg 1*

stofil *s* (~en, ~er), *en* [*gammal*] *~* an old fogey (fossil)

stoft *s* (~et, =) **1** damm o.d. dust; fint pulver äv. powder; på fjärilsvingar scales pl.; *krypa* (*kräla*) *i ~et för ngn* bildl. crawl in the dust (grovel) before sb; *bli till ~* crumble to dust **2** avlidnes: lik [mortal] remains; aska ashes (båda pl.)

stoicism *s* (~en) filos. stoicism

stoisk *adj* (~t) stoic; om lugn äv. stoical

stoj *s* (~et) oljud noise; larm uproar, din

stoja *vb itr* (~de, ~t) make a noise, be noisy; leka romp

stojig *adj* (~t) noisy, boisterous

stol *s* (~en, ~ar) chair; utan ryggstöd stool; sittplats seat; *den heliga* (*påvliga*) *~en* påveämbetet the Holy (Papal) See; *sätta sig* (*hamna*) *mellan två ~ar* fall between two stools; *han sticker inte under ~ med att…* he makes no secret of the fact that…

stola *s* (~n, stolor) präst~, päls~ stole

stolgång *s* (~en, ~ar) anat. anus

stolle *s* (~n, stollar) fool, crackpot

stollift *s* (~en, ~ar el. ~er) chair lift

stollig *adj* (~t) crazy, attr. äv. crackpot, pred. äv. cracked

stolpe *s* (~n, stolpar) **1** säng~, grind~, lykt~ post; lednings~, telefon~ o.d. pole; i virkning treble; *skjuta i ~n* hit the post (upright) **2** stolpar disposition, för uppsats o.d. main points, skeleton outline sg.; *några stolpar* för tal o.d. some main (important) points

stolpiller *s* (-pillret, =) farmakol. suppository

stolpskott *s* (~et, =), *det var ett ~* …shot that hit the post (upright)

stolsben *s* (~et, =) chair leg

stolsdyna *s* (~n, -dynor) chair cushion

stolsficka *s* (~n, -fickor) seat pocket

stolskarm *s* (~en, ~ar) armstöd elbow-rest

stolsrygg *s* (~en, ~ar) back of a (resp. the) chair

stolssits *s* (~en, ~ar) seat of a (resp. the) chair

stolsöverdrag *s* (~et, =) chair cover, dust sheet

stolt *adj* (=) allm. proud [*över* of]; högdragen äv. haughty, arrogant; ädel, om t.ex. byggnad, själ noble; ärofull glorious

stolthet *s* (~en) allm. pride [*över* in]; högdragenhet äv. haughtiness, arrogance; ädelhet nobility; ngt man är stolt över äv. glory, boast; *han har ingen ~* äv. …no self-respect; *känna ~ över* take [a] pride in

stoltsera *vb itr* (~de, ~t) boast, brag [*med* (*över*) of]; pride oneself [*med* (*över*) [up]on]

stomi *s* (~n, ~er) med. öppning på magen från tarmen colostomy

stomme *s* (~n, stommar) frame[work] äv. bildl.; byggnads~ äv. shell, carcass

stop *s* (~et, =) **1** kanna tankard **2** mått ung. quart

stopp I *s* (~et, =) **1** tilltäppning stoppage; trafik~ äv. hold-up; stagnation stagnation; *det är ~ i handfatet* (*i trafiken*) äv. the washbin (traffic) is blocked up; *sätta ~ för ngt* put a stop (an end) to sth; **säg ~!** vid påfyllning av glas o.d. say when! **II** *interj* stop!, halt!

1 stoppa I *vb tr* (~de, ~t) stanna, hejda; allm. stop; t.ex. flöde äv. stem; bromsa, t.ex. fordon äv. bring...to a standstill; hålla tillbaka, hindra äv. arrest, hold up; sätta stopp för put a stop (an end) to **II** *vb itr* (~de, ~t) **1** stanna stop, come to a standstill **2** vard., stå emot stand up [*för* to]; tåla en påfrestning stand the strain [*för* ngt of...]; hålla last **3** räcka, förslå, **det ~r inte med** 1000 kronor ...isn't enough, ...won't suffice

2 stoppa I *vb tr* (~de, ~t) **1** laga strumpor o.d. darn, mend **2** fylla fill; proppa cram; stoppa full stuff; möbler upholster; vaddera wad; **~ fickorna fulla** fill (cram)...; **~ korv** stuff (make) sausages **3** placera: allm. put; 'köra' thrust; 'sticka' stick **II** med beton. part.

stoppa i sig äta put away...; proppa sig full med stuff (cram) oneself with...

stoppa in put (resp. thrust el. stick) in, insert; stoppa undan tuck (stuff) away [*i* ngt in[to]...]

stoppa ned put (tuck) down; **~ ned** handskarna **i fickan** put (resp. thrust)...into one's pocket

stoppa om ett barn tuck...in, tuck...up [in bed]; **~ om ngn lakanet** tuck the sheet round sb

stoppa på sig ngt put sth into one's pocket (resp. pockets); tillskansa sig pocket sth

stoppa upp djur o.d. stuff

stoppande *adj* (oböjl.) med. constipating, costive

stoppboll *s* (~en, ~ar) tennis o.d. dropshot

stoppförbud *s* (~et, =) trafik., som skylt no waiting; **det är ~** vanl. waiting is prohibited; **väg ~** clearway

stoppgräns *s* (~en, ~er) stopping limit

stopplikt *s* (~en) trafik. obligation to stop; **det är ~** vanl. drivers must stop [and give way]

stoppljus *s* (~et, =) trafikljus traffic lights; på bil brake light, stoplight

stoppmärke *s* (~t, ~n) trafikmärke stop sign

stoppning *s* (~en, ~ar) **1** lagning darning, mending **2** fyllning stuffing; möbel- upholstery båda äv. konkr.

stoppnål *s* (~en, ~ar) darning-needle

stoppsignal *s* (~en, ~er) trafik. stop signal

stoppskylt *s* (~en, ~ar) trafik. stop sign

stopptecken *s* (-tecknet, =) trafik. stop (halt) signal

stoppur *s* (~et, =) stopwatch

stor (jfr *större* o. *störst*) *adj* (~t) **1** allm. **a)** framför allt om konkr. subst. large; i ledigare stil vanl. big; vard., starkt känslobeton. äv. great [big]...; lång tall **b)** framför allt om abstr. subst. el. i betydelserna 'framstående', 'betydande' o.d. great; storartad grand **c)** i vissa fall much; vid eng. subst. i pl. many

Peter den ~e Peter the Great; [ett] **~t antal** a large (great) number; [ett] **~t avstånd** a great distance; **~ beställning** large order; **en ~ beundrare av...** a great admirer of...; **en ~ del av** eleverna var sjuka a large (great) number of...; **en ~ del av tiden** a good (great) deal of the time; **till ~ del** largely, to a large extent; **i ~a drag** in broad outline, broadly; [en] **~ familj** a large (big) family; **det ~a flertalet** the great majority; **~a förluster** heavy losses; **till min ~a förvåning** much to my (to my great) surprise; **vara till ~ hjälp** be a (of) great help, be very helpful; **ett ~t hus** a big (large, large-sized) house; **~t inflytande** great influence; **~a ingången** the main entrance; **en ~ karl** a big (lång tall) man; **en ~ konstnär** a great artist; **en ~ lögnare** a great [big] liar; **vara till ~ nytta** be of

great use; **~ näsa** big nose; **det är mig ett ~t nöje att** + inf. I have much pleasure in + ing-form; **~a ord** big words; **göra ~a pengar** make big money; **~a planer** great (big) plans; [en] **~ publik** a large (big) audience; **i ~ stil** vräkigt in [grand] style; **~ summa [pengar]** large (great, big) sum [of money]; **~ vänkrets** many friends; **~ ökning** a great (large, big) increase; **hur ~ är den?** how big (resp. large) is it?, what size is it?; **dubbelt så ~ som** twice as big (resp. large) as, double the size of; **de är lika ~a** they are just as big (resp. large), they are the same size; **han är ~ för sin ålder** he is big for his age; **vara ~ i maten** be a big eater; **vara ~ i orden** talk big; **vara ~ till växten** be tall of stature

i substantivisk användning: **i ~t sett** (**i det ~a hela**) on the whole, generally (broadly) speaking, by and large; beskriva läget **i ~t** ...in broad outline; man måste **se det i ~t** ...take a broad view of it; **slå på ~t** do the thing in style, make a splash

2 vuxen (attr.) grown-up; **~a damen** vard. quite a [little] lady; **bli ~** grow up; **när jag blir ~** when I grow up; vard. when I am big

3 ~ bokstav versal capital, capital letter

storartad *adj* (-artat, -artade) grand, magnificent, splendid, superb; **en ~ insats** a great achievement, great work

storasyster *s* (~n, -systrar) big sister

storband *s* (~et, =) mus. big band

storbladig *adj* (~t) bot. large-leaved

storblommig *adj* (~t) attr.: om mönster ...with a large floral pattern; **den är ~** it has a large floral pattern

storbonde *s* (~n, -bönder) farmer with large holdings, well-to-do farmer

Storbritannien Great Britain, Britain; **Förenade konungariket ~ och Nordirland** the United Kingdom of Great Britain and Northern Ireland

stordator *s* (~n, ~er) mainframe [computer]

stordia *s* (~n, -dior) overhead transparency

stordrift *s* (~en, ~er) large-scale production

stordåd *s* (~et, =) great (grand) achievement, great exploit

storebror *s* (-brodern, -bröder) big brother; **Storebror** diktatorn **ser dig!** Big Brother is watching you!

storfamilj *s* (~en, ~er) extended family

storfinans *s* (~en), **~en** high finance; neds. big business; **~en och arbetarna** Capital and Labour

storfrämmande *s* (~t) distinguished guests pl.

storfurste *s* (~n, -furstar) grand duke

storföretag *s* (~et, =) large-scale (large, big) enterprise

storgråta *vb itr* (-grät, -gråtit) cry loudly, cry one's eyes out; spec. om barn äv. howl; **börja ~** burst into a flood of tears

storhertig *s* (~en, ~ar) grand duke

storhertigdöme *s* (~t, ~n) grand duchy; **Storhertigdömet Luxemburg** the Grand Duchy of Luxemburg

storhet *s* (~en, ~er) **1** egenskap greatness, grandeur **2** matem. quantity, magnitude; **obekant ~** unknown [quantity] **3** person great man (personage); berömdhet celebrity, notability

storhetstid *s* (~en, ~er) glory days pl., days pl. of glory, heyday

storhetsvansinne *s* (~t) megalomania, delusions pl.

of grandeur; **ha ~** be suffering from megalomania, vard. have a big head

storhjärnan s (best. sing.) anat. the cerebrum

storindustri s (~n, ~er) large-scale (big) industry

stork s (~en, ~ar) stork

storkna vb itr (~de, ~t) choke, suffocate

storkommun s (~en, ~er) stadskommun large municipal (urban) district; landskommun large rural district

storkovan s (best. sing.) vard., **tjäna ~** earn big money, earn a fortune

storkök s (~et, =) institutional (large-scale) kitchen

storlek s (~en, ~ar) size; mått äv. dimensions pl.; vetensk. o.d. magnitude; **upplagans ~** the number of copies printed; **stora (större) ~ar** i konfektion o.d. outsizes, large sizes; **jag har ~ 7 i handskar** I take sevens (size 7) in gloves; **vilken ~ har du?** what's your size?, what size are you (do you take)?; porträtt **i naturlig ~** life-size...

storleksförhållande s (~t, ~n) proportion

storleksordning s (~en, ~ar) storlek size, magnitude; **sortera ngt i ~** arrange (sort) sth in order of size; en kostnad **i ~en 10 miljoner kronor** ...of about 10 million kronor, ...in the region (order) of 10 million kronor

storm s (~en, ~ar) **1** hård vind gale; starkare (speciellt med oväder) el. bildl. storm; ibland tempest; **halv ~** vindstyrka 9 strong gale; **[full] ~** vindstyrka 10 whole gale; **svår ~** vindstyrka 11 storm; **~ i ett vattenglas** a storm in a teacup, amer. a tempest in a teapot **2** mil. storm, assault; **ta...med ~** take...by storm äv. bildl.

storma I vb itr (~de, ~t) **1** det **~r** a gale is blowing, it is blowing a gale; starkare a storm is raging, it is storming **2** bildl., rasa storm, rage; rusa rush, dash; **~ fram** rush (dash, speciellt till häst charge) forward; **~ fram mot** mil. assault, make an onset on **II** vb tr (~de, ~t) mil. el. friare storm; mil. äv. assault; med stormstegar escalade

stormakt s (~en, ~er) great (big) power

stormaktspolitik s (~en) power politics pl.

stormande adj (oböjl.) eg. el. bildl. stormy, tempestuous; **~ bifall** a storm of applause, thunderous applause; **göra ~ succé** be a roaring (tremendous) success; **göra ~ succé (väcka ~ bifall)** äv. bring down the house

stormarknad s (~en, ~er) hypermarket, superstore

stormast s (~en, ~er) sjö. main mast

stormby s (~n, ~ar) [heavy] squall

stormflod s (~en, ~er) flood[s pl.] [caused by a storm]

stormfågel s (~n, -fåglar) zool. fulmar

stormförtjust adj (=) absolutely delighted; pred. äv. thrilled to bits (death)

stormhatt s (~en, ~ar) **1** bot. monk's-hood, aconite, wolf's-bane **2** vard., hög hatt topper, top hat

stormig adj (~t) eg. el. bildl. stormy, tempestuous, turbulent; **ett ~t hav** äv. a rough sea; **ett ~t möte** a tumultuous (stormy) meeting

stormklocka s (~n, -klockor), **ringa i ~n** sound the warning bells (tocsin)

stormlykta s (~n, -lyktor) hurricane lamp (lantern)

stormning s (~en, ~ar) assault; stormande storming, taking by assault

stormrik adj (~t) immensely (vard. filthy) rich, ...rolling in money

stormsteg s pl bildl., **med ~** by leaps and bounds

stormstyrka s (~n, -styrkor) gale force

stormsvala s (~n, -svalor) zool. storm (stormy) petrel

stormtrivas vb itr dep (-trivdes, -trivts) se stortrivas

stormtrupp s (~en, ~er) mil. storming (assault) party, storm troop

stormvarning s (~en, ~ar), **det är ~** there is a gale warning

stormvind s (~en, ~ar) gale, storm; stormby squall, gust of wind

stormvirvel s (~n, -virvlar) violent whirlwind, tornado

stormästare s (~n, =) i ordenssällskap, schack o.d. grand master

stormöte s (~t, ~n) general meeting

storpack s (~en, ~ar) economy (family) size

storpamp s (~en, ~ar) big shot (cheese), bigwig, VIP

storpolitik s (~en) top-level (international) politics sg.

storpolitisk adj (~t), **~a frågor** top-level political issues, [political] issues of international importance; **~t möte** top-level meeting

storrengöring s (~en, ~ar) se storstädning

storrutig adj (~t) large-checked; attr. äv. ...with large checks; **den är ~** äv. it has large checks

storrökare s (~n, =) heavy (big) smoker

storsegel s (-seglet, =) sjö. mainsail

storsinnad adj (-sinnat, ~e) o. **storsint** adj (=) magnanimous, generous

storsinthet s (~en) magnanimity, generosity

storskalig adj (~t) large-scale...

storskarv s (~en, ~ar) zool. cormorant

storskratta vb itr (~de, ~t) roar with laughter, guffaw

storslagen adj (-slaget, -slagna) grand, grandiose, magnificent

storslagenhet s (~en) grandeur, splendour

storslalom s (~en) skidsport. giant slalom

storslam s (~men, ~mar) kortsp. grand slam; **göra ~** make a grand slam

storslägga s (~n, -släggor), **ta till ~n** bildl. resort to strong measures

storsmugglare s (~n, =) big (large-scale) smuggler

storspelare s (~n, =) **1** sport. great player **2** hasardspelare big gambler; vard. high roller

storstad s (~en, -städer) big city (town); världsstad äv. metropolis

storstadsbo s (~n, ~r) inhabitant of a big city (town), big-city dweller; **vara ~** äv. be living in a big city (town)

storstadsdjungel s (~n, -djungler) vard. concrete (asphalt) jungle, urban jungle

storstilad adj (-stilat, ~e) grand, grandiose; om t.ex. karaktär fine

Storstockholm Greater Stockholm

storstrejk s (~en, ~er) general strike

storstuga s (~n, -stugor) ung. living room

storstädning s (~en, ~ar) thorough [house-]cleaning; ofta (vårstädning samt allm.) spring-cleaning; bildl., **en ~ inom polisen** a thorough clean-up...

storsäljare s (~n, =) best-seller

stort adv greatly, largely; i nekande sats vanl. much; jfr äv. ex.; **gäspa ~** yawn widely; **titta ~ på** open one's eyes wide at, stare at; **tänka ~** think big (in big terms); **segra** (**vinna**) ~ win hands down, win easily; **inte** ~ **mer än** ett barn little (not much) more than…

storting s (~et, =), **~et** the Norwegian parliament, the Storting, the Storthing

stortjuta vb itr (-tjöt, -tjutit) howl [at the top of one's voice], se äv. *storgråta*

stortjuv s (~en, ~ar) master thief

stortrivas vb itr dep (-trivdes, -trivts) om person get on very well, be (feel) very happy; ha trevligt have a wonderful time

stortvätt s (~en, ~ar) big wash

stortå s (~n, ~r) big toe

storverk s (~et, =) bedrift great achievement; konkr. arbete monumental work

storvilt s (~et) big game

storviltsjakt s (~en, ~er) big-game hunting

storvulen adj (-vulet, -vulna) grand, grandiose

storvuxen adj (-vuxet, -vuxna) big; om person, träd äv. tall

storätare s (~n, =) big (heavy) eater, glutton

storögd adj (-ögt) large-eyed, big-eyed, wide-eyed; **med ~ förvåning** in open-eyed wonder

straff s **1** (~et, =) påföljd allm. punishment; jur.: vite penalty; böter fine; dom sentence; **ett strängt ~** a severe punishment; genom dom a severe (alltför strängt harsh) sentence; **lagens strängaste ~** the maximum penalty; **tidsbestämt ~** fixed term [of imprisonment]; **avtjäna ett ~** serve a sentence, serve (do) time; **få sitt ~** be punished; **gå fri från ~** escape punishment; **som ~** as a (by way of) punishment **2** (~en, ~ar) sport. penalty; jfr äv. *straffspark* **3** (~en, ~ar el. =) kortsp. penalty

straffa vb tr (~de, ~t) punish; **synden ~r sig själv** ung. your sins will find you out; **bli ~d för ngt** be punished for sth; **han är ~d två gånger tidigare** he has two previous convictions; **han är inte tidigare ~d** he has no previous convictions

straffarbete s (~t, ~n) hist. [imprisonment with] hard labour; **två års ~** two years' hard labour

straffbar adj (~t) punishable; starkare penal; brottslig criminal; straffmyndig …of the age of criminal responsibility; **det är ~t att** + inf. it is an offence (a penal el. punishable offence) to + inf.

straffbelägga vb tr (-belade, -belagt), **~ ngt** penalize sth, impose a penalty [up]on sth, make sth penal

straffkast s (~et, =) sport. penalty throw

strafflindring s (~en, ~ar) jur., av ådömt straff reduction (commutation) of [the] sentence

straffområde s (~t, ~n) sport. penalty area; **~t** vard. the box

straffpredikan s (=, en, -predikningar) sermon; **hålla en ~ för ngn** give sb a lecture (dressing-down)

straffregister s (-registret, =) se *belastningsregister*

straffränta s (~n, -räntor) penal interest, interest on overdue payments (på kvarskatt on arrears)

straffrätt s (~en) lag criminal (penal) law

straffspark s (~en, ~ar) sport. penalty [kick]; spot kick; **lägga en ~** take a penalty; **döma ~** award (give) a penalty

strafftid s (~en, ~er) term [of punishment]; **under ~en** var han… while he was undergoing his sentence…

straffånge s (~n, straffångar) convict

stram adj (~t) spänd, snäv tight äv. bildl.; speciellt sjö. taut; sträng severe, austere; knapp terse; om person,

reserverad distant, reserved; stel stiff; [en] ~ **hållning** a) kroppshållning an upright (erect) posture b) inställning a reserved (severe) attitude; **en ~ livsföring** an austere way of life; ~ **penningpolitik** restrictive (austere) monetary policy; **hålla ngn i ~a tyglar** keep a tight rein on sb

strama I vb itr (~de, ~t) om kläder o.d. be [too] tight[-fitting] [**över** bröstet across…]; **huden ~r** the (my etc.) skin feels tight **II** vb tr (~de, ~t) tighten **III** med beton. part.

strama upp sig inta givaktställning come to attention; rycka upp sig pull oneself together

strama åt (**till**) tr. tighten äv. bildl., draw…tight

stramalj s (~en, ~er) canvas [for needlepoint]

strand s (~en, stränder) shore; havs~ äv. seashore; bad~, sand~ beach; flod~ bank; poet.: havs~, sjö~ strand; **på ~en** badstranden on the beach; staden ligger **på** (**vid**) **Mälarens södra ~** …on the south shore of Lake Mälar

stranda I vb itr (~de, ~t) om fartyg run ashore (aground), be stranded; bildl., misslyckas fail, miscarry, break down; **förhandlingarna har ~t** the negotiations have broken down **II** vb tr (~de, ~t), ~ **förhandlingarna** abandon (cause a breakdown in) the negotiations

strandfynd s (~et, =) o. **strandgods** s (~et, =) ilandflutet gods, koll. [flotsam and] jetsam

strandhugg s (~et, =), **göra ~** t.ex. om seglare go ashore; t.ex. om sjörövare descend [i upon], raid, foray

strandkant s (~en, ~er) strand beach, waterside; vattenbryn edge (margin, brink) of the water

strandlinje s (~n, ~r) shoreline, seaboard

strandning s (~en, ~ar) fartygs stranding; med förlisning wreck; bildl., misslyckande failure; t.ex. förhandlingars breakdown

strandpipare s (~n, =) zool., **större ~** ringed plover; **mindre ~** little ringed plover

strandpromenad s (~en, ~er) konkr. promenade, vid havet äv. [sea] front

strandremsa s (~n, -remsor) strip of shore (beach, riverbank)

strandsatt adj (=), **vara** (**bli**) ~ be stranded; inte ha pengar be hard up, be out of money

strandsätta vb tr (-satte, -satt) bildl., ~ **ngn** put sb in an awkward situation, let sb down, leave sb in the lurch

strapats s (~en, ~er), **~er** hardships

strapatsfylld adj (-fyllt) o. **strapatsrik** adj (~t) adventurous, …full of hardships

strass s (~en) paste

strateg s (~en, ~er) strategist

strategi s (~n, ~er) strategy; mil. äv. strategics sg.

strategisk adj (~t) strategic; **~a vapen** strategic weapons (koll. weaponry)

strategiskt adv strategically

stratosfär s (~en) meteor. stratosphere

strax o. **straxt** adv **1** om tid: om en kort stund in a minute (moment); ~ **efter** midnatt äv. close upon…; ~ **innan** han for just before…; är du klar? – [**jag**] **kommer ~!** …[I'm] coming in a minute (moment)!, …I'll come right away!; **jag kommer ~ tillbaka** I'll be back in a minute (moment), I'll be right back; **klockan är ~ 2** it is close on two o'clock **2** om rum, ~ **bortom** (**utanför, ovanför** etc.) just beyond (outside, above etc.); **~ bredvid (intill)** close by; **~ efter (bakom)** close behind

streber s (~n, strebrar) climber, pusher, careerist

streck s (~et, =) **1** penn~, penseldrag o.d. stroke; linje el. skilje~ line; strimma streak äv. miner.; tank~ dash; på skala mark; kompass~ point; vid markering score; **stryka ett ~ över** draw a line through; **låt oss dra (stryka) ett ~ över det** bildl. let's forget it, let's wipe the slate clean **2** rep cord, line; för tvätt [clothes] line

strecka vb tr (~de, ~t), **~d linje** broken (dashed) line; **~ för partier i en bok** mark (underline, score) passages in a book

streckgubbe s (~n, -gubbar) stick figure (drawing)

streckkod s (~en, ~er) bar code

strejk s (~en, ~er) strike; **vild ~** unofficial (wildcat) strike; **gå i ~** go on strike; **utlysa [en] ~** call a strike, se äv. strejka

strejka vb itr (~de, ~t) **1** gå i strejk go on strike, strike, come out on strike; vara i strejk be [out] on strike **2** friare: teven **~r** krånglar ...is out of order, ...is on the blink; bromsarna **~r** ...don't work (function)

strejkaktion s (~en, ~er) strike (industrial) action

strejkande I adj (oböjl.) striking; **~ hamnarbetare** dock strikers **II** s (en ~, pl. =), **de ~** the strikers, those on strike

strejkbrytare s (~n, =) strikebreaker; neds. blackleg, scab

strejkhot s (~et, =) hot om strejk threat of a strike, strike threat

strejkkassa s (~n, -kassor) strike fund

strejkledare s (~n, =) strike leader

strejkrätt s (~en), **ha ~** have the right to strike

strejkunderstöd s (~et, =) strike pay (benefit)

strejkvakt s (~en, ~er), **~[er]** picket sg.

strejkvarsel s (-varslet, =) strike notice; **utfärda ~** give notice of a strike

streptokock s (~en, ~er) med. streptococc|us (pl. -i)

stress s (~en) stress, strain, [nervous] tension; jäkt rushing and tearing about

stressa (se äv. stressad) **I** vb itr (~de, ~t) rush [and tear], bustle about; **~ inte!** take it easy!; **~ av** relax **II** vb tr (~de, ~t) stress speciellt psykol.; **~ ngn** stress sb out, put sb under stress (pressure); **~ mig inte!** don't rush me!

stressad adj (stressat, ~e) stressed out, ...suffering from stress, ...under stress; friare ...pressed for time, rushed

stressande adj (oböjl.) stressful; attr. äv. ...causing stress; **det är ~ [att...]** it causes stress [to...]

stressig adj (~t) se stressande

stresstålig adj (~t), **vara ~** be able to stand stress, work well under pressure

streta vb itr (~de, ~t) arbeta hårt, knoga work hard, toil; ihärdigt plod; med studier o.d. grind away [med ngt i samtliga fall at sth]; mödosamt förflytta sig struggle; litt. strive; hunden **~de [och drog] i kopplet** ...strained (tugged) at (för att komma loss struggled on) the leash; **~ emot** resist, struggle; **~ uppför backen** struggle up the hill

stretching s (~en) sport. stretching

1 strid adj (stritt) om ström o.d. swift, rapid; om vattendrag äv. torrential; **en ~ ström av** besökare a steady stream of...

2 strid s (~en, ~er) kamp fight äv. bildl., fighting (endast sg.); speciellt hård o. långvarig struggle; speciellt mellan tävlande contest; oenighet, stridighet[er] contention, strife, discord (samtliga endast sg.); konflikt conflict; **~erna fortsätter** längs hela frontlinjen fighting continues...; **~en om makten** the struggle for power; **en ~ på liv och död** a life-and-death struggle; inre ~ inward struggle; **utkämpa en ~** fight [out] a battle; **i ~ens hetta** in the heat of the battle (debatten the debate); **i ~ med (mot)** tvärtemot contrary (in opposition) to (against); **det står i ~ med (mot)** avtalet o.d. äv. it goes against..., it conflicts with...

strida vb itr (stred, stridit) **1** kämpa fight [för for; mot (med) against (with); om for]; litt., speciellt inbördes el. bildl. contend; friare el. bildl. äv. struggle, strive, battle; tvista dispute, quarrel; **~ med (mot)** en fiende äv. fight... **2** det strider mot sunt förnuft, våra intressen etc. it is contrary to (is against, conflicts with)...

stridande adj (oböjl.) **1** fighting etc., jfr strida 1; mil. äv. combatant; **de ~ parterna** the contending parties; jur. the litigants (parties litigant); **de ~** subst. adj. those fighting, the fighters; mil. äv. the combatants **2 ~ mot** oförenlig med contrary to, incompatible with

stridbar adj (~t) **1** stridsduglig ...fit for active service; **i ~t skick** in fighting trim; **försätta...ur ~t skick** put...out of action **2** debattlysten argumentative; om person: t.ex. politiker (attr.) ...with plenty of fighting spirit; t.ex. författare polemical

stridig adj (~t) motstridande conflicting, contending; om t.ex. intressen äv. clashing; oförenlig incompatible; motsatt opposed; motsägande contradictory

stridigheter s pl strider fighting sg.; konflikter conflicts; politiska, religiösa äv. contention sg.; meningsskiljaktigheter differences, controversies, disputes

stridsanda s (~n) fighting spirit

stridsberedskap s (~en) readiness for action

stridsduglig adj (~t) om manskap effective, ...fit for active service; **~a trupper** äv. effectives; **i ~t skick** in fighting trim

stridsflygare s (~n, =) jaktflygare fighter pilot

stridsflygplan s (~et, =) jaktflygplan fighter [aircraft]

stridsfråga s (~n, -frågor) controversial question (issue); **[själva] ~n** the [point at] issue

stridsgas s (~en, ~er) war gas

stridshandske s (~n, -handskar) bildl. gauntlet

stridshumör s (~et), **på ~** in a fighting mood

stridshäst s (~en, ~ar) warhorse, charger

stridskrafter s pl [military] forces, armed forces

stridsledning s (~en, ~ar), **~en** the supreme command

stridslinje s (~n, ~r) battle line; **i främsta ~n** in the forefront of the battle

stridslysten adj (-lystet, -lystna) eg. ...eager to fight; krigisk warlike; framför allt friare o. bildl. aggressive, pugnacious; debattlysten o.d. äv. argumentative, contentious; grälsjuk quarrelsome

stridsmedel s pl, **konventionella ~** conventional weapons

stridsoduglig adj (~t) disabled, ...unfit for active service

stridsrobot s (~en, ~ar) guided missile with warhead

stridsrop s (~et, =) war cry, battle cry

stridsskrift s (~en, ~er) controversial (polemical) pamphlet

stridsspets s (~en, ~ar) warhead

stridsställning s (~en, ~ar) battle position

stridsvagn s (~en, ~ar) tank
stridsvagnsförband s (~et, =) armoured unit
stridsyxa s (~n, -yxor) battle-axe; *gräva ned ~n* bury the hatchet (amer. äv. tomahawk)
stridsåtgärd s (~en, ~er) [offensive] action; på arbetsmarknad strike (lockout lockout) action
stridsäpple s (~t, ~n) apple of discord, bone of contention
stridsövning s (~en, ~ar) tactical exercise, manoeuvre; amer. maneuver
strigel s (~n, striglar) strop
strikt I adj (=) **1** sträng, noga strict, rigid; *~a regler* strict rules **2** ~ *klänning* sober (soberly elegant) dress **II** adv **1** noga strictly **2** ~ *klädd* soberly dressed
stril s (~en, ~ar) **1** på vattenkanna o.d. nozzle, rose, sprinkler **2** fin stråle thin jet
strila s pl sprinkle; *~nde regn* steady rain; *~ in* om ljus filter in
strimla I s (~n, strimlor) strip, shred **II** vb tr (~de, ~t) kok. shred
strimma I s (~n, strimmor) streak; rand äv. stripe; vetensk. äv. stri|a (pl. -ae); på huden (märke efter slag) weal; *en ~ av hopp* a gleam (ray) of hope **II** vb tr (~de, ~t) göra randig streak, stripe
strimmig adj (~t) streaked, striped; vetensk. äv. striated
stringens s (~en) i bevisning o.d. cogency, stringency; jfr äv. *stringent*
stringent adj (=) om bevisning o.d. cogent, stringent; om person o. framställningssätt …logical and to the point; om framställningssätt äv. closely-reasoned
stringtrosa s (~n, -trosor) thong, string tanga
stripa s (~n, stripor) av hår wisp [of hair]; *håret hängde i tunna stripor* på henne her hair hung in thin strands
stripig adj (~t) om hår lank, straggling
strippa I s (~n, strippor) vard., person stripper **II** vb itr (~de, ~t) vard., utföra striptease strip, do a strip; klä av sig strip
striptease s (~n) striptease
strof s (~en, ~er) i dikt stanza; friare verse
stropp s (~en, ~ar) **1** allm. strap; på stövel o.d. loop; lyft~ sling; sjö. strop **2** vard., om person stuck-up (snooty) idiot, pompous ass
stroppig adj (~t) vard. stuck-up, pompous
strosa vb itr (~de, ~t) stroll, saunter; *gå och ~ (~ omkring) [på gatorna]* be strolling about [the streets]
struken adj (struket, strukna), *struket mått* level measure; *en ~ tesked [socker]* a level teaspoonful [of sugar]; jfr äv. *stryka*
struktur s (~en, ~er) structure; textil. o.d. texture
strukturell adj (~t) structural
strukturera vb tr (~de, ~t) structure
strukturrationalisering s (~en, ~ar) structural rationalization
strul s (~et) vard., krångel muddle, hassle; besvär trouble, bother
strula vard. **I** vb itr (~de, ~t) muck things up; *han har ~t lite med* grannfrun he's had a fling with…, he's been involved with…; *sluta ~* don't be so difficult; *datorn ~r* the computer is on the blink (is not working) **II** vb tr (~de, ~t), *~ till ngt* make a mess (cock-up) of sth, screw sth up; *~ till det för sig* make things difficult for oneself
strulig adj (~t) vard., krånglig trying, difficult

struma s (~n) med. goitre, struma
strumpa s (~n, strumpor) **1** ankelsocka sock; lång silkes- el. nylonstrumpa stocking; *strumpor* koll. äv. hosiery sg. **2** glöd~ mantle
strumpeband s (~et, =) suspender; ringformigt (utan hållare) el. amer. garter
strumpebandsorden s (best. sing.) the Order of the Garter; *riddare av ~* Knight of the Garter
strumpläst s (~en), *gå omkring i ~en* …in one's stockinged (stocking) feet; *han mäter 1,80 i ~en* he stands…in his socks
strumpsticka s (~n, -stickor) knitting needle
strunt s (~et) rubbish, trash; struntprat nonsense, rubbish; *prata ~* talk nonsense (rubbish)
strunta vb itr (~de, ~t), *~ i* inte bry sig om not bother about; inte ta någon notis om äv. ignore; *jag ~r i att gå dit* I won't bother about going (bother to go) there; *jag ~r i läxorna!* äv. hang (starkare blow)…!; *det ~r jag [blankt] i!* I don't care a hang (a hoot) [about that]!, I couldn't care less!; *strunt[a] i det!* never mind!, forget (skip) it!
struntförnäm adj (~t) stuck-up, snooty, hoity-toity
struntprat I s (~et) nonsense, rubbish **II** interj nonsense!, rubbish!
struntsak s (~en, ~er) bagatell trifle, trifling matter
struntsumma s (~n, -summor) trifle, trifling sum; *köpa ngt för en ~* …for a song
strupe s (~n, strupar) allm. throat, jfr *luftstrupe* o. *matstrupe*; *klara ~n* clear one's throat; *jag fick det i fel (galen) strupe* it went down the wrong way, i choked on it
struphuvud s (~et, ~en el. =) anat. laryn|x (pl. vanl. -ges)
strupljud s (~et, =) guttural [sound]
struplock s (~et, =) anat. epiglottis
struptag s (~et), *ta ~ på ngn* seize sb by the throat, throttle sb
strut s (~en, ~ar) glass- o.d. cone; mindre cornet; pappers~ cornet, screw (twist) [of paper]; *en ~ karameller* vanl. a screw of…
struts s (~en, ~ar) ostrich
strutspolitik s (~en) ostrich[-like] policy; *bedriva ~* äv. bury one's head in the sand
strutsägg s (~et, =) ostrich egg
strutta vb itr (~de, ~t) strut; trippa trip, mince
struva s (~n, struvor) kok. 'rosette', kind of deep-fried pastry
stryk s (~et) beating, thrashing, hiding; vard. licking; *få ~* a) eg. get a beating etc., be beaten (thrashed); vard. get licked b) sport., förlora be beaten, take a beating; vard. get a licking; *få ~ i* golf be beaten at…; *ge ngn ~* give sb a beating etc., beat (vard. lick) sb; *tigger du ~?* are you looking for a fight?; *ful som ~* [as] ugly as sin
stryka I vb tr (strök, strukit) **1** fara över med handen, smeka stroke; gnida rub; *~ ngn över* håret vanl. pass one's hand over (speciellt flera ggr stroke) sb's…; *~ eld på en tändsticka* strike a match **2** med strykjärn o.d. iron; utan obj. do some (the) ironing **3** bestryka, med färg o.d. coat; *~ en vägg* paint a wall; *~ väggen en gång till* give…another coating (coat of paint) **4** breda på spread; *~ salva på såret* spread…on (apply…to) the wound **5** utesluta, stryka ut (över) cancel, cut out äv. bildl.; t.ex. ord äv. strike (cross) out, delete; *~ ett namn från en lista* strike a name off a list **6** avlägsna o.d., *~ håret ur pannan* brush one's hair [back] from…; *~*

svetten ur pannan wipe the perspiration from…; se äv. *stryka bort* under *stryka IV* nedan **7** sjö., *~ segel* strike sail
II *vb itr* (strök, strukit) **1** *~ med handen* etc. *över* pass one's hand etc. over; smeka stroke **2** dra [fram], svepa o.d., planet **strök [lågt] över hustaken** …swept [low] over the roofs; *~ kring* huset (knuten) prowl round about…; jfr äv. *stryka omkring* under *stryka IV* nedan **3** 'backa', *~ på foten [för]* bildl. give in [to]
III *vb rfl* (strök, strukit) **1** *~ sig mot* rub against; *~ sig över* pannan, håret pass one's hand over one's… **2** *~ sig* från en lista lämna återbud scratch (strike out) one's name
IV med beton. part.
stryka bort t.ex. en hårslinga, en tår brush away; torka bort wipe off; gnida bort rub out
stryka för: *~ för ngt [med rött]* mark sth [in red]
stryka med vard., dö die, perish
stryka ned förkorta cut down
stryka omkring i skogarna om rovdjur, rövare o.d. prowl…; *~ omkring på gatorna* t.ex. om ligor prowl (roam) the streets
stryka på t.ex. salva spread, apply
stryka under underline; bildl. äv.: betona emphasize, stress; påpeka point out
stryka över t.ex. ett ord cross (strike) out, cancel, delete
strykande *adj* (oböjl.), *ha ~ åtgång* om vara have a rapid sale; böckerna (varorna) *hade ~ åtgång* vard. …went like hot cakes
strykbräda *s* (~n, -brädor) o. **strykbräde** *s* (~t, ~n) ironing board
strykfri *adj* (-fritt) om t.ex. skjorta crease-resistant, non-iron, drip-dry
strykjärn *s* (~et, =) iron
strykklass *s* (~en), *sätta…i ~* single out…for discrimination, victimize…; försumma neglect…
stryknin *s* (~et el. ~en) kem. strychnine
strykning *s* (~en, ~ar) (jfr *stryka*) **1** med handen o.d. stroke, stroking; gnidning rub, rubbing **2** med strykjärn ironing **3** med färg (tjära etc.) coating; konkr. coat [of paint (tar etc.)] **4** uteslutning, utstrykning, överstrykning cancellation, cancelling etc., jfr *stryka I 4*; nedskärning cut
stryktips *s* (~et) football pools
stryktålig *adj* (~t) om person tough, hardy; om sak, plagg durable, hard-wearing
strypa *vb tr* (ströp el. strypte, strypt) strangle, throttle; tekn. throttle, choke
strypning *s* (~en, ~ar) strangulation, strangling; throttling, choking
strypventil *s* (~en, ~er) tekn. throttle valve
strå *s* (~et, ~n) straw äv. koll.; hår~ hair; gräs~ blade of grass; *dra det kortaste (längsta) ~et* get the worst (best) of it; *dra sitt ~ till stacken* do one's share (bit); *inte lägga två ~n i kors* not lift a finger [*för att* + inf. to, + inf.], not do a stroke [of work]; den här är *ett ~ vassare* …just that bit better; *ett ~ vassare än…* a cut above (om person äv. one up on)…
stråhatt *s* (~en, ~ar) straw hat
stråk *s* (~et, =) **1** se *strög* **2** band, strimma (t.ex. dim~) band; malm~ vein, zone
stråke *s* (~n, strålar) mus. bow; *stråkar* stråkinstrument i orkester strings
stråkinstrument *s* (~et, =) stringed (bow)

instrument; *~en* i orkester the strings, the string section
stråkkvartett *s* (~en, ~er) string quartet
stråkorkester *s* (~n, -orkestrar) string orchestra
stråla I *vb itr* (~de, ~t) beam, shine; bildl. äv. be radiant; om t.ex. ögon sparkle [*av* with}; *~ av* lycka etc. sparkle with…, radiate… **II** *vb tr* (~de, ~t) vard., strålbehandla apply radiation treatment to **III** med beton. part.
stråla samman om t.ex. vägar el. människor converge [*i en* stad on}; träffas meet
stråla ut itr. radiate
strålande *adj* (oböjl.) radiant; lysande brilliant båda äv. bildl., beaming etc., jfr *stråla*; *en ~ idé* a brilliant idea; *~ solsken* brilliant sunshine; *~ väder* glorious weather; *vara på ett ~ humör* be in a wonderful mood
strålbehandla *vb tr* (~de, ~t) med. apply radiation treatment to
strålbehandling *s* (~en, ~ar) med. radiation treatment, radiotherapy
stråldos *s* (~en, ~er) radiation dose, dose of radiation
stråle *s* (~n, strålar) **1** ray; av ljus äv. beam, shaft; *utsända strålar* fys. emit rays, radiate **2** av vätska, gas o.d. jet; mycket fin squirt
strålformig *adj* (~t) radiate
strålglans *s* (~en) radiance
strålkastarbelysning *s* (~en, ~ar) fasadbelysning o.d. floodlights pl.; hus (plats) *i ~* floodlit…
strålkastare *s* (~n, =) rörlig: sjö. el. mil. etc. searchlight; fasadbelysning o.d. floodlight; teat. spotlight; på bil o.d. headlight; *blända av strålkastarna* på bil o.d. dim (dip) the [head]lights; *belysa* plats o.d. *med ~* floodlight…
strålning *s* (~en, ~ar) radiation
strålningsmätare *s* (~n, =) radiometer
strålningsrisk *s* (~en, ~er) radiation hazard (risk)
strålsjuka *s* (~n) radiation sickness
strålskada *s* (~n, -skador) med. radiation injury
strålskydd *s* (~et, =) protection against radiation
strålskyddsinstitut *s* (~et, =), *Statens ~* the Swedish Radiation Protection Institute
strålvärme *s* (~n) radiant (radiation) heat
stråt *s* (~en) väg, kosa way, course; stig, spår path, track
stråtrövare *s* (~n, =) hist. highwayman, brigand
stråveck *s* (~et, =) sömnad. pin tuck
sträck *s* (~et, =) **1** *i [ett] ~* t.ex. arbeta flera timmar at a stretch, without a break; t.ex. köra tio mil, läsa hela dagen without stopping; t.ex. läsa hela boken at one (a) sitting; flera timmar (dagar, veckor etc.) *i ~* äv. …on end; flera dagar (veckor etc.) *i ~* äv. …running **2** om fåglar: flykt flight; sträckväg track; *ett ~* vildgäss a flight of… **3** med., *ligga med benet i ~* have one's leg in traction
sträcka I *s* (~n, sträckor) avstånd samt väg~ distance; väg~ äv. stretch of road; del~, äv. sport., ban~ section; *~n* Stockholm-Åbo the route…; *tillryggalägga en ~ [på* 5 km] cover a distance [of…]; *tillryggalagd ~* distance covered (run); vi fick gå *en del av* (*hela*) *~n* …part of the (the whole) way
II *vb tr* (sträckte, sträckt) **1** räcka ut, spänna, tänja stretch; ut~ äv. extend; *~…hårt [ordentligt]* stretch…tight; *~ kölen [till en båt]* lay [down] the keel [of a vessel]; *~ en lina* sjö. stretch a rope **2** med., *~ en muskel (sena)* pull (strain) a muscle (a tendon)

3 ~ **vapen** lay down one's arms, capitulate
III *vb itr* (sträckte, sträckt) **1** ~ *på benen* äv. i betydelsen 'röra på sig' stretch one's legs; ~ *på halsen* stretch one's neck, crane one's neck; ~ *på sig* tänja och sträcka stretch [oneself], give a stretch; räta på sig straighten oneself up **2** om flyttfåglar migrate
IV *vb rfl* (sträckte, sträckt) ~ *sig* **a)** tänja och sträcka stretch [oneself]; ~ *sig efter ngt* reach [out] for sth **b)** friare: ha viss utsträckning stretch, range; framför allt bildl. extend; bildl. äv. go; löpa run; bergskedjan *sträcker sig från A till B* ...stretches (ranges) from A to B; ägorna *sträcker sig ända till floden* ...extend as far as the river; *jag kan* ~ *mig till* 100 kronor I can go as far as...; *jag kan inte* ~ *mig längre än så* that is the furthest I can go; anteckningarna *sträcker sig över fem år* ...extend over a period of five years
V med beton. part.
sträcka fram t.ex. handen put out
sträcka upp t.ex. handen put up, raise
sträcka ut a) tr. räcka ut put out; dra ut, spänna stretch; bildl., förlänga extend; i tid äv. prolong; ~ *ut sig* [*i* gräset etc.] stretch oneself out (lie down full length) [on...] **b)** itr. ta ut stegen step out; om häst gallop at full speed; *låta hästen* ~ *ut* give one's horse its head (the reins)
sträckbänk *s* (~en, ~ar), *hålla ngn på* ~*en* i spänning, ovetskap keep sb on tenterhooks, keep sb dangling (guessing)
sträckförband *s* (~et, =) med. stretch (elastic) bandage
sträckläsa *vb tr* (-läste, -läst) read...at a stretch (one el. a sitting)
sträckning *s* (~en, ~ar) sträckande stretching etc., jfr *sträcka*; ut~ extension; riktning direction; lopp o.d., t.ex. flods running; t.ex. dalgångs lie; *få en* ~ muskelsträckning pull (strain) a muscle
1 sträng *adj* (~t) hård, omild etc. severe; mer vard. hard; starkare, obevekligt ~ rigorous; bestämd, principfast, noga strict, rigid; krävande exacting; bister, allvarlig, om sätt, min o.d. stern, austere; *stå under* ~ noggrann *bevakning* be under close surveillance; *hålla* ~ *diet* be on a strict diet; ~*t klimat* a severe (hard, rigorous) climate; ~ *kontroll* strict (rigorous) control; ~*a regler* strict (stringent) rules; *lagens* ~*aste straff* the maximum penalty; ~ *uppfostran* a strict upbringing; *vara* ~ *mot* be severe (mot barn strict) with, be hard on, treat...severely
2 sträng *s* (~en, ~ar) **1** på instrument, pilbåge el. racket string; poet., t.ex. harp~ el. bildl. äv. chord; *ha flera* ~*ar på sin lyra* have many strings to one's bow; *slå an den rätta* ~*en* bildl. strike (touch) the right chord **2** rep~ strand
stränga *vb tr* (~de, ~t) string; ~ *om* t.ex. racket, gitarr restring
stränghet *s* (~en) severity; rigour; strictness, rigidity; sternness, austerity; jfr *1 sträng*
stränginstrument *s* (~et, =) string[ed] instrument
strängt *adv* severely, rigorously, strictly etc., jfr *1 sträng*; ~ *bevakad* closely guarded; ~ *förbjudet* strictly prohibited; *hålla* ~ *på* reglerna observe...rigorously, insist (lay stress) on...; ~ *personlig* strictly personal; ~ *taget* strictly (properly) speaking; ~ *upptagen* fully occupied
sträv *adj* (~t) rough; bildl. om sätt äv. harsh; om ljud,

ton, röst harsh, grating, rasping; om röst äv. raucous; naturv. scabrous; ~ *hud* rough skin
1 sträva *s* (~n, strävor) arkit. strut, brace
2 sträva *vb itr* (~de, ~t) strive, endeavour; kämpa struggle; ~ *efter att* + inf. endeavour (strive) to + inf.; ~ *efter* makt strive for (after)...; klarhet, effekt aim at...; fullkomlighet seek...; ~ *mot ett mål* strive towards (to reach) a goal; ~ *uppåt* bildl. aim high, have ambitious schemes
strävan *s* (=, en, strävanden) åstundan striving, aspiration [*efter* båda for (after)]; ambition; mål aim; bemödande endeavour, effort[s pl.]; *misslyckas i sin* ~ fail in one's efforts
strävhet *s* (~en) roughness, harshness
strävhårig *adj* (~t) om hund wire-haired
strävpelare *s* (~n, =) arkit. buttress
strävsam *adj* (~t, ~ma) arbetsam industrious, hardworking; mödosam laborious, strenuous
strävsamhet *s* (~en) arbetsamhet industry, hard work
strö I *s* (~et) lantbr. litter, bedding **II** *vb tr* (~dde, ~tt) sprinkle, strew, scatter; skräp äv. litter; ~ *kvickheter omkring sig* crack jokes; ~ *goda råd omkring sig* scatter good advice about; ~ *socker på* kakan äv. powder...with sugar; ~ *omkring* scatter [about]; ~ *pengar omkring sig* splash [one's] money about; ~ *ut* strew, scatter
ströare *s* (~n, =) castor, caster, shaker
ströbröd *s* (~et) brown dried [bread]crumbs pl., raspings pl.
strödadlar *s pl* kok. chopped dates
strög *s* (~et, =) huvudgata, flanörstråk main [fashionable] street; affärsgata main shopping street
ströjobb *s* (~et, =) odd (casual) job
strökund *s* (~en, ~er) chance (stray) customer
ström I *adj* (~t), ~*t vatten* rapid-flowing water; *det är mycket* ~*t här* there is a strong current here **II** *s* (~men, ~mar) **1** strömning current; vattendrag, ~fåra stream båda äv. bildl.; *kalla* (*varma*) ~*mar* cold (warm) currents; *driva* (*följa*) *med* ~*men* drift [with the current]; bildl. go (swim) with the stream (tide); *gå mot* ~*men* bildl. go (swim) against the stream **2** flöde, äv. bildl. stream, flow; starkare flood; häftig torrent; *en* ~ *av ord* a stream (flood, torrent) of words; *i en jämn* ~ in a constant stream **3** elektr. current; elkraft power; *bryta* ~*men* break (switch off) the current, break off the circuit; *koppla* (*slå*) *på* ~*men* switch (turn) on the electric current (electricity); *vi har ingen* ~ we have no electricity
strömavbrott *s* (~et, =) elektr. power failure (p.g.a. avstängning cut)
strömbrytare *s* (~n, =) elektr. switch; för motorer etc. äv. [circuit] breaker
strömdrag *s* (~et, =) current; häftigt race
strömfåra *s* (~n, -fåror) stream
strömförande *adj* (oböjl.) elektr. live
strömförbrukning *s* (~en, ~ar) elektr. power (current) consumption
strömhopp *s* (ett, pl. =) sport. row (line) of straddle-vaults
strömkrets *s* (~en, ~ar) elektr. circuit
strömledare *s* (~n, =) elektr. conductor
strömlinjeformad *adj* (-format, ~e) streamlined
strömlös *adj* (~t) elektr. dead; *det är* ~*t* strömavbrott there is a power failure (p.g.a. avstängning cut)
strömma I *vb itr* (~de, ~t) stream; flyta, flöda äv. flow,

run; starkare pour, come pouring; *folk ~de till* byn äv. people flocked to...

II med beton. part.

strömma in om vatten o.d. rush in, flow in; om t.ex. folk, brev stream (pour, roll) in

strömma till om vatten o.d. [begin to] flow; om folk[skaror] come flocking, flock together, collect

strömma ut stream (flow, pour, well) out; om gas, vätska äv. escape, issue; om folk[skaror] stream (pour) out

strömming *s* (~en, ~ar) Baltic (small) herring

strömmingsflundra *s* (~n, -flundror) kok. two fillets of Baltic herring [stuffed with dill or parsley]

strömning *s* (~en, ~ar) current; *litterära* (*politiska*) *~ar* literary (political) currents

strömriktning *s* (~en, ~ar) elektr. el. sjö. direction of the current

strömslutare *s* (~n, =) elektr. circuit closer, connector

strömstyrka *s* (~n, -styrkor) elektr. current [intensity], amperage

strömställare *s* (~n, =) elektr. switch

strömsättning *s* (~en, ~ar) sjö. current, set (drift) of [the] current; fartygs förflyttande drift

strömvirvel *s* (~n, -virvlar) eddy, whirl[pool]

strösocker *s* (-sockret) granulated sugar; finare castor (caster) sugar

strössel *s* (strösslet) hundreds and thousands pl.; amer. sprinkles pl., jimmies pl.

ströva *vb itr* (~de, ~t), *~* [*omkring*] roam, rove, ramble, stroll, walk about, wander; *hon älskade att ~ i skogen* she loved to wander (ramble) in the woods (forest)

strövområde *s* (~t, ~n) area for country walks (rambles)

strövtåg *s* (~et, =) ramble; excursion äv. bildl.; i pl. äv. wanderings; *ge sig ut* (*gå*) *på ~ i naturen* go on a ramble (an excursion)...

1 stubb *s* (~en, ~ar), *rubb och ~* se under *rubb*

2 stubb *s* (~en, ~ar) åker~, skägg~ stubble

stubba *vb tr* (~de, ~t), *~* [*av*] hår, hästsvans, öron crop; hundsvans o.d. dock; *~d åker* stubble-field

1 stubbe *s* (~n, stubbar) stump

2 stubbe *s* (~n, stubbar) vard., *på ~n* se *på stubinen* under *stubin*

stubbåker *s* (~n, -åkrar) stubble-field

stubin *s* (~en, ~er) fuse; *ha kort ~* vard., om person have a short fuse, be short-tempered, be quick-tempered; *han gjorde det på ~en* vard., genast ...on the spot, ...like a shot

stuck *s* (~en, ~er) stucco (pl. -s el. -es)

stuckatur *s* (~en, ~er) stucco [work]

student *s* (~en, ~er) **1** studerande student; i Storbr. äv. undergraduate **2** *ta ~en* pass the 'studentexamen', take one's GCSE; amer. graduate from high school, jfr *studentexamen*

studentbetyg *s* (~et, =) dokument 'studentexamen' (higher [school]) certificate; amer. high school diploma; eng. motsv. ung. General Certificate of Secondary Education förk. GCSE at Advanced (A) level

studentbostad *s* (~en, -bostäder) **1** se *studenthem* **2** rum student's room; lägenhet student's lodgings pl.

studentexamen *s* (=, en, -examina) 'studentexamen', higher [school] certificate [själva prövningen

examination]; amer. high school graduation; eng. motsv. ung. [examination for the] General Certificate of Secondary Education förk. GCSE at Advanced (A) level

studentförening *s* (~en, ~ar) students' association

studenthem *s* (~met, =) [students'] hostel, hall of residence, amer. äv. dormitory

studentkamrat *s* (~en, ~er) fellow student; *vi var ~er i Uppsala* we were at Uppsala together

studentkår *s* (~en, ~er) students' union

studentlegitimation *s* (~en, ~er) student['s] ID, student['s] identity card

studentliv *s* (~et), *~et i Stockholm* student life...

studentmössa *s* (~n, -mössor) student's cap

studentrabatt *s* (~en, ~er) student discount

studentspex *s* (~et, =) students' farce (burlesque); festival, i Storbr. rag week

studentsångare *s* (~n, =) member of a students' choral society

studenttid *s* (~en), *under min ~* in my student days; when I was at [the] university

studentutbyte *s* (~t, ~n) student exchange

studera *vb tr* o. *vb itr* (~de, ~t) study; läsa äv. read; granska, t.ex. ett förslag, ngns ansikte äv. scan, scrutinize; *~ en karta* study a map; *~ de sociala förhållandena* i USA make a study of social conditions...; *var* (*vid vilket universitet*) *~r han?* what university is he [studying] at?; *~ historia* study (read, do) history, be a student of history; *~ medicin* el. *~ till läkare* study medicine, be a medical student

studerande *s* **1** (~n, =) vid universitet student; *vara ~* be a student; *~ vid teknisk högskola* student of technology (engineering) **2** (~t) studium study[ing]

studie *s* (~n, ~r) study äv. konst.; teat. o.d. [*över* of]; litt.vet. äv. essay [*över* on]

studiebesök *s* (~et, =) educational (study) visit; studieresa study tour, field trip

studiebidrag *s* (~et, =) study grant

studiecirkel *s* (~n, -cirklar) study circle

studiedag *s* (~en, ~ar) för lärare teachers' seminar

studieförbund *s* (~et, =) [adult] educational association

studiegrupp *s* (~en, ~er) study group; för diskussion workshop

studiehandbok *s* (~en, -böcker) ung. students' guide, university handbook

studiehjälp *s* (~en) ekonomisk financial aid to those studying at the 'gymnasium' level

studiekamrat *s* (~en, ~er) fellow student

studielån *s* (~et, =) study loan

studiemedel *s pl* ekonomiskt stöd study allowances (bidrag grants)

studieplan *s* (~en, ~er) för visst ämne syllabus, curriculum (pl. curriculums el. curricula); t.ex. univ. course of study

studier *s pl* study sg.; *vetenskapliga ~* scientific studies; *börja* (*avsluta*) *sina ~* begin (finish) one's studies; *efter avslutade ~ for han...* after finishing (on the completion of) his studies...; *bedriva ~* study

studierektor *s* (~n, ~er) director of studies

studieresa *s* (~n, -resor) study tour; *göra en ~ till England* go to England to study (for study purposes)

studierådgivning *s* (~en, ~ar) student counselling (guidance)

studieskuld *s* (~en, ~er) study-loan debt
studiestöd *s* (~et) study allowances pl.; bidrag study grants pl.
studiesyfte *s* (~t), *i* ~ for the purposes pl. of study, for study purposes
studieteknik *s* (~en, ~er) [the] technique of studying, study technique
studietid *s* (~en) time (period) of study; jfr äv. *studenttid*
studievägledare *s* (~n, =) study counsellor (adviser)
studio *s* (~n, ~r) studio (pl. -s)
studium *s* (studiet, studier) study, studying; se vidare *studier*
studs *s* (~en, ~ar) bounce; återstudsning äv. rebound; bollen *har bra* ~ ...bounces well
studsa I *vb tr* (~de, ~t) bounce **II** *vb itr* (~de, ~t) **1** om boll bounce; om gevärskula o.d. ricochet; ~ *tillbaka* rebound, bounce back **2** om person, ~ *[till]* av förvåning start, be startled, be taken aback
studsmatta *s* (~n, -mattor) trampoline; för motion rebounder
studsning *s* (~en, ~ar) studs bounce; åter~ äv. rebound; gevärskulas o.d. ricochet
stuga *s* (~n, stugor) [small] house; koja cabin; på landet cottage
stugby *s* (~n, ~ar) 'holiday village', group of leisure (summer) cottages for hire
stugknut *s* (~en, ~ar) cottage corner; *bakom ~en* bildl. round the corner
stugsittare *s* (~n, =) homebird, stay-at-home [person]
stuk *s* (~et, =) vard. style, fashion
stuka *vb tr* (~de, ~t) **1** skada sprain; ~ *handleden* sprain one's wrist **2** ~ *[till] ngn* bildl. crush (humiliate) sb, take sb down a peg [or two], cut sb down to size **3** tekn. upset; nit flatten
stukning *s* (~en, ~ar) **1** skada spraining; *en* ~ a sprain **2** tillplattning battering, knocking out of shape; bildl. crushing, humiliation **3** tekn. upsetting, flattening
stum *adj* (~t, ~ma) **1** dumb; mållös äv. mute, speechless; ~ *av* förvåning dumb (mute, speechless) with...; ~ *av beundran* lost in admiration; *bli* ~ be struck dumb; ~*t ljud* utan resonans dead sound **2** om bokstav: inte uttalad mute, silent **3** hård rigid; oelastisk unresilient, unelastic; dikt, tät tight, close
stumfilm *s* (~en, ~er) silent [film]
stumhet *s* (~en) dumbness; mållöshet äv. muteness, speechlessness; med. alalia
stump *s* (~en, ~ar) rest stump; t.ex. av penna, cigarr, cigarett äv. stub, end
stumpa *s* (~n, stumpor) liten flicka tiny tot; *min lilla ~!* my pet!
stund *s* (~en, ~er) kort tidrymd while (endast sg.); kort tidrymd samt tidpunkt, ögonblick moment; *stanna en* ~ stay for a while; *kan ni vänta en ~?* can (could) you wait a moment (a few minutes)?; *en kort* ~ a short while, a moment; *det dröjer bara en liten* ~ it will only be a moment, it won't be long; *ljusa ~er* bright moments; för patient lucid intervals; *inte en lugn* ~ not a moment's peace; *han trodde att hans sista* ~ *var kommen* he thought that this was his last hour, he thought that his last hour had come; *från den ~en* from that [very] moment; *från [allra] första* ~ from the [very] first moment (minute); leva *för ~en* ...for the moment; *hjälp för ~en* temporary relief;

för en ~ *sedan* a [little] while ago, a few minutes ago; *i denna* ~ at this [very] moment; *i samma* ~ at the same moment; *i sista* ~ at the last moment; precis just in time; *i skrivande* ~ at the time of writing; *om en [liten]* ~ in a [little] while, in a moment, before long; *på lediga ~er* in one's spare time (moments), at odd moments
stunda *vb itr* (~de, ~t) approach, draw near, be at hand
stundande *adj* (oböjl.) coming; *de* ~ *förhandlingarna* äv. the negotiations that are to start
stundom *adv* at times, now and then, sometimes; ~ *glad* ~ledsen sometimes...sometimes...
stundtals *adv* at times, now and then, sometimes
stuns *s* (~en) vard. verve
stuntman *s* (~nen, -män) film. stunt man
1 stup *s* (~et, =) brant precipice, steep slope (descent)
2 stup *adv*, ~ *i ett* all the time, non-stop; ~ *i kvarten* every five minutes
stupa *vb itr* (~de, ~t) **1** luta brant descend abruptly, fall steeply, incline sharply **2** falla fall, drop [down]; *nära att* ~ *[av trötthet]* ready to drop [with fatigue]; ~ *i säng* tumble (go straight) into bed **3** bildl., misslyckas, *han* ~*de på* t.ex. matematiken he failed in...; t.ex. uppgiften he did not manage...; *det hela kommer att* ~ *på* bristande samarbete it will fail (founder, fall down) on account of... **4** dö i strid be killed [in action], fall [in battle]
stupad *s* (en ~, pl. ~e), *de ~e* those killed in the war, the fallen (slain)
stupfull *adj* (~t) vard. dead (blind) drunk
stupid *adj* (neutrum undviks) stupid, idiotic
stupränna *s* (~n, -rännor) se *hängränna*
stuprör *s* (~et, =) drainpipe, downpipe, amer. downspout
stupstock *s* (~en, ~ar) block, scaffold
stursk *adj* (~t) näsvis cheeky, impertinent; fräck insolent, impudent, brazen; mallig stuck-up, arrogant
stuss *s* (~en, ~ar) seat; vard. bottom, behind
stut *s* (~en, ~ar) oxe bullock, steer
stuteri *s* (~et, ~er) studfarm, stud
stuv *s* (~en, ~ar) remnant [of cloth]; ~*ar* äv. oddments
1 stuva *vb tr* (~de, ~t) packa, lasta stow; ~ *in* stow in; ~ *in folk i* en kupé pack (cram) people into...; ~ *in sig* i baksätet bundle into...; ~ *om* restow; ~ *undan* stow away
2 stuva *vb tr* (~de, ~t), ~*de champinjoner* mushrooms cooked in white sauce (cream); ~*d spenat* creamed spinach
stuvbit *s* (~en, ~ar) remnant
stuveriarbetare *s* (~n, =) docker, stevedore; amer. longshoreman
stuvning *s* (~en, ~ar) vit sås white sauce; t.ex. kött~ stew; ~ *med räkor* prawns in white sauce (cream)
stybb *s* (~en el. ~et) koldamm coal dust; för löparbanor o.d. cinders pl.
styck *s* (oböjl.), tio kronor *[per]* ~ ...each, ...apiece; *pris per* ~ price each (per unit), unit price; *sälja per* ~ ...by the piece
stycka *vb tr* (~de, ~t) **1** kött o.d. cut up; sönderdela i leder äv. disjoint, divide into joints; död kropp dismember; ~ *sönder* cut...into pieces **2** jord, mark parcel out; t.ex. egendom äv. break up; till tomter äv.

divide...into lots (plots, allotments); **~ av** mindre egendom från större carve out

stycke s (~t, ~n) **1** del, avsnitt o.d. **a)** bit piece; del äv. part, portion; litet äv. bit, scrap; brott~ äv. fragment [samtliga med of framför följande ord]; **ett ~ land** (**mark**) a piece of land; **~ för ~** piece by piece, bit by bit; [**allt**] **i ett ~** all in one piece; **i ~n** sönder in pieces, broken; **slå** (**slita**) **i ~n** knock (tear)...to pieces, smash **b)** om väg, vi fick gå **ett ~** [**av vägen**] ...part of the way; bilen gick bara **ett litet ~** ...a little (short) way **c)** om tid, **ett gott ~** in på 1900-talet well [on] into... **d)** text~ passage; del av sida där nytt avsnitt börjar paragraph; sidan 10, **andra ~t** ...the second paragraph; **nytt ~** fresh (new) paragraph; **valda ~n** selected passages, selections

2 exemplar, enhet **a)** **~n** (förk. *st.*) speciellt efter räkneord ofta oöversatt, hand. ibl. pieces; **fem ~n** [**apelsiner**] five [oranges]; **två** (**ett par**) **~n** [**apelsiner**] äv. a couple [of oranges]; vi har beställt **1000 st.** hand. ...1000, ...1000 pieces (förk. pcs.); vi har beställt **1000 st.** flaskor hand. ...1000 bottles; **fem ~n nötkreatur** five head of cattle; [**så där**] **en 5–6 ~n** some five or six; **får jag fem ~n** give me five [of them]; **vi var fem ~n** there were five of us; **några ~n** some, a few; **vi är några ~n** som tycker att there are some of us... **b)** tio kronor **~t** ...each, ...apiece

3 om konstnärlig verksamhet: musik~ piece [of music]; teater~ play; **ett ~ av Bach** a piece (something) by Bach; **ett ~ av Strindberg** a play by Strindberg

4 i olika bildliga betydelser, **i många ~n** in many respects (ways, things); **vara ense i många ~n** agree on many points

styckegods s (~et) koll.: sjö. general (mixed, miscellaneous) cargo; järnv. single consignments pl.

styckepris s (~et, = el. ~er) price each, unit price, price per unit

styckevis adv **1** per styck by the piece; en efter en piece by piece, piecemeal **2** delvis partially, in part

styckmord s (~et, =) murder in which the body is dismembered

styckning s (~en, ~ar) av kött o.d. cutting-up; av död kropp dismemberment; av mark parcelling [out], allotment, division

stygg adj (~t) spec. om barn naughty; elak, ovänlig nasty [**mot** to]; ond bad, wicked

styggelse s (~n, ~r) abomination [*för* to]

stygn s (~et, =) sömnad. stitch

stylist s (~en, ~er) stylist

stylta I s (~n, styltor) stilt; **gå på styltor** walk on stilts **II** vb itr (~de, ~t), **~ fram** stalk along

stympa vb tr (~de, ~t) lemlästa mutilate, maim; förkorta t.ex. text abridge, curtail, cut [down]

stympning s (~en, ~ar) lemlästning mutilation, maiming; förkortning curtailment, cutting-down; jfr *stympa*

1 styng s (~et, =) stick, se *sting 1*

2 styng s (~et, =) insekt gadfly; häst~ horse botfly

styr s (oböjl.) **1 hålla...i ~** el. **hålla ~ på** keep...in check (in order), control; t.ex. sina känslor govern, restrain; **hålla sig i ~** control (restrain) oneself **2** se *gå överstyr* under *överstyr*

styra I vb tr (styrde, styrt) **1** fordon, fartyg o.d. steer; manövrera äv. manoeuvre; leda, rikta [loppet av] guide äv. bildl., direct; **~ allt till det bästa** see that everything turns out for the best; **~ sina steg hemåt** direct one's

steps towards home, make for home; **låta sig ~s av förnuftet** be guided by... **2** regera govern, rule; leda direct; stå i spetsen för be at the head of **3** behärska, t.ex. sina känslor control, command, restrain, govern; **~ sin tunga** curb one's tongue **4** gram., prepositionen **styr ackusativ** ...governs (takes) the accusative

II vb itr (styrde, styrt) **1** sjö. o.d. steer; navigera äv. navigate; stå vid rodret äv. be at the helm; **~ efter stjärnorna** steer by...; **~ mot** Hull steer (head, make) for...; **~ mot land** stand in [towards land]; **~ åt höger** keep (bear) to the right **2** regera govern, rule; friare be at the head of affairs, be at the helm **3** **~ och ställa** be in charge, lägga sig i interfere; **få ~ och ställa som man vill** have a free hand, have it one's own way

III vb rfl (styrde, styrt), **~ sig** control oneself, contain (restrain) oneself

IV med beton. part.

styra om ordna see (attend) to, arrange, manage; **~ om att...** see to it that...

styra ut a) tr., klä ut dress up, vard. rig out; **~ ut sig** dress up; vard. rig oneself out; **så du har styrt ut dig!** what a fright you look! **b)** itr., **~ ut från land** stand off [shore]; **~ ut till sjöss** make for the open sea

styrande adj (oböjl.) governing; **de ~** [**i samhället**] those in authority (power); vard. the powers that be

styrbord sjö. **I** s (oböjl.) starboard; **på ~s bog** (**sida**) on the starboard bow (side) **II** adv, **hålla dikt ~** steer hard astarboard; **~ med rodret!** starboard the helm!

styre s (~t, ~n) **1** cykel~ handlebars pl. **2** styrelse rule; **under brittiskt ~** under British rule

styrelse s (~n, ~r) **1** abstr. government, rule; förvaltning administration; ledning management **2** konkr.: i bolag board [of directors], directors pl.; i förening committee; i fackförening executive committee; **sitta** [**med**] **i ~n** be on the board (resp. the committee)

styrelseform s (~en, ~er) form of government, polity

styrelseledamot s (~en, -ledamöter) o.

styrelsemedlem s (~men, ~mar) i bolag director, member of the (resp. a) board; i förening o.d. member of the (resp. a) committee, officer

styrelsemöte s (~t, ~n) board (i förening committee) meeting

styrelseordförande s (~n, =) i bolaget chairman (chairwoman) of the board [of directors] (i föreningen o.d. of the committee)

styrelsesammanträde s (~t, ~n) se *styrelsemöte*

styrelseskick s (~et, =) se *styrelseform*

styresman s (~nen, -män) för anstalt o.d. director; chef äv. head, chief; **stadens styresmän** the local authorities

styrfart s (~en) sjö. steerage-way

styrgrupp s (~en, ~er) steering group, steering committee

styrinrättning s (~en, ~ar) steering gear

styrka I s (~n, styrkor) **1** fysisk el. andlig strength; kraft power, force; hållfasthet strength, solidity, stability; hos dryck, lösning strength; hos t.ex. drog potency; **vindens ~** the force of the wind; **andlig ~** strength of mind; **ha ~ att** motstå frestelser have the strength to...; **det är hans ~** starka sida that is his strong point (his strength, his forte); **förlora i ~** lose [in] strength (om t.ex. argument [in] force) **2** trupp force; arbets~

[working] staff, number of hands; antal, numerär strength; **den normala ~n uppgår till** 5000 man the normal strength is...; brandkåren ryckte ut **med full ~** ...in full force
II *vb tr* (styrkte, styrkt) **1** göra starkare, befästa strengthen, confirm; ge kraft, mod fortify, invigorate, refresh; forskningsresultaten **styrker denna teori** ...strengthen (confirm) this theory; **känna sig styrkt** be fortified **2** bevisa prove; med vittnen attest, verify; ~ **äktheten hos** ett dokument äv. authenticate; **styrkt avskrift** attested (certified) copy
III *vb rfl* (styrkte, styrkt), ~ **sig** t.ex. med ett glas fortify (refresh) oneself; ~ **sig med en kopp te** äv. have a refreshing cup of tea

styrkedemonstration *s* (~en, ~er) show of force (strength); **militär ~** display of military power
styrketräning *s* (~en) strength training; bodybuilding body-building; med vikter weight training
styrketår *s* (~en, ~ar) vard. pick-me-up, bracer, stiffener
styrman *s* (~nen, -män) **1** sjö. tjänstetitel mate; **förste ~** first (chief) mate (på större fartyg officer); **andre ~** second mate (på större fartyg officer) **2** flyg. first officer
styrmedel *s* (-medlet, =) means (instrument) of control
styrning *s* (~en, ~ar) **1** styrande steering etc., jfr *styra I* 1; **automatisk ~** automatic control **2** styrinrättning steering gear
styrränta *s* (~n, -räntor) ekon., ung. key interest rate
styrsel *s* (~n) stadga, fasthet firmness, steadiness; bildl. äv. stability; 'ryggrad' backbone; **utan ~** vinglig wobbly; slapp, ryggradslös flabby, loose
styrspak *s* (~en, ~ar) flyg. control column
styrstång *s* (~en, -stänger) på cykel handlebars pl.
styv *adj* (~t) **1** allm. stiff; hård, oelastisk äv. rigid; ~ **lina** tight rope; **visa sig på ~a linan** bildl. show off; ~ **papp** stiff cardboard; ~ **plast** rigid plastic; ~**a skot** sjö. taut sheets; **bli** (**göra**) ~ become (make...) stiff, stiffen **2** ~ **i korken** vard. stuck-up, cocky, snooty **3** duktig, skicklig, ~ **i** matematik etc. good (clever) at...
styvbarn *s* (~et, =) stepchild
styvbror *s* (-brodern, -bröder) stepbrother
styvdotter *s* (~n, -döttrar) stepdaughter
styvfar *s* (-fadern, -fäder) stepfather
styvföräldrar *s pl* step-parents
styvhet *s* (~en) stiffness; hårdhet, bristande elasticitet rigidity
styvmoderligt *adv*, **vara ~ behandlad** be unfairly treated, be put at a disadvantage
styvmor *s* (-modern, -mödrar) stepmother
styvmorsviol *s* (~en, ~er) bot. love-in-idleness, wild pansy
styvna *vb itr* (~de, ~t) stiffen, become stiff
styvnackad *adj* (-nackat, ~e) bildl. stiff-necked, obstinate
styvsint *adj* (=) stubborn, obstinate, headstrong
styvson *s* (~en, -söner) stepson
styvsyskon *s pl* stepbrother[s pl.] and (resp. or) stepsister[s pl.]
styvsyster *s* (~n, -systrar) stepsister
styvt *adv* **1** stiffly, rigidly, jfr *styv 1*; **hålla ~ på ngt** (**att** + inf.) insist on sth (on + ing-form), make a point of sth (of + ing-form) **2** duktigt, **det var ~ gjort!** well done!; amer. way to go!

stå I *vb itr* (stod, stått) **1** vara stående stand; inte sitta äv. stand up; vara placerad, t.ex. i bokstavsordning be placed (arranged); förvaras be kept; ~ **orörlig** stand (förbli remain) motionless; ~ **ostadigt** wobble; om sak äv. be rickety (shaky); dörren ~**r öppen** ...is (stands) open; **hur ~r det** (**spelet**)**?** what's the score?; **det ~r 2–1** it (the score) is two one; **var ~r kopparna?** where are...?; **var ska** (**brukar**) kopparna ~**?** where do...go?; disken **får ~** el. **jag låter** disken ~ I'll leave...; **han fick ~** fick ingen sittplats **hela vägen** in till stan he had to stand all the way...; **låta** ngt ~ inte flytta leave... [where it is]; inte röra leave...alone; inte ta bort, t.ex. ord leave...in, keep (retain)...; ~ **och hänga** hang around; ~ **som förstenad av** skräck be petrified with...

med obeton. prep., ~ **efter** ngt aspire to sth; **det är ingenting att ~ efter** att ha it's not worth having; att vara angelägen om it's not worth bothering about; ~ **för** ansvara för be responsible for, answer for; leda, ha hand om be at the head (in charge) of; understödja sponsor; betala pay; innebära, representera stand for, represent; ~ **för betalningen** pay; ~ **för följderna** take (be responsible for) the consequences; ~ **för vad man säger** stand by what one has said; jag är rojalist **och det ~r jag för** ...and I don't mind admitting it; **den åsikten får ~ för honom** that is [just] his opinion, he is only speaking for himself; ~ **i** ackusativ be in the...; ~ **i affär** work in a shop; ~ **i duschen** be in the shower; **solen ~r i söder** the sun is in the south; **jag ~r i tur att...** it's my turn to...; **aktierna ~r i** 200 kronor the shares are (stand) at...; **vad ~r dollarn i?** what's the dollar worth?; **ha mycket att ~ i** have many things to attend to, have plenty to do; ~ **inför** se ex. under *inför 1* o. *inför 2*; **det ~r och faller med honom** it all depends on him; **valet ~r mellan...** the choice lies between...; ~ [**vänd**] **mot...** face...; ~ **på benen** stand on one's legs; ~ upp stand [up]; ~ **på listan** be on the list; ~ **på** en sockel stand (vila rest) on...; **termometern ~r på** noll the thermometer is at (registers)...; **mitt hopp ~r till...** my hope (trust) is in..., I set my hopes on...; allt som ~**r till förfogande** ...is available; lägenheten ~**r till ditt förfogande** ...is at your disposal; ~ **vid** vad man sagt stand by..., keep (stick) to...; ~ **vid sitt ord** be as good as one's word

2 ha stannat, om klocka have stopped; hålla, om tåg o.d. stop, wait; inte vara i gång: om maskiner o.d. be (stand) idle; om t.ex. fabrik be at (have come to) a standstill; **min klocka ~r** my watch has stopped
3 äga rum take place; om bröllop äv. be [held]; om slag be fought; **när ska bröllopet ~?** when is the wedding to be?
4 finnas skriven be [written]; **läsa vad som ~r om...** read what is written (i tidning what they say) about...; **var ~r** det citatet**?** where is...to be found?; **det ~r i** boken it is in...; **det ~r ingenting** om det **i boken** there is nothing...in the book; **det ~r** [**en artikel**] **om honom i** tidningen there is an article about him in...; **det ~r Björk på dörren** it says Björk on the door
II *vb tr* (stod, stått), ~ **sitt kast** take the consequences, face the music
III *vb rfl* (stod, stått), ~ **sig** hävda sig hold one's own (ground) [i konkurrensen in...]; hålla sig, om mat o.d. keep; fortfarande gälla, om teori o.d. hold good (true), stand; klara sig manage; bestå last; ~ **klara sig bra** do

(get on) well, manage all right; ~ *sig inför* kritiken stand up to...; *jag ~r mig på* den frukosten ...will keep me going; *jag ~r mig* fram till middagen I can do (manage)...
IV med beton. part.
stå bakom ngt, bildl. be behind (bildl. support, ekonomiskt sponsor)...; vara orsak till be at the bottom of...
stå bi: *om mina krafter ~r [mig] bi* if my strength holds out (does not fail me)
stå efter bildl., *~ efter* vara underlägsen *ngn* be inferior to sb; *inte ~ någon efter* äv. be second to (yield to) none
stå emot tr. resist, withstand; tåla stand; om saker äv., t.ex. slitning stand up to; inte skadas av, t.ex. eld be proof against; *jag kan inte ~ emot när...* I can't resist when...
stå fast om person, inte ge vika be firm, stand pat; om t.ex. anbud be firm, stand (hold) good; *det ~r fast att...* it is certain that...; *~ fast vid* t.ex. anbud stand (abide) by, hold to; t.ex. löfte äv. keep to; t.ex. åsikt stick to; t.ex. krav insist on; *~ fast vid att* + sats maintain (insist) that...
stå framme till användning o.d. be out (ready); till påseende be displayed; skräpa be left about; *maten ~r framme* the meal is on the table
stå för: *~ för [ngn]* skymma stand in sb's way (light); dölja stand in front [of sb]
stå i arbeta work hard, be at it; *arbeta och ~ i* hela dagen be busy working...
stå inne a) om tåg o.d. be in **b)** om pengar, *låta* pengarna *~ inne* leave...on deposit
stå kvar om person: förbli stående remain (keep) standing; stanna remain, stay [on]; *han ~r kvar där* he is still [standing] there; *~ stanna kvar!* stay (remain) where you are!; jfr äv. under *kvar*
stå på a) vara påkopplad be on **b)** *vad ~r på?* hur är det fatt what's the matter?; vard. what's up?; vad händer äv. what's going on? **c)** *~ på sig* stick to one's guns; inte ge vika äv. be firm; hävda sig hold one's own (one's ground); *~ på dig!* don't give in!, stick up for yourself!
stå till: *hur ~r det till [med dig]?* hur mår du how are you?; *hur ~r det till hemma (med familjen)?* how is your family?; *så ~r det till med den saken* that is how matters stand (things are); *det ~r inte rätt till [med...]* there is something wrong (something the matter) [with...]
stå tillbaka: *få ~ tillbaka för...* ställas i skuggan be pushed into the background by...; offras have to be sacrificed for...
stå upp resa sig stand up; stiga upp, höja sig rise; *~ upp från de döda* rise from the dead
stå ut a) eg. stand out, project, protrude **b)** härda ut, *jag ~r inte ut längre* I can't stand (bear, put up with) it any longer; *~ ut med* stand, bear, endure, put up with
stå över a) *~ över ngn* vara överordnad be sb's superior; vara överlägsen be superior to sb; *~ över* ngn [*i rang*] be above...[in rank], rank above...; *~ över* ngt: vara höjd över be above... **b)** uppskjutas lie (stand) over; *jag ~r över till...* I'll wait till...; *~ över [sin tur]* i spel pass, miss one's turn
V *s* (oböjl.), *gå i ~* köra fast mark time, be at a standstill

stående *adj* (oböjl.) standing; upprättstående äv. erect; lodrätt, tekn. vertical; stillastående, om t.ex. parkerad bil el. fys. stationary; bildl. äv.: fast, om t.ex. teatergrupp permanent; oföränderlig, om t.ex. samtalsämne constant; *~ fras* set phrase; *~ rätt* maträtt standing dish; *~ skämt* standing (uttjatat stock) joke; *i ~ ställning* in a standing position; göra ngt *i ~ ställning* ...standing [up]; *högt ~* utvecklad highly developed; *bli ~* a) inte sätta sig remain standing b) stanna stop; om person äv. pause; om sak äv. come to a standstill c) bli kvarlämnad be left; *ha ngt ~* i ett skåp have sth...; förvara keep sth...
ståfräs *s* (oböjl.) vulg. hard-on, cockstand, amer. äv. boner, woody
ståhej *s* (~et) fuss, hullabaloo, to-do [*kring* i samtliga fall about]
stål *s* (~et, =) steel; *härdat (rostfritt) ~* hardened (stainless) steel; *nerver av ~* nerves of steel (iron)
stålar *s pl* vard. dough sg., dosh sg.
stålbad *s* (~et, =) acid test, first real test, mil. baptism of fire
stålblå *adj* (-blått) steel (electric) blue
stålborste *s* (~n, -borstar) wire brush
stålfjäder *s* (~n, -fjädrar) steel spring
stålgrå *adj* (-grått) steel grey
stålindustri *s* (~n, ~er) steel industry
stålkant *s* (~en, ~er) steel edge
stålman *s* (~nen, -män) vard., övermänniska superman; *Stålmannen* Superman
stålrör *s* (~et, =) steel tube; koll. steel tubing
stålrörsmöbler *s pl* [steel] tubular furniture sg.
stålsätta *vb tr* (-satte, -satt) bildl. harden, steel; *~ sig mot...* steel (harden) oneself against...
ståltråd *s* (~en, ~ar) [steel] wire
ståltrådsnät *s* (~et, =) wire netting
stålull *s* (~en) steel wool
stålverk *s* (~et, =) steelworks (pl. lika)
stånd *s* **1** (~et, =) civil~ [civil] status; *det äkta ~et* the married state; *ingå i det äkta ~et* enter into [holy] matrimony **2** (~et, =) salu~ stall; marknads~ booth; på t.ex. mässa stand **3** (~et, =) växt plant **4** (~et, =) erektion erection, hard-on **5** (~et, =) nivå height; vattens äv. level **6** (oböjl.) ställning o.d., *hålla ~* hold one's ground (own), hold out [*mot* fienden against...]; *hålla ~ mot* frestelser resist... **7** (~et, =) jakt., villebråds uppehållsort lair, covert; *göra ~* om hund point, stand; om vilt stand at bay **8** (~et, = el. stånder) hist., riks~ estate; *de fyra ~en* the four estates; *rikets ständer* the estates of the realm **9** (oböjl.) skick o.d. condition, state; *vara i ~ [till] att* + inf. be able to + inf., be capable of + ing-form; ha möjlighet till be in a position to + inf.; *han är i ~ till vad som helst* klandrande äv. he sticks at nothing; *få i ~ ~* bringa about; t.ex. uppgörelse effect; upprätta establish; *komma till ~* come (be brought) about; äga rum come off, take place; förverkligas be realized, materialize; *vara ur ~ att* + inf. be incapable of + ing-form, be unable to + inf.; inte ha möjlighet not be in a position to + inf.
ståndaktig *adj* (~t) karaktärsfast firm; orubblig steadfast, constant, stout; uthållig persevering
ståndaktighet *s* (~en) firmness; orubblighet steadfastness, constancy; uthållighet perseverance
ståndare *s* (~n, =) bot. stamen
ståndpunkt *s* (~en, ~er) bildl. standpoint; inställning äv. position, attitude; synpunkt äv. point of view; stadium

state, stage; nivå level; **vad** (**vilken**) **är hans ~ i fråga om...?** what is his position on (attitude towards, outlook on)...?; **ändra ~** take up another attitude

ståndrätt s (~en, ~er) mil. court martial (pl. courts martial el. court martials) i fält drumhead court martial

ståndsmässig adj (~t) ...consistent (in accordance) with one's station; förnäm high-class, elegant

ståndsperson s (~en, ~er) person of rank

stång s (~en, stänger) **1** pole; flagg~ äv. staff; tunnare, för t.ex. gardiner äv. rod; horisontal samt i galler o.d. bar; räcke, äv. för kläder rail; tvär~, t.ex. på herrcykel crossbar; **hålla ngn ~en** bildl. hold one's own against sb, keep sb in check; **flaggan är på halv** (**hel**) **~** ...at half (full) mast **2** längd: av t.ex. kanel, lack, smink stick; av vanilj pod

stånga vb tr (~de, ~t) buffa butt; såra med hornen gore; **~ ihjäl** ngn gore...to death

stångas vb itr dep (stångades, stångats) butt; med varandra butt each other

stångjärn s (~et) bar iron

stångjärnshammare s (~n, =) tilthammer, helve hammer

stångkorv s (~en, ~ar) [kind of] sausage made of meat, lungs and barley

stångpiska s (~n, -piskor) frisyr queue

1 stånka s (~n, -stånkor) tankard

2 stånka vb itr (~de, ~t) flåsa puff and blow, breathe heavily; stöna groan [av with]

ståplats s (~en, ~er) biljett standing ticket; **~[er]** ståplatsutrymme standing room sg.

ståplatsbiljett s (~en, ~er) standing ticket

ståplatsläktare s (~n, =) the terraces sg., stand with standing accommodation only

ståt s (~en) pomp; festligheter äv. festivities pl.; prakt splendour, magnificence; prål show, ostentation, display; stass finery

ståta vb itr (~de, ~t), **~ i fina kläder** make a display of oneself in...; **~ med** parade, show off, make a display (show, parade) of

ståthållare s (~n, =) på kungliga slott governor

ståtlig adj (~t) storslagen grand, magnificent, splendid, fine; imponerande: om t.ex. byggnad stately, impressive; stilig, om person fine-looking, handsome

ståuppkomiker s (~n, =) stand-up comedian

stäcka vb tr (stäckte, stäckt) bildl.: hejda, omintetgöra frustrate, foil; t.ex. ngns planer äv. thwart

städ s (~et, =) anvil; anat. äv. incu|s (pl. -des) lat.

städa I vb tr (~de, ~t) rengöra clean; vard. do; snygga upp i tidy [up]; plocka i ordning i (på) put...straight (in order) **II** vb itr (~de, ~t) ha rengöring clean up; snygga upp tidy up; plocka i ordning put things straight (in order) [efter ngn after sb]; **ha** hålla [**det**] **~t i** sitt rum keep...tidy **III** med beton. part.

städa bort ngt remove...when tidying up

städa undan ngt clear (put) away...

städa upp [i] ett rum tidy (straighten) up...; stad etc., äv. från brottslighet clean up

städad adj (städat, ~e) bildl.: anständig decent; om person äv. well-behaved; om t.ex. uppträdande proper, decorous; vårdad tidy

städare s (~n, =) cleaner

städbolag s (~et, =) cleaning services pl., cleaning company (firm)

städdag s (~en, ~ar) house-cleaning day

städdille s (~t) vard. mania for cleaning

städerska s (~n, städerskor) cleaner; i hemmet cleaning woman; på hotell [chamber]maid

städfirma s (~n, -firmor) se städbolag

städhjälp s (~en, ~ar el. ~er) cleaner, homehelp; kvinna cleaning woman

städning s (~en, ~ar) tidying up; cleaning äv. yrkesmässigt

städrock s (~en, ~ar) overall

städskrubb s (~en, ~ar) o. **städskåp** s (~et, =) broom cupboard (amer. closet)

ställ s (~et, =) **1** ställning stand; för disk, flaskor, pipor o.d. rack **2** omgång set; av segel suit [båda med of framför följande ord]

ställa I vb tr (ställde, ställt) **1** placera: allm. put, place; sätta äv. set; i upprätt ställning äv. stand; mots. lägga put...up, place...upright; ordna t.ex. i storleksordning place, arrange; låta stå, förvara keep; lämna leave; **~ ngt kallt** put (förvara keep)...in a cool place; **~s inför** en svårighet äv. be brought face to face with...; **~ ngn** (**vara ställd, ~s**) **inför valet mellan** A och B make sb (have to) choose between...; **man ställs ofta inför den frågan** one is often faced with that question; **~ ngt till förfogande** make...available; **det är ställt utom allt tvivel att...** it is beyond [all] doubt that...

2 ställa in set; **~ sin klocka** armbandsklocka set one's watch

3 rikta, t.ex. sina steg direct; t.ex. brev, ord äv. address; **~ en fråga till** ngn ask...a question, put a question to...

4 (äv. itr.) inrätta, ordna arrange; **som det nu är ställt** as (the way) things are (matters stand) now; **som jag har det ställt** in my situation; **han har det bra ställt** ekonomiskt he is well off; **det är illa ställt med** landet ...is in a bad way; **styra och ~** se styra II 3

5 framställa: t.ex. problem set, pose; t.ex. frågor ask, put; uppställa, t.ex. krav, villkor make; lämna: t.ex. garanti give, furnish; t.ex. säkerhet äv. put up; frågan är **felaktigt ställd** ...is wrongly put

II vb rfl (ställde, ställt) **~ sig a)** placera sig place oneself, take one's stand, station oneself [bredvid ngn at sb's side]; [**kom och**] **ställ dig här!** [come and] stand here!; **~ sig i kö** (**rad**) queue (speciellt amer. line) up; **~ sig i** kön take one's place in...; **~ sig i vägen för** ngn put oneself in sb's way; **~ sig på** en stol get up on...; **~ sig upp** stand upp, rise

b) bete (förhålla) sig behave, act; vara be; jag vet inte **hur jag ska ~ mig** tycka ...what attitude (view) to take; **~ sig skeptisk [till...]** take up (assume) a sceptical (amer. skeptical) attitude [towards...]; **hur ställer han sig till saken?** what is his attitude towards (are his views on) the matter?

III med beton. part.

ställa av: ~ av bilen avregistrera deregister the car temporarily

ställa fram: ~ fram klockan [till sommartid] put the time forward [to summer time]; se äv. sätta fram under sätta IV

ställa för en skärm put (place)...in front

ställa ifrån sig put (set)...down; undan, bort put away (aside)

ställa in a) eg. put...in (inomhus inside); lämna till förvaring deposit; **~ in ngt i** ett skåp put sth in[to]... **b)** reglera, t.ex. apparat, kikare adjust; t.ex. bländare set; t.ex. avståndsmätare set, bring...into focus; anpassa accommodate [*efter* to]; ~ *in* programmera **videon** programme the video **c**) se *inställa* I **d**) ~ *in sig på* **ngt** bereda sig på prepare [oneself] for sth; räkna med count on (expect) sth **e**) ~ *sig in hos* ngn curry favour (amer. favor) with...; krypa, fjäska för äv. cringe to..., fawn on...; vard. suck up to...

ställa om a) omorganisera reorganize; produktion convert, change (switch) over; ~ *om posten* till landet have one's mail (post) sent on to...; ~ *om sig efter* nya förhållanden adapt (adjust) oneself to... **b**) klockan reset, se äv. *ställa fram* ovan *ställa tillbaka* nedan

ställa samman samla, utarbeta: t.ex. antologi, register compile

ställa till a) ~ *till* [*med*] anordna arrange, organize, get up; sätta i gång med start; t.ex. bråk make, vard. kick up; t.ex. kravaller, oroligheter create; vålla cause; ~ *till* [*med*] **bröllop** arrange a wedding; ~ *till* [*med*] *fest* give (get up, vard. throw) a party; *vad har du nu ställt till* [*med*]*?* what have you been up to (gjort done) now?; ~ *till det* illa *för sig* get [oneself] into a mess **b**) ~ *till* stöka till, smutsa ned make a mess [*i* (*på*) in (on)]

ställa tillbaka a) på sin plats put...back, replace **b**) klocka put (set)...back [*en timme* an hour]; ~ *tilbaka klockan* [*till vintertid*] put the time back [to winter time]

ställa undan ställa bort el. reservera put aside; plocka undan put away

ställa upp a) placera put...up; t.ex. schackpjäser set up, lay out; ordna, t.ex. i grupper place, arrange; ~ *upp ngt* **på** en hylla put sth up (place sth) on... **b**) uppbåda, t.ex. en armé set up, raise; ~ *upp* [*med*] *ett starkt lag* (*sitt bästa lag*) t.ex. i fotboll field (put up) a team (one's best team) **c**) deltaga take part, join in (compete); kandidera offer oneself as a candidate; ~ *upp mot...* i tävling meet..., take on...; ~ *upp som* **presidentkandidat** (*i presidentvalet*) amer. run for President (the Presidency); *han ställer upp till omval* he is seeking re-election; polit. äv. he is standing (amer. running) again **d**) hjälpa till, stödja, *han ställer* **alltid upp för sina vänner** he always stands by his friends; *hon ställer alltid upp* hjälper alltid till she is always willing to help **e**) göra upp, t.ex. program, rapport draw up; t.ex. lista make [out]; ekvation form, set up; disponera arrange, organize **f**) framställa, t.ex. teori put forward, advance; t.ex. problem pose; t.ex. villkor make; fastställa, t.ex. regel lay down; ~ *upp ngt* **som sitt ideal** (*mål*) set...up as one's ideal (make...one's goal) **g**) ~ *upp sig* placera sig take one's stand; om flera äv. form up; mil. draw up; arrangera sig get into position; ~ *upp sig på led* (*i rad*) line up, stand in a line

ställa ut a) placera put...out (utanför outside, utomhus outdoors); vaktpost post, station **b**) utfärda: allm. make out; växel o.d. äv. draw; pass o.d. äv. issue; ~ *ut en* **check** make out a cheque **c**) visa exhibit, show; varor i t.ex. skyltfönster äv. display, expose; *konstnären ställer* **ut i Paris** just nu the artist is holding an exhibition (is exhibiting) in Paris...

ställbar *adj* (~t) adjustable

ställd *adj* (ställt) bildl.: svarslös nonplussed; bragt ur fattningen put out, embarrassed, disconcerted; *bli* (*vara*) ~ inte begripa vad man ska säga, göra osv. äv. be at a loss for (not know) what to say (resp. to do osv.); *frågan gjorde mig helt* ~ the question cornered me;

jag är helt ~*!* t.ex. som svar på fråga you've got me there!, that's got me!

ställe *s* (~t, ~n) **1** allm. place; plats, fläck äv. spot; egendom äv. estate; hus äv. house; matställe äv. restaurant; passus i skrift o.d. passage; *göra på* ~*t* **marsch** mil. mark time; *på alla andra* ~*n* everywhere else; *på alla möjliga och omöjliga* ~*n* here, there and everywhere; in all sorts of places; *på ett* (*något*) **annat** ~ in some other place, somewhere else; skratta *på rätt* ~ ...in the right place; *på en del* (*sina*) ~*n* in [some] places, here and there

2 i uttr. med prep. 'i': *i* ~*t* instead; i gengäld in return, in exchange; [*om jag vore*] *i ditt* ~ *skulle jag...* in your place (if I were you) I would...; *komma i ngns* ~ come instead of sb; ersätta ngn take sb's place, replace sb; *i* ~*t för* instead of [*att gå* going]; som ersättning in [the] place of; såsom by way of

ställföreträdande *adj* (oböjl.) attr. deputy; ~ *lidande* vicarious suffering

ställföreträdare *s* (~n, =) deputy; ersättare substitute; representant representative; ombud proxy

ställning *s* (~en, ~ar) **1** allm. position äv. mil.; kropps~ äv. posture; pose pose; situation, läge äv. situation; polit. el. jur. state; samhälls- el. affärs- äv. standing, status; *firmans ekonomiska* ~ the financial position (status) of the firm; *hur är* ~*en?* sport. what's the score?; *hålla* ~*arna* speciellt mil. stand one's ground, hold one's position; bildl. äv. hold the fort; *ta* ~ a) ha egen uppfattning take up a definite position, take one's stand b) bestämma sig make up one's mind [*i fråga om* ngt about...]; decide [*till* ngt on...]; *ta* ~ *emot* (*för*)... take sides against (with)...; *i ansvarig* ~ in a responsible position **2** konkr.: ställ stand; t.ex. att hänga tvätt på rack; stomme frame; byggnads~ scaffold; upphöjd platform

ställningskrig *s* (~et, =) positional war (krigföring warfare); skyttegravskrig trench warfare

ställningstagande *s* (~t, ~n) ståndpunkt standpoint [*i* en fråga on...]; inställning position [*till* on], attitude [*till* towards]; undvika *ett* ~ ...taking up a stand

ställverk *s* (~et, =) **1** järnv. signal box; amer. signal (switch) tower **2** elektr. distribution plant, relay interlocking plant

stämband *s* (~et, =) anat. vocal cord

stämd *adj* (stämt) inställd, *välvilligt* (*vänligt*) ~ *mot...* favourably disposed (inclined) towards...

stämgaffel *s* (~n, -gafflar) mus. tuning fork

stämjärn *s* (~et, =) [wood] chisel, mortise chisel

1 stämma I *s* (~n, stämmor) röst voice; mus. part; i fuga voice; i orgel stop; *första* (*andra*) ~ first (second) part; *göra sin* ~ *hörd* make one's voice heard; *sjunga* **i stämmor** sing in parts

II *vb tr* (stämde, stämt) **1** mus. tune [*efter*, *till* to]; ~*...en halv ton högre* (*lägre*) pitch...a semitone higher (lower); ~ *ett instrument högre* (*lägre*) raise (lower) the pitch of an instrument **2** försätta i viss sinnesstämning o.d. dispose, make; *det stämmer till* **eftertanke** it makes you think, it gives you food for thought

III *vb itr* (stämde, stämt) gå ihop, överensstämma correspond, tally, agree [*med* with]; kassan *stämmer* ...balances; *det stämmer!* that's correct (right, it)!, quite right!, quite so!; *det stämmer inte* el. *det är* **något som inte stämmer** there's something wrong somewhere, it doesn't make sense (add upp)

IV med beton. part.
stämma av: ~ *av ngt mot en lista* tick…off on a list, check…against a list; ~ *av med ngn* check with sb
stämma in a) falla in, *alla stämde in i sången* everyone joined (chimed) in the song **b)** passa in apply, be applicable [*på* to]
stämma ned: ~ *ned tonen* bildl. come down a peg [or two], climb down
stämma upp: ~ *upp en sång* break into a song, start singing [a song]
stämma överens agree, tally, correspond [*med* with]; *inte* ~ *överens* disagree, fail to tally, fail to correspond [*med* with]
2 stämma *vb tr* o. *vb itr* (stämde, stämt) hejda stem, check äv. bildl.; *det är bättre att* ~ *i bäcken än i ån* prevention is better than cure, a stitch in time saves nine
3 stämma I *s* (~n, stämmor) sammanträde meeting, assembly, reunion **II** *vb tr* (stämde, stämt) **1** jur. summons [*inför domstol* to appear in court]; ~ *ngn* [*för* ärekränkning] sue sb [for…]; ~ *in ngn som vittne* summon sb as a witness **2** ~ *möte med* se under *möte*
1 stämning *s* (~en, ~ar) **1** mus. tune; *hålla* ~*en* keep in tune **2** bildl.: sinnes~ mood, temper, frame of mind; atmosfär, stämningsläge atmosphere, feeling; ~*en var hög* el. *det var hög* ~ everybody was in high spirits, there was a tremendous atmosphere; ~*en var tryckt* there was a gloomy (oppressive) atmosphere; *förstöra* ~*en* spoil (put a damper on) the atmosphere; *hålla* ~*en uppe* keep up the high spirits; *vara* (*komma*) *i* ~ (*den rätta* ~*en*) *för…* be in (get into) the right mood (vein) for…
2 stämning *s* (~en, ~ar) jur. [writ of] summons; *delge ngn* ~ serve a writ (process) upon sb; *ta ut* ~ *mot ngn* cause a summons (writ) to be issued against sb
stämningsansökan *s* (=, en, -ansökningar) jur. plaint, application for a summons
stämningsfull *adj* (~t) …full of feeling, poetic, lyrical; gripande moving; högtidlig solemn
stämpel *s* (~n, stämplar) **1** verktyg stamp; gummi~ rubber stamp; för mynt die **2** avtryck stamp; på guld, silver hallmark båda äv. bildl.; post~ postmark; på varor o.d. brand, mark; bildl.: etikett, beteckning label, stamp; status cachet; *han har fått en* ~ *på sig som…* he has been branded (labelled) as…
stämpelavgift *s* (~en, ~er) stamp duty
stämpeldyna *s* (~n, -dynor) [self-inking] stamp pad, ink pad
stämpelklocka *s* (~n, -klockor) time clock
stämpelkort *s* (~et, =) time card, clocking-in card
stämpelur *s* (~et, =) time clock
1 stämpla I *vb tr* (~de, ~t) med stämpel stamp; mark; frimärke cancel; guld, silver hallmark; bildl., beteckna stamp, characterize, label [*som* as]; *brevet är* ~*t* avstämplat den 3 maj the letter is postmarked…; ~ *ngn som bedragare* stamp (brand, stigmatize) sb as an imposter (a swindler); *ett* ~*t* använt *frimärke* a used (cancelled) stamp; ~ *in* a) på stämpelur clock in (on), amer. punch in b) belopp register; ~ *ut* på stämpelur clock out, amer. punch out **II** *vb itr* (~de, ~t), [*gå och*] ~ vara arbetslös be on the dole
2 stämpla *vb itr* (~de, ~t) konspirera plot, conspire, intrigue; ~ *mot ngns liv* have designs on (against) sb's life
1 stämpling *s* (~en, ~ar) stamping osv., jfr *1 stämpla I*

2 stämpling *s* (~en, ~ar) komplott plot, intrigue, conspiracy
stämsväng *s* (~en, ~ar) sport. stemturn
ständig *adj* (~t) oavbruten constant, continuous; stadigvarande permanent; aldrig sinande incessant; oupphörlig continual; evig perpetual; ~ *ledamot* life-member; ~ *sekreterare* permanent secretary; ~*t utskott* standing committee; *leva i* ~ *ängslan* live in constant anxiety
ständigt *adv* constantly osv., jfr *ständig*; alltid always; jämt och ~ constantly, all the time; *det värker* ~ it never leaves off aching
stänga I *vb tr* o. *vb itr* (stängde, stängt) **1** ~ el. ~ *igen* shut; slå igen, upphöra close; ~ *butiken* för dagen el. för alltid äv. shut up shop; ~ [*dörren*] *efter sig* shut (close) the door after (behind) one; *det går inte att* ~ *dörren* the door won't (doesn't) shut; posten *är stängd* …is closed; *stängt mellan 12 och 1* closed between 12 and 1; *dörren stänger sig själv* the door shuts by itself **2** data. close
II med beton. part.
stänga av allm. shut off äv. bildl.; gata, väg close; spärra av bar, block [up]; med rep rope off; vatten, gas shut (vrida av turn) off; elström, radio, tv-apparat switch off; huvudledning samt telefon cut off; från tjänst o.d. suspend; från tävling bar
stänga igen shut; t.ex. sommarvilla shut up
stänga in (**inne**) låsa in shut (lock)…up; ~ *in sig* shut (lock) oneself up, keep indoors
stänga till close, shut; t.ex. kassaskåp lock [up]; t.ex. vattenkran turn off; ~ *till om…* shut (lock)…in
stänga ute eg. shut (lock)…out; friare keep…out; person äv. prevent…from entering
stängel *s* (~n, stänglar) bot., stjälk stalk, stem; lång, bladlös scape
stängning *s* (~en, ~ar) shutting osv., jfr *stänga*; sport. obstruction, blocking
stängningsdags *adv* closing time; *det är* ~ dags att stänga äv. it is time to close; till kund o.d. äv. we are closing now; *vid* ~ at (about) closing time
stängningstid *s* (~en, ~er) o. *adv* closing time
stängsel *s* (stängslet, =) fence, fencing; räcke rail[ing], enclosure; för vilt game preserve[s pl.]
stänk *s* (~et, =) splash; droppe [tiny] drop; spec. av gatsmuts splash[es pl.], spatter; från vattenfall o.d. spray; *ett* ~ *regn* a drop (sprinkle) of rain; *ett* ~ *soya* a dash of…; *ett* ~ *av vemod* a touch of melancholy
stänka I *vb tr* (stänkte, stänkt) bestänka splash, spatter, dash; glest, försiktigt sprinkle äv. stryktvätt; ~ *smuts på ngn* spatter sb with mud **II** *vb itr* (stänkte, stänkt) skvätta splash; *det stänker* småregnar it is spitting
III med beton. part.
stänka ned: bilen *stänkte ned honom* …splashed (spattered) him all over
stänka upp splash [up]
stänkskydd *s* (~et, =) på bil mudflap; amer. splash guard
stänkskärm *s* (~en, ~ar) flygel, på bil wing, amer. fender; på bil o. cykel mudguard
stäpp *s* (~en, ~er) steppe
stäppvarg *s* (~en, ~ar) zool. coyote
stärka *vb tr* (stärkte, stärkt) **1** göra starkare strengthen; t.ex. kroppen, ngn i hans tro äv. fortify; speciellt kroppsligt invigorate; bekräfta confirm; ~ *ngn i hans beslut*

confirm sb's resolution; ***det stärkte hans misstankar*** it increased (confirmed) his suspicions; ~ ***moralen*** boost morale; ***det stärkte hans ställning*** it consolidated his position; ~ ***sig*** strengthen oneself, brace oneself [up]; känna sig ***stärkt*** ...fortified, ...refreshed **2** med stärkelse starch

stärkande *adj* (oböjl.) strengthening osv., jfr *stärka 1*; om t.ex. klimat, luft bracing; ~ ***medel*** tonic, restorative

stärkelse *s* (~n) starch; kem. farina

stärkelserik *adj* (~t) starchy, ...rich in starch

stärkkrage *s* (~n, -kragar) starched collar

stätta *s* (~n, stättor) stile

stäv *s* (~en, ~ar) sjö.: för~ stem; akter~ sternpost

stäva *vb itr* (~de, ~t) sjö. el. friare head; ~ ***mot...*** bear towards...

stävja *vb tr* (~de, ~t) hejda, stoppa check; undertrycka suppress, keep...down (under); tygla restrain

stöd *s* (~et, =) support; person äv. supporter, standby; tekn. äv.: stötta prop; stag stay (båda äv. bildl.); fot~, arm~ o.d. rest; understöd backing, endorsement; ***moraliskt*** ~ moral support; ***statligt [ekonomiskt]*** ~ a Government grant (subsidy); ***det finns inget*** ~ ***i lagen för*** en sådan åtgärd there is no legal authority for...; ***få (ha)*** ~ ***av...*** i dispyt o.d. be backed up by..., have the backing of; ekonomiskt be subsidized by...; ***ge ngn sitt*** ~ äv. back sb up; ***ha*** ~ ***för*** sitt påstående have support (good grounds, authority) for...; ***ta*** ~ ***mot*** väggen support oneself against...; ***med*** ~ ***av*** baserad på on the basis of; ***till (som)*** ~ ***för*** påstående o.d. in support (confirmation) of; minnet an aid to; ***gå (stå) utan*** ~ walk (stand) without support

stöda *vb tr* (stödde, stött) se *stödja*

stöddig *adj* (~t) vard., självsäker self-assured, cocksure, cocky; ***vara*** ~ ***[av sig]*** äv. throw one's weight about

stödfunktion *s* (~en, ~er) support function

stödförband *s* (~et, =) med spjäla emergency splint; med mitella sling

stödhjul *s pl* stabilisers, training wheels

stödja I *vb tr* (stödde, stött) support; eg.: stötta äv. prop [up], steady; luta rest, lean; bistå, understödja äv. back [up], endorse; med statsunderstöd o.d. subsidize; grunda base, found [på on]; ~ ***ngn*** i hans uppfattning o.d. bear sb out; ~ ***armbågarna mot bordet*** rest one's elbows on the table **II** *vb tr* (stödde, stött), ***han kunde inte*** ~ ***på foten*** he could not support himself on his foot **III** *vb rfl* (stödde, stött), ~ ***sig*** support oneself; luta sig, vila lean, rest [*mot* against; *på* on]; ~ ***sig mot ngn*** lita till ngn lean on sb; ~ ***sig på*** t.ex. auktoritet, kontrakt, princip take one's stand on...; t.ex. erfarenheten, faktum base one's opinion on...; *mina uttalanden* ***stödjer sig på fakta*** ...are based upon facts

stödjepunkt *s* (~en, ~er) allm. point of support (suspension); mil. base; för hävstång fulcrum

stödköp *s* (~et, =) pegging (supporting) purchase

stödmedlem *s* (~men, ~mar) supporting (sustaining) member

stödområde *s* (~t, ~n) special (distressed, development) area

stödstrumpor *s pl* surgical stockings; strumpbyxor support tights

stödundervisning *s* (~en) remedial instruction (teaching)

stök *s* (~et) städning cleaning; fläng bustle; före jul o.d. preparations pl.

stöka I *vb itr* (~de, ~t) städa clean up; pyssla potter about; rumstera rummage (poke) about **II** med beton. part.

stöka till make a mess; ~ ***till i rummet*** make a mess of (litter up) the room

stöka undan ngt get sth out of the way (over with, off one's hands)

stökig *adj* (~t) ostädad untidy, messy; bråkig noisy, rowdy; ***det är*** ~***t i rummet*** äv. ...is [in] a mess; ***vad*** ~***t det är här!*** what a mess there is here!

stöld *s* (~en, ~er) theft; inbrotts~ burglary; ~***er*** thieving sg.; ***begå [en]*** ~ commit a theft, steal; inbrott commit burglary

stöldförsäkring *s* (~en, ~ar) theft insurance, insurance against theft (inbrott burglary); jfr *försäkring* med ex. o. sammansättn.

stöldgods *s* (~et) stolen goods pl.; byte loot

stöldrisk *s* (~en, ~er) theft risk, risk of theft

stöldsäker *adj* (~t, -säkra) theft-proof; inbrottssäker burglar-proof

stön *s* (~et, =) groan; svagare moan

stöna *vb itr* (~de, ~t) groan; svagare moan; ~ ***till*** fetch (give) a groan (moan)

stönande *s* (~t, ~n) se *stön*

stöp *s* (~et), ***gå i*** ~***et*** come to nothing (naught), come unstuck, fizzle out

stöpa *vb tr* (stöpte, stöpt) gjuta cast, mould; ~ ***ljus*** make (dip) candles; ***de är stöpta i samma form*** bildl. they are cast in the same mould; ~ ***om*** recast, remould; bildl. äv. reshape, remodel

stöpslev *s* (~en, ~ar) casting-ladle; ***vara i*** ~***en*** bildl. be in the melting-pot

1 stör *s* (~en, ~ar) zool. sturgeon

2 stör *s* (~en, ~ar) stång pole, stake

störa *vb tr* o. *vb itr* (störde, stört) **1** allm. disturb; avbryta interrupt; fördärva spoil, mar; om t.ex. ordning, balans äv. disrupt; ~ ***ngn*** äv. intrude on sb; ***förlåt att jag stör*** excuse me for (excuse my) disturbing you; ***får jag*** ~ ***ett ögonblick?*** could you spare me a minute?; ***låt inte mig*** ~***!*** don't let me disturb you!, don't mind me!; ***inte så [att] det stör*** inte så mycket att det gör något nothing worth mentioning, inte alls not so that you'd notice; tanken på...***störde honom*** ...bothered him; ***psykiskt (känslomässigt) störd*** mentally (emotionally) disturbed (deranged) **2** radio. interfere; med störningssändare jam

störande I *adj* (oböjl.) om t.ex. uppträde disturbing; bullersam boisterous; besvärande troublesome, inconvenient; ~ ***uppträdande*** disorderly conduct **II** *adv*, uppträda ~ create a disturbance; offentligt äv. disturb the peace

störning *s* (~en, ~ar) **1** allm. disturbance; avbrott interruption; i drift, trafik o.d. äv. disruption; rubbning: astron. perturbation, speciellt med. disorder, derangement; ***psykisk (motorisk)*** ~ mental (motor) disturbance (derangement) **2** radio.: genom annan sändare jamming (endast sg.), från motorer o.d. interference sg.; ***atmosfäriska*** ~***ar*** atmospherics, atmospheric disturbances

störningsskydd *s* (~et, =) radio. [noise] suppressor

störningssändare *s* (~n, =) radio. jamming station

större *adj* (komparativ) larger (bigger; greater etc. jfr *stor*) [*än* than], major, more; ***bli*** ~ äv. increase; ***desto*** ~ ***anledning att komma*** all the more reason for coming; ***när barnen blir*** ~ when the children grow up; **~ delen av** klassen most of..., the major (greater) part of...; t.ex. befolkningen, importen äv. the bulk of...; t.ex. förmögenheten äv. the better (best) part of...; **till ~ delen** for the most part, mostly; **en ~ summa** relativt stor a big (large, considerable) sum; **utan ~ svårighet** without much difficulty

störst adj (superlativ) largest (biggest; greatest etc. jfr stor); **~ i världen** biggest in the world; [**den**] **~a delen av...** se större delen av... under större; **till ~a delen** for the most part, mostly; **med ~a sannolikhet** in all probability; **i ~a möjliga utsträckning** to the greatest (utmost) possible extent

stört adv, **~ omöjligt** absolutely (utterly, downright) impossible

störta I vb tr (~de, ~t) eg.: kasta ned precipitate, throw; slunga hurl, fling; bildl.: beröva makten overthrow, bring about the fall of; **~ ngn i fördärvet** reduce sb to misery, bring about sb's ruin, ruin sb **II** vb itr (~de, ~t) **1** falla fall (tumble, topple) [down] [ned i into]; om flygplan crash; om häst fall; **~ i havet** plunge into the sea; **~ till marken** drop to the ground **2** rusa, se under störta IV **III** vb rfl (~de, ~t), **~ sig** vard., kasta sig throw (hurl) oneself; rusa rush (dash) [headlong] [i i samtliga fall into]; **~ sig in i** plunge oneself into, launch into; **~ sig i fördärvet** ruin oneself, bring disaster upon oneself; **~ sig över** t.ex. person throw oneself on; t.ex. byte pounce on (äv. bildl.); mat pitch into; arbete, uppgift throw oneself into; bok plunge into **IV** med beton. part.

störta efter: a) rusa efter ngn rush (dash, tear) after **b)** för att hämta ngt rush (dash) for

störta fram rush (dash, tear) along (on); välla ut ur rush etc. out [ur (från) of (from)]; **~ fram mot** rush etc. towards; anfalla rush at; **~ fram till** rush etc. up to

störta förbi rush (dash, tear) past

störta in: a) rusa in rush (dash) in; **~ in i rummet** rush (burst) into the room **b)** rasa (om tak o.d.) fall (cave) in, come down

störta iväg rush (dash, tear) off (away)

störta ned falla fall (tumble) down; rasa come down; **~ ned över** fall down on

störta nedför: a) rusa nedför t.ex. trappa rush (dash, dart) down... **b)** falla nedför t.ex. trappa, stup fall headlong down...

störta omkull falla fall (tumble) down

störta ut rush (dash) out; **~ ut ur rummet** rush (dart) out of the room

störtdyka vb itr (-dök, -dykt) dive steeply

störtdykning s (~en, ~ar) nose (vertical) dive

störtflod s (~en, ~er) torrent; bildl. äv. deluge

störthjälm s (~en, ~ar) crash helmet

störtlopp s (~et, =) skidsport. downhill race; som tävlingsgren downhill [racing]

störtregn s (~et, =) downpour, torrential rain

störtregna vb itr (~de, ~t), **det ~r** it's pouring (pelting) down

störtsjö s (~n, ~ar) heavy sea; bildl. torrent

störtskur s (~en, ~ar) downpour, drencher; bildl. torrent

stöt s (~en, ~ar) **1** slag, törn o.d., speciellt som handling av levande varelse: allm. thrust; med ngt spetsigt äv. stab, prod, poke; hugg äv. stroke; slag blow äv. bildl., hit, knock, punch; fäktn. thrust, pass; i biljard stroke; i kulstötning put; i tyngdlyftning jerk **2** i trumpet o.d. blast **3** elektr. el. bildl. shock; fys. impact; rekyl o.d. kick, recoil **4** skakning hos fordon o.d. jolt, shake; vid jordbävning shock, tremor; vind~ gust; **sätta in en avgörande ~ mot...** make a decisive thrust against... äv. bildl.; **få en elektrisk ~** get an electric shock; **ta** [emot] **första ~en** take the first impact, bear the [main] brunt; **aktas för ~ar!** handle with care! **5** mortel~ pestle **6** fonet. glottal stop **7** inbrott, vard. job, heist **8** en i ~en i taget one at a time **9** vard., gammal ~ old fogey; amer. oldtimer

stöta I vb tr (stötte, stött) **1** eg.: med ngt spetsigt thrust, prod; med vapen äv. stab, plunge; med t.ex. armbågen jab, poke; slå knock, bang, hit, strike; knuffa push, shove; frukt bruise; **~ foten (huvudet) mot** en sten knock (bang) one's foot (head) against...; **~ huvudet i** taket bang one's head against...; **~ käppen i** golvet bang (mindre hårt tap) one's stick on... **2** krossa pound; i mortel äv. pestle, bray **3** bildl.: väcka anstöt offend, give offence to, starkare shock; såra hurt; **~ och blöta** ett problem thrash (mull) over... **4** i biljard play, strike; i kulstötning put; i tyngdlyftning jerk **II** vb itr (stötte, stött) **1** knock, bump, hit, strike [mot ngn (ngt) against..., into...]; huvudet **stötte i taket** ...knocked etc. against the ceiling; **~ på** motstånd, svårigheter meet with..., encounter..., come (run) up against...; **~ på grund** run aground **2 ~ på ngn** vard., göra närmanden make a pass at sb **3** fäktn. thrust, lunge **4** om fordon jolt, bump; om skjutvapen kick, recoil **5** tyget **stöter i rött** ...has a shade of red in it, ...is reddish **III** vb rfl (stötte, stött) **~ sig a)** göra sig illa hurt (bruise) oneself; **~ sig mot** bordskanten bump against... **b)** bildl., **~ sig med ngn** get on the wrong side of sb; **~ sig på ngt** take offence at (exception to) sth **IV** med beton. part.

stöta bort a) eg. push away, thrust aside; bildl. repel; vänner alienate, estrange; ur gemenskap expel **b)** med., om kroppsorgan reject

stöta emot [ngt] knock (bump) against (into) sth, strike (hit) against sth, collide with sth, för konstr. se under emot

stöta fram a) tr.: ljud emit; ord utter, jerk out **b)** itr.: mil. advance, push forward

stöta ifrån sig eg. push (thrust)...back (away); bildl.: t.ex. förslag reject; människor repel

stöta ihop itr. knock (bump, starkare dash, crash) against (into) each other; om fordon äv. collide; om fartyg äv. run foul of each other; råkas run across each other, run (bump) into each other

stöta ned: ~ ned ngt knock sth down; **~ ned ngt från bordet** knock sth off the table

stöta omkull knock...down (over); sak äv. upset, overturn

stöta på: a) tr.: sjö (t.ex. sandbank, mina) strike; händelsevis träffa come across, run across (into); finna (sak) come across, chance upon; t.ex. fiende, svårighet meet with, encounter; problem stumble (come up) against; påminna remind sb [om of]; **stöt på** om jag skulle glömma det remind me...; om du behöver något **så stöt bara på** [mig] ...just let me know **b)** itr.: sjö. strike [the ground], run aground

stöta sönder krossa pound

stöta till: a) tr.: knuffa till knock (bump) against; ansluta sig till join; **~ till dörren** stänga push the door to (shut) **b)** itr., **~ till med** svärdet lunge with…; tillkomma, hända, se *tillstöta*

stöta upp dörr o.d. thrust (push)…open; jakt. start, rouse; fasan flush

stöta ut eg. expel, eject, thrust…out, drive out (away); bildl., utesluta expel [*ur* from]

stötande *adj* (oböjl.) anstötlig offensive; svagare objectionable [*för* to]; starkare shocking; **hon fann det ~** äv. she took offence at (resented) it; starkare it shocked her

stötdämpare *s* (~n, =) tekn. shock absorber

stötesten *s* (~en, ~ar) stumbling-block [*för* to]

stötfångare *s* (~n, =) bil. bumper

stötsäker *adj* (~t, -säkra) shockproof

stött *adj* (=) **1** om frukt bruised **2** bildl. offended [*över* at (by); *på* with]; **bli ~ över ngt** äv. take offence at sth, get into a huff about sth, resent sth

stötta I *s* (~n, stöttor) allm. prop, support, stay; stolpe stanchion; mot fartyg i docka, vägg o.d. shore; byggn. strut; **sätta stöttor under** prop (stay, shore) [up] **II** *vb tr* (~de, ~t), **~ [upp]** tekn. allm. prop (stay, shore) [up]; friare support

stöttepelare *s* (~n, =) bildl., **hon är avdelningens ~** she is the mainstay of the department

stötvis *adv* med mellanrum at intervals; ojämnt intermittently; ryckvis by fits [and starts], by jerks, jerkily

stövare *s* (~n, =) zool. 'stövare', Swedish Foxhound

stövel *s* (~n, stövlar) high boot; amer. boot; som går ovanför knäet jackboot; **stövlar** speciellt av gummi äv. wellingtons, vard. wellies, amer. rubber boots

stövelknekt *s* (~en, ~ar) bootjack

stövelskaft *s* (~et, =) bootleg

stövla *vb itr* (~de, ~t) trudge; **~ in** trudge in; hänsynslöst come barging in; **~ på** trudge on

subjekt *s* (~et, =) subject äv. gram.

subjektiv *adj* (~t) partisk subjective; friare personal

subjektivitet *s* (~en) subjectivity, subjectiveness

subkultur *s* (~en, ~er) sociol. el. med. subculture

sublim *adj* (~t) sublime

sublimera *vb tr* (~de, ~t) psykol. sublimate; kem. el. fys. sublimate, sublime

sublimering *s* (~en) psykol., kem. el. fys. sublimation

suboptimera *vb itr* (~de, ~t) suboptimize

subordination *s* (~en) mil. o.d. subordination

subordinera *vb tr* (~de, ~t) subordinate

subsidier *s pl* subsidy sg., subsidies; **ge ~ åt ngn** äv. subsidize sb

subskribera *vb itr* (~de, ~t) subscribe [*på* for (to)]; **~d middag** subscription (subscribed) dinner

subskription *s* (~en, ~er) subscription

substans *s* (~en, ~er) substance, matter

substanslös *adj* (~t) …without (lacking in) substance

substantiell *adj* (~t) substantial

substantiv *s* (~et, =) noun, substantive

substantivera *vb tr* (~de, ~t) språkv. substantivize; **~t adjektiv** äv. adjective used as a noun

substituera *vb tr* (~de, ~t) substitute äv. kem. el. matem.

substitut *s* (~et, =) substitute

substrat *s* (~et, =) substrat|um (pl. -a); för bakterieodling culture medium

subtil *adj* (~t) subtle

subtilitet *s* (~en, ~er) subtlety

subtrahera *vb tr* (~de, ~t) matem. subtract

subtraktion *s* (~en, ~er) matem. subtraction

subtropisk *adj* (~t) subtropical; **~a områden** the subtropical regions

subvention *s* (~en, ~er) subsidy, subvention

subventionera *vb tr* (~de, ~t) subsidize

subventionerad *adj* (subventionerat, ~e) subsidized, state-aided

subversiv *adj* (~t) subversive

succé *s* (~n, ~er) success; om bok, pjäs o.d. äv. hit; **göra ~** meet with (be a) success, score a success

successionsordning *s* (~en) order of succession

successiv *adj* (~t) stegvis gradual; om förändringar äv. successive

successivt *adv* gradually, by gradual stages

suck *s* (~en, ~ar) sigh; **dra en djup ~** fetch (breathe, heave) a deep sigh; **dra sin sista ~** breathe one's last; **han har inte en ~** chans, vard. he hasn't an earthly

sucka *vb itr* (~de, ~t) sigh [*av* with; *efter* for; *över* over, at]; 'vilken otur' **~de hon** äv. …she said with a sigh

suckat *s* (~en el. ~et) kok. candied peel

Sudan the Sudan

sudanesisk *adj* (~t) Sudanese

sudd *s* **1** (~en, ~ar) tuss wad; tavel~ duster **2** (~et, =) se *suddgummi* **3** (~et) ngt suddigt blur **4** (~et) vard., se *nattsudd*

sudda I *vb tr* (~de, ~t), **~ [bort (ut)]** radera rub out, erase; **~ ut på** svarta tavlan rub (wipe)…clean; **hon kunde inte ~ ut** minnet av olyckan she couldn't wipe out… **II** *vb itr* (~de, ~t) rumla, **vara ute och ~** be out on the spree (vard. binge)

suddgummi *s* (~t, ~n) vard. rubber; amer. el. för bläck eraser

suddig *adj* (~t) otydlig blurred, indistinct, vague, fuzzy; om minne, blick o.d. hazy, dim; om foto. fogged, foggy

sudoku *s* (~t el. ~n, ~n el. ~r) sudoku

Suezkanalen the Suez Canal

suffix *s* (~et, =) suffix

sufflé *s* (~n, ~er) kok. soufflé fr.

sufflera teat. el. friare I *vb tr* (~de, ~t) prompt **II** *vb itr* (~de, ~t) prompt, do the prompting

sufflett *s* (~en, ~er) hood; amer. top

sufflör *s* (~en, ~er) teat. prompter

suffragett *s* (~en, ~er) hist. suffragette

sug *s* **1** (~et) sugande suction; **en person med ~ i blicken** …with a come-hither look; **hon kände ett ~ efter** choklad she had a craving for… **2** (~en, ~ar) apparat suction apparatus **3** (~en), **tappa ~en** lose heart, give up

suga I *vb tr* o. *vb itr* (sög, sugit) suck; **damm~** vacuum-clean; **sjön suger** the sea air gives you an appetite; **det suger i magen [på mig]** jag är så hungrig I have a hollow (sinking) feeling in my stomach; **~ på en pipa** suck at a pipe; **~ på tummen (en karamell)** suck one's thumb (a sweet)

II med beton. part.

suga av: ~ av ngn vulg. give sb a blowjob, give sb head

suga sig fast stick, cling, adhere [*vid* i samtliga fall to]; **~ sig fast som en igel** stick like a limpet, cling like a leech

suga i hugga i go at it; **~ tag i ngn** grab sb; **~ i sig** eg. suck [up]; bildl. drink in, imbibe

suga in eg. suck in; luft äv. inhale; bildl. drink in, imbibe

suga upp suck up; om läskpapper o.d. soak up, absorb; med en svamp äv. sponge up

suga ur t.ex. frukt el. med apparat suck

suga ut eg. suck out; exploatera, utnyttja exploit, bleed…white; t.ex. arbetare äv. sweat; **~ ut jorden** impoverish the soil

suga åt sig absorb äv. bildl., suck up

sugande *adj* (oböjl.) allm. sucking; en person, **ha en ~ känsla i magen** av t.ex. hunger have a hollow (sinking) feeling in the (one's) stomach

sugen *adj* (suget, sugna), **känna sig ~** hungrig feel peckish; **jag är ~ på** en kopp kaffe (lite äventyr) I feel like…; starkare I am dying for…

sugga *s* (~n, suggor) zool. sow; neds., om kvinna cow

suggerera *vb tr* (~de, ~t) påverka influence […by suggestion]; friare hypnotize [*till* i båda fallen into; [*till*] *att* + inf. into + ing-form]; induce [[*till*] *att* + inf. to + inf.]; **~ fram** call forth, stimulate

suggestion *s* (~en, ~er) suggestion

suggestiv *adj* (~t) suggestive

sugklocka *s* (~n, -klockor) med. vacuum extractor

sugkopp *s* (~en, ~ar) suction cap; hos ryggradslösa djur acetabul|um (pl. -a)

sugmärke *s* (~t, ~n) love bite; amer. hickey

sugpump *s* (~en, ~ar) suction pump

sugreflex *s* (~en, ~er) sucking reflex

sugrör *s* (~et, =) till saft etc. straw; tekn. suction pipe; zool. sucker

sukta vard. **I** *vb tr* (~de, ~t), **~ ngn** [try to] tempt sb **II** *vb itr* (~de, ~t), **~ efter ngt** long [in vain] for sth

sula I *s* (~n, sulor) på sko sole **II** *vb tr* (~de, ~t) sole

sulfa *s* (~n) o. **sulfapreparat** *s* (~et, =) sulpha (amer. sulfa) drug

sulfat *s* (~et, ~er el. =) kem. sulphate; amer. sulfate

sulfit *s* (~en, ~er) kem. sulphite; amer. sulfite

sulky *s* (~n, ~er) **1** sport. sulky **2** se *sittvagn 1*

sulning *s* (~en, ~ar) soling

sultan *s* (~en, ~er) sultan

sumerisk *adj* (~t) Sumerian

summa *s* (~n, summor) allm. sum äv. bildl.; slut- äv. [sum] total; belopp äv. amount; **~ 100 kronor** a total of…; **~ summarum** allt som allt …all-told, …[all] in all; tillsammans the grand total is…

summarisk *adj* (~t) summary; kortfattad äv. concise, succinct, brief; **en ~ rättegång** a summary trial, summary proceedings pl.

summera *vb tr* (~de, ~t), **~ [ihop (ned)]** sum up äv. bildl., add (vard. tot) up

summering *s* (~en, ~ar) eg. summation; bildl. summary, summing-up (pl. summings-up)

summerton *s* (~en, ~er) buzzer (buzzing) tone

sumobrottning *s* (~en) sport. sumo [wrestling]

sump *s* **1** (~en) kaffe- grounds pl. **2** (~en, ~ar) fisk- corf (pl. corves)

sumpa *vb tr* (~de, ~t) vard., **~ ngt** tappa lose sth; missa o.d. blow sth; **~ chansen (tillfället)** miss (pass up) the opportunity, blow one's chance, blow it

sumpgas *s* (~en) marsh gas, methane

sumpig *adj* (~t) swampy, marshy

sumpmark *s* (~en, ~er) swamp, marsh

sumptrakt *s* (~en, ~er) marshland; swampy (marshy) tracts pl.

1 sund *s* (~et, =) sound, strait[s pl.]

2 sund *adj* (sunt) frisk sound, healthy; om föda o.d. wholesome; om vanor healthy; om klimat äv. salubrious; bildl. (om t.ex. omdöme, åsikt) sound; **vara ~ till kropp och själ** be of sound mind and body

sundhet *s* (~en) soundness, healthiness, health; i föda wholesomeness

sunkig *adj* (~t) seedy, shabby

sunnan *s* (=, en) o. **sunnanvind** *s* (~en, ~ar) south wind, southerly wind

sup *s* (~en, ~ar) dram, nip; glas brännvin schnapps (pl. lika)

supa I *vb tr* o. *vb itr* (söp, supit) drink; starkare booze; **börja ~** hit the bottle; **~ ngn full** make sb drunk; **~ sig full** get drunk; **~ ngn under bordet** drink sb under the table **II** med beton. part.

supa ihjäl sig drink oneself to death

supa in se *insupa*

supa ned sig hit the bottle

supa upp pengar drink…away

supande *s* (~t) drinking, boozing

supé *s* (~n, ~er) supper äv. bjudning, evening meal

supera *vb itr* (~de, ~t) have supper

superb *adj* (~t) superb, first-rate

superellips *s* (~en, ~er) super-ellipse

superlativ gram. **I** *s* (~en, ~er) superlative äv. bildl.; **i ~** in the superlative **II** *adj* (~t) superlative

supermakt *s* (~en, ~er) superpower

supermat *s* (~en) superfood

supernova *s* (~n, -novor) astron. supernova

supertanker *s* (~n, -tankrar) sjö. supertanker

supfest *s* (~en, ~er) drinking-bout, booze[-up]

supinera *vb itr* (~de, ~t) anat. supinate

supinum *s* (~et, =) gram. the supine; motsv. i eng. past (perfect) participle

suppleant *s* (~en, ~er) deputy, substitute; i styrelse äv. deputy member

supplement *s* (~et, =) supplement [*till* to]; adjunct [*till* of]

support *s* (~en, ~er) support

supporter *s* (~n, supportrar) supporter

supraledare *s* (~n, =) fys. superconductor

suput *s* (~en, ~er) vard. drunkard, boozer

sur *adj* (~t) **1** mots. till söt sour äv. bildl.; syrlig acid äv. kem.; skämd (pred.) off; butter surly, morose; tjurig sulky; **göra livet ~t för ngn** lead sb a dog's life; **mjölken har blivit ~** the milk has turned [sour] (has gone off); **~t regn** acid rain; **~ uppstötning** ung. heartburn; med. eructation; **bita i det ~a äpplet** swallow the bitter pill; **det kommer ~t efter** one (you, he etc.) will have to pay for it afterwards; **se ~ ut** look sour (surly etc.); **han är ~ på mig för att jag har…** he is cross (angry) with me for having…; **~ som ättika** bildl. as surly as a bear [with a sore head] **2** blöt wet; om mark waterlogged; om pipa foul; om ved green; om ögon bleary

sura *vb itr* (~de, ~t), **gå (sitta** etc.**) och ~** sulk

surdeg *s* (~en, ~ar) leaven; **gammal ~** bildl. old prejudice (notions pl.)

surfa *vb itr* (~de, ~t) **1** sport. go surfing, surf; vindsurfa go windsurfing, windsurf **2** data., **på nätet (internet)** surf the Net (the Internet); **~ på webben** surf the Web

surfare *s* (~n, =) sport. surfer; vindsurfare windsurfer

surfing *s* (~en) sport. surfriding, surfing; med segel windsurfing

surfingbräda *s* (~n, -brädor) sport. surfboard

surfplatta *s* (~n, -plattor) tablet computer, [media] tablet

surhet *s* (~en) sourness, acidity; tjurighet surliness

Surinam Surinam, Suriname

surkart *s* (~en, ~ar) om person surly person; vard. sourpuss

surkål *s* (~en) sauerkraut ty.

surmjölk *s* (~en) sour[ed] milk

surmulen *adj* (-mulet, -mulna) sullen, surly, morose

surna *vb itr* (~de, ~t) sour, turn [sour], become (go) sour; värmen *får mjölken att ~* ...sours (turns) the milk

surpuppa *s* (~n, -puppor) sourpuss

surr *s* (~et) ljud hum, buzz; av insekter, maskin äv. drone; vinande whir

1 surra *vb itr* (~de, ~t) hum, buzz, drone, whir, jfr *surr*; *det ~r i huvudet på mig* my head hums

2 surra *vb tr* (~de, ~t) med rep o.d. lash [*vid* to]; *~ [fast]* lash...down, make...fast, tie, secure; *~ ihop* lash (tie)...together

surrealism *s* (~en) surrealism

surrealistisk *adj* (~t) surreal, surrealistic

surrogat *s* (~et, =) substitute, makeshift; mera litt. surrogate

surströmming *s* (~en, ~ar) fermented Baltic herring

surt *adv* sourly, acidly; surlily, morosely, sulkily, jfr *sur*; *smaka* (*lukta*) *~* taste (smell) sour; *~ förvärvad* hard-earned; *reagera ~* kem. give an acid reaction; bildl. react in a sour manner [*på* to]

sus *s* (~et) **1** vindens whistling, singing; svagare sough[ing], whisper; *~ i öronen* buzzing (singing) sg. in one's ears; *det gick ett ~ genom rummet* a murmur (buzz) went through the room **2** *leva i ~ och dus* lead a wild life

susa *vb itr* (~de, ~t) **1** om vinden whistle, sing; svagare sough, whisper; *det ~r i öronen [på mig]* my ears are buzzing (singing) **2** om kula o.d. whistle, whiz[z]; om fordon o.d. rush, tear; *~ fram* whizz (rush, tear) along; *~ förbi* whistle (rush, tear, shoot) by, whizz past; om bil äv. swish by

susen *s* (best. sing.) vard., *det gör ~* ge resultat it does the trick; lite vin *i såsen gjorde ~* ...gave an extra touch to (...did wonders for) the sauce

sushi *s* (~n) kok. sushi

susning *s* (~en, ~ar) **1** *~ar i öronen* buzzing sg. in the ears **2** *jag har inte en ~* vard., aning I haven't the faintest (foggiest)

suspekt *adj* (=) suspicious, ...that is (was osv.)] suspect

suspendera *vb tr* (~de, ~t) suspend

suspension *s* (~en, ~er) suspension

suspensoar *s* (~en, ~er) jockstrap

sussa *vb itr* (~de, ~t) vard., sova sleep; *nu ska du ~* now you are going [to] bye-byes

sutare *s* (~n, =) zool. tench

sutur *s* (~en, ~er) med. suture

suverän I *s* (~en, ~er) sovereign **II** *adj* (~t) självständig, enväldig sovereign, supreme; överlägsen äv. superb, excellent; vard. terrific

suveränitet *s* (~en) sovereignty, supremacy; bildl. supremacy, excellence

svabb *s* (~en, ~ar) swab

svabba *vb tr* (~de, ~t) swab [*av* down]

svacka *s* (~n, svackor) hollow, depression; t.ex. ekonomisk decline, falling-off, downswing

svada *s* (~n) talförhet volubility; ordflöde torrent of words; *ha [en väldig] ~* vanl. have the gift of the gab

svag *adj* (~t) allm. weak; medlidsamt el. klandrande feeble; klen äv. delicate; bräcklig äv. frail; kraftlös, utmattad faint; lätt, om t.ex., vin, öl light; liten, ringa faint, slight, slender; otydlig, om ljud faint, soft; om ljus äv. dim, feeble; skral poor; *ha en ~ aning om ngt* have a faint (vague) idea of sth; *~ hälsa* delicate health; *en ~ känsla* a slight feeling; *det ~a könet* the weaker sex; *jag har ett ~t minne av att...* I have a vague recollection that...; *en ~ likhet* (*misstanke*) a faint (vague) resemblance (suspicion); *~a nerver* weak nerves; *~ puls* feeble pulse; *en ~ skiftning* a faint tinge; *~ tillbakagång* mild recession; *~t verb* weak verb; *~ värme* kok. low heat; *i ett ~t ögonblick* äv. in a moment of weakness; *vara ~ för...* have a weakness for (be fond of)...; *vara ~ i engelska* be poor at (skol. weak in) English

svaghet *s* (~en, ~er) egenskap, allm. weakness; kraftlöshet äv. feebleness, debility; svag hälsa delicate constitution, frailty; brist, fel shortcoming, failing; svag sida äv. weak point (spot), foible; böjelse weakness [*för* for]; indulgence [*för* in]

svaghetstecken *s* (-tecknet, =) sign of weakness

svagpresterande *adj* (oböjl.) skol., *~* [*elev*] underachiever; *vara ~* be an underachiever, underachieve

svagsint *adj* (=) feeble-minded

svagsinthet *s* (~en) feeble-mindedness

svagström *s* (~men, ~mar) low[-voltage] current, low voltage

svaj *s* (~et) **1** *ligga på ~* sjö. swing at anchor **2** i musikanläggning o.d. fading; långsamt wow; snabbt flutter

svaja *vb itr* (~de, ~t) **1** sjö. swing **2** om musikanläggning o.d. fade; långsamt wow; snabbt flutter

svajmast *s* (~en, ~er) high pole

sval I *adj* (~t) cool äv. bildl.; frisk äv. fresh **II** *s* (~en, ~ar) cool cupboard, chiller

svala *s* (~n, svalor) swallow; *en ~ gör ingen sommar* one swallow doesn't make a summer

svalbo *s* (~et, ~n) swallow's nest; kok. bird's nest

svalg *s* (~et, =) **1** anat. throat; vetensk. pharynx (pl. pharynges) **2** avgrund, klyfta gulf, chasm, abyss samtliga äv. bildl.

svalgång *s* (~en, ~ar) arkit. [external] gallery

svalka I *s* (~n) coolness, freshness **II** *vb tr* (~de, ~t) cool; uppfriska äv. freshen, refresh **III** *vb rfl* (~de, ~t), *~ [av] sig* cool [oneself] off (down); förfriska sig refresh oneself

svall *s* (~et, =) av vågor surge, surging; dyning swell; bildl.: av känslor flush, gush; av ord spate, torrent; av lockar flow

svalla *vb itr* (~de, ~t) surge, swell, heave; bildl.: om blod boil; om känslor o.d. run high; om hår flow; *~ över* overflow; bildl. boil over

svallning *s* (~en) surging etc., jfr *svalla*; *hennes blod är i ~* her blood is up (is boiling); *hans känslor råkade i ~* he flew into a passion; *känslorna* folks känslor *råkade* (*var*) *i svallning* feelings ran high

svallvåg *s* (~en, ~or) brottsjö surge; efter fartyg el. bildl. [back]wash (endast sg.)

svalna *vb itr* (~de, ~t), ~ [*av*] cool [down (off)], become cool[er] äv. bildl.; *deras entusiasm ~de* their enthusiasm cooled (slackened)

svalskåp *s* (~et, =) cool cupboard, chiller

svalört *s* (~en) bot. lesser celandine, pilewort

svamla *vb itr* (~de, ~t) prata el. skriva smörja drivel, twaddle [*om* about]; prata el. skriva utan sammanhang ramble [*om* on]

svammel *s* (svamlet) smörja drivel, twaddle; utan sammanhang rambling

svamp *s* (~en, ~ar) **1** bot.: allm. fung|us (pl. -i el. -uses) äv. med.; ätlig mushroom, oätlig el. giftig äv. toadstool; trä~ dry rot; *giftiga ~ar* poisonous fungi (mushrooms); *plocka ~* pick (gather) mushrooms; *gå ut och plocka ~* go mushrooming; *växa upp som ~ar ur jorden* spring up like mushrooms **2** tvättsvamp sponge; *dricka som en ~* drink like a fish; *tvätta (torka) av ngt med ~* sponge sth [down]

svampaktig *adj* (~t) mjuk, porös spongy; bot. fungous

svampdjur *s* (~et, =) sponge

svampförgiftning *s* (~en, ~ar) mushroom (fungus) poisoning

svampig *adj* (~t) mjuk, porös spongy

svampinfektion *s* (~en, ~er) med. fungal infection

svampkarta *s* (~n, -kartor) mushroom chart

svampkännare *s* (~n, =) expert on mushrooms; vetensk. mycologist

svampplockning *s* (~en, ~ar) mushrooming, picking mushrooms

svampsjukdom *s* (~en, ~ar) med. fungus disease

svampstuvning *s* (~en, ~ar) creamed mushrooms pl.

svan *s* (~en, ~ar) zool. swan

svanesång *s* (~en) swan song

svang *s* (oböjl.), *ett rykte var i ~ om att...* there was a rumour afloat (abroad) that...

svanhopp *s* (~et, =) sport. swallow (amer. swan) dive (hoppning diving)

svanka *vb itr* (~de, ~t) ha svankrygg be swaybacked; ~ [*med ryggen*] curve one's back inwards; *ett ~nde tak* a sagging roof

svankrygg *s* (~en, ~ar) sway-back; med. lordosis

svankryggig *adj* (~t) sway-backed

svans *s* (~en, ~ar) allm. tail (äv. bildl.); rävs äv. brush; på komet äv. trail; följe äv. train; *sticka ~en mellan benen* put one's tail between one's legs; fly äv. turn tail

svansa *vb itr* (~de, ~t), ~ *för ngn* krypa fawn on (cringe to) sb; ~ *omkring* fuss about

svanskota *s* (~n, -kotor) anat. caudal vertebra

svar *s* (~et, =) **1** answer, reply; genmäle rejoinder; skarpt retort; kvickt repartee; gensvar response [*på* i samtliga fall to]; *skriftligt ~* written answer (reply); *han blev inte ~et skyldig* he was ready with an answer; *få ~* receive (get) an answer (a reply); *jag fick inget ~* [*på telefon*] nobody answered [the telephone]; *ge* [*ngn*] ~ *på tal* give [sb] tit for tat; hon kan minsann *ge ~ på tal* ...give as good as she gets; han nickade *till ~* ...by way of an answer; utan ett ord *till ~* ...in reply; *få till ~ att...* receive (get) the answer that... **2** *stå till ~s* till ansvar *för ngt* be held responsible (accountable) for sth, have to answer for sth; *ställa ngn till ~s för ngt* make (hold) sb responsible (call sb to account) for sth

svara *vb tr* o. *vb itr* (~de, ~t) **1** allm. answer; reply; högtidl. respond [*på* i samtliga fall to]; skarpt el. kvickt retort; reagera respond [*med* with; *på* to; *med att*

+ inf. by + ing-form]; skriftligen äv. write back [*att...* [to say] that...]; *han ~de ingenting* (*inte*) he gave (made) no answer (reply), he did not answer (reply); ~ *i telefonen* answer the telephone; ~ *på* en fråga (ett brev, en annons) el. ~ *inför rätta för ngt* answer...; *det kan jag inte ~ på* I can't say **2** ~ *för* **a)** ansvara för answer (be responsible) for; garantera vouch for, guarantee; *jag ~r för att* det blir riktigt gjort I'll guarantee that...; *jag ~r inte för* följderna I won't answer (won't be answerable) for...; ~ *för sig* [*själv*] answer for oneself; ~ *för* arrangemanget bekosta sponsor..., ordna be responsible for...; ~ *för* kostnaderna stand... **b)** *Sverige ~r för* 6 % av produktionen Sweden accounts for... **3** ~ *mot* motsvara correspond to, jfr äv. *motsvara*; passa fit, suit, agree with, match; fylla, tillfredsställa (behov o.d.) satisfy, meet, answer

svarande *s* (~n, =) jur. defendant; speciellt i skilsmässomål respondent

svaromål *s* (~et, =) jur. defence, answer [to a charge], [defendant's] plea; *gå i ~* äv. friare reply to a (resp. the) charge, defend oneself

svarsblankett *s* (~en, ~er) reply form

svarskupong *s* (~en, ~er) [postal] reply coupon

svarskuvert *s* (~et, =) addressed (return, reply) envelope

svarslös *adj* (~t), *vara* (*stå*) ~ be nonplussed, be at a loss for an answer; vard. be stuck for an answer; *aldrig vara ~* never be at a loss for an answer; *göra ngn ~* nonplus (dumbfound) sb

svarsporto *s* (~t, ~n) return (reply) postage

svarston *s* (~en, ~er) tele. dialling tone

svarsvisit *s* (~en, ~er) return visit (call)

svart I *adj* (=) (för sammansättn. jfr äv. *blå-*); black; amer., om hudfärg äv. African-American; dyster dark; ~ *arbetskraft* bildl. black labour; [*på*] ~a *börsen* [on] the black market; *familjens ~a får* the black sheep of the family; ~ *humor* black humour; ~ *hål* astron. black hole; *stå på ~a listan* be on the black list, be blacklisted; ~a *lådan* färdskrivare the black box; ~ *magi* black magic; ~a *pengar* black (dirty) money; ~e *Petter* kortsp. ung. Old Maid; ~a *tavlan* skol. the blackboard; amer. äv. the chalk board; ~ *som natten* black as midnight **II** *adv* olagligt illegally, illicitly, on the black market; *jobba* ~ work on the side, moonlight **III** *s* (för ex. jfr äv. *blått*) **1** (oböjl.) färg black äv. i schack; *få* (*begära*) ~ *på vitt på...* have (demand)...in black and white (on paper, in writing); *se allting i* ~ look on the dark (gloomy) side of things **2** (en ~, pl. ~a), *en* ~ a black [man (woman), amer. an African American; *de ~a* the blacks, amer. the African Americans

svartabörsaffär *s* (~en, ~er) black-market transaction (operation)

svartabörshaj *s* (~en, ~ar) black-marketeer

svartabörshandel *s* (~n) black-marketeering, black-market transactions pl.

Svarta havet the Black Sea

svartbygge *s* (~t, ~n) house (building) constructed without a building permit

svarthårig *adj* (~t) black-haired; *han är ~* äv. he has black hair

svartjobb *s* (~et, =) vard. cash-in-hand work, moonlighting

svartjobba *vb itr* (~de, ~t) vard. work cash-in-hand, moonlight

svartjobbare *s* (~n, =) vard. person who works cash-in-hand

svartklädd *adj* (-klätt) ...[dressed] in black

svartkonst *s* (~en, ~er) magi black art, necromancy; vard. black magic

svartlista *vb tr* (~de, ~t) blacklist; av fackförening black

svartmuskig *adj* (~t) swarthy

svartmåla *vb tr* (~de, ~t) bildl. paint...black, paint a black picture of

svartmålning *s* (~en, ~ar) bildl.: svartmålande blackening; mörk bild pessimistic description [*av* of]

svartna *vb itr* (~de, ~t) blacken, become (turn, go) black; *det ~de för ögonen* [*på mig*] everything went black before my eyes

svartpeppar *s* (~n) black pepper

svartrock *s* (~en, ~ar) vard., präst black-coat

svartrot *s* (~en) bot. viper's grass, scorzonera; kok. black salsify

svartsjuk *adj* (~t) jealous [*på* of]

svartsjuka *s* (~n) jealousy

svartsjukedrama *s* (~t, -dramer) crime passionnel fr.

svartsyn *s* (~en) pessimism, pessimistic outlook [*på* on]

svarttaxi *s* (~n, =) unregistered taxi-driver who drives illegally

svartvinbärssaft *s* (~en, ~er) blackcurrant juice

svartvit *adj* (-vitt) black and white

svarv *s* (~en, ~ar) [turning] lathe

svarva *vb tr* o. *vb itr* (~de, ~t) turn; *~ ihop* (*till*) historia o.d. devise, concoct, invent; *~ till* eg. turn

svarvare *s* (~n, =) turner

svarvbänk *s* (~en, ~ar) [turning] lathe

svassa *vb itr* (~de, ~t), *~* [*omkring*] strut (swagger) about; om t.ex. mannekäng sashay

svassande *adj* (oböjl.) om gång strutting, swaggering; svulstig grandiose, highflown

svastika *s* (~n, svastikor) swastika

svavel *s* (svavlet) sulphur; amer. sulfur; åld. brimstone

svaveldioxid *s* (~en, ~er) sulphur (amer. sulfur) dioxide

svavelhalt *s* (~en, ~er) sulphurous (sulphur, amer. sulfurous el. sulfur) content

svavelhaltig *adj* (~t) sulphurous; amer. sulfurous; attr. äv. ...containing sulphur (amer. sulfur)

svavelregn *s* (~et, =) sulphur (amer. sulfur) shower (rain)

svavelsyra *s* (~n) sulphuric (amer. sulfuric) acid

svavelväte *s* (~t) hydrogen sulphide (amer. sulfide)

1 sveda *s* (~n) smarting pain, smart; *ersättning för ~ och värk* compensation for pain and suffering, smart money

2 sveda *vb tr* (svedde, svett) allm. el. tekn. singe; förbränna scorch, burn; *~ av* (*bort*) singe (scorch, burn) off, parch, nip

svek *s* (~et, =) trolöshet deceit, guile (endast sg.); jur. fraud; förräderi treachery [*mot* to]

svekfull *adj* (~t) trolös deceitful, guileful; jur. fraudulent; förrädisk treacherous

svendom *s* (~en) [male] chastity

svengelska *s* (~n) Swenglish

svensexa *s* (~n, -sexor) stag party

svensk I *adj* (~t) Swedish **II** *s* (~en, ~ar) Swede

svenska *s* **1** (~n, svenskor) kvinna Swedish woman (dam lady, flicka girl); *hon är ~* vanl. she is Swedish (a Swede) **2** (~n) språk Swedish; *på ~* in Swedish; *vad heter* 'älskling' *på ~?* what is the Swedish for...?, what is...in Swedish?; *på ren ~* in plain language (Swedish)

svenskamerikan *s* (~en, ~er) Swedish-American

svenskamerikansk *adj* (~t) Swedish-American

svenskbygd *s* (~en, ~er) Swedish settlement (community)

svensk-engelsk *adj* (~t) t.ex. ordbok Swedish-English; t.ex. förening Anglo-Swedish, Swedish-British

svenskfödd *adj* (-fött) Swedish-born; *vara ~* vanl. be Swedish by birth

svensklärare *s* (~n, =) teacher of Swedish, Swedish teacher

svenskspråkig *adj* (~t) (jfr *svensktalande*) **1** *~ författare* ...writing (who writes) in Swedish **2** avfattad på svenska Swedish, ...in Swedish; *~ tidning* Swedish-language newspaper **3** där svenska talas, attr. ...where Swedish is spoken

svensktalande *adj* (oböjl.) Swedish-speaking...; *vara ~* speak Swedish

svensktillverkad *adj* (-tillverkat, ~e) ...made in Sweden, Swedish-made

svenskundervisning *s* (~en), *~*[*en*] the teaching of Swedish

svenskättling *s* (~en, ~ar) Swedish descendant, person of Swedish descent

svep *s* (~et, =) allm. sweep; razzia raid; *göra ett ~ med* strålkastarna let...sweep; *i ett ~* at (in) one sweep; friare äv. at one go

svepa I *vb tr* (svepte, svept) allm. wrap [up]; minör: röja sweep; söka sweep for; tömma (glas o.d.), vard. knock back; *~ en filt om ett barn* wrap a baby [up] in a blanket; *~ en sjal om axlarna* wrap a shawl round one's shoulders; *~ ett lik* shroud a corpse **II** *vb itr* (svepte, svept) om t.ex. vind sweep; en våg av missnöje *svepte över landet* ...swept [over] the country **III** med beton. part.

svepa fram om t.ex. vind sweep along; snöstormen *svepte fram över landet* ...swept over the country

svepa förbi sweep by (past)

svepa i sig tömma, vard. knock back

svepa in a) tr. wrap [up] [*i* in]; *~ in sig* wrap [oneself] up **b)** itr. sweep in; *hon svepte in i rummet* she swept into the room

svepa med sig ngt om t.ex. vind, våg sweep sth along (away) with it

svepa om: *han svepte rocken* [*tätare*] *om sig* he wrapped himself up [more tightly] in his coat

svepning *s* (~en, ~ar) **1** konkr.: kläder grave clothes pl., cerements pl.; lakan winding sheet, shroud **2** minsvepning minesweeping

svepskäl *s* (~et, =) pretext, excuse, pretence; *komma med ~* make excuses

Sverige Sweden; *~s...* ofta the Swedish...

Sverigebesök *s* (~et, =) visit to Sweden

Sverigedemokraterna *s pl* i Sverige the Sweden Democrats

svets *s* (~en, ~ar) fog weld; apparat welding set (unit); svetsande welding

svetsa *vb tr* (~de, ~t) weld; *~ fast* weld; *~ ihop*

(**samman**) weld [om två delar ...together] äv. bildl.; **livet har ~t dem samman** ...has united them closely together

svetsare s (~n, =) welder, welding operator

svetsfog s (~en, ~ar) weld, welding seam, welded joint

svetsloppa s (~n, -loppor) welding spark

svetslåga s (~n, -lågor) welding flame

svetsning s (~en, ~ar) welding

svett s (~en) sweat, perspiration; han arbetade **så att ~en lackade** (**rann**) ...so much that he was dripping with sweat (perspiration); **badande i ~** bathed in a sweat

svettas vb itr dep o. vb tr dep (svettades, svettats) sweat, perspire; **jag ~ om händerna** my hands are sweaty; **~ över** svåra läxor sweat over...

svettdrivande adj (oböjl.) sudorific; **~ medel** vanl. sudorific

svettdroppe s (~n, -droppar) drop (bead) of perspiration

svettdrypande adj (oböjl.) ...dripping (starkare streaming) with sweat

svettig adj (~t) sweaty, sweating, perspiring; **~t arbete** sweaty work; **det var ~t** it was sweaty work (a bit of a sweat); **vara alldeles ~** be all in a sweat; **jag är ~ om händerna** my hands are sweaty; **bli ~** begin to sweat (perspire)

svettkörtel s (~n, -körtlar) sweat gland

svettlukt s (~en) [the] smell of perspiration (sweat); kroppsodör body odour, vard. BO

svettning s (~en, ~ar) sweating, perspiration

svettrem s (~men, ~mar) sweatband

1 svida vb itr (sved, svidit) smart, sting; göra ont äv. ache, hurt; **det svider i halsen** [**på mig**] vid förkylning I have a sore throat; **det svider i ögonen** [**på mig**] **av all rök** my eyes are smarting with smoke; **det svider i hjärtat när man ser**... it breaks your (one's) heart to see...

2 svida vb itr (sved, svidit) vard., klä, **~ om** change; **~ upp sig** dress up; om kvinna äv. doll oneself up

svidande adj (oböjl.) smarting, stinging; värkande aching, hurting; **~ kritik** devastating (blistering) criticism; **ett ~ nederlag** a crushing defeat

svika I vb tr (svek, svikit) överge fail, desert; lämna i sticket äv. let...down, leave...in the lurch, i kärlek jilt; bedra deceive; förråda betray, vard. rat on; **~ ngns förtroende** betray sb's confidence, let sb down; **~ sina ideal** betray one's ideals; **~ sitt löfte** (**ord**) break (go back on) one's promise (word), fail to keep one's promise; **~ sin plikt** fail in one's duty; **krafterna** (**rösten**) **svek honom** his strength (voice) failed him; **om minnet inte sviker mig** unless my memory fails me (is at fault); **modet svek mig** my courage failed (deserted) me **II** vb itr (svek, svikit) allm. fail; om t.ex. publik, anhängare fall off (away); utebli fail to come (appear)

svikande adj (oböjl.), [**med**] **aldrig ~**... [with] never-failing (unfailing, unflagging, unremitting)...

svikare s (~n el. svikarn, =) vard. rat, quitter

sviklig adj (~t) fraudulent; **~t förfarande** jur. fraudulent practice (conduct; proceedings pl.)

svikt s (~en, ~ar) **1** fjädring springiness; spänst elasticity, resilience; böjlighet flexibility; **ha bra ~** vanl.

be [very] springy (elastic, resilient, flexible) **2** hoppredskap springboard

svikta vb itr (~de, ~t) eg.: böja sig bend; ge efter give way, sag, yield; svaja under ngns steg sway up and down; ge svikt be springy (resilient); vackla totter; gunga quake, shake, rock; bildl.: om t.ex. tro waver

svikthopp s (~et, =) simhopp springboard diving; **göra ett ~** do a springboard dive

svimfärdig adj (~t) ...ready to faint; **~ av hunger** faint with hunger

svimma vb itr (~de, ~t) faint, pass out; **~ av hunger** faint with hunger; **~ 'av** faint [away]; jfr avsvimmad

svimningsanfall s (~et, =) fainting-fit

svin s (~et, =) pig; swine (pl. lika), i sg. numera vanl. bara som skällsord; göd~ hog, porker

svina vb tr o. vb itr (~de, ~t), **~ ner i** rummet make a mess in..., leave...like a pigsty; **~ ner sig** get oneself in a mess

svinaherde s (~n, -herdar) swineherd

svinaktig adj (~t) om t.ex. uppförande swinish, rotten; oanständig filthy; om t.ex. pris outrageous

svinaktighet s (~en, ~er) uppförande swinish behaviour; egenskap swinishness; **~[er]** oanständighet[er] filth sg.

svinaktigt adv, **det var ~ gjort** that was a dirty rotten (a lousy) trick; **~ höga priser** outrageous prices; **uppföra sig ~** behave like a swine (rotter)

svinavel s (~n) pig breeding

svinborst s (~et el. ~en, =) pig's bristle

svindel s (~n) **1** yrsel dizziness, giddiness; med. vertigo; **få ~** become (turn, feel) dizzy (giddy) **2** bedrägeri swindle

svindla I vb itr (~de, ~t) få yrsel, **det ~r för ögonen** [**på mig**] my head is going round (is swimming, is in a whirl), I feel dizzy (giddy); **tanken ~r** the mind boggles **II** vb tr (~de, ~t) bedra swindle, cheat; **~ ngn på pengar** swindle money out of sb, swindle sb out of money

svindlande adj (oböjl.) om t.ex. höjd dizzy, giddy, vertiginous; om pris, summa, lycka o.d. enormous, tremendous, prodigious; **i ~ fart** vanl. at [a] breakneck speed

svindlare s (~n, =) swindler, cheat

svindleri s (~et, ~er) swindle

svindyr adj (~t) really (shockingly) expensive; **den är ~** äv. it costs the earth

svineri s (~et, ~er) snuskighet filth[iness], dirtiness; snuskig vana filthy (dirty) habit

sving s (~en, ~ar) swing

svinga I vb tr (~de, ~t) t.ex. klubba swing; svärd o.d. brandish, flourish, wield; vifta med wave **II** vb rfl (~de, ~t), **~ sig** swing [oneself]; **~ sig upp i sadeln** äv. vault into the saddle; **~ sig över ett staket** vault [over] a fence

svinhugg s (~et, =), **~ går igen** ung. [that's] tit for tat, the biter bit

svinhus s (~et, =) pigsty

svininfluensa s (~n) vard. swine (pig, hog) flu

svinkall adj (~t), **det är ~t** it's [absolutely] freezing

svinkoppor s pl impetigo sg.

svinläder s (-lädret) pigskin

svinmat s (~en) pigswill, hogwash; jag äter inte den här **~en** ...lousy food

svinmålla s (~n, -mållor) bot. goosefoot (pl. goosefoots), fat hen

svinn *s* (~et) waste, wastage, loss

svinna *vb itr* (svann, svunnit) om tid pass; *svunna tider* times long past (gone by); *svunnen storhet* departed glory

svinotta *s* (~n), *i ~n* ung. very early in the morning; vard. at the crack of dawn

svinpäls *s* (~en, ~ar) vard. swine, dirty dog (rotter)

svinrygg *s* (~en, ~ar) frisyr French roll (twist)

svinskötsel *s* (~n) pig breeding

svinstia *s* (~n, -stior) pigsty

svira *vb itr* (~de, ~t) rumla be on the spree (vard. binge)

svischa *vb itr* (~de, ~t) swish

sviskon *s* (~et, =) prune

svit *s* (~en, ~er) **1** följe suite, retinue; av rum suite; rad, serie succession; kortsp. sequence; mus. suite
2 efterverkning after-effect; följdsjukdom complication; med. sequel|a (pl. -ae)

svordom *s* (~en, ~ar) svärord swearword; förbannelse curse, oath; *~ar* koll. swearing sg.

svullen *adj* (svullet, svullna) swollen; genom inflammation o.d. tumid, tumefied; *vara ~ i ansiktet* have a swollen face

svullna *vb itr* (~de, ~t), *~ [upp]* swell [up], become swollen; genom inflammation o.d. tumefy; *~ igen* swell up

svullnad *s* (~en, ~er) swelling

svulst *s* (~en, ~er) swelling; med. tumour, tumefaction

svulstig *adj* (~t) inflated, turgid; högtravande äv. bombastic, pompous; svassande grandiloquent

svulstighet *s* (~en, ~er) egenskap inflatedness, pomposity, grandiloquence; jfr *svulstig*; *~er* bombast sg., pomposities

svulten *adj* (svultet, svultna) mycket hungrig starving [*på* for]; utsvulten starved [*på* of] äv. bildl., famished

svunnen *adj* (svunnet, svunna) se under *svinna*

svuren *adj* (svuret, svurna) sworn

svåger *s* (~n, svågrar) brother-in-law (pl. brothers-in-law, vard. brother-in-laws)

svågerpolitik *s* (~en) nepotism

svål *s* (~en, ~ar) fläsk~ [bacon] rind; huvud~ scalp

svångrem *s* (~men, ~mar) [waist]belt; *dra åt ~men* tighten one's belt äv. bildl.

svångremspolitik *s* (~en) belt-tightening policy, policy of tightening one's belt

svår *adj* (~t) att förstå, utföra o.d. difficult, hard; mödosam heavy, stiff; vard. tough; påfrestande trying; farlig, allvarlig grave, serious, severe; tekn.: tung, grov heavy
Ex.: a) attr. användning: *ett ~t jobb* a difficult (hard, tough) job; *ett ~t fall* a difficult case; *ett ~t fall av lunginflammation* a serious case of...; *en ~ fråga* a difficult (hard) question; *~a förhållanden* äv. trying conditions; *en ~ förkylning* a bad (severe) cold; *en ~ förlust* a heavy (severe) loss; *vara i ~ knipa* be in a great fix (a great mess, a very tight corner); *~ köld* severe cold; *en ~ olycka* olyckshändelse a serious accident; *ha ~a plågor* be in great pain; *en ~ sjukdom* (*skada*) a serious (severe, starkare grave) illness (injury); *ett ~t slag* bildl. a sad blow; fartyget har *~ slagsida* ...a heavy list; *~ terräng* rough country; *en ~ uppgift* a difficult (a hard, an arduous) task; *ett ~t val* dilemma a difficult (hard) choice; *~ värk* severe pain

b) övrigt: *göra det ~t för ngn* make things difficult for sb; *ha det ~t* lida suffer greatly; slita ont have a rough (tough) time of it; ekonomiskt be badly off; *han har ~t för sig* nothing comes easy to him; *ha ~t för* engelska find...difficult; *ha ~t [för] att* + inf. find it difficult (hard) to + inf., have [some] difficulty in + ing-form; *ha ~t att fatta* vara dum be slow on the uptake; *ha ~t för att lära* be slow [to learn], be a slow learner; *han är ~ att ha att göra med* he is difficult to get on with; *det är ~t [för mig] att* + inf. it is difficult (hard) [for me] to + inf.; *vara ~ begiven på spriten* be fond of the bottle; *han är ~ på fruntimmer* he is always running after women

svårantändlig *adj* (~t) ...difficult to set fire to, non-inflammable

svårartad *adj* (-artat, ~e) om sjukdom serious, grave

svårbegriplig *adj* (~t) ...[that is (was osv.)] difficult (hard) to understand

svårflirtad *adj* (-flirtat, ~e) o. **svårflörtad** *adj* (-flörtat, ~e), *vara ~* be hard (difficult) to get round; svår att entusiasmera be hard to please; t.ex. sexuellt play hard to get

svårframkomlig *adj* (~t) om väg o.d. almost impassable; om terräng difficult, rough

svårförklarlig *adj* (~t) ...[that is (was osv.)] difficult (hard) to explain

svårhanterlig *adj* (~t) ...[that is (was osv.)] difficult (hard) to handle (manage); om person äv., intractable; om sak äv. (otymplig) unwieldy

svårighet *s* (~en, ~er) allm. difficulty [*att* + inf. in (ibland of) + ing-form]; möda hardship; trångmål straits pl.; besvär trouble; olägenhet inconvenience; hinder obstacle; *jag har inga ~er att...* I have no difficulty in...; *det möter inga ~er* that's not difficult; *stöta på ~er* come up against (meet with) difficulties (hinder obstacles); *med* (*utan*) *~* with (without) difficulty

svårighetsgrad *s* (~en, ~er) degree of difficulty

svårligen *adv* hardly, scarcely

svårläslig *adj* (~t) om handstil hardly legible, crabbed

svårlöst *adj* (=) om problem m.m. ...[that is (was osv.)] difficult (hard) to solve

svårmod *s* (~et) melancholy; dysterhet gloom; sorgsenhet sadness

svårmodig *adj* (~t) melancholy; dyster gloomy; sorgsen sad

svårskött *adj* (=) ...[that is (was osv.)] difficult (hard) to handle (om barn, maskin o.d. äv. to manage, om t.ex. lägenhet to keep tidy, to keep in order)

svårsmält *adj* (=) **1** ...[that is (was osv.)] difficult (hard) to digest, indigestible; om bok o.d. äv. ...[that is (was osv.)] difficult (hard) to read **2** tekn. refractory

svårstartad *adj* (-startat, ~e) ...[that is (was osv.)] difficult (hard) to start

svårsåld *adj* (-sålt, ~e) ...[that is (was osv.)] difficult (hard) to sell; varan *är ~* äv. ...sells slowly

svårt *adv*, *~ drabbad* hard-stricken; om person äv. grievously afflicted [*av* i båda fallen with]; *~ sjuk* seriously ill; *~ skadad* (*sårad*) badly (seriously) injured (wounded); *ha det ~* m.fl. ex., se under *svår*

svårtillgänglig *adj* (~t) om plats ...[that is (was osv.)] difficult of access (approach); om person distant, reserved

svårtolkad *adj* (-tolkat, ~e) ...[that is (was osv.)] difficult (hard) to interpret

svårtydd *adj* (-tytt) se *svårtolkad*
svåröverskådlig *adj* (~t) ...[that is (was osv.)] difficult (hard) to grasp
svägerska *s* (~n, svägerskor) sister-in-law (pl. sisters-in-law, vard. sister-in-laws)
svälja I *vb tr* (svalde, svalt) swallow äv. bildl.; ~ *förtreten* (*vreden*) swallow one's annoyance (anger); ~ *sin stolthet* pocket one's pride; ~ *gråten* (*tårarna*) gulp down (choke back) one's sobs (tears); ~ *ned* swallow down **II** *vb itr* (svalde, svalt) swallow, gulp
svälla I *vb itr* (svällde, svällt) swell äv. bildl.; om segel äv. fill; utvidga sig expand äv. bildl.; hans hjärta *svällde av stolthet* ...swelled with pride; floden *svällde över sina bräddar* ...overflowed [its banks]
II med beton. part.
  svälla igen swell up
  svälla upp swell [up], become swollen (swelled); jfr *uppsvullen*
  svälla ut swell [out]; bildl. om t.ex. utgifter äv. grow
svällande *adj* (oböjl.) allm. swelling; uppblåst puffed-up; om barm full, ample; om plånbok o.d. bulging
svält *s* (~en) starvation; hungersnöd famine; *dö av* ~ die of starvation (famine)
svälta I *vb itr* (svalt, svultit) starve; starkare famish; ~ *ihjäl* starve to death **II** *vb tr* (svälte el. svalt, svält) starve; ~ *sig* starve oneself; ~ *ut* t.ex. konkurrerande företag starve out
svältdöd *s* (~en) death from starvation; *dö ~en* starve to death
svältfödd *adj* (-fött) underfed, undernourished; *vara ~ på* t.ex. kärlek be starved of...
svältgräns *s* (~en) hunger line; *leva på ~en* live on the hunger line
svältkatastrof *s* (~en, ~er) famine disaster, disastrous (catastrophic) famine
svältkost *s* (~en) starvation diet; *sätta ngn på* ~ put sb on a starvation diet
svältkur *s* (~en, ~er) starvation cure
svältlön *s* (~en, ~er) starvation wages pl.
svämma *vb itr* (~de, ~t), ~ *över* spill over; *floden ~de över* [*sina bräddar*] the river overflowed [its banks]; ~ *över alla bräddar* friare exceed all bounds
sväng *s* (~en, ~ar) krök turn, bend; kurva curve; svepande rörelse sweep; *gå en ~ runt kvarteret* take a walk round the block; *vägen gör en* [*tvär*] ~ ...makes a [sharp] turn, ...turns [sharply]; *ta ut ~arna* vard. go the whole hog, leva loppan live it up
svänga I *vb tr* (svängde, svängt) sätta i hastig kretsrörelse swing; vifta med wave; vända turn; [som] på en tapp swivel **II** *vb itr* (svängde, svängt) **1** fram och tillbaka swing [to and fro]; svaja sway; fys., som en pendel oscillate, vibrera vibrate; ~ *med armarna* swing one's arms; ~ *på höfterna* sway one's hips **2** göra en sväng (vändning) turn; i båge swing, curve, sweep; [som] på en tapp swivel; om vind change; ~ *om hörnet* turn the corner; ~ *åt höger* med fordon turn right, make a right turn; *opinionen har svängt* public opinion has shifted (veered, swung round) **III** *vb rfl* (svängde, svängt) ~ *sig* **a**) komma med undanflykter shuffle, prevaricate **b**) ~ *sig med* latinska citat lard one's speech with..., flaunt...
IV med beton. part.
  svänga av: ~ *av åt vänster* turn off to the left; ~ *av från* vägen turn off...

svänga ihop t.ex. en måltid knock up; historia o.d. knock off
svänga in: ~ *in på en gata* turn (swing) into...
svänga runt turn (swing) round; hastigt spin round
svänga ut: *bilen svängde ut* från trottoaren the car pulled (swung) out...
svängbro *s* (~n, ~ar) swing (pivot) bridge
svängd *adj* (svängt) böjd curved, bent; välvd arched
svängdörr *s* (~en, ~ar) swing (amer. swinging) door; roterande revolving door
svänghjul *s* (~et, =) flywheel
svängig *adj* (~t), ~ *musik* vard. music that grooves
svängning *s* (~en, ~ar) svängande swinging; svängningsrörelse swing, oscillation; viftning wave; riktningsförändring turn; variation fluctuation; friare: i t.ex. politik [sudden] change (swing, shift)
svängningstal *s* (~et, =) fys. frequency
svängom *s* (oböjl., en), *ta* [*sig*] *en* ~ dansa take a turn round the dance floor (i rummet the room)
svängrum *s* (~met) space, [elbow] room
svära *vb tr* o. *vb itr* (svor, svurit) **1** använda svordomar swear, curse; vard. cuss [*över* (*åt*) at] **2** gå ed swear [*på* to; *vid* by]; lova äv. vow; ~ *ngn trohet* swear fidelity to sb; *han svor att* aldrig glömma oförrätten he vowed that he would...; *han svor på att han hade sett henne* he swore that he had seen her; *jag kunde ha svurit på att* det var han I could have sworn that...; ~ *sig fri från ngt* (*från att ha...*) friare deny sth (having...)
svärd *s* (~et, =) sword
svärdfisk *s* (~en, ~ar) zool. swordfish
svärdotter *s* (~n, -döttrar) daughter-in-law (pl. daughters-in-law, vard. daughter-in-laws)
svärdslilja *s* (~n, -liljor) iris; *gul* ~ yellow flag
svärdslukare *s* (~n, =) sword-swallower
svärfar *s* (-fadern, -fäder) father-in-law (pl. fathers-in-law, vard. father-in-laws)
svärföräldrar *s pl* parents-in-law
svärja *vb tr* o. *vb itr* (svor, svurit) se *svära*
svärm *s* (~en, ~ar) t.ex. av bin, människor swarm; av människor äv. crowd; av fåglar flight, pack; av frågor host [alla med of framför följande ord]
svärma *vb itr* (~de, ~t) **1** eg. swarm [*omkring* round, around] **2** bildl., *de satt och ~de* i månskenet they sat necking (spooning)...; ~ *för ngn* have a crush on sb, be gone on sb
svärmare *s* (~n, =) **1** drömmare dreamer, visionary **2** svärmarfjäril hawk (sphinx) moth
svärmeri *s* (~et, ~er) **1** förälskelse infatuation; starkare passion **2** person sweetheart, flame
svärmisk *adj* (~t) drömmande dreamy, visionary; romantisk romantic, fanciful
svärmor *s* (-modern, -mödrar) mother-in-law (pl. mothers-in-law, vard. mother-in-laws); ~*s tunga* bot. mother-in-law's tongue, sansevieria
svärord *s* (~et, =) swearword
svärson *s* (~en, -söner) son-in-law (pl. sons-in-law, vard. son-in-laws)
svärta I *s* (~n, svärtor) **1** svarthet blackness; färgämne blacking **2** zool. velvet (amer. white-winged) scoter **II** *vb tr* (~de, ~t) blacken, make (dye)...black; ~ *ned ngn* bildl. blacken (smear) sb's character, run sb down [*inför* ngn to...] **III** *vb itr* (~de, ~t) tidningen ~*r av sig* the printing ink comes off...
sväva *vb itr* (~de, ~t) eg. float, be suspended; om fågel

(högt uppe) soar; hänga fritt hang; gå lätt o. ljudlöst glide; ~ *i fara* be in danger; ~ *i ovisshet om ngt* be in a state of uncertainty as to sth; ~ *mellan liv och död* hover between life and death; ~ *fram* röra sig svävande flit along; ~ *ut* i tal, skrift stray (deviate) from one's subject, make digressions

svävande *adj* (oböjl.) floating osv., jfr *sväva*; obestämd vague, evasive

svävare *s* (~n, =) o. **svävfarkost** *s* (~en, ~er) hovercraft (pl. lika)

swahili *s* (oböjl.) språk Swahili

Swaziland Swaziland

sweater *s* (~n, sweatrar el. ~s) sweater

sweatshirt *s* (~en, ~er) sweatshirt

swimmingpool *s* (~en, ~er) swimming-pool

sy I *vb tr* o. *vb itr* (~dde, ~tt) sew; t.ex. kläder vanl. make; med. sew (stitch) up, suture; ~ *korsstygn* make cross-stitches; ~ *för hand* sew by hand; ~ *på maskin* sew on the machine; *låta ~ en kostym* have a suit made
II med beton. part.

sy fast t.ex. knapp sew on [vid to]; t.ex. ficka som lossnat i kanten sew up; ~ *fast en knapp i* rocken sew a button on...

sy i se *sy fast* ovan

sy ihop reva o.d. sew up; t.ex. två tyglappar sew (stitch) together; sår sew (stitch) up, suture

sy in a) minska take in **b**) vard., sätta i fängelse put...away, put...in [the] nick

sy om remake, alter

sy upp låta sy have...made; korta shorten

syateljé *s* (~n, ~er) dressmaker's [workshop]

sybaritisk *adj* (~t) sybaritic

sybehör *s pl* sewing-materials; hand. haberdashery sg.

sybehörsaffär *s* (~en, ~er) haberdasher's [shop]

syd *s* (oböjl.) o. *adv* south (förk. S); jfr äv. *nord* o. *norr* med ex. o. sammansättn.

Sydafrika South Africa

sydafrikansk *adj* (~t) South African

Sydamerika South America

sydamerikansk *adj* (~t) South American

Sydeuropa the south of Europe, Southern Europe

sydeuropeisk *adj* (~t) Southern European

Sydkorea Republiken Korea South Korea

sydkoreansk *adj* (~t) South Korean

sydkust *s* (~en) south coast

sydlig *adj* (~t) southerly; south; southern; jfr *nordlig*

sydligare m.fl., jfr *nordligare* m.fl.

sydländsk *adj* (~t) southern äv. om utseende o.d., ...of the South

sydlänning *s* (~en, ~ar) sydeuropé Southern European

sydost I *s* (~en) väderstreck the south-east (förk. SE); vind south-easter, south-east wind **II** *adv* south-east (förk. SE) [om of]

Sydostasien South-East Asia

sydpol *s* (~en, ~er), ~*en* the South Pole

sydsken *s* (~et) southern lights pl., aurora australis lat.

sydstaterna *s pl* the South sg., the Southern (under amerikanska inbördeskriget Confederate) States

Sydsverige the south of Sweden, Southern Sweden

sydväst I *s* **1** (~en) väderstreck the south-west (förk. SW); vind south-wester, sou'-wester, south-west

wind **2** (~en, ~ar) huvudbonad sou'-wester **II** *adv* south-west (förk. SW) [om of]

sydöst *s* (~en) o. *adv* se *sydost*

syetui *s* (~et, ~er el. ~n) sewing case

syfilis *s* (~en) med. syphilis

syfta *vb itr* (~de, ~t) sikta, eftersträva aim [*till* at; *till att* + inf. at + ing-form]; vid mätning äv. level; ~ *på* anspela på allude to, hint at; avse have...in view; mena mean; ~*r du på mig?* are you referring to me?; *vad ~r du på?* what are you driving at (talking about)?; *vad ~r försöken till?* what are...aimed at?, what is the purpose of...?; ~ *tillbaka på ngt* refer [back] to sth

syfte *s* (~t, ~n) ändamål purpose, end; mål aim, object; ~*t med* hans resa the purpose of...; *fylla sitt ~* answer (serve) its purpose; *i förebyggande ~* as a preventive measure; *i vilket ~?* to what end?, for what purpose?; *i* (*med*) ~ *att* + inf. with a view (an eye) to + ing-form, for (with) the purpose (with the aim) of + ing-form; *föreningen har till ~ att...* the object of the society is to...

syftning *s* (~en, ~ar) hän~ allusion [*på* to], hint [*på* at]

syförening *s* (~en, ~ar) sewing circle

syjunta *s* (~n, -juntor) syförening sewing circle; symöte, amer. sewing bee

sykorg *s* (~en, ~ar) work (sewing) basket

syl *s* (~en, ~ar) skom. awl; allm. pricker; *inte få en ~ i vädret* not get a word in edgeways

sylf *s* (~en, ~er) o. **sylfid** *s* (~en, ~er) mytol. sylph

syll *s* (~en, ~ar) järnv. sleeper; amer. crosstie, tie; byggn. sill

sylt *s* (~en, ~er) jam, preserve[s pl.]

sylta I *s* (~n, syltor) **1** kok. brawn; amer. headcheese **2** vard., sämre krog [third-rate] eating-house; amer. greasy spoon [joint] **II** *vb tr* o. *vb itr* (~de, ~t) **1** eg., (ofta äv. ~ *in*) preserve; göra sylt [av] äv. make jam [of]; t.ex. gurkor äv. pickle; ~*t apelsinskal* candied orange peel **2** bildl., ~ *in sig* trassla in sig get [oneself] involved (mixed up) [*i* in; *med* with]

syltburk *s* (~en, ~ar) tom jam jar, jam pot; med innehåll jar (pot) of jam

syltlök *s* (~en, ~ar) pickling onion; syltad lök, koll. pickled onions pl.

syltning *s* (~en, ~ar) preserving, jam-making (båda endast sg.)

sylvass *adj* (~t) eg. ...[as] sharp as an awl; bildl. piercing

symaskin *s* (~en, ~er) sewing machine

symbios *s* (~en) biol. symbiosis

symbiotisk *adj* (~t) symbiotic

symbol *s* (~en, ~er) symbol; *vara en ~ för* be a symbol (be symbolic) of, symbolize, epitomize, stand for

symbolik *s* (~en) symbolism; som lära el. teol. symbolics sg.

symbolisera *vb tr* (~de, ~t) symbolize

symbolisk *adj* (~t) symbolic; om betalning, motstånd äv. token (endast attr.)

symboliskt *adv* symbolically

symfoni *s* (~n, ~er) symphony äv. bildl.

symfoniker *s* (~n, =) symphonist

symfoniorkester *s* (~n, -orkestrar) symphony orchestra

symfonisk *adj* (~t) symphonic

symmetri *s* (~n, ~er) symmetry

symmetrisk *adj* (~t) symmetrical

sympati s (~n, ~er) medkänsla o.d. sympathy [*för* for]; uppskattning appreciation; *~er och antipatier* likes and dislikes; *socialistiska ~er* Socialist sympathies (leanings); *fatta ~ för ngn* take to sb; *känna* (*hysa*) *~ för ngn* tycke feel drawn to sb; medkänsla feel sympathy for sb

sympatisera vb itr (~de, ~t) sympathize, be in sympathy [*med* with]; *~ med* tycka om like

sympatisk adj (~t) **1** trevlig nice, pleasant, likable, sympathetic; tilltalande attractive; vinnande winning **2** anat. el. med. sympathetic

sympatistrejk s (~en, ~er) sympathy (sympathetic) strike

sympatistrejka vb itr (~de, ~t) go out on (stage) a sympathy strike, strike in sympathy

sympatisör s (~en, ~er) sympathizer

symposium s (symposiet, symposier) symposium (pl. symposiums el. symposia)

symtom s (~et, =) symptom [*på* of]; tecken äv. sign, indication [*på* of]

symtomatisk adj (~t) symptomatic [*för* of]

syn s (~en, ~er) **1** synsinne [eye]sight; synförmåga vision; *ha dålig* (*god, bra*) *~* have bad (good) eyesight; *ha normal ~* have normal vision (sight) **2** anblick sight, spectacle; *få ~ på...* catch (get) sight of...; *komma till ~es* appear; *en ståtlig ~* vanl. a fine spectacle; *ingen vacker ~* not a pretty sight **3** synsätt, åskådning view [*på* of]; views pl., outlook [*på* i båda fallen on]; approach [*på* to]; åsikt äv. opinion, idea [*på* i båda fallen of]; *få en helt annan ~ på...* get an entirely different idea of...; *det är min ~ på saken* äv. that's how I look at it **4** vision vision; spökbild apparition; *se* (*ha*) *~er* have visions; *se i ~e* se fel be mistaken; se syner have visions; *jag trodde jag såg i ~e* äv. I thought my eyes were deceiving me **5** vard., ansikte face; *bli lång i ~en* pull a long face **6** utseende, sken, *för ~s skull* for the sake of appearances, for appearance['s] sake; för att briljera for show; *till ~es* som det ser ut apparently, to all appearance[s]; skenbart seemingly; *till ~es utan orsak* vanl. for no apparent reason **7** besiktning inspection, survey

syna vb tr (~de, ~t) **1** besiktiga inspect, survey; granska examine, scrutinize; friare look over; *~ ngt i sömmarna* scrutinize..., examine...closely; affär o.d. look thoroughly into...; *~ ngn i sömmarna* look thoroughly into sb's affairs; *~ av* inspect [and certify] **2** kortsp. see

synagoga s (~n, synagogor) synagogue

synas vb itr dep (syntes, synts) **1** vara synlig be seen, be visible, be in evidence; visa sig appear, show; *vi syns!* vard. see you [later]!, be seeing you!; *fläcken syns inte* the spot does not show; *huset syns inte härifrån* the house can't be seen from here, you can't see the house from here; *det syns lång väg* it stands (sticks) out a mile; *det syns* [*tydligt*] *att* de är släkt it is obvious (evident) that..., it is plain to see that...; *det syns på honom att han...* one (you) can tell by looking at him that he...; *det syntes på honom* you could see it from the way he looked (by his appearance); *~ till* appear, be seen; *han har inte synts till på länge* he has not been seen about for a long time **2** framgå appear; *som synes av rapporten* as appears (is evident) from the report; *han är som synes svår att övertala* as you see it is difficult to persuade him **3** tyckas appear (seem) [to be]; *det

synes mig vara överflödigt to me it appears (seems) [to be]...

synbar adj (~t) synlig visible [*för* to]; märkbar apparent; uppenbar obvious, evident

synbarligen adv uppenbart obviously, evidently; av allt att döma apparently

synbild s (~en, ~er) visual picture

syncell s (~en, ~er) anat. visual cell

synd s **1** (~en, ~er) försyndelse sin; överträdelse transgression; åld. el. bibl. trespass; *ett ~ens näste* a hotbed of sin (vice); *envis som ~en* as stubborn as a mule; *för mina ~er* (*~ers skull*) for my sins; *leva i ~* live in sin **2** (oböjl., en) skada, orätt, *så* (*vad*) *~!* what a pity (shame)!; *det är ~ att* han inte kan komma it's a pity [that]...; *det är ~ och skam* it's a great (crying, wicked) shame; *~ bara att* det är så långt the pity is that...; *det är ~ om honom* one cannot help feeling sorry for him, I feel sorry for him; *tycka ~ om* ömka pity; hysa medkänsla feel sorry for

synda vb itr (~de, ~t) sin; transgress [*mot* against]; *~ mot en regel* offend against a rule

syndabekännelse s (~n, ~r) confession [of sin]; friare confession of one's sins

syndabock s (~en, ~ar) scapegoat, whipping-boy

syndaflod s (~en, ~er) flood, deluge; *~en* bibl. the Flood

syndaförlåtelse s (~n, ~r) remission (forgiveness) of sins; relig. absolution; *ge ngn ~* absolve sb from his (resp. her) sin[s]

syndapengar s pl orätt vunna ill-gotten money sg.

syndare s (~n, =) relig. sinner; friare offender

syndfri adj (-fritt) sinless, ...free from sin

syndfull adj (~t) sinful, ...full of sin

syndig adj (~t) sinful; starkare wicked, evil; *det vore ~t att...* it would be a sin to...; *~t leverne* äv. life of sin

syndikalism s (~en) polit. syndicalism

syndikalist s (~en, ~er) polit. syndicalist

syndikat s (~et, =) syndicate, combine

syndrom s (~et, =) med. syndrome äv. friare

synergieffekt s (~en, ~er) ekon. synergy effect

synergism s (~en) spec. med. synergy

synfel s (~et, =) defect of vision, visual defect

synfält s (~et, =) field of vision, visual field; bildl., se *synkrets*

synförmåga s (~n) [faculty of] vision, [eye]sight

synhåll s (oböjl.), *inom* (*utom*) *~* within (in, out of) sight [*för* of]; *komma inom ~* come into sight (view); *försvinna ur ~* pass from (go out of) sight

synintryck s (~et, =) visual impression

synka vb tr (~de, ~t) vard. sync

synkop s (~en, ~er) mus. syncope

synkopera vb tr (~de, ~t) mus. el. språkv. syncopate

synkrets s (~en) framför allt bildl. range of vision; *vidga sin ~* bildl. widen one's horizon, broaden one's mind

synkron adj (~t) fys. synchronous; språkv. synchronic båda äv. bildl.

synkronisera vb tr (~de, ~t) synchronize

synkronisering s (~en, ~ar) synchronization

synlig adj (~t) som kan ses visible [*för* to]; märkbar perceptible, noticeable; *vara fullt ~* äv. be in full view [*för* of]; *~t bevis* ocular evidence (proof, demonstration); *bli ~* komma i sikte come into sight (view)

synminne *s* (~t) visual memory

synnerhet *s* (oböjl.), *i [all]* ~ särskilt particularly, especially, in particular; framför allt above all; *i [all]* ~ *som...* äv. all the more so as...

synnerligen *adv* ytterst extremely, exceedingly, most; mycket very; särskilt particularly, specially, especially

synnerv *s* (~en, ~er) anat. optic (visual) nerve

synonym I *adj* (~t) synonymous [*med* with] **II** *s* (~en, ~er) synonym [*till* of]

synops *s* (~en, ~er) o. **synopsis** *s* (oböjl., en el. ett) för t.ex. film synops|is (pl. -es)

synorgan *s* (~et, =) organ of sight (vision), visual organ

synpunkt *s* (~en, ~er) allm. point of view, viewpoint; åsikt view, idea; *från* (*ur*) *juridisk* ~ from a legal point of view; *betrakta ngt från* (*ur*) *alla* ~*er* consider sth from all sides (from every angle, in all its aspects)

synrubbning *s* (~en, ~ar) visual disorder (disturbance)

synsinne *s* (~t) eyesight, sight, [faculty of] vision; uppfatta *med* ~*t* vanl. ...visually

synsk *adj* (~t) second-sighted, clairvoyant; *vara* ~ äv. have second sight

synskadad *adj* (-skadat, ~e) visually impaired; synsvag partially-sighted

synskärpa *s* (~n) keenness (acuteness) of vision; med. visual acuity

synt *s* (~en, ~ar) mus. synth

syntaktisk *adj* språkv. syntactic[al]

syntax *s* (~en, ~er) språkv. syntax

syntes *s* (~en, ~er) synthes|is (pl. -es)

syntetfiber *s* (~n, -fibrer) synthetic fibre

syntetisk *adj* (~t) synthetic

syntetmaterial *s* (~et, =) synthetic material; pl. äv. synthetics

synthesizer *s* (~n, =) mus. synthesizer

synvidd *s* (~en) range of vision äv. bildl., visual range

synvilla *s* (~n, -villor) optical illusion

synvinkel *s* (~n, -vinklar) eg. visual (optic) angle; bildl. angle, aspect; synpunkt point of view, viewpoint; *se ngt ur en ny* ~ get a new angle (slant) on sth

synål *s* (~en, ~ar) [sewing] needle

syo *s* (~n, ~r) skol. (förk. för *studie- o. yrkesorientering*) study and vocational guidance

syokonsulent *s* (~en, ~er) skol., ung. study and careers adviser (counsellor)

syra I *s* **1** (~n, syror) kem. acid **2** (~n) syrlig smak acidity, sourness **II** *vb tr* (~de, ~t) sour, make...sour; bröd leaven

syrabeständig *adj* (~t) o. **syrafast** *adj* (=) acid-proof, acid-resisting

syre *s* (~t) oxygen

syrebrist *s* (~en) lack of oxygen

syrefattig *adj* (~t) ...deficient in oxygen

syreförbrukning *s* (~en) consumption of oxygen

syren *s* (~en, ~er) bot. lilac

syrendoft *s* (~en) scent of lilac

syrgas *s* (~en) oxygen

syrgasapparat *s* (~en, ~er) oxygen apparatus

syrgasmask *s* (~en, ~er) oxygen mask

syrian *s* (~en, ~er) Syriac

syriansk *adj* (~t) Syriac

Syrien Syria

syrisk *adj* (~t) Syrian

syrlig *adj* (~t) eg. sourish, acidulous, somewhat sour (acid); bildl.: om t.ex, ton, kritik acid; om min sour; ~*a karameller* acid drops

syrlighet *s* (~en, ~er) egenskap sourness, acidity; yttrande m.m. acid remark m.m.

syrra *s* (~n, syrror) vard. sister; ibland sis

syrsa *s* (~n, syrsor) zool. cricket

syrsätta *vb tr* (-satte, -satt) oxygenate

syskon *s* (~et, =) brother[s pl.] and sister[s pl.]; formellt sibling[s pl.]; han har bara *ett* ~ ...a brother (resp. sister); *ha fem* ~ t.ex. två bröder och tre systrar have five brothers and sisters; *har du några* ~? do you have any brothers and (or) sisters?; *de är* ~ bror och syster they are brother and sister; *det yngsta av fem* ~ äv. the youngest of five children (of a family of five)

syskonbarn *s* (~et, =) pojke nephew; flicka niece

syskonkärlek *s* (~en) love (affection) for one's (resp. between) brother and sister osv., jfr *syskon*

syskrin *s* (~et, =) workbox

sysselsatt *adj* (=) busy [*med* with (over); *med att* + inf. [with] + ing-form]; upptagen occupied [*med* with; *med att* + inf. [in] + ing-form]; engaged [*med* in; *med att* + inf. in + ing-form]; anställd employed [*vid* bygge o.d. on]; *antalet* ~*a inom* jordbruket the number of people employed in...

sysselsätta I *vb tr* (-satte, -satt) **1** ge arbete åt employ; upptaga occupy, keep...busy; fabriken *sysselsätter 100 personer* ...employs 100 people **2** friare: vad ska vi ~ *dem med?* på t.ex. barnkalas ...set (give) them to do?
II *vb rfl* (-satte, -satt), ~ *sig* occupy oneself [*med* with; *med att* + inf. with + ing-form]; busy oneself [*med* with (about); *med att* + inf. [with] + ing-form]; fördriva tiden devote one's time [*med* to; *med att* + inf. to + ing-form]

sysselsättning *s* (~en, ~ar) **1** arbete occupation, employment, work; *full* (*minskad*) ~ ekon. full (reduced) employment; *trygga* ~*en* ensure full employment **2** friare something to do; *meningsfull* ~ something meaningful to do; *ha full* ~ [*med ngt*] have one's hands full [with sth]

syssla I *s* (~n, sysslor) **1** göromål business, work båda utan pl.; i hushåll o.d. duty, chore; sysselsättning occupation; *sköta sina sysslor* go about one's business (work) **2** arbete occupation, employment, job **II** *vb itr* (~de, ~t) vara sysselsatt busy oneself, be busy [*med* with; *med att* + inf. [with] + ing-form]; occupy oneself [*med* with; *med att* + inf. with + ing-form]; be occupied [*med* with; *med att* + inf. [in] + ing-form]; jag har *lite att* ~ *med* ...a few things to do (to attend to); *vad* ~*r du med?* just nu what are you doing? yrkesmässigt what do you do [for a living]?

syssling *s* (~en, ~ar) second cousin

sysslolös *adj* (~t) idle; overksam äv. inactive

sysslolöshet *s* (~en) idleness; overksamhet inactivity

system *s* (~et, =) **1** system; upplägg method, plan; nät (av t.ex. kanaler) network; vid tippning permutation, vard. perm; *sätta ngt i* ~ make a system of sth; *arbeta utan* ~ ...without system **2** *Systemet* se systembolag o. systembutik

systemadministratör *s* (~en, ~er) data. system administrator

systemanalys *s* (~en, ~er) data. systems analysis (engineering)

systematik *s* (~en) systematics sg.; friare classification

systematisera *vb tr* (~de, ~t) systematize, reduce...to a system

systematisk *adj* (~t) systematic, orderly; metodisk methodical

systembolag *s* (~et, =) **1** *Systembolaget* the Swedish Alcohol Retailing Monopoly **2** se *systembutik*

systembutik *s* (~en, ~er) state liquor shop (amer. store), state retail shop (store) selling wines and spirits

systemerare *s* (~n, =) data. systems engineer (analyst)

systemskifte *s* (~t, ~n) change of system

systemtips *s* (~et, =) spel. permutation; vard. perm

syster *s* (~n, systrar) sister äv. om nunna; om sjuksköterska vanl. nurse; *systrarna Brontë* the Brontë sisters

systerdotter *s* (~n, -döttrar) niece; ibland sister's daughter

systerfartyg *s* (~et, =) sister ship

systerskap *s* (~et) sisterhood

systerson *s* (~en, -söner) nephew; ibland sister's son

sytråd *s* (~en, ~ar) sewing thread

syvende *räkn*, *till ~ och sist* (*sidst*) finally; när allt kommer omkring when all is said and done, at the end of the day

1 så *s* (~n, ~ar) kärl tub

2 så *vb tr* o. *vb itr* (~dde, ~tt) sow äv. bildl.; *~ om* sow...again; *~ ut* sow; bildl. äv. disseminate; *som man ~r får man skörda* ordspr. as a man sows, so shall he reap

3 så I *adv* (ibland konj.) **1** allm. so; uttr. sätt: sålunda äv. thus; på så sätt äv. like this (that); *hur ~?* varför why?; *~ där* (*här*) like that (this), in that (this) way; *~ [där] går det* när man... that is what happens...; *~ [där] får man inte göra* you must not do that; *är det ~ här man gör?* is this how you (the way to) do it?; *Beethovens sjätte symfoni, den ~ kallade* (förk. *s.k.*) *Pastoralsymfonin* ...or the Pastoral Symphony, as it is called, ..., known as the Pastoral Symphony; *det här är ett exempel på det* (*den*) *~ kallade...* this is an example of what is called...; *min ~ kallade vän* this so-called friend of mine; *är det ~ du menar?* is that what you mean?; *den är placerad ~ att* man når den it is placed in such a manner (way) that...; *~ slutar berättelsen om...* that's how the story of...ends; so ends the story of...; *~ att säga* (förk. *s.a.s.*) so to speak (say), as it were; *~ sa han* so he said, those were his words; *han bara säger ~* he only says that; *om jag ~ får säga* if I may say so; *är det ~?* is that so?; *är det inte ~?* har jag inte rätt? aren't I right?; *det är ~ att...* the thing (fact) is [that]...; *~ är* (*var*) *det med det* (*den saken*)*!* so that's that!; *är* (*blir*) *det bra ~?* is it (that) all right?, tillräckligt is that enough?; *om ~ är* if so, in that case; *även om ~ vore* (*skulle vara*) even if that is (be) the case; *om du ~ vill* if you wish (like)

2 uttr. grad so; framför attr. adj. oftast such; framför adj. el. adv., vard. äv. that; vid jämförelse as; *~ där omkring klockan sju* round about seven, seven or thereabouts, sevenish; *filmen var ~ där* halvbra ...was not all that good; *hur mår du?* *– ~ där!* för all del not too bad!, so, so!; *~ här varmt är det sällan* i mars it is seldom as warm as this (vard. this warm)...; *det är*

inte ~ lätt it is not [so] very easy; *det är inte ~ tokigt* is not so (too) bad; *han är klokare än ~...*than that; *~ dum är han inte* he is not as (so) stupid as [all] that (vard. that stupid); *jag har aldrig förr träffat ~ snälla människor* ...such kind people; *jag har aldrig sett något ~ vackert* I have never seen (I never saw) anything so beautiful; *hon var ~ arg att* (*så* [*att*]) hon darrade she was so (vard. that) angry that...; *han är inte ~ dum så han tror det* he is not so silly as to believe it; *han är inte ~ dum att han flyttar* ...not silly enough to move; *~ dum som han är,* är det inte underligt att... considering how stupid he is,...

3 i utrop ofta how, what; *~ roligt!* how nice!; *~ synd* (*tråkigt*)*!* what a pity!; *~ länge* han dröjer*!* what a long time...!; *~ vackert hon sjunger!* how beautifully she sings!; *~ många tavlor!* what a lot of pictures!; *~ du ser ut!* what a state you are in!, what a sight you are!; *~ du säger!* vad du pratar! what a way to talk!; *~ ja!* lugnande there! there!, there now!; uppmuntrande come! come!; *~ [där] ja* nu är det klart well, that's that; *~ där [ja], nu kan vi gå* well, now we can go; *~ det ~!* och därmed basta and that's that!, so there!; jfr 3 *så III*

4 sedan, därpå, då o.d. then; efter sats som uttr. uppmaning o.d. ofta and; i vissa fall utan motsv. i eng.: *gå till höger ~ ser du...* turn to the right and you will see...; *[om du] gör det ~ får du* ett äpple if you do it I will give you...; *om du inte vill ~ slipper du* if you don't want to do it, [then] you needn't; *...men ~ är han också rik* ...but then he is rich

5 alltså: *~ du vill inte att han ska göra det?* so you don't want him to do it?

6 även: *om det ~ regnar, ~ kommer jag* I'll come even if it's raining

II *konj* o. förb. 'så att' (jfr äv. ex. under 3 *så I 1* o. 3 *så I 2*) **1** uttr. avsikt, *~ [att]* so that, in order that; so as to med infinitivkonstruktion i eng.; *han talar högt, ~ att de ska höra honom* ...so that they may (can) hear him; *han talade högt, ~ att de skulle höra honom* ...so that (in order that) they might (should, could) hear him; *skynda dig ~ du inte kommer för sent* vanl. hurry up or you will be late

2 uttr. följd, *~ [att]* so that; och därför [and] so; *hon frös ~ hon skakade* she was so cold that she was shivering, she was shivering with cold; *han var inte där, ~ vi gick* he was not there, so we left; *det är ~ man kan bli tokig* it is enough to drive you mad (up the wall)

III *interj* tröstande there[, there]!; jaså oh [indeed (really)]?; *~ du kom i alla fall!* so you came after all!; *~, ~ ta det lugnt!* come, come...!

IV *pron*, *i ~ fall* in that case, if so

sådan *pron* (sådant, sådana) **1** fören. such; i utrop vanl. what; *en ~ bok* such a book; *en ~ [där] bok* a book like that (this); *~a böcker* such books; *~a [där (här)] böcker* books like that el. those (this el. these); *en ~ bok* (*~a böcker*) av det slaget a book (books) of the (that) sort; *en ~ vacker bok!* what (ibland such) a...book!; *ett ~t väder!* what weather!

2 självst.: i vissa ställningar (bl.a. ofta i förb. 'sådan att') such; se vidare ex.: *~ är han* that's how he is; *~t är livet* such is life; *vädret var ~t att vi...* the weather was such that we...; *arbetet som ~t* the work as such; *~a som vi* people like ourselves (us); *en ~ som han* a man like him; *jag vill ha en ~ [där (här)* a) liknande ...one like that (this); *av det slaget* ...one of that sort b) *av de där* (här) ...one of those (these); *jag vill inte ha något att göra med ~a där* neds. ...people like that; *~t händer* these (such) things will happen, it's just one of those things; *det är ~t som händer* varje dag that sort of thing happens...; *något ~t har jag aldrig upplevt* I've never experienced anything like it

sådd *s* (~en, ~er) sående sowing; brodd new (tender) crop

såg *s* (~en, ~ar) **1** verktyg saw **2** se *sågverk*

såga I *vb tr* o. *vb itr* (~de, ~t) **1** saw; *~t virke* sawn timber **2** se *sabla ned* under *1 sabla*
II med beton. part.
såga av saw off; *itu* saw...in two; *~ av den gren man själv sitter på* ung. cut off one's nose to spite one's face
såga bort saw away
såga itu saw...in two
såga ned saw down
såga till saw
såga upp i bitar saw up
såga ut saw out

sågblad *s* (~et, =) sawblade
sågbock *s* (~en, ~ar) sawhorse; amer. sawbuck
sågfisk *s* (~en, ~ar) zool. sawfish
sågklinga *s* (~n, -klingor) sawblade
sågspån *s* (~et, =) koll. sawdust
sågtand *s* (~en, -tänder) sawtooth
sågtandad *adj* (-tandat, ~e) serrated
sågverk *s* (~et, =) sawmill

såld *adj* (sålt) **1** sold osv., jfr *sälja* **2** *han är ~* vard., förlorad he's done for, he's a goner, it is all up with him **3** *vara ~ på* vard., förtjust i be sold on
således *adv* följaktligen consequently, accordingly, thus; *jag hade ~ ingen möjlighet* so [you see] I had...
såll *s* (~et, =) sieve; för t.ex. grus screen
sålla *vb tr* (~de, ~t) eg. sift; t.ex. grus screen; bildl. sift; kandidater o.d. screen; *~ bort* sift out, separate; *~ fram* bevis sift out...
sålunda *adv* thus; på detta sätt äv. in this manner (way, fashion)
sån *pron* (sånt, såna) vard., se *sådan*
sång *s* (~en, ~er) **1** sjungande singing äv. skolämne, song; syrsas chirping; mässande chanting **2** sångstycke song; kväde lay; avdelning av större dikt canto
sångare *s* (~n, =) allm. singer; jazz~ o.d. äv. vocalist; diktare poet, singer
sångbar *adj* (~t) singable
sångbok *s* (~en, -böcker) songbook
sångerska *s* (~n, sångerskor) [female] singer; jazz~ o.d. äv. vocalist
sångfågel *s* (~n, -fåglar) **1** zool. songbird, songster **2** vard., person singer; *hon är en riktig ~* äv. she is always singing
sångförening *s* (~en, ~ar) choral society; amer. äv. glee club
sånggudinna *s* (~n, -gudinnor) muse
sångkör *s* (~en, ~er) choir
sånglektion *s* (~en, ~er) singing lesson
sånglärare *s* (~n, =) singing-teacher
sånglärka *s* (~n, -lärkor) zool. lark, skylark
sångröst *s* (~en) [singing] voice
sångstämma *s* (~n, -stämmor) vocal part
sångsvan *s* (~en, ~ar) zool. whooper [swan]
sångtext *s* (~en, ~er) lyrics pl., words pl.

sångundervisning *s* (~en) [the] teaching of singing; lektioner singing lessons pl.
såningsmaskin *s* (~en, ~er) sowing machine
såpa I *s* (~n, såpor) **1** soft soap; kem. soap **2** tv-serie soap **II** *vb tr* (~de, ~t), *~ [in]* soap
såpbubbla *s* (~n, -bubblor) soapbubble; *blåsa såpbubblor* blow bubbles
såphal *adj* (~t) slippery, greasy
såplödder *s* (-löddret) [soap]suds pl., lather
såpopera *s* (~n, -operor) neds. soap opera
sår *s* (~et, =) allm. framför allt hugg~, stick~ wound äv. bildl.; hugg~ el. skär~ äv. cut; inflammerat, varigt sore; röt~ äv. ulcer; bränn~ burn; *ett gapande ~* a gash, a gaping wound; *tiden läker alla ~* time heals all wounds, Time [is] the great Healer; *riva upp gamla ~* bildl. reopen old wounds; *slicka sina ~* bildl. lick one's wounds
såra *vb tr* (~de, ~t) **1** fysiskt wound, injure **2** kränka hurt, wound; förorätta injure; stöta offend; starkare outrage; *~ ngn djupt* äv. cut (sting) sb to the quick, touch sb on the raw; *för att inte ~ någon* not to hurt (wound) anybody's feelings; *~d fåfänga* wounded vanity, pique; *~d stolthet* wounded (injured) pride; *känna sig ~d* feel hurt (offended)
sårande *adj* (oböjl.) wounding [*för* to]; kränkande äv. offensive; om t.ex. behandling insulting
sårbar *adj* (~t) vulnerable
sårbarhet *s* (~en) vulnerability
sårig *adj* (~t) betäckt med sår ...covered with wounds etc., jfr *sår*; varig ulcered, ulcerous; bildl. wounded
sårsalva *s* (~n, -salvor) ointment [for wounds etc., jfr *sår*], healing ointment
sårskorpa *s* (~n, -skorpor) crust [of a (resp. the) wound], scab
sås *s* (~en, ~er) sauce; tunn kött~ äv. gravy
såsa I *vb tr* (~de, ~t), *~ ned duken* get sauce (köttsås gravy) over the tablecloth; *~ ned sig* vard., se *spilla på sig* under *spilla II* **II** *vb itr* (~de, ~t), *[gå och] ~* vard., söla dawdle, loiter
såsig *adj* (~t) **1** täckt av sås ...covered with sauce (köttsås gravy) **2** vard., sölig loitering, dilatory, slow
såskopp *s* (~en, ~ar) **1** se *såsskål* **2** vard., sölare dawdler, slowcoach
såsom *konj* as; 'på samma sätt som', 'i likhet med' (vanl. endast framför subst. ord) like, jfr *som II 2* o. *som II 3*; *de gjorde ~* de hade blivit tillsagda they did as...; uttala ordet *~ jag gör* ...as (vard. like) I do, ...like me; *~ tillbörligt är* as is fitting; *stora fiskar, ~* lax och gädda big fish, such as (, like)...
såssked *s* (~en, ~ar) gravy spoon
såsskål *s* (~en, ~ar) o. *såssnipa* *s* (~n, -snipor) sauceboat, gravy boat
såt *adj* (neutrum undviks), *~a vänner* intimate (bosom) friends; vard. great pals (mates)
såtillvida *adv* i så måtto so far, thus far; *~ att* (*som*) in so far as, insofar as
såvida *konj* if, in case; förutsatt att provided [that], inasmuch as; *~...inte* vanl. unless
såvitt I *adv* så långt as (so) far as; *~ jag vet* as far as I know, to the best of my knowledge **II** *konj* se *såvida*
såväl *konj*, *~ A som B* A as well as B; *~ i tal som i skrift* both in the spoken and the written language
säck *s* (~en, ~ar) sack; mindre bag; bot. el. zool. sac; *en*

~ potatis a sack of...; **bädda ~** make an apple-pie bed; **i ~ och aska** bildl. in sackcloth and ashes

säcka *vb itr* (~de, ~t) sag; om kläder be baggy; **~ ihop** collapse, break down

säckig *adj* (~t) baggy

säcklöpning *s* (~en) sack race; säcklöpande sack racing

säckpipa *s* (~n, -pipor) mus. bagpipe; ofta bagpipes pl.; **blåsa** (**spela**) **~** play the bagpipes

säckpipeblåsare *s* (~n, =) piper, bagpiper

säckväv *s* (~en) sacking, sackcloth

säd *s* (~en) **1** växande el. uttröskad corn; speciellt amer. grain; utsäde seed, grain; gröda crops pl. **2** fysiol. seed, semen

sädesax *s* (~et, =) ear of corn (pl. ears of corn)

sädescell *s* (~en, ~er) fysiol. sperm [cell]

sädesfält *s* (~et, =) med gröda field of corn (pl. fields of corn)

sädeskorn *s* (~et, =) grain of corn (pl. grains of corn)

sädesledare *s* (~n, =) anat. spermatic duct; vetensk. vas deferens lat.

sädesslag *s* (~et, =) kind of corn, cereal

sädesvätska *s* (~n) fysiol. semen, seminal fluid

sädesärla *s* (~n, -ärlor) zool. wagtail

säga I *vb tr* (sade (sa), sagt) yttra say; tala 'om, berätta, tillsäga tell; betyda mean, convey **a)** vissa konstr. vid 'say' o. 'tell': **~ ngt till** (**åt**) **ngn** say sth to sb, tell sb sth; **han sa** sa 'till mig **att jag skulle komma** he told me to come; **han sa** talade om för mig **att han skulle komma** he told me (said) [that] he would come **b)** andra ex.: **säg det!** vem vet? who knows?, search me!; **säg inte det!** det är inte säkert I wouldn't say that; **säg ingenting om det här till någon!** don't tell anybody [about this]!; **säg stopp!** säg till när jag har hällt upp lagom mycket say when! **~ ngn ett sanningens ord** tell sb a few home truths; **så att ~** so to speak (say), as it were; han är sparsam **för att inte ~ snål** ..., not to say stingy; om **jag får ~ det själv** though I say it myself; **får jag ~** använda förnamnet **Anna?** may I call you Anna?; **det är lätt för dig att ~** that's easy for you to say; **det kan jag inte ~** I can't (couldn't) tell (say); **man kan inte ~ annat än att...** there is no denying that...; **om, låt oss ~,** tre dagar in, [let's] say,...; **och det ska du ~!** t.ex. du som själv kommer för sent you are the one to talk!; kom snart, **ska vi ~ i morgon?** ...[shall we] say tomorrow?; **det vill ~** (förk. **d.v.s.**) that is [to say] (förk. i.e.); **vad vill det här ~?** what does this mean?, what is the meaning of this?; **det vill inte ~ lite** that is saying a good deal (quite a lot); **~ vad man vill, men hon...** I'll say this for her, she...; say what you like (will), but she...

gör som jag säger do as I say (tell you); **jag säger då det!** well, I never!; well, well!; well, I must say!; **det säger jag ingenting om** det har jag ingenting emot I have nothing against (to say to) that; **jag bara säger som det är** I am merely stating facts; **vad var det jag sa?** I told you so!, what did I say (tell you)?; **då säger vi det!** that's settled, then!; all right, then!; OK, then!; **säger du det?** really?, you don't say [so]?; **det säger du bara!** you don't mean it really!; **vad säger du om det?** how do you like that?; **vad säger du om förslaget?** vanl. what do you think about...?; **tänk på vad du säger** var försiktig mind your P's and Q's; **det säger allt!** that says it all!, it speaks volumes!; **det**

säger en hel del om hans förmåga that tells us quite a lot about...; **vem har sagt det?** who said that (so)?; åt dig äv. who told you [that (so)]?; **namnet säger mig ingenting** the name conveys nothing to me; **som ordspråket säger** as the saying goes

jag har hört sägas att... I have heard [it said] that...; **det sägs att han är rik** he is said to be rich, it is said (they say, people say) that he is rich

sagt och gjort no sooner said than done; **sagt är sagt!** om löfte a promise is a promise!; **det är lättare sagt än gjort** it is easier said than done; **det är för mycket sagt** that is saying too much; **därmed är inte sagt att...** it does not follow that..., that is not to say that...; **som sagt** [**var**] as I said before, as I told you; **oss emellan sagt** between ourselves (you and me)

II *vb rfl* (sade (sa), sagt), **det säger sig självt** it goes without saying, it stands to reason; **han sa sig att...** he told himself that...; **det låter ~ sig** förefaller rimligt that's quite plausible

III med beton. part.

säga efter: säg efter mig! say (repeat) this after me!

säga emot contradict; framför allt i nekande o. frågande satser gainsay

säga ifrån: säg ifrån säg till mig (honom etc.) **när** du blir trött tell me (him etc.) when..., let me etc. know when...; **han sa ifrån** [**på skarpen**] he put his foot down; **han sa bestämt ifrån att han inte ville göra det** he flatly refused to do it, he firmly declared that he would not do it

säga om: upprepa say...again, repeat

säga till befalla tell, order; **~ till** [**ngn**] ge [ngn] besked tell sb, let sb know; **~ till om ngt** beställa order (be om ask for) sth; om ni önskar något **så säg till!** ..., just say so!, ...just say the word!; **säg till** [**när det räcker**]**!** say when!; **säg till honom att komma** tell him to come; **han har ingenting att ~ till om** he has no say (influence); **han har en hel del att ~ till om** he has a great deal of say (influence)

säga upp anställd vanl. give...notice; hyresgäst vanl. give...notice to quit; avtal, abonnemang o.d. cancel; kontrakt äv. give notice of termination of; fordran, inteckning, lån call in; **~ upp bekantskapen med ngn** se under *bekantskap*; **~ upp sig** give [in one's] notice

säga åt: ~ åt ngn att + inf. tell sb to + inf.; **jag har sagt åt honom att** du tänker flytta I have told him that...

sägen *s* (sägnen, sägner) legend, myth

säker *adj* (~t, säkra) förvissad, övertygad sure, certain äv. viss; otvivelaktig [*på* (*om*) of (about)]; alldeles säker, vid påstående o.d. positive [*på* about]; full av tillförsikt confident [*på* of]; utom fara, riskfri, pålitlig safe [*för* t.ex. anfall from]; trygg, inte utsatt för fara secure [*för* t.ex. anfall from, against]; tillförlitlig safe, reliable, sure; stadig steady; betryggad assured; osviklig unerring, infallible; som efterled i sammansättn. med betydelsen 'motståndskraftig' [-]proof, jfr *stöldsäker, stötsäker* m.fl.; **~t bevis** certain (sure, positive) proof; **ha ~ blick för ngt** have a sure eye for sth; **en ~ chaufför** (bilförare) a safe driver; **ett ~t** [**göm**]**ställe** a safe [hiding-]place; **med ~ hand** with a sure (steady) hand; **en ~ investering** a safe investment; **från ~ källa** on good authority, from a reliable source (quarter); **säkra papper** hand. good securities, blue-chip investments; gå mot **en ~ seger** ...a sure (secure) victory; **vara på den säkra sidan** be on the safe side, play safe; **en ~ skytt** a sure shot; **det säkraste sättet att** + inf. the surest way of + ing-form; **ett ~t tecken** a sure sign; **det är [alldeles] ~t** otvivelaktigt it is [quite] certain, there is no doubt about it; **är det ~t?** äv. are you sure (certain) [of (about) that]?; **så mycket är ~t att...** so (this) much is certain that...; **det är säkrast att du tar paraply** you had better take an umbrella to be on the safe side; **var inte för ~!** don't be too sure (confident)!; **isen är ~** the ice is safe; **känna sig ~** feel secure (safe); **vara ~ på handen** have a sure (steady) hand; **är du ~ [på det]?** are you sure (certain) [about that]?; **det kan du vara ~ på** (**var så ~**) you may be certain (sure); vard. [you] bet your life, you bet, make no mistake; **jag är ~ på att** hon kommer I am certain (sure, positive) that...; **han tog det säkra för det osäkra och...** to be quite sure (to be on the safe side) he...; **det är bäst** för mig (dig osv.) **att ta det säkra för det osäkra** I (you osv.) had better be on the safe side (take no chances, play safe), better safe than sorry

säkerhet s (~en, ~er) **1** visshet certainty; trygghet safety, security; i uppträdande assurance, self-assurance, [self-]confidence, poise; duktighet skill [i in], mastery [i of]; **den allmänna ~en** public safety; **för ~s skull** to be on the safe side, for safety's sake, as a precaution; **sätta sig i ~** save oneself, get out of harm's way, reach safety; **vara i ~** be safe, be in safety; **med all ~** säkerligen certainly, without doubt; **veta med ~** know for certain (for a fact) **2** hand. security; **lämna (ställa) ~ för** ett lån give (leave) security for...; **låna ut pengar mot ~** lend money on security

säkerhetsanordning s (~en, ~ar) safety device
säkerhetsbestämmelse s (~n, ~r) security (safety) regulation (provision)
säkerhetsbälte s (~t, ~n) bil. el. flyg. seat belt; t.ex. säkerhetsanordning vid arbete på hög höjd safety belt
säkerhetskedja s (~n, -kedjor) på dörr doorchain; på smycke safety chain
säkerhetskontroll s (~en, ~er) security [control]; **gå igenom ~en** go through security
säkerhetskopia s (~n, -kopior) data. backup copy (file)
säkerhetslina s (~n, -linor) livlina lifeline; dykares signalling line
säkerhetsman s (~nen, -män) security man (officer)
säkerhetsmarginal s (~en, ~er) safety margin
säkerhetsnål s (~en, ~ar) safety pin
säkerhetspolis s (~en) security police (service); i Sverige the Swedish Security Service
säkerhetspolitik s (~en) security policy
säkerhetsrisk s (~en, ~er) security risk
säkerhetsråd s (~et, =), **~et** i FN the Security Council
säkerhetsskäl s pl, **av ~** for security reasons, for reasons of security
säkerhetsstyrkor s pl security forces
säkerhetssynpunkt s (~en, ~er), **från ~** from a security (safety) point of view
säkerhetstjänst s (~en, ~er) mot spioneri o.d. counterintelligence, security service
säkerhetständsticka s (~n, -stickor) safety match
säkerhetsventil s (~en, ~er) safety valve äv. bildl.
säkerhetsväst s (~en, ~ar) safety vest
säkerhetsåtgärd s (~en, ~er) förebyggande

precautionary measure; mot spioneri security measure
säkerligen adv certainly, no doubt, doubtless, jfr säkert
säkerställa vb tr (-ställde, -ställt) guarantee, secure, jfr säkra
säkert adv med visshet certainly, undoubtedly, no doubt; [högst] sannolikt very (most) likely, probably; tryggt safely; stadigt securely, firmly, steadily; [**ja**] **~!** certainly!, undoubtedly!, speciellt amer. sure!; iron. yeah, right!; **han hittar den ~** äv. he is certain (sure) to find it; **du känner henne ~** äv. I am sure you know her; **det vet jag [alldeles] ~** I know that for certain (for a fact); **jag vet inte ~ om...** I am not quite sure (certain) whether...; **han vinner ~** he is certain (sannolikt likely) to win; **hon är ~** nog **ganska ung** she is probably rather young; **hon träffas säkrast** mellan 9 och 10 the surest (best) time to get hold of her is...
säkra I vb tr (~de, ~t) **1** säkerställa, skaffa secure; trygga äv. guarantee; t.ex. freden safeguard; sin ställning äv. consolidate; **en ~d framtid** a secure future **2** skjutvapen put...at safety, half-cock; låsa fasten, secure **II** vb rfl (~de, ~t), **~ sig** skydda sig protect (secure) oneself [**mot** against]
säkring s (~en, ~ar) **1** elektr. fuse; **en ~ har gått** a fuse has blown **2** på vapen safety catch, safety bolt
säl s (~en, ~ar) zool. seal
sälg s (~en, ~ar) bot. sallow
sälja (jfr såld) vb tr o. vb itr (sålde, sålt) sell äv. bildl.; marknadsföra market; avyttra dispose of; jur.: salubjuda vend; **~ ngt för** 1000 kronor sell sth for...; hans böcker **säljer bra** ...sell well; **~ sig** sell oneself, bildl. sell out; varan **säljer sig själv** ...sells easily; **~ ut** sell out
säljare s (~n, =) seller; jur. äv. vendor; försäljare salesman
säljbar adj (~t) salable, marketable
säljkampanj s (~en, ~er) sales drive (promotion campaign)
säljkurs s (~en, ~er) för värdepapper asked price (quotation); för valutor selling rate
säll adj (~t) litt., lycklig blissful; happy äv. bibl.; salig blessed
sälla vb rfl (~de, ~t), **~ sig till** join
sällan adv **1** seldom, rarely, infrequently; **endast ~** vanl. only on rare occasions; **högst ~** very seldom etc.; **inte [så] ~** not infrequently, rather often **2** vard., **~!** visst inte certainly not!, not at all!, not likely!
sälle s (~n, sällar), **en liderlig ~** a proper rake; **en rå ~** a rough customer
sällhet s (~en) bliss, happiness
sällsam adj (~t, ~ma) strange, peculiar
sällsamhet s (~en, ~er) egenskap strangeness; **~er** sällsamma ting strange (peculiar) things
sällskap s (~et, =) umgänge company, society, companionship; tillfällig samling personer party, company; följeslagare companion; förening society, association, club; teater~ company; **ett slutet ~** krets a private party; **vi var ett stort ~** många we were a large party; **du kommer att vara i gott ~** you will be in good company; **göra ~ med ngn till stationen** go with (accompany) sb to the station; **gör ni ~ med oss?** are you coming along (with us)?; **jag hade (fick) ~ dit med henne**. **vi hade (fick) ~ dit** she and I (we) walked (reste travelled) there together...; **ha** 'vara ihop' **med en flicka** be going out with...; **de har ~** är

ihop' they are going out together; **hålla ngn** ~ keep sb company; **söka ngns** ~ seek sb's company; **för ~s skull** for company; **komma (råka) i dåligt** ~ get into bad company; **i** ~ **med** together (in company) with

sällskapa *vb itr* (~de, ~t) **1** ~ **med ngn** hålla ngn sällskap keep sb company **2** 'vara ihop' be going out together; **han ~de med henne** några månader he went out with her...

sällskaplig *adj* (~t) road av sällskap sociable, companionable, gregarious

sällskapsdam *s* (~en, ~er) [lady's] companion [*hos* to]

sällskapsdjur *s* (~et, =) t.ex. hund pet

sällskapslek *s* (~en, ~ar) party (parlour) game

sällskapsliv *s* (~et) umgängesliv social life; societetsliv society [life]

sällskapsmänniska *s* (~n, -människor), **han är ingen** ~ he is not a sociable person

sällskapsresa *s* (~n, -resor) conducted tour

sällskapsrum *s* (~met, =) på hotell o.d. lounge, assembly room; salong drawing-room

sällskapssjuk *adj* (~t), **han är så** ~ he needs (loves) company; tillfälligt he is longing for company

sällskapsspel *s* (~et, =) party (parlour) game

sällsynt I *adj* (=) rare, uncommon, unusual; **en** ~ **gäst** an infrequent (a rare) visitor; vi hade **en** ~ **otur** ...unusual bad luck; soliga dagar **är ~a** ...are scarce (few and far between) **II** *adv* exceptionally; **i** ~ **hög grad** to an exceptional degree

sällsynthet *s* (~en, ~er) egenskap rarity, rareness; händelse rare event; sak rarity, rare thing; **det hör till ~erna [att hon går ut]** it is a rare thing [for her to go out]

sälskinn *s* (~et, =) sealskin

sälta *s* (~n, sältor) saltness, salinity; bildl. salt

sälunge *s* (~n, -ungar) zool. young (baby) seal, seal pup

sämja *s* (~n) harmony, concord, unity; **i bästa** ~ in complete harmony

sämre I *adj* (komparativ) worse; 'skralare' äv. poorer; underlägsen inferior [*än* to]; absol.: om varor inferior; om nöjeslokal o.d. disreputable; **bli** ~ become (get, grow) worse; om situation el. vädret äv. deteriorate, worsen; **bli allt** ~ el. **bli** ~ **och** ~ get worse and worse, go from bad to worse; **han ville inte vara** ~ he wouldn't be outdone; **han är inte** ~ **än någon annan** he's just as good as anyone else **II** *adv* worse; ~ **kan man ha det** things might be worse

sämskskinn *s* (~et, =) chamois [leather], wash leather, shammy [leather]

sämst *adj* (superlativ) worst; **i ~a fall** if the worst comes to the worst, at [the] worst; visa sig **från sin ~a sida** ...at one's worst **II** *adv* worst; **de** ~ **avlönade** grupperna i samhället the most poorly paid...; **de** ~ **ställda** those who are worst off; **tycka** ~ **om** dislike...most

sända I *vb tr* (sände, sänt) **1** send [*med, per* by]; försända (hand.) äv. forward, dispatch; speciellt med järnväg, fartyg consign, ship; pengar remit; ~ **bud efter** ngn send for... **2** radio. broadcast; tekn. transmit; i tv vanl. televise; ibland telecast; konserten **sänds i radio och tv** ...will be broadcast and televised **II** med beton. part.

sända upp eg. send up; rymdfarkost äv. launch

sända ut send out; ljus, värme o.d. äv. emit; radio. el. tekn. transmit

sändare *s* (~n, =) sender; radio. el. TV. transmitter

sändarstation *s* (~en, ~er) transmitting (broadcasting) station

sändebud *s* (~et, =) **1** ambassadör ambassador; envoyé envoy; påvligt nuncio (pl. -s), legate **2** budbärare messenger, emissary

sändning *s* (~en, ~ar) (jfr *sända I*) **1** sändande sending, forwarding, dispatching etc.; ofta äv. dispatch, consignment, shipment, remittance, transmission **2** varuparti consignment, shipment; med fartyg äv. cargo; leverans delivery **3** i radio o. tv broadcast; tekn. transmission; i tv ibland telecast; ~ **pågår** skylt on air

sändningstid *s* (~en, ~er) radio. broadcasting time, air time; **på bästa** ~ i tv during peak viewing hours (prime television time)

säng *s* (~en, ~ar) **1** bed; utan sängkläder o.d. bedstead; barn~ cot, speciellt amer. crib; **dela** ~ share a bed, sleep in the same bed; **gå (hoppa) i säng med ngn** go to bed with sb; **komma i** ~ get to bed; **få kaffe på ~en** have [one's] coffee in bed; **ta ngn på ~en** överraska take sb by surprise; **gå till ~s** go to bed; **ligga till ~s** be (lie) in bed; om sjuk äv. be ill in bed; **stiga ur ~en** get out of bed **2** trädgårds~ bed

sängbord *s* (~et, =) bedside table

sängbotten *s* (-bottnen el. =, -bottnar) bottom of a (resp. the) bed[stead]

sängdags *adv*, **det är** ~ it is time for bed (bedtime); **vid** ~ at bedtime

sängfösare *s* (~n, =) nightcap

sänggavel *s* (~n, -gavlar) end of a (resp. the) bed (bedstead); huvudända headboard; fotända footboard

sänghalm *s* (~en) bedstraw; **krypa ur ~en** crawl out of bed

sänghimmel *s* (-himlen el. ~en el. ~n, -himlar) canopy

sängkammare *s* (~n, -kamrar el. =) bedroom

sängkant *s* (~en, ~er) edge of a (resp. the) bed; **vid ~en** friare at the bedside

sängkläder *s pl* bedclothes, bedding sg.

sänglampa *s* (~n, -lampor) bedside lamp

sängliggande *adj* (oböjl.), **vara** ~ be confined to [one's] bed, be ill in bed; sedan länge be bedridden; **bli** ~ tvingas inta sängen have to take to one's bed

sänglinne *s* (~t) bed linen

sängläge *s* (~t), **tvingas inta** ~ have to take to one's bed

sängmatta *s* (~n, -mattor) bedside rug

sängplats *s* (~en, ~er) säng bed; stugan **har fyra ~er** äv. ...sleeps four

sängram *s* (~en, ~ar) bed frame, bedstead

sängrökare *s* (~n, =), **vara** ~ smoke in bed

sängrökning *s* (~en) smoking in bed

sängvätare *s* (~n, =) bed-wetter

sängvätning *s* (~en) bed-wetting

sängöverkast *s* (~et, =) bedspread

sänka I *s* (~n, sänkor) **1** fördjupning depression, hollow; dal valley **2** med. sedimentation rate; **ta ~n** carry out a sedimentation test [*på ngn* on sb] **II** *vb tr* (sänkte, sänkt) **1** minska, göra (placera) lägre lower äv. mus.; priser, skatter o.d. äv. reduce; priser, lön äv. cut; rösten äv. drop; ~ **ned** sink; i vätska äv. immerse, submerge [*i* into]; fira ned lower; ~ **ngns betyg** i ett ämne lower sb's mark (amer. grade); ~ **farten** slow down, reduce speed; ~ **huvudet** lower one's head; ~

sina krav lower one's demands; *med sänkt blick* (*sänkt huvud*) with downcast eyes ([one's] head lowered) **2** ~ *ett fartyg* sink a ship **III** *vb rfl* (sänkte, sänkt), ~ *sig* descend; om mörker, tystnad äv. fall [*över* on]; bildl. om person äv. lower oneself [*till* to]; *skymningen sänker sig* twilight is falling

sänke *s* (~t, ~n) fiske. sinker

sänkning *s* (~en, ~ar) **1** abstr.: sänkande lowering osv., jfr *sänka II*; av fartyg sinking; geol. subsidence **2** konkr.: minskning av pris o.d. reduction; av pris, lön äv. cut

sänkningstecken *s* (-tecknet, =) mus. flat

sära *vb tr* (~de, ~t), ~ [*på*] skilja [från varandra] separate, part; ~ *på benen* part one's legs

särart *s* (~en, ~er) se *egenart*

särartad *adj* (-artat, ~e) peculiar, singular

särbehandling *s* (~en, ~ar) special treatment; *positiv* ~ positive discrimination; amer. affirmative action

särbeskattning *s* (~en, ~ar) individual (separate) taxation (assessment)

särbo *s* (~n, ~r) live-apart, *de är ~r* they are live-aparts, the live apart

särdeles I *adv* synnerligen extremely, exceedingly, most; i synnerhet particularly; *han är inte ~ försiktig* he is not particularly (none too) careful **II** *adj* (oböjl.) förträfflig excellent, splendid

särdrag *s* (~et, =) characteristic, distinctive feature; egenhet peculiarity

säregen *adj* (-eget, -egna) egendomlig strange, odd, peculiar, singular

säregenhet *s* (~en, ~er) strangeness, oddness (båda endast sg.), peculiarity, singularity

särfall *s* (~et, =) special case

särintresse *s* (~t, ~n) special interest

särk *s* (~en, ~ar) chemise, shift

särklass *s* (oböjl., en), *stå i ~* be in a class by oneself, be outstanding; *den i ~ bästa prestationen* the most outstanding performance

särla *adv* poet. late [in the evening (resp.day, night)]

särling *s* (~en, ~ar) odd (eccentric) person, eccentric

särprägel *s* (~n) distinctive character

särpräglad *adj* (-präglat, ~e) individual, distinctive; attr. äv. ...with a character of one's own; *han är en ~ personlighet* he is a striking personality

särredovisa *vb tr* (~de, ~t) report separately; ekon. disclose

särskild *adj* (särskilt) speciell special, particular; bestämd äv. specific; avskild separate; egen ...of one's own; *varje särskilt fall* each separate case; *~a omständigheter* special circumstances; *är det någon ~ färg du söker?* are you looking for any special (particular) colour?; *för ett särskilt* bestämt *ändamål* for a specific purpose; *jag märkte ingenting särskilt* I did not notice anything particular; *jag tänkte inte på någon* ~ I was not thinking of anybody in particular; *jag har inte något särskilt för mig i kväll* I'm not doing anything special (particular) tonight

särskilja *vb tr* (-skilde el. -skiljde, -skilt el. -skiljt) frånskilja separate, keep...separate; åtskilja distinguish [between]; urskilja discern

särskilt *adv* speciellt particularly, specially; i synnerhet äv. in particular, especially; *jag ber ~ att få fästa er uppmärksamhet på...* I beg to call your special attention to...; *jag brydde mig inte ~ mycket om det* I

did not bother too much (overmuch) about it; ~ *som* han hade lovat especially as (since)...

särskola *s* (~n, -skolor) school for the intellectually disabled

särskriva *vb tr* (-skrev, -skrivit) skriva i två ord write...in two words

särställning *s* (~en, ~ar), *inta en ~* speciellt om person hold (be in) an exceptional (a unique) position; speciellt om sak äv. occupy a place apart

särtryck *s* (~et, =) offprint

säsong *s* (~en, ~er) season; *det är ~ för jordgubbar nu* vanl. ...are in season now; *det är inte ~ för jordgubbar* vanl. ...are out of season

säsongsarbete *s* (~t, ~n) seasonal employment (work)

säsongsvara *s* (~n, -varor) seasonal commodity; *säsongsvaror* äv. seasonal goods

säte *s* (~t, ~n) **1** seat äv. i fordon; högkvarter äv. headquarters (sg. el. pl.); residens äv. residence [*för* i samtliga fall of]; stolsits äv. bottom; *ha sitt ~ i* residera reside in; finnas be established (located) in; *ha ~ och stämma i* have a seat and vote in, be a member of **2** persons bakdel seat

säteri *s* (~et, ~er) ung. manor [farm]

1 sätt *s* (~et, =) **1** vis: vanl. way; i ngt högre stil manner; spec. om sätt som utmärker viss person e.d. fashion (endast sg.); tillvägagångssätt äv. method; med avseende på den yttre formen mode; stil style; medel means (pl. lika); *det billigaste ~et att resa* the cheapest way to travel; *finns det något ~ att komma dit?* vanl. is there any means of getting there?; *jag tycker inte om hennes ~ att le* I don't like the way she smiles (her way of smiling); *hans ~ att undervisa* är... the way he teaches..., his method of teaching...; *det var då också ett ~!* indignerat what a way to carry on!; *på ~ och vis* i viss mån in a way; i viss mening in a sense; *på alla [möjliga] [allt]* ~ el. *på alla ~ och vis* in every [possible] way; i alla avseenden in all respects; *på annat ~* in another (in a different) way; med andra metoder by other means; *på bästa [möjliga]* ~ in the best [possible] way; *på det ~et* in that (this) way (manner), like that (this); *det var på det ~et som han...* that was how he...; *jaså, är det på det ~et!* so that's how (the way) it is, is it?; *på det ena eller andra ~et* el. *på ett eller annat* ~ somehow [or other], [in] one way or (and) another; *på ett ~ har han rätt* in a way he is right; *på mer än ett ~* äv. in more ways than one; *på följande ~* as follows, in the following way (manner); *på intet ~* in no way, by no means; han har inte hjälpt till *på minsta ~* ...at all, ...in the least; jag vill göra det *på mitt eget ~* ...my way, ...[in] my own way; *på många ~* avseenden in many ways (respects); reda sig *på något* ~ ...somehow; om jag kan hjälpa till *på något ~* ...in any (some) way; *på sitt ~* a) in his (her osv.) [own] way b) på ~ och vis in a way; *på så ~* in that way, so; *på så ~!* i utrop I see!; *på vad (vilket) ~?* how?, in what way?

2 uppträdande manner, way, behaviour; umgängessätt manners pl.; *hon har ett vinnande ~* she has a winning way with her; *vad är det för ett ~?* what do you mean by behaving like that?, where are your manners?, that's no way to behave

2 sätt *s* (~et, =) omgång, uppsättning set; tåg~ train

sätta I *vb tr* (satte, satt) **1** placera: allm. put, place, set; i sittande ställning seat; sätta stadigt plant, settle;

ordna (t.ex. i bokstavsordning) place, arrange; anbringa fit, fix; göra, t.ex. märke make; lämna leave; iordningställa (t.ex. deg) prepare; *var ska vi ~* placera *det?* where shall we put (place) it?; *~ komma* put a comma; *~ friheten högt* (*högre än...*) value freedom highly (more than...); *~ ngn att göra ngt* set sb to do sth; ge i uppdrag charge sb with the task of doing sth; *~ en blomma i knapphålet* (*vatten*) stick...in[to] one's buttonhole (put...in[to] water); *~ frimärken på* ngt put stamps on..., stamp...; *~ lite färg på* miljön, salladen add some (a touch) of colour to...; *~ smak på* smaksätta flavour; ge smak åt give a flavour to; *~ barn till världen* bring children into the world; *~ musik till en dikt* set a poem to music
2 satsa stake; investera invest; *~ 100 kronor på en häst* stake (put)...on a horse; *jag sätter* en hundring *på att han vinner* I bet you...[that] he will win
3 plantera set; t.ex. potatis plant
4 typogr. compose, set [up]; *~ ngt för hand* set...by hand
II *vb itr* (satte, satt), *~ i sken* bolt; *komma sättande* [s] come running (dashing)
III *vb rfl* (satte, satt) *~ sig* a) sitta ned sit down; ta plats seat oneself, take a seat; placera sig place oneself; ramla fall; slå sig ned, om fåglar settle, perch; *vill du inte ~ dig?* won't you sit down (take a seat, be seated)?; *~ sig* [*bekvämt*] *till rätta* settle oneself [comfortably]; *sätt dig här!* [come and] sit here!; *~ sig* [*upp*] *i* sängen sit up in...; *~ sig i bilen* (*på cykeln*) get into the car (get on the bicycle); *~ sig ned* sit down; *~ sig vid ratten* take the wheel; *~ sig att* arbeta sit down to...; sätta i gång med att set oneself to...
b) bildl., om person put oneself [*i* en situation in...]; *~ sig i förbindelse med...* get in touch with...; *~ sig i respekt* make oneself respected; *~ sig på* spela översittare mot *ngn* bully (domineer over) sb; *det kan du* [*hoppa upp och*] *~ dig på!* you bet!
c) sjunka, om t.ex. hus, mark, vätska settle, om t.ex. hus el. mark äv. subside; om bottensats settle to the bottom; fastna stick, get stuck [*i* röret in...]; lukten *sätter sig i gardinerna* ...sticks (clings) to the curtains; värken *sätter sig i lederna* ...settles in (gets into) the joints
IV med beton. part. (jfr äv. under *ställa III*)
sätta av a) släppa av (ngn) put...down (off); vard. drop
b) reservera set aside; pengar äv. set apart; *~ av pengar* (*tid*) *till...* äv. earmark money for (devote time to)... **c**) *~ av i full fart* set off at full speed
sätta dit fast *ngn* put sb away, run sb in; falskt anklaga (ange) frame sb, set sb up
sätta efter ngn run after..., chase...; börja jaga äv. start (set out) in pursuit of...
sätta sig emot ngn (ngt) opponera sig oppose...; ngt äv. set one's face against...
sätta fast a) fästa fix, fasten; *~ fast ngt i* (*på*) en vägg fix (attach) sth to...; *~ fast ngt med en nål* fasten sth [on] with a pin, pin sth on **b**) *~ fast ngn* put sb away, run sb in
sätta fram ta fram put out; till beskådande display; duka fram, t.ex. mat put...on the table; flytta fram, t.ex. stolar draw up; *~ fram stolar åt* gästerna bring up (place) chairs for...
sätta för en skärm put (place)...in front
sätta i a) allm. put in; fälla in: t.ex. ett tygstycke let in; t.ex. en lapp insert; sy i, t.ex. knapp sew...on; anbringa, sätta dit: t.ex. ett häftstift apply; *~ i en kontakt* put in a

plug; *~ i sig* mat put away... **b**) börja, om t.ex. värk set in, begin
sätta ihop allm. put (personer äv. place)...together; montera ihop äv. assemble; skarva ihop join [...together]; kombinera combine; författa, komponera compose; t.ex. ett program draw up; en artikel turn out; dikta ihop fabricate, make up, concoct; *~ foga ihop ngt med* ngt annat join sth on to...
sätta in (jfr *insatt*): **a**) allm. put...in (inomhus inside); införa insert; installera install; *~ in ngt i ngt* allm. put sth in[to] sth; *~ in en annons* put in an advertisement, advertise; *~ in* [*i pärm*] file; *~ in* pengar [*på banken*] deposit..., put in...[in the bank]; *~ in pengar på* ett konto pay money into... **b**) t.ex. extra vagnar put on; t.ex. extra tåg run; t.ex. extra personal put...on; *~ in* trupper mil. put in..., engage..., bring...into action **c**) orientera o.d., *~ in ngn* (*sig in*) *i* ngt acquaint sb (oneself) with..., make sb (oneself) acquainted with...; *~ in ngn i* ngt äv. initiate sb into...; *~ sig in i* ngt acquaint (familiarize) oneself with...; t.ex. ett ämne get into...
sätta iväg set (dash, run) off [*till* to]
sätta ned a) eg.: sätta ifrån sig put (set) down; placera lägre put...lower [down] **b**) minska: allm. reduce; sänka, t.ex. anspråk lower; försämra, t.ex. hörsel impair; försvaga, t.ex. krafter weaken; *~ ned priset* [*på...*] reduce (lower, cut) the price [of...]; *~ ned* [*priset på*] en vara reduce...[in price], mark down...
sätta om a) placera om rearrange; plantera om replant, transplant **b**) t.ex. ett lån renew, renegotiate
sätta på a) allm. put on; t.ex. plåster äv. apply; t.ex. etikett äv. attach [*på* i båda fallen to]; montera på fit on; *~ på ngt på* ngt put sth on...; montera på fit sth on to...; *~ på* [*sig*] ngt put on...; säkerhetsbälte fasten...; *~ på kaffet* (*vatten*) put the coffee-kettle on (put water on to boil) **b**) sätta i gång: t.ex. motor switch on; t.ex. radio turn on; cd-spelare, cd-skiva o.d. put on **c**) vulg., *~ på ngn* lay (screw) sb
sätta samman se *sätta ihop* ovan
sätta till a) tillfoga el. kok. add [*i, till* to] **b**) satsa, offra, t.ex. tid devote, spend; förlora lose; *~ till alla krafter* do one's utmost; [*få*] *~ livet till* lose (sacrifice) one's life **c**) han kan vara *besvärlig* (*riktigt snäll*) *när han sätter den sidan till* ...a nuisance when he is like that (quite nice when he wants to be)
sätta upp a) placera o.d., allm. put...up; resa, ställa upp äv. set up; uppföra äv. erect; höja, t.ex. pris äv. raise; hänga upp, t.ex. tavla hang; placera högre put...higher [up]; ordna t.ex. i bokstavsordning place, arrange; montera mount; ta på sig, t.ex. min put on; *~ upp gardiner* hang (put up) curtains; *~ upp håret* put up one's hair; *~ upp ngn på* en lista put sb [down] on...; *~ upp* debitera *på ngn* (*ngns räkning*) charge sb with..., put...down to sb (to sb's account) **b**) teat., iscensätta stage, mount **c**) etablera, starta: t.ex. tidning start; t.ex. affär äv. set up, open **d**) uppvigla, *~ upp ngn emot* ngn stir sb up against...; *~ sig upp mot* ngn set oneself up against..., rebel (rise) against...
sätta ut a) ställa ut put...out (utanför outside, utomhus outdoors); till beskådande display; vaktpost post, station; plantera ut plant (set) [...out] **b**) skriva ut: t.ex. datum put down; t.ex. komma put; ange: t.ex. ort på karta mark, show; t.ex. namn give
sätta åt ansätta pester, worry [*med* with]; klämma åt clamp down on

sätta över: ~ *sig över ngt* ignore (take no notice of) sth; inte respektera äv. disregard sth

sättare *s* (~n, =) typogr. typesetter, compositor

sätteri *s* (~et, ~er) typogr. typesetters pl.; del av t.ex. tryckeri composing room

sättmaskin *s* (~en, ~er) typogr. typesetting (composing) machine, typesetter

sättning *s* (~en, ~ar) **1** hopsjunkning i hus o.d. settlement, subsidence **2** typogr. composing, composition; skicka ngt *till* ~ ...to be set up [in type] **3** mus. arrangement

sättpotatis *s* (~en, ~ar) koll. seed potatoes pl.

sättsadverb *s* (~et, =) språkv. adverb of manner

säv *s* (~en) bot. rush

sävlig *adj* (~t) slow; maklig äv. leisurely

söckendag *s* (~en, ~ar) weekday; arbetsdag äv. workday

söder (jfr *norr* med ex.) **I** *s* (~n) väderstreck the south; *Södern* the South **II** *adv* [to the] south [om of]

Söderhavet the South Pacific, the South Sea[s pl.]

Söderhavsöarna *s pl* the South Sea Islands

söderifrån *adv* from the south

söderläge *s* (~t, ~n), trädgård i ~ ...facing south

södersol *s* (~en), ett rum med ~ ...sun[shine] from the south

söderut *adv* åt söder southward[s], towards [the] south; i söder in the south, out south; *resa* ~ go (travel) south

södra *adj* (best.) the south; the southern; jfr *norra*; *Södra korset* the Southern Cross

söka I *vb itr* (sökte, sökt) **1** eftersträva (t.ex. lyckan) seek; önska få (t.ex. upplysningar) want; försöka få try to get; leta look; ~ *[efter]* leta efter look (ihärdigt search, ivrigt hunt) for; vara på jakt efter be on the lookout for, be in search of; se sig om efter look about for; försöka hitta try to find; *för att* ~ *[efter]* äv. in search (quest) of; ~ *[läkare] för* ngt see (consult) a doctor about...; ~ *sanningen* seek [after] (search after) the truth; ~ *skydd* seek (ta take) shelter; ~ *tröst hos ngn* turn to sb for...; ~ *ngns blick* try to catch sb's eye; ~ *i fickorna* rummage one's pockets **2** vilja träffa want to see; försöka träffa try to get hold of; genom besök äv. call on; *vem söks?* el. *vem söker ni?* who[m] do you want?; *det är en herre som söker dig* there is a gentleman to see you **3** ansöka om, t.ex. anställning, licens apply for; stipendium try (compete) for **4** försöka, ~ + inf. try (sträva efter att attempt, endeavour) to + inf. **5** jakt. track...by scent

II *vb rfl* (sökte, sökt), ~ *sig* el. ~ *sig fram* [try to] find (pröva sig feel) one's way; ~ *sig till* bege sig till [try to] go to; uppsöka (t.ex. skugga) seek; vara på väg till, dras till make for; ta sin tillflykt till resort to; ~ *sig till ngn* seek sb (ngns sällskap sb's company); *folk söker sig till* storstäderna people make for..., tend to move to...

III med beton. part. (jfr äv. under *söka II* o. *leta III*)

söka sig bort från en stad try to get away from...; söka nytt arbete try to get a job somewhere else than in...

söka in på (till) en skola apply for admission in (entrance into)...

söka upp leta upp search out, hunt up; hitta find; ~ *upp* ngn look...up, call on..., go (resp. come) to see...; söka reda på seek out...

söka ut utvälja choose, select, pick out; ta reda på åt sig find oneself; ~ *sig ut* om t.ex. rök escape

sökande I *adj* (oböjl.) om blick searching; om t.ex.
konstnär, själ inquiring **II** *s* (~n, =) **1** search; searching osv., jfr *söka* **2** aspirant applicant, candidate [*till* en plats for...]

sökare *s* (~n, =) **1** foto. view finder **2** person som söker, filosof, ~ *efter sanningen* seeker after truth

sökarljus *s* (~et, =) searchlight; på t.ex. bil äv. spotlight

sökfunktion *s* (~en, ~er) data. search function (facility)

sökmotor *s* (~n, ~er) data. search engine

sökmöjlighet *s* (~en, ~er) data. searchability

sökning *s* (~en, ~ar) data. search; *göra en* ~ perform (run, do) a search [*efter* for; *på* on]

sökord *s* (~et, =) data. search word

sökprogram *s* (~met, =) data. search program

sökt *adj* (=) långsökt far-fetched; tillgjord affected, artificial; ansträngd laboured

söl *s* (~et) **1** senfärdighet dawdling, loitering; dröjsmål delay **2** kladd mess, muck

söla I *vb itr* (~de, ~t) gå och masa dawdle, loiter; dra ut på tiden waste time; ~ *med* sitt arbete dawdle over... **II** *vb tr* (~de, ~t), ~ *ned* smutsa soil, dirty, make...[all] grimy (grubby); kladda make...[all] messy (mucky)

sölig *adj* (~t) **1** långsam dawdling, slow **2** kladdig messy, mucky

sölkorv *s* (~en, ~ar) vard. dawdler, slowcoach, amer. slowpoke

söm *s* (~men, ~mar) **1** sömnad. o.d. seam; med. äv. suture; fog äv. joint; *gå upp i ~men* come apart (rip) at the seam; sömnad. äv. come unsewn **2** hästskospik horse[shoe]-nail

sömlös *adj* (~t) seamless, seamfree

sömmerska *s* (~n, sömmerskor) kläd~ dressmaker; fabriks~ sewer

sömmersketips *s* (~et, =) vard., *göra ett* ~ ung. fill in a pools coupon blindfold (with a pin)

sömn *s* (~en) sleep; *ha god* ~ be a good (sound) sleeper, sleep well; *gå i* ~*en* walk in one's sleep; vara sömngångare be a sleepwalker; *prata i* ~*en* talk in one's sleep; *gråta sig till* ~*s* cry oneself to sleep

sömnad *s* (~en, ~er) sewing; konkr. äv. needlework (båda endast sg.); *en* ~ a piece of needlework

sömnbehov *s* (~et) need of sleep

sömndrucken *adj* (-drucket, -druckna) ...heavy (drowsy) with sleep

sömngångaraktig *adj* (~t) somnambulistic; *med* ~ *säkerhet* with unerring sureness

sömngångare *s* (~n, =) sleep-walker, somnambulist

sömnig *adj* (~t) sleepy äv. bildl.; dåsig drowsy; slö indolent

sömnighet *s* (~en) sleepiness; dåsighet drowsiness; slöhet indolence

sömnlös *adj* (~t) utan sömn sleepless; vaken äv. wakeful; lidande av sömnlöshet (attr.) ...suffering from insomnia; *en* ~ *natt* a sleepless night; *ligga* ~ en natt lie sleepless (wakeful)...

sömnlöshet *s* (~en) sleeplessness; med. insomnia

sömnmedel *s* (-medlet, =) sleeping drug, soporific; tablett sleeping-pill

sömnpiller *s* (-pillret, =) sleeping-pill; *boken är rena rama sömnpillret* the book really sends you to sleep

sömnproblem *s* (~et), *ha* ~ suffer from insomnia, have difficulty sleeping

sömnsjuka *s* (~n) vanl. i Afrika sleeping sickness

sömntablett *s* (~en, ~er) sleeping-tablet, sleeping-pill

sömntuta *s* (~n, -tutor) **1** vard. sleepyhead; person som sover jämt great sleeper **2** bot. California poppy

sömsmån *s* (oböjl., en) seam allowance

söndag *s* (~en, ~ar) Sunday; *på sön- och helgdagar* on Sundays and holidays; jfr äv. *fredag* för ex. o. sammansättn.

söndagsbarn *s* (~et, =), *han är* [*ett*] ~ he was born on a Sunday (bildl. under a lucky star)

söndagsbilaga *s* (~n, -bilagor) Sunday supplement

söndagsbilist *s* (~en, ~er) Sunday driver, weekend motorist

söndagsklädd *adj* (-klätt) ...[dressed up] in one's Sunday clothes (Sunday best)

söndagsskola *s* (~n, -skolor) Sunday school

söndagsutflykt *s* (~en, ~er) Sunday excursion

söndagsöppen *adj* (-öppet, -öppna) ...open on Sunday[s]

sönder *adj* (oböjl.) o. *adv* (se också betonad partikel under respektive verb, t.ex. *köra sönder* under *köra III*) **1** sönderslagen, bruten, av o.d. broken; i bitar: adj. [all] in pieces; adv. to (into) pieces; itu: adj. in two pieces; adv. in two; *gå* ~ brista o.d. break [itu in two]; gå i bitar go (come, bildl. fall) to pieces; *ha* ~ slå sönder, bryta sönder etc. break; i flera delar break...to pieces (bits); itu break...in two; *bita* ~ bita hål i bite a hole (på flera ställen holes) in; *koka* ~ t.ex. kött boil...to shreds; t.ex. frukt boil...to a pulp (mash); *slå ngn* ~ *och samman* smash (batter) sb to pieces; *ta* ~ ta isär take...to pieces (apart, asunder); t.ex. maskin äv. disassemble, dismount; *trampa* ~ i bitar tread...to pieces **2** i olag out of order; slut (om t.ex. glödlampa) gone; hissen *är* ~ äv. ...doesn't work (function); *gå* ~ bli sönderslagen break; sluta fungera go (get) out of order; stanna, strejka break down; *ha* ~ damage; starkare destroy, ruin

sönderbränd *adj* (-bränt) ...completely burnt, ...burnt through; *vara* ~ *av solen* be badly burnt by the sun

sönderdela *vb tr* (~de, ~t) dela i bitar divide...into pieces (parts); stycka cut (break) up; kem. decompose

sönderdelning *s* (~en, ~ar) kem. decomposition

sönderfall *s* (~et) bildl. el. fys. disintegration; kem. decomposition

sönderfalla *vb itr* (-föll, -fallit) falla i bitar fall to pieces; bildl. el. fys. disintegrate; kem. decompose

sönderkokt *adj* (=) om t.ex. kött (attr.) ...that has (had osv.) been boiled to shreds; om t.ex. frukt (attr.) ...that has (had osv.) been boiled to a pulp (mash)

sönderläst *adj* (=) om bok battered, tattered

sönderriven *adj* (-rivet, -rivna) torn; *den är* ~ äv. it is (has been) torn to pieces (bits)

sönderrostad *adj* (-rostat, ~e), bilen *är* ~ ...has rusted away (been eaten away by rust)

sönderslagen *adj* (-slaget, -slagna) om sak broken; om person battered, knocked about

söndertrasad *adj* (-trasat, ~e) tattered [and torn]; *den är* ~ äv. it is (has been) torn to rags

söndra *vb tr* (~de, ~t) dela divide; splittra disunite, cause disunion in; t.ex. land, parti disrupt, break up; ~ *och härska* divide and rule; *ett* ~*t folk* a divided people

söndring *s* (~en, ~ar) splittring division, disunion (endast sg.); oenighet dissension, discord; schism

schism, split; *djup och varaktig* ~ som skilsmässoorsak ung. fundamental incompatibility

1 sörja *s* (~n) modd, slask slush; smuts mud; smörja sludge; oreda mess

2 sörja I *vb tr* (sörjde, sörjt), ~ *ngn* en avliden mourn [for] (starkare lament [for]) sb; sakna regret (grieve for, mourn) the loss of sb; bära sorgdräkt efter wear (be in) mourning of sb; ~ *ngt* t.ex. sin förlorade ungdom regret the loss of sth; ~ *ngns bortgång* mourn [over] (grieve over) sb's death **II** *vb itr* (sörjde, sörjt) **1** mourn, grieve; ~ *över* grieve for (over); sakna, beklaga regret; vara ledsen över be sorry about, grieve (be grieved) at **2** ~ *för* se till see to; sköta om take care of, look after; ta hand om care for; dra försorg om, ordna för provide for, make provision for; ordna med provide; ~ *för ngns behov* supply sb's wants; ~ *för framtiden* make provision for...; *det* (*den saken*) *ska jag* ~ *för* I'll see (attend) to that; ~ *för att* ngt görs see [to it] that...; *det är väl sörjt för honom* he is well provided for

sörjande I *adj* (oböjl.) mourning **II** *s* (~n, =), *de* [*närmast*] ~ speciellt vid begravning the [chief] mourners

sörpla I *vb tr* (~de, ~t), ~ *i sig* ngt drink (soppa o.d. guzzle) down...noisily **II** *vb itr* (~de, ~t), ~ [*när man dricker* (*äter*)] slurp, drink (eat) noisily

söt *adj* (sött) allm. sweet; rar, näpen äv. nice; vacker äv. pretty, amer. äv. cute; *en* ~ *flicka* a pretty (charming, lovely) girl; *en* ~ *klänning* nice (pretty, lovely) dress; ~ *lukt* (*smak*) sweet smell (taste)

söta *vb tr* (~de, ~t) sweeten

sötaktig *adj* (~t) sweetish; sliskig sickly-sweet

sötebrödsdagar *s pl* halcyon days; *ha* ~ have an easy time [of it]

sötma *s* (~n) sweetness; bildl. äv. sweets pl.; *segerns* (*hämndens*) ~ the sweets of victory (of revenge)

sötmandel *s* (~n, -mandlar) sweet almond (koll. almonds pl.)

sötningsmedel *s* (-medlet, =) sweetening agent, sweetener

sötnos *s* (~en, ~ar) vard. sweetie [pie], sweetheart, honey; amer. äv. cutie

sötsaker *s pl* sweets; amer. candy sg.; *tycka om* ~ äv. have a sweet tooth

sötsliskig *adj* (~t) sickly-sweet, sweet and sickly; om lukt, smak cloying; inställsam: om person oily; om t.ex. leende sugary

sötsur *adj* (~t) **1** kok. sweet-sour, sweet and sour **2** bildl., om t.ex. leende forced

sött *adv* rart o.d. sweetly, in a sweet manner; *det smakar* ~ it tastes sweet, it has a sweet taste; *sova* ~ sleep peacefully (soundly)

sötvatten *s* (-vattnet) fresh water

sötvattensfisk *s* (~en, ~ar) freshwater fish

söva *vb tr* (sövde, sövt) **1** put (send, vagga lull)...to sleep **2** med., ~ [*ned*] anaesthesize, administer an anaesthetic (a general anaesthetic) to

sövande *adj* (oböjl.) lulling, drowsy

t *s* (t:et, t:n el. t) bokstav t [utt. ti:]

ta I *vb itr* (tog, tagit) **1** take äv. friare el. bildl.; ta [med sig] hit, komma med bring; ta [med sig] bort, gå [dit] med take; fånga, ta fast catch; lägga beslag på seize, lay hands upon; ta betalt, debitera charge; träffa hit; göra verkan take (have some) effect; om kniv, såg o.d. bite; ~ **[en] bil** (**taxi**) take a taxi; ~ **tåg[et]** take the train; ~ **bollen** catch the ball; ~ **lite choklad!** have some chocolate!; **han kan [konsten att] ~ folk** he knows how to take (tackle) people; ~ **ett lån** raise a loan; **det ~r bara några minuter** it will only take a few minutes; skåpet **~r stor plats** ...takes up a lot of room; **vilken väg ska jag ~?** which way shall I take (choose)?; **hur tog hon det?** how did she take it?; ~ **ngt som ett skämt** take sth as a joke; **det tog** gjorde verkan it went home med prepositionsbestämning: **han kunde inte ~ ögonen från henne** he couldn't take his eyes off her; **vem ~r ni mig för?** who (what) do you take me for?, who (what) do you think I am?; **han tog** 50 kronor **för den** he charged [me]...for it; ~ **i** vidröra **ngt** touch sth; ~ **ngn i armen** take [hold of] sb by the arm; ~ **ngn i förhör** interrogate (question) sb; **var ska vi ~ pengar ifrån?** where are we to find money (to get money from)?; ~ **ngt med gott humör** put up with sth cheerfully; ~ **ngn om livet** take [hold of] sb round the waist; ~ **på** vidröra **ngt** touch sth; **det ~r på krafterna** it saps one's energy, it takes a great deal out of one (you); ~ **ngt på allvar** take sth seriously (in earnest)

2 i förb. med 'och' o. annat vb: **jag ska ~ och kila dit** I'll just pop over [there]; ~ **och sluta med det där!** just stop that!

II *vb rfl* (tog, tagit) ~ **sig a)** skaffa sig, företa etc.: t.ex. en ledig dag, ett bad, en promenad take; t.ex. en bit mat, en cigarett, ett glas öl vanl. have; servera sig äv. help oneself to **b)** [lyckas] komma get; **kan du ~ dig** hitta **hit?** can you find your way here?; ~ **sig över gränsen** [manage to] cross the border **c)** förkovra sig improve, make progress; bli bättre get better; om planta [begin to] grow; om eld [begin to] burn up **d)** ~ **sig för pannan** bildl., ung. shake one's head in despair; ~ **sig åt hjärtat** put one's hand to one's heart

III med beton. part.

ta sig an: ~ **sig an ngn** (**ngt**) take care of (see to, attend to) sb (sth)

ta av a) tr.: allm. take off, remove; förkorta shorten; ~ **av [sig]** klädesplagg, glasögon o.d. take off; dra av pull off, jfr **klä av** under *klä III*; **vill du inte ~ av dig och** sitta ner**?** won't you take off your things and...? **b)** itr.: vika av turn [off]

ta bort avlägsna take away, remove; ~ **bort handen från min axel** take your hand off my shoulder

ta efter ngn (**ngt**) imitate (copy) sb (sth)

ta emot a) tr. receive; erhålla, få äv. be given; pris o.d. be presented with; besökande, patienter o.d. see; lämna tillträde till, släppa in äv. admit [*i* into]; möta äv. meet, welcome; yrkesmässigt, t.ex. tvätt take in; antaga, acceptera accept; finna sig i stand for, put up with;

fånga (t.ex. boll) catch; dämpa, mildra (t.ex. stöt) break the force of, moderate; ~ **emot besök** (**besökande**) receive (see, admit) visitors (callers); ~**r herr Ek emot?** vanl. can I see...?; ~ **emot** inte tillbakavisa **pengar** take (accept) money; **alla bidrag ~s emot med tacksamhet** all contributions [are] gratefully received (are welcome); **förslaget togs emot med** livligt bifall the proposal was received with... **b)** itr.: vara i vägen be in the way; haka i catch; opers.: vara motbjudande, se *bjuda emot* under *bjuda II*

ta fast fånga catch; få fast get hold of; gripa seize, apprehend; ~ **fast tjuven!** stop thief!

ta fel se under *fel III*

ta fram eg. take out; konstruera, skapa design, develop; utarbeta, sammanställa siffror put together, compile; sätta ihop assemble; skissera outline, sketch; ~ **fram ngt ur...** take sth out of...; **ta fram biljetten** (**passet**) äv. produce the ticket (passport) [*ur* out of]; ~ **fram det bästa hos ngn** bring out the best in sb; ~ **sig fram** bana sig väg make (force) one's way, get through; klara sig ekonomiskt get on (along)

ta från se *ta ifrån* nedan

ta för sig servera sig help oneself [*av ngt* to sth]; hugga för sig grab

ta sig för (**före**) göra do; gripa sig an set about [*att skriva* writing]

ta sig förbi find one's way past, get past, pass [by]

ta hem med sig take (bring) home; ~ **hem spelet** win the game äv. friare

ta hit bring...here

ta i itr.: hugga i put one's back into it, go at it; med händerna pull away [hard]; hjälpa till lend (bear) a hand; **vad du ~r i!** ta det lugnt, säg inte så take it easy!, steady!, don't overdo it!, you don't have to exaggerate!; **det är väl att ~ i!** överdriva now you're exaggerating (overdoing it)!

ta ifrån ngn ngt eg. take sth away from sb; beröva deprive (rob) sb of sth

ta igen tillbaka take...back [again]; något försummat recover, make good; ~ **igen förlorad tid** make up for lost time; ~ **igen sig** återhämta sig recover; vila sig rest [up], take a good rest

ta in a) tr. take (bring) in; importera import; beställa [in] order [in (up)]; t.ex. artikel i tidning put in [*i* in]; sömnad. take in; ~ **in ngn** ge tillträde admit sb [*i* t.ex. förening, skola *på* to a school], ~ **in ngn på** en vårdanstalt commit sb to..., jfr *intagen*; ~ **in vatten** läcka let in water **b)** itr.: ~ **in på hotell** put up at a (an) hotel **c)** rfl.: ~ **sig in** get in

ta isär take...to pieces, disassemble, dismantle

ta itu med: ~ **itu med ngt** set about (set to work at) sth; ~ **itu med att** + inf. set about + ing-form; ~ **itu med ngn** take sb in hand

ta loss (**lös**) detach; ta bort take off (away); koppla bort disconnect

ta med föra hit, ha med sig bring...[along (with one)], have...with one; föra bort take...[along] with one, take...along; lägga till (till det övriga) take...too; ~ **med ngn på** en lista include sb in...

ta ned (**ner**) take (från hylla o.d. äv. reach) down; hämta ned (t.ex. från vinden) fetch (bring) down; ~ **ned ett segel** take in (down) a sail

ta om upprepa take (säga, läsa resp. sjunga om osv. say, read resp. sing osv.)...[over] again; ~ **om en scen** film. retake a scene; ~ **om av** soppan take another helping of…

ta på ngn (se äv. *klä på ngn* under *klä III*), ~ *på* [*sig*] t.ex. byxor, skor, glasögon put on; ~ *på sig* klä sig, se *klä II*; ~ *på sig ett stort ansvar* take a great responsibility; ~ *på sig en oskyldig min* put on an innocent air, assume an air of innocence; ~ *på sig skulden* take the blame; ~ *på sig* åta sig *för mycket* take on too much

ta sig samman pull oneself together; samla sig äv. collect oneself

ta till börja använda take to; begagna sig av use; tillgripa resort to; överdriva exaggerate [things]; ~ *till* beräkna *så att det räcker* take enough; ~ *till sig* t.ex. detaljer, fakta take in; ~ *sig till* göra do; *vad ska jag ~ mig till?* what am I to do?, what shall I do?; *vad ~r du dig till?* klandrande what are you doing?

ta tillbaka take (resp. bring) back; ansökan o.d. withdraw; löfte o.d. retract

ta upp take up äv. bildl. (t.ex. en fråga, kampen); hämta upp bring up; från marken, ur vattnet pick up äv. ~ upp [tillfälliga] passagerare o.d.; samla (plocka) upp gather up; avgift o.d. collect; ta med (i ordbok, förteckning o.d.) include; diskutera discuss; ~ *upp* [*igen* (*på nytt*)] åter ta itu med, se *återuppta*; ~ *upp beställningar* (*order*) take orders; ~ *upp* [*stor*] *plats* take up [a lot of] room; ~ *upp ngns tid* take up sb's time; *vi kan inte ~ upp tid med det* we cannot take up [our] time with it (that); ~ *upp tävlan* (*konkurrensen*) *med…* enter into competition with…; ~ *upp ngt till diskussion* bring sth up for discussion; ~ *sig upp till* toppen get to…

ta ur take out; tömma empty; avlägsna (t.ex. kärnor, en fläck) remove; rensa: fågel, hare draw, fisk clean, gut; ~ *ur ngt ur…* take sth out of…; ~ *ur kärnorna ur* körsbär äv. stone…; de där idéerna *ska jag nog ~ ur honom* I'll soon knock…out of him; *jag vet inte hur jag ska ~ mig ur det här* I don't know how to get out of this

ta ut a) mera eg. take; (resp. bring) out; bära (flytta) ut äv. carry (move) out; dra ut (t.ex. en spik) extract; få ut get out; [*lyckas*] ~ *sig ut* [manage to] get out, find one's way out [*ur* of] **b**) friare: pengar (på bank o.d.) withdraw (draw); lotterivinst o.d. claim; ~ *ut en kurs* sjö. set a course **c**) speciella betydelser: utvälja choose, select; plocka ut pick [out]; ~ *ut en melodi på* ett instrument pick out a tune on…; ~ *ut stegen* ta längre steg take longer strides; *de ~r ut varandra* they cancel each other out; ~ *sig ut* te sig look; ~ *ut sig* trötta ut sig tire oneself out

ta vid börja begin, start; fortsätta, följa follow [on]; om person äv. step in, take over; ~ *illa vid sig* be upset (put out) [*av* (*över*) about]

ta åt sig a) känna sig träffad feel guilty **b**) dra till sig, t.ex. smuts attract; fukt absorb, soak up **c**) tillskriva sig, t.ex. äran take, claim **d**) *vad ~r det åt dig?* what's the matter with you?

ta över överta ledningen, efterträda take over; jfr *överta*

tabbe s (~n, tabbar) vard. blunder, slip-up

tabell s (~en, ~er) table [*över* of]

tabianos s (~en, ~er) med. tabianosis (pl. tabianoses)

tablett s (~en, ~er) **1** läkemedel tablet, pill; karamell pastille, lozenge **2** liten duk table (place) mat

tablettmissbruk s (~et, =) addiction to pills, compulsive pill-taking

tabloid s (~en, ~er) tabloid

tablå s (~n, ~er) **1** teat. tableau (pl. -x) **2** översikt

schedule, table, chart [*över* of]; tv-tablå programme listings

tabu I s (~t, ~n) taboo (pl. -s); *belägga med ~* taboo, put (place) under taboo **II** *adj* (oböjl.) taboo

tabubelägga *vb tr* (-lade, -lagt) taboo, put (place) under taboo

tabulator s (~n, ~er) tabulator

tabuord s (~et, =) taboo word

taburett s (~en, ~er) **1** stol stool; antik tabouret **2** bildl., statsrådsämbete ministerial post

tack s (~et el. ~en, =) thanks pl.; barnspr. el. vard. ta; som interjektion äv. thank you; *ja ~!* a) som svar på: Vill du ha…? yes, please! b) som svar på: Har du fått…? yes, thanks (thank you)!; *nej ~!* no, thank you (thanks)!; när man erbjuds andra gången no more, thank you!; *jo ~* [*bra*]*!* fine, thank you!; *hjärtligt* (*varmt*) *~ för…* hearty (many) thanks for…; *tusen ~!* thanks a lot (awfully)!; högtidl. a thousand thanks!; *~ själv!* thank 'you!; *~ så mycket!* o. *~ ska du ha!* many thanks!, thank you very much!; formellare much obliged [to you]!; *~ så förfärligt* (*hemskt*) *mycket!* thank you very much indeed!; *är det* (*ska det vara*) *~en* för vad jag gjort*?* is that all the thanks I get?; *~ och lov!* thank God (Heavens)!; [*ett*] *stort ~!* thanks a lot!; *säga ~* say thank you; *~ för i dag!* vi har haft det trevligt tillsammans we've had a nice (pleasant) time together; *~ för maten!* I did enjoy the meal!, what a nice meal!; *~ för oss!* t.ex. i radio, motsvaras av thanks for listening!, goodbye listeners!; *~ för att du kom!* thanks for coming!, nice of you to come!; *med ~ på förhand* thanking you in advance; *det var ~ vare honom* it was thanks (owing) to him; *~ vare att* det upptäcktes i tid thanks (down) to the fact that…

1 tacka *vb tr* o. *vb itr* (~de, ~t) thank; högtidl. express one's thanks (gratitude, acknowledgement[s]) [*ngn* to sb]; *~ och ta emot* accept [it] and be grateful (thankful); *jo jag ~r jag!* det var inte dåligt well, I say!; well, well!; *~r som frågar!* ung. kind of you to ask!; *~r, ~r!* thanks a lot!; *ja* (*nej*) *till ngt* accept (decline) sth [with many thanks]; *~* [*ngn*] *för senast* (*sist*) bjudning, ung. thank sb for his (resp. her) hospitality; *det har du dig själv att ~ för* skyll dig själv! you have yourself to thank (blame) for it; du har velat det you have been asking for it; *ingenting att ~ för!* don't mention it!, not at all!, that's all right!; *~ för det!* naturligtvis of course!; det fattas bara annat I should think so!; *~ vet jag…* give me…[any day]

2 tacka s (~n, tackor) fårhona ewe

3 tacka s (~n, tackor) av järn, bly pig; av guld, silver bar, ingot; av stål billet

tackbrev s (~et, =) letter of thanks; vard., för visad gästfrihet bread-and-butter letter

tackel s (tacklet, =) tackle; *~ och tåg* ung. the rigging sg.

tackjärn s (~et) pig iron

tackkort s (~et, =), *ett ~* a thank-you card

tackla I *vb tr* (~de, ~t) **1** sport. el. bildl. tackle **2** sjö. rig **II** *vb itr* (~de, ~t), *~ av* a) sjö. unrig b) bli sämre, magra fall away; *han ~r av* he is losing it; jfr äv. *avtacklad*

tackling s (~en, ~ar) **1** sport. tackle; tacklande tackling **2** sjö., rigg rigging

tacksam *adj* (~t, ~ma) grateful [*mot* to]; starkare el. t.ex. mot försynen o.d. thankful [*för, över* for]; pred. (speciellt formellare) äv. obliged; som skänker tillfredsställelse rewarding, worthwhile

tacksamhet s (~en) gratitude [*mot* to]; *visa* [*ngn*] *sin* ~ [*för…*] show [sb] one's gratitude [for…]

tacksamhetsbevis s (~et, =) mark (token) of gratitude

tacksamhetsskuld s (~en), *stå i* ~ *till ngn* owe a debt of gratitude to sb, be under an obligation to sb

tacksamt adv gratefully; starkare el. t.ex. mot försynen o.d. thankfully; i hövlighetsfraser o.d. vanl. with thanks

tacksägelse s (~n, ~r) thanksgiving, thanks pl.

tacksägelsedagen s (best. sing.) i USA Thanksgiving [Day]

tacktal s (~et, =) speech of thanks; *hålla* ~ return formal thanks [on behalf of the guests]

tadel s (tadlet) ngt åld. blame, censure

tadzjikisk adj (~t) Tajik

Tadzjikistan Tadjikistan

tadzjikistansk adj (~t) Tajik

1 tafatt s (oböjl.) lek tag; *leka* ~ play tag

2 tafatt adj (=) awkward, clumsy; om person äv. gawky

tafatthet s (~en) awkwardness, clumsiness; hos person äv. gawkiness

taffel s (~n, tafflar) **1** [*den kungliga*] *~n* bordet the [Royal] table; måltiden the [Royal] banquet; *häva ~n* give the signal to rise from table **2** hist., piano square piano

tafs s **1** (~en, ~ar) fiske. snell, snood **2** (~en) vard., *få på ~en* get it good and proper

tafsa vb itr (~de, ~t) vard., ~ *på ngn* paw sb about, grope sb

taft s (~en) tyg taffeta

tag s (~et, =) **1** grepp grip, grasp [*om, omkring* round]; hold äv. bildl. [*i, om* of]; rörelse: sim~, år~, stråkdrag stroke; ryck pull; *släppa ~et* let go; *inte släppa ~et* retain one's hold; bildl. not give up (in); *ta nya* ~ have another go at it, make a fresh effort; *ta* (*gripa, hugga*) ~ *i* take (grab, catch) [hold of]; *få* ~ *i* (*på*) get hold of; hitta find; komma över pick up; *när han kommer i ~en* [*med att berätta*] when he gets started [telling stories] **2** gång, stund, slag, jag glömmer det inte *i första ~et* …in a hurry; *lite i ~et* a little at a time; *två i ~et* two at a time; *ett* ~ verkade det som om at one time…, for a while…; *det var ett* ~ *sen* vi sågs sist it's quite a time since…; jag ska resa bort *ett* ~ …for a while; jfr äv. ex. under *2 slag 5*

taga vb tr o. vb itr (tog, tagit), *man tager vad man haver* ung. you [have to] take what you've got; *tager du denna NN till din äkta maka?* vid vigsel do you take NN to be your wife?, se vidare *ta*

tagel s (taglet, =) horsehair

tagelskjorta s (~n, -skjortor) hair shirt

tagen adj (taget, tagna) medtagen tired out; vard. done up; gripen, rörd touched, moved, affected (samtliga endast pred.); starkare thrilled

tagetes s (oböjl., en) bot. French (större African) marigold

1 tagg s (~en, ~ar) **1** allm. prickle; skarp spets jag; pigg spike; på t.ex. kaktus spine; törn~ thorn; på taggtråd barb; på hjort- o. älghorn tine; *vända ~arna utåt* bildl. show one's claws **2** sl., cigarett fag

2 tagg s (~en, ~ar) på bagage [luggage (baggage)] tag

taggad adj (taggat, ~e) **1** med taggar serrated; ojämnt jagged **2** vard., laddad, på hugget raring to go, psyched up

taggig adj (~t) prickly; spiny, spinous; thorny; jfr *1 tagg*

taggsvamp s (~en, ~ar) bot. hedgehog mushroom

taggtråd s (~en, ~ar) barb[ed] wire

tagning s (~en, ~ar) foto., exponering exposure; film. filming, taking, shooting; enstaka take, shot; [*tystnad*,] ~*!* ofta camera!

Taiwan Republiken Kina Taiwan

taiwanesisk adj (~t) Taiwanese

tajma vb tr (~de, ~t) vard. time äv. sport.

tajt adj (=) vard. tight

tak s (~et, =) ytter~ roof (äv. om dess undersida, då innertak saknas, t.ex. i kyrka, vindsvåning, vagn); inner~ ceiling äv. bildl.; utsidan på vagn, bil o.d. äv. top; *inte ha* ~ *över huvudet* have no (be without a) roof over one's head; rummet *är högt* (*lågt*) *i* ~ …has a high (low) ceiling; *det är högt i* ~ the ceiling is high äv. bildl.; *lägga* ~ *på…* put (lay) a roof on…, roof…; *sätta ett* ~ *för* impose a ceiling on, om utgifter o.d. äv. cap

takbelysning s (~en, ~ar) belysning från taket ceiling lighting; armatur ceiling [light] fitting

takbjälke s (~n, -bjälkar) beam of a (resp. the) roof; bindbjälke tie beam

takbox s (~en, ~ar) på bil roof box

takdropp s (~et) utomhus dripping from the roof

takfot s (~en) base of a (resp. the) roof

takfönster s (-fönstret, =) skylight [window]

takhöjd s (~en, ~er) ceiling height

takkrona s (~n, -kronor) chandelier

taklagsfest s (~en, ~er) o. **taklagsöl** s (~et, =) ung. topping-out party

taklampa s (~n, -lampor) ceiling lamp

taklist s (~en, ~er) cornice

taklucka s (~n, -luckor) roof hatch; på bil sunroof

takmålning s (~en, ~ar) konst. ceiling painting (picture)

taknock s (~en, ~ar) roof ridge

takpanna s (~n, -pannor) [roofing] tile

takräck s (~et, ~en) o. **takräcke** s (~t, ~n) på bil roof rack

takränna s (~n, -rännor) gutter

takstol s (~en, ~ar) roof truss

takt s (~en, ~er) **1** tempo: mus. time; fart pace, rate; *markera ~en* mus. set (mark) the time; *hålla ~en* keep pace (mus. time); *slå ~en* beat time; *stampa ~en* beat time with one's foot; *öka ~en* increase the pace (speed); *gå i* ~ keep (walk) in step; *slå av på ~en* slow down, decrease the pace; *komma ur* ~ vid marsch get (fall) out of step; mus. get out of time **2** rytmisk enhet bar; versfot foot; mus. stroke **3** finkänslighet tact[fulness]; hänsyn delicacy, discretion

taktart s (~en, ~er) mus. time

taktdel s (~en, ~ar) mus. beat

taktegel s (-teglet) koll. [roofing] tiles pl.

takterrass s (~en, ~er) roof terrace, flat roof

taktfast I adj (=) om steg measured; rytmisk rhythmic[al] **II** adv, marschera ~ …in perfect time

taktfull adj (~t) finkänslig tactful; hänsynsfull discreet

taktfullhet s (~en) finkänslighet tactfulness; hänsyn discretion

taktik s (~en, ~er) tactics pl.; *en ny* ~ metod a new tactic

taktiker s (~n, =) tactician

taktisk adj (~t) tactical

taktkänsla *s* (~n) **1** taktfullhet sense of tact, tactfulness **2** mus. sense of rhythm

taktlös *adj* (~t) tactless

taktlöshet *s* (~en, ~er) tactlessness, want of tact (båda endast sg.)

taktpinne *s* (~n, -pinnar) mus. [conductor's] baton

taktstreck *s* (~et, =) mus. bar-line

takvåning *s* (~en, ~ar) elegant penthouse, jfr vidare *vindsvåning*

takås *s* (~en, ~ar) [roof] ridge, ridge of a (resp. the) roof; bjälke roof tree

tal *s* (~et, =) **1** antal, siffertal number; räkneuppgift sum; *hela* ~ whole numbers, integers; *räkna ett* ~ do (work out) a sum

2 talande, anförande speech; *~ets gåva* the gift of speech; *direkt* ~ språkv. direct speech; *indirekt* ~ språkv. indirect (reported) speech; *det kan inte bli* ~ *om det* there can be no talk (question) of that; *det kunde inte bli* ~ *om att sova* sleep was out of question; *det har varit* ~ *om det* (*det har varit på* ~) en eller ett par gånger there has been talk of it..., that has been [brought] up...; *det har aldrig varit* ~ *om det* (*om att* + inf.) kommit i fråga there has never been any question of that (of + ing-form); *hålla* [*ett*] ~ make (give, deliver) a speech [*för ngn* for (in honour of) sb]; *i* ~ *och skrift* verbally and in writing; *falla ngn i* ~*et* interrupt (break in on) sb; *på* ~ *om...* speaking (talking) of...; *på* ~ *om det* apropå äv. by the way; *föra ngt på* ~ take (bring) sth up [for discussion]; *komma på* ~ come (crop) up

tala I *vb tr* o. *vb itr* (~de, ~t) allm. speak; prata, konversera talk; jfr *hålla tal* under *tal 2*; ~ *är silver, tiga är guld* speech is silver, silence is golden; ~ *affärer* (*politik*) talk business (politics); ~ *allvar* have a serious talk; ~ *engelska* speak English; ~ *sanning* speak (tell) the truth; *allvarligt* (*bildligt*) ~*t* seriously (figuratively) speaking

med prep.: ~ *emot* ett förslag speak against...; allting ~*r emot hans teori* ...tells against his theory; ~ *för* a) tyda på point towards, indicate b) tala till förmån för speak for, speak (tell, argue) in favour of; *det är mycket som ~r för* till förmån för *det* äv. there is a lot to be said for (in favour of) it; *det är mycket som ~r för* tyder på *att han har...* there is a lot that points towards his having (that indicates that he has)...; ~ *för sig själv* om person a) utan åhörare talk to oneself b) å egna vägnar speak for oneself; ~ *med ngn* speak (talk) to (i fråga om längre o. viktigare samtal with) sb; ofta äv. have a talk with sb; *kan jag få* ~ *med...* äv. can I see (have a word with)...; *jag har* ~*t med honom om det* äv. I have seen him about it; *vem* ~*r jag med?* i telefon vanl. who's speaking?; *det är någon som vill* ~ *med dig i telefon* you are wanted on the [tele]phone; ~ *mot* se *tala emot* ovan; ~ *om* a) samtala om speak (talk) of (mera ingående about) b) överlägga discuss, talk...over c) hålla föredrag o.d. om (över) speak on (about); ~ *om* kläder, musik osv. talk about...; *han* ~*de om att* resa bort he spoke of + ing-form; *det är ingen snö att* ~ *om* ...worth mentioning, ...to speak of; *det är ingenting att* ~ *om!* avböjande don't mention it!, not at all!; *för att inte* ~ *om...* to say nothing of..., not to mention...; *höra* ~*s om* se *höra I c*; ~ *till* speak (talk) to; högtidl. address; ~ *över* ett ämne speak on (about)...

II *vb rfl* (~de, ~t), ~ *sig hes* talk oneself hoarse; ~ *sig varm* [*för saken*] warm up to one's subject

III med beton. part.

tala emot se under *tala I* ovan

tala igenom problemet thrash...out

tala in... [*på band*] record...

tala om tell [*ngt för ngn* sb sth el. sth to sb]; omnämna mention [*ngt för ngn* sth to sb]; ~ *inte om det för någon!* don't tell anybody!, don't breathe a word about it!; *det ska jag* ~ *om* [*för dig*] varnande I [can] tell you

tala ut så att det hörs speak up; rent ut speak one's mind; ~ *ut* [*med ngn*] *om ngt* have (thrash) sth out [with sb]

talan *s* (=, en) **1** jur.: allm. suit; kärandes claim; svarandes plea; *föra ngns* ~ plead sb's cause; bildl. be sb's spokesman, represent sb **2** bildl., *han har ingen* ~ he has no say in the matter

talande I *adj* (oböjl.) uttrycksfull expressive; om blick significant, meaning; om siffror o.d. telling, striking **II** *s* (en ~, pl. =), *den* ~ the speaker

talang *s* (~en, ~er) talent, [natural] gift; ~*er* äv. endowments; *han är en* [*verklig*] ~ he is a [really] talented (gifted) person, he is a man of [real] talent; *unga* ~*er* young talents

talangfull *adj* (~t) talented, gifted

talangjakt *s* (~en, ~er) talent hunt, hunt for talent

talanglös *adj* (~t) untalented

talangscout *s* (~en, ~er) talent scout (spotter)

talare *s* (~n, =) speaker; väl~ orator; *jag är inte någon* ~ I am not much of a speaker

talarstol *s* (~en, ~ar) rostrum (pl. rostrums el. rostra); vid möte o.d. ofta platform; univ. lectern

talas *vb itr dep* (talades, talats), *vi får* ~ *vid om saken* we must have a talk about it (talk the matter over)

talbok *s* (~en, -böcker) talking (cassette) book

talesman *s* (~nen, -män) spokesman, spokesperson; kvinnlig äv. spokeswoman [*för* i samtliga fall of (for)]

talesätt *s* (~et, =) locution, set (stock) phrase; ordspråksliknande proverbial phrase

talfel *s* (~et, =) speech defect (impediment)

talför *adj* (~t) talkative, loquacious, voluble

talförhet *s* (~en) talkativeness, loquacity, volubility

talförmåga *s* (~n) faculty (power) of speech; *har du tappat* ~*n?* vard. äv. has the cat got your tongue?

talg *s* (~en) tallow; njur~ suet

talgdank *s* (~en, ~ar), *nu gick det upp en* ~ [*för mig*]! vard. now a light has dawned on me!

talgig *adj* (~t) tallowy; bildl. (om ögon) bleary

talgkörtel *s* (~n, -körtlar) anat. sebaceous gland

talgljus *s* (~et, =) tallow candle

talgoxe *s* (~n, -oxar) zool. great tit, great titmouse (pl. titmice)

taliban *s* (~en, ~er) Taliban (pl. lika)

talibansk *adj* (~t) Taliban

talisman *s* (~en, ~er) talisman

talja *s* (~n, taljor) sjö. tackle

talk *s* (~en) miner. talc; puder talcum [powder]

talka *vb tr* (~de, ~t) powder...with talcum, talc

talkör *s* (~en, ~er) massdeklamation choral speech; *en* ~ a speech choir; *i* ~ in chorus

tall *s* (~en, ~ar) träd pine [tree], Scotch pine (fir)

tallbarr *s* (~et, =) pine needle

tallkotte *s* (~n, -kottar) pine cone

tallkottkörtel *s* (~n, -körtlar) anat. pineal gland (body)

tallrik *s* (~en, ~ar) plate; *en ~ soppa* a plate[ful] of soup

tallriksunderlägg *s* (~et, =) [table] mat

tallskog *s* (~en, ~ar) pinewood, pinewoods pl.; större pine forest

talltita *s* (~n, -titor) zool. willow-tit

tallört *s* (~en, ~er) bot. pinesap

tallös *adj* (~t) numberless; jfr *oräknelig*

talman *s* (~nen, -män) parl. speaker; *vice ~* deputy speaker; *Herr ~!* Mr Speaker!; *Fru ~!* Madam Speaker!

talmud *s* (oböjl.) o. **Talmud** *s* (oböjl.) relig. the Talmud

talmystik *s* (~en) [the] mystical interpretation of numbers

talong *s* (~en, ~er) på biljetthäfte o.d. counterfoil, amer. stub; kortsp. stock, talon

talorgan *s* (~et, =) speech organ, organ of speech

talpedagog *s* (~en, ~er) speech trainer; logoped speech therapist

talrik *adj* (~t) numerous; *~a vänner* äv. many..., a great number of...

talrikt *adv* numerously, in large (great) numbers; *~ representerad* heavily represented

talrubbning *s* (~en, ~ar) speech disturbance (disorder)

talserie *s* (~n, ~r) series (sequence) of numbers (figures)

talspråk *s* (~et, =) spoken language; *det engelska ~et* spoken (colloquial) English

talspråksuttryck *s* (~et, =) colloquial expression

talsymbolik *s* (~en) symbolism of numbers

talsyntes *s* (~en, ~er) speech synthesis

taltidning *s* (~en, ~ar) talking (cassette) magazine

taltrast *s* (~en, ~ar) zool. song thrush

talträngd *adj* (-trängt) talkative, loquacious

talövning *s* (~en, ~ar) oral (konversation conversation) practice

tam *adj* (~t) tame äv. bildl.; om djur domesticated

tamarind *s* (~en, ~er) bot. tamarind

tamboskap *s* (~en) koll. domestic cattle pl.

tambur *s* (~en, ~er) förstuga hall, amer. hallway; kapprum cloakroom

tamburin *s* (~en, ~er) mus. tambourine

tamburmajor *s* (~en, ~er) drum major

tamdjur *s* (~et, =) tame (husdjur domestic) animal

tamkatt *s* (~en, ~er) domestic cat

tamp *s* (~en, ~ar) **1** rope's end, piece of rope **2** bildl., *på sista ~en* towards the end, at the end

tampas *vb itr dep* (tampades, tampats), *~ [med varandra]* tussle

tampong *s* (~en, ~er) tampon

tand *s* (~en, tänder) tooth (pl. teeth) äv. på kam, såg m.m.; tekn. cog; *tidens ~* the ravages (pl.) of time; *borsta tänderna* clean (brush, do) one's teeth; *ömsa tänder* om barn cut (get) one's second teeth; *[låta] dra ut en ~* have a tooth taken out (drawn, extracted); *få tänder* be teething, cut [one's] teeth; *visa tänderna* bildl. el. om djur bare (show) one's teeth; *hålla ~ för tunga* keep one's [own] counsel; *beväpnad till tänderna* armed to the teeth

tandad *adj* (tandat, ~e) toothed, indented; om frimärke perforated; sågtandad serrated; bot. dentate

tandagnisslan *s* (oböjl., en), *gråt och ~* wailing (bibl. weeping) and gnashing of teeth

tandben *s* (~et, =) tooth-bone, dentine

tandborste *s* (~n, -borstar) toothbrush

tandborstglas *s* (~et, =) toothbrush glass

tandborstning *s* (~en, ~ar) teeth-brushing

tandbro *s* (~n, ~ar) o. **tandbrygga** *s* (~n, -bryggor) [dental] bridge

tandem *s* (~en) cykel tandem

tandemalj *s* (~en, ~er) dental enamel

tandemcykel *s* (~n, -cyklar) tandem [bicycle]

tandfyllning *s* (~en, ~ar) filling

tandgarnityr *s* (~et, =) tänder set of teeth; protes denture

tandhals *s* (~en, ~ar) neck of a (resp. the) tooth

tandhygien *s* (~en) dental hygiene

tandhygienist *s* (~en, ~er) dental hygienist

tandklinik *s* (~en, ~er) dental clinic

tandkrona *s* (~n, -kronor) crown of a (resp. the) tooth

tandkräm *s* (~en, ~er) toothpaste

tandkrämstub *s* (~en, ~er) med innehåll tube of toothpaste

tandkött *s* (~et) gums pl.

tandlossning *s* (~en) loosening of the teeth; med. periodontoclasia

tandläkarborr *s* (~en el. ~et, ~ar el. =) dentist's drill; fackspr. burr

tandläkare *s* (~n, =) dentist, dental surgeon

tandläkarmottagning *s* (~en, ~ar) dentist's surgery (amer. office)

tandläkartid *s* (~en, ~er) dental appointment

tandlös *adj* (~t) toothless äv. bildl.

tandning *s* (~en, ~ar) tekn. toothing, [in]dentation; på frimärke perforation

tandpetare *s* (~n, =) toothpick

tandprotes *s* (~en, ~er) denture, dental plate

tandrad *s* (~en, ~er) row of teeth

tandreglering *s* (~en, ~ar) correction of irregularities of the teeth; tandläk. orthodontics sg.

tandrot *s* (~en, -rötter) root of a (resp. the) tooth

tandröta *s* (~n, -rötor) [dental] caries

tandskydd *s* (~et, =) boxn. o.d. gumshield, mouthpiece

tandsköterska *s* (~n, -sköterskor) dental nurse (assistant)

tandsprickning *s* (~en) teething; tandläk. dental eruption

tandsten *s* (~en) tartar

tandställning *s* (~en, ~ar) **1** tändernas placering position of the teeth; tandläk. dentition **2** för tandreglering brace, amer. vanl. braces pl.

tandtekniker *s* (~n, =) dental technician

tandtråd *s* (~en) dental floss

tandval *s* (~en, ~ar) zool. toothed whale

tandvård *s* (~en) som organisation dental service; personlig dental care (hygiene), care of the teeth

tandvärk *s* (~en), *ha ~* have [a] toothache

tanga *s* (~n, tangor) o. **tangatrosa** *s* (~n, -trosor) tanga [brief]

tangent *s* (~en, ~er) **1** mus. el. på tangentbord key **2** matem. tangent

tangentbord *s* (~et, =) på dator o.d. keyboard

tangera *vb tr* matem. touch, be tangent to; bildl. touch [up]on, deal superficially with; *~ världsrekordet* equal (touch) the world record

tangeringspunkt *s* (~en, ~er) point of contact äv. bildl., tangential point

tango *s* (~n, ~r el. ~er) tango (pl. -s); ***dansa*** ~ dance (do) the tango

tanig *adj* (~t) mager thin

tank *s* (~en, ~ar) behållare tank

tanka *vb tr* o. *vb itr* (~de, ~t) bil fill up; itr., (om fartyg, flygplan) refuel; ~ *50 liter bensin* put...in [the tank]; ~ *för 500 kronor* put 500 kronors' worth in the tank; *jag måste* ~ äv. I must get some petrol (amer. gas)

tankbil *s* (~en, ~ar) tank lorry, tanker; amer. gasoline truck

tankbåt *s* (~en, ~ar) tanker

tanke *s* (~n, tankar) thought; idé, föreställning äv. idea [*om, på* of]; åsikt äv. opinion [*om* about]; *snabb*[*t*] *som ~n* [as] quick as thought; *det är en händelse som ser ut som en* ~ this looks like more than just a coincidence; *ha tankarna med sig* be alert, keep (have) one's wits about one; *ha låga tankar om...* have a poor opinion (idea) of..., think poorly of...; *ha höga tankar om...* think highly of...; *jag har inte en* ~ *på att* + inf. a) ämnar inte I don't intend to + inf. b) skulle inte drömma om I wouldn't dream of + ing-form; *jag hade inte en* ~ *på att* + inf. it never occurred to me (crossed my mind) to + inf.; *det för* (*leder*) ~*n* (*tankarna*) *till...* it makes one think of...; påminner om it reminds one (is reminiscent of)...; *läsa ngns tankar* read sb's thoughts (mind); *samla tankarna* collect one's thoughts; *släppa ~n på att...* put away all ideas of...; *sända ngn en* ~ think of sb; *utbyta tankar* [*med varandra*] exchange ideas; *inte ägna en* ~ *åt...* not give a thought to... föregånget av prep.: *gå i* (*vara försjunken i*) *tankar* be lost (deep, wrapped up) in thought; *ha ngt i tankarna* have sth in mind; *med ~ på...* a) med hänsyn till considering..., seeing that... b) i syfte att with a view (an eye) to...; *med ~ på honom* bearing him in mind; *komma* (*få ngn*) *på andra tankar* change one's mind (make sb change his resp. her mind); *komma* (*få ngn*) *på bättre tankar* think (make sb think) better of it; *hur kunde du komma på den ~n?* förebrående what put that into your head?; *jag kan inte få det ur tankarna* I can't get it out of my mind (head); *slå ngt ur tankarna* put sth out of one's mind; *utan* [*en*] ~ *på* without a thought of, mindless of; *jag ryser vid blotta ~n på det* the mere thought [of it] makes me shudder (tremble)

tankearbete *s* (~t) brain work; tänkande thought

tankeexperiment *s* (~et, =) intellectual experiment, hypothesis (pl. hypotheses), supposition; *som ett* ~ äv. for the sake of argument

tankefel *s* (~et, =) error in thinking, logical error

tankefrihet *s* (~en) freedom (liberty) of thought

tankeförmåga *s* (~n) capacity for thinking (thought), reasoning power

tankegång *s* (~en, ~ar) tankebana train (line) of thought; sätt att tänka way of thinking, reasoning

tankeläsare *s* (~n, =) thought-reader, mind-reader

tankeläsning *s* (~en) thought-reading, mind-reading

tanker *s* (~n, tankrar) tanker

tankeskärpa *s* (~n) acuteness of thought, mental acumen

tankesmedja *s* (~n, -smedjor) think tank

tankeställare *s* (~n, =) eye-opener; *vi fick* [*oss*] *en* ~ äv. that gave us something to think about

tankeutbyte *s* (~t, ~n) exchange of ideas (thoughts, views)

tankeverksamhet *s* (~en, ~er) mental activity

tankeväckande *adj* (oböjl.) thought-provoking; attr. äv. ...providing food for thought

tankeöverföring *s* (~en) telepathy, thought transference

tankfartyg *s* (~et, =) tanker

tankfull *adj* (~t) pensive, meditative, thoughtful; drömmande musing, wistful

tanklös *adj* (~t) thoughtless

tanklöshet *s* (~en, ~er) thoughtlessness

tankning *s* (~en, ~ar) av bil filling-up [with petrol (amer. gas)], putting petrol (amer. gas) in; av fartyg, flygplan refuelling

tankomat *s* (~en, ~er) automatic petrol (amer. gasoline) pump

tankspridd *adj* (-spritt) absent-minded

tankspriddhet *s* (~en) absent-mindedness

tankstreck *s* (~et, =) dash; typogr. em dash, kortare en dash

tant *s* (~en, ~er) aunt; vard. el. barnspr. auntie; friare [nice] lady; ~ *Klara* Aunt Klara; *kan ~ säga var...?* can you please tell me...?; *är ~ trött?* are you tired[, Auntie]?

tantig *adj* (~t) neds. old-maidish, old-womanish; t.ex. om sätt att klä sig frumpish

Tanzania Förenade republiken Tanzania Tanzania

tanzanisk *adj* (~t) Tanzanian

taoism *s* (~en), ~[*en*] Taoism

tapenade *s* (~n) tapenade

tapet *s* (~en, ~er) wallpaper; vävnad tapestry; *rummet behöver nya ~er...* new wallpaper sg.; *vara på ~en* bildl. be on the carpet, be under discussion

tapetklister *s* (-klistret) [paperhanger's] paste

tapetrulle *s* (~n, -rullar) roll of wallpaper

tapetsera *vb tr* (~de, ~t) paper; med väv o.d. [hang with] tapestry; ~ *om* repaper

tapetserare *s* (~n, =) upholsterer

tapetsering *s* (~en, ~ar) paperhanging

tapioka *s* (~n) tapioca

tapir *s* (~en, ~er) zool. tapir

tapisseri *s* (~et, ~er) vävnad tapestry; stramaljbroderi needlepoint

tapp *s* (~en, ~ar) **1** i tunna o.d. tap; i badkar plug **2** till hopfästning peg, pin; snick. tenon **3** tott, tuss wisp **4** anat., syncell cone

1 tappa I *vb tr* (~de, ~t) tömma, hälla tap off, draw [off]; ~ *vin på buteljer* draw...off into bottles, bottle...; ~ *ngn på blod* bleed sb, draw blood from sb

II med beton. part.

tappa i: ~ *i vattnet* [*i badkaret*] let (run) the water into the bath

tappa på: ~ *på vatten* run... [*i* into]; ~ *på...i tanken* äv. fill [up] the tank with...

tappa upp: ~ *upp ett bad* run a bath

tappa ur draw (run) off; tömma behållare o.d. äv. empty

2 tappa *vb tr* (~de, ~t) **1** låta falla drop, let...fall [*i golvet* on [to] the floor; *i vattnet* into the water] **2** förlora lose äv. bildl.; ~ *håret* (*en tand*) lose one's hair (a tooth); ~ *huvudet* bildl. lose one's head; ~ *intresset* lose interest; ~ *räkningen* lose count [*på* of]; ~ *bort* lose

tapper *adj* (~t, tappra) brave, courageous; i högre stil valiant

tapperhet *s* (~en) bravery, courage, valour; ~ *i fält* bravery in the field

tapperhetsmedalj *s* (~en, ~er) medal for valour (bravery)

tappkran *s* (~en, ~ar) tapping-cock, tap

tappning *s* (~en, ~ar) avtappning tapping; på flaska bottling; årgång vintage; *i ny ~* bildl. in a new version

tappt *adv*, *ge* ~ give in; *ge aldrig* (*inte*) ~*!* äv. never say die!

tapto *s* (~t, ~n) mil. tattoo (pl. -s); *blåsa* ~ beat (sound) the tattoo

tarantel *s* (~n, tarantlar) zool. tarantula

tarantella *s* (~n, tarantellor) dans tarantella; *dansa* ~ do (dance) the tarantella

tariff *s* (~en, ~er) tariff; över avgifter, taxor osv. äv. schedule (list) of rates, rates pl.

tarm *s* (~en, ~ar) **1** anat. intestine; ~*arna* äv. the bowels; vard. the guts **2** bildl. strip [of road (cloth) etc.]

tarmcancer *s* (~n) med. intestinal cancer

tarminnehåll *s* (~et, =) visceral contents pl.

tarmkanal *s* (~en, ~er) anat. intestinal canal

tarmkatarr *s* (~en, ~er) med. intestinal catarrh

tarmkäx *s* (~et, =) anat. mesentery

tarmludd *s* (~et el. ~en) anat. intestinal villi pl.

tarmsaft *s* (~en, ~er) intestinal juice

tarmvred *s* (~et, =) med. ileus

tartarsås *s* (~en, ~er) kok. tartare sauce

tartelett *s* (~en, ~er) kok. tartlet, [small] tart

tarvlig *adj* (~t) simpel vulgar, common; lumpen shabby; billig poor, cheap

tarvligt *adv* vulgarly osv.; jfr *tarvlig*; *bära sig* ~ *åt* behave shabbily [*mot* to]

tas o. **tagas** *vb itr dep* (togs, tagits), *han är inte lätt att* ~ *med* he is not easy (an easy customer) to deal with; *så ska han tas!* that's the way to deal with him!, that's the stuff to give him!

taskig *adj* (~t) vard. rotten, nasty, lousy [*mot* to]

taskspelare *s* (~n, =) juggler, conjurer

tass *s* (~en, ~ar) paw äv. (vard.) om hand; *räcka vacker* ~ om hund put out a (its) paw [nicely]; *bort med* ~*arna!* hands off!

tassa *vb itr* (~de, ~t) patter, pad [*förbi* by; *omkring* about]

tassel *s* (tasslet), *tissel och* ~ se *tissel*

tatar *s* (~en, ~er) Tatar, Tartar

tatuera *vb tr* (~de, ~t) tattoo

tatuering *s* (~en, ~ar) tatuerande tattooing; *en* ~ a tattoo

tautologi *s* (~n, ~er) språkv. tautology

tavelgalleri *s* (~et, ~er) picture gallery

tavelsudd *s* (~en, ~ar) [blackboard] duster (rubber)

taverna *s* (~n, tavernor) tavern

tavla *s* (~n, tavlor) **1** picture äv. bildl.; målning painting **2** skol., *svarta* ~*n* the blackboard **3** vard., *göra en* ~ put one's foot in it, make a blunder (bloomer)

tax *s* (~en, ~ar) zool. dachshund ty.; vard. sausage dog

1 taxa *vb itr* (~de, ~t) flyg. taxi

2 taxa *s* (~n, taxor) rate, charge; t.ex. för körning fare; *enhetlig* (*nedsatt*) ~ standard (reduced) rate; bussbolaget *har höjt* ~*n* ...has raised the fares pl.

taxameter *s* (~n, -metrar) [taxi]meter, fare meter

taxera *vb tr* (~de, ~t) för beskattning assess...[for taxes] [*till* at]; ~*d förmögenhet* taxed property (assets pl.)

taxering *s* (~en, ~ar) för skatt assessing [of taxes], tax assessment

taxeringskalender *s* (~n, -kalendrar) ung. taxpayers' directory

taxeringsmyndighet *s* (~en, ~er) assessment authority

taxeringsnämnd *s* (~en, ~er) [tax] assessment committee

taxeringsvärde *s* (~t, ~n) ratable value

tax-free-shop *s* (~en el. ~pen, ~ar el. ~par) duty-free shop

taxi *s* **1** (~n, = el. ~bilar) bil taxi[cab], cab **2** (~n) rörelse taxi service

taxichaufför *s* (~en, ~er) taxi (cab) driver

taxiflyg *s* **1** (~et, =) flygplan taxiplane **2** (~et) rörelse taxiplane service

taxistation *s* (~en, ~er) taxi rank, cab rank; amer. taxistand, cabstand

T-bana *s* (~n, -banor) se *tunnelbana*

tbc *s* (tbc:n) med. TB

TBE (förk. för *tick-borne encephalitis*) med. TBE

Tchad Chad

tchadisk *adj* (~t) Chadian

TCO förk., se ex. under *tjänsteman*

1 te *s* (~et, ~er) tea äv. måltid; *grönt* ~ green tea; *dricka* ~ have tea; vard. have a cuppa; *koka* ~ make tea; *sätta på* ~ tevatten put the kettle on

2 te *vb rfl* (tedde, tett), ~ *sig* förefalla appear, seem

teak *s* (~en) virke teak[-wood]; möbler *av* ~ äv. teak[-wood]...; för sammansättn. jfr *björk-*

teakträd *s* (~et, =) teak[-tree]

team *s* (~et, =) team

teater *s* (~n, teatrar) theatre; amer. theater; *spela* ~ act; delta i ett uppförande take part in a play; *han spelar* ~ he acts, he is an actor; *han bara spelar* ~ bildl. he is merely play-acting (putting on an act); *gå på* ~ go to the theatre

teateraffisch *s* (~en, ~er) playbill

teaterbesök *s* (~et, =), *ett* ~ a visit to the theatre (amer. theater); ~*en har ökat* theatre-attendances (amer. theater-attendances) have increased

teaterbesökare *s* (~n, =) theatregoer (amer. theatergoer), playgoer

teaterbiljett *s* (~en, ~er) theatre (amer. theater) ticket

teaterdekor *s* (~en, ~er) [theatre (amer. theater)] decor, [stage] scenery

teaterdirektör *s* (~en, ~er) theatre (amer. theater) manager, theatrical manager

teaterföreställning *s* (~en, ~ar) theatrical performance; lättare show

teatergrupp *s* (~en, ~er) theatre (amer. theater) group, drama group; *fri* ~ independent theatre (amer. theater) group

teaterkikare *s* (~n, =) opera glasses pl.; *en* ~ a pair of opera glasses

teaterkritik *s* (~en) drama criticism, theatre (amer. theater) criticism

teaterkritiker *s* (~n, =) drama critic, theatre (amer. theater) critic

teaterpjäs *s* (~en, ~er) [stage] play; *uppföra en* ~ present (perform, put on, produce) a play

teaterpublik *s* (~en) allm. audience; ~*en* a) i salongen the house b) de som går på teater the theatregoing (amer. theatergoing) public, theatregoers (amer. theatergoers) pl.

teaterrecensent s (~en, ~er) dramatic critic, theatre (amer. theater) critic

teatersalong s (~en, ~er) auditorium

teaterscen s (~en, ~er) [theatrical] stage

teaterskola s (~n, -skolor) drama school, school of drama

teaterstycke s (~t, ~n) [stage] play

teatersällskap s (~et, =) theatrical company, theatre (amer. theater) company

teatersäsong s (~en, ~er) theatrical season, theatre (amer. theater) season

teatralisk adj (~t) theatrical; neds. äv. stagy, stagey

tebjudning s (~en, ~ar) tea party

teblad s (~et, =) tea leaf

teburk s (~en, ~ar) tea caddy, tea canister

tebuske s (~n, -buskar) tea plant, tea shrub

tecken s (tecknet, =) sign [på, till of]; känne~, bevis mark; högtidl. token; symptom symptom [på i samtliga fall of]; sinnebild, symbol emblem; symbol äv. matem. el. kem. [för i båda fallen of]; signal signal [till for]; skriv~ character; emblem badge; **alla ~ tyder på att...** there is every indication that...; **det är ett gott (dåligt) ~** it is a good sign (a bad sign el. omen); **ett tidens ~** a sign of the times; **det är ett ~ på** hälsa it is a sign (mark) of...; **det är ett ~ på att...** it is an indication (a sign) that...; **ge ~** trafik. give a signal, signal; **inte visa något ~ till (på)** illamående not show any signs (symptoms) of..., show no signs (symptoms) of...; **han är född i** Skyttens **~** he is born under [the sign of]..., his sign is...; **på (vid) ett givet ~** at a given signal (sign); **till (som) ~ på ngt (på att jag är...)** in token (as a mark) of sth (of me being...)

teckenförklaring s (~en, ~ar) key to the signs (symbols), table of signs (symbols)

teckensnitt s (~et, =) typeface; data. äv. font

teckenspråk s (~et, =) sign language

teckentydare s (~n, =) interpreter of signs; augur augur

teckna I vb tr o. vb itr (~de, ~t) **1** ge tecken make a sign [till, åt to] **2** rita draw; skissera sketch, outline; bildl. (skildra) describe, delineate, depict; **~ efter** modell draw from...; **~ av** draw, sketch, make a drawing (a sketch) of **3** skriva under (på) sign, jfr äv. undertecknar; **~ [ett] abonnemang på ngt** subscribe to sth; **~ aktier** subscribe shares; **~ en försäkring** take out..., effect... **4 ~ ner** se uppteckna
II vb rfl (~de, ~t), **~ sig för en försäkring** take out (effect) an insurance [policy]

tecknad adj (tecknat, ~) om film animated; **en ~ film** a cartoon; **en ~ serie** a comic strip, a cartoon; **skarpt ~e drag** sharp-cut (clear-cut) features

tecknare s (~n, =) **1** artist drawer, draughtsman **2** av aktier o.d. subscriber

teckning s (~en, ~ar) **1** avbildning drawing; skiss sketch; på djur, växter markings, lines (båda pl.); bildl. (skildring) description, delineation, depiction **2** skol., hist. art, art education **3** av aktier o.d. subscription

teckningslektion s (~en, ~er) skol., hist. drawing-lesson

teckningslista s (~n, -listor) subscription list

teckningslärare s (~n, =) skol., hist. drawing teacher (master, kvinnl. mistress)

teckningsrätt s (~en, ~er) ekon. subscription right, pre-emption, pre-emptive right

tedags adv, **vid ~** at (about) teatime; **nu är det ~** it's time for tea (teatime)

teddybjörn s (~en, ~ar) teddy [bear] äv. om person

tefat s (~et, =) saucer; **flygande ~** flying saucer

teg s (~en, ~ar) åkerlapp [field] allotment, patch [of tilled ground]

tegel s (teglet, =) mur~ bricks pl.; tak~ tiles pl.; **lägga ~ på ett tak** tile a roof

tegelbruk s (~et, =) som tillverkar murtegel brickworks (pl. lika), brickyard; som tillverkar taktegel tileworks (pl. lika), tilery

tegelpanna s (~n, -pannor) roofing-tile

tegelröd adj (-rött) brickred

tegelsten s (~en, ~ar) brick; koll. vanl. bricks pl.

tegelstensroman s (~en, ~er) great thick novel

tegeltak s (~et, =) tiled roof

tegelugn s (~en, ~ar) för murtegel brick kiln; för taktegel tile kiln

teism s (~en) filos. theism

tejp s (~en, ~er) [adhesive (sticky)] tape

tejpa vb tr (~de, ~t) **1** laga med tejp mend...with tape **2 ~ fast (igen)** tape up; **~ ihop** patch up (together)...with tape

teka vb itr (~de, ~t) ishockey face off

tekanna s (~n, -kannor) teapot

teknik s (~en, ~er) metod samt konstfärdighet technique; ingenjörskonst engineering; som vetenskap äv. technical science, technology, technics sg.; skol., ämne technology

tekniker s (~n, =) technician; ingenjör engineer; radio~ programme engineer

teknisk adj (~t) technical; **~t bistånd** technical assistance; **~ högskola** institute (university) of technology; **~ linje** skol., hist. engineering; **han är en ~ spelare** sport. he has a fine technique, he has great technical skill

teknokrat s (~en, ~er) technocrat

teknolog s (~en, ~er) student student of technology

teknologi s (~n, ~er) technology

teknologisk adj (~t) technological

tekoindustri s (~n, ~er) textile and clothing industry

tekopp s (~en, ~ar) teacup; som mått teacupful

tekula s (~n, -kulor) tea ball

telefax s **1** (~et, =) meddelande, se fax 1 **2** (~en, ~ar) apparat, se fax 2

telefon s (~en, ~er) telephone; vard., speciellt i talspråk phone; **det är ~ till dig** el. **du har ~** you are wanted on the [tele]phone, there is a call for you; **stänga av ~en** disconnect the [tele]phone; **sitta** vara upptagen **i ~** be engaged on the [tele]phone; **svara i ~** answer the [tele]phone; **tala [med ngn] i ~** talk (speak) [to sb] on (over) the [tele]phone

telefonabonnemang s (~et, =) telephone subscription

telefonabonnent s (~en, ~er) telephone subscriber

telefonautomat s (~en, ~er) payphone; amer. äv. pay station

telefonavlyssning s (~en, ~ar) phone-tapping, wiretapping

telefonera vb tr o. vb itr (~de, ~t) telephone; vard. phone; **~ till ngn** phone sb; speciellt amer. call sb

telefonförbindelse s (~n, ~r) telephone connection; **~r** telecommunications

telefonhytt *s* (~en, ~er) telephone cubicle
telefonist *s* (~en, ~er) [telephone] operator
telefonkatalog *s* (~en, ~er) telephone directory (book)
telefonkiosk *s* (~en, ~er) payphone, [tele]phone booth (box)
telefonkö *s* (~n, ~er) ung. telephone queue [service]
telefonledning *s* (~en, ~ar) telephone line (wire)
telefonlur *s* (~en, ~ar) receiver, handset
telefonnummer *s* (-numret, =) [tele]phone number
telefonnät *s* (~et, =) telephone network (system)
telefonräkning *s* (~en, ~ar) [tele]phone bill (account)
telefonsamtal *s* (~et, =) påringning [tele]phone call; *vi hade ett långt* ~ we had a long conversation over the telephone
telefonstolpe *s* (~n, -stolpar) telegraph pole, amer. telephone pole
telefonsvarare *s* (~n, =) answering machine, answerphone
telefonterror *s* (~n), *utsättas för* ~ be subjected to a series of anonymous (malicious) telephone calls
telefontid *s* (~en, ~er) answering hours pl., telephone hours pl.
telefonvakt *s* (~en, ~er) [telephone] answering service
telefonväckning *s* (~en, ~ar), *beställa* ~ order an alarm call
telefonväxel *s* (~n, -växlar) abonnentväxel private branch exchange; konkr. switchboard; central telephone exchange
telefoto *s* (~t, ~n) foto. telephoto
telegraf *s* (~en, ~er) apparat telegraph; ~station telegraph office
telegrafera *vb tr* o. *vb itr* (~de, ~t) telegraph; vard. wire, cable [*till ngn* (*London*) [to] sb (London)]
telegrafi *s* (~n) telegraphy; *trådlös* ~ wireless telegraphy
telegrafisk *adj* (~t) telegraphic
telegrafist *s* (~en, ~er) telegraphist, telegraph (radio~ wireless) operator; sjö. radio officer
telegram *s* (~met, =) telegram; i Storbrit. numera ersatt av Telemessage®; vard. wire, cable
telegrambyrå *s* (~n, ~er) nyhetsbyrå news agency; *tidningarnas* ~ (förk. *TT*) the Swedish News Agency
telegramstil *s* (~en) telegraphic style; vard. telegraphese
telekomföretag *s* (~et, =) telco (pl. telcos)
telekommunikationsföretag *s* (~et, =) telecommunications company; vard. telco (pl. telcos)
telemarkssväng *s* (~en, ~ar) skidsport. telemark
teleobjektiv *s* (~et, =) foto. telephoto lens
telepati *s* (~n) telepathy
teleprinter *s* (~n, -printrar) teleprinter, teletypewriter
telesatellit *s* (~en, ~er) rymd. communications satellite
teleskop *s* (~et, =) telescope
teleskopisk *adj* (~t) telescopic
teleskopöga *s* (~t, -ögon) zool. telescopic eye
telestation *s* (~en, ~er) telephone and telegraph office
teleteknik *s* (~en) telecommunications pl.
teletekniker *s* (~n, =) telecommunications engineer (technician)

television *s* (~en) television; för ex. o. sammansättn. se *tv* o. sammansättn.
telex *s* **1** (~en) system telex **2** (~et, =) meddelande telex
telexa *vb tr* o. *vb itr* (~de, ~t) telex
telexnät *s* (~et, =) telex network (system)
telning *s* (~en, ~ar) **1** barn kid **2** skott sapling
tema *s* (~t, ~n) ämne theme äv. mus., subject, topic; skol. äv. project
temanummer *s* (-numret, =) av tidskrift special feature issue
temp *s* (~en) vard., se *temperatur*
tempel *s* (templet, =) temple
tempera *s* (~n) konst. tempera
temperament *s* (~et, =) temperament; *ha* ~ be temperamental; *han har ett lugnt* (*häftigt*) ~ äv. he is good-tempered (bad-tempered); *en kvinna med* ~ a woman of temperament
temperamentsfull *adj* (~t) temperamental
temperamentsutbrott *s* (~et, =) fit of temper; *få ett* ~ fly (get) into a temper
temperatur *s* (~en, ~er) temperature äv. bildl.; *ta* ~*en* take one's temperature; *ta* ~*en på ngn* take sb's temperature
temperaturfall *s* (~et, =) fall (drop) in temperature
temperaturförhöjning *s* (~en, ~ar) increase (rise) in temperature
temperaturkurva *s* (~n, -kurvor) temperature curve
temperatursvängning *s* (~en, ~ar) o. **temperaturväxling** *s* (~en, ~ar) fluctuation (variation) of (in) temperature
temperera *vb tr* (~de, ~t) temper äv. mus.; ~ *ett vin* bring a wine to the proper temperature
tempererad *adj* (tempererat, ~e) tempered; om klimat, zon temperate
tempo *s* (~t, ~n) **1** fart pace, speed, rate; takt tempo (pl. tempos, mus. vanl. tempi) **2** moment moment; stadium stage
tempoarbetare *s* (~n, =) unskilled (semiskilled) worker [employed in assembly-line production]
tempoarbete *s* (~t, ~n) ung. serial (på löpande band assembly-line) production
tempobeteckning *s* (~en, ~ar) mus. tempo marking
temporär *adj* (~t) temporary
tempostegring *s* (~en, ~ar) mus. increase of speed, acceleration
tempus *s* (~et, =) tense
tendens *s* (~en, ~er) tendency; t.ex. i fråga om priser, idéer trend; *ha en* ~ *att* + inf. ...a tendency (disposition) to + inf., ...a tendency (disposition) towards + ing-form
tendensroman *s* (~en, ~er) novel with a purpose
tendentiös *adj* (~t) tendentious; friare (ensidig) bias[s]ed
tendera *vb itr* (~de, ~t) tend [*mot, åt, till* towards; [*till*] *att* + inf. to + inf.]
tenn *s* (~et) tin; legering för tennföremål pewter äv. koll. om själva föremålen; lödmetall solder; *en ljusstake av* ~ a pewter...
tennfat *s* (~et, =) pewter dish
tennhalt *s* (~en, ~er) tin content; procentdel percentage of tin
tennis *s* (~en) tennis
tennisarm *s* (~en) o. **tennisarmbåge** *s* (~n) med. tennis elbow
tennisbana *s* (~n, -banor) tennis court

tennisboll *s* (~en, ~ar) tennis ball
tennishall *s* (~en, ~ar) covered tennis court (courts pl.), tennis hall
tennisracket *s* (~en, ~ar) tennis racket
tennisspelare *s* (~n, =) tennis player
tenniströja *s* (~n, -tröjor) pikétröja polo shirt
tennistävling *s* (~en, ~ar) tennis tournament
tennsoldat *s* (~en, ~er) tin soldier
tenor *s* (~en, ~er) mus.: person, röst el. stämma tenor
tenorsaxofon *s* (~en, ~er) tenor saxophone
tenorstämma *s* (~n, -stämmor) röst tenor [voice]; parti tenor [part]
tenta vard. **I** *s* (~n, tentor) [preliminary] exam; *muntlig* ~ oral exam **II** *vb itr* (~de, ~t) se *tentera*
tentakel *s* (~n, tentakler) zool. el. bildl. tentacle, feeler
tentamen *s* (=, en, tentamina) [preliminary] examination; *muntlig* ~ oral examination
tentamensbetyg *s* (~et, =) examination (vard. exam) mark
tentamensläsa *vb itr* (-läste, -läst) study for an examination; vard. cram for an exam
tentand *s* (~en, ~er) examinee, candidate [for examination]
tentator *s* (~n, ~er) examiner
tentera I *vb itr* (~de, ~t) prövas be examined [*för ngn* by sb] **II** *vb tr* (~de, ~t), ~ *ngn* examine sb [*i in; på* on]
teokrati *s* (~n, ~er) theocracy
teolog *s* (~en, ~er) theologian
teologi *s* (~n) theology, divinity
teologisk *adj* (~t) theological
teorem *s* (~et, =) matem. theorem
teoretiker *s* (~n, =) theorist
teoretisera *vb itr* (~de, ~t) theorize [*om* about]
teoretisk *adj* (~t) theoretical; ~ *fysik* (*matematik*) äv. pure physics (mathematics)
teori *s* (~n, ~er) theory; *i* ~*n* in theory
teosof *s* (~en, ~er) theosophist
teosofi *s* (~n) theosophy
teplantage *s* (~n, ~r) tea plantation
tepåse *s* (~n, -påsar) tea bag
terabit *s* (~en, ~ar) data. terabit (förk. Tb)
terabyte *s* (en, pl. =) data. terabyte (förk. TB)
terapeut *s* (~en, ~er) therapist
terapeutisk *adj* (~t) therapeutic
terapi *s* (~n, ~er) therapy
term *s* (~en, ~er) term äv. mat.
termik *s* (~en) uppvindar thermals pl.
termin *s* (~en, ~er) **1** univ. el. skol., ung. term; amer. semester **2** tidpunkt stated (fixed) time, term; förfallotid due date
terminal *s* (~en, ~er) terminal äv. data
terminalvård *s* (~en) med. terminal care
terminologi *s* (~n, ~er) terminology
terminsavgift *s* (~en, ~er) term fee
terminsbetyg *s* (~et, =) handling end of term report, amer. report card; betygsgrad term mark, amer. grade [for the semester]
termisk *adj* (~t) thermal
termit *s* (~en, ~er) zool. termite, white ant
termodynamik *s* (~en) thermodynamics (vanl. sg.)
termometer *s* (~n, termometrar) thermometer; ~*n står på* (*visar*)... the thermometer reads (is at, registers)...
termos *s* (~en, ~ar) Thermos

termosflaska *s* (~n, -flaskor) Thermos (vacuum) flask
termoskanna *s* (~n, -kannor) Thermos (vacuum) jug
termostat *s* (~en, ~er) thermostat
terpentin *s* (~et el. ~en) kem. turpentine
terrakotta *s* (~n) terracotta
terrarium *s* (terrariet, terrarier) vivarium; mindre terrarium
terrass *s* (~en, ~er) terrace
terrassformig *adj* (~t) terraced
terrier *s* (~n, =) zool. terrier
terrin *s* (~en, ~er) tureen
territorialgräns *s* (~en, ~er) limit of territorial waters
territorialvatten *s* (-vattnet, =) territorial waters pl.; *på svenskt* ~ in Swedish territorial waters
territoriell *adj* (~t) territorial
territorium *s* (territoriet, territorier) territory
terror *s* (~n) terror
terrorbalans *s* (~en) balance of terror, terror balance
terrordåd *s* (~et, =) act of terror
terrorisera *vb tr* (~de, ~t) terrorize [over]
terrorism *s* (~en) terrorism
terrorist *s* (~en, ~er) terrorist
terräng *s* (~en, ~er) område, mark ground, country (båda endast sg.); speciellt mil. terrain; *kuperad* ~ hilly country; *förlora* (*vinna*) ~ lose (gain) ground; *sondera* ~*en* reconnoitre; bildl. äv. see how the land lies
terrängbil *s* (~en, ~ar) cross-country truck; jeep jeep
terrängcykel *s* (~n, -cyklar) mountainbike
terrängförhållanden *s pl* nature sg. of the ground (terrain)
terränglöpning *s* (~en) sport. cross-country running (tävling run, race)
ters *s* (~en, ~er) **1** mus. third; *liten* (*stor*) ~ minor (major) third **2** tredje snapsen third glass [of snaps]
tertiär *adj* (~t) geol. tertiary
tertiärperioden *s* (best. sing.) o. **tertiärtiden** *s* (best. sing.) geol. the Tertiary period
tes *s* (~en, ~er) thesis (pl. theses)
teservis *s* (~en, ~er) tea set, tea service
tesil *s* (~en, ~ar) tea-strainer
tesked *s* (~en, ~ar) teaspoon; som mått (förk. *tsk*) teaspoonful; *två* ~*ar salt* two teaspoonfuls of salt
tesort *s* (~en, ~er) [kind of] tea
1 test *s* (~et el. ~en, ~er el. =) prov test
2 test *s* (~en, ~ar) hår~ wisp [of hair]
testa *vb tr* (~de, ~t) test; ~ *ngn på ngt* test sb on sth
testamente *s* (~t, ~n) will, last will and testament; *Gamla* (*Nya*) *Testamentet* the Old (New) Testament; *inbördes* ~ joint (conjoint) will; *efterlämna ett* ~ leave a will; *skriva* ~ el. *upprätta sitt* ~ make (draw up) a (one's) will
testamentera *vb tr* (~de, ~t), ~ *ngt till ngn* bequeath sth to sb, leave sb sth (sth to sb); ~ *bort* will (bequeath) away
testamentsexekutor *s* (~n, ~er) jur. executor (kvinnl. executrix) [under a will]
testare *s* (~n, =) tester
testbild *s* (~en, ~er) TV. test card (pattern); amer. test pattern
testcykel *s* (~n, -cyklar) exercise bicycle
testflygare *s* (~n, =) test pilot

testikel *s* (~n, testiklar) testicle
testmetod *s* (~en, ~er) testing method
testning *s* (~en, ~ar) testing
testvärde *s* (~t, ~n) test value
tête-à-tête *s* (~n, ~r) tête-à-tête
tetra *s* (~n, tetror) zool. tetra
tetraeder *s* (~n, tetraedrar) geom. tetrahedron
tevagn *s* (~en, ~ar) tea trolley; amer. tea wagon
tevatten *s* (-vattnet) water for the tea; **sätta på ~** put
the kettle on
teve *s* (~n, ~ar) med sammansättn. se *tv* med sammansättn.
t.ex. förk., se *till exempel* under *exempel*
text *s* (~en, ~er) allm. text; bild~ caption; film~ vanl.
subtitles pl.; sång~ lyrics pl. [*till* i samtliga fall of]; i
motsats till illustration äv. letterpress; **~en** sångtexten är
skriven av... the words (lyrics)...; **dagens ~** bibelställe
the text for the day; ibland the lesson; **lägga ut ~en**
bildl. go into great detail [*om* about], expand [*om*
on]
texta *vb tr* o. *vb itr* (~de, ~t) **1** med tryckbokstäver
write...in block letters; pränta engross **2** uttala tydligt
articulate [the words] **3** förse film med (t.ex. svensk) text
subtitle
textbehandling *s* (~en, ~ar) data. text processing
textförfattare *s* (~n, =) author of the text (the
words)
textil *adj* (~t) textile
textilarbetare *s* (~n, =) textile worker
textilier *s pl* textiles
textilindustri *s* (~n, ~er) textile industry
textillärare *s* (~n, =) teacher of textile handicraft
textilslöjd *s* (~en) textile handicraft
textkritik *s* (~en) textual criticism
texttrogen *adj* (-troget, -trogna) ...in conformity
with the text
tf. förk., se under *tillförordnad*
thai *s* (oböjl.) språk Thai
Thailand Thailand
thailändare *s* (~n, =) Thai
thailändsk *adj* (~t) Thai; attr. äv. Thailand...
thailändska *s* (~n, thailändskor) kvinna Thai woman
thaisiden *s* (~et) tyg Thai silk
Themsen the [River] Thames
thinner *s* (~n) thinner
thoraxklinik *s* (~en, ~er) thoracic clinic
thriller *s* (~n, thrillrar el. =) thriller
TIA (förk. för *transitorisk ischemisk attack*) med. TIA
(förk. för transient ischaemic attack)
tia *s* (~n, tior) ten; mynt ten-krona piece; jfr *femma*
tiara *s* (~n, tiaror) tiara
tibast *s* (~en) bot. mezereon, daphne
Tibern the Tiber
Tibet Tibet
tibetan *s* (~en, ~er) Tibetan
tibetansk *adj* (~t) Tibetan
1 ticka *s* (~n, tickor) svamp polyporus (pl. polyporuses el.
polypori), shelf (bracket) fungus (pl fungi el. funguses)
2 ticka *vb itr* (~de, ~t) tick; sekunderna **~de iväg**
...ticked (were ticking) away
tid *s* (~en, ~er) allm. time; nuvarande, dåvarande ofta
times pl., day, days pl.; period period; tidrymd space of
time (endast sg.); kort spell; tidsskede o.d. äv. epoch, age;
avtalad ~, t.ex. hos läkare appointment
   1 i obest. form utan föregående prep.: **en ~** gick det bra ...for
a time (short period); **stanna en** (**någon**) **~** ...for a

(some) time; **lokal ~** local time; **du store** (**milde**) **~**,
vad jag var sjuk**!** good Lord,...!, dear me...!; **medan ~
är** while there is [still] time; **öppen alla ~er på dygnet**
vanl. open all hours; **långa ~er** kunde han... for long
periods...; **en ~s vila** a period of rest, a rest for a
time (short period); **~s nog** får du veta det ...soon
(early) enough; **alla ~ers** vard., utomordentlig
marvellous, terrific; som utrop äv. great!, super!,
goody!; **beställa ~ hos** läkare o.d. vanl. make an
appointment with...; **ha** (**få**) **~ med** (**för**)... have
time for...; **jag har inte ~** I haven't [got] time; **har du
~ för mig ett slag?** can you spare me a moment?,
have you [got] a moment to spare?; **när du har ~**
when you can find time (can spare a moment); **ha**
(**få**) **god ~** [**på sig**] have plenty of (ample) time; **ta ~
på** tävlande time...; **ta ~en** sport. take the time; **ta god
~ på sig** take one's time [*med ngt* over sth; *med att*
over + ing-form]; **hur lång ~ kommer det att ta dig?**
how long (much time) will it take you?; **det är gott
om ~** there is plenty of time; **det var andra ~er då**
times were different then; **det var ~er det** när man
kunde... those were the days...; **~ är pengar** time is
money
   2 i best. form utan föreg. prep.: **~en** allm. time; den
nuvarande resp. dåvarande the times pl.; t.ex. är knapp [the]
time; t.ex. för ngns vistelse the time [*för* of]; **~en**
tidpunkten **för avresan** the time (moment) of
departure; **~ och rum** time and space; **~en går** it
(time) is getting on; **få ~en att gå** kill time; **~en läker
alla sår** time heals all wounds; **~en är ute!** time's
up!; **den gamla goda ~en** the good old times (days)
pl.; **den gustavianska ~en** the Gustavian period;
~erna var dåliga times...; **~ens gång** the course
(march) of times
   3 med föreg. prep.: **a)** **efter en** (**någon**) **~** allm. after some
(a) time, after a while; syftande på spec. händelse some
time afterwards; **vara efter sin ~** be behind the times
b) **från vår ~** belonging to our time; **från ~en före...**
belonging to the period before...; **från ~ till annan**
from time to time
c) **för en** (**någon**) **~** for some (a) time; **för en ~ sedan**
some time ago; **nu för ~en** se *nuförtiden*
d) **vara före sin ~** be ahead of one's time[s]
e) **i ~** in time [*för, till* for; *att* + inf. to + inf.; *för att*
+ inf. for + ing-form]; **i ~ och evighet** for all time, for
ever and ever; **i gamla ~er** in olden days (times); **i
god ~** in good time [*till* for]; vara bortrest **i en veckas**
(**månads**) **~** ...for a week (month); **i vår ~** in our
times (day[s]); **i alla ~er** alltid at all times; för all
framtid for all time [to come]; **vad i alla ~er** vill detta
säga**?** what in the world...?
f) **inom den närmaste ~en** in the immediate (near)
future
g) **med ~en** in [course of] time, as time goes (resp.
went) on; det blir nog bra **med ~en** ...in time; **följa med
sin ~** move with the times, keep abreast of the
times
h) springa **på ~** ...against time; **det var på ~en!** it's
about time [too]!; **på avtalad ~** at the appointed
(fixed) time; **på den ~en** förr in those days; **på hans ~**
in his day[s]; **på min ~...** in my time (day)...; **den på
sin ~** kände arkitekten the once (at one time)...; **på
segelfartygens ~** in the times (days) of the
sailing-ships; göra ngt **på kort ~** ...in a short time; **på
lång ~** sedan länge for a long time [past]; vi har inte sett

honom *nu på en* (*någon*) ~ ...for some time past [now]; *på senare* ~ el. *på senaste* (*sista*) *~en* recently, of late, lately

i) *under ~en* [in the] meantime, meanwhile; *under ~en* 1–15 maj between...; *under ~en närmast efter* jul immediately after...; *jag är upptagen under den närmaste ~en* I shall be occupied during the immediate future; *under min* ~ livs~ in (during) my [life]time

j) *gå ur ~en* dö depart this life

k) *vid ~en för* sammanbrottet at the time of...; *vid den här ~en* borde du ligga i sängen ...by now (this time); *vid den här ~en* brukar jag lägga mig at this time...; *vid den här ~en i går* reste han at this time yesterday...; *vid den här ~en i morgon* har han rest by this time tomorrow...; *vid en ~ då...* at a time when...; *vid samma ~* i morgon at this time...

tidelag *s* (~et, =) bestiality, sexual intercourse with animals (resp. an animal)

tideräkning *s* (~en, ~ar) kronologi chronology; kalender calendar; epok era

tidevarv *s* (~et, =) age, period, epoch

tidig *adj* (~t) early; *för* ~ i förtid premature; *en* ~ *morgon* adv. early one morning; *från ~t 1800-tal* from the early part (beginning) of the 19th century; *~are* föregående äv. previous, former; jfr äv. *tidigt*

tidigarelägga *vb tr* (-lade, -lagt) möte o.d. hold...earlier, bring forward

tidigt *adv* early; *för* ~ eg. äv. too soon; i förtid prematurely; *vara* ~ *ute* vara där i god tid be there in good time (early); *vara* ~ *utvecklad* om t.ex. barn be precocious; ~ *på morgonen* [*den 3 maj*] [on May 3rd] early in the morning; *tidigare* earlier [on], at an earlier hour (time o.d.); hon kommer *tidigast i morgon* ...tomorrow at the earliest

tidkort *s* (~et, =) **1** stämpelkort clocking-in card **2** för läkartid o.d. appointment card

tidlås *s* (~et, =) time lock

tidlön *s* (~en, ~er) time wages pl.

tidlös *adj* (~t) timeless, ageless

tidlösa *s* (~n, tidlösor) bot. colchicum, autumn crocus

tidning *s* (~en, ~ar) newspaper; vard. paper; vecko~ magazine; *det står i ~en* it is in the paper; *det står i ~en att...* it says in the paper...

tidningsanka *s* (~n, -ankor) canard

tidningsartikel *s* (~n, -artiklar) newspaper article

tidningsbilaga *s* (~n, -bilagor) supplement to a (resp. the) paper

tidningsbud *s* (~et, =) newspaperwoman (resp. newspaperman, newspaperboy, newspapergirl)

tidningsförsäljare *s* (~n, =) newsvendor; på gatan vanl. newspaperman

tidningskiosk *s* (~en, ~er) newsstand; större bookstall

tidningskorrespondent *s* (~en, ~er) newspaper correspondent

tidningsläsare *s* (~n, =) newspaper reader

tidningsnotis *s* (~en, ~er) news[paper] item

tidningsredaktion *s* (~en, ~er) lokalen newspaper office

tidningsrubrik *s* (~en, ~er) [newspaper] headline

tidningsurklipp *s* (~et, =) press cutting; amer. clipping

tidpunkt *s* (~en, ~er) point [of time], moment; *vid*

denna ~ at this moment (framför allt kritisk juncture); *vid ~en för...* at the time of...

tidrymd *s* (~en, ~er) period, space of time (endast sg.) [*av* of]; geologisk o.d. epoch, era

tidsadverb *s* (~et, =) språkv. adverb of time

tidsanda *s* (~n), *~n* the spirit of the time[s]

tidsaxel *s* (~n, -axlar) time axis

tidsbegränsa *vb tr* (~de, ~t) impose a time limit on

tidsbegränsning *s* (~en, ~ar) time limit

tidsbesparande *adj* (oböjl.) timesaving

tidsbesparing *s* (~en, ~ar) sparande av tid [the] saving of time; sparad tid time saved; *göra stora ~ar* save a lot of time

tidsbeställning *s* (~en, ~ar) appointment

tidsbrist *s* (~en) lack of time

tidsbunden *adj* (-bundet, -bundna) time-bound, ...conditioned by the period (time)

tidsenhet *s* (~en, ~er) unit of time

tidsenlig *adj* (~t) nutida up to date; modern modern

tidsfrist *s* (~en, ~er) se *frist*

tidsfråga *s* (~n, -frågor), det är bara *en* ~ ...a matter of time

tidsfärg *s* (~en) contemporary colour

tidsföljd *s* (~en) chronological order

tidsfördriv *s* (~et, =), *som* ~ as a pastime

tidsförlust *s* (~en, ~er) loss of time

tidsinställd *adj* (-inställt), ~ *bomb* time bomb, delayed-action bomb

tidsinställning *s* (~en, ~ar) **1** foto. [the] exposure time; värde shutter setting **2** mil., tempering timing

tidskrift *s* (~en, ~er) periodical; speciellt teknisk o. vetenskaplig journal; speciellt litterär review; lättare magazine

tidskrävande *adj* (oböjl.) time-consuming; *det är* ~ äv. it takes a lot of time

tidsnöd *s* (~en) shortage of time; *vara i* ~ be pressed for (short of) time

tidsperiod *s* (~en, ~er) period

tidsplan *s* (~en, ~er) **1** tidsschema timetable, schedule **2** avsnitt av tiden time plane

tidspress *s* (~en), *arbeta under* ~ work under pressure (against the clock), be pressed for time at work

tidsprägel *s* (~n), *bära* ~ bear the mark (sign) of the (those) times

tidsrymd *s* (~en, ~er) se *tidrymd*

tidsschema *s* (~t, ~n) timetable, schedule

tidssignal *s* (~en, ~er) i radio time signal

tidsskildring *s* (~en, ~er) picture of the time (age)

tidsskillnad *s* (~en, ~er) difference in (of) time

tidsspillan *s* (=, en) waste of time

tidsstudier *s pl* se *arbetsstudier*

tidstecken *s* (-tecknet, =) sign of the times

tidstrogen *adj* (-troget, -trogna), *en* ~ *bild* a picture that is true to the period, a faithful picture of the period

tidstypisk *adj* (~t) ...characteristic (typical) of the period

tidsvinst *s* (~en, ~er), ~[*er*] saving sg. of time, gain sg. in time

tidsålder *s* (~n, -åldrar) age, era

tidsödande *adj* (oböjl.) timewasting, time-consuming

tidtabell *s* (~en, ~er) timetable; amer. ofta äv. schedule

tidtagare *s* (~n, =) timekeeper; sport. vanl. timing official

tidtagarur *s* (~et, =) stopwatch

tidtagning *s* (~en, ~ar) timekeeping; *elektronisk ~* electronic timing

tidur *s* (~et, =) timer

tidvatten *s* (-vattnet) tide

tidvis *adv* ibland at times; med mellanrum periodically; långa tider for periods together

tiga *vb itr* (teg, tigit) be (remain) silent, keep silent; *~ med ngt* be (remain) silent about sth, keep sth to oneself; *tig!* be quiet!, hold your tongue!; vard. shut (dry) up!; *där fick du så du teg!* so there!, put that in your pipe and smoke it!; *hälsan tiger still* ung. no news is good news

tiger *s* (~n, tigrar) tiger

tigerhjärta *s* (~t, ~n), *tröst för ett ~* a poor consolation

tigerhona *s* (~n, -honor) female tiger

tigerkaka *s* (~n, -kakor) kok. marble cake

tigersprång *s* (~et, =) tiger leap

tigerunge *s* (~n, -ungar) tiger cub, young tiger

tigga *vb tr* o. *vb itr* (tiggde, tiggt) beg; *~ av ngn* beg of sb; av förbipasserande beg from sb; *~* [*om*] beg for; *gå och ~* go begging; *han tiggde och bad* men... he begged and begged...; *~ och be ngn om* ngt beg sb for..., implore sb for...; *tigger du stryk?* do you want a thrashing?, are you asking for trouble?

tiggarbrev *s* (~et, =) begging letter

tiggare *s* (~n, =) beggar

tiggarmunk *s* (~en, ~ar) relig. mendicant friar

tiggeri *s* (~et, ~er) begging, mendicancy (båda endast sg.)

tigrerad *adj* (tigrerat, ~e), *~ katt* striped [tabby] cat, tabby

tik *s* (~en, ~ar) bitch, she-dog

tilja *s* (~n, tiljor) board; *~n* teatern the boards pl.

till

till delas in i ordklasserna
I preposition
II adverb
III konjunktion

I *prep*
Prepositionen **till** motsvaras vanligen av **to** i uttryck som *åka* **till** *England* = *go* **to** *England, från 9* **till** *12* = *from 9 to 12.*

till används i många uttryck som står under andra uppslagsord. Exempelvis finns uttrycket *skyldig* **till** under uppslagsordet *skyldig*, uttrycket *ända* **till** under uppslagsordet *ända* osv.

Rumsbetydelse

1 anger riktning och målet för en rörelse to; *falla ~ marken* fall to the ground; *nå upp ~ knäna* reach up to the knees; *det går ett tåg ~ S. varje timme* there is a train to S. every hour; *åka ~ stan* go [in]to town

2 anger ort vid ord med betydelsen *ankomma, ankomst:* mindre ort at, land el. större stad in; *komma ~ Heathrow* arrive at Heathrow;; *anlända ~ London* (*England*) arrive in London (England)

3 anger destination i vissa uttryck med betydelsen *avresa, avgå, gå till* for; *båten ~ England* the boat for England; *tåget ~ London* the train for London; *köpa biljett ~ Manchester* buy a ticket for Manchester

4 i betydelsen *som går till, som passar till* to; *en dörr ~ köket* a door leading to the kitchen; *nyckeln ~ skåpet* the key to the cupboard

Tidsbetydelse

5 anger slutet på ett skeende, ofta i framtiden until; *dansa ~ långt in på natten* dance until far on into the night; *uppskjuta ~ nästa dag* postpone until the next day

6 anger senaste tidpunkten för något by; *du ska vara hemma ~ middagen* you must be home by dinner; *~ dess* måste du vara färdig by then...

7 anger tiden för årstider och större helger at, during; i vissa fall for; *~ hösten* in the autumn; *~ våren ska vi...* this summer we are going to...; *~ jul* vid jultiden at (during) Christmas; *reser du hem ~ jul?* are you going home for Christmas?

8 anger en viss tidpunkt som man bestämt eller som avses for; *vigseln var bestämd ~ den 15:e* the wedding was decided for the 15th; *två tabletter ~ natten* two tablets for the night; *läxorna ~ torsdag* the homework for Thursday, Thursday's homework; *har vi mjölk ~ i morgon?* have we got milk for tomorrow?

9 *~ och med* (förk. *t.o.m.*) up to (om datum äv. until) [and including]; från 1999 *~ och med 2009* ...to 2009 inclusive, jfr *till I 12*

Övergång, förvandling

10 anger övergång från ett tillstånd till ett annat o.d. into; *förändra ~* change into; *växa upp ~* grow up into; *översätta ~* translate into

11 i uttryck av typen *göra* (*döpa*) *ngn till ngt* oftast utan preposition i engelskan, ibland as; *...är döpt ~ N.* ...was christened N.; *detta gjorde henne ~ en berömd kvinna* this made her a famous woman; *hans utnämning ~ chef* his appointment as manager

Andra fall

12 *~ och med* han ville prova even he..., jfr *till I 9*

13 anger indirekt objekt, dvs. åt vem man ger, säger etc. något to ibland oöversatt; *ge ngt ~ ngn* give sth to sb, give sb sth; *ropa ~ ngn* call to sb; *skriva ~ ngn* write to sb; *han sa det ~ mig* he said it to me, he told me

14 anger mottagare av försändelse el. present for; *ett brev ~ mig* a letter for me; *en julklapp ~ dig* a Christmas gift for you

15 anger ändamål for; *två biljetter ~ Hamlet* two tickets for...; *ha pengar ~ ngt* have money for sth

16 i uttryck av typen substantiv + till + substantiv, ofta motsvarande en genitivkonstruktion, t.ex. *dörren till huset* = *husets dörr* vanligen of; ibland to; *han är son ~ en läkare* he is the son of a doctor; *han är bror ~ den åtalade* he is brother to the accused; *författaren ~ boken* the author of the book; *nyckeln ~* som tillhör *skåpet* the key of the cupboard

17 anger övre gräns o.d. to; *3 ~ 4 personer* 3 to 4 people

18 anger känslomässig reaktion to; *~ min fasa* (*skräck*) to my horror; *~ min förvåning* to my surprise

19 uttryck med typen *till att...med* för att ange ändamål with, el. annan konstruktion, *kulor används ~ att skjuta med* bullets are used for shooting, bullets are used to shoot with

20 i betydelsen *när det gäller* in; *~ antalet* in number; *~ kvaliteten* in quality

II *adv* **1** ytterligare more; *en dag ~* one day more (longer), another day; *en kopp te ~* another...; *köp*

tre flaskor *~!* buy three more…!; *lika mycket* ~ as much again; *lite* ~ a little more; *tre [stycken] bullar* ~ three more (another three) buns; se äv. ex. under *köp* o. ex. under *gång 3*

2 inkopplad, på instrumenttavla o.d. on

3 tillhörande to it (resp. them); *en ficklampa med batteri* ~ …and battery [to it el. belonging to it]; *jacka med kjol och byxor* ~ …with skirt and trousers to match

4 i vissa uttryck, *vi skulle just [~ att] gå* we were just on the point of leaving; *…och jag ~ att springa!* …and did I start running!; ~ *och från* då och då off and on; *det gör varken ~ eller från (från eller ~)* it makes no difference, it is all the same (all one); ~ *och med* even, jfr *till I 12; åt byn* ~ towards the village

5 se betonad partikel under respektive verb, t.ex. *bjuda till* under *bjuda II*

III i konj. förb., ~ *dess [att]* till, until

tillaga *vb tr* (~de, ~t) se *2 laga I 1*

tillagning *s* (~en) allm. making; genom stekning o.d. äv. cooking osv., jfr *2 laga I 1;* av t.ex. måltid preparation; ~ *av mat* cooking

tillagningstid *s* (~en, ~er) cooking time

tillbaka *adv* (se också betonad partikel under respektive verb, t.ex. *dra tillbaka* under *dra IV*) allm. back; bakåt backward[s]; *så långt ~ som på* tjugotalet as far back as…, way back in…; *känna ngn sedan* tre år ~ have known sb for the last (past)…; *det ligger tre år ~ [i tiden]* it dates from three years back (ago); *jag vill ~ [till* Rom] I want to go back [to…]

tillbakabildas *vb itr dep* (-bildades, -bildats) biol. regress

tillbakablick *s* (~en, ~ar) retrospect (endast sg.) [*på* of]; i film o.d. flashback [*på* to]

tillbakadragande *s* (~t) polit. el. mil. withdrawal; av trupper äv. pull-out

tillbakadragen *adj* (-draget, -dragna) bildl.: försynt retiring, unobtrusive; reserverad reserved; om liv o.d. retired

tillbakadraget *adv, leva* ~ live in retirement (seclusion)

tillbakagång *s* (~en) bildl. retrogression; nedgång äv. decline [*i* of]; ~ *återgående till…* return to…; *vara på* ~ be on the decline, be on the wane, be declining (falling off)

tillbakalutad *adj* (-lutat, ~e) om person …leaning back, reclining

tillbakavisa *vb tr* (~de, ~t) avvisa o.d.: t.ex. förslag reject, turn down; anbud äv. refuse; beskyllning repudiate; angrepp repel, repulse

tillbaks *adv* vard., se *tillbaka*

tillbe *vb tr* (-bad, -bett) o. **tillbedja** *vb tr* (-bad, -bett) speciellt relig. worship; dyrka äv. adore

tillbedjan *s* (=, en) speciellt relig. worship; dyrkan äv. adoration

tillbedjare *s* (~n, =) beundrare o.d. admirer, adorer; starkare worshipper

tillbehör *s pl* till bil, dammsugare, kamera o.d. accessories; för inredning el. maskiner fittings; fasta fixtures; kok. accompaniments; garnering trimmings

tillblivelse *s* (~n) allm. coming into being (existence); ursprung origin; skapelse creation, världens äv. genesis; av idé o.d. vanl. birth

tillbringa *vb tr* (~de el. -bragte, ~t el. -bragt) spend; ~ *dagen med att* + inf. spend the day [in] + ing-form; ~ *natten på* ett hotell äv. stay the night at…

tillbringare *s* (~n, =) jug; amer. pitcher

tillbucklad *adj* (-bucklat, ~e) bucklig dented; friare knocked about, mauled

tillbud *s* (~et, =) olycks~ near-accident; *det var ett allvarligt* ~ there might have been a serious accident

tillbyggnad *s* (~en, ~er) addition; konkr. äv. extension; annex annexe; speciellt amer. annex; *sjukhusets* ~ utvidgning the enlarging (extension) of the hospital

tillbörlig *adj* (~t) due; vederbörlig proper; lämplig fitting, appropriate; *på ~t* säkert *avstånd* at a safe distance

tilldela *vb tr* (~de, ~t), ~ *ngn ngt* allot (assign) sth to sb; utmärkelse confer (bestow) sth on sb; pris award sb sth (sth to sb); ~ *ngn* ett slag (en tillrättavisning) o.d. administer…to sb

tilldelning *s* (~en, ~ar) ranson allowance, ration; ransonerande allocation, rationing

tilldra *vb rfl* (-drog, -dragit) ~ *sig* **a**) ske happen, occur; utspelas take place; *det tilldrog sig i…* it took place in… **b**) attrahera attract

tilldragande *adj* (oböjl.) attractive; om sätt, leende engaging

tilldragelse *s* (~n, ~r) allm. occurrence; viktigare event; obetydligare incident; *lycklig* ~ barnafödsel happy event

tilldöma *vb tr* (-dömde, -dömt) jur., ~ *ngn ngt* adjudge sth to sb, award sb sth

tillfalla *vb itr* (-föll, -fallit), ~ *ngn* allm. go (som ngns rätt accrue) to sb; oväntat äv. fall to sb['s lot]; 1000 kronor *tillföll mig* …fell to my share; genom lottdragning …went to me

tillfart *s* (~en, ~er) konkr. o. **tillfartsväg** *s* (~en, ~ar) approach (access) road; ~*en till* staden the road leading [in]to…

tillflykt *s* (~en) refuge [*mot, undan* from]; tillflyktsort haven [of refuge]; fristad (äv. om bostad) retreat; tillfällig, spec. för rekreation resort; medel, utväg resort, resource; *finna (söka) en* ~ *hos ngn* find (seek) refuge with sb, find (seek) refuge in (at) sb's house; *ta sin* ~ *till* en stad, ett land o.d. take refuge in; en person take refuge with, go to…for refuge

tillflyktsort *s* (~en, ~er) place (haven) of refuge (tillfällig resort); jfr *tillflykt*

tillflöde *s* (~t, ~n) abstr. inflow, influx båda äv. bildl.; konkr. feeder stream; biflod tributary [river (stream)]

tillfoga *vb tr* (~de, ~t) **1** tillägga add; bifoga affix, append **2** vålla, ~ *ngn ngt* t.ex. smärta, förlust inflict sth [up]on sb; cause sb sth äv. lidande; ~ *ngn ett nederlag* äv. defeat…

tillfreds *adv* satisfied

tillfredsställa *vb tr* (-ställde, -ställt) satisfy äv. sexuellt; person äv. content; göra till lags suit, please; behov, efterfrågan, krav äv. meet; nyck indulge; ~ *sig själv* onanera masturbate, satisfy oneself; vard. play with oneself

tillfredsställande *adj* (oböjl.) satisfactory [*för* ngn to, visst ändamål for]; glädjande gratifying [*för* to]; tillräcklig sufficient

tillfredsställd *adj* (-ställt) satisfied osv., content endast pred., jfr *tillfredsställa*

tillfredsställelse *s* (~n) känsla av glädje satisfaction; gratification [*över, med* at]; uppskattning appreciation [*över* of]; *till stor ~ för…* to the great satisfaction of…

tillfriskna *vb itr* (~de, ~t) recover [*efter, från* from]; **han har ~t** äv. he has got well (vard. better) again

tillfrisknande *s* (~t) recovery [to health]

tillfrusen *adj* (-fruset, -frusna) frozen over; **en ~ hamn** äv. an icebound harbour

tillfråga *vb tr* (~de, ~t) ask; rådfråga consult [*om* i båda fallen about, as to]

tillfångata *vb tr* (-tog, -tagit) take...prisoner, capture

tillfälle *s* (~t, ~n) när ngt inträffar occasion; kritisk tidpunkt juncture; möjlighet opportunity, opening; slumpartat chance [[*till*] *att* + inf. to + inf. el. of + ing-form el. for + ing-form]; **~t gör tjuven** ordspr. opportunity makes the thief; **det finns ~n då...** there are times (occasions) when...; **så snart ~ erbjuder sig** when[ever] an opportunity (resp. a chance) presents itself (occurs, arises); **bereda** (**ge**) **ngn ~ att** + inf. furnish (provide) sb with (give sb) an (the) opportunity of + ing-form; **gripa ~t** el. **ta ~t i akt** seize (take) the opportunity; **utnyttja ~t** make use (make the most) of the opportunity; han är ute **för ~t** ...just now, ...[just] at the moment; **vid ~** when an opportunity arises (occurs), when [it is] convenient; **vid det ~t** el. **vid ~t i fråga** on that occasion; vid den tidpunkten at the time

tillfällig *adj* (~t) då och då förekommande occasional; slumpartad accidental; om t.ex. upptäckt chance...; om t.ex. inkomst, kostnad incidental; kortvarig, provisorisk temporary; temporär, övergående momentary; **~ adress** temporary address; **~t arbete** casual work; odd jobs pl.; **~ bekantskap** chance acquaintance; hon är här **på ~t besök** ...on a chance visit

tillfällighet *s* (~en, ~er) tillfällig händelse (omständighet) accidental occurrence (circumstance); slump chance; slumpartat sammanträffande coincidence; **av en** [**ren**] **~** by pure chance, by sheer accident, quite accidentally

tillfälligt *adv* för kort tid temporarily; för ögonblicket [just] for the time being

tillfälligtvis *adv* **1** händelsevis accidentally, by accident; av en slump by chance; apropå casually; oförutsett incidentally **2** se *tillfälligt*

tillföra *vb tr* (-förde, -fört) bring (convey osv., jfr *föra I* 1) [*ngn ngt* sth to sb]; **~ skaffa ngt till...** supply (provide)...with sth; **~ debatten nya idéer** bring new ideas into...; **~ bolaget nytt kapital** put fresh capital into...

tillförlitlig *adj* (~t) reliable, ...to be relied on; om uppgift äv. authentic

tillförlitlighet *s* (~en) reliability; uppgifts äv. authenticity

tillförordna *vb tr* (~de, ~t) appoint...temporarily (provisionally)

tillförordnad *adj* (-förordnat, ~e), **~** (förk. *t.f.*) professor acting..., ...pro tempore (förk. pro tem.)

tillförsel *s* (~n) tillförande supplying (av t.ex. frisk luft supply) [*av* [...*till*] of [...to]]

tillförsikt *s* (~en) confidence, assurance

tillförsäkra *vb tr* (~de, ~t), **~ ngn** ngt secure (ensure, guarantee) sb...; **~ sig** ngt secure (make sure of)...

tillgiven *adj* (-givet, -givna) **1** allm. attached; om nära vän el. släkting affectionate, loving; trogen devoted; om djur faithful; **vara ngn mycket ~** be very [much] (sincerely) attached to sb, be very devoted to sb **2** i brevunderskrift, **Din tillgivne...** vanl. Yours sincerely...; till nära vän el. släkting Yours affectionately...

tillgivenhet *s* (~en) attachment; hängivenhet devotion, devotedness [*för* to]; kärlek affection [*för* for]

tillgjord *adj* (-gjort) affected; konstlad artificial

tillgjordhet *s* (~en) affectation; affected (resp. artificial) manner; artificiality [of manner]

tillgodo *adv* se *till godo* under *godo*

tillgodogöra *vb rfl* (-gjorde, -gjort), **~ sig** assimilate äv. bildl.; t.ex. undervisningen profit by

tillgodohavande *s* (~t, ~n) för sålda varor o.d. outstanding account [owing to one]; i bank o.d. [credit] balance [*hos, i* with]; **vårt ~ hos Er** the balance in our favour with you

tillgodokvitto *s* (~t, ~n) hand. credit note

tillgodoräkna *vb rfl* (~de, ~t) **~ sig a)** medräkna count [in], include **b)** räkna sig till godo, **för...~r vi oss ett arvode av 20 000 kronor** the fee for...is 20,000 kronor

tillgodose *vb tr* (-såg, -sett) krav, önskemål o.d. meet, satisfy; behov supply, provide for; **~ ngns intressen** look after sb's interests

tillgrepp *s* (~et, =) stöld theft

tillgripa *vb tr* (-grep, -gripit) **1** stjäla take...unlawfully, appropriate...for one's own use **2** bildl.: åtgärd, utväg resort (have recourse) to; **~ alla medel** för att go to any lengths..., use any means available...

tillgå *vb tr* (-gick, -gått), **det finns att ~** till förfogande it is to be had (is obtainable) [*hos* from]

tillgång *s* (~en, ~ar) **1** tillträde access [*till* to]; **ge ngn ~ till ngt** allow sb the use of sth; **ha ~ till telefon** have the use of the (resp. a) telephone; **ha ~ till vatten** (läkare) have...at hand (within easy reach); **med ~ till kök** with the use of kitchen, with kitchen facilities **2** förråd supply [*på* of]; **~ och efterfrågan** supply and demand **3** ekon., tillgångspost asset; **~ar** penningmedel means; resurser resources; **~ar och skulder** assets and liabilities; **leva över sina ~ar** live beyond one's means; **hon är en stor ~ för** firman she is a great asset to...

tillgänglig *adj* (~t) **1** om sak: som man har tillträde till accessible [*för* to]; lättillgänglig easy of access endast pred. [*för* for]; lättfattlig, t.ex. om bok, text comprehensible; som finns att tillgå (om t.ex. sittplats, resurser) available [*för* for]; som kan erhållas (t.ex. i butik) obtainable; öppen (om lokal el. friare t.ex. om kurs) open [*för* to]; **med alla ~a medel** vanl. by every available means **2** om person: lätt att komma till tals med ...easy to approach; vard. easy-going

tillhanda *adv* se *till handa* under *hand*

tillhandahålla *vb tr* (-höll, -hållit), **~ [ngn] ngt** hålla i beredskap have sth...in readiness [for sb]; ställa till förfogande place sth...at sb's disposal; förse med supply (furnish) [sb with] sth...

tillhands *adv* se *till hands* under *hand*

tillhygge *s* (~t, ~n) weapon; bildl. äv. argument

tillhåll *s* (~et, =) haunt [*för* of]; tillflyktsort retreat, refuge [*för* for]

tillhållarlås *s* (~et, =) mortise lock

tillhöra *vb tr* (-hörde, -hört) belong to, be among, be one of; **hon tillhör lagets bästa spelare** she is one of the team's best players

tillhörande *adj* (oböjl.) som hör till det (dem) ...belonging to it (them); förbunden med det (dem) ...adherent to it (them); om abstr. subst. ...incident to it (them); därtill passande ...to match; ett hus **med ~ inventarier** ...complete with movables; ett lågtryck *med ~ nederbördsområde* ...with accompanying rainfall (resp. snowfall)

tillhörig *adj* (~t), *en bil ~ X* a car belonging to X

tillhörighet *s* (~en, ~er) **1** ägodel possession; [private] property (endast sg.); *mina* (*dina* etc.) *~er* äv. my (your etc.) belongings **2** *politisk ~* political affiliation

tillika *adv* also, ...too; dessutom besides, moreover; *~ med* together with

tillintetgjord *adj* (-gjort) fullständigt besegrad completely defeated osv., jfr *tillintetgöra*; nedbruten o.d. broken [down] endast pred.; förkrossad [quite] crushed [*av* blygsel with...]

tillintetgöra *vb tr* (-gjorde, -gjort) besegra fullständigt defeat...completely; förstöra destroy, ruin; förinta annihilate; krossa (äv. bildl.) crush; utrota wipe out

tillintetgörande *adj* (oböjl.) destroying osv., jfr *tillintetgöra*; destructive; om blick withering

tillintetgörelse *s* (~n) defeat; destruction, ruin; annihilation; crushing; wiping out, shattering; jfr *tillintetgöra*

tillit *s* (~en) trust, confidence [*till* in]; förlitan äv. reliance [*till* [up]on]; *sätta* [*sin*] *~ till* put [one's] confidence in, place [one's] reliance [up]on (in)

tillitsfull *adj* (~t) förtröstansfull confident, ...full of confidence; mot andra confiding, trusting, trustful

tillkalla *vb tr* (~de, ~t) send for; t.ex. hjälp, specialist äv. summon, call in

tillknycklad *adj* (-knycklat, ~e) crumpled [up]

tillknäppt *adj* (=) bildl. reserved, standoffish

tillkomma *vb itr* (-kom, -kommit) **1** se *komma till* under 2 *komma III* **2** *~ tillhöra* ngn vara ngns rättighet be sb's due, belong to sb; vara ngns plikt be sb's duty; åligga ngn devolve [up]on sb; *det tillkommer inte mig att* döma it is not for me to... + inf.; *ge var och en vad honom tillkommer* give every man his due **3** *tillkomme ditt rike!* bibl. thy kingdom come!

tillkommande I *adj* (oböjl.) future **II** *s* (en ~, pl. =), *hans ~* his wife to-be; *hennes ~* her husband to-be

tillkomst *s* (~en) uppkomst origin; upprättande establishment; födelse birth; tillblivelse coming into being, creation; om politisk rörelse o.d. rise; *~en av denna nya industri* the coming into being of...

tillkorkad *adj* (-korkat, ~e) corked; bildl., t.ex. om väg jammed, blocked up

tillkrånglad *adj* (-krånglat, ~e) complicated, intricate, entangled; rörig muddled

tillkänna *adv*, *ge sig ~* se *till känna* under *känna I*

tillkännage *vb tr* (-gav, -gett el. -givit) meddela o.d. make...known, notify, announce; t.ex. avsikt signify, declare, proclaim [*för* i samtliga fall to]; *~...för ngn* äv. let sb know...; *härmed ~s att vi* this is to give notice..., we hereby announce...

tillkännagivande *s* (~t, ~n) kungörelse notification, announcement, declaration; anslag notice

tillmäle *s* (~t, ~n) skällsord word of abuse; *~n* abuse sg.; *grova ~n* äv. invectives

tillmäta *vb tr* (-mätte, -mätt) tillerkänna, tillskriva, *~ ngt stor betydelse* attach great importance to sth

tillmötes *adv* se *till mötes* under *möte*

tillmötesgå *vb tr* (-gick, -gått) person oblige; begäran o.d. comply with; *~ ngns önskan* meet sb's wishes

tillmötesgående I *adj* (oböjl.) obliging; om person äv. accommodating [*mot* to[wards]]; vard. forthcoming **II** *s* (~t) förbindlighet o.d. obligingness, compliance; välvilja courtesy

tillnamn *s* (~et, =) surname, family name; öknamn o.d. byname; *med ~et...* surnamed...

tillnyktring *s* (~en) sobering up; bildl. sobering down, coming to one's senses

tillnärmelsevis *adv* approximately; *inte ~ så* (*lika*) *stor som...* nothing (nowhere near) as big as...

tillopp *s* (~et, =) tillflöde influx, inflow; konkr. feeder stream; tillströmning äv. concourse

tillplattad *adj* (-plattat, ~e) ...squashed flat, flattened; bildl. squashed

tillra *vb itr* (~de, ~t) run; om tårar äv. trickle

tillreda *vb tr* (-redde, -rett) bereda prepare; t.ex. sallad med dressing dress; göra i ordning get...ready

tillrop *s* (~et, =) call, shout; *glada ~* joyous acclamation (acclamations pl.)

tillrufsad *adj* (-rufsat, ~e), *vara ~ i håret* have one's hair all ruffled (tousled)

tillryggalägga *vb tr* (-lade, -lagt) cover, do [*på* in]

tillråda *vb tr* (-rådde, -rått) råda advise; rekommendera recommend; högtidl. counsel; varnande caution

tillrådan *s* (=, en), *på min* (*hans* etc.) *~* on my (his etc.) advice

tillrådlig *adj* (~t) advisable osv., jfr *rådlig*

tillräcklig *adj* (~t) allm. sufficient; nog enough; om t.ex. kunskaper, ventilation adequate; *ett ~t antal* a sufficient (an adequate, a sufficently large) number; *~t med tid, mat* sufficient..., enough...; *ha ~t med...* have enough..., have...enough; ngt konkr. äv. have a sufficient supply of...; *vara ~ för ngns behov* äv. suffice for...

tillräckligt *adv* sufficiently, enough; *~ stor* (tung, ofta osv.) sufficiently..., ...enough; *~ många...* a sufficient number of..., quite enough...

tillräkna *vb tr* (~de, ~t) se *tillskriva 2*

tillräknelig *adj* (~t) om person responsible for one's actions endast pred., sane

tillrätta *adv* se *till rätta* under *rätta I 1*

tillrättalägga *vb tr* (-lade, -lagt) se *lägga till rätta* under *rätta I 1*

tillrättaläggande *s* (~t, ~n) clarification, elucidation [*av* of]

tillrättavisa *vb tr* (~de, ~t) rebuke, reprove, censure; starkare reprimand [*ngn för* ngt i samtliga fall sb for...]

tillrättavisning *s* (~en, ~ar) rebuke; starkare reprimand; *en allvarlig* (*skarp*) *~* a severe reprimand

tills I *konj* till dess att until; vard. till; *du måste vara färdig ~ han kommer tillbaka* ...by the time he comes back **II** *prep* until; vard. till; [ända] till up (down) to; *~ vidare* se *vidare 2*; *~ för* några veckor *sedan* until (down to, up to)...ago; *~ i morgon* (*på torsdag*) until (till) tomorrow (Thursday); senast by tomorrow (Thursday)

tillsammans *adv* together; sammanlagt altogether; föregånget av sifferuppgift i eng. in all; gemensamt jointly; se äv. 'ihop' o. 'samman' som beton. part. under resp. vb; *alla ~* all together; *~ med förenade krafter kan vi göra det* äv. between us we shall be able to do it; *~ har vi* 100 kronor we have...between (among) us; *~ med* i sällskap med äv. with; *vara ~* be together; *vara ~ med ngn* be [together] with sb, be in sb's company; vara ngns pojk- el. flickvän be going out with sb

tillsats *s* (~en, ~er) **1** tillsättande addition, adding **2** ngt iblandat added ingredient; admixture äv. bildl.; kem. additive; av sprit o.d. dash; av kryddor seasoning;

smak~ flavouring; **utan främmande ~er** without additives (skadliga adulterants) **3** tillfogat stycke piece added on, addition **4** apparat o.d. attachment [unit]

tillsatsämne s (~t, ~n) additive

tillse vb tr (-såg, -sett) se *se till* under *se III*

tillskansa vb rfl (~de, ~t), **~ sig** [unfairly] appropriate...[to oneself]; **~ sig makten** usurp power

tillskott s (~et, =) tillskjutet bidrag [additional (extra)] contribution; tillökning addition äv. om person

tillskriva vb tr (-skrev, -skrivit) **1** skriva till, **~ ngn** write to sb **2** tillerkänna, tillräkna, **~ ngn** en dikt (egenskap) ascribe (attribute)...to sb; en uppgift (upptäckt) äv. credit sb with...; **~ ngt stor betydelse** attach great importance to sth; **~ sig äran** take the credit to oneself

tillskyndan s (=, en), **på ~ av** on the initiative of, by direction of

tillskärare s (~n, =) [tailor's] cutter

tillslag s (~et, =) **1** sport.: i fotboll o.d. shot; i tennis o.d. äv. stroke **2** ingripande, **göra ett ~** make a crackdown (swoop) [mot on]

tillspetsad adj (-spetsat, ~e), **en ~ formulering** an incisive wording; läget **är tillspetsat** ...has become critical (acute), ...has reached an acute stage

tillströmning s (~en) av vatten inflow; av människor influx, stream; rusning rush

tillstymmelse s (~n, ~r) ansats suggestion; suspicion (endast sg.) [*till* i båda fallen of]; **inte en ~ till** sanning, bevis not a shred (vestige) of...

tillstyrka vb tr (-styrkte, -styrkt) support, recommend; **tillstyrkes** som påskrift o.d. approved

tillstå vb tr (-stod, -stått) bekänna confess [*för* ngn to...]; medge admit, acknowledge; **han ~r att han har sagt det** he admits that he has (admits having) said it

1 tillstånd s (~et, =) tillåtelse permission, leave; godkännande sanction; bifall consent; skriftligt permit; tillståndsbevis licence; **ha ~ att** + inf. have [been granted] permission (have been authorized resp. licensed) to + inf., be permitted (resp. licensed) to + inf.

2 tillstånd s (~et, =) skick state, state (condition) of things; läge condition; **i fast (flytande) ~** in solid (fluid) form; **i upphetsat ~** in a state of excitement (agitation)

tillståndsbevis s (~et, =) licence, permit

tillställning s (~en, ~ar) sammankomst, bjudning entertainment; fest party; vard. do

tillstöta vb itr (-stötte, -stött) **1** tillkomma, hända occur, supervene; om sjukdom set in **2** ansluta sig, **jag tillstöter senare** I will join you later

tillsvidare adv se *tills vidare* under *vidare 2*

tillsvidareanställning s (~en, ~ar) o.

tillsvidareförordnande s (~t, ~n) post with conditional tenure

tillsyn s (~en) supervision, superintendence; **ha ~ över** supervise, superintend; barn look after; **utan ~** without supervision, unattended

tillsynes adv se *till synes* under *syn 6*

tillsyningsman s (~nen, -män) supervisor [*för, över* of]

tillsägelse s (~n, ~r) **1** befallning order, orders pl. [*om* for]; anmälan notice, notification [*om* as to, of]; **få ~ [om] att** + inf. be told (starkare receive orders) to + inf.;

ge ngn **~ [om] att** + inf. tell (instruct)...to + inf.; starkare give...orders to + inf.; **utan ~** without being told **2** tillrättavisning **få en ~** be given a rebuke (starkare reprimand)

tillsätta vb tr (-satte, -satt) **1** se *sätta till* under *sätta IV* **2** förordna, utnämna appoint; kommitté äv. set up; besätta (befattning, plats) fill, appoint somebody to; **platsen är tillsatt** ...is filled; **platsen tillsätts av...** the appointment [to the post] is made by...

tillsättande s (~t) **1** iblandning adding; tillsats äv. addition **2** utnämning osv. appointing, appointment; setting up; filling; jfr *tillsätta 2*; **~t av** platsen the filling of...

tillsättning s (~en, ~ar) **1** se *tillsats* **2** se *tillsättande*

tillta vb itr (-tog, -tagit) allm. increase [*i* in]; om köld äv. get more intense; om t.ex. inflytande grow; utbreda sig spread; om månen wax; **dagarna ~r [i längd]** äv. ...are growing (getting) longer, ...are lengthening

tilltag s (~et, =) påhitt prank, trick; **ett djärvt ~** a bold venture; **ett sådant ~!** äv. what a thing to do!

tilltagande (jfr *tillta*) **I** adj (oböjl.) increasing osv.; om månen äv. crescent; **~ pessimism** increasing (deepening) pessimism **II** s (~t) increasing osv., increase; growth; **vara i ~** be on the increase, be increasing osv.

tilltagen adj (-taget, -tagna), siffran **är för högt (lågt) ~** ...is on the high (low) side, ...is too high (low); **vara knappt ~** om tyg, material o.d. not be quite enough; om mat o.d. äv. be scanty, be meagre; **vara knappt ~ (rikligt)** om t.ex. lön be meagre (ample); tiden **är för knappt ~** ...is too restricted, ...has been cut too fine; **vara rikligt ~** om t.ex. mat be ample in quantity; **vara väl ~** om konkr. föremål be a good (fair) size

tilltagsen adj (-tagset, -tagsna) företagsam enterprising; djärv bold, daring; småfräck impudent, cheeky

tilltal s (~et, =) address; **svara på ~** answer when [one is] spoken to (addressed); **vid ~ bör man...** on being addressed...

tilltala vb tr (~de, ~t) **1** tala till address, speak to **2** behaga: speciellt om sak appeal to; om person o. sak attract, please

tilltalande adj (oböjl.) attractive, pleasing, pleasant; om t.ex. förslag acceptable; passande ngns kynne congenial [*för* i samtliga fall to]

tilltalsnamn s (~et, =) first (given) name; **stryk under ~et** på blankett e.d. please underline the most commonly used first (given) name

tilltalsord s (~et, =) form (term) of address

tilltrasslad adj (-trasslat, ~e), **en ~ situation** a complicated situation

tilltro I s (~n) tro credit, credence; förtroende, tillit confidence [*till* in]; **sätta ~ till** ngn have confidence in sb, trust sb; **sätta ~ till** rykten o.d. give credit (credence) to...; **vinna ~** om rykte o.d. be believed (credited) [*hos* by]; gain credence [*hos* with] **II** vb tr (~dde, ~tt), **~ ngn ngt (att** + inf.) believe sb capable of sth (of + ing-form), give sb credit for sth (for + ing-form)

tillträda vb tr (-trädde, -trätt) egendom o.d. take over, take possession of; arv come into [possession of]; **~ sin post** take up one's duties (post); **~ tjänsten** enter [up]on one's duties; **~ sitt ämbete** take office

tillträde s (~t, ~n) **1** tillträdande: av egendom entry [*av* into possession of], taking possession, taking over [*av* i båda fallen of]; **få ~ till** lägenhet o.d. take possession of..., take over...; **vid ~t av tjänsten** blev han on taking up his duties... **2** inträde o.d. entrance, admission [*till* to]; tillåtelse att gå in admittance; **obehöriga äga ej ~** som anslag No Admittance [Except on Business]

tillträdesdag *s* (~en, ~ar) för egendom day of taking possession; **tidigaste ~** för tjänst the earliest day on which duties can begin

tilltugg *s* (~et, =), ett glas vin **med ~** ...with something to eat with it, ...with snacks

tilltvinga *vb rfl* (-de, ~t), **~ sig** m.fl., se *tvinga till sig* (*sig till*) under *tvinga III*

tilltygad *adj* (-tygat, ~e), **han var så [illa] ~ att...** he had been so badly knocked about (manhandled)...

tilltänkt *adj* (=) contemplated, proposed; tillämnad intended; planerad projected

tillval *s* (~et, =) choice; se äv. *tillvalsämne*

tillvalsämne *s* (~t, ~n) skol. optional (amer. elective) subject

tillvarata o. **tillvarataga** *vb tr* (-tog, -tagit) ta hand om take care (charge) of; t.ex. mat make use of; hitta find; ngns intressen: bevaka look after, skydda safeguard; utnyttja, t.ex. möjligheter take advantage of, utilize; **tillvarataget** som rubrik Found; **tillvaratagna effekter** järnv. o.d. [passengers'] lost property sg.

tillvaratagande *s* (~t), **~t av...** the taking care (charge) of...; ngns intressen the protection of...; jfr f.ö. *tillvarata*

tillvaro *s* (~n) existence; friare: liv life; **en bekymmerslös ~** a carefree existence (life), a life of ease; **en dräglig ~** a tolerable existence; **en skyddad ~** a sheltered life (existence)

tillverka *vb tr* (~de, ~t) manufacture; friare äv. make [*av* out of]; framställa produce [*av* from]; om maskin el. fabrik turn out

tillverkare *s* (~n, =) manufacturer; friare maker; framställare producer

tillverkning *s* (~en, ~ar) fabrikation manufacture, manufacturing; friare making; produktion production; per år o.d. output, turnout; fabrikat manufacture, make, product; **av svensk ~** made in Sweden

tillverkningskostnad *s* (~en, ~er) cost (costs pl.) of production (manufacture)

tillverkningsmetod *s* (~en, ~er) manufacturing process

tillväga *adv* se *till väga* under *väg 2*

tillvägagångssätt *s* (~et, =) [mode of] procedure, course (line) of action

tillvänjning *s* (~en) accustoming [*vid ngt* to sth]; beroende, t.ex. av narkotika dependence, habituation [*till* on]

tillväxt *s* (~en) **1** growth äv. bildl.; ökning increase [*i* i båda fallen in]; skog. increment, accretion; **stadens hastiga ~** the rapid growth (expansion) of the town **2** ekon. growth, expansion

tillväxtekonomi *s* (~n, ~er) growth economy

tillväxthormon *s* (~et, ~er el. =) growth hormone

tillväxttakt *s* (~en, ~er) growth rate

tillåta I *vb tr* (tillät, tillåtit) allm. allow; ge tillstånd permit; inte hindra, finna sig i suffer; gå med på consent to; med saksubj. admit (allow) of; **~ ngn att gå** (**att ngn går**) allow (resp. permit) sb to go, consent to sb's

going; **tillåt mig att ställa en fråga** let me (allow me to) ask you a question; **tillåter ni att jag röker?** do you mind if I smoke?, may I smoke?; **om ni tillåter** if you will allow (permit) me; **om vädret tillåter** weather permitting **II** *vb rfl* (tillät, tillåtit), **~ sig** permit (allow) oneself; unna sig indulge in [the luxury of]; **~ sig** ta sig friheten **att** + inf. take the liberty to + inf. (of + ing-form)

tillåtelse *s* (~n, ~r) tillstånd permission; egen ~ leave; jfr 1 *tillstånd*; **med er ~** with your permission, with (by) your leave; **be om ~ att** + inf. ask permission (leave) to + inf., ask (beg) to be allowed to + inf.; **få ~ att** + inf. receive (be given) permission to + inf., be allowed (permitted) to + inf.

tillåten *adj* (tillåtet, tillåtna) allowed, permitted; laglig lawful; **högsta tillåtna hastighet är...** the speed limit is...; **rökning är inte ~ här** smoking is not allowed here; **i krig och kärlek är allt tillåtet** all is fair in love and war; **överskrida gränserna för det tillåtna** overstep the limit[s] of what is permissible, overstep the mark

tillåtlig *adj* (~t) allowable, permissible, admissible

tillägg *s* (~et, =) allm. addition; till handling el. avtal äv. additional paragraph; till testamente äv. codicil; tillagd (skriftlig) anmärkning addendum (pl. addenda); pris~ extra (additional) charge, extra

tillägga *vb tr* (tillade, tillagt) tillfoga add [*till* to]

tilläggsavgift *s* (~en, ~er) surcharge, additional charge, extra fee, extra; **~ för övervikt** excess luggage (baggage) charge (fee)

tilläggsisolering *s* (~en, ~ar) tekn. additional insulation

tilläggspension *s* (~en, ~er), **allmän ~** (förk. *ATP*) [national] supplementary pension

tilläggsplats *s* (~en, ~er) sjö. landing place; förtöjningsplats berthing place

tilläggsporto *s* (~t, ~n) surcharge, excess postage (endast sg.)

tillägna I *vb tr* (~de, ~t), **~ ngn en bok** o.d. dedicate...to sb **II** *vb rfl* (~de, ~t) **~ sig a)** förvärva, kunskaper o.d. acquire; med lätthet pick up; tillgodogöra sig, t.ex. vad man läser assimilate, take in **b)** lägga sig till med: med orätt appropriate; med våld seize [upon]

tillägnan *s* (=, en) dedication

tillämpa *vb tr* (~de, ~t) apply [*på* to]; t.ex. sin erfarenhet bring...to bear [*på* [up]on]; t.ex. sina kunskaper, en regel put...into practice; **regeln kan ~s** äv. ...is applicable [*på* to]; **~d matematik** (**kemi** etc.) applied mathematics (chemistry etc.)

tillämplig *adj* (~t) applicable [*på* to]; **vara ~ på...** om regel o.d. äv. apply to...; paragrafen gäller **i ~a delar** ...where applicable; grammatiken studeras **i ~a delar** the relevant parts of...

tillämpning *s* (~en, ~ar) application [*på* to]; **ha (äga) [sin] ~** be applicable [*på* to]

tillökning *s* (~en, ~ar) [ytterligare] ökning increase [*av* of]; tillskott, speciellt konkr. addition [*av, i, till* to]; **vänta ~** [**i familjen**] be expecting an addition to the family

tillönska *vb tr* (~de, ~t) wish [*ngn ngt* sb sth]; **god jul ~s av...** wishing you a Merry Xmas, [from]...

tillönskan *s* (=, en, -önskningar) o. **tillönskning** *s* (~en, ~ar) wish; **med ~ om** lycklig resa o.d. best wishes for...

tima *vb tr* (~de, ~t) se *tajma*

timanställd *adj* (-anställt) ...employed by the hour

timarvode s (~t, ~n) fee paid by the hour
timglas s (~et, =) hourglass, sandglass
timid adj (neutrum undviks) timid
timjan s (~en el. =) thyme
timlig I adj (~t) temporal; ~ *lycka* el. *~a ägodelar* earthly joys pl., earthly possessions **II** s, *det ~a* things pl. temporal
timlärare s (~n, =) non-permanent teacher [paid on an hourly basis]
timlön s (~en, ~er) hourly wage (wages pl.), wages pl. [paid] by the (per) hour; *få* (*ha*) ~ be paid by the hour
timma s (~n, timmar) o. **timme** s (~n, timmar) hour; lektion äv. lesson; skol. (i undervisningsplan) period; jfr äv. motsv. ex. under *minut 1*; *en ~s* (*fyra timmars*) *resa* an hour's (a four hours', a four-hour) journey; *ha 40 timmars arbetsvecka* have a 40-hour [working] week; *det är två timmars väg till stan* the town is two hours' way from here; ~ *efter* (*för*) ~ hour after (by) hour; bli sämre *för var* ~ [*som går*] ...every hour, ...hourly; 90 km *i* ~ el. 170 kronor [*i*] *~n* ...an hour; vänta *i* [*flera*] *timmar* ...for [several] hours, for hours and hours; *om en* ~ in an hour['s time]; betala ngn *per* ~ ...per (by the) hour; 170 kronor *per* ~ ...an hour
timmer s (timret, =) timber; amer. lumber
timmeravverkning s (~en, ~ar) [timber] felling; amer. äv. logging, lumbering
timmerflottning s (~en, ~ar) log-driving
timmerhuggare s (~n, =) [timber] feller, lumberjack, lumberman
timmerman s (~nen, -män) **1** person carpenter **2** zool. timber beetle
timmerstock s (~en, ~ar) log; *dra ~ar* snarka be driving one's hogs to market
timotej s (~en) bot. timothy [grass], herd's grass
timpenning s (~en) se *timlön*
timplan s (~en, ~er) timetable, schedule
timra I vb tr (~de, ~t), ~ [*upp*] build (construct) [...of logs (out of timber)]; *en ~d stuga* a timbered... **II** vb itr (~de, ~t) carpenter, do carpentry
timslång adj (~t) hour-long; attr. äv. ...lasting an hour
timtals adv i timmar for hours [together], for hours and hours
timvisare s (~n, =) hour (small) hand
1 tina s (~n, tinor) **1** laggkärl tub **2** fiske~ creel, pot
2 tina vb tr o. vb itr (~de, ~t), ~ [*upp*] thaw [out] äv. bildl.; smälta melt; *hon ~de upp* blev mer tillgänglig she became less reserved (more sociable)
tindra vb itr (~de, ~t) twinkle; gnistra sparkle, scintillate
1 ting s (~et, =) **1** domstolssammanträde [district-court] sessions pl.; *sitta* ~ ha tingstjänstgöring som utbildning be on duty (serve) at a (resp. the) districtcourt **2** hist. thing
2 ting s (~et, =) sak thing; föremål äv. object; [*en del*] *saker och* ~ a number of things; *~ens ordning* the order (scheme) of things
tinga vb tr (~de, ~t), ~ [*på*] order [...in advance], bespeak; reservera reserve, book; person engage; *...är redan ~d* reserverad äv. ...is already taken
tingeltangel s (tingeltanglet) koll., pynt gewgaws pl., knick-knacks pl.
tingest s (~en, ~ar) thing; föremål object

tingshus s (~et, =) [district] court house
tingsrätt s (~en, ~er) jur. district (i vissa städer city) court
tinktur s (~en, ~er) tincture
tinne s (~n, tinnar) pinnacle; bergs~ äv. summit; *tinnar och torn* towers and pinnacles
tinning s (~en, ~ar) temple
tinningben s (~et, =) temporal bone
tinnitus s (oböjl., en) med. tinnitus
tio räkn ten; ~ *i topp* topplista [the] top ten; jfr *fem* med sammansättn.
tiodubbel adj (~t, -dubbla) tenfold; jfr *femdubbel*
tiokamp s (~en, ~er) sport. decathlon
tiokrona s (~n, -kronor) ten-krona piece
tionde I räkn tenth; jfr *femte* med sammansättn. **II** s (~t, ~n) hist. tithes pl.; *ge* ~ pay [one's] tithes
tiondel s (~en, ~ar) o. **tiondedel** s (~en, ~ar) tenth [part]; jfr *femtedel*
tiotal s (~et, =) ten; ~ *och hundratal* tens and hundreds; *ett par* ~ some twenty or thirty; *några* ~ ung. a few dozen; jfr f.ö. *femtiotal*
tiotusentals adv, ~ människor tens of thousands of... (+ subst. i pl.)
1 tipp s (~en, ~ar) spets tip [*av* (*på*) of]
2 tipp s (~en, ~ar) **1** avstjälpningsplats [refuse (amer. garbage)] dump **2** avstjälpningsanordning tipping device; *lastbil med* ~ tipper, tipping lorry; amer. dump[ing] truck
1 tippa I vb tr (~de, ~t) stjälpa, ~ [*ut*] tip, dump **II** vb itr (~de, ~t), ~ [*över*] tip (tilt) [over]
2 tippa vb tr o. vb itr (~de, ~t) **1** förutsäga tip; *jag ~r att han* (*den hästen*) *vinner* I tip him (that horse) to win (as the winner); ~ *vem som vinner* äv. spot the winner **2** med tipskupong do the [football] pools; fylla i en kupong fill in a [football] pools coupon; ~ *tretton rätt* forecast (get) thirteen correct results
tippare s (~n, ~) fotbolls~ punter
1 tippning s (~en, ~ar) avstjälpning tipping, dumping; ~ [*av sopor*] *förbjuden!* som anslag no tipping allowed!, tip no rubbish [here]!
2 tippning s (~en, ~ar) med tipskupong doing the [football] pools; ifyllande av kupong filling in [football] pools coupons
tips s (~et, =) **1** vink tip, tip-off [*om* about, as to]; förslag suggestion; *ge ngn ett* (*några*) ~ give sb a tip **2** *vinna på* ~[*et*] win on the [football] pools
tipsa vb tr (~de, ~t) vard., ~ *ngn om ngt* tip sb [off] about sth, give sb a tip (tip-off) about sth, put sb on to sth
tipskupong s (~en, ~er) [football] pools coupon
tipspromenad s (~en, ~er) [kind of] combined open-air walking and quiz competition
tipsrad s (~en, ~er) line on a (resp. the) [football] pools coupon
tipsresultat s (~et, =) results pl. of the [football] pools matches, football pools results pl.
tirad s (~en, ~er) tirade
tisdag s (~en, ~ar) Tuesday; jfr *fredag* för ex. o. sammansättn.
tissel s (tisslet), ~ *och tassel* viskande whispering; hemlighetsmakeri hush-hush; skvaller tittle-tattle
tissla vb itr (~de, ~t), ~ *och tassla* viska whisper; *det ~s och tasslas så mycket om att...* there is a lot of whispering (skvallras tittle-tattle) going on that...
tistel s (~n, tistlar) bot. thistle

titan s **1** (~en, ~er) jätte Titan **2** (~et el. ~en) kem. titanium

titel s (~n, titlar) person~, bok~ o.d. title; ekon. heading; **~n professor** the title of professor; **~n på boken** the title of the book; **bära ~n** hertig have (bear) the title of...; **inneha ~n** sport. hold the title; **lägga bort titlarna** dispense with (drop the) titles; **en bok med ~n**... a book entitled...

titelblad s (~et, =) title page

titelförsvarare s (~n, =) sport. title-defender, defender of the (resp. a) title

titelhållare s (~n, =) o. **titelinnehavare** s (~n, =) sport. titleholder

titelmatch s (~en, ~er) sport. title (championship) match

titelroll s (~en, ~er) title role, name part

titelsida s (~n, -sidor) title page

titelsjuka s (~n) fondness (starkare mania) for titles

1 titt adv, **~ och tätt** el. **~ som tätt** frequently, repeatedly, time and again

2 titt s (~en, ~ar) **1** blick look; hastig glance; vard. look-see; i smyg peep; **ta [sig] en ~ på...** have (take) a look osv. at... **2** kort besök call [hos ngn on sb]; **tack för ~en!** ung. it was kind of you to look me up!

titta I vb itr (~de, ~t) look; ta en titt have a look; kika peep, peek; flyktigt glance [på i samtliga fall at]; **~ på tv** watch television (TV); **~ [själv]!** look [for yourself]!, för tillämpliga ex. se vidare se I

II vb rfl (~de, ~t), **~ sig** se se II 2

III med beton. part. (jfr äv. under se III)

titta efter se se efter under se III

titta fram kika fram peep out (forth); synas show; solen **~r fram mellan molnen** ...peeps out from behind the clouds; när solen **~r fram** ...comes out (peeps through)

titta hem till ngn go and see...

titta hit: **~ inte hit!** don't look this way!; **vill du ~** komma **hit** ett tag would you [please] come over here...

titta igenom look (flyktigt glance) through

titta in komma in [och hälsa på] look (drop) in [till ngn on...], come round and see...; gå in call in [till t.ex. en familj, i affär o.d. at]

titta ned: **~ ned till oss** någon gång come down and see us...

titta till se se efter under se III

titta upp: **~ upp till oss** någon gång come up and see us...

titta ut se äv. titta fram ovan; **~ ut ngn** närgånget glo på ngn stare sb up and down; **~ ut till oss [på landet]** come out [into the country] and see us

titta över: **~ över till oss** någon gång come (call) round [and see us]...

tittare s (~n, =) tv-tittare viewer; fönster~ peeping Tom, voyeur

tittarsiffror s pl TV. [television] ratings; **de vikande ~na** the falling TV ratings

tittarstorm s (~en, ~ar) TV. storm of protest[s] from televiewers (TV viewers)

tittarsuccé s (~n, ~er) TV. success with the viewers

tittglugg s (~en, ~ar) spy hole

titthål s (~et, =) peephole

tittut s (oböjl.), **~!** bo[o]!, peekaboo!, I see you!; **leka ~** play peekaboo (peep-bo)

tittöga s (~t, -ögon) i ytterdörr peephole

titulera vb tr (~de, ~t) style, call; **~ ngn** professor äv. address sb as...

tivoli s (~t, ~n) amusement park, amer. äv. carnival; om mera tillfälligt äv. funfair

tja interj well!

tjack s (~et, =) **1** neds., kvinna bird **2** vard., narkotika junk

tjafs s (~et) vard., prat drivel, twaddle, cobblers; strunt, smörja rubbish; krångel fuss

tjafsa vb itr (~de, ~t) vard., prata talk drivel; krångla fuss; **~ med ngn** pester (bother) sb; **~ om ngt** make a fuss (a lot of fuss and bother) about sth

tjalla vb itr (~de, ~t) vard. squeal, snitch [på i bägge fallen on], shop [på ngn on sb]

tjallare s (~n, =) vard., angivare squealer, snitcher

tjat s (~et) nagging [om about], continual (persistent) asking [om for], harping [om on]; jfr tjata

tjata vb itr (~de, ~t) gnata nag [på ngn [at] sb; om ngt about sth]; **~ på ngn om ngt** envist be om ngt continually (persistently) ask sb for sth, worry sb [to death] for sth; **han ~r** mal **jämt om samma sak** he is always going on about (harping on) the same thing; **~ sig till ngt** get sth by continually (persistently) asking for it

tjatig adj (~t) **1** gnatig nagging; **hon är så ~** she is always nagging (going on) **2** långtråkig boring, tedious; **det är ~t** äv. it is repetitive, it just goes on and on

tjattra vb itr (~de, ~t) jabber, chatter

tjeck s (~en, ~er) Czech

Tjeckien the Czech Republic

tjeckisk adj (~t) Czech; **Tjeckiska republiken** the Czech Republic

tjeckiska s **1** (~n, tjeckiskor) kvinna Czech woman **2** (~n) språk Czech

Tjeckoslovakien hist. Czechoslovakia

tjeckoslovakisk adj (~t) hist. Czechoslovak[ian]

tjej s (~en, ~er) vard. girl; mera vard. chick, bird

tjejband s (~et, =) mus. girls' band

Tjernobyl Chernobyl

Tjetjenien the Chechen Republic, Chechenya

tjetjensk adj (~t) Chechen

tjock adj (~t) thick inte om person; om person samt om sak i betydelsen 'kraftig' stout; fet fat; knubbig chubby; tät, t.ex. om rök dense; **~ och fet** stout, fat; **kort och ~** ofta stocky, squat, stumpy; **~a händer** podgy hands; **~a kläder** vanl. heavy clothes; **hela ~a släkten** skämts. the whole clan; **hon fick något ~t i halsen** bildl. she felt a lump in her throat; **luften var ~ av rök** the air was thick with smoke; **det var ~t med folk på gatan** the street was packed with people

tjocka s (~n) fog

tjockflytande adj (oböjl.) viscous, viscid, thick; om olja äv. heavy

tjockhudad adj (-hudat, ~e) thick-skinned äv. bildl.

tjockis s (~en, ~ar) vard. fatty

tjocklek s (~en, ~ar) thickness; **...av två tums ~** ...two inches thick (in thickness)

tjockna vb itr (~de, ~t) get (grow, become) thick, thicken; **~ till** om person, bli fetare get fatter (stouter)

tjockolja s (~n) heavy (viscous) oil

tjockskalle s (~n, -skallar) vard. fathead, numskull

tjockskallig adj (~t) vard. thick-headed, thick-skulled; friare dense

tjocktarm *s* (~en, ~ar) anat., *~en* the large intestine

tjocktarmscancer *s* (~n) med. cancer of the large intestine

tjock-tv *s* (-tv:n, -tv:ar) skämts. chunky TV

tjog *s* (~et, =) score; *fem ~* ägg five score [of]...; *några ~* kräftor a few score [of]..., some scores of...

tjogtals *adv*, *~* [*med*] ägg scores of... (+ subst. i pl.)

tjudra *vb tr* (~de, ~t) tether; *~ fast* tether up [*vid* to]

tjuga *s* (~n, tjugor) vard., tjugokronorssedel twenty-krona note

tjugo *räkn* twenty; jfr *fem* o. *femtio* med sammansättn.

tjugohundratalet *s* (best. sing.) the twenty-first (21st) century; jfr *femtonhundratalet*

tjugokronorssedel *s* (~n, -sedlar) twenty-krona note

tjugolapp *s* (~en, ~ar) twenty-krona note

tjugondag *s* (~en, ~ar), *~en* el. *~ jul* el. *~ Knut* Hilary [mass], 13 January, when Swedes throw out the Christmas tree

tjugonde *räkn* twentieth; jfr *femte*

tjugondel *s* (~en, ~ar) o. **tjugondedel** *s* (~en, ~ar) twentieth [part]; jfr *femtedel*

tjur *s* (~en, ~ar) zool. bull; *ta ~en vid hornen* bildl. take the bull by the horns

tjura *vb itr* (~de, ~t) sulk, have the sulks, be in a sulk

tjurfäktare *s* (~n, =) bullfighter

tjurfäktning *s* (~en, ~ar) tjurfäktande bullfighting; *en ~* a bullfight

tjurig *adj* (~t) envis pigheaded; sur sulky; *vara ~* äv. have the sulks, be in a sulk

tjurkalv *s* (~en, ~ar) bull calf

tjurskalle *s* (~n, -skallar) vard. obstinate (pigheaded) person, mule

tjurskallig *adj* (~t) vard. pigheaded

tjusa *vb tr* (~de, ~t) poet. charm, enchant; friare fascinate, captivate

tjusig *adj* (~t) charming, lovely; om sak äv. gorgeous

tjuskraft *s* (~en) charm, power to charm

tjusning *s* (~en) charm, enchantment, fascination; *fartens ~* the fascination of speed

tjut *s* (~et, =) tjutande howling; vrålande roaring; *ett ~* a howl, a roar

tjuta *vb itr* (tjöt, tjutit) howl; vråla roar; om mistlur hoot; vard., gråta cry; *~ av skratt* howl (scream, shriek) with laughter

tjuv *s* (~en, ~ar) thief (pl. thieves); inbrottstjuv burglar; speciellt på dagen housebreaker; *som en ~ om natten* like a thief in the night

tjuvaktig *adj* (~t) thieving..., thievish...; *han är ~* he is inclined to thieve (steal)

tjuvfiska I *vb tr* (~de, ~t) poach [for] **II** *vb itr* (~de, ~t) poach fish

tjuvfiske *s* (~t) fish-poaching, illicit (unlawful) fishing

tjuvgods *s* (~et) koll. stolen property (goods pl.)

tjuvgömma *s* (~n, -gömmor) där tjuvgods ska gömmas place for harbouring stolen property; där tjuvgods har gömts place where stolen property has been harboured

tjuvhålla *vb itr* (-höll, -hållit), *~ på* ett äss, information hold (keep) back...

tjuvknep *s* (~et, =) bildl. dirty trick

tjuvkoppla *vb tr* (~de, ~t) bil. jumper; vard. hot-wire

tjuvlarm *s* (~et, =) burglar alarm

tjuvlyssna *vb itr* (~de, ~t) eavesdrop, listen in

tjuvlyssnare *s* (~n, =) eavesdropper

tjuvläsa *vb tr* o. *vb itr* (-läste, -läst), *~* [*en bok* (*tidning*)] read [a book (paper)] on the sly

tjuvnyp *s* (~et, =), *ge ngn ett ~* bildl. have a [sly] dig at sb

tjuvpojke *s* (~n, -pojkar) [young] rogue, [young] rascal, scapegrace

tjuvskytt *s* (~en, ~ar) [game] poacher

tjuvskytte *s* (~t) [game] poaching

tjuvstart *s* (~en, ~er) sport. false start

tjuvstarta *vb itr* (~de, ~t) sport. make a false start; friare jump the gun

tjuvtitta *vb itr* (~de, ~t), *~ i* en bok (tidning) take a look into (have a peep at)...on the sly

tjuvtjockt *adv*, *jag mår ~* I feel rotten

tjuvåka *vb itr* (-åkte, -åkt) steal a ride; på t.ex. tunnelbanan dodge paying one's fare

tjuvåkning *s* (~en, ~ar) stealing a ride; på t.ex. tunnelbanan fare dodging

tjäder *s* (~n, tjädrar) capercaillie, capercailzie, great (wood) grouse

tjäderhöna *s* (~n, -hönor) female (hen) capercaillie

tjäderspel *s* (~et, =) tupps läten [cock] capercaillie's calls pl. (parningslek courting)

tjädertupp *s* (~en, ~ar) male (cock) capercaillie; levande äv. cock of the wood

tjäle *s* (~n) frost in the ground, ground frost; *~n har gått ur jorden* the frost [in the ground] has broken up, the earth (soil) has thawed

tjällossning *s* (~en) [the] breaking up of the frost in the ground, [the] thawing of the frozen soil (ground)

tjälskada *s* (~n, -skador) trafik. frost-damage (endast sg.); *~* el. *tjälskador* på vägskylt frost-damaged surface

tjälskott *s* (~et, =) hål o.d. pot-hole [due to frost]; *~* pl. upphöjningar frost heave sg.

tjäna I *vb tr* o. *vb itr* (~de, ~t) **1** förtjäna: genom arbete earn; mera allm. make; *han ~r bra* he earns (makes) a lot [of money]; *hon ~r 25 000 i månaden* she earns 25,000 a month; *hon ~r 25 000 i månaden på* ngt (*på att* + inf.) she earns 25,000 a month on (by + ing-form) **2** *~ på a*) itr., *~ pengar på* t.ex. affären make a profit on...; utnyttja, slå mynt av cash in on; *han skulle ~ på att* ta det lite lugnare he would gain (profit) by... *b*) tr., spara in, *vi ~de en timme på att ta bilen* we gained (saved) an hour by taking the car **3** vara i tjänst [hos] serve; *~ hos ngn* serve (be in service) at (in) sb's house, be in sb's service; *~ som...* något abstrakt, t.ex. förebild, ursäkt serve as...; något mer konkret, t.ex. bostad, föda do duty as (i stället för for)...; den kommer att *~ sitt syfte* ...serve its purpose; *det ~r ingenting till att du går dit* it's no use (there's no point in) your (vard. you) going there; *vad ~r det till?* what's the use (good, point) of that?, what's that for?

II med beton. part.

tjäna ihop en summa save up...out of one's earnings

tjäna in: *~ in sina utlägg* recover (clear) one's expenses; *vi ~de in fem minuter på att ta taxi* we gained five minutes by taking a taxi

tjäna ut: den här rocken *har ~t ut* ...has seen its best days, ...has done good service

tjänare I *s* (~n, =) allm. servant; *en kyrkans* (*Guds*) *~* a minister of the Church (the Lord) **II** *interj* hej! hallo!, amer. hi [there]!

tjänarinna s (~n, tjänarinnor) åld. [maid] servant

tjänlig adj (~t) passande, lämplig suitable; användbar serviceable [till i båda fallen for]; **inte ~ som människoföda** äv. not fit for (unfit for) human food

tjänst s (~en, ~er) allm. service; plats, anställning place, situation; befattning post; spec. stats~ appointment; ämbete office; prästerlig charge, ministry; medalj för **lång och trogen ~** ...long and faithful service; **erbjuda ngn sina ~er** offer one's services to sb; **göra ngn en ~** do (render) sb a favour (service), do sb a good turn; **du skulle göra mig en ~ genom att** + inf. äv. you would oblige me by + ing-form; **lämna sin ~** befattning resign one's appointment; **i aktiv ~** mil. on active service; on the active list; **vara i ~** be on duty; **inte vara i ~** be off duty; **i ~en** under tjänstgöringstid when on duty; **be ngn om en ~** ask sb a favour, ask a favour of sb; **stå till ngns ~** be at sb's service (disposal); **vad kan jag stå till ~ med?** what can I do for you?; han är där **å (på) ~ens vägnar** ...on official business

tjänstebil s (~en, ~ar) official car, car for official use; bolags, firmas etc. company (firm's etc.) car, car supplied by the company (firm etc.); **han har ~** äv. he has a car on the firm

tjänstebostad s (~en, -bostäder) lägenhet flat (amer. apartment) attached to one's post (job); hus house attached to one's post (job); högre ämbetsmans official residence

tjänstebruk s (oböjl.), **för ~** for official use

tjänstefel s (~et, =) breach of duty, [official] misconduct

tjänsteflicka s (~n, -flickor) servant [girl], maid; amer. äv. hired girl

tjänstefolk s (~et) servants pl.

tjänsteförrättning s (~en, ~ar) official business (duty, function)

tjänsteman s (~nen, -män) statlig civil servant, official; i enskild tjänst [salaried] employee; kontorist clerk; **Tjänstemännens Centralorganisation** (förk. TCO) The [Swedish] Confederation of Professional Employees

tjänstepension s (~en, ~er) occupational (service) pension

tjänsteplikt s (~en, ~er) plikt att göra tjänst compulsory [national] service

tjänsteresa s (~n, -resor) i statstjänst official journey; affärsresa business journey (trip), journey (trip) on official business

tjänsterum s (~met, =) office

tjänstetid s (~en, ~er) **1** anställningstid period of service **2** under (**på**) ~ during hours of duty (kontorstid office hours)

tjänsteutövning s (~en), **under ~** bör man... in the course of one's duties..., when discharging one's official duties...

tjänsteår s (~et, =) year of service

tjänsteärende s (~t, ~n) official matter (business endast sg.); **vara ute på ~** be on official business

tjänstgöra vb itr (-gjorde, -gjort) allm. serve, do duty [som as; på, vid at]; om person äv. act [som tolk as...]; speciellt kyrkl. officiate; vara i tjänst be on duty; **han tjänstgjorde** många år som... he worked (mil. o.d. served)...

tjänstgörande adj (oböjl.) ...on duty speciellt mil. o.d., ...in charge

tjänstgöring s (~en, ~ar) duty; arbete work (endast sg.); **~en** omfattar... äv. the duties (pl.)...; **anmäla sig till ~** report for duty; **efter 5 års ~ som lärare** after five years' service as a teacher

tjänstgöringsbetyg s (~et, =) testimonial, se vidare **betyg 1**

tjänstgöringsskyldighet s (~en, ~er) official duties pl.; om t.ex. lärare teaching duties pl.

tjänstgöringstid s (~en, ~er) anställningstid period of service

tjänstledig adj (~t), **vara ~** be on leave [of absence]; **ta ~t** take leave

tjänstledighet s (~en, ~er) leave of absence

tjänstvillig adj (~t) obliging, willing, helpful; pred. äv. willing to help

tjära I s (~n, tjäror) tar **II** vb tr (~de, ~t) tar, give...a coating of tar

tjärblomster s (-blomstret, =) bot. German catchfly

tjärn s (~en, ~ar) small lake, mere

tjärpapp s (~en) takpapp tar paper, [tarred] roofing-felt

T-korsning s (~en, ~ar) trafik. T-junction

toa s (~n) vard., **gå på ~** go to the loo (lav, amer. john, bathroom); se äv. toalett 1

toalett s (~en, ~er) **1** ~rum lavatory, toilet; på t.ex. restaurang el. varuhus gents, ladies, amer. men's room, ladies' room, restroom; **gå på ~en** go to the lavatory etc., amer. go to the bathroom **2** ngt åld., klädsel dress, toilet; **göra ~** make one's toilet

toalettartikel s (~n, -artiklar) toilet requisite; **toalettartiklar** äv. toiletries

toalettbesök s (~et, =) visit to the lavatory; etc., se toalett

toalettbord s (~et, =) toilet table, dressing-table; amer. dresser

toaletthandduk s (~en, ~ar) face towel

toalettpapper s (~et el. -pappret, =) toilet paper

toalettpappersrulle s (~n, -rullar) toilet roll; tom toilet paper tube

toalettrum s (~met, =) lavatory; jfr toalett 1

toalettsaker s pl toilet requisites, toiletries

toalettstol s (~en, ~ar) toilet, lavatory, water closet

toalettväska s (~n, -väskor) toilet (vanity) bag (case); äv. dressing case; finare nécessaire fr.

tobak s (~en) tobacco äv. bot.; vard. baccy; **ta sig en pipa ~** have (take) a pipe

tobaksaffär s (~en, ~er) butik tobacconist's [shop]; amer. äv. cigarstore

tobakshandlare s (~n, =) detaljist tobacconist

tobaksrök s (~en) tobacco-smoke

tobaksvaror s pl tobacco sg.; koll. tobacco goods

toddy s (~n, ~ar el. toddar) toddy

toffel s (~n, tofflor) **1** slipper; klacklös äv. mule; **i tofflor** el. **med tofflor på fötterna** in slippers **2** toffelhjälte henpecked husband

toffelblomma s (~n, -blommor) slipperwort

toffeldjur s (~et, =) slipper animalcule

toffelhjälte s (~n, -hjältar) henpecked husband

tofs s (~en, ~ar) **1** av hår tuft **2** på fågel crest **3** av ylle el. tråd: rund pompom, bobble, lång tassel

tofslärka s (~n, -lärkor) zool. crested lark

tofsmes s (~en, ~ar) zool. crested tit, crested titmouse (pl. titmice)

tofsvipa s (~n, -vipor) zool. lapwing, peewit

toft s (~en, ~er) sjö. thwart

toga *s* (~n, togor) romersk mantel toga

Togo Togo

togolesisk *adj* (~t) Togolese

tok *s* **1** (~en, ~ar) person fool, idiot, crazy fellow
2 (~et, =), *gå* (*vara*) *på* ~ galet go (be) wrong [*för,
med* with]; *det är på* ~ alldeles *för många* there are far
too many

toka *s* (~n, tokor) fool of a woman (resp. girl), silly
woman (resp. girl)

tokajer *s* (~n) ungerskt vin Tokay [wine]

tokerier *s pl* dumheter nonsense sg., folly sg., foolish
things; tokiga upptåg o.d. foolish pranks; tokiga idéer
foolish ideas

tokig *adj* (~t) sinnesrubbad samt friare mad [*av* with],
crazy; vard. nuts endast pred., nutty, potty; uppsluppen
wild; löjlig ridiculous; tokrolig funny, comic[al]; *inte
så* ~ not [too] bad, pretty good; ~ *i* förtjust i crazy
(mad, vard. nuts) about; *bli* ~ go mad; *det är så man
kan bli* ~ it's enough to drive one mad (crazy); *är du
~?* äv. are you completely out of your mind?

tokigt *adv* **1** madly osv., jfr *tokig* **2** se *galet*

tokrolig *adj* (~t) funny, comic[al]

tokstolle *s* (~n, -stollar) madcap

tolerans *s* (~en, ~er) tolerance äv. tekn. o. med. [*mot*
towards]

tolerant *adj* (=) tolerant [*mot* towards]

tolerera *vb tr* (~de, ~t) tolerate, put up with

tolfte *räkn* twelfth; jfr *femte*

tolftedel *s* (~en, ~ar) twelfth [part]; jfr *femtedel*

tolk *s* (~en, ~ar) person interpreter; *göra sig till* ~ *för*
uttrycka (t.ex. känslor) voice, give voice to; förespråka
(t.ex. en åsikt) advocate

1 tolka *vb tr* (~de, ~t) som tolk, tolkare interpret; tyda,
t.ex. text, lag av. construe; återge, t.ex. musik render;
uttrycka, t.ex. känslor express, give expression to,
voice, give voice to; talet *~des till svenska* ...was
rendered (translated) into Swedish; *hur ska man ~
uppfatta det?* äv. what is to be understood by that?,
how is one to take that?; ~ *in ngt i...* read sth
into...

2 tolka *vb itr* (~de, ~t) sport. go skijoring

1 tolkning *s* (~en, ~ar) tolkande interpreting osv., jfr *1
tolka*; interpretation, construction, rendering;
version version

2 tolkning *s* (~en, ~ar) sport. skijoring

tolkningsfråga *s* (~n, -frågor) question of
interpretation

tolv *räkn* twelve; *klockan* ~ *på dagen* (*natten*) vanl. at
noon (midnight); jfr *fem* o. *femton* med sammansättn.

tolva *s* (~n, tolvor) twelve; jfr f.ö. *femma*

tolvfingertarm *s* (~en, ~ar) anat. duodenum; *sår på
~en* duodenal ulcer

tolvhundratalet *s* (best. sing.) the thirteenth century,
jfr *femtonhundratalet*

tolvtiden *s* (best. sing.), *vid* ~ about twelve etc., jfr
femtiden; about noon; om natten about midnight

tom *adj* (~t, ~ma) allm. empty äv. bildl. (om t.ex. löften,
fraser) [*på* of]; meningslös, om t.ex. prat, hot idle; *~ma
kalorier* empty calories; *~ma ord* empty (idle) words;
vard. hot air; *~ma sidor* blank pages; *~ma väggar*
bare walls; *huset har stått ~t* hela sommaren the house
has been [standing] empty (vacant)...; *det är ~t
efter henne* she has left a great blank (a void)
behind her; *jag är alldeles* ~ *i huvudet* my mind is a

complete blank; *känna sig* ~ *i magen* feel empty
inside; ~ *på* idéer o.d. vanl. devoid of...

t.o.m. (förk. för *till och med*) up to (om datum äv. until)
[and including]; *från 1999 ~ och med 2009* äv. ...to
2009 inclusive

tomat *s* (~en, ~er) tomato

tomatjuice *s* (~n, ~r) tomato juice

tomatketchup *s* (~en) tomato ketchup

tomatpuré *s* (~n, ~er) tomato paste (purée)

tomatsås *s* (~en, ~er) tomato sauce

tombola *s* (~n, tombolor) tombola

tombutelj *s* (~en, ~er) o. **tomflaska** *s* (~n, -flaskor)
empty bottle

tomglas *s* (~et, =) tomflaska empty bottle (koll. bottles
pl.)

tomgång *s* (~en) motor. idling; *bilen går på* ~ ...is
idling (ticking over); *arbetet går på* ~ ...is ticking
over

tomhet *s* (~en) emptiness osv., jfr *tom*; vacancy,
vacuity; *en känsla av* ~ bildl. äv. a [feeling of] void

tomhänt *adj* (=) empty-handed

tomografi *s* (~n) röntgenteknik tomography

tomrum *s* (~met, =) inte utfylld plats vacant space (mera
avgränsat place); tomhet o.d. void, vacuity; mellanrum,
lucka gap; t.ex. på en blankett blank space; *han har
lämnat ett stort ~ efter sig* ...a great blank (a void)
behind him

tomt *s* (~en, ~er) obebyggd building site, site [for
building], piece of land (ground); mindre plot [of
land]; speciellt amer. lot; kring villa o.d. garden; större
grounds pl.

tomte *s* (~n, tomtar) **1** hustomte ung. brownie, puck; *ha
tomtar på loftet* bildl. have [got] bats in the belfry
2 se *jultomte*

tomtebloss *s* (~et, =) sparkler

tomtegubbe *s* (~n, -gubbar) brownie, goblin

tomtemask *s* (~en, ~er) Father Christmas (Santa
Claus) mask

tomtgräns *s* (~en, ~er) boundary [of a (resp. the)
building site osv., jfr *tomt*]

tomträtt *s* (~en, ~er) site-leasehold right,
leaseholder right

1 ton *s* (~net, =) vikt metric ton; eng. motsv. (1 016 kg)
ton; *1000 ~ kol* 1000 [metric] tons of coal[s]; *ett
fartyg på* (*om*) *5000* ~ a ship of 5000 tons

2 ton *s* (~en, ~er) mus. m.m. tone; om viss ton el. bildl. äv.
note; färgton äv. hue, shade; ~höjd pitch [of the
(one's) voice]; *~erna av en vals* the strains of a
waltz; *höga* (*låga*) *~er* high (low) notes; *rena* (*klara*)
~er pure (clear) tones; *ange ~en* bildl. set the tone; *ge
~en* mus. give the pitch; *hålla ~en* keep in tune;
använd inte den ~en mot mig! don't take that tone
[of voice] with me!; *i befallande* ~ in a tone of
command; *i vänlig* ~ in a gentle tone; *tala i låg* ~
speak in a low tone; *gå* ~ *i* ~ harmonize; *det hör till
god* ~ it is good form (manners)

tona I *vb itr* (~de, ~t) ljuda sound, ring; ~ *bort* sakta
försvinna die away; ~ *fram* framträda tydligare emerge,
loom båda äv. bildl.; se äv. *framtona* **II** *vb tr* (~de, ~t)
ge färgton åt tone; håret tint; ~ *bort* ljud, bild (i radio o. tv)
fade out; ~ *in* film. el. radio. el. TV. fade in; ~ *ner* bildl.
tone (play) down, defuse

tonal *adj* (~t) mus. tonal

tonande *adj* (oböjl.) ljudande sounding, ringing; fonet.
voiced

tonarm s (~en, ~ar) pickup arm
tonart s (~en, ~er) mus. key; i grekisk o. medeltida musik mode
tondöv adj (~t) tone-deaf
tonfall s (~et, =) intonation; *hans raljanta* ~ his rallying tone [of voice]
tonfisk s (~en, ~ar) tunny [fish], tuna (pl. tuna el. tunas), tuna fish
Tonga Tonga
tongivande adj (oböjl.) bildl., *vara* ~ set the tone (fashion); *i* ~ *kretsar* in leading quarters, in [the] leading circles
tongång s (~en, ~ar) mus. progression, succession of notes (tones); *kända* ~*ar* familiar strains äv. bildl.
tonhöjd s (~en, ~er) mus. [musical] pitch
tonika s (~n, tonikor) mus. tonic
toning s (~en, ~ar) toning; av hår tinting; preparat för hårtoning rinse, toner
tonläge s (~t, ~n) tonhöjd pitch
tonlös adj (~t) fonet. voiceless, unvoiced, breathed; *hennes röst var trött och* ~ ...tired and flat
tonnage s (~t) tonnage i olika betydelser; konkr. (koll.) äv. shipping
tonsill s (~en, ~er) anat. tonsil
tonsteg s (~et, =) tone, step (degree) [of a scale]; *halvt* ~ semitone
tonstyrka s (~n, -styrkor) intensity [of sound]; volym volume [of sound]
tonsur s (~en, ~er) tonsure
tonsäker adj (~t, -säkra), *vara* ~ have a good sense of pitch
tonsätta vb tr (-satte, -satt) set...to music
tonsättare s (~n, =) composer
tonvalstelefon s (~en, ~er) touch-tone phone, tone dialling phone, push-button phone
tonvikt s (~en) stress; bildl. vanl. emphasis; *lägga* ~*[en] på* stress, put [the] stress on, emphasize äv. bildl.; *med* ~ *på...* bildl. with the accent (focus) on...
tonåren s pl, en flicka *i* ~ ...in her teens; *ungdomar i* ~ äv. teenagers
tonårig adj (~t) teenage...
tonåring s (~en, ~ar) teenager
tonårskille s (~n, -killar) vard. teenage boy (lad)
tonårstjej s (~en, ~er) vard. teenage girl
topas s (~en, ~er) miner. topaz
topless adj (oböjl.) topless
topografi s (~n) topography
1 topp interj done!, agreed!, it's a bargain!
2 topp I s (~en, ~ar) **1** allm. top; krön, övre kant crest; bergs~ äv. summit; spets pinnacle, peak, apex (pl. apexes el. apices); tillhöra *samhällets* ~*ar* ...the high-ups of (in) society; ~*arna inom* politiken the leading (top-ranking) figures in...; vard. the bigwigs of...; ~*en!* vard. great!, super!, goody!; *den här boken är* ~*en!* this book's great (super, the tops)!; *jag mår* ~*en* I feel great (on top of the world); *kapa* ~*arna* i trafiken reduce the peaks; *från* ~ *till tå* from top to toe; *mönstra ngn från* ~ *till tå* look sb up and down; vard. give sb the once-over; *hissa flaggan i* ~ run up the flag [sjö. to the masthead]; *med flaggan i* ~ with the flag aloft (sjö. at the masthead); bildl. with all flags flying; *tio i* ~ the top ten **2** plagg top; vard. boob tube **II** adv vard., ~ *tunnor rasande* mad with rage, raving mad (furious); *bli* ~ *tunnor rasande* äv. fly (get) into a towering rage

toppa vb tr (~de, ~t) **1** ta av toppen på top; träd äv. lop **2** stå överst på (t.ex. lista) top, head; ~ *ett lag* sport. send in one's best players
toppen adj (oböjl.) o. interj se under 2 topp I 1
toppfart s (~en, ~er) top speed
toppform s (~en, ~er), *vara i* ~ be in top form, be fighting fit, be on song
topphastighet s (~en, ~er) top speed
topphemlig adj (~t), *vara* ~ be top secret
toppklass s (~en), *en* tennisspelare *i* ~ a...in the top class; skor *i* ~ topgrade (first-rate)...
toppkonferens s (~en, ~er) summit (top-level) conference
toppkraft s (~en, ~er) person person of top calibre (of great ability)
toppluva s (~n, -luvor) knitted (woollen) cap
topplån s (~et, =) last mortgage loan
toppmatad adj (-matat, ~e) ...loaded from above (the top); ~ *tvättmaskin* äv. top-loader
toppmodern adj (~t) ultramodern, extremely up to date; på modet very fashionable
toppmöte s (~t, ~n) summit (top-level) meeting
toppnotering s (~en, ~ar) **1** börs., toppkurs top (peak) rate **2** toppris top price
topprestation s (~en, ~er) top (record) performance, record achievement
topprida vb tr (-red, -ridit) bully; svagare come it over
toppsegel s (-seglet, =) sjö. topsail
toppventil s (~en, ~er) motor. overhead valve
Tor mytol. Thor
tordas vb itr dep (tordes, torts el. tordats) se *töras*
torde hjälpvb (imperf. konjunktiv) **1** för att uttrycka förmodan: uttryckes vanl. genom konstr. med probably; jfr ex.; *det* ~ *finnas* många som... there are probably...; *slottet* ~ *ha byggts* på 1600-talet the castle was probably built... **2** för att uttrycka uppmaning will; hövligare will please; *ni* ~ *observera* you will (anmodas are requested to, bör should) observe
tordmule s (~n, -mular) zool. razorbill, razor-billed auk
tordyvel s (~n, tordyvlar) zool. dor-beetle, dung beetle
tordön s (~et, =) thunder
tordönsröst s (~en, ~er) thunderous voice; *med* ~ äv. in a voice of thunder
toreador s (~en, ~er) o. **torero** s (~n, ~r el. ~er) toreador
torftig adj (~t) enkel plain; fattig poor; t.ex. om omständigheter needy, indigent; t.ex. om argument threadbare; knapp, skral scanty, meagre; *ett* ~*t program* a poor (meagre) programme; hennes hem *såg ganska* ~*t ut* ...looked rather bare
torg s (~et, =) **1** salu~ market place, market; *gå på* (*till*) ~*et* för att handla go to [the] market; *träffa ngn på* ~*et* ...in the market place (market) **2** öppen plats i stad square
torgföra vb tr (-förde, -fört) **1** bjuda ut till försäljning offer...for sale [in the market] **2** bildl. trot out, bring forward
torggumma s (~n, -gummor) market woman
torghandel s (~n) market trade, marketing
torghandlare s (~n, =) market trader (dealer)
torgskräck s (~en) psykol. agoraphobia, fear (dread) of open spaces
torgstånd s (~et, =) market stall

tork s (~en, ~ar) **1** apparat drier, dryer **2** *hänga* [*ut*] *på* ~ hang…out to dry (to get dry) **3** *~en* vard., vårdanstalt för alkoholmissbrukare the detox; *han sitter på ~en* he is drying out

torka I s (~n) [spell of] drought, dry spell (weather); bildl., brist på något drought, shortage **II** *vb tr* (~de, ~t) **1** göra torr dry; få…torr äv. get…dry; låta…torka äv. let…dry; genom t.ex. gnidning äv. wipe; ~ *ansiktet* dry (wipe, mop) one's face; ~ *disk*[*en*] dry (wipe) the dishes; om du diskar, så *kan jag* ~ …I'll do the drying-up; *~d frukt* dried (desiccated) fruit; ~ *fötterna* på dörrmattan wipe one's feet…; ~ *fötterna!* på anslag use the doormat!; ~ *händerna* (*munnen, näsan*) dry (wipe) one's hands (mouth, nose) **2** torka bort, ~ *dammet av* (*från*) *bordet* wipe the dust off the table; ~ *svetten ur pannan* mop [the sweat off] one's forehead (brow); ~ *sina tårar* (*tårarna ur ögonen*) wipe away one's tears, dry [the tears out of] one's eyes **III** *vb itr* (~de, ~t) bli torr dry, get dry; om mark äv. get parched; om växt äv. wither away, dry up **IV** *vb rfl* (~de, ~t), ~ *sig* dry oneself; torka av sig wipe oneself [dry]; ~ *sig i ansiktet* (*om händerna* etc.) se *torka ansiktet, torka händerna* etc. under *torka II 1*; ~ *dig om munnen!* använd servetten! use your napkin! **V** med beton. part.

torka av a) ~ ren: t.ex. fötterna, skorna wipe; glasögon äv. clean; damma av, bord o.d. dust **b)** ~ bort: damm wipe off; ~ *av dammet på* (*från*) *ngt* wipe the dust off sth

torka bort a) tr. (fläck o.d.) wipe (gnida rub) off; ~ *bort en tår* dry (brush) away a tear **b)** itr. get dried up; om vätska äv. dry up; vissna wilt, wither

torka fast dry and get stuck [*vid* to]

torka ihop krympa ihop shrink [in drying]

torka in itr. **a)** om färg o.d. dry (get dried) up **b)** bildl., vard. come to nothing, not come off, be washed out

torka inne come to nothing, not come off

torka upp a) tr. wipe (mop) up **b)** itr. dry up, get dry [again]

torka ut a) itr., om t.ex. flod dry up, run dry **b)** tr. dry

torkarblad s (~et, =) bil. wiper blade

torkhandduk s (~en, ~ar) kökshandduk tea towel, tea cloth

torkhuv s (~en, ~ar) hood hairdrier

torkning s (~en) drying osv., jfr *torka II o. torka III*

torkrum s (~met, =) drying room (chamber)

torkskåp s (~et, =) för tvätt drying (airing) cupboard

torkställ s (~et, =) för disk plate rack

torktumlare s (~n, =) tumble-drier, tumbler-drier

torkvinda s (~n, -vindor) outdoor airer

1 torn s (~et, =) tower; spetsigt kyrk~ steeple; klock~ belfry; mil. turret; schack. rook, castle

2 torn s (~en, ~ar) bot. spine, thorn

torna *vb itr* (~de, ~t), ~ *upp* pile up; ~ *upp sig* pile up, loom large; bildl. äv. tower aloft

tornado s (~n, ~r el. ~er) tornado (pl. -es el. -s)

tornering s (~en, ~ar) o. **tornerspel** s (~et, ~en) hist. tournament, tourney, joust

tornfalk s (~en, ~ar) zool. kestrel

tornister s (~n, tornistrar) foderpåse nosebag, amer. äv. feed bag; för proviant haversack, canvas field bag

tornspira s (~n, -spiror) spire; spetsigt kyrktorn steeple

tornsvala s (~n, -svalor) zool. [common] swift

tornuggla s (~n, -ugglor) zool. barn-owl

tornur s (~et, =) tower-clock

torp s (~et, =) crofter's holding; stuga cottage; sommar~ little summer cottage (house)

torpare s (~n, =) crofter

torped s (~en, ~er) **1** mil. torpedo (pl. -s); *skjuta av en* ~ launch a torpedo **2** vard., lejd mördare hit man, speciellt amer. torpedo

torpedbåt s (~en, ~ar) torpedo boat (förk. TB)

torpedera *vb tr* (~de, ~t) torpedo äv. bildl.

torr adj (~t) dry äv. bildl. samt om vin; om jord: uttorkad parched, ofruktbar arid; om klimat torrid; om växter, löv o.d. vanl. withered, dead; bildl., tråkig dry, dull, boring; *~a fakta* dry (plain) facts; ~ *humor* dry (wry) humour; *på ~a land* on dry land; *han är inte ~ bakom öronen* he is wet behind the ears, he is very green; *vara ~ i halsen* törstig feel like a drink; *ta något ~t på sig* put on dry clothes; *ha sitt på det ~a* be comfortably off

torrboll s (~en, ~ar) vard. dry stick, bore

torrdocka s (~n, -dockor) dry dock

torrfoder s (-fodret) dry fodder (till t.ex. fiskar, katter food)

torrhosta s (~n) dry [and racking] cough

torrjäst s (~en) dry yeast

torrklosett s (~en, ~er) dry privy (closet), amer. outhouse

torrlägga *vb tr* (-lade, -lagt) drain; för att utvinna ny mark reclaim; bildl., vard. make…dry

torrläggning s (~en, ~ar) drainage; för att utvinna ny mark reclamation

torrmjölk s (~en) powdered (dried) milk, milk powder

torrsim s (~met), *öva* ~ practise swimming strokes out of the water

torrskaffning s (~en) cold food

torrskodd adj (-skott) dryshod

torrt adv drily; *förvaras* ~ vanl. to be stored in a dry place; *koka* ~ boil dry

torsdag s (~en, ~ar) Thursday; jfr *fredag* för ex. o. sammansättn.

1 torsk s (~en) med. thrush

2 torsk s (~en, ~ar) **1** cod (pl. lika), codfish **2** sl., kund hos prostituerad John

torska *vb itr* (~de, ~t) vard., åka fast be (get) nailed; sport. lose

torso s (~n, ~r el. ~er) torso (pl. -s)

tortera *vb tr* (~de, ~t) torture

tortyr s (~en, ~er) torture äv. friare [*för* to]; *utsättas för* ~ be tortured, be put to the torture

tortyrredskap s (~et, =) instrument (implement) of torture

torv s (~en) **1** jordart peat; *ta upp* ~ dig peat **2** grästorv sod, turf

torva s (~n, torvor) **1** grästorva [piece (sod) of] turf **2** *den egna ~n* one's own plot of land

torvmosse s (~n, -mossar) peat moss (bog)

torvströ s (~et) peat litter

torvtak s (~et, =) turf roof

tota *vb itr* (~de, ~t) vard., ~ *ihop* t.ex. ett brev patch (put) together [some sort of]…

total adj (~t) total; fullständig äv. entire, complete; långtgående (t.ex. okunnighet) äv. utter

totalförbjuda *vb tr* (-förbjöd, förbjudit) totally prohibit

totalförbud s (~et, =) total prohibition

totalförlamad *adj* (-förlamat, ~e) completely paralysed (amer. paralyzed)

totalförmörkelse *s* (~n, ~r) astron. total eclipse

totalförstöra *vb tr* (-störde, -stört) wreck...completely

totalförsvar *s* (~et) total (overall) defence

totalintryck *s* (~et, =) total (allmänt intryck general) impression

totalisator *s* (~n, ~er) totalizator

totalitär *adj* (~t) totalitarian

totalkvadda *vb tr* (~de, ~t) vard. smash...up completely, wreck; ~*d* completely smashed up (wrecked)

totalvikt *s* (~en, ~er) total weight

totalvägra *vb itr* (~de, ~t) att göra militärtjänst refuse unconditionally (strictly) to do military service

totalvägrare *s* (~n, =) unconditional (strict) conscientious objector

totempåle *s* (~n, -pålar) totem [pole]

toto *s* (~n) **1** vard., totalisator tote **2** barnspr., häst gee-gee

tott *s* (~en, ~ar) av hår, hö tuft; av lin head [båda med of framför följande ord]

toucha *vb tr* (~de, ~t) touch[...lightly]; skrapa lätt graze

touche *s* (~n, ~r) **1** beröring tap; mus., konst., fäktn. touch **2** mus., fanfar flourish

toupé *s* (~n, ~er) liten peruk toupee

tournedos *s* (~en, ~er) kok. tournedos (pl. lika)

tova I *s* (~n, tovor) twisted (tangled) knot [med of framför följande ord] **II** *vb rfl* (~de, ~t), ~ [*ihop*] **sig** become tangled

tovig *adj* (~t) tangled, matted, snarled

toxikolog *s* (~en, ~er) toxicologist

toxin *s* (~et el. ~en, ~er) toxin

trad *s* (~en, ~er) [shipping (sea)] route

tradig *adj* (~t) vard., långtråkig boring, tedious

tradition *s* (~en, ~er) tradition; *enligt gammal* ~ by (in accordance with) [an] ancient tradition

traditionell *adj* (~t) traditional

traditionsbunden *adj* (-bundet, -bundna) tradition-bound; *vara* ~ äv. be bound by (be the slave of) tradition

tradjazz *s* (~en) mus. vard. trad [jazz]

trafik *s* (~en) traffic äv. om brottslig verksamhet o.d.; som bedrivs av trafikföretag, visst fartyg o.d. service; *tung* ~ tunga fordon heavy vehicles pl.; *tät* ~ dense (a great deal of) traffic; *upprätthålla* ~*en* keep the traffic (resp. the service[s]) going; *mitt i värsta* ~*en* in the very thick of the traffic; *dö i* ~*en* i trafikolyckor die on the roads (in road accidents); *fartyget går i* [*regelbunden*] ~ *mellan...* the vessel runs regularly (plies) between...; *sätta i* ~ put into service; *ta ur* (*i*) ~ take out of (put into) service; *Ej i* ~ på skylt Depot Only

trafikant *s* (~en, ~er) vägtrafikant road-user; passagerare passenger

trafikdelare *s* (~n, =) pelare traffic pillar; refug traffic island

trafikdåre *s* (~n, -dårar) vard. road hog

trafikdöden *s* (best. sing.) death on the roads (in road accidents)

trafikera *vb tr* (~de, ~t) en bana, rutt o.d.: om resande use, frequent; om trafikföretag work, operate; om buss

o.d. run on, ply; *en livligt* (*starkt, hårt*) ~*d gata* a busy street, a street crowded with traffic

trafikfara *s* (~n, -faror) danger to [other] traffic (on the roads)

trafikfarlig *adj* (~t) attr. ...that is a danger to traffic

trafikflyg *s* (~et, =) flygväsen civil aviation; flygtrafik air services pl.

trafikflygare *s* (~n, =) airline (commercial) pilot

trafikflygplan *s* (~et, =) passenger plane; större air liner

trafikfälla *s* (~n, -fällor) [traffic] danger-spot

trafikförordning *s* (~en, ~ar) se *vägtrafikförordning*

trafikförseelse *s* (~n, ~r) traffic offence

trafikförsäkring *s* (~en, ~ar) third party [liability] insurance

trafikhinder *s* (-hindret, =) traffic obstacle; *på grund av* ~ owing to a stoppage (a hold-up) in the traffic

trafikinspektör *s* (~en, ~er) vid körkortsprov driving examiner

trafikkaos *s* (~et) traffic chaos, chaos on the roads; *det var* ~ trafikstockning there was a snarl-up

trafikkort *s* (~et, =) heavy-vehicle licence

trafikled *s* (~en, ~er) traffic route

trafikledare *s* (~n, =) flyg. air-traffic controller (control officer)

trafikledartorn *s* (~et, =) flyg. air control tower

trafikljus *s* (~et, =) traffic lights pl.

trafikmärke *s* (~t, ~n) road (traffic) sign

trafikolycka *s* (~n, -olyckor) traffic accident, road accident

trafikpolis *s* **1** (~en) avdelning traffic police **2** (~en, ~er) polisman traffic policeman

trafikregel *s* (~n, -regler) traffic regulation, rule of the road

trafiksignal *s* (~en, ~er) traffic signal (light)

trafikskola *s* (~n, -skolor) driving school; spec. i namn o.d. school of motoring

trafikstockning *s* (~en, ~ar) traffic jam (congestion); vard. [traffic] snarl-up, speciellt amer. [traffic] snarl

trafikstopp *s* (~et, =) stoppage (hold-up) in the traffic

Trafiksäkerhetsverket the National Road Safety Office

trafikvakt *s* (~en, ~er) traffic warden

Trafikverket the Swedish Transportation Administration

trafikvett *s* (~et) road sense; *ha* ~ äv. be road-minded

trafikövervakare *s* (~n, =) traffic warden

trafikövervakning *s* (~en) traffic control

trafikövervakningskamera *s* (~n, -kameror) speed camera

tragedi *s* (~n, ~er) tragedy äv. litt.vet.

traggla *vb itr* (~de, ~t) vard. **1** tjata go on [om about] **2** knoga, plugga, ~ *med ngn* cram sb; ~ *igenom* plod through

tragik *s* (~en) tragisk händelse o.d. tragedy; *krigets* ~ the tragic nature of war

tragikomisk *adj* (~t) tragicomic[al]

tragisk *adj* (~t) tragic; friare äv. tragical

trailer *s* (~n, trailrar) släpvagn el. film. trailer

trakassera *vb tr* (~de, ~t) ansätta, plåga harass, pester, badger; förfölja persecute

trakasseri s (~et, ~er), ~[er] harassment, pestering, badgering, persecution (samtliga sg.)

trakt s (~en, ~er) område district, area; region region; grannskap neighbourhood; **han lämnade ~en** för många år sedan he left these parts...; **i ~en av Siljan** in the neighbourhood of Siljan; **i ~en av hjärtat** in the region of the heart; **i den här ~en** el. **här i ~en** äv. in these parts, round about here, hereabouts; **i våra ~er** har ingen sett till... vanl. ...in our parts (neighbourhood)

trakta vb itr (~de, ~t), **~ efter...** aspire to...; åtrå covet..., set one's heart [up]on...; **~ efter framgång** äv. aim at success; **~ efter ngns liv** seek sb's life

traktamente s (~t, ~n) allowance for expenses, subsistence allowance

traktat s (~en, ~er) fördrag treaty; skrift tract

traktera vb tr (~de, ~t) **1** erbjuda förtäring treat [med to]; eg. el. friare äv. regale [med with] **2 inte vara vidare ~d av...** not be particularly pleased by... **3** spela på (instrument o.d.) play

traktor s (~n, ~er) tractor; bandtraktor caterpillar

traktörpanna s (~n, -pannor) kok. sauté pan

1 trall s (~en, ~ar) mus. tune, melody; **den gamla [vanliga] ~en** bildl. the same old routine

2 trall s (~en, ~ar) spjälgaller duckboards pl.

1 tralla vb tr o. vb itr (~de, ~t) mus. warble, troll; sjunga sing

2 tralla s (~n, trallor) trolley

trampa I vb tr o. vb itr (~de, ~t) kliva omkring tramp; gå walk; trycka ned (med foten) tread; ivrigt o. upprepat trample äv. bildl.; stampa stamp; **~ sin cykel** uppför backen pedal one's cycle...; **~ vatten** tread water; **~ vin** tread grapes [for wine]; **~ i ngns spår** tread in sb's footsteps; [råka] **~ i smutsen** step into the dirt; **~ ngt i smutsen** bildl. trample...in the dirt; **~ inte på** blommorna! don't tramp (tread) on...!; **~ på gaspedalen** el. **~ gasen i botten** vard. step on the accelerator (vard. the gas); **~ ngn på tårna** tread on sb's toes äv. bildl.
II med beton. part.
trampa igenom den tunna isskorpan tread through...
trampa ihjäl trample...to death
trampa in i trample (tread) into
trampa ned gräs o.d. trample [down]...; **~ ned sina skor** (**hälarna**) tread down one's shoes at the heels
trampa sönder i bitar tread...to pieces
trampa till (t.ex. jorden) tread down...[and make it firm]
trampa upp en stig i gräset tread..., wear...
trampa ur motor. let out (disengage) the clutch, declutch
trampa över sport. overstep the takeoff (the mark äv. bildl.)
III s (~n, trampor) cykel~ o.d. pedal; vävstols~, symaskins~ o.d. treadle

trampbil s (~en, ~ar) för barn pedal (kiddy) car

trampdyna s (~n, -dynor) zool. pad, matrix (pl. matrixes el. matrices)

trampolin s (~en, ~er) hoppställning highboard, diving-board; satsbräda springboard

trams s (~et) vard. nonsense, rubbish, drivel, rot; **inget ~ nu!** no nonsense!

tramsa vb itr (~de, ~t) vard. be silly, fool around; prata strunt talk drivel

tramsig adj (~t) vard. silly, sloppy

tran s (~en el. ~et) train oil; valfisk~ äv. whale-oil

trana s (~n, tranor) zool. crane

tranbär s (~et, =) cranberry

tranchera vb tr (~de, ~t) carve

trans s (~en) trance; **försätta ngn i ~** send sb into a trance; **försätta sig i ~** go into a trance

transaktion s (~en, ~er) transaction

transatlantisk adj (~t) transatlantic

transcendens s (~en) transcendence

transcendent adj (=) transcendent[al]

transcendental adj (~t) transcendent[al]; **~ meditation** transcendental meditation

transfer s (~n) transfer

transferera vb tr (~de, ~t) transfer

transfetter s pl trans-fats

transfettsyror s pl trans-fatty acids

transformator s (~n, ~er) transformer

transformera vb tr (~de, ~t) transform

transfusion s (~en, ~er) blod~ blood transfusion

transistor s (~n, ~er) transistor

transistorradio s (~n, ~apparater) transistor radio

transit s (~en) transit

transithall s (~en, ~ar) flyg. transit hall, departure lounge

transitiv adj (~t) språkv. transitive

transitland s (~et, -länder) country of transit

transkribera vb tr (~de, ~t) transcribe

transkription s (~en, ~er) transcription

translator s (~n, ~er) translator

transmission s (~en, ~er) tekn. el. data. transmission; meteor. äv. transmittance

transparang s (~en, ~er) transparency

transparent adj (=) transparent

transpiration s (~en) perspiration; bot. transpiration

transpirera vb itr (~de, ~t) perspire; bot. transpire

transplantat s (~et, =) med. transplant

transplantation s (~en, ~er) transplantation, enstaka transplant; av hud grafting, enstaka graft

transplantera vb tr (~de, ~t) transplant; hud graft

transponera vb tr (~de, ~t) mus. transpose

transponering s (~en, ~ar) mus. transposition; transponerande äv. transposing

transport s (~en, ~er) **1** frakt transport, speciellt amer. transportation; haulage, freight; shipment äv. konkr. (försändelse, last); jfr transportera 1; konvoj convoy; **under ~en** äv. in [course of] transit **2** ekon., från föregående sida [amount] brought forward; till nästa sida [amount] carried forward **3** ekon., överlåtelse transfer [på to]

transportabel adj (~t, transportabla) transportable; flyttbar movable; bärbar portable

transportarbetare s (~n, =) transport worker

transportband s (~et, =) conveyor belt

transportera vb tr (~de, ~t) **1** frakta transport; gods äv. convey, carry; till sjöss el. speciellt amer. freight, ship; på landsväg el. järnv. äv. haul; sända forward; flytta move **2** ekon., belopp (vid bokföring) bring (resp. carry)...forward (jfr transport 2) **3** ekon., överlåta transfer [på to]

transportfartyg s (~et, =) transport vessel, transport ship; mil. troop-carrier, troopship

transportflygplan s (~et, =) transport plane, carrier (freighter) [plane]; mil. troop-carrier [plane]

transportföretag s (~et, =) firm of haulage, contractors (of hauliers) pl.

transportkostnad s (~en, ~er) cost (costs pl.) of transportation, transport charges (costs) pl., carriage (endast sg.)

transportledare s (~n, =) transport coordinator

transportmedel s (-medlet, =) means (pl. lika) of transport

transportsträcka s (~n, -sträckor) **1** eg. distance **2** bildl. preliminary

transsexuell adj (~t) transsexual

transsibirisk adj (~t) trans-Siberian

transvestit s (~en, ~er) transvestite

trapets s **1** (~en, ~er) gymn. trapeze **2** (~et, ~er) geom. trapezi|um (pl. -ums el. -a); amer. trapezoid

trappa I s (~n, trappor) stairs pl.; speciellt utomhus steps pl.; inomhus: längre äv. staircase; bredare el. speciellt amer. stairway; utanför ingången äv. doorstep; **en ~** a flight of stairs (resp. steps); bo **en ~ upp** ...on the first (amer. second) floor; **möta ngn i ~n** vanl. ...on the stairs; **nedför ~n** (**trapporna**) down the stairs (resp. steps); inomhus äv. downstairs **II** vb itr (~de, ~t), **~ ned** de-escalate, phase out; t.ex. konflikt äv. defuse, play down; **~ upp** escalate; t.ex. konflikt äv. intensify

trappavsats s (~en, ~er) inomhus landing

trappformig adj (~t) ...rising in steps attr., stepped

trappgavel s (~n, -gavlar) arkit. stepped gable, corbie gable

trapphus s (~et, =) [stair]well

trapplius s (~et, =) o. **trapplyse** s (~t, ~n) staircase lighting (konkr. light)

trappräcke s (~t, ~n) [staircase] banisters pl.

trappsteg s (~et, =) step äv. bildl.

trappstege s (~n, -stegar) stepladder

trappuppgång s (~en, ~ar) staircase, stairs pl.; **i ~en** on the stairs

trasa I s (~n, trasor) **1** trasigt tygstycke rag äv. vard. om plagg; remsa shred; **i trasor** sönderriven, äv. torn to rags; **gå [klädd] i trasor** go about in rags; **känna sig som en ~** vanl. feel washed out **2** se dammtrasa, disktrasa o. skurtrasa **II** vb itr (~de, ~t), **~ sönder** tear...[in]to rags (shreds äv. bildl.)

trasdocka s (~n, -dockor) rag doll

trashank s (~en, ~ar) ragamuffin, tatterdemalion

trasig adj (~t) **1** söndertrasad ragged äv. bildl., tattered; sönderriven torn **2** sönderbruten broken; **vara ~** i bitar be in pieces; itu be in two **3** i olag, ur funktion ...out of order; **hissen är ~** äv. the lift (amer. elevator) doesn't work; **låset är ~t** the lock is broken

traska vb itr (~de, ~t) lunka trot, jog [omkring around]; mödosamt trudge, plod

trasmatta s (~n, -mattor) rag-rug, rag-mat, rag-carpet; jfr matta

trassel s (trasslet) **1** bomulls~ cotton waste **2** oreda tangle äv. mera konkr., muddle; förvirring confusion; besvär trouble, bother; komplikationer complications pl.; **ställa till ~** make a muddle, cause a confusion (resp. a lot of trouble, complications); tjafsa kick up a fuss

trasselsudd s (~en, ~ar) ball of cotton waste

trassera vb tr (~de, ~t) hand. draw

trassla I vb itr (~de, ~t) se ställa till trassel under trassel 2 **II** vb rfl (~de, ~t), **~ sig** om t.ex. tråd get entangled **III** med beton. part.

trassla sig fram (t.ex. genom trafiken) make one's way along with difficulty; bildl. muddle along

trassla ihop sig: garnet har ~t ihop sig ...has got all tangled [up]

trassla in sig get oneself entangled; bildl. äv. entangle oneself, get oneself mixed up (involved)

trassla till get...into a tangle, entangle; bildl. muddle, muck up; **det bara ~r till saken att** + inf. it just confuses the issue to + inf.; **~ inte till det!** don't make it more complicated than it is!; **det har ~t till sig** things have got into a mess

trasslig adj (~t) tangled; eg. äv. entangled; tilltrasslad muddled, confused; **~a affärer** shaky finances; **en ~ situation** a complicated situation

trast s (~en, ~ar) zool. thrush

tratt s (~en, ~ar) funnel; tekn. äv. hopper; på gammaldags grammofon horn

1 tratta s (~n, trattor) ekon. draft

2 tratta vb itr (~de, ~t) vard., **~ i ngn ngt** stuff sb with sth; **~ i sig** mat stuff oneself with; dryck gulp down

trattformig adj (~t) funnel-shaped, funnelled

trattkantarell s (~en, ~er) bot. funnel chanterelle

trauma s (~t, ~n) psykol. trauma (pl. -ta el. -s)

traumatisk adj (~t) psykol. traumatic

trav s (~et el. ~en) trot; travande el. travsport trotting, harness racing; **rida i ~** ...at a trot; **sätta av i ~** set off at a trot; **hjälpa ngn på ~en** put sb on the right track, give sb a start

1 trava vb itr (~de, ~t) trot; **komma ~nde** vard. come trotting (traipsing) along; **~ in** vard. trot (traipse) in

2 trava vb tr (~de, ~t) stapla, **~ [upp]** pile (stack) up

travare s (~n, =) trotter, trotting horse

travbana s (~n, -banor) trotting track

trave s (~n, travar) pile, stack; **en ~ böcker** a pile (stack) of...

travers s (~en, ~er) overhead [travelling] crane

travestera vb tr (~de, ~t) travesty, burlesque

travesti s (~n, ~er) travesty, burlesque

travhäst s (~en, ~ar) trotter, trotting horse

travsport s (~en) trotting, harness racing

travtävling s (~en, ~ar) trotting race

tre räkn three; **ett par ~ stycken** two or three; **alla goda ting är ~** all good things are three in number; jfr fem med sammansättn. trekvart

trea s (~n, treor) **1** three; **~n** el. **~ns växel** third, [the] third gear; jfr femma **2 en ~a** trerumslägenhet a three-room flat (amer. apartment)

tredagarsfeber s (~n) med. **1** barnsjukdom exanthem subitum, roseola infantum **2** virussjukdom phlebotomus fever

tredimensionell adj (~t) three-dimensional

tredje räkn third (förk. 3rd); **den ~ från slutet** the last but two; **för det ~** in the third place, vid uppräkning thirdly; **~ graden** the third degree äv. förhörsmetod; **~ man** jur. el. friare [a] third party; **~ världen** the Third World; jfr femte o. 1 andra med sammansättn.

tredjedag s (~en, ~ar), **~ jul** the day after Boxing Day; **~ pingst** Whit Tuesday; **~ påsk** Easter Tuesday

tredjedel s (~en, ~ar) third [part]; jfr femtedel

tredskas vb itr dep (tredskades, tredskats) be refractory; jur. be contumacious

tredubbel adj (~t, -dubbla) tre gånger så stor o.d. treble; i tre skikt o.d. triple; trefaldig threefold; **betala tredubbla priset** (**det tredubbla**) pay treble (three times) the price (amount)

tredubbla vb tr (~de, ~t) treble, triple; **~s** treble

treenighet s (~en), **~en** teol. the Trinity

trefaldig *adj* (~t) threefold; jfr *tredubbel*

trefaldighet *s* (~en) **1** trinity **2** trefaldighetssöndag Trinity Sunday

trefaldighetssöndag *s* (~en, ~ar) Trinity Sunday

trefas *adj* (oböjl.) o. **trefasig** *adj* (~t) elektr. three-phase...

trefilig *adj* (~t) three-laned, three-lane...; *den är* ~ it has three lanes

trefjärdedelstakt *s* (~en) mus. three-four time

trefot *s* (~en) tripod; för kokkärl äv. trivet

trefärgad *adj* (-färgat, ~e) three-coloured, three-colour...

treglasfönster *s* (-fönstret, =) triple-glazed window

trehjuling *s* (~en, ~ar) three-wheeler; cykel tricycle, vard. trike; bil tricars

trehundra *räkn* three hundred, jfr *hundra* med sammansättn.

trehövdad *adj* (-hövdat, ~e) three-headed; om t.ex. vidunder äv. triple-headed

trekant *s* (~en, ~er) triangle

trekantig *adj* (~t) triangular; ~ *hatt* cocked (three-cornered) hat

treklang *s* (~en, ~er) mus. triad

treklöver *s* (~n, =) three-leaf clover; bildl. trio (pl. -s)

trekvart *s* (oböjl.) **1** three quarters pl.; ~ el. ~*s timme* three quarters of an hour; ~*s kilo* three quarters of a kilo **2** *med hatten på* ~ with one's hat cocked on one side (hat all askew)

treledad *adj* (-ledat, ~e) **1** språkv., attr. ...having three elements; *vara* ~ have three elements **2** matem. trinomial

trema *s* (~t, ~n) diaeresis (pl. diaereses)

tremulera *vb itr* (~de, ~t) sing with a tremolo, quaver

trenchcoat *s* (~en, ~ar) trench coat

trend *s* (~en, ~er) trend; *bryta* ~*en* break the trend

trendbrott *s* (~et, =) break (reverse) in the trend

trendig *adj* (~t) trendy

trendnisse *s* (~n, -nissar) vard. trendy

trendsättare *s* (~n, =) trendsetter

trepartssamtal *s* (~et, =) tele. three-party conference

trepunktsbälte *s* (~t, ~n) i bil lap-diagonal belt

trerummare *s* (~n, =) o. **trerumslägenhet** *s* (~en, ~er) three-room[ed] flat (amer. apartment)

treskiftsarbete *s* (~t, ~n) work in three shifts

tresteg *s* (~et) sport., friidrottsgren triple jump

trestegshopp *s* sport. **1** (~et, =) enstaka hopp triple jump **2** (~et) friidrottsgren triple jump

trestegshoppare *s* (~n, =) sport. triple jumper

trestegsraket *s* (~en, ~er) three-stage rocket

trestjärnig *adj* (~t) three-star...

trestämmig *adj* (~t) mus. ...for three voices, ...in three parts; attr. äv. three-voice, three-part

tretakt *s* (~en) mus. triple time

tretal *s* (~et, =), *ett* ~ grupp om tre a triad; jfr äv. *femtal*

tretti *räkn* vard., se *trettio*

trettio *räkn* thirty; jfr *fem* o. *femtio* med sammansättn.

trettionde *räkn* thirtieth; jfr *femte*

trettioårig *adj* (~t), ~*a kriget* the Thirty Years' War; jfr äv. *femårig*

tretton *räkn* thirteen; ~ *rätt* på tips thirteen correct results; *det går* ~ *på dussinet* they are ten (two) a penny; jfr *fem* o. *femton* med sammansättn.

trettondagen *s* (best. sing.) [the] Epiphany, Twelfth Day

trettondagsafton *s* (~en, -aftnar), ~[*en*] the Eve of Epiphany, Twelfth Night

trettonde *räkn* thirteenth; jfr *femte*

trettonhundratalet *s* (best. sing.) the fourteenth century; jfr *femtonhundratalet*

treudd *s* (~en, ~ar) trident

treva I *vb itr* (~de, ~t) grope [about] [*efter* for]; ~ *efter ord* fumble for words; ~ [*omkring*] *i* mörkret go groping about (around) in..., be groping in... **II** *vb rfl* (~de, ~t), ~ *sig fram* grope (fumble) one's way [along]

trevande *adj* (oböjl.), ~ *försök* fumbling (tentative) effort

trevare *s* (~n, =) feeler; *göra* (*skicka ut*) *en* ~ throw out a feeler

trevlig *adj* (~t) nice; glad o. munter jolly; angenäm pleasant, agreeable; rolig enjoyable; *en* ~ *flicka* a nice [sort of] girl; ~ *resa!* a pleasant journey!; *det var* (*vi hade* [*det*]) *mycket* ~*t* we had a very nice (jolly) time [of it]; *det var just* ~*t* (*en* ~ *historia*)*!* a nice story (business) [and no mistake]!

trevnad *s* (~en) comfort [and well-being]; *sprida* ~ *omkring sig* put people in a good humour, create a cheerful atmosphere

triangel *s* (~n, trianglar) triangle äv. mus.

triangeldrama *s* (~t, -dramer) eternal triangle drama; bildl. domestic triangle

triangulär *adj* (~t) triangular, triangulate

trias *s* (oböjl., en) geol. the Triassic

1 tribun *s* (~en, ~er) estrad o.d. platform, tribune

2 tribun *s* (~en, ~er) hist., ämbetsman tribune

tribunal *s* (~en, ~er) tribunal

tribut *s* (~en, ~er) tribute

1 trick *s* (~et, =) knep trick, stunt

2 trick *s* (~et, =) kortsp. odd trick

trickfilm *s* (~en, ~er) trick film

trigonometri *s* (~n) trigonometry

trikin *s* (~en, ~er) zool. trichina (pl. trichinae)

trikoloren *s* (best. sing.) franska flaggan the Tricolour

trikå *s* (~n, ~er) **1** tyg tricot, stockinet **2** ~*er* utan ben leotard; med ben tights

trikåvaror *s pl* hosiery sg., knitted goods, knitwear sg.

triljon *s* (~en, ~er) quintillion med 18 nollor

trilla I *s* (~n, trillor) **1** vagn, hist. surrey **2** för barn toy handcart **II** *vb itr* (~de, ~t) rulla roll; om tårar äv. trickle; ramla tumble; falla fall; för beton. part., se *falla III*; ~ *dit* land (get) into trouble

trilling *s* (~en, ~ar) triplet

trilogi *s* (~n, ~er) litt.vet. trilogy

trilsk *adj* (~t) enveten, egensinnig wilful, contrary; omedgörlig cussed, intractable

trilskas *vb itr dep* (trilskades, trilskats) vara trilsk be wilful etc., jfr *trilsk*

trim *s* (~men el. ~met) trim; *vara* (*hålla sig*) *i* ~ be (keep) in good (proper) trim

trimma *vb tr* (~de, ~t) sjö. el. om putsning av hund trim; träna get...into trim, train; ~ *en motor* tune (vard. soup) up an engine; ~ *in* den nya organisationen get...into shape

trimning *s* (~en, ~ar) trim; trimmande trimming etc., jfr *trimma*

trind *adj* (trint) round[-shaped], roundish; knubbig chubby, tubby, plump

Trinidad och Tobago Trinidad and Tobago

trio *s* (~n, ~r) trio (pl. -s) äv. mus.

triol *s* (~en, ~er) mus. triplet

1 tripp *s* (~en, ~ar el. ~er) **1** kortare resa [short] trip; *ta sig* (*göra*) *en* ~ *till...* go for a trip to... **2** vard., narkotikarus trip

2 tripp *interj*, ~ *trapp trull* ung. one, two, three [going up in height]

trippa *vb itr* (~de, ~t) trip (go tripping) along; *hon kom ~nde* (*med ~nde steg*) *gatan fram* she came tripping along the street

trippel *s* (~n, tripplar) vard., tredubbel seger treble

trippelvaccin *s* (~et) triple vaccine; DPT vaccine against diphtheria, whooping cough (lat. pertussis) and tetanus

trippmätare *s* (~n, =) bil. o.d. trip [distance] meter (recorder), trip mileage counter

trissa I *s* (~n, trissor) allm. trundle; tekn. pulley; på möbel castor, caster **II** *vb itr* (~de, ~t), ~ *upp priset* force up the price

trist *adj* (=) dyster gloomy, dismal, melancholy; om förhållanden o.d. dreary; glädjelös cheerless; sorglig, sorgsen sad

tristess *s* (~en) gloominess etc., jfr *trist*; melancholy

triumf *s* (~en, ~er) triumph; *fira ~er* win (achieve) triumphs

triumfbåge *s* (~n, -bågar) triumphal arch

triumfera *vb itr* (~de, ~t) triumph; jubla exult

triumferande *adj* (oböjl.) triumphant; jublande exultant; skadeglad gloating

triumftåg *s* (~et, =) triumphal procession (bildl. march)

triumvirat *s* (~et, =) triumvirate; skämts. äv. trio

trivas *vb itr dep* (trivdes, trivts) känna sig lycklig be (feel) happy; känna sig som hemma feel at home; ha det bra get on well; frodas thrive; om växter äv. do well; *jag trivs alldeles utmärkt här* I'm having such a wonderful time here, I like it so very much here; *han trivs inte i* Sverige he isn't happy (is unhappy) in..., he doesn't like [being (living) in]...; *jag trivs med mitt arbete* my job suits me, I like my job; *vi trivs med varandra* (*ihop*) we get on with one another

trivial *adj* (~t) trivial; utsliten, utnött (om uttryck o.d.) commonplace, trite

trivialitet *s* (~en, ~er) triviality; ~*er* (yttranden) vanl. commonplaces

trivsam *adj* (~t, ~ma) pleasant äv. om person; om plats, ställe äv. comfortable, congenial, cosy, snug

trivsel *s* (~n) se *trevnad*

tro I *s* (~n) **1** allm. belief [*på* in]; åsikt opinion; tilltro, tillit el. relig. faith äv. troslära; ~[*n*] *på* faith in; ~, *hopp och kärlek* faith, hope, and charity; ~*n kan försätta berg* faith removes (amer. moves) mountains; *sätta ~ till* ngt trust..., believe..., give credit (credence) to...; *svag i ~n* of little faith; *leva i* [*den*] ~*n att* be convinced that, think that; *handla i god* ~ act in good faith **2** trofasthet, trohet, *svära någon* ~ *och lydnad* swear allegiance to sb

II *vb tr* o. *vb itr* (~dde, ~tt) allm. believe; anse, förmoda äv. think, suppose; vard. reckon, speciellt amer. guess; föreställa sig fancy, imagine, amer. äv. figure

a) utan efterföljande preposition: har han kommit? – Ja, *jag* ~*r det* ...Yes, I think (believe) so, ...Yes, I think (believe) he has; *det ~r jag* beton. *det!* rather!, amer. absolutely!, you bet!; vard. not half!, for sure!; *det var det jag ~dde* [that is] just what I thought, I

thought as much; *det ~r jag också* (vard. *med*) that's what I think (vard. reckon)!, I think (vard. reckon) so, too!; *det ~r du bara* el. *det är bara som du ~r* that's only your idea (imagination), that's what you think, that's all you know; *och det ~dde du!* you've got some hopes (a hope)!, not likely!; *jag ~r honom inte* I don't believe him; ~ *mig*, han kommer att... take my word for it (believe me)...; ~ *sina* [*egna*] *ögon* believe (trust) one's [own] eyes; *jag ~r* [*att*] *jag stannar* en liten stund till I think I'll stay...; ~*r du* [*att*] *jag är en idiot?* äv. do you take me for a fool?; *jag ~r* [*alldeles*] *säkert att han...* I feel certain (I am convinced) that he...; *jag kunde* [*just*] ~ *det!* I am not surprised!, I dare say!; *du kan aldrig ~*, hur (så)... ...you can't possibly think (imagine)...; det var roligt, *må du ~!* ..., I can tell you!, ...you may be sure!, you bet...!; *vad ska man ~?* what is one to believe (to make of it)?

b) med efterföljande preposition, ~ *ngn om* ngt believe...of sb; ~ *alla* [*människor*] *om gott* think well of everybody; *det hade jag inte ~tt om dig* positiv överraskning I didn't think you had it in you; negativ överraskning I had not (I wouldn't have) expected that from you, I didn't expect it of you; ~ *ngn om att kunna göra ngt* believe sb capable of doing sth; ~ *på* ngn (ngt) allm. believe in...; förlita sig på trust..., have faith (confidence) in...; sätta tro till believe..., credit..., give credit (credence) to...; ~ *på Gud* believe in God; *jag ~r inte på honom* det han säger I don't believe him

III *vb rfl* (~dde, ~tt), ~ *sig vara...* think (believe) that one is..., believe (imagine) oneself to be...; ~ *sig ha* (*veta* o.d.) believe osv. that one has (knows o.d.), jfr *tro II*; ~ *sig om* ngt think (believe) oneself (that one is) capable of...

troende I *adj* (oböjl.) believing **II** *s* (en ~, pl. =), *en* ~ a believer; *de* ~ äv. the faithful

trofast *adj* (=) om kärlek faithful; om vänskap loyal; *en* ~ *vän* äv. a true friend

trofasthet *s* (~en) faithfulness, loyalty

trofé *s* (~n, ~er) trophy

trogen *adj* (troget, trogna) allm. faithful; lojal, pålitlig loyal; *vara* (*förbli*) *ngn* (*ngt*) ~ el. *vara* (*förbli*) ~ *mot ngn* (*ngt*) be (remain) faithful (true) to sb (sth); *sin vana* ~ true to one's [usual] habit

trohet *s* (~en) fidelity; trofasthet faithfulness; lojalitet loyalty [*mot* i samtliga fall to]

trohetsed *s* (~en, ~er) oath of allegiance; *avlägga* ~ take the (one's) oath of allegiance

trohjärtad *adj* (-hjärtat, ~e) true-hearted; naiv, oskuldsfull naive, innocent

trojansk *adj* (~t) Trojan; ~ *häst* Trojan Horse

trojka *s* (~n, trojkor) troika äv. om personer som utgör styrande grupp

trolig *adj* (~t) sannolik probable, likely; rimlig plausible; trovärdig credible, believable; *det är ~t att han kommer* he will probably (very likely, most likely) come; *det var föga* (*knappast*) ~*t att han hörde dem* (äv.) he was scarcely likely (he was unlikely) to have heard...; *hålla* [*det*] *för ~t* att think (consider) it likely...

troligen *adv* o. **troligtvis** *adv* very (most) likely, [very] probably; *han kommer* ~ *inte* äv. he is not likely to come

troll *s* (~et, =) troll, elf (pl. elves); elakt hobgoblin,

goblin; jätte, 'odjur' ogre, av kvinnligt kön ogress; **han är rik som ett ~** ...rolling in money; **det har gått ~ i** ngt there seems to be a jinx on...; **när man talar om ~en** [**så står de i farstun**] talk of the devil [and he's sure to appear]

trolla *vb itr* (~de, ~t) eg. practise witchcraft, conjure; göra trollkonster do (perform) conjuring tricks; **jag kan inte ~** bildl. I am not a magician, I can't work miracles; **~ bort** spirit (conjure) away; **~ fram** trollkonstnär conjure forth, produce...by magic; **~ fram** en supé produce...as if by magic, produce...from nowhere

trollbunden *adj* (-bundet, -bundna) spellbound, enthralled, bewitched

trolldeg *s* (~en, ~ar) ung. play dough

trolldom *s* (~en) witchcraft, sorcery, wizardry

trolldryck *s* (~en, ~er) magic potion, philtre

trolleri *s* (~et, ~er), **~[er]** magic, enchantment; **rena ~et** pure magic

trollformel *s* (~n, -formler) magic formula, charm, spell

trollkarl *s* (~n el. ~en, ~ar) magician, wizard, sorcerer samtliga äv. bildl.; trollkonstnär [professional] conjurer, magician

trollkonst *s* (~en, ~er) trollkonstnärs o. friare conjuring trick; **~er** magi magic sg.

trollkonstnär *s* (~en, ~er) [professional] conjurer, magician

trollkunnig *adj* (~t) ...skilled in magic

trollslag *s* (~et, =), **som genom ett ~** as if by [a stroke of] magic

trollslända *s* (~n, -sländor) zool. dragonfly

trollspö *s* (~et, ~n) o. **trollstav** *s* (~en, ~ar) magic (magician's) wand

trolovad I *adj* (-lovat, ~e) betrothed **II** *s* (en ~, pl. ~e), **hans** (**hennes**) **~e** his (her) betrothed; **de ~e** the betrothed (affianced) couple (pair)

trolovning *s* (~en, ~ar) betrothal

trolsk *adj* (~t) magic[al]; tjusande bewitching; mystisk weird

trolös *adj* (~t) svekfull faithless, unfaithful, disloyal [*mot* to]; förrädisk treacherous, perfidious [*mot* to[wards]]

trolöshet *s* (~en) faithlessness, disloyalty, breach of faith; handling äv. act of disloyalty; **~ mot huvudman** jur. breach of trust

1 tromb *s* (~en, ~er) meteor. tornado (pl. -s el. -es)

2 tromb *s* (~en, ~er) med. thrombus (pl. thrombi)

trombon *s* (~en, ~er) trombone

trombos *s* (~en, ~er) med. thrombosis (pl. thromboses)

tron *s* (~en, ~er) throne; **avsäga sig ~en** abdicate; **bestiga ~en** ascend the throne; **störta ngn från ~en** dethrone sb; **på ~en** on the throne äv. friare

trona *vb itr* (~de, ~t) be enthroned; friare sit in state

tronarvinge *s* (~n, -arvingar) heir to the (resp. a) throne

tronföljare *s* (~n, =) successor to the (resp. a) throne

tronföljd *s* (~en, ~er) [order of] succession to the throne; **kvinnlig ~** female succession to the throne

tronpretendent *s* (~en, ~er) pretender (claimant) to a (resp. the) throne

tronskifte *s* (~t, ~n) accession of a new monarch

trontal *s* (~et, =) speech from the throne

tropikerna *s pl* the tropics, the tropic (torrid) zone sg.

tropikhjälm *s* (~en, ~ar) topee, sun (pith) helmet

tropisk *adj* (~t) tropical; speciellt geogr. tropic

troposfär *s* (~en) meteor. troposphere

tropp *s* (~en, ~ar) mil., infanteri~ section; friare troop

troppa *vb itr* (~de, ~t), **~ av** go (move) off; skingras drift away

trosa *s* (~n, trosor), **en ~** el. **ett par trosor** a pair of briefs

trosartikel *s* (~n, -artiklar) relig. article of faith; friare äv. creed, doctrine; **trosartiklarna** the Creed sg.

trosbekännelse *s* (~n, ~r) som avlägges profession (confession) of [one's] faith; lära confession; tro creed

trosfrihet *s* (~en) religious liberty (tolerance)

trosfrände *s* (~n, ~r) co-religionist; friare fellow-believer; **en politisk ~** a fellow-partisan

troskyldig *adj* (~t) se *trohjärtad*

1 tross *s* (~en, ~ar) mil. baggage

2 tross *s* (~en, ~ar) rep hawser

trossamfund *s* (~et, =) [religious] community

trossats *s* (~en, ~er) dogm dogma

trossbotten *s* (-bottnen el. =, -bottnar) byggn. double floor[ing]

trosskydd *s* (~et, =) panty liner

trosviss *adj* (~t) ...full of implicit faith

trosvisshet *s* (~en) certainty of belief, assured faith

trotjänare *s* (~n, =) o. **trotjänarinna** *s* (~n, -tjänarinnor), **[gammal] ~** faithful old servant (retainer)

trots I *s* (~et) motspänstighet obstinacy [*mot* to[wards]]; motstånd defiance [*mot* of]; övermod bravado; **i ~ av ngt** el. **ngt till ~** oaktat in spite of sth; nonchalerande, i opposition mot in defiance of sth; **göra ngt på ~** ...out of sheer bravado, ...in (out of) defiance **II** *prep* in spite of, despite; formellare notwithstanding; **~ allt** (i alla fall) äv. after all [is said and done], all the same; **~ att...** though..., in spite of (despite) the fact that...

trotsa *vb tr* (~de, ~t) defy, bid defiance to; djärvt möta (t.ex. stormen, döden) brave; inte bry sig om (t.ex. någons råd) flout; sätta sig över (t.ex. lagar) set...at defiance; uthärda stand up to; hålla stånd emot hold one's own against; **det ~r all beskrivning** it defies (it beggars) description

trotsig *adj* (~t) defiant; motspänstig obstinate [*mot* i båda fallen to, towards]; uppstudsig recalcitrant

trotsighet *s* (~en) defiance; motspänstighet obstinacy; uppstudsighet recalcitrance; **hans ~** mera konkr. his defiant osv. attitude

trotsålder *s* (~n, -åldrar), **vara i ~n** be at a defiant (a rebellious, an assertive, an obstinate) age

trottoar *s* (~en, ~er) pavement; amer. sidewalk

trottoarkant *s* (~en, ~er) kerb; amer. curb

trottoarservering *s* (~en, ~ar) konkr. pavement (amer. sidewalk) restaurant (café)

trovärdig *adj* (~t) credible; om person trustworthy; tillförlitlig (om person o. sak) reliable

trovärdighet *s* (~en) credibility; persons trustworthiness; persons o. saks reliability

trubadur *s* (~en, ~er) troubadour; hist. äv. minstrel

trubba *vb itr* (~de, ~t), **~ av** a) eg. blunt, make...blunt b) bildl. blunt, t.ex. känslor deaden, dull

trubbel *s* (trubblet, =) vard. trouble

trubbig *adj* (~t) oskarp blunt, blunted; **en ~ vinkel** an obtuse angle

trubbnos *s* (~en, ~ar) o. **trubbnäsa** *s* (~n, -näsor) snub nose; bred o. platt pug nose

truck *s* (~en, ~ar) truck

truga *vb tr* (~de, ~t), ~ *ngn* [*att* + inf.] press sb [to + inf.]; ~ *ngn att äta* äv. press food upon sb, ply sb with food; *låta sig ~s* wait to be pressed; ~ *i ngn ngt* få ngn att äta press sb to eat sth; ~ *på ngn ngt* press (force, push) sth [up]on sb, coax sb into taking sth

truism *s* (~en, ~er) truism

trumf *s* (~en, = el. ~ar) trump; *hjärter är* ~ hearts are trumps; *ha* (*sitta med*) ~ *på hand* hold trumps; bildl. äv. hold the winning cards; *ta* ett kort *med* ~ trump…, take…with a trump

trumfa I *vb itr* (~de, ~t) kortsp., spela trumf play a trump (resp. trumps); ~ *med…* trump with… **II** med beton. part.

trumfa slå **i** ngn ngt drum (din, pound) sth into sb (sb's head)

trumfa driva **igenom** force…through

trumfa över kortsp. overtrump

trumfess *s* (~et, =) ace of trumps

trumfkort *s* (~et, =) trump card äv. bildl.

trumhinna *s* (~n, -hinnor) anat. eardrum; vetensk. tympanic membrane

trumma I *s* (~n, trummor) **1** mus. drum; afrikansk ~ o.d. tomtom; *spela* ~ (*trummor*) play the drum (drums); *slå på stora ~n* bildl. bang the big drum; *slå på ~n för ngt* bildl. boost (push) sth **2** tekn.: ledning, rör duct, conduit; kulvert (t.ex. under väg) culvert; cylinder drum äv. data, barrel; för hiss shaft **II** *vb itr* o. *vb tr* (~de, ~t) drum äv. bildl.; med fingrarna äv. tap; om t.ex. regn beat; ~ *ihop* vänner och bekanta drum…together, drum up…

trummis *s* (~en, ~ar) vard. drummer

trumpen *adj* (trumpet, trumpna) sullen, sulky, glum; ~ [*av sig*] morose, moody

trumpet *s* (~en, ~er) trumpet; *blåsa* [*i*] ~ play (som signal sound) the trumpet

trumpeta *vb itr* o. *vb tr* (~de, ~t) trumpet äv. om elefant; ~ *ut* trumpet [forth]

trumpetare *s* (~n, =) trumpeter

trumpetstöt *s* (~en, ~ar) trumpet blast

trumpetsvamp *s* (~en, ~ar) bot. horn of plenty (pl. horns of plenty), trumpet chanterelle; svart black trumpet [mushroom]

trumpinne *s* (~n, -pinnar) drumstick

trumslagare *s* (~n, =) drummer

trumvirvel *s* (~n, -virvlar) drumroll, roll of a (resp. the) drum (resp. of the drums)

trunk *s* (~en, ~ar) resväska suitcase; koffert trunk

trupp *s* (~en, ~er) allm. troop; friare äv. body, band; mil., avdelning contingent, detachment; sport. team, fotb. squad; teat. troupe; ~*er* styrkor äv. forces

truppförband *s* (~et, =) enhet military unit

truppslag *s* (~et, =) branch of the army, arm

truppstyrka *s* (~n, -styrkor) [military] force

trust *s* (~en, ~er) ekon. trust

1 trut *s* (~en, ~ar) zool. gull

2 trut *s* (~en, ~ar) vard., mun mouth; *hålla ~en* hold one's jaw; tystna shut up

truta *vb itr* (~de, ~t), ~ *med munnen* pout one's lips

tryck *s* (~et, =) **1** allm. pressure; tonvikt stress [*på* i båda fallen on]; påfrestning strain; känna liksom *ett* ~ *över bröstet* …a weight on one's chest; *utöva* ~ *på ngn* bildl. put (exert) pressure on sb, bring pressure to bear on sb **2** typogr. el. på tyg o.d.: konkr. print; tryckning

printing; tryckalster publication; koll. (trycksaker) printed matter sg.; *ge ut i* ~ print, publish; låta trycka have…printed; *låta gå i* ~ send…to the printers (to press); *komma ut i* ~ appear (come out) in print; *se* ngt *i* ~ see…in print **3** vard., hög stämning go, life; *vilket* ~ *det var* om t.ex. fest there was plenty of go (life), the atmosphere was terrific

trycka I *vb tr* o. *vb itr* (tryckte, tryckt) **1** press [*mot* t.ex. väggen against]; krama, klämma squeeze; tynga weigh…down, oppress, press [heavily] upon; kännas tung be (weigh) heavy; vara trång be too tight; ~ *ngns hand* shake (hjärtligare clasp el. press) sb's hand; *är det något som trycker dig?* have you got anything (something) on your mind?; ~ *ngn till sitt bröst* press (mera känslobetonat clasp) sb to one's bosom; ~ *på en knapp* press (push) a button **2** ~ *på ngt* framhäva, betona emphasize sth **3** typogr. el. på tyg o.d. print; boken *håller på att ~s* …is being printed (in the press); *tryckt hos…* printed by… **4** jakt. el. friare (dölja sig): om djur squat; [*ligga och*] ~ om person lie low ([in] hiding) **II** *vb rfl* (tryckte, tryckt), ~ *sig tätt intill ngn* a) kelande cuddle (om barn nestle) up to sb b) ängsligt press close against sb; ~ *sig mot* en vägg press (tätt intill flatten) oneself against… **III** med beton. part.

trycka av a) avfyra fire; itr. äv. pull the trigger; ~ *av ett gevär* pull the trigger of (fire) a gun b) typogr. print [off]; kopiera copy [off]

trycka fast press…[securely] on [*på* to]

trycka i sig vard., äta put (tuck) away

trycka igen dörr o.d. push…to

trycka ihop flera föremål press (klämma squeeze)…together; packa compress; platta till flatten

trycka in press (klämma squeeze) in

trycka ned (**ner**) press down; friare el. bildl. depress, oppress; ~ *ned hissen* send (ned till sig bring el. get) the lift down; ~ *ner ngn i skorna* make sb feel small

trycka om bok o.d. reprint

trycka på utöva tryck exert pressure

trycka till a) ge ngt en tryckning press…hard; platta till flatten; t.ex. jord press down; ~ *till ngn* behandla ngn nedlåtande squash (lean on) sb; slå till ngn sock (wallop) sb b) typogr., ~ *till* 5000 ex. print…more, print another…

trycka upp allm. press up; ~ *upp hissen* send (upp till sig bring el. get) the lift up

trycka ut press (klämma squeeze) out

tryckalster *s* (-alstret, =) publication; ~ pl. (trycksaker) printed matter sg.

tryckande *adj* (oböjl.) bildl. oppressive; om väder, luft äv. sultry, close; besvärande (t.ex. tystnad) äv. awkward

tryckare *s* (~n, =) **1** typogr. printer **2** vard., dans cheek-to-cheek dance; *dansa en* ~ dance close (cheek-to-cheek) **3** vard., slag wallop, sock

tryckark *s* (~et, =) typogr. printed sheet

tryckbokstav *s* (~en, -bokstäver) block letter; skriva *med tryckbokstäver* …in block letters

tryckeri *s* (~et, ~er) printing works (pl. lika), printing office; större äv. printing house; skicka *till ~et* vanl. …to the printers

tryckfel *s* (~et, =) misprint, printer's error

tryckfelsnisse *s* (~n, -nissar) printer's gremlin

tryckfrihet *s* (~en) freedom of the press

tryckfrihetsförordning *s* (~en, ~ar) jur., ung. press law, freedom of the press act

tryckförband *s* (~et, =) pressure bandage

tryckkabin *s* (~en, ~er) flyg. pressurized cabin

tryckknapp *s* (~en, ~ar) **1** för knäppning press stud, vard. popper; speciellt amer. snap [fastener] **2** strömbrytare button

tryckkokare *s* (~n, =) pressure-cooker

tryckluft *s* (~en) compressed air

tryckluftsborr *s* (~en el. ~et, ~ar el. =) pneumatic drill

tryckning *s* (~en, ~ar) **1** allm. pressure; tryckande äv. pressing; med fingret o.d. press; på knapp o.d. äv. push **2** typogr. printing; *skicka...till* ~ send...to the printers (to press); *boken är under* ~ the book is being printed (is in the press)

tryckort *s* (~en, ~er) place of publication; uppgift på tryckalster [printer's] imprint

tryckpress *s* (~en, ~ar) printing press; rotationspress äv. printing machine

trycksak *s* (~en, ~er) piece of printed matter, printed paper; *~er* äv. printed matter sg.

tryckstark *adj* (~t) språkv. stressed, accented, strong

trycksvag *adj* (~t) språkv. unstressed, unaccented, weak

trycksvärta *s* (~n) printer's (printing) ink

tryckt *adj* (=) **1** *en* ~ *stämning* a stifling (oppressive) atmosphere **2** typogr. el. om tyg o.d. printed

tryckår *s* (~et, =) year of publication; *utan* ~ without (i bokkatalog o.d. no) date

tryffel *s* (~n, tryfflar) bot. el. choklad[massa] truffle; praliner truffles pl.

tryffera *vb tr* (~de, ~t) kok.: garnera garnish (smaksätta flavour)...with truffles; *~d* äv. truffled

trygg *adj* (~t) säker secure; utom fara safe [*för* from]; full av självtillit confident, assured; *känna sig lugn och* ~ feel safe and secure; inte vara orolig be easy in one's mind

trygga *vb tr* (~de, ~t) make...secure (safe) [*för, emot* from]; ~ *sin framtid* (*ålderdom*) provide for one's future (old age); ~ *freden* säkra safeguard (upprätthålla maintain) the peace; ~ *sin ställning* safeguard one's position; *en ~d framtid* (*ålderdom*) a secure future (old age)

trygghet *s* (~en) security; utom fara safety; lugn självtillit confidence; självmedvetenhet assurance

trygghetsavtal *s* (~et, =) job security agreement

tryggt *adv* safely, with safety; utan känsla av fara securely; förtroendefullt confidently; *man kan* ~ *säga...* one can safely (confidently) say..., it is safe to say...

tryne *s* (~t, ~n) på svin snout; vard.: näsa snout, conk, ansikte mug

tryta *vb itr* (tröt, trutit) give out; om förråd o.d. äv. run short (out); *om pengarna* (idéerna) *tryter för oss* if we run short (out) of...

tråckla *vb tr* (~de, ~t) **1** sömnad. tack, baste; ~ *fast* tack on [*på* to]; ~ *ihop* tack...together; vard., få till run up **2** bildl., ~ *sig fram* genom folkmassan weave one's way...

tråd *s* (~en, ~ar) thread äv. bildl.; grövre äv. yarn; bomulls~ cotton, cotton thread; sy~ sewing thread; i glödlampa filament; *han hade inte en* ~ *på kroppen* he hadn't a stitch on him (on his body); *dra i ~arna* dirigera pull the strings; *tappa ~en* bildl. lose the thread; *hans liv hänger på en* [*skör*] ~ his life hangs

by (on) a [single] thread; *få* (*ha*) *ngn på ~en* i telefonen get (have) sb on the line

tråbuss *s* (~en, ~ar) trolley bus

trådig *adj* (~t) thready; om struktur o.d. fibrous; *~t kött* stringy (ropy) meat

trådlös *adj* (~t), ~ *telefon* cordless telephone; ~ *telegrafi* wireless telegraphy

trådrulle *s* (~n, -rullar) med tråd reel of cotton, amer. spool of thread; tom cotton reel, amer. spool

trådsliten *adj* (-slitet, -slitna) threadbare

trådsmal *adj* (~t) ...[as] thin as a thread

trådspik *s* (~en, ~ar) wire tack, wirenail

tråg *s* (~et, =) kärl trough; flatare tray; för murbruk hod

tråka *vb tr* (~de, ~t) **1** ~ *ut ngn* bore sb; ~ *ihjäl ngn* bore sb to death, bore sb stiff **2** trakassera annoy, pester; retas med tease [*för* about]

tråkig *adj* (~t) långtråkig boring, tedious; trist drab, dreary; ointressant, enformig uninteresting, dull; förarglig awkward, annoying; besvärlig tiresome; beklaglig unfortunate; *en* ~ obehaglig *historia* vanl. a nasty business (affair); *torr och* ~ äv. dry; *det är* (*var*) *~t att* han inte kan (kunde) komma it is a pity (a shame, too bad) [that]...; jag är ledsen I am sorry...; *så ~t!* ledsamt what a pity (shame)!, that's too bad!; *det ~a* besvärliga [*med saken*] *är att...* the trouble (nuisance) is that...

tråkighet *s* (~en, ~er) långtråkighet boredom, tediousness; tristhet drabness, dreariness; *~er* besvär, obehag trouble sg., bother sg., inconvenience sg.; svårigheter difficulties; förtret annoyance sg.

tråkigt *adv* boringly, tediously osv., jfr *tråkig*; ~ *nog* tyvärr *måste jag* gå unfortunately (I'm sorry to say) I must...; *ha* ~ be bored; mera långvarigt have a boring (dull) time

tråkmåns *s* (~en, ~ar) vard. bore; *en riktig* ~ a crashing bore

trål *s* (~en, ~ar) trawl

trålare *s* (~n, =) trawler

tråna *vb itr* (~de, ~t) yearn, pine, languish [*efter* i samtliga fall for.]

trånad *s* (~en) yearning, pining, languishing [*efter* i samtliga fall for.]

trånande *adj* (oböjl.) om person yearning, pining; om blick, öga languishing

trång *adj* (~t) narrow äv. bildl.; om t.ex. byxor tight, tight-fitting; begränsad limited; *~a* lägenheter ...which are too small; *klänningen är* ~ *i halsen* (*över ryggen*) ...is tight round the neck (across the back); *det är ~t i rummet* a) ont om utrymme there is little space in the room b) överfullt the room is crowded (packed)

trångbodd *adj* (-bott), *vara* ~ ha liten bostad be cramped (restricted, limited, confined) for space [in one's home], live in confined quarters; vara många live in overcrowded conditions

trångmål *s* (~et, =) framför allt ekonomiskt embarrassment; friare äv. straits pl.; nöd[läge] distress; *råka* (*vara*) *i* ~ get into (be in) straits

trångsynt *adj* (=) narrow-minded; *han är* ~ äv. he has a narrow outlook, he has narrow views

trångsynthet *s* (~en) trångsyn narrow outlook; trångsinthet narrow-mindedness, narrowness

trångt *adv*, *bo* ~ se *vara trångbodd* under *trångbodd*; *vi har* ~ [*om plats*] *här* we are rather cramped (restricted, limited, confined) for space (room) here; *sitta* ~ eg. be cramped; om flera personer äv. sit (be sitting) close together; om plagg fit too tight; bildl. (ekonomiskt) be hard up, be in a tight corner

trånsjuk *adj* (~t) ...full of yearning; se vidare *trånande*

1 trä *s* **1** (~et) som ämne wood; virke timber, speciellt amer. lumber; stolar **av ~** äv. wooden...; **ta i ~!** som besvärjelse touch (amer. knock on) wood! **2** (~et, ~n) vedträ log (billet) [of wood]

2 trä *vb tr* (~dde, ~tt), **~ på** (upp) thread [*på* on]; sticka: t.ex. armen genom rockärmen pass, slip, t.ex. en nål (ett band) genom ngt run; **hon ~dde ringen på fingret** she slipped the ring on to her finger; **~ en tråd på en nål** thread a needle with a piece of cotton; **~ på en nål** thread a needle; **~ upp** pärlor **på ett band** thread...on a string, string...

träaktig *adj* (~t) eg. woodlike; bildl.: torr, smaklös o.d. woody; livlös, stel o.d. wooden

träben *s* (~et, =) wooden leg

träbit *s* (~en, ~ar) piece (bit) of wood

träblåsare *s* (~n, =) musiker wood[wind] player; **träblåsarna** i en orkester the woodwind (sg. el. pl.), the woodwind section sg.

träbock *s* (~en, ~ar) **1** ställning wooden trestle **2** person, vard. bore

träbänk *s* (~en, ~ar) wooden bench osv., jfr *bänk*

träck *s* (~en) excrement, faeces pl.; djurs dung

träd *s* (~et, =) tree; **sitta i ett ~** sit on (in) a tree; bra chefer (idéer) **växer inte på ~** ...don't grow on trees, ...are not found every day

1 träda I *vb itr* (trädde, trätt) stiga step; gå go; trampa tread; **~ i dagen** come to light äv. bildl.; **~ i förbindelse med ngn** enter into communication with sb; **~ i kraft** come into force (effect), take effect; **~ i ngns ställe** ersätta ngn replace sb; mera tillfälligt take sb's place, act as a deputy for sb; **~ ur kraft** be annulled **II** med beton. part.

träda emellan step (go) between; ingripa äv. step in

träda fram eg. step (go, komma come) forward; plötsligt, oväntat come forth, emerge [*ur* i båda fallen out of]

träda in eg. step (go, komma come) in, enter; **~ in i** ett rum enter...; jfr *inträda 2* o. *inträda 3*

träda till itr. (överta ansvaret) take charge; jfr *tillträda*

träda tillbaka bildl. withdraw, retire, step down [*för* i samtliga fall in favour of]

träda ut step (go, komma come) out [*ur* of]; plötsligt, oväntat emerge [*ur* from]; jfr *utträda*

2 träda *vb tr* (trädde, trätt) se *2 trä*

3 träda *s* (~n, trädor) mark fallow field, lay land; **ligga i ~** lie fallow äv. bildl.

trädgräns *s* (~en, ~er), **~en** the timber line, the tree line (limit)

trädgård *s* (~en, ~ar) garden, amer. äv. yard; större el. offentlig (t.ex. botanisk) gardens pl.

trädgårdsarbete *s* (~t, ~n) gardening

trädgårdsarkitekt *s* (~en, ~er) landscape gardener

trädgårdsgång *s* (~en, ~ar) garden walk (path)

trädgårdsland *s* (~et, =) garden plot, patch of garden

trädgårdsmästare *s* (~n, =) gardener

trädgårdsmöbel *s* (~n, -möbler) möblemang suite of garden furniture; **trädgårdsmöbler** äv. garden furniture sg.

trädgårdsodling *s* (~en, ~ar) horticulture, gardening

trädgårdsredskap *s* (~et, =) garden tool

trädgårdssax *s* (~en, ~ar) sekatör pruning shears pl., secateurs pl.

trädgårdsskötsel *s* (~n) gardening, horticulture

trädgårdstäppa *s* (~n, -täppor) little garden, garden-patch

trädkrona *s* (~n, -kronor) crown (head) of a (resp. the) tree

trädkrypare *s* (~n, =) zool. tree creeper

trädslag *s* (~et, =) variety (type) of tree

trädstam *s* (~men, ~mar) tree trunk

trädtopp *s* (~en, ~ar) tree top

träff *s* (~en, ~ar) **1** hit; slag blow; **skjuta ~** score a hit **2** date; sammankomst get-together, gathering; **stämma ~ med** arrange a meeting with; vard. make a date with

träffa *vb tr* (~de, ~t) **1** möta, råka meet; händelsevis run across; finna find; få tag i get hold of; **jag ska ~ honom i morgon** I'll see (be seeing) him...; **jag ska ~ någon** (**en person**) har stämt möte I have an appointment [with someone]; **~s Erik?** can I see...?, is...in?; i telefon can I speak to...?; **han ~s på sitt kontor** you can see (i telefon get, reach) him at his office; **han ~s mellan 9 och 10** he is available between 9 and 10; **han ~s inte i dag** he is not available today; han tar inte emot he can't see anybody today; **~ på** möta, råka [på] meet with; mera händelsevis: med personobjekt run across, med sakobjekt come across, hit on, chance upon **2** mots. missa hit; slå till strike; kulan **~de** [**målet** (**honom**)] ...hit the target (him); **inte ~** äv. miss; **~ ngns ömmaste punkt** touch sb's most sensitive spot, touch sb to the quick; **~ den rätta tonen** get (hit) the right note äv. bildl.; skottet **~de** [**mig**] **i benet** ...hit me in the leg; **slaget ~de honom på hakan** the blow hit (struck) him on the chin; **han ~des av en sten** he was hit (struck) by a stone **3** göra, vidtaga (t.ex. ett val) make; **~** [**ett**] **avtal** komma överens om come to (ingå enter upon) an agreement

träffad *adj* (träffat, ~e), **känna sig ~** be touched on the raw, feel stung; **hon kände sig ~ av hans antydningar** she took his insinuations personally, she felt that his insinuations were aimed at her

träffande I *adj* (oböjl.) välfunnen apposite, apt; passande, adekvat pertinent; talande telling; **vara ~ på kornet** be to the point **II** *adv* aptly, tellingly; **skildra** ngt **~** äv. hit...off

träffas *vb itr dep* (träffades, träffats) meet; händelsevis chance (happen) to meet; **det var trevligt** (**roligt**) **att träffas!** pleased to meet you!; jfr vidare *ses* o. *träffa 1*

träffpunkt *s* (~en, ~er) mötesplats rendezvous, meeting-place

träffsäker *adj* (~t, -säkra) eg.: om person ...good at hitting the mark, ...sure of aim; om vapen accurate; bildl. (t.ex. i omdömesförmåga) sure; **en ~ skildring** an unerring description; **en ~ skytt** vanl. a good marksman

träffsäkerhet *s* (~en) eg.: persons sureness (accuracy) of aim; vapens accuracy in firing

träfiberplatta *s* (~n, -plattor) [wood] fibreboard

träflis *s* (~en) koll. wood (wooden) chips pl.

träfri *adj* (-fritt), **~tt papper** wood-free (pure) paper

trägen *adj* (träget, trägna) persevering, assiduous, sedulous; **~ vinner** perseverance does it, it's dogged [as] does it

trägolv *s* (~et, =) wooden floor

trähus *s* (~et, =) wooden house

trähäst *s* (~en, ~ar) wooden horse

träig *adj* (~t) torr, smaklös o.d. woody; livlös, stel o.d. wooden

träindustri *s* (~n, ~er) wood industry; virkesindustri timber (speciellt amer. lumber) industry

träkarl *s* (~n el. ~n, ~ar) kortsp. dummy

träkloss *s* (~en, ~ar) wooden block (chock)

träklubba *s* (~n, -klubbor) golf. wood

träkol *s* (~et, =) charcoal

träl *s* (~en, ~ar) hist. bond[s]man, thrall; bildl. slave

träla *vb itr* (~de, ~t) toil [like a slave (resp. slaves)], slave [med i båda fallen at], drudge

träldom *s* (~en) bondage; framför allt bildl. slavery, servitude

trämask *s* (~en, ~ar) woodworm

trämassa *s* (~n) wood pulp

träna I *vb tr* o. *vb itr* (~de, ~t) train; öva sig [i] vanl. practise; **~ ngn** som instruktör, äv. coach sb; **börja ~** *itr.* go into training; **~ löpning** practise running; **~ bort** t.ex. fel remove (get rid of)…by (through) practice; **~** öva **in** train, practise; **~ upp ngn till ngt** train sb to be sth; **~ upp sin förmåga att…** develop (perfect) one's ability to… **II** *vb rfl* (~de, ~t), **~ sig** se *öva II*

tränare *s* (~n, =) trainer; instruktör coach

tränga I *vb tr* (trängde, trängt) driva, pressa, trycka drive, press; skjuta push, jostle; tvinga force **II** *vb itr* (trängde, trängt) vara trång be (feel) too tight; om sko äv. pinch **III** med beton. part.

tränga bort psykol. repress

tränga fram ~ in, ~ igenom o.d. penetrate; **~ fram ur** äv. emerge (come out el. forth) from; **~ sig fram** t.ex. genom folkmassan push one's way forward

tränga sig förbi force one's way past

tränga sig före: **~ sig före i kön** push oneself forward in (jump) the queue

tränga igenom penetrate, permeate; hans idéer **har trängt igenom** …are now generally accepted, …have prevailed

tränga ihop t.ex en massa människor crowd (pack)…together; **~ ihop sig** om flera personer crowd together; ni måste **~ ihop er** äv. …get closer together

tränga in a) tr.: **~ in ngn i ett hörn** press (osv., jfr *I*) sb into a corner **b)** itr. o. rfl.: **~ in (in i…)** el. **~ sig in (in i…)** force one's way in (into…); bryta sig in break in (into…); **~ in i ngt** sätta sig in i, fördjupa sig i penetrate [into] sth, immerse oneself in sth

tränga ned permeate [*i* t.ex. jorden through]

tränga på: **~ sig på ngn** vara påträngande thrust oneself (obtrude, butt in) on sb; **förlåt att jag tränger mig på** stör pardon my intrusion

tränga tillbaka: **poliserna trängde tillbaka** de nyfikna the policemen pressed (thrust)…back

tränga undan: **~ undan ngn** push sb aside, push sb out of his (resp. her) place; **de gamla idéerna har trängts undan av nya** the old ideas have been superseded by new ones

tränga ut om t.ex. folkhop crowd out; **~ ut ngn** i gatan force sb out…; **det nya modet har trängt ut det gamla** the new fashion has superseded (displaced) the old one; **gasen trängde ut** genom dörrspringan the gas was escaping (leaking out)…

trängande *adj* (oböjl.) urgent; speciellt attr. äv. pressing

trängas *vb itr dep* (trängdes, trängts) samlas, skockas crowd, press, throng; knuffas jostle one another;

man behövde inte **~** vanl. there was no crowding; **folk trängdes för att komma in på** teatern people were jostling to get into…, there was a proper crush to get into…

trängd *adj* (trängt), **vara ~** hårt ansatt be hard pressed (in a tight spot)

trängsel *s* (~n) crowding; människomassa crowd, crush, throng; **det rådde ~ på varuhuset** the store was jammed (absolutely packed) with people; **i ~n** in the crowd (crush, throng)

trängselavgifter *s pl* trafik. congestion charges

trängta *vb itr* (~de, ~t) yearn, pine [*efter* for; *efter att* + inf. to + inf.]

trängtan *s* (=, en) yearning, pining

trängtrupper *s pl* service forces (corps); amer. maintenance and supply troops

träning *s* (~en, ~ar) training; övning practice; med instruktör coaching; **ligga (lägga sig) i ~ för…** be (go into) training for…

träningsläger *s* (-lägret, =) training camp

träningsoverall *s* (~en, ~er) track (training, sweat) suit

träningspass *s* (~et, =) training session, workout

träningsvärk *s* (~en), **ha ~** be stiff (full of aches) [after training (exercise)]

träns *s* **1** (~en, ~ar) snodd braid, cord **2** (~en, ~ar) sömnad., hank loop **3** (~et el. ~en, = el. ~ar) ridn. snaffle

träpanel *s* (~en, ~er) wood (wooden) panelling; **en ~** a wooden panel

träsk *s* (~et, =) **1** kärr fen, marsh, swamp **2** bildl. slough, squalor and corruption

träskalle *s* (~n, -skallar) vard. blockhead, fathead

träsked *s* (~en, ~ar) wooden spoon

träsko *s* (~n, ~r) clog, wooden shoe

träslag *s* (~et, =) sort (kind) of wood; **~** i pl. äv. woods

träslev *s* (~en, ~ar) wooden ladle

träslöjd *s* (~en) woodwork, amer. woodworking äv. skol., carpentry; konst. wood handicraft

träsmak *s* (~en) ömmande känsla feeling of soreness [from sitting on a hard seat]

träsnidare *s* (~n, =) träskulptör wood-carver

träsnitt *s* (~et, =) woodcut, wood-engraving; alster äv. xylograph

träsprit *s* (~en) wood alcohol, methanol

träta I *s* (~n, trätor) quarrel **II** *vb itr* (trätte, trätt) quarrel; svagare bicker [*om* i båda fallen about]; **det är inte ens fel att två träter** it takes two to make a quarrel; **~ på ngn** scold sb

trätobroder *s* (~n, -bröder) adversary, opponent

träull *s* (~en) wood wool; speciellt amer. äv. excelsior

trävaruhandlare *s* (~n, =) virkeshandlare timber merchant; detaljist timber-dealer

trävirke *s* (~t) se *virke 1*

trävit *adj* (-vitt) whitewood…; **stolen är ~** …is made of whitewood

trög *adj* (~t) sluggish; långsam slow, slack [*i* at]; fys. el. om person (overksam) inert; sävlig phlegmatic, languid; slö dull; senfärdig tardy; **marknaden är ~** the market is sluggish (dull); **vara ~ i magen** be constipated

trögbedd *adj* (-bett), **vara ~** require [a great deal of] pressing

trögfattad *adj* (-fattat, ~e) …slow on the uptake, …thick [as a brick]

trögflytande *adj* (oböjl.) tjockflytande viscous

tröghet *s* (~en) sluggishness etc., inertia; phlegm; tardiness; jfr *trög*

tröghetslagen *s* (best. sing.) fys. the law of inertia

trögtänkt *adj* (=) slow-witted; *vara* ~ äv. be slow on the uptake

tröja *s* (~n, tröjor) ylle ~ o.d. sweater; jumper jumper; t.ex. fotbolls~ shirt, jersey; kortärmad T-shirt; ärmlös tank top; under~ vest, singlet, amer. undershirt

tröska lantbr. **I** *vb tr* (~de, ~t) thresh; ~ *igenom ngt* bildl. plough through (thresh out) sth **II** *s* (~n, tröskor) thresher, threshing machine, combine [harvester]

tröskel *s* (~n, trösklar) threshold äv. bildl. [*till* of]; dörr~ äv. doorstep

tröskelvärde *s* (~t, ~n) fysiol. liminal (threshold) value; fys. threshold value

tröskverk *s* (~et, =) threshing-mill

tröst *s* (~en) hjälp, lindring comfort, consolation; i högre stil solace [*för* i samtliga fall to]; *en klen* (*dålig*) ~ a poor consolation; *ett ~ens ord* a word of consolation (comfort); *det är alltid en ~ att veta...* [at least] that is one comfort (consolation)...

trösta I *vb tr* (~de, ~t) comfort, console; i högre stil solace **II** *vb rfl* (~de, ~t), ~ *sig* console oneself [*med* by]; *vi får ~ oss med att ingen vet något* no one knows – that is one comfort; *hon vill inte låta sig ~s* ...be comforted

trösterik *adj* (~t) consoling, ...full of consolation

tröstlös *adj* (~t) disconsolate; hopplös, förtvivlad hopeless, desperate

tröstnapp *s* (~en, ~ar) comforter, dummy; amer. pacifier

tröstpris *s* (~et, = el. ~er) consolation prize

tröstäta *vb itr* (-åt, -ätit) console oneself by eating

tröstätare *s* (~n, =) comfort eater

trött *adj* (=) tired; uttröttad wearied, fatigued; vard. fagged; i högre stil weary [*av* i samtliga fall with, by; *av att* + inf. with (from) + ing-form; *på* of; *på att* + inf. of + ing-form]; *ett ~ leende* a weary smile; *vara så ~ att man knappt kan stå på benen* be too tired to stand; *arbeta sig* ~ work till one is tired [out], tire oneself out by working; *jag blir ~ av* värmen ...makes me tired; *jag är ~ i armarna* vanl. my arms are tired; ~ *på* utled på tired of; starkare sick of, fed up with; *jag är ~ på honom* äv. I've had enough of him; *jag är ~ på hela historien* I'm tired of (starkare sick of, fed up with) the whole thing

trötta *vb tr* (~de, ~t) tire, fatigue; tråka ut weary; ~ *ut ngn* tire sb out; ~ *ut sig* tire oneself out

trötthet *s* (~en) tiredness, weariness [*i* in (of)], fatigue; falla ihop *av* ~ ...with fatigue

tröttkörd *adj* (-kört) utarbetad overworked, jaded; *vara* ~ äv. be fagged [out]

tröttna *vb itr* (~de, ~t) become (get, grow) tired [*på ngt* of sth; *på att göra ngt* of doing sth]; ~ *på...* äv. tire (weary) of...; musik *som man ~r på* äv. ...that palls upon you

tröttsam *adj* (~t, ~ma) tiring, fatiguing; om person äv. tiresome, wearisome

tsar *s* (~en, ~er) tsar, czar

tsarinna *s* (~n, tsarinnor) tsarina, czarina

T-shirt *s* (~en, ~ar) T-shirt

T-sprit *s* (~en) methylated spirit (spirits pl.); vard. meth (meths pl.)

tsunami *s* (~n, ~er) tsunami

TT (förk. för *Tidningarnas Telegrambyrå*) the Swedish Central News Agency

T-tröja *s* (~n, -tröjor) T-shirt

tu *räkn* two; *ett ~ tre* plötsligt all of a sudden; *de unga* ~ the young couple; *det är inte ~ tal om den saken* there is no question about that; den är bra *det är inte ~ tal om det* ...and no mistake; *på ~ man hand* in private, privately

tub *s* (~en, ~er) **1** färg~ o.d. el. tekn. tube **2** kikare telescope

tuba *s* (~n, tubor) mus. tuba

tubba *vb tr* (~de, ~t), ~ *vittnen* tamper with (suborn) witnesses; ~ *ngn till* [*att begå*] *mened* induce sb to commit perjury

tuberkel *s* (~n, tuberkler) med. tubercle

tuberkulin *s* (~et) med. tuberculin

tuberkulos *s* (~en) med. tuberculosis [*i* of]

tuberkulös *adj* (~t) tuberculous

tubkikare *s* (~n, =) telescope

tudelad *adj* (-delat, ~e) divided into two [parts]

tudelning *s* (~en, ~ar) division (tudelande dividing) into two [parts]

tuff *adj* (~t) vard. tough, hard; snygg, 'fräsig' smart, with-it, trendy; ~*a tag* rough stuff sg.

1 tuffa *vb itr* (~de, ~t) om tåg puff

2 tuffa vard. **I** *vb itr* (~de, ~t), ~ *till* t.ex. sitt yttre smarten up **II** *vb rfl* (~de, ~t), ~ *till sig* become tougher, toughen up

tuffing *s* (~en, ~ar) vard. tough customer (nut, guy); *han är en riktig* ~ äv. he's as tough as they make them

tufsa *vb itr* (~de, ~t) **1** ~ *till ngn i håret* tousle (ruffle) sb's hair **2** bildl., ~ *till* illa tilltyga *ngn* handle sb roughly

tugg *s* (~et) **1** vard., prat talk, chit-chat **2** träavfall wood chippings pl.

tugga I *s* (~n, tuggor) munfull bite; det som tuggas chew **II** *vb tr* o. *vb itr* (~de, ~t) chew; mat äv. masticate; om hästar champ; ~ *på* en kaka chew...; ~ *på* en tändsticka chew at...; [*idelligen*] ~ *om samma sak* bildl., ung. keep harping on the same string; ~ *sönder* bite...to bits

tuggmotstånd *s* (~et) kok., *med* ~ al dente, ...cooked so as to be firm when eaten

tuggtobak *s* (~en) chewing-tobacco

tuggummi *s* (~t, ~n) chewing-gum; *ett* ~ a piece of chewing-gum

tuggyta *s* (~n, -ytor) masticating surface

tuja *s* (~n, tujor) bot. thuja, arborvitae

tukt *s* (~en) åld. discipline; *hålla ngn i* [*Herrans*] ~ *och förmaning* ...in good order (discipline)

tukta *vb tr* (~de, ~t) **1** åld., hålla i tukt o. lydnad chastise, discipline, castigate **2** forma (t.ex. träd, häck) prune; träd äv. lop

tull *s* (~en, ~ar) **1** avgift [customs] duty; vard. customs pl.; ~sats customs tariff, [rate of] duty; *hur hög är ~en på...?* what is the duty on...?; *betala ~ för ngt* pay duty (vard. customs) on (for) sth; *lyxartiklar är belagda med* ~ ...are liable to customs duty; *betala 100 kronor i* ~ pay a duty of... **2** tullmyndighet, tullverk Customs pl.; tullhus customs house; *passera* [*genom*] ~*en* get through (pass [through]) the Customs **3** väg~ road toll **4** *bo utanför* ~*arna* ung. live outside the (out of [the]) town

tulla *vb itr* (~de, ~t) **1** betala tull, ~ *för* ngt pay duty on (for)... **2** vard., ta, **~ av** (**på**) cigarrerna take (pinch) some of...

tullavgift s (~en, ~er) [customs] duty

tullbehandla vb tr (~de, ~t) clear [...through the Customs]; resgods examine [...for customs purposes]

tullbevakning s (~en) customs supervision (surveillance); tulltjänstemän customs officers pl.

tulldeklaration s (~en, ~er) customs declaration

tullfri adj (-fritt) duty-free, ...free of duty

tullfritt adv duty-free, free of duty

tullhus s (~et, =) customs house

tullklarering s (~en, ~ar) customs clearance

tullkontroll s (~en, ~er) customs check

tullmur s (~en, ~ar) tariff wall (barrier)

tullpliktig adj (~t) dutiable, ...liable (subject) to duty

tullskydd s (~et, =) tariff protection; som system protectionism

tullstation s (~en, ~er) customs station, customs house

tulltaxa s (~n, -taxor) customs tariff

tulltjänsteman s (~nen, -män) customs officer (official)

tullunion s (~en, ~er) customs (tariff) union

Tullverket the Swedish Customs

tullvisitation s (~en, ~er) av resgods customs examination; kroppsvisitation personal search [by the Customs]; av fartyg o.d. search [by the Customs]

tulpan s (~en, ~er) tulip

tulpanlök s (~en, ~ar) tulip bulb

tulta I s (~n, tultor) [little] toddler **II** vb itr (~de, ~t), **~ omkring** toddle about (around)

tum s (~men, =) inch; han är **en gentleman i varje ~** ...every inch a gentleman; **inte vika en ~** not budge (yield) an inch

tumla I vb itr (~de, ~t) falla fall, tumble; leka o. rasa romp; vältra sig roll **II** vb tr (~de, ~t) torka tvätt tumble-dry **III** med beton. part.
tumla om romp about; tankarna **~de om i hennes huvud** ...kept revolving in her mind; **~ om varandra** tumble (roll) over one another
tumla omkring se tumla om ovan
tumla omkull tumble (topple, roll) over (down)

tumlare s (~n, =) **1** zool. [common] porpoise **2** glas tumbler **3** tork~ tumbler

tumma vb itr (~de, ~t) **1 ~ på ngt** fingra på ngt finger sth; nöta på ngt thumb sth; **~de sedlar** (**böcker**) well-thumbed [bank-]notes (books) **2 ~ på ngt** a) komma överens om shake hands (agree) on sth b) ändra på tamper with sth, make modifications in sth; **det ~r vi på!** let's shake hands on that!; **~ på sin övertygelse** budge from (temporize with) one's convictions

tumme s (~n, tummar) thumb äv. på handske o.d.; **ha ~n i ögat på ngn** hålla i styr keep a tight hand on sb, have sb under one's thumb; noga bevaka keep a [careful] check on sb; **ha ~ med ngn** be [well] in with sb; **ha ~n mitt i handen** be all fingers and thumbs; **hålla tummarna** [**för ngn**] keep one's fingers crossed [for sb]; **rulla tummarna** twiddle (twirl) one's thumbs äv. bildl.; **där bet du dig allt i ~n!** tog du fel you made a real blunder there!, you've really put your foot in it!;

åka på ~n vard., lifta thumb one's way, thumb a ride (lift); **~n upp** (**ned**)**!** thumbs up (down)!

Tummeliten sagofigur Tom Thumb

tummelplats s (~en, ~er) bildl., arena för stridigheter battlefield, arena [**för** de inblandade for...; **för** ngt of...]

tumregel s (~n, -regler) rule of thumb

tumsbredd s (~en, ~er), **en ~** the breadth of an (one) inch

tumskruv s (~en, ~ar) thumbscrew; **sätta ~ar** (**dra åt ~arna**) **på ngn** bildl. put the screws on sb

tumstock s (~en, ~ar) folding rule

tumult s (~et, =) tumult, vard. hullabaloo; rabalder, villervalla uproar; oreda turmoil äv. bildl.; bråk row, vard. rumpus

tumvante s (~n, -vantar) [woollen (resp. leather, fabric)] mitten

tumör s (~en, ~er) med. tumour; **godartad** (**elakartad**) **~** benign (malignant) tumour

tumörcell s (~en, ~er) med. tumour cell

tundra s (~n, tundror) geogr. tundra

tung adj (~t) allm. heavy äv. bildl.; klumpig, ohanterlig unwieldy, cumbersome; svår hard; om t.ex. stil, arkitektur ponderous, cumbrous; viktig important, major; **~ som bly** as heavy as lead, like a lump of lead; **ett ~t ansvar** a heavy (grave) responsibility; **en ~ börda** a heavy burden; **en** bedövande **doft** a heavy (heady) scent; **~a fordon** heavy vehicles; **~ industri** heavy industry; **~ narkotika** hard (heavy) drugs; **en ~ plikt** a heavy duty; **~a steg** heavy [foot]steps; **en ~ suck** a deep sigh; **~a dystra tankar** black (gloomy, dismal) thoughts; **~a vapen** heavy arms; **~t vatten** (**väte**) heavy water (hydrogen); **det känns ~t att** behöva it feels hard...; **jag känner mig** (**är**) **~ i huvudet** my head feels heavy; **vara ~ till sinnes** be heavy-hearted (sad at heart)

tunga s (~n, tungor) **1** anat. el. friare tongue; på våg äv. needle, pointer; på flagga tail; mus.: i orgel, klarinett o.d. reed; **elaka** (**onda**) **tungor påstår att...** a malicious rumour has it that...; **vara ~n på vågen** hold the balance, tip the scale; **jag kunde ha bitit ~n av mig** I could have bitten my tongue off; **ha en vass** (**giftig**) **~** have [got] a malicious (quick) tongue; **hålla ~n rätt i mun**[**nen**] tänka sig för mind one's P's and Q's; vara försiktig watch one's step; **låta ~n löpa** let one's tongue run; **tala i tungor** speak with (in) tongues; **ha ordet** (**det**) **på ~n** have...on the tip of one's tongue **2** zool., fisk sole

tungfotad adj (-fotat, ~e) heavy-footed

tunghäfta s (~n) tongue-tiedness; **ha** (**få**) **~** be (get) tongue-tied; **inte lida av ~** vara pratsam, vard. have the gift of the gab

tungomål s (~et, =) språk, högtidl. language, tongue

tungrodd adj (-rott) bildl.: trög heavy; osmidig, om t.ex. organisation unwieldy

tungrot s (~en) anat. root of the tongue

tungrygg s (~en, ~ar) anat. dorsum, upper surface of the tongue

tungsinne s (~t) melancholy, gloom

tungsint adj (=) melancholy, gloomy

tungspene s (~n, -spenar) anat. uvula (pl. uvulae)

tungspets s (~en, ~ar) tip of the tongue

tungspetsljud s (~et, =) fonet. apical [sound]

tungt adv heavily; **~ beväpnad** heavily armed; **~ lastad** heavily loaded (laden); attr. äv. heavy-laden;

andas ~ breathe heavily (with difficulty); ansvaret **föll** (*vilade*) ~ **på honom** ...fell (weighed) heavy upon him; **hans ord väger** ~ **hos**... his words carry weight (authority) with...; ~ **vägande skäl** weighty reasons

tungvattenreaktor s (~n, ~er) heavy-water reactor

tungvikt s (~en) heavyweight; **lätt** ~ light heavyweight, cruiser-weight

tungviktare s (~n, =) sport. el. bildl. heavyweight; bildl. äv. heavy (pl. heavies); motorcykel heavyweight [motorcycle]

tunik s (~en, ~er) o. **tunika** s (~n, tunikor) tunic

Tunisien Tunisia

tunisier s (~n, =) Tunisian

tunisisk adj (~t) Tunisian

tunisiska s (~n, tunisiskor) kvinna Tunisian woman

tunn adj (tunt) allm. thin; svag, om t.ex. kaffe weak; utspädd, vattnig äv. diluted, watery; innehållslös äv. jejune; om rock o.d. äv. light; **en** ~ **bok** äv. a slender book; ~ **grädde** single (amer. light) cream; ~ **luft** äv. rarefied (rare) air; ~ **tråd** äv. fine (slender) thread; **tunt tyg** äv. flimsy (skirt sheer) material

1 tunna s (~n, tunnor) barrel; mindre cask; **hoppa i galen** ~ do the wrong thing, make a blunder; **topp tunnor rasande** raging mad

2 tunna I vb tr (~de, ~t), ~ **ut** (*ur*) göra tunnare make...thinner; gallra äv. thin [out (down)]; späda äv. dilute; bildl., göra innehållslös water down **II** vb itr (~de, ~t), ~ **av** (*ut*) grow (get) thinner; glesna thin; minska decrease (diminish) in number[s]

tunnbröd s (~et, =) ung. thin flat unleavened bread

tunnel s (~n, tunnlar) tunnel; gångtunnel äv. subway, amer. underpass

tunnelbana s (~n, -banor) underground [railway], vard. tube; amer. subway

tunnelbanestation s (~en, ~er) underground (vard. tube) station; amer. subway station

tunnflytande adj (oböjl.) thin, very liquid

tunnhårig adj (~t) thin-haired

tunnklädd adj (-klätt) thinly dressed (clad)

tunnland s (~et, =) hist., ung. acre

tunnpannkaka s (~n, -kakor) [thin] pancake

tunnsådd adj (-sått) thinly sown, thin-sown; framgångarna **var** ~**a** bildl. ...were few and far between

tunntarm s (~en, ~ar) anat., ~**en** the small intestine

tupé s (~n, ~er) liten peruk toupee

tupera vb tr (~de, ~t) hår backcomb

tupp s (~en, ~ar) cock; amer. rooster; **få en** ~ **i halsen** get a frog in one's throat; **uppe med** ~**en** up with the lark

tuppa vb itr (~de, ~t), ~ **av** vard., svimma pass out, flake out; slumra till nod off

tuppkam s (~men, ~mar) zool. cockscomb, crest

tuppkyckling s (~en, ~ar) eg. cockerel; bildl. cocky young devil

tupplur s (~en, ~ar) [little (short)] nap; vard. catnap; **ta sig en** ~ take (have) a nap (catnap), have forty winks

1 tur s (~en) lycka luck; öde fortune; ~**en har vänt** there has been a turn of fortune; **föra** ~ **med sig** bring luck; **ha** ~ have luck, be lucky; **ha** ~ **i kärlek** be lucky in love; **ha** ~ **med** vädret be lucky with...; **ha** ~**en på sin sida** be lucky, have luck on one's side; **ha** ~**en att** vinna have the luck to..., be lucky (fortunate) enough to...; **det var rena** ~**en att han**

vann he won by pure luck (by a fluke); **det är** ~ **i oturen** it is a blessing in disguise; **det är** ~ **att**... it's lucky (fortunate) that..., it's a good thing (vard. job) that...; **det är** ~ **för dig att ha** (**att du har**)... it's lucky for you that you have...; **som** ~ **var** luckily, as luck would have it; **vilken** (**en sån**) ~**!** what [a piece (stroke) of] luck!; **mera** ~ **än skicklighet** more good luck than skill

2 tur s (~en, ~er) **1** ordning, omgång turn; **det är inte din** ~ äv. you're out of turn; **han i sin** ~ å sin sida he on his part; **i** ~ **och ordning** in turn, by (in) turns, by (in) rotation, in proper order; **jag står** (**är**) **i** (**på**) ~ it's my turn (go), I'm next **2** resa, utflykt trip, tour; kortare äv. round, vard. spin; utflykt äv. excursion; på cykel, äv. ride; i bil o.d. äv. drive; till fots turn; båten **gör fyra** ~**er dagligen** ...runs four times daily; **ta** [**sig**] **en** ~ take (go for) a trip osv.; biljetten kostar 150 kronor ~ **och retur** ...return (there and back) **3** i dans figure; bildl., de **många** ~**erna** i kärnkraftsfrågan the many turnabouts (chops and changes)...

turas vb itr dep (turades, turats), ~ **om** [**med varandra**] **att** + inf. take it in turn[s] to + inf., take turns in (at) + ing-form; ~ **om med** ngn take turns with (spells at)...

turban s (~en, ~er) turban

turbin s (~en, ~er) turbine

turbojetmotor s (~n, ~er) turbo-jet [engine]

turbomotor s (~n, ~er) turbo motor

turbulens s (~en) turbulence äv. vetensk.; friare unrest

turism s (~en), ~[**en**] tourism, the tourist trade

turist s (~en, ~er) tourist

turista vb itr (~de, ~t) vard. tour, go touring

turistbuss s (~en, ~ar) touring (long-distance) coach

turistbyrå s (~n, ~er) travel (tourist) agency, travel bureau (pl. -x)

turistfälla s (~n, -fällor) tourist trap

turistinformation s (~en, ~er) lokal tourist [information] office; abstr. information for tourists

turistklass s (~en) tourist class

turistnäring s (~en, ~ar), ~**en** the tourist trade, tourism

turistort s (~en, ~er) tourist resort

turistsäng s (~en, ~ar) folding bed

turistsäsong s (~en, ~er) tourist season

turistvisum s (~et, = el. -visa) tourist visa

turk s (~en, ~ar) person Turk

turkcypriot s (~en, ~er) Turkish Cypriot

Turkiet Turkey

turkisk adj (~t) Turkish

turkiska s (jfr *svenska*) **1** (~n, turkiskor) kvinna Turkish woman **2** (~n) språk Turkish

Turkmenistan Turkmenistan

turkmenistansk adj (~t) Turkmen

turkmensk adj (~t) Turkmen

turkos I s **1** (~en, ~er) ädelsten turquoise **2** (oböjl.) färg turquoise **II** adj (~t) (för sammansättn. jfr *blå-*); turquoise

turlista s (~n, -listor) tidtabell timetable; för båtar äv. list of sailings

turné s (~n, ~er) rundresa tour; **göra en** ~ go on (make) a tour; **vara** [**ute**] **på** ~ be [out] on tour; vard. be on the road

turnera vb itr (~de, ~t) tour; ~ **i landsorten** tour [in] the provinces

turnering s (~en, ~ar) tournament

turnummer s (-numret, =) **1** könummer queue number **2** lyckotal lucky number

tur-och-retur-biljett s (~en, ~er) return (amer. round-trip) ticket [till to].

turordning s (~en, ~ar) priority, order of priority

tursam adj (~t, ~ma) lucky, fortunate

turturduva s (~n, -duvor) turtle dove; **turturduvor** bildl. lovebirds

turtäthet s (~en) frequency of train (bus etc.) services

turvis adv by (in) turns, in turn (rotation)

tusan s (oböjl., en), ~ **också!** damn it!; **för ~!** hang it!; **en ~ till karl** a devil of a fellow

tusch s (~et el. ~en) färg Indian (India) ink

tuschpenna s (~n, -pennor) filtpenna felt (felt-tip) pen

tusen räkn thousand; [ett] ~ a (one) thousand; **vasen gick i ~ bitar** vanl. the vase was smashed to smithereens (atoms); ~ **sinom** ~ thousands and (upon) thousands; ~ **tack!** thanks a lot (awfully)!, högtidl. a thousand thanks!; **Tusen och en natt** sagosamling, vanl. the Arabian Nights; **gilla ngn (ngt) till** ~ like sb (sth) no end (vard. a hell of a lot); jfr äv. ex. under *hundra*

tusende I s (~t, ~n) thousand **II** räkn thousandth; jfr ex. under *femte*

tusendel s (~en, ~ar) o. **tusendedel** s (~en, ~ar) thousandth [part]; jfr *hundradel*

tusenfaldigt adv o. **tusenfalt** adv a thousandfold

tusenfoting s (~en, ~ar) centipede, millepede

tusenkonstnär s (~en, ~er) Jack-of-all-trades (pl. Jacks-of-all-trades)

tusenkronorssedel s (~n, -sedlar) one-thousand-krona note

tusenlapp s (~en, ~ar) vard., se *tusenkronorssedel*

tusensköna s (~n, tusenskönor) [common] daisy

tusental s (~et, =) thousand; [på] ~et år 1000–1100 [in] the eleventh century; jfr vidare ex. under *hundratal*

tusentals adv, ~ böcker thousands of… (subst. i pl.); ~ **människor** äv. people in thousands

tusenårig adj (~t), **det ~a riket** relig. the millennium; jfr *hundraårig* o. *femårig*

tuskaft s (oböjl.) vävn. plain weave

tuss s (~en, ~ar) av bomull, tråd, tyg o.d. wad; av damm, ludd o.d. piece of fluff; hopknycklad boll av t.ex. papper ball

tussa vb tr (~de, ~t), ~ **en hund på ngn** set a dog on to sb

tussilago s (~n, ~r) bot. coltsfoot (pl. -s)

tut interj toot!

1 tuta s (~n, tutor) fingerstall; för tumme thumbstall

2 tuta I vb tr o. vb itr (~de, ~t) med signalhorn hoot, beep; mus. toot, tootle [i ett horn [on] a horn]; ~ **och köra** bildl. go [straight] ahead; **det ~r upptaget** i telefon there's an engaged (amer. busy) tone; ~ '**i ngn** ngt put…into sb's head **II** s (~n, tutor) signalhorn horn, hooter

3 tuta vb tr o. vb itr (~de, ~t) vard., supa booze, tipple

tutta vb tr (~de, ~t), ~ [**eld**] **på ngt** vard. set fire to sth, set sth on fire

tuttar s pl vard., bröst tits, titties, boobs; amer. hooters

tuva s (~n, tuvor) gräs~ tuft (clump) [of grass], tussock; större grassy hillock; **liten ~ välter ofta stort lass** ung. little strokes fell great oaks

Tuvalu Tuvalu

tuvstarr s (~en) bot. tussock (hassock) grass

tv s (tv:n, tv:ar) television, TV (pl. TVs); vard. telly samtliga äv. apparat; **se (titta) på** ~ watch television (TV, vard. the telly); **se ngt på** ~ see (look at) sth on television (vard. the box, amer. the tube); **sända ngt i** ~ televise (telecast) sth, broadcast sth on television; **vad är det på** ~ **i** kväll**?** what is on television (osv.)…?

tv-antenn s (~en, ~er) television (TV) aerial (amer. äv. antenna)

tv-apparat s (~en, ~er) television (TV) set (receiver); vard. telly

tv-bild s (~en, ~er) television (TV) picture

tv-bolag s (~et, =) television network

tv-debatt s (~en, ~er) televised debate

tveeggad adj (-eggat, ~e) two-edged; bildl. äv. double-edged

tvegifte s (~t, ~n) bigamy; **leva i** ~ be bigamous

tvehågsen adj (-hågset, -hågsna) doubtful, uncertain [om about]; **vara ~ om ngt** äv. be in two minds about sth

tveka vb itr (~de, ~t) hesitate; vara obeslutsam äv. be in doubt, be doubtful, be in two minds [om ngt i samtliga fall about…]; **utan att** ~ without hesitating (hesitation)

tvekamp s (~en, ~er) duel äv. bildl.

tvekan s (=, en) hesitation, hesitance; obeslutsamhet äv. uncertainty, irresolution, indecision; tvivel doubt; **det råder ingen** ~ **om det** there is no doubt (question) about it; **med [viss]** ~ with some hesitation; **utan** ~ without hesitation; utan tvivel without [a] doubt; avgjort certainly

tveklöst adv doubtless, without a doubt

tveksam adj (~t, ~ma) tvekande hesitant; osäker doubtful, uncertain; obeslutsam irresolute, undecided [om ngt i samtliga fall about…]; **i ~ma fall** bör man… in doubtful cases (when in doubt)…

tveksamhet s (~en, ~er) hesitation, hesitance; osäkerhet doubtfulness

tvestjärt s (~en, ~ar) zool. earwig

tvetydig adj (~t) ambiguous, equivocal; oanständig risky, risqué fr., improper, indecent

tvetydighet s (~en, ~er) ambiguousness (endast sg.), ambiguity; oanständighet double entendre fr., indecency

tvi interj, ~ [**vale**]**!** ugh!

tvilling s (~en, ~ar) **1** person twin **2** astrol., **Tvillingarna** Gemini; **han är** ~ he is [a] Gemini

tvillingbror s (-brodern, -bröder) twin brother

tvillingsyster s (~n, -systrar) twin sister

tvina vb itr (~de, ~t), ~ [**bort**] languish [away]

tving s (~en, ~ar) tekn. clamp, cramp

tvinga I vb tr (~de, ~t) force, compel; starkare coerce; vard. twist sb's arm; högtidl. constrain; ~ **ngn [till] att göra** ngt force sb to do (into doing)…, compel sb to do…, coerce sb into doing…; svagare, förmå make sb do…; ~ **ngn på knä** bildl. bring sb to his knees; ~ **ngn till reträtt** force sb to retreat (into retreating), force (compel) sb to make a retreat **II** vb rfl (~de, ~t), ~ **sig** force oneself [[till] att + inf. to + inf. into + ing-form]; högtidl. constrain oneself [[till] att + inf. to + inf.] **III** med beton. part.

tvinga fram: ~ **fram ett avgörande (ett leende)** force a decision (a smile); ~ **fram en kris** force (bring on) a crisis

tvinga i: ~ *i ngn ngt* få ngn att äta force sb to eat (dricka to drink) sth; ~ *i sig* maten force down…

tvinga på: ~ *på ngn ngt* force (truga push) sth on sb (vard. down sb's throat); ~ *sig på ngn* force (impose) oneself on sb

tvinga till sig (*sig till*) ngt obtain (secure) sth by force

tvinga tillbaka tårarna fight back…

tvinga ur ngn ngt extort sth from sb, wring sth out of sb

tvingande *adj* (oböjl.) oavvislig imperative; trängande urgent; *en ~ nödvändighet* an imperative necessity; *inte utan ~ skäl* not without urgent (compelling) reasons

tvinna *vb tr* (~de, ~t) twine, twist; silke throw; ~ *upp* untwine, untwist

tvist *s* (~en, ~er) oenighet dispute, controversy; gräl quarrel [*om* i samtliga fall about]; *avgöra* (*lösa*) *en* ~ decide (settle) a dispute osv.

tvista *vb itr* (~de, ~t) dispute, wrangle; gräla quarrel [*om* about]; *därom ~ de lärde* on that point the learned disagree (doctors disagree)

tvistefråga *s* (~n, -frågor) se *stridsfråga*

tvistemål *s* (~et, =) jur. civil case (suit)

tvisteämne *s* (~t, ~n) subject of contention

tvitter *s* (tvittret, =) se *twitter*

tvittra *vb itr* (~de, ~t) se *twittra*

tvivel *s* (tvivlet, =) doubt [*om* about]; *det är* (*råder*) *inget ~ om att…* there is no doubt (question) that…; *utan ~* otvivelaktigt no doubt, without any doubt, undoubtedly

tvivelaktig *adj* (~t) doubtful; diskutabel äv. dubious, questionable; misstänkt suspicious; skum shady, fishy; *en ~ figur* a character of doubtful reputation; *en ~ framgång* (*ära*) a dubious success (honour)

tvivelsmål *s* (oböjl.) doubt; *sväva* (*vara*) *i ~* have doubts [in one's mind] [*om* about]

tvivla *vb itr* (~de, ~t) doubt, be sceptical; ~ *på* betvivla doubt; misstro (t.ex. sina krafter) mistrust, have no faith in; ifrågasätta call…in question; *jag ~r på att han kommer* I doubt if (whether) he will come; *jag ~r inte på att…* I don't doubt (have no doubt) that…

tvivlande *adj* (oböjl.) misstrogen incredulous; skeptisk sceptical; *ställa sig ~ till…* take up an attitude of doubt (scepticism) towards…, feel dubious about…

tvivlare *s* (~n, =) doubter; relig., filos. o.d. äv. sceptic; *Tomas ~n* doubting Thomas

tv-kamera *s* (~n, -kameror) television (TV) camera, telecamera

tv-kanal *s* (~en, ~er) television (TV) channel

tv-pejling *s* (~en, ~ar) [electronic] tracing

tv-reklam *s* (~en) reklam i tv television (TV) advertising, reklaminslag television (TV) commercial

tv-ruta *s* (~n, -rutor) [viewing] screen, telescreen

tv-serie *s* (~n, ~r) television (TV) series (pl. lika)

tv-såpa *s* (~n, -såpor) vard. soap opera

tv-sändning *s* (~en, ~ar) television (TV) broadcast, telecast

tv-teater *s* (~n, -teatrar) television (TV) theatre

tv-tittare *s* (~n, =) televiewer

tvungen *adj* (tvunget, tvungna) **1** nödd forced; *bli* (*vara*) ~ *att…* be forced (compelled) to…; starkare be constrained to…; svagare, 'måste' have to; *jag är ~ att göra det* äv. I have got to (I must) do it; *vara så illa ~* be just forced to, have no other choice; *jag var*

(*blev*) ~ *till det* I was forced into [doing] it, I was forced to do it; *han gör det inte om han inte är* (*blir*) ~ äv. …if he can help it **2** konstlad, stel forced; om leende o.d. äv. constrained, wry

1 två *vb tr* (~dde, ~tt), *jag ~r mina händer* bildl. I wash my hands of it

2 två *räkn* two; *båda ~* both [of them]; *de ~ andra barnen* the other two (two other) children; *de arbetar ~ och ~* they work in pairs (twos); ~ *gånger* twice; *det ska vi bli ~ om!* we'll see about that!, I've also got a say in the matter!; *äta* (*arbeta*) *för ~* eat (work) as much as two people; jfr *fem* med sammansättn.

tvåa *s* (~n, tvåor) **1** two; i spel äv. deuce; *~n* el. *~ns växel* the second gear (speed); *komma in som god ~* sport. come in a close second (runner-up); jfr *femma* **2** vard., *en ~* tvårumslägenhet a two-room flat (amer. apartment)

tvåbent *adj* (=) two-footed, two-legged

tvådelad *adj* (-delat, ~e), ~ *baddräkt* two-piece bathing suit; *den är ~* …is in two pieces

tvåfamiljshus *s* (~et, =) two-family (parhus äv. semidetached) house

tvåfas *adj* (oböjl.) o. **tvåfasig** *adj* (~t) elektr. two-phase…

tvåfilig *adj* (~t) two-laned, two-lane…; *den är ~* it has two lanes

tvåfjärdedelstakt *s* (~en) mus. two-four time

tvåfärgad *adj* (-färgat, ~e) two-coloured, two-colour…

tvåhjuling *s* (~en, ~ar) vagn two-wheeler; cykel bicycle

tvåhundra *räkn* two hundred; jfr *hundra* med sammansättn.

tvåkammarsystem *s* (~et, =) parl. two-chamber (bicameral) system

tvåkönad *adj* (-könat, ~e) biol. bisexual, hermaphrodite

tvål *s* (~en, ~ar) soap; *en ~* a piece (tablet, bar, cake) of soap

tvåla *vb itr* (~de, ~t), ~ *in* soap, rub…over with soap; ~ *till ngn* vard. knock sb about; läxa upp, skälla ut tell sb off

tvålask *s* (~en, ~ar) att förvara tvål i soap-container

tvålfager *adj* (~t, -fagra), *vara ~* vard. be good-looking in a slick way, be pretty-pretty

tvålfat *s* (~et, =) soapdish

tvålflingor *s pl* soapflakes

tvålkopp *s* (~en, ~ar) soapdish

tvållödder *s* (-löddret) soap lather

tvålopera *s* (~n, -operor) soap opera

tvålpump *s* (~en, ~ar) soap dispenser

tvåmanstält *s* (~et, =) tent for two [persons]

tvåmotorig *adj* (~t) twin-engined, twin-engine…

tvång *s* (~et, =) allm. compulsion; starkare coercion; återhållande, 'band' constraint, restraint; våld force; nödvändighet necessity; (*olaga*) ~ jur. duress; *det är inte något ~* there's no absolute necessity; *göra ngt av ~* …under compulsion (constraint); *med ~* by compulsion (coercion, force)

tvångsarbete *s* (~t) forced labour

tvångsevakuera *vb tr* (~de, ~t) evacuate…forcibly

tvångsföreställning *s* (~en, ~ar) psykol. obsession

tvångsförflyttning *s* (~en, ~ar) av t.ex. tjänsteman compulsory transfer [to another post]; av t.ex. folkgrupp compulsory transfer [of population]

tvångshandling *s* (~en, ~ar) psykol. compulsive act
tvångsintagen *adj* (-intaget, -intagna), *vara ~ för* vård be committed to...
tvångsintagning *s* (~en, ~ar) commitment, committal
tvångsmata *vb tr* (~de, ~t) force-feed äv. bildl., feed...forcibly
tvångsmatning *s* (~en, ~ar) force-feeding äv. bildl., forced feeding
tvångsmässig *adj* (~t) compulsory, forced; psykol. compulsive
tvångstanke *s* (~n, -tankar) psykol. obsession
tvångströja *s* (~n, -tröjor) straitjacket äv. bildl.
tvångsåtgärd *s* (~en, ~er) coercive measure
tvångsäktenskap *s* (~et, =) forced marriage
tvåplansvilla *s* (~n, -villor) two-storeyed house
tvåradig *adj* (~t) dubbelknäppt double-breasted; jfr f.ö. *femradig*
tvårummare *s* (~n, =) o. **tvårumslägenhet** *s* (~en, ~er) two-room[ed] flat (amer. apartment)
tvåsidig *adj* (~t) two-sided, bilateral
tvåskiftsarbete *s* (~t) work in two shifts
tvåspråkig *adj* (~t) bilingual; *hon är ~* äv. she speaks two languages
tvåspråkighet *s* (~en) bilingualism
tvåstavig *adj* (~t) two-syllabled, dissyllabic; attr. äv. two-syllable, ...of two syllables; *~t ord* äv. dissyllable
tvåstämmig *adj* (~t) mus. ...for two voices, ...in two parts; attr. äv. two-voice, two-part
tvåtaktare *s* (~n, =) o. **tvåtaktsmotor** *s* (~n, ~er) two-stroke engine
tvåtredjedelssamhälle *s* (~t, ~n) polit. el. sociol. society in which a reasonable living standard is beyond the reach of one third of the population
tvåtusentalet *s* (best. sing.) århundrade the twenty-first (21st) century
tvåårig *adj* (~t) om växt biennial; jfr f.ö. *femårig*
tvååggstvilling *s* (~en, ~ar) non-identical (binovular, fraternal) twin
tvär I *adj* (~t) ~t avskuren square; brant sheer, steep; skarp, oförmodad, om t.ex. krök, övergång, vändning abrupt, sharp; plötslig sudden; spec. om svar curt; sur, vresig surly **II** *s* (~en), t.ex. ligga (skära ngt) *på ~en* ...crosswise, ...across; *sätta sig på ~en* eg., om föremål get stuck crossways; bildl., om person become awkward (cussed)
tvära *vb tr* o. *vb itr* (~de, ~t), *~ över en gata* cross a street
tvärarg *adj* (~t) vard., *bli ~* fly into a rage
tvärbalk *s* (~en, ~ar) o. **tvärbjälke** *s* (~n, -bjälkar) crossbeam, transverse beam
tvärbrant I *adj* (=) precipitous, sheer, steep **II** *adv* precipitously, sheer, steeply **III** *s* (~en, ~er) sheer slope; stup precipice
tvärbromsa I *vb itr* (~de, ~t) brake suddenly, jam (slam) on the brakes **II** *vb tr* (~de, ~t) brake...suddenly
tvärbromsning *s* (~en, ~ar) sudden braking [*med bilen* of the car]; *göra en ~* se *tvärbromsa I*
tvärdrag *s* (~et, =) korsdrag draught; amer. draft
tvärflöjt *s* (~en, ~er) transverse flute
tvärgata *s* (~n, -gator) crossroad, cross-street; *en ~ till* Storgatan a street off..., a turning away from...; *nästa ~ till höger* the next turning on the right

tvärnit *s* (~en, ~ar) vard. sudden braking
tvärnita *vb itr* (~de, ~t) vard. jam (slam) on the brakes
tvärpolitisk *adj* (~t) attr. ...cutting across party lines; *en ~ sammanslutning* äv. a rainbow coalition
tvärrandig *adj* (~t) cross-striped, horizontally striped
tvärs *adv* **1** se äv. ex. under *härs* o. *kors*; *~ igenom* (*över*) right (straight) through (across); *gå ~ över* gatan äv. cross..., walk across...; *bo ~ över* gatan live just across (on the opposite side of...) **2** sjö. abeam; *~ om babord* abeam to port
tvärsigenom *prep* o. *adv* se *tvärs igenom* under *tvärs 1*
tvärskepp *s* (~et, =) i kyrka transept
tvärslå *s* (~n, ~ar) crossbar; mellan stolsben o.d. äv. stretcher; regel bolt
tvärsnitt *s* (~et, =) cross-section äv. bildl., transverse section; *visa ngt i ~* äv. show a cross-section of sth
tvärstanna *vb itr* (~de, ~t) stop dead (short); om fordon äv. come to a dead stop, pull up short; *~ med bilen* äv. pull up one's car suddenly
tvärstopp *s* (~et, =) dead stop, sudden halt
tvärsäker *adj* (~t, -säkra) absolutely sure (certain), positive; vard. dead certain (samtliga endast pred.); självsäker cocksure
tvärsäkerhet *s* (~en) självsäkerhet cocksureness
tvärsöver *prep* o. *adv* se *tvärs över* under *tvärs 1*
tvärt *adv* squarely; sheer, steeply osv., jfr *tvär I*; plötsligt all at once; t.ex. stanna dead, directly; t.ex. avbryta [sig] abruptly, suddenly; se äv. *tvärtemot* o. *tvärtom*
tvärtemot I *prep* quite contrary to; *handla ~* order o.d. act exactly contrary to...; *han gör ~* vad jag säger he does exactly the opposite (reverse) of... **II** *adv* just the opposite; jfr *tvärtom*
tvärtom *adv* on the contrary; långtifrån quite the reverse; i stället instead [of that]; *~!* on the contrary!, far from it!; *göra [precis] ~* do [just (exactly)] the opposite (contrary, reverse) [*mot* of]; *...och (eller) ~* ...and (or) vice versa lat. (the reverse); *nej, snarare ~* no, rather [just] the opposite (contrary, reverse)
tvärvetenskaplig *adj* (~t) interdisciplinary
tvärvändning *s* (~en, ~ar), *göra en ~* make a sharp turn
tvätt *s* (~en, ~ar) washing, wash; tvättinrättning laundry; samtliga äv. tvättkläder; *en stor ~* a large wash; *tyget krymper i ~en* ...in the wash; skjortan *är i ~en* ...is in the wash (laundry); fläcken *går bort i ~en* ...will wash off, ...will come out in the wash; *lämna bilen på ~* ...have one's car washed
tvätta I *vb tr* o. *vb itr* (~de, ~t) allm. wash; med svamp sponge[...down]; bildl., om svarta pengar launder; *~ [och stryka]* launder; *jag ska ~ i dag* har tvättdag it is my washing-day (washday) today; *~ bilen* wash [down] the car; *~ fönstren* clean (do) the windows; *~ golvet* wash the floor; *~ händerna (håret)* wash one's hands (hair); *~...ordentligt* give...a good wash; *~ sin smutsiga byk offentligt* wash one's dirty linen in public **II** *vb rfl* (~de, ~t), *~ sig* wash; have a wash; amer. äv. wash up; *~ sig i ansiktet* wash one's face; *gå och ~ dig!* go and wash [yourself] (and have a wash)!
III med beton. part.

tvätta av t.ex. smutsen wash off; med tvättsvamp sponge [off]; ~ *av* bilen wash down…, give…a washdown; ~ *av* händerna o.d. se *tvätta I*; ~ *av smutsen från* stövlarna wash the dirt off…; ~ *av sig* wash, get washed; amer. wash up

tvätta bort wash off (away); bildl. wipe off

tvätta upp give…a quick wash, wash out

tvätta ur wash out

tvättanvisningar *s pl* washing instructions

tvättbar *adj* (~t) washable

tvättbjörn *s* (~en, ~ar) zool. raccoon; vard. coon

tvättbräde *s* (~t, ~n) washboard

tvättfat *s* (~et, =) washbasin, handbasin; amer. äv. washbowl

tvätthall *s* (~en, ~ar) för bilar car wash [hall]

tvättinrättning *s* (~en, ~ar) laundry; som skylt äv. launderers

tvättkläder *s pl* wash[ing], laundry (båda sg.), clothes to be washed; som just tvättats clothes that have been washed

tvättklämma *s* (~n, -klämmor) clothes peg; amer. clothespin

tvättkorg *s* (~en, ~ar) clothes basket, laundry basket

tvättlapp *s* (~en, ~ar) [face] flannel, face cloth; amer. washcloth, grövre washrag

tvättlina *s* (~n, -linor) clothes line

tvättmaskin *s* (~en, ~er) washing machine

tvättmedel *s* (-medlet, =) [washing] detergent; i pulverform äv. washing powder

tvättning *s* (~en, ~ar) washing, laundering; cleaning (äv. kemisk)

tvättomat *s* (~en, ~er) launderette®, laundrette®; amer. laundromat®

tvättprogram *s* (~met, =) washing programme

tvättrum *s* (~met, =) toalettrum lavatory, jfr äv. *toalett 1*

tvättråd *s pl* washing instructions

tvättstuga *s* (~n, -stugor) wash house, laundry room

tvättställ *s* (~et, =) washbasin

tvättsvamp *s* (~en, ~ar) sponge; badsvamp bath sponge

tvättäkta *adj* (oböjl.) om tyg washproof; om färg äv. fast; bildl.: sann true; genuin genuine, authentic; inbiten out-and-out…, dyed-in-the-wool…

tweed *s* (~en) tweed

twitter *s* (twittret, =) twitter

twittra *vb itr* (~de, ~t) twitter

1 ty *konj* for; därför att, emedan because

2 ty *vb rfl* (~dde, ~tt), ~ *sig till ngn* (*ngt*) have recourse to sb (sth); starkare cling to sb (sth); söka skydd hos turn to…[for protection]

tyck|a I *vb tr* o. *vb itr* (tyckte, tyckt) **1** allm. think; anse äv. be of the opinion, jfr *anse 1* med ex.; inbilla sig äv. fancy, imagine; *jag -er* [*att*]… äv. it seems (appears) to me [that]…; *jag -er* [*att*] *hon är* vacker äv. to my mind she is…, I find her…; *jag -er absolut att vi ska sälja* I definitely think (am definitely of the opinion) that we should sell, I'm all for [us] selling; *jag har alltid -t att…* I've always been of the opinion that…; *jag -te jag hörde någon* I thought I heard someone; *hon -te det var bäst att vänta* she thought (judged) it best to wait; *-er du inte* [*det*]*?* don't you agree (think so)?; *det -er jag* that's what I think, I beton. think so; *det -er jag inte* I don't think

so, I disagree; *det -er inte jag* I beton. don't think so; *jaså, du -er det?* oh, you think so, do you?; *säg vad du själv -er!* say what you yourself think [about it]!, give me (him osv.) your own opinion!; *vad -er du om boken?* how do you like…?; vad är din åsikt om what do you think (is your opinion) of…?; *vad -er du* (*skulle du ~*) *om det?* äv. how do you feel about that?, how's that?; hon säger *vad hon -er* a) sin mening …what she thinks b) vad som faller henne in …just what (anything that) comes into her head, …just what[ever] she pleases (chooses); du får *göra* [*precis*] *som du -er!* …do just as you think [best] (as you feel inclined, as you like)!; *du -er väl inte illa vara om jag säger…* I hope you won't mind my saying…; *vad -s?* se under *tyckas*

2 gilla, uppskatta o.d., ~ [*bra*] *om* like; vara förtjust i, hålla av äv. be fond of, care for; starkare love; finna nöje i enjoy, appreciate; spec. i frågande el. nekande sats äv. approve of; ~ *illa om* äv. dislike, disapprove of [*att* + inf., i båda fallen + ing-form]; *vad -er du om honom?* how do you like him?; ~ *mycket om* ngt like osv.…very much, be very fond of…; ~ *bättre* (*mer*) *om…än* like…better than, prefer…to; *jag -er bättre* (*mer*) *om honom än…* äv. I am fonder of (care more for) him than…; *jag -er bättre* (*mer*) *om att gå än att* + inf. äv. I enjoy walking much more than + ing-form

II *vb rfl* (tyckte, tyckt), ~ *sig höra* (*se*)… think (fancy, imagine) that one hears (sees)…, seem to hear (see)…; ~ *sig kunna allt* think one knows everything (can do anything); ~ *att man är något* think oneself somebody, think a great deal (vard. no end) of oneself

tyckare *s* (~n, =) neds. pundit

tyckas *vb itr dep* (tycktes, tyckts) seem; *han tycks vara rik* he seems to be rich; *det kan* (*kunde*) ~ *så* it may (might) seem so (look like that); *det tycks mig som om…* it seems (appears) to me as if (to me that)…; *vad tycks om* min nya kostym? how do you like (what do you think of)…?

tycke *s* (~t, ~n) **1** åsikt opinion; *i mitt* ~ in my opinion, to my [way of] thinking (my mind) **2** smak fancy, liking; *det beror på* (*är en fråga om*) ~ *och smak* it is [all] a matter (question) of taste (opinion); *efter* (*i*) *mitt* ~ according to my taste (liking) **3** stark sympati fancy, inclination [*för* for]; *fatta* ~ *för* ngn (ngt) take a fancy (liking) to… **4** likhet likeness, resemblance

tyda I *vb tr* (tydde, tytt) tolka interpret; dechiffrera decipher; uttyda make (work) out; uppfatta take; ~ *allt till det bästa* (*värsta*) put the best (worst) construction on everything **II** *vb itr* (tydde, tytt), ~ *på* allm. indicate; friare point to; *allt tyder på en tidig vår* (*på att han har fel, på att han har stulit boken*) everything points to an early spring (to his being wrong, to the fact that he has stolen the book); *allt tyder på att…* everything seems to indicate (show) that…, there is every indication (sign) that…; *ingenting tyder på att…* there is nothing to indicate (show) that…, there is no indication (sign) that…

tydlig *adj* (~t) allm.: lätt att se, förstå plain; klar, om t.ex. kontur, mening clear; om t.ex. foto äv. sharp; lätt att urskilja, om t.ex. fotspår, stil, uttal distinct; om abstr. subst.: uppenbar obvious, manifest; synbar evident; påtaglig palpable; uttrycklig express; i formulering explicit; *klara och ~a bevis på* hans skuld clear and distinct proofs of...; **ha ett ~t minne av att** ha sett (hört) ...have a distinct recollection of + ing-form; **i ~a ordalag** in plain (resp. explicit) terms; **en ~ vink** an unmistakable (a broad) hint; **det är ~t** it is plain (clear, obvious, manifest, evident)

tydligen *adv* evidently, obviously, manifestly; **jag har ~ glömt det** I seem (appear) to have forgotten it; **han kan ~ inte** he can't, it seems

tydlighet *s* (~en, ~er) plainness osv., jfr *tydlig*; clarity; legibility; **det sades med all önskvärd ~** it was said so as to leave no room for doubt; **han sa det med all önskvärd ~** he said it in no uncertain terms

tydligt *adv* t.ex. skriva, tala, avteckna sig plainly, distinctly; t.ex. synas, uttrycka sig clearly; **jag minns ~** I distinctly remember; **skriva ~** läsligt write legibly; **synas ~** appear distinctly; framgå tydligt be evident; **uttrycka sig ~** äv. make oneself clear (clearly understood), express oneself explicitly (in clear terms), be explicit

tyfon *s* (~en, ~er) storm typhoon

tyfus *s* (~en) med. **1** typhoid [fever] **2** fläcktyfus typhus [fever]

tyg *s* (~et, = el. ~er) **1** allm. material, cloth (båda endast sg.) [*till* en kjol for...]; vävnad, speciellt hand. [textile] fabric; **~er** textile fabrics (goods), textiles, cloths **2** **allt vad ~en håller** for all one is worth; t.ex. springa äv. for one's life

tygel *s* (~n, tyglar) rein; bildl. äv. check; **ge ngn fria tyglar** give sb a free rein (hand), give sb plenty of rope, give sb his (her osv.) head; **lösa tyglar** slack reins; **dra (strama) åt tyglarna** tighten the reins äv. bildl.; **hålla** ngn **i strama tyglar** keep a tight rein (close check) on..., hold (keep)...in check; **släppa efter på tyglarna** slacken the reins äv. bildl.

tygellös *adj* (~t) bildl.: otyglad unrestrained, unbridled; friare, om t.ex. levnadssätt äv. wild; utsvävande, om person, liv o.d. dissolute, licentious

tygklädsel *s* (~n, -klädslar) i t.ex. bil cloth upholstery

tygla *vb tr* (~de, ~t) eg. rein [in]; bildl.: lidelser o.d. bridle, curb; sin otålighet, sitt begär restrain, keep...in check

tygremsa *s* (~n, -remsor) strip of cloth (material)

tygsko *s* (~n, ~r) cloth (textile) shoe

tygstycke *s* (~t, ~n) tygbit piece of cloth (material)

tyll *s* (~en el. ~et) silkestyll o.d. tulle; spec. bomullstyll bobbinet

tyna *vb itr* (~de, ~t), **~ bort** languish [away], waste away; om person äv. pine (fade) away

tynande *adj* (oböjl.), **föra en ~ tillvaro** lead a languishing life, linger out one's days

tynga I *vb itr* (tyngde, tyngt) vara tung (en börda) weigh [*på* [up]on]; starkare weigh heavy, weigh heavily; trycka press [*på* [up]on]; kännas tung be (feel) heavy [*på* to]; **detta tynger [hårt] på** mitt samvete this lies heavy (weighs, preys) [up]on... **II** *vb tr* (tyngde, tyngt) trycka ned, ofta detsamma som *tynga på* se *tynga I* ovan; weigh...down; frukten **tynger [ned] grenen** ...weighs the branch down; sorgen (ovissheten) **tynger henne** ...weighs her down (oppresses her); **är det något som tynger dig?** have you got something (is something) preying on your mind?; **tyngd av** bekymmer borne down under [the weight of]..., loaded (burdened) with...; **tyngd av** skatter burdened (encumbered) with...; **tyngd av** skulder weighed down (encumbered) by...

tyngd *s* (~en, ~er) allm. weight; abstr. heaviness, weightiness; tungt föremål o.d. load alla äv. bildl.; fys. o.d. gravity; **en ~ har fallit från mitt hjärta (bröst)** a weight (load) has been lifted off my mind, that's a weight off my mind; **ligga som en ~ över** weigh heavily (heavy) [up]on; **lägga ~ bakom orden** lend (give) weight (substance) to one's words

tyngdkraft *s* (~en), **~[en]** fys. [the force of] gravity (gravitation); **~ens verkning** gravitational pull

tyngdlagen *s* (best. sing.) fys. the law of gravity (gravitation)

tyngdlyftare *s* (~n, =) sport. weightlifter

tyngdlyftning *s* (~en) sport. weight-lifting

tyngdlös *adj* (~t) weightless

tyngdlöshet *s* (~en) weightlessness

tyngdpunkt *s* (~en, ~er) fys. centre of gravity; bildl. main focus; tonvikt main emphasis (stress); **~en** i resonemanget the central (main) point (feature)...

typ *s* (~en, ~er) **1** sort, slag type [*av* of]; **han är inte min ~** he's not my type (vard. cup of tea); **han är ~en för en svensk** (**en god äkta man**) he is a typical Swede (a model husband) **2** otrevlig figur type, character; **han är en underlig ~** vard. he is a queer fish (customer) **3** typogr. type

typexempel *s* (-exemplet, =) typical (standardexempel stock) example [*på* of]; **ett ~** äv. a case in point

typisk *adj* (~t) typical, representative [*för* of]; karakteristisk peculiar [*för* to]; **~ för** äv. proper to; **det är ~t att det måste regna just nu!** it had beton. to rain just now, [that's typical]!; **det är så ~t han** ([**för**] **honom**) that's typical of (just like) him, that's him all over

typograf *s* (~en, ~er) typographer; vard. typo (pl. -s), printer; sättare compositor

typografi *s* (~n) typography

typsnitt *s* (~et, =) o. **typsort** *s* (~en, ~er) typogr. typeface

tyrann *s* (~en, ~er) tyrant

tyranni *s* (~et) tyranny

tyrannisera *vb tr* (~de, ~t) tyrannize [over]; friare domineer over

tyrannisk *adj* (~t) tyrannical, tyrannous; friare domineering

tyrolare *s* (~n, =) Tyrolese (pl. lika), Tyrolean

Tyrolen [the] Tyrol (Tirol)

tyrolerhatt *s* (~en, ~ar) Tyrolean (Tyrolese) hat

tysk I *adj* (~t) German **II** *s* (~en, ~ar) German

tyska *s* (jfr *svenska*) **1** (~n, tyskor) kvinna German woman **2** (~n) språk German

Tyskland Germany

tysktalande *adj* (oböjl.) German-speaking...; **vara ~** speak German

tyst I *adj* (=) allm. silent; fåordig äv. taciturn; lugn, om t.ex. gata, person quiet; ljudlös noiseless; stillatigande, om t.ex. samtycke tacit; **~ förbehåll** mental reservation; **den ~a majoriteten** the silent majority; **en ~ minut** a minute's silence; **~a steg** noiseless (soft) footsteps; **~ som i graven** as silent as the grave; **det var ~ och stilla i** rummet (**på** gatan) the...was absolutely quiet; plötsligt **blev det ~ i rummet** ...there was silence (it was quiet) in the room; **bli ~** tystna become (fall) silent; vard. dry up; **få ~ på ngn** get sb to be silent; vard. get sb to shut up, shut sb up; **var ~[a]!** be quiet!, silence!; verka **i det ~a** ...on the quiet, ...in a quiet way, ...privately **II** *adv* allm. silently, quietly osv., jfr *tyst I*; t.ex. åse ngt in silence; t.ex. gå, tala softly, quietly; **håll ~!** keep quiet!; **hålla ~ med ngt** keep sth quiet (to oneself), keep quiet (vard. mum) about sth, not let sth [come (leak)] out; **läsa ~** read silently; **tala ~** speak low (in a low voice); **det ska vi tala ~ om** we had better say nothing about that, the least said, the better; **tala ~are** speak softer (lower) **III** *interj* hush!; **~ nu!** quiet (silence, hush) [now]!

tysta *vb tr* (~de, ~t) allm. silence; ~ [**munnen på**] **ngn** stop sb's mouth, make sb hold his (resp. her) tongue; **låt maten ~ mun!** ung. don't talk while you are eating!; **~ ned** ngn reduce...to silence, silence...; vard. shut...up; ngt (bildl.) suppress..., hush...up; ett rykte äv. **stifle**...

tystgående *adj* (oböjl.) om maskin o.d. silent[-running], noiseless

tysthet *s* (~en) tystnad silence; tystlåtenhet quietness; *i* [**all**] **~** i hemlighet in secrecy, secretly, privately; vard. on the quiet; i stillhet quietly, in silence

tysthetslöfte *s* (~t, ~n) promise of secrecy; **under ~** under [the] promise (the pledge) of secrecy

tystlåten *adj* (-låtet, -låtna) fåordig taciturn, silent [*om* about]; tyst av sig quiet

tystna *vb itr* (~de, ~t) allm. become (fall) silent; om person äv. stop speaking; om musikinstrument stop [playing]

tystnad *s* (~en) silence; **~!** äv. hush!; **förväntansfull ~** a hush of expectation; **bryta ~en** break the silence; **iaktta ~** maintain (keep) silence; **förbigå ngt med ~** pass sth over in silence; **under ~** in silence

tystnadsplikt *s* (~en) läkares o.d. professional secrecy; **ha ~** be bound by professional secrecy

tyvärr *adv* unfortunately; **~!** worse luck!, bad luck!; **~ kan jag inte** komma äv. I'm sorry to say (I'm afraid) I can't...; Har han kommit? – **Tyvärr inte** äv. ...I'm afraid not; **jag får ~** erkänna att... I'm afraid I must...; **vi måste ~ meddela Er...** we regret to inform you...

tå *s* (~n, ~r) allm. toe; anat. el. zool. äv. digit; på sko äv. tip; skorna är för trånga *i ~n* ...at the toes; **från topp till ~** from top to toe; **gå på ~** walk on one's toes (on tiptoe), tiptoe; **stå på ~** stand on tiptoe; **stå på ~ för ngn** bildl. be at sb's beck and call, wait on sb hand and foot; **trampa ngn på ~rna** äv. bildl. tread on sb's toes

1 tåg *s* (~et, =) rep rope; grövre cable; tross hawser

2 tåg *s* (~et, =) **1** järnv. train; **byta ~** change trains; **det går flera ~** bildl. there's always another train; **ta ~[et]** (**åka ~**) **till...** take the train (go by train) to...; **komma i tid** (**för sent**) **till ~et** vanl. catch (miss) one's (the) train **2** march; tågande marching; t.ex. mil., äv. expedition

1 tåga *vb itr* (~de, ~t) allm. march; vid festlighet o.d. walk (march) in procession, parade; **~ bort** march away (off); **~ in i** staden *i triumf* enter...in triumph; **~ ut ur** staden march out of..., leave..., depart from...

2 tåga *s* (~n) **1** lintåga o.d. filament, fibre **2** bildl., **det är ~ i honom** he is made of the right stuff; **det är ingen ~ i honom** there's no stamina (go) in him

tågbiljett *s* (~en, ~er) train ticket

tågbyte *s* (~t, ~n) change of trains

tågförbindelse *s* (~n, ~r) train service, train connection

tågförsening *s* (~en, ~ar) train delay

tågklarerare *s* (~n, =) train-dispatcher, inspector

tågluffa *vb itr* (~de, ~t) interrail, go on an Interrail card

tågluffare *s* (~n, =) interrailer, person who travels on an Interrail card

tågolycka *s* (~n, -olyckor) railway accident (starkare disaster)

tågordning *s* (~en, ~ar) bildl. ung. procedure

tågresa *s* (~n, -resor) journey by train, train-journey; **tågresor** äv. travelling sg. by train

tågsätt *s* (~et, =) järnv., **ett ~ på** 10 **vagnar** a train of...

tågtid *s* (~en, ~er) avgångstid time of departure (ankomsttid arrival) of a (resp. the) train; **~erna** the times of the trains

tågtidtabell *s* (~en, ~er) railway (train) timetable; amer. railroad schedule

tågurspårning *s* (~en, ~ar) o. **tågurspåring** *s* (~en, ~ar) derailment [of a (resp. the) train]

tågvirke *s* (~t) cordage; ropes pl.

tåhätta *s* (~n, -hättor) toecap; [**försedd**] **med ~** äv. toecapped

tåla I *vb tr* (tålde, tålt) uthärda, fördraga bear; endure (endast med personsubj.); stå ut med, inte ta skada av, tillåta stand; finna sig i suffer, put up with, tolerate; **jag tål det** (honom) **inte** I can't bear (stand, put up with)...; **inte ~ drag** be very susceptible to draughts (amer. drafts); **hon tål en hel del** [**sprit**] she can hold her (has a head for) liquor; **~** [**en**] **jämförelse med** bear (stand) comparison with; **han har fått så mycket han tål** a) alkohol he has had as much as he can stand (carry) b) stryk, ovett o.d. he has had all he can bear; **~ påfrestningar**[**na**] bildl. stand the strain; **hon tål inte skämt** she can't take a joke; **de tål inte varandra** they can't stand each other, there is no love lost between them; **ge honom vad han tål!** vard. sock it to him!; **han tål inte att någon avbryter honom** he can't stand (bear) anyone interrupting him; **~ förtjäna att diskuteras** merit discussion; **det tål att tänka på** se *tänka I*; **vara illa tåld av** ngn be in bad favour (amer. favor) with..., be in bad odour (amer. odor) with...; **jag tål inte** [**att äta**] fet mat vanl. ...disagrees with (upsets, doesn't suit) me

II *vb rfl* (tålde, tålt), **~ sig** vard. have patience, be patient

tålamod *s* (~et) allm. patience; överseende forbearance; uthållighet long-suffering; **ha en ängels ~** have the patience of Job (of a Saint), have angelic patience; **mitt ~ är slut** my patience is exhausted; **ha ~** äv. be patient; **ha ~ med** ngn äv. bear with...; **tappa** (**förlora**) **~et** lose [one's] patience

tålamodsprövande *adj* (oböjl.) trying; **vara ~** be trying [to one's patience]

tåled *s* (~en, ~er) anat. toe-joint

tålig *adj* (~t) tålmodig patient; uthållig long-suffering; härdig, om t.ex. växt hardy; slitstark durable

tålighet *s* (~en) patience; long-suffering; hardiness; durability; jfr *tålig*

tålmodig *adj* (~t) patient; uthållig long-suffering

tålmodighet *s* (~en) se *tålamod*

tåls *s* (oböjl.), **ge sig till ~** have patience, be patient

tånagel *s* (~n, -naglar) toenail

1 tång *s* (~en, tänger) verktyg tongs pl., se vidare *avbitartång, hovtång, kniptång* m.fl.; **en ~** (**två tänger**) a pair (two pairs) of tongs; **jag skulle inte vilja ta i honom** (**det**) **med ~** I wouldn't touch him (it) with a bargepole (with a pair of tongs)

2 tång *s* (~en) bot. seaweed, tang

tångräka *s* (~n, -räkor) zool. shrimp

tår *s* (~en, ~ar) **1** eg. tear, tear drop; **hon fick ~ar i ögonen** tears came into her eyes, it brought tears to her eyes; hon skrattade **så att ~arna rann** äv. ...till the tears came; **fälla ~ar** shed tears; **med ~ar i ögonen** äv. with eyes brimming [over] with tears; **han har inte långt till ~arna** he is easily moved to tears; **rörd till ~ar** moved to tears **2** skvätt drop, spot [båda med of framför följande ord]; **en ~ kaffe** a few drops (a mouthful) of coffee

tårad *adj* (tårat, ~e), **~e ögon** ...filled (fuktiga moist) with tears

tåras *vb itr dep* (tårades, tårats) fill with tears; av blåst o.d. äv. run [with tears], water

tårdrypande *adj* (oböjl.) tearful, tear-jerking; **~ film** (**bok** m.m.) äv. tear-jerker

tårdränkt *adj* (=) om blick tearful

tårfylld *adj* (-fyllt) om ögon ...filled with tears; om t.ex. blick, röst tearful

tårgas *s* (~en) tear gas

tårkanal *s* (~en, ~er) anat. lachrymal (tear) duct

tårkörtel *s* (~n, -körtlar) anat. lachrymal (tear) gland

tårpil *s* (~en, ~ar) bot. weeping willow

tårsäck *s* (~en, ~ar) anat. lachrymal sac

tårta *s* (~n, tårtor) allm. cake; spec. med grädde el. kräm gâteau (pl. -x) fr.; av mördeg el. smördeg med fruktfyllning vanl. tart; **det är ~ på ~** vard. it's the same thing twice over, it's saying the same thing twice

tårtbit *s* (~en, ~ar) piece of cake (gâteau etc., jfr *tårta*)

tårtbotten *s* (-bottnen el. =, -bottnar) ung. flan case

tårtkartong *s* (~en, ~er) cake carton

tårtspade *s* (~n, -spadar) cake slice

tårögd *adj* (-ögt), **vara ~** have tears in one's eyes, have one's eyes filled (brimming) with tears

tåspets *s* (~en, ~ar) tip of the (one's) toe

tåt *s* (~en, ~ar) piece (bit) of string (grövre cord); **dra i ~arna** vard. pull the strings

täck *adj* (~t) åld., allm. pretty; speciellt om person äv. dainty; **det ~a könet** the fair sex

täcka *vb tr* (täckte, täckt) cover äv. sport. el. bildl.; i form av lager coat; trädg. cover over (up); skydda protect äv. mil.; fylla, t.ex. ett behov äv. supply; ekon. meet; t.ex. en kostnad cover, meet, defray; **~ bollen** sport. shield the ball; **~ för** ett hål (fönster) o.d. cover..., cover over (up)...; **~ [in]** bildl., få 'med, omspänna cover; **~ till** cover up; **~ över** cover [over]

täckande *adj* (oböjl.), **~ färg** opaque colour (målarfärg paint)

täckdikning *s* (~en, ~ar) pipe draining, underdrainage

täcke *s* (~t, ~n) allm. cover, covering; lager äv. coating; sängtäcke quilt, amer. äv. comforter; duntäcke down (continental) quilt

täckelse *s* (~t, ~r), **låta ~t falla från** en staty unveil...

täckfjäder *s* (~n, -fjädrar) zool. wing covert

täckfärg *s* (~en, ~er) mål. top (finishing) coat

täckglas *s* (~et, =) cover glass

täckjacka *s* (~n, -jackor) quilted jacket

täckmantel *s* (~n, -mantlar) allm. cover; **arbeta under ~** work under cover; **under religionens ~** under the cloak (guise, mask, semblance) of religion

täcknamn *s* (~et, =) cover (assumed) name

täckning *s* (~en, ~ar) allm. covering; ekon. cover,

coverage; **ha ~** ekon. be covered; påståendet **saknar ~** ...cannot be supported (borne out, lacks support); **check utan ~** uncovered (vard. dud) cheque; amer. rubber check

täckt *adj* (=) covered; överdragen coated [over]

tälja *vb itr* (täljde, täljt) skära, **~ [på ngt]** cut [sth]; t.ex. barkbåt whittle [at...]; snida carve

täljare *s* (~n, =) matem. numerator

täljkniv *s* (~en, ~ar) sheath knife; speciellt amer., större bowie knife

täljsten *s* (~en) miner. soapstone, steatite

tält *s* (~et, =) tent; större, för cirkus, vid fest o.d. marquee; t.ex. tennistält air hall, amer. air structure, bubble; **slå upp ett ~** pitch (put up) one's tent; **ligga i ~** äv. sleep under canvas

tälta *vb itr* (~de, ~t) bo i tält: campa camp [out], live under canvas; om nomader live in tents (resp. a tent)

tältare *s* (~n, =) tenter

tältduk *s* (~en, ~ar) canvas

tältlina *s* (~n, -linor) tent rope, tent cord

tältmöte *s* (~t, ~n) relig. o.d. camp meeting

tältpinne *s* (~n, -pinnar) tent peg

tältplats *s* (~en, ~er) camping site (ground)

tältstol *s* (~en, ~ar) camp stool; med ryggstöd camp chair

tältsäng *s* (~en, ~ar) camp bed, tent bed

tämja *vb tr* (tämjde, tämjt) tame, break; göra till husdjur äv. domesticate; bildl. äv. curb; kontrollera, t.ex. naturkraft harness

tämligen *adv* fairly, moderately, tolerably, pretty; ofta känslobetydelse rather; **~ lång** äv. longish, jfr *3 rätt II 2*

tänd *adj* (tänt) vard., vara (**bli**) **~ på** be (get) sold (hooked) on; **hon är ~ på honom** he turns her on

tända I *vb tr* (tände, tänt) få att brinna light; tekn., se *antända*; elljus turn (switch, put) on; **~ [belysningen (ljuset)]** put (turn) on the light[s]; **~ en brasa** make a fire; **~ en tändsticka** äv. strike a match (light); **ljuset (det) är tänt** the light is on; **~ eld på...** set fire to...; hus äv. set...on fire **II** *vb itr* (tände, tänt) **1** fatta eld catch fire; om tändsticka ignite; **motorn tänder inte** there is something wrong with the ignition [of the engine] **2** vard., brusa upp flare up; få erotiska känslor, bli entusiastisk be (get) turned on, turn on; vard., **~ på ngn (ngt)** se *vara (bli) tänd* under *tänd* **III** med beton. part.

tända av vard., efter narkotikarus come down; tvärt sluta med tyngre narkotika go cold turkey

tända på a) se *tända eld på* ovan **b)** vard., använda narkotika: vid enstaka tillfälle get high; som vana turn on

tändande *adj* (oböjl.), **den ~ gnistan** bildl. the spark that set[s] it all off, the igniting spark

tändare *s* (~n, =) cigarettändare o.d. lighter

tändhatt *s* (~en, ~ar) percussion cap, detonator

tändning *s* (~en, ~ar) **1** tändande lighting osv., jfr *tända I*; tekn. igniting **2** tekn. ignition

tändningsnyckel *s* (~n, -nycklar) i t.ex. bil ignition key

tändrör *s* (~et, =) mil. [blasting] fuse

tändsats *s* (~en, ~er) mil. el. tekn. detonating (exploding) composition; på tändsticka [match]head

tändsticka *s* (~n, -stickor) match

tändsticksask *s* (~en, ~ar) matchbox; ask tändstickor box of matches

tändstift *s* (~et, =) motor. sparking (spark) plug

tändvätska *s* (~n, -vätskor) fire-lighting (barbecue) fluid

tänja I *vb tr* (tänjde, tänjt) stretch; ~ **på** bestämmelserna, krediten stretch…; ~ **ut** eg. stretch; bildl., t.ex. berättelse draw out, prolong; t.ex. en paus äv. drag out **II** *vb rfl* (tänjde, tänjt), ~ **[ut]** **sig** stretch

tänjbar *adj* (~t) eg. stretchable; elastic äv. bildl.

tänk|a I *vb itr* o. *vb tr* (tänkte, tänkt) (jfr äv. *tänka II*); allm. think [*på* of]; fundera äv. reflect [*på* on]; använda sin tankeförmåga, resonera reason; vänta sig expect; föreställa sig imagine; tro äv. believe; **tänk att hon är så rik!** to think that she is…!; **tänk först och handla sedan!** think before you act!; som ordspr. look before you leap; **tänk bara!** just think (fancy, imagine)!; **tänk själv!** använd hjärnan think for yourself!; **tänk själv** om (vad)… just think (imagine)…; **tänk om vasen skulle gå sönder!** what (imagine) if…were to break!; ~ **för sig själv** inom sig think to oneself; **han -er långsamt (snabbt)** he is a slow (quick, rapid) thinker; **säga vad man -er** vanl. speak one's mind; **var det inte det jag -te!** el. **jag -te väl det!** just as I thought!, I thought as much!; **det var inte så det var -t** that is not how it was meant [to be]; **det är inte så dumt -t** that is not such a bad idea

tänka på: **tänk på…!** a) t.ex. följderna [just] think of…! b) t.ex. vad du gör consider (ge akt på mind)…! c) t.ex. din hälsa äv. bear…in mind; **tänk på saken!** think it over; ~ **på** (låta tankarna dröja vid) ngn (ngt) think about…; ~ **på att** + inf. think of (resp. about) + ing-form; **gå och** ~ fundera **på ngt** have sth on one's mind, be thinking of (resp. about) sth, be pondering sth; ~ **mycket (närmare) på** ngt give…a great deal of thought (consideration), give…closer consideration; **det tål att** ~ **på** it needs thinking about (over), förtjänar att beaktas that's [a thing] worth considering (thinking about); **ge ngn åtskilligt att** ~ **på** friare make…(cause…to) think, set…thinking; **vad -du på?** what are you thinking about?; förebrående what[ever] are you thinking of?, what do you mean?; **undrar just vad du -er på** el. **vad -er du på?** a penny for your thoughts!; **när jag -er [rätt] på saken,** så är jag… on second thoughts (amer. thought), I…

II *vb tr* (tänkte, tänkt) med inf. el. sats som obj. (jfr *tänka I*), ~ **[att]** + inf.: ämna, avse att be going (intend, mean, propose, amer. aim) to + inf.; fundera på att be thinking of + ing-form; **-er du stanna hela kvällen?** are you going (intending) to stay…?, do you intend (mean) to stay…?; jag borde **ha gjort som jag först -te** …have done (handlat acted) as I first intended [to] (meant to); **jag hade -t att du skulle diska** my idea was…; **boken var -t som (att vara)** ett debattinlägg the book was meant as (to be)…

III *vb rfl* (tänkte, tänkt) ~ **sig a)** föreställa sig imagine; t.ex. en annan möjlighet conceive; [kan man] ~ **sig!** el. **tänk dig [bara]!** just think (imagine, fancy)!; **kan ni ~ er** vad som har hänt? can you imagine…?; i betydelsen 'skulle ni kunna tro' would you believe…?; **jag kunde just ~ mig det!** just as I might have imagined!; **han är något av det dummaste man kan ~ sig** he's as stupid as they come, he's as stupid as they make them; **kan du ~ dig honom som** ordförande? can you imagine (picture) him as…; **jag -er mig saken så här** I imagine (see) the matter like this; **jag har -t mig, att** vi skulle my idea is that…; ~ **sig [väl] för** think carefully

(twice) **b)** ämna [bege] sig, **vart har du -t dig [att resa]?** where have you thought (did you think) of going [to]?

IV med beton. part.

tänka efter think, reflect, consider; **tänk efter!** try to remember!; **låt mig ~ efter** äv. let me see; **när man -er efter** äv. when one comes to think of it; **tänk noga efter…!** a) innan du svarar think [the matter (it) over] carefully…! b) hur du ska gå till väga consider carefully…!

tänka igenom en sak think…out; speciellt amer. think…through

tänka sig in i föreställa sig imagine; leva sig in i, t.ex. ngns känslor enter into

tänka om do a bit of rethinking, reconsider matters (resp. the matter)

tänka till vard., se *tänka efter* ovan

tänka tillbaka: ~ **tillbaka på** let one's thoughts go back to, recall; ~ **tillbaka på gamla tider** think of the old times (days)

tänka ut fundera ut think (work) out; hitta på think of, hit [up]on; t.ex. en plan äv. conceive, devise; planlägga plan; ~ **ut** presenter åt ngn think of (up)…

tänka över think over, consider

tänkande I *s* (~t) thinking osv., jfr *tänka I*; begrundan meditation, cogitation, reflection; filosofi o.d. thought **II** *adj* (oböjl.) thinking osv., jfr *tänka I*; **en ~ människa** vanl. a thoughtful (reflecting) person; **människan är en ~ varelse** …a rational (thinking) being

tänkare *s* (~n, =) thinker

tänkbar *adj* (~t) conceivable, imaginable, thinkable; möjlig possible; **den enda ~a** lösningen the only conceivable (thinkable)…; **den bästa ~a…** the best possible…

tänkvärd *adj* (-värt) …worth considering; minnesvärd memorable; beaktansvärd remarkable

tänkvärdhet *s* (~en, ~er), boken innehåller **många ~er** …many ideas that are worth thinking about

täppa I *s* (~n, täppor) patch; trädgårdstäppa garden-patch **II** *vb itr* (täppte, täppt), ~ **till (igen)** stop (choke) up, obstruct; ~ **till munnen på ngn** bildl. shut sb's mouth (sb up); **jag är täppt i näsan** vanl. my nose is (feels) stopped (bunged) up

tära *vb tr* o. *vb itr* (tärde, tärt) förbruka consume; ~ **på** t.ex. ngns krafter tax…; t.ex. ett kapital break (eat) into…, make inroads [up]on…; ~ **på reserverna** draw on the reserves; **det tär på** hans krafter äv. it is a great drain on…; sjukdomen **tär på henne** …is taxing her health

tärd *adj* (tärt) worn out; **ett tärt ansikte** a haggard (emaciated) face

1 tärna *s* (~n, tärnor) zool. tern, sea swallow

2 tärna *s* (~n, tärnor) brudtärna bridesmaid

3 tärna *vb tr* (~de, ~t) kok. dice, cut…into cubes

tärning *s* (~en, ~ar) speltärning dice, vard. bones pl.; kok. cube; **en ~** speltärning one of the dice; **kasta (spela) ~** throw (play) dice, roll the bones; **kasta ~ om vem som ska bli…** toss up as to who is to be…

tärningskast *s* (~et, =) throw [of the dice]

tärningsspel *s* (~et, =) game of dice; spelande dice-playing, playing [at] dice

1 tät *s* (~en, ~er) head; **~en drog ifrån** sport. the leaders drew away from the rest; **gå i ~en för…**

head..., walk (march) at the head of...; *lägga sig i ~en* take the lead; *ligga i ~en* lead

2 tät *adj* (tätt) **1** t.ex. om skrivrader close; svårgenomtränglig, om t.ex. skog, dimma thick; om t.ex. bladverk, befolkning, bebyggelse el. fys. dense; icke porös el. ihålig massive, compact; om trafik heavy; åskådarna *stod i ~a led* ...were closely packed together **2** ofta förekommande frequent; upprepad repeated **3** vard., förmögen well-to-do, well-heeled; *vara ~* äv. be in the money, be flush

täta *vb tr* (~de, ~t) täppa till stop up; läcka stop; göra...lufttät (vattentät) make...airtight (watertight); sjö. caulk; tekn. pack, seal; fönster, dörrar make...draughtproof

tätatät *s* (~en, ~er) tête-à-tête

tätbebyggd *adj* (-bebyggt) se *tättbebyggd*

tätbefolkad *adj* (-befolkat, ~e) se *tättbefolkad*

täthet *s* (~en, ~er) closeness osv., jfr *2 tät 1* o. *2 tät 2*; density; compactness; impenetrability; frequency

tätna *vb itr* (~de, ~t) become (get, grow) dense[r] ([more] compact, thick[er]); om t.ex. rök, dimma äv. thicken; om mörker become [more] impenetrable; *mystiken ~r* the plot thickens

tätningslist *s* (~en, ~er) sealing jointing; för fönster, dörrar draught excluder, [weather] strip

tätort *s* (~en, ~er) tätbebyggd ort densely built-up (tätbefolkad ort populated) area, population centre

tätstrid *s* (~en, ~er) struggle among the leaders; *laget är borta ur ~en* the team is out of the running for the championship

tätt *adv* closely osv., thick[ly]; jfr *2 tät 1* o. *2 tät 2*; *titt och ~* se *1 titt*; snön *faller ~* ...is falling thick; bladen (slagen) *föll ~* ...fell thick and fast; *~ hoppackade* tightly packed; pred. äv. ...packed tightly together; om personer äv. ...squeezed (crowded) together; *hålla ~* om båt, kärl be watertight, hold water; *han höll ~* tyst [*med saken*] he kept quiet [about the whole thing]; *locket sluter ~* the lid fits tight; *stå ~* om träd stand closely together; *~ åtsittande* close-fitting, tight-fitting; *~ efter* close behind; *~ i hälarna på ngn* close [up]on sb's heels; *~ intill* adv. close up (by); prep. close [up] to...

tättbebyggd *adj* (-byggt) densely built-up...; området *är tättbebyggt* ...has been densely built up

tättbefolkad *adj* (-folkat, ~e) densely populated

tätting *s* (~en, ~ar) zool. passerine; *springa som en ~* bustle (hop) about like mad

tättsittande *adj* (oböjl.) om t.ex. ögon close set; om t.ex. fönster closely spaced

tättskriven *adj* (-skrivet, -skrivna) closely written

tätört *s* (~en, ~er) bot. butterwort, steepgrass

tävla *vb itr* (~de, ~t) compete [*med* with; *om* for]; *~* [*med varandra*] *i* artighet vie with (emulate) each other in...; *han kan ~ med* vem som helst he can hold his own against...

tävlan *s* (=, en) allm. competition [*om* for]; jfr *tävling*; tävlande, medtävlan rivalry, emulation; *ta upp ~ med...* enter into competition with...; *delta utom ~* take part without competing

tävlande I *adj* (oböjl.) competing; rivaliserande rival **II** *s* (en ~, pl. =), *en ~* a competitor; medtävlande a rival

tävling *s* (~en, ~ar) allm. competition äv. pristävling, contest äv. sport.; t.ex. i löpning race; vanl. mellan två lag match; *en öppen ~* an open (all-comers) event; *utlysa en ~ om...* announce a competition for...

tävlingsbana *s* (~n, -banor) löparbana race track; hästtävlingsbana race course

tävlingsbidrag *s* (~et, =) [competition] entry; lösning av tävlingsuppgift solution, answer

tävlingsbil *s* (~en, ~ar) racing car

tävlingscyklist *s* (~en, ~er) racing cyclist

tävlingsdomare *s* (~n, =) allm. adjudicator, judge; sport., se *domare 2*

tävlingsförare *s* (~n, =) racing driver

tävlingsgren *s* (~en, ~ar) sport. event

tävlingsidrott *s* (~en, ~er) competitive sport

tävlingsjury *s* (~n, ~er) jury

tävlingsledning *s* (~en, ~ar) leaders (organizers) båda pl. of a (resp. the) competition

tävlingslöpare *s* (~n, =) racer, runner in racing competitions

tävlingsregler *s pl* competition (contest) rules

tö *s* (~et el. ~n) thaw; *det är ~* i dag it is thawing...

töa *vb itr* (~de, ~t) thaw; *~ bort* thaw [away]; *~ upp* thaw äv. bildl.; smälta melt

töcken *s* (töcknet, =) dimma mist; dis haze båda äv. bildl.

töja *vb tr* o. *vb rfl* (töjde, töjt), *~ sig* stretch

töjbar *adj* (~t) stretchable; elastic äv. bildl.

töjbarhet *s* (~en) stretchability; elasticity äv. bildl.

tölp *s* (~en, ~ar) boor; bondtölp äv. yokel, oaf; drummel äv. lout

tölpaktig *adj* (~t) boorish, loutish

töm *s* (~men, ~mar) rein

tömma *vb tr* (tömde, tömt) **1** göra tom, dricka ur empty; låda, skåp äv. clear (turn) out; brevlåda clear; sitt glas äv. drain; *~ tarmen* (*blåsan*) relieve oneself; *salen tömdes* the hall emptied; *~ ngt på* dess innehåll empty sth of...; *~ till sista droppen* drink (drain) to the dregs; *~ ut* empty [out]; hälla ut pour out **2** *~* tappa *på flaskor* pour into bottles

tömning *s* (~en, ~ar) emptying osv., jfr *tömma 1*; post. collection

tönt *s* (~en, ~ar) vard. drip, jerk, wimp

töntig *adj* (~t) vard., om t.ex. skämt, underhållning corny; fånig sloppy; insnöad square; *var inte så ~!* äv. don't be such a drip (jerk, wimp)!

töras *vb itr dep* (tordes, torts el. tordats) **1** våga dare [to]; *gör det om du törs* do it if you dare, I dare (defy) you to do it **2** få lov att, *törs man sätta sig här?* may I (is it all right to) sit down here?

törn *s* (~en, ~ar) stöt blow äv. bildl., bump; bildl. äv. shock; *ta ~* sjö. bear off, fend [her] off

törna *vb itr* (~de, ~t), *~ emot* ngt bump (knock) into (against)...; starkare crash into...; *~ ihop* collide; *~ in* (*ut*) sjö. turn in (out)

törnbeströdd *adj* (-bestrött) högtidl. thorny

törnbuske *s* (~n, -buskar) vild brier, briar[-bush]

törne *s* (~t, ~n) tagg thorn; mindre prickle

törnekrona *s* (~n, -kronor) crown of thorns

törnesnår *s* (~et, =) thorn-brake, thorny thicket

törnros *s* (~en, ~or) se *törnrosbuske*

Törnrosa the Sleeping Beauty

törnrosbuske *s* (~n, -buskar) brier, brier-rose

törnskata *s* (~n, -skator) zool. [red-backed] shrike

törnsnår *s* (~et, =) se *törnesnår*

törntagg *s* (~en, ~ar) thorn; mindre prickle

törs *vb itr dep* pres. av *töras*

törst *s* (~en) thirst; bildl. äv. longing [*efter* for; *efter att* + inf. to + inf.]; *känna ~* feel (be) thirsty

törsta *vb itr* (~de, ~t) thirst äv. bildl. [*efter* for]

törstig *adj* (~t) thirsty
tös *s* (~en, ~er) girl, lass; poet. maid
tövalla *s* (~n, -vallor) ski wax for thawing conditions
töväder *s* (-vädret, =) thaw äv. bildl.; ***det är*** (***har blivit***) ~ a thaw has set in; ***det blir*** ~ there'll be a thaw

u *s* (u:et, u:n el. u) bokstav u [utt. ju:]
ubåt *s* (~en, ~ar) submarine; vard. sub
ubåtsjakt *s* (~en, ~er) submarine chase; bekämpning antisubmarine operations pl.
UD förk., se *Utrikesdepartementet*
udd *s* (~en, ~ar) point äv. bildl.; på gaffel o.d. prong; tand tooth (pl. teeth); t.ex. satirens, dödens sting; t.ex. replikens pungency, bite; ***bryta*** (***ta***) ***~en av*** ett angrepp take the sting out of...; hans inlägg ***saknar*** ~ ...lacks point
udda *adj* (oböjl.) enstaka, ojämn etc. odd; originell, ovanlig unusual, original; ~ ***eller jämnt*** odd or even; ~ ***tal*** odd (uneven) number; ***en ~ person*** särling an odd person (character); ***jag ska låta ~ vara jämnt för denna gång*** I'll let it pass this time
udde *s* (~n, uddar) hög, bergig cape, head[land]; låg el. smal point [of land]; landtunga spit, tongue of land
uddig *adj* (~t) pointed äv. bildl. om t.ex. anmärkning; om t.ex. kritik, svar pungent, biting
uddlös *adj* (~t) pointless; bildl. äv. without sting
UEFA (förk. för *Union of European Football Associations*) Europeiska fotbollsunionen UEFA
ufo *s* (~t, ~n) **1** (förk. för *unidentified flying object*) UFO (pl. -s) **2** vard., udda person, nörd nerd, geek, trainspotter
Uganda Uganda
ugandisk *adj* (~t) Ugandan
uggla I *s* (~n, ugglor) owl; ***jag anar ugglor i mossen*** there is something funny going on; friare I smell a rat **II** *vb itr* (~de, ~t) vard., ***sitta uppe och ~*** sit up late
ugn *s* (~en, ~ar) oven; brännugn (för keramik o.d.) kiln; stor smältugn furnace
ugnsbaka *vb tr* (~de, ~t) bake (roast) [...in an (resp. the) oven]; ***~d potatis*** baked (jacket) potatoes
ugnseldfast *adj* (=) ovenproof; ~ ***glas*** (***gods***) äv. oven glassware, ovenware
ugnslucka *s* (~n, -luckor) oven door
ugnspannkaka *s* (~n, -kakor) ung. batter pudding
ugnssteka *vb tr* (-stekte, -stekt) roast [...in an (resp. the) oven]; i synnerhet fisk bake; ***ugnsstekt potatis*** roast (baked) potatoes
ugnstemperatur *s* (~en, ~er) oven temperature
ugnsvärme *s* (~n) oven heat
u-hjälp *s* (~en) se *u-landsbistånd*
Ukraina [the] Ukraine
ukrainare *s* (~n, =) Ukrainian
ukrainsk *adj* (~t) Ukrainian
ukrainska *s* **1** (~n, ukrainskor) kvinna Ukrainian woman **2** (~n) språk Ukranian
ukulele *s* (~n, ~r) mus. ukulele
u-land *s* (~et, u-länder) developing country
u-landsbistånd *s* (~et) o. **u-landshjälp** *s* (~en) aid to developing countries
ull *s* (~en) wool; fårs ullbeklädnad fleece; ...***av*** ~ ...[made] of wool, woollen...; ***av den rätta ~en*** of the right stamp
ullgarn *s* (~et) wool [yarn]
ullig *adj* (~t) woolly, fleecy; ***~a moln*** fleecy clouds
ullsax *s* (~en, ~ar) sheep shears pl.

ullspinneri *s* (~et, ~er) [wool-]spinning mill

ullstrumpa *s* (~n, -strumpor) eg., se *yllestrumpa*; **gå på i ullstrumporna** envetet fortsätta go on and on; inte ge upp keep at it

ulltapp *s* (~en, ~ar) o. **ulltott** *s* (~en, ~ar) tuft (flock) of wool; moln fleecy cloud

ulster *s* (~n, ulstrar) ulster

ultimat *adj* (=) ultimate; **den ~a lösningen** the ultimate solution

ultimatum *s* (~et, =) ultimat|um (pl. -ums el. -a); **ställa ~ till ngn** deliver (issue, present) sb with an ultimatum

ultrakonservativ *adj* (~t) ultraconservative

ultrakortvåg *s* (~en, ~or) med. (förk. *UKV*) radio. ultrashort waves pl., very high frequency (förk. VHF)

ultraljud *s* (~et, =) ultrasound

ultraljudsundersökning *s* (~en, ~ar) ultrasound examination

ultramarin I *adj* (~t) ultramarine **II** *s* (oböjl.) ultramarine

ultraradikal *adj* (~t) ultraradical

ultrarapid I *s* (oböjl.), **i ~** in slow motion **II** *adj* (neutrum undviks), **~ film** slow motion picture

ultraviolett *adj* (=) ultraviolet; **~ strålning** ultraviolet radiation

ulv *s* (~en, ~ar), **tjuta med ~arna** bildl. run with the pack; **en ~ i fårakläder** a wolf in sheep's clothing sg.

umbärande *s* (~t, ~n) försakelse privation; strapats, möda hardship

umbärlig *adj* (~t) dispensable, expendable

umgås *vb itr dep* (-gicks, -gåtts) **1** med varandra see each other, be (spend time) together; formellt be on visiting terms; **vi har umgåtts mycket (flitigt) på sista tiden** vanl. we have seen a lot of each other lately; **ha lätt att ~ med folk** find it easy to get on with people, be a good mixer; **~ i fina kretsar** move (mix) in good society **2 ~ med** handskas med handle; behandla deal with; **~ försiktigt med vapen** handle weapons with care **3 ~ med planer på att** + inf. **(på en resa)** be contemplating + ing-form (a journey)

umgänge *s* (~t, ~n) förbindelse relations pl., dealings pl.; socialt social intercourse (endast sg.); sällskap company, society; vänkrets friends pl., circle of friends; **intimt (sexuellt) ~** sexual intercourse; **ha sexuellt ~** äv. have sex, make love; **ha stort ~** have a great many friends; ofta ha gäster entertain a great deal

umgängeskrets *s* (~en, ~ar) friends [and acquaintances] pl., circle of friends [and acquaintances]

umgängesliv *s* (~et) social life

umgängesrätt *s* (~en) jur., efter skilsmässa right of access [to one's child (resp. children)]

undan I *adv* (se också betonad partikel under respektive verb, t.ex. *hålla undan* under *hålla* V) **1** bort, iväg away; ur vägen out of the way; åt sidan aside; **~ [ur vägen]!** [get] out of the way!; **gå ~** (jfr *undan I 2*); väja get out of the way, stand clear [*för* of]; gå åt sidan äv. step aside; **komma ~** get off, escape; **ett sätt att komma ~** a way of getting out of it; **han slapp lindrigt ~** he got off lightly **2** fort, raskt, **det går ~ med arbetet** the work is getting on fine (is proceeding el. progressing fast); **låt det gå ~!** be quick about it! **3 ~ för ~** little by little, bit by bit, by degrees,

gradually **II** *prep* from; ut ur out of; **fly ~ sina förföljare** escape (run away) from...; **klara sig ~ stormen** get [safely] out of the storm; **slingra sig ~ skyldighet** shirk..., try to escape (elude)...

undanbe I *vb rfl* (-bad, -bett), **~ sig** t.ex. återval decline...; **jag undanber mig** sådana uttryck I will thank you not to use..., I won't have... **II** *vb tr* (-bad, -bett), **blommor undanbedes** no flowers by request; **rökning undanbedes** please refrain from smoking, no smoking

undandra *vb rfl* (-drog, -dragit), **~ sig** t.ex. sina plikter shirk, evade; t.ex. analys elude; huruvida detta är riktigt **undandrar sig min bedömning** ...is beyond my power to judge; kostnaderna **undandrar sig all beräkning** ...defy calculation

undanflykt *s* (~en, ~er) undvikande svar evasive answer, evasion; svepskäl excuse; **göra (komma med) ~er** be evasive, make excuses; **inga ~er!** vard. (speciellt amer.) quit stalling!

undangömd *adj* (-gömt) ...hidden (put) away; speciellt om plats secluded, out-of-the-way..., remote

undanhålla I *vb tr* (-höll, -hållit) dölja, **~ ngn ngt** withhold sth (keep sth back) from sb **II** *vb rfl* (-höll, -hållit), **~ sig** jur. fail to appear

undanmanöver *s* (~n, -manövrer el. -manövrar) evasive manoeuvre (amer. maneuver); **göra en ~** äv. take evasive action

undanröja *vb tr* (-röjde, -röjt) **1** hinder o.d., se *röja undan* under 2 *röja* **2** jur., t.ex. dom set aside

undanskymd *adj* (-skymt) dold hidden away; i skymundan out of the way (jfr *undangömd*); **[instoppad] på en ~ plats** t.ex. i tidningen tucked away in a (an odd) corner

undanstökad *adj* (-stökat, ~e), **få en sak ~** ...done (ready) [i förväg beforehand (in advance)]; **nu var (är) det undanstökat!** now that's finished (over and done with)!

undanta *vb tr* (-tog, -tagit) utesluta except, exclude; fritaga exempt; **ingen ~gen** nobody excepted; alla dagar, **söndagen ~gen** ...except (with the exception of) Sunday

undantag *s* (~et, =) **1** avvikelse exception; **ett ~ från regeln** an exception to the rule; **ett ~ som bekräftar regeln** an exception that proves the rule; **göra ~ för** make an exception for; **med ~ av (för)** with the exception of, except, ...excepted; litt. save; **med ~ av detta** with this exception, this excepted; **utan ~** without exception; **ingen regel utan ~** there is no rule without exceptions **2** sitta (**vara satt**) **på ~** försummas be set aside, be neglected

undantagsfall *s* (~et, =) exceptional case; **i ~** in exceptional cases

undantagslag *s* (~en, ~ar) emergency powers act

undantagslöst *adv* without exception, invariably

undantagstillstånd *s* (~et, =), **proklamera ~** proclaim a state of emergency

undantagsvis *adv* in exceptional cases, as an exception, by way of exception

1 under *s* (undret, =) wonder, marvel; underverk äv. miracle, prodigy; **~ över alla ~!** wonder of wonders!; **den moderna teknikens ~** the wonders (marvels) of modern science; apparaten är **ett ~ av sinnrikhet** ...a miracle of ingenuity; **göra ~** friare work (do) wonders, work miracles äv. relig.; **han räddades som genom ett ~** ...as [if] by a miracle

2 under

under delas in i ordklasserna
I preposition
II adverb
I *prep*
Prepositionen **under** motsvaras vanligen av **under** i uttryck som **under** *bordet* = **under** *the table.*
En annan motsvarighet är **below**, t.ex. *skriv inte* **under** *den här raden* = *do not write* **below** *this line.*
I tidsuttryck används vanligen **during** eller **in** t.ex. **under** *sommaren* = **in** *the summer,* **under** *dagen* = **during** *the day.*
under används i många uttryck som står under andra uppslagsord. Exempelvis finns uttrycket **under** *förutsättning* under uppslagsordet *förutsättning,* uttrycket *bjuda* **under** under uppslagsordet *bjuda* osv.

Rumsbetydelse

1 anger att något är täckt av något eller är placerat lägre, vanligen **under**; i betydelsen 'nedanför' när relativt stor nivåskillnad föreligger **below**; fomellare än de båda föregående övers. **beneath**; **gömma sig** (**ligga**) ~ *ngt* hide (lie) under sth; **simma ~ vattnet** swim under the water; **köket är rakt ~ mitt rum** the kitchen is directly below my room; **hunden kom fram ~ bordet** the dog came out from under the table

Tidsbetydelse

2 anger tidsperiod **during**; med mindre betoning på tidslängden **in**; för att särskilt framhäva hela förloppet 'under hela' **throughout**; ~ **dagen** during the day; ~ **kriget** during (in) the war; ~ **hela kriget** throughout the war; ~ **deras samtal** during their conversation; ~ **sommaren** during [the] summer; ~ **de senaste åren** in recent years
3 anger hur länge något pågår, ofta med räkneord **for**; **det regnade ~ fem dagar** it rained for five days

Mått

4 anger att något är mindre eller understiger någonting **under, less, than, below**; ~ **50 kronor** (**kilo, år**) under fifty kronor (kilos, years); ~ **hälften** [**av**] under half [of], less than half [of]; **barn ~ 12 år** children under twelve, children under the age of twelve, children under twelve years of age
5 i temperaturangivelser och vissa måttsangivelser **below**; **5 grader ~ noll** 5 degrees below zero; **1000 m ~ havsytan** 1000 m below sea level

Andra betydelser

6 anger underlydande ställning o.d **under**; i fråga om rang **below**; **England** *lydande* ~ **drottning Viktoria** England under Queen Victoria; ~ **ngns befäl** (**beskydd**) under sb's command (protection); **stå ~ ngn i rang** be (rank) below sb
7 anger samtidighet, **vi förlorade den ~ flytten** we lost it when we moved, we lost it while we were moving; ~ **snyftningar berättade hon...** sobbing (amid sobs) she told me...; ~ **tystnad såg de hur...** silently they saw how...; **middagens åts ~ tystnad** dinner was eaten in silence
II *adv* (se också betonad partikel under respektive verb, t.ex. *ligga under* under *ligga II*); **underneath**; nedanför **below**; litt. samt i vissa fall **beneath**; **en platta med filt ~**

...under it, ...underneath [it]; **lägga ~ en platta** [**under ngt**] put...underneath [sth], put...under sth; **de som bor** [**i våningen**] ~ the people in the flat (amer. apartment) below, the people below; **skriv ~ här!** sign (put your name) here!
underarm *s* (~en, ~ar) forearm
underart *s* (~en, ~er) subspecies (pl. lika)
underavdelning *s* (~en, ~ar) subdivision; i lagparagraf o.d. subsection; filial sub-branch; **dela upp i ~ar** subdivide
underbalansera *vb tr* (~de, ~t) ekon., ~**d budget** unbalanced budget, budget that shows a deficit
underbar *adj* (~t) wonderful, marvellous; poet. o.d. äv. wondrous; **Aladdins ~a lampa** Aladdin's wonderful (magic) lamp; **så ~t att vara hemma igen!** how wonderful (marvellous) it is to be home again!
underbarn *s* (~et, =) [infant] prodigy, wonder child
underbastning *s* (~en, ~ar) textil. underbading
underbefolkad *adj* (-befolkat, ~e) underpopulated
underbefäl *s* (~et, =) förr, se *gruppbefäl*
underbemannad *adj* (-bemannat, ~e) undermanned, short-handed, understaffed; **vara ~** äv. be below strength
underben *s* (~et, =) lower [part of the] leg
underbetald *adj* (-betalt) underpaid
underbett *s* (~et, =) underbite; friare protruding jaw; vet. med. undershot (underhung) jaw
underbetyg *s* (~et, =) mark below the pass standard; **få ~ i engelska** (**på engelska provet**) fail (be failed) in...; **det är ett klart ~ åt** systemet it is clear evidence of the failure of...
underbjuda *vb tr* (-bjöd, -bjudit) underbid; pris äv. undercut; sälja billigare än äv. undersell
underblåsa *vb tr* (-blåste, -blåst) öka: misstankar, missämja, svartsjuka heighten; hat, missnöje foment, kindle, stir up
underbud *s* (~et, =) lower bid, underbid
underbygga *vb tr* (-byggde, -byggt) bildl. support, substantiate; **en väl** (**illa**) **underbyggd teori** a well-founded (an ill-founded) theory
underbyggnad *s* (~en, ~er) eg. el. bildl. foundation; byggn. äv. substructure; utbildning grounding; skolunderbyggnad schooling
underbyxor *s pl* knickers, panties; trosor briefs
underbädd *s* (~en, ~ar) lower bed (i sovkupé hytt berth)
underdel *s* (~en, ~ar) lower part; nedersta del bottom; fot foot; bas base
underdimensionerad *adj* (-dimensionerat, ~e) undersized, ...[that is (resp. was)] too small in dimensions (below the required size); tekn. äv. underdimensioned
underdrift *s* (~en, ~er) understatement
underdånig *adj* (~t) ödmjuk humble; lydaktig obedient; servil subservient, obsequious; **Ers Majestäts ~e tjänare** ...[humble and] obedient servant
underexponera *vb tr* (~de, ~t) foto. underexpose
underexponering *s* (~en, ~ar) foto. underexposure
underfund *adv*, **komma ~ med** ta reda på, lista ut find out; förstå, fatta understand, make out; vard. figure (suss) out, get the hang of; **jag kommer inte ~ med honom** (**det**) I can't make him (it) out
underfundig *adj* (~t) illmarig sly, crafty; ~ **humor** subtle humour; **ett ~t leende** an arch smile
underförstå *vb tr* (-förstod, -förstått), subjektet **är ~tt**

...is understood; **detta ~s** (**är ~tt**) i avtalet this is implied...; **firman, ~tt** Ek & Co the firm, that is to say...

underförsäkra *vb tr* (~de, ~t) under-insure

undergiven *adj* (-givet, -givna) submissive, yielding, obedient [ngn (ngt) to sb (sth)]; ödmjuk humble; ~ sitt öde (det oundvikliga) resigned to...

undergivenhet *s* (~en) submissiveness; ~ **under** (**för**) submission (resignation) to

undergroundrörelse *s* (~n, ~r) polit. underground movement

undergräva *vb tr* (-grävde, -grävt) undermine; bildl. äv. sap

undergå *vb tr* (-gick, -gått) undergo; ~ **förändring** undergo (suffer) a change; ~ **reparation** äv. receive repairs

undergång *s* (~en, ~ar) **1** fall ruin, fall; förstörelse destruction; utdöende extinction; fartygs wreck; **romarrikets** ~ the fall of the Roman Empire; **världens** ~ the end of the world; **vägen till** ~ the road to ruin; **dömd till** ~ doomed [to destruction] **2** se **gångtunnel**

undergångsstämning *s* (~en, ~ar) sense of doom

undergörande *adj* (oböjl.) om t.ex. medicin miraculous; relig. o.d. wonderworking; ~ **medicin** äv. wonder drug

undergörare *s* (~n, =) wonderworker, miracle-worker; neds. miracle-monger

underhaltig *adj* (~t) ...below (not up to) standard; friare inferior, ...of inferior quality

underhandla *vb itr* (~de, ~t) negotiate [med with; om for]; se äv. ex. under *underhandling*

underhandling *s* (~en, ~ar) negotiation [om for]; **inleda ~ar med** open (enter into) negotiations with; **ligga i ~ar med** be negotiating with, be in negotiation (treaty) with, carry on negotiations with

underhandsbesked *s* (~et, =) confidential communication

underhandslöfte *s* (~t, ~n) informal (confidential) promise

underhud *s* (~en) anat. dermis, corium

underhudsfett *s* (~et) subcutaneous fat

underhuggare *s* (~n, =) vard. underling, subordinate

underhuset *s* (best. sing.) i Storbr. the House of Commons

underhåll *s* (~et, =) **1** understöd maintenance; t.ex. årligt allowance; vid skilsmässa maintenance, amer. alimony **2** skötsel maintenance, upkeep

underhålla *vb tr* (-höll, -hållit) **1** försörja support, maintain **2** sköta, hålla i stånd maintain; keep up äv. friare; t.ex. kunskaper; byggnad o.d. äv. keep...in repair; **väl underhållen** byggnad ...in good repair; **illa underhållen** byggnad ...in poor repair, ...in a state of disrepair (unrepair), ...in disrepair **3** roa, förströ entertain, amuse, keep...amused

underhållande *adj* (oböjl.) roande entertaining, amusing

underhållare *s* (~n, =) entertainer

underhållning *s* (~en, ~ar) entertainment; **stå för ~en** give an entertainment; av gäster entertain the company

underhållningsmusik *s* (~en) light music; [ren] ~ lowbrow music

underhållningsprogram *s* (~met, =) i radio, tv light (entertainment) programme

underhållningsvåld *s* (~et) warnography

underhållsbidrag *s* (~et, =) jur. alimony, maintenance

underhållsfri *adj* (-fritt) attr. ...requiring no maintenance; om t.ex. vägbeläggning äv. permanent

underhållsskyldig *adj* (~t) ...liable (obliged) to pay maintenance

underhållsskyldighet *s* (~en) maintenance obligation[s pl.]; ~ **för barn** duty to support...

underifrån *adv* from below (underneath); **serva** ~ serve underarm (i t.ex. kricket och baseball underhand)

underjorden *s* (best. sing.) **1** mytol. the lower (nether, infernal) regions pl., the underworld **2** friare, **komma upp ur** ~ ...from underground (below the ground)

underjordisk *adj* (~t) underground...; subterranean; mytol. infernal; ~ **gång** underground (subterranean) passage; **en ~ rörelse** (**organisation**) polit. an underground movement (organization)

underkant *s* (~en, ~er) eg. lower edge (side); [**tilltagen**] **i** ~ [rather] on the small (resp. short, om t.ex. pris low) side, too small etc. if anything; **ta till i** ~ cut it fine

underkasta I *vb tr* (~de, ~t), ~ **ngn** prov (straff) subject sb to...; t.ex. förhör äv. put sb through...; ~**d statlig kontroll** under (subject to) Government control **II** *vb rfl* (~de, ~t), ~ **sig** foga (finna) sig i submit to; t.ex. sitt öde äv. resign oneself to; ngns beslut o.d. äv. defer to; kapitulera, ge sig surrender

underkastelse *s* (~n, ~r) submission, subjection; t.ex. under ödet resignation [under i samtliga fall to]; kapitulation surrender; **tvinga ngn till** ~ force sb to submit, reduce sb to submission

underkjol *s* (~en, ~ar) waist (half) slip, underskirt; vid med volanger o.d. petticoat

underklass *s* (~en) lower class; ~**en** the lower classes (orders) pl.

underkläder *s pl* underwear sg., underclothing sg.; vard., speciellt damunderkläder undies

underklänning *s* (~en, ~ar) slip

underkropp *s* (~en, ~ar) lower part of the body

underkuva *vb tr* (~de, ~t) subdue, subjugate; ~**d** förtryckt oppressed

underkyld *adj* (-kylt), **underkylt regn** supercooled (freezing) rain

underkäke *s* (~n, -käkar) lower jaw

underkäksben *s* (~et, =) lower jawbone

underkänd *adj* (-känt) failed; **bli** ~ fail [i in]; målet **blev underkänt** ...was disallowed

underkänna *vb tr* (-kände, -känt) avvisa reject; inte godtaga not accept; ogilla not approve of; ~ **ngn** skol. fail sb

underkänt *s* (oböjl.), **få** ~ fail, be failed [i in]

underlag *s* (~et, =) grund[val] foundation; framför allt bildl. äv. bas|is (pl. -es); tekn. el. geol. o.d. bed; byggn. äv. bedding; statistik. o.d. basic data pl.; **bilda ~ för** bildl. form the basis of; **det finns inget** [**sakligt**] ~ **för denna teori** this theory has no foundation [in fact]; det forskningsarbete **som är ~et för denna bok** ...on which this book is based; en regering **med svagt** ~ ...resting on a weak basis

underlakan *s* (~et, =) bottom sheet

underleverantör *s* (~en, ~er) subcontractor

underlig *adj* (~t) strange, curious; svagare odd; neds. peculiar; vard. funny; **en ~ typ** an odd person; han har alltid varit **en smula** ~ ...a bit peculiar (strange, odd, eccentric); **det är inte [så] ~t** förvånande it is not to be wondered at, it is no wonder; **det ~a var att...** the funny thing was that...

underliggande *adj* (oböjl.) om t.ex. lagar, motiv underlying

underligt *adv* strangely etc., jfr *underlig;* **~ nog** skedde en förbättring strange to say,...; **~ nog** stötte jag på honom i London oddly (curiously, strangely) enough,...

underliv *s* (~et, =) [nedre del av] buk [lower] abdomen, belly; könsdelar genitals pl., private parts pl.

underlydande I *adj* (oböjl.), **~ myndigheter** lower... **II** *s* (en ~, pl. =) underordnad subordinate; tjänare man (pl. men), dependant; **hans ~** i pl. äv. those under him

underlåta *vb tr* (-lät, -låtit) omit, fail; försumma äv. neglect [att + inf., i samtliga fall to + inf.]; **han underlät att** meddela oss he failed to... + inf.; **jag kan inte ~ att** påpeka detta I feel it my duty to... + inf.

underlåtenhet *s* (~en) omission; att rösta, att betala etc. failure

underläge *s* (~t, ~n) weak (disadvantageous) position; **vara i ~** äv. be at a disadvantage, labour under a disadvantage; under t.ex. fotbollsmatch be doing badly, be trailing behind

underlägg *s* (~et, =) t.ex. karott~, tallriks~ mat; för glas coaster; skriv~ [writing] pad

underlägsen *adj* (-lägset, -lägsna) inferior [ngn to sb]; **jag är honom ~** äv. I am his inferior; **~ till antalet** inferior in numbers, numerically inferior, outnumbered

underlägsenhet *s* (~en) inferiority

underläkare *s* (~n, =) assistant physician (kirurg surgeon); houseman, amer. intern

underläpp *s* (~en, ~ar) lower lip, underlip

underlätta *vb tr* (~de, ~t) facilitate; göra lätt äv. make...easy (lättare easier)

undermedel *s* (-medlet, =) o. **undermedicin** *s* (~en, ~er) miraculous (wonder) remedy, wonder drug

undermedveten I *adj* (-medvetet, -medvetna) subconscious; psykol. vanl. unconscious **II** *s, det undermedvetna* the subconscious; psykol. vanl. the unconscious; **i hans undermedvetna** in his subconscious [mind]; friare at the back of his mind

undermening *s* (~en, ~ar) hidden meaning; antydning implication

underminera *vb tr* (~de, ~t) undermine; bildl. äv. sap

undermålig *adj* (~t) dålig inferior, poor; otillräcklig deficient; **~a varor** goods of inferior (poor) quality

undernärd *adj* (-närt) underfed, undernourished, badly nourished

undernäring *s* (~en) undernourishment; speciellt genom felaktigt sammansatt kost malnutrition

underordna I *vb tr* (~de, ~t) subordinate [ngt [under] ngt sth to sth] **II** *vb rfl* (~de, ~t), **~ sig** subordinate oneself [ngn (ngt) to sb (sth)]

underordnad I *adj* (-ordnat, ~e) subordinate [ngn (ngt) to sb (sth)]; **~ tjänsteman** äv. minor official; det är **av ~ betydelse** ...of secondary (minor) importance **II** *s* (en ~, pl. ~e) subordinate; **han är min ~e** äv. he is under me; vard. I'm his boss; **hans ~e** i pl. äv. his inferiors, those under him

underplats *s* (~en, ~er) i sovkupé, hytt lower berth (brits bunk)

underpris *s* (~et, = el. ~er) losing price; **sälja ngt till ~** sell...at a loss, sell...below cost [price]

underrede *s* (~t, ~n) [under]frame; på bil chassis (pl. lika)

underredsbehandling *s* (~en, ~ar) bil., abstr. undersealing; konkr. underseal, underbody seal

underrepresenterad *adj* (-representerat, ~e) underrepresented

underrubrik *s* (~en, ~er) subheading

underrätta I *vb tr* (~de, ~t), **~ ngn om ngt** inform sb of sth; hand. äv. advise sb of sth; formellt el. officiellt äv. notify sb of sth; **~ ngn** ge besked let sb know; skriftligen äv. send sb word **II** *vb rfl* (~de, ~t), **~ sig** inform oneself, procure information [om ngt of (as to) sth]

underrättad *adj* (-rättat, ~e) informed; **vara väl (illa) ~** be well (badly) informed; **fel ~** äv. misinformed; **hålla ngn ~ om** keep sb informed (hand. äv. advised) about (on), keep sb posted on (up to date on, in touch with)

underrättelse *s* (~n, ~r), **~[r]** information [om about, on]; mil. o.d. intelligence [om of]; nyhet[er] news [om of] (samtliga endast sg.); **~r** hand. formellt advices; **närmare ~r** further information sg., particulars; **få ~ om att** be informed that, learn that; **inhämta (skaffa sig) ~r om** inform oneself of (as to), procure information about (of, as to); **vid ~n om hans död** at the news of his death

underrättelsetjänst *s* (~en) mil. intelligence [service]; polit. intelligence agency, secret service

underrättelseverksamhet *s* (~en, ~er), **olovlig ~** jur. unlawful spying activities pl., undercover activities pl.

undersida *s* (~n, -sidor) under side, underside; **på ~n** underneath

underskatta *vb tr* (~de, ~t) underrate, underestimate; ibland think too little of; förringa [värdet av] minimize [the value of]

underskattning *s* (~en, ~ar) underrating, underestimation; förringande [av värdet av] minimization [of the value of]

underskott *s* (~et, =) deficit; förlust loss [på t.ex. 1000 kronor of...]; brist deficiency [på t.ex. syre of...]; **~ på arbetskraft** shortage of labour

underskrida *vb tr* (-skred, -skridit) be (go, fall) below, be lower (less) than; **detta pris får ej ~s** this is an absolute minimum price

underskrift *s* (~en, ~er) namnteckning signature; **förse en skrivelse med [sin] ~** sign..., put one's signature (name) to...; **utan ~** äv. unsigned

underskruv *s* (~en, ~ar) i tennis o.d. backspin, underspin

underskåp *s* (~et, =) bottom (lower) cupboard

underskön *adj* (~t) wonderfully beautiful, ...of wonderful (exquisite) beauty

undersköterska *s* (~n, -sköterskor) assistant nurse

underst *adv* at the bottom [i lådan etc. of...]; lägst lowest

understa *adj* (superlativ), **[den] ~** lådan etc. the lowest (av två the lower)..., the bottom...; **~ delen** the lowest (resp. lower) part, the bottom [part]

understiga *vb tr* (-steg, -stigit) be below (under, less than); fall (go) below, fall short of; summa, pris äv. not come up to; **~nde** vanl. below, under, less than

understimulerad *adj* (-stimulerat, ~e) understimulated

understryka *vb tr* (-strök, -strukit) betona emphasize, stress; påpeka point out

understrykning *s* (~en, ~ar) av ord o.d. underlining; **många ~ar** i texten many words (resp. sentences) underlined...

underström *s* (~men, ~mar) undercurrent, groundswell båda äv. bildl.

understyrd *adj* (-styrt) om t.ex. bil understeered

förstå *vb rfl* (-stod, -stått), **~ sig att** + inf. dare [to] + inf., have the cheek to + inf.; **~ dig inte att röra mig!** don't you dare touch me!

understå *vb rfl* (-stod, -stått), **~ sig att** + inf. dare [to] + inf., have the cheek to + inf.; **~ dig inte att röra mig!** don't you dare touch me!

underställa *vb tr* (-ställde, -ställt), **~ ngn** ett förslag o.d. submit...to sb, place (put)...before sb; **~ ngt** t.ex. ngns beslut submit sth to...; t.ex. en domstol refer (report) sth to...; **underställd** (underordnad) ngn (ngt) placed under..., subordinate (subordinated) to...

understämma *s* (~n, -stämmor) mus. lower part

understöd *s* (~et, =) till behövande relief [payment]; bidrag, ersättning benefit; periodiskt (speciellt till privatperson) allowance; anslag subsidy, grant; bildl. support; **leva på ~** socialhjälp live on public (social) assistance; amer. be on welfare

understödja *vb tr* (-stödde, -stött) support; t.ex. förslag äv. second; hjälpa äv. assist, aid, help; med anslag subsidize

undersysselsatt *adj* (=) not fully occupied; om arbetstagare underemployed

undersåte *s* (~n, undersåtar) subject

undersätsig *adj* (~t) stocky, thickset, squat

undersöka *vb tr* (-sökte, -sökt) examine äv. med.; gå igenom äv. go over, inspect; ingående granska äv. scrutinize; genomsöka search; efterforska, [söka] utröna inquire (look) into; systematiskt investigate; jag måste **låta ~ mig** ...get myself examined; **~ om** man kan inquire whether..., [try to] find out whether...; **~ saken** look (go) into the matter; systematiskt investigate the matter; **~ saken närmare** go more closely into the matter

undersökande *adj* (oböjl.), **~ journalistik** investigative reporting (journalism)

undersökning *s* (~en, ~ar) examination, inspection; scrutiny, jfr *undersöka*; genomsökning search; efterforskning, utforskning inquiry; systematisk investigation; opinions~ poll; **medicinsk ~** medical examination; **rättslig ~** judicial (legal) inquiry; **statistisk ~** statistical survey; **vetenskapliga ~ar** [scientific] research[es]; **företa en ~ av** riskerna institute an inquiry (an investigation) into...

undersökningsmetod *s* (~en, ~er) method of investigation (inquiry)

undersökningsrum *s* (~met, =) på sjukhus examination room; på läkarmottagning surgery

underteckna *vb tr* (~de, ~t) sign, subscribe; **~d** intygar härmed... I, the undersigned...; **~de** intygar härmed... [we,] the undersigned...; han sa till **~d** till mig, skämts. ...yours truly; **~t** Bo Ek signed...

undertecknare *s* (~n, =) signer; av traktat o.d. signatory

undertitel *s* (~n, -titlar) subtitle

underton *s* (~en, ~er) bildl. undertone

undertryck *s* (~et) fys. underpressure, low pressure; under atmosfärtrycket pressure below that of the atmosphere

undertrycka *vb tr* (-tryckte, -tryckt) suppress; hålla tillbaka äv. repress, restrain; slå ned, kväsa äv. put down, quell; kväva äv. stifle

undertröja *s* (~n, -tröjor) vest; amer. undershirt

underutvecklad *adj* (-utvecklat, ~e) underdeveloped

undervattenskabel *s* (~n, -kablar) submarine cable

undervattensläge *s* (~t) ubåts undersurface (submerged) condition (position)

undervegetation *s* (~en) undergrowth

underverk *s* (~et, =) miracle, wonder; **världens sju ~** the seven wonders of the world; **göra ~** friare work (do) wonders; work miracles äv. t.ex. bibl.

undervikt *s* (~en) underweight

underviktig *adj* (~t) underweight

undervisa *vb tr* o. *vb itr* (~de, ~t) ge undervisning teach [**i ett ämne** a subject]; handleda instruct [**i** in]; **han ~r i engelska** he teaches (ger lektioner i gives lessons in) English; **han är bra på att ~** vanl. he is a good teacher; **i vissa skolor ~s i ryska** ...Russian is taught

undervisning *s* (~en) undervisnings-, lärarverksamhet teaching; i visst ämne instruction; spec. individuell tuition; lektioner äv. lessons pl.; utbildning education; **elementär ~** elementary instruction (resp. education); **högre ~** i gymnasieskola o.d. ung. secondary (vid universitet o.d. higher) education; **få ~ i** engelska be taught...

undervisningsavgift *s* (~en, ~er) tuition fee[s pl.]

undervisningsmetod *s* (~en, ~er) teaching (pedagogical) method

undervisningsväsen *s* (~det, =) educational system, education

undervåning *s* (~en, ~ar) lower floor (storey, amer. story), floor below

undervärdera *vb tr* (~de, ~t) undervalue; underskatta underestimate; **huset är ~t** the house is undervalued

undervärme *s* (~n) kok. heat from below

underårig *adj* (~t) ...under age; **vara ~** äv. be a minor

undfallande *adj* (oböjl.) eftergiven compliant, yielding

undfly *vb tr* (~dde, ~tt) undvika, sky avoid, keep away from, shun; t.ex. faran escape

undfägna *vb tr* (~de, ~t) högtidl. treat, entertain; **~ ngn med** en god middag treat sb to..., give (stand) sb...

undgå *vb tr* (-gick, -gått) slippa undan escape; skickligt el. listigt äv. elude, evade; undvika avoid; **~ straff** escape punishment; **~ uppmärksamhet (att bli sedd)** escape (elude) observation; **ingen ~r sitt öde** ung. time and tide wait for no man; **ingenting ~r honom** nothing escapes him, he misses nothing; **det har ~tt min uppmärksamhet** it has escaped my attention (notice); **man kan inte ~ att** bli påverkad you can't fail to... + inf.; **jag kunde inte ~ att** t.ex. höra det I couldn't avoid (help) + ing-form

undkomma I *vb tr* (-kom, -kommit) escape; i ledigare stil äv. get away, get off **II** *vb tr* (-kom, -kommit) t.ex. sina förföljare escape from, elude

undra *vb itr* o. *vb tr* (~de, ~t) wonder [**över ngt** at sth]; fråga äv. ask; **det ~r jag** I wonder; **man börjar ~** one starts wondering, it makes you think; **jag ~r vad han menade** I wonder what he meant; **han ~de om** jag varit sjuk he wondered (asked) if...; har du varit sjuk? **~de han** ...he asked; **det ~r jag inte på** I don't wonder (am not surprised) [at that (it)]; han vägrade **och det är inte att ~ på** vanl. ...and no wonder; **~ på det!** no wonder!

undran *s* (=, en, undringar) wonder [**över** at]

undrande *adj* (oböjl.) wondering; om t.ex. blick astonished; *ställa sig ~ till* be sceptical about (of)

undre *adj* (oböjl.) lower; ~ lådan etc. äv. the bottom...; *~ planeter* inferior planets; *[den] ~ världen* the underworld

undslippa *vb tr* o. *vb itr* (-slapp, -sluppit) escape, jfr *undkomma*; *han lät ~ sig att...* he let out (let slip) that...

undsätta *vb tr* (-satte, -satt) rädda rescue; speciellt mil. relieve; litt. succour

undsättning *s* (~en) relief; rescue; succour; jfr *undsätta*; *komma till ngns ~* come to sb's rescue (succour)

undsättningsexpedition *s* (~en, ~er) relief expedition; räddningspatrull rescue party

undulat *s* (~en, ~er) budgerigar; vard. budgie

undvara *vb tr* (~de, ~t) do without, dispense with; avvara spare

undvika *vb tr* (-vek, -vikit) avoid; hålla sig borta från äv. keep away from; sky, söka ~ äv. shun; svårigheter o.d. äv. steer clear of; jfr äv. *undgå*; *~ att* göra ngt avoid + ing-form; *~ [att besvara] frågan* avoid (dodge) the question

undvikande I *s* (~t, ~n) avoiding, avoidance; *för ~ av* missförstånd in order to avoid... **II** *adj* (oböjl.) om t.ex. svar evasive **III** *adv* evasively; *svara ~* äv. give an evasive answer

ung *adj* (~t) (jfr *yngre* o. *yngst*); young; ungdomlig äv. youthful; *~a förmågor* young (youthful) talents; *den ~a generationen* vanl. the rising generation; *en ~ man* a young man, a youth; *som ~* var han as a young man (a youth)..., when he was young...; *han ser ~ ut för sin ålder* he looks young for his age; *vara ~ till sinnet* be young at heart; *dö vid ~a år* die young (at an early age); *~ och gammal* el. *~a och gamla* young and old; *de ~a* i allmänhet the young, young people; t.ex. i ett sällskap the young people

ungdom *s* **1** (~en) abstr. youth; ungdomstid äv. younger days pl.; uppväxttid adolescence; *den tidiga (första) ~en* early youth, adolescence; *i min ~* in my youth (younger days), when I was young; *i min gröna ~* in my salad days **2** (~en, ~ar) personer young people pl., youth sg.; *några (fem) ~ar* some (five) young people; *nutidens ~* el. *~en av i dag* [the] young people of today

ungdomlig *adj* (~t) youthful; *ha ett ~t utseende* look young, be young-looking

ungdomlighet *s* (~en) youthfulness, youth

ungdomsarbetslöshet *s* (~en), ~*[en]* unemployment among the young, juvenile unemployment

ungdomsbrottslighet *s* (~en), ~*[en]* juvenile delinquency (crime)

ungdomsbrottsling *s* (~en, ~ar) young (juvenile) offender, juvenile delinquent

ungdomsförbund *s* (~et, =) youth association (polit. league)

ungdomsgård *s* (~en, ~ar) youth centre

ungdomskärlek *s* (~en, ~ar) person sweetheart (love) of one's youth

ungdomsvård *s* (~en) youth welfare

ungdomsvän *s* (~nen, ~ner), *vi är ~ner* we have been friends from our youth

ungdomsår *s pl* early years; ungdom äv. youth sg.

unge *s* (~n, ungar) **1 a)** av djur: allm., *ungar* young, little ones **b)** spec.: katt~ kitten; björn~, lejon~, räv~,

varg~ m.fl. cub; fågel~ young bird; som efterled i sammansättn., se t.ex. *ankunge, elefantunge, gåsunge* m.fl.; fågelmamman (björnhonan) med sina *ungar* ...young [ones]; katten ska *få ungar* ...get (have) kittens; *föda levande ungar* fackspr. be viviparous **2** vard., barn kid; neds. brat

ungefär I *adv* about; vid räkneord äv. approximately, some, roughly, in the neighbourhood of; i vissa fall äv. [pretty el. very] much, more or less, something like; jfr ex.; *~ klockan två* around two [o'clock], twoish; han är *~ femtio (i min ålder)* ...about fifty (my age); *det är ~ en timmes resa* äv. it's an hour's journey, more or less; *det var ~ här* it was somewhere about here; *det är ~ samma sak* that's about ([pretty el. very] much) the same thing; *han sa ~ så här* he said something like this **II** *s* (oböjl.), *på ett ~* approximately, roughly

ungefärlig *adj* (~t) approximate; *vid en ~ beräkning* äv. at a rough estimate

Ungern Hungary

ungersk *adj* (~t) Hungarian

ungerska *s* **1** (~n, ungerskor) kvinna Hungarian woman **2** (~n) språk Hungarian

unghäst *s* (~en, ~ar) young horse, colt

ungkarl *s* (~n el. ~en, ~ar) bachelor

ungkarlsliv *s* (~et) bachelor life; *leva ~* lead a bachelor life (the life of a bachelor)

ungkarlslya *s* (~n, -lyor) bachelor pad (den)

ungmö *s* (~n, ~r) maid, maiden; *gammal ~* old maid, spinster

ungrare *s* (~n, =) Hungarian

ungtupp *s* (~en, ~ar) young cock, cockerel; ung man [young] upstart

uniform I *s* (~en, ~er) uniform; officer *i ~* ...in uniform, uniformed... **II** *adj* (~t) likriktad uniform

uniformitet *s* (~en) uniformity

uniformsmössa *s* (~n, -mössor) military (dress) cap

uniformsrock *s* (~en, ~ar) tunic

unik *adj* (~t) unique

union *s* (~en, ~er) union

unionsstat *s* (~en, ~er) member (state) of a (resp. the) union; förbundsstat federal (confederate) state

unison *adj* (~t) unison

unisont *adv* in unison

universal *adj* (~t) universal

universalmedel *s* (-medlet, =) panacea; vard. cure-all båda äv. bildl.

universell *adj* (~t) universal; *~ testamentstagare* residuary legatee

universitet *s* (~et, =) university; *gå på (ligga vid) ~et* be at [the] (amer. at the) university; *Uppsala ~ (~et i Uppsala)* Uppsala University, the University of Uppsala

universitetsbibliotek *s* (~et, =) university library

universitetsexamen *s* (=, en, -examina) university degree

universitetsledning *s* (~en) university board

universitetslektor *s* (~n, ~er) senior [university] lecturer; med docentkompetens äv. reader, amer. äv. assistant (med docentkompetens ung. associate) professor

universitetsområde *s* (~t, ~n) university grounds, campus

universitetsstuderande *s* (~n, =) student, undergraduate

universitetsstudier *s pl* university (undergraduate) studies

universum *s* (~et, =) universe; världsalltet the Universe

unken *adj* (unket, unkna) musty, fusty; om lukt, smak äv. stale

unna I *vb tr* (~de, ~t), ~ *ngn* ngt (inte missunna) not [be]grudge sb...; önska wish sb...; *jag ~r honom* de där pengarna I don't [be]grudge him...; *jag ~r honom allt gott* I wish him...; *det är dig väl unt!* you certainly deserve it! **II** *vb rfl* (~de, ~t), ~ *sig ngt* allow oneself sth; *han ~r sig ibland* lite lyx äv. he sometimes indulges in...

uns *s* (~et, =) vikt ounce; *inte ett* ~ [*sanning*] not a scrap [of truth]

upp *adv* (se också betonad partikel under respektive verb, t.ex. *säga upp* under *säga III*) **1** allm. up; uppåt äv. upwards; uppför trappan upstairs; *denna sida ~!* this side up; *hit* ~ up here; *högt* ~ high up; *högst* ~ at the top; *längst* ~ *på* sidan at the [very] top of...; följa ngn *ända* ~ ...all the way up (to the top); ~ *och ned* a) uppochnedvänd upside-down; [with] the wrong side up[wards] b) än högre, än lägre up and down; *gata* ~ *och gata ned* up one street and down another; *sida* ~ *och sida ned* i bok page after page; *det går* ~ *och ned för honom* bildl. he has his ups and downs; *gå* (*stiga*) ~ rise; ur säng get up; ~ *och hoppa!* vakna wakey, wakey!, up you get!; *hålla* ~ *ngt* hold up sth; mycket högt hold sth high; *kliva* ~ *på* en stol get on...; *klättra* ~ *i* ett träd climb [up]...; *vända* ngt ~ *och ned* el. *vända* ~ *och ned på* ngt turn...upside-down; bildl. äv. turn...topsy-turvy; ~ *med dig!* ur sängen o.d. get up!; uppför stegen o.d. up you go!; ~ *med huvudet!* head up!; friare cheer up!; ~ *med händerna!* hands up!, put them (mera vard. stick'em) up!; *det är* ~ *till dig* vard. it's up to you; *temperaturer* [*på*] ~ *till* 80° temperatures [ranging] up to..., temperatures as high [up] as... **2** ut o.d. out; *hälla* ~ teet pour [out]; ~ *ur* vattnet out of...; ~ *ur sängarna!* out of your beds! **3** uttr. mots. till det enkla verbets betydelse: konstr. med un-; *knyta* ~ untie; *låsa* ~ unlock; *packa* ~ unpack **4** uttr. eg. öppnande open; *få* (*slå*) ~ dörren get (throw)...open, open...; *få* ~ locket get...off **5** andra fall, *skölja* ~ tvätta give...a quick wash; *snygga* ~ tidy up

uppamma *vb tr* (~de, ~t) uppväcka nurse, foster; underblåsa foment

upparbetning *s* (~en) av använt kärnbränsle reprocessing

upparbetningsanläggning *s* (~en, ~ar) för använt kärnbränsle reprocessing plant

uppassare *s* (~n, =) servitör waiter, kvinnlig waitress; på båt o. flyg steward, kvinnlig stewardess

uppassning *s* (~en) vid bordet waiting; kräva *mycken* ~ ...a lot of attendance (waiting-on)

uppbackning *s* (~en, ~ar) backing, support

uppbjuda *vb tr* (-bjöd, -bjudit), ~ *alla* [*sina*] *krafter* summon (muster, mobilize) all one's strength; ~ *hela sin energi* use (exert) all one's energy

uppbjuden *adj* (-bjudet, -bjudna), *bli* ~ [*till dans*] be asked to dance

uppblandad *adj* (-blandat, ~e) mixed, mingled [*med* with]; svenska ~ *med engelska ord* äv. ...interspersed with English words

uppblomstring *s* (~en) prosperity; t.ex. stads äv. rise

uppblossande *adj* (oböjl.) ...flaring up osv., jfr *blossa*

---

upp under *blossa 1*; *med* ~ *vrede* in a flash of anger, with rising anger

uppblåsbar *adj* (~t) inflatable

uppblåst *adj* (=) **1** luftfylld blown up, inflated; *magen känns* ~ my stomach feels bloated **2** inbilsk conceited; vard. stuck-up **3** orimligt uppförstorad, bildl., *händelsen har blivit väldigt* ~ ...has been blown up out of all proportion

uppblött *adj* (=) soaked, soggy

uppbragt *adj* (=) indignant; arg angry; förbittrad furious [*över* ngt i samtliga fall at...]; starkare exasperated [*över* ngt at...]

uppbringa *vb tr* (~de el.-bragte, ~t el.-bragt) **1** skaffa procure; pengar äv. raise **2** kapa capture, seize

uppbrott *s* (~et, =) allm. breaking up; från sällskap o.d. äv. leaving; från bordet rising; avresa departure; mil. decampment, striking camp; *ge signal till* ~ avresa give the word for departure

uppbrottsstämning *s* (~en), *det rådde* ~ there was a leave-taking atmosphere (mood)

uppbunden *adj* (-bundet, -bundna) förpliktigad bound [*av* by]; i beroendeställning dependent [*av* on]

uppburen *adj* (-buret, -burna) uppskattad esteemed; firad celebrated

uppbygglig *adj* (~t) edifying

uppbåd *s* (~et, =) mängd crowd; skara o.d. troop, band [samtliga med of framför följande ord]; *ett stort* ~ *av poliser* a strong force (posse) of policemen

uppbåda *vb tr* (~de, ~t) t.ex. hjälp, krafter mobilize, se vidare *uppbjuda*

uppbära *vb tr* (-bar, -burit) **1** erhålla, t.ex. lön, pension, ränta draw; inkassera collect; skatt äv. levy **2** lida, ~ *kritik* be the object (subject) of criticism

uppbörd *s* (~en, ~er) inkassering collection; av skatt äv. levy

uppbördstermin *s* (~en, ~er) tax collection period

uppdaga *vb tr* (~de, ~t) avslöja reveal; upptäcka discover; bringa i dagen bring...to light; röja betray, expose; *det ~des senare att...* äv. it was found out later on that...

uppdatera *vb tr* (~de, ~t) update, bring...up to date

uppdela *vb tr* (~de, ~t) se *dela upp* under *dela III*

uppdelning *s* (~en, ~ar) indelning division; fördelning distribution; uppdelande dividing up osv.; jfr *dela upp* under *dela III*

uppdiktad *adj* (-diktat, ~e) invented, made up; fiktiv fictitious; ~ *historia* äv. fabrication, invention

uppdra *vb tr* (-drog, -dragit), ~ *åt ngn att* + inf. commission sb to + inf.

uppdrag *s* (~et, =) allm. commission; anförtrott äv. charge; uppgift task; amer. äv. assignment; speciellt polit. el. mil. mission; *offentligt* ~ public function; *få* (*ha*) *i* ~ be commissioned (instructed) [*att* + inf. to + inf.], be charged with [*att* + inf., motsv. av ing-form]; *ge ngn i* ~ *att* + inf. commission (instruct) sb to + inf.; *resa i offentligt* ~ ...on a public (an official) mission, ...on public (official) business; *med* ~ *att* + inf. with orders (instructions) to + inf.; *på* ~ *av* styrelsen o.d. by order of...; å...vägnar on behalf of...

uppdragsgivare *s* (~n, =) **1** arbetsgivare employer **2** ekon. principal; klient client

uppdriven *adj* (-drivet, -drivna) intensiv intense, intensified; *högt uppdrivna förväntningar* high expectations; *högt uppdrivna hyror* abnormally high rents

uppdämd adj (-dämt) dammed up; bildl. (om t.ex. vrede) pent-up

uppe adv (se äv. beton. part. under resp. vb) **1** allm. up; i övre våningen upstairs; upptill at the top [på of], above; priset (temperaturen) är ~ i... the price (temperature) is up to...; längst ~ [i (på)] se överst; han är ~ hos oss ...up at our place; ~ på taket [up] on the roof; hon är ~ uppstigen she is up (out of bed); efter sjukdom she is up [and about]; månen (solen) är ~ ...is up, ...has risen; han är fortfarande ~ ...still up (not in bed yet); vara ~ hela natten sit (stay) up...; vi var ~ i 120 km we were doing [as much as]...; vara ~ med solen (tuppen) rise with the sun; jag var ~ hos (~ och besökte) henne i går I went up to see her... **2** vard., öppen open låt dörren stå ~ leave the door open **3** spec. fall: frågan är fortfarande ~ ...is still being discussed; vara ~ i tentamen (engelska) have an [muntlig oral] exam (English exam)

uppehåll s (~et, =) **1** avbrott, paus break, intermission; avbrott äv. interruption; paus (spec. i tal) pause; järnv., flyg. o.d. stop, halt, wait; göra [ett] ~ allm. stop, halt; järnv. o.d. äv. wait; anlöpa (om båt), stanna (om tåg) call; t.ex. i arbete (förhandlingar) make (take) a break; spec. i tal pause, break off, make a pause; tåget gör 10 minuters ~ i Laxå the train stops (halts, waits) [for] 10 minutes...; utan ~ without stopping (a break, a stop), without pausing (a pause), jfr oavbrutet **2** meteor., se uppehållsväder **3** vistelse sojourn; kortare stay

uppehålla I vb tr (-höll, -hållit) **1** hindra hinder; fördröja detain, delay, keep; låta ngn vänta keep...waiting; jag vill inte ~ er längre I don't want to detain (keep) you (låta er vänta keep you waiting)...; jag blev uppehållen i stan I was detained (delayed)...; förlåt att jag har uppehållit er I'm sorry I've kept you (taken up your time) **2** vidmakthålla, underhålla, t.ex. bekantskap, goda förbindelser, vänskap keep up, maintain; ~ livet support (sustain) life, sustain oneself, subsist **3** befattning o.d., ~ ngns tjänst act for sb, fill sb's post; tjänsten uppehålls tillfälligt av... the office is held (occupied) temporarily by...

II vb rfl (-höll, -hållit) ~ sig a) vistas: tillfälligt stay, stop [hos with]; bo live; ha sin hemvist reside b) bildl., ~ sig dröja vid småsaker dwell on (fästa sig vid take notice of) trifles

uppehållsort s (~en, ~er) fast [permanent (place of)] residence; jur. domicile; tillfällig place of sojourn; whereabouts (sg. el. pl.)

uppehållstillstånd s (~et, =) residence permit

uppehållsväder s (-vädret, =), [mest] ~ [mainly] dry (fair); om det blir övergår till ~ if it stops raining (snowing), if the weather clears up

uppehälle s (~t) living, subsistence; fritt ~ free board and lodging; förtjäna sitt ~ earn one's living (livelihood)

uppemot prep o. **upp emot** prep nästan nearly, almost; han är ~ 60 äv. ...close on 60

uppenbar adj (~t) obvious, manifest; självklar evident; klar, tydlig äv. patent, apparent

uppenbara I vb tr (~de, ~t) manifest, make...evident; röja reveal; yppa disclose **II** vb rfl (~de, ~t), ~ sig reveal oneself [för to] äv. relig.; visa sig appear, make one's appearance

uppenbarelse s (~n, ~r) **1** relig. revelation; drömsyn vision **2** varelse creature

Uppenbarelseboken [the] Revelation [of St. John the Divine], Revelations sg., the Apocalypse

uppenbarligen adv obviously osv., jfr uppenbar

uppfart s (~en, ~er) **1** se uppfärd **2** väg drive, approach

uppfatta vb tr (~de, ~t) apprehend; med sinnena äv. perceive; höra catch; begripa understand, grasp; betrakta look on, regard [som as]; tolka interpret [som as]; klart ~ faran clearly see...; ~ ngt riktigt bildl. get a clear idea (picture) of sth; jag kunde inte ~ vad han sa I could not catch (make out)...; så ~de jag hans ord that was how I understood (what I made of)...; ~ vinken take the hint; ~ ngt som en komplimang take sth as...; hans ord kan ~s på olika sätt his words may be interpreted (taken)...; [är det] ~t? do I make myself clear?

uppfattning s (~en, ~ar) apprehension; med sinnena äv. perception; förstående understanding; se äv. uppfattningsförmåga; begrepp conception, idea, notion [om, av of]; tolkning interpretation; åsikt, föreställning opinion [om ngn of, ngt about]; conception, idea [om, av of]; spec. om livet el. världen view [om, av of], outlook [om, av on]; bilda sig en ~ om ngt form an opinion (idea) of sth; jag delar din ~ I share your opinion, I am of your mind; jag fick en annan ~ om (av)... äv. I received another impression of...; enligt min ~ in my opinion, to my mind

uppfattningsförmåga s (~n) apprehension, comprehension; psykol. [ap]perception; jfr ex. under fattningsförmåga

uppfinna vb tr (-fann, -funnit) invent äv. hitta på; t.ex. metod, system devise, contrive

uppfinnare s (~n, =) inventor

uppfinning s (~en, ~ar) invention; ny ~ äv. innovation

uppfinningsförmåga s (~n) egenskap inventiveness; fyndighet ingenuity

uppfinningsrik adj (~t) inventive; fyndig ingenious; fantasirik imaginative

uppflammande adj (oböjl.), ~ vrede rising anger; hastigt ~ övergående transient; en hastigt ~ känsla a sudden surge of emotion

uppflugen adj (-fluget, -flugna) perched [i, på on]

uppflyttad adj (-flyttat, ~e), bli ~ skol. be moved up; sport. be promoted, go up

uppflyttning s (~en, ~ar) skol. moving up; sport. promotion

uppfordra vb tr (~de, ~t) **1** uppmana call upon; befallande summon; enträget urge, request...urgently **2** gruv. haul, hoist; vatten draw

uppfordran s (=, en) call; befallande summons; enträgen [urgent] request

uppfostra vb tr (~de, ~t) bring up [till att + inf. to + inf.]; amer. äv. raise; utbilda educate; öva upp train [till att + inf. to + inf.]

uppfostrad adj (-fostrat, ~e) brought up, raised osv., jfr uppfostra; illa ~ badly brought up; väl ~ well brought up

uppfostran s (=, en) upbringing; utbildning o.d. education; övning training; få en god ~ get (have) a good education; ha fått en god ~ be well brought up; inte ha någon ~ vara ouppfostrad have no manners (breeding)

uppfostrande adj (oböjl.) educating; pedagogisk educative; i ~ syfte for educational purposes

uppfriskande *adj* (oböjl.) refreshing; *en ~ promenad* a bracing walk

uppfylla *vb tr* (-fyllde, -fyllt) **1** fullgöra, tillfredsställa: allm. fulfil; plikt äv. perform; löfte äv. carry out; ngns förväntningar äv. come up to; begäran, bön grant, comply with; *~ sina förpliktelser* fulfil one's obligations, meet one's engagements; *han fick inte sin önskan uppfylld* he didn't get (have) his wish **2** bildl.: genomsyra, behärska fill; *bli* (*vara*) *uppfylld av beundran* be filled with (full of) admiration; *uppfylld av* en känsla av... possessed with...

uppfyllelse *s* (~n), *gå i ~* be fulfilled; om önskan, dröm, spådom äv. come true

uppfällbar *adj* (~t) attr. om t.ex. säng, klaff ...that can be raised; *~ sits* tip-up seat

uppfärd *s* (~en, ~er) färd upp ascent; uppresa journey up

uppföda *vb tr* (-födde, -fött) se *föda upp* under *föda II*

uppfödare *s* (~n, =) breeder

uppfödd *adj* (-fött), *han är ~* på landet he has grown up...; *han är ~ i lyx* he was raised in luxury

uppfödning *s* (~en) breeding, rearing; amer. raising, av boskap cattle-raising, cattle-herding

uppföljning *s* (~en, ~ar) follow-up

uppför I *prep* up; *~ backen* up the hill, uphill; *~ trappan* up the stairs **II** *adv* up, upwards; *det bär ~ hela vägen* it is uphill (there is a rise)...

uppföra I *vb tr* (-förde, -fört) **1** bygga build; t.ex. monument erect **2** framföra: pjäs, opera perform, present; musik perform **II** *vb rfl* (-förde, -fört), *~ sig* sköta sig behave [oneself] [*mot* towards, to]; uppträda (framför allt från moralisk synpunkt) conduct oneself; *~ sig som* en gentleman behave (act) like...; *~ sig illa* behave (resp. conduct oneself) badly (improperly); svagare misbehave; vara ouppfostrad have bad manners; *~ sig väl* behave [well] resp. conduct oneself well; vara väluppfostrad be well-behaved, have good manners

uppförande *s* (~t, ~n) **1** byggande building, erection, construction; huset *är under ~* ...is being built, ...is under construction **2** framförande: teat. el. mus. performance; teat. äv. production **3** beteende behaviour [*mot* towards, to]; uppträdande conduct; hållning demeanour; [*ett*] *dåligt ~* bad behaviour (resp. conduct), misbehaviour resp. misconduct

uppförsbacke *s* (~n, -backar) uphill slope, ascent, hill; *vi hade* (*det var*) *~ hela vägen* it (the road) was uphill [for us]...

uppge *vb tr* (-gav, -gett el. -givit) **1** ange: allm. state; t.ex. namn och adress give; påstå declare; anföra, t.ex. skäl assign; t.ex. sin förmögenhet declare, make a declaration of; *noga ~* specify, detail; *han uppgav sig heta...* he stated (said) that his name was...; *~ sig vara...* state (say) that one is...; *enligt vad han själv uppgav* according to his own statement; *~ förlusten* (*vinsten*) *till...* äv. declare the loss (profit) to be..., put the loss (profit) at...; *~ falskt namn* give a false name; *~ ett pris* state (hand. quote) a price **2** se *ge upp* under *ge III*

uppgift *s* (~en, ~er) **1** upplysning information (endast sg.) [*om, på* about, on; angående, beträffande as to]; påstående statement [*över* as to]; förteckning list; detaljerad specification [*på* of]; officiell report [*om, på* on]; *~er* siffror figures; data data; *falska* (*oriktiga*) *~er* misrepresentations; *närmare ~er* further

information sg. (particulars); *~ står mot ~* one statement contradicts the other, there is a conflict of evidence; i diskussion etc. it is his (her etc.) word against mine etc.; *lämna ~ om* (*på*)... supply (give) information (particulars) as to...; uppge state...; *enligt ~* according to reports; *enligt ~ är hon* pålitlig äv. she is said to be...; *enligt hans ~* according to him; *med ~ om...* stating..., mentioning... **2** åliggande task, duty, business (endast sg.); amer. assignment; kall mission; mål aim; t.ex. i livet object; problem problem; skol. o.d. exercise; enstaka fråga (i prov o.d.) question; matematisk problem; *få i ~ att göra ngt* be given (assigned) the task of doing sth; *han har till ~ att* + inf. it is his task (business, vard. job) to + inf.; *ventilen har till ~ att* + inf. the purpose of...is to + inf.

uppgiva *vb tr* (-gav, -gett el. -givit) se *uppge*

uppgiven *adj* (-givet, -givna) resignerad resigned; modfälld dejected; *en ~ gest* a gesture of resignation

uppgjord *adj* (-gjort), *~ i förväg* prearranged, preconcerted; *matchen var ~* [*på förhand*] the match was fixed; jfr äv. *göra upp* under *göra III*

uppgradera *vb tr* (~de, ~t) data. el. tekn. upgrade

uppgå *vb itr* (-gick, -gått) **1** *~ till* belöpa sig till amount (come, run [up]) to, total **2** *~ i* se *gå upp* under *gå III*

uppgående (jfr *uppåtgående*) **I** *s* (~t), *vara på ~* be going up **II** *adj* (oböjl.) solens rise

uppgång *s* (~en, ~ar) **1** väg upp way (trappa stairs pl.) up; ingång entrance; trappuppgång staircase **2** himlakroppars rise, rising; prisers o.d. rise äv. kulturs o.d.; ökning increase; starkare boom; *solens ~* sunrise

uppgörelse *s* (~n, -görelser) **1** avtal agreement; överenskommelse äv. arrangement, settlement; affär transaction; *träffa en ~* come to (make) an agreement; *~ i godo* amicable arrangement **2** avräkning settlement [of accounts]; *ha en ~ med ngn* settle up (get even) with sb äv. bildl. **3** meningsutbyte controversy, dispute; scen scene, showdown; *det blev en häftig ~ mellan dem* matters came to a real head between them **4** vidräkning reckoning

upphandling *s* (~en, ~ar) buying, purchasing

upphaussad *adj* (-haussat, ~e) om pris forced up, boosted; uppreklamerad boosted

upphetsad *adj* (-hetsat, ~e) excited, worked up, hyped

upphetsande *adj* (oböjl.) exciting; om agitators tal inflammatory; [*sexuellt*] *~* sexually exciting

upphetsning *s* (~en) excitement

upphetta *vb tr* (~de, ~t) se *hetta upp* under *hetta II*

upphittad *adj* (-hittat, ~e) found

upphittare *s* (~n, =) finder

upphov *s* (~et) origin; källa source; orsak cause; början beginning [*till* i samtliga fall of]; *ge ~ till* ovilja give rise (birth) to...; *ha sitt ~ i...* äv. originate in..., emanate from...; *vara ~ till...* be the cause (source, origin) of...

upphovsman *s* (~nen, -män) originator, author; anstiftare instigator [*till* i samtliga fall of]

upphovsrätt *s* (~en, ~er) copyright

upphällning *s* (~en), ngt *är på ~en* ...is on the decline (wane); t.ex. hans ork ...is ebbing (sinking); t.ex. vårt förråd ...is running low (short)

upphängning *s* (~en, ~ar) suspension tekn. m.m.; det att hänga upp hanging [up]

upphängningsanordning *s* (~en, ~ar) suspension device

upphäva *vb tr* (-hävde, -hävt) **1** låta höra, **~ sin stämma** make one's voice heard **2** avskaffa abolish, do away with; förklara (göra)...ogiltig declare...null and void, nullify, invalidate; annullera annul; t.ex. kontrakt äv. cancel; lag äv. repeal; dom reverse; tillfälligt suspend; **~ varandra** naturv. el. friare neutralize each other

upphöja *vb tr* (-höjde, -höjt) allm. raise; befordra advance; i värdighet exalt; **~** befordra **ngn till kapten** promote sb captain; **~ till lag** give the force of law äv. bildl.; **~ i kvadrat** raise to the second power, square; **x upphöjt till 2 (3)** matem. x squared (cubed), x raised to the second (third) power

upphöjd *adj* (-höjt) **1** ädel, sublim: om person el. tänkesätt elevated; om t.ex. ideal, sträng lofty; om t.ex. känsla el. om sinne äv. noble; om t.ex. tänkesätt äv. sublime; om t.ex. värdighet exalted; **med upphöjt lugn** with serene calm **2** om hantverksarbete, bokstäver raised

upphöjelse *s* (~n, ~r) befordran advancement; promotion; i värdighet exaltation

upphöjning *s* (~en, ~ar) ngt upphöjt elevation [*i* marken of...]; rise [*i* in]; ojämnhet boss; bula o.d. bump

upphöra *vb itr* (-hörde, -hört) allm. cease, stop; ta slut äv. come to an end, end; avbrytas be discontinued, expire; **~ att gälla** sluta finnas: om t.ex. tidning cease to appear; om t.ex. förening be dissolved; **~ [med] att** + inf. cease + ing-form, cease to + inf., stop + ing-form; **~ med** ngt stop..., discontinue...; **utställningen upphör** den 10 maj the exhibition will be closed...; firman **har upphört** ...has closed down, ...no longer exists

uppifrån I *prep* [down] from; han är **~ norr** ...from up north **II** *adv* from above; **~ och ned** from top to bottom, from the top downwards; femte raden **~** ...from the top

uppiggande I *adj* (oböjl.) stärkande bracing; stimulerande stimulating; uppfriskande refreshing, reviving; jag skulle behöva **något ~** en uppiggande dryck ...a pick-me-up **II** *adv*, **verka ~** have a bracing (osv., jfr I) effect

uppjagad *adj* (-jagat, ~e) upprörd upset; **en ~ stämning** a heated atmosphere

uppkalla *vb tr* (~de, ~t) benämna name, call [ngn (ngt) *efter...* sb (sth) after...]

uppkastning *s* (~en, ~ar), **~ar** konkr. vomit (endast sg.); **få (ha) ~ar** vomit, be sick; vard. throw up

uppkavlad *adj* (-kavlat, ~e) rolled (tucked) up

uppklarnande *adj* (oböjl.), **tidvis ~** i väderleksrapport bright intervals (spells)

uppklädd *adj* (-klätt) ...all dressed up

uppknäppt *adj* (=) om t.ex. blus unbuttoned; bildl. relaxed, free and easy; **med ~ överrock** äv. with one's overcoat open

uppkok *s* (~et, =), **ge** såsen **ett hastigt ~** bring...to a quick boil; **artikeln är ett ~ på** gamla saker the article is a rehash of...

uppkomling *s* (~en, ~ar) neds. upstart, parvenu

uppkomma *vb itr* (-kom, -kommit) arise [*av* from]; se vidare *uppstå 1*

uppkomst *s* (~en) ursprung origin; vetensk. genesis

uppkopplad *adj* (-kopplat, ~e) data. connected [*till* with]; **vara ~ på nätet** be connected to the Net (Internet); **hon är alltid ~** she is always online

uppkrupen *adj* (-krupet, -krupna) ...huddled (curled) up

uppkäftig *adj* (~t) vard. cheeky, saucy

uppköp *s* (~et, =) upphandling i stora partier bulk purchase; inköp purchase

uppköpare *s* (~n, =) buyer, purchaser; spekulant buyer-up (pl. buyers-up)

uppkörd *adj* (-kört) **1** väckt, **han blev ~** mitt i natten he was roused (made to get up)... **2** om väg som förstörts cut up, ...full of ruts **3** däst bloated **4** vard., uppskörtad, **bli ~** be fleeced (swindled); have to pay through the nose

uppkörning *s* (~en, ~ar) driving test; **vid första (andra) ~en** råkade han... on taking his first (second) driving test...

uppladdning *s* (~en, ~ar) elektr. recharging; mil. concentration of forces; sport. el. friare final preparations pl., final workout

uppladdningsbar *adj* (~t) om t.ex. batteri, rakapparat rechargeable

upplag *s* (~et, =) förråd stock, store

upplaga *s* (~n, upplagor) edition; tidnings o.d. (spridning) circulation; **begränsad ~** limited edition

upplagd *adj* (-lagt) **1** hågad inclined, disposed; **jag känner mig inte ~ för [att göra] det** I'm not (I don't feel) in the mood for it, I don't feel like (up to) doing it; **inte vara ~ för skämt** not be in the mood for joking **2** arbetet är **stort upplagt** ...planned on a big scale; **det är upplagt för bråk** things are shaping up for a row

uppleva *vb tr* (-levde, -levt) erfara experience, know; t.ex. äventyr meet with; bevittna witness, see; **jag hoppas få ~ detta** I hope to live to see that; **han fick ~ att hans son blev** en stor man he lived to see his son become...

upplevelse *s* (~n, ~r) erfarenhet experience; äventyr adventure; **det var en stor ~** äv. ...really something to remember

uppliva *vb tr* (~de, ~t) **1** se *återuppliva* **2** se *liva upp* under *liva*

upplivad *adj* (-livat, ~e) upprymd exhilarated, ...in high spirits

upplivningsförsök *s* (~et, =) se *återupplivningsförsök*

upplopp *s* (~et, =) **1** tumult riot, tumult **2** sport. finish

upploppssida *s* (~n) sport. straight

uppluckra *vb tr* (~de, ~t) t.ex. jord loosen [up], break up; **~de normer** lax (laxer) standards

upplupen *adj* (-lupet, -lupna), **~ ränta** accrued interest

upplyftande *adj* (oböjl.) elevating; uppbygglig edifying

upplysa *vb tr* (-lyste, -lyst) **1** se *lysa upp* under *lysa II* **2 ~ ngn om** ngt: klargöra make...clear to sb; underrätta inform sb of...; ge besked tell sb...; meddela let sb know...; nyhet o.d. communicate (mer formellt el. officiellt notify)...to sb; ge upplysning enlighten sb on...; **~ ngn om hans (hennes) misstag** point out sb's mistake

upplysande *adj* (oböjl.) informative, enlightening; lärorik instructive; illustrerande, om t.ex. exempel illustrative; förklarande explanatory

upplysning *s* (~en, ~ar) **1** belysning lighting; fest-, fasadbelysning illumination **2** underrättelse information (endast sg.); förklaring explanation [*om* of]; instruktion instructions pl. [*hur...* as to how...]; **en ~** a piece (an item, a bit) of el. some information; **~ar** information sg., items of information; spec. i skrift explanatory notes; **närmare ~ar [fås] hos...** further particulars (information) may be obtained from..., for particulars apply to... **3** bibringande av bildning enlightenment; **~en** filosofisk o. litterär riktning the Enlightenment, se äv. *upplysningstiden*

upplysningstiden s (best. sing.) the Age of Enlightenment

upplysningsvis adv by way of information; till Er upplysning äv. for your guidance (orientation)

upplyst adj (=) **1** med belysning, **en väl ~ gata** a well-lit street **2** bildad etc. enlightened, educated

upplåning s (~en, ~ar) ekon. borrowing, borrowing transactions pl.

upplåta vb tr (-lät, -låtit) hyra ut let; **~ ngt åt ngn** ställa till ngns förfogande put sth at sb's disposal, grant sb the use of sth

upplägg s (~et, =) setup, arrangement, plan

uppläggning s (~en, ~ar) putting up osv., jfr *lägga upp* under *lägga IV*

uppläsning s (~en, ~ar) reading äv. offentlig; recitation recitation

uppläxning s (~en) sermon; vard. telling-off, talking-to

upplösa I vb tr (-löste, -löst) **1** se *lösa I*; **~s** se *upplösa II* **2** få att upphöra dissolve **3** skingra: t.ex. familj, hem break up; t.ex. möte disperse; trupp, äv. teat. disband **4** bryta ned: t.ex. moral, disciplin subvert **5** hon var **upplöst i tårar** ...dissolved (bathed) in tears **II** vb rfl (-löste, -löst), **~ sig** allm. dissolve; kem. resolve [*i* into]; upphöra be dissolved; skingras: om t.ex. möte, skyar disperse; om trupp, äv. teat. disband

upplösning s (~en, ~ar) allm. dissolution; kem., optik. el. mus. resolution; i beståndsdelar disintegration äv. samhällsupplösning; mat. solution, breaking up, dispersion, dispersal, disbandment; subversion; oordning, förfall disorder, disorganization; jfr *upplösa I*; **~en på dramat** (**historien**) the outcome of the affair (story)

upplösningstillstånd s (~et, =) state of decomposition (dissolution); **vara i ~** bildl. be on the verge of a breakdown (a collapse)

uppmana vb tr (~de, ~t) exhort; hövligt invite; uppmuntrande encourage; ivrigt, enträget urge, request [urgently]; de resande **~s att** + inf. ...are recommended ([urgently] requested) to + inf.

uppmaning s (~en, ~ar) exhortation; hövlig invitation; enträgen urgent request; förslag suggestion; jfr *uppmana*; **på ~ av** at the request (suggestion) of; inrådan on the recommendation of

uppmarsch s (~en, ~er) mil.: strategisk concentration; taktisk deployment

uppmuntra vb tr (~de, ~t) allm. encourage; stimulera äv. stimulate [*till* to; *att* + inf. to + inf.]; sporra äv. spur [*till* on to; *att* + inf. to + inf.]

uppmuntran s (=, en) encouragement, stimulation; spur; incitement, jfr *uppmuntra*

uppmuntrande adj (oböjl.) encouraging; **föga ~** anything but encouraging, discouraging

uppmärksam adj (~t, ~ma) attentive äv. artigt tillmötesgående [*på, mot* to]; vaksam watchful [*på* of]; iakttagande observant [*på* of]; [**spänt**] **~** intent [*på* [up]on]; **göra ngn ~ på** ngt draw (call) sb's attention to..., point...out to sb; varnande warn sb of...; **vara ~ på** ngt pay attention to...

uppmärksamhet s (~en) attention äv. visad artighet; artighet som egenskap attentiveness; vaksamhet watchfulness; iakttagelseförmåga observation; **avleda**

ngns **~** divert sb's attention; **bli** (**vara**) **föremål för allas ~** be the centre of attention; **fästa** (**rikta**) ngns **~ på** ngt draw (call, direct) sb's attention to...; **fästa ~ vid** ngt pay attention to...; **väcka ~** se *väcka uppseende* under *uppseende*

uppmärksamma vb tr (~de, ~t) lägga märke till: notice, observe; ha sin uppmärksamhet riktad på pay attention to, attend to; **en ~d bok** a book that [has (resp. had)] attracted much attention

uppnosig adj (~t) vard. cheeky, saucy

uppnå vb tr (~dde, ~tt) reach; lyckas nå (åstadkomma) attain; med viss ansträngning achieve; vinna obtain; t.ex. enighet, resultat äv. arrive at; **vid ~dd pensionsålder** on reaching pensionable (retirement) age

uppnäsa s (~n, -näsor) snub (turned-up) nose

uppnäst adj (=) snub-nosed

uppochned adv se *uppochnedvänd*

uppochnedvänd adj (-vänt) o. **uppochnervänd** adj (-vänt) eg. el. bildl. ...[turned] upside-down; eg. äv. inverted, reversed; bildl. ofta äv. topsy-turvy

uppodla vb tr (~de, ~t) cultivate; bildl. äv.: utveckla develop; fördjupa deepen

uppoffra I vb tr (~de, ~t) sacrifice; avstå från give up, forgo; jfr *offra I* **II** vb rfl (~de, ~t), **~ sig** sacrifice oneself [*för* for]; hänge sig devote oneself, give oneself up [*för* ngt to...]; **~ sig för** sitt barn äv. make sacrifices for...

uppoffrande adj (oböjl.) self-sacrificing; **~ kärlek** äv. devotion

uppoffring s (~en, ~ar) sacrifice [*av ngn* från ngns sida on sb's part]

uppradad adj (-radat, ~e) ...lined up [in a row (resp. in rows)]

upprensning s (~en, ~ar) cleaning out äv. bildl.; av t.ex. avlopp, hamn clearing out; jfr *upprensningsaktion*

upprensningsaktion s (~en, ~er) polit. o.d. purge, clean-up; mil. mopping-up operation

upprepa I vb tr (~de, ~t) repeat; gång på gång **~** reiterate; mekaniskt **~** andras ord o.d. echo; förnya, t.ex. begäran renew **II** vb rfl (~de, ~t), **~ sig** om sak repeat itself, happen again; återkomma äv. recur; om person repeat oneself

upprepande s (~t, ~n) o. **upprepning** s (~en, ~ar) repetition; reiteration; renewal; recurrence; jfr *upprepa*

uppresa s (~n, -resor) journey up (norrut northwards)

uppretad adj (-retat, ~e) irritated (osv., jfr *reta 2*) [*över* ngt at...; *på* ngn with...]; **en ~ tjur** an enraged bull; han är **~** äv. ...in a passion (rage)

uppriktig adj (~t) sincere; öppenhjärtig frank, candid, open; ärlig honest; rättfram straightforward [*mot* i samtliga fall with]; om t.ex. vänskap true, genuine; om känsla äv. hearty, heartfelt; allvarlig, om t.ex. önskan earnest; **mitt ~a tack** my heartfelt thanks; **säga ngn sin ~a mening** give sb one's honest opinion; **för att** (**om jag ska**) **vara ~** se *uppriktigt sagt* under *uppriktigt*

uppriktighet s (~en) sincerity; öppenhjärtighet frankness, candour, openness; ärlighet honesty

uppriktigt adv sincerely osv., jfr *uppriktig*; **säg mig ~...!** vanl. tell me honestly...!; **~ sagt** [quite] frankly, honestly, to be [quite] frank (honest)

uppringning s (~en, ~ar) [telephone] call

upprinnelse s (~n, ~r) origin [*till* of]; jfr *ursprung*

upprivande adj (oböjl.) om t.ex. scen, skildring harrowing, agonizing

uppriven *adj* (-rivet, -rivna) om person, ur balans shaken, …in a very nervous state; ~ *av* sorg broken down with…

upprop *s* (~et, =) **1** skol., mil. o.d. roll call; *förrätta ~* call the roll [*med* of] **2** vädjan appeal; tillkännagivande proclamation

uppror *s* (~et, =) **1** resning o.d. rebellion, uprising, insurrection; mindre rising, revolt [*mot* i samtliga fall against]; *göra ~* rise [in rebellion]; revolt; mutiny; rebel äv. mot t.ex. föräldrar **2** bildl.: upphetsning excitement; känslornas agitation; elementens äv. commotion, tumult, jfr ex.; *i fullt ~* seething with excitement; *råka i ~* get agitated osv., jfr *upprörd*

upprorisk I *adj* (~t) rebellious äv. bildl.; om t.ex. provins …in revolt, svagare, om t.ex. folkhop riotous; om t.ex. tonåring rebellious **II** *s* (en ~, pl. ~a), *de ~a* the insurgents (rebels)

upprorsledare *s* (~n, =) ringleader

upprorsmakare *s* (~n, =) instigator (fomenter) of rebellion; ledare el. i betydelsen 'bråkmakare' ringleader; friare el. svagare troublemaker

upprusta *vb tr* o. *vb itr* (~de, ~t) **1** mil. rearm, increase [one's] armaments **2** reparera repair; förbättra improve; utrusta re-equip

upprustning *s* (~en, ~ar) **1** mil. rearmament; *moralisk ~* moral rearmament **2** reparation repair (endast sg.); för ökad kapacitet improvement (endast sg.); utrustande re-equipment

uppryckande *adj* (oböjl.) bildl. rousing, stimulating

uppryckning *s* (~en, ~ar) bildl. shake-up, shaking-up; *ge* firman *en ~* äv. put new life into…

upprymd *adj* (-rymt) elated, exhilarated, …in high spirits

uppräkning *s* (~en, ~ar) i ordning enumeration; av pengar (visst belopp) counting out; ekon., justering uppåt adjustment (adjusting) upwards

upprätt I *adj* (=) upright, erect **II** *adv* upright, erect

upprätta *vb tr* (~de, ~t) **1** inrätta establish; grunda, t.ex. skola äv. found, set up; t.ex. fond, befattning create; t.ex. system institute; t.ex. organisation form **2** avfatta, t.ex. kontrakt, protokoll draw up; lista make [up (out)] **3** åstadkomma, t.ex. förbindelse, ordning establish **4** rehabilitera rehabilitate; *~ ngn (ngns rykte)* restore sb's reputation

upprättelse *s* (~n, ~r) gottgörelse redress, satisfaction; rehabilitering rehabilitation; *ge ngn ~* redress sb's wrongs; rehabilitera ngn rehabilitate sb; *få ~* obtain redress (satisfaction), be vindicated (righted)

upprätthålla *vb tr* (-höll, -hållit) t.ex. vänskapliga förbindelser maintain, keep up; t.ex. disciplin, standard äv. uphold; t.ex. intresse äv. sustain; *~ en tjänst [som]* hold a post (fill an office) [as]

upprättstående *adj* (oböjl.) upright, erect

uppröjning *s* (~en, ~ar) clearing; efter t.ex. eldsvåda äv. clearance; bildl. clean-up

uppröra *vb tr* (-rörde, -rört) bildl.: väcka avsky hos revolt, rouse…to indignation; chockera shock; reta upp irritate; *~ sinnena* stir up people's minds

upprörande *adj* (oböjl.) revolting; chockerande shocking; irriterande irritating; om t.ex. behandling outrageous; *det är ~* äv. it's a crying shame, it's outrageous; *finna ngt ~* be shocked at sth

upprörd *adj* (-rört) förargad indignant; uppretad irritated; skakad agitated; uppskakad upset; chockerad shocked [*över* i samtliga fall about]

uppsagd *adj* (-sagt) attr. …who has (resp. had) been given notice [to quit] osv., jfr *säga upp* under *säga III*; *vara ~* have had notice [to quit]; till avflyttning be under notice to quit; *bli ~* get notice [to quit]

uppsamling *s* (~en, ~ar) uppsamlande gathering, collecting; upplockande äv. picking up; uppfångande catching

uppsamlingsheat *s* (~et, =) sport. run-off race

uppsamlingsläger *s* (-lägret, =) refugee (reception) camp

uppsamlingsplats *s* (~en, ~er) o. **uppsamlingsställe** *s* (~t, ~n) collecting (collection) point; mil. assembly point

uppsats *s* (~en, ~er) **1** skol. [written] composition; mer avancerad essay; univ. äv. paper; i tidskrift o.d. article; större, litterär essay [*om* i samtliga fall on] **2** bordsuppsats centrepiece

uppsatsämne *s* (~t, ~n) skol. subject for composition (resp. for an essay), essay topic

uppsatt *adj* (=) bildl., *högt ~* highly placed; *en högt ~ person* äv. a person of high station; vard., pamp a bigwig (high-up); jfr vidare *sätta upp* under *sätta IV*

uppseende *s* (oböjl., ett) uppmärksamhet attention; sensation sensation; uppståndelse stir; *väcka ~* vanl. attract attention (notice), create a sensation; genom påfallande klädsel äv. make oneself conspicuous; *det väckte inget ~* äv. …passed [almost] unnoticed

uppseendeväckande *adj* (oböjl.) sensational; om t.ex. upptäckt, nyheter äv. startling; iögonenfallande conspicuous

uppsegling *s* (~en), *vara under ~* bildl. be under way, be brewing, be in the offing

uppsikt *s* (~en) bevakning supervision, superintendence, control [*över* of]; överblick view; *ha ~ över* äv. have (be in) charge of, watch over; arbete (anläggning) äv. supervise, superintend; *hålla noggrann ~ över* vanl. keep a strict watch over (a sharp eye on); *stå under ~* be under supervision (om t.ex. brottsling surveillance)

uppsittning *s* (~en, ~ar) ridn. mounting

uppsjö *s* (oböjl., en), *en ~ av* an abundance of, a wealth of

uppskakad *adj* (-skakat, ~e) upset; starkare shocked, shaken [to the core]; *vara (bli) ~ över* vard. äv. be cut up about

uppskakande *adj* (oböjl.) upsetting; starkare shocking

uppskatta *vb tr* (~de, ~t) **1** sätta värde på appreciate, esteem; sak äv. set store by **2** beräkna o.d. estimate; värdera äv. value, rate, assess [*till* i samtliga fall at]

uppskattning *s* (~en, ~ar) **1** appreciation, esteem; *röna stor ~* be widely acclaimed **2** beräkning estimate; värdering valuation, rating, assessment

uppskattningsvis *adv* approximately, at a rough estimate

uppskjuta *vb tr* (-sköt, -skjutit) se *skjuta upp* under *skjuta II*

uppskjutning *s* (~en, ~ar) rymd. o.d. launching

uppskov *s* (~et, =) uppskjutande postponement, delay, deferment [*med* of]; anstånd respite [*med* betalningen for…]; *begära ~* demand (apply for) a postponement (an adjournment), ask for a respite; *bevilja ngn en månads ~* grant (allow) sb a respite of one month; *få ~ med [att fullgöra]* värnplikten get a respite from…; *ge ngn ~ med betalningen av* ett belopp allow sb to postpone the payment of...; **utan** ~ without delay, promptly

uppskruvad *adj* (-skruvat, ~e) **1** upphetsad excited, worked up **2** stegrad, *~e priser* spiralling (exorbitant) prices

uppskrämd *adj* (-skrämt) rädd frightened, scared; oroad alarmed

uppskärrad *adj* (-skärrat, ~e), *vara ~* uppskakad, uppjagad be [all] wrought up, be [all] on edge (uptight); nervös be jumpy (jittery)

uppskörtad *adj* (-skörtat, ~e), *bli ~* be overcharged (fleeced); vard. have to pay through the nose

uppslag *s* (~et, =) **1** idé idea; plan plan; impuls impulse; förslag suggestion; projekt project; *det gav mig ~et till min* nya bok that gave me the idea for my... **2** på byxa turn-up; amer. cuff; på ärm cuff **3** motstående sidor: i bok opening; i tidning o.d. spread

uppslagen *adj* (-slaget, -slagna) **1** om bok open **2** *en ~ förlovning* a broken engagement

uppslagsbok *s* (~en, -böcker) reference book; encyklopedi encyclopedia

uppslagsord *s* (~et, =) headword, [main] entry

uppslagsrik *adj* (~t) ...full of suggestions, ingenious; friare inventive

uppslagsverk *s* (~et, =) encyclopedia

uppslitande *adj* (oböjl.) psykiskt påfrestande trying

uppslitsad *adj* (-slitsat, ~e) split open; *~ kjol* slit skirt

uppsluka *vb tr* (~de, ~t) bildl. engulf, swallow up; fängsla, engagera absorb, engross; *som ~d av jorden* as if swallowed up by the earth

uppsluppen *adj* (-sluppet, -sluppna) på glatt humör exhilarated, ...in high spirits; munter merry, jolly

uppslutning *s* (~en) tillströmning influx; anslutning support; *det var god* (resp. *dålig*) *~ på mötet* many (not very many) people attended the meeting

uppspelning *s* (~en, ~ar) **1** av ngt inspelat playback **2** för lärare performance [before a teacher]

uppsprickande *adj* (oböjl.), *~ molntäcke* breaks pl. in the overcast, decreasing cloud

uppspärrad *adj* (-spärrat, ~e) wide open; *med ~ mun* äv. open-mouthed, agape

uppstigande *adj* (oböjl.) rising; om himlakropp äv. ascending; ur ngt äv. emergent; om t.ex. åskmoln approaching

uppstigen *adj* (-stiget, -stigna) uppe, *han är inte ~* [*ur sängen*] he is not up, he is still in bed

uppstigning *s* (~en, ~ar) rise, rising; ur sängen getting up; flyg. el. på berg ascent; ur havet emersion; *vid ~en* [*ur sängen*] when getting up, when getting out of [one's] bed

uppstoppad *adj* (-stoppat, ~e) om djur stuffed

uppsträckning *s* (~en, ~ar) tillrättavisning, starkare reprimand; svagare talking-to; vard. telling-off

uppsträckt *adj* (=) **1** *med ~a händer* with raised hands (hands up) **2** finklädd [all] dressed up

uppstudsig *adj* (~t) recalcitrant, insubordinate; motspänstig obstinate; oförskämd insolent

uppstyltad *adj* (-styltat, ~e) stilted, affected; svulstig bombastic, turgid

uppstå *vb itr* (-stod, -stått) **1** uppkomma arise, come up [*av* i båda fallen from]; originate [*ur* in (from)]; börja begin, start, come into existence; som resultat av ngt result, ensue [*av* from]; bryta ut break out; om rykte spread, get abroad; *hur har elden uppstått?* how did the fire start (break out, come about)?; *det*

uppstod *ett vänskapsförhållande* mellan friendly relations were established...; *det uppstod en paus* there was a pause, a pause ensued; *den vinst som kan ~* the profit that may accrue, any ultimate profit **2** bibl., *~ från de döda* rise from the dead

uppstående *adj* (oböjl.) **1** *~ krage* stand-up collar **2** uppkommande arising; följande, som resultat resulting, ensuing

uppståndelse *s* (~n) **1** oro excitement, stir; vard. fuss, to-do; *väcka* [*stor*] *~* make a [great] stir (commotion) **2** relig. resurrection

uppställa *vb tr* (-ställde, -ställt) se *ställa upp* under *ställa III*

uppställning *s* (~en, ~ar) **1** uppställande putting up osv., jfr *ställa upp* under *ställa III*; lista list; anordning arrangement, disposition **2** mil. formation; *~ på linje* formation in line; parade; *~!* fall in! **3** sport. line-up

uppstötning *s* (~en, ~ar) belch; med. eructation; *sura ~ar* heartburn sg.; med. pyrosis sg.

uppsving *s* (~et, =) advance, rise, upswing; ekon. boom; efter nedgång recovery

uppsvullen *adj* (-svullet, -svullna) o. **uppsvälld** *adj* (-svällt) swollen; pussig bloated

uppsyn *s* (~en, ~er) **1** ansiktsuttryck [facial] expression, countenance; min air; utseende look **2** se *uppsikt*

uppsyningsman *s* (~nen, -män) overseer, supervisor; i offentlig byggnad caretaker; i park [park-]keeper

uppsåt *s* (~et, =) speciellt jur. intent; avsikt intention; föresats äv. purpose; *göra ngt i* (*med*) *ont ~* ...with malicious intent; *i* (*med*) *~ att döda* with intent to kill, with the intention of killing; *med ~* se *uppsåtligen*; *utan ont ~* without malice, unintentionally

uppsåtlig *adj* (~t) intentional, deliberate, wilful

uppsåtligen *adv* intentionally, wilfully, purposely, deliberately

uppsägning *s* (~en, ~ar) av anställd el. hyresgäst notice [to quit]; av kontrakt notice of termination; av avtal cancellation; av t.ex. understöd notice of withdrawal; av lån calling in; jfr *uppsägningstid*

uppsägningstid *s* (~en, ~er) term (period) of notice; *med en månads* (*tre månaders*) *~* with one month's (three months') notice

uppsättning *s* (~en, ~ar) **1** uppsättande putting up osv., jfr *sätta upp* under *sätta IV* **2** sats, omgång set [med of] **3** teat. production

uppsöka *vb tr* (-sökte, -sökt), *~ läkare* see a doctor

uppsökande *adj* (oböjl.), *~ verksamhet* visiting work (activities pl.)

uppta *vb tr* (-tog, -tagit) **1** ta i anspråk, fylla (utrymme, tid) take up; *~ ngns tid* äv. occupy sb's time; *det upptog hans tankar* it occupied (engaged) his thoughts, it engrossed him; *~ ngns uppmärksamhet* o.d. *helt och hållet* ofta absorb... **2** antaga: *~ ngn som delägare* admit...as a partner, take...into partnership; *~ ngn till medlem av...* vanl. receive sb as a member of...; *ordet är upptaget i* vårt språk the word has been incorporated into...

upptagen *adj* (-taget, -tagna) **1** sysselsatt busy [*med att arbeta* working]; occupied, engaged; *jag är ~ i kväll:* bortbjuden o.d. I am engaged..., I have an engagement for...; av arbete I shall be busy...; *jag är strängt ~* I am very busy (pressed for time); *~ av tanken på* preoccupied by the thought of; *~ på annat*

håll otherwise engaged **2** inte ledig occupied; reserverad booked; **platsen** stolen **är** ~ the seat is taken el. occupied (reserverad has been engaged el. booked); toaletten (apparaten) **är** ~ ...is occupied, somebody is using...; **det är upptaget** tele. the line is engaged

upptagetton s (~en, ~er) engaged tone; amer. busy signal

upptakt s (~en, ~er) bildl. beginning [till of]; introduction, prelude [till to]

upptaxera vb tr (~de, ~t), **bli ~d till 300 000 kronors inkomst** have (get) the assessment of one's income raised (put up) to 300,000 kronor

uppteckna vb tr (~de, ~t) take down, record; om krönikör o.d. chronicle

upptill adv at the top [på of]

upptinad adj (-tinat, ~e) thawed äv. om djupfrysta varor; jfr vidare *tina upp* under 2 *tina*

upptrampad adj (-trampat, ~e), **en ~ stig** a beaten track, a well-worn path

upptrappning s (~en, ~ar) intensifiering escalation; av t.ex. konflikt intensification

uppträda vb itr (-trädde, -trätt) **1** framträda appear; make one's appearance; om skådespelare äv. act, perform; om teatertrupp give performances (resp. a performance); ~ **offentligt** appear in public; ~ **som...** i ngns roll take the part of..., play..., act...; ge sig ut för att vara pretend (give oneself out) to be..., pose as...; ~ **med fasthet** display firmness; ~ **till försvar för ngn** stand up (intervene) in defence of sb **2** uppföra sig behave, ibland behave oneself; på visst sätt, t.ex. energiskt, bestämt act; ~ **bestämt mot...** act firmly against... **3** fungera act [som, i egenskap av as] **4** förekomma occur

uppträdande s (~t, ~n) **1** framträdande appearance; föreställning o.d. performance **2** uppförande behaviour, conduct; sätt manner; handlande, fungerande action; [ett] fräckt ~ impudent behaviour (conduct), effrontery **3** förekomst occurrence **4** person, de ~ the performers; skådespelarna the actors

uppträde s (~t, ~n) scene; bullersamt disturbance; vard., **ställa till ett** ~ make a rumpus scene

upptuktelse s (~n, ~r), **ta ngn i** ~ take sb to task, give sb a lecture (talking-to)

upptåg s (~et, =) trick, prank; spratt practical joke; **ställa till** ~ play tricks (pranks, practical jokes)

upptågsmakare s (~n, =) practical joker, prankster; **han är en riktig** ~ he's always up to some tricks, he's a proper joker

upptäcka vb tr (-täckte, -täckt) allm. discover; komma på (speciellt ngt svårupptäckt), ertappa (ngn) detect; hitta, finna find; få reda på find out; få syn på catch sight of; urskilja discern, descry; avslöja disclose; **man kunde inte ~ något spår** there was no trace to be found (seen)

upptäckare s (~n, =) discoverer; finder, detector; jfr *upptäcka*; upptäcktsresande explorer

upptäckt s (~en, ~er) discovery; detection; finding (endast sg.), disclosure; jfr *upptäcka*

upptäcktsfärd s (~en, ~er) o. **upptäcktsresa** s (~n, -resor) expedition; sjöledes voyage of discovery; **göra en ~ i...** explore...

upptäcktsresande s (~n, =) explorer

upptända vb tr (-tände, -tänt) hat kindle, excite; kärlek inspire; **upptänd av** begär (iver) inflamed with...

upptänklig adj (~t) imaginable, conceivable; **på alla ~a sätt** äv. in every possible way

uppvaknande s (~t) awakening äv. bildl., waking up

uppvakta vb tr (~de, ~t) **1** gratulera congratulate; fira celebrate; hedra honour, pay one's respects to; visa [erotiskt] intresse för court; ~ **ngn med...** besöka o. överlämna call on sb and give him resp. her...; skicka send...to sb **2** besöka t.ex. minister call on

uppvaktning s (~en, ~ar) **1** firande celebration **2** följe attendants pl.; av män gentlemen-in-waiting pl.; av kvinnor ladies-in-waiting pl.; eskort escort; prins C. **med ~** ...with his entourage

uppvigla vb tr (~de, ~t) stir up; ~ **besättningen till myteri** stir...to mutiny

uppviglare s (~n, =) agitator agitator, instigator of rebellion

uppvigling s (~en, ~ar) agitation, instigation of rebellion; ~ **till** olydnad incitement to...

uppviglingsförsök s (~et, =) attempt to instigate rebellion

uppvind s (~en, ~ar) meteor. el. flyg. upwind

uppvisa vb tr (~de, ~t) **1** se *visa upp* under 2 *visa* III **2** påvisa show; bevisa prove **3** visa prov på present; vara behäftad med be marred (impaired) by; ståta med boast of

uppvisning s (~en, ~ar) exhibition; t.ex. flyg~ show; mannekäng~ parade; t.ex. gymnastik~ display; sim~ gala; **en bländande** ~ friare a brilliant display

uppvisningsmatch s (~en, ~er) exhibition match

uppvispad adj (-vispat, ~e) whipped, whisked; om ägg o.d. beaten

uppvuxen adj (-vuxet, -vuxna), **han är ~ i staden** (**på landet**) he has grown up in the town (country), he is town-bred (country-bred)

uppväcka vb tr (-väckte, -väckt) bildl.: framkalla awaken osv., se *väcka* 2; t.ex. vrede provoke; bibl. raise, rouse [från de döda from the dead]

uppväg s (~en), **på ~en** on the way (resa journey) up (norrut northwards, up north)

uppväga vb tr (-vägde, -vägt) bildl. counterbalance; neutralisera neutralize; ersätta compensate (make up) for; **hans fel uppvägs av...** his faults are redeemed by...

uppvärmd adj (-värmt) heated; svagare warmed; ~ **mat** reheated food, food that has been reheated

uppvärmning s (~en) heating; svagare warming; **elektrisk** ~ electric heating

uppväxande adj (oböjl.) growing [up]; **det ~ släktet** the rising generation

uppväxt I adj (=) se *uppvuxen* **II** s (~en, ~er) se *uppväxttid*

uppväxttid s (~en) o. **uppväxtår** s pl persons [childhood and] adolescence sg.; **under ~en** var han... äv. during the years when he was growing up...

uppåt I prep upp mot up to, up towards; längs [all] up along; gå ~ **berget** ...up towards the mountain; ~ **floden** up the river; det behövs regn ~ **landet** norrut ...in the north of the country; **bo** ~ Umeå live [somewhere] up in the direction of...; vard. live [somewhere] up...way **II** adv **1** upwards; **gå gatan** ~ go (walk) up the street; **röra sig** ~ move upwards **2** nästan, ~ **100 pounds** close to 100 pound **III** adj (oböjl.), **vara** ~ glad be in high spirits

uppåtgående I s (~t), **vara i** ~ om priser o.d. be on the upgrade, have an upward trend (tendency); **vara på**

~ om person be up-and-coming **II** *adj* (oböjl.) om pris rising; om tendens, konjunktur, rörelse upward

uppåtsträvande *adj* (oböjl.) bildl. ambitious, driving, pushing

1 ur *s* (~et, =) klocka: fick~, armbands~ watch; vägg~ o.d. clock; **Fröken Ur** the Speaking Clock

2 ur *s* (oböjl.), *i ~ och skur* in all weathers, rain or shine

3 ur I *prep* allm. out of; inifrån from within (inside); [*fram* (*ut*)] *~ skogen* from out of the wood; *gå ut ~* rummet leave…, go (walk out of)…; se äv. under resp. subst. o. vb **II** *adv* out; *ta ~ ngt ur…* take sth out of…; se äv. betonad partikel under respektive verb, t.ex. *backa ur* under *backa III*

uraktlåtenhet *s* (~en) omission, failure; försummelse äv. neglect

Uralbergen *s pl* the Ural Mountains, the Urals

uran *s* (~et) kem. uranium

uranfyndighet *s* (~en, ~er) uranium deposit

uranhaltig *adj* (~t) uraniferous; attr. äv. …containing uranium

Uranus astron. Uranus

urarta *vb itr* (~de, ~t) degenerera degenerate [*till* into]; om person äv. become depraved

urban *adj* (~t) **1** stads- urban **2** belevad urbane

urbanisera *vb tr* (~de, ~t) urbanize

urbanisering *s* (~en) urbanization

urbefolkning *s* (~en, ~ar) indigenous population (people); *~en* i Australien äv. the aborigines pl.

urberg *s* (~et) primary (primitive) rock[s pl.]; *~et* geol. the Archaean rock[s pl.]

urbild *s* (~en, ~er) archetype, prototype [*för* of]

urblekt *adj* (=) faded äv. bildl.; genom tvätt äv. washed out

urblåst *adj* (=) **1** eg. blown out; genom bombning gutted; genom eld …gutted by fire **2** vard., dum dim, dim-witted; amer. dumb

urbota *adv*, *~ dum* (*tråkig*) hopelessly stupid (boring)

urdjur *s* (~et, =) protozo protozo|on (pl. -a)

urfånig *adj* (~t) vard. very silly (stupid), idiotic; *det är ~t* äv. it's too silly for words

urförbannad *adj* (-bannat, ~e) vard. …bloody furious, amer. real mad; *bli ~* go berserk

urgammal *adj* (~t, -gamla) extremely old; om sak äv. ancient; forntida ancient; han (den) *är ~* äv. …is as old as the hills

urgröpt *adj* (=) hollowed (scooped) out; om kinder hollow

urholka *vb tr* (~de, ~t) hollow (dig) out; bildl., underminera undermine; göra sämre impair, weaken

urholkad *adj* (-holkat, ~e) eg. hollow, concave, dug out; underminerad undermined; försämrad impaired, weakened

urholkning *s* (~en, ~ar) **1** urholkande hollowing [out]; underminering undermining; försämring impairing, weakening **2** fördjupning hollow, excavation, cavity

urin *s* (~en) urine; kreaturs äv. stale

urinblåsa *s* (~n, -blåsor) anat. [urinary] bladder

urindrivande *adj* (oböjl.) med. diuretic; *~ medel* diuretic

urinera *vb itr* (~de, ~t) urinate, discharge (pass) urine

urinförgiftning *s* (~en, ~ar) med. uraemia; amer. uremia

urinledare *s* (~n, =) anat. ureter

urinnevånare *s* (~n, =) aboriginal (original) inhabitant, aboriginal; *urinnevånarna* i Australien (aboriginerna) the Aborigines

urinoar *s* (~en, ~er) urinal

urinprov *s* (~et, = el. ~er), *lämna ~* provide a urine sample

urinrör *s* (~et, =) anat. urethra

urinstinkt *s* (~en, ~er) primitive instinct

urinsyra *s* (~n, -syror) uric acid

urinvånare *s* (~n, =) se *urinnevånare*

urinvägsinfektion *s* (~en, ~er) med. urinary infection, infection of the urinary tract

urklipp *s* (~et, =) [press] cutting, clipping

urkokt *adj* (=) overboiled; attr. äv. …with all the flavour boiled out of it (resp. them)

urkraft *s* (~en, ~er) primitive (primordial) force; bildl. immense power

urkund *s* (~en, ~er) document, record; jur. äv. deed; officiell roll

urkundsförfalskning *s* (~en, ~ar) jur. forgery (falsification) of documents (resp. a document)

urladdning *s* (~en, ~ar) eg. discharge; molns äv. explosion, burst båda äv. bildl.; bildl. äv. outburst

urlakad *adj* (-lakat, ~e) tekn. leached; urvattnad soaked; utmattad exhausted, jaded, washed out

urlastning *s* (~en, ~ar) unloading

urmakare *s* (~n, =) [clock and] watchmaker; butik watchmaker's shop

urmakeri *s* (~et, ~er) verkstad watch-maker's workshop

urminnes *adj* (oböjl.), *sedan ~ tider* from time immemorial

urmoder *s* (~n, -mödrar) first mother

urmodig *adj* (~t) out of date; gammaldags old-fashioned, outmoded

urmänniska *s* (~n, -människor), *~[n]* primitive man

urna *s* (~n, urnor) urn; för avliden persons aska cinerary urn

urolog *s* **1** (~en, ~er) läkare urologist **2** (~en), *~en* avdelning på sjukhus the department of urology

uroxe *s* (~n, -oxar) zool. aurochs, urus

urpremiär *s* (~en, ~er) av pjäs first performance; av film first release (showing)

urringad *adj* (-ringat, ~e) low-cut, décolleté fr.; klänning *som är ~ i ryggen* …cut low at the back; *hon var djupt ~* she was very décolleté

urringning *s* (~en, ~ar) décolletage fr.; *djup ~* plunging (low) neckline

ursinne *s* (~t) raseri fury, frenzy; förbittring, vrede rage; *driva ngn till ~* drive sb frantic

ursinnig *adj* (~t) allm. furious [*på ngn över ngt* (*för att*-sats) with sb about sth (for konstr. med ing-form)]; om person äv. raging mad; *göra ngn ~* äv. enrage (infuriate) sb

urskilja *vb tr* (-skilde el. -skiljde, -skilt el. -skiljt) med synen discern, distinguish; märka, förnimma perceive; med hörseln catch; *en ny tendens kan ~s* …can be seen (perceived); hans motiv är *svåra att ~* äv. …hard to make out

urskillning *s* (~en) insikt discrimination, discernment; omdömesförmåga judgement; *med ~* äv. discriminately, judiciously; *utan ~* äv. indiscriminately

urskillningsförmåga *s* (~n) insikt discrimination,

discernment; omdömesförmåga judgement; **en person med ~** a discerning person

urskog s (~en, ~ar) ursprunglig skog primeval (virgin) forest; tropisk regnskog tropical rainforest; djungel jungle

urskulda I vb tr (~de, ~t) excuse, exculpate **II** vb rfl (~de, ~t), **~ sig** excuse oneself

ursprung s (~et, =) origin; källa source; orsak cause [*till* i samtliga fall of]; härkomst extraction; saks ursprungsort äv. provenance; **det har sitt ~ i** äv. it springs (originates) from; **hon var av enkelt ~** ...of simple birth (origin)

ursprunglig adj (~t) **1** ursprungs- original; först [i sitt slag] äv. primordial; medfödd innate; **den ~a anledningen** the primary cause **2** naturlig natural, simple, ingenuous; primitiv pristine

ursprungligen adv originally

ursprungsland s (~et, -länder) country of origin

urspårning s (~en, ~ar) o. **urspåring** s (~en, ~ar) derailment

ursäkt s (~en, ~er) excuse äv. i betydelsen 'försvar'; erkännande av fel el. försumlighet apology; förevändning äv. pretext; **en dålig ~** a poor excuse; **be om ~** apologize, make [one's] apologies, beg to be excused; **be ngn om ~** ask (beg) sb's pardon, apologize to sb

ursäkta I vb tr (~de, ~t) excuse; förlåta forgive, pardon [*ngn ngt* sb for sth; *ngn* [*för*] att-sats sb for + ing-form]; **~?** hur sa? pardon?, [I] beg your pardon?, amer. excuse me?; **~** [*mig*] som hövlig inledning excuse me!; förlåt I'm sorry!, pardon me!; **~ att jag...** excuse me for + ing-form **II** vb rfl (~de, ~t), **~ sig** excuse oneself [*för* att-sats for + ing-form]; **~ sig med** sjukdom plead (allege)...[as an excuse]; **~ sig med att** tåget var försenat excuse oneself on the grounds (som förevändning pretext) that...

ursäktlig adj (~t) pardonable, excusable

urtag s (~et, =) **1** utskärning notch, indentation; skåra groove **2** elektr. o.d., se *uttag 1*

urtavla s (~n, -tavlor) dial; väggurs, större klockas clock-face

urtiden s (best.sing.) prehistoric (the earliest) times pl.; geol. the Archaean [era]

urtidsdjur s (~et, =) prehistoric animal

urtidsmänniska s (~n, -människor), **~**[*n*] primitive man

urtillstånd s (~et) original (primitive, om naturens el. världens primeval) state

urtima adj (oböjl.), **~ riksdag** extraordinary session of the Riksdag

urtrist adj (=) o. **urtråkig** adj (~t) vard. deadly dull (boring); **den** (**han**) **är ~** it (he) is a real bore

urtvättad adj (-tvättat, ~e) washed out

Uruguay Uruguay

uruguayansk adj (~t) Uruguayan

uruppförande s (~t, ~n) first performance

urusel adj (~t, -usla) vard. lousy, rotten, putrid

urval s (~et, =) choice, selection; sortiment äv. assortment; **det naturliga ~et** natural selection; **det finns ett stort ~ av** pjäser (skivor) there is a big choice (selection) of...; dikter **i ~** selected...

urvalskriterier s pl criteria for selection

urvattnad adj (-vattnat, ~e) **1** ursaltad soaked; om fisk freshened **2** bildl. watered down; som har fadd smak insipid, wishy-washy; om färg watery

urverk s (~et, =) works pl. of a watch (clock); **som ett ~** like clockwork

urvuxen adj (-vuxet, -vuxna) o. **urväxt** adj (=), **min kostym är ~** I have grown out of this suit, my suit has got too small

uråldrig adj (~t) extremely old, ancient

USA [the] US sg., [the] USA sg.

usb s (oböjl.) data. USB

usb-minne s (~t, ~n) data. USB flash drive, USB memory, memory stick

usch interj phew, ugh

usel adj (~t, usla) allm., t.ex. om varelse, bostad, mat, väder wretched; eländig äv. miserable; tarvlig, gemen vile, base, mean; **~ betalning** paltry payment

usling s (~en, ~ar) skurk villain; åld., stackare wretch

usurpera vb tr (~de, ~t) usurp

U-sväng s (~en, ~ar) trafik. U-turn

ut adv (se också betonad partikel under respektive verb, t.ex. *lämna ut* under *lämna II*); out; fram o.d. forth; **~** [*med dig*]! out [you go]!; vard. get (clear) out!; från gömställe come out [of there]!; **livet ~** throughout (to the end of) one's life; **gå ~** go out; utomhus go outside; **veta varken ~ eller in** be at one's wits' end, not know (be at a loss) what to do; gå **~ och in** ...in and out; **dag** (**år**) **~ och dag** (**år**) **in** day (year) in day (year) out; **vända ~ och in på ngt** turn sth inside out; **komma ~ genom** porten come out through...; **~ i** skogen into...; **jag måste ~ med** en massa pengar nästa vecka I'll have to pay (vard. fork out)...; **han ville inte ~ med** vad han visste he wouldn't come out with...; **gå ~ på gatan** (**åkrarna, isen**) go out into the street (into the fields, on to the ice); **gå ~ på restaurang** go to a restaurant; **resa ~ i världen** go abroad, go out into the world; **åka ~ på** (**till**) landet go to (into, out to)...; **~ ur** out of; inifrån from within (inside)

utagerad adj (-agerat, ~e), **saken är ~** the matter is (has been) settled, it is over and done with

utan I prep (se också under andra uppslagsord som konstrueras med *utan*, t.ex. *förbehåll* för uttrycket *utan förbehåll*); without; helt berövad destitute (deprived) of; **~ hjälp** without (with no) help; vi åt **~ honom** ...without him; **~ honom skulle jag** aldrig klarat det but (were it not) for him I should...; **~ humor** without any (devoid of) humour; **~ något på sig** without anything (with nothing) on; **~ värde** without any value, of no value; **bli ~** go (be) without [*ngt* sth], get nothing; **han blev heller inte ~** he got something too; he, too, had his share; **vara ~** ngt be (go) without...; sakna have no..., lack...; **det kan man** [*gott*] **vara ~** one (you) can [just as well] do without (dispense with) that; **det hade jag inte velat vara ~ för allt i världen** I wouldn't have missed it for all the world (for anything); **det är inte ~ att jag tycker det är kallt** I must say I find it rather chilly; **~ att** + inf. without + ing-form; **~ att han märker** (**märkte**) **det** without him (his) noticing it; **~ att låta sig nedslås** vanl. nothing daunted

II adv outside; **känna ngn ~ och innan** know sb inside out, know the ins and outs of sb, know sb thoroughly

III konj but; **han blev inte stött, ~ smickrad** he was not offended, [on the contrary] he was flattered; he was flattered, not offended; **inte bara...~ även** not only...but [also]; **det gick inte ~ han fick ge upp** ...so he had to give it up

utandas *vb tr dep* (-andades, -andats) breathe out, exhale; ~ *sin sista suck* breathe one's last

utandning *s* (~en, ~ar) exhalation, expiration

utanför I *prep* outside; framför t.ex. port äv. before, in front of; sjö., angivande position off; *det ligger ~ ämnet* it is outside (extraneous to) the subject; *stå* (*vara*) ~ *saken* have (take) no part in it, be out of (not be [mixed up] in) it, have nothing to do with the matter **II** *adv* outside; *känna sig ~* feel out of it; *lämna* (*håll*) *mig ~!* bildl. leave (keep) me out of it!; bilen *står ~* [*och väntar*] ...is [waiting] at the door

utannonsera *vb tr* (~de, ~t) advertise; *tjänsten har nyligen ~ts* the post has recently been advertised

utanordna *vb tr* (~de, ~t) ekon., ~ *ett belopp* order a sum [of money] to be paid, give directions for a sum [of money] to be paid

utanpå I *prep* outside, on the outside of; över on [the] top of, above, over **II** *adv* [on the] outside; ovanpå on [the] top, above; förgylld ~ *och inuti* ...outside and inside

utanpåskjorta *s* (~n, -skjortor) tunic shirt

utanskrift *s* (~en, ~er) påskrift superscription; adress address [on the cover (på kuvert envelope)]; *det syns på ~en* att han är präst you can see by his appearance...

utantill *adv* by heart; *lära sig ngt ~* learn sth [off] by heart (kunna rabbla by rote); *det där kan jag ~!* I know that backwards!; jag är trött på att höra det I have heard that till I am sick and tired of it!

utanverk *s* (~et, =) fasad façade; *det är bara ~* it is just empty show, it lacks real content

utarbeta *vb tr* (~de, ~t) t.ex. karta, rapport, svar prepare; t.ex. förslag, program, schema draw up; t.ex. tal, skrift compose; i detalj work out; noggrant elaborate; sammanställa, t.ex. ordbok compile

utarbetad *adj* (-arbetat, ~e) **1** överansträngd ...worn out [with hard work], overwrought, overworked **2** prepared etc., jfr *utarbeta*

utarbetande *s* (~t) preparation, drawing up, composition, working out, elaboration, compilation, jfr *utarbeta*; *den är under ~* ...in [course of] preparation, ...being prepared (drawn up etc., jfr *utarbeta*)

utarma *vb tr* (~de, ~t) impoverish äv. jord, reduce...to poverty; uttömma, förbruka deplete; ~*t uran* depleted uranium

utav *prep* se *av I*

utbe *vb rfl* (-bad, -bett), ~ *sig* request; ivrigt solicit [*ngt av ngn* i båda fallen sth from sb]

utbetala *vb tr* (~de, ~t el. -betalt) pay [out]

utbetalning *s* (~en, ~ar) payment, disbursement

utbetalningskort *s* (~et, =) post. postal cheque [paying-out form]

utbilda *vb tr* (~de, ~t) allm. educate; i visst syfte train; undervisa instruct; utveckla develop; ~ *ngn* (*sig*) *till sångare* train sb (train [oneself]) to become a singer; ~ *sig för läkaryrket* study (qualify [oneself]) for the medical profession; ~ *sig till sekreterare* äv. qualify as a...; hon är ~*d sjuksköterska* ...a trained (qualified) nurse

utbildning *s* (~en, ~ar) education; training; instruction; jfr *utbilda*; *akademisk ~* university education; *högre ~* higher (tertiary) education

utbildningsbidrag *s* (~et, =) training (education) grant (allowance)

Utbildningsdepartementet i Sverige the Ministry of Education and Research; i Storbr. the Department of Education; för högre utbildning the Department for Business, Innovation and Skills; i USA the Department of Education

utbildningslinje *s* (~n, ~r) univ. study programme

utbildningsminister *s* (~n, -ministrar) i Sverige Minister for Education; i Storbr. Secretary of State for Education; för högre utbildning Secretary of State for Business, Innovation and Skills; motsv. i USA Secretary of Education

Utbildningsradion the Swedish Educational Broadcasting Company

utbildningstid *s* (~en) period (years pl.) of training

utbjuda *vb tr* (-bjöd, -bjudit) offer

utblick *s* (~en, ~ar) utsikt view; överblick prospect

utblommad *adj* (-blommat, ~e), rosen *är ~* ...has ceased flowering; har vissnat has faded

utblottad *adj* (-blottat, ~e) destitute [*på* of]

utbombad *adj* (-bombat, ~e) bombed out

utbreda I *vb tr* (-bredde, -brett) spread; religion äv. propagate; utsträcka extend **II** *vb rfl* (-bredde, -brett), ~ *sig* spread; i tal el. skrift hold forth, dilate [*om, över* i båda fallen on]

utbredd *adj* (-brett) spread etc., jfr *utbreda*; [*allmänt* (*vida*)] ~ widely spread, widespread; om t.ex. bruk äv. prevailing, general; om t.ex. åsikt äv. prevalent; *med ~a armar* with open (outspread) arms; *den mest ~a* sjukdomen the...most widely spread (diffused, disseminated)

utbredning *s* (~en) spreading, propagation; utsträckning extension; åsikts, seds prevalence; *växten har stor ~ i* Norrland this plant has a wide distribution...; *idéerna har vunnit ~* ...spread (gained ground)

utbredningsområde *s* (~t, ~n) area of distribution, range

utbringa *vb tr* (~de el. -bragte, ~t el. -bragt) se ex. under *leve* o. *skål I 2*

utbrista *vb itr* (-brast, -brustit) häftigt yttra exclaim, cry, burst out; nej, *utbrast han* ...he exclaimed

utbrott *s* (~et, =) av t.ex. krig, sjukdom, uppror outbreak [*av* of]; vulkans eruption; av känslor outburst, burst, fit; häftigt explosion; uppsvallande ebullience; *han kommer att få ett ~* när han får höra det vard. he'll have a fit..., he'll blow his top..., he'll go mad...

utbrytare *s* (~n, =) speciellt polit. secessionist, separatist; oliktänkande dissident

utbränd *adj* (-bränt) eg. el. bildl. burnt out; om hus äv. gutted; *bli ~* burn out; om person be (get) burnt out

utbrändhet *s* (~en) persons burnout; *drabbas av ~* suffer from burnout

utbuad *adj* (-buat, ~e) pred. booed

utbud *s* (~et, =) tillgång på t.ex. varor, arbetskraft supply; urval selection, choice; *~et av varor har ökat* the selection (supply) of available goods has increased

utbuktning *s* (~en, ~ar) bulge, protuberance, convexity

utbyggnad *s* (~en, ~er) **1** tillbyggnad (konkr.) extension; hus annexe, addition; utskjutande del projection **2** utvidgning extension, expansion; ytterligare förbättring development

utbyta *vb tr* (-bytte, -bytt) **1** t.ex. artigheter, tankar, åsikter exchange; mellan två äv. interchange; ~ *erfarenheter* compare notes **2** se *byta ut* under *byta II*

utbytbar *adj* (~t) replaceable, exchangeable [*mot* for]; som kan förnyas äv. renewable; delar som är **~a mot varandra** ...interchangeable with each other
utbyte *s* (~t, ~n) **1** utbytande, utväxling exchange; ömsesidigt äv. interchange; **~ av** gamla delar **mot nya** replacement of...by new ones; **i ~ mot** in exchange for (against); **få ngt i ~ mot...** äv. get sth instead of... **2** vinst profit[s pl.], return[s pl.]; avkastning yield, proceeds pl.; resultat result, outcome; bildl.: behållning, valuta profit, benefit; **ge gott ~** yield a good profit; en språkresa **ger stort ~** ...is very worthwhile; **ha ~ av** bildl. profit (benefit) by, derive benefit (nöje pleasure) from; **vi hade inte mycket ~ av...** we didn't get much [benefit] out of...
utbytesstudent *s* (~en, ~er) exchange student
utbärning *s* (~en, ~ar) o. **utbäring** *s* (~en, ~ar) carrying out; distribution; av post delivery
utböling *s* (~en, ~ar) outsider, stranger
utdata *s pl* data. output [data] sg.
utdebitera *vb tr* (~de, ~t) avgift, skatt impose
utdela *vb tr* (~de, ~t) se *dela ut* under *dela III*
utdelning *s* (~en, ~ar) utdelande distribution, dealing out; av post o.d. delivery; på t.ex. aktie el. tips dividend; **extra ~** hand. äv. bonus; **~en bestämdes till** 8 % a dividend of...was declared
utdikning *s* (~en, ~ar) ditching, draining
utdrag *s* (~et, =) direkt ur text extract, excerpt [*ur* i båda fallen from]
utdragbar *adj* (~t) möjlig att förlänga extensible; **~t bord** extension table; se även *utdragsskiva* o. *utdragssoffa*
utdragen *adj* (-draget, -dragna) bildl. drawn out; långvarig äv. long [drawn-out]; långrandig äv. lengthy
utdragsskiva *s* (~n, -skivor) [sliding] leaf, extension; mindre äv. pull-out slide
utdragssoffa *s* (~n, -soffor) ung. sofa bed
utdrivning *s* (~en) driving out; speciellt med. expulsion äv. vid förlossning; av ond ande exorcism
utdunstning *s* (~en, ~ar) exhalation, evaporation, transpiration; lukt [unpleasant] odour (smell); skadlig miasma (pl. miasmas el. miasmata)
utdöd *adj* (-dött) om t.ex. djur 4l. ätt extinct; om t.ex. sed, ord äv. obsolete
utdöende I *adj* (oböjl.) dying; **vara ~** be dying out, be on the point of extinction **II** *s* (~t) dying out, extinction; arten **befinner sig i ~** ...is dying out, ...is on the point of extinction
utdöma *vb tr* (-dömde, -dömt) straff impose; sport., t.ex. frispark award; **~ böter** impose a fine [on sb]
ute I *adv* **1** rumsbetydelse: allm. out; utomhus äv. out of doors, outdoors, in the open; utanför äv. outside; inte hemma äv. not in (at home); **där ~** t.ex. på isen out there; utanför outside; korna **går ~** ...are out; **det är kallt ~** it is cold out [of doors]; **han är aldrig ~ bland folk** he never mixes with people; **han är mycket ~** utomhus he is out of doors (outdoors) a great deal; för att roa sig he goes out a lot; **vara ~ på havet** (**landet**) be [out] at sea (in the country); **han är ~ och promenerar** he is out (has gone) for a walk; **vara ~ och orientera** (**åka skidor**) be out orienteering (skiing); **äta ~** som vana eat out; **äta** [**middag** (resp. **lunch**)] **~** tillfälligtvis dine (resp. have lunch) out (i det fria out of doors)
2 slut **allt hopp är ~** all hope is at an end (is gone); **tiden är ~** [the] time is up; speciellt sport. el. parl. time!; **det är ~ med honom** it is all up with him; vard. he is done for
3 bildl., **vara illa ~** i knipa be in trouble (a fix); **vara** [**för**] **sent** (**tidigt**) **~** be [too] late (early); **vara ~** komma **i sista minuten** come (göra saker och ting do things) at the last minute; **vara ~ efter** ngn (ngt) be after...; **vara ~ efter** eftertrakta **ngt** be out for sth; mer uttänkt have designs on sth
II *adj* (oböjl.) vard.: omodern, **det är ~** it's out, its old hat
utebli *vb itr* (-blev, -blivit) om person fail to come (appear, turn up, arrive); jur. default, fail to appear in court; **belöningen uteblev** no reward was forthcoming; **~en betalning** non-payment, default of payment; den väntade demonstrationen **uteblev** ...did not come off; följderna **har inte uteblivit** ...have not been long in presenting themselves; **~ från ngt** fail to attend sth, be absent from sth
utedass *s* (~et, =) outside lavatory (toilet); amer. äv. outhouse
uteffekt *s* (~en, ~er) radio. output [power]; högtalares äv. power handling capacity
utefter *prep* [all] along
utegrill *s* (~en, ~ar) outdoor grill, barbecue
utegångsförbud *s* (~et, =) under viss tid curfew; **han har fått ~ av sin far** vard. his father has grounded him
uteliggare *s* (~n, =) down-and-out, bag man (lady)
uteliv *s* (~et) **1** friluftsliv outdoor life **2** nattliv night life; **leva ~** go out and about
utelåst *adj* (=), **han är ~** he has been locked (har låst sig ute has locked himself) out
utelämna *vb tr* (~de, ~t) leave out, omit
utemöbel *s* (~n, -möbler) enstaka piece of outdoor furniture; **utemöbler** koll. outdoor furniture sg.
uteplats *s* (~en, ~er) patio (pl. -s)
uterum *s* (~met, =) uteplats patio (pl. -s); veranda veranda
uteservering *s* (~en, ~ar) open-air café (restaurang restaurant); trottoarservering pavement café
utesluta *vb tr* (-slöt, -slutit) allm. exclude; ur förening o.d. expel [*ur* from]; speciellt vetensk. eliminate; **~ ngn ur advokatsamfundet** disbar sb; **det utesluter** hindrar **inte att han gör det** this does not prevent his (him from) doing it; **det ena utesluter inte det andra** the one does not exclude the other; **det är uteslutet** it is out of the question, it is impossible
uteslutande I *adj* (oböjl.) exclusive, sole **II** *adv* solely, exclusively; **~ för din skull** solely for your sake **III** *s* (~t) se *uteslutning*
uteslutning *s* (~en, ~ar) exclusion; ur förening o.d. äv. expulsion; ur advokatsamfund disbarment; **~ ur kyrkan** excommunication; [**slutledning genom**] **~** elimination
utestående *adj* (oböjl.) outstanding; **~ fordringar** outstanding debts (accounts), outstandings
utestänga *vb tr* (-stängde, -stängt) se *stänga ute* under *stänga II*
utexaminera *vb tr* (~de, ~t), **högskolan ~r** 50 ingenjörer per år the school turns out...; 50 ingenjörer **~des från högskolan** ...passed their final examination at the school; amer. ...graduated from the school; **bli ~d från** handelshögskolan graduate from..., get one's degree at...; **hon är ~d från** handelshögskolan she is a graduate of...; **~d** certificated; om t.ex. sjuksköterska äv. qualified, trained; om t.ex. lots chartered
uteätare *s* (~n, =) diner-out (pl. diners-out)

utfall *s* (~et, =) **1** fäktn. lunge; mil. sortie, sally (äv. bildl.); bildl. attack; *göra ett* ~ make a lunge etc.; *göra ett* ~ *mot ngn* bildl. launch an attack on (a diatribe against) sb **2** slutresultat result, outcome, issue; *~et av* löneförhandlingarna the outcome (result) of...

utfalla *vb itr* (-föll, -fallit) **1** om vinst go [*på* nummer to...]; förfalla till betalning fall (become) due; *lotten utföll med vinst* it was a winning ticket, the ticket gave a prize; lotten *utföll med högsta vinsten* ...won the first prize **2** få en viss utgång turn out, jfr äv. *avlöpa*; ~ *väl* (*illa*) turn out well (badly); *skörden har utfallit bra* the harvest is (has been) good; *målet utföll så att han tillerkändes...* the case resulted in his being awarded...; jämförelsen *utföll till hans fördel* ...was favourable to him

utfart *s* (~en, ~er) **1** väg ut exit, way out; ur stad o.d. main road [out of the town] **2** avfärd departure; körning o.d. ut going (driving, coming) out

utfartsväg *s* (~en, ~ar) exit [road]

utfattig *adj* (~t) miserably poor; utblottad destitute; utan pengar [absolutely] penniless; *han har blivit* ~ äv. he is impoverished

utfiskad *adj* (-fiskat, ~e), en ~ sjö ...depleted of fish

utflaggning *s* (~en, ~ar) sjö. registration [of a ship (resp. ships)] under a flag of convenience

utflippad *adj* (-flippat ,~e) vard. flipped, flipped-out

utflugen *adj* (-fluget, -flugna) om fåglar, *ungarna är utflugna* ...have left their nest[s]; om barn ...have left home

utflykt *s* (~en, ~er) **1** utfärd excursion, outing, trip; med matkorg picnic; ~ *i bil* trip (excursion) by car; *göra en* ~ go on an excursion (a trip), go for an outing; *göra en* ~ *på landet* äv. have a day in the country **2** från ämnet digression, diversion; irrfärd wandering[s pl.], strayings pl. from the path

utflöde *s* (~t, ~n) utlopp flowing out, outflow, discharge; bildl. emanation [*ur* from]; ~ *av valuta* ekon. drain of foreign exchange

utfodra *vb tr* (~de, ~t) feed; djur äv. fodder; ~ *hästarna med havre* äv. feed oats to...; *~s med...* be fed (ensidigt kept) on...

utforma *vb tr* (~de, ~t) ge form åt design, shape, model; utarbeta work out, frame; i detalj work out...in detail, elaborate

utformning *s* (~en, ~ar) design, shaping etc.; jfr *utforma*

utforska *vb tr* (~de, ~t) land explore; ta reda på find out; undersöka search into, investigate; *ett ännu ej ~t* område a still unexplored...

utfrusen *adj* (-fruset, -frusna), *bli* (*vara*) ~ be frozen out, be sent to Coventry

utfråga *vb tr* (~de, ~t) se *fråga ut* under *fråga IV*

utfrågning *s* (~en, ~ar) interrogation, questioning; korsförhör cross-examination

utfyllnad *s* (~en, ~er) **1** utfyllande filling [up (in)] **2** material filling; tillägg supplement; extra stoff i program o.d. äv. padding

utfällbar *adj* (~t) som kan fällas ut (attr.) folding...; skivan *kan* ~ ...can be pulled out (opened out)

utfällning *s* (~en, ~ar) kem., utfällande precipitation; det som utfällts precipitate; geol. deposit, sediment

utfärd *s* (~en, ~er) **1** se *utflykt 1* **2** se *utresa*

utfärda *vb tr* (~de, ~t) allm. issue; t.ex. kontrakt, handling draw up, execute; ~ *en fullmakt* issue (execute, make out) a power of attorney; ~ *förbud mot ngt* vanl. prohibit sth; *stormvarning har ~ts för...* a gale warning has been issued for...; ~ *strejkvarsel* give notice of a strike

utfästa I *vb tr* (-fäste, -fäst) t.ex. belöning offer **II** *vb rfl* (-fäste, -fäst), ~ *sig att göra ngt* undertake (pledge) to do sth

utfästelse *s* (~n, ~r) löfte promise; starkare pledge; åtagande engagement, commitment, undertaking

utför I *prep* t.ex. berget, floden down; ~ *backen* down the hill, downhill; ~ *trappan* down the stairs **II** *adv* down, downward[s]; *det går utför* sluttar it is downhill; *det går* ~ *med honom* bildl. he is going downhill

utföra *vb tr* (-förde, -fört) allm. perform, execute; ombesörja, sätta i verket äv. carry out; ~ *ett arbete* do (perform, execute) a piece of work; ~ *ngns befallning* execute sb's command; ~ *en beställning* execute (carry out, hand. äv. fill) an order; ~ *reparationer* do (carry out) repairs; ~ *ett uppdrag* perform (execute) a task (commission) [*åt ngn* for sb]; *ett väl utfört arbete* a good piece of workmanship; se vidare *föra ut* under *föra IV*

utförande *s* (~t, ~n) **1** verkställande, framförande o.d. performance, execution speciellt konst. o.d. **2** modell, stil design, style; framföringssätt delivery; *varan finns i flera ~n* several designs of the article are available **3** utförsel av varor exportation; av t.ex. pengar ur landet taking...out of the country

utförbar *adj* (~t) practicable, workable; möjlig äv. feasible

utförlig *adj* (~t) detailed; fullständig full; uttömmande exhaustive; omständlig circumstantial

utförlighet *s* (~en) fullness (completeness) [of detail]

utförligt *adv* in [full] detail, fully, exhaustively, at length (large); *mycket* ~ at great length, very fully, in great detail; *redogöra* ~ *för ngt* give a full (detailed) account of sth

utförsbacke *s* (~n, -backar) nedförsbacke downhill, slope, descent; *vara i* ~ bildl. be on the decline (downgrade), be going downhill

utförsel *s* (~n) med sammansättn., se *export* med sammansättn.

utförsåkare *s* (~n, =) downhill skier

utförsåkning *s* (~en) sport. downhill skiing

utförsäkrad *adj* (-försäkrat, ~e), *han har blivit* ~ från arbetslöshetskassa his period of unemployment benefit has expired; från sjukförsäkring his period of sickness benefit has expired

utförsälja *vb tr* (-sålde, -sålt) sell out (off)

utförsäljning *s* (~en, ~ar) sale, clearance (slutförsäljning äv. closing-down) sale, amer. äv. closeout

utgallring *s* (~en, ~ar) thinning (sorting) out; bildl. elimination

utge I *vb tr* (-gav, -gett el. -givit) **1** publicera, låta, trycka publish, bring out **2** ~ *ngn* (*ngt*) *för att vara* pass sb (sth) off as **II** *vb rfl* (-gav, -gett el. -givit), ~ *sig för* [*att vara*]... pose as...; påstå claim to be...; *han utgav sig för att vara läkare* äv. he passed himself off as a doctor

utgift *s* (~en, ~er) expense; *~er* mera abstr. expenditure sg.

utgiftsbudget *s* (~en, ~ar) estimate of expenditure, expenditure estimate

utgiftspost *s* (~en, ~er) item of expenditure

utgiftstak *s* (~et, =) ekon. expenditure ceiling, ceiling for public expenditure

utgivare *s* (~n, =) av bok o.d. publisher; som sammanställer utgåva o.d. editor; han är **ansvarig ~ [för tidskriften]** ...legally responsible [for the publication of the periodical]

utgivning *s* (~en, ~ar) publication; av sedlar o.d. issue, emission; boken är **under ~** ...in course of publication, ...in preparation

utgivningsår *s* (~et, =) year (date) of publication

utgjuta I *vb tr* (-göt, -gjutit) blod, tårar shed; vrede vent, discharge [*över* upon] **II** *vb rfl* (-göt, -gjutit), **~ sig** sina känslor pour out one's feelings

utgjutelse *s* (~n, ~r) **1** av blod, tårar shedding, effusion **2** bildl. effusion; **~r** äv. outpourings

utgjutning *s* (~en, ~ar) med. extravasation, suffusion

utgrävning *s* (~en, ~ar) excavation äv. arkeol., digging

utgå *vb itr* (-gick, -gått) **1** om buss, tåg o.d. start out [*från* from] **2** komma, härstamma come, issue, proceed, emanate [*från, ur* from] **3 ~ från** förutsätta assume, presuppose, take...for granted; **jag ~r från att du vet** I assume (take it) that you know **4** erläggas be paid, be payable **5** uteslutas be excluded (utelämnas left out, omitted); strykas be cancelled (cut out, struck out); **varorna har ~tt ur sortimentet** ...are no longer in stock

utgående I *adj* (oböjl.) **1** om t.ex. post, telefonsamtal outgoing; **~ last** outward cargo **2** 50 % lämnas på **dessa ~ varor** ...these discontinued lines **II** *s* (~t), **vara på ~** om person be about to leave, be on one's way out; om fartyg be leaving port, be outward-bound

utgång *s* (~en, ~ar) **1** väg ut exit, way out; huset har flera **~ar** ...exits (doors); **med ~ till trädgården...** opening [out] on to the garden **2** slut [på tidsfrist] end, close; expiration; **före årets ~** before the end (close) of the year **3** slut[resultat] result, outcome, issue; sjukdomen **fick dödlig ~** ...proved fatal; **~en av** löneförhandlingarna the outcome (result) of... **4** typogr. break line

utgången *adj* (-gånget, -gångna) utsåld sold out; om bok äv. ...out of print; om vara äv. ...out of stock

utgångsdatum *s* (~et, =) expiry date

utgångshastighet *s* (~en, ~er) initial velocity; skjutvapens muzzle velocity

utgångsläge *s* (~t, ~n) starting (initial) position, starting point

utgångspunkt *s* (~en, ~er) allm. starting point, point of departure [*för* for]; bildl. äv. bas|is (pl. -es) [*för* of]; **ta ngt till ~** äv. start (set out) from sth

utgångsställning *s* (~en, ~ar) starting (initial) position, starting point

utgåva *s* (~n, -gåvor) edition

utgöra *vb tr* (-gjorde, -gjort) **1** bilda: allm. constitute, make; t.ex. miljö, ram ofta provide; tillsammans make up, form, compose; representera represent; ofta be; **det utgör ett bevis för...** it is a proof of...; **~ ett hot mot** pose (constitute) a threat to; **~s av** consist (be made up) of **2** uppgå till amount to

uthopp *s* (~et, =) med fallskärm jump; med skidor takeoff

uthungrad *adj* (-hungrat, -e) famished, starving

uthus *s* (~et, =) outhouse

uthusbyggnad *s* (~en, ~er) outbuilding

uthyrning *s* (~en, ~ar) letting etc., jfr *hyra ut* under

hyra II 1; **till ~** om t.ex. båt for hire; om t.ex. rum to let, for rent

uthyrningsrum *s* (~met, =) att hyra room to let, room for rent; som man hyr rented room

uthållig *adj* (~t) fysiskt (attr.) ...with (that has resp. had) [good] staying power; **vara ~** have staying power, have stamina, show endurance

uthållighet *s* (~en) staying power, stamina, [power of] endurance

uthärda *vb tr* (~de, ~t) stand, bear, endure, put up with; motstå, t.ex. belägring, tryck withstand, sustain; rida ut weather; **~ jämförelse** stand comparison; **~ smärta (åsynen av...)** stand (bear, endure) pain (the sight of...)

uthärdlig *adj* (~t) bearable, endurable

uti *prep* åld., se *2 i*

utifrån I *prep* from; **~ gatan** äv. from out in the street **II** *adv* from outside; från utlandet from abroad; **dörren kan låsas ~** äv. ...from the outside; **kylan tränger in ~** ...from out of doors; **hjälp ~** outside help; **impulser ~** outside (external) influence sg.

utilitarism *s* (~en) filos. utilitarianism

utilitaristisk *adj* (~t) filos. utilitarian

utjämna *vb tr* (~de, ~t) **1** skillnad level out, level; göra lika equalize äv. sport.; justera, dämpa adjust äv. matem.; neutralisera neutralize, counterbalance **2** ekon., konto balance, settle, square **3** t.ex. meningsskiljaktigheter straighten out; t.ex. stridigheter settle; t.ex. svårigheter smooth out (away, down) **4** eg., se *jämna ut* under *jämna*

utjämnande *s* (~t) o. **utjämning** *s* (~en) levelling out, levelling etc., equalization; adjustment; neutralization; jfr *utjämna*

utkant *s* (~en, ~er) av t.ex. skog fringe[s pl.]; av t.ex. fält border; av t.ex. stad outskirts pl.; **i ~en av...** on the fringe[s] osv. of...

utkast *s* (~et, =) **1** bildl.: koncept [rough] draft; stomme skeleton; skiss sketch [*till* i samtliga fall of]; **göra ett ~ till...** äv. draft (design, trace out)... **2** sport. throw

utkastare *s* (~n, =) **1** vakt bouncer **2** tekn. ejector

utkik *s* (~en, ~ar) person lookout [man]; utkiksplats lookout; mastkorg crow's nest; **gå (stå) på ~** be on the lookout; **hålla ~** keep a lookout [*efter* for]

utkikstorn *s* (~et, =) lookout [tower], observation tower

utklassa *vb tr* (~de, ~t) outclass; friare äv. put...in the shade

utklassning *s* (~en) outclassing; **det var rena ~en** it was a proper walkover

utklädd *adj* (-klätt) dressed up; förklädd disguised [*till* i samtliga fall as]

utkommen *adj* (-kommet, -komna), **en nyligen ~ bok** a book that has recently appeared (recently been published)

utkomst *s* (~en) uppehälle living, livelihood, subsistence [*av* from]; **ha sin ~** earn (gain) a (resp. one's) living (livelihood), make a living

utkonkurrera *vb tr* (~de, ~t) drive...out of competition (ekonomiskt business)

utkorg *s* (~en, ~ar) för post out tray

utkristallisera *vb rfl* (~de, ~t), **~ sig** crystallize

utkräva *vb tr* (-krävde, -krävt), **~ hämnd** take (wreak) vengeance [*på* upon]

utkyld *adj* (-kylt), **rummet är utkylt** ...has become freezing cold

utkämpa *vb tr* (~de, ~t) fight äv. bildl.

utkörd *adj* (-kört) **1** utkastad ...turned out [of doors] **2** vard., trött ...worn out; vard. ...done in, beat

utkörning *s* (~en, ~ar) av varor delivery

utlandet *s* (best. sing.) foreign (overseas) countries pl.; **från ~** from abroad; utländsk äv. foreign...; **i ~** abroad, in foreign (overseas) countries; **handel med ~** foreign (overseas) trade

utlandsbaserad *adj* (-baserat, ~e) ...[that is (was osv.)] based abroad; **~ bankverksamhet** offshore banking

utlandskorrespondent *s* (~en, ~er) journalist foreign correspondent; sekreterare foreign correspondence secretary (clerk)

utlandsresa *s* (~n, -resor) journey abroad; **utlandsresor** äv. travel sg. abroad, foreign travel sg.

utlandsskuld *s* (~en, ~er) foreign (external, overseas) debt

utlandssvensk *s* (~en, ~ar) expatriate Swede, Swede [living] abroad

utlandsvistelse *s* (~n, ~r) stay abroad

utled *adj* (-lett) o. **utledsen** *adj* (-ledset, -ledsna), vara **~ på** ...[sick and] tired of, ...fed up with

utlevad *adj* (-levat, ~e) decrepit; genom utsvävningar debauched, degenerate

utloggning *s* (~en, ~ar) data. logoff, logout

utlokalisera *vb tr* (~de, ~t) relocate

utlopp *s* (~et, =) utflöde outflow, discharge; avlopp el. bildl. outlet; **få ~ för** energi, känslor get an outlet for...; **ge ~ åt** sin vrede give vent ([free] rein) to...; **ha sitt ~ i** Atlanten discharge itself into...

utlottning *s* (~en, ~ar) raffle [*av* for]

utlova *vb tr* (~de, ~t) promise, offer; **hittelön ~s** i annons o.d. reward offered

utlysa *vb tr* (-lyste, lyst) give notice of, advertise, proclaim; ~ kalla till **ett möte** call..., summon...; genom annons advertise...; **~ en tävling** announce...; **mötet är utlyst till den 4:e** the meeting has been fixed for the fourth; **~ nyval** parl., vanl. appeal to the country; ~ ledigförklara **en tjänst** advertise a post

utlånad *adj* (-lånat, ~e), **boken är ~** ...has been lent to somebody; från biblioteket ...is out [on loan]

utlåning *s* (~en, ~ar) **1** utlånande lending; konkr. loans pl. **2** som rörelse money-lending business (operations pl.)

utlåningsränta *s* (~n, -räntor) interest on loans; räntefot lending rate

utlåtande *s* (~t, ~n) [stated] opinion; sakkunnigas [formal] report, verdict; **avge ett ~** express (deliver, render) an opinion

utlägg *s* (~et, =) outlay, expenses pl., disbursement[s pl.]; **kontanta ~** out-of-pocket expenses

utläggning *s* (~en, ~ar) redogörelse exposition, interpretation; redogörande expounding

utlämna *vb tr* (~de, ~t) dela ut hand out; överlämna give up, surrender, deliver; till annan stat extradite; **känna sig ~d** ensam feel deserted (blottställd exposed); **vara ~d åt ngn** (*ngt*) be at sb's mercy (the mercy of sth)

utlämnande *s* (~t, ~n) o. **utlämning** *s* (~en, ~ar) handing out; delivery äv. av post; till annan stat extradition

utländsk *adj* (~t) foreign; från andra sidan havet overseas...; främmande exotic; **in- och ~a valutor** domestic and foreign currencies

utlänning *s* (~en, ~ar) foreigner; jur. alien

utlänningshat *s* (~et) hatred of foreigners, xenophobia

utlärd *adj* (-lärt) skilled..., trained...; **vara ~** eg. have served one's apprenticeship

utläsa *vb tr* (-läste, -läst) se *läsa ut* under *läsa II*

utlöpare *s* (~n, =) allm. offshoot, offset båda äv. bildl.; rotskott sucker; av berg spur

utlösa *vb tr* (-löste, -löst) **1** frigöra: tekn. release äv. bildl.; sätta i gång start, trigger [off] båda äv. bildl.; bildl. äv.: framkalla provoke; väcka arouse, give rise to; **~ en kedjereaktion** start (trigger off) a chain reaction; **~ en reflex** produce... **2** se *lösa ut* under *lösa I 5*

utlösare *s* (~n, =) foto. release, trip gear

utlösning *s* (~en, ~ar) **1** tekn. releasing, igångsättning starting, jfr *utlösa 1* **2** sexuell orgasm **3** inlösen: av pant redemption, av delägare buying out, buyout

utmana *vb tr* (~de, ~t) challenge; trotsa defy; sport., t.ex. motståndare take on; **~ ngn på duell** (*på pistol*) challenge sb to a duel (a duel with pistols); **~ ödet** tempt (court) Fate; starkare court disaster; **det är att ~ ödet** vard. äv. that's asking for trouble

utmanande *adj* (oböjl.) challenging...; trotsigt defiant; om uppträdande, klädsel provocative

utmanare *s* (~n, =) challenger

utmaning *s* (~en, ~ar) challenge

utmanövrera *vb tr* (~de, ~t) outmanoeuvre; amer. outmaneuver; **~ ngn** get rid of sb by manoeuvring (amer. maneuvering)

utmatta *vb tr* (~de, ~t) fatigue äv. tekn., exhaust, tire out; **~d** worn out, exhausted; vard. shattered, ready to drop

utmattning *s* (~en) fatigue äv. tekn., exhaustion; av hunger inanition

utmed *prep* [all] along; sjö., **~ sidan av** alongside; **stigen går ~ skogen** äv. the path skirts...

utmynna *vb itr* (~de, ~t) se *mynna ut* under *mynna*

utmåla *vb tr* (~de, ~t) paint, depict [*för* to; *som* as]

utmärglad *adj* (-märglat, ~e) avtärd emaciated; härjad gaunt, haggard

utmärka I *vb tr* (-märkte, -märkt) **1** märka ut mark [out]; ange, beteckna denote; tydligt visa designate, indicate; **~ med grönt** mark (indicate) in green **2** känneteckna characterize, distinguish **3** ge hedersbetygelse honour **II** *vb rfl* (-märkte, -märkt), **~ sig** distinguish oneself äv. iron. [*genom* by]; **~ sig framför andra** excel..., show one's superiority to...

utmärkande *adj* (oböjl.) characteristic [*för* of]; **~ egenskap** characteristic, distinguishing quality; **det mest ~ draget i** hans diktning äv. the leading (most prominent) feature of...

utmärkelse *s* (~n, ~r) distinction, honour; **ge ngn en ~** confer a distinction upon sb

utmärkelsetecken *s* (-tecknet, =) [mark of] distinction, honour

utmärkt I *adj* (=) allm. excellent; beundransvärd admirable; utomordentlig extraordinary; ypperlig superb, first-rate; vard. great; **~ kvalitet** superior (excellent) quality; **i ~ skick** in perfect (excellent) condition **II** *adv* excellently etc., jfr *utmärkt I*; **må ~ [bra]** feel fine (great)

utmäta *vb tr* (-mätte, -mätt) **1** jur., utföra utmätning av seize; **~ straff** impose a sentence **2** *deras tid var utmätt* bildl. their days were numbered

utmätning *s* (~en, ~ar) jur. seizure; **göra ~** seize

utnyttja *vb tr* (~de, ~t) tillgodogöra sig utilize, make use of, make the most of; exploatera (äv. orättmätigt), sexuellt abuse, exploit; **~ ngt på bästa sätt** make the best use of sth; **~ ngns okunnighet** trade upon…; **~ sin position** use one's position; **känna sig ~d** feel that one is being used; **bli sexuellt ~d** be sexually abused; **väl ~d tid** time well spent

utnämna *vb tr* (-nämnde, -nämnt) appoint [*till* chef m.m. [to be]…]; **~ ngn till** professor make sb a…; (utse) bäste fotbollsspelare vote sb…

utnämning *s* (~en, ~ar) appointment

utnötning *s* (~en) wearing out (down); framför allt bildl. attrition

utnött *adj* (=) worn out; well-worn, threadbare båda framför allt bildl.

utochinvänd *adj* (-vänt) …turned inside out

utom *prep* **1** med undantag av except, with the exception of; oberäknat not counting, not including; excluding, exclusive of; förutom besides, apart from; **alla ~ hon** all except (with the exception of) her…; alla visste om det **~ han** …but him; **ingen ~ jag** no one but (except) me; där var fyra gäster **~ jag** …besides (apart from) me; hela landet **~ Stockholm** …excluding (exclusive of) Stockholm; **vara allt ~** tilltalande be anything but…, be far from…; visning dagligen **~ vid regn** …provided it is not (except when it is) raining; **~ [det] att hon är…** besides (apart from) the fact that she is (besides her being)…; jag kunde inte se hur han var klädd **~ att han hade en mörk jacka** …except that he was wearing a dark jacket; **~ att jag har talat med honom** har jag också skrivit besides having talked to him…; **~ när…** except when… **2 bli ~ sig** be beside oneself; starkare go frantic [*av* with]; **bli** (**vara**) **~ sig av glädje** äv. be transported with joy **3** utanför outside, out of; utöver, bortom beyond; jfr äv. ex. under *utanför* I; **~ allt tvivel** beyond any doubt

utombordare *s* (~n, =) motor outboard [motor]; båt outboard [motorboat]

utombordsmotor *s* (~n, ~er) outboard [motor (engine)]

utomeuropeisk *adj* (~t) non-European

utomhus *adv* outdoors, out of doors

utomhusantenn *s* (~en, ~er) outdoor aerial (amer. antenna)

utomhusarbete *s* (~t, ~n) outdoor (open-air) work

utomhusbana *s* (~n, -banor) för tennis outdoor court; för ishockey outdoor rink

utomhusbruk *s* (oböjl., ett) outdoor use

utomhusgrill *s* (~en, ~ar) barbecue

utomhusidrott *s* (~en, ~er) outdoor sports pl. (friidrott athletics pl.)

utomhustemperatur *s* (~en, ~er) outdoor temperature

utomjording *s* (~en, ~ar) extraterrestrial being

utomkvedshavandeskap *s* (~et, =) extrauterine pregnancy

utomlands *adv* abroad

utomordentlig *adj* (~t) allm. extraordinary; förträfflig excellent; osedvanligt god (bra) exceptionally good; enastående outstanding; anmärkningsvärd remarkable; **fråga av ~ vikt** …of extreme (outstanding) importance

utomordentligt *adv* extraordinarily etc., jfr

utomordentlig; i hög grad äv. exceedingly; **den klär honom ~** …extraordinarily well, …to perfection

utomparlamentarisk *adj* (~t) extra-parliamentary

utomskärs *adv* beyond (outside, off) the islands (skerries)

utomstående *s* (en ~, pl. =), **en ~** an outsider; obegriplig **för [en] ~** äv. …to the unitiated

utomäktenskaplig *adj* (~t) om barn illegitimate; **~a förbindelser** extramarital relations

utopi *s* (~n, ~er) utopia; utopisk idé utopian scheme (idea); **det är en ~** att tro på en evig fred it is utopian…

utopisk *adj* (~t) utopian

utpeka *vb tr* (~de, ~t), **~ ngn som** gärningsman point sb out (identify sb) as…; **~s som skyldig** be singled out as the guilty person; **känna sig ~d** feel accused

utplåna *vb tr* (~de, ~t) allm. obliterate [*ur, från* from]; blot (wipe) out; stryka ut ord o.d. äv. delete, erase [*i* from]; förinta annihilate, extinguish; utrota exterminate; **~ ngt ur minnet** obliterate (blot out) the memory of sth; hela byn **~des** …was wiped out

utpost *s* (~en, ~er) outpost; förpost advanced post

utpressare *s* (~n, =) blackmailer; utsugare extortioner

utpressning *s* (~en, ~ar) blackmail; utsugning extortion

utprova *vb tr* (~de, ~t) try out, test

utprovning *s* (~en, ~ar) konkr. try-out, test; abstr. trying out, testing out

utpräglad *adj* (-präglat, ~e) bildl. marked, pronounced; typisk typical, decided

utpumpad *adj* (-pumpat, ~e) utmattad worn out, drained; vard. knackered, amer. pooped

utrangera *vb tr* (~de, ~t) discard, scrap

utreda *vb tr* (-redde, -rett) undersöka investigate; grundligt analyse

utredare *s* (~n, =) investigator, person in charge of an (resp. the) investigation (inquiry)

utredning *s* (~en, ~ar) **1** undersökning investigation, inquiry, analys|is (pl. -es); ärendet **är under ~** äv. …is being investigated **2** betänkande report, detailed statement, exposition; **offentliga ~ar** official reports **3** kommitté o.d. commission [of inquiry], committee

utrensning *s* (~en, ~ar) utrensande weeding (sorting) out; rensning, speciellt polit. purge, cleanse

utrensningsaktion *s* (~en, ~er) purge

utresa *s* (~n, -resor) outward journey (sjö. voyage, passage); flyg. outbound flight; ur ett land exit, departure

utreseförbud *s* (~et, =), **få ~** ung. be forbidden to leave the country

utresetillstånd *s* (~et, =) permission to leave the (resp. a) country; konkr. exit permit

utresevisum *s* (~et, = el. -visa) exit visa

utrikes **I** *adj* (oböjl.) foreign; **ett ~ brev** till utlandet a letter for abroad; vistas **på ~ ort** …abroad; jfr äv. sammansättn. **II** *adv* abroad; **resa ~** go abroad

Utrikesdepartementet i Sverige the Ministry for Foreign Affairs; i Storbr. the Foreign and Commonwealth Office; ofta the Foreign Office; i USA the Department of State, ofta the State Department

utrikesflyg *s* (~et, =) international aviation; **~et** flygbolagen international airlines pl. (flygningarna flights pl.)

utrikeshandel *s* (~n) foreign (external) trade

utrikeskorrespondent *s* (~en, ~er) se
utlandskorrespondent
utrikesminister *s* (~n, -ministrar) i Sverige Minister for
Foreign Affairs, Foreign Minister; i Storbr. Secretary
of State for Foreign and Commonwealth Affairs,
ofta Foreign Secretary; i USA Secretary of State
utrikesnyheter *s pl* foreign news sg.
utrikespolitik *s* (~en) foreign (external) politics pl.
(politisk linje, tillvägagångssätt policy)
utrikespolitisk *adj* (~t), *en ~ debatt* a debate on
foreign policy; *~ expert* ...on foreign affairs;
Utrikespolitiska Institutet the Swedish Institute of
International Affairs
utrikesporto *s* (~t, ~n) international (overseas)
postage
utrikesterminal *s* (~en, ~er) flyg. international
terminal
utrop *s* (~et, =) **1** rop cry; känsloyttring exclamation; *ge
till ett ~* cry out [*av...* with...] **2** utropspris vid auktion
reserve (amer. upset) price
utropa *vb tr* (~de, ~t) **1** ropa högt exclaim, cry (call)
out **2** offentligt tillkännage proclaim [*ngn till* kung
sb...], jfr äv. *ropa ut* under *ropa II*
utropare *s* (~n, =) vid auktion crier; på cirkus, marknad
o.d. barker
utropspris *s* (~et, = el. ~er) vid auktion reserve (amer.
upset) price
utropstecken *s* (-tecknet, =) exclamation mark,
mark of exclamation äv. bildl. om person o. sak; bildl. äv.
sensation
utrota *vb tr* (~de, ~t) root out; t.ex. missbruk, sjukdom
eradicate; t.ex. brottslighet wipe out; t.ex. råttor
exterminate
utrotning *s* (~en) rooting out; av t.ex. brottslighet
wiping out; av t.ex. missbruk, sjukdom eradication; av
t.ex. råttor extermination
utrotningshotad *adj* (-hotat, ~e) ...under threat of
extinction (extermination); *en ~ art* an endangered
species
utrusta *vb tr* (~de, ~t) equip; spec. fartyg fit out;
beväpna arm; förse furnish, supply; begåva endow;
vara rikt ~d begåvad be richly endowed
utrustning *s* (~en, ~ar) equipment, outfit; material kit
utryckning *s* (~en, ~ar) **1** efter alarm turnout; utmarsch
march out, decampment, departure; *göra flera ~ar*
turn out several times **2** mil. discharge (release)
from active service, demobilization
utrymma *vb tr* (-rymde, -rymt) **1** lämna: speciellt mil.
evacuate; överge abandon; t.ex. hus vanl. vacate, clear
out of **2** röja ur, tömma clear out
utrymme *s* (~t, ~n) plats space, room; spelrum äv.
scope; *fordra mycket ~* take up a great deal of room
(space); om sak äv. be bulky; *ge fritt ~ för* spekulationer
allow free scope for...; *ge fritt ~ åt ngn* allow sb free
scope; *i mån av ~* as far as space allows (allowed
etc.); *det är knappt om ~t* space is limited, there's
hardly room to move; vard. there's no room to
swing a cat
utrymning *s* (~en, ~ar) **1** lämnande evacuation,
abandonment **2** tömning clearing
uträkning *s* (~en, ~ar) working (reckoning) out;
kalkylering calculation; avsikt plan, design; *vad har han
för ~ (vad är ~en) med det?* what can he hope to gain
by that?, what is his idea in doing that?; gjort *med ~*
...with forethought

uträtta *vb tr* (~de, ~t) allm. do; t.ex. uppdrag perform,
carry out; åstadkomma accomplish, achieve; *vad har
du ~t i dag?* ...done (...been doing) today?; jag
kommer gärna *om du tror jag kan ~ något* ...if you
think I can be of any help; *få saker ~de* get things
done
utröna *vb tr* (-rönte, -rönt) ascertain, find out [*om*
whether]
utröstad *adj* (-röstat, ~e), *bli ~* be (get) voted off
utsaga *s* (~n, -sagor) statement; jur. äv. evidence,
testimony; påstående assertion; *enligt utsaga är han...*
he is said to be...
utsago *s* (oböjl.), *enligt [hans] egen ~ har han*
according to him (to what he says)..., his version
is that..., on his own statement...
utsatt *adj* (=) **1** utplacerad o.d. put out etc., jfr *sätta ut*
under *sätta IV*; *en* skrivelse *med ~ namn* a signed...
2 bestämd fixed, appointed; *~ pris* marked price; *på ~
tid* at the time fixed (appointed time), on time;
bröllopet är ~ till den 1 mars the wedding has been
fixed for... **3** skyddslös: allm. exposed [*för* to]; sårbar
vulnerable; *~ läge (ställning)* exposed position; *vara
~ för...* föremål för be subjected to, be the subject
(starkare victim) of...; t.ex. angrepp i pressen äv. be the
object of...; *vara ~ för kritik* be a target of criticism
utsatthet *s* (~en) skyddslöshet exposure; sårbarhet
vulnerability
utschasad *adj* (-schasat, ~e) vard. dead tired,
...worn out, knackered
utse *vb tr* (-såg, -sett) välja: t.ex. ledare choose, elect;
t.ex. sin efterträdare designate [*till* ledare etc. i samtliga fall
as (to be)...; *till* en post for...]; välja ut pick out; *~
ngn att* föra protokollet charge (commission) sb to...
utseende *s* (~t, ~n) yttre appearance; saks äv. look;
persons vanl. looks pl.; uppsyn aspect; *förlora sitt ~* lose
one's looks, deteriorate in appearance; *ändra ~*
change [one's appearance]; *han har ~t emot sig* his
appearance is against him; *av (efter) ~t att döma* är
det (hon)... to judge by (from) appearances..., by
(from) the look of it (her)...; *de liknar varandra till
~t* they resemble one another in appearance; *känna
ngn till ~t* know sb by sight (appearance)
utsida *s* (~n, -sidor) outside; fasad façade; yta surface
äv. bildl.; i betydelsen 'yttre' exterior; *från ~n* äv. from
without
utsikt *s* (~en, ~er) **1** överblick view; utblick äv. outlook;
fri ~ an unobstructed view; *beundra ~en* admire the
view (endast sg. landskapet äv. scenery); rummet *har ~
mot (över) parken* ...looks (opens) on [to]
(...overlooks) the park; *~ över* hamnen view over...;
på t.ex. vykort view of...; rum *med ~* ...with a view;
med ~ över hamnen äv. overlooking... **2** bildl.
prospect; chans äv. chance; framtidsutsikter äv. outlook
(endast sg.); *han har goda ~er att* + inf. his prospects of
+ ing-form are good; planen *har goda ~er (ingen som
helst ~) att lyckas* ...stands a good (doesn't stand
an earthly) chance of succeeding; *har han några ~er
att få* platsen? is there any chance of his getting...?;
~er för de närmaste dagarna meteor. the forecast
(outlook) for...
utsiktsberg *s* (~et, =) hill with a [fine] view
utsiktslös *adj* (~t) ...without any prospect of
success; friare hopeless, futile
utsiktstorn *s* (~et, =) lookout [tower]

utsirad *adj* (-sirat, ~e) ornamented, decorated; om t.ex. bokstav ornamental; om skrift flourished

utsirning *s* (~en, ~ar) ornament; utsmyckande ornamentation (endast sg.)

utsjasad *adj* (utsjasat, ~e) se *utschasad*

utskick *s* (~et, =) mailing (sending out), dispatch; **göra ett ~ av** ngt mail (send) out...

utskjutande *adj* (oböjl.) om t.ex. burspråk projecting; om t.ex. tak, klipputsprång overhanging; om t.ex. käke, udde jutting

utskott *s* (~et, =) **1** arbetsgrupp committee; **sitta i ett ~** be (sit) on a committee **2** se *utväxt*

utskottsvara *s* (~n, -varor) skadad damaged (felaktig defective, smutsad [shop]soiled) article; **utskottsvaror** äv. rejects, throw-outs, seconds

utskrattad *adj* (-skrattat, ~e), talaren **blev ~** ...was laughed down

utskrift *s* (~en, ~er) transcription; data~ print-out; **göra en ~ av** ngt på dators skrivare print out sth; på maskin type out sth

utskuren *adj* (-skuret, -skurna) ...cut out [ur of]; snidad carved [i trä out of...]; **~ biff** kok., ung. sirloin steak

utskåpning *s* (~en, ~ar) vard. **1** utklassning outclassing; **det var rena ~en** it was a proper walk-over **2** utskällning, vard. telling-off, blowing-up, scolding

utskällning *s* (~en, ~ar) vard. telling-off, talking-to, scolding; **få en ~** get a telling-off (talking-to, scolding)

utskänkning *s* (~en) [the] serving of wine, spirits and beer on the premises

utskärgård *s* (~en, ~ar) outer islands and skerries pl.

utslag *s* (~et, =) **1** hud~ rash, [skin] eruption; **få ~** över hela kroppen break out in a rash..., come (break) out in spots...; **ha ~** have a rash (spots) **2** på våg turn of the scale; av visare o.d. deflection; av magnetnål äv. deviation; **ge ~** om visare o.d. be deflected, deviate, turn; om instrument give response (visst värde a reading); **vågen ger ~ för** ett milligram the scale is sensitive to... **3** avgörande decision, resolution; dom judgement (i brottmål sentence); skiljenämnds award; **detta fällde ~et** bildl. this decided the matter, this tipped (turned) the scale **4** yttring manifestation; exempel instance; symptom symptom **5** golf. drive

utslagen I *adj* (-slaget, -slagna) **1** om t.ex. blomma ...out (in bloom); om träd: med löv ...in leaf; med blommor ...in blossom; hon har **utslaget hår** ...her hair [let] down; 3,5 miljarder **utslaget på tre år** ...spread over three years; **vara ~** från arbetsmarknaden be excluded (made redundant)... **2** sport. eliminated; boxn. knocked out **II** *s* (en ~, pl. utslagna) socialt, **en ~** a dropout, an outcast

utslagning *s* (~en) **1** social missanpassning social maladjustment; **~en på arbetsmarknaden** har ökat the exclusion of people from the labour market... **2** sport. elimination; boxn. knock-out

utslagsfråga *s* (~n, -frågor) tiebreaker, tiebreaking question

utslagsgivande *adj* (oböjl.) decisive; **bli** (**vara**) **~ för** ngt be of decisive importance to...; **det blev ~ för honom** that decided him

utslagsplats *s* (~en, ~er) golf. tee

utslagsröst *s* (~en, ~er), **ha ~** have the casting vote

utslagstävling *s* (~en, ~ar) sport. elimination (knock-out) competition

utsliten *adj* (-slitet, -slitna) allm. worn out; om t.ex. argument, skämt, talesätt threadbare, hackneyed, stale, trite; **~ fras** hackneyed (trite) phrase, cliché

utslocknad *adj* (-slocknat, ~e) om vulkan, ätt extinct

utsläpad *adj* (-släpat, ~e) bildl. worn out

utsläpp *s* (~et, =) **1** avlopp, utgång outlet **2** utsläppande, uttömning letting out, discharging; dumpning, tippning dumping; av t.ex. luftföroreningar emission; **ett ~ av t.ex.** olja a discharge; av industriföroreningar an effluent **3** göra ett ~ i en söm let out...

utsläppsrätt *s* (~en, ~er) för växthusgaser emission allowance, emission rights pl.

utsmyckning *s* (~en, ~ar) adornment; ornament endast konkr., ornamentation (endast sg.), decoration

utspark *s* (~en, ~ar) sport. goalkick

utspekulerad *adj* (-spekulerat, ~e) raffinerat uttänkt studied; listig artful, crafty, cunning

utspel *s* (~et, =) **1** bildl.: åtgärd move, action, measures pl.; initiativ initiative; förslag proposals pl.; manöver manoeuvre, amer. maneuver **2** teat. [way of] acting **3** kortsp. lead, leading hand

utspelas *vb itr dep* (-spelades, -spelats) take place; be enacted; **scenen ~ i** ett värdshus the scene is laid in...

utspinna *vb rfl* (-spann, -spunnit), **~ sig** äga rum arise, ensue, come about; föras be carried on

utspisa *vb tr* (~de, ~t) feed

utspisning *s* (~en) utspisande feeding; **kollektiv ~** konkr. communal kitchen

utspridd *adj* (-spritt) scattered; **soldaterna var ~a** över landet the soldiers were dispersed...

utsprång *s* (~et, =) utskjutande del projection; klipp~ äv. jut [på of]

utspädd *adj* (-spätt) diluted, watered-down

utspädning *s* (~en) dilution

utspärra *vb tr* (~de, ~t) univ. exclude, bar, debar

utspökad *adj* (-spökat, ~e) ...[who is (was etc.)] dressed (dolled) up; du skulle ha sett **hur hon var ~!** ...the way she was dressed!

utstakad *adj* (-stakat, ~e) attr. ...that has been staked out; avgränsad delimited; bestämd determined; **fortsätta på den ~e vägen** continue on the career (course) that one has entered upon

utstråla I *vb itr* (~de, ~t) radiate; utströmma emanate **II** *vb tr* (~de, ~t) radiate äv. bildl. med avseende på hälsa, energi, lycka; t.ex. ljus, värme emit; t.ex. lycka, vänlighet beam forth

utstrålning *s* (~en) **1** eg. radiation, emanation **2** persons charisma, personal charm

utsträcka *vb tr* (-sträckte, -sträckt) se *sträcka ut* under *sträcka V*

utsträckning *s* (~en) **1** utsträckande extension; i tid prolongation **2** dimension, omfång, vidd extent, extension; i längd äv. length; vi kunde se **parken i hela dess ~** ...the full extent of the park; **i stor ~** to a great (large) extent; **i större eller mindre ~** to a greater or less extent; **i största möjliga ~** to the greatest possible extent, as extensively as possible; **i viss ~** to some extent

utsträckt *adj* (=) eg. outstretched; friare extended; **i ~ bemärkelse** in a wider (larger) sense; **ligga ~** lie stretched out

utstuderad *adj* (-studerat, ~e) raffinerad studied, consummate; listig artful, cunning; inpiskad thoroughpaced..., out-and-out...

utstyrd *adj* (-styrt) dressed up, rigged out; *en vackert ~ bok* an attractively got-up book

utstyrsel *s* (~n, utstyrslar) utrustning outfit; bruds äv. trousseau (pl. trousseaus el. trousseaux); babys äv. layette; utsmyckning, t.ex. boks get-up äv. vard., om klädsel

utstå *vb tr* (-stod, -stått) stå ut med endure; genomgå, drabbas av suffer, undergo; *~ smärta* endure (suffer) pain; *~ straff* suffer (undergo) punishment

utstående *adj* (oböjl.) om t.ex. tänder, ögon, öron protruding; om t.ex. kindknotor prominent; utskjutande projecting; utbuktande (äv. om ögon) protuberant, bulging; om t.ex. vinkel salient

utställare *s* (~n, =) **1** på utställning exhibitor **2** av värdehandling drawer

utställd *adj* (-ställt) **1** förevisad, *vara ~* be exhibited (on show) etc. **2** checken *är ~ på honom* ...is drawn on him, ...is in his name **3** om t.ex. byxor flared; *~a byxor* flares, bell-bottoms

utställning *s* (~en, ~ar) allm. exhibition; av t.ex. blommor, hundar (vanl.) show; visning display

utställningsföremål *s* (~et, =) exhibit

utställningslokal *s* (~en, ~er) exhibition room, showroom; konst. gallery

utställningsmonter *s* (~n, -montrar) på mässa o.d. [exhibition] stand

utstöta *vb tr* (-stötte, -stött) ljud utter; suck äv. give

utstött *adj* (=), *vara ~* ur t.ex. kamratkretsen be kept out (rejected); *vara ~ ur samhället* be an outcast of society

utsugare *s* (~n, =) polit. sweater; penning~ extortioner

utsugning *s* (~en) polit. sweating; av t.ex. arbetare äv. exploitation

utsvulten *adj* (-svultet, -svultna) starved, famished; svältande starving

utsvängd *adj* (-svängt) ...curved (bent) outwards; om kjol, byxor flared; *~a byxor* flares, bell-bottoms

utsvävande *adj* (oböjl.) liderlig debauched, dissolute, dissipated; *föra ett ~ liv* äv. lead a disorderly life, lead a fast life, live fast

utsvävningar *s pl* **1** levnadssätt debauchery, dissipation (båda endast sg.), excesses **2** avvikelser från ämnet digressions; överdrifter äv. extravagances

utsåld *adj* (-sålt) sold out; om bok äv. ...out of print; om vara äv. ...out of stock; pjäsen *går för ~a hus* ...fills the house, ...draws a packed house

utsäde *s* (~t, ~n) frö, koll. seed [corn], seed for sowing

utsänd *adj* (-sänt), *vår ~e medarbetare* our special correspondent

utsändning *s* (~en, ~ar) sending out, emitting; radio. el. TV. transmission, broadcast; TV. äv. telecast

utsätta I *vb tr* (-satte, -satt) **1** göra skyddslös expose; underkasta subject [*för* to]; *~ ngn för kritik* subject sb (hold sb up) to criticism **2** se *sätta ut* under *sätta IV*
II *vb rfl* (-satte, -satt), *~ sig för* expose oneself to; t.ex. kritik, prat äv. lay oneself open to; *~ sig för kritik* äv. make oneself the target for criticism; *~ sig för [risken] att* + inf. run the risk of + ing-form, risk + ing-form; *det vill jag inte ~ mig för* I don't want to run that risk, I don't want to risk that

utsökt I *adj* (=) exquisite, choice...; utvald select **II** *adv* exquisitely

utsöndra *vb tr* (~de, ~t) fysiol. secrete

utsöndring *s* (~en, ~ar) fysiol. secretion äv. konkr.

utsövd *adj* (-sövt) thoroughly rested; *jag är inte ~* I haven't had enough sleep

uttag *s* (~et, =) **1** elektr. [wall] socket, point; amer. outlet, wall socket **2** penning~ withdrawal **3** utskärning, hack notch, indentation

uttagning *s* (~en, ~ar) sport. selection, se äv. *uttagningstävling*; för specialuppdrag el. mil. drafting

uttagningstävling *s* (~en, ~ar) sport. trial [game], trials pl.

uttagsautomat *s* (~en, ~er) cash machine; amer. ATM (förk. för automated teller machine)

uttagsavgift *s* (~en, ~er) bank. withdrawal charge

uttagsblankett *s* (~en, ~er) bank. withdrawal form

uttagskvitto *s* (~t, ~n) bank. withdrawal receipt (form)

uttal *s* (~et, =) pronunciation [*av* of]; persons sätt att tala accent; artikulation articulation; *ha bra engelskt ~* äv. have a good English accent

uttala I *vb tr* (~de, ~t) **1** ord o.d. pronounce; artikulera articulate; *~ ett ord fel* mispronounce... **2** uttrycka express **3** t.ex. dom pronounce, pass **II** *vb rfl* (~de, ~t), *~ sig* express oneself, comment, give one's opinion [*om* on]; *~ sig i försiktiga ordalag* express oneself in guarded terms; ministern vägrade *~ sig i saken* äv. ...to comment on the matter

uttalad *adj* (-talat, ~e) tydlig, markerad marked, pronounced; uttrycklig explicit

uttalande *s* (~t, ~n) yttrande utterance; förklaring statement, declaration, pronouncement; ministern kommer att *göra ett ~* ...make a statement; *göra ett skarpt ~ om* ngt (*i* en fråga)... express oneself strongly on...

uttalsbeteckning *s* (~en, ~ar) phonetic notation

uttaxera *vb tr* (~de, ~t) speciellt skatter levy; friare äv. impose

uttaxering *s* (~en, ~ar) levying, levy äv. konkr.; statlig skatt tax[es pl.]; kommunalskatt rates pl.

utter *s* (~n, uttrar) zool., skinn, fiskeredskap otter

uttjatad *adj* (-tjatat, ~e) hackneyed, trite; *ämnet är uttjatat* the subject has been discussed a million times; i t.ex. romaner the plot has been done to death

uttjänt *adj* (=) om sak (attr.) ...which has served its time; utsliten worn out

uttorkad *adj* (-torkat, ~e) **1** dry; om damm dried up; om mark parched **2** vetensk. desiccated **3** med. dehydrated

uttryck *s* (~et, =) allm. expression; talesätt äv. phrase; tecken äv. mark; bevis äv. token; yttring av känsla el. friare manifestation; term term; *ett belåtet ~* a satisfied expression (look), a look (an expression) of satisfaction; *stående ~* set (fixed, stock) expression (phrase); *för att använda ett milt* (*starkt*) *~* to put it mildly (strongly); *ge ~ för* (*åt*) *sina känslor* express one's feelings, give expression (words) to one's feelings; hennes ansikte hade *ett ~ av svårmod* ...a sad expression; *ta sig* (*komma till*) *~ i...* find expression (om känsla vent) in..., show (manifest) itself in..., be manifested (avspeglas reflected) in...

uttrycka I *vb tr* (-tryckte, -tryckt) ge uttryck åt: allm. express; om t.ex. blick, gest äv. show, manifest; t.ex. tankar, känslor i ord put...into words, give utterance to; *~ en önskan* express (utter) a wish; jag vet inte *hur jag ska ~ det* äv. ...how to put it **II** *vb rfl* (-tryckte, -tryckt), *~ sig* express oneself; speak; *~ sig klart* express oneself clearly, make oneself clear; **för att ~ sig kort** to be brief

uttrycklig *adj* (~t) om t.ex. order, önskan express…; klar, tydlig explicit, definite

uttryckligen *adv* expressly, tydligt explicitly; **~ beordra ngn** att… order sb in so many words (in express terms)…

uttrycksfull *adj* (~t) expressive, …full of expression; full av mening, om t.ex. blick, ord significant

uttryckslös *adj* (~t) expressionless; om blick, min äv. vacant

uttrycksmedel *s* (-medlet, =) means (pl. lika) of expression

uttryckssätt *s* (~et, =) way of expressing oneself; författares stil style; fras phrase

uttråkad *adj* (-tråkat, ~e) bored; pred. äv. bored stiff, bored to death (tears)

utträda *vb itr* (-trädde, -trätt) avgå, **~ ur** leave, withdraw (retire) from; förening äv. resign one's membership of (in)

utträde *s* (~t, ~n) avgång withdrawal, retirement; försäkr. exit; **anmäla sitt ~ ur** föreningen announce one's resignation from…

uttröttad *adj* (-tröttat, ~e) weary, tired out [*av* with]; utmattad exhausted

uttunnad *adj* (-tunnat, ~e) thinned [out (down)]; spädd diluted

uttåg *s* (~et, =) march out, departure; bibl. exodus (endast sg.)

uttänjd *adj* (-tänjt) extended, stretched [out]; uttöjd baggy, sagging

uttömma *vb tr* (-tömde, -tömt) **1** se *tömma ut* under *tömma 1* **2** bildl. exhaust, spend, use up; **hans krafter var uttömda** he was exhausted (worn out); **ha uttömt alla resurser (möjligheter)** be at the end of one's resources (tether)

uttömmande I *adj* (oböjl.) om t.ex. behandling exhaustive; om t.ex. redogörelse very thorough, complete, comprehensive **II** *adv* utförligt exhaustively; grundligt thoroughly

utvakad *adj* (-vakat, ~e) …tired (worn) out through lack of sleep

utvald I *adj* (-valt) chosen, selected, picked; exklusiv, förnäm select; utsökt choice…; **slumpvis ~** randomly selected, randomized; **~ kvalitet** choice quality; **ett utvalt sällskap** a select company (group); **II** *s* (en ~, pl. ~a), **de ~a** äv. relig. the elect (chosen); **några få ~a** a chosen few, a few chosen ones, a select few

utvandra *vb itr* (~de, ~t) ur landet emigrate; om växter, djur flytta migrate

utvandrare *s* (~n, =) emigrant

utvandring *s* (~en, ~ar) emigration; friare migration

utveckla I *vb tr* (~de, ~t) friare el. bildl.: allm. develop; framställa, framlägga set out (forth), unfold; prestera, visa display, show, manifest; frambringa: t.ex. elektricitet, värme generate; t.ex. rök emit, give off; **hon ~de hela sin charm** she brought all her charm to bear; **~ förbättra en metod** improve (elaborate) a method; **~ en plan närmare** enlarge on a plan; **~ saken (det) närmare** go into detail; **tidigt ~d** brådmogen precocious

II *vb rfl* (~de, ~t), **~ sig** develop; växa äv. grow [*till* into; *från* out of, from]; öka äv. increase; bli bättre improve; breda ut sig unfold; kem. be disengaged; **han ~de sig till** en framstående idrottsman (sångare) äv. he

blossomed out as…; **fåglarna har ~t sig ur kräldjuren** birds have evolved from reptiles

utvecklas *vb itr dep* (-vecklades, -vecklats) se *utveckla II*

utveckling *s* (~en, ~ar) framåtskridande development; långsammare förändring el. vetensk. evolution; framsteg progress; växande growth; alstring production, generation; **följa** bevaka **~en** watch over developments; **avvakta den vidare ~en** await (watch over) further developments; undergå **en våldsam ~** …a violent process of change; **vara stadd i ~** be developing (växande growing)

utvecklingskostnader *s pl* development costs

utvecklingsland *s* (~et, -länder) developing country

utvecklingslära *s* (~n) theory of evolution

utvecklingssamtal *s* (~et, =) skol. discussion on progress [between teacher, parent and pupil]; i företag [career] development discussion

utvecklingsstadium *s* (-stadiet, -stadier) stage of development; speciellt vetensk. evolutionary stage

utvecklingsstörd *adj* (-stört), **[psykiskt] ~** [mentally] retarded

utverka *vb tr* (~de, ~t) få obtain, secure [*åt* for]

utvidga I *vb tr* (~de, ~t) göra bredare widen; friare el. bildl.: t.ex. sitt företag, sitt inflytande extend; t.ex. marknaden expand; t.ex. hål, lokal, kunskaper enlarge; tänja ut el. fys. dilate; **~ sin bekantskapskrets** increase (extend) the circle of one's acquaintances **II** *vb itr* (~de, ~t), företaget **tänker ~** …plans to expand **III** *vb rfl* (~de, ~t), **~ sig** breda ut sig widen [out]; expandera expand; bli större enlarge; tänjas ut stretch, dilate

utvidgas *vb itr dep* (-vidgades, -vidgats) se *utvidga III*

utvidgning *s* (~en, ~ar) widening, extension, expansion; enlargement; dilation; jfr *utvidga*

utvikning *s* (~en, ~ar) avvikelse deviation; från ämne digression

utvikningsbild *s* (~en, ~er) centrefold, amer. centerfold

utvilad *adj* (-vilat, ~e) [thoroughly] rested (refreshed)

utvinna *vb tr* (-vann, -vunnit) extract [*ur* from]

utvinning *s* (~en) extraction

utvisa *vb tr* (~de, ~t) **1** visa ut ur landet order…to leave (quit) [the country]; utlänning äv. expel; deportera deport **2** fotb. o.d. send (order)…off [*från planen* the field]; i ishockey send…to the penalty box **3** visa show; tydligt visa indicate; **det får framtiden ~** time must (will) show

utvisning *s* (~en, ~ar) **1** förvisning banishment, expulsion; deportering deportation **2** i ishockey penalty; **det blev två ~ar** fotb. there were two players ordered off

utvisningsbås *s* (~et, =) i ishockey penalty box; vard. sin bin

utvisslad *adj* (-visslat, ~e), **bli ~** get the bird (amer. the Bronx cheer)

utväg *s* (~en, ~ar) **1** bildl. expedient, means (pl. lika), way, way out, resource; **~ar** äv. ways and means; **jag ser ingen annan ~** I see no alternative (other way out) [*än att* + inf. but to + inf.]; **som en sista ~** möjlighet as a last resource; räddning as a (in the) last resort; vi måste **hitta på (finna) en ~** …find a way [out]; vard. …think of something **2** väg ut way out

utvändig *adj* (~t) om t.ex. mått external, outside; om t.ex. målning exterior

utvändigt *adv* externally, [on the] outside, outwardly, on the exterior; *in- och* ~ inside and outside, within and without

utvärdera *vb tr* (~de, ~t) evaluate

utvärdering *s* (~en, ~ar) evaluation, assessment, skol. äv. appraisal

utvärtes I *adj* (oböjl.) external, outward; *för* ~ *bruk* for external use (application) **II** *adv* externally, outwardly

utväxla *vb tr* (~de, ~t) t.ex. fångar, artigheter exchange

utväxling *s* (~en) **1** utbyte exchange **2** tekn. gear; kraftöverföring transmission; utväxlande gearing; *låg* (*hög*) ~ low (high) gear; *ha låg* ~ be low-geared; *ha hög* ~ be high-geared

utväxt *s* (~en, ~er) allm. outgrowth; knöl protuberance; skadlig growth äv. bildl.

utåt I *prep* anger riktning [out] towards; t.ex. landet out into; *bo* ~ *kusten* (*landet*) ...somewhere in the direction of the coast (somewhere out in the country); *ett rum* ~ *gatan* ...facing the street **II** *adv* outward[s]; *längre* ~ further out; [*han är*] *partiets ansikte* ~ [he represents] the party image; vår politik ~ ...in relation to other countries; han visade ingenting av sin oro ~ ...outwardly; dörren *går* ~ ...opens outwards; *gå* ~ *med tårna* (*fötterna*) turn out one's toes when walking; fult och överdrivet have splayed feet

utåtriktad *adj* (-riktat, ~e) eg. out-turned, ...turned (directed) outward[s]; psykol. extrovert, outgoing

utåtvänd *adj* (-vänt) eg. out-turned, ...turned (directed) outward[s]

utöka *vb tr* (~de, ~t) increase, enlarge; dryga ut eke out; *~d upplaga* enlarged edition

utöva *vb tr* (~de, ~t) t.ex. funktion, makt, en rätt exercise; t.ex. välgörenhet, hobby, religion, yrke practise; t.ex. inflytande, press, tryck exert; t.ex. mildhet, tvång use; ~ *dragningskraft på ngn* have attraction for sb, attract sb; ~ *makt* exercise (wield) power

utövande I *s* (~t) exercise, practice; exertion, jfr *utöva* **II** *adj* (oböjl.) practising; verkställande executive; ~ *konstnär* creative artist

utövare *s* (~n, =) practiser; av konst, yrke practician

utöver *prep* utom over and above, besides, in addition to; utanför beyond; mer än in excess of; jag har tre pennor ~ *den här* ...besides (in addition to) this; han har dricks ~ *lönen* ...outside (over and above) his wages; han har ingenting ~ *pensionen* ...beyond his pension; *något* ~ *det vanliga* something out of the ordinary; *det kostar* flera miljoner ~ *den beräknade summan* it exceeds the calculated sum by...

uv *s* (~en, ~ar) zool. great horned owl, eagle owl; han är *en gammal uv* bildl. ...an old character

uzbekisk *adj* (~t) Uzbek

Uzbekistan Uzbekistan

uzbekistansk *adj* (~t) Uzbek

v *s* **1** (v:et, v:n el. v) bokstav v [utt. vi:] **2 V** (förk. för *volt*) V

va *interj*, ~*?* hur sa what?, sorry?; artigare [I] beg your pardon?, pardon?

vaccin *s* (~et, ~er el. =) vaccine

vaccination *s* (~en, ~er) vaccination, inoculation [*mot* i båda fallen against]

vaccinera *vb tr* (~de, ~t) vaccinate, inoculate [*mot* i båda fallen against]; [*låta*] ~ *sig* get vaccinated

vacker *adj* (~t, vackra) **1** skön o.d., allm. beautiful; förtjusande lovely, stilig, ståtlig handsome; storslagen, fin, grann fine äv. iron.; hon är *inte direkt* ~ *men ganska söt* ...not exactly beautiful, but rather pretty; *ett* ~*t arbete* a beautiful (fine, good) piece of work; ~ *som en dag* om kvinna [as] pretty as a picture, really lovely (beautiful); ~ *tass!* till hund give me your paw!; *vackra lovord* high praise sg., encomiums; *en* ~ *röst* a beautiful (sångröst äv. fine) voice; *från den vackraste sidan* from the best side; italienska är *ett* ~*t språk* ...a beautiful language; ~*t* [*väder*] beautiful (lovely, fine) weather; *det* [*här*] *var just* ~*t!* iron. this is a fine (nice) thing!; *hon blir vackrare för varje dag* she gets more beautiful (prettier) every day **2** ansenlig, om t.ex. summa considerable, good, handsome; om inkomst respectable; *det kostar en* ~ *slant* vard. ...a pretty penny, ...a fine lot of money; *det är* ~*t så!* [it is] pretty good at that!

vackert *adv* **1** eg. beautifully, prettily; finely; nicely; jfr *vacker 1*; *be* ~ *om...* ask nicely (properly) for...; *huset ligger* ~ the house is beautifully (nicely) situated; *sitta* ~ om hund sit up [and beg]; *han skriver* ~ har en god handstil he has good handwriting; ~ *klädd* handsomely (beautifully) dressed; *ett* ~ *möblerat rum* a handsomely-furnished room; *som det så* ~ *heter* iron. as they so prettily put it **2** varligt carefully; *fara* ~ *fram* go carefully; *ta det* ~! take it easy! **3** vard., i befallningar, *du stannar* ~ *hemma!* just you stay [quietly] at home!; *det låter du* ~ *bli!* you'll do no such thing! **4** ~*!* vard., bra gjort well done!; 'fint' fine!

vackla *vb itr* (~de, ~t) totter äv. om sak; ragla reel, stagger; t.ex. i sin tro falter, waver; vara obestämd el. obeslutsam vacillate; *bruket* ~*r* [the] usage varies; hans hälsa *började* ~ ...began to give way; *regeringen* ~*de* the Government was tottering; *komma ngn att* ~ i sitt beslut cause sb to waver..., shake (unsettle) sb; *han* ~*de fram* he was staggering (lurching) along

vacklan *s* (=, en) bildl. wavering, tottering; vacillation; jfr *vackla*; obeslutsamhet irresolution, indecision

vacklande I *adj* (oböjl.) tottering osv., jfr *vackla*; obeslutsam unsettled; om hälsa failing, precarious **II** *s* (~t) eg. tottering osv., jfr *vackla*; reel, stagger, lurch; bildl., se *vacklan*

vacuum *s* (~et, =) vacuum (vetensk. pl. vacua)

1 vad *s* (~en, ~er el. ~or) anat. calf (pl. calves)

2 vad *s* (~en, ~ar) fiske. seine; *fiska med* ~ seine

3 vad *s* (~et, =) vadhållning bet, wager; *hålla* (*slå*) ~ make a bet, lay (make) a wager; *ska vi slå* ~ [*om*

det]**?** som invändning o.d. do you want to bet [on that]?; **jag slår ~ om** att han kommer för sent I bet you...; **jag slår ~ om** femtio kronor [**med dig**] I'll bet (wager) you...

4 vad s (~et, =) vadställe ford

5 vad I *pron* **1** interr. what; **~** (**va**)**?** hur sa what?, sorry?; artigare [I] beg your pardon?, pardon?; **~ då?** hur sa, vad för något what?; **~ för** + subst.**?** what...?; **~ för en** (**ett, ena, några**) fören. el. självst.: what; avseende urval which; självst. äv. which one (pl. ones); **~ för något?** what?, what did you say?; **~ är 'det för något?** what's 'that?; **~ tänker du bli** [**för något**]**?** what do you intend to do for a living?; till barn what are you going to be?; **~ gråter du för?** why are you crying?, what are you crying for (about)?; **~ har du för anledning att** + inf.**?** what reason have you (what is your reason) for + ing-form?; **~ har du för planer?** what are your plans?; **~ är det för dag i dag?** what day is it today?; **~ nytt?** any news?, what's the news?; **~ gör det?** what does that matter?; **~ gör det för skillnad?** what difference does that make?; jag vet inte **~ jag ska göra** ...what to do; **~ heter hon?** what's her name?; **~ ska hända härnäst?** what next?; **~ säger** (**tycker**) **du?** what do you say (think)?; **nej, ~ säger du!** really!, you don't say!, well, I never!; **vet du ~!** I tell you what!; **~ vill du?** what is it?, what do you want?; **~ är klockan?** what time is it?, what's the time?; jag vet inte **~ som hände** ...what happened **2** rel., **~** [**som**] what; **~ värre är** what is [still] worse; man säger inte **allt ~ man tänker** ...all [that] one thinks; **göra ~ man vill** do what one likes; **~ du** [**än**] **gör** whatever you do; [**efter**] **~ jag vet** as (so) far as I know; **~ helst** se *vadhelst*; **~ som helst** se *helst 2* **II** *adv* how; **~ tiden går fort!** how quickly time flies!; **~ blåsigt det är!** isn't it windy!

vada *vb itr* (~de, ~t) wade; **~ över en flod** wade [across] a river, ford a river; **~ i pengar** bildl. be wallowing (rolling) in money

vadare s (~n, =) o. **vadarfågel** s (~n, -fåglar) zool. wading bird, wader

vadd s (~en, ~ar) wadding; bomulls~ cotton wool, amer. absorbent cotton

vaddera *vb tr* (~de, ~t) pad [out], wad; täcke, morgonrock o.d. quilt; **~de axlar** padded shoulders; **~d jacka** quilted jacket

vaddering s (~en, ~ar) padding osv., jfr *vaddera*

vadhelst *pron* whatever

vadhållning s (~en, ~ar) betting, wagering, making (laying) [of] bets (resp. a bet)

vadmal s (~en el. ~et) ung. frieze, rough homespun

vadslagning s (~en, ~ar) se *vadhållning*

vadställe s (~t, ~n) ford, fordable place

vag *adj* (~t) vague; obestämd undefined; dimmig hazy

vagabond s (~en, ~er) vagabond, tramp

vagel s (~n, vaglar) **1** med. sty, stye **2** sittpinne perch, roost

vagga I s (~n, vaggor) cradle äv. bildl.; **hennes ~ stod i** Lund ...was the place of her birth, ...was her birthplace; **från ~n till graven** from the cradle to the grave; skämts. from [the] womb to [the] tomb **II** *vb tr* (~de, ~t) rock; svänga, vicka sway, swing; **~...till sömns** rock...to sleep **III** *vb itr* (~de, ~t) rock [*med kroppen* oneself]; gå vaggande waddle; **~ med huvudet** sway (wag) one's head [to and fro]; **~ med höfterna**

sway (swing) one's hips; **~nde gång** rocking (waddling) gait

vaggvisa s (~n, -visor) cradle song, lullaby

vagina s (~n, vaginor) anat. vagina

vagn s (~en, ~ar) allm. carriage; åkdon vehicle; större, speciellt för passagerare, äv. coach; last~ o.d. wagon el. waggon, truck; jfr äv. sammansättn. som *barnvagn, järnvägsvagn, spårvagn* m.fl.

vagnpark s (~en, ~er) **1** bilar total number of vehicles (cars) **2** järnv. rolling-stock

vagnskadeförsäkring s (~en, ~ar) insurance against damage [to a (resp.the) motor vehicle]

vagnslast s (~en, ~er) carriageload, wagonload osv., jfr *vagn*; **en ~** kol a carriageload of...

1 vaja *vb itr* (~de, ~t) om t.ex. flagga fly, float; om sädesfält wave, billow; om t.ex. träd sway; fladdra flutter, stream

2 vaja s (~n, vajor) zool., renko reindeer cow (doe)

vajer s (~n, vajrar) cable; tunnare wire

1 vak s (~en, ~ar) is~ hole in the ice

2 vak s (~en, ~ar) vakande watching, keeping vigil; **hon sitter ~ i natt** she is on night-duty

vaka I s (~n, vakor) natt~ vigil, night watch **II** *vb itr* (~de, ~t) hålla vaka sit up; ha nattjänst be on night duty; **~ hos** en patient watch by...; **~ över** övervaka **ngn** (**ngt**) watch (keep watch) over sb (sth); **~ in det nya året** see the New Year in

vakande *adj* (oböjl.) watching; jfr *vaksam*; **hålla ett ~ öga på...** watch...closely, keep a close (sharp) eye on...

vakans s (~en, ~er) vacancy

vakant *adj* (=) vacant

vaken *adj* (vaket, vakna) **1** inte sovande awake endast pred., waking...; **ligga ~** lie awake; **i vaket tillstånd** when awake, in the waking state **2** mottaglig för intryck, om t.ex. sinne alert, keen; pigg bright; vard. all there endast pred.; uppmärksam wide-awake

vakenhet s (~en) wakefulness; bildl. alertness, wide-awakeness

vakna *vb itr* (~de, ~t), **~** [**upp**] wake [up]; framför allt bildl. awake; bildl. äv. stir; **~ med ett ryck** wake with a start (jump); **~ på fel sida** get out of bed on the wrong side; naturen **~de till nytt liv** ...awoke to fresh life; **~ till medvetande** sans regain consciousness, come round (to); **~ till medvetande om ngt** become conscious of sth

vaknatt s (~en, -nätter) sleepless night; hos sjuk night watch

vaksam *adj* (~t, ~ma) vigilant, watchful; pred. äv. on the alert, jfr *vakande*

vaksamhet s (~en) vigilance, watchfulness

vakt s (~en, ~er) **1** vakthållning watch äv. sjö., watching; speciellt mil. guard; ~tjänstgöring äv. duty; **ha ~** [**en**] be on duty; mil. äv. be on guard; sjö. have the watch; på skrivning invigilate; **hålla ~** keep watch (guard), watch; **hålla ~ vid...** äv. watch at..., guard...; **slå ~ om** friheten stand up for..., stand up in defence of..., safeguard...; **stå på ~** keep watch, watch; på post be on guard, stand sentry (sentinel); **vara på sin ~** bildl.: vara försiktig be on one's guard; se upp keep a good lookout **2** person: som bevakar guard; som utövar tillsyn attendant; på skrivning invigilator, amer. proctor; vaktpost sentry, sentinel; jfr *nattvakt* m.fl.; manskap [men pl. on] guard

vakta *vb tr* o. *vb itr* (~de, ~t) allm. watch; bevaka

guard; övervaka watch over, supervise; t.ex. barn look after; hålla vakt keep guard (watch); på skrivning invigilate, amer. proctor

vaktavlösning s (~en, ~ar) relief of the guard (sjö. the watch); utanför palatsbyggnad o.d. changing of the guard

vaktbolag s (~et, =) security firm, Securicor®

vaktel s (~n, vaktlar) zool. quail

vakthavande adj (oböjl.), ~ officer officer of the guard; sjö. officer of the deck; vara ~ se ha vakten under vakt 1

vakthund s (~en, ~ar) guard dog, watchdog

vakthållning s (~en) bevakning watch; mil., vakttjänst guard (sjö. watch) duty

vaktkur s (~en, ~ar) sentry box

vaktmästare s (~n, =) på kontor o.d. messenger; skol. el. univ. porter, caretaker; i kyrka verger; i museum attendant; på bio o. teater attendant, usher; i rättssal usher; kypare waiter

vaktombyte s (~t, ~n) mil. changing of the guard (sjö. watch), guard-mounting; avlösning relief

vaktparad s (~en, ~er) mil., parad parade of soldiers, guard-mounting parade; ~en styrkan the changing (mounting) of the guard

vaktpost s (~en, ~er) sentry, sentinel

vakttjänst s (~en, ~er) guard (sjö. watch) duty

vakttorn s (~et, =) watchtower

vakuum s (~et, =) vacuum (vetensk.: pl. vacua)

vakuumförpackad adj (-förpackat, ~e) vacuum-packed

vakuumförpackning s (~en, ~ar) vacuum packaging; konkr. vacuum pack (package)

vakuumtorka vb tr (~de, ~t) vacuum-dry

1 val s (~en, ~ar) zool. whale; ~ar valdjur cetaceans

2 val s (~et, =) **1** allm. choice; utväljande äv. selection; eget val, gottfinnande option; mellan två saker alternative; det finns inget annat ~ there is no alternative; göra (träffa) sitt ~ make one's choice; ha fritt ~ have liberty of (have a free) choice; inte ha annat ~ än att... have no other choice (alternative) but to..., have no option but to...; efter eget ~ according to choice, at one's own option; vara i ~et och kvalet be on the horns of a dilemma, be faced with a difficult choice (decision); vara i ~et och kvalet [om man ska gå eller inte] be in two minds [whether to...] **2** genom omröstning election; själva röstandet voting, polling; det blir allmänna ~ ...a general election; direkt (indirekt) ~ direct (indirect) voting (polit. election); hemliga ~ secret voting, a [secret] ballot; förrätta ~ hold an election (elections); förrätta ~et conduct (preside at) the election; gå (skrida) till ~ allmänna val go to the polls; segra i ~et win the election; bli vald be elected

valack s (~en, ~er) kastrerad hingst gelding

valaffisch s (~en, ~er) election poster

valanalytiker s (~n, =) polit. polls analyst, psephologist

valarbetare s (~n, =) election worker (canvasser)

valbar adj (~t) eligible [till for]; icke ~ ineligible

valbarhet s (~en) eligibility

valberedning s (~en, ~ar) election (nominating) committee

valborg s (oböjl., en) o. **valborgsmässoafton** s (~en, -aftnar) the eve of May Day, Walpurgis night

valbyrå s (~n, ~er) election office [of a party]

vald adj (valt) chosen osv., jfr välja; några väl ~a ord a few well-chosen words

valdag s (~en, ~ar) polling (election) day

valdeltagande s (~t, ~n) participation in the (resp. an) election, turnout, poll; ~t var högt polling was heavy, there was a large turnout; ~t var lågt polling was low, there was a low turnout

valdistrikt s (~et, =) constituency electoral district (amer., mindre precinct); för kommunala val äv. ward

valens s (~en, ~er) kem. el. språkv. valency, amer. valence

valeriana s (~n) bot. el. farmakol. valerian

valfisk s (~en, ~ar) whale

valfläsk s (~et) vard. election promises pl., vote-catching

valfri adj (-fritt) optional; amer. äv. elective; frivillig äv. facultative; ~tt ämne skol. optional subject; amer. äv. elective, elective subject

valfrihet s (~en) persons freedom (liberty) of choice

valfusk s (~et) electoral (ballot) rigging

valfångare s (~n, =) whaler; fartyg äv. whaling boat

valfångst s (~en, ~er) fångande whaling, whale-fishing

valförrättare s (~n, =) presider at a (resp. the) poll, presider at an (resp. the) election

valhänt adj (=) **1** klumpig, om t.ex. försök clumsy, awkward; om t.ex. ursäkt lame; han är ~ äv. his fingers are all thumbs **2** stelfrusen numb, benumbed; jag är ~ av kylan my hands are numb...

valjakt s (~en, ~er) fångande whaling, whale-fishing

valk s (~en, ~ar) **1** i huden callus, callosity; av fett roll **2** hår~ pad

valkampanj s (~en, ~er) election (electoral) campaign (endast sg.); det att föra en valkampanj electioneering

valkig adj (~t) i huden callous; om händer äv. horny

valkrets s (~en, ~ar) constituency

valkuvert s (~et, =) ballot envelope

1 vall s (~en, ~ar) upphöjning bank; bank embankment; fästnings~ rampart, earthwork; skydds~ o.d., se 1 damm 1

2 vall s (~en, ~ar) betes~ grazing-ground, pastureground, field; driva boskap i ~ turn (send)...out to grass, graze...; gå i ~ beta be grazing, be at grass

1 valla vb tr (~de, ~t) låta beta graze; vakta tend, watch; visa runt take (show)...round; lotsa guide; ~ hunden walk the dog, take the dog for a walk; den misstänkte ~des [på brottsplatsen] the suspect was taken over the scene of the crime

2 valla I s (~n, vallor) skid~ skiwax **II** vb tr (~de, ~t), ~ skidor wax skis

vallfart s (~en, ~er) pilgrimage

vallfartsort s (~en, ~er) place of pilgrimage, [holy] shrine; bildl. Mecca

vallfärd s (~en, ~er) pilgrimage

vallfärda vb itr (~de, ~t) go on (make) a pilgrimage äv. bildl.

vallgrav s (~en, ~ar) moat, fosse

vallhund s (~en, ~ar) shepherd's dog

vallmo s (~n, ~r) poppy

vallmofrö s (~et, ~n) poppy seed äv. koll.

vallokal s (~en, ~er) polling station, voting station; amer. polling place

vallon s (~en, ~er) Walloon

vallonsk *adj* (~t) Walloon

vallöfte *s* (~t, ~n) election pledge (promise)

valmöte *s* (~t, ~n) election meeting

valnederlag *s* (~et, =) election defeat

valnämnd *s* (~en, ~er) election (electoral) committee

valnöt *s* **1** (~en, -nötter) walnut **2** (~en) virke, bord **av** ~ äv. walnut...

valnötsträd *s* (~et, =) walnut tree

valp *s* (~en, ~ar) puppy, pup, whelp samtl. äv. bildl.; pojke äv. cub; en tik **med sina ~ar** äv. ...with her young

valpa *vb itr* (~de, ~t) whelp

valpaktig *adj* (~t) o. **valpig** *adj* (~t) puppyish; omogen äv. callow

valprogram *s* (~met, =) polit. election platform

valpsjuka *s* (~n) zool. distemper

valresultat *s* (~et, =) election result

valross *s* (~en, ~ar) walrus

valrörelse *s* (~n, ~r) se *valkampanj*

1 vals *s* (~en, ~er) **1** dans waltz; **dansa** ~ waltz, dance (do) a waltz **2** vard., lögn yarn, fib; **den ~en går jag inte på** I won't buy that [one]; **dra en** ~ tell a fib (starkare whopper)

2 vals *s* (~en, ~er) tekn.: i kvarn o.d. roller; i valsverk roll

1 valsa *vb itr* (~de, ~t) waltz

2 valsa *vb tr* (~de, ~t) tekn., ~ [**ut**] roll [out]

valsedel *s* (~n, -sedlar) voting paper, ballot paper, ballot

valseger *s* (~n, -segrar) election victory, victory at the polls

valskolkare *s* (~n, =) abstainer

valskvarn *s* (~en, ~ar) roller mill

valspråk *s* (~et, =) motto (pl. -s el. -es), device

valsverk *s* (~et, =) tekn.: verk rolling-mill; maskin laminating rollers pl., för papper pressing rollers pl.

valtaktik *s* (~en) election tactics pl.

valtal *s* (~et, =) election speech (address)

valtala *vb itr* (~de, ~t) make an election speech; amer. vard. barnstorm

valtalare *s* (~n, =) election speaker

valthorn *s* (~et, =) mus. French horn

valthornist *s* (~en, ~er) o. **valthornsblåsare** *s* (~n, =) mus. French-horn player

valurna *s* (~n, -urnor) ballot box

valuta *s* (~n, valutor) **1** myntslag currency; utländsk valuta [foreign] exchange; **hård** (**mjuk**) ~ hard (soft) currency **2** värde, utbyte value; **få** ~ **för pengarna** get value for one's money

valutabrott *s* (~et, =) violation of currency regulations, currency offence

valutahandel *s* (~n) [foreign] exchange transactions pl. (dealings pl.)

valutakorg *s* (~en) ekon. basket of currencies

valutakurs *s* (~en, ~er) rate of exchange, exchange rate

valutamarknad *s* (~en, ~er) [foreign] exchange market

valutapolitik *s* (~en) [foreign] exchange (currency) policy

valutareform *s* (~en, ~er) currency reform

valutareserv *s* (~en, ~er) [foreign] exchange (currency) reserve (reserves pl.)

valutasmuggling *s* (~en) currency smuggling

valutautflöde *s* (~t, ~n) drain of foreign exchange (currency)

valv *s* (~et, =) allm. vault; ~båge arch; **slå ett** ~ **över...** cover...with a vault

valvaka *s* (~n, -vakor), **de höll** ~ ung. they sat up waiting for the election results to come in

valvbåge *s* (~n, -bågar) arch

valår *s* (~et, =) election year

valör *s* (~en, ~er) allm. value; på sedel o.d. denomination; färgton äv. tint, [colour] tone; betydelsenyans nuance

vamp *s* (~en, ~ar el. ~er) seductive woman, vamp

vampyr *s* (~en, ~er) vampire äv. bildl.

van *adj* (~t) spec. attr.: erfaren practised, experienced, trained; skicklig skilled, expert; härdad, t.ex. vid kyla inured [*vid* to]; **vara** ~ **vid ngt** be used (accustomed) to sth; **vara** ~ **vid att** + inf. be used (accustomed) to + ing-form; **med** ~ **hand** with a deft (skilled, practised) hand; **vara** (**bli**) ~ ha (få) för vana **att lägga sig tidigt** be in (get into) the habit of going to bed early; **bara man blir lite** ~... once you get used to it...; får kläm på det once you get into the knack of it...; hon satte sig **där hon var** ~ alltid brukade [**att sitta**] ...where she usually sat

vana *s* (~n, vanor) framför allt omedveten habit; framför allt medveten practice; sed, sedvänja custom; vedertaget bruk usage; erfarenhet experience; färdighet practice; **~ns makt** the force of habit (resp. custom el. long usage); **dålig** (**god**) ~ bad (good) habit; **dyra vanor** expensive habits; **inrotad** ~ inveterate habit; **sin** ~ **trogen** true to one's [usual] habit; **bli en** ~ grow into (become) a habit, grow (become) habitual [*hos* with]; **få** (**skaffa sig**) **en** ~ acquire (contract, get into) a habit; **jag har ~n inne** I'm used to it; **ha stor** ~ [**vid**] **att** + inf. be quite used to + ing-form; **han har stor** ~ **att undervisa** he has great experience of (in) teaching; **av gammal** ~ by [force of] habit, from long-accustomed habit; **ha för** ~ **att** + inf. have a habit (be in the habit resp. make a practice) of + ing-form; **frångå sina vanor** give up one's habits; **med någon** ~ **från** livsmedelsbranschen with some experience of (in)...; **det är mot min** ~ it is not what I am used (accustomed) to; **låt det inte bli en ~!** don't make a habit of it!; **göra det till en** (**ta för**) ~ **att** + inf. make a practice of + ing-form

vanartig *adj* (~t) vicious, bad

vandal *s* (~en, ~er) **1** hist. Vandal **2** bildl., förstörare vandal

vandalisera *vb tr* (~de, ~t) vandalize, destroy

vandalism *s* (~en) o. **vandalisering** *s* (~en) vandalizing, vandalism

vandel *s* (~n) [mode of] life, conduct, morals pl.; **handel och** ~ dealings pl., conduct; **föra en hederlig** ~ lead a respectable (blameless) life

vandra I *vb tr* o. *vb itr* (~de, ~t) gå till fots: walk äv. bildl., go on foot; fot~ ramble, vard. hike; med ryggsäck backpack; ströva utan mål wander, roam, rove, stroll; om djur, folk migrate; bildl., om t.ex. blick, tankar travel; **vara ute och** ~ be out walking (resp. hiking); **denna sägen har ~t** från land till land this legend has passed... **II** med beton. part.

vandra i väg på långtur set off on...

vandra omkring walk osv. about (jfr *vandra I*) [*i* in]; ~ **omkring på** gatorna wander (roam) about...

vandrande *adj* (oböjl.) walking osv., jfr *vandra*; om djur, folk migratory; kring~ itinerant, ambulatory;

den ~ juden the Wandering Jew; **~ njure** med. floating (wandering) kidney; **~ pinne** zool. stick insect

vandrare s (~n, =) allm. wanderer; fot~ walker, rambler, vard. hiker; med ryggsäck backpacker

vandrarhem s (~met, =) youth hostel

vandring s (~en, ~ar) allm. wandering; utflykt walking-tour; fot~ ramble, vard. hike, jfr *fotvandring* djurs, folks, migration; **ge sig ut på ~** go on a walking-tour (hike)

vandringsfolk s (~et, =) nomadic people

vandringshistoria s (-historien el. ~n, -historier) urban legend

vandringspris s (~et, = el. ~er) challenge trophy

vandringsutställning s (~en, ~ar) travelling exhibition

vanebildande adj (oböjl.) habit-forming, addictive

vaneförbrytare s (~n, =) habitual criminal, persistent (old) offender

vanemänniska s (~n, -människor) creature of habit, slave of routine (habit)

vanemässig adj (~t) habitual; rutinmässig routine…

vanesak s (~en, ~er) matter of habit

vanföreställning s (~en, ~ar) fallacy, delusion, false notion

vanheder s (~n) disgrace, dishonour, infamy; skam shame

vanhedra vb tr (~de, ~t) disgrace, dishonour, bring disgrace (shame) upon

vanhedrande adj (oböjl.) disgraceful, dishonourable; ovärdig shameful

vanhelga vb tr (~de, ~t) profane, desecrate

vanhelgande I s (~t) profanation, desecration; av kyrkor o.d. äv. sacrilege **II** adj (oböjl.) profanatory, sacrilegious

vanilj s (~en) vanilla

vaniljglass s (~en, ~ar) vanilla ice cream; **en ~** äv. a vanilla ice

vaniljkräm s (~en, ~er) vanilla custard

vaniljsocker s (-sockret) vanilla sugar

vaniljstång s (~en, -stänger) vanilla pod

vaniljsås s (~en, ~er) custard [sauce], vanilla custard

vanka vb itr (~de, ~t), **[gå och]** ~ saunter, wander; **~ omkring** saunter (wander) about

vankas vb itr dep (vankades, vankats), **han höll sig framme när det vankades något gott** …when there was something nice going; **i dag ~ det tårta** …there is (will be) a cake

vankelmod s (~et) obeslutsamhet indecision; tvekan hesitation; ombytlighet inconstancy; nyckfullhet fickleness

vankelmodig adj (~t) obeslutsam indecisive, unsettled [in one's mind]; vacklande wavering; ombytlig inconstant, fickle

vanlig adj (~t) **a)** bruklig usual [hos with; bland among]; 'gammal', invand (hos person) äv. accustomed, habitual; sed~ customary [hos with; bland among] **b)** vanligen förekommande, vardaglig (mots. märkvärdig, speciell o.d.) ordinary; gemensam för många (mots. sällsynt) common; allmän general; ofta förekommande frequent; förhärskande prevalent; **en helt ~** (**~ enkel**) rörmokare, händelse, växt a common [or garden]…; **mindre ~** less (not very) common; **i ordets ~a bemärkelse** in the common (usual, ordinary) sense of the word; **i ~a fall** vanligen in ordinary cases, as a rule; **den gamla ~a**

historien the [same] old story; **~a människor** ordinary people, the common (general) run of people; **på sin ~a plats** in its (their etc.) usual place; **på ~t sätt** in the ordinary (usual) manner (way); **det blir mer och mer ~t** it is becoming more and more common (frequent); **som ~t** as usual; **som ~t [är]** bland pojkar as is usual…; vara bättre **än ~t** …than usual

vanligen adv o. **vanligtvis** adv generally, usually; ordinarily, commonly; jfr *vanlig*; för det mesta in general; i regel as a rule

vanlottad adj (-lottat, ~e) badly (unfairly) treated; fattig, pred. badly off [i fråga om as regards]

vanmakt s (~en) maktlöshet powerlessness, impotence

vanmäktig adj (~t) powerless, impotent, vain; **han gjorde ett ~t försök** att rädda… he made a vain attempt…; **en ~ vrede** an impotent rage

vanpryda vb tr (-prydde, -prytt) disfigure, spoil the look of; bildl. äv. be inappropriate (unbecoming) for, be a blot on

vanrykte s (~t) disrepute, bad repute; **råka (komma, hamna) i ~** fall into disrepute

vansinne s (~t) insanity, lunacy; galenskap madness; dårskap folly; **det vore rena ~t att** + inf. it would be insane (sheer madness, the height of folly) to + inf.; **driva ngn till ~** drive sb mad (crazy); vard. send sb up the wall (round the bend)

vansinnig adj (~t) allm. mad, insane; tokig crazy; psykiskt sjuk insane, deranged, demented; utom sig frantic [av with]; **en ~ [människa]** äv. a lunatic, a madman resp. madwoman; starkare a maniac; **[en] ~ huvudvärk** a splitting headache; **ett ~t pris** a preposterous price; **bli ~** go mad, become insane (demented); **har du blivit ~?** are you out of your mind?; **han gör mig ~** he drives me mad (crazy, to desperation)

vansinnigt adv madly, crazily; insanely; vilt frantically; jfr *vansinnig*; vard., endast förstärkande awfully, terribly, frightfully; **vi hade ~ bråttom** we were in an awful (a terrible, a frightful) hurry; **~ dyr** awfully osv. expensive; **vara ~ förälskad i ngn** be madly in love with sb

vanskapt adj (=) deformed, malformed, misshapen; oformlig monstrous; **~ varelse** deformed creature; missfoster monster

vansklig adj (~t) svår difficult, hard; riskabel hazardous, risky; kinkig awkward; känslig, delikat delicate, ticklish

vansköta I vb tr (-skötte, -skött) mismanage; försumma neglect, not look after…properly; **parken är vanskött** …is badly looked after, …has been neglected **II** vb rfl (-skötte, -skött), **~ sig** neglect oneself (sin hälsa one's health) badly

vanskötsel s (~n) mismanagement, negligence, neglect; **av ~** from (for) want of proper care

vansläktas vb itr dep (-släktades, -släktats) degenerate

vanstyre s (~t) persons misrule; regerings o.d. misgovernment; vanskötsel mismanagement

vanställa vb tr (-ställde, -ställt) allm. disfigure; eg. äv. deform, deface; friare spoil [the look of], mar; förvrida distort; **hon var alldeles vanställd [i ansiktet]** her face was quite disfigured

vant s (~et, = el. ~er) sjö. shroud

vante s (~n, vantar) [stickad jersey (bomulls~ cotton)]

glove; tum~ vanl. mitten; *lägga vantarna på...* vard. lay hands [up]on...

vantrivas *vb itr dep* (-trivdes, -trivts) be (feel) uncomfortable (ill at ease); not feel at home [*på en plats* at a place]; get on badly [*med ngn* with sb]; om djur, växter not thrive, thrive badly; *jag vantrivs med arbetet* I am not at all happy in my job

vantrivsel *s* (~n) oförmåga att trivas inability to get on (om djur äv. samt om växter to thrive); otrevnad [feeling of] unhappiness (discomfort)

vantro *s* (~n) vanföreställning, irrlära false belief, misbelief; otro unbelief

vanvett *s* (~et) insanity; besatthet mania; galenskap madness; se vidare *vansinne*

vanvettig *adj* (~t) insane, mad; jfr *vansinnig*; vild raving; om t.ex. påhitt absurd, wild

vanvård *s* (~en) se *vanskötsel*

vanvårda *vb tr* (~de, ~t) se *vansköta*

vanvördig *adj* (~t) disrespectful; mot heliga ting irreverent [*mot* to]

vanära I *s* (~n) disgrace, dishonour; skam ignominy, shame; *dra ~ över* sin familj bring disgrace (dishonour, shame) on... **II** *vb tr* (~de, ~t) disgrace, dishonour; jfr äv. ex. under *vanära I*

vapen *s* (vapnet, =) **1** redskap weapon äv. bildl.; koll. arms pl.; koll. weaponry; *hemligt ~* secret weapon; *konventionella ~* conventional weapons; *bära* (*föra*) *~* bear (carry) arms; *nedlägga vapnen* el. *sträcka ~* lay down [one's] arms, surrender [*för ngn* to sb]; *med ~ i hand* med vapenmakt by force of arms, by armed force; *gripa till ~* take up arms **2** mil. arm [of the service], branch of the fighting services **3** herald. coat of arms, arms pl.; ätts äv. crest

vapenbroder *s* (~n, -bröder) brother-in-arms (pl. brothers-in-arms), comrade-in-arms (pl. comrades-in-arms)

vapendragare *s* (~n, =) väpnare armour-bearer; bildl. supporter, partisan

vapenfri *adj* (-fritt), *~ tjänst* mil. non-combatant service, military service as a conscientious objector

vapenför *adj* (~t) ...fit for military service, ...capable of bearing arms; *ej ~* unfit for military service

vapengömma *s* (~n, -gömmor) arms cache

vapenhus *s* (~et, =) [church] porch

vapeninnehav *s* (~et, =), *olaga ~* illegal possession of a weapon (resp.weapons)

vapenlicens *s* (~en, ~er) licence to carry a gun, firearms permit

vapenmakt *s* (~en), *med ~* by force of arms

vapenskrammel *s* (-skramlet) bildl. sabre-rattling

vapensköld *s* (~en, ~ar) herald. coat of arms pl., escutcheon

vapenslag *s* (~et, =) arm [of the service], branch of the fighting services, service branch

vapensmedja *s* (~n, -smedjor) armourer's workshop

vapenstillestånd *s* (~et, =) armistice; vapenvila truce, cessation of hostilities

vapenvila *s* (~n, -vilor) truce, cessation of hostilities; tillfällig cease-fire

vapenvård *s* (~en) [the] care of arms, weapon cleaning

vapenvägrare *s* (~n, =) conscientious objector, förk. CO (pl. CO's); amer. draft resister

1 var *s* (~et) med. pus, matter

2 var *s* (~et) överdrag case, slip

3 var *pron* (vart) **1** allm. **a**) fören.: varje särskild, var och en för sig each; varenda every, jfr *varje 1*; före räkneord every; *~ dag* every (each) day, dagligen äv. daily; bli sämre *för ~ dag* [*som går*] ...with every day that passes, ...every day; vi träffas *~ och varannan dag* ...practically (pretty well) every day; *~ femte* every fifth; *~t femte barn* äv. one child in every five, one child out of [every] five; *~ femte dag* every fifth day, every five days **b**) självst., se *var och en* under 3 var 2; ge dem *ett äpple ~* ...an apple each

2 *~ och en* **a**) fören., se *varje 1* **b**) självst.: var och en för sig each (om fler än två äv. each one) separately; varenda en, alla (om person) everyone, everybody, every man (person); *~ och en som* äv. whoever; *~ och en av...* each [one] of...; alla every one of...; *de gick ~ och en till sin plats* vanl. they went to their respective places; *vi betalar ~ och en för sig* each [one] of us will pay for himself (om kvinnor herself); han talade med *~ och en för sig* ...each [one] individually (separately); *det är ~s och ens plikt att* + inf. vanl. it is each man's duty to + inf.

3 *~ sin*: *vi fick ~ sitt äpple* we got an apple each, we each got an apple; *vi fick ~ sina två glas* we got two glasses each; *vi betalade ~ sin gång* we took it in turns to pay, we took turns in (at) paying; de stod *på ~ sin sida av gatan* ...on either side of the street

4 var *adv* **1** fråg. where; *~ då?* el. *~ någonstans?* where?; *~ ungefär* hittade du den? whereabouts...?; *~ i all världen* har du vunt? where on earth...?, *~* i the world...?, wherever...? **2** andra fall, *här och ~* here and there; *~ som helst* se *helst 2*; *~ än* varhelst wherever; *~ du vill* wherever (where) you like

1 vara I *vb itr* (var, varit) allm. be; existera, finnas till äv. exist; äga rum äv. take place; stanna äv. stay; utgöra, bilda äv. make; känna sig äv. feel; se ut äv. look; visa sig vara prove (turn out) [to be]; fungera som act as; vara anställd be employed; *att ~ eller icke ~* to be or not to be; *hans sätt att ~* his way of behaving; *för att ~ utlänning är han...* for a foreigner he is (he's)...; *för att ~ så ung är du...* considering [that] you are (you're) so young you are (you're)...; *jag är* bra dum, *är jag inte?* I am (I'm)..., aren't I?; *jag är lärare* I am a teacher; *två och tre är fem* two and three are (is, make[s]) five; *vi är fem* [*stycken*] there are five of us; *han är här för att...* he has come to...; *när är bröllopet?* when is...[to be]?, when will...be (take place)?; *snäll som jag är* ska jag hjälpa dig as I am nice..., being nice...; *det lilla som är* what (the) little there is; *det är som det är* things are as they are; det kan inte ändras it can't be altered; *för att säga som det är* to tell you the truth, to put it bluntly; *det är Eva* sagt i telefon [this is] Eva speaking, Eva here; *är det fru A?* i telefon is that Mrs A speaking?; *hur är det* i London? hur ser det ut o.d. what's it like...?; hur är förhållandena how are things...?; hur trivs du how do you like it...?; *det här är mina böcker* these books are mine (belong to me); *det var bra att du kom* nu it's fine (a good thing) you came...; *det var det som var* fel that's what was...; under *veckan som var* (*varit*) ...the last (past) week; föreställningen *har redan varit* ...has already taken place; är över ...is already over; *jag* (*han*) *vore glad om* du kom I would (should) resp. (he would) be glad if...; *det vore* (*skulle vara*) *trevligt* that would be nice; *om jag vore* (*var*) rik if I were (was)...; *om jag vore* (*var*) rik *ändå!* I wish I were (was)...!; *om inte han vore* (*hade varit*) ofta som hinder if it were not (had not been) for him; som hjälp but for him; *var* försiktig! be...!; *var inte dum!* don't be...!

får det ~ en kopp te? would you like (may I offer you)...?; *det får* ~ [*för mig*] jag vill inte I would rather not; jag gitter inte I can't be bothered; *den får* ~ *för mig* jag vill inte ha den I can do without it; jag låter den vara I'll leave it alone; *det får* (*kan*) ~ tills senare that can wait...; *det får* (*vi låter det*) ~ *som det är* we'll leave it as it is (at that); *det kan* [*så*] ~ *att han är rik, men*... he may be rich, but...; *var ska* (*brukar*) knivarna ~? where do...go?; *det är bara att ringa* you only have to ring, just ring; *hon är och handlar* she is out shopping; har gått för att handla she has gone [out] shopping; *hon var och mötte mig* she was there (had come) to meet me; *han är och förblir* en skurk he always has been...and always will be huset *är av trä* ...is [made] of wood; ~ *från* England a) om person be from... b) om produkter come from...; *jag var hos honom en timme* I stayed with him for an hour, I spent an hour with him; *han var där* (*här*) *med boken* i går he took the book there (brought the book)...; *hur är det med...?* hur mår how is (resp. are)...?; *hur förhåller det sig med* how (what) about...?; *vad är det med* ljuset? what has happened to...?, what's the matter with...?; *vi är flera om* [*att dela*] ansvaret there are several of us who share...; *man måste* ~ *två om det* (*om att göra det*) that's a job for two (it takes two to do it); *jag var på* (*var och såg*) Hamlet I saw (gick på went to see)...; *vad är den här* (*ska den här* ~) *till?* what is this [meant] for?; *han är vid* järnvägen he is employed (has a job) on...;

II *hjälpvb* (var, varit) **1** med perfekt particip av transitivt verb: **a**) spec. uttr. varaktighet o. resultat be **b**) passivbildande (= ha blivit) vanl. have been; *när* (*var*) *är han född?* when (where) was he born?; *bilen är gjord i Sverige* (*på nittiotalet*) the car was made in Sweden (in the nineties); *bilen är* (*var*) *stulen* the car has (had) been stolen **2** med perfekt particip av intransitiva rörelseverb o.d. vanl. have; *han är* (*var*) *bortrest* he has (had) gone away; *han är bortrest sedan en vecka* he has been away for a week

III med beton. part.

vara av a) be off osv., se ex. under *av II 1* **b**) ~ *av med* ha förlorat have lost; vara kvitt have got (be) rid of; avvara spare; klara sig utan do (manage) without

vara borta be away osv., se *borta*; *vara borta från* arbetet äv. stay away from...

vara efter a) förfölja, ~ *efter ngn* be after sb, be on sb's tracks **b**) vara på efterkälken, ~ *efter i* (*med*) ngt be behind in (behind[hand] with)...; ~ *efter med* [*betalningen av*] hyran äv. be in arrears with...

vara emot ngt be against...; ogilla äv. be opposed to...

vara framme se under *framme 2*

vara för ngt be for...; starkare be all for...; se äv. ex. under *2 för III 2* o. *2 för III 3*

vara före: ~ *före* [*ngn*] be ahead [of sb]; bildl. äv. be in advance of sb; i tid o. ordning be before (in front of) sb

vara i: *kontakten är i* the plug is in (connected); *korken är i* the cork is in the bottle; *nyckeln är i* the key is in the lock

vara kvar stanna remain, stay [on], se äv. ex. under *kvar*

vara med a) deltaga take part; närvara be present [*på* (*vid*) at]; finnas med, vara medräknad be included; *är böckerna med?* har vi fått med have we got...?; har du med did you bring...?; *är du med?* förstår du mig do you follow [me]?, do you get what I mean?; *får jag* ~ *med?* may I join in?; göra er sällskap may I join you?, may I make one of the party?; *han är med henne* överallt he accompanies (goes with) her...; *hon var inte med* tåget she didn't come with...; ~ *med sin tid* keep up with the times, be (keep) up to date; *han var med* [*oss*] *när vi*... he was with us when we...; *jag var med* [*när det hände*] I was there (present) [when it happened]; *jag är med i* en förening I am a member of...; *han var med i* kriget he served (was) in... **b**) ~ *med om* (*på*) samtycka till agree (consent) to; gilla approve of; vara villig till be ready (game) for; bidraga till contribute to **c**) ~ *med om* bevittna see, witness; deltaga i take part in; t.ex. kupp äv. be a party to; uppleva experience; genomgå go (be, live) through; råka ut för meet with; ~ *med om att* + inf.: medverka do one's share towards + ing-form; hjälpa till help to + inf.; han berättade *allt han varit med om* ...all that had happened to him, ...all his experiences; *få* ~ *med om* [*i sin livstid*] live to see; *jag har varit med om snö* i september I have known snow... **d**) *hur är det med henne?* hur mår hon how is she?, how does she feel?; *vad är det med henne?* what's the matter (what's wrong) with her?; vad har hänt henne? what has happened to her?

vara om sig look after one's own interests, look after number one; vara närig be on the make, have an eye to the main chance

vara på a) allm. be on; gå, om t.ex. motor äv. be running **b**) bildl.: ~ *på ngn* ligga efter be on at sb; slå ner på be down on sb; ~ *på ngt* röra vid be at sth

vara till exist, be; *den är till för att* + inf. it is there to + inf.; *det är det den är till för* that's what it is there (avsedd meant) for; ~ *till sig* be beside oneself

vara ur: *kontakten är ur* the plug is out (disconnected); *nyckeln är ur* the key is not in the lock

vara över be over osv., se ex. under *över II*

IV *s* (~t) filos., ~[t] existence, being

2 vara *vb itr* (~de, ~t) räcka, allm. last; pågå go on; fortsätta continue; hålla i sig hold; i högre stil endure; hålla, om kläder o.d. äv. wear; jfr *räcka III 1* o. *räcka III 2*; ~ hålla *länge* äv. be durable (lasting); ~ *längre än* äv. outlast; ~ *över vintern* last the winter [out]; det var roligt *så länge det* ~*de* ...while it lasted; *ärlighet* ~*r längst* honesty is the best policy

3 vara *s* (~n, varor) hand.: artikel article; specialartikel, varuslag line; produkt product; nödvändig el. nyttig vara commodity äv. bildl.; *varor* koll. äv. goods, handelsvaror merchandise sg.; *det är äkta* ~ it is the genuine article (the real thing)

4 vara *s* (oböjl.), *ta* ~ *på* ta hand om take care of, look after; utnyttja make the most of, make use of, exploit; *ta* [*väl*] ~ *på tiden* make good use (make the most) of one's time; *ta* ~ *på tillfället* take (make the most of, avail oneself of) the opportunity; hon irrar omkring *utan att kunna ta* ~ *på sig själv* ung. ...in a helpless state; *ta...till* ~ se *tillvarata*

5 vara *vb itr* o. *vb rfl* (~de, ~t), ~ [*sig*] om sår o.d. fester, suppurate

varaktig *adj* (~t) långvarig, om t.ex. fred, intryck, vänskap lasting, enduring; om t.ex. popularitet, tillgivenhet abiding; hållbar durable; om färg fast; beständig, om t.ex. bostad, plats permanent

varaktighet *s* (~en) fortvaro duration; hållbarhet durability; beständighet permanence, permanency; *av kort* ~ of short duration

varandra *pron* each other, one another; *de lånade ~s böcker* they borrowed each other's (one another's) books; *bredvid* ~ äv. side by side; de kom *efter* ~ ...one after the other, ...after one another; *tätt efter* ~ close upon each other; *byta* adresser *med* ~ exchange...; *på* ~ *följande* veckor consecutive..., successive...; *deras förhållande till* ~ their mutual relationship

varann vard., se *varandra*

varannan I *räkn* (vartannat) every other (second); en gång ~ *dag* äv. ...every two days; ~ *gång* äv. alternately; ~ *vecka* äv. every (once a) fortnight **II** *pron* (vartannat), *om vartannat* omväxlande by turns; huller om buller all over the place

varav *adv* of el. annan prep. which (etc.), jfr *av* I; vi såg tio bilar, ~ *tre skåpbilar* ...three of them (three of which were, of which three were) vans

varbildning *s* (~en, ~ar) purulence, suppuration (båda endast sg.); konkr. abscess

varböld *s* (~en, ~er) boil; svårare abscess

vardag *s* (~en, ~ar) weekday; arbetsdag äv. workday; *~ens* mödor the...of everyday life; *på* (*om*) *~arna* el. *till ~s* on weekdays; friare on ordinary days; *till ~s* vardagsbruk for everyday use (om kläder wear)

vardaglig *adj* (~t) everyday...; vanlig äv. ordinary; banal commonplace, trivial; om utseende plain; informell informal

vardagsklädd *adj* (-klätt) ...dressed in everyday (ordinary) clothes, ...dressed in casual wear

vardagskläder *s pl* everyday (ordinary) clothes

vardagslag *s* (oböjl.), *i* ~ på vardagarna on weekdays; vanligtvis usually; den duger *i* ~ ...for everyday use (om kläder wear)

vardagsliv *s* (~et) everyday (ordinary) life

vardagsmat *s* (~en) everyday (ordinary) food (fare); *det är* ~ förekommer ofta it happens every day, there's nothing special about it; *för honom var det* ~ *att...* he thought nothing of...

vardagsproblem *s* (~et, =) everyday problem

vardagsrum *s* (~met, =) living room, sitting room; amer. lounge, family room

vardagsspråk *s* (~et, =) everyday (colloquial) language (talat speech), vernacular

vardera *pron* (vartdera) each; per person äv. per head; *böckerna kostar* ~ 200 kronor the books cost...each (apiece), each of the books costs...; *i vardera fallet* in each case; om två äv. in both cases; *på* ~ *sidan* [*av* floden] on either side [of...]

varefter *adv* **1** after el. annan prep. which (etc.) , jfr *efter* **2** relativt, i tidsbetydelse ('varpå') after (on) which, whereupon

varelse *s* (~n, ~r) väsen being; person person; *en levande* ~ äv. a living creature

varenda *pron* (vartenda) every [single]; ~ *en* el. *vartenda ett* every (each) [single] one; alla all, one (each) and all; ~ *dag* every day; dagligen äv. daily

vare sig *konj* **1** either; *jag känner ingen av dem,* ~ *honom eller hans bror* I don't know either him or his brother **2** antingen whether; *han måste gå* ~ *han vill eller inte* ...whether he wants to or not

vareviga *pron* vard. every single

varfågel *s* (~n, -fåglar) zool. great grey shrike

varför *adv* **1** interr. why; av vilket skäl äv. for what reason; bibl. wherefore; vard. what...for; ~ *det?* el. ~ *då?* why?; ~ *gjorde du det?* why did you do that?, what did you do that for?; ~ *tror du det?* vanl. what makes you believe that?; ~ *inte?* why not?; *jag vet inte* ~ I don't know [the reason] why **2** rel., och fördenskull [and] so, and therefore; och följaktligen and consequently; av vilken anledning for which reason; och av den anledningen and for that reason; formellare wherefore; jag var förkyld, ~ *jag stannade hemma* ...[and] so (and therefore, and consequently, and that's why) I stayed at home

varg *s* (~en, ~ar) wolf (pl. wolves) äv. bildl.; *jag är hungrig som en* ~ I could eat a horse, I'm ravenous; *ingen rädder för ~en här!* who's afraid of the big bad wolf?; *tjuta med ~arna* bildl. run with the pack; *kasta åt ~arna* bildl. throw (cast) to the wolves

vargavinter *s* (~n, -vintrar) extremely (bitterly) cold winter

varghona *s* (~n, -honor) o. **varginna** *s* (~n, varginnor) she-wolf, bitch wolf

vargskinnspäls *s* (~en, ~ar) wolfskin coat

vargtimmen *s* (best. sing.) 'the hour of the wolf', the hour before dawn [when people have nightmares, crises etc.]

vargunge *s* (~n, -ungar) **1** zool. wolf cub **2** förr: scout wolf cub, amer. cub scout, jfr *minior*

varhelst *adv*, ~ [*än*] wherever

vari *adv* in which; varest where

variabel I *s* (~n, variabler) matem. el. statistik. variable; *beroende* (*oberoende*) ~ dependent (independent) variable **II** *adj* (~t, variabla) variable, changeable

variant *s* (~en, ~er) variant; biol. äv. el. friare variation

variation *s* (~en, ~er) variation äv. mus.

varibland *adv* bland vilka, rel.: om personer among whom; om saker among which; *en del möbler,* ~ *ett skåp och två bord* some furniture, including...

variera I *vb itr* (~de, ~t) vary; vara ostadig fluctuate; *priser som ~r mellan 80 och 100 kronor* prices varying (ranging) between 80 and 100 kronor (from 80 to 100 kronor) **II** *vb tr* (~de, ~t) allm. vary; ge omväxling åt äv. diversify; ~ *ett tema* äv. ring the changes on a theme

varierande *adj* (oböjl.) allm. varying; om t.ex. priser äv. fluctuating; om t.ex. humör, väder variable

varieté *s* (~n, ~er) **1** föreställning variety, variety show (entertainment); amer. äv. vaudeville [show] **2** lokal variety theatre; i Storbr. äv. music-hall theatre; i USA äv. vaudeville theater

varietet *s* (~en, ~er) variety

varifrån *adv* **1** interr. from where; var...ifrån where...from; från vilken plats äv. from what place; ~ *har du fått* hört *det?* where did you get that from?; vem har sagt det? who says so?; hur vet du det? how do you know? **2** rel.: från vilken (vilket, vilka) from el. annan prep. which, jfr *från*; från vilken plats from where, from which place; ~ *20 % ska dras av* from which must be deducted...; ~ *han än kommer* wherever he comes from

varig *adj* (~t) om t.ex. sår festering, purulent, suppurating

varigenom *adv* **1** through el. annan prep. which, jfr *genom I* (etc.) **2** interr.: på vilket sätt in what way; genom vilka medel by what means; i formell stil, och till följd av detta whereby

varje *pron* **1** fören.: varje särskild, var och en för sig each; varenda every; vardera av endast två vanl. either; vilken som helst any; *i ~ fall* in any case, at all events; *i ~ ända av korridoren* at either end... **2** självst., *lite av ~* a little (a bit) of everything; allt möjligt all sorts of things; *han har varit med om lite av ~* he has knocked about a great deal, he has been through quite a lot in his time; *fem påsar med två kilo i ~* ...in each

varken *konj*, *~ eller* neither...nor; *~ han eller hon* får priset äv. neither of them...; *han ~ kunde eller ville* läsa he neither could nor would..., he could not and would not...; stycket är *~ bättre eller sämre än...* ...no better nor worse than...; *han kom ~ i går eller i dag* he came neither yesterday nor today, he did not come either yesterday or today

varlig *adj* (~t) se *varsam*

varm *adj* (~t) eg.: allm., om t.ex. rum, kläder warm; 'varmare än ljummen', om t.ex. mat, bad hot; bildl., om t.ex. vänskap, rekommendation warm; hjärtlig, om t.ex. hälsning, mottagande hearty, cordial; glödande fervent, ardent; *tre grader ~t* three degrees above zero (above freezing-point); *ett ~t bad* a hot bath; *en ~ beundrare* a warm (starkare an ardent) admirer; *en ~ blick* a tender look (gaze); *en ~ dag* a hot day; *~t deltagande* warm sympathy; *~t hjärta* warm (generous) heart; *~ korv* hot dog (koll. dogs pl.); *~a källor* hot (thermal) springs; *mina ~aste lyckönskningar!* heartiest congratulations!; *under den ~a (~aste) årstiden* during the hot season; *bli ~ i kläderna* bildl. begin to find one's feet; *jag blev ~ om hjärtat* my heart warmed; *gå ~* tekn. get over-heated, run hot; *känna sig ~* äv. feel all aglow; soppan ska *serveras ~* ...be served hot; *tala sig ~* warm to one's subject; *vara ~ om fötterna (händerna)* have warm feet (hands)

varmbad *s* (~et, =) hot bath

varmblod *s* (~et, =) häst thoroughbred, blood horse

varmblodig *adj* (~t) warm-blooded; bildl. äv. hot-blooded, passionate

varmed *adv* with el. annan prep. which, jfr *2 med* (etc.)

varmfront *s* (~en, ~er) meteor. warm front

varmgång *s* (~en) tekn. overheating

varmhjärtad *adj* (-hjärtat, ~e) warm-hearted, generous

varmköra *vb tr* (-körde, -kört) warm up

varmluft *s* (~en) hot air

varmluftsballong *s* (~en, ~er) hot-air balloon

varmluftsugn *s* (~en, ~ar) fan oven

varmrätt *s* (~en, ~er) huvudrätt main course (dish)

varmrökt *adj* (=) smoked [at a temperature of 70° C or more]

varmvatten *s* (-vattnet) hot water

varmvattenberedare *s* (~n, =) geyser, water heater

varmvattenkran *s* (~en, ~ar) hot[-water] tap (amer. faucet)

varna *vb tr* (~de, ~t) warn [*för ngn* against sb; *för ngt* of (against, about) sth; *för att göra ngt* not to do sth, against doing sth]; mana att vara försiktig äv. caution [*för att göra ngt* not to do sth, against doing sth]; på förhand forewarn, alert; förmana

admonish; sport. caution [*för* for]; *hon ~de* [*oss* (*dem* etc.)] *för farorna med att göra det* (*för det*) she warned us (them etc.) of the dangers of doing it (against it)

varnande *adj* (oböjl.) allm. warning; manande till försiktighet äv. cautionary; på förhand, om t.ex. tecken äv. premonitory; *en ~ blick* a warning glance; *ett ~ exempel* se under *exempel*; *några ~ ord* a few words of warning

varning *s* (~en, ~ar) warning; caution äv. varningsord; vink hint; på förhand premonition; förmaning admonition; *~ för hunden!* beware of the dog!; *~ för ficktjuvar!* beware of pickpockets!; *~ för svag is!* danger! thin ice; *han fick en ~ av* domaren sport. he was cautioned by...; *låt detta bli* [*dig*] *en ~!* let this be a warning to you (serve you as a lesson)!; *ta ~ av* take warning from; *han slapp undan med en ~* he was let off with a caution

varningslampa *s* (~n, -lampor) warning lamp (light)

varningsmärke *s* (~t, ~n) trafik m.m. warning sign

varningsrop *s* (~et, =) warning cry

varningssignal *s* (~en, ~er) warning signal; bildl. warning sign

varningsskylt *s* (~en, ~ar) trafik m.m. warning sign

varningstriangel *s* (~n, -trianglar) bil. warning (reflecting) triangle

varp *s* (~en, ~ar) i väv warp äv. bildl.

varpa I *s* (~n, varpor) **1** vävn., varpmaskin warping machine **2** sport., kaststen 'varpa', stone (metal) disc; kastspel throwing the 'varpa' **II** *vb tr* (~de, ~t) vävn. warp

varpå *adv* **1** on el. annan prep. which, jfr *på* (etc.) **2** relativt, i tidsbetydelse ('varefter') after (on) which, whereupon

1 vars *pron* **1** rel. whose; om djur o. saker äv. of which; *Agö, ~ fyr* är... Agö, whose lighthouse..., Agö, the lighthouse of which... **2** obest., *~ och ens* se *3 var 2*

2 vars *adv*, *ja* (*jo*) *~* någorlunda not [too] bad

varsam *adj* (~t, ~ma) careful [*med* with]; förtänksam cautious, prudent; vaksam wary; grannlaga, finkänslig tactful, gentle; jfr *aktsam* o. *försiktig*; *~ renovering* ...in keeping with past tradition; *med ~ hand* with a cautious hand, cautiously, gingerly

varsamhet *s* (~en) care[fulness], caution, prudence, wariness etc., jfr *varsam*

varse *adj* (oböjl.), *bli ~* märka notice, observe, see; upptäcka discover, catch sight of; skönja discern, descry; förnimma perceive

varseblivning *s* (~en) psykol. perception

varseblivningsförmåga *s* (~n) psykol. perceptiveness

varsel *s* (varslet, =) **1** förebud premonition, premonitory sign; jfr *förebud*; *det är ett ~ om* t.ex. kommande olycka this portends etc. ..., jfr *varsla 1* **2** varskoende notice; *med kort ~* at short notice

varselljus *s* (~et, =) bil. day-notice (side, day-running) lights pl.

varsko *vb tr* (~dde, ~tt) underrätta inform; förvarna warn [*ngn om ngt* sb of sth]; *polisen är ~dd* äv. the police have been notified

varsla *vb tr* o. *vb itr* (~de, ~t) **1** förebåda, *~ om* ngt portend..., forebode..., presage..., augur..., be ominous of... **2** varsko, *~ om strejk* give (serve) notice of a strike

varstans *adv* vard., det ligger papper *lite ~* ...here, there, and everywhere

varsågod *interj* se under *god I 1*

1 vart *adv* where; **~ än** varthelst wherever; **~ vill du komma?** vad syftar du på? what are you driving at?; jag vet inte **~ jag ska gå** ...where to go; **~ som helst** se *helst 2*

2 vart *s* (oböjl., en), **jag kommer inte någon (ingen) ~** I am getting nowhere, I am not getting anywhere; bildl. äv. I am making no headway (progress) [whatever]; **du kommer ingen ~ med** sådana metoder ...will get you nowhere

3 vart *pron* se *3 var*

vartannat *räkn* o. *pron* se *varannan*

vartefter *konj* efter hand som as

vartenda *pron* se *varenda*

varthelst *adv* wherever, wheresoever

vartill *adv* to el. annan prep. which, jfr *till I 1* (etc.); det brott **~ han gjort sig skyldig** ...of which he has rendered himself guilty; **~ kommer att han är** en god talare in addition to which he is...

vartsomhelst *adv* se *helst 2*

varubeteckning *s* (~en, ~ar) description of goods, trade description

varubil *s* (~en, ~ar) delivery van

varudeklaration *s* (~en, ~er) description of goods, trade description; intyg om kvalitet informative label; som rubrik på varuförpackning: innehåll contents; ingredienser ingredients used

varuhiss *s* (~en, ~ar) goods lift (amer. elevator)

varuhus *s* (~et, =) department (departmental) store (stores (pl. lika))

varuhuskedja *s* (~n, -kedjor) multiple (chain) stores organization (group)

varuintag *s* (~et, =) goods reception (unloading) bay

varukorg *s* (~en, ~ar) basket

varulager *s* (-lagret, =) **1** lager av varor stock, stock-in-trade; **förnya sitt ~** restock [one's goods] **2** magasin warehouse

varulv *s* (~en, ~ar) werewolf (pl. werewolves)

varumagasin *s* (~et, =) lager warehouse

varumärke *s* (~t, ~n) trademark, proprietary name; **inregistrerat ~** registered trademark

varuprov *s* (~et, = el. ~er) sample, jfr *prov 3*; påskrift på kuvert by sample-post

varur *adv* out of el. annan prep. which, jfr *3 ur* (etc.); boken, **~ vi hämtat siffrorna** ...from which we have taken the figures

varuslag *s* (~et, =) type of goods (article, commodity), line [of goods]

1 varv *s* (~et, =) skepps~ shipyard, shipbuilding yard; flottans naval [dock]yard; amer. naval shipyard, navy yard; **på ~et** in the shipbuilding yard osv., se ovan

2 varv *s* (~et, =) **1** gång, omgång turn, round; sport., ban~ lap; tekn. el. astron. revolution; tekn. vard. rev; vid stickning och virkning row; **1 000 ~ i minuten** ...revolutions (vard. revs) per minute; **gå ett (flera) ~ runt** kvarteret take a turn (several turns) round..., go once (several times) round...; **gå ett ~ i** trädgården (göra en vända) take a turn...; **linda** ett band **två ~** [**runt**] wind...twice round (about); **gå ner i ~** ease off (up), take it easier; **när han hade kommit upp i ~** when he had really got going; **vara uppe i ~** bildl. be all geared (revved) up, be in full swing, be really going strong; **mellan ~en** ibland now and then;

gå på högsta ~ be at top rev; bildl. äv. give all one's got **2** lager, skikt layer

varva I *vb tr* (~de, ~t) **1** lägga i skikt put...in layers; **~ studier och (med) praktik** bildl. sandwich study and practical work **2** sport. lap **II** *vb itr* (~de, ~t), **~ ned** om motor move into a lower gear; bildl. move into low gear, ease off (up), take it easier; **~ upp** om motor move into a higher gear; bildl. move into high gear

varvid *adv* **1** at el. annan prep. which, jfr *2 vid* (etc.) **2** om tid, när when; han snubblade, **~ han föll** ..., in doing which he fell

varvräknare *s* (~n, =) tekn. revolution (vard. rev) counter

varvsarbetare *s* (~n, =) shipyard worker, dockyard hand

varvsindustri *s* (~n, ~er) shipbuilding industry; **den svenska ~n** äv. the Swedish shipbuilding yards (shipyards) pl.

varvtal *s* (~et, =) number of revolutions; **komma upp i högre ~** pick up

vas *s* (~en, ~er) vase

vasall *s* (~en, ~er) vassal

vaselin *s* (~et) vaseline, petroleum jelly

vask *s* (~en, ~ar) avlopp sink

vaska *vb tr* (~de, ~t) tvätta wash; **~ av** vard., tvätta wash; diska wash up; **~ fram** bildl., locka fram fish out; sålla ut sort out

1 vass *adj* (~t) allm. sharp; om egg äv. keen; spetsig pointed; udd~ sharp-pointed, ...as sharp as a needle; om verktyg sharp-edged; stickande, om t.ex. blick, ljud, vind piercing; sarkastisk, bitande, om t.ex. ton caustic, mordant, cutting; **~ näsa** pointed (sharp) nose; **~ penna** pointed (bildl. äv. caustic) pen; **ha en ~ tunga** have a sharp (biting) tongue; **kniven är ~** äv. ...has a sharp edge

2 vass *s* (~en, ~ar) bot. [common] reed; koll. reeds pl.; **i ~en** among the reeds; **den är så i i ~en bra** vard. it's so damned good; är den bra? **– Så i i ~en!** ...I'll say!, ...You bet!

vassla I *s* (~n) whey **II** *vb rfl* (~de, ~t), **~ sig** go wheyey (wheyish)

vasspipa *s* (~n, -pipor) reed

vassrugge *s* (~n, -ruggar) clump of reeds

vassrör *s* (~et, =) o. **vasstrå** *s* (~et, ~n) reed

Vatikanen the Vatican

Vatikanstaten the Vatican City [State]

vatten *s* (vattnet, =) **1** allm. water; vichy~, soda~ soda [water]; **hårt (mjukt) ~** hard (soft) water; **~ och avlopp** drainage and water supply; **~ och bröd** bread and water; **han fick ~ på sin kvarn** this (that) strengthened his argument (case), he got support for his argument (case); **ta in ~** läcka take in water; **ta sig ~ över huvudet** take on more than one can manage, bite off more than one can chew; **vara ute (ge sig ut) på djupt ~** bildl. be in (get into) deep water[s]; simma **under vattnet** ...below the surface; **stå under ~** be under water; vara översvämmad äv. be flooded (submerged); **sätta...under ~** flood..., submerge... **2** vätska, **~ i knät** water on the knee; **~ i lungsäcken** wet pleurisy **3** urin, **kasta ~** pass (make) water, urinate

vattenavhärdare *s* (~n, =) water-softener

vattenavstötande *adj* (oböjl.) o. **vattenavvisande** *adj* (oböjl.) water-repellent

vattenbad *s* (~et, =) kok. water-bath

vattenbehållare s (~n, =) water tank; större reservoir

vattenbrist s (~en) shortage (scarcity) of water; i jorden deficiency of water

vattenbryn s (~et), *i ~et* i strandkanten at the water's edge

vattencykel s (~n, -cyklar) pedalo, pedal boat

vattendelare s (~n, =) geogr. watershed, divide

vattendjur s (~et, =) i havet marine animal; i insjö lacustrine animal; hon är *ett riktigt ~* ...a fish in the water

vattendomstol s (~en, ~ar) water-rights court

vattendrag s (~et, =) watercourse, stream

vattendrivande adj (oböjl.) med. diuretic; *~ medel* diuretic

vattendroppe s (~n, -droppar) drop of water, water drop

vattenfall s (~et, =) waterfall; mindre cascade; större falls pl.

vattenfast adj (=) waterproof, water-resistant

vattenfågel s (~n, -fåglar) water fowl (pl. lika)

vattenfärg s (~en, ~er) watercolour; *målning i ~* watercolour [painting]

vattenförorening s (~en, ~ar) water pollution

vattenförsörjning s (~en) water supply

vattenglas s (~et, =) **1** dricksglas [drinking-]glass; utan fot äv. tumbler **2** kem. water glass

vattengrav s (~en, ~ar) sport. water jump; vallgrav moat

vattengymnastik s (~en) o. **vattengympa** s (~n) water exercises pl., aquarobics pl.

vattenhalt s (~en, ~er) water content; procentdel percentage of water

vattenhink s (~en, ~ar) water bucket

vattenhål s (~et, =) **1** waterhole **2** vard., favoritkrog, pub watering-hole

vattenkanna s (~n, -kannor) water jug, amer. water pitcher; större äv. ewer; för vattning watering-can, amer. äv. watering pot, sprinkling can; för andra ändamål, t.ex. på bensinstation watercan

vattenkanon s (~en, ~er) water cannon (pl. lika)

vattenkastanj s (~en, ~er) bot. el. kok. water chestnut

vattenklosett s (~en, ~er) water closet (förk. WC), toilet

vattenkokare s (~n, =) electric kettle

vattenkoppor s pl se *vattkoppor*

vattenkraft s (~en) water power, hydroelectric power; *utnyttja ~* harness (develop) water power

vattenkraftverk s (~et, =) hydroelectric power station

vattenkran s (~en, ~ar) [water] tap; amer. faucet

vattenkrasse s (~n) bot. watercress

vattenkvarn s (~en, ~ar) watermill

vattenkyld adj (-kylt) om motor water-cooled

vattenkylning s (~en) av motor water-cooling

vattenledning s (~en, ~ar) rör water pipe; huvudledning water main, [water] conduit; akvedukt aqueduct

vattenledningsrör s (~et, =) water pipe; huvudrör [distributing] main

vattenledningsvatten s (-vattnet) tap water

vattenledningsverk s (~et, =) waterworks (pl. lika)

vattenlinje s (~n, ~r) sjö. waterline

vattenloppa s (~n, -loppor) zool. waterflea

vattenlås s (~et, =) tekn. [water] trap, water seal

vattenmelon s (~en, ~er) watermelon

vattenmätare s (~n, =) water gauge, water meter

vattenpass s (~et, =) tekn. spirit level

vattenpistol s (~en, ~er) water pistol, squirt [gun]

vattenplaning s (~en) trafik. aquaplaning; *råka ut för (få) ~* aquaplane

vattenpolo s (~n) water polo

vattenpost s (~en, ~er) hydrant

vattenpump s (~en, ~ar) bil. water pump

vattenpuss s (~en, ~ar) o. **vattenpöl** s (~en, ~ar) puddle, pool [of water]

vattenreningsverk s (~et, =) water purification plant (works pl. lika)

vattenrutschbana s (~n, -banor) waterchute

vattensamling s (~en, ~ar) pool [of water]

vattensjuk adj (~t) vattendränkt waterlogged; sank boggy, fenny, marshy

vattenskada s (~n, -skador) water damage, damage by water (båda endast sg.)

vattenskalle s (oböjl., en) med. water on the brain; vetensk. hydrocephalus

vattenskida s (~n, -skidor) water-ski; *åka vattenskidor* water-ski

vattenskoter s (~n, -skotrar) jet-ski

vattenslang s (~en, ~ar) [water] hose

vattenspegel s (~n, -speglar) mirror (surface) of the water

vattenspridare s (~n, =) [water] sprinkler

vattenstånd s (~et, =) water level; om tidvatten äv. height of tide; *högsta ~[et]* high-water level; *det är högt (lågt) ~* the water level is high (low)

vattenstämpel s (~n, -stämplar) watermark

vattensäng s (~en, ~ar) waterbed

vattentillförsel s (~n) o. **vattentillgång** s (~en, ~ar) water supply

vattentorn s (~et, =) water tower

vattentunna s (~n, -tunnor) waterbutt

vattentäkt s (~en, ~er) **1** anläggning water catchment **2** vattentillgång source of water supply

vattentät adj (-tätt) waterproof; om kärl, fartyg el. bildl. watertight; *vara ~* äv. hold water; *ett ~t alibi* a cast-iron (an airtight) alibi; *~a skott* bildl. sharp dividing line sg.

vattenverk s (~et, =) se *vattenreningsverk*

vattenvård s (~en) water conservation

vattenväg s (~en, ~ar) waterway; *komma ~en* come by water

vattenväxt s (~en, ~er) aquatic (water) plant

vattenyta s (~n, -ytor) surface of water; *på ~n* on the surface of the water

vattenånga s (~n, -ångor) steam

vattenödla s (~n, -ödlor) newt

vattkoppor s pl med. chickenpox; vetensk. varicella (båda sg.)

vattna vb tr (~de, ~t) water äv. djur; åkerfält med kanaler o.d. äv. irrigate; gräsmattor, gator äv. sprinkle; med slang hose; *~ ur* salta ur soak, steep

vattnas vb itr dep (vattnades, vattnats), *det ~ i munnen på mig* när jag ser... it makes my mouth water...

vattnig adj (~t) watery

vattrad adj (vattrat, ~e) watered, moiré

vattuman s (~nen, -män) astrol., *Vattumannen* Aquarius; *han är ~* he is [an] Aquarius

vax s (~et, ~er) wax; *han är som ~* i hennes händer he is [like] wax (clay)...; figur *gjord av ~* ...made of wax, wax...

vaxa *vb tr* (~de, ~t) wax; **~t papper** waxed paper
vaxartad *adj* (-artat, ~e) waxlike
vaxböna *s* (~n, -bönor) wax (butter) bean
vaxdocka *s* (~n, -dockor) wax doll (modell model)
vaxduk *s* (~en, ~ar) vävnad o. bordduk oilcloth, American cloth
vaxkabinett *s* (~et, =) waxworks (pl. lika), waxworks museum (show)
vaxkaka *s* (~n, -kakor) honeycomb
vaxljus *s* (~et, =) wax candle (smalt taper)
vaxpropp *s* (~en, ~ar) i örat plug of wax
vd *s* (vd:n, vd:ar) (förk. för *verkställande direktör*) MD, CEO
ve I *s* (oböjl., ett), ngns **väl och ~** se *väl I*; **svära ~ och förbannelse över ngn** call down curses on [the head of] sb **II** *interj*, **~ dig [, om…]!** woe betide you [, if…]!; **~ och fasa!** skämts. damnation!, blast!, God help us!
veck *s* (~et, =) löst fallande fold; i sömnad pleat; invikning tuck; byx~ o.d. samt oavsiktligt crease äv. på papper; **bilda ~** fold; **lägga pannan i djupa ~** frown, knit one's brow
1 vecka I *vb tr* (~de, ~t) ett tyg o.d. pleat; i lösa veck fold **II** *vb rfl* (~de, ~t), **~ sig** fold; crease; om t.ex. papper crumple, crinkle; jfr *veck*
2 vecka *s* (~n, veckor) week; **~ efter ~** week after week; **~ för ~** week by week; **~ ut och ~ in** week in, week out; **~n ut** to the end of the week; **varje ~** every week; som adv. äv. weekly; **i (under) en ~s tid** for a week or so; **fem veckors semester** five weeks' holiday (weeks off); **i dag för en ~ sedan** a week ago today; **i ~n** denna vecka this week, in the course of the week; utkomma **en gång i ~n** …once a week, …weekly; **[i] förra ~n** last week; **[på] fredag [i] nästa ~** on the Friday of next week; **om en ~** in a week, in a week's time; **i dag om en ~** this day week, a week from today; **1 500 kronor per ~** (**i ~n**) …a (per) week; hyra **per ~** …by the week; resa bort **på en ~** …for a week; **på en ~** hinner man mycket in a week…; **på mindre än en ~** in less than (inside of) a week; **under ~n** during (in the course of) the week; på vardagarna on weekdays
veckig *adj* (~t) creased; skrynklig crumpled; om t.ex. papper äv. crinkled
veckla *vb tr* (~de, ~t) vira wind; svepa wrap; **~ av** t.ex. omslag unwrap, undo; **~ ihop** fold…up (together); **~ in ngt i ngt** wrap sth [up] in sth; **~ upp** (**ut**) unfold; t.ex. paket undo; t.ex. karta open out; **~ ut** flagga, segel unfurl; **~ ut sig** unfold; om flagga, segel unfurl
veckning *s* (~en, ~ar) geol. folding
veckodag *s* (~en, ~ar) day of the week
veckohandla *vb itr* (~de, ~t) do one's weekly shopping, do one's shopping for the week
veckohelg *s* (~en, ~er) weekend
veckolön *s* (~en, ~er) weekly wages pl.
veckopeng *s* (~en, ~ar), **~[ar]** weekly pocket money, weekly allowance sg.
veckopress *s* (~en) weekly magazines pl.; **~en** äv. the weeklies pl.
veckoslut *s* (~et, =) weekend
veckotidning *s* (~en, ~ar) weekly publication (magazine), weekly
veckotimme *s* (~n, -timmar) skol., **fem veckotimmar** five periods a week
ved *s* (~en) wood; bränsle äv. firewood

vedartad *adj* (-artat, ~e) woody; bot. ligneous
vedbod *s* (~en, ~ar) woodshed
vedeldad *adj* (-eldat, ~e) wood-fired
vederbörande I *adj* (oböjl.) the…concerned; ifrågavarande the…in question; behörig, om t.ex. myndighet the proper (competent, appropriate)… **II** *s* (oböjl.) the person (jur. party) concerned; pl. those concerned, the persons (resp. parties) concerned; **~** återges i eng. ibland med pers. pron.: 'han (honom osv.)' he (him osv.); **höga ~** the authorities pl.
vederbörlig *adj* (~t) due, proper; passande äv. suitable; **på ~t** säkert **avstånd** at a safe distance; **med ~t tillstånd** with due permission
vederbörligen *adv* duly, properly, …in due form
vedergälla *vb tr* (-gällde, -gällt) allm. repay [ngn ngt sth to sb (sb for sth)]; hämnas retaliate, avenge; gengälda return, requite; gottgöra, belöna reward, recompense
vedergällning *s* (~en, ~ar) **1** retribution äv. teol.; hämnd retaliation, reprisal, revenge; **massiv ~** mil. massive retaliation **2** gottgörelse, belöning recompense, reward; lön requital
vedergällningsaktion *s* (~en, ~er) act of reprisal (retaliation)
vederhäftig *adj* (~t) **1** tillförlitlig reliable, trustworthy **2** jur., solid solvent, financially responsible; **icke ~** insolvent
vederhäftighet *s* (~en) **1** reliability, trustworthiness **2** jur., soliditet solvency, financial responsibility
vederkvicka I *vb tr* (-kvickte, -kvickt) uppfriska refresh; stärka invigorate **II** *vb rfl* (-kvickte, -kvickt), **~ sig med ngt** refresh (stärka invigorate) oneself with sth
vederlag *s* (~et, =) ersättning compensation osv., jfr *ersättning 1*; **skäligt ~** adequate indemnification
vederlägga *vb tr* (-lade, -lagt) confute; bevisa felaktigheten hos refute; dementera, t.ex. ett påstående contradict, deny, disprove; tillbakavisa, t.ex. en beskyllning rebut
vederläggning *s* (~en, ~ar) confutation; refutation; disproof; rebuttal; jfr *vederlägga*
vedermöda *s* (~n, -mödor) hardship[s pl.]
vederstygglig *adj* (~t) abominable; vedervärdig execrable; ful hideous
vedertagen *adj* (-taget, -tagna) erkänd accepted, recognized; fastställd: om t.ex. sed established; om t.ex. uppfattning conventional; **vedertaget bruk** äv. convention; **vedertaget språkbruk** accepted usage
vedervärdig *adj* (~t) execrable; repulsive, repugnant; avskyvärd disgusting, loathsome; äcklig nauseous; jfr *vederstygglig*
vedettbåt *s* (~en, ~ar) örlog. picket boat
vedhuggare *s* (~n, =) wood cutter (chopper), woodman
vedkap *s* (~en, ~ar) cirkelsåg circular saw
vedlass *s* (~et, =) [cart]load of [fire]wood
vedlår *s* (~en, ~ar) firewood bin
vedspis *s* (~en, ~ar) [fire]wood stove
vedtrave *s* (~n, -travar) woodpile, stack of [fire]wood (logs)
vedträ *s* (~et, ~n) log (stort billet) of wood
vegan *s* (~en, ~er) vegan
vegetabilier *s pl* vegetables
vegetabilisk *adj* (~t) vegetable
vegetarian *s* (~en, ~er) vegetarian; vard. veggie
vegetarisk *adj* (~t) vegetarian; vard. veggie

vegetation *s* (~en, ~er) vegetation
vegetativ *adj* (~t) vegetative
vegetera *vb itr* (~de, ~t) vegetate; bildl. äv. lead a dull life
vek *adj* (~t) böjlig pliant, pliable, yielding alla äv. bildl.; svag weak, feeble; mjuk, lättrörd soft; känslig gentle, tender; *ett ~t hjärta* a soft (tender, gentle) heart; *~a livet* se *liv 4*; *bli ~ om hjärtat* feel one's heart soften, grow tender; *göra ~* soften
veke *s* (~n, vekar) wick
vekhet *s* (~en) weakness osv., pliancy; jfr *vek*
veklig *adj* (~t) soft; omanlig effeminate; slapp nerveless, pithless; svag weak[ly]; bortklemad, ömtålig coddled, delicate
vekling *s* (~en, ~ar) weakling, effeminate man (boy osv.); vard. whimp
vekna *vb itr* (~de, ~t) soften, grow soft (tender); ge vika relent; låta beveka sig be moved to pity
vektor *s* (~n, ~er) matem. el. fys. vector
vela *vb itr* (~de, ~t), *~ [hit och dit]* vacillate, shilly-shally
velig *adj* (~t) obeslutsam vacillating…; vard. shilly-shally; *han är så ~* he is so indecisive
velodrom *s* (~en, ~er) velodrome
velour *s* (~en) velour[s]
vem *pron* **1** interr. who; som obj. who, whom; efter prep. whom; vilkendera which [of them]; *~ där?* who is (mil. goes) there?; *~ av er…?* which of you…?; *~ får jag hälsa [i]från?* anmäla what name, please?, se äv. ex. under *2 hälsa 3*; *~ tar du mig för?* who (what) do you take me for?, who (what) do you think I am?; jag vet inte *~ som kom* …who came; *~s är det?* whose is it?, who[m] does it belong to?; *~s är felet?* el. *~s fel är det?* whose fault is it?, who is to blame? **2** i rel. satser o. likn. uttr., *~ det än är* el. *~ det än vara må* whoever it may be; *ge det till ~ du vill* give it to who[m]ever you like; hon kan välja *~ hon vill* …whoever she wants; *~ som helst* se *helst 2*
vemod *s* (~et) [tender] sadness, [pensive] melancholy
vemodig *adj* (~t) sad, melancholy
ven *s* (~en, ~er) åder vein
vendetta *s* (~n, vendettor) vendetta
Venedig Venice
venerisk *adj* (~t) venereal; *~ sjukdom* venereal disease (förk. VD)
venetian *s* (~en, ~er) o. **venetianare** *s* (~n, =) Venetian
venetiansk *adj* (~t) Venetian
Venezuela Venezuela
venezuelansk *adj* (~t) Venezuelan
ventil *s* (~en, ~er) **1** till luftväxling ventilator, air-regulator; sjö., i hytt porthole **2** i maskin, säkerhets- o.d. valve; på fartyg, lucka scuttle; på blåsinstrument valve
ventilation *s* (~en, ~er) luftväxling ventilation
ventilationstrumma *s* (~n, -trummor) ventilation shaft
ventilera *vb tr* (~de, ~t) **1** eg. ventilate; vädra air **2** dryfta ventilate, debate, discuss
ventilgummi *s* (~t, ~n) valve rubber
ventrikel *s* (~n, ventriklar) anat. ventricle; magsäck stomach
Venus astron. el. mytol. Venus
venös *adj* (~t) anat. venous, venose
veranda *s* (~n, verandor) veranda[h]; amer. äv. porch

verb *s* (~et, =) verb
verbal *adj* (~t) **1** verbal äv. gram. **2** ordagrann word-for-word, literal
verbalisera *vb tr* o. *vb rfl* (~de, ~t), *~ sig* verbalize
verbböjning *s* (~en, ~ar) conjugation (inflection) of a verb (resp. of verbs)
verbform *s* (~en, ~er) verbal form
verbändelse *s* (~n, ~r) verb (verbal) ending
verifiera *vb tr* (~de, ~t) allm. verify; bestyrka attest; bekräfta confirm; intyga certify; genom dokument support…with documents
verifikation *s* (~en, ~er) verification osv., jfr *verifiera*; kvitto receipt, voucher
veritabel *adj* (~t, veritabla) veritable, true
verk *s* (~et, =) **1** arbete: allm. work; abstr. el. i högre stil äv. labour; dåd äv. deed; speciellt om litterärt o. konstnärligt ~ work, production, koll. äv. oeuvre; *allt detta är hans ~* all this is his handiwork (work) (framför allt neds. doing); *samlade ~* pl. collected works; *ett ögonblicks ~* the work of an instant; *i själva ~et* in reality, actually; faktiskt as a matter of fact, in actual fact; *sätta…i ~et* carry out, put…into execution (effect), put…into (in) practice; förverkliga realize; *gå (skrida) till ~et* go (set) about it (the thing el. the work osv.) **2** ämbetsverk [civil service] department **3** fabrik works (pl. lika); om t.ex. såg~ mill **4** tekn., t.ex. i ur works pl.; mekanism mechanism
verka *vb itr* (~de, ~t) **1** handla, arbeta work, act; *~ för…* work for (in behalf of)…, devote oneself to…, interest oneself in… **2** göra verkan work, act; medicinen *~de inte* …had no effect; *~ avslappnande* have a relaxing effect; *~ stimulerande på…* bildl. act as a stimulus (stimulant) to…, have a stimulating effect on…; *~ främjande för (på)…* promote…, encourage…; *~ lugnande* om medicin, besked o.d. produce (have) a soothing effect; vi får väl se *hur det ~r* …the effect, …how it works **3** förefalla seem, appear; *det ~r äkta* …it strikes one as [being]…, it looks…; *~ sympatisk* make an agreeable (a pleasing) impression [upon one]; *han ~r äldre* än han är äv. he strikes one as being (appears to be) older…; *vädret ~r bli vackert…* the weather looks like being nice, it looks as if the weather is going to be nice
verkan *s* (=, en, verkningar) allm.: resultat effect, result; följd consequence; kem. el. astron. action; av t.ex. medicin äv. operation; intryck impression; *förta ~ av…* take away (obliterate) the effect (effects pl.) of…, render…ineffective; *göra ~* have an effect, be effective; om t.ex. kritik go home; *inte göra någon ~* have no effect; vard. fall flat; *ha ~ på…* have (produce) an (its) effect upon…; *med omedelbar ~* with immediate effect, som har omedelbar ~ to take effect immediately; *inte ha avsedd ~* be without (of no) effect, prove (be) ineffective, fail in its effect
verklig *adj* (~t) allm. real; filos. äv. substantial; sann, äkta true, genuine; förstärkande veritable; egentlig essential, proper; faktisk, om t.ex. antal, förhållande, inkomst actual; hon är *en ~ dam* …quite a lady; *det ~a förhållandet* the real (actual) state of the case, the [real] facts pl.; ofta the truth; *~ händelse* [actual] fact; *den ~e ledaren* nominelle the virtual leader; *i ~a livet* in real life; *~a tillgångar* hand. real assets; *en ~ vän* äv. a true friend
verkligen *adv* really; faktiskt actually, indeed; förvisso

certainly; jfr *i själva verket* under *verk 1*; återges i jakande påståendesats ofta genom omskrivn. av huvudverbet med do, jfr ex. nedan; **~?** äv. you don't say [so]?, is that a fact?, really?; **jag hoppas ~ att...** äv. I do (amer. really) beton. hope...; **~ försöka** really try, try hard; **han skulle ~ inte göra en sådan sak** why, he wouldn't do such a thing; **jag är ~ glad** I am beton. glad (delighted); **jag vet ~ inte** äv. as a matter of fact (I am sure) I don't know

verklighet *s* (~en, ~er) allm. reality (äv. **~en**); faktum fact[s pl.], actuality; filos. substantiality, substance; sanning truth; **ett stycke ~** a slice of life; **bli ~** become a reality, be realized, materialize, come (prove) true; **i ~en** a) i verkliga livet in real life b) i själva verket in reality; faktiskt as a matter of fact; **jag har aldrig sett en diktare i ~en** ofta ...a real live poet, ...a poet in the flesh; **hålla sig till ~en** vanl. stick to facts; **återvända till ~en** return to reality

verklighetsbakgrund *s* (~en, ~er), en bok **med ~** ...that is founded on fact (based on a true story)

verklighetsflykt *s* (~en) escape [from reality]; som idé escapism

verklighetsfrämmande *adj* (oböjl.) ...divorced from reality, unrealistic; vard. airy-fairy

verklighetstrogen *adj* (-troget, -trogna) realistic, ...true to [real] life; om porträtt lifelike; om beskrivning faithful

verkmästare *s* (~n, =) foreman, supervisor; vid bygge äv. overseer; i fabrik o.d. äv. master mechanic

verkningsfull *adj* (~t) allm. effective; effektfull telling, impressive

verkningsgrad *s* (~en, ~er) efficiency

verkningslös *adj* (~t) ineffective; om t.ex. lag, regel inoperative

verksam *adj* (~t, ~ma) allm. active; driftig energetic; arbetsam industrious, busy; om t.ex. läkemedel effective, efficacious; kraftig powerful; **vara ~ som...** work as...

verksamhet *s* (~en, ~er) aktivitet: allm. activity, activeness; handling, rörelse action äv. vetensk.; maskins operation; arbete, sysselsättning work; fabriks~ o.d. enterprise; affärs~ business; **den offentliga ~en** the public sector; **politisk ~** political activities, politics (båda pl.); **samhällsfientlig ~** subversive activities pl.; firman **började sin ~ i fjol** ...started up (in business) last year; **i sin ~** [**som lärare**] in his work [as a teacher]; **lägga ned ~en** close down; **vara i ~** om person be at [one's] work; om sak be in operation; **vara i full ~** om person be in full activity (om sak swing, operation); **under min ~** som lärare har jag... during my career...; **under tjugo års** (**sin tjugoåriga**) **~ har** firman during the twenty years of its existence...

verksamhetsberättelse *s* (~n, ~r) årsberättelse annual (chairman's) report

verksamhetschef *s* (~en, ~er) inom vårdsektorn [senior] hospital administrator, [senior] clinic administrator

verksamhetsfält *s* (~et, =) sphere (field) of activities (action)

verksamhetsgren *s* (~en, ~ar) line [of business (trade)]

verksamhetslust *s* (~en) thirst for activity

verksamhetsår *s* (~et, =) year of activity; hand. financial year

verkstad *s* (~en, -städer) workshop; för reparationer repair shop; bil~ garage; friare el. bildl. laboratory

verkstadsarbetare *s* (~n, =) [engine] fitter, mechanic

verkstadsgolv *s* (~et, =) shopfloor; **arbetarna på ~et** the [workers on the] shopfloor

verkstadsindustri *s* (~n, ~er) engineering (manufacturing) industry

verkställa *vb tr* (-ställde, -ställt) utföra carry out, carry into effect, perform; fullborda accomplish; göra do; order execute, effect; dom execute, enforce; t.ex. inspektion, utbetalning make

verkställande I *adj* (oböjl.) executive; **~ direktör** chief executive officer (förk. CEO), managing director (förk. MD); amer. president, **vice ~ direktör** deputy (assistant) managing director; amer. vice-president; **den ~ myndigheten** the executive **II** *s* (~t) carrying out osv., performance; accomplishment; execution, enforcement; jfr *verkställa*

verkställighet *s* (~en) execution; **gå i ~** be put into effect, be carried out (into effect)

verktyg *s* (~et, =) tool; instrument instrument; redskap implement samtliga äv. bildl.; bildl. äv. means (pl. lika), agent

verktygslåda *s* (~n, -lådor) toolbox

verktygsrad *s* (~en, ~er) data. toolbar

vermouth *s* (~en) o. **vermut** *s* (~en) vermouth

vernissage *s* (~n, ~r) öppnande opening of an (resp. the) exhibition; ibland vernissage

vers *s* (~en, ~er) verse; strof äv. stanza, strophe; i Bibeln äv. passage; dikt poem; koll. äv. poetry; **på ~** in verse (poetry); **en hyllning på ~** a versified (verse)...; **sjunga på sista ~en** vard. be on one's last legs; vara på upphällningen be on the way out

versal *s* (~en, ~er) typogr. capital, capital letter; vard. cap; mera tekn. upper-case [letter]

versdrama *s* (~t, dramer) verse (metrical) drama

verserad *adj* (verserat, ~e) belevad well-mannered

versform *s* (~en, ~er) metrical form; **i ~** äv. in metrical (metric) form, in metre (verse)

versfot *s* (~en, -fötter) [metrical] foot

versifiera *vb tr* (~de, ~t) put...into verse, versify, turn into poety

version *s* (~en, ~er) version; läsart äv. reading

verslära *s* (~n, -läror) metrics (sg. el. pl.), prosody

versmått *s* (~et, =) metre

versrad *s* (~en, ~er) line of poetry

vertebrat *s* (~en, ~er) zool. vertebrate

vertikal I *adj* (~t) vertical; **~ start och landning** flyg. vertical takeoff and landing (förk. VTOL) **II** *s* (~en, ~er) vertical

vertikalvinkel *s* (~n, -vinklar) vertical angle

vesir *s* (~en, ~er) islamisk ämbetsman vizier

vespa® *s* (~n, vespor) motor scooter

vesper *s* (~n, vesprar) kyrkl. vespers pl.

vessla *s* (~n, vesslor) **1** zool. weasel, ferret; **kvick som en ~** quick as a flash **2** fordon snowmobile; amer. äv. snowcat, weasel

vestibul *s* (~en, ~er) vestibule, entrance hall; i hotell ofta lounge, lobby, foyer

vestibulit *s* (~en) med. vulvar vestibulitis

veta I *vb tr* (visste, vetat) allm. know äv. känna till, ha insikter i; ha vetskap [om...] äv. be aware [of...]; **nu vet jag!** äv. I have it!, I've got it!; [**ja,**] **inte vet jag** I don't know [, I'm sure], I wouldn't know, how do I know?; vard. search me; **såvitt** (**vad**) **jag vet** as far as I know, to my knowledge; **inte såvitt jag vet** el. **inte som** (**vad**) **jag vet** äv. not that I know; **det är mer än jag vet** it is beyond me; **nej, vet du,** det här går för långt! [now,] just a minute,…!, look here,…!, really…!; **så mycket du vet det!** that's all!; **vem vet?** who knows?, who can tell?; **det vete fåglarna!** vard. God (Heaven) [only] knows!; **det vete katten** (**fan**)! vard. [I'm] damned (buggered) if I know!; **man vet aldrig** there's no telling; **man vet vad man har men inte vad man får** better the devil you know than the devil you don't know; **ingen vet** nobody knows, it is anybody's guess; **man vet ingenting** om hans öde vanl. nothing is known…; **vad vet jag?** how should I know?; han kanske är bortrest, **vad vet jag?** …for all I know; **vet du vad,** jag har hittat det! do you know what,…!, I say…!; **vet du vad** [**vi gör**], **vi** ringer henne! I tell you what, let's…!; **nej, vet ni vad!** förebrående really now, that's a bit much (going too far)!; ~ förstå **att** + inf. know (understand) how to + inf.; **ni vet väl att…** I suppose (amer. guess) you know (are aware of the fact) that…; **Gud vet om** han inte har rätt I wonder if (whether)…; **få** ~ få reda på find out, learn; få höra hear [of (about)], be told [of]; bli upplyst om be informed of; **jag fick inte** ~ **det** förrän det var för sent I didn't know…; **höra** I didn't hear about it…; **hur fick du** ~ **det?** how did you [come to] hear that (of it)?; **man kan aldrig** ~ you never know (can tell); **låta ngn** [**få**] ~… let sb know…; det är inte lätt, **ska du** ~ …I can tell you, …mind you **II** med beton. part.

veta av att… känna till know that…; ~ **av** ngt know of…, be aware of…, be acquainted with…; **honom vill jag inte** ~ **av** I won't have anything to do with him; **några dumheter vill jag inte** ~ **av** I won't have (starkare put up with) any nonsense, I'll stand no nonsense

veta med sig be conscious (aware) [att man är of being (that one is)]

veta om know about, be aware of

veta till sig: **inte** ~ **till sig av** glädje be beside oneself with…

veta varken ut eller in be at one's wits' end, be at a loss what to do

vetande I adj (oböjl.) knowing; **mindre** ~ feeble-minded, soft-headed **II** s (~t) knowledge; kunskap äv. learning; **mot bättre** ~ against one's better judgement

vete s (~t) wheat

vetebröd s (~et, =) wheat (wheaten) bread; i Storbr. vanl. white bread; kaffebröd, koll. ung. buns pl.

vetebulle s (~n, -bullar) bun; slät plain bun

vetegrodd s (~en, ~ar) wheat germ

vetekli s (~et) wheat bran

vetekross s (~et) som hälsokost crushed wheat

vetelängd s (~en, ~er) flat long-shaped bun

vetemjöl s (~et) wheatflour

vetenskap s (~en, ~er) allm., ~[en] science; gren: inom naturvetenskapen [branch of] science; inom humaniora branch of scholarship; i båda fallen äv. discipline; **humanistisk** ~ el. **den humanistiska** ~**en** the humanities, the arts (båda pl.)

vetenskaplig adj (~t) allm. el. natur~ scientific; humanistisk vanl. scholarly

vetenskapligt adv scientifically; in a scholarly manner (way); jfr vetenskaplig

vetenskapsakademi s (~n el. ~en, ~er) academy of sciences

vetenskapsman s (~nen, -män) allm. el. framför allt natur~ scientist; framför allt humanist scholar

veteran s (~en, ~er) veteran

veteranbil s (~en, ~ar) veteran car; speciellt från tiden 1919–1930 vintage car

veterinär s (~en, ~er) veterinary surgeon, veterinary, amer. veterinarian; vard. vet

veterligen adv o. **veterligt** adv as far as is known; **mig** ~ to my knowledge, as (in so) far as I know

veteåker s (~n, -åkrar) med gröda field of wheat

vetgirig adj (~t) …[who is (was etc.)] eager to learn (of an inquiring mind)

vetgirighet s (~en) inquiring mind; kunskapstörst thirst (hunger) for knowledge

veto s (~t, ~n) veto; **inlägga sitt** ~ interpose one's veto; **inlägga** ~ **mot** ngt put (place, interpose) a veto on…, veto…

vetorätt s (~en) [right of] veto

vetrostatisk adj (~t) vetrostatic

vetskap s (~en) knowledge; kännedom äv. cognizance; **få** ~ **om** get to know, learn about, get knowledge of; **utan min** ~ äv. unknown to me

vett s (~et) **1** förstånd sense, savoir faire fr.; **ha** ~ **att…** have the [good] sense to…; t.ex. att tiga have sense enough to…; **han har inte bättre** ~ he doesn't know any better; **vara från** ~**et** galen be out of one's senses (wits), be off one's head; vard. be doing one's nut; **skrämma ngn från** ~**et** frighten (scare) sb out of his wits (senses), scare the [living] daylights out of sb; **med** ~ **och vilja** knowingly [and willingly] **2** levnadsvett good breeding, savoir vivre fr.

vetta vb itr (vette, vettat), ~ **mot** (**åt**) face [on to (on)]; ~ **åt** gatan äv. open on to…; ~ **åt norr** face the north

vettig adj (~t) sensible, reasonable; omdömesgill judicious; **ingen** ~ **människa** äv. no same person, no man in his senses, nobody in their senses

vettlös adj (~t) oförståndig senseless, unreasonable; om t.ex. påhitt äv. absurd, wild

vettskrämd adj (-skrämt) …frightened (scared) out of one's senses (wits); pred. äv. scared stiff; han flydde ~ äv. …in terror (panic)

vettvilling s (~en, ~ar) madman

vev s (~en, ~ar) crank, handle, winch; **dra** ~**en** turn the crank (handle)

veva I s (~n), **i den** ~**n** el. **i samma** ~ [just] at that (the same) moment (time), in the midst of it all **II** vb itr o. vb tr (~de, ~t) dra veven turn the crank (handle) [på ngt of sth]; ~ **på** ett handtag turn…; ~ [**på**] positiv grind…

III med beton. part.

veva i gång: ~ **i gång** en motor crank up…

veva hissa **upp** wind up

vevaxel s (~n, -axlar) crankshaft

VG (förk. för väl godkänd) skol. passed with distinction

vi pers pron we; ~ **andra** the rest of us; ~ **systrar** we sisters; min syster (mina systrar) och jag my sister (sisters) and I

via prep om resrutt o.d. via, by [way of]; genom

förmedling av, med hjälp av through, by way of; **bollen gick in ~ stolpen** the ball went in off the post

viadukt *s* (~en, ~er) viaduct

vibration *s* (~en, ~er) vibration, oscillation; **~er** utstrålning etc. vibrations; vard. vibes

vibrato *s* (~t, ~n) mus. vibrato (pl. -s)

vibrera *vb itr* o. *vb tr* (~de, ~t) vibrate, oscillate

vice *adj* (oböjl.) attr. vice-, deputy; **~ ordförande** vice-chairman osv., jfr *ordförande*; **~ talman** deputy speaker; **~ versa** se *vice versa*

vice versa *adv* vice versa lat.

vicevärd *s* (~en, ~ar) landlord's agent, deputy landlord

vichyvatten *s* (-vattnet, =) vanl. soda [water]; eg. Vichy [water]; **fem ~** five sodas (soda waters)

vicka I *vb itr* (~de, ~t) vara ostadig wobble, be unsteady; gunga rock, sway; **~ med tårna** wiggle one's toes; **~ på båten** rock the boat, make the boat rock; **~** skaka **på ngt** shake sth, set sth rocking; **~ på foten** wag one's foot; **~ på höfterna** sway (waggle) one's hips; **sitta och ~ på stolen** sit tilting (swinging on) one's chair **II** med beton. part.
vicka omkull a) itr. tip (tilt) over **b)** tr. tip (tilt)...over, upset
vicka till itr. tip up; om båt äv. give a lurch

vicker *s* (~n) bot. vetch; koll. vetches pl.

vickning *s* (~en, ~ar) måltid efter kalas ung. late light supper [after a (resp. the) party]

1 vid *adj* (vitt) allm. wide äv. bildl.; vidsträckt äv. vast, extensive; om kläder: inte åtsittande loosely-fitting, ledig loose, med mycket vidd full; **i ~ bemärkelse (mening)** in a broad (wide) sense; **på ~a havet** on the wide ocean; till havs in the open sea; **~ kjol** wide (veckrik o.d. full) skirt; **~a världen** the wide world; klänningen är **för ~ i halsen (i ryggen)** ...too wide round the neck (too full across the back)

2 vid

vid delas in i ordklasserna

I preposition

II adverb

I prep

Prepositionen **vid** motsvaras vanligen av **at** i uttryck som *sitta* **vid** *ett bord* = sit **at** *a table*, **vid** *midnatt* = **at** midnight.

vid används i många uttryck som står under andra uppslagsord. Exempelvis finns uttrycket **vid** *kusten* under uppslagsordet *kust*, uttrycket *vara van* **vid** under uppslagsordet *van* osv.

Rumsbetydelse

1 anger läge alldeles intill något at; bredvid by; **sitta ~ ett bord** sit at a table; bredvid sit by a table; **bilen stannade ~** framför **dörren** the car stopped at the door; **sätta ett kryss ~ ett ord** put an x by a word; **hon satt ~ min sida** she sat at (by) my side; **sida ~ sida** side by side; **tåget stannar ~ stationen** the train stops at the station; **vi bor ~ stationen** we live near (close to) the station

2 anger befintlighet intill något långsträckt, t.ex. vattendrag, kust el. gräns on; vid ord som betecknar gata el. torg in (speciellt amer. on); bredvid by; **staden ligger ~ en flod** the town stands on a river; **vi bor ~ en flod** we live by a river; nära we live near a river; **huset ligger ~ en gata nära centrum** the house is in (amer on) a street

near the town centre; **bo ~ gränsen** live on the border; **han stoppades ~ gränsen** här uppfattas gränsen som en plats he was stopped at the border; **bo ~ ett torg** live in a square; **en liten gata ~ torget** a small street off the square, a small street near the square; **bo ~ en väg** live by a road, live near a road

3 anger att något sitter fast vid någonting to; **binda [fast] ngt ~ ngt** tie sth to sth, tie sth on to sth; **den är fäst (sitter) ~ en stång** it is fastened (attached) to...

4 anger organisation el. företag man är verksam inom: in, at; of; **vara [anställd] ~ en företag** be employed in (at) a company; **han är ~ marinen** he is in the Navy

Tidsbetydelse

5 anger tidpunkt at; ungefärlig tidpunkt about; senast vid by; **~ midnatt** at midnight; omkring about midnight, inte senare än by midnight; **~ jul (påsk)** at Christmas (Easter); **~ tiden för...** at the time of...; **~ tidpunkten för hennes död** at her death, jfr *vid I 6*

6 anger tid omedelbart efter on; **~ hennes död** on her death

Andra betydelser

7 anger omständighet: at, in; ofta används omskrivning med sats inledd med when (+ ing-form); **~ hög fart måste föraren...** at high speed the driver must..., when driving at high speed the driver must...; **~ dåligt väder** in bad weather; **vara försiktig ~ användningen av den** be careful when using it, be careful in using it; **den slits ~ användning** it becomes worn by being used, it becomes worn when being used; **~ förkylning bör man...** when one has [got] a cold one should...

8 i betydelsen 'tillsammans med' with; **artikel används ~ vissa ord** the article is used with certain words **II** *adv*, **den klibbar ~** [överallt] it sticks to everything

vida *adv* **1** i vida kretsar widely; **~ omkring** far and wide, wide around **2** i hög grad **a)** vid komp. far, much; ...by far; **~ bättre** far (much, a good deal) better, better by far **b)** vid verb **det överträffar ~...** it surpasses by far... **3** **så ~** se *såvida*; **så till ~** se *såtillvida*

vidare *adj* (oböjl.) o. *adv* **1** ytterligare further; mera more; som adv. äv.: dessutom further[more], moreover, also; igen again; längre: i rum farther, further; i tid longer; **innan några ~ försök görs** kommer situationen att utvärderas before any further attempts are made...; **~ meddelas att...** it is further[more] reported that...; **~ måste vi** betänka att... vanl. also, we must...; **~ sa han att...** he also said (furthermore he said) that...; **se ~ sid. 5** see also...

2 och så ~ se under *och*; **tills ~ så länge** for the present, for the time being; tills annat besked ges until further notice; en tid framåt for a time; **museet är stängt tills ~** ...until further notice; **utan ~ [omständigheter]** without further ado, without ceremony; **utan ~** resolut straight off; genast at once; utan svårighet quite easily; på stående fot off-hand, out of hand; utan varsel without further notice; **du kan inte försvinna så där utan ~** ...just like that

3 ingen (inte någon) ~ + subst. a) ingen nämnvärd no...to speak of b) ingen särskilt bra not (resp. not a) very good...; **inte ~** särskilt... not very (too, particularly)...; **han är ingen ~ lärare** ...not much of a (not a very good) teacher; **filmen är inget ~ [bra]**

...not up to much, ...no great shakes; **det är inget ~ att** el. **det är inte ~ roligt** (**trevligt**) **att** vara... it's not much fun (not very pleasant) to...; **jag är inte ~ förtjust i...** I'm not very (particularly) fond of..., I'm not overfond of...; **jag är inget ~ på att dansa** I'm not much (too) good at dancing **4** beton. part. vid vb on; vb + 'vidare' i betydelsen 'fortsätta att' + vb återges ofta med go on (continue) + ing-form el. continue to + inf. av verbet; **flyga ~** fly on [*till* London to...]; **läsa ~** read on [*till* sid. 5 to (till)...], go on reading, continue reading (to read); fortsätta studera continue one's studies

vidarebefordra *vb tr* (~de, ~t) forward, send on; föra vidare, t.ex. rykte pass on

vidarebefordran *s* (=, en, -befordringar) forwarding; **för ~** [**till**] to be forwarded (sent on) [to]

vidareutbilda *vb rfl* (~de, ~t), **~ sig** continue one's education (training)

vidareutbildning *s* (~en, ~ar) further education (training)

vidareutveckla *vb tr* (~de, ~t) develop (elaborate)...further; t.ex. teori äv. treat...at greater length

vidbränd *adj* (-bränt), gröten **är ~** ...has got burnt

vidd *s* **1** (~en, ~er) omfång width; i fråga om kläder äv. fullness, ledighet looseness; speciellt vetensk. amplitude **2** (~en) bildl.: omfattning extent, scope; räckvidd range; **~en av** olyckan the extent of...; se en fara **i hela dess ~** ...in the whole of its extent **3** (~en, ~er) vidsträckt yta, **~er** vast expanses, wide open spaces; **snötäckta ~er** vast expanses (stretches) of snow

vide *s* (~t, ~n) av busktyp osier; av trädtyp willow

video *s* (~n, ~r) apparat el. system video; apparat VCR; **spela in på ~** videotape, video

videoband *s* (~et, =) video tape

videobandspelare *s* (~n, =) videocassette recorder (förk. VCR)

videofilma *vb tr* o. *vb itr* (~de, ~t) videotape

videoinspelning *s* (~en, ~ar) video recording

videokamera *s* (~n, -kameror) video camera, camcorder

videokassett *s* (~en, ~er) videocassette

videoteknik *s* (~en) video technology (engineering)

vidfilm *s* (~en, ~er) wide-screen film; visas **i ~** ...on wide screen

vidga I *vb tr* (~de, ~t) widen äv. bildl.; göra större: allm. enlarge; t.ex. metall expand; spänna ut, t.ex. näsborrar dilate; **~ sin horisont** el. **~ sina vyer** open one's mind, widen one's intellectual horizon **II** *vb rfl* (~de, ~t), **~ sig** widen äv. bildl., enlarge, expand, dilate, jfr *vidga I*

vidgå *vb tr* (-gick, -gått) medge, tillstå own; bekänna confess; **han ~r att han gjort det** he owns to having done it

vidhålla *vb tr* (-höll, -hållit) hold (keep, adhere, stick) to; t.ex. åsikt äv. persist in; t.ex. krav insist on; **~ att...** maintain (insist) that...

vidhäftande *adj* (oböjl.) adhesive

vidhängande *adj* (oböjl.), lås **med ~ nyckel** ...with key attached, ...and key

vidimera *vb tr* (~de, ~t) attest, certify; **~d avskrift** attested (certified) copy; **~s** A. Alm signed in the presence of...

vidimering *s* (~en, ~ar) attestation

vidja *s* (~n, vidjor) osier; **hon är smal som en ~** she has a willowy figure

vidkommande *s* (oböjl., ett), **för mitt ~** tänker jag... as far as I am concerned..., as (speaking) for myself..., for my part...

vidkännas *vb tr dep* (-kändes, -känts) **1** se *kännas vid* under *kännas 2* **2** bära, lida, **få ~** kostnaderna have to bear...; **få ~** förluster have to suffer (sustain)...

vidlyftig *adj* (~t) **1** utförlig circumstantial, detailed; mångordig wordy, verbose **2** se *omfattande* **3** tvivelaktig, om t.ex. affär shady, questionable **4** lättfärdig fast, loose; om person äv. loose-living; om kvinna, attr. ...of easy virtue

vidlyftighet *s* (~en, ~er) **1 ~er** affärer shady transactions; eskapader escapades **2** utförlighet circumstantiality; mångordighet wordiness, verbosity

vidmakthålla *vb tr* (-höll, -hållit) maintain, keep up; upprätthålla äv. uphold

vidmakthållande *s* (~t) maintenance, keeping up, upholding

vidrig *adj* (~t) vedervärdig disgusting, repulsive; avskyvärd loathsome; om person äv. hateful

vidräkning *s* (~en, ~ar), **~ med** kritik mot [severe] criticism on; angrepp på attack on

vidröra *vb tr* (-rörde, -rört) touch; omnämna touch [up]on; **föremålen får ej ~s!** you are requested not to touch the exhibits, do not touch [the exhibits]!

vidskepelse *s* (~n, ~r) superstition

vidskeplig *adj* (~t) superstitious

vidskeplighet *s* (~en, ~er) superstition; egenskap äv. superstitiousness

vidsträckt *adj* (=) allm. extensive, wide, far-flung äv. bildl.; stor large; mycket vidsträckt vast; utsträckt, om t.ex. område extended; **~a befogenheter** extensive (wide) powers; **i ~ bemärkelse** in a wide (a broad, an extended) sense; **~ utsikt** extensive (wide) view

vidstående *adj* (oböjl.), **~ sida** the adjoining...

vidsynt *adj* (=) **1** tolerant liberal, broad-minded **2** framsynt far-seeing, far-sighted

vidsynthet *s* (~en) **1** tolerans liberalism, broad-mindedness **2** framsynthet far-sightedness

vidta *vb tr* (-tog, -tagit) t.ex. åtgärder take; göra, t.ex. förändringar make

vidtala *vb tr* (~de, ~t), **~ ngn** underrätta inform sb; komma överens med make an arrangement with sb [*om* about; *att* + inf. to + inf.]; be ask sb [*att* + inf. to + inf.]; **han är ~d** underrättad he has been informed (ombedd asked)

vidunder *s* (vidundret, =) **1** monster monster [*av* ondska of...]; om sak äv. monstrosity; **ett ~ till människa** a monster of a man **2** underverk marvel; **ett ~ till bil** a fantastic (marvellous, super) car

vidunderlig *adj* (~t) fantastisk fantastic, marvellous; ohygglig monstrous

vidvinkelobjektiv *s* (~et, =) foto. wide-angle lens

vidöppen *adj* (-öppet, -öppna) wide open; **med ~ mun** äv. with one's mouth wide open; av förvåning o.d. agape; **med vidöppna ögon** with eyes wide open

Vietnam Vietnam

vietnames *s* (~en, ~er) Vietnamese (pl. lika)

vietnamesisk *adj* (~t) Vietnamese

vietnamesiska *s* **1** (~n, vietnamesiskor) kvinna Vietnamese woman **2** (~n) språk Vietnamese

vift *s* (oböjl.), **vara ute på ~** be out and about, be on the loose

vifta *vb itr* o. *vb tr* (~de, ~t) allm. wave; ~ *med näsduken* wave one's handkerchief; ~ *på svansen* om hund wag its tail; ~ *bort* flugor whisk away…; ~ *bort* ngns förklaring wave aside…

viftning *s* (~en, ~ar) wave [of the (one's) hand]; av svans wag [of the tail]

vig *adj* (~t) smidig lithe; rörlig agile, nimble

viga *vb tr* (vigde, vigt) **1** samman~ marry; *Vigda* rubrik Marriages; ~*s* be married [to one another] **2** helga, in~ consecrate; ~ *ngn till biskop* consecrate sb bishop; ~ *ngn till präst* ordain sb; ~ *ngn till* den eviga vilan commit sb to…; ~ *sitt liv åt* vetenskapen äv. dedicate (devote) one's life to…

1 vigg *s* (~en, ~ar) åsk~ thunderbolt

2 vigg *s* (~en, ~ar) zool. tufted duck

vigsel *s* (~n, vigslar) marriage; speciellt själva ceremonin wedding; *borgerlig* ~ civil marriage; eng. motsv. marriage before a registrar; *kyrklig* ~ church marriage (wedding), marriage before a minister of religion; *förrätta en* ~ officiate at a wedding (marriage)

vigselakt *s* (~en, ~er) marriage (högtidlig wedding) ceremony, marriage service

vigselannons *s* (~en, ~er) marriage advertisement

vigselbevis *s* (~et, =) marriage certificate, marriage lines pl.

vigselring *s* (~en, ~ar) wedding ring

vigvatten *s* (-vattnet) holy water

vigvattenskvast *s* (~en, ~ar) holy-water sprinkler, aspergillum (pl. aspergilla el. aspergillums)

vigör *s* (~en) vigour; *vid full* ~ in full vigour; vard. full of life (beans); han är ännu *vid god* ~ …hale and hearty

vik *s* (~en, ~ar) vid bay; större, havs~ gulf; mindre creek, inlet, cove

vika I *vb tr* (vek, vikit el. vikt) **1** eg. fold, bend äv. tekn.; i två lika delar äv. double; ~ *en fåll* turn in a hem; *får ej* ~*s* på brev do not bend **2** reservera o.d., ~ *en kväll* för ett biobesök set aside an evening…; ~ *en plats* reserve (markera mark, hålla keep) a seat; ordförandeposten *är vikt för honom* …is earmarked for him **II** *vb itr* (vek, vikit el. vikt) ge vika yield, give way (in) [*för* i samtliga fall to]; speciellt mil. retreat, give ground, fall back [*för* i samtliga fall before]; hand. recede; *mörkret viker* the darkness is giving way to light; *han vek inte från* platsen (sin ståndpunkt) he refused to budge from…; *han vek inte från* hennes sida he did not budge from…, he hardly left…; ~ *om hörnet* turn [round] the corner **III** *vb rfl* (vek, vikit el. vikt) ~ *sig a*) böja sig bend; ~ *sig dubbel av skratt* (*smärta*) double up with laughter (pain); *benen vek sig under henne* her legs gave way under her **b**) *gå och* ~ *sig* vard., lägga sig turn in **IV** med beton. part.

vika av: ~ *av* [*från vägen*] turn (branch) off [from the road]; ~ *av till höger* turn [to the] right; ~ *av från* den rätta vägen bildl. diverge from…; se äv. *avvika 1*

vika ihop fold up; *den går att* ~ *ihop* it can be folded, it folds, it's foldable

vika in a) tr. turn (fold) in **b**) itr., ~ *in på* en sidogata turn into (down)…

vika ned t.ex. krage turn down

vika tillbaka itr. retreat; om person äv. fall back [*för* i båda fallen before]; ~ *tillbaka ett steg* äv. take a step back

vika undan itr. give way [*för* to], stand aside

vika upp turn up

vika ut veckla ut unfold, spread out; ~ *ut sig* vard. appear in a pin-up magazine (paper), appear in a centerfold

V *adv*, **ge** ~ give way (in); böja sig äv. yield, submit [*för* i samtliga fall to]; falla ihop collapse; *marken gav* ~ *under våra fötter* the ground sank (gave way)…; *inte ge* ~ äv. stand firm (fast), hold one's own; vard. (amer.) stand pat

vikande *adj* (oböjl.) t.ex. priser receding; ~ *konjunkturer* recession sg.; *aldrig* ~ ständig incessant; outtröttlig indefatigable

vikariat *s* (~et, =) anställning deputyship, post (work, job, jfr *arbete*) as a substitute (a deputy), temporary post (job), locum-tenency; som lärare post (job) as a supply teacher, jfr *vikarie*

vikarie *s* (~n, ~r) för t.ex. lärare substitute; ställföreträdare äv. deputy; ersättare äv. stand-in; för lärare äv. supply (relief) teacher

vikariera *vb itr* (~de, ~t), ~ *för ngn* substitute (deputize) for sb, act as a substitute (a deputy) for sb, stand (vard. fill) in for sb, act as locum tenens for sb, jfr *vikarie*

vikarierande *adj* (oböjl.) deputy; om t.ex. rektor acting

viking *s* (~en, ~ar) Viking

vikingaskepp *s* (~et, =) Viking ship

vikingatiden *s* (best. sing.) the Viking Age

vikingatåg *s* (~et, =) Viking raid

vikmobil *s* (~en, ~er) flip phone, folding phone

vikt *s* (~en, ~er) **1** allm. weight; *död* ~ dead weight; *specifik* ~ åld. specific gravity; *mått och* ~ weights and measures pl.; *sälja efter* ~ …by weight; *gå ned* (*upp*) *i* ~ lose (put on) weight; *hålla* ~*en* keep one's weight down; *värd sin* ~ *i guld* worth one's weight in gold **2** betydelse importance, weight, significance; ~*en av* ngt the importance of…; ~*en av att* + inf. the importance of + ing-form; *ingenting av* ~ har inträffat nothing of importance…; *av stor* ~ of great importance etc.; *fästa* (*lägga*) *stor* ~ *vid* ngt attach great importance (weight) to sth, lay stress on sth; *inte fästa någon* ~ *vid*… äv. not care much about…

viktelefon *s* (~en, ~er) se *vikbar telefon* under *vikbar*

viktförlust *s* (~en, ~er) loss of weight

viktig *adj* (~t) **1** betydelsefull important, …of importance; starkare momentous; väsentlig essential; angelägen, om t.ex. affär urgent; tungt vägande, om t.ex. skäl weighty; *en ytterst* ~ fråga äv. a vital…; ~ *roll* vital (important) part (role); *det* ~*aste* är att… the main (most important) thing… **2** högfärdig self-important; mallig stuck-up, cocky; ~ *min* air of importance; *göra sig* ~ give oneself (put on) airs

viktighet *s* (~en, ~er) **1** betydelse, se *vikt 2* **2** högfärdighet self-importance; mallighet cockiness

viktigpetter *s* (~n, -pettrar) vard. pompous (conceited) ass (fool)

viktklass *s* (~en, ~er) sport. class, weight

viktminskning *s* (~en, ~ar) decrease (reduction) in weight

viktökning *s* (~en, ~ar) increase in weight

vikänsla *s* (~n) feeling of togetherness

vila I *s* (~n) allm. rest; ro äv. repose; uppehåll pause, interval; *den sista* (*eviga*) ~*n* the final (eternal) rest; *en stunds* ~ a little rest; *i* ~ at rest; *gå till* ~ go (retire) to rest **II** *vb tr* (~de, ~t) rest; ~ *benen* rest one's legs, take the weight off one's feet **III** *vb itr* (~de, ~t) allm. rest äv. vara stödd [*mot* against; *på* on]; högtidl. repose; om verksamhet, arbete be suspended, be at a standstill; **lägga sig och ~** have a lie-down, lie down and have a rest (for a rest); **här ~r...** here lies...; **~ i frid!** rest in peace!; **ansvaret ~r på honom** the responsibility rests on him; **~ på hanen** bildl. wait and see; **~ på årorna** rest on one's oars; **~ tungt på** weigh (press) heavily [up]on; **det ~r en förbannelse över...** there is a curse on...; **det ~r ett löjets skimmer över...** there is something (a touch of the) ridiculous about..., an air of ridicule surrounds...; **den stämning som ~r över** platsen the atmosphere which pervades...; **~ ut** take (have) a good rest **IV** *vb rfl* (~de, ~t), **~ sig** rest, take a rest; **~ sig lite** pusta ut take a short breather; **~ upp sig** take (have) a good rest

vilande *adj* (oböjl.) resting, reposing, quiescent; **~ aktiebolag** ekon. dormant company (amer. corporation); **~ konto** bank. dormant account (balance); **~ lagförslag** dormant bill

vild *adj* (vilt) allm. wild; ociviliserad, otämjd äv. savage, uncivilized, untamed; oregerlig äv. unruly; om längtan o.d. furious; **~a blommor** (*djur*) wild flowers (animals); **~ förtjusning** (*förtvivlan*) wild delight (despair); **vilt landskap** wild scenery; **~a planer** wild schemes; **i vilt raseri** in a frantic rage, in a frenzy of rage; **~a rykten** wild rumours; **~a seder** barbarous customs; **~ strejk** wildcat strike; **i vilt tillstånd** in the wild state, when wild; **Vilda Västern** the Wild West; **bli alldeles ~** ursinnig become (get) furious; **~ av glädje** (*raseri*) wild (mad, frantic) with joy (rage)

vildand *s* (~en, -änder) wild duck

vildapel *s* (~n, -aplar) crab apple, wilding

vildavästernfilm *s* (~en, ~er) western, vard. horse opera

vildbasare *s* (~n, =) o. **vildbase** *s* (~n, vildbasar) madcap, harum-scarum

vilddjur *s* (~et, =) wild beast

vilde *s* (~n, vildar) savage; polit. independent, amer. äv. maverick

vildhavre *s* (~n), **så sin ~** bildl. sow one's wild oats

vildhet *s* (~en, ~er) wildness, savagery; tillstånd äv. wild (savage) state; vildsinthet ferocity, fierceness

vildhjärna *s* (~n, -hjärnor) madcap

vildkatt *s* (~en, ~er) wild cat äv. bildl.

vildmark *s* (~en, ~er) wilderness, wild region (country); obygd wilds pl.; ödemark waste

vildros *s* (~en, -rosor) bot. wild rose

vildsint *adj* (=) fierce, ferocious; **en ~** galen **idé** a wild idea

vildsvin *s* (~et, =) wild boar

vildvin *s* (~et) bot. Virginia creeper; amer. woodbine

vildvuxen *adj* (-vuxet, -vuxna) förvildad, attr. ...that has (had etc.) run wild

Vilhelm som kunganamn William; som namn på tyska kejsare äv. Wilhelm; **~ Erövraren** William the Conqueror

vilja I *s* (~n, viljor) allm. will; filos. el. gram. äv. volition; önskan wish, desire; avsikt intention; **den fria ~n** free will; **du har din fria ~** you are your own master; visa sin **goda ~** ...good will; **min sista ~** testamente my last will and testament; **stridiga viljor** contending wills; **driva igenom sin ~** el. **driva sin ~ igenom** work one's will; **få sin ~ fram** have it one's own way; **rätta sig**

efter ngns ~ äv. conform to sb's wishes; **med bästa ~ i världen** with the best will in the world; det går nog **med lite god ~** ...with a little good will; jag gjorde det **mot deras** (*min* etc.) **~** ...against (contrary to) their (my etc.) will (wishes)

II *vb tr* o. *vb itr* o. *hjälpvb* (ville, velat) Översikt: önska want, svagare el. högtidl. desire; ha lust, tycka om like; ha lust, vara benägen care; finna för gott choose; behaga please; mena, ämna mean; vara villig be willing [samtliga med to framför följande inf. (vanl. äv. då inf. är underförstådd)]; **~ ha** ofta want äv. åtrå; **vill du vara snäll och** (*skulle du ~*) + inf. (hövlig uppmaning) [will you] please + inf., would you mind + ing-form; **jag vill** önskar **att du ska göra** (*att du gör*) **det** I want (wish, desire, ser gärna would el. should like) you to do it; **jag vill** tillåter **inte att du ska göra** (*att du gör*) **det** I won't have you doing it; **jag önskar** [*att*] **du ville** göra det I wish you would...; **vill du ha** det här fotot**? – Ja, det vill jag** would you like...? – Yes, I would (– Yes, please); **om du vill** göra det, måste du... if you want (ämnar mean) to...; **om du ville** göra det, vore jag tacksam if you would...; se äv. **vill helst** under *helst* 1 o. **vill säga** under *säga* I m.fl.

Ex.: **a)** med att-sats (för konstr. i allm. se ovan): **jag vill inte att man ska säga att...** I don't want (starkare I won't have) it said that...; **jag vill inte att det ska bli** någon diskussion I don't want there to be...; **vad vill du** [*att*] **han ska göra?** what do you want (wish) him to do?, what would you like him to do?; han kan ju ändå inte göra något what do you expect him to do?; **du kanske hellre skulle ~ att** han följde med**?** perhaps you would prefer it if...?; **om han hade velat att jag skulle hjälpa honom...** if he had wanted me to help him...; **Gud vill att** människan skall God wills that... **b)** övriga fall: **att ~ och att önska är** inte detsamma willing and wishing are...; **jag både vill och inte vill** I want to and I don't want to, I am in two minds about it; **jag vill inte gärna** vill helst slippa I would rather not; gick du dit? – **Nej, jag ville inte** ...No, I didn't want (hade inte lust care) to; **han lät mig göra som jag ville** he let me have my own way; du måste göra det **antingen du vill eller inte** ...whether you want to (tycker om det like to, like it) or not; **kom när du vill** come when[ever] you like (please, wish); vi kan gå ut **om du vill** har lust ...if you like (önskar want [to], wish [to]); **du kan om du** [*bara*] **vill** you can if only you want to; [*gör*] **som du vill** [do] as you like (please, wish), please (suit) yourself; **om Gud vill** ...God willing, ...please God; **han må vara hur** intelligent **han vill** however...he may be; säg det till honom! – **Det vill jag inte** ...I don't want (har inte lust care) to; ska jag säga det till honom? – **Nej, det vill jag inte** jag vill inte att du gör det ...No, I don't want you to; jag är ledsen om jag sårade dig, **det ville jag inte** ...I didn't mean to; vill du ta en promenad med mig? – **Ja, det vill jag gärna** ...Yes, I would (should) like to; om du vill kan vi gå dit – **Vill du det?** ...Would you like to (that)?; vet du **vad jag skulle ~?** ...what I would (should) like to do?; **vad vill du?** what do you want?; vad är det? what is it?; **vad vill du mig?** what do you want [from me]?; **gör vad du vill** do as you like (please, wish); **han får allt vad han vill** he gets everything he wants; han får säga **vad han vill** ...what[ever] he wants [to] (likes); **han vet vad han vill** he knows what he wants, he knows his own mind; **jag vill bara ditt bästa** I only want what's best for you, I only wish your good; **jag vill** önskar [**åka**] **till** Stockholm I want to go to…; **jag vill inte** [**åka**] **till** Stockholm I don't want to go to…; har inte lust att I don't care to go to…; **jag vill gärna** (**skulle gärna ~**) följa med I would (should) [very much] like to…, I'd love to…; **jag vill gärna** hjälpa dig, men… I would (should) be glad to…, I would (should) willingly…; **jag skulle inte ~** (**hade inte velat**) **göra det** för aldrig det I would not do (have done) it…; **jag skulle ~ ha…** I would (should) like [to have]…; **jag vill inte ha** ta emot **den** I don't want (starkare I won't have) it; **jag vill hellre ha** te än kaffe I would rather have…; **det vill jag hoppas** I do hope so; **vi vill meddela att…** i brev we would (wish to) inform you that…; **jag vill minnas** att… I seem to remember…; **…vill jag minnas** …if I remember rightly; **jag vill** (**skulle ~**) **råda dig att** + inf. I would (should) advise you to + inf.; **det vill jag gärna tro** I am quite prepared to believe that; **vill du** är du villig att **göra det?** will you (are you willing to) do it?; **du** (**han**) **tycks inte ~** gå it seems as if you don't (he doesn't) want to…; **vill du inte ha** lite mer te? won't you have…?; **vad vill du ha att dricka?** what will you have (what do you want) to drink?; **vad vill du ha** [**betalt**] **för den?** what do you want (ask) for it?; **du vill väl inte påstå att…** you surely don't mean (you are not trying) to say that…; **vill du** (**skulle du ~**) **räcka mig** den där boken? will (would) you pass me (mind passing me)…?; **vill du** (**skulle du ~**) har du lust att **se på mina frimärken?** would you like (care) to have a look at my stamps?; **han vill gärna** skylla ifrån sig he is apt (inclined) to…, he tends to…; **vill du vara tyst?** var tyst! will you be quiet!; **det ser ut att ~ bli** en fin dag it looks like being (promises to be)…; **snöret vill gärna** gå av the string is apt to…; **motorn ville inte starta** the engine would not start; arbetet **vill aldrig ta slut** …seems never to end

III *vb rfl* (ville, velat), **det ville sig inte riktigt för mig** things just didn't go my way, I just couldn't manage it; **om det vill sig väl** if all goes well

IV med beton. part. o. utelämnat huvudvb (som sätts ut i eng.)

vilja av: jag vill av här I want to get off here

vilja bort: jag vill bort härifrån I want to get away from here

vilja fram: jag vill önskar komma **fram** I want to get through

vilja förbi: jag vill förbi I want to pass (get past)

vilja hem: jag vill hem I want to go home

vilja in: jag vill in I want to go (come, get) in (inside)

vilja till: det vill till att du skyndar dig you will have to hurry up; **det vill mycket till innan han ger upp** it takes a lot to make him give up

vilja tillbaka: jag vill tillbaka hit I want to come back; dit I want to go back

vilja ut: jag vill ut härifrån I want to get out of here; **jag vill ut och gå** I want to go out for a walk

vilja åt: ~ åt skada **ngn** want to get at sb; **han vill åt** ha **dina pengar** he wants to get hold of (has designs on) your money

vilje *s* (oböjl., en), **göra ngn till ~s** do as sb wants (wishes), humour sb

viljeakt *s* (~en, ~er) act of volition (will)

viljekraft *s* (~en) willpower

viljelös *adj* (~t) …who has no will of his (resp. her) own, …who lacks willpower båda endast attr.; starkare apathetic; **ett ~t redskap** a passive tool

viljelöshet *s* (~en) lack of willpower; starkare apathy

viljestark *adj* (~t) strong-willed

viljestyrka *s* (~n) willpower

viljesvag *adj* (~t) weak-willed

viljeyttring *s* (~en, ~ar) expression of one's will, manifestation of the (one's) will

vilken *pron* (vilket, vilka) **1** rel. **a**) självst.: med syftning på person who (som obj. whom, mera vard. who, efter prep. whom); med syftning på djur el. sak which; med syftning på person, djur el. sak i nödvändig relativsats ofta that; jfr *som I* **b**) fören. which; **vilkens, vilkets, vilkas** whose; jfr *1 vars 1*; **han bäddade själv, vilket** inte händer så ofta he made his own bed, [a thing] which…; **dessa pojkar, vilka alla** är bosatta i… these boys, all of whom…; **dessa böcker, vilka alla** är… these books, all of which…; det brev **om vilket ni talar** …[that (which)] you are talking about, …about which you are talking **2** interr. **a**) i obegränsad betydelse what; självst. om person who (som obj. who[m], efter prep. whom) **b**) avseende urval, med utsatt eller underförstått 'av', which; självst. äv. which one (pl. ones); **vilkens, vilkas** whose; **vilka böcker** har du läst? what (av ett begränsat antal which) books…?; ~ vad för slags **tobak** röker du? what tobacco…?; ~ **är** vad heter Sveriges största stad? what is…?; **vilka är** Sveriges fyra största städer? what are…?; slå upp i ordboken! – **Vilken då?** …Which one?; ~ av dem **menar du?** which [one] do you mean?; **vilka är** de där pojkarna? who are…?; han frågade **vilket land jag kom från** …what country I came from; jag vet inte ~ **av dem som kom först** …which of them came first; har du hört ~ **otur de har haft?** …what bad luck they have had?

3 specialfall **a**) i relativsatser o. likn. uttr., ~ **som helst** se *helst 2*; hon är inte **en tjej ~ som helst** …just any (an ordinary) girl; **kan man säga vilket som helst** (vard. **vilken som**)? av två saker can you say either?; res ~ **dag du vill** …any day you like; **vilket av de två alternativen du än väljer** whichever of the two alternatives you choose **b**) i utrop, ~ **dag!** what a day!; ~ **otur!** what bad luck!; **vilket väder!** what weather!; **vilka höga berg!** what high mountains!

vilkendera *pron* (vilketdera) which (whichever) [av två äv. of the two]

1 villa I *s* (~n, villor) villfarelse illusion, delusion **II** *vb tr* (~de, ~t), ~ **bort ngn** confound sb; ~ **bort sig** gå vilse lose one's way (oneself)

2 villa *s* (~n, villor) hus [private] house, detached house, amer. äv. home; spec. på kontinenten villa; enplans~ ofta bungalow; på landet ibland cottage

villaområde *s* (~t, ~n) residential district

villasamhälle *s* (~t, ~n) o. **villastad** *s* (~en, -städer) residential district, garden suburb

villaägare *s* (~n, =) house-owner

villebråd *s* (~et, =) game (endast sg.); förföljt el. nedlagt quarry (vanl. endast sg.); **ett ~** enstaka a head of game; **lovligt ~** fair game äv. bildl.

villervalla *s* (~n) confusion, chaos

villfara *vb tr* (-for, -farit) comply with; ~ **ngns begäran** äv. grant (accede to) sb's request

villfarelse *s* (~n, ~r) error, mistake, delusion; **sväva i den ~n att…** be under the delusion that…; **ta ngn ur hans ~** undeceive sb, open sb's eyes

villig *adj* (~t) willing; sexuellt tillmötesgående, äv. easily persuaded; bered~ äv. ready; **~ till samarbete** willing etc. to cooperate; **vara ~ att** + inf. äv. be prepared (disposed) to + inf.; **~ att lyssna** till förslag äv. open (amenable) to...

villighet s (~en) willingness, readiness

villkor s (~et, =) **1** betingelse condition; pl. (avtalade ~, köpe~ o.d.) ofta terms; i kontrakt o.d. stipulation; förbehåll provision; **ställa ~** make demands, lay down conditions, dictate one's terms; **på ~ (det ~et) att...** on condition that..., provided [that]...; **på ett ~** on one condition; **på inga ~ [s vis]** on no condition [whatever]; **vi kan på inga ~** acceptera erbjudandet we can on no account (condition)...; **på vissa ~** on certain conditions; kapitulera **utan ~** ...unconditionally **2** levnadsomständigheter, **leva under goda (små) ~** live in good (poor) circumstances, be well (badly) off

villkorlig adj (~t) conditional; **de fick ~ dom** they were given a conditional (suspended, probational) sentence; eng. motsv. ung. they were placed on probation, they were bound over; **~ frigivning** conditional release; eng. motsv. ung. release on probation

villkorsbisats s (~en, ~er) gram. conditional clause

villkorslös adj (~t) unconditional

villospår s (~et, =), **leda (föra) ngn på ~** throw sb off the track (scent); **vara på ~** be on the wrong track (scent)

villoväg s (~en, ~ar), **leda (föra) ngn på ~ar** framför allt bildl. lead sb astray; **råka (komma) på ~ar** go astray

villrådig adj (~t) obeslutsam irresolute, shilly-shally [om as to]; **vara ~** äv. vacillate, be in two minds [om about]

villrådighet s (~en) irresolution, vacillation [om as to]

vilodag s (~en, ~ar) day of rest

vilohem s (~met, =) rest home

viloläge s (~t, ~n) position of rest; tekn. state of rest; **i ~** at rest

vilopaus s (~en, ~er) break, rest

vilsam adj (~t, ~ma) restful [för to]

vilse adv, gå (**köra, flyga** osv.) **~** lose one's way, get lost, go wrong; **gå (komma, råka) ~** äv. go astray äv. bildl.; **föra ngn ~** lead sb astray; bildl. äv. mislead sb

vilsegången adj (-gånget, -gångna) o. **vilsekommen** adj (-kommet, -komna) lost; attr. äv. stray

vilseleda vb tr (-ledde, -lett) mislead, lead...astray; lura deceive

vilseledande adj (oböjl.) misleading

vilsen adj (vilset, vilsna) lost; attr. äv. stray

vilstol s (~en, ~ar) lounge chair, lounger, reclining chair; utomhus deckchair

vilt I adv **1** eg. wildly, savagely, furiously, jfr **vild**; vildsint fiercely, ferociously; **växa ~** grow wild **2 en ~** fullkomligt **främmande människa** a total stranger, an utter (absolute, entire) stranger **II** s (~et) villebråd game

viltreservat s (~et, =) game reserve (preserve)

viltsmak s (~en) gamy (high) flavour

viltstråk s (~et, =) game trail

viltvård s (~en) game preservation

vimla vb itr (~de, ~t) swarm [av with]; överflöda abound [av in (with)], teem [av with]; **det ~r av tryckfel** i tidningen ...is bristling (teeming) with

misprints; **det ~r av folk på gatorna** the streets are swarming (teeming, thronged) with people

vimmel s (vimlet) folk~ throng, [swarming] crowd [of people]; gatu~ crowd (crowds pl.) in the street[s]; **fjärran från vimlets yra** far from the madding crowd

vimmelkantig adj (~t) yr giddy, dizzy; förvirrad dazed, confused, bewildered; **göra ngn ~** förvirrad äv. daze (bewilder) sb; **han fick en örfil som gjorde honom alldeles ~** ...that knocked him silly

vimpel s (~n, vimplar) streamer; sjö. el. sport. pennant

vimsa vb itr (~de, ~t) vard., **~ [omkring]** muddle (fiddle, muck) about

vimsig adj (~t) vard. scatterbrained; ombytlig flighty, volatile

vin s (~et, ~er) **1** dryck wine; billigt, enkelt (vard.) plonk, vino; **husets ~** [the] house wine; **en flaska (ett glas) ~** a bottle (glass) of wine; **~ av årets skörd** this year's vintage; **nytt ~ i gamla läglar** new wine in old bottles; **~, kvinnor och sång** wine, women and song **2** växt vine; **skörda ~[et]** bring in the wine (grape) harvest

vina vb itr (ven, vinit) whine; om pil o.d. whiz[z], whistle; om vind äv. howl

vinare s (~n el. vinarn, =) vard. bottle of vino (plonk)

vinberedning s (~en, ~ar) preparation of wine, vinification

vinberg s (~et, =) hill planted with vines, vine hill

vinbergssnäcka s (~n, -snäckor) zool. edible (vineyard) snail

vinbutelj s (~en, ~er) se **vinflaska**

vinbär s (~et, =) currant; **rött ~** redcurrant; **svart ~** blackcurrant; **vitt ~** whitecurrant

vinbärsbuske s (~n, -buskar) currant bush; röd redcurrant (svart blackcurrant, vit whitecurrant) bush

1 vind s (~en, ~ar) blåst wind; lätt ~ breeze; **~en har vänt** the wind has shifted (veered) äv. bildl.; **vi måste se vad det blåser för ~ (vart ~en blåser)** bildl. we'll have to see which way the wind blows; **driva ~ för våg** drift aimlessly, be adrift; **låta ngt gå ~ för våg** leave sth to take care of itself; **få ~ i seglen** catch the wind (breeze); bildl. [start to] do well; **ha ~ i seglen** sail with a fair wind; bildl. be riding on the crest of the wave, be successful; **skingras för alla ~ar** be scattered to the [four] winds (to all the corners of the earth); **vaja för ~en** float in the wind; **gå upp i ~[en]** sjö., lova luff [the helm], sail to the wind; **borta med ~en** gone with the wind; **fara med ~ens hastighet** go like the wind; **rakt mot ~en** in the teeth of the wind

2 vind s (~en, ~ar) i byggnad attic; enklare loft; vindsrum äv. garret; **på ~en** in the attic

3 vind adj (vint) warped; skev askew endast pred.

1 vinda vb itr (~de, ~t) se **skela**

2 vinda vb tr (~de, ~t) linda wind; **~ upp** wind up, hoist; t.ex. ankare äv. heave [up], windlass

vindbrygga s (~n, -bryggor) drawbridge

vinddriven adj (-drivet, -drivna) weather-driven; bildl. rootless; **vinddrivna existenser** society's castaways

vindel s (~n, vindlar) whorl; spiral spiral

vindfläkt s (~en, ~ar) breath (puff) of air (wind), [light] breeze

vindflöjel s (~n, -flöjlar) [weather]vane, weathercock; person weathercock, turncoat, trimmer

vindfång s (~et, =) yta surface exposed to the wind;

seglet **har stort** (**litet**) ~ ...catches a great deal of (very little) wind

vindil s (~en, ~ar) breeze

vindkantring s (~en, ~ar) change (shift) of wind äv. bildl.

vindkraft s (~en) wind power

vindkraftpark s (~en, ~er) wind farm

vindkraftsproducent s (~en, ~er) wind power producer

vindkraftverk s (~et, =) wind turbine

vindla vb itr (~de, ~t) om flod, väg o.d., slingra [sig] wind, meander

vindling s (~en, ~ar) winding, meandering; anat. convolution; i snäckskal o.d. whorl

vindmätare s (~n, =) meteor. anemometer, wind gauge

vindpinad adj (-pinat, ~e) windswept, windblown

vindpust s (~en, ~ar) breath (puff) of air (wind)

vindriktning s (~en, ~ar) direction of the wind, wind direction

vindruta s (~n, -rutor) på bil windscreen; amer. windshield

vindrutespolare s (~n, =) windscreen (amer. windshield) washer

vindrutetorkare s (~n, =) windscreen (amer. windshield) wiper

vindruva s (~n, -druvor) grape

vindruvsklase s (~n, -klasar) bunch (på vinstock cluster) of grapes

vindskammare s (~n, -kamrar el. =) attic [room], garret

vindskontor s (~et, =) lumber room (boxroom) [in the attic]

vindskupa s (~n, -kupor) se *vindskammare*

vindspel s (~et, =) sjö. windlass, winch; stående capstan

vindsröjning s (~en, ~ar) removal of lumber from the attic; städning clearing up [of] the attic; **ha** ~ clear (turn) out the attic

vindstilla I adj (oböjl.) calm, becalmed, windless **II** s (~n, vindstillor) stiltje [dead] calm

vindstyrka s (~n, -styrkor) wind-force

vindstöt s (~en, ~ar) gust [of wind], blast

vindsurfa vb itr (~de, ~t) sport. windsurf

vindsurfare s (~n, =) sport. windsurfer

vindsvåning s (~en, ~ar) attic [storey]; lägenhet attic flat

vindtygsjacka s (~n, -jackor) windproof jacket, windcheater; amer. windbreaker

vindtät adj (-tätt) windproof

vindögd adj (-ögt) se *skelögd*

vinfat s (~et, =) för jäsning vat; för lagring äv. [wine] barrel, [wine] cask

vinflaska s (~n, -flaskor) tom wine bottle; flaska vin bottle of wine

vingbredd s (~en, ~er) wingspan; fågels äv. wing-spread

vingbruten adj (-brutet, -brutna) eg. broken-winged; jakt. äv. winged

vinge s (~n, vingar) wing; på väderkvarn o.d. vane, sail; **pröva sina vingar** el. **se om vingarna bär** spread (try) one's wings

vingklippa vb tr (-klippte, -klippt), ~ **en fågel** (**ngn**) clip a bird's (sb's) wings

vingla vb itr (~de, ~t) gå ostadigt stagger, reel; stå ostadigt sway; bildl. vacillate, waver, not know one's own mind

vinglas s (~et, =) wineglass; glas vin glass of wine

vinglig adj (~t) staggering, reeling; om möbler wobbly, rickety, unsteady; bildl. vacillating, wavering

vinglögg s (~en, ~ar) se *glögg*

vingmutter s (~n, -muttrar) tekn. wing nut

vingpenna s (~n, -pennor) [wing-]quill, pinion

vingslag s (~et, =) wing stroke, wing beat, wing flap

vingspets s (~en, ~ar) wing tip, tip of a (resp. the) wing båda äv. flyg., pinion

vingård s (~en, ~ar) vineyard

vingårdsarbetare s (~n, =) vine-dresser

vinjett s (~en, ~er) vignette

vink s (~en, ~ar) eg.: med handen wave; tecken [att göra ngt] sign, motion; antydan hint, intimation; vard. tip[-off]; **en fin** ~ äv. a gentle reminder; **en tydlig** ~ a broad hint; **förstå ~en** take the hint; vard. get the message; **ge ngn en** ~ drop (give) sb a hint, hint to sb; **lyda ngns minsta** ~ obey sb's slightest wish, be at sb's beck and call

vinka vb itr o. vb tr (~de, ~t) **1** beckon; motion [åt to]; vifta wave; ~ [**med handen**] wave one's hand; ~ **ngn till sig** beckon sb to come up to one (to approach, to come near[er]); ~ **adjö åt ngn** wave goodbye to sb, wave sb goodbye; ~ **av ngn** wave sb off; ~ **in ngn** motion (beckon) sb in **2 inte ha någon tid att** ~ **på** till förfogande have no time to spare

vinkel s (~n, vinklar) matem. angle; hörn corner; vrå nook; **rät** (**spetsig, trubbig**) ~ right (acute, obtuse) angle; **bilda 30°** ~ (**en** ~ **på 30°**) **mot** ytan form an angle of 30° with...; **byggd i** ~ built L-shaped; **i rät** ~ **mot** golvet at right angles to..., perpendicular to...; **alla vinklar och vrår** all the nooks and corners (crannies), every nook and corner (cranny)

vinkelben s (~et, =) geom. side of an angle

vinkelformig adj (~t) angular

vinkelhake s (~n, -hakar) tekn. set square, triangle

vinkeljärn s (~et, =) angle-iron, angle [bar]

vinkellinjal s (~en, ~er) T-square, square

vinkelrät adj (-rätt) perpendicular [mot to]; ~ **mot...** äv. at right angles to...

vinkelslip s (~en, ~ar) angle grinder

vinkelspets s (~en, ~ar) geom. vertex (pl. vertices el. vertexes) [of an angle]; triangels äv. apex (pl. apices el. apexes)

vinkla vb tr (~de, ~t) slant, angle båda äv. bildl.

vinklad adj (vinklat, ~e) slanted, angled; bildl. äv. biassed

vinkling s (~en, ~ar) bildl., t.ex. av ett reportage slant, bias

vinkällare s (~n, =) förvaringsutrymme wine cellar, wine vault; vinlager cellar

vinkännare s (~n, =) connoisseur (good judge) of wine, wine expert

vinlista s (~n, -listor) winelist, wine card

vinn s (oböjl.), **lägga sig** ~ **om ngt** se *vinnlägga*

vinna vb tr o. vb itr (vann, vunnit) i strid, tävling, spel win; [lyckas] skaffa sig, t.ex. erfarenhet, tid, terräng gain; t.ex. inflytande äv. acquire; uppnå attain; få vinst profit [på by]; [för]tjäna earn [på on]; ha nytta benefit [på from]; ~ **med 3–0** t.ex. i fotboll win 3–0 [utläses əʊ, amer. oʊ], win 3 nil; ~ **tid** gain time; **försöka** ~ **tid** play for time; ~ **ett pris** win a prize; i lotteri äv. draw a prize; **~ [i] tävlingen** win the competition; **~ ngn för sin sak** win sb for (over to) one's cause, enlist sb's interest on one's behalf; **~ på en affär** profit (benefit) from (by)..., tjäna pengar make money on (out of)...; **rummet vann på** ommöbleringen the room gained by...; **~ på** ta in på **ngn** gain on sb; **~ på spel** win (make) money by gambling; **hon (det) vinner i längden** she (it) grows on you; **~ över ngn** i tävling win over sb, gain (win, score) a victory over sb, beat (defeat) sb

vinnande adj (oböjl.) winning; intagande äv. attractive, engaging; starkare captivating; tilltalande appealing, pleasant; **~ sätt** äv. endearing manner (ways pl.)

vinnare s (~n, =) winner; segrare äv. victor

vinning s (~en, ~ar) gain, profit; snöd äv. [filthy] lucre, pelf; **för snöd ~s skull** out of [sheer] greed, for [the sake of] filthy lucre

vinningslysten adj (-lystet, -lystna) greedy, grasping, covetous, avid, mercenary

vinnlägga vb rfl (-lade, -lagt), **~ sig om ngt** strive after sth; **~ sig om att** + inf. take [great] pains to + inf.; jfr **bemöda**

vinodlare s (~n, =) wine-grower, viniculturist, viticulturist

vinodling s (~en, ~ar) abstr. wine-growing, viniculture, viticulture; konkr. vineyard

vinpress s (~en, ~ar) winepress

vinprovare s (~n, =) wine-taster

vinprovning s (~en, ~ar) wine-tasting

vinranka s (~n, -rankor) [grape]vine, tendril of a vine; gren stem of a vine

vinrättigheter s pl, **ha ~** be licensed to serve wine; **ha vin- och spriträttigheter** be fully licensed

vinröd adj (-rött) wine-red, burgundy

vinsch s (~en, ~ar) winch

vinscha vb tr (-de, ~t), **~ [upp]** hoist, winch

vinskörd s (~en, ~ar) vinskördande grape harvesting; konkr. grape (wine) harvest; årgång vintage

vinst s (~en, ~er) allm. gain; hand. profit, profits pl.; avkastning yield, return, returns pl.; behållning proceeds pl.; förtjänst earnings pl.; utdelning dividend; på spel winnings pl.; i lotteri o.d. [lottery] prize; fördel advantage, benefit; **högsta ~en** the first prize; **ren ~** net profits (proceeds) pl.; **det blir en ren ~ på** 1 000 kronor there will be a net profit of...; **dela ~en** share the profits; **ge ~** yield (bring in) a profit; äv. turn out well; **gå med ~** om företag äv. be a paying concern; **sälja...med ~** sell...at a profit; **på ~ och förlust** at a venture, on speculation

vinstandel s (~en, ~ar) share of (in) the profits, profit share; utdelning dividend

vinstgivande adj (oböjl.) profitable, remunerative, paying; starkare lucrative

vinstintresse s (~t, ~n), **utan ~** non-profit, not for profit

vinstlista s (~n, -listor) lottery [prize-]list

vinstlott s (~en, ~er) [prize]winning ticket

vinstmarginal s (~en, ~er) return on sales, profit margin

vinstnummer s (-numret, =) winning number

vinstock s (~en, ~ar) [grape]vine

vinstsyfte s (~t, ~n), **i ~** for the purpose of profit-making, in order to make profits

vinsyra s (~n, -syror) tartaric acid

vintagekläder s pl vintage clothes, vintage clothing sg.

vinter s (~n, vintrar) winter; för ex. jfr **höst**

vinterbonad adj (-bonat, ~e) ...fit for winter habitation, ...fit for living in during the winter

vinterdag s (~en, ~ar) winter's day, day in [the] winter; **en kall ~** [adv. on] a cold winter's day

vinterdvala s (~n) hibernation, winter sleep; **ligga i ~** hibernate

vinterdäck s (~et, =) snow (winter) tyre (amer. tire)

vintergata s (~n, -gator) astron. galaxy; **Vintergatan** the Milky Way, the Galaxy

vinterkläder s pl winter clothes (vard. things)

vinterkräksjukan s (best. sing.) med. winter vomiting disease

vinterkyla s (~n) winter cold, cold of winter

vinterkörning s (~en) med bil winter driving, driving in the winter

vinterlik adj (~t) wintry, winterlike; **det är ~t** i dag it is quite like winter...

vinternatt s (~en, -nätter) winter night; **en ~** [adv. on] a winter['s] night

vinterolympiaden s (best. sing.) o. **vinter-OS** s (-OS:et, =) the Winter Olympics pl., the Winter Olympic Games pl.

vintersemester s (~n, -semestrar) winter holiday (speciellt amer. vacation)

vintersolstånd s (~et, =) winter solstice

vintersport s (~en) winter sport

vintersportort s (~en, ~er) winter sports resort

vintertid s (~en) **1** normaltid standard time **2** på vintern (adv.) in winter[time]

vinterväder s (-vädret, =) winter (vinterlikt wintry) weather

vinthund s (~en, ~ar) greyhound

vintrig adj (~t) wintry

vinyl s (~en) kem. vinyl

vinäger s (~n) wine vinegar

vinägrettsås s (~en, ~er) vinaigrette [sauce]

viol s (~en, ~er) violet; odlad äv. viola

viola s (~n, violor) altfiol viola

violett s (oböjl.) o. adj (=) violet; för sammansättn. jfr **blå-**

violin s (~en, ~er) violin; **spela ~** play the violin

violinist s (~en, ~er) violinist

violoncell s (~en, ~er) [violon]cello (pl. -s)

violoncellist s (~en, ~er) [violon]cellist

VIP s (oböjl., en) VIP (förk. för very important person)

vipa s (~n, vipor) zool. lapwing, peewit

vipp s (~en), **vara på ~en att** + inf. be on the point of, be within an ace of, come very near to, be on the verge of samtl. + ing-form

vippa I s (~n, vippor) **1** puder~ puff; damm~ feather duster **2** bot. panicle **II** vb itr (~de, ~t) swing up and down; gunga seesaw, amer. äv. teeter; guppa bob; t.ex. om plym wave; **~ med foten** swing one's foot; **~ på stjärten** wag one's tail

vips interj swish!, flip!, zip!; **~ var han borta** hey presto, he was gone; he was off like a shot

vira vb tr (~de, ~t) allm. wind; t.ex. för prydnad wreathe; **~ av** m.fl. beton. part., se **linda III**

viril adj (~t) virile; manlig äv. manly

virka vb tr o. vb itr (~de, ~t) crochet

virke s (~t) **1** trä wood, timber, speciellt amer. lumber; byggnads~ building timber, amer. lumber **2** bildl. stuff;

det är gott ~ i honom he is made of the right stuff **3** vard., till grogg mixer; sodavatten soda (tonic tonic water) etc.

virkning *s* (~en, ~ar) virkande crocheting, crochet work; *en ~* virkat arbete a piece of crochet work

virknål *s* (~en, ~ar) crochet hook, crochet needle

virra *vb itr* (~de, ~t), *~ omkring* (*runt*) meander (gad) about (around) [aimlessly]; *~ 'till* muddle up, make a (mess) of

virrig *adj* (~t) om person muddle-headed, scatterbrained; oredig, oklar confused; muddled äv. om t.ex. framställning

virrvarr *s* (~et) förvirring confusion; villervalla muddle; röra jumble; oreda mess, tangle; starkare chaos; *ett ~ av...* äv. a confused (tangled) heap of...

virtuell *adj* (~t) fys. virtual; *~ bild* virtual image; *~t minne* data. virtual memory; *~ verklighet* data. virtual reality

virtuos I *s* (~en, ~er) virtuos (pl. virtuosi el. virtuosos) **II** *adj* (~t) masterly, brilliant; attr. äv. virtuoso

virtuositet *s* (~en) virtuosity

virulent *adj* (=) virulent

virus *s* (~et, =) med. el. data. virus

virusskydd *s* (~et, =) data. virus protection

virvel *s* (~n, virvlar) allm. whirl äv. bildl., swirl; ström~ whirlpool; mindre eddy; vetensk. el. bildl. vortex (pl. vortices el. vortexes); hår~ crown, vertex (pl. vertices)

virvelvind *s* (~en, ~ar) whirlwind

virvla *vb itr* (~de, ~t) whirl, swirl, eddy; *~ omkring* (*runt*) whirl round; *~ upp* tr. o. itr. whirl up

1 vis *s* (~et, =) way, manner, fashion; jfr *1 sätt 1* med ex.; *jaså, är det på det ~et?* so that's how (so that's the way) it is, is it?

2 vis *adj* (~t) wise; sage; *en ~* [*man*] äv. a sage; *de tre ~e männen* the three wise men, the Magi

1 visa *s* (~n, visor) allm. song; folk~ ballad; kort, enkel ~ äv. ditty; låt äv. tune, melody, air; *Höga Visan* el. *Salomos höga ~* the Song of Songs, the Song of Solomon; *det är alltid samma ~* it is always the same old story

2 visa I *vb tr* (~de, ~t) allm. show; åld. el. jur. shew; peka point [*på* out (to)]; förete äv. present; visa tecken på exhibit, display, demonstrate; bevisa, utvisa, äv. prove; *kyrkklockan ~r rätt tid* (~de 12.15) the church clock tells the right time (pointed to 12.15); *detta ~r att han är...* äv. this shows him to be...; *undersökningen ~de att...* äv. the investigation made it plain (revealed) that...; *~ aktning för ngn* pay respect to sb; *~ tacksamhet* äv. be grateful; *~ en tendens till* show (manifest, evince) a tendency to; *~ ngn vägen till* äv. direct sb to; *~ ngn på dörren* show sb the door; *~ ngn till* hans rum äv. conduct sb to...; *termometern ~r* [*på*] *20 grader* äv. the thermometer says (registers) 20° **II** *vb rfl* (~de, ~t), *~ sig* show oneself; framträda appear; om person äv. make one's appearance; bli tydlig become apparent; synas äv. be seen; om sak äv. manifest itself; *det ~de sig att* beräkningarna var... it turned out (appeared) that...; *det kommer att ~ sig om...* it will be seen whether...; *detta ~de sig vara ogenomförbart* this (that) proved (was found) [to be] impracticable; uppgiften *~de sig vara felaktig* ...proved (turned out) to be erroneous (misleading); *~ sig från sin bästa* (*sämsta*) *sida* appear at one's best (worst), show to best

advantage (to disadvantage) **III** med beton. part.

visa fram förete show; lägga fram [till beskådande] exhibit, display

visa in: *~ in ngn i ett rum* show sb into a room; *~ in honom till mig!* send him [in] to me!

visa omkring: *~ ngn i fabriken* show sb round the factory

visa upp t.ex. pass show; ta fram produce; resultat show; t.ex. ett bokslut äv. produce

visa ut ngn order (send) sb out

visare *s* (~n, =) på ur hand; på instrument pointer, indicator, needle; på skala äv. index

visavi *prep* i rumsbetydelse: mitt emot opposite; i förhållande till, gentemot vis-à-vis; beträffande regarding

vischan *s* (best. sing.), *på ~* vard. out in the wilds (sticks, amer. boondocks, boonies)

visdom *s* (~en, ~ar) wisdom; klokhet äv. prudence; lärdom learning

visdomsord *s* (~et, =) word of wisdom

visdomstand *s* (~en, -tänder) wisdom tooth

vise *s* (~n, visar) bidrottning queen bee

visent *s* (~en, ~er) zool. European bison

visera *vb tr* (~de, ~t) pass visa

visering *s* (~en, ~ar) visaing; visum visa; *~en gäller* två månader the visa is valid for...

vishet *s* (~en) wisdom

vision *s* (~en, ~er) vision

visionär I *adj* (~t) visionary **II** *s* (~en, ~er) visionary

1 visir *s* (~en, ~er) ämbetsman vizier

2 visir *s* (~et, =) hjälmgaller visor; *kämpa med öppet ~* bildl. play a straightforward game

visit *s* (~en, ~er) call, visit; *avlägga ~ hos ngn* pay sb a visit, call (pay a call) on sb, visit sb

visitation *s* (~en, ~er) examination; kropps~ search; [besök för] granskning, besiktning inspection

visitera *vb tr* (~de, ~t) examine; search; inspect; jfr *visitation*

visitkort *s* (~et, =) **1** [visiting] card, calling card; i affärssammanhang business card **2** bildl., vard. trademark

1 viska *s* (~n, viskor) för rengöring whisk

2 viska *vb tr o. vb itr* (~de, ~t) whisper; *~ ngt i örat på ngn* whisper sth in sb's ear; sa han *~nde* ...in a whisper

viskning *s* (~en, ~ar) whisper

viskos *s* (~en) textil. viscose

viskositet *s* (~en) viscosity

vismut *s* (~en) kem. bismuth

visning *s* (~en, ~ar) visande showing; demonstration demonstration; före~ exhibition, display, show

visningslägenhet *s* (~en, ~er) show flat; spec. amer. show apartment

visp *s* (~en, ~ar) whisk; mekanisk äv. beater; av ståltråd äv. whip; elektrisk [hand]mixer

vispa *vb tr* (~de, ~t) whip, whisk; ägg o.d. beat; *~ ner mjölken i smeten* beat the milk into the mixture (batter, jfr *smet*); *~ upp ett ägg* beat up an egg

vispgrädde *s* (~n) vispad whipped cream; ovispad whipping cream

viss *adj* (~t) **1** vanl. pred.: säker certain [*om* (*på*) of]; sure [*om* (*på*) of (about)]; förvissad assured; övertygad äv. positive, convinced; *det är ~t och sant* it is true [enough] **2** attr.: särskild certain; bestämd **a)** om tidpunkt certain, given **b)** om summa fixed; *en ~ Bo Andersson* a certain…; [*en*] ~ skicklighet a certain degree of…; [*en*] ~ oro el. **med** ~ framgång with a certain amount of…, some [degree of]…; *i* ~ **mån** to a certain (some) extent, in a certain (some) degree; *i* ~**a** *avseenden* in some respects (ways); **hon har något ~t** odefinierbart she has [got] a certain something

visselpipa *s* (~n, -pipor) whistle

vissen *adj* (visset, vissna) faded äv. bildl.; förtorkad withered, wilted; om blad äv. dry; **känna sig ~** ur form feel out of sorts; 'nere' feel off colour, feel rotten

visserligen *adv* [it is] true, certainly, to be sure, indeed; **han är ~ duktig, men…** it is true that he is clever, but…; certainly (to be sure) he is clever, but…

visshet *s* (~en) certainty; tillförsikt assurance; **få ~ om…** find out…[for certain]; **skaffa sig ~ om…** ascertain [the truth about]…

vissla I *s* (~n, visslor) whistle **II** *vb tr* o. *vb itr* (~de, ~t) whistle; vina äv. whiz[z]; **~ på hunden** whistle to the dog; **~ på en melodi** whistle a tune; **~ ut** hiss; skådespelare hiss…off the stage; vard. give…the bird (the raspberry)

vissling *s* (~en, ~ar) whistle; vinande whiz[z]

vissna *vb itr* (~de, ~t) fade, wither, wilt; **~ bort** wither [away]; bildl., om person fade away; **~ ned** wither [away]

visso *s* (oböjl.), **för** ~ se *förvisso*; **till yttermera** ~ se *yttermera*

visst *adv* säkert certainly, to be sure; utan tvivel no doubt; sannolikt probably; **~ [ska du göra det]!** äv. [you should do it (so)] by all means!; **vi har ~ träffats förr** I am sure we [must] have met before; **du tänkte ~ överraska oss** you wanted to…, didn't you?; **du tror ~ att…** you seem to believe that…; **helt ~** [most] certainly, no (without a) doubt; **ja ~!** certainly!, of course!, sure [thing]!; **ja ~ ja** yes, of course[, that's true]; **jo ~, men…** that is (quite) so, but…; **~ inte!** certainly not!, not at all!, by no means!, no way!; **det gjorde du ~ [det]!** of course you did!, you certainly did!

visstidsanställd *adj* (-ställt) …employed (engaged) for a limited (specified) period

vistas *vb itr dep* (vistades, vistats) stay; bo längre tid reside, live; officiellt el. litt. sojourn; friare äv. be; **~ inomhus** äv. keep indoors

vistelse *s* (~n, ~r) stay; officiellt el. litt. sojourn; boende residence

vistelseort *s* (~en, ~er) [place of] residence, permanent residence; jur. domicile

visthusbod *s* (~en, ~ar) pantry, larder; större storehouse

visualisera *vb tr* (~de, ~t) visualize

visuell *adj* (~t) visual; **~a hjälpmedel** visual aids

visum *s* (~et, = el. visa) visa

visumtvång *s* (~et) visa requirement

vit I *adj* (vitt) (för sammansättn. jfr *blå-*); white; **~a duken** the screen; **~ fläck** på kartan unexplored region; **~a frun** spöke the White Lady, a white woman spectre; **~a gäss** se *gås*; **Vita havet** the White Sea; **Vita huset** the White House; **~ lögn** white lie; **[den] ~a mössan** the [Swedish student's] white cap; **~a varor** se *vitvaror*; **~ vecka** a) vitvarurea white sale b) alkoholfri 'white week', week in which one abstains from alcohol; **bli ~ [i ansiktet]** av rädsla turn white with…; **göra ~** whiten, make…white **II** *s* (en

~, pl. ~a) **1** schack. white **2** *en* ~ a white [man (woman)], neds. a whitey; **de ~a** the whites

vita *s* (~n, vitor) ägg~, ögon~ white [*i* of]; **två vitor** äggvitor the whites of two eggs

vital *adj* (~t) **1** vital; livskraftig äv. vigorous **2** *av* ~ avgörande **betydelse** …of vital importance, momentous

vitalisera *vb tr* (~de, ~t) vitalize

vitalitet *s* (~en) vitality; livskraft äv. vigour

vitaminberikad *adj* (-berikat, ~e) vitamin-enriched

vitaminbrist *s* (~en) vitamin deficiency

vitaminfattig *adj* (~t) …deficient (poor) in vitamins, vitamin-deficient

vitaminisera *vb tr* (~de, ~t) add vitamins to, vitaminize

vitaminrik *adj* (~t) …rich in vitamins

1 vitbok *s* (~en, ~ar) bot. hornbeam

2 vitbok *s* (~en, -böcker) polit. white book; mindre white paper

vite *s* (~t, ~n) jur. fine, penalty; **vid ~ av** under penalty of a fine of

vitglödande *adj* (oböjl.) white-hot, incandescent

vitguld *s* (~et) white gold

vithårig *adj* (~t) white-haired; om person äv. white-headed, hoary; **bli ~** turn white

vitkalka *vb tr* (~de, ~t) whitewash

vitklöver *s* (~n, =) white (Dutch) clover

vitkål *s* (~en) [white] cabbage

vitlimma *vb tr* (~de, ~t) whitewash

vitling *s* (~en, ~ar) zool. whiting

vitlök *s* (~en, ~ar) garlic

vitlöksklyfta *s* (~n, -klyftor) clove of garlic

vitlökspress *s* (~en, ~ar) garlic press

vitlökssalt *s* (~et) garlic salt

vitlökssmör *s* (~et) garlic butter

vitmena *vb tr* (~de, ~t) whitewash

vitmossa *s* (~n, -mossor) **1** torv~ bog moss **2** renlav reindeer moss

vitna *vb itr* (~de, ~t) whiten, turn (grow, go) white

vitpeppar *s* (~n) white pepper

vitrin *s* (~en, ~er) o. **vitrinskåp** *s* (~et, =) vitrine; för utställning o.d. [glass] showcase (display case)

vitriol *s* (~en) åld. vitriol äv. bildl.

vitrysk *adj* (~t) Belarusian, Belorussian

vitryska *s* **1** (~n, -ryskor) kvinna Belarusian (Belorussian) woman **2** (~n) språk Belarusian, Belorussian

vitryss *s* (~en, ~ar) Belarusian, Belorussian

Vitryssland Belarus

vits *s* (~en, ~ar) ordlek pun; kvickhet joke, jest; neds. witticism; **dra en ~** tell (crack) a joke; **det är det som är ~en med det hela** that's just the point of it, that's just what's good about it

vitsa *vb itr* (~de, ~t) make puns (resp. a pun); skämta joke, crack jokes

vitsig *adj* (~t) kvick witty

vitsippa *s* (~n, -sippor) wood anemone

vitsord *s* (~et, =) skriftligt betyg testimonial; skol. mark, amer. grade; **ge ngn goda ~** recommend sb strongly

vitsorda *vb tr* (~de, ~t) intyga testify to, certify

1 vitt *s* (oböjl.) white; för ex. jfr *blått* o. *svart III*

2 vitt *adv* widely; **~ och brett** far and wide; **med ~ uppspärrade ögon** with wide [open] eyes, with eyes wide open; **prata ~ och brett om…** talk (speak) at great length about…; **vara ~ skild från** differ greatly from...; **så** ~ se *såvitt*; **för så** ~ provided that; **för så** ~ **inte** ofta unless

vittberest *adj* (=), **vara** ~ have travelled a great deal, be a travelled person (man resp. woman)

vittberömd *adj* (-berömt) renowned, illustrious

vitterhet *s* (~en) skönlitteratur belles-lettres pl. (fr.)

vittförgrenad *adj* (-förgrenat, ~e) attr. ...with many ramifications

vittgående *adj* (oböjl.) far-reaching; ~ **reformer** äv. extensive reforms

vittja *vb tr* (~de, ~t), ~ **näten** search (go through) and empty the [fishing-]nets; ~ **ngns fickor** pick sb's pockets

vittna *vb itr* (~de, ~t) witness; intyga testify [*om* to]; vid domstol äv. give evidence, depose; ~ **mot** (**för**) **ngn** give evidence against (in favour of) sb; ~ **om** ngt bildl. show..., indicate..., denote..., give evidence of..., bear witness to...

vittne *s* (~t, ~n) witness; **vara** ~ **till ngt** be a witness of sth, witness sth; **i** ~**ns närvaro** before (in the presence of) witnesses; **höra** ~**n** äv. take evidence; hos polisen take statements; **jag tar dig till** ~ **på att jag...** you are my witness that I...

vittnesbås *s* (~et, =) witness box (amer. stand)

vittnesbörd *s* (~et, =) testimony, evidence; **bära** ~ **om ngt** testify to sth

vittnesmål *s* (~et, =) evidence, testimony; framför allt skriftl. deposition; **avlägga** ~ give evidence (testimony)

vittomfattande *adj* (oböjl.) far-reaching, extensive; t.ex. studier comprehensive; t.ex. intressen wide

vittra *vb itr* (~de, ~t) geol. weather, decompose; falla sönder moulder, crumble [away]; vetensk. effloresce; ~ **bort** crumble away; ~ **sönder** moulder (crumble) [away]

vittring *s* (~en, ~ar) jakt. scent

vittvätt *s* (~en, ~ar) tvättande [the] washing of white laundry (linen); tvättgods white laundry (linen), whites pl., amer. white goods pl., vard. white wash

vitval *s* (~en, ~ar) zool. white whale, beluga

vitvaror *s pl* textilier el. hushållsmaskiner white goods

vitvinsglas *s* (~et, =) white wine glass

vitöga *s* (~t), **se döden i** ~**t** face death [bravely]; **se sanningen i** ~**t** face the truth

vivisektion *s* (~en, ~er) vivisection

vivre *s* (~t) board and lodging, keep; **fritt** ~ free board and lodging; 12 000 kronor i månaden **och fritt** ~ äv. ...and all found

VM *s* (VM:et, =) se *världsmästerskap*

vodka *s* (~n) vodka

vojlock *s* (~en, ~ar) saddle blanket, horse-rug

vokabulär *s* (~en, ~er) ordförråd vocabulary; ordlista äv. glossary

vokal I *s* (~en, ~er) vowel **II** *adj* (~t) vocal

vokalisera *vb tr* (~de, ~t) mus. el. språkv. vocalize

vokalist *s* (~en, ~er) mus. vocalist

vokalmusik *s* (~en) vocal music, singing

volang *s* (~en, ~er) flounce; smalare, t.ex. på damplagg frill

volauvent *s* (~en, ~er) kok. vol-au-vent

volfram *s* (~en el. ~et) tungsten; ibland wolfram

volley *s* (~n) sport. volley; **ta** (**slå**) **en boll på** ~ take (hit) a ball on the volley, volley a ball

volleyboll *s* (~en) bollspel volleyball

volm *s* (~en, ~ar) o. **volma** *vb tr* (~de, ~t) se *vålm* o. *vålma*

volontär *s* (~en, ~er) åld. volunteer äv. mil.; hand. unsalaried clerk

1 volt *s* (~en, =) (förk. V) elektr. volt (förk. V)

2 volt *s* (~en, ~er) **1** gymn. somersault; **göra** (**slå**) **en** ~ gymn. turn a somersault, turn head over heels; **slå** ~**er** äv. tumble **2** ridn. volt, volte

volta *vb itr* (~de, ~t) slå runt, välta overturn, turn turtle

voluminös *adj* (~t) voluminous äv. om röst

volym *s* (~en, ~er) **1** volume äv. om röst; om mått äv. cubic capacity **2** bok, bokband volume; större tome

volymkontroll *s* (~en, ~er) volume control

vom *s* (~men, ~mar) se *våm*

votera *vb itr* o. *vb tr* (~de, ~t) vote; jfr *rösta*

votering *s* (~en, ~ar) voting; **utan** ~ by acclamation, without a division

vov *interj*, ~ ~**!** bow-wow!

vovve *s* (~n, vovvar) barnspr. bow-wow

voyeur *s* (~en, ~er) voyeur, peeping Tom

vrak *s* (~et, =) wreck äv. bildl.; **sjukdomen hade gjort honom till ett** ~ the illness had left him a wreck

vraka *vb tr* (~de, ~t) förkasta reject; **välja och** ~ pick and choose

vrakdel *s* (~en, ~ar) av flygplan etc. part of a (resp. the) wrecked plane etc.

vrakgods *s* (~et) wreckage; wrecked goods pl.

vrakplundrare *s* (~n, =) wrecker

vrakpris *s* (~et, = el. ~er) bargain (giveaway, throwaway) price; **rena** ~**et** a dead bargain; **till** ~ at a bargain etc. price; at bargain prices; **köpa ngt till** ~ äv. buy sth for a song; vard. buy sth dirt-cheap

vrakspillra *s* (~n, -spillror) piece of wreckage, piece of flotsam [and jetsam]; **han** (**hon**) **är en** ~ bildl. he (she) is a wreck of a man (woman); **vrakspillror** pieces of wreckage, wreckage sg., flotsam and jetsam sg.

1 vred *s* (~et, =) handtag handle; runt äv. knob

2 vred *adj* (neutrum undviks) wrathful, irate; ond angry; starkare furious; **vara** ~ **på ngn** be angry (furious) with sb

vrede *s* (~n) wrath; ursinne fury, rage; **låta sin** ~ **gå ut över ngn** vent one's anger on sb

vredesmod *s* (~et), **i** ~ in a fury, in anger

vredesutbrott *s* (~et, =) fit of rage; **få ett** ~ fly into a rage

vredgad *adj* (vredgat, ~e) angry; starkare furious, incensed

vredgas *vb itr dep* (vredgades, vredgats) be angry; bli vred get angry, become incensed [*på ngn över* (*för*) ngt with sb about (at) sth]

vresig *adj* (~t) **1** om person peevish, cross, surly **2** om träd gnarled, cross-grained

vresighet *s* (~en) peevishness osv., jfr *vresig 1*

vricka *vb tr* o. *vb itr* (~de, ~t) stuka sprain; rycka ur led dislocate; **jag har** ~**t foten** I have sprained (twisted, ricked) my ankle

vrickad *adj* (vrickat, ~e) vard., tokig crazy, nutty; pred. äv. cracked, nuts

vrickning *s* (~en, ~ar) **1** stukning sprain; dislocation; jfr *vricka 2* sjö. sculling

vrida I *vb tr* o. *vb itr* (vred, vridit) turn; sno twist, wind; ~ **händerna** wring one's hands; ~ **armen ur led** twist one's arm, put one's arm out of joint, dislocate one's arm; **~ *nacken av ngn*** wring sb's neck; **~ *på huvudet*** turn one's head; **~ *och vända på ett problem*** turn a problem over in one's mind **II** *vb rfl* (vred, vridit), **~ *sig*** turn; ***vinden har vridit sig*** äv. the wind has veered; **~ *sig av smärta*** (*i plågor*) writhe in pain; **~ *sig som en mask*** wiggle (wriggle, squirm) like a worm; **~ *sig kring sin axel*** turn (revolve) round one's axis **III** med beton. part.

vrida av twist (wrench) off; t.ex. kranen turn on
vrida bort: **~ *bort huvudet*** turn one's head away
vrida fram: **~ *fram klockan*** put (set) the clock forward
vrida loss twist (wrench) off (loose); **~ *sig loss*** wriggle oneself free
vrida om: ***han vred om armen på mig*** he twisted my arm; **~ *om*** nyckeln turn...; **~ *om*** nyckeln ***ett varv till*** äv. give...another turn
vrida på t.ex. kranen turn on
vrida tillbaka: **~ *tillbaka klockan*** put (set) the clock back; ***vi kan inte ~ tiden tillbaka*** we can't undo the past, we can't put the clock back
vrida upp: **~ *upp klockan*** wind up the clock
vrida ur t.ex. en trasa wring out; **~ *ur vattnet ur*** wring out the water from; **~ *ur tvätten*** give the washing a wring
vridbar *adj* (~t) turnable; attr. äv. ...that can be turned, revolving
vriden *adj* (vridet, vridna) **1** snodd twisted, contorted **2** tokig crazy, twisted, sick; ***han är en smula ~*** äv. he is not all there
vridmoment *s* (~et, =) tekn. torque
vridscen *s* (~en, ~er) teat. revolving stage
vrist *s* (~en, ~er) ankel ankle; fotens böjliga översida instep; vetensk. tarsu|s (pl. -i)
vrå *s* (~n, ~r) corner, nook, cranny; ***en lugn ~*** a sheltered spot
vråk *s* (~en, ~ar) zool. buzzard
vrål *s* (~et, =) roar, bawl, bellow
vråla *vb itr* (~de, ~t) roar, bawl, bellow
vrålapa *s* (~n, -apor) howler [monkey]
vrålåk *s* (~et, =) vard., om bil posh [high-powered] car
vrång *adj* (~t) ogin disobliging; krånglig: om person contrary, om häst restive; orättvis wrong, unjust
vrångbild *s* (~en, ~er) distorted picture
vrångstrupe *s* (~n), ***jag fick det i ~n*** it went down the wrong way, I choked on it
vräka I *vb tr* (vräkte, vräkt) **1** eg. heave; kasta toss, throw **2** jur., avhysa evict, eject **II** *vb itr* (vräkte, vräkt), ***sjön vräker*** the sea is heaving; ***snön vräker ned*** the snow is coming down heavily **III** *vb rfl* (vräkte, vräkt), ***sitta och ~ sig*** lounge (loll) about; **~ *sig i*** lyx roll (wallow) in... **IV** med beton. part.
vräka i sig mat guzzle down...
vräka omkull throw...over; person send...sprawling
vräka ur sig skällsord o.d. blurt out..., come out with...
vräka ut heave...out; t.ex. pengar spend... like water
vräkig *adj* (~t) prålig ostentatious, flashy, showy; slösaktig extravagant
vräkning *s* (~en, ~ar) avhysning eviction, ejection
vränga *vb tr* (vrängde, vrängt) vända ut o. in på turn...inside out; framställa el. återge oriktigt distort,

twist; misstyda misrepresent; **~ *lagen*** pervert (twist) the law
vulgaritet *s* (~en, ~er) vulgarity
vulgär *adj* (~t) vulgar, common
vulkan *s* (~en, ~er) volcano (pl. vanl. -es)
vulkanisera *vb tr* (~de, ~t) vulcanize
vulkanisk *adj* (~t) volcanic
vulkanutbrott *s* (~et, =) volcanic eruption
vulkanö *s* (~n, ~ar) volcanic island
vulva *s* (~n, vulvor) anat. vulva
vurm *s* (~en, ~ar) passion, craze, mania, fad [*för* (*på*) i samtliga fall for]
vurma *vb itr* (~de, ~t), **~ *för ngt*** have a passion (craze, mania, yen) for sth
vurpa I *s* (~n, vurpor) somersault; ***göra en ~*** se *vurpa II* **II** *vb itr* (~de, ~t) turn a somersault, overturn; ***han ~de med bilen*** his car overturned
vuxen *adj* (vuxet, vuxna) full~ adult; attr. äv. grown-up; ***vuxna*** människor grown-ups, adults; ***han är ~*** he is an adult (is grown up); ***bli ~*** äv. grow to manhood (om kvinna womanhood); ***visa att du är ~!*** be (act) your age!
vuxenstuderande *s* (~n, =) adult student
vuxenundervisning *s* (~en) o. **vuxenutbildning** *s* (~en) adult education
vy *s* (~n, ~er) view; utsikt äv. sight, prospect; ***stora ~er*** lofty ideas, målsättning grandiose plans
vykort *s* (~et, =) [picture] postcard
vyssa *vb tr* (~de, ~t) o. **vyssja** *vb tr* (~de, ~t) lull; ***~...till sömns*** lull (hush)...to sleep
våd *s* (~en, ~er) kjol~ gore; tyg~ width; tapet~ length
våda *s* (~n, vådor) fara danger, peril; risk risk; ***av ~*** by misadventure; jur. accidentally
vådaskott *s* (~et, =) accidental shot
vådlig *adj* (~t) farlig dangerous; förskräcklig dreadful; vard. awful
våffeljärn *s* (~et, =) waffle iron
våffla *s* (~n, våfflor) waffle
1 våg *s* (~en, ~ar) **1** redskap, person~ o.d. scale[s pl.]; större weighing-machine; med skål[ar] balance; ***en ~*** a scale, a pair of scales **2** astrol., ***Vågen*** Libra; ***han är ~*** he is [a] Libra
2 våg *s* (~en, ~or) **1** t.ex. i vattnet wave; bildl. äv. surge; dyning roller; ***~orna går höga*** the waves are high, there is a heavy sea [running]; ***diskussionens ~or gick höga*** ung. there was a heated discussion; ***gå i ~or*** undulate **2** fys. wave; ***fortskridande*** (***stående***) **~** travelling (standing) wave
våga I *vb tr* o. *vb itr* (~de, ~t) ha mod att dare; våga sig på o. riskera venture; riskera äv. hazard, risk; satsa stake; slå vad om bet; ***jag*** (***han***) ***~r*** gå I dare (he dares) to...; ***~r jag*** (***han***) ***gå?*** dare I (he)...?, do I (does he) dare to...?; ***han ~r det inte*** he daren't..., he doesn't (didn't) dare to...; ***~r jag be om...?*** dare I ask for...?; **~** ta risken att ***göra ngt*** risk (take the risk of) doing sth; ***jag ~r påstå att...*** I can confidently (tar mig friheten I make so bold as to) say that...; **~ *livet*** risk (hazard, jeopardize, som insats stake) one's life; ***du skulle bara ~!*** you just dare!, just you dare (try)! **II** *vb rfl* (~de, ~t), **~ *sig dit*** (*hit*) venture el. dare to go there (to come here); **~ *sig fram*** [ur gömstället] venture [to come] out [of...]; **~ *sig på ngn*** angripa dare to tackle (attack) sb; tilltala o.d. venture to approach sb; **~ *sig på*** en uppgift dare to tackle...; **~ *sig på att...*** venture (dare) to...; ***ska man ~ sig på***

det? should one chance it [or not]?; **~ sig ut i kylan** venture [to go] out in the cold; trotsa kylan brave the cold

vågad *adj* (vågat, ~e) djärv daring, bold; riskfylld risky, hazardous; oanständig risqué fr., indecent

vågbrytare *s* (~n, =) breakwater

vågdal *s* (~en, ~ar) eg. trough of the sea (the waves); **komma in i en ~** bildl. get into a down period

vågformig *adj* (~t), **~ rörelse** wavelike (undulating) movement

våghals *s* (~en, ~ar) daredevil

våghalsig *adj* (~t) reckless, foolhardy, rash

vågig *adj* (~t) wavy; om t.ex. linje äv. undulating; vågformig äv. wavelike

vågkam *s* (~men, ~mar) crest of a (resp. the) wave

våglängd *s* (~en, ~er) radio. wavelength äv. bildl.

vågmästarroll *s* (~en, ~er), **ha ~en** vara tungan på vågen hold the balance [of power]

vågrät *adj* (-rätt) horizontal; plan level; **~a ord** i korsord clues across

vågrörelse *s* (~n, ~r) undulation; fys. wave motion (propagation)

vågskål *s* (~en, ~ar) scale (pan) [of a (resp. the) balance]; **väga tungt i ~en** bildl. carry weight

vågspel *s* (~et, =) o. **vågstycke** *s* (~t, ~n) djärvt företag bold (daring) venture, risky (daring, hazardous) undertaking; djärv handling daring act

vågsvall *s* (~et, =) surging sea, surging (beating) of the waves

våld *s* (~et) makt, välde power; besittning possession; tvång force, compulsion; våldsamhet violence; övervåld outrage; kränkning violation; **inga tecken på yttre ~** kunde spåras no mark[s pl.] of violence...; **bruka ~** använda use force (violence) [*mot* against]; ta till resort to violence; **göra ~ på** sanningen violate...; en text do violence to..., distort the meaning of...; **göra ~ på sig** (**sina känslor**) restrain oneself (one's feelings), do violence to one's feelings; **ge sig i ngns ~** give oneself up to sb; **få** (**ha**) **ngn i sitt ~** get sb into (have sb in) one's power; **vara i ngns ~** be in sb's power, be at sb's mercy; **med ~** eg. by force; med maktmedel forcibly; **med milt ~** with gentle compulsion

våldföra *vb rfl* (-förde, -fört), **~ sig på en kvinna** begå våldtäkt rape a woman

våldgästa *vb tr* o. *vb itr* (~de, ~t), [**komma och**] **~** [**hos**] **ngn** descend upon sb; vard. gatecrash on sb

våldsam *adj* (~t, ~ma) allm. violent; häftig (om t.ex. känsla) äv. vehement; intensiv intense; starkare: om t.ex. applåd tremendous; om hunger ravenous; vild, om t.ex. strid furious; oerhörd terrible; **~ma ansträngningar** furious (intense) efforts; **få en ~ död** die a violent death; **ha ett ~t humör** have a violent (fiery) temper; **göra ~t motstånd mot** polis violently resist..., offer violent (forcible) resistance to...; **i ~ fart** at a furious (terrific) speed

våldsamhet *s* (~en, ~er) violence, vehemence; intensity; fury (samtliga endast sg.), jfr *våldsam*; **~er** acts of violence, violence sg.

våldsbrott *s* (~et, =) crime of violence

våldsdåd *s* (~et, =) act of violence; illgärning outrage

våldsfilm *s* (~en, ~er) film (movie) containing violence; violent film (movie)

våldsgärning *s* (~en, ~ar) se *våldsdåd*

våldsrotel *s* (~n, -rotlar) polis. homicide and crimes of violence department

våldsverkare *s* (~n, =) perpetrator of an (resp. the) outrage, assailant

våldta *vb tr* (-tog, -tagit) rape

våldtäkt *s* (~en, ~er) rape

våldtäktsförsök *s* (~et, =) attempted rape, [case of] indecent assault

våldtäktsman *s* (~nen, -män) rapist

vålla *vb tr* (~de, ~t) förorsaka cause, occasion; vara skuld till be the cause of; **~ medföra stora kostnader** entail (involve) great expenditure sg.; **~ ngn smärta** cause...pain (suffering), make...suffer; **~** förorsaka [**ngn**] **svårigheter** create difficulties [for sb]

vållande I *adj* (oböjl.), **vara ~ till annans död** be guilty of manslaughter **II** *s* **1** (~t), **~ till annans död** manslaughter **2** (en ~, pl. =), **den ~** personen the offender

vålm *s* (~en, ~ar) haycock

vålma *vb tr* (~de, ~t) cock

vålnad *s* (~en, ~er) ghost, phantom, phantasm

våm *s* (~men, ~mar) zool. first stomach, paunch; vetensk. rumen (pl. rumens el. rumina)

vånda *s* (~n, våndor) agony, torture; ångest anguish; kval torment

våndas *vb itr dep* (våndades, våndats) suffer agony (agonies), be in agony (anguish); **~ gruva sig inför ngt** dread sth; **~ över** slita med **ngt** go through agonies over sth, wrestle with sth

våning *s* (~en, ~ar) **1** lägenhet flat; speciellt större el. amer. apartment; **en ~ på tre rum** a three-roomed (three-room) flat, amer. a three-room apartment **2** etage storey (amer. vanl. story); våningsplan floor; **ett sex ~ar högt hus** a six-storeyed (six-storied) house, a house of six storeys (stories), amer. äv. a six-story house; **på andra ~en** en trappa upp on the first (amer. second) floor

våningsbyte *s* (~t, ~n) exchange of flats (amer. apartments)

våningsplan *s* (~et, =) floor

våningssäng *s* (~en, ~ar) bunk bed

våp *s* (~et, =) goose (pl. geese), silly

1 vår *poss pron* (vårt, våra) fören. our; självst. ours; **de ~a** our people; våra spelare our players; vårt lag our team sg.; våra män our men; för ex. jfr *1 min*

2 vår *s* (~en, ~ar) spring, ibland, t.ex. mer känslosamt springtime; **~en kommer sent i år** spring is late this year, it is a late spring this year; **i ungdomens ~** äv. in the prime of youth; en flicka **på 17 ~ar** ...of seventeen summers; för ex. jfr äv. *höst*

våras *vb itr dep* (vårades, vårats), **det ~** spring is coming (is on its way); **det ~ för turismen** tourism is booming (is on the increase)

vårbruk *s* (~et) lantbr. spring tillage (cultivation)

1 vård *s* (~en) minnes~ memorial, monument

2 vård *s* (~en) omvårdnad allm. care [*om* of]; jur. custody; förvar keeping; skötsel äv. nursing; behandling treatment; bevarande preservation, conservation; **sluten ~** institutional care; på sjukhus care (behandling treatment) of in-patients, hospital treatment; **öppen ~** non-institutional care; sjukvård care (behandling treatment) of out-patients; **få god ~** be well looked after, be well cared for; **ha...i sin ~** have charge of..., have...in (under) one's care; **lämna...i ngns ~** leave...in sb's care (förvar keeping)

vårda *vb tr* (~de, ~t) take care of, pay attention to; se till look after; sköta tend; sjuka äv. nurse; bevara preserve; *han ~s på sjukhus* he is [being treated] in hospital; ~ *sitt språk* pay attention to one's language; ~ *sig om* ta hand om take care of; vara noga med be careful about

vårdad *adj* (vårdat, ~e) välskött well-kept; om person o. yttre well-groomed; prydlig neat, trim; om t.ex. språk, stil polished, refined

vårdag *s* (~en, ~ar) spring day, day in [the] spring; *en vacker ~* [adv. on] a fine spring day

vårdagjämning *s* (~en, ~ar) vernal equinox

vårdare *s* (~n, ~) keeper, preserver; se äv. *lokalvårdare, sjukvårdare* m.fl.

vårdbidrag *s* (~et, =) care allowance

vårdbiträde *s* (~t, ~n) på sjukhus nurse's assistant, hospital orderly

vårdcentral *s* (~en, ~er) care (welfare) centre

vårdgaranti *s* (~n, ~er) ung. guarantee of limited waiting period to people seeking care

vårdhem *s* (~met, =) sjukhem nursing home

vårdkris *s* (~en, ~er) crisis in the care sector

vårdlinje *s* (~en, ~er) skol., ~[n] nursing

vårdnad *s* (~en) custody [om (av) of]

vårdnadsbidrag *s* (~et, =) child-care allowance

vårdnadshavare *s* (~n, =), *vara ~* efter skilsmässa have custody [of a child resp. of children]

vårdnadstvist *s* (~en, ~er) child-custody case, custody battle

vårdpersonal *s* (~en, ~er) på sjukhus nursing staff

vårdplats *s* (~en, ~er) på sjukhus bed

vårdslös *adj* (~t) careless [*med* with (about)], negligent [*med* about]; slarvig slovenly; försumlig neglectful [*med* of]; om t.ex. uppförande äv. nonchalant; om t.ex. tal äv. reckless; *vara ~ med pengar* squander (fritter away) one's money

vårdslöshet *s* (~en) carelessness, negligence; slovenliness; neglect; nonchalance; recklessness; jfr *vårdslös*; ~ *ovarsamhet i trafik* dangerous (reckless) driving

vårdsökande I *adj* (oböjl.) attr. ...seeking care **II** *s* (~n, =) person seeking care

vårdtecken *s* (-tecknet, =), *som ett ~* i vigselformulär as a token

vårdyrke *s* (~t, ~n) caring profession

vårflod *s* (~en, ~er) spring flood

vårgrönska *s* (~n) greenness (verdure) of spring

vårkanten *s* (best. sing.), *fram på ~* about the beginning of spring, when spring comes (came etc.)

vårkänsla *s* (~n, -känslor), *få vårkänslor* get the spring feeling sg.

vårlik *adj* (~t) springlike, vernal; *det är ~t i dag* it is quite like spring...

vårlök *s* (~en, ~ar) bot. yellow star-of-Bethlehem

vårrulle *s* (~n, -rullar) kok. spring roll

vårstädning *s* (~en, ~ar) spring cleaning

vårsådd *s* (~en, ~er) lantbr. spring sowing

vårsäd *s* (~en) spring-sown corn (grain)

vårta *s* (~n, vårtor) **1** wart; vetensk. äv. verruc|a (pl. -ae) **2** bröst~ nipple

vårtbitare *s* (~n, =) zool. longhorned (green) grasshopper, katydid

vårtecken *s* (-tecknet, =) sign of spring

vårtermin *s* (~en, ~er) i Sverige spring term [which ends early in June]

vårtrötthet *s* (~en) spring fatigue

vårväder *s* (-vädret, =) spring (vårlikt springlike) weather

våt *adj* (vått) wet; fuktig damp, moist; vetensk. äv. humid; flytande fluid, liquid; ~ *av svett* wet with perspiration; ~ *inpå bara kroppen* wet (drenched) to the skin; *bli ~ om fötterna* get one's feet wet; *han är ~ om fötterna* his feet are wet, he has wet feet; *en ~ kväll* med mycket spritförtäring a wet night; *hålla ihop i ~t och torrt* stick together through thick and thin

våtarv *s* (~en) bot. chickweed

våtdräkt *s* (~en, ~er) wet suit

våtmarker *s pl* wetlands

våtservett *s* (~en, ~er) [wet] wipe

våtutrymme *s* (~t, ~n) byggn. wet room

våtvaror *s pl* liquids, wet goods äv. starkvaror

våtvärmande *adj* (oböjl.), ~ *omslag* fomentation

väck *adv* vard., *puts ~* gone [completely]; ~ *med det!* away with it!

väcka *vb tr* (väckte, väckt) **1** göra vaken wake [...up]; på beställning vanl. call; mera häftigt samt bildl. (rycka upp) rouse; ljud som kan ~ *de döda* ...raise (wake, awaken) the dead; ~ *ngn till besinning* call sb to his (resp. her) senses; ~ *ngn till liv* bring (call) sb back to life; ~ *ngn till medvetande om...* make sb conscious (aware) of...; ljudet av steg *väckte henne ur hennes drömmar* ...awoke (roused) her from her dreams **2** framkalla: allm. arouse; uppväcka, t.ex. känslor, äv. awaken; vålla cause, create; ge upphov till: t.ex. beundran excite; t.ex. missnöje stir up; tilldra sig, t.ex. uppmärksamhet attract; ~ *avund* [*hos ngn*] excite (arouse) [sb's] envy; ~ *förväning* cause (arouse) astonishment; ~ *ngns intresse* arouse (awaken) sb's interest; ~ *minnen* [*till liv*] awaken (bring back) memories; *det väckte något* [*till liv*] *inom honom som...* it stirred something [with]in him... **3** framställa, framlägga, t.ex. fråga raise, bring up; se vidare ex. under **2** *förslag 1, motion 2* o. *åtal*

väckarklocka *s* (~n, -klockor) alarm [clock]

väckelse *s* (~n, ~r), *religiös ~* [religious] revival

väckelserörelse *s* (~n, ~r) revivalism, revivalist movement

väckning *s* (~en, ~ar), *beställa ~* book a wake-up call; *får jag be om* (*beställa*) ~ *till klockan 7* would you call me at 7, please?; I'd like to be called at 7

väder *s* (vädret, =) **1** väderlek weather; ~ *och vind* wind and weather; *prata om ~ och vind* kallprata talk about nothing in particular; *bra ~ för en biltur* just the [right sort of] weather...; *vi hade* [*ett*] *förfärligt ~* we had terrible weather; *det är dåligt* (*vackert*) ~ the weather is bad (lovely, fine); *det ser ut att bli vackert ~* the weather looks promising; *vad är det för ~ i dag?* what's the weather like today?, what sort of day is it?; *trotsa vädrets makter* brave the weather (starkare the [fury of the] elements); *i alla ~* bildl. in all weathers, through fair and foul; *lita på ngn i alla ~* rely on sb no matter what happens; *stå sig i alla ~* always hold good; *skydda sig mot ~ och vind* keep out the weather **2** luft air; vind wind; *släppa ~* en fjärt break wind; *gå* (*stiga*) *till ~s* go up in the air

väderbeständig *adj* (~t) weatherproof

väderbiten *adj* (-bitet, -bitna) weather-beaten

väderkarta *s* (~n, -kartor) weather chart (map)

väderkorn *s* (~et), *ha gott ~* have a keen scent (om

person a sharp nose); **få ~ på ngt** bildl. get wind (scent) of sth

väderkvarn s (~en, ~ar) windmill

väderlek s (~en, ~ar) weather

väderleksrapport s (~en, ~er) weather bulletin (forecast)

väderlekstjänst s (~en) se *vädertjänst*

väderleksutsikter s *pl* rapport weather forecast sg.

väderprognos s (~en, ~er) weather forecast

väderrapport s (~en, ~er) weather bulletin (forecast, report)

vädersatellit s (~en, ~er) weather satellite

väderstreck s (~et, =) point of the compass; **de fyra ~en** äv. the [four] cardinal points

vädertjänst s (~en) weather service; byrå weather bureau

vädja *vb itr* (~de, ~t) appeal äv. jur. [*till* to]; **han ~de till mig om hjälp** he appealed to me for help, he pleaded with me for help; **en ~nde blick** a look of appeal

vädjan s (=, en, ~den) appeal äv. jur., entreaty

vädra *vb tr* o. *vb itr* (~de, ~t) **1** lufta (t.ex. kläder) air, give...an airing; **~ [i] ett rum** air a room; **~ ut röken** let the smoke out **2** få väderkorn på scent äv. bildl.; ett villebråd get wind (the scent) of; **~ ngt** få nys om get wind of sth

vädring s (~en) luftning airing; **hänga ut** kläder **på ~** hang...out to air

vädur s (~en, ~ar) **1** bagge ram **2** astrol., **Väduren** Aries; **han är ~** he is [an] Aries

väg s (~en, ~ar) **1** eg. (anlagd) road; framför allt mera abstr. o. bildl., vanl. way; rutt äv. route; färd~, resa journey; gång~ walk; åk~ drive, ride; **dygdens ~** the path of virtue; **en timmes ~ [att gå (köra)]** härifrån one hour's walk (drive) from here; **~en till** lycka och framgång the way (road) to...; **allmän ~** public road; **här skils våra ~ar** this is where our ways part; **det är lång ~** till... it is a long way...; **det märks lång ~ (långa ~ar)** it stands out a mile; bildl. äv. you can see it a mile away; **är det här rätta ~en till...?** is this the right way to...?, is this right for...?; **bana ~ för** clear (bildl. pave) the way [*för* for]; **bryta nya ~ar** bildl. break new ground, strike out new paths; **gå (resa) sin ~** go away, leave; **gå din ~!** go away!; **gå sin egen ~ (sina egna ~ar)** go one's own way; **går (ska) du samma ~ som jag?** are you going my way?; **vilken ~ gick de?** which way did they go?, which road did they take?; **gå ~en fram** walk along the road; **gå ~en rakt fram** go (walk) right on, follow the road (resp. path); **det gick ~en!** vard., det lyckades it worked (clicked)!; **om ni har ~arna förbi** if you happen to be coming this way (in this direction); **jag hade ~arna förbi** I was [just] passing by; **spärra ~en för ngn** bar (block) sb's way; **vart ska du ta ~en?** where are you going (off to)?; iron. o.d. where do you think you're going?; **vart har hon (boken) tagit ~en?** where has she (the book) gone (got to)?, what's become of her (the book)?; **jag vet inte vart jag ska ta ~en** I don't know where to go; bildl. I don't know what to do; **visa ngn ~en** show sb the way; **visa ~en** show (lead) the way äv. bildl. **2** med föreg. prep.: **i ~** adv. off; **bära i ~** se *bära av* under *bära IV*; **ge sig i ~** se *ge sig av* under *ge III*; **komma i ~** se *komma iväg* under *2 komma*; **stå i ~en för ngn** stand in sb's way äv. bildl.; skymma stand in sb's

light; **något i den ~en** something like that (it), something of the sort, something in that line; **vara på ~ till...** be on one's way to...; om fartyg äv. (vara destinerad till) be bound for...; **följa ngn en bit på ~ [en]** accompany sb part (a bit) of the way; **på ~en** så vi... on the (our) way (under färden as we went along) we saw...; **på den ~en är det** vard., så förhåller det sig that's how (the way) it is; **stanna (mötas** äv. bildl.) **på halva ~en** stop (meet) halfway; **fortsätta på den inslagna ~en** continue on the career (course) that one has entered upon; **han är på god ~ att bli ruinerad** vanl. he is well on the road to (is heading straight for) ruin; **jag var [just] på ~ att säga det** I was about (was just going) to say it; var nära att I was on the point of saying it; **priserna är på ~ uppåt** prices are on the increase; **på elektronisk ~** electronically; **på mekanisk ~** mechanically, by mechanical means; få veta ngt **på privat ~** ...from a private source, ...privately; **vara [inne] på rätt ~** be on the right track äv. eg.; **inte på långa ~ar** not by a long way (vard. chalk); **hur ska man gå till ~a?** ...set (go) about it?; **gå ur ~en för ngn** go (get) out of sb's way, keep clear of sb; **ur ~en!** get out of the way!, stand aside!; **det skulle inte vara ur ~en om...** it would not be a bad thing if...; **vid ~en** vägkanten on (by) the roadside

väga I *vb tr* (vägde, vägt) weigh äv. bildl.; **~ sina ord** weigh one's words, choose one's words carefully; **~ skälen för och emot** weigh (consider) the pros and cons **II** *vb itr* (vägde, vägt) weigh; **han väger dubbelt så mycket som du** äv. he is twice your weight; hans ord **väger tungt** ...carry [a lot of] weight; **sitta och ~ på stolen** sit balancing on one's chair; **det står och väger [mellan...]** bildl. it's in the balance between **III** med beton. part.

väga av weigh out

väga in sport. weigh in; vard., ta med i beräkningen take into account

väga ned weigh (weight) down

väga om weigh again, re-weigh

väga upp a) vid vägning weigh, weigh out b) bildl., se *uppväga*

vägande adj (oböjl.), **[tungt] ~ skäl** [very] weighty (important) reasons

vägarbetare s (~n, =) road-worker, road-mender

vägarbete s (~t, ~n), ~[n] roadworks pl.; reparation road repairs pl.; **~ [pågår]** på skylt Roadworks Ahead, Road under Repair

vägbana s (~n, -banor) roadway

vägbeläggning s (~en, ~ar) konkr. road surface

vägbeskrivning s (~en, ~ar) [road] directions pl.

vägbom s (~men, ~mar) [road] barrier

vägegenskaper s *pl* motor. roadholding qualities, roadability sg.

vägg s (~en, ~ar) wall äv. anat.; tunn mellan~ partition; **~arna har öron** walls have ears; **bo ~ i ~ med ngn** i rummet intill have (be in) the room next to sb; i lägenheten intill live next door to sb; **köra huvudet i ~en** bildl. bang one's head against a [brick (stone)] wall; **ställa ngn mot ~en** bildl. put (stand) sb up against a (the) wall; **det är som att tala till en ~** it's like talking to a brick wall; **det är uppåt ~arna galet** it's all wrong, it's up the creek

väggalmanacka s (~n, -almanackor) wall calendar

väggarmatur s (~en, ~er) koll. electric wall fittings pl.

väggfast *adj* (=) ...fixed to the wall; *~a inventarier* fixtures

väggkontakt *s* (~en, ~er) **1** se *vägguttag* **2** strömbrytare wall switch

vägglampa *s* (~n, -lampor) wall lamp

vägglus *s* (~en, -löss) bug, bedbug

väggmålning *s* (~en, ~ar) mural (wall) painting, mural

väggrepp *s* (~et) hos bil el. bildäck grip

väggtidning *s* (~en, ~ar) t.ex. i Kina wall newspaper

väggur *s* (~et, =) wall clock

vägguttag *s* (~et, =) elektr. power point, wall socket; amer. äv. outlet

väghyvel *s* (~n, -hyvlar) [road] grader

väghållning *s* (~en) **1** motor., väghållningsförmåga roadholding [ability] **2** vägunderhåll road maintenance

vägkant *s* (~en, ~er) allm. roadside, wayside; mera konkr. (vägren) verge, speciellt amer. shoulder, dikeskant edge [of a (resp. the) ditch]; *lösa ~er* soft sides (amer. shoulders); *vid ~en* on (by) the roadside

vägkarta *s* (~n, -kartor) road map

vägkorsning *s* (~en, ~ar) crossroads (pl. lika), crossing, intersection

vägkrök *s* (~en, ~ar) bend [of (in) the road]

väglag *s* (~et, =) state of the roads (viss väg road); *det är dåligt* (*torrt*) *~* the roads are in a bad state (are dry)

vägleda *vb tr* (-ledde, -lett) guide; t.ex. i studier supervise, instruct, tutor; t.ex. i forskningsarbete direct

vägledande *adj* (oböjl.), *en ~ princip* a guiding principle; *vara ~* be a guide, serve as guidance

vägledning *s* (~en, ~ar) abstr. guidance, supervision, instruction, direction; *till ~ för ngn* for the guidance of sb

väglängd *s* (~en, ~er) distance

vägmärke *s* (~t, ~n) road (traffic) sign; vägvisare signpost; enklare fingerpost

vägmätare *s* (~n, =) mileometer, mileometer; amer. odometer

vägnar *s pl*, *på* (*å*) *ngns ~* on behalf of sb, on sb's behalf; *i ngns namn* in the name of sb; *för ngns räkning* for sb; *på mina och min frus ~* for (on behalf of) my wife and myself; *å styrelsens ~* on behalf of the board

vägning *s* (~en, ~ar) weighing

vägnät *s* (~et, =) road network (system), network of roads

väg- och vattenbyggnad *s* (oböjl.) road and canal construction, civil engineering

vägra *vb tr* o. *vb itr* (~de, ~t) refuse [*ngn ngt* sb sth]; avböja decline; neka deny [*ngn ngt* sth to sb]; *~ ngn tillträde* refuse sb admission, refuse to admit sb

vägran *s* (=, en) refusal, declining; jfr *vägra*; *vid ~* in case of refusal

vägren *s* (~en, ~ar) vägkant verge

vägsalt *s* (~et) road salt

vägskrapa *s* (~n, -skrapor) grader, [road] scraper

vägskylt *s* (~en, ~ar) road sign; på stolpe signpost

vägskäl *s* (~et, =) fork [in the road]; *vid ~et* vanl. at the crossroads

vägspärr *s* (~en, ~ar) roadblock

vägsträcka *s* (~n, -sträckor) distance

vägtrafikant *s* (~en, ~er) road-user

vägtrafikförordning *s* (~en, ~ar), *~en* the road traffic regulations pl.; i Storbr., motsv. the Highway Code

vägtrafikskatt *s* (~en, ~er) ung. road tax

vägtull *s* (~en, ~ar) road toll

vägvett *s* (~et) road sense

vägvisare *s* (~n, =) **1** vägskylt signpost, enklare fingerpost **2** bok guide[book] **3** person guide

vägöverfart *s* (~en, ~er) o. **vägövergång** *s* (~en, ~ar) över annan led viaduct, flyover, amer. overpass

väja *vb itr* (väjde, väjt), *~ [undan]* make way [*för* for]; give way [*för* to]; *~ för* t.ex. svårigheter flinch, fight shy of; *han väjer inte för något* är hänsynslös he stops at nothing; *~ undan för* t.ex. slag dodge; *~ åt höger* move to the right

väjningsplikt *s* (~en) trafik. el. sjö., *det råder ~* one has (has a duty) to give way

väktare *s* (~n, =) allm. watchman; nattvakt security officer; *lagens ~* pl. the guardians of the law (of law and order)

väl I *s* (oböjl., ett) welfare, well-being; *det gäller hans ~ eller ve* his whole welfare is at stake; *i ~ och ve* for better or for worse

II *adv* **1** beton. a) bra well; omsorgsfullt carefully, jfr ex. under *noga I* o. sammansättn. som *välbelägen*; *allt ~?* everything all right?; *hon är ~ bibehållen* she does not look her age (is well preserved); *det gick honom ~ i livet* he got on well...; *det går aldrig ~* det kan sluta illa that will never end up well; *om allt går* (*vill sig*) *~* if everything goes (if things go) well (according to plan); *hålla sig ~ med ngn* keep in with sb; *lev ~!* farewell!; *ligga ~ framme* be well ahead, be in the forefront; *slå ~ ut* turn out well; *tala ~ om...* speak well of...; jag kom i tid *som ~ är* (*var*) ..., thank goodness (Heaven), ...fortunately; *det var [för] ~ att* du kom it is (was) a good thing (tur vard. job)...; *det är gott och ~ men...* that's (it's) all very well but...; *veta mycket ~ att...* know very (quite, jolly) well that..., be quite (perfectly) aware that...; *vilja ngn ~* wish sb well

b) uttr. grad, *hon är ~* något för *ung* she is rather too young; *gott och ~* drygt *en timme* well over one hour, a good hour, jfr *drygt 1* samt *gott och väl* under *gott II 1*

c) andra betydelser, *när han ~ en gång somnat* var han... once he had fallen asleep...; jag mötte inte henne *men ~ däremot hennes bror* ...but [I did meet] her brother; *nå* ~ se *nåväl*

2 obeton. a) uttr. den talandes förmodan el. förhoppning: förmodligen probably osv., jfr *nog 3*; *du är ~ inte* sjuk? you are not..., are you? (hoppas jag...I hope); *det borde du ~ veta* [surely] you ought to know that; *han får ~ vänta* he will have to...; *det går ~ över* it will pass, you'll see; *de har ~ inte råd med det* I don't think (suppose) they can afford it; *det kan ~ hända att boken är tråkig men...* the book may be boring, but...; *jag måste ~ det då* I suppose I must then; *han tänker ~ inte* göra det! surely he is not going to...?; *han är ~ framme nu* he must (will) be there by now; *det hade ~ varit* bättre att...? wouldn't it have been...?; *du vet ~ att...* I suppose you know..., you must know...

b) som fyllnadsord i frågor, vanl. oöversatt, *vem skulle ~ ha trott...?* who would have believed...?; *vad är ~* berömmelse? what is...[after all]?

välanpassad *adj* (-anpassat, ~e) om person
well-adjusted

välartad *adj* (-artat, ~e) väluppfostrad well-behaved;
lovande promising

välbefinnande *s* (~t) well-being, comfort; känsla av ~
sense of well-being; god hälsa health

välbehag *s* (~et) pleasure, delight; tillfredsställelse
satisfaction; äta (röka) *med ~* äv. ...with zest (relish)

välbehållen *adj* (-behållet, -behållna) om person ...safe
and sound; om sak ...in good condition; om varor äv.
intact; *komma ~ fram* om person arrive safely

välbehövlig *adj* (~t) badly needed

välbekant *adj* (=) attr. well-known; *vara ~* be well
known; *mer* (*mest*) ~ vanl.: attr. better-known
(best-known), pred. better (best) known

välbelägen *adj* (-beläget, -belägna) well-situated,
nicely situated

välbeprövad *adj* (-beprövat, ~e) well-tried,
thoroughly tested

välbeställd *adj* (-beställt) förmögen well-to-do,
wealthy

välbesökt *adj* (=) well-attended; om t.ex. badort much
frequented

välbetald *adj* (-betalt) well-paid; om arbete äv.
lucrative

välbetänkt *adj* (=) well-advised, judicious;
välövervägd deliberate; *mindre ~* ill-advised,
injudicious

välbyggd *adj* (-byggt) well-built

välbärgad *adj* (-bärgat, ~e) well-to-do, affluent; om
person äv. (pred.) well off

välde *s* (~t, ~n) **1** rike, statsmakt empire; *det romerska
~t* the Roman Empire **2** herravälde domination osv.,
jfr *herravälde*

väldig *adj* (~t) mäktig mighty; enorm enormous, huge;
starkare tremendous; vard. awful, terrible, terrific,
colossal; kraftig powerful; vidsträckt vast, immense

väldigt *adv* enormously, tremendously, awfully etc.,
jfr *väldig*; *jag skulle ~ gärna vilja komma* I would love
to come; han är ~ *tråkig* ...a dreadful bore; *tack så ~
mycket* thank you 'so beton. much, thanks ever so
much

väldoftande *adj* (oböjl.) sweet-smelling, fragrant; om
växt äv. aromatic

välfylld *adj* (-fyllt) well-filled

välfärd *s* (~en) welfare; bara tänka på *sin egen ~* äv.
...one's own well-being (good, interests)

välfärdssamhälle *s* (~t, ~n) o. **välfärdsstat** *s* (~en,
~er) welfare state

välförrättad *adj* (-förrättat, ~e), *efter välförrättat värv*
gick han having satisfactorily performed his duties
(task)..., [after] having completed what he set out
to do...

välförsedd *adj* (-försett) well-stocked; well-supplied
äv. om person

välförtjänt *adj* (=) om t.ex. vila well-earned; om belöning
(beröm) well-merited; om t.ex. popularitet
well-deserved; om t.ex. kritik (straff) rightly-deserved;
det var ~! rätt åt honom that served him right!

välgjord *adj* (-gjort) well-made

välgrundad *adj* (-grundat, ~e) well-founded; befogad
äv. good, justified

välgång *s* (~en) framgång prosperity, success

välgångsönskningar *s pl* good wishes; *bästa ~!* best
wishes!

välgärning *s* (~en, ~ar) kind (charitable) deed
(action); *det var då en ~* att vi blev av med den it was a
real blessing...

välgödd *adj* (-gött) om djur [well-]fattened, fat; om
person well-nourished, well-fed

välgörande *adj* (oböjl.) barmhärtig charitable,
benevolent; om sak beneficial; om t.ex. klimat
salubrious; uppfriskande refreshing; *behållningen går
till ~ ändamål* vanl. the proceeds will be given
(devoted) to charity (charities); *vara ~ för* halsen be
[very] good for..., do...[a lot of] good

välgörare *s* (~n, =) benefactor

välgörenhet *s* (~en) charity

välgörenhetsinrättning *s* (~en, ~ar) charitable
institution

välhängd *adj* (-hängt) kok. wellhung

välinformerad *adj* (-informerat, ~e) well-informed

välja (jfr *vald*) *vb tr* o. *vb itr* (valde, valt) **1** allm.
choose [*bland* from among (out of); *mellan* (*på*)
between; *som* as; *till* as (for)]; noga select; ~ [*ut*]
pick out [*bland* from]; *välj!* take your pick!; ~ *och
vraka* pick and choose; *det finns inte så mycket att ~
på* there is not much to choose from (much choice,
much of a selection); *få ~* äv. have one's choice; *låta
ngn ~* give sb a free choice; *välj dina ord!* mind what
you say!; ~ *sina ord med omsorg* be careful about
one's choice of words; ~ *bort* skolämne drop...; ~ *till*
skolämne take an additional (extra)...; ~ *ut* select,
pick out; jfr *utvald* **2** genom röstning utse elect; till
riksdag o.d. (om valkrets) return; ~ *ngn till* ordförande
(president) elect sb...; ~ *in ngn i* akademien (styrelsen)
elect sb to (member of)...; ~ *om* re-elect

väljare *s* (~n, =) vid allm. val vanl. voter; ibland elector

väljarkår *s* (~en, ~er) polit. electorate

väljarundersökning *s* (~en, ~ar) vid val opinion poll

välkammad *adj* (-kammat, ~e) well-groomed äv. bildl.

välklädd *adj* (-klätt) well-dressed; prydlig spruce,
smart

välkommen *adj* (-kommet, -komna) welcome [*till* (*i*)
to]; läglig äv. opportune; spec. om gåva äv. acceptable;
ett välkommet bidrag a welcome contribution, friare
äv. grist to the mill; ~*!* [I am (resp. we are)] glad to
see you; ~ *hem!* welcome home [again]!; ~ *tillbaka!*
vid återseende [I am etc.] glad to see you here again!; ~
tillbaka! vid avsked ung. you are always welcome!,
you must come again!; *hälsa ngn ~* welcome sb,
wish (bid) sb welcome

välkomna *vb tr* (~de, ~t) welcome

välkomsthälsning *s* (~en, ~ar) welcome

välkomstskål *s* (~en, ~ar) toast of welcome

välkänd *adj* (-känt) **1** attr. well-known; *vara ~* be well
known **2** ansedd (attr.) ...of good repute

välla I *vb itr* (vällde, vällt), ~ *fram* (*fram ur...*) well
(strömma stream, pour, flow, våldsamt gush, rush)
forth (from..., out of...) **II** *vb tr* (vällde, vällt) svetsa
weld

vällagrad *adj* (-lagrat, ~e) om ost ripe

vällevnad *s* (~en) luxurious living, life of luxury

välling *s* (~en, ~ar) på mjöl, ung. gruel; barn~ äv. pap; *ge
babyn ~* innan hon ska sova give the baby her bottle...

välljud *s* (~et) euphony; harmoni harmony,
melody, melodiousness

välljudande *adj* (oböjl.) euphonious; melodisk
harmonious, melodious äv. om röst; om
instrument (attr.) ...with a beautiful tone (sound)

vällukt *s* (~en, ~er) fragrance, sweet smell (scent), perfume

vällust *s* (~en) sensual pleasure, voluptuousness

vällustig *adj* (~t) sensual, voluptuous

välmatad *adj* (-matat, ~e) om skaldjur meaty; om sädesax full

välmenande *adj* (oböjl.) **1** om person well-meaning **2** om råd well-meant, friendly

välmening *s* (oböjl., en) good intentions; *i all* (*bästa*) ~ with the best of intentions

välment *adj* (=) well-meant, well-intentioned; om t.ex. råd äv. friendly; *det var* ~ äv. the intention was good; *det är lite men* ~*!* ung. it's not very much but I hope you'll like it

välmående *adj* (oböjl.) **1** vid god hälsa healthy; blomstrande flourishing; frodig well-fed **2** välbärgad prosperous; förmögen wealthy, well-to-do; *vara* ~ äv. be well off

välmåga *s* (~n) **1** hälsa good health, well-being; *leva i högönsklig* ~ be in the best of health, vard. be in the pink **2** se *välstånd*

välorganiserad *adj* (-organiserat, ~e) well-organized

välpressad *adj* (-pressat, ~e) om byxor äv. well-creased

välrakad *adj* (-rakat, ~e) close-shaven

välrenommerad *adj* (-renommerat, ~e) well-reputed, ...of good repute

välriktad *adj* (-riktat, ~e) well-aimed, well-directed

välsedd *adj* (-sett) welcome; omtyckt popular

välsigna *vb tr* (~de, ~t) bless; *Herren välsigne oss och bevare oss* the Lord bless us and keep us

välsignad *adj* (-välsignat, ~e) **1** blessed **2** förbaskad äv. damn, cursed; *den* ~*e bilen* krånglar igen that damn (blessed) car...

välsignelse *s* (~n, ~r) eg. o. friare blessing; uttalad benediction; civilisationens ~*t* the blessings of...; *det var en* ~ *att han fick ett jobb* it was a blessing...; *ha* ~ *med sig* bring a blessing [in its osv. train]

välsignelsebringande *adj* (oböjl.) blessed, ...that brings (brought osv.) blessings

välsittande *adj* (oböjl.) well-fitting; *dräkten är* ~ äv. ...fits well (perfectly), ...is a perfect fit

välsituerad *adj* (-situerat, ~e) well-to-do; amer. äv. well-fixed; well off endast pred.

välskött *adj* (=) well-managed, well-conducted; om t.ex. hushåll well-run; om t.ex. händer well-kept, well-tended; om t.ex. naglar (tänder) well-cared-for; om t.ex. yttre (hår) well-groomed

välsmakande *adj* (oböjl.) om rätt savoury; läcker tasty; starkare delicious

välsorterad *adj* (-sorterat, ~e) well-assorted, well-stocked; *den här affären är* ~ ...stocks a large assortment (a wide range) of goods

välstekt *adj* (=) well-done

välstånd *s* (~et) prosperity; rikedom wealth, opulence; *leva i* ~ live in comfort (prosperity)

vält *s* (~en, ~ar) roller

1 välta I *vb tr* (välte, vält) lantbr. roll **II** *s* (~n, vältor) timmer~ log pile, stack of logs

2 välta *vb tr* o. *vb itr* (välte, vält) overturn, upset, tip...over; slå omkull knock...over; *bilen körde i diket och välte* the car ran into the ditch and overturned; *jag välte med cykeln* my bike overturned

vältalare *s* (~n, =) eloquent speaker (orator)

vältalig *adj* (~t) eloquent

vältalighet *s* (~en) eloquence, fluency, ability to express oneself well, oratory; vard. gift of the gab

vältra I *vb tr* (~de, ~t) roll; ~ [*över*] *skulden på ngn* lay (throw) the blame [up]on sb **II** *vb rfl* (~de, ~t), ~ *sig i* gräset (*på* marken) roll [over] in... (on...); ~ *sig i* pengar (lyx) be rolling in...; ~ *sig i* smutsen (synd) wallow in...

vältränad *adj* (-tränat, ~e) well-trained, fit, ...in good shape

välunderrättad *adj* (-underrättat, ~e) well-informed; *från välunderrättat håll* from well-informed sources

väluppfostrad *adj* (-uppfostrat, ~e) well brought-up, well-bred, well-mannered

välutbildad *adj* (-utbildat, ~e) well-educated; för visst syfte well-trained, very qualified

välvd *adj* (välvt) arched, vaulted; sedd utifrån dome-shaped; om panna domed; om hålfot arched

välvilja *s* (~n) benevolence, goodwill; *visa* ~ *mot ngn* (*visa ngn* ~) be kind (show kindness) to sb; *göra ngt av ren* ~ do sth out of sheer kindness; *bemöta ngn med* ~ treat sb kindly; förslaget *mottogs med* ~ ...was favourably received

välvillig *adj* (~t) benevolent; vänlig äv. kind, kindly; överseende indulgent; ~*a känslor* kindly feelings; ~*t mottagande* kind reception; *ha en* ~ *inställning till* have a benevolent (an approving el. a sympathetic) attitude to

välvårdad *adj* (-vårdat, ~e) well-kept osv., jfr *välskött*

välväxt *adj* (=) shapely, well-built; *vara* ~ have a fine figure, be a fine figure of a woman (resp. of a man)

vämjas *vb itr dep* (vämjdes, vämjts), ~ *vid ngt* be disgusted (nauseated) by sth; *jag vämjdes vid* åsynen av det äv. ...made me feel sick

vämjelig *adj* (~t) disgusting, nauseating, repugnant

vämjelse *s* (~n) disgust, loathing, nausea, repugnance; *känna* ~ *vid* (*inför, över*) ngt äv. be revolted by sth; *väcka* ~ be sickening; *väcka* ~ *hos ngn* revolt sb

1 vän *adj* (~t) fager fair

2 vän *s* (~nen, ~ner) friend; vard. pal, mate; amer. buddy; ~*nen* (*din* ~) Bo (brevunderskrift) Yours...; [*min*] *lilla* ~ till barn [my] dear (darling); förmanande my little (young) friend; *gamle* ~*!* vard. old mate (amer. buddy)!; *en god* ~ nära ~ a close (great) friend [*till* of]; *en* [*god*] ~ *till min bror* (*till mig*) a friend of my brother's (a friend of mine, one of my friends); *släkt och* ~*ner* friends and relations; *bli god* ~ *med...* make friends with...; *bli goda* ~*ner* become friends; *bli* ~*ner igen* be (make) friends again, make up; *de är mycket goda* ~*ner* ...great friends (vard. pals, buddies), ...very close; *vara* ~ *med...* be friends with...

vända I *vb tr* o. *vb itr* (vände, vänt) turn; rikta äv. direct; hö turn over, toss; *lyckan vände* the (his etc.) luck changed (turned); *vinden vände* the wind changed (veered); ~ [*om* (*tillbaka*)] turn back; åter~ return; sjö., tr. bring...about, itr. go (put) about, veer äv. om vind; [*var god*] *vänd !* (förk. *v.g.v.*) please turn over (förk. PTO); amer. äv. over; ~ *sina steg* hemåt turn (direct) one's steps...; ~ [*med*] bilen turn...round; *med ansiktet vänt mot* solen facing..., with one's face to...; ~ *om hörnet* turn [round] the corner; ~ *på* ngt turn...; ~ *på sig* turn round; ~ [*på*] bladet turn [over]...; ~ *på huvudet* turn one's head [round]; ~ [*på*] patienten turn...over; ~ *på klacken*

turn on one's heel; **~ på steken** bildl. turn (take) it the other way round; vända på sig turn over; **~ och vrida på** ett problem turn...over in one's mind; **[försöka] ~ allt till det bästa** [try to] make the best of things (it)
II vb rfl (vände, vänt), **~ sig** turn; kring en axel äv. revolve; om lycka change, turn; om vind shift, veer; **~ sig [om]** se under *vända III*; **[det är så att] det vänder sig i magen på mig** it makes my stomach turn; **~ sig i sängen** turn over in the (one's) bed; **ligga och vrida och ~ sig i sängen** toss and turn in bed; **~ sig ifrån** turn away from; överge desert; **~ sig [om] mot ngn** turn to (towards) sb; **~ sig mot väggen** turn to (face) the wall; **~ sig till ngn** a) vända sig om mot ngn turn to sb b) rikta sig till ngn address [oneself to] sb; för att få ngt apply to sb; vädja till ngn appeal to sb; **inte veta vart man ska ~ sig** not know where (which way, till vem to whom) to turn
III med beton. part.
vända bort: **~ bort ansiktet från ngt** turn away one's face from sth; **~ bort blicken från ngt** avert one's gaze from sth; **~ sig bort** turn aside (away)
vända sig mot: **~ sig mot ngn** a) attackera ngn turn on sb b) bli fientlig mot ngn turn against sb; **~ sig mot** förslag o.d. object to
vända om a) itr., **~ tillbaka** turn back; åter~ return b) tr., **~ sig om** turn [about], turn (plötsligt swing) round; **~ sig om efter ngn** turn [round] to look at sb; **~ sig om mot ngn** turn towards sb
vända tillbaka återvända return
vända upp och ned på ngt turn...upside-down; bringa i oordning turn...topsy-turvy; t.ex. ngns planer mess up...
vända ut och in på turn...inside out; fickor turn out...
vända åter se *återvända*
IV s (~n, vändor) **1** sväng, **köra en ~ med bilen** go for a ride (spin) in the car; **gå en [liten] ~** take a [little] stroll **2** omgång, **i första ~n** the first time round; i första försöket at the first attempt
vändbar adj (~t) om t.ex. plagg reversible; vridbar turnable; **den är ~** äv. ...it can be turned
vänderot s (oböjl.) bot. valerian
vändkors s (~et, =) turnstile
vändkrets s (~en, ~ar) tropic, tropical circle; **Kräftans (Stenbockens) ~** the Tropic of Cancer (Capricorn)
vändning s (~en, ~ar) **1** turn; förändring change; vändande turning osv., jfr *vända I*; **en ~ till det bättre** a change for the better; **ge** samtalet **en ny ~** give...a new turn; **ta en ny (en allvarlig) ~** take a new (a serious) turn; **vara snabb i ~arna** be alert, be a fast worker, be quick on the trigger; **vara långsam i ~arna** drag (be slow on) one's feet, be a slowcoach **2** uttryckssätt: fras phrase; uttryck expression; talesätt locution
vändplats s (~en, ~er) turning space
vändpunkt s (~en, ~er) turning-point äv. bildl.; kris cris|is (pl. -es); **beteckna en ~** äv. mark the turn of the tide
vändradie s (~n, ~r) bils turning circle
vändstekt adj (=) ...fried on both sides
vändzon s (~en, ~er) trafik. turning area
vänfast adj (=) ...attached to one's friends; **hon är ~** vanl. ...a faithful friend
väninna s (~n, väninnor) kvinnas [female] friend,

speciellt amer. girlfriend; mans female friend, flickvän girlfriend, lady-friend
vänja I vb tr (vande, vant) accustom, habituate; härda harden [vid i samtliga fall to]; **~ ngn vid att** + inf. äv. get sb into the habit of + ing-form; öva train sb to + inf.; **~ ngn vid** förhållandena acclimatize sb to...; **~ av** spädbarn wean; **~ ngn av med att** + inf. break sb of the habit of + ing-form; **~ in** ett barn **på dagis** settle...in at the day nursery **II** vb rfl (vande, vant), **~ sig** accustom oneself; bli van grow (get) accustomed, get used; härda sig harden oneself [vid ngt (vid att + inf.) i samtliga fall to...(to + ing-form)]; **~ sig vid** ta för vana **att** + inf. get into the habit of + ing-form; **man vänjer sig snart** you soon get accustomed (used) to it; **~ sig av med att** + inf. break oneself (get out) of the habit of + ing-form
vänkrets s (~en, ~ar) circle of friends; **hans ~** his friends pl.; **i min ~** among my friends
vänlig adj (~t) kind [mot to]; vänskaplig, om t.ex. känslor, leende, råd friendly [mot to]; godhjärtad o.d. äv. kindly; älskvärd amiable; motsvaras som efterled i sammansättn. ibland av förled i engelskan: pro-, jfr t.ex. *engelskvänlig*; se äv. t.ex. *barnvänlig, djurvänlig* o. *miljövänlig*; **ett ~t ord** a kind (friendly) word, a word of kindness; **så ~t av dig!** how kind of you!; **var ~a [och]** stäng dörren! ..., please!; **vill ni vara ~ och...?** would you be so kind as to...?
vänlighet s (~en, ~er) kindness; egenskap äv. kindliness osv., jfr *vänlig*; amiability; **han har haft ~en att skicka** boken äv. he has very kindly sent...; **visa ~** show kindness; **av ~** out of kindness; **tack för ~en** thank you for your kindness (for being so kind)
vänligt adv kindly, in a friendly (kindly) manner (way); amicably; amiably, jfr *vänlig*; **~ sinnad** kindly disposed; de talade till honom **~ men bestämt** ...kindly but firmly
vänort s (~en, ~er) twin town
vänskap s (~en, ~er) friendship; **för gammal ~s skull** for old friendship's sake, for the sake of old times; **hysa ~ för ngn** have a friendly feeling for (towards) sb
vänskaplig adj (~t) friendly; om sätt, förhållande o.d. amicable; **stå på ~ fot med ngn** be on friendly terms with sb; **ett ~t råd** the advice of a friend
vänskapsband s (~et, =) bond (tie) of friendship
vänskapsmatch s (~en, ~er) sport. friendly [match]
vänskapspris s (~et, = el. ~er) ~ at a special price
vänslas vb itr dep (vänslades, vänslats) smekas [o. kyssas] cuddle [and kiss] [med ngn (med varann) sb (each other)]
vänster I adj (best. vänstra) o. adv left; attr. äv. left-hand; jfr motsv. ex. under *höger I*; göra ngt **med ~ hand** bildl.: vid sidan om ...on the side; okoncentrerat ...off-handedly **II** s **1** (oböjl.), **till åt ~** to the left, jfr ex. under *höger II 1* **2** (~n) polit., **~n** allm. the Left **3** (~n) boxn., **en [rak] ~** a [straight] left **4** (oböjl.) vard., sätt, **på något ~** in some way or other, one way or the other
vänsterback s (~en, ~ar) sport. left back
vänsterextremist s (~en, ~er) left[-wing] extremist, ultraleft
vänsterhänt adj (=) left-handed
vänsterorienterad adj (-orienterat, ~e) attr. left-wing;

om person äv. …with left-wing (leftist) sympathies; **vara** ~ be left wing, be a left-wing sympathizer
vänsterparti s (~et, ~er) polit. left-wing party
Vänsterpartiet i Sverige the Left Party
vänsterprassel s (-prasslet, =) vard., **ett** ~ a bit (an affair) on the side
vänsterradikal I adj (~t) left-wing radical, left-wing; **vara** ~ be left wing, be a left-wing radical **II** s (~en, ~er) left-wing radical, left-winger; vard. neds. lefty
vänsterstyrd adj (-styrt) bil., **den är** ~ it is left-hand driven; **en** ~ **bil** a left-hand drive car
vänstersväng s (~en, ~ar) left[-hand] turn; **förbjuden** ~ no left turn
vänstersympatisör s (~en, ~er) polit. left-wing sympathizer; neds. fellow traveller
vänstertrafik s (~en) left-hand traffic; **det är** ~ **i…** vanl. in…you keep to (drive on) the left
vänstervriden adj (-vridet, -vridna) polit. vard. left-wing; **vara** ~ be left wing, be a left-winger, have left-wing views
vänta I vb itr o. vb tr (~de, ~t) wait [på for]; invänta, emotse ankomsten av el. (om sak) förestå await; förvänta sig expect [av of (from)]; förutse anticipate; ~ [**du**] **bara!** hotande just you wait!, just you watch me!; ~ **lite** (**ett slag**)**!** wait a minute (moment) [, please]!, hang on!; **var god** ~ i telefon hold the line, please; vard. hang on; ~ **och se** wait and see; **gå** (**stå**) **och** ~ be waiting; **sitta uppe och** ~ **på ngn** wait up for sb; inte veta **vad som** ~**r en** …what may be in store for one; ~ **sig** a) hjälp av ngn look for… b) mycket nöje av ngt look forward to…; **det hade jag inte** ~**t mig av honom** I didn't expect that from (of) him; **som man kunde ha** ~**t** [**sig**] el. **som var att** ~ as might have been expected; ~ **med** [**att göra**] **ngt** put off (postpone, defer) [doing] sth; ~ **inte med middagen** tills jag kommer don't wait dinner for me osv.; ~ **på vad som komma skall** wait and see what will happen, await the course of events; ~ **på att** ngn (ngt) **ska** + inf. wait for…to + inf.; **jag** ~**r på** avvaktar ditt besked I await…; **den som** ~**r på något gott** ~**r aldrig för länge** everything comes to those who wait; **utan att** ~ **på svar** without waiting for an answer; ~ **på sin tur** wait one's turn; **få** ~ have to wait
II vb rfl (~de, ~t), ~ **sig** se ex. under vänta I
III med beton. part.
vänta in: vi ~**r in** de nya höstmodellerna **när som helst** we are expecting…[to arrive] any day now, …are due any day now; **tåget** ~**s in** klockan 10 the train is due [in (to arrive)]…
vänta ngn tillbaka expect sb back
vänta ut ngn tills ngn kommer wait for sb to come (tills ngn går to go); ~ **ut fienden** wait the enemy out
väntan s (oböjl., en) väntande waiting; förväntan expectation; orolig ~, spänning suspense; **en lång** ~ a long wait; ~ **blev inte lång** there was not long to wait (a long wait); **i** ~ **på…** medan man väntar på while waiting for…; avvaktande awaiting…
väntelista s (~n, -listor) waiting list
väntetid s (~en, ~er) wait, waiting time, time (period) of waiting; **det är långa** ~**er där** you will have a long wait there
vänthall s (~en, ~ar) på flygplats o.d. ankomsthall: arrival hall; avgångshall departure hall; transithall transit hall; väntsal waiting room

väntjänst s (~en, ~er) friendly turn, act of friendship; **göra ngn en** ~ do sb a good turn
väntrum s (~met, =) på läkarmottagning waiting room
väntsal s (~en, ~ar) på station waiting room
väpna vb tr (~de, ~t) arm; ~**t rån** armed robbery; ~**de styrkor** armed forces
väppling s (~en, ~ar) bot. trefoil, clover
1 värd s (~en, ~ar) host äv. bildl.; hyres~ o.d. landlord; värdshus~ äv. innkeeper; restaurang~ proprietor; hotell~ äv. hotel-keeper
2 värd adj (värt) worth; värdig (förtjänt av) worthy of; **han är** ~ **allt beröm** he deserves the highest praise; **han är** ~ **en medalj** he is worthy of…; **saken är** ~ **att kämpa för** …is worth fighting for; pjäsen **är** ~ **att ses** …is worth seeing; **han är inte** ~ **bättre** that's all he is worth; **inte vara något** ~ bildl. äv. be good for nothing; **det är inte mödan värt** (**inte värt besväret**) it is not worth while; han skrek **för allt vad han var** ~ …for all he was worth; **vara** ~ **sin vikt i guld** be worth one's weight in gold; **han är inte** ~ **att kallas…** he is not worthy to be called…; **det är inte värt att gå dit** är inte tillrådligt it is not advisable to (för dig äv. you had better not) go there
värdcell s (~en, ~er) o. **värddjur** s (~et, =) biol. host
värde s (~t, ~n) value; framför allt inre (personligt) värde worth; förtjänst merit; **känna ngns** (**sitt eget**) ~ know sb's (one's) worth; **stora** ~**n gick förlorade** vid branden a considerable amount of property was destroyed…; **sätta** [**stort**] ~ **på ngt** attach [great] value (importance) to sth, friare set [great] store by sth; **sätta** [**stort**] ~ **på ngn** value sb [very] highly, think a lot of sb; **han förstår inte att sätta** ~ **på det** he does not know how to appreciate it; en upplysning **av ringa** (**intet**) ~ …of little (no) value; **falla** (**minska, sjunka**) **i** ~ fall (decrease) in value; ekon. äv. depreciate; **stiga** (**gå upp**) **i** ~ rise in value; ekon. äv. appreciate; **till ett** ~ **av…** to the value of…
värdebeständig adj (~t) stable, …of stable value; inflationsfri inflation-proof; indexbunden index-tied
värdefull adj (~t) valuable, …of great (considerable) value; dyrbar precious
värdeföremål s (~et, =) se värdesak
värdeförsändelse s (~n, ~r) post. **a)** assurerat paket insured parcel **b)** brev: rek. registered (ass. insured) letter
värdegrund s (~en, ~er) values pl.
värdehandling s (~en, ~ar) valuable document
värdelös adj (~t) worthless, valueless, …of no (without) value
värdeminskning s (~en, ~ar) decrease (fall) in value, depreciation
värdemätare s (~n, =) standard (measure) of value
värdeomdöme s (~t, ~n) subjective opinion; filos. value judgement; **komma med** ~**n** vanl. be subjective
värdepapper s (~et el. -pappret, =) ekon. security; obligation bond; aktie share, amer. stock
värdera vb tr (~de, ~t) **1** beräkna, taxera, fastställa värdet på value, estimate [the value of]; på uppdrag appraise; om myndighet assess, rate [till i samtliga fall at]; ~ **för högt** (**lågt**) overestimate (underestimate) **2** uppskatta value; sätta värde på appreciate; högakta esteem; …**kan inte** ~**s högt nog** …cannot be too highly praised
värdering s (~en, ~ar) **1** valuation; estimation; appraisement, appraisal; assessment; jfr värdera 1;

göra en ~ av smyckena estimate the value of... **2 ~ar** normer values; han har **andra ~ar** ...a different set of values

värderingsman s (~nen, -män) [official] valuer

värdesak s (~nen, ~er) article (object) of value; **~er** äv. valuables

värdestegring s (~en, ~ar) increase (rise) in value, appreciation

värdesäkra vb tr (~de, ~t) make...stable; indexreglera index-tie

värdesätta vb tr (-satte, -satt) se *värdera*

värdeökning s (~en, ~ar) se *värdestegring*

värdfamilj s (~en, ~er) host family

värdfolk s (~et, =) vid bjudning host and hostess pl.

värdig adj (~t) **1** jämbördig worthy; förtjänt av o.d. worthy of; **visa sig ~ förtroendet** prove to be trustworthy **2** korrekt [till det yttre], med värdighet dignified; **~ hållning** dignified bearing, dignity

värdighet s (~en, ~er) **1** egenskap dignity [i of]; värdigt sätt dignified manner; **han ansåg det vara under sin ~ att** + inf. he considered it [to be] beneath (below) him (his dignity) to + inf. **2** ämbete o.d. office, position; rang rank

värdigt adv with dignity, in a dignified manner

värdinna s (~n, värdinnor) allm. hostess; hyres~, pensionats~ o.d. landlady; restaurang~, hotell~ proprietress; jfr *flygvärdinna* o. *markvärdinna*

värdland s (~et, -länder) host country

värdshus s (~et, =) gästgivargård inn; restaurang restaurant

värdshusvärd s (~en, ~ar) innkeeper, landlord

värdskap s (~et), **sköta (utöva) ~et** act as host (om dam hostess, om värdfolk host and hostess), do the honours

värja I vb tr (värjde, värjt) försvara defend **II** vb rfl (värjde, värjt), **~ sig** defend oneself [*mot* against]; **jag kunde inte ~ mig mot intrycket (misstanken) att...** I could not help getting the impression (help suspecting) that... **III** s (~n, värjor) rapier; fäktn. épée fr.

värk s **1** (~en) smärta, allm. ache, pain; **reumatisk ~** rheumatic pains pl.; **jag har ~ i** armen I have a pain in...; **jag har ~ i hela kroppen** I am aching all over, I am (feel) all achy **2** (~en, ~ar) vid förlossning, **~ar** [labour] pains, labour sg.; **ha ~ar** be in labour

värka vb itr (värkte, värkt) ache; **fingret värker (det värker i fingret [på mig])** my finger aches (is aching, hurts me); **det onda har värkt ut** the pain has gone; **sorgen** din sorg **måste få ~ ut** let your grief take its time

värkbruten adj (-brutet, -brutna) av reumatism ...crippled with rheumatism (av gikt gout)

värktablett s (~en, ~er) painkiller

värld s (~en, ~ar) world; jorden earth; **~en** universum, se *världsalltet*; leva **i en annan ~** ...a world apart; **den fina (förnäma) ~en** high society, the fashionable world; **Gamla (Nya) ~en** geogr. the Old (New) World; **Tredje ~en** polit. the Third World; **hela ~en** the whole world; alla all the world, everybody; **det är väl inte hela ~en** vard. it's not the end of the world, it is not all that important; **drömmens ~** the world of dreams; **fantasins ~** the realm of the imagination, the realms of fancy; **det här är ~ens chans** vard. it's the chance of a lifetime; **denna ~ens goda** worldly goods; **all ~ens rikedom[ar]** all the riches of the world; **~en är liten!** it's a small world!; **en dam (man) av ~** a woman (man) of the world; maten **är inte av denna ~en** vard. ...is out of this world; **folk från hela ~en** people from all over the world; hon (den) **ser inte mycket ut för ~en** ...isn't much to look at; **det är den enklaste sak i ~en** it's the easiest thing in the world; **här i ~en** in this world (life); **för allt i ~en gör inte det!** for goodness' sake don't do that!, whatever you do don't do that!; jag vill inte såra henne **för allt i ~en** ...for the world, ...for anything [in the world]; **vad i all ~en** har hänt? what on earth (in the world)...?, what ever...?; **vem i all ~en...?** who on earth...?, who ever...?; **i hela ~en** all over the world; **komma sig upp i ~en** come up in the world; **komma till ~en** come into the world; **nu är det ur ~en!** now that is over and done with!, that's the end of the matter!; vi skriver ett brev så vi **får saken ur ~en** ...and have done with it; höga politiker **~en över** ...all over the world

världsalltet s (best. sing.) the universe, the cosmos

världsarv s (~et, =) universal heritage

världsatlas s (~en, ~er) atlas of the world, world atlas

Världsbanken the World Bank

världsbekant adj (=) ...known all over the world, universally known

världsberömd adj (-berömt) world-famous

världsbild s (~en, ~er) world picture, conception (picture) of the world

världsbokdagen s (best. sing.) 23 april the World Book and Copyright Day

världsbäst adj (superlativ), **vara ~** be the best in the world

världsdel s (~en, ~ar) part of the world, continent

världsetta s (~n, -ettor) first (number one) in the world

världsfred s (~en) world (universal) peace

världsfrånvänd adj (-vänt) detached, unworldly; attr. äv. ...who is aloof from the world; världsföraktande misanthropic

världsfrämmande adj (oböjl.) ...ignorant of the world, unworldly; om t.ex. attityd, åsikter unrealistic

världsförbättrare s (~n, =) [social] reformer

världshandel s (~n) world (international) trade (commerce)

världshav s (~et, =) ocean; **de sju ~en** the Seven Seas; **herraväldet över ~en** the command of the seas

världsherravälde s (~t) world dominion (hegemony)

världshistoria s (-historien) world (universal) history; **världshistorien** äv. the history of the world

världshistorisk adj (~t) eg. (attr.) ...of the history of the world; av ~ betydelse historic, ...of historic (world) importance

Världshälsoorganisationen the World Health Organization (förk. WHO)

världshändelse s (~n, ~r) historic event, event of world importance

världskarta s (~n, -kartor) map of the world

världskrig s (~et, =) world war; **första (andra) ~et** the First (Second) World War; speciellt amer. World War I (World War II)

världskris s (~en, ~er) world cris|is (pl. -es)

världslig adj (~t) materiell o. som mots. till andlig worldly; världsligt sinnad worldly-minded; jordisk earthly; av denna världen, om t.ex. nöjen mundane; icke kyrklig, om t.ex. domstol secular; om t.ex. makt äv. temporal; profan, om t.ex. konst profane

världslighet s (~en) worldliness etc., jfr *världslig*; secularity, profanity

världslitteratur s (~en, ~er), ~[en] world literature

världsläge s (~t), ~t the world situation, the situation in the world

världsmakt s (~en, ~er) stormakt world power

världsmarknad s (~en) world market

världsmedborgare s (~n, =) citizen of the world

världsmästare s (~n, =) o. **världsmästarinna** s (~n, -mästarinnor) world champion, champion of the world äv. friare

världsmästerskap s (~et, =) world championship

Världsnaturfonden the World Wide Fund for Nature (förk. WWF)

världsomfattande adj (oböjl.) worldwide

världsomsegling s (~en, ~ar) circumnavigation of the earth (world); seglats sailing trip round the world

världspolitisk adj (~t), **konflikten kan få ~a konsekvenser** the conflict may have serious repercussions on world affairs; **den ~a situationen** the state of world affairs

världsrekord s (~et, =) world record

världsrykte s (~t) world (worldwide) reputation (ryktbarhet fame)

världsrymden s (best. sing.) outer space, the cosmos, the universe

världssamfund s (~et), ~et the international community

världssamvete s (~t, ~n), ~t the conscience of the world

världsspråk s (~et, =) allmänt språk universal (mycket utbrett språk world) language

världsstad s (~en, -städer) vanl. metropolis

världsutställning s (~en, ~ar) world exhibition (fair)

världsvan adj (~t) urbane, ...experienced in the ways of the world; sällskapsvan familiar with the ways of society

världsvana s (~n) urbanity, familiarity with (knowledge of, experience in) the ways of the world (of society)

världsåskådning s (~en, ~ar) outlook on (view of) life, world view, philosophy

värma I vb tr (värmde, värmt) göra varm warm; ljumma take the chill off...; göra het heat; omtanken **värmde hennes hjärta** ...warmed [the cockles of] her heart; ~ **på** (**upp**) **maten** warm (heat) up the food; ~ **upp** huset heat..., warm up..., get...warm **II** vb itr (värmde, värmt) ge värme give off heat; kaminen **värmer bra** ...gives off good heat; solen **värmer redan** ...is already warm; vinet **värmer** ...makes you warm **III** vb rfl (värmde, värmt), ~ **sig** warm oneself, get warm, have (get) a warm; ~ **upp sig** sport. warm up, jfr *uppvärmd*

värme s (~n) allm. warmth; fys. el. hög heat; eldning heating; bildl. äv. fervour; hjärtlighet äv. cordiality; ~**n är på** (**av**) the heat (värmeledningen heating) is on (off); hur mår du **i ~n?** ...in this heat?; **kom in i ~n!** come into the warm!; **tala med ~ om...** speak with warmth...; **vid 30 graders ~** at 30 degrees above zero (freezing point)

värmealstrande adj (oböjl.) heat-producing, calorific

värmebehandling s (~en, ~ar) med. heat treatment äv. tekn., thermotherapy

värmebeständig adj (~t) heatproof, heat resistant, thermostable

värmebölja s (~n, -böljor) heat wave

värmedyna s (~n, -dynor) electric pad

värmeelement s (~et, =) radiator; elektriskt electric heater

värmefilt s (~en, ~ar) electric blanket

värmeflaska s (~n, -flaskor) hot-water bottle

värmefotografering s (~en) thermography

värmekamera s (~n, -kameror) thermocamera

värmekraftverk s (~et, =) thermal power station

värmelampa s (~n, -lampor) medicinsk infrared lamp

värmeledande adj (oböjl.) heat-conducting

värmeledning s (~en, ~ar) **1** fys. conduction of heat; heat (thermal) conduction **2** anläggning, vanl. [central] heating

värmepanna s (~n, -pannor) boiler

värmeplatta s (~n, -plattor) hot plate, hob

värmepump s (~en, ~ar) heat pump

värmeskåp s (~et, =) warming cupboard, heating cabinet

värmeslag s (~et) med. heatstroke

värmestuga s (~n, -stugor) warm shelter

värmeväxlare s (~n, =) heat exchanger

värn s (~et, =) försvar defence; beskydd protection; skydd safeguard, shield [*mot* i samtliga fall against]; försvarsanläggning bulwark

värna vb tr o. vb itr (~de, ~t), ~ [**om**] defend, protect, safeguard [*mot* against]; shield [*mot* from]; jfr *värn*; ~ **om sitt rykte** guard one's reputation; ~ **om gamla traditioner** uphold old traditions

värnlös adj (~t) defenceless; **Värnlösa barns dag** Holy Innocents' Day

värnplikt s (~en) national service; [som system compulsory] military service; **göra ~** (**sin ~**) do one's military service

värnpliktig I adj (~t) ...liable for military service, conscript... **II** s (en ~, pl. ~a) military (national) serviceman, conscript; amer. draftee

värnpliktsarmé s (~n, ~er) conscript army

värnpliktsvägrare s (~n, =) conscientious objector (förk. CO, pl. CO's); amer. draft dodger

värnskatt s (~en, ~er) **1** temporary austerity tax **2** hist. national defence levy (contribution)

värpa I vb tr (värpte, värpt) lay **II** vb itr (värpte, värpt) lay [eggs]; hönan **värper bra** vanl. ...is a good layer

värphöna s (~n, -hönor) laying hen, layer

värpning s (~en) laying

värre adj (komparativ) o. adv worse; vi har löst ~ **problem** ...harder problems; **dess ~** tyvärr unfortunately; **så mycket ~ för dig** so much the worse for you; **det blir bara ~ och ~** things are (it's) going from bad to worse; **det gör bara saken ~** it (that) only makes matters worse; svårare it (that) makes things more difficult; **hotellet har blivit fint ~** the hotel has become really posh; **det är inte ~ än att det kan rättas till** it's not so bad that it cannot be put right; **det var ~ det** det går [nog] inte that's not so easy; **och, vad ~ är** and, what's worse; **var det inte ~!** var det allt? is that all?; anklagas för stöld **eller något ändå ~** ...or worse

värst I *adj* (superlativ) worst; *i ~a fall* if the worst (if it) comes to the worst; *den ~a lögn jag* [*någonsin*] *har hört* the biggest lie I (I've) ever heard; *som den ~a* tjuv just like a...; *mitt under ~a* rusningen right in the middle of...; *när det var som ~* when things were at their worst; när stormen *rasade som ~* ...was at its height; *han ska alltid vara ~* he's always trying to be one up [on you]; *det var det ~a!* that's the limit!; *det var det ~a jag har hört* I never heard anything like it!, well, I never!; så oförskämt what cheek!; *det är det ~a jag vet* it's a thing I can't stand; I hate it; *nu är det ~a över* now the worst is over; *det ~a var att...* the worst of it was that...; *göra undan det ~a av arbetet* break the back (neck) of the work; *vara beredd på det ~a* be prepared for the worst **II** *adv* [the] worst, [the] most; *han skadade sig själv ~* he hurt himself worst (most); filmen var *inte så ~* [*bra*] ...not very (not all that) good, ...none too good, ...not up to much; hur mår du? *- Inte så ~* ...Not very well, ...Not so good

värsting *s* (~en, ~ar) vard. **1** ungdomsbrottsling bad boy, hardened young offender **2** främsta exemplar flagship, top (finest) product

värv *s* (~et, =) uppdrag task; commission, mission; uppgift äv. part; yrke profession; åliggande duty, function; ~ pl., sysselsättningar pursuits, work sg.; *efter väl förrättat ~* se *välförrättad*

värva *vb tr* (~de, ~t) rekrytera recruit; mil. äv. enlist båda äv. friare; sport. sign [on (up)]; *~ ngn för en sak* enlist sb in a cause; *~ anhängare* recruit (get) adherents; *~ röster* solicit (get, secure) votes; genom personlig bearbetning canvass [for votes]

värvning *s* (~en, ~ar) recruiting; canvassing; signing; mil. recruitment, enlistment; jfr *värva*; *ta ~* enlist [*vid* in]; join up, join the army (the Forces), sign on

väsa *vb itr* (väste, väst) hiss; *~ fram* orden hiss [out]...

väsen *s* **1** (~det, =) väsende **a**) [någots innersta] natur essence; beskaffenhet nature; läggning, sinnelag character, disposition; sätt manner[s pl.]; person[lighet] being; *tingens* [*innersta*] *~* the essence of things; han kände det *i sitt innersta ~* ...in the very fibre of his being; *konsten är till sitt ~...* art is essentially (intrinsically)...; *han är vänlig till sitt ~* he has a gentle disposition **b**) varelse being; filos. äv. entity; ande~ genius (pl. geniuses el. genii), spirit; *det högsta ~det* the Supreme Being; *ett övernaturligt ~* a supernatural being (creature) **c**) som efterled i sammansättn. vanl. system, service, jfr *postväsen*, *skolväsen* m.fl. **2** (oböjl., ett) oväsen noise, row; se äv. *oväsen*; *göra stort ~ av ngt* make a [big] fuss (song and dance) about sth, make a big business out of sth; *mycket ~ för ingenting* a lot of fuss (much ado) about nothing; *han gör inte mycket ~ av sig* he is rather quiet

väsensskild *adj* (-skilt) essentially (completely) different

väsentlig *adj* (~t) essential; betydande äv. considerable, substantial, material; huvudsaklig äv. principal, main, chief; viktig äv. important; *det ~a i* the essential thing about, the essentials pl. of; *en ~ del av* ngt a considerable (an essential) part of...; *vara en ~ del av* äv. be part and parcel of; *till ~ del* largely, to a considerable extent; *på flera ~a punkter*

in several important respects; *på alla ~a punkter* el. *i allt ~t* in all essentials, in substance, substantially

väsentlighet *s* (~en, ~er) något väsentligt essential (important) thing (matter); *~er* essentials

väska *s* (~n, väskor) bag; hand~ handbag; res~, portfölj, fodral case; se äv. *portfölj*, *resväska* m.fl.

väskryckare *s* (~n, =) [hand]bag snatcher

väsnas *vb itr dep* (väsnades, väsnats) make a noise (fuss), be noisy

väsning *s* (~en, ~ar) väsande hissing; *en ~* a hiss, a hissing sound

vässa *vb tr* (~de, ~t) sharpen äv. bildl.; bryna whet

1 väst *s* (~en, ~ar) plagg waistcoat; amer. vest; *få någonting innanför ~en* get something under one's belt

2 väst *s* (~en) o. *adv* west (förk. W); se äv. *väster*, jfr *nord*, *norr* med ex. o. sammansättn.; *inflationen (korrespondenter) i ~* ...in the West, Western...

västan *s* (=, en) se *västanvind*

västanvind *s* (~en, ~ar) west wind, westerly wind; *~en* poet. Zephyrus, zephyr

västblocket *s* (best. sing.) hist. the Western bloc

väster (jfr *norr* med ex.) **I** *s* (oböjl.) väderstreck the west; *Västern* the West **II** *adv* [to the] west [*om* of]

västerifrån *adv* from the west

Västerlandet the West; ibland the Occident

västerländsk *adj* (~t) western, occidental

västerlänning *s* (~en, ~ar) Westerner, Occidental

västernfilm *s* (~en, ~er) Western [film]

västerut *adv* åt väster westward[s], towards [the] west; i väster in the west, out west; *längre ~* further west; *tåg* pl. *som går ~* trains going west, westbound trains; *resa ~* go (travel) west

Västeuropa Western Europe

västeuropeisk *adj* (~t) west European

västfront *s* (~en), *~en* the Western front

Västindien the West Indies pl.

västklänning *s* (~en, ~ar) pinafore dress

västkust *s* (~en) west coast, för ex. jfr, nordkust

västlig *adj* (~t) westerly; west; western; jfr *nordlig*

västligare m.fl., jfr *nordligare* m.fl.

västmakterna *s pl* the Western Powers

västra *adj* (best.) the west; the western, jfr *norra*

västtysk hist. **I** *adj* (~t) West German **II** *s* (~en, ~ar) West German

Västtyskland hist. West Germany

västvärlden *s* (best. sing.) the Western World

väta I *s* (~n) wet, moisture, damp, dampness; *aktas för ~!* ung. keep (to be kept) dry, keep in a dry place **II** *vb tr* o. *vb itr* (vätte, vätt) wet; fukta moisten, damp; *~ ned sig* get [oneself] wet

väte *s* (~t) kem. hydrogen

vätebomb *s* (~en, ~er) hydrogen bomb, H-bomb

väteklorid *s* (~en) kem. hydrogen chloride

väteperoxid *s* (~en) o. **vätesuperoxid** *s* (~en) kem. hydrogen peroxide; vard. peroxide

vätska I *s* (~n, vätskor) liquid; kropps~ body fluid; sår~ discharge, serum; *vara vid sunda vätskor* be in good form **II** *vb itr* o. *vb rfl* (~de, ~t), såret *~r* [*sig*] ...is running (discharging)

väv *s* (~en, ~ar) t.ex. i en vävstol el. spindel~ el. bildl. web; material [woven] fabric, tyg äv. cloth; vävnadssätt weave; *mönstrad ~* figured fabric; *tät* (*gles*) *~* tight (loose) weave; *sätta upp en ~* loom a web

väva *vb tr* (vävde, vävt) weave äv. bildl.

vävare *s* (~n, =) weaver äv. zool.
vävarfågel *s* (~n, -fåglar) weaverbird
vävbom *s* (~men, -mar) beam [of a loom]
vävd *adj* (vävt) woven
väveri *s* (~et, ~er) weaving (textile) mill; fabrik textile factory
vävnad *s* (~en, ~er) **1** vävning weaving **2** konkr. woven fabric; tissue äv. biol. el. bildl.; t.ex. bonad hanging, tapestry; **~er** äv. textiles
vävnadsdöd *s* (~en) med., **lokal ~** necrosis
vävnadsindustri *s* (~n, ~er) textile industry
vävning *s* (~en) weaving
vävplast *s* (~en) [plastic-]coated fabric
vävsked *s* (~en, ~ar) [weaver's] reed
vävstol *s* (~en, ~ar) loom; hand~ äv. handloom; maskin~ äv. power loom
vävtapet *s* (~en, ~er) jute (linen etc.) wallcovering
växa I *vb itr* (växte, vuxit el. växt) grow; om t.ex. företag äv. expand; om t.ex. befolkning, skulder äv. increase; staden **bara växer** ...just keeps growing; **det växer mycket rosor i trädgården** there are a lot of roses [growing] in the garden; **vad du har vuxit!** how you have grown!; **skulderna växte till** enorma belopp the debts accumulated into...; denna art **växer inte i Sverige** ...does not occur (grow) in Sweden; **~ i höjden** grow taller (om sak äv. higher); **~ ngn över huvudet** a) eg. outgrow sb b) bildl. get beyond sb's control, become too much for sb; **skulderna har vuxit honom över huvudet** äv. he is up to his ears in debt; **~ sig stor och stark** grow big and strong
II med beton. part.
växa bort: **det växer bort** med tiden it (this) will disappear (om ovana he etc. will grow out of it)
växa fast take [firm] root; bildl. äv. get firmly rooted, jfr *fastvuxen*; **~ fast vid ngt** grow on to sth
växa fram grow (come) up; bildl. äv. develop
växa i ngt grow into...
växa i fatt ngn catch...up in height (size)
växa ifrån ngt grow out of..., outgrow...
växa igen om sår heal [up]; om t.ex. stig become overgrown with weeds; om t.ex. dike fill up [with weeds], get choked with weeds
växa ihop grow together
växa in grow in; **~ in i** a) eg. grow into... b) bildl., t.ex. sitt arbete grow familiar with...
växa om ngn outgrow...; eg. äv. shoot ahead of...[in height]
växa samman grow together; jfr *sammanvuxen*
växa till grow; t.ex. i antal increase [*i* in]; **hon har vuxit till sig** she has grown into a fine girl
växa upp grow up, grow; **han har växt upp i staden** (**på landet**) he is town-bred (country-bred); jfr *uppväxande*
växa ur sina kläder grow out of..., outgrow...
växa ut a) fram, om t.ex. gren, hår grow out b) utvidgas, t.ex. på bredden spread; utvecklas develop [till into]
växa över overgrow; gräset **har växt över stigen** ...has grown over the path, the path is overgrown with...; jfr äv. *övervuxen*
växande I *adj* (oböjl.) growing; ökande increasing **II** *s* (~t) growing, growth; ökning increase; utveckling development; **vara i ständigt ~** keep increasing, continue to increase; tillta äv. be on the increase; utveckla sig be in a state of continuous development
växel *s* **1** (~n) växelpengar [small] change; **kan du ge ~**

tillbaka (**har du ~**) **på** en hundralapp? can you change...?; **jag har ingen ~ på mig** I have no [small] change on me **2** (~n, växlar) på bil gear, gearshift; **köra på tvåans ~** drive in second gear **3** (~n, växlar) spår~ points pl., switches pl.; **lägga om ~n** reverse the points (switches) **4** (~n, växlar) tele. exchange; växelbord switchboard; **~n!** operator!; **sitta i ~n** be at the switchboard **5** (~n, växlar) bank~ bill [of exchange] (förk. B/E); dragen ~, tratta äv. draft; accept äv. acceptance; **~ per 5 juli** a bill due (per) July 5th; **en 3 månaders ~ å** 10 000 kronor a 3 months' bill for...; **dra växlar på...** bildl. take advantage of...; **dra växlar på framtiden** count too much on the future; ibland äv. count one's chickens before they are hatched; **dra för stora växlar på ngns tålamod** overtax (presume on) sb's patience
växelbruk *s* (~et) lantbr. rotation (alternation, shift) of crops, crop rotation, convertible husbandry
växelkassa *s* (~n, -kassor) small-change cash
växelkontor *s* (~et, =) exchange office (bureau)
växelkurs *s* (~en, ~er) exchange rate, rate [of exchange]
växellåda *s* (~n, -lådor) gear box, transmission
växelmynt *s* (~et, =) coin; koll. äv. [small] change
växelpengar *s pl* [small] change sg.
växelspak *s* (~en, ~ar) gear lever, gear-change lever, gear (amer. äv. stick) shift
växelspel *s* (~et, =) interplay, interaction; **~et mellan ljus och mörker** the interplay of light and shade
växelström *s* (~men, ~mar) alternating current (förk. AC)
växeltelefonist *s* (~en, ~er) switchboard operator
växelverkan *s* (=, en) interaction, reciprocal action; samspel interplay
växelvis *adv* alternately; i tur och ordning in turn, by turns, in rotation
växla I *vb tr* (~de, ~t) **1** t.ex. pengar, färg change; utbyta, t.ex. ord, ringar exchange; t.ex. artigheter äv. interchange; **kan jag få ~ ett par ord med dig?** can I have a word with you?, can you spare me a minute?; **kan du ~** 100 kronor [**åt mig**]? äv. can you give me (have you got) change for...? **2** järnv. shunt, switch, jfr *växla in* under *växla III* **II** *vb itr* (~de, ~t) **1** skifta vary; ändra sig change; i stafett change over, pass the baton; priserna **~r** a) för samma vara på olika orter ...vary b) höjs el. sänks oregelbundet ...fluctuate; **tiderna ~r** times change (vary) **2** bil. change (speciellt amer. shift) gear[s]; **~ till tvåan** change to (go into) second (second gear) **3** om tåg shunt
III med beton. part.
växla in a) **~ in ett tåg på ett sidospår** shunt a train on to (switch a train into) a siding b) **~ in** en resecheck cash...
växla ner bil. change (gear) down, change to a lower gear, downshift
växla om alternate
växla till sig: **~ till sig enkronor** change money into one-krona pieces
växla upp bil. change (gear) up; amer. shift
växla ut exchange
växlande *adj* (oböjl.) varying, changing; om t.ex. vindar variable; om t.ex. natur, program varied; **med ~ framgång** with varying success; **~ molnighet** cloudy with sunny intervals (periods)

växling s (~en, ~ar) växlande changing; ombyte change; förändring variation, variety; utväxling exchange; regelbunden succession; rotation; järnv. shunting; *ödets ~ar* the vicissitudes (turns) of fortune

växlingsrik adj (~t) varying, changing; ...full of changes (variety)

växt s (~en, ~er) **1** tillväxt growth; utveckling development; ökning increase, expansion; kroppsbyggnad build, figure; längd height, stature; *hämmad i ~en* stunted; *stanna i ~en* stop growing; *han är liten (stor) till ~en* he is short (tall) in (of) stature **2** planta plant; mots. djur vegetable; ört herb **3** svulst growth; tumör tumour; ut~ äv. excrescence

växtfamilj s (~en, ~er) plant family

växtfärg s (~en, ~er) vegetable dye

växtförädling s (~en, ~ar) plant breeding (improvement)

växtgift s (~et, ~er) **1** i växt vegetable poison **2** för t.ex. ogräsbekämpning weedkiller

växthus s (~et, =) greenhouse, glasshouse; uppvärmt hothouse

växthuseffekt s (~en) greenhouse effect

växthusgas s (~en, ~er) greenhouse gas

växtkraft s (~en) growing power

växtlighet s (~en) vegetation; *[en] rik ~* äv. a rich (luxuriant) flora (plant life)

växtliv s (~et) plant (vegetable) life; vegetation vegetation, flora

växtlokal s (~en, ~er) se *växtplats*

växtplats s (~en, ~er) bot. locality [of a (resp. the) plant], habitat

växtpress s (~en, ~ar) plant press

växtriket s (best. sing.) the vegetable kingdom

växtsaft s (~en, ~er) [vegetable] sap

växtvärk s (~en) growing pains pl.

växtämne s (~t, ~n) grodd germ

växtätande adj (oböjl.) zool. herbivorous; *ett ~ djur* äv. a herbivore

växtätare s (~n, =) zool. herbivore

vörda vb tr (~de, ~t) revere, reverence; starkare venerate; högakta respect; hedra, ära honour

vördig adj (~t) venerable

vördnad s (~en) reverence, veneration; aktning respect; hänsyn deference; *betyga ngn sin ~* pay reverence (one's respects) to sb; *hysa ~ för* hold...in veneration (reverence); *inge ngn [skräckfylld] ~* inspire sb with awe; *visa ~* respekt *för* show respect for

vördnadsbetygelse s (~n, ~r) token (mark) of respect (reverence)

vördnadsbjudande adj (oböjl.) venerable; starkare awe-inspiring; friare imposing

vördnadsfull adj (~t) reverent; aktningsfull respectful, deferential; starkare awestruck

vördsam adj (~t, ~ma) respectful

vördsamt adv respectfully; brevslut Yours respectfully

vört s (~en) [brewer's] wort

vörtbröd s (~et, =) rye bread flavoured with [brewer's] wort

W w

w s **1** (w:et, w:n el. w) bokstav w [utt. 'dʌblju(:)] **2** *W* (förk. för *watt*) W

Wales Wales

walesare s (~n, =) Welshman; *walesarna* som nation el. lag o.d. the Welsh

walesisk adj (~t) Welsh

walesiska s **1** (~n, walesiskor) kvinna Welshwoman **2** (~n) språk Welsh

walkover s (oböjl., en) sport. walkover; *vinna på ~* win by default

Warszava Warsaw

watt s (~en, =) (förk. W) elektr. watt (förk. W)

wc s (wc:t, wc:n el. =) WC, toilet, lavatory

webbadress s (~en, ~er) data. web address, URL (förk. för uniform resource locator)

webbansvarig s (en ~, pl. ~a) data. webmaster

webben s (best. sing.) data. the Web, the World Wide Web

webbläsare s (~n, =) data. web browser

webbplats s (~en, ~er) data. web site

webbradio s (~n) Internet radio

webbsida s (~n, -sidor) data. web page; startsida på webbplats home page

weekend s (~en, ~er) weekend

wellpapp s (~en) corrugated cardboard

weltervikt s (~en) sport. welterweight

welterviktare s (~n, =) sport. welterweight

western s (oböjl., en) västernfilm western

whisky s (~n) whisky; amer. o. irländsk whiskey; *skotsk ~* äv. Scotch

whiskygrogg s (~en, ~ar) whisky and soda; amer. [whiskey] highball

whist s (~en) kortsp. whist

WHO Världshälsoorganisationen WHO (förk. för World Health Organization)

Wien Vienna

wienare s (~n, =) Viennese (pl. lika)

wienerbröd s (~et, =) Danish pastry, vard. Danish båda äv. koll.

wienerkorv s (~en, ~ar) frankfurter; wienerwurst, vard. wiener, wienie

wienerlängd s (~en, ~er) ung. [long] bun plait

wienerschnitzel s (~en, -schnitzlar) Wiener schnitzel

wienervals s (~en, ~er) Viennese waltz

wire s (~n, wirar) cable; tunnare wire

wok s (~en, ~ar) kok. **1** maträtt stir-fry **2** kokkärl wok

woka vb tr o. vb itr (~de, ~t) kok. stir-fry, wok

wokpanna s (~n, -pannor) kok. wok

www (förk. för *World Wide Web*) se under *webben*

x *s* (x:et, x) bokstav x [utt. eks] äv. matem.; *x antal* kronor (år) a [certain] number of...; *en herr X* a certain Mr X

x-a *vb tr* (~de, ~t) vard., *~ [över] ett ord* cross (amer. X) out a word

x-axel *s* (~n, -axlar) matem. x-axis

xenon *s* (~et) kem. xenon

X-krok *s* (~en, ~ar) X-hook, [angle pin] picture hook

X-kromosom *s* (~en, ~er) biol. X-chromosome

xylofon *s* (~en, ~er) mus. xylophone

xylofonist *s* (~en, ~er) mus. xylophonist

xylografi *s* (~n) xylography

y *s* (y:et, y:n el. y) bokstav y [utt. waɪ] äv. matem.

yacht *s* (~en, ~er) yacht

yalelås® *s* (~et, =) Yale lock

yankee *s* (~n, ~s) Yankee, vard. Yank

y-axel *s* (~n, -axlar) matem. y-axis

Y-kromosom *s* (~en, ~er) biol. Y-chromosome

yla *vb itr* (~de, ~t) howl

ylande *s* (~t, ~n) howling; *ett ~* a howl

ylle *s* (~t) wool

yllefilt *s* (~en, ~ar) woollen blanket

yllegarn *s* (~et, = el. ~er) se *ullgarn*

yllekläder *s pl* woollen clothes; vard. woollies

yllestrumpa *s* (~n, -strumpor) woollen stocking (socka sock)

ylletröja *s* (~n, -tröjor) [woollen] sweater, jersey

ylletyg *s* (~et, = el. ~er) woollen cloth (fabric)

ymnig *adj* (~t) riklig abundant; om regn, snöfall äv. heavy; om skörd äv. plentiful, bounteous; om tårar copious; överflödande profuse

ymnighet *s* (~en) abundance, heaviness, plentifulness etc., jfr *ymnig*; profusion

ymnighetshorn *s* (~et, =) horn of plenty, cornucopia

ymnigt *adv* abundantly, heavily etc., jfr *ymnig*; *blöda ~* bleed profusely; *förekomma ~* abound, be abundant (plentiful)

ympa *vb tr* (~de, ~t) **1** trädg., *~ [in]* graft, engraft [på [up]on (into)] **2** med. inoculate; vaccinera äv. vaccinate [*ngn mot ngt* sb against sth]

ympkvist *s* (~en, ~ar) trädg. graft, scion

ympning *s* (~en, ~ar) **1** trädg. grafting, graft **2** med. inoculation; vaccinering äv. vaccination

yngel *s* (ynglet, =) **1** koll. fry (vanl. pl.); se äv. *grodyngel* **2** neds., om barn brat; avföda, koll. brood

yngla *vb itr* (~de, ~t) om t.ex. groda spawn; *~ av sig* breed; neds., om människor breed like rabbits

yngling *s* (~en, ~ar) youth, young man, adolescent

yngre *adj* (komparativ) younger; senare later; nyare more recent; i tjänsten junior; *i [sina] ~ dagar* var han... in his younger days...; *en ~ rätt ung affärsman* a youngish (fairly young) businessman; Sten Sture *den ~* ...the Younger; *de ~* minns inte... young people...; *han är fem år ~ än jag* äv. he is my junior by five years; *hon ser ~ ut än hon är* äv. she does not look her age; den där frisyren *gör henne tio år ~* ...makes her look ten years younger

yngst *adj* (superlativ) youngest; senast latest; nyast most recent; *den ~e (~a) i* familjen the youngest [member] of...; ett program för *de allra ~a* ...the very young; *vem är ~?* who is the youngest (av två äv. the younger)?

ynka *adj* (oböjl.) insignificant; *en ~ liten kopp kaffe* a miserable (pitiful) little cup of coffee; *någon ~ gång* once in a while

ynkedom *s* (~en) pitiableness etc., jfr *ynklig*; *det är en ~* t.ex. om ngns uppträdande it is miserable (pitiable), it is a miserable (pitiable) performance

ynklig *adj* (~t) ömklig pitiable, pitiful; eländig, usel poor, miserable, wretched; jämmerlig piteous; futtig paltry; liten puny; **göra en ~ figur** cut a sorry figure; **regeringens ~a hållning** the pitiable conduct of the government; **med ~ röst** in a piteous voice; **en ~ ursäkt** a paltry (lame) excuse

ynkrygg s (~en, ~ar) feg person coward; mes milksop

ynnest s (~en) litt. favour; **visa mig den ~en** do me the favour [att + inf. of + ing-form]

ynnestbevis s (~et, =) [mark of] favour

yoga s (~n) filos. yoga

yoghurt s (~en, ~ar) yoghurt, yogurt

yoruba s (oböjl.) språk Yoruba

yppa I vb tr (~de, ~t) avslöja reveal; uppenbara äv. disclose; hemlighet o.d. äv. divulge, let out [för i samtliga fall to] **II** vb rfl (~de, ~t), **~ sig** erbjuda sig present itself; om tillfälle o.d. äv. arise, turn up

yppas vb itr dep (yppades, yppats) se yppa sig under yppa II

ypperlig adj (~t) utmärkt excellent, superb; strålande splendid; utsökt choice

ypperst adj (superlativ) förnämst finest, best, most outstanding; om t.ex. vin choicest; **av ~a kvalitet** äv. of the very best quality

yppig adj (~t) om växtlighet o.d. luxuriant, lush; fyllig buxom; om figur, kroppsdel full, ample; vard., om kvinna busty

yppighet s (~en) luxuriance, lushness etc., jfr yppig

yr adj (~t) i huvudet dizzy, giddy [av t.ex. glädje with, t.ex. buller from]; **bli** (**vara**) **~** [**i huvudet**] get (feel, be) dizzy (giddy); **jag är alldeles ~ i huvudet** äv. my head is in a whirl; **~ i mössan** flurried, flustered, bewildered; **som ~a höns** like giddy geese

yra I s (~n) **1** vild aktivitet whirl, frenzy; glädje~ delirium [of joy] **2** snö~ snowstorm **3** feber~ delirium **II** vb itr **1** (~de, ~t) om febersjuk be delirious; svamla rave [om ngt about sth; om att + inf. about + ing-form] **2** (yrde, yrt) om snö, sand whirl (drift) about; om damm, skum, gnistor fly; **snön yr** the snow is whirling etc. about; **dammet yr i** luften the dust is rising into…, there are clouds of dust in…; **dammet yr på** vägarna the dust is rising from…; **~ igen** om väg o.d. get blocked with [drifting] snow (resp. sand); **~ upp** whirl (resp. fly) up

yrka vb tr o. vb itr (~de, ~t), **~ [på]** begära, fordra demand; resa krav på call for; som rättighet claim; kräva insist [up]on; ihärdigt urge, press for; parl. o.d., t.ex. avslag move; **~ bifall till…** support…, speak in support of…; **~ på att ngn ska** + inf. äv. insist on sb's + ing-form, urge sb to + inf.

yrkande s (~t, ~n) begäran demand; claim äv. jur.; parl. motion; **~ om avdrag** (**på ersättning**) claim for deduction (compensation); **kärandens ~** the plaintiff's case

yrke s (~t, ~n) sysselsättning occupation; akademiskt, konstnärligt, militärt profession; speciellt inom hantverk o. handel trade; hantverk (i högre stil) äv. craft; arbete job, work (endast sg.); **fria ~n** [liberal] professions; **han kan sitt ~** he knows his job; **utöva ett ~** practise a profession, carry on a trade; **välja ~** choose one's profession (trade, occupation); **han är advokat** (**skräddare**) **till ~t** he is a lawyer by profession (a tailor by trade)

yrkesarbetande adj (oböjl.) se förvärvsarbetande

yrkesarbetare s (~n, =) skilled worker

yrkesarmé s (~n, ~er) professional army

yrkeserfarenhet s (~en, ~er) professional experience

yrkesfiskare s (~n, =) professional fisherman

yrkesförbud s (~et, =) exclusion from a civil service profession

yrkesgren s (~en, ~ar) occupational branch

yrkesgrupp s (~en, ~er) occupational group

yrkeshemlighet s (~en, ~er) trade secret

yrkeshygien s (~en) industrial (occupational) hygiene

yrkeshögskola s (~n, -skolor) vocational college

yrkesinriktad adj (-inriktat, ~e) vocational, occupationally-oriented, vocationally-oriented

yrkeskunnande s (~t) professional skill (vard. know-how)

yrkeskunnig adj (~t) skilled

yrkeskvinna s (~n, -kvinnor) business (professional) woman

yrkesliv s (~et) working (professional) life

yrkeslärare s (~n, =) vocational teacher

yrkesman s (~nen, -män) fackman professional; sakkunnig expert; hantverkare craftsman

yrkesmilitär s (~en, ~er) se yrkesarmé o. yrkesofficer

yrkesmässig adj (~t) om förfarande professional; t.ex. om försäljning, trafik commercial

yrkesofficer s (~en, ~are) regular officer, officer in the regular army

yrkesorientering s (~en) se arbetslivsorientering

yrkesregister s (-registret, =) [classified] directory of trades and professions

yrkessjukdom s (~en, ~ar) occupational (industrial) disease; skämts. professional disease

yrkesskada s (~n, -skador) occupational (inom industrin industrial) injury

yrkesskicklig adj (~t) skilled, …skilled in one's trade (inom hantverk äv. craft)

yrkesskicklighet s (~en) professional skill, skill in one's trade (inom hantverk äv. craft), craftsmanship

yrkestrafik s (~en) commercial traffic; **bilar som går i ~** commercial vehicles

yrkesutbildad adj (-utbildat, ~e) skilled, trained

yrkesutbildning s (~en, ~ar) vocational training (education)

yrkesutövare s (~n, =) person practising a profession (speciellt inom hantverk o. handel carrying on a trade)

yrkesval s (~et, =) choice of occupation (resp.profession, trade); jfr yrke

yrkesvalslärare s (~n, =) careers master, kvinnlig careers mistress; amer. guidance (careers) teacher

yrkesvana s (~n) professional experience, experience in one's trade

yrkesvägledare s (~n, =) vocational guidance officer, careers officer; amer. career counselor

yrkesvägledning s (~en) vocational (careers) guidance (amer. counseling)

yrsel s (~n) svindel dizziness, giddiness; **jag greps av ~** I suddenly felt dizzy (giddy)

yrsnö s (~n) drift snow, whirls pl. of snow

yrvaken adj (-vaket, -vakna) still half asleep, drowsy

yrväder s (-vädret, =) snowstorm, blizzard; **det är ~** there is a snowstorm (blizzard); **som ett ~** like a whirlwind

ysta I vb tr (~de, ~t) mjölk curdle; ost make **II** vb itr

(~de, ~t) make cheese **III** *vb rfl* (~de, ~t), **~ sig** curdle

yster *adj* (~t, ystra) livlig frisky; stojande romping; uppsluppen rollicking, boisterous

yta *s* (~n, ytor) ngts yttre surface äv. bildl.; areal area; utrymme space; **ha en ~ av 15 kvadratmeter** have an area of 15 square metres, be 15 square metres in area; utplåna ngt **från jordens ~** ...from the face of the earth; **på ~n** on the surface äv. bildl.; **skrapa på ~n** bildl. scratch the surface; **komma upp till ~n** come (rise) to the surface, surface båda äv. bildl.; **bara se till ~n** look only superficially at things; **under ~n** below the surface äv. bildl.

ytbehandla *vb tr* (~de, ~t) tekn. finish

ytbeklädnad *s* (~en, ~er) byggn. facing

ytlager *s* (-lagret, =) surface (top) layer; geol. äv. superstrat|um (pl. -a)

ytlig *adj* (~t) allm. superficial; om person äv. shallow; flyktig, om t.ex. undersökning cursory; om t.ex. bekantskap passing, nodding

ytlighet *s* (~en, ~er) superficiality, persons äv. shallowness

ytmått *s* (~et, =) square measure

ytskikt *s* (~et, =) se *ytlager*

ytspänning *s* (~en, ~ar) fys. surface tension

ytter *s* (~n, yttrar) sport. winger

ytterbana *s* (~n, -banor) sport. outside track

ytterdörr *s* (~en, ~ar) outer door; mot gata front (street) door

ytterficka *s* (~n, -fickor) outside pocket

ytterfil *s* (~en, ~er) trafik. outer lane

ytterkant *s* (~en, ~er) outer (outside) edge; på väg edge

ytterkläder *s pl* outdoor clothes; gästers o.d. coats

ytterkurva *s* (~n, -kurvor) outside [of a (resp. the)] curve

ytterlig *adj* (~t) extrem extreme; överdriven excessive; fullständig utter

ytterligare I *adj* (oböjl.) vidare further; därtill kommande additional; mera more; **ett ~ tillägg** äv. another...

II *adv* vidare further; ännu mera still (even) more; **~ två månader** another (a further) two months, two months more; **~ 100 kronor** an additional 100 kronor, 100 kronor more; **~ ett** exempel one more..., [yet] another...; inte ha ngt **~ att tillägga** ...to add besides

ytterlighet *s* (~en, ~er) extreme; ytterlighetsåtgärd extremity; **~erna berör varandra** extremes meet; **driva ngt till ~** drive sth to extremes; **gå till ~er** go to extremes; **till ~** slarvig, klumpig, ansträngd etc. ...in the extreme

ytterlighetsparti *s* (~et, ~er) extremist party

ytterlighetsåtgärd *s* (~en, ~er) extreme measure; **tillgripa ~er** äv. resort to extremities

ytterligt *adv* se *ytterst*

ytterlår *s* (~et, =) silverside; amer. bottom round

yttermera *adj* (oböjl.), **till ~ visso** som ytterligare bekräftelse to make doubly sure; dessutom what is more, into the bargain

yttermått *s* (~et, =) outside measurement

ytterområde *s* (~t, ~n) fringe area; förort suburban area, suburb

ytterrock *s* (~en, ~ar) overcoat

yttersida *s* (~n, -sidor) outer side; utsida outside, exterior

ytterskär *s* (~et, =) sport., åka ~ do the outside edge

ytterst *adv* **1** längst ut farthest out (off, away); på den yttre sittplatsen on the outside; i bortre ändan at the farthest end; **~ i raden** at the [very] end of the row; **stå ~** i rad o.d. äv. stand at the end **2** i högsta grad extremely, exceedingly, most; **~ framgångsrik (förvånad)** äv. highly successful (surprised); **~ försiktigt** äv. very carefully, with extreme care; **~ osannolik** äv. very (highly, utterly) improbable; **~ sällan** very seldom indeed; **~ viktig** äv. vitally (highly) important

yttersta *adj* (superlativ) **1** eg.: längst ut belägen outermost; längst bort belägen farthest, remotest; friare utmost; **den ~ gränsen** the utmost (extreme) limit; **den ~ högern** the extreme Right; **den ~ spetsen (änden) av ngt** the extremity (extreme end) of sth **2** sist last; om t.ex. orsak, syfte ultimate; **göra en ~ ansträngning** make one last (a final)...; **på den ~ dagen** in the last day, on judgement day; **~ domen** the last judgement; **ligga på sitt ~** be dying, be at death's door **3** störst, högst utmost, extreme; **med ~ försiktighet** with extreme (the utmost) care; **i ~ nöd** in utter destitution; **av ~ vikt** of vital (the utmost) importance; **göra sitt ~** do one's utmost; **anstränga sig till det ~** exert oneself to the utmost, go all out; **driva ngn till det ~** drive sb to extremities; **kämpa till det ~** fight to the bitter end; **utnyttja ngt till det ~** exploit sth to the utmost (limit)

yttersula *s* (~n, -sulor) outsole, outer sole

yttertak *s* (~et, =) roof

yttertrappa *s* (~n, -trappor) front door steps pl.; farstutrappa doorstep[s pl.]; amer. äv. stoop

yttervägg *s* (~en, ~ar) outer (exterior, external) wall

yttervärld *s* (~en, ~ar), **~en** the outer (surrounding, outside) world

ytteröra *s* (~t, -öron) anat. external ear; vetensk. auricle

yttra I *vb tr* (~de, ~t) uttala utter; säga say; t.ex. sin mening express **II** *vb rfl* (~de, ~t) **~ sig a)** uttala sig express (give) an (one's) opinion [om about (on)]; ta till orda speak; jag vill inte **~ mig i denna fråga** vanl. ...comment on this matter; **han ~de sig** i samma anda he expressed himself... **b)** visa sig show (manifest) itself [*i* in]; **hur ~r sig** sjukdomen? vanl. what are the symptoms of...?

yttrande *s* (~t, ~n) uttalande remark, utterance; anmärkning observation, comment; anförande statement; utlåtande av myndighet, remissinstans o.d. [expert] opinion, pronouncement [*över, i* on]; av t.ex. styrelse över motion o.d. report [*över* on]

yttrandefrihet *s* (~en) freedom of speech (expression)

yttranderätt *s* (~en) right of free speech, right to express an opinion

yttre I *adj* (oböjl.) **1** belägen längre ut outer; som är utanför el. utanpå äv. exterior, external, outward, outside; **~ bevis** external evidence; **~ diameter** exterior diameter; **~ fiender (förbindelser)** external enemies (relations); **~ företräden** outward (extrinsic) advantages; **~ förutsättningar** external conditions; **~ gestalt** outward form; **~ likhet** outward (external) resemblance; **~ mått** outside measurement; **~ skada** external injury (damage); **~ skönhet** outward beauty **2** utifrån kommande o.d., om t.ex. omständigheter, orsak, tvång external; **~ våld** physical violence

II *s* (oböjl., ett) exterior; ngns äv. [external]

appearance; ngts äv. outside; hon har *ett tilldragande* ~ …an attractive appearance; *hans* ~ his outward appearance; *döma efter det* ~ judge by appearances (externals); *vara mån om sitt* ~ be careful about one's appearance; *till det* ~ in external appearance, outwardly, externally

yttring s (~en, ~ar) manifestation, show, expression [*av* of]

ytvidd s (~en, ~er) area

yuccapalm s (~en, ~er) bot. yucca

yuppie s (~n, ~r el. ~s) yuppie

yuppienalle s (~n, -nallar) vard. mobile, cellphone

yvas *vb itr dep* (yvdes, yvts), ~ *över ngt* pride oneself on sth, be proud of sth

yvig *adj* (~t) om hår, skägg, svans bushy; tät äv. thick; om gest sweeping; om stil turgid, inflated

yxa I s (~n, yxor) axe; amer. ax; med kort skaft hatchet; *jag vill inte hålla i ~n* bildl. I don't want to wield the hatchet; *kasta ~n i sjön* bildl. throw in the towel, throw up the sponge; *låta ~n gå* bildl. apply the axe; *sätta ~n till roten* lay the axe to the root **II** *vb tr* (~de, ~t), ~ *till* med yxa rough[-hew]; åstadkomma snabbt, t.ex. en historia knock together

yxhugg s (~et, =) blow (stroke) of an (resp. the) axe

yxskaft s (~et, =) axe-handle; *goddag ~!* what has that got to do with what I asked (to do with it)?, that's a non sequitur

Z z

z s (z:t, z:n el. z) bokstav z [utt. zed, amer. zi:]

Zaire hist. Zaïre

zairier s (~n, =) Zairian, Zairean

zairisk *adj* (~t) Zairian, Zairean

Zambia Zambia

zambisk *adj* (~t) Zambian

zappa *vb itr* (~de, ~t) TV. zap

zebra s (~n, zebror) zebra

zenbuddism s (~en) relig. Zen Buddhism

zenit s (oböjl.) astron. o. bildl. zenith; *solen stod i* ~ the sun was at its zenith

zeppelinare s (~n, =) flyg. Zeppelin

zigenare s (~n, =) gypsy, gipsy

zigenarmusik s (~en) gypsy music

zigenerska s (~n, zigenerskor) gypsy [woman]

zigensk *adj* (~t) gypsy

Zimbabwe Zimbabwe

zimbabwier s (~n, =) Zimbabwean

zimbabwisk *adj* (~t) Zimbabwean

zink s (~en) zinc

zinkhaltig *adj* (~t) zinciferous

zinkplåt s (~en, ~ar) zinc plate, zinc sheet

zinksalva s (~n, -salvor) zinc ointment

zinkvitt s (oböjl.) zinc white (oxide)

zippa *vb tr* (~de, ~t) data. zip; ~ *upp* unzip

zloty s (~n, =) myntenhet zloty

zodiaken s (best. sing.) astrol. the zodiac

zodiaktecken s (-tecknet, =) astrol. sign of the zodiac

zombie s (~n, ~s) zombie äv. bildl.

zon s (~en, ~er) zone; friare area

zongräns s (~en, ~er) zonal boundary; trafik. fare stage

zontariff s (~en, ~er) o. **zontaxa** s (~n, -taxor) som system zone fare system; avgift zone tariff

zonterapeut s (~en, ~er) zone therapist

zonterapi s (~n) zone therapy

zoo s (~t, ~n) zoologisk trädgård zoo

zooaffär s (~en, ~er) pet shop

zoolog s (~en, ~er) zoologist

zoologi s (~n) zoology

zoologisk *adj* (~t) zoological; ~ *affär* pet shop; ~ *trädgård* zoological garden, zoo

zoom s (~en) foto. zoom

zooma *vb itr* (~de, ~t), ~ *in* (*ut*) zoom in (out)

zucchini s (~n, ~er el. =) bot. el. kok. courgette; amer. zucchini (pl. lika el. -s)

zulu s **1** (~n) språk Zulu **2** (~n, ~er) medlem av folkslag Zulu

zygot s (~en, ~er) biol. zygote

1 å *s* (å:et, å:n el. å) bokstav the letter å, 'a' with a circle

2 å *s* (~n, ~ar) [small] river, stream; amer. äv. creek

3 å *interj* oh!; amer. gee!; **~ tusan** (**fan**)**!** well, I'll be damned!; se äv. *åja, åjo* o. *ånej*

åberopa *vb tr* (~de, ~t), **~ ngn** (**ngt**) hänvisa till refer to (cite, quote) sb (sth); **~ ngt** till sitt försvar plead sth

åberopande *s* (~t), **under ~ av** with reference to, referring to, citing, quoting, pleading

åbäke *s* (~t, ~n) vard., om sak great big thing, monstrosity

åbäkig *adj* (~t) vard. unwieldy, clumsy, lumbering

åda *s* (~n, ådor) zool. female eider [duck]

ådagalägga *vb tr* (-lade, -lagt) lägga i dagen show, manifest; visa display, exhibit

åder *s* (~n, ådror) blod~, malm~, käll~ vein; puls~ artery

åderbråck *s* (~et, =) med. varicose vein[s pl.], var|ix (pl. -ices)

åderförkalkad *adj* (-kalkat, ~e) med. ...suffering from hardening of the arteries (vetensk. arteriosclerosis); **han börjar bli ~** gaggig he is getting senile

åderförkalkning *s* (~en, ~ar) med. hardening of the arteries; vetensk. arteriosclerosis; gaggighet senile decay

åderlåta *vb tr* (-lät, -låtit) bleed äv. bildl.; utarma äv. drain, deplete [*på* i samtliga fall of]; **landet blev starkt åderlåtet** genom kriget the country was bled white...

åderlåtning *s* (~en, ~ar) bleeding äv. bildl., blood-letting; utarmning äv. drain, depletion

1 ådra I *s* (~n, ådror) vein äv. bildl.; **ha en poetisk ~** have a poetic vein (a gift for writing poetry) **II** *vb tr* (~de, ~t) vein; tekn. (sten, trä) äv. grain

2 ådra o. **ådraga I** *vb tr* (-drog, -dragit) cause **II** *vb rfl* (-drog, -dragit), **~ sig** sjukdom contract; förkylning catch; skada suffer; utsätta sig för: t.ex. kritik, straff incur, bring down...on oneself; **~ sig skulder** incur (contract) debts

ådrig *adj* (~t) allm. veined; om trä äv. grained

ådring *s* (~en, ~ar) veining; i sten, trä graining, grain

åh *interj* se *3 å*

åhej *interj* ooh!; vid tungt arbete heave ho!, hey-ho!

åhå *interj* aha! aha!, oho!, I see!

åhöra *vb tr* (-hörde, -hört) listen to, hear; föreläsning attend

åhörare *s* (~n, =) listener; ~ i pl. äv. audience sg.; [**råka**] **bli ~ till** ett gräl happen to hear...; **ärade ~!** ladies and gentlemen!

åhörarläktare *s* (~n, =) t.ex. i parlament public (strangers') gallery

åhörarplatser *s pl* [public] seats; på teater o.d. auditorium sg.

åhörarskara *s* (~n, -skaror) audience

åja *interj* **1** tämligen bra, så där not too bad **2 ~,** så märkvärdigt är det väl inte well,...

åjo *interj* **1** se *åja 1* **2** uppmuntrande come on!; jo då oh yes!

åk *s* (~et, =) **1** vard., om åkdon vehicle; om bil car **2** sport. run

åka I *vb itr* o. *vb tr* (åkte, åkt) **1** allm.: fara go; som passagerare äv. ride; köra drive; färdas på cykel o.d. ride; **vi ska ~ nu** ge oss i väg we are leaving (going) now; **~ bil** go by car; bila äv. motor; **~ buss** (**tåg**) go (travel) by bus (train); **~ båt** go by boat; göra en båttur go boating; **~ gratis** travel free [of charge]; **~ hiss** use the lift (amer. elevator); **~ motorcykel** ride a motor cycle; **vi åkte** [**längs**] Nygatan we went (drove resp. rode) along...; **~ sin väg** leave, go (köra äv. drive resp. ride) away; **~ i diket** drive into the ditch; **~ i fängelse** go to (be sent to) prison (jail); **jag fick ~ med honom till** stationen he gave me a lift to...; **han ska ~ till** England he will go (he's going) to...; **han åker till** England i morgon he will leave (he leaves) for...; för exempel jfr äv. *2 fara I 1* o. *köra II 1* **2** glida, halka slip, slide, glide; **~ i golvet** fall on the floor; **~ kana** slide **II** med beton. part. (jfr äv. *2 fara II* o. *köra III*)

åka av halka av slip (slide, glide) off

åka bort resa go away; **~ bort över helgen** go away for the weekend

åka dit vard., bli fast be (get) caught, get nailed; sport., förlora lose

åka efter a) itr. go (köra drive, som passagerare ride) behind **b)** tr., **~ efter** hämta **ngn** go (köra drive, som passagerare ride) and (to) fetch sb

åka fast vard. be (get) caught [*för* for]; **~ fast för fusk** be caught cheating; **du kommer att ~ fast!** you're going to get caught!

åka fram glida fram slip etc. forward

åka förbi go etc. past (by); passera pass

åka hit och dit halka slide (glide) about

åka ifrån ngn bort från go away from sb, leave sb [behind]; genom överlägsen hastighet drive ahead of sb

åka in i fängelse get into (be sent to) prison; glida in slip (slide, glide) in

åka med: låta **ngn** [**få**] **~ med** give sb a lift; **få ~ med** get a lift; **får jag ~ med?** can I have a lift?; **ska du ~ med?** are you coming (resp. going) with us (me etc.)?, can I (we etc.) give you a lift?

åka ned glida ned slip (come, glide) down; hissen **åkte ned** ...went down; **~ ned i** diket go (köra drive) into...; **~ ned till** Skåne go etc. down to...

åka om ngn overtake..., pass...

åka omkull [**på cykel** (**på skidor**)] fall [off one's bicycle (while skiing)]

åka på a) **~ på ngn** kollidera med run (drive resp. ride) into sb **b)** tr., **~ på** vard., råka ut för: **~ på en blåsning** bli lurad be swindled (cheated, diddled); **~ på en förkylning** catch [a] cold; **~ på stryk** get a beating, sport. take a beating

åka upp a) glida upp slip etc. (om t.ex. kjol) ride up **b)** öppna sig slip etc. (come) open, open **c)** hissen **åkte upp** ...went up

åka ur come (slip) out; **~ ur division 1** sport. be relegated from (amer. drop out of) the first division

åka ut a) eg. go (köra drive) out **b)** bildl., bli avlägsnad: om person be turned (kicked, thrown) out, om sak be got rid of

åkalla *vb tr* (~de, ~t) invoke

åkallan *s* (=, en) invocation

åkarbrasa *s* (~n, -brasor), **göra en ~** slap one's arms against one's sides [to keep warm]

åkare *s* (~n, =) **1** åkeriägare haulage contractor, haulier, amer. hauler **2** sport.: tävlingsförare driver; skidåkare skier; skridskoåkare skater

åker s (~n, åkrar) åkerjord arable (tilled) land; åkerfält field; ~ **och äng** arable and pasture land; **ute på ~n** out in the field[s pl.]
åkerbruk s (~et, =) agriculture, farming
åkerbär s (~et, =) bot. 'arctic' raspberry
åkeri s (~et, ~er) firm of haulage contractors, road carriers pl., hauliers pl.; amer. hauler
åkerjord s (~en, ~ar) se *åker*
åkerlapp s (~en, ~ar) patch of [arable] land
åkersenap s (~en) bot. field (wild) mustard, charlock
åkersork s (~en, ~ar) zool. field vole
åkervinda s (~n) bot. [field] bindweed
åklagare s (~n, =) prosecutor; **allmän** ~ public prosecutor; amer. prosecuting (district) attorney, vard. DA
Åklagarmyndigheten the Swedish Prosecution Authority
åkomma s (~n, åkommor) complaint [*i in*]
åkpåse s (~n, -påsar) i barnvagn toes muff
åksjuk adj (~t) travel-sick
åksjuka s (~n) travel (motion) sickness
åktur s (~en, ~er) drive, ride; jfr *åka I 1*; **ta en** ~ go for a drive (a ride, med bil äv. a spin)
ål s (~en, ~ar) fisk eel; havs~ conger [eel]
åla vb itr o. vb rfl (~de, ~t), ~ [**sig**] worm one's way, crawl along
Åland the Åland Islands pl.; **Ålands hav** the Åland Sea
ålder s (~n, åldrar) age äv. epok; om sak äv. antiquity; **ha ~n inne** be old enough [*för att to*]; vara myndig be of age; **uppnå en hög** ~ live to (reach) a great age, live to be very old; **böjd av** ~ bent with age; personer **av (i) alla åldrar** ...of all ages; **efter** ~ according to age; i tjänsten according to seniority; hon är lång **för sin** ...for her age; **i en** ~ **av 70 år** at the age of 70, at 70 years of age; **han är i min** ~ he is my age; barn **i ~n 10–15 år** ...between 10 and 15 years of age, ...aged between 10 and 15; tre barn **i åldrarna 8, 10 och 12 år** vanl. ...aged 8, 10, and 12; **på ~ns (sin ~s) höst** in the autumn of his (resp. her) life; **vid min** ~ at my age; **vid 15 års** ~ vanl. at the age of 15
ålderdom s (~en) old age, age; **långt in i ~en** el. **in i sena ~en** well into one's old age; **på ~en** in one's old age
ålderdomlig adj (~t) gammal old; gammaldags old-fashioned, old-time...
ålderdomshem s (~met, =) old people's home
ålderdomssvag adj (~t) infirm, old and weak, decrepit
ålderdomssvaghet s (~en) infirmity, weakness due to old age
åldersdemens s (~en) med. senile dementia
åldersdiabetes s (~en el. =) med. adult-onset diabetes
åldersdiskriminering s (~en) ageism
åldersfixerad adj (-fixerat, ~e) age-fixated; **hon är** ~ she has an age fixation
åldersfläckar s pl age spots
åldersforskning s (~en) gerontology
åldersgrupp s (~en, ~er) age group (bracket)
åldersgräns s (~en, ~er) age limit
åldersklass s (~en, ~er) age class (group)
ålderskrämpa s (~n, -krämpor) infirmity of (ailment due to) old age

ålderspension s (~en, ~er) retirement (vard. old-age) pension
åldersskillnad s (~en, ~er) difference in (of) age
åldersskäl s (~et, =), **av** ~ for reasons of age
åldersstreck s (~et, =), **falla för ~et** nå pensionsåldern reach retiring age
ålderstecken s (-tecknet, =) mark (sign) of old age
ålderstigen adj (-stiget, -stigna) old äv. om sak; åldrad aged; han är **ganska** ~ ...fairly advanced in years
åldrad adj (åldrat, ~e) aged; ~ **i förtid** old before one's time
åldrande I adj (oböjl.) aging **II** s (~t) aging, growing old
åldras vb itr dep (åldrades, åldrats) age, grow old[er]
åldrig adj (~t) aged, old
åldring s (~en, ~ar) person old man (resp. lady el. woman), geriatric; **~ar** äv. old people
åldringsvård s (~en) geriatric care (nursing); amer. äv. eldercare
åligga vb itr (-låg, -legat) om t.ex. plikt, kostnader fall on; **det åligger honom att** + inf. it is his duty to + inf.
åliggande s (~t, ~n) plikt duty; skyldighet obligation; uppgift task; ämbets~ function
ålägga vb tr (-lade, -lagt) anbefalla enjoin; pålägga, t.ex. en uppgift impose [*ngn ngt* i båda fallen sth on sb]; ~ **ngn ett ansvar** lay...on sb; ~ **ngn att** + inf. enjoin (beordra order, instruct, förplikta bind, ådöma charge) sb to + inf.
åläggande s (~t, ~n) injunction, order
åländsk adj (~t) of Åland; attr. äv. Åland...
ålänning s (~en, ~ar) Ålander, inhabitant of Åland
åma vb rfl (~de, ~t), ~ **sig** vard., göra sig till show off; sjåpa sig make a fuss, put it on
åminnelse s (~n) commemoration; minne memory; hågkomst remembrance; **till ~ av** in commemoration osv. of
ånej interj oh no!
ånga I s (~n, ångor) allm. steam (endast sg.); dunst vapour (endast sg.); utdunstning exhalation; **ångor** dunster fumes; **få upp ~n** get (pick) up steam äv. bildl.; **ha ~n uppe** have steam up; bildl. be in full swing; **hålla ~n uppe** keep up steam äv. bildl. **II** vb itr o. vb tr (~de, ~t) steam; itr., ryka smoke; ~ **av** svett steam with...; **det ~r om** soppan ...is steaming; **komma ~nde** vard. come along at full tilt, come rushing along; **tåget ~de in på** stationen the train steamed into...; ~ **upp** ett brev steam open...
ångare s (~n, =) steamer, steamship
ångbad s (~et, =) vapour bath
ångbåt s (~en, ~ar) steamboat; större steamer; åka [**med**] ~ go by steamer
ångbåtsbrygga s (~n, -bryggor) [steamer] landing-stage, jetty
ångbåtstrafik s (~en) steamship traffic
ånger s (~n) regret [*över at*], repentance [*över for*]; samvetskval remorse [*över for*], compunction; botfärdighet penitence [*över for*], contrition
ångerfull adj (~t) o. **ångerköpt** adj (~t) regretful, repentant [*över of*]; remorseful; penitent [*över about*]; contrite; jfr *ånger*
ångervecka s (~n, -veckor) cooling-off period, period [after date of purchase] in which you have the right to cancel a hire purchase agreement
ångest s (~en) [state of] anxiety; vånda anguish, agony; fasa dread, terror; fruktan fear

ångestdämpande *adj* (oböjl.), **~ medicin** ataractic drug

ångestfylld *adj* (-fyllt) anxiety-ridden, …filled with anguish (agony), agonized, anguished

ångfartyg *s* (~et, =) steamship (förk. S/S, S.S.)

ångkoka *vb tr* (~de, ~t) kok. steam

ångkraft *s* (~en) steam power; maskinen **drivs med ~** …is driven by steam

ånglok *s* (~et, =) steam engine

ångmaskin *s* (~en, ~er) steam engine

ångpanna *s* (~n, -pannor) [steam] boiler

ångra I *vb tr* (~de, ~t) repent, regret, be sorry for; **jag ~r att jag gjorde det** I regret doing it; **det här ska du få ~** you'll be sorry for this; **det ska du inte behöva ~** you will regret it **II** *vb rfl* (~de, ~t), **~ sig** känna ånger regret it, be sorry, repent it; komma på andra tankar change one's mind

ångstrykjärn *s* (~et, =) steam iron

ångturbin *s* (~en, ~er) steam turbine

ångvissla *s* (~n, -visslor) steam whistle

ångvält *s* (~en, ~ar) steamroller

ånyo *adv* åter afresh, anew; än en gång [once] again; **~ bekräfta** (**granska** osv.) äv. reaffirm (re-examine osv.)

år *s* (~et, =) year; i ex.: **a)** utan föreg. prep.: **~[et] 2010** som t.ex. subj. el. obj. the year 2010; han dog **~ 1991** …in [the year] 1991; **förra ~et** last year; **ett halvt ~** vanl. six months; **ett och ett halvt ~** vanl. eighteen months; **vart fjärde ~** every four years, every fourth year; **se ut som sju svåra ~** vard. look like death warmed up; **hon fyller ~ i morgon** tomorrow is her birthday; **han fyllde femtio ~ i går** he was fifty yesterday; **han är tjugo ~** he is twenty [years old]; **~et efter** the year after, the following year; **~et om** (**runt**) all the year round; **~ ut och ~ in** year in, year out; hon ska stanna här **~et ut** …till the end of the year; förrådet **kommer att räcka ~et ut** äv. …will last the year out; **så här ~s** at this time of [the] year; **ett två ~s** (**två ~ gammalt**) **barn** a two-year-old child, a child of two; **tre ~s fängelse** three years' imprisonment; **~ets skörd** this year's harvest **b)** med föreg. prep.: **~ efter ~** year after year; **~ från** (**för**) **~** year by year; sista gången **för ~et** ([**för**] **i ~**) …this year; **för tio ~ sedan** ten years ago; hon hör sämre och sämre **för varje ~** …every year, …with every year that passes; **i ~** this year; **i alla ~** through all the years; **i två ~** [for] two years, nu gångna äv. the last two years, nu kommande äv. the next two years; **i många ~** for many years [om framtid to come]; **en man i sina bästa ~** a man in the prime of life (in his prime); **med ~en** over the years, as the years go (resp. went) by; **om ett ~** in a year['s time], this time next year; **i dag om ett ~** this day next year; några dagar **om ~et** …every (a) year; två gånger **om ~et** …a year; jag har inte sett honom **på många ~** …for (in) many years; för första gången **på många ~** …for (in) many years; **på** (**under**) **senare ~** in recent years, of late years; **på** (**under**) **de senaste ~en** in (during) the last few years; **ett barn på fyra ~** ett fyra års barn a child of four; **längre fram på ~et** later [on] in the year; jag har inte sett henne **på ~ och dag** …for years [and years]; **han börjar bli till ~en** he is getting on (old); **under ~ens lopp** in the course of time, over the years; **vid mina ~** at my age, at my time of life; **dö vid unga ~** die young

åra *s* (~n, åror) oar; mindre scull; paddel~ paddle

åratal *s* (oböjl.), **i** (**på**) **~** for years [and years]

årblad *s* (~et, =) blade of an (resp. the) oar

åretruntplagg *s* (~et, =) all-the-year-round garment

årgång *s* (~en, ~ar) **1** av tidskrift [annual] volume; **2009 års ~ av** tidningen the 2009 issue of… **2** åldersklass o.d.: **studenter av ~** 2006 2006… **3** av vin vintage

årgångsvin *s* (~et, ~er) vintage wine

århundrade *s* (~t, ~n) century

årklyka *s* (~n, -klykor) rowlock; amer. oarlock

årlig *adj* (~t) annual, yearly; **10 % ~ ränta** äv. 10% per annum interest

årligen *adv* annually, yearly; **två gånger ~** twice a year; **det inträffar ~** it happens every year; **~ återkommande** annual

årsavgift *s* (~en, ~er) allm. annual charge; i förening o.d. annual subscription

årsberättelse *s* (~n, ~r) annual report

årsbesked *s* (~et, =) annual statement; lönebesked [annual] salary statement

årsbok *s* (~en, -böcker) year-book, annual; ekon. annual accounts book

årsbästa *s* (ett ~, pl. =) sport., hans **~** his best time (result etc.) this year

årsdag *s* (~en, ~ar) anniversary [av of]

årsförbrukning *s* (~en, ~ar) annual consumption; **vinna en ~ av** tvättmedel win a year's supply of…

årsgammal *adj* (~t, -gamla) one year old; **en ~ unge** om djur äv. a yearling

årsinkomst *s* (~en, ~er) annual (yearly) income (förtjänst profit)

årsklass *s* (~en, ~er) age class (group); **~en 2009** mil. the 2009 class

årskontrakt *s* (~et, =) contract by the year

årskort *s* (~et, =) annual (yearly) season-ticket; medlemskort annual membership card

årskull *s* (~en, ~ar) age group; t.ex. studenter batch [med of framför följande subst.]; **de stora ~arna** på t.ex. 1940-talet the bulge sg. [in the birthrate]

årskurs *s* (~en, ~er) skol. form; amer. grade

årslång *adj* (~t), **~a** fleråriga **förberedelser** [many] years of preparations; **en ~** ett år lång **kamp** a yearlong struggle

årslön *s* (~en, ~er) annual (yearly) salary; **ha** 240 000 kronor **i ~** have an annual income of…

årsmodell *s* (~en, ~er), **en bil av senaste ~** a car of the latest model

årsmöte *s* (~t, ~n) annual meeting

årsring *s* (~en, ~ar) bot. annual ring

årsskifte *s* (~t, ~n) turn of the year

årsskrift *s* (~en, ~er) annual, yearbook

årsslut *s* (~et, =) end of the year

årstid *s* (~en, ~er) season, time of the year

årtag *s* (~et, =) stroke [of an (resp. the) oar (the oars)]

årtal *s* (~et, =) date, year

årtionde *s* (~t, ~n) decade

årtull *s* (~en, ~ar) rowlock; amer. oarlock

årtusende *s* (~t, ~n) millennium (pl. milleniums el. millennia); **ett ~** vanl. a thousand years; **årtusenden** vanl. thousands of years

ås *s* (~en, ~ar) geol. el. byggn. ridge

åsamka I *vb tr* (~de, ~t) vålla cause, occasion, bring about **II** *vb rfl* (~de, ~t), **~ sig** ådra sig incur, bring down…on oneself

åse *vb tr* (-såg, -sett) betrakta watch; bevittna witness
åsido *adv* on one side, aside; *lämna* ngt ~ leave…on one side (out of consideration); *skämt ~!* joking apart!
åsidosatt *adj* (=), *känna sig* ~ feel slighted
åsidosätta *vb tr* (-satte, -satt) inte beakta disregard, set aside; försumma neglect, ignore; ~ *lagen* override (set aside) the law; se äv. *åsidosatt*
åsikt *s* (~en, ~er) view, opinion [*om* of, about, om sak äv. on]; *de har olika ~er* they are of different opinions, they hold different views; *vara av den ~en att…* äv. hold that…, take the view that…; *enligt min* ~ in my opinion
åsiktsfrihet *s* (~en) freedom of opinion
åsiktsförföljelse *s* (~n, ~r) o. **åsiktsförtryck** *s* (~et) [the] suppression of free opinion
åsiktsregistrering *s* (~en, ~ar) polit. registration of political opinions (affiliations)
åsiktsutbyte *s* (~t, ~n) exchange of views (opinions)
åska I *s* (~n, åskor) thunder äv. bildl.; åskväder thunderstorm; ~*n går* it is thundering, there is a thunderstorm, there is thunder [and lightning]; ~*n har slagit ned i* trädet the lightning has struck…; *det är ~ i luften* there is thunder in the air äv. bildl. **II** *vb itr* (~de, ~t), *det ~r* it is thundering
åskby *s* (~n, ~ar) thundershower, thundersquall
åskfront *s* (~en, ~er) meteor. thundery front
åskknall *s* (~en, ~ar) thunderclap
åskledare *s* (~n, =) lightning conductor
åskmoln *s* (~et, =) thundercloud; *han var som ett* ~ he had a face like (as black as) thunder
åsknedslag *s* (~et, =) stroke of lightning
åskregn *s* (~et, =) thundery rain
åskrädd *adj* (neutrum undviks) …afraid of thunderstorms
åskskräll *s* (~en, ~ar) thunderclap
åskskur *s* (~en, ~ar) thundershower
åskväder *s* (-vädret, =) thunderstorm
åskådare *s* (~n, =) spectator; mera passiv onlooker, looker-on (pl. lookers-on); mera tillfällig bystander; *åskådarna* publiken: på teater o.d. the audience; vid idrottstävling vanl. the crowd (båda sg.); *bli ~ till ngt* witness sth
åskådarläktare *s* (~n, =) på idrottsplats o.d. [grand]stand
åskådlig *adj* (~t) klar clear, lucid; målande, om t.ex. skildring graphic; tydlig perspicuous
åskådliggöra *vb tr* (-gjorde, -gjort) make…clear; belysa illustrate [*med* by]
åskådlighet *s* (~en) clarity, lucidity; tydlighet i beskrivning graphicness, perspicuity
åskådning *s* (~en, ~ar) sätt att se outlook; uppfattning opinions pl., views pl.; ståndpunkt attitude; friare way of thinking
åsna *s* (~n, åsnor) donkey, ass (båda äv. neds. om person); *envis som en* ~ stubborn as a mule; *som en ~ mellan två hötappar* like Buridan's ass, like a donkey between two bundles of hay
åsneaktig *adj* (~t) ass-like, asinine äv. bildl.
åsneföl *s* (~et, =) ass's (donkey's) foal (colt)
åsnesto *s* (~et, ~n) o. **åsninna** *s* (~n, åsninnor) she-ass
åstad *adv* iväg off; *bege sig* ~ go away (off), set out (off), leave; *gå ~ och…* go [off] and…
åstadkomma *vb tr* (-kom, -kommit) få till stånd bring

about; förorsaka cause, make; frambringa produce; prestera achieve, accomplish; ~ *buller* (*stor skada*) make a noise (make great havoc); ~ *underverk* work wonders
åsyfta *vb tr* (~de, ~t) allm. aim at; ha till mål äv. have…in view; avse, mena äv. intend, mean [*med* by]; hänsyfta på äv. refer (allude) to; *det är mig de ~r* it is me they are referring to
åsyftad *adj* (-syftat, ~e), *ha ~ verkan* have (produce) the desired effect
åsyn *s* (~en) sight; *hans blotta* ~ the mere (very) sight of him; *i allas* ~ in full view of all (everybody); *i faderns* ~ under the very eyes of his (her etc.) father; *vid ~en av…* at the sight of…
åsyna *adj* (oböjl.), ~ *vittne* eyewitness [*till* of]
åt I *prep* (se också under andra uppslagsord som konstrueras med *åt*, t.ex. *utlopp* för uttrycket *ge utlopp åt*) **1** anger riktning, till to; mot towards, in the direction of; *han tog sig ~ huvudet* his hand went to his head; ~ *alla håll* [*och kanter*] in all directions; ~ *höger* to the right; *rummet ligger ~ norr* …faces north; segla ~ *norr* …north (northward[s]); *gå ~ sidan* step aside; ~ *staden till* riktning towards the town **2** anger indirekt objekt, t.ex. vem man ger eller säger något till, vanligen to; för ngn[s räkning] vanl. for; *ge ngt ~ ngn* give sth to sb, give sb sth; *göra* (*skaffa*) *ngt ~ ngn* do (get) sth for sb; *köpa ngt ~ ngn* buy sth for sb, buy sb sth; *jag ska laga rocken ~ dig* I'll mend your coat [for you]; *säga ngt ~ ngn* say sth to sb, tell sb sth **3** anger vad el. vem en rörelse o.d. är avsedd för at, to; *nicka ~ ngn* nod at (to) sb; *ropa ~ ngn* call out to sb; *skratta ~* laugh at **4** *det är ingenting att göra ~ det* it cannot be helped, there is nothing to be done **5** *han jämrade sig så det var hemskt ~ det* it was terrible the way… **6** *två ~ gången* two at a time
II *adv* hårt tight; *skruva* etc. ~ screw etc.…tight, tighten; (se också betonad partikel under respektive verb, t.ex. *säga åt* under *säga III*)
åta *vb rfl* (-tog, -tagit), ~ *sig* ta på sig undertake, take upon oneself [*att* + inf. to + inf.]; ansvar o.d. äv. take on, assume; ~ *sig en ansvarsfull post* accept (take on)…; *han åtog sig saken* he took the matter in hand, he took on the matter
åtagande *s* (~t, ~n) undertaking; förpliktelse äv. commitment, engagement
åtal *s* (~et, =) av åklagare prosecution, indictment; av målsägare [legal] action; *allmänt* ~ public prosecution; *enskilt* ~ private action; *väcka* ~ take (start) [legal] proceedings; om åklagare äv. start a prosecution, bring in an indictment; om målsägare äv. bring an action [*mot ngn för ngt* i samtliga fall against sb for sth]
åtala *vb tr* (~de, ~t) om åklagare prosecute, indict; om målsägare bring an action against; *bli ~d för stöld* be prosecuted for theft; *han är* (*står*) ~*d för rattfylleri* he has been prosecuted for drink-driving
åtalbar *adj* (~t) jur. indictable, actionable
åtalseftergift *s* (~en, ~er) jur.; ung. nolle prosequi lat.; åklagaren *beviljade* ~ …abstained from prosecuting the case; *han fick* (*beviljades*) ~ the charge brought against him was withdrawn
åtanke *s* (~n), *ha ngn* (*ngt*) *i* ~ remember sb (sth), bear sb (sth) in mind; *den som närmast kommer i* ~ the one who most readily comes to mind, the likeliest person

åtbörd *s* (~en, ~er) gesture, motion; **göra ~er** gesticulate, gesture

åter *adv* **1** tillbaka back [again]; **fram och ~** dit och ~ there and back; av och an to and fro **2** ånyo, igen again, once more; uttrycks vid många vb med prefixet re-, jfr ex. nedan, samt *återanpassa* m.fl. verb; **nej och ~ nej** no, and no again!; no, a thousand times, no!; **tusen och ~ tusen fåglar** thousands upon thousands of birds; **nu är han ~ här** now he is here again; **han gick ~ in i rummet** äv. he re-entered the room; **skolan öppnas ~** vanl. school reopens (will be reopened) **3** däremot again; å andra sidan on the other hand

återanpassa I *vb tr* (~de, ~t) rehabilitera rehabilitate **II** *vb rfl* (~de, ~t), **~ sig** readjust oneself [*till* to]

återanpassning *s* (~en, ~ar) rehabilitation

återanskaffningsvärde *s* (~t, ~n) försäkr. replacement value

återanställa *vb tr* (-ställde, -ställt) re-engage, re-employ

återanvända *vb tr* (-vände, -vänt) use...again, re-use, re-utilize; tekn., t.ex. skrot recycle

återanvändning *s* (~en) re-use, re-utilization; tekn., t.ex. av skrot recycling

återberätta *vb tr* (~de, ~t) retell; i ord återge relate

återbesätta *vb tr* (-satte, -satt) **1** mil. reoccupy **2** tjänst o.d. refill

återbesök *s* (~et, =) nästa besök (hos läkare) next visit (appointment); **göra ett ~** make another visit

återbetala *vb tr* (~de, ~t el. -betalt) repay, pay back; pengar, lån äv. refund; gottgöra [ngn] reimburse; **lånet ska ~s efter fem år** vanl. the loan is repayable...

återbetalning *s* (~en, ~ar) repayment; av pengar, lån refund; gottgörelse reimbursement

återblick *s* (~en, ~ar) retrospect (endast sg.) [*på* of]; i bok, film o.d. flashback [*på* to]; **göra (kasta) en ~ på det förflutna** look back upon..., view (look at)...in retrospect

återbruk *s* (~et) se *återanvändning*

återbud *s* (~et, =) till inbjudan excuse; avbeställning cancellation; se äv. ex.; **få ~ från köpare** o.d. receive a cancellation; **vi fick flera ~** till t.ex. middag several people [sent word that they] could not come; **lämna ~ till middagen** send word (ringa ~ phone) to say that one cannot come to the dinner; **lämna ~ till tandläkaren** cancel one's appointment with the dentist

återbäring *s* (~en, ~ar) allm. refund; hand. rebate; försäkr. dividend, bonus

återbörda *vb tr* (~de, ~t) restore [*till* to]; **~ ngn till hemlandet** repatriate sb

återerövra *vb tr* (~de, ~t) recapture, reconquer, win back

återerövring *s* (~en, ~ar) recapture, reconquest

återfall *s* (~et, =) allm. relapse [*i* into]; i t.ex. sjukdom, missbruk o.d. äv. recurrence; **få ~** have a relapse

återfalla *vb itr* (-föll, -fallit) **1** i synd, till brottslighet o.d. relapse [*i* (*till*) into] **2** falla tillbaka, **skulden återfaller på honom** ...recoils upon him

återfallsförbrytare *s* (~n, =) relapsed criminal, recidivist

återfinna *vb tr* (-fann, -funnit) find...again; återfå recover; spec. ngt förlorat retrieve; **adresser återfinns på sid. 9** for addresses, see page 9; **citatet återfinns på sid. 27** ...is to be found on page 27; **namnen återfinns i följande förteckning** the names are given...

återfå *vb tr* (-fick, -fått) allm. get...back; t.ex. hälsa, medvetande recover, regain; aptiten äv. pick up; **~ krafterna** regain one's strength, recuperate; **plånboken ~s mot beskrivning** the wallet can be recovered on giving its description

återfärd *s* (~en, ~er) journey back; **på (under) ~en** on one's (the) way back

återföra *vb tr* (-förde, -fört) eg. bring...back; **~ till makten** restore to power

återförena *vb tr* (~de, ~t) reunite; **~ sig med...** rejoin...

återförening *s* (~en, ~ar) reunion; **Tysklands ~** the reunification of Germany

återföring *s* (~en, ~ar) tekn. return, resetting; data. el. friare feedback

återförsäkra *vb tr* (~de, ~t) reinsure; **~ sig mot ngt** bildl. reinsure against sth

återförsäljare *s* (~n, =) detaljist retailer, retail dealer, distributor; **pris för ~** trade price

återge *vb tr* (-gav, -gett el. -givit) o. **återgiva** *vb tr* (-gav, -gett el. -givit) **1** tolka render; framställa äv. reproduce, represent; uttrycka äv. express; skildra depict; **~ ett rykte** report a rumour; **~ ngt i tryck** reproduce sth in print; **~ en berättelse på svenska** render...in Swedish **2** ge tillbaka, **~ ngn friheten** restore sb to liberty; **~ ngn hälsan** restore (bring back) sb's health, restore (bring back) sb to health

återgivande *s* (~t, ~n) o. **återgivning** *s* (~en, ~ar) (jfr *återge 1*); rendering, reproduction, representation, depiction

återgå *vb itr* (-gick, -gått) **1** återvända go back, return; till ämnet, till sitt ursprungliga tillstånd äv. revert [*till* i samtliga fall to] **2** hand., gå tillbaka (om varuparti o.d.) be returned; **~ i ngns ägo** revert to sb **3** upphävas be cancelled (annulled); **låta ett köp ~** cancel a purchase

återgång *s* (~en, ~ar) **1** återvändande return **2** jur.: av egendom reversion; av köp cancellation, annulment; **~ av äktenskap** nullity of marriage **3** bildl., se *tillbakagång*

återgälda *vb tr* (~de, ~t) återbetala repay; gengälda äv. return, reciprocate; **~ ont med gott** return good for evil

återhållen *adj* (-hållet, -hållna), **med ~ andedräkt** with bated breath; **med ~ rörelse (vrede)** with suppressed emotion (anger)

återhållsam *adj* (~t, ~ma) behärskad restrained; måttfull moderate, temperate; i mat o. dryck äv. abstemious

återhållsamhet *s* (~en) behärskning restraint; måttfullhet moderation, temperance

återhämta I *vb tr* (~de, ~t) ekon. recover; **~ sina krafter** recover (regain) one's strength, recuperate **II** *vb rfl* (~de, ~t), **~ sig** recover [*efter, från* from]; **~ sig snabbt** make a quick recovery

återhämtning *s* (~en) recovery, revival

återigen *adv* again; å andra sidan on the other hand

återinföra *vb tr* (-förde, -fört) allm. reintroduce; varor reimport

återinsätta *vb tr* (-satte, -satt) reinstate [*i* t.ex. ett ämbete in, t.ex. rättigheter to]

återinträda *vb itr* (-trädde, -trätt), **~ [i FN]** re-enter [the UN]; **~ i styrelsen** äv. rejoin...; **~ i tjänst** resume one's duties; **~ i sitt ämbete** return to...

återinträde s (~t, ~n) re-entry [i into]; resumption [i of]; return [i to]; jfr *återinträda*

återkalla vb tr (~de, ~t) **1** kalla tillbaka call…back; t.ex. ett sändebud recall; ~ *barndomen i minnet* call up scenes of childhood; ~ *ngn till livet* (*verkligheten*) bring sb back to life (reality); ~ *ngn till medvetande* restore sb to consciousness **2** ställa in cancel; t.ex. befallning, tillstånd äv. revoke; erbjudande, ansökan withdraw

återkasta vb tr (~de, ~t) fys.: ljus reflect; ljud re-echo; *~s från…* om ljud resound from…

återklang s (~en, ~er) bildl. echo [av of]

återknyta vb tr (-knöt, -knutit) förbindelser re-establish; vänskap renew; umgänge resume; ~ *till* vad man tidigare sagt refer (go back) to…

återkomma vb itr (-kom, -kommit) return äv. bildl., come back; jfr *komma tillbaka* under *2 komma III*; denna tanke *återkommer ofta i hans arbeten* …frequently recurs in his works; ett sådant tillfälle *återkommer aldrig* äv. …will never come back; *vi ber att få* ~ höra av oss you will hear from us again, we will contact you later on

återkommande adj (oböjl.) regelbundet recurrent; *ofta* ~ frequent

återkomst s (~en, ~er) return; *Kristi* ~ the Second Advent (Coming)

återkoppling s (~en, ~ar) tekn., elektr. el. bildl. feedback

återkräva vb tr (-krävde, -krävt) reclaim; lån call in

återköp s (~et, =) repurchase

återlämna vb tr (~de, ~t) se *lämna tillbaka* under *lämna II*

återlösa vb tr (-löste, -löst) teol. redeem

återmarsch s (~en, ~er) march back; återtåg retreat

återremittera vb tr (~de, ~t) refer…back, recommit, remit…for reconsideration

återresa s (~n, -resor) journey back; *på ~n* on one's (the) way back

återse vb tr (-såg, -sett) see (träffa meet)…again; ~ *varandra* äv. meet again

återseende s (~t, ~n) reunion; *ett kärt* ~ a fond reunion; *på ~!* vard. be seeing you!, see (catch) you later!

återsken s (~et) reflection

återspegla vb tr (~de, ~t) reflect, mirror båda äv. bildl.

återspegling s (~en, ~ar) reflection

återstod s (~en, ~er) rest, remainder; ekon. el. amer. äv. balance; lämning remnant, remains pl.; *~en av* förmögenheten vanl. the remainder (residue) of…

återstå vb itr (-stod, -stått) remain; vara kvar äv. be left [over]; *det ~r att bevisa* it remains to be proved; *det ~r för mig endast att tacka er* it only remains for me to thank you; *det ~r ännu* tio minuter there are still…left (to go); *det ~r* tio lådor *att leverera* there remain[s]…to be delivered; *det värsta ~r* the worst is still to come; att göra the worst still remains to be done (att säga to be said)

återstående adj (oböjl.) remaining; *hans ~ dagar* the rest (remainder) of his days (life)

återställa vb tr (-ställde, -ställt) **1** försätta i sitt förra tillstånd restore; återupprätta re-establish; iståndsätta repair; ~ *ngt i dess tidigare* (*forna*) *skick* restore sth to its former condition; ~ *jämvikten* redress the balance; ~ *ordningen* restore [public] order; jfr äv. *återställd 2* återlämna restore, return

återställare s (~n, =) vard. pick-me-up, bracer; *han*

tog [*sig*] *en* ~ äv. he took a hair of the dog [that bit him]

återställd adj (-ställt), *han är* [*fullt*] ~ *efter* sin sjukdom he is [quite] restored after…, he has [quite] recovered from…; *han är alldeles* ~ vanl. he has quite recovered

återställningsknapp s (~en, ~ar) reset button

återställningstecken s (-tecknet, =) mus. natural

återsända vb tr (-sände, -sänt) send back, return

återta vb tr (-tog, -tagit) **1** eg. take back; återerövra recapture; återvinna recover **2** återuppta, återgå till resume; ~ *befälet* resume command **3** återkalla withdraw, cancel; löfte, bekännelse retract

återtåg s (~et, =) mil. retreat; *anträda ~et* beat a retreat; *vara stadd på* ~ be in (on the) retreat äv. bildl.

återuppbygga vb tr (-byggde, -byggt) o. **återuppföra** vb tr (-förde, -fört) rebuild, reconstruct

återuppleva vb tr (-levde, -levt el. -levat), ~ *sitt liv* live one's life over again

återuppliva vb tr (~de, ~t) allm. bring…back to life, revive; drunknad äv. resuscitate; bekantskap renew; ~ *minnet av ngt* recall sth [to mind]; ~ *gamla minnen* revive (bring back) old memories

återupplivningsförsök s (~et, =) attempt (effort) at resuscitation; *göra* ~ *på ngn* make an attempt to bring sb back to life

återupprepa vb tr (~de, ~t) repeat […again], reiterate

återuppringning s (~en, ~ar) tele. ringback; amer. automatic (auto) redial

återupprätta vb tr (~de, ~t) på nytt upprätta re-establish, restore; ge upprättelse åt rehabilitate

återupprättelse s (~n, ~r) rehabilitation

återuppstå vb itr (-stod, -stått) rise again, be resurrected; friare be revived, emerge again; ~ *från de döda* rise from the dead

återuppståndelse s (~n) resurrection

återuppta vb tr (-tog, -tagit) resume, take up…again; ~ *arbetet* resume (recommence) [one's] work; ~ *förhandlingarna* reopen the negociations; ~ *ett mål* jur. reopen (retry) a case

återupptäcka vb tr (-täckte, -täckt) rediscover

återuppväcka vb tr (-väckte, -väckt) reawaken, revive; ~ *ngn från de döda* raise sb from the dead

återval s (~et, =) re-election

återverka vb itr (~de, ~t) react, have repercussions [på on]

återverkan s (=, en, -verkningar) o. **återverkning** s (~en, ~ar) repercussion, effect [på on]

återvinna vb tr (-vann, -vunnit) eg. win back; återfå recover, regain; ngt förlorat äv. retrieve; avfall, mark reclaim; t.ex. papper, metall recycle; ~ *ngns förtroende* (*kärlek*) regain sb's confidence (love)

återvinning s (~en) av avfall, mark reclamation; av t.ex. papper, metall recycling

återvinningsanläggning s (~en, ~ar) recycling plant

återvinningsbar adj (~t) recyclable

återvinningspapper s (~et el. -pappret, =) recycled paper

återväg s (~en) way back; *på ~en* blev jag… on my (the) way back…

återvälja vb tr (-valde, -valt) re-elect

återvända vb itr (-vände, -vänt) return äv. friare, turn (go, come) back; ~ *till* ett ämne äv. revert to…

återvändo s (oböjl., en), *det finns ingen* ~ there is no turning (going) back, we are at the point of no return; **utan** ~ oåterkallelig irrevocable

återvändsgata s (~n, -gator) cul-de-sac, dead-end [street]

återvändsgränd s (~en, ~er) blind alley, cul-de-sac; bildl. deadlock; **råka in i en** ~ bildl. reach a deadlock, come to (reach) a dead end

återväxt s (~en) **1** eg. regrowth, fresh (new) growth **2** bildl. coming (young) generation; **sörja för ~en inom** teatern provide…with young (fresh) talent

åtfölja vb tr (-följde, -följt) följa med accompany; som uppvaktande attend äv. friare; följa efter follow; vara bifogad till be enclosed in

åtföljande adj (oböjl.) accompanying; bifogad enclosed

åtföljd adj (-följt) accompanied, attended [av by, bildl. äv. with]; followed [av by]

åtgång s (~en) förbrukning consumption; avsättning sale; **ha stor** (**liten**) ~ sell well (badly); **strykande** ~ se under strykande

åtgången adj (-gånget, -gångna), **illa** ~ attr. …that has (had osv.) been roughly treated, …that has (had osv.) been roughly handled (badly knocked about); **pjäsen blev illa** ~ av recensenterna the play was cut to pieces (slashed) by…

åtgärd s (~en, ~er) measure; [mått o.] steg step, move; **vidta ~er** take measures (steps, action)

åtgärda vb tr (~de, ~t) attend to, take care of; **det måste vi** ~ göra något åt we must do something about it

åtgärdsprogram s (~met, =) action plan (programme); remedial measures pl.

åthutning s (~en, ~ar) reprimand; **ge ngn en** [**ordentlig**] ~ äv. give sb a good dressing-down

åthävor s pl behaviour sg., manners; **utan** ~ without a lot of fuss

åtkomlig adj (~t) som kan nås …within reach [för of]; jfr äv. tillgänglig 1; **lätt** ~ se lättåtkomlig

åtkomst s (~en, ~er) data. access

åtkomsttid s (~en, ~er) data. access time

åtlyda vb tr (-lydde el. -löd, -lytt) lyda obey; efterleva, t.ex. föreskrift observe; rätta sig efter conform to; **bli åtlydd** be obeyed; **göra sig åtlydd** make oneself obeyed, exact obedience

åtlöje s (~t, ~n) löje ridicule, derision; föremål för löje laughing stock, object of ridicule (derision); **bli till ett** ~ **i** hela staden become the laughing stock of…; **göra sig till ett** ~ make a laughing stock (a fool) of oneself, make oneself ridiculous

åtminstone adv allm. at least; minst äv. …at the least; i varje fall äv. at any rate, at all events

åtnjuta vb tr (-njöt, -njutit) allm. enjoy; respekt, sympati äv. possess; uppbära, t.ex. understöd äv. receive, be in receipt of; ~ **gott anseende** äv. have a good reputation; ~ **stor popularitet** be very popular, be in vogue

åtnjutande s (~t) enjoyment, possession; **han är** (**har kommit**) **i** ~ **av** särskilda förmåner he receives (has received)…

åtrå I s (~n) desire, craving; sexuell äv. lust [efter i samtliga fall for] **II** vb tr (~dde, ~tt) desire, crave [for]; trakta efter covet

åtråvärd adj (-värt) desirable

åtsittande adj (oböjl.) tight[-fitting]; om kläder äv. clinging

åtskild adj (-skilt) separate, separated; **hålla könen** (**raserna**) ~**a** keep the sexes (races) apart, segregate the sexes (races)

åtskillig adj (~t) **1** ~ o. ~**t** fören. a great (good) deal of, considerable, not a little; självst. a great (good) deal; ~**t skulle kunna tilläggas** äv. several things might be added; **det finns** ~**t nytt** there are a number of new things, there is a great deal that is new **2** ~**a** fören. el. självst.: flera several; några some; fören. äv.: många quite a number of, a great (good) many; olika various; **det finns** ~**a som** anser det there are several [people]…; ~**a av de närvarande** äv. quite a number of those present

åtskilligt adv a good deal; ~ **förvånad** more than somewhat surprised; ~ **över** en miljon kronor well over…

åtskillnad s (~en, ~er), **göra** ~ **mellan** make a distinction between, distinguish (differentiate) between; **utan** ~ without distinction; utan särbehandling without discrimination, indiscriminately

åtsmitande adj (oböjl.) om kläder tight[-fitting], clinging

åtstramning s (~en, ~ar) **1** eg. contraction **2** av kredit o.d. squeeze; av t.ex. ekonomin tightening[-up] (endast sg.); på börsen stiffening (endast sg.)

åtstramningspaket s (~et, =) austerity package

åtstramningspolitik s (~en) policy of austerity (restraint)

åtta I räkn eight; ~ **dagar** vanl. a week; **med** ~ **dagars mellanrum** at weekly intervals; **i dag** [**om**] ~ **dagar** this day week, a week today; jfr fem med sammansättn. **II** s (~n, åttor) eight äv. roddsport o. skridskofigur; jfr femma

åttahundra räkn eight hundred, jfr hundra med sammansättn.

åttahörning s (~en, ~ar) octagon

åttasidig adj (~t) eight-sided, octagonal; jfr fyrsidig 2

åttatimmarsdag s (~en, ~ar) eight-hour [working] day

åtti räkn vard., se åttio

åttio räkn eighty; jfr fem o. femtio med sammansättn.

åttionde räkn eightieth

åttkantig adj (~t) octagonal, eight-edged

åttonde räkn eighth; **var** ~ **dag** every (once a) week; jfr femte med sammansättn.

åttondedel s (~en, ~ar) se åttondel

åttondel s (~en, ~ar) eighth [part]; jfr femtedel

åttondelsnot s (~en, ~er) mus. quaver; amer. eighth note

åverkan s (=, en) damage [på to]; **göra** ~ **på ngt** cause (do) damage to sth

åvila vb tr (~de, ~t) vila på rest (lie) with; skatter **som** ~**r bolaget** …payable by the company

ä *s* (ä:et, ä:n el. ä) bokstav the letter ä, 'a' with two dots

äckel *s* (äcklet, =) **1** disgust, repugnance, loathing; *känna ~ inför (över) ngt* feel sick (nauseated) at sth, loathe sth, have a loathing for sth; *jag känner ~ vid blotta tanken* I feel sick with the mere thought of it **2** vard., äcklig person pig, creep, horror

äckla *vb tr* (~de, ~t) nauseate, sicken; friare disgust; *det ~r mig* äv. it makes me sick, it turns my stomach

äcklas *vb itr dep* (äcklades, äcklats) be disgusted (nauseated) [*vid* åsynen (lukten) av by (at)...; *av att* + inf. by + ing-form]

äcklig *adj* (~t) eg. nauseating; om t.ex. smak, lukt, känsla äv. sickly, sickening; vard. yucky, gross; motbjudande repulsive; vidrig disgusting, revolting

ädel *adj* (~t, ädla) allm. noble; av ~ ras thoroughbred; om metall, träslag, stenar precious; ädelmodig generous; upphöjd lofty, sublime; *av ~ börd* of noble birth; *hans ädlare känslor* his finer feelings; *ett ~t vin* a noble (splendid) wine, a wine of breeding

ädelfisk *s* (~en, ~ar) koll. game fish

ädelgas *s* (~en, ~er) kem. inert (noble, rare) gas

ädelgran *s* (~en, ~ar) silvergran silver fir

ädelmetall *s* (~en, ~er) precious metal

ädelmod *s* (~et) generosity, noble-mindedness; storsinthet magnanimity

ädelmodig *adj* (~t) generous, noble-minded; storsint magnanimous

ädelost *s* (~en, ~ar) blue (blue-veined) cheese

ädelsten *s* (~en, ~ar) precious stone; juvel gem, jewel

ädelträ *s* (~et) high-grade wood (timber); ibland hardwood

ädling *s* (~en, ~ar) litt. noble, nobleman, man of noble birth

äga I *s* (~n, ägor), *ägor* grounds; estate, property (båda sg.); se äv. *ägo*
II *vb tr* (ägde, ägt) **1** ha i sin ägo, förfoga över possess; ha have; rå om, vara verklig (rättmätig) ägare till own, be the owner of; vara i besittning av be in possession of; åtnjuta, t.ex. förtroende enjoy; inneha, t.ex. makten hold; *~ ngt gemensamt (tillsammans)* share sth, own sth in common; *allt vad jag äger [och har]* all [that] I possess (have), all my worldly possessions, all that is mine; *jag äger bilen* I am the owner of the car; *vem äger hunden?* whose dog is that? **2** friare, *~ frihet att* + inf. be at liberty (be free) to + inf.; *det äger sitt intresse* vanl. it is not without interest **3** ~ + inf.: formellt, vara berättigad (behörig) att have a (the) right (be entitled) to + inf.; vara skyldig att have (be required) to + inf.

äganderätt *s* (~en, ~er) ownership, proprietorship [*till* of]; jfr *ägare*; besittningsrätt right of possession; upphovsrätt copyright

ägare *s* (~n, =) owner; speciellt till restaurang, firma etc. proprietor; innehavare (äv. tillfällig) possessor [*av, till* i samtliga fall of]; *byta ~* äv. change hands

ägarinna *s* (~n, ägarinnor) owner, proprietress, possessor; jfr *ägare*

ägg *s* (~et, =) egg; vetensk. ovum (pl. ova); *lägga ~* lay eggs; *ruva (ligga) på ~* sit on eggs, brood

äggcell *s* (~en, ~er) anat. ovum (pl. ova)

äggformig *adj* (~t) egg-shaped; vetensk. oviform

äggklocka *s* (~n, -klockor) [egg]-timer

äggkläckningsmaskin *s* (~en, ~er) hatcher

äggkopp *s* (~en, ~ar) egg cup

äggledare *s* (~n, =) anat. Fallopian tube, salpin|x (pl. -ges), oviduct

äggledarinflammation *s* (~en, ~er) med. salpingitis (endast sg.)

ägglossning *s* (~en, ~ar) fysiol. ovulation

äggpulver *s* (-pulvret) powdered egg

äggrund *adj* (-runt) bot. ovate

äggrätt *s* (~en, ~er) egg dish

äggröra *s* (~n) scrambled eggs pl.

äggsjuk *adj* (~t), *gå omkring som en ~ höna* be in a tizzy (a flap)

äggskal *s* (~et, =) eggshell

äggsked *s* (~en, ~ar) egg spoon

äggstanning *s* (~en, ~ar) kok. baked egg

äggstock *s* (~en, ~ar) anat. ovary

äggstocksinflammation *s* (~en, ~er) med. ovaritis, oophoritis (båda endast sg.)

äggtoddy *s* (~n, ~ar el. -toddar) eggnog, egg flip

äggula *s* (~n, -gulor) [egg] yolk; *en ~* vanl. the yolk of an egg; *två äggulor* vanl. the yolks of two eggs

äggvita *s* (~n, -vitor) **1** vitan i ett ägg egg white; *en ~* vanl. the white of an egg; *två äggvitor* vanl. the whites of two eggs **2** ämne albumin; i ägg albumen, white of egg; äggviteämnen proteins pl. **3** åld. vard., sjukdomssymtom albuminuria

äggviteämne *s* (~t, ~n) protein; enkelt albumin

ägna I *vb tr* (~de, ~t) devote; högtidl. dedicate [*åt* to; *åt att* + inf. to + ing-form]; skänka, t.ex. beundran, omsorg bestow [*åt* on]; *~ intresse åt* take an interest in; *inte ~ en tanke åt...* not give...a thought; *~ sin tid åt...* devote (give) one's time to...; *~ ngt sin uppmärksamhet* give one's attention to sth **II** *vb rfl* (~de, ~t) **1** *~ sig åt* devote oneself to [*att göra ngt* doing sth]; viga sig åt dedicate oneself to; utöva: ett yrke follow; slå sig på, t.ex. en hobby, affärer take up, go in for; syssla med, t.ex. affärer be engaged in **2** *~ lämpa sig för* be suited (adapted) for (to); om sak äv. lend itself to

ägnad *adj* (ägnat, ~e) lämplig suitable, fit; med fallenhet suited, fitted, cut out [*för* i samtliga fall for]; *~ att väcka oro* liable (likely) to cause alarm

ägo *s* (oböjl., en), *ha i sin ~* possess; *komma i ngns ~* come into sb's hands; *vara (befinna sig) i ngns ~* be in sb's possession, belong to sb; *vara i privat ~* be private property (privately owned); om konstverk be in a private collection; *övergå i privat ~* pass into private ownership

ägodelar *s pl* property sg., possessions, belongings; *jordiska ~* worldly goods

äh *interj* oh!, ah!

äkta I *adj* (oböjl.) **1** mots. falsk: genuine; autentisk authentic; om konstverk äv. original...; om t.ex. porslin, silver, stenar real; ren, om t.ex. guld pure, solid; sann, verklig, om t.ex. poet, vänskap true; sannskyldig, om t.ex. skojare veritable; *det här är ~ vara* this is the real thing (vard. kosher, the real McCoy) **2** om börd, äktenskap, *~ börd* åld. legitimate birth; *~ hälft* vard. better half; *~ maka (make)* [högtidl. wedded (lawful)] wife (husband); **~ makar** husband (man) and wife, married people; **~ par** [married] couple, husband and wife; **det ~ ståndet** the married state **II** *adv* genuinely; **så ~ svenskt!** how very Swedish!; **det låter ~** it sounds genuine, it rings true **III** *vb tr* (~de, ~t) högtidl. wed, espouse

äktenskap *s* (~et, =) marriage; poet. wedlock äv. jur.; **~et** högtidl. matrimony äv. jur.; **efter tio års ~** after ten years of married life; **ingå ~ med** marry; mer formellt contract a marriage (an alliance) with; **ett barn i (ur) hans första ~** a child of his first marriage; **född inom (utom) ~et** born in (out of) wedlock

äktenskaplig *adj* (~t) matrimonial; om t.ex. plikt, rättigheter conjugal, marital; **~ lycka** married bliss; **~t samliv** married life

äktenskapsbrott *s* (~et, =) adultery

äktenskapsförmedling *s* (~en, ~ar) matrimonial agency

äktenskapsförord *s* (~et, =) jur. premarital (marriage) settlement

äktenskapshinder *s* (~hindret, =) jur. impediment to marriage

äktenskapslöfte *s* (~t, ~n) promise of marriage; **brutet ~** breach of promise

äktenskapsmäklare *s* (~n, =) o.
äktenskapsmäklerska *s* (~n, -mäklerskor) matchmaker, marriage broker

äktenskapsrådgivning *s* (~en) marriage guidance (counselling)

äktenskapsskillnad *s* (~en) jur. divorce, dissolution of marriage, decree absolute

äkthet *s* (~en) genuineness, authenticity, realness, purity; jfr *äkta I 1*

äldre *adj* (komparativ) older [*än* than]; om familjemedlemmar äv. elder; i tjänst o.d. senior [*än* to]; tidigare earlier; prior, anterior [*än* to]; ursprungligare more primitive; Sten Sture **den ~** ...the Elder; **de ~** gamla, subst. adj. the aged, i t.ex. en förening the older members; **på ~ dar var han...** as an old man (in his old age) he was...; **av ~ datum** of an earlier (rätt gammalt of ancient) date; **en ~** rätt gammal **herre** an elderly gentleman; **Englands ~** tidiga **historia** the early history of England; **~ människor ~** än andra older (rätt gamla old, elderly) people; **~ årgång** av t.ex. tidskrift old (back) volume; **det har gjort honom tio år ~** it has made him [look] ten years older; **vara ~ i tjänsten** be senior [in office]; min bror är **två år ~ än jag** ...two years older than me

äldreboende *s* (~t, ~n) bostad, ung. homes pl. designed for the elderly, sheltered accomodation

äldreomsorg *s* (~en) geriatric care

äldst *adj* (superlativ) **1** oldest; om familjemedlemmar äv. eldest; av två äv. older resp. elder; i tjänst o.d. senior; tidigast earliest; **vem är ~ av oss?** which of us is the oldest (resp. eldest, av två äv. older resp. elder)? **2** subst. adj., **de ~a** the oldest, i t.ex. en församling the Elders; **den ~e** i kår o.d. the doyen (amer. äv. dean)

älg *s* (~en, ~ar) elk; nordamerikansk moose (pl. lika)

älggräs *s* (~et) bot. meadowsweet, queen of the meadow

älgjakt *s* (~en, ~er) jagande elk-hunting, moose-hunting; expedition elk-hunt, moose-hunt

älgkalv *s* (~en, ~ar) elk (moose) calf

älgko *s* (~n, ~r) cow (female) elk (moose)

älgstek *s* (~en, ~ar) maträtt roast elk (moose)

älgtjur *s* (~en, ~ar) bull (male) elk (moose)

älska *vb tr* o. *vb itr* (~de, ~t) love; tycka om like, be [very] fond of; dyrka adore; **~ med ngn** make love to sb, have sex with sb; **han ~r att dansa** he loves dancing

älskad I *adj* (älskat, ~e) beloved; pred. äv. loved; **hans ~e böcker** his beloved (precious) books; **~e** John! ...darling!; i brev my dear..., **II** *s* (en ~, pl. ~e), **hennes ~e** her beloved (darling, älskare lover); **min ~e** my beloved (darling), i tilltal äv. my love!, sweetheart!

älskande I *adj* (oböjl.) kärleksfull loving; **en ~** förälskad **kvinna** a woman in love; **ett ~** förälskat **par** a loving couple **II** *s* (en ~, pl. =), **de ~** the lovers

älskare *s* (~n, =) lover [*till* of]; **förste ~** teat. juvenile lead, [romantic] lover; **en ~ av god litteratur** a lover of...

älskarinna *s* (~n, älskarinnor) mistress [*till* of]

älsklig *adj* (~t) intagande lovable; behaglig charming, sweet

älskling *s* (~en, ~ar) darling; som tilltal äv. love, sweetheart, sweetie; speciellt amer. honey; käresta sweetheart; favorit pet

älsklingsbarn *s* (~et, =) favourite child

älsklingsrätt *s* (~en, ~er) favourite dish

älskog *s* (~en) litt. lovemaking

älskogskrank *adj* (~t) litt. lovesick

älskvärd *adj* (älskvärt) vänlig kind, amiable; förtjusande charming

älskvärdhet *s* (~en, ~er) egenskap kindness, amiability, charm; **han var idel ~** he was all kindness (kindness itself)

älta *vb tr* (~de, ~t) upprepa go over...again and again, dwell on; **~ samma sak** vanl. be harping on the same string

älv *s* (~en, ~ar) river

älva *s* (~n, älvor) fairy, elf (pl. elves)

älvkung *s* (~en, ~ar) fairy king

älvmynning *s* (~en, ~ar) mouth of a (resp. the) river

ämbar *s* (~et, =) pail, bucket

ämbete *s* (~t, ~n) office; **inneha ett offentligt ~** hold an official position (an office); **i kraft av sitt ~** by (in) virtue of [one's] office; i egenskap av ämbetsutövare in one's official capacity

ämbetsbroder *s* (~n, -bröder) colleague; om präst fellow-clergyman; om officer fellow-officer

ämbetsman *s* (~nen, -män) [public (Government)] official

ämbetsrum *s* (~met, =) office

ämbetsverk *s* (~et, =) civil service department

ämna I *vb tr* (~de, ~t) ha för avsikt intend, mean, plan, propose, aim [samtliga med to framför följande inf.]; jfr vidare *tänka II* samt *ämnad* **II** *vb rfl* (~de, ~t), **vart ~r du dig?** where are you going (you off to)?

ämnad *adj* (ämnat, ~e) avsedd intended, meant; förutbestämd destined [*till* for]; piken var **~ åt** riktad mot **mig** ...was aimed at me

ämne *s* (~t, ~n) **1** material material; tekn., metallstycke till mynt, nycklar o.d. blank; **det finns ~ till** en stor författare **i honom** he has the makings of (is cut out to be)... **2** stoff, materia matter; t.ex. organiskt substance, stuff; **enkelt ~** element; **fasta ~n** solids; **flytande ~n** liquids; **sammansatt ~** compound **3** tema, samtals~, skol~ o.d. subject; samtals~ äv. topic; **frivilligt ~** skol. optional subject; amer. elective [subject]; **obligatoriskt ~** skol.

compulsory subject; **byta** ~ samtalsämne change the subject; **komma ifrån ~t** wander from the subject (point), digress; litteraturen **i ~t** ...on this subject; **hålla sig till ~t** keep to the subject (point, matter in question); **komma till ~t** come to the point

ämneslärare s (~n, =) specialist (subject) teacher, teacher of a special subject

ämnesområde s (~t, ~n) subject field

ämnesomsättning s (~en) fysiol. el. kem. metabolism

ämnesval s (~et, =) choice of subject

än I adv **1** se *ännu* **2** också, *om* ~ even if; fastän [even] though; **om jag ~ vore...** even if I were...; ett rum **om ~ aldrig så litet** ...however small [it may be], ...no matter how small; litt. ...be it ever so small; **hur...~** vanl. however...; oavsett hur äv. no matter how...; **hur mycket jag ~ tycker om honom** however much I like him, much as I [may] like him; **när (var) jag ~...** whenever (wherever) I...; oavsett när (var) äv. no matter when (where) I...; **vad (vem) som ~...** whatever (whoever)...; likgiltigt vad (vem) äv. no matter what (who)...; **vem han ~ må vara** whoever he may be **3** ~ **sen då?** vad är det med det då? well, what of it?; vard. so what? **4** ~**...,** ~**...** ibland...ibland... sometimes..., sometimes...; now..., now...; ena minuten...andra minuten... one moment..., the next moment...; **bli ~ varm, ~ kall** go hot and cold by turns **II** prep o. konj **1** efter komp. than; **äldre ~** older than; se äv. under *mer* **2** *annan* ~ se under *annan 3*; **annanstans (annorlunda)** ~ se under *annanstans* o. *annorlunda*

ända I s **1** (~n, ~r) ände end; yttersta del äv. extremity; spetsig ~ tip; stump bit, piece; sjö., tåg~ [bit of] rope; **~n på** stången the end of...; **nedre (övre) ~n av (på)** ngt the bottom (top) of...; **allting har en ~** there is an end to everything; **ta en ~ med förskräckelse** come to a sad end, end in disaster; **det är ingen ~ på hans klagomål** there is no end to his complaints, he is for ever complaining; resa till **världens ~** ...the ends pl. of the earth; **börja i fel (galen) ~** begin (start) at the wrong end; **börja i rätt ~** begin (start) at the right end, på rätt sätt set about it [in] the right way; [**hela**] **dagen i ~** all day long; **stå på ~** upprätt stand on end; om hår äv. bristle; **gå till ~** come to an end, run out, expire; **falla över ~** tumble (topple) over; **kasta över ~** throw...over **2** (~n, ändar) vard., persons bakdel behind, bottom; **få ~n ur vagnen** get on with it, pull one's finger out; **ge ngn en spark i ~n** give sb a kick on the behind (in the pants); **sätta sig på ~n** ramla fall on one's behind (bottom) **II** vb tr o. vb itr (~de, ~t) end; ~ **sina dagar** end one's days **III** adv längst, helt o.d. right; så långt som as far as; hela vägen all the way; jfr ex. nedan; ~ [**bort**] **till...** fram till right to...; så långt som till as far as...; hela vägen till all the way to...; **han bor ~ borta** i... he lives as far away as...; den räcker ~ **dit** [**ned (upp)**] ...right down (up) there; ~ **därnere** as far down as there; längst därnere right down there; ~ **fram till** dörren right up to...; ~ **från (ifrån)** början right from the (from the very) beginning; **han har kommit ~ från (ifrån)** Rom he has come all the way from...; **trogen ~ in i döden** faithful unto death; ~ **in i** rummet right into...; ~ **in i det sista** [right] down (up) to the very last (end); ~ **in i** vår tid right (even) up el. down to...; **våt ~ in på kroppen** soaked to the [very] skin; ~ [**ned**] **till botten**

right down to the bottom, down to the very bottom; ~ **sedan dess** ever since then; ~ **till** jul until (till)...; ~ **fram till** jul right up to...; resa ~ **till London** ...as far as (all the way to) London; **räkna ~ till tio** count up to ten; ~ **tills nu** until (till) now; hela tiden all the time till now; fram till [right] up to now; till våra dagar down to the present [time]; ~ **tills (till dess att) han...** right until (up to the moment when) he...; ~ [**upp**] **till toppen** right up to the top, to the very top; ~ **ut i fingerspetsarna** to the (his osv.) very fingertips

ändalykt s (~en) **1** vard., stuss posterior **2** åld., slut, **en sorglig ~** a tragic end

ändamål s (~et, =) purpose, end; syfte äv. object; avsikt aim, design; **~et med** resan the purpose (object) of...; **~et helgar medlen** the end justifies the means; **för detta ~** for this purpose, to this end, with this end in view; **för välgörande ~** for charitable (benevolent) purposes; detta gjordes **för ett bestämt ~** ...for a special purpose, ...with a special object

ändamålsenlig adj (~t) ...[well] suited to its purpose, suitable; lämplig expedient, appropriate; praktisk practical

ändas vb itr dep (ändades, ändats) end, terminate [på in, with]

ände s (~n, ändar) se *ända I*

ändelse s (~n, ~r) språkv. ending, suffix, termination

ändhållplats s (~en, ~er) terminus (pl. termini el. terminuses)

ändlig adj (~t) finite, limited

ändlös adj (~t) endless; som aldrig tar slut interminable; matem. infinite

ändlöshet s (~en) endlessness, interminableness; matem. o.d. infinitude

ändock adv se *ändå 1*

ändpunkt s (~en, ~er) terminal (extreme) point, end; järnv. o.d. terminus (pl. termini el. terminuses)

ändra I vb tr o. vb itr (~de, ~t) allm. alter [till to]; mera genomgripande change [till into]; byta, t.ex. ståndpunkt, ställning shift; rätta correct; förbättra, t.ex. lagen amend; delvis ändra modify; revidera, t.ex. prislista revise; förvandla transform; **det ~r ingenting** [i det hela] that does not change (alter) matters, that does not make matters any different; **det ~r ingenting i sak** it makes no difference in substance; ~ **en klänning** alter a dress; ~ [**på**] ngt alter...; mera genomgripande change...; **Obs! ~d tid!** Note that the time has been changed (altered); ~ **om** ngt alter...; ~ **om** ngt [**till**] change (förvandla convert, transform)...[into] **II** vb rfl (~de, ~t), ~ **sig** förändras alter, change; rätta sig correct oneself; besluta sig annorlunda change one's mind; ändra åsikt äv. change one's opinion; jag tänkte gå **men ~de mig** ...but I changed my mind; **det ~r sig väl** [**med tiden**] förhållandena blir annorlunda things will change

ändring s (~en, ~ar) alteration äv. av kläder, change; shift; correction; modification; revision; transformation; jfr *ändra I*; **en ~ till det bättre** a change for the better; **ständiga ~ar** chopping and changing sg., chops and changes

ändringsförslag s (~et, =) proposed alteration; betr. lag o.d. amendment

ändstation s (~en, ~er) järnv. terminus (pl. termini el. terminuses), terminal, terminal station

ändtarm s (~en, ~ar) anat. rectum

ändå *adv* **1** likväl yet, still; icke desto mindre nevertheless; trots allt all the same, for all that; när allt kommer omkring after all; i vilket fall som helst anyway, anyhow; *medan du ~ håller på* while you're about (at) it; han var väl förberedd *men ~ misslyckades han* ...[but] yet (but still) he failed, ...but he failed nevertheless; *men ~ är han* en trevlig kille vanl. but he is...all the same (for all that); *hon är ~ bara ett barn* she is after all only a child; *det är ~ något* that's always something, that's something anyway; *det är ~ bra synd att* han... it's a pity [, isn't it] that...; *det var väl ~ att gå för långt* that's going too far, that's a bit much **2** vid komp. still, even; *~ bättre* still (even) better **3** i önskesats only; *om du ~ vore här!* if only you were here!, I do wish you were here!

äng *s* (~en, ~ar) meadow; poet. mead

ängel *s* (~n, änglar) angel äv. bildl.; konst. o.d. cherub (pl. cherubs el. cherubim); *ha en ~s tålamod* have the patience of Job (of a saint); *då gick det en ~ genom rummet* ung. then there was a sudden silence (hush), you could have heard a pin drop

änglalik *adj* (~t) angelic, angelical; *han har ett ~t tålamod* he has the patience of Job (of a saint)

änglavakt *s* (~en), *ha ~* have a guardian angel

ängsblomma *s* (~n, -blommor) meadow flower

ängsla *vb rfl* (~de, ~t), *~ sig* se *ängslas*

ängslan *s* (oböjl., en) anxiety; starkare apprehension; oro alarm, uneasiness, nervousness

ängslas *vb itr dep* (ängslades, ängslats) be (feel) anxious (alarmed) [*för* ngn (*över*) ngt about...]; oroa sig worry [*för* ngn about...; *för* (*över*) ngt about (over)...]

ängslig *adj* (~t) **1** rädd, orolig anxious, uneasy [*för* (*över*) ngt about...]; nervös nervous, upset; oroande worrying, upsetting; *vara ~ av sig* be timid (shy, timorous) [by nature]; *var inte ~!* don't worry!, don't be afraid!; *jag är ~ för att något kan ha hänt honom* I am afraid something may have happened to him; *vara ~ för* följderna fear (starkare dread)... **2** vard., riskabel risky

ängsmark *s* (~en, ~er) meadowland; *~er* äv. meadows

ängspiplärka *s* (~n, -lärkor) zool. meadow pipit

ängsull *s* (~en) bot. cotton grass

änka *s* (~n, änkor) widow; jur. relict; *hon blev tidigt ~* she was early left a widow; *hon är ~ efter...* she is [the] widow of...

änkedrottning *s* (~en, ~ar) queen dowager, regents mor queen mother

änkefru *s* (~n, ~ar) åld. widow; *~ A.* Mrs A., widow of the late Mr A.

änkeman *s* (~nen, -män) widower

änkepension *s* (~en, ~er) widow's pension

änkestöt *s* (~en, ~ar) törn mot armbågen knock on the funny-bone

änkling *s* (~en, ~ar) widower

ännu *adv* **1** temporalt: spec. om ngt som inte inträffat yet; fortfarande still; hittills [as] yet, so far; så sent som only, as late as; *är han här ~?* är han kvar is he still here?; *jag har inte fått boken ~* I have not yet...; fortfarande inte I still have not...; *medan jag ~ var...* while I was still...; *medan det ~ är tid* while there is still (yet) time, while the going is good; *det har ~ aldrig hänt* it has never happened so far (as yet); *~ i dag är det...* it is still...today; till och med nuförtiden even today it

is...; intill denna dag [up] to this very day it is...; *~ så sent som i går* only yesterday; *det dröjer ~ länge innan...* it will be a long time before...; *~ när han var 90 år* even at the age of ninety; *~ så länge* hittills so far, up to now; för närvarande for the present **2** ytterligare more; *~ en* one more, [yet] another; *~ en gång* once more (again); återigen again; *stanna ~ en stund* (tid) stay a little while longer **3** framför komp. still, even; ibland (starkare) yet; *~ bättre* even better, better still; *han verkade ~ sorgsnare än vanligt* ...even sadder than usual; *det blir ~ mörkare* senare it will be even darker...

äntligen *adv* om tid: till slut at last, finally; omsider äv. at length

äntra sjö. el. allm. **I** *vb tr* (~de, ~t) board **II** *vb itr* (~de, ~t) climb

äppelblom *s* (~men) blomma apple-blossom; koll. apple-blossoms pl.

äppelkaka *s* (~n, -kakor) apple cake

äppelkart *s* (~en, ~ar el. =) green (unripe) apple (koll. apples pl.)

äppelmos *s* (~et) mashed apples pl., apple sauce

äppelmust *s* (~en) apple juice (amer. cider)

äppelpaj *s* (~en, ~er) apple-pie

äppelskrott *s* (~en, ~ar) o. **äppelskrutt** *s* (~en, ~ar) apple-core

äppelträd *s* (~et, =) apple-tree

äppelvin *s* (~et, ~er) ung. cider

äpple *s* (~t, ~n) apple; herald. pomey; *~t faller inte långt från trädet* like father, like son; he (resp. she) is a chip of the old block

ära I *s* (~n) honour, amer. honor; beröm credit; berömmelse glory, renown; *~ vare Gud!* glory be to God!; *hela ~n tillkommer honom* all the credit is due to him, the credit is all his; *det är en [stor] ~ för mig att* + inf. it is a great honour for me to + inf.; *få ~n för* ngt get the credit for...; *det gick hans ~ för när* that wounded his pride; *ha ~n att* + inf. have the honour (pleasure) of + ing-form; *har den ~n [att gratulera]!* congratulations!, på en födelsedag many happy returns [of the day]!, happy birthday!; *sätta en ~ i att* + inf. make a point of + ing-form; *ta åt sig ~n* take the credit; *vinna ~* gain (acquire) honour, gain credit; *de bor bortom all ~ och redlighet* ...miles from anywhere (civilization), ...at the back of beyond, ...in the middle of nowhere; *dagen till ~* in honour of the day; *till Guds ~* for the glory of God **II** *vb tr* (~de, ~t) honour, do (pay) honour to; vörda venerate, respect; *~s den som ~s bör* honour where (to whom) honour is due

ärad *adj* (ärat, ~e) honoured; aktad esteemed; *~e kollega!* i brev Dear Colleague,; *~e åhörare!* ladies and gentlemen!

ärbar *adj* (~t) decent, modest

ärbarhet *s* (~en) decency, modesty; *i all ~* in all decency

äregirig *adj* (~t) ambitious, aspiring

ärekränkande *adj* (oböjl.) defamatory; speciellt i skrift libellous

ärekränkning *s* (~en, ~ar) defamation; speciellt i skrift libel

ärelysten *adj* (-lystet, -lystna) ambitious, aspiring

ärelös *adj* (~t) infamous

äreminne *s* (~t, ~n) litt. panegyric [*över* [up]on]

ärende *s* (~t, ~n) **1** sak att uträtta errand; uppdrag commission; budskap message; **övriga ~n** any other business (förk. AoB); **gå (springa) ~n** om bud go [on] (run) errands [*åt* for]; **gå ngns ~n** bildl. run sb's errands, play sb's game; neds. be sb's tool; **hon har gått ett ~ till banken** she has some business to do at the bank; **ha ett ~ till stan** have business in town; **skicka ngn [i] ett ~** send sb on an errand; **många är ute i samma ~** many people are after the same thing (mer iron. are at the same game) **2** fråga matter; fall case; **nästa ~ [på föredragningslistan]** the next item [on the agenda]; offentliga (utrikes) **~n** ...affairs

ärenpris *s* (~en) bot. speedwell, veronica
äreport *s* (~en, ~ar) triumphal arch
ärerörig *adj* (~t) defamatory, slanderous; **~t förtal** defamation
ärevarv *s* (~et, =) sport. lap of honour (pl. laps of honour)
ärevördig *adj* (~t) venerable; starkare reverend
ärftlig *adj* (~t) hereditary; som går i arv, om t.ex. titel inheritable; **det är ~t** vanl. it runs in the family
ärftlighet *s* (~en) biol. heredity; hos t.ex. sjukdom hereditariness
ärftlighetslära *s* (~n) theory of heredity, genetics sg.
ärg *s* (~en) verdigris; konst. patina
ärga *vb itr* o. *vb rfl* (~de, ~t), **~ [sig]** bli ärgig become coated with verdigris, become (get) verdigrised (konst. o.d. patinated)
ärggrön *adj* (~t) verdigris green
ärgig *adj* (~t) verdigrised; konst. o.d. patinated
ärkebiskop *s* (~en, ~ar) archbishop
ärkefiende *s* (~n, ~r) arch-enemy
ärkehertig *s* (~en, ~ar) archduke
ärkenöt *s* (~et, =) vard. utter fool, nitwit, prize idiot
ärkestift *s* (~et, =) archbishop's diocese, archdiocese, archbishopric
ärkeängel *s* (~n, -änglar) archangel
ärla *s* (~n, ärlor) zool. wagtail
ärlig *adj* (~t) honest; rättfram straightforward; hederlig, om t.ex. avsikt honourable; om t.ex. blick frank; uppriktig sincere; rättvis fair; **om jag ska vara ~** tycker jag honestly (to be honest)...; **~t spel (~ kamp)** fair play (fight); **ett ~t svar** an honest (a straight) answer; **på ~t sätt** äv. honestly; **förtjäna sitt bröd på ~t sätt** make an honest living
ärligen *adv* honestly; med rätta justly; **det har han ~ förtjänat** äv. that is no more than his due
ärlighet *s* (~en) honesty, straightforwardness osv., jfr *ärlig*; **~ varar längst** honesty is the best policy; **han är ~en själv** ...the soul of honesty, ...as honest as the day is long; **i ~ens namn** måste jag... to be quite honest...
ärligt *adv* (se äv. *ärligen*); **~ talat** to tell the truth, to be honest, honestly
ärm *s* (~en, ~ar) sleeve; klänning **utan ~ar** vanl. sleeveless...
ärmbräda *s* (~n, -brädor) sleeveboard
ärmhål *s* (~et, =) armhole
ärmlinning *s* (~en, ~ar) wristband
ärmlös *adj* (~t) sleeveless
ärofull *adj* (~t) glorious, famous; om t.ex. reträtt honourable; **~ fred** peace with honour
ärorik *adj* (~t) glorious; om person illustrious
ärr *s* (~et, =) scar; kopp~ pockmark
ärra *vb rfl* (~de, ~t), **~ sig** scar; vetensk. cicatrize

ärrad *adj* (ärrat, ~e) **1** om t.ex. hy scarred **2** bildl., erfaren hardened, seasoned
ärras *vb itr dep* (ärrades, ärrats) se *ärra*
ärrbildning *s* (~en, ~ar) scar formation; vetensk. cicatrization
ärrig *adj* (~t) scarred; kopp~ pockmarked
ärt *s* (~en, ~er el. ~or) o. **ärta** *s* (~n, ärtor el. ärter) pea; **ärter och fläsk** soppa [yellow split] pea soup with pork; **prinsessan på ärten** the Princess on the Pea
ärtbalja *s* (~n, -baljor) se *ärtskida*
ärthjärna *s* (~n, -hjärnor) vard. pea-brain
ärtig *adj* (~t) vard. smart, snazzy
ärtskida *s* (~n, -skidor) [pea] pod; utan ärtor [pea] shell
ärtsoppa *s* (~n, -soppor) pea soup
ärtväxt *s* (~en, ~er) leguminous plant
ärva *vb tr* o. *vb itr* (ärvde, ärvt), **[få] ~** inherit [*av, efter* from]; en tron succeed to...; **~ ngn** be sb's heir (resp. heirs); **~ kläder av ngn** take over sb's clothes, have clothes handed down to one by sb; **jag har fått ~ [pengar]** I've come into money, I've been left some money
ärvd *adj* (ärvt) inherited; medfödd hereditary; **~a kläder** äv. hand-me-downs
ärvdabalk *s* (~en) jur. inheritance code, laws pl. of inheritance
äsch *interj* oh!, ah!; avvisande äv. pooh!; tusan också bother!, dash it!; **~, det spelar ingen roll!** oh well,...!; **~, [sjåpa dig inte]!** get on with you!, come on!
äska *vb tr* (~de, ~t) anslag, medel o.d. apply for, ask for, demand; **~ tystnad** åld. call for silence
äsping *s* (~en, ~ar) zool. viper
äss *s* (~et, =) se *1 ess*
ässja *s* (~n, ässjor) forge
äta I *vb tr* o. *vb itr* (åt, ätit) eat; inta (t.ex. frukost el. enstaka maträtt) vanl. have; bruka inta sina måltider, vanl. have (take) one's meals; mil. (itr.) mess; om djur (livnära sig på) feed on; ta (t.ex. medicin) take; **vi äter [frukost (lunch, middag)] klockan...** we have (eat) breakfast (lunch, dinner)...; **jag har inte ätit [någonting] på hela dagen** I haven't eaten (had) anything (any food)...; **jag äter inte** skaldjur I don't (I never) eat...; **~ gott (bra)** få god mat get good food; **tycka om att ~ gott** be fond of good food (good things to eat); **~ lite (dåligt)** vara liten i maten be a poor eater; **~ mycket** vara stor i maten be a big (hearty) eater; **ät lite [nu]!** have some food (a bite)!; **de håller på att ~ (sitter och äter) [middag]** they are at dinner (having [their] dinner); **~ på ngt** eat (munch)...; **vad ska vi ~ till middag** what shall we have for...?; **~ ngn ur huset** eat...out of house and home; **~ ute** på restaurang dine (eat) out

II *vb rfl* (åt, ätit), **~ sig mätt** have enough to eat, satisfy one's hunger

III med beton. part.
äta av bita av och ~ upp eat; **~ av ngt på ngt** eat sth off sth
äta sig igenom genom nötning wear its way through
äta ihjäl sig gorge oneself to death
äta sig in i... om djur eat into...; om stickor o.d. (i kroppen) bore into..., penetrate...; **~ sig in i** ett företag worm one's way into...
äta upp eat [up], consume; **jag har ätit upp [maten]** I have finished my food; **~ upp på tallriken** clean up one's plate; **han är så söt så man kan ~ upp honom**

...one (you) could eat him [up]; *det ska han få ~ upp!* bildl. he'll have that back [with interest]!, I'll make him eat his words!; barn *som behöver få ~ upp sig* ...who need feeding up

ätbar *adj* (~t) njutbar eatable; inte giftig, se *ätlig*

ätlig *adj* (~t) edible, ...fit for food (to eat); vetensk. esculent

ätstörning *s* (~en, ~ar) med. eating disorder

ätt *s* (~en, ~er) family; kunglig dynasty; *den siste av sin ~* ...of his line

ättelägg *s* (~en, ~ar) åld. el. skämts. scion

ättestupa *s* (~n, -stupor) hist., ung. [suicidal] precipice

ättika *s* (~n) vinegar; *lägga i ~* pickle

ättiksgurka *s* (~n, -gurkor) sour pickled gherkin

ättiksprit *s* (~en) vinegar essence

ättikssur *adj* (~t) ...[as] sour as vinegar, vinegarish; spec. bildl. vinegary

ättiksyra *s* (~n) kem. acetic acid

ättling *s* (~en, ~ar) descendant; offspring (pl. lika) [*till* i båda fallen of]

även *adv* också also, ...too; likaledes ...likewise, ...as well; till och med even; *~ om* even if; fastän even though (se äv. ex. under *än I 2*); *inte blott...utan ~...* not only...but also...; *~ du!* you too!; *hon är engagerad* she, too, is very committed; *~ en expert kan ta fel* even an expert can go wrong

ävenledes *adv* also, ...likewise

ävensom *konj* as well as

ävenså *adv* also, ...likewise

äventyr *s* (~et, =) **1** allm. adventure; missöde misadventure, mishap; *ge sig ut på ~* go [out] in search of adventure **2** kärleksaffär love affair, romance **3** vågsamt företag hazardous venture (enterprise) **4** jur., *vid ~ att* + inf. at the risk of + ing-form; *vid ~ av böter* under penalty of a fine (resp. fines) **5** *till ~s* perchance, peradventure

äventyra *vb tr* (~de, ~t) sätta på spel risk, hazard, jeopardize; utsätta för fara endanger, imperil

äventyrare *s* (~n, =) adventurer, soldier of fortune; skojare äv. swindler

äventyrerska *s* (~n, äventyrerskor) adventuress; lycksökerska gold-digger

äventyrlig *adj* (~t) adventurous; riskabel venturesome, risky, hazardous; lättsinnig loose

äventyrlighet *s* (~en, ~er) adventurousness, venturesomeness, riskiness (samtliga endast sg.), jfr *äventyrlig*

äventyrslust *s* (~en) o. **äventyrslusta** *s* (~n) love of adventure

äventyrslysten *adj* (-lystet, -lystna) adventure-loving, ...fond of adventure

äventyrsroman *s* (~en, ~er) story of adventure, adventure story; klassisk romance

äventyrsspel *s pl* adventure games

ävja *s* (~n) dy mire

ävlan *s* (=, en) litt., strävan striving[s pl.]

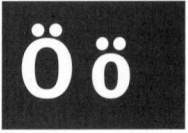

1 ö *s* (ö:et, ö:n el. ö) bokstav the letter ö, o with two dots

2 ö *s* (~n, ~ar) island; poet. el. vissa önamn isle; *~n Gotland* the island of Gotland; *bo på en ~* live in (liten on) an island

öbo *s* (~n, ~r) islander

öda *vb tr* (ödde, ött), *~ [bort]* waste osv., se *slösa bort* under *slösa I*

1 öde *s* (~t, ~n) fate; bestämmelse, spec. i större sammanhang destiny; lott, äv. lot; *~t* som personifikation Fate, Destiny, lyckan Fortune; *~n* destinies, levnadsöden fortunes; *~n och äventyr* various adventures; *~ts skickelse* ofta Fate; *ett grymt ~* a cruel (hard) fate; *ett sorgligt ~* a tragic fate, a sad lot; *dela ngns ~* share sb's fate (lot); *förtjäna ett bättre ~* deserve a better fate; *utmana ~t* tempt Fate; starkare court disaster; *finna sig i sitt ~* resign oneself to one's fate (lot); friare make the best of things

2 öde *adj* (oböjl.) desert, waste; enslig solitary, lonely; ödslig desolate; obebodd uninhabited; om hus äv. unoccupied; övergiven deserted; tom empty, vacant; *en ~ ö* a desert island; *ligga ~* om t.ex. gata be deserted; *lägga ~* se *ödelägga*

ödelägga *vb tr* (-lade, -lagt) lägga öde lay...waste; förhärja ravage, devastate, desolate; förstöra ruin, destroy

ödeläggelse *s* (~n, ~r) ödeläggande laying waste, som resultat waste; härjning devastation, desolation; förstörelse ruin, destruction

ödem *s* (~et, =) med. oedema (pl. oedemas el. oedemata), amer. edema (pl. edemas el. edemata)

ödemark *s* (~en, ~er) wasteland, desert; obygd wilds pl.; amer. backwoods pl.; vildmark äv. wilderness

ödesbestämd *adj* (-bestämt) fated, ...decreed by Fate

ödesdiger *adj* (~t, -digra) ödesmättad fateful, fatal; olycksbringande disastrous, ill-fated

ödesdrama *s* (~t, -dramer) tragedy of fate; friare fateful tragedy

ödesgudinna *s* (~n, -gudinnor) mytol., *ödesgudinnorna* the Fates, the Weird Sisters

ödesmättad *adj* (-mättat, ~e) fateful, fatal

ödetomt *s* (~en, ~er) derelict (undeveloped) piece of land

ödla *s* (~n, ödlor) lizard

ödmjuk *adj* (~t) humble

ödmjuka *vb rfl* (~de, ~t), *~ sig* humble oneself [*inför* before]

ödmjukhet *s* (~en) humility, humbleness; *visa ~* show a humble spirit

ödsla *vb tr* o. *vb itr* (~de, ~t), *~ med* waste, squander, be wasteful with; *~ bort* waste, squander; *~ pengar på spel* waste (blow) money on gambling

ödslig *adj* (~t) desolate; övergiven deserted

ödslighet *s* (~en) desolateness, desolation; övergivenhet desertedness

öga *s* (~t, ögon) **1** allm. eye äv. nåls~ o.d.; *så långt ~t når* as far as the eye can reach; *få upp ögonen för...* have one's eyes opened to…, become aware of…; inse realize; **göra stora ögon** open one's eyes wide, look wide-eyed; **inte ha ögon för någon annan än…** have eyes for nobody but…; **han har ögonen med sig** he keeps his eyes open, he has his eyes about him; **hålla ett ~ på…** keep an eye on…; **ha ett gott ~ till…** have one's eye on…; vara svag för have a soft spot for…; **hålla ögonen öppna** keep one's eyes open; **kasta ett [snabbt] ~ på** have (take) a [quick] look at; **~ för ~** an eye for an eye; **mitt för ögonen på** sina vänner before the very eyes of…, in full view of…; **i lagens ögon** in the eyes of the law; **i mina ögon** in my eyes (opinion, view); **i världens ögon** in the eyes (sight) of the world; **jag har** ljuset (solen) **i ögonen** …is in my eyes;; **se ngn rakt i ögonen** look sb straight in the face (between the eyes); **det sticker i ögonen** it hits you in the eye, it sticks out [a mile]; om idé o.d. it is obvious; **inför allas ögon** in sight (before the eyes) of everybody; **med blotta ~t** with the naked eye; **se med egna ögon** see with one's own eyes; **ett samtal mellan fyra ögon** a private talk; **stå ~ mot ~ med…** stand face to face with…; **det var nära ~t!** vard. that was a close shave (a narrow escape)!; **blind på ena ~t** blind in one eye **2** på tärning o. kort pip **3** på potatis eye **4** sjö., ögla eyelet, loop **5** mittpunkt i cyklon o.d. eye

ögla s (~n, öglor) loop; **göra en ~ på** tråden loop…

ögna vb itr (~de, ~t), **~ i** ngt have a look at sth, glance at sth; **~ igenom** ett brev glance (skim) through (over)…

ögonblick s (~et, =) moment; **ett ~!** one moment [please]!, just a moment (minute, second)!; **[dröj (vänta)] ett ~!** äv. hold on!, hang on!; **har du tid ett ~?** can you spare a moment (minute)?, can you give me a minute or two?; **det tror jag inte ett ~** I don't believe that for a (one single) moment; **vilket ~ som helst** adv. [at] any moment [now]; **för ~et** för tillfället for the moment (time [being]); just nu at present, at the moment, just now; **i nästa ~** [the] next moment; **i rätta ~et (rätt ~)** at the right moment; **i samma ~ som** jag såg honom the moment (instant, minute)…; **om ett ~** el. **på ~et** in a moment, in an instant; **på ett ~** in a moment, in an instant; vard. in the twinkling of an eye, in a jiffy

ögonblicklig adj (~t) instantaneous; omedelbar instant, immediate

ögonblickligen adv instantaneously; omedelbart instantly, immediately; genast at once, directly, right now

ögonblicksbild s (~en, ~er) skildring on-the-spot account

ögonbryn s (~et, =) eyebrow; **rynka (höja på) ~en** knit (raise) one's eyebrows

ögondroppar s pl eye drops

ögonfrans s (~en, ~ar) [eye]lash

ögonglob s (~en, ~er) eyeball

ögonhåla s (~n, -hålor) [eye] socket, orbit

ögonhöjd s (oböjl., en), **i ~** at eyelevel

ögonkast s (~et, =) glance; **vid första ~et** at first sight, at the first glance; **kärlek vid första ~et** love at first sight

ögonkontakt s (~en), **få ~** make eye contact

ögonlock s (~et, =) eyelid

ögonlocksinflammation s (~en, ~er) blepharitis

ögonläkare s (~n, =) eye specialist

ögonmått s (~et), **ha bra ~** have a sure eye; **efter ~** by eye; mäta upp t.ex. en kvantitet **efter ~** …by rule of thumb

ögonmärke s (~t, ~n) aiming (sighting) point; **ta ~** sikte **på…** aim at…

ögonrörelse s (~n, ~r) eye movement

ögonsjukdom s (~en, ~ar) eye (ophthalmic) disease

ögonskugga s (~n, -skuggor) kosmetisk eyeshadow

ögonsten s (~en, ~ar) bildl., **ngns ~** the apple of sb's eye; om favorit o.d. äv. sb's darling (pet)

ögontjänare s (~n, =) timeserver, fawner

ögontröst s (~en) bot. eyebright, euphrasy

ögonvatten s (-vattnet) eye lotion

ögonvita s (~n, -vitor) white of the eye (pl. whites of the eyes)

ögonvittne s (~t, ~n) eyewitness

ögonvrå s (~n, ~r) corner of the (resp. one's) eye

ögrupp s (~en, ~er) group (cluster) of islands

öka I vb tr (~de, ~t) allm., t.ex. pris, fordringar, ansträngningar increase [med by]; förstärka augment; ut-~, bidraga till, t.ex. ngns bekymmer, glädje, nöje add to; utvidga enlarge; **~ farten (hastigheten)** speed up, pick up speed; **~…till det dubbla (tredubbla)** vanl. double (treble)…; **~ på** increase osv., jfr ovan; **~ ut** se utöka **II** vb itr (~de, ~t) increase; utvidgas augment; om sjö el. vind äv. rise, get up; brottsligheten **~r** …is on the increase; **~ 2 kilo [i vikt]** gain two kilos

ökad adj (ökat, ~e) increased osv., jfr öka; ytterligare added; **~e utgifter** äv. increasing (additional) expenditure sg.

ökas vb itr dep (ökades, ökats) se öka II

öken s (öknen, öknar) desert; högtidl. el. bildl. waste; bibl. el. bildl. wilderness

ökenartad adj (-artat, ~e) desert-like

ökenfolk s (~et, =) desert people

ökenråtta s (~n, -råttor) zool. gerbil; desert rat äv. om soldat

ökenräv s (~en, ~ar) zool. fennec

öknamn s (~et, =) nickname, sobriquet; **ge…[ett] ~** nickname…

ökning s (~en, ~ar) increase [i of]; augmentation, addition [till to]; enlargement; jfr öka; **~ av farten (hastigheten)** acceleration of [the] speed; **~ av lön (priserna)** increase (rise) in…

ökänd adj (-känt) notorious

öl s (~et el. ~en, =) beer; **[ljust] ~** äv. pale ale; **mörkt ~** stout

ölback s (~en, ~ar) beer crate

ölburk s (~en, ~ar) tom beer-can; med innehåll can of beer

ölflaska s (~n, -flaskor) tom beer-bottle; full bottle of beer

ölglas s (~et, =) tomt beer-glass; glas öl glass of beer

öljäst s (~en) brewer's yeast

ölkafé s (~et, ~er) ung. beerhouse

ölmage s (~n, -magar) beer belly (gut)

ölsejdel s (~n, -sejdlar) tom beer mug; med lock tankard; sejdel öl mug (pint) of beer

ölsinne s (~t), **ha dåligt (gott) ~** be unable (able) to hold one's liquor, carry one's liquor badly (well)

ölstuga s (~n, -stugor) beerhouse

ölunderlägg s (~et, =) beer mat

öllöppnare s (~n, =) bottle opener

öm adj (~t, ~ma) **1** ömtålig tender; känslig sensitive; som vållar smärta äv. sore, aching; hudlös raw; **en ~**

punkt bildl. a tender (sensitive) spot, a sore point; **röra vid en ~ punkt** hos ngn bildl. touch a tender (sore) spot, touch...on the raw; **jag är ~ i hela kroppen** I am sore (aching) all over **2** kärleksfull tender; spec. om person äv. affectionate, loving, fond; **hysa ~ma känslor för** ngn have (entertain) tender feelings for..., feel tenderly towards...

ömhet s (~en) **1** smärta o.d. tenderness, soreness **2** kärleksfullhet tenderness, affection, love

ömhetsbehov s (~et) need (craving) for affection

ömhetsbetygelse s (~n, ~r) o. **ömhetsbevis** s (~et, ~en) proof (token, mark) of affection, endearment

ömhetstörstande adj (oböjl.) ...craving for affection

ömka I vb tr (~de, ~t) commiserate, pity **II** vb rfl (~de, ~t), **~ sig** se jämra

ömkan s (=, en) pity, compassion

ömkansvärd adj (-värt) pitiable, pitiful; stackars poor, wretched; se äv. ömklig

ömklig adj (~t) bedrövlig deplorable, lamentable; **ett ~t slut** a sad end; **en ~ syn** a sad (pitiful, sorry) sight (spectacle)

ömma vb itr (~de, ~t) **1** göra ont be (feel) tender (sore); handen (min hand) **~r** ...aches (is sore) **2 ~ för** hysa medlidande med feel [compassion] for, sympathize with

ömmande adj (oböjl.) **1** se öm 1 **2** behjärtansvärd, **ett ~ fall** a distressing (om person deserving) case

ömsa vb tr (~de, ~t) change; ormen **~de skinn** ...sloughed (cast, shed) its skin

ömse adj (oböjl.), **på ~ håll (sidor)** on both sides, on each (either) side

ömsesidig adj (~t) mutual, reciprocal; det var **till ~ belåtenhet [för oss]** ...to our mutual satisfaction; **med fem års ~ uppsägning** subject to five years' notice by (from) either party

ömsesidighet s (~en) reciprocity, mutuality

ömsevis adv alternately; i tur och ordning by turns

ömsinnad adj (-sinnat, ~e) o. **ömsint** adj (=) ömhjärtad tender-hearted

ömsinthet s (~en) tenderness of heart

ömsom adv, **~...~...** sometimes..., sometimes...; ...and...alternately; **han är ~ glad ~ ledsen** äv. he is cheerful and sad by turns

ömt adv tenderly osv., jfr öm; **~ vårda** äv. fondly cherish

ömtålig adj (~t) **a)** om föremål: som lätt tar skada easily damaged; om t.ex. tyg flimsy; skör fragile, brittle; lättförstörd, om matvara perishable **b)** friare: klen (om t.ex. mage), bräcklig (om hälsa), kinkig (om t.ex. fråga) delicate; **en ~ blomma** bildl. a delicate flower

ömtålighet s (~en) liability to damage; flimsiness, fragility, brittleness; perishableness; jfr ömtålig

önska vb tr (~de, ~t) wish äv. tillönska, **~ sig** vanl. wish for; eftertrakta desire; behöva, begära require; gärna vilja, vilja ha want; **~ att något ska hända** wish for something to happen; **jag ~r att han ville göra det** I wish he would do it; **jag skulle ~ att det stod i min makt** I wish...; ha **allt vad man kan ~ [sig]** ...all that one can wish for (desire); **jag ~r ingenting hellre (högre)** there is nothing I would like better (I desire more); **~ ngn allt gott** wish sb every happiness (sb well); **~ ngn gott nytt år** wish sb A Happy New Year; **~ ngn välkommen** welcome sb; **~ ngn hjärtligt välkommen** give sb a hearty welcome; **~ [sig] ngt i julklapp (till födelsedagen)** want (wish for) sth for Christmas

(one's birthday); **icke ~d** ...not wanted, unwanted; **om så ~s** if desired, if one so desires; **~ sig bort** wish oneself (wish one were) far away

önskan s (=, en, önskningar) wish; desire; begäran request; jfr önska; **sista ~** last (dying) wish; **enligt ~** according to your (his osv.) wish (request); **med ~ om en god jul och ett gott nytt år** with the compliments of the season; **mot min ~** against (contrary to) my wishes

önskedröm s (~men, ~mar) dream, cherished (wishful) dream; det är **bara en ~** ...just a pipedream

önskekonsert s (~en, ~er) request concert

önskelista s (~n, -listor) wish list; **här är min ~** äv. here is the list of presents I would like; **den står överst på ~n** äv. it is a top priority

önskemål s (~et, =) wish, desire; **särskilda ~** special requirements; **det är ett ~ att...** it is [starkare most] desirable that...

önskeprogram s (~met, =) i radio o. tv request programme

önsketänkande s (~t) wishful thinking

önskeväder s (-vädret, =) ideal weather

önsklig adj (~t) se önskvärd

önskning s (~en, ~ar) wish; **få sina ~ar uppfyllda** make one's dreams (wishes) come true

önskvärd adj (-värt) desirable, ...to be desired; lämplig eligible; **icke ~** undesirable, not wanted; **icke ~ person** dipl. persona non grata lat. (pl. personae non gratae)

öppen adj (öppet, öppna) open; vid, om t.ex. utsikt free; offentlig, om t.ex. plats public; uppriktig äv. frank, candid; oförtäckt, om t.ex. språk undisguised, plain; mottaglig susceptible [för to]; **~ anstalt** open institution; **~ frimodig blick** candid (ingenuous) look; **öppet brev** open letter; **öppet mästerskap** sport. open championship; **~ omröstning** open voting; **~ vokal** open vowel; **~ vård** non-institutional care; sjukvård care (behandling treatment) of out-patients; **hålla öppet (vara ~)** om butik o.d. keep open; **öppet dygnet runt** open night and day, open all hours; **frågan får stå ~ tills vidare** the matter must be left open...; **platsen står ~ för honom (hans räkning)** the post is reserved for him; **vara ~ för nya idéer** be open to new ideas, have an open mind; **vara ~ mot ngn** be open (frank, candid) with sb; **göra ngt med öppna ögon** bildl. do sth with one's eyes open

öppenhet s (~en) openness; uppriktighet frankness, candour, sincerity; mottaglighet susceptibility

öppenhjärtig adj (~t) open-hearted, frank, unreserved

öppenvård s (~en) se öppen vård under 2 vård

öppethållande s (~t) se öppettider

öppettider s pl opening hours, opening and closing times (hours)

öppna I vb tr (~de, ~t) open äv. data.; låsa upp unlock; veckla ut open out, expand; **~ för** ngn open the door for..., let...in; **~ kranen** turn on the tap; **~ ngns ögon för** open sb's eyes to, undeceive sb as to; **dörren ~des av** vaktmästaren the door was opened by...; **dörrarna ~des** klockan 18 the doors [were] opened...; de hörde **dörren ~s** ...the door open (opening); fönstren **~s inåt** ...open inwards; varuhuset **~r klockan 9** ...opens at nine o'clock **II** vb rfl (~de, ~t), **~ sig** open; slå ut äv. expand; vidga sig open out

öppnande s (~t) opening osv., jfr *öppna I*; invigning inauguration

öppnare s (~n, =) opener, se äv. *burköppnare* o. *flasköppnare* m.fl.

öppning s (~en, ~ar) allm. opening äv. schack.; mynning orifice; hål aperture, hole; i mur o.d. äv. gap, break; ingång inlet

öppningsbud s (~et, =) opening bid äv. kortsp.

öra s (~t, öron) **1** anat. ear äv. bildl.; *mycket ska man höra innan öronen faller av!* well, that beats everything!, what next!; *dra öronen åt sig* get cold feet, become wary; *ha ~ för musik* have an ear (a good ear) for music; *hålla för öronen* hold one's hands over one's ears, stop one's ears; *han trodde inte sina öron* he could not believe his ears; *det ringer (susar) i öronen på mig* my ears are ringing (buzzing); *dra ngn i ~t* pull (tweak) sb's ear; *ta ngn i ~t* bildl. give sb a telling-off (talking-to); *det gick in genom ena ~t och ut genom det andra* it went in [at] one ear and out [at] the other; *höra dåligt (vara döv) på höger ~ (på bägge öronen)* hear badly with (be deaf in) one's right ear (both ears); *vara på ~t* vard. be tipsy; *vara kär* (resp. *skuldsatt*) *upp över öronen* be head over heels (be over head and ears) in love (resp. in debt) **2** handtag på kopp, tillbringare handle; på tillbringare äv. ear, lug

öre s (~t, ~n) öre; *inte ha ett ~* not have a penny [to bless oneself with], be penniless; *inte värd ett rött ~* not worth a brass farthing (amer. a [red] cent); *det intresserar mig inte för fem ~* ...a bit (scrap)

Öresund the Sound

öresutjämning s (~en) till närmaste krona rounding off to the nearest krona

örfil s (~en, ~ar) smack (slap) on the face; *ge ngn en ~* äv. give sb a thick ear

örhänge s (~t, ~n) **1** smycke earring; långt eardrop; öronclips earclip **2** schlager hit

örike s (~t, ~n) island (insular) state (country); *det brittiska ~t* Britain, the British Isles pl.

öring s (~en, ~ar) zool. salmon trout (pl. lika)

örlogsbas s (~en, ~er) naval base

örlogsfartyg s (~et, =) warship, man-of-war (pl. men-of-war)

örlogsflotta s (~n, -flottor) navy; samling fartyg battle fleet

örlogskapten s (~en, ~er) lieutenant commander

örlogsvarv s (~et, =) naval [dock]yard; amer. naval shipyard, navy yard

örn s (~en, ~ar) eagle

örnbräken s (-bräknen el. =, -bräknar) bot. bracken, brake

örngott s (~et, =) pillow case

örnnäsa s (~n, -näsor) aquiline (hook) nose

örnnäste s (~t, ~n) aerie, eagle's nest

örnunge s (~n, -ungar) eaglet, young eagle

öronbedövande adj (oböjl.) ear-splitting, deafening

öronclips s (~et, =) earclip

öroninflammation s (~en, ~ar) inflammation of the ear (ears); vetensk. otitis (endast sg.)

öronlapp s (~en, ~ar) **1** på mössa earflap **2** på fåtölj wing, headrest

öronlappsfåtölj s (~en, ~er) wing chair

öronläkare s (~n, =) ear specialist, aurist, otologist; *öron-, näs- och halsläkare* ear, nose, and throat specialist

öronmussla s (~n, -musslor) anat. ear conch, concha

öronmärka vb tr (-märkte, -märkt) earmark

öronpropp s (~en, ~ar) skyddspropp, mot t.ex. ljud earplug

öronskydd s (~et, =), *ett ~* a pair of earmuffs pl.

öronsnäcka s (~n, -snäckor) earphone

öronsusning s (~en, ~ar), *~[ar]* buzzing (singing) sg. in one's ears

örontrumpet s (~en, ~er) anat. auditory (Eustachian) tube

öronvax s (~et) earwax; med. cerumen

örring s (~en, ~ar) earring

örsnibb s (~en, ~ar) anat. ear lobe

örsprång s (~et) earache; med. otalgia

ört s (~en, ~er) herb, plant; *~er* äv. herbaceous plants

örtagård s (~en, ~ar) herb garden

örtkrydda s (~n, -kryddor) herb

örtsalt s (~et) kok. herb salt

örtte s (~et, ~er) herb tea

ösa I vb tr (öste, öst) scoop; sleva ladle; *~ en båt* bale (bail) a boat; *~ en stek* baste a joint; *~ gåvor över ngn* shower (heap) sb with... **II** vb itr (öste, öst), *det (regnet) öser ned* it's pouring (pelting) down

öskar s (~et, =) bailer

ösregn s (~et, =) pouring rain, downpour; *i ~et* in the pouring rain

ösregna vb itr (~de, ~t) pour; *det ~r* it's pouring (pelting) down, it's coming down in buckets

öst s (~en) o. adv east (förk. E); se äv. *öster* o. jfr *nord* o. *norr* med ex.; spänningen mellan *~ och väst* ...East and West

östan s (=, ~ar) o. **östanvind** s (~en, ~ar) east wind, easterly wind

östasiatisk adj (~t) East Asian

Östasien Eastern Asia

östblocket s (best. sing.) hist. the Eastern bloc

öster (jfr *norr* med ex.) **I** s (oböjl.) väderstreck the east; *Östern* the East, the Orient **II** adv [to the] east [*om* of]

österifrån adv from the east

Österlandet the East, the Orient

österländsk adj (~t) oriental, eastern

österlänning s (~en, ~ar) Oriental

österrikare s (~n, =) Austrian

Österrike Austria

österrikisk adj (~t) Austrian

österrikiska s (~n, österrikiskor) kvinna Austrian woman

östersjöfiske s (~t) fisheries pl. in the Baltic

östersjöhamn s (~en, ~ar) Baltic port

Östersjön the Baltic [Sea]

österut adv åt öster eastward[s], towards [the] east; i öster in the east, out east; *längre ~* further east; *tåg* pl. *som går ~* trains going east, eastbound trains; *resa ~* go (travel) east

Östeuropa Eastern Europe

östeuropeisk adj (~t) east European

östfront s (~en), *~en* the Eastern front

östkust s (~en) east coast, för ex. jfr *nordkust*

östlig adj (~t) easterly; east; eastern; jfr *nordlig*

östligare m.fl., jfr *nordligare* m.fl.

östra adj (best.) the east; the eastern; jfr *norra*

östrogen s (~et, ~er) fysiol. oestrogen, speciellt amer. estrogen

östrogenbehandling *s* (~en, ~ar) i klimakteriet oestrogen (amer. vanl. estrogen) replacement therapy

öststat *s* (~en, ~er) hist., i Östeuropa Eastern European [bloc] state

östtysk hist. **I** *adj* (~t) East German **II** *s* (~en, ~ar) East German

Östtyskland hist. East Germany

öva I *vb tr* (~de, ~t) **1** träna train [*ngn i ngt* (*i att* + inf.) sb in sth (to + inf.)]; ~ *skalor* mus. practise scales; ~ *in* lära in practise; roll, pjäs rehearse; lära upp train; ~ *upp* train; exercise; utveckla develop; ~ *upp sig i* engelska brush up one's... **2** utöva: t.ex., våld use, make use of; inflytande exercise; ~ *utpressning mot ngn* use extortion against sb **II** *vb rfl* (~de, ~t), ~ *sig* practise; ~ *sig i att* + inf. practise + ing-form; ~ *sig i* **engelska** practise English

över

över delas in i ordklasserna

I preposition
II adverb

I *prep*

Prepositionen **över** motsvaras vanligen av **over** i uttryck som *lampan hänger över bordet* = *the lamp hangs over the table.*
En annan motsvarighet är **above**, t.ex. *vångingsplanet över oss* = *the floor above us.*
över används i många uttryck som står under andra uppslagsord. Exempelvis finns uttrycket *över förväntan* under uppslagsordet *förväntan,* uttrycket *sörja över* under uppslagsordet *sörja* osv.

Rumsbetydelse

1 anger att något täcker någonting eller är placerat högre, vanligen over; i betydelsen 'ovanför' 'när relativt stor nivåskillnad föreligger above; *hon hade på en stor jacka ~ tröjan* she wore a big jacket over her sweater; *lampan hänger ~ bordet* the lamp hangs over (above) the table; *högt ~ våra huvuden* high above our heads; *rummet rakt ~ butiken* the room directly above the shop; *våningsplanet ~ oss* the floor above us; *hoppa ~ ett dike* jump over a ditch; *hans röst hördes ~ sorlet* his voice was heard above the murmur

2 anger spridning over; ~ *hela världen* all over the world, throughout the world; *utspridda ~ hela golvet* spread out all over the floor

3 betydelsen tvärsöver, spec. över en plan yta across, over; *bo ~ gården* live across the courtyard; *bron ~ floden* the bridge over (across) the river; *gå ~ gatan* walk across the street; vanl. cross the street; *sträcka sig ~ bordet* stretch across (over) the table

Tidsbetydelse

4 anger tidsperiod over; *resa bort ~ julen* (*sommaren*) go away over Christmas (the summer)

5 anger klockslag past; amer. vanl. after; *klockan är fem ~ fem* it is five past (amer. after) five

Mått

6 anger att något är större eller överstiger någonting over, more than, above; ~ *50 kronor* (*kilo, år*) over fifty kronor (kilos, years); ~ *hälften* [*av*] over half [of], more than half [of]; *barn ~ 12 år* children over twelve, children over the age of twelve, children over twelve years of age

7 i temperaturangivelser och vissa måttsangivelser above; *5 grader ~ noll* 5 degrees above zero; *1000 m ~ havsytan* 1000 m above sea level

Andra betydelser

8 i uttryck av typen 'en karta över Sverige' ofta of; för att ange ett ämne, tema ofta on; *en biografi ~ Strindberg* a biography of Strindberg; *en karta ~ Sverige* a map of Sweden; *en satir ~* a satire on el. a satire upon; *en översikt ~ ngt* a survey of sth; *föreläsa ~ ett ämne* lecture on a subject

9 i betydelsen 'med anledning av', 'angående' o.d. vid vissa adjektiv och verb, spec. sådana som uttrycker en känsla about, at; ibland of; *förtjust ~* delighted at; *förvånad ~* surprised at; *orolig ~* worried about; *vara otålig ~* be impatient at; *stolt ~* proud of; *undra ~* wonder at

10 i betydelsen 'medan man dricker', *en pratstund ~ en kopp te* a chat over a cup of tea

11 i betydeksen 'via' via, *tåg till London ~ Ostende* trains to London via Ostend

12 för att beteckna makt o.d. vanl. over; i fråga om rang above; *makt ~* power over; *seger ~* victory over; *stå ~ ngn i rang* be above sb, rank above sb

II *adv* (se också betonad partikel under respektive verb, t.ex. *sova över* under *sova II*) **1** over; above; across (för betydelseskillnaderna se *över I* ovan); *en säng med en filt ~* ...with a blanket over it; *de som bor* [*i våningen*] ~ the people in the flat (amer. apartment) above; *håll paraplyet ~* [*den* (*dem*)] hold...over it (them); *lägga* [*någonting*] ~ *maten* put something over...; *resa ~ till England* go over to England; *jag har varit ~ hos dem* I've been round to their place

2 slut over; förbi äv. past; *det värsta* (*värken*) *är ~ nu* ...is over now; *faran är ~* the danger is over (past); *kriget var ~* the war was over (at an end); *jag är glad att det är ~* I'm glad it's over [and done with]

3 kvar left, [left] over (jfr *kvar*); till förfogande to spare; *jag har 50 kronor ~* I have...left [over]; *det som blev ~* what was left [over], the remainder; *när jag har tid ~* when I have time to spare; *har du några minuter ~?* äv. can you spare me a few minutes?

överaktiv *adj* (~t) over-active

överallt *adv* everywhere, in all places, amer. everyplace; var som helst anywhere; ~ *där* det finns (vanl.) wherever...; ~ *på* (*i*)... äv. all over...

överambitiös *adj* (~t) over-ambitious

överanstränga I *vb tr* (-ansträngde, -ansträngt) t.ex. hjärtat, ögonen overstrain, overexert **II** *vb rfl* (-ansträngde, -ansträngt), ~ *sig* fysiskt overstrain (overexert) oneself, strain (exert) oneself too much; psykiskt o.d. overwork [oneself], work too hard

överansträngd *adj* (-ansträngt) rent fysiskt overstrained; utarbetad overworked; starkare overwrought

överansträngning *s* (~en) t.ex. av hjärtat overstrain, overexertion; p.g.a. för mycket arbete overwork

överarbeta *vb tr* (~de, ~t) bearbeta alltför noggrant overelaborate

överarm *s* (~en, ~ar) upper [part of the] arm

överbalans *s* (~en), *ta ~en* lose one's balance, overbalance, topple over

överbalansera *vb tr* (~de, ~t) ekon., ~*d budget* budget that shows a surplus

överbefolkad *adj* (-befolkat, ~e) overpopulated

överbefolkning *s* (~en) overpopulation
överbefäl *s* (~et, =) **1** abstr. supreme (chief) command **2** koll. [commissioned] officers pl.
överbefälhavare *s* (~n, =) supreme commander, commander-in-chief; **Överbefälhavaren** (förk. *ÖB*) the Supreme Commander of the [Swedish] Armed Forces
överbelagd *adj* (-belagt) om t.ex. hotell overbooked; om t.ex. sjukhus overcrowded
överbelasta *vb tr* (~de, ~t) overload; elektr. äv. overcharge; bildl. overtax, overstrain
överbelastning *s* (~en, ~ar) overloading; elektr. äv. overcharging; bildl. overtaxing, overstraining
överbeskydda *vb tr* (~de, ~t) overprotect
överbetona *vb tr* (~de, ~t) over-emphasize, lay too much stress on
överbett *s* (~et, =) overbite; friare protruding teeth pl.; vet. med. overshot jaw
överbetyg *s* (~et, =) mark above the pass standard
överbevisa *vb tr* (~de, ~t) jur. convict [*ngn om* ett brott sb of...]; friare convince [*ngn om* motsatsen sb of...]
överbevisning *s* (~en) jur. conviction
överbjuda *vb tr* (-bjöd, -bjudit) **1** eg. outbid äv. kortsp. **2** bildl. [try to] outdo, rival; *de överbjöd varandra i* älskvärdhet they tried to outdo one another in...
överblick *s* (~en, ~ar) survey, general view [*över* of]
överblicka *vb tr* (~de, ~t) survey; bilda sig en uppfattning om take in, take stock of; förutse foresee; *vi behöver mer tid för att ~ hela situationen* ...take in the whole situation
överbliven *adj* (-blivet, -blivna) remaining, left; *~ mat* food that has been left over; rester leftovers pl.
överboka *vb tr* (~de, ~t) overbook
överbord *adv*, *falla* (*lämpa, spolas*) *~* fall (heave, be washed) overboard
överbringa *vb tr* (~de el. -bragte, ~t el. -bragt) budskap o.d. deliver, convey
överbrygga *vb tr* (~de, ~t) bridge [over] äv. bildl.; *~ motsättningar* overcome (reconcile) differences
överbud *s* (~et, =) higher bid, overbid
överbyggd *adj* (-byggt), *~ gård* covered yard
överbyggnad *s* (~en, ~er) superstructure äv. bildl.
överbädd *s* (~en, ~ar) upper bed (i sovkupé, hytt berth)
överdel *s* (~en, ~ar) top äv. plagg, top (upper) part
överdimensionerad *adj* (-dimensionerat) oversized, ...[that is (resp. was)] too large in dimensions; tekn. äv. overdimensioned
överdirektör *s* (~en, ~er) i ämbetsverk director general; souschef deputy director general
överdos *s* (~en, ~er) overdose, vard. OD [*av* sömnmedel o.d. of...]
överdra *vb tr* (-drog, -dragit) **1** med [färg]hinna, choklad etc. coat **2** övertrassera overdraw
överdrag *s* (~et, =) **1** hölje, skynke o.d. covering, cover; på möbel loose cover; [kudd]var o.d. [pillow] case; lager av färg o.d. coat[ing] **2** på konto overdraft
överdragsbyxor *s pl* over-trousers, pull-on trousers
överdragskläder *s pl* overalls
överdrift *s* (~en, ~er) exaggeration; om påstående äv. overstatement; ytterlighet excess; *gå till ~* go too far, go to extremes; om person äv. carry things too far, overdo it; *man kan utan ~ säga att...* it is no exaggeration to say that...
överdriva *vb tr* o. *vb itr* (-drev, -drivit) exaggerate;

förstora äv. magnify; påstående, uppgift overstate; t.ex. en roll overdo, overact; *nu överdriver du allt!* i berättelse o.d. now you're exaggerating!, you're laying it on thick!
överdriven *adj* (-drivet, -drivna) exaggerated; som går till ytterlighet, om t.ex. anspråk excessive, extravagant, exorbitant; *~ känslighet* äv. hypersensitiveness; *överdrivet nit* over-zealousness; *överdrivet påstående* äv. overstatement
överdrivet *adv* exaggeratedly; excessively; jfr *överdriven*; *~ noga, artig* etc. too..., over-...; *~ frikostig* (*försiktig*) over-generous (over-cautious), generous (cautious) to a fault; *~ kritisk* hypercritical, over-critical; *~ nitisk* (*samvetsgrann*) over-zealous (over-scrupulous); *inte ~* över sig *vänlig* none too friendly, not over-friendly
överdåd *s* (~et, =) slöseri extravagance; lyx luxury
överdådig *adj* (~t) **1** slösande extravagant; lyxig, dyrbar luxurious, sumptuous **2** utmärkt, utsökt, se *ypperlig*
överdängare *s* (~n, =) vard. past master [*i* in (at)]; *han är en ~ i* matematik (tennis) he is an ace at...
överens *adv*, *vara ~* ense agree, be agreed [*om* on]; *komma ~ om ngt* agree (come to an agreement) on (about) sth; träffa en uppgörelse om come to terms about sth; fastställa arrange (settle) sth; *komma ~ om att träffas* agree to meet, make an appointment; *komma bra* (*dåligt*) *~ med ngn* get on well (not get on) with sb; *stämma ~* agree, be in accordance; passa ihop äv. tally, correspond [*med* i samtliga fall with]; *inte stämma ~* äv. disagree
överenskomma *vb itr* (-kom, -kommit), *de överenskomna villkoren* (*den överenskomna tiden*) the conditions (the time) agreed [up]on (fixed); *som överenskommet* as agreed; *såvida inte annat överenskommits* unless otherwise agreed upon; se äv. *komma överens* under *överens*
överenskommelse *s* (~n, ~r) agreement; arrangemang, settlement; tyst ~ tacit understanding; *träffa* [*en*] *~* reach (come to, arrive at) an agreement, agree; *enligt ~* by (according to, ekon. äv. as per) agreement, as agreed (arranged)
överensstämma *vb itr* (-stämde, -stämt) se *stämma* *överens* under *överens*
överensstämmelse *s* (~n, ~r) agreement; t.ex. i vittnesmål concordance; t.ex. i känslor conformity; motsvarighet correspondence; *~r* points of agreement (of correspondence); *i ~ med* enligt in accordance (compliance, conformity) with, according to
överexponera *vb tr* (~de, ~t) foto. overexpose
överexponering *s* (~en, ~ar) foto. overexposure
överfall *s* (~et, =) angrepp assault, attack
överfalla *vb tr* (-föll, -fallit) angripa assault, attack; *~ [och råna]* hold up; mörkret *överföll oss* we were overtaken by..., ...came over us
överfart *s* (~en, ~er) **1** överresa crossing; med båt äv. passage; *stormig ~* stormy (rough) crossing (passage) **2** viadukt flyover; amer. overpass
överflygla *vb tr* (~de, ~t) mil. outflank; bildl., överträffa surpass, exceed, [out]distance
överflygning *s* (~en, ~ar) overflight
överflöd *s* (~et) ymnighet abundance; starkare profusion; rikedom affluence; övermått superabundance, overabundance [*på* (*av*) i samtliga fall of]; *ha mat i ~* have an abundance of..., have plenty of..., have...in plenty; *finnas i ~* be

abundant, abound; om t.ex. blommor be in profusion; **leva i ~** live in [the lap of] luxury, be in clover
överflöda *vb itr* (~de, ~t) abound [*av* in (with)]; **~nde** riklig abundant, profuse, affluent; yppig, frodig luxuriant, exuberant
överflödig *adj* (~t) superfluous, redundant; onödig äv. unnecessary, needless; **göra ~** render superfluous, make unnecessary; **känna sig ~** feel unwanted; **det är ~t att säga att vi...** vanl. needless to say, we...; **stryk det ~a** i formulär vanl. strike out the words that do not apply
överflödssamhälle *s* (~t, ~n), **~t** the Affluent Society
överfull *adj* (~t) overfull; pred. äv. too full; packad crammed; bräddfull brimful; om lokal, tåg o.d. overcrowded, crammed
överfyllnad *s* (~en) repletion; på marknaden glut; jfr äv. *övermättnad*
överföra *vb tr* (-förde, -fört) **1** eg., se *föra över* under *föra IV 2* överflytta transfer, transmit; **~ en sjukdom** transmit a disease; **~ en sjukdom till ngn** give sb a disease; **i överförd bemärkelse** in a transferred (a figurative) sense **3** översätta translate (turn) [*till* into]
överförfriskad *adj* (-förfriskat, ~e) tipsy
överföring *s* (~en, ~ar) överflyttning transfer äv. av t.ex. pengar, transference äv. tekn.; t.ex. av varor, trupper conveyance, transport; t.ex. radio. el. elektr. transmission
överförmyndare *s* (~n, =) chief guardian
överförtjust *adj* (=) delighted; overjoyed, in raptures båda endast pred.
överge *vb tr* (-gav, -gett el. -givit) abandon; svika äv. desert, throw...over, run (walk) out on; lämna äv. leave, forsake; ge upp äv. give up; **~ sin familj** vanl. leave (desert) one's family; **~ en teori** abandon (give up) a theory
övergiven *adj* (-givet, -givna) abandoned, deserted; lämnad forsaken; [**ensam och**] **~** forlorn
övergjuta *vb tr* (-göt, -gjutit) **1** täcka cover, coat **2** bildl. suffuse
överglänsa *vb tr* (-glänste, -glänst) bildl. outshine, eclipse; jfr äv. *överträffa*
övergredera *vb tr* (~de, ~t) aggrefy
övergrepp *s* (~et, =) **1** intrång encroachment; fysiskt våld assault; **~** pl. grymheter acts of cruelty; **sexuellt ~** sexual assault **2** oförrätt injustice, wrong; **~** pl. unfair treatment, abuse
övergripande *adj* (oböjl.) overall; allomfattande all-embracing, comprehensive; **~ planering** overall planning
övergå *vb tr* o. *vb itr* (-gick, -gått), **det ~r mitt förstånd** it passes (is above) my comprehension, it is beyond me; **det har ~tt till vana** it has grown into (become) a habit
övergående *adj* (oböjl.) som [snart] går över passing; tillfällig äv. temporary; kortvarig äv. ...of short duration, transient, transitory; **av ~ natur** of a temporary nature; obehagen **är av ~ natur** äv. ...will soon pass off
övergång *s* (~en, ~ar) (jfr *gå över* under *gå III*) **1** abstr.: eg. crossing [*över* of]; bildl.: omställning, skifte changeover; från ett tillstånd till ett annat transition; förändring change; omvändelse conversion äv. polit.; **~ till** t.ex. annat samtalsämne passing on to; t.ex. högertrafik change-over to; t.ex. fienden, annat parti going over to;

~ förbjuden! do not cross! **2** övergångsställe: vid järnväg o.d. crossing; för fotgängare [pedestrian] crossing; i Storbr. äv. zebra crossing; i USA äv. crosswalk
övergångsbestämmelse *s* (~n, ~r) provisional (temporary) regulation
övergångsperiod *s* (~en, ~er) transitional period
övergångsskede *s* (~t, ~n) o. **övergångsstadium** *s* (-stadiet, -stadier) transitional (transitory) stage, intermediate stage
övergångsställe *s* (~t, ~n) vid järnväg o.d. crossing; för fotgängare [pedestrian] crossing; i Storbr. äv. zebra crossing; i USA äv. crosswalk
övergångstid *s* (~en, ~er) transitional period, period (time) of transition
övergångsålder *s* (~n, -åldrar) klimakterium change of life, menopause, climacteric
övergöda *vb tr* (-gödde, -gött) göda för mycket overfeed, surfeit
övergödd *adj* (-gött) **1** fet overfed **2** **~a sjöar** eutrophicated seas
överhalning *s* (~en, ~ar) **1** fartygs krängning lurch; **göra en ~** lurch äv. om person, give a lurch **2** översyn el. reparation av fartyg overhaul **3** utskällning, **ge ngn en ~** give sb a good rating
överhand *s* (~en), **få** (**ta**) **~[en]** få övertaget get the upper hand [*över* of]; prevail [*över* over]; **få** (**ta**) **~[en]** [*över ngn*] om t.ex. rädsla, nyfikenhet get the better of sb; **låt inte trötteheten få** (**ta**) **~** ...get the better of you
överhet *s* (~en, ~er), **~en** the powers pl. that be, the authorities pl.
överhetsperson *s* (~en, ~er) person in authority; ämbetsman public officer
överhetta *vb tr* (~de, ~t) overheat äv. ekon., superheat
överhettning *s* (~en, ~ar) overheating äv. ekon., superheating
överhopa *vb tr* (~de, ~t), **~ ngn med** t.ex. gåvor heap (shower)...upon sb, heap (load) sb with...; **~d med arbete** overburdened with work; vard. up to the eyes (the ears) in work
överhoppad *adj* (-hoppat, ~e), **bli ~** a) om ord o.d. be omitted (left out, missed out) b) vid befordran o.d. be passed over
överhud *s* (~en) anat. epidermis
överhuset *s* (best. sing.) i Storbr. the House of Lords
1 överhuvud *s* (~et, ~en el. =) head; ledare chief
2 överhuvud *adv* se *överhuvudtaget*
överhuvudtaget *adv* o. **över huvud taget** *adv* i jakande sats, allm. on the whole; i nekande, frågande el. villkorlig sats at all; **det är ~ svårt att** avgöra om on the whole it is difficult to...; **om han ~ kommer** if he comes at all; **om det ~ är möjligt** if [it is] at all possible
överhäng *s* (~et, =) overhang äv. sjö. el. ekon.
överhängande *adj* (oböjl.) **1** nära förestående, hotande impending; spec. om fara äv. imminent, immediate; **vid ~ fara** in an (in case of) emergency **2** brådskande, pressande urgent
överhöghet *s* (~en, ~er) supremacy, sovereignty
överhölja *vb tr* (-höljde, -höljt) bildl., **~ ngn med** t.ex. beröm heap (shower)...upon sb, heap sb with...
överila *vb rfl* (~de, ~t), **~ sig** förhasta sig act rashly (without thinking)
överilad *adj* (-ilat, ~e) förhastad rash, hasty; **gör inget**

överilat! don't do anything rash!, think before you act!

överinlärning *s* (~en, ~ar) ped. overlearning

överinseende *s* (~t) supervision, superintendence

överjag *s* (~et) psykol. superego

överjordisk *adj* (~t) himmelsk unearthly, celestial; översinnlig ethereal; gudomlig divine; *~ skönhet* divine (ethereal) beauty

överkant *s* (~en, ~er) eg. upper edge (side); *[tilltagen] i ~* för stor rather on the large (big) side; för lång rather on the long side; för hög, äv. om t.ex. siffra, pris rather on the high side, too large etc. if anything; *ta till i ~* överdriva overstate the (one's) case, stretch a point

överkast *s* (~et, =) säng~ bedspread

överklaga *vb tr* (~de, ~t) beslut, domslut appeal against; tävlingsjuryns beslut *kan inte ~s* ...is final

överklagande *s* (~t, ~n) appeal [*av* dom o.d. against...]

överklass *s* (~en, ~er) upper class; *~en* the upper classes pl.; vard. the upper crust

överkokt *adj* (=) overcooked

överkomlig *adj* (~t) om hinder surmountable; om pris reasonable, moderate

överkommando *s* (~t, ~n) se *överbefäl*

överkorsad *adj* (-korsat, ~e) attr. crossed-out; *den är ~* it has been crossed out

överkropp *s* (~en, ~ar) upper part of the body; *med bar ~* stripped to the waist

överkucku *s* (~n, ~ar) vard. top dog

överkultiverad *adj* (-kultiverat, ~e) over-refined

överkurs *s* (~en, ~er) **1** ekon. premium; *till ~* at a premium **2** skol., ung. extra (supplementary) study

överkvalificerad *adj* (-kvalificerat, ~e) overqualified, too qualified

överkäke *s* (~n, -käkar) upper jaw

överkäksben *s* (~et, =) upper jawbone

överkänslig *adj* (~t) hypersensitive, oversensitive; allergisk allergic [*för* to]

överkörd *adj* (-kört) **1** eg., *bli ~* be (get) run over; *få benet överkört* have one's leg run over **2** bildl., *han blev ~ i* diskussionen he was steamrollered (brushed aside, completely disregarded)...

överlagd *adj* (-lagt) uppsåtlig premeditated; *överlagt mord* premeditated (wilful) murder; *noga ~* övertänkt well thought out (over)

överlakan *s* (~et, =) top sheet

överlappa *vb tr* o. *vb itr* (~de, ~t) overlap

överlappning *s* (~en, ~ar) overlapping

överlasta *vb tr* (~de, ~t) overload, overburden; *~ minnet* overburden one's memory

överlastad *adj* (-lastat, ~e) overloaded, overburdened; *~ med arbete* overburdened (overwhelmed) with work; *ett överlastat* alltför utsmyckat *rum* a room overburdened with ornaments

överleva *vb tr* o. *vb itr* (-levde, -levt) survive; tr. äv. outlive; *han kommer inte att ~ natten* he won't live through the night; *~ sig själv* bli inaktuell outlive its day, become out of date (antiquated)

överlevande *adj* (oböjl.) surviving; *de ~* [*från jordbävningen*] the survivors [of the earthquake], those that survived [the earthquake]

överlevare *s* (~n, =) survivor

överlevnad *s* (~en) survival

överlevnadsförmåga *s* (~n) ability to survive

överlevnadsinstinkt *s* (~en, ~er) instinct for survival

överlevnadskurs *s* (~en, ~er) survival course

överliggare *s* (~n, =) **1** univ. perpetual student **2** byggn.: över dörr lintel; över fönster perpend

överlista *vb tr* (~de, ~t) outwit, dupe

överljudshastighet *s* (~en, ~er) supersonic speed

överljudsplan *s* (~et, =) supersonic aircraft (plane)

överloppsenergi *s* (~n) surplus energy

överloppsgärning *s* (~en, ~ar), *det vore en ~ att göra det* it would be quite unnecessary (superfluous) to do it

överlupen *adj* (-lupet, -lupna) **1** se *överhopad* under *överhopa* **2** övervuxen, *~ av (med)* mossa overgrown (covered) with...

överlycklig *adj* (~t) extremely happy, overjoyed endast pred., ...over the moon

överlåta *vb tr* (-lät, -låtit) **1** överföra transfer, make over; jur.: egendom äv. convey, assign; delegera delegate [*ngt till (åt, på) ngn* sth to sb]; *biljetten får inte ~s* the ticket is not transferable **2** hänskjuta leave [*ngt åt ngn* sth in sb's hands]; *jag överlåter åt dig att* + inf. I leave it to you to + inf.

överlåtelse *s* (~n, ~r) transfer, delegation [*på (till)* to]; jur. äv. conveyance, assignment

överlåtelsehandling *s* (~en, ~ar) deed (instrument) of transfer (conveyance, assignment)

överläge *s* (~t, ~n) bildl. advantage, superior (advantageous) position; *vara i ~* be in a strong (an advantageous) position; sport. be doing well

överlägga *vb itr* (-lade, -lagt) confer [*med* ngn *om* with...on (about)]; deliberate; *~ om* diskutera äv. discuss, debate; *~ med sig själv* debate with oneself (in one's mind)

överläggning *s* (~en, ~ar) deliberation; diskussion äv. discussion, debate; *~ar* samtal talks

överlägsen *adj* (-lägset, -lägsna) superior [*ngn* to sb]; utmärkt äv. excellent, eminent; högdragen, om min, sätt vanl. supercilious; *han är mig ~* he is my superior, he is more than a match for me; *denna metod är ~* de flesta andra this method is superior to...; *~ seger* easy (runaway) victory; *~ till antalet* superior in numbers, numerically superior

överlägsenhet *s* (~en) superiority [*över* to]; ledarställning äv. supremacy [*över* over]; förträfflighet excellence; högdragenhet superciliousness; *känsla av ~* feeling of superiority

överläkare *s* (~n, =) avdelningschef chief (senior) physician (kirurg surgeon); ibland consultant; sjukhuschef medical superintendent

överlämna I *vb tr* (~de, ~t) avlämna deliver [up (over)]; framlämna hand...over; räcka pass[...over]; skänka, förära present; ge upp, t.ex. ett fort deliver [up], surrender, give...up; hänskjuta, överlåta leave; jfr ex.; *~ ett brev (ett meddelande)* deliver a letter (a message) [*till ngn* to sb]; *~ en gåva(blommor) till ngn* present sb with..., present...to sb; *~ ngn (ngt) i ngns vård* leave...in (commit...to) sb's charge, entrust...to sb (sb with...); *den saken ~r jag åt dig* I leave that to you **II** *vb rfl* (~de, ~t), *~ sig till fienden* surrender (give oneself up) to the enemy

överlämnande *s* (~t, ~n) vanl. delivery; t.ex. av en gåva presentation; uppgivande surrender; delivering etc., jfr *överlämna*

överläpp *s* (~en, ~ar) upper lip

överlöpare *s* (~n, =) deserter; polit. defector, renegade

övermaga *adj* (oböjl.) förmäten presumptuous

övermakt *s* (~en) överlägsenhet superiority; i stridskrafter superiority in forces, superior force; övertag, övervikt predominance; *kämpa mot ~en* fight against [heavy (great)] odds; *vika för ~en* yield (give way) to superior force (numbers)

överman *s* (~nen, -män) superior; *finna sin ~* meet (find) one's match

övermanna *vb tr* (~de, ~t) overpower; *tröttheten ~de honom* äv. he was overcome by fatigue

övermod *s* (~et) förmätenhet presumption, insolent pride, arrogance; våghalsighet recklessness

övermodig *adj* (~t) förmäten presumptuous, overbearing, arrogant; våghalsig reckless

övermogen *adj* (-moget, -mogna) overripe

övermorgon *s* (oböjl.), *i ~* the day after tomorrow

övermått *s* (~et) bildl. excess; överflöd äv. exuberance, superfluity; *ett ~ av* kraft an excess of...; *i ~* to excess

övermåttan *adv* t.ex. rolig extremely; t.ex. arg äv. ...beyond measure; t.ex. äta, dricka ...excessively; *roa sig ~* amuse oneself no end

övermäktig *adj* (~t) om t.ex. motståndare superior; smärtan *blev henne ~* ...became too much for her

övermänniska *s* (~n, -människor) superman

övermänsklig *adj* (~t) superhuman

övermätt *adj* (=) surfeited; bildl. äv. satiated [*på* i båda fallen with]

övermätta *vb tr* (~de, ~t) surfeit; bildl. äv. satiate; kem. supersaturate

övermättnad *s* (~en) surfeit; leda satiety

övernationell *adj* (~t) supranational

övernatta *vb itr* (~de, ~t) stay overnight, stay (spend) the night, put up for the night

övernattning *s* (~en, ~ar) natt night; möjlighet till nattlogi [sleeping] accommodation

övernaturlig *adj* (~t) supernatural; *i ~ storlek* larger than life

övernog *adv* more than enough; *nog och ~* enough and to spare

överord *s pl* (~et, =) överdrift exaggeration; skryt boasting, bragging (samtliga endast sg.); *det är inga ~* that's no exaggeration, that's an understatement

överordnad I *adj* (-ordnat, ~e) superior [*ngn (ngt)* to sb (sth)]; *~ myndighet* äv. controlling authority; *~ sats* språkv. principal (superordinate) clause; *i ~ ansvarig ställning* in a superior (responsible) position **II** *s* (en ~, pl. ~e) superior; *han är min ~e* äv. he is above me, he's my boss; *hans ~e* pl. his superiors, those above him

överplats *s* (~en, ~er) i sovkupé, hytt upper berth (brits bunk)

överpris *s* (~et, = el. ~er) excessive (exorbitant) price; *vi fick betala ~ för* äggen we were overcharged for...; *sälja* ngt *till ~* overcharge for..., sell...above value

överproduktion *s* (~en) overproduction

överraska *vb tr* (~de, ~t) surprise; överrumpla äv. take...unawares (by surprise); obehagligt startle; *~ ngn med att stjäla* surprise (catch) sb in the act of stealing; *~ ngn med* blommor give sb...as a surprise, surprise sb with...; *~ [ngn] med ett besök* pay a surprise visit [to sb]; *~s av regnet* be caught in the rain; *glatt ~d* pleasantly surprised [*över* at (about)]

överraskande I *adj* (oböjl.) surprising; oväntad äv. unexpected, sudden **II** *adv* surprisingly etc., jfr *överraskande I*

överraskning *s* (~en, ~ar) surprise; *glad (obehaglig) ~* pleasant (unpleasant) surprise; *det kom som en ~ för mig* it came as (was) a surprise to me, it took me by surprise; *till min stora ~* much to my surprise, to my great surprise

överreagera *vb itr* (~de, ~t) overreact

överreklamerad *adj* (-reklamerat, ~e) överskattad overrated

överrepresenterad *adj* (-representerat, ~e) overrepresented

överresa *s* (~n, -resor) crossing; med båt äv. voyage, passage

överrock *s* (~en, ~ar) overcoat

överrumpla *vb tr* (~de, ~t) surprise, take...by surprise båda äv. mil.; *~ ngn* äv. take sb unawares, catch sb napping (off his guard); *låta sig ~[s]* be caught napping, be off one's guard

överrumpling *s* (~en) surprise; mil. äv. surprise attack

överräcka *vb tr* (-räckte, -räckt) hand [over]; skänka, förära present; jfr äv. *överlämna*

överrätt *s* (~en) jur. superior (higher) court [of justice]

överrösta *vb tr* (~de, ~t), oväsendet *~de honom (musiken)* ...drowned his voice (the music); *han ~de* oväsendet he made himself heard above..., he (his voice) was heard above...; *~ ngn* skrika högre än shout louder than sb

övers *s* (oböjl.), *ha tid (pengar) till ~* have spare time (money); *har du* en tia *till ~?* have you [got]...to spare?; *jag har ingenting till ~ för* sådana människor (böcker) I've got no time for..., I can't be bothered with...

överse *vb itr* (-såg, -sett), *~ med* ngt overlook..., be indulgent with...; se genom fingrarna med wink (connive) at...

överseende I *adj* (oböjl.) indulgent [*mot* towards] **II** *s* (~t) indulgence [*med* with]; *ha ~ med* ngn (ngt) be indulgent towards..., overlook..., ursäkta ngn excuse...

översida *s* (~n, -sidor) top side, upper side; *på ~n* on top

översiggiven *adj* (-givet, -givna), *vara [alldeles] ~* be in utter despair [*över (för)* ngt about (at) sth]

översikt *s* (~en, ~er) survey; sammanfattning outline, summary [*över (av)* i samtliga fall of]; *en ~ över* svensk historia an outline of...

översiktskarta *s* (~n, -kartor) key map, general map

översinnlig *adj* (~t) supersensual, transcendental; andlig spiritual

översittare *s* (~n, =) bully; *spela ~* bully, play the bully

översittarfasoner *s pl* bullying (overbearing) attitude sg. (ways)

översitteri *s* (~et) bullying; överlägset sätt bullying (overbearing) manner

överskatta *vb tr* (~de, ~t) overrate, overestimate; ibland think too much (highly) of; *man ska inte ~ värdet av* ...exaggerate the value of

överskattning *s* (~en, ~ar) overrating, overestimation; överdrift exaggeration

överskjutande *adj* (oböjl.) **1** ytterligare, *~ belopp*

surplus (excess) amount, surplus, excess
2 utskjutande, om t.ex. del, klippa projecting
överskott s (~et, =) surplus; överskjutande mängd äv.
excess; ekon., vinst äv. profit; *ett ~ av* energi (livsmedel)
a surplus of...
överskottslager s (-lagret, =) surplus stock
överskrida vb tr (-skred -skridit) eg., t.ex. gräns cross;
bildl.: t.ex. sina befogenheter exceed, overstep, go
beyond; konto overdraw; *~ tiden* run over the time
överskrift s (~en, ~er) till artikel o.d. heading, caption;
till dikt o.d. title; i brev [form of] address
överskruv s (~en, ~ar) i tennis o.d. topspin, overspin
överskugga vb tr (~de, ~t) overshadow äv. bildl.; *det*
allt ~nde problemet är... the overriding problem
is...
överskyla vb tr (-skylde, -skylt) cover [up]; dölja
disguise, conceal; mildra, släta över gloss over,
palliate
överskåda vb tr (~de, ~t) bildl. take in; *~ hela*
situationen take in (survey) the whole situation
överskådlig adj (~t) klar och redig clear, lucid; lättfattlig
...easy to grasp; väldisponerad well-arranged; *inom ~*
framtid in the foreseeable future
överskådlighet s (~en) t.ex. framställningens clearness,
lucidity
överskåp s (~et, =) top (upper) cupboard
överslag s (~et, =) **1** förhandsberäkning [rough]
estimate, [rough] calculation [*över* of]; *göra ett ~*
över kostnaderna äv. estimate (calculate)...[roughly]
2 elektr. flash-over
överslätande adj (oböjl.), *vara ~* försöka släta över try to
smooth things over, try to be tactful; *säga något ~*
say something to smooth things (gloss the matter)
over
översnöad adj (-snöat, ~e) ...[that is (was etc.)]
snowed in, ...covered with snow
överspelad adj (-spelat, ~e) sport. outplayed; *det är*
överspelat bildl. it's a thing of the past, it's had its
day
överspänd adj (-spänt) overstrung, highly-strung...
överspändhet s (~en) overstrung state
överst adv uppermost; on top; *~ på sidan* at the top
of the page; *stå ~ på listan* head (be at the head of)
the list; ta skjortan som ligger *~ [i byrålådan]* ...at the
top [of the drawer]; lägg de bästa exemplaren ~ ...on
top
översta adj (best. superlativ), *[den] ~ hyllan* (våningen)
the top...; av två the upper...; *de ~ grenarna* (klasserna,
luftlagren) the upper...; *den allra ~ grenen* (hyllan) the
topmost (uppermost)...; *~ delen* the top (resp.
upper) part
överstatlig adj (~t) supranational
överste s (~n, överstar) colonel; inom flyget i Storbr.
group captain, högre (av första graden): inom armén
brigadier, inom flyget air commodore; i USA i båda
fallen brigadier general
överstelöjtnant s (~en, ~er) lieutenant colonel; inom
flyget i Storbr. wing commander; ibland motsv. *överste*
överstepräst s (~en, ~er) high (chief) priest
överstiga vb tr (-steg, -stigit) exceed, go (be) beyond
(above); *tillgången överstiger efterfrågan* [the]
supply exceeds [the] demand; *det överstiger min*
förmåga it is beyond my powers (ability); belopp *ej*
~nde 500 kronor ...not exceeding (not above) 500
kronor

överstimulerad adj (-stimulerat, ~e) overstimulated
överstrykning s (~en, ~ar) cancellation,
crossing-out, deletion
överstycke s (~t, ~n) allm. top, top (upper) piece;
dörr~, fönster~ lintel
överstyr adv, gå ~ om t.ex. vagn overturn, topple over;
om t.ex. firma go on the rocks; om t.ex. planer come to
nothing
överstyrd adj (-styrt) om t.ex. bil oversteered
överstyrelse s (~n, ~r) [national] board, [national]
agency
överstånden adj (-ståndet, -ståndna), *en ~ operation* a
completed operation; *ett överståndet stadium* a
thing of the past; *det värsta är överståndet* the worst
is over; *skönt att det är överståndet!* I'm glad that's
over [and done with]!
överstämma s (~n, -stämmor) mus. upper part
överstämplad adj (-stämplat, ~e) om frimärke o.d.
overprinted
överstökad adj (-stökat, ~e) ...[that is (was etc.)]
over (and done with)
översvallande adj (oböjl.) om t.ex. beröm exuberant; om
person, överdrivet älskvärd effusive, gushing; *~*
entusiasm unbounded (overwhelming) enthusiasm;
~ glädje transports pl. of joy, rapturous delight; *~*
tacksamhet profuse gratitude; *~ vänlighet*
overflowing kindness
översvämma vb tr (~de, ~t) flood, inundate båda äv.
bildl.; sätta under vatten äv. submerge; *~ marknaden*
flood (glut) the market; stora områden *är ~de* (*har ~ts*)
...are flooded (have been flooded); *~s av*
ansökningar be flooded with...
översvämning s (~en, ~ar) flood; översvämmande
flooding, inundation, submersion
översyn s (~en, ~er) overhaul; *ge bilen en ~* give...an
overhaul, overhaul...
översynt adj (=) long-sighted; vetensk.
hypermetropic
översålla vb tr (~de, ~t) strew, cover [*med* with]; *~d*
äv. studded; med ngt glittrande äv. spangled; med t.ex.
blommor äv. starred
översåtar s pl iron. authorities
översända vb tr (-sände, -sänt) sända send; pengar o.d.
(per post) remit
översätta vb tr (-satte, -satt) translate [*från* from;
till into]; återge render
översättare s (~n, =) translator
översättning s (~en, ~ar) translation [*från* from; *till*
into]; något översatt, version äv. version; återgivning
rendering; *göra en trogen ~* make a close (faithful)
translation; *i ~ av* N.N. translated by...
översättningsbyrå s (~n, ~er) o.
översättningsföretag s (~et, =) translation service
(agency, bureau)
översättningslån s (~et, =) språkv. loan translation,
calque
överta vb tr (-tog, -tagit) take over; t.ex. praktik, affär
(efter ngn) succeed to; *~ ledningen [av]* take charge
(command) [of]; *~ makten* come into power, take
control, take over
övertag s (~et, =) bildl. advantage [*över* over]; *få ~et*
över ngn get the better of sb; *ha ~et* i t.ex. debatt, strid
äv. have the best of it; se äv. *överhand*
övertaga vb tr (-tog, -tagit) se *överta*

övertagande *s* (~t, ~n) takeover, taking over; ~ *av* *makten* regeringsmakten, äv. assumption of power

övertala *vb tr* (~de, ~t) persuade; förmå äv. prevail upon, induce [*ngn att* + inf. sb to + inf.]; ~ *ngn att* + inf. äv. persuade (talk) sb into + ing-form; *låta* ~ *sig* [*att* + inf.] be persuaded [into + ing-form]

övertalig *adj* (~t) ...too many in number; överbemannad ...above strength; överflödig supernumerary, redundant; ~*a exemplar* spare (surplus, extra) copies

övertalning *s* (~en, ~ar) persuasion

övertalningsförmåga *s* (~n) persuasive powers pl., powers pl. of persuasion, persuasiveness

övertalningsförsök *s* (~et, =) attempt at persuasion

överteckning *s* (~en) av t.ex. lån, lista oversubscription

övertid *s* (~en) overtime; *arbeta* [*på*] ~ work overtime

övertidsarbete *s* (~t) overtime work

övertidsblockad *s* (~en, ~er) förbud overtime ban

övertidsersättning *s* (~en, ~ar) overtime pay (payment, compensation)

övertolka *vb tr* (~de, ~t) over-interpret

överton *s* (~en, ~er) mus. el. bildl. overtone

övertramp *s* (~et, =) regelbrott o.d. violation, contravention, infringement; *göra* ~ a) sport. overstep the takeoff (the mark äv. bildl.) b) bryta mot reglerna (lagen) violate (contravene) the rules (the law)

övertrassera *vb tr* (~de, ~t) bank. overdraw

övertrassering *s* (~en, ~ar) bank. overdraft

övertro *s* (~n) blind tro blind faith; vidskepelse superstition [*på* in]; ~ *på* den egna förmågan (penningens makt) overconfidence in...

övertrumfa *vb tr* (~de, ~t) kortsp. overtrump; bildl. go one better than, outdo

övertryck *s* (~et) **1** fys. overpressure, excess pressure; över atmosfärtrycket pressure above that of the atmosphere **2** påtryck, överstämpling overprint

överträda *vb tr* (-trädde, -trätt) transgress; bryta mot äv. break, infringe; kränka violate

överträdelse *s* (~n, ~r) transgression; brott mot ngt breach, infringement; kränkning violation, trespass äv. teol.; ~ *beivras* offenders (vid förbud att beträda område trespassers) will be prosecuted

överträffa *vb tr* (~de, ~t) surpass, exceed; ngn äv. excel; vara överlägsen äv. be superior [*ngn* to sb]; besegra outdo; vard. beat; ~ *ngn i ngt* surpass sb in sth; ~ *sig själv* surpass (excel) oneself; ~ *allt* surpass (vard. beat) everything, be unsurpassed (unrivalled)

övertydlig *adj* (~t) over-explicit

övertyga *vb tr* (~de, ~t) (jfr äv. *övertygad*); convince [*ngn om ngt* sb of sth]; ~ *ngn om att han har...* convince sb that he has...; *svaret* ~*r inte* the answer is not convincing; ~ *sig om ngt* make sure of sth, ascertain sth

övertygad *adj* (-tygat, ~e) **1** säker, *vara* ~ *om att* sats (*om ngt*) be sure (convinced) that sats (of sth); *ni kan vara* ~ *om att...* you may rest assured that... **2** trosviss, *en* ~ *socialist* a convinced (dedicated) socialist; *en* ~ *katolik* a devout Catholic

övertygande *adj* (oböjl.) convincing; med ord äv. persuasive; *verka* ~ äv. carry conviction

övertygelse *s* (~n, ~r) conviction; *av* ~ by conviction; *handla efter sin* ~ act up to one's

convictions; *i den* [*fasta*] ~*n att* in the [full (firm)] conviction that, [firmly] convinced that

övertäckt *adj* (=) allm. covered; försedd med tak äv. roofed; om båt decked-in

övertänd *adj* (-tänt), byggnaden *var* [*helt*] ~ ...was [all] in flames

övertänkt *adj* (=), *ett väl* ~ *svar* a well-considered answer

övervaka *vb tr* (~de, ~t) ha tillsyn (uppsikt) över supervise, superintend; bevaka watch over; ~ *se till att...* see [to it] that..., take care that...

övervakare *s* (~n, =) supervisor; jur. probation officer

övervakning *s* (~en, ~ar) supervision, superintendence; jur. probation; *stå* (*ställas*) *under* ~ be (be put) on probation

övervakningskamera *s* (~n, -kameror) surveillance camera; system med kameror CCTV (förk. för closed circuit television)

övervara *vb tr* (~de, ~t el. -varit) attend, be present at

övervikt *s* (~en) **1** eg. overweight; bagage~ äv. excess luggage (baggage); med., hos person obesity; *betala* ~ pay [an] excess luggage charge; patienten *har* (*lider av*) ~ ...is overweight, ...is obese **2** bildl. predominance, preponderance, advantage; *ha* (*få*) ~[*en*] äv. predominate, preponderate; *med tio rösters* ~ with (by) a majority of ten

överviktig *adj* (~t) overweight

övervinna *vb tr* (-vann, -vunnit) overcome; besegra äv. conquer, vanquish, get the better of; komma över äv. surmount, get over; ~ *en svårighet* overcome (surmount) a difficulty

övervintra *vb itr* (~de, ~t) overwinter, pass the winter; ligga i ide hibernate

övervuxen *adj* (-vuxet, -vuxna) overgrown; ~ *med* t.ex. ogräs äv. overrun with...

övervåld *s* (~et) outrage; jur. assault; *bli utsatt för* ~ be assaulted

övervåning *s* (~en, ~ar) upper floor (storey, amer. story), floor above

1 överväga *vb tr* (-vägde, -vägt) betänka, ta i betraktande consider; begrunda reflect [up]on; överlägga med sig själv om deliberate, turn...over in one's mind; ha planer på contemplate; *han överväger att* emigrera he is contemplating (considering) + ing-form

2 överväga *vb tr* o. *vb itr* (-vägde, -vägt), ja-rösterna *överväger* ...are in the majority; *fördelarna överväger* [*nackdelarna*] the advantages outweigh the disadvantages

1 övervägande *s* (~t, ~n) consideration; *efter moget* ~ after careful consideration (inre överläggning äv. long deliberation); *ta ngt under* ~ take sth into consideration, consider sth

2 övervägande I *adj* (oböjl.) förhärskande predominant; *den* ~ *delen av* the greater part of; flertalet the [great] majority of; *till* ~ *del* mainly, chiefly **II** *adv* huvudsakligen mainly, chiefly; ~ *vackert* i väderrapport mainly (mostly) fair

överväldiga *vb tr* (~de, ~t) overwhelm, overpower båda äv. bildl.; *han* ~*des av rörelse* he was overcome by emotion; *jag är* ~*d!* I am overwhelmed!, it is too much [for me]!

överväldigande *adj* (oböjl.) overwhelming; *en* ~ *majoritet* an overwhelming (a crushing) majority

övervärdera *vb tr* (~de, ~t) overvalue; överskatta overestimate; **huset är ~t** the house is overvalued

övervärme *s* (~n) kok. top heat, heat from above

överväxel *s* (~n, -växlar) bil. overdrive

överårig *adj* (~t) över pensionsålder superannuated; friare äv. too old; över en viss maximiålder over age, ...above the age limit (prescribed age)

överända *adv* se *över ända* under *ända I 1*

överösa *vb tr* (-öste, -öst), ~ **ngn med** gåvor (ovett) shower (heap)...upon sb

övlig *adj* (~t) litt. el. iron., bruklig usual, customary; **på ~t sätt** in the usual manner

övning *s* (~en, ~ar) **1** utövande o. praktik, vana practice; träning training; ~ **i att** dansa, räkna practice in + ing-form; ~ **ger färdighet** practice makes perfect; **jag saknar** ~ har inte övat på länge I am out of practice **2** enstaka ~, uppgift exercise

övningsbil *s* (~en, ~ar) driving-school car; i Storbr. motsv. learner car; som skylt Learner (förk. L)

övningsbok *s* (~en, -böcker) exercise book

övningsexempel *s* (-exemplet, =) uppgift exercise; matem. o.d. problem

övningsförare *s* (~n, =) bil. learner driver

övningshäfte *s* (~t, ~n) exercise book

övningsköra *vb itr* (-körde, -kört) practise (amer. practice) driving

övningskörning *s* (~en) driving practice, driving a learner car; skylt Learner (förk. L)

övningskörningsskylt *s* (~en, ~ar) Learner plate, L plate

övningsuppgift *s* (~en, ~er) exercise

övningsämne *s* (~t, ~n) skol. practical subject

övre *adj* (komparativ) upper; översta äv. top endast attr.; **i** ~ **vänstra hörnet** (på boksida o.d.) in the top (upper) left-hand corner; ~ **ändan** av bordet äv. the head...

övrig *adj* (~t) **1** återstående remaining endast attr.; annan other; ~**a frågor** (**ärenden**) i t.ex. dagordning any other business; **allt ~t** everything else; **de** (**det**) ~**a** se under *övrig 2*; **de** ~**a fyra** the other (the remaining) four, the four others; [**det**] ~**a Europa** the rest of Europe; hans uppförande **lämnar mycket ~t att önska** ...leaves a great deal to be desired; **för ~t** a) dessutom besides, moreover b) i förbigående sagt incidentally, by the way c) annars otherwise; i andra avseenden in other respects; vad det ~a angår as to (for) the rest; **han var för ~t här i går** he was here yesterday, by the way; incidentally, he was here yesterday; lite trött, **men för ~t vid god hälsa** ...but otherwise quite well; **i ~t** har jag inget att tillägga as to (for) the rest... **2** subst. adj., **de** ~**a** the others, the rest (remainder) sg.; **det** ~**a** the rest (remainder), what is left

övärld *s* (~en, ~ar) arkipelag, skärgård archipelago (pl. -s); poet. island world

Appendix

Engelska oregelbundna verb 2

Mått och vikt 8

Temperatur 8

Tecken och symboler 9

Kläd- och skostorlekar 10

Engelska oregelbundna verb

INFINITIV	IMPERFEKT	PERFEKT PARTICIP
abide	abode, abided	abode, abided
arise	arose	arisen
awake	awoke	awoken
be (I am; you are; he, she, it is; pl. are)	was (you were; pl. were)	been
bear	bore	borne; born ('född')
beat	beat	beaten
become	became	become
befall	befell	befallen
beget	begot	begotten
begin	began	begun
behold	beheld	beheld
bend	bent	bent
beseech	besought	besought
bet	bet	bet
bid ('bjuda', 'befalla')	bade, bid	bidden, bid
bid ('bjuda på auktion')	bid	bid
bind	bound	bound
bite	bit	bitten
bleed	bled	bled
blow	blew	blown
break	broke	broken
breed	bred	bred
bring	brought	brought
broadcast	broadcast	broadcast
build	built	built
burn	burnt, burned	burnt, burned
burst	burst	burst
bust	bust, busted	bust, busted
buy	bought	bought
cast	cast	cast
catch	caught	caught
choose	chose	chosen
cleave	cleft, cleaved, clove	cleft, cleaved, cloven
cling	clung	clung
clothe	clothed (poet. clad)	clothed (poet. clad)
come	came	come
cost	cost	cost
creep	crept	crept
crow	crowed, crew	crowed

2

INFINITIV	IMPERFEKT	PERFEKT PARTICIP
cut	cut	cut
deal	dealt	dealt
dig	dug	dug
dive	dived (amer. äv. dove)	dived
do (he, she, it does)	did	done
draw	drew	drawn
dream	dreamt, dreamed	dreamt, dreamed
drink	drank	drunk
drive	drove	driven
dwell	dwelt, dwelled	dwelt, dwelled
eat	ate	eaten
fall	fell	fallen
feed	fed	fed
feel	felt	felt
fight	fought	fought
find	found	found
flee	fled	fled
fling	flung	flung
fly	flew	flown
forbear	forbore	forborne
forbid	forbade	forbidden
forecast	forecast, forecasted	forecast, forecasted
foresee	foresaw	foreseen
foretell	foretold	foretold
forget	forgot	forgotten
forgive	forgave	forgiven
forsake	forsook	forsaken
freeze	froze	frozen
get	got	got (amer. äv. gotten i vissa bet., t.ex.'fått', 'kommit')
give	gave	given
go (he, she, it goes)	went	gone
grind	ground	ground
grow	grew	grown
hang (i bet. 'avliva genom hängning' vanl. regelbundet)	hung	hung
have (he, she, it has)	had	had
hear	heard	heard
hew	hewed	hewed, hewn
hide	hid	hidden
hit	hit	hit
hold	held	held
hurt	hurt	hurt

INFINITIV	IMPERFEKT	PERFEKT PARTICIP
keep	kept	kept
kneel	knelt, kneeled	knelt, kneeled
knit	knitted, knit	knitted, knit
know	knew	known
lay	laid	laid
lead	led	led
lean	leaned (vanl. britt. leant)	leaned (vanl. britt. leant)
leap	leapt, leaped	leapt, leaped
learn	learned (vanl. britt. learnt)	learned (vanl. britt. learnt)
leave	left	left
lend	lent	lent
let	let	let
lie ('ligga')	lay	lain
light	lit, lighted	lit, lighted
lose	lost	lost
make	made	made
mean	meant	meant
meet	met	met
miscast	miscast	miscast
mishear	misheard	misheard
mislay	mislaid	mislaid
mislead	misled	misled
misspell	misspelled (vanl. britt. misspelt)	misspelled (vanl. britt. misspelt)
mistake	mistook	mistaken
misunderstand	misunderstood	misunderstood
mow	mowed	mown, mowed
outbid	outbid	outbid
outdo	outdid	outdone
outfight	outfought	outfought
outgrow	outgrew	outgrown
outrun	outran	outrun
outshine	outshone	outshone
overcome	overcame	overcome
overdo	overdid	overdone
overeat	overate	overeaten
override	overrode	overridden
overrun	overran	overrun
overtake	overtook	overtaken
overthrow	overthrew	overthrown
pay	paid	paid
put	put	put
quit	quitted, quit	quitted, quit

INFINITIV	IMPERFEKT	PERFEKT PARTICIP
read	read	read
rebuild	rebuilt	rebuilt
redo	redid	redone
remake	remade	remade
retell	retold	retold
rewrite	rewrote	rewritten
rid	rid	rid
ride	rode	ridden
ring	rang	rung
rise	rose	risen
run	ran	run
saw	sawed	sawn (vanl. amer. sawed)
say	said	said
see	saw	seen
seek	sought	sought
sell	sold	sold
send	sent	sent
set	set	set
sew	sewed	sewn, sewed
shake	shook	shaken
shear	sheared	shorn, sheared
shed	shed	shed
shine	shone	shone
shit	shit, shitted, shat	shit, shitted, shat
shoe	shod	shod
shoot	shot	shot
show	showed	shown
shrink	shrank	shrunk
shut	shut	shut
sing	sang	sung
sink	sank	sunk
sit	sat	sat
slay	slew	slain
sleep	slept	slept
slide	slid	slid
sling	slung	slung
slink	slunk	slunk
slit	slit	slit
smell	smelt, smelled	smelt, smelled
smite	smote	smitten
sow	sowed	sown, sowed
speak	spoke	spoken
speed ('skynda', 'ila')	sped, speeded	sped, speeded

INFINITIV	IMPERFEKT	PERFEKT PARTICIP
spell	spelled (vanl. britt. spelt)	spelled (vanl. britt. spelt)
spend	spent	spent
spill	spilt, spilled	spilt, spilled
spin	spun	spun
spit	spat	spat
split	split	split
spoil	spoilt, spoiled	spoilt, spoiled
spread	spread	spread
spring	sprang	sprung
stand	stood	stood
steal	stole	stolen
stick	stuck	stuck
sting	stung	stung
stink	stank, stunk	stunk
stride	strode	stridden
strike	struck	struck
string	strung	strung
strive	strove	striven
swear	swore	sworn
sweep	swept	swept
swell	swelled	swollen, swelled
swim	swam	swum
swing	swung	swung
take	took	taken
teach	taught	taught
tear	tore	torn
tell	told	told
think	thought	thought
throw	threw	thrown
thrust	thrust	thrust
tread	trod	trodden (ibl. trod)
underbid	underbid	underbid
undergo	underwent	undergone
understand	understood	understood
undertake	undertook	undertaken
undo	undid	undone
unmake	unmade	unmade
unwind	unwound	unwound
uphold	upheld	upheld
upset	upset	upset
wake	woke	woken
wear	wore	worn
weave ('väva')	wove	woven

INFINITIV	IMPERFEKT	PERFEKT PARTICIP
wed	wedded, wed	wedded, wed
weep	wept	wept
win	won	won
wind	wound	wound
withdraw	withdrew	withdrawn
withhold	withheld	withheld
withstand	withstood	withstood
wring	wrung	wrung
write	wrote	written

Mått och vikt

Längd

1 inch (in.)	=	2,54 cm
1 foot (ft.)	=	30,48 cm
1 yard (yd.)	=	0,914 m
1 mile (m.)	=	1 609 m

Yta

1 square inch (sq. in.)	=	6,45 cm^2
1 square foot (sq. ft.)	=	9,29 dm^2
1 square yard (sq. yd.)	=	0,84 m^2
1 acre	=	4 047 m^2
1 square mile (sq. m.)	=	2,6 km^2

Vikt

1 ounce (oz.)	=	28,35 g
1 pound (lb.)	=	0,454 kg
1 stone (st.)	=	6,35 kg
1 hundredweight (cwt.)	=	50,8 kg (*amer.* 45,4 kg)
1 ton (short, *amer.*)	=	907,2 kg
1 ton (long)	=	1 016 kg

Volym

1 pint (pt.)	=	0,568 l (*amer.* 0,473 l)
1 quart (qt.)	=	1,136 l (*amer.* 0,946 l)
1 gallon (gal.)	=	4,546 l (*amer.* 3,785 l)

Temperatur

	Celsius	Fahrenheit
Fryspunkt (Freezing point)	0 °C	32 °F
Kroppstemperatur (Body temperature)	37 °C	98,6 °F
Kokpunkt (Boiling point)	100 °C	212 °F

Tecken och symboler

	Svenska	**Engelska**
+	plustecken	plus sign
–	minustecken	minus sign
×	multiplikationstecken	multiplication sign
/	bråkstreck, divisionstecken	division sign
=	likhetstecken	equals sign
√	rottecken	radical sign
%	procent	per cent, percent
*	asterisk	asterisk
·	punkt (i lista)	bullet point
” ”	citationstecken, citattecken	quotation mark (i *pl. även* quotes)
( )	parentes	parenthesis, bracket
[ ]	hakparentes	square bracket
{ }	klammerparentes	braces
–	tankstreck	dash
\	bakstreck	backslash
_	understreck	underscore
&	et-tecken	ampersand
@	snabel-a	at sign
§	paragraftecken	section mark
✓	bock	tick (*amer.* check)
#	fyrkant	hash
€	euro	euro
£	pund	pound
$	dollar	dollar

Kläd- och skostorlekar

I Sverige, Storbritannien och USA används olika storlekssystem för kläder och skor. Uppställningarna nedan är endast avsedda som en vägledning eftersom storlekarna kan skilja sig något beroende på modeller och tillverkningsland.

Damstorlekar, kläder

	XS		S		M		L	
Sverige	32	34	36	38	40	42	44	46
GB	6	8	10	12	14	16	18	20
USA	2	4	6	8	10	12	14	16

Damstorlekar, skor

Sverige	36	37	38	39	40	41	42
GB	3–3,5	4–4,5	5–5,5	6–6,5	7–7,5	8–8,5	9–9,5
USA	5–5,5	6–6,5	7–7,5	8–8,5	9–9,5	10–10,5	11–11,5

Herrstorlekar, kläder (överdelar)

	S		M		L		XL	
Sverige	44	46	48	50	52	54	56	58
GB	34	36	38	40	42	44	46	48
USA	34	36	38	40	42	44	46	48

Herrstorlekar, skor

Sverige	40	41	42	43	44	45	46
GB	6	7	8	9	10	11	12
USA	7–7,5	8–8,5	9–9,5	10–10,5	11–11,5	12–12,5	13–13,5

Uttal

Vokaler

Långa		Korta	
[iː]	steel	[ɪ]	ring
		[e]	pen
		[æ]	back
[ɑː]	father	[ʌ]	run
[ɔː]	call	[ɒ]	top
[uː]	too	[ʊ]	put
[ɜː]	girl	[ə]	about

Diftonger

[eɪ]	name
[aɪ]	line
[ɔɪ]	boy
[əʊ]	phone
[aʊ]	now
[ɪə]	here
[eə]	there
[ʊə]	tour

Konsonanter

Tonande		Tonlösa	
[b]	back	[p]	people
[d]	drink	[t]	too
[g]	go	[k]	call
[v]	very	[f]	fish
[ð]	there	[θ]	think
[z]	freeze	[s]	strike
[ʒ]	usual	[ʃ]	shop
[dʒ]	job	[tʃ]	check
[j]	you		

[h]	here
[x]¹	loch

[m]	my
[n]	next
[ŋ]	ring
[l]	long
[r]	red
[w]	win

¹ *ach*-ljud i skotska ord
(som i tyska *machen*)

Betoning

Accenttecken står före den betonade stavelsen.
Tecken i överkant anger *huvudtryck*: **about** [ə'baʊt]

Tecken i nederkant anger *bitryck*: **academic** [ˌækə'demɪk]

Variantuttal som endast innebär *ändrade accentförhållanden* anges med accenttecken och bindestreck. Varje bindestreck representerar en stavelse: **benzene** ['benziːn, -'-]

Ljud som kan utelämnas i uttalet står inom rund parentes: **change** [tʃeɪn(d)ʒ]